Ouvrages édités par les DICTIONNAIRES LE ROBERT
107, avenue Parmentier, 75011 PARIS (France).

Dictionnaires de langue :

— *Grand Robert de la langue française* (deuxième édition).
  Dictionnaire alphabétique et analogique de la langue française (9 vol.).
  Une étude en profondeur de la langue française : 80 000 mots.
  Une anthologie littéraire de Villon à nos contemporains : 250 000 citations.

— *Petit Robert 1* [P.R.1].
  Dictionnaire alphabétique et analogique de la langue française
  (1 vol., 2 200 pages, 59 000 articles).
  Le classique pour la langue française : 8 dictionnaires en 1.

— *Robert méthodique* [R.M.].
  Dictionnaire méthodique du français actuel
  (1 vol., 1 650 pages, 34 300 mots et 1 730 éléments).
  Le seul dictionnaire alphabétique de la langue française qui analyse les mots
  et les regroupe par familles en décrivant leurs éléments.

— *Le Petit Robert des enfants* [P.R.E.].
  Dictionnaire de la langue française
  (1 vol., 1 220 pages, 16 500 mots, 80 planches encyclopédiques en couleurs).
  Le premier Robert à l'école.

— *Dictionnaire universel* d'Antoine Furetière
  (édition de 1690, préfacée par Bayle).
  Réédition anastatique (3 vol.), avec illustrations du XVIIᵉ siècle et index
  thématiques.
  Précédé d'une étude par Alain Rey :
  « Antoine Furetière, imagier de la culture classique ».
  Le premier grand dictionnaire français.

— *Le Robert des sports.*
  Dictionnaire de la langue des sports
  (1 vol., 580 pages, 2 780 articles, 78 illustrations et plans cotés),
  par Georges PETIOT.

Dictionnaires bilingues :

— *Le Robert et Collins.*
  Dictionnaire français-anglais/english-french
  (1 vol., 1 730 pages, 225 000 « unités de traduction »).

— *Le « Junior » Robert et Collins.*
  Dictionnaire français-anglais/english-french
  (1 vol., 960 pages, 105 000 « unités de traduction »).

— *Le « Cadet » Robert et Collins.*
  Dictionnaire français-anglais/english-french
  (1 vol., 620 pages, 60 000 « unités de traduction »).

— *Le Robert et Signorelli.*
  Dictionnaire français-italien/italiano-francese
  (2 vol., 3 040 pages, 339 000 « unités de traduction »).

— *Le Robert et van Dale.*
  Dictionnaire français-néerlandais/néerlandais-français
  (1 vol., 1 400 pages, 200 000 « unités de traduction »).

Consulter à la fin de ce volume les titres des dictionnaires de noms propres et de la
collection « Les usuels du ROBERT ».

le Micro-Robert

**langue française - noms propres
chronologie - cartes**

Tous droits réservés pour le Canada.
© 1988, micro-robert inc.
Montréal, Canada.
Tous droits de reproduction, et traduction
et d'adaptation réservés pour tous pays.
© 1988, DICTIONNAIRES LE ROBERT
107, av. Parmentier, 75011 PARIS.
ISBN 2 85036 081-3

le Micro-Robert

langue française

plus

noms propres - chronologie - cartes

rédaction dirigée par

Alain Rey

DICTIONNAIRES LE ROBERT - 107, avenue Parmentier - PARIS XIᵉ

principaux collaborateurs

PREMIÈRE ÉDITION *par* **Paul Robert**

Alain Rey, Josette Rey-Debove, Henri Cottez ; et Sophie Lafite, Liliane Léotard, Geneviève Penchenat

DEUXIÈME ÉDITION *par* **Alain Rey**

langue : Marc Arabyan, Joël Chapron, Françoise Gérardin, Tristan Hordé, Amina Meddeb - noms propres et chronologie : Yves Chemla, Catherine Meyer, Sophie de Sivry, François Trémolières. révision : Pierre Mignaval - cartes : Régine Dupuy - préparation de copie et correction sous la responsabilité de Joël Chapron - conception de la maquette : Gonzague Raynaud

PRÉPARATION DE COPIE ET CORRECTION

Françoise Bouillé, Pierre Coët, Cécile Fontana, Michel Heron, Méryem Puill-Châtillon, Isabelle Raffin, Muriel Richard ; ainsi que Annick Lanz-Dehais

SERVICE INFORMATIQUE (noms propres)

direction : Karol Goskrzynski - Betsabé Dos Santos, Cécile Fontana, Élisabeth Huault, Dominique Klutz (analyse et programmation), Chantal Tekian - aide informatique à la rédaction : Véronique Mullon

CARTES : réalisation atelier C.A.R.T.

PRÉFACE

par Alain REY

Le *MICRO-ROBERT* a déjà une histoire. Conçu en 1970 comme une adaptation du *PETIT ROBERT* aux besoins de l'apprentissage et de la classe de français, il diffère de celui-ci profondément par son objectif et par sa méthode. Son succès pendant plus de trois lustres a montré que la conception d'un *ROBERT* se bornant à un français « primordial » — selon le terme employé par Paul Robert pour la première édition — répondait à un besoin social.

Ce besoin est celui d'une description simple, précise et concise portant sur une sélection de plus de 30 000 mots. Le bon usage du français dépend en effet de la maîtrise de ce vocabulaire, nécessaire aux élèves des classes francophones, aux non-francophones étudiants de français et aux adultes désireux de compléter leur connaissance de la langue. L'évolution même de cette langue, celle des réalités à désigner, a conduits à élaborer une deuxième édition entièrement revue de cet ouvrage. Cette édition bénéficie d'une amélioration des techniques de description, affinées avec le *ROBERT MÉTHODIQUE* (1982) et la deuxième édition du *GRAND ROBERT* (1985), et se veut à la fois plus simple et plus adéquate.

À la différence du *PETIT ROBERT*, qui a beaucoup plus d'entrées, qui possède une dimension historique, par l'étymologie, les datations et l'évolution des formes, et qui privilégie un contenu littéraire, le présent dictionnaire est essentiellement *fonctionnel* ; son objet est le français d'aujourd'hui et ce qu'il faut encore connaître du français classique. À la différence du *ROBERT MÉTHODIQUE*, qui analyse notre vocabulaire par éléments, et qui décrit un plus grand nombre de mots, le *MICRO-ROBERT* procède à des regroupements de commodité, et ne prétend pas décrire aussi complètement les constructions et la syntaxe.

Tout en conservant les objectifs de la première édition, nous avons cherché à les atteindre de manière plus efficace et, s'il se pouvait, plus élégante. On peut le constater en examinant les différents aspects du dictionnaire.

NOMENCLATURE

Entre les 15 000 entrées d'un dictionnaire pour débutants et les 50 000 entrées ou plus du dictionnaire pour adultes, le besoin d'une nomenclature moyenne se fait sentir. Cette nomenclature, d'environ 35 000 entrées, est voisine de celle de l'Académie française, qui reste sélective malgré de récents enrichissements. La sélection correspondante comporte tous les mots usuels de la langue contemporaine, ainsi que les mots didactiques jugés indispensables pour la pédagogie. Cette nouvelle édition diffère de la précédente par la suppression de quelques termes archaïques ou trop spéciaux, mais surtout par l'addition de nombreux mots et sens apparus récemment dans la langue (ex. : *bogue* et *déboguer* en informatique). Enfin des emplois nouveaux enrichissent le sémantisme de nombreux mots (ex. : *clavier* qui s'applique non seulement à la machine à écrire, mais à l'ordinateur ou, dans le registre familier, *blé* au sens d' « argent »).

CARACTÈRES PROPRES DE LA NOMENCLATURE.

Deux particularités sont à signaler : 1) de même que les homonymes d'origine différente, des mots de même origine, mais sentis de nos jours comme entièrement distincts par le sens ont été traités séparément. Cette méthode, déjà pratiquée par certains lexicographes français, a été appliquée ici avec modération : chaque fois que les différents sens d'un mot pouvaient laisser place au sentiment de son unité, on s'est abstenu d'y recourir. Cependant, il ne fait guère de doute que le français actuel connaît par exemple trois mots distincts sous la forme ACTE : ① *acte* « écrit », comme dans *acte de vente* ; ② *acte* « action » ; ③ *acte* « division d'une pièce de théâtre ». De même, si l'*action d'un film* ou *d'un roman* conserve un lien sensible avec l'*action accomplie* par un être humain, on ne saurait en dire autant des *actions en Bourse* (où *action* désigne un objet concret dans l'espace, et non un processus occupant une durée). Les chiffres présentant ces entrées dégroupées sont encerclés, pour plus de lisibilité.

2) Des expressions figées au point de former de véritables mots composés (tels *accusé de réception,* ou *point de vue,* etc., qui n'attendent plus que leurs traits d'union) sont traitées ici en entrée, comme de véritables mots, ce qui peut correspondre – notamment pour les non-francophones – à une consultation plus aisée et reflète mieux la réalité vécue de la langue. Le procédé pourrait être poussé plus loin ; mais le texte du dictionnaire s'en verrait allongé, et les habitudes de consultation bouleversées. La plupart de ces « syntagmes figés » sont donc mentionnés et définis à l'intérieur de l'article concernant le mot principal, et souvent présentés en petites capitales (voir plus loin).

L'ARRANGEMENT DES ENTRÉES.

Une nomenclature suppose un arrangement, pour lequel l'ordre alphabétique, le plus commode qui soit, est en général utilisé. Cependant, le lexique du français manifeste des régularités de forme et de sens, qu'il est utile de décrire si l'on veut aider l'apprenant à enrichir son vocabulaire ; or, dans ce domaine, on est toujours en situation d'apprentissage. La solution choisie dans le *MICRO-ROBERT* était et reste pragmatique. Lorsque l'ordre alphabétique, indispensable à la recherche et à une consultation commode, le permet, les mots de la même famille sont regroupés ; lorsque ces mots se trouvent alphabétiquement disjoints, ils sont présentés séparément. L'inconvénient de ce procédé est son côté partiel, et donc arbitraire. Regrouper tous les mots d'une même famille aurait en revanche un inconvénient pratique plus grave : obliger le lecteur à courir de renvoi en renvoi ou, pis encore, à retrouver, seul et sans aide, un ordre morphologique inconnu. En outre, la notion de « famille de mots » est très ambiguë : la série étymologique est une réalité philologique et historique, mais non pas fonctionnelle et actuelle ; la communauté de sens, difficile à établir, est inégalement perçue ; la communauté de forme elle-même est souvent relative : *fable* a un radical identique à celui de *fabliau,* mais *fabulation, fabuleux* et *fabuliste* ont un radical un peu différent, avec une communauté partielle de sens. Les interférences de la morphologie latine avec la nôtre sont telles que peu de familles de mots sont formellement homogènes.

L'expérience pédagogique issue de l'emploi dans les classes du *MICRO-ROBERT*, puis du *ROBERT MÉTHODIQUE*, lequel a résolu ces problèmes de manière systématique, mais pour des utilisateurs plus avancés, nous a conduits à conserver la solution pragmatique adoptée dans la première édition, mais en l'améliorant sur deux points.

1) Les études portant sur la consultation permettent de conclure à la possibilité d'enfreindre l'ordre alphabétique, à partir de la 4e ou 5e lettre des mots, parfois même de la 3e, sans aucun dommage pour l'utilisateur : ainsi les tests psychopédagogiques montrent que *faiblard* est trouvé aussi facilement après *faible* (ordre logique) qu'avant lui (ordre alphabétique strict) ; de même pour *lessivage* après *lessiver*. Le résultat de cette observation est que les séries lexicales du nouveau *MICRO-ROBERT* ont été enrichies par rapport à celles de l'ancien. Cet enrichissement a toujours été soumis au critère pratique d'utilisation. Si le mot légèrement déplacé dans l'ordre alphabétique devenait dès lors difficile à trouver, ou si les mots regroupés, par la longueur des articles concernés, rendaient la consultation délicate, l'ordre alphabétique strict a été préféré et l'on a renoncé à certains regroupements. On a fait de même lorsque la communauté de sens était trop partielle (ex. : la série de *bouillir*, regroupant *bouillant, bouilleur, bouillie, bouilloire, bouillotte,* ne comprend pas *bouillon,* traité séparément parce qu'il est en partie détaché par le sens et qu'il a lui-même ses dérivés regroupés). La priorité absolue donnée à l'efficacité pratique rend donc les regroupements parfois illogiques ; cet illogisme, sans inconvénient concret, est assumé. Nous nous en excusons cependant auprès des théoriciens, lesquels peuvent être d'autant plus critiques qu'ils ne se sont pas livrés à cet exercice de communication sociale qu'est l'élaboration d'un dictionnaire.

2) Une faiblesse de l'ancienne édition était, en cas de répartition alphabétique anarchique des dérivés et composés, de ne pas permettre une reconstitution complète de la famille de mots, à la manière du *ROBERT MÉTHODIQUE*, par exemple. Sans prétendre à l'exhaustivité et à l'analyse en effet méthodique de ce dictionnaire, il a paru nécessaire de compenser l'arbitraire de l'ordre alphabétique en complétant les regroupements dont il vient d'être question par des renvois morphologiques : ainsi, sous le verbe *faire,* subdivisé en deux (le verbe à sens fort et le semi-auxiliaire) et qui regroupe *faire-part* et *faire-valoir,* de

nombreux dérivés et composés, allant alphabétiquement de *affaire* à *surfait,* sont présentés en liste. Ces listes morphologiques, ajoutées au regroupement directement consultable, reconstituent la famille complète, envisagée là encore sous un angle pédagogique. Les linguistes connaissent les difficultés de l'analyse morphosémantique du lexique ; elles n'ont pas à être exposées ici. Le bon sens et le souci de rendre service dans l'apprentissage ont été nos critères ; les regroupements concernent des mots apparentés par la forme et par le sens : « apparenté » ne signifie pas identique, et des formes voisines ont été groupées, à condition que leur valeur de sens reste homogène. Ainsi *traduire,* pour des raisons morphologiques, renvoie à *intraduisible* (où *traduis-* est une forme du verbe) et à *traduction,* ce dernier entraînant *traducteur.* Mais *chauve* ne renvoie à *calvitie* que pour le sens, la forme de ces deux mots, de même origine latine, étant devenue différente ; de même, *cheval,* regroupé avec *chevalier, chevaleresque, chevalerie, chevalin, chevaucher* — déjà une variante —, renvoie morphologiquement à *chevalement* et à *chevalet,* distincts par le sens et traités à part à cause de cette distinction sémantique, alors même que leur forme est stable. Ce procédé de groupement en familles lexicales coexiste avec le « dégroupement » de mots séparés par le sens, alors qu'ils ont la même origine. De là les nombreux numéros présentant des homographes (ex. : ① *traduire,* de l'exemple précédent et ② *traduire* [en justice] ; ou : ① *treillis,* regroupé avec *treille* et *treillage* et ② *treillis* « toile de chanvre » et « tenue militaire »).

Dans les regroupements, la tête de série est imprimée dans un corps typographique plus grand que celui des mots qui le suivent, et qui ne sont pas forcément des dérivés. Dans la mesure du possible, la série des sous-entrées est ordonnée de manière alphabétique ; l'ordre des mots dans de telles séries ne reflète donc pas, ou pas toujours, la chaîne des dérivations. Par ailleurs, la différence typographique existant entre l'entrée et les sous-entrées ne correspond pas à une différence d'intérêt ou d'importance : elle est destinée à guider la consultation et à matérialiser les relations existant entre les mots. D'ailleurs, l'impression en couleur de ces « entrées » soulignera l'égalité de statut pour chaque mot. Seule exception à l'égalité de traitement : quelques dérivés réguliers sont donnés sans définition, celle-ci allant de soi (adjectifs en *-able,* adverbes en *-ment,* etc.). Par exemple, *traverser* est suivi de *traversable, traversée* et *traversier, ière,* l'adjectif *traversable* n'étant pas défini, mais seulement illustré par un exemple : *rivière traversable à gué.*

Les problèmes de la morphologie sont aussi abordés dans les annexes ; parmi celles-ci, on mentionnera celles qui ont trait au principal procédé de formation des mots nouveaux, la suffixation. Les principes de celle-ci et les éléments grâce auxquels ce processus fonctionne, les *suffixes,* font l'objet d'un dictionnaire spécifique dont les exemples sont destinés à illustrer pour le lecteur les procédés de formation des dérivés. Certaines des formes-exemples figurant dans ce dictionnaire des suffixes sont absentes – à cause de leur archaïsme ou de leur rareté – du *MICRO-ROBERT* lui-même ; c'est qu'il s'agit de deux points de vue complémentaires, destinés à fournir, l'un une liste de mots indispensables à l'expression et à la communication, l'autre – celui du « dictionnaire des suffixes » – une appréhension plus dynamique et plus globale du lexique français. Par ailleurs, certains de ces suffixes, combinés avec des noms propres de lieux, fournissent des adjectifs et noms désignant des habitants. On trouvera ces mots, constituant une nomenclature supplémentaire, dans une liste où l'adjectif dérivé renvoie à sa source. Enfin, les dérivés de noms de personnes, adjectifs et noms, font également l'objet d'une annexe. Ces textes, extérieurs au dictionnaire proprement dit, compensent la sélectivité volontaire de la nomenclature par une richesse lexicale complémentaire.

Quant au dictionnaire lui-même, la nouvelle **typographie** des entrées, en italiques grasses, correspond, après divers essais, au taux de reconnaissance et d'identification graphique le plus élevé par l'élève. Ce caractère est, parmi les caractères d'imprimerie, le plus proche de l'écriture manuscrite, par laquelle se fait l'apprentissage actif. La couleur bleue, compatible avec la réalisation pratique du mot écrit à la main, est destinée à accentuer ce rapport optique et mental.

INFORMATIONS QUI SUIVENT L'ENTRÉE.

La **prononciation** de tous les mots, sauf les dérivés et composés réguliers ne posant aucun problème de prononciation, est donnée en alphabet phonétique international. Les élèves francophones s'habituent progressivement à cette notation, qui leur est éminemment utile pour l'étude des langues étrangères. Pour les étrangers qui apprennent le français, il n'existe pas d'autre moyen rationnel de transcrire phonétiquement notre langue. Même si un mot paraît à un francophone enfantinement simple à prononcer, il est bon d'attirer l'attention sur des phénomènes comme l'ouverture des voyelles, sur le fait qu'on ne doit pas prononcer la plupart des lettres doubles (ex. : *abandonner*), etc.

Comme dans le *PETIT ROBERT,* ces prononciations sont celles qui correspondent à la norme contemporaine du français urbain cultivé, sans effet de substrat (alors que cet effet joue pour de nombreuses régions) ni de contact de langues. Cette option a l'avantage déterminant de proposer une norme et une seule ; elle a l'inconvénient de gommer la variation normale et acceptable des prononciations du français : d'autres descriptions seraient requises, pour les variantes phonétiques régionales et francophones, mais ce n'est pas à un dictionnaire d'apprentissage général de les donner.

La **catégorie grammaticale** est toujours précisée (v. tr. = verbe transitif ; v. intr. = verbe intransitif ; adj. et n. m. = adjectif et nom masculin, etc.). On a distingué dans ce dictionnaire les verbes transitifs directs, les transitifs indirects (dont le complément d'objet est introduit par une préposition telle que *de* ou *à*) et les verbes intransitifs. La fonction grammaticale des locutions est signalée le cas échéant (loc. adv., loc. prép., etc.). L'abréviation qui accompagne une locution concerne donc son emploi dans la phrase ; elle est indépendante de la nature de ses éléments.

Dans les articles concernant les verbes *transitifs directs* (v. tr.), notons que la forme pronominale et le participe passé, toujours possibles, n'ont été signalés que lorsqu'il s'agissait d'un emploi courant ou d'une valeur de sens particulière. L'abréviation v. pron. qualifie les verbes « essentiellement pronominaux » et ces emplois courants. En ce qui concerne les verbes transitifs, pronominalement signale les emplois pronominaux occasionnels, mais normaux et relativement fréquents. Les emplois pronominaux sont éventuellement répartis en réfléchis (ex. : *il se lave*), réciproques (ex. : *ils se battent*) et passifs (ex. : *ce tissu se nettoie facilement* = est nettoyé facilement). Il faut encore noter l'existence de « faux pronominaux », où le pronom personnel est complément direct du verbe (ex. : *il se lave les mains* = il lave ses mains). Les verbes *intransitifs* sont ceux qui n'ont pas de complément d'objet, dans tous leurs emplois ou dans certains d'entre eux (emplois intransitifs d'un verbe transitif). Quand les verbes transitifs sont employés sans le complément d'objet attendu, ces emplois sont dits « sans complément » (sans compl.) ou « absolus ».

Le chiffre précédé de « conjug. » (conjugaison) après chaque *verbe* correspond au type de **conjugaison**, et renvoie aux tableaux placés en annexe. Le chiffre 1, le plus fréquent, correspond à la conjugaison régulière la plus simple du premier groupe (type *arriver*) ; 2 correspond au type régulier *finir*, et les chiffres suivants à des irrégularités croissantes, depuis les petites variations orthographiques de *céder* ou *geler* jusqu'aux verbes les plus irréguliers et complexes (*aller*, 9, *avoir*, 34, *faire*, 60 et *être*, 61 : ils sont repris, comme les types réguliers, dans un tableau complet). Ce classement tient compte des difficultés orthographiques ainsi que du nombre des radicaux. Les types du premier et du second groupe (conjug. 1 et 2), ainsi que *avoir, faire* et *être,* sont conjugués en entier dans les tableaux placés en annexe.

TRAITEMENT DES ARTICLES.

Le *MICRO-ROBERT* bénéficie d'une analyse hiérarchique des sens et des emplois articulée en « arbre », utilisant des numéros à plusieurs niveaux : I.... II.... eux-mêmes subdivisés en 1.... 2..., etc.

Le système de **division de l'article** est en général à deux niveaux au moins : I., II., etc., correspondent aux grandes valeurs fonctionnelles ou de sens ; et 1., 2., 3., à une simple différence de sens. À l'intérieur de ces numéros, on a eu recours à un tiret (—) pour séparer des emplois particuliers, des constructions ou des locutions. On a commencé par les emplois les plus simples (par ex. : le transitif avant son emploi pronominal) et par les sens les plus courants, sans tenir compte de l'histoire du mot : ce qui est décrit dans le *MICRO-ROBERT*, à part quelques exceptions de nature pédagogique, c'est l'usage contemporain. Ce type d'analyse « en arbre » est logiquement très supérieur à la numérotation linéaire, et tout aussi nécessaire dans un petit dictionnaire d'apprentissage que dans un gros ouvrage.

Les **définitions** ont été simplifiées et précisées par rapport à la première édition ; on a tenu compte de toutes les remarques concernant les difficultés de compréhension par l'utilisateur. Elles comportent une partie centrale, qui constitue une expression quasi synonyme susceptible de remplacer le mot défini dans une phrase, mais aussi, quand il le faut, les types de mots qui doivent être employés avec celui qui est défini. Souvent, la nature du complément d'un verbe (ou de son sujet, ou celle du complément d'un nom, etc.) est déterminée par des contraintes sémantiques : il doit s'agir de « choses », de « personnes » ; parfois ces contraintes sont très strictes : le verbe *barrir* exige pour sujet un mot désignant un éléphant. Ces contraintes sont signalées (a) soit par un élément entre parenthèses dans la définition : ainsi, certains verbes sont suivis de qqn – quelqu'un – ou de qqch. – quelque chose – placés entre parenthèses, et d'autres d'un type de complément plus précis, comme dans *bâtir* 3. : assembler provisoirement (les pièces d'un vêtement) ; *commettre* : accomplir, faire (une action blâmable ou regrettable) ; (b) soit par un mot générique, le plus souvent Choses, Personnes, placé entre parenthèses, et indiquant la nature du sujet d'un verbe (en cas d'ambiguïté, on précise suj. chose, suj. personne qui signifie « le sujet désigne une (des) chose(s), une (des) personne(s) ».

Ces notes ne sont pas systématiques : elles apparaissent chaque fois que la description du mot dans son fonctionnement s'en trouve clarifiée ; elles ont donc, elles aussi, un objectif didactique, non théorique.

Les **exemples** sont aussi nombreux que possible, compte tenu de la brièveté du dictionnaire. Ils consistent en phrases complètes ou en modèles de phrases (verbe à l'infinitif, suivi de son complément), ou en syntagmes simplifiés (verbe + adverbe ; [déterminant] + nom + adjectif, etc.). On a voulu donner à ces exemples soit un caractère de généralité, illustrant les relations les plus courantes des mots dans le discours (sujet-verbe-complément ; nom-adjectif, etc.), soit un caractère démonstratif quant aux constructions. Les phrases complètes illustrent la syntaxe élémentaire de la phrase française.

Par rapport à la première édition de l'ouvrage, ces *exemples* ont été multipliés, pour mieux rendre compte des emplois – et des difficultés d'emploi : constructions de verbes, place des adjectifs, etc. Ils ont parfois été modifiés, en fonction de l'évolution des contextes sociaux. Ainsi les exemples ayant un sujet au féminin sont beaucoup plus nombreux que par le passé ; ce qui correspond à une féminisation plus générale des contenus (formes de mots désignant des personnes ; formulation de définitions).

On trouvera, après les définitions et après certains exemples, des **renvois** imprimés en gras qui sont présentés après une flèche double ⇒ (voir, consulter...). Ce sont le plus souvent des synonymes partiels, que l'on peut substituer dans certains cas au mot traité, et qui impliquent presque toujours une variation de sens, d'usage, d'effet. La consultation du mot renvoyé, avec ses définitions et ses exemples, éclairera le lecteur sur les ressemblances et les différences, dont la maîtrise peut seule garantir la richesse et l'exactitude langagières. On ajoutera à ces renvois les mots-clés fournis par la définition, qui correspondent aux termes « hyperonymes » désignant les catégories logiques dont dépend le mot.

La plupart des renvois sont des mots de même catégorie grammaticale, pouvant, dans un énoncé, être substitués au mot de départ. Les autres renvois correspondent à une relation de sens, ou de sens et de forme, entre verbe et nom, nom et adjectif, etc. (ex. : *tomber* renvoie à **chute** – relation de sens et transformation fonctionnelle ; *comprendre* « avoir une idée nette de... », renvoie à **compréhension** et à **compréhensible**, qui sont apparentés aussi par la forme). La flèche simple (→) renvoie à des expressions, à consulter au mot principal.

De véritables « faux amis », mots de forme voisine (paronymes), ou phonétiquement identiques mais d'orthographe différente, ou enfin de sens voisin, mais nettement distinct, sont présentés par le signe « différent de » (≠) qui doit être interprété comme « Attention ! ne pas confondre ». Ex. : *compréhensif* ≠ *compréhensible* ; *cessation* ≠ *cession* ; *chaos* ≠ *cahot*. Ce signe peut aussi s'appliquer à des mots proches par le sens (et sans rapport de forme) mais qu'il convient de ne pas confondre : ex. : *apprivoiser* ≠ *dresser* (un animal).

Parmi les relations de sens, les **contraires** apportent une information essentielle. Ils sont imprimés en gras, précédés de « contr. » et encadrés par deux barres obliques qui symbolisent — comme la barre du ≠ — l'opposition de sens. Ex. : ① *bas, basse...* **1**.../ contr. **haut, élevé** /, **5**.... / contr. **aigu** /, **7**.... / contr. **noble** /. Ces contraires (ou antonymes) doivent être distingués de mots exprimant des réalités complémentaires, exclusives, présentées par l'expression opposé à. Ex. : *militant de base*, à **base** (opposé à l'*appareil*, aux *dirigeants*), les termes ici « opposés » n'étant évidemment pas des « contraires », mais des relatifs en rapport d'exclusion.

Enfin, les mots complétant la famille morphologique de l'entrée ou de l'ensemble des entrées regroupées (voir ci-dessus) sont placés en fin d'article et énumérés entre crochets angulaires ⟨ ► ... ⟩.

PHRASÉOLOGIE ET EMPLOIS SPÉCIAUX. Outre le mot isolé, signe dont la ou les valeurs font l'objet de définitions (une par sens ou nuance) et sont illustrées par des exemples, la langue propose des unités complexes, qu'il est aussi nécessaire d'apprendre que les mots eux-mêmes. Selon la tradition des dictionnaires français, ces unités, syntagmes courants ou terminologiques, locutions, voire proverbes, sont mentionnées et traitées (définies, parfois exemplifiées) à l'intérieur de l'article concernant le mot principal. Cependant, dans des cas, au demeurant assez rares, où le produit, syntagme, locution, est à la fois détaché de sa source et par lui-même important *(chemin de fer, repris de justice)*, il est traité en véritable « mot » et à son ordre alphabétique. Dans les autres cas, infiniment plus nombreux, l'unité complexe est présentée : (a) soit en italiques, comme un exemple – mais le fait qu'elle soit définie ou commentée la différencie alors de l'exemple libre ; (b) soit en petites capitales, ceci pour la distinguer plus nettement.

L'emploi de ces petites capitales, comme celui de l'abréviation loc. (locution) n'est pas systématique. Pour éviter de compromettre la lisibilité de l'article, on l'a réservé aux cas où il pouvait y avoir ambiguïté et à ceux où la consultation s'en trouvait facilitée. Une fois encore, il s'agit d'un procédé pratique et pédagogique : le groupe de mots en petites capitales oriente le regard dans un article complexe, évitant au lecteur de lire tout l'article, et permet d'autre part de repérer l'élément figé à l'intérieur d'un exemple qui l'actualise. Ex. : *Avoir un bras* EN ÉCHARPE, l'expression *en écharpe* pouvant aussi s'employer adverbialement.

Les petites capitales servent aussi à présenter *des emplois particuliers* comme le verbe pronominal quand il a des valeurs propres par rapport au transitif simple, certains *participes,* etc. Cependant, de nombreux emplois de participes ne méritent pas une mise en vedette par un numéro ou par des majuscules. C'est le cas pour *abandonné* dans *un village abandonné,* qui provient sans modification de forme ni de sens d'un emploi passif du verbe. Ex. : à *abandonner...* III. (ÊTRE) ABANDONNÉ, ÉE (passif). *Cet enfant est abandonné.* – Au p. p. adj. *Un village abandonné* (par ses habitants).

JUGEMENTS SOCIAUX ET MARQUES D'USAGE. La très grande majorité des mots traités appartient à la langue courante. Cependant, le dictionnaire contient des termes techniques et scientifiques, signalés comme tels par le texte même de la définition ou par une remarque préalable (« en médecine », « en sciences », etc.). Quelques mots de la langue didactique, qui ne sont pas spécialisés dans un domaine précis, sont signalés par l'abréviation didact. Les abréviations les plus fréquentes dans ce domaine des *valeurs d'emploi* sont : fam. (langue familière, surtout parlée) ; vulg. (vulgaire) ; littér. (langue littéraire, écrite ou soutenue). Vx (vieux) et vieilli s'appliquent à des mots qui ne s'emploient plus, ou fort peu, mais qui se trouvent dans les textes anciens ou peuvent être utilisés comme archaïsmes (ces mots, par exemple *binocle* ou *vélocipède,* sont assez rares dans le *MICRO-ROBERT*). Anciennement concerne des réalités du passé, et non pas l'usage du mot (les deux exemples ci-dessus cumulent les deux caractères). Les mots didactiques ou littéraires sont signalés comme tels (didact. ; littér.) lorsque leur définition ne les situe pas sans ambiguïté dans ce registre : on a surtout pensé au lecteur étranger, qui pourrait, à tort, les croire courants. Dans certains cas, la marque de didactisme est intégrée à la définition (ex. : *échinodermes* : Nom zoologique d'animaux marins...). Enfin, certains emprunts à l'anglais ne sont pas admis sans discussion ; on les a présentés avec la marque anglic. (anglicisme).

À ce propos, on doit remarquer que des emplois courants, mais vraiment fautifs, ont été volontairement négligés. D'autres, indispensables à la compréhension du français d'aujourd'hui, ont été signalés comme critiqués (par ex. : *se rappeler de quelque chose,* employé au lieu de *se rappeler quelque chose*) ; *achalandé* est traité dans son sens actuel, mais le sens « correct » et ancien est rappelé dans une remarque avec un renvoi à **chaland.** Certes, un purisme trop exigeant irait à l'encontre des buts qu'il se propose, en creusant le fossé qui existe entre la langue réelle et celle que l'on souhaite enseigner. Mais inversement, une description objective de l'usage, nécessaire dans un dictionnaire scientifique de langue, correspondrait dans ce type d'ouvrage à un laxisme incompatible avec la pédagogie. Nous avons donc insisté sur la norme au détriment de la description fidèle et totale des usages fautifs, toujours dangereuse lorsqu'elle tombe dans les mains de ceux à qui l'on doit enseigner un modèle de langue qu'ils maîtrisent mal.

Il est toutefois nécessaire de signaler et de définir des mots à éviter, notamment des emplois grossiers, violents, injurieux. Les mots péjoratifs employés pour désigner les paysans ont ainsi été dénoncés (au mot *paysan*) mais cités ; les termes injurieux de nature raciste, lorsque malheureusement ils étaient courants (les autres ont été éliminés) ont été qualifiés comme ils le méritaient. (Ex. : *bicot...* Péj. Terme d'injure raciste). On distinguera ces termes des mots simplement péjoratifs, comme *birbe* dans *un vieux birbe* ou *bique* dans *une vieille bique, une grande bique* qui ne posent qu'un problème de contenu. Il en va de même pour les termes vulgaires (vulg.), souvent en même temps familiers (fam.) ou argotiques (arg.).

DICTIONNAIRE ET GRAMMAIRE. Par les très nombreuses remarques et par les exemples illustrant une difficulté orthographique (accord de participes, par exemple), morphologique (choix de l'auxiliaire d'un verbe), phonétique (problèmes de liaison), syntaxique (constructions), ce dictionnaire constitue une petite grammaire d'usage par l'exemple, bien qu'il soit avant tout un guide du vocabulaire et du sens des mots.

La variété des informations, portant sur l'orthographe, la prononciation, la morphologie, la syntaxe, les valeurs et nuances sémantiques, les synonymes, contraires et opposés, les locutions, etc., informations présentées sous une forme « économique » et le plus clairement possible – grâce à une typographie choisie après une longue recherche psychopédagogique – font du nouveau *MICRO-ROBERT* le plus complet et, nous l'espérons, le plus efficace des dictionnaires de sa catégorie. Un instrument de contrôle, mais aussi d'apprentissage pour un bon usage moderne, en un temps où le français est trahi par ceux et celles qui l'utilisent de manière imparfaite et dégradée. Aussi sélectif soit-il, le *MICRO-ROBERT* démontre que la langue française contemporaine reste un outil d'expression et de communication d'une richesse et d'une clarté admirables. Encore faut-il retrouver ces trésors à demi perdus. Telle est la mission du dictionnaire.

LES NOMS PROPRES

Le dictionnaire de langue, s'il est soigneusement élaboré, constitue un guide pour le contenu des signes du lexique. Au-delà des mots, il aborde discrètement les idées et les choses, notamment par les définitions, et sans tenir à leur propos un discours encyclopédique.

Cependant, s'il s'agit, tout en conduisant l'apprenant vers une maîtrise du discours en français, de lui fournir les cadres de référence de sa culture, on ne peut négliger les noms propres. C'est pourquoi cette édition enrichie du *MICRO-ROBERT* ajoute à la description du bon usage (la langue) un choix de brèves descriptions concernant les noms qui désignent les personnes et les lieux les plus notoires.

On imagine les difficultés d'un choix pertinent et didactiquement efficace, parmi les dizaines de milliers de noms qui constituent la trame de nos références. Les quelque 10 000 entrées ici répertoriées sont évidemment peu de chose par rapport aux choix des dictionnaires pour adultes et, par exemple, à ceux du *PETIT ROBERT 2*. Il eût été facile d'augmenter l'ouvrage de quelques centaines de pages, en l'alourdissant d'autant ; la sévérité voulue de la sélection a une utilité didactique. En effet, pour un écolier francophone, l'accumulation de noms propres d'importance culturelle secondaire, ou qui reflètent la mode actuelle (sportifs, vedettes des médias...), noms connus de tous et parfois un peu trop, a pour effet d'encombrer les mémoires et de compliquer, en le brouillant, le réseau de références culturelles fondamentales qu'on a voulu représenter ici.

Ces références sont soit spatiales (noms de lieux), soit temporelles (noms de personnes et d'événements).

Quant aux **lieux**, la nomenclature géographique est plus généreuse en ce qui concerne la France et ses voisins partiellement francophones. L'information est organisée autour des réalités institutionnelles : pour l'Hexagone, régions économiques, départements, préfectures et sous-préfectures. On a voulu élargir le point de vue de l'utilisateur de manière aussi cohérente en appliquant un critère quantitatif unique aux villes du monde entier : celles qui dépassent 100 000 habitants sont signalées. En outre, les lieux ne répondant pas à ce critère sont traités, dès lors que leur importance culturelle est grande (monuments, événements historiques). Notons qu'on a préféré donner des chiffres de population arrondis – à partir des données statistiques disponibles – pour ne pas laisser croire à une précision illusoire.

Pour les noms de **personnes,** la sélection est évidemment plus aléatoire. Des priorités culturelles donnent ici l'avantage aux valeurs sûres, même si elles ne correspondent pas à des noms familiers ; en revanche, des personnages assez connus, mais qui représentent l'histoire événementielle (hommes politiques et chefs militaires du passé, hormis les plus grands) ou bien une mode culturelle, ont été volontairement écartés. On a toujours cherché à dégager des grandes lignes, tant pour l'histoire mondiale que pour celle des civilisations : littérature, arts plastiques, musique, sciences et techniques, philosophie...

Quant au contenu des articles, il est en général très bref et peut ne correspondre qu'à un repérage : c'est alors les cartes et la chronologie qui sont chargées de replacer ces notules dans leur contexte. Cependant, on va au-delà de ces données élémentaires pour les références essentielles de l'histoire et de la culture, ainsi que pour les noms de pays, de certaines régions et de quelques villes. Dans les articles consacrés aux créateurs, on n'a cité que les œuvres principales et, parfois, seulement une œuvre très caractéristique : c'est notamment le cas des cinéastes, des peintres, pour lesquels il n'était pas question d'énumérer des titres sous forme de catalogue. On n'oubliera pas, enfin, de se reporter aux articles en rapport : la brièveté extrême du texte consacré à l'*Amérique* est compensée par les articles *Canada, États-Unis, Mexique, Brésil,* etc.

L'ensemble a paru d'autant plus exploitable en classe qu'il était bref et représentatif : nous avons préféré consacrer quelques lignes aux principaux témoins de civilisations anciennes ou mal connues qu'à des références françaises récentes, sans doute significatives pour beaucoup, mais qui ne nous ont pas paru indispensables dans ce projet précis : plutôt *Altdorfer* ou *Chaucer* que tel peintre ou tel poète français plus familier mais – à notre avis – non essentiel pour l'élève, auquel ce livre est destiné. Inutile d'ajouter que nous sommes ouverts à toute critique, concernant les excès et les défauts éventuels de la nomenclature, à condition qu'on veuille bien admettre les intentions générales du modèle.

Quant à la présentation des articles, elle est classiquement conforme à l'alphabet, avec des regroupements (membres d'une famille ou dynastie, nom identique de région et de ville...). Le morcellement alphabétique est une nécessité pratique, mais il nuit aux processus d'acquisition et de mémorisation des connaissances. On peut certes y remédier par des renvois, mais ce procédé – pratiqué constamment dans la tradition du *ROBERT* – ne suffit sans doute pas à de jeunes utilisateurs.

Pour les entrées, on n'a pas hésité à renverser l'ordre habituellement adopté par les dictionnaires pour respecter celui de l'usage courant. Ainsi, on aura toujours le prénom avant le nom : *Jules Verne* et non VERNE (Jules), *la comtesse de Ségur,* née *Sophie Rostopchine* et non SÉGUR (Sophie Rostopchine, comtesse de). Pour des raisons analogues, on a préféré : *le Mont-Blanc* à BLANC (Mont).

Toujours pour faciliter la lecture et la reconnaissance du nom recherché, on a choisi une solution d'économie plutôt que d'exhaustivité dans la présentation des entrées (titres, prénoms, etc.) : *le prince de Metternich* et non METTERNICH-WINNEBURG (Klemens Wenzel Nepomuk Lothar, prince de).

Pour les noms étrangers, c'est également la forme usuelle qui a la préférence : ce qui nous conduit, pour les lieux comme pour les personnes, à choisir la forme francisée, quand elle existe. Ex. : *Londres* et non *London, Titien* et non *Tiziano Vecellio*. Le cas est plus complexe pour les langues non alphabétiques (chinois) ou écrites dans un autre alphabet que le nôtre (arabe, russe, etc.) : on trouvera la forme latinisée ou francisée et non pas une transcription savante (*Confucius* pour *Kongzi, Canton* au lieu de *Guandzhou, Soliman* plutôt que *Süleyman, Abd el-Kader* et non *Abd al-Qadir*). Pour les noms moins connus, on est resté fidèle aux options du *PETIT ROBERT 2*, excepté pour le domaine chinois où on a adopté le système de transcription « pinyin », aujourd'hui généralisé.

En outre, on s'est efforcé d'adopter un niveau didactique égal à celui du dictionnaire de langue : les mots utilisés dans la description des personnes et des choses appartiennent en principe à la nomenclature de langue. On a d'autre part évité autant que possible les abréviations, préférant expliciter l'information. On a simplement retenu : « v. » pour vers, « av. J.-C. » pour avant Jésus-Christ, « hab. » pour habitant, « env. » pour environ.

Une autre cohérence, enfin, a été recherchée entre noms propres et mots de la langue. Elle s'exprime dans l'homogénéité des choix typographiques pour tout l'ouvrage : mise en valeur des sous-entrées et des entrées, classification des homographes, double flèche pour les renvois... Elle apparaît aussi dans le traitement des mots usuels dérivés d'un nom propre : les noms d'habitants, signalés en italique, quand ils sont connus ; les « quasi-noms propres » qui nous semblaient mériter un développement encyclopédique et qui apparaissent en sous-entrées (*Bouddha* ► *le bouddhisme*) ; les renvois faits directement à la partie langue (à l'article *Mao* ‹ ► maoïsme › ; à l'article *Bohème* ‹ ► bohémien ›, etc.). Elle apparaît enfin dans le souci de conserver les éponymes dans notre sélection *(Poubelle, Mac Adam)* ou dans des développements à caractère étymologique (ainsi l'expression « mouton de Panurge » trouve son explication à l'article *Panurge*).

Comme on a consacré des articles aux « humanistes », aux « Lumières », envisagés comme des entités aussi clairement situées dans l'histoire et la culture qu'une personne ou un lieu, on n'a pas craint, parfois, de proposer un double traitement de ces quasi-noms propres (le bouddhisme, la Renaissance, l'islam...) d'abord d'un point de vue strictement linguistique, dans la nomenclature de langue, puis d'un point de vue plus encyclopédique qui permette des renvois intérieurs dans la partie « noms propres » ; c'est le cas, en particulier, des mouvements artistiques (le cubisme, le fauvisme, etc.). De même, *le Parlement, la Révolution* (française, russe...) ou *l'Académie* voient leur sens éclairé par l'explication des concepts généraux *(un parlement, une révolution...)* qu'ils ont en quelque sorte exemplifiés.

DICTIONNAIRE, CHRONOLOGIE ET CARTES :
UN « BLOC PÉDAGOGIQUE »

La nature même de l'ouvrage, qui présente de manière concise un nombre restreint de références essentielles ou importantes, nous a conduits, Charles-Albert de Waziers et moi-même, à concevoir et à mettre éditorialement en œuvre un petit « bloc pédagogique » (pour ne pas utiliser l'anglicisme *kit*) formé de trois éléments bien connus, mais dont le rapprochement pourrait, avons-nous pensé, faire jaillir quelque lumière.

L'ordre de l'espace, imaginé sous forme de cartes clairement légendées, se charge de mettre en perspective pour l'œil et la raison une grande partie des noms de lieux égrenés par l'alphabet. Un mini-atlas de 54 cartes en couleurs, élaborées en grande partie pour la circonstance, se chargera de situer les informations géographiques. Il est conçu pour fonctionner en interrelation avec le texte même du dictionnaire de noms propres.

La logique du temps (chrono-logie) restitue en séries parallèles l'évolution des grands domaines de l'histoire et organise de manière plus synthétique les informations succinctes données sur les noms de personnes – mais aussi sur les noms de lieux et d'événements.

L'ordre alphabétique du dictionnaire, arbitraire et mnémotechnique, est ainsi corrigé par celui du temps, qui fait intervenir un ordre de causalité, et surtout par l'espace du « tableau », avec sa double ordonnance : évolution et synchronie en ce qui concerne la chronologie ; spatialité des latitudes et des longitudes pour les cartes. Ces considérations abstraites fondent une démarche pratique ; ce sera leur excuse.

Une autre cohérence, enfin, a été recherchée, entre noms propres et mots de la langue. Il est intéressant de savoir que l'intendant Silhouette est à l'origine d'un mot usuel, que le grand Rabelais a fourni au français un adjectif, *rabelaisien,* ou à l'inverse que le mot *fauve* a servi à désigner un mouvement pictural unique au moyen d'un nom devenu « propre » (le *fauvisme*). Des mises en rapport sont ainsi établies entre les noms propres et les mots définis dans le dictionnaire de langue. Enfin, comme on l'a vu plus haut, les noms propres de lieux et de personnes donnent naissance à des dérivés utiles à connaître, tels les noms d'habitants, de tendances politiques, les adjectifs comme *israélien* ou *cairote,* comme *moliéresque, freudien* ou *maoïste.* Le dictionnaire de noms propres (pour les noms d'habitants mentionnés au nom du pays ou de la ville) et les annexes du dictionnaire de langue (dérivés de noms propres) fourniront de nombreuses informations à ce sujet.

Le *MICRO-ROBERT,* dont le préfixe indique un rapport d'importance relative par rapport au *PETIT ROBERT,* n'est nullement « microscopique ». En effet, le *PETIT ROBERT,* on le sait, n'est « petit » que par rapport au *GRAND ROBERT* : avec 22 millions de signes typographiques, c'est le plus « gros » des dictionnaires de langue française en un volume. De même, le *MICRO-ROBERT* est le plus complet des dictionnaires d'apprentissage de la langue pour la classe, sinon par le nombre de mots traités, du moins par leur traitement. Noms propres, cartes et informations chronologiques viennent *en plus* de la langue et constituent un dictionnaire d'apprentissage visant à présenter le maximum de données pertinentes en un minimum de place.

Une sélection sévère, mais contrôlée, de nombreux systèmes de renvois internes – des noms propres à la langue, aux cartes, de la chronologie aux noms propres, etc. –, une extrême clarté dans la présentation, l'utilisation exclusive de l'espace disponible pour une information pédagogique sont ici mis au service de l'élève et de l'enseignant, au nom d'une double passion : celle de la langue française et celle d'une culture générale également menacées, et qu'il faut sans cesse illustrer, pour pouvoir les défendre.

Alain Rey, janvier 1988.

prononciation en alphabet phonétique international

catégorie grammaticale

renvoi au tableau où l'on trouvera les formes conjuguées du verbe

entrée dans un caractère proche de l'écriture manuelle

renvoi à un quasi-synonyme

renvoi à un contraire

constructions du verbe précisées

REMarque sur un problème de grammaire

usage familier récent

craindre [kʀɛ̃dʀ] v. tr. ▪ conjug. 52. **1.** Envisager (qqn, qqch.) comme dangereux, nuisible, et en avoir peur. ⇒ **redouter.** *Craindre le danger.* / contr. **braver** / *Il ne viendra pas, je le crains. Ne craignez rien. Il sait se faire craindre.* **2.** CRAINDRE QUE (+ subjonctif). Avec la négation complète : *Je crains qu'il ne parte pas,* qu'il reste. — REM. Lorsque les verbes des deux propositions sont à l'affirmatif, le *ne* explétif est facultatif. *Je crains qu'il (ne) parte,* je crains son départ. Après l'emploi négatif ou interrogatif de *craindre,* on ne met pas le *ne. Je ne crains pas qu'il parte. Craignez-vous qu'il parte ?* **3.** CRAINDRE DE (+ infinitif). *Il craint d'être découvert. Je ne crains pas d'affirmer,* je n'hésite pas à affirmer. **4.** (Plantes, choses) Être sensible à. *Ces arbres craignent le froid.* **5.** Fam. Impers. *Ça craint,* c'est désagréable, pénible, laid. ⟨ ▶ **crainte** ⟩

mot de la même famille, sous lequel on trouvera ses dérivés : *craintif* et *craintivement*

décade [dekad] n. f. ▪ Période de dix jours. ≠ *décennie.*

décennie [deseni] n. f. ▪ Durée de dix ans. ≠ *décade.*

les « faux amis » (mots à ne pas confondre) distingués par les définitions. ≠ signifie « différent de »

doux, douce [du, dus] adj. et adv. **I.** Adj.
1. Qui a un goût faible ou sucré (opposé à
acide, amer, fort, piquant, salé, etc.). ⇒ péj.
douceâtre. *Amandes, oranges, pommes douces.
Vin doux,* sucré. — *Eau douce,* eau des lacs
et des rivières, non salée. **2.** Agréable au
toucher par son caractère lisse, souple (opposé
à *dur*). *Peau douce. Lit, matelas très doux.*
⇒ **moelleux. 3.** Qui épargne les sensations
violentes, désagréables. *Cette année, l'hiver a
été doux.* ⇒ clément. *Doux murmures.*
⇒ **léger.** *Lumière douce.* ⇒ **tamisé. 4.** Qui
procure une jouissance calme et délicate.
⇒ **agréable.** *Un espoir bien doux. Avoir la vie
douce.* ⇒ **facile. 5.** Qui n'a rien d'extrême,
d'excessif. ⇒ **faible.** *Pente douce. Cuire à feu
doux. Châtiment trop doux.* — MÉDECINES
DOUCES *(homéopathie, acupuncture,* etc.).
6. (Personnes) Qui ne heurte, ne blesse personne, n'impose rien, ne se met pas en colère.
⇒ **bienveillant, gentil, indulgent, patient.**
/ contr. **agressif,** brutal, **violent** / *Une jeune
fille douce. Elle est douce avec ses enfants.
Doux comme un agneau, comme un mouton.*
⇒ **inoffensif.** — N. *C'est un doux,* un homme
doux. **7.** Qui exprime des sentiments tendres,
amoureux. — Loc. *Faire les yeux doux,*
regarder amoureusement. *Un billet doux,*
galant. **II.** Adv. **1.** Loc. fam. FILER DOUX :
obéir humblement sans opposer de résistance.
2. Fam. EN DOUCE : sans bruit, avec discrétion.
*Partir en douce. En douce, il a réussi mieux
que tout le monde,* sans en avoir l'air.
‹ ▶ adoucir, aigre-doux, douceâtre, doucement, douceur, radoucir, redoux, taille-
douce ›

clément, ente adj.
[...] *Un hiver clé-
ment,* peu rigoureux.
⇒ **doux.** ‹ ▶ inclé-
ment ›

**brutal, ale,
aux** [bʀytal, o]
adj. **1.** (Personnes)
Qui use volontiers de
violence, du fait de
son tempérament
rude et grossier.
/ contr. **doux** / *Un
gardien brutal.* (...)

entrée simple

vedette en carac-
tère gras

« chapeau » des-
criptif, avant la
date

*Marcel **Aymé*** ■ Écrivain français (1902-1967).
Son œuvre (contes, récits, nouvelles) instaure
des rapports familiers entre le réel et l'imaginaire.
"Contes du chat perché".

une œuvre significa-
tive

---

entrée regroupée
pour les dynasties
et les familles

« chapeau » des-
criptif des dynas-
ties et des familles

Alphonse ■ NOM DE PLUSIEURS SOUVERAINS ESPAGNOLS
□ *Alphonse V le Grand* (1396-1458), roi d'*Aragon, premier roi des Deux-Siciles (Naples et Sicile).
□ *Alphonse VI* (v. 1042 - 1109), roi de *León et
de *Castille, reprit *Tolède aux Maures.
□ *Alphonse X le Sage* (1221-1284), roi des *Asturies, de León et de Castille, empereur germanique
(1267-1272), juriste, astronome, écrivain, considéré
comme le fondateur de la langue nationale.

sous-entrée

dates (vie et mort)

dates de règne

---

sous-entrée déri-
vée (mot dérivé
de l'entrée,
expression, etc.)

Égée ■ Roi légendaire d'Athènes. Croyant son fils
*Thésée mort, il se précipite dans la mer qui porte
son nom. ▶ *la mer Égée.* Partie de la Méditerranée
entre la Grèce continentale, la Crète et l'Asie
Mineure. ▶ *la civilisation égéenne* se développa au
cours du IIe millénaire av. J.-C., autour de la mer
Égée.

---

entrée - renvoi → *Bénarès* ■ ⇒ **Vārānasī.**

Menahem **Begin** ■ Homme politique israélien (né en 1913). Chef du Likoud (parti de droite). Premier ministre de 1977 à 1983. Prix Nobel de la paix 1978 (⟹ **Sadate**).

la **Bekaa** ■ Haute plaine du Liban, région de Baalbek, à population *chiite*.

l'Olympe n. m. ■ Montagne du nord de la Grèce (2 917 m). Pour les Grecs de l'Antiquité, c'était le séjour des dieux. ⟨▶ olympien⟩

l'Amazone n. f. ■ Fleuve d'Amérique du Sud.

les **Bouches-du-Rhône** [13] ■ Département français de la région *Provence-Alpes-Côte d'Azur. 5 248 km². 1,7 million d'hab. Préfecture : Marseille. Sous-préfectures : Aix-en-Provence, Arles.

Alessandria en français *Alexandrie* ■ Ville d'Italie. 103 000 hab. ≠ *Alexandrie.*

LISTE DES SIGNES CONVENTIONNELS, CONVENTIONS ET ABRÉVIATIONS

*	astérisque signalant un mot auquel on pourra se reporter avec profit.
⇒	renvoie à un ou plusieurs mots de sens voisin.
→	renvoie à une expression de sens voisin.
〈 〉	crochets entre lesquels sont donnés, par ordre alphabétique, les dérivés morphologiques du mot-entrée.
≠	*ne pas confondre avec.* Précède un ou plusieurs mots dont l'orthographe, la prononciation ou le sens peuvent prêter à confusion avec le mot défini.
+	obligatoirement suivi de (ex. : + subjonctif).
abrév.	*abréviation.*
absolt	*absolument* (en construction absolue : sans le complément attendu).
abstrait	qualifie un sens (s'oppose à *concret*).
abusivt	*abusivement* (emploi très critiquable, parfois faux sens ou solécisme).
adj.	1° *adjectif* ; 2° *adjectivement* (emploi adjectif d'un mot qui ne l'est pas normalement).
adv.	1° *adverbe* ; 2° *adverbial* (dans loc. adv., voir loc.) ; 3° *adverbialement* (emploi comme adverbe d'un mot qui ne l'est pas normalement).
altér.	*altération* (modification anormale d'une forme ancienne ou étrangère).
anal.	*analogie* (par anal. : par analogie).
anciennt	*anciennement* (présente un mot ou un sens courant qui désigne une chose du passé disparue). [Ne pas confondre avec *vieux*.]
anglic.	mot anglais employé en français et critiqué comme emprunt abusif ou inutile (les mots anglais employés depuis longtemps et normalement, en français, ne sont pas précédés de cette rubrique).
antiphrase	par antiphrase : en exprimant par l'ironie l'opposé de ce que l'on veut dire ; voir iron.
appos.	*apposition* (en appos. : en apposition). Se dit d'un nom qui en suit un autre et le détermine, sans mot grammatical entre eux.
arg.	mot d'*argot*, emploi *argotique* limité à un milieu particulier, surtout professionnel, mais inconnu du grand public. Pour les mots d'argot passés dans le langage courant, voir pop.
auxil.	*auxiliaire.*
cathol.	*catholique.*
(Choses)	présente un sens, un emploi où le mot (adjectif, verbe) ne peut s'employer qu'avec des noms de *choses* (s'oppose à *êtres vivants* ou *personnes*). Voir suj. chose.
compl.	*complément.*
concret	qualifie un sens (s'oppose à *abstrait*).
conj.	*conjonction ; conjonctif, ive.*
conjug.	*conjugaison.* Le numéro qui suit renvoie au tableau de conjugaison correspondant situé en annexe.
/ contr. /	*contraire.*
cour.	*courant ; couramment.*
didact.	*didactique* : mot ou emploi qui n'existe que dans la langue savante (livres d'étude, etc.) et non dans la langue parlée ordinaire.
dimin.	*diminutif.*
dir.	*direct* (ex. : v. tr. dir. : verbe transitif direct).
ellipt	*elliptiquement* : présente une expression où un terme attendu n'est pas exprimé.
enfant.	*enfantin* (lang. enfant. : mot, expression du langage des jeunes enfants, mais que les adultes peuvent employer aussi, en leur parlant).
ex.	*exemple* (par ex. : par exemple).
exagér.	*exagération* (par exagér. : par exagération, présente un sens, une expression emphatique).

f.	*féminin*.
fam.	*familier* (usage parlé et même écrit de la langue quotidienne : conversation, etc. ; mais ne s'emploierait pas dans les circonstances solennelles).
fém.	*féminin*.
fig.	*figuré* : sens issu d'une image (valeur abstraite correspondant à un sens concret).
impér.	*impératif* (mode du verbe).
impers.	1º v. impers. : *verbe impersonnel*. 2º *impersonnellement* (emploi impersonnel d'un verbe personnel).
indic.	*indicatif* (mode du verbe).
ind. ou indir.	*indirect* (v. tr. ind. : verbe transitif indirect, dont l'objet est introduit par une préposition ; compl. ind. : complément indirect, introduit par une préposition).
indéf.	*indéfini*.
inf.	*infinitif*.
interj.	*interjection*.
intr.	*intransitif* (v. intr. : qui n'a jamais de complément d'objet dans le sens envisagé [ne pas confondre avec *absolt*]).
intransitivement	passage d'un verbe transitif à un emploi intransitif.
invar.	*invariable* (ex. : n. m. invar. : nom masculin invariable).
iron.	*ironique, ironiquement*, pour se moquer (souvent par *antiphrase*).
irrég.	*irrégulier*.
lang.	*langage*.
littér.	*littéraire* : désigne un mot qui n'est pas d'usage familier, qui s'emploie surtout dans la langue écrite élégante. Ce mot a généralement des synonymes d'emploi plus courant.
loc.	*locution* (groupe de mots formant une unité et ne pouvant pas être modifié à volonté ; certaines locutions ont la valeur d'un mot grammatical). Loc. adv. : locution adverbiale, à valeur d'adverbe ; loc. conj. : locution conjonctive, à valeur de conjonction ; loc. prép. : locution prépositive, à valeur de préposition ; loc. adj. : locution adjective, à valeur d'adjectif ; loc. fig. : locution(s) figurée(s).
m.	*masculin* (n. m. : nom masculin ; adj. m. : adjectif masculin). Le nom masculin s'emploie aussi à propos d'une femme si le mot est défini par *Personne qui...* Autrement, le mot est défini par *Celui qui...*
masc.	*masculin* (au masc. : au masculin).
métaph.	*métaphore* (par métaph. : comparaison implicite intermédiaire entre le propre et le figuré).
n.	*nom*, substantif (n. m. : nom masculin ; n. f. : nom féminin ; n. m. pl. : nom masculin pluriel).
opposé à	introduit le mot de sens opposé qui sert à éclairer le sens du mot défini. Les mots *opposés* sont en général complémentaires, et non pas antonymes ou contraires (voir / contr. /).
p.	*participe* (p. prés. : participe présent). Voir p. p.
pass.	forme *passive* (d'un verbe) ; sens *passif* (d'un verbe pronominal).
péj.	*péjoratif* ; *péjorativement* (avec mépris, en mauvaise part).
pers.	*personne* ; *personnel* (pronom pers. : pronom personnel).
(Personnes)	présente un sens, un emploi où le mot (adjectif, verbe) ne peut s'employer qu'avec des noms de personnes (s'oppose à *choses*). Voir suj. personne.
pl. ou plur.	*pluriel* (ex. : n. m. pl.).
plaisant.	*plaisanterie* (par plaisant. : emploi qui vise à être drôle, à amuser).
poét.	mot de la langue littéraire utilisé seulement ou surtout en *poésie*.
pop.	*populaire* : qualifie un mot ou un sens courant dans la langue parlée des milieux populaires (souvent argot ancien répandu), qui ne s'emploierait pas normalement dans un milieu social élevé.
poss.	*possessif* (adj. poss. : adjectif possessif).
p. p.	*participe passé*. – REM. Les participes passés adjectifs les plus importants sont traités à l'ordre alphabétique. Les autres sont mentionnés au verbe. — p. p. adj. : participe passé adjectif ; p. p. ou au p. p. : participe passé (certains sont donnés en exemple sans mention particulière).
prép.	*préposition* (loc. prép. : locution prépositive).
prés.	*présent* (temps du verbe).
pron.	*pronominal* (v. pron. : verbe pronominal).
pronominalement	emploi pronominal isolé d'un verbe.
PROV.	*proverbe*.
qqch.	*quelque chose*.
qqn	*quelqu'un*.
rare	mot qui, dans son usage particulier (il peut être didactique, technique, etc.), n'est employé qu'exceptionnellement.
récipr.	*réciproque* (v. pron. récipr. : verbe pronominal réciproque).
réfl.	*réfléchi* (v. pron. réfl. : verbe pronominal réfléchi).

région.	*régional* (mot ou emploi particulier au français parlé dans une ou plusieurs régions, mais qui n'est pas d'usage général ou qui est senti comme propre à une région. Voir dial.).
relig.	terme didactique de *religion*.
REM.	*remarque*.
s.	*siècle*.
scol.	*scolaire* (arg. scol. : argot scolaire).
sing.	*singulier*.
spécialt	*spécialement*.
subj.	*subjonctif* (mode du verbe).
suj.	*sujet* (suj. chose : le sujet est un nom désignant des choses ; suj. personne : le sujet est un nom désignant des personnes).
symb.	*symbole*.
tr.	*transitif* (v. tr. : verbe transitif, qui a un complément d'objet [exprimé ou non] ; tr. dir. : transitif direct [voir dir.] ; tr. indir. : transitif indirect [voir ind.]).
transitivement	passage d'un verbe intransitif à un emploi transitif.
v.	*verbe*.
vieilli	mot, sens ou expression encore compréhensible de nos jours, mais qui ne s'emploie plus dans la langue parlée courante.
vulg.	*vulgaire* : mot, sens ou emploi choquant (souvent familier [fam.] ou populaire [pop.], qu'on ne peut employer entre personnes bien élevées, quelle que soit leur classe sociale).
vx	*vieux* (mot, sens ou emploi de l'ancienne langue, incompréhensible ou peu compréhensible de nos jours et jamais employé, sauf par effet de style : archaïsme).

ALPHABET PHONÉTIQUE

(Prononciations des mots, placées entre crochets)

VOYELLES		CONSONNES	
[i]	il, vie, lyre	[p]	père, soupe
[e]	blé, jouer	[t]	terre, vite
[ɛ]	lait, jouet, merci	[k]	cou, qui, sac, képi
[a]	plat, patte	[b]	bon, robe
[ɑ]	bas, pâte	[d]	dans, aide
[ɔ]	mort, donner	[g]	gare, bague
[o]	mot, dôme, eau, gauche	[f]	feu, neuf, photo
[u]	genou, roue	[s]	sale, celui, ça, dessous, tasse, nation
[y]	rue, vêtu	[ʃ]	chat, tache
[ø]	peu, deux	[v]	vous, rêve
[œ]	peur, meuble	[z]	zéro, maison, rose
[ə]	le, premier	[ʒ]	je, gilet, geôle
[ɛ̃]	matin, plein, main	[l]	lent, sol
[ɑ̃]	sans, vent	[ʀ]	rue, venir
[ɔ̃]	bon, ombre	[m]	main, femme
[œ̃]	lundi, brun	[n]	nous, tonne, animal
		[ɲ]	agneau, vigne

SEMI-CONSONNES			
		[h]	hop ! (exclamatif)
		[']	haricot (pas de liaison)
[j]	yeux, paille, pied	[ŋ]	mots empruntés à l'anglais, camping
[w]	oui, nouer		
[ɥ]	huile, lui	[x]	mots empruntés à l'espagnol, jota ; à l'arabe, khamsin, etc.

De nombreux signes se lisent sans difficultés (ex. : [b, t, d, f], etc).

Mais, ATTENTION aux signes suivants :

Ne confondez pas :

[a]	:	patte	et	[ɑ]	:	pâte	[y]	:	tu	et	[ɥ]	:	tuer
[ə]	:	premier	et	[e]	:	méchant	[k]	:	cas	et	[s]	:	se, acier
[e]	:	méchant	et	[ɛ]	:	père	[g]	:	gai	et	[ʒ]	:	âge
[ø]	:	peu	et	[œ]	:	peur	[s]	:	poisson	et	[z]	:	poison
[o]	:	mot, rose	et	[ɔ]	:	mort	[s]	:	sa	et	[ʃ]	:	chat
[y]	:	lu	et	[u]	:	loup	[ʒ]	:	âge, âgé	et	[z]	:	aisé
[i]	:	si	et	[j]	:	ciel, yeux	[n]	:	mine	et	[ɲ]	:	ligne
[u]	:	joue	et	[w]	:	jouer	[ɲ]	:	ligne	et	[ŋ]	:	dancing

~ au-dessus d'une voyelle marque un son nasal :

[ɑ̃]	:	banc
[ɔ̃]	:	bon
[œ̃]	:	brun
[ɛ̃]	:	brin

ALPHABET PHONÉTIQUE

(Prononciation des mots placés entre crochets)

VOYELLES

CONSONNES

SEMI-CONSONNES

Dictionnaire d'apprentissage

de la langue française

a

a [ɑ] n. m. invar. ■ Première lettre, première voyelle de l'alphabet. — Loc. *De A à Z, depuis A jusqu'à Z,* du commencement à la fin. *Prouver qqch. par A + B,* de façon certaine, indiscutable. ‹ ▶ a b c ›

a-, an- ■ Élément exprimant la négation *(pas),* ou la privation *(sans).* ⇒ **anormal, apolitique.**

à [a] prép. Contraction de *(à le)* en au, de *(à les)* en aux. **I.** Introduisant un objet (complément) indirect. — (D'un verbe) *Se décider à partir. Nuire à sa santé.* — (D'un nom) *Le recours à la force.* — (D'un adjectif) *Fidèle à sa parole.* — À CE QUE, pour QUE (+ subjonctif) *Je consens à ce que vous partiez,* ou *que vous partiez.* **II.** Marquant des rapports de direction. **1.** Lieu de destination. *Aller à Paris ; je pense y* aller. À la porte ! Son voyage à Paris.* — DE... À... *Du Nord au Sud.* **2.** *(De... à...)* Progression dans une série. *Du premier au dernier.* — (Temps) *J'irai de 4 à 6 heures.* — (Entre deux numéraux non successifs, marque l'approximation) ⇒ **environ.** *Des groupes de quatre à dix personnes.* **3.** Aboutissement à un point extrême. ⇒ **jusqu'à.** *Il court à perdre haleine,* au point* de... **4.** Destination, but. ⇒ **pour.** *Donner une lettre à poster. Une fille à marier. Un verre à liqueur. Il n'est bon à rien.* — (Devant un infinitif) *Nous avons à manger,* quelque chose à manger. ⇒ **de quoi.** *Ce travail laisse à désirer.* **5.** Destination de personnes, attribution. *Donner de l'argent aux pauvres. Salut à tous !* — (En dédicace) *À mes amis.* **III.** Marquant des rapports de position. **1.** Position dans un lieu. ⇒ **dans, en.** *Il vit à Paris. S'installer aux Indes.* ⇒ **en.** *Un séjour à la mer.* **2.** Position dans une situation. *Se mettre au travail. Il est toujours à travailler.* — en **train** de. — *Être le premier à faire qqch.,* le premier qui fait qqch. — à (+ infinitif) *À vous priver ainsi, vous tomberez malade,* en vous privant ainsi... **3.** Position dans le temps. *Je m'en irai à cinq heures. À ces mots, il se fâcha. Emprisonnement à perpétuité.* **4.** Appartenance. *Ceci est à moi. À qui sont ces gants ?* — *À nous la liberté ! Bien à vous.* — C'EST À... DE (+ infinitif) : il appartient à... de. *C'est à moi de l'aider,* c'est mon devoir, ou c'est mon tour de l'aider. — C'EST (+ adj.) À... *C'est gentil à vous d'accepter,* vous êtes gentil d'accepter. **IV.** Marquant la manière d'être ou d'agir. **1.** Moyen, instrument. ⇒ **avec, par.** *Aller à pied. Bateau à vapeur.* **2.** Manière. *Il vit à l'aise. Acheter à crédit. Tissu à fleurs.* — À LA... (+ adj., nom, loc.). *Parler à la légère,* légèrement. *Victoire à la Pyrrhus.* **3.** Prix. *Je vous le vends à dix francs.* ⇒ **pour.** *Une confiserie à deux francs.* ⇒ **de. 4.** Accompagnement.

⇒ **avec.** *Un pain aux raisins. L'homme au chapeau rond.* **5.** Association numérique. *Ils sont venus à dix, à plusieurs,* en étant dix, plusieurs à la fois. — *Deux à deux,* deux à la fois. ⇒ **par.** ‹ ▶ à-côté, à-coup, adieu, à-Dieu-va(t), afin de, ajouré, alentour, alors, amont, aparté, à-peu-près, à-pic, aplomb, à-propos, au-delà, auparavant, auprès de, autant, ⊙ autour, ⊙ aval, avenir, averse, c'est-à-dire, mort-aux-rats, porte(-)à(-)faux ›

abaisser [abese] v. tr. ■ conjug. 1. **I. 1.** Faire descendre à un niveau plus bas. ⇒ **baisser.** *Abaisser une vitre.* / contr. **relever** / *Abaisser une perpendiculaire* (d'un point à une droite). **2.** Diminuer la quantité, faire baisser. *Abaisser le prix du pain, la température d'une pièce.* ⇒ **diminuer. 3.** *Abaisser qqn,* l'humilier. ⇒ **rabaisser.** *La misère abaisse l'homme.* ⇒ **dégrader.** / contr. **exalter, glorifier** / **II.** S'ABAISSER v. pron. **1.** Descendre à un niveau plus bas. *Le terrain s'abaisse vers la rivière.* ⇒ **descendre. 2.** Perdre sa dignité, sa fierté. *Il s'abaisse à lui demander pardon, à des compromissions.* ⇒ **s'avilir.** ▶ *abaissement* n. m. **1.** Action de diminuer (une grandeur). ⇒ **diminution.** *L'abaissement de la température, d'un prix.* / contr. **élévation, relèvement** / **2.** Vieilli. État d'une personne qui a perdu sa dignité. ⇒ **avilissement, dégradation.** ‹ ▶ rabaisser ›

abandonner [abɑ̃dɔne] v. tr. ■ conjug. 1. **I. 1.** Ne plus vouloir (d'un bien, d'un droit). ⇒ **renoncer** à. *Abandonner ses biens, le pouvoir. Abandonner sa fortune à qqn.* ⇒ **donner, léguer.** *Abandonner à qqn le soin de faire qqch.* **2.** Laisser au pouvoir (de qqch.). *Vous m'abandonnez à mon triste sort.* **3.** Quitter, laisser définitivement (qqn dont on doit s'occuper, envers qui on est lié). *Abandonner ses enfants, sa femme, ses amis.* ⇒ **délaisser, plaquer,** laisser **tomber. 4.** Quitter définitivement un lieu. *Les paysans abandonnent la campagne.* ⇒ **déserter. 5.** Renoncer à (une action difficile, pénible). *Abandonner la lutte.* ⇒ **capituler, flancher.** *Abandonner un travail.* — Sans compl. *J'abandonne !* ⇒ **démissionner.** *Athlète qui abandonne* (en cours d'épreuve, de compétition). **6.** Cesser d'employer. *Abandonner une hypothèse, un procédé.* **II.** S'ABANDONNER v. pron. réfl. **1.** Se laisser aller à (un état, un sentiment). *S'abandonner au désespoir.* **2.** Se détendre, se laisser aller physiquement. **3.** Se livrer avec confiance. ⇒ **s'épancher. III.** (ÊTRE) ABANDONNÉ, ÉE adj. (passif). *Cet enfant est abandonné.* — Au p. p. adj. *Un village abandonné* (par ses habitants). ▶ *abandon* n. m. **1.** Action d'abandonner, de renoncer à (qqch.) ou de laisser (qqch., qqn). *L'abandon d'un bien par qqn.* ⇒ **cession, don.** *Abandon d'un enfant. Abandon d'un projet.* / contr. **maintien** / — À L'ABANDON loc. adv. : dans un état d'abandon, sans soin. *Le jardin est à l'abandon.* **2.** Le fait de se laisser aller, de se détendre. *Renversée dans son fauteuil, avec abandon.* ⇒ **nonchalance.** — Calme confiant. *S'épancher avec abandon.* ⇒ **confiance.** / contr. **raideur ; méfiance** / **3.** Sports. Action d'abandonner (I, 5). *Il y a eu de nombreux abandons pendant la course.*

abaque [abak] n. m. ■ Boulier-compteur.

abasourdir [abazuʀdiʀ] v. tr. ■ conjug. 2. **1.** Assourdir, étourdir par un grand bruit. **2.** Étourdir par la surprise. ⇒ **hébéter, sidérer, stupéfier.** *Cette nouvelle m'a abasourdi.* — Au p. p. adj. *Je suis tout abasourdi.* ⇒ **ahuri.** ▶ *abasourdissant, ante* adj.

abâtardir [abataʀdiʀ] v. tr. ■ conjug. 2. ■ Littér. Faire perdre ses qualités à (une personne, une œuvre). ⇒ **avilir, dégrader.**

abat-jour [abaʒuʀ] n. m. invar. ■ Réflecteur qui rabat la lumière d'une lampe. *Lampe à abat-jour de soie. Des abat-jour.*

abats [aba] n. m. pl. ■ Parties accessoires et comestibles d'animaux tués pour la consommation. *Abats d'animaux de boucherie (cœur, foie, mou, rognons, tripes, langue...). Abats de volailles.* ⇒ **abattis.** *Manger des abats.* ⇒ **triperie.**

① **abattage** [abataʒ] n. m. ■ Action d'abattre, de tuer (un animal de boucherie). *L'abattage d'un bœuf au merlin.*

② **abattage** n. m. ■ AVOIR DE L'ABATTAGE : avoir du brio, de l'entrain, tenir le public en haleine. *Actrice, animateur qui a de l'abattage.*

① **abattement** [abatmã] n. m. ■ Diminution d'une somme à payer, d'un impôt. ⇒ **déduction.**

② **abattement** n. m. **1.** Grande diminution des forces physiques. ⇒ **épuisement, faiblesse, fatigue. 2.** Dépression morale, désespoir calme. ⇒ **découragement, désespoir.** *Être dans un profond abattement.*

abattis [abati] n. m. pl. **1.** Abats de volaille (tête, cou, ailerons, pattes, foie, gésier). **2.** Fam. Bras et jambes. — Loc. fam. (Menace de bagarre) *Tu peux numéroter tes abattis !*

abattoir [abatwaʀ] n. m. **1.** Lieu où l'on tue les animaux de boucherie. ⇒ ① **abattage. 2.** Fig. *Envoyer des soldats à l'abattoir,* au massacre.

abattre [abatʀ] v. tr. ■ conjug. 41. **I.** Faire tomber. **1.** Faire tomber (ce qui est vertical), jeter à bas. *Abattre un arbre,* en le coupant à la base. *Abattre un mur, une maison.* ⇒ **démolir. 2.** Faire tomber (un être vivant) en donnant un coup mortel. ⇒ **tuer.** *Abattre un cheval blessé. Abattre qqn,* l'assassiner avec une arme à feu. ⇒ fam. **descendre, flinguer, zigouiller.** *Ils l'ont abattu d'une balle dans le ventre.* **3.** Détruire en vol (un avion). *Trois chasseurs ont été abattus.* **4.** ABATTRE SON JEU : déposer, étaler ses cartes avant la fin du jeu. — Abstrait. Dévoiler ses intentions et passer à l'action. **5.** *Abattre de la besogne,* en faire beaucoup ; travailler beaucoup et efficacement. **6.** Rendre faible, ôter les forces de (qqn). *Cette grosse fièvre l'a abattu.* ⇒ **épuiser, fatiguer. 7.** Ôter l'énergie, l'espoir, la joie à (qqn). ⇒ **décourager, démoraliser, déprimer.** *La fatigue l'abattait complètement. Se laisser abattre.* **II.** S'ABATTRE (SUR) v. pron. réfl. **1.** Tomber tout d'un coup. ⇒ **s'affaisser, s'écrouler, s'effondrer.** *Le grand mât s'abattit sur le pont.* **2.** Se laisser tomber (sur), en volant. *Les sauterelles s'abattent sur les récoltes.* — Abstrait. Se jeter sur (pour

piller). ▶ *abattu, ue* adj. **1.** Qui n'a plus de force, est très fatigué. ⇒ **faible.** *Le convalescent est encore très abattu.* **2.** Triste et découragé. *Depuis la mort de son frère, il est abattu.* ⟨ ▶ abat-jour, abats, ① et ② abattage, ① et ② abattement, abattis, abattoir, ① et ② rabattre ⟩

abbasside ou **abbaside** [abasid] adj. et n. ■ Relatif à la troisième dynastie des califes, fondée en 750, qui régna à Bagdad jusqu'en 1258. — N. Membre de cette dynastie. *Les Abbassides.*

abbatial, ale, aux [abasjal, o] adj. ■ Qui appartient à l'abbaye, ou à l'abbé. *Église abbatiale.*

abbaye [abei] n. f. ■ Couvent, monastère dirigé par un abbé ou une abbesse. *Des abbayes gothiques.*

abbé [abe] n. m. **1.** Supérieur d'un monastère d'hommes érigé en abbaye. **2.** Titre donné à un prêtre séculier. *Bonjour, monsieur l'abbé. L'abbé X.* ⟨ ▶ abbatial, abbaye, abbesse ⟩

abbesse [abɛs] n. f. ■ Supérieure d'un couvent de religieuses érigé en abbaye.

a b c [abese] n. m. invar. **1.** Petit livre pour apprendre l'alphabet. (On dit aussi *abécédaire,* n. m.) **2.** Ce qu'il faut au moins savoir (d'un métier, d'un art). *C'est l'a b c du métier.*

abcès [apsɛ] n. m. invar. **1.** Amas de pus dans une cavité du corps. *Il faut ouvrir cet abcès. Abcès artificiel* ou *de fixation,* provoqué pour localiser une infection générale. **2.** Fig. *Crever, vider l'abcès,* extirper un mal, une cause de discorde.

abdiquer [abdike] v. tr. ■ conjug. 1. **1.** Renoncer à (une chose). *Le président a abdiqué son autorité, le pouvoir.* **2.** Sans compl. Renoncer à agir, se déclarer vaincu. ⇒ **abandonner, céder, démissionner.** *J'abdique, c'est trop difficile !* **3.** Sans compl. Renoncer au pouvoir suprême. *Le roi abdiqua en faveur de son fils.* ▶ *abdication* n. f. ■ Action de renoncer au pouvoir suprême, à la couronne.

abdomen [abdɔmɛn] n. m. ■ Cavité qui renferme les organes de la digestion, les viscères, à la partie inférieure du tronc. ⇒ **ventre.** *De gros abdomens.* ▶ *abdominal, ale, aux* adj. ■ De l'abdomen. *Muscles abdominaux.* — N. m. pl. *Développer ses abdominaux par l'exercice.*

abeille [abɛj] n. f. ■ Insecte (hyménoptère) vivant en colonie et produisant la cire et le miel. *Un essaim d'abeilles. Être piqué par une abeille. Élevage d'abeilles.* ⇒ **apiculture.** *Les abeilles sont dans la ruche*.*

aber [abɛʀ] n. m. ■ Estuaire profond d'une rivière, en Bretagne. *Les abers.*

aberrant, ante [abeʀɑ̃, ɑ̃t] adj. **1.** Qui s'écarte du type normal. *Forme aberrante.* / contr. **normal** / **2.** Qui s'écarte de la règle, est contraire à la raison. *Une idée, une conduite aberrante.* ⇒ **absurde, insensé.** *C'est aberrant d'agir comme ça !* ▶ *aberration* n. f. **1.** Déviation du jugement, du bon sens. ⇒ **égarement, folie.** *Dans un moment d'aberration, il lui reprocha sa gentillesse.* **2.** Idée, conduite aberrante.

abêtir [abetiʀ] v. tr. ■ conjug. 2. ■ Rendre bête, stupide. ⇒ **abrutir, crétiniser.** *Ces lectures idiotes l'abêtissent.* — Pronominalement (réfl.). *Il s'abêtit dans ce milieu.* ▶ *abêtissant, ante* adj. ■ Des travaux abêtissants. ▶ *abêtissement* n. m.

abhorrer [abɔʀe] v. tr. ■ conjug. 1. ■ Littér. Avoir en horreur (qqn, qqch.). ⇒ **exécrer, haïr.**

abîme [abim] n. m. **1.** Concret. Gouffre très profond, sans fond. ⇒ **précipice. 2.** Abstrait. ABÎME ENTRE... : grande séparation, grande différence. *Entre* un croyant et un athée, il y a un abîme. **3.** Dans des expressions. Situation morale ou matérielle très mauvaise, dangereuse. ⇒ **perte, ruine.** *Être au bord de l'abîme, toucher le fond de l'abîme. Course à l'abîme.*

abîmer [abime] v. tr. ▪ conjug. 1. **1.** *Abîmer qqch.,* mettre en mauvais état. ⇒ **casser, détériorer, endommager, esquinter, salir.** *Abîmer un meuble, un livre, un vêtement.* **2.** Fam. *Abîmer qqn,* le meurtrir, le blesser par des coups. ⇒ **arranger ; fam. amocher.** *Un boxeur qui abîme son adversaire.* **3.** S'ABÎMER v. pron. : se détériorer, se salir. *Range ces photos, elles vont s'abîmer.* **4.** (ÊTRE) ABÎMÉ (passif). *Ton livre est abîmé, déchiré.* — Au p. p. adj. *Un costume abîmé.*

abject, ecte [abʒɛkt] adj. ▪ Qui mérite le mépris, donne un dégoût moral. ⇒ **ignoble, infâme, infect, répugnant, vil.** *Un procédé, un chantage abject. Il a été abject envers elle.* ▶ **abjection** [abʒɛksjɔ̃] n. f. ▪ Caractère de ce qui est abject, ignoble. ⇒ **abaissement, avilissement, indignité, infamie.** *Vivre dans l'abjection.*

abjurer [abʒyʀe] v. intr. ▪ conjug. 1. ▪ Renoncer solennellement à sa religion. *Le 25 juillet 1593, Henri IV abjura en l'église Saint-Denis.* ≠ *adjurer.* ▶ **abjuration** n. f. ▪ Action d'abjurer. ≠ *adjuration.*

ablatif [ablatif] n. m. ▪ Cas de la déclinaison latine, indiquant qu'un substantif sert de point de départ ou d'instrument à l'action.

ablation [ablasjɔ̃] n. f. ▪ Action d'enlever (une partie du corps) par la chirurgie. *Pratiquer l'ablation d'un rein.*

-able ▪ Élément qu'on joint à un verbe pour faire un adjectif et qui signifie « qui peut être » (ex. : *récupérable*).

ablette [ablɛt] n. f. ▪ Petit poisson à écailles claires, qui vit en troupes dans les eaux douces.

ablutions [ablysjɔ̃] n. f. pl. **1.** Lavage du corps, comme purification religieuse. **2.** *Faire ses, des ablutions,* se laver.

abnégation [abnegasjɔ̃] n. f. ▪ Sacrifice volontaire de soi-même, de son propre intérêt. ⇒ **désintéressement, dévouement, sacrifice.** *Un acte d'abnégation.* / contr. **égoïsme** /

aboiement [abwamɑ̃] n. m. ▪ Action d'aboyer, cri du chien.

aux abois [ozabwa] loc. adj. **1.** Concret. Se dit d'une bête chassée entourée par les chiens. *Un cerf aux abois.* **2.** Abstrait. Dans une situation désespérée. *Un politicien aux abois.*

abolir [abɔliʀ] v. tr. ▪ conjug. 2. ▪ Annuler, supprimer (ce qui a un effet juridique). *Abolir une loi* ⇒ **abroger,** *une peine* ⇒ **annuler.** *Pétition pour abolir une loi injuste.* — Au p. p. adj. *Loi abolie.* ▶ **abolition** n. f. ▪ Action d'abolir. ⇒ **suppression.** *Abolition de l'esclavage. Abolition d'une loi, d'une peine.* ⇒ **abrogation, annulation.** ▶ **abolitionnisme** n. m. ▪ Opinion, action des personnes qui veulent abolir qqch. ▶ **abolitionniste** n. et adj. ▪ *Un abolitionniste.* — *Une campagne abolitionniste.*

abominable [abɔminabl] adj. **1.** Qui donne de l'horreur. ⇒ **affreux, atroce, horrible, monstrueux.** *Un crime abominable.* **2.** Très mauvais. ⇒ **affreux, détestable, exécrable, infect.** *Un temps abominable.* — *Il a été abominable avec nous : il nous a insultés et mis à la porte.* ▶ **abominablement** adv. ▶ **abomination** n. f. **1.** *Avoir qqch. en abomination,* en horreur. **2.** *Une abomination,* ce qui inspire de l'horreur. *Ce chantage est une abomination.*

abondance [abɔ̃dɑ̃s] n. f. **1.** Grande quantité, quantité supérieure aux besoins. ⇒ **profusion.** / contr. **rareté** / *L'abondance des légumes sur le marché.* PROV. *Abondance de biens ne nuit pas.* — *Corne d'abondance,* d'où s'échappent des fruits, des fleurs (emblème de l'abondance). — EN ABONDANCE loc. adv. : abondamment. ⇒ **foison.** *Prenez des fruits, il y en a en abondance.* **2.** Ressources supérieures aux besoins. *Vivre dans l'abondance.* ⇒ **aisance, opulence.** ▶ **abondant, ante** adj. ▪ Qui abonde, est en grande quantité. *Une abondante nourriture.* ⇒ **copieux.** *D'abondantes lectures.* ⇒ **nombreux.** / contr. **rare ; insuffisant** / ▶ **abondamment** adv. ▪ En grande quantité. *Saler abondamment.* ⇒ **beaucoup.** *Servez-vous abondamment.* ⇒ **largement.**

abonder [abɔ̃de] v. intr. ▪ conjug. 1. **1.** Être en grande quantité. *Les marchandises abondent,* sont en abondance, sont abondantes. *Les fautes abondent dans ce texte.* ⇒ **foisonner. 2.** ABONDER EN : avoir ou produire (qqch.) en abondance. *Ce texte abonde en citations.* **3.** (Personnes) *Abonder dans le sens de qqn,* être tout à fait de son avis. ⟨ ▶ abondance ⟩

abonner [abɔne] v. tr. ▪ conjug. 1. ▪ Prendre un abonnement pour (qqn). *Abonner un ami à une revue.* — Pronominalement (réfl.). *S'abonner à un théâtre.* ▶ **abonné, ée** adj. et n. **1.** Qui a pris un abonnement. *Lecteurs abonnés.* — N. *Liste des abonnés du téléphone.* **2.** Fam. ÊTRE ABONNÉ À : être coutumier de. *Il a subi de nouveaux échecs ; il y est abonné !* ▶ **abonnement** n. m. ▪ Fait de payer en une fois pour recevoir qqch. régulièrement ou utiliser un service (transports, etc.) pendant un certain temps. *Prendre, souscrire un abonnement à un journal. Abonnement de chemin de fer. Tarif, carte d'abonnement.* ⟨ ▶ désabonner, réabonner ⟩

abord [abɔʀ] n. m. ▪ Action d'aborder qqn, de venir le trouver (dans des expressions). *Être d'un abord facile, agréable.* ⇒ **accessible.** — AU PREMIER ABORD, DE PRIME ABORD : dès la première rencontre ; à première vue, tout de suite. *Au premier abord, je le trouve assez timide.* ▶ **d'abord** adv. ▪ En premier lieu dans le temps, avant (autre chose). *Demandons-lui d'abord son avis, nous déciderons ensuite. Tout d'abord,* avant toute chose. *Et puis d'abord...* — Avant toute chose, pour l'importance. *L'homme est d'abord un animal.* / contr. **après, ensuite** /

aborder [abɔʀde] v. ▪ conjug. 1. **I.** V. intr. Arriver au rivage, sur le bord. *Aborder dans une île ; au port.* **II.** V. tr. **1.** Heurter (un navire). ⇒ **abordage. 2.** Arriver à (un lieu inconnu ou qui présente des difficultés). *Le pilote aborde avec prudence le virage.* **3.** *Aborder qqn,* aller à qqn (qu'on ne connaît pas, ou avec qui l'on n'est pas familier) pour lui adresser la parole. ⇒ **accoster.** *Il fut abordé par un inconnu.* **4.** En venir à..., pour en parler, en débattre. ⇒ **entamer.** *Aborder un sujet, une question, un problème.* ⇒ **attaquer.** ▶ **abordable** adj. **1.** (Prix) Modéré, pas trop cher. — D'un prix raisonnable. *C'est abordable.* / contr. **cher, inabordable** / **2.** (Personnes) Qu'on peut aborder (II, 3). ▶ **abordage** n. m. **1.** Assaut donné à un navire ennemi en s'amarrant bord à bord avec lui (par des crochets, des grappins). *À l'abordage !* **2.** Collision de deux navires. ⟨ ▶ abord, abords, inabordable ⟩

abords [abɔʀ] n. m. pl. ▪ *Les abords d'un lieu,* ce qui y donne accès, l'entoure immédiatement. ⇒ **alentours, environs.** *Les abords de la cathédrale sont bien laids.*

aborigène [abɔʀiʒɛn] n. m. et adj. — REM. *Arborigène* est une faute ; ce mot n'existe pas.

■ Personne originaire du pays où elle vit (seulement en parlant de populations dites « primitives »). ⇒ **indigène.** — Adj. *Population aborigène ; plante, animal aborigène d'Australie, d'Amérique.*

s'aboucher [abuʃe] v. pron. . conjug. 1. ■ S'ABOUCHER AVEC *qqn* : se mettre en rapport avec lui (généralement dans une affaire suspecte, une intrigue).

abouler [abule] v. tr. . conjug. 1. ■ Arg. Donner. *Aboule le fric !*

aboulique [abulik] adj. et n. ■ Qui est pathologiquement privé de volonté. — N. *Un, une aboulique.*

aboutir [abutiʁ] v. intr. . conjug. 2. I. ABOUTIR À, DANS, SUR, SOUS... 1. Concret. Arriver par un bout ; se terminer dans. *Le couloir aboutit dans une chambre.* 2. Abstrait. ABOUTIR À : conduire à..., en s'achevant dans. ⇒ **mener** à. *Tes projets n'aboutiront à rien.* II. ABOUTIR : avoir finalement un résultat. ⇒ **réussir.** *Les recherches ont abouti. L'enquête n'a pas abouti,* a échoué. / contr. **échouer,** / ▶ *aboutissants* n. m. pl. ■ *Les tenants et les aboutissants* (d'une affaire), tout ce à quoi elle tient et se rapporte. ▶ *aboutissement* n. m. 1. Le fait d'aboutir (II), d'avoir un résultat. *L'aboutissement de ses efforts.* 2. Ce à quoi une chose aboutit. ⇒ **résultat.** *L'aboutissement de plusieurs années de privations.*

aboyer [abwaje] v. intr. . conjug. 8. 1. Pousser un aboiement. *Le chien aboie quand un visiteur arrive.* 2. (Suj. personne) Crier (contre qqn). *Aboyer contre, après qqn.* ⟨ ▶ aboiement, aux abois ⟩

abracadabrant, ante [abʁakadabʁɑ̃, ɑ̃t] adj. ■ Extraordinaire et incohérent. *Une histoire invraisemblable, abracadabrante.*

abrasif, ive [abʁazif, iv] n. m. et adj. ■ Matière qui use, nettoie, polit (une surface dure). *Les poudres à récurer sont des abrasifs.* — Adj. *Une matière abrasive.* ▶ *abrasion* [abʁazjɔ̃] n. f. ■ Action d'user par frottement.

abréger [abʁeʒe] v. tr. . conjug. 3 et 6. 1. Diminuer la durée de. *Il a abrégé son voyage.* ⇒ **écourter.** *Abréger sa vie, ses jours* (par la fatigue, les excès, le souci). 2. Diminuer la matière de (un discours, un écrit). ⇒ **raccourcir, résumer, tronquer.** *Abrégez ce texte.* / contr. **allonger** / *Abrégeons ! au fait !* 3. *Abréger un mot,* supprimer une partie des lettres. 4. (Être) *abrégé, ée* (au passif). *Mes vacances ont été abrégées.* — Au p. p. adj. *Mot abrégé.* ⇒ **abréviation.** ▶ *abrégé* n. m. ■ Discours ou écrit réduit aux points essentiels. ⇒ **résumé.** *L'abrégé d'une conférence, d'un livre.* — EN ABRÉGÉ loc. adv. : en résumé, en passant sur les détails. / contr. **détail** / ▶ *abrégement* [abʁeʒmɑ̃] n. m. ■ *L'abrégement d'un texte.* ⇒ **abréviation.** / contr. allongement /

abreuver [abʁœve] v. tr. . conjug. 1. 1. Faire boire abondamment (un animal). *Abreuver un troupeau.* — Pronominalement (réfl.). *Le bétail qui vient s'abreuver.* 2. (Suj. personne) *S'abreuver,* boire abondamment. 3. Donner beaucoup (de qqch.) à (qqn). *Elle l'abreuvait de caresses, de compliments.* ⇒ **combler.** *Il l'a abreuvé d'injures.* ⇒ **accabler.** ▶ *abreuvoir* n. m. ■ Lieu aménagé pour faire boire les animaux.

abréviation [abʁevjasjɔ̃] n. f. ■ Action d'abréger. ⇒ **abrégement.** — Mot abrégé. *Liste des abréviations employées dans un ouvrage.* ▶ *abréviatif, ive* adj. ■ Qui sert à abréger. *Signes abréviatifs.*

abri [abʁi] n. m. 1. Endroit où l'on est protégé (du mauvais temps, du danger). *Chercher un abri sous un arbre.* 2. Construction rudimentaire destinée à protéger le voyageur à la campagne, en montagne

⇒ **refuge,** aux arrêts de train, d'autobus ⇒ **abribus.** 3. À L'ABRI loc. adv. : à couvert des intempéries, des dangers. *Se mettre à l'abri,* s'abriter. *Les papiers sont à l'abri,* en lieu sûr. 4. À L'ABRI DE loc. prép. : à couvert contre (qqch.). *Se mettre à l'abri du vent.* — Abstrait. *Être à l'abri du besoin. Il est à l'abri de tout soupçon.* — Protégé par (qqch.). *Se mettre à l'abri du feuillage.* ▶ *abribus* [abʁibys] n. m. invar. ■ Arrêt d'autobus, d'autocar équipé d'un abri pour les usagers. ⟨ ▶ abriter, sans-abri ⟩

abricot [abʁiko] n. m. ■ Fruit comestible à noyau, à chair et peau jaune orangé. *Tarte aux abricots.* ▶ *abricotier* n. m. ■ Arbre fruitier qui produit l'abricot.

abriter [abʁite] v. tr. . conjug. 1. I. 1. (Suj. personne) Mettre à l'abri. *Abriter qqn sous un parapluie.* 2. (Abri) Protéger. *Un grand parasol qui abrite du soleil.* ⇒ **garantir.** 3. (Lieu couvert) Recevoir (des occupants). ⇒ **héberger.** *Hôtel qui peut abriter deux cents personnes.* II. S'ABRITER v. pron. réfl. 1. se mettre à l'abri (des intempéries, du danger). ⇒ se **garantir, se préserver, se protéger.** 2. Abstrait. *S'abriter derrière qqn,* faire assumer par une personne plus puissante une responsabilité, une initiative, qu'elle a partagée. ▶ *abrité, ée* adj. ■ Qui est à l'abri du vent. *Une terrasse bien abritée.*

abroger [abʁɔʒe] v. tr. . conjug. 3. ■ Déclarer nul (ce qui avait été établi, institué). ⇒ **abolir, annuler.** *Abroger une loi.* ▶ *abrogation* [abʁɔgasjɔ̃] n. f. ■ Action d'abroger.

abrupt, upte [abʁypt] adj. et n. m. 1. Dont la pente est presque verticale. ⇒ **escarpé, à pic.** *Un sentier abrupt.* ⇒ **raide.** — N. m. Paroi abrupte. ⇒ **à-pic.** 2. (Personnes) Qui est brusque, très direct. *Il a été un peu abrupt avec nous.*

abrutir [abʁytiʁ] v. tr. . conjug. 2. 1. Rendre stupide. ⇒ **abêtir.** *Une propagande qui abrutit les gens.* 2. Fatiguer l'esprit de (qqn), rendre stupide. — (Suj. personne) *Abrutir un enfant de travail.* ⇒ **surmener.** — (Suj. chose) *Ce vacarme m'abrutit.* ⇒ **assourdir, étourdir.** ▶ *abruti, ie* adj. et n. ■ Fam. Sans intelligence. *Cet enfant est complètement abruti.* ⇒ **idiot, stupide.** — N. Personne stupide. *Espèce d'abruti !* ▶ *abrutissant, ante* adj. ■ Qui abrutit (2). ⇒ **fatigant.** *Un vacarme, un travail abrutissant.* ▶ *abrutissement* n. m. ■ Action d'abrutir, de rendre stupide.

abscisse [apsis] n. f. ■ Coordonnée horizontale qui sert avec l'ordonnée à définir la position d'un point dans un plan.

absence [apsɑ̃s] n. f. I. 1. Le fait de n'être pas dans un lieu où l'on pourrait être, où l'on devrait être. *Nous avons regretté votre absence. Son absence a duré longtemps.* 2. Le fait de manquer à une séance, un cours. *Les absences d'un élève.* 3. Le fait pour une chose de ne pas se trouver là où on s'attend à la trouver. ⇒ **manque.** *L'absence de feuilles aux arbres.* 4. Le fait de ne pas exister. ⇒ **défaut, manque** ; préf. a-, dés-, in-, non-, sans-. *L'absence de fautes dans une dictée.* 5. EN L'ABSENCE DE : lorsque (qqn) est absent. *Il est plus expansif en l'absence de ses parents.* — À défaut (de qqn qui est absent). *En l'absence du directeur, voyez son adjoint.* / contr. **présence** / II. (Une, des absences) Le fait de ne plus se rappeler (qqch.). ⇒ **trou** de mémoire. *J'ai eu une absence : je ne me rappelais plus son nom.* ▶ *absent, ente* adj. I. 1. ABSENT DE... : qui n'est pas (dans le lieu où il, elle pourrait, devrait être). *Il est absent de son bureau, de Paris, de chez lui.* 2. Qui n'est pas là où on s'attendrait à le trouver. *Le chef est absent* *aujourd'hui.* — N. *Dire du mal des absents.* PROV. *Les absents ont toujours tort.* 3. (Choses) *Être absent quelque part, dans un endroit, de qqch.* ⇒ **manquer.** *Un texte où la ponctuation est absente.* / contr. **présent** / II. (Personnes) *Qui n'a pas l'esprit à ce qu'il devrait faire.* ⇒ **distrait.** *Il était un peu absent.* — *Un air absent.* ⇒ **rêveur.** / contr. **attentif** / ▸ **absentéisme** n. m. ■ Comportement d'une personne (*absentéiste*) *qui est souvent absente.* ▸ *s'absenter* v. pron. ▪ conjug. 1. ■ S'éloigner momentanément (du lieu où l'on doit être, où les autres pensent vous trouver). *Elle s'est absentée quelques instants.*

abside [apsid] n. f. ■ Extrémité d'une église derrière le chœur ⇒ **chevet,** lorsqu'elle est en demi-cercle.

absinthe [apsɛ̃t] n. f. ■ Liqueur alcoolique verte, nocive, en vogue à la fin du XIXe s.

absolu, ue [apsɔly] adj. et n. I. Adj. 1. Qui ne comporte aucune restriction ni réserve. ⇒ **intégral, total.** *J'ai en lui une confiance absolue. Impossibilité absolue.* ⇒ **complet.** *Pouvoir absolu.* ⇒ **despotique, totalitaire ; absolutisme.** *Monarchie absolue, roi absolu,* qui a le pouvoir absolu. 2. (Personnes) *Qui ne supporte ni la critique ni la contradiction.* ⇒ **autoritaire, entier.** / contr. **conciliant** / 3. (Opposé à *relatif*) *Majorité absolue.* II. N. m. 1. Ce qui existe indépendamment de toute condition ou de tout rapport avec autre chose. *L'absolu, s'il existe, ne peut pas être connu.* 2. DANS L'ABSOLU : sans comparer, sans tenir compte des conditions, des circonstances. *On ne peut juger de cela dans l'absolu.* ▸ **absolument** adv. 1. D'une manière absolue. *Il veut absolument vous voir.* ⇒ à **tout prix.** 2. (Avec un adj.) Tout à fait. ⇒ **totalement.** *C'est absolument faux.* ▸ **absolutisme** n. m. ■ Système de gouvernement où le pouvoir du souverain est absolu. ⇒ **autocratie, despotisme, dictature, tyrannie.** ▸ *absolutiste* adj.

absolution [apsɔlysjɔ̃] n. f. ■ Effacement d'une faute par le pardon. *Donner l'absolution à un pécheur.* ⇒ **absoudre.**

absorber [apsɔrbe] v. tr. ▪ conjug. 1. 1. Laisser pénétrer et retenir (un liquide, un gaz) dans sa substance. *Le buvard absorbe l'encre.* ⇒ **boire.** 2. (Êtres vivants) Boire, manger. *Il n'a rien absorbé depuis hier.* ⇒ **prendre.** 3. Faire disparaître en soi (surtout passif). *Toutes mes économies sont absorbées par cette dépense.* ⇒ **engloutir.** 4. Occuper (qqn) complètement. *Ce travail l'absorbe beaucoup.* — Pronominalement (réfl.). S'ABSORBER. *S'absorber dans son travail.* — *Il est absorbé dans sa lecture.* ▸ *absorbant, ante* adj. 1. Qui absorbe les liquides, les gaz. *La gaze, tissu absorbant employé en pansements.* 2. Abstrait. Qui occupe (qqn) tout entier. *C'est un travail très absorbant.* ▸ *absorption* [apsɔrpsjɔ̃] n. f. 1. Action d'absorber. *L'absorption de l'eau par les terrains perméables.* 2. Action de boire, de manger, d'avaler, de respirer (qqch. d'inhabituel ou de nuisible). *Suicide par absorption d'un poison.* ⇒ **ingestion.** 3. Fusion de sociétés, d'entreprises au bénéfice d'une seule.

absoudre [apsudr] v. tr. ▪ conjug. 51. 1. Remettre les péchés de (un catholique). *Absoudre un pénitent.* ⇒ **absolution.** 2. Plaisant. Pardonner à (qqn). *Je vous absous !* / contr. **condamner** / — (Passif) *Tu es absous. Elle est absoute.* ⟨ ▸ **absolution** ⟩

s'abstenir [apstənir] v. pron. ▪ conjug. 22. 1. S'abstenir de faire qqch., ne pas faire, volontairement. ⇒ **s'empêcher, éviter, se garder.** *Il s'est abstenu de me questionner.* 2. Sans compl. *S'abstenir,* ne pas agir, ne rien faire. PROV. *Dans le doute, abstiens-toi.* — Ne pas voter. ⇒ **abstention.** *De nombreux électeurs*

se sont abstenus. 3. S'abstenir d'une chose, s'en passer volontairement ou ne pas la faire. *S'abstenir de vin.* ⇒ **renoncer** à. *Les journaux s'abstiennent de tout commentaire.* ▸ **abstention** [apstɑ̃sjɔ̃] n. f. ■ Absence de vote d'un électeur. *La motion a été adoptée par vingt voix pour, cinq contre et deux abstentions.* ▸ **abstentionnisme** n. m. ■ Attitude de ceux qui ne votent pas. ▸ **abstentionniste** n. ■ Personne qui ne vote pas. / contr. **votant** /

abstinence [apstinɑ̃s] n. f. ■ Privation de certaines nourritures, boissons (pour des raisons religieuses ou pour sa santé). *Faire abstinence le vendredi.* ⇒ **maigre,** n. m.

abstraction [apstraksjɔ̃] n. f. 1. Fait de considérer à part dans son esprit une qualité, une relation, indépendamment de l'objet, des objets qu'on perçoit ou qu'on imagine. *L'être humain est capable d'abstraction et de généralisation.* — Qualité ou relation isolée par l'esprit. ⇒ **notion.** *La couleur, la forme sont des abstractions.* 2. Idée (opposé à *la réalité vécue*). *La vieillesse est encore pour elle une abstraction.* 3. FAIRE ABSTRACTION DE qqch. : écarter par la pensée, ne pas tenir compte de. *Je fais abstraction des difficultés. Abstraction faite de son âge,* compte non tenu de son âge. 4. Art abstrait (4). *Abstraction lyrique.* ▸ *abstraire* [apstrɛr] v. tr. ▪ conjug. 50. 1. Isoler par la pensée (un objet, une personne) ; considérer par abstraction. *Abstraire une qualité d'un objet.* 2. S'ABSTRAIRE v. pron. : s'isoler mentalement du milieu extérieur pour mieux réfléchir. *Il arrive à s'abstraire complètement au milieu de cette agitation. S'abstraire de l'agitation, du bruit autour de soi.* ▸ *abstrait, aite* adj. et n. m. 1. Considéré par abstraction. *La blancheur est une idée abstraite.* / contr. **concret** / 2. Qui utilise l'abstraction, n'opère pas sur la réalité. *Pensée abstraite. Les mathématiques sont une science abstraite.* 3. Qui est difficile à comprendre à cause des abstractions. *Un texte, un auteur très abstrait.* 4. ART ABSTRAIT : qui ne représente pas le monde visible, sensible (réel ou imaginaire) ; qui utilise la matière, la ligne, la couleur pour elles-mêmes. *Peinture, toile abstraite. Un peintre abstrait.* — N. *Les abstraits.* / contr. **figuratif** / 5. N. m. DANS L'ABSTRAIT : sans référence à la réalité concrète. ⇒ **abstraitement.** *Tout cela est bien joli dans l'abstrait !* ▸ *abstraitement* adv. ■ D'une manière abstraite. *S'exprimer trop abstraitement.* — Dans l'abstrait.

absurde [apsyrd] adj. et n. m. 1. (Choses) Contraire à la raison, au bon sens, à la logique. ⇒ **déraisonnable, inepte, insensé.** *Il a agi de façon absurde. Réponse absurde.* / contr. **sensé** / — Bête, stupide. 2. (Personnes) *Vous êtes absurde !,* vous dites des absurdités. 3. N. m. Ce qui est absurde. *Raisonnement, démonstration par l'absurde.* — *Philosophie de l'absurde,* qui montre l'absurdité de la condition humaine. ▸ *absurdement* adv. ■ De manière absurde. ▸ *absurdité* n. f. 1. Caractère absurde. *Je vais vous montrer l'absurdité de ces accusations.* 2. (Une, des absurdités) Chose absurde. ⇒ **ineptie, sottise, stupidité.** *Ce refus est une absurdité. Dire des absurdités.*

abus [aby] n. m. invar. 1. Action d'abuser d'une chose ; usage mauvais, excessif ou injuste. *L'abus des alcools, des plaisirs.* ⇒ **excès.** — Fam. *(Il) y a de l'abus,* de l'exagération ; les choses vont trop loin. 2. ABUS DE CONFIANCE : délit par lequel on abuse de la confiance de qqn. 3. Coutume mauvaise. *Les abus d'un régime.* ⇒ **injustice.** ▸ *abuser* v. tr. ▪ conjug. 1. 1. ABUSER DE... : user mal, avec excès. *N'abusez pas des somnifères.* — Littér. ABUSER DE : tromper (qqn). ⇒ **duper, leurrer, mystifier.** *Il a été abusé par cet escroc.* 3. S'ABUSER v. pron. réfl. : se tromper, se méprendre. *C'est, si je ne m'abuse, la première fois.*

▶ *abusif, ive* adj. ■ Qui constitue un abus. *L'usage abusif d'un médicament.* ⇒ **excessif, mauvais.** ▶ *abusivement* adv.

abysse [abis] n. m. ■ Surtout au plur. Fosse sous-marine très profonde. — Gouffre. ⇒ **abîme.** *Un abysse.* ▶ *abyssal, ale, aux* adj. ■ Très profond. ⇒ **insondable.**

acabit [akabi] n. m. ■ Péj. *De cet acabit ; du même acabit,* de cette nature, de même nature. *Ces deux livres sont du même acabit, aussi mauvais l'un que l'autre.*

acacia [akasja] n. m. **1.** Arbre à branches épineuses, à fleurs blanches ou jaunes en grappes pendantes. *Une avenue bordée d'acacias.* **2.** En sciences. Mimosa.

académie [akademi] n. f. **1.** Société de gens de lettres, savants, artistes. *Académie de musique, de médecine. L'Académie des sciences de Berlin.* — L'ACADÉMIE : l'Académie française fondée en 1635 par Richelieu. **2.** Circonscription universitaire. *Les Facultés de l'Académie de Strasbourg.* ▶ *académicien, ienne* n. ■ Membre d'une Académie (spécialt de *l'Académie française*). *Les académiciens ont un habit vert et une épée.* ▶ *académique* adj. ■ Qui suit étroitement les règles conventionnelles, avec froideur ou prétention. ⇒ **conventionnel.** *Un style académique.* ▶ *académisme* n. m. ■ Observation étroite des traditions académiques ; classicisme étroit. *On a parfois accusé Ingres d'académisme.*

acadien, ienne [akadjɛ̃, jɛn] adj. et n. ■ De l'Acadie, région du Canada français.

acajou [akaʒu] n. m. ■ Arbre d'Amérique à bois rougeâtre, très dur, facile à polir ; ce bois. *Un mobilier en acajou.*

acanthe [akɑ̃t] n. f. ■ Plante à feuilles très découpées. — FEUILLE D'ACANTHE : ornement d'architecture représentant une feuille très découpée.

acariâtre [akaRjɑtR] adj. ■ D'un caractère désagréable, difficile. ⇒ **grincheux, hargneux.** *Il est misanthrope et acariâtre.*

accabler [akable] v. tr. ▪ conjug. 1. **1.** Faire supporter à (qqn) une chose pénible. *Il nous accable de travail.* ⇒ **surcharger.** — Abstrait. *Cette triste nouvelle nous accable.* **2.** Combler. *Accabler qqn de bienfaits, de cadeaux.* **3.** Attaquer par la parole. *Accabler qqn d'injures, de reproches.* ⇒ **abreuver.** **4.** *(Être) accablé de travail, de soucis, d'ennuis.* ▶ *accablant, ante* adj. ■ Qui accable, fatigue. *Charge, chaleur accablante.* ⇒ **écrasant.** *Un témoignage accablant.* ⇒ **accusateur.** *Une nouvelle accablante.* ⇒ **triste.** ▶ *accablement* n. m. ■ État d'une personne qui supporte une situation très pénible. ⇒ **abattement.**

accalmie [akalmi] n. f. ■ Calme, après l'agitation. ⇒ **apaisement.** *Un moment d'accalmie dans les luttes politiques.* / contr. **crise, tempête** /

accaparer [akapaRe] v. tr. ▪ conjug. 1. **1.** Prendre, retenir en entier. *Accaparer le pouvoir. N'accapare pas la salle de bains ! Le travail l'accapare tout entier.* ⇒ **occuper.** **2.** *Accaparer qqn,* le retenir. *Cet invité a accaparé la maîtresse de maison.* ▶ *accaparement* n. m. ■ *L'accaparement des richesses.* ▶ *accapareur, euse* n. et adj.

accéder [aksede] v. tr. ind. ▪ conjug. 6. — ACCÉDER À. **1.** Pouvoir entrer, pénétrer ; avoir accès. *On accède à la terrasse par un escalier intérieur.* **2.** Abstrait. Parvenir (à une fonction supérieure). *Un concours permet d'accéder à ce poste.* **3.** Donner satisfaction à. ⇒ **acquiescer, consentir, souscrire.** *Accéder aux désirs de qqn.* ⟨ ▶ *accessible, accession* ⟩

accélérer [akseleRe] v. tr. ▪ conjug. 6. **1.** Rendre plus rapide. *Accélérer l'allure, le mouvement.* ⇒ **hâter, presser.** / contr. **ralentir** / **2.** Rendre plus prompt. ⇒ **activer, avancer.** *Il faut accélérer les travaux, l'exécution de ce plan.* / contr. **retarder** / — Au p. p. adj. *Formation accélérée.* **3.** Intransitivement. Augmenter la vitesse d'une voiture, la vitesse du moteur (même à l'arrêt) avec l'accélérateur. *Accélérez doucement et changez de vitesse.* / contr. **freiner** / ▶ *accélérateur* n. m. **1.** Organe qui commande l'admission du mélange gazeux au moteur (l'admission accrue augmente la vitesse). *Appuyer sur l'accélérateur, sur la pédale d'accélérateur.* ⇒ fam. **champignon.** **2.** *Accélérateur de particules,* appareil qui communique à des particules élémentaires (électrons, etc.) des vitesses très élevées. ⇒ **cyclotron.** ▶ *accéléré* n. m. ■ Au cinéma. Procédé qui accélère les mouvements. *Poursuite et bagarre en accéléré.* ▶ *accélération* n. f. ■ Augmentation de vitesse. *L'accélération d'un mouvement, d'un véhicule.* / contr. **ralentissement** / *Cette voiture a des accélérations foudroyantes.*

accent [aksɑ̃] n. m. **1.** Élévation ou augmentation d'intensité de la voix mettant en relief une syllabe dans le discours. *Accent d'insistance.* **2.** Signe graphique qui sert à noter des différences dans la prononciation des voyelles. *E accent aigu (é), grave (è), circonflexe (ê).* — Signe graphique qui permet de distinguer deux mots (ex. : *a* et *à, ou* et *où*). **3.** Inflexions de la voix (timbre, intensité) exprimant un sentiment. ⇒ **inflexion, intonation.** *Un accent plaintif. Un accent de sincérité.* **4.** Ensemble des caractères phonétiques distinctifs d'une communauté linguistique considérés comme un écart par rapport à la norme (dans une région, un pays). *L'accent marseillais* (en français). *Avoir l'accent anglais* (en français), *l'accent français* (en espagnol). **5.** METTRE L'ACCENT SUR : insister. *Le ministre a mis l'accent sur les problèmes sociaux.* ▶ *accentuer* v. tr. ▪ conjug. 1. **1.** Élever ou intensifier la voix sur (tel son). *On accentue la voyelle finale, en français.* **2.** Mettre un accent (2) sur (une lettre). *Accentuer un a. Il ne sait pas accentuer correctement.* **3.** Augmenter, intensifier (qqch.). *Accentuer l'opposition des couleurs. Accentuer son effort, son action.* — Pronominalement. Abstrait. S'ACCENTUER : augmenter. *L'amélioration s'accentue.* / contr. **diminuer** / ▶ *accentuation* n. f. **1.** Le fait, la manière de placer les signes appelés accents. *Fautes d'accentuation.* **2.** Le fait d'augmenter, de s'accentuer. *L'accentuation de cette évolution.* ⟨ ▶ *inaccentué* ⟩

accepter [aksɛpte] v. tr. ▪ conjug. 1. **I.** ACCEPTER *qqn, qqch.* **1.** Recevoir, prendre volontiers (ce qui est offert, proposé). *Accepter un cadeau, une invitation.* — Acquiescer à. *Il accepte tout. Accepter le combat,* se montrer prêt à se battre. / contr. **refuser** / **2.** Donner son accord à. *Accepter un contrat.* **3.** *Accepter qqn,* l'admettre auprès de soi ou dans tel rôle. *Accepter qqn pour époux.* **4.** Se soumettre à une épreuve ; ne pas refuser. ⇒ se **résigner, subir, supporter.** *Il ne peut pas accepter son échec. Accepter la vieillesse, la mort.* — Pronominalement (réfl.). S'ACCEPTER : s'accommoder de ses défauts comme de ses qualités. *Il s'accepte tel qu'il est.* **II. 1.** ACCEPTER DE (+ infinitif) : bien vouloir. *Il a accepté de venir, de nous aider.* **2.** ACCEPTER QUE (+ subjonctif) : supporter. *Je n'accepte pas qu'on me parle sur ce ton.* ▶ *acceptable* adj. **1.** Qui mérite d'être accepté. *Il a fait une offre acceptable.* **2.** Assez bon, qui peut convenir. *Le salaire est acceptable, mais il y a trop de travail.* ▶ *acceptation* n. f. ■ Le fait d'accepter (une chose abstraite). ⇒ **consentement.** *Il faut obtenir l'acceptation de tous les membres du comité.* / contr. **refus** / ≠ *acception.* ⟨ ▶ *inacceptable* ⟩

acception [aksɛpsjɔ̃] n. f. ■ Sens particulier d'un mot. ⇒ **signification**. *Dans quelle acception le mot est-il employé ?* ≠ acceptation.

① *accès* [aksɛ] n. m. invar. **1.** Possibilité d'aller dans (un lieu). ⇒ **entrée**. *L'accès de ce parc est interdit. Une voie d'accès.* **2.** Voie qui permet d'entrer. *Les accès de Paris sont insuffisants.* **3.** Possibilité d'approcher (qqn). *Avoir accès auprès de qqn. Il est d'un accès difficile.* **4.** DONNER ACCÈS À : permettre d'obtenir. *Diplôme qui donne accès à un emploi.* ⇒ **accéder**. ⟨ ▶ accessible ⟩

② *accès* n. m. invar. **1.** Arrivée ou retour d'un phénomène pathologique. *Accès de fièvre.* ⇒ **poussée**. *Accès de folie.* ⇒ **crise**. **2.** Émotion vive et passagère. *Des accès de colère, de tristesse.*

accessible [aksesibl] adj. **1.** Où l'on peut accéder, arriver, entrer. *Cette région est difficilement accessible.* **2.** Qu'on peut payer, acheter. *Des prix accessibles.* ⇒ **abordable**. — ACCESSIBLE À *qqn* : qui peut être compris par. ⇒ **compréhensible**. *Science, domaine accessible aux initiés.* **3.** (Personnes) Que l'on peut approcher, voir, rencontrer. *Il est peu accessible.* **4.** Sensible à (qqch.). *Il n'est pas accessible à la flatterie.* / contr. **inaccessible** / ▶ *accessibilité* n. f. ■ Possibilité d'accéder, d'arriver à. *L'accessibilité à un emploi.* ▶ *accession* n. f. ■ Le fait d'accéder à une dignité, une fonction supérieure, une situation meilleure. *Accession d'un prince au trône. Accession d'un État à l'indépendance. Accession (des locataires) à la propriété.* ▶ *accessit* [aksesit] n. m. ■ Distinction, récompense accordée à ceux qui, sans avoir obtenu de prix, s'en sont approchés. *Un premier accessit de musique. Des accessits.*

① *accessoire* [akseswar] adj. ■ Qui vient avec ou après ce qui est principal, essentiel. ⇒ **annexe**, **secondaire**. *Une idée, une question accessoire. C'est tout à fait accessoire.* ⇒ **négligeable**. — N. m. *L'accessoire, ce qui est accessoire.* ▶ *accessoirement* adv. ■ D'une manière accessoire ; en plus d'un motif principal.

② *accessoire* n. m. **1.** Petit objet nécessaire à une représentation théâtrale, un déguisement. *Les décors, les costumes et les accessoires.* **2.** Pièce non indispensable d'une machine, d'un instrument, etc. *Pièces et accessoires d'automobile.* ▶ *accessoiriste* n. ■ Personne qui dispose les accessoires au théâtre, au cinéma, à la télévision.

accident [aksidɑ̃] n. m. **1.** Littér. Événement non prévu, non essentiel. *Les accidents de la vie.* — Loc. PAR ACCIDENT : par hasard. **2.** Événement fâcheux, malheureux. ⇒ **contretemps, ennui, mésaventure**. *Il a cassé un verre : c'est un petit accident.* **3.** Événement imprévu et soudain qui entraîne des dégâts, met en danger. *Accident d'avion. Il a eu un accident, sa voiture est en miettes.* **4.** *Accidents de terrain*, inégalités du terrain. ▶ *accidenté, ée* adj. **1.** Qui présente des inégalités. *Terrain accidenté. Région accidentée, montagneuse.* / contr. **plat** / **2.** Fam. Qui a subi un accident. *Voiture accidentée.* — N. *Les accidentés de la route.* ▶ *accidentel, elle* adj. **1.** Qui est dû au hasard. ⇒ **fortuit, imprévu**. *Cette erreur est accidentelle.* / contr. **normal** / **2.** *Mort accidentelle*, du fait d'un accident. ▶ *accidentellement* adv. ■ *Cela est arrivé accidentellement.* ⇒ **par hasard**. — *Il est mort accidentellement, par un accident (3).*

acclamer [aklame] v. tr. ▪ conjug. 1. ■ Saluer par des cris de joie, des manifestations publiques d'enthousiasme. *Le député s'est fait acclamer.* / contr. **huer** / ▶ *acclamation* n. f. ■ Surtout au plur. Cri collectif d'enthousiasme pour saluer (qqn) ou approu-

ver (qqch.). ⇒ **applaudissement, hourra**. *Être accueilli par des acclamations.*

acclimater [aklimate] v. tr. ▪ conjug. 1. **1.** Habituer (un animal, une plante) à un milieu géographique différent. *Acclimater une plante tropicale en pays tempéré.* **2.** V. pron. réfl. (Personnes) *S'acclimater*, s'habituer à un nouveau pays, milieu (au physique et au moral). **3.** Introduire quelque part (une idée, un usage). ▶ *acclimatation* n. f. **1.** Action d'acclimater (un animal, une plante). ▪ JARDIN D'ACCLIMATATION : jardin zoologique et botanique où vivent des espèces de toutes les régions. ▶ *acclimatement* n. m. ■ Le fait de s'habituer à un autre milieu. ⇒ **accommodation** (2). *L'acclimatement d'une espèce animale.*

accointances [akwɛ̃tɑ̃s] n. f. pl. ■ *Avoir des accointances* (dans un milieu), avoir des relations, des amis. *Il a des accointances dans la police.*

accolade [akɔlad] n. f. **1.** Le fait de mettre les bras autour du cou. ⇒ **embrassade**. *Donner, recevoir l'accolade.* **2.** Signe à double courbure ({), qui sert à réunir plusieurs lignes.

accolé, ée [akɔle] adj. ■ L'un contre l'autre, l'un à côté de l'autre. *Maisons accolées.*

accommoder [akɔmɔde] v. tr. ▪ conjug. 1. **1.** ACCOMMODER *qqch.* À *qqch.* : disposer ou modifier de manière à faire convenir à. ⇒ **adapter, ajuster**. *Il faut accommoder votre projet aux circonstances.* **2.** Préparer (des aliments) pour la consommation. ⇒ **apprêter, assaisonner, cuisiner**. *Accommoder du poisson à la sauce Béchamel.* **3.** V. pron. réfl. S'ACCOMMODER À : s'adapter à (choses abstraites ; personnes). *Nous nous accommodons à notre nouvelle vie.* **4.** V. pron. S'ACCOMMODER DE : accepter comme pouvant convenir. *Il s'accommode de tout.* ⇒ **accommodant**. *Si vous n'avez qu'une petite chambre, je m'en accommoderai.* ⇒ se **contenter**. ▶ *accommodant, ante* adj. ■ Qui s'accommode facilement des personnes, des circonstances. ⇒ **conciliant, sociable**. *Il est très accommodant, d'une humeur accommodante.* ▶ *accommodation* n. f. **1.** Mise au point faite par l'œil, dans la fonction visuelle. **2.** Changement par adaptation au milieu. ⇒ **acclimatement**. ▶ *accommodement* n. m. ■ Accord ou compromis à l'amiable. ⇒ **conciliation**. *Obtenir un accommodement.*

accompagner [akɔ̃paɲe] v. tr. ▪ conjug. 1. **1.** Se joindre à (qqn) pour aller où il va en même temps que lui. *Il veut qu'elle l'accompagne partout. Accompagnez-moi jusqu'à la gare.* **2.** (Choses) *S'ajouter à*, aller avec. *Les haricots accompagnent bien le gigot.* — Au p. p. adj. *Un homard accompagné de champagne.* **3.** Jouer avec (un musicien, un chanteur) une partie pour soutenir sa mélodie. ⇒ **accompagnement**. *Accompagner un violoniste au piano.* **4.** (Suj. chose) S'ACCOMPAGNER DE : se produire en même temps que ; avoir pour effet, pour corollaire. *Un échec s'accompagne parfois de compensations.* ▶ *accompagnateur, trice* n. **1.** Personne qui accompagne la partie principale d'une exécution musicale. *Cette pianiste est l'accompagnatrice d'un violoniste.* **2.** Personne qui accompagne et guide un groupe. ⇒ **guide**. *Nous voyagerons avec un accompagnateur.* ▶ *accompagnement* n. m. **1.** Ce qui est servi avec une viande, un poisson. *Servir une viande avec un accompagnement de...* **2.** Action de jouer une partie musicale de soutien à la partie principale ; cette partie. *Accompagnement de piano. Chanter sans accompagnement.*

accompli, ie [akɔ̃pli] adj. **1.** Qui est parfait en son genre. ⇒ **consommé, incomparable, parfait**. *Une* *maîtresse de maison accomplie.* 2. Terminé. — LE FAIT ACCOMPLI : ce qui est fait, sur quoi on ne peut revenir. *Il a dû s'incliner, céder devant le fait accompli. Mettre qqn devant le fait accompli.*

accomplir [akɔ̃pliʀ] v. tr. conjug. 2. 1. Faire effectivement (ce qui était préparé, projeté). ⇒ effectuer, exécuter, réaliser. *Rien ne peut l'empêcher d'accomplir ce qu'il a résolu.* 2. Faire (ce qui est demandé, ordonné, proposé). ⇒ remplir, satisfaire à. *Accomplir un souhait. Accomplir son devoir, un ordre.* ⇒ observer. 3. Pronominalement (passif). S'ACCOMPLIR : se réaliser, avoir lieu. ⇒ arriver. *Son souhait s'est accompli.* ▶ accomplissement n. m. ■ Le fait d'accomplir, de s'accomplir. ⇒ exécution, réalisation. *Jusqu'à l'accomplissement de votre tâche. L'accomplissement de ses désirs.* ⟨ ▶ accompli ⟩

① *accord* [akɔʀ] n. m. 1. État qui résulte d'une communauté ou d'une conformité de pensées, de sentiments. ⇒ entente. *L'accord est unanime, général. D'un commun accord. Ils vivent en parfait accord.* / contr. désaccord, mésentente / 2. D'ACCORD. *Être d'accord,* avoir la même opinion, le même avis ou la même intention. ⇒ s'entendre. *Ils sont toujours d'accord. Elles se sont mises d'accord. Je suis d'accord avec vous. D'accord, j'y consens.* « *Viendrez-vous demain ?* — *D'accord.* » ⇒ oui ; fam. O.K. 3. UN ACCORD : arrangement entre ceux qui se mettent d'accord. ⇒ compromis, convention, pacte, traité. *Négocier, conclure un accord. Après plusieurs heures de discussions, nous sommes arrivés à un accord. Un accord de principe,* qui ne mentionne pas les détails d'application. 4. DONNER SON ACCORD : accepter, autoriser, permettre. ⇒ autorisation, permission. 5. (Choses) EN ACCORD AVEC : adapté à, qui correspond à. *Ses opinions ne sont pas en accord avec ses actes.* ⇒ cadrer.

② *accord* n. m. 1. Association de plusieurs sons (au moins trois) simultanés ayant des rapports de fréquence codifiés par les lois de l'harmonie. *Accord parfait* (tonique, médiante, dominante) ; *accord de tierce. Frapper, plaquer un accord au piano.* 2. Action d'accorder ③ un instrument. — État d'un récepteur accordé sur une fréquence d'émission. 3. Correspondance entre des formes du discours dont l'une est subordonnée à l'autre. *Accord du verbe avec le sujet. Accord des participes. Faute d'accord.*

accordéon [akɔʀdeɔ̃] n. m. 1. Instrument de musique à soufflet et à anches métalliques. *Il joue de l'accordéon dans un bal populaire.* 2. EN ACCORDÉON : qui forme des plis nombreux. *Chaussettes en accordéon.* ▶ accordéoniste n. ■ Personne qui joue de l'accordéon. *Une excellente accordéoniste.*

① *accorder* [akɔʀde] v. tr. conjug. 1. 1. Consentir à donner, à laisser ou à permettre. *Accorder un crédit, un délai.* ⇒ allouer. *Accorder une faveur.* ⇒ satisfaire. *Il lui a accordé la main de sa fille.* / contr. refuser / 2. Attribuer. *Vous accordez trop d'importance à cet échec.* ⇒ attacher. 3. S'ACCORDER qqch. : se donner. *S'accorder un peu de répit.*

② *s'accorder* v. pron. conjug. 1. ■ (Personnes) S'entendre, être assortis. *Ces deux frères ne s'accordent pas entre eux.* — (Choses) *Ces couleurs s'accordent bien.* / contr. détonner, jurer / — S'accorder pour (+ infinitif), être d'accord pour. *Ils s'accordent pour adopter cette solution.* ⟨ ▶ ① accord ⟩

③ *accorder* v. tr. conjug. 1. 1. Mettre (un ou plusieurs instruments) au même diapason. *Accorder un piano, un violon.* ⇒ ② accord, accordeur. — Abstrait. *Accordez vos violons,* mettez-vous d'accord. — Régler un récepteur sur une fréquence. 2. Donner à (un élément du discours) un aspect formel en rapport avec sa fonction ou avec la forme d'un élément dominant. *Accorder le verbe avec le sujet de la phrase.* — Pronominalement (passif). *Le verbe s'accorde avec son sujet.* ▶ accordeur n. m. ■ Professionnel qui accorde les pianos, les orgues, etc. *Elle est accordeur.* ⟨ ▶ ② accord, accordéon ⟩

accorte [akɔʀt] adj. f. ■ Littér. *Une accorte servante,* gracieuse et vive.

accoster [akɔste] v. conjug. 1. 1. V. tr. Aborder (qqn) de façon cavalière. *Il a été accosté par un inconnu.* 2. V. tr. et intr. (Bateau) Se mettre bord à bord avec (le quai, un autre bateau). *Le navire accoste le quai.* — Sans compl. *Le navire vient d'accoster.* ▶ accostage n. m. ■ Le fait d'accoster. — Opération précédant l'amarrage de deux engins lors d'un rendez-vous spatial.

s'accoter [akɔte] v. pron. conjug. 1. ■ S'appuyer d'un côté. *Il y avait un client qui s'accotait au comptoir.* ▶ accotement n. m. ■ Espace aménagé entre la chaussée et le fossé. *Stationner sur l'accotement.* ⇒ bas-côté. ▶ accotoir n. m. ■ Saillie d'un dossier où l'on peut appuyer sa tête.

accoucher [akuʃe] v. tr. conjug. 1. 1. Sans compl. Donner naissance à un enfant. ⇒ enfanter. *Elle accouchera dans un mois. Accoucher avant terme.* — REM. Ne se dit pas des animaux. ⇒ mettre bas. — V. tr. indir. ACCOUCHER DE : mettre au monde. ⇒ engendrer. *Elle a accouché d'un garçon.* 2. V. tr. dir. Aider (une femme) à mettre un enfant au monde. *La sage-femme l'a accouchée.* 3. V. tr. indir. Péj. Élaborer difficilement. *Il a accouché d'un roman peu lisible.* — Sans compl. Fam. S'expliquer, parler. *Alors, tu accouches ?, ça sort, ça vient ?* ▶ accouchée n. f. ■ Femme qui vient d'accoucher. ⇒ mère. ▶ accouchement n. m. 1. Le fait d'accoucher ; sortie de l'enfant du corps de sa mère. ⇒ couches, enfantement. *Elle a eu un accouchement facile.* 2. Opération médicale par laquelle on assiste la femme qui accouche. (⇒ obstétrique.) *Ce médecin a fait des centaines d'accouchements.* — Loc. *Accouchement sans douleur,* entraînement pour diminuer les douleurs de l'accouchement. ▶ accoucheur, euse n. ■ Personne qui fait des accouchements. ⇒ gynécologue, sage-femme.

s'accouder [akude] v. pron. conjug. 1. ■ S'appuyer sur le(s) coude(s). *Elle s'accoude à sa fenêtre.* ▶ accoudoir n. m. ■ Appui pour s'accouder. *L'accoudoir d'une portière d'automobile, d'un fauteuil.* ⇒ bras.

accoupler [akuple] v. tr. conjug. 1. 1. Joindre, réunir par deux. *Accoupler des générateurs électriques.* — Au p. p. adj. *Bobines accouplées.* 2. Réunir (deux choses qui jurent entre elles). *Accoupler deux mots, deux idées disparates.* 3. Procéder à l'accouplement d'animaux. ⇒ apparier. — (Animaux) S'ACCOUPLER v. pron. : s'unir sexuellement. *Le bélier s'accouple à la brebis.* ▶ accouplement n. m. 1. Le fait d'accoupler. *Barre, bielle d'accouplement.* — Abstrait. *Un étrange accouplement de mots.* ⇒ assemblage, réunion. 2. Conjonction du mâle et de la femelle d'une espèce animale pour la reproduction.

accourir [akuʀiʀ] v. intr. conjug. 11. ■ Venir en courant, en se pressant. *Quand il a crié, je suis vite accouru* (ou *j'ai vite accouru*).

s'accoutrer [akutʀe] v. pron. conjug. 1. ■ S'habiller ridiculement. ⇒ s'affubler. *Il s'accoutre d'une manière ridicule.* — Au p. p. adj. *Elle est venue bizarrement accoutrée.* ▶ accoutrement n. m. ■ Habillement étrange, ridicule. ⇒ affublement. *Il est arrivé chez nous dans un accoutrement un peu bizarre.*

accoutumer [akutyme] v. tr. ▪ conjug. 1. **1.** Faire prendre l'habitude de. ⇒ **habituer**. *On ne l'a pas accoutumé à travailler.* ⇒ *Être accoutumé à*, avoir pris l'habitude de. *Je suis accoutumé à ce genre de remarque, à supporter ses caprices.* **3.** *S'accoutumer à*, s'habituer à. *On s'accoutume à tout.* ▶ *accoutumé, ée* adj. **1.** Ordinaire, habituel. *À l'heure accoutumée.* **2.** COMME À L'ACCOUTUMÉE loc. adv. : comme d'ordinaire. *Il est passé à 8 heures, comme à l'accoutumée.* ▶ *accoutumance* n. f. **1.** Le fait de s'habituer, de se familiariser. *L'accoutumance au malheur.* ⇒ **adaptation, habitude.** **2.** Processus par lequel un organisme tolère de mieux en mieux un agent extérieur ; son résultat. ⇒ **immunité.** *L'accoutumance progressive à un poison.* — État dû à l'usage prolongé d'une drogue (désir de continuer, etc.). ⇒ **dépendance.**

accréditer [akʀedite] v. tr. ▪ conjug. 1. **1.** *Accréditer qqn*, lui donner l'autorité nécessaire pour agir en qualité de. *Accréditer un ambassadeur auprès d'un chef d'État.* **2.** *Accréditer qqch.*, rendre croyable, plausible. *Cette nouvelle est accréditée dans de nombreux journaux.*

accrocher [akʀɔʃe] v. ▪ conjug. 1. **I.** V. tr. **1.** Retenir, arrêter par un crochet, une chose pointue. *Être accroché par un buisson épineux. Accrocher son bas.* — Abstrait. Fam. *Tu peux te l'accrocher !*, n'y compte pas, tu n'auras pas ce que tu demandes. **2.** Heurter (un véhicule). *Le camion a accroché mon pare-chocs.* **3.** Suspendre à un crochet. *Accrocher son manteau.* ⇒ **pendre.** / contr. **décrocher** / *Accrocher une pancarte au mur.* — Loc. *Avoir le cœur bien accroché*, ne pas être sujet aux maux de cœur. — Abstrait. Avoir du courage. **4.** Retenir l'attention de (qqn). *Ce film accroche le spectateur du début à la fin.* — Sans compl. *Voilà une affiche qui accroche.* **II.** V. intr. **1.** Présenter des difficultés de fonctionnement. *La négociation a accroché sur plusieurs points.* **2.** (Contact) S'établir. *Ça a bien accroché avec lui.* **III.** S'ACCROCHER v. pron. réfl. **1.** Se tenir avec force. ⇒ se **cramponner.** *Accrochez-vous à la rampe.* **2.** Abstrait. *S'accrocher à son passé, à ses illusions. S'accrocher*, ne pas céder. ⇒ **tenir.** *Ils s'accrochaient avec l'énergie du désespoir.* — Fam. *S'accrocher à qqn*, l'importuner. **3.** *S'accrocher (avec qqn)*, se heurter par la parole. ⇒ se **disputer.** ▶ *accroc* [akʀo] n. m. **1.** Déchirure faite par ce qui accroche. *Faire un accroc à son pantalon.* **2.** Difficulté qui arrête. ⇒ **anicroche, contretemps, obstacle.** *L'opération s'est déroulée sans le moindre accroc. Des accrocs.* ▶ *accrochage* n. m. **1.** Action d'accrocher. *L'accrochage d'un tableau.* **2.** Petit accident d'automobile, léger choc entre deux voitures. **3.** Bref engagement. *Accrochage entre deux patrouilles.* **4.** Fam. Moment de désaccord. ⇒ **dispute.** ▶ *accroche-cœur* n. m. ▪ Mèche de cheveux en croc, collée sur la tempe. *Des accroche-cœurs.* ▶ *accrocheur, euse* adj. et n. **1.** (Personnes) Très tenace. *C'est un bon vendeur, un tenace accrocheur ; c'est un accrocheur.* **2.** Qui retient l'attention (d'une manière grossière). *Une publicité accrocheuse.*

faire **accroire** [akʀwaʀ] v. tr. — REM. Seulement infinitif. ▪ EN FAIRE ACCROIRE À *qqn* : le tromper, lui mentir. *Il nous en fait accroire !* ⇒ **abuser.**

accroître [akʀwɑtʀ] v. tr. ▪ conjug. 55. ▪ Rendre plus grand, plus important. ⇒ **augmenter, développer, étendre.** *Accroître ses biens, sa production.* — Pronominalement (réfl.). *Sa colère s'accroissait. Mon amitié pour lui s'est accrue.* / contr. **diminuer** / ▶ *accroissement* n. m. ▪ Le fait de croître, d'augmenter. ⇒ **augmentation.** *L'accroissement des richesses, de la production.*

*s'***accroupir** [akʀupiʀ] v. pron. ▪ conjug. 2. ▪ S'asseoir les jambes repliées, sur ses talons. *S'accroupir derrière un buisson pour se cacher. Elle s'est accroupie.* — Au p. p. adj. *Un enfant accroupi. En position accroupie.* ▶ *accroupissement* n. m. ▪ Position d'une personne accroupie. — Action de s'accroupir.

accueillir [akœjiʀ] v. tr. ▪ conjug. 12. **1.** Se comporter d'une certaine manière avec (une personne qui se présente). *Il a été froidement, aimablement accueilli.* **2.** (Choses) Recevoir bien ou mal. *Ce projet a été bien accueilli, a été accueilli par des applaudissements.* **3.** Donner l'hospitalité à. *Il nous a accueillis chez lui.* ▶ *accueil* [akœj] n. m. **1.** Manière de recevoir qqn, de se comporter avec lui quand on le reçoit ou quand il arrive. *Je vous remercie de votre aimable accueil. Faire bon, mauvais accueil à qqn.* **2.** Manière dont qqn accepte (une idée, une œuvre). *Le public a fait un accueil enthousiaste à ce film.* **3.** D'ACCUEIL : organisé pour accueillir. *Centre d'accueil*, chargé de recevoir les voyageurs, des réfugiés, etc. *Hôtesse d'accueil.* ▶ *accueillant, ante* adj. **1.** Qui fait bon accueil. ⇒ **hospitalier.** *Un hôte accueillant. Un esprit accueillant*, ouvert. **2.** (Choses) D'un abord agréable ; où l'on est bien accueilli. *Auberge, maison accueillante.*

acculer [akyle] v. tr. ▪ conjug. 1. **1.** Pousser dans un endroit où tout recul est impossible. *Acculer l'ennemi à la mer.* **2.** Abstrait. *Acculer qqn à une chose, à faire qqch.*, le contraindre. *Être acculé à la faillite.*

accumuler [akymyle] v. tr. ▪ conjug. 1. **1.** Mettre ensemble en grand nombre. ⇒ **amasser, entasser.** *Les capitalistes accumulent les richesses. Accumuler des notes.* **2.** Abstrait. Réunir en grand nombre. *Accumuler des preuves.* ▶ *accumulateur* n. m. ▪ Appareil qui emmagasine l'énergie électrique fournie par une réaction chimique et la restitue sous forme de courant. — Fam. *Les* ACCUS. *Recharger ses accus*, reconstituer ses forces. ▶ *accumulation* n. f. **1.** Action d'accumuler ; le fait d'être accumulé. *L'accumulation des stocks. Une accumulation de preuves accablantes.* ⇒ **quantité.** **2.** Emmagasinage d'énergie électrique. *Radiateur à accumulation.*

accus [aky] n. m. pl. ▪ Abréviation familière de *accumulateurs**.*

accusateur, trice [akyzatœʀ, tʀis] n. et adj. **1.** N. Personne qui accuse. **2.** Adj. Qui constitue ou dénote une accusation. *Documents accusateurs. Un regard accusateur.*

accusatif [akyzatif] n. m. ▪ Cas de la déclinaison (en latin, par ex.) qui indique que l'élément qui le porte est celui qui subit l'action (complément d'objet). *Mettre un nom à l'accusatif.*

① **accuser** [akyze] v. tr. ▪ conjug. 1. **1.** Signaler ou présenter (qqn) comme coupable. ⇒ **attaquer, charger, incriminer ; accusation, accusé.** *Ne l'accusez pas sans preuves.* — *Accuser qqn de... On l'accuse d'un crime, d'avoir tué sa femme.* — Pronominalement (réfl.). *S'accuser*, s'avouer coupable. **2.** (Choses) *Accuser le sort, les événements, les rendre responsables* (d'un mal). ▶ *accusation* n. f. **1.** Action de signaler comme coupable (personnes) ou comme répréhensible (choses). *Faire une accusation. Des accusations malveillantes, fausses.* **2.** Action en justice par laquelle on désigne comme coupable, devant un tribunal. ⇒ **plainte, poursuite.** *Les principaux chefs (sujets) d'accusation.* ▶ *accusé, ée* n. ▪ Personne à qui on impute un délit. ⇒ **inculpé, prévenu.** *L'accusé a été interrogé par le juge d'instruction.* ⟨ ▶ accusateur ⟩

② **accuser** v. tr. ▪ conjug. 1. **1.** Faire ressortir, faire sentir avec force. ⇒ **accentuer, marquer.** *C'est un* *vêtement qui accuse les lignes du corps.* — Au p. p. adj. *Des traits accusés.* — Loc. fam. *Accuser le coup,* montrer par ses réactions qu'on est affecté, moralement et physiquement. **2.** ACCUSER RÉCEPTION DE : donner avis qu'on a reçu. *J'accuse réception de votre lettre du 12.* ▶ *accusé de réception* n. m. ■ Avis informant qu'une chose a été reçue. *Des accusés de réception.*

acerbe [asɛʀb] adj. ■ Qui cherche à blesser ; qui critique avec méchanceté. ⇒ **caustique, sarcastique.** *Des critiques acerbes. Un ton acerbe.* ⟨ ▶ exacerber ⟩

acéré, ée [aseʀe] adj. ■ Dur, tranchant et pointu. *Griffes acérées.* — Abstrait. Intentionnellement blessant. ⇒ **acerbe.**

acétate [asetat] n. m. ■ Sel ou ester de l'acide acétique. ▶ *acétique* adj. ≠ *ascétique.* ■ *Acide acétique,* acide du vinaigre, liquide corrosif, incolore, d'odeur suffocante. ▶ *acétone* n. f. ■ Liquide incolore, volatil, inflammable, d'odeur pénétrante, utilisé comme solvant. ▶ *acétylène* n. m. ■ Gaz incolore, inflammable et toxique, produit par action de l'eau sur le carbure de calcium, utilisé dans les *lampes* et *chalumeaux à acétylène* et pour de très nombreuses synthèses organiques. *Soudure à l'acétylène.*

achalandé, ée [aʃalɑ̃de] adj. ■ Emploi critiqué. Fourni, approvisionné en marchandises, en produits assortis. *Une épicerie bien achalandée.* — REM. Ce mot signifiait autrefois « qui a beaucoup de clients (⇒ ② **chaland**) ».

s'acharner [aʃaʀne] v. pron. ■ conjug. 1. ■ Combattre ou poursuivre avec fureur. *Il s'acharne contre, après, sur sa victime.* — *S'acharner à* (+ infinitif), lutter avec ténacité, persévérer. *Elle s'acharnait à le convaincre.* ▶ *acharné, ée* adj. ■ Qui fait preuve d'acharnement. ⇒ **enragé.** *Un adversaire, un joueur acharné. Un travailleur acharné. Des ennemis acharnés à se détruire.* — (Choses) *Combats acharnés.* ⇒ **furieux.** ▶ *acharnement* n. m. ■ Ardeur furieuse et opiniâtre dans la lutte, la poursuite, l'effort. ⇒ **opiniâtreté.** *Il travaillait avec acharnement.*

achat [aʃa] n. m. **1.** Action d'acheter. ⇒ **acquisition.** *Faire l'achat de,* acheter. *Achat au comptant, à crédit.* **2.** Ce qu'on a acheté. *Montrez-moi un peu vos achats.*

achéménide [akemenid] adj. et n. ■ Histoire. Relatif à une dynastie perse qui régna sur un immense empire de 550 à 330 av. J.-C. — N. *Les Achéménides.*

acheminer [aʃmine] v. tr. ■ conjug. 1. **1.** Diriger vers un lieu déterminé. *Acheminer la correspondance.* **2.** V. pron. réfl. S'ACHEMINER : se diriger, avancer. *Nous nous acheminons vers la ville.* ▶ *acheminement* n. m. ■ Action d'acheminer en vue d'un transport déterminé. *L'acheminement du courrier, des colis.* ⇒ ② **expédition.**

acheter [aʃte] v. tr. ■ conjug. 5. **1.** Acquérir (un bien, un droit) contre paiement. / contr. **vendre** / *Acheter une maison. Acheter qqch. très cher, bon marché. Je lui ai acheté un jouet,* je l'ai acheté et le lui ai donné. — Sans compl. *Elle adore acheter.* — Pronominalement (passif). *Cela s'achète dans une crémerie, peut être acheté.* **2.** Péj. Obtenir à prix d'argent (qqch. qui ne doit pas se vendre). *Acheter la complicité de qqn.* — Corrompre (qqn). *Acheter un fonctionnaire.* **3.** Obtenir (un avantage) au prix d'un sacrifice. *Vous achetez bien cher votre tranquillité.* ⇒ **payer.** ▶ *acheteur, euse* n. **1.** Personne qui achète. ⇒ **acquéreur, client.** *Si vous êtes acheteur, je me propose d'acheter.* **2.** Agent chargé d'effectuer les achats pour le compte d'un employeur. *Les acheteurs d'un grand magasin.* ⟨ ▶ achat, ① et ② racheter ⟩

achever [aʃve] v. tr. ■ conjug. 5. **1.** Finir en menant à bonne fin. ⇒ **terminer.** *Il est mort sans avoir achevé son roman. Achever ses jours, sa vie dans la retraite.* — Dire pour finir. *En achevant ces mots, il se leva.* **2.** ACHEVER DE (+ infinitif). *J'ai achevé de ranger mes papiers.* — (Suj. chose) Apporter le dernier élément nécessaire pour que se réalise pleinement un état. *Ses remarques méprisantes achevèrent d'indisposer contre lui ses élèves.* **3.** Porter le coup de grâce à (qqn). *Achever un blessé.* ⇒ **tuer.** — Ruiner définitivement la santé, la fortune, le moral de (qqn). *Ce deuil l'a achevé, il ne s'en relèvera pas.* — Iron. Fatiguer excessivement. *Il a fallu l'écouter deux heures, ça m'a achevé.* ▶ *achevé, ée* adj. ■ Littér. Parfait en son genre. ⇒ **accompli.** *Un modèle achevé.* ▶ *achèvement* n. m. ■ Action d'achever (un ouvrage) ; fin. *La station sera fermée jusqu'à l'achèvement des travaux.* ⟨ ▶ inachevé, parachever ⟩

achopper [aʃɔpe] v. intr. ■ conjug. 1. ■ Se trouver arrêté par une difficulté. *Achopper à un problème.* ▶ *achoppement* n. m. ■ Loc. Abstrait. *Pierre d'achoppement,* obstacle, écueil.

① **acide** [asid] n. m. **1.** Tout corps capable de libérer des ions hydrogène (H^+), qui donne un sel avec une base et, en solution aqueuse, colore en rouge le papier de tournesol (pH inférieur à 7). *Acide acétique, chlorhydrique. Le calcaire est attaqué par les acides.* — Corps possédant une ou plusieurs fois dans sa molécule le radical COOH. *Acides gras. Acides aromatiques. Acides nucléiques.* ⇒ **A.D.N. 2.** Arg. Drogue hallucinogène. ⇒ **L.S.D.** ▶ ② *acide* adj. **1.** Qui est piquant au goût. ⇒ **aigre.** *Fruit encore vert et acide.* **2.** Acerbe, désagréable. *Des propos, des réflexions acides.* **3.** Qui possède les propriétés des acides, est propre aux acides. *Solution, milieu acide* (opposé à *basique*). ⇒ **pH.** ▶ *acidifier* v. tr. ■ conjug. 7. ■ Rendre acide, transformer en acide. ▶ *acidité* n. f. **1.** Saveur acide. *L'acidité du citron.* **2.** Caractère mordant, causticité. *L'acidité de sa remarque.* **3.** Qualité acide (②, 3) d'un corps. ▶ *acidulé, ée* adj. ■ Légèrement acide. *Bonbons acidulés.*

acier [asje] n. m. **1.** Alliage de fer et de carbone, auquel on donne, par traitement mécanique ou thermique, des propriétés variées (malléabilité, résistance). *Couteaux en acier inoxydable.* **2.** L'ACIER : l'industrie, le commerce de l'acier. *Un roi de l'acier.* **3.** Par comparaison. *Bleu acier, gris acier. Des jupes bleu acier.* — D'ACIER. *Des muscles d'acier,* durs et solides. *Avoir un moral d'acier,* à toute épreuve. ▶ *aciérie* n. f. ■ Usine où l'on fabrique l'acier.

acné [akne] n. f. ≠ *haquenée.* ■ Maladie de la peau due à une inflammation des glandes sébacées. *Acné juvénile,* acné des adolescents, boutons apparaissant à la puberté.

acolyte [akɔlit] n. m. ■ Péj. Compagnon, complice qu'une personne traîne toujours à sa suite. *Le gangster et ses acolytes.*

acompte [akɔ̃t] n. m. **1.** Paiement partiel à valoir sur le montant d'une somme due. ⇒ **arrhes, avance, provision. 2.** Fam. Petit avantage, petit plaisir qu'on reçoit ou prend en attendant mieux.

aconit [akɔnit] n. m. ■ Plante vénéneuse à fleurs en forme de casque.

s'acoquiner [akɔkine] v. pron. ■ conjug. 1. ■ Se lier (à une personne peu recommandable). *Il s'acoquine avec le premier venu.*

à-côté [akote] n. m. **1.** Point, problème accessoire. *Ce n'est qu'un à-côté de la question.* **2.** Gain d'appoint. *Il gagne 15 000 francs par mois, sans compter les à-côtés.*

à-coup [aku] n. m. **1.** Discontinuité de mouvement provoquant des secousses. ⇒ **saccade.** *Il y a des à-coups dans le moteur.* **2.** PAR À-COUPS : de façon irrégulière, intermittente. *Travailler par à-coups.*

acoustique [akustik] adj. et n. f. **I.** Adj. **1.** Qui sert à la perception des sons. *Nerf acoustique* (ou *auditif*). **2.** Relatif au son, du domaine de l'acoustique. ⇒ **sonore.** *Les phénomènes acoustiques.* **II.** N. f. **1.** Partie de la physique qui traite des sons et ondes sonores. **2.** Qualité d'un local (théâtre, salle de concert) au point de vue de la propagation du son. *Bonne, mauvaise acoustique d'une salle.* ▶ **acousticien, ienne** n. ■ Spécialiste de l'acoustique.

acquérir [akeʀiʀ] v. tr. ▪ conjug. 21. **1.** Devenir propriétaire de (un bien, un droit), par achat, échange, succession ⇒ **acquisition.** *Acquérir un immeuble.* ⇒ **acheter.** — PROV. *Bien mal acquis ne profite jamais.* **2.** Arriver à posséder (un avantage). ⇒ **gagner, obtenir.** *Il veut acquérir de la notoriété. Acquérir des qualités, des connaissances.* — Au p. p. adj. *L'expérience acquise.* — (Suj. chose) Arriver à avoir (une qualité). ⇒ **prendre.** *Ces tableaux ont acquis beaucoup de valeur.* / contr. **perdre** / **3.** (Suj. chose) Procurer la possession, la disposition de. ⇒ **valoir.** *L'aisance que ses efforts lui ont acquise.* ▶ *acquéreur* n. m. ■ Personne qui acquiert (un bien). ⇒ **acheteur.** *Ce tableau n'a pas trouvé acquéreur. Elle est acquéreur.* ⟨ ▶ **acquis, acquisition** ⟩

acquiescer [akjese] v. tr. ind. ▪ conjug. 3. ■ Donner son entier consentement (à). ⇒ **accepter.** *Nous acquiesçons à votre demande.* — Sans compl. Marquer son approbation (par la parole, un geste). ⇒ **approuver.** *Elle acquiesce d'un signe de tête.* — (En incise) *Oui, acquiesça-t-elle.* / contr. **refuser** / ▶ *acquiescement* n. m. ■ Action d'acquiescer, par la parole ou autrement. ⇒ **consentement, acceptation.** *Un signe d'acquiescement. Elle a pris notre silence pour un acquiescement.* / contr. **refus** /

acquis, ise [aki, iz] adj. et n. m. invar. **1.** Qui a été acquis par l'individu (opposé à *ce qui lui est naturel* ou *lui a été transmis*). *Ses qualités tant acquises que naturelles. Caractères acquis,* caractères biologiques non héréditaires. **2.** *Acquis à qqn,* dont il peut disposer de façon définitive et sûre. *Mon soutien vous est acquis.* — (Personnes) *Je vous suis tout acquis,* entièrement dévoué. **3.** Reconnu sans contestation. *Nous pouvons considérer comme acquis ce premier point. C'est un* FAIT ACQUIS : *cela est incontestable.* **4.** (Personnes) *Acquis à* (une idée, un parti), définitivement partisan de. *Il est maintenant acquis à notre projet.* **II.** N. m. invar. *Savoir acquis, expérience acquise,* constituant une sorte de capital. ≠ *acquit.*

acquisition [akizisjɔ̃] n. f. **1.** Action d'acquérir. *Faire l'acquisition d'un terrain.* ⇒ **achat.** / contr. **cession, vente** / **2.** Bien acquis. *Voici ma dernière acquisition.* **3.** Fait d'arriver à posséder. *Le temps nécessaire à l'acquisition de ces connaissances.*

acquit [aki] n. m. **1.** Reconnaissance écrite d'un paiement. ⇒ **acquitter.** — POUR ACQUIT : mention portée sur document, qui atteste du paiement. **2.** PAR ACQUIT DE CONSCIENCE : pour se garantir de tout risque d'avoir qqch. à se reprocher. ≠ *acquis.*

① **acquitter** [akite] v. tr. ▪ conjug. 1. **1.** Libérer (d'une obligation, d'une dette). *Ce dernier versement m'acquitte envers vous.* **2.** Payer (ce qu'on doit). ⇒ **régler.** *Acquitter des droits, ses impôts.* **3.** Revêtir de la mention « pour acquit » et de sa signature. *N'oubliez pas d'acquitter la facture.* **4.** Pronominale-

ment (réfl.). Se libérer (d'une obligation juridique ou morale). *S'acquitter d'une promesse.* ⇒ **remplir.** ▶ ① *acquittement* n. m. ■ Action d'acquitter qqch. ⇒ **paiement** (plus cour.). ⟨ ▶ acquit ⟩

② **acquitter** v. tr. ▪ conjug. 1. ■ *Acquitter qqn,* déclarer (par jugement) un accusé non coupable. *Son avocat l'a fait acquitter.* / contr. **condamner** / ▶ ② *acquittement* n. m. ■ Action d'acquitter un accusé. *Un verdict d'acquittement.*

acre [akʀ] n. f. ■ Ancienne mesure agraire qui valait en moyenne 52 ares.

âcre [ɑkʀ] adj. ■ Qui est très irritant au goût ou à l'odorat. *L'odeur âcre du cigare éteint. La saveur âcre des citrons.* ⇒ **âpre.** ▶ *âcreté* [ɑkʀəte] n. f. **1.** Qualité de ce qui est âcre. *L'âcreté de la fumée.* **2.** Abstrait. Acrimonie, amertume. *L'âcreté de son ironie.*

acrimonie [akʀimɔni] n. f. ■ Mauvaise humeur qui s'exprime par des propos acerbes ou hargneux. ⇒ **aigreur.** *Il répondit sans acrimonie à ses adversaires.*

acrobate [akʀɔbat] n. **1.** Artiste de cirque, de music-hall, exécutant des exercices d'équilibre et de gymnastique plus ou moins périlleux. ⇒ **équilibriste, funambule, trapéziste. 2.** Péj. Personne très adroite qui cherche à étonner par son adresse à résoudre les difficultés. ▶ *acrobatie* [akʀɔbasi] n. f. **1.** Exercice, tour acrobatique (saut périlleux, voltige, etc.). *Faire des acrobaties.* — *Acrobatie aérienne,* manœuvres d'adresse exécutées en avion. **2.** Virtuosité qui se déploie dans la difficulté. *Ce n'est plus du piano, c'est de l'acrobatie.* ▶ *acrobatique* adj. ■ Qui appartient à l'acrobatie, tient de l'acrobatie. *Exercice acrobatique.*

acropole [akʀɔpɔl] n. f. ■ Ville haute des anciennes cités grecques. *L'Acropole d'Athènes.*

acrostiche [akʀɔstiʃ] n. m. ■ Poème ou strophe où les initiales de chaque vers, lues dans le sens vertical, composent un nom ou un mot clef. *Les envois de plusieurs ballades de Villon sont des acrostiches.*

acrylique [akʀilik] adj. ■ *Fibre acrylique,* fibre textile synthétique fabriquée à partir de l'*acide acrylique* (acide de l'éthylène). — N. m. *Une chemise en acrylique.*

① **acte** [akt] n. m. **1.** Pièce écrite qui constate un fait, une convention, une obligation. *Dresser, établir un acte de vente.* — PRENDRE ACTE *d'une chose* : la faire constater légalement et aussi en prendre bonne note (en vue d'une utilisation ultérieure). *Je prends acte de votre promesse.* **2.** Au plur. LES ACTES : recueil de procès-verbaux.

② **acte** n. m. **1.** Action humaine considérée dans son aspect objectif plutôt que subjectif ; le fait d'agir*. ⇒ **action.** *Vous êtes responsable de vos actes. Un acte de courage,* inspiré par le courage. *Passer aux actes,* agir. **2.** FAIRE ACTE DE : manifester, donner une preuve de. *Faire acte d'autorité, de bonne volonté.*

③ **acte** n. m. **1.** Chacune des grandes divisions d'une pièce de théâtre (subdivisées en scènes). *Tragédie classique en cinq actes. L'acte III.* **2.** Moment, époque d'une vie considérée comme dramatique. *Le dernier acte risque d'être sanglant.*

acteur, trice [aktœʀ, tʀis] n. **1.** Artiste dont la profession est de jouer un rôle à la scène ou à l'écran. ⇒ **comédien, interprète.** *Actrice célèbre.* ⇒ **vedette. 2.** Personne qui prend une part active, joue un rôle important. ⇒ **protagoniste.** *Les acteurs et les témoins de ce drame.*

① **actif, ive** [aktif, iv] adj. **1.** Qui agit (personnes), implique une activité (choses). *Armée active,* ou n. f., *l'active* (opposée à *la réserve*). *Méthode active*, méthode d'enseignement faisant appel à l'activité et à l'initiative de l'élève. *Population active*, partie de la population d'un pays qui est capable de travailler. *Mener une vie active.* **2.** Qui agit avec force. ⇒ **énergique.** *Un remède, un poison actif.* **3.** Qui aime à agir, à se dépenser en travaux, en entreprises. ⇒ **dynamique, entreprenant, travailleur.** *Un secrétaire actif et doué.* / contr. **inactif** / ‹ ▶ **activement, activer, activisme, activité, inactif, radioactif, rétroactif** ›

② *actif* n. m. **1.** L'ensemble des biens ou droits constituant un patrimoine. / contr. **passif** / *L'actif d'une succession, de la communauté. Sommes portées à l'actif d'un bilan.* **2.** AVOIR À SON ACTIF : compter au nombre des choses qu'on a réalisées avec succès. — Par plaisant. *Un individu qui a plusieurs vols à son actif.*

① *action* [aksjɔ̃] n. f. **I. 1.** Ce que fait qqn et par quoi il réalise une intention ou une impulsion. ⇒ **acte, fait.** *Vos actions sont irréfléchies. Faire une bonne action.* ⇒ **b. a.** *Commettre une mauvaise action. Action d'éclat,* exploit. **2.** Fait de produire un effet, manière d'agir sur qqn ou qqch. *Changement politique dû à l'action personnelle d'un ministre.* ⇒ **influence.** *Chercher des moyens d'action. L'action du remède se fait sentir. Le mur s'est détérioré sous l'action de l'humidité. En action,* en train d'agir, de produire son effet. **3.** Exercice de la faculté d'agir (opposé à la *pensée,* aux *paroles*). ⇒ **activité, effort, travail.** / contr. **inaction** / *Il est temps de passer à l'action. Un homme, une femme d'action.* — *Mettre en action,* faire agir. **4.** Combat, lutte. *Engager l'action. Dans le feu de l'action. L'action politique, revendicative.* **II.** Exercice d'un droit en justice. ⇒ **demande, poursuite, recours.** *Intenter une action en diffamation.* **III. 1.** Suite de faits et d'actes constituant le sujet d'une œuvre dramatique ou narrative. ⇒ **intrigue.** *Épisodes, dénouement d'une action tragique. L'action du film se passe en Italie.* **2.** Animation tenant aux faits et aux actes représentés ou racontés. *Film d'action.* ▶ *actionner* v. tr. ▪ conjug. 1. ▪ Mettre en mouvement, faire fonctionner (un mécanisme). *Actionner le dispositif de départ d'un moteur. Actionner le levier.* ‹ ▶ **interaction, réaction, transaction** ›

② *action* n. f. **1.** Titre cessible et négociable représentant une fraction du capital social (dans une société anonyme en commandite par actions). ≠ *obligation. Acheter des actions. Cote des actions en Bourse. La hausse, la baisse d'une action.* **2.** Fam. *Ses actions montent, baissent,* il a plus, moins de crédit, de chances de réussir. ▶ *actionnaire* n. ▪ Propriétaire d'une ou plusieurs actions. *Les actionnaires touchent des dividendes. L'assemblée des actionnaires.*

activement [aktivmɑ̃] adv. ▪ En déployant une grande activité, avec beaucoup d'ardeur. *Il s'en occupe activement.* / contr. **mollement** /

activer [aktive] v. tr. ▪ conjug. 1. **1.** Rendre plus prompt (en augmentant l'activité). ⇒ **accélérer.** *Activer les travaux.* — Sans compl. Fam. *Allons, activons !,* pressons ! **2.** Rendre plus vif, plus agissant. *Le vent activait l'incendie.* **3.** S'ACTIVER v. pron. réfl. : déployer une grande activité, s'affairer. *Elle s'active à préparer le repas.*

activisme [aktivism] n. m. ▪ En politique. Doctrine qui préconise l'action violente. ⇒ **extrémisme.** ▶ *activiste* n. ▪ Partisan de l'activisme.

activité [aktivite] n. f. **1.** Qualité d'une personne active. ⇒ **dynamisme, énergie.** *Cet agent déploie une*

grande activité. / contr. **inactivité** / **2.** Ensemble des actes coordonnés et des travaux de l'être humain ; fraction spéciale de cet ensemble. *Activité intellectuelle. J'ignore tout de ses activités.* ⇒ **occupation.** — Dans le monde inorganique. *Volcan en activité* (opposé à *éteint*). *Activité solaire.* **3.** Situation d'une personne (spécialt d'un militaire) qui exerce son emploi. *Le passage de l'activité à la retraite est le temps critique de l'employé.* **4.** EN ACTIVITÉ : se dit d'un fonctionnaire en service (opposé à *en retraite*), d'une industrie ou d'un commerce en fonctionnement (opposé à *en sommeil*). *Industrie, affaires en pleine activité.* ‹ ▶ **inactivité, radioactivité, suractivité** ›

actuaire [aktɥɛʀ] n. ▪ Spécialiste de la statistique et du calcul des probabilités appliqués aux problèmes d'assurances, de prévoyance, d'amortissement ‹ ▶ **actuariel** ›.

actualiser [aktɥalize] v. tr. ▪ conjug. 1. ▪ Faire passer de l'état virtuel à l'état réel. Moderniser. *Actualiser ses méthodes de travail. Actualiser un atlas,* le mettre à jour. ▶ *actualisation* n. f. ▪ *L'actualisation des souvenirs. L'actualisation d'une encyclopédie.*

actualité [aktɥalite] n. f. **1.** Caractère de ce qui se rapporte à l'époque actuelle. *Souligner l'actualité d'un problème. Ce livre n'est plus* D'ACTUALITÉ : il est dépassé. **2.** Ensemble des événements actuels, des faits tout récents. *S'intéresser à l'actualité politique, sportive.* **3.** LES ACTUALITÉS : informations, nouvelles du moment (dans la presse et surtout en images). *Actualités télévisées.* ⇒ **journal.**

actuariel, elle [aktɥaʀjɛl] adj. ▪ Relatif aux méthodes mathématiques des actuaires. *Taux actuariel,* taux de rendement d'un capital lorsque le remboursement et le paiement des intérêts sont assurés par des versements échelonnés dans le temps.

actuel, elle [aktɥɛl] adj. ▪ **1.** Qui existe, se passe au moment où l'on parle. ⇒ **présent.** *À l'époque, à l'heure actuelle. Le monde actuel.* ⇒ **contemporain.** *L'actuel Premier ministre.* **2.** Qui intéresse notre époque, se trouve au goût du jour. *Une grande œuvre toujours actuelle.* / contr. **démodé** / ▶ *actuellement* adv. ▪ Dans les circonstances actuelles, à l'heure actuelle. ⇒ **maintenant, à présent.** *Il est difficile actuellement de vous satisfaire.* ‹ ▶ **actualiser, actualité, inactuel** ›

acuité [akɥite] n. f. **1.** Caractère aigu, intense. ⇒ **intensité.** *Les oppositions sociales gardent leur acuité.* — *L'acuité d'un son.* **2.** Degré de sensibilité (d'un sens). *Mesure de l'acuité visuelle.* **3.** Abstrait. Finesse des facultés de l'esprit. *L'acuité d'une observation.*

acupuncture ou *acuponcture* [akypɔ̃ktyʀ] n. f. ▪ Thérapeutique consistant dans l'introduction d'aiguilles très fines en des points précis des tissus ou des organes où elles demeurent pendant un temps variable. ▶ *acupuncteur* ou *acuponcteur* n. m. ▪ Spécialiste de l'acupuncture.

adage [adaʒ] n. m. ▪ Maxime pratique ou juridique, ancienne et populaire. « *Bien mal acquis ne profite jamais* » est un adage ancien.

adagio [adadʒjo ; adaʒjo] adv. et n. m. ▪ Indication de mouvement lent, en musique. — N. m. *Un adagio,* morceau ou pièce musicale à exécuter dans ce tempo. *Des adagios.*

adapter [adapte] v. tr. ▪ conjug. 1. **1.** *Adapter qqch. à qqch.,* réunir, appliquer après ajustement. *Adapter des roulettes aux pieds d'une table.* **2.** *Adapter (qqn, qqch.) à (qqn, qqch.),* approprier, mettre en harmonie avec. *Adaptez vos dépenses à votre situation.* ⇒ **accor-**

der. **3.** S'ADAPTER v. pron. : se mettre en harmonie avec (les circonstances, le milieu), réaliser son adaptation biologique. ⇒ s'**acclimater**, s'**habituer.** *L'organisme s'adapte aux microbes. Il faut savoir s'adapter*, être souple, s'accommoder des circonstances. **4.** Faire l'adaptation de. *Adapter un roman pour le théâtre, pour la télévision, à l'écran.* ▶ *adaptable* adj. ■ Qui peut s'adapter, qu'on peut adapter (1). *Embout adaptable à un tuyau.* ▶ *adaptateur, trice* n. **1.** Auteur d'une adaptation (au théâtre, au cinéma). **2.** N. m. Dispositif permettant d'adapter un appareil à un usage autre que celui qui était prévu initialement. ▶ *adaptation* n. f. **1.** Action d'adapter ou de s'adapter, modification qui en résulte. *Adaptation d'un enseignement à l'âge des élèves. Un effort d'adaptation.* **2.** Appropriation d'un organisme aux conditions internes et externes de l'existence, permettant à cet organisme de durer et de se reproduire. ⇒ **acclimatation. 3.** Traduction très libre d'une pièce de théâtre, comportant des modifications nombreuses qui la mettent au goût du jour. — Transposition à la scène ou à l'écran d'une œuvre narrative. « *Les Possédés* », roman de Dostoïevski, adaptation de A. Camus. — Arrangement ou transcription musicale. ⟨ ▶ inadaptation, inadapté, réadapter ⟩

addenda [adɛ̃da] n. m. invar. ■ Ensemble de notes additionnelles à la fin d'un ouvrage. *Un, des addenda.*

additif [aditif] n. m. ■ Supplément, article additionnel. *Un additif au budget.*

addition [adisjɔ̃] n. f. **1.** Action d'ajouter en incorporant. ⇒ **adjonction.** *Addition d'un sirop à une eau-de-vie.* **2.** Écrit ajouté. ⇒ **addenda, annexe.** *Les notes et additions d'un livre.* **3.** Opération consistant à réunir en un seul nombre toutes les unités ou fractions d'unité contenues dans plusieurs autres. ⇒ **somme.** *Faire une addition.* / contr. **soustraction** / **4.** Note présentant le total des dépenses effectuées au restaurant, au café. ⇒ **note.** *Garçon, l'addition ! Régler l'addition.* ▶ *additionnel, elle* adj. ■ Qui s'ajoute ou doit s'ajouter. *Voter un article additionnel à une loi.* ⇒ **additif.** ▶ *additionner* v. tr. ■ conjug. 1. **1.** Modifier, enrichir par addition d'un élément. *Les anciens additionnaient toujours d'eau le vin.* — Au p. p. adj. *Jus de fruits additionné de sucre.* **2.** Faire l'addition de. *Additionner trois nombres.* **3.** S'ADDITIONNER v. pron. : s'ajouter. *Les charges s'additionnaient au loyer.*

adduction [adyksjɔ̃] n. f. ■ Action de dériver les eaux d'un lieu pour les amener dans un autre. *Travaux d'adduction d'eau entrepris par les communes rurales.* ▶ *adducteur* adj. m. ■ *Canal adducteur* ou, n. m., *un adducteur*, canal d'adduction des eaux.

adepte [adɛpt] n. ■ Fidèle (d'une religion), partisan (d'une doctrine). *Faire des adeptes*, rallier des personnes à son point de vue.

adéquat, ate [adekwa, at] adj. ■ Exactement proportionné à son objet, ajusté à son but. ⇒ **approprié, convenable, juste.** *C'est la réponse adéquate. Nous avons trouvé l'endroit adéquat.* / contr. **inadéquat** / ▶ *adéquation* n. f. ■ Rapport de convenance parfaite. ⇒ **équivalence.** *Il y a une parfaite adéquation entre ses paroles et ses actes.* ⟨ ▶ inadéquat ⟩

① *adhérer* [adere] v. tr. ind. ■ conjug. 6. ■ Tenir fortement par un contact étroit de la totalité ou de la plus grande partie de la surface. ⇒ **coller.** *L'écorce adhère au bois.* ▶ *adhérence* n. f. **1.** État d'une chose qui adhère, tient fortement à une autre. *L'adhérence des pneus au sol.* ≠ **adhésion. 2.** Union accidentelle de tissus contigus, dans l'organisme. *Adhérence pleurale. Avoir des adhérences.* ▶ ① *adhérent, ente*

adj. ■ Qui adhère, tient fortement à autre chose. *Des coquillages adhérents au rocher.* ⟨ ▶ adhésif ⟩

② *adhérer* v. tr. ind. ■ conjug. 6. **1.** Se déclarer d'accord avec, partisan de. *J'adhère à votre point de vue.* **2.** S'inscrire (à une association, un parti dont on partage les vues). ⇒ **adhésion.** ▶ ② *adhérent, ente* n. ■ Personne qui adhère (à un parti, une association). ⇒ **membre.** *Recruter des adhérents. Carte d'adhérent.* ⟨ ▶ adhésion ⟩

adhésif, ive [adezif, iv] adj. ■ Qui reste adhérent, collé après application. ⇒ **collant.** *Ruban adhésif*, enduit d'un produit qui le fait adhérer sans mouillage. ⇒ **scotch.** — N. m. *Un adhésif*, substance permettant de coller des surfaces. *Appliquer un adhésif sur une plaie.*

adhésion [adezjɔ̃] n. f. **1.** Approbation réfléchie. ⇒ **accord, assentiment.** *Je lui apporte mon adhésion complète.* **2.** Action d'adhérer ②, de s'inscrire (à une association, un parti). *Le parti a enregistré des adhésions massives* (⇒ ② **adhérent**). ≠ **adhérence.**

ad hoc [adɔk] loc. adj. invar. ■ Destiné expressément à l'usage qu'on veut en faire. *Il faut un instrument ad hoc.*

adieu [adjø] interj. et n. m. **1.** Interj. Formule dont on se sert en prenant congé de qqn qu'on ne doit pas revoir de quelque temps (opposé à *au revoir*) ou même qu'on ne doit plus revoir. *Adieu, les amis ! Dire adieu à qqn*, prendre congé de lui. — REM. Dans le sud de la France, *adieu* s'emploie souvent pour *bonjour* ou *au revoir.* **2.** (En parlant d'une chose perdue) *Adieu, la belle vie !* — *Vous pouvez DIRE ADIEU à votre tranquillité*, y renoncer. **3.** N. m. Fait de prendre congé, de se séparer de qqn. *Le moment des adieux. Faire ses adieux à qqn.*

à-Dieu-va(t) [adjøva, vat] loc. interj. ■ À la grâce de Dieu ! Advienne que pourra !

adipeux, euse [adipø, øz] adj. **1.** Fait de graisse, dans le corps de l'homme, des animaux. *Tissu adipeux.* **2.** Gras. *Un visage adipeux.*

adjacent, ente [adʒasɑ̃, ɑ̃t] adj. **1.** Qui se trouve dans le voisinage immédiat. ⇒ **contigu, voisin.** *Pré adjacent à un bois. Les rues adjacentes.* **2.** *Angles adjacents*, qui ont même sommet, un côté commun et sont situés de part et d'autre de ce côté.

adjectif [adʒɛktif] n. m. et adj. **1.** Mot susceptible d'accompagner un substantif avec lequel il s'accorde en genre et en nombre, et qui n'est pas un article. *Adjectifs démonstratifs, exclamatifs, indéfinis, interrogatifs, numéraux, possessifs, relatifs. Adjectif qualificatif* (ci-dessous, 2). **2.** *Adjectif qualificatif* ou, ellipt, *adjectif*, qui exprime une qualité de ce qui est désigné par le nom (ex. : *sincère* dans *un homme sincère*). *L'adjectif peut être épithète* (ex. : *un homme sincère*) *ou attribut* (ex. : *cet homme est sincère*). — *Adjectif verbal*, participe présent devenu adjectif. **3.** Adj. Qui a une valeur d'adjectif. *Locution adjective.* ▶ *adjectivement* adv. ■ En fonction d'adjectif.

adjoindre [adʒwɛ̃dʀ] v. tr. ■ conjug. 49. **1.** Associer (une personne à une autre) pour aider, contrôler. *Elle s'est adjoint deux collaborateurs.* **2.** Joindre, ajouter (une chose) à une autre. *Les anciens adjoignaient souvent un surnom à leur nom patronymique.* ▶ *adjoint, ointe* [adʒwɛ̃, wɛ̃t] n. ■ Personne associée à une autre pour l'aider dans ses fonctions. ⇒ **aide, assistant.** *Adressez-vous à mon adjoint.* — En appos. *Directeur adjoint.* ▶ *adjonction* [adʒɔ̃ksjɔ̃] n. f. **1.** Action d'adjoindre (une personne, une chose). *L'adjonction de deux nouveaux membres au comité directeur.* **2.** Chose adjointe, addition.

adjudant [adʒydɑ̃] n. m. **1.** Sous-officier qui, dans la hiérarchie des grades, vient au-dessus du sergent-major. (Fam. *le juteux*.) **2.** Péj. *Un adjudant*, un chef tatillon, autoritaire et borné.

adjudication [adʒydikɑsjɔ̃] n. f. ■ Acte juridique par lequel on met des acquéreurs ou des entrepreneurs en libre concurrence. *Vente par adjudication*, aux enchères. ⇒ **adjuger** (3). *Adjudication de travaux.* ▶ *adjudicataire* n. ■ Bénéficiaire d'une adjudication. ⇒ **acquéreur.**

adjuger [adʒyʒe] v. tr. ▪ conjug. 3. **1.** Décerner. *Adjuger un prix, une récompense.* **2.** Fam. S'ADJUGER *qqch.* : s'attribuer, s'emparer de. *Comme toujours, elle s'est adjugé la meilleure part.* **3.** Attribuer par adjudication*. — Au p. p. *Une fois, deux fois, trois fois, adjugé !* (vendu !)

adjurer [adʒyʀe] v. tr. ▪ conjug. 1. ■ Commander ou demander à (qqn) en adressant une adjuration. *Je vous adjure de dire la vérité.* ⇒ **implorer, supplier.** ≠ *abjurer.* ▶ *adjuration* n. f. ■ Prière instante, supplication. *Il s'entêtait, malgré les adjurations de sa famille.* ≠ *abjuration.*

adjuvant [adʒyvɑ̃] n. m. **1.** Médicament, traitement auxiliaire, destiné à renforcer ou compléter la médication principale. **2.** Littér. Auxiliaire, stimulant.

ad libitum [adlibitɔm] loc. adv. ■ À volonté. *On peut en inventer ad libitum.*

admettre [admɛtʀ] v. tr. ▪ conjug. 56. **1.** Accepter de recevoir (une personne, un animal domestique). ⇒ **accueillir, agréer.** *Admettre qqn à sa table. Il a été admis à l'Académie. Admettre qqn à siéger*, lui en reconnaître le droit. ⇒ **autoriser.** *Les chiens ne sont pas admis dans cet hôtel.* **2.** Considérer comme acceptable par l'esprit (par un jugement de réalité ou de valeur). *Je n'admets pas votre point de vue. Je l'admets volontiers.* — ADMETTRE QUE (+ subjonctif ou indicatif). *J'admets que tu as* (ou *tu aies*) *raison.* — ADMETTONS, ADMETTEZ, EN ADMETTANT QUE (+ subjonctif) : accepter à titre de simple hypothèse qu'on retient provisoirement. ⇒ **supposer.** *En admettant que cela soit vrai.* **4.** (Surtout en phrase négative) Accepter, permettre. *Il n'admet pas la discussion.* ⇒ **tolérer.** — ADMETTRE QUE (+ subjonctif). *Il n'admet pas que vous vous opposiez à lui.* — (Suj. chose) Autoriser, permettre. ⇒ **souffrir.** *Cette règle n'admet aucune exception.* **5.** Laisser entrer. *Les gaz sont admis dans le cylindre.* ⟨ ▶ admissible, admission ⟩

① *administrer* [administʀe] v. tr. ▪ conjug. 1. **1.** Gérer en faisant valoir, en défendant les intérêts. *Il administre les biens de la communauté.* **2.** Assurer l'administration de (un pays, une circonscription). *Le maire administre la commune.* ▶ *administrateur, trice* n. **1.** Personne chargée de l'administration d'un bien, d'un patrimoine ; membre d'un conseil d'administration. **2.** Personne qui a les qualités requises pour les tâches d'administration. *Un bon, un médiocre administrateur.* ▶ *administratif, ive* adj. **1.** Relatif à l'Administration. *Les autorités administratives.* **2.** Chargé de tâches d'administration. *Directeur administratif.* ▶ *administrativement* adv. ■ *L'affaire sera réglée administrativement.* ▶ *administration* n. f. **1.** Action de gérer un bien, un ensemble de biens. ⇒ **gestion.** *Administration d'une société* (par un *conseil d'administration*). **2.** Fonction consistant à assurer l'application des lois et la marche des services publics conformément aux directives gouvernementales. *L'administration des départements est confiée aux préfets.* — Ensemble des services et agents chargés de cette fonction (l'*Administration*).

Entrer dans l'Administration. ⇒ **service** public. *École nationale d'administration* (E.N.A.). **3.** UNE ADMINISTRATION : service public, ensemble des fonctionnaires qui en sont chargés. *L'administration des Douanes.* ▶ *administré, ée* n. ■ Personne soumise à une autorité administrative.

② *administrer* v. tr. ▪ conjug. 1. **1.** Faire prendre (un remède). *Le médecin lui administra un antidote.* **2.** Fam. Donner, flanquer (des coups). *Sa mère lui a administré une bonne fessée.*

admirer [admiʀe] v. tr. ▪ conjug. 1. ■ Considérer avec plaisir ce qu'on juge supérieur ; avoir de l'admiration pour (ce qui est beau, grand). *Elle admire beaucoup son père.* / contr. **mépriser** / *Admirez sa persévérance.* — Iron. *J'admire votre confiance*, je ne suis pas si confiant. ▶ *admirable* adj. ■ Digne d'admiration. *Un portrait admirable. Des yeux admirables.* ⇒ **beau, merveilleux.** *Un homme admirable.* ⇒ **remarquable.** ▶ *admirablement* adv. ■ D'une manière admirable, merveilleuse. ⇒ **merveilleusement.** *Il joue admirablement de la guitare.* ▶ *admirateur, trice* n. ■ Personne qui admire (un être, une œuvre). *C'est une de vos admiratrices.* ▶ *admiratif, ive* adj. ■ Qui est en admiration (devant qqn, un spectacle). *Les touristes s'arrêtaient, admiratifs.* — *Regard admiratif.* ▶ *admiration* n. f. ■ Sentiment de joie et d'épanouissement devant ce qu'on juge supérieurement beau ou grand. ⇒ **émerveillement, ravissement.** *Être saisi, transporté d'admiration. Un cri d'admiration. Son courage fait l'admiration de tout le monde. Il était en admiration devant ce tableau.*

admissible [admisibl] adj. **1.** (Surtout négatif) Tolérable, supportable. *Cela n'est pas admissible.* ⇒ **inadmissible. 2.** Qui peut être admis (à un emploi). *Tous les citoyens sont également admissibles à toutes dignités, places et emplois publics.* **3.** Admis à subir les épreuves définitives, l'oral d'un examen. *Candidat admissible.* ▶ *admissibilité* n. f. ■ Fait d'être admissible. *Admissibilité après l'épreuve écrite.* ⟨ ▶ inadmissible ⟩

admission [admisjɔ̃] n. f. **1.** Action d'admettre (qqn), fait d'être admis. *Son admission à l'école.* **2.** Fait de laisser entrer (un gaz). *Régler l'admission de la vapeur.*

admonester [admɔnɛste] v. tr. ▪ conjug. 1. ■ Littér. Réprimander sévèrement en avertissant de ne pas recommencer. *Le juge s'est contenté d'admonester le prévenu.* ▶ *admonestation* n. f. ■ Avertissement sévère. ⇒ **réprimande, remontrance.** *Faire une admonestation à qqn.*

A.D.N. ou *ADN* [adeɛn] n. m. invar. ■ Acides du noyau des cellules vivantes, qui transmettent les caractères génétiques (abrév. de *acides désoxyribonucléiques*).

adobe [adɔb] n. m. ■ Brique de terre crue comprimée et séchée au soleil ; l'ensemble de ces briques mises en œuvre dans une construction. ⇒ **pisé.** *Maisons en adobe du Pérou, de Bolivie.*

adolescence [adɔlesɑ̃s] n. f. ■ Âge qui suit la puberté et précède l'âge adulte (environ de 12 à 18 ans chez les filles, 14 à 20 ans chez les garçons). *Un amour d'adolescence.* ▶ *adolescent, ente* n. ■ Jeune garçon, jeune fille à l'âge de l'adolescence. — Abrév. fam. ADO. *Une ado. Les ados.*

adonis [adɔnis] n. m. invar. ■ Jeune homme de grande beauté. *Il se prend pour un adonis.*

s'adonner [adɔne] v. pron. ▪ conjug. 1. ■ S'appliquer avec constance (à une activité, une pratique).

Elle s'adonne entièrement à l'étude. — Au p. p. adj. *Un individu adonné à la boisson.*

adopter [adɔpte] v. tr. ▪ conjug. 1. **1.** Prendre légalement pour fils ou pour fille. *C'est une enfant qu'ils ont adoptée.* **2.** Traiter comme qqn de la famille. *Les enfants ont vite adopté la bonne.* **3.** Faire sien en choisissant, en décidant de suivre. ⇒ **embrasser.** *Adopter un projet, une opinion, une mode.* **4.** Approuver par un vote. *L'Assemblée a adopté le projet de loi.* / contr. **rejeter** / ▶ **adoption** [adɔpsjɔ̃] n. f. **1.** Action d'adopter (qqn), acte juridique établissant entre deux personnes (l'*adoptant* et l'*adopté*) des relations de droit analogues à celles qui résultent de la paternité et de la filiation. **2.** D'ADOPTION : qu'on a adopté, qu'on reconnaît pour sien. *La France est devenue sa patrie d'adoption.* **3.** Action d'adopter (qqch. qu'on approuve, qu'on choisit de suivre). *Adoption d'un projet de loi. L'adoption de nouvelles techniques.* ▶ **adoptif, ive** adj. **1.** Qui est par adoption, résulte d'une adoption. *Père, fils adoptif.* **2.** D'adoption. *C'est sa patrie adoptive.*

adorer [adɔre] v. tr. ▪ conjug. 1. **1.** Rendre un culte à (un dieu). — Loc. *Brûler ce qu'on a adoré,* renier son attachement (à une personne, une chose) et mépriser. **2.** Aimer d'un amour ou d'une affection passionnée. *Il adore sa fille.* ⇒ **aduler.** — Fam. Avoir un goût très vif pour (qqch.). *Il adore la musique. J'adore les fraises.* / contr. **détester** / ▶ **adorable** adj. **1.** (Personnes, animaux) Extrêmement joli, touchant, gracieux. ⇒ **charmant, exquis.** *Une adorable petite fille.* Fam. *Vous êtes adorable.* **2.** (Choses) Très joli. *Un bibelot adorable.* ▶ **adorablement** adv. ▪ D'une manière adorable, exquise. ▶ **adorateur, trice** n. **1.** Personne qui adore, rend un culte à (une divinité). *Les Incas étaient des adorateurs du Soleil.* **2.** Amoureux empressé. ▶ **adoration** n. f. ▪ Culte rendu à un dieu, à des choses sacrées. *L'adoration des reliques.* — Amour fervent, culte passionné. *Il est en adoration devant elle.*

adosser [adose] v. tr. ▪ conjug. 1. ▪ Appuyer en mettant le dos, la face postérieure contre. *Adossez le piano au mur.* — S'ADOSSER v. pron. réfl. : s'appuyer en mettant le dos contre. *Elle s'est adossée à la porte.* ▶ **adossé, ée** adj. ▪ *Adossé à,* appuyé contre. *Personne adossée à un arbre. Garage adossé au bâtiment principal.*

adoucir [adusir] v. tr. ▪ conjug. 2. **1.** Rendre plus doux, plus agréable aux sens. *Produits pour adoucir la peau. Elle essaie d'adoucir sa voix. Adoucir l'eau,* la rendre moins calcaire. — Pronominalement. *Le temps s'adoucit.* ⇒ se **radoucir.** **2.** Abstrait. Rendre moins rude, moins violent. *Adoucir un chagrin. La musique adoucit les mœurs.* ▶ **adoucissant, ante** adj. et n. m. ▪ Qui diminue la douleur, l'irritation. *Crème adoucissante.* ▶ **adoucissement** n. m. **1.** Action d'adoucir, fait de s'adoucir. *Adoucissement de l'eau. On s'attend à un adoucissement de la température.* **2.** Abstrait. Soulagement, atténuation. *Ce sera un adoucissement à vos peines.* ⟨ ▶ **radoucir** ⟩

① **adresse** [adrɛs] n. f. **1.** Indication du nom et du domicile d'une personne. *J'ai oublié de mettre l'adresse sur l'enveloppe. Partir sans laisser d'adresse.* — *Il m'a donné une bonne adresse,* l'adresse d'un bon restaurant, d'un bon fournisseur, etc. — Loc. *Vous vous trompez d'adresse,* ce n'est pas la personne qui convient. **2.** À L'ADRESSE DE : à l'intention de. *Une remarque à l'adresse de son père.* **3.** Signe (mot, formule) sous lequel est classée une information. — En informatique. Expression (nombre, lettre) représentant un emplacement de mémoire dans un ordinateur. *Mettre une information en adresse.* **4.** Expression des

vœux et des sentiments d'une assemblée politique, adressée au souverain.

② **adresse** n. f. **1.** Qualité physique d'une personne qui fait les mouvements les mieux adaptés à la réussite de l'opération (jeu, travail, exercice). ⇒ **dextérité, habileté ; adroit.** / contr. **maladresse** / *Il a beaucoup d'adresse. Jeux d'adresse.* **2.** Qualité d'une personne qui sait s'y prendre, manœuvrer comme il faut pour obtenir un résultat. ⇒ **diplomatie, doigté, finesse, ruse.** *Faites-le lui comprendre avec adresse.* ⟨ ▶ **maladresse** ⟩

adresser [adrese] v. tr. ▪ conjug. 1. **1.** Émettre (des paroles) en direction de qqn. *Adresser un compliment, une critique, une question à qqn. Je refuse de lui adresser la parole,* de lui parler. **2.** Faire parvenir à l'adresse de qqn. *La dernière lettre que vous m'avez adressée.* **3.** Diriger (qqn) vers la personne qui convient. *Le médecin m'a adressé à un spécialiste.* **4.** V. pron. S'ADRESSER À qqn : lui parler ; aller le trouver, avoir recours à lui. *Je ne peux pas vous renseigner ; adressez-vous à la concierge.* — (Suj. chose) Être destiné. *Le public auquel ce livre s'adresse.* ⟨ ▶ ① **adresse** ⟩

adroit, oite [adrwa, wat] adj. **1.** Qui a de l'adresse dans ses activités physiques. *Tireur adroit. Être adroit de ses mains.* / contr. **gauche** / **2.** Qui se conduit, manœuvre avec adresse. ⇒ **rusé.** *Un négociateur adroit.* ▶ **adroitement** adv. ▪ Avec adresse ② (dans les deux sens). ⟨ ▶ **maladroit** ⟩

aduler [adyle] v. tr. ▪ conjug. 1. ▪ Littér. Combler de louanges, de témoignages d'admiration. ⇒ **choyer, fêter.** *Aduler ses enfants. Il est recherché, adulé par la société la plus choisie.* ⇒ **adorer.** — Au p. p. adj. *Un enfant adulé.* ▶ **adulation** n. f. ▪ Littér. Louange, admiration excessive.

adulte [adylt] adj. et n. **1.** (Être vivant) Qui est parvenu au terme de sa croissance. *Animal, plante adulte.* — *Âge adulte,* chez l'être humain, de la fin de l'adolescence au commencement de la vieillesse. ⇒ **mûr.** — *Être adulte,* avoir une psychologie d'adulte. / contr. **infantile** / **2.** N. Homme, femme adulte. *Les enfants n'aiment pas rester avec les adultes. C'est une adulte à présent.* / contr. **adolescent, enfant** /

adultère [adyltɛʀ] n. m. et adj. **1.** N. m. Fait d'avoir volontairement des rapports sexuels avec une personne autre que son conjoint. ⇒ **infidélité.** *Demander le divorce pour cause d'adultère.* **2.** Adj. Qui commet un adultère. ⇒ **infidèle.** *Un époux adultère.* ▶ **adultérin, ine** adj. ▪ Né d'un adultère. *Enfants adultérins.*

adultérer [adyltere] v. tr. ▪ conjug. 6. ▪ Rare. Altérer la pureté de (qqch.). *Adultérer des monnaies.* ⇒ **falsifier.**

advenir [advǝniʀ] v. intr. impers. ▪ conjug. 22. ▪ Arriver, survenir. *Si cela doit advenir, tant pis. Quoi qu'il advienne, elle partira.* — Loc. prov. *Advienne que pourra,* j'en accepte toutes les conséquences.

adventice [advɑ̃tis] adj. ▪ Qui ne fait pas normalement partie de la chose, qui s'ajoute accessoirement. *Ce sont des problèmes adventices.*

adverbe [advɛʀb] n. m. ▪ Mot invariable ajoutant une détermination à un verbe (ex. : marcher *lentement*), un adjectif (ex. : *très* agréable), un adverbe (ex. : *trop* rapidement) ou à une phrase entière (ex. : *évidemment,* il ne se presse pas). *Adverbes de lieu, de négation.* ▶ **adverbial, ale, aux** adj. ▪ Qui a fonction d'adverbe. *Locution adverbiale* (ex. : *côte à côte*).

adversaire [advɛʀsɛʀ] n. **1.** Personne qui est opposée à une autre dans un combat, un conflit, une compétition. ⇒ **ennemi, rival.** *Le boxeur est envoyé au tapis par son adversaire.* **2.** Personne hostile à (une doctrine, une pratique). *Les adversaires d'une politique, de la religion.* / contr. **partisan** /

adverse [advɛʀs] adj. ■ Littér. Opposé, contraire. *Le pays est divisé en deux blocs adverses.* / contr. **allié** / ▶ *adversité* n. f. ■ Littér. Sort contraire ; situation malheureuse de celui qui a éprouvé des revers. ⇒ **malheur.** *Il a gardé sa bonne humeur dans l'adversité.* ⟨ ▶ adversaire ⟩

aède [aɛd] n. m. ■ Poète épique et récitant, dans la Grèce ancienne.

aérer [aeʀe] v. tr. ▪ conjug. 6. **1.** Faire entrer de l'air dans (un lieu clos), mettre à l'air. *Aérez la chambre.* — Au p. p. adj. *Pièce bien aérée. Aérer la literie,* l'exposer à l'air. **2.** Abstrait. Rendre moins dense. *Aérer un exposé.* **3.** Fam. S'AÉRER v. pron. réfl. : prendre l'air. *Il faut vous aérer un peu.* ▶ *aérateur* n. m. ■ Appareil servant à l'aération. ⇒ **ventilateur.** ▶ *aération* n. f. ■ Action d'aérer (une pièce) ; son résultat. *Conduit d'aération.*

aérien, ienne [aeʀjɛ̃, jɛn] adj. **1.** De l'air, de l'atmosphère. *La navigation aérienne.* **2.** Relatif, propre à l'aviation, assuré par l'aviation. *Transports aériens. Lignes aériennes. Forces aériennes,* aviation militaire. *Attaque aérienne.* **3.** Léger comme l'air. ⇒ **immatériel.** *Elle a une grâce aérienne.* ⟨ ▶ antiaérien ⟩

aéro- ■ Élément savant qui signifie « air », désignant soit l'atmosphère, soit la navigation aérienne, l'aviation. ▶ *aérodrome* [aeʀɔdʀom] n. m. ■ Terrain aménagé pour le décollage et l'atterrissage des avions. ▶ *aérodynamique* n. f. et adj. **1.** N. f. Partie de la physique qui étudie les phénomènes accompagnant tout mouvement relatif entre un corps et l'air où il baigne. **2.** Adj. Conforme aux lois de l'aérodynamique. *Profil aérodynamique d'un véhicule,* conçu pour réduire le plus possible la résistance de l'air. ▶ *aérogare* n. f. ■ Ensemble des bâtiments d'un aéroport réservés aux voyageurs et aux marchandises. — Dans une grande ville. Gare desservant un aéroport. ▶ *aéroglisseur* n. m. ■ Véhicule qui avance sur l'eau au moyen d'un coussin d'air (équivalent français de l'anglicisme *hovercraft*). ≠ **hydroglisseur.** ▶ *aérolithe* [aeʀɔlit] n. m. ■ Météorite formé de roches. *Chute d'aérolithes sur la Terre.* ▶ *aéronautique* adj. et n. f. **1.** Adj. Relatif à la navigation aérienne. *Constructions aéronautiques.* **2.** N. f. Science de la navigation aérienne, technique de la construction des appareils de locomotion aérienne. ⇒ **aviation.** *École nationale supérieure de l'aéronautique.* ▶ *aéronaval, ale, als* adj. et n. f. **1.** Adj. Qui appartient à la fois à l'aviation et à la marine. *Forces aéronavales.* **2.** N. f. Ensemble des formations et installations aériennes de la marine militaire française. ▶ *aérophagie* [aeʀɔfaʒi] n. f. ■ Trouble caractérisé par la pénétration d'air dans l'œsophage et l'estomac. ▶ *aéroplane* n. m. ■ Vx. Avion. ▶ *aéroport* n. m. ■ Ensemble d'installations (aérodrome, aérogare, ateliers) nécessaires au trafic aérien intéressant une ville ou une région. *L'aéroport de Roissy.* ▶ *aéroporté, ée* adj. ■ Transporté par voie aérienne. *Troupes aéroportées.* ▶ *aérosol* [aeʀɔsɔl] n. m. ■ Dispersion en fines particules d'un liquide ou d'une solution dans un gaz. *Bombe à aérosol.* — Par ext. Un aérosol. ▶ *aérospatial, ale, aux* adj. ■ Qui concerne à la fois les techniques de l'aviation et des voyages dans l'espace extra-terrestre. *Véhicules aérospatiaux.* ▶ *aérostat* [aeʀɔsta] n. m. ■ Appareil dont la sustentation dans l'air est due à l'emploi d'un gaz plus léger que l'air. ⇒ **ballon, dirigeable.** ▶ *aérotrain* n. m. ■ Véhicule

sur rail unique, circulant sur un coussin d'air comprimé. ⟨ ▶ anaérobie ⟩

affable [afabl] adj. ■ Qui accueille et écoute de bonne grâce ceux qui s'adressent à lui (elle). ⇒ **accueillant, aimable.** *Le ministre a été très affable au cours de l'audience. Des paroles affables.* ▶ *affabilité* n. f. ■ *Elle nous reçut avec beaucoup d'affabilité.* — *L'affabilité des propos.* ▶ *affablement* adv. ■ *Traiter qqn affablement.* — *Sourire affablement.*

affabulation [afabylɑsjɔ̃] n. f. **1.** Arrangement de faits constituant la trame d'un roman, d'une œuvre d'imagination. **2.** *(Une, des affabulations)* Récit inventé d'un menteur. ⇒ **fabulation.** *Il s'embrouillait dans ses affabulations.*

affadir [afadiʀ] v. tr. ▪ conjug. 2. ■ Rendre fade. *Affadir une sauce.* / contr. **relever** / — Abstrait. En art. Priver de saveur, de force. *La sensiblerie des personnages affadit le sujet.* ▶ *affadissement* n. m. ■ Perte de saveur, de force.

affaiblir [afeebliʀ] v. tr. ▪ conjug. 2. **1.** Rendre physiquement faible, moins fort. *La maladie l'a affaibli.* — Pronominalement (réfl.). *Il s'affaiblit de jour en jour.* ⇒ **décliner, dépérir. 2.** Priver de son efficacité, d'une partie de sa valeur expressive. ⇒ **atténuer, édulcorer.** — Pronominalement (réfl.). *Le sens de cette expression s'est affaibli.* ▶ *affaiblissant, ante* adj. ■ Littér. Qui affaiblit (1). ⇒ **débilitant.** *Un régime affaiblissant.* ▶ *affaiblissement* n. m. ■ Perte de force, d'intensité. *Il s'inquiète de l'affaiblissement de sa vue.* ⇒ **baisse.** *L'affaiblissement de l'autorité.* ⇒ **dépérissement.** *L'affaiblissement de la mémoire.* ⇒ **déclin.**

affaire [afɛʀ] n. f. **1.** Ce que qqn a à faire, ce qui l'occupe ou le concerne. *C'est mon affaire et non la vôtre. Occupez-vous de vos affaires. J'en fais mon affaire,* je m'en charge. — Ce qui intéresse particulièrement qqn, lui convient. *J'ai là votre affaire, vous en serez satisfait. Cela doit faire l'affaire,* cela doit convenir, aller. **2.** Fam. *Faire son affaire à qqn,* le tuer ; le punir. *Je vais lui faire son affaire.* **3.** AFFAIRE DE..., affaire où (qqch.) est en jeu. ⇒ **question.** *Une affaire de cœur, de gros sous. C'est (une) affaire de goût,* qui ne relève que du goût de chacun. — *L'affaire,* la chose en question. *Le temps ne fait rien à l'affaire. C'est une autre affaire, c'est un problème tout différent, où d'autres facteurs interviennent.* **4.** Ce qui occupe de façon embarrassante. ⇒ **difficulté, ennui.** *C'est toute une affaire,* c'est très difficile et compliqué. *Ce n'est pas une affaire. C'est l'affaire d'une seconde,* ce sera fait très vite. *Une sale affaire,* un embêtement, un gros ennui. — *Se tirer d'affaire,* du danger. **5.** Ensemble de faits créant une situation compliquée, où diverses personnes, divers intérêts sont aux prises. *C'est une affaire délicate. On a voulu étouffer l'affaire.* ⇒ **scandale.** — Événement, crime posant une énigme policière. *L'affaire de la rue Victor-Hugo.* **6.** Procès, objet d'un débat judiciaire. *Instruire, juger, plaider une affaire.* **7.** Marché conclu ou à conclure avec qqn. *Vous avez fait une bonne affaire, une mauvaise affaire. Faire affaire avec qqn.* ⇒ **traiter. 8.** Bonne affaire. *Achetez-le, vous ferez une affaire.* **9.** Entreprise commerciale ou industrielle. *Être à la tête d'une grosse affaire.* ⇒ **affaires** (3). **10.** AVOIR AFFAIRE. *J'ai eu affaire avec lui,* j'ai eu à traiter, à discuter avec lui. — *Vous aurez affaire à moi* (menace). ▶ *s'affairer* [afeʀe] v. pron. ▪ conjug. 1. ■ Se montrer actif, empressé, s'occuper activement. ⇒ **s'agiter.** *Le portier s'affairait autour des clients qui descendaient de voiture.* ▶ *affairé, ée* adj. ■ Qui est ou paraît très occupé. *La maîtresse de maison était très affairée. Un air affairé.* ▶ *affairement* n. m. ■ État, comporte-

ment d'une personne affairée. ► *affaires* n. f. pl.
1. Ensemble des occupations et activités d'intérêt
public. *Les affaires publiques. Le ministère des Affaires
étrangères.* **2.** Situation matérielle d'un particulier.
Mettre de l'ordre dans ses affaires. — Fam. État dans
le développement d'une intrigue, d'une aventure
amoureuse. *Où en sont tes affaires ? Cela fera avancer
mes affaires.* **3.** Activités économiques (commerciales
et financières). ⇒ **affaire** (9). *Il est dans les affaires,
c'est un homme, une femme d'affaires. Les affaires
sont les affaires,* il ne faut pas faire de sentiment.
4. Objets ou effets personnels. *Cet enfant ne range
jamais ses affaires.* ► *affairiste* n. ■ Homme
d'affaires peu scrupuleux, avant tout préoccupé du
profit. ⇒ **spéculateur.**

s'affaisser [afese] v. pron. ■ conjug. 1. **1.** Plier,
baisser de niveau sous un poids ou une pression. *Le
sol s'est affaissé par endroits.* ⇒ **s'effondrer.** **2.** Tomber en pliant sur les jambes. *Elle perdit connaissance
et s'affaissa.* ⇒ **s'abattre, s'écrouler.** / contr. se redresser / — Au p. p. adj. *Épaules affaissées,* tombantes.
► *affaissement* n. m. ■ Fait de s'affaisser, état de
ce qui est affaissé. ⇒ **dépression, tassement.** *Affaissement de terrain.*

s'affaler [afale] v. pron. ■ conjug. 1. ■ Se laisser
tomber. *Il s'affale sur le divan.* ⇒ **s'avachir,** se
vautrer. — Au p. p. adj. *Il était affalé dans un fauteuil.*

affamer [afame] v. tr. ■ conjug. 1. ■ Faire souffrir
de la faim en privant de vivres ou d'argent. *Les
assiégeants pensaient affamer la population.* ► *affamé, ée* adj. **1.** Qui a très faim. *Je suis affamé.* — N.
Des affamés. **2.** Abstrait. Avide, passionné (de).
⇒ **assoiffé.** *Il est affamé de gloire.* / contr. **comblé** /
► *affameur* n. m. ■ Celui qui affame le peuple.

affect [afɛkt] n. m. ■ En psychologie. État affectif
élémentaire. ⇒ **émotion, sentiment.** ⟨ ► affectif,
① affection, affectueux ⟩

① *affecter* [afɛkte] v. tr. ■ conjug. 1. **1.** Prendre,
adopter (une manière d'être, un comportement) de
façon ostentatoire, sans que l'intérieur réponde à
l'extérieur. ⇒ **feindre, simuler.** *Quoique très inquiet,
il affecta la plus grande gaieté. Il affecta de l'ignorer.*
2. (Choses) Revêtir volontiers, habituellement (une
forme). *Cette maladie affecte des formes bizarres.*
► *affecté, ée* adj. ■ Qui manque de sincérité ou de
naturel. ⇒ **étudié,** feint. *Des manières affectées. Il est
trop affecté.* ⇒ **maniéré.** / contr. **naturel, simple** /
► ① *affectation* n. f. **1.** Action d'affecter (un
comportement). ⇒ **comédie, simulation.** *Une affectation de désintéressement.* **2.** Manque de sincérité et
de naturel. ⇒ **afféterie, pose, recherche** ; fam. **frime.**
*Un style plein d'affectation. Faire qqch. avec, sans
affectation.*

② *affecter* v. tr. ■ conjug. 1. **1.** Destiner, réserver
à un usage ou à un usager déterminé. *Les crédits que
le Budget a affectés à l'Éducation nationale.* **2.** Procéder à l'affectation de (qqn). ⇒ **désigner, nommer.** *Il
s'est fait affecter à notre bureau.* ► ② *affectation*
n. f. **1.** Destination (d'une chose) à un usage déterminé. *L'affectation d'une somme à une réparation.*
2. Désignation (de qqn) à une unité militaire, à un
poste, à une fonction ; ce lieu. *Il a rejoint sa nouvelle
affectation.*

③ *affecter* v. tr. ■ conjug. 1. ■ Toucher en faisant
une impression pénible. ⇒ **émouvoir, frapper.** *Son
échec l'a beaucoup affecté.* — Pronominalement.
S'affliger, souffrir. *Il s'affecte de votre silence.*

affectif, ive [afɛktif, iv] adj. ■ Qui concerne les
affects, les sentiments. *États affectifs. La vie affective,*

les sentiments, les plaisirs et les douleurs d'ordre
moral. ⟨ ► affectivité ⟩

① *affection* [afɛksjɔ̃] n. f. ■ Sentiment tendre qui
attache à qqn. ⇒ **attachement, tendresse.** *J'ai de
l'affection pour elle. Montrer de l'affection.* ⇒ **affectueux.** *Il m'a pris en affection,* il a de l'affection pour
moi. / contr. **aversion** / *Affection maternelle, frater-
nelle.* ≠ *affectation.* ► *affectionner* v. tr. ■ conjug. 1. **1.** Être attaché à, aimer (qqn). ⇒ **chérir.** *Il
affectionne beaucoup sa vieille grand-mère.* **2.** Avoir
une prédilection pour (qqch.). *Elle affectionne ce
genre de robe.* / contr. **détester** / ► *affectionné, ée*
adj. ■ Dans une lettre. Attaché par l'affection, dévoué.
Votre affectionné, votre fille affectionnée. — Plein
d'affection. *Un homme affectionné.* ⟨ ► désaffection ⟩

② *affection* n. f. ■ Maladie considérée dans ses
manifestations actuelles. *Affection aiguë.*

affectivité [afɛktivite] n. f. **1.** Ensemble des
phénomènes de la vie affective, des affects*. ⇒ **sensibilité.** **2.** Aptitude à être affecté de plaisir ou de
douleur. *Il est d'une affectivité excessive.*

affectueux, euse [afɛktɥø, øz] adj. ■ Qui montre
de l'affection. ⇒ **tendre.** *Un enfant très affectueux.
Paroles affectueuses.* / contr. **froid** / ► *affectueusement* adv. ■ Elle l'embrassa affectueusement. ⇒ **tendrement.** — Dans une lettre. *Affectueusement vôtre.*

afférent, ente [aferɑ̃, ɑ̃t] adj. **1.** Vx. Qui se
rapporte à. *Renseignements afférents à une affaire.*
2. En droit. Qui revient à. *La part afférente à cet
héritier.*

affermir [afɛrmir] v. tr. ■ conjug. 2. **1.** Concret.
Rendre plus ferme. ⇒ **raffermir.** *Un traitement qui
affermit les chairs.* **2.** Abstrait. Rendre plus assuré,
plus fort. ⇒ **consolider, fortifier, renforcer.** *Affermir
son pouvoir, son autorité. Cela n'a fait que l'affermir
dans sa résolution.* / contr. **affaiblir** / Pronominalement
(réfl.). *Sa santé commence à s'affermir.* ► *affermissement* n. m. ■ *L'affermissement de la voix. L'affermissement du pouvoir.* ⟨ ► raffermir ⟩

afféterie [afetri] n. f. ■ Littér. Abus du gracieux,
du maniéré dans l'attitude ou le langage. ⇒ **affectation, préciosité.** / contr. **naturel, simplicité** /

affiche [afiʃ] n. f. ■ Feuille imprimée destinée à
porter qqch. à la connaissance du public et placardée
sur les murs ou des emplacements réservés. *Affiches
publicitaires. Affiche de théâtre. Coller, placarder une
affiche.* — *Mettre une pièce à l'affiche,* l'annoncer.
Spectacle qui reste à l'affiche, qu'on continue de jouer.
► *affichette* n. f. ■ Petite affiche.

afficher [afiʃe] v. tr. ■ conjug. 1. **1.** Faire connaître
par voie d'affiches. *Afficher une vente aux enchères.*
2. Poser des affiches. *Défense d'afficher.* **3.** Montrer
publiquement et avec affectation, ostentation, faire
étalage de. ⇒ **affecter.** *Il affiche son mépris pour
l'argent.* **4.** V. pron. réfl. S'AFFICHER AVEC *qqn* : se
montrer en public accompagné de qqn (avec qui on
est lié). *Il s'affiche avec sa maîtresse.* ► *affichage* n.
m. ■ Action d'afficher, de poser des affiches.
Panneaux d'affichage. — En informatique. Présentation de données, de résultats. ► *afficheur* n. m.
■ Personne qui colle, pose des affiches. ► *affichiste*
n. ■ Dessinateur(trice) publicitaire spécialisé(e) dans
la création des affiches.

affidé, ée [afide] n. ■ Littér. Péj. *Un de ses affidés,*
un de ses agents ou complices, prêts à tout. ⇒ **acolyte.**

d'affilée [dafile] loc. adv. ■ À la file, sans
interruption. ⇒ **de suite.** *Il a débité plusieurs histoires
d'affilée.*

affiler [afile] v. tr. ■ conjug. 1. **1.** Rendre parfaitement tranchant (un instrument). ⇒ **affûter, aiguiser.** — Au p. p. adj. *Un couteau bien affilé.* ≠ *effilé.* **2.** Au p. p. adj. Loc. *Avoir la langue bien affilée,* être bavard et médisant.

s'affilier [afilje] v. pron. ■ conjug. 7. ■ Adhérer, s'inscrire (à une association). *À quel parti s'est-il affilié ?* ▶ *affilié, ée* n. ■ Personne qui appartient à une organisation. ⇒ **adhérent, membre.** ▶ *affiliation* n. f. ■ *Le club local a demandé son affiliation à la fédération.*

affiner [afine] v. tr. ■ conjug. 1. **1.** Purifier, procéder à l'affinage de (un métal, le verre). **2.** *Affiner les fromages,* en achever la maturation. **3.** Rendre plus fin, plus délicat. *La lecture a affiné son esprit.* — Pronominalement. *Son goût s'est affiné.* ▶ *affinage* n. m. ■ Action d'affiner (1, 2). *L'affinage des métaux. Une cave d'affinage.* ▶ *affinement* n. m. ■ Fait de s'affiner (3).

affinité [afinite] n. f. **1.** Rapport de conformité, de ressemblance ; lien plus ou moins sensible. *Il y a entre eux des affinités de goût.* **2.** En chimie. Action physique responsable de la combinaison des corps entre eux.

affirmer [afiʀme] v. tr. ■ conjug. 1. **1.** Donner une chose pour vraie, énoncer un jugement comme vrai. ⇒ **assurer, avancer, certifier, soutenir.** / contr. **nier** / *On ne peut rien affirmer.* — (Avec *que* + indicatif) *J'affirme que les choses se sont passées ainsi.* — (+ infinitif) *J'affirme l'avoir rencontré ce jour-là.* **2.** Manifester de façon indiscutable. *Laissez-le affirmer sa personnalité.* — Pronominalement. *Son talent s'affirme.* ▶ *affirmatif, ive* adj. **1.** (Personnes) Qui affirme, ne laisse planer aucun doute. ⇒ **net.** *Il a été très affirmatif, elle ne viendra pas.* **2.** (Choses) Qui constitue, exprime une affirmation dans la forme. *Proposition affirmative* (ni négative, ni interrogative). **3.** N. f. *Répondre par l'affirmative,* répondre oui. / contr. **négative** / **4.** Adv. Dans les transmissions. Se dit *oui.* « *M'entendez-vous ?* – *Affirmatif.* » ▶ *affirmativement* adv. ■ Par l'affirmative, en disant oui. *Il a répondu affirmativement.* / contr. **négativement** / ▶ *affirmation* n. f. **1.** Action d'affirmer, de donner pour vrai un jugement (qu'il soit, dans la forme, affirmatif ou négatif) ; le jugement ainsi énoncé. ⇒ **assertion.** « *Il viendra demain* », « *il ne viendra pas demain* » *sont des affirmations. En dépit de vos affirmations, je n'en crois rien.* **2.** Action, manière d'affirmer, de manifester de façon indiscutable (une qualité). ⇒ **expression, manifestation.** *Avec ce nouveau livre, on assiste à l'affirmation de sa personnalité.*

affixe [afiks] n. m. ■ Élément susceptible d'être incorporé à un mot, avant, dans ou après le radical, pour en modifier le sens ou la fonction. ⇒ **préfixe, suffixe.**

affleurer [aflœʀe] v. intr. ■ conjug. 1. **1.** Apparaître à la surface du sol. *Roc qui affleure.* **2.** Abstrait. *Son mépris affleurait parfois dans leurs relations.* ≠ *effleurer.* ▶ *affleurement* n. m. ■ Fait d'affleurer, d'apparaître à la surface du sol. *Affleurement d'un filon.*

afflictif, ive [afliktif, iv] adj. ■ (Peine) Qui frappe un criminel dans son corps, sa vie. ▶ *affliction* [afliksjɔ̃] n. f. ■ Littér. Peine profonde, abattement à la suite d'un grave revers. ⇒ **détresse.** *Être dans l'affliction.*

affliger [afliʒe] v. tr. ■ conjug. 3. **1.** Attrister profondément. ⇒ **chagriner, peiner.** *Cette nouvelle m'afflige.* — Au p. p. *Je suis affligée.* — N. *Consoler les affligés.* — S'AFFLIGER v. pron. réfl. : être triste à

cause de. / contr. se **réjouir** / *Ne vous affligez pas de son départ.* **2.** ÊTRE AFFLIGÉ DE *qqch., qqn* : devoir le (la) supporter. *Être affligé d'une bronchite chronique. Il est affligé d'un frère stupide.* ▶ *affligeant, ante* adj. **1.** Qui afflige, frappe douloureusement. ⇒ **désolant.** *Il est dans une situation affligeante.* **2.** Pénible en raison de sa faible valeur. ⇒ **lamentable.** *Un film affligeant.* ⟨ ▶ afflictif ⟩

affluer [aflye] v. intr. ■ conjug. 1. **1.** (Liquide organique) Couler en abondance vers. *Le sang afflue. La colère fait affluer le sang au visage.* **2.** Se porter en foule vers, arriver en grand nombre. *Les curieux affluent à l'exposition.* ▶ *affluence* [aflyɑ̃s] n. f. ■ Réunion d'une foule de personnes qui vont au même endroit. *L'affluence des clients. Évitez de prendre le métro aux heures d'affluence.* ▶ *affluent* n. m. ■ Cours d'eau qui se jette dans un autre. *Les affluents de la Seine.* ▶ *afflux* [afly] n. m. invar. **1.** Fait d'affluer (1). *Afflux de sang à la face.* **2.** Arrivée massive. ⇒ **affluence.** *Il y a eu un afflux de visiteurs.*

affoler [afɔle] v. tr. ■ conjug 1. **1.** Rendre comme fou, sous l'effet d'une émotion violente. ⇒ **bouleverser.** *Ce genre de beauté l'affole.* **2.** Rendre fou d'inquiétude, plonger dans l'affolement. ⇒ **effrayer.** / contr. **calmer, rassurer** / *L'absence de nouvelles finissait par l'affoler.* — S'AFFOLER : perdre la tête par affolement. *Ne vous affolez pas.* ▶ *affolant, ante* adj. ■ Fam. Très inquiétant, effrayant. *Les augmente tous les jours, c'est affolant.* ▶ *affolé, ée* adj. ■ Qui perd son calme, son sang-froid. ⇒ **effaré, épouvanté.** *La foule affolée se mit à courir.* / contr. **calme** / ▶ *affolement* n. m. ■ État d'une personne affolée ; inquiétude, peur. *J'ai eu une minute d'affolement.*

① *affranchir* [afʀɑ̃ʃiʀ] v. tr. ■ conjug. 2. **1.** Rendre libre (un esclave, un serf). / contr. **asservir** / **2.** S'AFFRANCHIR DE v. pron. réfl. : se délivrer (de tout ce qui gêne). *Peuple qui s'affranchit des traditions.* ⇒ s'**émanciper, se libérer.** **3.** Fam. Éclairer, mettre au courant (en fournissant des renseignements). *Il a affranchi son copain.* ▶ *affranchi, ie* n. et adj. **1.** N. Dans l'Antiquité. Esclave affranchi. **2.** Adj. Qui s'est intellectuellement libéré des préjugés, des traditions. *Une femme affranchie,* émancipée. **3.** N. Fam. *Un, une affranchi(e),* une personne qui mène une vie libre, hors de la morale courante. *Il joue aux affranchis.* ▶ ① *affranchissement* n. m. **1.** Action d'affranchir (un esclave, un serf). **2.** Délivrance, libération.

② *affranchir* v. tr. ■ conjug. 2. ■ Mettre les timbres nécessaires sur (une lettre, un envoi). *Affranchir un colis.* — Au p. p. adj. *Lettre insuffisamment affranchie.* ▶ ② *affranchissement* n. m. ■ Action d'affranchir une lettre, un envoi.

affres [afʀ] n. f. pl. ■ Littér. Angoisse accompagnant la peur, la douleur. ⇒ **tourment.** *Les affres de la mort, de la faim.* ⟨ ▶ affreux ⟩

affréter [afʀete] v. tr. ■ conjug. 6. ■ Prendre (un navire, un avion) en location pour transporter des marchandises, des passagers. ⇒ **noliser.** ▶ *affrètement* n. m. ■ Location d'un navire, d'un avion.

affreux, euse [afʀø, øz] adj. **1.** Qui provoque une réaction d'effroi et de dégoût. ⇒ **abominable, atroce, effrayant, horrible, monstrueux.** *Un affreux cauchemar.* — *Douleur affreuse,* qui fait beaucoup souffrir. **2.** Qui est extrêmement laid. ⇒ **hideux, repoussant.** *Son chien est un affreux bâtard.* — Déplaisant à voir. *Elle est affreuse avec ce chapeau.* **3.** Tout à fait désagréable. ⇒ **détestable.** *Il fait un temps affreux. C'est un affreux malentendu.* ▶ *affreusement* adv. **1.** D'une manière affreuse, particulièrement effrayante ou révoltante. ⇒ **horriblement.** *Il a été affreusement torturé.* **2.** Extrêmement, terriblement. *Je suis affreusement en retard.*

affriolant, ante [afʀijɔlɑ̃, ɑ̃t] adj. ■ Qui plaît vivement, excite l'intérêt, le désir. ⇒ **excitant, séduisant.** *Un déshabillé affriolant. Le programme n'a rien d'affriolant.*

affront [afʀɔ̃] n. m. ■ Offense faite publiquement avec la volonté de marquer son mépris et de déshonorer ou humilier. ⇒ **outrage.** *Faire un affront à qqn.*

affronter [afʀɔ̃te] v. tr. ▪ conjug. 1. **1.** Aller hardiment au-devant de (un adversaire, un danger). ⇒ **braver.** *La croyance qu'on pourra revenir vivant du combat aide à affronter la mort. Affronter une difficulté.* **2.** V. pron. récipr. S'AFFRONTER : se heurter dans un combat. — Abstrait. S'opposer. *Deux thèses s'affrontaient.* ▶ **affrontement** n. m. ■ Action d'affronter, fait de s'affronter. *L'affrontement des deux grandes puissances.*

affubler [afyble] v. tr. ▪ conjug. 1. ■ Habiller bizarrement, ridiculement comme si on déguisait. *On m'avait affublé d'un chapeau ridicule.* — Pronominalement (réfl.). *Il faut voir comment elle s'affuble.* ⇒ s'**accoutrer.**

① **affût** [afy] n. m. ■ Bâti servant à supporter, pointer et déplacer un canon.

② **affût** n. m. **1.** Endroit où l'on s'embusque pour attendre le gibier, l'attente elle-même. *Être, se mettre à l'affût.* **2.** Abstrait. Être À L'AFFÛT DE : guetter l'occasion de saisir ou de faire. *Il est à l'affût d'une affaire intéressante.*

affûter [afyte] v. tr. ▪ conjug. 1. ■ Aiguiser (un outil tranchant). *Affûter des couteaux. Une meule à affûter.* / contr. **émousser** / ▶ **affûtage** n. m. ■ *L'affûtage d'une scie.*

afin de [afɛ̃d(ə)] loc. prép., **afin que** [afɛ̃k(ə)] loc. conj. ■ Marquent l'intention, le but. ⇒ **pour.** — AFIN DE (+ infinitif). *Il prit son carnet afin d'y noter une adresse.* — AFIN QUE (+ subjonctif). *Écrivez-lui afin qu'elle soit au courant.*

a fortiori [afɔʀsjɔʀi] loc. adv. ■ À plus forte raison.

africain, aine [afʀikɛ̃, ɛn] adj. ■ De l'Afrique et, spécialt, de l'Afrique noire. *Le continent africain.* — N. *Les Africains,* les Noirs d'Afrique. ▶ **africaniste** n. ■ Spécialiste des langues et civilisations africaines. ⟨ ▶ afro-asiatique ⟩

afro-asiatique [afʀoazjatik] adj. ■ Commun à l'Afrique et à l'Asie du point de vue politique.

agacer [agase] v. tr. ▪ conjug. 3. ■ Mettre dans un état d'agacement. ⇒ **énerver.** *Ce bruit m'agace ! Vous m'agacez avec vos bavardages.* ▶ **agaçant, ante** [agasɑ̃, ɑ̃t] adj. ■ Qui agace, énerve. ⇒ **énervant, irritant.** *Vos remarques sont agaçantes.* ▶ **agacement** n. m. ■ Énervement mêlé d'impatience. *Il eut un geste d'agacement.* ▶ **agaceries** n. f. pl. ■ Mines ou paroles inspirées par une coquetterie légèrement provocante. ⇒ **avance, minauderie.** *Elle m'a fait des agaceries.* ⇒ **aguicher.**

agapes [agap] n. f. pl. ■ Plaisant. Festin. *Faire des agapes.*

agate [agat] n. f. ■ Pierre semi-précieuse dont on fait des camées. — *Bille d'agate,* en verre marbré, diversement coloré.

agave [agav] n. m. ■ Plante d'origine mexicaine, très décorative, dont le suc donne une boisson fermentée (la *tequila*) et les feuilles des fibres textiles.

âge [ɑʒ] n. m. **1.** Temps écoulé depuis qu'une personne est en vie. *Napoléon Iᵉʳ est mort à l'âge de cinquante et un ans. Ils ont le même âge. Il ne paraît pas son âge. Il fait plus jeune que son âge. Une personne d'un certain âge,* qui n'est plus toute jeune. *En raison de son grand âge. J'ai passé l'âge de m'occuper de cela.* **2.** (Êtres vivants) *L'âge d'un animal, d'un arbre.* — (Choses naturelles) *L'âge d'une roche. L'âge des roches.* **3.** Période de la vie : *enfance, adolescence, jeunesse, maturité, vieillesse. Chaque âge a ses plaisirs. Un enfant encore en bas âge,* un bébé. *Le bel âge,* la jeunesse. *L'âge mûr,* la maturité. *Une personne entre deux âges,* ni jeune ni vieille. LE TROISIÈME ÂGE : l'âge de la retraite. **4.** Grande période de l'histoire. *L'âge actuel, notre âge,* l'époque contemporaine. *Il faut être de son âge,* de son temps. — Grande division de la préhistoire. *L'âge du bronze.* **5.** L'ÂGE D'OR : époque prospère, favorable. *C'était l'âge d'or du cinéma.* ▶ **âgé, ée** adj. **1.** Qui est d'un âge avancé. — REM. *Âgé* est plus courtois que *vieux. Les personnes âgées,* les vieillards. **2.** Qui a tel ou tel âge. *Le moins âgé des deux enfants. Âgé de trente ans,* qui a trente ans. ⟨ ▶ Moyen Âge ⟩

agence [aʒɑ̃s] n. f. **1.** Établissement commercial servant essentiellement d'intermédiaire. *Agence de placement.* ⇒ **bureau.** *Agence de voyages. Agence immobilière.* **2.** Succursale (d'une banque). **3.** Organisme qui recueille et centralise des informations. *Agence de presse.*

agencer [aʒɑ̃se] v. tr. ▪ conjug. 3. ■ Disposer en combinant (des éléments), organiser (un ensemble) par une combinaison d'éléments. ⇒ **arranger, ordonner.** *L'art d'agencer les scènes d'une pièce.* ▶ **agencement** n. m. ■ Action, manière d'agencer ; arrangement résultant d'une combinaison. ⇒ **aménagement, disposition, organisation.** *L'agencement de cet appartement est remarquable.* — *L'agencement d'un récit.*

agenda [aʒɛ̃da] n. m. ■ Carnet contenant une page pour chaque jour, où l'on inscrit ce qu'on doit faire, ses rendez-vous, ses dépenses, etc. *Des agendas. Consulter son agenda.*

s'agenouiller [aʒ(ə)nuje] v. pron. ▪ conjug. 1. ■ Se mettre à genoux. *Il l'aida à fermer une valise trop pleine et dut s'agenouiller dessus. Elle s'est agenouillée pour prier.* ▶ **agenouillement** n. m. ■ Action de s'agenouiller.

① **agent** [aʒɑ̃] n. m. **1.** Celui qui agit (opposé au *patient* qui subit l'action). *Complément d'agent,* complément d'un verbe passif, introduit par *par* ou *de,* désignant l'auteur de l'action (ex. : *directeur* dans *il a été reçu par le directeur*). **2.** Force, corps, substance intervenant dans la production de certains phénomènes. ⇒ **cause, facteur, principe.** *Les agents atmosphériques.*

② **agent** n. m. **1.** Surtout péj. Personne chargée des affaires et des intérêts d'un individu, d'un groupe ou d'un pays, pour le compte desquels elle agit. ⇒ **émissaire, représentant.** — *Agent secret,* des services d'espionnage. ⇒ **espion.** **2.** Appellation de très nombreux employés de services publics ou d'entreprises privées, généralement appelés à servir d'intermédiaires entre la direction et les usagers. ⇒ **commis, courtier, employé, gérant, mandataire.** *Agents de change, d'assurances. Agent de liaison, de transmission.* **3.** AGENT DE POLICE, ou ellipt. AGENT. ⇒ **gardien** de la paix ; fam. **flic.** *Deux agents l'ont emmené au commissariat.* ⟨ ▶ agence ⟩

agglomérer [aglɔmeʀe] v. tr. ▪ conjug. 6. ■ Unir en un bloc cohérent (diverses matières à l'état de fragments ou de poudre ⇒ **agglutiner**), en utilisant un liant. ▶ **agglomérat** n. m. ■ Ensemble naturel d'éléments minéraux agglomérés. ⇒ **agrégat, conglomérat.** ▶ **agglomération** n. f. **1.** Action d'agglomérer (diverses matières) à l'aide d'un liant. **2.** Union, association intime. *La nation française est une agglomération de peuples.* **3.** Concentration d'habitations, ville ou village. *L'agglomération lilloise,* Lille et sa banlieue. *Ralentir en abordant une agglomération.* ▶ **aggloméré** n. m. ■ Produit, matériau obtenu par un mélange de matières diverses agglomérées. *Panneau d'aggloméré.*

agglutiner [aglytine] v. tr. ▪ conjug. 1. ■ Coller ensemble, réunir de manière à former une masse compacte. ⇒ **agglomérer.** — Pronominalement (réfl.). *Les passants s'agglutinaient devant la vitrine.* ▶ **agglutinant, ante** adj. **1.** Propre à agglutiner, à recoller. *Substances agglutinantes.* ■ **adhésif. 2.** *Langues agglutinantes,* où des affixes s'ajoutent aux mots bases, exprimant les rapports grammaticaux. ▶ **agglutination** n. f. ■ Action d'agglutiner, fait de s'agglutiner.

aggraver [agRave] v. tr. ▪ conjug. 1. **1.** Rendre plus grave, plus condamnable. *Il a aggravé son cas.* **2.** Rendre plus douloureux, plus dangereux. *Cette imprudence a contribué à aggraver le mal.* — Pronominalement (réfl.). *L'état du malade s'est aggravé dans la nuit.* ⇒ **empirer. 3.** Rendre plus violent, plus profond. ⇒ **redoubler.** *Ces mesures ont aggravé le mécontentement.* ▶ **aggravant, ante** adj. ■ Qui ajoute à la gravité de la faute. *Circonstance aggravante.* / contr. **atténuant** / ▶ **aggravation** n. f. ■ Fait de s'aggraver, d'empirer. *L'aggravation du mal.* ⇒ **recrudescence, redoublement.** *Une aggravation de la situation financière.* / contr. **amélioration** /

agile [aʒil] adj. **1.** Qui a de la facilité et de la rapidité dans l'exécution de ses mouvements. ⇒ **leste, vif.** *Un enfant agile. Les doigts agiles du pianiste.* **2.** Abstrait. Prompt dans les opérations intellectuelles. *Un esprit agile.* ⇒ **vif.** ▶ **agilement** adv. ■ Grimper agilement. ▶ **agilité** n. f. ■ Qualité de ce qui est agile. ⇒ **souplesse, vivacité.** *Il grimpe avec agilité.* — Abstrait. *Agilité d'esprit.*

agios [aʒjo] n. m. pl. ■ Intérêt, commission et change. *Vous paierez deux mille francs, sans les agios.* ▶ **agioteur** n. m. ■ Vx. Spéculateur qui manœuvre pour faire varier les cours de la Bourse.

① **agir** [aʒiR] v. intr. ▪ conjug. 2. **1.** Faire qqch., avoir une activité qui transforme plus ou moins ce qui est. *Ce n'est pas être, pour un homme, que de ne pas agir. Le moment est venu d'agir ; il faut agir. Elle n'a pas agi à temps.* **2.** Se comporter dans l'action de telle ou telle manière. *Vous avez agi à la légère. Il a bien, mal agi envers eux. Agir au nom de l'État, d'un parti. Il n'a pas agi en ami.* **3.** (Choses) Produire un effet sensible, exercer une action, une influence réelle. ⇒ **influer, opérer.** *Le remède n'agit plus.* ▶ **agissant, ante** adj. ■ Littér. Qui agit effectivement, se manifeste par des effets tangibles. ⇒ **effectif, efficace.** *Une amitié agissante.* ▶ **agissements** n. m. pl. ■ Suite de procédés et de manœuvres condamnables. ⇒ **machination, manigance.** ‹ ▶ **réagir** ›

② **s'agir** v. pron. impers. ▪ conjug. 2. **1.** IL S'AGIT DE (suivi d'un nom ou d'un pronom) : la chose, la personne, l'événement qui est en question, en cause, abordé ou intéressé en l'occurrence. ⇒ **il est question.** *Il s'agit dans ce livre des origines de la Révolution. C'est de vous qu'il s'agit. De quoi s'agit-il ? Il ne s'agit pas de ça,* ce n'est pas là notre sujet. *S'agissant de…,* à propos de… — (+ infinitif) *Quand il s'agit de se mettre à table, il est toujours le premier.* **2.** IL S'AGIT DE (+ infinitif) : voilà ce qui est désormais le point important, le devoir à suivre. ⇒ **il importe.** *Il s'agit*

maintenant d'être sérieux. *Il ne s'agit plus de discourir, il faut agir.*

agiter [aʒite] v. tr. ▪ conjug. 1. **1.** Remuer vivement en divers sens, en déterminant des mouvements irréguliers. *Pas un souffle de vent n'agitait les arbres.* **2.** Remuer pour mélanger un liquide. *Agiter le médicament avant de s'en servir.* **3.** Troubler (qqn) en déterminant un état d'agitation. ⇒ **émouvoir, exciter, inquiéter, tourmenter.** *La perspective de cette rencontre l'agite beaucoup.* **4.** Examiner et débattre (à plusieurs). *Nous avons longuement agité la question.* ⇒ **discuter. 5.** S'AGITER v. pron. : se mouvoir, aller et venir en tous sens. ⇒ se **démener.** *Le restaurant était plein, les garçons s'agitaient.* ⇒ s'**affairer.** — Se dépenser inutilement. *Il s'agite continuellement.* ▶ **agitateur, trice** n. ■ Personne qui crée ou entretient l'agitation politique ou sociale. ⇒ **factieux, meneur.** *La police a fait expulser les agitateurs.* ▶ **agitation** n. f. **1.** État de ce qui est agité, parcouru de mouvements irréguliers en divers sens. *L'agitation de la rue, de la ville.* ⇒ **animation, grouillement, remue-ménage.** / contr. **calme** / **2.** État d'une personne en proie à des émotions et à des impulsions diverses et qui ne peut rester en repos. ⇒ **fièvre, nervosité.** *Il est dans un état d'agitation indescriptible.* **3.** Mécontentement d'ordre politique ou social se traduisant par des manifestations, des revendications, des troubles. *L'agitation paysanne inquiète le gouvernement. Faire de l'agitation.* ▶ **agité, ée** adj. ■ En proie à une agitation ; remué, troublé. ⇒ **agiter.** *Une mer agitée.* ⇒ **houleux.** *Son sommeil est agité.* ⇒ **inquiet.** *Une vie agitée.* ⇒ **mouvementé.** *Le malade est très agité. Les esprits étaient agités,* en effervescence. / contr. **calme** / — N. *Un, une agité(e).*

agneau [aɲo] n. m. **1.** Petit de la brebis (⇒ **mouton**). *Des agneaux.* — *Il est doux comme un agneau, c'est un agneau,* c'est un homme d'un caractère très doux, très pacifique. **2.** Viande d'agneau. *Côtelettes d'agneau.* **3.** Fourrure d'agneau. *Manteau d'agneau.* **4.** Relig. *L'agneau de Dieu.* ⇒ **agnus dei. 5.** Loc. *Mes agneaux,* mes petits amis.

agnostique [agnɔstik] n. ■ Personne qui professe que ce qui n'est pas expérimental est inconnaissable (notamment qui n'a pas d'opinion sur la religion).

Agnus Dei [agnusdei] n. m. invar. ■ Prière de la messe, commençant par ces mots (signifiant « agneau de Dieu »).

-agogue, -agogie ■ Éléments savants signifiant « action de transporter, de conduire ».

agonie [agɔni] n. f. **1.** Moments, heures précédant immédiatement la mort. *Une agonie douloureuse, paisible. Être à l'agonie.* **2.** Littér. Déclin précédant la fin. *L'agonie d'un règne.* ▶ **agoniser** v. intr. ▪ conjug. 1. **1.** (Personnes) Être à l'agonie. ⇒ s'**éteindre.** *Un accidenté agonise sous nos yeux.* **2.** (Choses) Être près de sa fin. ⇒ **décliner, s'effondrer.** *L'Empire romain agonisait.* ≠ **agonir.** ▶ **agonisant, ante** adj. **1.** (Personnes) Qui agonise. — N. Moribond. *Le prêtre commence la prière des agonisants.* **2.** (Choses) Qui s'éteint, qui meurt. *Un feu agonisant. Cette coutume est agonisante.*

agonir [agɔniR] v. tr. ▪ conjug. 2. ■ Injurier, insulter. *Elle s'est fait agonir. Elle m'a agoni de sottises.* ≠ **agoniser.**

agora [agɔra] n. f. ■ Dans la Grèce antique. Grande place publique (comme le *forum* des Romains). ▶ **agoraphobie** [agɔRafɔbi] n. f. ■ Peur maladive des espaces libres et des lieux publics.

agrafe [agRaf] n. f. **1.** Attache formée d'un crochet qu'on passe dans un anneau, une bride. *Une jupe fermée à la ceinture par des agrafes.* **2.** Fil ou lamelle métallique recourbé(e) servant à assembler des papiers, surtout quand il (elle) est plié(e) au moment de l'utilisation. ⇒ **agrafeuse.** ≠ *trombone.* **3.** Petite lame servant à fermer une plaie ou une incision. *On lui a mis trois agrafes.* ▶ *agrafer* v. tr. ▪ conjug. 1. **1.** Attacher avec des agrafes ; assembler, fixer en posant des agrafes. *Elle n'arrive pas à agrafer son soutien-gorge.* / contr. **dégrafer** / **2.** Fam. Prendre au collet, arrêter. *Il s'est fait agrafer par les flics.* ▶ *agrafeuse* n. f. ▪ Instrument servant à fixer des agrafes (2) pour joindre des feuilles de papier.

agraire [agʀɛʀ] adj. ▪ Qui concerne la surface, le partage, la propriété des terres. *Réforme agraire. Mesures agraires.* ≠ *agricole.*

agrandir [agʀɑ̃diʀ] v. tr. ▪ conjug. 2. **1.** Rendre plus grand, plus spacieux, en augmentant les dimensions. ⇒ **allonger, élargir, étendre, grossir.** *Agrandir une ouverture.* / contr. **réduire** / — Faire paraître plus grand. *Les miroirs agrandissaient la pièce.* / contr. **rapetisser** / — Pronominalement (réfl.). S'AGRANDIR. *La ville s'est agrandie depuis la guerre. Le propriétaire veut s'agrandir,* agrandir son domaine, sa maison. **2.** Rendre plus important, plus considérable. ⇒ **développer.** *Agrandir son entreprise.* ▶ *agrandissement* n. m. **1.** Action d'agrandir, fait de s'agrandir. ⇒ **élargissement, extension.** *L'agrandissement continuel de Paris.* **2.** Opération photographique consistant à tirer d'un cliché une épreuve agrandie. — La photo ainsi obtenue. *Il a obtenu un bel agrandissement.*

agréable [agʀeabl] adj. **1.** AGRÉABLE À *qqn* : qui fait plaisir (à qqn). *Il me serait agréable de vous rencontrer.* **2.** Qui plaît aux sens, qu'on voit, entend, sent avec plaisir. ⇒ **plaisant.** / contr. **désagréable** / *Une musique agréable. Il a une maison bien agréable. Il a un physique agréable. C'est agréable de ne rien faire.* — *Ce sont des gens agréables.* ⇒ **gentil, sympathique.** *Une soirée agréable. Caractère agréable.* ⇒ ② **agrément.** — N. m. *Joindre l'utile à l'agréable.* ▶ *agréablement* adv. ▪ D'une manière agréable. *J'en ai été agréablement surpris.* / contr. **désagréablement** /

agréer [agʀee] v. tr. ▪ conjug. 1. **1.** Littér. AGRÉER À *qqn* : être au gré de. ⇒ **convenir, plaire.** *Si cela vous agrée,* vous est agréable (1). **2.** Accueillir avec faveur. *Il se charge de faire agréer sa demande. Veuillez agréer mes salutations distinguées.* **3.** Admettre (qqn) en donnant son agrément. — Au p. p. adj. *Fournisseur agréé.* ‹ ▶ agréable, ① agrément, ② agrément ›

agrégat [agʀega] n. m. ▪ Assemblage hétérogène de substances ou éléments qui adhèrent solidement entre eux. ⇒ **agglomérat.** *Les roches sont des agrégats de minéraux.*

agrégation [agʀegɑsjɔ̃] n. f. ▪ Admission sur concours au titre d'agrégé ; ce concours, ce titre lui-même. *Elle veut se présenter à l'agrégation de russe. Il a l'agrégation, son agrégation.* ▶ *agrégatif, ive* n. ▪ Étudiant(e) préparant l'agrégation. ▶ *agrégé, ée* n. et adj. ▪ Personne déclarée apte, après avoir passé le concours de l'agrégation, à être titulaire d'un poste de professeur de lycée ou de certaines facultés. *Une agrégée de mathématiques.* — Adj. *Un professeur agrégé.*

agréger [agʀeʒe] v. tr. ▪ conjug. 3 et 6. **1.** Surtout pronominalement et au p. p. adj. Unir en un tout (des particules solides). **2.** Adjoindre, rattacher (qqn à une compagnie, une société). ⇒ **admettre, incorporer.** ‹ ▶ agrégat, agrégation ›

① *agrément* [agʀemɑ̃] n. m. ▪ Action d'agréer ; permission, approbation émanant d'une autorité.

⇒ **consentement.** *Sous-louer avec l'agrément du propriétaire.*

② *agrément* n. m. **1.** Qualité d'une chose, d'un être, qui les rend agréables. ⇒ **attrait, charme, grâce.** *L'agrément d'une maison de campagne. Un voyage sans agrément.* **2.** Dans certaines expressions. Plaisir. *Jardin d'agrément* (opposé à *potager*), *voyage d'agrément* (opposé à *d'affaires*). ▶ *agrémenter* v. tr. ▪ conjug. 1. ▪ Rendre agréable, moins monotone par l'addition d'ornements ou d'éléments de variété. ⇒ **orner.** *Agrémenter un exposé de petites anecdotes.* — Au p. p. adj. *Une nappe agrémentée de broderies.* Iron. *Une dispute agrémentée de coups de poing.*

agrès [agʀɛ] n. m. pl. ▪ Appareils utilisés pour divers exercices de gymnastique (barre fixe, barres parallèles, anneaux, corde, poutre, etc.). *Faire des exercices aux agrès.*

agresser [agʀese] v. tr. ▪ conjug. 1. ▪ Commettre une agression sur. ⇒ **assaillir.** *Deux individus l'ont agressé la nuit dernière pour le voler.* — (Agression morale) *Elle s'est sentie agressée.* ▶ *agresseur* n. m. **1.** Personne, groupe qui attaque le premier. *On ne sait, dans ce conflit, qui a été l'agresseur.* **2.** Personne qui commet une agression sur qqn. *L'agresseur était une femme.* ▶ *agressif, ive* adj. **1.** Qui a tendance à attaquer (surtout en paroles). *Un garçon agressif.* N. *C'est un agressif.* — *Attitude agressive. Il lui posa la question sur un ton agressif.* ⇒ **menaçant.** / contr. **doux** / **2.** Qui constitue une agression des sens par le milieu. *Une couleur agressive.* ⇒ **violent.** ▶ *agressivité* n. f. ▪ Caractère agressif. *Son agressivité ne rend pas nos relations faciles.* / contr. **douceur** / ▶ *agression* n. f. **1.** Attaque non provoquée, injustifiée, généralement soudaine et brutale. *L'agression hitlérienne contre la Pologne.* **2.** Attaque violente contre une personne. *Agression nocturne. Passant victime d'une agression.* **3.** Attaque morale contre qqn. **4.** Action brutale (du milieu, etc.).

agreste [agʀɛst] adj. ▪ Littér. Champêtre. *Un site agreste.*

agricole [agʀikɔl] adj. **1.** (Pays, peuple) Qui se livre à l'agriculture. *La Chine est un pays agricole.* **2.** Relatif, propre à l'agriculture. ⇒ **rural.** ≠ *agraire. Produits agricoles. Ouvrier agricole. Travaux agricoles.* ▶ *agriculteur, trice* n. ▪ Personne exerçant une des activités de l'agriculture. ⇒ **cultivateur** (et aussi **éleveur, fermier, paysan, planteur ; horticulteur, maraîcher, viticulteur**). ▶ *agriculture* n. f. ▪ Culture du sol et, d'une manière générale, ensemble des travaux transformant le milieu naturel pour la production des végétaux et des animaux utiles à l'homme. ⇒ **culture, élevage.** *Le ministère de l'Agriculture.*

agripper [agʀipe] v. tr. ▪ conjug. 1. ▪ Saisir en serrant (pour s'accrocher). *Il agrippait la barrière pour ne pas tomber. Agripper qqn par la main.* — Pronominalement (réfl.). S'accrocher en serrant les doigts. *Il s'agrippe aux herbes du talus.* / contr. **lâcher** /

agro- ▪ Élément savant qui signifie « champ », utilisé pour ce qui concerne l'agriculture. ▶ *agronomie* [agʀɔnɔmi] n. f. ▪ Étude scientifique des problèmes (physiques, chimiques, biologiques) que pose la pratique de l'agriculture. *Préparer l'École d'agronomie* (fam. l'AGRO). ▶ *agronomique* adj. ▪ *Études agronomiques.* ▶ *agronome* n. ▪ Spécialiste en agronomie. *Ingénieur agronome.* ‹ ▶ agraire, agreste, agricole ›

agrumes [agʀym] n. m. pl. ▪ Nom collectif des oranges, citrons, mandarines et autres fruits du même genre.

aguerrir [ageʀiʀ] v. tr. ▪ conjug. 2. **1.** Habituer aux dangers de la guerre. *Aguerrir des troupes.* — Au p. p. adj. *Il disposait de troupes aguerries.* **2.** Habituer à des choses pénibles, difficiles. — Pronominalement (réfl.). S'endurcir. *S'aguerrir au froid.*

aux aguets [ozagɛ] loc. adv. ▪ En position de guetteur, d'observateur en éveil et sur ses gardes. ⇒ à l'**affût**, aux **écoutes**. *Il pensait qu'on le dénoncerait et était aux aguets. Rester l'oreille aux aguets.*

aguicher [agiʃe] v. tr. ▪ conjug. 1. ▪ (Sujet le plus souv. féminin) Exciter, attirer par diverses agaceries et manières provocantes. ▶ *aguichant, ante* adj. ▪ Qui aguiche. ⇒ **provocant.** ▶ *aguicheur, euse* adj. et n. ▪ Aguichant. *Une petite aguicheuse.*

ah [a] interj. **1.** Marquant un sentiment vif (plaisir, douleur, admiration, impatience, etc.). **2.** Interjection d'insistance, de renforcement. *Ah ! j'y pense, pouvez-vous venir demain ? Ah bon !,* très bien, je comprends. *Ah ! mais !,* je vais me fâcher. *Ah oui ?,* vraiment ? *Ah non alors !,* certainement pas.

ahurir [ayʀiʀ] v. tr. ▪ conjug. 2. ▪ Déconcerter complètement en étonnant ou en faisant perdre la tête. *Votre question m'ahurit. Il est ahuri par vos reproches.* ▶ *ahuri, ie* adj. et n. **1.** Surpris au point de paraître stupide. *Il a l'air tout ahuri. Une mine ahurie.* ⇒ **stupéfait. 2.** N. *Une espèce d'ahuri qui traverse la rue sans regarder.* ⇒ **abruti** ▶ *ahurissant, ante* adj. **1.** Qui ahurit. ⇒ **étonnant, stupéfiant.** *Une nouvelle ahurissante.* **2.** Scandaleux, excessif. *Il a un culot ahurissant.* ▶ *ahurissement* n. m. ▪ État d'une personne ahurie.

aï [ai] n. m. ▪ Mammifère voisin du singe, dépourvu de dents, qui vit dans les arbres des forêts d'Amérique du Sud (appelé aussi *paresseux à trois doigts*).

aider [ede] v. tr. ▪ conjug. 1. **1.** V. tr. dir. Appuyer (qqn) en apportant son aide. ⇒ **assister, seconder, secourir, soulager, soutenir.** *Je lui tendis la main pour l'aider à se relever. Sa femme l'a aidé dans ses travaux.* — (Suj. chose) *Je suis patient, cela m'a beaucoup aidé.* ⇒ **servir.** / contr. **nuire** / — *La fatigue aidant, je ne pus dormir,* la fatigue y concourant aussi. *Aider qqn financièrement,* lui donner, lui prêter de l'argent. **2.** AIDER À (+ compl. chose) : faciliter, contribuer à. *Ces mesures pourront aider au rétablissement de l'économie.* ⇒ **contribuer. 3.** S'AIDER DE v. pron. : se servir de (qqch. qui n'est pas à proprement parler un instrument). *J'ai dû m'aider deux ou trois fois du dictionnaire pour traduire ce texte.* **4.** S'AIDER v. pron. : s'entraider. *Ils s'aident mutuellement.* ▶ ① **aide** [ɛd] n. f. **1.** Action d'intervenir en faveur d'une personne en joignant ses efforts aux siens. ⇒ **appui, assistance, collaboration, concours, coopération, secours, soutien.** *J'ai besoin de votre aide. J'ai réussi avec l'aide de mon frère. Venir en aide aux malheureux en leur donnant de l'argent. Demander, recevoir de l'aide. — À l'aide !,* au secours ! **2.** À L'AIDE DE loc. prép. : en se servant de, au moyen de. *Coupez les tiges à l'aide de ciseaux.* ⇒ **avec.** ▶ ② **aide** n. ▪ Personne qui en aide une autre dans une opération et travaille sous ses ordres. ⇒ **adjoint, assistant, auxiliaire, second.** *Un, une aide de laboratoire, de bureau. Un aide de camp,* autrefois, officier d'ordonnance d'un chef militaire. — Devant un nom. *Aide-comptable. Des aides-comptables.* ▶ *aide-mémoire* n. m. invar. ▪ Abrégé destiné à soulager la mémoire en ne présentant que l'essentiel des connaissances à assimiler. ⟨ ▶ **s'entraider** ⟩

aïe [aj] interj. ▪ Exclamation exprimant la douleur. ⇒ **ouille.**

aïeul, eule [ajœl] n. **1.** (Plur. *aïeuls, aïeules*) Vx. Grand-père, grand-mère. **2.** (Plur. *aïeux* [ajø]) Littér.

Ancêtres. — Fam. *Mes aïeux !,* s'emploie comme si l'on prenait ses ancêtres à témoin d'une chose remarquable. *Celui-là, mes aïeux, il n'est pas malin !* ⟨ ▶ **bisaïeul, trisaïeul** ⟩

aigle [ɛgl] n. **I.** N. m. **1.** Grand oiseau de proie diurne, au bec crochu, aux serres puissantes, qui construit son nid ⇒ **aire** (2) sur les hautes montagnes. — (Personnes) *Des yeux d'aigle,* particulièrement perçants. **2.** Fam. *Ce n'est pas un aigle,* il n'a rien d'un esprit supérieur, il n'est pas très intelligent. **II.** N. f. **1.** Femelle de l'aigle. *Une aigle et ses aiglons.* **2.** Figure héraldique. — Enseigne militaire en forme d'aigle. *Les aigles romaines. L'aigle impériale* (des armées napoléoniennes). ▶ *aiglon* n. m. ▪ Petit de l'aigle.

aiglefin n. m. ⇒ **églefin.**

aigre [ɛgʀ] adj. **1.** Qui est d'une acidité désagréable au goût ou à l'odorat. ⇒ **acide.** *Saveur, odeur aigre. Vin aigre.* ≠ **vinaigre. 2.** *Vent aigre,* froid et piquant. — *Une voix aigre,* criarde, perçante. **3.** Plein d'aigreur. ⇒ **acerbe, mordant.** *Des paroles un peu aigres.* — N. m. *La discussion tourne à l'aigre,* s'envenime, dégénère en propos blessants. ▶ *aigre-doux, -douce* adj. ▪ Où l'aigreur perce sous la douceur. *Un échange de propos aigres-doux.* ▶ *aigrelet, ette* adj. ▪ Légèrement aigre. *Un petit vin blanc aigrelet.* ▶ *aigrement* adv. ▪ *Il leur reprochait aigrement leur négligence.* ▶ *aigreur* n. f. **1.** Saveur aigre. ⇒ **acidité.** *L'aigreur du lait qui a tourné.* **2.** Au plur. DES AIGREURS : sensation d'acidité. *Avoir des aigreurs (d'estomac).* **3.** Mauvaise humeur se traduisant par des remarques désobligeantes ou fielleuses. ⇒ **acrimonie, amertume, animosité.** *Répliquer avec aigreur.* / contr. **douceur** / *L'aigreur d'un caractère.* ▶ *aigrir* [ɛgʀiʀ] v. ▪ conjug. 2. **1.** S'AIGRIR V. pron. : devenir aigre. *Le vin s'aigrit si la bouteille reste débouchée.* **2.** V. tr. Remplir d'aigreur. *Les malheurs l'ont aigri. Il est aigri,* irritable, malveillant. ⟨ ▶ **vinaigre** ⟩

aigrefin [ɛgʀəfɛ̃] n. m. ▪ Homme qui vit d'escroqueries, de procédés indélicats. ⇒ **escroc, filou.** ≠ **aiglefin, églefin.**

aigrette [ɛgʀɛt] n. f. **1.** Sorte de héron blanc, remarquable par ses plumes effilées. **2.** Faisceau de plumes surmontant la tête de certains oiseaux. *L'aigrette du paon.* **3.** Ornement fait d'un bouquet de plumes, ou d'un faisceau similaire. ⇒ **plumet.** *Turban à aigrette.*

aigu, uë [egy] adj. **1.** Terminé en pointe ou en tranchant. ⇒ **acéré, coupant, pointu.** *Oiseau au bec aigu.* — *Angle aigu,* plus petit que l'angle droit (opposé à *obtus*). **2.** D'une fréquence élevée, en haut de l'échelle des sons. *Une note aiguë. Des voix aiguës.* ⇒ **perçant.** / contr. **grave** / **3.** *Douleur aiguë,* intense et pénétrante. ⇒ **vif, violent. 4.** *Maladie aiguë,* à apparition brusque et évolution rapide (opposé à *chronique*). **5.** Vif et pénétrant, dans le domaine de l'esprit. ⇒ **incisif, perçant, subtil.** *Une intelligence aiguë. Il a un sens aigu des réalités.* ⟨ ▶ **aiguille, aiguillon, aiguiser, suraigu** ⟩

aigue-marine [ɛgmaʀin] n. f. ▪ Pierre semi-précieuse, transparente et bleue (*aigue* veut dire « eau »). *Des aigues-marines.*

aiguière [ɛgjɛʀ] n. f. ▪ Ancien vase à eau, muni d'une anse et d'un bec.

aiguille [egɥij] n. f. **1.** Fine tige d'acier pointue une extrémité et percée à l'autre d'un trou ⇒ **chas** où passe le fil. *Enfiler une aiguille. Aiguille à coudre, à repriser.* — Loc. *Chercher une aiguille dans une botte de foin,* chercher une chose impossible à trouver. DE FIL EN AIGUILLE : en passant d'un sujet de conversation à l'autre. **2.** *Aiguille à tricoter,* tige de métal ou de matière plastique pour faire du tricot. **3.** Tige métallique effilée des chirurgiens servant aux injections, aux sutures. **4.** Tige métallique terminée en pointe qui sert à indiquer une mesure, etc. *Les aiguilles d'une pendule. L'aiguille aimantée d'une boussole.* **5.** Portion de rail mobile servant à opérer les changements de voie. ⇒ **aiguillage ; aiguiller.** **6.** Sommet effilé d'une montagne. ⇒ **dent, pic.** *L'aiguille Verte du massif du Mont-Blanc.* **7.** Feuille des conifères. *Aiguilles de pin.* ▶ ① *aiguillette* [egɥijɛt] n. f. ■ Ornement militaire fait de cordons tressés. ▶ ② *aiguillette* n. f. ■ Partie du romsteck. ‹ ▶ aiguiller, aiguillon ›

aiguiller [egɥije] v. tr. ▪ conjug. 1. **1.** Diriger (un train) d'une voie sur une autre par un système d'aiguillage. **2.** Diriger, orienter dans une voie (démarche, carrière). *Ce n'est pas moi qu'il faut voir, on vous a mal aiguillé.* ▶ *aiguillage* [egɥijaʒ] n. m. **1.** Manœuvre des aiguilles (5) des voies ferrées. *Poste, cabine d'aiguillage.* **2.** Appareil permettant les changements de voie. **3.** Abstrait. Orientation d'une voie qu'on suit. *Il ne fallait pas l'envoyer dans cette école, c'est une erreur d'aiguillage.* ▶ *aiguilleur* n. m. ■ Agent chargé du service et de l'entretien d'un poste d'aiguillage. — *Aiguilleur du ciel,* contrôleur de la navigation aérienne.

aiguillon [egɥijɔ̃] n. m. **1.** Long bâton muni d'une pointe de fer servant à piquer les bœufs. **2.** Dard à venin de certains insectes. *Aiguillon de la guêpe.* ⇒ **dard. 3.** Abstrait. Ce qui incite à agir. ⇒ **stimulant.** *Le besoin de célébrité est l'aiguillon de ses activités.* ▶ *aiguillonner* [egɥijɔne] v. tr. ▪ conjug. 1. ■ Stimuler. *Aiguillonner qqn pour le faire agir.*

aiguiser [egize] v. tr. ▪ conjug. 1. — REM. Ne pas dire [egɥi-]. **1.** Rendre tranchant ou pointu. ⇒ **affiler, affûter.** *Aiguiser un couteau.* / contr. **émousser** / **2.** Rendre plus vif, plus pénétrant. *Aiguiser l'appétit, la douleur.* **3.** Littér. Affiner, polir. *Il aiguise de subtiles pensées.*

ail [aj] n. m. sing. ■ Plante dont le bulbe *(tête d'ail)* à odeur forte et saveur piquante est utilisé comme condiment. *Gousse d'ail. Mettre de l'ail dans un gigot.* ⇒ **ailler.** ‹ ▶ ailler, ailloli ›

① ***aile*** [ɛl] n. f. **1.** Chacun des organes du vol chez les oiseaux, les chauves-souris, les insectes. *L'oiseau bat des ailes.* — Loc. *Avoir des ailes,* courir très vite. *Avoir du plomb dans l'aile,* être dans une mauvaise situation (personnes), être compromis (choses). *Battre de l'aile,* ne pas bien marcher (choses abstraites). — *Voler de ses propres ailes,* être indépendant, se passer de l'aide d'autrui. **2.** Partie charnue d'une volaille comprenant tout le membre qui porte l'aile. *Il dîna d'une aile de poulet.* **3.** Chacun des plans de sustentation d'un avion. *Les ailes en delta des avions modernes.* **4.** Chacun des châssis garnis de toile d'un moulin à vent. ▶ *ailé, ée* [ele] adj. ■ Pourvu d'ailes. *Les fourmis mâles sont généralement ailées.* ▶ *aileron* [ɛlrɔ̃] n. m. **1.** Extrémité de l'aile d'un oiseau. **2.** Ailerons de requin, ses nageoires. **3.** Volet articulé placé à l'arrière de l'aile d'un avion, commandé par le manche à balai, servant à virer. ▶ *ailette* n. f. ■ Lame métallique pour équilibrer un projectile, pour modifier l'écoulement des turbines, etc. ‹ ▶ à tire-d'aile ›

② ***aile*** n. f. **1.** Partie latérale (côté) d'un bâtiment. *L'aile droite d'un château.* **2.** Partie latérale d'une armée en ordre de bataille. ⇒ **flanc.** — Gauche et droite de l'attaque d'une équipe (opposé au *centre*). **3.** Partie de la carrosserie enveloppant les roues d'une automobile. *Il a embouti son aile avant droite.* **4.** Ailes

du nez, moitiés inférieures des faces latérales du nez. ▶ *ailier* [elje] n. m. ■ Football. Chacun des deux avants situés à l'extrême droite et à l'extrême gauche.

-aille ■ Élément de noms, collectif à valeur péjorative (ex. : *mangeaille*).

ailler [aje] v. tr. ▪ conjug. 1. ■ Piquer d'ail (un gigot), frotter d'ail (du pain). — Au p. p. adj. *Croûton aillé.*

-ailler ■ Élément de verbes, fréquentatif et péjoratif (ex. : *criailler*).

ailleurs [ajœR] adv. **1.** Dans un autre lieu (que celui où l'on est ou dont on parle). *Allons ailleurs, nous sommes mal ici. Vous ne trouverez cela nulle part ailleurs,* en aucun autre endroit. *Des émigrants venus d'ailleurs,* d'un autre pays. **2.** D'AILLEURS loc. adv. : marquant que l'esprit envisage un autre aspect des choses, introduisant une restriction ou une nuance nouvelle. ⇒ d'autre **part,** du **reste.** *Tu as assez regardé la télévision, d'ailleurs il est l'heure de te coucher.* — PAR AILLEURS loc. adv. : à un autre point de vue. *Je la trouve jolie ; elle m'est par ailleurs indifférente.* **3.** Abstrait. *Être ailleurs,* penser à autre chose, être distrait. ⇒ **absent.**

ailloli [ajɔli] n. m. ■ Mayonnaise à l'ail. *Morue à l'ailloli.*

aimable [ɛmabl] adj. ■ Qui cherche à faire plaisir (par la parole, le sourire). ⇒ **affable, gentil, sociable.** *Il est aimable avec tout le monde. Je vous remercie, vous êtes très aimable.* — Loc. *Il est aimable comme une porte de prison,* très désagréable. — *Un mot aimable.* / contr. **désagréable** / ▶ *aimablement* adv. ■ *Il m'a répondu très aimablement.*

① ***aimant, ante*** [ɛmɑ̃, ɑ̃t] adj. ■ Naturellement porté à aimer. ⇒ **affectueux, tendre.** *Une personne aimante.*

② ***aimant*** n. m. ■ Corps ou substance qui a reçu la propriété d'attirer le fer. ▶ *aimantation* n. f. ■ Action d'aimanter ; état de ce qui est aimanté. ▶ *aimanter* v. tr. ▪ conjug. 1. ■ Communiquer à un métal la propriété de l'aimant. *Aiguille aimantée de la boussole,* dont une des pointes, par suite de son aimantation, s'oriente vers le nord.

aimer [eme] v. tr. ▪ conjug. 1. **I.** **1.** (Généralement avec un adv.) Éprouver de l'affection, de l'amitié*, de la tendresse, de la sympathie pour (qqn). *Un vieil ami que j'aime beaucoup.* / contr. **détester** / **2.** Éprouver de l'amour*, de la passion pour (qqn). *Elle a aimé deux hommes dans sa vie.* **II.** **1.** Avoir du goût pour (qqch.). ⇒ **goûter, s'intéresser** à. *Aimer la musique, le sport. Aimer la vitesse.* — Trouver bon au goût, être friand de. *Il aime beaucoup les fruits de mer.* **2.** (+ infinitif) Trouver agréable, être content de, se plaire à. *J'aimais sortir avec mon père.* — Littér. AIMER À. *J'aime à croire que,* je veux croire, espérer que. — AIMER QUE (+ subjonctif). *J'aimerais que vous me jouiez quelque chose,* je désire, je souhaite que. **3.** AIMER MIEUX : préférer. *J'aime mieux son premier livre. Il aime mieux jouer que travailler. J'aime mieux ne pas y penser.* **III.** S'AIMER v. pron. **1.** (Réfl.) Se plaire, se trouver bien. *Je ne m'aime pas dans cette robe.* **2.** (Récipr.) Être mutuellement attachés par l'affection, l'amour. *Nous nous aimons beaucoup, ma sœur et moi.* **3.** Littér. Faire l'amour. *Ils se sont aimés toute la nuit.* ‹ ▶ aimable, ① aimant, bien-aimé, mal-aimé ›

aine [ɛn] n. f. ■ Partie du corps entre le haut de la cuisse et le bas-ventre.

aîné, ée [ene] adj. **1.** Qui est né le premier (par rapport aux enfants, aux frères et sœurs). *Leur fils*

aîné est mort. — N. *C'est moi l'aîné. L'aîné et le cadet.*
2. AÎNÉ, ÉE DE *qqn* : personne plus âgée que telle
autre. *Elle est mon aînée de deux ans.* ▸ **aînesse**
[ɛnɛs] n. f. ■ DROIT D'AÎNESSE : ancien droit
avantageant considérablement l'aîné dans une succession.

ainsi [ɛ̃si] adv. **1.** (Manière) De cette façon (comme
il a été dit ou comme on va dire). *Vous auriez tort
d'agir ainsi. C'est ainsi qu'il faut agir. Ainsi soit-il,*
formule terminant une prière. *S'il en est ainsi,* si les
choses sont comme cela. *Pour ainsi dire,* formule
servant à préparer, à atténuer l'expression qu'on va
employer. **2.** (Conclusion) Comme vous venez de le
voir, de le dire. *Ainsi rien n'a changé depuis mon
départ.* **3.** (Comparaison) De même. *Ainsi qu'il a été
dit plus haut.* ⇒ **comme.** — *Les garçons, ainsi que
les filles,* tout comme. ⇒ **et.**

① *air* [ɛʀ] n. m. **1.** Fluide gazeux constituant
l'atmosphère, que respirent les êtres vivants, constitué
essentiellement d'oxygène et d'azote. *De l'air.*
⇒ **aérien.** *L'air de la mer, de la campagne. On
manque d'air ici.* Loc. *Un courant d'air. J'ai besoin
de prendre l'air,* de sortir de chez moi, d'aller me
promener. *Le médecin lui a recommandé de changer
d'air.* ⇒ **climat.** — Loc. fig. *Il ne manque pas d'air !,*
il a du culot. **2.** AIR CONDITIONNÉ : air qui, dans
les maisons, etc., est amené à une température et à
un degré hygrométrique déterminés. — Installation
qui fournit cet air. *Nous avons l'air conditionné.* **3.** Ce
fluide en mouvement. ⇒ **vent.** *Il y a, il fait de l'air
aujourd'hui.* Loc. *En* PLEIN AIR : dans le vent,
au-dehors. *Le plein air,* activités qui se pratiquent
dehors. *Jeux de plein air.* — LIBRE COMME L'AIR :
libre de ses mouvements, de faire ce qu'on veut.
4. Espace rempli par ce fluide au-dessus de la terre.
⇒ **ciel.** *S'élever dans l'air, dans les airs. Regarder en
l'air.* ⇒ en **haut.** *Transports par air,* par voie aérienne.
Armée de l'air, forces aériennes militaires. **5.** EN L'AIR
loc. adv. *Parler en l'air,* de façon peu fondée. *Paroles,
promesses en l'air,* pas sérieuses. *C'est une tête en l'air,*
un étourdi. *Je vais envoyer, flanquer tout ça en l'air,*
jeter tout ça, m'en débarrasser. *Il a mis toute la pièce
en l'air,* sens dessus dessous. **6.** Atmosphère,
ambiance. *Prendre l'air du bureau,* s'informer de l'état
d'esprit qui y règne. *Ces idées étaient dans l'air,*
appartenaient à l'atmosphère intellectuelle de l'époque, du milieu. *Il y a de l'orage dans l'air,*
l'atmosphère est menaçante, les esprits sont excités.

② *air* n. m. **1.** Apparence générale habituelle à une
personne. ⇒ **allure.** *Un air pensif, attentif. Avoir l'air
comme il faut,* convenable. *Il a un drôle d'air,*
inquiétant. *Il y a entre eux un air de famille,* ils se
ressemblent. *Un faux air de,* une ressemblance
illusoire avec. **2.** Apparence expressive plus ou moins
durable, manifestée par le visage, la voix, les gestes,
etc. ⇒ **expression, mine.** *Il a un air pincé. Un petit
air de doute.* **3.** AVOIR L'AIR : présenter telle
apparence, physique ou morale. *Il a l'air d'une fille.*
— Loc. verb. (entraînant ou non l'accord de l'attribut).
⇒ **paraître.** *Elle a l'air sérieux, sérieuse. Leur vitesse
n'avait pas l'air excessive.* — (Avec *de* + infinitif)
⇒ **sembler.** *Il a l'air de me détester. Ça n'a pas l'air
d'aller.* — N'AVOIR L'AIR DE RIEN : avoir l'air
insignifiant, sans valeur, facile (mais être réellement
tout autre chose). *C'est un travail qui n'a l'air de rien.*
— (Personnes) *Sans avoir l'air de rien,* sans avoir l'air
d'y toucher, discrètement.

③ *air* n. m. ■ Mélodie d'une chanson, d'un morceau
de musique. *Fredonner, siffler un air à la mode.*

airain [ɛʀɛ̃] n. m. ■ Vx. Bronze.

aire [ɛʀ] n. f. **1.** Toute surface plane. *Aire d'atterrissage.* **2.** Nid d'un rapace. *L'aire d'un aigle.* **3.** Portion

limitée de surface, nombre qui la mesure. ⇒ **superficie. 4.** Région plus ou moins étendue occupée par
certains êtres, lieu de certaines activités, certains
phénomènes. ⇒ **domaine, zone.** *Aire linguistique. Aire
de répartition d'une espèce animale* (aire spécifique).

airelle [ɛʀɛl] n. f. ■ Nom méridional de la myrtille.
Confiture d'airelles.

aisance [ɛzɑ̃s] n. f. **1.** Situation de fortune qui
assure une vie facile. *Vivre dans l'aisance sans être
vraiment riche.* ⇒ **aisé** (1). **2.** Facilité naturelle qui
ne donne aucune impression d'effort. ⇒ **grâce, naturel.** *Il s'exprime avec aisance.* **3.** Au plur. CABINETS,
LIEUX D'AISANCES : vx, cabinets, toilettes.

① *aise* [ɛz] adj. ■ Littér. BIEN AISE, TOUT AISE :
content. *Je suis bien aise de vous rencontrer.*

② *aise* n. f. **1.** ÊTRE À L'AISE : être bien, confortablement installé. *Je suis à l'aise (à mon aise) dans
ce costume. Mettez-vous à l'aise,* débarrassez-vous des
vêtements, des objets qui vous gênent. — Être
content, détendu. *Il est à l'aise en toute circonstance.
Je suis mal à mon aise dans cette conversation. Mettre
qqn à l'aise, à son aise,* lui donner toute facilité de
s'exprimer, d'agir, lui épargner toute gêne, toute
timidité. *Vous en prenez à votre aise avec les
règlements,* vous ne vous gênez pas avec les règlements. *Vous en parlez à votre aise,* sans connaître les
difficultés que d'autres éprouvent. *À votre aise !,*
comme vous voudrez. — Dans l'aisance. *Vous ne vous
plaignez pas, vous vivez à l'aise.* — Fam. *À l'aise,*
facilement, sans effort. *Il a tout fini à l'aise.* **2.** Au
plur. SES AISES : son bien-être. *Il aime ses aises. Il
prend ses aises,* il ne se gêne pas. ▸ *aisé, ée* [eze]
adj. **1.** Qui vit dans l'aisance. *Une famille aisée.*
2. Littér. Qui se fait sans peine. ⇒ **facile.** *C'est un
travail aisé.* — PROV. *La critique est aisée et l'art est
difficile.* / contr. **difficile, malaisé** / ▸ *aisément* adv.
■ Facilement. *Il peut aisément réussir.* ◁ ▸ aisance,
malaise ▷

aisselle [ɛsɛl] n. f. ■ Cavité qui se trouve au-dessous
de la jonction du bras avec l'épaule. *Les poils des
aisselles.*

ajonc [aʒɔ̃] n. m. ■ Arbrisseau épineux des landes
atlantiques, à fleurs jaunes. *Les ajoncs et les genêts.*

ajouré, ée [aʒuʀe] adj. ■ Percé, orné de jours ③.
Draps ajourés.

ajourner [aʒuʀne] v. tr. ▪ conjug. 1. ■ Renvoyer
à un autre jour ou à une date indéterminée.
⇒ **différer, remettre.** *On a ajourné les élections.* — Au
p. p. adj. *Une décision ajournée.* ▸ *ajournement* n.
m. ■ Renvoi à une date ultérieure ou indéterminée.
Le ministre a demandé l'ajournement du débat.

ajouter [aʒute] v. ▪ conjug. 1. **I.** V. tr. **1.** Mettre
en plus ou à côté. ⇒ **joindre** (par addition ou
jonction). *Ajoutez quelques petits oignons à la sauce.
Sans rien ajouter ni retrancher.* — Dire en plus.
*Permettez-moi d'ajouter un mot. J'ajoute que c'est bien
naturel.* **2.** Littér. AJOUTER FOI À : croire. *Elle
n'ajoutait aucune foi à ces abominations.* **II.** V. tr. ind.
Augmenter, accroître. *En intervenant, il ne fait
qu'ajouter à la pagaille.* **III.** S'AJOUTER : se joindre,
en grossissant, en aggravant. *Au salaire s'ajoutent,
viennent s'ajouter diverses primes.* ▸ *ajout* [aʒu] n.
m. ■ Élément ajouté à l'original. ⇒ **addition.** *Épreuves
surchargées d'ajouts.* ◁ ▸ rajouter ▷

ajuster [aʒyste] v. tr. ▪ conjug. 1. **1.** Mettre aux
dimensions convenables, rendre conforme à un étalon.
Ajuster une pièce mécanique. **2.** Viser. *Le chasseur
ajuste les canards.* **3.** AJUSTER À : mettre en état d'être
joint à (par adaptation, par ajustage). *Ajuster un*

manche à un outil. *Ajuster un vêtement aux mesures de qqn.* — Pronominalement (réfl.). *Couvercle qui s'ajuste mal au récipient.* **4.** Mettre en conformité, adapter. *Il veut ajuster les faits à sa théorie.* ▶ **ajusté, ée** adj. ■ (Vêtements) Qui serre le corps de près. *Veste ajustée.* / contr. **ample, lâche** / ▶ **ajustement** n. m. **1.** Action d'ajuster ; degré de serrage ou de jeu entre deux pièces assemblées. **2.** Adaptation, mise en rapport. *Le choix et l'ajustement des termes.* **3.** Vx. Toilette, tenue. ▶ **ajusteur** n. m. ■ Ouvrier capable de tracer et de façonner des métaux d'après un plan, de réaliser des pièces mécaniques.

alaise ou **alèse** [alɛz] n. f. ■ Drap imperméable dont on se sert pour protéger le drap de dessous du lit d'un enfant, d'un malade.

alambic [alãbik] n. m. ■ Appareil servant à la distillation. *Des alambics.* ⟨ ▶ alambiqué ⟩

alambiqué, ée [alãbike] adj. ■ Exagérément compliqué et contourné. *Un esprit alambiqué.*

alanguir [alãgiʀ] v. tr. . conjug. 2. ■ Rendre languissant. *La chaleur l'alanguissait.* — Pronominalement (réfl.). *S'alanguir,* tomber dans un état de langueur. ▶ **alangui, ie** adj. ■ Languissant, langoureux. *Un air alangui. Des regards alanguis.* ▶ **alanguissement** n. m. ■ État d'une personne qui s'alanguit.

alarme [alaʀm] n. f. **1.** Signal pour annoncer l'approche de l'ennemi, pour avertir d'un danger. ⇒ **alerte.** *Le chien a donné l'alarme. Sonnette d'alarme. Signal d'alarme,* qui provoque l'arrêt du train. — *Donner, sonner l'alarme,* lancer des avertissements signalant des dangers menaçants. **2.** Vive inquiétude en présence d'une chose alarmante. *Ce n'était qu'une fausse alarme, nous nous sommes inquiétés sans raison.* ▶ **alarmer** v. tr. . conjug. 1. **1.** Inquiéter en faisant pressentir un danger. *Il a eu une rechute qui a alarmé son entourage. Alarmer l'opinion.* / contr. **rassurer** / **2.** S'ALARMER v. pron. : s'inquiéter vivement. *C'est une mère poule, elle s'alarme pour un rien.* ⇒ s'**effrayer.** ▶ **alarmant, ante** adj. ■ Qui alarme, est de nature à alarmer. ⇒ **inquiétant.** / contr. **rassurant** / *Des nouvelles alarmantes. Son état de santé est alarmant.* ▶ **alarmiste** n. et adj. ■ Personne qui répand intentionnellement des bruits alarmants. ⇒ **défaitiste, pessimiste.** — Adj. (Personnes, choses) *Article alarmiste.*

albâtre [albɑtʀ] n. m. ■ Minéral utilisé pour les objets d'art, souvent blanc. *Des vases d'albâtre.* — Poét. *D'albâtre,* d'une blancheur éclatante.

albatros [albatʀos] n. m. invar. ■ Grand oiseau de mer, au plumage blanc et gris, au bec crochu.

albinos [albinos] adj. invar. et n. invar. ■ Être humain dépourvu de pigment (cheveux, poils blancs). *Un enfant albinos. Des lapins albinos.* — N. *Un, une albinos.*

album [albɔm] n. m. **1.** Cahier ou classeur personnel destiné à recevoir des dessins, des photos, des autographes, des collections diverses. *Un album de timbres. Des albums de cartes postales.* **2.** Livre où prédominent les illustrations. *Un album de bandes dessinées.* **3.** Ensemble de disques vendus ensemble. — Disque.

albumine [albymin] n. f. **1.** Protéine naturelle. **2.** *Avoir de l'albumine,* présenter de l'albumine dans ses urines (médecine : *albuminurie,* n. f.). *Avoir de l'albumine est anormal.*

alcali [alkali] n. m. **1.** Nom générique des bases et des sels basiques que donnent avec l'oxygène certains métaux dits alcalins (potassium, sodium, etc.). *Des alcalis.* **2.** Dans le commerce. Ammoniaque. ▶ **alcalin, ine** adj. ■ Qui appartient, a rapport aux alcalis. *Solution alcaline.* ▶ **alcaloïde** [alkalɔid] n. m. ■ Substance organique d'origine végétale (rarement animale), contenant au moins un atome d'azote dans la molécule. *Les alcaloïdes ont une puissante action toxique ou thérapeutique* (caféine, morphine, quinine, etc.).

alchimie [alʃimi] n. f. ■ Science occulte en vogue au Moyen Âge, née de la fusion de techniques chimiques gardées secrètes et de spéculations mystiques. ⇒ **hermétisme.** ▶ **alchimiste** n. ■ Praticien(ienne) de l'alchimie.

alcool [alkɔl] n. m. **1.** Liquide incolore et inflammable obtenu par distillation du vin et des boissons et jus fermentés (appell. chim. : *alcool éthylique*). *Alcool à 60, à 95 degrés. Alcool à brûler,* utilisé comme combustible. *Lampes, réchauds à alcool.* **2.** UN ALCOOL : eau-de-vie, spiritueux. *Un alcool de fruit.* — *Boire trop d'alcool.* **3.** Nom générique (suff. -ol) des corps de mêmes propriétés chimiques que l'alcool. ▶ **alcoolique** [alkɔlik] adj. **1.** Qui contient naturellement de l'alcool. *Les boissons alcooliques.* **2.** Qui boit trop d'alcool. *Il est alcoolique.* — N. Personne atteinte d'alcoolisme chronique. *Désintoxiquer un, une alcoolique.* ▶ **alcooliser** v. tr. . conjug. 1. **1.** Additionner d'alcool. *Alcooliser un vin.* — Au p. p. adj. *Boisson alcoolisée,* contenant de l'alcool. **2.** S'ALCOOLISER v. pron. : abuser des boissons alcooliques, s'enivrer. ▶ **alcoolisme** n. m. ■ Abus des boissons alcooliques, déterminant un ensemble de troubles morbides ; ces troubles eux-mêmes. *La lutte contre l'alcoolisme.* ▶ **alcootest** ou **alcotest** [alkɔtɛst] n. m. ■ Épreuve permettant d'estimer la présence d'alcool dans l'air expiré par une personne. *Faire subir une épreuve d'alcootest à un automobiliste responsable d'un accident.* — Appareil servant à mesurer le taux d'alcool. ⟨ ▶ antialcoolique ⟩

alcôve [alkov] n. f. **1.** Enfoncement ménagé dans une chambre pour un ou plusieurs lits, qu'on peut fermer dans la journée. **2.** Abstrait. Lieu des rapports amoureux. *Les secrets d'alcôve. Des histoires d'alcôve.*

aldéhyde [aldeid] n. m. ■ Corps chimique formé en enlevant l'hydrogène d'un alcool.

aléa [alea] n. m. ■ Littér. Surtout au plur. Événement imprévisible, tour imprévisible que peuvent prendre les événements. ⇒ **hasard.** *Il faut compter avec les aléas de l'examen.* ▶ **aléatoire** [aleatwaʀ] adj. ■ Que rend incertain, dans l'avenir, l'intervention du hasard. ⇒ **problématique.** *Son succès est bien aléatoire.* / contr. **certain** /

alêne [alɛn] n. f. ■ Poinçon servant à percer le cuir. *Alêne de cordonnier.* ≠ *haleine.*

alentour [alãtuʀ] adv. ■ Littér. Dans l'espace environnant, tout autour. *Je ne voyais rien alentour.* ▶ **alentours** n. m. pl. ■ Lieux voisins, environs. *Les alentours de la ville. Il n'y a personne aux alentours.* — *Aux alentours de* (pour marquer l'approximation). *Je viendrai aux alentours du 1er juin.* ⇒ **vers.**

① **alerte** [alɛʀt] adj. ■ Vif et leste (malgré l'âge, l'embonpoint, etc.). *Un petit vieux alerte et gai.* — Abstrait. Éveillé, vif. *Avoir l'esprit alerte.*

② **alerte** n. f. **1.** Signal prévenant d'un danger et appelant à prendre toutes mesures de sécurité utiles. *Donner l'alerte.* ⇒ **alarme.** *En cas d'alerte, vous descendrez à l'abri. Troupes en état d'alerte, prêtes à intervenir.* **2.** Situation grave et inquiétante. *L'alerte sera peut-être chaude. Une fausse alerte,* qui ne correspond à aucun danger réel. ▶ **alerter** v. tr. ▪ conjug. 1. ▪ Avertir en cas de danger, dans le cas d'une difficulté quelconque pour que des mesures soient prises. *Il faut alerter la police.*

alèse n. f. ⇒ **alaise**.

aléser [aleze] v. tr. ▪ conjug. 6. ▪ Procéder à l'alésage de (qqch.). ▶ **alésage** n. m. **1.** Opération consistant à parachever, en calibrant exactement les dimensions, les trous qui traversent une pièce mécanique. **2.** Diamètre d'un cylindre automobile. *L'alésage et la course.* ▶ **aléseur** n. m. ▪ Ouvrier spécialiste de l'alésage. ▶ **aléseuse** n. f. ▪ Machine-outil servant à l'alésage.

alevin [alvɛ̃] n. m. ▪ Jeune poisson destiné au peuplement des rivières et des étangs. ▶ **aleviner** [alvine] v. tr. ▪ conjug. 1. ▪ Peupler d'alevins. *Aleviner des étangs.*

alexandrin [alɛksɑ̃drɛ̃] n. m. ▪ Vers français de douze syllabes. *L'alexandrin classique a une césure à l'hémistiche.*

alezan, ane [alzɑ̃, an] adj. ▪ (Cheval, mulet) Dont la robe est brun rougeâtre. *Jument alezane.* — N. *Un alezan.*

alfa [alfa] n. m. **1.** Plante herbacée d'Afrique du Nord et d'Espagne, dont les feuilles servent de matière première à la fabrication de la vannerie et de certains papiers. *Tapis, panier d'alfa.* **2.** Papier d'alfa. *Exemplaire numéroté sur alfa.*

algarade [algarad] n. f. ▪ Réprimande. *Il se moque des algarades de son père.* — *Avoir une algarade avec qqn*, une dispute.

algèbre [alʒɛbr] n. f. **1.** Théorie des opérations portant sur des nombres réels (positifs, négatifs) ou complexes, et résolution des équations, avec substitution de lettres aux valeurs numériques et de la formule générale au calcul numérique particulier. *L'algèbre fait partie des mathématiques*.* — Ouvrage traitant de cette science. **2.** Chose difficile à comprendre, domaine inaccessible à l'esprit. *C'est de l'algèbre pour moi.* ⇒ **chinois, hébreu.** ▶ **algébrique** adj. ▪ Qui appartient à l'algèbre. *Calcul numérique et calcul algébrique.* ▶ **algébriquement** adv.

algérien, enne [alʒerjɛ̃, ɛn] adj. ▪ D'Algérie. *Le Sahara algérien.* — N. *Les Algériens. L'algérien,* l'arabe parlé en Algérie.

-algie ▪ Élément savant signifiant « douleur ».

algorithme [algɔritm] n. m. ▪ Ensemble des règles opératoires propres à un calcul.

algue [alg] n. f. ▪ Plante aquatique à chlorophylle des eaux douces ou salées. *Algues vertes, brunes* ⇒ **varech**, *rouges. Les rochers étaient couverts d'algues glissantes.*

alias [aljas] adv. ▪ Autrement appelé (de tel ou tel nom). *Jacques Collin, alias Vautrin.*

alibi [alibi] n. m. **1.** Moyen de défense tiré du fait qu'on se trouvait, au moment d'une infraction, dans un lieu autre que celui où elle a été commise. *Il a un alibi excellent : il était à l'hôpital quand le crime a eu lieu.* **2.** Circonstance, activité permettant de se disculper, de faire diversion. ⇒ **justification, prétexte.** *Ses contacts avec ce parti ne sont qu'un alibi.*

① *aliénation* [aljenɑsjɔ̃] n. f. **1.** Transmission qu'une personne fait d'une propriété ou d'un droit. **2.** Fait de céder ou de perdre (un droit, un bien naturel). *Ce serait une aliénation de ma liberté.* — Pour les marxistes. État de l'individu qui, par suite des conditions extérieures (économiques, politiques, religieuses), cesse de s'appartenir, devient esclave des choses.

② *aliénation* n. f. ▪ Trouble mental grave. ⇒ **démence, folie.** ▶ **aliéné, ée** n. ▪ Personne atteinte d'aliénation mentale, dont l'état nécessite l'internement dans un hôpital psychiatrique. ▶ **aliéniste** n. ▪ Médecin spécialisé dans le traitement des aliénés. ⇒ **psychiatre.**

aliéner [aljene] v. tr. ▪ conjug. 6. **1.** Céder par aliénation ①. *Aliéner un bien à fonds perdu*, moyennant une rente viagère. **2.** Perdre (un droit naturel). *Aliéner sa liberté.* **3.** (Suj. chose ; compl. second introduit par *à*) Éloigner, rendre hostile. *Ses médisances lui ont aliéné ses amis.* — S'ALIÉNER *qqn* : agir de sorte qu'il devienne hostile. *Par cette mesure, les pouvoirs publics se sont aliéné les syndicats.* ⟨ ▶ ① aliénation ⟩

aligner [aliɲe] v. tr. ▪ conjug. 1. **I. 1.** Ranger sur une ligne droite. *Aligner des chaises.* **2.** Inscrire ou prononcer à la suite. *Aligner des chiffres, des phrases.* **3.** Abstrait. ALIGNER *sa politique, sa conduite* SUR *une autre*, la calquer sur elle. **II.** S'ALIGNER v. pron. **1.** Se mettre sur la même ligne. *Alignez-vous !* **2.** Abstrait. *S'aligner sur...*, se conformer fidèlement (à la « ligne » politique d'un autre). — Loc. fam. *Tu peux toujours t'aligner*, tu n'es pas de taille, tu seras battu. ▶ **aligné, ée** adj. ▪ Rendu droit. *Des rues alignées.* — Au plur. Rangé en ligne droite. *Des chaises alignées contre un mur.* — *Les pays non alignés* (sur les États-Unis ou sur l'U.R.S.S.). ⇒ **non-aligné.** ▶ **alignement** n. m. **1.** Fait d'aligner, d'être aligné au moyen de repères, selon un tracé. *L'alignement des maisons dans une rue. Soldat qui se met à l'alignement, sort de l'alignement.* — Rangée (de choses alignées). **2.** Limite de la voie publique et des propriétés des riverains fixée par l'Administration. **3.** Abstrait. Fait de s'aligner, d'aligner (sa politique, sa conduite). *L'alignement d'un parti sur la politique d'un État.* **4.** *Alignement monétaire*, fixation d'un nouveau cours des changes en fonction du pouvoir d'achat relatif de deux ou plusieurs monnaies. ⇒ **dévaluation.** ⟨ ▶ non-aligné ⟩

aliment [alimɑ̃] n. m. **1.** Toute substance susceptible d'être digérée, de servir à la nutrition de l'être vivant (surtout des humains). ⇒ **denrée, nourriture, vivres.** *Les œufs sont un aliment très riche. Cuisiner, conserver des aliments. Aliments surgelés.* **2.** Abstrait. Ce qui nourrit, entretient. *Ce scandale fournit un aliment à la curiosité du public.* ▶ **alimentaire** adj. **1.** Qui peut servir d'aliment. *Denrées, produits alimentaires* (⇒ **diététique.**) **2.** Relatif à l'alimentation. *Régime alimentaire. Une intoxication alimentaire.* **3.** Qui n'a d'autre rôle que de fournir de quoi vivre. *Une besogne alimentaire.* ▶ **alimentation** n. f. **1.** Action ou manière d'alimenter, de s'alimenter. *Alimentation des troupes.* ⇒ **ravitaillement.** *Il faut varier votre alimentation.* **2.** Commerce des denrées alimentaires. *Magasin d'alimentation.* **3.** Action d'approvisionner (en fournitures nécessaires au fonctionnement). *Alimentation d'une chaudière (en eau), d'un moteur (en combustible).* ▶ **alimenter** v. tr. ▪ conjug. 1. **1.** Fournir une certaine alimentation à. ⇒ **nourrir.** *Vous pouvez alimenter légèrement le malade.* — Pronominalement (réfl.). *Il recommence à s'alimenter.* **2.** Apporter à (qqch.) les éléments indispensables à son fonctionnement, à son entretien. ⇒ **approvisionner.** *Alimenter une chaudière. Alimenter une ville en eau potable. Le Nil alimente ce réservoir.* **3.** Entretenir, nourrir. *Ce sujet a suffi à alimenter la conversation.* ⟨ ▶ sous-alimenté, suralimenter ⟩

alinéa [alinea] n. m. ■ Renfoncement de la première ligne du texte, d'un paragraphe. — Passage compris entre deux de ces lignes en retrait. ⇒ **paragraphe.** *Les troisième et quatrième alinéas.*

aliquote [alikɔt] adj. f. ■ Sciences. *Partie aliquote,* qui est contenue un nombre exact de fois dans un tout.

aliter [alite] v. tr. ▪ conjug. 1. ■ Faire prendre le lit à (un malade). — Pronominalement (réfl.). *Il a dû s'aliter hier.* — Au p. p. adj. *Malade alité,* qui est au lit, ne peut se lever.

alizé [alize] n. m. ■ Vent régulier soufflant toute l'année de l'est, sur la partie orientale du Pacifique et de l'Atlantique comprise entre les parallèles 30ºN et 30ºS. *Les alizés.*

allaiter [alete] v. tr. ▪ conjug. 1. ■ Nourrir de son lait (un nourrisson, un petit) ; donner le sein à. *Elle allaite son enfant.* ▶ *allaitement* n. m. ■ *Allaitement et sevrage. Allaitement mixte,* au sein et au biberon.

allant [alã] n. m. ■ Ardeur de celui qui va de l'avant, ose entreprendre. ⇒ **entrain.** *Il est plein d'allant.*

allécher [a(l)leʃe] v. tr. ▪ conjug. 6. ■ Attirer par la promesse de quelque plaisir. ⇒ **appâter.** *Il a choisi ce titre pour allécher les lecteurs.* ▶ *alléchant, ante* adj. ■ Qui allèche, fait espérer quelque plaisir. *Une odeur alléchante.* ⇒ **appétissant.** *Une proposition alléchante,* séduisante, tentante.

allée [ale] n. f. ■ Chemin bordé d'arbres, de massifs, de verdure. *Tracer des allées dans un parc.* — Dans un édifice. Espace pour le passage. *Les allées d'un cinéma.*

allée et venue n. f. ■ Mouvement de gens qui vont et viennent. *C'était une allée et venue continuelle.* — Au plur. Démarches et déplacements divers. ⇒ **course.** *Perdre son temps en allées et venues.*

allégation [a(l)legasjɔ̃] n. f. ■ Affirmation ; ce qu'on allègue*. *Il faudra prouver vos allégations.*

alléger [a(l)leʒe] v. tr. ▪ conjug. 6 et 3. 1. ■ Rendre moins lourd, plus léger*. *Alléger un chargement.* / contr. **alourdir** / 2. Rendre moins pénible (une charge). *Alléger les impôts.* ▶ *allégement* n. m. ■ Fait ou moyen d'alléger (ce qui constitue une charge trop lourde à supporter). *Demander l'allégement des programmes scolaires.*

allégorie [a(l)legɔri] n. f. 1. ■ Suite d'éléments descriptifs ou narratifs concrets dont chacun correspond aux divers détails de l'idée abstraite qu'ils prétendent exprimer, symboliser. *Les allégories du « Roman de la rose ».* 2. Peinture, sculpture dont chaque élément évoque minutieusement les aspects d'une idée. *Peindre des allégories.* ▶ *allégorique* adj. ■ *Roman, peinture allégorique.*

allègre [a(l)lɛgʀ] adj. ■ Plein d'entrain, vif. *Marcher d'un pas allègre.* ⇒ ① **alerte.** ▶ *allègrement* [a(l)lɛgʀəmã] adv. 1. ■ D'une manière allègre, avec entrain. ⇒ **vivement.** *Il part allègrement au travail.* 2. Iron. Avec un entrain qui suppose une certaine légèreté ou inconscience. *Il nous a allègrement ruinés.* ▶ *allégresse* n. f. ■ Joie très vive qui d'ordinaire se manifeste publiquement. ⇒ **enthousiasme, liesse.** / contr. **tristesse** / *Au milieu de l'allégresse générale.*

allégro [a(l)legro] n. m. et adv. ■ Morceau de musique exécuté dans un tempo assez rapide. *Des allégros.* — Adv. (Sans accent) *Jouer allegro.*

alléguer [a(l)lege] v. tr. ▪ conjug. 6. 1. ■ Citer comme autorité, pour sa justification. *Alléguer un texte de*

loi, un auteur. 2. Mettre en avant, invoquer pour se justifier, s'excuser. ⇒ **invoquer, prétexter.** *Il allégua une excuse de santé pour ne pas venir à la réunion.*

alléluia [a(l)leluja] interj. et n. m. 1. Interj. Cri de louange et d'allégresse fréquent dans les psaumes. 2. N. m. Chant liturgique chrétien d'allégresse. *Chanter des alléluias.* — Court verset précédé et suivi de ce mot, chanté à l'église.

allemand, ande [almã, ãd] adj. et n. 1. De l'Allemagne, d'Allemagne. ⇒ **germanique.** *Le peuple allemand.* — N. *Les Allemands.* 2. *L'allemand,* la langue allemande.

① *aller* [ale] v. intr. ▪ conjug. 9. I. (Marquant le mouvement, la locomotion) 1. (Êtres vivants, véhicules) Se déplacer. *Allons à pied.* ⇒ **marcher.** *Ce train va vite.* ⇒ **filer.** *Il se mit à aller et venir dans la chambre,* à faire les cent pas, à marcher de long en large. *Laissons-le aller.* ⇒ **partir.** — (Objets, messages) *Les nouvelles vont vite.* ⇒ se **propager.** 2. (Avec un compl. de lieu) ⇒ se **rendre.** *Je pense aller à Paris la semaine prochaine. Nous y allons aussi. L'avion qui va à Rome. Il faut que j'aille chez le coiffeur. Aller au cinéma. Allez devant, je vous rejoindrai. J'irai à sa rencontre. Où allez-vous ?* 3. (Avec un compl. de but) *Je vais à mon travail, à la chasse, aux nouvelles.* — (+ infinitif) *Je suis allé me promener. Allez le voir.* II. (Sans déplacement) 1. (Marquant une progression dans l'action) *J'ai fait la moitié du travail, mais je vais très lentement. Nous irons jusqu'au bout. Ce garçon ira loin.* ⇒ **réussir.** *Vous allez trop loin !* ⇒ **exagérer.** — *Les choses vont trop vite.* 2. Y ALLER (en parlant d'un comportement). *Vous y allez fort !,* vous exagérez. *Il n'y va pas par quatre chemins,* il va droit au but, il tranche brutalement. *Vas-y !,* cri d'encouragement. — *Y aller de son histoire,* la raconter pour contribuer (à la fête, etc.). 3. (Auxiliaire de temps, marquant un futur prochain ; + infinitif) Être sur le point de. *Il va arriver d'un moment à l'autre. Je vais y aller. Ça va faire des histoires. Nous allions commencer sans toi,* nous étions sur le point de commencer sans toi. — (Marquant une éventualité, avec une valeur affective) *Si elle allait ne pas venir !* 4. Interj. ALLONS ! ALLEZ ! : sert à exhorter, à rappeler à l'ordre (une ou plusieurs personnes). *Allons, dépêche-toi ! Allez, un peu de courage ! Allons, allons, vous dites des bêtises !* — VA ! ALLEZ ! : sert à marquer une évidence mêlée de résignation. *Je te connais bien, va ! Allez, ça ne vaut pas la peine de pleurer.* III. (Marquant une évolution ou un fonctionnement) 1. (Êtres vivants) Être dans tel ou tel état de santé. ⇒ se **porter.** *Comment allez-vous ? Je vais bien, mieux. Ça va,* je vais bien. *Ça pourrait aller mieux.* 2. (Choses) Se trouver amené à tel ou tel état d'une évolution. *Les affaires vont bien. Cela va de soi,* c'est évident. — Impers. *Il n'en va pas de même pour moi,* le cas n'est pas le même. *Il y va de notre vie,* ce qui est en jeu, c'est notre vie. — *Laisser aller,* laisser évoluer sans intervenir. *Se laisser aller,* renoncer à diriger sa vie, s'abandonner, se décourager. 3. (Mécanismes, appareils) Fonctionner. ⇒ **marcher.** *Sept heures ! Vous croyez que votre montre va bien ?* 4. Être adapté, convenir à (qqn, qqch.). *Ce costume lui va bien. Ils vont bien ensemble,* ils forment un couple bien assorti. *Deux idées qui ne vont guère ensemble,* qui ne s'accordent guère. 5. Convenir. *Ça me va,* ça me convient. *Est-ce que ça va ?,* est-ce satisfaisant ? *Ça va comme ça,* cela suffit. 6. (Auxiliaire d'aspect, marquant la progression, suivi d'un part. prés.) *L'inquiétude allait croissant. Son mal va en empirant.* III. S'EN ALLER v. pron. 1. Partir du lieu où l'on est. ⇒ **partir.** *Je m'en vais. Va-t'en. Il veut s'en aller. Elle s'en est allée toute triste.* — Par euphém. Quitter le monde. ⇒ **mourir.** *Elle s'en est allée.* — (Avec un compl. de destination) *Je m'en vais au marché, à la pêche.* **2.** (Choses) Disparaître. *Les taches d'encre s'en vont avec ce produit.* **3.** (+ infinitif) Aller (en partant). *Va-t'en voir un peu ce que fait ma fille.* **4.** (Auxiliaire de temps, futur ; seulement à la 1ʳᵉ pers. du prés.) *Je m'en vais tout vous raconter.* ▶ ② **aller** n. m. **1.** Trajet fait en allant à un endroit déterminé (opposé à *retour*). *J'ai pris à l'aller le train du matin.* **2.** Billet de chemin de fer valable pour l'aller. *Je voudrais deux allers* (ou *deux aller*) *pour Marseille. Un aller (et) retour,* billet double comportant un coupon de retour. **3.** Fam. *Prendre un aller et retour,* une paire de gifles. **4.** *Pis aller.* ⇒ **pis.** ‹ ▶ allant, allée, allée et venue, allure, contre-allée, envahir, s'évader, évasif, évasion, invasion, laisser-aller, pis-aller, va-et-vient, va-nu-pieds, va-tout ›

allergie [alɛʀʒi] n. f. ■ Modification des réactions d'un organisme à un agent pathogène lorsque cet organisme a été l'objet d'une atteinte antérieure par le même agent. *Allergie aux pollens,* provoquée par les pollens. ▶ **allergique** adj. **1.** Propre à l'allergie. **2.** Qui réagit en manifestant une allergie (à une substance). *Être allergique au blanc d'œuf.* **3.** Abstrait. *Il est allergique à la grande musique,* il ne peut pas la supporter.

allier [alje] v. tr. ▪ conjug. 7. **1.** Associer (des éléments dissemblables). *Il allie une avarice presque sordide avec le plus grand mépris pour l'argent.* **2.** S'ALLIER : s'unir par alliance. *Ces deux pays se sont alliés pour exploiter des ressources naturelles.* — (Choses) Se combiner. ▶ **allié, ée** adj. et n. **1.** Uni par un traité d'alliance. *Les pays alliés.* — N. *Soutenir ses alliés.* / contr. **ennemi** / — Spécialt. *Les Alliés,* les pays alliés contre l'Allemagne au cours des guerres mondiales de 1914-1918 et 1939-1945. **2.** Personne qui apporte à une autre son appui, prend son parti. ⇒ **ami.** *J'ai trouvé en lui un allié.* **3.** *Les alliés,* les personnes unies par alliance. *Les parents et alliés.* ▶ **alliage** n. m. ■ Produit métallique obtenu en incorporant à un métal un ou plusieurs éléments. *L'acier est un alliage.* ▶ **alliance** n. f. **1.** Union contractée par engagement mutuel. *Une alliance avec lui est difficile.* **2.** Union de puissances qui s'engagent par un traité à se porter mutuellement secours en cas de guerre. ⇒ **coalition, entente, ligue, pacte.** *Alliance défensive. Nouer, rompre une alliance.* **3.** Lien juridique établi par le mariage entre le parent d'un conjoint et l'autre conjoint (et entre les familles de l'un et de l'autre). ⇒ **parenté.** *Neveu par alliance.* **4.** Anneau nuptial que les époux portent au quatrième doigt. *Une alliance en or.* **5.** Combinaison d'éléments divers. *Une alliance de couleurs.* ‹ ▶ rallier ›

alligator [aligatɔʀ] n. m. ■ Reptile de l'Amérique, voisin du crocodile, au museau large et court. *Des alligators.*

allitération [a(l)liteʀɑsjɔ̃] n. f. ■ Répétition des consonnes dans une suite de mots rapprochés.

allô [alo] interj. ■ Terme conventionnel d'appel, en France, dans les communications téléphoniques.

allocation [a(l)lɔkɑsjɔ̃] n. f. ■ Fait d'allouer ; somme allouée. *Allocations familiales. Allocation de chômage.* ≠ *allocution.*

allocution [a(l)lɔkysjɔ̃] n. f. ■ Discours familier et bref adressé par une personnalité. *Prononcer, faire une allocution. Une allocution télévisée du chef de l'État.* ≠ *allocation.*

allogène [a(l)lɔʒɛn] adj. ■ D'une origine différente de celle de la population autochtone. / contr. **indigène** / ≠ *halogène.*

allonger [alɔ̃ʒe] v. ▪ conjug. 3. **I.** V. tr. **1.** Rendre plus long. ⇒ **rallonger.** *Allonger une jupe de quelques centimètres.* **2.** Allonger une sauce, la rendre plus liquide. — Fam. *Allonger la sauce,* délayer (un texte, un discours). **3.** Étendre (un membre). *Allonger le bras.* — *Allonger le pas,* presser la marche en faisant des pas plus longs. **4.** Étendre qqn (sur un lit, etc.). *On allongea le blessé.* — Fam. *Il l'a allongé au tapis,* envoyé à terre. **4.** Fam. Donner (un coup) en étendant la main, la jambe. *Je vais t'allonger une gifle.* ⇒ **envoyer. 5.** Tendre, verser (de l'argent). *Il lui a allongé mille francs.* **II.** V. intr. Devenir plus long (dans le temps). *Les jours commencent à allonger.* ⇒ **rallonger. III.** S'ALLONGER v. pron. **1.** Devenir plus long (dans l'espace ou dans le temps). **2.** S'étendre de tout son long. *Je vais m'allonger un peu* (sur le lit, le divan, etc.). ⇒ **se coucher.** ▶ **allongé, ée** adj. ■ Étendu en longueur. *Un crâne allongé* (opposé à *aplati*). — Étendu de tout son long. *Rester allongé.* ▶ **allongement** n. m. ■ Fait d'allonger, de s'allonger. *L'allongement des vacances.* / contr. **raccourcissement** / ‹ ▶ rallonger ›

allopathie [a(l)lɔpati] n. f. ■ La médecine classique, quand on l'oppose à l'*homéopathie.*

allouer [alwe] v. tr. ▪ conjug. 1. **1.** Attribuer (une somme d'argent, une indemnité). *Allouer un crédit à qqn.* **2.** Accorder (un temps déterminé pour un travail).

allumer [alyme] v. tr. ▪ conjug. 1. **1.** Enflammer ; mettre le feu à. *Allumer une cigarette. Allumer la poêle, une pipe. Allumer le feu,* le faire. / contr. **éteindre / 2.** Exciter, éveiller de façon soudaine. *Allumer le désir de qqn.* **3.** Rendre lumineux en enflammant ou par un autre moyen. ⇒ **éclairer.** *Allumer les bougies. Allumer une lampe.* Fam. *Allumer l'électricité, la radio.* — Fam. *La cuisine est allumée,* il y a de la lumière. **4.** S'ALLUMER v. pron. : s'enflammer. *Ce bois un peu humide s'allume mal.* — Devenir lumineux, briller. *Les fenêtres s'allumaient. Ses yeux s'allument.* ▶ **allumage** n. m. **1.** Inflammation du mélange gazeux provenant du carburateur d'un moteur. *Bougies d'allumage. Allumage électronique.* **2.** Action d'allumer (une source lumineuse). *L'allumage des phares.* / contr. **extinction /** ▶ **allumé, ée** adj. ■ *Une lampe allumée.* — Le *visage allumé,* rouge et luisant. ▶ **allumette** n. f. **1.** Brin de bois, de carton, de cire, imprégné à une extrémité d'un produit susceptible de s'enflammer par friction. *Gratter, frotter, allumer une allumette. Boîte d'allumettes.* — Fam. *Des jambes comme des allumettes,* longues et maigres. **2.** En appos. *Pommes allumettes,* frites coupées très finement. ▶ **allumeur** n. m. ■ Boîtier rassemblant les dispositifs d'avance à l'allumage, de rupture et de distribution du courant aux bougies dans un moteur. ▶ **allumeuse** n. f. ■ Femme qui allume le désir des hommes sans vouloir le satisfaire. ‹ ▶ rallumer ›

allure [alyʀ] n. f. **1.** Vitesse de déplacement. *Les camions roulent à grande allure. Accélérer, ralentir l'allure.* **2.** Manière de se déplacer, de se tenir, de se comporter. *Il a une allure toujours jeune. Une allure digne, grave. Avoir de l'allure,* de la distinction, de la noblesse dans le maintien. **3.** Fam. Apparence générale d'une chose. *Elle a une drôle d'allure, cette maison. Votre bouquet a beaucoup d'allure. Ça a de l'allure.*

allusion [a(l)lyzjɔ̃] n. f. ■ Manière d'éveiller l'idée d'une personne ou d'une chose sans en faire expressément mention. ⇒ **sous-entendu.** *Une allusion transparente. Il a fait allusion à nos querelles passées. Comprendre, saisir une allusion.* ▶ **allusif, ive** adj.

■ Qui contient une allusion, procède par allusions. *Une intervention trop allusive.*

alluvions [a(l)lyvjɔ̃] n. f. plur. ■ Dépôts (cailloux, graviers, sables, boues) provenant d'un transport par les eaux courantes. *Les deltas sont formés par les alluvions des fleuves.* ► *alluvial, ale, aux* adj. ■ Fait d'alluvions. *Plaine alluviale.*

almanach [almana] n. m. ■ Nom de divers annuaires ou publications ayant vaguement pour base le calendrier.

aloès [alɔɛs] n. m. invar. ■ Plante grasse, aux feuilles charnues et très pointues, contenant un suc amer.

aloi [alwa] n. m. **1.** DE *bon, de mauvais* ALOI : de bonne, de mauvaise qualité ; qui mérite, ne mérite pas l'estime. *Un succès de bon aloi.* **2.** Didact. Titre légal (d'une monnaie).

alors [alɔʀ] adv. **1.** À ce moment-là ; à cette époque-là. *La France était alors en guerre contre l'Angleterre. Les hommes d'alors,* de ce temps. *Jusqu'alors,* jusqu'à cette époque. **2.** Dans ce cas, en conséquence. *Alors, n'en parlons plus. Tu es allé chez lui ? Alors, tu connais ses parents !* — (Pour refuser une objection) *Et alors ?* ⟹ et **puis.** — *Il était très en retard, alors il a dû prendre un taxi.* **3.** (Pour renforcer une exclamation, une interrogation) *Alors, qu'en penses-tu ? Alors ça, c'est bien fait !* — Fam. *Chouette alors !* — *Non, mais alors !,* exprime l'indignation. ► *alors que* loc. conj. — REM. Se construit avec l'indicatif. ■ À un moment où au contraire..., tandis que, au lieu que. *Il fait bon chez vous, alors que chez moi on gèle. Elle n'est pas intervenue, alors qu'elle avait promis de le faire.* ⟹ **bien** que.

alose [aloz] n. f. ■ Poisson marin voisin du hareng, comestible.

alouette [alwɛt] n. f. ■ Petit passereau des champs, au plumage grisâtre et brunâtre. *Chasse aux alouettes.* — Loc. *Il attend que les alouettes lui tombent toutes rôties,* il ne veut pas se donner la moindre peine.

alourdir [aluʀdiʀ] v. tr. ■ conjug. 2. **1.** Rendre lourd, plus lourd. / contr. **alléger** / *Les bagages alourdissaient la voiture.* — Rendre moins alerte. *La chaleur excessive m'alourdissait.* — Fig. *Alourdir les impôts,* il ne veut pas se donner la moindre peine. **2.** Donner un caractère pesant, embarrassé. *Cette tournure alourdit la phrase.* ► *alourdissement* n. m. ■ *Il avait une sensation d'alourdissement après le repas trop copieux.*

aloyau [alwajo] n. m. ■ Morceau de viande de bœuf, renfermant le filet, le romsteck et le contre-filet. *Un morceau dans l'aloyau.*

alpaga [alpaga] n. m. ■ Tissu de soie et de laine. *Veste en alpaga.*

alpage [alpaʒ] n. m. ■ Pâturage de haute montagne.

alpestre [alpɛstʀ] adj. ■ Propre aux Alpes (en ce qui concerne la nature visible). *Les paysages alpestres.* ⟹ **alpin.**

alpha [alfa] n. m. invar. et adj. invar. **1.** Première lettre (α) de l'alphabet grec. — *L'alpha et l'oméga,* le commencement et la fin. **2.** Adj. invar. *Particule alpha,* noyau atomique d'hélium. ► *alphabet* [alfabɛ] n. m. **1.** Système des signes graphiques (lettres) servant à la transcription des sons (consonnes, voyelles) d'une langue. *Les Phéniciens ont établi le premier modèle d'alphabet. Alphabet arabe, grec, latin.* — *Alphabet phonétique,* système de signes conventionnels servant à noter d'une manière uniforme les phonèmes des diverses langues. **2.** Livre à usage des enfants contenant les premiers éléments de la lecture (lettres, syllabes, mots). ⟹ **a b c** ► *alphabétique* adj. **1.** Qui concerne l'alphabet. *Écriture alphabétique.* **2.** Qui est dans l'ordre des lettres de l'alphabet. *Table alphabétique des matières.* ► *alphabétiser* v. tr. ■ conjug. 1. ■ Apprendre à lire et à écrire à (un groupe qui ignore une écriture). ► *alphabétisation* n. f. ■ *L'alphabétisation des travailleurs immigrés.*

alpin, ine [alpɛ̃, in] adj. **1.** Des Alpes. *La chaîne alpine.* — *Chasseurs alpins,* troupes spécialisées dans la guerre de montagne. **2.** D'alpinisme. *Club alpin.* ► *alpinisme* n. m. ■ Sport des ascensions en montagne. ► *alpiniste* n. ■ *Cordée d'alpinistes.*

alsacien, ienne [alzasjɛ̃, jɛn] adj. et n. ■ De l'Alsace. *La plaine alsacienne.* — N. *Une Alsacienne.* — N. m. Dialecte allemand parlé en Alsace.

altération [alteʀasjɔ̃] n. f. **1.** Changement en mal par rapport à l'état normal. ⟹ **dégradation, détérioration** ; ① altérer. *Ce texte ancien a subi de nombreuses altérations. L'altération de sa santé.* **2.** Signe de musique modifiant la hauteur de la note. *Les dièses, les bémols et les bécarres sont des altérations.*

altercation [altɛʀkasjɔ̃] n. f. ■ Échange bref et brutal de propos vifs, de répliques désobligeantes. ⟹ **dispute, prise** de bec. *Il a eu une altercation avec son frère. Une légère, une vive altercation.*

alter ego [altɛʀego] n. m. ■ Personne de confiance qu'on peut charger de tout faire à sa place. ⟹ **bras** droit. *Voici mon collaborateur et mon alter ego.*

① **altérer** [alteʀe] v. tr. ■ conjug. 6. **1.** Changer en mal. ⟹ **détériorer, gâter.** *La chaleur altère les denrées périssables. Rien ne peut altérer notre amitié.* — Pronominalement (réfl.). *Les couleurs se sont altérées.* — Au p. p. adj. *Elle m'a remercié d'une voix altérée,* émue. **2.** Falsifier, fausser. *Altérer un récit.* ⟹ **estropier, tronquer.** *Altérer la vérité,* mentir. ⟨ ► altération ⟩

② **altérer** v. tr. ■ conjug. 6. **1.** Exciter la soif de. *La promenade, l'émotion m'a altéré.* **2.** Abstrait. *Altéré de,* avide de. *Il est altéré de gloire.* ⟹ **assoiffé.** ⟨ ► désaltérer ⟩

alternance [altɛʀnɑ̃s] n. f. **1.** Succession répétée, dans l'espace ou dans le temps, qui fait réapparaître tour à tour, dans un ordre régulier, les éléments d'une série. *L'alternance des saisons. Alternance des cultures.* **2.** Variation subie par un phonème ou un groupe de phonèmes dans un système morphologique donné. *Alternance vocalique* (ex. : je m*e*urs, nous m*ou*rons). **3.** Succession au pouvoir d'une majorité et d'une opposition (devenue majoritaire), dans un système parlementaire. ► *alternatif, ive* adj. ■ Qui présente une alternance. ⟹ **périodique.** *Mouvement alternatif,* mouvement régulier qui a lieu dans un sens puis dans l'autre (piston, pendule, etc.). *Courant alternatif,* dont l'intensité varie selon une sinusoïde (opposé à *continu*). ► *alternative* n. f. **1.** Au plur. Phénomènes ou états opposés se succédant régulièrement. *Des alternatives d'exaltation et d'abattement.* **2.** Situation dans laquelle il n'est que deux partis possibles. *Dans cette alternative, il faut choisir. Laisser, proposer une alternative à qqn,* deux solutions au choix. ► *alternativement* adv. ■ En alternant tour à tour. ⟹ **successivement.** *Il est alternativement sévère et bienveillant.* ⟨ ► alterner ⟩

alterner [altɛʀne] v. intr. ■ conjug. 1. ■ Se succéder en alternance. *Les beaux jours ont alterné avec les jours de pluie. Faire alterner deux spectacles.* ► *alternant, ante* adj. ■ Qui alterne. *Cultures alternantes.* ► *alterné, ée* adj. ■ En alternance. — Au plur. *Vers alternés,* distiques. *Rimes alternées,* croisées. — Au sing. *Circulation alternée.* ⟨ ► alternance ⟩

altesse [altɛs] n. f. **1.** Titre d'honneur donné aux princes et princesses du sang. *Son Altesse Royale le prince de...* **2.** Personne portant ce titre. *Une altesse.*

altier, ière [altje, jɛʀ] adj. ■ Qui a ou marque la hauteur, l'orgueil du noble. ⇒ **hautain.**

altimètre [altimɛtʀ] n. m. ■ Appareil indiquant l'altitude du lieu où l'on se trouve. *L'altimètre d'un avion.*

altitude [altityd] n. f. **1.** Élévation verticale (d'un point, d'un lieu) par rapport au niveau de la mer. *L'altitude d'une plaine. Paris a une faible altitude.* **2.** Grande altitude. *En altitude,* en montagne, à une altitude élevée.

alto [alto] n. m. ■ Instrument de la famille des violons, d'une quinte plus grave et un peu plus grand. *Des altos.* ▶ **altiste** n. ■ Joueur d'alto. ⟨ ▶ contralto ⟩

altruisme [altʀɥism] n. m. ■ Disposition à s'intéresser et à se dévouer à autrui. / contr. **égoïsme** / *Il agit par altruisme, non pour son intérêt.* ▶ **altruiste** adj. ■ *Des sentiments altruistes.* / contr. **égoïste** /

aluminium [alyminjɔm] n. m. ■ Métal blanc, léger, malléable, bon conducteur de l'électricité. *Des casseroles en aluminium.* — Abrév. cour. ALU [aly], n. m.

alunir [alyniʀ] v. intr. ■ conjug. 2. ■ Aborder sur la Lune, prendre contact avec la Lune. *Les astronautes ont aluni en 1969.* ▶ **alunissage** n. m. ■ Action d'alunir.

alvéole [alveɔl] n. m. ou f. **1.** Cellule de cire que fait l'abeille. **2.** *Alvéoles dentaires,* cavités au bord des maxillaires où sont implantées les racines des dents. *Alvéoles pulmonaires,* culs-de-sac terminaux des ramifications des bronches. **3.** Cavité ayant la forme d'une alvéole (1). *Plateau à alvéoles pour emballer les œufs.*

amabilité [amabilite] n. f. ■ Qualité d'une personne aimable, manifestation de cette qualité. ⇒ **affabilité, gentillesse, obligeance.** *Veuillez avoir l'amabilité de le prévenir de ma part. L'amabilité d'une invitation.* — *(Une, des amabilités) Dire des amabilités à qqn.*

amadou [amadu] n. m. ■ Substance végétale spongieuse préparée pour être inflammable.

amadouer [amadwe] v. tr. ■ conjug. 1. ■ Amener à ses fins ou apaiser (qqn qui était hostile ou réservé) par de petites flatteries, des attentions adroites. *Je vais essayer de l'amadouer.*

amaigrir [amegʀiʀ] v. tr. ■ conjug. 2. ■ Rendre maigre, plus maigre. *Sa maladie l'a beaucoup amaigri.* — Pronominalement. *Elle s'est amaigrie.* ▶ **amaigri, ie** adj. ■ Qui est devenu maigre. *Le visage amaigri d'un malade.* ▶ **amaigrissant, ante** adj. ■ Qui fait maigrir. *Elle suit un régime amaigrissant.* ▶ **amaigrissement** n. m. ■ Fait de maigrir, d'avoir maigri. *Son amaigrissement m'inquiète.*

amalgame [amalgam] n. m. **1.** Mélange d'éléments différents qui ne s'accordent guère. ⇒ **assemblage.** **2.** Alliage d'argent et d'étain utilisé pour obturer les dents. **3.** Méthode consistant à englober artificiellement, en exploitant un point commun, diverses formations ou attitudes politiques, pour les discréditer. ▶ **amalgamer** v. tr. ■ conjug. 1. **1.** Concret. Unir dans un mélange. ⇒ **mélanger.** *Amalgamer les œufs et (à) la farine.* **2.** Abstrait. Mêler des éléments différents. **3.** Pronominalement. *S'amalgamer (à ou avec),* se combiner, s'associer à. *Le beurre s'amalgamait à la pâte.* — Fam. Se réunir. ⇒ **s'agglutiner.**

amande [amɑ̃d] n. f. **1.** Fruit de l'amandier, dont la graine comestible est riche en huile. *Pâte d'amandes. Amandes salées,* pour l'apéritif. **2.** En amande, en forme d'amande, oblong. *Des yeux en amande.* **3.** Graine d'un fruit à noyau. *L'amande de la cerise, de l'abricot.* **4.** En appos. Invar. *Vert amande,* vert clair. *Des robes vert amande.* ≠ **amende.** ▶ **amandier** n. m. ■ Arbre dont le fruit est l'amande.

amanite [amanit] n. f. ■ Champignon à lames dont certaines espèces sont vénéneuses.

amant, ante [amɑ̃, ɑ̃t] n. **1.** Vx. N. m. et f. Personne qui aime d'amour et qui est aimée. ⇒ **amoureux, soupirant.** **2.** N. m. Homme qui a des relations sexuelles avec une femme à laquelle il n'est pas marié (⇒ **maîtresse).** *Elle a pris un amant.* — Au plur. *Les amants,* l'amant et sa maîtresse.

amarante [amaʀɑ̃t] n. f. **1.** Plante ornementale, aux nombreuses fleurs rouges en grappes ; fleur de cette plante. **2.** Adj. invar. Rouge pourpre. *Des étoffes amarante.*

amarrer [amaʀe] v. tr. ■ conjug. 1. **1.** Maintenir, retenir avec des amarres (s'oppose, en marine, à *démarrer). Amarrer une barque près de la berge.* **2.** Fixer, attacher avec un cordage, une chaîne. *Amarrer des caisses sur un camion.* ▶ **amarrage** n. m. ■ Action, manière d'amarrer un bâtiment dans un port, une rade, ou un ballon dirigeable à un mât. ▶ **amarre** n. f. ■ Câble, cordage servant à retenir un navire, un ballon en l'attachant à un point fixe. *Larguer les amarres.*

amasser [amase] v. tr. ■ conjug. 1. ■ Réunir en quantité considérable, par additions successives. ⇒ **accumuler, amonceler, entasser.** *Amasser des provisions. Amasser des richesses, de l'argent.* ⇒ **capitaliser.** — *Amasser des documents, des preuves.* ⇒ **réunir.** — S'AMASSER v. pron. : s'entasser, se rassembler en grand nombre. *La foule s'est amassée devant l'immeuble.* / contr. se **disperser** / ▶ **amas** [amɑ] n. m. sing. ■ Réunion d'objets venus de divers côtés, généralement par apports successifs. ⇒ **amoncellement, entassement, tas.** *Un amas de paperasses encombrait la table.* ⟨ ▶ ramasser ⟩

amateur [amatœʀ] n. m. **1.** Personne qui aime, cultive, recherche (certaines choses). *Un amateur de musique. La collection d'un amateur.* **2.** Fam. *Je ne suis pas amateur,* je ne suis pas acheteur. *Cette belle pièce n'a pas trouvé d'amateur.* — Loc. fam. *Avis aux amateurs,* que ceux qui en veulent en profitent. *Il reste des gâteaux, avis aux amateurs !* **3.** Personne qui cultive un art, une science pour son seul plaisir (et non par profession). *Je ne suis qu'un amateur, mais j'adore peindre.* — En appos. *Des peintres amateurs. Une musicienne amateur.* **4.** Athlète, joueur qui pratique un sport sans recevoir de rémunération directe (opposé à *professionnel).* — Péj. Personne qui exerce une activité de façon négligente ou fantaisiste. ⇒ **dilettante.** *Travailler en amateur.* ▶ **amateurisme** n. m. **1.** Condition de l'amateur, en sport. **2.** Péj. Caractère d'un travail d'amateur (négligé, non fini, incomplet, etc.). *C'est de l'amateurisme !*

amazone [amazon] n. f. ■ Femme qui monte à cheval. — Loc. *En amazone,* les deux jambes du même côté de la selle. *Elle monte en amazone.*

sans ambages [sɑ̃zɑ̃baʒ] n. f. pl. ■ Sans détours, sans s'embarrasser de circonlocutions. *Laissez-moi vous parler sans ambages.*

ambassade [ɑ̃basad] n. f. **1.** Représentation permanente d'un État auprès d'un État étranger ; fonction d'ambassadeur. *Attaché, secrétaire d'ambas-*

sade. — Ensemble du personnel assurant cette mission ; résidence de l'ambassadeur et de ses services. *S'adresser, aller à l'ambassade.* **2.** Mission délicate auprès d'un particulier. *Ils sont allés en ambassade chez le directeur.* ▶ **ambassadeur, drice** n. **1.** Représentant(e) permanent(e) d'un État auprès d'un État étranger, le plus élevé dans la hiérarchie diplomatique. (*Ambassadrice* se dit aussi de l'épouse d'un ambassadeur.) **2.** Personne qui est chargée d'une mission, qui représente à l'étranger une activité de son pays. *Soyez mon ambassadeur auprès de lui. Les ambassadrices de la mode française.*

ambi- ■ Élément savant signifiant « tous les deux ».

ambiance [ɑ̃bjɑ̃s] n. f. **1.** Atmosphère matérielle ou morale qui environne une personne, une réunion de personnes. ⇒ **climat, milieu.** *Il avait l'impression d'une ambiance hostile.* — *Musique d'ambiance,* discrète et agréable. **2.** Fam. *Il y a de l'ambiance ici,* une atmosphère gaie, pleine d'entrain.

ambiant, ante [ɑ̃bjɑ̃, ɑ̃t] adj. ■ Qui entoure de tous côtés, constitue le milieu où on se trouve. *L'air ambiant. La température ambiante.* ⟨▶ ambiance⟩

ambigu, uë [ɑ̃bigy] adj. ■ Qui présente deux ou plusieurs sens possibles, dont l'interprétation est incertaine. ⇒ **ambivalent, équivoque.** *Il s'est contenté d'une réponse ambiguë.* — (Personnes) Dont la nature, les intentions peuvent s'interpréter différemment. *Un geste, un sourire ambigu.* ▶ **ambiguïté** [ɑ̃bigɥite] n. f. **1.** Caractère de ce qui est ambigu. ⇒ **ambivalence, équivoque.** *L'ambiguïté d'une phrase.* ⇒ **amphibologie,** *d'une situation. Lever une ambiguïté.* **2.** (*Une, des ambiguïtés*) Expression ambiguë. ▶ **ambigument** adv. ■ Littér. De manière ambiguë.

ambitieux, euse [ɑ̃bisjø, øz] adj. **1.** Qui a de l'ambition, désire passionnément réussir. *Une femme ambitieuse.* — N. *L'ambitieux n'est jamais satisfait.* **2.** (Choses) Qui marque trop d'ambition. ⇒ **présomptueux, prétentieux.** *Il faut renoncer à cet ambitieux projet.* ▶ **ambitieusement** adv. ■ Avec ambition.

ambition [ɑ̃bisjɔ̃] n. f. **1.** Désir ardent d'obtenir les biens qui peuvent flatter l'amour-propre : pouvoir, honneurs, réussite. *Avoir de l'ambition. Il manque d'ambition.* — (Avec *de* + infinitif) *Il a l'ambition de réussir.* **2.** Désir, souhait quant à l'avenir personnel. *Toute mon ambition est maintenant de me retirer à la campagne.* ⇒ **désir.** ▶ **ambitionner** v. tr. ■ conjug. 1. ■ Rechercher par ambition. *Il ambitionnait la première place.* ⇒ **briguer.** — (Avec *de* + infinitif) Souhaiter vivement. *J'ambitionne de vous faire plaisir.* ⟨▶ ambitieux⟩

ambivalence [ɑ̃bivalɑ̃s] n. f. ■ Caractère de ce qui comporte deux composantes de sens contraire ou de ce qui se présente sous deux aspects. *L'ambivalence de ses sentiments pour lui.* ▶ **ambivalent, ente** adj. ■ Qui présente une ambivalence. ⇒ **ambigu.**

ambre [ɑ̃bʁ] n. m. ■ Résine fossilisée, dure, jaune, transparente. *Collier d'ambre. Fume-cigarette à bout d'ambre.* ▶ **ambré, ée** adj. ■ Qui a un reflet jaune. *Tons ambrés.*

ambroisie [ɑ̃bʁwazi] n. f. ■ Nourriture des dieux de l'Olympe, source d'immortalité. ⇒ **nectar.**

ambulance [ɑ̃bylɑ̃s] n. f. ■ Véhicule automobile aménagé pour le transport des malades ou des blessés dans les hôpitaux. *Être transporté en ambulance à l'hôpital.* ▶ **ambulancier, ière** n. ■ Conducteur(trice) d'une ambulance.

ambulant, ante [ɑ̃bylɑ̃, ɑ̃t] adj. ■ Qui se déplace pour exercer à divers endroits son activité profession-

nelle. *Comédiens, musiciens ambulants. Marchand de glaces ambulant.* ⟨▶ déambuler⟩

①　âme [ɑm] n. f. **1.** Principe spirituel de l'être humain, conçu dans la religion comme séparable du corps, immortel et jugé par Dieu. *Sauver, perdre son âme. Dieu ait son âme !* — *Les âmes des morts. Attribuer une âme aux choses.* ⇒ **animisme.** **2.** Ensemble de la sensibilité et de la pensée (opposé au *corps*). *Se donner corps et âme,* tout entier. *De toute son âme.* ⇒ **cœur.** *Rendre l'âme,* mourir. **3.** Conscience morale. *La paix de l'âme. Grandeur d'âme.* **4.** Psychisme, esprit. *État d'âme.* **5.** Être vivant, personne. *Je n'ai pas rencontré âme qui vive,* je n'ai rencontré personne. *Avoir charge d'âme. Une ville de plus de dix mille âmes.* **6.** Personne qui anime une entreprise collective. *Il était l'âme de la conjuration.* **7.** *Âme damnée,* personne dévouée à une autre jusqu'à se perdre, se damner.

②　âme n. f. ■ Évidement intérieur (d'une bouche à feu,...). *L'âme d'un canon, d'un fusil.* — *L'âme d'un violon.*

améliorer [ameljɔʁe] v. tr. ■ conjug. 1. ■ Rendre meilleur, plus satisfaisant, changer en mieux. ⇒ **perfectionner.** *Il veut améliorer sa situation. Améliorer un texte, une traduction.* — S'AMÉLIORER v. pron. ■ devenir meilleur. *Ce vin s'améliore avec l'âge.* ⇒ se **bonifier.** *Leurs relations se sont améliorées.* / contr. se **détériorer** / ▶ **amélioration** n. f. ■ Action de rendre meilleur, de changer en mieux ; fait de devenir meilleur, plus satisfaisant. ⇒ **progrès.** *L'amélioration de sa situation, de son sort, de son état de santé. Aucune amélioration du temps en perspective. Il s'est produit une amélioration dans les relations de ces deux pays.* / contr. **aggravation, détérioration** /

amen [amɛn] adv. ■ DIRE AMEN À : acquiescer sans discuter. *Il dit amen à tout ce qu'elle dit, à tout ce qu'il fait.* — REM. Les prières chrétiennes se terminent par *Amen,* mot qui signifie « oui, ainsi soit-il ».

aménager [amenaʒe] v. tr. ■ conjug. 3. **1.** Disposer et préparer méthodiquement en vue d'un usage déterminé. ⇒ **agencer, arranger.** *Le rez-de-chaussée avait été aménagé en laboratoires.* **2.** Adapter pour rendre plus efficace. *Aménager l'enseignement, un projet.* ▶ **aménagement** n. m. **1.** Action, manière d'aménager (1). ⇒ **agencement, arrangement, disposition, distribution, organisation.** *L'aménagement d'un paquebot, d'une usine, d'un quartier à urbaniser.* **2.** Action d'aménager (2). *L'aménagement des horaires de travail.* ⇒ **modification, transformation.**

amende [amɑ̃d] n. f. **1.** Peine pécuniaire prononcée en matière civile, pénale, ou fiscale. ⇒ **contravention.** *Payer une amende. Infliger une amende à qqn.* — Fam. *Vous serez mis à l'amende,* se dit pour menacer d'une punition légère ou fictive. **2.** *Faire amende honorable,* reconnaître ses torts, demander pardon. ≠ **amande.**

①　amender [amɑ̃de] v. tr. ■ conjug. 1. **1.** Rendre plus fertile (une terre). **2.** Modifier par amendement (2). *Amender un projet.* ▶ **amendement** n. m. **1.** Opération visant à améliorer les propriétés physiques d'un sol ; substance incorporée au sol à cet effet. *Les matières organiques sont à la fois des amendements et des engrais.* **2.** Modification proposée à un texte soumis à une assemblée délibérante. *Voter un amendement.*

②　s'amender v. pron. ■ conjug. 1. ■ Se corriger de ses fautes. *Elle s'est amendée en vieillissant.*

amène [amɛn] adj. ■ Littér. Plein d'aménité. ⇒ **aimable.** *Des propos amènes.* ⟨▶ aménité⟩

amener [amne] v. tr. ■ conjug. 5. **1.** Mener (qqn) à un endroit ou auprès d'une personne. *Amener qqn* *à, chez qqn. Il reçoit tous les gens que je lui amène. Amenez votre sœur. Qu'est-ce qui vous amène ici ?,* vous fait venir. — Loc. *Mandat d'amener,* ordre de comparaître devant un juge. **2.** *Amener qqn à* (+ infinitif). Conduire, entraîner petit à petit (à quelque acte ou état). *Je l'amènerai à partager notre point de vue.* **3.** Abstrait. Diriger, conduire. *N'amenons pas la conversation sur ce sujet.* — *Savoir amener un dénouement.* ⇒ **ménager, préparer.** *C'est bien amené.* **4.** (Suj. chose) Avoir pour suite assez proche (sans qu'il s'agisse d'une conséquence nécessaire). ⇒ **occasionner.** *Cela pourrait t'amener des ennuis.* **5.** Fam. S'AMENER v. pron. : venir, arriver. *Amène-toi ici !* **6.** Tirer à soi. *Pêcheur qui amène son filet. Amener les voiles,* les abaisser. ▶ *amenée* n. f. ■ Action d'amener l'eau (surtout dans *canal, tuyaux d'amenée*). ⟨ ▶ ramener ⟩

aménité [amenite] n. f. ■ Amabilité pleine de charme d'une personne amène*. *Être plein d'aménité. Traiter qqn sans aménité,* durement.

amenuiser [amənɥize] v. tr. ▪ conjug. 1. **1.** Littér. Rendre plus mince, plus fin. ⇒ **amincir.** *Ses cheveux longs amenuisaient son visage.* **2.** S'AMENUISER v. pron. : devenir plus petit. ⇒ **diminuer.** *Ses ressources s'amenuisent.* ▶ *amenuisement* n. m. ■ *L'amenuisement du niveau de vie.*

amer, ère [amɛʀ] adj. **1.** Qui produit au goût une sensation âpre, désagréable (ex. : *la bile*) ou stimulante. *Saveur amère. Confiture d'oranges amères. Apéritif amer* (un *amer,* n. m.). **2.** Abstrait. Qui engendre, marque l'amertume. ⇒ **douloureux, pénible, triste.** *Ce fut une amère déception. Il m'a fait d'amers reproches. Il est très amer, ses paroles sont amères.* ▶ *amèrement* adv. ■ *Il se plaint amèrement de votre silence.* ⟨ ▶ amertume ⟩

américain, aine [ameʀikɛ̃, ɛn] adj. **1.** De l'Amérique. *Le continent américain.* **2.** Des États-Unis d'Amérique. *La politique américaine.* — N. Les *Américains.* — N. m. *L'américain,* la langue anglaise des États-Unis. ▶ *américaniser* v. tr. ▪ conjug. 1. ■ Revêtir, marquer d'un caractère américain (2). — Pronominalement (réfl.). *L'Europe s'américanise.* ▶ *américanisation* n. f. ■ Action d'américaniser, fait de s'américaniser. ▶ *américanisme* n. m. ■ Locution, manière de s'exprimer propre à l'anglais d'Amérique du Nord, et spécialt des États-Unis. — Emprunt à l'américain.

amerrir [ameʀiʀ] v. intr. ▪ conjug. 2. ■ (Hydravion, cabine spatiale) Se poser à la surface de l'eau. ▶ *amerrissage* n. m. ■ *L'amerrissage d'un hydravion.*

amertume [amɛʀtym] n. f. **1.** Saveur amère. ⇒ **âpreté.** *La légère amertume des endives.* **2.** Sentiment durable de tristesse mêlée de rancœur, liée à une humiliation, une déception, une injustice du sort. ⇒ **découragement, dégoût, mélancolie.** *Il pensait avec amertume à toutes ces belles années perdues.*

améthyste [ametist] n. f. ■ Pierre précieuse violette, variété de quartz.

ameublement [amœbləmɑ̃] n. m. ■ Ensemble des meubles d'un logement, considéré dans son agencement. ⇒ **décoration, mobilier.** *L'ameublement du salon est original. Tissus d'ameublement.*

ameublir [amœbliʀ] v. tr. ▪ conjug. 2. ■ Rendre meuble (le sol). *Ameublir la terre avant de la cultiver.* ▶ *ameublissement* n. m. ■ *L'ameublissement d'une terre avec une charrue.*

ameuter [amøte] v. tr. ▪ conjug. 1. ■ Alerter, inquiéter (un groupe de personnes) par un comporte-ment inhabituel. *Ses cris ont ameuté tout le quartier.* — *Ameuter la foule contre qqn,* la soulever. — Pronominalement. S'AMEUTER : s'attrouper (dans une intention hostile). ⟨ ▶ rameuter ⟩

① *ami, ie* [ami] n. **1.** Personne avec laquelle on est lié d'amitié (⇒ **aimer**). *C'est mon meilleur ami. Nous étions entre amis. Un ami d'enfance. Il lui a parlé en ami.* — *Faire ami-ami avec qqn,* des démonstrations d'amitié. — *Prix d'ami,* avantageux. — *Mon cher ami, ma chère amie,* termes d'affection ou de politesse. **2.** Par euphém. Amant, maîtresse. *Il est venu avec son amie.* — *Un petit ami, une petite amie,* un flirt ; un amant, une maîtresse. **3.** Personne qui est bien disposée, a de la sympathie envers une autre ou une collectivité. *Je viens en ami et non en ennemi. Ce sont des amis de la France,* des francophiles. — (Compl. chose) *Les amis du livre,* les bibliophiles. ⟨ ▶ ② ami, à l'amiable, amical, amitié ⟩

② *ami, ie* adj. **1.** Lié d'amitié. *Il est très ami avec elle.* — *Les pays amis,* alliés. *Être ami de l'ordre,* être attaché. **2.** D'un ami ; digne d'amis. ⇒ **amical.** *Une main amie. Une maison amie.* ⇒ **accueillante.**

à l'amiable [alamjabl] loc. adv. ■ Par voie de conciliation. *Un arrangement à l'amiable serait préférable à un procès.*

amiante [amjɑ̃t] n. m. ■ Variété fibreuse d'un minéral du groupe des silicates ; fibres extraites de ce minéral, insensibles à l'action d'un foyer ordinaire, ne fondant qu'au chalumeau. *Grille-pain en amiante.*

amibe [amib] n. f. ■ Protiste des eaux douces et salées, qui se déplace à l'aide de pseudopodes, pourvu d'un noyau et se reproduisant par division indirecte. *Certaines amibes sont parasites de l'homme.*

amical, ale, aux [amikal, o] adj. ■ Qui manifeste, traduit de l'amitié. *Il a été amical avec moi. Nos relations sont amicales. Un geste amical. Un regard, un air amical.* / contr. **hostile, inamical** / — *Une réunion amicale,* d'amis. ▶ *amicalement* adv. ■ *Nous avons causé amicalement.* ▶ *amicale* f. ■ Association de personnes ayant une même profession, une activité. *Amicale des anciens élèves de l'école.* ⟨ ▶ inamical ⟩

amidon [amidɔ̃] n. m. ■ Glucide emmagasiné par les organes de réserve des végétaux, sous forme de granulés qui, broyés avec de l'eau chaude, fournissent un empois. *Empeser une chemise à l'amidon.* ▶ *amidonner* v. tr. ▪ conjug. 1. ■ Empeser à l'amidon. — Au p. p. adj. *Col amidonné.* ▶ *amidonnage* n. m. ■ *L'amidonnage d'un col de chemise.*

amincir [amɛ̃siʀ] v. ▪ conjug. 2. **1.** V. tr. Faire paraître plus mince. *Sa robe noire l'amincissait.* / contr. **épaissir** / **2.** V. intr. Devenir mince. *Elle a beaucoup aminci.* ⇒ **mincir.** ▶ *amincissement* n. m. ■ Fait de paraître, d'être plus mince.

aminé, ée [amine] adj. ■ *Acide aminé,* constituant essentiel de la matière vivante.

amiral, aux [amiral, o] n. m. ■ Officier du grade le plus élevé dans la marine. — Adj. *Vaisseau amiral,* ayant à son bord un amiral, le chef d'une formation navale. ▶ *amirauté* n. f. ■ Corps des amiraux ; haut commandement de la marine ; siège de ce commandement. ⟨ ▶ contre-amiral, vice-amiral ⟩

amitié [amitje] n. f. **1.** Sentiment réciproque d'affection ou de sympathie qui ne se fonde ni sur les liens du sang, ni sur l'attrait sexuel (⇒ **ami**). *Se lier d'amitié avec qqn. J'ai de l'amitié pour lui.* — *Relations amicales. L'amitié entre deux pays.*

⇒ **entente. 2.** Marque d'affection, témoignage de bienveillance. *J'espère que vous nous ferez l'amitié de venir.* — Au plur. *Faites-lui toutes mes amitiés,* dites-lui de ma part bien des choses affectueuses.

ammoniac [amɔnjak] n. m. ■ Combinaison gazeuse d'azote et d'hydrogène, gaz à odeur piquante. ▶ **ammoniaque** [amɔnjak] n. f. ■ Solution aqueuse d'ammoniac employée notamment pour le dégraissage des étoffes et dans les détergents. ⇒ **alcali.**

amnésie [amnezi] n. f. ■ Perte totale ou partielle de la mémoire. ▶ **amnésique** adj. ■ Atteint d'amnésie. — N. *Un amnésique.*

amniotique [amniɔtik] adj. ■ Didact. *Poche amniotique,* qui enveloppe l'enfant dans l'utérus pendant la gestation. — *Liquide amniotique,* qui remplit cette poche et baigne le fœtus (cour. *les eaux*).

amnistie [amnisti] n. f. ■ Acte du pouvoir législatif prescrivant l'oubli officiel d'une ou plusieurs catégories d'infractions et annulant leurs conséquences pénales. ⇒ **grâce.** *Loi d'amnistie.* ▶ **amnistier** v. tr. ▪ conjug. 7. ■ Faire bénéficier d'une amnistie (des délinquants ou des délits).

amocher [amɔʃe] v. tr. ▪ conjug. 1. ■ Fam. Abîmer, blesser. *Se faire amocher.* — Pronominalement (réfl.). *Elle s'est bien amochée,* elle a enlaidi ; elle s'est blessée.

amoindrir [amwɛ̃driR] v. tr. ▪ conjug. 2. ■ Diminuer la force, la valeur, l'importance de (qqch.). ⇒ **réduire.** *Je ne cherche pas à amoindrir son mérite.* / contr. **augmenter** / — S'AMOINDRIR v. pron. : décroître, diminuer. *Ses forces s'amoindrissent.* ▶ **amoindrissement** n. m. ■ Diminution, réduction.

amollir [amɔliR] v. tr. ▪ conjug. 2. ■ Rendre mou, moins ferme. — Au passif. *L'asphalte était amolli par la chaleur.* ⇒ **ramollir.** / contr. **durcir** / — Sans compl. (Personnes) *La paresse amollit.* — Pronominalement. S'AMOLLIR. *La cire s'amollit à la chaleur.* — (Personnes) *Il s'amollit dans l'oisiveté.* ▶ **amollissant, ante** adj. ■ Qui ôte l'énergie. ⇒ **affaiblissant.** *Cette vie facile est trop amollissante.* ▶ **amollissement** n. m. ■ Action d'amollir, état de ce qui est amolli. ⟨ ▶ **ramollir** ⟩

amonceler [amɔ̃sle] v. tr. ▪ conjug. 4. **1.** Réunir en monceau, en tas. ⇒ **entasser.** *Amonceler des feuilles mortes.* — Pronominalement (réfl.). *Les nuages s'amoncelaient au couchant.* ⇒ **amasser. 2.** Accumuler. *Il amoncelle des documents.* ▶ **amoncellement** n. m. ■ Entassement, accumulation. *Un amoncellement de rochers, de lettres.*

amont [amɔ̃] n. m. ■ Partie d'un cours d'eau comprise entre un point considéré et sa source. *En allant vers l'amont.* EN AMONT *de :* au-dessus de (tel point d'un cours d'eau). / contr. **aval** / Fig. Ce qui vient avant (dans une chaîne d'opérations). *Les décisions, les produits d'amont, qui sont en amont.*

amoral, ale, aux [amɔRal, o] adj. ■ Qui est étranger au domaine de la moralité. *Les lois de la nature sont amorales.* ≠ *immoral.*

amorce [amɔRs] n. f. **1.** Produit jeté dans l'eau pour amorcer le poisson. *Le blé, le pain, le sang, les vers blancs servent d'amorces.* **2.** Petite masse de matière détonante servant à provoquer l'explosion d'une charge de poudre ou d'explosif ; dispositif de mise à feu. ⇒ **détonateur. 3.** Abstrait. Manière d'entamer, de commencer. ⇒ **commencement, début, ébauche.** *Cette rencontre pourrait être l'amorce d'une négociation véritable.* **4.** En informatique. Début d'un programme qui déclenche sa mise en mémoire vive. ▶ **amorcer** v. tr. ▪ conjug. 3. **1.** Garnir d'un appât. *Amorcer*

l'hameçon, la ligne. — Attirer (le poisson) en répandant des amorces (1). **2.** Garnir d'une amorce (une charge explosive). *Amorcer un pistolet.* **4.** *Amorcer une pompe,* la mettre en état de fonctionner en remplissant d'eau le corps. **5.** Commencer à percer (un trou, une ouverture). **6.** Commencer à effectuer (qqch.), mettre en train. *Impossible d'amorcer aucune conversation. Amorcer des négociations.* **7.** En informatique. ⇒ **amorce** (4). ▶ **amorçage** n. m. ■ Action ou manière d'amorcer. ⟨ ▶ **désamorcer** ⟩

amorphe [amɔRf] adj. **1.** Qui n'a pas de forme cristalline propre. *Les roches volcaniques dites vitreuses sont amorphes.* — Qui n'est pas structuré. **2.** (Personnes) Sans réaction, sans énergie. / contr. **dynamique** / *Elle est amorphe. L'opinion publique est amorphe.* ⇒ **inerte.**

amortir [amɔRtiR] v. tr. ▪ conjug. 2. **1.** Rendre moins violent, atténuer l'effet de. ⇒ **affaiblir.** *Tampons destinés à amortir un choc.* — Au p. p. *Les bruits me parvenaient amortis par l'humidité.* **2.** Éteindre (une dette) par amortissement (financier). *Il ne peut amortir ses dettes.* **3.** Reconstituer le capital employé à l'achat d'un bien grâce aux bénéfices tirés de ce bien. *Amortir un outillage.* ▶ **amortissement** n. m. **1.** Action d'amortir (1). *L'amortissement d'un choc.* **2.** *Amortissement financier,* extinction graduelle d'une dette. **3.** Action d'amortir (3). *L'amortissement d'une voiture, d'un réfrigérateur.* ▶ **amortisseur** n. m. ■ Dispositif destiné à amortir la violence d'un choc, la trépidation d'une machine. *Les amortisseurs d'une automobile.*

amour [amuR] n. m. **1.** Inclination envers une personne, le plus souvent à caractère passionnel, fondée sur l'instinct sexuel, mais entraînant des comportements variés (⇒ **aimer**). *L'amour qu'il a pour elle. Chagrin d'amour. Un mariage d'amour. Vivre un grand amour.* ⇒ **passion.** — Au plur. Liaison, aventure amoureuse. *Comment vont tes amours ? À vos amours !* (formule de souhait). *De brèves amours.* ⇒ **amourette, aventure, passade. 2.** FAIRE L'AMOUR : avoir des relations sexuelles. ⇒ vulg. **baiser.** *Elle ne voulait plus faire l'amour avec lui.* **3.** Personne aimée. *Mon amour, écris-moi.* — Fam. *Vous seriez un amour si,* vous seriez très gentil de. **4.** Personnification mythologique de l'amour. *Peindre des amours. Elle est jolie comme un amour.* — Fam. *Un amour de petit chapeau,* un très joli petit chapeau. **5.** Disposition à vouloir le bien d'un autre que soi et à se dévouer à lui. *L'amour du prochain.* ⇒ **altruisme, philanthropie.** *L'amour de Dieu.* / contr. **haine** / **6.** Affection entre les membres d'une famille. *L'amour maternel, paternel, filial, fraternel,* de la mère, du père (envers les enfants), des enfants (envers les parents), des frères (envers les frères et sœurs). **7.** Attachement désintéressé et profond à une valeur. *L'amour de la vérité. Avoir l'amour de son métier.* — *Faire une chose avec amour,* avec le soin, le souci de perfection de qui aime son travail. **8.** Goût très vif (pour une chose, une activité qui procure du plaisir). ⇒ **passion.** *L'amour de la nature. L'amour du gain, des voyages.* / contr. **aversion** / ▶ **s'amouracher** v. pron. ▪ conjug. 1. ■ Péj. Tomber amoureux. ⇒ se **toquer.** *Elle s'est amourachée de son voisin.* ▶ **amourette** n. f. ■ Amour passager, sans conséquence. ⇒ **béguin.** *Ce n'est qu'une amourette.* ▶ **amoureux, euse** adj. **1.** Qui éprouve de l'amour, qui aime. *Il est amoureux d'elle.* ⇒ **épris.** — N. *C'est mon amoureux. Les deux amoureux se prenaient par la main.* **2.** Propre à l'amour, qui marque de l'amour. *La vie amoureuse de Victor Hugo. Des regards amoureux.* **3.** Qui a un goût très vif pour (qqch.). ⇒ **fervent, fou, passionné.** *Tu deviens amoureux de la nature.* ▶ **amoureuse-**

ment adv. **1.** Avec amour, tendrement. *Il lui parlait amoureusement.* **2.** Avec amour, avec un soin tout particulier. *Il avait amoureusement classé ses timbres.*
▶ **amour-propre** n. m. ■ Sentiment vif de la dignité et de la valeur personnelle, qui fait qu'un être souffre d'être mésestimé et désire s'imposer à l'estime d'autrui. ⇒ **fierté.** *Des blessures, des satisfactions d'amour-propre. Il a trop d'amour-propre* (⇒ **susceptible**). *Ménager, froisser l'amour-propre de qqn.* ⟨ ▶ mamours ⟩

amovible [amɔvibl] adj. **1.** (Fonctionnaire, magistrat) Qui peut être déplacé, changé d'emploi, révoqué. / contr. **inamovible** / **2.** Qu'on peut enlever ou remettre à volonté. *Housses amovibles pour sièges de voitures.*

ampère [ɑ̃pɛʀ] n. m. ■ Unité d'intensité des courants électriques (symb. *A*). ▶ **ampérage** n. m. ■ Intensité de courant électrique. *Une lampe de faible ampérage.* ≠ *voltage.*

amph(i)- ■ Élément signifiant « des deux côtés, en double », ou « autour ». (Voir ci-dessous.)

amphi n. m. ⇒ **amphithéâtre.**

amphibie [ɑ̃fibi] adj. **1.** Capable de vivre à l'air ou dans l'eau, entièrement émergé ou immergé. *La grenouille est amphibie.* — N. m. Animal amphibie. **2.** Qui peut être utilisé sur terre ou dans l'eau. *Voiture, char amphibie.*

amphibologie [ɑ̃fibɔlɔʒi] n. f. ■ Double sens présenté par une proposition (ex. : *louer un appartement*). ⇒ **ambiguïté, équivoque.**

amphigourique [ɑ̃figuʀik] adj. ■ (Discours) Confus, peu compréhensible. ⇒ **embrouillé, incompréhensible.**

amphithéâtre [ɑ̃fiteɑtʀ] n. m. **1.** Vaste édifice circulaire antique, à gradins étagés, occupé au centre par une arène. — *En amphithéâtre,* se dit de ce qui s'étage sur une pente. *Ville en amphithéâtre.* **2.** Salle de cours en gradins dans une université. — Abrév. fam. AMPHI, n. m. *Des amphis.*

amphitryon [ɑ̃fitʀijɔ̃] n. m. ■ Littér. Hôte qui offre à dîner. *Des amphitryons.*

amphore [ɑ̃fɔʀ] n. f. ■ Vase antique à deux anses, à pied étroit.

ample [ɑ̃pl] adj. **1.** Qui est plus large qu'il n'est nécessaire. ⇒ **large.** *Manteau ample* (opposé à *cintré, ajusté*). **2.** D'une amplitude (2) considérable. *Une ample oscillation.* **3.** Abondant, qui se développe largement. *C'est un sujet, une matière très ample.* / contr. **étroit, restreint** / ▶ **amplement** adv. ■ D'une manière large, plus que suffisante. ⇒ **largement.** *Je lui ai amplement rendu ce que je lui devais.* ▶ **ampleur** n. f. **1.** Largeur étendue au-delà du nécessaire. *Donner de l'ampleur à une jupe.* **2.** Amplitude. *L'ampleur lente de ses mouvements.* **3.** Caractère de ce qui est abondant, qui a une grande extension ou importance. *Le mouvement, la manifestation a pris de l'ampleur. Devant l'ampleur du désastre.* ⟨ ▶ amplifier, amplitude ⟩

amplifier [ɑ̃plifje] v. tr. ■ conjug. 7. **1.** Augmenter les dimensions, l'intensité de. *Amplifier un son.* — S'AMPLIFIER v. pron. : prendre plus d'amplitude, d'ampleur. *Les oscillations s'amplifièrent. La musique s'amplifiait.* **2.** Développer en ajoutant des détails. *Amplifier une idée.* — Péj. Embellir, exagérer. *Il amplifie tout ce qu'il dit.* ▶ **amplification** n. f. ■ *L'amplification d'un son. L'amplification d'un scandale.* ▶ **amplificateur** n. m. **1.** Appareil destiné à augmenter l'amplitude d'un phénomène (oscilla-

tions électriques en particulier). **2.** Élément d'une chaîne acoustique qui précède les haut-parleurs. — Abrév. fam. *Ampli. Un ampli de 100 watts. Des amplis.*

amplitude [ɑ̃plityd] n. f. **1.** Distance entre les points extrêmes d'un arc, d'une courbe. **2.** Éloignement maximum, par rapport à sa valeur d'équilibre, d'une quantité qui varie de façon oscillatoire autour de cette valeur. *L'amplitude d'une onde.*

ampoule [ɑ̃pul] n. f. **I. 1.** Tube de verre effilé et fermé destiné à la conservation d'une dose déterminée de médicament liquide ; son contenu. *Prendre une ampoule de fortifiant matin et soir.* **2.** Globe de verre contenant le filament des lampes à incandescence, les électrodes des tubes électroniques. *Ampoule électrique. L'ampoule est grillée, il faut la changer. Ampoule à vis, à baïonnette.* **II.** Cloque de la peau formée par une accumulation de sérosité. *Avoir des ampoules aux mains, aux pieds.*

ampoulé, ée [ɑ̃pule] adj. ■ (Style, expression) Emphatique, boursouflé. / contr. **simple** / *Un discours ampoulé.*

amputer [ɑ̃pyte] v. tr. ■ conjug. 1. **1.** Faire l'amputation de (un membre, etc.). ⇒ **couper.** — *Amputer qqn,* lui enlever un membre. *On l'a amputé d'un bras.* **2.** Couper, retrancher ; priver par suppression, retranchement. ⇒ **diminuer, mutiler.** *La pièce a été amputée de plusieurs scènes.* ▶ **amputation** n. f. **1.** Opération chirurgicale consistant à couper un membre, un segment de membre, une partie saillante. *Procéder à l'amputation d'un bras.* **2.** Retranchement, perte d'une certaine importance. *Ce serait une amputation de son capital.* ▶ **amputé, ée** adj. et n. ■ *Blessé amputé.* — N. Personne qui a subi une amputation. *Un amputé.*

amulette [amylɛt] n. f. ■ Petit objet qu'on porte sur soi comme porte-bonheur. ⇒ **fétiche.**

amuse-gueule [amyzgœl] n. m. invar. ■ Fam. Petit sandwich, biscuit salé, etc., servi avec l'apéritif. *Servir des amuse-gueule.*

amuser [amyze] v. tr. ■ conjug. 1. **I. 1.** Distraire agréablement. ⇒ **divertir.** *Un rien l'amuse.* **2.** Retenir l'attention pour empêcher de surveiller. *Tu amuseras le caissier pendant qu'on ouvrira le coffre.* **II.** S'AMUSER v. pron. réfl. **1.** Se distraire agréablement. ⇒ se **divertir, jouer.** *Les enfants s'amusent bien.* / contr. s'**ennuyer** / *Il s'amuse avec son chien. S'amuser à découper des photos. S'amuser à faire qqch.,* le faire par jeu. **2.** Perdre son temps à des riens. *L'étape est longue, il ne faudra pas s'amuser en route.* ▶ **amusant, ante** adj. ■ Qui amuse, est propre à amuser. ⇒ **divertissant, drôle, réjouissant ;** fam. **marrant, rigolo.** *Jeu amusant. Vous riez ? Cela n'a rien d'amusant. Il n'est pas amusant, il est sérieux, triste.* / contr. **ennuyeux, triste** / ▶ **amusé, ée** adj. ■ Qui traduit un état de gaieté mêlée d'ironie. *Un regard, un ton amusé.* ▶ **amusement** n. m. **1.** Caractère de ce qui amuse. *Faire qqch. par amusement.* **2.** Distraction agréable, divertissement. *Les amusements des enfants.* ▶ **amusette** n. f. ■ Passe-temps qu'on ne prend pas au sérieux. ▶ **amuseur** n. ■ Personne qui amuse, distrait (une société, un public). ⟨ ▶ amuse-gueule ⟩

amygdale [amidal] n. f. ■ Chacun des deux organes (glandes) formés de tissus producteurs de lymphocytes et situés sur la paroi latérale du larynx. *Elle s'est fait opérer des amygdales et des végétations.*

an [ɑ̃] n. m. **1.** (Précédé d'un adjectif numéral cardinal) Période de douze mois qui se succèdent à partir de n'importe quel moment. *Il a vécu (pendant) cinq ans à Paris. Je reviendrai dans un an. Je ne l'ai pas vu depuis deux ans. Il y a un an que... Un an avant, après, plus tard. Un contrat de cinq ans.* **2.** (Précédé d'un adjectif numéral cardinal) Sert à mesurer l'âge, à partir de la naissance. *Il a quarante ans. Un homme de trente ans, âgé de trente ans. Il a dans les soixante ans.* — REM. L'expression *dans les* ne s'emploie que pour un âge assez avancé. — *Il va sur ses vingt ans. Sa voiture a cinq ans.* **3.** (Avec l'article et suivi d'un numéral cardinal) Sert à indiquer une date dans un calendrier. *L'an mille. En l'an 300 avant Jésus-Christ.* — Loc. fam. *S'en moquer comme de l'an quarante,* complètement. **4.** (Avec l'article, sans numéral) Période de douze mois commençant le 1er janvier. *Le Jour de l'An, le premier de l'an,* le 1er janvier. *Tous les ans,* chaque année. **5.** (Sans article) PAR AN : chaque espace de douze mois. *Il gagne tant par an.* **6.** BON AN, MAL AN loc. adv. : en faisant la moyenne des bonnes et des mauvaises années. ‹ ► annales, année, anniversaire, annuaire, annuel, annuité, d'antan, bisannuel, suranné ›

an- ⇒ a-.

anachorète [anakɔʀɛt] n. m. ■ Religieux contemplatif qui se retire dans la solitude. ⇒ **ermite.** *Mener une vie d'anachorète,* vivre en solitaire.

anachronisme [anakʀɔnism] n. m. **1.** Confusion de dates, entre ce qui appartient à une époque et ce qui appartient à une autre. *Anachronismes dans le décor et les costumes de théâtre.* **2.** Caractère de ce qui est anachronique, d'un autre âge ; chose, usage, institution anachronique. ⇒ **survivance.** ► *anachronique* adj. **1.** Entaché d'anachronisme. **2.** Qui est déplacé à son époque, qui est d'un autre âge. *Cette façon d'élever les enfants est anachronique.* ⇒ **désuet, périmé.**

anacoluthe [anakɔlyt] n. f. ■ Didact. Rupture ou discontinuité dans la construction d'une phrase.

anaconda [anakɔ̃da] n. m. ■ Grand serpent d'Amérique du Sud, voisin du boa (nom zoologique *eunecte,* n. m.). *Des anacondas.*

anaérobie [anaeʀɔbi] adj. ■ Qui peut vivre dans un milieu privé d'air (micro-organisme) ; capable de fonctionner sans air (propulseur).

anagramme [anagʀam] n. f. ■ Mot obtenu par transposition des lettres d'un autre mot (ex. : Marie-aimer).

anal, ale, aux [anal, o] adj. ■ Qui appartient, est relatif à l'anus. — *Stade anal,* stade de la libido antérieur au stade génital, selon Freud.

analgésique [analʒezik] adj. ■ Qui supprime ou atténue la sensibilité à la douleur. — N. m. *La morphine est un analgésique.*

analogie [analɔʒi] n. f. **1.** Ressemblance établie par l'imagination entre deux ou plusieurs objets de pensée essentiellement différents. ⇒ **association, rapport.** *Il y a une analogie entre ces deux situations. Raisonnement par analogie,* qui conclut d'une ressemblance à une autre ressemblance. **2.** Langage. Action assimilatrice qui fait que certaines formes changent sous l'influence d'autres formes auxquelles elles sont associées dans l'esprit et qui détermine des créations conformes à des modèles préexistants. *« Vous disez »* (incorrect) *est formé par analogie avec « vous lisez ».* ► *analogique* adj. ■ *Rapport analogique entre deux choses.* ► *analogue* adj. et n. m. **1.** Adj. Qui présente une analogie. ⇒ **comparable, semblable.** *J'ai eu une idée analogue (à la vôtre).* **2.** N. m. Être ou objet

analogue à un autre. ⇒ **correspondant, équivalent.** *Ce terme n'a pas d'analogue en français.*

analphabète [analfabɛt] adj. ■ Qui ne sait ni lire ni écrire. ⇒ **illettré.** — N. *Un, une analphabète.* ► *analphabétisme* n. m. ■ État d'analphabète ; ensemble des analphabètes d'un pays.

analyse [analiz] n. f. **1.** Opération intellectuelle consistant à décomposer une œuvre, un texte en ses éléments essentiels, afin d'en saisir les rapports et de donner un schéma de l'ensemble. ⇒ **abrégé, sommaire.** — Division d'une proposition en mots *(analyse grammaticale),* ou d'une phrase en propositions *(analyse logique),* dont on détermine la nature et la fonction. **2.** En sciences. Action de décomposer un mélange dont on sépare les constituants, ou une combinaison dont on recherche ou dose les éléments. / contr. **synthèse** / *Analyse du sang, des urines.* **3.** Méthode ou étude comportant un examen discursif en vue de discerner les éléments. *L'analyse de la situation politique. Analyse des sentiments.* — Loc. *En dernière analyse,* au terme de l'analyse, au fond. **4.** Psychanalyse. *Être en cours d'analyse.* **5.** Calcul infinitésimal (différentiel et intégral). **6.** Opération de logique consistant à remonter d'une proposition à d'autres propositions reconnues pour vraies d'où on puisse ensuite la déduire. ⇒ méthode, raisonnement **analytique.** ► *analysable* adj. ■ Qui peut être analysé. *Cette sensation était trop vive pour être analysable.* ► *analyser* v. tr. - conjug. 1. **1.** Faire l'analyse de. *Il est difficile d'analyser la situation politique. Analyser l'eau d'une source. Il analyse tout ce qu'il éprouve.* ⇒ **disséquer, étudier, examiner.** — Pronominalement (réfl.). S'ANALYSER : analyser ses sentiments. *Il s'analyse trop.* **2.** Psychanalyser. ► *analyste* n. **1.** Mathématicien versé dans l'analyse. **2.** Personne habile en matière d'analyse (3). *Cet écrivain est un excellent analyste des sentiments et des situations.* **3.** Psychanalyste. ► *analytique* adj. **1.** Qui appartient à l'analyse mathématique. *Géométrie analytique,* application de l'algèbre à la géométrie. **2.** Qui procède par analyse. *Esprit analytique,* qui considère les choses dans leurs éléments plutôt que dans leur ensemble. / contr. **synthétique** / **3.** Qui constitue une analyse, un sommaire. *Table analytique.* **4.** Psychanalytique. ‹ ► psychanalyse ›

ananas [anana(s)] n. m. invar. ■ Gros fruit oblong, écailleux, brun-rouge, qui porte une touffe de feuilles à son sommet, et dont la pulpe est sucrée et très parfumée ; la plante qui le porte. *Ananas en tranches. Jus d'ananas.*

anaphore [anafɔʀ] n. f. ■ Répétition d'un mot en tête de plusieurs membres de phrase, pour obtenir un effet de renforcement ou de symétrie.

anarchie [anaʀʃi] n. f. **1.** Désordre résultant d'une absence ou d'une carence d'autorité, et d'une absence de règles ou d'ordres précis. *Le pays est dans l'anarchie. Quelle anarchie dans ce service !* **2.** Anarchisme. ► *anarchique* adj. ■ *Une gestion anarchique.* ► *anarchiquement* adv. ■ *Les pavillons se sont développés anarchiquement.* ► *anarchisme* n. m. ■ Conception politique qui tend à supprimer l'État, à éliminer de la société tout pouvoir disposant d'un droit de contrainte sur l'individu. *L'anarchisme de Proudhon.* ► *anarchiste* n. et adj. **1.** Partisan de l'anarchisme ; membre d'un parti se réclamant de cette doctrine (abrév. fam. ANAR. *Les anars*). ⇒ **libertaire.** **2.** Personne qui rejette toute autorité, toute règle. **3.** Adj. *Des opinions anarchistes.*

anastomose [anastɔmoz] n. f. ■ Communication entre deux vaisseaux, deux conduits de même nature ou deux nerfs.

anathème [anatɛm] n. m. **1.** Excommunication majeure prononcée contre les hérétiques ou les ennemis de la foi catholique. — Personne frappée de cette excommunication. **2.** Littér. *Jeter l'anathème sur...,* condamner. *Ils jettent l'anathème sur les gouvernements.* ▶ **anathématiser** v. tr. ◾ conjug. 1. **1.** Frapper d'anathème (1). ⇒ **excommunier. 2.** Littér. Condamner avec force, maudire.

anatomie [anatɔmi] n. f. **1.** Étude scientifique, par la dissection ou d'autres méthodes, de la structure et de la forme des êtres organisés ainsi que des rapports entre leurs différents organes. ⇒ **morphologie.** *Anatomie humaine, animale, végétale. Un cours d'anatomie. Anatomie artistique,* étude des formes extérieures du corps en vue de la représentation par l'art. **2.** Structure de l'organisme étudié par l'anatomie (1). *Caractères généraux de l'anatomie d'un crustacé.* **3.** Fam. Les formes extérieures (de qqn). *Il a une belle anatomie.* ▶ **anatomique** adj. ◾ Relatif à l'anatomie. *Planche anatomique du cœur.*

ancêtre [ɑ̃sɛtʀ] n. m. **1.** Au sing. Personne qui est à l'origine d'une famille, dont qqn descend. — Au plur. *Les ancêtres,* les ascendants au-delà du grand-père. **2.** Initiateur lointain, devancier. ⇒ **précurseur.** *Considérer Lautréamont comme un ancêtre du surréalisme.* **3.** Au plur. Ceux qui ont vécu avant nous, les hommes des siècles passés. *Nos ancêtres les Gaulois.* ▶ **ancestral, ale, aux** [ɑ̃sɛstʀal, o] adj. ◾ Qui a appartenu aux ancêtres, qu'on tient des ancêtres. *Des traditions, des croyances ancestrales.*

anche [ɑ̃ʃ] n. f. ◾ Languette mobile dont les vibrations produisent le son dans les instruments dits à anche (clarinette, saxophone, etc.). ≠ *hanche.*

anchois [ɑ̃ʃwa] n. m. invar. ◾ Petit poisson de mer commun en Méditerranée, qu'on consomme surtout mariné et salé. *Filets d'anchois à l'huile.*

ancien, ienne [ɑ̃sjɛ̃, jɛn] adj. **1.** Qui existe depuis longtemps, qui date d'une époque bien antérieure. ⇒ **vieux.** *Une coutume très ancienne.* / contr. **récent** / *Acheter un meuble ancien chez un antiquaire.* / contr. **moderne** / — N. *Aimer l'ancien,* les objets anciens. — *Un ancien, une ancienne,* personne qui est plus âgée. **2.** (Personnes) Qui a de l'ancienneté (2). *Il est plus ancien que moi dans le métier.* **3.** (Devant le nom) Qui a été autrefois tel et ne l'est plus. ⇒ ② **ex-.** / contr. **nouveau** / *L'ancien préfet de la Seine. Une ancienne maîtresse.* **4.** Qui a existé il y a longtemps et n'existe plus. ⇒ **antique, passé.** / contr. **actuel** / *Un ancien modèle. L'Ancien Régime,* la monarchie avant la Révolution de 1789. *Les peuples anciens,* de l'Antiquité. *L'histoire ancienne,* l'histoire de ces peuples. Loc. fam. *C'est de l'histoire ancienne,* c'est du passé. — N. *Les anciens,* les peuples anciens, les auteurs anciens. ▶ **anciennement** adv. ◾ Dans les temps anciens, autrefois. / contr. **actuellement, aujourd'hui** / ▶ **ancienneté** n. f. **1.** Caractère de ce qui existe depuis longtemps. *L'ancienneté d'un bâtiment, d'une coutume.* **2.** Temps passé dans une fonction ou un grade, à compter de la date de la nomination. *Avancement à l'ancienneté.*

ancillaire [ɑ̃si(l)lɛʀ] adj. ◾ Littér. Se dit d'amours, de liaisons avec des servantes.

ancolie [ɑ̃kɔli] n. f. ◾ Plante ornementale, dont les fleurs bleues, blanches ou roses ont des pétales terminés en éperon.

ancre [ɑ̃kʀ] n. f. ◾ Forte pièce d'acier suspendue à une chaîne, que l'on jette au fond de l'eau pour qu'elle s'y fixe et retienne le navire. *Jeter, lever l'ancre.* — Loc. fam. *Lever l'ancre,* s'en aller. ≠ *encre.*

▶ **ancrer** v. tr. ◾ conjug. 1. **1.** Fixer solidement. **2.** Fig. Enraciner. — Au p. p. adj. *Des préjugés ancrés dans l'esprit.* — Pronominalement (réfl.). *Il ne faut pas laisser s'ancrer dans l'opinion l'idée qu'une guerre nous menace.* ≠ **encrer.** ▶ **ancrage** n. m. ◾ Action, manière d'ancrer, d'attacher à un point fixe. ⇒ **fixation.** — Fig. *L'ancrage d'un parti dans une société.* ≠ **encrage.**

andante [ɑ̃dɑ̃t ; ɑ̃dɑ̃nte] n. m. ◾ Mouvement musical modéré, le second d'une sonate. *De beaux andantes.*

andouille [ɑ̃duj] n. f. **1.** Charcuterie à base de boyaux de porc ou de veau, coupés en lanière et enserrés dans une partie du gros intestin, que l'on mange froide, en hors-d'œuvre. *Andouille fumée.* **2.** Fam. Niais, imbécile. *Quelle andouille, ce garçon ! Cesse de faire l'andouille.* ▶ **andouillette** n. f. ◾ Petite andouille fraîche qui se mange grillée comme plat de viande.

andouiller [ɑ̃duje] n. m. ◾ Ramification des bois du cerf et des animaux de la même famille (permettant de déterminer l'âge de l'animal).

andro-, -andre, -andrie ◾ Éléments savants signifiant « homme, mâle ». ▶ **androgyne** [ɑ̃dʀɔʒin] adj. et n. ◾ Individu qui présente certains des caractères sexuels du sexe opposé. ⇒ **hermaphrodite.** ‹ ▶ polyandre, scaphandre ›

âne [ɑn] n. m. **1.** Mammifère domestique, plus petit que le cheval, à grosse tête et longues oreilles, à robe généralement grise. ⇒ **baudet, bourricot.** *L'âne brait.* — Loc. *Têtu comme un âne.* **2.** *Dos d'âne,* bosse sur une route. **3.** Individu à l'esprit borné, incapable de rien comprendre. ⇒ **bête, ignorant.** *C'est un âne.* **4.** *Bonnet d'âne,* bonnet de papier figurant une tête d'âne dont on affublait les cancres pour les humilier. ‹ ▶ ânerie, ânesse, ânon, coq-à-l'âne ›

anéantir [aneɑ̃tiʀ] v. tr. ◾ conjug. 2. **1.** Détruire au point qu'il ne reste rien. ⇒ **exterminer, ruiner.** *Anéantir les troupes.* **2.** Plonger dans un abattement total. ⇒ **abattre.** *L'émotion l'a anéanti.* — Par exagér. Au p. p. *Je suis anéanti,* à la fois stupéfait et consterné. **3.** S'ANÉANTIR v. pron. : disparaître complètement. ⇒ **s'écrouler, sombrer.** *Ce projet s'est anéanti dans l'oubli.* ▶ **anéantissement** n. m. **1.** Destruction complète. *L'anéantissement de l'ennemi.* **2.** Abattement total. ⇒ **accablement, prostration.**

anecdote [anɛkdɔt] n. f. **1.** Petite histoire curieuse ou amusante à propos d'une chose accessoire. *Son récit était plein d'anecdotes.* **2.** *L'anecdote,* le détail ou l'aspect secondaire, sans généralisation et sans portée. *Ce peintre ne s'élève pas au-dessus de l'anecdote.* ▶ **anecdotier** n. m. ◾ Historien qui aime les anecdotes. ▶ **anecdotique** adj. **1.** Qui contient des anecdotes. *Histoire anecdotique.* **2.** Péj. Qui constitue une anecdote, ne présente pas d'intérêt général. *Détail anecdotique. Peinture anecdotique.*

anémie [anemi] n. f. **1.** Appauvrissement du sang, caractérisé par la diminution notable des globules rouges et provoquant un état de faiblesse et d'abattement. **2.** Fig. Dépérissement, crise. *L'anémie de la production.* ▶ **anémier** v. tr. ◾ conjug. 7. **1.** Rendre anémique. ⇒ **affaiblir, épuiser.** *Ce régime l'a beaucoup anémiée.* **2.** Fig. Surtout au p. p. *Un pays anémié par le ralentissement de l'activité économique.* ▶ **anémiant, ante** adj. ◾ Qui anémie. ▶ **anémique** adj. **1.** Atteint d'anémie. *Elle était pâle et anémique.* **2.** Dépourvu de fermeté, de force. *Un style anémique.*

anémone [anemɔn] n. f. ◾ Plante herbacée à fleurs rouges, roses, violettes. *Anémone des jardins.*

ânerie [ɑnʀi] n. f. ■ Propos ou acte stupide. ⇒ **bêtise**, **sottise**. *Vous dites une ânerie. Faire des âneries.*

ânesse [ɑnɛs] n. f. ■ Femelle de l'âne.

anesthésie [anɛstezi] n. f. ■ Suppression de la sensibilité et, spécialt, de la sensibilité à la douleur, obtenue par l'emploi des anesthésiques. ⇒ **insensibilisation**. *Anesthésie générale, locale.* ▶ **anesthésier** v. tr. ▪ conjug. 7. **1.** Provoquer l'anesthésie de (un organisme, un organe), en soumettant à l'action d'un anesthésique. ⇒ **endormir**. **2.** Littér. Apaiser, endormir. ▶ **anesthésique** adj. et n. m. ■ Se dit d'une substance médicamenteuse employée pour obtenir une anesthésie générale ou locale. — *Un anesthésique* (cocaïne, éther, protoxyde d'azote, etc.). ▶ **anesthésiste** n. ■ Médecin ou infirmier(ière) qui pratique l'anesthésie. — En appos. *Elle est médecin anesthésiste.*

anévrisme [anevʀism] n. m. ■ Poche résultant de l'altération de la paroi d'une artère. *La rupture d'un anévrisme. Une rupture d'anévrisme.*

anfractuosité [ɑ̃fʀaktɥozite] n. f. ■ Surtout au plur. Cavités profondes et irrégulières. ⇒ **creux**, **enfoncement**. *Les anfractuosités d'une côte rocheuse.*

ange [ɑ̃ʒ] n. m. **1.** Dans la religion chrétienne. Être spirituel, intermédiaire entre Dieu et l'homme, ministre et messager des volontés divines. *Anges gardiens*, appelés à protéger chacun des humains. **2.** Loc. *C'est son ange gardien*, la personne qui veille sur lui, le guide et le protège en tout. — Spécialt. *Les anges gardiens d'un chef d'État* (policiers en civil ⇒ **gorille**). — *Le bon, le mauvais ange de qqn,* la personne qui exerce une bonne, une mauvaise influence sur qqn. *Une patience d'ange*, exemplaire, infinie. *Être aux anges*, dans le ravissement. *Un ange passe*, se dit quand il se produit dans une conversation un silence gêné et prolongé. **3.** Personne parfaite. *Sa femme est un ange. Mon ange*, terme d'affection. ▶ ① **angélique** adj. **1.** Propre aux anges. **2.** Digne d'un ange, qui évoque la perfection, l'innocence de l'ange. ⇒ **céleste**, **parfait**, **séraphique**. *Une douceur, un sourire angélique.* / contr. **diabolique** / ▶ **angelot** n. m. ■ Petit ange représenté dans l'art religieux. ⟨ ▶ **archange** ⟩

② **angélique** n. f. ■ Tige confite d'une plante ombellifère, qu'on met dans la pâtisserie.

angélus [ɑ̃ʒelys] n. m. invar. ■ Prière qui se dit le matin, à midi et le soir ; son de la cloche qui l'annonce aux fidèles. *Sonner l'angélus. Des angélus.*

angine [ɑ̃ʒin] n. f. **1.** Inflammation de la gorge. **2.** *Angine de poitrine*, douleurs dans la région du cœur, accompagnées d'angoisse. ⇒ **infarctus**.

angio- ■ Élément de mots savants, signifiant « vaisseau, veine ou artère ». ▶ **angiospermes** [ɑ̃ʒjospɛʀm] n. f. pl. ■ Sous-embranchement des plantes à organes de reproduction apparents, comprenant les plantes à ovules enclos et à graines enfermées dans des fruits.

anglais, aise [ɑ̃glɛ, ɛz] adj. et n. **1.** De l'Angleterre (au sens étendu de Grande-Bretagne). ⇒ **britannique**. *Le peuple anglais.* — N. *Les Anglais.* **2.** N. m. Langue du groupe germanique, parlée principalement en Grande-Bretagne, aux États-Unis ⇒ **américain**, et dans tout l'ancien Empire anglais. **3.** À L'ANGLAISE. *Filer à l'anglaise*, sans prendre congé et sans être aperçu. ⇒ **en douce**. *Pommes* (de terre) *à l'anglaise*, cuites à la vapeur. **4.** N. f. pl. ANGLAISES : longues boucles de cheveux verticales roulées en spirale. ⟨ ▶ **anglic-**, **franglais** ⟩

angle [ɑ̃gl] n. m. **1.** Saillant ou rentrant formé par deux lignes ou deux surfaces qui se coupent. ⇒ **arête**, **coin**, **encoignure**. *Les angles d'un meuble. À l'angle de la maison, de la rue.* **2.** Figure formée par deux lignes ou deux surfaces qui se coupent, mesurée en degrés (⇒ **-gone**). *Le sommet et les côtés d'un angle. Angle droit, aigu, obtus.* **3.** Sous un (certain) angle, d'un certain point de vue. ⇒ **aspect**. *Si l'on étudie l'histoire sous cet angle.* ⟨ ▶ **angulaire**, **anguleux**, rectangle, triangle ⟩

anglic-, **anglo-** ■ Éléments initiaux de mots qui signifient « anglais ». ▶ **anglicanisme** [ɑ̃glikanism] n. m. ■ Religion officielle de l'Angleterre, établie à la suite de la rupture d'Henri VIII avec Rome au XVIe s., sorte de compromis entre le catholicisme et le calvinisme. ▶ **anglican, ane** adj. ■ *Église anglicane.* — N. *Un anglican*, un adepte de l'anglicanisme. ▶ **angliciser** [ɑ̃glizize] v. tr. ▪ conjug. 1. ■ Rendre anglais d'aspect. — S'ANGLICISER v. pron. : prendre un air, un caractère anglais. *La mode s'anglicise.* ▶ **anglicisme** n. m. **1.** Locution propre à la langue anglaise. **2.** Emprunt à la langue anglaise. ▶ **angliciste** n. ■ Spécialiste de la langue, la littérature et la civilisation anglaises. ▶ **anglomanie** n. f. ■ Goût incontrôlé pour tout ce qui est anglais. ▶ **anglo-normand, ande** adj. **1.** Qui réunit des éléments anglais et normands. *Les îles anglo-normandes*, l'archipel britannique de la Manche. **2.** N. m. Dialecte français *(langue d'oïl)* qui était parlé des deux côtés de la Manche au Moyen Âge. ▶ **anglophile** adj. ■ Spécialt en politique. Qui a ou marque de la sympathie pour les Anglais, les Britanniques. / contr. **anglophobe** / *Dispositions anglophiles.* ▶ **anglophilie** n. f. ▶ **anglophobe** adj. ■ Qui déteste les Anglais. / contr. **anglophile** / *Des sentiments anglophobes.* ▶ **anglophobie** n. f. ■ *Un courant d'anglophobie.* ▶ **anglophone** adj. et n. ■ Qui est de langue anglaise. *L'Afrique anglophone.* — N. *Un, une anglophone.* ▶ **anglo-saxon, onne** adj. et n. ■ Relatif aux peuples de civilisation britannique. *Le monde anglo-saxon.* — N. *Les Anglo-Saxons.*

angoisse [ɑ̃gwas] n. f. ■ Malaise psychique et physique, né du sentiment de l'imminence d'un danger. ⇒ **anxiété**, **inquiétude**, **peur**. *L'angoisse de la mort. Des frissons d'angoisse. Demander qqch. avec angoisse.* ▶ **angoisser** v. tr. ▪ conjug. 1. ■ Inquiéter au point de faire naître l'angoisse. / contr. **apaiser** / ▶ **angoissant, ante** adj. ■ Qui cause de l'angoisse. *La situation est angoissante.* ▶ **angoissé, ée** adj. ■ Qui éprouve ou exprime de l'angoisse. *Être angoissé par une épreuve avant un examen. Un regard angoissé.* — N. *Un, une angoissé(e).* ⇒ **anxieux**.

angora [ɑ̃gɔʀa] adj. et n. **1.** Se dit de races d'animaux (chèvres, chats, lapins) aux poils longs et soyeux. *Des chattes angoras.* — *Un, une angora.* **2.** Laine angora, textile fait de ces poils. — N. m. *De l'angora. Pull-over en angora.*

angström ou **angstrœm** [ɑ̃gstʀøm] n. m. ■ Unité de longueur employée en microphysique (1/10 000 de micron). *Des angströms.*

anguille [ɑ̃gij] n. f. **1.** Poisson d'eau douce qui se reproduit dans la mer, de forme très allongée, à peau visqueuse et glissante. **2.** Loc. *Il y a anguille sous roche*, il y a une chose qu'on nous cache et que nous soupçonnons.

angulaire [ɑ̃gylɛʀ] adj. **1.** Qui forme un angle. *Forme angulaire.* **2.** Loc. fig. *Pierre angulaire*, élément fondamental.

anguleux, euse [ɑ̃gylø, øz] adj. ■ Qui présente des angles, des arêtes vives. *Il a une figure anguleuse.*

anhydride [anidʀid] n. m. ■ *Anhydride d'un acide,* corps qui, une fois combiné avec l'eau, donne cet acide.

anicroche [anikʀɔʃ] n. f. ■ Petite difficulté qui accroche, arrête. ⇒ **incident.** *Tout s'est bien passé, à part quelques petites anicroches.*

① *animal, aux* [animal, o] n. m. **1.** Être vivant organisé, doué de sensibilité et qui peut se mouvoir (opposé aux *végétaux*). *L'homme, les bêtes sont des animaux.* ⇒ **bête.** *Animaux sauvages, domestiques. Étude des animaux.* ⇒ **zoologie.** *Société protectrice des animaux* (S.P.A.). **2.** Injure faible. Personne grossière, stupide. *Rien à faire avec cet animal-là !* ▶ *animalcule* n. m. ■ Vx. Animal microscopique. ▶ *animalier* n. m. ■ Peintre, sculpteur d'animaux. — En appos. *Un peintre animalier.*

② *animal, ale, aux* adj. **1.** Qui a un rapport à l'animal (opposé au *végétal*). *Règne animal. Chaleur animale.* **2.** Qui, en l'homme, est propre à l'animal. ⇒ **physique.** *L'instinct maternel est animal.* Spécialt. Bestial. **3.** Qui est propre à l'animal (à l'exclusion de l'homme). *La communication animale.* ▶ *animalité* n. f. ■ La partie animale de l'homme. ⇒ **bestialité.**

animateur, trice [animatœʀ, tʀis] n. **1.** Personne qui anime une entreprise, une société par son ardeur et son allant. *L'animateur d'une équipe sportive.* **2.** Personne qui présente et commente un spectacle (au music-hall) ou une émission (radio, télévision). **3.** Technicien responsable de l'animation (1) d'un film. **4.** Personne qui dirige certaines activités culturelles. *L'animateur d'une maison de jeunes.*

animation [animasjɔ̃] n. f. **1.** Méthode permettant de donner, par une suite d'images (dessins, photographies de poupées, etc., pris image par image), l'impression du mouvement. *Cinéma, film d'animation.* (→ dessins* animés.) **2.** Caractère de ce qui est animé (4). *Discuter avec animation.* ⇒ **chaleur, vivacité.** *Il y a beaucoup d'animation dans ce quartier.* ⇒ **mouvement.** *Mettre de l'animation dans une réunion.* ⇒ **entrain. 3.** Méthodes de conduite d'un groupe qui favorisent la participation de ses membres à la vie collective. *S'occuper de l'animation dans un lycée.* ⇒ **animateur** (4). ⟨ ▶ réanimation ⟩

animer [anime] v. tr. ▪ conjug. 1. **1.** Douer (qqch., un lieu) de vie ou de mouvement. — Pronominalement. *La rue s'anime.* **2.** Donner l'impulsion à (une entreprise), être à l'origine de l'activité. ⇒ **diriger.** *Animer une entreprise, un spectacle.* **3.** (Suj. chose) Donner de l'éclat, de la vivacité à. ⇒ **aviver.** *La joie animait son regard.* — Pronominalement (réfl.). *La conversation s'anime.* **4.** (Sentiments) Inspirer, mener (qqn). *L'espérance qui l'anime.* — Au passif et p. p. adj. *Il est animé des meilleures intentions.* ▶ *animé, ée* adj. **1.** Doué de vie. ⇒ **vivant.** / contr. **inanimé** / *Les êtres animés.* **2.** Qui donne l'impression de la vie, est plein de mouvement. ⇒ **agité.** *Des rues très animées. Un quartier peu animé.* **3.** Doté de mouvement. *Dessins animés.* ⇒ **dessin. 4.** Qui est plein de vivacité, d'éclat. *Une conversation animée.* ⟨ ▶ inanimé, ranimer, réanimer ⟩

animisme [animism] n. m. ■ Attitude consistant à attribuer aux choses une âme analogue à l'âme humaine. ▶ *animiste* n. et adj. ■ *Sociétés, religions animistes.* — N. *Un, une animiste.*

animosité [animozite] n. f. ■ Sentiment persistant de malveillance qui porte à nuire à qqn, à lui adresser des paroles acerbes. *Je le dis sans animosité. Avoir de l'animosité contre, envers qqn.* / contr. **bienveillance** /

anis [ani(s)] n. m. invar. **1.** Plante ombellifère cultivée pour ses propriétés aromatiques et médicinales. **2.** Boisson alcoolisée à l'anis (dite boisson anisée). **3.** Bonbon à l'anis. *Une boîte d'anis.* ▶ *anisette* n. f. ■ Liqueur préparée avec des graines d'anis.

ankylose [ãkiloz] n. f. ■ Diminution ou impossibilité absolue des mouvements d'une articulation naturellement mobile. / contr. **souplesse** / ▶ *s'ankyloser* v. pron. ▪ conjug. 1. ■ Être atteint d'ankylose. — Perdre de sa rapidité de réaction, de mouvement, par suite d'une immobilité, d'une inaction prolongée. ▶ *ankylosé, ée* adj. ■ Atteint d'ankylose. ⇒ **raide.** *J'ai les jambes ankylosées d'être resté accroupi.*

annales [anal] n. f. pl. **1.** Ouvrage rapportant les événements dans l'ordre chronologique, année par année. ⇒ **chronique. 2.** Histoire. *Cet assassin est célèbre dans les annales du crime.* **3.** Titre de revues, de recueils périodiques. *Annales de géographie.*

anneau [ano] n. m. **1.** Cercle de matière dure qui sert à attacher ou retenir. ⇒ **boucle.** *Anneaux de rideau. L'anneau d'un porte-clefs.* **2.** *Les anneaux,* cercles métalliques fixés à l'extrémité de deux cordes suspendues au portique. ⇒ **agrès.** *Mouvements, exercices aux anneaux.* **3.** Petit cercle d'or, d'argent, de platine qu'on met au doigt (à l'*annulaire*). *Anneau de mariage.* ⇒ **alliance, bague. 4.** Surface comprise entre deux cercles concentriques. *Anneau sphérique,* volume engendré par la rotation d'un segment de cercle autour d'un diamètre de ce cercle. ⟨ ▶ annelé, annulaire ⟩

année [ane] n. f. **1.** Temps d'une révolution de la Terre autour du Soleil (365 jours 1/4). **2.** (Précédé d'un adj. numéral cardinal, d'un article, d'un indéfini) Période de douze mois qui se succèdent à partir de n'importe quel moment. *Pendant une année. Il est resté quelques années, plusieurs années. D'une année à l'autre. Il revient chaque année. Des années d'études.* — Temps correspondant à douze mois. *Il faut bien une année pour achever la construction.* **3.** (Avec l'article et suivi d'un numéral cardinal à valeur ordinale) Sert à indiquer une date. *L'année 1900. Les années 20, 30, entre 1920 et 1929, 1930 et 1939.* **4.** Période de douze mois qui commence le 1er janvier (appelée *année civile,* opposée à *année scolaire*). *L'année en cours. L'année précédente, prochaine. En quelle année ? L'année dernière. Souhaiter à qqn la (une) bonne année le 1er janvier.* **5.** Période d'activité, d'une durée inférieure à une année, mais considérée d'année en année. *Année scolaire, théâtrale.* **6.** (Précédé d'un ordinal) Sert à indiquer l'âge. (Précédé d'un possessif) *Notre fils est dans sa dixième année, il va avoir dix ans.* — Sert à indiquer la durée d'une occupation, d'un état. *C'est la troisième année que je le connais. Elle est en première année de droit.* ▶ *année-lumière* n. f. ■ Unité astronomique de distance ; distance parcourue par la lumière en une année. *Trois années-lumière.*

annelé, ée [anle] adj. ■ Disposé en anneaux. — En zoologie. *Vers annelés* (ou *annélides*).

annexe [anɛks] adj. et n. f. **I.** Qui est rattaché à qqch. de plus important, à l'objet principal. ⇒ **accessoire, secondaire.** / contr. **essentiel** / *Les pièces annexes d'un dossier.* **II.** N. f. **1.** Bâtiment annexe. *Loger à l'annexe de l'hôtel.* **2.** Pièce, document annexe. *Les annexes d'un dossier.* ▶ *annexer* v. tr. ▪ conjug. 1. **1.** Joindre à un objet principal une chose qui en devient la dépendance. ⇒ **incorporer, rattacher.** *Annexer des pièces à un dossier.* **2.** Faire passer sous sa souveraineté (l'ensemble ou une partie d'un État). *L'Autriche annexa la Bosnie-Herzégovine.* **3.** *S'annexer qqch.,* s'attribuer, s'approprier qqch.

Elle s'est annexé le meilleur morceau. ► **annexion** n. f. ■ *L'annexion de la Savoie à la France.* ⇒ **rattachement.**

annihiler [aniile] v. tr. ■ conjug. 1. **1.** Réduire à rien, rendre sans effet. ⇒ **anéantir, annuler, détruire.** *Une difficulté inattendue a annihilé ses efforts.* **2.** Briser, paralyser la volonté de (qqn). *L'émotion l'annihile.* ► **annihilation** n. f. ■ *L'annihilation de ses efforts.*

anniversaire [aniveʀseʀ] n. m. ■ Jour qui ramène le souvenir d'un événement arrivé à pareil jour une ou plusieurs années auparavant (donnant lieu généralement à une fête). *Aujourd'hui, c'est mon anniversaire* (de naissance). *Offrir un cadeau d'anniversaire. Le cinquantième anniversaire de leur mariage. Célébrer le centième anniversaire d'un événement.* — REM. On ne dit pas *commémorer un anniversaire.* — Adj. *Jour anniversaire.*

annoncer [anɔ̃se] v. tr. ■ conjug. 3. **1.** Faire savoir, porter à la connaissance. ⇒ **apprendre, communiquer, publier.** *Annoncer une bonne, une mauvaise nouvelle. Il lui annonça que Jacques était parti.* **2.** Signaler (qqn) comme arrivant, se présentant. *Veuillez m'annoncer à Madame.* **3.** Prédire. *Les prophètes annonçaient la venue du Messie.* **4.** (Suj. chose) Indiquer comme devant prochainement arriver ou se produire. *Cette petite fleur annonce le printemps. Ce début n'annonce rien de bon.* **5.** S'ANNONCER v. pron. : apparaître comme devant prochainement se produire. *La crise s'annonce de toutes parts.* — Se présenter comme un bon ou mauvais début. *Ça s'annonce plutôt mal !* ► **annonce** n. f. **1.** Avis par lequel on fait savoir qqch. au public, verbalement ou par écrit. ⇒ **communication, nouvelle.** *L'annonce de sa mort prochaine n'étonnait personne.* **2.** Texte, publication qui donne cet avis. *Insérer une annonce.* — *Les petites annonces,* textes brefs, regroupés dans un journal, pour faire connaître des offres et des demandes* (d'emploi, d'appartement, etc.). **3.** Ce qui annonce une chose. ⇒ **indice, présage, signe.** *Ce ciel noir est l'annonce de la pluie.* ► **annonceur, euse** n. **1.** N. m. Personne qui paie l'insertion d'une annonce dans un journal ou fait faire une émission publicitaire. **2.** ANNONCEUR, EUSE : nom proposé pour remplacer *speaker, speakerine.* ► **annonciateur, trice** adj. ■ Qui fait prévoir (qqch.). *Un signe annonciateur d'un changement politique.* ► **Annonciation** n. f. ■ Fête religieuse catholique commémorant l'annonce faite à la Vierge Marie de sa conception miraculeuse.

annoter [anɔte] v. tr. ■ conjug. 1. ■ Accompagner (un texte) de notes critiques ; mettre sur (un livre) des notes personnelles. *Annoter une copie.* — Au p. p. *Exemplaire annoté par l'auteur.* ► **annotation** n. f. ■ Surtout au plur. Note critique ou explicative qu'on inscrit sur un texte, un livre.

annuaire [anɥɛʀ] n. m. ■ Recueil publié annuellement et qui contient des renseignements variables d'une année à l'autre. *L'annuaire du téléphone.* ⇒ **bottin.**

annuel, elle [anɥɛl] adj. **1.** Qui a lieu, revient chaque année. *Fête annuelle.* **2.** Qui dure un an seulement. *Plantes annuelles* (opposé à *plantes vivaces*). ► **annuellement** adv. ■ Par an, chaque année.

annuité [anɥite] n. f. ■ Plus souvent au plur. Paiement fait chaque année (capital emprunté et paiement des intérêts). *Rembourser par annuités.*

annulaire [anɥlɛʀ] n. m. ■ Doigt auquel on met souvent un anneau, le quatrième à partir du pouce.

annuler [anyle] v. tr. ■ conjug. 1. **1.** Déclarer ou rendre nul, sans effet. *Son mariage a été annulé. La cour a annulé le premier jugement. Annuler une commande, un rendez-vous.* **2.** S'ANNULER v. pron. récipr. : produire un résultat nul en s'opposant (comme un positif et un négatif). *Ces deux forces s'annulent.* ⇒ se **neutraliser.** ► **annulation** n. f. ■ Décision par laquelle on annule un acte comme entaché de nullité ou inopportun. *Annulation d'un contrat.* ⇒ **abrogation, invalidation, révocation.** / contr. **validation** / *L'annulation d'une commande.*

anoblir [anɔbliʀ] v. tr. ■ conjug. 2. ■ Faire noble, en conférant un titre de noblesse. ≠ **ennoblir.** ► **anoblissement** n. m. ■ Action d'anoblir.

anode [anɔd] n. f. ■ Électrode positive (opposé à *cathode*).

anodin, ine [anɔdɛ̃, in] adj. **1.** (Choses) Inoffensif, sans danger. *Une blessure tout à fait anodine.* / contr. **grave** / **2.** Sans importance, insignifiant. *Un personnage bien anodin. Des propos anodins.*

anomal, ale, aux [anɔmal, o] adj. ■ En sciences. Irrégulier. ≠ *anormal.* ► **anomalie** n. f. **1.** Déviation du type normal. ⇒ **difformité, monstruosité.** **2.** Écart par rapport à la normale ou à la valeur théorique (correspond à *anomal*). **3.** Bizarrerie, singularité ; exception à la règle (correspond à *anormal*). *L'anomalie d'un comportement.*

ânon [ɑnɔ̃] n. m. ■ Petit de l'âne, petit âne.

ânonner [ɑnɔne] v. intr. ■ conjug. 1. ■ Lire, parler, réciter d'une manière pénible et hésitante. ⇒ **bredouiller.** — Transitivement. *Il ânonne un poème.*

anonyme [anɔnim] adj. **1.** (Personnes) Qui ne fait pas connaître son nom. *Le maître anonyme qui a peint ce tableau.* **2.** (Choses) Où l'auteur n'a pas laissé son nom, l'a caché. *Des lettres anonymes.* — *Société anonyme,* société par actions qui n'est désignée par le nom d'aucun des associés. **3.** Impersonnel, neutre. *Ses vêtements anonymes s'adaptaient à tous les décors.* ► **anonymat** n. m. ■ État de la personne ou de la chose qui est anonyme. *Le généreux donateur a voulu garder l'anonymat.* ► **anonymement** adv. ■ En gardant l'anonymat.

anorak [anɔrak] n. m. ■ Veste courte à capuchon, imperméable, portée notamment par les skieurs. *Des anoraks.*

anormal, ale, aux [anɔrmal, o] adj. **1.** Qui n'est pas normal, conforme aux règles ou aux lois reconnues ; qui ne se produit pas habituellement. ⇒ **irrégulier ; bizarre, étrange, extraordinaire.** ≠ *anomal. L'évolution de la maladie est anormale. Vous auriez dû recevoir ma lettre, c'est anormal. Des bruits anormaux.* **2.** *Enfants anormaux* (arriérés, etc.). — N. Fam. *Un anormal,* un déséquilibré. ► **anormalement** adv. ■ *Il est anormalement gai, aujourd'hui.*

anse [ɑ̃s] n. f. **1.** Partie recourbée et saillante de certains ustensiles, permettant de les saisir, de les porter. *L'anse d'un panier, d'une tasse.* **2.** Petite baie ① peu profonde. ⇒ **crique.**

antagonisme [ɑ̃tagɔnism] n. m. ■ État d'opposition de deux forces, de deux principes. ⇒ **conflit, opposition, rivalité.** *Antagonisme entre deux personnes. Un antagonisme d'intérêts.* ► **antagonique** adj. ■ Qui est en antagonisme. *Intérêts antagoniques.* ► **antagoniste** adj. et n. ■ Littér. Opposé, rival. *Des partis antagonistes.* — N. Adversaire, concurrent.

d'antan [dɑ̃tɑ̃] loc. adj. invar. ■ Littér. D'autrefois, du temps passé. *Les veillées d'antan.*

antarctique [ɑ̃taʀ(k)tik] adj. ■ Se dit du pôle Sud et des régions qui l'environnent (opposé à *arctique*). — N. m. *L'Antarctique,* le continent antarctique.

anté- ■ Élément savant signifiant « avant » et indiquant l'antériorité (sauf dans *antéchrist* où il a le sens de « anti- »). ‹ ▶ antécédent, antédiluvien, antépénultième, antérieur, anticiper, antidater ›

antécédent [ɑ̃tesedɑ̃] n. m. **1.** Mot représenté par le pronom qui le reprend. *Antécédent du relatif,* auquel se rapporte le relatif (ex. : *le train* que je prends). **2.** Souvent au plur. Faits antérieurs à une maladie, concernant la santé du sujet examiné, de sa famille. **3.** Généralt au plur. Chacun des actes, des faits appartenant au passé de qqn, en relation avec un aspect de sa vie actuelle. *Les mauvais antécédents de l'accusé.*

antéchrist [ɑ̃tekʀist] n. m. ■ Ennemi du Christ qui, selon l'Apocalypse, viendra prêcher une religion hostile à la sienne un peu avant la fin du monde. *On considérait ce philosophe comme l'antéchrist.*

antédiluvien, ienne [ɑ̃tedilyvjɛ̃, jɛn] adj. **1.** Antérieur au déluge. **2.** Fam. Très ancien, tout à fait démodé. *Une voiture antédiluvienne.*

antenne [ɑ̃tɛn] n. f. **1.** Appendice sensoriel à l'avant de la tête de certains arthropodes. *Antennes de papillon, de langouste.* — Loc. (Personnes) *Avoir des antennes,* une sensibilité très aiguë, de l'intuition. — *Avoir une antenne, des antennes quelque part,* une source, des sources de renseignements. **2.** Conducteur aérien destiné à rayonner ou à capter les ondes électromagnétiques. *Antenne de télévision.* — Émission par ondes. *Vous êtes sur l'antenne. Nous rendons l'antenne à notre studio.*

antépénultième [ɑ̃tepenyltjɛm] adj. ■ Qui précède le pénultième ou avant-dernier.

antérieur, eure [ɑ̃teʀjœʀ] adj. **1.** Qui est avant, qui précède dans le temps. ⇒ **précédent.** *Rétablir l'état de choses antérieur.* / contr. **ultérieur** / — En grammaire. *Passé, futur antérieur.* **2.** Qui est placé en avant, devant (opposé à *postérieur,* ou en corrélation avec *inférieur* et *supérieur*). *La face antérieure de l'omoplate. Les membres antérieurs.* / contr. **postérieur** / ▶ *antérieurement* adv. ■ *Antérieurement à ces faits.* / contr. **postérieurement** / ▶ *antériorité* n. f. ■ Caractère de ce qui est antérieur (dans le temps).

anthère [ɑ̃tɛʀ] n. f. ■ Botanique. Partie supérieure de l'étamine ②.

anthologie [ɑ̃tɔlɔʒi] n. f. ■ Recueil de morceaux choisis en prose ou en vers. *Anthologie des poètes du XIXᵉ siècle.* — *Morceau d'anthologie,* page brillante digne de figurer dans une anthologie.

anthracite [ɑ̃tʀasit] n. m. ■ Charbon (houille) à combustion lente qui dégage beaucoup de chaleur. — Adj. invar. De la couleur gris foncé de l'anthracite. *Des pantalons anthracite.*

anthrax [ɑ̃tʀaks] n. m. invar. ■ Tumeur inflammatoire, due à un staphylocoque, et qui affecte le tissu sous-cutané. *Des anthrax.*

-anthrope, anthropo- ■ Éléments savants signifiant « homme ». ▶ *anthropocentrique* [ɑ̃tʀɔpɔsɑ̃tʀik] adj. ■ Qui fait de l'homme le centre du monde. ▶ *anthropocentrisme* n. m. ■ Philosophie anthropocentrique. ▶ *anthropoïde* [ɑ̃tʀɔpɔid] adj. et n. ■ Qui ressemble à l'homme. *Singe anthropoïde.* — UN ANTHROPOÏDE n. m. : singe de grande taille, le plus proche de l'homme. *Le gorille est un anthropoïde. Les anthropoïdes.* ▶ *anthropologie* n. f. ■ Ensemble des sciences qui étudient

l'homme en société. ▶ *anthropologique* adj. ■ *La science anthropologique.* ▶ *anthropologiste* ou *anthropologue* n. ■ Spécialiste de l'anthropologie. ▶ *anthropométrie* n. f. ■ Technique de mensuration du corps humain et de ses diverses parties. ▶ *anthropométrique* adj. ■ *Fiche, signalement anthropométrique.* ▶ *anthropomorphe* [ɑ̃tʀɔpɔmɔʀf] adj. ■ En art. Qui représente un dieu, un animal, sous la forme d'un être humain. / contr. **zoomorphe** / ▶ *anthropomorphisme* n. m. ■ Tendance à concevoir la divinité à l'image de l'homme, et à attribuer aux êtres et aux choses des réactions humaines. ▶ *anthropophage* [ɑ̃tʀɔpɔfaʒ] adj. et n. ■ (Êtres humains) Qui mange de la chair humaine. *Tribu anthropophage.* — N. *Un, une anthropophage.* ⇒ **cannibale.** ▶ *anthropophagie* n. f. ‹ ▶ misanthrope, philanthrope, pithécanthrope, sinanthrope ›

anti- ■ Élément savant exprimant l'opposition. (Voir ci-dessous les mots en *anti-,* sauf quelques-uns : *anticiper, antidater, antillais, antilope, antimoine, antiphonaire, antique.*)

antiaérien, ienne [ɑ̃tiaeʀjɛ̃, jɛn] adj. ■ Qui s'oppose aux attaques aériennes. *Défense antiaérienne.* ⇒ **D.C.A.**

antialcoolique adj. ■ Qui combat l'alcoolisme. *Ligue antialcoolique.*

antiatomique adj. ■ Qui s'oppose aux effets nocifs des radiations atomiques. *Abri antiatomique.*

antibiotique [ɑ̃tibjɔtik] adj. et n. m. ■ Qui s'oppose à la vie de certains micro-organismes. *Propriétés antibiotiques de la pénicilline.* — N. m. Médicament pour lutter contre les infections microbiennes. *La pénicilline est un antibiotique. Être sous antibiotiques.*

antibrouillard adj. invar. ■ *Phare antibrouillard,* qui éclaire par temps de brouillard. *Des phares antibrouillard.* — N. m. *Un antibrouillard. Des antibrouillard(s).*

anticancéreux, euse adj. ■ Qui combat le cancer. / contr. **cancérigène** /

antichambre n. f. ■ Pièce d'attente placée à l'entrée d'un grand appartement, d'un bureau ministériel. ⇒ **vestibule.** *L'huissier le fit attendre dans l'antichambre.* — Loc. *Faire antichambre,* attendre d'être reçu.

antichar adj. ■ Qui s'oppose à l'action des blindés. *Canons antichars.*

antichoc adj. invar. ■ Qui protège des chocs. *Casques antichoc.*

anticiper [ɑ̃tisipe] v. ■ conjug. 1. — REM. *Anti-* veut dire « avant » ; ⇒ *anté-.* **1.** V. tr. Exécuter avant le temps déterminé. *Anticiper un paiement.* **2.** V. intr. *Anticiper sur,* empiéter sur, en entamant à l'avance. *Je ne veux pas anticiper sur le récit que j'écrirai plus tard.* — Sans compl. *N'anticipons pas,* respectons l'ordre de succession des faits. ▶ *anticipation* n. f. **1.** Exécution anticipée d'un acte. *Régler une dette par anticipation.* ⇒ **d'avance. 2.** Mouvement de la pensée qui imagine ou vit d'avance un événement. ⇒ **prévision.** — Littérature, roman, film *d'anticipation,* dont le fantastique est emprunté aux réalités supposées de l'avenir. ⇒ **science-fiction.** ▶ *anticipé, ée* adj. ■ Qui se fait avant la date prévue ou sans attendre l'événement. *Remboursement anticipé.*

anticlérical, ale, aux adj. ■ Opposé à l'influence et à l'intervention du clergé dans la vie publique. ≠ *antireligieux.* — N. *C'est un anticlérical farouche.* ▶ *anticléricalisme* n. m. ■ Attitude, politique anticléricale.

anticolonialisme n. m. ■ Opposition au colonialisme. ▶ *anticolonialiste* adj. et n. ■ Hostile au colonialisme.

anticommunisme n. m. ■ Hostilité, opposition au communisme. ▶ *anticommuniste* adj. et n. ■ *Une campagne anticommuniste.*

anticonceptionnel, elle adj. et n. m. **1.** Qui concerne les moyens propres à empêcher la conception des enfants. *Propagande anticonceptionnelle.* **2.** N. m. Vx. ⇒ **contraceptif.**

anticonformisme n. m. ■ Attitude opposée au conformisme. ⇒ **non-conformisme.** ▶ *anticonformiste* adj. et n. ■ *Un, une anticonformiste.*

anticonstitutionnel, elle adj. ■ Contraire à la constitution. *Mesure anticonstitutionnelle.*

anticorps n. m. invar. ■ Substance spécifique et défensive engendrée dans l'organisme par l'introduction d'un antigène, avec lequel elle se combine pour en neutraliser l'effet toxique. ⇒ **antitoxine.**

anticyclone n. m. ■ Centre de hautes pressions atmosphériques (opposé à *cyclone*). *L'anticyclone des Açores.*

antidater v. tr. ■ conjug. 1. — REM. *Anti-* veut dire « avant ». ■ Affecter d'une date antérieure à la date réelle. *Antidater une lettre.* / contr. **postdater** /

antidémocratique adj. ■ Opposé à la démocratie ou à l'esprit démocratique.

antidérapant, ante adj. ■ Propre à empêcher le dérapage des véhicules. *Pneus antidérapants.*

antidiphtérique [ɑ̃tidiftɛʀik] adj. ■ Propre à combattre la diphtérie.

antidote [ɑ̃tidɔt] n. m. **1.** Contrepoison. **2.** Abstrait. Remède contre un mal moral. *Un bon spectacle est un antidote contre l'ennui.*

antidrogue adj. invar. ■ Qui est destiné à lutter contre le trafic et l'usage de la drogue. *Des mesures antidrogue.*

antienne [ɑ̃tjɛn] n. f. **1.** Refrain liturgique repris par le chœur entre chaque verset d'un psaume. **2.** Chose que l'on répète. ⇒ **refrain.** — Loc. *Chanter toujours la même antienne*, rabâcher, répéter.

antiesclavagiste [ɑ̃tiɛsklavaʒist] adj. ■ Opposé à l'esclavage, aux esclavagistes.

antifasciste [ɑ̃tifaʃist] adj. ■ Opposé au fascisme. *Déclarations antifascistes.* — N. *Les antifascistes.*

antigel n. m. ■ Produit qui abaisse le point de congélation de l'eau. *Antigel pour radiateurs d'automobiles.*

antigène n. m. ■ Toute substance qui peut engendrer des anticorps. *Antigènes microbiens.*

antigouvernemental, ale, aux adj. ■ Qui est contre le gouvernement, dans l'opposition.

antigrippe adj. invar. ■ Destiné à lutter contre la grippe. *Cachets antigrippe.*

antillais, aise [ɑ̃tijɛ, ɛz] adj. et n. ■ Relatif au pays, aux habitants des Antilles. *Le créole antillais.* — N. *Une Antillaise.*

antilope [ɑ̃tilɔp] n. f. ■ Mammifère ruminant, au corps svelte, aux hautes pattes grêles, à cornes en spirale (chez le mâle).

antimatière n. f. ■ Matière supposée constituée d'*antiparticules* (particules qui annihilent celles de la matière).

antimilitarisme n. m. ■ Opposition au militarisme. ▶ *antimilitariste* adj. et n. ■ *Manifestation antimilitariste.*

antimite adj. ■ Qui protège (les lainages, les fourrures) contre les mites. *Des produits antimites.* — N. m. *Un antimite.*

antimoine [ɑ̃timwan] n. m. ■ Corps simple intermédiaire entre les métaux et les métalloïdes, cassant, argenté.

antinomie [ɑ̃tinɔmi] n. f. ■ Contradiction, opposition totale. *Il y a antinomie entre ces deux façons de voir.* / contr. **accord** / ▶ *antinomique* adj. ■ *Deux principes antinomiques.* ⇒ **contradictoire, contraire.**

antipape n. m. ■ Pape élu irrégulièrement, et non reconnu par l'Église romaine.

antiparasite adj. invar. ■ Qui s'oppose à la production et la propagation des parasites. *Munir une automobile d'un dispositif antiparasite.*

antiparlementarisme n. m. ■ Opposition au régime parlementaire.

antipathie [ɑ̃tipati] n. f. ■ Aversion instinctive, irraisonnée. ⇒ **éloignement, prévention.** *J'ai de l'antipathie pour ce genre de personnes. Vaincre son antipathie pour qqn.* / contr. **sympathie** / ▶ *antipathique* adj. ■ Qui inspire de l'antipathie. ⇒ **désagréable ; déplaisant.** *Elle m'est antipathique.* / contr. **sympathique** /

antipatriotique adj. ■ Contraire au patriotisme, aux intérêts de la patrie.

antiphonaire [ɑ̃tifɔnɛʀ] n. m. ■ Grand recueil de chants d'église (messes et offices), placé sur un lutrin pour être suivi à distance par les chanteurs.

antiphrase [ɑ̃tifʀaz] n. f. ■ Manière d'employer un mot, une locution dans un sens contraire au sens véritable, par ironie ou euphémisme (ex. : *C'est vraiment un ami !*, lorsque la personne se comporte de façon inamicale).

antipode [ɑ̃tipɔd] n. m. **1.** Lieu de la terre diamétralement opposé à un autre. *La Nouvelle-Zélande est l'antipode de la France, est aux antipodes de la France.* — Loc. *Aux antipodes*, très loin. **2.** Abstrait. Littér. Chose exactement opposée. *À l'antipode, aux antipodes de*, à l'opposé de.

antipollution adj. invar. ■ Opposé à la pollution de l'environnement. *Des produits antipollution.*

antique [ɑ̃tik] adj. **1.** Vx. Qui appartient à une époque reculée, à un lointain passé. ⇒ **ancien, archaïque.** *Une antique tradition.* / contr. **moderne** / — Très vieux. *Une antique guimbarde.* **2.** Qui appartient à l'Antiquité. *Les civilisations antiques. La Grèce, l'Italie antique. Monuments antiques.* — N. m. *L'antique*, l'art, les œuvres d'art antiques. *Imiter l'antique.* ▶ *antiquaille* n. f. ■ Antiquité ou objet ancien sans valeur. ⇒ **vieillerie.** ▶ *antiquaire* n. ■ Marchand d'objets d'art, d'ameublement et de décoration anciens. ▶ *antiquité* n. f. **1.** Littér. Temps très reculé, très ancien. *Cela remonte à la plus haute antiquité.* **2.** Les plus anciennes civilisations. *L'antiquité égyptienne, grecque, romaine, orientale.* **3.** (Avec une majuscule) L'antiquité gréco-romaine. *Les écrivains du XVIIᵉ s. s'inspirent de l'Antiquité.* **4.** Au plur. LES ANTIQUITÉS : les monuments, les œuvres d'art qui nous restent de l'Antiquité. — Objets d'art, meubles anciens. *Marchand d'antiquités.* ⇒ **antiquaire.**

antirabique [ɑ̃tiʀabik] adj. ■ Employé contre la rage. *Vaccination antirabique.*

antiraciste adj. ■ Opposé au racisme. *Une campagne antiraciste.* ▶ *antiracisme* n. m.

antireligieux, euse adj. ■ Opposé à la religion. ≠ *anticlérical.*

antirides [ɑ̃tiʀid] adj. invar. ■ Qui prévient ou combat les rides. *Crème antirides.*

antirouille adj. invar. ■ Qui protège contre la rouille, ôte les taches de rouille. *Peinture antirouille.* ⇒ **minium.**

antiscientifique adj. ■ Contraire à l'esprit scientifique. *Une explication antiscientifique.*

antiségrégationniste adj. ■ Qui s'oppose à la ségrégation raciale.

antisémite [ɑ̃tisemit] n. ■ Raciste animé par l'antisémitisme. — Adj. *Propagande antisémite.* ▶ *antisémitisme* n. m. ■ Racisme dirigé contre les juifs.

antisepsie [ɑ̃tisɛpsi] n. f. ■ Ensemble des méthodes destinées à prévenir ou à combattre l'infection en détruisant des microbes qui existent à la surface ou à l'intérieur des organismes vivants. ▶ *antiseptique* [ɑ̃tisɛptik] adj. ■ Propre à l'antisepsie, qui emploie l'antisepsie. *Remède, pansement antiseptique.* — N. m. *L'eau oxygénée est un antiseptique.*

antisionisme [ɑ̃tisjɔnism] n. m. ■ Hostilité contre l'État d'Israël. ▶ *antisioniste* adj. et n. ■ Qui manifeste de l'antisionisme. *Des propos antisionistes.* — N. *Un, une antisioniste.*

antisocial, ale, aux [ɑ̃tisɔsjal, o] adj. **1.** Contraire à la société, à l'ordre social. *Principes antisociaux.* **2.** Qui va contre les intérêts des travailleurs. *Mesure antisociale.*

anti-sous-marin, ine [ɑ̃tisumaʀɛ̃, in] adj. ■ Qui sert à combattre les sous-marins. *Grenades anti-sous-marines.*

antispasmodique adj. ■ (Médicament) Destiné à empêcher les spasmes, les convulsions.

antisportif, ive adj. ■ Hostile au sport ; contraire à l'esprit du sport.

antiterroriste adj. ■ Qui lutte contre le terrorisme, est relatif à cette lutte. *Des mesures antiterroristes.*

antitétanique adj. ■ Qui agit contre le tétanos. *Sérum antitétanique.*

antithèse [ɑ̃titɛz] n. f. **1.** Opposition de deux pensées, de deux expressions que l'on rapproche dans le discours pour en faire mieux ressortir le contraste. **2.** Chose ou personne entièrement opposée à une autre ; contraste entre deux aspects. *Elle ne ressemble pas à sa sœur, c'en est même l'antithèse.* ▶ *antithétique* [ɑ̃titetik] adj. ■ Qui emploie l'antithèse. *Style antithétique.* — Opposé, contraire. *Les aspects antithétiques d'un caractère.*

antitoxine n. f. ■ Anticorps élaboré par l'organisme qui réagit contre les toxines.

antituberculeux, euse adj. ■ Propre à combattre la tuberculose. *Vaccin antituberculeux.*

antivol n. m. ■ Dispositif de sécurité destiné à empêcher le vol (des véhicules).

antonyme [ɑ̃tɔnim] n. m. ■ Mot qui, par le sens, s'oppose directement à un autre. ⇒ **contraire.** « *Chaud* » *et* « *froid* » *sont des antonymes.* / contr. **synonyme** /

antre [ɑ̃tʀ] n. m. **1.** Littér. Caverne, grotte (spécialt servant de repaire à une bête fauve). *L'antre du lion.* **2.** Lieu inquiétant et mystérieux.

anus [anys] n. m. invar. ■ Orifice du rectum qui donne passage aux matières fécales. ⇒ **fondement ;** fam. **trou** du cul. ⟨ ▶ anal ⟩

anxiété [ɑ̃ksjete] n. f. ■ État d'angoisse (considéré surtout dans son aspect psychique). *J'étais en proie à une vive anxiété. Il attend dans l'anxiété.* / contr. **calme, confiance, sérénité** /

anxieux, euse [ɑ̃ksjø, øz] adj. **1.** Qui s'accompagne d'anxiété, marque de l'anxiété. *Une attente anxieuse. Regard anxieux.* **2.** Qui éprouve de l'anxiété. ⇒ **angoissé, inquiet, tourmenté.** *Il est anxieux.* — N. *C'est un anxieux,* un homme à qui l'anxiété est habituelle. — ANXIEUX DE. *Je suis anxieux du résultat, de ce qui va arriver.* — Impatient de. *Il est anxieux de réussir.* / contr. **calme, confiant, serein** / ▶ *anxieusement* adv. ■ *Attendre anxieusement des nouvelles de qqn.* ⟨ ▶ anxiété ⟩

aorte [aɔʀt] n. f. ■ Artère qui prend naissance à la base du ventricule gauche du cœur. ▶ *aortique* adj. ■ *Ventricule aortique,* le ventricule gauche.

août [u(t)] n. m. ■ Le huitième mois de l'année. *Il part en vacances en août. Fin août. Le 15 Août.* ⇒ **Assomption.** ▶ *aoûtien, ienne* [ausjɛ̃, jɛn] n. **1.** Personne qui prend ses vacances en août. **2.** Personne qui reste à Paris, dans une grande ville, en août.

apache [apaʃ] n. m. ■ Vx. Malfaiteur, voyou de grande ville (vers 1900).

apaiser [apeze] v. tr. • conjug. 1. **1.** Amener (qqn) à des dispositions plus paisibles, plus favorables. ⇒ **calmer.** *Apaiser les esprits.* / contr. **exciter, irriter** / **2.** Rendre (qqch.) moins violent. ⇒ **adoucir, assoupir, endormir.** *Apaiser sa faim. Apaiser les rancœurs.* / contr. **exciter ; déchaîner** / Pronominalement (réfl.). *Sa douleur s'apaise.* ▶ *apaisant, ante* adj. ■ Qui apporte l'apaisement, donne des apaisements. *Prononcer des paroles apaisantes.* ⇒ **lénifiant.** *Une déclaration apaisante,* rassurante. ▶ *apaisement* [apɛzmɑ̃] n. m. **1.** Retour à la paix, au calme. *Pendant l'apaisement qui suivit leur dispute.* **2.** Surtout au plur. Déclaration ou promesse destinée à rassurer. *Donner des apaisements à qqn.*

apanage [apanaʒ] n. m. **1.** Histoire. Partie du domaine royal accordée à un prince qui renonçait au pouvoir. **2.** Ce qui est le propre de qqn ou de qqch. ; bien exclusif, privilège. ⇒ **lot.** *L'art ne doit plus être l'apanage d'une élite.*

aparté [aparte] n. m. **1.** Mot ou parole que l'acteur dit à part soi (et que le spectateur seul est censé entendre). *Des apartés.* **2.** Entretien particulier, dans une réunion. *Faire des apartés avec qqn. Il me l'a dit en aparté.*

apartheid [apartɛd] n. m. ■ Régime de ségrégation institué légalement, en Afrique du Sud, entre les Blancs et les Noirs. ⇒ **ségrégation.**

apathie [apati] n. f. ■ Incapacité d'être ému ou de réagir (par mollesse, indifférence, état dépressif, etc.). ⇒ **indolence, inertie, paresse, résignation.** *Secouer son apathie. Une apathie profonde, durable.* — *L'apathie d'une société.* ▶ *apathique* adj. et n. ■ Sans ressort, sans activité. *Il est complètement apathique.* / contr. **énergique** / — N. *Un, une apathique.*

apatride [apatʀid] n. ■ Personne dépourvue de nationalité légale, qu'aucun État ne considère comme son ressortissant. *Un réfugié apatride.*

apercevoir [apɛʀsəvwaʀ] v. ■ conjug. 28. **I.** V. tr. **1.** Voir, en un acte de vision généralement bref (qqch. qui apparaît), qu'il y ait eu attention ou non. ⇒ **discerner, remarquer.** *On apercevait au loin le village. Je n'ai fait que l'apercevoir.* ⇒ **entrevoir. 2.** Saisir par l'esprit. *J'aperçois bien ses intentions.* ⇒ **comprendre. II.** S'APERCEVOIR v. pron. **1.** Prendre conscience, se rendre compte (d'un état ou d'un processus complexe). ⇒ **remarquer.** *Je m'apercevais bien de leur manège. Elle ne s'en est pas aperçue. Je m'aperçois que je suis en retard.* **2.** (Récipr.) Se voir mutuellement. *Elles se sont aperçues de loin.* — (Passif) Être aperçu, pouvoir être aperçu. *Un détail qui s'aperçoit à peine.* ▶ **aperçu** n. m. **1.** Première idée que l'on peut avoir d'une chose vue rapidement. ⇒ **coup** d'œil. *Donner un aperçu de la situation,* en faire un exposé sommaire. **2.** Remarque, observation non développée mais qui jette un jour nouveau. *Des aperçus d'une grande sagacité.*

apéritif, ive [apeʀitif, iv] adj. et n. m. **1.** Adj. Littér. Qui ouvre, stimule l'appétit. *Une promenade apéritive. Boisson apéritive.* **2.** N. m. Boisson à base de vin (quinquina, vermouth) ou d'alcool (gentiane, anis), supposée apéritive, que l'on prend avant le repas. *Offrir, prendre l'apéritif.* — Abrév. fam. *Apéro,* n. m. *Des apéros.*

apesanteur [apəzɑ̃tœʀ] n. f. ■ Absence de pesanteur (dans l'espace, par exemple). *Astronautes en état d'apesanteur.*

à-peu-près [apøpʀɛ] n. m. invar. ■ Approximation grossière, donnée imprécise. *Vous faites vos calculs sur des à-peu-près.* — REM. *À peu près,* loc. adv. ⇒ **près** (II, 1).

apeurer [apœʀe] v. tr. ■ conjug. 1. ■ Effrayer. — (Surtout usité au p. p. adj.) *Un animal apeuré. Des regards apeurés.*

aphasie [afazi] n. f. ■ Perte totale ou partielle de la capacité de parler ou de comprendre le langage parlé (*surdité verbale*) ou écrit (*cécité verbale*), due à une lésion cérébrale. ▶ **aphasique** adj. ■ *Un vieillard aphasique.* — N. *Un, une aphasique.*

aphérèse [afeʀɛz] n. f. ■ Chute d'un phonème ou d'un groupe de phonèmes au début d'un mot (opposé à *apocope*). « *Car* » se dit pour « *autocar* » par *aphérèse.*

aphone [afɔn] adj. ■ Qui n'a plus de voix. *L'orateur, enrhumé, était aphone.*

aphorisme [afɔʀism] n. m. ■ Énoncé très court résumant un point de science, de morale. ⇒ **adage, maxime, précepte, sentence.**

aphrodisiaque [afʀɔdizjak] adj. ■ Littér. Propre (ou supposé tel) à exciter le désir sexuel. *Une boisson aphrodisiaque.* — N. m. *Un aphrodisiaque,* une substance aphrodisiaque.

aphte [aft] n. m. ■ Petite ulcération qui se développe sur la muqueuse de la bouche ou du pharynx. ▶ **aphteuse** adj. f. ■ *Fièvre aphteuse,* maladie éruptive, épidémique et contagieuse, atteignant surtout les bovidés.

à-pic [apik] n. m. ■ Escarpement vertical. *L'à-pic d'un ravin. Des à-pics.*

apiculture [apikyltyʀ] n. f. ■ Art d'élever et de soigner les abeilles en vue d'obtenir le miel et la cire. ▶ **apiculteur, trice** n. ■ Éleveur(euse) d'abeilles.

apitoyer [apitwaje] v. tr. ■ conjug. 8. ■ Toucher de pitié. ⇒ **attendrir.** *Il cherche à m'apitoyer.* — S'APITOYER v. pron. réfl. : être touché de pitié.

⇒ **compatir.** *Il s'apitoie sur son sort.* ▶ **apitoiement** [apitwamɑ̃] n. m. ■ Fait de s'apitoyer. ⇒ **pitié.**

aplanir [aplaniʀ] v. tr. ■ conjug. 2. **1.** Rendre plan ou uni (en faisant disparaître les inégalités, les aspérités). ⇒ **égaliser, niveler.** *Aplanir un chemin.* **2.** Abstrait. Faciliter (un chemin), lever (une difficulté). *Les difficultés, les obstacles sont maintenant aplanis.*

aplatir [aplatiʀ] v. tr. ■ conjug. 2. **1.** Rendre plat. *Aplatir une tôle à coups de marteau, au laminoir. Aplatir de la pâte avec un rouleau.* **2.** S'APLATIR v. pron. réfl. : tomber à plat ventre. ⇒ **s'étaler.** *S'aplatir de tout son long.* — S'écraser. *Sa voiture s'est aplatie contre un arbre.* — Abstrait. *S'aplatir devant qqn,* s'humilier, ramper. ▶ **aplati, ie** adj. ■ Dont la courbure ou la saillie est moins accentuée que l'état premier ou habituel. *La Terre est aplatie aux pôles.* **2.** Fam. Abattu, épuisé. *Je me sens tout aplati.* ▶ **aplatissement** n. m. ■ État de ce qui est aplati.

aplomb [aplɔ̃] n. m. **1.** État d'équilibre d'un corps, d'un objet vertical. / contr. **déséquilibre** / *Le mur a perdu son aplomb.* **2.** Confiance en soi. *Retrouver son aplomb.* ⇒ **sang-froid.** — Péj. Assurance qui va jusqu'à l'audace effrontée. ⇒ **culot, toupet.** *Vous en avez, de l'aplomb !* / contr. **timidité** / **3.** D'APLOMB loc. adv. : en équilibre stable. *Bien d'aplomb sur ses jambes, il s'immobilisa.* — Abstrait. En bon état physique et moral. *Ce mois de détente me remit d'aplomb.*

apocalypse [apɔkalips] n. f. ■ Fin du monde. *Une vision d'apocalypse.* ▶ **apocalyptique** adj. ■ Qui évoque la fin du monde, de terribles catastrophes. *Un paysage apocalyptique.*

apocope [apɔkɔp] n. f. ■ Chute d'un ou plusieurs phonèmes à la fin d'un mot (opposé à *aphérèse*). On dit « télé » pour « télévision » par apocope.

apocryphe [apɔkʀif] adj. ■ Dont l'authenticité est au moins douteuse. ⇒ **controuvé, faux, inauthentique.** *Une lettre apocryphe de Napoléon.* / contr. **authentique** /

apogée [apɔʒe] n. m. ■ Le point le plus élevé, le plus haut degré. ⇒ **comble, faîte, sommet, zénith.** *Il était à l'apogée de sa grandeur. La crise a atteint son apogée.*

apolitique adj. ■ Qui se tient en dehors de la lutte politique. *Le syndicat se déclare apolitique.* / contr. **politisé** /

apollon [apɔlɔ̃] n. m. ■ Fam. Homme d'une grande beauté. ⇒ **adonis, éphèbe.** *Ce n'est pas un apollon !*

apologie [apɔlɔʒi] n. f. ■ Discours, écrit visant à défendre, à justifier une personne, une doctrine. — Discours flatteur. *Le directeur a fait l'apologie de son prédécesseur.* / contr. **condamnation, critique** / ▶ **apologétique** n. f. ■ Partie de la théologie ayant pour objet d'établir, par des arguments historiques et rationnels, le fait de la révélation chrétienne.

apologue [apɔlɔg] n. m. ■ Petit récit visant essentiellement à illustrer une leçon morale.

aponévrose [apɔnevʀoz] n. f. ■ Membrane fibreuse qui enveloppe un muscle.

apophtegme [apɔftɛgm] n. m. ■ Didact. Parole mémorable ayant une valeur de maxime.

apophyse [apɔfiz] n. f. ■ Éminence à la surface d'un os. *Les vertèbres cervicales ont des apophyses aiguës.*

apoplexie [apɔplɛksi] n. f. ■ Arrêt brusque et plus ou moins complet des fonctions cérébrales, avec perte de la connaissance et du mouvement volontaire et sans que la respiration et la circulation soient suspendues. ⇒ **hémorragie** cérébrale. *Être frappé d'apoplexie.* ▶ *apoplectique* adj. ■ Qui a, annonce une prédisposition à l'apoplexie. *Un teint apoplectique.* ⇒ **congestionné.**

apostat [aposta] n. m. ■ Celui qui a renié sa foi. *Julien l'Apostat.* ▶ *apostasie* n. f. ■ Reniement de la foi chrétienne.

a posteriori [aposteʀjɔʀi] adj. invar. et adv. **1.** Adj. Qui est postérieur à l'expérience. *Notion a posteriori,* acquise grâce à l'expérience. **2.** Adv. Postérieurement à l'expérience. *Il a reconnu a posteriori ses torts.* / contr. **a priori** /

apostolat [apostola] n. m. **1.** Prédication, propagation de la foi. **2.** Mission qui requiert les qualités d'un apôtre, de l'énergie et du désintéressement. *L'enseignement est un apostolat.*

apostolique [apostolik] adj. **1.** Qui vient des apôtres, est conforme à leur mission. *L'Église catholique, apostolique et romaine.* **2.** Qui émane ou dépend du Saint-Siège. *Nonce apostolique.*

① *apostrophe* [apostʀɔf] n. f. **1.** Figure de rhétorique par laquelle un orateur interpelle tout à coup une personne ou même une chose qu'il personnifie. **2.** Interpellation brusque, sans politesse. *Les apostrophes des automobilistes.* **3.** *Mot (mis) en apostrophe,* dont la fonction grammaticale est de désigner la personne à qui l'on s'adresse. *Le nom « Jean » est en apostrophe dans « Jean, tais-toi ! ».* ▶ *apostropher* v. tr. ■ conjug. 1. ■ Adresser brusquement la parole à (qqn), sans politesse. *Elle l'a apostrophé dans la rue pour lui dire son fait.* — Pronominalement (récipr.). *Chauffeurs qui s'apostrophent et s'injurient.*

② *apostrophe* n. f. ■ Signe (') qui marque l'élision d'une voyelle (ex. : *l'amour*).

apothéose [apoteoz] n. f. **1.** Dans l'Antiquité. Déification des empereurs romains, des héros après leur mort. **2.** Honneurs extraordinaires rendus à qqn. **3.** Épanouissement sublime. *Pour les hommes de génie, la vieillesse est une apothéose.* — La partie la plus brillante d'une manifestation. *Cette pièce a été l'apothéose du festival.*

apothicaire [apotikɛʀ] n. m. **1.** Vx. Pharmacien. **2.** COMPTE D'APOTHICAIRE : très long et compliqué.

apôtre [apotʀ] n. m. **1.** Chacun des douze disciples que Jésus-Christ choisit pour prêcher l'Évangile. **2.** Celui qui propage la foi chrétienne ⇒ **prédicateur,** fait des conversions. **3.** Personne qui propage, défend une doctrine, une opinion. *Elle s'est faite l'apôtre de cette idée.* ⟨▶ apostolat, apostolique ⟩

apparaître [apaʀɛtʀ] v. intr. ■ conjug. 57. **1.** Devenir visible, distinct ; se montrer tout à coup aux yeux. ⇒ se **manifester,** se **montrer, paraître,** se **présenter, surgir.** *Elle apparut en chemise de nuit.* **2.** Commencer d'exister, se faire jour. *Ces espèces sont apparues sur la Terre pendant l'ère tertiaire. Les difficultés n'apparaissent qu'à l'exécution.* — Abstrait. Se révéler à l'esprit par une manifestation apparente. *Tôt ou tard, la vérité apparaît.* ⇒ se **dévoiler, jaillir.** **3.** APPARAÎTRE À *qqn* : se présenter à l'esprit sous tel ou tel aspect. *Tout cela m'apparaît comme une plaisanterie.* — (Suivi d'un adj. attribut) Avoir tel ou tel aspect. ⇒ **paraître, sembler.** *Cela apparaît très difficile.* **4.** Impers. IL APPARAÎT QUE (+ indicatif) : il ressort de ces constatations que ; il est clair, manifeste que. *Il apparaît, à la lecture des textes, que la loi est

pour vous. ⟨▶ apparence, apparent, appariteur, apparition, il appert, réapparaître ⟩

① *apparat* [apaʀa] n. m. ■ Éclat pompeux, solennel (d'une cérémonie). *Le monument fut inauguré en grand apparat. Une réception sans apparat.* — D'APPARAT : de cérémonie. *Costume, discours d'apparat.*

② *apparat* n. m. ■ APPARAT CRITIQUE : notes et variantes d'un texte.

appareil [apaʀɛj] n. m. **I. 1.** Littér. Ensemble d'arrangements pris pour le déroulement d'une cérémonie. *Un magnifique appareil.* — Loc. *Dans le plus simple appareil,* peu habillé, en négligé ; tout nu. **2.** Ensemble d'éléments qui concourent au même but en formant un tout. *L'appareil des lois,* législatif, l'ensemble de leurs dispositions. — *L'appareil d'un parti,* l'ensemble de ses organismes administratifs permanents. *L'appareil policier d'un gouvernement.* **3.** Ensemble des organes remplissant une même fonction physiologique. ⇒ **système.** *Appareil digestif.* **II. 1.** Assemblage de pièces ou d'organes réunis en un tout pour exécuter un travail, observer un phénomène, prendre des mesures. ⇒ **machine ; instrument ; engin.** *Appareils ménagers. Appareil photographique. Appareils de prothèse.* **2.** (Sans compl.) APPAREIL : téléphone. *Allô ! Qui est à l'appareil ?* — Avion. *L'appareil décolle.* — Dentier ; tiges métalliques pour redresser les dents. *Porter un appareil.* ▶ ① *appareillage* n. m. ■ Ensemble d'appareils (II) et d'accessoires divers disposés pour un certain usage. *Appareillage électrique.*

① *appareiller* [apaʀeje] v. intr. ■ conjug. 1. ■ (Bateaux) Se disposer au départ, quitter le mouillage, le port. ⇒ **lever** l'ancre. / contr. **mouiller** / *Le yacht a appareillé ce matin.* ▶ ② *appareillage* n. m. ■ Action d'appareiller, de quitter le port. ⇒ **départ.** / contr. **mouillage** /

② *appareiller* v. tr. ■ conjug. 1. ■ Réunir des choses semblables (pareilles*) ou qui s'accordent. ⇒ **assortir.** / contr. **dépareiller** / *Appareiller des rideaux.* — Au p. p. (Personnes) *Ils sont bien (mal) appareillés,* ils vont bien (mal) ensemble.

apparemment [apaʀamɑ̃] adv. ■ Selon toute apparence. *Apparemment, il n'a pas changé.*

apparence [apaʀɑ̃s] n. f. **1.** Aspect qui nous apparaît de qqch., ce qu'on voit d'une personne ou d'une chose, la manière dont elle se présente à nos yeux. ⇒ **air, mine, tournure.** *On a repeint la maison pour lui donner une belle apparence. Un garçon d'apparence maladive.* **2.** L'aspect, l'extérieur d'une chose considérés comme différents de cette chose (réalité). ⇒ **dehors, façade.** *On ne doit pas juger sur les apparences, se fier aux apparences. Un caractère indomptable sous une apparence de douceur.* — Au plur. *Garder, ménager, sauver les apparences,* ne laisser rien apercevoir de ce qui pourrait nuire à sa propre réputation ou à celle de qqn. ⇒ **bienséance, convenance.** — EN APPARENCE loc. adv. : extérieurement, autant qu'on peut en juger d'après ce qu'on voit. *La situation ne s'améliore qu'en apparence.* — CONTRE TOUTE APPARENCE loc. adv. : en dépit de ce qui paraît. *Contre toute apparence, le suspect était innocent.*

apparent, ente [apaʀɑ̃, ɑ̃t] adj. **1.** Qui apparaît, se montre clairement aux yeux. ⇒ **visible, ostensible.** *Porter un insigne d'une manière apparente. Des défauts très apparents.* / contr. **invisible** / **2.** Abstrait. Évident, manifeste. *Sans cause apparente.* / contr. **caché** / **3.** Qui n'est pas tel qu'il paraît être ; qui n'est qu'une apparence. *Le mouvement apparent du Soleil

autour de la Terre. *Contradictions apparentes.* / contr.
réel / ‹ ▶ apparemment ›

apparenté, ée [apaʀɑ̃te] adj. **1.** Dans des rapports de parenté. *Il est apparenté à mon mari,* de la
même famille. *Ils sont apparentés.* **2.** Allié par
l'apparentement électoral. *Listes apparentées.* **3.** Qui
ressemble à, est en rapport avec. *Deux styles
apparentés.* ▶ ***apparentement*** n. m. ■ Alliance
électorale entre deux listes de candidats qui ont la
faculté de grouper leurs voix. ▶ ***s'apparenter*** v. pron.
■ conjug. 1. — REM. S'emploie avec la prép. *à.* **1.** Rare.
S'allier par le mariage. *S'apparenter à une famille.*
2. S'allier par l'apparentement électoral. **3.** (Choses)
Avoir une ressemblance avec, être de même nature.
*Le goût de l'orange s'apparente à celui de la
mandarine.*

appariteur [apaʀitœʀ] n. m. ■ Huissier ; spécialt,
huissier de faculté. *Les appariteurs de la Sorbonne.*

apparition [apaʀisjɔ̃] n. f. **1.** Action d'apparaître,
de se montrer aux yeux. ⇒ **manifestation.** *La
soudaine apparition de boutons sur la peau.* / contr.
disparition / — (Personnes) Le fait d'arriver, d'apparaître dans une compagnie. *Ne faire qu'une courte
apparition.* **2.** Venue à l'existence (d'une chose nouvelle). *L'apparition d'une technique, de l'aviation.*
— Abstrait. *L'apparition d'idées nouvelles.* **3.** Manifestation d'un être invisible qui se montre tout à coup
sous une forme visible. *Apparition de Jésus-Christ aux
apôtres.* **4.** Vision de cette forme visible. *Avoir des
apparitions.* ⇒ **vision.** — Être imaginaire que l'on
croit apercevoir. ⇒ **fantôme, revenant, spectre.**
L'apparition s'enfuit.

appartement [apaʀtəmɑ̃] n. m. ■ Partie d'une
maison composée de plusieurs pièces qui servent
d'habitation. ⇒ **logement.** *Il y a deux appartements
par étage dans cet immeuble. Louer un appartement.*
— Au plur. Suite de pièces dans une demeure luxueuse.

appartenir [apaʀtəniʀ] v. intr. ■ conjug. 22.
— APPARTENIR À. **1.** Être à qqn en vertu d'un droit,
d'un titre. ⇒ **être** à. *Il est en possession d'un bien qui
ne lui appartient pas.* **2.** (Personnes) *Appartenir à qqn,*
être le bien, la chose de qqn. *Il lui appartenait corps
et âme.* — Se donner physiquement. *Elle ne vous
appartiendra jamais.* **3.** S'APPARTENIR v. pron. réfl. :
être libre, ne dépendre que de soi-même. *Avec tous
ces enfants, je ne m'appartiens plus.* **4.** Impers.
Convenir, être l'apanage de. *Il appartient aux parents
d'élever leurs enfants,* c'est leur rôle, leur devoir. *Il
vous appartient de,* c'est à vous de. **5.** Faire partie de
(qqch.). *Appartenir à une vieille famille du pays.*
— Cette question appartient à la philosophie, en relève.
▶ ***appartenance*** n. f. **1.** Le fait d'appartenir. *Son
appartenance à la communauté juive.* **2.** Mathématiques. Propriété d'être un élément d'un ensemble (a
∈ P = a *appartient à l'ensemble* P).

appas [apɑ] n. m. pl. ■ Vx. Attraits, charmes. *Les
appas de la gloire.* ≠ **appât.**

appât [apɑ] n. m. **1.** Produit, en général comestible,
qui sert à attirer des animaux pour les prendre.
⇒ **amorce.** ≠ *appeau. Mettre des appâts aux
hameçons. Poisson qui mord à l'appât.* **2.** Ce qui attire,
pousse à faire qqch. *L'appât du gain lui ferait faire
n'importe quoi.* ⇒ *appas.* ▶ ***appâter*** v. tr.
■ conjug. 1. **1.** Garnir d'un appât. *Appâter l'hameçon.*
⇒ **amorcer.** **2.** Attirer (qqn) par l'appât d'un gain,
d'une récompense. ⇒ **séduire.** *Appâter qqn par de
belles promesses.*

appauvrir [apovʀiʀ] v. tr. ■ conjug. 2. **1.** Rendre
pauvre. *Des guerres continuelles ont appauvri ce pays.*
/ contr. **enrichir** / **2.** Faire perdre sa richesse à

(qqch.). *Ces cultures appauvrissent le sol. Appauvrir
le sang.* ⇒ **anémier.** — Pronominalement (réfl.). *La
langue risque de s'appauvrir.* ▶ ***appauvrissement***
n. m. ■ *L'appauvrissement d'une famille. L'appauvrissement d'un gisement.* / contr. **enrichissement** /

appeau [apo] n. m. ■ Instrument avec lequel on
imite le cri des oiseaux pour les attirer au piège ;
oiseau dressé à appeler les autres et à les attirer dans
les filets. *Des appeaux.* ≠ *appât.*

appel [apɛl] n. m. **1.** Action d'appeler pour faire
venir à soi, pour obtenir une réponse. *Crions plus fort,
ils n'ont pas entendu notre appel. Répondre, accourir
à un appel. Un appel au secours.* — *Appel téléphonique,* par lequel le correspondant est appelé. **2.** Action
d'appeler à haute voix des personnes par leur nom
afin de s'assurer de leur présence. *Faire l'appel. Être
présent, répondre à l'appel. Être absent, manquer à
l'appel.* **3.** Action d'appeler sous les drapeaux. *L'appel
du contingent, de la classe.* ⇒ **recrutement ; incorporation.** — *Devancer l'appel,* s'engager dans l'armée
avant l'âge légal de l'appel. *Appel aux armes.*
⇒ **mobilisation.** **4.** *Faire un* APPEL DE FONDS :
demander un nouveau versement de fonds à des
actionnaires, des associés, des souscripteurs. **5.** Discours ou écrit dans lequel on s'adresse au public pour
l'exhorter. ⇒ **exhortation, proclamation.** *Appel à
l'insurrection. L'appel du général de Gaulle* (18 juin
1940). **6.** FAIRE APPEL : requérir comme
une aide. *Faire appel à qqn, à la générosité de qqn.
Faire appel à ses souvenirs,* les évoquer. — Loc. *Appel
du pied,* paroles, allusion constituant une demande.
7. En droit. FAIRE APPEL : recourir à une juridiction
supérieure en vue d'obtenir la réformation d'un
jugement. *Faire appel d'un jugement de première
instance.* — *Cour d'appel. Décision sans appel,*
sans possibilité de recours. **8.** SANS APPEL : irrémédiablement. *Le monde est voué sans appel à la course
aux armements.* **9.** APPEL D'AIR : tirage qui facilite
la combustion dans un foyer. ‹ ▶ appeau, rappel ›

① ***appeler*** [aple] v. tr. ■ conjug. 4. **1.** Inviter (qqn)
à venir, à répondre, en prononçant son nom, par
un mot, un cri, un bruit. ⇒ **interpeller ; apostropher.**
*Appelez le garçon. Appeler qqn à son aide, à son
secours.* **2.** Joindre qqn par téléphone. *Je vous
appellerai tous les jours pour prendre de vos nouvelles.*
3. Inviter (qqn) à venir. ⇒ **convoquer, demander.**
Appeler le médecin. **4.** *Appeler qqn à une charge, une
fonction, un poste,* le choisir, le désigner pour.
5. (Choses) Demander, exiger, entraîner. ⇒ **réclamer.**
*Ce grave sujet appelle toute votre attention. Cette
conduite appelle votre sévérité.* **6.** *Appeler l'attention
de qqn sur qqch.,* faire remarquer. **7.** EN APPELER À :
s'en remettre à. *J'en appelle à votre bon cœur.*
▶ ***appelé, ée*** adj. et n. m. **1.** Qui est appelé. *Une
carrière où il y a beaucoup d'appelés et peu d'élus,*
qui est recherchée mais où il est difficile de réussir.
2. APPELÉ À (+ infinitif) : désigné pour, dans la
nécessité de. *Si nous étions appelés à partir.* **3.** N. m.
Jeune homme incorporé dans l'armée pour faire son
service militaire. *Les appelés de cette année.*
⇒ **conscrit.** ‹ ▶ appel, rappeler ›

② ***appeler*** v. tr. ■ conjug. 4. **1.** Donner un nom
à (qqn) ou (qqch.). *Ils appelleront leur prochaine fille
Hélène.* ⇒ **nommer.** *Appeler un médecin « docteur ».
C'est ce qu'on appelle une idiotie ! Appeler les
choses par leur nom,* ne pas affaiblir par des mots ce
que certaines vérités peuvent avoir de dur ou de
choquant. **2.** S'APPELER v. pron. : avoir pour nom.
Je m'appelle Paul. Comment s'appelle cette fleur ?
— Fam. *Cela s'appelle parler, voilà ce qui s'appelle
parler,* voilà un langage ferme et franc. ▶ ***appellation*** [ape(ɛl)lasjɔ̃] n. f. **1.** Action, façon d'appeler une

chose. ⇒ **dénomination**, **désignation**. *L'appellation d'une chose nouvelle.* **2.** Nom qu'on donne à une chose. ⇒ **nom**. *Objet qui a plusieurs appellations.* — *Appellation d'origine*, désignation d'un produit par le nom du lieu où il a été récolté ou fabriqué.

appendice [apɛ̃dis] n. m. **1.** Partie qui prolonge une partie principale, semble ajoutée à elle. **2.** Petite cavité en doigt de gant qui prolonge le cæcum. *Inflammation de l'appendice.* ⇒ **appendicite**. **3.** Supplément placé à la fin d'un livre et qui contient des notes, des documents. ▶ *appendicite* n. f. ■ Inflammation de l'appendice (2). *Crise d'appendicite.*

appentis [apɑ̃ti] n. m. invar. ■ Petit bâtiment à toit en auvent à une seule pente, adossé à un mur et soutenu par des poteaux ou des piliers. *Ranger sa bicyclette sous l'appentis.*

il appert [ilapɛʀ] v. impers. — REM. Ne s'emploie qu'au présent. ■ En droit. *Il appert que* (+ indicatif), il est évident (il apparaît) que.

s'appesantir [apəzɑ̃tiʀ] v. pron. ▪ conjug. 2. **1.** Devenir plus pesant, moins agile. *Ses yeux s'appesantissaient de sommeil.* **2.** *S'appesantir sur un sujet, sur des détails,* s'y arrêter, en parler trop longuement. ⇒ **insister**. / contr. **glisser** / — Sans compl. *Inutile de s'appesantir.* ▶ *appesantissement* n. m. ■ État d'une personne rendue moins agile.

appétence [apetɑ̃s] n. f. ■ Littér. Tendance qui porte l'être vers ce qui peut satisfaire ses penchants naturels. ⇒ **appétit**, **envie**. *Son appétence de nouveauté.*

appétit [apeti] n. m. **1.** Désir de nourriture, plaisir que l'on trouve à manger. *Avoir de l'appétit. Un bon appétit. Manger sans appétit. Il a perdu l'appétit. Bon appétit !* — Abstrait. PROV. *L'appétit vient en mangeant,* plus on a, plus on veut avoir. **2.** *Appétit de,* désir pressant de (qqch.). ⇒ **soif**. *Un appétit de bonheur insatiable.* **3.** Au plur. Mouvement qui porte à rechercher ce qui peut satisfaire un besoin organique, un instinct. *Appétits naturels. Appétits sexuels.* ▶ *appétissant, ante* adj. **1.** Dont l'aspect, l'odeur met en appétit ; qu'on a envie de manger. *Un pâté appétissant.* **2.** Qui met en goût, plaît. ⇒ **affriolant, attirant, engageant**. / contr. **repoussant** /

applaudir [aplodiʀ] v. ▪ conjug. 2. **I.** V. intr. Battre des mains en signe d'approbation, d'admiration ou d'enthousiasme. *Le public applaudit.* **II.** Littér. APPLAUDIR À qqch. : donner son complet assentiment à. *J'applaudis à votre initiative.* ⇒ **approuver**. **III.** V. tr. APPLAUDIR qqn, qqch. **1.** Accueillir, saluer par des applaudissements. *Applaudir un acteur.* ⇒ **acclamer**. *Son discours a été chaleureusement applaudi.* / contr. **huer** / **2.** S'APPLAUDIR DE qqch. : être content, heureux de qqch. ⇒ se **féliciter**. ▶ *applaudissement* n. m. ■ Battement des mains en signe d'approbation, d'admiration ou d'enthousiasme. ⇒ **bravo**. *Ce discours soulève des applaudissements. Les applaudissements éclatent, retentissent.* / contr. **huée** /

① *appliquer* [aplike] v. tr. ▪ conjug. 1. **I.** **1.** Mettre (une chose) sur une autre de manière qu'elle recouvre et y adhère, ou y laisse une empreinte. *Appliquer une couche de peinture sur un mur.* ⇒ **étendre**. — Faire subir, supporter à ; faire porter sur. *Appliquer à qqn un traitement. Appliquer une punition.* — *Il lui appliqua un baiser sur la joue.* **2.** Faire servir (pour telle ou telle chose, cas). ⇒ **employer, utiliser**. *Appliquer un traitement à une maladie. Appliquer une recette.* **3.** Rapporter (à un objet ce qui était dit d'un autre). *Appliquer un nom, un cas, un exemple à qqn.* ⇒ **attribuer, donner**.

4. Mettre en pratique. *Appliquer une peine. Il faut appliquer le règlement.* **II.** S'APPLIQUER v. pron. **1.** Se placer, être appliqué. *Une lame qui s'applique exactement sur une autre.* ⇒ **recouvrir**. **2.** Être adapté, applicable à. ⇒ **convenir**. *Cette remarque s'applique à tout le monde.* ⇒ **concerner, intéresser, viser**. ▶ *applicable* adj. ■ Qu'on peut appliquer (à qqch., qqn). *Cette loi n'est pas applicable aux étrangers.* / contr. **inapplicable** / ▶ ① *application* n. f. **1.** Action de mettre une chose sur une autre de manière qu'elle la recouvre et y adhère. *L'application d'un papier sur un mur. Application d'une pommade sur une blessure.* **2.** Action de faire porter sur qqch. *Point d'application d'une force.* **3.** Utilisation pour, en. *L'application des sciences à l'industrie. Application d'une loi (à une catégorie de gens...).* **4.** Souvent au plur. Utilisation possible, cas d'utilisation. ⇒ **destination**. *Les applications d'un remède,* les cas dans lesquels il est applicable. *Les applications d'une découverte scientifique.* **5.** Mise en pratique. *Mettre une idée, une théorie en application. L'application des règles.* ▶ *applicateur* adj. et n. m. ■ Qui sert à appliquer un produit. *Tampon, pinceau applicateur.* — N. m. *Un applicateur.* ▶ *applique* n. f. **1.** Tout ce qui est appliqué, fixé, plaqué sur un objet pour l'orner ou le rendre solide. **2.** Appareil d'éclairage fixé au mur. ▶ ① *appliqué, ée* adj. ■ Mis en pratique. *Les sciences appliquées,* qui utilisent les résultats théoriques de la science. *Les arts appliqués* (décoration, mobilier). ‹ **inapplicable** ›

② *s'appliquer* v. pron. ▪ conjug. 1. ■ Apporter une attention soutenue (à qqch.), prendre soin de faire (qqch.). *S'appliquer à une étude, un travail.* — Sans compl. Travailler avec zèle, application. *Cet écolier s'applique.* ▶ ② *application* n. f. ■ Action d'appliquer son esprit, de s'appliquer ; qualité d'une personne appliquée. ⇒ **attention**. *Il travaille avec application.* / contr. **négligence** / *Manquer d'application.* ▶ ② *appliqué, ée* adj. **1.** Qui s'applique. *Un écolier appliqué.* ⇒ **travailleur**. **2.** (Choses) Qui prouve l'application. *Une écriture appliquée.*

appoint [apwɛ̃] n. m. **1.** Complément d'une somme en petite monnaie. *Faire l'appoint,* ajouter le complément en petite monnaie. **2.** Ce qu'on ajoute à qqch. pour compléter. ⇒ **complément, supplément**. *Ressources, salaire d'appoint. Chauffage d'appoint.*

appointer [apwɛ̃te] v. tr. ▪ conjug. 1. ■ Donner des appointements. ⇒ **rétribuer**. ▶ *appointements* n. m. pl. ■ Rétribution fixe, mensuelle ou annuelle, qui est attachée à une place, un emploi régulier (surtout pour les employés). ⇒ **salaire**. *Recevoir des appointements.*

appontement [apɔ̃tmɑ̃] n. m. ■ Plate-forme avec tablier et pont sur pilotis le long de laquelle un navire vient s'amarrer. ≠ *quai*.

apporter [apɔʀte] v. tr. ▪ conjug. 1. **I.** Concret. **1.** *Apporter qqch. à qqn,* porter (qqch.) au lieu où est qqn. *Allez me chercher ce livre et apportez-le-moi.* — *Apporter une chose quelque part,* la porter avec soi en venant. *Quand vous viendrez, apportez vos outils.* **2.** Fournir pour sa part. *Apporter des capitaux.* **II.** Abstrait. **1.** Manifester, montrer (auprès de qqn, quelque part, pour faire qqch.). *Apporter du soin à qqch., à faire qqch.* ⇒ **employer, mettre**. **2.** Donner, fournir (à qqn) un élément de connaissance. *Je viens vous apporter de mauvaises nouvelles.* ⇒ **apprendre**. *Son intervention n'apporte rien. Apporter des explications.* ⇒ **donner, fournir**. **3.** Fournir à qqn (ce qu'on a produit, ce qu'on a fait naître). *Il a apporté un soulagement à ma détresse.* **4.** (Choses) Être la cause de (qqch.). *Les changements que l'automobile a* *apportés dans la vie quotidienne.* ⇒ **amener, entraîner, produire.** ▶ *apport* n. m. **1.** Action d'apporter. *Un apport d'argent.* **2.** Bien apporté. *Apports en société,* biens apportés par l'actionnaire. **3.** Contribution. *Sa collaboration constitue un apport non négligeable.* ⟨ ▶ rapport, rapporter ⟩

apposer [apoze] v. tr. ▪ conjug. 1. ▪ Droit. Mettre sur qqch. *Apposer sa signature,* signer. *Apposer les scellés.*

apposition [apozisjɔ̃] n. f. ▪ Procédé par lequel deux termes, simples (noms, pronoms) ou complexes (propositions), sont juxtaposés, sans lien (ex. : *la Lune, satellite de la Terre*). *Mot en apposition.*

apprécier [apresje] v. tr. ▪ conjug. 7. **1.** Déterminer le prix, la valeur de (qqch.). ⇒ **estimer, évaluer.** *L'expert a apprécié le mobilier à tel prix.* **2.** Déterminer approximativement, par les sens. *Apprécier une distance, une vitesse.* ⇒ **estimer, juger. 3.** Abstrait. Sentir, percevoir les qualités de (qqch.). *Il faut avoir l'esprit subtil pour apprécier une telle nuance.* ⇒ **discerner, saisir, sentir. 4.** Porter un jugement favorable sur ; aimer, goûter. *Apprécier la musique. Apprécier un plat. Je n'apprécie pas beaucoup son procédé.* — *Apprécier qqn.* ⇒ **estimer, priser.** / contr. **mépriser** / ▶ *appréciable* adj. **1.** Qui peut être apprécié, évalué. *La différence est à peine appréciable.* ⇒ **sensible, visible.** — Assez considérable. ⇒ **important, notable.** *Un changement appréciable.* **2.** Qui a une valeur, de l'agrément. ⇒ **intéressant, précieux.** *Un grand jardin en ville, c'est appréciable.* ▶ *appréciation* n. f. **1.** Action d'apprécier, de déterminer le prix, la valeur de qqch. ⇒ **estimation, évaluation. 2.** Le fait de juger. ⇒ **jugement.** *Laisser, soumettre une décision à l'appréciation de qqn.* **3.** Opinion. *Il a noté ses appréciations en marge du texte.* ⇒ **annotation, note, observation.** *Une appréciation favorable.* ⟨ ▶ inappréciable ⟩

① *appréhender* [apreɑ̃de] v. tr. ▪ conjug. 1. **1.** Arrêter (qqn). *La police a appréhendé le suspect.* / contr. **relâcher** / **2.** En philosophie. Saisir par l'esprit.

② *appréhender* v. tr. ▪ conjug. 1. ▪ Envisager (qqch.) avec crainte, s'en inquiéter par avance. ⇒ **craindre.** *Il appréhende cet examen.* ▶ *appréhension* [apreɑ̃sjɔ̃] n. f. ▪ Action d'envisager qqch. avec crainte ; crainte vague, mal définie. ⇒ **anxiété, pressentiment.** *Il a un peu d'appréhension avant son examen.* / contr. **confiance** /

apprendre [aprɑ̃dr] v. tr. ▪ conjug. 58. **I.** (Sens subjectif) **1.** Être avisé, informé de (qqch.). *Apprendre une nouvelle par la radio. J'ai appris que vous étiez rentré de voyage.* **2.** Chercher à acquérir un ensemble de connaissances par un travail intellectuel ou par l'expérience. *Apprendre l'allemand. Apprendre sa leçon. Apprendre un texte par cœur. Il a appris le métier.* — Sans compl. S'instruire, acquérir des connaissances. *Le désir, le goût d'apprendre.* **3.** APPRENDRE À : chercher à devenir capable de. *Apprendre à lire, à écrire. Il apprend à conduire. Apprendre à supporter la douleur.* ⇒ **s'habituer.** — Sans compl. *Il apprend facilement.* **II.** (Sens objectif) **1.** Porter à la connaissance de qqn. ⇒ **avertir** de. *Je viens vous apprendre son arrivée, qu'il est arrivé.* **2.** Donner (à qqn) la connaissance, le savoir, la pratique de qqch. *Le professeur apprend aux élèves les verbes irréguliers anglais.* ⇒ **enseigner, expliquer.** *Il m'apprend à faire du ski, à jouer aux cartes. Cette lecture m'a beaucoup appris.* **3.** Loc. *Cela lui apprendra à vivre,* cela lui servira de leçon. — *Je lui apprendrai,* je le corrigerai, je le punirai. ⟨ ▶ apprenti ⟩

apprenti, ie [aprɑ̃ti] n. **1.** Personne qui est en apprentissage. **2.** Personne qui a peu de connaissances, d'expérience (dans un domaine). *Pour les affaires, je ne suis qu'un apprenti.* **3.** (Avec un nom en appos.) *Un apprenti maçon.* — Loc. L'APPRENTI SORCIER : celui qui déchaîne des événements dont il n'est pas capable d'arrêter le cours. ▶ *apprentissage* n. m. **1.** Le fait d'apprendre un métier manuel ou technique dans une école ou chez un particulier. *Mettre un garçon en apprentissage chez un pâtissier. Centre d'apprentissage.* **2.** Faire l'apprentissage de qqch., en commencer la pratique, s'y initier. *Les jeunes nations qui font l'apprentissage de l'indépendance.*

① *apprêter* [aprete] v. tr. ▪ conjug. 1. **1.** Vieilli. Préparer (la nourriture). *Apprêter un repas. L'art d'apprêter les mets.* ⇒ **accommoder. 2.** Technique. Soumettre à un apprêt. *Apprêter des étoffes, des cuirs, des peaux, du papier,* pour leur donner l'apparence, la consistance voulue. ▶ *apprêt* [apre] n. m. **1.** Opération que l'on fait subir aux matières premières (cuirs, textiles) avant de les travailler ou de les présenter. — Empesage d'une étoffe. **2.** Substance qui sert à apprêter (colle, empois, gomme). — Enduit que l'on étend sur une surface à peindre. **3.** Manière affectée d'agir ou de s'exprimer. ⇒ **affectation.** *Sans apprêt,* naturellement. ▶ *apprêté, ée* adj. ▪ Qui est trop étudié, peu naturel. ⇒ **affecté.** *Une lettre apprêtée.*

② *s'apprêter* v. pron. ▪ conjug. 1. **1.** Se préparer (à). *S'apprêter au départ.* ⇒ **se disposer.** *Je m'apprêtais justement à vous rendre visite.* **2.** Se préparer, s'habiller. *Elle s'est apprêtée pour sortir.*

apprivoiser [aprivwaze] v. tr. ▪ conjug. 1. **1.** Rendre moins craintif ou moins dangereux (un animal). *Apprivoiser un oiseau de proie.* ≠ **dresser.** — Au p. p. adj. *Panthère apprivoisée.* **2.** Rendre (une personne) plus docile, plus sociable. ⇒ **adoucir, amadouer.** *Il faut apprivoiser cet enfant.* **3.** S'APPRIVOISER v. pron. : (animaux) devenir moins sauvage ; (personnes) devenir moins farouche, plus sociable, plus familier. — Littér. *S'apprivoiser à qqch.,* s'y accoutumer. ⇒ **se familiariser.** *Je commence à m'apprivoiser à cette idée.* ▶ *apprivoisable* adj. ▪ *Un animal peu apprivoisable.* ▶ *apprivoisement* n. m. ▪ *L'apprivoisement d'un ours.* ≠ **dressage.** — *L'apprivoisement d'un enfant farouche.*

approbateur, trice ou *approbatif, ive* adj. ▪ Qui approuve, est signe qu'on approuve. *Geste, sourire approbateur.* ⇒ **favorable.** *Un silence approbateur.* ⇒ **consentant.** *Un signe de tête approbatif.* / contr. **désapprobateur, réprobateur** / ▶ *approbation* n. f. **1.** Le fait d'approuver ; accord que l'on donne. *Le préfet a donné son approbation à la délibération du conseil.* ⇒ **acceptation, acquiescement, adhésion, agrément, assentiment, autorisation, consentement.** / contr. **refus** / **2.** Jugement favorable ; témoignage d'estime ou de satisfaction. *Sa conduite est digne d'approbation. Manifester son approbation.* / contr. **blâme, critique, réprobation** / ⟨ ▶ désapprobation ⟩

approcher [aprɔʃe] v. ▪ conjug. 1. **I.** V. tr. dir. **1.** Mettre près, plus près. *Approchez ce fauteuil de la table.* / contr. **éloigner** / **2.** Venir près, s'avancer auprès de (qqn). *Ne m'approchez pas !* **3.** Avoir libre accès auprès de qqn, le voir habituellement. ⇒ **côtoyer, fréquenter.** *C'est un homme qu'on ne peut approcher,* un homme dont l'accès, ou la fréquentation, est difficile. **II.** V. tr. ind. et intr. **1.** Venir près, plus près (de qqn, qqch.). *Approchez que je vous regarde. N'approchez pas du feu. L'avion approchait du sol.* **2.** Être près, sur le point d'atteindre.

⇒ **toucher** à. *Approcher du but, du résultat. Approcher de la cinquantaine.* ⇒ **friser.** — *La nuit approche.* ⇒ **venir. 3.** Abstrait. Être proche de, presque identique à. *Approcher de la perfection.* III. S'APPROCHER (DE) v. pron. réfl. **1.** Venir près, aller se mettre auprès de (qqn, qqch.). *Le navire s'approche de la terre. Approchez-vous (de moi).* / contr. s'**éloigner** / **2.** Abstrait. *Il veut s'approcher le plus près possible de la perfection.* ▶ *approchable* adj. ■ Dont on peut approcher (à la négative). *Il est de très mauvaise humeur : il n'est pas approchable.* ▶ *approchant, ante* adj. ■ Qui se rapproche de. ⇒ **proche, voisin** de. — Qui a du rapport, de la ressemblance avec. ⇒ **semblable.** *Ce n'est qu'une image de la situation plus ou moins approchante. Ça vaut dans les cent francs ou quelque chose d'approchant.* ▶ *approche* n. f. **1.** À (*l', cette, son...*) APPROCHE : en approchant de. *Je presse le pas à l'approche de ma maison. Le chat ne fuyait pas à mon approche.* **2.** D'APPROCHE : pour s'approcher. Loc. *Travaux d'approche,* démarches intéressées, manœuvres pour arriver à un but. *Lunette d'approche,* qui fait paraître les objets plus proches. **3.** Au plur. Ce qui est près de. ⇒ **abord.** *Les approches d'une ville.* **4.** (Choses) Le fait d'approcher, d'être sur le point de se produire. *L'approche de la nuit, de l'hiver.* ⇒ **venue.** *À l'approche, aux approches de la trentaine.* **5.** Abstrait. Manière d'aborder l'étude d'une question. *L'approche sociologique des faits linguistiques.* ▶ *approché, ée* adj. ■ Approximatif. *Résultat approché.*

approfondir [apʀɔfɔ̃diʀ] v. tr. ■ conjug. 2. **1.** Rendre plus profond, creuser plus avant. *Approfondir un canal, un trou.* / contr. **combler** / **2.** Pénétrer plus avant dans une connaissance ; étudier à fond. ⇒ **creuser, fouiller.** *Approfondir une science, une question.* — Au p. p. adj. *La connaissance approfondie d'une langue.* ▶ *approfondissement* n. m. **1.** Action d'approfondir (1). *Travaux d'approfondissement d'un port.* **2.** Le fait de devenir, de rendre plus profond. *L'approfondissement d'un sujet, d'un problème.* ⇒ **analyse, examen.** — *L'approfondissement d'une pensée, d'un sentiment.*

approprier [apʀɔpʀije] v. tr. ■ conjug. 7. **1.** Rendre propre, convenable à un usage, à une destination. *Approprier son discours au public.* ⇒ **adapter.** — Au p. p. adj. *Rangez cet objet à la place appropriée.* ⇒ **convenable. 2.** S'APPROPRIER : faire sien ; s'attribuer la propriété de (ce qui appartient à un autre). *S'approprier le bien d'autrui.* ⇒ s'**emparer, usurper.** *Elle s'est approprié les livres qu'on lui avait prêtés.* ▶ *appropriation* n. f. ■ Action de s'approprier une chose (surtout sans en avoir le droit).

approuver [apʀuve] v. tr. ■ conjug. 1. **1.** Donner son accord à (qqch.). *Le conseil a approuvé l'ordre du jour.* ⇒ **accepter, admettre, entériner, ratifier ; approbation.** / contr. **repousser** / — Au p. p. adj. *Lu et approuvé* (formule au bas d'un acte). **2.** APPROUVER *qqch.* : juger bon, trouver louable. *Il approuve sa conduite et l'engage à persévérer.* ⇒ **apprécier, louer.** — (Avec *que* + subjonctif) *Je n'approuve pas qu'il ait cette attitude.* — APPROUVER *qqn* : être de son opinion ; le louer. *Nous l'approuvons dans sa décision, d'en avoir décidé ainsi.* / contr. **blâmer** / ⟨ ▶ approbateur, désapprouver ⟩

approvisionner [apʀɔvizjɔne] v. tr. ■ conjug. 1. **1.** Fournir de provisions. ⇒ **ravitailler.** *Le Moyen-Orient approvisionne la France en pétrole.* — *Approvisionner un compte en banque,* y déposer de l'argent. — Au p. p. adj. *Un magasin bien approvisionné,* qui offre un grand choix de marchandises. ⇒ **achalandé. 2.** S'APPROVISIONNER : se munir de provisions. *Ils se sont approvisionnés de bois pour l'hiver.* — Sans

compl. *S'approvisionner chez l'épicier du quartier.* ⇒ se **fournir.** ▶ *approvisionnement* n. m. **1.** Action d'approvisionner. ⇒ **ravitaillement. 2.** Ensemble des provisions rassemblées.

approximatif, ive [apʀɔksimatif, iv] adj. **1.** Qui est fait par approximation. *Calcul, nombre approximatif.* ⇒ **approché.** / contr. **exact** / **2.** Imprécis, vague. *S'exprimer en termes approximatifs.* ▶ *approximativement* adv. ■ *Cela fait approximativement 5 %.* ⇒ **environ,** à peu **près.** / contr. **exactement** / ▶ *approximation* n. f. **1.** Détermination approchée. *On calcule par approximation les racines des équations.* **2.** Estimation par à peu près. ⇒ **évaluation. 3.** Valeur approchée. *Ce n'est qu'une approximation.*

appuyer [apɥije] v. ■ conjug. 8. I. V. tr. **1.** Soutenir ou faire soutenir, supporter. *Appuyer* (une chose) *contre, à,* la placer contre une autre qui lui serve d'appui. *Appuyer une échelle contre un mur, une maison à un coteau.* ⇒ **adosser.** *Appuyer qqch. sur...* ⇒ **mettre, poser.** *Appuyer ses coudes sur la table.* **2.** Abstrait. Soutenir, rendre plus ferme, plus sûr. *Il appuie ses dires sur des motifs valables.* **3.** Fournir un moyen d'action, une protection, un soutien à (qqn, qqch.). *Appuyer qqn.* ⇒ **aider, encourager, patronner, protéger, recommander ;** fam. **pistonner.** *Appuyer un candidat à une élection.* ⇒ **soutenir.** — *Appuyer la demande de qqn.* **4.** Appliquer, presser une chose (sur, contre une autre). *Appuyer le pied sur la pédale.* II. V. intr. APPUYER (SUR). **1.** Être soutenu ; être posé sur. *La voûte appuie sur les arcs-boutants.* ⇒ **reposer. 2.** Peser plus ou moins fortement sur. ⇒ **peser, presser.** *Appuyez sur le levier.* **3.** Émettre avec force (un élément par rapport à l'entourage). *Appuyer sur un mot en parlant.* **4.** Insister avec force. *Il a appuyé sur le caractère primordial de cette question.* / contr. **glisser** / — Sans compl. *N'appuyez pas trop!* ⇒ **insister.** — Au p. p. adj. *Un compliment trop appuyé.* / contr. **discret** / **5.** Prendre une direction. *Appuyez sur la droite.* ⇒ se **diriger.** — APPUYER À (droite, gauche), aller vers (la droite, la gauche). III. S'APPUYER v. pron. **1.** S'aider, se servir comme d'un appui, d'un soutien. *Appuyez-vous sur mon bras. Elle s'est appuyée contre moi.* **2.** Faire fond sur qqn, sur qqch. *Vous pouvez vous appuyer entièrement sur lui.* ⇒ **compter.** *Il s'appuie sur des observations récentes.* ⇒ se **référer. 3.** Fam. *S'appuyer une corvée,* faire qqch. par obligation, contre son gré. — *S'appuyer qqn,* être obligé de le supporter. *Elle se l'est appuyé toute la journée.* ▶ *appui* [apɥi] n. m. I. **1.** Action d'appuyer, de s'appuyer sur qqch. PRENDRE APPUI *sur qqch.* : s'appuyer sur qqch. — HAUTEUR D'APPUI : hauteur suffisante pour s'appuyer sur le coude. *Une fenêtre à hauteur d'appui.* — POINT D'APPUI : point sur lequel une chose s'appuie. *Le point d'appui d'une poutre.* — Abstrait. *Chercher un point d'appui,* un soutien, un moyen d'action. **2.** À L'APPUI DE loc. prép. : pour appuyer, soutenir (une assertion, une opinion). *À l'appui de cette remarque, il cite plusieurs philosophes. Avec preuves à l'appui.* II. **1.** Ce qui sert à soutenir. ⇒ **soutien, support.** *Appui pour le coude* ⇒ **accoudoir,** *la tête* ⇒ **appui-tête.** *Appui d'une fenêtre, d'un balcon,* tablette où l'on peut s'appuyer. **2.** Abstrait. Soutien moral ou aide matérielle. *Demander l'appui de qqn.* ⇒ **aide, assistance, protection.** *Avoir un appui, de puissants appuis.* ▶ *appui-tête* n. m., ou *appuie-tête* [apɥitɛt] n. m. invar. ■ Dispositif destiné à soutenir la tête. *L'appui-tête réglable d'un fauteuil de dentiste. Des appuis-tête ; des appuie-tête.*

âpre [ɑpʀ] adj. **1.** Littér. Qui a une rudesse désagréable. *Froid, vent âpre.* ⇒ **rude.** — Cour. *Goût âpre,* qui produit une impression d'amertume, qui râcle la gorge. ⇒ **amer.** *Un fruit âpre.* **2.** Littér. Dur, pénible. *Une lutte âpre.* **3.** Être ÂPRE AU GAIN : avide. ▶ *âprement* adv. ■ Littér. Avec une énergie dure. *Une victoire âprement disputée.* ⇒ **farouchement.** ⟨ ▶ âpreté, aspérité ⟩

après [apɛ] prép. et adv. **I.** Prép. **1.** (Postériorité dans le temps) *Le printemps vient après l'hiver.* / contr. **avant** / *Ces événements sont arrivés les uns après les autres,* à la suite, en se succédant. *Ils président l'un après l'autre,* alternativement, tour à tour. *Après vous, je vous en prie,* formule de politesse. *Après ce que j'ai fait pour lui, me traiter de la sorte ! Nous allons déjeuner, après quoi nous nous mettrons en route.* — APRÈS QUE (+ indicatif) loc. conj. *Il est arrivé après que je suis parti (après que je sois...* est fautif). — APRÈS (+ infinitif passé). *Après avoir mangé, nous sommes sortis. Après être monté, il est redescendu.* — APRÈS COUP loc. adv. : après l'événement. ⇒ **a posteriori.** *Je n'ai compris qu'après coup.* **2.** (Postériorité dans l'espace) *Plus loin. Au bas de la côte, après le pont.* **3.** Derrière (qqn qui se déplace). *Passez après moi.* **4.** Indiquant un mouvement de poursuite, de recherche. *Courir après qqn,* pour le rejoindre, le rattraper. *Courir après son argent.* — ÊTRE APRÈS qqn : être toujours derrière lui, le suivre partout. ⇒ **importuner ; harceler. 5.** Plus bas, en étant subordonné, dans un ordre, une hiérarchie. *Après le lieutenant vient le sous-lieutenant.* ⇒ **sous. 6.** APRÈS TOUT loc. adv. : après avoir tout considéré, envisagé. *Après tout, cela m'est égal.* ⇒ en **définitive, au fond. 7.** D'APRÈS loc. prép. : en se conformant à, à l'imitation de. ⇒ **selon, suivant.** *Juger d'après l'expérience. D'après (ce que disent) les journaux, il se serait enfui.* **II.** Adv. *Vingt ans après.* ⇒ plus **tard.** / contr. **avant** / *Les événements qui survinrent après.* ⇒ **ensuite.** *Aussitôt après. Peu de temps, longtemps après.* — *La page d'après.* — CI-APRÈS loc. adv. : plus loin dans un texte. ⇒ **infra.** — (Pour engager, qqn à poursuivre) *Et après ? Et puis après ?* — (Pour marquer l'indifférence) *Il ne viendra pas ? et après ?, quelle importance ?* ▶ *après-demain* adv. ■ Au jour qui suivra demain. *L'affaire a été renvoyée à après-demain* (⇒ **surlendemain**). ▶ *après-guerre* n. m. ■ Période qui suit une guerre. *Des après-guerres.* ▶ *après-midi* n. m. ou f. invar. ■ Partie de la journée de midi jusqu'au soir. *Nous nous reverrons cet après-midi.* ⇒ **tantôt.** *Des après-midi ensoleillées.* ▶ *après-ski* n. m. ■ Bottillon souple, chaud, que l'on chausse lorsqu'on ne skie pas, aux sports d'hiver. *Des après-ski(s).* ▶ *après-vente* adj. invar. ■ *Service après-vente,* ensemble des services d'entretien assuré par un commerçant, une firme, après la vente d'un appareil. *Des services après-vente.*

âpreté [ɑprəte] n. f. **1.** Littér. Rudesse désagréable de ce qui est âpre*. / contr. **douceur** / *L'âpreté de l'hiver dans les montagnes. L'âpreté d'un vin.* **2.** Abstrait. Caractère dur, pénible, rude ou violent. *L'âpreté d'une lutte. L'âpreté de ses reproches.*

a priori [aprijɔri] adj. invar., adv. et n. m. invar. **1.** Adj. invar. En partant de données antérieures à l'expérience. *Argument a priori,* non fondé sur les faits. / contr. **a posteriori** / **2.** Adv. Au premier abord, avant toute expérience. *A priori, c'est une bonne idée.* **3.** N. m. invar. *Ce n'est pas convaincant, vous vous fondez sur des a priori.* ▶ *apriorisme* n. m. ■ Idée a priori.

à-propos [apropo] n. m. invar. ■ Ce qui vient à propos, est dit ou fait opportunément. *Esprit d'à-propos,* présence d'esprit. *Faire des digressions sans le moindre à-propos.*

apte [apt] adj. ■ Qui a des dispositions pour (faire qqch.). *Il est apte à faire de bonnes études.* ⇒ **capable.**

/ contr. **incapable** / *Apte au service militaire.* / contr. **inapte** / ▶ *aptitude* n. f. **1.** Disposition naturelle. ⇒ **penchant, prédisposition.** *Avoir une grande aptitude à (ou pour) faire qqch.* **2.** Capacité acquise. *Un salaire en rapport avec ses aptitudes.* ⇒ **capacité.** *Certificat d'aptitude professionnelle* (C.A.P.). ⟨ ▶ adapter, inapte ⟩

aptère [aptɛr] adj. ■ Qui est dépourvu d'ailes. *Insecte aptère.*

apurer [apyre] v. tr. ∙ conjug. 1. ■ Finances. Reconnaître (un compte) exact.

aquarelle [akwarɛl] n. f. ■ Peinture légère sur papier avec des couleurs transparentes délayées dans de l'eau. *Faire de l'aquarelle. Une aquarelle de Dufy.* ▶ *aquarelliste* n. ■ Peintre à l'aquarelle.

aquarium [akwarjɔm] n. m. ■ Réservoir à parois de verre dans lequel on entretient des plantes et des animaux aquatiques (poissons, etc.). *Des aquariums.*

aquatinte [akwatɛt] n. f. ■ Gravure à l'eau-forte imitant le lavis.

aquatique [akwatik] adj. ■ Qui croît, vit dans l'eau ou au bord de l'eau. *Plantes, animaux aquatiques.* ≠ *aqueux.*

aqueduc [akdyk] n. m. ■ Canal (surtout à l'air libre et surélevé) destiné à capter et à conduire l'eau d'un lieu à un autre. *L'aqueduc du pont du Gard. Des aqueducs.*

aqueux, euse [akø, øz] adj. ■ En sciences. Qui est de la nature de l'eau. ≠ *aquatique.*

aquilin [akilɛ̃] adj. m. ■ *Nez aquilin,* busqué et assez fin.

aquilon [akilɔ̃] n. m. ■ Littér. Vent du nord, froid et violent.

ara [ara] n. m. ■ Grand perroquet grimpeur, vivant en Amérique centrale. *Des aras.*

arabe [arab] adj. et n. **1.** De l'Arabie ; des peuples originaires de l'Arabie qui se sont répandus avec l'islam autour du bassin méditerranéen. — N. *Les Arabes,* le peuple sémite originaire d'Arabie et, plus couramment, les peuples islamisés (ex. : Kabyles, Berbères). — *L'arabe,* une des langues sémitiques. **2.** *Chiffres arabes* (opposé à *romains*), ceux de notre numérotation. « *Quinze* » *en chiffres arabes* (15), *en chiffres romains* (XV). ▶ *arabisant, ante* n. ■ Spécialiste de la langue, de la littérature arabes. ▶ *arabiser* v. tr. ∙ conjug. 1. ■ Donner un caractère social, culturel arabe à. ▶ *arabisation* n. f. ■ *L'arabisation de l'enseignement au Maghreb.* ⟨ ▶ arabesque, panarabe ⟩

arabesque [arabɛsk] n. f. **1.** Ornement formé de lettres, de lignes, de feuillages entrelacés (d'abord propre à l'art *arabe*). **2.** Ligne sinueuse, chose dont la forme rappelle l'arabesque. *La fumée décrivait des arabesques.*

arable [arabl] adj. ■ Qui peut être labouré. *Terres arables.* ⇒ **labourable.** ≠ *aratoire.*

arachide [araʃid] n. f. ■ Graine d'une plante tropicale ; cette plante. *Huile d'arachide. Arachides torréfiées.* ⇒ **cacahuète.**

arachnéen, enne [araknéɛ̃, ɛn] adj. ■ Littér. Qui a la légèreté de la toile d'araignée. *Une dentelle arachnéenne.*

arachnides [araknid] n. f. pl. ■ Classe d'animaux arthropodes, comprenant les araignées, les scorpions...

araignée [aʀɛɲe] n. f. **1.** Animal arthropode (arachnides*) caractérisé par des crochets inoculateurs de venin, des filières ventrales. *L'araignée tisse sa toile.* — TOILE D'ARAIGNÉE. **2.** Loc. fam. *Avoir une araignée dans le (au) plafond,* avoir l'esprit quelque peu dérangé. **3.** ARAIGNÉE DE MER : grand crabe à longues pattes.

aratoire [aʀatwaʀ] adj. ■ Qui sert à travailler la terre (⇒ **arable**). *Instruments aratoires.*

arbalète [aʀbalɛt] n. f. ■ Ancienne arme de trait, arc d'acier monté sur un fût et dont la corde se tendait avec un ressort.

arbitrage [aʀbitʀaʒ] n. m. **1.** Règlement d'un différend par une ou plusieurs personnes ⇒ **arbitre**, auxquelles les parties ont décidé, d'un commun accord, de s'en remettre. *Soumettre un différend à l'arbitrage.* **2.** Fonction d'arbitre ; exercice de ces fonctions. *Une erreur d'arbitrage.*

arbitraire [aʀbitʀɛʀ] adj. **1.** Qui dépend de la seule volonté ⇒ **libre arbitre**, n'est pas lié par l'observation de règles. *Choix arbitraire.* / contr. **motivé** / — Péj. *Une interprétation arbitraire,* qui ne tient pas compte de la réalité. ⇒ N. m. *L'arbitraire de sa classification.* **2.** Qui dépend du bon plaisir, du caprice de qqn. ⇒ **injuste**. *Décision arbitraire. Détention arbitraire.* ⇒ **illégal**. / contr. **légal** / — N. m. *Lutter contre l'arbitraire.* ⇒ **despotisme, injustice.** ▶ **arbitrairement** adv. ■ *Décider arbitrairement qqch.*

① **arbitre** [aʀbitʀ] n. m. **1.** Droit. Personne désignée par les parties pour trancher un différend juridique. **2.** Personne qui est prise pour juge dans un débat, une dispute. *Je vous fais notre arbitre, vous nous jugerez.* **3.** Personne qui est capable de juger de qqch. *Elle est l'arbitre des élégances.* **4.** Personne désignée pour veiller à la régularité d'une compétition, d'une épreuve de sports. *L'arbitre a sifflé un arrêt de jeu.* ▶ **arbitrer** v. tr. ■ conjug. 1. **1.** Intervenir, juger en qualité d'arbitre. *Arbitrer un différend, un litige.* ⇒ **juger. 2.** Contrôler la régularité d'une compétition, d'une épreuve sportive. *Arbitrer un combat de boxe, un match de football.* ⟨ ▶ arbitrage ⟩

② **arbitre** n. m. ■ Vx. Volonté. ⟨ ▶ arbitraire, libre arbitre ⟩

arborer [aʀbɔʀe] v. tr. ■ conjug. 1. ■ Porter avec le désir d'être vu. *Arborer un insigne à sa boutonnière.*

arbor(i)- ■ Élément savant signifiant « arbre ». ▶ **arborescent, ente** [aʀbɔʀesɑ̃, ɑ̃t] adj. ■ Qui prend la forme ramifiée, l'apparence d'un arbre. *Fougères arborescentes.* ▶ **arborescence** n. f. ■ Partie arborescente d'une plante ; forme ramifiée. ▶ **arboriculture** n. f. ■ Culture des arbres. *Arboriculture forestière, fruitière.* ▶ **arboriculteur, trice** n. ■ Personne qui se livre à l'arboriculture. ▶ **arborisation** n. f. ■ Dessin naturel ressemblant à des végétations, à des ramifications. *Les arborisations du givre sur les vitres.*

arbre [aʀbʀ] n. m. **1.** Grand végétal ligneux (formé de bois) dont la tige ne porte de branches qu'à partir d'une certaine hauteur au-dessus du sol. *Le tronc, le feuillage d'un arbre. Arbres fruitiers* (⇒ **verger**). *Arbres forestiers* (⇒ **bois, forêt**). *Une avenue plantée d'arbres.* — *Monter dans un arbre ; grimper aux arbres.* **2.** ARBRE DE NOËL : sapin ou branche de sapin, décoré et auquel on suspend des jouets, le jour de Noël. **3.** Axe qui reçoit ou transmet un mouvement de rotation. *Arbre moteur. Arbre à cames* (d'un moteur à explosion). *Arbre de transmission.* **4.** ARBRE GÉNÉALOGIQUE : figure représentant un arbre dont

les ramifications montrent la filiation des diverses branches d'une même famille. — Représentation, schéma avec des lignes et des subdivisions pour figurer les relations entre des choses, des idées. ▶ **arbrisseau** n. m. ■ Petit arbre dont la tige se ramifie dès la base. *Des arbrisseaux.* ▶ **arbuste** n. m. ■ Petit arbrisseau. *Des bosquets d'arbustes.* ⟨ ▶ arbor(i)- ⟩

arc [aʀk] n. m. **1.** Arme formée d'une tige souple (de bois, de métal) que l'on courbe au moyen d'une corde attachée aux deux extrémités pour lancer des flèches. *Bander, tendre un arc. Tirer des flèches avec un arc.* — Abstrait. Loc. *Avoir plus d'une corde, plusieurs cordes à son arc,* avoir plus d'une ressource pour réussir, pour atteindre son but. **2.** Portion définie d'une courbe. *Arc de cercle. Arc de 45°.* — *En arc de cercle,* courbe, arqué, cintré. **3.** Ce qui a la forme d'un arc. ⇒ **courbe**. *L'arc des sourcils.* **4.** Courbe lumineuse qui jaillit entre deux charbons parcourus par un courant électrique. **5.** Courbe décrite par une voûte et qui est formée par un ou plusieurs arcs de cercle. ⇒ ② **arche**. *L'arc les montants d'une voûte. Arc en plein cintre,* demi-cercle régulier. *Arc en ogive.* ⇒ **ogive. 6.** ARC DE TRIOMPHE : arcade monumentale sous laquelle passait le général romain triomphateur ; monument élevé sur ce modèle pour célébrer la victoire d'une armée. *L'arc de triomphe de l'Étoile, à Paris.* ▶ **arcade** n. f. **1.** Ouverture en arc ; ensemble formé d'un arc et de ses montants ou points d'appui (souvent au plur.). *Les arcades d'un cloître. Se promener sous les arcades.* **2.** ARCADE SOURCILIÈRE : proéminence au-dessus de chaque orbite, où poussent les sourcils. ⟨ ▶ s'arc-bouter, arceau, arc-en-ciel, ② arche, archer, archet, arçon, arquer ⟩

arcanes [aʀkan] n. m. pl. ■ Littér. *Les arcanes de (la science, la politique,* etc.*),* les secrets qu'elles présentent. ⇒ **mystère**.

s'arc-bouter [aʀkbute] v. pron. ■ conjug. 1. ■ Prendre appui sur une partie du corps pour exercer une poussée, un effort de résistance. ▶ **arc-boutant** [aʀkbutɑ̃] n. m. ■ Maçonnerie en forme d'arc qui soutient de l'extérieur une voûte, un mur. *Les arcs-boutants d'une cathédrale gothique.*

arceau [aʀso] n. m. ■ Partie cintrée, ce qui a la forme d'un arc. *Arceaux du jeu de croquet,* sous lesquels passe la boule. *Les arceaux d'une tonnelle.*

arc-en-ciel [aʀkɑ̃sjɛl] n. m. ■ Phénomène météorologique lumineux en forme d'arc, offrant toutes les couleurs du prisme et produit par la réfraction des rayons du soleil dans les gouttes de pluie. *Des arcs-en-ciel.* — REM. Le pluriel se prononce comme le singulier.

archaïque [aʀkaik] adj. **1.** (Mot, expression, coutume...) Qui est très ancien. — Qui est périmé. ⇒ **désuet, vieillot**. *Des idées archaïques.* **2.** Antérieur aux époques classiques, à l'épanouissement d'un style artistique. *La période archaïque de l'art grec.* ⇒ **primitif.** ▶ **archaïsme** [aʀkaism] n. m. ■ Mot, expression, tour ancien qu'on emploie alors qu'il n'est plus en usage. *« Partir » au sens de « partager » est un archaïsme.* ▶ **archaïsant, ante** [aʀkaizɑ̃, ɑ̃t] adj. et n. ■ Qui fait usage d'archaïsmes. *Écrivain archaïsant.*

archange [aʀkɑ̃ʒ] n. m. ■ Dans la religion catholique. Ange* d'un ordre supérieur. *Les archanges Gabriel, Michel, Raphaël.*

① **arche** [aʀʃ] n. f. ■ Navire fermé qui permit à Noé d'échapper aux eaux du déluge. *Les animaux de l'arche de Noé.*

② **arche** n. f. ■ Voûte en forme d'arc qui s'appuie sur les culées ou les piles d'un pont. *Les arches d'un pont.*

archéo- ■ Élément savant signifiant « ancien ». ⇒ **archéologie, archétype.**

archéologie [aʀkeɔlɔʒi] n. f. ■ Science des civilisations anciennes à partir des arts et monuments antiques. ▶ *archéologique* adj. ■ *Fouilles archéologiques.* ▶ *archéologue* n. ■ Personne qui s'occupe d'archéologie.

archer [aʀʃe] n. m. **1.** Soldat armé de l'arc. **2.** Nom des agents de police, sous l'Ancien Régime. **3.** Tireur à l'arc. ≠ *archet.*

archet [aʀʃɛ] n. m. ■ Baguette sur laquelle sont tendus des crins qui servent à faire vibrer les cordes de divers instruments de musique. *Archet de violon.* ≠ *archer.*

archétype [aʀketip] n. m. ■ Didact. Type primitif ou idéal ; original qui sert de modèle. ⇒ **modèle, prototype.**

archevêque [aʀʃəvɛk] n. m. ■ Évêque placé à la tête d'une province ecclésiastique. *Le palais de l'archevêque.* ⇒ **archiépiscopal.** ▶ *archevêché* [aʀʃəveʃe] n. m. **1.** Territoire sous la juridiction d'un archevêque. **2.** Le siège, le palais archiépiscopal.

archi- [aʀʃi] ■ Élément savant qui exprime le degré extrême ou l'excès, et qui s'emploie librement pour former des adjectifs. ⇒ **extrêmement, très.** *L'autobus est archiplein. Un mot archivieux. Une histoire archiconnue. C'est archifaux.*

archiduc [aʀʃidyk] n. m. ■ Titre des princes de l'ancienne maison d'Autriche (fém. : ARCHI-DUCHESSE).

-archie, -arque ■ Éléments savants qui servent à former des mots désignant des gouvernements, des gouvernants.

archiépiscopal, ale, aux [aʀʃiepiskɔpal, o] adj. ■ Qui appartient à l'archevêque. *Dignité archiépiscopale.*

archipel [aʀʃipɛl] n. m. ■ Groupe d'îles. *Les archipels grecs.*

architecte [aʀʃitɛkt] n. **1.** Personne diplômée, capable de tracer le plan d'un édifice et d'en diriger l'exécution. *Elle est architecte.* **2.** Littér. Personne ou entité qui élabore qqch. ⇒ **créateur.** *Cette réforme dont il fut l'architecte.* ▶ *architectonique* [aʀʃitɛktɔnik] adj. et n. f. ■ Qui est conforme à la technique de l'architecture. — N. f. L'art, la technique de la construction. ▶ *architecture* [aʀʃitɛktyʀ] n. f. **1.** L'art de construire les édifices. *Ce château est une merveille d'architecture.* **2.** Disposition, caractère architectural. *L'architecture simple d'une église.* **3.** Forme, structure. *L'architecture du corps, d'une symphonie.* ▶ *architectural, ale, aux* adj. ■ Qui a rapport à l'architecture, qui en a le caractère. *Motif architectural. Formes architecturales.* ▶ *architecturer* v. tr. • conjug. 1. ■ Construire avec rigueur, comme on construit un bâtiment. ⇒ **structurer.** — Au p. p. adj. (Plus cour.) *Roman bien architecturé.*

architrave [aʀʃitʀav] n. f. ■ Partie inférieure de l'entablement qui porte directement sur le chapiteau de colonnes.

archives [aʀʃiv] n. f. pl. **1.** Collection de pièces, titres, documents, dossiers anciens. *Archives départementales.* **2.** Lieu où les archives sont conservées. *Les archives d'un journal.* ▶ *archiviste* n. ■ Spécialiste préposé à la garde, à la conservation des archives.

arçon [aʀsɔ̃] n. m. ■ L'une des deux pièces ou arcades qui forment le corps de la selle. *Pistolets d'arçon.* — *Cheval d'arçon.* ⇒ **cheval.** ⟨ ▶ désarçonner ⟩

arctique [aʀktik] adj. ■ Des régions polaires du nord. *Pôle arctique. Cercle arctique.* / contr. **antarctique** /

ardent, ente [aʀdɑ̃, ɑ̃t] adj. **1.** Littér. Qui est en feu, en combustion ; qui brûle. *Des charbons ardents.* ⇒ **incandescent.** — Loc. fig. *Être sur des charbons ardents,* brûler, griller d'impatience, se consumer d'inquiétude. **2.** CHAPELLE ARDENTE : où de nombreux cierges brûlent autour d'un cercueil. **3.** Littér. Qui dégage une forte chaleur. *Le Soleil est ardent.* ⇒ **brûlant.** **4.** (Personnes) Qui a de l'ardeur dans les sentiments, est prompt à s'enflammer. *Il a une nature ardente.* ⇒ **bouillant, enflammé, enthousiaste, exalté, fervent, fougueux, passionné.** / contr. **indifférent** / *Tempérament ardent,* porté à l'amour. ⇒ **amoureux.** **5.** (Sentiments) Qui est très vif. *Une ardente conviction.* ⇒ **profond.** ▶ *ardemment* [aʀdamɑ̃] adv. ■ Avec ardeur (2). *Je souhaite (désire) ardemment son retour.* ▶ *ardeur* n. f. **1.** Littér. Chaleur vive. *L'ardeur du soleil.* **2.** Énergie pleine de vivacité dans l'action ou dans le sentiment. *Son ardeur à travailler.* ⇒ **cœur, courage, énergie, entrain, fougue.** *Soutenir une opinion avec ardeur.* ⇒ **exaltation, ferveur.** — Au plur. Fam. *Comportements trop passionnels. Modérez vos ardeurs !* / contr. **indifférence, indolence, tiédeur** /

ardillon [aʀdijɔ̃] n. m. ■ Pointe de métal qui fait partie d'une boucle et s'engage dans un trou de courroie, de ceinture.

ardoise [aʀdwaz] n. f. **1.** Pierre tendre et feuilletée d'un gris bleuâtre (schiste argileux), qui sert principalement à la couverture des maisons ; plaque de cette pierre. *Toit d'ardoises.* **2.** Plaque d'ardoise dans un cadre en bois, sur laquelle on écrit avec un crayon spécial, une craie. **3.** Compte de marchandises, de consommations prises à crédit. *Il est très endetté, il a des ardoises partout.* ⇒ **dette.**

ardu, ue [aʀdy] adj. ■ Qui présente de grandes difficultés. ⇒ **difficile.** *Ce travail est ardu. Entreprise ardue.* / contr. **facile** /

are [aʀ] n. m. ■ Mesure agraire de superficie valant cent mètres carrés. ⟨ ▶ hectare ⟩

areligieux, euse [aʀəliʒjø, øz] adj. ■ Qui n'a aucune religion ⇒ **athée, irréligieux,** repousse ce qui concerne la religion.

arène [aʀɛn] n. f. **1.** Aire sablée d'un amphithéâtre où les gladiateurs combattaient ; où ont lieu les courses de taureaux. **2.** Loc. DESCENDRE DANS L'ARÈNE : accepter un défi, s'engager dans un combat, une lutte. — *L'arène politique,* la politique considérée comme le lieu de luttes. **3.** Au plur. ARÈNES : amphithéâtre romain. *Les arènes de Nîmes.* — Amphithéâtre où se déroulent des courses de taureaux.

aréopage [aʀeɔpaʒ] n. m. ■ Didact. Assemblée de juges, de savants, d'hommes de lettres très compétents (du nom du conseil politique d'Athènes, dans l'Antiquité). ≠ *aéro-.*

arête [aʀɛt] n. f. **1.** Tige du squelette des poissons osseux. *Elle s'est étranglée avec une arête.* **2.** Ligne d'intersection de deux plans. *Les arêtes d'un cube. L'arête du nez. L'arête d'une chaîne de montagnes,* entre les deux versants.

① **argent** [aʀʒɑ̃] n. m. **1.** Métal blanc, très ductile et malléable (symb. : *Ag*). *Bijoux en or et en argent.*

Vaisselle d'argent. **2.** Vx. VIF-ARGENT : mercure. ⇒ **vif-argent. 3.** D'ARGENT : de la couleur, de la blancheur, de l'éclat de l'argent. *Cheveux d'argent.* ► ① *argenté, ée* adj. **1.** Qui est recouvert d'une couche d'argent. *Métal argenté.* **2.** Qui a la couleur, l'éclat de l'argent. *Cheveux argentés.* ► *argenterie* n. f. ■ Vaisselle, couverts, ustensiles d'argent. *Les voleurs ont emporté l'argenterie.* ‹ ► ① argentin, vif-argent ›

② *argent* n. m. **1.** Monnaie métallique, papier-monnaie et ce qui représente cette monnaie. ⇒ **capital, fonds, fortune, richesse.** (Fam. blé, braise, flouss, fric, galette, oseille, pépète, pèse, picaillon, pognon.) *Il gagne beaucoup d'argent. Payer en argent* (opposé à *en nature*). *Déposer son argent en banque. Argent liquide*. Payer en argent liquide ou par cartes de crédit.* **2.** Loc. *Jeter l'argent par les fenêtres,* dépenser en gaspillant. *L'argent lui fond dans les mains,* il est très dépensier. *En vouloir pour son argent ; en avoir pour son argent,* en proportion de ce qu'on a donné (en argent ou autrement). *Prendre qqch. pour argent comptant,* croire naïvement ce qui est dit ou promis. — PROV. *L'argent n'a pas d'odeur,* ne garde pas la marque de sa provenance (malhonnête). — *Le temps c'est de l'argent,* il ne faut pas perdre de temps. *L'argent ne fait pas le bonheur.* ► ② *argenté, ée* adj. ■ Fam. Qui a de l'argent. ► *argentier* n. m. ■ Fam. *Le Grand Argentier,* le ministre des Finances. — Fam. Trésorier. ‹ ► désargenté ›

① *argentin, ine* [aʀʒɑ̃tɛ̃, in] adj. ■ Qui résonne clair comme l'argent. *Le son argentin d'une clochette.*

② *argentin, ine* adj. ■ De l'Argentine, pays d'Amérique du Sud. *Le tango argentin.* — N. *Les Argentins.*

argile [aʀʒil] n. f. ■ Terre composée de silicate d'aluminium hydraté, avide d'eau, imperméable et plastique, dite *terre glaise. Argile rouge, jaune.* ► *argileux, euse* adj. ■ *Le terrain est argileux et glissant.*

argon [aʀgɔ̃] n. m. ■ Gaz incolore et inodore de l'air (symb. : Ar). *Ampoules électriques à l'argon.*

argot [aʀgo] n. m. ■ Langue familière et originale inventée par un milieu fermé, dont de nombreux mots passent dans la langue commune. *L'argot du milieu, des malfaiteurs. Argot militaire. L'argot des écoles. Parler argot. Mot d'argot.* ► *argotique* adj. ■ D'argot. *Termes argotiques.*

arguer [aʀgɥe] v. ■ conjug. 1. — REM. Le *u* est prononcé comme dans la conjug. de *tuer.* **1.** V. tr. dir. Littér. Tirer argument, tirer (une conséquence) de quelque fait. *Il argue* [aʀgy] *de ce fait que.* ⇒ **conclure, inférer. 2.** V. tr. ind. *Arguer de qqch.,* mettre qqch. en avant, en tirer argument ou prétexte. ⇒ **alléguer.** *Il arguait de sa bonne foi.* ‹ ► argument ›

argument [aʀgymɑ̃] n. m. **1.** Preuve à l'appui ou à l'encontre d'une proposition. *Appuyer une affirmation sur de bons arguments. Opposer ses arguments à ceux de l'adversaire.* Loc. *Argument massue,* décisif. *Être à court d'arguments. Tirer argument de,* se servir comme d'une preuve, d'une raison. ⇒ **arguer.** — *Arguments publicitaires, de vente.* **2.** Exposé sommaire du sujet que l'on va développer (au théâtre, en littérature). *L'argument d'un récit.* ► *argumentaire* n. m. ■ Série d'arguments tendant à convaincre. ► *argumentation* n. f. ■ Ensemble d'arguments tendant à une même conclusion. *Son argumentation est convaincante. Une argumentation rigoureuse, fragile.* ► *argumenter* v. intr. ■ conjug. 1. ■ Présenter des arguments ; prouver par arguments. *Argumenter*

sur qqch., avec qqn., contre qqn. — Au p. p. adj. *Un article solidement argumenté.*

argus [aʀgys] n. m. invar. **1.** Littér. Surveillant, espion vigilant. **2.** (Avec une majuscule) Publication qui fournit des renseignements spécialisés. *L'Argus de l'automobile. Vendre sa voiture au prix de l'Argus.*

argutie [aʀgysi] n. f. ■ Souvent au plur. Raisonnement pointilleux, subtilité de langage. *Se perdre en arguties.*

aride [aʀid] adj. **1.** Qui ne porte aucun végétal, faute d'humidité. ⇒ **stérile.** *Une région, une terre aride.* **2.** Abstrait. Qui est dépourvu d'intérêt, d'agrément, d'attrait. *Sujet, matière aride.* ⇒ **ingrat, rébarbatif, sévère.** / contr. **attrayant** / ► *aridité* n. f. **1.** *L'aridité du sol.* ⇒ **stérilité. 2.** Abstrait. *Aridité d'un sujet.* ⇒ **sévérité.**

ariette [aʀjɛt] n. f. ■ Dans la musique classique. Air (aussi appelé *aria*) de caractère léger.

aristocrate [aʀistɔkʀat] n. **1.** Partisan de l'aristocratie (1). — Péj. À la Révolution. Partisan de l'aristocratie (1), des privilèges de la noblesse. *Les aristocrates à la lanterne !* (pour être pendus) **2.** Membre de l'aristocratie (2). ⇒ **noble.** *Avoir des manières d'aristocrate.* ► *aristocratie* [aʀistɔkʀasi] n. f. **1.** Forme de gouvernement où le pouvoir souverain appartient à un petit nombre de personnes et particulièrement à une classe héréditaire. **2.** La noblesse. **3.** Littér. Petit nombre de personnes qui détiennent une prééminence en quelque domaine. ⇒ **élite.** *Une aristocratie d'écrivains.* ► *aristocratique* adj. ■ Qui est digne d'un aristocrate. ⇒ **élégant ; distingué, raffiné.** *Manières aristocratiques.*

arithmétique [aʀitmetik] adj. et n. f. **I.** Adj. Relatif à l'arithmétique (II), fondé sur la science des nombres rationnels. *Progression arithmétique* (opposé à *progression géométrique*), celle où la différence entre les termes consécutifs est constante (2, 4, 6, 8, 10, etc.). **II.** N. f. **1.** Partie des mathématiques qui étudie les propriétés élémentaires des nombres rationnels. ⇒ **calcul. 2.** Livre d'arithmétique.

arlequin, ine [aʀləkɛ̃, in] n. ■ Personnage bouffon de la comédie italienne, qui porte un costume fait de pièces triangulaires de toutes couleurs et un masque noir. *Des arlequins.*

armagnac [aʀmaɲak] n. m. ■ Eau-de-vie de raisin que l'on fabrique en Armagnac. *Des armagnacs.*

armateur [aʀmatœʀ] n. m. ■ Personne qui s'occupe de l'exploitation commerciale d'un navire. *Armateur propriétaire, locataire. Elle est armateur.*

armature [aʀmatyʀ] n. f. **1.** Assemblage de pièces de bois ou de métal qui servent à maintenir les diverses parties d'un ouvrage, qui consolide une matière fragile ou souple. ⇒ **charpente ; carcasse.** *L'armature d'un vitrail. Soutien-gorge à armature.* **2.** Ce qui sert à maintenir, à soutenir. *L'armature économique d'un pays.* ⇒ **charpente. 3.** Ensemble des dièses et des bémols placés à la clef pour indiquer la tonalité d'un morceau de musique.

arme [aʀm] n. f. **1.** Instrument ou dispositif servant à tuer, blesser ou à mettre l'ennemi dans l'impossibilité de se défendre. *Armes blanches* (couteaux, épées...), *armes à feu* (pistolets, fusils, carabines...). *Braquer, diriger une arme vers qqn. L'arme du crime est un couteau.* **2.** Dispositif ou ensemble de moyens offensifs pour faire la guerre. *Vendre des armes. Les armes atomiques ou nucléaires.* **3.** Au plur. Loc. *Prendre les armes,* s'apprêter au combat. *Un peuple en armes,* prêt à combattre. *Déposer, rendre les armes,* se rendre. *Passer un prisonnier par les armes,* le fusiller. **4.** *Les armes,* l'épée, le fleuret ou le sabre. ⇒ **escrime.** *Salle d'armes. Maître d'armes.* **5.** Un des corps de l'armée. *L'arme de l'infanterie, de l'artillerie. Dans quelle arme sert-il ?* **6.** Littér. ARMES : le métier militaire. *La carrière, le métier des armes. Compagnons, frères d'armes.* — Combat, guerre. *Régler un différend par les armes.* — *Faire ses premières armes,* sa première campagne ; fig. débuter dans une carrière. **7.** *(Une, des armes)* Ce qui peut agir contre un adversaire. ⇒ **argument, moyen** d'action. *La patience est une arme. Donner des armes contre soi-même. Une arme à double tranchant,* un argument, un moyen qui peut avoir deux effets opposés, se retourner contre soi. ▶ *armé, ée* adj. **1.** Muni d'armes. *Troupes armées. Armé jusqu'aux dents,* très bien armé. *Vol, attaque à main armée,* commis(e) par un ou plusieurs assaillants armés. **2.** Qui se fait avec des armes. *Conflit armé.* ⇒ **guerre. 3.** ARMÉ DE : garni, pourvu de (ce qui est comparé à une arme). *Plante armée de piquants.* **4.** (Personnes) Pourvu de moyens de défense. *Il est bien armé dans la lutte pour la vie.* ▶ *armée* n. f. **1.** Réunion importante de troupes assemblées pour combattre. *Lever une armée. Armée d'occupation, de libération.* **2.** Ensemble des forces militaires d'un État. ⇒ **défense** nationale. *Armée de terre. Armée de l'air. Armée active ; de réserve. Être dans l'armée* (⇒ **militaire**). **3.** Grande unité réunissant plusieurs divisions formées de régiments et éventuellement réunies en *corps d'armée. La Vᵉ armée.* **4.** Grande quantité (avec une idée d'ordre ou de combat). ⇒ **multitude, troupe.** *Une armée de domestiques. Une armée de sauterelles.* ▶ ① *armer* v. tr. ▪ conjug. 1. **I. 1.** Pourvoir d'armes. *Armer les recrues.* **2.** *Armer qqn de,* lui donner comme arme, comme moyen d'attaque ou de défense. **II.** S'ARMER v. pron. **1.** Se munir (d'armes). *S'armer d'un fusil.* **2.** Loc. S'ARMER DE *courage, de patience* : rassembler son courage, sa patience. ▶ ① *armement* n. m. **1.** Action d'armer, de pourvoir d'armes. *L'armement des rebelles par une puissance étrangère.* **2.** Ensemble des moyens d'attaque ou de défense dont sont pourvus un soldat, une troupe. *L'armement individuel.* **3.** Au plur. Préparatifs de guerre, ensemble des moyens offensifs ou défensifs d'un pays. *La course aux armements. Le contrôle des armements.* ‹ ▶ **armes, armistice,** ① **armure, désarmer,** ① **gendarme, interarmes,** ① **réarmer** ›

② *armer* v. tr. ▪ conjug. 1. **1.** Garnir d'une sorte d'armure ou d'armature. *Armer le béton.* — Au p. p. adj. *Béton armé.* **2.** *Armer un navire,* l'équiper, le pourvoir de tout ce qu'il faut pour prendre la mer (⇒ **armateur**). **3.** Rendre (une arme à feu) prête à tirer. **4.** Tendre le ressort d'un mécanisme de déclenchement. *Armer un appareil photo* (l'obturateur). ▶ ② *armement* n. m. **1.** Action d'armer un navire. **2.** Action d'armer un appareil. ‹ ▶ **armateur, armature,** ② **réarmer** ›

armes [arm] n. f. pl. ▪ Signes héraldiques (d'abord *armes,* drapeaux...). ⇒ **blason.** *Vaisselle aux armes d'un prince.* ‹ ▶ **armoiries** ›

armistice [armistis] n. m. ▪ Convention conclue entre les belligérants afin de suspendre les hostilités. *Le plus souvent, l'armistice précède la conclusion d'une paix définitive. Signer un armistice.*

armoire [armwar] n. f. **1.** Meuble haut et fermé par des battants, servant à ranger le linge, les vêtements, les provisions, etc. *Armoire à linge. Armoire à pharmacie.* **2.** *Armoire à glace,* dont la porte est un miroir. — Fam. Personne de carrure impressionnante.

armoiries [armwari] n. f. pl. ▪ Ensemble des emblèmes symboliques qui distinguent une famille noble ou une collectivité. ⇒ **armes, blason.** *L'héraldique est la science des armoiries.* ▶ *armorié, ée* [armɔrje] adj. ▪ Orné d'armoiries. *Porte armoriée.*

① *armure* [armyr] n. f. **1.** Assemblage de plaques que revêtait l'homme d'armes pour se protéger. ⇒ **harnais.** *L'armure des chevaliers.* **2.** Ce qui couvre, défend, protège. ⇒ **défense, protection.** ▶ *armurier* n. m. ▪ Celui qui vend ou fabrique des armes (et pas des armures). ▶ *armurerie* [armyrri] n. f. ▪ Profession d'armurier. — Fabrication, commerce, dépôt d'armes.

② *armure* n. f. ▪ Mode d'entrecroisement des fils de chaîne et de trame d'un tissu. *Armure toile.*

arnaquer [arnake] v. tr. ▪ conjug. 1. **1.** Fam. Escroquer, voler. **2.** Fam. Arrêter, prendre. *Ils se sont fait arnaquer.*

arnica [arnika] n. f. ▪ Remède liquide utilisé contre les contusions et les entorses. *Des arnicas.*

arôme [arom] n. m. ▪ Odeur agréable de certaines essences naturelles de végétaux, d'essences chimiques, ou d'acides volatils. ⇒ **odeur, parfum.** *Un délicieux arôme de café. L'arôme d'un vin vieux.* ▶ *aromate* [aromat] n. m. ▪ Substance végétale odoriférante ; épice, condiment. *Le thym, le poivre, le cumin sont des aromates.* ▶ *aromatique* adj. ▪ *Plante, herbe, essence aromatique.* ▶ *aromatiser* v. tr. ▪ conjug. 1. ▪ Parfumer avec une substance aromatique.

arpège [arpɛʒ] n. m. ▪ Accord dont on égrène rapidement les notes au lieu de les faire entendre toutes à la fois. *Faire des arpèges au piano.*

arpent [arpã] n. m. ▪ Ancienne mesure agraire qui valait de 20 à 50 ares. ▶ *arpenter* v. tr. ▪ conjug. 1. **1.** Mesurer la superficie d'un terrain. **2.** Parcourir à grands pas, à grandes enjambées (un lieu délimité). *Il arpentait le salon en jurant.* ▶ *arpentage* n. m. **1.** Mesure de la superficie d'un terrain. **2.** Ensemble des techniques de l'arpenteur. ⇒ **géodésie.** ▶ *arpenteur* n. m. ▪ Professionnel des techniques de calcul et mesure des surfaces et des relèvements de terrains. *Chaîne d'arpenteur.*

arpion [arpjɔ̃] n. m. ▪ Fam. Pied. *Marcher sur les arpions de qqn.*

arquebuse [arkəbyz] n. f. ▪ Ancienne arme à feu qu'on faisait partir au moyen d'une mèche. ▶ *arquebusier* n. m. ▪ Soldat armé d'une arquebuse.

arquer [arke] v. ▪ conjug. 1. **1.** V. tr. Courber en arc. **2.** Fam. V. intr. Marcher, avancer, dans l'expression : *ne plus pouvoir arquer.* ▶ *arqué, ée* adj. ▪ Courbé en arc. *Il a les jambes arquées.*

arracher [araʃe] v. tr. ▪ conjug. 1. **I.** V. tr. **1.** Enlever de terre (une plante qui y tient par ses racines). ⇒ **déraciner.** *Arracher les mauvaises herbes.* ⇒ **désherber.** *Arracher les pommes de terre* (avec une machine appelée *arracheuse*). **2.** Détacher avec un effort plus ou moins grand (une chose qui tient ou adhère à une autre). ⇒ **enlever, extirper.** *Arracher un clou avec des tenailles. Un obus lui a arraché le bras.* **3.** *S'arracher les cheveux,* au fig. être désespéré. **4.** Enlever de force à une personne ou à une bête, lui faire lâcher (ce qu'elle retient). ⇒ **prendre, ravir.** *Arracher une arme des mains de qqn, un oiseau des griffes d'un chat.* **5.** Obtenir (qqch.) de qqn avec peine, après quelque résistance. ⇒ **extorquer.** *Arracher de l'argent à un avare.* ⇒ **soutirer.** *Arracher des aveux, un secret, une promesse, un consentement.* **6.** *Arracher qqn de...,* faire quitter un lieu à qqn par force, violence, malgré lui. ⇒ **chasser, tirer.** *Arracher qqn de sa maison.* **7.** *Arracher qqn à un état, à une situation,* l'en faire sortir malgré les difficultés ou malgré sa résistance. *Arracher qqn au sommeil, à un rêve ; à ses habitudes. Arracher qqn à la misère.* ⇒ **tirer** de. **II.** S'ARRACHER v. pron. **1.** Arracher l'un à l'autre. *Ils s'arrachaient leurs vêtements.* — Fam. Fig. *S'arracher les yeux,* se dit de deux personnes qui se disputent violemment. **2.** Se disputer une chose pour se l'approprier. *On s'est arraché les dernières places pour voir le match.* — *S'arracher qqn,* se disputer sa présence. *On se l'arrache.* **3.** S'ARRACHER DE, S'ARRACHER À : se détacher, se soustraire avec effort, difficulté, peine ou regret. *S'arracher des bras d'une personne. Je ne pouvais pas m'arracher à ce souvenir.* **4.** Fam. Accomplir un effort. *Pour réussir, il a fallu s'arracher.* ▶ *arrachage* n. m. **1.** Action d'arracher une plante. *L'arrachage des pommes de terre.* **2.** *L'arrachage d'une dent.* ⇒ **extraction.** ▶ *arraché* loc. adv. ■ À L'ARRACHÉ [alaraʃe] : par un effort violent. *Gagner une course à l'arraché.* ▶ *arrachement* n. m. **1.** Action d'arracher. **2.** Affliction, peine que cause une séparation, un sacrifice. ⇒ **déchirement.** *L'arrachement des adieux.* ▶ *d'arrache-pied* [daraʃpje] loc. adv. ■ Sans désemparer, en soutenant un effort pénible. *Nous luttons d'arrache-pied.* ▶ *arracheur* n. m. ■ Loc. *Mentir comme un arracheur de dents,* mentir effrontément (comme les anciens dentistes, qui promettaient de ne pas faire souffrir).

arraisonner [arɛzɔne] v. tr. ■ conjug. 1. ■ *Arraisonner un navire, un avion,* procéder à un interrogatoire ou à une visite pour vérifier son chargement, sa destination, etc. ▶ *arraisonnement* n. m. ■ *L'arraisonnement d'un bateau par la douane.*

arranger [arɑ̃ʒe] v. tr. ■ conjug. 3. **I.** V. tr. **1.** Disposer de la manière correcte ou préférée. *Arranger des fleurs dans un vase.* / contr. **déranger** / **2.** Mettre sur pied, organiser. ⇒ **combiner, organiser, préparer.** *Arranger un voyage, une entrevue.* **3.** Surtout au p. p. adj. Fam. Donner mauvaise apparence à (qqn). ⇒ **accoutrer.** *Le voilà bien arrangé ! — Ne va pas dans ce magasin, on s'y fait arranger,* voler. **4.** Maltraiter (qqn), en dire du mal. *Il l'a bien arrangé dans la description qu'il en a faite.* **5.** Remettre en état. ⇒ **réparer.** *Donner sa voiture à arranger.* **6.** Régler par un accord mutuel. *Arranger une affaire. On va arranger tout cela.* **7.** Être utile, pratique pour (qqn). ⇒ **convenir.** *Venez plutôt après dîner, cela m'arrange.* **II.** S'ARRANGER v. pron. **1.** Ajuster sa toilette. *Elle est allée s'arranger.* — Fam. *Il ne s'est pas arrangé,* il a enlaidi. **2.** Au passif. (Choses) Être remis en état. ⇒ se **réparer.** — Aller mieux. *Les choses se sont arrangées à la fin. Ça ne s'arrange pas. Tout s'arrange !* **3.** Prendre ses dispositions, ses mesures (en vue d'un résultat). *Arrangez-vous comme vous l'entendez.* ⇒ **faire.** *S'arranger pour,* faire en sorte de. *Arrange-toi pour rester avec nous.* **4.** Se mettre d'accord. ⇒ s'**entendre.** *Avec elle, je m'arrangerai toujours.* **5.** S'ARRANGER DE qqch. ⇒ s'**accommoder.** *Ne vous inquiétez pas, je m'en arrangerai.* ▶ *arrangeant, ante* [arɑ̃ʒɑ̃, ɑ̃t] adj. ■ Qui est disposé à aplanir toute difficulté. ⇒ **accommodant, conciliant.** *Il a été assez arrangeant.* ▶ *arrangement* n. m. **1.** Action de disposer les choses dans un certain ordre. ⇒ **disposition.** *L'arrangement d'une maison, d'un mobilier.* ⇒ **installation.** **2.** Adaptation d'une composition à d'autres instruments ; la composition ainsi adaptée. *Un arrangement pour piano.* **3.** Convention entre particuliers ou collectivités tendant à régler une situation juridique. ⇒ **accord, compromis.** *Un arrangement a mis fin à leur différend.* ▶ *arrangeur* n. m. ■ Personne qui arrange une composition pour

d'autres instruments ou qui écrit de la musique pour orchestre d'après un thème (jazz, rock, variétés).

arrérages [areraʒ] n. m. pl. ■ Somme d'argent versée périodiquement à un créancier en exécution d'une obligation. ⇒ ② **arriéré.** ≠ *arrhes.*

arrestation [arɛstasjɔ̃] n. f. ■ Action d'arrêter une personne pour l'emprisonner ; état d'une personne arrêtée. *Arrestation préventive, provisoire. Mettre qqn en état d'arrestation.*

arrêt [arɛ] n. m. **1.** Action de s'arrêter (dans sa marche, son mouvement) ; état de ce qui n'est plus en mouvement. *Attendez l'arrêt du train pour descendre. Faire plusieurs arrêts.* ⇒ **halte.** *Voitures à l'arrêt.* ⇒ en **stationnement. 2.** Fin d'un fonctionnement, d'une activité. *Arrêt d'un moteur. Arrêt du cœur,* syncope. *Arrêt du travail. Arrêt des hostilités.* ⇒ **cessation.** *Arrêt de travail* (pour cause médicale). *Un arrêt de travail de quinze jours.* **3.** SANS ARRÊT : sans interruption. ⇒ **cesse.** *Il pleut sans arrêt depuis deux jours.* **4.** Endroit où doit s'arrêter un véhicule. *Attendre à l'arrêt d'autobus. Je descends au prochain arrêt.* **5.** *Mandat d'arrêt,* ordre d'incarcération délivré par le juge d'instruction. — *Maison d'arrêt,* prison. **6.** Décision d'une cour souveraine ou d'une haute juridiction. ⇒ **jugement.** *Un arrêt du Conseil d'État.* — Littér. *Les arrêts du destin.* ⇒ **décret.**

① *arrêté* [arete] n. m. **1.** Règlement définitif (qu'on arrête*). *Arrêté de compte.* **2.** Décision écrite d'une autorité administrative. *Des arrêtés préfectoraux.*

② *arrêté, ée* adj. **1.** Convenu, décidé. *C'est une chose arrêtée.* **2.** (Idées, projets) Inébranlable, irrévocable. ⇒ **ferme.** *Il a la volonté bien arrêtée de refuser.*

arrêter [arete] v. ■ conjug. 1. **I.** V. tr. **1.** Empêcher (qqn ou qqch.) d'avancer, d'aller plus loin ; faire rester sur place. ⇒ **immobiliser, retenir.** *Arrêter un passant pour lui parler. Arrêter sa voiture. Arrêter une machine.* **2.** Interrompre ou faire finir (une activité, un processus). *Arrêter le cours de qqch.* ⇒ **intercepter.** *L'accident arrête le trafic.* **3.** Empêcher (qqn) d'agir ou de poursuivre une action. ⇒ **entraver.** *Rien ne l'arrête quand il a choisi. Ici, je vous arrête* (dans la conversation). **4.** Faire prisonnier. ⇒ **appréhender.** *Arrêter qqn.* Fam. *Il vient de se faire arrêter* (fam. se faire agrafer, coffrer, cueillir, emballer, embarquer, épingler, pincer). **5.** Fixer par un choix. *Arrêter le lieu, le jour d'un rendez-vous.* ⇒ **fixer, régler.** *Arrêter un marché.* ⇒ **conclure. 6.** Prendre un arrêté. *Le ministre arrête que...* **II.** V. intr. **1.** Cesser d'avancer, faire halte. *Dites au chauffeur d'arrêter.* **2.** Cesser de parler ou d'agir. / contr. **continuer** / *Il travaille sans cesse, il n'arrête pas. Arrête donc de gesticuler.* — Sans compl. *Maintenant, arrête ! je vais me fâcher.* **III.** S'ARRÊTER v. pron. **1.** Suspendre sa marche, ne pas aller plus loin. *Passer sans s'arrêter. S'arrêter pour se reposer.* ⇒ faire **halte. 2.** (Mécanisme) Ne plus fonctionner. *Ma montre s'est arrêtée.* **3.** (Processus, action) S'interrompre ou finir. *Le bruit s'arrête. L'hémorragie s'est arrêtée.* — (Personnes) Cesser d'agir, d'exercer une action. ⇒ **cesser.** *S'arrêter de faire qqch.* **4.** S'ARRÊTER À : fixer son attention sur, faire attention à. *Il ne faut pas s'arrêter aux apparences. Vous vous arrêtez à bien peu de chose.* ⟨▶ arrestation, arrêt, ① arrêté, ② arrêté ⟩

arrhes [ar] n. f. pl. ■ Somme d'argent que l'on donne au moment de la conclusion d'un contrat, d'un marché. *Il a versé des arrhes en commandant son costume.* ≠ *arrérages.*

arriération [arjerasjɔ̃] n. f. ■ *Arriération mentale,* état d'un sujet dont l'âge mental est inférieur à l'âge réel, physique.

① **en arrière** [ɑ̃narjɛʀ] loc. adv. **1.** Vers le lieu, le côté qui est derrière. / contr. en **avant** / *Marcher en arrière, à reculons. Renverser la tête en arrière. Cheveux tirés en arrière. Faire machine, marche en arrière* (vx, on dit, ellipt, *faire machine, marche arrière*), *faire aller en arrière* ; fig. revenir sur ses pas, sur ses dires. ⇒ se **rétracter. 2.** À une certaine distance derrière. *Rester en arrière.* **3.** EN ARRIÈRE DE loc. prép. *Se tenir en arrière de qqn ou de qqch.,* derrière.
⟨ ▶ ② arrière, arriéré, arrière- ⟩

② **arrière** [aʀjɛʀ] n. m. et adj. invar. **I.** N. m. **1.** La partie postérieure (d'une chose). ⇒ **derrière, dos.** *L'avant et l'arrière d'une voiture. Vous serez mieux à l'arrière.* / contr. **devant** / *À l'arrière du train.* ⇒ **queue. 2.** L'ARRIÈRE : territoire ou population qui se trouve en dehors de la zone des opérations militaires. *Il est à l'arrière.* **3.** Au plur. *Les arrières d'une armée,* les lignes de communication. *Protéger ses arrières.* — Loc. *Assurer ses arrières,* avoir une solution de rechange en cas de difficulté. **4.** Joueur qui est placé derrière tous les autres (rugby) ou derrière la ligne des demis (football). **II.** Adj. invar. Qui est à l'arrière. *Les feux arrière d'une auto. Les sièges arrière et les sièges avant.*

① **arriéré, ée** [aʀjeʀe] adj. **1.** Péj. Qui appartient au temps passé, n'est pas moderne. ⇒ **rétrograde.** *Un homme aux idées arriérées. Ils sont un peu arriérés dans ce pays,* en retard. **2.** Qui est en retard dans son développement mental. ⇒ **attardé.** *Un enfant arriéré.* — N. *Un arriéré.* ⟨ ▶ arriération ⟩

② **arriéré** n. m. Dette échue et qui reste due. *L'arriéré d'une pension.* ⇒ **arrérages.**

arrière- ■ Élément de noms, signifiant « qui est derrière » (ex. : *arrière-cuisine, arrière-fond, arrière-gorge, arrière-salle*) ou « qui est plus loin dans le temps » (ex. : *arrière-grand-père*). ▶ **arrière-boutique** n. f. ■ Pièce de plain-pied située en arrière d'une boutique. *Des arrière-boutiques* (on dit aussi *arrière-magasin*). ▶ **arrière-garde** n. f. **1.** Partie d'un corps d'armée qui ferme la marche. *Des arrière-gardes. De durs combats d'arrière-garde.* / contr. **avant-garde** / **2.** Ce qui est en arrière, en retard. *Les professeurs d'arrière-garde.* ▶ **arrière-gorge** n. f. ■ Fond de la gorge. *Des arrière-gorges.* ▶ **arrière-goût** n. m. **1.** Goût qui reste dans la bouche après l'absorption. *Un arrière-goût désagréable. Des arrière-goûts.* **2.** État affectif qui subsiste après le fait qui l'a provoqué (opposé à *avant-goût*). ⇒ **souvenir.** *Un arrière-goût de tristesse.* ▶ **arrière-grand-mère** n. f., **arrière-grand-père** n. m. ■ La mère, le père du grand-père ou de la grand-mère. ⇒ **bisaïeul.** (On dit aussi *arrière-grands-parents.*) *Des arrière-grand-mères. Des arrière-grands-pères.* ▶ **arrière-pays** n. m. invar. ■ Région située en arrière d'une région côtière. *Résider dans l'arrière-pays.* ▶ **arrière-pensée** n. f. ■ Pensée, intention que l'on dissimule. ⇒ **réserve, réticence.** *Elle lui attribue des arrière-pensées malveillantes. Je vous le dis sans arrière-pensée.* ▶ **arrière-petit-fils** n. m., **arrière-petite-fille** n. f. ■ Le fils, la fille du petit-fils, de la petite-fille. *Des arrière-petits-fils. Des arrière-petites-filles* (on dit aussi *arrière-petits-enfants*). ▶ **arrière-plan** n. m. **1.** Le plan le plus éloigné de l'œil du spectateur (opposé à *premier plan*). *Des arrière-plans.* **2.** Être, rester à l'arrière-plan, dans une position secondaire. ▶ **arrière-saison** n. f. ■ La dernière saison de l'année, marquée par la fin de l'automne. *Une arrière-saison ensoleillée. Des arrière-saisons.* ▶ **arrière-train** n. m. **1.** Partie postérieure du corps d'un quadrupède. *Des arrière-trains.* **2.** Fam. Fesses (d'une personne). ⇒ **postérieur.**

arrimer [aʀime] v. tr. ■ conjug. 1. ■ Caler, fixer avec des cordes (un chargement, des colis). — Au p.

p. adj. *Chargement solidement arrimé.* — Fixer deux choses l'une à l'autre (dont l'une ou toutes deux sont mobiles). *Arrimer deux engins dans l'espace.* ▶ **arrimage** n. m. ■ *L'arrimage d'une cargaison. L'arrimage d'un bateau au quai.*

arrivage [aʀivaʒ] n. m. ■ Arrivée de marchandises par mer ou par une autre voie ; ces marchandises. *Un grand arrivage de fruits aux halles.* — Plaisant. *Un arrivage de touristes.* ⇒ **arrivée.**

arrivant, ante [aʀivɑ̃, ɑ̃t] n. ■ Personne qui arrive quelque part. *Les arrivants et les partants.*

arrivé, ée [aʀive] n. et adj. **1.** N. *Premier, dernier arrivé,* personne qui est arrivée la première, la dernière. **2.** Adj. Qui a réussi (socialement, professionnellement). *Un homme arrivé.*

arrivée [aʀive] n. f. **1.** Action d'arriver. *Il m'annonce son arrivée pour demain. Heure d'arrivée du courrier. Ligne d'arrivée* (d'une course). — Moment où l'on arrive. *Je vous verrai à mon arrivée.* / contr. **départ** / **3.** *L'arrivée du printemps, des froids.* ⇒ **apparition, début. 4.** Lieu où arrivent des voyageurs, des coureurs, etc. *Où est l'arrivée ?* / contr. **départ** /

arriver [aʀive] v. intr. ■ conjug. 1. **I.** **1.** Toucher au terme de son voyage, de son trajet ; parvenir au lieu où l'on voulait aller. *Nous arriverons à Paris à midi. On y arrive par une rue étroite. Nous voici, nous voilà arrivés. Le train qui arrive de Londres.* ⇒ **venir** de. *Arriver par le train, en auto. Arriver le premier, le dernier. Loc. Arriver comme un chien dans un jeu de quilles,* de façon inattendue et inopportune. — Impers. *Il est arrivé une visiteuse inattendue.* **2.** Approcher, venir vers qqn. *Le voici qui arrive.* ⇒ fam. s'**amener, rappliquer.** *Il arrive à grands pas, en courant.* **3.** Atteindre à une certaine taille. *Cet enfant grandit beaucoup, il m'arrive déjà à l'épaule.* **4.** ARRIVER À (suivi d'un nom) : atteindre, parvenir à (un état). *Arriver à un certain âge. Arriver au terme de son existence.* ⇒ **atteindre, parvenir, toucher.** *Arriver à ses fins.* — ARRIVER À (+ infinitif) : réussir à ; finir par. *J'arrive à faire des économies.* **5.** Réussir (dans la société). *Un individu qui veut à tout prix arriver.* ⇒ **arriviste. 6.** Aborder (un sujet). *Arriver à la conclusion de son discours. Quant à cette question, j'y arrive.* **7.** EN ARRIVER À : en venir à ; être sur le point de, après une évolution (et souvent malgré soi). *J'en arrive à me demander s'il y a vraiment du cœur. Il faudra bien en arriver là.* **II.** (Choses) **1.** Parvenir à destination. *Un colis est arrivé pour vous.* — Impers. *Il est arrivé une lettre.* **2.** Arriver jusqu'à (qqn). *Le bruit est arrivé jusqu'à ses oreilles.* **3.** Atteindre un certain niveau. ⇒ **atteindre, s'élever, monter.** *L'eau lui arrive à la ceinture.* **4.** Venir, être sur le point d'être. *Le jour, la nuit arrive, se lève ; tombe. Un jour arrivera où...* ⇒ **venir. 5.** (En parlant d'un fait, d'un événement, d'un accident) ⇒ **advenir,** avoir lieu, se passer, se produire, survenir. *Un malheur est vite arrivé. — Cela ne m'est jamais arrivé. Cela peut arriver à tout le monde,* tout le monde est exposé à pareil accident. *Cela ne m'arrivera plus, je vous le promets,* c'est une chose que je ne recommencerai plus. *Qu'est-ce qui t'arrive ?,* qu'est-ce que tu as ? — IL ARRIVE impers. *Il est arrivé un accident. Quoi qu'il arrive,* en tout cas. *Il arrive que nous sortions après dîner. Il lui arrive souvent de mentir.* ▶ **arriviste** n. ■ Personne dénuée de scrupules qui veut arriver, réussir par n'importe quel moyen. ▶ **arrivisme** n. m. ■ Caractère ou comportement de l'arriviste.
⟨ ▶ arrivage, arrivant, arrivée ⟩

arrogant, ante [aʀɔgɑ̃, ɑ̃t] adj. ■ Qui manifeste une insolence méprisante. *Une personne arrogante.*

Air, ton arrogant. ⇒ **orgueilleux ; impudent, insolent, suffisant.** / contr. **déférent, humble** / ▶ *arrogance* n. f. ■ *Répondre avec arrogance.* ⇒ **hauteur, morgue.** / contr. **déférence, humilité** /

s'arroger [aroʒe] v. pron. ■ conjug. 3. ■ S'attribuer (un droit, une qualité) sans y avoir droit. ⇒ **s'approprier, s'attribuer, usurper.** *Elle s'est arrogé des titres qui ne lui appartiennent pas. Les droits qu'il s'est arrogés.*

arrondir [arɔ̃dir] v. tr. ■ conjug. 2. **1.** Rendre rond. *Arrondir une forme courbe à. Arrondir le bras.* **2.** Abstrait. Loc. *Arrondir les angles, les arêtes,* atténuer les oppositions, les dissentiments. **3.** Rendre plus complet. *Arrondir sa fortune.* ⇒ **augmenter.** — *Arrondir un total, un chiffre,* lui substituer le chiffre rond inférieur ou supérieur. **4.** S'ARRONDIR v. pron. : devenir rond. *Son ventre s'arrondit.* ▶ *arrondi, ie* adj. **1.** À peu près rond. *Un visage arrondi.* **2.** N. m. *L'arrondi,* le contour arrondi. ⇒ **courbe.** *L'arrondi d'une jupe* (en bas).

arrondissement [arɔ̃dismɑ̃] n. m. ■ Circonscription administrative. *Le département français est divisé en un certain nombre d'arrondissements. Chef-lieu d'arrondissement.* ⇒ **sous-préfecture.** — Subdivision administrative dans certaines grandes villes (Paris, Lyon, Marseille). *Le Ve, le XVIe arrondissement.*

arroser [aroze] v. tr. ■ conjug. 1. **1.** Mouiller en versant un liquide, de l'eau sur. *Arroser des plantes.* — Fam. *Se faire arroser,* se faire mouiller par la pluie. — Littér. Par exagér. *Arroser de larmes,* pleurer sur. **2.** Couler à travers. ⇒ **traverser.** *La Seine arrose le bassin parisien.* **3.** *Arroser son repas d'un bon vin,* l'accompagner d'un bon vin en mangeant. *Arroser son café,* y verser de l'alcool. **4.** Fam. Fêter un événement en buvant. *Il faut arroser ça ! Arroser ses galons, son succès, sa promotion.* **5.** Fam. *Arroser qqn,* lui donner de l'argent (pour obtenir un avantage). ⇒ **soudoyer.** **6.** Diffuser des informations sur un secteur. *Cette radio arrose toute la région.* ⇒ **couvrir.** ▶ *arrosage* n. m. ■ Action d'arroser. *L'arrosage d'un jardin. Tuyau d'arrosage.* ▶ *arrosé, ée* adj. **1.** Qui reçoit des précipitations. *Une région bien arrosée.* **2.** À travers quoi coule un cours d'eau. **3.** *Un repas bien arrosé,* où l'on a bu beaucoup. *Un café arrosé,* dans lequel on a versé de l'alcool. ▶ *arroseur, euse* n. ■ Personne qui arrose (qqch., qqn). *L'arroseur arrosé.* ▶ *arroseuse* n. f. ■ Véhicule muni d'un réservoir d'eau et destiné à l'arrosage des voies publiques. ▶ *arrosoir* n. m. ■ Ustensile destiné à l'arrosage, récipient muni d'une anse et d'un long col terminé par une plaque percée de petits trous *(pomme d'arrosoir).*

arsenal, aux [arsənal, o] n. m. **1.** Établissement où se trouve réuni tout ce qui est nécessaire à la construction, la réparation et l'armement des navires de guerre. **2.** Dépôt d'armes et de munitions. **3.** Fam. Matériel compliqué. *Il emporte tout son arsenal de médicaments.*

arsenic [arsənik] n. m. ■ Corps simple, substance cassante de couleur gris acier qui est un poison violent.

arsouille [arsuj] n. ■ Vieilli. Voyou. *Un, une arsouille.* — Adj. *Il a un genre un peu arsouille, un air arsouille,* vulgaire et canaille.

art [ar] n. m. **I.** Vx ou en loc. **1.** Moyen d'obtenir un résultat (par l'effet d'aptitudes naturelles) ; ces aptitudes (adresse, habileté). *L'art de faire qqch.* ⇒ **façon, manière.** *Elle a l'art de me plaire.* Plaisant. *Il a l'art d'ennuyer tout le monde.* — *Faire qqch. avec*

art. ⇒ **adresse, habileté, savoir-faire.** *Avoir l'art et la manière.* **2.** Ensemble de connaissances et de règles d'action, dans un domaine particulier. ⇒ **technique ; artisan.** *L'art militaire. Les arts ménagers. École des arts et métiers, des arts et manufactures.* — *Les règles de l'art,* la manière correcte de procéder. *Il a réparé l'installation dans toutes les règles de l'art.* — (Avec *de* + infinitif) *L'art d'aimer, l'art de vivre.* **II. 1.** Expression, par les œuvres de l'homme, d'un idéal esthétique ; ensemble des activités humaines créatrices visant à cette expression (⇒ **artiste**). *Œuvre d'art, objet d'art. Critique d'art. Livre d'art,* contenant des reproductions d'œuvres d'art. *Histoire de l'art.* **2.** Chacun des modes d'expression de la beauté. *Les arts plastiques. Le septième art,* le cinéma. *Les arts décoratifs.* **3.** Création des œuvres d'art ; ensemble des œuvres (à une époque ; dans un lieu particulier). *Étudier l'art égyptien. Musée national d'art moderne.* — En peinture, en sculpture. *Art abstrait.* ⟨ ▶ **artifice,** **artisan, artiste, beaux-arts** ⟩

artère [arter] n. f. **1.** Un des vaisseaux à ramifications divergentes qui, partant des ventricules du cœur, distribuent le sang à tout le corps (opposé à *veine*). *Les artères communiquent avec les veines par les capillaires.* **2.** Rue importante (d'une ville). *Évitez les grandes artères qui sont embouteillées.* ▶ *artériel, ielle* adj. ■ Qui a rapport aux artères (opposé à *veineux*). *Tension artérielle.* ▶ *artériosclérose* [arterjoskleroz] n. f. ■ Durcissement progressif des artères. ⟨ ▶ **trachée-artère** ⟩

arthrite [artrit] n. f. ■ Affection articulaire d'origine inflammatoire. ≠ *arthrose.* ▶ *arthritique* adj. et n. ■ De l'arthrite. — N. Qui a de l'arthrite. *Un, une arthritique.* ▶ *arthritisme* n. m. ■ Arthrite accompagnée de divers troubles.

arthropodes [artropɔd] n. m. pl. ■ Zoologie. Embranchement d'invertébrés. *Les crustacés, les insectes sont des arthropodes.* — Sing. *Un arthropode.*

arthrose [artroz] n. f. ■ Inflammation chronique des articulations. ≠ *arthrite.*

artichaut [artiʃo] n. m. **1.** Plante potagère cultivée pour ses capitules comestibles *(tête d'artichaut). Fond d'artichaut,* le réceptacle central, charnu, qui porte les « feuilles » d'artichaut (en réalité, des bractées). *Cœurs d'artichauts,* les feuilles du cœur de petits artichauts dont le haut est coupé. *Artichaut à la vinaigrette.* **2.** Fam. *Avoir un cœur d'artichaut,* un cœur volage.

① *article* [artikl] n. m. **I. 1.** Partie (numérotée ou non) qui forme une division d'un texte officiel. *Article de loi.* — *Article de foi,* point formel de croyance dans une religion. ⇒ **dogme.** — Fig. *Prendre qqch. pour article de foi,* y croire fermement. **2.** Partie d'un écrit. ⇒ **point.** *Sur cet article,* sur ce point, sur ce chapitre. ⇒ **chapitre, sujet. 3.** À L'ARTICLE DE LA MORT loc. : sur le point de mourir. *Il est à l'article de la mort.* **4.** Écrit formant un tout distinct, mais faisant partie d'une publication. *Les articles d'un dictionnaire. Article de journal.*

② *article* n. m. **1.** Objet de commerce. *Nous n'avons pas cet article en magasin. Articles de voyage.* **2.** FAIRE L'ARTICLE loc. : vanter sa marchandise pour la vendre. — Fig. Faire valoir (qqch., qqn) d'une manière commerciale.

③ *article* n. m. ■ Mot qui, placé devant un nom, sert à le déterminer plus ou moins précisément, tout en marquant le genre et le nombre. *Article défini* (le, la, l', les), *indéfini* (un, une, des, de, d'), *partitif* (de, du, de la, de l', des).

① *articuler* [aʀtikyle] v. tr. ▪ conjug. 1. ▪ Émettre, faire entendre les sons vocaux à l'aide de mouvements des lèvres et de la langue. ⇒ **prononcer.** — Sans compl. *Bien articuler,* détacher les syllabes, les mots. ▶① *articulation* n. f. ▪ Action de prononcer distinctement les différents sons d'une langue à l'aide des mouvements des lèvres et de la langue. ⇒ **prononciation.** *Son articulation est peu nette.* ▶① *articulé, ée* adj. ▪ Formé de sons différents reconnaissables. *Langage articulé* (opposé à *inarticulé*). ‹ ▶ inarticulé ›

② *s'articuler* v. pron. ▪ conjug. 1. 1. (Os) Former une articulation ②. — (Mécanisme) *L'organe de transmission s'articule sur l'arbre.* 2. Se succéder comme éléments distincts d'un tout. *Les chapitres de ce livre s'articulent bien.* ▶ *articulaire* adj. ▪ Qui a rapport aux articulations. *Rhumatisme articulaire chronique.* ⇒ **arthrose.** ▶② *articulation* n. f. 1. Ensemble des parties molles et dures par lesquelles s'unissent deux ou plusieurs os voisins. *L'articulation du coude, du genou.* 2. Assemblage de plusieurs pièces mobiles les unes sur les autres. ▶② *articulé, ée* adj. ▪ Construit de manière à s'articuler. *Poupée articulée,* dont on peut bouger la tête, plier les membres. ‹ ▶ se désarticuler ›

① *artifice* [aʀtifis] n. m. 1. Moyen habile, ingénieux (⇒ **art,** I). *Résoudre un problème de mathématiques par un artifice de calcul.* 2. Moyen trompeur et habile pour déguiser la vérité. ⇒ **ruse, subterfuge, tromperie.** *Tromper qqn par des artifices.* ▶ *artificiel, elle* adj. 1. Qui est le produit de l'habileté humaine et non celui de la nature. ⇒ **factice ; fabriqué, faux, imité, postiche.** *Cheveux artificiels. Lac artificiel. Jambe artificielle* (prothèse). *Fleurs artificielles.* / contr. **naturel** / 2. Qui est le produit des relations, des habitudes dans une société. *Des plaisirs, des besoins artificiels.* 3. Qui ne tient pas compte des caractères naturels, des faits réels. *Classification artificielle.* ⇒ **arbitraire.** 4. Qui manque de naturel. ⇒ **affecté, feint.** *Une gaieté artificielle,* forcée. ▶ *artificiellement* adv. ▪ D'une manière artificielle. ▶ *artificieux, euse* adj. ▪ Littér. Qui est plein d'artifices, de ruse. *Un diplomate artificieux.* ⇒ **rusé, retors.** *Paroles artificieuses.* / contr. **sincère** /

② *feu d'artifice* [fødaʀtifis] n. m. ▪ Ensemble de fusées et autres explosifs à effet lumineux qu'on fait brûler pour un divertissement. *Les feux d'artifice du 14 Juillet.* — Abstrait. Ce qui éblouit par le nombre et la rapidité des images ou des traits brillants. *Son discours est un vrai feu d'artifice.* ▶ *artificier* n. m. ▪ Celui qui fabrique, organise ou tire les feux d'artifice.

artillerie [aʀtijʀi] n. f. 1. Matériel de guerre comprenant les canons, obusiers, etc. *Artillerie légère, lourde. Tir d'artillerie.* 2. Dans l'armée. L'arme qui est chargée du service de ce matériel. ▶ *artilleur* n. m. ▪ Militaire appartenant à l'artillerie.

mât d'artimon [mɑdaʀtimɔ̃] n. m. ▪ Mât à l'arrière d'un navire à plusieurs mâts.

artisan, ane [aʀtizɑ̃, an] n. — REM. Le féminin *artisane* est rare. 1. Personne qui fait un travail manuel, qui exerce une technique traditionnelle ⇒ **art** (I) à son propre compte, aidée souvent de sa famille et d'apprentis. *Le cordonnier est un artisan. Elle est artisan en poterie.* 2. Auteur, cause d'une chose. *Il, elle a été l'artisan de sa fortune.* ▶ *artisanal, ale, aux* adj. ▪ Qui est relatif à l'artisan. *Métier artisanal. Cette exploitation est restée au stade artisanal. Techniques artisanales* / contr. **industriel** / ▶ *artisanalement* adv. ▶ *artisanat* n. m. 1. Métier, condition d'artisan. 2. Ensemble des artisans.

artiste [aʀtist] n. 1. Personne qui se voue à l'expression du beau, pratique les beaux-arts, l'art (II). *L'inspiration d'un artiste.* 2. Créateur(trice) d'une œuvre d'art, surtout d'une œuvre plastique. *La signature de l'artiste.* 3. Personne qui interprète une œuvre musicale ou théâtrale (opposé à *auteur, compositeur, écrivain*). ⇒ **acteur, comédien, interprète, musicien.** *Cette pianiste est une grande artiste. Entrée des artistes.* ▶ *artistement* adv. ▪ Avec goût ; avec sens esthétique. *Des fleurs artistement disposées.* ▶ *artistique* adj. 1. Qui a rapport à l'art ou aux productions de l'art. *Les richesses artistiques d'un pays.* 2. Qui est fait, présenté avec art. *L'arrangement de cette vitrine est très artistique.* ▶ *artistiquement* adv. ▪ Avec art. ⇒ **artistement.**

arum [aʀɔm] n. m. ▪ Plante à fleurs blanches en long cornet. *Des arums.*

aruspice [aʀyspis] n. m. ▪ Devin qui, à Rome, examinait les entrailles des victimes pour en tirer des présages.

aryen, yenne [aʀjɛ̃, jɛn] n. ▪ Type de la race blanche, selon les racistes. — Adj. *Race aryenne.*

as [ɑs] n. m. invar. 1. Côté du dé à jouer (ou moitié de domino) marqué d'un seul point ou signe. 2. Carte à jouer, marquée d'un seul point ou signe, qui est carte maîtresse dans de nombreux jeux. *As de trèfle.* 3. Loc. fam. *Être ficelé, fichu comme l'as de pique,* être mal habillé ou mal fait. — Fam. *Être plein aux as,* avoir beaucoup d'argent. — Fam. *Passer qqch. à l'as,* l'escamoter. 4. Personne qui réussit excellemment dans une activité. *Un as de l'aviation.* ⇒ **champion.** *C'est un as,* il (ou elle) est très fort(e).

① *ascendant, ante* [asɑ̃dɑ̃, ɑ̃t] adj. ▪ Qui va en montant. *Mouvement ascendant.* ⇒ **ascension** (3). / contr. **descendant** / *Progression ascendante,* celle dont les termes vont en croissant.

② *ascendant* n. m. 1. Influence dominante. ⇒ **autorité, empire, influence, pouvoir.** *Avoir, exercer de l'ascendant sur qqn. Subir l'ascendant de qqn.* ⇒ **charme, séduction.** 2. Parent dont on descend. *Un ascendant en ligne directe. Des ascendants normands.* / contr. **descendant** / ▶ *ascendance* n. f. ▪ Ligne généalogique par laquelle on remonte de l'enfant aux parents, aux grands-parents ; ensemble des générations de personnes d'où est issu qqn. *Ascendance paternelle, maternelle. Il est d'ascendance bretonne.* ⇒ **famille.** / contr. **descendance** /

ascenseur [asɑ̃sœʀ] n. m. ▪ Appareil qui sert à monter verticalement des personnes aux différents étages d'un immeuble et le plus souvent aussi à les descendre. *Cage de l'ascenseur. Appeler, prendre l'ascenseur.* — Loc. fig. *Renvoyer l'ascenseur,* rendre la pareille à qqn (après un service rendu, etc.).

ascension [asɑ̃sjɔ̃] n. f. 1. (Avec une majuscule) Dans la religion chrétienne. Élévation miraculeuse de Jésus-Christ dans le ciel ; fête commémorant ce miracle. *Le jeudi de l'Ascension.* 2. Action de gravir une montagne. *La première ascension du mont Blanc eut lieu en 1786. Faire des ascensions.* 3. Action de s'élever dans les airs. *L'ascension d'une fusée.* 4. Montée vers un idéal ou une réussite sociale. ⇒ **montée, progrès.** *L'ascension de Bonaparte.* / contr. **chute** / ▶ *ascensionner* [asɑ̃sjɔne] v. intr. ▪ conjug. 1. ▪ Faire une ascension (2). ▶ *ascensionniste* n. ▪ Personne qui fait une ascension en montagne. ⇒ **alpiniste.**

ascèse [asɛz] n. f. 1. Ensemble d'exercices physiques et moraux qui tendent à l'affranchissement de l'esprit par le mépris du corps. 2. Privation voulue

et héroïque. *Renoncer à cet argent ? C'est une ascèse !*
▶ **ascète** [asɛt] n. **1.** Personne qui pratique l'ascétisme, s'impose, par piété, des exercices de pénitence, des privations, des mortifications. **2.** Personne qui mène une vie austère. / contr. **jouisseur** / ▶ *ascétique* [asetik] adj. ■ Qui pratique les privations ; fait de privations. *Une vie ascétique.* ≠ *acétique.* ▶ *ascétisme* [asetism] n. m. **1.** Genre de vie religieuse des ascètes. **2.** Vie austère, continente, frugale, rigoriste. *Se priver par ascétisme.*

-ase ■ Élément tiré de *diastase* et servant à désigner certains ferments (enzymes). — N. f. pl. *Les ases* [az], les enzymes.

asepsie [asɛpsi] n. f. ■ Méthode préventive, qui s'oppose aux maladies infectieuses, en empêchant l'introduction de microbes dans l'organisme. ⇒ **antisepsie, désinfection, pasteurisation, prophylaxie, stérilisation.** ▶ *aseptique* [asɛptik] adj. ■ Exempt de tout germe infectieux. *Pansement aseptique.* ▶ *aseptiser* v. tr. ▪ conjug. 1. ■ Rendre aseptique. *Aseptiser une plaie.* ▶ *aseptisé, ée* adj. ■ Abstrait. Débarrassé de toute impureté. *Un confort aseptisé,* privé de toute chaleur humaine.

asexué, ée [asɛksɥe] adj. **1.** Qui n'a pas de sexe. *Multiplication asexuée,* végétative. **2.** Qui ne semble pas appartenir à un sexe déterminé. *Une voix asexuée.* — Fam. (Personnes) Qui n'a pas de besoins sexuels, ou semble ne pas en avoir.

asiatique [azjatik] adj. et n. ■ Qui appartient à l'Asie ou qui en est originaire. — N. *Les Asiatiques.* ⟨ ▶ afro-asiatique ⟩

asile [azil] n. m. **1.** Lieu où l'on se met à l'abri, en sûreté contre un danger. ⇒ **abri, refuge.** *Chercher, trouver asile, un asile. Un asile sûr.* **2.** Lieu où l'on trouve la paix, le calme, la sérénité. ⇒ **retraite.** *Un asile de paix.* **3.** Vx. Établissement d'assistance publique ou privée. *Un asile de vieillards.* ⇒ **hospice.** *Asile d'aliénés,* ou ellipt. *asile,* hôpital psychiatrique. — Fam. *Il mérite l'asile, il est bon pour l'asile,* il est fou.

asocial, ale, aux [asɔsjal, o] adj. ■ Qui n'est pas adapté à la vie sociale, s'y oppose violemment. *Un enfant asocial.* — N. *Des asociaux.* ⇒ **marginal.**

aspect [aspɛ] n. m. **I.** Vx ou littér. Le fait de s'offrir aux yeux, à la vue. ⇒ **spectacle, vue.** *L'aspect du sang le rend malade.* — À L'ASPECT DE : à la vue de, en voyant. *Il se trouve mal à l'aspect du sang.* — *Au premier aspect,* au premier coup d'œil. **2.** Manière dont qqn, qqch. se présente aux yeux. ⇒ **apparence ; air, allure.** *Des fruits de bel aspect. Un homme d'aspect misérable. Donner, prendre l'aspect de...* **3.** Chacune des faces sous lesquelles une chose peut être vue. ⇒ **angle, côté, face.** *Vous ne considérez qu'un seul aspect de la question, il faut l'envisager sous tous ses aspects.* **II.** Linguistique. Manière dont l'action exprimée par le verbe est envisagée dans son développement : action terminée (perfectif) ou en cours (imperfectif). Ex. : *il a mangé ; il mangeait.*

asperge [aspɛrʒ] n. f. **1.** Plante à tige souterraine d'où naissent chaque année des bourgeons qui s'allongent en tiges charnues comestibles ; cette tige. *Une botte d'asperges. Potage aux pointes d'asperges.* **2.** Fam. Personne grande et maigre. *Quelle asperge !*

asperger [aspɛrʒe] v. tr. ▪ conjug. 3. **1.** Projeter un liquide en forme de pluie sur. *Asperger une plante.* — Pronominalement (réfl.). *Il s'asperge d'eau froide pour tonifier l'épiderme.* **2.** Fam. Mouiller accidentellement par la projection d'un jet d'eau. *Une voiture, en passant dans une flaque, nous a aspergés d'eau sale.* ▶ *aspersion* [aspɛrsjɔ̃] n. f. ■ Action d'asperger. *Baptême par aspersion* (opposé à *par immersion*).

aspérité [asperite] n. f. ■ Partie saillante d'une surface inégale (« âpre »). ⇒ **rugosité, saillie.** *Les aspérités du sol.*

asphalte [asfalt] n. m. **1.** Mélange noirâtre naturel de calcaire, de silice et de bitume se ramollissant entre 50 et 100°. **2.** Préparation destinée au revêtement des chaussées, à base de brai de pétrole. ⇒ **bitume.** — Fam. *Arpenter l'asphalte,* la chaussée, le trottoir. ▶ *asphalter* v. tr. ▪ conjug. 1. ■ Revêtir d'asphalte. — Au p. p. adj. *Chaussée asphaltée.*

asphyxie [asfiksi] n. f. **1.** État pathologique déterminé par le ralentissement ou l'arrêt de la respiration. *Il est mort par asphyxie.* **2.** Abstrait. Étouffement de facultés intellectuelles, morales, dû à la contrainte. *Asphyxie morale.* ⇒ **oppression.** — Arrêt du développement. *L'asphyxie d'une industrie.* ▶ *asphyxier* [asfiksje] v. tr. ▪ conjug. 7. **1.** Causer l'asphyxie de. — S'ASPHYXIER v. pron. réfl. : causer son asphyxie, se donner la mort par asphyxie. *Elle s'est asphyxiée au gaz.* **2.** Étouffer par une contrainte ou la suppression d'une chose vitale. ▶ *asphyxiant, ante* [asfiksjɑ̃, ɑ̃t] adj. **1.** Qui asphyxie. *Fumée asphyxiante. Gaz asphyxiant,* gaz toxique (employé pendant la guerre de 1914-1918). **2.** Se dit d'une atmosphère morale où l'on étouffe, où l'on s'étiole. ⇒ **étouffant.** ▶ *asphyxié, ée* adj. et n. **1.** Qu'on a, qui s'est asphyxié. — N. *Soins à donner aux asphyxiés.* **2.** Qui est étouffé par une contrainte. *Une industrie asphyxiée. Des libertés asphyxiées.*

aspic [aspik] n. m. ■ Variété de vipère. *Des aspics.*

① **aspirant** [aspirɑ̃] n. m. ■ Titre des élèves-officiers qui prennent rang entre l'adjudant-chef et le sous-lieutenant (arg. *aspi*).

aspirer [aspire] v. tr. ▪ conjug. 1. **I. 1.** Attirer (l'air) dans ses poumons. ⇒ **inspirer.** *Pour respirer, on aspire puis on expire l'air.* **2.** Attirer (un fluide) dans le nez, la bouche. ⇒ **avaler, humer, renifler.** *Aspirer une boisson avec une paille. Il ouvrait les narines pour aspirer les bonnes odeurs de la campagne.* **3.** Attirer les fluides en faisant le vide. ⇒ **pomper.** / contr. **refouler** / **II.** V. tr. ind. ASPIRER À : porter ses désirs vers un objet. *Aspirer à un titre.* ⇒ **souhaiter ; prétendre** à. *Je n'aspire plus qu'à me reposer.* ▶ ② *aspirant, ante* adj. ■ Qui aspire (I). — Loc. *Pompe aspirante,* qui aspire de l'eau, l'élève en faisant le vide. ▶ *aspirateur* n. m. ■ Appareil qui aspire l'air, les liquides, et spécialt. les poussières. *Passer des tapis à l'aspirateur. Passer l'aspirateur.* ▶ *aspiration* n. f. **I. 1.** Action d'attirer l'air dans ses poumons. ⇒ **inspiration.** *L'aspiration et l'expiration.* **2.** Action d'aspirer des gaz, des liquides, des poussières, etc. *Tuyau d'aspiration d'un corps de pompe.* **II.** Action de porter ses désirs vers (un idéal). *Avoir de nobles aspirations.* ⇒ **désir, souhait.** ▶ *aspiré, ée* adj. **1.** *h* aspiré, émis en soufflant de l'air (ex. : le *h* anglais). **2.** Se dit parfois (à tort) du *h* français qui ne permet pas la liaison (ex. : *des haricots* [deariko]). / contr. **muet** /

aspirine [aspirin] n. f. ■ Acide acétylsalicylique, remède contre la douleur et la fièvre. *Comprimé d'aspirine.* — Loc. fam. *Être blanc comme un cachet d'aspirine* (opposé à *bronzé, hâlé*). — Ce comprimé. *Prendre deux aspirines.*

assagir [asaʒir] v. tr. ▪ conjug. 2. **1.** (Suj. chose) Rendre plus sage, plus calme. *Le malheur assagit les hommes. Le temps assagit les passions.* ⇒ **calmer, modérer. 2.** S'ASSAGIR v. pron. : devenir sage. *Elle s'est assagie depuis son entrée au lycée.* ⇒ se **ranger.** — (Choses) *Le style de ce peintre s'est assagi.* ▶ *assagissement* n. m. ■ Action d'assagir, de s'assagir.

assaillir [asajiʀ] v. tr. ▪ conjug. 13. **1.** Surtout au
passif. Se jeter sur (qqn) pour l'attaquer. ⇒ **fondre**
sur. *Assaillir un camp. Être assailli par des malfaiteurs.
Action d'assaillir.* ⇒ **assaut. 2.** Se jeter sur (qqn). *Le
ministre était assailli par des journalistes.* — *Assaillir
qqn de qqch.*, harceler, accabler. *Je l'ai assailli de
questions.* **3.** (Suj. chose) Attaquer brusquement.
⇒ **tourmenter.** *Les difficultés qui l'assaillent de toutes
parts.* ▶ *assaillant, ante* adj. et n. **1.** Qui assaille.
L'armée assaillante. **2.** N. m. Personne qui assaille,
attaque. ⇒ **attaquant.** *Il se défendit contre ses
assaillants.*

assainir [aseniʀ] v. tr. ▪ conjug. 2. **1.** Rendre sain
ou plus sain. *Assainir une région marécageuse.*
2. *Assainir une monnaie*, la rendre plus stable.
▶ *assainissement* n. m. ▪ *Travaux d'assainissement.*
— *L'assainissement d'une monnaie, d'un marché.*

assaisonner [asɛzɔne] v. tr. ▪ conjug. 1.
1. Accommoder (un mets) avec des ingrédients qui
en relèvent le goût. *Assaisonner la salade.* **2.** Littér.
Ajouter de l'agrément, du piquant à (son discours,
ses écrits, ses actes). ⇒ **agrémenter, pimenter, rehausser, relever.** — Au p. p. *Une sincérité assaisonnée de
malveillance.* **3.** Fam. Réprimander (qqn). *Il s'est fait
drôlement assaisonner par son père.* ▶ *assaisonnement* n. m. **1.** Action, manière d'assaisonner
(1). **2.** Ce qui sert à assaisonner (1) ; ingrédient utilisé
en cuisine pour relever le goût des aliments, à
l'exception du sucre. *Le sel, le citron, le piment, le
vinaigre sont des assaisonnements.*

assassin [asasɛ̃] n. m. **1.** Personne qui commet un
meurtre avec préméditation ou guet-apens. ⇒ **meurtrier ; homicide.** *L'assassin s'est servi d'un revolver.*
2. Personne qui est l'artisan de la mort de qqn. *Ce
médecin est un assassin.* **3.** Adj. Plaisant. *Œillade
assassine*, provocante. ▶ *assassinat* n. m. ▪ Meurtre
commis avec préméditation, guet-apens. *L'assassinat
du président Kennedy.* — Exécution d'un innocent.
L'assassinat du duc d'Enghien. ▶ *assassiner* v. tr.
▪ conjug. 1. **1.** Tuer par assassinat. — Au p. p. *Il est
mort assassiné.* — Tuer légalement (un innocent).
2. Fig. Interpréter mal (un morceau de musique, une
composition). ⇒ fam. **massacrer. 3.** Fam. Demander
à (qqn) des sommes fabuleuses en paiement de qqch.
Je suis raisonnable, je ne veux pas vous assassiner.

assaut [aso] n. m. **1.** Action d'assaillir, d'attaquer
de vive force. ⇒ **attaque, offensive.** *L'assaut d'une
position ennemie. Char d'assaut. Aller, monter à
l'assaut. Prendre d'assaut. Repousser un assaut.*
2. Attaque brutale, impérieuse. *Les microbes donnent
l'assaut à notre organisme.* — Loc. *Prendre d'assaut*
(un lieu), s'y précipiter nombreux. *Les pâtisseries
étaient prises d'assaut.* **3.** ASSAUT DE : lutte d'émulation. *Elles font assaut d'élégance. Quel assaut de zèle !*

-asse ▪ Élément servant à former des noms et des
adjectifs à valeur péjorative (ex. : *vinasse, blondasse*).

assécher [aseʃe] v. tr. ▪ conjug. 6. **1.** Enlever l'eau,
l'humidité de (un sol). *Assécher un terrain marécageux.* ⇒ **assainir, drainer. 2.** Mettre à sec (un
réservoir). *Assécher une citerne.* ⇒ **vider.** ▶ *assèchement* [asɛʃmã] n. m. ▪ *L'assèchement d'un cours
d'eau.*

assembler [asãble] v. tr. ▪ conjug. 1. **1.** Mettre (des
choses) ensemble. *Je ne peux plus assembler deux
idées.* ⇒ **réunir. 2.** Faire tenir ensemble. *Assembler
les feuilles d'un livre, les pièces d'une charpente.*
3. S'ASSEMBLER v. pron. : se réunir (en parlant d'un
groupe). *La foule s'assemble sur la place pour voir le
feu d'artifice.* ⇒ se **rassembler.** / contr. se **séparer** /
▶ *assemblage* n. m. **1.** Action d'assembler (des

éléments) pour former un tout, un objet. *L'assemblage
des parties d'une robe ; des pièces d'une machine.*
— *Assemblage par emboîtement.* **2.** Réunion de
choses assemblées. *Un cahier est un assemblage de
feuilles.* ⇒ **ensemble, réunion.** ▶ *assemblée* n. f.
1. Personnes réunies en un même lieu pour un motif
commun. *En présence d'une nombreuse assemblée.*
⇒ **assistance, auditoire.** *Une brillante assemblée de
gens célèbres.* **2.** Réunion des membres d'un corps
constitué ou d'un groupe de personnes, régulièrement
convoqués pour délibérer en commun d'affaires
déterminées. *L'association a tenu son assemblée
plénière.* **3.** Les membres du corps. *Convoquer une
assemblée. Les délibérations d'une assemblée.* — (Avec
une majuscule) *L'Assemblée (nationale) et le Sénat
constituent le Parlement français.* ⟨ ▶ **rassembler** ⟩

assener [asene] v. tr. ▪ conjug. 5. — REM. Le *e* sans
accent se prononce [e] à la différence de *amener*.
1. Donner (un coup violent, bien appliqué). *Il lui a
asséné un coup sur la tête.* **2.** Dire, avec brutalité
(qqch. à qqn). *Assener une réplique, une vérité.*

assentiment [asãtimã] n. m. ▪ Acte par lequel
on acquiesce (expressément ou tacitement) à une
opinion, une proposition. ⇒ **accord, approbation,
consentement.** *Obtenir l'assentiment de qqn. Refuser
son assentiment à une décision.* / contr. **désapprobation** /

asseoir [aswaʀ] v. tr. ▪ conjug. 26. **1.** Mettre (qqn)
dans la posture d'appui sur le derrière (sur un siège,
etc.). *Asseoir un enfant sur une chaise.* — Fam.
Déconcerter. *Sa réponse m'a assis.* **2.** S'ASSEOIR v.
pron. : se mettre sur son séant, sur un siège, etc.
*S'asseoir sur une chaise. Asseyez-vous. S'asseoir à une
table*, s'attabler. *Faire asseoir (qqn)*, le faire s'asseoir.
/ contr. se **lever** / — Loc. fam. *Ton opinion, je m'assois
dessus*, je n'en fais aucun cas. **3.** Fonder sur une base
solide ; rendre plus assuré, plus stable. ⇒ **affermir.**
Asseoir son autorité. ⟨ ▶ ① **assiette, assis, assise,**
rasseoir ⟩

assermenté, ée [asɛʀmãte] adj. **1.** Qui a prêté
serment avant d'exercer une fonction publique, une
profession. *Fonctionnaire, traducteur assermenté.*
2. Qui a prêté serment devant le tribunal. *Témoin
assermenté.*

assertion [asɛʀsjɔ̃] n. f. ▪ Proposition que l'on
avance et qu'on soutient comme vraie. ⇒ **affirmation.**
Les faits ont vérifié ses assertions. ≠ *insertion.*

asservir [asɛʀviʀ] v. tr. ▪ conjug. 2. **1.** Réduire à
la servitude, à l'esclavage. ⇒ **assujettir.** *Asservir des
hommes, un pays.* / contr. **affranchir** / **2.** Maîtriser.
Asservir les forces de la nature. ▶ *asservissement*
n. m. ▪ Action d'asservir ou état de ce qui est asservi.
Tenir des hommes dans l'asservissement. ⇒ **servitude.**
L'asservissement des femmes aux coutumes. / contr.
affranchissement, émancipation, libération /

assesseur [asesœʀ] n. m. ▪ Personne qui assiste
qqn dans ses fonctions. *Assesseur du bureau de vote.*
— Adjoint à un juge, à un magistrat. *Elle est assesseur.*

assez [ase] adv. **1.** En suffisance. ⇒ **suffisamment.**
*La maison n'est pas assez grande. Je suis resté assez
longtemps. J'ai assez bien. Il a assez travaillé. J'ai
assez bien compris. Je l'ai assez vu.* — En voilà assez !
C'en est assez ! Assez !, arrêtez-vous, nous n'en
supporterons pas plus. **2.** ASSEZ DE (suivi d'un nom) :
suffisamment. *Il y a asse z de provisions pour
aujourd'hui.* AVOIR ASSEZ DE qqch. *Avez-vous assez
d'argent ? J'en ai assez. J'aurai assez de deux
couvertures, cela me suffira.* — *Avoir assez d'une chose,
en être fatigué. J'en ai assez de ce roman.* (→ fam.
J'en ai marre, ras le bol.) **3.** D'une manière faible,

relative. ⇒ **passablement, plutôt.** *Elle est assez jolie.*
Cela paraît assez vraisemblable. / contr. **guère** /

assidu, ue [asidy] adj. **1.** Qui est régulièrement
présent là où il (ou elle) doit être. *Employé assidu*
à son bureau. ⇒ **exact, ponctuel, régulier. 2.** Qui est
continuellement, fréquemment auprès de qqn. *Un*
médecin assidu auprès d'un malade. **3.** (Choses)
Soutenu, régulier. *Travail assidu. Soins assidus.*
/ contr. **relâché** / ► *assidûment* adv. ■ *Fréquenter*
assidûment une personne, un lieu. ⇒ **régulièrement.**
► *assiduité* n. f. **1.** Présence régulière en un lieu où
l'on s'acquitte de ses obligations. *L'assiduité d'un*
élève. **2.** Présence continuelle, fréquente auprès de
qqn. *Fréquenter qqn, sa maison avec assiduité.* **3.** Au
plur. ASSIDUITÉS : manifestation d'empressement
auprès d'une femme (souvent fam.). *Ses assiduités*
m'importunent.

assiéger [asjeʒe] v. tr. ■ conjug. 3 et 6. **1.** Mettre
le siège devant. *Assiéger une ville.* ⇒ **encercler,**
investir. 2. Entourer ; tenir enfermé dans. ⇒ **encer-**
cler. *Les flammes les assiégeaient de toutes parts.*
⇒ **assaillir.** — (D'une masse de gens) Entourer ;
essayer de pénétrer dans. *Des clients assiégeaient les*
guichets. **3.** Littér. *Assiéger qqn*, le fatiguer de ses
assiduités, de ses sollicitations. — Au passif. *Être*
assiégé par des créanciers. — (Choses) Assaillir,
obséder. *Les malheurs, les souvenirs qui m'assiègent.*
► *assiégé, ée* n. ■ Personne qui subit un siège. *Les*
assiégés ne veulent pas se rendre. / contr. **assiégeant** /
► *assiégeant, ante* n. ■ Personne qui assiège.
Repousser les assiégeants. / contr. **assiégé** /

① *assiette* n. f. **1.** Équilibre, tenue du
cavalier assis sur sa selle (surtout dans *avoir une bonne*
assiette, bien monter). **2.** *Ne pas être* DANS SON
ASSIETTE : ne pas se sentir bien (physiquement).
3. Base sur laquelle porte un droit. *Assiette d'un*
impôt, matière assujettie à l'impôt, déterminée en
quantité et qualité.

② *assiette* n. f. **1.** Pièce de vaisselle individuelle
servant à contenir des aliments. *Assiette plate. Assiette*
creuse, à soupe. Assiette à dessert, plus petite (plus
grande que la *soucoupe*). **2.** Contenu d'une assiette.
⇒ **assiettée.** *Une assiette de potage.* **3.** ASSIETTE
ANGLAISE : assortiment de viandes froides, de
charcuteries. ► *assiettée* [asjete] n. f. ■ Ce que
contient ou peut contenir une assiette. ⟨ ► pique-
assiette ⟩

assignat [asiɲa] n. m. ■ Ancien papier-monnaie
émis en France sous la Révolution.

assigner [asiɲe] v. tr. ■ conjug. 1. **1.** ASSIGNER
qqch. À *qqn* : attribuer (un bien) à qqn pour sa part ;
destiner ou donner à qqn. *Assigner un but, une tâche,*
un emploi à qqn. ⇒ **affecter. 2.** ASSIGNER *qqch.* à
qqch. : déterminer, fixer. *Assigner un terme à une*
durée, des limites à une activité. — Abstrait. *Assigner*
une origine commune à deux faits. **3.** ASSIGNER *qqn* :
appeler (qqn) à comparaître en justice. *Assigner qqn*
à résidence, l'obliger à résider en un lieu déterminé.
► *assignation* n. f. ■ Action d'assigner à comparaître. *Assignation d'une personne comme témoin.*
⇒ **citation.**

assimiler [asimile] v. tr. ■ conjug. 1. **I. 1.** ASSIMI-
LER *qqch., qqn* À : considérer comme semblable à.
On ne peut assimiler le manœuvre à l'ouvrier qualifié.
⇒ **confondre. 2.** Transformer, convertir en sa propre
substance. *Il assimile mal les graisses.* **3.** Abstrait.
Faire sien, intégrer des éléments acquis à sa vie
intellectuelle. *Assimiler ce qu'on apprend.* **4.** Rendre
semblable (des personnes) au reste de la communauté.
Assimiler des étrangers, des immigrants. ⇒ **intégrer.**

II. S'ASSIMILER v. pron. réfl. **1.** Devenir semblable ;
se considérer comme semblable. **2.** Être assimilé,
devenir semblable aux citoyens d'un pays. *Aux États-*
Unis, de nombreux immigrants se sont assimilés.
► *assimilable* adj. **1.** Qu'on peut assimiler à qqch.,
traiter comme semblable. ⇒ **comparable, semblable.**
Votre situation n'est pas assimilable à la mienne.
2. (Choses) Susceptible d'assimilation. *Nourriture assi-*
milable. Abstrait. *Des connaissances assimilables.*
3. (Personnes) Qui peut s'assimiler. *Des immigrants*
facilement assimilables. / contr. **inassimilable** /
► *assimilation* n. f. **1.** Acte de l'esprit qui considère
(une chose) comme semblable (à une autre). ⇒ **identi-**
fication ; comparaison. / contr. **distinction** / **2.** Processus par lequel les êtres organisés transforment en
leur propre substance les matières qu'ils absorbent.
Assimilation des aliments. **3.** Acte de l'esprit qui
s'approprie les connaissances qu'il acquiert. *L'assimi-*
lation des mathématiques. **4.** Action d'assimiler des
hommes, des peuples ; processus par lequel ces
hommes, ces peuples s'assimilent. *L'assimilation*
progressive des immigrants, des naturalisés. ⇒ **intégra-**
tion. ► *assimilé, ée* adj. ■ Considéré comme
semblable. *Les farines et les produits assimilés.*
⟨ ► inassimilable ⟩

assis, ise [asi, iz] adj. (⇒ **asseoir**) **1.** Appuyé sur
son séant. *Être assis sur une chaise, dans une voiture.*
Être assis sur ses talons. ⇒ **accroupi.** — Fam. *Il en*
est resté assis, déconcerté. **2.** *Place assise,* où l'on peut
s'asseoir. **3.** Abstrait. Assuré, stable. *Une coutume bien*
assise.

assise [asiz] n. f. **1.** Rangée de pierres qu'on pose
horizontalement pour construire une muraille.
2. Abstrait. Souvent au plur. Base. *Les assises d'une*
doctrine. ⇒ **fondation, fondement.**

assises [asiz] n. f. pl. **1.** Session de la juridiction
appelée COUR D'ASSISES, qui juge les crimes et certains
délits ; cette cour. *Président d'assises.* — *Être envoyé*
aux assises, jugé pour un crime. **2.** Réunion d'un parti
politique, d'un syndicat. ⇒ **congrès.** *Le parti a tenu*
ses assises à Paris.

① *assister* [asiste] v. tr. ind. ■ conjug. 1. ■ ASSIS-
TER À *qqch.* : être présent pour voir, entendre. *Assister*
à une conférence, à un match de tennis. Assister à une
dispute, en être témoin. ► ① *assistance* n. f.
■ Personnes réunies pour assister à qqch. *Sa*
conférence a charmé l'assistance. ⇒ **auditoire, public.**
► ① *assistant, ante* n. — REM. S'emploie le plus
souvent au masc. plur. ■ Personne qui assiste à qqch.
⇒ **auditeur, spectateur, témoin.** *L'un des assistants*
posa une question.

② *assister* v. tr. ■ conjug. 1. — REM. Compl.
personne. **1.** Se tenir auprès de (qqn) pour le seconder.
Assister qqn dans son travail. **2.** Vx. Aider, secourir.
Dieu vous assiste ! **3.** Être aux côtés de (un grand
malade, un mourant). *Je n'ai pas pu l'assister dans*
ses derniers moments. ► ② *assistance* n. f.
1. Secours donné ou reçu. *Il a promis son assistance.*
Demander assistance auprès de qqn. **2.** Institution ou
administration qui est chargée de l'aide sociale.
Œuvres d'assistance aux indigents. — *Assistance*
technique, aide technique apportée à un pays en voie
de développement. ► ② *assistant, ante* n. ■ Personne qui assiste qqn pour le seconder. ⇒ **aide,**
adjoint, auxiliaire. *L'assistant du metteur en scène.*
— ASSISTANTE SOCIALE : chargée de remplir un rôle
social (aide matérielle, médicale et morale). — À
l'Université. Enseignant de grade inférieur. — Dans
l'enseignement secondaire. Enseignant de nationalité
étrangère qui assiste un professeur de langue vivante.
► *assisté, ée* adj. et n. **1.** (Personnes) Qui reçoit une

aide. *Des populations assistées.* — N. *Refuser le statut d'assisté.* **2.** (Choses) Qui est pourvu d'un système pour amplifier ou répartir l'effort exercé par l'utilisateur. *Freins assistés. Voiture à direction assistée.* ⟨ ▶ non-assistance ⟩

associer [asɔsje] v. tr. ▪ conjug. 7. **I.** V. tr. **1.** Mettre ensemble. *Associer (en esprit) des mots, des noms. Deux êtres qui associent leurs destinées.* **2.** Réunir (des personnes) par une communauté de travail, d'intérêt, de sentiment. *Associer des ouvriers en un syndicat.* **3.** ASSOCIER qqn À qqch. : le faire participer à (une activité commune, un bien commun). *Associer qqn à ses affaires, à ses travaux.* ⇒ s'**adjoindre. 4.** ASSOCIER (une chose) À (une autre). ⇒ **allier, unir.** *Il associait le courage à la prudence, il était à la fois courageux et prudent.* **II.** S'ASSOCIER v. pron. **1.** *S'associer à qqn, avec qqn pour une opération, une entreprise.* ⇒ s'**allier. 2.** Participer à ; faire sien. *Je m'associe à ses revendications.* ⇒ **adhérer. 3.** Former société. *Plusieurs États se sont associés pour conquérir l'espace.* **4.** (Choses) S'allier à, avec. ⇒ s'**accorder, se marier.** *Ces couleurs s'associent bien.* ▶ **associatif, ive** adj. ▪ Qui procède par association. *Mémoire associative.* — Qui concerne les associations (3). *La vie associative.* ▶ **associé, ée** n. ▪ Personne qui est unie à une ou plusieurs autres par communauté d'intérêt ⇒ **collaborateur, partenaire,** et notamment qui a apporté de l'argent dans une entreprise. *Sa sœur est son associée.* ▶ **association** n. f. **1.** Action d'associer qqn à qqch. ⇒ **participation.** *L'association des travailleurs à l'entreprise.* **2.** Réunion durable, surtout dans les affaires. *Leur association est ancienne.* ⇒ **alliance. 3.** Groupement de personnes qui s'unissent en vue d'un but déterminé. *Former une association. Association sans but lucratif. Une association politique, professionnelle, sportive. Association d'États.* **4.** Fait psychologique par lequel les représentations et les concepts sont susceptibles de s'évoquer mutuellement. *L'association des idées, des images.* ⇒ **enchaînement ; analogie, rapport. 5.** UNE ASSOCIATION D'IDÉES : un ensemble d'idées, de représentations évoquées en même temps par une personne.

assoiffé, ée [aswafe] adj. et n. **1.** Qui a soif. *Les enfants sont assoiffés.* — Littér. *Assoiffé de sang.* ⇒ **altéré. 2.** Abstrait. *Être assoiffé d'argent, de plaisirs.* ⇒ **affamé, avide. 3.** N. *Les assoiffés auront de quoi boire.*

assolement [asɔlmɑ̃] n. m. ▪ Procédé de culture par succession et alternance sur un même terrain pour conserver la fertilité du sol.

assombrir [asɔ̃bʀiʀ] v. tr. ▪ conjug. 2. **1.** Rendre sombre. / contr. **éclaircir** / — Pronominalement (réfl.). *Le ciel s'assombrit, il va pleuvoir.* **2.** Abstrait. Rendre triste, soucieux. *Cette nouvelle a assombri les assistants.* — Pronominalement (réfl.). *Son visage s'assombrit.* ⇒ se **rembrunir.** / contr. s'**éclairer** / ▶ **assombrissement** n. m. ▪ *L'assombrissement du ciel. L'assombrissement de son caractère.*

assommer [asɔme] v. tr. ▪ conjug. 1. **1.** Tuer à l'aide d'un coup violent sur la tête ; frapper sur (qqn) de manière à étourdir. *Le voleur a assommé le gardien de nuit.* **2.** Accabler sous le poids de l'ennui. ⇒ **ennuyer, fatiguer, raser ; assommant.** *Il m'assomme avec ses histoires.* ▶ **assommant, ante** adj. ▪ Fam. Qui ennuie. *Un discours assommant. Elle m'exaspère, elle est assommante.* ⇒ **ennuyeux ;** fam. **casse-pieds.**

Assomption [asɔ̃psjɔ̃] n. f. ▪ Dans la religion catholique. Enlèvement miraculeux de la Sainte Vierge au ciel par les anges, célébré le 15 août.

assonance [asɔnɑ̃s] n. f. ▪ Répétition de la voyelle accentuée à la fin de chaque vers (ex. : *belle* et *rêve*). *L'assonance n'est pas une rime.* ▶ **assonancé, ée** adj. ▪ *Vers assonancés.*

assortir [asɔʀtiʀ] v. tr. ▪ conjug. 2. **1.** Mettre ensemble (des choses qui se conviennent). ⇒ **harmoniser.** *Assortir diverses nuances.* — *Assortir* (une chose) *à d'autres,* faire qu'elle aille avec. *Assortir une cravate à un costume.* **2.** Vx. S'ASSORTIR v. pron. : s'accompagner ; se compléter harmonieusement ; être orné, enrichi. *Le texte s'assortit de belles enluminures.* ▶ **assorti, ie** adj. **1.** Qui est en harmonie, qui va bien avec autre chose. *Pochette et cravate assorties.* — (Personnes) *Ils sont bien assortis.* **2.** *Magasin, rayon bien assorti,* bien pourvu de marchandises. **3.** Au plur. (Aliments) Variés. *Fromages assortis.* ▶ **assortiment** n. m. **1.** Manière dont sont assemblées des choses qui produisent un effet d'ensemble. *Un heureux assortiment de couleurs.* **2.** Assemblage complet de choses qui vont ordinairement ensemble. *Assortiment de vaisselle, de linge de table.* ⇒ **service. 3.** Collection de marchandises de même sorte. *Assortiment de dentelles.* — Plat composé d'aliments variés de même sorte. *Un assortiment de charcuterie.* ⟨ ▶ désassorti, réassortir ⟩

assoupir [asupiʀ] v. tr. ▪ conjug. 2. **1.** Porter à un demi-sommeil. ⇒ **endormir.** *La chaleur l'assoupissait.* — (Compl. chose abstraite) Affaiblir ou suspendre momentanément. ⇒ **engourdir.** *Assoupir les sens, une douleur, un remords.* **2.** S'ASSOUPIR v. pron. réfl. : se laisser aller doucement au sommeil, s'endormir à demi. ⇒ **somnoler.** *Elle s'est assoupie quelques instants après le repas.* — Abstrait. *Sa douleur s'est assoupie.* ⇒ se **calmer.** ▶ **assoupissement** n. m. ▪ Le fait de s'assoupir ; état voisin du sommeil. ⇒ **somnolence.**

assouplir [asupliʀ] v. tr. ▪ conjug. 2. **1.** Rendre souple, plus souple. *Assouplir du cuir. Les exercices de gymnastique assouplissent le corps.* **2.** Rendre plus malléable, maniable. *Assouplir le caractère d'un enfant violent.* ⇒ **adoucir.** *Assouplir des règles trop strictes.* **3.** S'ASSOUPLIR v. pron. *Le cuir s'assouplit. Son caractère s'est assoupli.* ▶ **assouplissement** n. m. ▪ Exercices d'assouplissement (du corps). ⇒ **gymnastique.** — *L'assouplissement d'un système trop rigide.*

assourdir [asuʀdiʀ] v. tr. ▪ conjug. 2. **1.** Causer une surdité passagère ; rendre comme sourd. *Ne criez pas si fort, vous m'assourdissez !* ⇒ fam. **casser** les oreilles. **2.** Fatiguer par trop de bruit, de paroles. *Ils nous assourdissent avec leurs bavardages.* **3.** Rendre moins sonore. ⇒ **amortir.** *Un tapis assourdit les pas.* — Au p. p. adj. *Les sons me parviennent assourdis.* ▶ **assourdissant, ante** adj. ▪ Qui assourdit. *Bruit, vacarme assourdissant,* très intense. ▶ **assourdissement** n. m. ▪ Action d'assourdir ; état d'une personne assourdie.

assouvir [asuviʀ] v. tr. ▪ conjug. 2. **1.** Littér. Calmer complètement (un violent appétit). ⇒ **apaiser, satisfaire.** *De quoi étancher sa soif et assouvir sa faim.* **2.** Satisfaire pleinement (un désir, une passion). *Assouvir sa curiosité, sa haine.* — Au p. p. adj. *Passions assouvies.* / contr. **insatisfait** / — Pronominalement (réfl.). Littér. *Sa passion, sa colère s'est assouvie.* ▶ **assouvissement** n. m. ▪ *L'assouvissement d'un désir, d'un besoin.* ⟨ ▶ inassouvi ⟩

assujettir [asyʒetiʀ] v. tr. ▪ conjug. 2. **1.** Vx. Maintenir (qqn) dans l'obéissance. ⇒ **asservir, soumettre.** / contr. **affranchir** / *Les peuples que les Romains avaient assujettis.* **2.** ASSUJETTIR À : soumettre à. *Assujettir qqn à des règles.* — Au passif. *Être assujetti à l'impôt.* — Pronominalement (réfl.). *S'assujet-*

tir à une règle. ⇒ se **soumettre**. **3.** Rendre (qqch.) fixe, immobile, stable. ⇒ **assurer** (II, 2), **attacher**, **fixer**, **maintenir**. *Assujettir un cordage.* ▶ *assujettissant*, *ante* adj. ■ (Travail) Qui assujettit, exige beaucoup d'assiduité. ▶ **assujettissement** n. m. ■ *L'assujettissement d'une personne à l'impôt.* — Littér. *Suivre la mode peut être un assujettissement.*

assumer [asyme] v. tr. ■ conjug. 1. **1.** Prendre à son compte ; se charger de. *Assumer une fonction, un rôle, une responsabilité.* **2.** Accepter consciemment (une situation, un état psychique et leurs conséquences). *Assumer une situation difficile.* / contr. **refuser** / — S'ASSUMER v. pron. : se prendre en charge. *Elle s'assume pleinement.*

assurer [asyʀe] v. tr. ■ conjug. 1. **I.** **1.** ASSURER À qqn QUE : lui affirmer, lui garantir que. *Il m'a assuré qu'il m'écrirait à ce sujet.* — Sans compl. dir. *C'est vrai, je vous assure.* **2.** ASSURER qqn DE qqch. : le prier de n'en pas douter. *Je puis vous assurer de sa bonne foi.* — (Choses) Permettre à (qqn) de croire. *Cet accueil l'assurait des bonnes dispositions du public.* **II.** **1.** Rendre sûr ; mettre à l'abri des accidents, des risques. *La prévoyance assure l'avenir. Assurer son pouvoir.* — ASSURER qqch. à qqn. *L'État assure une retraite aux travailleurs.* **2.** Mettre (une chose) dans une position stable, empêcher de bouger. ⇒ **assujettir**, **fixer**, **immobiliser**. *Assurer un volet.* **3.** Faire qu'une chose fonctionne, ne s'arrête pas. *Assurer un service.* **4.** Garantir par un contrat d'assurance. *C'est telle compagnie qui assure cet immeuble contre l'incendie. Assurer qqn, garantir ses biens, sa vie, etc.* **III.** S'ASSURER v. pron. réfl. **1.** S'ASSURER DE, QUE, SI : devenir sûr (de, que). ⇒ **vérifier**, **voir**. *Assurez-vous de l'exactitude de cette nouvelle. Je vais m'en assurer. Assurez-vous si (que) la porte est bien fermée.* **2.** S'ASSURER CONTRE : contracter une assurance. *Ils se sont assurés contre les accidents.* **3.** Faux pronominal. S'ASSURER qqn, qqch. : faire en sorte de en avoir et d'en garder l'usage, la possession ou la maîtrise. *S'assurer la protection, la faveur de qqn. Ils se sont assuré les faveurs du ministre.* ▶ **assurance** n. f. **1.** Confiance en soi-même. ⇒ **aisance**, **aplomb**, **audace**. / contr. **timidité** / *Parler avec assurance. Perdre son assurance,* se démonter. **2.** Promesse ou garantie qui rend certain de qqch. *Il m'a donné des assurances sur ce point. Veuillez agréer l'assurance de ma considération distinguée* (formule épistolaire). **3.** Contrat par lequel un assureur garantit à l'assuré, moyennant une prime ou une cotisation, le paiement d'une somme convenue en cas de réalisation d'un risque déterminé. *Police d'assurances. Assurance contre les accidents, l'incendie, le vol. Assurance sur la vie.* — Les ASSURANCES : organisme qui assure les personnes et les biens. — *Assurances sociales.* ⇒ **Sécurité sociale**. ▶ **assuré, ée** adj. et n. **1.** (Choses) Qui est certain. ⇒ **évident**, **indubitable**, **infaillible**, **sûr**. *Tenez pour assuré qu'il viendra. Succès assuré.* **2.** (Personnes) Qui a de l'assurance. *Un air assuré.* ⇒ **sûr** de soi. / contr. **hésitant** / **3.** Qui est ferme, stable. *Une démarche assurée.* **4.** N. L'ASSURÉ : la personne garantie par un contrat d'assurance. — Abusivt. *Les assurés sociaux,* les assurés affiliés à la Sécurité sociale. ▶ **assurément** adv. ■ D'une manière certaine. ⇒ **certainement**, **sûrement**. « *Viendrez-vous ? — Assurément* », oui, certainement. ▶ **assureur** n. m. ■ Personne qui assure par contrat d'assurance. *L'assureur et l'assuré* (4). *Elle est assureur.*

astérisque [asterisk] n. m. ■ Signe en forme d'étoile (*) qui indique un renvoi, ou auquel on attribue un sens convenu.

astéroïde [asterɔid] n. m. ■ Petite planète (invisible à l'œil nu) ou petit météore.

asthénie [asteni] n. f. ■ Manque de force, état de dépression, de faiblesse (pour des raisons neuropsychiques). ⇒ **neurasthénie**. ▶ *asthénique* adj. et n. ■ Qui est atteint d'asthénie. ⟨ ▶ neurasthénie ⟩

asthme [asm] n. m. ■ Affection caractérisée par une gêne respiratoire et une suffocation intermittente. *Une crise d'asthme.* ▶ **asthmatique** adj. et n. ■ Qui a de l'asthme. — N. *Un asthmatique.*

asti [asti] n. m. ■ Vin blanc mousseux d'Italie.

asticot [astiko] n. m. ■ Larve de la mouche à viande utilisée comme appât pour la pêche. ⇒ **ver** blanc.

asticoter [astikɔte] v. tr. ■ conjug. 1. ■ Fam. Agacer, harceler (qqn) pour de petites choses.

astigmate [astigmat] adj. et n. ■ Qui souffre d'un trouble de la vision (dit *astigmatisme,* n. m.) dû à un défaut de la courbure de l'œil.

astiquer [astike] v. tr. ■ conjug. 1. ■ Faire briller en frottant. *Astiquer les cuivres.* ⇒ **frotter**, **polir**. p. p. adj. *Un parquet bien astiqué.* ▶ *astiquage* n. m. ■ *L'astiquage d'un meuble.*

astragale [astragal] n. m. **I.** Os du pied, de la rangée postérieure du tarse. **II.** Ornement à formes arrondies. *Festons et astragales.*

astrakan [astrakɑ̃] n. m. ■ Fourrure à poils bouclés d'une variété d'agneau d'Asie centrale tué très jeune. *Bonnet d'astrakan.*

astre [astʀ] n. m. **1.** Tout corps céleste naturel visible à l'œil nu ou dans un instrument. ⇒ **étoile**, **planète**. *Les astres brillent, scintillent.* — Poét. *L'astre du jour,* le soleil. — Loc. *Il est beau comme un astre,* resplendissant, superbe (souvent iron.). **2.** Corps céleste considéré par rapport à son influence sur les êtres humains (⇒ **astrologie**). *Consulter les astres. Être né sous un astre favorable.* ▶ *astral*, *ale*, *aux* adj. ■ Astrologie. *Des astres. Influences astrales.* ⟨ ▶ astro- ⟩

astreindre [astʀɛ̃dʀ] v. tr. ■ conjug. 49. ■ Obliger strictement (qqn à qqch.). ⇒ **contraindre**, **forcer**, **obliger**. *Astreindre qqn à une discipline, à un régime sans sel.* — Pronominalement (réfl.). *S'astreindre à se lever tôt.* ▶ *astreignant*, *ante* [astʀɛɲɑ̃, ɑ̃t] adj. ■ Qui astreint. *Une tâche astreignante.* ⇒ **assujettissant**.

astringent, ente [astʀɛ̃ʒɑ̃, ɑ̃t] adj. et n. m. ■ Qui exerce sur les tissus vivants un resserrement. *Lotion astringente.* — N. M. *Un astringent pour les soins de la peau.*

astro- ■ Élément savant signifiant « astre ». (Voir les mots ci-dessous.)

astrolabe [astʀolab] n. m. ■ Ancien instrument de navigation dont on se servait pour mesurer la hauteur des astres au-dessus de l'horizon.

astrologie [astʀɔlɔʒi] n. f. ■ Art de déterminer le caractère et de prévoir le destin des hommes par l'étude des influences supposées des astres. ⇒ **horoscope**. ▶ *astrologique* adj. ■ *Prédictions astrologiques.* ▶ *astrologue* n. ■ *Consulter un, une astrologue.*

astronaute [astʀonot] n. ■ Personne qui se déplace dans un véhicule spatial, hors de l'atmosphère terrestre. ⇒ **cosmonaute**. *Une astronaute.* ▶ *astronautique* n. f. ■ Science qui a pour objet l'étude de la navigation spatiale.

astronomie [astʀonɔmi] n. f. ■ Science des astres, des corps célestes (y compris la Terre) et de la structure de l'univers. *Astronomie physique.* ⇒ **astrophysique**. ▶ *astronome* n. ■ Personne qui s'occupe

d'astronomie. ▶ *astronomique* adj. **1.** De l'astronomie. *Observations astronomiques. Lunette astronomique.* **2.** *Chiffres, nombres astronomiques,* très élevés,
très grands. *Prix astronomique.*

astrophysique [astrɔfizik] n. f. ▪ Partie de
l'astronomie qui étudie les astres, les milieux spatiaux
du point de vue physique. — Adj. *Études astrophysi-
ques.* ▶ *astrophysicien, ienne* n. ▪ Spécialiste de
l'astrophysique.

astuce [astys] n. f. **1.** Vx. Ruse. **2.** Petite invention
qui suppose de l'ingéniosité. ⇒ **artifice, ficelle,
finesse.** *Les astuces du métier.* — Qualité d'une
personne habile et inventive. *Elle a beaucoup d'astuce.*
3. Fam. Plaisanterie. *Il fait des astuces.* ▶ *astucieux,
ieuse* adj. **1.** Vx. Rusé et perfide. *L'astucieux Mazarin.*
2. Qui a ou dénote une habileté fine. ⇒ **adroit, malin.**
Réponse astucieuse. ▶ *astucieusement* adv. ▪ *Agir
astucieusement.*

asymétrie [asimetʀi] n. f. ▪ Absence de symétrie.
L'asymétrie d'un bâtiment. ▶ *asymétrique* adj.
▪ *Les traits asymétriques* (d'un visage).

atavisme [atavism] n. m. **1.** Forme d'hérédité
dans laquelle l'individu hérite de caractères ances-
traux qui ne se manifestaient pas chez ses parents
immédiats. **2.** Hérédité des caractères psychologiques
ou des idées. *Son atavisme protestant.* ▶ *atavique* adj.
▪ *Caractères ataviques.* ⇒ **héréditaire.**

atchoum [atʃum] interj. et n. m. ▪ Onomatopée
servant à transcrire le bruit d'un éternuement. — N.
m. *Des atchoums sonores.*

atelier [atəlje] n. m. **1.** Lieu où des artisans, des
ouvriers travaillent en commun. *L'atelier d'un menuisier.* **2.** Section d'une usine où des ouvriers travaillent
à un même ouvrage ; l'ensemble des ouvriers qui
travaillent dans un atelier. *Atelier de réparations. Chef
d'atelier.* **3.** Lieu où travaille un artiste (peintre,
sculpteur), seul ou avec des aides ; l'ensemble des
artistes qui travaillent en atelier sous la direction d'un
maître.

atermoyer [atɛʀmwaje] v. intr. ▪ conjug. 8. ▪ Littér. Différer de délai en délai, chercher à gagner du
temps par des faux-fuyants. *Il n'y a plus à atermoyer,
il faut agir.* ⇒ **attendre, tergiverser.** / contr. se
décider / ▶ *atermoiement* [atɛʀmwamɑ̃] n. m.
▪ Action d'atermoyer, de remettre à un autre temps.
⇒ **ajournement, délai.** *Après bien des atermoiements,
il a fini par accepter.*

-ateur, -atrice ▪ Élément servant à former des
noms d'agent et des adjectifs (ex. : *calomniateur,
salvatrice*).

athée [ate] n. et adj. ▪ Personne qui ne croit pas
en Dieu. ⇒ **incroyant.** ≠ *agnostique, irréligieux.*
Le nombre des athées augmente. — Adj. *Il est athée.*
▶ *athéisme* [ateism] n. m. ▪ Attitude ou doctrine
de l'athée. / contr. **déisme, théisme** /

athlète [atlɛt] n. **1.** Personne qui pratique l'athlétisme. *Les athlètes françaises. Un corps d'athlète.*
2. *C'est un athlète,* un homme fort, bien musclé.
▶ *athlétique* [atletik] adj. ▪ Fort et musclé. *Un
corps athlétique. Il est athlétique.* ▶ *athlétisme* n. m.
▪ Ensemble des exercices physiques individuels
auxquels se livrent les athlètes : course, gymnastique,
lancer (du disque, du poids, du javelot), saut. *Épreuves
d'athlétisme* ⇒ **décathlon, pentathlon.**

atlantique [atlɑ̃tik] adj. et n. m. **1.** *L'océan
Atlantique* et, n. m., *l'Atlantique,* l'océan qui sépare
l'Ancien Monde du Nouveau. **2.** Qui a rapport à
l'océan Atlantique, aux pays qui le bordent. *La côte*
atlantique de la France. Les nations atlantiques.
⟨ ▶ transatlantique ⟩

atlas [atlɑs] n. m. invar. ▪ Recueil de cartes
géographiques.

atmosphère [atmɔsfɛʀ] n. f. **1.** Couche d'air qui
entoure le globe terrestre. **2.** Partie de l'atmosphère
terrestre la plus proche du sol où apparaissent les
nuages, la pluie, la neige. *Étude de l'atmosphère.*
⇒ **météorologie.** *Un orage avait un peu rafraîchi
l'atmosphère.* **3.** Vx. Abstrait. *L'atmosphère d'une
personne, d'une chose,* ce qui émane d'elle. *Vivre dans
l'atmosphère de qqn,* auprès de lui. **4.** Le milieu, au
regard des impressions qu'il produit sur nous, de
l'influence qu'il exerce. ⇒ **ambiance, climat.** *Une
atmosphère de travail, de vacances.* Fam. *Changer
d'atmosphère.* **5.** Unité de mesure de la pression des
gaz. *Une pression de dix atmosphères.* ▶ *atmosphérique* [atmɔsferik] adj. ▪ Qui a rapport à l'atmosphère. *La pression atmosphérique est donnée par le
baromètre. Conditions, perturbations atmosphériques*
(⇒ **météorologie, temps**).

atoll [atɔl] n. m. ▪ Île en forme d'anneau entourant
une lagune. *Des atolls.*

atome [atom] n. m. **1.** Particule d'un élément
chimique qui forme la plus petite quantité susceptible
de se combiner. *La molécule d'eau (H_2O) contient
deux atomes d'hydrogène. L'atome est formé d'un
noyau et d'électrons. Fission du noyau de l'atome.
L'énergie de l'atome, de son noyau* (⇒ **atomique,
nucléaire**). **2.** Chose d'une extrême petitesse. — Loc.
Il n'a pas un atome de bon sens, de raison, il en est
tout à fait dépourvu. ⇒ **brin, grain, once.** — Plaisant.
Avoir des atomes crochus avec qqn, une sympathie
réciproque, des affinités. ▶ *atomique* [atɔmik] adj.
1. Qui a rapport aux atomes. *Poids ou masse atomique
d'une substance.* **2.** Qui concerne le noyau de l'atome
et sa désintégration. ⇒ **nucléaire.** *Énergie atomique,
libérée par la fission des noyaux. Bombe atomique.*
— *La physique atomique.* **3.** Qui utilise les engins
atomiques. *La guerre atomique. L'ère atomique. Les
puissances atomiques.* ⟨ ▶ ① atomiser, atomisme,
atomiste ⟩

① *atomiser* [atɔmize] v. tr. ▪ conjug. 1. ▪ Détruire par un engin atomique. ▶ *atomisé, ée* adj.
▪ Qui a subi les effets des radiations atomiques. — N.
*Les atomisés d'Hiroshima qui survécurent à l'explosion
de la bombe.*

② *atomiser* v. tr. ▪ conjug. 1. ▪ Réduire (un corps)
en particules extrêmement ténues, en fines gouttelettes. ⇒ **pulvériser, vaporiser.** ▶ *atomiseur* n. m.
▪ Petit flacon, petit bidon qui atomise le liquide qu'il
contient lorsqu'on presse sur le bouchon. *Atomiseur
à parfum.* ⇒ **nébulisateur, vaporisateur.**

atomisme [atɔmism] n. m. ▪ Didact. Doctrine
philosophique des Grecs qui considère l'univers
comme formé d'atomes associés en combinaisons
fortuites.

atomiste [atɔmist] n. m. ▪ Savant qui s'occupe de
physique atomique (ou nucléaire).

atone [atɔn] adj. **1.** (Tissus vivants) Qui manque de
tonicité. *Un intestin atone.* ⇒ **paresseux.** **2.** Qui
manque de vie, de vigueur, de vitalité, d'énergie. *Un
être atone.* ⇒ **amorphe, éteint.** / contr. **dynamique** /
3. Qui n'est pas accentué. *Voyelle, syllabe atone.*
/ contr. **tonique** / ▶ *atonie* n. f. ▪ Atonie du corps.
Tomber dans l'atonie.

atours [atuʀ] n. m. pl. ▪ Vx ou plaisant. Tout ce
qui sert à la parure des femmes. *Parée de ses plus
beaux atours.*

atout [atu] n. m. **1.** Aux cartes. Couleur choisie ou retournée qui l'emporte sur les autres ; carte de cette couleur. *Jouer atout. Atout trèfle.* **2.** Moyen de réussir. ⇒ **chance.** *Mettre, avoir tous les atouts dans son jeu. Il a des atouts.*

atrabilaire [atʀabilɛʀ] adj. et n. ■ Vx. Coléreux, bilieux. *Caractère, humeur atrabilaire.*

âtre [ɑtʀ] n. m. ■ Partie dallée de la cheminée où l'on fait le feu ; la cheminée elle-même. ⇒ **foyer.**

-âtre ■ Élément qui marque un caractère approchant (ex. : *blanchâtre*) ou exprime une idée péjorative (ex. : *bellâtre, marâtre*).

atrium [atʀijɔm] n. m. ■ Cour intérieure de la maison romaine antique, généralement entourée d'un portique couvert. *Des atriums.*

atroce [atʀɔs] adj. **1.** Qui est horrible, d'une grande cruauté. ⇒ **abominable, affreux, effroyable, épouvantable, monstrueux.** *Crime, vengeance atroce.* **2.** Insupportable. *Souffrances atroces. Peur atroce.* **3.** Fam. Très désagréable. *Un temps atroce.* ⇒ **mauvais.** *Une laideur atroce. Ce film est atroce,* très mauvais. ▶ **atrocement** adv. ■ *Il souffre atrocement. Ce livre est atrocement ennuyeux.* ▶ **atrocité** n. f. **1.** Caractère de ce qui est atroce. *L'atrocité d'une action, d'un crime.* ⇒ **cruauté.** **2.** Action atroce, affreusement cruelle. ⇒ **crime, torture.** *Les atrocités commises dans les camps nazis.* **3.** Propos blessant, accusation calomnieuse. ⇒ **horreur.** *Les atrocités que mes ennemis répandent sur mon compte.*

atrophie [atʀɔfi] n. f. ■ Défaut de nutrition d'un organe ou d'un tissu, qui se manifeste par une diminution notable de son volume ou de son poids normal. *Atrophie musculaire.* / contr. **hypertrophie** / ▶ **s'atrophier** [atʀɔfje] v. pron. ■ conjug. 7. **1.** Dépérir par atrophie. *Les membres immobilisés s'atrophient.* **2.** S'arrêter dans son développement, diminuer. *Cette qualité s'est atrophiée chez lui.* ⇒ se **dégrader.** ▶ **atrophié, ée** adj. ■ Dont le volume est anormalement petit par atrophie. *La jambe atrophiée d'un polio.*

s'attabler [atable] v. pron. ■ conjug. 1. ■ S'asseoir à table pour manger, boire ou jouer. *S'attabler devant une bonne bouteille.* — (ÊTRE) ATTABLÉ. *Ils sont restés attablés toute la soirée.*

attachant, ante [ataʃɑ̃, ɑ̃t] adj. ■ Qui attache, retient en touchant la sensibilité. *Un roman attachant. Il a une personnalité attachante.*

attache [ataʃ] n. f. **1.** Action d'attacher, de retenir par un lien, seulement dans les expressions : À L'ATTACHE, D'ATTACHE. *Point d'attache d'un muscle. Chien à l'attache. Le port d'attache d'un bateau,* où il est immatriculé. **2.** *(Une, des attaches)* Objet servant à attacher. ⇒ **agrafe, épingle, trombone.** *Réunir deux lettres par une attache.* **3.** Au plur. LES ATTACHES : le poignet et la cheville. *Avoir des attaches fines.* **4.** Abstrait. ATTACHES : se dit des rapports affectifs ou des relations d'habitude qui attachent une personne à qqn ou à qqch. *Conserver des attaches avec son pays natal.* ⇒ **lien.** *Avoir des attaches au ministère.* ⇒ **relation.**

① **attaché, ée** [ataʃe] adj. **1.** Fixé, lié. *Prisonnier attaché.* **2.** Qui est fermé par une attache. *Porter une veste attachée ou ouverte.* **3.** (Choses) ATTACHÉ À : qui fait corps avec, associé, joint à. ⇒ **inhérent.** *Les avantages attachés à cette situation.* **4.** (Personnes) ATTACHÉ À : lié par un sentiment d'amitié, une habitude, un besoin, un goût. *Elle lui est très attachée.* ⇒ **dévoué, fidèle.** *Je suis très attaché à mes habitudes.*

② **attaché, ée** n. ■ Personne attachée à un service. *Attaché d'ambassade. Attaché militaire. C'est une excellente attachée de presse.* ⟨ ▶ attaché-case ⟩

attaché-case [ataʃekɛz] n. m. ■ Anglic. Mallette rectangulaire plate qui sert de porte-documents. *Des attaché-cases.*

attachement [ataʃmɑ̃] n. m. ■ Sentiment d'affection durable qui unit aux personnes ou aux choses. ⇒ **affection, amitié, amour, lien.** *Montrer de l'attachement pour qqn. Une preuve d'attachement.*

attacher [ataʃe] v. tr. ■ conjug. 1. **I.** V. tr. **1.** Faire tenir (à une chose) au moyen d'une attache, d'un lien. ⇒ **fixer, lier, maintenir.** *Attacher une chèvre à un arbre avec une chaîne.* **2.** Joindre ou fermer par une attache. ⇒ **assembler, réunir.** *Attacher les mains d'un prisonnier. Attacher son collier. Attacher sa veste.* ⇒ **boutonner.** **3.** Intransitivement. Fam. Coller au fond de la casserole, du plat. *Le ragoût a attaché.* **4.** Faire tenir, joindre ou fermer (en parlant de l'attache). *La ficelle qui attache le paquet.* **5.** Se dit d'un lien (volonté, sentiment, obligation) qui unit à qqn, à qqch. ⇒ **lier.** *De vieilles habitudes l'attachent à sa maison.* **6.** *S'attacher qqn,* s'en faire aimer. *Ce professeur a su s'attacher ses élèves. Elle s'est attaché ses petits camarades.* **7.** Mettre (une personne) au service d'une autre. ⇒ **prendre.** *Attacher deux adjoints à son service.* **8.** Adjoindre par l'esprit. *Attacher un sens à un mot.* ⇒ **associer.** **9.** Attribuer (une qualité à qqch.). *Attacher du prix, de la valeur à qqch.* ⇒ **accorder.** *Il ne faut pas y attacher trop d'importance.* **II.** S'ATTACHER v. pron. **1.** Se fixer, être fixé (à qqch. ou qqn). *Le lierre s'attachait au mur.* — Se fermer, s'ajuster (d'une certaine manière). *Jupe qui s'attache avec des agrafes.* **2.** (Choses) Être uni à, accompagner. *Les avantages qui s'attachent à ce poste.* **3.** Prendre de l'attachement pour (qqn, qqch.). *Je me suis beaucoup attaché à ce pays.* / contr. se **détacher** / **4.** S'appliquer avec constance (à une chose). *S'attacher à son travail. S'attacher à rendre qqn heureux.* ⇒ **s'appliquer, chercher à, s'efforcer.** ⟨ ▶ attachant, attache, ① attaché, ② attaché, attachement, détacher, rattacher ⟩

attaquant, ante [atakɑ̃, ɑ̃t] n. ■ Personne qui attaque, engage le combat. ⇒ **agresseur, assaillant.** / contr. **défenseur** / *Les attaquants furent repoussés.*

attaque [atak] n. f. **1.** Action d'attaquer, de commencer le combat. ⇒ **offensive.** *Déclencher, repousser une attaque. Passer à l'attaque.* **2.** Les joueurs d'équipe qui attaquent. *L'attaque et la défense.* **3.** Acte de violence contre une ou plusieurs personnes. *Attaque nocturne. Attaque à main armée.* ⇒ **agression, attentat.** **4.** Surtout au plur. Paroles qui critiquent durement. ⇒ **accusation, critique, insulte.** *Les attaques de l'opposition contre le gouvernement.* **5.** Accès subit, brutal de certaines maladies. ⇒ **crise.** *Avoir une attaque d'apoplexie, d'épilepsie ou, absolt, une attaque.* **6.** D'ATTAQUE loc. adv. fam. *Être d'attaque,* prêt à affronter les fatigues (→ en pleine forme). ⟨ ▶ contre-attaque ⟩

attaquer [atake] v. tr. ■ conjug. 1. **I.** **1.** Porter les premiers coups à (l'adversaire), commencer le combat. *À l'aube, l'armée allemande attaqua la Pologne.* **2.** S'élancer, tomber sur (qqn) pour le battre, le voler ou le tuer. ⇒ **assaillir.** *Attaquer qqn à main armée.* — Au p. p. *Passant attaqué par un malfaiteur.* **3.** En sport. Faire une attaque. **4.** Intenter une action judiciaire contre. *Attaquer qqn en justice.* **5.** Émettre des jugements qui nuisent à (qqn ou qqch.). ⇒ **accuser, combattre, critiquer, dénigrer.** *Attaquer la réputation de qqn.* — (Choses) *Dans un article qui attaque le ministre.* **6.** S'adresser avec vivacité à (qqn) pour obtenir une réponse. *Attaquer qqn sur un sujet.*

II. Détruire la substance de (une matière). ⇒ **entamer, ronger.** *Substance corrosive qui attaque le cuivre.* **III.** Commencer. **1.** Aborder sans hésitation. *Attaquer un sujet, un chapitre, un discours.* ⇒ **commencer ; aborder, entamer. 2.** Fam. Commencer à manger. *Attaquer le pâté.* ⇒ **entamer. 3.** *Attaquer un morceau de musique,* en commencer l'exécution ; *une note,* en commencer l'émission. **IV.** S'ATTAQUER À **1.** Diriger une attaque contre qqn (matériellement ou moralement). ⇒ **combattre, critiquer.** *Il est dangereux de s'attaquer à lui. — S'attaquer à une politique, à un projet,* s'en prendre à, critiquer. **2.** Chercher à résoudre. *Les plus grands penseurs se sont attaqués à ce problème.* ⟨▶ attaquant, attaque, contre-attaquer, inattaquable ⟩

s'*attarder* [atarde] v. pron. ▪ conjug. 1. **1.** Se mettre en retard. ⇒ **se retarder.** *Ne nous attardons pas. S'attarder au jeu,* y rester plus que prévu. *S'attarder à parler avec qqn.* **2.** Abstrait. Ne pas avancer, ne pas progresser normalement. *S'attarder sur un sujet.* ⇒ **s'appesantir, s'arrêter, s'étendre, insister.** ▶ ***attardé, ée*** adj. **1.** Qui est en retard. *Quelques passants attardés* (hors de chez eux, le soir, la nuit). **2.** Qui est en retard dans sa croissance, son développement, son évolution. *Un enfant attardé.* ⇒ **arriéré. — N.** *Un attardé.* **3.** Qui est en retard sur son époque. *Des conceptions attardées. —* **N.** *Il n'est plus de son temps, c'est un attardé.*

atteindre [atɛ̃dʀ] v. tr. ▪ conjug. 49. **I.** Parvenir au niveau de. **1.** Parvenir à (un lieu). ⇒ **arriver à, gagner.** *Nous atteindrons Paris avant la nuit. — Atteindre qqn par lettre, par téléphone,* réussir à communiquer avec lui. ⇒ **joindre. 2.** Parvenir à toucher, à prendre (qqch.). *Pouvez-vous atteindre ce livre sans vous déranger ?* **3.** Abstrait. Parvenir à (un état, une situation). *Atteindre un but. Ils ont atteint l'objectif qu'ils s'étaient assigné. Atteindre 70 ans.* **4.** (Choses) Parvenir à (un lieu, une hauteur, une grandeur). *Ce sommet atteint 1 000 mètres.* ⇒ **s'élever à.** *Atteindre une limite, un maximum.* **II.** Parvenir à frapper. **1.** Toucher, blesser (qqn) au moyen d'une arme, d'un projectile. *Il l'a atteint au front d'un coup de pierre. —* (Compl. chose) *Atteindre l'objectif. —* (En parlant du projectile) *Les éclats d'obus l'atteignirent à la jambe droite. La flèche a atteint son but.* / contr. **manquer, rater** / **2.** Faire du mal à (qqn). ⇒ **attaquer, toucher.** *Le malheur les a atteints. Rien ne l'atteint, il est indifférent.* ⇒ **émouvoir, troubler.** *Vos méchancetés ne l'atteignent pas.* ▶ ***atteint, einte*** adj. ▪ Touché par un mal. *Le poumon est atteint. —* Fam. *Il est bien atteint,* il est un peu fou (→ **malade**). ▶ ***atteinte*** n. f. **1.** (Après HORS DE) Possibilité d'atteindre. *Les fuyards sont hors de votre atteinte.* ⇒ **portée.** *Sa réputation est hors d'atteinte.* ⇒ **inattaquable. 2.** Dommage matériel ou moral. *C'est une atteinte à la vie privée, à la réputation.* ⇒ **injure, outrage.** *Porter atteinte à l'honneur de qqn.* **3.** Au plur. Effets d'une maladie. ⇒ **accès, attaque.** *Il sent les premières atteintes de son mal.*

atteler [atle] v. tr. ▪ conjug. 4. **1.** Attacher (une ou plusieurs bêtes) à une voiture, une charrue. *Atteler des bœufs à une charrette.* / contr. **dételer** / — *Atteler une locomotive, un wagon à un convoi.* / contr. **détacher** / **2.** *Atteler une voiture,* y atteler le cheval. **3.** S'ATTELER À (un travail) : s'y mettre sérieusement. *La tâche à laquelle il s'attelle, s'est attelé.* ▶ ***attelage*** n. m. **1.** Action ou manière d'atteler. **2.** Bêtes attelées ensemble. *Un attelage de chevaux.*

attenant, ante [atnɑ̃, ɑ̃t] adj. ▪ Qui tient, touche à (un autre terrain, une autre construction, etc.). *La maison et le hangar attenant.* ⇒ **contigu.**

attendre [atɑ̃dʀ] v. tr. ▪ conjug. 41. **I.** V. tr. **1.** *Attendre qqn, qqch.,* se tenir en un lieu où qqn doit venir, une chose arriver ou se produire et y rester jusqu'à cet événement. *Je vous attendrai chez moi jusqu'à midi. Attendre le train. Attendre sous un abri la fin de l'orage. Faire la queue en attendant son tour. Attendre qqn de pied ferme,* en étant prêt à l'affronter. *On n'attend plus que vous pour partir.* **2.** *Attendre qqch.,* rester dans la même attitude, ne rien faire avant que cette chose ne se produise, n'arrive. *Attendre le moment d'agir. Attendre l'occasion favorable. Qu'attendez-vous pour accepter ?* — ATTENDRE QUE (+ subjonctif) *J'attends que ça soit fini.* — ATTENDRE DE (+ infinitif). *Attendez d'être informé avant de décider.* **3.** (Femmes) *Attendre un enfant,* être enceinte. **4.** Sans compl. ATTENDRE : rester dans un lieu pour attendre (1) qqn ou qqch. *Je suis resté deux heures à attendre ; j'ai attendu (pendant) deux heures. Je ne puis attendre plus longtemps.* — (Suj. personne) *Faire attendre qqn,* se faire attendre, tarder à venir, être en retard. — Interj. *Attends ! Attendez ! Attendez un peu, je n'ai pas fini. —* (Menace) *Attendez un peu, que je vous y reprenne !* **5.** (Choses) Être prêt pour qqn. *Le dîner, la voiture vous attend.* ⇒ **prêt ; préparé.** *Le sort qui nous attend,* qui nous est réservé. **6.** Compter sur (qqn ou qqch. dont on souhaite ou redoute la venue) ; prévoir (un événement). ⇒ **escompter, prévoir.** *On attend un invité d'honneur. Vous êtes en retard : on ne vous attendait plus,* on ne comptait plus sur vous. *C'est le contraire de ce qu'on attendait.* — ATTENDRE qqch. DE qqn. ⇒ **compter, espérer.** *Qu'attendez-vous de moi ?* **7.** Transitivement ind. *Attendre après qqn,* l'attendre avec impatience. — *Attendre après qqch.,* en avoir besoin. *Je n'attends pas après votre aide.* **II.** EN ATTENDANT loc. adv. : jusqu'au moment attendu. *Ils ont manqué leur train, en attendant nous pouvons visiter la ville.* — Loc. conj. *En attendant que* (+ subjonctif), jusqu'à ce que. *Racontez-moi tout en attendant qu'il arrive.* — Loc. prép. *En attendant de* (+ infinitif), jusqu'à ce que vienne le moment de. *Restons dans le jardin en attendant de passer à table.* **III.** V. pron. S'ATTENDRE À qqch. (avec un pronom pour compl.) : penser que cette chose arrivera. ⇒ **escompter, prévoir.** *De sa part, il faut s'attendre à tout. Au moment où il s'y attend le moins.* — S'ATTENDRE À (+ infinitif). *Je m'attendais un peu à vous voir.* — S'ATTENDRE À CE QUE (+ subjonctif). *On s'attend à ce qu'il soit élu au premier tour.* ⟨▶ attendu, attente, attentisme, inattendu ⟩

attendrir [atɑ̃dʀiʀ] v. tr. ▪ conjug. 2. **1.** Rendre plus tendre, moins dur. *Faire mariner une viande pour l'attendrir.* **2.** Rendre (qqn) plus sensible, plus accessible aux sentiments de compassion, de pitié. ⇒ **émouvoir, toucher.** *Elle m'attendrit, ses larmes m'attendrissent.* — Pronominalement (réfl.). *S'attendrir sur le sort des malheureux.* ⇒ **s'apitoyer.** *S'attendrir sur soi-même.* — Au p. p. adj. *Un air attendri.* ⇒ **ému.** ▶ ***attendrissant, ante*** adj. ▪ Qui porte à une indulgence attendrie. *Une naïveté attendrissante.* ▶ ***attendrissement*** n. m. ▪ Fait de s'attendrir, état d'une personne attendrie. ⇒ **émotion ; compassion, trouble.** *Larmes d'attendrissement. Allons ! Pas d'attendrissement !* ▶ ***attendrisseur*** n. m. ▪ Appareil de boucherie pour attendrir (1) la viande.

① ***attendu, ue*** [atɑ̃dy] adj. et prép. **1.** Adj. Qu'on attend, qu'on a attendu. *Une nouvelle attendue.* **2.** Prép. Invar. Étant donné ; étant considéré. ⇒ **vu.** *Attendu ses mœurs solitaires, il était à peine connu.* **3.** ATTENDU QUE loc. conj. : étant donné que. ⇒ **comme, parce que, puisque.** *Attendu que vous n'êtes pas venus...* ▶ ② ***attendu*** n. m. ▪ En droit. Considération qui motive un jugement (formulée ainsi : *attendu que...*).

attentat [atɑ̃ta] n. m. **1.** Tentative criminelle contre une personne, surtout dans un contexte politique. ⇒ **agression**. *Préparer un attentat contre un homme politique. Attentat terroriste.* **2.** Tentative criminelle contre qqch. *Attentat à la liberté. Attentat aux mœurs, à la pudeur.* ⇒ **outrage**.

attente [atɑ̃t] n. f. **1.** (Personnes) Le fait d'attendre ; temps pendant lequel on attend. *L'attente n'a pas été longue. Dans l'attente de vous voir. — Salle, salon d'attente,* aménagé pour ceux qui attendent. **2.** (Choses) Le fait d'attendre. *Des dossiers en attente.* **3.** Le fait de compter sur qqch. ou sur qqn. ⇒ **désir, espoir**. *Répondre à l'attente de qqn. Contre toute attente,* contrairement à ce qu'on attendait (I, 6).

attenter [atɑ̃te] v. tr. ind. . conjug. 1. ■ ATTENTER À : faire une tentative criminelle contre (quel que soit le résultat de cette tentative). ⇒ **attentat**. *Attenter à la vie de qqn,* tenter de lui donner la mort. *Attenter à la sûreté de l'État, aux libertés politiques.* ▶ **attentatoire** adj. ■ Qui attente, porte atteinte. *Mesures attentatoires à la liberté.* ⟨ ▶ attentat ⟩

attentif, ive [atɑ̃tif, iv] adj. **1.** Qui écoute, regarde, agit avec attention. *Auditeur, spectateur, élève attentif.* / contr. **distrait, inattentif** / **2.** Littér. ATTENTIF À : qui se préoccupe avec soin (de). *Un homme attentif à ses devoirs.* — (+ infinitif) *Être attentif à bien faire.* **3.** Qui marque de la prévenance, des attentions. *Soins attentifs.* ⇒ **assidu, zélé**. ≠ *attentionné.* ⟨ ▶ attentivement, inattentif ⟩

attention [atɑ̃sjɔ̃] n. f. **1.** Au sing. Concentration de l'activité mentale sur un objet déterminé. *Faire un effort d'attention. Attention soutenue. Examiner avec attention. J'attire votre attention sur ce détail,* je vous signale ce détail. *Cet ouvrage mérite toute votre attention. Il ne prête aucune attention à mes remarques, il n'en tient aucun compte.* — FAIRE ATTENTION *à* qqch. : l'observer, s'en occuper ; en avoir conscience. *Faites bien attention, très attention à ma question. Attention ! vous allez tomber !* ⇒ **gare**. — FAIRE ATTENTION QUE (+ subjonctif). *Faites attention que personne ne vous voie.* **2.** Au plur. Soins attentifs. ⇒ **égard(s), prévenance(s)**. *Elle a des attentions délicates pour son mari.* ▶ **attentionné, ée** adj. ■ Qui est plein d'attentions (2) pour qqn. ⇒ **aimable, empressé, prévenant**. ≠ *attentif.* ⟨ ▶ inattention ⟩

attentisme [atɑ̃tism] n. m. ■ Attitude politique consistant à attendre les événements s'annoncent pour prendre une décision. ▶ **attentiste** adj. et n. ■ *Politique attentiste.*

attentivement adv. ■ D'une manière attentive. *Regarder, écouter, lire attentivement.* / contr. **distraitement** /

atténuer [atenɥe] v. tr. . conjug. 1. ■ Rendre moins grave, moins vif, moins violent. ⇒ **diminuer**. *Les calmants atténuent la douleur. Cette lettre est trop brutale, il faut en atténuer les termes.* ⇒ **adoucir, modérer**. / contr. **aggraver, augmenter, exacerber** / — Pronominalement (réfl.). *Les désaccords se sont atténués.* ▶ **atténuant, ante** adj. ■ *Circonstances atténuantes,* faits qui atténuent la gravité d'une infraction, d'une mauvaise action. / contr. **aggravant** / ▶ **atténuation** n. f. ■ Action d'atténuer. ⇒ **diminution**.

atterrer [atere] v. tr. . conjug. 1. ■ Jeter dans l'abattement, la consternation. ⇒ **consterner, stupéfier**. — Au passif. *Je suis atterré par cette nouvelle.* ▶ **atterrant, ante** adj. ■ *Une nouvelle atterrante.*

atterrir [aterir] v. intr. . conjug. 2. **1.** (Avion, engin, passagers, pilote) Se poser à terre (opposé à *décoller,*

s'envoler). *L'avion vient d'atterrir.* **2.** Fam. Arriver finalement. *Nous avons fini par atterrir dans un petit hôtel.* ▶ **atterrissage** n. m. ■ *Terrain d'atterrissage pour les avions.*

attester [ateste] v. tr. . conjug. 1. **1.** Rendre témoignage de (qqch.). ⇒ **certifier, garantir, témoigner**. *J'atteste la vérité de ce fait. J'atteste que cet homme est innocent.* **2.** Servir de témoignage. ⇒ **prouver, témoigner** de. *Ces documents attestent son innocence.* — Au p. adj. *C'est un fait attesté.* ▶ **attestation** n. f. ■ Acte, écrit ou pièce qui atteste qqch. ⇒ **certificat**. *Une attestation de bonne conduite. Une attestation en bonne et due forme.*

attiédir [atjedir] v. tr. . conjug. 2. **1.** Littér. Rendre tiède. *Attiédir une boisson.* **2.** Abstrait. Rendre moins vif. *Le temps attiédit les passions.* ⇒ **affaiblir**. — Pronominalement (réfl.). *Son ardeur s'est attiédie.* ▶ **attiédissement** n. m. ■ *L'attiédissement d'un sentiment.*

attifer [atife] v. tr. . conjug. 1. ■ Fam. Habiller, parer d'une manière ridicule. ⇒ **accoutrer**. — S'ATTIFER v. pron. réfl. *Tu as vu comment elle s'attife ?*

attiger [atiʒe] v. intr. . conjug. 3. ■ Fam. Exagérer. *Il attige, celui-là !*

attique [atik] adj. ■ (Esprit) Qui a rapport à l'Attique, à Athènes, aux Athéniens. *Littérature attique.*

attirail, ails [atiraj] n. m. ■ Fam. Équipement compliqué, encombrant ou ridicule. *L'attirail du campeur, du photographe.* ⇒ fam. **barda, fourbi**. *Des attirails.*

attirer [atire] v. tr. . conjug. 1. **1.** Tirer, faire venir à soi par une action matérielle. *L'aimant attire le fer* (⇒ **attraction**). / contr. **repousser** / **2.** Inciter, inviter, déterminer (un être vivant) à venir. *La lumière attire les papillons. Attirer le poisson dans ses filets. Ce spectacle attire tout Paris.* **3.** Capter, solliciter (le regard ou l'attention). *J'attire votre attention sur ce point.* **4.** Inspirer à (qqn) un sentiment agréable qui l'incite à vouloir qqch., se rapprocher de qqn (⇒ **attrait**). *De grandes affinités les attirent l'un vers l'autre. Ce projet l'attire davantage.* ⇒ **tenter**. **5.** ATTIRER qqch. À, SUR qqn : lui faire avoir qqch. d'heureux ou de fâcheux. *Sa bonne humeur lui attira la bienveillance de l'auditoire.* ⇒ **procurer, valoir**. *Ses procédés lui attireront des ennuis.* ⇒ **causer**. — S'ATTIRER qqch. : l'attirer à soi, sur soi. *Elle s'est attiré des reproches.* ⇒ **encourir**. ▶ **attirance** n. f. ■ Force qui attire vers qqn ou vers qqch. *Éprouver une certaine attirance pour qqn, qqch.* ⇒ **attrait**. / contr. **répulsion** / ▶ **attirant, ante** adj. ■ Qui attire, exerce un attrait, une séduction. ⇒ **attachant, attrayant, séduisant**. *C'est une personne très attirante.* / contr. **repoussant** /

attiser [atize] v. tr. . conjug. 1. **1.** Aviver, ranimer (un feu). **2.** Rendre plus vif. *Attiser les désirs, les haines de qqn.* ⇒ **exciter, enflammer**. / contr. **étouffer** / *Attiser une querelle.* ⇒ **envenimer**.

attitré, ée [atitre] adj. **1.** Qui est chargé par un titre de telle ou telle fonction. *Représentant attitré.* **2.** Habituel. *Marchand attitré,* celui chez qui l'on a l'habitude de se servir.

attitude [atityd] n. f. **1.** Manière de tenir son corps. ⇒ **contenance, maintien, port, pose, position, posture**. *Elle est gracieuse dans toutes ses attitudes. Attitude nonchalante, gauche.* **2.** Manière de se tenir, comportement qui correspond à une certaine disposition psychologique. ⇒ **air, allure, aspect, expression, manière**. *L'attitude du commandement.* — Affectation de ce qu'on n'éprouve pas. *Ce, n'est qu'une attitude.* **3.** Disposition à l'égard de qqn ou qqch. ; ensemble de jugements et de tendances qui pousse à un comportement. ⇒ **disposition, position.** *Quelle est son attitude à l'égard de ce problème ? Il a changé d'attitude.*

attouchement [atuʃmɑ̃] n. m. ■ Action de toucher avec la main, surtout pour caresser.

attraction [atraksjɔ̃] n. f. **I. 1.** Force qui attire. *Attraction magnétique. La loi de l'attraction universelle.* ⇒ **gravitation. 2.** Force qui tend à attirer les êtres vers qqn ou vers qqch. ⇒ **attirance, attrait.** *Elle exerce sur lui une grande attraction.* **II. 1.** Ce qui attire le public ; centre d'intérêt. *Cette église ancienne est une attraction pour les touristes.* **2.** Au plur. Spectacle de variétés au cours d'une soirée, d'un gala. *Les attractions d'une boîte de nuit.* — Distractions mises à la disposition du public (dans une foire, etc.). *Parc d'attractions.* ▶ **attractif, ive** adj. ■ Qui a la propriété d'attirer (1). *Force attractive de l'aimant.*

attrait [atrɛ] n. m. **1.** Ce qui attire agréablement, charme, séduit. ⇒ **charme, séduction.** *L'attrait de la nouveauté. Qui a de l'attrait.* ⇒ **attrayant. 2.** Au plur. Littér. *Les attraits d'une femme,* ce qui attire en elle. ⇒ **appas. 3.** Le fait d'être attiré, de se sentir attiré. ⇒ **attirance, goût.** *Elle éprouve un vif attrait pour la peinture impressionniste.* / contr. **répulsion** /

attrapade [atrapad] n. f. **1.** Fam. Gronderie, réprimande. *Une attrapade en règle.* ⇒ fam. **engueulade, savon. 2.** Querelle soudaine. *Ils ont eu une sérieuse attrapade.*

attrape [atrap] n. f. ■ Surtout au plur. Objet destiné à surprendre (attraper, 2) qqn par amusement. *Marchand de farces et attrapes.*

attrape-nigaud [atrapnigo] n. m. ■ Procédé destiné à attirer et à tromper les gens simples. *Cette publicité n'est qu'un attrape-nigaud. Des attrape-nigauds.*

attraper [atrape] v. tr. ▪ conjug. 1. **I. 1.** Rejoindre (qqn) et s'en saisir. *La police a fini par attraper le voleur.* ⇒ **prendre. 2.** Tromper par une ruse. ⇒ **abuser, duper.** *Il m'a bien attrapé. Il m'a eu.*) — Au passif et p. p. adj. *Être attrapé, bien attrapé,* avoir subi une déception (qu'on ait été trompé ou non). **3.** *Attraper qqn à* (+ infinitif), le prendre sur le fait. ⇒ **surprendre.** *Je l'ai attrapé à voler.* **4.** Faire des reproches à. ⇒ **gronder, réprimander.** *Elle s'est fait attraper par ses parents.* **II. 1.** Arriver à prendre, à saisir (une chose, un animal). *Attraper une balle à la volée.* — Fig. *J'ai attrapé quelques mots de leur conversation.* ⇒ **saisir. 2.** Attraper un coup. ⇒ **recevoir.** *Attraper un rhume, une maladie.* ⇒ **contracter, gagner.** — Pronominalement (passif). *Une maladie qui s'attrape.* ⇒ **contagieux. 3.** *Attraper le train, l'autobus,* réussir à l'atteindre. ⇒ **avoir. 4.** Arriver à saisir par l'esprit, l'imitation. *Attraper un style, un genre.* ⇒ **imiter.** ⟨ ▶ attrapade, attrape, attrape-nigaud ⟩

attrayant, ante [atrɛjɑ̃, ɑ̃t] adj. ■ (Spectacle, situation) Qui a de l'attrait. *Ce paysage, cet endroit n'a rien d'attrayant.* ⇒ **agréable, attirant, plaisant.** / contr. **désagréable** /

attribuer [atribɥe] v. tr. ▪ conjug. 1. **1.** Allouer (qqch. à qqn ou à qqch.). *De nombreux avantages lui ont été attribués.* ⇒ **octroyer. 2.** Considérer comme propre à qqn. ⇒ **prêter.** *N'attribuez pas aux autres vos propres défauts.* **3.** Rapporter (qqch.) à un auteur, à une cause ; mettre sur le compte de. *A quoi attribuer ce phénomène, ce changement ? Attribuer une toile anonyme à tel peintre.* **4.** S'ATTRIBUER *qqch.* : se

donner (qqch.) en partage. ⇒ **s'adjuger.** *Elle s'est attribué un titre auquel elle n'a pas droit.* ⇒ **s'approprier.** *S'attribuer tout le mérite de qqch.* ▶ **attribuable** adj. ■ *Une erreur attribuable à la fatigue.* ▶ **attribut** n. m. **1.** Ce qui est propre, appartient particulièrement à un être, à une chose. ⇒ **caractère, qualité.** *Le droit de grâce est un attribut du chef de l'État.* **2.** Emblème caractéristique qui accompagne une figure mythologique, une chose personnifiée, un personnage. *Le sceptre est l'attribut de la royauté.* **3.** Terme relié au sujet ou au complément d'objet par un verbe d'état (ex. : *rouge* dans *la voiture est rouge*). ▶ **attribution** n. f. **1.** Action d'attribuer. *Concours pour l'attribution d'un prix.* ⇒ **distribution, remise. 2.** Au plur. Pouvoirs attribués au titulaire d'une fonction, à un corps ou un service. ⇒ **pouvoir, prérogative.** *Déterminer les attributions d'un employé. Cela n'entre pas dans ses attributions.*

attrister [atriste] v. tr. ▪ conjug. 1. ■ Rendre triste. ⇒ **chagriner, désoler.** *Son départ nous a attristés.* / contr. **consoler, égayer, réjouir** / — Au p. p. adj. *Un air attristé.* ▶ **attristant, ante** adj. ■ Qui attriste. ⇒ **affligeant, désolant, navrant.** *Nouvelles attristantes. Spectacle attristant.* ⇒ **pénible, triste.**

attrouper [atrupe] v. tr. ▪ conjug. 1. ■ Assembler en troupe, spécialt de manière à troubler l'ordre public. ⇒ **ameuter, rassembler.** *Ses cris attroupèrent les passants.* — Pronominalement (réfl.). *Les manifestants commencèrent à s'attrouper.* / contr. se **disperser** / ▶ **attroupement** n. m. ■ Réunion de personnes sur la voie publique, spécialt de personnes qui troublent l'ordre public. ⇒ **manifestation, rassemblement.** *Former, faire un attroupement. Le service d'ordre a dispersé l'attroupement.*

au, aux ⇒ à et le.

aubade [obad] n. f. ■ Air chanté ou joué, à l'aube ou le matin, sous les fenêtres de qqn (opposé à *sérénade*).

aubaine [obɛn] n. f. ■ Avantage, profit inattendu, inespéré. *Profiter de l'aubaine. Quelle (bonne) aubaine !* ⇒ **chance, occasion.**

① **aube** [ob] n. f. **1.** Première lueur du soleil levant qui commence à blanchir l'horizon ; moment de cette lueur. *L'aube précède l'aurore.* ⇒ **aurore. 2.** Littér. Commencement. *À l'aube de la Révolution.* ⟨ ▶ aubade ⟩

② **aube** n. f. ■ Palette (d'une roue hydraulique, d'une turbine). *Les aubes d'une roue de moulin.*

③ **aube** n. f. ■ Vêtement de lin blanc que le prêtre met pour célébrer la messe. — Longue robe blanche des premiers communiants.

aubépine [obepin] n. f. ■ Arbuste épineux à fleurs odorantes blanches ou roses, à floraison précoce, utilisé pour les haies vives.

auberge [obɛrʒ] n. f. **1.** Autrefois. Maison très simple, généralement à la campagne, où l'on trouve à loger et manger en payant. — Loc. fig. *On n'est pas sorti de l'auberge,* les difficultés augmentent, vont nous retarder, nous retenir. **2.** Moderne. *Auberge de (la) jeunesse,* centre d'accueil hébergeant les jeunes pour une somme modique. ▶ **aubergiste** n. ■ Personne qui tenait une auberge (1).

aubergine [obɛrʒin] n. f. **1.** Fruit oblong et violacé d'une plante potagère, consommé comme légume. *Aubergines farcies.* **2.** Adj. invar. De la couleur violet foncé de l'aubergine. *Des costumes aubergine.*

aubier [obje] n. m. ■ Partie tendre et blanchâtre qui se forme chaque année entre le bois dur et l'écorce d'un arbre.

auburn [obœrn] adj. invar. ■ Se dit d'une couleur de cheveux châtain roux. *Des cheveux auburn.*

aucun, une [okœ̃, yn] adj. et pronom **I.** Adj. **1.** Littér. (Positif) Quelque ; quelque... que ce soit, qu'il soit (dans les phrases comparatives, dubitatives ou hypothétiques). *Il l'aime plus qu'aucune autre.* **2.** (Négatif et accompagné de la particule *ne* ou précédé de *sans*) ⇒ **pas un.** *Aucun physicien n'ignore que... Il n'y a plus aucun remède.* « *Avez-vous des nouvelles ? – Aucune.* » *Sans aucun doute.* — REM. *Aucun* ne prend pas le pluriel, sauf devant des noms qui n'ont pas de singulier (ex. : *sans aucuns frais*). **II.** Pronom **1.** (Positif) *Aucun de,* quiconque parmi. *Il travaille plus qu'aucun de ses condisciples.* — Vx ou littér. D'AUCUNS : certains, plusieurs. *D'aucuns pourront critiquer cette attitude.* **2.** (Négatif, accompagné de *ne* ou de *sans*) *Je ne connais aucun de ses amis, aucun d'eux. Il n'en est venu aucun.* — (Dans une réponse) Pas un. « *Avez-vous eu des réponses ? – Aucune.* » ▶ *aucunement* adv. ■ En aucune façon, pas du tout. ⇒ **nullement.**

audace [odas] n. f. **1.** Disposition ou mouvement qui porte à des actions extraordinaires, au mépris des obstacles et des dangers. *La confiance en soi donne de l'audace.* ⇒ **hardiesse.** *Une folle audace.* **2.** UNE, DES AUDACES : procédé, détail qui brave les habitudes, les goûts dominants. ⇒ **innovation, originalité.** *Les audaces de la mode.* **3.** Péj. Hardiesse impudente. ⇒ **aplomb, culot, insolence.** *Il n'aura pas l'audace de réclamer. Quelle audace !* ▶ *audacieux, ieuse* adj. **1.** (Personnes) Qui a de l'audace (1). ⇒ **courageux, hardi.** *Trop audacieux.* ⇒ **téméraire.** / contr. **peureux, timoré** / **2.** (Choses) Qui dénote de l'audace (1). *Un audacieux cambriolage. Conceptions audacieuses.* ⇒ **hardi, novateur.** / contr. **timide** / ▶ *audacieusement* adv. ■ Avec audace. / contr. **timidement** /

au-deçà, au-dedans, au-dehors, au-delà, au-dessous, au-dessus, au-devant loc. adv. ⇒ **deçà, dedans,** etc.

au-delà [odla] n. m. invar. ■ Le monde supraterrestre. *Dans l'au-delà.*

audible [odibl] adj. ■ Qui est perceptible par l'oreille. / contr. **inaudible** / *Sons à peine audibles.*

audience [odjɑ̃s] n. f. **1.** Littér. Intérêt porté à qqch. par le public. *Cet ouvrage a l'audience des lecteurs les plus exigeants.* **2.** Réception où l'on admet qqn pour l'écouter. ⇒ **entretien.** *Demander, obtenir une audience. Donner audience à qqn.* **3.** Séance d'un tribunal. *Audience publique, à huis clos.*

audio- ■ Élément savant signifiant « sonore ». ▶ *audionumérique* [odjonymeʀik] adj. ■ *Disque audionumérique,* sur lequel les informations permettent la reproduction des sons enregistrés sont codées de manière numérique. — REM. On emploie couramment *disque compact.* ▶ *audiophone* n. m. ■ Petit appareil acoustique servant à renforcer les sons, que les gens qui entendent mal portent près de l'oreille. ▶ *audiovisuel, elle* adj. ■ Se dit d'une méthode pédagogique qui joint le son à l'image (notamment dans l'apprentissage des langues). *Méthodes audiovisuelles.* — N. m. Les moyens de communication, d'apprentissage audiovisuels.

auditeur, trice [oditœʀ, tʀis] n. ■ Personne qui écoute. *Les auditeurs d'un conférencier.* ⇒ **auditoire.** *Les auditeurs d'une émission de radio.*

auditif, ive [oditif, iv] adj. ■ Qui appartient à l'organe de l'ouïe. *Appareil auditif. Mémoire auditive, des sons.*

audition [odisjɔ̃] n. f. **1.** Fonction du sens de l'ouïe, perception des sons. *Troubles de l'audition.* **2.** Action d'entendre ou d'être entendu. *Procéder à l'audition des témoins.* **3.** Séance d'essai donnée par un artiste devant un directeur de théâtre, de music-hall. ⇒ **essai.** *Passer une audition.* ⇒ **auditionner.** **4.** Séance musicale que donne un artiste. *La première audition mondiale d'une œuvre.* ▶ *auditionner* v. ■ conjug. 1. **1.** V. intr. Donner une audition pour obtenir un engagement. **2.** V. tr. Écouter (un artiste) qui donne une audition dans l'intention de le juger.

auditoire [oditwaʀ] n. m. ■ L'ensemble des personnes qui écoutent, des auditeurs*. ⇒ **assistance, public.** *Il a joué devant un nombreux, un grand auditoire.*

auditorium [oditɔʀjɔm] n. m. ■ Salle spécialement aménagée pour les auditions et notamment les auditions musicales de radio-diffusion. *Des auditoriums.*

au fur et à mesure [ofyʀeam(ə)zyʀ] loc. ■ En même temps et proportionnellement ou successivement. Loc. adv. *Regardez ces photos et passez-les-nous au fur et à mesure.* — Loc. conj. et prép. *Au fur et à mesure qu'il avance dans son travail, il voit de nouvelles difficultés.*

auge [oʒ] n. f. ■ Bassin qui sert à donner à boire ou à manger aux animaux domestiques (surtout aux porcs).

augmenter [ɔ(o)gmɑ̃te] v. ■ conjug. 1. **I.** V. tr. **1.** Rendre plus grand, plus considérable par addition d'une chose de même nature. ⇒ **accroître, agrandir.** / contr. **diminuer** / *Augmenter les salaires.* — Au p. p. adj. *Édition revue et augmentée.* **2.** S'AUGMENTER : devenir plus grand, plus considérable. *S'augmenter de qqch. L'équipe s'est augmentée de cinq personnes.* **3.** AUGMENTER qqn : augmenter son salaire. *J'ai été augmenté ce mois-ci de deux cents francs.* **II.** V. intr. **1.** Devenir plus grand, plus considérable. ⇒ **croître.** *La population augmente chaque année. Aller en augmentant. Augmenter de volume.* **2.** Devenir plus cher. *Le papier a augmenté.* ▶ *augmentation* n. f. **1.** Action d'augmenter (I, II) ; son résultat. ⇒ **accroissement.** / contr. **diminution** / *Augmentation de volume, de longueur, de durée. Augmentation de prix.* ⇒ **hausse.** **2.** Accroissement d'appointements. *Demander une augmentation.*

① *augure* [ɔ(o)gyʀ] n. m. ■ Prêtre de l'Antiquité chargé d'observer certains signes afin d'en tirer des présages.

② *augure* n. m. — Surtout en loc. **1.** Tout ce qui semble présager qqch. ; signe par lequel on juge de l'avenir. *Tout cela n'est pas DE BON AUGURE :* ne me dit rien de bon. *J'en accepte l'augure.* **2.** *Oiseau de bon, de mauvais augure,* personne qui annonce de bonnes, de mauvaises nouvelles. ▶ *augurer* v. tr. ■ conjug. 1. ■ Littér. *Augurer une chose d'une autre,* en tirer une conjecture, un présage. ⇒ **présager.** *Que faut-il augurer de tout cela ?* ‹ ▶ *inaugurer* ›

auguste [ɔ(o)gyst] adj. ■ Littér. ou plaisant. Qui inspire de la vénération. ⇒ **vénérable ; sacré.** *Une auguste assemblée.* / contr. **bas, méprisable** /

aujourd'hui [oʒuʀdɥi] adv. **1.** Ce jour même, déterminé par le moment où l'on dit ce mot. *Il part aujourd'hui, dès aujourd'hui. C'est tout pour aujourd'hui. Jusqu'aujourd'hui, jusqu'à aujourd'hui.* **2.** Le temps où nous sommes. ⇒ **maintenant, à présent.** *Les États-Unis d'aujourd'hui.*

aulne ou *aune* [on] n. m. ■ Arbre à bois léger de la même famille que le bouleau, qui croît en Europe dans les lieux humides.

aumône [ɔ(o)mon] n. f. ■ Don charitable fait aux pauvres. ⇒ **bienfait, charité, obole.** *La misère l'a réduit à vivre d'aumône(s). Demander l'aumône,* mendier. *Faire l'aumône à un mendiant.*

aumônier [ɔ(o)monje] n. m. ■ Ecclésiastique chargé de l'instruction religieuse, de la direction spirituelle dans un établissement, un corps. *Aumônier militaire.*

aune [on] n. f. ■ Ancienne mesure de longueur (1,18 m) supprimée en 1840.

auparavant [oparavɑ̃] adv. ■ Avant tel événement, telle action (priorité dans le temps). ⇒ **avant.** *Vous me raconterez cela, mais auparavant asseyez-vous. Un mois auparavant.* / contr. **après** /

auprès de [opredə] loc. prép. 1. Tout près de (surtout avec un nom de personne). ⇒ **à côté, près.** *Approchez-vous, venez vous asseoir auprès de moi.* / contr. **loin** / 2. (Rapports que l'on a avec une personne, une collectivité) *L'ambassadeur de Sa Majesté britannique auprès de la République française.* 3. (Point de vue) *Il passe pour un impoli auprès d'elle, à ses yeux, dans son esprit.* 4. En comparaison de. *Ce service n'est rien auprès de ce qu'il a fait pour moi.*

auquel [okɛl] pronom rel. ⇒ **lequel.**

aura [ɔ(o)ra] n. f. ■ Littér. Atmosphère qui entoure ou semble entourer un être. ⇒ **émanation.** *Une aura de mystère. Des auras.*

auréole [ɔ(o)reɔl] n. f. 1. Cercle dont les peintres entourent la tête de Jésus-Christ, de la Vierge et des saints. ⇒ **nimbe.** 2. Degré de gloire qui distingue qqn. *L'auréole des martyrs.* ⇒ **couronne.** *Entourer, parer qqn d'une auréole.* 3. Trace circulaire laissée sur le papier, le tissu par une tache qui a été nettoyée. *Produit qui détache sans former d'auréoles.* ▶ *auréoler* v. tr. • conjug. 1. 1. Entourer d'une auréole. 2. Donner de l'éclat, du prestige. ⇒ **glorifier.** *Un grand nom que la légende auréole.* — Au p. p. *Auréolé de gloire.*

auriculaire [ɔ(o)rikylɛr] adj. et n. m. 1. Qui a rapport à l'oreille. *Pavillon auriculaire.* 2. N. m. *L'auriculaire,* le petit doigt de la main (sa petitesse permet de l'introduire dans l'oreille).

aurifère [ɔ(o)rifɛr] adj. ■ Qui contient de l'or. *Rivière aurifère.*

aurige [ɔ(o)riʒ] n. m. ■ Dans l'Antiquité. Conducteur de char, dans les courses.

aurochs [ɔ(o)rɔk] n. m. invar. ■ Bœuf sauvage de grande taille dont l'espèce est en voie d'extinction. *L'aurochs ressemble au bison.*

aurore [ɔ(o)rɔr] n. f. 1. Lueur brillante et rosée qui suit l'aube et précède le lever du soleil ; moment où le soleil va se lever. *Se lever à l'aurore.* 2. Abstrait. Aube, commencement. *L'aurore des Temps modernes.* 3. AURORE BORÉALE : arc lumineux (jet d'électrons solaires) qui apparaît dans les régions polaires de l'atmosphère.

ausculter [ɔ(o)skylte] v. tr. • conjug. 1. ■ Explorer les bruits de l'organisme par l'auscultation. *Ausculter un malade.* ▶ *auscultation* n. f. ■ Action d'écouter les bruits qui se produisent à l'intérieur de l'organisme pour faire un diagnostic. *Auscultation à l'oreille, au stéthoscope.*

auspice [ɔ(o)spis] n. m. 1. Au plur. Dans l'antiquité romaine. Présage tiré du comportement des oiseaux. *Prendre les auspices.* 2. Circonstances permettant d'envisager l'avenir. *De favorables, d'heureux auspices.* ⇒ **influence, présage.** — SOUS LES AUSPICES

de qqn : avec son appui, en invoquant sa recommandation. ⇒ **égide, patronage.**

aussi [osi] adv. et conj. I. Adv. 1. Terme de comparaison accompagnant un adjectif ou un adverbe, exprimant un rapport d'égalité. *Il est aussi grand que vous ; aussi grand que beau. Aussi vite que vous le pourrez, que possible.* — (Avec ellipse du second terme de comparaison) ⇒ **si.** *Je n'ai jamais rien vu d'aussi joli (que cela). Je ne pensais pas qu'il était aussi vieux.* — (Avant le verbe, au sens de *bien que*) ⇒ **pour, quelque, si.** *Aussi invraisemblable que cela paraisse. Aussi riche soit-il.* 2. De la même façon. ⇒ **pareillement.** *C'est aussi mon avis.* ⇒ **également.** « *Dormez bien. – Vous aussi.* » ⇒ de **même.** — AUSSI BIEN QUE : de même que. ⇒ **autant** que, **comme.** 3. Pareillement et de plus. ⇒ **encore,** en outre. *Il parle l'anglais et aussi l'allemand. Non seulement... mais aussi.* II. Conj. Marque un rapport de conséquence avec la proposition qui précède. *Ces étoffes sont belles, aussi coûtent-elles cher.* ⇒ c'est **pourquoi.** ⟨ ▶ **aussitôt** ⟩

aussitôt [osito] adv. 1. Dans le moment même, au même instant. ⇒ **immédiatement, instantanément.** *J'ai compris aussitôt ce qu'il voulait. Aussitôt après son départ.* 2. AUSSITÔT QUE loc. conj. Il le reconnut aussitôt qu'il le vit. ⇒ **dès.** *Aussitôt qu'il fut parti, l'autre arriva.* ⇒ **sitôt.** *Aussitôt arrivé, il se coucha.* Loc. *Aussitôt dit, aussitôt fait,* il dit la chose et la fait aussitôt.

austère [ɔ(o)stɛr] adj. 1. Qui se montre sévère pour soi, retranche sur ses aises et ses plaisirs. ⇒ **ascète, puritain.** *Une femme austère.* 2. (Vie) Dur, rigoureux, sans plaisir. *Il a une vie très austère. Morale, discipline austère.* 3. (Choses) Sans ornement. ⇒ **sévère.** *Cette robe est un peu austère.* ▶ *austérité* n. f. 1. Caractère de ce qui est austère. *L'austérité de l'ascète, de sa vie. L'austérité d'un style.* 2. Gestion stricte de l'économie d'un pays, avec des mesures restreignant la consommation. *Une politique d'austérité.* / contr. **abondance** /

austral, ale, als ou *aux* [ɔ(o)stral, o] adj. ■ Qui est au sud du globe terrestre (opposé à *boréal*). *Hémisphère austral. Terres australes,* avoisinant le pôle Sud.

autant [otɑ̃] adv. 1. AUTANT QUE : en même quantité, au même degré, de la même façon. *J'en souffre autant que vous. Il travaille autant qu'il peut. Rien ne plaît autant que la nouveauté.* ⇒ **comme.** Ellipt. *Autant dire la vérité,* il est aussi avantageux de. *Autant que possible,* dans la mesure du possible. *Autant que je sache,* dans la mesure où je suis au courant. 2. AUTANT DE (suivi d'un nom) : la même quantité, le même nombre de. *Il est né autant de garçons que de filles.* — (Avec *en*) La même chose. *Tâchez d'en faire autant. Je ne peux en dire autant.* — *Pour autant,* pour, malgré cela. *Il a fait un effort, mais il n'en est pas moins paresseux pour autant.* 3. Une telle quantité, un tel nombre de. ⇒ **tant.** *Je ne pensais pas qu'il aurait autant de patience.* 4. AUTANT... AUTANT... *Autant il est charmant avec elle, autant il est désagréable avec nous.* 5. D'AUTANT loc. adv. : à proportion. *Cela augmente d'autant son profit.* — D'AUTANT QUE loc. conj. : vu, attendu que. *Je n'y suis pas allé, d'autant qu'il était déjà tard.* — D'AUTANT PLUS, MOINS QUE : encore plus, encore moins, pour la raison que. *La chaleur est accablante, d'autant plus que le vent est tombé. Il a peu d'argent et ose d'autant moins en emprunter qu'il est déjà endetté.* — D'AUTANT MIEUX QUE : encore mieux pour la raison que. *Vous économiserez l'énergie d'autant mieux que vous isolerez les combles.* — D'AUTANT PLUS ! loc. adv. : à plus forte raison.

autarcie [otaʀsi] n. f. ■ État d'un pays qui se suffit à lui-même ; économie fermée. *Vivre en autarcie.*

autel [ɔ(o)tɛl] n. m. **1.** Dans l'Antiquité. Tertre ou table de pierre à l'usage des sacrifices offerts aux dieux. *Autel consacré à Jupiter.* **2.** Table où l'on célèbre la messe. *S'approcher de l'autel* (pour communier). **3.** L'AUTEL : la religion, l'Église. *Le trône* (la royauté) *et l'autel.*

auteur [otœʀ] n. m. **1.** Personne qui est la première cause d'une chose, à l'origine d'une chose. ⇒ **créateur.** *L'auteur d'une découverte.* ⇒ **inventeur.** *Il nie être l'auteur du crime.* **2.** Personne qui écrit un livre, qui fait une œuvre d'art. *L'auteur d'un livre, d'un tableau, d'un film.* — *Un auteur,* personne qui a fait un ou plusieurs ouvrages littéraires. ⇒ **écrivain,** homme, femme de **lettres.** *Colette est un auteur célèbre.* — *Œuvre d'un auteur. Étudier, citer un auteur.* — DROIT D'AUTEUR : droit exclusif d'exploitation qui appartient à l'auteur sur son œuvre. ⇒ **copyright.** Au plur. *Droits d'auteur,* profits pécuniaires résultant de cette exploitation. *Il touche des droits d'auteur.*

authenticité [ɔ(o)tɑ̃tisite] n. f. **1.** Qualité d'un écrit, d'un discours, d'une œuvre authentique (2). *Vérifier l'authenticité d'un document.* **2.** Qualité d'un fait qui mérite d'être cru, qui est conforme à la vérité. *L'authenticité d'un événement historique.* ⇒ **véracité.** **3.** Qualité d'une personne, d'un sentiment authentique (4). ⇒ **sincérité.** *L'authenticité d'un sentiment.*

authentifier [ɔ(o)tɑ̃tifje] v. tr. ■ conjug. 7. ■ Rendre authentique. *Un sceau authentifie cette pièce.* ▶ **authentification** n. f. ■ *L'authentification d'un tableau par un expert.*

authentique [ɔ(o)tɑ̃tik] adj. **1.** *Acte authentique* (opposé à *acte sous seing privé*), qui fait foi par lui-même en raison des formes légales dont il est revêtu. ⇒ **notarié.** **2.** Qui est véritablement de l'auteur auquel on l'attribue. *Un Rembrandt authentique.* / contr. **apocryphe, faux** / **3.** Dont l'autorité, la réalité, la vérité ne peut être contestée. ⇒ **indéniable, réel, véridique, véritable, vrai.** *Fait, histoire authentique.* **4.** Qui exprime une vérité profonde de l'individu et non des habitudes superficielles, des conventions. ⇒ **sincère ; naturel.** *Une personnalité, un sentiment authentique.* / contr. **conventionnel.** / ▶ **authentiquement** adv. ■ D'une manière authentique. ⟨ ▶ authenticité, authentifier, inauthentique ⟩

autisme [ɔ(o)tism] n. m. ■ Didact. Attitude pathologique de détachement de la réalité extérieure accompagnée de repliement sur soi-même. ⇒ **égocentrisme, introversion.** ▶ **autiste** adj. ■ Atteint d'autisme. *Un enfant autiste.* — N. *Un, une autiste.* — REM. On ne dit pas, dans ce cas, *autistique* qui signifie « relatif à l'autisme ».

auto [ɔ(o)to] n. f. ■ Abréviation de *automobile. Une auto.* ⇒ **voiture** (plus cour.). *Une panne d'auto.* — Voiture miniature. *Une auto à pédales.* ⟨ ▶ autoberge, autobus, autocar, autochenille, autodrome, auto-école, automitrailleuse, autoradio, autoroute, autos-couchettes, auto-stop ⟩

auto- ■ Élément savant signifiant « soi-même, lui-même ». / contr. **hétéro-** / — REM. Les mots commençant par *auto-* sont formés de cet élément ou avec *auto,* n. f.

auto-accusation n. f. ■ Fait de s'accuser soi-même.

auto-allumage n. m. ■ Allumage spontané anormal du mélange carburant dans un cylindre de moteur à explosion.

autoberge n. f. ■ Voie sur berge pour les automobiles.

autobiographie [ɔ(o)tɔbjɔgrafi] n. f. ■ Biographie d'un auteur faite par lui-même. ▶ **autobiographique** adj. ■ *Un récit autobiographique.*

autobus [ɔ(o)tobys] n. m. invar. ■ Véhicule automobile pour le transport en commun des voyageurs, dans les villes. ⇒ **bus.** ≠ *autocar. Arrêt d'autobus.* ⇒ **abribus.**

autocar [ɔ(o)tokaʀ] n. m. ■ Grand véhicule automobile pour le transport de plusieurs dizaines de personnes. *Autocar d'excursion.* ⇒ **car.** ≠ *autobus.*

autochenille [ɔ(o)tɔʃnij] n. f. ■ Véhicule automobile militaire ou d'exploration monté sur chenilles.

autochtone [ɔ(o)tɔktɔn] adj. et n. ■ Qui est issu du sol même où il habite. ⇒ **aborigène indigène.** *Peuple, race autochtone.* — N. *Les autochtones.*

autoclave [ɔ(o)tɔklav] n. m. ■ Appareil dont la fermeture hermétique est obtenue par la pression intérieure de la vapeur d'eau, et qui permet de soumettre à de hautes températures les objets qu'on y renferme. ⇒ **étuve.** *Désinfecter des vêtements à l'autoclave.*

autocollant, ante [otokɔlɑ̃, ɑ̃t] adj. et n. m. ■ Qui adhère de soi-même sans avoir besoin d'être humecté. *Enveloppes autocollantes.* — REM. On dit aussi AUTO-ADHÉSIF, IVE [ɔ(o)toadezif, iv]. — N. m. *Un autocollant publicitaire.*

autocrate [ɔ(o)tɔkʀat] n. m. ■ Souverain dont la puissance n'est soumise à aucun contrôle. ⇒ **despote, dictateur, tyran.** ▶ **autocratie** [ɔ(o)tɔkʀasi] n. f. ■ Forme de gouvernement où le souverain exerce lui-même une autorité sans limite. ⇒ **absolutisme, despotisme, dictature, tyrannie.** ▶ **autocratique** adj. ■ *Gouvernement autocratique.*

autocritique n. f. ■ Chez les marxistes. Critique de son propre comportement. — Fam. *Faire son autocritique,* reconnaître ses torts.

autocuiseur [otokɥizœʀ] n. m. ■ Appareil pour cuire les aliments sous pression, plus rapidement. ⇒ **cocotte.**

autodafé [ɔ(o)tɔdafe] n. m. ■ Cérémonie où des hérétiques étaient condamnés au supplice du feu par l'Inquisition. *Des autodafés.* — Action de détruire par le feu. *Un autodafé de livres.*

autodéfense n. f. ■ Défense par les moyens dont on dispose. *Groupe d'autodéfense.*

autodestruction n. f. ■ Destruction (matérielle ou morale) de soi-même par soi-même.

autodétermination n. f. ■ Détermination du statut politique d'un pays par ses habitants.

autodictée n. f. ■ Exercice scolaire pour apprendre l'orthographe ; reproduction, de mémoire, d'un texte écrit appris par cœur. *Des autodictées.*

autodidacte [ɔ(o)tɔdidakt] adj. et n. ■ Qui s'est instruit lui-même, sans maître. *Un écrivain autodidacte. Une autodidacte.*

autodiscipline n. f. ■ Discipline que s'impose un individu ou un groupe, sans intervention extérieure.

autodrome n. m. ■ Piste fermée pour courses ou essais d'automobiles. ⇒ **circuit.** *L'autodrome de Montlhéry.*

auto-école n. f. ■ École de conduite des automobiles, qui prépare les candidats au permis de conduire. *Des auto-écoles.*

autofinancement n. m. ■ Financement d'une entreprise par ses propres capitaux (affectation de profits aux investissements).

autogestion n. f. ■ Gestion d'une entreprise par le personnel (direction et conseil de gestion).

autographe [ɔ(o)tɔgraf] adj. et n. m. ■ Qui est écrit de la propre main de qqn. *Lettre autographe.* — N. m. *Une collection d'autographes.*

automate [ɔ(o)tɔmat] n. m. 1. Appareil mû par un mécanisme intérieur et imitant les mouvements d'un être vivant. 2. Homme qui agit comme une machine, sans liberté. ⇒ **machine, pantin, robot.** *Agir comme un automate.* ⟨ ► automatique, automatisme ⟩

automation [ɔ(o)tɔmasjɔ̃] n. f. ■ Fonctionnement automatique d'un ensemble productif, sous le contrôle d'un programme unique.

automatique [ɔ(o)tɔmatik] adj. et n. **I.** Adj. et n. m. 1. Qui s'accomplit sans la participation de la volonté. *Mouvement, réflexe automatique.* ⇒ **inconscient, involontaire.** 2. Qui, une fois mis en mouvement, fonctionne de lui-même, opère par des moyens mécaniques. *Distributeur automatique. Embrayage automatique (voiture automatique). Arme automatique,* dans laquelle la pression des gaz de combustion est utilisée pour réarmer (ex. : *mitraillette*). — N. m. *Un automatique,* un pistolet automatique. *L'automatique,* le téléphone automatique. 3. Qui s'accomplit avec une régularité déterminée. *Système de relèvement automatique des salaires.* 4. Fam. Qui doit forcément se produire. ⇒ **forcé, sûr.** *Une conséquence automatique.* **II.** N. f. Ensemble des sciences et des techniques consacrées aux dispositifs qui fonctionnent sans intervention du travail humain. ⇒ **cybernétique, informatique, robotique.** ► **automatiquement** adv. ■ *La distribution se fait automatiquement.* — Fam. *Si vous l'en empêchez, automatiquement il en aura bien plus envie.* ⇒ **forcément.** ⟨ ► automatiser ⟩

automatiser [ɔ(o)tɔmatize] v. tr. ▪ conjug. 1. ■ Rendre automatique (2). *Automatiser la production.* ► **automatisation** n. f. ■ Emploi de machines, d'automatismes.

automatisme [ɔ(o)tɔmatism] n. m. 1. Ensemble des réactions rendues automatiques (par l'habitude), opposé à *réflexe.* 2. Fonctionnement automatique d'une machine. 3. Régularité dans l'accomplissement de certains actes, le déroulement d'événements.

automitrailleuse n. f. ■ Automobile blindée armée de mitrailleuses.

automne [ɔ(o)tɔn] n. m. 1. Saison qui succède à l'été et précède l'hiver, et qui, dans l'hémisphère Nord, commence à *l'équinoxe d'automne* (22 ou 23 septembre) et s'achève au solstice d'hiver (21 ou 22 décembre), caractérisée par le déclin des jours, la chute des feuilles. *Nous étions en automne. Un bel automne.* ⇒ **arrière-saison.** 2. *L'automne de la vie,* le début de la vieillesse. ► **automnal, ale, aux** [ɔ(o)tɔnal, o] adj. ■ *Fleurs automnales.*

automobile [ɔ(o)tɔmɔbil] adj. et n. f. 1. Adj. (Véhicule) Qui est mû par un moteur. *Voiture automobile. Canot automobile.* 2. N. f. Véhicule à quatre roues (ou plus), progressant de lui-même à l'aide d'un moteur ; spécial automobile de tourisme, à l'exclusion des camions et des autobus, autocars. ⇒ **auto, voiture** (plus cour.) ; fam. **bagnole.** *Conduire une automobile.* 3. *L'automobile,* la conduite des automobiles, le sport ; les activités économiques liées à la construction, à la vente des automobiles. 4. Adj. Relatif aux véhicules automobiles. *Construction, industrie automobile. Assurances automobiles. Cou-*

reur automobile. ► **automobilisme** n. m. ■ Tout ce qui concerne l'automobile ; le sport automobile. ► **automobiliste** n. ■ Personne qui conduit une automobile de tourisme. ⟨ ► auto ⟩

automoteur, trice adj. ■ Qui se déplace à l'aide d'un moteur (se dit d'un objet habituellement sans moteur). ► **automotrice** n. f. ■ Autorail.

autonome [ɔ(o)tɔnɔm] adj. 1. Qui s'administre lui-même. *Gouvernement autonome.* ⇒ **indépendant.** — Qui est administré par une collectivité autonome. *Budget autonome.* 2. Qui ne dépend de personne. ⇒ **indépendant, libre.** *Il travaille pour être autonome.* 3. Qui se réclame de l'autonomie (1). *Militant autonome.* 4. Informatique. Qui est indépendant des autres éléments d'un système. *Calculateur autonome.* ► **autonomie** n. f. 1. Droit de se gouverner par ses propres lois. *Autonomie partielle ; totale.* ⇒ **indépendance.** *Région, communauté qui réclame l'autonomie.* 2. Faculté d'agir librement, indépendance. *Il tient à son autonomie.* 3. Distance que peut parcourir un véhicule sans être ravitaillé en carburant. ► **autonomiste** n. et adj. ■ Partisan de l'autonomie en matière politique. ⇒ **nationaliste, séparatiste.** *Les autonomistes corses.*

autopompe n. f. ■ Camion automobile équipé d'une pompe à incendie actionnée par le moteur.

autoportrait n. m. ■ Portrait d'un peintre exécuté par lui-même. *Un autoportrait de Van Gogh.*

autopropulsé, ée adj. ■ Qui est propulsé par ses propres moyens. *Se dirige sans pilote.*

autopsie [ɔ(o)tɔpsi] n. f. ■ Examen de toutes les parties d'un cadavre (notamment pour étudier les causes de la mort). *On a découvert à l'autopsie qu'il était mort empoisonné. Pratiquer une autopsie.*

autoradio [otoRadjo] adj. invar. et n. m. ■ Poste autoradio ou autoradio, poste de radio conçu pour être fixé sur le tableau de bord d'une automobile. *Autoradio à lecteur de cassettes. Des autoradios.*

autorail [ɔ(o)tɔRaj] n. m. ■ Véhicule automoteur pour le transport sur rails. ⇒ **automotrice, micheline.** *Des autorails.*

autoriser [ɔ(o)tɔRize] v. tr. ▪ conjug. 1. 1. AUTORISER *qqn* À (+ infinitif) : accorder à (qqn) un droit, une permission. *Un décret l'a autorisé à exploiter cette mine. Je vous autorise à ne pas y aller.* ⇒ **dispenser, exempter.** — (Suj. chose) ⇒ **permettre.** *Rien ne nous autorise à dire que...* 2. AUTORISER *qqch.* : rendre licite. *Autoriser les sorties.* ⇒ **permettre.** / contr. **défendre, interdire** / ► **autorisation** n. f. 1. Action d'autoriser, droit accordé par la personne qui autorise. *Autorisation de bâtir.* ⇒ **permis.** *J'ai l'autorisation de sortir.* ⇒ **permission.** / contr. **défense, interdiction** / *Obtenir, donner une autorisation.* 2. Acte, écrit par lequel on autorise. *Montrer une autorisation.* ⇒ **permis.** ► **autorisé, ée** adj. 1. Qui est permis. ⇒ **admis, toléré.** *Stationnement autorisé. Tournure autorisée par l'usage.* 2. Qui a reçu autorité ou autorisation. *Association autorisée. Je me crois autorisé à dire que...* ⇒ **fondé** à. 3. Qui fait autorité, est digne de créance. *Un critique autorisé. Les milieux autorisés démentent la nouvelle.*

autoritaire [ɔ(o)tɔRitɛR] adj. 1. Qui aime l'autorité ; qui en use ou abuse volontiers. *Un régime autoritaire.* 2. Qui aime à être obéi. *Homme, caractère autoritaire. Air, ton autoritaire,* qui exprime le commandement, n'admet pas la contradiction. ⇒ **impératif, impérieux.** / contr. **doux, libéral** / ► **autoritarisme** n. m. ■ Caractère d'un régime politique, d'un gouvernement autoritaire. — Comportement d'une personne autoritaire.

autorité [ɔ(o)tɔRite] n. f. **1.** Droit de commander, pouvoir (reconnu ou non) d'imposer l'obéissance. *L'autorité du supérieur sur ses subordonnés* ⇒ **hiérarchie.** *L'autorité paternelle.* — *De sa propre autorité,* sans autorisation. — D'AUTORITÉ : sans tolérer de discussion ; sans consulter personne. *Ils l'avaient classé, d'autorité, dans la catégorie des paresseux.* **2.** Les organes du pouvoir. *Les représentants de l'autorité.* — Au plur. LES AUTORITÉS : les personnes qui exercent l'autorité. *Les autorités civiles, militaires.* **3.** Pouvoir de se faire obéir. *Ce professeur n'a aucune autorité sur ses élèves.* **4.** Supériorité de mérite ou de séduction qui impose l'obéissance sans contrainte, le respect, la confiance. ⇒ **ascendant, empire, influence, prestige.** *Cet homme a une grande autorité. Avoir, prendre de l'autorité sur qqn.* — FAIRE AUTORITÉ : s'imposer auprès de tous comme incontestable, servir de règle en quelque matière. *Un savant, un ouvrage qui fait autorité.* **5.** Personne qui fait autorité. *Invoquer une autorité à l'appui de sa thèse.* ⟨ ▶ **autoritaire** ⟩

autoroute [otoRut] n. f. ■ Large route à double chaussée réservée aux véhicules automobiles, protégée, sans croisements ni passages à niveau. *Une autoroute à quatre voies. Des autoroutes à péage.* ▶ **autoroutier, ière** adj. ■ *Réseau autoroutier.*

autos-couchettes adj. invar. ■ *Train autos-couchettes,* train de nuit transportant à la fois des voyageurs en couchettes et leur voiture. — REM. On écrit aussi *autocouchettes,* adj. invar.

auto-stop n. m. ■ Le fait d'arrêter une voiture pour se faire transporter gratuitement. ⇒ **stop.** *Faire de l'auto-stop.* ▶ **auto-stoppeur, euse** n. ■ *Il avait pris deux auto-stoppeurs.*

autosuggestion [otosygʒɛstjɔ̃] n. f. ■ Action de se suggestionner soi-même, volontairement ou non.

① **autour** [otuR] loc. prép. et adv. ■ Dans l'espace qui environne qqn, qqch. — AUTOUR DE loc. prép. *Faire cercle autour de qqn, de qqch.* ⇒ **entourer.** *Les planètes gravitent autour du Soleil. Regarder tout autour de soi.* — Abstrait. *Vous tournez autour du sujet,* fam. *autour du pot. Il a autour de quarante ans,* environ, à peu près. — AUTOUR adv. : en entourant. *Mettez du papier autour.*

② **autour** n. m. ■ Oiseau rapace voisin de l'épervier. ≠ **vautour.**

autre [otR] adj. et pronom **I.** Adj. (Épithète, avant le nom) **1.** Qui n'est pas le même. *Est-il plus heureux que les autres hommes ? J'ai une autre idée. Bien d'autres, beaucoup d'autres choses encore. Sans autre indication. Je ne vois aucun autre moyen.* — *Une autre fois, un autre jour. À un autre moment,* un peu plus tard. *D'autres fois, à d'autres moments.* — *L'autre fois, l'autre jour,* dans le passé. ⇒ **autrefois.** *L'autre monde,* l'au-delà. **2.** Différent par quelque supériorité. *C'est un tout autre écrivain. Il est d'une autre classe.* **3.** AUTRE CHOSE (sans article) : quelque chose de différent. *C'est autre chose, c'est tout autre chose,* c'est différent. *Parlons d'autre chose.* **4.** AUTRE PART loc. adv. : ailleurs. *J'irai autre part.* — D'AUTRE PART : par ailleurs. **II.** Adj. (Après le nom ou le pronom) Qui est différent de ce qu'il était. *Il est devenu autre.* — Au plur. Fam. ou région. Pour opposer le groupe désigné au reste. *Nous autres, nous partons. C'est pour vous autres.* **III.** Pronom (nominal ou représentant un nom). **1.** Qqn, qqch. de différent. *Prendre qqn pour un autre* (une autre personne), *une chose pour une autre. De l'un à l'autre. Je n'en veux pas d'autre. Il faut penser aux autres.* ⇒ **autrui.** *C'est quelqu'un d'autre. Aucun autre, personne d'autre ne peut faire cela.* — Loc. *Il*

n'en fait jamais d'autres (erreurs, bêtises). *J'en ai vu bien d'autres* (choses étonnantes). *À d'autres !,* allez dire cela à des gens plus crédules. — ENTRE AUTRES : parmi plusieurs (personnes, choses). *Il y avait, entre autres, deux généraux et un cardinal.* — RIEN D'AUTRE : rien de plus. *Il n'y a rien d'autre.* **2.** L'UN... L'AUTRE ; LES UNS... LES AUTRES. *L'un est riche, l'autre est pauvre. L'une danse, l'autre pas. L'un et l'autre,* les deux ou l'un aussi bien que l'autre. *L'un et l'autre sont venus, est venu. Les uns et les autres sont partis. C'est tout l'un ou tout l'autre,* il n'y a pas de milieu. *Elles ne sont venues ni l'une ni l'autre.* — (Réciproque) *Aimez-vous les uns les autres.* — (Avec une prép.) *Il nous a présentés l'un à l'autre. Marcher l'un à côté de l'autre, l'un derrière l'autre.* — Loc. *L'un ne va pas sans l'autre,* les deux choses sont solidaires. ⟨ ▶ **autrefois, autrement, autrui** ⟩

autrefois [otRəfwa] adv. ■ Dans un temps passé. ⇒ **anciennement, jadis.** *Les mœurs d'autrefois. Autrefois, il en était ainsi.* / contr. **aujourd'hui, désormais, dorénavant** /

autrement [otRəmɑ̃] adv. **1.** D'une façon autre, d'une manière différente. ⇒ **différemment.** *Il faut agir autrement. Je n'ai pas pu faire autrement que d'y aller. Autrement dit,* qui s'appelle aussi... **2.** Dans un autre cas, dans le cas contraire. ⇒ **sinon.** *Faites attention, autrement vous aurez affaire à moi.* **3.** PAS AUTREMENT : pas beaucoup. ⇒ **guère.** *Je ne m'en étonne pas autrement.* **4.** AUTREMENT (comparatif de supériorité). ⇒ **plus ; beaucoup.** *Elle est autrement jolie, autrement mieux que sa sœur.*

autruche [otRyʃ] n. f. **1.** Oiseau coureur de grande taille, à ailes rudimentaires. *Plume d'autruche.* — *Un estomac d'autruche,* qui digère tout. **2.** Loc. *Pratiquer la politique de l'autruche, faire l'autruche,* refuser de voir le danger (comme l'autruche qui se cache la tête pour échapper au péril).

autrui [otRɥi] pronom ■ Un autre, les autres hommes (en complément). ⇒ **le, son prochain.** *Agir pour le compte d'autrui. L'amour d'autrui.* ⇒ **altruisme.**

auvent [ovɑ̃] n. m. ■ Petit toit en saillie pour garantir de la pluie.

auxiliaire [ɔ(o)ksiljɛR] adj. et n. **1.** Qui aide par son concours (sans être indispensable). *Moyen auxiliaire.* ⇒ **accessoire, annexe, complémentaire.** *Moteur auxiliaire,* de secours. *Le service auxiliaire de l'armée.* **2.** N. Personne qui aide en apportant son concours. ⇒ **adjoint, aide, assistant, collaborateur.** *Se servir d'auxiliaires pour la préparation de son travail.* **3.** Employé recruté à titre provisoire par l'Administration (non fonctionnaire). / contr. **titulaire** / **4.** Verbe auxiliaire, ou n. m., *un auxiliaire,* verbe qui est destiné à une fonction grammaticale : la formation des temps composés des verbes. « *Avoir* » et « *être* » sont des auxiliaires ; « *faire* » peut être auxiliaire.

s'avachir [avaʃiR] v. pron. ■ conjug. 2. **1.** Devenir mou, flasque. *Ces souliers commencent à s'avachir.* **2.** (Personnes) Se laisser aller. *S'avachir à ne rien faire.* ⇒ se **relâcher.** ▶ **avachi, ie** adj. **1.** Déformé et flasque. *Chaussures avachies.* **2.** (Personnes) Sans aucune énergie, sans fermeté. *Je l'ai trouvé complètement avachi.* ▶ **avachissement** n. m. ■ *Il se laisse tomber dans l'avachissement.*

① **aval** [aval] n. m. sing. **1.** Le côté vers lequel descend un cours d'eau. *La rivière est plus belle vers l'aval.* / contr. **amont** / — EN AVAL DE loc. prép. *En aval du pont, de la ville,* au-delà, dans la direction de la pente. **2.** Abstrait. Ce qui vient après, dans un processus. *Si la production s'arrête, cela va créer des problèmes en aval.*

② *aval, als* n. m. ■ Engagement de payer à la place de qqn, s'il ne peut le faire. — *Donner son aval à une politique,* son soutien. *Des avals.* ▶ **avaliser** v. tr. ■ conjug. 1. ■ Donner son aval à. *Avaliser une traite.*

avalanche [avalɑ̃ʃ] n. f. **1.** Masse de neige qui se détache d'une montagne, qui dévale en entraînant des pierres, des boues. *Alpiniste emporté dans une avalanche. Risque d'avalanche.* **2.** Grande quantité de. *Une avalanche de coups.* ⇒ **pluie.** *J'ai reçu une avalanche de lettres.*

avaler [avale] v. tr. ■ conjug. 1. **1.** Faire descendre par le gosier. ⇒ **absorber, boire, ingérer, ingurgiter, manger.** *Avaler une gorgée d'eau. Avaler d'un trait, d'un seul coup, sans mâcher.* ⇒ **engloutir, gober.** *Avaler de travers,* l'épiglotte ayant laissé passer des particules alimentaires dans la trachée. **2.** Loc. *Avaler sa langue,* garder le silence. — *Il a l'air d'avoir avalé son parapluie,* il est très guindé. — *Avaler des couleuvres,* subir un affront. — *Avaler un livre, un roman,* le lire avec avidité. **3.** Supporter ou croire. *Vous n'allez pas avaler ça sans réagir ? C'est une histoire difficile à avaler. On peut lui faire avaler n'importe quoi.* ▶ **avaleur** n. m. ■ *Avaleur de sabres,* saltimbanque qui introduit une lame dans son tube digestif.

avance [avɑ̃s] n. f. **1.** Action d'avancer. *L'avance d'une armée.* ⇒ **marche, progression.** / contr. **recul, repli** / **2.** Espace qu'on a parcouru avant qqn, distance qui en sépare. *Le coureur a pris de l'avance sur les autres concurrents. Il a gardé, perdu son avance.* **3.** Anticipation sur un moment prévu. *Avoir une heure d'avance.* / contr. **retard** / **4.** Loc. adv. À L'AVANCE : avant le moment fixé pour l'exécution (d'une opération, d'une combinaison). *Tout a été préparé à l'avance. Deux jours à l'avance.* — D'AVANCE (après un verbe) : avant le temps, avant un moment quelconque. *Payer d'avance. On connaît d'avance le résultat.* — EN AVANCE (en attribut) : avant le temps fixé, l'horaire prévu. *Il est en avance, en avance d'une heure* (opposé à *en retard*) *Il est arrivé très en avance.* — Avancé dans son développement. *Il est en avance sur son temps.* — Littér. PAR AVANCE : à l'avance ; d'avance. **5.** *Une avance,* une somme (prêt ou emprunt) que l'on paye par anticipation. *Je vous donne une avance sur votre salaire.* ⇒ **acompte, provision. 6.** Au plur. AVANCES : premières démarches auprès d'une personne pour nouer ou renouer des relations avec elle (surtout amoureuses). *Il lui a fait des avances.*

avancé, ée [avɑ̃se] adj. **1.** Qui est en avant. *Poste avancé.* **2.** (Temps) Dont une grande partie est écoulée. *La nuit est déjà bien avancée. À une heure avancée de la nuit.* ⇒ **tardif. 3.** Qui est en avance (sur les autres), qui a fait des progrès. *Un enfant avancé pour son âge.* ⇒ **précoce.** *Opinions, idées avancées,* à l'avant-garde des idées du temps. / contr. **retardataire** / — Qui est favorable au progrès. *Le libéralisme avancé.* **4.** Qui se rapproche du terme, touche à sa fin. *Son ouvrage est déjà très avancé.* **5.** (Personnes) *Être avancé,* avoir obtenu des avantages, des explications. Iron. *Vous voilà bien avancé !,* ce que vous avez fait ne vous a servi à rien. **6.** Qui commence à se gâter. *Ce poisson est un peu avancé.* / contr. **frais** /

avancer [avɑ̃se] v. ■ conjug. 3. **I.** V. tr. **1.** Pousser, porter en avant. *Avancer une chaise. Il lui tendit la main, elle avança la sienne.* / contr. **reculer** / **2.** Abstrait. Mettre en avant, dans le discours. *Avancer une thèse. Il faut prouver ce que vous avancez.* ⇒ **affirmer,** alléguer, prétendre. **3.** (Suj. personne) Faire arriver avant le temps prévu ou normal. *Il a avancé son retour, la date de son retour.* **4.** Faire progresser qqch. *Avancer son travail, son ouvrage.* — (Suj. chose) *Ce retard n'avance pas mes affaires.* **5.** Avancer de l'argent (à qqn), prêter. *Ses parents ont avancé les premiers fonds.* **6.** (Suj. chose) AVANCER qqn : lui faire gagner du temps. *Aide-moi, cela nous avancera.* — (Interrog. ou négat.) Faire progresser vers un but. *Cela m'avance pas d'être désagréable. Je l'ai soutenu, à quoi cela m'avance-t-il ?* **II.** V. intr. **1.** Aller, se porter en avant. / contr. **reculer** / *Avancer lentement, rapidement. L'armée avance.* ⇒ **progresser. 2.** Être placé en avant, faire saillie. ⇒ **avancée.** *Ce cap avance dans la mer. La lèvre inférieure avançait légèrement.* **3.** Avoir déjà fait beaucoup. ⇒ **progresser.** *Avancer dans son travail. Il se tue de travail et n'avance pas.* **4.** (Choses) Aller vers son achèvement. *Les travaux n'avancent pas.* **5.** S'écouler, être en train de passer (temps) ; approcher de sa fin (durée). *La nuit avance, il est déjà bien tard.* **6.** (Pendules) Être en avance. *Ma montre avance* (opposé à *retarder*). **III.** S'AVANCER v. pron. **1.** Aller, se porter en avant. *Le voici qui s'avance vers nous.* ⇒ **approcher, venir. 2.** Prendre de l'avance. *Il s'est avancé pour partir plus tôt.* **3.** Abstrait. S'engager dans une voie, par l'action ou la parole. *Il évite toujours de s'avancer.* — S'AVANCER TROP : aller trop loin au risque de se compromettre, de s'engager à l'excès. *On s'était trop avancé pour reculer. Ne vous avancez pas trop, vous ne pourriez tenir votre promesse.* **4.** (Temps) S'écouler. *La nuit s'avance.* ▶ **avancée** n. f. **1.** Ce qui avance, forme saillie. *L'avancée d'un toit.* **2.** Abstrait. Progrès important. *Une avancée technique décisive.* ▶ **avancement** n. m. **1.** État de ce qui avance, progresse. ⇒ **progrès.** *L'avancement des travaux. L'avancement des connaissances.* **2.** Le fait de s'élever dans la voie hiérarchique ou dans celle des honneurs. ⇒ **promotion.** *Avoir, demander de l'avancement.* ‹ ▶ avance, avancé ›

avanie [avani] n. f. ■ Plus cour. au plur. Traitement humiliant, affront public. ⇒ **affront, humiliation, insulte.** *Faire, infliger des avanies à qqn.* ≠ *avarie, avatar.*

① *avant* [avɑ̃] prép. et adv. **I.** Prép. **1.** (Priorité de temps, antériorité) *Il est debout avant le lever du soleil.* / contr. **après** / *Il est arrivé avant moi,* plus tôt que moi. — *C'était un peu avant deux heures.* — AVANT DE (+ infinitif). *Réfléchissez bien avant de vous décider. Ne faites rien avant d'avoir reçu ma lettre.* — AVANT QUE (+ subjonctif). *Ne parlez pas avant qu'il ait fini, qu'il n'ait fini.* **2.** (Antériorité dans l'espace : priorité de situation ou d'ordre) *C'est la maison juste avant le bois sur votre gauche. Il faut passer qqn avant les autres.* ⇒ **le premier.** — AVANT TOUT. *Cela doit passer avant tout.* ⇒ **d'abord.** *Avant tout, il faut éviter la guerre.* ⇒ **surtout. II.** Adv. **1.** (Temps) Plus tôt. *Quelques jours avant.* ⇒ **auparavant.** / contr. **après** / *Le jour, la nuit d'avant,* précédente. *Réfléchissez avant, vous parlerez après.* ⇒ **d'abord. 2.** (Espace ; ordre ou situation) *Lequel des deux doit-on mettre avant ?* ⇒ **en tête. 3.** Littér. AVANT (précédé de *assez, bien, plus, si, trop...*) marque un éloignement du point de départ. *S'enfoncer trop avant dans la forêt.* ⇒ **loin, profondément.** *Je n'irai pas plus avant.* **III.** EN AVANT. **1.** Vers le lieu, le côté qui est devant, devant soi. *En avant, marche ! Se pencher en avant.* / contr. **en arrière** / *Marcher en avant.* ⇒ **en tête.** — Abstrait. *Regarder en avant,* vers l'avenir. EN AVANT DE. *L'éclaireur marche en avant de la troupe.* ⇒ **devant.** *Mettre qqch. en avant,* l'affirmer, s'en servir comme argument. — *Mettre qqn en avant,* s'abriter derrière son autorité. *Se mettre en avant,* se faire valoir par ses propos, son avantage   74

comportement. ▶ ② *avant* n. m. **1.** Partie antérieure. *L'avant d'un navire, d'une voiture. Vous serez
mieux à l'avant.* / contr. **arrière** / *Vers l'avant du
train.* **2.** *Aller de l'avant,* faire du chemin en
avançant ; fig. s'engager résolument dans une affaire.
3. Au football. Joueur placé devant les autres. *La ligne
des avants.* **4.** Adj. invar. Qui est à l'avant. *Les sièges,
les places avant d'une voiture. Les roues avant et les
roues arrière.* ⟨ ▶ auparavant, avancer, avant-bras,
avant-coureur, avant-dernier, avant-garde, avant-
goût, avant-guerre, avant-hier, avant-poste, avant-
première, avant-projet, avant-propos, avant-scène,
avant-train, avant-veille, dorénavant ⟩

avantage [avɑ̃taʒ] n. m. **I.** **1.** Ce par quoi on est
supérieur (qualité ou biens) ; supériorité. *Avantage
naturel. L'avantage de la fortune, de l'expérience. — À
l'avantage de qqn,* de manière à lui donner une
supériorité. — *Être à son avantage,* être momentanément supérieur à ce qu'on est d'habitude. **2.** Dans un
combat, une lutte. *Avoir, prendre, perdre l'avantage.*
⟹ le **dessus ; succès, victoire. 3.** Point marqué au
tennis par un joueur ou un camp, lorsque la marque
est à 40 partout. *Avantage, jeu !* **II. 1.** Ce qui est utile,
profitable. ⟹ **intérêt.** / contr. **inconvénient ; désavantage** / *Un avantage appréciable. Cette solution offre
de grands avantages. — Avoir avantage à (faire qqch.).
Vous auriez avantage à vous taire,* vous feriez mieux
de vous taire. **2.** *A quoi dois-je l'avantage de votre
visite ?,* le plaisir. ▶ *avantager* v. tr. ▪ conjug. 3.
1. Accorder un avantage à (qqn) ; rendre supérieur
par une qualité, un bien, un don. ⟹ **doter, douer.** *Je
ne veux pas l'avantager au détriment des autres.*
2. (Suj. chose) Faire valoir les avantages naturels.
Cette coiffure l'avantage. ▶ *avantageux, euse* adj.
1. Qui offre, procure un avantage. ⟹ **fructueux,
profitable.** *Offre avantageuse. Prix avantageux.* **2.** Qui
est à l'avantage de qqn, propre à lui faire honneur.
⟹ **favorable, flatteur.** *Il a une idée assez avantageuse
de lui-même.* **3.** Prétentieux. ⟹ **fat, présomptueux.**
*Un air, un ton avantageux. Prendre des poses
avantageuses.* ▶ *avantageusement* adv. ▪ D'une
manière avantageuse. ⟨ ▶ davantage, désavantage ⟩

avant-bras [avɑ̃bʀa] n. m. invar. ▪ Partie du bras
qui va du coude au poignet.

avant-coureur [avɑ̃kuʀœʀ] adj. m. ▪ Annonciateur, précurseur. *Les signes avant-coureurs du changement.*

avant-dernier, ière [avɑ̃dɛʀnje, jɛʀ] adj. ▪ Qui
est avant le dernier. *L'avant-dernier jour. — N. Il est
l'avant-dernier de sa classe.*

avant-garde [avɑ̃gaʀd] n. f. **1.** Partie d'une
armée qui marche en avant du gros des troupes.
Combats d'avant-garde. / contr. **arrière-garde** /
2. Abstrait. À L'AVANT-GARDE DE : devant, à la pointe
de. *Être à l'avant-garde du progrès.* D'AVANT-GARDE :
qui joue ou prétend jouer un rôle de précurseur, par
ses audaces. *Littérature d'avant-garde. — Des avant-
gardes.*

avant-goût [avɑ̃gu] n. m. ▪ Sensation que procure
l'idée d'un bien, d'un mal futur (opposé à *arrière-goût*).
Un avant-goût des vacances. Des avant-goûts.

avant-guerre [avɑ̃gɛʀ] n. m. ou f. ▪ Période qui
a précédé une guerre. *La France d'avant-guerre.*

avant-hier [avɑ̃tjɛʀ] adv. ▪ Le jour qui a précédé
hier (⟹ **avant-veille**). *Il est parti avant-hier. Il est venu
avant-hier.*

avant-poste [avɑ̃pɔst] n. m. ▪ Poste avancé de
l'armée. *Nos troupes ont pris leurs avant-postes.*

avant-première [avɑ̃pʀəmjɛʀ] n. f. **1.** Réunion
d'information pour présenter une pièce, un film, une

exposition avant la présentation au public, l'ouverture. *Des avant-premières.* **2.** *En avant-première,*
avant la présentation officielle, publique.

avant-projet [avɑ̃pʀɔʒɛ] n. m. ▪ Rédaction
provisoire d'un projet de loi, de contrat ; maquette
ou esquisse d'une construction, d'une œuvre d'art.
Des avant-projets.

avant-propos [avɑ̃pʀɔpo] n. m. invar. ▪ Courte
introduction (présentation, avis au lecteur, etc.).
⟹ **avertissement, introduction, préface.**

avant-scène [avɑ̃sɛn] n. f. ▪ Loge placée près de
la scène. *Une avant-scène. De belles avant-scènes.
— L'avant-scène,* le devant de la scène.

avant-train [avɑ̃tʀɛ̃] n. m. **1.** Avant d'une voiture
à cheval (roues de devant et timon). *Des avant-trains.*
2. Partie antérieure du corps d'un quadrupède
(opposé à *arrière-train*).

avant-veille [avɑ̃vɛj] n. f. ▪ Jour qui précède la
veille (⟹ **avant-hier**). *L'avant-veille de son arrivée. Des
avant-veilles.*

avare [avaʀ] adj. et n. **1.** Qui a de l'argent et refuse
de le dépenser, même utilement. ⟹ **avaricieux,
chiche, pingre, radin ;** fam. **rapiat, regardant.** / contr.
généreux ; dépensier / *Elle est économe sans être
avare. —* PROV. *À père avare, fils prodigue.* **2.** N. *Un
vieil avare. Son avare de père ne lui donne pas un sou.*
3. Littér. AVARE DE *qqch.* : qui ne prodigue pas. *Il
est assez avare de compliments. Être avare de son
temps.* ▶ *avarice* n. f. ▪ Comportement de l'avare.
⟹ **pingrerie.** *Il est d'une avarice sordide.* / contr.
générosité, largesse, prodigalité / ▶ *avaricieux,
ieuse* adj. ▪ Vx ou plaisant. Qui se montre d'une
avarice mesquine. ⟹ **avare.**

avarie [avaʀi] n. f. ▪ Dommage survenu à un
navire ou aux marchandises qu'il transporte. *La
cargaison a subi des avaries. —* Dommage survenu
au cours d'un transport terrestre ou aérien. ≠ *avanie, avatar.* ▶ *avarié, ée* adj. ▪ (Choses périssables)
Détérioré. *Marchandises avariées. De la viande
avariée.* ⟹ **pourri.**

avatar [avataʀ] n. m. **1.** Littér. Métamorphose,
transformation. **2.** Cour. Abusivt. Mésaventure, malheur. *Les avatars de la vie.*

à vau-l'eau [avolo] loc. adv. ▪ *S'en aller à
vau-l'eau,* se perdre. *Voilà tous mes projets à vau-l'eau.*

Ave ou *Ave Maria* [avemaʀja] n. m. invar.
▪ Salutation angélique, prière que l'on adresse à la
Sainte Vierge. *Dire des Ave. —* REM. On écrit aussi
un avé, des avés.

avec [avɛk] prép. et adv. **I. 1.** En compagnie de
(qqn). *Aller se promener avec qqn. Il a toujours son
chien avec lui. —* En ayant (qqch.) avec soi. *Il est
sorti avec son parapluie et son chapeau. —* Abstrait.
*Être d'accord avec qqn. Il s'est marié avec Mlle...
—* (Conformité) *Je pense avec cet auteur que...*
⟹ **comme. 2.** (Marque des relations quelconques
entre personnes) *Faire connaissance avec qqn.
Comment se comporte-t-il avec vous ?* ⟹ **envers,
vis-à-vis** de. *Être bien, être mal avec qqn,* en bonnes,
en mauvaises relations avec lui. **3.** (Opposition) *La
guerre avec l'ennemi.* ⟹ **contre.** *Se battre avec son
frère.* **4.** (En tête de phrase) *Avec vous, il n'y a que
l'argent qui compte,* à vous entendre, selon vous.
— En ce qui concerne (qqn). *Avec ce gaillard-là, on
ne sait jamais à quoi s'en tenir.* **II. 1.** En même temps
que. *Se lever avec le jour. Ces symptômes apparaissent
avec telle maladie.* **2.** En plus. ⟹ **ainsi** que, **et.** — Fam.
Avec cela, en plus, en outre. **3.** Malgré. *Avec tant de*

qualités, il n'a pas réussi. **4.** (En tête de phrase) Étant donné la présence de. *Avec tous ces touristes, le village est bien agité.* ⇒ à **cause** de. **5.** Garni de. *Servir le poisson avec du riz. Une robe avec des dentelles.* ⇒ **à.** — *Une chambre avec vue sur la mer,* qui a vue sur la mer. **III. 1.** (Moyen) À l'aide de, grâce à, au moyen de. *Combattre avec un fusil. Avec telle somme, vous pouvez l'obtenir.* ⇒ **moyennant.** *Tout s'arrange avec le temps,* grâce à lui. **2.** (Manière) *J'accepte avec plaisir. Agir avec prudence.* **IV.** Adv. Fam. (Choses) *Il a pris son manteau et il est parti avec.* / contr. **sans** /

aveline [avlin] n. f. ■ Noisette oblongue.

aven [aven] ■ (Géographie) Gouffre naturel (dans le sud-ouest de la France). *Des avens.*

① **avenant, ante** [avnã, ãt] adj. ■ Littér. Qui plaît par son bon air, sa bonne grâce. ⇒ **agréable, aimable, gracieux.** / contr. **revêche** / *Manières avenantes. Des maisons très avenantes.*

② **à l'avenant** [alavnã] loc. adv. ■ En accord, en conformité, en rapport. *Nous allons bien tous les deux et l'humeur est à l'avenant.*

avènement [avɛnmã] n. m. **1.** Accession au trône. *L'avènement de Louis XIV.* **2.** Abstrait. *L'avènement de la liberté.* / contr. **fin** /

avenir [avnir] n. m. **1.** Le temps à venir. ⇒ **futur** (opposé à *passé*). *Penser, songer à l'avenir. Calculs, projets d'avenir. Dans un avenir proche, lointain.* — À L'AVENIR loc. adv. : à partir de maintenant. ⇒ **désormais, dorénavant.** *À l'avenir, soyez plus prudent.* **2.** L'état, la situation future (de qqn). *L'avenir de qqn, son avenir.* ⇒ **destinée.** *Assurer son avenir et celui de ses enfants. Un jeune médecin d'avenir,* qui réussira. — (Choses) *Ce projet n'a aucun avenir.*

aventure [avãtyr] n. f. **1.** UNE, DES AVENTURES : ce qui arrive d'imprévu, de surprenant ; ensemble d'événements qui concernent qqn. *Une fâcheuse aventure.* ⇒ **accident, affaire, mésaventure.** *Raconter les aventures d'un héros. Roman, film d'aventures.* — En amour. *Elle a eu une aventure.* ⇒ **intrigue, liaison. 2.** L'AVENTURE : ensemble d'activités, d'expériences qui comportent du risque, de la nouveauté. *L'attrait de l'aventure. L'esprit d'aventure.* **3.** Loc. adv. À L'AVENTURE : au hasard, sans dessein arrêté. *Je marchais à l'aventure.* — Littér. D'AVENTURE, PAR AVENTURE : par hasard. **4.** *Dire la* BONNE AVENTURE *à qqn* : lui prédire son avenir par la divination. *Diseuse de bonne aventure.* ▶ **aventurer** v. tr. et pron. ■ conjug. 1. **1.** Exposer avec un certain risque. ⇒ **hasarder, risquer.** *Aventurer une grosse somme dans une affaire.* **2.** V. pron. réfl. S'AVENTURER : se risquer, aller avec un certain risque. *S'aventurer la nuit sur une route peu sûre.* — *Ne vous aventurez pas à aborder un tel sujet.* ▶ **aventuré, ée** adj. ■ (Choses) Exposé avec risque. *Des affirmations aventurées.* ⇒ **hasardeux.** / contr. **sûr** / ▶ **aventureux, euse** adj **1.** Qui aime l'aventure, se lance volontiers dans les aventures. ⇒ **audacieux, hardi, téméraire.** *Homme, esprit aventureux.* / contr. **prudent** / **2.** Qui est plein d'aventures. *Vie, existence aventureuse.* / contr. **rangé** / **3.** Plein de risques. ⇒ **hasardeux, risqué.** *Un projet aventureux.* ▶ **aventureusement** adv. ■ Littér. D'une manière aventureuse. ▶ **aventurier, ière** n. ■ Personne qui cherche l'aventure, par curiosité et goût du risque, sans que les scrupules moraux l'arrêtent. — Personne qui vit d'intrigues, d'expédients. ⇒ **intrigant.** *Une dangereuse aventurière.*

avenu, ue [avny] adj. ■ Loc. NUL ET NON AVENU [nylenɔnavny] : inexistant, sans effet, sans suite. *Je considère cette déclaration comme nulle et non avenue.*

avenue [avny] n. f. ■ Voie plantée d'arbres qui conduit à une habitation ⇒ **allée,** ou large voie urbaine. ⇒ **boulevard, cours.** *Avenue de l'Opéra, de la Gare.*

s'avérer [avere] v. pron. ■ conjug. 6. ■ Être reconnu comme vrai (affirmation). Littér. *La nouvelle s'est avérée.* — Cour. (+ adjectif) ⇒ **apparaître, se montrer, se révéler.** *Ce médicament s'avère dangereux. Ce raisonnement s'est avéré juste.* — Abusivt (*vér-* signifie « vrai »). *S'avérer faux, inexact.* ▶ **avéré, ée** adj. ■ Reconnu vrai. ⇒ **certain.** *C'est un fait avéré. Il est avéré que...* / contr. **contestable** /

averse [avers] n. f. ■ Pluie soudaine et abondante. ⇒ **grain, ondée ;** fam. **saucée.** *Recevoir une averse.*

aversion [aversjɔ̃] n. f. ■ Violente répulsion. ⇒ **antipathie, dégoût, haine, horreur, répugnance.** *Avoir de l'aversion pour* ou *contre qqn. Avoir qqn en aversion. Son aversion pour le mensonge.* / contr. **amour, goût, sympathie** /

avertir [avertir] v. tr. ■ conjug. 2. ■ Informer (qqn) de (qqch.) afin qu'il y prenne garde, que son attention soit appelée sur elle. ⇒ **annoncer, apprendre, prévenir, renseigner.** *Je vous avertis de son arrivée, qu'il va arriver. Son instinct l'avertissait de se méfier.* — Par menace ou réprimande. ⇒ **avertissement.** *Je vous avertis qu'il faudra changer de conduite.* ▶ **averti, ie** adj. ■ Qui connaît bien, qui est au courant. ⇒ **expérimenté, instruit.** *Un public averti.* — PROV. *Un homme averti en vaut deux.* / contr. **ignorant** / ▶ **avertissement** n. m. **1.** Action d'avertir ; appel à l'attention, à la prudence. *Suivre, négliger un avertissement.* ⇒ **avis, conseil, recommandation. 2.** Petite préface pour attirer l'attention du lecteur. ⇒ **introduction. 3.** Avis adressé au contribuable, lui faisant connaître le montant de ses impôts. **4.** Réprimande. — Mesure disciplinaire. ▶ **avertisseur, euse** n. m. et adj. **I.** Appareil destiné à avertir, à donner un signal. *Avertisseur d'incendie. Avertisseur d'automobile.* ⇒ **klaxon, trompe. II.** Adj. Qui avertit. *Panneau avertisseur.*

aveu [avø] n. m. **I. 1.** Action d'avouer*, de reconnaître certains faits difficiles ou pénibles à révéler ; ce que l'on avoue. ⇒ **confession, déclaration.** *Un aveu franc, sincère. Faire l'aveu d'un secret. Il faut que je vous fasse un aveu : je n'aime pas Paris.* **2.** Des aveux, reconnaissance de sa culpabilité. *Arracher des aveux à un suspect. Revenir sur ses aveux.* **3.** DE L'AVEU DE loc. : au témoignage de. **II.** *Homme, personne* SANS AVEU (au Moyen Âge, celui qui n'était protégé par aucun seigneur, puis : vagabond) : personne sans scrupules. ‹ ▶ **désaveu** ›

aveugle [avœgl] adj. et n. **I.** Adj. **1.** Qui est privé du sens de la vue. *Devenir aveugle. Être aveugle de naissance.* **2.** Dont le jugement est incapable de rien discerner. *La passion le rend aveugle aux défauts de sa fiancée.* — (Sentiments, passions) Qui trouble le jugement, ne permet ni réflexion, ni jugement. *Une obéissance, une confiance aveugle. Une colère aveugle.* ⇒ **absolu, total. 3.** Qui ne laisse pas passer le jour. *Fenêtre aveugle.* **4.** Qui se fait sans voir. *Opération aveugle.* **II.** N. **1.** Personne privée de la vue. *Une jeune aveugle. Un aveugle-né.* / contr. **voyant** / — Loc. *Au royaume des aveugles, les borgnes sont rois,* les médiocres brillent lorsqu'ils se trouvent parmi les sots. **2.** EN AVEUGLE loc. adv. : sans discernement. ⇒ **aveuglément.** *Juger en aveugle.* ⇒ à l'**aveuglette.** ▶ **aveuglement** [avœgləmã] n. m. ■ État d'une personne dont la raison est obscurcie, le discernement troublé. ⇒ **égarement, erreur, illusion.** *Dans l'aveuglement de la colère, de la passion.* / contr. **clair-**

voyance, lucidité / *Son indulgence va jusqu'à l'aveuglement.* ▸ **aveuglément** adj. ■ Sans réflexion. *Se lancer aveuglément dans une entreprise.* ▸ *aveugler* v. tr. ▪ conjug. 1. **I. 1.** Rendre aveugle. *On l'aveugla en lui crevant les yeux.* **2.** Gêner la vue, éblouir. *Le soleil m'aveugle.* **3.** Priver du jugement. *Vos préjugés vous aveuglent.* ⇒ **égarer, troubler.** — Pronominalement. *Il n'est pas bon de s'aveugler, de se cacher la vérité.* **II.** Boucher (une ouverture). *Aveugler une voie d'eau.* ▸ *aveuglant, ante* adj. ■ Qui éblouit. *Un soleil aveuglant.* ⇒ **éblouissant.** — Abstrait. *Une vérité, une évidence aveuglante,* qui éclate avec force. ▸ *à l'aveuglette* loc. adv. **1.** Sans y voir clair. *Chercher qqch. à l'aveuglette.* ⇒ **à tâtons. 2.** Au hasard, sans prendre de précautions. ⇒ **aveuglément.** *Se lancer, agir à l'aveuglette.*

aviateur, trice [avjatœr, tris] n. ■ Personne qui pilote un avion ou appartient au personnel de l'aviation. *Une combinaison d'aviateur.* ⇒ **pilote.**

aviation [avjasjɔ̃] n. f. **1.** Locomotion aérienne par les appareils plus lourds que l'air (à l'exclusion des fusées). ⇒ **aéronautique, air.** — Ensemble des techniques et des activités relatives au transport aérien. *Aviation civile, commerciale, de tourisme. Compagnie d'aviation. Terrain d'aviation,* aérodrome, aéroport. **2.** Avions. *Aviation de chasse, de bombardement.* ⟨ ▸ aviateur ⟩

aviculture [avikyltyr] n. f. ■ Élevage des oiseaux, des volailles. ▸ *aviculteur, trice* n. ■ Éleveur(euse) d'oiseaux, de volailles.

avide [avid] adj. **1.** Qui a un désir immodéré de nourriture. ⇒ **glouton, vorace.** — Poét. *Être avide de sang,* se plaire à répandre le sang. ⇒ **altéré, assoiffé. 2.** Qui désire (qqch.) avec violence. *Un héritier avide.* — AVIDE DE. *Être avide d'argent, de plaisir.* — (+ infinitif) *Être avide d'apprendre.* ⇒ **anxieux, désireux. 3.** Qui exprime l'avidité. *Regards, yeux avides.* ▸ *avidement* adv. ■ *Manger avidement. Écouter qqn avidement.* ▸ *avidité* n. f. ■ Désir ardent, immodéré de qqch. ; vivacité avec laquelle on le satisfait. *Manger avec avidité.* ⇒ **gloutonnerie, voracité.** *Son avidité pour l'argent.*

avilir [avilir] v. tr. ▪ conjug. 2. **1.** Rendre vil, méprisable. ⇒ **abaisser, dégrader, déshonorer, rabaisser.** / contr. **élever, honorer** / *On cherche à l'avilir par des calomnies.* — Pronominalement (réfl.). *Il s'avilit par sa lâcheté.* **2.** Littér. Abaisser la valeur de. ⇒ **déprécier.** *L'inflation avilit la monnaie.* / contr. **valoriser** / ▸ *avilissant, ante* adj. ■ Qui avilit (1). *Une dépendance avilissante.* ⇒ **abaissant, dégradant, déshonorant.** / contr. **honorable** / ▸ *avilissement* n. m. Littér. **1.** Action d'avilir ; état d'une personne avilie. ⇒ **abaissement, abjection.** *Tomber dans l'avilissement.* **2.** (Valeurs, prix) Le fait de se déprécier. ⇒ **baisse.** *L'avilissement de la monnaie.* / contr. **hausse** /

aviné, ée [avine] adj. ■ Qui a trop bu de vin. ⇒ **ivre.** — *Une haleine avinée,* qui sent le vin.

avion [avjɔ̃] n. m. ■ Appareil de locomotion aérienne plus lourd que l'air, muni d'ailes et d'un organe propulseur. ⇒ **appareil ;** vx **aéroplane.** *Vieil avion.* ⇒ fam. **coucou.** *Avions à hélices. Avion à réaction.* ⇒ ② **jet.** *Avion de ligne, de transport. Avions de chasse, de bombardement.* ⇒ **bombardier, chasseur.** *Escadrille d'avions de chasse. Défense contre avions* (D.C.A.). — EN AVION : en vol. — PAR AVION. *Lettre par avion.* ⟨ ▸ aviation, aviateur ⟩

aviron [avirɔ̃] n. m. **1.** Dans la langue des marins. Rame (mot qui n'est pas employé en marine). *À l'aviron,* en ramant. — Rame légère, à long manche, des embarcations sportives. **2.** Sport du canotage. *Faire de l'aviron.*

avis [avi] n. m. invar. **1.** Ce que l'on pense, ce que l'on exprime sur un sujet. ⇒ **jugement, opinion, point de vue.** *Donner son avis. Être du même avis que qqn. Je suis de votre avis. Les avis sont partagés,* tout le monde n'est pas du même avis. *Changer d'avis.* — *Être d'avis de faire, qu'on fasse qqch.* — *À mon avis,* selon moi. **2.** Opinion exprimée dans une délibération. ⇒ **voix, vote.** *Tous les membres ont émis un avis. Avis du Conseil d'État.* **3.** Ce que l'on porte à la connaissance de qqn. ⇒ **information.** *Avis au public. Sauf avis contraire. Donner avis que...* ⇒ ② **aviser. 4.** Opinion donnée à qqn sur une conduite à tenir. *Demander, solliciter l'avis de qqn, d'un expert.*

① *aviser* [avize] v. tr. ▪ conjug. 1. **I. V. tr. 1.** Apercevoir inopinément (qqch.) pour prendre, utiliser. *Il avise un portefeuille oublié sur un banc, il le ramasse.* **2.** Transitivement ind. AVISER À : réfléchir, songer à (qqch.). *J'aviserai à la situation, à ce qu'il faut faire ; j'y aviserai.* **II.** S'AVISER de v. pron. **1.** Faire attention à qqch. que l'on n'avait pas remarqué tout d'abord. *Elle s'est brusquement avisée de cela.* ⇒ **s'apercevoir. 2.** S'aviser de (+ infinitif), être assez audacieux pour. *S'il s'avise de bavarder, cet élève sera puni.* ⇒ **essayer.** ▸ *avisé, ée* adj. ■ Qui agit avec à-propos et intelligence après avoir mûrement réfléchi. *Un homme avisé. Vous avez été bien avisé de venir.*

② *aviser* v. tr. ▪ conjug. 1. ■ Littér. ou terme d'administration. Avertir (qqn de qqch.) par un avis. ⇒ **avertir, informer.** *Elle avait été avisée du mariage de son frère.* ⟨ ▸ avis (3) ⟩

aviso [avizo] n. m. ■ Petit bâtiment de guerre employé comme escorteur. *Des avisos.*

avitaminose [avitaminoz] n. f. ■ Maladie déterminée par la privation de vitamines.

aviver [avive] v. tr. ▪ conjug. 1. **I.** Rendre plus vif, plus éclatant. ⇒ **animer.** *Aviver le feu.* ⇒ **activer.** *L'émotion avivait son teint.* **II.** Fig. **1.** Rendre plus fort. ⇒ **exciter.** *Aviver des regrets.* ⇒ **augmenter.** *Aviver une dispute.* ⇒ **envenimer. 2.** Rendre plus douloureux. *Aviver une plaie, une douleur.* ▸ *avivement* n. m. ■ Littér. Action d'aviver. ⟨ ▸ raviver ⟩

① *avocat, ate* [avɔka, at] n. **1.** Personne régulièrement inscrite à un barreau*, qui conseille en matière juridique, assiste ou représente ses clients en justice (on dit *une avocate* ou *un avocat* pour une femme). *Consulter un avocat. Avocat d'affaires. L'Ordre des avocats.* — AVOCAT GÉNÉRAL : membre du ministère public qui supplée le procureur général. **2.** Personne qui défend (une cause, une personne). ⇒ **défenseur.** *Elle s'est faite l'avocat de cette cause.* — Loc. *L'avocat du diable,* personne qui défend volontairement une mauvaise cause (pour prouver qqch.).

② *avocat* n. m. ■ Fruit de la grosseur d'une poire, à peau verte, dont la chair a la consistance du beurre et un goût rappelant celui de l'artichaut. ▸ *avocatier* n. m. ■ Arbre dont le fruit est l'avocat.

avoine [avwan] n. f. ■ Plante graminée (céréale) dont le grain sert surtout à l'alimentation des chevaux et des volailles.

① *avoir* [avwar] v. tr. ▪ conjug. 34. **I.** (Possession) **1.** *Avoir qqch.,* posséder, disposer de. *Avoir une maison. Quelle voiture avez-vous ? Auriez-vous une cigarette, un stylo ?* (pour me l'offrir, me le prêter).

Nous avons eu du beau temps, du soleil (en un temps et en un lieu donnés). *Avoir le temps de faire qqch.* — (Avec des choses négatives) *Il a des ennuis. Il a de grosses pertes.* ⇒ **subir. 2.** *Avoir qqn,* se dit des relations de parenté, de hiérarchie. *Avoir une femme et des enfants. Il a encore son père,* son père est vivant. — Fam. *S'il ne l'avait pas* (pour l'aider), *je me demande ce qu'il ferait.* **3.** Entrer en possession de. ⇒ **obtenir, se procurer.** *J'ai eu ce livre pour presque rien.* ⇒ **acheter.** *Il a eu son bachot,* il a été reçu. *Avoir son train,* l'attraper. — EN AVOIR POUR : avoir d'une chose moyennant (une somme). *Il en a eu pour cent francs,* il a payé cent francs. *En avoir pour son argent,* faire un marché avantageux. **4.** Mettre (un certain temps) à une action. *J'en ai pour cinq minutes.* **5.** Fam. *Avoir qqn,* le tromper, le vaincre. *On les aura ! Il nous a bien eus.* ⇒ **posséder, rouler.** *Se faire, se laisser avoir.* **II.** (Manière d'être) **1.** Présenter en soi (une partie, un aspect de soi-même). *Il, elle a de grandes jambes, des cheveux blancs. Quel âge avez-vous ? Avoir du courage.* — *Ce mur a deux mètres de haut.* ⇒ **mesurer. 2.** Éprouver dans son corps, sa conscience. ⇒ **ressentir, sentir.** *Avoir mal à la tête. Avoir faim, soif. Avoir de la peine.* — *Avoir quelque chose,* manifester une gêne, un mécontentement inconnu d'autrui. *Qu'est-ce qu'il a, qu'est-ce qu'il a à pleurer ? Il a sûrement quelque chose.* **3.** (Présentant l'attribut, complément ou l'adverbe qui détermine un substantif) *Avoir les yeux bleus. Il les a bleus* (les yeux). *Avoir la tête qui tourne.* **4.** EN AVOIR À, APRÈS, CONTRE *qqn* : lui en vouloir. **III.** (Verbe auxiliaire) **1.** AVOIR À (+ infinitif) : être dans l'obligation de. ⇒ **devoir.** *Avoir des lettres à écrire. Je n'ai rien à faire.* — (Sans compl. direct) *J'ai à lui parler. Il n'a pas à se plaindre.* — N'AVOIR QU'À : avoir seulement à. *Vous n'avez qu'à tourner le bouton.* Fam. *Tu n'as qu'à, t'as qu'à* [taka] *t'en aller.* — N'AVOIR PLUS QU'À : avoir encore et seulement à. *Vous n'avez plus qu'à donner votre accord.* **2.** Auxiliaire servant à former, avec le participe passé, tous les temps composés des verbes transitifs, de la plupart des intransitifs, de *être* et de *avoir. J'ai écrit. Quand il eut terminé. Vous l'aurez voulu. Quand il a eu fini.* **IV.** IL Y A [ilja ; fam. ja]. Expression impersonnelle servant à présenter une chose comme existant. *Il y a de l'argent dans le portefeuille. Il n'y en a pas. Où y a-t-il une pharmacie ?* — *Il y en a encore,* il en reste. *Il n'y a que cela de vrai. Il n'y a que lui,* il n'est pas le seul. — *Il y a... et...* s'emploie pour exprimer des différences de qualité. *Il y a champagne et champagne,* il en est de bon et de mauvais. — IL N'Y A QU'À (+ infinitif) : il faut seulement, ou simplement. *Il n'y aura qu'à les ramasser.* — IL N'Y EN A QUE POUR *lui* : il prend beaucoup de place, on ne s'occupe, on ne parle que de lui. — Fam. (Avec le sens de *arriver, se passer*) *Qu'est-ce qu'il y a ?* ▶ ② *avoir* n. m. **1.** Ce que l'on possède. ⇒ **argent, fortune.** *Il dilapide son avoir. Des avoirs.* **2.** La partie d'un compte où l'on porte les sommes dues. ⇒ **actif, crédit.** / contr. **débit** / ⟨ ▶ ayant, naguère, ravoir ⟩

avoisiner [avwazine] v. tr. . conjug. 1. ■ Être dans le voisinage, à proximité d'un lieu. *Les villages qui avoisinent la forêt.* **2.** Être proche de. *Le prix avoisinait les mille francs.* ▶ *avoisinant, ante* adj. ■ Qui est dans le voisinage. ⇒ **attenant, contigu, proche, voisin.** *Dans les rues avoisinantes.* / contr. **lointain** /

avorter [avɔʀte] v. intr. . conjug. 1. **1.** Accoucher avant terme d'un fœtus ou d'un enfant mort. **2.** (Fruits, fleurs) Ne pas arriver à son plein développement. **3.** (Projet, entreprise) Être arrêté dans son développement, ne pas réussir. *La révolte a avorté.* ⇒ **échouer.**

/ contr. **réussir** / *Faire avorter un projet.* ▶ *avortement* n. m. **1.** Interruption provoquée d'une grossesse. *L'avortement a été légalisé en France.* **2.** Arrêt du développement d'une plante. *L'avortement des fruits.* **3.** Échec (d'une entreprise, d'un projet). ▶ *avorteur, euse* n. ■ Personne qui provoque un avortement (1) illégal. ▶ *avorton* n. m. **1.** Être petit, chétif, mal conformé. ⇒ **nabot, nain. 2.** Tout être, animal ou végétal, qui s'est trouvé arrêté dans son évolution ou qui n'a pas atteint le développement normal dans son espèce.

avoué [avwe] n. m. ■ En France. Ancienn. Officier ministériel chargé de représenter les parties devant un tribunal, de faire les actes de procédure (ses fonctions ont fusionné avec celles d'avocat). *Cabinet, étude d'avoué.*

avouer [avwe] v. tr. . conjug. 1. **1.** Reconnaître qu'une chose est ou n'est pas ; reconnaître pour vrai (en général avec une certaine difficulté : honte, pudeur). ⇒ **admettre ; aveu.** *J'avoue qu'il a raison. Il faut avouer que c'est bien difficile. Je vous avoue que je l'ignore.* **2.** Faire des aveux. *L'assassin a avoué.* / contr. **nier** / **3.** S'AVOUER (+ adjectif) : reconnaître qu'on est. *S'avouer coupable.* ⇒ **s'accuser.** ▶ *avouable* adj. ■ Qui peut être avoué sans honte. *Des motifs honorables et avouables.* ⇒ **honnête.** / contr. **inavouable** / ⟨ ▶ aveu, désavouer, inavouable ⟩

avril [avʀil] n. m. ■ Le quatrième mois de l'année. *En avril. Au mois d'avril.* — *Poisson d'avril,* plaisanterie, mystification traditionnelle du 1er avril.

avunculaire [avɔ̃kylɛʀ] adj. ■ Didact. Qui a rapport à un oncle ou à une tante.

axe [aks] n. m. **1.** Ligne idéale autour de laquelle s'effectue une rotation. *L'axe de la Terre. Tourner sur, autour d'un axe.* — Géométrie. Droite autour de laquelle tourne une figure plane pour engendrer un solide de révolution. *L'axe d'un cylindre, d'une sphère.* **2.** Droite sur laquelle un sens est défini. *Axe de symétrie. Axe des x, des y.* ⇒ **coordonnée. 3.** Pièce allongée qui sert à faire tourner un objet sur lui-même ou à assembler plusieurs pièces. ⇒ **arbre, charnière, essieu, pivot.** *L'axe d'une roue.* **4.** Ligne qui passe par le centre, dans la plus grande dimension. *L'axe du corps. L'axe d'une rue.* ▶ *axer* v. tr. . conjug. 1. **1.** Diriger, orienter suivant un axe. *Axer une construction sur telle ou telle ligne.* **2.** Orienter. *Axer sa vie sur qqch. Il est axé sur,* son esprit est dirigé vers. ▶ *axial, iale, iaux* adj. ■ Qui a rapport à l'axe, qui est dans l'axe.

axiome [aksjom] n. m. **1.** Sciences. Proposition admise par tout le monde sans discussion, admise comme nécessaire. **2.** Adage, maxime. ▶ *axiomatique* adj. et n. f. **1.** Adj. Relatif aux axiomes ; qui sert de base à un système de déductions. **2.** N. f. Recherche et organisation des axiomes, hypothèses et déductions d'une science.

ayant [ɛjɑ̃] part. prés. du v. AVOIR. ▶ *ayant cause* n. m. ■ Droit. Personne qui a acquis d'une autre un droit ou une obligation (acheteur, donataire, héritier, légataire). *Les ayants cause.* ▶ *ayant droit* n. m. ■ Personne qui a des droits à qqch. *Les ayants droit à une prestation.*

ayatollah [ajatɔla] n. m. ■ Religieux musulman chiite d'un rang élevé. *Des ayatollahs.*

azalée [azale] n. f. ■ Arbuste cultivé pour ses fleurs colorées ; ces fleurs. *Un buisson d'azalées.*

azimut [azimyt] n. m. **1.** Angle formé par le plan vertical d'un astre et le plan méridien du point d'observation. **2.** TOUS AZIMUTS [tuzazimyt] : dans toutes les directions. *Défense militaire tous azimuts.* — Fam. *Dans tous les azimuts,* dans toutes les directions, dans tous les sens.

azote [azɔt] n. m. ■ Corps simple (symb. *N*), gaz incolore, inodore, qui entre dans la composition de l'atmosphère (4/5) et des tissus vivants. *L'azote est impropre à la respiration. Cycle de l'azote,* circulation des composés de l'azote dans la nature, par l'intermédiaire des organismes végétaux, animaux. ► *azotate* n. m. ■ Sel de l'acide azotique. ⇒ **nitrate.** ► *azoté, ée* adj. ■ Qui contient de l'azote.

Engrais azotés. ► *azotique* adj. ■ *Acide azotique.* ⇒ **nitrique.**

aztèque [astɛk] adj. et n. ■ Relatif à un ancien peuple du Mexique. *L'art aztèque.* — N. *Les Aztèques.*

azur [azyʀ] n. m. ■ Littér. La couleur du ciel, des flots. *Un ciel d'azur. La Côte d'Azur,* de la Méditerranée, entre Menton et Toulon. ► *azuré, ée* adj. ■ De couleur d'azur. *Une teinte azurée.*

azyme [azim] adj. ■ *Pain azyme,* pain sans levain (dont on fait les hosties).

b [be] n. m. invar. ■ Deuxième lettre, première consonne de l'alphabet, servant à noter une labiale occlusive sonore.

b. a. [bea] n. f. invar. ■ Abréviation de *bonne action,* dans le langage des scouts. *Faire une b.a., sa b.a.*

① ***baba*** [baba] adj. invar. ■ Fam. Frappé d'étonnement. ⇒ **ébahi, stupéfait.** *Il en est resté baba. Ils, elles étaient complètement baba.*

② ***baba*** n. m. ■ Gâteau à pâte légère arrosé d'un sirop alcoolisé. *Des babas au rhum.*

③ ***baba*** n. m. ■ Personne marginale, non violente, plus ou moins écologiste, vivant parfois en communauté. *Des babas.*

babeurre [babœʀ] n. m. ■ Liquide blanc qui reste du lait après le barattage de la crème dans la préparation du beurre.

babil [babil] n. m. ■ Vx ou littér. Babillage. — Bruit imitant une voix qui babille. ▶ ***babiller*** [babije] v. intr. ▪ conjug. 1. ■ Parler beaucoup d'une manière enfantine. ⇒ **bavarder.** ▶ ***babillage*** n. m. ■ Action de babiller. ▶ ***babillard, arde*** adj. ■ Littér. Bavard.

babines [babin] n. f. pl. ■ Lèvres pendantes (de certains animaux). — (Personnes) Fam. Lèvres. *S'en lécher les babines,* se réjouir à la pensée d'une chose agréable à manger.

babiole [babjɔl] n. f. **1.** Petit objet de peu de valeur. ⇒ **bibelot. 2.** Chose sans importance. ⇒ **bagatelle, broutille.**

bâbord [babɔʀ] n. m. ■ Le côté gauche d'un navire, en se tournant vers l'avant. *Une île est signalée à bâbord.* / contr. **tribord** /

babouche [babuʃ] n. f. ■ Pantoufle de cuir laissant libre le talon du pied (dans les pays d'Islam). — Cette pantoufle avec un talon, utilisée comme chaussure ou chausson. ⇒ **mule.**

babouin [babwɛ̃] n. m. ■ Singe à museau allongé et aux lèvres proéminentes.

baby-foot [babifut] n. m. invar. ■ Anglic. Football de table. *Jouer au baby-foot, faire une partie de baby-foot.* — La table de jeu. *Acheter un baby-foot.*

baby-sitter [ba(e)bisitœʀ] n. ■ Anglic. Personne qui, en échange d'argent, garde de jeunes enfants en l'absence de leurs parents. *Une baby-sitter. Il fait le baby-sitter. Des baby-sitters.*

① ***bac*** [bak] n. m. **I.** Bateau à fond plat servant à passer un cours d'eau, un lac. *Le passeur du bac.* **II.** Grand récipient. *Bac à laver.* ⇒ **baquet, cuve.** *Bac à légumes d'un réfrigérateur.* ‹ ▶ **baquet** ›

② ***bac*** n. m. ■ Baccalauréat. ⇒ fam. **bachot.** *Passer le bac.* — *Boîte à bac,* école privée qui prépare au bac.

baccalauréat [bakalɔʀea] n. m. ■ Grade universitaire conféré à la suite d'examens qui terminent les études secondaires (en France) ; ces examens. ⇒ ② **bac** ; fam. **bachot.**

baccara [bakaʀa] n. m. ■ Jeu de cartes (où le dix, appelé *baccara,* équivaut à zéro), qui se joue entre un banquier et des joueurs (appelés *pontes*). ⇒ **chemin de fer.**

bacchanale [bakanal] n. f. **1.** Au plur. (Avec une majuscule) Fêtes que les Anciens, les Grecs célébraient en l'honneur de Bacchus, dieu du vin. **2.** Littér. Orgie.

① ***bacchante*** [bakɑ̃t] n. f. ■ Prêtresse de Bacchus, femme qui célébrait les Bacchanales.

② ***bacchante*** ou ***bacante*** n. f. ■ Fam. Moustache. *Il a de belles bacchantes.*

bâche [baʃ] n. f. ■ Pièce de forte toile imperméabilisée qui sert à préserver les marchandises des intempéries. *Couvrir un étal, un camion d'une bâche, avec une bâche.* ▶ ***bâcher*** v. tr. ▪ conjug. 1. ■ Couvrir d'une bâche. / contr. **débâcher** / — Au p. p. adj. *Un camion bâché.* ▶ ***bâchage*** n. m. ■ Action de bâcher.

bachelier, ière [baʃəlje, jɛʀ] n. ■ Titulaire du baccalauréat.

bachot [baʃo] n. m. ■ Fam. Baccalauréat. ⇒ ② **bac.** — Péj. *Boîte à bachot,* école privée qui prépare au bachot. ▶ ***bachoter*** [baʃɔte] v. intr. ▪ conjug. 1. ■ Préparer hâtivement un examen en vue du seul succès pratique. ▶ ***bachotage*** n. m.

bacille [basil] n. m. ■ Microbe du groupe des bactéries, en forme de bâtonnet. *Le bacille de Koch* (de la tuberculose). ▶ ***bacillaire*** [basi(l)lɛʀ] adj. ■ (Maladie) Dont la cause est un bacille. — N. *Un, une bacillaire,* tuberculeux contagieux.

bâcler [bakle] v. tr. ▪ conjug. 1. ■ Expédier (un travail) sans soins. *Ils ont bâclé ça en dix minutes.* — Au p. p. adj. *C'est du travail bâclé.* / contr. **soigner** /

bacon [bekɔn] n. m. Anglic. **1.** Lard fumé, assez maigre. *Œufs au bacon.* **2.** Filet de porc fumé et maigre.

bactérie [bakteʀi] n. f. ■ Être vivant formé d'une seule cellule (protiste), sans noyau, à structure très simple, considéré comme ni animal, ni végétal. ⇒ **bacille.** ▶ *bactéricide* adj. ■ Qui tue les bactéries. *Un produit bactéricide.* ▶ *bactériologie* n. f. ■ Partie de la microbiologie qui s'occupe des bactéries. ▶ *bactériologique* adj. ■ Qui se rapporte à la bactériologie. *La guerre bactériologique,* où les bactéries seraient utilisées comme arme. ▶ *bactériologiste* n. ■ Spécialiste en bactériologie.

badaboum [badabum] interj. ■ Onomatopée exprimant le bruit d'un corps qui roule avec fracas. *Badaboum ! tout a dégringolé !*

badaud, aude [bado, od] n. et adj. ■ Rare au fém. Personne qui s'attarde à regarder le spectacle de la rue. ⇒ **curieux, flâneur.** *Les badauds s'attroupèrent autour de l'accident.*

baderne [badɛʀn] n. f. ■ *Vieille baderne,* homme (souvent militaire) âgé et borné.

badge [badʒ] n. m. ■ Anglic. Insigne comportant des inscriptions (humoristiques, subversives, informatives...). ⇒ **macaron.** *Vêtement orné d'un badge.*

badigeon [badiʒɔ̃] n. m. ■ Couleur en détrempe à base de lait de chaux, avec laquelle on peint les murailles, l'intérieur d'un bâtiment, etc. ▶ *badigeonner* v. tr. ■ conjug. 1. ■ **1.** Enduire d'un badigeon. **2.** Enduire d'une préparation pharmaceutique. *Badigeonne la plaie avec du mercurochrome. Elle s'est badigeonné la gorge.* ▶ *badigeonnage* n. m. ■ Action de badigeonner.

badin, ine [badɛ̃, in] adj. ■ Littér. (Humeur, ton...) Qui plaisante, aime à rire. ⇒ **enjoué, gai.** / contr. **sérieux /** ▶ *badiner* v. intr. ■ conjug. 1. ■ Plaisanter avec enjouement. ⇒ **s'amuser.** *C'est un homme qui ne badine pas,* sévère. ▶ *badinage* n. m. ■ Action de badiner. ⇒ **jeu, plaisanterie.** *Un ton de badinage.* / contr. **sérieux /**

badine [badin] n. f. ■ Baguette mince et souple qu'on tient à la main.

badminton [badmintɔn] n. m. ■ Anglic. Jeu de volant apparenté au tennis.

baffe [baf] n. f. ■ Fam. Gifle. *Donner une baffe à qqn.*

baffle [bafl] n. m. ■ Anglic. Boîte qui entoure un haut-parleur, améliorant la sonorité. *Les baffles d'une chaîne.*

bafouer [bafwe] v. tr. ■ conjug. 1. ■ Littér. Traiter avec un mépris outrageant. *Bafouer les droits de l'homme.* — Tourner en dérision. ⇒ se **moquer, ridiculiser.** / contr. **exalter /**

bafouiller [bafuje] v. intr. ■ conjug. 1. ■ Parler d'une façon embarrassée, incohérente. — (Moteur) Avoir des ratés. ▶ *bafouillage* n. m. ■ Action de bafouiller. — Propos incohérents. ▶ *bafouilleur, euse* n. et adj. ■ Personne qui bafouille.

bâfrer [bafʀe] v. intr. ■ conjug. 1. ■ Manger gloutonnement et avec excès. ⇒ s'**empiffrer.**

bagage [bagaʒ] n. m. ■ **1.** Effets, objets que l'on emporte en déplacement, en voyage. *Elle avait pour tout bagage un sac et un parapluie.* Loc. *Plier bagage,* partir. — Plus cour. au plur. *Les bagages,* les malles, valises, sacs... que l'on emporte en voyage. *Bagages à main,* qu'on peut porter facilement, que l'on garde avec soi (dans un avion...). *Faire enregistrer ses bagages. Mettre ses bagages à la consigne.* **2.** Ensemble des connaissances acquises. *Son bagage scientifique est quasi nul.* ▶ *bagagiste* [bagaʒist] n. m. ■ Employé chargé de la manutention des bagages dans un hôtel, une gare ou un aéroport. *Donner un pourboire au bagagiste.* ⟨ ▶ porte-bagages ⟩

bagarre [bagaʀ] n. f. ■ **1.** Mêlée de gens qui se battent. ⇒ **rixe.** *Je me suis trouvé pris dans la bagarre.* — Échange de coups. **2.** *La bagarre,* le fait de se battre. ⇒ **bataille, querelle.** *Aimer, chercher la bagarre.* — *Il va y avoir de la bagarre.* ▶ *bagarrer* v. ■ conjug. 1. ■ **1.** V. pron. récipr. Se battre, se quereller. *Ils se sont bagarrés.* **2.** V. intr. Fam. Lutter (pour). *Il va falloir bagarrer pour l'obtenir.* ▶ *bagarreur, euse* n. et adj. ■ Personne qui aime la bagarre. ⇒ **batailleur.**

bagatelle [bagatɛl] n. f. ■ **1.** Somme d'argent peu importante. — Iron. *Il a dépensé en une soirée la bagatelle de 10 000 francs.* **2.** Chose sans importance. ⇒ **babiole, futilité, rien.** *Perdre son temps à des bagatelles.* **3.** Plaisant. *La bagatelle,* l'amour physique. *Je ne suis pas porté sur la bagatelle.*

bagne [baɲ] n. m. ■ **1.** Établissement pénitentiaire où étaient internés les forçats après la suppression des galères ; lieu où se purgeait la peine des travaux forcés. *Le bagne de Cayenne.* **2.** Séjour où l'on est astreint à un travail pénible. ⇒ **enfer.** — Fam. *Quel bagne !* ⇒ fam. **galère.** ▶ *bagnard* [baɲaʀ] n. m. ■ Forçat interné dans un bagne.

bagnole [baɲɔl] n. f. ■ Fam. Automobile. ⇒ **voiture ;** fam. **tacot, tire.** *Une vieille bagnole. Il aime bien les belles bagnoles.*

bagou ou **bagout** [bagu] n. m. ■ Disposition à parler beaucoup, souvent en essayant de faire illusion ou de tromper. *Avoir du bagou.*

bague [bag] n. f. ■ **1.** Anneau que l'on met au doigt. ⇒ **chevalière.** *Bague de fiançailles.* — Loc. *Avoir la bague au doigt,* être marié. **2.** Objet de forme annulaire (anneau de papier qui entoure un cigare, cercle métallique servant à accoupler deux pièces d'une machine...). ⇒ **collier, manchon.** ▶ *baguer* v. tr. ■ conjug. 1. ■ **1.** Garnir d'une bague, de bagues. *On bague les pigeons voyageurs.* — Au p. p. adj. *Mains baguées.* **2.** Inciser (un arbre) en enlevant un anneau d'écorce.

baguenauder [bagnode] v. intr. ■ conjug. 1. ■ Fam. Se promener en flânant. ⇒ se **balader.** — Pronominalement. *Se baguenauder.*

baguette [bagɛt] n. f. ■ **1.** Petit bâton mince et flexible. ⇒ **badine.** — Loc. *Commander, mener les gens à la baguette,* avec autorité et rigueur. — *Baguette magique,* servant aux fées, enchanteurs et magiciens pour accomplir leurs prodiges. *D'un coup de baguette magique,* comme par enchantement. — *Baguette (de chef d'orchestre),* bâton mince avec lequel il dirige. — BAGUETTES DE TAMBOUR : les deux petits bâtons avec lesquels on bat la caisse. *Cheveux très raides.* — L'un des deux petits bâtons servant à manger, en Extrême-Orient. *Manger du riz avec des baguettes.* **2.** Petite moulure arrondie ou plate. *Poser des baguettes sur une porte, un mur.* **3.** Ligne verticale sur les côtés d'un bas, d'une chaussette. **4.** Pain long et mince. *Une demi-baguette pas trop cuite. Petite baguette.* ⇒ **flûte.**

bah [ba] interj. ■ Exclamation exprimant l'insouciance, l'indifférence. *Bah ! j'en ai vu bien d'autres.*

bahut [bay] n. m. ■ **1.** Buffet rustique large et bas. **2.** Fam. Lycée, collège. ⇒ fam. **boîte (4).** ⟨ ▶ transbahuter ⟩

bai, baie [bɛ] adj. ■ D'un brun rouge, en parlant de la robe d'un cheval. *Une jument baie, des étalons bais.*

① **baie** [bɛ] n. f. ■ Échancrure d'une côte, dont l'entrée est resserrée. — Petit golfe. ⇒ **anse, calanque, crique.**

② **baie** n. f. ■ Ouverture pratiquée dans un mur, dans un assemblage de charpente pour faire une porte, une fenêtre. *Une large baie, une baie vitrée.*

③ **baie** n. f. ■ Petit fruit charnu qui renferme des graines ou pépins. *Des oiseaux qui se nourrissent de baies.*

baigner [beɲe] v. ■ conjug. 1. **I.** V. tr. **1.** Mettre et maintenir (un corps, un objet) dans l'eau ou un autre liquide pour laver, imbiber. ⇒ **plonger, tremper.** *Il baigne ses pieds dans l'eau.* — Faire prendre un bain à (qqn) pour le laver. *Baigner un enfant.* **2.** (Mer) Entourer, toucher. *La mer qui baigne cette côte.* — Littér. Envelopper complètement. *La lumière qui baignait son visage.* **3.** Mouiller. ⇒ **inonder.** *Il était baigné de sueur.* **II.** V. intr. **1.** Être plongé entièrement dans un liquide. — Loc. *Baigner dans son sang,* perdre beaucoup de sang, en être couvert. **2.** Fam. *Ça baigne (dans l'huile),* ça marche, ça va bien, sans difficultés. **III.** SE BAIGNER v. pron. réfl. Plus cour. **1.** Prendre un bain dans une baignoire. **2.** Prendre un bain pour le plaisir, pour nager (dans la mer, dans une piscine...). *L'été dernier, nous nous baignions tous les jours. Quand vous êtes-vous baignés ?* ▶ **baignade** n. f. **1.** Action de se baigner (2). ⇒ **bain. 2.** Endroit d'un cours d'eau, d'un lac où l'on peut se baigner. ▶ **baigneur, euse** n. **1.** Personne qui se baigne (2). **2.** N. m. Petite poupée figurant un bébé. ▶ ① **baignoire** [beɲwaʀ] n. f. ■ Grand récipient allongé, recevant l'eau courante, où une personne peut se baigner (1). *Baignoire encastrée. Baignoire sabot,* baignoire courte où l'on se baigne assis. *La baignoire est dans la salle de bains.*

② **baignoire** n. f. ■ Loge de rez-de-chaussée, dans une salle de spectacle. *Louer deux places dans une baignoire.*

bail, plur. **baux** [baj, bo] n. m. **1.** Contrat par lequel une personne ⇒ **bailleur** laisse à une autre ⇒ **locataire, preneur,** le droit de se servir d'une chose pendant un certain temps moyennant un certain prix ⇒ **loyer.** *Le bail d'une maison. Au terme, à l'expiration du bail. Résilier un bail, des baux. Donner ou prendre à* BAIL : louer (dans les deux sens du mot). **2.** Loc. fam. *C'est un bail !,* c'est bien long ! *Ça fait un bail,* voilà bien longtemps. ▶ **bailleur, bailleresse** [bajœʀ, bajʀɛs] n. **1.** Didact. Personne qui donne une chose à bail. *Le bailleur et le preneur.* **2.** BAILLEUR DE FONDS : personne qui fournit des fonds pour une entreprise déterminée. ⇒ **commanditaire.**

bailler [baje] v. tr. ■ conjug. 1. ■ Vx (Langue ancienne) Donner. — Loc. *Vous me la baillez belle, vous vous moquez de moi.* ≠ **bâiller.**

bâiller [baje] v. intr. ■ conjug. 1. **1.** Ouvrir involontairement la bouche en aspirant. *Bâiller de sommeil, de faim. Bâiller aux corneilles.* ⇒ **bayer.** *Bâiller à se décrocher la mâchoire. Un spectacle qui fait bâiller,* qui ennuie, endort. **2.** (Choses) Être entrouvert, mal fermé. *Son col bâille.* ▶ **bâillement** n. m. **1.** Action de bâiller (1). *Un bâillement d'ennui.* **2.** Le fait de bâiller (2). ⟨ ▶ **bâillon, entrebâiller** ⟩

bailli [baji] n. m. ■ Histoire. Officier qui rendait la justice (dans son *bailliage*) au nom du roi ou d'un seigneur. *Les baillis et les sénéchaux.*

bâillon [bɑjɔ̃] n. m. ■ Ce qu'on met contre la bouche de qqn pour l'empêcher de parler, de crier. ▶ **bâillonner** v. tr. ■ conjug. 1. **1.** Mettre un bâillon à (une personne). **2.** Empêcher la liberté d'expression, réduire au silence. *Le gouvernement veut bâillonner l'opposition, la presse.* ⇒ **museler.**

bain [bɛ̃] n. m. **I.** **1.** Action de plonger le corps ou une partie du corps dans l'eau ou un autre liquide (pour se laver, se soigner). *Bain de pieds,* pour les pieds. *Bain de vapeur,* avec de la vapeur. *Peignoir, serviette de bain.* — SALLE DE BAINS : pièce d'un logement où sont installés la baignoire, le lavabo, les appareils sanitaires. **2.** L'eau, le liquide dans lequel on se baigne. *Préparer un bain.* — Loc. ÊTRE DANS LE BAIN : participer à une affaire, être compromis, ou être pleinement engagé dans une entreprise et bien au courant. *Mon frère et moi étions dans le même bain.* **II.** **1.** Action d'entrer dans l'eau pour le plaisir, pour nager. ⇒ **baignade.** *Prendre un bain. Bain de mer, de rivière. Bain en piscine. Petit bain,* partie de la piscine où l'on a pied. *Costume, maillot, slip de bain.* **2.** BAIN DE SOLEIL : exposition volontaire au soleil, pour bronzer, pour se soigner. **3.** Baignoire. *Remplir, vider le bain.* **III.** Action de se plonger dans. *Bain de foule,* le fait de se mêler à la foule. **IV.** Au plur. BAINS : établissement public où l'on prend des bains. ⇒ **hammam, thermes.** — *Aller aux bains de mer.* ⇒ **balnéaire).** **V.** Préparation liquide dans laquelle on plonge un corps, une pellicule photographique... ▶ **bain-marie** n. m. ■ Liquide chaud dans lequel on met un récipient contenant ce qu'on veut faire chauffer. *Une crème qu'on fait prendre au bain-marie.* — Ce récipient. *Des bains-marie.* ⟨ ▶ **chauffe-bain** ⟩

baïonnette [bajɔnɛt] n. f. **1.** Arme pointue qui s'ajuste au canon du fusil. *Une sentinelle, baïonnette au canon.* **2.** À BAÏONNETTE : dont le mode de fixation rappelle celui de la baïonnette. *Douille à baïonnette d'une ampoule électrique.*

① **baiser** [beze] v. tr. ■ conjug. 1. **1.** Littér. et vx. Donner un baiser à... ⇒ **embrasser. 2.** Vulg. Faire l'amour à (qqn). *Il ne baise plus sa femme.* — Sans compl. *Elle baise bien.* **3.** Fam. Duper, attraper. ⇒ **avoir, posséder.** *Elle s'est fait baiser.* **4.** Arg. des écoles. Comprendre. ⇒ fam. **piger.** *On n'y baise rien.* ▶ **baise** n. f. ■ Vulg. Action de baiser (2). *Il ne s'intéresse qu'à la baise.* ▶ **baisemain** [bɛzmɛ̃] n. m. ■ Geste de politesse qui consiste pour un homme à baiser la main d'une dame. *Faire le baisemain.* ▶ ② **baiser** n. m. ■ Action de poser sa bouche sur une personne, une chose, en signe d'affection, de respect. ⇒ fam. **bécot, bise, bisou.** *Petit, gros baiser. Donner un baiser à qqn sur les deux joues. Baiser d'adieu.* — *Baiser de paix,* de réconciliation. — *Baiser de Judas,* perfide.

baisse [bɛs] n. f. **1.** Le fait de baisser de niveau, de descendre à un niveau plus bas. ⇒ **diminution.** *Baisse de température.* / contr. **augmentation, montée** / — Abstrait. Affaiblissement. **2.** Diminution de prix, de valeur. *La baisse des actions.* ⇒ **chute, effondrement.** — *Jouer à la baisse,* spéculer sur la baisse des marchandises ou des valeurs. — EN BAISSE : en train de baisser. *Le cours de l'or est en baisse.* / contr. **hausse** / ▶ **baisser** [bese] v. ■ conjug. 1. **I.** V. tr. **1.** Mettre plus bas ; diminuer la hauteur de. ⇒ **descendre.** *Il faut baisser les stores.* / contr. **lever, monter** / **2.** Incliner vers la terre (une partie du corps). *Baisser la tête.* ⇒ **courber, pencher.** — *Baisser le nez,* être confus, honteux. — *Baisser les yeux,* les diriger vers la terre. — *Baisser les bras,* s'avouer battu, dans un match ; ne plus lutter. **3.** Diminuer la force, l'intensité de. *Baisser la voix. Baisser la radio,* diminuer l'intensité du son. — *Baisser le ton*, être moins arrogant. **4.** Diminuer (un prix). *Les commerçants ont baissé leurs prix.* **II.** V. intr. **1.** Diminuer de hauteur. ⇒ **descendre.** *Le niveau de l'eau a baissé. La mer baisse.* — Abstrait. *Il a baissé dans mon estime, je le juge moins bien.* **2.** Diminuer d'intensité. *Le jour baisse*, il fait plus sombre. *Sa vue baisse*, il y voit moins bien. **3.** (Personnes) Perdre sa vigueur et ses moyens intellectuels. *Il a beaucoup baissé depuis cinq ans.* ⇒ ② **décliner. 4.** Diminuer de valeur, de prix. *Le vin a baissé.* / contr. **augmenter** / **III.** SE BAISSER v. pron. réfl. ⇒ se **courber, s'incliner, se pencher.** *Il faut se baisser pour passer sous cette voûte.* — Loc. *Les champignons, il n'y a qu'à se baisser pour les ramasser*, il y en a en grande quantité. ‹ ▶ **abaisser, rabaisser, surbaisser** ›

bajoue [baʒu] n. f. **1.** Partie latérale inférieure de la tête (de certains animaux), de l'œil à la mâchoire. *Les bajoues du porc.* **2.** Joue pendante.

bakchich [bakʃiʃ] n. m. ■ Pourboire, pot-de-vin, dans les pays arabes. *Des bakchichs.*

bakélite [bakelit] n. f. ■ Matière plastique obtenue en traitant le formol par le phénol (nom déposé).

baklava [baklava] n. m. ■ Gâteau oriental à pâte feuilletée avec du miel et des amandes. *Des baklavas.*

bal, plur. *bals* [bal] n. m. **1.** Réunion où l'on danse (de nos jours, réunion de grand apparat, ou au contraire populaire). *Ils vont au bal. Donner un grand bal. Ouvrir le bal*, y danser le premier. *Les bals du 14 Juillet. Les bals des pompiers*, les bals donnés dans les casernes de sapeurs-pompiers pour le 14 Juillet. *Bal masqué*, où l'on porte des masques. *Bal costumé. Robe de bal.* **2.** Lieu où se donnent des bals. *Un petit bal musette de Montmartre.* ⇒ **boîte, dancing, guinguette** ; fam. **bastringue.**

balade [balad] n. f. ■ Action de se promener. *Aimer la balade. Être en balade.* ⇒ **promenade.** — Excursion, sortie, voyage. *Une belle balade. Faire une balade.* ≠ *ballade.* ▶ *balader* v. tr. ■ conjug. 1. **1.** Fam. Promener sans but précis. — Emmener avec soi. *Une fille qu'il balade partout.* **2.** SE BALADER v. pron. réfl. : se promener sans but. ⇒ **baguenauder, errer, flâner.** — Excursionner, voir du pays. ▶ ① *baladeur, euse* adj. ■ *Avoir l'humeur baladeuse*, aimer se promener. ⇒ ② *baladeur* ⇒ **walkman.** ▶ *baladeuse* n. f. **1.** Voiture accrochée à la motrice d'un tramway. ⇒ **remorque. 2.** Lampe électrique entourée d'un grillage et munie d'un long fil qui permet de la déplacer. *À la lumière d'une baladeuse.*

baladin [baladɛ̃] n. m. ■ Vx. Comédien ambulant. ⇒ **bouffon, saltimbanque.**

balafon [balafɔ̃] n. m. ■ Instrument de musique (xylophone) africain.

balafre [bala(ɑ)fʀ] n. f. ■ Longue entaille faite par une arme tranchante, particulièrement au visage. ⇒ **coupure, estafilade.** — Cicatrice de cette blessure. ▶ *balafrer* v. tr. ■ conjug. 1. ■ Blesser par une balafre. — Au p. p. *Être tout balafré. Un visage balafré.* — N. *Henri le Balafré.*

① *balai* [balɛ] n. m. **1.** Ustensile composé d'un long manche (*manche à balai*) auquel est fixé un faisceau de pailles, de crins ou une brosse et qui sert à enlever la poussière, à pousser les ordures. *Passer le balai, donner un coup de balai*, balayer. — Loc. COUP DE BALAI : licenciement du personnel d'une maison, d'une administration. — MANCHE À BALAI : le bâton par lequel on tient le balai. Fig. Personne

maigre. *C'est un vrai manche à balai.* **2.** *Balai mécanique*, appareil à brosses roulantes, monté sur un petit chariot. **3.** Frottoir en charbon établissant le contact dans une dynamo. **4.** *Voiture balai*, dans une course à pied ou cycliste, véhicule chargé de fermer le cortège (2). *Des voitures balais.* **5.** *Manœuvre balai*, travailleur le plus mal payé (comme un balayeur). ▶ *balai-brosse* n. m. ■ Brosse de chiendent montée sur un manche à balai, pour frotter le sol. *Des balais-brosses.* ‹ ▶ **balayer** ›

② *balai* n. m. ■ Fam. An (dans un âge). *Il a cinquante balais.*

balalaïka [balalaika] n. f. ■ Instrument de musique russe à cordes pincées, comprenant un manche et une caisse triangulaire. *Jouer de la balalaïka. Des balalaïkas.*

balance [balɑ̃s] n. f. **I. 1.** Instrument qui sert à peser, formé d'une tige mobile (*fléau*) à laquelle sont suspendus des plateaux dont l'un porte la chose à peser, l'autre les poids marqués. *Balance de précision. Balance automatique à un plateau*, dont l'aiguille indique le poids et le prix sur un cadran. *Balance à bascule.* ⇒ **bascule.** *Balance romaine* ou *romaine*, n. f., à poids constant et qui est mobile par rapport au point de suspension. **2.** Petit filet en forme de poche pour la pêche aux écrevisses. **3.** (Avec une majuscule) Septième signe du zodiaque (23 septembre-22 octobre). *Être du signe de la Balance.* — Ellipt. Invar. *Ils sont Balance.* **II.** Abstrait. **1.** *Mettre dans la balance*, examiner en comparant. *Mettre en balance* (deux choses), opposer le pour et le contre. ⇒ **peser.** — *Faire pencher la balance*, favoriser qqn, un parti. *Il fait pencher la balance de son côté.* **2.** État d'équilibre. *La balance des forces. La balance de l'actif et du passif d'un compte.* ⇒ **bilan.** — *La balance du commerce*, la comparaison entre les importations et les exportations d'un pays. *La balance est favorable, en excédent*, les exportations l'emportent. ▶ *balancer* [balɑ̃se] v. ■ conjug. 3. **I.** V. tr. **1.** Mouvoir lentement (qqch.) tantôt d'un côté, tantôt d'un autre. *Il balance les bras en marchant. L'enfant de chœur balance l'encensoir.* **2.** Fam. Jeter (avec un mouvement de bascule). *Balancez ça par la fenêtre.* ⇒ **envoyer.** — Se débarrasser de (qqch., qqn). ⇒ **jeter.** *Il a balancé ses vieux jouets. Il veut balancer son employé.* ⇒ **renvoyer.** — Fam. Trahir, dénoncer (à la police). *Il a balancé son copain.* **3.** Équilibrer. *Balancer ses phrases*, en soigner la symétrie, le rythme. **4.** Littér. Comparer, peser. *Balancer le pour et le contre.* **II.** V. intr. Littér. et vx. Être incertain. *Sans balancer*, sans hésiter. **III.** SE BALANCER v. pron. réfl. **1.** Se mouvoir alternativement d'un côté et de l'autre. *Ne te balance pas sur ta chaise. Un navire qui se balance sur ses ancres.* ⇒ **flotter, osciller.** — Être sur une balançoire en marche. **2.** Fam. S'en balancer, s'en moquer. ⇒ fam. **s'en ficher, s'en foutre.** ▶ *balancé, ée* adj. ■ Fam. (Personnes) Bâti. *Une fille bien balancée.* ▶ *balancement* n. m. **1.** Mouvement alternatif et lent d'un corps, de part et d'autre de son centre d'équilibre. ⇒ **oscillation.** *Un balancement continuel de la tête.* **2.** Abstrait. État d'équilibre. — Disposition symétrique. ▶ *balancelle* n. f. ■ Fauteuil balançoire à plusieurs places, avec un toit en tissu, dans un jardin. ▶ *balancier* n. m. **1.** Pièce dont les oscillations régularisent le mouvement d'une machine. *Le balancier d'une horloge.* **2.** Long bâton dont se servent les danseurs de corde pour maintenir leur équilibre. ▶ *balançoire* [balɑ̃swaʀ] n. f. **1.** Sorte de bascule sur laquelle deux personnes peuvent se balancer. **2.** Siège ou compartiment suspendu entre deux cordes et sur lequel on se balance. *Faire de la balançoire.* ⇒ **escarpolette.** ‹ ▶ **contrebalancer** › *balayer* [baleje] v. tr. . conjug. 8. I. 1. Pousser, enlever avec un balai (la poussière, les ordures...). 2. Entraîner avec soi (comme le fait un balai). *Le vent balaye les nuages.* ⇒ **chasser.** *Le torrent balayait tout sur son passage.* ⇒ **emporter. 3.** Faire disparaître. ⇒ **rejeter, repousser, supprimer.** *L'armée a balayé toute résistance. Balayer ses soucis.* II. 1. Nettoyer avec un balai (un lieu). *Balayer le trottoir.* 2. Passer sur (comme le fait un balai). *Son manteau balaie le sol. Les faisceaux lumineux des projecteurs balayaient la piste.* ▶ *balayage* n. m. 1. Action de balayer. ⇒ **nettoyage.** *Le balayage d'une chambre.* 2. Action de parcourir une étendue donnée avec un faisceau. ▶ *balayette* n. f. ■ Petit balai à manche court. ▶ *balayeur, euse* n. 1. Personne qui balaie. — Spécialt. Employé qui balaye les rues, les lieux publics. ⇒ **manœuvre** **balai.** 2. **N. f.** Véhicule destiné au balayage des voies publiques. ▶ *balayures* n. f. pl. ■ Ce que l'on enlève avec un balai. ⇒ **ordure ; détritus.**

balbutier [balbysje] v. . conjug. 7. 1. V. intr. Articuler d'une manière hésitante et imparfaite les mots que l'on veut prononcer. ⇒ **bafouiller, bégayer, bredouiller.** *Un enfant qui balbutie et commence à parler. Il balbutie par timidité.* 2. V. tr. Dire en balbutiant. *Il a balbutié quelques excuses.* ▶ *balbutiement* n. m. 1. Action de balbutier, manière de parler de celui qui balbutie. *Le balbutiement d'une personne émue.* 2. Surtout au plur. Première tentative maladroite dans un art.

balcon [balkɔ̃] n. m. 1. Plate-forme en saillie sur la façade d'un bâtiment et qui communique avec les appartements. *Chaises, table de balcon. Sortir sur le balcon pour prendre l'air.* 2. Balustrade (2) d'un balcon. *Un balcon en fer forgé.* 3. Galerie d'une salle de spectacle s'étendant d'une avant-scène à l'autre. *Fauteuils de balcon. La mezzanine et le balcon.*

baldaquin [baldakɛ̃] n. m. ■ Ouvrage de tapisserie fixé ou soutenu de manière qu'il s'étende au-dessus d'un lit, d'un trône. *Lit à baldaquin.*

baleine [balɛn] n. f. I. Mammifère cétacé de très grande taille (jusqu'à 20 m de long), dont la bouche est garnie de lames cornées *(fanons). Pêche à la baleine.* II. Fanon dont on se servait pour la garniture des corsets. — *Baleines d'acier, de matière plastique,* etc., lames flexibles. *Baleines de parapluie.* ▶ *baleiné, ée* adj. ■ Maintenu par des baleines (II). *Soutiengorge, col baleiné.* ▶ *baleinier* n. m. ■ Navire équipé pour la pêche à la baleine. ▶ *baleinière* n. f. ■ Embarcation longue et légère pour la pêche à la baleine. — *Canot de bord, de forme identique.*

balès ou *balèze* [balɛs, balɛz] adj. et n. Fam. 1. Grand et fort. — N. m. *Un gros balèze.* 2. Qui a de grandes connaissances dans un domaine. *Jean est balèze en maths.*

balise [baliz] n. f. 1. Objet, dispositif destiné à guider un navigateur, un pilote. ⇒ **bouée, feu, signal.** 2. Émetteur radioélectrique permettant au pilote d'un navire ou d'un avion de se diriger *(radiobalise, n. f.).* ▶ *baliser* v. tr. . conjug. 1. ■ Garnir, jalonner (un endroit) de balises. ▶ *balisage* n. m. ■ Action de poser les balises, des signaux pour indiquer les dangers à éviter ou la route à suivre ; ensemble de ces signaux. *Le balisage d'un port, d'un aérodrome.* — Ensemble de signaux placés dans l'axe du tracé d'une route, d'une voie de chemin de fer, etc.

baliste [balist] n. f. ■ Histoire. Ancienne machine de guerre qui servait à lancer des projectiles. ▶ *balistique* adj. et n. f. 1. Qui est relatif aux projectiles. *Engin balistique,* fusée. 2. N. f. Science du mouvement des projectiles.

baliveau [balivo] n. m. ■ Arbre réservé dans la coupe des taillis pour qu'il puisse croître en futaie. *Des baliveaux.*

baliverne [balivɛʁn] n. f. ■ Propos sans intérêt, sans vérité. ⇒ **calembredaine, faribole, sornette.** *Débiter, dire des balivernes.*

balkanique [balkanik] adj. ■ Relatif aux Balkans. *La péninsule balkanique,* la Grèce, la Yougoslavie, l'Albanie, la Bulgarie et une petite enclave turque.

ballade [balad] n. f. 1. Petit poème de forme régulière, composé de trois couplets ou plus, avec un refrain et un envoi. *« La Ballade des pendus » de François Villon.* 2. Poème de forme libre, d'un genre familier ou légendaire. *Les ballades de Schiller.* 3. Pièce musicale qui illustre le texte d'une ballade. *Les ballades de Chopin.* ≠ *balade.*

ballant, ante [balɑ̃, ɑ̃t] adj. et n. m. 1. Qui remue, se balance (faute d'être appuyé, fixé). *Il restait (les) bras ballants.* 2. N. m. Mouvement d'oscillation. *Une voiture chargée en hauteur a du ballant.*

ballast [balast] n. m. 1. Réservoir d'eau de mer sur un navire. — Réservoir de plongée d'un sousmarin. ⇒ **water-ballast.** 2. Pierres concassées que l'on tasse sous les traverses d'une voie ferrée.

① *balle* [bal] n. f. I. 1. Petite sphère, boule élastique (de matière plastique, de cuir...) dont on se sert pour divers jeux (plus petit que le ballon). ⇒ **ballon.** *Balle de ping-pong, de tennis. Jouer à la balle.* 2. Le fait de lancer une balle. — Loc. *Faire des balles, faire quelques balles,* échanger quelques balles sans compter les points (tennis). *Couper une balle, balle coupée. Balle de set, de match,* le coup qui décide du set, du match. 3. Loc. *Prendre, saisir la balle au bond,* saisir avec à-propos une occasion favorable. — *Renvoyer la balle,* répliquer. — *La balle est dans votre camp,* c'est à vous d'agir, de « jouer ». — *Enfant de la balle,* personne qui a été élevée dans la profession de son père (se dit surtout des comédiens). II. Petit projectile métallique dont on charge les armes à feu, certaines pièces d'artillerie. *Balle de revolver, de mitrailleuse. Balle explosive. Balle traçante. Son corps était criblé de balles. Tirer à balles réelles.* — Fam. *Recevoir douze balles dans la peau,* être exécuté (par le peloton). ‹ ▶ ① ballon, pareballes ›

② *balle* n. f. ■ Gros paquet de marchandises. ⇒ ① **ballot.** *Une balle de coton.* ‹ ▶ ① ballot, baluchon, déballer, ① emballer, remballer ›

③ *balle* ou *bale* n. f. ■ Enveloppe des graines (de céréales). *La balle d'avoine est employée pour faire des paillasses.*

ballerine [balʁin] n. f. 1. Danseuse de ballet. *Les ballerines de l'Opéra.* 2. Chaussure de femme rappelant un chausson de danse.

balles [bal] n. f. plur. ■ Fam. Francs. *J'en ai eu pour deux cents balles.*

ballet [balɛ] n. m. ■ Danse classique exécutée par plusieurs personnes. *Le corps de ballet de l'Opéra,* l'ensemble des danseurs de ballets. *Un maître de ballet.* — Ce spectacle de danse ; musique de cette danse.

① *ballon* [balɔ̃] n. m. I. 1. Grosse balle dont on se sert pour jouer. ⇒ **balle.** *Jouer au ballon.* — Spécialt. Sports. *Le ballon rond du football, ovale du rugby.* 2. Sphère plus légère que l'air, formée d'une pellicule très mince gonflée de gaz et qui sert de jouet aux enfants. *Marchand de ballons. Un lâcher de ballons.* — En appos. *Manches ballon,* gonflantes.

II. Aérostat gonflé d'un gaz plus léger que l'air. *Les premières ascensions en ballon.* ⇒ **montgolfière.** *« Cinq semaines en ballon »* de *Jules Verne.* — BALLON D'ESSAI : petit ballon qu'on lance pour connaître la direction du vent. Abstrait. Expérience que l'on tente pour sonder les dispositions des gens, tâter l'opinion. — BALLON CAPTIF : retenu à terre par des cordes. — BALLON-SONDE : pour l'étude de la haute atmosphère. *Des ballons-sondes.* **III.** Fig. **1.** Vase de laboratoire en verre de forme sphérique. — Verre à boire de forme sphérique. *Un ballon de* (*vin*) *rouge.* En appos. *Verre ballon.* **2.** *Ballon d'oxygène,* vessie ou bouteille remplie d'oxygène munie d'un tube d'aspiration, pour faire respirer et ranimer qqn. — *Ballon d'alcootest,* destiné au contrôle du taux d'alcool dans le sang. Ellipt. *Les policiers l'ont fait souffler dans le ballon.* ▶ *ballonné, ée* adj. ■ Gonflé comme un ballon. *Jupe ballonnée.* — (Intestin) Distendu par les gaz. *Avoir le ventre ballonné. Être, se sentir ballonné.* ▶ *ballonnement* n. m. ■ Gonflement de l'abdomen dû à l'accumulation des gaz intestinaux.

② *ballon* n. m. ■ Nom donné aux montagnes des Vosges. *Le ballon d'Alsace.*

① *ballot* [balo] n. m. ■ Petite balle ② de marchandises. — Paquet.

② *ballot* n. m. ■ Fam. Imbécile, idiot. *Pauvre ballot ! tu n'as rien compris.*

ballottage [baloʒaʒ] n. m. ■ Dans une élection au scrutin majoritaire. Résultat négatif d'un premier tour, aucun des candidats n'ayant recueilli le nombre de voix nécessaire pour être élu. *Il y a ballottage.* — Par ext. Situation des deux candidats les mieux placés au premier tour. *Être en ballottage.*

ballotter [balɔte] v. ■ conjug. 1. **1.** V. tr. Faire aller alternativement dans un sens et dans l'autre. ⇒ **agiter, balancer, remuer, secouer.** *Nous avons été ben ballottés dans cette vieille voiture.* **2.** *Être ballotté entre des sentiments contraires,* tiraillé. **3.** V. intr. Être agité, secoué en tous sens. *Poitrine qui ballotte.* ▶ *ballottement* n. m. ■ Mouvement d'un corps qui ballotte.

ballottine [balɔtin] n. f. ■ Préparation de viande désossée et roulée. *Ballottine de volailles.* ⇒ **galantine.**

ball-trap [baltrap] n. m. ■ Anglic. Appareil à ressort qui lance une cible (généralement un plateau d'argile), simulant un oiseau en plein vol, et que le chasseur doit toucher. *S'exercer au ball-trap. Des ball-traps.*

balnéaire [balneɛʀ] adj. ■ Relatif aux bains de mer. *Station balnéaire.*

balourd, ourde [balur, uʀd] adj. et n. ■ Maladroit et sans délicatesse. ⇒ **lourdaud.** *Il est un peu balourd. Quel balourd !* ⇒ **adroit, délicat** / ▶ *balourdise* n. f. ■ Propos ou action du balourd. ⇒ **gaffe, maladresse, stupidité.** — Caractère balourd. *Il est d'une balourdise étonnante.* / contr. **délicatesse** /

balsa [balza] n. m. ■ Bois très léger utilisé pour les maquettes.

balsamique [balzamik] adj. ■ Qui a des propriétés comparables à celles du baume.

balte [balt] adj. et n. ■ Se dit des pays que baigne la mer Baltique. *Les pays baltes,* la Lituanie, la Lettonie et l'Estonie.

baluchon ou *balluchon* [balyʃɔ̃] n. m. ■ Petit paquet d'effets ③ maintenus dans un carré d'étoffe noué aux quatre coins. — *Faire son baluchon,* partir.

balustre [balystʀ] n. m. **1.** Petite colonne renflée supportant un appui. **2.** Colonnette ornant le dos d'un

siège. ▶ *balustrade* [balystrad] n. f. **1.** Rangée de balustres portant une tablette d'appui. *La balustrade d'une terrasse.* **2.** Clôture à hauteur d'appui et à jour. *La balustrade d'un pont.* ⇒ **garde-fou, parapet, rambarde.**

balzane [balzan] n. f. ■ Tache blanche aux pieds d'un cheval. *Un cheval bai avec des balzanes.*

bambin [bɑ̃bɛ̃] n. m. ■ Petit garçon. ⇒ **enfant.**

bambocher [bɑ̃bɔʃe] v. intr. ■ conjug. 1. ■ Vx. Faire la noce, faire la fête. ▶ *bambocheur, euse* n. ■ Noceur, fêtard.

bambou [bɑ̃bu] n. m. **1.** Plante à tige cylindrique ligneuse avec nœuds cloisonnants. *Une canne de bambou. Des pousses de bambou,* les bourgeons comestibles. **2.** Fam. *Attraper un coup de bambou,* dans les pays chauds, une insolation. — Fam. *Avoir le coup de bambou,* devenir fou ; être très fatigué. ⇒ fam. coup de **pompe.**

ban [bɑ̃] n. m. **1.** Proclamation solennelle d'un futur mariage à l'église ou à la mairie. *On a publié les bans.* **2.** Roulement de tambour précédant la proclamation d'un ordre, la remise d'une décoration. *Ouvrir, fermer le ban.* — Fam. Applaudissements rythmés. *Un ban pour le vainqueur !* **3.** Le corps de la noblesse féodale convoqué par le suzerain. — Loc. *Le ban et l'arrière-ban,* tout le monde. **4.** Loc. *Être en rupture de ban,* affranchi des contraintes de son état. — *Mettre qqn* AU BAN DE *la société, un pays* AU BAN DES *nations* : le rejeter, le déclarer indigne, le dénoncer au mépris public. ≠ *banc.* ⟨ ▶ arrière-ban, bannir ⟩

banal, ale, als [banal] adj. ■ Qui est extrêmement commun, sans originalité. ⇒ **ordinaire, courant.** *Un cas assez banal. Propos banals.* / contr. **curieux, original** / ▶ *banalement* adv. ■ De manière banale. ▶ *banaliser* v. tr. ■ conjug. 1. ■ Rendre banal, ordinaire. — Au p. p. adj. *Une voiture de police banalisée,* dépourvue de signes distinctifs. — Pronominalement. *Cette comparaison a fini par se banaliser.* ▶ *banalité* n. f. **1.** Caractère de ce qui est banal. / contr. **originalité** / **2.** Propos, écrit banal. *Ce livre est un tissu de banalités.* ⇒ **cliché, lieu** commun, **poncif.**

banane [banan] n. f. **1.** Fruit oblong à pulpe farineuse, à épaisse peau jaune, que produit la grappe de fleurs du bananier. *Un régime de bananes. Glisser sur une peau de banane.* **2.** Fig. Hélicoptère allongé. — Élément de pare-chocs. — Coiffure en grosse mèche en casquette. ▶ *bananier* n. m. **1.** Plante arborescente dont le fruit est la banane. **2.** Cargo équipé pour le transport des bananes.

① *banc* [bɑ̃] n. m. ■ Long siège, avec ou sans dossier, sur lequel plusieurs personnes peuvent s'asseoir à la fois. *Banc de pierre, de bois. Banc de jardin.* — Ce siège, réservé, dans une assemblée. *Le banc des ministres à l'Assemblée nationale. Le banc des accusés au tribunal.* ≠ *ban.* ⟨ ▶ banquette ⟩

② *banc* n. m. ■ Assemblage de montants et de traverses. ⇒ **bâti.** *Un banc de tourneur.* — BANC D'ESSAI : bâti sur lequel on monte les moteurs pour les éprouver, les tester ; ce par quoi on éprouve (une personne, une chose) ; concours pour des débutants. ≠ *ban.*

③ *banc* n. m. **1.** Amas de matières formant une couche plus ou moins horizontale. *Banc de sable. Banc de coraux.* ⇒ **récif. 2.** *Banc de poissons,* grande quantité de poissons réunis par espèce. *Un banc de harengs.* ≠ *ban.* ⟨ ▶ banquise ⟩

bancaire [bɑ̃kɛʀ] adj. ■ Qui a rapport aux banques, aux opérations de banque. *Un chèque bancaire.*

bancal, ale, als [bɑ̃kal] adj. **1.** (Personnes) Qui a une jambe ou les jambes torses et dont la marche est inégale. ⇒ **boiteux.** *Des enfants bancals.* **2.** (Meuble) Qui a des pieds inégaux, et qui n'est pas d'aplomb. *Une table bancale.*

banco [bɑ̃ko] n. m. ■ Au baccara. *Faire banco,* tenir seul l'enjeu contre la banque. *Un banco de 5 000 francs. Des bancos.*

bandage [bɑ̃daʒ] n. m. **1.** Bandes de tissu appliquées sur une partie du corps, pour un pansement, pour maintenir un organe... ⇒ **bande, écharpe.** *Bandage herniaire. Enrouler, serrer, défaire un bandage.* **2.** Bande de métal ou de caoutchouc qui entoure la jante d'une roue.

① **bande** [bɑ̃d] n. f. **1.** Morceau d'étoffe, de cuir, de papier, de métal, etc., plus long que large, qui sert à lier, maintenir, recouvrir, border ou orner qqch. ⇒ **lanière, lien, ruban.** *Bande Velpeau,* pour servir de bandage, faire des pansements. — *Bande molletière,* que les soldats entouraient autour de leurs mollets. — *Bande de journal,* dont on entoure un journal plié, pour l'expédier. *Journal sous bande.* — Film de cinéma qui a cette forme. ⇒ **pellicule.** *La bande a sauté à la projection.* — *Bande magnétique* d'un magnétophone, d'un ordinateur, etc. *Enregistrer deux bandes. La bande son d'un film.* **2.** Partie étroite et allongée de qqch. *Chaussée à trois bandes* (limitées par une ligne). ⇒ **voie.** — Large rayure. *Les bandes d'un drapeau.* — *Bande de fréquence,* ensemble des fréquences comprises entre deux limites. — BANDE DESSINÉE : suite de dessins qui racontent une même histoire, et où les paroles et les pensées des personnages sont données dans des bulles. ⇒ **b.d. 3.** Rebord élastique qui entoure le tapis d'un billard. — Loc. *Faire qqch.* PAR LA BANDE : de biais, par des moyens indirects. ▶ *bandeau* n. m. **1.** Bande qui sert à entourer le front, la tête. ⇒ **serre-tête, turban.** *Le joueur de tennis met son bandeau avant le match. Des bandeaux.* **2.** Cheveux qui serrent le front, les tempes, dans une coiffure féminine à cheveux longs. **3.** Morceau d'étoffe qu'on met sur les yeux de qqn pour l'empêcher de voir. — Loc. *Avoir un bandeau sur les yeux,* ne pas voir, ne pas comprendre qqch. de visible, de clair. ▶ *bandelette* [bɑ̃dlɛt] n. f. ■ Petite bande de tissu. *Les bandelettes des momies égyptiennes.* ⟨ ▶ bandage, bander, banderille, banderole, plate-bande ⟩

② **bande** n. f. **1.** Groupe de personnes (notamment de rebelles) qui combattent ensemble sous un même chef. *Des bandes armées.* ⇒ **troupe.** — Groupe de malfaiteurs sous la direction d'un chef. *Bande de voleurs.* ⇒ **gang.** — Groupe associé dans un même but ou par quelque affinité. *Je ne suis pas de leur bande.* ⇒ **clan, clique, coterie.** — Groupe (de personnes, d'animaux). *Une bande d'écoliers.* — Loc. *Faire* BANDE À PART : se mettre à l'écart d'un groupe (en parlant de plusieurs personnes). — Terme d'insulte collective. *Bande d'idiots !* ⇒ **tas.** ⟨ ▶ débandade ⟩

③ **bande** n. f. ■ (Navire) *Donner de la bande,* pencher sur un bord.

bander [bɑ̃de] v. ■ conjug. 1. **1.** V. tr. Entourer d'une bande que l'on serre. *Bander le bras d'un blessé.* **2.** V. tr. Couvrir (les yeux) d'un bandeau. **3.** V. tr. Tendre avec effort. *Le tireur bande son arc.* / contr. **détendre** / **4.** V. intr. Fam. Être en érection. *Garçon qui bande.* ▶ *bandé, ée* adj. **1.** Couvert d'un bandeau. *Les yeux bandés.* **2.** Entouré d'un bandage. *Main bandée.* ⟨ ▶ débander ⟩

banderille [bɑ̃dʀij] n. f. ■ Pique ornée de bandes multicolores que les toreros plantent sur le cou du taureau pendant la corrida.

banderole [bɑ̃dʀɔl] n. f. ■ Petite bannière. — Bande de toile couverte d'une inscription, que l'on porte dans les défilés, les manifestations.

bandit [bɑ̃di] n. m. **1.** Malfaiteur vivant hors la loi. ⇒ **brigand, gangster, voleur. 2.** Homme avide sans scrupules. *Ce commerçant est un bandit.* ⇒ **filou, forban, pirate.** ▶ *banditisme* n. m. ■ Mœurs des bandits. *Acte de banditisme. Le grand banditisme,* les crimes graves.

en **bandoulière** [ɑ̃bɑ̃duljɛʀ] loc. adv. ■ Porté en étant passé d'une épaule au côté opposé du corps. *Fusil, sac en bandoulière.*

bang [bɑ̃g] interj. et n. m. ■ Interj. Bruit d'explosion. ⇒ **boum.** — N. m. *Les bangs des avions à réaction.*

banjo [bɑ̃dʒo] n. m. ■ Instrument de musique à cordes grattées, rond, dont la caisse de résonance est formée d'une membrane tendue sur un cercle de bois. *Jouer du banjo dans un orchestre de jazz traditionnel. Des banjos.*

bank-note [bɑ̃knɔt] n. f. ou m. ■ Billet de banque, dans les pays anglo-saxons. *Des bank-notes.*

banlieue [bɑ̃ljø] n. f. ■ Ensemble des agglomérations qui entourent une grande ville. ⇒ **environs.** *La banlieue de Paris. La grande banlieue, la banlieue la plus éloignée. Trains de banlieue. J'habite en banlieue, dans la banlieue de Lyon.* ▶ *banlieusard, arde* n. ■ Habitant de la banlieue.

bannière [banjɛʀ] n. f. **1.** Enseigne guerrière des anciens seigneurs féodaux. — Loc. *Combattre, se ranger sous la bannière de qqn,* avec lui, dans son parti. **2.** Étendard que l'on porte aux processions. **3.** *Voile en bannière,* voile dont les coins inférieurs ne sont pas fixés et qui flotte au vent. **4.** Fam. Pan de chemise, chemise. *Il se baladait en bannière.*

bannir [baniʀ] v. tr. ■ conjug. 2. Littér. **1.** Condamner (qqn) à quitter un pays, avec interdiction d'y rentrer. ⇒ **exiler, expulser, proscrire, refouler.** — Éloigner. *Je l'ai banni de ma maison.* **2.** (Compl. chose) Écarter, supprimer. *C'est une idée qu'il faut bannir de votre esprit.* ⇒ **chasser, rejeter.** ▶ *banni, ie* adj. et n. **1.** Qui est banni de son pays. ⇒ **exilé.** — N. *Rappeler les bannis.* **2.** Écarté, supprimé. *C'est un sujet banni.* ▶ *bannissement* n. m. ■ Peine criminelle qui consiste à interdire à qqn le séjour dans son pays.

banque [bɑ̃k] n. f. **1.** Commerce de l'argent et des titres, effets de commerce et valeurs de bourse. *Les opérations de banque.* **2.** Établissement où se fait ce commerce. *Mon père a un compte en banque. Employé de banque.* **3.** Jeu. Somme que l'un des joueurs tient devant lui pour payer ceux qui gagnent. *Faire sauter la banque,* gagner tout l'argent en jeu. **4.** *Banque du sang, d'organes,* service médical qui recueille du sang, etc., pour les transfusions, les greffes. — *Banque de données,* ensemble d'informations sur un sujet, centralisées et traitées par ordinateur. *Notre terminal est relié à la banque de données.* ⟨ ▶ bancaire, banquier ⟩

banqueroute [bɑ̃kʀut] n. f. ■ Faillite accompagnée d'infractions à la loi. ⇒ **krach.** *Faire banqueroute.* ▶ *banqueroutier, ière* n. ■ Personne qui a fait banqueroute.

banquet [bɑ̃kɛ] n. m. ■ Grand repas, repas officiel où sont conviées de nombreuses personnes. *Donner* *un banquet en l'honneur de qqn.* ▶ *banqueter* v. intr. ∎ conjug. 4. ∎ Participer à un banquet. *Les personnalités, les ministres banquettent souvent.* — Bien manger à plusieurs. ⇒ **festoyer.**

banquette [bɑ̃kɛt] n. f. 1. Banc rembourré ou canné avec ou sans dossier. *Les banquettes d'un wagon.* 2. Plate-forme située derrière un parapet, derrière le revers d'une tranchée.

banquier, ière [bɑ̃kje, jɛʀ] n. 1. Personne qui fait le commerce de la banque, dirige une banque. ⇒ **financier.** — Personne qui fournit de l'argent. *Je ne peux pas toujours être votre banquier.* 2. Personne qui tient la banque à certains jeux.

banquise [bɑ̃kiz] n. f. ∎ Amas de glaces flottantes formant un immense banc ③. *Les Esquimaux voyagent sur la banquise.*

banyuls [banjyls] n. m. invar. ∎ Vin de liqueur provenant des Pyrénées orientales, servi généralement en apéritif.

baobab [baɔbab] n. m. ∎ Arbre d'Afrique tropicale, à tronc énorme. *Des baobabs.*

baptême [batɛm] n. m. 1. Sacrement destiné à laver le péché originel et à faire chrétienne la personne qui le reçoit. *Donner, recevoir le baptême. Extrait de baptême. Nom de baptême,* le prénom que l'on donne à celui qui est baptisé. 2. Bénédiction (d'un navire, d'une cloche...). — *Baptême du feu,* premier combat. *Baptême de l'air,* premier vol en avion. *J'ai reçu mon baptême de l'air cette année.* ▶ *baptiser* [batize] v. tr. ∎ conjug. 1. 1. Administrer le baptême à (qqn). *Je te baptise au nom du Père, du Fils et du Saint-Esprit.* 2. Baptiser une cloche, un navire, les bénir en leur donnant un nom. 3. *Baptiser du vin, du lait,* y mettre de l'eau. 4. Donner un surnom à (qqn), une appellation à (qqch.). ⇒ **appeler.** — Au p. p. adj. *Une modeste pièce baptisée salon.* ▶ *baptismal, ale, aux* adj. ∎ Littér. Qui a rapport au baptême. *L'eau baptismale. Les fonts baptismaux.* ▶ *baptistère* n. m. ∎ Endroit où l'on administre le baptême. ‹ ▶ débaptiser, rebaptiser ›

baquet [bakɛ] n. m. 1. Récipient de bois, à bords bas, servant à divers usages domestiques. ⇒ **cuve.** 2. Siège bas et très emboîtant des voitures de sport et de course. *Des baquets,* ou en appos. *des sièges baquets.*

① *bar* [baʀ] n. m. ∎ Débit de boissons où l'on consomme debout, ou assis sur de hauts tabourets, devant un long comptoir. *Je ne vais jamais au bar.* — Ce comptoir. *Avoir un bar dans son salon.* ‹ ▶ barman ›

② *bar* n. m. ∎ Poisson marin appelé aussi *loup,* à chair très estimée.

③ *bar* n. m. ∎ Unité de pression atmosphérique valant 10⁵ pascals. *Le millième du bar.* ⇒ **millibar.** ‹ ▶ millibar ›

baragouin [baʀagwɛ̃] n. m. ∎ Langage incorrect et inintelligible ; langue que l'on ne comprend pas et qui paraît barbare. ⇒ **jargon ; charabia.** ▶ *baragouiner* v. tr. ∎ conjug. 1. ∎ Parler mal (une langue). *Il baragouine le français.*

baraka [baʀaka] n. f. ∎ Fam. Chance. *Il a vraiment la baraka.*

baraque [baʀak] n. f. 1. Construction provisoire en planches. ⇒ **cabane.** *Des baraques de forains.* 2. Maison mal bâtie, peu solide. ⇒ **bicoque, masure.** 3. Fig. Fam. Maison, établissement où l'on ne se trouve pas bien. ⇒ fam. **boîte, boutique.** *On gèle dans cette*

baraque. ▶ *baraquement* n. m. ∎ Ensemble de baraques.

baraqué, ée [baʀake] adj. ∎ Fam. (Personnes) Bien fait, bien bâti. ⇒ fam. **balèze.** *Il est bien baraqué,* grand et fort.

baratin [baʀatɛ̃] n. m. ∎ Discours abondant qui tend à tromper, à séduire. ⇒ **boniment.** *Assez de baratin ! Ne me faites pas de baratin !* ▶ *baratiner* v. tr. ∎ conjug. 1. ∎ Essayer d'abuser (qqn) par un baratin. *Ce vendeur baratine le client.* ▶ *baratineur, euse* n. et adj. ∎ Personne qui baratine, a du bagou.

baratte [baʀat] n. f. ∎ Instrument ou machine à battre le lait. *Baratte électrique.* ▶ *baratter* v. tr. ∎ conjug. 1. ∎ Battre (la crème) dans une baratte pour obtenir le beurre. ▶ *barattage* n. m. ∎ Action de baratter (la crème).

barbacane [baʀbakan] n. f. ∎ Au Moyen Âge. Ouvrage avancé percé de meurtrières. — Meurtrière pratiquée dans le mur d'une forteresse. — Ouverture longue et étroite pratiquée dans un mur (un balcon, etc.) pour l'écoulement des eaux.

barbant, ante [baʀbɑ̃, ɑ̃t] adj. ∎ Fam. Qui barbe, ennuie. ⇒ fam. ① **rasant.**

barbaque [baʀbak] n. f. ∎ Fam. Viande. ⇒ fam. **bidoche.**

barbare [baʀbaʀ] adj. et n. 1. Étranger, pour les Grecs et les Romains et, plus tard, pour la chrétienté. *Les invasions barbares, des barbares.* 2. N. Homme qui n'est pas civilisé. ⇒ **primitif, sauvage.** *Nous paraîtrons nous-mêmes des barbares à nos descendants. C'est un barbare,* un être sans culture. 3. (Choses) Qui choque, qui est contraire aux règles, au goût, à l'usage. ⇒ **grossier.** *C'est une musique barbare ! Une façon de parler barbare.* ⇒ **incorrect.** 4. (Choses) Cruel, sauvage. *Un crime barbare.* ▶ *barbarie* n. f. 1. Littér. État d'un peuple non civilisé. /contr. **civilisation** / 2. Absence de goût, grossièreté de barbare. / contr. **raffinement** / 3. Cruauté sauvage. ⇒ **sauvagerie.** *Commettre des actes de barbarie !* / contr. **bonté** / ▶ *barbarisme* [baʀbaʀism] n. m. ∎ Faute grossière de langage, emploi de mots déformés, utilisation d'un mot dans un sens qu'il n'a pas. ⇒ **incorrection, solécisme.** *Le professeur dit que « solutionner » (pour « résoudre ») est un affreux barbarisme.* ▶ *barbaresque* adj. et n. ∎ Qui a rapport aux pays autrefois désignés sous le nom de *Barbarie* (Afrique du Nord). *Les pirates barbaresques.*

barbe [baʀb] n. f. 1. Poils qu'on laisse pousser sur le menton (ou le menton et les joues). ⇒ **barbiche, bouc, collier.** *Barbe en éventail, en pointe. Porter la barbe et la moustache.* 2. Moins cour. Poils du menton, des joues et de la lèvre supérieure (moustache). *Avoir la barbe dure. Visage sans barbe.* ⇒ **glabre, imberbe.** — Loc. *Se faire faire la barbe,* se faire raser. *Une barbe de huit jours,* pas rasée depuis huit jours. — Loc. fig. *Rire dans sa barbe,* en se cachant. — *À la barbe de qqn,* devant lui, malgré sa présence. 3. *Une* VIEILLE BARBE : un vieil homme qui n'est pas à la page. ⇒ **birbe.** 4. *De la* BARBE À PAPA : confiserie formée de filaments de sucre. 5. *La barbe !,* assez, cela suffit. *Quelle barbe !,* quel ennui ! ⇒ **barbant, barber.** 6. Longs poils que certains animaux ont à la mâchoire, au museau. *Barbe de chèvre.* — Cartilages servant de nageoires aux poissons plats (ex. : *limande, barbue*). 7. Pointe effilée de certains épis (ex : *orge*), des plumes d'oiseau. ‹ ▶ barbant, barbelé, barber, barbet, barbiche, barbier, barbillon, barbon, barbouze, barbu, barbue, ébarber, rébarbatif ›

barbeau [baʀbo] n. m. ∎ Poisson d'eau douce, à barbillons. *Des barbeaux.*

barbecue [baʀbəkju(ky)] n. m. ■ Appareil au charbon de bois, pour faire des grillades en plein air. *Faire cuire des côtelettes au barbecue. Des barbecues.*

barbelé, ée [baʀbəle] adj. et n. m. ■ Garni de dents et de pointes. *Fil de fer barbelé.* — N. m. *Barbelés, réseau de barbelés,* ensemble d'ouvrages militaires en fil de fer barbelé.

barber [baʀbe] v. tr. ∎ conjug. 1. ■ Fam. Ennuyer. ⇒ **assommer ;** fam. **raser.** *Vous le barbez avec vos histoires.* — V. pron. réfl. *Se barber,* s'ennuyer. *On s'est barbé toute la journée.* ⟨ ▶ barbant ⟩

barbet [baʀbɛ] n. m. **1.** Espèce d'épagneul (chien) à poil long et frisé. **2.** Variété de rouget (poisson). *Un rouget barbet.*

barbiche [baʀbiʃ] n. f. ■ Petite barbe qu'on laisse pousser au menton. ▶ *barbichette* n. f. ■ Petite barbiche. *Je te tiens par la barbichette.*

barbier [baʀbje] n. m. ■ Vx. Coiffeur qui faisait la barbe au rasoir à main.

barbillon [baʀbijɔ̃] n. m. ■ Filament charnu aux bords de la bouche de certains poissons (ex. : chez le *barbeau*).

barbiturique [baʀbityʀik] adj. et n. m. ■ (Acide) Dont les dérivés sont utilisés comme calmants, somnifères (véronal, gardénal, etc.). — N. m. Ces calmants. *Ne pas abuser des barbituriques.*

barbon [baʀbɔ̃] n. m. ■ Vx ou plaisant. Homme d'âge plus que mûr. ⇒ **birbe.**

① *barboter* [baʀbɔte] v. intr. ∎ conjug. 1. **1.** S'agiter, remuer dans l'eau, la boue. *Les canards barbotent dans la mare.* ⇒ **patauger. 2.** (Gaz) Traverser un liquide. ▶ *barbotage* n. m. **1.** Action de barboter dans l'eau. **2.** Passage d'un gaz dans un liquide. ▶ *barboteur* n. m. ■ Appareil où barbote un gaz traversant un liquide. ▶ *barboteuse* n. f. ■ Vêtement de jeune enfant, qui laisse nus les bras et les jambes.

② *barboter* v. tr. ∎ conjug. 1. ■ Fam. Voler. ⇒ fam. **chiper, piquer.** *On lui a barboté son portefeuille.*

barbouiller [baʀbuje] v. tr. ∎ conjug. 1. **1.** Couvrir d'une substance salissante. ⇒ **salir, tacher.** — Au p. p. *Le visage barbouillé de confiture.* **2.** Étaler grossièrement une couleur sur (un mur, une toile...). — Peindre grossièrement. *Un amateur qui barbouille des toiles le dimanche.* ⇒ **peinturlurer. 3.** Couvrir de gribouillages. *Barbouiller du papier.* **4.** Fam. *Barbouiller l'estomac, le cœur,* donner la nausée. — Au p. p. *Avoir l'estomac barbouillé.* **5.** Au passif et au p. p. adj. *(Être) barbouillé,* ressentir la nausée. *Il est revenu du banquet tout barbouillé.* ▶ *barbouillage* n. m. ■ Action de barbouiller ; son résultat. ⇒ **gribouillage ; gribouillis.** — Mauvaise peinture. ▶ *barbouilleur, euse* n. ■ Mauvais peintre. ⟨ ▶ débarbouiller ⟩

barbouze [baʀbuz] n. f. Fam. **1.** Barbe. **2.** N. m. ou f. Agent secret (police, espionnage). *Les barbouzes l'ont rattrapé à la frontière.*

barbu, ue [baʀby] adj. et n. ■ Qui a de la barbe, porte la barbe. / contr. **glabre, imberbe /**

barbue [baʀby] n. f. ■ Poisson de mer plat du même genre que le turbot.

barcarolle [baʀkaʀɔl] n. f. ■ Chanson des gondoliers vénitiens. — Air, musique sur un rythme berceur à trois temps.

barda [baʀda] n. m. ■ Fam. L'équipement du soldat. — Bagage, chargement. *Prenez tout votre barda.* ⇒ **attirail.**

barde [baʀd] n. m. ■ Poète celtique qui célébrait les héros et leurs exploits.

bardeau [baʀdo] n. m. ■ Petite planche clouée sur volige, employée dans la construction, dans la couverture des maisons. *Un toit de bardeaux.*

① *barder* [baʀde] v. tr. ∎ conjug. 1. **1.** Couvrir d'une armure. — Au p. p. *Un chevalier bardé de fer,* recouvert d'une armure. ⇒ **cuirassé.** — *Être bardé de décorations,* en être couvert. **2.** Entourer de fines tranches de lard (ou *bardes,* n. f.) un rôti.

② *barder* v. intr. impers. ∎ conjug. 1. ■ Fam. Prendre une tournure violente. *S'il se met en colère, ça va barder !* ⇒ fam. **chauffer.**

barème [baʀɛm] n. m. ■ Tableaux numériques donnant le résultat de certains calculs. *Le barème des cotisations, de l'impôt, des salaires.*

barge [baʀʒ] n. f. ■ Bateau à fond plat. — Grande péniche plate.

barguigner [baʀgiɲe] v. intr. ∎ conjug. 1. ■ Vx. *Sans barguigner,* sans hésiter.

baril [baʀil] n. m. ■ Petit tonneau, petite barrique. ⇒ **tonnelet.** *Des barils de poudre.* ▶ *barillet* [baʀijɛ] n. m. **1.** Petit baril. **2.** Dispositif de forme cylindrique. *Barillet d'une pendule,* boîte qui renferme le ressort moteur. *Barillet d'un revolver,* cylindre tournant où sont logées les cartouches.

bariolé, ée [baʀjɔle] adj. ■ Coloré de tons vifs et variés. ⇒ **multicolore.** *Une étoffe bariolée.* ▶ *bariolage* n. m. ■ Bigarrure, assemblage de diverses couleurs.

barjo [baʀʒo] adj. et n. ■ Fam. Fou. *Elles sont complètement barjos.*

barman [baʀman] n. m. ■ Anglic. Serveur d'un bar. ⇒ **garçon** de café. *Des barmen* [-mɛn] ou *des barmans.* ▶ *barmaid* [baʀmɛd] n. f. ■ Serveuse d'un bar. *Des barmaids.*

barnache n. f. ⇒ **bernache.**

baromètre [baʀɔmɛtʀ] n. m. ■ Instrument qui sert à mesurer la pression atmosphérique. *Le baromètre est à la pluie.* — Ce qui est sensible à des variations et permet de les apprécier. *La Bourse des valeurs, baromètre de la confiance publique.* ▶ *barométrique* adj. ■ *Hauteur barométrique,* hauteur de la colonne de mercure.

baron, onne [ba(ɑ)ʀɔ̃, ɔn] n. **1.** N. m. Grand seigneur féodal, possesseur d'une *baronnie.* **2.** Possesseur du titre de noblesse entre celui de chevalier et celui de vicomte. **3.** Personnage important. *Les barons du gaullisme, de la presse.*

baroque [baʀɔk] adj. et n. m. **1.** Qui est d'une irrégularité bizarre. ⇒ **biscornu, étrange, excentrique.** *Quelle idée baroque !* **2.** Se dit d'un style architectural qui s'est développé du XVIᵉ au XVIIIᵉ s. (d'abord en Italie), caractérisé par la liberté des formes et la profusion des ornements. *Les églises baroques de Bavière, d'Autriche.* ⇒ **jésuite, rococo.** — N. m. *Le baroque,* ce style. — Qui est à l'opposé du classicisme, laisse libre cours à la sensibilité, la fantaisie. / contr. **classique ; classicisme /**

baroud [baʀud] n. m. ■ Arg. milit. Combat. — Loc. fam. *Un baroud d'honneur,* un dernier combat, pour l'honneur (avant de se rendre). ▶ *baroudeur* n. m. ■ Celui qui aime le baroud.

barouf [baʀuf] n. m. ■ Fam. Grand bruit. ⇒ **tapage ;** fam. **boucan.** *Ils font du barouf.*

barque [baʀk] n. f. ■ Petit bateau qui n'a pas de pont (on en voit le fond). ⇒ **embarcation.** *Barque à rames, à voiles. Barque de pêcheur.* — *Mener, conduire* la barque, diriger, être le maître. *Bien mener sa barque*, bien conduire son entreprise. ▸ *barquette* n. f. ■ Tartelette de forme allongée (comme un petit bateau). *Barquette aux fraises.* ⟨ ▸ débarcadère, débarquer, embarcadère, embarcation, embarquer ⟩

barrage [ba(ɑ)ʀaʒ] n. m. **1.** Action de barrer (un passage) ; ce qui barre (un passage). ⟹ **barrière**. *Établir un barrage à l'entrée d'une rue. Un barrage de police. Faire barrage à qqn, qqch.*, barrer la route à qqn, qqch. ; empêcher d'agir. ⟹ **obstacle**. **2.** Ouvrage hydraulique qui a pour objet de relever le plan d'eau, d'accumuler ou de dériver l'eau d'une rivière. *Construire un barrage de retenue. Barrage d'une usine hydro-électrique.*

barre [ba(ɑ)ʀ] n. f. **1.** Pièce de bois, de métal, etc., longue et rigide. *Assommer qqn à coups de barre de fer.* — Loc. fam. *Avoir le coup de barre*, être comme assommé (épuisé, etc.). — *Une barre de chocolat. Une barre d'or.* ⟹ **lingot**. — Loc. *C'est de l'or en barre*, une valeur, un placement sûr. **2.** *Barre d'appui*, qui sert d'appui à une fenêtre. — Traverse horizontale scellée au mur et qui sert d'appui aux danseurs pour leurs exercices. *Exercices à la barre.* — BARRE FIXE : traverse horizontale sur deux montants. BARRES PARALLÈLES : appareil composé de deux barres de bois fixées parallèlement sur des montants verticaux. **3.** *Barre du gouvernail*, le levier qui actionne le gouvernail. *Être à la barre.* ⟹ **barrer**. *L'homme de barre.* ⟹ **barreur**. — Loc. fig. *Prendre, tenir la barre*, prendre, avoir la direction. ⟹ **diriger, gouverner**. *Donner un coup de barre*, changer de direction, d'orientation. **4.** *La barre du tribunal*, lieu où comparaissent les témoins, où plaident les avocats à l'audience. **5.** Amas de sable qui barre l'entrée d'un port ou l'embouchure d'un fleuve. — Déferlement violent de la houle sur les hauts-fonds. ⟹ **mascaret**. **6.** Trait allongé. *La barre d'une soustraction, du t.* — *Barre de mesure*, trait vertical qui sépare les mesures musicales. **7.** BARRES : jeu de course entre deux camps limités chacun par une barre tracée sur le sol. *Ils jouent aux barres.* **8.** Loc. AVOIR BARRE (ou BARRES) SUR *qqn* : avoir l'avantage sur lui, être en situation de force. ▸ **barreau** n. m. **1.** Barre servant de clôture ou de support. *Les barreaux d'une cage, d'une échelle, d'une fenêtre. Le prisonnier a scié les barreaux et s'est enfui.* — *Les barreaux d'une chaise*, les bâtons qui servent à maintenir les montants. **2.** Espace, autrefois fermé par une barrière, qui est réservé au banc des avocats dans les salles d'audience. — Profession, ordre des avocats. *Être inscrit au barreau.* ▸ **barrer** v. ▪ conjug. 1. **I.** V. tr. **1.** Fermer (une voie) au moyen d'une barre, d'un obstacle. ⟹ **boucher, couper, obstruer.** / contr. **ouvrir** / *Barrer une rue.* — Au p. p. adj. *Une rue barrée.* — *Des rochers nous barraient la route.* **2.** *Barrer le passage, la route à qqn*, l'empêcher de passer, d'avancer ; lui faire obstacle. ⟹ faire **barrage**. **3.** Tenir la barre du gouvernail, gouverner (une embarcation). *Barrer un voilier.* **4.** Marquer d'une ou plusieurs barres. *Barrer un chèque.* — Au p. p. adj. *Chèque barré.* **5.** Annuler au moyen d'une barre. ⟹ **biffer, rayer**. *Barrer une phrase.* **II.** V. pron. réfl. Fam. SE BARRER : partir, s'enfuir. *Barre-toi !* ⟹ **filer** ; fam. se **casser**, se **tailler**, se **tirer**. ▸ **barreur, euse** n. ■ Personne qui tient la barre du gouvernail, en particulier dans une embarcation sportive. *Un quatre sans barreur, avec barreur.* ▸ ① **barrette** [baʀɛt] n. f. **1.** Ornement en forme de petite barre. *La barrette de la Légion d'honneur.* **2.** Pince à cheveux. *Elle porte des barrettes dans les cheveux.* ⟨ ▸ barrage, barrière, rembarrer ⟩

② **barrette** n. f. ■ Toque carrée des ecclésiastiques. — Calotte de cardinal.

barricade [baʀikad] n. f. ■ Obstacle fait de l'amoncellement d'objets divers (d'abord, des barriques) pour se protéger dans un combat de rues, une émeute... *Dresser, élever des barricades.* — Loc. fig. *Être de l'autre côté de la barricade*, dans le camp opposé. ▸ **barricader** v. ▪ conjug. 1. **1.** V. tr. Fermer solidement. *Une vieille porte qu'il faut barricader.* **2.** V. pron. réfl. SE BARRICADER : s'enfermer soigneusement (quelque part). — S'enfermer pour ne voir personne. *Les deux forcenés s'étaient barricadés chez eux.*

barrière [ba(ɑ)ʀjɛʀ] n. f. **1.** Assemblage de pièces de bois, de métal qui ferme un passage, sert de clôture. ⟹ **palissade**. *Les barrières d'un passage à niveau. Barrière de dégel. Barrière naturelle*, obstacle naturel qui s'oppose au passage. **2.** Abstrait. Ce qui sépare, fait obstacle. *Les barrières douanières*, les droits qui s'opposent au libre-échange des marchandises. ⟨ ▸ garde-barrière ⟩

barrique [baʀik] n. f. ■ Tonneau d'environ 200 litres. ⟹ **fût**. *Mettre du vin en barrique. Le baril est plus petit que la barrique.* — Loc. fam. *Être plein comme une barrique*, pour avoir trop mangé, trop bu. ⟨ ▸ barricade ⟩

barrir [baʀiʀ] v. intr. ▪ conjug. 2. ■ (Éléphant) Pousser un cri *(barrissement). Les éléphants barrissent.*

bary- ■ Élément signifiant « poids, pression ».

baryton [baʀitɔ̃] n. m. ■ Voix d'homme qui tient le milieu entre le ténor et la basse. — Celui qui a une telle voix. *Un baryton de l'Opéra.*

baryum [baʀjɔm] n. m. ■ Métal d'un blanc argenté, qui décompose l'eau à la température ordinaire.

① **bas, basse** [ba, bas] adj., n. m. et adv. **I. 1.** Qui a peu de hauteur. / contr. **haut** ; **élevé** / *Un mur bas. Un appartement bas de plafond*, dont le plafond n'est pas très haut. *Être bas sur pattes*, avoir les pattes, les jambes courtes. **2.** Qui se trouve à une faible hauteur. *Les branches basses d'un arbre. Les nuages sont bas.* — *Coup bas*, coup porté au-dessous de la limite permise. **3.** Dont le niveau, l'altitude est faible. *Les basses eaux.* ⟹ **étiage**. *Marée basse. Le bas Rhin*, la région où le Rhin coule à faible altitude. *La partie basse d'une ville, les bas quartiers.* **4.** Baissé. *Marcher la tête basse.* — Loc. *Faire* MAIN BASSE *sur qqch.* : s'en emparer. *Avoir la vue basse*, une vue courte, de myope. **5.** Peu élevé dans l'échelle des sons. ⟹ **grave**. / contr. **aigu** / *Les notes basses.* ⟹ **basse** (1). **6.** Avant le nom. Peu élevé dans un compte, une évaluation ; petit, faible ; inférieur. *Enfant en bas âge*, très jeune. *À bas prix.* ⟹ **vil**. — *Au bas mot*, en faisant l'évaluation la plus faible. — *Bas morceaux*, en boucherie, les morceaux de qualité inférieure, de prix moindre. — Dans le rang, la hiérarchie. ⟹ **inférieur, subalterne**. *Le bas clergé sous l'Ancien Régime. Une personne de basse condition.* **7.** Littér. Moralement méprisable. ⟹ **abject, ignoble, infâme, vil**. / contr. **noble** / *Une âme basse. Une basse vengeance.* **II.** Histoire. De la partie d'une période historique qui est la plus proche de nous. *Le Bas-Empire*, l'Empire romain après Constantin. **III.** N. m. LE BAS : la partie inférieure. *Le bas du visage. Le bas d'une page. Aller de bas en haut.* — AU BAS DE loc. prép. *Il signa au bas de la page.* **IV.** Adv. BAS. **1.** À faible hauteur, à un niveau inférieur. *Les hirondelles volent bas. Mettre plus bas.* ⟹ **baisser**. *Il habite deux étages plus bas.* ⟹ **au-dessous**. — Fig. *Mettre qqn plus bas que terre*, le rabaisser en en disant beaucoup de mal. — ÊTRE BAS : en mauvais état physique ou moral. *Ce malade est bien bas. Son moral est très bas.*

— *Tomber très bas, bien bas.* **2.** METTRE BAS vx : poser à terre. *Mettre bas les armes,* les déposer, s'avouer vaincu. — Sans compl. (Animaux) *Mettre bas,* accoucher. **3.** *Plus bas,* plus loin, dans un écrit. ⇒ ci-**dessous. 4.** En dessous, dans l'échelle des sons. — À voix basse. *Parler tout bas.* ⇒ **murmurer. 5.** À BAS loc. adv. Vx. *Jeter à bas.* ⇒ **abattre, détruire.** — Exclamation hostile. *À bas le fascisme !, les fascistes !* / contr. **vive** / **6.** EN BAS : vers le bas, vers la terre. *La tête en bas.* — Au-dessous, en dessous. *Il loge en bas.* — EN BAS DE loc. prép. *En bas de la côte.* ‹ ▶ bajoue, bas-côté, bas-fond, bas-relief, basse, basse-cour, bassement, bassesse, basset, basson, bas-ventre, branle-bas, en contrebas, contrebasse, cul-de-basse-fosse, soubassement. ›

② *bas* n. m. invar. **1.** Vêtement souple qui sert à couvrir le pied et la jambe. *Bas de laine. Bas court.* ⇒ **chaussette, mi-bas.** — Vêtement féminin qui couvre le pied et la jambe jusqu'au haut des cuisses. *Bas de nylon. Bas sans couture. Mettre, porter des bas.* ≠ **collant. 2.** *Bas de laine,* argent économisé (d'après la coutume de garder ses économies dans un bas de laine). ≠ *bât.*

basalte [bazalt] n. m. ■ Roche volcanique dont la pâte compacte et noire est formée de cristaux. *Une coulée de basalte.* ▶ *basaltique* adj. ■ Formé de basalte.

basane [bazan] n. f. ■ Peau de mouton tannée. *Livre relié en basane.* — Peau très souple garnissant un pantalon de cavalier.

basané, ée [bazane] adj. ■ Se dit d'une peau brunie. ⇒ **bistré, bronzé, hâlé, tanné.** *Un visage basané, une peau basanée.*

bas-bleu [bablø] n. m. ■ Femme à prétentions littéraires. ⇒ **pédante.** *Des bas-bleus.*

bas-côté [bakote] n. m. **1.** Côté d'une voie où les piétons peuvent marcher. *Les bas-côtés de la voie ferrée, de la route.* **2.** Nef latérale d'une église dont la voûte est moins élevée que la nef principale.

bascule [baskyl] n. f. **1.** Pièce ou machine mobile sur un pivot dont une extrémité se lève quand on abaisse l'autre. — *Jeu de bascule,* jeu où deux personnes, assises chacune sur le bout d'une pièce de bois en équilibre sur un pivot, s'amusent à se balancer. ⇒ **balançoire.** — Fig. *Jouer à la bascule ; politique de bascule.* **2.** *Balance à bascule,* ou ellipt. *bascule,* appareil à plate-forme qui sert à peser les objets lourds, les personnes. *Se peser sur la bascule du pharmacien.* **3.** En informatique. Dispositif permettant de choisir entre deux fonctions (trad. de l'anglais *switch*). ▶ *basculer* v. ■ conjug. 1. **1.** V. intr. Faire un mouvement de bascule. ⇒ **culbuter.** *Une benne qui peut basculer* (benne *basculante*). **2.** V. tr. Faire faire un mouvement de bascule à (qqn, qqch.). **3.** V. intr. Passer brusquement dans. *Basculer dans l'opposition.*

base [baz] n. f. **I. 1.** Partie inférieure d'un corps sur laquelle il porte, il repose. ⇒ **assise, fondation, fondement.** *La base d'un édifice, d'une colonne.* — *La base d'une montagne.* ⇒ **bas, pied.** / contr. **haut, sommet** / — En anatomie. Partie inférieure (de certains organes). *Base du cœur.* **2.** Droite ou plan à partir duquel on mesure perpendiculairement la hauteur d'un corps ou d'une figure plane. *La base d'une pyramide. La base d'un triangle,* le côté opposé au sommet. **3.** Ligne sur laquelle s'appuie une armée en campagne, point d'appui, de ravitaillement. *Base d'opérations. Base navale, aérienne.* **4.** Ce qui entre comme principal ingrédient dans un mélange, surtout dans À BASE DE. *Une sauce à base de champignons.* **II.** En sciences. **1.** Nombre qui sert à définir un

système de numération, de logarithmes, etc. *La base du système décimal est dix.* **2.** Oxyde ou hydroxyde des métaux qui colore en bleu le papier de tournesol. *La base forme un sel en se combinant avec un acide.* **3.** *Base de données,* ensemble de données informatiques accessibles au moyen d'un logiciel. **III.** Abstrait. Principe fondamental sur lequel repose un raisonnement, un système, une institution. ⇒ **centre, clé** de voûte, **fond, source.** *Les bases d'une science.* Donnée qui sert de base à un calcul. *Être à la base de qqch.,* à l'origine, à la source. — *Salaire de base,* le plus bas, qui sert de référence. — *Les militants de base,* ceux qui n'ont pas de responsabilités dans un parti ou un syndicat (opposé à l'*appareil,* aux *dirigeants*). *La base,* l'ensemble de ces militants. ▶ *baser* v. tr. ■ conjug. 1. **I.** Abstrait. Faire reposer sur telle ou telle base. *Les faits sur lesquels il base sa théorie.* ⇒ **fonder.** — SE BASER SUR : s'appuyer sur. *Sur quoi vous basez-vous pour affirmer cela ?* **II.** Être basé quelque part, avoir pour base (militaire).

base-ball [bɛzbol] n. m. ■ Jeu de balle dérivé du cricket, pratiqué aux États-Unis. *Il est membre d'une équipe de base-ball.*

bas-fond [bafɔ̃] n. m. **1.** Partie du fond de la mer, d'un fleuve, où l'eau est peu profonde. / contr. **haut-fond** / **2.** Terrain bas et enfoncé. *Un bas-fond marécageux.* **3.** Au plur. Couches misérables de la société ; quartiers où vit cette population. *Les bas-fonds d'une grande ville.*

basic [bazik] n. m. ■ Anglic. Langage informatique, dérivé du fortran, bien adapté au mode de conversation et facilement manipulable. *Travailler, programmer, écrire en basic.*

① *basilic* [bazilik] n. m. ■ Grand lézard d'Amérique, à crête dorsale, voisin de l'iguane.

② *basilic* n. m. ■ Plante à feuilles aromatiques employée comme condiment.

basilique [bazilik] n. f. ■ Église chrétienne du Moyen Age divisée en nefs parallèles. — Appellation de certains sanctuaires. *La basilique de Lourdes.*

① *basket* [baskɛt] ou *basket-ball* [baskɛtbol] n. m. ■ Jeu entre deux équipes de cinq joueurs (*basketteurs*) qui doivent lancer un ballon dans le panier du camp adverse.

② *basket* n. f. ■ Chaussure de sport en toile moulant la cheville, à semelle et rebords de caoutchouc. ⇒ **tennis.** — Loc. fam. *Être à l'aise dans ses baskets,* être décontracté. *Lâche-moi les baskets,* laisse-moi tranquille.

① *basque* [bask] n. f. ■ Partie d'une veste qui part de la taille et descend plus ou moins bas sur les hanches. *Les basques d'une jaquette.* — Loc. *Être toujours pendu aux basques de qqn,* ne pas le quitter d'un pas.

② *basque* adj. et n. ■ Du Pays Basque (région commune à la France et à l'Espagne). — N. *Les Basques.* — N. m. *Le basque,* langue non indo-européenne parlée au Pays Basque.

bas-relief [baʁəljɛf] n. m. ■ Ouvrage de sculpture dont les figures ne forment qu'une faible saillie. *Des bas-reliefs.* / contr. **haut-relief** /

basse [bɑs] n. f. **1.** Partie faisant entendre les sons les plus graves des accords dont se compose l'harmonie. *Jouer la basse d'un quatuor. Basse continue,* qui ne s'interrompt pas pendant la durée du morceau. **2.** *Voix de basse,* ou ellipt. *basse,* voix d'homme la plus grave. — Celui qui a une voix de basse. *Une basse de l'Opéra.* **3.** Abréviation de *contrebasse.* ‹ ▶ bassiste › *basse-cour* [baskuʀ] n. f. **1.** Cour de ferme réservée à l'élevage de la volaille et des petits animaux domestiques. *Animaux de basse-cour. Des basses-cours.* **2.** L'ensemble des animaux de la basse-cour.

bassement adv. ■ D'une manière basse, indigne, vile. *Un homme bassement intéressé.* / contr. **noblement** /

bassesse [basɛs] n. f. **1.** Manque d'élévation dans les sentiments, les pensées ; absence de dignité, de fierté. ⇒ **mesquinerie, servilité.** *La bassesse de ces courtisans.* / contr. **noblesse** / **2.** Action basse, qui fait honte. ⇒ **lâcheté.** — Action servile. ⇒ **courbette, platitude.** *Prêt à toutes les bassesses, à faire des bassesses pour arriver.*

basset [basɛ] n. m. ■ Chien très bas sur pattes.

bassin [basɛ̃] n. m. **1.** Récipient portatif creux, de forme généralement ronde ou ovale. ⇒ **bac, bassine, cuvette.** — *Bassin hygiénique,* ou ellipt, *bassin,* récipient émaillé dans lequel les malades alités font leurs besoins. **2.** Construction destinée à recevoir de l'eau. *Le grand bassin des Tuileries. Les bassins d'une piscine.* **3.** *Bassin d'un port,* enceinte où les navires sont à flot. *Bassin de radoub,* que l'on assèche pour réparer ou construire des navires. **4.** *Bassin d'un fleuve,* territoire arrosé par ce fleuve et ses affluents. — Vaste dépression naturelle. *Le Bassin parisien.* — Groupement de gisements houillers ou miniers. *Le bassin de Briey.* **5.** Ceinture osseuse qui forme la base du tronc et sert de point d'attache aux membres inférieurs. *Elle s'est fracturé le bassin.* ▶ *bassine* n. f. ■ Bassin (1) large et profond servant à divers usages domestiques ou industriels. ▶ *bassinoire* n. f. ■ Bassin à couvercle percé dans lequel on met de la braise et qu'un manche permet de promener dans un lit pour le chauffer. ▶ ① *bassiner* [basine] v. tr. ■ conjug. 1. ■ Chauffer avec une bassinoire.

② *bassiner* v. tr. ■ conjug. 1. ■ Fam. Ennuyer, importuner. *Tu nous bassines avec tes histoires.* ▶ *bassinant, ante* adj. ■ Fam. Qui bassine, ennuie.

bassiste [basist] n. m. ■ Abréviation de *contre-bassiste.*

basson [basɔ̃] n. m. **1.** Instrument à vent en bois, à anche double, formant dans l'orchestre la basse de la série des bois. **2.** Musicien qui joue de cet instrument (On dit aussi *bassoniste*).

bastide [bastid] n. f. **1.** Ancienne ville forte, notamment dans le sud-ouest de la France. **2.** En Provence. Petite maison de campagne. ⇒ **mas.**

bastille [bastij] n. f. ■ Au Moyen Âge. Ouvrage de fortification, château fort. — *La Bastille, à Paris,* servit de prison d'État.

bastingage [bastɛ̃gaʒ] n. m. ■ Parapet sur le pont d'un navire. *S'appuyer au bastingage.*

bastion [bastjɔ̃] n. m. **1.** Ouvrage de fortification faisant saillie sur l'enceinte d'une place forte. **2.** Abstrait. Ce qui défend efficacement. *L'Espagne, bastion du catholicisme.*

bastonnade [bastɔnad] n. f. ■ Volée de coups de bâton.

bastringue [bastʀɛ̃g] n. m. Fam. **1.** Bal de guinguette. *Une musique de bastringue.* **2.** Orchestre tapageur. — Tapage. ⇒ fam. **boucan.** **3.** Appareil, attirail. *Emporter tout son bastringue.* ⇒ fam. **bazar.**

bas-ventre [bavɑ̃tʀ] n. m. ■ Partie inférieure du ventre, au-dessous du nombril. *Des bas-ventres.*

bât [ba] n. m. ■ Dispositif que l'on place sur le dos des bêtes de somme pour le transport de leur charge.

— Loc. *C'est là que le bât le blesse,* c'est le défaut de sa cuirasse, c'est son point sensible. ≠ *bas.* ‹ ▶ *bâter* ›

bataclan [bataklɑ̃] n. m. ■ Fam. Attirail, équipage embarrassant. ⇒ fam. **bastringue.** — Loc. *Et tout le bataclan,* et tout le reste.

bataille [bataj] n. f. **1.** Combat entre deux armées. *La bataille de la Marne.* — *Livrer bataille. Gagner, perdre une bataille. En bataille rangée,* suivant un ordre de bataille. **2.** Échange de coups, lutte. ⇒ **bagarre, combat, rixe. 3.** EN BATAILLE. *Porter son chapeau en bataille,* de travers, n'importe comment. *Avoir les cheveux, la barbe en bataille,* en désordre. **4.** Jeu de cartes très simple. *Jouer à la bataille.* ▶ *batailler* v. intr. ■ conjug. 1. ■ S'efforcer de surmonter une difficulté, un obstacle. *Il m'a fallu batailler pour gagner ma vie.* ⇒ **lutter.** ▶ *batailleur, euse* adj. ■ Qui aime à se battre ; qui recherche les querelles. ⇒ **belliqueux, querelleur.** / contr. **pacifique** / — N. *Un batailleur.*

bataillon [batajɔ̃] n. m. **1.** Unité militaire groupant plusieurs compagnies. *Bataillon d'infanterie. Bataillon d'Afrique* (en argot, le *bat' d'Af*), ancien bataillon disciplinaire. **2.** Grand nombre (de personnes). ⇒ **troupe.**

bâtard, arde [batar, aʀd] adj. et n. **1.** Se dit d'un enfant né hors mariage. ⇒ naturel. / contr. **légitime** / — N. *Les bâtards de Louis XIV.* **2.** Qui n'est pas de race pure. ⇒ **croisé.** *Un chien bâtard.* **3.** Qui tient de deux genres différents ou qui n'a pas de caractère nettement déterminé. *Une solution bâtarde.* — *Écriture bâtarde,* ou n. f., *la bâtarde,* intermédiaire entre la ronde et l'anglaise. — *Pain bâtard,* ou n. m., *un bâtard,* pain de fantaisie pesant une demi-livre (250 g). ‹ ▶ abâtardir ›

batardeau [bataʀdo] n. m. ■ Digue, barrage provisoire établi sur un cours d'eau. *Des batardeaux.*

batavia [batavja] n. f. ■ Variété de laitue, qu'on mange en salade.

bateau [bato] n. m. **1.** Nom donné aux ouvrages flottants de toutes dimensions destinés à la navigation. ⇒ **barque, bâtiment, embarcation, navire, paquebot, vaisseau.** *Bateau à voiles.* ⇒ **voilier.** *Bateau à vapeur. Bateau à moteur. Des bateaux-citernes.* ⇒ **tanker.** *Bateau de pêche. Bateau de plaisance.* ⇒ **yacht.** — BATEAU-MOUCHE : bateau transportant des passagers sur la Seine à Paris. *Des bateaux-mouches.* **2.** *Monter un bateau à qqn,* inventer une plaisanterie, une histoire dans le but de le tromper. ▶ *batelier, ière* [batəlje, jɛʀ] n. ■ Personne dont le métier est de conduire un bateau sur les rivières et canaux. ⇒ **marinier.** — Passeur (1). ▶ *batellerie* [batɛlʀi] n. f. **1.** Industrie du transport fluvial. **2.** Ensemble des bateaux de rivière.

bateleur, euse [batlœʀ, øz] n. ■ Vx. Personne qui faisait des tours d'acrobatie, d'escamotage, sur les places publiques, dans les foires. ⇒ **équilibriste, saltimbanque.**

bâter [bate] v. tr. ■ conjug. 1. ■ Mettre un bât (à une bête de somme). — ÂNE BÂTÉ : ignorant, imbécile.

bat-flanc [baflɑ̃] n. m. invar. ■ Pièce de bois qui, dans les écuries, sépare deux chevaux. *Des bat-flanc.*

bathyscaphe [batiskaf] n. m. ■ Appareil destiné à conduire des observateurs dans les grandes profondeurs sous-marines.

① *bâti, ie* [bati] adj. **1.** Sur lequel est construit un bâtiment. *Une propriété non bâtie est un terrain* *nu, sans construction.* **2.** (Personnes) Fait. *Bien, mal bâti.* ⇒ fam. **balancé, baraqué.**

② *bâti* n. m. **1.** Assemblage de montants et de traverses ; charpente qui supporte les pièces d'une machine. ⇒ **châssis.** *Le bâti d'une charrue.* **2.** Couture provisoire à grands points.

batifoler [batifɔle] v. intr. **.** conjug. 1. ■ Vx ou plaisant. S'amuser à des jeux folâtres. ⇒ **folâtrer.**

bâtiment [batimɑ̃] n. m. **1.** Ensemble des industries et métiers qui concourent à la construction des édifices. ⇒ **construction.** *Entreprise de bâtiment. Ouvrier du bâtiment.* — PROV. *Quand le bâtiment va, tout va* (dans les affaires). **2.** Construction. ⇒ **bâtisse, édifice, immeuble, maison.** *Les bâtiments d'une ferme.* **3.** Gros bateau.

bâtir [batiʀ] v. tr. **.** conjug. 2. **1.** Élever sur le sol, à l'aide de matériaux assemblés. ⇒ **construire, édifier.** / contr. **démolir, détruire** / *On a bâti de nouveaux immeubles, une ville nouvelle. Terrain à bâtir,* destiné à la construction. — *Faire bâtir. L'architecte qui a bâti cette maison.* **2.** Abstrait. Établir, fonder. *Il a bâti rapidement son plan.* **3.** Assembler provisoirement (les pièces d'un vêtement) à grands points. *La couturière a bâti la jupe pour l'essayage.* ▶ **bâtisseur, euse** n. ■ Personne qui bâtit, fait beaucoup bâtir. ⇒ **architecte, constructeur.** *Un bâtisseur de villes.* ⇒ **fondateur.** ▶ **bâtisse** n. f. ■ Bâtiment de grandes dimensions (parfois avec l'idée de laideur). ⟨ ▶ batardeau, ① bâti, ② bâti, rebâtir ⟩

batiste [batist] n. f. ■ Toile de lin très fine.

bâton [batɔ̃] n. m. **1.** Long morceau de bois rond que l'on peut tenir à la main (servant d'appui). *Bâton de ski,* tige d'acier sur laquelle le skieur s'appuie. — *Bâton de vieillesse,* personne qui est le soutien d'un vieillard. — (Servant à frapper) ⇒ **gourdin, trique.** *Donner, recevoir des coups de bâton.* ⇒ **bastonnade. 2.** Symbole d'autorité. *Bâton de commandement.* — Loc. *Le bâton de maréchal,* le couronnement de sa carrière. **3.** Loc. *Mener une vie de bâton de chaise,* une vie agitée, déréglée. **4.** *Bâton blanc d'agent de police,* pour régler la circulation. **5.** Loc. *Mettre des bâtons dans les roues,* susciter des difficultés, des obstacles. — *Parler à bâtons rompus,* de manière peu suivie, en changeant de sujet. **6.** Morceau (d'une substance) en forme de bâton. *Bâton de craie, de rouge à lèvres.* **7.** Trait vertical. ▶ **bâtonnet** n. m. **1.** Petit bâton. **2.** *Bâtonnets de la rétine,* éléments rouges sensibles à l'intensité des rayons lumineux.

bâtonnier [batɔnje] n. m. ■ Avocat élu par ses confrères du barreau pour être le chef et le représentant de l'Ordre.

batracien [batʀasjɛ̃] n. m. ■ Animal amphibie dont la peau est criblée de glandes à sécrétion visqueuse, dont la respiration est surtout cutanée, et qui subit une métamorphose (ex. : *le crapaud, la grenouille*). *La classe des Batraciens.*

battage [bataʒ] n. m. **1.** Action de battre (le blé, etc.) pour séparer les grains de l'épi ou de la tige. — *Battage de l'or,* pour le réduire en feuilles très minces. **2.** Publicité tapageuse, exagérée, autour d'une personne ou d'une chose. ⇒ **bruit, réclame.** *On fait beaucoup de battage autour de ce livre.*

① *battant* [batɑ̃] n. m. **1.** Pièce métallique suspendue à l'intérieur d'une cloche contre les parois de laquelle elle vient frapper. **2.** Partie d'une porte, d'une fenêtre..., mobile sur ses gonds. ⇒ **vantail.** *Ouvrir une porte à deux battants.* **3.** Nom de diverses pièces mobiles d'instruments ou de machines. **4.** *Battant d'un pavillon de navire,* la partie qui flotte librement.

② *battant, ante* adj. ■ Qui bat. *Pluie battante,* très violente. *Porte battante,* qui se referme d'elle-même. — *Le cœur battant,* avec une grande émotion. — *Tambour battant,* au son du tambour ; rapidement, rondement.

③ *battant* n. m. ■ Personne ayant un caractère très combatif. *C'est un vrai battant.*

batte [bat] n. f. ■ Instrument pour battre, fouler, tasser. ⇒ **battoir, maillet.** *Batte de cricket,* pour renvoyer la balle.

battement [batmɑ̃] n. m. **1.** Choc ou mouvement de ce qui bat (⇒ **battre,** III) ; bruit qui en résulte. ⇒ **coup, heurt, martèlement.** *Le battement de la pluie contre les vitres.* — *Battement de mains.* ⇒ **applaudissement.** *Battements d'ailes.* — *Battement des cils, des paupières.* **2.** Nom de mouvements des pieds (escrime), des jambes (danse), qui battent. **3.** *Le battement du cœur,* mouvement alternatif de contraction et de dilatation du cœur. *Battement du pouls.* ⇒ **pulsation.** *Avoir des battements de cœur,* sentir son cœur battre plus fort. ⇒ **palpitation. 4.** Intervalle de temps. *Nous avons un battement de vingt minutes pour changer de train.*

batterie [batʀi] n. f. **I. 1.** Réunion de pièces d'artillerie et du matériel nécessaire à leur service ; emplacement destiné à les recevoir. *Batterie de canons. Batterie côtière. Mettre EN BATTERIE :* en position de tir. — Unité d'un régiment d'artillerie. *Le capitaine commandant la troisième batterie.* — Loc. *Dresser ses batteries,* ses plans. *Changer de batteries. Démasquer les batteries d'un adversaire.* **2.** BATTERIE DE CUISINE : ensemble des ustensiles de métal servant à faire la cuisine. **3.** Réunion d'éléments générateurs de courant électrique. *La batterie d'une automobile.* **II.** Ensemble des instruments à percussion d'un orchestre. *Il tient la batterie, est à la batterie.* ⇒ **batteur** (I).

batteur [batœʀ] n. m. **I.** Celui qui tient la batterie (II) dans un orchestre. **II.** Ustensile ménager pour battre, mêler. ⇒ **fouet** mécanique. *Batteur à œufs.* ▶ **batteuse** n. f. **1.** Machine qui sert au battage (des céréales). *Des moissonneuses-batteuses-lieuses.* **2.** Appareil qui bat le métal, le réduit en feuilles par pression.

battoir [batwaʀ] n. m. **1.** Instrument qui sert à battre (le linge, les tapis...). **2.** Fam. Mains larges et fortes. *Tu as vu les battoirs qu'il a !*

battre [batʀ] v. **.** conjug. 41. **I.** V. tr. dir. **1.** Frapper à plusieurs reprises un être vivant. ⇒ **maltraiter, rosser.** *Il l'a battu comme plâtre. Elle ne bat jamais ses enfants.* ⇒ **corriger.** *Il a été battu à mort.* ⇒ **lyncher.** — Au p. p. adj. *Il a l'air d'un chien battu.* **2.** Frapper (qqch.) avec un instrument. *Battre un tapis. Battre le blé* (⇒ **battage, batteuse**). *Battre le tambour,* le frapper avec les baguettes. — *Battre le rappel, la retraite,* rappeler les soldats. — *Battre monnaie,* fabriquer de la monnaie. — Loc. *Battre le fer pendant qu'il est chaud,* profiter sans tarder d'une occasion favorable. — Loc. *Battre froid à qqn,* le traiter avec froideur. **3.** Frapper sur ou dans (qqch.) pour remuer, agiter. *Battre le beurre.* ⇒ **baratter.** *Battez deux blancs d'œufs* (⇒ **batteur,** II). — *Battre les cartes* (avant de les distribuer). ⇒ **mêler.** *Battre les buissons, les taillis* (⇒ **battue**). **4.** Avoir le dessus sur (un adversaire). ⇒ **vaincre.** *Battre à plate couture.* ⇒ **écraser.** *Il a battu son adversaire au tennis. Se faire battre.* ⇒ **perdre.** *Ne pas se tenir pour battu,* ne pas admettre sa défaite. **5.** Parcourir pour rechercher, explorer. *On va battre les forêts, fouiller les buissons.* — Littér. et fig. *Battre la campagne,* rêver à des sujets variés. ⇒ **déraisonner, divaguer.** — *Battre le pavé,* errer par les rues. **6.** *Battre la mesure,* marquer la mesure (III, 4), indiquer le rythme. **7.** *Battre qqch. en brèche,* attaquer (une théorie, une institution...). *Il battait en brèche tous leurs arguments ; il battait tous leurs arguments en brèche.* **8.** *Battre pavillon,* naviguer sous un pavillon. *Ce navire battait pavillon libérien.* **9.** *Battre son plein,* être à son point culminant. *La fête bat son plein.* **II.** V. tr. indir. Produire des mouvements répétés. *Battre des mains.* ⇒ **applaudir, claquer. III.** V. intr. **1.** Être animé de mouvements répétés. *Son pouls bat vite. Le cœur lui bat,* l'émotion lui fait battre le cœur plus vite. **2.** BATTRE CONTRE. ⇒ **frapper, heurter.** *La pluie bat contre la vitre. Une porte qui bat.* **3.** *Battre en retraite,* se battre en reculant. ⇒ **céder. IV.** SE BATTRE V. pron. **1.** V. pron. récipr. Lutter, se donner des coups. *Ils se sont battus comme des chiffonniers.* ⇒ se **bagarrer ;** fam. se **tabasser.** *Ils veulent se battre en duel. Les troupes se sont bien battues.* ⇒ **combattre. 2.** V. pron. réfl. Combattre contre un adversaire. *Se battre avec, contre qqn au pistolet.* — Fig. *Voilà une heure qu'il se bat avec cette serrure,* qu'il s'acharne à l'ouvrir. ‹▶**bataille, bataillon, bat-flanc, battage, ①** battant, **②** battant, **③** battant, batte, battement, batterie, batteur, battoir, battue, combat, débat, imbattable, rebattre›

battue [baty] n. f. ■ Action de battre les taillis, les bois pour en faire sortir le gibier.

baudet [bodɛ] n. m. ■ Fam. Âne. *Être chargé comme un baudet,* très chargé.

baudrier [bodʀije] n. m. ■ Bande de cuir ou d'étoffe qui se porte en bandoulière et soutient un sabre, une épée, etc.

baudroie [bodʀwa] n. f. ■ Grand poisson de mer à grosse tête surmontée de tentacules.

baudruche [bodʀyʃ] n. f. **1.** Pellicule provenant de l'intestin de bœuf ou de mouton et qui sert à recouvrir ou à fabriquer divers objets. *Un ballon de, en baudruche.* **2.** Ballon de baudruche. *Elle s'est acheté une baudruche.* **3.** Homme sans consistance. *C'est une baudruche.*

bauge [boʒ] n. f. ■ Gîte boueux et sale de certains animaux. *La bauge du sanglier.*

baume [bom] n. m. **1.** Nom désignant un grand nombre de plantes odorantes (notamment les *menthes*). **2.** Résine odorante. **3.** Préparation médicamenteuse employée comme calmant. ⇒ **liniment.** — Ce qui adoucit les peines, calme la douleur, l'inquiétude. *Cette nouvelle me met du baume au cœur, dans le cœur.* ‹▶ **①** embaumer, **②** embaumer. ›

bauxite [boksit] n. f. ■ Roche rougeâtre (hydrate d'alumine, de fer...), principal minerai d'aluminium.

bavard, arde [bavaʀ, aʀd] adj. et n. **1.** Qui aime à parler, parle avec abondance. ⇒ **loquace, volubile.** / contr. **muet, silencieux /** *Il est bavard comme une pie.* — *Un intarissable bavard.* **2.** Qui ne sait pas tenir un secret, parle quand il convient de se taire. ⇒ **cancanier, indiscret.** ▶ *bavarder* v. intr. ■ conjug. 1. **1.** Parler beaucoup, causer avec qqn de choses et d'autres. *Perdre son temps à bavarder. Cessez de bavarder !* ⇒ **discourir, jacasser ;** fam. **papoter. 2.** Divulguer des choses qu'on devrait taire. *Quelqu'un aura bavardé.* ⇒ **jaser.** ▶ *bavardage* n. m. **1.** Action de bavarder. — À l'écrit, le fait d'être prolixe et futile. ⇒ **verbiage. 2.** Surtout au plur. Propos de bavard. *Assez de bavardages !* ⇒ **jacasserie, ragot.**

bave [bav] n. f. **1.** Salive qui s'écoule de la bouche. *Essuyer la bave d'un bébé.* — Liquide écumeux qui

sort de la bouche, dans certaines maladies (l'épilepsie, la rage, etc.) ⇒ **écume. 2.** Liquide gluant que sécrète le limaçon, l'escargot. ▶ *baver* v. intr. ■ conjug. 1. **1.** Laisser couler de la bave. *Un bébé qui bave.* — Loc. *Il en bavait d'admiration.* **2.** Fam. EN BAVER : peiner, souffrir. ⇒ fam. en **chier.** *Qu'est-ce qu'on en a bavé pendant la guerre ! Il va vous en faire baver.* **3.** *Baver sur qqn,* sur sa réputation, le calomnier, le salir. **4.** (Encre, couleur) Déborder et s'étaler. *On ne peut rien lire, l'encre a bavé.* — Par ext. *Ce stylo commence à baver, jette-le.* ‹▶ bavard, **①** bavette, **②** bavette, baveux, bavoir, bavure ›

① *bavette* [bavɛt] n. f. **1.** Haut d'un tablier, d'une salopette, qui couvre la poitrine. — Petite serviette pour bébé. ⇒ **bavoir. 2.** Loc. fam. *Tailler une bavette,* bavarder.

② *bavette* n. f. ■ Partie inférieure de l'aloyau. *Un bifteck dans la bavette.*

baveux, euse [bavø, øz] adj. ■ Qui bave (1). — *Omelette baveuse,* dont l'intérieur, peu cuit, reste liquide.

bavoir [bavwaʀ] n. m. ■ Pièce de lingerie qui protège la poitrine des bébés. *Attacher le bavoir autour du cou.*

bavolet [bavɔlɛ] n. m. ■ Ancienne coiffure de paysanne couvrant les côtés et le derrière de la tête.

bavure [bavyʀ] n. f. **1.** Trace, saillie que les joints d'un moule laissent sur l'objet moulé. **2.** Trace d'encre empâtant une écriture, un dessin, une épreuve d'imprimerie. **3.** Erreur pratique, abus. *Une bavure policière.* **4.** SANS BAVURE loc. fam. : parfaitement exécuté ; impeccablement.

bayadère [bajadɛʀ] n. f. ■ Danseuse sacrée de l'Inde.

bayer [baje] v. intr. ■ conjug. 1. ■ *Bayer aux corneilles,* perdre son temps en regardant en l'air niaisement. ⇒ **bâiller** (1), **rêvasser. ≠** *bâiller.*

bazar [bazaʀ] n. m. **1.** Marché public en Orient. ⇒ **souk. 2.** Lieu, magasin où l'on vend toutes sortes d'objets, d'ustensiles. **3.** Maison, pièce en désordre. *Quel bazar !* — Fam. Affaires, attirail. ⇒ fam. **bastringue, bataclan.** *Emporter tout son bazar.* ▶ *bazarder* v. tr. ■ conjug. 1. ■ Se débarrasser rapidement de (qqch.). *Je vais bazarder tout ça chez le brocanteur.*

bazooka [bazuka] n. m. ■ Lance-roquettes antichar. *Des bazookas.*

B.C.G. [beseʒe] n. m. invar. ■ Vaccin antituberculeux.

b.d. [bede] n. f. invar. ■ Fam. Bande dessinée. *Je lis beaucoup de b.d.*

béant, ante [beã, ãt] adj. Littér. **1.** Grand ouvert. *Une blessure béante.* **2.** (Personnes) *Béant d'étonnement, d'admiration,* qui ouvre grand la bouche, les yeux.

béarnais, aise [beaʀnɛ, ɛz] adj. et n. ■ Du Béarn, province française. — N. *Les Béarnais.* — *Sauce béarnaise,* ou n. f., *une béarnaise,* sauce épaisse au beurre et aux œufs.

béat, ate [bea, at] adj. ■ Exagérément satisfait et tranquille. *Un sourire béat. Un optimisme béat.* ▶ *béatement* adv. ▶ *béatification* n. f. ■ Acte par lequel le pape *béatifie* une personne défunte, c'est-à-dire la met au rang des bienheureux. ▶ *béatitude* n. f. **1.** Félicité parfaite des élus au paradis. **2.** Littér. Bonheur parfait. ⇒ **euphorie, extase.** *Être plongé dans* une douce béatitude. **3.** Les *Béatitudes,* les huit vertus que Jésus-Christ a exaltées dans le Sermon sur la Montagne.

① *beau* [bo] (ou *bel* [bɛl] devant un nom commençant par une voyelle ou un *h* muet et dans quelques locutions), *belle* [bɛl] adj. **I.** Qui fait éprouver une émotion esthétique ; qui plaît à l'œil. ⇒ **joli, magnifique, ravissant, splendide, superbe.** / contr. **laid** / *Un beau paysage.* — *Une très belle femme.* — *Bien habillé. Il s'est fait beau pour sortir.* ⇒ **élégant.** — *À la belle étoile,* en plein air. — *Loc. Pour les beaux yeux de qqn,* pour lui plaire. — *Loc. fam. Cela me fait une belle jambe,* cela ne m'apporte rien. **II. 1.** Qui fait naître un sentiment d'admiration ou de satisfaction. *Un beau talent.* ⇒ **supérieur.** *Un beau geste, une belle action.* ⇒ **bon, généreux, grand, noble, sublime.** *Fam.* (Langage des enfants) *Ce n'est pas beau de mentir.* **2.** Qui est très satisfaisant, très réussi dans son genre. *Un beau rôti. Un beau match. Un beau voyage.* ⇒ **agréable.** *Une belle situation. Un beau coup,* bien exécuté. — *Loc. Un beau jour,* un jour quelconque. *Un beau jour, tu auras toi aussi des enfants.* — (Temps) Clair, ensoleillé. *Quel beau temps ! Il fait beau.* — N. m. *Le baromètre est au beau. Le temps se remet au beau.* **3.** Qui est grand, nombreux, important. *Il en reste un beau morceau.* ⇒ **bon, gros.** *Une belle somme.* ⇒ **considérable.** *Un beau vacarme.* ⇒ **grand.** *Il y a beau temps de cela,* il y a longtemps. ⇒ *Iron. Une belle bronchite.* ⇒ **bon.** *C'est du beau travail !* — N. f. *En faire, en dire de belles,* faire, dire des sottises. *J'en apprends de belles, des choses scandaleuses.* — *Fam. C'est du beau !,* se dit à un enfant qui se conduit mal. — *Un bel égoïste,* un grand égoïste. **5.** AVOIR BEAU (+ infinitif) loc. verb. : bien que, quoique... (et le verbe) *J'ai beau crier, il n'entend rien,* quoique je crie, il n'entend rien. *Nous avons beau faire, quoi que nous fassions. On a beau dire...* **6.** Loc. adv. BEL ET BIEN : réellement, véritablement. *Il s'est bel et bien trompé.* — DE PLUS BELLE : de nouveau et encore plus fort. *Recommencer de plus belle.* ▶ ② *beau* n. m. **1.** Ce qui fait éprouver une émotion esthétique, un sentiment d'admiration. ⇒ **beauté.** *Le culte du beau. Les règles du beau.* **2.** Choses de belle qualité. *Elle n'aime que le beau.* **3.** *Un vieux beau,* un vieil homme trop coquet, qui cherche encore à plaire. **4.** *Faire le beau,* se dit d'un chien qui se tient debout sur ses pattes postérieures. ▶ *belle* n. f. **I.** Belle femme. *La belle ne disait pas non. Il est avec sa belle,* son amie (terme d'affection ou ironique). *Ma belle.* **II.** Partie qui doit départager deux joueurs à égalité. *Jouer la revanche et la belle.* **III.** Loc. fam. SE FAIRE LA BELLE : s'évader. *Le prisonnier s'est fait la belle.* ⟨▶ beauté, beaux-arts, bellâtre, belle, embellir⟩

beaucoup [boku] adv. **1.** (Devant un nom : *beaucoup de*) Un grand nombre de..., une grande quantité de..., un haut degré de... *J'ai beaucoup de choses à faire.* ⇒ **bien, énormément, quantité.** / contr. **peu** / *Il n'y a pas beaucoup de monde. Vous avez eu beaucoup de chance.* **2.** De nombreuses choses, personnes. *Il a beaucoup à faire. Beaucoup sont de mon avis. C'est déjà beaucoup, c'est déjà un beau résultat, une chose à considérer.* **3.** (Avec un verbe) *Il travaille beaucoup. Il a beaucoup changé.* ⇒ **drôlement, rudement.** **4.** (Renforçant un comparatif, un adv. de quantité...) *C'est beaucoup plus rapide. Beaucoup mieux. Beaucoup trop.* — DE BEAUCOUP : avec une grande différence (en plus ou en moins). *Il l'a emporté de beaucoup sur son adversaire. Je suis de beaucoup son cadet.*

beau-fils [bofis] n. m. **1.** Pour un conjoint : Fils que l'autre conjoint a eu d'un précédent mariage. **2.** Gendre. *Des beaux-fils.*

beau-frère [bofʀɛʀ] n. m. **1.** Frère du conjoint, pour l'autre conjoint. **2.** Mari de la sœur ou de la belle-sœur d'une personne. *Mes deux beaux-frères s'entendent bien.*

beaujolais [boʒɔlɛ] n. m. invar. ■ Vin du Beaujolais. *Un petit beaujolais.*

beau-père [bopɛʀ] n. m. **1.** Père du conjoint, pour l'autre conjoint. **2.** Pour les enfants d'un premier mariage : Le second mari de leur mère. *Des beaux-pères.*

beauté [bote] n. f. **I. 1.** Caractère de ce qui est beau. / contr. **laideur** / *La beauté d'un paysage, d'un poème.* — DE TOUTE BEAUTÉ : remarquable par sa beauté. — *Fam.* Terminer EN BEAUTÉ : de façon remarquable. **2.** Qualité d'une personne belle. *Dans tout l'éclat de sa beauté. Un institut, des produits de beauté.* — *La beauté du diable,* la beauté que donne la jeunesse à une personne qui n'a pas d'attraits réels. — *Être en beauté,* paraître plus beau, plus belle que d'habitude. — *Fam. Se faire, se refaire une beauté,* se coiffer, se farder. *Elle s'est refait une beauté avant de partir.* **3.** *Une beauté,* une femme très belle. **4.** N. f. pl. Littér. BEAUTÉS. Les belles choses, les beaux détails (d'un lieu, d'une œuvre...). *Les beautés du paysage.* **II.** Caractère de ce qui est moralement admirable. *La beauté d'un sacrifice. Pour la beauté du geste.*

beaux-arts [bozaʀ] n. m. pl. ■ Arts qui ont pour objet la représentation du beau et, spécialt, du beau plastique. ⇒ **architecture, gravure, peinture, sculpture.** *L'École des beaux-arts,* ou *les Beaux-Arts.*

beaux-parents [boparᾶ] n. m. pl. ■ Le père et la mère de son conjoint. ⇒ **beau-père, belle-mère.**

bébé [bebe] n. m. **1.** Enfant en bas âge. ⇒ **nourrisson, nouveau-né, poupon.** — *Attendre un bébé,* être enceinte. — *Un bébé éprouvette,* obtenu par insémination artificielle de la femme. — *C'est un vrai bébé, il est resté très bébé.* ⇒ **enfant. 2.** *Bébé en celluloïd,* poupée. ⇒ **baigneur. 3.** Très jeune animal (avec le nom de l'animal en apposition). *Des bébés-lions. Des bébés-chats.* ⟨▶ pèse-bébé⟩

bébête [bebɛt] adj. ■ *Fam.* Un peu bête ; niais. ⇒ **nigaud.**

bec [bɛk] n. m. **1.** Bouche cornée et saillante des oiseaux, démunie de dents. *Le bec crochu de l'aigle. Le héron au long bec.* — Bouche de certains animaux (tortues, céphalopodes...). — *Loc. fam. Être le bec dans l'eau,* en suspens, dans l'incertitude, l'attente. — (Dans certaines locutions) Bouche de l'homme. *Un bec fin,* un gourmet. — *Il n'a pas ouvert le bec,* il n'a rien dit. — *Une* PRISE DE BEC : une altercation. ⇒ **dispute.** *Ils ont eu une prise de bec.* **3.** Extrémité de certains objets terminés en pointe. *Le bec d'une plume,* sa partie effilée. — Petite avancée en pointe d'un récipient, pour verser le liquide. *Le bec d'un broc, d'une casserole.* — Embouchure d'un instrument à vent. *Le bec d'une clarinette.* **4.** *Un bec Bunsen* [bœzɛn] (≠ *benzène*), brûleur à gaz employé dans les laboratoires. *Des becs Bunsen.* **5.** BEC DE GAZ. ⇒ **réverbère.** — *Fam. Tomber sur un bec,* rencontrer un obstacle imprévu, insurmontable. ▶ *bec-de-cane* n. m. ■ Pêne d'une serrure qui rentre lorsqu'on manœuvre le bouton, la poignée. — Cette poignée. *Des becs-de-cane.* ▶ *bec-de-lièvre* n. m. ■ Malformation congénitale de la face, fissure de la lèvre supérieure. *Des becs-de-lièvre.* ⟨▶ becquée, becqueter⟩

bécane [bekan] n. f. Fam. **1.** Machine. *Il travaille sur sa bécane.* **2.** Bicyclette ou moto. *Il va au lycée en bécane.*

bécarre [bekaʀ] n. m. ■ Signe de musique placé devant une note haussée par un dièse ou baissée par un bémol, pour la rétablir dans un ton naturel.

bécasse [bekas] n. f. **1.** Oiseau échassier migrateur, au long bec, à chair très estimée. **2.** Fam. Femme sotte. *Quelle bécasse !* ▶ **bécassine** n. f. **1.** Oiseau échassier migrateur de petite taille, au bec long, aux pattes dénudées. **2.** Fam. Jeune fille niaise.

béchamel [beʃamɛl] n. f. ■ Sauce blanche à base de lait. *On écrit « une sauce à la Béchamel, une sauce Béchamel ou une béchamel ».*

bêche [bɛʃ] n. f. ■ Outil de jardinage composé d'un fer large, plat et tranchant, adapté à un manche, et qui sert à retourner la terre. ▶ **bêcher** v. tr. ▪ conjug. 1. ■ Fendre, retourner (la terre) avec une bêche.

bêcheur, euse [beʃœʀ, øz] n. ■ Personne prétentieuse et snob. *Une petite bêcheuse.*

bécot [beko] n. m. ■ Fam. Baiser. ▶ **bécoter** v. tr. ▪ conjug. 1. ■ Fam. Donner des bécots. — SE BÉCOTER v. pron. récipr. : s'embrasser.

becquée ou *béquée* [beke] n. f. ■ Ce qu'un oiseau prend dans son bec pour se nourrir ou nourrir ses petits. *Donner la becquée.*

becquet n. m. ⇒ **béquet.**

becqueter ou *béqueter* [bɛkte] v. tr. ▪ conjug. 4. **1.** Piquer avec le bec. ⇒ **picorer. 2.** Fam. Manger. *Il n'y a rien à becqueter ici.* (Variante orthographique : *becter,* ▪ conjug. 1.)

bedaine [bədɛn] n. f. ■ Fam. Gros ventre. ⇒ fam. **bedon, bide.** *Il a une bonne bedaine.*

bedeau [bədo] n. m. ■ Employé laïque préposé au service matériel et à l'ordre dans une église. ⇒ **sacristain.** *Des bedeaux.*

bedon [bədɔ̃] n. m. ■ Fam. Ventre. ▶ **bedonnant, ante** adj. ■ Fam. Qui a un gros ventre. *Un monsieur bedonnant.*

bédouin, ine [bedwɛ̃, in] n. ■ Arabe nomade du désert.

bée [be] adj. ■ (Seul emploi) BOUCHE BÉE : la bouche ouverte d'admiration, d'étonnement. *J'en suis resté bouche bée.*

beffroi [befʀwa] n. m. ■ Anciennement ou région. Tour, clocher. *Des beffrois.*

bégayer [begeje] v. intr. ▪ conjug. 8. **1.** Souffrir de bégaiement. **2.** S'exprimer d'une manière maladroite, hésitante, confuse. — Transitivement. *Bégayer une excuse.* ⇒ **balbutier.** ▶ **bégaiement** [begemɑ̃] n. m. **1.** Trouble de la parole, d'origine psychologique, qui se manifeste par la répétition saccadée d'une syllabe et l'arrêt involontaire du débit des mots. **2.** Langage mal articulé de l'enfant qui commence à parler. ⇒ **balbutiement.** ▶ **bègue** [bɛg] adj. et n. ■ Qui bégaie.

bégonia [begɔnja] n. m. ■ Plante originaire d'Amérique tropicale, ornementale, cultivée pour ses fleurs. *Les différentes espèces de bégonias.*

bégueule [begœl] n. f. ▪ Femme prude, qui s'effarouche, se scandalise pour des choses insignifiantes. — Adj. (aussi au masc.) *Il est un peu bégueule,* prude.

béguin [begɛ̃] n. m. ■ Fam. Amour vif et souvent passager. *Avoir le béguin pour qqn.* — Fam. Personne qui en est l'objet. ⇒ **amoureux.** *C'est son béguin.*

béguine [begin] n. f. ■ En Belgique et aux Pays-Bas. Femme qui vit dans une sorte de couvent sans avoir prononcé de vœux. ≠ *biguine.* ▶ **béguinage** n. m. ■ Couvent de béguines.

bégum [begɔm] n. f. ■ Dans l'Hindoustan. Titre équivalent à celui de princesse.

beige [bɛʒ] adj. ■ De la couleur de la laine naturelle, d'un brun très clair. *Des étoffes beiges. Des tissus beige clair.*

beigne [bɛɲ] n. f. ■ Fam. Coup, gifle. ⇒ fam. **baffe, tarte.**

beignet [bɛɲɛ] n. m. ■ Pâte frite enveloppant un aliment. *Des beignets aux pommes.* — Pâtisserie de pâte à choux cuite à grande friture. ⇒ **pet-de-nonne.**

bel adj. et adv. ⇒ ① **beau.**

bel canto [bɛlkɑ̃to] n. m. sing. ■ L'art du chant selon les traditions de l'opéra italien (beauté du son, virtuosité). *Il est amateur de bel canto.*

bêler [bele] v. intr. ▪ conjug. 1. **1.** Pousser un bêlement. **2.** Se plaindre sur un ton niais. ▶ **bêlement** n. m. **1.** Cri du mouton, de la chèvre. **2.** Plainte niaise. ⇒ **jérémiade.** ▶ **bêlant, ante** adj. ■ Qui bêle.

belette [bəlɛt] n. f. ■ Petit mammifère carnassier, bas sur pattes, de forme effilée, de couleur fauve.

belge [bɛlʒ] adj. ■ De Belgique. ⇒ **flamand, wallon.** — N. *Les Belges.*

bélier [belje] n. m. **I. 1.** Mâle non châtré de la brebis. ≠ *mouton.* **2.** Machine de guerre des Anciens servant à enfoncer les murailles des villes assiégées. **3.** Machine à enfoncer les pieux. ⇒ **mouton** (II, 4). — Machine hydraulique. **II.** (Avec une majuscule) Premier signe du zodiaque (21 mars-20 avril). *Je suis du signe du Bélier, je suis du Bélier.* — Ellipt. Invar. *Elles sont Bélier.*

belladone [be(ɛl)ladɔn] n. f. ■ Plante vénéneuse à baies noires, utilisée en médecine.

bellâtre [belɑtʀ] n. m. ■ Bel homme fat et niais.

belle adj. et n. f. ⇒ ① **beau,** ② **beau.** ▶ **belle-de-jour** n. f. ■ Nom familier du liseron dont les fleurs s'ouvrent pendant la journée. *Des belles-de-jour.* ▶ **belle-de-nuit** n. f. ■ Plante ornementale à grandes fleurs qui s'ouvrent le soir. *Des belles-de-nuit.* ▶ **belle-fille** n. f. **1.** Épouse d'un fils. ⇒ **bru.** *Des belles-filles.* **2.** Pour un conjoint : Fille que l'autre conjoint a eue d'un précédent mariage. *Les belles-filles et les beaux-fils.* ▶ **belle-mère** n. f. **1.** Pour un conjoint : Mère de l'autre conjoint. *Des belles-mères.* **2.** Pour les enfants d'un premier mariage : La seconde femme de leur père. ▶ **belle-sœur** n. f. **1.** Sœur du conjoint, pour l'autre conjoint. **2.** Femme du frère ou du beau-frère d'une personne. *Des belles-sœurs.*

bellicisme [be(ɛl)lisism] n. m. ■ Amour de la guerre ; attitude de ceux qui poussent à la guerre. ▶ **belliciste** adj. et n. ■ Qui pousse à la guerre. / contr. **pacifiste** /

belligérant, ante [be(ɛl)liʒeʀɑ̃, ɑ̃t] n. et adj. ■ (État) Qui prend part à une guerre. / contr. **neutre** / ▶ **belligérance** n. f. ■ État de belligérant. / contr. **neutralité** /

belliqueux, euse [be(ɛl)likø, øz] adj. **1.** Qui aime la guerre, est empreint d'esprit guerrier. **2.** Agressif. *Il était d'humeur belliqueuse.* / contr. **pacifique** /

belon [bəlɔ̃] n. m. ■ Variété d'huître plate et arrondie, à chair brune, très savoureuse.

belote [bəlɔt] n. f. ■ Nom d'un jeu de cartes très populaire. *Faire une belote. Ils jouent à la belote.*

belvédère [belvedɛʀ] n. m. ■ Construction ou terrasse établie en un lieu élevé, et d'où la vue s'étend au loin.

bémol [bemɔl] n. m. et adj. ▪ N. m. Signe musical en forme de *b* abaissant d'un demi-ton la note devant laquelle il est placé (qu'il *bémolise*). — Adj. *Un mi bémol.*

ben [bɛ̃] adv. et interj. **1.** Adv. Lang. paysan. Bien. *P'têt ben qu'oui*, peut-être bien que oui. **2.** Interj. Fam. Eh bien ! *Ben quoi ? Ben oui.*

bénédicité [benedisite] n. m. ▪ Prière que les catholiques très pieux disent avant le repas. *Des bénédicités.*

bénédictin, ine [benediktɛ̃, in] n. ▪ Religieux, religieuse de l'ordre de Saint-Benoît. *Un travail de bénédictin*, qui exige beaucoup d'érudition, de patience et de soins. ▶ **bénédictine** n. f. ▪ Liqueur fabriquée à l'origine dans un couvent de bénédictins.

bénédiction [benediksjɔ̃] n. f. **1.** Grâce, faveur accordée par Dieu. / contr. **malédiction** / *C'est une bénédiction*, une grande chance. **2.** Action du prêtre qui bénit les fidèles. *Donner, recevoir la bénédiction. Bénédiction nuptiale*, cérémonie du mariage religieux. — Consécration. *La bénédiction d'une église.* — Action d'un prêtre qui asperge d'eau bénite des objets profanes. *La bénédiction d'un bateau.* ⇒ **baptême. 3.** Expression d'un assentiment, d'un souhait de réussite, de prospérité... *Vous avez ma bénédiction. Il y est allé avec la bénédiction du parti.*

bénéfice [benefis] n. m. **I. 1.** Avantage. / contr. **inconvénient** / *Laissons-lui le bénéfice du doute. Quel bénéfice as-tu à mentir ?* — AU BÉNÉFICE DE : au profit de. *Les acteurs ont donné un spectacle au bénéfice d'une œuvre.* **2.** Droit, faveur, privilège que la loi accorde à (qqn). *Le bénéfice des circonstances atténuantes.* **3.** *Bénéfice ecclésiastique*, patrimoine autrefois attaché à une fonction, une dignité ecclésiastique. **II.** Gain réalisé dans une opération ou une entreprise. ⇒ **profit.** / contr. **perte** / (Abrév. fam. un *bénef* [benɛf], des *bénefs*). *Bénéfice net*, tous frais déduits. *Être intéressé aux bénéfices.* — Différence entre le prix de vente et le prix de revient. ▶ **bénéficiaire** n. et adj. **1.** Personne qui bénéficie d'un avantage, d'un droit, d'un privilège. *J'en suis le bénéficiaire.* **2.** Adj. Qui a rapport au bénéfice commercial. *La marge bénéficiaire du commerçant.* ▶ **bénéficier** de v. tr. indir. ▪ conjug. 7. **1.** Profiter (d'un avantage). / contr. **pâtir** / *Vous avez bénéficié d'un traitement de faveur. C'est vous qui en bénéficierez.*

bénéfique [benefik] adj. ▪ Qui fait du bien. *Ce séjour lui a été bénéfique.* ⇒ **favorable, salutaire.**

benêt [bənɛ] n. m. et adj. m. ▪ Niais. ⇒ **nigaud.** *C'est un grand benêt.* / contr. **malin** /

bénévole [benevɔl] adj. **1.** Qui fait (qqch.) sans obligation et gratuitement. *Une infirmière bénévole.* **2.** Qui est fait gratuitement et sans obligation. *Une assistance bénévole.* ⇒ **désintéressé, gratuit.** / contr. **payé** / ▶ **bénévolement** adv. ▪ ⇒ **gratuitement.** *J'aide bénévolement les personnes âgées.* ▶ **bénévolat** n. m. ▪ Situation d'une personne qui accomplit un travail gratuitement, sans y être obligé.

bengali [bɛ̃gali] n. m. **1.** Petit oiseau passereau au plumage bleu et brun, originaire des Indes. *Des bengalis.* **2.** Langue parlée au Bengale.

bénin, igne [benɛ̃, iɲ] adj. **1.** Sans conséquence grave. *Accident bénin.* / contr. **grave** / *Tumeur bénigne* (opposé à *tumeur maligne*). **2.** Littér. Bienveillant, indulgent. ⇒ **doux.** *Une humeur, une critique bénigne.* / contr. **méchant** / ▶ **bénignité** [beniɲite] n. f. Littér. **1.** Caractère de ce qui est bénin, sans

gravité. *La bénignité d'une maladie.* / contr. **gravité** / **2.** Qualité d'une personne bienveillante et douce. ⇒ **bonté.** / contr. **malignité, méchanceté** /

bénir [beniʀ] v. tr. ▪ conjug. 2. **I. 1.** (Dieu) Répandre sa bénédiction sur. ⇒ **protéger.** / contr. **maudire** / — Fam. *Dieu vous bénisse*, souhait adressé à une personne qui éternue. **2.** Appeler la bénédiction de Dieu sur les hommes. *Bénir les fidèles. Le prêtre qui a béni leur mariage.* — Consacrer (un objet) par des cérémonies rituelles. **3.** Souhaiter solennellement bonheur et prospérité (en invoquant, le plus souvent, l'intervention de Dieu). **II. 1.** Glorifier, remercier (qqn, qqch.). *Je bénis le médecin qui m'a sauvé. Vous pouvez bénir ce concours de circonstances.* **2.** Loc. *Dieu soit béni !*, loué, glorifié. ▶ **béni, ite** adj. ▪ (Choses) Qui a reçu la bénédiction du prêtre avec les cérémonies prescrites. *Eau bénite.* ▶ **bénitier** n. m. ▪ Vasque destinée à contenir l'eau bénite. — Fam. *Grenouille de bénitier*, bigote.

benjamin, ine [bɛ̃ʒamɛ̃, in] n. ▪ Le, la plus jeune d'une famille, d'un groupe. / contr. **aîné** / ≠ *cadet.*

benjoin [bɛ̃ʒwɛ̃] n. m. ▪ Résine aromatique utilisée en parfumerie, en médecine.

benne [bɛn] n. f. **1.** Sorte de caisse servant au transport de matériaux dans les mines, les chantiers. *Benne roulante* ⇒ **berline, suspendue. 2.** Partie basculante d'un camion, pour décharger des matériaux. **3.** Caisse de chargement d'une grue. **4.** Cabine de téléférique pour passagers.

benoîtement [bənwatmɑ̃] adv. ▪ Littér. D'un air doucereux.

benthique [bɛ̃tik] adj. ▪ Didact. Relatif aux fonds des eaux ; qui vit au fond des eaux. *La faune et la flore benthiques.* ≠ *pélagique.*

benzène [bɛ̃zɛn] n. m. ▪ Carbure d'hydrogène, liquide incolore, inflammable, dissolvant les corps gras, extrait des goudrons de houille (type de la série benzénique). ≠ *bec Bunsen.* ▶ **benzine** n. f. ▪ Mélange d'hydrocarbures (benzol rectifié) vendu dans le commerce, employé notamment comme détachant. ▶ **benzol** n. m. ▪ Mélange de carbures composé de benzène, de toluène et de xylène. ⟨ ▶ nitrobenzène ⟩

béotien, ienne [beɔsjɛ̃, jɛn] n. et adj. ▪ Qui est lourd, peu ouvert aux lettres et aux arts, qui a des goûts grossiers. *C'est un béotien.*

béquée n. f. ⇒ **becquée.**

béquet ou **becquet** [bekɛ] n. m. ▪ Petit morceau de papier écrit qu'on ajoute à une épreuve d'imprimerie.

béqueter v. tr. ▪ conjug. 4. ⇒ **becqueter.**

béquille [bekij] n. f. **1.** Bâton surmonté d'une traverse sur laquelle on appuie l'aisselle ou la main pour se soutenir. *Il a la jambe plâtrée et se déplace avec des béquilles.* **2.** Nom de divers instruments ou dispositifs de soutien, de support. ⇒ **cale, étai.** *La béquille d'une moto.*

bercail [bɛʀkaj] n. m. sing. ▪ Plaisant. Famille, foyer, pays (natal). *Rentrer au bercail.*

berceau [bɛʀso] n. m. **1.** Petit lit de bébé, qui, le plus souvent, peut être balancé. *Berceau d'osier.* — Littér. L'âge où les enfants couchent dans un berceau. *Du berceau à la tombe.* — Lieu de naissance, d'origine (d'une personne, d'une institution...). *La Grèce fut le berceau d'une civilisation.* **2.** Architecture. Voûte en plein cintre. — Voûte de feuillage. ⇒ **tonnelle. 3.** Partie où s'appuie un moteur.

bercer [bɛʀse] v. tr. ▪ conjug. 3. **1.** Balancer dans un berceau. — Balancer, agiter doucement. *Elle berçait l'enfant dans ses bras.* **2.** Au passif, p. p. et adj. Littér. (ÊTRE) BERCÉ(E) DE : accompagné de façon continue par qqch., imprégné de qqch. *Une enfance bercée du bruit de la mer. Ma jeunesse a été bercée de cette musique.* **3.** Littér. Apaiser, consoler. *Pour bercer ma peine.* **4.** Littér. Leurrer. *On l'a bercé de vaines promesses.* ⇒ **tromper.** — V. pron. réfl. *Se bercer d'illusions.* ⇒ **s'illusionner.** ▶ **bercement** n. m. ▪ Action de bercer, balancement. ▶ **berceuse** n. f. ▪ Chanson pour endormir un enfant. — Morceau de musique dont le rythme imite celui de ces chansons.

béret [beʀɛ] n. m. ▪ Coiffure de laine souple, ronde et plate. *Un béret basque. Un béret de chasseur alpin, de marin.*

bergamote [bɛʀgamɔt] n. f. **1.** Variété de poire fondante. **2.** Fruit du *bergamotier* (arbre du genre *citrus*). *Essence de bergamote,* utilisée en parfumerie, en confiserie. **3.** Bonbon à la bergamote.

① **berge** [bɛʀʒ] n. f. **1.** Bord relevé d'un cours d'eau, d'un canal. *La berge du fleuve.* ⇒ **rive.** ≠ *rivage.* **2.** Bord relevé d'un chemin, d'un fossé. ⇒ **talus.**

② **berge** n. f. ▪ Fam. Après un chiffre. Année (d'âge). *Un type de cinquante berges.* ⇒ fam. ② **balai.**

berger, ère [bɛʀʒe, ɛʀ] n. **1.** Personne qui garde les moutons. *Chien de berger,* dressé pour garder les troupeaux. *La bergère de Domrémy,* Jeanne d'Arc. *L'étoile du berger,* la planète Vénus. **2.** N. m. Chien de berger. *Un berger allemand.* ▶ **bergerie** [bɛʀʒəʀi] n. f. ▪ Lieu, bâtiment où l'on abrite les moutons. ⇒ **parc.** — *Enfermer le loup dans la bergerie,* introduire qqn dans un lieu où il peut aisément faire du mal. — Scène avec des bergers et des bergères (littér., arts : XVIIᵉ-XVIIIᵉ s.).

bergère n. f. ▪ Fauteuil large et profond dont le siège est garni d'un coussin.

bergeronnette [bɛʀʒəʀɔnɛt] n. f. ▪ Oiseau passereau, à longue queue, qui vit au bord de l'eau et dans le voisinage des troupeaux.

béribéri [beʀibeʀi] n. m. ▪ Maladie due au manque de vitamine B, causée par la consommation exclusive de riz décortiqué. *Le béribéri sévit surtout en Extrême-Orient.*

berline [bɛʀlin] n. f. **1.** Type d'automobile, conduite intérieure à quatre portes et quatre glaces latérales. **2.** Benne roulante, chariot pour le transport de la houille dans les mines.

berlingot [bɛʀlɛ̃go] n. m. **1.** Bonbon aux fruits, à la menthe, de forme particulière. *Enfant, je mangeais beaucoup de berlingots.* **2.** Emballage, pour le lait, qui a la forme de ce bonbon.

berlue [bɛʀly] n. f. ▪ *Avoir la berlue,* avoir des visions. ‹ ▶ **éberlué** ›

berme [bɛʀm] n. f. ▪ Chemin laissé entre une levée et le bord d'un canal ou d'un fossé.

bermuda [bɛʀmyda] n. m. ▪ Short descendant jusqu'au genou. *Des bermudas à fleurs.*

bernache, barnache ou **bernacle** [bɛʀ(a)naʃ ; bɛʀnakl] n. f. **1.** Oiseau à bec court vivant dans l'extrême Nord, et sur nos côtes en hiver. **2.** Crustacé marin (appelé aussi *anatife).*

bernard-l'hermite ou **bernard-l'ermite** [bɛʀnaʀlɛʀmit] n. m. invar. ▪ Crustacé qui loge dans des coquilles abandonnées. *Des bernard-l'(h)ermite.*

en **berne** [bɛʀn] loc. adj. et adv. ▪ *Pavillon en berne,* hissé à mi-mât en signe de deuil ou de détresse. — *Drapeaux mis en berne,* non déployés, roulés.

berner [bɛʀne] v. tr. ▪ conjug. 1. ▪ Tromper en ridiculisant. ⇒ **duper, jouer.** *Le gouvernement nous a trop longtemps bernés !*

bernicle ou **bernique** [bɛʀnikl, bɛʀnik] n. f. ▪ Autre nom de la *patelle* (mollusque).

berrichon, onne [be(ɛ)ʀiʃɔ̃, ɔn] adj. ▪ Du Berry (province française). — N. *Un Berrichon.*

béryl [beʀil] n. m. ▪ Pierre précieuse. *Le béryl vert est une émeraude, le béryl bleu une aigue-marine.*

besace [bəzas] n. f. ▪ Sac long, ouvert par le milieu et dont les extrémités forment deux poches.

besant [bəzɑ̃] n. m. **1.** Ancienne monnaie byzantine. **2.** Ornement architectural, de style roman, en forme de disque saillant.

bésef ou **bézef** [bezɛf] adv. ▪ (Toujours précédé d'un verbe à la forme négative) Fam. Beaucoup. *Il n'en a pas bésef.*

besicles [be(ə)zikl] n. f. pl. ▪ Anciennes lunettes rondes.

besogne [bəzɔɲ] n. f. ▪ Travail imposé (par la profession, etc.). ⇒ **ouvrage, tâche.** *Une lourde, une rude besogne.* — *Aller vite en besogne,* travailler rapidement les étapes, précipiter les choses. ▶ **besogneux, euse** adj. ▪ Qui fait une médiocre besogne mal rétribuée. *Un gratte-papier besogneux.*

besoin [bəzwɛ̃] n. m. **I. 1.** Exigence née de la nature ou de la vie sociale. ⇒ **appétit, envie.** *La satisfaction d'un besoin. Le besoin de nourriture. Éprouver un besoin de changement, de parler. Un besoin pressant, urgent.* — Au plur. *Les besoins de qqn,* ce qu'il demande comme étant nécessaire à son existence. *Il a de grands besoins.* — *Les besoins naturels,* la nécessité d'uriner, d'aller à la selle. — Fam. *Aller faire ses (petits) besoins,* aller aux cabinets. **2.** *Le besoin de la cause,* ce qui est nécessaire pour défendre une cause. *Pour les besoins de la cause.* **3.** Loc. verb. AVOIR BESOIN DE *qqn, qqch.* : ressentir la nécessité de. ⇒ **désirer,** avoir **envie, vouloir.** *J'ai besoin de votre amitié.* — Manquer (d'une chose objectivement nécessaire). *Il a besoin de repos.* ⇒ **falloir.** *Je n'ai besoin de rien, de personne.* — (+ infinitif) Éprouver, ressentir la nécessité, l'utilité de. *Il a besoin de gagner sa vie. Je n'ai pas besoin d'ajouter que,* inutile d'ajouter que. — Iron. *Vous aviez bien besoin de lui en parler !* — (Avec *que* + subjonctif) *Il a besoin qu'on le conseille, il faut que.* **4.** Impers. *Point n'est besoin de,* il n'est pas nécessaire de. *Point n'est besoin de lui en parler. S'il en est besoin, si besoin est,* si cela est nécessaire. **5.** AU BESOIN loc. adv. : en cas de nécessité, s'il le faut. *Au besoin, je vous téléphonerai.* **II.** État de privation. ⇒ **dénuement, gêne, indigence, pauvreté.** / contr. **aisance** / *Mes parents ont toujours été dans le besoin.*

besson, onne [besɔ̃, ɔn] n. ▪ Région. Jumeau, jumelle.

① **bestiaire** [bɛstjɛʀ] n. m. ▪ Gladiateur qui combattait les bêtes féroces, à Rome.

② **bestiaire** n. m. ▪ Recueil de fables, de textes sur les bêtes.

bestial, ale, aux [bɛstjal, o] adj. ▪ Qui tient de la bête, qui fait ressembler l'homme à la bête. ⇒ **animal, brutal.** *Une expression, une fureur bestiale.* ▶ **bestialité** n. f. ▪ Caractère bestial.

bestiaux [bɛstjo] n. m. pl. ▪ Ensemble des animaux qu'on élève pour la production agricole dans une

ferme (à l'exclusion des animaux de basse-cour).
⇒ **bétail.**

bestiole [bɛstjɔl] n. f. ■ Petite bête, et, en particulier, insecte.

best-seller [bɛstselœr] n. m. ■ Anglic. Livre qui a obtenu un grand succès, qui s'est très bien vendu. *Les trois derniers romans de cet écrivain ont été des best-sellers.*

① *bêta* [bɛta] n. m. invar. ■ Deuxième lettre de l'alphabet grec (β). ‹ ▶ alphabet, analphabète ›

② *bêta, asse* [bɛta, as] n. et adj. ■ Fam. Personne bête, niaise. *C'est un gros bêta.*

bétail [betaj] n. m. sing. ■ Ensemble des animaux élevés pour la production agricole. ⇒ **bestiaux, cheptel.** *Le gros bétail,* les bovins, les chevaux. *Le petit bétail,* les ovins, les porcins. — *Traiter les hommes comme du bétail,* mal et sans respect pour la dignité humaine. ▶ **bétaillère** [betajɛr] n. f. ■ Véhicule servant à transporter le bétail.

① *bête* [bɛt] n. f. **I. 1.** Tout être animé, à l'exception de l'homme. ⇒ **animal.** *Les bêtes à cornes. Bête de somme,* animal qui porte les fardeaux. *Bêtes féroces. Les bêtes,* les bestiaux, le bétail. *Une bête à bon Dieu,* une coccinelle. **2.** Loc. *Regarder qqn comme une bête curieuse,* avec une insistance déplacée. — *Chercher la petite bête,* être extrêmement méticuleux ou s'efforcer de découvrir une erreur, une irrégularité. — *C'est sa bête noire,* il déteste cette personne, cette chose. *Les mathématiques sont sa bête noire.* **II. 1.** *La bête humaine,* l'homme dominé par ses instincts. *Une méchante bête.* **2.** *Faire la bête,* jouer l'ignorant, dire des bêtises. — (Emplois affectueux) *Grosse bête, grande bête !* ⇒ fam. ② **bêta.**

② *bête* adj. **1.** Qui manque d'intelligence, de jugement. ⇒ **idiot, imbécile.** / contr. **intelligent** / *Bête comme une oie, un pied, ses pieds. Il n'est pas bête, il est loin d'être bête.* — *Pas si bête,* pas assez sot pour se laisser tromper. — *C'est bête comme chou,* facile à faire, à deviner. ⇒ **enfantin. 2.** Qui manque d'attention, d'à-propos. *Suis-je bête ! cela m'avait échappé.* — (Choses) Stupide. *C'est bête, je ne m'en souviens pas.* ≠ **bette.** ▶ **bêtement** adv. ■ D'une manière bête, stupide. *Agir bêtement.* — *Tout bêtement,* tout simplement. ⇒ **bonnement.** ‹ ▶ abêtir, bébête, ② bêta, bêtifier, bêtise, pense-bête ›

bétel [betɛl] n. m. ■ Mélange de feuilles d'un poivrier exotique, de tabac, de noix d'arec, utilisé dans les régions tropicales. *Mâcher du bétel.*

bêtifier [betifje] v. intr. ▪ conjug. 7. ■ Faire l'enfant, dire des bêtises.

bêtise [betiz] n. f. **I. 1.** Manque d'intelligence et de jugement. ⇒ **sottise, idiotie, imbécillité, stupidité.** / contr. **intelligence** / *Il est d'une rare bêtise.* **2.** Action ou parole sotte ou maladroite. *Faire, dire des bêtises.* — Action, parole, chose sans valeur ou sans importance. ⇒ **bagatelle, broutille, enfantillage.** *L'enfant s'amuse à des bêtises. Ils se sont brouillés pour une bêtise,* pour un motif futile. **3.** Action déraisonnable, imprudente. ⇒ **folie.** *Il faut l'empêcher de faire des bêtises.* **II.** *Bêtise de Cambrai,* berlingot à la menthe.

béton [betɔ̃] n. m. ■ Matériau de construction issu du mélange d'un mortier ③ et de gravier. *Béton armé,* coulé autour d'une armature métallique. *Un blockhaus, un immeuble en béton.* ▶ **bétonné, ée** adj. ■ Construit en béton. *Un abri bétonné.* ▶ **bétonnière** ou *bétonneuse* n. f. ■ Machine comprenant une grande cuve tournante, pour fabriquer le béton.

bette [bɛt] ou *blette* [blɛt] n. f. ■ Plante voisine de la betterave, dont on mange cuites les feuilles et les côtes. ≠ *bête.*

betterave [betrav] n. f. ■ Plante cultivée à racine épaisse. *Betterave fourragère,* à grosse racine rouge ou jaune, cultivée pour l'alimentation du bétail. — *Betterave potagère,* à petite racine ronde, rouge et sucrée. *Salade de betteraves.* — *Betterave sucrière,* dont on extrait le sucre.

beugler [bøgle] v. intr. ▪ conjug. 1. **1.** (Bovins) Pousser des cris, des beuglements. ⇒ **meugler. 2.** Hurler, gueuler. *Ne beuglez pas comme ça !* ▶ **beuglement** n. m. **1.** Cri des bovins. ⇒ **meuglement. 2.** Son puissant, prolongé et désagréable. *Le beuglement des radios de l'immeuble.*

beur [bœr] n. et adj. ■ Fam. Personne née en France de parents immigrés maghrébins.

beurre [bœr] n. m. **1.** Substance alimentaire grasse et onctueuse qu'on obtient en battant la crème du lait. *Ma mère faisait la cuisine au beurre. Du beurre salé, pasteurisé, demi-sel.* — BEURRE NOIR : beurre fondu qu'on a laissé noircir. *Raie au beurre noir. Œil au beurre noir,* poché. — Fam. *Ça entre comme dans du beurre,* facilement. *C'est du beurre,* une entreprise facile. *Mettre du beurre dans les épinards,* améliorer sa situation financière. — *Faire son beurre,* s'enrichir. *Ce vendeur de légumes a fait son beurre.* **2.** *Beurre de...,* pâte formée d'une substance écrasée dans du beurre. *Beurre d'anchois.* — Substance grasse extraite de certains végétaux. *Beurre de cacao.* ▶ **beurrée** n. f. ■ Région. Tartine de beurre. ▶ **beurrer** v. tr. ▪ conjug. 1. ■ Recouvrir ou enduire de beurre. *Il beurre ses tartines lui-même.* — Au p. p. adj. Fam. Ivre, soûl. *Il est complètement beurré.* ▶ **beurrier** n. m. ■ Récipient dans lequel on conserve, on sert le beurre. ‹ ▶ babeurre, petit-beurre ›

beuverie [bœvri] n. f. ■ Réunion où l'on s'enivre. ⇒ **orgie, soûlerie.**

bévue [bevy] n. f. ■ Méprise, erreur grossière due à l'ignorance ou à l'inadvertance. ⇒ **étourderie, gaffe, impair.** *Cet homme distrait commet beaucoup de bévues.*

bey [bɛ] n. m. ■ Titre porté par les souverains vassaux du sultan ou par certains hauts fonctionnaires turcs. ≠ *bai, baie.*

bézef adv. ⇒ **bésef.**

bi- ■ Élément signifiant « deux, deux fois » (ex. : *bicentenaire,* adj. et n. m.).

biais [bjɛ] n. m. invar. **1.** Ligne, direction oblique. — (Dans un tissu) Sens de la diagonale par rapport au droit fil. *Tailler dans le biais.* **2.** Abstrait. Côté, aspect. *C'est par ce biais qu'il faut considérer, prendre le problème.* — Moyen détourné. *Le biais est ingénieux !* **3.** DE BIAIS, EN BIAIS loc. adv. : obliquement, de travers. ▶ **biaiser** v. intr. ▪ conjug. 1. ■ Employer des moyens détournés, artificieux. *On y arrivera en biaisant et en rusant.*

bibelot [biblo] n. m. ■ Petit objet curieux, décoratif. ⇒ **babiole, souvenir.** *Une étagère encombrée de bibelots.*

biberon [bibrɔ̃] n. m. ■ Petite bouteille munie d'une tétine, servant à l'allaitement artificiel. *Nourrir un enfant au biberon. Sa sœur lui donne le biberon.*

① *bibi* [bibi] n. m. ■ Fam. Petit chapeau de femme. *Des bibis.*

② *bibi* pronom ■ Fam. Moi. *Les corvées, c'est toujours pour bibi.*

bibine [bibin] n. f. ■ Mauvaise boisson. — Bière de qualité inférieure.

bible [bibl] n. f. 1. (Avec une majuscule) Recueil des textes de l'Ancien et du Nouveau Testament. ⇒ **écriture.** *La sainte Bible.* 2. (Avec une majuscule) Le livre lui-même. *Une Bible illustrée.* 3. Ouvrage faisant autorité. *Ce dictionnaire est la bible de tous les lycéens.* ‹ ▶ biblique ›

bibliobus [biblijɔbys] n. m. invar. ■ Véhicule aménagé en bibliothèque, où l'on peut emprunter des livres, desservant certains quartiers ou villages.

bibliographie [biblijɔgʀafi] n. f. ■ Liste des écrits relatifs à un sujet donné. *Cet ouvrage est accompagné d'une abondante bibliographie.*

bibliophile [biblijɔfil] n. ■ Personne qui aime, recherche et conserve avec soin et goût les livres rares, précieux. ▶ *bibliophilie* n. f. ■ Passion et science du bibliophile.

bibliothèque [biblijɔtɛk] n. f. 1. Meuble ou assemblage de tablettes permettant de ranger et de classer des livres. *Une bibliothèque vitrée. Les rayons d'une bibliothèque.* 2. Salle, édifice où sont classés des livres, pour la lecture ou pour le prêt. *Bibliothèque municipale.* — *Bibliothèque de gare,* librairie, kiosque (à journaux), dans une gare. 3. Collection de livres. *Un ouvrage de sa bibliothèque personnelle.* ▶ *bibliothécaire* n. ■ Personne préposée à une bibliothèque.

biblique [biblik] adj. ■ Qui appartient, qui est propre à la Bible. *Études bibliques.*

bicarbonate [bikaʀbɔnat] n. m. ■ Carbonate acide. *Bicarbonate de soude* (c'est-à-dire de *sodium*), employé contre les maux d'estomac.

biceps [bisɛps] n. m. invar. ■ Muscle du bras qui gonfle quand on fléchit celui-ci. — Fam. *Avoir des biceps,* être musclé, fort. (On dit aussi fam. *des biscottos.*)

biche [biʃ] n. f. ■ Femelle du cerf. *Des yeux de biche.* ‹ ▶ pied-de-biche ›

bicher [biʃe] v. intr. ■ conjug. 1. 1. Impers. Fam. Aller bien. *Ça biche.* 2. Fam. Se réjouir. *Il biche !*

bichon, onne [biʃɔ̃, ɔn] n. ■ Petit chien d'appartement, au nez court, au poil long et soyeux. — Fam. Terme d'affection. *Mon petit bichon !*

bichonner [biʃɔne] v. ■ conjug. 1. 1. V. tr. Arranger avec soin et coquetterie. ⇒ **pomponner.** — Être aux petits soins pour. ⇒ **soigner.** 2. V. pron. réfl. *Elle passe des heures à se bichonner.*

bicolore [bikɔlɔʀ] adj. ■ Qui présente deux couleurs. *Une écharpe bicolore.*

bicoque [bikɔk] n. f. ■ Petite maison de médiocre apparence. — Habitation mal construite ou mal entretenue. *Une vieille bicoque.* ⇒ **baraque, cabane.**

bicorne [bikɔʀn] n. m. ■ Chapeau à deux pointes. *Un bicorne d'académicien.*

bicot [biko] n. m. ■ Péj. Terme d'injure raciste. Africain du Nord.

bicyclette [bisiklɛt] n. f. ■ Véhicule à deux roues mû par un système de pédalier qui entraîne la roue arrière. *Le cadre, le guidon, la selle, le garde-boue, le porte-bagages de la bicyclette.* ⇒ **vélo** ; fam. **bécane.** *Bicyclette à moteur.* ⇒ **cyclomoteur, vélomoteur.** *Une course de bicyclettes* (⇒ **cyclisme**). *Aller à bicyclette,* et fam. *en bicyclette.*

bidasse [bidas] n. m. ■ Fam. Soldat.

① *bide* [bid] n. m. ■ Fam. Ventre.

② *bide* n. m. ■ Fam. (Pièce de théâtre, spectacle...) Échec total. *Ça a été un bide. Faire un bide.* ⇒ ② **four.**

bidet [bidɛ] n. m. 1. Petit cheval de selle. — Plaisant. Cheval. 2. Cuvette oblongue et basse, sur pied, servant à la toilette intime.

bidoche [bidɔʃ] n. f. ■ Fam. Viande. ⇒ fam. **barbaque.**

① *bidon* [bidɔ̃] n. m. 1. Récipient portatif pour les liquides et que l'on peut fermer avec un bouchon ou un couvercle. *Un bidon de lait. Un bidon d'essence.* ⇒ **jerrycan.** 2. Fam. Ventre. ⇒ fam. **bedaine.**

② *bidon* n. m. ■ Fam. *C'est du bidon,* du bluff, des histoires, des mensonges. *Ce n'est pas du bidon,* c'est vrai. ■ Adj. invar. Faux, simulé. *Un attentat bidon. Des déclarations bidon.*

se bidonner [bidɔne] v. pron. ■ conjug. 1. ■ Fam. Rire beaucoup. ⇒ fam. se **marrer,** se **poiler.** *Elles se sont bidonnées toute la soirée.*

bidonville [bidɔ̃vil] n. m. ■ Agglomération de baraques sans hygiène où vit la population la plus misérable.

bidule [bidyl] n. m. ■ Fam. Objet quelconque. ⇒ fam. **machin, truc.**

bief [bjɛf] n. m. 1. Portion d'un cours d'eau, d'un canal entre deux chutes, deux écluses. 2. Canal de dérivation qui conduit les eaux d'un cours d'eau vers une machine hydraulique. *Le bief d'un moulin.*

bielle [bjɛl] n. f. ■ Tige rigide, articulée à ses extrémités et destinée à la transmission du mouvement entre deux pièces mobiles. *Les bielles d'une locomotive, d'un moteur d'automobile.* — *Couler une bielle,* la faire fondre.

① *bien* [bjɛ̃] adv. et adj. (comparatif *mieux*) I. Adv. 1. D'une manière satisfaisante. / contr. **mal** / *Elle danse bien. Il a très bien réussi.* ⇒ **admirablement.** *Un roman bien écrit. Tant bien que mal ; ni bien ni mal.* ⇒ **passablement.** *Je vais bien.* 2. D'une manière conforme à la raison, à la morale. *Il s'est bien conduit.* ⇒ **honnêtement.** — *J'ai cru bien faire,* agir comme il fallait. *C'est bien fait ! bien fait pour lui !,* ce qui lui arrive est mérité. — *Vous feriez bien de* (+ infinitif), vous devriez. *Vous feriez bien de vous couvrir.* 3. (Indiquant le degré, l'intensité, la quantité) ⇒ **tout** à fait, **très.** *Nous sommes bien contents. Bien souvent. Bien sûr, bien entendu,* c'est évident, cela va de soi. *Bien mieux. Il est bien jeune pour cet emploi.* ⇒ **trop.** *Nous avons bien ri.* ⇒ **beaucoup.** — BIEN DE, DES : beaucoup de. *Vous avez bien de la chance. Depuis bien des années.* 4. Au moins. *Il y a bien une heure qu'il est sorti. Cela vaut bien le double.* ⇒ **largement.** 5. (Renforçant l'affirmation) *Nous le savons bien. C'est bien lui.* ⇒ **vraiment.** — Iron. *C'était bien la peine !* 6. En fait et en dépit des difficultés (quoi qu'on dise, pense, fasse ; quoi qu'il arrive). *Attendons, nous verrons bien. Cela finira bien un jour. J'irais bien avec vous, mais...,* je pourrais, j'aimerais aller avec vous, mais... 7. EH BIEN !, interjection marquant l'interrogation, l'étonnement. ⇒ fam. **ben.** *Eh bien ! Qu'en dites-vous ?* II. Adj. invar. 1. Satisfaisant. *Ce sera très bien ainsi.* ⇒ **parfait.** — Juste, moral. *Ce n'est pas bien, ce que vous faites.* — En bonne santé, en bonne forme. *Il est très bien en ce moment.* — Capable de faire ce qu'il faut. *Elle est bien dans ce rôle.* — Beau. *Il est bien, ce garçon.* — À l'aise, content. *Qu'on est bien !* — ÊTRE BIEN AVEC qqn : être en bons termes avec lui, être son ami. *Il était bien avec ses voisins.* 2. Fam. Convenable, comme il faut, distingué. *Des gens bien.* — Qui a des qualités morales, de la valeur. *C'est un type bien.*

big bang

② **bien** n. m. **I. 1.** Ce qui est avantageux, agréable, utile. *Ce remède lui a fait (le plus) grand bien. Cela lui fait plus de mal que de bien. Le bien commun, public.* ⇒ **intérêt.** *C'est pour son bien. Un ami qui vous veut du bien. La santé est le plus précieux des biens.* — Iron. *Grand bien vous fasse !* — *Dire du bien de qqn, de qqch.,* en parler favorablement, en faire l'éloge. **2.** Chose matérielle que l'on peut posséder. ⇒ **capital, fortune, propriété, richesse.** *Avoir du bien. Elle dispose de ses biens.* — PROV. *Bien mal acquis ne profite jamais.* — *Biens meubles, immeubles, publics, privés.* ⇒ **propriété.** — Produits de l'économie. *Les biens de consommation.* **II.** Ce qui possède une valeur morale, ce qui est juste, honnête. *Il faut savoir discerner le bien du mal.* — *Un homme de bien,* qui pratique le bien, honnête, intègre. ⇒ **devoir.** *Faire le bien,* être charitable. — Fam. *En tout bien tout honneur,* sans mauvaise intention. *Il la voit souvent, en tout bien tout honneur.*

③ **bien** *que* loc. conj. ⇒ **bien que.**

bien-aimé, ée [bjɛ̃neme] adj. et n. **1.** Qui est aimé d'une affection particulière. *Un fils bien-aimé.* **2.** Littér. Personne aimée d'amour. *Ma bien-aimée. Des bien-aimé(e)s.*

bien-être [bjɛ̃nɛtʀ] n. m. invar. **1.** Sensation agréable procurée par la satisfaction de besoins physiques, l'absence de soucis. ⇒ **bonheur, plaisir.** / contr. **malaise** / **2.** Situation matérielle qui permet de satisfaire les besoins de l'existence. ⇒ **aisance, confort.** / contr. **gêne** / *Sa profession lui procurait un certain bien-être.*

bienfaisant, ante [bjɛ̃fəzɑ̃, ɑ̃t] adj. ■ (Choses) Qui fait du bien, apporte un mieux, un soulagement. ⇒ **salutaire.** *L'action bienfaisante d'une cure.* / contr. **pernicieux** / ▶ **bienfaisance** n. f. ■ Action de faire du bien dans un intérêt social. ⇒ **assistance.** *Une association, une œuvre de bienfaisance.* / contr. **malfaisance** /

bienfait [bjɛ̃fɛ] n. m. **1.** Littér. Acte de générosité, bien que l'on fait à qqn. ⇒ **faveur, largesse, service.** *Un bienfait n'est jamais perdu,* on est toujours récompensé du bien fait à qqn. **2.** (Choses) Avantage procuré, action bienfaisante. *Les bienfaits de la civilisation, d'un traitement médical.* / contr. **méfait** / ▶ **bienfaiteur, trice** n. ■ Personne qui a fait du bien, apporté une aide généreuse. *Ils le considèrent comme leur bienfaiteur. Membre bienfaiteur d'une association.* ⇒ **donateur.**

bien-fondé [bjɛ̃fɔ̃de] n. m. sing. ■ Conformité au droit. ⇒ **légitimité.** *Le bien-fondé d'une réclamation.* — Conformité à la raison, à une autorité quelconque. *Le bien-fondé d'une opinion.*

bienheureux, euse [bjɛ̃nœʀø, øz] adj, et n. **1.** Littér. Heureux. **2.** Personne à laquelle l'Église reconnaît un très haut degré de perfection chrétienne, sans toutefois la mettre au rang des saints (⇒ **béatification**).

biennal, ale, aux [bjenal] adj. et n. f. **1.** Adj. Qui dure deux ans. — Qui a lieu tous les deux ans. ⇒ **bisannuel.** **2.** N. f. Manifestation, exposition qui a lieu tous les deux ans. *La Biennale de Venise.*

bien que [bjɛ̃kə] loc. conj. (marquant la concession) ■ Quoique. — (+ subjonctif) *J'accepte, bien que je ne sois pas convaincu.* — (+ part. prés.) *Bien que sachant nager, il n'osait pas plonger.* — (Avec ellipse du verbe) *Bien que nu, il n'avait pas froid.*

bienséant, ante [bjɛ̃seɑ̃, ɑ̃t] adj. ■ Vx. Qu'il est séant (convenable) de dire, de faire. ⇒ **correct.**

/ contr. **malséant** / ▶ **bienséance** n. f. ■ Littér. Conduite sociale en accord avec les usages, respect de certaines formes. ⇒ **correction, savoir-vivre.** — Au plur. *Les bienséances,* les usages à respecter. ⇒ **convenance.** *Respecter les bienséances.*

bientôt [bjɛ̃to] adv. **1.** Dans peu de temps, dans un proche futur. ⇒ **incessamment, prochainement.** *Nous reviendrons bientôt,* d'un moment à l'autre, sous peu. — Fam. *C'est pour bientôt,* cela arrivera dans peu de temps. — À BIENTÔT loc. adv. : se dit en quittant une personne que l'on pense revoir bientôt. *Au revoir et à bientôt !* **2.** Dans un court espace de temps. ⇒ **rapidement, tôt, vite.** *Ce sera bientôt fait.* — Littér. *Cela est bientôt dit,* cela est plus facile à dire qu'à faire.

bienveillant, ante [bjɛ̃vɛjɑ̃, ɑ̃t] adj. ■ Qui a ou marque de la bienveillance. ⇒ **indulgent.** *Critique bienveillante.* / contr. **désobligeant, malveillant** / ▶ **bienveillance** n. f. ■ Disposition favorable envers une personne que l'on pense inférieure (en âge, en mérite). ⇒ **bonté, indulgence.** *Je vous remercie de votre bienveillance.* / contr. **malveillance** /

bienvenu, ue [bjɛ̃vny] adj. **1.** Littér. Qui arrive à propos. ⇒ **opportun.** *Une remarque bienvenue.* **2.** N. *Le bienvenu, la bienvenue,* personne, chose accueillie avec plaisir. *Vous serez toujours le bienvenu. Soyez la bienvenue. Votre offre est la bienvenue.* ▶ **bienvenue** n. f. ■ (Dans un souhait) Heureuse arrivée de qqn. *Souhaiter la bienvenue à qqn,* lui faire bon accueil. *Bienvenue à nos invités !*

① **bière** [bjɛʀ] n. f. ■ Boisson alcoolique fermentée, faite avec de l'orge germée et aromatisée avec des fleurs de houblon. *Bière brune, blonde.* — *Garçon, une bière !* ⇒ **bock, demi.** *Bière (à la) pression,* mise sous pression en récipients, et tirée, au café, directement dans les verres.

② **bière** n. f. ■ Caisse oblongue où l'on enferme un mort. ⇒ **cercueil.** *Mise en bière.*

biffer [bife] v. tr. · conjug. 1. ■ Supprimer, rayer d'autorité (ce qui est écrit). ⇒ **barrer.** *Biffer un mot.*

biffin [bifɛ̃] n. m. ■ Vx. Fantassin.

bifteck [biftɛk] n. m. ■ Tranche de bœuf grillée ou destinée à l'être. ⇒ **chateaubriand, steak, tournedos.** *Un bifteck bleu, saignant, à point, bien cuit.*

bifurquer [bifyʀke] v. intr. · conjug. 1. **1.** Se diviser en deux, en forme de fourche. *La route bifurque à cet endroit.* **2.** Abandonner une voie pour en suivre une autre. *Le train a bifurqué sur une voie de garage.* — Fig. Prendre une autre orientation. *Il a abandonné ses études et a bifurqué vers la vie active.* ▶ **bifurcation** n. f. **1.** Division en deux branches. ⇒ **embranchement, fourche.** **2.** (Dans des études, des carrières...) Possibilité d'option entre plusieurs voies. *La bifurcation des études après le baccalauréat.*

bigamie [bigami] n. f. ■ État d'une personne (dite *bigame*) qui, étant déjà mariée, s'est mariée une seconde fois, sans que le premier mariage soit dissous. / contr. **monogamie** /

bigarré, ée [bigaʀe] adj. **1.** Qui a des couleurs variées. ⇒ **bariolé.** *Des tissus bigarrés.* **2.** Formé d'éléments disparates. ⇒ **hétéroclite, mêlé.** *Une société bigarrée.* ▶ **bigarrure** n. f. ■ Aspect bigarré.

bigarreau [bigaʀo] n. m. ■ Cerise rouge et blanche, à la chair ferme, d'un cerisier (appelé *bigarreautier*). *Des bigarreaux.*

big bang [bigbɑ̃g] n. m. sing. ■ Anglic. Instant où, d'après certains astronomes, une explosion de matière a provoqué la formation de l'univers connu (12 milliards d'années avant nous).

bigler [bigle] v. ■ conjug. 1. Fam. **1.** V. intr. Loucher. **2.** V. tr. Regarder du coin de l'œil. ⇒ fam. **zieuter**. ▶ **bigleux, euse** adj. et n. Fam. **1.** Qui louche. **2.** Qui voit mal.

bigophone [bigɔfɔn] n. m. ■ Fam. Téléphone. *Je te donnerai un coup de bigophone avant de partir.*

bigorneau [bigɔRno] n. m. ■ Petit coquillage comestible à coquille grise en spirale. *Des bigorneaux.*

bigot, ote [bigo, ɔt] adj. et n. ■ Qui manifeste une dévotion outrée et étroite. *Une vieille bigote.* ⇒ fam. grenouille de **bénitier**. ▶ **bigoterie** n. f. ■ Dévotion étroite du bigot.

bigoudi [bigudi] n. m. ■ Petit objet (tige, rouleau, etc.) autour duquel on enroule chaque mèche de cheveux pour la friser. *Elle fait sa mise en plis en mettant des bigoudis. Une femme en bigoudis.*

bigre [bigR] interj. ■ Fam. Exclamation exprimant la colère, le dépit, l'étonnement. ⇒ fam. **bougre**. *Bigre ! Que c'est dur !* ▶ **bigrement** adv. ■ Fam. Très. ⇒ fam. **bougrement**. *Il fait bigrement chaud.*

biguine [bigin] n. f. ■ Danse originaire des Antilles, à deux temps, à la mode en France entre 1930 et 1950. ≠ **béguine**.

bijou [biʒu] n. m. **1.** Petit objet ouvragé, précieux par la matière ou par le travail et servant à la parure. ⇒ **joyau**. *Bijou en or. Bijou de fantaisie. Une femme couverte de bijoux.* **2.** Tout ouvrage, relativement petit, où se révèle de l'art, de l'habileté. ⇒ **chef-d'œuvre**. *Un bijou d'architecture.* ▶ **bijouterie** n. f. **1.** Fabrication, commerce des bijoux. *Il travaille dans la bijouterie.* — *Les bijoux en tant qu'articles de vente.* **2.** Lieu où l'on vend, où l'on expose des bijoux. *Elle travaille dans une bijouterie.* ▶ **bijoutier, ière** n. ■ Personne qui fabrique, qui vend des bijoux. ⇒ **joaillier, orfèvre**.

bikini [bikini] n. m. ■ (Nom déposé) Maillot de bain formé d'un slip très petit et d'un soutien-gorge. ⇒ **deux-pièces**. *Des bikinis.*

bilan [bilɑ̃] n. m. **1.** Tableau résumé de l'inventaire ou de la comptabilité d'une entreprise. ⇒ **balance**. *L'actif et le passif d'un bilan.* — *Déposer son bilan,* être en faillite. **2.** État, résultat global. *Le bilan des recherches est positif.* **3.** *Bilan de santé,* expertise médicale permettant d'apprécier l'état des organes. ⇒ **check-up**.

bilatéral, ale, aux [bilateral, o] adj. **1.** Qui a deux côtés, qui se rapporte à deux côtés. *Le stationnement est bilatéral,* des deux côtés de la voie. **2.** Qui engage les parties contractantes l'une envers l'autre. ⇒ **réciproque**. *Contrat bilatéral.* / contr. **unilatéral** /

bilboquet [bilbɔkɛ] n. m. ■ Jouet formé d'un petit bâton pointu à une extrémité, dans lequel on doit enfiler une boule percée qui lui est reliée par une cordelette.

bile [bil] n. f. **1.** Liquide visqueux et amer sécrété par le foie. ⇒ **fiel**. **2.** Loc. *Échauffer la bile,* exciter la colère. *Se faire de la bile,* s'inquiéter, se tourmenter. ⇒ fam. se **biler**. ▶ **se biler** v. pron. ■ conjug. 1. ■ Fam. Se faire de la bile. ⇒ s'en **faire**. *Ne vous bilez pas !* ▶ **bileux, euse** adj. ■ Fam. Soucieux. *Il n'est pas bileux,* il ne se fait pas de bile. ≠ **bilieux**. ▶ **biliaire** adj. ■ Qui a rapport à la bile. *La vésicule biliaire.* ▶ **bilieux, ieuse** adj. **1.** Qui abonde en bile ; qui résulte de l'abondance de bile. *Un tempérament, un*

teint *bilieux.* **2.** Littér. Enclin à la colère, rancunier. ≠ *bileux.* ⟨▶ **atrabilaire** ⟩

bilingue [bilɛ̃g] adj. ■ Qui est en deux langues. *Édition, enseignement bilingue.* — Où l'on parle deux langues. *Une région bilingue.* — Qui parle parfaitement deux langues. *Il est totalement bilingue.* ▶ **bilinguisme** [bilɛ̃gɥism] n. m. ■ État (d'un pays) où l'on parle deux langues. *Le bilinguisme en Belgique, au Québec.* — (Personnes) Fait de parler parfaitement deux langues. *Le bilinguisme des Catalans, des Basques.*

billard [bijaR] n. m. **1.** Jeu pratiqué sur une table spéciale où les joueurs font rouler des billes qu'ils poussent avec un bâton (*queue de billard*). *Faire un (petit) billard,* une partie de billard. — *Billard américain, japonais, russe,* jeux où l'on pousse une bille qui doit éviter des quilles, passer sous des arceaux, se loger dans des trous. **2.** Table rectangulaire, munie de bandes (①, 3) et recouverte d'un tapis vert collé, sur laquelle on joue au billard. **3.** Fam. Table d'opération chirurgicale. *Monter, passer sur le billard,* subir une opération. **4.** Fam. *C'est du billard,* se dit d'une chose facile à accomplir.

① bille [bij] n. f. **1.** Boule avec laquelle on joue au billard. — Loc. *Attaquer bille en tête,* frapper la bille par sa partie supérieure ; fig. y aller carrément. **2.** Petite boule de pierre, d'argile, de verre servant à des jeux d'enfants. *Une bille d'agate.* — *Les billes,* ce jeu. *Jouer aux billes. Une partie de billes.* — Loc. *Placer ses billes,* se mettre en bonne position pour obtenir qqch. *Reprendre, retirer ses billes,* se retirer d'une association. **3.** *Roulement à billes,* qui fonctionne avec de petites boules d'acier. **4.** Fam. Figure. *Une bonne bille. Bille de clown,* figure comique, ridicule.

② bille n. f. ■ Pièce de bois prise dans la grosseur du tronc ou de grosses branches, destinée à être débitée en planches. *Une bille de chêne.* ⟨▶ **billot** ⟩

billet [bijɛ] n. m. **1.** Littér. Courte lettre. ⇒ **mot**. — Loc. *Billet doux,* lettre d'amour. **2.** Promesse écrite, engagement de payer une certaine somme. ⇒ **effet, traite**. *Billet au porteur,* payable au détenteur à l'échéance. *Billet à ordre,* par lequel une personne s'engage à payer une somme à qqn ou à son ordre. ⇒ **lettre** de change. **3.** *Billet (de banque),* papier-monnaie émis par certaines banques. ⇒ **bank-note, coupure**. *Un billet de cent francs.* Fam. *Le billet vert,* le dollar américain. — Fam. Somme de mille anciens francs. *Une télévision de cinq cents billets,* qui coûte 5 000 francs. **4.** Petit écrit, petit imprimé donnant entrée, accès quelque part. *Il est entré sans billet. Billet de théâtre, de concert. Billet d'avion, de train. Billet de quai.* ⇒ **ticket**. *Billet de loterie.* **5.** Loc. *Je vous donne, je vous fiche mon billet que...,* je vous certifie que... ▶ **billetterie** [bijɛtRi] n. f. ■ Distributeur de billets de banque fonctionnant avec une carte magnétique.

billevesée [bij(l)vəze] n. f. ■ Littér. Parole vide de sens, idée creuse. ⇒ **baliverne, sornette**.

billot [bijo] n. m. **1.** Bloc de bois sur lequel on appuyait la tête d'un condamné à la décapitation. **2.** Masse de bois ou de métal à hauteur d'appui sur laquelle on fait un ouvrage. ⇒ **bloc**. *Billot de cordonnier.*

bimane [biman] adj. et n. ■ Qui a deux mains. — *Un bimane,* un homme.

bimbeloterie [bɛ̃blɔtRi] n. f. ■ Fabrication ou commerce des bibelots ; ces bibelots en tant qu'articles de vente.

bimensuel, elle [bimãsɥɛl] adj. ■ Qui a lieu, qui paraît deux fois par mois. *Revue bimensuelle.* ≠ *bimestriel.*

bimestriel, elle [bimɛstrijɛl] adj. ■ Qui a lieu, qui paraît tous les deux mois. *Une publication bimestrielle.* ≠ *bimensuel.*

bimoteur [bimɔtœr] adj. et n. m. ■ (Avion) Muni de deux moteurs.

binaire [binɛr] adj. ■ Composé de deux unités, deux éléments.

biner [bine] v. tr. ▪ conjug. 1. ■ Remuer (la terre) pour l'ameublir, l'aérer, enlever les mauvaises herbes, en employant un outil *(une binette)*, une machine *(une bineuse).* ▶ **binage** n. m. ■ Action de biner.

binette [binɛt] n. f. ■ Fam. Visage. *Une drôle de binette.*

biniou [binju] n. m. ■ Sorte de cornemuse bretonne. *Des binious.*

binocle [binɔkl] n. m. ■ Vx. Lunettes sans branches se fixant sur le nez. ⇒ **lorgnon, pince-nez.**

binoculaire [binɔkylɛr] adj. et n. f. **1.** Qui se fait par les deux yeux. *Vision binoculaire.* **2.** Qui est pour deux yeux. *Microscope binoculaire.* **3.** N. f. Jumelle à prisme employée pour l'observation, dans l'armée.

binôme [binom] n. m. ■ Expression algébrique composée de deux termes *(monômes)* séparés par le signe + ou −. *Le binôme 2a + b².*

bio- ■ Élément savant signifiant « vie ».

biochimie [bjoʃimi] n. f. ■ Partie de la chimie qui traite des phénomènes vitaux.

biographie n. f. **1.** Ouvrage (d'un *biographe*) qui a pour objet l'histoire de vies particulières. *Il a écrit une biographie de Victor Hugo.* **2.** Faits qui constituent la vie d'un homme. *Une biographie riche en événements.* ⟨ ▶ autobiographie ⟩

biologie n. f. ■ Science qui a pour objet l'étude de la matière vivante en général et des êtres vivants : des plantes ⇒ **botanique,** des animaux ⇒ **zoologie** et des hommes ⇒ **anthropologie.** ▶ *biologique* adj. ■ Relatif à la biologie. *Études biologiques.* — Qui a rapport à la vie, aux nécessités vitales. ▶ *biologiste* n. ■ Spécialiste de la biologie. ⟨ ▶ microbiologie ⟩

bionique n. f. ■ Discipline qui cherche à utiliser dans l'électronique les dispositifs imités du monde vivant (notamment le fonctionnement du cerveau). ⇒ **cybernétique.**

biophysique n. f. ■ Partie de la physique qui traite des phénomènes vitaux.

biopsie [bjɔpsi] n. f. ■ Prélèvement d'un fragment de tissu sur un être vivant en vue d'un examen microscopique.

bioxyde [bjɔksid] n. m. ■ Oxyde contenant deux fois plus d'oxygène que l'oxyde simple.

bipartite [bipartit] adj. ■ Qui est composé de deux éléments, de deux groupes. — *Un gouvernement bipartite,* par l'association de deux partis. *Accord bipartite,* entre deux partis.

bipède [bipɛd] adj. et n. m. ■ Qui marche sur deux pieds. *L'homme est un bipède.*

biplan [biplã] n. m. ■ Avion à deux plans de sustentation (opposé à *monoplan*).

bipolaire [bipɔlɛr] adj. ■ Mathématiques et physique. Qui a deux pôles. ▶ *bipolarisation* n. f. ■ Tendance au regroupement en deux blocs des diverses forces politiques d'une nation.

bique [bik] n. f. **1.** Fam. Chèvre. *Une peau de bique.* **2.** Péj. *Vieille bique,* vieille femme. *Grande bique,* grande fille. ▶ *biquet, ette* n. ■ Petit de la bique. ⇒ **chevreau.**

birbe [birb] n. m. ■ Péj. *Un vieux birbe,* un vieil homme.

biréacteur [bireaktœr] n. m. ■ Avion à deux réacteurs.

① **bis, bise** [bi, biz] adj. ■ D'un gris tirant sur le brun. *Du pain bis,* renfermant du son.

② **bis** [bis] interj. et adv. **1.** Interj. Cri par lequel le public demande la répétition de ce qu'il vient de voir ou d'entendre (⇒ **bisser**). — N. m. invar. *Un, des bis.* ⇒ **rappel. 2.** Adv. Indication musicale d'avoir à répéter une phrase, un refrain. **3.** Adv. Indique la répétition du numéro (sur une maison, devant un paragraphe...). *12 bis et 12 ter, rue de...* ⟨ ▶ bisser ⟩

bisaïeul, eule [bizajœl] n. ■ Littér. Arrière-grand-père, arrière-grand-mère. *Il a encore ses bisaïeuls.*

bisannuel, elle [bizanɥɛl] adj. **1.** Qui revient tous les deux ans. ⇒ **biennal. 2.** (Plante) Qui vit deux ans.

bisbille [bisbij] n. f. ■ Fam. Petite querelle pour un motif futile. *Il est en bisbille avec son voisin.*

biscornu, ue [biskɔrny] adj. **1.** Qui a une forme irrégulière, présentant des saillies. **2.** Fam. Compliqué et bizarre. *Quelle idée biscornue !* ⇒ **extravagant, saugrenu.**

biscotte [biskɔt] n. f. ■ Tranche de pain de mie séchée au four. *Un paquet de biscottes.*

① **biscuit** [biskɥi] n. m. ■ Gâteau sec (galette, petit-beurre, sablé, etc.). *Biscuit à la noix de coco. Biscuit à la cuiller,* très léger et absorbant.

② **biscuit** n. m. ■ Porcelaine blanche non émaillée, cuite au four qui imite le grain du marbre. — Ouvrage fait en cette matière. *Un biscuit de Saxe.*

① **bise** [biz] n. f. ■ Vent sec et froid soufflant du nord ou du nord-est.

② **bise** n. f. ■ Fam. Baiser. *Une grosse bise.* ⟨ ▶ bisou ⟩

biseau [bizo] n. m. **1.** Bord taillé obliquement. ⇒ **biais.** *Le biseau d'une vitre. Une glace, un sifflet en biseau.* **2.** Outil acéré dont le tranchant est ainsi taillé. *Des biseaux.* ▶ *biseauter* v. tr. ▪ conjug. 1. **1.** Tailler en biseau. — Au p. p. adj. *Une glace biseautée.* **2.** Marquer (des cartes à jouer) d'un signe quelconque sur la tranche, pour tricher au jeu.

bisexué, ée [bisɛksɥe] adj. ■ (Plantes) Qui a l'organe mâle *(étamine)* et l'organe femelle *(pistil)* réunis dans la même fleur. — (Plantes) Qui a sur le même pied des fleurs mâles et des fleurs femelles.

bismuth [bismyt] n. m. **1.** Métal brillant à reflets rouges, très cassant (symb. *Bi*). **2.** Nom pharmaceutique du nitrate de bismuth.

bison [bizɔ̃] n. m. ■ Bœuf sauvage au front large, bombé et armé de cornes courtes, aux épaules plus élevées que la croupe, à la tête ornée d'une épaisse crinière. ⇒ **aurochs.** *Un troupeau de bisons.*

bisou [bizu] n. m. ■ Fam. Bise, baiser. *Je vous fais des gros bisous.*

bisque [bisk] n. f. ■ Potage fait avec un coulis de crustacés. *Une bisque de homard.*

bisquer [biske] v. intr. ▪ conjug. 1. ■ Fam. Éprouver du dépit, de la mauvaise humeur. ⇒ **rager, râler.** *Faire bisquer qqn.*

bissectrice [bisɛktʀis] n. f. ■ Droite qui coupe un angle en deux parties égales. *Tracer la bissectrice d'un angle.*

bisser [bise] v. tr. ■ conjug. 1. ■ Répéter (ce qu'on vient d'exécuter), à la demande du public. ⇒ ② bis. — *Bisser un artiste*, obtenir qu'il reprenne son morceau.

bissextile [bisɛkstil] adj. fém. ■ Se dit de l'année de 366 jours qui revient tous les quatre ans et dont le mois de février comporte 29 jours.

bistouri [bisturi] n. m. ■ Instrument de chirurgie en forme de couteau, à lame courte, qui sert à faire des incisions. *Donner un coup de bistouri.*

bistre [bistʀ] n. m. ■ Couleur d'un brun noirâtre. ▶ *bistré, ée* adj. ■ D'un brun noirâtre. *Un teint bistré.*

bistro ou *bistrot* [bistʀo] n. m. ■ Fam. Café ②. ⇒ fam. **troquet.** *Il va souvent au bistro. C'est un pilier de bistrot.*

bitume [bitym] n. m. ■ Mélange de carbures d'hydrogène utilisé comme revêtement imperméable des chaussées et des trottoirs. ⇒ **asphalte, goudron.** — Le sol ainsi revêtu (*bitumé*). *Rouler sur le bitume.*

biture ou *bitture* [bityʀ] n. f. ■ Fam. *Prendre une biture* (ou, v. pron. réfl., fam. *se biturer*), s'enivrer. *Il avait pris une sacrée biture.*

bivouac [bivwak] n. m. ■ Installation provisoire en plein air de troupes en campagne. ⇒ **campement, cantonnement.** *Nous établissions chaque soir un bivouac différent.* — Le lieu où la troupe est installée (où elle *bivouaque*).

bizarre [bizaʀ] adj. **1.** Qui est inhabituel, qu'on s'explique mal. ⇒ **curieux, insolite, saugrenu, singulier.** / contr. **banal, normal** / *Il a des idées bizarres. Il n'écrit pas, c'est bizarre.* ⇒ **anormal, étrange. 2.** (Personnes) D'un caractère difficile à comprendre, fantasque. *Il, elle est un peu bizarre.* ⇒ **excentrique, original.** ▶ *bizarrement* adv. ▶ *bizarrerie* n. f. **1.** Caractère de ce qui est bizarre, d'une personne bizarre. ⇒ **étrangeté, excentricité.** / contr. **banalité / 2.** Chose, élément, action bizarre. *Les bizarreries de la langue française.*

bizness n. m. ⇒ **business.**

bizut ou *bizuth* [bizy] n. m. ■ Fam. Nom donné dans certaines grandes écoles aux élèves de première année. *On va chahuter les bizut(h)s.* ⇒ **nouveau.** / contr. **ancien /** ▶ *bizutage* n. m. ■ Cérémonie estudiantine d'initiation des bizuts, comportant diverses brimades.

blablabla [blablabla] n. m. sing. ■ Fam. Bavardage, verbiage sans intérêt. *C'est du blablabla.*

blackbouler [blakbule] v. tr. ■ conjug. 1. **1.** Mettre en minorité dans un vote. *Il s'est fait blackbouler aux élections.* **2.** Fam. Refuser à un examen. ⇒ **coller.**

black-out [blakawt] n. m. invar. ■ Obscurité totale commandée par la défense passive. *Des black-out.*

blafard, arde [blafaʀ, aʀd] adj. ■ D'une teinte pâle et sans éclat. ⇒ **blême.** *Un teint blafard.* ⇒ **livide.** *Une lumière blafarde.* / contr. **coloré /**

① *blague* [blag] n. f. ■ Petit sac de poche dans lequel les fumeurs mettent leur tabac.

② *blague* n. f. **1.** Histoire imaginée à laquelle on essaie de faire croire. ⇒ fam. **bobard.** *Tu racontes des blagues. Il prend tout à la blague*, il ne prend rien au sérieux. Fam. *Blague à part, blague dans le coin,*

pour parler sérieusement. *Sans blague !*, interjection qui marque le doute, l'étonnement, l'ironie. **2.** Farce, plaisanterie. *Faire une bonne blague à qqn.* **3.** Erreur, maladresse. *Il faut réparer la blague que tu as faite.* ⇒ fam. **boulette.** ▶ *blaguer* v. ■ conjug. 1. **1.** V. intr. Fam. Dire des blagues. ⇒ **plaisanter.** *Vous blaguez !* **2.** V. tr. Railler sans méchanceté. ⇒ **taquiner.** *Ils n'arrêtent pas de le blaguer.* ▶ *blagueur, euse* n. et adj. ■ Fam. Qui a l'habitude de dire des blagues.

blair [blɛʀ] n. m. ■ Fam. Nez. — Visage. ⟨ ▶ blairer ⟩

blaireau [blɛʀo] n. m. **I.** Petit mammifère carnivore, bas sur pattes, de pelage clair sur le dos, foncé sous le ventre, qui se creuse un terrier. *Des blaireaux.* **II.** Brosse pour la barbe (généralt en poil de blaireau) que l'on utilise pour faire mousser le savon.

blairer [blɛʀe] v. tr. ■ conjug. 1. ■ Fam. Aimer (surtout négatif). *Je ne peux pas le blairer*, je le déteste. ⇒ **sentir ;** fam. **encadrer, encaisser.**

blâmer [blɑme] v. tr. ■ conjug. 1. **1.** Porter, exprimer un jugement moral défavorable (sur qqn ou qqch.). ⇒ **condamner, critiquer, désapprouver.** / contr. **approuver, féliciter, louer /** *Il est plus à plaindre qu'à blâmer.* **2.** Punir d'un blâme, réprimander officiellement. *Cet élève fut blâmé par le conseil de discipline.* ▶ *blâme* n. m. **1.** Opinion défavorable, jugement de désapprobation (sur qqn ou qqch.). ⇒ **condamnation, critique, réprobation, reproche.** *S'attirer, encourir le blâme de qqn.* / contr. **approbation, éloge /** **2.** Sanction disciplinaire. *Il mérite un blâme.* ▶ *blâmable* adj. ■ Qui mérite le blâme. ⇒ **condamnable, répréhensible.** *Une action blâmable.* / contr. **louable /**

① *blanc, blanche* [blɑ̃, blɑ̃ʃ] adj. et n. **I.** Adj. **1.** Qui est d'une couleur dont la nature offre de nombreux exemples : blanc comme (la) neige, le lait, le lis. *Fromage blanc, drapeau blanc.* **2.** D'une couleur pâle voisine du blanc. *Il a la peau blanche. Elle a des cheveux blancs. Être blanc.* ⇒ **pâle.** — Se dit de choses claires, par opposition à celles de même espèce qui sont d'une autre couleur. *Vin, pain blanc.* **3.** Qui n'est pas écrit. *Page blanche.* ⇒ **vierge.** *Bulletin (de vote) blanc.* **4.** Qui n'a pas tous les effets habituels. *Nuit blanche*, sans sommeil. *Vers blancs*, sans rime. *Mariage blanc*, sans relations sexuelles. **II.** N. m. et f. UN BLANC, UNE BLANCHE : un homme, une femme appartenant à un groupe ethnique caractérisé par une faible pigmentation de la peau (opposé à *homme, femme de couleur*). ▶ ② *blanc* n. m. **I.** **1.** Couleur blanche. *Un blanc éclatant, mat.* ⇒ **blancheur.** *Être vêtu de blanc*, de vêtements blancs. **2.** Matière colorante, qui sert à peindre. *Blanc de zinc*, oxyde de zinc. **3.** EN BLANC : avec la couleur blanche. *Peint en blanc. Photo en noir et blanc* (opposé à *en couleurs*). — Sans écriture. *Il a laissé le nom en blanc. Chèque en blanc.* **4.** À BLANC : de manière à devenir blanc. *Un métal chauffé à blanc. Tirer à blanc*, avec des projectiles inoffensifs. *Cartouches à blanc.* **II.** **1.** Se dit de la partie blanche de certaines choses. *Blanc de poulet*, la chair blanche de la poitrine. *Blanc d'œuf*, partie incolore et visqueuse formée d'albumine. / contr. **jaune d'œuf /** — Le *blanc de l'œil*, partie blanche de l'œil entourant la pupille. *Regarder qqn dans le blanc des yeux*, bien en face. — Intervalle, espace libre qu'on laisse dans un écrit. ⇒ **interligne.** *Laissez ici un blanc.* **2.** Linge blanc. *Une exposition de blanc* (dans un magasin). **3.** Vin blanc. *Un petit blanc sec. Blanc de blancs*, vin blanc fait avec du raisin blanc. ▶ *blanc-bec* n. m. ■ Jeune homme sans expérience et sûr de soi. *Des blancs-becs.* ▶ *blanchâtre* adj. ■ D'une teinte tirant sur le blanc. ▶ *blanche*

n. f. ■ Note de musique qui vaut deux noires. *Une blanche est un ovale blanc muni d'une queue.* ▶ *blancheur* n. f. ■ Couleur blanche ; qualité de ce qui est blanc. *Linge d'une blancheur immaculée. La blancheur du teint.* ▶ *blanchir* v. ▪ conjug. 2. **I.** V. tr. **1.** Rendre blanc. ⇒ **éclaircir.** / contr. **noircir** / **2.** Couvrir d'une couche blanche ; enduire de blanc. *La neige blanchit les sommets.* — Au p. p. *Un mur blanchi à la chaux.* **3.** Laver, nettoyer (le linge blanc). *Donner son linge à blanchir.* — Au p. p. adj. *Un pensionnaire logé, nourri et blanchi,* et dont on lave le linge. **4.** Disculper, innocenter (qqn). *Il fut blanchi lors de son procès.* **II.** V. intr. Devenir blanc. *Ses cheveux blanchissent.* ▶ *blanchiment* n. m. ■ Action de blanchir (I). *Le blanchiment d'un plafond au lait de chaux.* ▶ *blanchissage* n. m. ■ Action de blanchir le linge. ⇒ **lessive.** *Envoyer du linge au blanchissage.* ▶ *blanchissement* n. m. ■ Le fait de blanchir (II). *Le blanchissement des cheveux.* ▶ *blanchisserie* n. f. ■ Établissement où l'on fait le blanchissage et le repassage du linge. *Une blanchisserie automatique.* ⇒ **laverie.** ▶ *blanchisseur, euse* n. ■ Personne dont le métier est de blanchir le linge et de le repasser. ⟨ ▶ blanquette, fer-blanc ⟩

blanquette [blɑ̃kɛt] n. f. **1.** Vin blanc mousseux. *Une blanquette de Limoux.* **2.** Ragoût de viande blanche, dont la sauce est liée avec un jaune d'œuf. *Une blanquette de veau.*

blasé, ée [blɑze] adj. ■ (Personnes) Dont les sensations, les émotions ont perdu leur vigueur et leur fraîcheur, qui n'éprouve plus de plaisir à rien. ⇒ **indifférent, insensible.** *Après tant de succès, il est blasé.* ▶ *se blaser* v. pron. réfl. ▪ conjug. 1. ■ Devenir blasé. *Elle s'est blasée de ce spectacle quotidien.*

blason [blɑ(a)zɔ̃] n. m. ■ Ensemble des signes distinctifs et emblèmes d'une famille noble, d'une collectivité. ⇒ **armes, armoiries, écu.** *Le blason d'une famille impériale. La science héraldique est l'étude des blasons.* — Loc. *Redorer son blason,* (aristocrate) redevenir riche par un mariage.

blasphème [blasfɛm] n. m. ■ Parole qui outrage la divinité, la religion ou quelque chose de sacré. ▶ *blasphémer* [blasfeme] v. intr. ▪ conjug. 6. ■ Proférer des blasphèmes, des imprécations. ▶ *blasphématoire* adj. ■ Qui contient ou constitue un blasphème. ⇒ **impie, sacrilège.** *Des propos blasphématoires.* / contr. **pieux** /

-blaste, blasto- ▶ ■ Éléments de mots savants, signifiant « germe ».

blatte [blat] n. f. ■ Insecte nocturne au corps aplati. ⇒ **cafard, cancrelat.**

blazer [blazɛʀ] n. m. ■ Veste de sport unie. *Un blazer noir, bleu, vert.*

blé [ble] n. m. **I. 1.** Céréale dont le grain sert à l'alimentation (farine, pain). ⇒ **froment.** *Semer du blé. Un champ de blé.* Loc. *Blond, doré comme les blés,* qui a les cheveux de la couleur des blés. **2.** Le grain seul. *Moudre le blé. Un silo à blé.* **3.** *Blé noir.* ⇒ **sarrasin. II.** Argent. ⇒ fam. **fric.**

bled [blɛd] n. m. **1.** En Afrique. L'intérieur des terres, la campagne. ⇒ **brousse. 2.** Fam. Lieu, village éloigné, isolé, offrant peu de ressources. ⇒ fam. **patelin, trou.** *On s'ennuie dans ce bled. Des bleds.*

blême [blɛm] adj. ■ (Visage) D'une blancheur maladive. ⇒ **blafard, livide.** *Blême de colère.* ⇒ **pâle.** — (Jour, lueur) Très pâle. *Un petit matin blême.* ▶ *blêmir* v. intr. ▪ conjug. 2. ■ Devenir blême.

blesser [blese] v. tr. ▪ conjug. 1. **1.** Frapper d'un coup qui cause une blessure. ⇒ **contusionner, meur-**trir. *Blesser grièvement, mortellement.* — Pronominalement (réfl.). *Elle s'est blessée en tombant.* — Occasionner une blessure. *Ce clou m'a blessé.* — (Vêtements) Causer une douleur, faire mal. *Ces chaussures me blessent.* **2.** Causer une impression désagréable, pénible. *Des sons discordants qui blessent l'oreille.* ⇒ **déchirer, écorcher.** *Cette lumière vive me blesse les yeux.* **3.** Porter un coup pénible à (qqn), toucher ou impressionner désagréablement. ⇒ **offenser, ulcérer.** *Blesser qqn au vif,* douloureusement. *Blesser l'amour-propre de qqn,* le froisser, le vexer. ▶ *blessé, ée* adj. et n. **1.** Adj. Qui a reçu une blessure. *Un genou blessé. Il est grièvement blessé.* **2.** N. Personne blessée. *Un grand blessé,* une personne atteinte d'une blessure grave. *Certains invalides ou mutilés sont des blessés de guerre.* ▶ *blessant, ante* adj. ■ Qui blesse, offense. ⇒ **désobligeant.** *Des paroles, des allusions blessantes.* / contr. **aimable /** ▶ *blessure* n. f. **1.** Lésion produite, involontairement ou pour nuire, sur les tissus vivants par une pression, un instrument tranchant ou contondant, une arme à feu ou la chaleur. ⇒ **plaie.** *Recevoir une blessure. Il faut soigner, panser ses blessures.* **2.** Atteinte morale. ⇒ **offense.** *Blessure d'amour-propre.*

blet, blette [blɛ, blɛt] adj. ■ (Fruits) Qui est trop mûr, dont la chair s'est ramollie. *Une poire blette. Les nèfles se mangent blettes.*

blette n. f. ⇒ **bette.**

bleu, bleue [blø] adj. et n. m. **I. 1.** Qui est d'une couleur dont la nature offre de nombreux exemples : *bleu comme un ciel sans nuages, un bleuet, un saphir... Des yeux bleus. Une robe bleue.* — *Bifteck bleu,* très saignant, à peine grillé. — *Zone bleue,* à stationnement limité, dans une grande ville. — *Carte bleue,* nom d'une carte de crédit. **2.** Se dit de la teinte de la peau après une contusion, un épanchement de sang. — *Il était bleu de froid.* — Loc. *Il en était, il en restait bleu,* stupéfait. **II.** N. m. **1.** La couleur bleue. *Bleu horizon, lavande, marine, ardoise. Des manteaux bleu-vert.* — Loc. *N'y voir que du bleu,* ne s'apercevoir de rien, n'y rien comprendre. — Matière colorante bleue. ⇒ **indigo, pastel, tournesol.** *Bleu de Prusse,* cyanure de fer. *Bleu d'outre-mer,* silicate double d'aluminium, de sodium, etc. — Teinture bleue. *Bleu de lessive. Passer le linge au bleu.* **2.** Jeune recrue. *L'arrivée des bleus à la caserne.* ⇒ **conscrit, nouveau.** — Nouvel élève. ⇒ fam. **bizut.** / contr. **ancien** / *Tu me prends pour un bleu !* **3.** Marque livide sur la peau résultant d'un coup. ⇒ **ecchymose, meurtrissure.** *Il est couvert de bleus. Elle s'est fait un bleu au bras.* **4.** AU BLEU : façon de préparer certains poissons au court-bouillon vinaigré. *Truite au bleu.* **5.** Sorte de fromage à moisissures. *Du bleu d'Auvergne.* **6.** BLEU DE MÉTHYLÈNE : produit analgésique et antiseptique. **7.** Combinaison d'ouvrier, généralement en toile bleue. *Un bleu de mécanicien. Des bleus de travail.* ▶ *bleuâtre* adj. ■ Qui tire sur le bleu, n'est pas franchement bleu. *La teinte bleuâtre d'une cigarette.* ▶ *bleuet* [bløɛ] ou *bluet* [blyɛ] n. m. ■ Nom courant de la centaurée, à fleur bleue, commune dans les blés. ▶ *bleuir* v. ▪ conjug. 2. **1.** V. tr. Rendre bleu. **2.** V. intr. Devenir bleu. *Son visage a bleui.* ▶ *bleuté, ée* adj. ■ Qui a une nuance bleue. — Qui est légèrement bleu. *Des reflets bleutés.*

blinder [blɛ̃de] v. tr. ▪ conjug. 1. **1.** Protéger par un blindage. *Ils ont blindé ce wagon.* **2.** Fam. Endurcir, armer. *L'adversaire l'a blindé.* ▶ *blindé, ée* adj. **1.** Protégé par un blindage. *Une porte blindée. Une voiture blindée. Un train blindé. Division, régiment blindés,* composés de véhicules blindés. **2.** Fam. Endurci. ⇒ **immunisé.** *Il en a vu d'autres, il est blindé maintenant.* ▶ *blindage* n. m. ■ Protection (d'un navire, d'un abri, d'un véhicule, d'une porte) par des plaques de métal ; ces plaques. *Obus qui peut percer le blindage d'un char.*

blinis [blini(s)] n. m. invar. ■ Petite crêpe de sarrasin très épaisse, d'origine russe, souvent servie avec du saumon fumé ou du caviar.

blizzard [blizaʀ] n. m. ■ Vent accompagné de tourmentes de neige, dans le Grand Nord.

① **bloc** [blɔk] n. m. **1.** Masse solide et pesante constituée d'un seul morceau. *Un bloc de marbre, de bois. Colonne d'un seul bloc,* taillée dans un seul bloc. **2.** *Bloc de papier à lettres, bloc-notes, bloc de bureau,* ensemble de feuillets de même dimension, collés ensemble sur un seul côté et facilement détachables. *Des blocs-notes.* **3.** Fam. *Au bloc,* en prison. ⇒ fam. **trou. 4.** Éléments groupés en une masse compacte, homogène. BLOC MOTEUR : groupe formé par le moteur, l'embrayage, la boîte de vitesses d'une automobile. — Ensemble d'appareils sanitaires groupés pour occuper le moins de place possible. — BLOC OPÉRATOIRE. ⇒ **opératoire. 5.** Coalition politique. *Le bloc des gauches,* les gauches alliées. *La politique des blocs* (sous l'autorité, l'un des États-Unis, l'autre de l'U.R.S.S.). — *Faire bloc,* former un ensemble solide, s'unir. *Ils font bloc contre l'agresseur.* **6.** EN BLOC loc. adv. : en totalité, sans partage. ⇒ en **masse.** *Vous admettez en bloc toutes ses idées.* ⟨▶ blocus, ① bloquer⟩

② **à bloc** loc. adv. ■ En forçant, coinçant. *Serrer, visser à bloc avec une clé. Pneu gonflé à bloc.* ▶ **blocage** n. m. **1.** Action de bloquer ②. *Le blocage des freins, du ballon.* — *Blocage des prix,* action de fixer les prix et à en empêcher la hausse. / contr. **déblocage / 2.** Réaction négative d'adaptation d'un être vivant confronté à une situation nouvelle. *Faire un blocage psychologique.* ⟨▶ ② bloquer, ② débloquer⟩

blockhaus [blɔkos] n. m. invar. ■ Petit ouvrage militaire défensif, étayé de poutres ou fortifié de béton. ⇒ **fortin.** *Des blockhaus.*

blocus [blɔkys] n. m. invar. ■ Investissement (d'une ville ou d'un port, d'un littoral, d'un pays) pour isoler, couper les communications avec l'extérieur. *Lever un blocus. Un blocus économique,* une série de mesures prises par un pays pour isoler économiquement un autre pays du reste du monde.

blond, onde [blɔ̃, 5d] adj. et n. **I. 1.** Adj. (Poil, cheveux) De la couleur la plus claire, proche du jaune. / contr. **brun /** *Les cheveux blonds des Nordiques.* — Qui a les cheveux blonds. *Il est blond comme les blés.* — N. *Un blond, une blonde,* une personne blonde. *Les brunes et les blondes.* **2.** N. m. La couleur blonde. *Blond cendré, doré, vénitien. Des cheveux d'un blond filasse.* **II.** D'un jaune très doux. *Un sable blond. Un demi de bière blonde, de blonde.* — *Tabac blond. Cigarette blonde* ou n. f., *une blonde.* ▶ **blondasse** adj. ■ D'un vilain blond. *Des cheveux blondasses.* ▶ **blondeur** n. f. ■ Qualité de ce qui est blond. ▶ **blondinet, ette** n. ■ Enfant blond. *Une petite blondinette.* ▶ **blondir** v. intr. . conjug. 2. ■ Devenir blond. *Ses cheveux blondissent au soleil.* / contr. **brunir /**

① **bloquer** [blɔke] v. tr. . conjug. 1. ■ Réunir, mettre en bloc. ⇒ **grouper, masser.** / contr. **séparer /** *Bloquer deux paragraphes. J'ai bloqué mes jours de congé.*

② **bloquer** v. tr. . conjug. 1. **1.** Empêcher de se mouvoir. ⇒ **immobiliser.** *Freinage brutal qui bloque les roues. Un navire bloqué par les glaces. Le gardien*

de but n'a pas bloqué le ballon. — *Bloquer le crédit,* suspendre les opérations de crédit. *Bloquer un compte en banque.* — *Bloquer les prix, les salaires,* en interdire l'augmentation. **2.** Boucher, obstruer. *La route est bloquée par des travaux.* / contr. **débloquer /**

se blottir [blɔtiʀ] v. pron. réfl. . conjug. 2. ■ Se ramasser sur soi-même, de manière à occuper le moins de place possible. ⇒ se **pelotonner,** se **recroqueviller,** se **tapir.** *Il s'est blotti sous ses couvertures.* — Se mettre à l'abri, en sûreté. ⇒ se **réfugier.** *L'enfant est venu se blottir entre les bras de sa mère.*

blouse [bluz] n. f. **1.** Vêtement de travail que l'on met par-dessus les autres pour les protéger. *Blouse blanche de chirurgien.* **2.** Chemisier de femme, large du bas. *Une blouse assortie à la jupe.* ▶ **blouson** n. m. ■ Veste courte resserrée aux hanches. *Blouson militaire.* — (UN) BLOUSON NOIR : jeune homme vêtu d'un blouson de cuir noir. *Il s'est fait agresser par deux blousons noirs.* ⟨▶ ② blouser⟩

① **blouser** [bluze] v. tr. . conjug. 1. ■ Vx et fam. Tromper (qqn). *Il s'est fait blouser,* il s'est fait avoir.

② **blouser** v. intr. . conjug. 1. ■ (Vêtements) Bouffer ① à la taille. ▶ **blousant, ante** adj.

blue-jean [bludʒin] n. m. ■ Anglic. Pantalon de toile solide. ⇒ **jean.** *Il ne porte que des blue-jeans délavés.*

blues [bluz] n. m. invar. **1.** Forme musicale élaborée par les Noirs des États-Unis d'Amérique, caractérisée par une formule harmonique constante, un rythme à quatre temps. *Un chanteur, un joueur de blues.* **2.** Musique de jazz lente.

bluet n. m. ⇒ **bleuet.**

bluff [blœf] n. m. ■ Attitude destinée à impressionner, intimider un adversaire. *C'est du bluff, ne vous y laissez pas prendre. Il nous a eus au bluff.* ▶ **bluffer** v. intr. . conjug. 1. ■ Pratiquer le bluff. *Il bluffe souvent au poker.* — Transitivement. Essayer de tromper (qqn) par le bluff. *Il a voulu nous bluffer.* ▶ **bluffeur, euse** n. et adj. ■ Personne qui bluffe.

bluter [blyte] v. tr. . conjug. 1. ■ Tamiser (la farine) pour la séparer du son (avec un tamis, un *blutoir*). ▶ **blutage** n. m. ■ Séparation du son et de la farine.

boa [bɔa] n. m. **1.** Gros serpent de l'Amérique du Sud, non venimeux, carnassier, qui étouffe sa proie dans ses anneaux. *Boa constricteur.* **2.** Tour de cou en fourrure ou en plumes. *Elle portait toujours des boas de plumes.*

bobard [bɔbaʀ] n. m. ■ Fam. Propos, récit fantaisiste et mensonger. ⇒ **blague, boniment.** *Tu racontes des bobards. Les bobards de la presse.*

bobèche [bɔbɛʃ] n. f. ■ Disque adapté à chandeliers et destiné à recueillir la cire qui coule.

bobine [bɔbin] n. f. **I. 1.** Petit cylindre à rebords pour enrouler du fil, du ruban, un film... *Une bobine de fil. Les bobines d'un métier à tisser. Changer de bobine pendant une projection.* **2.** Cylindre sur lequel s'enroule un fil conducteur isolé qu'un courant électrique peut parcourir. **II.** Fam. Figure, tête. *Il a une drôle de bobine.* ▶ **bobiner** v. tr. . conjug. 1. ■ Dévider (un fil) et l'enrouler sur une bobine (avec une *bobineuse,* un *bobinoir*). ▶ **bobinage** n. m. **1.** Opération de tissage qui consiste à enrouler le fil. **2.** Enroulement de fils conducteurs autour d'un noyau. *Le bobinage d'un électro-aimant.* ⟨▶ embobiner⟩

bobo [bobo] n. m. **1.** Lang. des enfants. Douleur physique. *Avoir bobo,* avoir mal. *J'ai bobo au genou.*

2. Petite plaie insignifiante. *Il se plaint au moindre bobo. Des petits bobos.*

bobsleigh [bɔbslɛg] ou **bob** [bɔb] n. m. ■ Traîneau articulé à plusieurs places muni d'un volant de direction, pour descendre à grande vitesse sur des pistes de neige aménagées.

bocage [bɔkaʒ] n. m. **1.** Type de paysage formé de prés clos par des levées de terre plantées d'arbres. *Le bocage vendéen.* **2.** Littér. Petit bois ; lieu ombragé.

bocal, aux [bɔkal, o] n. m. ■ Récipient à col très court et, ordinairement, à large ouverture. *Fruits conservés en bocaux. Un bocal à poissons rouges.* ⇒ **aquarium.**

boche [bɔʃ] adj. et n. ■ Péj. Injure xénophobe. Allemand.

bock [bɔk] n. m. ■ Vieilli. Au café. Verre de bière (d'une contenance équivalant à environ la moitié d'un *demi*).

Boeing [bɔiŋ] n. m. invar. ■ Avion transcontinental (d'un constructeur américain). *Il a pris un Boeing 747 pour aller à Bonn. Des Boeing.*

bœuf, bœufs [bœf, bø] n. m. **1.** Mammifère ruminant domestique (*bovins*), lorsqu'il est mâle (opposé à *vache*), castré (opposé à *taureau*) et adulte (opposé à *veau*). *Bœuf de labour. Bœuf de boucherie,* élevé pour l'alimentation. Loc. fam. *Il est fort comme un bœuf,* il est très fort. — Loc. *Mettre la charrue* avant les bœufs.* **2.** *Bœuf sauvage,* bison, aurochs. **3.** *Du bœuf,* viande de bœuf ou de vache. *Un rôti de bœuf. Bœuf bouilli. Bœuf à la mode* ou *bœuf-mode,* pièce de bœuf cuite à l'étouffée, assaisonnée de carottes, etc. **4.** Adj. invar. Fam. *Un effet, un succès bœuf,* très grand et étonnant. ‹ ► **bouvier** ›

bof [bɔf] interj. ■ Exclamation exprimant le mépris, la lassitude, l'indifférence. *Bof ! Faire ça ou autre chose, c'est du pareil au même.*

bogie [bɔʒi] ou **boggie** [bɔgi ; bɔʒi] n. m. ■ Chariot à deux essieux (quatre roues) sur lequel est articulé par pivot le châssis d'un wagon pour lui permettre de prendre les courbes. *Des boggies.*

① **bogue** [bɔg] n. f. ■ Enveloppe piquante de la châtaigne, du marron.

② **bogue** n. m. ■ Anglic. (*bug*). *En informatique.* Erreur dissimulée dans un programme, nuisible à son bon fonctionnement. ‹ ► **déboguer** ›

bohème [bɔɛm] adj. ■ (Personnes) Qui mène une vie vagabonde, sans règles ni souci du lendemain. *Il est un peu bohème.* — Par ext. *Elle a des mœurs bohèmes.* — N. *Un, une bohème,* personne qui mène cette vie. *Une vie de bohème.* — N. f. *La bohème,* ensemble des bohèmes.

bohémien, ienne [bɔemjɛ̃, jɛn] n. et adj. ■ Membre de tribus nomades, vivant dans des roulottes, que l'on croyait originaires de Bohême. ⇒ **tsigane.** — De Bohême.

① **boire** [bwaʀ] v. tr. ▪ conjug. 53. **1.** Avaler (un liquide). ⇒ **absorber, ingurgiter, prendre.** *Nous buvons du vin à table.* — Pronominalement (passif). *Un vin qui se boit au dessert,* qu'on boit. — *Boire un coup, un verre. Il leur paye un coup à boire,* il leur offre à boire (au café). — *Je bois à votre santé, à ta réussite, à votre bonheur.* — Loc. *Il y a à boire et à manger,* des choses disparates, bonnes et mauvaises. — *Boire la tasse,* en se baignant, avaler involontairement une gorgée d'eau. — *Boire du lait, du petit-lait,* se réjouir, se délecter de qqch., d'une flatterie. — Fig. *Boire les paroles de qqn,* les écouter avec attention et admira-

tion. **2.** Prendre des boissons alcoolisées avec excès. ⇒ fam. **picoler.** *Un homme qui boit,* un alcoolique. — *Qui a bu boira,* on ne se corrige pas de ses vieux défauts. **3.** (Corps poreux, perméable) Absorber. *La terre boit l'eau d'arrosage. Ce papier boit (l'encre).* ② *boire* n. m. ■ *Le boire et le manger,* l'action de boire et de manger. — Loc. *En perdre le boire et le manger,* être entièrement absorbé par une occupation, un souci. ‹ ► **boisson, buvable, buvard, buvette, buveur, imbu, pourboire** ›

bois [bwa(ɑ)] n. m. invar. **I.** UN BOIS : espace de terrain couvert d'arbres. ⇒ **forêt.** *Le bois de Boulogne à Paris. Elle va se promener dans les bois.* **II.** LE BOIS, DU BOIS : matière ligneuse et compacte des arbres. *Bois vert. Bois mort, sec.* — *Bois de chauffage. Feu de bois.* — Loc. (Formule de menace) *Je vais leur faire voir de quel bois je me chauffe,* quelle personne je suis. — *Bois de charpente, de menuiserie. Bois blanc,* sapin, bois léger. — DE BOIS, EN BOIS : dont la matière est le bois. *Cheval de bois. Loc. N'être pas de bois,* n'être pas indifférent à ce qui éveille le désir. Loc. fam. *Avoir la gueule de bois,* avoir mal à la tête après avoir trop bu. **III.** Choses en bois. **1.** *Bois de lit,* cadre en bois qui supporte le sommier. **2.** Gravure sur bois. *Un bois du XVIᵉ siècle.* **3.** LES BOIS : les instruments à vent, munis de trous, en bois (parfois en métal). **4.** *Les bois d'un cerf,* ses cornes. ► **boisé, ée** adj. ■ Couvert de bois (I). *Une région boisée.* ► **boisement** n. m. ■ Action de garnir d'arbres un terrain. / contr. **déboisement** / ► **boiserie** n. f. **1.** Revêtement en bois de menuiserie. **2.** Au plur. Éléments de menuiserie d'une maison (à l'exclusion des parquets). *Boiseries peintes.* — Lambris en bois. ‹ ► **déboiser, haut-bois, reboiser, sous-bois** ›

boisseau [bwaso] n. m. ■ Ancienne mesure de capacité utilisée pour les matières sèches. — Loc. *Mettre, laisser, garder qqch. sous le boisseau,* le tenir secret.

boisson [bwasɔ̃] n. f. **1.** Tout liquide qui se boit. ⇒ **breuvage.** *Boisson froide* ⇒ **rafraîchissement,** *chaude. Boisson gazeuse. Boissons alcoolisées.* **2.** Boisson alcoolique. *Un débit de boissons,* un café. ⇒ **bar.** **3.** Habitude de boire de l'alcool. *Il s'adonne à la boisson.*

boîte [bwat] n. f. **1.** Récipient de matière rigide (carton, bois, métal, plastique), facilement transportable, généralement muni d'un couvercle. *Boîte de conserve. Boîte à,* destinée à recevoir (une chose). *Boîte à bijoux. Boîte à bonbons. Boîte à ouvrage,* pour ranger les objets de couture. *Boîte de,* contenant (qqch.). *Boîte d'allumettes. Boîte de bonbons.* — EN BOÎTE : dans une boîte. — METTRE qqn EN BOÎTE. loc. fam. : se moquer de lui, le faire marcher. **2.** Loc. *Boîte à malices,* boîte à attrapes ; ensemble de moyens secrets, de ruses dont une personne dispose. — *Boîte à musique,* dont le mécanisme reproduit quelques mélodies. — *Boîte aux lettres,* boîte sur la voie publique destinée à recevoir les lettres que l'on poste ; boîte privée d'une maison où le facteur dispose le courrier. *Servir de boîte aux lettres,* d'intermédiaire dans un échange de lettres. — *Boîte postale,* boîte aux lettres réservée à un particulier ou à une entreprise dans un bureau de poste (abrév. : *B.P.*). — *Boîte à gants,* petit compartiment, muni d'une porte, aménagé dans une voiture, où l'on range des objets. **3.** Cavité, organe creux qui protège et contient un organe, un mécanisme. *Boîte crânienne,* partie du crâne qui renferme le cerveau. — *Boîte de vitesses,* organe renfermant les engrenages des changements de vitesse. **4.** Fam. Maison, lieu de travail. *Il veut changer de boîte.* — Arg. scol. Lycée. ⇒ fam. **bahut. 5.** BOÎTE (DE NUIT) : petit cabaret ouvert la nuit où l'on boit, danse, et qui présente des attractions. *Elle fréquente les boîtes à la mode. Il va souvent en boîte.* ‹ ▶ boîtier, ① déboîter, emboîter, ouvre-boîtes ›

boiter [bwate] v. intr. ▪ conjug. 1. **1.** Marcher en inclinant le corps d'un côté plus que de l'autre, ou alternativement de l'un et de l'autre. ⇒ **boitiller**. *Elle partit en boitant,* clopin-clopant. **2.** Clocher ②. *Un raisonnement qui boite,* qui est défectueux, imparfait. ▶ *boitiller* v. intr. ▪ conjug. 1. ■ Boiter légèrement. ▶ *boiterie* n. f. ■ Infirmité, mouvement de celui qui boite. ⇒ **claudication.** ▶ *boiteux, euse* adj. **1.** Qui boite. — N. *Un boiteux, une boiteuse.* **2.** Par ext. (Choses) Qui n'est pas d'aplomb sur ses pieds. ⇒ **bancal, branlant.** *Une table, une chaise boiteuse.* **3.** Qui manque d'équilibre, de solidité. *Une paix boiteuse.* — Qui présente une irrégularité. *Vers boiteux,* qui n'a pas le nombre de syllabes voulu.

boîtier [bwatje] n. m. ■ Boîte à compartiments destinés à recevoir différents objets. — *Boîtier de montre,* enveloppe de métal où s'emboîtent le cadran et le mécanisme d'une montre. — *Le boîtier d'une lampe de poche,* renfermant la pile électrique.

① **bol** [bɔl] n. m. **1.** ■ Pièce de vaisselle, récipient individuel hémisphérique. *Un bol de porcelaine.* — Son contenu. *Un bol de riz. Il a bu un bol de café au lait.* — Loc. *Prendre un bol d'air,* aller au grand air. — Loc. fam. *En avoir ras le bol,* en avoir assez, en avoir plein le dos. *J'en ai vraiment ras le bol de ce chahut. Ne te casse pas le bol, ne t'en fais pas.* ‹ ▶ bolée ›

② **bol** n. m. ■ Fam. Chance. *Avoir du bol.* ⇒ fam. **pot** (III). *Tu as eu du bol de me trouver.*

③ **bol** n. m. ■ *Bol alimentaire,* masse d'aliments déglutis en une seule fois.

bolchevik [bɔlʃe(ə)vik] ou *bolcheviste* [bɔlʃe(ə)vist] n. **1.** Pendant la révolution russe. Partisan du bolchevisme. **2.** Russe communiste. — Péj. Communiste. ▶ *bolchevisme* n. m. ■ Doctrine adoptée en 1917, en Russie, par les partisans du collectivisme marxiste.

bolée [bɔle] n. f. ■ Contenu d'un bol ①. *Une bolée de cidre.*

boléro [bɔleʀo] n. m. **1.** Danse espagnole à trois temps, de rythme lent ; air sur lequel on la danse. — Composition musicale inspirée de cette danse. « Le Boléro » de Ravel. **2.** Petite veste de femme, courte et sans manche.

bolet [bɔlɛ] n. m. ■ Champignon charnu, à pied central. ⇒ **cèpe.**

bolide [bɔlid] n. m. **1.** Loc. *Comme un bolide,* très vite, très brusquement. *Il est arrivé comme un bolide. Passer, filer comme un bolide.* **2.** Véhicule qui peut atteindre une grande vitesse. *Un bolide de course.*

bombance [bɔ̃bɑ̃s] n. f. ■ *Faire bombance,* faire une repas excellent et abondant. ⇒ **festoyer** ; fam. faire **ripaille.**

bombarde [bɔ̃baʀd] n. f. ■ Au Moyen Âge. Machine de guerre qui servait à lancer de grosses pierres. ‹ ▶ bombarder ›

bombarder [bɔ̃baʀde] v. tr. ▪ conjug. 1. **1.** Attaquer, endommager en lançant des bombes, des obus. *Les avions ont bombardé la ville.* — Au p. p. adj. *Des villes bombardées.* **2.** Lancer de nombreux projectiles sur (qqn ou qqch.). *Les manifestants l'ont bombardé de tomates.* — Fam. *On le bombardait de télégrammes,* on lui envoyait sans arrêt des télégrammes. **3.** Fam. Nommer brusquement, élever avec précipitation

(qqn) à un poste, un emploi, une dignité. *On l'a bombardé inspecteur général.* ▶ *bombardement* n. m. ■ Action de bombarder, de lancer des bombes ou des obus. *Un bombardement aérien. Un bombardement atomique.* ▶ *bombardier* n. m. **1.** Avion de bombardement. **2.** Aviateur chargé du lancement des bombes.

① **bombe** [bɔ̃b] n. f. **1.** Projectile creux rempli d'explosif, lancé autrefois par des canons, de nos jours lâché par des avions. *Bombe explosive, incendiaire, au phosphore. L'avion a largué une bombe de deux cents kilos. Lâcher, lancer des bombes sur une ville.* ⇒ **obus.** — *Bombe atomique,* utilisant l'énergie de la transmutation nucléaire. *Bombe H,* à hydrogène. — Tout appareil explosible. *Bombe à retardement. Bombe au plastic.* **2.** Fam. *Tomber, arriver comme une bombe,* brusquement, sans qu'on s'y attende. — Fig. *La nouvelle a éclaté comme une bombe.* **3.** *Bombe glacée,* glace en forme de pyramide. **4.** *Bombe au cobalt,* appareil de traitement médical du cancer. **5.** Casquette hémisphérique renforcée des cavaliers. **6.** Atomiseur de grande dimension. *Une bombe insecticide.* ‹ ▶ bombarde ›

② **bombe** n. f. ■ Fam. *Faire la bombe,* faire bombance, faire la noce. ⇒ fam. ② **bringue, foire, java, nouba.**

bomber [bɔ̃be] v. ▪ conjug. 1. **1.** V. tr. Rendre convexe. / contr. **creuser** / *Bomber la poitrine. Bomber le torse,* faire le fier. **2.** V. intr. Devenir convexe, gonfler. *Ce mur bombe.* ▶ *bombé, ée* adj. ■ Qui est ou qui est devenu convexe. ⇒ **renflé.** *Un front bombé. Une route bombée.* / contr. **concave, creux** /

bombyx [bɔ̃biks] n. m. invar. ■ Papillon dont le principal type, le *bombyx du mûrier,* a pour chenille le ver à soie.

① **bon, bonne** [bɔ̃, bɔn] adj. et adv. — REM. Le comparatif de *bon* est *meilleur* ; *plus... bon* peut s'employer lorsque les deux mots ne se suivent pas : *Plus ou moins bon. Plus il est bon, plus on se moque de lui.* **I. 1.** Qui a les qualités utiles qu'on en attend ; qui fonctionne bien. ⇒ **satisfaisant.** / contr. **mauvais** / *Avoir une bonne vue. — En attribut. Il est bon de* (+ infinitif), *que* (+ subjonctif), souhaitable, salutaire. *Il est bon de le savoir. Trouver bon de* (+ infinitif), *que* (+ subjonctif). **2.** (Personnes) Qui fait bien son métier, son travail ; tient bien son rôle. *Un bon élève. Bon père et bon époux.* — ÊTRE BON EN : réussir dans un domaine. *Il est bon en mathématiques.* **3.** Qui convient bien, est utile. *Est-ce que ce ticket est encore bon ?* ⇒ **valable, valide.** — BON POUR : adapté, approprié à qqch. *Un remède bon pour la gorge. Bon pour le service,* se dit d'un conscrit déclaré apte à faire son service militaire. — Fam. *Nous sommes bons pour la contravention,* nous allons l'avoir. *On est bon !,* on n'y échappera pas. — BON À. *Une chose bonne à manger,* à être mangée ; comestible. *Toute vérité n'est pas bonne à dire. C'est bon à savoir.* — BON À TIRER : épreuve bonne à tirer. — (Personnes) *Il n'est bon à rien, il n'est pas bon à grand-chose,* il ne sait rien faire. — À QUOI BON ? : à quoi cela sert-il ? ⇒ **pourquoi.** *À quoi bon continuer ? À quoi bon tous ces efforts ?* **4.** Qui est bien fait, mérite l'estime. *C'est du bon travail.* ⇒ **excellent.** *Un bon film.* **5.** Qui répond aux exigences de la morale. ⇒ **convenable, honorable.** *Une bonne conduite.* ⇒ **vertueux. 6.** Agréable au goût ou à l'odorat. *Un très bon plat.* ⇒ **délicieux, succulent.** — Adv. *Ça sent bon.* **7.** Qui donne du plaisir. ⇒ **agréable.** *Passer de bonnes vacances. Une bonne histoire,* qui amuse. ⇒ **drôle.** Fam. *En avoir de bonnes,* plaisanter. — (En souhait) *Bonne année !* ⇒ **heureux.**

8. LE BON (+ nom) : celui qui convient. *C'est la bonne route. À la bonne adresse.* **9.** Interj. *Bon !* Marque la satisfaction, notamment après une affaire faite, terminée. ⇒ **bien.** — Marque la surprise. *Ah, bon ?* — Marque le mécontentement. *Allons bon, voilà que ça recommence !* **10.** POUR DE BON loc. adv. : réellement, véritablement. *Il est parti pour de bon.* **11.** (Température) *Il fait bon,* on est bien, c'est agréable. **12.** N. m. AVOIR DU BON : présenter des avantages. **II. 1.** Qui veut du bien, fait du bien à autrui. ⇒ **charitable, généreux.** / contr. **méchant** / *Cet homme est bon comme le pain. Le bon Dieu.* — (Juron) *Bon Dieu !* **2.** Qui entretient avec autrui des relations agréables ; qui a de la bonhomie. ⇒ **brave, gentil.** *Une bonne fille. Être bon public,* de ces gens qui, au spectacle, se laissent aller, ne font pas les difficiles. *Merci, vous êtes bien bon.* ⇒ **aimable.** — (Pour souligner la difficulté de ce qui est proposé) *Demain ? Vous êtes bon ! C'est impossible !* **3.** Qui témoigne de bonté. *Faire une bonne action. Allons, un bon mouvement !* — Fam. *Avoir qqn à la bonne,* le trouver sympathique, avoir pour lui toutes les indulgences. **III. 1.** Qui atteint largement la mesure exprimée. ⇒ **grand, gros.** *Il y a trois bons kilomètres. J'en ai fait une bonne partie.* **2.** Définitif, total. *Finissons-en une bonne fois.* ‹ ► bonasse, bonbon, bondieuserie, bon enfant, bonheur, bonhomie, bonhomme, bonification, bonifier, bonjour, bon marché, bonne, bonne femme, bonne-maman, bonnement, bonpapa, bonsoir, bonté, bon vivant, bonus, débonnaire, embonpoint, à la bonne franquette ›

② **bon** n. m. ■ Formule écrite constatant le droit d'une personne d'exiger une prestation, de toucher une somme d'argent, etc. *Bon d'essence. Bons du Trésor,* émis par l'État.

bonapartisme [bɔnapaʀtism] n. m. **1.** Forme de gouvernement dont les principes rappellent ceux du gouvernement des Bonaparte. **2.** Attachement (des *bonapartistes*) à la dynastie des Bonaparte ou à leur système politique, l'Empire.

bonasse [bɔnas] adj. ■ Qui est d'une bonté excessive. ⇒ **faible, mou.** / contr. **énergique** /

bonbon [bɔ̃bɔ̃] n. m. ■ Petite friandise, de consistance ferme ou dure, faite de sirop aromatisé et parfois coloré. *Des bonbons fondants, acidulés, fourrés. Un bonbon à la menthe.* ► ***bonbonnière*** [bɔ̃bɔnjɛʀ] n. f. **1.** Petite boîte à bonbons en porcelaine, en argent, etc. **2.** Petit appartement luxueux.

bonbonne [bɔ̃bɔn] n. f. ■ Gros récipient à col étroit et court. *Une bonbonne de vin.*

bond [bɔ̃] n. m. **1.** (Personnes, animaux) Action de bondir, de s'élever de terre d'un mouvement brusque. ⇒ **saut.** *D'un bond, il franchit l'obstacle.* — Loc. *Ne faire qu'un bond,* se précipiter. *Au premier coup de sonnette, je n'ai fait qu'un bond.* — (Choses) *Faire un bond,* progresser, augmenter subitement de façon notable. *Les prix ont fait un bond. Un bond en avant,* un progrès soudain et rapide. **2.** Loc. *Faire faux bond à qqn,* ne pas venir à un rendez-vous ; ne pas faire ce qu'on a promis à qqn. *Le plombier nous a fait faux bond.*

bonde [bɔ̃d] n. f. **1.** Ouverture de fond, destinée à vider l'eau d'un réservoir, d'une baignoire... — Le système de fermeture de la bonde. *Lâcher, lever la bonde,* l'ouvrir pour faire écouler l'eau. **2.** Trou percé dans un tonneau (pour le remplir ou le vider).

bondé, ée [bɔ̃de] adj. ■ (Espace clos) Qui contient le maximum de personnes. ⇒ **comble, plein.** *En août, les trains sont bondés.* / contr. **vide** /

bondieuserie [bɔ̃djøzʀi] n. f. ■ Objet de piété de mauvais goût.

bondir [bɔ̃diʀ] v. intr. ▪ conjug. 2. **1.** S'élever brusquement en l'air par un saut. ⇒ **sauter.** *Le tigre bondit sur sa proie.* — *Cela me fait bondir* (d'indignation, de colère). **2.** S'élancer précipitamment. ⇒ **courir.** *Il bondit à la salle de bains. En bondissant, il l'a attrapé au vol.*

bon enfant [bɔnɑ̃fɑ̃] adj. invar. ■ Qui a une gentillesse simple et naïve. *Elle est bon enfant. Des manières bon enfant.*

bonheur [bɔnœʀ] n. m. **I.** (LE) BONHEUR : chance. / contr. **malchance** / *Il ne connaît pas son bonheur, il ne se rend pas compte de la chance qu'il a.* — Loc. adv. AU PETIT BONHEUR : au hasard. PAR BONHEUR : heureusement. **II.** (LE) BONHEUR. **1.** État de pleine satisfaction. ⇒ **béatitude, félicité, plaisir.** / contr. **malheur** / *Le bonheur parfait. La recherche du bonheur. Le bonheur d'aimer. Il fait le bonheur de sa femme, il la rend heureuse.* Fam. *Si ce crayon peut faire votre bonheur, vous être utile.* — PROV. *L'argent ne fait pas le bonheur.* **2.** (UN) BONHEUR : ce qui rend heureux. *C'est un grand bonheur pour moi.* ‹ ► porte-bonheur ›

bonhomie [bɔnɔmi] n. f. ■ Simplicité dans les manières, unie à la bonté du cœur. ⇒ **bonté, simplicité.** *Une charmante bonhomie. Une bonhomie feinte.*

bonhomme [bɔnɔm], plur. ***bonshommes*** [bɔ̃zɔm] n. m. **1.** Fam. Homme, monsieur. ⇒ **type.** *Un drôle de bonhomme.* **2.** Terme d'affection en parlant à ou d'un petit garçon. *Mon bonhomme. Ce petit bonhomme a déjà cinq ans.* **3.** Figure humaine dessinée ou façonnée grossièrement. *Dessiner des petits bonshommes. Un bonhomme de neige.* **4.** Loc. *Aller son petit bonhomme de chemin,* poursuivre ses entreprises sans hâte, sans bruit, mais sûrement.

boniche ou ***bonniche*** [bɔniʃ] n. f. ■ Péj. Bonne. *Une petite boniche.*

bonification [bɔnifikasjɔ̃] n. f. ■ Action de donner à titre de surplus. — La somme donnée à ce titre. ⇒ **rabais, remise.**

bonifier [bɔnifje] v. tr. ▪ conjug. 7. ■ Rendre meilleur, d'un meilleur produit. *Bonifier les terres par l'assolement.* — Pronominalement (réfl.). *Se bonifier,* s'améliorer. *Le vin se bonifie en vieillissant.*

boniment [bɔnimɑ̃] n. m. **1.** Propos débité pour convaincre et attirer la clientèle. *Les boniments d'un camelot.* — Discours trompeur pour vanter une marchandise. ⇒ **baratin.** *C'est du boniment.* **2.** Fam. Propos mensonger. ⇒ **blague** ; fam. **bobard.** *Il raconte des boniments.* ► ***bonimenteur*** adj. et n. m.

bonjour [bɔ̃ʒuʀ] n. m. ■ Souhait de bonne journée (adressé en arrivant, en rencontrant). ⇒ fam. **salut.** / contr. **au revoir** / *Il m'a dit bonjour. Bonjour, Monsieur. Souhaiter le bonjour à qqn.* — Loc. fam. *Bien le bonjour.* — Loc. fam. *C'est simple, facile comme bonjour,* très simple, très facile. — *Bonjour les dégâts !,* les dégâts, les ennuis commencent.

bon marché [bɔ̃maʀʃe] adj. invar. (comparatif : *meilleur marché*). ■ Qui n'est pas cher. / contr. **cher, coûteux** / *Des articles bon marché. Tu ne trouveras pas de chaussures meilleur marché.*

bonne [bɔn] n. f. **1.** Servante. ⇒ **domestique.** *Bonne à tout faire. Bonne d'enfants.* ⇒ **gouvernante, nurse.** **2.** (De *bonne à tout faire*) Employée de maison qui fait le ménage, les courses, parfois la cuisine, et vit chez ses patrons. ‹ ► boniche ›

bonne femme [bɔnfam] n. f. **1.** Fam. Femme. *Je ne connais pas cette bonne femme. Quelle sale bonne femme ! Il y avait des types et des bonnes femmes dans le café.* — Péj. Épouse. *Sa bonne femme ne le quitte pas.* **2.** Petite bonne femme, petite fille. **3.** Vieilli. *Remèdes de bonne femme,* traditionnels et peu efficaces.

bonne-maman [bɔnmamã] n. f. ■ Terme d'affection des enfants à leur grand-mère. ⇒ **mamie, mémé.** *Bonne-maman et bon-papa. Des bonnes-mamans.*

bonnement [bɔnmã] adv. ■ *Tout bonnement,* franchement, simplement. *J'avoue tout bonnement que je n'en sais rien. C'est tout bonnement impossible,* vraiment impossible.

bonnet [bɔnɛ] n. m. **I. 1.** Coiffure souple sans bord. *Un bonnet de laine, de fourrure. Bonnet phrygien,* bonnet rouge des révolutionnaires (1789), de la République. *Bonnet de bain,* pour protéger les cheveux. — *Bonnet d'âne,* bonnet de papier dont on affublait les cancres. — *Bonnet de nuit,* qu'on portait pour dormir. Loc. *Quel bonnet de nuit !,* se dit d'une personne triste, ennuyeuse. — *Avoir la tête près du bonnet,* être colérique, prompt à s'emporter. *Prendre qqch. sous son bonnet,* faire qqch. de sa propre autorité, en prendre la responsabilité. — *C'est blanc bonnet et bonnet blanc,* cela revient au même. **2.** *Un gros bonnet,* un personnage éminent, influent. ⇒ fam. ② huile. **II.** Chacune des deux poches d'un soutien-gorge. ▶ *bonneterie* [bɔnɛtri] n. f. ■ Industrie, commerce d'articles d'habillement en tissu à mailles. — Ces articles (fabriqués, vendus par le *bonnetier*). *Les bas, les chaussettes, la lingerie sont des articles de bonneterie.*

bonneteau [bɔnto] n. m. ■ Jeu de trois cartes que le *bonneteur* mélange après les avoir retournées, le joueur devant deviner où se trouve une de ces cartes.

bonniche n. f. ⇒ **boniche.**

bon-papa [bɔ̃papa] n. m. ■ Terme d'affection des enfants à leur grand-père. ⇒ **papi, pépé.** *Bonne-maman et bon-papa. Des bons-papas.*

bonsoir [bɔ̃swar] n. m. ■ Souhait de bonne soirée. — Salutation du soir (qu'on emploie lorsqu'on rencontre qqn, ou, plus souvent, lorsqu'on le quitte). *Bonsoir, Madame. Dis bonsoir à Papa. Souhaiter le bonsoir.* — Fam. *Bonsoir !,* se dit pour marquer qu'une affaire est finie, qu'on s'en désintéresse. *S'il refuse, bonsoir !*

bonté [bɔ̃te] n. f. **1.** Qualité morale qui porte à faire le bien, à être bon pour les autres. ⇒ **altruisme, bienveillance, humanité.** / contr. **méchanceté /** *Il est d'une grande bonté.* — Interj. *Bonté divine !* **2.** Amabilité, gentillesse. *Il a eu la bonté de m'écrire. Voulez-vous avoir la bonté de...* — Au plur. Acte de bonté, d'amabilité. *Merci des bontés que vous avez eues pour moi.*

bonus [bɔnys] n. m. ■ Avantage consenti par un assureur au conducteur qui n'a pas d'accidents. / contr. **malus /** *Il a perdu son bonus après son accident.*

bon vivant [bɔ̃vivã] adj. m. et n. m. ■ Qui est d'humeur joviale et facile, qui aime les plaisirs. *Des bons vivants.*

bonze [bɔ̃z] n. m. **1.** Prêtre de la religion bouddhique. **2.** Fam. Personnage en vue, quelque peu prétentieux. ⇒ **pontife.** *Les bonzes d'un parti.*

bookmaker [bukmɛkœr] n. m. ■ Celui qui, dans les courses de chevaux, prend des paris et les inscrit. *Des bookmakers.* (Abrév. *un book, des books*)

boom [bum] n. m. ■ Brusque hausse des valeurs. / contr. **krach /** — Prospérité soudaine et peu stable. *Un boom économique. Des booms.*

boomerang [bumrãg] n. m. **1.** Arme de jet des indigènes australiens, formée d'une pièce de bois dur courbée, qui revient à son point de départ si le but est manqué. **2.** Acte dont les effets se retournent contre l'auteur. — En appos. *Des effets boomerangs.* — Loc. verb. *Faire boomerang. Leur tentative de le compromettre a fait boomerang.*

boots [buts] n. m. ou f. pl. ■ Anglic. Bottes courtes s'arrêtant au-dessus de la cheville. *Des boots neuves. D'élégants boots.*

boqueteau [bɔkto] n. m. ■ Petit bois ; bouquet d'arbres. ⇒ **bosquet.** *Les boqueteaux d'un parc.*

borate n. m. ⇒ **bore.**

borborygme [bɔrbɔrigm] n. m. ■ Bruit produit par le déplacement des gaz dans l'intestin ou l'estomac. ⇒ **gargouillement.**

① **bord** [bɔr] n. m. **1.** Contour, limite, extrémité d'une surface. ⇒ **bordure.** / contr. **centre, fond /** *Le bord d'une assiette, d'une table. Le bord de la mer. Le bord d'une rivière* ⇒ **berge, rive,** *d'un bois* ⇒ **lisière, orée,** *de la route* ⇒ **bas-côté.** — *Verre plein jusqu'au bord, à ras bord.* — (Vêtement) *Bord festonné.* — BORD À BORD loc. adv. : en mettant un bord contre l'autre, sans les croiser. **2.** Partie circulaire d'un chapeau, perpendiculaire à la calotte. *Chapeau à large bord, à bord relevé, roulé.* **3.** ÊTRE AU BORD DE qqch. : en être tout près. *Il est au bord de la tombe,* mourant. *Nous étions au bord des larmes,* près de pleurer. — SUR LES BORDS : légèrement, à l'occasion. *Il est un peu escroc sur les bords.* ⟨ ▶ abord, abordable, aborder, abords, border, bordure, déborder, inabordable, rebord, transborder ⟩

② **bord** n. m. **1.** Extrémité supérieure du revêtement qui, de chaque côté, couvre la membrure d'un navire. ⇒ **bâbord, tribord.** *Navire de haut bord,* haut sur l'eau. *Ils l'ont jeté par-dessus bord,* à la mer. **2.** *Dans* À, DE, DU BORD : le navire lui-même. *Monter à bord. Journal, livre de bord,* compte rendu de la vie à bord. — Loc. *Les moyens du bord,* ce qu'on a sous la main. — *À bord d'une voiture, d'un avion.* **3.** *Être du bord de qqn,* de son parti. *Nous sommes du même bord.* ▶ *bordages* [bɔrdaʒ] n. m. pl. ■ Planches épaisses ou tôles recouvrant la membrure d'un navire. ⟨ ▶ abordage, bâbord, bordée, hors-bord, tribord ⟩

bordeaux [bɔrdo] n. m. invar. **I.** Vin des vignobles du département de la Gironde. *Un verre de bordeaux blanc, rouge.* **II.** N. m. et adj. invar. Couleur rouge foncé ; de cette couleur. *Des vestes bordeaux.*

bordée [bɔrde] n. f. **1.** Ligne de canons rangés sur chaque bord d'un vaisseau. — Salve de l'artillerie du bord. *Lâcher sa bordée.* **2.** Partie de l'équipage de service à bord. **3.** Route parcourue par un navire qui louvoie sans virer de bord. *Faire, courir une bordée.* — (Marins, militaires) Loc. fam. *Courir, tirer une bordée,* aller de cabaret en cabaret. **4.** *Une bordée d'injures,* une suite d'injures.

bordel [bɔrdɛl] n. m. **1.** Vulg. Maison de prostitution. **2.** Fam. Grand désordre *Il y a un tel bordel dans sa chambre !* ▶ *bordélique* [bɔrdelik] adj. Fam. **1.** Où il y a du désordre. **2.** (Personnes) Qui crée du désordre.

border [bɔrde] v. tr. . conjug. 1. **1.** Occuper le bord de (qqch.). *Les arbres qui bordent le chemin.* — Au p.p. *Une route bordée d'arbres.* **2.** Garnir (un vêtement) d'un bord, d'une bordure. *Elle a bordé son tissu d'un ourlet.* — Au p.p. *Un mouchoir bordé de dentelle. Border un lit,* replier le bord des draps, des couvertures sous le matelas. — *Border qqn,* border son lit quand il est couché. *Elle allait le border dans son lit.*

bordereau [bɔʀdəʀo] n. m. ■ Relevé détaillé énumérant les divers articles ou pièces d'un compte, d'un dossier... ⇒ **état**. *Des bordereaux d'achat.*

bordure [bɔʀdyʀ] n. f. ■ Ce qui borde en servant d'ornement. *La bordure d'un massif.* — EN BOR-DURE : sur le bord, le long du bord. *Ses terres sont en bordure de la rivière.*

bore [bɔʀ] n. m. ■ Corps chimique, simple métalloïde, voisin du carbone (n° at. 5). ▶ *borate* n. m. ■ Sel de l'acide borique. ▶ *borique* adj. ■ Formé d'hydrogène et de bore.

boréal, ale, aux [bɔʀeal, o] adj. ■ Qui est au nord du globe terrestre. *Hémisphère boréal.* — Voisin du pôle Nord. *Aurore boréale.* ⇒ **arctique**. / contr. **austral** /

borgne [bɔʀɲ] adj. et n. **1.** Qui a perdu un œil ou ne voit plus que d'un œil. *Le bandeau noir d'un borgne.* **2.** *Fenêtre borgne,* donnant du jour, mais aucune vue. — *Hôtel borgne,* mal famé. ‹ ▶ ébor-gner ›

borique adj. ⇒ **bore**.

borne [bɔʀn] n. f. **1.** Pierre ou autre marque servant à délimiter un champ, une propriété foncière, et qui sert de repère. *Borne kilométrique,* plantée à chaque kilomètre d'une route. **2.** Fam. Kilomètre. *Il a fallu faire six cents bornes dans la nuit.* **3.** Serre-fils pour brancher un fil conducteur sur un appareil électrique. *Les bornes d'une batterie de voiture.* **4.** Au plur. Frontières, limites. *La patience humaine a des bornes.* — Limite permise. *Vous dépassez les bornes !* ⇒ **mesure**. — *Sans bornes,* illimité. *Une tristesse sans bornes.* ⇒ **infini**. ▶ *bornage* n. m. ■ Opération consistant à délimiter deux propriétés contiguës par la pose de bornes. ▶ *borner* v. tr. ▪ conjug. 1. **1.** Déli-miter. *Les montagnes qui bornent l'horizon.* **2.** Abs-trait. Mettre des bornes à ; renfermer, resserrer dans des bornes (4). ⇒ **limiter, réduire**. *Il faut savoir borner ses désirs.* **3.** SE BORNER À v. pron. : s'en tenir à. ⇒ se **contenter de**. *Les critiques se sont bornés à résumer la pièce.* — (Choses) Se limiter à. *L'examen s'est borné à deux questions.* ▶ *borné, ée* adj. **1.** (Choses) Qui a des bornes. — Qui est limité par un obstacle. *Un horizon borné.* **2.** (Personnes) Dont les capacités intellectuelles sont limitées. ⇒ **bouché, obtus**. *Esprit borné,* étroit, limité. / contr. **intelligent, ouvert** /

bosco [bɔsko] n. m. ■ Maître de manœuvre sur un navire.

bosquet [bɔskɛ] n. m. ■ Petit bois ; groupe d'arbres plantés pour l'agrément. ⇒ **boqueteau, bouquet**.

bosse [bɔs] n. f. **1.** Enflure due à un choc sur une région osseuse. *Elle s'est fait une bosse au front en se cognant.* **2.** Grosseur dorsale, difformité de la colonne vertébrale (d'un bossu). **3.** *Bosse du crâne,* protubérance du crâne considérée autrefois comme le signe d'une aptitude. — Fam. *Avoir la bosse du commerce, des mathématiques.* ⇒ **don**. **4.** Protubé-rance naturelle sur le dos de certains animaux. *Les deux bosses d'un chameau.* **5.** Partie renflée et arrondie sur une surface plane. / contr. **creux** / *Un terrain qui présente des bosses.* ▶ *bosseler* [bɔsle] v. tr. ▪ conjug. 4. ■ Déformer (qqch.) par des bosses. — Au p.p. adj. *Un terrain tout bosselé.* ▶ *bossu, ue* adj. et n. ■ Qui a une ou plusieurs bosses (2) par un

vice de conformation. *Elle est bossue. Un bossu.* — Loc. fam. *Rire comme un bossu,* rire à gorge déployée. ▶ *bossué, ée* adj. ■ Qui présente des bosses. *Un crâne bossué.* ‹ ▶ cabosser ›

bosser [bɔse] v. ▪ conjug. 1. Fam. **1.** V. intr. Travail-ler ⇒ fam. **boulonner**. *Je bosse depuis six mois.* **2.** V. tr. *Bosser un examen, un concours,* le préparer activement. ⇒ fam. ② **bûcher**. ▶ *bosseur, euse* n. et adj. ■ Fam. Personne qui produit un gros travail. *C'est un sacré bosseur.* — Adj. *Elle est plus bosseuse que son frère.*

boston [bɔstɔ̃] n. m. **1.** Ancien jeu de cartes. **2.** Valse lente au mouvement décomposé.

bot [bo] adj. ■ *Pied bot,* pied difforme par rétraction de certains muscles. *Il a un pied bot.*

botanique [bɔtanik] adj. et n. f. **1.** Adj. Relatif à l'étude des végétaux. *Jardin botanique.* **2.** N. f. Science qui a pour objet l'étude des végétaux. ▶ *botaniste* n. ■ Spécialiste de botanique.

① *botte* [bɔt] n. f. ■ Chaussure qui enferme le pied et la jambe. *Des bottes de cuir. Petites, grandes bottes. Mettre ses bottes.* — Loc. *Être à la botte de qqn,* lui obéir servilement. Fam. *En avoir plein les bottes,* en avoir assez. ▶ *botter* v. tr. ▪ conjug. 1. **I. 1.** Chausser de bottes. — Au p. p. adj. *Des motards bottés et casqués.* **2.** Donner un coup de pied (de botte) à. *Il lui a botté les fesses.* — Aux jeux de ballon. Frapper du pied (le ballon). ⇒ **shooter**. *Sans compl. Botter en touche.* **II.** Fam. Convenir à (qqn), aller bien (comme doit aller une botte). *Ça me botte,* ça me plaît. ▶ *bottier* n. m. ■ Artisan qui fabrique des chaussures, des bottes sur mesure. ⇒ **chausseur**. ▶ *bottillon* n. m. ■ Chaus-sure montante confortable. ⇒ **boots**. ▶ *bottine* n. f. ■ Chaussure montante qui serre la cheville.

② *botte* n. f. ■ Réunion de tiges de végétaux attachées ensemble. *Une botte de paille, de radis, d'asperges.* ▶ *botteler* v. tr. ▪ conjug. 4. ■ Attacher en botte(s).

③ *botte* n. f. ■ Coup d'épée, de fleuret, portée à l'adversaire selon les règles. *Une botte secrète.*

bottin [bɔtɛ̃] n. m. ■ Annuaire* des téléphones (édité par Bottin). *Consulter le bottin. Elle n'est pas dans le bottin.*

botulisme [bɔtylism] n. m. ■ Intoxication alimen-taire causée par un microbe contenu dans la charcuterie, les conserves avariées.

boubou [bubu] n. m. ■ Longue tunique, vêtement traditionnel africain. *Des boubous.*

bouc [buk] n. m. **1.** Mâle de la chèvre. — Loc. BOUC ÉMISSAIRE [bukemisɛʀ] : bouc que le prêtre, dans la religion hébraïque, le jour de la fête des Expiations, chargeait des péchés d'Israël ; personne sur laquelle on fait retomber les torts des autres. *Des boucs émissaires.* **2.** Barbiche. *Porter le bouc.*

① *boucan* [bukɑ̃] n. m. ■ Fam. Grand bruit. ⇒ **tapage, vacarme**. *Arrêtez de faire tout ce boucan !*

② *boucan* n. m. ■ Anciennement. Gril de bois sur lequel les Indiens d'Amérique fumaient la viande. ▶ *boucaner* v. tr. ▪ conjug. 1. ■ Faire sécher, à la fumée (de la viande, du poisson). — Dessécher et colorer (la peau). ⇒ **tanner**. — Au p. p. adj. *Teint boucané.*

bouche [buʃ] n. f. **1.** Cavité située à la partie inférieure du visage de l'homme, bordée par les lèvres, communiquant avec l'appareil digestif et avec les voies respiratoires. ⇒ **bec** ; fam. **gueule**. *Ouvrir, fermer la bouche. Ils s'embrassent sur la bouche.*

— Les lèvres et leur expression. *Une belle bouche. Il fait la fine bouche*, le difficile. *La bouche en cœur*, en minaudant. — (Servant à manger) *Avoir la bouche pleine*, en mangeant. *Garder qqch. pour la bonne bouche*, le manger en dernier pour en conserver le goût agréable ; garder pour la fin. — *Avoir l'eau* (la salive) *à la bouche*, être mis en appétit, désirer. — *Une fine bouche*, un gourmet. *Une bouche inutile*, dans une famille, une collectivité, une personne que l'on doit nourrir et qui ne rapporte rien. — (Servant à parler) *Avoir toujours un mot à la bouche*, le répéter constamment. *De bouche à oreille*, en confidence. *Bouche cousue !*, gardez le secret. ⇒ **motus.** 2. Cavité buccale de certains animaux. ⇒ **gueule.** 3. Ouverture, orifice. *Une bouche de métro*, l'entrée d'une station de métro. *Une bouche d'égout. La bouche de chaleur d'un calorifère.* 4. *La bouche d'un fleuve*, son embouchure. *Le département des Bouches-du-Rhône.* ▶ *bouche-à-bouche* [buʃabuʃ] n. m. invar. ■ Procédé de respiration artificielle par lequel une personne insuffle avec sa bouche de l'air dans la bouche de l'asphyxié. *Pratiquer, faire le (du) bouche-à-bouche à un noyé.* ⟨▶ s'aboucher, bouchée, ② déboucher, mal embouché, emboucher, ① embouchure, ② embouchure ⟩

bouché, ée adj. 1. Fermé, obstrué. *Avoir le nez bouché* (par des mucosités). *Le temps est bouché*, couvert. *Du vin, du cidre bouché*, en bouteille bouchée (opposé à *au tonneau*). 2. (Personnes) Borné, imbécile. *Il est bouché (à l'émeri).* ⇒ **obtus.**

bouchée [buʃe] n. f. 1. Morceau, quantité d'aliment qu'on met dans la bouche en une seule fois. *Une bouchée de pain.* Loc. *Pour une bouchée de pain*, pour presque rien. — Loc. *Ne faire qu'une bouchée de qqn*, en triompher aisément. — *Mettre les bouchées doubles*, aller plus vite (dans un travail, etc.). 2. BOUCHÉE À LA REINE : croûte feuilletée garnie de viandes blanches en sauce. ⇒ **vol-au-vent.** 3. Morceau de chocolat fin fourré.

① *boucher* [buʃe] v. tr. ▪ conjug. 1. 1. Fermer (une ouverture, un trou, un récipient...). *Boucher une bouteille avec un bouchon.* / contr. **déboucher, ouvrir** / — *Se boucher le nez* (en le pinçant), pour ne pas sentir une odeur. *Se boucher les oreilles*, refuser d'entendre. 2. Obstruer (un passage, une route). ⇒ **barrer.** *Ce mur bouche la vue.* 3. Fam. *En boucher un coin à qqn*, l'épater, le rendre muet d'étonnement. *Ça m'en bouche un coin !* — *Boucher un trou, les trous*, combler, remplacer. *Ses économies boucheront le trou.* ▶ *bouchage* n. m. ■ Action de boucher. ▶ *bouche-trou* n. m. ■ Personne, objet n'ayant pas d'autre utilité que de combler une place vide. *Cet acteur n'est qu'un bouche-trou. Des bouche-trous.* ⟨▶ bouché, ① déboucher, reboucher, tire-bouchon ⟩

② *boucher* n. m. 1. Marchand de viande (de bœuf, de cheval, de mouton, de porc). *J'ai acheté un gigot chez le boucher. Un boucher hippophagique*, qui ne vend que du cheval. 2. Homme cruel et sanguinaire. 3. *C'est un vrai boucher*, se dit d'un chirurgien maladroit, d'un général peu économe de la vie de ses hommes. ▶ *bouchère* n. f. ■ Femme de boucher ; femme qui tient une boucherie. ▶ *boucherie* n. f. 1. (LA) BOUCHERIE : commerce de la viande crue de bœuf, de mouton, de porc, de cheval. 2. (UNE) BOUCHERIE : boutique du boucher. *Des boucheries chevalines.* 3. *Animaux de boucherie*, élevés pour leur chair (bœuf, cheval, mouton, porc, veau). 4. Tuerie, carnage. *Il a envoyé ses soldats à la boucherie.*

bouchon [buʃɔ̃] n. m. 1. Pièce ordinairement cylindrique (de liège, de verre, etc.) entrant dans le goulot des bouteilles, des flacons, et qui sert à les

boucher. *Bouchon de champagne*, à tête renflée, retenu par une armature. *Ce vin sent le bouchon.* — Petite pièce cylindrique qui se visse à l'ouverture d'un bidon, d'un tube. *Le bouchon du tube de dentifrice.* 2. *Bouchon de paille*, poignée de paille tordue (qui sert à bouchonner). 3. Flotteur d'une ligne de pêcheur qui permet de surveiller le fil. — Loc. fig. *Envoyer, pousser le bouchon un peu loin*, aller trop loin, exagérer. 4. Ce qui bouche accidentellement un conduit, un passage. *Bouchon (de circulation)*, encombrement de voitures qui arrête la circulation. ⇒ **embouteillage.** *Il y a un bouchon sur la nationale 7.* ▶ *bouchonner* [buʃɔne] v. ▪ conjug. 1. I. V. tr. Frotter vigoureusement, frictionner. — *Bouchonner un cheval*, frotter le poil de l'animal avec un bouchon de paille ou de foin. II. V. intr. Former un bouchon (4). *Ça bouchonne sur l'autoroute.*

bouchot [buʃo] n. m. ■ Clôture en bois sur les bords de la mer, servant à la culture des moules et autres coquillages. *Moules de bouchot.*

boucle [bukl] n. f. 1. Anneau ou rectangle métallique garni d'une ou plusieurs pointes montées sur un axe et qui sert à tendre une courroie, une ceinture. *Boucle de ceinture.* 2. *Boucles d'oreilles*, petits bijoux qu'on fixe aux oreilles. 3. Ligne courbe qui s'enroule, se recoupe. *Faire une boucle avec un lacet.* — *Des cheveux en boucles.* — Courbe très accentuée d'un fleuve. *Les boucles de la Seine.* ⇒ **méandre.** ▶ *bouclette* n. f. ■ Petite boucle (en particulier, de cheveux). ⇒ **frisette.** ▶ *boucler* v. ▪ conjug. 1. I. V. tr. 1. Attacher, serrer au moyen d'une boucle. / contr. **déboucler** / *Boucler sa ceinture.* — *Boucler sa valise, sa malle*, les fermer ; s'apprêter à partir. 2. Dans la presse, le journalisme. Finir de rassembler les articles et les mettre prêts à partir en composition. *Il faut boucler ce numéro avant le 15.* 3. Fam. ⇒ **fermer.** *Il est l'heure de boucler le magasin.* — *La boucler*, se taire. *Je te conseille de la boucler.* — Enfermer, emprisonner (qqn). 4. Parcourir entièrement (une boucle qu'on décrit, un circuit). *Il a bouclé le second tour en 8 minutes.* — Fig. *Boucler son budget*, le mettre en équilibre, joindre les deux bouts. 5. Entourer complètement par des troupes ou des forces de police. ⇒ **cerner, encercler.** *La police a bouclé ce pâté de maisons.* II. V. intr. Avoir, prendre la forme de boucles. *Ses cheveux bouclent naturellement.* ⇒ **friser.** ▶ *bouclé, ée* adj. ■ Disposé en boucle. *Des cheveux bouclés.* ▶ *bouclage* n. m. 1. Mise sous clé. 2. Opération militaire, policière par laquelle on boucle une région, un quartier. 3. Action de boucler (I, 2). *Délai de bouclage.* ⟨▶ déboucler ⟩

bouclier [buklije] n. m. 1. Ancienne arme défensive, épaisse plaque portée au bras gauche par les gens de guerre pour se protéger. ⇒ **écu.** — Loc. *Levée de boucliers*, démonstration d'opposition. 2. Plaque de blindage d'un canon. — *Bouclier métallique*, appareil à cloisons étanches pour le creusement des tunnels. 3. Tout ce qui constitue un moyen de défense, de protection. ⇒ **rempart.** *Faire un bouclier de son corps à qqn*, se mettre devant lui pour le protéger. 4. Carapace de certains crustacés. 5. Plate-forme étendue de roches primitives. *Le bouclier canadien.*

bouddhisme [budism] n. m. ■ Doctrine religieuse fondée dans l'Inde, qui succéda au brahmanisme et se répandit en Asie. *Le bouddhisme zen* (au Japon). ▶ *bouddhiste* n. et adj. ■ Adepte du bouddhisme. *Prêtre bouddhiste.* ⇒ **bonze.**

bouder [bude] v. ▪ conjug. 1. V. intr. Montrer du mécontentement par une attitude renfrognée, maussade. *Un enfant qui boude.* 2. V. tr. Montrer cette espèce de mécontentement à (qqn). *J'ai l'impression qu'elle me boude.* — Fam. Ne plus rechercher (qqch.). *Il boude maintenant ce genre de distractions.* ⇒ **ignorer.** ▶ *bouderie* n. f. ■ Action de bouder ; état de celui qui boude. ▶ *boudeur, euse* adj. ■ Qui boude fréquemment. ⇒ **grognon, maussade.** — Qui marque la bouderie. *Air, visage boudeur.*

boudin [budɛ̃] n. m. **1.** Boyau rempli de sang et de graisse de porc assaisonnés. *Boudin grillé.* — *Boudin blanc,* charcuterie de forme semblable faite avec du lait et des viandes blanches. — Loc. fam. *S'en aller en eau de boudin,* se dit d'une affaire bien commencée et qui se réduit à néant. **2.** Bourrelet. — Gros doigt rond. **3.** Fam. Fille mal faite, petite et grosse. ▶ *boudiner* v. tr. ■ conjug. 1. ■ Tordre (en écheveau). — Tordre en spirale (un fil métallique), mouler (une matière malléable). ▶ *boudiné, ée* adj. **1.** Serré comme un boudin (dans un vêtement étriqué). *Il est boudiné dans sa veste.* **2.** En forme de boudin. *Des doigts boudinés.*

boudoir [budwaʀ] n. m. **1.** Petit salon élégant de dame. **2.** Biscuit oblong recouvert de sucre cristallisé.

boue [bu] n. f. **1.** Terre, poussière détrempée (dans les rues, les chemins). ⇒ **gadoue.** *On pataugeait dans la boue. Taches de boue.* — Loc. *Traîner qqn dans la boue, couvrir de boue,* l'accabler de propos infamants. **2.** Limon imprégné d'éléments minéraux. *Le médecin lui a ordonné des bains de boue.* **3.** Déchets, résidus. *Des boues industrielles. Des boues rouges.* ▶ ① *boueux, euse* [buø, øz] adj. **1.** Plein de boue. *Chemin boueux.* ⇒ **bourbeux.** *Eau boueuse. Des chaussures boueuses.* **2.** Qui a la consistance, l'aspect de la boue. ▶ ② *boueux* n. m. invar. ■ Employé chargé d'enlever les ordures ménagères des voies publiques. ⇒ **éboueur.** ⟨ ▶ éboueur, garde-boue, pare-boue ⟩

bouée [bwe] n. f. ■ Corps flottant qui signale l'emplacement d'un mouillage, d'un écueil, d'un obstacle ou qui délimite une passe, un chenal. ⇒ **balise, flotteur.** — *Bouée (de sauvetage),* anneau d'une matière insubmersible. *J'ai appris à nager avec une bouée.*

bouffant, ante adj. ⇒ ① **bouffer.**

bouffarde [bufaʀd] n. f. ■ Fam. Grosse pipe à tuyau court.

① *bouffe* [buf] adj. ■ *Opéra bouffe,* du genre lyrique léger. *Des opéras bouffes.* ⟨ ▶ bouffon ⟩

② *bouffe* ou *bouffetance* [buftɑ̃s] n. f. ■ Fam. Action de bouffer ②. — Nourriture. ⇒ fam. **boustifaille.** *Il aime bien faire la bouffe, faire la cuisine.*

bouffée [bufe] n. f. **1.** Souffle qui sort par intermittence de la bouche. *Tirer des bouffées de sa pipe.* **2.** Souffle d'air qui arrive par intermittence. *Une bouffée d'air froid, de parfum. Bouffée de chaleur,* sensation de chaleur qui monte brusquement à la face. **3.** Manifestation, mouvement subit, passager. ⇒ **accès.** *Des bouffées d'orgueil.* — *Par bouffées,* par intervalles.

① *bouffer* [bufe] v. intr. ■ conjug. 1. ■ (Matière souple, légère) Se gonfler et augmenter de volume. *Des cheveux, des manches qui bouffent.* ▶ *bouffant, ante* adj. ■ Qui bouffe. *Pantalons bouffants. Manches bouffantes.* ⇒ ① **ballon.** ⟨ ▶ bouffarde, bouffée, bouffir ⟩

② *bouffer* v. tr. ■ conjug. 1. ■ Fam. Manger. ⇒ fam. **becqueter, boulotter.** *Un petit restaurant où on bouffe bien. Bouffer des briques,* n'avoir rien à manger. — Loc. *Se bouffer le nez,* se disputer. — Consommer. *Une voiture qui bouffe de l'huile.* ⟨ ▶ ② bouffe ⟩

bouffir [bufiʀ] v. tr. ■ conjug. 2. ■ Déformer par une enflure morbide, disgracieuse. ⇒ **enfler, gonfler.** *La maladie avait bouffi son visage.* ▶ *bouffi, ie* adj. **1.** Gonflé, enflé de manière disgracieuse. ⇒ **boursouflé, soufflé.** *Un visage bouffi. Des yeux bouffis,* dont les paupières sont gonflées. **2.** Péj. *Bouffi d'orgueil, de vanité,* rempli d'orgueil...

bouffon, onne [bufɔ̃, ɔn] n. m. et adj. **1.** Personnage qui était chargé de divertir un prince par ses plaisanteries. ⇒ **fou.** — Celui qui amuse. ⇒ **clown, farceur, pitre. 2.** Adj. Qui excite le gros rire, a quelque chose de grotesque et d'un peu fou. ⇒ **comique, ridicule.** *Une histoire, une scène bouffonne.* ▶ *bouffonnerie* n. f. ■ Caractère bouffon. *La bouffonnerie de la situation.* — Action ou parole bouffonne. ⇒ **farce.**

bougainvillée [bugɛ̃vile] n. f. ou *bougainvillier* [bugɛ̃vilje] n. m. ■ Arbrisseau à feuilles persistantes, à fleurs violettes ou roses.

bouge [buʒ] n. m. ■ Café, cabaret mal famé, mal fréquenté.

bougeoir [buʒwaʀ] n. m. ■ Petit chandelier bas pour les bougies.

bouger [buʒe] v. ■ conjug. 3. **I.** V. intr. **1.** Faire un mouvement. ⇒ **remuer.** *Vous avez bougé, la photo est ratée.* — Se déplacer. *Je ne bouge pas de chez moi aujourd'hui, je ne sors pas.* **2.** Fam. Changer. *Les prix n'ont pas bougé.* **3.** (Groupe de personnes) S'agiter par l'effet du mécontement. ⇒ se **soulever.** *Le peuple commence à bouger.* **II.** V. tr. Fam. Remuer, déplacer. *Sans bouger le petit doigt,* sans rien faire pour cela. — Pronominalement (réfl.). *Bouge-toi de là.* ▶ *bougeotte* n. f. ■ Fam. Manie de bouger ; de voyager. *Avoir la bougeotte.*

bougie [buʒi] n. f. **1.** Appareil d'éclairage formé d'une mèche tressée enveloppée de cire. ≠ **chandelle.** *Nous nous éclairons à la bougie. Souffler les bougies d'un gâteau d'anniversaire.* **2.** Appareil d'allumage des moteurs à explosion. *Les bougies de la voiture sont encrassées et doivent être changées.* ⟨ ▶ bougeoir ⟩

bougnat [buɲa] n. m. ■ Fam. Marchand de charbon.

bougonner [bugɔne] v. intr. ■ conjug. 1. ■ Fam. Exprimer pour soi seul, souvent entre les dents, son mécontentement. ⇒ **grogner, grommeler ;** fam. **râler.** *Vas-tu cesser de bougonner ?* ▶ *bougon, onne* adj. et n. ■ Fam. Qui a l'habitude de bougonner. ⇒ **grognon ;** fam. **ronchon.** *Il a un bon cœur, mais il est un peu bougon.*

bougre, esse [bugʀ, ɛs] n. et interj. Fam. **1.** Gaillard. *Il n'a pas froid aux yeux, le bougre !* — Individu. ⇒ **type.** *Un bon bougre,* un brave type. **2.** En appos. *Bougre d'idiot !* ⇒ **espèce. 3.** Interjection exprimant le dépit, la colère. ⇒ fam. **bigre.** ▶ *bougrement* adv. ■ Fam. Très. ⇒ fam. **bigrement, rudement.** *C'est bougrement difficile.*

boui-boui [bwibwi] n. m. ■ Fam. Café-concert, café de dernier ordre. — Petit restaurant où l'on mange mal. *Des bouis-bouis.*

bouillabaisse [bujabɛs] n. f. ■ Plat provençal de poissons à la tomate, fortement épicés, que l'on sert dans son bouillon avec des tranches de pain.

bouille [buj] n. f. ■ Fam. Figure, tête. *Il a une bonne bouille.*

bouillir [bujiʀ] v. intr. ■ conjug. 15. **1.** Être en ébullition, s'agiter en formant des bulles sous l'action de la chaleur. *L'eau bout à 100 degrés. Faire bouillir du lait. Attendez un peu que l'eau bouille.* — Au p. p.

adj. *Eau bouillie.* **2.** Faire cuire dans un liquide qui bout (de la viande, des légumes...). — Au p. p. adj. *Bœuf bouilli.* — N. m. *Du bouilli.* ⇒ **pot-au-feu.** — Stériliser ou nettoyer dans l'eau qui bout. *Faire bouillir un biberon, du linge.* **3.** *Bouillir de colère, d'impatience,* être emporté par la colère, l'impatience. — Sans compl. *Bouillir,* s'impatienter, s'emporter. *Ça me fait bouillir,* m'indigne, m'exaspère. **4.** Transitivement. (Sujet personnes) Fam. *Faire bouillir. Bouillir le linge.* ▶ **bouillant, ante** adj. **1.** Qui bout. *Eau bouillante.* **2.** Très chaud, brûlant. / contr. **glacé** / **3.** Littér. Ardent, emporté. *Ce bouillant jeune homme se calmera.* ▶ **bouilleur** n. m. ■ Distillateur. — BOUILLEUR DE CRU : propriétaire qui distille chez lui ses récoltes de fruits. ▶ **bouillie** n. f. **1.** ■ Aliment fait de lait ou d'eau et de farines bouillis ensemble, destiné surtout aux bébés qui n'ont pas encore de dents. — *C'est de la bouillie pour les chats,* se dit d'un texte confus, incompréhensible. **2.** EN BOUILLIE : écrasé. *Réduire qqch. en bouillie.* — Par exagér. *On l'a ramassé, la figure en bouillie.* ⇒ fam. **écrabouiller.** **3.** Liquide pâteux. ▶ **bouilloire** n. f. ■ Récipient métallique pansu, destiné à faire bouillir de l'eau. ≠ **samovar.** ▶ **bouillotte** n. f. ■ Récipient que l'on remplit d'eau bouillante pour se chauffer (dans un lit, etc.). *Une bouillotte en caoutchouc.* ⟨ ▶ bouillabaisse, bouillon, court-bouillon, ébouillanter, tambouille ⟩

bouillon [bujɔ̃] n. m. **1.** ■ Se dit des bulles qui se forment au sein d'un liquide en ébullition. *Retirer au premier bouillon,* dès l'ébullition. *Bouillir à gros bouillons,* très fort. ⇒ **bouillonnement.** **2.** Liquide dans lequel certaines substances ont bouilli. *Bouillon de légumes. Bouillon gras,* où a cuit de la viande. **3.** *Boire un bouillon,* avaler de l'eau en nageant ⇒ **boire** à la tasse ; essuyer une perte considérable par suite d'une mauvaise spéculation. **4.** *Bouillon de culture,* liquide destiné à la culture des microbes ; milieu favorable. ▶ **bouillonner** v. intr. ■ conjug. 1. **1.** (Liquides) Être agité en formant des bouillons. *La source bouillonne.* **2.** Littér. Être en effervescence, s'agiter. *Les idées bouillonnent dans sa tête.* ▶ **bouillonnement** n. m. **1.** Agitation, mouvement d'un liquide qui bouillonne. **2.** Littér. Effervescence. *Un bouillonnement d'idées nouvelles.*

boulanger, ère [bulɑ̃ʒe, ɛʁ] n. ■ Personne qui fait et vend du pain. *Garçon boulanger.* ⇒ **mitron.** ▶ **boulange** n. f. ■ Fam. Métier ou commerce du boulanger. *Être dans la boulange.* ▶ **boulangerie** n. f. **1.** (LA) BOULANGERIE : fabrication et commerce du pain. **2.** (UNE) BOULANGERIE : la boutique du boulanger. *Boulangerie-pâtisserie,* où l'on fait et vend aussi des gâteaux.

boule [bul] n. f. **1.** ■ Objet de forme sphérique. *Rond comme une boule.* — BOULE DE NEIGE : boule que l'on forme dans la main avec de la neige. *Une bataille de boules de neige.* Loc. *Faire boule de neige,* augmenter de volume en roulant ; grossir. *Des dettes qui font boule de neige.* — BOULE DE GOMME : bonbon de gomme. — Loc. fam. *Mystère et boule de gomme !,* je n'en sais rien ! **2.** EN BOULE : en forme de boule. *Des arbres taillés en boule.* — Fam. *Être, se mettre en boule,* en colère. **3.** Corps plein sphérique de métal, de bois, d'ivoire, qu'on fait rouler dans certains jeux. ⇒ **bille.** *Boule de bowling, de croquet. Jeux de boules* (*boule lyonnaise,* pétanque). *Le cochonnet et les boules.* **4.** Fam. La tête. *Perdre la boule,* devenir fou, s'affoler, déraisonner. **5.** Loc. fam. *Avoir les boules,* en avoir assez, être énervé. *Ça me fout les boules !* ⟨ ▶ abouler, bouler, boulet, boulette, bouleverser, boulier, bouliste, ① boulot, ciboulot, débouler, roulé-boulé ⟩

bouleau [bulo] n. m. ■ Arbre des régions froides et tempérées, à écorce blanche, à petites feuilles. *Un bois de bouleaux.* ≠ **boulot.**

bouledogue [buldɔg] n. m. ■ Petit dogue à mâchoires saillantes.

bouler [bule] v. intr. ■ conjug. 1. ■ Rouler comme une boule. — Fam. *Envoyer bouler qqn,* l'envoyer promener.

boulet [bulɛ] **1.** ■ Projectile sphérique de métal dont on chargeait les canons. — Loc. fam. *Arriver comme un boulet de canon,* en trombe. — *Boulet rouge,* qu'on faisait rougir au feu. — Loc. *Tirer à boulets rouges sur qqn,* l'attaquer violemment. **2.** Boule de métal qu'on attachait aux pieds de certains condamnés (bagnards, etc.). — *C'est un boulet à traîner,* obligation pénible, charge dont on ne peut se délivrer. *Quel boulet !*

boulette [bulɛt] n. f. **1.** ■ Petite boule façonnée à la main. *Boulette de pain, de papier.* — Petite boule de viande hachée, de pâte. ⇒ **croquette.** **2.** Fam. *Faire une boulette,* une bévue, une gaffe.

boulevard [bulvaʁ] n. m. **1.** ■ Rue très large, généralement plantée d'arbres. *Les Grands Boulevards,* à Paris, les boulevards entre la Madeleine et la Bastille. *Le boulevard périphérique.* **2.** *Théâtre, pièce de boulevard,* d'un comique léger, traditionnel. — *Le boulevard,* ce genre de théâtre. ▶ **boulevardier, ière** adj. ■ Qui a les caractères du théâtre, de l'esprit de boulevard. *Un comique boulevardier.*

bouleverser [bulvɛʁse] v. tr. ■ conjug. 1. **1.** ■ Mettre en grand désordre, par une action violente. ⇒ **chambouler, déranger.** / contr. **ranger** / *Chercher en bouleversant tout.* **2.** Apporter des changements brutaux dans. ⇒ **troubler.** *Cet événement a bouleversé sa vie.* **3.** Causer une émotion violente et pénible, un grand trouble à (qqn). ⇒ **émouvoir, secouer.** / contr. **calmer** / *Sa fin tragique a bouleversé ses amis.* — Au p. p. *Un visage bouleversé de douleur.* ▶ **bouleversant, ante** adj. ■ Très émouvant. *Un récit bouleversant.* ▶ **bouleversement** n. m. ■ Action de bouleverser ; son résultat. ⇒ **changement.** *Bouleversements politiques, économiques.* ⇒ **révolution.**

boulier [bulje] n. m. ■ Cadre portant des tringles sur lesquelles sont enfilées des boules et qui sert à compter. ⇒ **abaque.**

boulimie [bulimi] n. f. ■ Faim excessive. — Désir intense. *Une boulimie de lecture.* ▶ **boulimique** adj.

boulingrin [bulɛ̃gʁɛ̃] n. m. ■ Parterre de gazon généralement entouré de bordures, de talus.

bouliste [bulist] n. m. ■ Joueur de boules.

boulon [bulɔ̃] n. m. ■ Cheville de métal terminée à l'une de ses extrémités par une tête (ronde, carrée ou à pans) et à l'autre par un pas de vis destiné à recevoir un écrou ou par un trou dans lequel on peut passer une clavette. *Visser un boulon.* ▶ **boulonner** v. ■ conjug. 1. **1.** V. tr. Fixer au moyen de boulons. / contr. **déboulonner** / **2.** V. intr. Fam. Travailler. *Il boulonne dur.* ⇒ fam. **bosser.**

① **boulot, otte** [bulo, ɔt] adj. et n. ■ Gros et court. *Une femme boulotte.* — N. *Une petite boulotte.*

② **boulot** n. m. Fam. **1.** Travail. *Au boulot ! Chercher du boulot.* **2.** BOULOT BOULOT loc. adj. invar. : travailleur, travailleuse. *Elles sont boulot boulot.*

boulotter [bulɔte] v. intr. ■ conjug. 1. ■ Fam. Manger. ⇒ fam. **bouffer.** — Transitivement. *Il n'y a rien à boulotter.*

bourreau

boum [bum] interj. et n. **1.** Interj. Bruit de ce qui tombe, explose. ⇒ **bang.** *Ça a fait boum !* **2.** N. m. *Un grand boum ! —* Loc. *En plein boum,* en pleine activité. **3.** N. f. *Une boum,* une surprise-partie. *Des boums.* ⇒ **surboum.** ▶ **boumer** v. intr. impers. ▪ conjug. 1. ▪ Fam. *Ça boume,* ça va bien. ⇒ fam. **bicher, gazer.** ⟨ ▶ badaboum, surboum ⟩

① **bouquet** [bukɛ] n. m. **1.** Groupe serré d'arbres. ⇒ **boqueteau. 2.** Assemblage de fleurs, de feuillages coupés dont les tiges sont disposées dans le même sens. ⇒ **botte, gerbe.** *Un bouquet de violettes. — Bouquet garni,* thym, laurier, persil. **3.** *Le bouquet d'un feu d'artifice,* les plus belles fusées. — Iron. *C'est le bouquet,* c'est l'ennui qui vient couronner les autres. ⇒ **comble. 4.** Parfum d'un vin, d'une liqueur. ⇒ **arôme.** *Ce vin a du bouquet.* ▶ **bouquetière** n. f. ▪ Celle qui fait et vend des bouquets de fleurs dans les lieux publics.

② **bouquet** n. m. ▪ Variété de grosse crevette rose qui rougit à la cuisson.

bouquetin [buktɛ̃] n. m. ▪ Mammifère ruminant à longues cornes, vivant à l'état sauvage dans les montagnes d'Europe.

bouquin [bukɛ̃] n. m. ▪ Fam. Livre, ouvrage. *Son bouquin va paraître.* ▶ **bouquiner** v. intr. ▪ conjug. 1. ▪ Fam. Lire. *Chercher un coin tranquille pour bouquiner.* ▶ **bouquiniste** n. ▪ Marchand, marchande de livres d'occasion. *Les bouquinistes des quais de la Seine, à Paris.*

bourbe [buʀb] n. f. ▪ Dépôt qui s'accumule au fond des eaux stagnantes. ⇒ **boue.** *La bourbe d'un marais.* ▶ **bourbeux, euse** adj. ▪ Qui est plein de bourbe. ⇒ **boueux.** *Eau bourbeuse* (opposé à *clair*). ▶ **bourbier** n. m. **1.** Lieu creux plein de bourbe. *Ils se sont enfoncés dans un bourbier.* **2.** Situation très embarrassante. *Comment sortir de ce bourbier ?*

bourbon [buʀbɔ̃] n. m. ▪ Whisky à base de maïs fabriqué aux États-Unis. *Elle préfère le scotch au bourbon.*

bourbonien, ienne [buʀbɔnjɛ̃, jɛn] adj. ▪ Qui a rapport à la famille des Bourbons. — *Nez bourbonien,* nez long un peu busqué.

bourdaine [buʀdɛn] n. f. ▪ Arbuste à écorce laxative. *Une tisane de bourdaine. —* Cette tisane. *Une bourdaine.*

bourde [buʀd] n. f. ▪ Faute lourde, grossière. *Faire, dire, commettre une bourde.* ⇒ **bêtise ;** fam. **gaffe.**

① **bourdon** [buʀdɔ̃] n. m. ▪ Fam. *Avoir le bourdon,* être mélancolique, avoir le cafard.

② **bourdon** n. m. **I. 1.** Insecte hyménoptère au corps lourd et velu, qui butine comme l'abeille. **2.** *Faux bourdon,* mâle de l'abeille. **II.1.** Ton qui sert de basse continue dans certains instruments. — *Bourdon d'orgue,* jeu de l'orgue qui fait la basse. **2.** Grosse cloche à son grave. *Le bourdon de Notre-Dame de Paris.* ▶ **bourdonner** v. intr. ▪ conjug. 1. **1.** Faire entendre un bourdonnement. *Une guêpe qui bourdonnait. —* Oreilles qui bourdonnent, qui sont le siège d'un bourdonnement. ▶ **bourdonnement** n. m. **1.** Bruit sourd et continu que font en volant certains insectes (bourdon, mouche). *Le bourdonnement de la ruche.* **2.** Murmure sourd, confus. *Bourdonnement de voix. — Bourdonnement d'oreilles.*

bourg [buʀ] n. m. ▪ Gros village où se tiennent ordinairement des marchés. ▶ **bourgade** [buʀgad] n. f. ▪ Petit bourg dont les maisons sont disséminées sur un assez grand espace. ⟨ ▶ faubourg ⟩

bourgeois, oise [buʀʒwa, waz] n. et adj. **1.** Au Moyen Âge. Citoyen d'une ville, bénéficiant d'un statut privilégié. *Les bourgeois de Calais.* **2.** Sous l'Ancien Régime. Membre du tiers état, ni noble, ni prêtre, qui ne travaille pas de ses mains et possède des biens. ⇒ **roturier. 3.** Dans la société actuelle. Personne de la classe moyenne et dirigeante, qui ne travaille pas de ses mains. *Les bourgeois, les ouvriers et les paysans. Un grand bourgeois. —* Adj. Propre à cette classe. *D'éducation, de culture bourgeoise. Un quartier bourgeois. Les valeurs bourgeoises.* ⇒ **petit-bourgeois. 4.** Péj. Qui a un goût excessif de la sécurité et respecte les convenances sociales. *Ce qu'il peut être bourgeois !* (Abrév. fam. *bourge.* À *bas les bourges* !). **5.** N. f. Pop. *Ma bourgeoise,* ma femme. ▶ **bourgeoisement** adv. ▪ D'une manière bourgeoise, avec un esprit bourgeois. *Il vit bourgeoisement.* ▶ **bourgeoisie** n. f. **1.** Autrefois. État de bourgeois, ensemble des bourgeois (1, 2). *La noblesse et la bourgeoisie.* **2.** Classe dominante en régime capitaliste, qui possède les moyens de production. *La bourgeoisie et le prolétariat. —* Ensemble des bourgeois (3). *La petite, la moyenne et la grande bourgeoisie.* ⟨ ▶ désembourgeoiser, s'embourgeoiser, petit-bourgeois ⟩

bourgeon [buʀʒɔ̃] n. m. ▪ Excroissance qui apparaît sur la tige ou la branche d'un arbre, et qui contient en germe les tiges, branches, feuilles, fleurs ou fruits. *Un arbre en bourgeons.* ⇒ ① **bouton, œil.** ▶ **bourgeonner** v. intr. ▪ conjug. 1. **1.** Pousser des bourgeons. *Les arbres bourgeonnent au printemps.* **2.** Son visage, son nez bourgeonne, il y vient des boutons. ▶ **bourgeonnement** n. m. ▪ Action de bourgeonner ; naissance de bourgeons.

bourgmestre [buʀgmɛstʀ] n. m. ▪ Premier magistrat des communes belges, suisses, hollandaises, allemandes. *Le bourgmestre est l'équivalent du maire.*

bourgogne [buʀgɔɲ] n. m. ▪ Vin des vignobles de Bourgogne. *Elle préfère les bourgognes aux bordeaux.*

bourguignon, onne [buʀgiɲɔ̃, ɔn] adj. et n. ▪ De la Bourgogne. — N. *Les Bourguignons. — Bœuf bourguignon,* et absolt, *bourguignon,* bœuf accommodé au vin rouge et aux oignons.

bourlinguer [buʀlɛ̃ge] v. intr. ▪ conjug. 1. **1.** (Navire) Avancer péniblement contre le vent et la mer. ⇒ **rouler. 2.** Naviguer beaucoup. *Il a bourlingué dans toutes les mers. —* Fam. Voyager beaucoup.

bourrache [buʀaʃ] n. f. ▪ Plante à grandes fleurs bleues des lieux incultes, employée en tisane comme médicament.

bourrade n. f. ⇒ **bourrer.**

bourrage n. m. ⇒ **bourrer.**

bourrasque [buʀask] n. f. ▪ Coup de vent impétueux et de courte durée. ⇒ **tornade, tourbillon.** *Il est entré dans la pièce comme une bourrasque.*

bourratif adj. ⇒ **bourrer.**

① **bourre** [buʀ] n. f. **I. 1.** Amas de poils, détachés avant le tannage de la peau de certains animaux. **2.** Déchets du peignage ou du dévidage de matières textiles (telles que la laine, le coton, la soie, etc.) servant à emplir des coussins, des matelas... **3.** Duvet qui recouvre les bourgeons de certains arbres. **II.** À LA BOURRE loc. fam. : en retard. *Je suis désolé, je suis encore à la bourre.* ⟨ ▶ bourrer, bourru, débourrer, ébouriffer, rembourrer ⟩

② **bourre** n. m. ▪ Fam. Policier. ⇒ fam. **flic.** *Vingt-deux ! V'là les bourres !*

bourreau [buʀo] n. m. **1.** Celui qui exécute les peines corporelles ordonnées par une cour de justice, et spécialt la peine de mort. **2.** Personne qui martyrise (qqn), physiquement ou moralement. *Des bourreaux d'enfants.* — Plaisant. *Bourreau des cœurs,* homme qui a du succès auprès des femmes, don Juan. ⇒ **séducteur. 3.** *Bourreau de travail,* personne qui abat beaucoup de travail. *Cette femme est un bourreau de travail.*

bourrée [buʀe] n. f. ■ Danse du folklore auvergnat ; air sur lequel on l'exécute.

bourrelé, ée [buʀle] adj. ■ *Bourrelé de remords,* tourmenté par le remords.

bourrelet [buʀlɛ] n. m. **1.** Bande que l'on fixe au bord des battants des portes et des fenêtres pour arrêter les filets d'air. **2.** Renflement allongé. — *Bourrelet (de chair, de graisse),* pli arrondi en certains endroits du corps. *Les bourrelets du ventre, de l'estomac.*

bourrelier [buʀəlje] n. m. ■ Celui qui fait et vend des harnais, des sacs, des courroies. ⇒ **sellier.**

bourrer [buʀe] v. tr. ■ conjug. 1. **1.** Emplir de bourre. ⇒ **matelasser, rembourrer.** *Bourrer un coussin.* **2.** Remplir complètement en tassant. *J'ai dû bourrer ma valise. Bourrer une pipe.* / contr. **vider** / **3.** Gaver (qqn) de nourriture. — Pronominalement (réfl.) *Elle s'est bourrée de gâteaux.* ⇒ fam. se **goinfrer.** — Fam. *Un aliment qui bourre,* cale l'estomac. **4.** BOURRER LE CRÂNE *de qqn, à qqn,* lui raconter des histoires, essayer de lui en faire accroire. **5.** *Bourrer qqn de coups,* le frapper à coups redoublés. ► *bourré, ée* adj. **1.** Rempli de, plein de (qqch.). / contr. **vide** / *Une dictée bourrée de fautes. Il est bourré de fric.* **2.** Très plein, trop plein. *Ma valise est bourrée.* ⇒ **bondé. 3.** Fam. Ivre. *Il est complètement bourré.* ► *bourrade* n. f. ■ Poussée que l'on donne à qqn, avec le poing, le coude, etc. *Une bourrade amicale.* ► *bourrage* n. m. **1.** Action de bourrer. — Matière dont on se sert pour bourrer. **2.** BOURRAGE DE CRÂNE : action insistante pour persuader. — Propagande intensive. *Je n'y crois pas, c'est du bourrage de crâne.* ► *bourratif, ive* adj. ■ Fam. (Aliment) Qui bourre. *Ces biscuits sont bourratifs.* / contr. **léger** /

bourriche [buʀiʃ] n. f. ■ Long panier sans anse. *Bourriche d'huîtres.*

bourrichon [buʀiʃɔ̃] n. m. ■ Fam. Tête. *Se monter le bourrichon,* se faire des illusions.

bourricot ou *bourriquot* [buʀiko] n. m. ■ Petit âne. — Loc. fam. *C'est kif-kif bourricot,* c'est la même chose.

bourrin [buʀɛ̃] n. m. ■ Fam. Cheval.

bourrique [buʀik] n. f. **1.** Âne ou ânesse. — Loc. *Faire tourner qqn en bourrique,* l'abêtir à force d'exigences, de taquineries. **2.** Fam. Personne bête et têtue. *Quelle bourrique !* ‹ ► *bourricot* ›

bourru, ue [buʀy] adj. **1.** (Choses) Qui a la rudesse, la grossièreté de la bourre. *Fil bourru.* — *Vin bourru,* vin nouveau, non fermenté. **2.** (Personnes) Rude, peu aimable. *Un homme bourru. Un air bourru.* ⇒ **renfrogné.**

① *bourse* [buʀs] n. f. **1.** Petit sac arrondi destiné à contenir des pièces de monnaie. ⇒ **porte-monnaie.** — Loc. *Tenir les cordons de la bourse,* disposer des finances. *Sans bourse délier,* sans qu'il en coûte rien, sans rien débourser. — L'argent. *À la portée de toutes les bourses,* bon marché. **2.** *Bourse d'études,* pension accordée à un élève, à un étudiant. *Il a obtenu une bourse.* ‹ ► ① *boursier* ›

② *bourse* n. f. **1.** Réunion périodique de personnes qui s'assemblent pour conclure des opérations sur les

valeurs mobilières ou sur des marchandises ; lieu où elles se réunissent. *Bourse des valeurs, du commerce. La Bourse (des valeurs) de Paris. Les agents de change travaillent à la Bourse.* **2.** Ensemble des opérations traitées à la Bourse (des valeurs). *Jouer à la Bourse.* ⇒ **spéculer.** *Valeurs cotées en Bourse.* — Les cours de la Bourse. *La Bourse a monté.* **3.** BOURSE DU TRAVAIL : réunion des adhérents des divers syndicats d'une même ville ou région. ► *boursicoter* [buʀsikɔte] v. intr. ■ conjug. 1. ■ Faire de petites opérations en Bourse. ⇒ **spéculer.** ‹ ► ② boursier ›

bourses n. f. pl. ■ Enveloppe des testicules.

① *boursier, ière* [buʀsje, jɛʀ] n. ■ Élève ou étudiant qui a obtenu une bourse (①, 2) d'études. — Adj. *Élève boursier.*

② *boursier, ière* n. et adj. **1.** N. m. Celui qui exerce sa profession à la Bourse ② . **2.** Adj. Relatif à la Bourse. *Opérations boursières.*

boursouflé, ée [buʀsufle] adj. ■ Qui présente des gonflements disgracieux. *Un visage boursouflé.* ⇒ **bouffi, enflé.** ► *boursouflure* n. f. ■ Gonflement que présente par endroits une surface unie. *Les boursouflures d'une peinture exposée à la chaleur.* — Enflure disgracieuse des chairs.

bousculer [buskyle] v. tr. ■ conjug. 1. **1.** Pousser, heurter brutalement par inadvertance. *Les voyageurs pressés le bousculaient.* — Pronominalement (récipr.). *On se bouscule pour entrer. Les idées se bousculent dans sa tête.* **2.** Modifier avec brusquerie. *Son comportement bouscule les traditions.* **3.** Faire se dépêcher. ⇒ **presser** (II). *Il n'aime pas qu'on le bouscule. J'ai été tellement bousculé ces jours-ci, tellement occupé de choses urgentes.* ► *bousculade* n. f. **1.** Remous de foule. ⇒ **cohue.** *Il s'est produit une bousculade à l'entrée.* **2.** Grande agitation, précipitation. *La bousculade du départ.*

bouse [buz] n. f. ■ Fiente des bovins. *Bouse de vache.* ► *bouseux* n. m. ■ Fam. et péj. Paysan. ► *bousier* n. m. ■ Scarabée vivant dans les excréments de mammifères, qu'il roule en boulettes.

bousiller [buzije] v. tr. ■ conjug. 1. **1.** Mal faire (qqch.). *Il bousille son travail.* — Fam. Rendre inutilisable. ⇒ **abîmer, casser, détraquer.** *Il a bousillé son moteur.* **2.** Fam. Tuer. *Il a bousillé son complice.* ► *bousillage* n. m. ■ Action de bousiller. — Ouvrage fait précipitamment et mal. ⇒ **gâchis.** ► *bousilleur, euse* n. ■ Fam. Personne qui bousille son travail.

boussole [busɔl] n. f. ■ Appareil composé d'un cadran au centre duquel est fixée une aiguille aimantée mobile, dont la pointe marque la direction du nord. *Ils naviguent encore à la boussole.* — Fam. *Perdre la boussole,* perdre le nord ; être troublé, affolé. ‹ ► **déboussoler** ›

boustifaille [bustifaj] n. f. ■ Fam. Nourriture, repas. ⇒ fam. ② **bouffe.**

bout [bu] n. m. **I.1.** Partie d'un objet qui le termine dans le sens de la longueur. ⇒ **extrémité.** *Le bout d'une canne. Le bout du nez, du doigt.* — *À bout de bras,* au bout du bras tendu. *Bout à bout,* l'extrémité d'un objet touchant l'extrémité d'un autre. *Tirer à bout portant,* de très près. — Loc. *On ne sait (pas) par quel bout le prendre,* il est d'une humeur difficile. *Tenir le bon bout,* être en passe de réussir. *Joindre* les deux bouts. **2.** Extrémité (d'un espace). *Le bout de la route.* — Fig. *Aller jusqu'au bout de ses idées.* ⇒ **jusqu'au-boutisme.** *Au bout du compte,* finalement. *De bout en bout* [d(ə)butɑ̃bu], d'une extrémité à l'autre. *Tout au bout,* à l'extrême limite. *D'un bout à l'autre,* dans toute son étendue. *À tout bout de*

champ [atubudʃɑ̃], à chaque instant, à tout propos.
3. La fin d'une durée, de ce qui s'épuise. ⇒ **terme.**
Jusqu'au bout, jusqu'à la fin ; complètement. *Être au
bout de,* à la fin de. *Il arrive au bout de sa carrière.
Au bout d'un moment,* de quelques minutes, après.
— ÊTRE À BOUT DE... : ne plus avoir de... *Être à
bout de forces, d'arguments. Être à bout,* n'en pouvoir
plus, être épuisé. *Il me pousse à bout,* il m'exaspère.
Ma patience est à bout. Venir à bout d'un travail,
aboutir, l'achever. *Venir à bout d'un adversaire,* le
vaincre. **II.1.** Partie, fragment. ⇒ **morceau.** *Un bout
de papier. Un bout de bois.* — Loc. fam. *En connaître
un bout,* être compétent. **2.** Ce qui est petit,
incomplet. *Un bout de lettre,* une lettre courte, rapide.
Jouer un bout de rôle, un rôle sans importance. *Un
bout de chou,* un petit enfant. — La partie d'une
étendue, d'un espace. *Faire un bout de chemin.* — La
partie d'une durée. *Un bon bout de temps,* un temps
long. **3.** Loc. fam. METTRE LES BOUTS : partir. ⇒ fam.
se **barrer,** se **casser,** se **tirer.** ⟨ ▶ aboutir, embout,
jusqu'au-boutisme ⟩

boutade [butad] n. f. ■ Trait d'esprit, propos
plaisant et révélateur. ⇒ **plaisanterie.**

boute-en-train [butɑ̃trɛ̃] n. m. invar. ■ Personne
qui met en train, en gaieté, qui excite à la joie. *Elle
était le boute-en-train de la bande. Des vrais boute-en-
train.*

bouteille [butɛj] n. f. **1.** ■ Récipient à goulot étroit,
destiné à contenir un liquide. *Une bouteille de vin,
de bière, d'huile... Le ventre, le cul d'une bouteille.
Mettre du vin en bouteilles.* **2.** (Opposé à *litre*)
Récipient contenant à peu près 75 cl de vin. *Bouteille
de bourgogne, de bordeaux, de champagne. Une
bouteille vide.* ⇒ fam. **cadavre.** — Loc. (Personnes)
Prendre de la bouteille, vieillir. **3.** Son contenu. *Une
bonne bouteille. Aimer la bouteille,* être porté sur la
bouteille, s'adonner à la boisson. **4.** Récipient métallique destiné à contenir un gaz sous pression, de l'air
liquide... *Bouteille d'air comprimé. Bouteille thermos,*
isolante. ⟨ ▶ embouteiller, ouvre-bouteilles, porte-
bouteilles ⟩

bouter [bute] v. tr. ■ conjug. 1. ■ Vx. Pousser,
chasser. *Jeanne d'Arc bouta l'ennemi hors de France.*
▶ *bouteur* n. m. ⇒ **bulldozer.** ⟨ ▶ s'arc-bouter, boutade, boute-en-train, boutoir, débouter, emboutir,
rebouteux ⟩

boutique [butik] n. f. **1.** ■ Local où un commerçant,
un artisan expose, vend sa marchandise. *C'est une
petite boutique plutôt qu'un magasin. La devanture,
la vitrine d'une boutique. Ils ont ouvert une boutique
rue de Rome. Fermer boutique,* cesser son commerce.
— Magasin de confection d'un grand couturier.
En appos. *Des robes boutique.* **2.** Fam. Se dit d'une
maison, d'un lieu de travail dont on est mécontent.
⇒ fam. **baraque, boîte.** ▶ *boutiquier, ière* n. ■ Péj.
Personne qui tient boutique. ⇒ **commerçant, marchand.** ⟨ ▶ arrière-boutique ⟩

boutoir [butwaʀ] n. m. ■ Extrémité du groin avec
lequel le sanglier, le porc fouissent la terre. — Loc.
Coup de boutoir, vive attaque, propos dur et blessant.

① *bouton* [butɔ̃] n. m. ■ Bourgeon, notamment
bourgeon à fleur. *Un bouton de rose.* ▶ *bouton-d'or*
n. m. ■ Renoncule âcre, à fleurs jaune doré. *Des
boutons-d'or.* — Adj. invar. *Des coussins bouton-d'or,*
de la couleur de cette fleur.

② *bouton* n. m. ■ Petite tumeur à la surface de
la peau. ⇒ **pustule.** *Bouton d'acné. Il a des boutons.*
▶ *boutonneux, euse* adj. ■ Qui a des boutons sur
la peau. *Un adolescent boutonneux.*

③ *bouton* n. m. **1.** Petite pièce, généralement
ronde, servant à la décoration des vêtements ou à
l'assemblage de leurs parties. *Bouton de chemise, de
culotte. Boutons de manchettes amovibles. Un bouton
et sa boutonnière. Recoudre un bouton.* — *Bouton-
pression* ou *pression,* qui se fixe en pressant. *Des
boutons-pression.* **2.** Petite commande (d'un mécanisme, d'un appareil). *Le bouton d'une porte.* ⇒ **poignée.** *Tourner le bouton d'un poste de radio. Appuyer
sur le bouton d'une sonnette. Le bouton électrique.*
⇒ **interrupteur.** ▶ *boutonner* v. tr. ■ conjug. 1.
■ Fermer, attacher (un vêtement) au moyen de
boutons. *Boutonner sa veste.* / contr. **déboutonner** /
— Pronominalement (passif). *Cette robe se boutonne
par derrière.* — Pronominalement (réfl.). Fam. *Se
boutonner,* boutonner ses vêtements. ▶ *boutonnage*
n. m. ■ Manière dont un vêtement se boutonne. *Un
manteau à double boutonnage.* ▶ *boutonnière* n. f.
1. Petite fente faite à un vêtement pour y passer un
bouton. — *Avoir une fleur, une décoration à la
boutonnière,* à la boutonnière du revers de veste.
2. Incision longue et étroite dans les chairs.
⟨ ▶ déboutonner, reboutonner ⟩

bouture [butyʀ] n. f. ■ Jeune pousse coupée d'une
plante qui est plantée en terre pour former une
nouvelle plante. ▶ *bouturer* v. ■ conjug. 1. **1.** V. tr.
Reproduire (une plante) par boutures. **2.** V. intr.
(Plantes) Se reproduire par boutures. ▶ *bouturage*
n. m. ■ Action de multiplier des végétaux par
boutures.

bouvier, ière [buvje, jɛʀ] n. **1.** Personne qui
garde et conduit les bœufs. *Les bouviers et les bergers.*
2. N. m. *Bouvier des Flandres,* sorte de chien de berger.

bouvreuil [buvʀœj] n. m. ■ Oiseau passereau au
plumage gris et noir, rouge sur la poitrine.

bovidés [bovide] n. m. pl. ■ Famille de mammifères
ongulés ruminants comprenant les bovins, les ovins
(moutons), les chèvres, les antilopes, les gazelles et
les chamois. ≠ *bovin.*

bovin, ine [bovɛ̃, in] adj. et n. **1.** Qui a rapport
au bœuf (espèce). *Races bovines. L'élevage bovin.*
— (Personnes) Fam. *Regard, œil bovin,* morne et sans
intelligence. **2.** N. m. pl. *Les bovins,* les bœufs, les
vaches, les taureaux, les veaux. ≠ *bovidés.*

bowling [boliŋ] ou [buliŋ] n. m. ■ Anglic. Sorte
de jeu de quilles et de boules. *Tu sais jouer au
bowling ?* — Lieu où l'on y joue. *Des bowlings.*

box, plur. *boxes* [bɔks] n. m. ■ Stalle d'écurie
servant à loger un seul cheval. — Compartiment
cloisonné (d'un garage, d'un dortoir, d'une salle).
Boxes à louer. — *Le box des accusés,* au tribunal.

box-calf [bɔkskalf] n. m., ou *box* [bɔks] n. m. invar.
■ Cuir de peaux de veau tannées au chrome,
servant à la confection des chaussures, sacs, etc. *Des
box-calfs* ou *des box-calves. Un sac en box noir. Des
box.*

boxe [bɔks] n. f. ■ Sport de combat opposant deux
adversaires (de la même catégorie de poids) qui se
frappent à coups de poing, mais en portant des gants
spéciaux *(gants de boxe). Match, combat de boxe.*
▶ ① *boxer* v. ■ conjug. 1. **1.** V. intr. Livrer un
combat de boxe, pratiquer la boxe. **2.** V. tr. Fam.
Frapper (qqn) à coups de poing. ▶ *boxeur, euse*
■ Personne qui pratique la boxe. ⇒ **pugiliste.** *Boxeurs
amateurs, professionnels.*

② *boxer* [bɔksɛʀ] n. m. ■ Chien de garde, voisin
du dogue allemand, à robe fauve ou tachetée. *Des
boxers.*

box-office [bɔksɔfis] n. m. ■ Anglic. Dans le milieu du spectacle. Échelle de succès d'après le montant des recettes. *Il est arrivé en tête du box-office. Des box-offices.*

boy [bɔj] n. m. ■ Jeune domestique indigène en Extrême-Orient, en Afrique, etc. *Des boys.*

boyard [bɔjaʀ] n. m. ■ Nom des anciens nobles en Russie. — Fam. Homme riche, cossu. *Il s'est payé un costume de boyard.*

boyau [bwajo] n. m. **I. 1.** Intestin d'un animal (ou, au plur., fam. de l'homme). ⇒ **entrailles, tripe, viscère.** *Les boyaux sont utilisés en charcuterie.* — Loc. *Rendre tripes et boyaux,* vomir. **2.** Mince corde faite avec la membrane intestinale de certains animaux, servant à garnir des instruments de musique, à monter des raquettes. *Un boyau de raquette de tennis.* **II.** Fossé en zigzag reliant des tranchées, des parallèles. — Galerie de mine étroite. **III.** Pneumatique pour bicyclette de course utilisé sans chambre à air. ‹ ▶ tord-boyaux ›

boycott [bɔjkɔt] n. m. ■ Interdit jeté sur un individu, un groupe, un pays, et refus des biens qu'il met en circulation. *Le boycott d'un produit. Des boycotts.* ▶ **boycotter** v. tr. ■ conjug. 1. ■ Mettre à l'index, en quarantaine. *Nous avons boycotté ce spectacle.* ▶ **boycottage** n. m. ■ Action de boycotter (un produit).

boy-scout [bɔjskut] n. m. ■ Vx. Scout. — Fam. Idéaliste naïf. *Une mentalité de boy-scout. Des boy-scouts.*

bracelet [bʀaslɛ] n. m. ■ Bijou en forme d'anneau, de cercle qui se porte surtout autour du poignet. *Un bracelet en or. Le bracelet d'une montre.* — Enveloppe de cuir que certains travailleurs portent autour du poignet. *Bracelet de force.* ▶ **bracelet-montre** n. m. ■ Montre montée sur un bracelet. *Des bracelets-montres.*

brachycéphale [bʀakisefal] adj. ■ Qui a le crâne arrondi, presque aussi large que long. / contr. **dolichocéphale /**

braconner [bʀakɔne] v. intr. ■ conjug. 1. ■ Chasser (et parfois pêcher) sans permis, ou à une période, en un lieu, avec des engins interdits. ▶ **braconnage** n. m. ■ Action de braconner, délit de chasse d'une personne qui braconne. ▶ **braconnier** n. m. ■ Personne qui se livre au braconnage. *Le garde-chasse a surpris des braconniers.*

bractée [bʀakte] n. f. ■ Botanique. Feuille qui accompagne la fleur (colorée, elle ressemble à une fleur).

brader [bʀade] v. tr. ■ conjug. 1. **1.** Vendre en braderie. **2.** Se débarrasser de (qqch.) à n'importe quel prix. ⇒ **liquider, sacrifier.** *Il a bradé sa voiture. On l'accuse d'avoir bradé les colonies* (d'être un *bradeur d'Empire*). ▶ **braderie** n. f. ■ Foire où les habitants vendent à bas prix des vêtements ou objets usagés. — Liquidation de soldes en plein air.

braguette [bʀagɛt] n. f. ■ Ouverture sur le devant d'un pantalon, d'une culotte.

brahmane [bʀaman] n. m. ■ Membre de la caste sacerdotale, la première des grandes castes traditionnelles de l'Inde. ▶ **brahmanisme** n. m. ■ Système social et religieux de l'Inde, caractérisé par la suprématie des brahmanes et l'intégration de tous les actes de la vie civile aux rites et devoirs religieux, fondement principal de l'hindouisme.

braies [bʀɛ] n. f. pl. ■ Sorte de pantalon ample qui était en usage chez les Gaulois et les peuples germaniques. ‹ ▶ débraillé ›

braille [bʀaj] n. m. ■ Alphabet conventionnel en points saillants (également applicable aux chiffres, à la musique et la sténo) inventé par Braille à l'usage des aveugles. *Un livre écrit en braille.*

brailler [bʀaje] v. intr. ■ conjug. 1. ■ Fam. Crier fort, parler ou chanter de façon assourdissante et ridicule. *Ils font brailler leur radio.* — Transitivement. *Brailler une chanson.* — (Enfants) Pleurer bruyamment. *Arrête de brailler !* ▶ **braillard, arde** ou **brailleur, euse** n. et adj. ■ Fam. Personne qui est en train de brailler, ou qui est toujours à brailler. ⇒ fam. **gueulard.**

brain-trust [bʀɛntʀœst] n. m. ■ Anglic. Petite équipe d'experts, de techniciens, etc., qui assiste une direction. *Des brain-trusts.*

braire [bʀɛʀ] v. intr. ■ conjug. 50. **1.** (Âne) Pousser un cri (*braiment*). **2.** Fam. Crier, pleurer bruyamment. *Qu'est-ce que tu as encore à braire ?* ⇒ fam. **brailler.**

braise [bʀɛz] n. f. ■ Bois réduit en charbons ardents. — *Des yeux de braise,* ardents. ▶ **braiser** v. tr. ■ conjug. 1. ■ Faire cuire (une viande, un poisson, certains légumes) à feu doux et à l'abri de l'air. — Au p. p. adj. *Bœuf braisé.*

bramer [bʀame] v. intr. ■ conjug. 1. **1.** (Cerf) Pousser un cri (*bramement*). **2.** Fam. Crier fort et sur un ton de lamentation. ⇒ fam. **brailler, braire.**

brancard [bʀãkaʀ] n. m. **1.** Bras d'une civière ; civière. *Le blessé a été transporté sur un brancard.* **2.** Chacune des deux barres de bois entre lesquelles on attache une bête de trait. ▶ **brancardier, ière** n. ■ Porteur, porteuse de brancard, de civière. *Brancardiers militaires.*

branche [bʀãʃ] n. f. **I. 1.** Ramification latérale du tronc de l'arbre. *Branche morte.* — Ramification d'une partie quelconque de la plante. *Épinards, céleris en branches,* servis avec la tige complète. **2.** Chacune des ramifications ou divisions (d'un organe, d'un appareil, etc.), qui partent d'un axe ou d'un centre. *Les branches d'un arbre généalogique, d'une famille,* venant d'une souche commune. *Branches collatérales, terminales d'un nerf. Les branches d'un compas, d'une paire de lunettes.* — Portion d'une courbe géométrique non fermée (parabole, etc.). **3.** Abstrait. Division d'une œuvre ou d'un système complexe. *Les différentes branches de l'économie* ⇒ **secteur,** *de l'enseignement* ⇒ **discipline. II.** Fam. (MA) VIEILLE BRANCHE : se dit en s'adressant à un vieux camarade. *Salut, vieille branche !* ▶ **branchage** n. m. ■ Ensemble des branches d'un arbre. ⇒ **ramure.** — Au plur. Branches coupées. *Un sol jonché de branchages.* ‹ ▶ embranchement, embrancher ›

brancher [bʀãʃe] v. tr. ■ conjug. 1. **1.** Rattacher (un circuit secondaire) à un circuit principal. *Branche la lampe sur la prise. On leur a branché le téléphone. Peux-tu brancher l'aspirateur ?,* sur le réseau électrique. — Pronominalement (passif). *Cet appareil se branche sur le courant électrique.* **2.** Fig. Orienter, diriger. *Il a branché la conversation sur un autre sujet.* **3.** Fam. Mettre au courant, intéresser (qqn). *Est-ce que ce film t'a branché ? Il n'est pas branché (sur le) cinéma.* **4.** Au p. p. adj. Fam. Dans le coup, dans le vent. *Une discothèque branchée. Il est vachement branché.* ▶ **branchement** n. m. **1.** Action de brancher ; son résultat. *Réaliser le branchement d'un appareil.* **2.** Conduite, galerie, voie secondaire partant de la voie principale pour aboutir au point d'utilisation. ‹ ▶ débrancher ›

branchie [bʀãʃi] n. f. ■ Organe de respiration des poissons, des mollusques. ▶ **branchial, ale, aux**

[brɑ̃ʃjal,o] ou [brɑ̃kjal,o] adj. ■ Des branchies, relatif aux branchies. *La respiration branchiale.*

brandade [brɑ̃dad] n. f. ■ Morue pochée émiettée finement, mélangée avec de l'huile, du lait et de l'ail.

brandebourg [brɑ̃dbur] n. m. ■ Passementerie (galon, broderie) ornant une boutonnière. *Une veste à brandebourgs.*

brandir [brɑ̃dir] v. tr. ■ conjug. 2. **1.** Agiter en tenant en l'air de façon menaçante. *Brandir une arme, un drapeau.* **2.** Agiter en élevant pour attirer l'attention. *Le camelot brandissait des journaux.*

brandon [brɑ̃dɔ̃] n. m. **1.** Débris enflammé. **2.** Littér. *Brandon de discorde,* personne, chose qui est source de discorde.

brandy [brɑ̃di] n. m. ■ Anglic. Alcool de raisin analogue au cognac.

branler [brɑ̃le] v. ■ conjug. 1. **1.** V. tr. Loc. *Branler la tête,* la remuer d'avant en arrière, ou d'un côté à l'autre. ⇒ **hocher, secouer. 2.** V. intr. Vieilli. Être instable, mal fixé. ⇒ **chanceler, vaciller.** *Une chaise, une dent qui branle.* **3.** Pronominalement (réfl.). Fam. *Se branler,* se masturber. **4.** V. tr. Fam. Faire, fabriquer. *Qu'est-ce qu'ils branlent ? J'en ai rien à branler.* ▶ **branlant, ante** adj. ■ Qui branle, est instable. *Une chaise branlante.* ⇒ **vacillant.** ▶ **branlée** n. f. ■ Fam. Fait d'être battu, écrasé. ⇒ **défaite ;** fam. **raclée.** ▶ **en branle** loc. adv. **1.** En oscillation. *Mettre en branle une cloche.* **2.** En mouvement, en train. *Des mots d'ordre qui mettent en branle les masses. Se mettre en branle,* en mouvement, en action. ▶ **branle-bas** [brɑ̃lbɑ] n. m. invar. ■ *Branle-bas de combat,* ensemble des dispositions prises pour un navire de guerre en vue du combat. — Préparation agitée. *Dans le branle-bas des élections. Des branle-bas.* ▶ **branlement** n. m. ■ *Branlement de tête,* action, manière de branler la tête. ▶ **branleur, euse** n. ■ Fam. Personne qui ne branle (4) rien, ne fait rien de son temps. ⟨ ▶ **ébranler** ⟩

① **braque** [brak] n. m. ■ Chien de chasse à poils ras et à oreilles pendantes ; très bon chien d'arrêt.

② **braque** adj. ■ Fam. Un peu fou, écervelé. ⇒ fam. **timbré, toqué.** *Elles sont gentilles, mais un peu braques.*

braquer [brake] v. tr. ■ conjug. 1. **1.** Tourner (une arme à feu, un instrument d'optique) dans la direction de l'objectif. ⇒ **diriger, pointer.** *Il a braqué son revolver sur moi.* — Fixer (le regard, l'attention, etc.). *Son regard était braqué sur nous.* — Fam. Mettre en joue (qqn) ; attaquer à main armée. *Ils ont braqué une banque.* **2.** Sans compl. Faire tourner (un véhicule) en manœuvrant la direction. *Braquer pour se garer. Braquez à fond ! Voiture qui braque mal,* qui tourne mal, a un trop grand rayon de braquage. **3.** *Braquer qqn contre* (une personne, un projet), l'amener à s'opposer obstinément à (qqn, qqch.). ⇒ **dresser.** *Elle l'a braqué contre son ami.* — Pronominalement (réfl.). *Il s'est braqué,* il s'est buté. ▶ **braquage** n. m. **1.** Action de braquer les roues d'une voiture. *Rayon de braquage,* du cercle tracé par les roues extérieures braquées au maximum. **2.** Fam. Attaque à main armée. *Le braquage d'une banque.*

braquet [brakɛ] n. m. ■ Rapport, entre le pignon et le plateau, qui commande le développement d'une bicyclette. *Le dérailleur permet de changer de braquet.*

bras [brɑ] n. m. invar. **1.** Membre supérieur de l'homme, qui s'articule à l'épaule et se termine par la main. *Bras droit, gauche. Porter un enfant sur ses bras, dans ses bras. Lever un poids à bras tendu, à*

bout de bras. *Elle me serre dans ses bras. Donner le bras à qqn,* pour qu'il puisse s'y appuyer en marchant. *Elle avait pris le bras, était au bras de son mari. Ils s'en vont bras dessus, bras dessous,* en se donnant le bras. — Loc. *Les bras m'en tombent,* je suis stupéfait. *Baisser les bras,* abandonner, renoncer à agir. — *Rester les bras croisés,* sans rien faire. *Avoir le bras long,* du crédit, de l'influence. *Il peut t'aider, il a le bras long.* — *Recevoir, accueillir qqn à bras ouverts,* avec effusion, empressement. *À bras raccourcis,* en portant des coups violents. — *Avoir qqn ou qqch. sur les bras,* être obligé de s'en occuper. **2.** Segment du membre supérieur compris entre l'épaule et le coude. *Un muscle du bras.* ⇒ **biceps, triceps. 3.** Le bras séculier, la puissance temporelle, opposée à celle de l'Église. **4.** Personne qui agit, travaille, combat. ⇒ **travailleur.** *L'industrie réclame des bras, manque de bras.* — Le BRAS DROIT de qqn : son principal agent d'exécution. — Fam. *Gros bras,* un dur, un casseur. *Il joue les gros bras,* les durs. **5.** Loc. adv. À BRAS : à l'aide des seuls bras (sans machine). *Il a fallu transporter tout cela à bras. Charrette à bras,* qu'on meut avec les bras. **6.** Partie du membre antérieur du cheval qui fait suite à l'épaule. — Tentacule des mollusques céphalopodes. *Les bras d'une pieuvre.* **7.** (Objets fonctionnant comme le bras) Brancard. *Les bras d'une brouette.* — Accoudoir (d'un fauteuil). — Partie mobile (d'une grue, d'un sémaphore, d'une manivelle...). — BRAS DE LEVIER : distance d'une force à son point d'appui, évaluée perpendiculairement à la direction de cette force. — *Bras d'électrophone,* qui porte la tête de lecture. **8.** Division d'un cours d'eau que partagent des îles. *Un des bras du fleuve. Bras de mer,* détroit, passage. ⟨ ▶ avant-bras, bracelet, à bras-le-corps, brassard, brasse, brassée, brassière, embrasse, embrasser ⟩

braser [braze] v. tr. ■ conjug. 1. ■ Techn. Souder en interposant un métal, un alliage qu'on fait fondre (*brasage,* n. m. ; *brasure,* n. f.). *Braser un joint.*

brasero [brɑ(a)zero] n. m. ■ Bassin de métal, rempli de charbons ardents, posé sur un trépied. *Des braseros.*

brasier [brɑzje] n. m. **1.** Masse d'objets ou matières en complète combustion du fait d'un incendie. *Le brasier d'une maison en feu.* **2.** Fig. Foyer de passions violentes, de guerre.

à bras-le-corps [abralkɔr] loc. adv. ■ Avec les bras et par le milieu du corps. *Il a saisi son adversaire à bras-le-corps.*

brassard [brasar] n. m. ■ Bande d'étoffe ou ruban servant d'insigne, qu'on porte au bras. *Brassard de premier communiant, d'infirmier. Un brassard de deuil.*

brasse [bras] n. f. **I.** Ancienne mesure de longueur égale à cinq pieds (environ 1,60 m). — Mesure marine (à peu près équivalente) de profondeur. **II.** Nage sur le ventre par mouvements simultanés et symétriques des bras, puis des jambes ; chacun des espaces successifs ainsi parcourus. *Il traverse la piscine en cinq brasses. Brasse papillon,* variété de brasse sportive où le nageur semble sauter hors de l'eau à chaque mouvement des bras.

brassée [brase] n. f. ■ Ce que les bras peuvent contenir, porter. *Une brassée de fleurs.*

brasser [brase] v. tr. ■ conjug. 1. **1.** *Brasser la bière,* préparer le moût en faisant macérer le malt dans l'eau ; fabriquer la bière. **2.** Remuer en mêlant. *Brasser la salade. Brasser les cartes avant de les donner.* **3.** Manier (beaucoup d'argent), traiter (beaucoup d'affaires). *Il brasse des millions.* ▶ *brassage*

n. m. **1.** Ensemble des opérations consistant à brasser la bière. **2.** Mélange. *Le brassage des races, des peuples.* ▶ *brasserie* n. f. **1.** Fabrique de bière ; industrie de fabrication de la bière. **2.** Grand café-restaurant. *Brasserie alsacienne.* ▶ *brasseur, euse* n. **1.** Personne qui fabrique de la bière ou en vend en gros. **2.** BRASSEUR D'AFFAIRES : homme qui s'occupe de nombreuses affaires. **3.** Nageur, nageuse de brasse. *Un excellent brasseur.*

brassière [bʀasjɛʀ] n. f. ■ Petite chemise de bébé, courte, à manches longues.

brave [bʀav] adj. et n. **1.** Placé après le nom. Courageux au combat, devant un ennemi. *Un homme brave.* / contr. **lâche** / — N. *Faire le brave,* affecter la bravoure. **2.** Placé devant le nom. Honnête et bon avec simplicité. *Un brave homme, une brave femme. De braves gens. C'est un brave garçon. Mon brave,* appellation condescendante à l'égard d'un inférieur. — Parfois après le nom. D'une bonté ou d'une gentillesse un peu naïve et attendrissante. *Il est bien brave, mais il m'ennuie.* ▶ *braver* v. tr. ⚫ conjug. 1. **1.** Défier orgueilleusement en montrant qu'on ne craint pas. *Braver les autorités. Personne n'osait braver ses ordres.* ⇒ s'**opposer.** **2.** Se comporter sans crainte devant (qqch. de redoutable qu'on accepte d'affronter). ⇒ **mépriser.** *Braver le danger, la mort.* — Oser ne pas respecter (une règle, une tradition). *Nous bravions les convenances.* ▶ *bravache* n. m. ■ Faux brave, fanfaron. — Adj. *Un air bravache.* ▶ *bravade* n. f. **1.** Démonstration de bravoure. *Agir, s'exposer par bravade.* **2.** Action ou attitude de défi insolent envers une autorité qu'on brave. ▶ *bravoure* n. f. **1.** Qualité de celui qui est brave. ⇒ **courage, héroïsme, vaillance.** / contr. **lâcheté, poltronnerie** / *Il fait preuve de beaucoup de bravoure.* **2.** *Air de bravoure,* air brillant destiné à faire valoir le chanteur. — *Morceau de bravoure,* partie d'une œuvre particulièrement brillante. ▶ *bravement* adv. **1.** Avec bravoure, courageusement. **2.** D'une manière décidée, sans hésitation. ⇒ **résolument.** *Il se mit bravement au travail.*

bravo [bʀavo] interj. et n. m. **1.** Interj. Exclamation dont on se sert pour applaudir, pour approuver. *Bravo ! c'est parfait.* ⇒ **félicitation.** **2.** N. m. Applaudissement, marque d'approbation. *Les bravos éclataient dans la salle.*

① *break* [bʀɛk] n. m. Anglic. **1.** Ancienne voiture à quatre roues, ouverte, avec un siège de cocher élevé et deux banquettes longitudinales à l'arrière. **2.** Type de carrosserie automobile en forme de fourgonnette, mais à arrière vitré. — Cette voiture. *Des breaks.*

② *break* n. m. Anglic. **1.** Loc. *Faire le break,* au tennis, creuser à son avantage un écart de deux jeux dans le score en gagnant son propre service et celui de son adversaire. **2.** En jazz. Interruption du jeu de l'orchestre pendant quelques mesures, créant un effet d'attente.

breakfast [bʀɛkfœst] n. m. ■ Anglic. Petit déjeuner à l'anglaise. *Des breakfasts.*

brebis [bʀəbi] n. f. invar. **1.** Femelle adulte de l'espèce ovine (opposé à *bélier, mouton, agneau*). *Lait de brebis. Les brebis bêlent.* **2.** *Brebis galeuse,* personne dangereuse et indésirable dans un groupe.

① *brèche* [bʀɛʃ] n. f. **1.** Ouverture faite à un mur, à une clôture. *On a colmaté la brèche.* — Ouverture dans une enceinte fortifiée ; percée d'une ligne fortifiée, d'un front. ⇒ **trouée.** *Faire, ouvrir une brèche.* — Loc. *Être toujours sur la brèche,* être prêt au combat ; être toujours au travail, en pleine activité. *Battre en brèche,* soutenir une attaque contre (un argument, le crédit de qqn). **2.** Petite entaille sur un

objet d'où s'est détaché un éclat. *Faire une brèche à une assiette.* ⇒ **ébrécher.** — Dommage qui entame. *C'est une brèche sérieuse à sa fortune.* ⟨ ▶ ébrécher ⟩

② *brèche* n. f. ■ Roche formée d'éléments pointus agglomérés.

bréchet [bʀeʃɛ] n. m. ■ Sternum saillant (des oiseaux).

bredouille [bʀəduj] adj. ■ Qui n'a rien pris (à la chasse, la pêche), qui n'a rien obtenu (d'une entrevue, d'une démarche). *Rentrer bredouille. Elles sont revenues bredouilles.*

bredouiller [bʀəduje] v. ⚫ conjug. 1. **1.** V. intr. Parler d'une manière précipitée et peu distincte. ⇒ **bafouiller, balbutier, marmonner.** **2.** V. tr. Dire en bredouillant. *Bredouiller une excuse.* ▶ *bredouillement* n. m. ■ Paroles confuses. ⇒ **balbutiement.**

bref, brève [bʀɛf, bʀɛv] adj. et adv. **I.** Adj. **1.** De peu de durée. / contr. **long** / *Une brève rencontre.* ⇒ **court.** *À bref délai,* bientôt. **2.** De peu de durée dans l'expression, dans le discours. ⇒ **laconique.** / contr. **prolixe** / *Une brève allocution. Soyez bref,* ne faites pas un long discours. ⇒ **concis.** **2.** Syllabe, *voyelle brève,* qui a une durée d'émission plus courte (que les autres syllabes, voyelles). — N. f. *Une brève* (opposé à *une longue*). **II.** Adv. **1.** Pour résumer les choses en peu de mots. ⇒ **enfin, en résumé.** *Bref, il n'y a rien de changé.* **2.** Littér. EN BREF loc. adv. : en peu de mots. ⇒ **brièvement.** *Voilà, en bref, les raisons de mon départ.* ⟨ ▶ abréviation, brièvement, brièveté ⟩

brelan [bʀəlɑ̃] n. m. ■ À certains jeux de cartes (dont l'ancien jeu dit *brelan*). Réunion de trois cartes de même valeur. *Avoir un brelan de rois, au poker.* — À certains jeux de dés. Coup amenant trois faces semblables.

breloque [bʀələk] n. f. **1.** Petit bijou de fantaisie qu'on attache à une chaîne de montre, à un bracelet. **2.** *Battre la breloque,* fonctionner mal, être dérangé. *Il dit que son cœur bat la breloque.*

brème [bʀɛm] n. f. ■ Poisson d'eau douce au corps long et plat.

bretelle [bʀətɛl] n. f. **I.1.** Bande de cuir, d'étoffe que l'on passe sur les épaules pour un fardeau. *Porter l'arme à la bretelle ou en bandoulière.* **2.** Le plus souvent au plur. Bandes de tissu, de ruban, qui maintiennent aux épaules les pièces de lingerie féminine. *Une robe à bretelles.* **3.** Bandes élastiques, passant sur les épaules, servant à retenir un pantalon. *Une paire de bretelles.* **II.** Dispositif d'aiguillage permettant de passer d'une voie ferrée à une voie voisine. — Dans un système routier. Voie de raccordement. *La bretelle d'une autoroute.*

breton, onne [bʀətɔ̃, ɔn] adj. et n. **1.** De Bretagne (région française). *Les pêcheurs bretons. Une crêpe bretonne.* — N. *Les Bretons. Le breton,* langue celtique. **2.** Qui appartient aux peuples celtiques de Grande-Bretagne et de Bretagne, à leurs traditions et leur civilisation. *Les romans bretons du XIIe siècle.*

bretteur [bʀɛtœʀ] n. m. ■ Celui qui aimait les duels, se battre à l'épée. ⇒ ② **ferrailleur.**

bretzel [bʀɛdzɛl] n. m. ■ Pâtisserie légère, en forme de huit, salée et saupoudrée de cumin. *Des bretzels.*

breuvage [bʀœvaʒ] n. m. ■ Boisson d'une composition spéciale ou ayant une vertu particulière. *Breuvage magique.* ⇒ **philtre.**

brève [bʀɛv] n. f. ⇒ **bref.**

brevet [bʀəvɛ] n. m. **1.** Titre ou diplôme délivré par l'État, permettant au titulaire d'exercer certaines fonctions et certains droits. *Brev d'invention,* titre par lequel le gouvernement confère à l'auteur d'une invention un droit exclusif d'exploitation. — *Brevet de capacité,* attestant certaines connaissances. ⇒ **diplôme.** *Brevet de capacité de l'enseignement primaire* (naguère, *brevet élémentaire* et *brevet supérieur*). Il n'a même pas son brevet (élémentaire). — *Brevet d'études de premier cycle* (du second degré), ou *B.E.P.C.* — *Brevet de technicien supérieur* ou *B.T.S.* **2.** Fig. et littér. Garantie, assurance. *C'est un brevet de moralité.* ▶ *breveter* [bʀəvte] v. tr. ▪ conjug. 4 ▪ Protéger par un brevet. *Faire breveter une invention.* ▶ *breveté, ée* adj. ▪ Qui a obtenu un brevet civil ou militaire. ⇒ **diplômé.** *Officier breveté.* — *Garanti par un brevet. Procédé breveté.*

bréviaire [bʀevjɛʀ] n. m. **1.** Livre de l'office divin, renfermant les formules de prières. *Le curé lisait son bréviaire.* **2.** Livre servant de modèle et contenant un enseignement indispensable.

briard, arde [bʀijaʀ, aʀd] adj. et n. m. ▪ De la Brie (région française). — *Chien briard* ou, n. m., *briard,* chien de berger à poil long.

bribes [bʀib] n. f. pl. **1.** Petits morceaux, fragments de discours. *Il saisissait au passage des bribes de conversation.* **2.** Restes insignifiants. ⇒ **débris.** *Les dernières bribes de sa fortune.*

bric-à-brac [bʀikabʀak] n. m. invar. **1.** Amas de vieux objets hétéroclites, destinés à la revente. *Le bric-à-brac d'un brocanteur.* — Désordre. *Quel bric-à-brac dans sa chambre !* **2.** Amas de vieilleries disparates. *Le bric-à-brac romantique.*

de bric et de broc [d(ə)bʀiked(ə)bʀɔk] loc. adv. ▪ En employant des morceaux de toute provenance, au hasard des occasions. *Une chambre meublée de bric et de broc.*

brick [bʀik] n. m. **1.** Voilier à deux mâts gréés à voiles carrées. **2.** Beignet salé fait d'une pâte très fine renfermant généralement un œuf. *Un brick à l'œuf. Des bricks.* ≠ *brique.*

bricole [bʀikɔl] n. f. **1.** Courroie du harnais qu'on applique sur la poitrine du cheval ; bretelle de porteur. **2.** Petit accessoire, menu objet. ⇒ **babiole.** *Je lui offrirai une petite bricole.* — Chose insignifiante. *On a discuté une heure sur des bricoles.*

bricoler [bʀikɔle] v. ▪ conjug. 1. **1.** V. intr. Gagner sa vie en faisant toutes sortes de petites besognes. — S'occuper chez soi à de petits travaux manuels (aménagements, réparations, etc.). *Il aime bien bricoler.* **2.** V. tr. Arranger, réparer tant bien que mal, de façon provisoire. *Bricoler un moteur.* ▶ *bricolage* n. m. ▪ Action, habitude de bricoler. *Le Salon du bricolage.* — Réparation faite tant bien que mal. ▶ *bricoleur, euse* n. et adj. ▪ Personne qui bricole, aime à bricoler. — Adj. *Elle n'est pas bricoleuse.*

bride [bʀid] n. f. **1.** Pièce du harnais fixée à la tête du cheval pour la diriger. *Un cheval tenu en bride,* maintenu à l'aide de la bride. — Loc. *Tenir la bride haute à un cheval,* la maintenir ferme pour freiner son allure. *Tenir la bride haute à qqn,* ne pas lui laisser la liberté d'action, ne rien lui céder. *Laisser la bride sur le cou à qqn,* le laisser libre. — *Aller à bride abattue, à toute bride,* en abandonnant toute la bride au cheval, très vite. — *Tourner bride,* rebrousser chemin ; changer d'avis, de conduite. **2.** Nom de divers liens en forme d'arceau, de collier, servant à retenir ou à rejoindre des objets. *Bride d'un bouton.* ▶ *brider* v. tr. ▪ conjug. 1. **1.** Mettre la bride à (un cheval). — Serrer avec une bride. **2.** Littér. Contenir, gêner dans son développement (un instinct, une impulsion...). / contr. **libérer** / *Brider les désirs de qqn.* ▶ *bridé, ée* adj. **1.** (Yeux) Dont les paupières sont

comme étirées latéralement. **2.** (Moteur) Dont on a volontairement limité le nombre de tours par minute.

① *bridge* [bʀidʒ] n. m. ▪ Jeu de cartes qui se joue à quatre (deux contre deux), et qui consiste, pour l'équipe qui (après les annonces) a fait la plus forte enchère, à réussir le nombre de levées correspondant. *Jouer au bridge (bridger). Joueur de bridge (bridgeur, euse). Table de bridge.*

② *bridge* n. m. ▪ Appareil de prothèse dentaire servant à maintenir une dent artificielle, en prenant appui sur des dents solides. *Un bridge en or, en porcelaine.*

brie [bʀi] n. m. ▪ Fromage fermenté à pâte molle et croûte moisie. *Du brie de Meaux.* — Fig. et fam. *Quart de brie,* grand nez.

brièvement [bʀijɛvmɑ̃] adv. ▪ En peu de mots. ⇒ en **bref, succinctement.** / contr. **longuement** / *Dites-nous, brièvement, ce qui s'est passé.*

brièveté [bʀijɛvte] n. f. ▪ Littér. Caractère de ce qui est bref. / contr. **longueur** / *La brièveté de son exposé.*

brigade [bʀigad] n. f. **1.** Dans l'armée. Unité tactique à l'intérieur de la division. — *Brigades internationales,* formations de volontaires qui combattirent aux côtés des républicains pendant la guerre civile espagnole. **2.** Petit détachement. *Brigade de gendarmerie. La brigade antigang.* ▶ *brigadier* n. m. **1.** Officier supérieur dans certaines armées. — **2.** Celui qui a, dans la cavalerie, l'artillerie, le grade le moins élevé (correspondant à *caporal*). *Brigadier-chef.* **3.** Chef d'une brigade de gendarmes. — Gradé de police. ‹ ▶ **embrigader** ›

brigand [bʀigɑ̃] n. m. **1.** Vieilli. Homme qui se livre au vol, au pillage. ⇒ **bandit, malfaiteur, voleur.** *Un repaire de brigands.* — *Des histoires de brigands,* des histoires invraisemblables, des mensonges. **2.** Homme malhonnête. — Plaisant. *Petit brigand !,* petit coquin ! ⇒ **chenapan, vaurien.** ▶ *brigandage* n. m. ▪ Vol ou pillage commis avec violence et à main armée. — Acte de grande malhonnêteté.

brigue [bʀig] n. f. ▪ Vx. Manœuvre pour obtenir un avantage, une place. ▶ *briguer* v. tr. ▪ conjug. 1. ▪ Littér. Rechercher avec ardeur. ⇒ **ambitionner, convoiter.** *Briguer un poste, une dignité. Briguer l'honneur de...*

briller [bʀije] v. intr. ▪ conjug. 1. **1.** Émettre ou réfléchir une lumière vive. ⇒ **étinceler, luire, rayonner, resplendir, scintiller.** *Le soleil brille. Le diamant qui brille à son doigt.* — *Faire briller des chaussures, des meubles,* en les astiquant, en les cirant. *Ses yeux brillaient,* de joie, de malice... **2.** (Personnes) Se manifester, se distinguer avec éclat. *Briller en société, à un examen.* — *Il ne brille pas par le courage, par la modestie,* le courage, la modestie ne sont pas son fort. *Il brillait par son absence,* son absence ne passait pas inaperçue. ▶ ① *brillant, ante* adj. **1.** Qui brille. ⇒ **éblouissant, éclatant, lumineux, radieux, rayonnant, resplendissant.** / contr. **mat, terne** / *Une soie brillante. Des cheveux, des yeux brillants.* **2.** Qui sort du commun, s'impose à la vue, à l'imagination par sa qualité. ⇒ **magnifique, splendide.** / contr. **médiocre** / *Faire une brillante carrière. Un brillant mariage.* — *Un esprit brillant. Une conversation brillante.* ⇒ **étincelant.** *Un brillant élève.* ⇒ **remarquable.** — *Le résultat n'est pas brillant,* est médiocre. *Ses affaires ne sont guère brillantes,* guère prospères. ▶ *brillamment* adv. ▪ D'une manière brillante, avec éclat. *Il a passé brillamment son examen.* ▶ ② *brillant* n. m. **I.** Éclat, caractère brillant. *Le brillant de l'acier. Donner du brillant aux cheveux.* **II.** Petit diamant taillé à facettes. ▶ **brillantine** n. f. ■ Cosmétique à base d'huile parfumée pour faire briller les cheveux.

brimborion [bʀɛ̃bɔʀjɔ̃] n. m. ■ Petit objet de peu de valeur.

brimer [bʀime] v. tr. ▪ conjug. 1. ■ Tracasser (qqn) en limitant sa liberté, en lui imposant ses volontés. ⇒ **maltraiter, opprimer.** *Son chef de service le brime.* — Au p. p. adj. *Il se sent brimé.* ▶ **brimade** n. f. **1.** Épreuve vexatoire, souvent aggravée de brutalité, que les anciens imposent aux nouveaux dans les régiments, les écoles. *Les brimades du bizutage.* **2.** Tracasserie, vexation infligée gratuitement. *Elle subit toutes sortes de brimades.*

brin [bʀɛ̃] n. m. **1.** Filament de chanvre, de lin. *Les brins d'une corde.* **2.** Tige, jeune pousse (d'un végétal). *Un brin d'herbe, de muguet.* — Loc. *Un beau brin de fille,* une fille grande et bien faite. **3.** Petite partie (d'un corps) ou objet mince et allongé. *Un brin de paille.* ⇒ **fétu. 4.** Fig. Parcelle, quantité infime. *Faire un brin de cour à une femme,* lui faire un peu la cour. *Faire un brin de toilette.* — Loc. adv. *On va s'amuser un brin,* un petit peu.

brindezingue [bʀɛ̃dzɛ̃g] adj. ■ Fam. Un peu fou, déséquilibré. *Il est complètement brindezingue.*

brindille [bʀɛ̃dij] n. f. ■ Branche morte, mince et assez courte. *Il allume le feu avec des brindilles.*

① **bringue** [bʀɛ̃g] n. f. ■ Fam. et péj. *Une grande bringue,* une grande fille dégingandée.

② **bringue** n. f. ■ Fam. Noce, foire. *On a fait la bringue, une bringue à tout casser.* ⇒ fam. ② **bombe.**

bringuebaler [bʀɛ̃gbale] ou **brinquebaler** [bʀɛ̃kbale] v. intr. ▪ conjug. 1. ■ Se balancer, osciller. *Le vieux tacot bringuebalait sur les pavés.* ⇒ **cahoter.**

brio [bʀijo] n. m. sing. ■ Technique aisée et brillante dans l'exécution musicale. *Il joua son morceau avec brio.* — Talent brillant, virtuosité. *Elle parle avec brio.*

brioche [bʀijɔʃ] n. f. **1.** Pâtisserie légère en forme de petite boule, faite avec une pâte levée. **2.** Fam. Ventre replet. *Il a pris de la brioche.* ▶ **brioché, ée** adj. ■ Qui a la consistance, le goût de la brioche. *Pain brioché.*

brique [bʀik] n. f. **1.** Pierre artificielle, en forme de parallélépipède, de couleur rougeâtre, fabriquée avec de la terre argileuse et employée à la construction. *Mur de brique(s).* — Adj. invar. De la couleur de la brique. *Des rouges brique. Un teint brique.* **2.** Récipient de la forme d'une brique utilisé pour certains liquides alimentaires. *Une brique de lait.* ≠ **berlingot. 3.** Fam. Liasse de billets faisant un million d'anciens francs. — Un million d'anciens francs. *Un chèque de cent briques.* **4.** Fam. *Bouffer des briques,* n'avoir rien à manger. ≠ **brick.** ▶ **briqueterie** [bʀiktʀi ; -kɛtʀi] n. f. ■ Fabrique de briques. ≠ **tuilerie.** ▶ **briquette** n. f. ■ Aggloméré de charbon, de lignite, en forme de brique. — Loc. fam. *C'est de la briquette,* ça n'a pas de valeur, d'intérêt. ⟨ ▶ imbriqué ⟩

briquer [bʀike] v. tr. ▪ conjug. 1. ■ Nettoyer en frottant vigoureusement de façon à faire briller. ⇒ **astiquer.** *Elle a passé des heures à briquer son appartement.*

briquet [bʀike] n. m. ■ Appareil pouvant produire du feu à répétition. *Briquet à essence, à gaz.*

brise [bʀiz] n. f. ■ Vent peu violent. *Brise de mer, de terre,* soufflant de la mer vers la terre, de la terre vers la mer. ⟨ ▶ pare-brise ⟩

briser [bʀize] v. tr. ▪ conjug. 1. **1.** Littér. Casser, mettre en pièces. — Loc. *Briser les liens, les chaînes*

de qqn, le libérer d'une sujétion. *Briser le cœur,* peiner, émouvoir profondément. — Au p. p. *Une voix brisée par l'émotion,* altérée. **2.** Rendre inefficace par une intervention violente. ⇒ **anéantir, détruire.** *Briser la carrière de qqn. Le gouvernement veut briser toute résistance. Briser une grève,* la faire échouer. **3.** Réduire la résistance, abattre l'orgueil de (qqn). *Je le briserai !* **4.** Pronominalement (réfl.). (Mer) Déferler. — Échouer. *L'assaut vint se briser sur les lignes ennemies.* ▶ **brisé, ée** adj. **1.** *Brisé de fatigue,* extrêmement fatigué. ⇒ **moulu. 2.** *Ligne brisée,* composée de droites qui se succèdent en formant des angles variables. **3.** *Pâte brisée,* pâte à gâteaux malaxée incomplètement avec des morceaux de beurre. ▶ **brisant** n. m. ■ Rocher sur lequel la mer se brise et déferle. ⇒ **écueil.** ▶ **bris** [bʀi] n. m. invar. ■ Droit. Destruction, rupture. *Bris de clôture, de glace, de scellés.* ▶ **brisées** n. f. pl. ■ Branches que le veneur casse (sans les couper) pour marquer la voie de la bête. — Loc. *Aller, marcher sur les brisées de qqn,* entrer en concurrence avec lui sur un terrain qu'il s'était réservé. — Loc. littér. *Suivre les brisées de qqn,* l'imiter. ▶ **briseur, euse** n. ■ *Briseur de grève,* ouvrier qui ne fait pas la grève lorsqu'elle a été décidée ⇒ **jaune.** ▶ **brise-fer** ou **brise-tout** n. m. invar. ■ Personne qui casse tout ce qu'elle touche. *Des brise-fer. Des brise-tout.* ▶ **brise-glace** n. m. ■ Navire à étrave renforcée, spécialement construit pour la navigation arctique. *Un brise-glace* ou *brise-glaces. Des brise-glaces.* ▶ **brise-jet** [bʀizʒɛ] n. m. invar. ■ Petit tuyau que l'on adapte à un robinet pour atténuer la force du jet et éviter les éclaboussures. *Des brise-jet.* ▶ **brise-lames** n. m. invar. ■ Construction élevée à l'entrée d'un port pour le protéger contre les vagues du large. ⇒ **digue.** *Un brise-lames. Des brise-lames.* ▶ **brisure** n. f. ■ Cassure, fêlure. ⟨ ▶ débris ⟩

bristol [bʀistɔl] n. m. **1.** Papier fort et blanc, employé pour le dessin, les cartes de visite. **2.** Carte de visite. *Il ne faut pas signer sur un bristol. Des bristols.*

britannique [bʀitanik] adj. **1.** Qui se rapporte à la Grande-Bretagne, à l'Irlande et à de petites îles proches. *Les îles Britanniques.* **2.** Qui se rapporte au Royaume-Uni. ⇒ **anglais, anglo-saxon.** *L'Empire britannique,* le Commonwealth. *Le flegme britannique.* — N. *Les Britanniques.*

broc [bʀo] n. m. ■ Récipient à anse, à bec évasé, dont on se sert pour transvaser les liquides (surtout l'eau pour la toilette).

brocante [bʀɔkɑ̃t] n. f. ■ Commerce du brocanteur. ▶ **brocanteur, euse** n. ■ Personne qui *brocante,* c'est-à-dire fait commerce d'objets anciens et de curiosités qu'elle achète d'occasion pour la revente. *Les antiquaires et les brocanteurs.*

brocart [bʀɔkaʀ] n. m. ■ Riche tissu de soie rehaussé de dessins brochés en fils d'or et d'argent.

broche [bʀɔʃ] n. f. **1.** Nom de nombreux instruments et pièces à tige pointue. — Tige de fer pointue qu'on passe au travers d'une volaille ou d'une pièce de viande à rôtir, pour la faire tourner au-dessus de la flamme. *Mettre, faire cuire à la broche.* — En filature. Tige de fer recevant la bobine. — Tige utilisée en chirurgie osseuse pour fixer un os fracturé. *Ils lui ont posé deux broches sur sa fracture.* **2.** Bijou de femme, composé d'une épingle et d'un fermoir. *Elle avait mis ses broches et ses bracelets.* ▶ **brochette** n. f. **1.** Petite broche servant à faire griller de petites pièces de viande, de crustacé, de poisson ; les morceaux ainsi embrochés. *Une brochette de rognons.* **2.** Petite broche servant à porter sur l'habit plusieurs décorations ; cette série. *Une brochette de décorations.* **3.** Fam. Personnes rangées sur la même ligne.

Former une belle brochette. ‹ ► embrocher, tourne-broche ›

brocher [bʀɔʃe] v. tr. ▪ conjug. 1. **1.** Relier sommairement, avec simple couverture de papier. — Au p. p. adj. *Fascicule, livre broché.* **2.** Tisser en entremêlant sur le fond des fils de soie, d'argent ou d'or, de manière à former des dessins en relief. — Au p. p. adj. *Tissu broché ; n. m. du broché.* ► **brochage** n. m. **1.** Action, manière de brocher (les feuilles imprimées). ⇒ **reliure.** **2.** Procédé de tissage des étoffes brochées. ► **brocheur, euse** n. **1.** Ouvrier, ouvrière dont le métier est de brocher (des tissus, des livres). **2.** N. f. Machine pour le brochage des livres. ► **brochure** n. f. **1.** Décor d'un tissu broché. **2.** Petit livre broché. *Une brochure de propagande. Brochure touristique.*

brochet [bʀɔʃɛ] n. m. ▪ Poisson osseux d'eau douce, étroit, élancé, au museau plat et pointu, armé de dents aiguës. *Quenelles de brochet.*

brocoli [bʀɔkɔli] n. m. ▪ Chou à longue tige. *Manger des brocolis avec du veau.*

brodequin [bʀɔdkɛ̃] n. m. ▪ Chaussure montante de marche, lacée sur le cou-de-pied. ⇒ **godillot.** *Brodequins de soldat.*

broder [bʀɔde] v. ▪ conjug. 1. **1.** V. tr. Orner (un tissu) de broderies. *Broder un napperon.* — Au p. p. adj. *Un mouchoir brodé.* — Exécuter en broderie. *Broder des initiales sur une chemise.* **2.** V. intr. Amplifier ou exagérer à plaisir. *Vous brodez, vous avez trop d'imagination ! Un petit fait sur lequel l'auteur a brodé.* ► **broderie** n. f. ▪ Ouvrage consistant en points qui recouvrent un motif dessiné sur un tissu ou un canevas. *Un chemisier à broderies bleues.* — Art d'exécuter de tels ouvrages. — Commerce, industrie des brodeurs. ► **brodeur, euse** n. **1.** Ouvrier, ouvrière en broderie. **2.** N. f. Métier, machine à broder.

brome [bʀom] n. m. ▪ Corps chimique simple, à odeur suffocante, que l'on extrait des eaux de la mer, des gisements salins. *Br est le symbole du brome.* ► **bromure** n. m. ▪ Composé du brome avec un autre corps simple. *Le bromure d'argent est utilisé en photographie. Bromure de potassium,* ou absolt, *bromure,* puissant sédatif.

bronche [bʀɔ̃ʃ] n. f. ▪ Chacun des deux conduits cartilagineux qui naissent à la bifurcation de la trachée-artère et se ramifient dans les poumons. ► **bronchite** [bʀɔ̃ʃit] n. f. ▪ Inflammation de la muqueuse des bronches. ► **broncho-** [bʀɔ̃ko-] ▪ Élément savant, signifiant « des bronches ». ► **broncho-pneumonie** n. f. ▪ Inflammation du poumon (pneumonie) et des bronches.

broncher [bʀɔ̃ʃe] v. intr. ▪ conjug. 1. ▪ Dans une proposition négative. Réagir. *Il n'a pas bronché. Sans broncher,* sans manifester d'opposition, sans murmurer.

bronze [bʀɔ̃z] n. m. **1.** Alliage de cuivre et d'étain. *Statue de bronze. Médaille de bronze. L'âge du bronze,* période préhistorique de diffusion de la technique du bronze (environ 2ᵉ millénaire av. J.-C.). — *Bronze d'aluminium,* alliage de cuivre et d'aluminium. **2.** Objet d'art (surtout sculpté) en bronze. — Médaille, monnaie de bronze antique. **3.** *De bronze,* qui a la dureté, la couleur, la patine du bronze. — Littér. Dur, insensible.

bronzer [bʀɔ̃ze] v. ▪ conjug. 1. **1.** V. tr. Recouvrir de substances qui donnent l'aspect du bronze. **2.** Brunir (qqn) par les rayons du soleil, les rayons ultra-violets. ⇒ **hâler.** *Une lampe à bronzer.* — Au p. p. adj. *Il est rentré de vacances tout bronzé.* **3.** V. intr. S'exposer au soleil pour brunir. *Bronzer au bord de la piscine. Une crème pour bronzer.* — Pronominalement. *Se bronzer au soleil.* ► **bronzage** n. m. **1.** Action de bronzer un métal. **2.** Le fait de brunir sous l'action du soleil. *Séance de bronzage.* — Son résultat. *Un beau bronzage.*

brosse [bʀɔs] n. f. **1.** Ustensile de nettoyage, assemblage de filaments souples (poils, crins, fibres synthétiques) ajustés sur une monture. *Brosse à habits, à chaussures, à cheveux, à dents. Donner un coup de brosse à son pantalon,* le brosser. — Loc. *Manier la* BROSSE À RELUIRE : être servilement à la dévotion de qqn. **2.** *Cheveux en brosse,* coupés court et droit comme les poils d'une brosse. *Porter la brosse,* les cheveux en brosse. **3.** Pinceau de peinture. *Peindre à la brosse.* **4.** Rangée de poils sur les pattes ou le torse de certains insectes (notamment pour amasser le pollen). ► **brosser** v. tr. ▪ conjug. 1. **1.** Nettoyer, frotter avec une brosse. *Brosser ses dents. Elle s'est brossé les dents.* — Pronominalement. *Brosse-toi un peu avant de sortir,* brosse tes vêtements. — Loc. fam. *Tu peux toujours te brosser,* tu n'obtiendras pas ce que tu désires, tu t'en passeras. ⇒ fam. **courir.** **2.** Exécuter (un tableau) à la brosse. ⇒ **peindre.** — Loc. fig. *Brosser un portrait, un tableau (de qqch.),* dépeindre, représenter. *Il nous a brossé un tableau de la situation.* **3.** En sport. Frapper la balle ou le ballon par le côté. ► **brossage** n. m. ▪ Action de brosser. ► **brosserie** n. f. ▪ Fabrication, commerce des brosses et ustensiles analogues (balais, plumeaux, etc.). ‹ ► balai-brosse, tapis-brosse ›

brou [bʀu] n. m. ▪ Enveloppe verte de la noix (et de certains fruits à noyau). — BROU DE NOIX : teinture brune de menuisier, faite avec le brou de la noix.

brouet [bʀuɛ] n. m. ▪ Vx. Bouillon, potage. — Mets simple et grossier des anciens Spartiates.

brouette [bʀuɛt] n. f. ▪ Petit véhicule à une roue, muni de deux barres, qui sert à transporter (à *brouetter*) des fardeaux à bras d'homme. *Brouette de jardinier.*

brouhaha [bʀuaa] n. m. ▪ Bruit confus qui s'élève dans une foule. *Des brouhahas.*

brouillard [bʀujaʀ] n. m. ▪ Phénomène naturel produit par des gouttes d'eau extrêmement petites qui flottent dans l'air près du sol et provoquent une diffusion intense de la lumière. ⇒ **brume.** *Brouillard épais qui rend la circulation dangereuse.* — Loc. *Être dans le brouillard,* ne pas voir clair dans une situation qui pose des problèmes. *Foncer dans le brouillard,* agir de manière déterminée, brutale, sans bien connaître la situation.

brouiller [bʀuje] v. tr. ▪ conjug. 1. **1.** Mêler en agitant, en dérangeant. — Au p. p. adj. *Œufs brouillés.* — *Brouiller les cartes,* battre les cartes ; fig. compliquer, obscurcir volontairement une affaire. *Brouiller les pistes,* faire perdre la trace, rendre les recherches difficiles. **2.** Rendre trouble. *La buée brouille les verres de mes lunettes.* — *Brouiller une émission de radio,* la troubler par brouillage. **3.** Rendre confus, embrouiller. *Vous me brouillez les idées.* — Confondre (des choses différentes). **4.** Désunir en provoquant une brouille. / contr. **réconcilier** / *Elle l'a brouillé avec sa famille.* — Au passif. *Ils sont brouillés.* Fam. *Il est brouillé avec les chiffres, avec la grammaire,* il n'y comprend pas grand-chose, il fait des fautes. **5.** Pronominalement. Devenir trouble, confus. *Sa vue se brouille. Le temps se brouille,* se gâte. — Cesser d'être ami. ⇒ se **fâcher.** *Elle s'est brouillée avec ses parents.*

▶ *brouille* n. f. ■ Mésentente survenant entre personnes qui entretenaient des rapports familiers ou affectueux. ⇒ **rupture**. *Leur brouille dure toujours.*
▶ *brouillage* n. m. ■ Trouble introduit (accidentellement ou délibérément) dans la réception des ondes de radio, de télévision, de radar. *Le brouillage des émissions clandestines.* ▶ ① *brouillon, onne* adj. ■ Qui mêle tout, n'a pas d'ordre, de méthode. ⇒ **confus, désordonné**. *C'est un esprit brouillon. Une activité brouillonne.* / contr. **méthodique, ordonné** / ▶ ② *brouillon* n. m. ▶ Première rédaction d'une lettre, d'un écrit qu'on se propose de mettre au net par la suite. *Un brouillon doit être recopié.* — *Un cahier de brouillon(s),* pour les brouillons. — Loc. adv. AU BROUILLON (opposé à *au propre*). *Fais ton problème au brouillon.* ⟨▶ brouillard, antibrouillard, débrouillard, débrouiller, embrouiller⟩

broum [bʁum] interj. ■ Onomatopée imitant l'accélération d'un moteur. ⇒ **vroum**.

broussaille [bʁusaj] n. f. **1.** Au plur. Végétation touffue des terrains incultes (composée d'arbustes et de plantes épineuses). *Des ruines envahies par les broussailles.* **2.** *Cheveux en broussaille,* emmêlés et touffus. ▶ *broussailleux, euse* adj. ■ Couvert de broussailles. — En broussaille. *Des cheveux, des sourcils broussailleux.* ⟨▶ débroussailler, embroussaillé⟩

brousse [bʁus] n. f. **1.** Région africaine éloignée des centres urbains et plus ou moins inculte. ⇒ **bled**. *Il est perdu dans la brousse.* **2.** Type de végétation arbustive dégradée des pays tropicaux. ⟨▶ cambrousse⟩

brouter [bʁute] v. ■ conjug. 1. **1.** V. tr. (Bovidés) Manger en arrachant sur place (l'herbe, les pousses, les feuilles). ⇒ **paître**. — Loc. fam. *Tu me les broutes !,* tu m'ennuies. **2.** V. intr. Se dit d'un outil tranchant ou d'un organe mécanique (embrayage) qui fonctionne par saccades (phénomène de *broutage*).

broutille [bʁutij] n. f. ■ Détail ou élément sans valeur, insignifiant. ⇒ **babiole, bricole**. *Ils se disputent toujours pour des broutilles.*

browning [bʁo(aw)niŋ] n. m. ■ Pistolet automatique à chargeur. *Des brownings.*

broyer [bʁwaje] v. tr. ■ conjug. 8. **1.** Réduire en parcelles très petites, par pression ou choc. ⇒ **écraser, piler, triturer**. *Les molaires broient les aliments. Broyer les couleurs,* pulvériser les matières colorantes en les écrasant. — Loc. *Broyer du noir,* s'abandonner à des réflexions tristes, avoir le cafard. **2.** Écraser. — Au p. p. adj. *Il a eu deux doigts broyés dans la machine.* ▶ *broyage* n. m. ■ Opération par laquelle on broie (1) qqch. ▶ *broyeur, euse* n. et adj. **1.** Ouvrier chargé du broyage. **2.** N. m. Machine à broyer. ⇒ **concasseur**. *Un broyeur d'ordures.*

brrr [bʁʁ] interj. ■ S'emploie pour exprimer une sensation de frisson (froid, peur).

bru [bʁy] n. f. ■ Épouse d'un fils. ⇒ **belle-fille**. *Son gendre et sa bru. Des brus.*

bruant [bʁyɑ̃] n. m. ■ Petit passereau de la taille du moineau, nichant à terre ou très près du sol.

brugnon [bʁyɲɔ̃] n. m. ■ Variété de pêche à peau lisse comme la prune, à chair ferme et noyau adhérent.

bruine [bʁɥin] n. f. ■ Petite pluie très fine et froide, qui résulte de la condensation du brouillard. ⇒ **crachin**. ▶ *bruiner* v. impers. ■ conjug. 1. ■ Tomber de la bruine. *Il commence à bruiner.*

bruire [bʁɥiʁ] v. intr. ■ conjug. 2 (sauf infinitif). ■ Littér. Rendre un son doux et confus. ⇒ **murmurer**.

Les feuilles bruissaient doucement. ▶ *bruissement* n. m. ■ Littér. Bruit faible, confus et continu. ⇒ **frémissement, murmure**. *Bruissement d'étoffe.*
▶ *bruit* n. m. **1.** Ce qui, dans ce qui est perçu par l'oreille, n'est pas senti comme musical. *Les bruits de la rue. Bruit de fond,* bruit qui se superpose à un dialogue. — (Sens collectif) *Faire du bruit, (beaucoup) trop de bruit.* ⇒ **chahut, tapage, vacarme** ; fam. **boucan, potin**. / contr. **silence** / *La lutte contre le bruit. Il marchait sans bruit.* — Loc. *Faire du bruit,* avoir un grand retentissement. *Faire beaucoup de bruit pour rien.* **2.** Nouvelle répandue, propos rapportés dans le public. ⇒ **rumeur**. *Un bruit qui court.* ⇒ **on-dit**. *Des bruits de guerre. Des bruits de couloir. Un faux bruit,* une fausse nouvelle. **3.** Sciences. Tout phénomène se superposant à un signal et limitant la transmission de l'information. *Bruits sur un écran radar.* ▶ *bruitage* n. m. ■ Au théâtre, au cinéma, à la radio. Reconstitution artificielle des bruits naturels qui doivent accompagner l'action. ▶ *bruiteur* n. m. ■ Spécialiste du bruitage. ⟨▶ bruyant, ébruiter⟩

brûler [bʁyle] v. ■ conjug. 1. **I.** V. tr. **1.** Détruire par le feu. ⇒ **consumer, embraser, incendier**. *Il faut brûler tous ces vieux papiers, ces mauvaises herbes. Brûler un cadavre.* ⇒ **incinérer**. — Consumer pour le chauffage, la cuisine ou l'éclairage. *On a brûlé beaucoup de charbon cet hiver. Un appareil qui brûle peu d'électricité. Brûler un cierge à un saint, en reconnaissance.* — Loc. *Brûler les planches,* se dit d'un acteur qui joue avec une ardeur communicative. *Brûler ses dernières cartouches,* utiliser ses dernières chances. **2.** Altérer par l'action du feu, de la chaleur, d'un caustique. *Tu as brûlé ta chemise en la repassant. La fumée me brûle les yeux.* — Sans compl. *Attention ! Ça brûle !* **3.** Chauffer au point de donner une sensation de brûlure, d'irritation. *Le soleil brûle la peau.* **4.** Passer sans s'arrêter à (un point d'arrêt prévu). *L'autobus a brûlé la station. Il a provoqué un accident en brûlant un feu rouge.* — Loc. *Brûler les étapes,* aller plus vite que prévu, se développer trop vite. **II.** V. intr. **1.** Se consumer par le feu. *Un bois qui brûle lentement. Sa maison a brûlé.* — Être calciné, cuire à feu trop vif. *Le rôti brûle.* — Flamber. *Le feu brûle dans la cheminée.* — Se consumer en éclairant, être allumé. *Ne laisse pas brûler l'électricité.* **2.** Être brûlant (2). *La gorge me brûle.* — Être ardent. *Brûler d'impatience.* — BRÛLER DE (+ infinitif) : avoir un très vif désir de. *Il brûle de lui parler.* **3.** À certains jeux ou devinettes. Être tout près de découvrir l'objet caché, la solution. *Vous brûlez.* **III.** SE BRÛLER. **1.** V. pron. réfl. S'infliger une brûlure partielle. *Elle s'est brûlée en allumant sa cigarette.* **2.** Réfl. indir. ; faux pronominal. Infliger involontairement une brûlure à une partie de son corps. *Elle s'est brûlé la main avec le fer à repasser.* — Loc. *Se brûler la cervelle,* se suicider. ▶ *brûlé, ée* adj. et n. **I.** Adj. **1.** Mort par le feu. *Elles sont mortes brûlées vives.* — Qui a brûlé. ⇒ **calciné, carbonisé**. *Un pain brûlé.* **2.** Loc. fig. *Une tête brûlée, un cerveau brûlé,* un individu exalté, épris d'aventures et de risques. **3.** Dont l'activité clandestine est désormais connue de l'adversaire. *Notre réseau d'espionnage est brûlé.* **4.** Qui a perdu toute autorité, tout crédit. *Un homme politique aujourd'hui brûlé.* **II.** N. **1.** N. m. Odeur, goût d'une chose qui brûle ou a brûlé. *L'omelette sent le brûlé. Ça sent le brûlé.* — Loc. fam. *Ça sent le brûlé,* l'affaire tourne mal. ⇒ **roussi**. **2.** Personne atteinte de brûlures. *Un grand brûlé. Une brûlée.* ▶ *brûlant, ante* adj. **1.** Qui peut causer une brûlure, qui est excessivement chaud. *Une casserole brûlante. Il boit son thé brûlant. Un soleil brûlant.* **2.** Qui éprouve une sensation de chaleur intense, de fièvre. *Il a les mains brûlantes.* **3.** (Sujet, thème) Délicat, dangereux. *Un sujet d'actualité brû-*

lant, qui soulève les passions. **4.** (Personnes) Ardent, passionné. *Il était brûlant d'impatience, d'amour.* ▶ *brûlage* n. m. ■ *Brûlage des terres*, opération consistant à brûler les herbes sèches, les broussailles. *Brûlage des cheveux*, traitement consistant à en flamber la pointe. ▶ *brûleur* n. m. ■ Appareil destiné à mettre en présence un combustible et de l'air ou de l'oxygène afin de permettre et de régler la combustion à sa sortie. *Les brûleurs d'une cuisinière à gaz.* ▶ *brûlot* n. m. **1.** Petit navire chargé de matières en flammes, qu'on lançait sur les bâtiments ennemis, pour les incendier. **2.** Objet, idée susceptible de causer des dommages, des dégâts. *Ce journal est un brûlot lancé contre le gouvernement.* ▶ *brûlure* n. f. **1.** Lésion produite qu'une partie du corps par l'action de la flamme, de la chaleur ou d'une substance corrosive. *Brûlures du premier, du deuxième, du troisième degré* (selon leur gravité). — Tache ou trou à l'endroit où une étoffe, un objet a brûlé. *Une brûlure de cigarette.* **2.** Sensation de chaleur intense, d'irritation dans l'organisme. *Des brûlures d'estomac.* ⇒ **aigreur.** ▶ *brûle-gueule* n. m. invar. ■ Pipe à tuyau très court. *Des brûle-gueule.* ▶ *à brûle-pourpoint* [abʀylpuʀpwɛ̃] loc. adv. ■ Après un verbe de déclaration. Sans préparation, brusquement. *Il lui dit, lui lança à brûle-pourpoint...*

brume [bʀym] n. f. ■ Brouillard léger. *La brume du soir.* — Brouillard de mer. *Signal, corne de brume.* ▶ *brumeux, euse* adj. **1.** Couvert, chargé de brume. *Un temps brumeux.* **2.** Abstrait. Obscur, nébuleux. *Un raisonnement brumeux.* / contr. **clair** /

brun, une [bʀœ̃, yn] adj. et n. **1.** Adj. De couleur sombre, entre le roux et le noir. ⇒ **bistre, marron, tabac.** *La couleur brune de la châtaigne. Du tabac brun. Une bière brune.* / contr. **blond** / *Des cheveux bruns.* — (Personnes) Qui a les cheveux bruns. *Elle est brune.* **2.** N. Personne qui a les cheveux bruns. *Un beau brun. Une petite brune.* ⇒ **brunette. 3.** N. m. Cette couleur. *Un brun clair. Des bottes brun foncé.* — Substance de cette couleur en peinture. **4.** N. f. *Une brune*, une cigarette brune. — *Une bière brune. Il boit des brunes* (opposé à *blonde*). ▶ *brunâtre* adj. ■ Tirant sur le brun. ▶ *brunette* n. f. ■ Fille brune. ▶ *brunir* v. ■ conjug. 2. **I.** V. tr. Rendre brun. *Le soleil brunit la peau.* ⇒ **hâler. II.** V. intr. Devenir brun, prendre une teinte brune. *Vous avez bruni.* ⇒ **bronzer.** ⟨ ▶ se rembrunir ⟩

brunch [bʀœnʃ] n. m. ■ Anglic. Repas pris dans la matinée qui sert à la fois de petit déjeuner et de déjeuner. *Des brunches.*

brune [bʀyn] n. f. ■ Littér. *À la brune*, au crépuscule.

brushing [bʀœʃiŋ] n. m. ■ Anglic. Mise en plis où les cheveux mouillés sont travaillés à la brosse ronde et au séchoir à main. *Des brushings. Elle s'est fait faire un brushing.*

brusque [bʀysk] adj. **1.** Qui agit avec une certaine rudesse, sans ménagements. ⇒ **brutal, rude, sec.** / contr. **doux** / *Vous avez été trop brusque avec lui.* **2.** Qui est soudain, que rien ne prépare, ni ne laisse prévoir. ⇒ **inattendu, subit.** *Le brusque retour du froid.* ▶ *brusquement* adv. ■ D'une manière brusque, soudaine. *La crise a éclaté brusquement.* ⇒ **brutalement.** ▶ *brusquer* v. tr. ■ conjug. 1. **1.** Traiter d'une manière brusque, sans se soucier de ne pas heurter. *Vous avez tort de brusquer cet enfant.* ⇒ **malmener. 2.** Précipiter (ce dont le cours est normalement lent, ou l'échéance éloignée). ⇒ **hâter.** *Il faut brusquer le dénouement. Ne rien brusquer.* — Au p. p. adj. *Une attaque brusquée*, décidée et exécutée soudainement. ▶ *brusquerie* n. f. ■ Façons

brusques dans le comportement envers autrui. ⇒ **rudesse.** / contr. **douceur** / *Il le traite avec brusquerie.*

brut, ute [bʀyt] adj. **1.** Qui est à l'état naturel, n'a pas encore été façonné ou élaboré par l'homme. ⇒ **naturel, sauvage.** *Un diamant encore brut*, non taillé, non poli. *Pétrole brut*, non raffiné. **2.** Qui résulte d'une première élaboration (avant d'autres transformations). *Toile brute.* ⇒ **écru.** *Champagne brut*, à faible teneur en sucre. **3.** Qui n'a subi aucune élaboration intellectuelle, est à l'état de donnée immédiate. *Tel est le fait brut. À l'état brut.* **4.** Dont le montant est évalué avant déduction des taxes et frais divers. *Salaire, bénéfice brut. Produit national brut.* — *Poids brut*, poids total, y compris l'emballage ou le véhicule de transport. / contr. **net** /

brutal, ale, aux [bʀytal, o] adj. **1.** (Personnes) Qui use volontiers de violence, du fait de son tempérament rude et grossier. / contr. **doux** / *Un gardien brutal.* **2.** (Actes) Qui est sans ménagement, ne craint pas de choquer. *Une franchise brutale. Des manières brutales.* ⇒ **brusque. 3.** (Choses) Qui est brusque et violent. *Le choc a été brutal.* ▶ *brutalement* adv. **1.** D'une manière brutale, avec brutalité. *Il a agi brutalement.* **2.** Avec soudaineté, de manière imprévisible. *Il est mort brutalement.* ▶ *brutaliser* v. tr. ■ conjug. 1. ■ Traiter d'une façon brutale. ⇒ **maltraiter.** *Il se plaint qu'on ait brutalisé pendant son interrogatoire.* — Fam. *Il ne faut pas me brutaliser*, me brusquer. ▶ *brutalité* n. f. **1.** Caractère d'une personne brutale. / contr. **douceur** / *Il s'exprime avec brutalité.* **2.** Au plur. Acte brutal, violence. *Victime de brutalités policières.* ⇒ **sévices. 3.** Caractère inattendu et violent. *Étourdi par la brutalité du choc.* — Fig. *La brutalité d'une description.*

brute [bʀyt] n. f. **1.** Littér. L'animal considéré dans ce qu'il a de plus éloigné de l'homme. ⇒ **bête. 2.** Homme grossier, sans esprit. *Il ne comprend rien, c'est une brute*, fam. *une brute épaisse.* **3.** Homme brutal, violent. *Sale brute ! Il frappe comme une brute.* ⟨ ▶ abrutir, brutal ⟩

bruyant, ante [bʀɥijɑ̃, ɑ̃t] adj. **1.** Qui fait beaucoup de bruit. *Une voiture bruyante. Des enfants bruyants.* **2.** Où il y a beaucoup de bruit. *Une rue bruyante.* / contr. **silencieux, tranquille** / ▶ *bruyamment* adv. **1.** D'une manière bruyante. *Tu pourrais te moucher moins bruyamment.* **2.** En faisant grand bruit, bien haut. *Ils ont protesté bruyamment.*

bruyère [bʀy(ɥi)jɛʀ] n. f. **1.** Petit arbrisseau des landes à petites fleurs rouge violacé. *Nous marchions dans les bruyères.* — Racine de cette plante. *Une pipe de bruyère.* **2.** Lieu où pousse cette plante. ⇒ **lande.**

B.T.S. [beteɛs] n. m. invar. ■ Abréviation de *brevet de technicien supérieur*, en France, diplôme préparé en deux ans après le baccalauréat.

bu, bue p. p. ⇒ **boire.**

buanderie [bɥɑ̃(y)ɑ̃dʀi] n. f. ■ Local réservé à la lessive, aux lavages.

bubon [bybɔ̃] n. m. ■ Inflammation et gonflement des ganglions lymphatiques, dans certaines maladies (syphilis, peste, etc.).

buccal, ale, aux [bykal, o] adj. ■ Didact. Qui appartient, a rapport à la bouche. *La cavité buccale.*

buccin [byksɛ̃] n. m. **1.** Gros mollusque gastéropode des côtes de l'Atlantique. **2.** Ancienne trompette romaine.

① *bûche* [byʃ] n. f. ■ Fam. Chute. ⇒ fam. **gadin, gamelle, pelle.** *Ramasser une bûche*, tomber.

② **bûche** [byʃ] n. f. **1.** Morceau de bois de chauffage, de grosseur variable. *Mettre une bûche dans la cheminée.* **2.** *Bûche (de Noël),* pâtisserie en forme de bûche spécialement faite pour les fêtes de fin d'année. *Une bûche au café.* **3.** Personne stupide et apathique. **4.** Fragment ligneux infumable qu'on rencontre dans le tabac. ▶ **bûchette** n. f. ■ Petit morceau de bois sec. ▶ ① **bûcher** n. m. **1.** Local où l'on range le bois à brûler. **2.** Amas de bois sur lequel on brûlait les morts ou les condamnés au supplice du feu, les livres interdits. *Jeanne d'Arc fut brûlée vive sur un bûcher.* ▶ **bûcheron, onne** n. ■ Personne dont le métier est d'abattre du bois, des arbres dans une forêt.

② **bûcher** [byʃe] v. tr. ■ conjug. 1. ■ Fam. Étudier, travailler avec acharnement. *Il bûche son droit.* ⇒ fam. **bosser.** — Sans compl. *Il a bûché ferme.* ▶ **bûcheur, euse** n. ■ Personne qui étudie, travaille avec acharnement. ⇒ **travailleur.** / contr. **paresseux** /

bucolique [bykɔlik] n. f. et adj. **1.** N. f. Poème pastoral, églogue, idylle. **2.** Adj. Qui concerne, évoque la poésie pastorale. *Un poète bucolique.* **3.** Adj. Qui a rapport à la vie de la campagne. *Une scène bucolique.*

budget [bydʒɛ] n. m. **1.** Acte par lequel sont prévues et autorisées les recettes et les dépenses annuelles de l'État ou des autres services assujettis aux mêmes règles. *Le budget de l'État, d'une commune. La discussion, le vote du budget. Les dépenses inscrites au budget* (ou *budgétisées*). **2.** Revenus et dépenses d'une famille, d'un groupe. *Ils n'arrivent pas à boucler leur budget,* à joindre les deux bouts. ▶ **budgétaire** adj. ■ Qui a rapport au budget. *Les prévisions budgétaires.*

buée [bɥe] n. f. ■ Vapeur qui se dépose en fines gouttelettes formées par condensation. *Des vitres couvertes de buée.* ⟨ ▶ buanderie, embuer ⟩

buffet [byfɛ] n. m. **1.** Meuble servant à ranger la vaisselle, l'argenterie, le linge de table, certaines provisions. ⇒ **bahut.** *Buffet de salle à manger.* **2.** Table où sont servis des plats, des pâtisseries, des rafraîchissements ; l'ensemble de ces mets et boissons. *Buffet campagnard,* avec des charcuteries et du vin. **3.** *Buffet de gare,* café-restaurant installé dans les gares importantes. ⇒ **buvette.** **4.** *Buffet d'orgue,* sa menuiserie. **5.** Fam. Ventre, estomac. *Il n'avait rien dans le buffet,* rien mangé. ⇒ fam. ① **bide.**

buffle [byfl] n. m. ■ Mammifère ruminant, voisin du bœuf, dont il existe plusieurs espèces en Afrique et en Asie. — Sa peau. *Sac en buffle.*

bugle [bygl] n. m. ■ Instrument à vent (cuivre), utilisé notamment dans la musique militaire.

building [bildiŋ] n. m. ■ Anglic. Vaste immeuble moderne, à nombreux étages. ⇒ **gratte-ciel, tour.** *Des buildings.*

buis [bɥi] n. m. invar. ■ Arbuste à petites feuilles persistantes vert foncé, souvent employé en bordures dans les jardins. *Buis bénit,* qu'on bénit le jour des Rameaux. — Bois jaunâtre, dense et dur de cette plante. *Un couvert à salade en buis.*

buisson [bɥisɔ̃] n. m. **1.** Bouquet d'arbrisseaux sauvages. *Un buisson de houx.* **2.** Mets arrangé en forme de pyramide hérissée d'épines. *Buisson d'écrevisses.* ▶ **buissonneux, euse** adj ■ Couvert de buissons, fait de buissons. ⟨ ▶ buissonnière ⟩

buissonnière [bɥisɔnjɛʀ] adj. f. ■ *Faire l'école buissonnière,* flâner, se promener au lieu d'aller en classe ; ne pas aller travailler.

bulbe [bylb] n. m. **1.** Organe souterrain rempli de réserves nutritives grâce auxquelles la plante reconstitue chaque année ses parties aériennes. *Les plantes à bulbes : lis, glaïeul, tulipe, etc.* ⇒ **oignon.** **2.** Coupole, dôme, en forme de bulbe végétal. *Les bulbes d'une église russe.*

bulgare [bylgaʀ] adj. et n. ■ De Bulgarie. *Yaourt bulgare.* — N. *Les Bulgares.* — N. m. *Le bulgare est une langue slave.*

bulldozer [buldozœʀ] ou [byldɔzɛʀ] n. m. ■ Anglic. Engin sur tracteur à chenilles très puissant, utilisé dans les travaux de terrassement. *Des bulldozers.* REM. On recommande d'employer *bouteur.* — Loc. fig. *C'est un vrai bulldozer,* une personne active et brutale.

① **bulle** [byl] n. f. ■ Lettre patente du pape, désignée par les premiers mots du texte (ex. : *bulle Unigenitus*), et contenant ordinairement une constitution générale. *Une bulle d'excommunication.*

② **bulle** n. f. **1.** Petite sphère remplie d'air ou de gaz qui s'élève à la surface d'un liquide en mouvement, en effervescence, en ébullition. *Liquide qui fait des bulles.* ⇒ **effervescent, gazeux, pétillant.** — Loc. fam. *Coincer la bulle,* ne rien faire, se reposer. (On coince la bulle d'un niveau à eau entre deux repères.) — Sphère formée d'une pellicule de liquide remplie d'air, pouvant se tenir en suspension dans l'air. *Des bulles de savon.* **2.** Globule gazeux qui se forme dans une matière en fusion. *Les bulles du verre.* **3.** Espace, délimité par une ligne courbe fermée à côté de la bouche d'un personnage de bande dessinée, qui contient ses paroles ou ses pensées. *Les bulles d'une b. d.* **4.** Enceinte stérile dans laquelle on place dès leur naissance les enfants présentant un déficit immunitaire.

bulletin [byltɛ̃] n. m. **1.** Information émanant d'une autorité, d'une administration, et communiquée au public. ⇒ **communiqué.** *Le bulletin météorologique. Bulletin de santé,* par lequel les médecins rendent compte de l'état de santé d'un personnage important. — *Bulletin (scolaire),* rapport des professeurs et de l'administration, contenant les notes d'un élève. — Article de journal résumant et commentant des nouvelles dans un certain domaine. *Bulletin de l'étranger.* **2.** Certificat ou récépissé délivré à un usager. ⇒ ② **reçu.** *Bulletin de bagages, de consigne. Bulletin de salaire.* **3.** *Bulletin de vote,* papier indicatif d'un vote, que l'électeur dépose dans l'urne. *Bulletin nul,* irrégulier (par modification, etc.). *Bulletin blanc, vierge* (en signe d'abstention).

bungalow [bœɡalo] n. m. **1.** Maison indienne basse entourée de vérandas. **2.** Petit pavillon en rez-de-chaussée. *Des bungalows.*

bunker [bunkɛʀ, bunkœʀ] n. m. ■ Casemate construite par les Allemands pendant la Seconde Guerre mondiale. — Construction souterraine très protégée. *Des bunkers.*

buraliste [byʀalist] n. ■ Personne préposée à un bureau de recette, de timbre, de poste. — Personne qui tient un bureau de tabac.

bure [byʀ] n. f. ■ Grossière étoffe de laine brune. — Vêtement de cette étoffe.

bureau [byʀo] n. m. I. **1.** Table sur laquelle on écrit, on travaille ; meuble à tiroirs et à tablettes où l'on peut enfermer des papiers, de l'argent. ⇒ **secrétaire.** *Bureau ministre,* grand bureau. *Être assis à, derrière son bureau.* — *Déposer un projet sur le bureau d'une assemblée,* sur le bureau devant lequel est assis le président. **2.** Pièce où est installée la table de travail, avec les meubles indispensables (bibliothèque, classeurs, etc.). ⇒ **cabinet.** *Il est convoqué dans le bureau du directeur.* **3.** Lieu de travail des employés (d'une administration, d'une entreprise). *Les bureaux d'une agence, d'une société. Employé de bureau. Aller au bureau, à son bureau.* — Établissement ouvert au public et où s'exerce un service d'intérêt collectif. *Bureau de poste.* — BUREAU DE TABAC : où se fait la vente du tabac. — Guichet. *Bureau de location d'un théâtre. Ils ont joué cette pièce à bureaux fermés.* **4.** Service (assuré dans un bureau). *Un bureau d'études. Le Deuxième Bureau,* le service de renseignements de l'armée. *Bureau de placement.* **II. 1.** Ensemble des employés travaillant dans un bureau. **2.** Membres d'une assemblée, d'un parti, élus par leurs collègues pour diriger les travaux, mener l'action. *Élire, renouveler le bureau. Le bureau politique.* **3.** Bureau de vote, section du corps électoral communal ; organisme qui préside au vote dans une section. **4.** Groupe de délégués chargés d'étudier une question. ⇒ **comité, commission.** ▶ *bureaucratie* n. f. **1.** Pouvoir politique des bureaux ; influence abusive de l'administration. **2.** L'ensemble des fonctionnaires considérés du point de vue de leur pouvoir dans l'État. ▶ *bureaucratique* adj. ■ Propre à la bureaucratie. *Une société bureaucratique.* ▶ *bureaucrate* n. ■ Fonctionnaire qui attribue une importance exagérée à sa fonction et abuse de son pouvoir sur le public. — Péj. Employé de bureau. ▶ *bureautique* n. f. ■ Application de l'informatique aux travaux de bureau. ⟨ ▶ buraliste ⟩

burette [byRɛt] n. f. **1.** Flacon destiné à contenir les saintes huiles, ou l'eau et le vin de la messe. **2.** Petit flacon à goulot. *Les burettes d'un huilier.* **3.** Récipient à tubulure pour verser un liquide. *Burette (de mécanicien),* pour verser l'huile de graissage.

burin [byRɛ̃] n. m. **1.** Ciseau d'acier qui sert à graver. *Une gravure au burin.* — Cette gravure. **2.** Ciseau d'acier (souvent mécanique) pour couper les métaux, dégrossir les pièces. ▶ *buriner* v. tr. • conjug. 1. ■ Graver au burin. — Travailler les métaux au burin. ▶ *buriné, ée* adj. ■ (Visage, traits) Marqué et énergique. *Il a les traits burinés depuis sa maladie.*

burlesque [byRlɛsk] adj. **1.** D'un comique extravagant et déroutant. ⇒ **bouffon.** *Un accoutrement burlesque. Film burlesque.* — Tout à fait ridicule et absurde. ⇒ **grotesque.** *Quelle idée burlesque !* **2.** Le genre burlesque, ou le burlesque, genre littéraire parodique, à la mode au XVIIᵉ s. ; genre comique du cinéma.

burnous [byRnu(s)] n. m. invar. **1.** Grand manteau de laine à capuchon et sans manches que portent les Arabes. **2.** Manteau de bébé, très enveloppant, à capuchon et sans manches.

bus [bys] n. m. invar. ■ Fam. Autobus. *Elle prend le bus tous les jours.* ⟨ ▶ bibliobus, minibus, trolleybus ⟩

① *buse* [byz] n. f. **1.** Oiseau rapace diurne, aux formes lourdes, qui se nourrit de rongeurs. **2.** Fam. Personne sotte et ignorante. *Triple buse !* ▶ *busard* n. m. ■ Oiseau rapace diurne, à longues ailes et longue queue.

② *buse* n. f. ■ Conduit, tuyau. *Une buse de carburateur.*

business [biznɛs] ou *bizness* n. m. ■ Anglic. Fam. et vieilli. Travail, affaires. — Affaire embrouillée. ▶ *businessman* [biznɛsman] n. m. ■ Anglic. Homme d'affaires. *Des businessmans* ou *businessmen* [biznɛsmɛn].

busqué, ée [byske] adj. ■ (Nez) Qui présente une courbure convexe.

buste [byst] n. m. **1.** Partie supérieure du corps humain, de la tête à la ceinture. ⇒ **torse.** *Il marchait en redressant le buste.* **2.** Portrait sculpté représentant la tête et une partie des épaules, de la poitrine, souvent sans les bras. *Un buste antique.* ▶ *bustier* n. m. ■ Soutien-gorge sans bretelles qui maintient le buste jusqu'à la taille.

but [by(t)] n. m. **1.** Point visé, objectif. ⇒ **cible.** *Atteindre, toucher le but.* — Loc. adv. *De but en blanc* [d(ə)bytɑ̃blɑ̃], directement, sans préparation, brusquement. *On lui a posé la question de but en blanc.* **2.** Point que l'on se propose d'atteindre. ⇒ **terme.** *Le but d'une expédition. Elle erre sans but.* **3.** Dans certains sports. Chacune des deux limites avant et arrière d'un terrain de jeu, encadrées par les touches ; sur cette limite, espace déterminé que doit franchir le ballon. *Gardien de but.* ⇒ **goal.** — Point marqué quand le ballon franchit cette ligne. *Il a marqué deux buts. Gagner par trois buts à un.* **4.** Abstrait. Ce que l'on se propose d'atteindre, ce à quoi l'on tente de parvenir. ⇒ **dessein, fin, intention, objectif.** *Elle s'est fixé un but. Nous avons pour but, notre but est de...* — Loc. *Toucher au but,* être près de réussir. *Aller droit au but,* sans hésiter. — Loc. prép. (critiquée) *Dans le but de,* dans le dessein, l'intention de. ≠ *butte.* ⟨ ▶ buteur ⟩

butane [bytan] n. m. ■ Hydrocarbure saturé, gazeux et liquéfiable, employé comme combustible. *Une bouteille de butane.* — En appos. *Gaz butane.*

① *buter* [byte] v. • conjug. 1. **I.** V. intr. **1.** Heurter le pied (contre qqch. de saillant). *Il a trébuché après avoir buté contre une pierre* ou *sur une pierre.* — Fig. Se heurter (à une difficulté). *Il a buté sur ce problème.* **2.** S'appuyer, être calé. *La poutre bute contre le mur.* **II.** V. tr. *Buter qqn,* pousser qqn à prendre une attitude obstinée. *Cesse de le taquiner, tu vas le buter.* **III.** V. pron. réfl. **1.** Se heurter à (qqn, qqch.). *Ils se sont butés aux traditions.* **2.** S'entêter, être buté. ⇒ se **braquer.** *Il se bute souvent.* ≠ *butter.* ▶ *buté, ée* adj. ■ Entêté dans son opinion, dans son refus de comprendre. ⇒ **têtu.** — Qui exprime cet entêtement. *Un visage buté.* ▶ *butée* n. f. **1.** Massif de pierre destiné à supporter une poussée. — Culée d'un pont. **2.** Organe, pièce mécanique supportant un effort axial. *La butée d'une porte.* ⟨ ▶ butoir, culbuter ⟩

② *buter* ou *butter* v. tr. • conjug. 1. ■ Fam. Tuer par assassinat. *Il s'est fait buter.*

buteur [bytœR] n. m. ■ Joueur de football qui sait tirer au but et marquer. — Joueur de rugby chargé de transformer l'essai en but.

butin [bytɛ̃] n. m. **1.** Ce qu'on prend aux ennemis, pendant une guerre, après la victoire. **2.** Produit d'un vol, d'un pillage. *Le voleur surpris a dû abandonner son butin. Ils se sont partagé le butin.* **3.** Produit, récolte qui résulte d'une recherche. *Notre butin est bien maigre !*

butiner [bytine] v. • conjug. 1. **1.** V. intr. (Abeille) Visiter les fleurs pour y chercher la nourriture de la ruche. **2.** V. tr. Trouver çà et là. *Butiner des renseignements.* ⇒ **glaner.**

butoir [bytwaR] n. m. ■ Pièce ou dispositif servant à arrêter. *Butoir de chemin de fer,* placé à l'extrémité d'une voie de garage.

① *butor* [bytɔR] n. m. ■ Héron au plumage fauve et tacheté, vivant dans les marais.

② *butor* n. m. ■ Grossier personnage, sans finesse ni délicatesse. ⇒ **goujat, malappris.**

butte [byt] n. f. **1.** Tertre naturel ou artificiel où l'on adosse la cible. *Butte de tir.* ≠ *but.* — ÊTRE EN BUTTE À : être exposé à (comme si l'on servait

de cible). *Il est en butte à de nombreuses tracasseries.*
2. Petite éminence de terre, petite colline. ⇒ **monticule, tertre.** *La butte Montmartre* ou *la Butte.*
▶ ① *butter* v. tr. ▪ conjug. 1. ▪ Garnir (une plante)
de terre qu'on élève autour du pied (opération dite
buttage). *Butter des pommes de terre.*

② *butter* v. tr. ⇒ ② **buter.**

butyr(o)- ▪ Élément signifiant « beurre ».

buvable [byvabl] adj. **1.** Qui peut se boire. *Ce vin
est à peine buvable.* **2.** Acceptable. ⇒ **potable.** *Un
roman buvable.* ⟨ ▶ imbuvable ⟩

buvard [byvaʀ] n. m. ▪ Papier qui boit l'encre.
— Dispositif muni de ce papier, pour sécher l'encre.
En appos. *Tampon buvard.*

buvette [byvɛt] n. f. ▪ Petit local ou comptoir où
l'on peut boire. *La buvette d'une gare.* ⇒ **buffet.**

buveur, euse [byvœʀ, øz] n. **1.** Personne qui
aime boire du vin, des boissons alcoolisées. ⇒ **alcoolique.** *Une trogne de buveur. Un grand buveur.*
2. Personne qui est en train de boire. *Les buveurs à
la terrasse d'un café.* — Personne qui a l'habitude
de boire (telle ou telle boisson). *Les buveurs de bière,
d'eau...*

byzantin, ine [bizãtɛ̃, in] adj. **1.** De Byzance.
Empire byzantin, empire romain d'Orient (fin IVᵉ s.-
1453). *L'art byzantin*, de l'Empire byzantin. **2.** Qui
évoque, par son excès de subtilité, par son caractère
formel et oiseux, les disputes théologiques de Byzance.
Des discussions, des querelles byzantines.

C

c [se] n. m. invar. ■ Troisième lettre, deuxième consonne de l'alphabet, servant à noter les sons [s] (*céleste, cymbale*) ou [k] (*car, court*). — REM. C cédille (ç) se prononce toujours [s] : *garçon, façade*. CH se prononce [ʃ] ou [k]. — *C* (majuscule), chiffre romain (cent).

ça [sa] pronom dém. **1.** Fam. Cela, ceci. *Il ne manquait plus que ça. À part ça.* — *C'est comme ça,* c'est ainsi. *Il y a de ça, c'est assez vrai. Comme ça, vous ne restez pas ? Ça a marché.* — (Personnes) *Les enfants, ça grandit vite.* **2.** (Pour marquer l'approbation) *C'est ça !* — (Pour marquer l'indignation, l'étonnement, la surprise) *Ah, ça, alors !*

çà [sa] adv. de lieu. ■ ÇÀ ET LÀ : de côté et d'autre. *Quelques arbres sont plantés çà et là.* ⟨ ► en deçà ⟩

① *cabale* [kabal] n. f. **1.** Entente secrète de plusieurs personnes dirigée contre (qqn, qqch.). ⇒ **complot, conjuration, conspiration.** *Faire, monter une cabale contre qqn.* **2.** Ceux qui forment une cabale. ⇒ **clique, faction, ligue.**

② *cabale* ou *kabbale* [kabal] n. f. **1.** Tradition juive donnant une interprétation cachée de l'Ancien Testament. ⇒ **ésotérisme. 2.** Science prétendant faire communiquer les êtres humains avec des êtres surnaturels. ⇒ **magie, occultisme.** ► *cabalistique* adj. **1.** Qui a rapport à la science occulte. ⇒ **ésotérique, magique.** *Termes cabalistiques.* **2.** Mystérieux, incompréhensible. *Des caractères, des signes cabalistiques.*

caban [kabã] n. m. **1.** Grande veste de laine des marins. **2.** Longue veste croisée. ⇒ **vareuse.** *Des cabans bleu marine.*

cabane [kaban] n. f. **1.** Petite habitation grossièrement construite ; abri sommaire. *Les enfants ont construit une cabane en branches.* ⇒ **baraque, bicoque, cahute, case, hutte.** *Une cabane en planches.* **2.** *Cabane à lapins,* pour élever des lapins. ⇒ **clapier. 3.** Fam. *Mettre qqn en cabane,* en prison. ⇒ fam. **taule.** ► *cabanon* n. m. **1.** Cellule où l'on enfermait les fous jugés dangereux. **2.** En Provence. Petite maison de campagne.

cabaret [kabaʀɛ] n. m. **1.** Vieilli. Établissement où l'on sert des boissons. ⇒ **bistrot, café, estaminet. 2.** Établissement où l'on présente un spectacle et où les clients peuvent consommer des boissons, souper, danser. ⇒ **boîte.** *Cabaret chic, élégant.*

cabas [kaba] n. m. invar. ■ Panier souple ou sac à provisions que l'on porte au bras. ⇒ région. **couffin.** *Faire son marché avec un cabas.*

cabestan [kabɛstã] n. m. ■ Treuil à axe vertical sur lequel peut s'enrouler un câble, et qui sert à tirer, à monter des fardeaux.

cabillaud [kabijo] n. m. ■ Morue fraîche.

cabine [kabin] n. f. **1.** Petite chambre, à bord d'un navire. *Retenir une cabine à bord d'un paquebot.* ⇒ **couchette. 2.** *Cabine de pilotage,* d'un avion. — *Cabine spatiale,* partie où se trouve l'équipage d'un engin spatial. **3.** Petit réduit. *Cabine de bain,* où l'on se déshabille (avec lavabo, et parfois douche). *Cabine d'ascenseur.* ► *cabinet* n. m. **I. 1.** Petite pièce située à l'écart. ⇒ **cagibi, réduit.** *Cabinet noir,* obscur, sans fenêtres. — CABINET DE TOILETTE : petite salle d'eau (avec lavabo, et parfois douche). **2.** CABINET DE TRAVAIL : pièce où l'on se retire (pour travailler). ⇒ **bureau. 3.** Pièce dans laquelle un médecin, un avocat travaillent et reçoivent leurs clients. *Cabinet médical. Passez donc à mon cabinet.* **4.** *Cabinet d'aisances, les cabinets.* ⇒ **toilettes, water, W.-C. ;** vulg. **chiottes.** *Aller au cabinet.* **II.** Le gouvernement. *Le cabinet a été renversé.* — Service d'un ministère, d'une préfecture. *Le cabinet du ministre. Chef de cabinet.* ⟨ ► télécabine ⟩

câble [kabl] n. m. **1.** Faisceau de fils tressés. ⇒ **corde.** — Gros cordage, ou forte amarre en acier. *Câble de remorque. L'ascenseur est suspendu à un câble.* **2.** *Câble électrique,* fil conducteur métallique protégé par des enveloppes isolantes. *Poser des câbles sous-marins.* **3.** Télégramme. *Envoyer un câble.* ► *câbler* v. tr. · conjug. 1. **1.** Assembler (plusieurs fils) en (les) tordant ensemble en un seul câble. — Au p. p. adj. *Fil câblé.* **2.** Envoyer (une dépêche) par câble télégraphique. *On vous câblera des instructions.* ► *câblage* n. m. **1.** Action de câbler (1, 2). **2.** Technique. Fils de montage d'un appareil électrique. ► *câblier* n. m. **1.** Fabricant de câbles. **2.** Navire qui transporte, pose, répare des câbles sous-marins. ⟨ ► encablure ⟩

caboche [kabɔʃ] n. f. ■ Fam. Tête. — Esprit, mémoire. *Il a une sacrée caboche !*, il est têtu. ► *cabochard, arde* adj. et n. ■ Entêté. ⇒ **têtu.** / contr. **docile** /

cabochon [kabɔʃɔ̃] n. m. ■ Pierre précieuse polie, morceau de cristal poli. *Le cabochon de cristal d'un bouchon de carafe.*

cabosser [kabɔse] v. tr. ▪ conjug. 1. ▪ Faire des bosses à. ⇒ **bosseler, déformer.** *Cabosser un chapeau. L'aile de sa voiture est un peu cabossée.* — Au p. p. adj. *Une vieille casserole cabossée.*

① **cabot** [kabo] n. m. ▪ Fam. Chien. ⇒ fam. **clébard, clebs.** *Ce sale cabot a aboyé toute la nuit.*

② **cabot** n. m. ▪ Fam. Caporal.

③ **cabot** n. m. et adj. m. ▪ Abréviation de *cabotin. Quel cabot ! Elle est vraiment trop cabot.*

cabotage [kabɔtaʒ] n. m. ▪ Navigation près des côtes. ▸ *caboteur* n. m. ▪ Bateau qui fait du cabotage.

cabotin, ine [kabɔtɛ̃, in] n. 1. Mauvais acteur. 2. Personne qui cherche à se faire remarquer par des manières prétentieuses et peu naturelles. ⇒ ③ **cabot.** — Adj. *Elle est un peu cabotine.* / contr. **simple** / ▸ *cabotinage* n. m. ▪ Comportement du cabotin.

caboulot [kabulo] n. m. ▪ Fam. Café, cabaret mal famé.

cabrer [kɑbʀe] v. ▪ conjug. 1. I. SE CABRER v. pron. 1. (Animaux) Se dresser sur les pattes de derrière. *Des chevaux sautaient, se cabraient.* 2. Fig. (Personnes) Se révolter. *Elles se sont cabrées à l'idée de céder.* ⇒ se **braquer, se buter.** II. V. tr. 1. Faire se dresser (un animal). *Cabrer son cheval.* 2. *Cabrer un avion,* redresser l'avant. 3. Fig. *Cabrer qqn.*

cabri [kabri] n. m. 1. Petit de la chèvre. ⇒ **biquet, chevreau.** *Bonds de cabri.* — Loc. *Sauter comme un cabri.* 2. Variété de chèvre, en Afrique noire.

cabriole [kabrijɔl] n. f. ▪ Bonds légers, capricieux, désordonnés. ⇒ **galipette, gambade.** — Culbute, pirouette. ▸ *cabrioler* v. intr. ▪ conjug. 1. ▪ Faire la cabriole, des cabrioles.

cabriolet [kabrijɔlɛ] n. m. 1. Voiture à cheval, à deux roues, à capote mobile. — Automobile décapotable. *Un cabriolet grand sport.* 2. Autrefois. Chapeau de femme dont les bords encadraient le visage. ⇒ **capote.**

caca [kaka] n. m. 1. Fam. ou lang. enfantin. Excrément. *Un caca de chien.* ⇒ **crotte.** *Du caca. Faire caca dans sa culotte.* — Chose sale, sans valeur. ⇒ fam. **merde.** *Ce travail, c'est du caca.* 2. CACA D'OIE : jaune verdâtre. — Adj. invar. *Des peintures caca d'oie.* ≠ cacatois.

cacahouète, -houette [kakawɛt], *cacahuète* [kakaɥɛt] n. f. ▪ Fruit de l'arachide qui se mange grillé. *Un paquet de cacahuètes.*

cacao [kakao] n. m. 1. Graine du cacaoyer qui sert à fabriquer le chocolat. — *Beurre de cacao,* matière grasse extraite du cacao. 2. Poudre de cette graine que l'on dissout pour en faire une boisson chaude. *Une tasse de cacao.* ⇒ **chocolat.** ▸ *cacaoté, ée* adj. ▪ Qui contient du cacao. ▸ *cacaoyer* [kakaɔje] ou *cacaotier* [kakaɔtje] n. m. ▪ Arbre d'Amérique du Sud dont les fruits (appelés *cabosses*) contiennent le cacao.

cacatoès [kakatɔɛs] n. m. invar. ▪ Perroquet dont la tête est ornée d'une huppe aux vives couleurs.

cacatois [kakatwa] n. m. invar. ▪ Petite voile carrée au-dessus du perroquet (autre voile).

cachalot [kaʃalo] n. m. ▪ Mammifère marin (de la famille des cétacés) de la taille de la baleine, mais qui porte des dents.

① **cache** [kaʃ] n. f. ▪ Région. Cachette. *Une bonne cache.*

② **cache** n. m. ▪ Papier destiné à cacher une partie d'une surface (une partie de la pellicule à impressionner, etc.). *Utiliser un cache.*

cache-cache [kaʃkaʃ] n. m. invar. ▪ Jeu où l'un des joueurs doit découvrir les autres, qui sont cachés. *Faire une partie de cache-cache.* — Loc. fig. *Jouer à cache-cache,* ne pas se rencontrer, alors qu'on se cherche.

cache-col [kaʃkɔl] n. m. invar. ▪ Écharpe qui entoure le cou. ⇒ **cache-nez.** *Des cache-col en laine.*

cachemire [kaʃmir] n. m. 1. Tissu ou tricot fin en poil de chèvre, mêlé de laine. *Pull-over en cachemire* (ou, anglic., en *cashmere*). 2. *Châle de cachemire,* à dessins caractéristiques.

cache-misère [kaʃmizɛr] n. m. invar. ▪ Vêtement ample servant à cacher des habits usés. *Des cache-misère.*

cache-nez [kaʃne] n. m. invar. ▪ Grosse écharpe protégeant le cou et le bas du visage. ⇒ **cache-col.** *Des cache-nez.*

cache-pot [kaʃpo] n. m. invar. ▪ Enveloppe ou vase orné qui sert à cacher un pot de fleurs. *Des cache-pot.*

cacher [kaʃe] v. tr. ▪ conjug. 1. I. V. tr. 1. Soustraire (qqch.) aux regards ; empêcher (qqch.) d'être vu. ⇒ **dissimuler** ; fam. **planquer.** *Cacher un objet derrière qqch.* 2. (Choses) Empêcher de voir. *Cet arbre cache le soleil, la vue.* ⇒ **boucher, masquer.** / contr. **montrer ; découvrir** / 3. Fig. CACHER SON JEU : cacher son but ou les moyens par lesquels on cherche à l'atteindre. 4. Empêcher (qqch.) d'être su, connu ⇒ **déguiser, dissimuler** ; ne pas exprimer ⇒ **rentrer.** *Cacher ses inquiétudes, son émotion.* — Ne pas dire. *Elle cache son âge. Je ne vous cache pas que je suis assez mécontent,* je l'avoue, je le reconnais. / contr. **dire, exprimer** / II. SE CACHER v. pron. 1. V. pron. réfl. Faire en sorte de n'être pas vu, trouvé, se mettre à l'abri, en lieu sûr. *Un fuyard, un évadé qui se cache. Se cacher derrière un arbre, sous un drap.* — (Choses) *Le soleil s'est caché (derrière un nuage),* a disparu. 2. SE CACHER DE qqn : lui cacher ce que l'on fait ou dit. — *Se cacher de qqch.,* ne pas reconnaître qqch. *Il a peur et ne s'en cache pas.* III. (ÊTRE) CACHÉ(E) passif. *La maison est cachée par les pins.* — Au p. p. adj. *Un trésor caché. Des sentiments cachés.* ◂ ▸ ① cache, ② cache, cache-cache, cache-col, cache-misère, cache-nez, cache-pot, cache-radiateur, cache-sexe, cache-tampon, cachette, cachotterie ▸

cache-radiateur [kaʃradjatœr] n. m. invar. ▪ Revêtement destiné à cacher un radiateur d'appartement. *Des cache-radiateur.*

cache-sexe [kaʃsɛks] n. m. invar. ▪ Petit vêtement couvrant le bas-ventre. ⇒ **slip.** *Des cache-sexe.*

① **cachet** [kaʃɛ] n. m. ▪ Enveloppe de pain sans levain dans laquelle on enferme un médicament en poudre. — Comprimé. *Un cachet d'aspirine.*

② **cachet** n. m. 1. Plaque ou cylindre d'une matière dure gravée avec laquelle on imprime une marque (sur de la cire). ⇒ **sceau.** — LETTRE DE CACHET : lettre au cachet du roi, contenant un ordre d'emprisonnement ou d'exil sans jugement. 2. Marque apposée à l'aide d'un cachet (d'un tampon). ⇒ **empreinte.** *Le cachet d'oblitération de la poste.* 3. Marque, signe caractéristique, distinctif. *Ce village a du cachet,* pittoresque. 4. Rétribution d'un artiste, pour un engagement déterminé. *Le cachet d'un acteur.* ▸ *cacheter* [kaʃte] v. tr. ▪ conjug. 4. ▪ Fermer avec un cachet (1) ; marquer d'un cachet (2). ⇒ **estampil-**

ler, **sceller.** *Il cachette la lettre,* il la ferme en la collant. ▶ *cachetage* n. m. ■ Action de cacheter. ⟨ ▶ décacheter ⟩

cache-tampon [kaʃtɑ̃pɔ̃] n. m. invar. ■ Jeu où l'on cache un objet que l'un des joueurs doit découvrir. *On va jouer à cache-tampon.*

cachette [kaʃɛt] n. f. **1.** EN CACHETTE loc. adv. : en se cachant, à la dérobée. ⇒ **discrètement, en secret.** *Il fume en cachette.* / contr. **ouvertement** / **2.** Endroit retiré, propice à cacher (qqch. ou qqn). ⇒ région. ① **cache ;** fam. **planque.**

cachexie [kaʃɛksi] n. f. ■ Amaigrissement et fatigue généralisée très graves et dus à une maladie ou à une sous-alimentation.

cachot [kaʃo] n. m. **1.** Cellule obscure, dans une prison. ⇒ **geôle.** *Mettre, jeter un prisonnier dans un cachot, au cachot.* **2.** Punition (dans une prison) qui consiste à être enfermé seul dans une cellule. *Trois jours de cachot.* ⇒ arg. **mitard.**

cachotterie [kaʃɔtʀi] n. f. ■ Le fait d'entourer de mystère des choses sans importance ; petit secret. *Tu me fais des cachotteries.* ▶ *cachottier, ière* n. ■ Personne qui aime à faire des cachotteries. *Un petit cachottier.* — Adj. *Elle est cachottière.*

cachou [kaʃu] n. m. **1.** Extrait d'un acacia ou du fruit d'un palmier (noix d'arec). — Pastille parfumée au cachou. *Boîte de cachous.* **2.** Adj. invar. De la couleur brun rouge du cachou. *Des bas cachou.*

cacique [kasik] n. m. **1.** Autrefois. Chef indien en Amérique centrale. **2.** Premier au concours de l'École normale supérieure. ⇒ **major.**

caco- ■ Élément savant qui signifie « mauvais ». ▶ *cacochyme* [kakoʃim] adj. ■ Vx ou plaisant. D'une constitution faible, d'une santé déficiente. ⇒ **maladif.** *Un vieillard cacochyme.* / contr. **vigoureux ; valide** / ▶ *cacophonie* n. f. **1.** Rencontre ou répétition de sons désagréable ou ridicule. **2.** Assemblage confus ou discordant de voix, de sons. ⇒ **dissonance.** ▶ *cacophonique* adj. ■ (Son) Dissonant, laid.

cactus [kaktys] n. m. invar. **1.** Plante à tige charnue, verte, remplie d'un suc (plantes grasses), en forme de palette ou de colonne, souvent munie de piquants. **2.** Fam. Ennui. ⇒ fam. **hic, os.** *Y a un cactus !*

c.-à-d. ■ Abréviation de *c'est-à-dire.*

cadastre [kadastʀ] n. m. ■ Registre où figurent les renseignements sur la surface et la valeur des propriétés foncières. *Consulter le cadastre.* ▶ *cadastral, ale, aux* adj. ■ Du cadastre. ▶ *cadastrer* v. tr. ■ conjug. 1. ■ Mesurer, inscrire au cadastre.

cadavre [kadavʀ] n. m. **I.** Corps mort, de l'homme et des gros animaux. ⇒ **corps, dépouille,** ③ **mort.** *Dépôt des cadavres à la morgue.* — *Être, rester comme un cadavre,* immobile, inerte. **II.** Fam. Bouteille vidée. ▶ *cadavérique* adj. ■ De cadavre. *Lividité, pâleur cadavérique.*

① *caddie* [kadi] n. m. ■ Au golf. Garçon qui porte le matériel du joueur. *Des caddies.*

② *caddie* n. m. ■ (Marque déposée) Petit chariot métallique (de gare, d'aéroport, de libre-service). *Des caddies.*

cadeau [kado] n. m. **1.** Objet qu'on offre à (qqn). ⇒ **don, présent.** *Les petits cadeaux entretiennent l'amitié. Cadeau de Nouvel An.* ⇒ **étrenne.** *Faire cadeau de qqch. à qqn,* offrir. — Loc. fam. *Il ne lui a pas fait de cadeau,* il a été dur avec lui (en affaires, etc.). *Ce n'est pas (c'est pas) un cadeau,* c'est une chose

déplaisante, une corvée. **2.** En appos. *Paquet-cadeau,* joliment présenté. *Des paquets-cadeaux.*

cadenas [kadna] n. m. invar. ■ Serrure mobile en forme de petit boîtier métallique qu'on accroche à (une porte, ce qu'on veut fermer). *Fermer une porte au cadenas.* ▶ *cadenasser* v. tr. ■ conjug. 1. ■ Fermer avec un cadenas. — SE CADENASSER v. pron. réfl. : s'enfermer.

cadence [kadɑ̃s] n. f. **1.** Insistance de la voix sur les syllabes accentuées, en poésie ou en musique. ⇒ **harmonie, nombre.** — Rythme. *La cadence des pas.* **2.** Terminaison d'une phrase musicale, résolution d'un accord dissonant sur un accord consonant. *Cadence parfaite,* qui aboutit à la tonique. **3.** Loc. EN CADENCE : d'une manière rythmée, régulière. *Les soldats marchent en cadence.* **4.** Répétition régulière de mouvements ou de sons. *La cadence de tir d'une arme.* — Rythme du travail, de la production. *Forcer, ralentir la cadence. Une cadence infernale.* ▶ *cadencer* v. tr. ■ conjug. 3. **1.** Donner de la cadence à (des phrases, des vers). ⇒ **rythmer. 2.** Conformer (ses mouvements) à un rythme. *Cadencer son pas,* le régler. ▶ *cadencé, ée* adj. ■ Qui est rythmé. *Les soldats marchent à pas cadencés, au pas cadencé.*

cadet, ette [kadɛ, ɛt] n. **1.** Personne qui, par ordre de naissance, vient après l'aîné. *Le cadet, la cadette de qqn,* son frère, sa sœur plus jeune. ≠ *benjamin.* — Adj. *Frère cadet, sœur cadette.* **2.** Moins âgé (sans relation de parenté). *Il est mon cadet de deux ans.* **3.** Loc. C'EST LE CADET DE MES SOUCIS : c'est mon plus petit souci, ça m'est égal. **4.** Autrefois. Gentilhomme qui servait comme soldat pour apprendre le métier des armes. *Les cadets de Gascogne.* **5.** En sport. Joueur ou joueuse de 15 à 17 ans, entre les minimes et les juniors.

cadi [kadi] n. m. ■ Magistrat musulman qui remplit des fonctions civiles, judiciaires et religieuses. *Des cadis.* ≠ *caddie.*

cadmium [kadmjɔm] n. m. ■ Métal blanc, malléable, utilisé en alliage (protection des métaux).

cadrage [kadʀaʒ] n. m. ■ Photo, cinéma, télévision. Mise en place de l'image (⇒ **cadrer**). *Mauvais cadrage.*

cadran [kadʀɑ̃] n. m. **1.** CADRAN SOLAIRE : surface où l'heure est marquée par l'ombre d'une tige projetée par le soleil. **2.** Cercle divisé en heures (et minutes), sur lequel se déplacent les aiguilles d'une montre (horloge, pendule). — Loc. *Faire le tour du cadran,* dormir douze heures d'affilée. **3.** Surface plane, divisée et graduée, d'un appareil. *Le cadran d'un téléphone. Les cadrans du tableau de bord d'un avion.*

cadre [kadʀ] n. m. **I. 1.** Bordure entourant une glace, un tableau, un panneau... ⇒ **encadrement.** *Mettre une peinture dans un cadre.* ⇒ **encadrer. 2.** Assemblage de bois destiné à contenir certains objets. *Le cadre d'une porte, d'une fenêtre.* ⇒ **châssis, chambranle.** — *Cadre de bicyclette,* tube creux qui en forme la charpente. **3.** *Cadre de déménagement,* grande caisse capitonnée servant au transport du mobilier. ⇒ **conteneur. II.** Fig. **1.** Ce qui entoure un espace, une scène, une action. ⇒ **décor, entourage, milieu. 2.** *Être dans le cadre de..., sortir du cadre de...,* des limites prévues, imposées. — *Dans le cadre de...,* dans l'ensemble organisé. *J'ai vu ce film dans le cadre d'un festival.* **3.** Ensemble des officiers et sous-officiers qui encadrent les soldats. *Le cadre de réserve.* **4.** Tableau des emplois et du personnel qui les remplit. *Figurer sur les cadres. Être rayé des cadres,* être libéré ou licencié. **5.** LES CADRES : les personnes qui ont des fonctions de direction dans une entreprise.

La retraite, la caisse des cadres. — Au sing. C'est un cadre moyen, supérieur. Il est passé cadre. Jeune cadre dynamique. Elle est cadre. ▶ **cadrer** v. ■ conjug. 1. **1.** V. intr. Aller bien (avec qqch.). ⇒ s'**accorder,** s'**assortir, concorder, convenir.** Leurs façons de raconter l'accident ne cadrent pas ensemble. / contr. **contredire,** s'**opposer / 2.** V. tr. Disposer, mettre en place (les éléments de l'image photographique, cinématographique). — Projeter en bonne place (sur l'écran). — Au p. p. adj. Image mal cadrée. ▶ **cadreur** n. m. ■ Personne qui fait fonctionner une caméra de télévision. ⇒ **caméraman, opérateur.** ‹ ▶ cadrage, encadrer ›

caduc, uque [kadyk] adj. **1.** Littér. Qui n'a plus cours. ⇒ **démodé, dépassé, périmé, vieux.** / contr. **nouveau,** en **vigueur / 2.** Arbres à feuilles caduques, qui tombent en hiver (opposé à persistantes). ▶ **caducité** [kadysite] n. f. ■ Littér. État de ce qui est caduc.

caducée [kadyse] n. m. ■ Attribut de Mercure, constitué par une baguette entourée de deux serpents entrelacés et surmontés de deux courtes ailes (symbole du corps médical et des pharmaciens). Des caducées lumineux.

cæcum [sekɔm] n. m. ■ Première partie du gros intestin, fermée à sa base et communiquant avec d'autres parties de l'intestin. ⇒ **côlon, iléon.** Appendice* du cæcum. Des cæcums.

① **cafard, arde** [kafaʀ, aʀd] n. **1.** Vieilli. Personne qui affecte l'apparence de la dévotion. ⇒ **bigot, cagot, hypocrite.** — Adj. Un air cafard. / contr. **franc / 2.** Personne qui dénonce sournoisement ses autres. ⇒ **dénonciateur, espion, mouchard.** ▶ **cafarder** v. intr. ■ conjug. 1. ■ Faire le cafard (2). ⇒ **moucharder, rapporter.** — Transitivement. Cafarder qqn, le dénoncer. ▶ **cafardage** n. m. ■ Le fait de cafarder.

② **cafard** n. m. ■ Insecte nocturne, de couleur noire ou brun clair, qui vit dans les maisons. ⇒ **blatte, cancrelat.**

③ **cafard** n. m. ■ Avoir le cafard, des idées noires. Ça me donne le cafard. ▶ **cafardeux, euse** adj. ■ Qui a le cafard. ⇒ **triste.** — Qui donne le cafard. Une atmosphère cafardeuse.

① **café** [kafe] n. m. **1.** Graine d'une plante (le caféier) qui, grillée (⇒ **torréfier**) et moulue, puis infusée, fournit une boisson excitante et tonique. Plantation de café. Balle de café. — Glace, éclair au café, parfumés au café. Café en grains, en poudre (moulu). **2.** Boisson ainsi obtenue. Un café filtre. Un café express. ⇒ ② **express.** Moulin à café. Cuiller à café. Café noir, sans lait. Café au lait. — Couleur café au lait. ⇒ **brun.** — Fam. C'est fort de café, c'est exagéré. **3.** Le moment du repas où l'on prend le café. Venez pour le café. ▶ **caféier** [kafeje] n. m. ■ Arbuste tropical, originaire d'Abyssinie, dont le fruit contient les grains de café. ▶ **caféine** [kafein] n. f. ■ Alcaloïde contenu dans le café, le thé. ‹ ▶ ② café, cafeteria, cafetier, cafetière, décaféiner ›

② **café** n. m. ■ Lieu public où l'on consomme des boissons. ⇒ **bar, bistrot, brasserie.** Garçon de café, chargé de servir les consommations. À la terrasse d'un café. ▶ **café-concert** n. m. ■ Ancienn. Café où les consommateurs pouvaient écouter des chansonniers, de la musique. Des cafés-concerts. (Abrév. caf'conc' [kafkɔs].) ▶ **café-théâtre** n. m. ■ Petite salle où l'on peut consommer et où se donnent des spectacles non traditionnels. Des cafés-théâtres.

cafetan ou **caftan** [kaftã] n. m. ■ Ancien vêtement oriental, ample et long.

cafeteria ou **cafétéria** [kafeteʀja] n. f. ■ Lieu public où l'on sert du café, des boissons non alcoolisées, des plats très simples, etc. Des cafeterias, des cafétérias.

cafetier [kaftje] n. m. ■ Personne qui tient un café ②.

cafetière [kaftjɛʀ] n. f. **1.** Récipient permettant de préparer le café. ≠ **percolateur. 2.** Fam. Tête. Recevoir un coup sur la cafetière.

cafouiller [kafuje] v. intr. ■ conjug. 1. ■ Fam. Agir d'une façon désordonnée ; marcher mal. ⇒ fam. **merdoyer, vasouiller.** ▶ **cafouillage** n. m. ■ Action de cafouiller. ▶ **cafouillis** n. m. invar. ■ Action de cafouiller ; désordre. C'est un tel cafouillis quand il parle !

cage [kaʒ] n. f. **I. 1.** Endroit fermé (par des barreaux, du grillage) servant à tenir enfermés des animaux vivants. Les cages d'une ménagerie, d'un cirque. Cage à oiseaux. ⇒ **volière.** Cage à poules. — Fig. Cage à lapins, logement dans un grand ensemble. **2.** Football. Les buts. **II. 1.** Espace clos servant à enfermer, à limiter (qqch.). Cage de Faraday, enceinte servant à intercepter les phénomènes électrostatiques. **2.** Cage d'escalier, d'ascenseur, l'espace où est placé l'escalier, où fonctionne l'ascenseur. **3.** Cage thoracique, partie du corps humain formée par les vertèbres, les côtes et le sternum. ▶ **cageot** n. m. ■ Emballage à claire-voie. Des cageots de laitues, de fruits. ⇒ **caisse.** ▶ **cagibi** n. m. ■ Fam. Pièce de dimensions étroites. ⇒ **appentis, réduit.** Cagibi servant de débarras. Des cagibis.

cagne n. f. ⇒ **khâgne.** ▶ ① **cagneux, euse** n. ⇒ **khâgneux.**

② **cagneux, euse** [kaɲø, øz] adj. ■ Qui a les genoux tournés en dedans. ⇒ **tordu.** Un cheval cagneux. Des jambes cagneuses.

cagnotte [kaɲɔt] n. f. **1.** Caisse commune (jeu, etc.). **2.** Argent d'une cagnotte.

cagot, ote [kago, ɔt] n. ■ Littér. Faux dévot ; hypocrite. ⇒ ① **cafard.**

cagoule [kagul] n. f. **1.** Manteau ou cape sans manches, muni d'un capuchon percé d'ouvertures à la place des yeux ; ce capuchon. Cagoule de pénitent. Bandits masqués qui portent des cagoules. **2.** Bonnet qui couvre les oreilles, la gorge, le bas du visage. ⇒ **passe-montagne.**

cahier [kaje] n. m. **1.** Feuilles de papier assemblées et munies d'une couverture. ⇒ **album, calepin, carnet.** Cahiers d'écolier. Cahier de brouillon. Cahier de textes, agenda scolaire où l'on note les devoirs à faire, les leçons à apprendre. **2.** CAHIER DES CHARGES : énumération des clauses et conditions pour l'exécution d'un contrat. ‹ ▶ protège-cahier ›

cahin-caha [kaɛ̃kaa] adv. ■ Fam. Tant bien que mal, péniblement. ⇒ **clopin-clopant.** La vie continue, cahin-caha.

cahot [kao] n. m. ■ Saut que fait une voiture en roulant sur un terrain inégal. ⇒ **heurt, secousse.** ≠ chaos. ▶ **cahoter** v. ■ conjug. 1. **1.** V. tr. Secouer par des cahots. **2.** V. intr. Être secoué. La voiture cahote sur la piste. ⇒ **bringuebaler.** ▶ **cahotant, ante** adj. ■ Route, voiture cahotante. ▶ **cahotement** n. m. ▶ **cahoteux, euse** adj. ■ Chemin cahoteux.

cahute [kayt] n. f. ■ Mauvaise hutte ; petit réduit. ⇒ **cabane, hutte.**

caïd [kaid] n. m. **1.** En Afrique du Nord. Fonctionnaire musulman qui réunit les attributions de juge,

d'administrateur, de chef de police. *Caïd algérien.*
2. Fam. Chef d'une bande de gangsters, de trafiquants.
— Loc. *Jouer au caïd,* vouloir imposer ses volontés.
3. Fam. Personnage très important dans son milieu.
Les caïds de l'industrie. ⇒ fam. **manitou, ponte.**

caïeu ou *cayeu* [kajø] n. m. ■ Botanique. Bourgeon
qui se développe à partir du bulbe principal. *Caïeu
de tulipe. Des caïeux d'ail.* ⇒ **gousse.**

caillasse [kajas] n. f. ■ Fam. *La caillasse,* les
cailloux, la pierraille. *Marcher dans la caillasse.*

caille [kaj] n. f. ■ Oiseau migrateur des champs et
des prés, voisin de la perdrix.

caillebotis [kajbɔti] n. m. invar. ■ Panneau de
lattes ou assemblage de rondins servant de passage
(sur un sol boueux, friable...).

cailler [kaje] v. ■ conjug. 1. **1.** V. tr. Faire prendre
en caillots. ⇒ **coaguler, figer.** *La présure caille le lait.*
— Pronominalement (réfl.). *Le sang se caille.* — Au p.
p. adj. *Lait caillé* ou, n. m., *caillé,* sorte de fromage
blanc. **2.** V. intr. Fam. Avoir froid. ⇒ **geler.** *L'hiver,
on caille dans cette pièce.* ▶ **caillette** n. f. ■ Quatrième
compartiment de l'estomac des ruminants, qui sécrète
le suc gastrique *(présure).* ▶ **caillot** n. m. ■ Petite
masse de sang coagulé. *Embolie causée par un caillot.*

caillou [kaju] n. m. **1.** Pierre de petite ou moyenne
dimension. ⇒ **gravier ; galet, rocaille.** *Des cailloux.*
— Fig. *Casser des cailloux,* faire un travail dur.
— *Avoir le cœur dur comme un caillou.* **2.** Fam. Pierre
précieuse, diamant. **3.** Fam. ⇒ **tête.** *Il n'a pas un poil
sur le caillou,* le crâne. ▶ **caillouter** v. tr.
■ conjug. 1. ■ Garnir de cailloux (1). ⇒ **empierrer.**
Caillouter une route. — Au p. p. adj. *Allée de jardin
cailloutée.* ▶ **cailloutage** n. m. ■ Ouvrage, pavage
de cailloux. ▶ **caillouteux, euse** adj. ■ Où il y a
beaucoup de cailloux. *Chemin caillouteux.* ▶ **cailloutis** n. m. invar. ■ Amas ou ouvrage de petits cailloux
concassés. *Recouvrir une route de cailloutis.* ⟨ ▶ caillasse ⟩

caïman [kaimã] n. m. ■ Crocodile d'Amérique
(appelé aussi *alligator*) à museau large et court. *Des
caïmans.*

caïque [kaik] n. m. ■ Embarcation légère, étroite
et pointue à l'avant et à l'arrière (Grèce, Égypte...).

caisse [kɛs] n. f. **I. 1.** Grande boîte (souvent en bois)
utilisée pour l'emballage, le transport d'objets, de
marchandises. *Une caisse de champagne. On a chargé
les caisses dans le camion.* — *Caisse à savon,* fig. et
fam. meuble grossier en bois blanc. **2.** Dispositif rigide
(de protection, etc.). ⇒ **caisson.** *Caisse de piano,* la
boîte renfermant le mécanisme. ⇒ **buffet.** — Carrosserie d'automobile (opposé à *châssis*). Fam. Voiture.
À fond la caisse, à toute allure. **3.** *La caisse du
tympan,* la cavité du fond de l'oreille. **4.** Fam. Poitrine.
Partir de la caisse, être tuberculeux. **II.** Musique.
Cylindre d'un instrument à percussion. ⇒ **tambour.**
Battre la caisse, battre du tambour ; fig. faire du
battage, de la réclame. *Caisse claire, tambour plat.*
— GROSSE CAISSE : grand tambour utilisé dans les
fanfares. **III. 1.** Coffre dans lequel on dépose l'argent,
les valeurs. ⇒ **bourse, coffre-fort.** *Caisse enregistreuse. Tiroir-caisse.* — *Avoir vingt mille francs en
caisse, dans sa caisse. Partir avec la caisse.* **2.** Bureau,
guichet où se font les paiements, les versements. *Aller,
passer à la caisse.* — Loc. *Vous passerez à la caisse,*
vous êtes renvoyé. **3.** Argent en caisse. *Tenir la caisse.
Faire sa caisse,* compter l'argent. **4.** CAISSE D'ÉPAR-
GNE : établissement où l'on dépose de l'argent pour
l'économiser et en avoir des intérêts. ▶ **caissette** n. f.
■ Petite caisse (I, 1). ≠ *cassette.* ▶ **caissier, ière**

n. ■ Personne qui tient la caisse (III). ⇒ **comptable,
trésorier.** *Les caissiers d'une banque. La caissière d'un
cinéma.* ▶ **caisson** n. m. **I. 1.** Chariot de l'armée
utilisé pour les transports militaires. *Caisson de
munitions.* **2.** Caisse métallique pleine d'air permettant d'effectuer des travaux sous l'eau. ⇒ **cloche** à
plongeur. *Caisson à air comprimé.* **3.** Loc. fam. *Se faire
sauter le caisson,* se brûler la cervelle, se tirer une balle
dans la tête. **II.** Architecture. Compartiment creux,
orné de moulures, servant à décorer un plafond. *Une
voûte à caissons.* ⟨ ▶ encaissé, encaisser, tiroir-
caisse ⟩

cajoler [kaʒɔle] v. tr. ■ conjug. 1. ■ Avoir (envers
qqn) des manières, des paroles tendres et caressantes.
Cajoler un enfant. ⇒ **câliner, choyer, dorloter.**
▶ **cajolerie** n. f. ■ Paroles ou manières par lesquelles
on cajole. ⇒ **câlinerie.** ▶ **cajoleur, euse** n. ■ Personne qui cajole. ⇒ **enjôleur, flatteur.** ■ Adj. Câlin.
Une voix cajoleuse. / contr. **bourru, brusque** /

cajou [kaʒu] n. m. ■ Fruit d'un arbre exotique
(l'*anacardier, n. m.*) dont l'amande se mange comme
la cacahuète. *Des cajous. Noix de cajou.*

cake [kɛk] n. m. ■ Gâteau garni de raisins secs, de
fruits confits. *Une tranche de cake. Des cakes.*

cal, plur. *cals* [kal] n. m. ■ Épaississement et
durcissement de l'épiderme produits par frottement.
⇒ **callosité, durillon.** *J'ai la paume des mains pleine
de cals.* ≠ *cale.* ⟨ ▶ calleux, callosité ⟩

calamar n. m. ⇒ **calmar.**

calamine [kalamin] n. f. **1.** Minéralogie. Silicate
hydraté naturel de zinc. — Minerai de zinc. **2.** Résidu
charbonneux de la combustion d'un carburant dans
un moteur à explosion. ▶ **calaminé, ée** adj. ■ Couvert de calamine (2). *Cylindres calaminés.*

calamité [kalamite] n. f. ■ Grand malheur public.
⇒ **catastrophe, désastre, fléau.** *Les inondations, la
sécheresse sont des calamités pour les paysans.*
— Chose très triste, pénible. ⇒ **désolation, infortune,
malheur.** *Sa mort est une calamité pour la famille.*
/ contr. **bénédiction, félicité** / ▶ **calamiteux, euse**
adj. ■ Littér. Désastreux, catastrophique.

calandre [kalɑ̃dʀ] n. f. **1.** Machine formée de
cylindres, de rouleaux, et qui sert à lisser, lustrer les
étoffes, à glacer les papiers. **2.** Garniture métallique
verticale sur le devant du radiateur de certaines
automobiles. ▶ **calandrer** v. tr. ■ conjug. 1. ■ Faire
passer (une étoffe, un papier) à la calandre (1).
⇒ **lisser, lustrer.** ▶ **calandrage** n. m.

calanque [kalɑ̃k] n. f. ■ Crique entourée de
rochers, en Méditerranée. *Se baigner dans une
calanque.*

① *calcaire* [kalkɛʀ] adj. **1.** Qui contient du
carbonate de calcium. *Eau calcaire.* — D'où l'on peut
tirer de la chaux. *Terrain calcaire.* **2.** Chimie. De
calcium. *Sels calcaires.* ▶ **②** *calcaire* n. m. ■ Roche
composée essentiellement de carbonate de calcium.
⇒ **calcite, craie, marbre.**

calcédoine [kalsedwan] n. f. ■ Pierre précieuse
(silice cristallisée) d'une transparence laiteuse, légèrement teintée (agate, cornaline, jaspe, onyx...).

calcification [kalsifikasjɔ̃] n. f. ■ Dépôt de sels
calcaires dans les tissus organiques (ossification ;
dégénérescence calcaire). / contr. **décalcification** /
▶ **calcifier** v. tr. ■ Rendre calcaire. ▶ **calcifié, ée**
adj. ■ Artères calcifiées. ⟨ ▶ calcite, calcium, décalcifier ⟩

calciner [kalsine] v. tr. ■ conjug. 1. ■ Soumettre
un corps à l'action d'une haute température. *Calciner*

un métal. — Brûler, griller. (Surtout au passif et p. p. adj.) *Une forêt calcinée. Le rôti est complètement calciné.*

calcite [kalsit] n. f. ■ Carbonate naturel de calcium, cristallisé. ⇒ ② **calcaire.**

calcium [kalsjɔm] n. m. ■ Métal blanc, mou (n° at. 20), dont un oxyde est la chaux. *Carbonate de calcium.* ⇒ ② **calcaire, calcite.** — *Prendre du calcium,* des sels de calcium comme remède.

① **calcul** [kalkyl] n. m. ■ Petit corps dur, pierreux, formé par des matières qui sont normalement dissoutes dans l'organisme, et qui cause des troubles. *Calcul rénal, urinaire.* ⇒ **gravelle.**

② **calcul** n. m. **1.** Opérations effectuées sur des symboles, représentants de grandeurs. — Méthode pour représenter des relations logiques, les transformer, les développer, etc. ⇒ **algèbre, arithmétique, mathématique.** *Calcul numérique.* ⇒ **compte.** *Faire des calculs. Calcul exact, juste. Erreur de calcul.* — CALCUL MENTAL : effectué de tête, sans l'aide de signes écrits. — *Calcul algébrique. Calcul infinitésimal.* ⇒ **analyse.** *Calcul différentiel, calcul intégral,* étudiant les variations des fonctions pour des variations infiniment petites des variables. **2.** *Le calcul,* les opérations arithmétiques. *Cet enfant est bon en calcul.* **3.** Appréciation, évaluation, estimation. *D'après mes calculs, il arrivera demain.* **4.** Moyens que l'on combine pour arriver à un but, à une fin. ⇒ **combinaison, plan, projet, stratégie.** *Faire un mauvais calcul. La malchance a fait échouer son calcul. Agir par calcul,* d'une manière intéressée. ▶ *calculer* v. tr. ▪ conjug. 1. **1.** Chercher, déterminer par le calcul. *Calculer un bénéfice.* ⇒ **chiffrer, compter.** *Machine à calculer.* ⇒ **calculateur, calculatrice.** — Sans compl. *Faire des calculs, des calculs d'argent.* ⇒ **compter. 2.** Apprécier (qqch.) ; déterminer la probabilité d'un événement. ⇒ **estimer, évaluer, supputer.** *Calculer ses chances. Il a calculé qu'ils ne seront pas de retour avant la nuit.* — Décider ou faire après avoir prémédité, réglé. ⇒ **combiner.** *Calculer le moindre de ses gestes.* — Au p. p. adj. *Une générosité, une bonté calculée,* intéressée. ▶ *calculable* adj. ■ Qui peut se calculer. / contr. **incalculable** / ▶ *calculateur, trice* n. et adj. **1.** N. Personne qui sait calculer. **2.** Adj. Habile à combiner des projets, des plans. *Elle est un peu calculatrice.* / contr. **spontané / 3.** N. m. Machine à calculer utilisant les cartes perforées. — Ordinateur pour les calculs. ▶ *calculatrice* n. f. ■ Machine qui effectue des calculs. *Calculatrice de poche.* ⇒ **calculette.** ▶ *calculette* n. f. ■ Petite machine à calculer de poche. *Calculette à mémoires.* ⟨ ▶ incalculable ⟩

① **cale** [kal] n. f. **1.** Espace situé entre le pont et le fond d'un navire. *Mettre des marchandises dans la cale, à fond de cale.* **2.** Partie en pente d'un quai. *Cale de chargement.* **3.** Bassin que l'on peut mettre à sec, servant à la construction, à la réparation des navires. *Cale sèche, cale de radoub.* ⇒ **bassin.** ≠ **cal.**

② **cale** n. f. ■ Ce que l'on place sous un objet pour lui donner de l'aplomb, pour le mettre de niveau ou l'empêcher de bouger (⇒ ① **caler**). *Mettre des cales à un meuble boiteux.* ⟨ ▶ cale-pied, ① caler, décalage, décaler ⟩

calé, ée [kale] adj. Fam. **1.** (Personnes) Savant, instruit. *Il est rudement calé en physique.* ⇒ **fort. 2.** (Choses) Difficile. *C'est trop calé pour lui.* ⇒ **ardu.**

calebasse [kalbas] n. f. ■ Fruit d'un arbre tropical (*calebassier*) qui, vidé et séché, peut servir de récipient. — Ce récipient ; son contenu. *Une calebasse de riz.*

calèche [kalɛʃ] n. f. ■ Voiture à cheval, découverte, à quatre roues, munie d'une capote à soufflet à l'arrière, et d'un siège surélevé à l'avant.

caleçon [kalsɔ̃] n. m. ■ Sous-vêtement masculin, culotte courte et légère. *Il préfère le caleçon au slip.*

calédonien, ienne [kaledɔnjɛ̃, jɛn] adj. et n. ■ De Nouvelle-Calédonie. — N. *Les Calédoniennes.*

calembour [kalɑ̃buʀ] n. m. ■ Jeu de mots fondé sur des ressemblances de sons et des différences de sens.

calembredaine [kalɑ̃bʀədɛn] n. f. ■ Surtout au plur. Propos extravagant ; plaisanterie cocasse. ⇒ **sornette, sottise.**

calendes [kalɑ̃d] n. f. pl. ■ Premier jour de chaque mois chez les Romains. — Loc. *Renvoyer qqch. aux* CALENDES GRECQUES : reporter à un temps qui ne viendra jamais (les Grecs n'ayant jamais eu de calendes).

calendrier [kalɑ̃dʀije] n. m. **1.** Système de division du temps en années, en mois et en jours. ⇒ **chronologie.** *Calendrier grégorien* (de Grégoire XIII). *Calendrier républicain,* institué en France en 1793 (avec des décades au lieu des semaines, d'autres noms de mois). **2.** Emploi du temps ; programme. *Établir un calendrier de travail.* ⇒ **planning. 3.** Indication des mois, des jours, etc. (sur un tableau). — Almanach, agenda. *Calendrier des postes.*

cale-pied [kalpje] n. m. ■ Pièce métallique adaptée à la pédale de la bicyclette, et qui maintient le pied. *Des cale-pied* ou *des cale-pieds.*

calepin [kalpɛ̃] n. m. ■ Petit carnet de poche. *Il note ses rendez-vous sur un calepin.*

① **caler** [kale] v. tr. ▪ conjug. 1. **1.** Mettre d'aplomb au moyen d'une cale ②. ⇒ **assujettir, fixer.** *Caler la roue d'une automobile.* — Rendre stable. *Caler une pile de linge contre un mur.* — Au p. p. *Avoir le dos bien calé dans un fauteuil.* **2.** Rendre fixe ou immobile (une pièce mécanique). ⇒ **fixer. 3.** Fam. *Se caler l'estomac, les joues,* manger.

② **caler** v. intr. ▪ conjug. 1. **I.** S'arrêter, s'immobiliser. *Moteur qui cale.* — Transitivement. *Caler son moteur par une fausse manœuvre.* **II.** (Personnes) Céder, reculer ; s'arrêter. *Il a calé devant la difficulté.*

caleter ou **calter** [kalte] v. intr. ▪ conjug. 1. ■ Fam. *S'en aller en courant.* ⇒ fam. se **barrer,** se **tailler.**

calfater [kalfate] v. tr. ▪ conjug. 1. ■ Garnir d'étoupe goudronnée les joints et interstices des bordages de (la coque) pour les rendre étanches. ⇒ **caréner, radouber.**

calfeutrer [kalføtʀe] v. tr. ▪ conjug. 1. **1.** Boucher les fentes avec un bourrelet (pour empêcher l'air de pénétrer). *Calfeutrer une fenêtre.* **2.** SE CALFEUTRER v. pron. réfl. : s'enfermer. *Se calfeutrer chez soi.* ▶ *calfeutrement* n. m. ou *calfeutrage* n. m.

calibre [kalibʀ] n. m. **I. 1.** Diamètre intérieur d'un tube, du canon d'une arme. — Grosseur d'un projectile. *Obus de gros calibre.* **2.** Diamètre d'un cylindre, d'un objet sphérique. *Fruits de calibres différents.* **3.** Instrument servant à mesurer (un diamètre, une forme, etc.). ⇒ **étalon.** *Calibre d'épaisseur. Calibre pour bagues.* **II.** Fam. Importance, grosseur. *Une bêtise de grand calibre. Un escroc de ce calibre.* ⇒ **acabit, classe.** ▶ *calibrer* v. tr. ▪ conjug. 1. **1.** Donner le calibre (I) convenable à. **2.** Mesurer le calibre de. *Calibrer une machine.* ▶ *calibrage* n. m. ■ Action de calibrer. ⇒ **étalonnage.** ▶ *calibreur, euse* n. ■ Appareil, machine pour calibrer.

① *calice* [kalis] n. m. **1.** Vase sacré dans lequel on verse le vin et l'eau du sacrifice lors de la messe. **2.** Loc. *Boire le calice jusqu'à la lie*, endurer jusqu'au bout qqch. de pénible, douloureux. ⇒ **coupe.**

② *calice* n. m. ■ Enveloppe extérieure de la fleur.

calicot [kaliko] n. m. **1.** Toile de coton assez grossière. *Une chemise de calicot.* **2.** Bande de calicot portant une inscription. ⇒ **banderole.**

calife [kalif] n. m. ■ Souverain musulman, successeur de Mahomet, qui réunissait le pouvoir spirituel et temporel. ▶ *califat* n. m. ■ Dignité, pouvoir, règne d'un calife. *Le califat de Bagdad.*

à califourchon [akalifuʁʃɔ̃] loc. adv. ■ Une jambe d'un côté, la deuxième de l'autre. ⇒ **à cheval.** *Se mettre , monter à califourchon.* ⇒ **enfourcher.** *Il descend sur la rampe à califourchon.*

câlin, ine [kɑlɛ̃, in] n. et adj. **I. 1.** N. Personne qui aime à être caressée, à être traitée avec une grande douceur ou qui aime câliner. **2.** Adj. *Un enfant câlin. Un air câlin.* ⇒ **caressant, doux.** / contr. **dur** / **II.** N. m. Échange de caresses, de baisers. *Un gros câlin.* — Loc. *Faire (un) câlin (à qqn).* ▶ *câliner* v. tr. ▪ conjug. 1. ■ Traiter avec douceur, tendresse. ⇒ **cajoler, dorloter.** *Câliner un enfant.* / contr. **brusquer, rudoyer** / ▶ *câlinerie* n. f. ■ Souvent au plur. Manières câlines.

calisson [kalisɔ̃] n. m. ■ Petit gâteau d'amandes pilées, dont le dessus est glacé. *Les calissons d'Aix-en-Provence.*

calleux, euse [kalø, øz] adj. ■ Dont la peau est durcie et épaissie. ⇒ **cal.** *Des mains calleuses.* / contr. **doux, lisse** / ‹ ▶ **callosité** ›

call-girl [kɔlgœʁl] n. f. ■ Anglic. Prostituée que l'on appelle par téléphone à son domicile. *Des call-girls.*

calli- ■ Élément savant signifiant « beauté ». ▶ *calligraphe* [ka(l)ligʁaf] n. ■ Personne qui pratique la calligraphie. ▶ *calligraphie* n. f. ■ Art de bien former les caractères d'écriture ; écriture formée selon cet art. ▶ *calligraphier* v. tr. ▪ conjug. 7. ■ Former avec beaucoup d'application, de soins (les caractères écrits).

callosité [kalozite] n. f. ■ Épaississement et durcissement de l'épiderme. ⇒ **cal, cor, durillon ; calleux.**

calmant, ante [kalmɑ̃, ɑ̃t] adj. et n. m. **1.** Qui calme la douleur, l'excitation nerveuse. *Piqûre calmante.* — Qui calme, apaise, tranquillise. *Des paroles calmantes.* ⇒ **apaisant, lénifiant.** / contr. **excitant** / **2.** N. m. Remède calmant. ⇒ **sédatif, tranquillisant.** *Prendre des calmants pour dormir.*

calmar [kalmaʁ] ou *calamar* [kalamaʁ] n. m. ■ Animal marin (mollusque céphalopode) à nageoires triangulaires, voisin de la seiche. ⇒ **encornet.** *Calmar frit.*

① *calme* [kalm] n. m. **1.** Absence d'agitation, de bruit. *Le calme de la nuit, de la campagne.* **2.** Immobilité de l'atmosphère, de la mer. *Calme plat, calme absolu de la mer. Le calme après la tempête.* ⇒ **accalmie. 3.** État d'une personne qui n'est ni agitée ni énervée. *Le malade a un moment de calme.* ⇒ **apaisement, détente, soulagement.** *Calme de l'âme, calme intérieur.* ⇒ **paix, quiétude, sérénité, tranquillité.** *Conserver, garder son calme.* ⇒ **assurance, maîtrise de soi, sang-froid.** / contr. **agitation, émotion, énervement, trouble** / ▶ ② *calme* adj. **1.** Qui n'est pas troublé, agité. ⇒ **tranquille.** *Air, caractère calme.*

⇒ **flegmatique, froid, impassible, tranquille.** *Être calme et résolu.* / contr. **agité, énervé** / **2.** Qui a une faible activité. *Les affaires sont calmes.* / contr. **actif** / ▶ *calmement* adv. ■ Avec calme. ⇒ **tranquillement.** ▶ *calmer* v. tr. ▪ conjug. 1. **1.** Rendre calme, en apaisant, en diminuant (la douleur, les passions). *Cela calmera ta douleur.* ⇒ **apaiser, soulager.** *Calmer son impatience.* ⇒ **maîtriser, modérer.** / contr. **agiter, exciter** / **2.** Rendre (qqn) plus calme. ⇒ **apaiser.** *Calmer les mécontents.* **3.** SE CALMER v. pron. : devenir calme. *La tempête, la mer s'est calmée.* — (Personnes) Reprendre son sang-froid. *Calmez-vous, je vous en prie. Allez, on se calme !* ‹ ▶ accalmie, calmant ›

calomel [kalɔmɛl] n. m. ■ Sel de mercure (chlorure) utilisé comme purgatif.

calomnie [kalɔmni] n. f. ■ Accusation fausse, mensonge qui attaque la réputation, l'honneur (de qqn). ⇒ **attaque, diffamation.** *Une basse calomnie.* ▶ *calomnier* v. tr. ▪ conjug. 7. ■ Attaquer l'honneur, la réputation de (qqn), par des mensonges (calomnies). ⇒ **attaquer, décrier, diffamer.** ▶ *calomniateur, trice* n. ■ Personne qui calomnie. ⇒ **accusateur, dénonciateur.** ▶ *calomnieux, euse* adj. ■ Qui contient de la calomnie. ⇒ **diffamatoire.** *Dénonciation calomnieuse.*

calor- ■ Élément signifiant « chaleur ». ▶ *calorie* [kalɔʁi] n. f. ■ Unité employée pour évaluer les quantités de chaleur et pour mesurer la valeur énergétique des rations alimentaires. *Il faut en moyenne 2 500 calories par jour, pour un adulte.* ▶ *calorifère* n. m. ■ Appareil de chauffage distribuant dans une maison, au moyen de tuyaux, la chaleur que fournit un foyer. ⇒ **chaudière.** ▶ *calorifique* adj. ■ Qui donne de la chaleur, produit des calories. *Rayons, radiations calorifiques.* / contr. **frigorifique** / ▶ *calorifuge* adj. et n. m. ■ Qui empêche la déperdition de la chaleur, qui garde la chaleur. ▶ *calorimétrie* n. f. ■ Partie de la physique qui s'occupe de la mesure des quantités de chaleur (dans les phénomènes d'échanges, etc.). ▶ *calorimétrique* adj.

① *calot* [kalo] n. m. ■ Coiffure militaire (dite aussi *bonnet de police*).

② *calot* n. m. ■ Grosse bille. *Un calot de verre coloré.*

calotin [kalɔtɛ̃] n. m. ■ Fam. et péj. Ecclésiastique ; partisan des prêtres. ⇒ **clérical.**

① *calotte* [kalɔt] n. f. ■ Petit bonnet rond qui ne couvre que le sommet de la tête. — Péj. *La calotte*, le clergé, les prêtres. ⇒ **calotin.**

② *calotte* n. f. ■ *Calotte du crâne*, partie supérieure de la boîte crânienne. — *Calotte sphérique*, partie d'une sphère coupée par un plan autre que médian. *Les calottes glaciaires de la Terre* (pôles Nord et Sud).

③ *calotte* n. f. ■ Fam. Tape sur la tête. ⇒ **gifle.** *Donner, flanquer une calotte.* ▶ *calotter* v. tr. ▪ conjug. 1. ■ Gifler.

calque [kalk] n. m. **1.** Copie, reproduction calquée. *Papier-calque*, papier transparent pour calquer. **2.** Fig. Imitation étroite. ⇒ **plagiat.** ▶ *calquer* v. tr. ▪ conjug. 1. **1.** Copier les traits d'un modèle sur une surface contre laquelle il est appliqué. ⇒ **décalquer.** *Il calque une carte de géographie.* **2.** Abstrait. Imiter exactement. *Ils ont calqué leur organisation sur celle de leur concurrent.* — Au p. p. adj. *Un programme calqué sur le nôtre.* ▶ *calquage* n. m. ■ Action de calquer. ‹ ▶ décalcomanie, décalquer › *calter* v. intr. ⇒ **caleter.**

calumet [kalymɛ] n. m. ■ Pipe à long tuyau que les Indiens d'Amérique fumaient pendant les discussions importantes (décisions de guerre et de paix, etc.). — Loc. fig. *Offrir le calumet de la paix,* faire une offre de réconciliation.

calvados [kalvados] n. m. invar., ou abrév. fam., *calva* [kalva] n. m. ■ Eau-de-vie de cidre. *Il vient de boire deux calvas.*

calvaire [kalvɛr] n. m. **1.** (*Le Calvaire*) La colline où Jésus fut crucifié. — (*Un calvaire*) Représentation de la passion du Christ. Croix qui commémore la passion. *Calvaires bretons.* **2.** Épreuve longue et douloureuse. ⇒ **croix, martyre.**

calvinisme [kalvinism] n. m. ■ Doctrine du réformateur Calvin, qui créa le protestantisme en France. ▶ *calviniste* adj. et n. ⇒ **protestant.** *Religion calviniste.* — N. *Les calvinistes et les luthériens.*

calvitie [kalvisi] n. f. ■ État d'une tête chauve. *Une calvitie précoce.*

camaïeu [kamajø] n. m. ■ Peinture où l'on n'emploie qu'une couleur avec des tons différents. *Un paysage en camaïeu.*

camail, ails [kamaj] n. m. **1.** Au Moyen Âge. Armure de tête en tissu de mailles. **2.** Courte pèlerine des ecclésiastiques. *Des camails.*

camarade [kamarad] n. **1.** Personne qui a les mêmes habitudes, les mêmes occupations qu'une autre et des liens de familiarité avec elle. ⇒ **collègue, compagnon, confrère ;** fam. **copain, pote.** *Un camarade de régiment, d'enfance, de collège.* **2.** Appellation, dans les partis communistes. *Dis-moi, camarade, à quelle heure est la réunion ?* ▶ *camaraderie* n. f. ■ Relations familières entre camarades. ⇒ **amitié.**

camard, arde [kamar, ard] adj. ■ Littér. Qui a le nez plat, écrasé. ⇒ **camus.** — N. f. *La camarde,* la mort (représentée avec une tête de mort).

cambouis [kɑ̃bwi] n. m. invar. ■ Graisse, huile noircie par le frottement. *Le garagiste a les mains noires de cambouis.*

cambrer [kɑ̃bre] v. tr. ■ conjug. 1. **1.** Courber légèrement en forme d'arc. ⇒ **arquer, infléchir.** *Cambrer une poutre.* / contr. **redresser** / **2.** Redresser (la taille) en se penchant légèrement en arrière. *Cambrer les reins.* — SE CAMBRER v. pron. *Elle se cambre en marchant.* ▶ *cambrement* n. m. ■ Action de cambrer. — Fait d'être cambré. ▶ *cambré, ée* adj. ■ Qui forme un arc. *Taille cambrée,* creusée par derrière. ⟨ ▶ cambrure ⟩

cambrioler [kɑ̃brijɔle] v. tr. ■ conjug. 1. ■ Dévaliser en pénétrant par effraction. *Cambrioler un appartement.* — Voler (qqn). *Ils ont été cambriolés.* ▶ *cambriolage* n. m. ■ ⇒ **vol.** ▶ *cambrioleur, euse* n. ■ Voleur qui cambriole. ⇒ arg. **casseur.**

cambrousse [kɑ̃brus] n. f. ■ Fam. et péj. Campagne. ⇒ **bled.**

cambrure [kɑ̃bryr] n. f. **1.** État de ce qui est cambré. ⇒ **cintrage, courbure.** *La cambrure d'une pièce de bois. La cambrure des reins.* **2.** Partie courbée entre la semelle et le talon d'une chaussure.

cambuse [kɑ̃byz] n. f. **1.** Magasin du bord sur un bateau. **2.** Fam. Chambre, logis pauvre, mal tenu.

① *came* [kam] n. f. ■ Pièce (arrondie ou présentant une encoche, une saillie) destinée à transmettre et à transformer le mouvement d'un mécanisme. Loc. *Arbre à cames.*

② *came* n. f. (Abrév. de *camelote*) ■ Arg. Cocaïne, drogue. ⟨ ▶ se camer ⟩

camée [kame] n. m. ■ Pierre fine (agate, améthyste, onyx) sculptée en relief. *Un camée monté en broche.*

caméléon [kamele5] n. m. **1.** Petit reptile d'Afrique à quatre pattes, de couleur gris verdâtre. *Le caméléon a la faculté de changer de couleur selon l'endroit où il se trouve* (pour se camoufler). **2.** Personne qui change de conduite, d'opinion au gré de l'intérêt.

camélia [kamelja] n. m. ■ Arbrisseau à feuilles ovales, luisantes et persistantes, à fleurs larges, rappelant la rose ; sa fleur. *Des camélias.*

camelot [kamlo] n. m. **1.** Marchand ambulant qui vend des marchandises à bas prix. ⇒ **colporteur.** *Des boniments de camelot.* **2.** Vendeur de journaux ; distributeur de prospectus. ▶ *camelote* n. f. **1.** Fam. Marchandise de mauvaise qualité. ⇒ **pacotille, toc.** *Vendre, acheter de la camelote.* **2.** Fam. Toute marchandise. *C'est de la bonne camelote.*

camembert [kamɑ̃bɛr] n. m. ■ Fromage rond à croûte blanche, fait avec du lait de vache.

se *camer* [kame] v. pron. ■ Fam. Se droguer. ⇒ ② **came.** — Au p. p. *Elles sont toutes camées.*

caméra [kamera] n. f. ■ Appareil cinématographique de prise de vues. *Des caméras. Caméra de télévision,* tube électronique de prise de vues. ▶ *caméraman* [kameraman] n. m. ■ Celui qui utilise la caméra. ⇒ **cadreur, opérateur.** *Un excellent photographe et caméraman. Des caméramans* [-man] ou *des cameramen* [-mɛn].

camérier [kamerje] n. m. ■ Officier de la chambre du pape ou d'un cardinal.

camériste [kamerist] n. f. ■ Dame qui servait une princesse (Espagne, Italie). ≠ **camérier.**

camion [kamjɔ̃] n. m. ■ Gros véhicule automobile transportant des marchandises. ⇒ **poids lourd.** *Camion à semi-remorque.* ⇒ **semi-remorque.** — CAMION-CITERNE n. m. Camion pour le transport des liquides en vrac. *Des camions-citernes.* ▶ *camionnage* n. m. ■ Transport par camion. ⇒ **routage.** ▶ *camionnette* n. f. ■ Véhicule utilitaire, plus petit que le camion. ▶ *camionneur* n. m. **1.** Conducteur de camions. ⇒ **routier.** **2.** Personne qui s'occupe de transports par camions.

camisole [kamizɔl] n. f. **1.** Autrefois. Vêtement court, à manches, porté sur la chemise. **2.** CAMISOLE DE FORCE : combinaison de toile à manches fermées, garnie de liens paralysant les mouvements que l'on faisait porter aux fous furieux. *Il mérite la camisole de force,* il est complètement fou.

camomille [kamɔmij] n. f. **1.** Plante odorante, dont les fleurs ont des propriétés digestives. **2.** Tisane, infusion des fleurs de cette plante.

camoufler [kamufle] v. tr. ■ conjug. 1. ■ Déguiser de façon à rendre méconnaissable ou invisible. ⇒ **dissimuler, maquiller.** — Pronominalement (réfl.). *Se camoufler,* il se camoufle. — Au p. p. *Matériel de guerre camouflé par une peinture bigarrée.* — Abstrait. *Camoufler une intention, une faute.* ▶ *camouflage* n. m. ■ Action de camoufler. *Le camouflage des blindés.*

camouflet [kamuflɛ] n. m. ■ Littér. Vexation humiliante. ⇒ **affront, offense.**

camp [kɑ̃] n. m. **I. 1.** Lieu, constructions où des troupes s'installent pour le repos ou la défense. ⇒ **bivouac, campement, cantonnement, quartier.**

Camp retranché, fortifié. — LIT DE CAMP : facilement transportable. **2.** *Camp de prisonniers,* où sont groupés des prisonniers de guerre. — CAMP DE CONCENTRATION : lieu où l'on groupe, en temps de guerre ou de troubles, les suspects, les étrangers, les nationaux ennemis. — *Camps d'extermination (nazis),* où furent affamés, suppliciés et exterminés certains groupes ethniques (Juifs), politiques et sociaux. **3.** Terrain où s'installent des campeurs. ⇒ **camping.** *Feux de camp.* **4.** CAMP VOLANT : camp militaire provisoire. — *Vivre en camp volant,* d'une manière instable. **5.** Loc. Abstrait. *Lever le camp,* partir. ⇒ **décamper.** Fam. *Ficher, foutre le camp* (même sens). **II.** Se dit de groupes qui s'opposent, se combattent. *Être dans un camp.* — *Il est passé dans le camp opposé.* ⇒ **faction, groupe, parti.** ‹ ▶ ① camper, décamper ›

① *campagne* [kɑ̃paɲ] n. f. **1.** Vx. Plaine. — *En rase campagne,* dans un lieu non défendu, dans une plaine sans arbres. **2.** *La campagne,* les terres cultivées, hors d'une ville. *Les travaux de la campagne.* ⇒ **champ(s), terre. 3.** Endroits où cultive la terre, on élève des animaux, loin des villes. *Vivre à la campagne.* — *Maison de campagne.* ⇒ **résidence** secondaire. ▶ *campagnard, arde* adj. et n. **1.** Qui vit à la campagne. — *Un air, un aspect campagnard.* ⇒ **rustique. 2.** N. *Un campagnard, une campagnarde.* ⇒ **paysan.** / contr. **bourgeois, citadin** / ‹ ▶ cambrousse, campagnol ›

② *campagne* n. f. **1.** Les manœuvres des troupes, la guerre. *Les troupes sont en campagne.* — *Une campagne,* une opération de guerre. *Les campagnes d'Italie, d'Égypte.* — Loc. *Se mettre en campagne,* partir en voyage, ou à la découverte. — *Faire campagne pour, contre qqn,* militer pour, contre lui. **2.** *Une campagne,* période d'activité, d'affaires, de prospection, de propagande. *Campagne commerciale. Campagne électorale. Campagne de presse.*

campagnol [kɑ̃paɲɔl] n. m. ■ Mammifère rongeur, au corps plus ramassé que le rat, à queue courte et poilue. *Le rat des champs est un campagnol.*

campanile [kɑ̃panil] n. m. ■ Tour isolée (clocher) souvent près d'une église.

campanule [kɑ̃panyl] n. f. ■ Plante herbacée, à clochettes violettes.

① *camper* [kɑ̃pe] v. intr. ▪ conjug. 1. **1.** S'installer, être installé dans un camp. *L'armée campait aux portes de la ville.* — Coucher sous la tente, faire du camping. *Je campais en montagne.* **2.** S'installer provisoirement quelque part. *Il campe chez des amis en attendant de trouver un logement.* ▶ *campement* n. m. **1.** Action de camper. ⇒ **bivouac, cantonnement.** *Matériel de campement.* **2.** Lieu, installations où l'on campe. ▶ *campeur, euse* n. ■ Personne qui pratique le camping.

② *camper* v. tr. ▪ conjug. 1. **1.** Placer, poser (qqch.) avec décision, avec une certaine audace. ⇒ **installer.** *Camper son chapeau sur sa tête.* **2.** Fig. *Camper un récit,* le mettre en valeur. **3.** SE CAMPER v. pron. réfl. : se tenir dans une attitude hardie ou provocante. ⇒ **se dresser, se planter.** *Il se campa devant moi.* **4.** Au p. p. adj. *Un enfant bien campé sur ses jambes,* solide. — Fig. *Un récit bien campé,* bien construit.

camphre [kɑ̃fʀ] n. m. ■ Substance aromatique, blanche, transparente, d'une odeur vive, provenant du bois du camphrier. ▶ *camphré, ée* adj. ■ Qui contient du camphre. *Alcool camphré.* ▶ *camphrier* [kɑ̃fʀije] n. m. ■ Arbuste d'Extrême-Orient (laurier du Japon), dont le bois distillé donne le camphre.

camping [kɑ̃piŋ] n. m. **1.** Activité touristique qui consiste à vivre en plein air, sous la tente, ou dans une caravane, et à voyager avec le matériel nécessaire. *Faire du camping.* ⇒ **campeur.** *Terrain de camping.* — *Camping sauvage,* camping pratiqué dans les lieux qui ne sont pas réservés à cet effet. **2.** Terrain aménagé pour camper. *Il y a deux campings près de la mer.* ▶ *camping-car* n. m. ■ Anglic. Camionnette aménagée pour le camping. *Des camping-cars.* ▶ *camping-gaz* n. m. invar. ■ Petit réchaud portatif pour le camping. *Des camping-gaz.*

campos [kɑ̃po] n. m. invar. ■ Fam. Congé, repos accordé aux écoliers, étudiants, etc. *Donner campos.*

campus [kɑ̃pys] n. m. invar. ■ Ensemble des bâtiments d'une université située hors d'une ville ; espace où ils se trouvent.

camus, use [kamy, yz] adj. ■ Qui a le nez court et plat. ⇒ **camard.**

canada [kanada] n. f. ■ Variété de pomme de reinette. *Des canadas.*

canadien, ienne [kanadjɛ̃, jɛn] adj. ■ Du Canada ou qui concerne le Canada. — N. *Les Canadiens. Un Canadien français* (⇒ **Acadien, Québécois**). ▶ *canadienne* n. f. **1.** Long canot qui se manœuvre à la pagaie. **2.** Longue veste doublée de peau de mouton (ne se dit pas au Canada).

canaille [kanaj] n. f. et adj. **1.** *(La canaille)* Ensemble de gens méprisables. ⇒ **pègre, racaille. 2.** *(Une, des canailles)* Personne malhonnête, nuisible. ⇒ **coquin, crapule, fripouille.** — Terme d'affection appliqué aux enfants. Fam. *Petite canaille !* ⇒ fam. **bandit. 3.** Adj. Vulgaire, avec une pointe de perversité. *Des manières canailles.* ▶ *canaillerie* n. f. ■ Caractère d'une canaille ou d'une action de canaille. ⇒ **malhonnêteté.** *C'est de la canaillerie.* — *Une canaillerie,* une action malhonnête. ⇒ **crapulerie.**

canal, plur. *canaux* [kanal, kano] n. m. **I. 1.** Lit ou partie d'un cours d'eau. ⇒ **bras.** — Cours d'eau artificiel. *Canal navigable ; d'irrigation. Canal maritime. Le canal de Suez.* **2.** Bras de mer. ⇒ **détroit, passe.** *Le canal de Mozambique.* **II. 1.** Conduit permettant le passage d'un liquide, d'un gaz. ⇒ **conduite, tube, tuyau ; canalisation. 2.** Domaine de fréquence occupé par une émission de télévision. ⇒ ② **chaîne.** *Sur quel canal émettent-ils ?* **3.** Cavité allongée ou conduit de l'organisme, autre que les artères et les veines. ⇒ **vaisseau.** *Canal biliaire, rachidien.* **III.** Fig. Agent ou moyen de transmission. ⇒ **intermédiaire.** *J'ai appris cela par le canal d'un ami.* ▶ *canaliser* v. tr. ▪ conjug. 1. **1.** Rendre (un cours d'eau) navigable. — Sillonner (une région) de canaux. **2.** Empêcher de se disperser, diriger dans un sens déterminé. ⇒ **centraliser, concentrer.** *Canaliser la foule, les manifestants.* / contr. **éparpiller** / ▶ *canalisation* n. f. **1.** Action de canaliser. *La canalisation du Rhône.* **2.** Ensemble des conduits (canaux) par lesquels sont distribués l'eau, le gaz de ville, etc. ⇒ **branchement, tuyauterie.** *Une canalisation de gaz, d'électricité.*

canapé [kanape] n. m. **1.** Long siège à dossier où plusieurs personnes peuvent s'asseoir ensemble et peut servir de lit de repos. **2.** Tranche de pain sur laquelle on met des choses à manger. *Œufs sur canapés. Canapés au saumon.*

canard [kanaʀ] n. m. **I. 1.** Oiseau à pattes palmées (palmipède), au bec jaune, large, aux ailes longues et pointues. *Femelle du canard* ⇒ **cane,** petit du canard ⇒ **caneton.** *Canard sauvage. Canard de basse-cour.* **2.** Loc. *Marcher comme un canard.* ⇒ se dandiner. — *Être mouillé, trempé comme un canard,* très mouillé. — *Un froid de canard,* très vif. **II.** Fig. **1.** Morceau de sucre trempé dans une liqueur, dans du café. **2.** Son criard, fausse note. ⇒ **couac. 3.** Fam. Fausse nouvelle lancée dans la presse. ⇒ **bobard, bruit.** *Lancer des canards.* — Péj. Journal. *Il n'y a rien à lire, dans ce canard !*

canarder [kanaʀde] v. ▪ conjug. 1. **1.** V. tr. Tirer sur (qqn, qqch.) d'un lieu où l'on est à couvert. ⇒ **tirer.** *Se faire canarder.* **2.** V. intr. Faire une fausse note, un canard (II, 2). *Ce clairon canarde.*

canari [kanaʀi] n. m. ▪ Serin des Canaries, à la livrée jaune et brun olivâtre. *Des canaris.* — Adj. invar. *Une robe jaune canari.*

canasson [kanasɔ̃] n. m. ▪ Fam. Cheval.

canasta [kanasta] n. f. ▪ Jeu de cartes (2 jeux de 52 et 4 jokers) qui consiste à réaliser des séries de 7 cartes de même valeur.

① *cancan* [kɑ̃kɑ̃] n. m. ▪ Bavardage où l'on dit du mal des gens. ⇒ **potin, ragot.** *Dire, colporter des cancans sur qqn.* ▶ *cancaner* v. intr. ▪ conjug. 1. ▪ Faire des cancans. ▶ *cancanier, ière* adj. ▪ Qui cancane.

② *cancan* n. m. ▪ Danse excentrique et tapageuse (quadrille), spectacle traditionnel du Montmartre de 1900. *French cancan.*

cancer [kɑ̃sɛʀ] n. m. **1.** (Avec une majuscule) Quatrième signe du zodiaque (du 22 juin au 22 juillet). *Être du signe du Cancer, être du Cancer.* — Ellipt. Invar. *Ils sont Cancer.* **2.** Tumeur maligne, maladie grave causée par une multiplication anarchique de cellules. *Cancer de l'estomac, du sein. Cancer du sang.* ⇒ **leucémie. 3.** Abstrait. Ce qui ronge, détruit. ▶ *cancéreux, euse* adj. et n. **1.** De la nature du cancer. *Tumeur cancéreuse.* **2.** Qui est atteint d'un cancer. — N. *Un, des cancéreux.* ▶ *cancérigène* adj. ▪ Qui cause ou peut causer le cancer. ▶ *cancérologie* n. f. ▪ Étude du cancer.

cancre [kɑ̃kʀ] n. m. ▪ Fam. Écolier paresseux et nul.

cancrelat [kɑ̃kʀəla] n. m. ▪ Insecte (blatte) provenant d'Amérique. ⇒ ② **cafard.**

candélabre [kɑ̃delabʀ] n. m. ▪ Grand chandelier à plusieurs branches. ⇒ **flambeau.**

candeur [kɑ̃dœʀ] n. f. ▪ Qualité d'une personne pure et innocente, sans défiance. ⇒ **ingénuité, innocence, naïveté.** *Une candeur d'enfant. Être plein de candeur.* ⇒ **candide.** / contr. **dissimulation, fourberie, ruse /**

candi [kɑ̃di] adj. m. ▪ SUCRE CANDI : épuré et cristallisé.

candidat, ate [kɑ̃dida, at] n. ▪ Personne qui cherche à obtenir une place, un poste, un titre. *Il y a plusieurs candidats à ce concours.* ⇒ **concurrent.** *Se porter, être candidat à des élections.* ▶ *candidature* n. f. ▪ État de candidat. *Annoncer, poser sa candidature à un poste.*

candide [kɑ̃did] adj. ▪ Qui a de la candeur, exprime la candeur. ⇒ **ingénu, innocent, naïf, pur, simple.** *Air candide. Réponse candide.* / contr. **faux, fourbe, rusé /** ▶ *candidement* adv. ▪ *Répondre candidement.*

cane [kan] n. f. ▪ Femelle du canard. ≠ *canne.*

caner [kane] v. intr. ▪ conjug. 1. ▪ Fam. Reculer devant le danger ou la difficulté. ⇒ **céder, flancher.** — Fam. Mourir. ⇒ fam. **clamser.** ≠ *canner.*

caneton [kantɔ̃] n. m. ▪ Petit du canard.

canette ou *cannette* [kanɛt] n. f. **I.** Bobine recevant le fil de trame. **II.** Petite bouteille de bière ; son contenu.

canevas [kanva] n. m. invar. **1.** Grosse toile claire et à jour qui sert de support aux ouvrages de tapisserie à l'aiguille. *Broderie sur canevas.* **2.** Donnée première d'un ouvrage. ⇒ **ébauche, esquisse, plan, scénario.** *Travailler sur un bon canevas.*

cangue [kɑ̃g] n. f. ▪ En Chine. Carcan dans lequel on engageait le cou et les poignets du condamné.

caniche [kaniʃ] n. m. ▪ Espèce de chien barbet à poil frisé. *Suivre qqn comme un caniche,* pas à pas, fidèlement.

canicule [kanikyl] n. f. ▪ Époque de grande chaleur (l'étoile *Sirius* ou *Canicule* se lève et se couche avec le soleil du 22 juillet au 23 août). *Il est sorti sans chapeau en pleine canicule.* / contr. **froid /** ▶ *caniculaire* adj. ▪ (Chaleur) Torride.

canif [kanif] n. m. ▪ Petit couteau de poche à lames qui se replient dans le manche. *Il taille son crayon avec un canif. Des canifs.*

canin, ine [kanɛ̃, in] adj. **1.** Relatif au chien. *Race, espèce canine. Exposition canine.* **2.** Loc. *Une faim canine,* dévorante.

canine [kanin] n. f. ▪ Dent pointue entre les prémolaires et les incisives.

caniveau [kanivo] n. m. ▪ Bordure pavée d'une rue, le long d'un trottoir, qui sert à l'écoulement des eaux. ⇒ **ruisseau.** *Des caniveaux.*

canne [kan] n. f. **1.** Tige droite de certaines plantes (roseau, bambou...). — CANNE À SUCRE : haute plante herbacée, de laquelle on extrait du sucre. *Sucre de canne.* **2.** Bâton de bois travaillé sur lequel on appuie la main en marchant. *Se promener la canne à la main. Les aveugles portent une canne blanche.* **3.** CANNE À PÊCHE : gaule portant une ligne de pêche. **4.** Fam. Jambe. ⇒ fam. **guibole.** *Il ne tient pas sur ses cannes.* ≠ *cane.*

cannelé, ée [kanle] adj. ▪ Qui présente des cannelures. *Colonne cannelée.* / contr. **lisse /**

cannelle [kanɛl] n. f. ▪ Écorce aromatique du *cannelier* utilisée en cuisine. *Cannelle en poudre, en bâtonnets. Un gâteau à la cannelle.*

cannelloni [kane(ɛl)lɔni] n. m. ▪ Pâte alimentaire en forme de tube et garnie d'une farce. *Des cannellonis.*

cannelure [kanlyʀ] n. f. ▪ Sillon creusé verticalement dans le bois, de la pierre, du métal. ⇒ **moulure, rainure.** *Les cannelures d'une colonne, d'un vase.* — Botanique. Strie sur la tige de certaines plantes. *Les cannelures du céleri.*

canner [kane] v. tr. ▪ conjug. 1. ▪ Garnir le fond, le dossier de (un siège) avec des cannes de jonc, de rotin entrelacées. ⇒ **rempailler.** — Au p. p. adj. *Chaise cannée.* ≠ *caner.* ▶ *cannage* n. m.

cannette n. f. ⇒ **canette.**

cannibale [kanibal] n. m. ▪ Anthropophage. ▶ *cannibalisme* n. m.

canoë [kanɔe] n. m. ▪ Embarcation légère et portative manœuvrée à la pagaie (⇒ **pirogue**) ; sport de ceux qui s'en servent. *Descendre une rivière en canoë. Faire du canoë.* ⇒ **canot.** ▶ *canoéiste* [kanɔeist] n. ▪ Personne qui pratique le sport du canoë.

① *canon* [kanɔ̃] n. m. **1.** Arme à feu non portative (pièce d'artillerie) servant à lancer des projectiles lourds (obus). *Poudre à canon. Canon antiaérien, antichar. Canon à tube court.* ⇒ **mortier, obusier.** — Fam. CHAIR À CANON : les soldats exposés à être tués. **2.** Tube (d'une arme à feu). *Le canon d'un fusil, d'un revolver. Baïonnette au canon,* fixée au bout du fusil. ‹ ▶ canonner ›

② *canon* n. m. ■ Au XVIIe s. Pièce de toile ornée de dentelle, de rubans qu'on attachait au-dessous du genou.

③ *canon* n. m. **1.** Loi ecclésiastique concernant la foi et la discipline religieuse. — Adj. *Droit canon,* droit ecclésiastique. **2.** Ensemble des livres reconnus par les Églises chrétiennes comme appartenant à la Bible. *Canon de l'Ancien, du Nouveau Testament* (⇒ **Bible**). **3.** *Canon de la messe,* partie essentielle de la messe qui va de la Préface au Pater. **4.** Règles pour déterminer les proportions idéales. *Le canon de la beauté.* ⇒ **idéal, type.** ‹ ▶ canonique, canoniser ›

④ *canon* n. m. ■ Composition musicale dans laquelle les voix partent l'une après l'autre et répètent le même chant. *Canon à deux voix. Canon et fugue.*

⑤ *canon* n. m. ■ Fam. Verre de vin. *Un canon de beaujolais.*

cañon ou *canyon* [kaɲɔ̃, kanjɔn] n. m. ■ Gorge ou ravin étroit, profond, creusé par un cours d'eau dans une chaîne de montagnes. *Les canyons du Colorado.*

canonique [kanɔnik] adj. **1.** Didact. Conforme aux canons (③, 1). *Livres canoniques,* qui composent le canon (②). **2.** Loc. ÂGE CANONIQUE : âge de quarante ans (minimum pour être servante chez un ecclésiastique). — Fam. *Être d'un âge canonique,* respectable. **3.** Didact. Qui pose une règle ou correspond à une règle. ⇒ **normatif.**

canoniser [kanɔnize] v. tr. ■ conjug. 1. ■ Inscrire une personne, après sa mort, sur la liste des saints ; reconnaître comme saint. ▶ *canonisation* n. f. ■ *La canonisation est proclamée par le pape.*

canonner [kanɔne] v. tr. ■ conjug. 1. ■ Tirer au canon sur (un objectif). ⇒ **bombarder.** *Canonner une position ennemie.* ▶ *canonnade* n. f. ■ Tir d'un ou plusieurs canons. ▶ *canonnier* n. m. ■ Soldat qui sert un canon. ▶ *canonnière* n. f. ■ Petit navire armé de canons.

canot [kano] n. m. ■ Petit bateau, petite embarcation sans pont (à aviron, rame, moteur, voile). ⇒ **barque, chaloupe.** — Au Québec. Canoë. — CANOT DE SAUVETAGE. *Canot pneumatique,* gonflable. *Canot automobile.* ⇒ **vedette.** ▶ *canoter* v. intr. ■ conjug. 1. ■ Se promener en canot, en barque. ▶ *canotage* n. m. ■ *Faire du canotage.* ▶ *canoteur, euse* n. ■ Personne qui fait du canot.

canotier [kanɔtje] n. m. ■ Chapeau de paille à fond plat.

cantal, als [kɑ̃tal] n. m. ■ Fromage fabriqué dans le Cantal (Auvergne). ⇒ **fourme.** *Des cantals.*

cantaloup [kɑ̃talu] n. m. ■ Melon à côtes rugueuses.

cantate [kɑ̃tat] n. f. ■ Poème lyrique destiné à être mis en musique ; cette musique. *Une cantate de Bach.* ≠ *cantique.*

cantatrice [kɑ̃tatʀis] n. f. ■ Chanteuse professionnelle d'opéra ou de chant classique. *Une grande cantatrice.* ⇒ **diva.**

cantharide [kɑ̃taʀid] n. f. **1.** Insecte coléoptère de couleur vert doré et brillant. **2.** Poudre aphrodisiaque faite avec cet insecte.

cantilène [kɑ̃tilɛn] n. f. **1.** Autrefois. Chant profane. — Littér. Texte lyrique. ⇒ **complainte. 2.** Chant monotone, mélancolique.

cantine [kɑ̃tin] n. f. **1.** Établissement où l'on sert à manger, à boire aux personnes d'une collectivité. ⇒ **buvette, réfectoire.** *La cantine d'une école, d'une entreprise.* **2.** Coffre de voyage, malle rudimentaire (en bois, métal). ▶ *cantinière* n. f. ■ Autrefois. Gérante d'une cantine militaire.

cantique [kɑ̃tik] n. m. ■ Chant religieux, consacré à la gloire de Dieu. ≠ *cantate.*

canton [kɑ̃tɔ̃] n. m. **1.** Chacun des États composant la Confédération helvétique (la Suisse). *Le canton de Berne.* **2.** Division territoriale en France. *L'arrondissement est divisé en plusieurs cantons.* ▶ *cantonal, ale, aux* adj. **1.** Du canton (1). *Les lois cantonales,* en Suisse (opposé à *fédéral*). **2.** En France. *Élections cantonales,* des conseils généraux.

à la cantonade [alakɑ̃tɔnad] loc. adv. ■ En présence de personnes et sans s'adresser à qqn en particulier. *Parler à la cantonade.*

cantonner [kɑ̃tɔne] v. ■ conjug. 1. **1.** V. tr. Établir, faire séjourner (des troupes) en un lieu déterminé. ⇒ **camper.** — *Cantonner qqn,* l'isoler. **2.** V. intr. Camper. *Les troupes cantonnent au pied de la colline.* **3.** V. tr. Établir (qqn) d'autorité dans un lieu, dans un état. *On cantonne les immigrés dans des emplois subalternes.* **4.** SE CANTONNER v. pron. : se retirer dans un lieu où l'on se croit en sûreté. *Il se cantonne chez lui.* — Abstrait. *Se cantonner dans ses études, dans ses recherches.* ⇒ **borner.** ▶ *cantonnement* n. m. ■ Action de cantonner des troupes ; lieu où elles cantonnent. ⇒ **bivouac, campement.**

cantonnier [kɑ̃tɔnje] n. m. ■ Ouvrier qui travaille à l'entretien des routes.

canular [kanylaʀ] n. m. ■ Fam. Blague, farce ; fausse nouvelle.

canule [kanyl] n. f. ■ Petit tuyau que l'on adapte à l'extrémité d'une seringue, d'un tube à injection.

canuler [kanyle] v. tr. ■ conjug. 1. ■ Fam. Ennuyer, importuner. ⇒ **fatiguer.** ▶ *canulant, ante* adj. ■ Fam. Ennuyeux.

canyon n. m. ⇒ **cañon.**

C.A.O. [seao] n. f. invar. ■ Abréviation de *conception assistée par ordinateur.*

caoutchouc [kautʃu] n. m. **1.** Substance élastique, imperméable, provenant de la sève de certaines plantes ou fabriquée artificiellement. ⇒ **gomme.** *Caoutchouc synthétique. Caoutchouc mousse* (marque déposée), renfermant des bulles d'air dans sa masse. **2.** *Un caoutchouc,* un vêtement caoutchouté (⇒ **imperméable**) ; un élastique. — Au plur. Chaussures de caoutchouc. ▶ *caoutchouter* v. tr. ■ conjug. 1. ■ Enduire de caoutchouc. — Au p. p. adj. *Tissu caoutchouté,* imperméabilisé. ▶ *caoutchouteux, euse* adj. ■ Qui a la consistance du caoutchouc. *Cette viande est caoutchouteuse.*

① *cap* [kap] n. m. ■ Loc. DE PIED EN CAP : des pieds à la tête. ⇒ **complètement.**

② *cap* n. m. **1.** Pointe de terre qui s'avance dans la mer. ⇒ **pointe, promontoire.** *Le cap de Bonne Espérance.* **2.** Loc. fig. *Franchir, dépasser le cap de la trentaine.* **3.** Direction d'un navire. *Mettre le cap sur un endroit,* se diriger vers lui. *Changer de cap.*

C.A.P. [seape] n. m. invar. ■ Abréviation de *certificat d'aptitude professionnelle.* Diplôme délivré aux élèves d'une école professionnelle. *Il a passé son C.A.P. de comptabilité.*

capable [kapabl] adj. **1.** *Capable de qqch.*, qui est en état, a le pouvoir d'avoir (une qualité), de faire (qqch.). *Il est capable de sérieux. Capable de tout*, qui emploie tous les moyens pour aboutir à un résultat. **2.** CAPABLE DE (+ infinitif). ⇒ **apte à, propre à, susceptible** de. *Il est, il se sent capable de réussir.* **3.** Sans compl. Qui a de l'habileté, de la compétence. ⇒ **adroit, fort, habile, qualifié.** *C'est un ouvrier très capable.* / contr. **incapable ; inapte, incompétent** / ⟨ ▶ incapable ⟩

capacité [kapasite] n. f. **I.** Propriété de contenir une certaine quantité de substance. ⇒ **contenance, mesure, quantité, volume.** *La capacité d'un récipient. Récipient d'une grande capacité.* **II. 1.** Puissance, pouvoir de faire (qqch.). ⇒ **aptitude, force.** *Capacité productrice d'une société.* — *L'usine a doublé sa capacité de production.* **2.** Qualité d'une personne qui est en état de comprendre, de faire (qqch.). ⇒ **capable ; compétence, faculté.** *Il a une grande capacité de travail, d'adaptation.* / contr. **incapacité** / — Au plur. Moyens, possibilités. *Capacités intellectuelles. Ce travail est au-dessus de ses capacités.* **3.** *Capacité en droit*, diplôme délivré aux étudiants non bacheliers (deux ans d'études). ⟨ ▶ incapacité ⟩

caparaçonner [kaparasɔne] v. tr. ▪ conjug. 1. — REM. *Carapaçonner est une faute.* ▪ Revêtir, couvrir (un cheval) d'un *caparaçon*, armure d'ornement.

cape [kap] n. f. **1.** Vêtement de dessus, sans manches, qui enveloppe le corps et les bras. ⇒ **houppelande, pèlerine.** — Loc. *Histoire, roman* DE CAPE ET D'ÉPÉE : dont les personnages sont des héros chevaleresques. **2.** Loc. fig. RIRE SOUS CAPE : en cachette. ⇒ **à la dérobée.**

capeline [kaplin] n. f. ▪ Chapeau de femme à très larges bords souples.

C.A.P.E.S. [kapɛs] n. m. invar. ▪ Abréviation de *certificat d'aptitude professionnelle à l'enseignement secondaire.* ▶ *capésien, ienne* [kapesjɛ̃, jɛn] adj. et n. ▪ Qui est titulaire du C.A.P.E.S. — N. *Les capésiens et les agrégés.*

capharnaüm [kafaʀnaɔm] n. m. ▪ Fam. Lieu qui renferme beaucoup d'objets en désordre. *La boutique de ce brocanteur est un capharnaüm.* ⇒ **bazar, bric-à-brac.**

① *capillaire* [kapi(l)lɛʀ] adj. **1.** Se dit des vaisseaux sanguins les plus fins (dernières ramifications). *Veines, vaisseaux capillaires.* — N. m. LES CAPILLAIRES. — *Tube capillaire*, très fin. **2.** Qui concerne les cheveux, la chevelure. *Lotion capillaire.* ▶ *capillarité* n. f. **1.** État de ce qui est fin comme un cheveu. **2.** Ensemble des phénomènes qui se produisent à la surface des liquides (dans les tubes *capillaires*, notamment).

② *capillaire* n. m. ▪ Fougère à pétioles très fins.

en capilotade [kapilɔtad] loc. adv. ▪ En piteux état, en miettes. ⇒ **en marmelade.** *J'ai le dos en capilotade.*

capitaine [kapitɛn] n. m. **1.** Littér. Chef militaire. *Les grands capitaines de l'Antiquité.* **2.** Officier qui commande une compagnie (unité de 100 à 200 hommes). *Le capitaine d'artillerie, de cavalerie. Le capitaine porte trois galons ; on lui dit : « Mon capitaine ».* — Par anal. *Capitaine de gendarmerie. Capitaine des pompiers.* **3.** Officier qui commande un navire de commerce (sur les bateaux de pêche : *patron*). *Capitaine commandant un paquebot.* ⇒ **commandant.** **4.** Chef (d'une équipe sportive). *Le capitaine d'une équipe de football, de rugby.*

① *capital, ale, aux* [kapital, o] adj. **1.** Qui est le plus important, le premier. ⇒ **essentiel, fondamental, primordial, principal.** *Cela est d'un intérêt capital, c'est capital. Un événement capital.* / contr. **accessoire, secondaire ; insignifiant** / **2.** PEINE CAPITALE : de mort. *En France, la peine capitale a été abolie.* ⟨ ▶ capitale ⟩

② *capital, aux* n. m. **1.** Somme d'argent que l'on possède ou que l'on prête (opposé à *intérêt*). **2.** Somme que l'on confie à une entreprise et qui produit des bénéfices. *Capital en nature* (terres, bâtiments, matériel). *Capital en valeur* (argent, fonds). *Engager, investir un capital, des capitaux. Le capital d'une société.* — Fortune. *Avoir un joli capital.* **3.** Absolt. Toute richesse destinée à produire un revenu ou de nouveaux biens ; moyens de production. *Le capital provient du travail et des richesses naturelles.* — *Les* CAPITAUX : les sommes en circulation. *Circulation, fuite des capitaux. Des capitaux importants ont été investis dans l'industrie.* **4.** Ensemble de ceux qui possèdent les moyens de production. ⇒ **capitaliste.** *Le capital et le prolétariat.* ⟨ ▶ capitaliser, capitalisme ⟩

capitale [kapital] n. f. **1.** Ville qui occupe le premier rang (hiérarchique) dans un État, une province ; siège du gouvernement. *La capitale n'est pas toujours la plus grande ville d'un pays.* **2.** Grande lettre. ⇒ **majuscule.** *Les titres sont imprimés en capitales.*

capitaliser [kapitalize] v. ▪ conjug. 1. **1.** V. tr. Transformer en capital. *Capitaliser des intérêts.* **2.** V. intr. Amasser de l'argent. ⇒ **thésauriser.** ▶ *capitalisation* n. f.

capitalisme [kapitalism] n. m. **1.** Régime économique et social dans lequel les capitaux, source de revenu, appartiennent à des personnes privées (*capitalisme libéral*). — Par ext. *Capitalisme d'État* ⇒ **étatisme.** **2.** Ensemble des capitalistes, des pays capitalistes, libéraux. / contr. **communisme, socialisme** / ▶ *capitaliste* n. et adj. **1.** Personne qui possède des capitaux. — Fam. Personne riche. *Un gros capitaliste.* **2.** Adj. Relatif au capitalisme. *Économie capitaliste.* ⇒ **libéral.** *Société bourgeoise et capitaliste.* / contr. **prolétaire, communiste** /

capiteux, euse [kapitø, øz] adj. ▪ Qui monte à la tête, qui produit une certaine ivresse. ⇒ **enivrant, excitant.** *Vin, parfum capiteux.* — Fig. *Une femme aux charmes capiteux*, qui trouble les sens.

capiton [kapitɔ̃] n. m. ▪ Chacune des divisions formées par la piqûre dans un siège rembourré. ▶ *capitonnage* n. m. ▪ Action de capitonner ; rembourrage. *Un capitonnage épais, moelleux.* ▶ *capitonner* v. tr. ▪ conjug. 1. ▪ Rembourrer en piquant (l'étoffe) d'espace en espace. *Capitonner une porte.* — Au p. p. adj. *Fauteuil capitonné.*

capitulaire [kapitylɛʀ] adj. et n. m. **1.** Relatif aux assemblées d'un chapitre (de religieux). *La salle capitulaire d'un monastère.* **2.** N. m. Histoire. Nom donné à des règlements d'un roi ou d'un empereur franc.

capitule [kapityl] n. m. ▪ Botanique. Partie d'une plante formée de fleurs insérées les unes à côté des autres (et formant une seule *fleur* au sens courant du mot).

capituler [kapityle] v. intr. ▪ conjug. 1. **1.** Se rendre à un ennemi par un pacte. *Capituler avec les honneurs de la guerre.* **2.** Abandonner sa position, s'avouer vaincu. ⇒ **céder.** / contr. **résister, tenir** / ▶ *capitulation* n. f. ▪ Action de capituler. ⇒ **reddi-**

tion. *Capitulation sans conditions. Une capitulation infamante.* / contr. **résistance** /

capon, onne [kapɔ̃, ɔn] adj et n. ■ Vx. Peureux.

caporal, aux [kapɔʀal, o] n. m. **1.** Militaire qui a le grade le moins élevé dans les armes à pied, l'aviation. ⇒ **brigadier ;** fam. ② **cabot.** *Le Petit Caporal,* surnom donné par ses soldats à Napoléon Ier. — CAPORAL-CHEF : celui qui a le grade supérieur au caporal. *Des caporaux-chefs.* **2.** Tabac juste supérieur au tabac de troupe. *Du caporal ordinaire.*

capot [kapo] n. m. ■ Couverture métallique protégeant un moteur. *Le capot d'une automobile. Regarder sous le capot, ouvrir le capot* (pour examiner, réparer le moteur).

capote [kapɔt] n. f. **1.** Grand manteau militaire. *Capote kaki de l'infanterie.* **2.** Couverture mobile de certains véhicules. *La capote d'une automobile décapotable.* **3.** Fam. *Capote anglaise,* préservatif masculin. ⇒ **contraceptif.**

capoter [kapɔte] v. intr. ▪ conjug. 1. **1.** (Bateau, véhicule) Être renversé, se retourner. *Le bateau a capoté.* ⇒ **chavirer. 2.** Fig. Échouer. *Le projet a capoté.*

câpre [kɑpʀ] n. f. ■ Bouton à fleur du câprier que l'on confit dans le vinaigre pour servir d'assaisonnement. ‹ ► câprier ›

caprice [kapʀis] n. m. **1.** Envie subite et passagère, fondée sur la fantaisie et l'humeur. ⇒ **désir ; boutade, lubie, toquade.** *Suivre son caprice. Avoir des caprices.* — Amour passager. ⇒ **béguin, toquade.** — (Enfants) Exigence accompagnée de colère. *Il va encore faire un caprice. Cet enfant fait tous ses caprices.* **2.** Au plur. (Choses) Changements fréquents, imprévisibles. *Les caprices de la mode.* ► *capricieux, ieuse* adj. et n. **1.** Qui a des caprices. ⇒ **fantasque, instable.** *Enfant capricieux.* / contr. **sage** / — N. *Un capricieux, une capricieuse.* **2.** (Choses) Dont la forme, le mouvement varie. ⇒ **irrégulier.** *Arabesques capricieuses.* ► *capricieusement* adv.

capricorne [kapʀikɔʀn] n. m. **1.** (Avec une majuscule) Dixième signe du zodiaque (du 21 décembre au 19 janvier). *Être du signe du Capricorne, être du Capricorne.* — Ellipt. Invar. *Elles sont Capricorne.* **2.** Grand insecte (coléoptère) dont la larve creuse de longues galeries.

câprier [kɑpʀije] n. m. ■ Arbre à tige souple, dont les boutons à fleurs ⇒ **câpre** sont utilisés comme condiment.

caprin, ine [kapʀɛ̃, in] adj. ■ Didact. Relatif à la chèvre. *Espèces caprines.*

capsule [kapsyl] n. f. **1.** Anatomie. Membrane, cavité en forme de poche, de sac. *Capsule articulaire, synoviale.* — Botanique. Fruit dont l'enveloppe est sèche et dure. *Capsule de coton.* **2.** Petite coupe de métal garnie de poudre (armes à feu). ⇒ **amorce.** *Pistolet d'enfant à capsules.* **3.** Sorte de bouchon en métal qui sert à fermer une bouteille. *Capsule de bouteille de bière. Enlever la capsule.* ⇒ **décapsuler. 4.** *Capsule spatiale,* partie d'un engin spatial où prennent place les astronautes. ► *capsuler* v. tr. ▪ conjug. 1. ■ Boucher avec une capsule. *Capsuler une bouteille.* ‹ ► décapsuler ›

capter [kapte] v. tr. ▪ conjug. 1. **1.** Chercher à obtenir par un procédé habile (une chose abstraite). *Capter l'attention.* **2.** *Capter une source, l'eau d'une rivière,* amener l'eau à un point déterminé. ⇒ **canaliser. 3.** *Capter un message, une émission de radio,* recevoir ou intercepter.

captieux, euse [kapsjø, øz] adj. ■ Littér. Qui cherche, sous des apparences de vérité, à tromper. ⇒ **fallacieux, spécieux.** *Raisonnement, discours captieux.* / contr. **correct, vrai** /

captif, ive [kaptif, iv] adj. et n. **1.** Littér. (⇒ **captivité**) Qui a été fait prisonnier au cours d'une guerre. ⇒ **prisonnier.** *Un roi captif.* — N. *Captifs réduits en esclavage.* **2.** BALLON CAPTIF : retenu par un câble. **3.** (Animaux) Privé de liberté. *Oiseau captif, en cage.* — Fig. (Personnes) ⇒ **asservi, esclave.** *Il est captif de ses passions.*

captiver [kaptive] v. tr. ▪ conjug. 1. ■ Attirer et fixer (l'attention) ; retenir en séduisant. ⇒ **charmer, enchanter, passionner, séduire.** *Captiver l'attention, l'esprit. Ce livre me captive.* — Pronominalement. *Il s'est captivé à ce sport.* / contr. **ennuyer** / ► *captivant, ante* adj. ■ Qui captive. *Une lecture captivante.* ⇒ **passionnant.** / contr. **ennuyeux** /

captivité [kaptivite] n. f. ■ État de celui qui est captif, prisonnier de guerre. ⇒ **emprisonnement.** *Vivre en captivité. Retour de captivité.* / contr. **liberté** /

capture [kaptyʀ] n. f. **1.** Action de capturer. ⇒ **prise, saisie.** *La capture d'un navire. Capture d'un criminel.* ⇒ **arrestation. 2.** Ce qui est pris. *Une belle capture.* ► *capturer* v. tr. ▪ conjug. 1. ■ S'emparer de (un être vivant). ⇒ **arrêter, prendre.** *Capturer un malfaiteur. Capturer un animal féroce.* / contr. **lâcher, libérer** /

capuche [kapyʃ] n. f. ■ Petit capuchon. ► *capuchon* n. m. **1.** Large bonnet attaché à un vêtement, et que l'on peut rabattre sur la tête. *Le capuchon d'un imperméable.* ⇒ **capuche. 2.** Couvercle de tuyau. — Bouchon de stylo. *Visser le capuchon.*

capucin, ine [kapysɛ̃, in] n. ■ Religieux réformé de l'ordre de Saint-François. ⇒ **franciscain.**

capucine [kapysin] n. f. ■ Plante à feuilles rondes et à fleurs jaunes, orangées ou rouges ; cette fleur.

caquet [kakɛ] n. m. **1.** Gloussement, cri de la poule au moment où elle pond. **2.** Bavardage prétentieux ou ennuyeux. ⇒ **babil, jactance.** Loc. fig. *Rabattre, rabaisser le caquet de qqn, de qqn,* l'obliger à se taire. ⇒ **clouer** le bec. ► *caqueter* [kakte] v. intr. ▪ conjug. 4. **1.** Glousser au moment de pondre. *Les poules caquettent.* **2.** Fig. Bavarder d'une façon indiscrète, désagréable. ⇒ **jacasser.** ► *caquetage* n. m. ■ *Les caquetages de la basse-cour.*

① *car* [kaʀ] conj. ■ Conjonction de coordination qui introduit une explication (preuve, raison de la proposition qui précède). ⇒ **parce que, puisque.** *Il ne viendra pas aujourd'hui, car il est malade.*

② *car* n. m. ■ Autocar. *Un car de trente places.*

carabe [kaʀab] n. m. ■ Insecte coléoptère, à reflets métalliques. ⇒ **scarabée.**

carabin [kaʀabɛ̃] n. m. ■ Fam. Étudiant en médecine.

carabine [kaʀabin] n. f. ■ Fusil léger à canon court. *Tir à la carabine.* ► *carabinier* n. m. ■ En Italie. Gendarme. — En Espagne. Douanier. — Fam. *Arriver comme les carabiniers,* trop tard.

carabiné, ée [kaʀabine] adj. ■ Fam. Fort, violent. *Un orage carabiné.* — *Une grippe carabinée.*

caraco [kaʀako] n. m. ■ Vx ou région. Corsage de femme, blouse droite et assez ample. *Des caracos.*

caracoler [kaʀakɔle] v. intr. ▪ conjug. 1. ■ (Chevaux, cavaliers) Faire des voltes, des sauts. *Il caracolait sur son cheval.*

① *caractère* [kaʀaktɛʀ] n. m. **I.** Marque. **1.** Signe gravé ou écrit, élément d'une écriture. ⇒ **lettre, symbole.** *Caractères hiéroglyphiques, grecs. Écrire en gros, en petits caractères.* **2.** Tige de métal portant une lettre, utilisée pour l'impression typographique ; son empreinte. *Caractères d'imprimerie. Caractères romains, italiques. Les caractères de ce livre sont très lisibles.* **II.** Abstrait. Signe ou ensemble de signes. **1.** Trait propre à une personne, à une chose, et qui permet de la distinguer d'une autre, de la juger. ⇒ **attribut, caractéristique, indice, marque, particularité.** *Caractères distinctifs, individuels, particuliers.* — *Avoir un caractère officiel,* être officiel. *Conférer, revêtir tel caractère. Sa maladie n'a, ne présente aucun caractère de gravité.* **2.** Sans compl. *Air personnel, original.* ⇒ **originalité, personnalité.** *Un style plat et sans caractère. Cette maison a du caractère.* ⇒ **cachet.** ▶ *caractériser* v. tr. ▪ conjug. 1. **1.** Montrer avec précision, mettre en relief les caractères distinctifs de (une personne, une chose). ⇒ **distinguer, marquer, préciser. 2.** Constituer le caractère ou l'une des caractéristiques de. ⇒ **définir, déterminer.** *La générosité qui vous caractérise.* — Au p. p. adj. *Une rougeole caractérisée.* ⇒ **net.** ▶ *caractérisation* n. f. ▪ *caractéristique* adj. et n. f. **1.** Qui permet de distinguer, de reconnaître. *Différence, propriété caractéristique. Une voix caractéristique.* ⇒ **propre, spécifique, typique. 2.** N. f. Ce qui sert à caractériser. ⇒ **caractère.** *Les caractéristiques d'une machine, d'un avion.* ⇒ **particularité.**

② *caractère* n. m. **1.** Ensemble des manières habituelles de sentir et de réagir qui distinguent un individu d'un autre. ⇒ **individualité, nature, personnalité, tempérament.** *Caractère froid, exubérant, passionné. Cet enfant a un caractère difficile. Étude des caractères.* ⇒ **caractérologie.** *Il a bon, mauvais caractère.* **2.** Sans compl. *Avoir du caractère.* ⇒ **énergie, fermeté, volonté.** *Manquer de caractère.* **3.** Personne considérée dans son individualité, son originalité. *C'est un caractère.* ⇒ **personnalité. 4.** Le *caractère d'une nation.* ⇒ **âme, génie.** *Le caractère français.* ▶ *caractériel, ielle* adj. et n. Didact. **1.** Du caractère. *Troubles caractériels.* **2.** Qui présente des troubles du caractère. *Un enfant caractériel.* — N. *Une caractérielle.* ▶ *caractérologie* n. f. ▪ Étude des types de caractères.

carafe [kaʀaf] n. f. **1.** Récipient à base large et col étroit. *Une carafe d'eau. Du vin en carafe.* **2.** Loc. fam. *Rester EN CARAFE :* être oublié, laissé de côté. **3.** Fam. Tête. *Un coup sur la carafe.* ▶ *carafon* n. m. **1.** Petite carafe. *Carafon de vin, de liqueur.* **2.** Fam. Tête. ⇒ fam. **cafetière, carafe.**

caraïbe [kaʀaib] adj. et n. ▪ De la population indigène des Antilles et des côtes voisines. ⇒ **antillais.**

caramboler [kaʀãbɔle] v. tr. ▪ conjug. 1. ▪ Bousculer, heurter. — Pronominalement (récipr.). *Plusieurs voitures se sont carambolées au carrefour.* ▶ *carambolage* n. m. **1.** Coup dans lequel une bille en touche deux autres au billard. **2.** Série de chocs, de chutes. *Carambolage d'automobiles sur une route encombrée.*

caramel [kaʀamɛl] n. m. **1.** Produit brun noir, brillant, aromatique, obtenu en faisant fondre du sucre à une assez haute température. *Crème (au) caramel.* **2.** *(Un, des caramels)* Bonbon au caramel. *Caramels mous.* **3.** Adj. invar. Roux clair. ▶ *caraméliser* v. tr. ▪ conjug. 1. **1.** Transformer (du sucre) en caramel. *Caraméliser du sucre.* — Au p. p. adj. *Sucre caramélisé.* — Pronominalement (réfl.). *Le sucre se caramélise.* **2.** Mêler, enduire de caramel. *Caraméliser un moule.*

carapace [kaʀapas] n. f. **1.** Organe dur, qui protège le corps de certains animaux. *La carapace des tortues.* **2.** Ce qui protège. ⇒ **armure, cuirasse.** — Abstrait. *La carapace de l'égoïsme, de l'indifférence.*

se carapater [kaʀapate] v. pron. ▪ conjug. 1. ▪ Fam. S'enfuir. ⇒ **décamper.**

carat [kaʀa] n. m. **1.** Unité de mesure : chaque vingt-quatrième d'or fin contenu dans une quantité d'or. *Or à dix-huit carats.* **2.** Unité de poids (0,2 g) qui sert dans le commerce des pierres précieuses. *Diamant de dix carats.*

① *caravane* [kaʀavan] n. f. **1.** Groupe de voyageurs réunis pour franchir une région désertique, peu sûre (avant les moyens de transport modernes ou quand ils ne sont pas utilisables). *Caravane de nomades.* — PROV. *Les chiens aboient, la caravane passe,* il faut laisser crier les envieux, les médisants. **2.** Groupe de personnes qui se déplacent. *La caravane publicitaire qui suit le Tour de France.* ▶ *caravanier* n. m. ▪ Conducteur d'une caravane ①.

② *caravane* n. f. ▪ Anglic. Remorque d'automobile aménagée pour servir de logement (type de camping appelé *caravaning* [kaʀavaniŋ] n. m.).

caravansérail [kaʀavãseʀaj] n. m. **1.** En Orient. Vaste cour, entourée de bâtiments où les caravanes font halte. **2.** Lieu fréquenté par un grand nombre d'étrangers.

caravelle [kaʀavɛl] n. f. ▪ Ancien navire à voiles (XVᵉ-XVIᵉ s.). *Les caravelles de Christophe Colomb.*

carbone [kaʀbɔn] n. m. **1.** Corps simple, non métallique, très répandu dans la nature et qui se trouve dans tous les corps vivants (⇒ **carbonate, carbonique**). *Carbone cristallisé* ⇒ **diamant, graphite,** *amorphe* ⇒ **charbon.** OXYDE DE CARBONE : gaz incolore et inodore, nocif. *Cycle du carbone,* série de ses combinaisons dans les êtres vivants. — CARBONE 14 : isotope radioactif du carbone qui permet de dater les restes d'êtres vivants disparus (bois, etc.). **2.** *Un* PAPIER CARBONE ou *un* CARBONE : papier chargé de couleur et destiné à obtenir des doubles, en dactylographie. ▶ *carbonate* n. m. ▪ Chimie. Sel ou ester de l'acide carbonique. ⇒ **bicarbonate.** *Carbonate de calcium.* ⇒ **calcaire.** ▶ *carbonater* v. tr. ▪ conjug. 1. ▪ Transformer en carbonate. — Additionner de carbonate. ▶ *carbonifère* adj. et n. m. **1.** Technique. Qui contient du charbon. *Terrain carbonifère.* **2.** N. m. Géologie. Époque géologique de l'ère primaire. ▶ *carbonique* adj. ▪ Se dit d'un anhydride résultant de la combinaison du carbone et de l'oxygène. *L'anhydride ou gaz carbonique est un gaz incolore présent dans l'atmosphère.* — NEIGE CARBONIQUE : anhydride carbonique solide. — *Acide carbonique.* ⇒ **carbonate.** ▶ *carboniser* v. tr. ▪ conjug. 1. **1.** Transformer en charbon. ⇒ **brûler, calciner.** *L'incendie a carbonisé la forêt entière.* — Cuire à l'excès. *Le rôti est carbonisé.* ▶ *carbonisation* n. f. ▶ *carburant* n. m. ▪ Combustible liquide qui, mélangé à l'air (⇒ **carburation**), peut être utilisé dans un moteur dit à explosion. — Fam. *Emporter du carburant,* des boissons. ▶ *carburateur* n. m. ▪ Appareil qui, dans un moteur à explosion, sert à effectuer la carburation (2). *Flotteur, gicleur du carburateur. Commande du carburateur,* accélérateur. ▶ *carburation* n. f. **1.** Enrichissement en carbone d'un corps métallique. **2.** Mélange de l'air et d'un carburant. *La carburation se fait mal.* ▶ *carbure* n. m. **1.** Composé du carbone à deux éléments. *Carbures d'hydrogène* (hydrocarbures). *Carbures acycliques,* saturés (méthane, éthane, propane, butane) et non saturés (éthylène, acétylène). *Carbures cycliques* (ex. : le *benzène*). **2.** Carbure de calcium. ▶ *carburer* v. intr. ▪ conjug. 1. ▪ Effectuer la carburation. *Ce moteur carbure mal.* ‹ ► bicarbonate, hydrocarbure ›

carcan [kaʀkɑ̃] n. m. **1.** Collier de fer fixé à un poteau où l'on attachait par le cou un criminel. ⇒ **pilori ; cangue. 2.** Ce qui engonce, serre le cou. — Abstrait. ⇒ **assujettissement, contrainte.** *Le carcan de la discipline.*

carcasse [kaʀkas] n. f. **1.** Ensemble des ossements décharnés du corps d'un animal. ⇒ **squelette.** — *La carcasse d'une volaille,* ce qui reste après avoir enlevé les cuisses, les ailes et les blancs. **2.** Fam. Le corps humain. *Promener sa vieille carcasse.* **3.** Charpente (d'un appareil, d'un ouvrage) ; assemblage des pièces soutenant un ensemble. ⇒ **armature, charpente.** *Une carcasse métallique. La carcasse d'un bâtiment.* **4.** *La carcasse d'un avion abattu, d'une voiture accidentée.* ‹ ► se décarcasser ›

carcéral, ale, aux [kaʀseʀal, o] adj. ■ De la prison, qui a rapport à la prison. *L'univers carcéral.*

cardage [kaʀdaʒ] n. m. ■ Opération par laquelle on carde.

cardan [kaʀdɑ̃] n. m. ■ Système de suspension dans lequel le corps suspendu conserve une position invariable malgré les mouvements de son support. JOINT DE CARDAN *d'une automobile.*

① *carde* [kaʀd] n. f. ■ Peigne ou machine à tambours servant à carder (laine ; coton).

② *carde* n. f. ■ Côte comestible des feuilles de cardon et de bette.

carder [kaʀde] v. tr. • conjug. 1. ■ Peigner, démêler (les fibres textiles). *Carder de la laine, du coton.* — Au p. p. adj. *Laine cardée,* dont les fibres sont démêlées grossièrement. *Un vêtement en laine cardée.* ► *cardeur, euse* n. **1.** Personne qui carde la laine. **2.** CARDEUSE n. f. : machine qui ouvre et nettoie la laine des matelas. ‹ ► cardage, ① carde ›

cardiaque [kaʀdjak] adj. et n. **1.** Du cœur. *Une crise, un malaise cardiaque. Le muscle cardiaque,* le cœur. **2.** Adj. et n. Atteint d'une maladie de cœur. *Un(e) cardiaque ; elle est cardiaque.*

cardigan [kaʀdigɑ̃] n. m. ■ Veste de laine tricotée à manches longues, et boutonnée devant. ⇒ **gilet, tricot.**

① *cardinal, aux* [kaʀdinal, o] n. m. **I.** Dans l'Église catholique. Prélat* participant au gouvernement de l'Église (électeur et conseiller du pape). *Réunion des cardinaux,* conclave. **II.** Oiseau passereau d'Amérique au plumage rouge foncé.

② *cardinal, ale, aux* adj. **1.** Littér. Qui sert de pivot, de centre. ⇒ **capital, essentiel, fondamental.** *Idées cardinales.* **2.** *Nombres cardinaux* (opposés à *ordinaux*), désignant une quantité (ex. : *quatre dans maison de quatre pièces*). — *Adjectifs numéraux* cardinaux.* **3.** *Les quatre points cardinaux* (Nord, Est, Sud, Ouest). ⇒ ① **rose** des vents.

cardio- ■ Élément signifiant « cœur ». ► *cardiogramme* [kaʀdjogʀam] n. m. ■ Enregistrement des mouvements du cœur. ⇒ **électrocardiogramme.** ► *cardiographie* n. f. ■ Étude graphique des mouvements du cœur. ► *cardiologie* n. f. ■ Étude du cœur et de ses affections. ► *cardiologue* n. ■ Médecin spécialisé dans les maladies du cœur.

cardon [kaʀdɔ̃] n. m. ■ Plante potagère du genre de l'artichaut, dont on mange la côte médiane ⇒ **carde** des feuilles.

carême [kaʀɛm] n. m. **1.** Période de quarante-six jours d'abstinence et de privations entre le Mardi gras

et le jour de Pâques, dans la religion chrétienne. *Le ramadan musulman correspond au carême.* **2.** Privation de nourriture, de plaisirs pendant cette période. *Rompre le carême.* — Loc. fam. *Face de carême,* maigre ; triste. ‹ ► Mi-Carême ›

carence [kaʀɑ̃s] n. f. **1.** Situation d'une personne incapable de faire face à ses responsabilités. *La carence du gouvernement.* ⇒ **impuissance, inaction.** **2.** Absence ou insuffisance d'un ou de plusieurs éléments indispensables à la nutrition. *Carence en vitamine C.*

carène [kaʀɛn] n. f. **1.** Partie immergée de la coque d'un navire. **2.** Carénage. *Mettre, abattre un navire en carène,* le coucher sur le côté pour le réparer. ► *caréner* v. tr. • conjug. 6. **1.** Nettoyer, réparer la carène d'un navire. ⇒ **radouber. 2.** Donner une forme (à la carrosserie d'une auto, d'un avion, etc.) qui facilite sa progression. — Au p. p. adj. *Une locomotive carénée.* ► *carénage* n. m. **1.** Action de caréner. **2.** Lieu où l'on carène des navires. *Un navire au carénage.* ⇒ **radoub. 3.** Carrosserie carénée, aérodynamique. *Le carénage d'une moto.*

caresse [kaʀɛs] n. f. ■ Manifestation physique de la tendresse. — Attouchement tendre. *Caresse affectueuse.* ⇒ **cajolerie, étreinte.** *Faire des caresses à qqn. Couvrir qqn de caresses.* — Littér. *La caresse du vent, du soleil.* ► *caresser* v. tr. • conjug. 1. **1.** Toucher en signe de tendresse. *Caresser un enfant.* ⇒ **cajoler, câliner.** *Caresser un chien.* ⇒ **flatter. 2.** Effleurer doucement, agréablement. *Le vent caresse ses cheveux.* **3.** Fig. Entretenir complaisamment (une idée, un espoir). ⇒ **nourrir.** *Caresser un projet, un rêve.* ► *caressant* adj. **1.** Qui aime les caresses, qui est tendre et affectueux. ⇒ **cajoleur, câlin.** / contr. **froid, insensible** / *Un enfant caressant.* **2.** (Gestes, manières) Doux comme une caresse. *Regard caressant.* ⇒ **tendre.** *Une voix caressante.*

car-ferry [kaʀfeʀi] n. m. ■ Anglic. Bateau ⇒ **ferry-boat** servant au transport des voyageurs et de leur automobile. *Des car-ferries.*

cargaison [kaʀgɛzɔ̃] n. f. **1.** Marchandises chargées sur un navire, ou dans un camion. ⇒ **charge, chargement, fret.** *Arrimer une cargaison. Une cargaison de vin, de pétrole.* **2.** Fam. ⇒ **collection, réserve.** *Il a toute une cargaison d'histoires drôles.*

cargo [kaʀgo] n. m. ■ Navire destiné surtout au transport des marchandises. *Cargo minéralier, pétrolier. Des cargos.*

carguer [kaʀge] v. tr. • conjug. 1. ■ Serrer (les voiles) contre leurs vergues ou contre le mât au moyen de cordages (appelés *cargues,* n. f.).

cariatide [kaʀjatid] n. f. ■ Statue de femme soutenant une corniche sur sa tête.

caribou [kaʀibu] n. m. ■ Renne du Canada. *Des caribous.*

caricature [kaʀikatyʀ] n. f. **1.** Dessin, peinture qui, par l'exagération de certains détails (traits du visage, proportions), tend à ridiculiser le modèle. ⇒ **charge.** — *Faire dans un roman la caricature d'une société.* ⇒ **satire. 2.** Fig. Ce qui évoque sous une forme caricaturale. *Son agitation n'est que la caricature de l'énergie.* — Reproduction déformée. ⇒ **simulacre, parodie.** *Une caricature de la vérité.* **3.** Vieilli. Personne laide et habillée de façon ridicule. ► *caricatural, ale, aux* adj. **1.** Qui tient de la caricature, qui y prête. ⇒ **burlesque, comique, grotesque.** *Un profil caricatural.* **2.** Qui déforme en ridiculisant. *Description, interprétation caricaturale.* ► *caricaturer.* v. tr. • conjug. 1. ■ Faire la caricature de (qqn). — Représenter sous une forme caricaturale. ⇒ **parodier, railler, ridiculiser.** ▶ *caricaturiste* n. m. ■ Artiste (spécialt dessinateur) qui fait des caricatures.

carie [kaʀi] n. f. ■ Maladie des os et des dents qui entraîne leur destruction. — CARIE DENTAIRE : lésion qui détruit l'émail et l'ivoire de la dent en formant une cavité. ▶ *carier* v. tr. . conjug. 7. ■ Attaquer par la carie. ⇒ **gâter.** — Pronominalement. *Votre dent s'est cariée.* — Au p. p. adj. *Une dent cariée peut carier les dents voisines.*

carillon [kaʀijɔ̃] n. m. 1. Ensemble de cloches accordées de telle sorte qu'on puisse les faire vibrer ensemble. *Le carillon d'une église.* 2. *Le carillon (d'une horloge, d'une pendule),* système de sonnerie qui se déclenche automatiquement pour indiquer les heures. 3. Air exécuté par un carillon ; sonnerie de cloches vive et gaie. ▶ *carillonner* v. intr. . conjug. 1. 1. Sonner en carillon. *Les cloches carillonnent.* — Transitivement. *Carillonner une fête,* l'annoncer par un carillon. — Au p. p. adj. *Fête carillonnée,* solennelle. 2. Fam. Sonner bruyamment la cloche d'une porte d'entrée. *Carillonner à la porte.* 3. Transitivement. Fig. Faire savoir à grand bruit. *Carillonner une nouvelle.*

carlin [kaʀlɛ̃] n. m. ■ Petit chien à poil ras, au museau noir et écrasé. ⇒ **dogue.**

carlingue [kaʀlɛ̃g] n. f. ■ Partie habitable (d'un avion).

carmagnole [kaʀmaɲɔl] n. f. ■ Ronde chantée et dansée par les révolutionnaires, en 1793. *Dansons la carmagnole.*

carme [kaʀm] n. m. ■ Religieux de l'ordre de Notre-Dame du Mont-Carmel. ▶ *carmélite* n. f. ■ Religieuse de l'ordre du Mont-Carmel.

carmin [kaʀmɛ̃] n. m. ■ Colorant ou couleur rouge vif. ⇒ **rouge, vermillon.** — Adj. invar. *Des étoffes carmin.* ⇒ **carminé.** ▶ *carminé, ée* adj. ■ Rouge vif. *Un vernis à ongles carminé.*

carnage [kaʀnaʒ] n. m. ■ Action de tuer un grand nombre (d'animaux, d'hommes). ⇒ **boucherie, massacre, tuerie.** *Un affreux, un monstrueux carnage.*

carnassier, ière [kaʀnasje, jɛʀ] adj. et n. ■ Qui se nourrit de viande, de chair crue. *Les animaux carnassiers. Le lion est un animal carnassier. La belette est carnassière.* — N. m. *Les carnassiers.*

carnassière [kaʀnasjɛʀ] n. f. ■ Sac servant au chasseur pour porter le gibier. ⇒ **carnier, gibecière.**

carnation [kaʀnasjɔ̃] n. f. ■ Couleur, apparence de la chair d'une personne. ⇒ **teint.** *Une jolie carnation.*

carnaval, als [kaʀnaval] n. m. 1. Période réservée aux divertissements, qui va du jour des Rois (Épiphanie) au carême (mercredi des Cendres). ⇒ **jour gras.** 2. Divertissements publics (bals, défilés) du carnaval. *Déguisements, masques de carnaval. Le carnaval de Rio. Des carnavals.* ▶ *carnavalesque* adj. ■ Digne du carnaval. *Un spectacle carnavalesque.*

carne [kaʀn] n. f. 1. Fam. Viande de mauvaise qualité. 2. Mauvais cheval.

carné, ée [kaʀne] adj. ■ Composé de viande. *Alimentation carnée.*

carnet [kaʀnɛ] n. m. 1. Petit cahier de poche. ⇒ **agenda, calepin, répertoire.** *Inscrire, noter sur un carnet. Carnet d'adresses. Carnet de notes,* servant à consigner les notes d'un élève. *Carnet de commandes,* total des commandes d'une entreprise. 2. Assemblage de feuillets détachables. *Carnet à souche. Carnet de*

chèques. ⇒ **chéquier.** 3. Réunion de tickets, timbres, etc., détachables. *Achète-moi deux carnets (de métro).*

carnier [kaʀnje] n. m. ■ Petite carnassière. ⇒ **gibecière.**

carnivore [kaʀnivɔʀ] adj. et n. 1. Adj. Qui se nourrit de chair. ⇒ **carnassier.** — *Plantes carnivores,* qui peuvent capturer de petits animaux, des insectes. 2. N. *Les* CARNIVORES : ordre de mammifères qui, grâce à leurs dents et à leur système digestif, peuvent manger beaucoup de chair crue. *Le chat est un carnivore.*

carolingien, ienne [kaʀɔlɛ̃ʒjɛ̃, jɛn] adj. ■ De Charlemagne, de son époque, de sa dynastie. *L'Empire carolingien. Art carolingien.*

caroncule [kaʀɔ̃kyl] n. f. ■ Petite excroissance charnue.

carotide [kaʀɔtid] n. f. ■ Chacune des deux grosses artères qui conduisent le sang du cœur à la tête.

carotte [kaʀɔt] n. f. 1. Plante potagère dont la racine est sucrée et comestible. *Carottes fourragères.* — Spécialt. La racine rouge de la carotte potagère. *Manger des carottes. Carottes râpées.* — Loc. fam. *Les carottes sont cuites,* tout est fini, perdu. 2. En France. Enseigne des bureaux de tabac. 3. Adj invar. *Rouge carotte, couleur carotte.* ▶ *carotène* n. m. ■ Matière colorante jaune ou rouge que l'on trouve dans des végétaux (carotte), chez les animaux.

carotter [kaʀɔte] v. tr. . conjug. 1. ■ Fam. Prendre (qqch.) par ruse. ⇒ **escroquer, soutirer, voler.** *Carotter une permission. Il a carotté cent francs à son père.* ▶ *carottage* n. m. ▶ *carotteur, euse* ou *carottier, ière* n. et adj. ■ Personne qui carotte (qqch.), qui escroque (qqn).

caroubier [kaʀubje] n. m. ■ Arbre à feuilles persistantes, à fleurs rougeâtres, qui produit un fruit sucré (appelé *caroube,* n. f.).

① *carpe* [kaʀp] n. f. 1. Gros poisson d'eau douce couvert de larges écailles. *Carpe de rivière, d'étang.* 2. Loc. fig. SAUT DE CARPE : saut où l'on se rétablit sur les pieds, d'une détente, étant couché sur le dos. — Loc. fam. *Bâiller comme une carpe,* bâiller en ouvrant largement la bouche. *Être, rester muet comme une carpe,* ne pas dire un mot.

② *carpe* n. m. ■ Anatomie. Double rangée de petits os (huit chez l'homme) qui soutiennent le poignet. ‹ ▶ *métacarpe* ›

carpette [kaʀpɛt] n. f. 1. Petit tapis. ⇒ **descente** de lit. 2. Loc. fam. *C'est une vraie carpette,* un personnage rampant, qui flatte bassement qqn.

carquois [kaʀkwa] n. m. invar. ■ Étui destiné à contenir des flèches.

① *carré, ée* [ka(ɑ)ʀe] adj. 1. Qui forme une figure à quatre angles droits et à côtés égaux. ⇒ ② **carré.** *Plan carré.* — Mètre carré, surface d'un carré ayant un mètre de côté (abrév. : m²). *Cette pièce fait quinze mètres carrés.* 2. Qui a à peu près la forme d'un carré géométrique. *Fenêtre carrée. Tour carrée.* — *Épaules carrées,* larges, robustes (⇒ **carrure**). 3. Abstrait. Dont le caractère est nettement tranché, accentué. *Une réponse carrée* (⇒ **carrément**). 4. *Racine carrée.* ⇒ **racine.** ▶ ② *carré* n. m. 1. Quadrilatère dont les quatre angles sont droits et les quatre côtés égaux. *Les carrés d'un damier, d'un papier.* ⇒ **case ; carreau, quadrillage.** — Foulard, fichu carré. *Elle portait un carré de soie imprimée.* 2. Figure rappelant un carré. *Cultiver un carré de terre.* 3. Troupe disposée pour faire face des quatre côtés. *Former le carré.* 4. Chambre d'un navire servant de salon ou de salle à manger aux officiers. *Le carré des officiers.* **5.** Produit d'un nombre par lui-même. *Seize est le carré de quatre.* / contr. **racine** carrée / **6.** *Un carré d'as*, au poker, les quatre as. **7.** CARRÉ DE L'EST : fromage fermenté. ▶ *carrée* n. f. ■ Fam. Chambre. ⇒ fam. **piaule.**

▶ *carreau* [ka(ɑ)ʀo] n. m. **I. 1.** Pavé plat, de forme carrée. ⇒ **dalle, pavé.** *Des carreaux de faïence.* **2.** Sol pavé de carreaux. ⇒ **carrelage.** *Laver le carreau.* — Loc. fig. *Rester sur le carreau*, être tué ou grièvement blessé ; être abandonné. — *Carreau de mine*, emplacement où sont déposés les produits extraits de la mine. **3.** Plaque de verre dont sont munies les fenêtres, les portes vitrées. ⇒ **vitre.** *Laveur de carreaux. Encore un carreau de cassé.* **II. 1.** Au plur. Assemblage symétrique de plusieurs carrés. *Étoffe à carreaux.* **2.** Dans les cartes à jouer. Série dont la marque distincte est un carreau rouge. *Se tenir* À CARREAU loc. fam. : être sur ses gardes. ‹ ▶ **bécarre,** carreler, carrelet, carrément, se carrer, carrure ›

carrefour [kaʀfuʀ] n. m. **1.** L'endroit où se croisent plusieurs voies. ⇒ **bifurcation, croisement, embranchement. 2.** Situation nouvelle où l'on doit choisir entre diverses voies. *Parvenir, se trouver à un carrefour.* — Croisement d'influences. *Un carrefour d'idées.* — En appos. *Sciences carrefours.*

carreler [ka(ɑ)ʀle] v. tr. ■ conjug. 4. **1.** Paver avec des carreaux. — Au p. p. adj. *Une cuisine carrelée.* **2.** Tracer des carrés sur (une feuille de papier, une toile). ⇒ **quadriller.** ▶ *carrelage* n. m. ■ Action de carreler. *Le carrelage d'une cuisine.* — Pavage fait de carreaux. ⇒ **dallage.** *Poser un carrelage.* ▶ *carreleur, euse* n. m. ■ Personne qui carrelle.

carrelet [ka(ɑ)ʀlɛ] n. m. **1.** Poisson de forme quadrangulaire. ⇒ **plie. 2.** Filet carré.

carrément [ka(ɑ)ʀemɑ̃] adv. ■ D'une façon nette, décidée, sans détours. ⇒ **fermement, franchement, hardiment, nettement.** *Parler, répondre carrément, sans ambages. Dire carrément ce que l'on pense.* / contr. **indirectement, timidement** / — Fam. *Il est carrément idiot.* ⇒ **complètement.** *Il l'a giflé. Carrément !*

se carrer [ka(ɑ)ʀe] v. pron. ■ conjug. 1. ■ *Se carrer dans un fauteuil, dans sa voiture*, s'y installer confortablement ; s'y mettre à l'aise. ⇒ **s'étaler,** se **prélasser.**

① *carrière* [ka(ɑ)ʀjɛʀ] n. f. ■ Lieu d'où l'on extrait des matériaux de construction (pierre, roche), surtout à ciel ouvert (opposé à *mine*). *Carrière de pierres, de marbre. Creuser, exploiter, fouiller une carrière. Les filons, les puits d'une carrière.* ▶ *carrier* n. m. ■ Celui qui exploite une carrière comme entrepreneur ou comme ouvrier.

② *carrière* n. f. **1.** Littér. Voie où s'engage. *Entrer dans la carrière*, dans la vie active. — Loc. DONNER CARRIÈRE À : donner libre cours à. **2.** Métier, profession qui présente des étapes, une progression. *Le choix d'une carrière* — FAIRE CARRIÈRE *(dans)* : réussir (dans une profession). *Il a fait carrière dans le cinéma.* — Militaire DE CARRIÈRE (opposé à *appelé, mobilisé*).

carriole [ka(ɑ)ʀjɔl] n. f. ■ Petite charrette campagnarde.

carrossable [ka(ɑ)ʀɔsabl] adj. ■ Où peuvent circuler des voitures. *Chemin carrossable.* ⇒ ① **praticable.**

carrosse [ka(ɑ)ʀɔs] n. m. ■ Ancienne voiture à chevaux, de luxe, à quatre roues, suspendue et couverte. *Le carrosse du roi.*

carrosser [ka(ɑ)ʀɔse] v. tr. ■ conjug. 1. ■ Munir (un véhicule) d'une carrosserie. — Au p. p. adj. *Châssis carrossé.* ▶ *carrosserie* n. f. **1.** Industrie, commerce des carrossiers. **2.** Caisse d'une automobile (capot, toit, coffre, portes, ailes). *Carrosserie sur châssis.* ▶ *carrossier* n. m. ■ Tôlier spécialisé dans la construction, la réparation de carrosseries d'automobiles.

carrousel [kaʀuzɛl] n. m. **1.** Parade où des cavaliers se livrent à des exercices. **2.** Fig. Ensemble d'objets mobiles qui évoluent. *Un carrousel d'avions, de motos.*

carrure [ka(ɑ)ʀyʀ] n. f. **1.** Largeur du dos, d'une épaule à l'autre. *Forte carrure. Veste trop étroite de carrure.* **2.** Abstrait. Force, valeur (d'une personne). *Son prédécesseur était d'une autre carrure.* ⇒ **envergure, stature.**

cartable [kaʀtabl] n. m. ■ Sac, sacoche d'écolier. ⇒ **carton** (3), **serviette.** *Il porte son cartable sur le dos, à la main.*

① *carte* [kaʀt] n. f. **1.** Rectangle ou carré de papier, de carton. — Loc. *Donner* CARTE BLANCHE *à qqn* : le laisser libre de choisir, de décider. **2.** Petit carton rectangulaire dont l'une des faces porte une illustration et qui est utilisé dans différents jeux (on dit aussi *carte à jouer*). *Un jeu de 32, de 52 cartes.* ⇒ **carreau, cœur, pique, trèfle.** *Faire une partie de cartes. Jouer aux cartes. Battre, distribuer les cartes.* — Loc. fig. BROUILLER LES CARTES : compliquer, obscurcir volontairement une affaire. *Jouer sa* DERNIÈRE CARTE : tenter sa dernière chance. *Jouer* CARTES SUR TABLE : agir franchement, sans rien cacher. CARTE FORCÉE : obligation à laquelle on ne peut pas échapper. **3.** Liste des plats, des consommations avec leurs prix. *Manger à la carte*, en choisissant librement (opposé à *au menu*). **4.** CARTE (DE VISITE) : petit carton sur lequel on fait imprimer son nom, son adresse, sa profession, etc. **5.** CARTE (POSTALE) : carte dont l'une des faces sert à la correspondance, l'autre portant une photographie. *J'ai reçu une carte postale du Japon.* **6.** Papier prouvant l'identité d'une personne et sur lequel sont notés certains droits dont elle bénéficie. *Carte d'identité. Carte d'électeur. Carte de chemin de fer. Carte d'étudiant.* — CARTE GRISE : titre de propriété d'un véhicule automobile. — CARTE ORANGE : carte d'abonnement qui permet d'utiliser librement les transports en commun à Paris et dans sa banlieue. — CARTE DE CRÉDIT : carte permettant d'effectuer certains achats, payés sur le compte d'une banque. **7.** *Carte perforée, mécanographique*, portant, sous forme de perforations à des emplacements déterminés, des renseignements pouvant être interprétés et utilisés en machine. ⇒ **fiche.** — *Carte électronique, magnétique.* ‹ ▶ **cartomancie,** ② **cartouche,** encart, mandat-carte, pancarte, porte-cartes ›

② *carte* n. f. ■ Représentation à échelle réduite de la surface totale ou partielle du globe terrestre. *Carte universelle.* ⇒ **mappemonde, planisphère.** *Recueil de cartes.* ⇒ **atlas.** *Carte géologique, routière. Carte de France.* — *Carte du ciel* (⇒ **cosmographie**). *Carte de la Lune.* — *Carte muette,* sans indication de noms. ‹ ▶ **cartographie** ›

① *cartel* [kaʀtɛl] n. m. ■ Encadrement décoratif qui entoure certaines pendules. — Cette pendule. *Un cartel Louis XV.*

② *cartel* n. m. **1.** Entente regroupant des entreprises ayant des activités proches en vue de supprimer la concurrence et de s'assurer la domination du marché. ⇒ **association, consortium, trust. 2.** Association de groupements (politiques, syndicaux) en vue d'une action commune. *Le cartel des gauches.*

carter [kaʀtɛʀ] n. m. ■ Enveloppe de métal servant à protéger un mécanisme. *Le carter d'une chaîne de bicyclette, d'un moteur. Des carters.*

cartésien, ienne [kaʀtezjɛ̃, jɛn] adj. **1.** Relatif à Descartes, à sa philosophie. **2.** (Raisonnement ; personnes) Clair, logique. *Un esprit cartésien.* / contr. **confus, obscur** /

cartilage [kaʀtilaʒ] n. m. ■ Tissu animal résistant mais élastique et souple (squelette des vertébrés inférieurs et des embryons des vertébrés supérieurs). *Le cartilage du nez, de l'oreille.* ► **cartilagineux, euse** adj. ■ Composé de cartilage. *Tissus cartilagineux.*

cartographie [kaʀtɔgʀafi] n. f. ■ Technique de l'établissement, du dessin et de l'édition des cartes ② et plans. ► **cartographe** n. ■ Spécialiste qui fait les cartes. ► **cartographique** adj.

cartomancie [kaʀtɔmɑ̃si] n. f. ■ Prédiction de l'avenir par l'interprétation des cartes (①, 2). ► **cartomancien, ienne** n. ■ Tireur(euse) de cartes, voyant(e).

carton [kaʀtɔ̃] n. m. **1.** Matière assez épaisse, faite de pâte à papier (papier grossier ou ensemble de feuilles collées). *Du carton gris ; ondulé. Une feuille de carton ou un carton. En* CARTON-PÂTE *: factice. Un décor de film en carton-pâte,* — Fig. *Des personnages en carton-pâte,* faux. **3.** Boîte, réceptacle en carton fort. *Carton à chapeau, à chaussures.* — Dossier. — CARTON À DESSIN *: grand portefeuille.* — Serviette d'écolier. ⇒ **cartable.** **4.** FAIRE UN CARTON *: tirer à la cible* ; fig. et fam. tirer (sur qqn). ► **cartonnage** n. m. **1.** Industrie de la fabrication des objets en carton. **2.** Reliure en carton avec un dos en toile. — Emballage en carton. ⇒ **emboîtage.** ► **cartonné, ée** adj. ■ (Livre) Recouvert d'une reliure en carton (opposé à *broché*). ► **cartonnier** n. m. ■ Fabricant, marchand de carton.

① **cartouche** [kaʀtuʃ] n. f. **1.** Enveloppe contenant la charge d'une arme à feu. *La douille, l'amorce d'une cartouche. Cartouche à blanc.* — Les DERNIÈRES CARTOUCHES *: les dernières réserves.* **2.** Petit étui cylindrique. *La cartouche d'encre d'un stylo.* ⇒ **recharge.** **3.** Boîte contenant un certain nombre de paquets de cigarettes. *Une cartouche de gauloises.* ► **cartouchière** n. f. ■ Sac ou boîte à cartouches.

② **cartouche** n. m. ■ Ornement sculpté ou dessiné, en forme de carte à demi déroulée et destiné à recevoir une inscription. *Décoration en cartouche.*

① **cas** [kɑ] n. m. invar. **I.** Emplois généraux. **1.** Ce qui arrive. ⇒ **circonstance, conjoncture, événement, fait, situation.** *Un cas grave, important ; cas étrange, rare. Cas imprévu. C'est un* CAS D'ESPÈCE *: un cas spécial. C'est le cas de* (+ infinitif), *le moment. C'est bien le cas de le dire.* — *Dans le cas présent ; dans ce cas-là.* — (Avec *en*) *En ce cas.* ⇒ **alors.** EN CAS DE loc. prép. *: dans le cas de. En cas d'accident, qui faut-il prévenir ? En cas de besoin,* s'il est besoin. **2.** EN CAS QUE (+ subjonctif), AU CAS OÙ (+ conditionnel) loc. conj. *: en admettant que, à supposer que.* ⇒ **quand, si.** *En cas qu'il vienne. Au cas où je ne serais pas à l'heure, commencez à manger. Au cas, dans le cas, pour le cas où il viendrait.* — EN AUCUN CAS (dans une proposition négative) ⇒ **jamais.** *En aucun cas je n'accepterai de partir.* — EN TOUT CAS loc. adv. *: quoi qu'il arrive, de toute façon.* **3.** FAIRE GRAND CAS DE *qqn, qqch. : lui accorder beaucoup d'importance.* FAIRE CAS DE. ⇒ **apprécier, considérer, estimer.** *Faire peu de cas, ne faire aucun cas de qqn, qqch.* **II.** **1.** Situation définie par la loi pénale. ⇒ **crime, délit.** *Soumettre un cas au juge. C'est un cas de*

légitime défense. **2.** CAS DE CONSCIENCE *: difficulté sur un point de morale, de religion* (⇒ **casuiste**). — Scrupule. **3.** État ou évolution de l'état d'une personne, du point de vue médical. *Un cas grave.* — *Le malade lui-même. Dupuis est un cas intéressant.* — *Personne présentant des caractères psychologiques singuliers. Catherine, c'est vraiment un cas.* ⟨ ► **casuiste, en-cas, le cas échéant, occasion** ⟩

② **cas** n. m. invar. ■ Chacune des formes d'un mot qui est modifié et qui correspondent à des fonctions grammaticales précises dans la phrase. ⇒ **désinence ; déclinaison.** *Les six cas du latin. Le russe, l'allemand ont conservé des cas.*

casanier, ière [kazanje, jɛʀ] adj. ■ Qui aime à rester chez soi. ⇒ **sédentaire ;** fam. **pantouflard.** *Une femme casanière.* / contr. **bohème** /

casaque [kazak] n. f. **1.** Ancienn. Veste. — Veste en soie des jockeys. — Loc. fig. TOURNER CASAQUE *: fuir ; tourner le dos à ceux de son parti, changer de parti, d'opinion* (→ Retourner sa veste).

cascade [kaskad] n. f. **1.** Chute d'eau ; succession de chutes d'eau. ⇒ ① **cataracte. 2.** Ce qui se produit de manière saccadée. *Cascade de rires, d'applaudissements.* **3.** Acrobatie des cascadeurs. ► **cascader** v. intr. ■ conjug. 1. ■ Tomber en cascade. *Un torrent qui cascade sur une pente.* ► **cascadeur, euse** n. ■ Acrobate qui tourne les scènes dangereuses d'un film. *L'actrice était doublée par une cascadeuse.*

① **case** [kɑz] n. f. ■ Habitation simple, traditionnelle, dans des pays exotiques. *Cases africaines.* ⇒ **hutte, paillote.**

② **case** n. f. **1.** Carré ou rectangle dessiné sur un damier, un échiquier, etc. *Les 64 cases de l'échiquier.* **2.** Compartiment d'un meuble, d'un casier. *Tiroir à plusieurs cases. L'écolier range ses affaires dans la case (de son pupitre).* **3.** Fam. *Il lui manque une case, il a une case en moins, une case (de) vide,* il est anormal, fou. ⟨ ► **caser, casier** ⟩

caséine [kazein] n. f. ■ Substance qui constitue l'essentiel des matières azotées du lait.

casemate [kazmat] n. f. ■ Abri enterré, protégé contre les obus, les bombes. ⇒ **fortin, blockhaus.** *Casemates d'un fort.*

caser [kɑze] v. tr. ■ conjug. 1. Fam. **1.** Mettre à la place qu'il faut ; dans une place qui suffit. ⇒ **placer ;** fam. **fourrer.** *Il a réussi à caser tous ses bagages dans le coffre de la voiture.* **2.** Établir (qqn) dans une situation. *Elle a deux filles à caser,* à marier. *Il a casé son neveu dans l'Administration.* — Pronominalement (réfl.). *Il cherche à se caser,* à se marier.

caserne [kazɛʀn] n. f. **1.** Bâtiment destiné au logement des militaires. ⇒ **baraquement, quartier.** *Être à la caserne,* être soldat. — Troupes logées dans une caserne. *Toute la caserne sera consignée. Plaisanteries, habitudes de caserne,* de soldat. **2.** Fam. Grand immeuble peu plaisant, divisé en nombreux appartements. **3.** Fam. Établissement où règne une discipline sévère. *Cet internat est une vraie caserne.* ► **casernement** n. m. ■ Ensemble des constructions d'une caserne.

cash [kaʃ] adv. ■ Anglic. Fam. *Payer cash.* ⇒ **comptant.** *Cent mille francs cash.*

casier [kɑzje] n. m. **1.** Ensemble de cases, de compartiments formant meuble. *Casier à livres, à disques, à bouteilles. Casiers métalliques* (de bureau). **2.** CASIER JUDICIAIRE *: relevé des condamnations prononcées contre qqn. Il a un casier judiciaire vierge,* sans condamnation.

casino [kazino] n. m. ■ Établissement de plaisir, de spectacle, où les jeux d'argent sont autorisés. *La salle de jeux, le dancing d'un casino. Des casinos.*

casoar [kazɔaʀ] n. m. **1.** Grand oiseau coureur qui porte sur le front une sorte de casque. **2.** Touffe de plumes ornant la coiffure des saint-cyriens.

casque [kask] n. m. **1.** Coiffure qui couvre et protège la tête. *Casque militaire. Casque léger,* en matière plastique. *Casque de motocycliste. Le port du casque est obligatoire sur le chantier.* **2.** Ensemble constitué par deux écouteurs. *Un casque de walkman.* **3.** Appareil à air chaud qui coiffe la tête et qui sert à sécher les cheveux. ⇒ **séchoir.** *Être sous le casque.* ▶ **casqué, ée** adj. ■ Coiffé d'un casque. ⟨ ▶ casquette ⟩

casquer [kaske] v. intr. ▪ conjug. 1. ■ Fam. Donner de l'argent, payer. ⇒ **débourser.** *Faire casquer qqn.*

casquette [kaskɛt] n. f. ■ Coiffure garnie d'une visière. *Casquette de toile. Casquette d'aviateur.*

cassable [kasabl] adj. ■ Qui risque de se casser facilement. ⇒ **cassant, fragile.** / contr. **incassable** /

cassant, ante [kasɑ̃, ɑ̃t] adj. **1.** Qui se casse. *Métal cassant.* **2.** Qui manifeste son autorité par des paroles dures. ⇒ **absolu, brusque, sec, tranchant.** *Un ton cassant, des paroles cassantes.* / contr. **conciliant, doux** / **3.** (Surtout au négatif) Fam. Fatigant. *Ce n'est pas très cassant,* c'est facile.

cassate [kasat] n. f. ■ Glace aux fruits confits.

cassation [kasasjɔ̃] n. f. ■ Annulation (d'une décision) par une cour compétente. *Cassation d'un testament.* — *La Cour de cassation,* la juridiction suprême de l'ordre judiciaire français.

① casse [kas] n. f. **1.** Action de casser. ⇒ **bris.** *Ces objets sont mal emballés, il y aura de la casse.* — *Il va y avoir de la casse,* de la bagarre. **2.** *Mettre une voiture à la casse,* à la ferraille.

② casse n. m. ■ Arg. Cambriolage. *Faire un casse.* ⟨ ▶ ② casseur ⟩

casse-cou [kasku] n. invar. et adj. invar. **1.** N. m. invar. Passage difficile, lieu où l'on risque de tomber. — *Crier casse-cou à qqn,* l'avertir d'un danger. **2.** N. invar. Fam. Personne qui s'expose, sans réflexion, à un danger. ⇒ **audacieux, imprudent, téméraire.** *Une vraie casse-cou.* — Adj. invar. *Elles sont casse-cou.*

casse-croûte n. m. invar. ■ Repas léger pris rapidement. *Des casse-croûte.*

casse-gueule n. m. invar. et adj. invar. ■ Fam. Endroit dangereux où l'on risque de tomber. *Cet escalier est un casse-gueule.* — Adj. invar. Dangereux, risqué. *C'est casse-gueule.*

casse-noisettes, casse-noix n. m. invar. ■ Petit instrument composé de deux leviers et qui sert à casser des noisettes, des noix. *Des casse-noisettes, des casse-noix.*

casse-pieds n. invar. ■ Fam. Personne insupportable, ennuyeuse. ⇒ **importun.** — Adj. invar. *Ce qu'elles sont casse-pieds !*

casse-pipe n. m. invar. ■ Fam. Guerre. *Aller au casse-pipe.*

casser [kase] v. ▪ conjug. 1. **I.** V. tr. **1.** Mettre en morceaux, diviser (une chose rigide) d'une manière soudaine, par choc, coup, pression. ⇒ **briser, broyer, écraser, rompre.** *Casser une assiette, un verre, une vitre. Casser qqch. en (deux, ..., mille) morceaux.* / contr. **réparer ; recoller** / — Au p. p. adj. *Du verre cassé.* — Loc. CASSER LA CROÛTE : manger (⇒ **casse-**

croûte). CASSER LE MORCEAU : avouer, dénoncer. CASSER DU SUCRE SUR LE DOS *de qqn* : dire du mal de qqn en son absence. — CASSER SA PIPE : mourir. — CASSER LA TÊTE DE *qqn* : assourdir, fatiguer, importuner. *Il nous casse la tête avec ses discours. Ne te casse pas la tête !,* ne te fatigue pas. — Fam. *Casser la figure, la gueule à qqn,* se battre avec lui, le rosser. *Se casser la figure,* tomber ; avoir un accident. **2.** Rompre l'os (d'un membre, du nez, etc.). *Elle s'est cassé la jambe.* — Au p. p. adj. *Il a les deux bras cassés.* — CASSER LES PIEDS *à qqn* : fam. l'ennuyer, le déranger. *Il casse les pieds à tout le monde.* ⇒ **casse-pieds. 3.** Fam. Endommager de manière à empêcher le fonctionnement de (qqch.). ⇒ **détériorer.** *Il a cassé sa montre, sa bicyclette.* — Au p. p. adj. *Il faut réparer les chaises cassées. Voix cassée,* rauque, qui émet irrégulièrement les sons. — Fam. *Casser le moral,* démoraliser. **4.** Fam. ÇA NE CASSE RIEN : ça n'a rien d'extraordinaire. — Fam. À TOUT CASSER : à toute allure *(il conduit sa voiture à tout casser)* ; tout au plus *(ça coûtera cent francs à tout casser).* Loc. adj. Extraordinaire. *Un film, un repas à tout casser.* **5.** Abstrait. Annuler un acte, un jugement, une sentence (⇒ **cassation**). / contr. **ratifier, valider** / — *Casser les prix,* les faire diminuer brusquement. **6.** (Compl. personne) Dégrader, démettre de ses fonctions. *Casser un officier.* **II.** V. pron. **1.** (Passif) *Le verre se casse facilement.* **2.** Réfl. (Personnes) Fam. Se fatiguer. *Elle ne s'est pas cassée.* — S'en aller. *Ils viennent juste de se casser.* **III.** V. intr. Se rompre, se briser. *Le verre a cassé en tombant.* ⟨ ▶ cassable, cassant, cassation, ① casse, ② casse, casse-cou, casse-croûte, casse-gueule, casse-noisettes, casse-noix, casse-pieds, casse-pipe, casse-tête, ① casseur, ② casseur, cassure, concasser ⟩

casserole [kasʀɔl] n. f. **1.** Ustensile de cuisine de forme cylindrique, à manche. — Loc. fam. *Passer à la casserole,* être mis à rude épreuve. **2.** Fam. Mauvais piano. **3.** Arg. cinéma. Projecteur.

casse-tête [kastɛt] n. m. invar. **1.** Massue grossière ; matraque. **2.** Travail compliqué qui fatigue l'esprit. *Ce problème est un casse-tête.*

cassette [kasɛt] n. f. **1.** Anciennt. Petit coffre destiné à ranger de l'argent, des bijoux. ⇒ **coffret.** — Fam. *Je prendrai cette somme sur ma cassette,* mon argent. **2.** Boîtier de petite taille muni de bobines de bandes magnétiques défilant dans les deux sens. *Poste de radio à cassettes. Elle s'est acheté un lecteur de cassettes.* ⇒ **magnétophone, minicassette.** *Cassette pour magnétoscope.* ⇒ **vidéocassette.** — Abusivt. Bande magnétique. *Enregistrer sur disque ou sur cassette.*

① casseur, euse [kasœʀ, øz] n. **1.** Celui, celle qui casse. *Les casseurs paieront les dégâts.* — N. m. Personne qui, au cours d'une manifestation, endommage volontairement des biens publics ou privés. *Répression contre les casseurs.* **2.** Adj. Fam. Qui casse par maladresse. *Cette domestique est casseuse.*

② casseur n. m. ■ Arg. Cambrioleur.

① cassis [kasis] n. m. invar. ■ Groseillier noir à feuilles odorantes, avec les fruits duquel on fabrique une liqueur. — Cette liqueur. *Un verre de cassis.* ⟨ ▶ mêlécasse ⟩

② cassis [ka(a)si(s)] n. m. invar. ■ Rigole en travers d'une route. / contr. dos d'**âne** /

cassolette [kasɔlɛt] n. f. **1.** Réchaud à couvercle percé de trous dans lequel on fait brûler des parfums. ⇒ **encensoir.** **2.** Ustensile de cuisine.

cassoulet [kasulɛ] n. m. ■ Ragoût préparé avec de la viande (confit d'oie, de canard, mouton ou porc) et des haricots blancs.

cassure [kɑsyʀ] n. f. **1.** Endroit où un objet a été cassé. ⇒ **brèche, faille, fracture. 2.** Abstrait. Coupure, rupture. *Une cassure dans une vie, une amitié.*

castagnettes [kastaɲɛt] n. f. pl. ■ Petit instrument de musique espagnol composé de deux pièces de bois creusées, réunies par un cordon, et que l'on fait claquer l'une contre l'autre.

caste [kast] n f. **1.** Classe sociale fermée (d'abord en Inde). *La caste des prêtres ; la caste des guerriers.* **2.** Péj. Classe de la société (fermée, jalouse de ses privilèges). ⇒ **clan.** *Esprit, orgueil, préjugés de caste.*

castel [kastɛl] n. m. ■ Petit château.

castor [kastɔʀ] n. m. **1.** Mammifère rongeur des pays froids, à large queue plate. *Certains castors construisent des digues de terre battue.* **2.** Fourrure de cet animal. *Manteau de castor.*

castrer [kastʀe] v. tr. ∎ conjug. 1. ■ Pratiquer la castration sur. ⇒ **châtrer.** ▶ *castration* n. f. ■ Opération par laquelle on prive un individu, mâle ou femelle, de la faculté de se reproduire.

casuiste [kɑ(a)zɥist] n. m. ■ Théologien qui s'applique à résoudre les cas de conscience. ⇒ ① **cas** (II, 2). ▶ *casuistique* n. f. **1.** Partie de la théologie morale qui s'occupe des cas de conscience. **2.** Péj. Subtilité complaisante (en morale).

cataclysme [kataklism] n. m. **1.** Bouleversement de la surface de la terre par une catastrophe (inondation, tremblement de terre, etc.). **2.** Terrible catastrophe. ⇒ **calamité.**

catacombe [katakɔ̃b] n. f. ■ Cavité souterraine ayant servi de sépulture. ⇒ **cimetière.** *Les catacombes de Rome.*

catafalque [katafalk] n. m. ■ Décoration funèbre au-dessus du cercueil.

catalan, ane [katalɑ̃, an] adj. et n. ■ De Catalogne (française et espagnole). — N. *Les Catalans.* — N. m. *Le catalan,* langue romane parlée en Catalogne, aux Baléares.

catalepsie [katalɛpsi] n. f. ■ Suspension complète du mouvement volontaire des muscles. ⇒ **léthargie, paralysie.** ▶ *cataleptique* adj. ■ De la catalepsie. — N. Personne atteinte de catalepsie.

catalogue [katalɔg] n. m. **1.** Liste méthodique accompagnée de détails, d'explications. ⇒ **index, inventaire, répertoire.** *Le catalogue d'une bibliothèque. Dresser un catalogue.* **2.** Liste de marchandises, d'objets à vendre. *Un catalogue de grand magasin, de maison de vente par correspondance. Catalogue illustré.* ▶ *cataloguer* v. tr. ∎ conjug. 1. **1.** Classer, inscrire par ordre. **2.** Péj. Classer (qqn) en le jugeant de manière définitive. *Il t'a catalogué, pour lui tu es un paresseux.*

catalyse [kataliz] n. f. ■ Action par laquelle une substance rend possible une réaction chimique, par sa seule présence (en augmentant la vitesse de réaction). ▶ *catalyser* v. tr. ∎ conjug. 1. **1.** Agir comme catalyseur. **2.** Fig. Déclencher, par sa seule présence (une réaction, un processus). *Catalyser l'enthousiasme.* ▶ *catalyseur* n. m. ■ Ce qui catalyse. — Abstrait. *Jouer le rôle de catalyseur.*

catamaran [katamaʀɑ̃] n. m. ■ Bateau à deux flotteurs parallèles. *Les catamarans et les trimarans.*

cataphote [katafɔt] n. m. ■ Dispositif réfléchissant la lumière et rendant visible la nuit le véhicule, l'obstacle qui le porte.

cataplasme [kataplasm] n. m. **1.** Bouillie médicinale que l'on applique, entre deux linges, sur une partie du corps. *Cataplasme sinapisé.* ⇒ **sinapisme. 2.** Fam. Aliment épais et indigeste. *Ce potage est un vrai cataplasme.* ⇒ **emplâtre.**

catapulte [katapylt] n. f. **1.** Machine de guerre antique qui lançait de lourds projectiles. ⇒ **baliste. 2.** Machine qui permet de lancer des avions, des fusées. ▶ *catapultage* n. m. ■ *Le catapultage d'une fusée.* ▶ *catapulter* v. tr. ∎ conjug. 1. **1.** Lancer par catapulte (2). **2.** Lancer, projeter violemment. — Abstrait. Envoyer subitement (qqn) dans un lieu, une situation. ⇒ fam. **bombarder.**

① *cataracte* [kataʀakt] n. f. ■ Chute des eaux d'un grand cours d'eau (plus grande que la *cascade*). *La cataracte du Niagara.* — *Des cataractes de pluie,* des chutes violentes.

② *cataracte* n. f. ■ Opacité du cristallin (milieu transparent de l'œil) ou de sa membrane, qui s'oppose au passage de la lumière et entraîne des troubles de la vision. *Être opéré de la cataracte.*

catastrophe [katastʀɔf] n. f. **1.** Malheur effroyable et brusque. ⇒ **calamité, cataclysme, désastre.** *Une catastrophe aérienne. Courir à la catastrophe.* — Loc. EN CATASTROPHE : d'urgence, pour éviter le pire ; très vite. *Atterrir en catastrophe. Partir en catastrophe.* **2.** Fam. Événement fâcheux. ⇒ **accident, ennui.** ▶ *catastrophé, ée* adj. ■ Fam. Abattu, comme par une catastrophe. *Il en est tout catastrophé.* ▶ *catastrophique* adj. **1.** Qui a les caractères d'une catastrophe. ⇒ **affreux, désastreux, effroyable, épouvantable.** *Événement catastrophique.* **2.** Fam. Qui peut provoquer une catastrophe. *Le gouvernement a pris des mesures catastrophiques.* **3.** Fam. Très mauvais. *Ses résultats en classe sont catastrophiques.*

catch [katʃ] n. m. ■ Spectacle de lutte libre. ▶ *catcher* v. intr. ∎ conjug. 1. ■ Lutter au catch. ▶ *catcheur, euse* n. ■ Personne qui pratique le catch.

catéchiser [kateʃize] v. tr. ∎ conjug. 1. ■ Endoctriner, sermonner. ▶ *catéchisme* n. m. ■ Enseignement élémentaire de la doctrine et de la morale chrétiennes. *Apprendre sa leçon de catéchisme.* — Lieu où l'on donne cette instruction. *Aller au catéchisme* (abrév. fam. *caté*).

catégorie [kategɔʀi] n. f. ■ Classe dans laquelle on range des objets de même nature. ⇒ **espèce, famille, genre, groupe, ordre, série.** *Catégorie d'aliments, de marchandises. Ranger des livres par catégories.* — *Catégories grammaticales,* qui classent les mots (ex. : *verbe, nom, adverbe*).

catégorique [kategɔʀik] adj. ■ Qui ne permet aucun doute, ne souffre pas de discussion. ⇒ **absolu, indiscutable.** *Affirmation, réponse catégorique ; un refus catégorique.* ⇒ **formel.** *Une position catégorique.* ⇒ **clair, net.** — *Il a été catégorique sur ce point.* / contr. **équivoque, évasif** / ▶ *catégoriquement* adv. ■ D'une manière catégorique. ⇒ **carrément, franchement.**

caténaire [katenɛʀ] adj. et n. f. ■ *Suspension caténaire* ou *une caténaire,* soutenant le fil conducteur à distance constante d'une voie de chemin de fer (électrique).

cathare [kataʀ] n. et adj. ■ *Les Cathares,* secte chrétienne hérétique du Moyen Âge, dans le Sud-Ouest de la France. — Adj. *L'hérésie cathare.*

cathédrale [katedʀal] n. f. **1.** Église principale d'un diocèse où se trouve le siège de l'évêque (abusivt, toute grande et belle église). *La cathédrale de Chartres, de Reims.* **2.** En appos. *Verre cathédrale,* translucide.

catherinette [katʀinɛt] n. f. ■ Jeune fille qui fête la Sainte-Catherine (fête traditionnelle des ouvrières de la mode, etc., non mariées à 25 ans).

cathéter [katetɛʀ] n. m. ■ En médecine. Sonde cannelée destinée à ouvrir, à élargir un canal, un orifice. ▶ **cathétérisme** n. m. ■ Sondage par cathéter.

cathode [katɔd] n. f. ■ Électrode* de sortie du courant. / contr. **anode** / ▶ **cathodique** adj. ■ Qui provient de la cathode. *Rayons cathodiques.* — *Tube cathodique,* à rayons cathodiques.

catholicisme [katɔlisism] n. m. ■ Religion chrétienne dans laquelle le pape exerce l'autorité en matière de dogme et de morale. ⇒ **Église.** ▶ **catholique** adj. et n. **1.** Relatif au catholicisme ; qui le professe. *La religion, la foi catholique. L'Église catholique, apostolique et romaine.* **2.** N. *Un bon catholique.* ⇒ **croyant, pratiquant. 3.** Fam. *Une chose pas (très) catholique,* louche.

en catimini [ãkatimini] loc. adv. ■ En cachette, discrètement, secrètement. ⇒ en **tapinois.** *S'approcher, faire qqch. en catimini.*

catogan [katɔgã] n. m. ■ Nœud, ruban, élastique qui attache les cheveux derrière la tête.

cauchemar [koʃmaʀ] n. m. **1.** Rêve pénible dont l'élément dominant est l'angoisse. *Il a fait un affreux cauchemar.* **2.** Personne ou chose qui effraie, obsède. ⇒ **hantise, tourment.** *L'orthographe, c'est son cauchemar !* ▶ **cauchemarder** v. intr. . conjug. 1. ■ Faire des cauchemars. ▶ **cauchemardesque** ou **cauchemardeux, euse** adj. ■ D'un cauchemar ; digne d'un cauchemar. *Une vision cauchemardesque.*

caudal, ale, aux [kodal, o] adj. ■ Relatif à la queue. *Nageoire caudale.*

causal, ale [kozal] adj. (Rare au masc. plur. *-als*). ■ Qui concerne la cause, lui appartient, ou la constitue. *Lien causal.* — En grammaire. « *Car* » *est une conjonction causale* (elle annonce la raison de ce qui a été dit). ▶ **causalité** n. f. ■ Qualité de cause. — Rapport de la cause à l'effet.

causant, ante [kozã, ãt] adj. ■ Fam. Qui parle volontiers ; qui aime à causer ②. ⇒ **bavard, causeur, communicatif.** *Il n'est pas très causant.*

① **cause** [koz] n. f. **1.** Ce par quoi un événement, une action humaine arrive, se fait. ⇒ **origine ; motif, raison.** *Il n'y a pas d'effet sans cause. La cause de sa réussite. Les causes de l'accident.* — *Être cause de, être cause que.* ⇒ ① **causer.** — À CAUSE DE *qqn, qqch.* loc. prép. : par l'action, l'influence de ; en raison de. *Tout est arrivé à cause de lui. Je lui pardonne à cause de son âge. L'avion n'a pu décoller à cause du mauvais temps.* — POUR CAUSE DE. *Le magasin est fermé pour cause d'inventaire.* — ET POUR CAUSE : pour une raison bien connue, qu'il est inutile de rappeler. **2.** Ce qui fait qu'une chose existe. ⇒ **fondement, origine.** *Cause première,* qui est indépendante de toute autre cause. / contr. **conséquence, effet /** **3.** *Pour la bonne cause,* le bon motif, sans intérêt personnel ; fam. pour épouser. ‹ ▶ **ayant cause,** causal, causalité, ① causer ›

② **cause** n. f. **1.** Affaire qui fait l'objet d'un procès. *Cause civile, criminelle. L'avocat plaide la cause de l'accusé.* — Loc. PLAIDER *(une, sa)* CAUSE : défendre (soi, qqn, qqch.). *Avoir, obtenir* GAIN DE CAUSE : l'emporter, obtenir ce qu'on voulait. EN TOUT ÉTAT DE CAUSE : de toute manière. **2.** EN CAUSE. *Être en cause,* être l'objet du débat, de l'affaire. METTRE EN CAUSE : appeler, citer au débat une personne ; accuser, attaquer, suspecter. REMETTRE EN CAUSE : remettre

en question. METTRE HORS DE CAUSE : dégager de tout soupçon, disculper. — *En désespoir de cause,* comme dernière ressource, tout autre moyen étant impossible. — *En connaissance de cause,* en connaissant les faits. **3.** L'ensemble des intérêts à soutenir, à faire triompher. ⇒ **parti.** *La cause de la liberté. Une cause injuste. Défendre, soutenir la cause de qqn.* — Loc. PRENDRE FAIT ET CAUSE *pour qqn* : prendre son parti, le défendre, le soutenir. — FAIRE CAUSE COMMUNE *avec qqn* : mettre en commun ses intérêts.

① **causer** [koze] v. tr. . conjug. 1. ■ Être cause de. ⇒ **amener, entraîner, motiver, occasionner, produire, provoquer, susciter.** *Causer un malheur. Causer un chagrin à qqn. L'incendie a causé des dégâts.*

② **causer** v. intr. . conjug. 1. **1.** S'entretenir familièrement avec qqn. ⇒ **parler ; bavarder.** *Nous causons ensemble. Causer avec qqn.* **2.** Trans. indir. (incorrect) *Causer de qqch. à qqn.* Fam. *Hé, toi, je te cause !* ▶ **causerie** n. f. **1.** Entretien familier. ⇒ **conversation. 2.** Discours, conférence sans prétention. *Une causerie littéraire.* ▶ **causette** n. f. ■ Fam. *Faire la causette, un brin de causette,* bavarder familièrement. ▶ **causeur, euse** adj. et n. **1.** Qui aime à causer. ⇒ **causant. 2.** N. Personne qui cause volontiers. *Un aimable, un insupportable causeur.* ‹ ▶ causant ›

causse [kos] n. m. ■ Plateau calcaire, dans le centre et le Sud-Ouest de la France.

caustique [kostik] adj. **1.** Qui désorganise, brûle les tissus animaux et végétaux. ⇒ **acide, brûlant, corrosif.** *Substance caustique. Soude caustique.* **2.** Abstrait. Qui attaque, blesse par la moquerie et la satire. ⇒ **mordant, narquois.** *Avoir l'esprit caustique.* / contr. **bienveillant** / ▶ **causticité** n. f. **1.** Caractère d'une substance caustique. *Causticité d'un acide.* **2.** Abstrait. Tendance à dire, à écrire des choses caustiques, mordantes. *La causticité d'une remarque.*

cauteleux, euse [kotlø, øz] adj. ■ Qui agit d'une manière hypocrite et habile. ⇒ **hypocrite, sournois.** *Air cauteleux, manières cauteleuses.* / contr. **franc /**

cautère [ko(o)tɛʀ] n. m. ■ Ce qui brûle les tissus vivants, pour cicatriser et guérir. ▶ **cautériser** v. tr. . conjug. 1. ■ Brûler au cautère. *Cautériser une plaie.* ▶ **cautérisation** n. f. ■ Action de cautériser.

caution [kosjõ] n. f. **1.** Garantie d'un engagement. ⇒ **cautionnement ; assurance, gage.** *Verser une caution, de l'argent pour servir de garantie. Mettre en liberté sous caution.* **2.** SUJET À CAUTION loc. adj. : sur qui ou sur quoi l'on ne peut compter, avoir confiance (⇒ **douteux, suspect**). **3.** La personne qui fournit une garantie, un témoignage. ⇒ **garant, témoin.** ▶ **cautionnement** n. m. ■ Somme d'argent destinée à servir de garantie. *Déposer des valeurs en cautionnement.* ⇒ **gage, garantie.** ▶ **cautionner** v. tr. . conjug. 1. ■ Être la caution de (une idée, une action) en l'approuvant. ⇒ **soutenir.** *Il ne veut pas cautionner cette politique.* ‹ ▶ précaution ›

cavalcade [kavalkad] n. f. **1.** Défilé de cavaliers, de chars (3). *Cavalcade de Mi-Carême.* **2.** Fam. Troupe désordonnée, bruyante. ▶ **cavalcader** v. intr. . conjug. 1. ■ Courir en groupe bruyamment. *Les enfants cavalcadaient dans toute la maison.*

① **cavale** [kaval] n. f. ■ Littér. Jument de race.

cavaler [kavale] v. intr. . conjug. 1. ■ Fam. Courir, fuir, filer. ▶ ② **cavale** n. f. ■ Arg. Action de s'enfuir de prison. *Être en cavale,* être en fuite.

cavalerie [kavalʀi] n. f. **1.** Ensemble de troupes à cheval, d'unités de cavaliers. *Cavalerie légère* (chasseurs, hussards, spahis). *Grosse cavalerie* (cuirassiers), lourdement armée. — Fig. *C'est de la grosse cavalerie, cela manque de finesse.* 2. L'un des corps de l'armée ne comprenant, à l'origine, que des troupes à cheval. *La cavalerie moderne est motorisée.* ⇒ **blindé, char.** 3. Ensemble de chevaux. ⇒ **écurie.** *La cavalerie d'un cirque.*

① *cavalier, ière* [kavalje, jɛʀ] n. **I.** (Personnes) **1.** Personne qui est à cheval. *Un bon cavalier,* qui monte bien à cheval. *Les cavaliers qui participent à une course de chevaux.* ⇒ **jockey. 2.** N. m. Militaire servant dans la cavalerie. **II.** N. m. (Choses) **1.** Pièce du jeu d'échec qui passe du noir au blanc, du blanc au noir, en oblique et en sautant une case. **2.** Pièce métallique courbe.

② *cavalier, ière* n. **1.** N. m. L'homme qui accompagne une dame. *Elle donnait le bras à son cavalier. Cavalier servant.* ⇒ **chevalier. 2.** Celui, celle avec qui on forme un couple dans une réunion, un bal. *Vous n'avez pas vu ma cavalière ?*

③ *cavalier, ière* adj. ■ Qui traite les autres, sans égards, sans respect. ⇒ **brusque, hardi, insolent.** *Procédé cavalier, réponse cavalière.* ⇒ **impertinent.** / contr. **respectueux /** ▶ *cavalièrement* adv. ■ D'une manière brusque et un peu insolente. *Il l'a traité cavalièrement.*

① *cave* [kav] n. f. **1.** Local souterrain, ordinairement situé sous une habitation. *Cave voûtée. On conserve les vins dans une cave.* ⇒ **cellier.** — Loc. *De la cave au grenier,* de bas en haut, entièrement. **2.** Cave servant de cabaret, de dancing. **3.** Les vins conservés dans une cave. *La cave d'un restaurant.* ⟨ ▶ caveau, caviste ⟩

② *cave* adj. **1.** *Un œil cave,* enfoncé. **2.** *Veines caves,* grosses veines qui amènent au cœur tout le sang du corps par l'oreillette droite. ⟨ ▶ caverne, cavité, concave, excaver ⟩

③ *cave* n. m. ■ Arg. Celui qui se laisse duper ; qui n'est pas du « milieu ». — Adj. *Ce qu'elle est cave !*

caveau [kavo] n. m. **1.** Petite cave. **2.** Cabaret, théâtre de chansonniers. *Les caveaux de Montmartre.* **3.** Construction souterraine servant de sépulture. *Caveau de famille.*

caverne [kavɛʀn] n. f. **1.** Cavité naturelle creusée dans la roche. ⇒ **grotte.** — *L'âge des cavernes,* où les hommes vivaient dans des cavernes (troglodytes). **2.** Creux qui se forme après l'écoulement du pus d'un abcès (perte de substance) dans le poumon. *Cavernes pulmonaires.* ▶ *caverneux, euse* adj. ■ (Son) Qui semble venir des profondeurs d'une caverne. *Voix caverneuse.* ⇒ **grave, sépulcral.**

caviar [kavjaʀ] n. m. ■ Œufs d'esturgeon. *Caviar russe, iranien. Un toast au caviar.*

caviarder [kavjaʀde] v. tr. ■ conjug. 1. ■ Biffer à l'encre noire. — Supprimer (un passage) dans une publication, un manuscrit. ⇒ **censurer.** *Caviarder un article.*

caviste [kavist] n. ■ Employé(e) chargé(e) des soins de la cave, des vins. *Le, la caviste d'un restaurant.* ⇒ **sommelier.**

cavité [kavite] n. f. ■ Espace vide à l'intérieur d'un corps solide. ⇒ **creux, trou, vide.** *Agrandir, boucher une cavité. Les cavités d'un rocher.* — *Les cavités du nez* ⇒ **narine,** *des yeux* ⇒ **orbite.**

C.C.P. [sesepe] n. m. invar. ■ Abréviation de *compte chèque* postal. Régler une facture par C.C.P.*

① *ce* [s(ə)] m. sing. ; *cette* [sɛt] f. sing. ; *ces* [se] pl. ; adj. dém. — REM. *Ce* prend la forme CET [sɛt] devant voyelle ou *h* muet au masculin. ■ Devant un nom, sert à montrer la personne ou la chose désignée par le nom. *Cet arbre. Cette chose. Ces pays. Ces enfants sont bruyants.* — Sert à indiquer un temps rapproché (passé ou présent). *Ces derniers temps. Cette semaine. Ce soir.* — Renforcé par les particules adverbiales *-ci* et *-là,* après le nom. *Ce livre-ci. Cet homme-là.* ⟨ ▶ ceci, cela ⟩

② *ce* [s(ə)] pronom dém. — REM. *Ce* s'écrit *ç'* devant les formes du verbe *être* et du verbe *avoir* qui commencent par *a,* et *c'* devant celles qui commencent par *e.* ■ Sert à désigner la chose que celui qui parle a dans l'esprit. ⇒ **ça. 1.** C'EST, CE DOIT (PEUT) ÊTRE. (Avec un adj. ou un p. p.) *C'est facile. Ce n'est pas difficile. C'est fini. Ç'avait été terrible.* — (Avec un compl. prépos.) *C'est à vous. C'est pour demain. C'est à voir,* il faut voir. — (Avec un nom ou un pronom) Met en valeur un membre de phrase. *C'était le bon temps. Ce sont de braves gens. Ce sont, c'étaient eux* (mais *c'est vous, c'est nous*). **2.** C'EST... QUI, C'EST... QUE : sert à détacher en tête un élément. *C'est une bonne idée que vous avez là. C'est vous qui le dites ! C'est que* exprime la cause (*s'il est malade, c'est qu'il a trop travaillé*), l'effet (*puisque vous m'avez appelé, c'est donc que vous voulez me parler*). **3.** C'EST À... DE... *C'est à lui de jouer.* **4.** CE QUE, QUI, DONT..., CE À QUOI, POUR QUOI. *Ce dont on parle.* — Fam. CE QUE : combien, comme. *Ce que c'est beau ! Ce que tu es chic !* **5.** CE, objet direct (sans *que, qui...*). *Ce me semble,* il me semble. *Ce disant, ce faisant.* Pour *ce faire.* — *Sur ce,* là-dessus. *Sur ce, je vous quitte.* ⟨ ▶ cependant, c'est-à-dire, est-ce que, n'est-ce pas, parce que ⟩

céans [seɑ̃] adv. ■ Vx. Ici, dedans. — Loc. *Le maître de céans,* le maître de maison.

ceci [səsi] pronom dém. ■ (Opposé à *cela*) Désigne la chose la plus proche, ce qui va suivre, ou simplement une chose opposée à une autre. *Ceci me plaît mais pas cela.*

cécité [sesite] n. f. ■ État d'une personne aveugle. *Être frappé de cécité.*

céder [sede] v. ■ conjug. 6. **I.** V. tr. **1.** Abandonner, laisser (qqch.) à qqn. ⇒ **concéder, donner, livrer, passer** ; fam. **refiler.** *Céder sa place, son tour à qqn. Céder du terrain,* reculer. / contr. **garder, regagner / 2.** Transporter la propriété d'une chose à une autre personne. ⇒ **livrer, vendre ; cessible, cession. II.** V. tr. ind. **1.** CÉDER À : ne plus résister, se conformer à la volonté de (qqn). ⇒ **obéir, se soumettre.** *Céder à qqn. Il ne cède pas à ses adversaires. Céder à un enfant. Céder à qqch. Céder à la tentation, à la fatigue, au découragement.* ⇒ **succomber.** / contr. **résister / 2.** Loc. *Il ne lui cède en rien,* il est son égal. **3.** Sans compl. ⇒ **capituler, renoncer.** *Céder par faiblesse, par lassitude.* / contr. **tenir / 4.** (Choses) Ne plus résister à la pression, à la force. ⇒ **fléchir, plier, rompre.** *Une branche qui cède sous le poids des fruits.* ⟨ ▶ ① concéder, ② concéder, rétrocéder ⟩

cédétiste [sedetist] adj. et n. ■ Qui concerne la Confédération française démocratique du travail (C.F.D.T.). — N. Membre de cette confédération. *Les cédétistes.*

cedex [sedɛks] n. m. invar. ■ Système spécial de distribution de courrier aux entreprises ou organismes importants. *Le cedex fonctionne depuis 1966.*

cédille [sedij] n. f. ■ Petit signe que l'on place sous la lettre *c (ç)* suivie des voyelles *a, o, u,* pour indiquer qu'elle doit être prononcée [s]. « *Acquiesçait* » s'écrit avec une cédille.

cédrat [sedʀa] n. m. ■ Fruit (agrume) plus gros que le citron. *Confiture de cédrats.*

cèdre [sɛdʀ] n. m. ■ Grand arbre originaire d'Afrique et d'Asie, à branches presque horizontales en étages. *Les cèdres du Liban.*

cédulaire [sedylɛʀ] adj. ■ Relatif à une catégorie d'impôts (les *cédules*, n. f.). *Impôt cédulaire,* qui atteignait une catégorie de revenus (supprimé en 1948).

cégétiste [seʒetist] adj. et n. ■ Qui concerne la Confédération générale du travail (C.G.T.). — N. Membre de cette confédération. *Les cégétistes défilent avec les cédétistes.*

ceindre [sɛdʀ] v. tr. ▪ conjug. 52. ■ Littér. Mettre autour de son corps, de sa tête (qqch.). *Il ceindra son écharpe. Un bandeau rouge ceignait sa tête.* ▶ *ceinture* [sɛtyʀ] n. f. I. 1. Bande servant à serrer la taille, à ajuster les vêtements à la taille ; partie d'un vêtement (jupe, robe, pantalon) qui l'ajuste autour de la taille. *Une ceinture de cuir, de tissu. Boucler, serrer sa ceinture. Ceinture de soldat.* ⇒ **ceinturon.** 2. Loc. fam. *Se serrer la ceinture,* se priver de nourriture, se passer de qqch. — PROV. *Bonne renommée vaut mieux que ceinture dorée* (que la richesse). 3. Bande d'étoffe qui retient le kimono (sa couleur qualifie la classe des judokas). *Être ceinture noire,* de la catégorie la plus forte. 4. Dispositif qui entoure la taille. *Ceinture de natation, de sauvetage,* qui permet de se maintenir sur l'eau. — *Ceinture de sécurité* (dans un avion, une voiture). *Attachez vos ceintures !* II. Partie du corps serrée par la ceinture. ⇒ **taille.** *Entrer dans l'eau jusqu'à la ceinture.* III. Ce qui entoure. *Autobus, chemin de fer de ceinture,* qui entoure une ville. ▶ *ceinturer* v. tr. ▪ conjug. 1. 1. Entourer d'une enceinte. *Ceinturer une ville de murailles.* 2. Prendre (qqn) par la taille, en le serrant avec les bras. *Ceinturer son adversaire.* ▶ *ceinturon* n. m. ■ Grosse ceinture de l'uniforme militaire. ⟨ ▶ ① enceinte, ② enceinte ⟩

cela [s(ə)la] pronom dém. 1. (Opposé à *ceci*) Désigne ce qui est plus éloigné ; ce qui précède. 2. Cette chose. ⇒ **ça.** *Ne pensez pas à cela. Cela ne fait rien. Tout cela est faux.*

célèbre [selɛbʀ] adj. ■ Très connu. ⇒ **fameux, illustre, renommé.** *Un musicien célèbre. Un lieu célèbre. Porter un nom célèbre. Se rendre célèbre,* se faire connaître. *Date tristement célèbre.* / contr. **ignoré, inconnu** /

célébrer [selebʀe] v. tr. ▪ conjug. 6. 1. Accomplir solennellement. *Le maire a célébré le mariage.* — *Célébrer la messe.* 2. Marquer (un événement) par une cérémonie, une démonstration. ⇒ **fêter.** *Célébrer un anniversaire, une victoire.* ⇒ **commémorer.** 3. Littér. Faire publiquement la louange de. ⇒ **glorifier, vanter.** *Célébrer la mémoire de qqn. Célébrer les mérites, les exploits de qqn.* ▶ *célébrant* n. m. ■ Prêtre qui célèbre la messe. ▶ *célébration* n. f. ■ Action de célébrer une cérémonie, une fête. *La célébration d'un mariage. Célébration d'un anniversaire.* ⇒ **commémoration.** ▶ *célébrité* n. f. 1. Réputation qui s'étend au loin. ⇒ **notoriété, renom, renommée.** *La célébrité d'une personne, d'un nom, d'une œuvre.* 2. Personne célèbre, illustre. ⇒ **personnalité.** *Les célébrités du monde artistique.*

celer [s(ə)le] v. tr. ▪ conjug. 5. ■ Littér. Garder, tenir secret. ⇒ **cacher, dissimuler.** ⟨ ▶ déceler, receler ⟩

céleri [sɛlʀi] n. m. ■ Plante aromatique cultivée pour les côtes de ses pétioles ou pour ses racines comestibles. *Salade de céleri.*

célérité [seleʀite] n. f. ■ Grande rapidité (dans le geste, l'action). ⇒ **promptitude, vitesse.** *Agir avec une étonnante célérité.* / contr. **lenteur** /

célesta [selɛsta] n. m. ■ Instrument de musique à percussion et à clavier. *Des célestas.*

céleste [selɛst] adj. 1. Relatif au ciel. ⇒ **aérien.** *Les espaces célestes. La voûte céleste,* le ciel. 2. Qui appartient au ciel, considéré comme le séjour de la divinité, des bienheureux. *La béatitude, le bonheur céleste.* / contr. **terrestre ; humain** / 3. Merveilleux, surnaturel. ⇒ **divin.** *Une beauté céleste.*

célibat [seliba] n. m. ■ État d'une personne en âge d'être mariée et qui ne l'est pas, ne l'a jamais été. *Vivre dans le célibat.* ▶ *célibataire* adj. et n. ■ Qui vit dans le célibat. *Elle est célibataire. Des célibataires.* — N. *C'est un célibataire endurci.* — Loc. *Mère célibataire,* femme célibataire qui a des enfants.

celle pronom dém. f. ⇒ **celui.**

cellier [selje] n. m. ■ Lieu aménagé pour y conserver du vin, des provisions. ⇒ **cave, chai.**

cellophane [selɔfan] n. f. ■ Feuille transparente obtenue à partir de la cellulose et employée pour protéger des produits alimentaires. *Fromage sous cellophane,* sous emballage de cellophane. — En appos. *Papier cellophane.*

① *cellule* [selyl] n. f. 1. Cavité qui isole ce qu'elle enferme. — Compartiment. 2. Élément fondamental constituant tous les organismes vivants. *Noyau, membrane d'une cellule. Cellules nerveuses* (neurones). 3. Ensemble des structures d'un avion (ailes, fuselage). 4. *Cellule photo-électrique,* transformant la lumière en courant électrique (libération d'électrons par un métal). *Porte à cellule photo-électrique* (œil électrique). 5. Abstrait. Élément isolable d'un ensemble. *La famille, cellule de la société. Les cellules d'un parti politique.* ⇒ **section.** ① *cellulaire* adj. ■ De la cellule, relatif aux cellules. ⟨ ▶ cellulite, cellulose, monocellulaire, unicellulaire ⟩

② *cellule* n. f. ■ Petite pièce isolée où l'on est enfermé. ⇒ **cachot.** *Cellule de prisonnier. Cellule de moine.* ▶ ② *cellulaire* adj. ■ *Système, régime cellulaire,* d'après lequel les prisonniers sont enfermés dans des cellules séparées. *Voiture cellulaire,* voiture de police divisée en cellules. — fam. **panier** à salade.

cellulite [selylit] n. f. ■ Gonflement du tissu conjonctif sous-cutané.

celluloïd [selylɔid] n. m. ■ Matière plastique flexible, inflammable.

cellulose [selyloz] n. f. ■ Matière contenue dans la membrane des cellules végétales. ▶ *cellulosique* adj. ■ Constitué de cellulose.

celtique [seltik] ou *celte* [sɛlt] adj. et n. ■ Qui a rapport aux Celtes, groupe de peuples de langue indo-européenne, dont la civilisation s'étendit sur l'Europe occidentale (XIIᵉ au IIᵉ s. av. J.-C.). *Les Gaulois, peuple celtique.* — N. m. *Le celtique* (langue), breton, gaulois, irlandais.

celui [səlɥi] m. sing. ; *celle* [sɛl] f. sing. ; *ceux* [sø] m. plur. ; *celles* [sɛl] f. plur. ; pronom dém. ■ Désigne la personne ou la chose dont il est question dans le discours. *Les paysages d'Europe sont plus variés que ceux d'Asie. Celui qui vient. Ce sont celles dont j'ai parlé.*

celui-ci [səlɥisi], *celui-là* [səlɥila], pronom dém. m. sing. (et *celle-ci, celle-là* f. sing. ; *ceux-ci, ceux-là* m. plur. ; *celles-ci, celles-là* f. plur.) ■ Marque la même opposition que *ceci* et *cela.* *J'ai deux enfants, celui-ci est le plus jeune.*

cénacle [senakl] n. m. ■ Réunion d'un petit nombre d'hommes, de femmes de lettres, d'artistes, de philosophes. ⇒ **cercle, club, société.**

cendre [sɑ̃dʀ] n. f. **1.** Poudre qui reste quand on a brûlé certaines matières organiques. *Cendre de bois, de papier. Les cendres d'un foyer. Cendres de cigarettes. Cuire des pommes de terre sous la cendre. Couver* sous la cendre.* **2.** Matière qui se réduit facilement en poudre. *Cendres volcaniques,* matières volcaniques analogues aux laves. **3.** Loc. *Mettre, réduire en cendres,* détruire par le feu, l'incendie. **4.** *Les cendres, la cendre de qqn,* ce qui reste de son cadavre après incinération. — *Renaître de ses cendres,* revivre, se ranimer. **5.** *Les Cendres,* symbole de la dissolution du corps ⇒ **poussière,** avec lesquelles le prêtre trace une croix sur le front des fidèles le premier jour du carême, le *mercredi des Cendres.* ▶ *cendré, ée* adj. ■ Qui a la couleur grisâtre de la cendre. *Des cheveux gris cendré, blond cendré.* ▶ *cendreux, euse* adj. ■ Qui contient de la cendre, a l'aspect de la cendre. *Teint cendreux.* ▶ *cendrier* [sɑ̃dʀije] n. m. ■ Petit récipient, plateau où les fumeurs font tomber les cendres de leur cigarette, de leur pipe. *Vider les cendriers. Un cendrier rempli de mégots.*

cendrée [sɑ̃dʀe] n. f. ■ Mélange de mâchefer et de sable utilisé comme revêtement des pistes de stade.

Cène [sɛn] n. f. ■ Repas que Jésus-Christ prit avec ses apôtres la veille de la Passion* et au cours duquel il institua l'Eucharistie*. ≠ *scène.*

cénobite [senɔbit] n. m. ■ Moine qui vivait en communauté (opposé à *anachorète*).

cénotaphe [senɔtaf] n. m. ■ Tombeau élevé à la mémoire d'un mort et qui ne contient pas son corps. ⇒ **sépulcre.**

cens [sɑ̃s] n. m. invar. ■ Autrefois. Montant de l'impôt que devait payer un individu pour être électeur ou éligible. *Cens électoral.* ‹ ▶ censitaire, recenser ›

censé, ée [sɑ̃se] adj. ■ (+ infinitif) Qui est supposé, regardé comme. ⇒ **présumé, supposé.** *Il est censé être à Paris. Elle n'est pas censée le savoir.*

censeur [sɑ̃sœʀ] n. m. **1.** Histoire. Magistrat romain chargé du cens*, qui critiquait ses concitoyens. — Littér. Personne qui contrôle, critique les opinions, les actions des autres. *Un censeur sévère. S'ériger en censeur des actes d'autrui.* **2.** Celui qui applique la censure. **3.** Autrefois. Personne qui, dans un lycée, était chargée de la surveillance, de la discipline. *Madame le censeur.* ‹ ▶ censure ›

censure [sɑ̃syʀ] n. f. **1.** Vx. Action de critiquer ; condamnation d'une opinion. / contr. **approbation, éloge, louange** / **2.** Autorisation préalable donnée par un gouvernement aux publications, aux spectacles. — Service qui délivre cette autorisation. *La censure militaire a ouvert cette lettre.* ▶ *censurer* v. tr. ■ conjug. 1. ■ Interdire (une publication, un spectacle). — Au p. p. adj. *Film, scène censuré(e).*

① *cent* [sɑ̃] adj. et n. m. **I.** Adj. **1.** Adjectif numéral cardinal. — REM. **1.** *Cent* prend la marque du pluriel : *trois cents,* sauf quand il est suivi d'un autre nombre : *trois cents quatre.* Il s'accorde devant *million* et *milliard* qui sont des noms : *trois cents millions deux cent mille francs.* **2.** On fait la liaison avec les mots commençant par une voyelle ou un *h* muet : *cent ans* [sɑ̃tɑ̃], *deux cents hommes* [døsɑ̃zɔm], sauf devant *un, une, unième, onze, onzième.* — Dix fois dix (100). ⇒ **hecto-.** *Onze cents, mille cent.* **2.** Un grand nombre (→ Trente-six, mille). *Je lui ai dit cent fois. Faire les cent pas,* aller et venir. **3.** Centième. *Page trois cent.* **II.** N. m. *Le nombre cent. Le produit de cent multiplié par cent.*

— Loc. *Gagner des mille et des cents,* beaucoup d'argent. — POUR CENT (précédé d'un numéral) : pourcentage. *Cinquante pour cent (50 %),* la moitié. — *Il est Français à cent pour cent ; cent pour cent Français. Une chemise cent pour cent coton.* ⇒ **entièrement.** ▶ *centaine* n. f. ■ Groupe de cent unités. *Il y avait une centaine de personnes dans la salle.* — *Par centaines.* ‹ ▶ bicentenaire, centenaire, centésimal, centime, centuple, centurion, pourcentage, quatre-cent-vingt-et-un, tricentenaire ›

② *cent* [sɛnt] n. m. ■ Le centième du dollar. *Pièce de dix cents* [disɛnt].

centaure [sɑ̃tɔʀ] n. m. ■ Être imaginaire, moitié homme et moitié cheval.

centaurée [sɑ̃tɔʀe] n. f. ■ Bleuet (fleur).

centenaire [sɑ̃tnɛʀ] adj. et n. **1.** Adj. Qui a au moins cent ans. *Un chêne centenaire.* ⇒ **séculaire.** — N. *Un, une centenaire,* personne qui a cent ans. **2.** N. m. Centième anniversaire. *Célébrer le centenaire de la fondation d'une ville.*

centésimal, ale, aux [sɑ̃tezimal, o] adj. ■ Dont les parties sont des centièmes ; divisé en cent.

centi- ■ Élément signifiant « centième ». ▶ *centigrade* [sɑ̃tigʀad] adj. ■ Divisé en cent degrés. *Thermomètre centigrade.* ▶ *centigramme* n. m. ■ Le centième du gramme (cg). ▶ *centilitre* n. m. ■ Le centième du litre (cl).

centième [sɑ̃tjɛm] adj. et n. **1.** Adj. ordinal de CENT. Qui a rapport à cent, pour l'ordre, le rang. **2.** N. m. Chacune des parties d'un tout divisé en cent parties égales.

centime [sɑ̃tim] n. m. ■ Le centième du franc. *Une pièce de vingt centimes.*

centimètre [sɑ̃timɛtʀ] n. m. **1.** Le centième du mètre (cm). *Centimètre carré (cm²), cube (cm³).* **2.** Ruban gradué servant à prendre les mesures. ⇒ **mètre.**

centrage [sɑ̃tʀaʒ] n. m. ■ Détermination du centre. *Centrage d'une pièce mécanique.*

① *central, ale, aux* [sɑ̃tʀal, o] adj. **1.** Qui est au centre, qui a rapport au centre. *Point central. L'Asie centrale. Quartier central.* / contr. **périphérique** / **2.** Qui constitue l'organe directeur, principal. *Pouvoir central.* — *Chauffage* central. Maison, prison centrale,* où sont envoyés et groupés des prisonniers. *École centrale (des arts et manufactures)* ou, n. f., *Centrale.*

② *central* n. m. ■ *Central télégraphique, téléphonique,* lieu où aboutissent les fils d'un réseau.

centrale n. f. **1.** Usine qui produit du courant électrique. *Centrale hydraulique. Centrale atomique* ou *nucléaire.* **2.** Groupement national de syndicats. ⇒ **confédération.**

centraliser [sɑ̃tʀalize] v. tr. ■ conjug. 1. ■ Réunir dans un même centre, ramener à une direction unique. ⇒ **concentrer, rassembler, réunir.** *Centraliser les pouvoirs.* — Au p. p. adj. *Un pays centralisé.* / contr. **décentraliser** / ▶ *centralisateur, trice* adj. ▶ *centralisation* n. f. ■ Action de centraliser. / contr. **décentralisation** /

centre [sɑ̃tʀ] n. m. **I. 1.** Point intérieur situé à égale distance de tous les points de la circonférence d'un cercle, de la surface d'une sphère. *Le centre de la Terre.* / contr. **bord, extrémité, périphérie** / **2.** Milieu approximatif. *Les départements du centre de la France. Le centre de la ville.* **3.** Point intérieur doué de propriétés actives, dynamiques. — Point où s'applique la résultante de forces. CENTRE DE GRAVITÉ *d'un corps* : des forces exercées par la pesanteur sur toutes les parties de ce corps. — *Centres nerveux*, parties du système nerveux constituées de substance grise et reliées par les nerfs aux divers organes. **4.** Lieu caractérisé par l'importance de ses activités, de son influence. *La Bourse est le centre des affaires.* ⇒ **base, siège.** — UN CENTRE : lieu où diverses activités sont groupées. ⇒ **agglomération, ville.** *Lyon est un grand centre industriel. Centre commercial*, ensemble de magasins. — Organisme qui coordonne plusieurs activités. *Centre national de la recherche scientifique* (C.N.R.S.). **5.** Abstrait. Point où des forces sont concentrées. *Un centre d'intérêt.* — Chose, personne principale. *Il se croit le centre du monde.* ⇒ **base, cœur. 6.** Parti politique, électorat dont les opinions se situent entre la droite et la gauche. *Un député du centre.* ⇒ **centriste. II.** En sport. Partie centrale du terrain. ▶ *centrer* v. tr. ▪ conjug. 1. **1.** Ramener, disposer au centre, au milieu. *Centrer l'image* (photo). **2.** Ajuster au centre. *Centrer une roue.* ⇒ **centrage. 3.** CENTRER SUR : donner comme centre (d'action, d'intérêt). **4.** Sans compl. Ramener le ballon vers l'axe du terrain. *L'ailier a centré près des buts.* ⟨ ▶ anthropocentrique, centrage, ① central, ② central, centrale, centraliser, centrifuge, centripète, centriste, concentrer, concentrique, décentrer, égocentrique, épicentre, ①, ② et ③ excentrique ⟩

centrifuge [sɑ̃trifyʒ] adj. ▪ Qui tend à éloigner du centre. *Force centrifuge.* / contr. **centripète** / ▶ *centrifuger* v. tr. ▪ conjug. 3. ▪ Séparer par un rapide mouvement de rotation (des éléments de densité différente). ▶ *centrifugation* n. f. ▶ *centrifugeur* n. m. , *euse* n. f. ▪ Appareil agissant par force centrifuge.

centripète [sɑ̃tripɛt] adj. ▪ Qui tend à rapprocher du centre. *Force centripète.* / contr. **centrifuge** /

centriste [sɑ̃trist] adj. et n. ▪ Qui appartient au centre politique. *Députés centristes.*

centuple [sɑ̃typl] adj. et n. m. ▪ Qui est cent fois plus grand. — N. m. *Le centuple. Être récompensé au centuple.* ▶ *centupler* v. ▪ conjug. 1. **1.** V. tr. Multiplier par cent. **2.** V. intr. Être porté au centuple. *La production a centuplé en cinquante ans.*

centurion [sɑ̃tyrjɔ̃] n. m. ▪ Officier qui commandait une compagnie de cent hommes (une *centurie*), dans l'Antiquité romaine.

cep [sɛp] n. m. ≠ *cèpe.* ▪ Pied (de vigne). *Des ceps de vigne.* ▶ *cépage* n. m. ▪ Variété de plant de vigne cultivée. *Cépage blanc, noir.*

cèpe [sɛp] n. m. ≠ *cep.* ▪ Variété de gros champignon à chapeau brun *(bolet comestible). Des cèpes à la bordelaise.*

cependant [s(ə)pɑ̃dɑ̃] conj. et adv. ▪ Exprime une opposition, une restriction. ⇒ **néanmoins, pourtant, toutefois.** — Conj. *Personne ne l'a cru, cependant il disait la vérité.* — Adv. *Personne ne l'a cru, il disait cependant la vérité.*

céphal(o)-, -céphale ▪ Éléments de mots savants signifiant « tête ». ▶ *céphalique* [sefalik] adj. ▪ Didact. De la tête. *Douleurs céphaliques* (ou, n. f., *céphalée*), maux de tête. ▶ *céphalopode* n. m. ▪ Se dit de mollusques supérieurs caractérisés par un pied à tentacules munis de ventouses. *La pieuvre est un céphalopode.* ⟨ ▶ brachycéphale, dolichocéphale ⟩

céramique [seramik] n. f. **1.** Technique et art du potier, de la fabrication des objets en terre cuite.

Céramique et poterie*. **2.** Matière dont sont faits les objets, récipients en faïence, porcelaine, terre cuite. *Des carreaux de céramique peinte.* ▶ *céramiste* n. et adj. ▪ Artiste qui fait, décore des objets en céramique.

cerbère [sɛrbɛr] n. m. **1.** *Cerbère*, nom du chien qui gardait les Enfers, dans la mythologie grecque. **2.** Iron. *Un cerbère*, portier, gardien sévère.

cerceau [sɛrso] n. m. **1.** Cintre, demi-cercle en bois, en fer qui sert de support. ⇒ **arceau.** *Cerceaux d'une bâche de voiture ; d'une tonnelle.* **2.** Cercle (de bois, métal...). *Jouer au cerceau*, avec un cercle de bois que l'on fait rouler en le poussant avec un bâton.

cercle [sɛrkl] n. m. **I. 1.** Surface plane limitée par une ligne courbe (la *circonférence*), dont tous les points sont à égale distance d'un point fixe (le *centre*). *Diamètre, rayon d'un cercle. Demi-cercle. Secteur d'un cercle. Cercles concentriques.* **2.** La circonférence d'un cercle. ⇒ **rond.** *Entourer d'un cercle*, cercler, encercler. — *Cercles que décrit un oiseau, un avion.* **3.** Se dit d'objets circulaires (anneau, disque, collier), d'instruments gradués. **4.** Disposition en rond de personnes ou d'objets. *Un cercle de chaises. Former un cercle autour de qqn.* **5.** Groupe de personnes qui ont l'habitude de se réunir. *Un petit cercle d'amis.* — Local dont disposent les membres d'une association pour se réunir. ⇒ **club.** *Cercle militaire.* **II.** Abstrait. **1.** Ce dont on fait le tour, dont on embrasse l'étendue. ⇒ **domaine, étendue, limite.** *Étendre le cercle de ses occupations, de ses relations.* **2.** CERCLE VICIEUX ou CERCLE : raisonnement faux où l'on donne pour preuve la supposition d'où l'on est parti. — Situation dans laquelle on est enfermé. ▶ *cercler* v. tr. ▪ conjug. 1. ▪ Entourer, munir (qqch.) de cercles, de cerceaux. *Cercler un tonneau.* ▶ *cerclage* n. m. ▪ Action de cercler. *Le cerclage d'une barrique.* ⟨ ▶ demi-cercle, encercler ⟩

cercueil [sɛrkœj] n. m. ▪ Longue caisse dans laquelle on enferme le corps d'un mort pour l'ensevelir. ⇒ **bière, sarcophage.** *Des cercueils.*

céréale [sereal] n. f. ▪ Plante dont les grains servent de base à l'alimentation (avoine, blé, maïs, millet, orge, riz, sarrasin, seigle, sorgho). *Farine de céréales.* ▶ *céréalier, ière* adj. ▪ De(s) céréales. *Cultures céréalières.*

cérébral, ale, aux [serebral, o] adj. **1.** Qui a rapport au cerveau. *Congestion cérébrale. Les hémisphères cérébraux*, les deux moitiés du cerveau. **2.** Qui concerne l'esprit, l'intelligence, la pensée. ⇒ **intellectuel.** *Travail, surmenage cérébral.* **3.** (Personnes) Qui vit surtout par la pensée, par l'esprit. — N. *C'est un cérébral pur.* ▶ *cérébro-spinal, ale, aux* [serebrospinal, o] adj. ▪ Relatif au cerveau et à la moelle épinière.

cérémonie [seremɔni] n. f. **1.** Ensemble des règles solennelles qui accompagnent la célébration du culte religieux ; fête sacrée. *Cérémonie du baptême, du mariage.* **2.** Ensemble des formes extérieures (pompe, apparat) destinées à marquer, à commémorer un événement de la vie sociale. *Les cérémonies de la fête de la victoire. Habit de cérémonie.* **3.** Au plur. Manifestations excessives de politesse dans la vie privée. *Il a reçu ses invités avec beaucoup de cérémonies.* — Loc. fig. *Faire des cérémonies*, faire des manières. ⇒ **cérémonieux.** *Voilà bien des cérémonies pour si peu de chose. Sans cérémonie*, avec simplicité. ⇒ **complication, façon, formalité.** ▶ *cérémonial, als* n. m. ▪ Ensemble de règles que l'on observe lors d'une cérémonie. *Cérémonial de cour.* ⇒ **étiquette.** *Le cérémonial diplomatique. Des cérémonials.* ▶ *céré-*

monieux, euse adj. ■ Qui fait trop de cérémonies, qui manque de naturel. ⇒ **affecté.** — *Un ton, un air cérémonieux.* ⇒ **solennel.** / contr. **familier, simple, sans-façon /** ▶ *cérémonieusement* adv. ■ D'une manière cérémonieuse.

cerf [sɛʀ] n. m. ■ Animal ruminant vivant en troupeaux dans les forêts ; le mâle adulte, qui porte de longues cornes ramifiées (appelées *bois*). *Femelle du cerf.* ⇒ **biche.** *Jeune cerf.* ⇒ **faon.** *Les cerfs brament.* ⟨ ▶ cerf-volant, cervidé, loup-cervier ⟩

cerfeuil [sɛʀfœj] n. m. ■ Plante herbacée aromatique cultivée comme condiment. *Omelette au cerfeuil.*

cerf-volant [sɛʀvɔlɑ̃] n. m. **1.** Gros insecte volant (coléoptère) dont les pinces dentelées rappellent les bois du cerf. **2.** Légère armature sur laquelle on tend un papier fort ou une étoffe, et qui peut s'élever en l'air lorsqu'on le tire face au vent avec une ficelle. *Lancer des cerfs-volants.*

cerise [s(ə)ʀiz] n. f. **1.** Petit fruit charnu arrondi, à noyau, à peau lisse brillante, rouge, parfois jaune pâle, produit par le cerisier. ⇒ **bigarreau, griotte.** *Cerises sauvages,* merises. *Le kirsch est une eau-de-vie de cerise.* **2.** Adj. invar. *Rouge cerise,* vermeil. *Des rubans cerise.* ▶ *cerisaie* n. f. ■ Lieu planté de cerisiers. ▶ *cerisier* n. m. ■ Arbre fruitier à fleurs blanches en bouquet, qui produit la cerise ; bois du cerisier, employé en ébénisterie. *Une table en cerisier.*

cerne [sɛʀn] n. m. **1.** Cercle coloré qui entoure parfois les yeux, une plaie. ⇒ **bleu.** *Les cernes (des yeux) sont le signe de la fatigue ou du manque de sommeil.* **2.** Trait qui souligne un contour, dans un dessin. ▶ *cerné, ée* adj. ■ Entouré d'une zone de couleur brune ou bleuâtre. *Avoir les yeux cernés.*

cerner [sɛʀne] v. tr. ■ conjug. 1. **1.** Entourer par des troupes. ⇒ **encercler.** *Les blindés cernèrent le nid de mitrailleuses.* — Au passif. *Nous étions cernés. Tout le quartier a été cerné par la police.* **2.** Entourer par un trait. *Cerner une figure d'un trait bleu.* **3.** Fig. *Cerner un problème, une difficulté, une question,* en faire le tour. ⟨ ▶ cerne ⟩

certain, aine [sɛʀtɛ̃, ɛn] adj. et pronom **I.** Adj. épithète après le nom. **1.** Qui ne peut manquer de se produire, qui arrivera. ⇒ **assuré, inévitable, sûr ; certitude.** *Son succès est certain, un succès certain. Il est certain que nous réussirons.* / contr. **douteux, incertain / 2.** Qui ne laisse place à aucun doute, qui est considéré comme vrai. *Une bonne volonté certaine.* ⇒ **véritable.** *C'est possible, mais ce n'est pas certain.* ⇒ **confirmé, réel, vrai. 3.** (Personnes) Qui considère une chose pour vraie. ⇒ **assuré, convaincu.** *Je suis certaine d'y arriver, que j'y arriverai. J'en suis certain, j'en ai la certitude.* **II.** Adj. avant le nom. **1.** (Précédé de l'art. indéf.) Imprécis, difficile à fixer. *Il restera un certain temps. Jusqu'à un certain point. D'un certain âge,* qui n'est plus tout jeune. *Il lui a fallu un certain courage,* pas mal de courage. **2.** Au plur. Quelques-uns parmi d'autres. *Certaines personnes. Dans certains pays.* **III.** Pronom plur. CERTAINS : certaines personnes. *Certains disent, certains prétendent. Certains de vos amis.* ⇒ **plusieurs.** ▶ *certainement* adv. **1.** D'une manière certaine. ⇒ **certes.** *Cela arrivera certainement.* ⇒ **fatalement, nécessairement, sûrement. 2.** (Renforce une affirmation) *Il est certainement le plus doué.* ⇒ **évidemment, vraiment.** « *Croyez-vous que cela vaille la peine ? — Certainement.* » ⟨ ▶ incertain ⟩

certes [sɛʀt] adv. ■ Vieilli ou littér. Certainement. *Certes, il a raison.*

certificat [sɛʀtifika] n. m. **1.** Document écrit, signé d'une personne autorisée et attestant la vérité de (qqch.). ⇒ **attestation.** *Certificat de scolarité. Certificat médical. Certificat de travail,* indiquant la nature et la durée du travail d'un salarié. **2.** Nom donné à différents diplômes et aux examens que l'on passe pour les obtenir. *Certificat d'études* (primaires). *Certificats* (d'études supérieures) *de licence. Certificat d'aptitude professionnelle* (C.A.P.). — Abrév. fam. CERTIF [sɛʀtif], n. m.

certifier [sɛʀtifje] v. tr. ■ conjug. 7. **1.** Assurer qu'une chose est vraie. ⇒ **affirmer, garantir.** *Certifier qqch. à qqn. Je vous certifie que...* **2.** Garantir l'authenticité de (qqch.) par un écrit. *Certifier une signature.* — Au p. p. *Copie certifiée conforme,* dont la conformité avec l'original est garantie.

certitude [sɛʀtityd] n. f. **1.** Caractère d'une affirmation à laquelle on croit profondément. ⇒ **évidence, vérité ; certain.** *La certitude d'un fait. La certitude d'un témoignage.* **2.** État de l'esprit qui ne doute pas. ⇒ **conviction, croyance.** *J'ai la certitude qu'il viendra.* ⟨ ▶ incertitude ⟩

cérumen [seʀymɛn] n. m. ■ Substance grasse et jaune qui est sécrétée dans le conduit de l'oreille externe. *Un bouchon de cérumen l'empêchait d'entendre.*

céruse [seʀyz] n. f. ■ Colorant blanc que l'on employait en peinture. *Blanc de céruse.*

cerveau [sɛʀvo] n. m. **I.** Concret. **1.** Masse nerveuse contenue dans le crâne de l'homme (cerveau (2), cervelet, bulbe, pédoncules cérébraux). ⇒ **encéphale.** *Tumeur au cerveau.* **2.** Partie antérieure et supérieure de l'encéphale* des vertébrés, formée des deux hémisphères cérébraux et de leurs annexes (méninges). *Lobes, circonvolutions du cerveau.* **II. 1.** Abstrait. Le siège de la pensée, du raisonnement ; les facultés mentales. ⇒ **esprit, intelligence, raison, tête ; cervelle.** *Cerveau bien organisé.* Fam. *Avoir le cerveau dérangé, fêlé,* être fou. — *Faire travailler son cerveau,* réfléchir, chercher intellectuellement. — *Personne remarquablement intelligente. C'est un grand cerveau, un cerveau. C'est le cerveau de la bande. Des cerveaux.* — Loc. *Lavage de cerveau.* **2.** Organe central de direction. ⇒ **centre. 3.** *Cerveau électronique,* tout appareil qui effectue des opérations complexes portant sur de l'information. ⇒ **calculateur, ordinateur.** ▶ *cervelet* n. m. ■ Partie postérieure et inférieure de l'encéphale. ▶ *cervelle* n. f. **1.** Substance nerveuse constituant le cerveau. Loc. fam. *Se brûler, se faire sauter la cervelle,* se tuer d'un coup de pistolet dans la tête. **2.** Partie du cerveau d'animaux qui se mange (veau, agneau...). *Une cervelle au beurre.* **3.** Facultés mentales. ⇒ **cerveau** (II), **esprit.** *Tête sans cervelle. Cervelle d'oiseau.* ⇒ **écervelé.** Loc. *Se creuser la cervelle,* faire des efforts de réflexion. ⟨ ▶ écervelé ⟩

cervelas [sɛʀvəla] n. m. invar. ■ Saucisson cuit, gros et court.

cervical, ale, aux [sɛʀvikal, o] adj. ■ De la région du cou. *Vertèbre cervicale.*

cervidé [sɛʀvide] n. m. ■ Mammifère ruminant qui porte des bois (ex. : *cerf, chevreuil*). *Les cervidés* (famille zoologique).

cervoise [sɛʀvwaz] n. f. ■ Bière d'orge, de blé, chez les Anciens et au Moyen Âge.

ces adj. dém. plur. ⇒ ① **ce.**

césarienne [sezaʀjɛn] n. f. ■ Opération chirurgicale permettant de tirer l'enfant du corps de la mère lorsque l'accouchement ne peut s'effectuer naturellement.

césarisme [sezaʀism] n. m. ■ Système de gouvernement dans lequel un seul homme (comme *César*) détient tous les pouvoirs. ⇒ **despotisme, dictature.** *Le césarisme des Bonaparte.*

cessant, ante [sesɑ̃, ɑ̃t] adj. ■ *Toute(s) chose(s), toute(s) affaire(s) cessante(s),* en interrompant tout le reste, en priorité.

cessation [sesasjɔ̃] n. f. ■ Le fait de prendre fin (de cesser) ou de mettre fin à qqch. ⇒ **abandon, arrêt, fin, interruption, suspension.** *Cessation des hostilités,* armistice, trêve. ⇒ **cessez-le-feu.** *Cessation du travail.* / contr. **continuation** / ≠ *cession.*

cesse [sɛs] n. f. — En loc. négatives. 1. *N'avoir de cesse que* (+ subjonctif), ne pas s'arrêter avant que... *Il n'aura (pas) de cesse qu'il n'obtienne ce qu'il veut.* 2. SANS CESSE loc. adv. : sans discontinuer. ⇒ **constamment, continuellement, toujours.** *Il travaille sans cesse.*

cesser [sese] v. ■ conjug. 1. 1. V. intr. (suj. chose) Se terminer ou s'interrompre. ⇒ **s'arrêter, finir.** *Le vent a cessé. La fièvre a cessé.* ⇒ **disparaître, tomber.** / contr. **continuer, durer, persister** / — FAIRE CESSER qqch. : arrêter, interrompre. *Faire cesser un scandale, des querelles.* 2. V. tr. ind. CESSER DE (+ infinitif). ⇒ **achever, s'arrêter.** *Cesser d'agir, de parler. Son influence, son action cesse de se faire sentir,* disparaît, passe. — NE (PAS) CESSER DE : continuer. *Il n'a cessé de m'importuner jusqu'à ce qu'il obtienne satisfaction.* 3. V. tr. (suj. animé) Faire finir. ⇒ **arrêter.** *Cesser tout effort, le travail, ses fonctions.* ⇒ **abandonner.** ▶ *cessez-le-feu* [seselfø] n. m. invar. ■ Arrêt des combats. ⟨ ▶ cessant, cessation, cesse, incessant ⟩

cessible [sesibl] adj. ■ Droit. Qui peut être cédé. ⇒ **négociable.** *Ces actions ne sont pas cessibles avant deux ans.*

cession [sesjɔ̃] n. f. ■ Action de céder (un droit, un bien). *Cession de bail.* ⇒ **transmission.** *Acte de cession.* ⇒ **vente.** / contr. **achat, acquisition** / ≠ *cessation.* ▶ *cessionnaire* n. ■ Personne à qui une cession a été faite.

c'est-à-dire [sɛ(e)tadiʀ] loc. conj. 1. Mot qui annonce une explication, une précision ou une qualification (abrév. *c.-à-d.*). *Un radjah, c'est-à-dire un prince de l'Inde.* 2. *C'est-à-dire que,* en conséquence. *Il n'y a plus d'eau, c'est-à-dire que nous allons mourir de soif.*

césure [sezyʀ] n. f. ■ Repos à l'intérieur d'un vers après une syllabe accentuée. ⇒ **coupe.**

cet, cette adj. dém. ⇒ ① **ce.**

cétacé [setase] n. m. ■ Mammifère aquatique à forme de poisson, à membres (antérieurs) transformés en nageoires. ⇒ **baleine, cachalot, dauphin, marsouin.**

cétone [setɔn] n. f. ■ Nom des corps chimiques de constitution analogue à celle de l'acétone.

ceux pronom dém. ■ Pluriel de CELUI.

cévenol, ole [sevnɔl] adj. ■ Des Cévennes.

cf. [kɔfɛʀ] — REM. Il n'y a pas de prononciation de l'abréviation. ■ Abréviation de l'impératif latin *confer* (compare). *Le signe « cf. » sert à renvoyer à un mot, une expression.*

C.G.S. [seʒeɛs] ■ Système d'unités physiques (centimètre, gramme, seconde).

chabrot [ʃabʀo] n. m. ■ FAIRE CHABROT loc. région. : mélanger du vin et du bouillon chaud.

chacal, als [ʃakal] n. m. ■ Mammifère carnivore d'Asie et d'Afrique ressemblant au renard. *Une bande de chacals.*

chacun, une [ʃakœ̃, yn] pronom indéf. 1. Personne ou chose prise individuellement dans un ensemble, un tout. *Chacun de nous, chacun d'entre eux. Chacun des deux,* l'un et l'autre. *Ils ont bu chacun sa bouteille* ou *chacun leur bouteille. Chacun rentra chez lui, chez soi.* 2. Toute personne. *À chacun selon son mérite. Chacun son métier.* — Littér. *Tout un chacun,* n'importe qui.

chafouin, ine [ʃafwɛ̃, in] adj. ■ Rusé, sournois. *Mine chafouine.*

① *chagrin, ine* [ʃagʀɛ̃, in] adj. ■ Littér. Qui est d'un caractère ou d'une humeur triste, morose. *Une humeur chagrine.* ⇒ **maussade, mélancolique, morose.** — Qui révèle de la tristesse. *Visage chagrin. Avoir l'air chagrin.* / contr. **content, gai, satisfait** /

② *chagrin* n. m. ■ *Le, du chagrin,* état moralement douloureux. ⇒ **affliction, douleur, peine.** *Avoir du chagrin, beaucoup de chagrin.* — *Un chagrin,* peine ou déplaisir causé par un événement précis. *Il en a eu un grand, un terrible chagrin. Chagrin d'amour.* — Loc. fam. *Noyer son chagrin dans le vin, dans l'alcool,* s'enivrer pour l'oublier. ▶ *chagriner* v. tr. ■ conjug. 1. ■ Rendre (qqn) triste. ⇒ **affliger, attrister, peiner.** *Son départ me chagrine,* me fait de la peine.

③ *chagrin* n. m. ■ Cuir dont la surface présente de petits grains, fait de peau de mouton, de chèvre, d'âne, et utilisé en reliure. *Un livre relié en chagrin.* — Abstrait. *C'est une peau de chagrin,* cela ne cesse de rétrécir.

chahut [ʃay] n. m. ■ Agitation bruyante (d'écoliers). ⇒ **tapage.** *Faire du chahut. Quel chahut !* ▶ *chahuter* v. ■ conjug. 1. 1. V. intr. Faire du chahut. *C'est un cancre : il passe son temps à dormir ou à chahuter.* 2. V. tr. *Chahuter un professeur,* manifester contre lui par un chahut. 3. V. tr. *Chahuter qqch.,* bousculer. *Ne chahutez pas ces cartons !* ▶ *chahuteur, euse* n. et adj. ⇒ **turbulent.**

chai [ʃɛ] n. m. ■ Magasin situé au rez-de-chaussée (≠ *cave*) où l'on emmagasine les alcools, les vins en fûts. ⇒ **cellier.** *Visiter les chais d'une coopérative vinicole.*

① *chaîne* [ʃɛn] n. f. I. 1. Succession d'anneaux de métal entrelacés ⇒ **chaînon, maille** servant de lien, d'ornement, etc. *Mettre, tenir un chien à la chaîne.* ⇒ **enchaîner.** *Chaîne d'ancre.* — *Chaîne de sûreté,* qui retient une porte entrebâillée. — En bijouterie. *Attache ornementale.* ⇒ **chaînette, gourmette.** *Elle porte autour du cou une fine chaîne en or.* 2. Suite d'anneaux métalliques servant à transmettre un mouvement. *Chaîne de bicyclette.* 3. *Chaîne d'arpenteur,* pour les mesures. 4. Au plur. Assemblage de chaînes, qu'on met aux pneus pour éviter de glisser sur la neige, le verglas. *Il y a trop de neige, on va mettre les chaînes.* II. Abstrait. Ce qui attache, enchaîne, rend esclave. ⇒ **asservissement, lien.** *Briser, secouer ses chaînes,* se délivrer. ▶ *chaînette* n. f. ■ Petite chaîne. ▶ *chaînon* n. m. 1. Anneau d'une chaîne. ⇒ **maillon.** 2. Abstrait. Lien intermédiaire. *Il manque un chaînon dans la reconstitution des faits.* ⟨ ▶ déchaîner, enchaîner ⟩

② *chaîne* n. f. I. Objet (concret ou abstrait) composé d'éléments successifs solidement liés. 1. Ensemble des fils parallèles disposés dans le sens de la longueur d'un tissu, entre lesquels passe la trame*. 2. Suite d'accidents de relief rattachés entre eux. *Chaîne de montagnes.* 3. En chimie. Ensemble des atomes (de carbone) liés, dans les molécules organiques. — Succession de réactions chimiques. *Réaction en chaîne.* 4. Ensemble d'appareils concourant à la transmission de signaux. *Chaîne (haute-fidélité)*, électrophone formé d'éléments séparés (platine, amplificateur, haut-parleurs). *Il a une bonne chaîne stéréo.* — Ensemble d'émetteurs de télévision émettant un même programme. *Poste de télévision équipé pour recevoir toutes les chaînes.* ⇒ **canal. 5.** Installation formée de postes successifs de travail et du système conduisant des uns aux autres. *Chaîne de montage, automatisée. Travail à la chaîne.* **6.** *Chaîne (de magasins, d'hôtels...)*, ensemble (de magasins, d'hôtels...) dépendant d'une même société. **II.** (Personnes) Ensemble de personnes qui se transmettent qqch. de l'une à l'autre. — Loc. *Faire la chaîne.*

① *chair* [ʃɛʀ] n. f. **1.** Substance molle du corps de l'homme (ou d'animaux), muscles ; aspect extérieur du corps, de la peau. *La chair et les os.* — Loc. EN CHAIR ET EN OS : en personne. — *Être* BIEN EN CHAIR : avoir de l'embonpoint, avoir la chair ferme. — *Avoir la chair de poule*, la peau qui se hérisse. ⇒ **frisson.** *Donner la chair de poule*, faire peur. — *Couleur chair*, de la couleur rose de la peau, dans la race blanche. *Des bas couleur chair.* **2.** (Au sens de viande) NI CHAIR, NI POISSON : sans caractère ferme ; indécis. — Préparation de viande hachée. *Chair à saucisses. Hacher menu comme chair à pâté*, très fin. — (Avec un adj. qui qualifie) Partie comestible d'animaux (quand on ne peut pas dire *viande*), de fruits. *Ces volailles, ce poisson ont une chair délicate, tendre. Une pêche à chair blanche.* ≠ *chaire, chère* (dans *bonne chère*).

② *chair* n. f. **1.** La nature humaine, le corps (opposé à l'*esprit*, à l'*âme*). *Le Verbe s'est fait chair.* ⇒ **incarnation. 2.** Littér. Les instincts, les besoins du corps ; les sens (⇒ **charnel**).

chaire [ʃɛʀ] n. f. **1.** Tribune élevée du haut de laquelle un ecclésiastique adresse aux fidèles ses instructions et ses enseignements. *Le curé monte en chaire pour prêcher.* — Tribune où s'installe un professeur de faculté pour faire son cours. **3.** Poste de professeur (dans une faculté). *La chaire de droit, d'histoire. Une chaire vient d'être créée.*

chaise [ʃɛz] n. f. **1.** Siège à dossier et sans bras. *Chaise de cuisine, de jardin.* — CHAISE LONGUE : fauteuil muni d'un appui pour les jambes ; siège de toile pliant. ⇒ **transatlantique.** *Faire de la chaise longue*, s'étendre. — Loc. *Se trouver, être assis* ENTRE DEUX CHAISES : dans une situation incertaine, instable. **2.** CHAISE À PORTEURS : autrefois, petit abri muni d'un siège, dans lequel on se faisait porter par deux hommes. ⇒ **palanquin. 3.** CHAISE ÉLECTRIQUE : siège utilisé pour l'électrocution des condamnés à mort (aux États-Unis). ▶ *chaisière* n. f. ■ Loueuse de chaises (à l'église, dans un jardin public).

① *chaland* [ʃalɑ̃] n. m. ■ Bateau à fond plat pour le transport des marchandises. ⇒ **péniche.** *Chaland-citerne* (pour le transport des liquides). *Train de chalands*, tirés par un remorqueur.

② *chaland, ande* n. ■ Vx. Acheteur, acheteuse. ⇒ **client.** ⟨ ▶ **achalandé** ⟩

châle [ʃal] n. m. ■ Grande pièce d'étoffe que les femmes portent sur leurs épaules. ⇒ **fichu.** *Un châle de soie.*

chalet [ʃalɛ] n. m. **1.** Maison de bois des pays de montagne (habitation paysanne ; d'abord abri de berger en haute montagne). **2.** Maison de plaisance imitée des chalets suisses. *Ils se sont fait construire un chalet dans les Alpes.*

chaleur [ʃalœʀ] n. f. **I. 1.** Température plus ou moins élevée de la matière (par rapport au corps

humain) ; sensation produite par un corps chaud. *La chaleur de l'eau bouillante, d'un fer rouge.* ⇒ **brûlure.** — Température de l'air qui donne à l'organisme une sensation de chaud. *Chaleur douce, modérée* ⇒ **tiédeur** ; *accablante, étouffante* ⇒ **canicule, étuve, fournaise.** *Grosse chaleur. Quelle chaleur, aujourd'hui !* / contr. **froid,** n. m. / **2.** En sciences. Phénomène physique qui se transmet et dont l'augmentation se traduit notamment par l'élévation de la température. *Chaleur spécifique*, qui élève de 1 °C la température de 1 g de substance. **II.** Passion intérieure (d'une personne, de ses sentiments) ; force des sentiments. ⇒ **ardeur, exaltation, passion, vivacité ; chaleureux.** *La chaleur de ses convictions. La chaleur de son amitié.* / contr. **froideur, indifférence** / ▶ *chaleureux, euse* [ʃalœʀø, øz] adj. ■ Qui montre, qui manifeste de la chaleur (II). ⇒ **ardent, enthousiaste.** *Accueil chaleureux. Ami chaleureux.* / contr. **froid, tiède** / ▶ *chaleureusement* adv.

châlit [ʃali] n. m. ■ Cadre de lit.

challenge [ʃalɑ̃ʒ] n. m. Anglic. **1.** Épreuve sportive dans laquelle le vainqueur devient le détenteur du titre de champion. **2.** Situation où la difficulté stimule. ⇒ **défi.** ▶ *challenger* [ʃalɑ̃ʒœʀ] n. m. ■ Anglic. Sportif qui cherche à enlever le titre au champion. *Des challengers.*

chaloupe [ʃalup] n. f. ■ Embarcation non pontée. *Chaloupes de sauvetage.* ⇒ **canot.**

chaloupé, ée [ʃalupe] adj. ■ (Démarche, danse) Qui est balancé. *Valse chaloupée.*

chalumeau [ʃalymo] n. m. ■ Appareil qui produit et dirige un jet de flammes à une température élevée. *Des chalumeaux. Soudure au chalumeau.*

chalut [ʃaly] n. m. ■ Filet en forme d'entonnoir, attaché à l'arrière d'un bateau. *Pêcher le hareng au chalut. Jeter, ramener le chalut.* ▶ *chalutier* n. m. ■ Bateau de pêche armé pour la pêche au chalut.

chamade [ʃamad] n. f. ■ (Cœur) *Battre la chamade*, battre à grands coups.

se chamailler [ʃamaje] v. pron. ■ conjug. 1. ■ Fam. Se quereller bruyamment pour des raisons insignifiantes. *Arrêtez donc de vous chamailler !* ⇒ se **disputer, se quereller.** ▶ *chamaillerie* n. f. ■ Fam. Dispute, querelle. ▶ *chamailleur, euse* adj. et n. ■ Qui se chamaille.

chamarré, ée [ʃamaʀe] adj. ■ Rehaussé d'ornements aux couleurs éclatantes. *Des étoffes chamarrées d'or.* ▶ *chamarrure* n. f. ■ Ornement d'une étoffe, d'un vêtement chamarré.

chambard [ʃɑ̃baʀ] n. m. ■ Fam. Vacarme, chahut. *Faire du chambard.*

chambarder [ʃɑ̃baʀde] v. tr. ■ conjug. 1. ■ Fam. Bouleverser, mettre en désordre. *On a tout chambardé dans la maison.* ⇒ fam. **chambouler.** *Il veut chambarder la société*, faire la révolution. / contr. **conserver, maintenir** / ▶ *chambardement* n. m. ■ Fam. Action de chambarder ; désordre, changement brutal.

chambellan [ʃɑ̃be(ɛl)lɑ̃] n. m. ■ Gentilhomme de la cour chargé du service de la chambre d'un souverain (roi, empereur). *Les chambellans de la cour. Le Grand Chambellan.*

chambouler [ʃɑ̃bule] v. tr. ■ conjug. 1. ■ Fam. Bouleverser, mettre sens dessus dessous. ⇒ fam. **chambarder.**

chambranle [ʃɑ̃bʀɑ̃l] n. m. ■ Encadrement d'une porte, d'une fenêtre, d'une cheminée. ⇒ **huisserie.**

① *chambre* [ʃɑ̃bʀ] n. f. **1.** Pièce où l'on couche. ⇒ fam. **piaule.** *Chambre à coucher. Chambre d'hôtel.*

Chambre à deux lits. Chambre d'étudiant. Chambre de bonne. — GARDER LA CHAMBRE : ne pas sortir de chez soi, par suite d'une maladie. 2. Loc. EN CHAMBRE : chez soi. *Travailler en chambre* (ouvrier, artisan). — DE CHAMBRE. *Robe de chambre. Valet, femme de chambre,* domestiques attachés au service personnel. 3. Pièce, compartiment à bord d'un navire. *Chambre des machines.* 4. Pièce maintenue à basse température et qui sert à conserver (des aliments, etc.). *Chambre froide, frigorifique.* ▶ **chambrette** n. f. ■ Petite chambre (1). ▶ *chambrée* n. f. ■ L'ensemble de ceux qui couchent dans une même pièce ; la pièce où couchent les soldats ⇒ **dortoir.** *Toute la chambrée sera punie. Balayer la chambrée.* ▶ *chambrer* v. tr. • conjug. 1. 1. Isoler (qqn) pour l'amener à céder, le convaincre. ⇒ **endoctriner.** 2. Mettre (le vin) à la température de la pièce, le réchauffer légèrement. *On chambre les vins rouges.* — Au p. p. adj. *Vin chambré.* 3. Fam. *Chambrer qqn,* se moquer de lui (en paroles).

② *chambre* n. f. 1. (Avec une majuscule) Assemblée législative. *La Chambre des députés* (ou *Assemblée nationale*) *et le Sénat forment le Parlement* (en France). *La Chambre des communes et la Chambre des lords* (en Grande-Bretagne). 2. Section de certains tribunaux. *Première chambre, seconde chambre du tribunal correctionnel. La chambre d'accusation.* 3. Assemblée chargée de défendre les intérêts (d'une profession, d'un métier). *Chambre de commerce,* assemblée représentative des commerçants et industriels.

③ *chambre* n. f. ■ Cavité. 1. CHAMBRE NOIRE : boîte fermée où une petite ouverture (avec ou sans lentille) fait pénétrer les rayons lumineux et qui sert à reproduire sur un écran l'image des objets. 2. (Dans un moteur) *Chambre d'explosion d'un moteur. Chambre de combustion.* 3. CHAMBRE À AIR : enveloppe de caoutchouc gonflée d'air, partie intérieure d'un pneumatique. *Réparer une chambre à air.* 4. *Chambre de Wilson,* pour l'étude des trajectoires des particules élémentaires.

chameau [ʃamo] n. m. I. Grand mammifère ruminant à pelage laineux, à bosses sur le dos ; chameau à deux bosses *(chameau d'Asie),* parfois opposé au dromadaire *(chameau d'Arabie)* à une bosse. *La sobriété du chameau. Transport à dos de chameau. Caravane de chameaux.* — *Poil de chameau,* tissu en poils de chameau. II. Fam. Personne méchante, désagréable. ⇒ fam. **cochon, garce, salaud.** *Cette femme est un vieux chameau.* — Adj. *Ce qu'il (elle) est chameau !* ▶ *chamelier* [ʃaməlje] n. m. ■ Celui qui conduit les chameaux et en prend soin. ▶ *chamelle* [ʃamɛl] n. f. ■ Femelle du chameau.

chamois [ʃamwa] n. m. invar. 1. Ruminant à cornes recourbées qui vit dans les montagnes. *Chamois des Pyrénées.* ⇒ **isard.** 2. Peau de mouton, de chèvre, préparée par chamoisage. *Gant de chamois.* — *Peau de chamois,* qui sert à nettoyer les vitres, etc. — Adj. invar. Couleur jaune clair. *Une veste chamois.* ▶ *chamoisage* n. m. ■ Ensemble d'opérations par lesquelles on rend certaines peaux (mouton, chèvre) aussi souples que la peau de chamois véritable.

champ [ʃɑ̃] n. m. I. Espace ouvert et plat. ⇒ **campagne.** 1. Étendue de terre propre à la culture. *Cultiver, labourer un champ. Champ de blé.* — *En plein champ,* au milieu de la campagne. 2. LES CHAMPS : toute étendue de terre, cultivable. ⇒ **campagne.** *La vie des champs. Fleurs des champs.* — *À travers champs,* hors des chemins. 3. Terrain, espace. CHAMP DE BATAILLE : lieu des combats, dans une guerre. *Rester sur le champ de bataille,* y être tué.

Mourir, tomber au CHAMP D'HONNEUR : à la guerre. — Terrain délimité et réservé à une activité. *Champ de manœuvre, d'exercices. Champ d'aviation.* ⇒ **terrain.** *Champ de courses.* ⇒ **hippodrome.** — *Champ clos,* où avaient lieu les tournois*. — Loc. PRENDRE DU CHAMP : reculer pour prendre de l'élan ; prendre du recul. II. 1. Domaine d'action (⇒ **sphère**). *Élargir le champ de ses connaissances. Donner libre champ à son imagination. Laisser le champ libre à,* donner une liberté d'action. 2. SUR-LE-CHAMP loc. adv. ⇒ **aussitôt, immédiatement.** *Partir sur-le-champ.* — À TOUT BOUT DE CHAMP [atubudʃɑ̃] loc. adv. fam. : à tout instant. III. Espace limité (concret ou abstrait) réservé à certaines opérations ou doué de propriétés. 1. *Champ* (des instruments d'optique), portion d'espace qui est vue dans l'instrument ou enregistrée (film). *Sortir du champ. Être hors champ.* 2. CHAMP OPÉRATOIRE : zone dans laquelle l'opération est pratiquée. 3. Zone où se manifeste un phénomène magnétique ou électrique, un système de forces. *Champ magnétique.* ⟨ ▶ **champêtre, contrechamp** ⟩

champagne [ʃɑ̃paɲ] n. m. ■ Vin blanc de Champagne, rendu mousseux. *Bouteille, bouchon de champagne. Sabler le champagne. Boire une coupe de champagne.* ▶ *champagniser* v. tr. • conjug. 1. ■ Traiter (les crus de Champagne, un vin) pour en faire du champagne. — Au p. p. *Vins champagnisés* (dit abusivt *champagnes*).

champenois, oise [ʃɑ̃pənwa, waz] adj. ■ De Champagne. — N. *Les Champenois.*

champêtre [ʃɑ̃pɛtʀ] adj. ■ Littér. Qui appartient aux champs, à la campagne cultivée. ⇒ **rural, rustique.** *Vie champêtre. Repas champêtre.* — *Garde champêtre.*

champignon [ʃɑ̃piɲɔ̃] n. m. 1. Végétal sans chlorophylle (sans feuilles) formé d'un pied surmonté d'un chapeau, à nombreuses espèces (comestibles ou vénéneuses). *Ramasser des champignons. Omelette aux champignons. Champignon de couche ; champignon de Paris.* — *Pousser comme un champignon,* grandir très vite. *Ville champignon,* qui se développe vite. 2. Ce qui a la forme d'un champignon. *Champignon d'un portemanteau.* — Fam. Pédale d'accélérateur. *Appuyer sur le champignon,* accélérer. — *Champignon atomique,* nuage d'une explosion atomique. 3. En botanique. Végétal inférieur (sans tige ni feuilles), dépourvu de chlorophylle (opposé à *algues, mousses*) et dont les cellules ont un noyau (opposé à *bactéries*). *Les champignons comprennent des levures, moisissures, etc.* ▶ *champignonnière* [ʃɑ̃piɲɔɲjɛʀ] n. f. ■ Lieu où l'on cultive les champignons (1) sur couche.

champion, onne [ʃɑ̃pjɔ̃, ɔn] n. 1. Personne qui défend avec acharnement (une cause). ⇒ **défenseur, partisan.** *Elle s'était faite la championne du vote des femmes.* 2. Vainqueur d'une épreuve sportive (championnat). *Le champion du monde de boxe. Championne d'Europe.* 3. Fam. Personne remarquable. ⇒ **as.** — Adj. *Il est champion, c'est champion !,* remarquable. ⇒ **épatant, formidable.** ▶ *championnat* n. m. ■ Épreuve sportive officielle à l'issue de laquelle le vainqueur obtient un titre. *Le championnat de France, du monde de boxe.*

chance [ʃɑ̃s] n. f. 1. *Bonne, mauvaise chance,* manière favorable ou défavorable selon laquelle un événement se produit ⇒ **hasard** ; puissance qui préside au succès ou à l'insuccès ⇒ **fortune, sort.** *Souhaiter bonne chance à qqn.* 2. CHANCES : possibilités de se produire par hasard. ⇒ **éventualité, probabilité.** *Il y a beaucoup de chances, il y a des chances,* c'est probable. *Il y a des chances qu'elle* *réussisse. Calculer ses chances de succès.* **3.** *La chance.* bonne chance. ⇒ **bonheur, veine.** *Avoir de la chance. Avoir la chance de* (+ infinitif). *Par chance, par bonheur. Donner sa chance à qqn,* lui donner la possibilité de réussir. — *Pas de chance !* (→ fam. Pas de bol, pas de pot). / contr. **déveine, malchance /** ⟨ ► chanceux, malchance ⟩

chanceler [ʃɑ̃sle] v. intr. ▪ conjug. 4. **1.** Vaciller sur sa base, pencher de côté et d'autre comme si on allait tomber. ⇒ **flageoler, tituber.** *Il chancelle comme un homme ivre.* **2.** (Suj. chose) Être menacé de ruine, de chute. *Sa fortune chancelle.* — Montrer de l'hésitation. *Sa mémoire chancelle.* / contr. s'**affermir** ► *chancelant, ante* adj. ▪ *Un pas chancelant. Santé chancelante.* ⇒ **faible.**

chancelier [ʃɑ̃səlje] n. m. **1.** Celui qui est chargé de garder les sceaux, qui en dispose. **2.** *Le chancelier de l'Échiquier,* en Angleterre, le ministre des Finances. **3.** Le Premier ministre (Autriche, Allemagne fédérale). ► *chancellerie* [ʃɑ̃sɛlʁi] n. f. ▪ Services d'un chancelier. — *La chancellerie d'un consulat, d'une ambassade.*

chanceux, euse [ʃɑ̃sø, øz] adj. ▪ Qui a de la chance. ⇒ **veinard.** / contr. **malchanceux /**

chancre [ʃɑ̃kʁ] n. m. ▪ Dans certaines maladies infectieuses, perte de substance formant une plaie qui ronge la peau. *Chancre syphilitique.*

chandail, ails [ʃɑ̃daj] n. m. ▪ Gros tricot de laine. ⇒ **pull-over, tricot.** *Chandail de sport, chandail à col roulé. Des chandails.*

Chandeleur [ʃɑ̃dlœʁ] n. f. ▪ Fête de la présentation de Jésus-Christ au Temple (2 février). — Jour où l'on mange traditionnellement des crêpes. *Fête de la Chandeleur.*

chandelle [ʃɑ̃dɛl] n. f. **1.** Mèche tressée enveloppée de suif qui servait à s'éclairer. ⇒ *bougie.* **2.** Loc. DEVOIR UNE (FIÈRE) CHANDELLE *à qqn* : avoir des obligations envers une personne qui a rendu un grand service. — *Des économies de* BOUTS DE CHANDELLES : insignifiantes. — *Brûler la chandelle par les deux bouts,* dépenser trop. — *En voir trente-six chandelles,* avoir un éblouissement à la suite d'un coup sur la tête. **3.** Montée verticale (d'une balle, d'un avion). *L'avion monte en chandelle.* ► *chandelier* [ʃɑ̃dəlje] n. m. ▪ Support destiné à recevoir des chandelles, cierges, bougies. ⇒ **bougeoir, candélabre, flambeau.** *Un chandelier d'argent, de cuivre.* — *Le chandelier à sept branches,* dans la religion juive, chandelier du culte.

chanfrein [ʃɑ̃fʁɛ̃] n. m. ▪ Partie de la tête du cheval comprise entre le front et les naseaux.

changer [ʃɑ̃ʒe] v. ▪ conjug. 3. **I.** V. tr. **1.** Céder (une chose) contre une autre. ⇒ **échanger, troquer.** *Changer une chose pour, contre une autre.* — (Sans prép.) *Changer de l'argent* (contre une autre monnaie). ⇒ **change. 2.** Remplacer (qqch., qqn) par une chose, une personne (de même nature). *Changer sa voiture. Changer le personnel d'une administration. Changer les draps.* **3.** CHANGER *qqch., qqn* DE... : mettre dans un autre (état, lieu). *Changer qqch. de place.* ⇒ **déplacer, transférer.** *Changer qqn de poste.* ⇒ **muter. 4.** Rendre autre ou différent (compl. abstrait ou indéfini) ⇒ **modifier.** *Changer sa manière de vivre. Changer ses plans, ses projets. Cela ne change rien à l'affaire. Vouloir tout changer.* ⇒ **bouleverser, transformer.** — Fam. *Changer les idées à qqn.* ⇒ **divertir.** — (Suj. chose) *Changer qqn. Cette nouvelle coiffure vous change,* vous fait paraître différent. **5.** CHANGER *qqch.* EN. ⇒ **convertir, transformer.** *Changer un*

doute en certitude. *Changer qqch. en bien, en mieux* ⇒ **améliorer,** *en mal, en pire* ⇒ **aggraver. 6.** CHANGER *qqch.* à : modifier un élément de. *Ne rien changer à ses habitudes.* **II.** V. tr. indir. (Suj. personne) CHANGER DE. **1.** *Changer de place (avec qqn),* se déplacer, permuter. *Changer de direction, de côté.* **2.** *Changer de,* abandonner, quitter (une chose) pour une autre de la même espèce. *Changer de gouvernement. Elle a changé de coiffure. Il change sans cesse de sujet, d'avis.* **3.** Sens passif. Avoir, recevoir un autre caractère. *La rue a changé d'aspect, de nom.* **III.** V. intr. Devenir autre, différent, éprouver un changement. ⇒ **évoluer,** se **modifier,** se **transformer, varier.** / contr. **durer, rester, subsister /** *Les choses ont changé. Le temps change.* ⇒ **changeant.** *Elle n'a pas changé, elle est toujours la même.* — Iron. *Pour changer, comme d'habitude. Et pour changer, elle est encore en retard.* **IV. 1.** V. tr. CHANGER *qqn* : changer ses vêtements. *Changer un enfant, un bébé.* **III.** V. SE CHANGER v. pron. : changer de vêtements. *Vous êtes bien mouillé, changez-vous.* ► *change* n. m. **I. 1.** *Gagner, perdre au change,* à l'échange. ⇒ **troc. 2.** Échange de deux monnaies de pays différents. *Bureau de change. Agent de change. Contrôle des changes.* — Prix demandé pour convertir la monnaie nationale en monnaie étrangère. ⇒ **taux.** *Cote des changes.* ⇒ LETTRE DE CHANGE. ⇒ **billet** à ordre, **effet. II.** Loc. *Donner le change à qqn,* lui faire prendre une chose pour une autre. ⇒ **tromper ; abuser. III.** *Change, change complet,* couche*-culotte jetable. ⇒ **lange.** ► *changeable* [ʃɑ̃ʒabl] adj. ▪ Qui peut être changé. ⇒ **modifiable, remplaçable.** / contr. **immuable /** ► *changeant, ante* adj. **1.** Qui peut changer, se modifier souvent. ⇒ **variable ; incertain, instable.** *Temps changeant. Humeur changeante.* ⇒ **capricieux, instable.** *Il est bien changeant dans ses opinions.* / contr. **fixe, immuable, stable / 2.** Dont l'aspect, la couleur change suivant le jour sous lequel on le regarde. *Étoffe changeante.* ⇒ **chatoyant.** ► *changement* n. m. ▪ Le fait de changer, de se modifier, de varier. **1.** *Changement de...,* modification quant à (tel caractère). *Changement d'état, de forme.* ⇒ **altération, modification, transformation.** / contr. **constance, fixité, stabilité /** — (Choses) Fait de changer. *Il y a eu un brusque changement de temps. Changement de programme. Changement de décor.* **2.** (Personnes) *Changement de...,* le fait de quitter une chose pour une autre. *Changement d'adresse. Vous avez besoin d'un changement d'air.* **3.** *Le changement,* état de ce qui évolue, se modifie (choses, circonstances, états psychologiques). *Aimer, craindre le changement,* les modifications des conditions de vie. *Changement brusque, total.* ⇒ **bouleversement.** *Changement graduel, progressif.* ⇒ **évolution, gradation, progression. 4.** *Un changement,* chose, circonstance qui change, évolue. *Ç'a été un grand changement dans sa vie.* ► *changeur* n. m. **1.** Personne qui effectue des opérations de change (I, 2). **2.** Machine permettant d'obtenir de la monnaie. ⟨ ► échanger, libre-échange, inchangé, interchangeable, de rechange ⟩

chanoine [ʃanwan] n. m. ▪ Ecclésiastique qui fait partie du conseil de l'évêque. *Chanoine titulaire, honoraire. Assemblée de chanoines.* ⇒ ② **chapitre.**

① *chanson* [ʃɑ̃sɔ̃] n. f. **1.** Texte mis en musique, souvent divisé en couplets et refrain, destiné à être chanté. ⇒ **chant, mélodie.** *L'air, les paroles, les couplets, le refrain d'une chanson. Une chanson d'amour. Chanter, écouter des chansons.* **2.** Chant, bruit harmonieux. *La chanson du vent dans les feuilles.* **3.** Fig. et fam. *C'est toujours la même chanson,* les mêmes propos. ⇒ **histoire.** ► *chansonnette* n. f. ▪ Petite chanson sur un sujet léger.

② *chanson* n. f. ■ Littér. Poème épique du Moyen
Âge, divisé en strophes. *Une chanson de geste. La
Chanson de Roland.*

chansonnier [ʃãsɔnje] n. m. ■ Personne qui
compose ou improvise des chansons, des monologues
satiriques, des sketches et qui se produit sur une scène.
Les chansonniers de Montmartre.

① *chant* [ʃã] n. m. I. 1. Émission de sons musicaux
par la voix humaine ; technique, art de la musique
vocale. *Apprendre le chant. Exercices de chant.* 2. Un
chant, air chanté, composition musicale destinée à la
voix, généralement sur des paroles. ⇒ **air, chanson,
mélodie.** *Chant de joie. Chant de deuil. Chants
populaires. Chants d'Église.* ⇒ **cantique.** 3. Formes
particulières de musique vocale. *Chant grégorien,*
chant ordinaire de l'Église catholique romaine.
⇒ **plain-chant.** *Chant choral.* 4. Bruit modulé, musique (comparée au chant). *Le chant du violon. Le chant
des oiseaux.* ⇒ **ramage.** *Le chant du rossignol. Le
chant des cigales. Au chant du coq,* au point du jour.
— Fig. *Le chant du cygne,* la dernière et la plus belle
composition d'un artiste. II. Poésie lyrique ou épique.
— Chaque division d'un poème épique ou didactique.
Les douze chants de l'Énéide.

② *de chant* [dəʃã] loc. adv. ■ *Mettre, poser de
chant* [dəʃã] *une pierre,* de sorte que sa face longue
soit horizontale et en profondeur. ⟨ ► chantourner ⟩

chantage [ʃãtaʒ] n. m. ■ Action d'exiger de qqn
de l'argent ou un avantage en menaçant de révéler
un scandale, de faire contre lui une action hostile.
⇒ **extorsion, racket ;** faire **chanter** (I, 3). *Faire du
chantage.* ⇒ **maître-chanteur.**

chanter [ʃãte] v. ■ conjug. 1. I. V. intr. 1. Former
avec la voix une suite de sons musicaux (chant).
Chanter juste, faux. Chanter fort, à tue-tête. ⇒ **beugler, crier.** *Chanter doucement.* ⇒ **chantonner, fredonner.** *Chanter en chœur,* ensemble. 2. (Oiseaux,
certains insectes) Crier. ⇒ **gazouiller, siffler.** *L'alouette, le coq chantent.* 3. Loc. FAIRE CHANTER *qqn* :
exercer un chantage sur lui. 4. Fam. *Si ça me (lui,
vous) chante,* si ça me (lui, vous) convient, me (lui,
vous) plaît. II. V. tr. 1. Émettre (des sons musicaux),
exécuter (un morceau de musique vocale). *Chanter
un air, une chanson.* — Fam. *Qu'est-ce que tu nous
chantes là ?* ⇒ **dire, raconter.** 2. Littér. *Chanter qqn,
qqch.,* célébrer par le chant, la poésie. ⇒ **exalter.**
Homère a chanté les exploits d'Ulysse. — Loc. *Chanter
les louanges de qqn,* faire de grands éloges de qqn.
► *chantant, ante* adj. 1. Qui chante, a un rôle
mélodique. *Basse chantante.* 2. Voix chantante, mélo-
dieuse. *Accent chantant. L'accent marseillais est très
chantant.* ► *chanteur, euse* n. ■ Personne qui
chante, qui fait métier de chanter. *Poètes et chanteurs
de l'Antiquité et du Moyen Âge.* ⇒ **aède, barde,
ménestrel, troubadour, trouvère.** *Chanteur amateur,
professionnel. Chanteur de charme. Chanteuse
d'opéra.* ⇒ **cantatrice, diva.** 2. Adj. *Oiseaux chanteurs.* ⟨ ► ① chant, chantage, chantonner, chantre,
contre-chant, déchanter, maître-chanteur, plain-
chant ⟩

① *chanterelle* [ʃãtʀɛl] n. f. ■ Corde la plus fine,
ayant le son le plus aigu, dans un instrument à cordes.
Chanterelle de violon.

② *chanterelle* n. f. ■ Champignon comestible en
forme de coupe jaune. ⇒ **girolle.**

chantier [ʃãtje] n. m. 1. Lieu où se fait un vaste
travail collectif sur des matériaux. *Chantier de
construction. Travailler sur un chantier. Chantier
naval.* 2. Loc. *Mettre (un travail, etc.)* SUR LE

CHANTIER, EN CHANTIER : commencer. 3. Fam. *Quel
chantier !* ⇒ **bazar, désordre.**

chantilly [ʃãtiji] n. f. invar. ⇒ **crème** (I, 1).

chantonner [ʃãtɔne] v. intr. et tr. ■ conjug. 1. ■ Chanter à mi-voix. ⇒ **fredonner.** ► *chan-
tonnement* n. m.

chantourner [ʃãtuʀne] v. tr. ■ conjug. 1. ■ Découper (une pièce de bois ou de métal) suivant un profil
donné.

chantre [ʃãtʀ] n. m. 1. Personne dont la fonction
est de chanter dans un service religieux. 2. Littér.
Personne qui chante, célèbre. *Le chantre des races
opprimées.*

chanvre [ʃãvʀ] n. m. 1. Plante à tige droite, à
feuilles en palmes. — *Chanvre indien,* qui produit le
haschisch. 2. Textile de la tige du chanvre. *Toile de
chanvre.*

chaos [kao] n. m. invar. ■ Confusion, désordre
complet. *Ses affaires sont dans un chaos épouvantable.*
≠ *cahot.* ► *chaotique* [kaɔtik] adj. ■ Qui a
l'aspect du chaos, en désordre. *Un amas chaotique.*

chaparder [ʃapaʀde] v. tr. ■ conjug. 1. ■ Fam.
Dérober, voler (de petites choses). ⇒ fam. **chiper.**
► *chapardage* n. m. ► *chapardeur, euse* adj. et
n. ■ Qui fait de petits larcins. *Une petite fille
chapardeuse.*

chape [ʃap] n. f. 1. Manteau de cérémonie que
portent les évêques, les prêtres pour certains offices.
Une chape de drap d'or. La chape de l'officiant.
2. Objet recouvrant qqch. ⇒ **couvercle, enveloppe.**
Chape de bielle, de poulie. Une chape de plomb.

① *chapeau* [ʃapo] n. m. 1. Coiffure de forme
assez rigide (opposé à *bonnet, coiffe*). ⇒ **coiffure,
couvre-chef.** *Chapeaux d'homme,* canotier, feutre,
haut-de-forme, melon. *Chapeau mou. Mettre, enlever
son chapeau.* — *Un coup de chapeau* (pour saluer).
— *Chapeaux de femme,* bibi, feutre, toque... — Loc.
Je lui tire mon chapeau, je l'admire. — Fam.
Chapeau !, bravo !, c'est magnifique. ► *chapeauter*
[ʃapote] v. tr. ■ conjug. 1. 1. Coiffer d'un chapeau.
2. Fam. Exercer un contrôle sur (qqn, qqch.). ⟨ ► chapelier ⟩

② *chapeau* n. m. 1. Partie supérieure d'un champignon. 2. CHAPEAU CHINOIS : instrument de musique formé d'un disque de cuivre garni de clochettes.
3. Partie supérieure ou latérale (qui protège). *Chapeau de roue.* ⇒ **enjoliveur.** — Fam. *Prendre un virage
sur les chapeaux de roues,* très vite. 4. Texte court
qui surmonte et présente un autre texte (après le titre).
Chapeau d'un article de journal.

chapelain [ʃaplɛ̃] n. m. ■ Prêtre qui dessert une
chapelle privée. ⇒ **aumônier.**

chapelet [ʃaplɛ] n. m. 1. Objet de dévotion en
forme de collier, composé de grains enfilés que l'on
fait glisser entre ses doigts en récitant des prières ;
ces prières. *Dire, réciter son chapelet.* — Fam. *Défiler,
dévider son chapelet,* raconter dans le détail et à la
suite. *Un chapelet d'injures.* 2. Succession de choses
identiques ou analogues. *Un chapelet de saucisses. Un
chapelet de bombes.*

chapelier, ière [ʃapəlje, jɛʀ] n. et adj. 1. Personne qui fait ou vend des chapeaux pour hommes
et pour femmes. ⇒ **modiste.** 2. Adj. *L'industrie
chapelière.*

chapelle [ʃapɛl] n. f. I. 1. Lieu consacré au culte
dans une demeure particulière. ⇒ **oratoire.** 2. Église
n'ayant pas le titre de paroisse. *La Sainte Chapelle*

(à Paris). **3.** Partie d'une église où se dresse un autel secondaire. *Une chapelle latérale. La chapelle de la Sainte Vierge.* **4.** MAÎTRE DE CHAPELLE : personne chargée de diriger le chant, à l'église. **II.** Groupe de personnes qui restent entre elles et refusent les idées des autres. ⇒ **coterie.** *Un esprit de clan et de chapelle.* ‹ ▶ chapelain ›

chapelure [ʃaplyʀ] n. f. ■ Pain séché (ou biscotte), râpé ou émietté, dont on saupoudre certains mets.

chaperon [ʃapʀɔ̃] n. m. ■ Personne qui accompagne une jeune fille ou une jeune femme par souci des convenances. ⇒ **duègne.** *Servir de chaperon à qqn.* ▶ *chaperonner* v. tr. ■ conjug. 1. ■ Plaisant. Accompagner (une jeune fille) en qualité de chaperon.

chapiteau [ʃapito] n. m. **I.** Partie élargie qui couronne une colonne. *Chapiteaux grecs (corinthien, dorique, ionien). Les chapiteaux sculptés des églises romanes, gothiques.* **II.** Tente d'un cirque. *Sous le chapiteau. Le chapiteau, le cirque.*

① *chapitre* [ʃapitʀ] n. m. **1.** Chacune des parties suivant lesquelles se divise un livre, un code. ⇒ **section, titre.** — Divisions d'un budget. *Voter le budget par chapitres.* **2.** Sujet dont on parle. ⇒ **matière, objet, question.** *Être sévère sur le chapitre de la discipline. En voilà assez sur ce chapitre.*

② *chapitre* n. m. **1.** Assemblée ou communauté de religieux, de chanoines réunis pour délibérer de leurs affaires. — Le lieu où siège le chapitre. ⇒ **salle capitulaire. 2.** Loc. *Avoir* VOIX AU CHAPITRE : avoir le droit de donner son avis, avoir droit à la parole. ▶ *chapitrer* v. tr. ■ conjug. 1. ■ Réprimander (qqn). *Chapitrer un mauvais élève.* ⇒ faire la **morale, sermonner.**

chapon [ʃapɔ̃] n. m. ■ Vx ou littér. Jeune coq châtré que l'on engraisse pour la table. ⇒ **coquelet, poulet.**

chaptaliser [ʃaptalize] v. tr. ■ conjug. 1. ■ Ajouter du sucre au moût avant la fermentation (du vin). ▶ *chaptalisation* n. f.

chaque [ʃak] adj. indéf. sing. **1.** Qui fait partie d'un tout et qui est pris, considéré à part. *Chaque chose à sa place. À chaque instant. Chaque trimestre,* tous les trois mois. — (Accord du verbe) *Chaque officier et chaque soldat feront leur devoir* (le même devoir pour tous). *Chaque ouvrier et chaque ingénieur fera son travail* (chacun son travail propre). **2.** Chacun. *Ces livres coûtent vingt francs chaque.* ‹ ▶ chacun ›

char [ʃaʀ] n. m. **1.** Voiture à quatre roues, tirée par un animal, utilisée à la campagne. ⇒ **chariot, charrette.** *Char à foin. Char à bœufs. Char à bancs,* pour le transport des personnes. **2.** Dans l'Antiquité. Voiture à deux roues (utilisée dans les jeux, les cérémonies publiques, les combats). *Course de chars.* **3.** Voiture décorée, portant des personnages, des masques. *Char de carnaval.* **4.** *Char (d'assaut),* automobile blindée et armée montée sur chenilles. ⇒ **tank.** *Régiment de chars.* ‹ ▶ antichar, chariot, charrette, charrier, charroi, charron, charrue ›

charabia [ʃaʀabja] n. m. ■ Fam. Langage, style incompréhensible ou incorrect. ⇒ **baragouin, jargon.**

charade [ʃaʀad] n. f. ■ Jeu où l'on doit deviner un mot de plusieurs syllabes décomposé en parties dont chacune forme un mot défini. ⇒ **devinette.** *Le mot de la charade s'appelle « le tout »* (mon premier, mon second, mon tout).

charançon [ʃaʀɑ̃sɔ̃] n. m. ■ Insecte coléoptère nuisible. *Charançon du blé.* ▶ *charançonné, ée.* adj. ■ Attaqué par les charançons. *Blé charançonné.*

① *charbon* [ʃaʀbɔ̃] n. m. **1.** Combustible solide, noir, d'origine végétale, tiré du sol (⇒ **anthracite,** houille, lignite) ou obtenu par la combustion lente et incomplète du bois *(charbon de bois).* — *Exploitation du charbon.* ⇒ **charbonnages.** *Mine de charbon.* **2.** *Un charbon,* morceau ou parcelle de charbon. *Viande grillée sur des charbons. Avoir un charbon dans l'œil.* ⇒ **escarbille.** — Loc. *Être sur des charbons ardents,* éprouver de l'anxiété, de l'embarras, de l'impatience. **3.** Fusain. *Dessin au charbon.* ▶ *charbonnages* n. m. pl. ■ Mines de houille. *Les charbonnages du Nord.* ⇒ **mine.** ▶ *charbonner* v. tr. ■ conjug. 1. ■ Noircir, dessiner avec du charbon. *Se charbonner le visage.* ▶ *charbonneux, euse* adj. ■ Qui a l'aspect du charbon ou qui est noir de charbon. ▶ *charbonnier, ière* n. et adj. **1.** Personne qui vend du charbon. — Loc. *La foi du charbonnier,* la croyance naïve de l'homme simple. **2.** N. m. Cargo destiné au transport du charbon en vrac. **3.** Adj. Qui a rapport au commerce, à l'industrie du charbon. *Industrie charbonnière.* ⇒ **houiller.**

② *charbon* n. m. **1.** Maladie infectieuse. *Ce mouton a le charbon.* **2.** Maladie des végétaux produisant une poussière noire.

charcuter [ʃaʀkyte] v. tr. ■ conjug. 1. ■ Fam. Opérer maladroitement (un malade). *Un mauvais chirurgien l'a charcuté.*

charcuterie [ʃaʀkytʀi] n. f. **1.** Industrie et commerce de la viande de porc, des préparations à base de porc. **2.** Spécialités à base de viande de porc (andouille, boudin, cervelas, jambon ; pâté, saucisse, saucisson...). **3.** Boutique de charcutier. *Acheter du jambon à la charcuterie.* ▶ *charcutier, ière* n. ■ Personne qui prépare et qui vend du porc frais, de la charcuterie (et divers plats, conserves).

chardon [ʃaʀdɔ̃] n. m. ■ Plante à feuilles épineuses. *Nettoyer un champ de ses chardons.*

chardonneret [ʃaʀdɔnʀɛ] n. m. ■ Oiseau chanteur, au plumage coloré.

① *charge* [ʃaʀʒ] n. f. **I. 1.** Ce qui pèse sur (qqn, qqch.) ; ce que porte ou peut porter un animal, un véhicule, un bâtiment. ⇒ **fardeau, poids ;** ① **charger.** *Porter une charge sur les épaules. Charge utile d'un véhicule. Augmenter la charge.* — PRENDRE EN CHARGE *un passager dans un véhicule.* **2.** Technique. Poussée. *Pilier supportant une charge.* **II.** Quantité de poudre, projectiles, que l'on met dans une arme à feu, une mine. ⇒ **cartouche, poudre.** *La charge d'un fusil. Charge d'explosifs, de dynamite.* **III. 1.** Quantité d'électricité à l'état statique. ⇒ **potentiel.** *Charge négative, positive.* **2.** Quantité d'électricité emmagasinée dans un accumulateur. *Mettre une batterie (de voiture) en charge.* **IV.** Abstrait. **1.** Ce qui met dans la nécessité de faire des frais, des dépenses. ⇒ **obligation.** *Charges de famille.* Personne À LA CHARGE de qqn : nourrie par lui. — *Le loyer comprend les charges* (d'entretien de l'immeuble, de chauffage). — Impôt, taxe. *Charges sociales,* imposées par l'État. — À CHARGE DE REVANCHE : avec l'engagement en faire autant. **2.** Fonction dont on a tout le soin, responsabilité (publique). ⇒ **dignité, emploi, poste.** *Une charge de notaire. Les devoirs de sa charge. On lui a confié la charge de faire...* — Loc. *Avoir* CHARGE D'ÂME : la responsabilité morale de qqn. PRENDRE EN CHARGE : sous sa responsabilité. **3.** Fait qui pèse sur la situation d'un accusé. ⇒ **présomption, preuve.** *Ceci constitue une charge contre le prévenu. Témoin* À CHARGE : qui accuse. / contr. **décharge** / **4.** Littér. Ce qui exagère le caractère de qqn pour le rendre ridicule. ⇒ **caricature, imitation.** — Exagération comique. *Jouer un rôle en charge.*

② *charge* n. f. ■ Attaque rapide et violente. ⇒ **assaut.** *Charge de police. À la charge !* — Loc.

Revenir, retourner à la charge, insister dans ses démarches, ses prières.

chargé, ée [ʃaʀʒe] n. **1.** CHARGÉ D'AFFAIRES : agent diplomatique, représentant son pays à l'étranger. **2.** CHARGÉ(E) DE COURS : professeur délégué de l'enseignement supérieur.

chargement [ʃaʀʒəmã] n. m. **1.** Action de charger (un animal, une voiture, un navire). *Chargement d'un camion, d'un wagon.* / contr. **déchargement** / — Marchandises chargées. ⇒ **cargaison, charge.** *Chargement trop lourd, mal arrimé.* **2.** Action de charger, de garnir (un four, une arme à feu, un appareil photographique). ⇒ **remplissage.**

① **charger** [ʃaʀʒe] v. tr. ▪ conjug. 3. **I. 1.** Mettre sur (un homme, un animal, un véhicule, un bâtiment) un certain poids d'objets à transporter. ⇒ ① **charge.** *On le chargea de paquets.* / contr. **décharger** / — Au p. p. *Avoir les bras chargés de paquets. Lettre chargée,* qui contient des valeurs. **2.** Placer, disposer pour être porté. ⇒ **mettre, placer.** *Charger une valise sur son épaule.* ⇒ **porter.** *Charger du charbon sur une péniche.* — Fam. *Taxi qui charge un client,* le fait monter. **3.** Mettre dans (une arme à feu) ce qui est nécessaire au tir. *Charger un fusil.* — Au p. p. adj. *Un fusil chargé.* — *Charger une caméra,* y mettre la pellicule. **4.** Accumuler de l'électricité dans. *Charger une batterie d'accumulateurs.* **II.** Abstrait. **1.** CHARGER qqch., qqn DE : faire porter à. *Charger le peuple d'impôts.* ⇒ **écraser.** — *Charger sa mémoire de détails.* ⇒ **encombrer, surcharger.** — Revêtir d'une fonction, d'un office. ⇒ ① **charge** (IV, 2). *On l'a chargé de faire le compte rendu de la séance.* — SE CHARGER DE : s'occuper de... en prenant la responsabilité. ⇒ **assumer, endosser.** *Je me charge de lui, je m'en charge.* **2.** CHARGER qqn : apporter des preuves ou des indices de sa culpabilité ; calomnier. ‹ ▸ ① **charge, chargé, chargement, chargeur, décharger, monte-charge, recharger, surcharger** ›

② **charger** v. tr. ▪ conjug. 3. ▪ Attaquer avec impétuosité, par une charge ②. *Charger l'ennemi.* — Sans compl. *La cavalerie chargea. Chargez !* ‹ ▸ ② **charge** ›

chargeur [ʃaʀʒœʀ] n. m. **I.** Dispositif permettant d'introduire plusieurs cartouches dans le magasin d'une arme à répétition. *Chargeur de mitraillette. Vider plusieurs chargeurs en tirant.* **II.** (Personnes) **1.** Personne qui charge une arme automatique. **2.** Négociant qui possède la cargaison d'un navire.

chariot [ʃaʀjo] n. m. **1.** Voiture à quatre roues pour le transport des fardeaux. *Chariot de ferme.* ⇒ **char, charrette.** *Transport par chariot.* — Appareil de manutention. ⇒ **diable.** *Chariot élévateur.* **2.** Pièce d'une machine qui transporte, déplace (une charge). *Chariot de machine à écrire, de machine-outil.*

charisme [kaʀism] n. m. ▪ Qualité d'une personnalité qui a le don de plaire, de s'imposer, dans la vie publique.

charité [ʃaʀite] n. f. **1.** Amour du prochain (vertu). ⇒ **altruisme, bienfaisance, humanité, miséricorde.** *Dévouement plein de charité.* / contr. **dureté, égoïsme** / — PROV. *Charité bien ordonnée commence par soi-même.* **2.** Bienfait envers les pauvres. ⇒ **secours.** *Faire la charité. Demander la charité,* une aumône. ▸ **charitable** adj. **1.** Qui a de la charité pour son prochain. / contr. **dur, égoïste** / *Vous n'êtes pas très charitable envers lui.* **2.** Inspiré par la charité. *Avis, conseil charitable* (souvent iron.). ▸ **charitablement** adv. ▪ *Il lui a charitablement offert de l'aider.*

charivari [ʃaʀivaʀi] n. m. ▪ Grand bruit, tumulte. ⇒ **vacarme, tapage.**

charlatan [ʃaʀlatã] n. m. **1.** Vendeur ambulant qui débitait des drogues, arrachait les dents. — Mauvais médecin, imposteur. **2.** Personne qui recherche la notoriété par des promesses, des grands discours. *Un charlatan politique.* ▸ **charlatanesque** adj. ▪ De charlatan. ▸ **charlatanisme** n. m. ▪ Caractère, comportement du charlatan. ⇒ **cabotinage.**

charlotte [ʃaʀlɔt] n. f. **I.** Entremets à base de fruits ou de crèmes aromatisées, entouré de biscuits ou de tranches de pain. *Charlotte aux poires. Charlotte au chocolat.* **II.** Ancienne coiffure de femme.

charmant, ante [ʃaʀmã, ãt] adj. **1.** Qui a un grand charme, qui plaît beaucoup. ⇒ **séduisant ; charmeur.** *Le prince charmant des contes de fées.* **2.** Qui est très agréable (à regarder, à fréquenter). ⇒ **délicieux, ravissant.** *Votre robe est charmante. Un site charmant.* — (Personnes) *Une jeune fille charmante. Il a été tout à fait charmant.* — Iron. *Désagréable. Charmante soirée !*

① **charme** [ʃaʀm] n. m. ▪ Arbre à bois blanc et dur (répandu en France).

② **charme** n. m. **1.** (Dans des expressions) Enchantement ; action magique. *Exercer, jeter un charme.* ⇒ **sort.** *Mettre, tenir qqn* SOUS LE CHARME. *Le charme est rompu,* l'illusion cesse. — *Se porter* COMME UN CHARME : jouir d'une santé robuste. **2.** Qualité de ce qui attire, plaît ; attirance. ⇒ **agrément, attrait, séduction.** *Charme irrésistible. Le charme de la nouveauté.* — Aspect agréable. *Cela a son charme. L'automne ne manque pas de charme,* a du charme. **3.** *Faire du charme,* essayer de plaire. **4.** *Les charmes d'une femme,* ce qui fait sa beauté, sa grâce. ⇒ **appas.** ▸ **charmer** v. tr. ▪ conjug. 1. **1.** Attirer, plaire par son charme. ⇒ **ravir, séduire.** *Ce livre, ce spectacle nous a charmés.* ⇒ **captiver, transporter.** / contr. **déplaire** / **2.** (ÊTRE) CHARMÉ, ÉE passif (terme de politesse) enchanté. *J'ai été charmé de vous voir, de votre visite.* ▸ **charmeur, euse** n. **1.** Personne qui plaît, qui séduit les gens. ⇒ **séducteur.** *C'est un grand charmeur* (souvent iron.). — Adj. *Elle souriait d'un air charmeur.* ⇒ **charmant. 2.** *Charmeur, charmeuse de serpents,* personne qui présente des serpents venimeux et les rend inoffensifs en les tenant « sous le charme » d'une musique. ‹ ▸ **charmant** ›

charmille [ʃaʀmij] n. f. ▪ Berceau de verdure. *Se promener sous une charmille.*

charnel, elle [ʃaʀnɛl] adj. **1.** Qui a trait aux choses du corps, de la chair (opposé à *spirituel*). ⇒ **corporel, matériel, sensible. 2.** Relatif à la chair (à l'instinct sexuel). ⇒ **sensuel.** *Instinct, amour charnels. Acte charnel.* ⇒ **sexuel.** / contr. **platonique, pur** / ▸ **charnellement** adj.

charnier [ʃaʀnje] n. m. **1.** Lieu où l'on déposait les corps (la chair), les ossements des morts. ⇒ **ossuaire. 2.** Lieu où sont entassés des cadavres. *Les charniers des camps de concentration.*

charnière [ʃaʀnjɛʀ] n. f. **1.** Assemblage composé de deux pièces métalliques réunies par un axe (autour duquel l'une des deux peut tourner). *Charnière de portes.* ⇒ **gond. 2.** Abstrait. Point de jonction. *Être à la charnière de deux époques.* — Adj. *Période charnière.*

charnu, ue [ʃaʀny] adj. ▪ Bien fourni de chair (muscles). *Lèvres charnues.* / contr. **décharné** / — *Fruit charnu,* dont la pulpe est épaisse.

charognard [ʃaʀɔɲaʀ] n. m. **1.** Vautour (qui mange les charognes). **2.** Injure. Exploiteur impitoyable des malheurs des autres. ⇒ **chacal, vautour.**

charogne [ʃaʀɔɲ] n. f. **1.** Corps de bête morte en putréfaction. **2.** Fam. Terme d'injure. ⇒ **ordure, saleté.** ‹ ▶ charognard ›

charpente [ʃaʀpɑ̃t] n. f. **1.** Assemblage de pièces de bois ou métalliques destinées à soutenir une construction. *Charpente de soutien.* ⇒ **armature, bâti, carcasse, châssis.** *Charpente provisoire.* ⇒ **échafaudage.** *Bois de charpente.* **2.** *La charpente du corps humain,* les parties osseuses qui servent au soutien du corps humain. ⇒ **carcasse, ossature.** *Avoir une solide charpente,* être bien charpenté. **3.** Plan, structure d'un ouvrage littéraire. *La charpente d'un roman.* ▶ *charpenter* v. tr. ▪ conjug. 1. **1.** Tailler (des pièces de bois) pour une charpente. *Charpenter une poutre.* **2.** Organiser, construire (un discours, une œuvre littéraire). — Au p. p. adj. *Pièce bien charpentée,* bien construite. **3.** (Personnes) Passif et p. p. adj. *Être solidement charpenté.* ⇒ **bâti.** ▶ *charpentier* n. m. ▪ Celui qui fait des travaux de charpente. ⇒ **menuisier.**

charpie [ʃaʀpi] n. f. **1.** Amas de fils tirés de vieilles toiles, qui servait à faire des pansements. **2.** Loc. *Mettre, réduire* EN CHARPIE : déchirer, déchiqueter. *De la viande trop cuite, réduite en charpie.* ‹ ▶ écharper ›

charrette [ʃaʀɛt] n. f. **1.** Voiture à deux roues, à ridelles, servant à transporter des fardeaux. ⇒ **carriole, char, chariot, tombereau.** *Atteler, conduire une charrette. Fabricant de charrettes.* ⇒ **charron.** **2.** *Charrette à bras,* tirée par une ou deux personnes. ▶ *charretée* [ʃaʀte] n. f. ▪ Contenu d'une charrette. *Une charretée de foin.* ▶ *charretier* n. m. ▪ Conducteur de charrette. — *Jurer comme un charretier,* grossièrement.

charrier [ʃaʀje] v. tr. ▪ conjug. 7. **1.** Entraîner, emporter dans son cours. *La rivière charrie du sable, des glaçons.* **2.** Fam. *Charrier qqn,* se moquer de lui, abuser de sa crédulité. ⇒ **mystifier ;** fam. faire **marcher.** — Intransitivement. *Tu charries.* ⇒ **exagérer, plaisanter.**

charroi [ʃaʀwa(ɑ)] n. m. ▪ Transport par chariot.

charron [ʃaʀɔ̃] n. m. ▪ Celui qui fabrique des chariots, des charrettes.

charrue [ʃaʀy] n. f. ▪ Instrument agricole servant à labourer et dont la pièce principale est un soc tranchant. *Charrue tirée par un tracteur. Labourer à la charrue.* — Loc. *Mettre la charrue devant, avant les bœufs,* faire d'abord ce qui devrait être fait ensuite.

charte [ʃaʀt] n. f. **1.** Au Moyen Âge. Titre de propriété, de vente, de privilège accordé par un seigneur. — *L'École des chartes,* école instituée pour préparer des spécialistes des documents anciens (ou *chartistes*). **2.** En histoire. Constitution politique accordée par un souverain. — Lois et règles fondamentales d'une organisation officielle. *La charte des Nations Unies.*

charter [ʃaʀtɛʀ] n. m. ▪ Anglic. Avion affrété. *Partir en charter. Compagnie de charters,* louant des avions pour un vol. — En appos. *Vol charter.* — REM. Il est recommandé d'employer *avion nolisé.*

chartreuse [ʃaʀtʀøz] n. f. **I.** Couvent de chartreux (religieux de l'ordre de Saint-Bruno). **II.** Liqueur aux herbes (fabriquée par les chartreux).

chas [ʃa] n. m. invar. ▪ Trou (d'une aiguille). *Faire passer le fil par le chas d'une aiguille.* ≠ *chat.*

① *chasse* [ʃas] n. f. **I.** **1.** Action de chasser, de poursuivre les animaux *(gibier)* pour les manger ou les détruire. ⇒ **cynégétique.** *Aller à la chasse.* — DE CHASSE. *Permis de chasse. Partie de chasse. Chiens de chasse.* — CHASSE À COURRE : avec des chiens, sans armes à feu. ⇒ **vénerie.** — *Chasse au fusil. Chasse organisée.* ⇒ **battue.** *Chasse aux canards.* — *Chasse sous-marine,* consistant à poursuivre le poisson avec un fusil lance-harpon. ⇒ **pêche.** **2.** Période où l'on a le droit de chasser. *La chasse est ouverte.* **3.** Terre réservée pour la chasse. *Cette chasse est à vendre. Une chasse gardée.* — Loc. fig. *C'est chasse gardée, ici.* **II.** Poursuite ; action de poursuivre. *Faire, donner la chasse (à...). Chasse à l'homme,* poursuite (d'un individu recherché). — Poursuite (d'un bâtiment ou d'un avion ennemi). *Prendre un bombardier en chasse.* — *Avion de chasse,* avion très rapide chargé de poursuivre et de détruire les avions ennemis. ⇒ **chasseur.**

② *chasse* n. f. ▪ Technique. Écoulement rapide donné à une retenue d'eau (pour nettoyer un conduit, dégager un chenal). *Bassin, écluse de chasse.* — Loc. cour. CHASSE (D'EAU). *Chasse de cabinets. Actionner la chasse d'eau.*

châsse [ʃas] n. f. **1.** Coffre où l'on garde les reliques d'un saint. *Une châsse de bois doré.* **2.** Arg. Œil. ‹ ▶ châssis, enchâsser ›

chassé-croisé [ʃasekrwaze] n. m. ▪ Échange réciproque et simultané (de place, de situation...). *Des chassés-croisés.*

chasselas [ʃasla] n. m. invar. ▪ Raisin blanc de table.

chasse-mouches [ʃasmuʃ] n. m. invar. ▪ Éventail ou petit balai de crins pour écarter les mouches. *Des chasse-mouches en crins de cheval.*

chasse-neige [ʃasnɛʒ] n. m. invar. **1.** Dispositif (éperon) pour enlever la neige. — Voiture qui en est munie. *Les chasse-neige ont déblayé la route.* **2.** Position du skieur. *Descendre une pente en chasse-neige.*

chasser [ʃase] v. ▪ conjug. 1. **I.** V. tr. **1.** Poursuivre (les animaux) pour les tuer ou les prendre. ⇒ **chasse.** *Chasser le lièvre, le tigre.* — Sans compl. *Il aime chasser.* **2.** Mettre, pousser dehors ; faire sortir de force. ⇒ **exclure, expulser, renvoyer.** (Personnes) *Chasser un indésirable.* ⇒ **congédier, renvoyer.** / contr. **garder, retenir ; accueillir /** **3.** Faire partir (qqn). *Les maçons, les peintres me chassent de chez moi.* **4.** Faire partir, éliminer (qqch.). *Chasser une mauvaise odeur. Chasser une idée de son esprit. Le vent chasse les nuages.* **II.** V. intr. Être poussé, entraîné malgré une résistance. *Le navire chasse sur son ancre,* il se déplace en entraînant son ancre. *L'ancre chasse,* elle ne tient pas le fond. *Les roues chassent sur le verglas.* ⇒ **déraper, patiner.** ▶ *chasseur* n. m. **1.** Personne qui pratique la chasse (surtout au fusil). *Un bon, un mauvais chasseur. Chasseur sans permis.* ⇒ **braconnier.** — Fém. rare. CHASSEUSE. ⇒ **chasseresse.** — *Chasseur d'images,* photographe, cinéaste à la recherche d'images, de scènes originales. **2.** Domestique portant un uniforme, attaché à un hôtel, à un restaurant. ⇒ **groom.** *Le chasseur de chez Maxim's.* **3.** Se dit de certains corps de troupes. *Chasseurs à pied, chasseurs alpins.* **4.** Avion léger, rapide et maniable destiné aux combats aériens (avion de chasse). *Chasseur à réaction. Chasseur-bombardier.* ▶ *chasseresse* n. f. et adj. ▪ Littér. Femme qui chasse. *Diane chasseresse,* déesse de la chasse. ‹ ▶ ① chasse, ② chasse, chassé-croisé, chasse-mouches, chasse-neige, garde-chasse, pourchasser ›

chassieux, euse [ʃasjø, øz] adj. ▪ Qui a une humeur* gluante (une *chassie*) aux paupières. *Yeux chassieux.*

châssis [ʃɑsi] n. m. invar. **1.** Cadre destiné à maintenir en place des planches, des vitres, du tissu, du papier. ⇒ **bâti, cadre, charpente. 2.** Encadrement (d'une ouverture ou d'un vitrage) ; vitrage encadré. *Châssis de verre. Châssis des portes et des fenêtres.* **3.** Cadre sur lequel on fixe la toile après l'avoir tendue. *Le châssis d'un tableau.* **4.** Charpente ou bâti de machines, de véhicules. *Le châssis d'une automobile supporte la carrosserie.* — Fam. *Un beau châssis, un beau corps de femme.*

chaste [ʃast] adj. **1.** Qui s'abstient des plaisirs sexuels. ⇒ **pur. 2.** Plein de chasteté. ⇒ **décent, modeste, pudique.** *Une chaste jeune fille. Amour chaste. Chaste baiser. Des oreilles chastes.* ⇒ **innocent.** / contr. **impur, sensuel** / ▸ **chastement** adv. ▸ **chasteté** n. f. ▪ *Vivre dans la chasteté.* / contr. **débauche, luxure** /

chasuble [ʃazybl] n. f. **1.** Manteau à deux pans, que le prêtre revêt pour célébrer la messe. *Chasuble brodée.* **2.** Vêtement sans manches qui a cette forme. — En appos. *Robe chasuble.*

chat, chatte [ʃa, ʃat] n. ≠ **chas.** I. **1.** Petit mammifère familier à poil doux, aux yeux oblongs et brillants, à oreilles triangulaires, qui griffe. ⇒ **matou** ; fam. **minet.** *Chat commun ; chat de gouttière. Chat angora, siamois. Le chat miaule. Le chat ronronne. Une chatte et ses chatons.* — Loc. et prov. (au masc.). *La nuit tous les chats sont gris,* on confond les personnes, les choses dans l'obscurité. — *Quand le chat n'est pas là, les souris dansent,* les subordonnés prennent des libertés quand le maître est absent. — *Chat échaudé craint l'eau froide,* une mésaventure rend prudent à l'excès. — *À bon chat, bon rat,* la défense, la réplique vaut, vaudra l'attaque. — *Être, vivre comme chien et chat,* éprouver de l'antipathie, de la haine l'un pour l'autre ; se chamailler à tout instant. — *Écrire comme un chat,* d'une manière illisible. ⇒ **griffonner.** — *Appeler un chat un chat,* appeler les choses par leur nom. — *Avoir un chat dans la gorge,* être enroué, ne plus pouvoir parler. — *Il n'y a pas un chat,* il n'y a absolument personne. — *Il n'y a pas de quoi fouetter un chat,* la faute, l'affaire est insignifiante. — *Avoir d'autres chats à fouetter,* d'autres affaires en tête, plus importantes. — *Donner sa langue au chat,* s'avouer incapable de répondre à une question. **3.** Adj. et n. *Elle est chatte,* câline. — Terme d'affection. *Mon chat, ma petite chatte.* **4.** N. m. Personne qui poursuit les autres (à un jeu) ; jeu de poursuite. *Jouer à chat perché.* **5.** Mammifère carnivore dont le chat (1) est le type. *Chats sauvages.* ⇒ **chat-tigre, guépard, ocelot.** II. CHAT À NEUF QUEUES : fouet à neuf lanières. ⟨▸ chat-huant, chatière, ① chaton, chattemite, chatterie, chat-tigre ⟩

châtaigne [ʃɑtɛɲ] n. f. **1.** Fruit du châtaignier, masse farineuse enveloppée d'une écorce lisse de couleur brun rougeâtre. ⇒ ① **marron. 2.** Fam. Coup de poing. ⇒ fam. ② **marron.** *Il lui a flanqué une châtaigne.* ▸ **châtaigneraie** n. f. ▪ Lieu planté de châtaigniers. ▸ **châtaignier** [ʃɑtɛɲe] n. m. ▪ Arbre de grande taille, vivace, à feuilles dentées. ⟨▸ châtain ⟩

châtain [ʃɑtɛ̃] adj. ▪ (Cheveux) De couleur brun clair. *Cheveux châtains.* — *Une femme châtain,* aux cheveux châtains. — REM. Le fém. *châtaine* est rare.

château [ʃɑto] n. m. **1.** Demeure féodale fortifiée et défendue (par des remparts, des tours et des fossés). ⇒ **citadelle, fort, forteresse.** *Un château fort ; un château féodal.* **2.** Habitation seigneuriale ou royale ; grande et belle demeure. ⇒ **palais.** *Les châteaux de la Loire. Acheter un petit château.* ⇒ **gentilhommière, manoir.** — *Mener une vie de château,* une vie oisive, pleine de confort et de luxe. **3.** Loc. *Faire, bâtir des châteaux en Espagne,* échafauder des projets impossibles à réaliser. **4.** CHÂTEAU DE CARTES : échafaudage de cartes, fragile. — Abstrait. *Son projet s'est écroulé comme un château de cartes.* **5.** CHÂTEAU D'EAU : grand réservoir à eau. ▸ **châtelain, aine** [ʃɑtlɛ̃, ɛn] n. **1.** Seigneur ou dame d'un château féodal. **2.** Personne qui possède ou qui habite un château.

chateaubriand ou **châteaubriant** [ʃɑtobrijɑ̃] n. m. ▪ Épaisse tranche de filet de bœuf grillé. — Abrév. *Un château saignant.*

chat-huant [ʃayɑ̃] n. m. ▪ Rapace nocturne qui possède deux touffes de plumes semblables à des oreilles de chat. ⇒ **chouette, hulotte.** *Des chats-huants* [ʃayɑ̃].

châtier [ʃɑtje] v. tr. ▪ conjug. 7. Littér. **1.** Infliger une peine pour corriger. ⇒ **punir.** / contr. **récompenser** / *Châtier un coupable.* — *Châtier l'insolence de qqn.* **2.** Rendre (le style) plus correct et plus pur. ⇒ **corriger, épurer.** — Au p. p. adj. *Style châtié.* ⇒ **dépouillé, pur.** ⟨▸ châtiment ⟩

chatière [ʃɑtjɛʀ] n. f. ▪ Petite ouverture (passage pour les chats, trou d'aération).

châtiment [ʃɑtimɑ̃] n. m. ▪ Peine sévère. ⇒ **punition ; châtier.** *Châtiment corporel. Châtiment sévère. Infliger un châtiment. Recevoir, subir un châtiment.* / contr. **récompense** /

chatoiement [ʃatwamɑ̃] n. m. ▪ Reflet changeant de ce qui chatoie. ⇒ **miroitement.** *Le chatoiement d'une étoffe.*

① **chaton** [ʃatɔ̃] n. m. ▪ Jeune chat. *Une portée de chatons.*

② **chaton** n. m. ▪ Tête d'une bague où s'enchâsse une pierre précieuse.

③ **chaton** n. m. **1.** En botanique. Assemblage de fleurs de certains arbres, se présentant sous la forme d'un épi. *Chatons de noisetier.* **2.** Petits amas de poussière d'aspect cotonneux. ⇒ **mouton** (II, 3).

chatouiller [ʃatuje] v. tr. ▪ conjug. 1. **1.** Produire, par des attouchements légers et répétés sur la peau, des sensations qui provoquent un rire convulsif. *Chatouiller la plante des pieds (à qqn).* — Pronominalement. *Enfants qui se chatouillent.* **2.** Faire subir un léger picotement. ⇒ **agacer, picoter.** *Ce tricot me chatouille.* **3.** Abstrait. Exciter doucement par une sensation, une émotion agréable. *Chatouiller le palais. Chatouiller la vanité de qqn.* ⇒ **flatter.** ▸ **chatouille** n. f. ▪ Fam. Action de chatouiller. *Faire des chatouilles. Il craint les chatouilles.* ▸ **chatouillement** n. m. **1.** ⇒ **chatouille. 2.** Léger picotement. *Éprouver un léger chatouillement dans la gorge.* ▸ **chatouilleux, euse** adj. **1.** Qui est sensible au chatouillement. **2.** Qui se fâche aisément ; qui réagit vivement. ⇒ **irritable, susceptible.** *Il est chatouilleux sur ce sujet. Amour-propre chatouilleux.*

chatoyer [ʃatwaje] v. intr. ▪ conjug. 8. ▪ Changer de couleur, avoir des reflets différents suivant le jeu de la lumière. ⇒ **miroiter.** *Des pierres précieuses, des étoffes qui chatoient.* ▸ **chatoyant, ante** adj. ▪ Qui a des reflets vifs et changeants. ⟨▸ chatoiement ⟩

châtrer [ʃɑtʀe] v. tr. ▪ conjug. 1. **1.** Rendre (un homme, un animal mâle) impropre à la reproduction en mutilant les testicules. ⇒ **castrer.** *Châtrer un taureau, un chat.* — Au p. p. adj. *Homme châtré.* ⇒ **eunuque. 2.** Fig. *Châtrer un livre, un ouvrage littéraire,* le mutiler par des retranchements.

chatte n. f. ⇒ **chat.**

chattemite [ʃatmit] n. f. ▪ Loc. fam. *Faire la chattemite,* prendre un air doux, pour tromper.

chatterie [ʃatʀi] n. f. **1.** Caresse, câlinerie. *Faire des chatteries à un enfant.* **2.** Choses délicates à manger. ⇒ **douceurs, friandise, gâterie.** *Aimer les chatteries.*

chatterton [ʃatɛʀtɔn] n. m. ■ Ruban de toile isolant et très adhésif. *Recouvrir un fil électrique de chatterton.*

chat-tigre [ʃatigʀ] n. m. ■ Nom de certaines espèces de chat sauvage (ex. : *ocelot*). *Des chats-tigres.*

chaud, chaude [ʃo, ʃod] adj. et n. m. **I.** Adj. **1.** (Opposé à *froid, frais*) Qui est à une température plus élevée que celle du corps ; qui donne une sensation de chaleur (⇒ **chaleur, chauffer**). *Eau chaude. À peine chaud* ⇒ **tiède,** *très, trop chaud* ⇒ **bouillant, brûlant.** *Cet enfant est chaud,* il a de la fièvre. ⇒ **fiévreux.** *Repas chaud. Climat chaud et humide.* ⇒ **tropical.** — Adv. *Servez chaud. Buvez chaud.* **2.** Qui réchauffe ou garde la chaleur. *Le soleil n'est pas très chaud. Un lainage chaud.* **3.** Qui est ardent, sensuel. *Un tempérament chaud.* ⇒ fam. ① chaud **lapin.** **4.** Qui met de l'animation, de la passion dans ce qu'il fait. ⇒ **ardent, chaleureux, enthousiaste, fervent, passionné.** *De chauds admirateurs. Il n'est pas très chaud pour cette affaire.* — *Où il y a de l'animation de la passion. Une chaude discussion.* ⇒ **animé, vif.** **5.** *Une voix chaude,* grave et bien timbrée. — *Tons chauds, coloris chauds,* couleurs brillantes, éclatantes. **II.** N. m. **1.** (Employé avec *le froid*) *Le chaud,* la chaleur. *Craindre le chaud autant que le froid.* — *Prendre un chaud et froid,* un refroidissement. **2.** AU CHAUD : dans des conditions telles que la chaleur ne se perde pas. *Tenir un plat au chaud. Être bien au chaud. Rester au chaud,* ne pas sortir. **3.** Nominal (après un verbe). *Avoir chaud, très, trop chaud.* — Abstrait. *J'ai eu chaud,* j'ai eu peur. — Fam. *On crève de chaud, ici ! — Il fait chaud, très chaud. Ça me donne chaud. Un vêtement qui tient chaud,* qui protège bien du froid. — Loc. *Cela ne me fait ni chaud ni froid,* m'est indifférent. **4.** À CHAUD loc. adv. : en mettant au feu, en chauffant. — *Opérer à chaud,* faire une opération en pleine crise. ▶ *chaudement* adv. **1.** De manière à conserver sa chaleur. *Être vêtu chaudement.* **2.** Avec chaleur, animation. *Applaudir, féliciter chaudement.* ⇒ **chaleureusement.** ▶ *chaudière* n. f. ■ Récipient où l'on transforme de l'eau en vapeur, pour fournir de l'énergie thermique ou mécanique, électrique. *Chaudière d'un chauffage central. Chaudière à charbon, à mazout.* ▶ *chaudron* n. m. ■ Récipient métallique pour faire chauffer (bouillir, cuire) qqch. *Un chaudron de cuivre.* ▶ *chaudronnerie* n. f. ■ Industrie, commerce des récipients métalliques, des chaudières ; ces objets ; le lieu où ils se fabriquent, se vendent. ▶ *chaudronnier, ière* n. et adj. **1.** Artisan qui fabrique et vend des ustensiles de chaudronnerie. **2.** Adj. Qui concerne la chaudronnerie. ⟨ ▶ échauder ⟩

chauffage [ʃofaʒ] n. m. **1.** Action de chauffer ; production de chaleur. / contr. **refroidissement** / *Chauffage d'un appartement. Appareils de chauffage* (calorifère, chaudière, poêle, radiateur). *Chauffage au charbon, au gaz. Mettre, baisser, arrêter le chauffage.* — CHAUFFAGE CENTRAL : par distribution de la chaleur provenant d'une source unique. **2.** Les installations qui chauffent. *Le chauffage est détraqué.*

chauffant, ante [ʃofɑ̃, ɑ̃t] adj. ■ Qui chauffe, produit de la chaleur. *Plaque chauffante. Couverture chauffante* (électrique).

chauffard [ʃofaʀ] n. m. ■ Mauvais conducteur. ⇒ ② **chauffeur.** *Il s'est fait renverser par un chauffard.*

chauffe [ʃof] n. f. ■ (Chaudière) Action de chauffer. *Chambre de chauffe.* ⇒ **chaufferie.** — *Bleu de chauffe,* combinaison de chauffeur ①.

chauffe-bain [ʃofbɛ̃] n. m. ■ Appareil qui produit de l'eau chaude, pour les usages d'hygiène. *Des chauffe-bains électriques.* ⇒ **chauffe-eau.**

chauffe-eau [ʃofo] n. m. invar. ■ Appareil producteur d'eau chaude. *Des chauffe-eau.*

chauffer [ʃofe] v. ■ conjug. 1. **I.** V. tr. Élever la température de ; rendre (plus) chaud. *Chauffer trop fort.* ⇒ **brûler, griller, surchauffer.** — Au p. p. adj. *Métal chauffé à blanc.* **II.** V. intr. **1.** Devenir chaud. *Le café chauffe.* / contr. **refroidir** / *Faire chauffer de l'eau.* **2.** S'échauffer à l'excès, dangereusement. *Le moteur, l'essieu, la roue chauffe.* **3.** Produire de la chaleur. *Ce four chauffe bien.* **4.** Fam. *Ça va chauffer.* ⇒ fam. **barder.** **III.** SE CHAUFFER v. pron. **1.** S'exposer à la chaleur. *Se chauffer au soleil.* **2.** Chauffer sa maison. *Se chauffer au bois, au charbon.* — Loc. fig. *Montrer de quel bois on se chauffe,* de quoi on est capable (pour punir, attaquer...). **3.** (Sportifs, etc.) Se mettre en train avant un effort. ⇒ **s'échauffer.** ▶ *chaufferette* [ʃofʀɛt] n. f. ■ Petit appareil pour se chauffer les pieds, etc. ▶ *chaufferie* n. f. ■ Endroit d'une usine, d'un navire, où sont les chaudières. ▶ ① *chauffeur* n. m. ■ Celui qui est chargé d'entretenir le feu d'une chaudière. ⟨ ▶ chauffage, chauffant, chauffe, chauffe-bain, chauffe-eau, chauffeuse, échauffer, réchaud, réchauffer, surchauffe ⟩

② *chauffeur* n. m. **1.** Personne dont le métier est de conduire une automobile. *Chauffeur de camion.* ⇒ **routier.** *Elle est chauffeur de taxi. Louer une voiture sans chauffeur.* **2.** *Chauffeur du dimanche,* mauvais conducteur. ⇒ **chauffard.** ⟨ ▶ chauffard ⟩

chauffeuse n. f. ■ Chaise basse très confortable. ⇒ **fauteuil.**

chauler [ʃole] v. tr. ■ conjug. 1. ■ Traiter par la chaux. *Chauler des arbres fruitiers* (pour détruire les parasites). — Blanchir à la chaux. *Chauler un mur.* ▶ *chaulage* n. m.

chaume [ʃom] n. m. **1.** Partie de la tige des céréales qui reste sur pied après la moisson. ⇒ **paille.** — Champ où le chaume est encore sur pied. **2.** Paille qui couvre le toit des maisons. *Un toit de chaume.* ▶ *chaumière* n. f. ■ Petite maison couverte de chaume. — Loc. *Une chaumière et un cœur,* un amour paisible à la campagne.

chaussée [ʃose] n. f. **1.** Partie d'une voie publique où circulent les voitures (opposé à *trottoir, bas-côté*). ⇒ **route.** *Chaussée bombée, goudronnée. Traverser la chaussée.* **2.** Talus, levée de terre (digue ou chemin). ⟨ ▶ rez-de-chaussée ⟩

chausse-pied [ʃospje] n. m. ■ Morceau de corne, de métal, employé pour faciliter l'entrée du pied dans la chaussure. ⇒ **corne** à chaussure. *Des chausse-pieds.*

chausser [ʃose] v. tr. ■ conjug. 1. **I.** **1.** Mettre (des chaussures) à ses pieds. *Chausser des pantoufles, des sandales.* — *Chausser du 40,* porter des chaussures de cette pointure. **2.** Mettre des chaussures à (qqn). *Il faut chausser cet enfant.* — Pronominalement. *Se chausser avec un chausse-pied.* / contr. **déchausser** / **II.** **1.** Entourer de terre le pied (d'une plante). *Chausser un arbre.* **2.** Garnir de pneus (une voiture). ⟨ ▶ chausse-pied, chaussette, chausseur, chausson, chaussure, ① déchausser, ② se déchausser ⟩

chausses [ʃos] n. f. pl. ■ Autrefois. *Les culottes (hauts-de-chausses)* ou les bas. — Loc. littér. *Être, courir après les chausses de qqn, à ses chausses,* le poursuivre. ⟨ ▶ haut-de-chausse(s) ⟩

chausse-trape [ʃostʀap] n. f. **1.** Trou recouvert, cachant un piège. **2.** Embûche. ⇒ **piège.** *Méfiez-vous des chausse-trapes dans ce problème.*

chaussette [ʃosɛt] n. f. ■ Vêtement tricoté qui couvre le pied et le bas de la jambe ou le mollet. ⇒ **mi-bas.** *Une paire de chaussettes de laine. Des chaussettes courtes.* ⇒ **socquette.** — Fam. *Jus de chaussette,* mauvais café.

chausseur n. m. ■ Personne qui fournit qqn en chaussures. ⇒ **bottier.**

chausson [ʃosɔ̃] n. m. **1.** Chaussure (1) souple, légère et chaude. ⇒ **pantoufle, savate.** — Chaussure tricotée pour nouveau-né. — Chaussure souple employée pour certains exercices. *Chausson de danse.* **2.** Pâtisserie formée d'un rond de pâte feuilletée replié contenant de la compote. *Chausson aux pommes.*

chaussure [ʃosyʀ] n. f. **1.** Partie du vêtement qui protège le pied. *Des gens qui marchent sans chaussures.* **2.** Chaussure (1) solide, basse et fermée (opposé à *chausson, sabot, sandale, botte*). ⇒ **soulier** ; fam. **godasse, grole, pompe, tatane.** *Chaussures de marche, de sport.* ⇒ **mocassin** ; ② **basket, tennis.** *Chaussures habillées.* ⇒ **escarpin.** *Faire réparer des chaussures chez le cordonnier.* — Loc. fig. *Trouver chaussure à son pied,* trouver la personne ou la chose qui convient exactement. **3.** Industrie, commerce des chaussures. *Les ouvriers de la chaussure.*

chaut (Seule forme actuelle de l'ancien verbe *chaloir*) ■ PEU ME CHAUT [pømøʃo] : peu m'importe (avec un compl. direct, ou *que* + subjonctif).

chauve [ʃov] adj. ■ Qui n'a plus ou presque plus de cheveux. ⇒ **dégarni, déplumé** ; **calvitie.** *Il est chauve. Tête chauve.* — N. *Un chauve.* ▶ **chauve-souris** [ʃovsuʀi] n. f. ■ Mammifère à ailes membraneuses, qui aime l'obscurité. ⇒ **roussette.** *Il a peur des chauves-souris.*

chauvin, ine [ʃovɛ̃, in] adj. ■ Qui a une admiration exagérée, partiale et exclusive pour son pays. ⇒ **xénophobe.** — N. *Un, une chauvin(e).* ▶ **chauvinisme** n. m. ■ Nationalisme, patriotisme agressif et exclusif.

chaux [ʃo] n. f. invar. ■ Oxyde de calcium ; substance blanche qui existe à l'état naturel dans les pierres calcaires (marbre, craie). ⇒ **calcaire.** *On obtient la chaux en faisant cuire les pierres calcaires dans des fours à chaux. Chaux vive,* qui ne contient pas d'eau. — *Le ciment est un mélange de chaux et d'argile.* — Loc. (Personnes) *Être bâti à chaux et à sable,* être très robuste. ⟨ ▶ chauler ⟩

chavirer [ʃaviʀe] v. ■ conjug. 1. **I.** V. intr. **1.** (Navire) S'incliner de telle sorte que l'eau entre par les ouvertures du pont et le fait se retourner sur lui-même. ⇒ **couler, sombrer.** *La barque a chaviré.* **2.** Se renverser. *Ses yeux chavirèrent.* ⇒ **révulser.** **II.** V. tr. **1.** Faire chavirer. *Chavirer un navire pour le réparer.* **2.** Au p. p. *J'en suis tout chaviré,* ému, retourné.

chéchia [ʃeʃja] n. f. ■ Coiffure en forme de calotte que portent les Arabes. ⇒ **fez.** *Des chéchias rouges.*

check-up [tʃɛkœp] n. m. invar. ■ Anglic. Examen systématique de l'état de santé d'une personne. ⇒ **bilan** de santé. *On lui a fait un check-up. Des check-up.*

① **chef** [ʃɛf] n. m. **1.** Personne qui est à la tête, qui dirige, commande, gouverne. ⇒ **commandant, direc-**

teur, dirigeant, maître, patron. *Les ordres du chef. Chefs hiérarchiques. Obéir à ses chefs. Un tempérament de chef.* — Au fém. *La chef.* **2.** CHEF DE... : celui qui dirige en titre. *Le chef de l'État, un chef d'État,* monarque, président, roi, empereur. *Chef de bureau, de service. Chef d'entreprise.* ⇒ **directeur, patron.** *Chef d'équipe.* ⇒ **contremaître.** *Chef de gare.* **3.** Dans un corps hiérarchisé militaire ou paramilitaire. Celui qui commande. *Les soldats et leurs chefs.* ⇒ **officier.** — *Chef d'état-major. Chef de bataillon,* commandant. *Chef de section,* lieutenant, sous-lieutenant ou adjudant-chef. **4.** Personne qui dirige, commande effectivement (sans titre). ⇒ **leader, meneur.** *Un chef de bande* (brigands, gangsters). — CHEF DE FAMILLE : personne sur qui repose la responsabilité de la famille. **5.** CHEF D'ORCHESTRE : personne qui dirige l'orchestre. *Des chefs d'orchestre.* — Fig. Personne qui organise. **6.** CHEF (CUISINIER). *Gâteau, pâté du chef.* — (Appellatif) *Chef, deux steaks saignants !* **7.** En appos. *Adjudant-chef, médecin-chef. Gardien-chef.* **8.** Fam. Personne remarquable. ⇒ **as, champion.** *C'est un chef.* **9.** EN CHEF loc. adv. : en qualité de chef ; en premier. *Ingénieur, rédacteur en chef. Général en chef.* ⟨ ▶ cheftaine, sous-chef ⟩

② **chef** n. m. ■ Loc. (Au sens ancien de *tête*) **1.** DE SON (PROPRE) CHEF : de sa propre initiative. *Il a fait cela de son propre chef.* **2.** AU PREMIER CHEF : essentiellement. *Il importe, au premier chef, que...* **3.** Au plur. *Les chefs d'(une) accusation,* les points principaux sur lesquels se fonde une accusation. ▶ **chef-d'œuvre** [ʃedœvʀ] n. m. **1.** Œuvre capitale et difficile qu'un artisan devait faire pour passer maître dans son métier. — La meilleure œuvre (d'un auteur). *C'est son chef-d'œuvre.* **2.** Œuvre, chose très remarquable, parfaite. *Cette cathédrale est un chef-d'œuvre.* ⇒ **merveille.** *Accomplir des chefs-d'œuvre d'habileté, d'intelligence.* ⇒ **prodige.** ▶ **chef-lieu** [ʃɛfljø] n. m. ■ En France. Ville qui est le centre administratif d'une circonscription territoriale (arrondissement, canton, commune). *Chef-lieu de département.* ⇒ **préfecture.** *Des chefs-lieux d'arrondissement, de canton.* ⟨ ▶ couvre-chef, derechef ⟩

cheftaine [ʃɛftɛn] n. f. ■ Jeune fille, jeune femme responsable d'un groupe de jeunes scouts (louveteaux), de guides, d'éclaireuses.

cheik(h) ou **scheik** [ʃɛk] n. m. ■ Chef de tribu chez les Arabes.

chelem ou **schelem** [ʃlɛm] n. m. **1.** Réunion, dans la même main, de toutes les levées dans certains jeux de cartes (bridge). *Petit chelem,* toutes les levées moins une. *Grand chelem.* **2.** En sport. Série complète de victoires. *L'équipe de France de rugby a gagné le grand chelem.*

chemin [ʃ(ə)mɛ̃] n. m. **I. 1.** Voie qui permet d'aller d'un lieu à un autre ⇒ **route** ; bande déblayée assez étroite qui suit les accidents du terrain (opposé à *route*). ⇒ **piste, sentier.** *Le chemin qui mène à la ferme. Chemin creux,* enfoncé entre des parties plus hautes (dans les pays de bocage). *Chemin de montagne. Chemin muletier. Chemin de traverse,* qui coupe à travers la campagne. *Un chemin caillouteux. Être toujours sur les chemins* (→ Par monts et par vaux). **2.** CHEMIN DE RONDE : étroit couloir construit le long de la partie supérieure d'une muraille. **3.** Distance, espace à parcourir pour aller d'un lieu à un autre. ⇒ **parcours, route, trajet.** *La ligne droite est le plus court chemin d'un point à un autre. Ils ont fait la moitié du chemin ; ils sont à mi-chemin.* — Loc. *Se mettre en chemin,* partir. *Poursuivre, passer son chemin,* continuer à marcher ; ne pas s'arrêter. — *Faire du chemin,* aller loin ; (abstrait) réussir.

CHEMIN FAISANT : pendant le trajet. — EN CHEMIN : en cours de route. *Ils l'ont rencontré en chemin.* **4.** Direction, voie d'accès. *Montrer, indiquer à qqn son chemin. Rebrousser chemin, revenir sur ses pas. Le chemin des écoliers, le plus long. Se frayer un chemin dans les fourrés, à travers la foule.* — LE CHEMIN DE LA CROIX : suivi par Jésus portant sa croix. CHEMIN DE CROIX : les 14 tableaux *(stations)* qui illustrent ce chemin, dans les églises. — PROV. *Tous les chemins mènent à Rome,* il y a de nombreux moyens pour obtenir un résultat. **5.** En parlant d'un corps qui se déplace. *Chemin parcouru par un projectile.* ⇒ **trajectoire. II.** Abstrait. Conduite qu'il faut suivre pour arriver à un but. ⇒ **moyen, voie.** *Il n'arrivera pas à ses fins par ce chemin, il n'en prend pas le chemin. Être en bon chemin,* en passe de réussir. — *Je n'irai pas par quatre chemins,* j'agirai franchement, sans détours (→ Aller droit au but). ▶ *chemin de fer* [ʃ(ə)mɛdfɛʀ] n. m. **1.** Moyen de transport utilisant la voie ferrée ; l'exploitation de ce moyen de transport (⇒ **ferroviaire**). *Voie de chemin de fer. Prendre le chemin de fer.* ⇒ **train.** *Chemin de fer électrique. Station de chemin de fer,* gare. **2.** Entreprise qui exploite des lignes de chemin de fer. *Les chemins de fer français* (S.N.C.F.). *Employés des chemins de fer.* ⇒ **cheminot. 3.** Chemin de fer en miniature servant de jouet. **4.** Jeu d'argent, variété de baccara. ▶ *chemineau* n. m. ■ Celui qui parcourt les chemins et qui vit de petites besognes, d'aumônes ou de larcins. ⇒ **clochard, mendiant, vagabond.** *Des chemineaux.* ≠ *cheminot.* ⟨ ▶ **acheminer**, chemi-ner, cheminot, à mi-chemin ⟩

cheminée [ʃ(ə)mine] n. f. **1.** Construction compre-nant un espace aménagé pour faire du feu et un tuyau qui sert à évacuer la fumée. ⇒ **âtre, foyer.** *Faire une flambée dans la cheminée. Ramoner une cheminée.* **2.** Partie inférieure de la cheminée qui sert d'encadre-ment au foyer. *Cheminée de marbre.* **3.** Partie supérieure du conduit qui évacue la fumée. *Les cheminées fument sur les toits. — Cheminée de navire. — Cheminée d'usine,* tuyau de maçonnerie surmon-tant un foyer. **4.** *Cheminée d'un volcan,* par où passent les matières volcaniques. **5.** Couloir de montagne vertical et étroit. **6.** Trou, conduit cylindri-que. *Cheminée d'aération.*

cheminer [ʃ(ə)mine] v. intr. ▪ conjug. 1. **1.** (Per-sonnes) Faire du chemin, et spécialt un chemin long et pénible, que l'on parcourt lentement. ⇒ **aller, marcher. 2.** (Choses) Avancer lentement. *Cette idée chemine dans son esprit.* ⇒ **progresser.** ▶ *chemine-ment.* n. m. **1.** Action de cheminer. ⇒ **marche.** *Lent cheminement.* **2.** Avance lente, progressive. *Chemine-ment de la pensée.*

cheminot [ʃ(ə)mino] n. m. ■ Employé de chemin de fer. ≠ *chemineau.*

① *chemise* [ʃ(ə)miz] n. f. **1.** Vêtement couvrant le torse (porté souvent sur la peau). ▪ arg. **liquette.** — *Chemise d'homme,* vêtement qui se porte sous le veston. *Col, pan de chemise. — Être en chemise,* sans autre vêtement. — *Être en manches de chemise,* sans veston. — CHEMISE DE NUIT : long vêtement de nuit (analogue à une robe). **2.** Chemise d'uniforme de certaines formations politiques paramilitaires ; ces formations. *Chemises noires,* fascistes. **3.** Loc. *Se soucier de (une chose) comme de sa première chemise,* n'y accorder aucun intérêt. — *Changer de (qqch.) comme de chemise,* en changer souvent. *Il change d'avis comme de chemise.* — Fam. *Ils sont comme cul et chemise,* inséparables. ▶ *chemiserie* n. f. ■ Indus-trie et commerce des chemises et sous-vêtements d'homme, d'accessoires vestimentaires ; magasin où l'on vend ces objets. ▶ *chemisette* n. f. ■ Chemise,

blouse ou corsage à manches courtes. ▶ ① *chemi-sier* n. m. ■ Fabricant ou marchand de chemiserie.

② *chemise* n. f. ■ Couverture (cartonnée, toilée) dans laquelle on insère les pièces d'un dossier. *Ranger des papiers dans une chemise.*

② *chemisier* n. m. ■ Corsage de femme, à col, fermé par-devant. ⇒ **blouse.**

chenal, aux [ʃənal, o] n. m. ■ Passage ouvert à la navigation entre un port, une rivière ou un étang et la mer, dans le lit d'un fleuve. ⇒ **canal, passe.**

chenapan [ʃ(ə)napɑ̃] n. m. ■ Vx ou plaisant. ⇒ **bandit, vaurien.** — (À des enfants) *Sortez d'ici, chenapans !* ⇒ **coquin, galopin.**

chêne [ʃɛn] n. m. ■ Grand arbre à fleurs en chatons, à feuilles lobées, répandu surtout en Europe. *Fruit du chêne.* ⇒ **gland. CHÊNE VERT.** ⇒ **yeuse.** — Bois de chêne. *Un parquet de chêne.* ▶ *chêne-liège* n. m. ■ Variété de chêne à feuillage persistant, qui fournit le liège. *Des chênes-lièges.*

chéneau [ʃeno] n. m. ■ Conduit qui longe le toit, recueille les eaux de pluie. ⇒ **gouttière.** *Des chéneaux en zinc.*

chenet [ʃ(ə)nɛ] n. m. ■ Une des pièces métalliques jumelles qu'on place à l'intérieur d'une cheminée et sur lesquelles on dispose les bûches.

chenil [ʃ(ə)ni(l)] n. m. **1.** Abri pour les chiens (de chasse). **2.** Lieu où l'on garde les chiens des particuliers.

① *chenille* [ʃ(ə)nij] n. f. ■ Larve des papillons, à corps allongé formé d'anneaux et généralement velu. *La chenille file une enveloppe où elle s'enferme* ⇒ **cocon** *et se transforme en papillon* ⇒ **chrysalide.** *Les chenilles sont nuisibles aux arbres.* ⟨ ▶ échenil-ler ⟩

② *chenille* n. f. ■ Sorte de courroie de transmis-sion articulée isolant du sol les roues d'un véhicule pour lui permettre de se déplacer sur tous les terrains. *Véhicules à chenilles.* ⇒ **char d'assaut, tank, tracteur.** ▶ *chenillé, ée* adj. ■ Muni de chenilles. *Véhicule chenillé.* ▶ *chenillette* n. f. ■ Petit véhicule automo-bile sur chenilles. ⟨ ▶ autochenille ⟩

chenu, ue [ʃəny] adj. ■ Littér. Qui est devenu blanc de vieillesse. *Tête chenue.*

cheptel [ʃɛptɛl ; ʃ(ə)tɛl] n. m. ■ Ensemble des bestiaux (d'une exploitation, d'une région). *Le cheptel ovin, porcin d'une région.*

chèque [ʃɛk] n. m. ■ Écrit par lequel une personne (tireur) donne l'ordre de remettre, soit à son profit, soit au profit d'un tiers, une certaine somme à prélever sur son crédit (sur son compte ou celui d'un autre). *Chèque bancaire. Un carnet de chèques.* ⇒ **chéquier.** *Faire un chèque à qqn. Payer par chèque. Chèque sans provision*. Chèque de voyage,* payable en espèces dans tout établissement bancaire du pays où l'on se rend. — *Chèque en blanc,* où la somme à payer n'est pas indiquée. (Abstrait) *Donner un chèque en blanc à qqn,* lui donner carte blanche. — *Chèque postal,* tiré sur l'Administration des Postes. *Compte chèque postal* (abrév. *C.C.P.*). ▶ *chéquier* n. m. ■ Carnet de chèques.

① *cher, ère* [ʃɛʀ] adj. **1.** Surtout avant le nom. Qui est aimé ; pour qui on éprouve une vive affection. *Ses chers amis. Mon cher petit.* **2.** Avant le nom. Dans des tournures amicales, des formules de politesse. *Cher Monsieur. Mon cher, ma chère.* **3.** CHER À : que l'on considère comme précieux. ⇒ **estimable.** *Le thé cher aux Anglais. Son souvenir nous est cher.* / contr. **indifférent /** ⟨ ▶ chèrement (1), chérir ⟩

② *cher, ère* adj. et adv. **I.** Adj. (Attribut ou après le nom) **1.** Qui est d'un prix élevé. ⇒ **coûteux, onéreux.** *Ces vêtements sont trop chers. Une voiture chère.* / contr. **bon marché** / **2.** Qui exige de grandes dépenses. ⇒ **dispendieux.** *La vie est chère à Paris* (⇒ **cherté**). **3.** Qui fait payer un prix élevé. *Ce marchand est cher.* **II.** Adv. À haut prix. *Cela me coûte cher. Ce livre vaut cher.* Fam. *Je l'ai eu pour pas cher.* ‹ ► **chèrement** (2), **cherté, enchère, renchérir, surenchère** ›

chercher [ʃɛʀʃe] v. tr. ▪ conjug. 1. **1.** S'efforcer de découvrir, de trouver (qqn ou qqch.). ⇒ **rechercher.** *Chercher qqn dans la foule. Chercher un objet que l'on a perdu. Chercher un taxi.* **2.** Essayer de découvrir (la solution d'une difficulté, une idée, etc.). *Chercher la solution d'un problème. Chercher un moyen. Chercher ses mots, en parlant. Qu'allez-vous chercher là ?* ⇒ **imaginer, inventer.** Loc. *Chercher midi à quatorze heures,* compliquer les choses inutilement. — Sans compl. *Tu n'as pas assez cherché.* ⇒ **réfléchir. 3.** CHERCHER À (+ infinitif) : essayer de parvenir à. ⇒ **s'efforcer, tâcher, tenter, viser.** *Chercher à savoir, à comprendre. Chercher à oublier.* **4.** Essayer d'obtenir. *Chercher un emploi. Chercher un appartement.* — (Sans art. devant le nom) *Chercher fortune, querelle.* **5.** Envoyer, venir prendre (qqn ou qqch.). *Venez me chercher ce soir. Je viendrai vous chercher à la gare.* **6.** Fam. Provoquer. *Je ne suis pas méchant, mais si tu me cherches, gare à toi !* **7.** (Choses) Fam. ⇒ **atteindre.** *Ça va chercher dans les mille francs,* le prix atteindra environ mille francs. ► *chercheur, euse* n. et adj. **I.** (Personnes) **1.** Rare ou loc. Personne qui cherche. *Chercheur d'or.* **2.** Personne qui se consacre à la recherche scientifique. ⇒ **savant, scientifique.** *Les chercheurs du C.N.R.S.* **II.** (Choses) *Chercheur de télescope,* petite lunette adaptée à un télescope. — Adj. *Tête chercheuse d'une fusée.* ‹ ► **rechercher** ›

chère [ʃɛʀ] n. f. ▪ Littér. Nourriture. *Chère délectable, exquise.* — Loc. FAIRE BONNE CHÈRE : bien manger. ≠ **chair, chaire.**

chèrement [ʃɛʀmɑ̃] adv. (⇒ **cher**) **1.** D'une manière affectueuse et tendre. ⇒ **affectueusement, tendrement.** *Aimer chèrement qqn.* **2.** En consentant de grands sacrifices. *Vendre chèrement sa vie. Il paya chèrement son succès.*

chérir [ʃeʀiʀ] v. tr. ▪ conjug. 2. **1.** Aimer tendrement, avoir beaucoup d'affection pour. ⇒ **affectionner, aimer.** *Chérir sa femme, ses amis. Chérir le souvenir de qqn.* ⇒ **vénérer. 2.** Littér. S'attacher, être attaché à (qqch.). *Il chérissait son pays, son pays lui était cher* (1). ► *chéri, ie* adj. et n. **1.** Tendrement aimé. *Sa femme chérie. Mes enfants chéris.* **2.** N. C'est le chéri de ses parents. — (Entre personnes très intimes) *Mon chéri, ma petite chérie. Oui, chéri.*

cherry [ʃeʀi] n. m. ▪ Liqueur de cerise. ≠ **sherry.**

cherté [ʃɛʀte] n. f. ▪ État de ce qui est cher ② ; prix élevé. ⇒ **coût ; prix.** *La cherté de la vie.*

chérubin [ʃeʀybɛ̃] n. m. **1.** Ange. **2.** *Avoir une face, un teint de chérubin,* un visage rond et des joues colorées. — Bel enfant. ⇒ **ange.** *C'est un chérubin.*

chétif, ive [ʃetif, iv] adj. ▪ De faible constitution ; d'apparence fragile. ⇒ **malingre, rachitique.** / contr. **robuste, vigoureux** / *Enfant chétif. Un arbre chétif.*

cheval, aux [ʃ(ə)val, o] n. m. **I. 1.** Grand mammifère (*équidé*) à crinière, domestiqué par l'homme comme animal de trait et de transport. — Se dit surtout du mâle (opposé à *jument*), du mâle adulte (opposé à *poulain*). ⇒ fam. **canasson, dada.** *Cheval*

sauvage. ⇒ **mustang.** *Cheval reproducteur.* ⇒ **étalon.** *Cheval pur sang,* de race pure. *Cheval de petite taille.* ⇒ **poney.** *Cheval de course. Cheval de selle.* ⇒ **monture.** *Monter, sauter sur son cheval.* ⇒ **chevaucher.** *Faire une chute de cheval. — Le cheval hennit. Cheval qui trotte, galope, rue, se cabre. — Cheval de trait.* — *Monter un cheval à califourchon, en amazone.* **2.** À CHEVAL loc. adj. et adv. : sur un cheval. *Aller à cheval.* ⇒ ① **chevaucher, monter ; équitation.** — À califourchon (une jambe d'un côté, et l'autre de l'autre). *Être à cheval sur une branche d'arbre.* — Une partie d'un côté, une partie de l'autre. *À cheval sur deux périodes.* ⇒ **chevaucher. 3.** Équitation. *Aimer le cheval. Faire du cheval. Costume, culotte de cheval,* de cavalier. **4.** Loc. *Fièvre de cheval,* très forte. *Remède de cheval,* puissant. — *Monter sur ses grands chevaux,* s'emporter. *Être à cheval sur les principes,* y tenir rigoureusement. **5.** Fam. *C'est un grand cheval,* une grande femme masculine. *C'est un vrai cheval,* une personne infatigable et qui a une santé de fer. *C'est pas un mauvais cheval,* il n'est pas méchant. **6.** CHEVAL DE RETOUR : récidiviste. **7.** CHEVAL DE BATAILLE : argument, sujet favori, auquel on revient. ⇒ fam. ① **dada. II.** Figure représentant un cheval. CHEVAL DE BOIS : jouet d'enfant à bascule ou à roulettes sur lequel on peut monter. — CHEVAUX DE BOIS : manège circulaire des foires représentant des chevaux. *Faire un tour de chevaux de bois.* ⇒ **manège.** — CHEVAL D'ARÇONS : appareil de gymnastique, gros cylindre rembourré sur quatre pieds, qui sert à des exercices de saut, de voltige. — *Cheval de Troie,* dans l'Iliade, cheval de bois gigantesque dans les flancs duquel les guerriers se cachèrent pour pénétrer dans Troie. — *Jeu des petits chevaux,* jeu de hasard où les pions représentent des chevaux. **III.** CHEVAL-VAPEUR (symb. *Ch*), ou simplement CHEVAL : unité de travail équivalant à 75 kilogrammètres par seconde. *Des chevaux-vapeur. Une automobile de 45 chevaux au frein* (opposé à *chevaux fiscaux*). *Cheval fiscal* (symb. *CV*), équivalant à 1/6 du litre de cylindrée. *Une quatre-chevaux,* une voiture de quatre chevaux (fiscaux). ► *chevalier* n. m. **1.** Au Moyen Âge. Noble admis dans l'ordre de la chevalerie (ils combattaient à cheval). ≠ **cavalier.** ⇒ **paladin, preux.** *Il a été armé chevalier. Bayard, le chevalier sans peur et sans reproche.* — Loc. *Chevalier errant,* qui allait par le monde pour redresser les torts. — Fig. *Chevalier servant,* celui qui entoure une femme d'hommages, fait tout pour lui être agréable. **2.** Membre d'un ordre militaire et religieux, au Moyen Âge. *Les chevaliers de Malte.* **3.** De nos jours. Membre d'un ordre honorifique. *Chevalier de la Légion d'honneur.* **4.** Dans la noblesse. Celui qui est au-dessous du baron. ► *chevaleresque* adj. ▪ Digne d'un chevalier (1). ⇒ **généreux.** *Bravoure, conduite chevaleresque.* ► *chevalerie* n. f. ▪ Institution militaire au caractère religieux, propre à la noblesse féodale. ⇒ **chevalier.** *Les règles de la chevalerie étaient la bravoure, la courtoisie, la loyauté, la protection des faibles.* — Au Moyen Âge. Un des corps de l'armée formé par les chevaliers. *Romans de chevalerie,* où sont décrits les exploits, les amours des chevaliers. ► *chevalière* n. f. ▪ Bague à large chaton plat sur lequel sont gravées des armoiries, des initiales. ► *chevalin, ine* adj. **1.** Du cheval. *Races chevalines. Boucherie chevaline,* où l'on vend de la viande de cheval. **2.** Qui évoque le cheval. *Il a une tête chevaline.* ► ① *chevaucher* v. ▪ conjug. 1. **1.** V. intr. Littér. Aller à cheval. **2.** V. tr. Être à cheval, à califourchon sur. *Les sorcières chevauchent des manches à balais.* ► *chevauchée* n. f. ▪ Promenade, course à cheval. *Une longue chevauchée.* ► ② *chevaucher* v. intr. ▪ conjug. 1. ▪ Se recouvrir en partie, empiéter, être à cheval l'un sur l'autre. ⇒ **se recouvrir.** *Dents qui chevauchent.*

— Pronominalement. *Se chevaucher* (même sens). *Tuiles qui se chevauchent.* ▶ **chevauchement** n. m. ■ Position de choses qui chevauchent. ⟨ ▶ chevalement, chevalet ⟩

chevalement [ʃ(ə)valmɑ̃] n. m. ■ Assemblage de madriers et de poutres qui supportent un mur, une construction. ⇒ **étai.**

chevalet [ʃ(ə)valɛ] n. m. **1.** Support qui sert à tenir à la hauteur voulue l'objet sur lequel on travaille. *Chevalet de menuisier. Chevalet de peintre,* qui supporte le tableau, la toile. **2.** Mince pièce de bois placée d'aplomb sur la table de certains instruments à cordes pour soutenir les cordes tendues. *Le chevalet d'un violon.*

chevêche [ʃəvɛʃ] n. f. ■ Petite chouette.

chevelu, ue [ʃəvly] adj. et n. m. **1.** Garni de cheveux. *Le cuir chevelu.* ⇒ **cuir. 2.** Qui a de longs cheveux. *Des jeunes gens chevelus.* / contr. **chauve, tondu /**

chevelure [ʃəvlyʀ] n. f. **1.** Ensemble des cheveux. *Une chevelure abondante. Une chevelure emmêlée.* ⇒ **tignasse. 2.** *Chevelure d'une comète,* traînée lumineuse qui la suit.

chevesne ou *chevaine* [ʃ(ə)vɛn] n. m. ■ Poisson d'eau douce à dos brun et ventre argenté (appelé aussi *dard, meunier*).

① *chevet* [ʃ(ə)vɛ] n. m. **1.** Partie du lit où l'on pose sa tête. ⇒ **tête.** *Lampe, table* DE CHEVET : qui sont à la tête du lit. *Livre de chevet,* livre préféré qu'on lit souvent ou avant de s'endormir. **2.** AU CHEVET *de qqn* : auprès de son lit. *Rester au chevet d'un malade,* rester auprès de lui pour le soigner.

② *chevet* n. m. ■ Partie d'une église qui se trouve à la tête de la nef, derrière le chœur. ⇒ **abside.** *Vue sur le chevet de Notre-Dame.*

cheveu [ʃ(ə)vø] n. m. **1.** Poil qui recouvre le crâne humain (cuir chevelu). Surtout au plur. : *les cheveux.* ⇒ fam. **tifs.** *Plantation, naissance des cheveux. Cheveux plats, raides. Cheveux souples, frisés, bouclés, crépus.* — *Cheveux noirs, bruns, châtains, roux, blonds. Cheveux gris, poivre et sel, blancs. Porter les cheveux courts, longs. Perdre ses cheveux* (⇒ **chauve**). *Avoir les cheveux en désordre, en bataille, hirsutes* (⇒ **décoiffé, dépeigné, ébouriffé, échevelé**). *Démêler, peigner ses cheveux. Se faire couper les cheveux. Se teindre les cheveux. Une coupe de cheveux* (⇒ **coiffeur**). — Loc. *Cheveux au vent,* cheveux libres de toute attache. **2.** Fig. Loc. *Se prendre aux cheveux,* se battre. *S'arracher les cheveux,* être furieux et désespéré. — *Faire dresser les cheveux sur la tête,* inspirer un sentiment d'horreur. — *Avoir mal aux cheveux,* avoir mal à la tête pour avoir trop bu. *Se faire des cheveux (blancs),* se faire du souci. — *Tiré par les cheveux,* amené d'une manière forcée et peu logique. *Un raisonnement tiré par les cheveux.* — Au sing. *À un cheveu (près),* à très peu de chose (près). *Cela a tenu à un cheveu,* cela a failli arriver, se réaliser. — Fam. *Il y a un cheveu !,* il y a un ennui. ⇒ fam. **os.** — *Arriver, venir comme un cheveu sur la soupe,* arriver à contretemps, mal à propos. *Ne pas toucher à un cheveu d'une personne,* ne pas lui faire de mal. *Couper les cheveux en quatre,* se perdre dans un raisonnement pointilleux. ⇒ **pinailler.** ⟨ ▶ chevelu, chevelure, échevelé, sèche-cheveux ⟩

① *cheville* [ʃ(ə)vij] n. f. **1.** Tige de bois ou de métal dont on se sert pour boucher un trou, assembler des pièces. *Cheville d'assemblage.* ⇒ **boulon, clou, goupille, taquet.** *Enfoncer, ficher, planter une cheville.* **2.** CHEVILLE OUVRIÈRE : grosse cheville qui joint

l'avant-train avec le corps d'une voiture ; fig. l'agent, l'instrument essentiel (d'une entreprise, d'un organisme). *Être la cheville ouvrière d'un complot, d'une association, d'une affaire.* ⇒ **centre, pivot. 3.** Pièce qui sert à tendre les cordes d'un instrument de musique. **4.** Crochet servant à suspendre la viande. *Viande vendue à la cheville,* en gros aux *chevillards* (dans les abattoirs). **5.** Loc. fam. *Être* EN CHEVILLE *avec qqn* : associé plus ou moins secrètement avec lui. ▶ *cheviller* v. tr. · conjug. 1. ■ Joindre, assembler (des pièces) avec des chevilles. *Cheviller une porte, une table.* — Au p. p. adj. Loc. *Avoir l'âme chevillée au corps,* avoir la vie dure. ▶ *chevillard* n. m. ■ Boucher en gros ou en demi-gros. ⇒ **cheville** (4).

② *cheville* n. f. ■ Saillie des os de l'articulation du pied ; partie située entre le pied et la jambe. *Elle s'est foulé la cheville. Avoir la cheville fine. Robe qui arrive à la cheville.* — Fig. *Ne pas arriver* À LA CHEVILLE DE *qqn* : lui être inférieur.

③ *cheville* n. f. ■ En versification. Terme de remplissage permettant la rime ou la mesure (inutile au sens). *Poésie bourrée de chevilles.*

cheviotte [ʃəvjɔt] n. f. ■ Laine des moutons d'Écosse ; étoffe faite avec cette laine. *Une veste de cheviotte.*

① *chèvre* [ʃɛvʀ] n. f. **1.** Mammifère ruminant, à cornes arquées, à pelage fourni, apte à grimper et à sauter ; se dit surtout de la femelle de cette espèce (opposé à *bouc*), de la femelle adulte (opposé à *chevreau*). ⇒ fam. **bique, biquette.** *Barbiche de chèvre. La chèvre bêle. Le chevrier garde les chèvres. Lait, fromage de chèvre.* **2.** Loc. *Faire devenir chèvre, rendre qqn chèvre,* embêter (→ faire tourner en bourrique). *Ménager la chèvre et le chou,* ne pas prendre parti ; réserver sa décision jusqu'à ce qu'un parti l'emporte. ▶ *chevreau* [ʃəvʀo] n. m. **1.** Le petit de la chèvre. ⇒ **biquet, cabri.** *Bondir comme un chevreau.* **2.** Peau de chèvre ou de chevreau qui a été tannée. *Chaussures, gants de chevreau.* ▶ *chevrette* [ʃəvʀɛt] n. f. ■ Jeune chèvre. ⟨ ▶ chèvrefeuille, chevreuil, chevrier, chevroter, chevrotine ⟩

② *chèvre* n. f. ■ Appareil servant à soulever des fardeaux ; poulie montée sur un trépied ou chevalet.

chèvrefeuille [ʃɛvʀəfœj] n. m. ■ Plante, arbrisseau grimpant, à fleurs jaunes parfumées.

chevreuil [ʃəvʀœj] n. m. ■ Mammifère sauvage, assez petit, à robe fauve et ventre blanchâtre. *Le chevreuil brame.* — *Cuissot, ragoût de chevreuil.*

chevrier, ière [ʃəvʀije, jɛʀ] n. ■ Berger(ère) qui mène paître les chèvres.

chevron [ʃəvʀɔ̃] n. m. **1.** Pièce de bois sur laquelle on fixe des lattes qui soutiennent la toiture. ⇒ **madrier.** *Trois maisons, qui n'ont ni poutres ni chevrons* (chanson de Cadet Rousselle). **2.** Galon en V renversé porté sur les manches des uniformes et qui marque l'ancienneté de service. *Chevrons de sergent* (⇒ **chevronné**). — Motif décoratif en zigzag. *Tissu à chevrons.*

chevronné, ée [ʃəvʀɔne] adj. ■ Qui est expérimenté (comme un soldat qui a des *chevrons,* des galons d'ancienneté). *Un conducteur chevronné.*

chevroter [ʃəvʀɔte] v. intr. · conjug. 1. ■ Parler, chanter d'une voix tremblotante (comme un bêlement de chèvre). *Vieillards dont la voix chevrote. Chanteur qui chevrote.* ▶ *chevrotant, ante* adj. ■ *Voix chevrotante,* tremblante et cassée. ▶ *chevrotement* n. m. ■ Tremblement (de la voix). *Le chevrotement d'un vieillard.*

chevrotine [ʃəvʀɔtin] n. f. ■ Balle sphérique, gros plomb pour tirer le chevreuil, les bêtes fauves.

chewing-gum [ʃwiŋɡɔm] n. m. ■ Anglic. Gomme à mâcher. *Mastiquer du chewing-gum. Paquet de chewing-gum. Des chewing-gums.*

chez [ʃe] prép. 1. Dans la demeure de, au logis de (qqn). *Venez chez moi. Il est rentré chez lui. Chacun chez soi. Je vais chez Monsieur X, chez le coiffeur, chez le dentiste.* — REM. *Aller au coiffeur, au dentiste* est incorrect. — Loc. *Être partout chez soi, se sentir chez soi,* ne pas être gêné. *Faites comme chez vous,* mettez-vous à l'aise. — (Précédé d'une autre prép.) *Je viens de chez eux. Ils passèrent par chez nous.* — Loc. adj. *Bien de chez nous,* typiquement français (souvent iron.). 2. Dans la nation de. *Chez les Anglais. Chez les Grecs de l'Antiquité.* 3. Dans l'esprit, dans le caractère, dans les œuvres, le discours de (qqn). *C'est une réaction courante chez lui. Cette remarque est chez Voltaire.* ► *chez-moi* [ʃemwa], *chez-soi* [ʃeswa], *chez-toi* [ʃetwa] n. m. invar. ■ Domicile personnel (avec valeur affective). *Ton petit chez-toi. Des chez-soi confortables.*

chiader [ʃjade] v. tr. et intr. ■ conjug. 1. ■ Arg. fam. Travailler, préparer (un examen). *Chiader son bac.* — Au p. p. adj. *Chiadé, ée,* difficile ; très réussi.

chialer [ʃjale] v. intr. ■ conjug. 1. ■ Fam. Pleurer.

chiant, ante [ʃjɑ̃, ɑ̃t] adj. ■ Fam. Qui ennuie ou contrarie, qui fait chier. *Ce qu'il est chiant !* ⇒ **barbant, ennuyeux.** *C'est chiant !* ⇒ fam. **emmerdant.**

chianti [kjɑ̃ti] n. m. ■ Vin rouge de la province de Sienne (Italie). *Une fiasque de chianti. Des chiantis.*

chiasse [ʃjas] n. f. ■ Fam. Colique. *Avoir la chiasse.* ⇒ **courante.**

chic [ʃik] n. m. et adj. invar. I. N. m. fam. 1. AVOIR LE CHIC POUR (+ infinitif) : faire (qqch.) avec facilité, aisance, élégance. *Elle a le chic pour faire les crêpes.* — Iron. (le plus souvent). *Il a le chic pour m'énerver.* 2. Élégance hardie, désinvolte. ⇒ **caractère, chien, originalité, tournure.** *Il a du chic. Son chapeau a du chic.* II. Adj. invar. 1. Élégant. *Une toilette chic. Elle est chic,* bien habillée. — *Les gens chic* (→ les gens bien). — *Les quartiers chic,* les beaux quartiers. 2. (Avant le nom) Fam. Beau, agréable. *On a fait un chic voyage.* 3. (Personnes ; actes) Sympathique, généreux, serviable. *C'est un chic type. Elle a été chic avec nous. C'est chic de sa part. Ce n'est pas chic.* ⇒ **gentil.** 4. Loc. BON CHIC BON GENRE : d'une élégance discrète et traditionnelle. *Une jeune fille bon chic bon genre.* — Abrév. fam. *B.C. B.G.* [besebeʒe] III. Interj. fam. marquant le plaisir, la satisfaction. ⇒ **chouette.** *Chic alors !* ⟨ ► chiqué ⟩

① *chicane* [ʃikan] n. f. 1. Difficulté, incident qu'on suscite dans un procès pour embrouiller l'affaire (⇒ **chicaner**). — Péj. La procédure (avec les complications dont elle s'accompagne). 2. Querelle, contestation où l'on est de mauvaise foi. ⇒ **argutie, dispute, tracasserie.** *Chercher chicane, des chicanes à qqn. Les éternelles chicanes entre voisins.*

② *chicane* n. f. ■ Passage en zigzag qu'on est obligé d'emprunter. *Chicanes d'un barrage de police.*

chicaner [ʃikane] v. ■ conjug. 1. 1. V. intr. Élever des contestations mal fondées, chercher querelle sur des riens. ⇒ **ergoter, contester.** *Chicaner sur, à propos de qqch.* 2. V. tr. Chercher querelle à (qqn). *Chicaner qqn sur, pour qqch. Je ne vous chicanerai pas là-dessus.* ► *chicaneur, euse* n. ■ Personne qui chicane, qui aime à chicaner. — Adj. *Esprit chicaneur.* ⇒ **pointilleux.** / contr. **arrangeant, conciliant** / ► *chicanier,*

ière adj. ■ Qui chicane sur les moindres choses. *Il est très chicanier.* ⟨ ► ① chicane ⟩

① *chiche* [ʃiʃ] adj. ■ Être chiche de (paroles, actions), avare. *Il est assez chiche de ses compliments.* / contr. **généreux** / ► *chichement* adv. ■ Pauvrement, comme un avare. *Vivre chichement.* ⇒ **modestement, petitement.**

② *pois chiche* ⇒ **pois.**

③ *chiche* interj. fam. ■ Exclamation de défi : je vous prends au mot. « *Tu n'oserais jamais.* — *Chiche !* » — *Être* CHICHE DE (+ infinitif) : être capable de, oser. *Tu n'es pas chiche de plonger de là-haut.*

chichi [ʃiʃi] n. m. ■ Comportement qui manque de simplicité. ⇒ **affectation, minauderie.** *Faire des chichis.* ⇒ **embarras, façon, manière, simagrée.** *Pas tant de chichis !*

chicorée [ʃikɔʀe] n. f. 1. Plante herbacée dont les feuilles se mangent en salade. *Chicorée sauvage. Chicorée frisée.* ⇒ **scarole.** 2. Racine torréfiée de la chicorée ; boisson chaude qu'on en tire, rappelant le café. *Une tasse de chicorée.*

chicot [ʃiko] n. m. ■ Morceau qui reste d'une dent ; dent cassée, usée. *Une bouche pleine de chicots.*

chicotin [ʃikɔtɛ̃] n. m. ■ Loc. *Amer comme chicotin,* très amer.

① *chien, chienne* [ʃjɛ̃, ʃjɛn] n. I. 1. Mammifère domestique dont il existe de nombreuses races élevées pour remplir certaines fonctions auprès de l'homme. ⇒ **canin, cyno-.** *Un chien, une chienne.* ⇒ fam. ① **cabot, clébard, clebs, toutou.** *Le chien aboie, glapit, jappe, hurle. Petit du chien.* ⇒ **chiot.** *Chien en laisse. Envoyer son chien à la niche. Chien de race. Chien bâtard. Chien de chasse. Meute de chiens.* — *Chien couchant* ou *chien d'arrêt,* qui lève le gibier en plaine et le ramène quand il est abattu. *Chien courant,* qui donne de la voix quand il est sur la piste du gibier. — *Chien de garde. Attention, chien méchant. Chien policier. Chien de berger* surveillant son troupeau. — *Races de chiens,* barbet, basset, berger, bichon, bouledogue, braque, caniche, cocker, corniaud, danois, dogue, épagneul, fox, lévrier, limier, loulou, mâtin, molosse, pékinois, ratier, roquet, saint-bernard, terrier... 2. Loc. *Garder à qqn un chien de sa chienne,* lui garder rancune et lui ménager une vengeance. — *Se regarder en chiens de faïence,* se dévisager avec hostilité. — *Recevoir qqn comme un chien dans un jeu de quilles,* très mal. — *S'entendre, vivre comme chien et chat,* en se disputant constamment. — *Cela n'est pas fait pour les chiens,* on peut, on doit s'en servir, l'utiliser. — *Faire le chien couchant,* être flatteur, obséquieux, lâche. — *Entre chien et loup,* au crépuscule, quand la nuit commence à tomber. — Interj. *Nom d'un chien !* (juron familier). — PROV. *Qui veut noyer son chien l'accuse de la rage,* tout prétexte est bon quand on veut se débarrasser de qqn ou de qqch. 3. Loc. DE CHIEN. *Avoir, éprouver un mal de chien,* rencontrer bien des difficultés. *Métier, travail de chien,* très pénible. — *Vie de chien,* difficile, misérable. — *Temps de chien,* très mauvais temps. *Être d'une humeur de chien,* de très mauvaise humeur. ⇒ **massacrant.** — *Traiter qqn comme un chien,* très mal, sans égard ni pitié. *Mourir, être enterré comme un chien,* dans un total abandon. *Être malade comme un chien,* extrêmement malade. 4. Loc. *Les* CHIENS ÉCRASÉS : les faits divers sans importance, dans un journal. 5. *Le chien du quartier,* l'adjudant. ⇒ ② **cabot.** II. *Chien de mer,* petit requin (roussette). ⟨ ► chiendent, chien-loup, chiot ⟩

② *chien* n. m. 1. Pièce d'une arme à feu qui guide le percuteur. *Le chien d'un fusil de chasse.* 2. Loc. *Être couché* EN CHIEN DE FUSIL : les genoux repliés.

③ *chien* n. m. sing. ■ (Femmes) *Avoir du chien*, du chic, de la séduction. ⇒ **allure**.

chiendent [ʃjɛ̃dɑ̃] n. m. **1.** Herbe vivace très commune à racines développées, nuisible aux cultures. **2.** Racine de chiendent séchée. *Brosse de chiendent.*

chienlit [ʃjɑ̃li] n. f. ■ Littér. Mascarade, déguisement grotesque ; désordre. ⇒ **pagaïe**. REM. Pour *chie-en-lit* (⇒ **chier**).

chien-loup n. m. ■ Chien qui ressemble au loup (berger allemand). *Des chiens-loups.*

chier [ʃje] v. intr. ■ conjug. 7. **1.** Vulg. Se décharger le ventre des excréments. ⇒ **faire ; fam. faire caca**. **2.** Abstrait. Fam. *Faire chier qqn*, l'embêter. *Tu me fais chier.* ⇒ fam. **emmerder, faire suer**. *On se fait chier ici*, on s'ennuie. ⇒ fam. **s'emmerder**. ⟨ ► **chiant**, chiasse, chienlit, chiottes, chiure ⟩

chiffe [ʃif] n. f. **1.** Vx. Chiffon. **2.** Fam. *Chiffe molle*, personne d'un caractère faible. *C'est une chiffe molle.* ► *chiffon* n. m. **1.** Morceau de vieille étoffe. *Commerce des chiffons* (⇒ **chiffonnier**). — *Chiffon à poussière*, morceau de toile, de laine, servant à enlever la poussière. — EN CHIFFON : chiffonné (vêtement, etc.). **2.** *Un* CHIFFON DE PAPIER : document sans valeur ; traité qu'on signe sans avoir l'intention de le respecter. **3.** Au plur. Fam. *Parler chiffons*, parler de toilettes, de parures. ► *chiffonner* v. tr. ■ conjug. 1. **1.** Froisser, mettre en chiffon. ⇒ **friper, plisser**. *Chiffonner une robe.* **2.** Abstrait. *Cela me chiffonne.* ⇒ **chagriner, intriguer, taquiner**. ► *chiffonnage* ou *chiffonnement* n. m. ■ Action de chiffonner. — État de ce qui est chiffonné. ► *chiffonné, ée* adj. ■ Qui est froissé. *Un papier chiffonné. Repasser un vêtement chiffonné.* — Loc. *Figure chiffonnée*, aux traits fatigués ou un peu irréguliers. ► *chiffonnier, ière* n. **1.** Personne qui ramasse les vieux chiffons pour les vendre. **2.** Loc. *Se disputer, se battre comme des chiffonniers*, d'une manière violente et bruyante. *Vêtu comme un chiffonnier*, fripé, sale.

chiffre [ʃifʁ] n. m. **I. 1.** Chacun des caractères qui représentent les nombres. *Les chiffres arabes* (1, 2, 3, 4, 5, 6, 7, 8, 9, 0). *Les chiffres romains* (I, V, X, L, C, D, M). *Un nombre de plusieurs chiffres.* **2.** Nombre représenté par les chiffres. *Le chiffre des dépenses.* ⇒ **montant, somme, total**. *Le chiffre de la population. En chiffres ronds* (⇒ **arrondir**). — CHIFFRE D'AFFAIRES : total des ventes effectuées pendant une année. **II. 1.** Signe de convention servant à correspondre secrètement. *Le chiffre*, l'ensemble de ces signes. ⇒ **code**. *Avoir la clef du chiffre* (⇒ **chiffrer, déchiffrer**). *Le chiffre d'un coffre-fort.* ⇒ **combinaison**. **2.** Entrelacement de lettres initiales. ⇒ **monogramme**. *Faire graver son chiffre. Il portait une bague gravée à son chiffre.* ► *chiffrer* v. ■ conjug. 1. **I. 1.** V. tr. Noter à l'aide de chiffres. Évaluer en chiffres. *Chiffrer ses revenus à dix mille francs par mois.* **2.** V. intr. (Suj. chose) Atteindre un prix élevé. *Toutes ces dépenses finissent par chiffrer.* **II.** V. tr. Écrire en chiffres (II, 1). *Chiffrer une correspondance secrète.* ⇒ **coder**. — Au p. p. adj. *Message chiffré.* ► *chiffrable* adj. ■ Qu'on peut chiffrer, qu'on peut exprimer par des chiffres. ► *chiffrage* ou *chiffrement* n. m. ■ Opération par laquelle on chiffre (II). ⇒ **codage**. ► *chiffreur, euse* n. ■ Employé(e) qui fait le chiffrement. ⟨ ► **déchiffrer, indéchiffrable** ⟩

chignole [ʃiɲɔl] n. f. **I.** Fam. et vieilli. Mauvaise voiture. ⇒ fam. **guimbarde, tacot**. **II.** Perceuse à main ou électrique.

chignon [ʃiɲɔ̃] n. m. **1.** Partie de la chevelure féminine relevée et ramassée derrière la tête. *Elle s'est fait un chignon.* **2.** Loc. (Femmes) *Se crêper le chignon*, se battre, se disputer. *Elles se sont crêpé le chignon.*

chiite [ʃiit] adj. et n. ■ Dans l'islam. Relatif à la secte des partisans d'Ali, gendre du prophète Mohammed (Mahomet), qui soutiennent que ses descendants doivent conserver le pouvoir religieux (être imam ou calife). *Des intégristes chiites.* — REM. On écrit aussi *shi'ite*. — N. *Les chiites s'opposent aux sunnites.*

chimère [ʃimɛʁ] n. f. **1.** Monstre imaginaire (à tête de lion et queue de dragon) qui crache des flammes. **2.** Idées sans rapport avec la réalité. ⇒ **illusion, imagination, rêve, utopie**. *Ses projets sont des chimères.* ► *chimérique* adj. **1.** Sans rapport avec la réalité. *Imaginations, rêves chimériques.* ⇒ **illusoire, impossible, utopique**. *Ses projets sont tout à fait chimériques.* / contr. **raisonnable, réel** / **2.** Littér. Qui se complaît dans les chimères. *Homme chimérique.* ⇒ **rêveur, utopiste, visionnaire**. *Un esprit chimérique.*

chimie [ʃimi] n. f. ■ Science de la constitution des divers corps matériels, de leurs transformations et de leurs propriétés. *Chimie générale. Chimie minérale, organique. Chimie biologique.* ⇒ **biochimie**. *Chimie industrielle. La chimie du pétrole.* ⇒ **pétrochimie**. — *Cours de chimie. Professeur de chimie.* ► *chimique* adj. ■ Relatif à la chimie, aux corps qu'elle étudie. *Formule, symbole chimique. Propriétés chimiques d'un corps.* — *Produits chimiques*, corps obtenus par l'industrie chimique (opposé à *naturel*). ► *chimiquement* adv. ■ D'après les lois, les formules de la chimie. *De l'eau chimiquement pure.* ► *chimiste* n. ■ Personne qui s'occupe de chimie, pratique et étudie la chimie. *Expert, ingénieur chimiste. Une chimiste.* ⟨ ► **biochimie, pétrochimie** ⟩

chimpanzé [ʃɛ̃pɑ̃ze] n. m. ■ Grand singe anthropoïde*, qui vit en Afrique. *Des chimpanzés.*

chinchilla [ʃɛ̃ʃila] n. m. **1.** Petit mammifère rongeur qui vit au Pérou et au Chili. **2.** Sa fourrure gris clair (une des plus chères). *Un manteau de chinchilla.*

chiné, ée [ʃine] adj. ■ (Étoffe, laine) Fait de fils de couleurs alternées. *Une veste chinée noir et blanc.*

chiner [ʃine] v. tr. ■ conjug. 1. ■ Se moquer gentiment de (qqn). ⇒ **plaisanter, railler, taquiner**. (→ fam. Mettre en boîte.)

① *chinois, oise* [ʃinwa, waz] adj. et n. **1.** De Chine ⇒ **sino-** ; qui imite un certain goût propre à la Chine. *La République chinoise. Un pavillon chinois, petit kiosque à toit pointu et découpé. Paravent chinois. Supplice chinois*, très cruel. — *Casse-tête chinois.* — N. *Les Chinois. Une Chinoise.* **2.** N. m. Personne qui subtilise à l'excès. *Quel chinois !* ⇒ **chinoiserie**. — Adj. *C'est un peu chinois.* **3.** N. m. *Le chinois*, langue monosyllabique parlée et écrite (avec des caractères idéographiques) en Chine. — Fig. *C'est du chinois*, c'est incompréhensible. ► *chinoiserie* n. f. **1.** Bibelot dans le goût chinois. *Une étagère garnie de chinoiseries.* **2.** Complication inutile et extravagante. *Les chinoiseries administratives.* ⟨ ► **indochinois** ⟩

② *chinois* n. m. ■ Passoire conique fine utilisée pour la cuisine. ⇒ **tamis**.

chiot [ʃjo] n. m. ■ Jeune chien. *Une portée de chiots.*

chiottes [ʃjɔt] n. f. pl. ■ Fam. Cabinets d'aisances. ⇒ **cabinet(s), toilette(s), waters, W.-C.**

chiourme [ʃjuʁm] n. f. ■ Autrefois. Ensemble de rameurs d'une galère, de forçats. ⟨ ► **garde-chiourme** ⟩

chiper [ʃipe] v. tr. ■ conjug. 1. Fam. **1.** Dérober, voler. ⇒ fam. **barboter, faucher, piquer**. *On m'a chipé mon stylo.* **2.** Attraper. *Chiper un rhume.* ⇒ **choper**.

chipie[ʃipi] n. f. ■ Femme au caractère désagréable, difficile à vivre. ⇒ **mégère, pimbêche.** *Vieille chipie ! Petite chipie !*

chipolata [ʃipɔlata] n. f. ■ Petite saucisse courte et plate. *Des chipolatas.*

chipoter [ʃipɔte] v. intr. ■ conjug. 1. **1.** Manger par petits morceaux, sans plaisir. **2.** Marchander mesquinement ; discuter sur des vétilles. ⇒ **ergoter, pinailler.** *Il chipote sur les dépenses.* ▶ *chipoteur, euse* n. et adj. ■ Personne qui chipote.

chips [ʃips] n. m. pl. ■ Pommes de terre frites en minces rondelles. *Un paquet de chips.* — Adj. *Pommes chips.*

① *chique* [ʃik] n. f. **1.** Morceau de tabac que l'on mâche. **2.** Loc. Fam. COUPER LA CHIQUE à *qqn* : l'interrompre brutalement (→ Couper le sifflet). **3.** Fam. Enflure de la joue. ⟨ ▶ chicot, chiquer ⟩

② *chique* n. f. ■ Variété de puce dont la femelle peut s'enfoncer dans la chair de l'homme et y provoquer des abcès. ≠ **tique.**

chiqué [ʃike] n. m. ■ Fam. Attitude prétentieuse qui manque de naturel. ⇒ **bluff, cinéma, esbroufe.** *C'est du chiqué ! Il fait ça au chiqué.*

chiquenaude [ʃiknod] n. f. ■ Coup donné avec un doigt que l'on a plié contre le pouce et que l'on détend brusquement. ⇒ **pichenette.** *Projeter une boulette de pain d'une chiquenaude.* Fig. Petite impulsion ; poussée.

chiquer [ʃike] v. tr. et intr. ■ conjug. 1. ■ Mâcher (du tabac). *Tabac à chiquer.*

chir(o)- ■ Élément savant signifiant « main ». ▶ *chiromancie* [kiʀɔmɑ̃si] n. f. ■ Art de deviner l'avenir, le caractère de qqn par les lignes de sa main. ▶ *chiromancien, ienne* n. ■ Diseur, diseuse de bonne aventure. ⇒ **voyante.** *Des chiromanciennes.* ▶ *chiropracteur* [kiʀɔpʀaktœʀ] n. m. ou *chiropracticien, ienne* n. ■ Praticien(enne) qui soigne par manipulation (des vertèbres). ▶ *chirurgie* [ʃiʀyʀʒi] n. f. ■ Partie de la médecine qui comporte une intervention manuelle et instrumentale (surtout à l'intérieur du corps). *Chirurgie des os, du cœur. Chirurgie esthétique. Chirurgie dentaire.* ▶ *chirurgical, ale, aux* adj. ■ Relatif à la chirurgie. *Opération, intervention chirurgicale. Instruments chirurgicaux.* ▶ *chirurgien* n. m. **1.** Médecin qui pratique la chirurgie. *Le chirurgien opère avec l'aide de ses assistants. Chirurgien-major,* dans l'armée. — *Elle est chirurgien.* **2.** *Chirurgien dentiste.* ⇒ **dentiste.**

chistera [ʃisteʀa] n. f. ou m. ■ Instrument d'osier en forme de gouttière recourbée, qui sert à lancer la balle à la pelote basque.

chiure [ʃjyʀ] n. f. ■ Excrément d'insectes. *Des chiures de mouches.*

chlamyde [klamid] n. f. ■ Manteau court et fendu, agrafé sur l'épaule, dans l'antiquité grecque.

chlore [klɔʀ] n. m. ■ Corps simple, jaune verdâtre, d'odeur suffocante. *Propriétés décolorantes, antiseptiques du chlore.* ▶ *chloré, ée* adj. ■ Qui contient du chlore. *L'eau chlorée d'une piscine.* ▶ *chlorhydrique* [klɔʀidʀik] adj. ■ ACIDE CHLORHYDRIQUE : composé de chlore et d'hydrogène. — Solution de ce gaz dans l'eau, liquide incolore, fumant, corrosif. ▶ *chloroforme* [klɔʀɔfɔʀm] n. m. ■ Liquide incolore, employé comme anesthésique. *Endormir qqn au chloroforme.* ▶ *chloroformer* v. tr. ■ conjug. 1. ■ Anesthésier au chloroforme. ⟨ ▶ chlorure ⟩

chlorophylle [klɔʀɔfil] n. f. ■ Matière colorante des parties vertes de la plante. *La lumière, facteur*

nécessaire à la production de la chlorophylle. ▶ *chlorophyllien, ienne* adj. ■ De la chlorophylle. *Fonction chlorophyllienne,* par laquelle, sous l'action de la lumière, la chlorophylle absorbe le gaz carbonique et rejette l'oxygène.

chlorure [klɔʀyʀ] n. m. **1.** Nom générique des composés binaires du chlore. *Les chlorures,* sels résultant de la combinaison de l'acide chlorhydrique avec une base. ⇒ **sel.** *Chlorure de sodium* (sel marin). **2.** *Chlorures décolorants,* mélanges industriels utilisés à des fins de blanchiment, de nettoyage, de désinfection. ⇒ eau de Javel.

choc [ʃɔk] n. m. **1.** Entrée en contact de deux corps qui se rencontrent violemment ; ébranlement qui en résulte. ⇒ **coup, heurt, percussion.** *Choc brusque, violent. Le choc des verres, des épées.* ⇒ **cliquetis.** *Choc violent.* ⇒ **collision.** *Résister aux chocs.* **2.** Rencontre violente (d'hommes). *Le choc de deux armées ennemies.* ⇒ **bataille, combat.** *Soutenir le choc,* résister à un assaut. *Troupes, unités* DE CHOC : qui sont toujours en première ligne. ⇒ **commando.** **3.** Abstrait. *Choc des opinions, des caractères, des passions, des intérêts.* ⇒ **antagonisme, conflit, opposition.** — *Donner un choc à qqn, recevoir un choc,* une émotion brutale. — *Choc opératoire, traumatique, anesthésique.* ⇒ **commotion.** — CHOC EN RETOUR : contrecoup d'un choc, d'un événement sur la personne qui l'a provoqué ou sur le point d'où il est parti. **4.** En appos. Invar. Qui provoque un choc psychologique (surprise, intérêt, émotion). *Un discours choc, Des prix choc.* ⟨ ▶ choquer, électrochoc, entrechoquer, pare-chocs ⟩

chocolat [ʃɔkɔla] n. m. **1.** Substance alimentaire (pâte solidifiée) faite de cacao broyé avec du sucre, de la vanille, etc. *Chocolat à croquer. Plaque, tablette de chocolat ; bouchée au chocolat. Chocolat au lait, aux noisettes.* **2.** Boisson faite de poudre de chocolat ou de cacao délayée. *Une tasse de chocolat. Un chocolat.* **3.** Brun rouge foncé. — Adj. invar. *Des robes chocolat, brun chocolat.* **4.** Adj. Fam. *Être chocolat,* être privé d'une chose sur laquelle on comptait. ▶ *chocolaté, ée* adj. ■ Parfumé au chocolat. ▶ *chocolatier, ière* n. et adj. ■ Personne qui fabrique, qui vend du chocolat. — Adj. *L'industrie chocolatière.*

① *chœur* [kœʀ] n. m. **1.** Réunion de chanteurs ⇒ **choriste** qui exécutent un morceau d'ensemble. ⇒ **chorale.** *Un chœur d'enfants. Faire partie des chœurs de l'Opéra.* **2.** Composition musicale destinée à être chantée par plusieurs personnes (⇒ **choral**). **3.** Dans le théâtre de l'Antiquité. Troupe de personnes qui dansent et chantent ensemble. *Le chœur des tragédies grecques.* **4.** *Le chœur des rieurs, des mécontents,* l'ensemble. **5.** EN CHŒUR : ensemble, unanimement. ⇒ faire **chorus,** agir de **concert.** *Chanter en chœur. S'ennuyer en chœur.* ⟨ ▶ choral, chorégraphie, choriste, ① chorus ⟩

② *chœur* n. m. ■ Partie de la nef d'une église, devant le maître-autel, où se tiennent les chantres et le clergé pendant l'office. — *Enfant* de chœur.

choir [ʃwaʀ] v. intr. — REM. Seulement : *je chois, tu chois, il choit ; je chus ; chu, chue* au p. p. **1.** Littér. Être entraîné de haut en bas. ⇒ **tomber.** **2.** Fam. LAISSER CHOIR. ⇒ **abandonner, plaquer.** *Après de belles promesses, il nous a laissés choir.* ⟨ ▶ ① chute, ② chute, déchéance, déchoir, échéance, échoir, échu ⟩

choisir [ʃwaziʀ] v. tr. ■ conjug. 2. **1.** *Choisir qqch., qqn,* prendre de préférence, faire choix de. *Choisir une carrière. On l'a choisi pour ce poste.* ⇒ **désigner,**

distinguer, nommer. *Choisir ses vêtements, ses amis. Choisir ses lectures.* ⇒ **sélectionner. 2.** Se décider entre deux ou plusieurs partis ou plusieurs solutions. ⇒ **opter,** se prononcer, trancher. *Décidez-vous, il faut choisir. Choisir si l'on part, si l'on reste. Il a choisi de partir.* ▶ *choisi, ie* adj. ■ Excellent ; pris pour sa qualité. *Œuvres, textes choisis.* ⇒ **anthologie.** *S'exprimer en termes choisis, élégants.* ⟨ ▶ choix ⟩

choix [ʃwa] n. m. invar. **1.** Action de choisir, décision par laquelle on donne la préférence à une chose, à une possibilité en écartant les autres. *Faire un bon, un mauvais choix. Son choix est fait.* ⇒ **décision, résolution. 2.** Pouvoir, liberté de choisir (actif) ; existence de plusieurs partis entre lesquels choisir (passif). *On lui laisse le choix.* ⇒ **option.** *Choix entre deux partis.* ⇒ **alternative, dilemme.** *Vous avez le choix. À (son, votre) choix. Les petits ou les grands, au choix.* — *N'avoir que l'embarras* du choix.* — *Ne pas avoir le choix,* être obligé de faire qqch. **3.** Ensemble de choses parmi lesquelles on peut choisir. *Ce magasin offre un très grand choix d'articles.* ⇒ **assortiment, éventail. 4.** Ensemble de choses choisies pour leurs qualités. ⇒ **sélection.** *Choix de livres, de poésies.* ⇒ **anthologie, recueil.** — DE CHOIX : de prix, de qualité. *Un morceau de choix.*

chol(é)- ■ Élément savant signifiant « bile » (→ colère, mélancolie). ▶ *cholédoque* [kɔledɔk] adj. m. ■ *Canal cholédoque,* qui conduit la bile dans le duodénum. ▶ *cholestérol* n. m. ■ Substance du sang, de la bile, dont l'excès provoque des troubles.

choléra [kɔleʀa] n. m. **1.** Très grave maladie épidémique caractérisée par des selles fréquentes, des vomissements, des crampes, un grand abattement. **2.** Fam. Personne méchante, nuisible. ⇒ **peste.** *C'est un vrai choléra, cette bonne femme !* ▶ *cholérique* adj. et n. ■ Du choléra. ≠ *colérique*

chômer [ʃome] v. intr. ▪ conjug. 1. **1.** Vx. Suspendre son travail pendant les jours fériés. — Au p. p. adj. *Jours chômés,* pendant lesquels on ne travaille pas. **2.** Cesser le travail par manque d'ouvrage. *Il chôme depuis deux mois* (plus cour. : *être en chômage*). **3.** Loc. *Ne pas chômer,* travailler beaucoup. *Il n'a pas chômé aujourd'hui !* ▶ *chômage* n. m. **1.** Interruption du travail. *Industrie exposée au chômage.* **2.** Inactivité forcée (des personnes) due au manque de travail, d'emploi. / contr. **plein-emploi** / *Ouvriers en chômage. Indemnité de chômage.* **3.** Régime social qui fournit une indemnité aux travailleurs sans emploi. *Elle s'est inscrite au chômage. Être au chômage.* ▶ *chômeur, euse* n. ■ Personne qui est sans travail, en chômage (2).

chope [ʃɔp] n. f. ■ Récipient cylindrique à anse, pour boire la bière. — Son contenu. ⟨ ▶ chopine ⟩

choper [ʃope] v. tr. ▪ conjug. 1. Fam. **1.** Voler. ⇒ fam. **chiper, faucher.** *Choper une montre.* **2.** Arrêter, prendre (qqn). ⇒ fam. **pincer.** *Le voleur s'est fait choper.* **3.** Attraper. *J'ai chopé un bon rhume.* ⇒ fam. **ramasser.**

chopine [ʃɔpin] n. f. ■ Fam. Bouteille (de vin). *Tu nous payes la chopine ?* (surtout rural).

choquer [ʃɔke] v. tr. ▪ conjug. 1. **1.** Contrarier ou gêner en heurtant les goûts ; notamment en agissant contre les bienséances. ⇒ **heurter, indigner, offusquer, scandaliser.** *Cette façon d'agir me choque.* **2.** Agir, aller contre, être opposé à. *Choquer la bienséance, le bon sens, la raison.* ⇒ **contrarier.** / contr. **convenir, plaire à** / ▶ *choquant, ante* adj. ■ Qui heurte la délicatesse, la bienséance, le goût, le bon sens. ⇒ **déplacé, inconvenant, indécent, mal-**

séant. *Des propos choquants. Une injustice choquante, révoltante.*

choral, ale, aux ou *als* [kɔʀal] adj. et n. m. **1.** (Plur. CHORAUX) Adj. Qui a rapport aux chœurs. *Chants choraux. Musique chorale.* **2.** (Plur. CHORALS) N. m. Chant religieux. *Des chorals de Bach. Un choral de Noël.* ▶ *chorale* [kɔʀal] n. f. ■ Société musicale qui exécute des œuvres vocales, des chœurs. ⇒ **chœur.**

chorégraphie [kɔʀegʀafi] n. f. **1.** Art de composer des ballets, d'en régler les figures et les pas. ⇒ **danse. 2.** Notation d'une danse sur le papier au moyen de signes spéciaux. ▶ *chorégraphe* n. ▶ *chorégraphique* adj. ■ *Partie chorégraphique d'un opéra.*

choriste [kɔʀist] n. ■ Personne qui chante dans un chœur. *Les choristes de l'Opéra.*

chorizo [tʃɔʀizo] n. m. ■ Saucisson espagnol pimenté. *Des chorizos.*

① *chorus* [kɔʀys] n. m. invar. ■ FAIRE CHORUS : se joindre à d'autres pour dire comme eux, être du même avis. ⇒ **approuver.**

② *chorus* n. m. invar. ■ En jazz. Improvisation sur le thème. *Un chorus de trompette.*

chose [ʃoz] n. f. **I. 1.** Terme le plus général par lequel on désigne tout ce qui existe et qui est concevable comme un objet unique (concret ; abstrait ; réel ; mental). ⇒ **être, événement, objet.** *Imaginer une chose. C'est une chose bien agréable que de rencontrer un ami. Avant toute chose,* premièrement. *De deux choses l'une,* de deux possibilités. **2.** *Les choses,* le réel. ⇒ **fait, phénomène, réalité.** *Regarder les choses en face. Aller au fond des choses. Appeler les choses par leur nom,* parler franchement. — (Opposé à *idée, mot*) *Le nom et la chose.* — Spécialt. Réalité matérielle non vivante ; objet concret. *Les êtres* (vivants) *et les choses. Un tas de choses.* **3.** Surtout au plur. Ce qui a lieu, ce qui se fait, ce qui existe. *Les choses humaines, de ce monde. La nature des choses. Par la force des choses. Les choses vont, tournent mal. Ne pas faire les choses à moitié. C'est la moindre des choses,* c'est le minimum. **4.** *La chose,* ce dont il s'agit. *Je vais vous expliquer la chose. Comment a-t-il pris la chose ? C'est chose faite.* **5.** (Avec *dire, répéter,* etc.) Paroles, discours. *Je vais vous dire une bonne chose. Dites-lui bien des choses de ma part,* faites-lui mes compliments. **II.** Loc. **1.** AUTRE CHOSE. *C'est autre chose, tout autre chose.* ⇒ **différent.** *Je cherche autre chose d'aussi beau* (masc.). — LA MÊME CHOSE. *Ce n'est pas la même chose.* **2.** QUELQUE CHOSE loc. indéfinie, masc. (abrév. qqch.). *Chercher quelque chose. Il mange quelque chose de bon. Il faut faire quelque chose,* intervenir. *C'est déjà quelque chose, c'est mieux que rien. Il lui est arrivé quelque chose,* un accident, un ennui. **3.** PEU DE CHOSE : une chose (acte, objet) peu importante. *C'est bien peu de chose.* ⇒ **peu. III.** N. m. ou appos. Fam. Ce qu'on ne peut ou ne veut pas nommer. ⇒ **machin, truc.** — Adj. Fam. *Se sentir* TOUT CHOSE : éprouver un malaise difficile à analyser. *Elle se sent toute chose.* ⟨ ▶ grand-chose ⟩

chou [ʃu] n. m. **1.** Plante à plusieurs variétés sauvages ou cultivées pour l'alimentation (surtout le chou cabus ou pommé, à gros bourgeon terminal). *Feuilles de chou. Soupe aux choux. Potée aux choux. Choux fermentés.* ⇒ **choucroute.** — (Autres espèces) *Chou rouge,* que l'on consomme cru, en salade. *Chou de Bruxelles,* à longues tiges, donnant de petits bourgeons comestibles. ⇒ aussi **brocoli, chou-fleur, chou-rave. 2.** Loc. fam. *Feuille de chou,* écrit, journal de peu de valeur. — *C'est bête comme chou,* facile à comprendre. ⇒ **enfantin.** — *Être dans les choux, dans l'embarras.* — *Entrer dans le chou (de, à qqn),* attaquer, donner des coups. — *Faire chou blanc,* ne pas réussir une affaire. — *Faire ses choux gras,* tirer profit d'une affaire avantageuse. *Aller planter ses choux,* se retirer à la campagne. **3.** *Mon chou, mon petit chou,* expressions de tendresse (fém. CHOUTE [ʃut]). ⇒ **chouchou.** *Bout de chou,* petit enfant. — Fam. Adj. invar. *Ce qu'elle est chou !* ⇒ **gentil, joli. 4.** CHOU À LA CRÈME : pâtisserie légère et soufflée. *Pâte à choux,* dont on fait les choux. ⟨ ▶ chouchou, chou-fleur, chou-rave, coupe-choux ⟩

chouan [ʃwɑ̃] n. m. ■ Insurgé royaliste de l'Ouest de la France, pendant la Révolution française. ▶ *chouannerie* n. f. ■ Mouvement des chouans.

choucas [ʃuka] n. m. invar. ■ Oiseau noir, voisin de la corneille.

chouchou, oute [ʃuʃu, ut] n. ■ Fam. Favori, préféré. ⇒ **chou** (3). *Le chouchou du professeur. Les chouchous et les chouchoutes.* ▶ *chouchouter* v. tr. ■ conjug. 1. ■ Dorloter, gâter.

choucroute [ʃukrut] n. f. ■ Mets préparé avec des choux découpés en fins rubans que l'on fait légèrement fermenter dans une saumure et que l'on sert avec de la charcuterie.

① *chouette* [ʃwɛt] n. f. ■ Oiseau rapace nocturne. ≠ *hibou. La chouette hulule. Chouette des bois.* ⇒ **hulotte.** *Chouette des clochers.* ⇒ **effraie.** *Petite chouette.* ⇒ **chevêche.**

② *chouette* adj. **1.** Fam. Agréable, beau. *Elle est chouette, ta voiture. C'est chouette,* c'est digne d'admiration, d'éloge. ⇒ **super. 2.** Interj. Fam. *Ah, chouette, alors !* ⇒ **chic.**

chou-fleur [ʃuflœr] n. m. ■ Variété de chou dont on mange les fleurs qui forment une masse blanche, charnue. *Des choux-fleurs.*

chou-palmiste n. m. ⇒ **palmiste.**

chou-rave [ʃurav] n. m. ■ Variété de chou cultivé pour ses racines. *Des choux-raves.*

choyer [ʃwaje] v. tr. ■ conjug. 8. ■ Soigner avec tendresse, entourer de prévenances. ⇒ **cajoler, combler, entourer, gâter.** *Elle choie ses enfants.* — Au p. p. adj. *Une enfant très choyée.*

chrême [krɛm] n. m. ■ Huile consacrée, employée dans certains sacrements, certaines cérémonies des Églises catholique et orthodoxe. *Le saint chrême est formé d'huile d'olive mêlée de baume.* ≠ *crème.*

chrétien, ienne [kretjɛ̃, jɛn] adj. et n. **I.** Adj. **1.** Qui professe la foi en Jésus-Christ. *Le monde chrétien.* Fam. *Très Chrétien,* titre des rois de France. **2.** Du christianisme. *La religion chrétienne. L'ère chrétienne,* qui commence à la naissance de Jésus-Christ. *Civilisation chrétienne.* **II.** N. Personne qui professe le christianisme. ⇒ **catholique, orthodoxe, protestant, réformé.** *Les chrétiens arméniens, maronites...* ▶ *chrétiennement* adj. ■ *Vivre chrétiennement.* ▶ *chrétienté* [kretjɛ̃te] n. f. ■ Ensemble des peuples chrétiens, et des pays où le christianisme domine. ⟨ ▶ christianiser, christianisme ⟩

christ [krist] n. m. **1.** (Avec une majuscule) Nom donné à Jésus de Nazareth. ⇒ **Messie, Seigneur.** *Le Christ. Jésus-Christ.* **2.** Figure de Jésus-Christ attaché à la croix. ⇒ **crucifix.** *Un christ d'ivoire.* ⟨ ▶ antéchrist ⟩

christiania [kristjanja] n. m. ■ Technique d'arrêt par un brusque quart de tour des skis.

christianiser [kristjanize] v tr. ■ conjug. 1. ■ Rendre chrétien. ⇒ **évangéliser.** — Au p. p. adj. *Pays christianisé.* ▶ *christianisation* n. f. ⟨ ▶ déchristianiser ⟩

christianisme [kristjanism] n. m. ■ Religion fondée sur l'enseignement, la personne et la vie de Jésus-Christ. *Elle s'est convertie au christianisme.*

chromatique [kromatik] adj. **1.** Terme de musique. Qui est composé d'une suite de demi-tons (opposé à *diatonique*). **2.** Relatif aux couleurs. **3.** En biologie. *Des chromosomes. Réduction chromatique,* réduction de moitié du nombre des chromosomes contenus dans le noyau de la cellule.

chrome [krom] n. m. **1.** Métal gris, brillant, dur (utilisé en alliages : acier inoxydable, etc.). **2.** Pièce métallique en acier au chrome (notamment dans la carrosserie d'une automobile). *Nettoyer les chromes de sa voiture.* ▶ *chromer* v. tr. ■ conjug. 1. ■ Recouvrir (un métal) de chrome. — Au p. p. adj. *Acier chromé* (inoxydable). N. m. *Du chromé.*

chromo [kromo] n. m. ■ Image lithographique en couleur (abrév. de *chromolithographie*). — Péj. Toute image en couleur de mauvais goût.

chromo-, -chromie, -chrome ■ Éléments savants signifiant « couleur ». ⟨ ▶ chromatique (2), chromosome, mercurochrome, monochrome, polychrome ⟩

chromosome [kromozom] n. m. ■ Élément de la cellule vivante, de forme caractéristique et en nombre constant (23 paires chez l'homme) situé dans le noyau de la cellule. *Les chromosomes sont le support des facteurs héréditaires.* ⇒ **gène.** ▶ *chromosomique* adj. ■ Relatif aux chromosomes. ⇒ **chromatique** (3). *Maladie chromosomique.*

① *chronique* [kronik] adj. **1.** (Maladie) Qui dure longtemps, se développe lentement et réapparaît sans cesse (opposé à *aigu*). *Bronchite chronique.* **2.** (Chose nuisible) Qui dure ou se répète. *Chômage, mévente chronique.* ▶ *chroniquement* adv. ■ En se reproduisant souvent.

② *chronique* n. f. **1.** Recueil de faits historiques, rapportés dans l'ordre de leur succession. ⇒ **annales, histoire, mémoires, récit.** *Les chroniques de Froissart.* **2.** Au sing. L'ensemble des nouvelles qui circulent. — Loc. *Défrayer la chronique,* en être l'objet. **3.** Partie d'un journal consacrée à un sujet particulier. ⇒ **article, courrier, nouvelle.** *Une chronique artistique, littéraire.* ▶ *chroniquer* v. tr. ■ conjug. 1. ■ Écrire sous forme de chronique. ▶ *chroniqueur* n. m. **1.** Auteur de chroniques historiques. ⇒ **historien, mémorialiste. 2.** Rédacteur chargé d'une chronique de journal. *Chroniqueur littéraire, sportif.*

-chronique, -chronisme ■ Éléments savants signifiant « temps ». Voir les suivants. ⟨ ▶ anachronique, ① chronique, ② chronique, synchrone ⟩

chrono n. m. Fam. ⇒ **chronomètre.**

chrono-, -chrone ■ Éléments savants signifiant « temps ».

chronologie [kronolɔʒi] n. f. **1.** Science de la fixation des dates des événements historiques. ⇒ **annales, calendrier. 2.** Succession des événements dans le temps. ▶ *chronologique* adj. ■ *Respecter l'ordre chronologique.* ▶ *chronologiquement* adv. ■ Dans l'ordre du temps.

chronomètre [kronomɛtr] n. m. ■ Montre de précision qui marque les secondes et parfois les dixièmes de seconde. *Chronomètre en or.* — Abrév. CHRONO [krono]. Fam. *Faire du 120* (km/h) *chrono,* mesuré au chronomètre (opposé à *au compteur*).

▶ *chronométrage* n. m. ■ *Le chronométrage d'une épreuve sportive.* ▶ *chronométrer* v. tr. ▪ conjug. 6. ■ Sports ; industrie ; etc. Mesurer avec précision, à l'aide d'un chronomètre la durée de (un événement). *Chronométrer une course.* ▶ *chronométreur, euse* n. ■ Personne qui chronomètre (une course, etc.). ▶ *chronométrique* adj. ■ Relatif à la mesure exacte du temps. *Une exactitude, une précision chronométrique.*

chrys(o)- ■ Élément savant signifiant « or ».

chrysalide [krizalid] n. f. **1.** État intermédiaire par lequel passe la chenille avant de devenir papillon. ⇒ **nymphe.** *Chrysalide du ver à soie.* ⇒ **cocon. 2.** Loc. *Sortir de sa chrysalide,* devenir beau (adolescent), connu.

chrysanthème [krizɑ̃tɛm] n. m. ■ Plante ornementale qui fleurit en automne. — Fleur composée de cette plante, en forme de grosses boules, et de couleurs variées. *Tombe fleurie de chrysanthèmes.*

C.H.U. [seaʃy] n. m. invar. ■ Abréviation de *centre hospitalier universitaire. Des C.H.U.*

chuchoter [ʃyʃɔte] v. intr. ▪ conjug. 1. **1.** Parler bas, indistinctement, en remuant à peine les lèvres. ⇒ **murmurer, susurrer.** *Des élèves qui chuchotent en classe. Chuchoter à l'oreille de qqn.* **2.** Transitivement. Dire (qqch.) à voix basse. *Il m'a chuchoté quelques mots à l'oreille.* ⇒ **souffler. 3.** Produire un bruit confus, indistinct. ⇒ **bruire.** ▶ *chuchotement* n. m. ■ Action de chuchoter. ⇒ **murmure.** *Entendre un léger chuchotement.*

chuinter [ʃɥɛ̃te] v. intr. ▪ conjug. 1. **1.** (Choses) Produire un sifflement assourdi. *Jet de vapeur qui chuinte.* **2.** (Personnes) Prononcer les consonnes sifflantes (s et z) comme ch et j. ▶ *chuintant, ante* adj. ■ Qui chuinte. — N. f. Se dit des sons [ʃ] : *che* et [ʒ] : *je. Une chuintante.* ▶ *chuintement* n. m. ■ Bruit continu et sourd.

chut [ʃyt] interj. ■ Se dit pour demander le silence. ⇒ **silence.** *Chut ! on nous écoute. Faire chut* (en mettant un doigt sur la bouche).

① *chute* [ʃyt] n. f. ■ Le fait de tomber. **I.** Concret. **1.** (Personnes) *Faire une chute dans un escalier. Chute à pic. Bruit de chute.* **2.** (Choses) *Chute de pluie* (⇒ **pluie**), *chute de neige.* — *Lois de la chute des corps.* ⇒ **pesanteur.** CHUTE LIBRE : dans laquelle l'espace parcouru est proportionnel au temps. — POINT DE CHUTE : lieu où tombe un projectile ; endroit où l'on se fixe au terme d'une activité, d'un voyage. **3.** CHUTE D'EAU : produite par la différence de niveau entre deux parties consécutives d'un cours d'eau. ⇒ **cascade, cataracte, saut.** — Absolt. Au plur. *Les chutes du Niagara.* **4.** Action de se détacher (de son support naturel). *Chute de pierres.* ⇒ **éboulement.** *La chute des cheveux. La chute des feuilles.* **II.** Abstrait. **1.** Le fait de passer dans une situation plus mauvaise, d'échouer. ⇒ **échec, faillite.** *La chute de Napoléon. Entraîner qqn dans sa chute.* — (Institutions, gouvernement) ⇒ **culbute, renversement.** *La chute d'un régime.* **2.** Action de tomber moralement. ⇒ **déchéance, faute, péché.** *La chute d'Adam par le péché.* **3.** (Choses) Diminution de valeur ou d'intensité. *Chute de pression, de température.* ⇒ **baisse.** *Chute de la monnaie.* ⇒ **dépréciation, dévaluation.** ▶ ② *chute* n. f. **1.** Partie où une chose se termine, s'arrête, cesse (surtout dans : *la chute des reins,* le bas du dos). **2.** Surtout au plur. Reste d'étoffe inutilisé (tombé en coupant qqch.). ▶ *chuter* v. intr. ▪ conjug. 1. **1.** (Pièce de théâtre, candidat, etc.) Subir un échec. **2.** Ne pas effectuer les levées prévues, à certains jeux de cartes.

3. Fam. Tomber, choir. *Elle a chuté dans l'escalier.* ⟨ ▶ parachute ⟩

chyle [ʃil] n. m. ■ Substance blanchâtre ; produit de la digestion, destiné à passer de l'intestin grêle dans le sang.

① *ci* [si] adv. **1.** (Placé immédiatement devant un adjectif ou un participe) Ici. — CI-INCLUS, USE. CI-JOINT, JOINTE. *Recevez ci-joints les documents.* REM. *Ci-joint, ci-inclus* sont invariables s'ils sont placés en tête de phrase ou immédiatement devant le nom *(vous trouverez ci-joint copie de la lettre)* et variables s'ils sont placés devant un nom précédé lui-même d'un article ou d'un adjectif possessif ou numéral *(vous trouverez ci-jointe la copie de la lettre).* — (Après un nom précédé de *ce, cette, ces, celui, celle*) *Cet homme-ci. Ces jours-ci.* **2.** Loc. adv. CI-DESSUS : plus haut, supra ; CI-DESSOUS : plus bas, infra ; CI-CONTRE : en regard, en face. *Voir la carte ci-contre.* — DE-CI DE-LÀ : de côté et d'autre. — PAR-CI PAR-LÀ : en divers endroits (→ Çà et là) ; à diverses reprises, de temps à autre. **3.** CI-GÎT : ici est enterré (de l'ancien verbe *gésir : il gît*).

② *ci* pronom dém. ■ (Employé avec *ça*) *Demander ci et ça.* — Fam. *Comme ci comme ça,* tant bien que mal.

cible [sibl] n. f. ■ But que l'on vise et contre lequel on tire. *Tirer à la cible.* — Abstrait. *Servir de cible aux railleries de qqn,* de point de mire. ▶ *cibler* v. tr. ▪ conjug. 1. ■ Viser (un objectif commercial, publicitaire ; un public).

ciboire [sibwar] n. m. ■ Vase sacré en forme de coupe, où l'on conserve les hosties.

ciboulette [sibulɛt] n. f. ■ Plante à petits bulbes réunis par les racines, dont les feuilles sont employées dans les assaisonnements.

ciboulot [sibulo] n. m. ■ Fam. Tête. *Avoir une idée dans le ciboulot.* ⇒ fam. **caboche.**

cicatrice [sikatris] n. f. **1.** Marque laissée par une plaie après la guérison. *Cicatrice d'écorchure, de brûlure. Avoir une cicatrice à la face.* ⇒ **balafre. 2.** Traces laissées par le malheur, la guerre. ▶ *cicatriser* v. tr. ▪ conjug. 1. **1.** Faire guérir, faire se refermer (une plaie, la partie du corps blessée). — Pronominalement. *La brûlure ne se cicatrise pas bien.* — Au p. p. adj. *Sa jambe est cicatrisée.* / contr. **rouvrir / 2.** Abstrait. *Cicatriser une blessure d'amour-propre, une douleur.* ⇒ **apaiser, guérir.** / contr. **aviver /** ▶ *cicatrisation* n. f. ■ Processus par lequel se réparent les plaies, les blessures. *La blessure est en voie de cicatrisation.*

cicérone [siserɔn] n. m. ■ Guide. *Des cicérones.*

-cide ■ Élément signifiant « tuer ».

cidre [sidr] n. m. ■ Boisson obtenue par la fermentation alcoolique du jus de pomme. *Pommes à cidre. Cidre bouché,* champagnisé.

Cie ■ Abréviation de *compagnie* (3).

① *ciel,* plur. *cieux, ciels* [sjɛl, sjø] n. m. **I.** (Plur. CIELS : multiplicité réelle ou d'aspects ; CIEUX : collectif à nuance affective, relig.) **1.** Espace visible en haut, et qui est limité par l'horizon. *La voûte du ciel, des cieux.* ⇒ **firmament.** *Un ciel étoilé.* — Loc. SOUS LE CIEL : ici-bas, au monde. À CIEL OUVERT : en plein air. *Une piscine à ciel ouvert. Lever les yeux, les bras, les mains AU CIEL. Tomber du ciel,* arriver à l'improviste. *Remuer ciel et terre*.* — (Qualifié, selon son aspect dû au temps. Plur. *Des ciels*) *Ciel bleu ; nuageux. Des ciels orageux, de plomb.* — Bleu *ciel*, bleu clair. **2.** En sciences. Apparence de l'espace extra-terrestre, vu de la Terre ; voûte où semblent se mouvoir les astres. *La carte du ciel.* ⇒ **cosmographie** Loc. (D'après les cercles de l'astronomie antique) *Être au septième ciel,* dans le ravissement. **II.** (Plur. CIEUX) **1.** Séjour des dieux, des puissances surnaturelles. ⇒ **au-delà.** *Notre père qui êtes aux cieux* (prière du Pater). *Le royaume des cieux.* **2.** Séjour des bienheureux, des élus à qui est accordée la vie éternelle. ⇒ **paradis.** *Mériter le ciel. Il est au ciel,* il est mort (opposé à *enfer*). **3.** La divinité, la providence. *La justice, la clémence du ciel.* PROV. *Aide-toi, le ciel t'aidera.* — Interj. *Ciel !* (surprise désagréable). *Le ciel soit loué ! Plût au ciel !,* si cela pouvait être ! ► ② *ciel,* plur. *ciels* n. m. **1.** CIEL DE LIT : baldaquin au-dessus d'un lit. ⇒ **dais.** *Des ciels de lit.* **2.** Voûte, plafond d'une excavation (mine, carrière). *Des ciels de carrière.* ⟨ ► arc-en-ciel, gratte-ciel ⟩

cierge [sjɛʀʒ] n. m. **1.** Chandelle de cire, longue et effilée, en usage dans les églises. ≠ *bougie. Brûler un cierge à un saint,* en remerciement. — Loc. *Être droit comme un cierge,* très droit, raide. **2.** Plante grasse de l'Amérique tropicale qui forme de hautes colonnes verticales. ⇒ **euphorbe.**

cigale [sigal] n. f. ■ Insecte dont les quatre ailes sont membraneuses, abondant dans les régions chaudes. *Le cri, le chant des cigales* (le bruit que fait le mâle).

cigare [sigaʀ] n. m. ■ Petit rouleau de feuilles de tabac que l'on fume. *Fumer un gros cigare. Petit cigare,* ou CIGARILLO (n. m.). ► **cigarette** n. f. ■ Petit rouleau de tabac haché et enveloppé dans un papier fin. ⇒ fam. **clope, pipe, sèche.** *Un paquet, une cartouche de cigarettes. Cigarettes à bouts filtres. Il fume des cigarettes, la cigarette, mais pas le cigare.* ⟨ ► coupe-cigares, fume-cigare, porte-cigarettes ⟩

cigogne [sigɔɲ] n. f. ■ Grand oiseau échassier aux longues pattes, au bec rouge, long, droit. *Un nid de cigognes. Les cigognes sont des oiseaux migrateurs.*

ciguë [sigy] n. f. ■ Plante très toxique ; poison extrait d'une variété de cette plante *(grande ciguë). Dans la Grèce antique, on donnait la ciguë aux condamnés à mort. Socrate fut condamné à boire la ciguë.*

cil [sil] n. m. **1.** Chacun des poils qui garnissent le bord libre des paupières et protègent le globe oculaire. *Battre des cils. Faux cils* (que l'on peut adapter au bord des paupières). **2.** Filament très fin recouvrant une partie de certaines cellules (protoplasme). *Cils vibratiles des protozoaires* (appelés *ciliés,* n. m. pl.) ⟨ ► ciller ⟩

cilice [silis] n. m. ■ Chemise, ceinture de crin ou d'étoffe rude portée par pénitence, mortification religieuse. *Porter, prendre le cilice.*

ciller [sije] v. intr. ■ conjug. 1. ■ Fermer et rouvrir rapidement les yeux. ⇒ **cligner.** *Une grande lumière le faisait ciller.* — *Ne pas ciller,* ne pas broncher (par crainte).

cimaise [simɛz] n. f. **1.** Moulure qui forme la partie supérieure d'une corniche. **2.** Moulure à hauteur d'appui sur les murs d'une chambre, hauteur où l'on accroche les tableaux. *Avoir les honneurs de la cimaise* (pour exposer).

cime [sim] n. f. ■ Extrémité pointue (d'un arbre, d'un rocher, d'une montagne). ⇒ **faîte, sommet.** *Grimper jusqu'à la cime d'un sapin. Les cimes neigeuses d'une chaîne de montagnes.* / contr. **base, pied** / ⟨ ► cimaise, cimier ⟩

ciment [simɑ̃] n. m. ■ Matière solide, à base de calcaire, de bauxite ou de chaux, et qui, mélangé avec un liquide, forme une pâte durcissant à l'air ou dans l'eau. ≠ *mortier. Sac de ciment. Mur, pilier en ciment.* — CIMENT ARMÉ : dans lequel on a noyé une armature métallique (→ béton armé). ► **cimenter** v. tr. ■ conjug. 1. **1.** Lier avec du ciment ; enduire de ciment. *Cimenter un bassin.* — Au p. p. adj. *Sol cimenté.* **2.** Abstrait. Rendre plus ferme, plus solide. ⇒ **affirmer, consolider, lier, unir.** *Les difficultés ont cimenté leur amitié.* / contr. **désagréger** / ► **cimenterie** n. f. ■ Industrie du ciment. — Usine où se fabrique le ciment. ⟨ ► fibrociment ⟩

cimeterre [simtɛʀ] n. m. ■ Sabre oriental, à lame large et recourbée. ⇒ **yatagan.**

cimetière [simtjɛʀ] n. m. **1.** Lieu où l'on enterre les morts. ⇒ **nécropole, ossuaire.** *Cimetière souterrain.* ⇒ **catacombe.** *Porter un mort au cimetière.* ⇒ **enterrement.** — *Un cimetière de voitures,* lieu où l'on entasse des carcasses de voitures. ⇒ **casse** (2). **2.** Littér. Lieu où sont mortes beaucoup de personnes. *Le champ de bataille n'était plus qu'un vaste cimetière.*

cimier [simje] n. m. ■ Ornement qui forme la partie supérieure, la cime* d'un casque.

cinabre [sinabʀ] n. m. ■ Littér. Couleur rouge du sulfure de mercure. ⇒ **vermillon.**

ciné [sine] n. m. ■ Fam. Cinéma. *Aller au ciné.*

ciné- ■ Élément savant signifiant « mouvement ». ⟨ ► cinématique, cinématographe, -cinèse, cinétique ⟩

cinéaste [sineast] n. ■ Personne qui exerce une activité créatrice et technique ayant rapport au cinéma (metteur en scène, opérateur, réalisateur).

ciné-club [sineklœb] n. m. ■ Club d'amateurs de cinéma, où l'on étudie la technique, l'histoire du cinéma. *Des ciné-clubs.*

cinéma [sinema] n. m. **1.** Procédé permettant d'enregistrer photographiquement et de projeter des vues animées. *Du cinéma.* ⇒ **cinématographique.** *Cinéma sonore, parlant.* — *Salle de cinéma,* où l'on projette des films. **2.** Salle de projections. *Un grand cinéma. Cinéma d'essai,* où l'on projette des films sélectionnés. **3.** Art de composer et de réaliser des films. *Le cinéma est appelé le septième art. Plateau, studio de cinéma. Acteur, vedette, réalisateur* ⇒ **metteur** en scène, *techniciens de cinéma.* — Ensemble de films ; art, industrie cinématographique. *Le cinéma hollywoodien, russe, indien. Histoire du cinéma.* **4.** *C'est du cinéma,* c'est invraisemblable (→ du roman). *Faire son cinéma.* ⇒ **comédie** (II). ► *cinémascope* n. m. ■ Procédé de cinéma sur écran large par déformation de l'image (anamorphose). *Un film en cinémascope.* ► *cinémathèque* n. f. ■ Endroit où l'on conserve les films de cinéma et où, en général, on les projette. *Aller voir un film ancien à la cinémathèque. Une cinémathèque subventionnée.* ⟨ ► ciné, cinéaste, ciné-club, cinéphile, cinérama, ciné-roman, télécinéma ⟩

cinématique [sinematik] n. f. ■ Partie de la mécanique qui étudie le mouvement.

cinématographe [sinematɔgʀaf] n. m. ■ Histoire. Appareil capable de reproduire le mouvement par une suite de photographies, inventé par les frères Lumière. — Vx ou didact. Cinéma. ► *cinématographique* adj. ■ Qui se rapporte au cinéma. *Art, technique cinématographique.* ⟨ ► cinéma ⟩

cinéphile [sinefil] adj. et n. ■ Amateur et connaisseur en matière de cinéma.

cinéraire [sineʀɛʀ] adj. ■ Littér. Qui renferme ou est destiné à renfermer les cendres d'un mort. *Vase, urne cinéraire.*

cinérama [sineʀama] n. m. ■ Procédé de cinéma sur plusieurs grands écrans juxtaposés.

ciné-roman [sineʀɔmɑ̃] n. m. ■ Film à épisodes (1920-1930). — Mod. Roman-photos. *Des ciné-romans.*

-cinèse ■ Élément savant signifiant « mouvement ». ⇒ **ciné-**.

cinétique [sinetik] adj. ■ Qui a le mouvement pour principe. *Énergie cinétique*, moitié de la force vive d'un point matériel en mouvement (1/2 mv²).

cingalais, aise [sɛ̃galɛ, ɛz] adj. et n. ■ De Ceylan (aujourd'hui, Sri Lanka). — N. *Les Cingalais.*

cinglant, ante [sɛ̃glɑ̃, ɑ̃t] adj. **1.** Qui cingle. *Une bise cinglante.* **2.** Fig. Plus cour. Qui blesse. ⇒ **blessant, vexant.** *Une remarque, une leçon cinglante.*

cinglé, ée [sɛ̃gle] adj. et n. ■ Fam. Un peu fou. ⇒ fam. **dingue, toqué.** — N. *C'est un vrai cinglé.*

① **cingler** [sɛ̃gle] v. intr. ■ conjug. 1. ■ (Navire) Faire voile dans une direction. ⇒ **naviguer.** *Le navire cingle vers Le Cap.*

② **cingler** v. tr. ■ conjug. 1. **1.** (Suj. personne) Frapper fort (qqn) avec un objet mince et flexible (baguette, corde, fouet, lanière). *Il lui cingla les jambes d'un coup de fouet.* **2.** (Vent, pluie, neige) Frapper, fouetter. *Le vent violent lui cinglait la figure.* ‹ ▶ cinglant, cinglé ›

cinnamome [sinamɔm] n. m. **1.** Arbrisseau aromatique, camphrier, cannelier. **2.** Aromate tiré du cinnamome cannelier utilisé par les Anciens. ⇒ **cannelle.**

cinq adj. invar. et n. m. invar. **I.** ([sɛ̃] devant consonne ; [sɛ̃k] dans les autres cas) **1.** Adj. numéral cardinal invar. (5 ; V, chiffre romain) *Les cinq* [sɛ̃] *doigts de la main. Cinq fois.* ⇒ **quintuple.** — *Dans cinq minutes*, très bientôt. *Il était moins cinq*, cela allait arriver. — *Les cinq lettres*, euphémisme pour « merde ». *Je lui ai dit les cinq lettres.* **2.** Adj. numéral ordinal invar. ⇒ **cinquième.** *Numéro cinq. Page cinq. Il est cinq heures. Charles V* (Charles Quint). **II.** N. m. [sɛ̃k]. **1.** Nombre premier (quatre plus un). *Le nombre cinq.* Loc. *Un* CINQ À SEPT : réception entre cinq et sept heures. — Carte à jouer marquée de cinq points. *Le cinq de pique.* — Loc. fam. EN CINQ SEC : très rapidement. **2.** Chiffre qui représente ce nombre (5). *Il fait ses cinq comme des S.* ▶ **cinquième** [sɛ̃kjɛm] adj. et n. **1.** Numéral ordinal (correspond à *cinq*). *Le cinquième étage.* — N. *Se présenter le (la) cinquième.* **2.** Se dit d'une fraction d'un tout divisé également en cinq. *La cinquième partie d'un héritage.* — N. m. *Consacrer un cinquième du budget au loyer.* ▶ **cinquièmement** adv. ■ En cinquième lieu. ⇒ **cinq.** ▶ **cinquante** [sɛ̃kɑ̃t] adj. et n. m. **I.** Adj. numéral cardinal invar. (50 ; L, chiffre romain) Dix fois cinq. *Cinquante pages.* — Adj. numéral ordinal invar. *Cinquantième. La page cinquante.* **II.** Le nombre cinquante. ▶ **cinquantaine** n. f. ■ Nombre de cinquante ou environ. *Approcher de la cinquantaine*, de cinquante ans. *Une cinquantaine d'invités.* ▶ **cinquantenaire** n. m. ■ Cinquantième anniversaire. ⇒ **jubilé.** ▶ **cinquantième** adj. et n. **1.** Numéral ordinal (correspond à *cinquante*). — N. *Il est le, elle est la cinquantième de sa promotion.* **2.** Adj. et n. m. ■ Se dit d'une fraction d'un tout divisé également en cinquante. *La cinquantième partie de ses revenus.*

① **cintre** [sɛ̃tʀ] n. m. **1.** Courbure de la surface intérieure (d'une voûte, d'un arc). — EN PLEIN

CINTRE : dont la courbure est un demi-cercle. *Arc en plein cintre.* ⇒ **berceau. 2.** Échafaudage en arc de cercle sur lequel on construit les voûtes. ⇒ **coffrage.**

② **cintre** n. m. ■ Barre courbée munie d'un crochet servant à suspendre les vêtements.

cintré, ée adj. ■ Fam. (C'est-à-dire « tordu ») Fou, cinglé.

cintrer [sɛ̃tʀe] v. tr. ■ conjug. 1. **1.** Bomber, courber. *Cintrer une barre.* **2.** Rendre (un vêtement) ajusté à la taille. *Cintrer une jaquette.* — Au p. p. adj. *Veste cintrée.* ‹ ▶ ① cintre, ② cintre, cintré ›

cirage [siʀaʒ] n. m. **1.** Action de cirer. *Le cirage des parquets.* **2.** Composition dont on se sert pour rendre les cuirs brillants. *Cirage noir.* **3.** Fam. *Être dans le cirage*, ne plus rien voir ; ne plus rien comprendre.

circoncision [siʀkɔ̃sizjɔ̃] n. f. ■ Excision totale ou partielle du prépuce (ablation rituelle pratiquée sur les jeunes garçons juifs et musulmans, et dans les civilisations animistes). ▶ **circoncis** adj. masc. invar. ■ Qui a subi la circoncision. *Un enfant circoncis.*

circonférence [siʀkɔ̃feʀɑ̃s] n. f. **1.** Courbe plane dont tous les points sont à égale distance d'un point intérieur appelé centre. ⇒ **cercle.** *La longueur de la circonférence est égale au produit du diamètre par pi* ($\pi = 3,1416$). **2.** Tour d'une surface ronde. ⇒ **pourtour.** *La circonférence d'une ville.*

circonflexe [siʀkɔ̃flɛks] adj. ■ ACCENT CIRCONFLEXE : signe (ˆ) placé sur certaines voyelles longues (*pâte*) ou comme signe distinctif (*dû — du*).

circonlocution [siʀkɔ̃lɔkysjɔ̃] n. f. ■ Manière d'exprimer sa pensée d'une façon indirecte. ⇒ **périphrase.** *Après de longues circonlocutions.* ≠ *circonvolution.*

circonscription [siʀkɔ̃skʀipsjɔ̃] n. f. ■ Division d'un pays, d'un territoire. *Circonscription territoriale, administrative* (département, arrondissement, canton...). *Circonscription militaire.* ⇒ **région.**

circonscrire [siʀkɔ̃skʀiʀ] v tr. ■ conjug. 39. **1.** Décrire une ligne, une circonférence qui limite autour de (un lieu). *Circonscrire un espace.* **2.** Enfermer dans des limites. ⇒ **borner, limiter.** *On a réussi à circonscrire l'épidémie. Circonscrire son sujet.* ⇒ **délimiter.** / contr. **étendre** /

circonspect, ecte [siʀkɔ̃spɛ(kt), ɛkt] adj. ■ Qui prend bien garde à ce qu'il ou elle dit et fait. ⇒ **attentif, avisé, prudent, réservé.** *Il n'est pas assez circonspect dans le choix de ses amis.* — Tenir un langage circonspect. / contr. **imprudent, léger** / ▶ **circonspection** [siʀkɔ̃spɛksjɔ̃] n. f. ■ *Il a agi avec circonspection.* ⇒ **précaution.**

circonstance [siʀkɔ̃stɑ̃s] n. f. **1.** Particularité qui accompagne un fait, un événement, une situation. ⇒ **condition.** *Exposer un fait jusque dans ses moindres circonstances.* ⇒ **détail.** — *Circonstances atténuantes*, qui atténuent la peine normale d'un condamné. — *Complément de circonstance*, servant à préciser des rapports de temps, de lieu, de manière, de cause, de condition. ⇒ **circonstanciel. 2.** Ce qui constitue, caractérise le moment présent. ⇒ **conjoncture, situation.** *Il faut profiter de la circonstance.* — LES CIRCONSTANCES : la situation. *Étant donné les circonstances.* ⇒ **événement.** *Dans les circonstances actuelles, présentes. Se montrer à la hauteur des circonstances.* — DE CIRCONSTANCE : qui est fait ou est utile pour une occasion particulière. *Un ouvrage, une repartie de circonstance. Un habit, une figure de circonstance* (grave et triste). ▶ **circonstancié, ée**

adj. ■ Qui comporte de nombreux détails. *Un rapport circonstancié*, détaillé. ▶*circonstanciel, ielle* adj. ■ Se dit du complément qui apporte une détermination secondaire de circonstance. *Complément circonstanciel de lieu, de temps.*

circonvenir [siʀkɔ̃vniʀ] v. tr. ▪ conjug. 22. ■ Agir sur (qqn) avec ruse et artifice, pour parvenir à ses fins, obtenir ce que l'on souhaite. ⇒ **entortiller, tromper.** *Circonvenir ses juges. Il a été circonvenu.*

circonvolution [siʀkɔ̃vɔlysjɔ̃] n. f. ■ Enroulement, sinuosité autour d'un point central. *Décrire des circonvolutions.* — Chose enroulée. *Les circonvolutions cérébrales*, replis sinueux à la surface du cerveau, en forme de bourrelets. ≠ *circonlocution.*

circuit [siʀkɥi] n. m. 1. ■ Distance à parcourir pour faire le tour. *La piste a quatre kilomètres de circuit.* 2. ■ Chemin (long et compliqué) parcouru pour atteindre un lieu. — Loc. *En circuit fermé*, en revenant à son point de départ. — Tour organisé. *Faire le circuit des châteaux de la Loire.* — Itinéraire en circuit fermé de certaines courses (auto, moto...). *Le circuit du Mans.* 3. ■ Suite ininterrompue de conducteurs électriques. *Circuit fermé*, permettant le passage du courant. *Mettre une lampe en circuit, hors circuit.* — Loc. fig. ÊTRE HORS CIRCUIT : ne pas ou ne plus être impliqué dans une affaire. *Depuis qu'elle ne travaille plus, elle est hors circuit.* 4. ■ Mouvement d'aller et retour (des biens, des services). *Le circuit des capitaux. Circuit de distribution. Circuit commercial.*

① *circulaire* [siʀkylɛʀ] adj. 1. ■ Qui décrit un cercle. *Mouvement circulaire.* 2. ■ Qui a ou rappelle la forme d'un cercle. ⇒ **rond.** *Bassin circulaire.* 3. ■ *Voyage circulaire*, dont l'itinéraire ramène au point de départ. ⇒ **circuit.** ⟨▶ semi-circulaire ⟩

② *circulaire* n. f. ■ Lettre (souvent administrative) reproduite à plusieurs exemplaires et adressée à plusieurs personnes à la fois. *Circulaire polycopiée.*

circulation [siʀkylasjɔ̃] n. f. 1. ■ Le fait ou la possibilité d'aller et venir, de se déplacer en utilisant les voies de communication. ⇒ ① **trafic.** *La circulation est difficile dans les grandes villes. Accident de la circulation.* 2. ■ Les véhicules qui circulent. *Détourner la circulation.* 3. ■ Mouvement des fluides (liquides, gaz). *La circulation de l'air*, son renouvellement. *La circulation du sang. La circulation de la sève dans les plantes.* 4. ■ Mouvements (des biens, des produits) ; échanges. *Circulation de l'argent, des capitaux.* ⇒ **roulement.** 5. ■ *Mettre, mise* EN CIRCULATION : répandre, action de répandre. *Mettre en circulation un nouveau billet de banque.*

circulatoire [siʀkylatwaʀ] adj. ■ Relatif à la circulation du sang. *L'appareil circulatoire. Troubles circulatoires.*

circuler [siʀkyle] v. intr. ▪ conjug. 1. 1. ■ Aller et venir ; se déplacer sur les voies de communication. *Les passants circulent.* ⇒ **passer,** se **promener.** *Circulez !*, avancez, ne restez pas là ! 2. ■ (Fluides) Passer dans un circuit. *Le sang circule dans le corps.* — (Air, fumée) Se renouveler par la circulation. 3. ■ Passer, aller de main en main. *L'argent, les capitaux circulent.* 4. ■ (Information) Se propager. ⇒ **courir.** *Ce bruit circule dans la ville.* ⟨▶ circulation, circulatoire ⟩

circum- ■ Préfixe signifiant « autour » (ex. : *circumnavigation,* n. f.).

cire [siʀ] n. f. 1. ■ Matière molle, jaunâtre, produite par les abeilles. *Alvéoles en cire d'une ruche.* — *Poupée, figurine de cire.* 2. ■ Préparation (cire et essence de térébenthine) pour l'entretien des parquets. ⇒ **encaustique.** 3. *Cire à cacheter,* préparation de gomme laque et de résine. *Cacheter une lettre à la cire.* ▶*cirer* v. tr. ▪ conjug. 1. 1. ■ Enduire, frotter de cire, d'encaustique. *Cirer un parquet, des meubles* (pour les nettoyer, les faire reluire). ⇒ **encaustiquer.** 2. ■ Enduire de cirage. *Cire tes chaussures.* ▶ ① *ciré, ée* adj. ■ Qu'on a passé à la cire. *Parquet ciré. Des chaussures bien cirées.* ▶*cireur, euse* n. 1. N. m. Personne qui s'occupe de cirer les parquets ou les chaussures. 2. N. f. Appareil ménager qui cire les parquets. ▶*cireux, euse* adj. ■ Qui a la consistance, l'aspect blanc jaunâtre de la cire. *Visage, teint cireux.* ⇒ **blafard, blême, livide.** ⟨▶ cirage ⟩

② *ciré* adj. et n. m. 1. Adj. TOILE CIRÉE : enduite d'un vernis qui la rend imperméable. 2. N. m. Vêtement imperméable de tissu plastifié. *Des cirés de marin. Elle portait un ciré jaune.*

cirque [siʀk] n. m. 1. ■ Sorte de théâtre circulaire (bâtiment fixe ou grande tente ⇒ **chapiteau**) où ont lieu les exercices d'équitation, de domptage, d'équilibre, des exhibitions. *Cirque forain. Mener des enfants au cirque.* — Entreprise qui organise ce genre de spectacle. *Le cirque Un tel. Il est clown dans un cirque.* 2. ■ Fam. Activité désordonnée. *Allons, silence ! Qu'est-ce que c'est que ce cirque ?* — *Faire son cirque.* ⇒ **cinéma (4).** 3. ■ Amphithéâtre pour les jeux publics (chez les anciens Romains). 4. ■ Amphithéâtre naturel de parois abruptes, d'origine glaciaire. *Le cirque de Gavarnie.*

cirrhose [siʀoz] n. f. ■ Maladie du foie caractérisée par des granulations. *Cirrhose alcoolique du foie.*

cirrus [siʀʀys] n. m. invar. ■ Nuage élevé, en flocons ou filaments. *Des cirrus.*

cisaille [sizaj] n. f. ■ Gros ciseaux (ou pinces coupantes) servant à couper les métaux, à élaguer les arbres. *Des cisailles de jardinier.* ⇒ **sécateur.** ▶*cisailler* v. tr. ▪ conjug. 1. ■ Couper (qqch.) avec des cisailles. *Cisailler des fils de fer barbelés.* ▶*cisaillement* n. m. ■ Action de cisailler.

ciseau [sizo] n. m. ■ Outil d'acier, en biseau à l'une de ses extrémités, qui sert à tailler des matières dures. *Un ciseau de sculpteur, de graveur* ⇒ **burin,** de maçon. *Tailler au ciseau.* ▶*ciseaux* n. m. pl. 1. ■ Instrument formé de deux branches d'acier, tranchantes sur une partie de leur longueur (lame), réunies et croisées en leur milieu sur un pivot, et qui sert à couper. *Des ciseaux* ou *une paire de ciseaux. Ciseaux de couturière. Ciseaux à ongles.* 2. ■ *Sauter en ciseaux,* en écartant et rapprochant les jambes. ▶*ciseler* [sizle] v. tr. ▪ conjug. 5. ■ Travailler au ciseau (des ouvrages de métal, de pierre). *Ciseler un bijou.* — Au p. p. adj. *Des bijoux ciselés.* ▶*ciseleur, euse* n. ■ Personne qui fait un travail de ciselure. ▶*ciselure* n. f. ■ Ornement ciselé. *Bijou orné de fines ciselures.*

citadelle [sitadɛl] n. f. 1. ■ Forteresse qui commandait une ville. ⇒ **château** fort, **fortification.** *Une citadelle imprenable. Assiéger une citadelle.* 2. ■ Fig. Centre, bastion. *Rome, citadelle du catholicisme.*

citadin, ine [sitadɛ̃, in] adj. et n. m. 1. ■ De la ville. ⇒ **urbain.** *Populations, habitudes citadines.* / contr. **rural** / 2. ■ N. m. *Un citadin,* habitant d'une grande ville. / contr. **paysan** /

citation [sitasjɔ̃] n. f. 1. ■ Passage cité (d'un auteur, d'un personnage célèbre). ⇒ **exemple, extrait, passage.** — Loc. FIN DE CITATION : signale qu'on a fini de rapporter les paroles d'autrui (→ Fermez les guillemets). 2. ■ Papier qui oblige (qqn) à comparaître en justice. *Citation devant le tribunal civil.* 3. ■ Mention honorable d'un militaire, d'une unité, qui se sont distingués. *Citation à l'ordre du jour.*

cité [site] n. f. **1.** Ville importante considérée spécialement sous son aspect de personne morale. *Une cité commerçante.* — Se dit parfois de la partie la plus ancienne d'une ville. *L'île de la Cité* (à Paris). *La Cité de Londres.* **2.** Loc. *Avoir* DROIT DE CITÉ *quelque part* : avoir un titre à y être admis, à y figurer. **3.** Groupe isolé d'immeubles ayant même destination. *Cités ouvrières. Cités universitaires,* où habitent les étudiants. *Cité dortoir,* lieu d'habitation où les gens ne sont là que pour la nuit, leurs occupations étant situées dans une ville voisine. ⟨ ▶ citadelle, citadin, citoyen ⟩

citer [site] v. tr. ▪ conjug. 1. **1.** Rapporter (ce qu'a dit ou écrit quelqu'un d'autre). *Je cite ses propres paroles. Citer un passage d'un auteur ; citer un auteur.* **2.** Alléguer. *Citer un exemple à l'appui d'un fait.* **3.** Mentionner. *Citer qqn en exemple.* ⇒ **donner** en exemple. *Citer qqn pour sa bravoure.* **4.** Convoquer (qqn) pour comparaître en justice. *Il est cité comme témoin.* **5.** Décerner une citation militaire à. *Citer une unité à l'ordre de l'armée.* ⟨ ▶ citation ⟩

citerne [sitɛʁn] n. f. **1.** Réservoir dans lequel on recueille les eaux de pluie. *Eau de citerne.* **2.** Compartiment, cuve contenant un carburant, un liquide. En appos. *Bateau-citerne.* ⟨ ▶ wagon-citerne ⟩

cithare [sitaʁ] n. f. ▪ Instrument de musique, sans manche, composé d'une sorte de caisse sur laquelle sont tendues des cordes. ≠ *guitare, sitar* (instrument indien). ▶ *cithariste* n. ▪ Joueur de cithare.

citoyen, yenne [sitwajɛ̃, jɛn] n. **1.** Individu considéré du point de vue de ses droits politiques. — National d'un pays qui vit en république. ⇒ **ressortissant.** *Un citoyen français et un sujet britannique. Accomplir son devoir de citoyen,* voter. **2.** *Citoyen du monde,* qui met l'intérêt de l'humanité au-dessus du nationalisme. **3.** Fam. *Un drôle de citoyen,* un individu bizarre. ▶ *citoyenneté* n. f. ▪ Qualité de citoyen. *La citoyenneté française.*

citrique [sitʁik] adj. ▪ *Acide citrique,* que l'on peut extraire du jus de citron.

citron [sitʁɔ̃] n. m. **1.** Fruit du citronnier, de couleur jaune clair et de saveur acide. *Écorce, zeste de citron. Jus de citron. Citron pressé.* — *Presser qqn comme un citron,* tirer tout le profit possible de qqn. **2.** Fam. Tête. — fam. **citrouille.** *Elle n'a rien dans le citron.* ▶ *citronnade* n. f. ▪ Boisson rafraîchissante et sucrée, parfumée au citron. ▶ *citronnelle* n. f. ▪ Plante contenant une essence à odeur de citron. ▶ *citronnier* n. m. ▪ Arbre qui produit le citron. — Son bois. *Une table en citronnier.* ⟨ ▶ citrique, presse-citron ⟩

citrouille [sitʁuj] n. f. **1.** Espèce de courge arrondie et volumineuse d'un jaune orangé. *Soupe à la citrouille.* **2.** Fam. ⇒ **tête ;** fam. **citron.**

civet [sivɛ] n. m. ▪ Ragoût (de lièvre, lapin, gibier) cuit avec du vin, des oignons. *Manger du lapin en civet. Civet de chevreuil.*

civette [sivɛt] n. f. **1.** Petit mammifère au pelage gris, à poche contenant une matière odorante. **2.** Parfum extrait de la matière que sécrète la civette.

civière [sivjɛʁ] n. f. ▪ Brancard porté pour transporter les malades, les blessés. *On l'a transporté sur une (en) civière jusqu'à l'ambulance.*

① *civil, ile* [sivil] adj. **1.** Relatif à l'ensemble des citoyens. ⇒ *civique.* GUERRE CIVILE : entre les citoyens d'un même État. ⇒ **révolution.** — *Droits civils,* que la loi civile garantit à tous les citoyens. **2.** Relatif aux rapports entre les individus (opposé à *criminel*). *Le Code civil.* — (En matière criminelle) *Se constituer, se porter* PARTIE CIVILE : demander des dommages-intérêts pour un préjudice, en dehors de la peine entraînée par le délit. **3.** Qui n'est pas militaire. *Les autorités civiles.* — N. *Les militaires et les civils. S'habiller en civil. Dans le civil,* dans la vie civile. **4.** Qui n'est pas religieux. *Mariage, enterrement civil.* ▶ *civilement* adv. **1.** En matière civile. *Elle est civilement responsable.* **2.** (Opposé à *religieusement*) *Se marier civilement,* à la mairie. ⟨ ▶ civiliser, civisme ⟩

② *civil, ile* adj. ▪ Littér. Qui observe les usages de la bonne société. ⇒ **aimable, courtois, poli ; civilité.** *Il n'a pas été civil à mon égard.* ⟨ ▶ civilité, incivil ⟩

civiliser [sivilize] v. tr. ▪ conjug. 1. **1.** Faire passer une collectivité à un état social plus évolué (dans l'ordre moral, intellectuel, artistique, technique) ou considéré comme tel. ⇒ **civilisation.** *Les Grecs ont civilisé l'Occident.* — Pronominalement. *Peuple qui se civilise.* **2.** Fam. Rendre plus raffiné, plus aimable. — Pronominalement (réfl.). *Il se civilise à votre contact.* ▶ *civilisé, ée* adj. et n. ▪ Qui a une civilisation complexe et riche. / contr. **barbare, primitif** / ▶ *civilisateur, trice* adj. et n. ▪ Qui répand la civilisation. *Religion, philosophie civilisatrice.* ▶ *civilisation* n. f. **1.** *La civilisation,* ensemble des caractères communs aux vastes sociétés les plus évoluées ; ensemble des acquisitions des sociétés humaines (opposé à *nature, barbarie*). ⇒ **progrès.** *Les bienfaits de la civilisation.* **2.** *(Une, des civilisations)* Ensemble de phénomènes sociaux (religieux, moraux, esthétiques, scientifiques, techniques) propre à une grande société ou d'un groupe de sociétés. ⇒ **culture.** *La civilisation chinoise, égyptienne.* **3.** Fait de devenir civilisé.

civilité [sivilite] n. f. **1.** Vx. Politesse. — Loc. *Formule de civilité,* de politesse. **2.** Au plur. Démonstration de politesse. *Présenter ses civilités à qqn,* ses compliments. ⇒ **hommage, salutation.**

civique [sivik] adj. ▪ Relatif au citoyen. ≠ *civil. Droits civiques. Courage, vertu civique.* ⇒ **patriotique.** — *Instruction civique,* portant sur les devoirs du citoyen. *Sens civique,* sens de ses responsabilités et de ses devoirs de citoyen. ▶ *civisme* n. m. ▪ Sens civique. ⇒ **patriotisme.** *Faire preuve de civisme.*

clabauder [klabode] v. intr. ▪ conjug. 1. ▪ Littér. Crier sans motif. *Clabauder sur, contre qqn.* ⇒ **dénigrer, médire.** ▶ *clabaudage* n. m. ou *clabauderie* n. f. ▪ ▪ **commérage.**

clac [klak] ▪ Interjection imitant un bruit sec, un claquement. ⟨ ▶ claquage, claquant, claque, claquement, se claquemurer, claquer, claquette ⟩

clafoutis [klafuti] n. m. invar. ▪ Gâteau cuit au four, à base de lait, d'œufs et de fruits. *Un clafoutis aux cerises.*

claie [klɛ] n. f. **1.** Treillis d'osier à claire-voie. *Claie à sécher les fromages.* **2.** Treillage en bois ou en fer. *Claie métallique.* ⇒ **grille.** *Claie de parc.* ⇒ **clôture.** ⟨ ▶ clayonnage ⟩

① *clair, aire* [klɛʁ] adj. **I.** Concret. **1.** Qui a l'éclat du jour, reçoit beaucoup de lumière. ⇒ **clarté.** *Cette chambre est très claire. Temps clair, sans nuage.* ⇒ **lumineux.** *Il fait clair.* / contr. **obscur, sombre** / **2.** Qui n'est pas foncé, est faiblement coloré. *Couleur, étoffe claire. Cheveux châtain clair. Vert clair.* **3.** Peu serré, peu épais. *Les blés sont clairs.* ⇒ **clairsemé.** — *une purée, une sauce trop claire,* d'une consistance trop légère. / contr. **épais, serré** / **4.** Pur et transparent. *De l'eau claire.* / contr. **sale** / **5.** (Sons) Qui est net et pur. ⇒ **argentin.** *Son, timbre clair. D'une voix*

claire. II. Abstrait. **1.** Aisé, facile à comprendre. ⇒ **lumineux, net.** / contr. **obscur ; incompréhensible** / *Des idées claires et précises. Cet auteur n'est pas clair. Rendre plus clair.* ⇒ **clarifier.** — Loc. *C'est clair comme le jour, comme de l'eau de roche.* **2.** Manifeste, sans équivoque. ⇒ **apparent, certain, évident, sûr.** / contr. **douteux** / *La chose est claire. Il est clair que vous vous trompez. Cette affaire n'est pas claire,* elle est suspecte. ▶ *clairement* adv. **1.** D'une manière claire. ⇒ **distinctement, nettement.** *Distinguer clairement les virages de la route.* **2.** D'une manière claire à l'esprit. ⇒ **nettement, simplement.** *Expliquer clairement une histoire.* / contr. **confusément, obscurément** / ▶ ② *clair* n. m. (En expressions ou au plur.) **1.** CLAIR DE LUNE : lumière que donne la lune. — *Le clair de terre* (vu de la Lune). **2.** Au plur. Parties éclairées *(les clairs et les noirs d'un dessin)* ; parties peu serrées *(les clairs d'une étoffe).* **3.** AU CLAIR. *Mettre sabre au clair,* le sortir du fourreau. — Loc. TIRER AU CLAIR : éclaircir, élucider (une affaire confuse, obscure). *Il faudrait tirer cette affaire au clair.* **4.** *Dépêche* EN CLAIR : dépêche en langage ordinaire (opposé à *chiffré).* **5.** LE PLUS CLAIR : la plus grande partie. *Passer le plus clair de son temps à dormir.* ▶ ③ *clair* adv. **1.** D'une manière claire. ⇒ **clairement.** *Essayons d'y voir clair,* de comprendre. **2.** *Parler clair,* sans réticence, sans ménagement, sans détour. ⇒ **franchement, nettement.** ▶ *claire* n. f. ■ Bassin d'eau de mer dans lequel se fait l'affinage des huîtres. — Ces huîtres. *Des claires* ou *des fines de claire.* ▶ *clairière* n. f. ■ Endroit dégarni d'arbres dans un bois, une forêt. *Nous avons pique-niqué dans une petite clairière.* ▶ *claire-voie* n. f. **1.** Clôture à jour. ⇒ **barrière, grillage, treillage.** *Regarder par une claire-voie. Des claires-voies.* **2.** Loc. À CLAIRE-VOIE : qui présente des vides, des jours. *Volet, caisse à claire-voie.* ▶ *clair-obscur* n. m. **1.** Opposition des lumières et des ombres d'une peinture. *Des clairs-obscurs.* **2.** Lumière douce, tamisée. ⇒ **pénombre.** *Dans le clair-obscur d'un sous-bois.* / contr. **clarté, netteté** / ‹ ▶ clairon, clairsemé, clairvoyant, clarifier, clarinette, clarté, ① éclair, ② éclair, éclairage, éclaircir, éclairer ›

clairette [klɛʀɛt] n. f. ■ Cépage blanc du Midi de la France ; vin mousseux qu'il produit. *De la clairette de Limoux.*

clairon [klɛʀɔ̃] n. m. **1.** Instrument à vent (cuivre), analogue à la trompette, à son clair, utilisé surtout dans l'armée. ⇒ **trompette** de cavalerie. **2.** Celui qui sonne le clairon. ▶ *claironner* v. tr. ▪ conjug. 1. ■ Annoncer avec éclat, affectation. *Claironner son succès, sa victoire.* ⇒ **proclamer.** ▶ *claironnant, ante* adj. ■ *Voix claironnante,* forte, aiguë.

clairsemé, ée [klɛʀsəme] adj. **1.** Qui est peu serré, répandu de distance en distance. ⇒ **épars.** *Des arbres clairsemés. Une tête aux cheveux clairsemés.* **2.** Fig. Peu dense. *Population clairsemée.* / contr. **dense, serré** /

clairvoyant, ante [klɛʀvwajɑ̃, ɑ̃t] adj. ■ Qui voit les choses d'une façon claire et lucide. *Esprit clairvoyant.* ⇒ **pénétrant, perspicace.** ▶ *clairvoyance* n. f. ■ *Rien n'échappe à sa clairvoyance.* ⇒ **discernement, lucidité, perspicacité.** / contr. **aveuglement** /

clamer [kla(ɑ)me] v. tr. ▪ conjug. 1. ■ Manifester en termes violents, par des cris. ⇒ **crier, hurler.** *Clamer son indignation, son mécontentement. Clamer son innocence.* ⇒ **proclamer.** ▶ *clameur* n. f. ■ Ensemble de cris confus. ⇒ **bruit, tumulte.** *Une immense clameur.* ‹ ▶ acclamer, déclamer, s'exclamer, proclamer ›

clamser ou *clamecer* [klɑmse] v. intr. ▪ conjug. 1 et 3. ■ Fam. Mourir. ⇒ fam. **claquer, crever.** *Il est clamsé,* il est mort.

clan [klɑ̃] n. m. **1.** Dans certaines sociétés. Groupe composé de parents ayant à l'origine un ancêtre unique. *Le totem du clan. Chef de clan.* — Par analogie. *Clan de scouts.* **2.** Petit groupe fermé de personnes qui ont des idées, des goûts communs. ⇒ **caste, coterie.** *Esprit de clan.* ⇒ esprit de **clocher.**

clandestin, ine [klɑ̃dɛstɛ̃, in] adj. et n. ■ (Choses) Qui se fait en cachette et qui a un caractère défendu, illicite*. ⇒ **secret.** *Journal clandestin.* / contr. **autorisé, légal** / — (Personnes) *Passager clandestin,* qui ne s'est pas fait connaître, n'a pas de billet. — *Travailleurs immigrés clandestins,* qui ont passé illégalement une frontière pour trouver du travail. — N. *Un clandestin.* ▶ *clandestinement* adv. ▶ *clandestinité* n. f. ■ Caractère clandestin. *Les résistants de 1943 vivaient dans la clandestinité.*

clapet [klapɛ] n. m. **1.** Soupape en forme de couvercle à charnière. *Les clapets d'une pompe.* **2.** Fam. Bouche (qui parle). *Ferme ton clapet,* tais-toi. *Quel clapet !* ⇒ **caquet.**

clapier [klapje] n. m. ■ Cabane où l'on élève des lapins. *Litière d'un clapier. Lapin de clapier.*

clapoter [klapɔte] v. intr. ▪ conjug. 1. ■ (Surface liquide) Être agité de petites vagues qui font un bruit caractéristique en s'entrechoquant. *On entendait l'eau du lac clapoter doucement.* ▶ *clapotement* n. m. ou *clapotis* [klapɔti] n. m. invar. ■ Bruit et mouvement de l'eau qui clapote. *Le clapotis des vagues, de la marée.*

clapper [klape] v. intr. ▪ conjug. 1. ■ Produire un bruit sec (un *clappement)* avec la langue en la détachant brusquement du palais. *Faire clapper sa langue.* ≠ **claquer.**

claquage [klakaʒ] n. m. ■ Distension d'un ligament musculaire. *Le coureur, victime d'un claquage, a dû abandonner.*

claquant, ante [klakɑ̃, ɑ̃t] adj. ■ Fam. Qui fatigue, éreinte, claque (II, 4). ⇒ **épuisant ;** fam. **crevant.** *Un travail claquant.*

claque [klak] n. f. **1.** Coup donné avec le plat de la main. *Donner, recevoir une claque sur la joue.* ⇒ **gifle soufflet.** — Loc. *Tête à claques,* visage déplaisant. **2.** *La claque,* autrefois, les personnes payées pour applaudir le spectacle. **3.** Fam. EN AVOIR SA CLAQUE : en avoir par-dessus la tête, assez (→ Plein le dos, ras le bol). *J'en ai ma claque.*

se claquemurer [klakmyʀe] v. pron. ▪ conjug. 1. ■ Se tenir enfermé (chez soi). *Il se claquemure, il passe son temps claquemuré dans sa chambre.*

claquer [klake] v. ▪ conjug. 1. **I.** V. intr. **1.** Produire un bruit sec et sonore. *Faire claquer ses doigts, sa langue. Ses dents claquent.* — Par ext. (Personnes) *Claquer des dents* (de froid, de peur). ⇒ **grelotter, trembler.** — *Un volet qui claque.* ⇒ **battre.** *Faire claquer la porte,* en signe de mécontentement. **2.** Fam. *L'affaire lui a claqué dans les doigts,* lui a échappé. **3.** Fam. Mourir. ⇒ fam. **clamser, crever. II.** V. tr. **1.** Donner une claque à (qqn). ⇒ **gifler. 2.** Faire claquer. *Il a claqué la porte.* **3.** Fam. (Personnes) Dépenser en gaspillant. ⇒ **dilapider.** *Il a claqué cinq mille francs en une soirée.* **4.** Fam. Éreinter, fatiguer. ⇒ **exténuer.** *Claquer un cheval. Ce travail m'a claqué.* — Pronominalement. *Il se claque pour préparer son examen.* ⇒ se **crever.** — *Elle s'est claqué un muscle.* ⇒ **claquage.** ▶ *claquement* n. m. ■ Le fait de claquer ; choc, bruit qui en résulte. ⇒ **coup.** *Claquement des doigts. Le claquement sec d'une portière de voiture.* ▶ **claquette** n. f. **1.** Petit instrument formé de deux planchettes réunies par une charnière, et servant à donner un signal (en claquant). *Claquette de plan de tournage d'un film.* **2.** CLAQUETTES : lames de métal fixées aux semelles, qui permettent de danser en marquant le rythme. *Danseur à claquettes.* — Cette danse. *Faire des claquettes.* ‹ ▶ claquant, claque, se claquemurer ›

clarifier [klaʀifje] v. tr. ▪ conjug. 7. **1.** Rendre plus pur, éliminer les substances étrangères. ⇒ **décanter, filtrer, purifier.** / contr. **troubler** / *Clarifier un sirop, un mélange.* **2.** Abstrait. Rendre plus clair, plus facile à comprendre. ⇒ **éclaircir, élucider.** *Lisez ce livre : cela clarifiera vos idées. Clarifier une situation embrouillée.* / contr. **embrouiller** / ▶ **clarification** n. f. ■ ⇒ **éclaircissement.**

clarinette [klaʀinɛt] n. f. ■ Instrument de musique (à sons *clairs*), à anche ajustée sur un bec. ▶ **clarinettiste** n. ■ Personne qui joue de la clarinette.

clarisse [klaʀis] n. f. ■ Religieuse de l'ordre de Sainte-Claire.

clarté [klaʀte] n. f. **I.** Concret. **1.** Lumière ; caractère de ce qui est clair*. *Faible clarté.* ⇒ **lueur.** *La clarté intense du soleil.* ⇒ **éclat.** / contr. **obscurité** / **2.** Transparence, limpidité. *La clarté de l'eau était un peu troublée. La clarté du verre.* **II.** Abstrait. **1.** Qualité de ce qui est facilement intelligible, se comprend sans effort. ⇒ **netteté, précision.** *S'exprimer, parler avec clarté.* ⇒ **clairement.** *Clarté d'esprit.* **2.** Au plur. Littér. Connaissances, notions. *J'ai quelques clartés là-dessus.* ⇒ **connaissance.**

① **classe** [klɑs] n. f. **I.** (Dans un groupe social) Ensemble des personnes qui ont en commun une fonction, un genre de vie, une idéologie et surtout une même situation économique, dans le groupe. ⇒ **caste, groupe.** *Les classes sociales. Les classes dirigeantes. Classes moyennes. La classe laborieuse,* le prolétariat. *Lutte des classes.* **II. 1.** Ensemble d'individus ou d'objets qui ont des caractères communs. ⇒ **catégorie, espèce, sorte.** *Ce livre s'adresse à toutes les classes de lecteurs.* **2.** En sciences naturelles. Grande division, après l'embranchement. *La classe des mammifères.* **3.** (Après un ordinal, etc.) Grade, rang concernant l'importance, la valeur, la qualité. *Wagon de deuxième classe. Voyager en première classe. Un soldat de deuxième classe ;* ellipt *un deuxième classe.* — *Ils n'ont pas la même classe,* la même valeur. *Avoir de la classe,* de la distinction. ⇒ **allure.** ‹ ▶ classer, classification ›

② **classe** n. f. **1.** Ensemble d'élèves groupés selon le degré dans les études primaires et secondaires. *Classes supérieures* (opposé à *petites classes*). *Il est en classe de troisième. Camarade de classe. La rentrée des classes.* **2.** L'enseignement qui est donné en classe ; la durée de cet enseignement. ⇒ **cours, leçon.** *Une classe d'histoire. Des livres de classe. Faire la classe,* enseigner. **3.** Salle de classe. *Il y a plus de vingt classes dans l'école.* — Loc. *Aller en classe,* à l'école. ‹ ▶ classique, interclasse ›

③ **classe** n. f. **1.** Tous les jeunes gens qui atteignent l'âge du service militaire la même année. *La classe (de) 1990.* Fam. *Être bon pour la classe,* apte au service militaire. **2.** *Être de la classe,* du contingent qui doit être libéré dans l'année où l'on est. — La libération. *Vive la classe !* ⇒ **quille.**

classer [klɑse] v. tr. ▪ conjug. 1. **1.** Diviser en classes (①, II), en catégories. ⇒ **répartir ; diviser.** *Classer les plantes, les insectes.* **2.** Ranger (dans une

catégorie). *Classer le lapin parmi les rongeurs.* — Pronominalement (réfl.). *Se classer dans, parmi,* être au rang de. *Il se classe parmi les meilleurs.* — Fam. *Classer un individu,* le juger (mal) définitivement. *Je l'ai tout de suite classé.* ⇒ **cataloguer.** **3.** Concret. Mettre dans un certain ordre, à son ordre. ⇒ **arranger, ranger, trier.** *Classer des papiers. Classer un dossier.* / contr. **déclasser, mêler** / — Fig. *Classer une affaire,* la considérer comme terminée, ne plus s'en occuper. *Affaire classée.* ▶ **classement** n. m. **1.** Action de ranger dans un certain ordre ; façon dont un ensemble est classé. ⇒ **arrangement, classification ; ordre.** *Classement alphabétique, logique. Documentaliste spécialiste du classement.* / contr. **désordre** / **2.** Place d'une personne dans une compétition. *Il a eu un bon classement.* ▶ **classeur** n. m. ■ Portefeuille ou meuble qui sert à classer des papiers. *Il range ses notes de cours dans un classeur.* ‹ ▶ déclasser, reclasser, surclasser ›

classicisme [klasisism] n. m. **1.** Ensemble des caractères propres aux grandes œuvres littéraires et artistiques de l'Antiquité et du XVIIe s. (en Europe occidentale). **2.** Caractère des œuvres classiques.

classification [klasifikasjɔ̃] n. f. ■ Action de distribuer par classes, par catégories ; classement. ▶ **classificateur, trice** n. et adj. ■ Qui établit des classifications.

classique [klasik] adj. et n. m. **I.** Qu'on enseigne dans les classes. *Les auteurs classiques du programme.* **2.** Qui appartient à l'antiquité gréco-latine. *Langues classiques. Enseignement classique,* qui comprend le latin, et parfois le grec. **3.** Qui appartient aux grands auteurs du XVIIe s., imitateurs des Anciens (opposé à *romantique*) ; qui en a les caractères. *Théâtre classique. Style classique* (opposé à *romantique, baroque, archaïque*). **4.** MUSIQUE CLASSIQUE : (→ grande musique) musique des grands auteurs de la tradition musicale occidentale (opposé à *musique folklorique, légère, de variétés*). *Préférer le jazz à la musique classique* (→ le classique, III, 3). *Disques classiques,* de musique classique. **II.** Qui est conforme aux usages, ne s'écarte pas des règles établies, de la mesure. *Un veston de coupe classique.* ⇒ **sobre.** — Qui est conforme aux habitudes. ⇒ **habituel, traditionnel.** Fam. *C'est le coup classique,* c'était prévu. **III.** N. m. **1.** Auteur classique (I). *Les grands classiques.* **2.** Ouvrage pour les classes. *Collection des classiques latins, français.* — Ouvrage reconnu comme excellent (dans un genre). *Ce film est devenu un classique (du genre).* **3.** Musique classique. *Aimer le classique.* ▶ **classiquement** adv. ■ D'une manière classique, habituelle. ‹ ▶ classicisme ›

claudication [klodikasjɔ̃] n. f. ■ Littér. Le fait de boiter. — REM. On emploie aussi le verbe CLAUDIQUER ▪ conjug. 1.

clause [kloz] n. f. ■ Disposition particulière (d'un acte). ⇒ **convention, disposition.** *Les clauses d'un contrat, d'un testament. Respecter, violer une clause. Une clause stipule que...* — CLAUSE DE STYLE (que l'on retrouve habituellement dans tous les contrats de même nature) : disposition toute formelle, sans importance.

claustral, ale, aux [klostʀal, o] adj. ■ Relatif au cloître ou qui l'évoque. ⇒ **monacal, religieux.** *Un silence claustral.* ▶ **claustration** n. f. ■ Littér. État de qqn qui est enfermé dans un lieu clos. ⇒ **isolement.** ▶ **claustrophobie** [klostʀɔfɔbi] n. f. ■ Angoisse d'être enfermé (des personnes *claustrophobes*).

claveau [klavo] n. m. ■ Pierre taillée en coin, utilisée dans la construction des voûtes, des corniches. *Les claveaux d'une arcade.* ≠ **clé de voûte.**

clavecin [klavsɛ̃] n. m. ■ Instrument de musique à claviers et à cordes pincées. ≠ *piano*. *Jouer du clavecin*. ▶ *claveciniste* n. ■ Personne qui joue du clavecin.

clavette [klavɛt] n. f. ■ Petite cheville plate que l'on passe dans l'ouverture d'un boulon, d'une grosse cheville pour l'immobiliser. *Clavette de sûreté*.

clavicule [klavikyl] n. f. ■ Os en forme d'S très allongé, formant la partie antérieure de l'épaule. *Fracture de la clavicule*.

clavier [klavje] n. m. 1. Ensemble des touches de certains instruments de musique (piano, clavecin, orgue), sur lesquelles on appuie les doigts pour obtenir les sons. 2. *Le clavier d'une machine à écrire, d'une linotype, d'un ordinateur. Clavier de saisie*.

clayonnage [klɛjɔnaʒ] n. m. ■ Assemblage de pieux et de branches d'arbres destiné à soutenir des terres (⇒ **claie**).

clé ⇒ **clef.**

clébard [klebaʀ] ou *clebs* [klɛps] n. m. ■ Fam. Chien. *Quel sale clébard !*

① *clef* ou *clé* [kle] n. f. I. Ce qui sert à ouvrir. 1. Instrument de métal servant à faire fonctionner le mécanisme d'une serrure. *La clé (ou clef) d'une porte, d'une armoire, d'un cadenas. Des clefs de voiture. Trousseau de clefs.* ⇒ **porte-clefs**. *La porte est fermée à clef.* — Loc. *Mettre la clé sous la porte*, partir furtivement, disparaître, déménager. — *Mettre qqn sous clé*, le tenir enfermé (sous les verrous). — *Mettre qqch. sous clé*, dans un meuble fermé. 2. Loc. LA CLEF (CLÉ) DES CHAMPS : la liberté. *Prendre la clef des champs*, s'enfuir. II. 1. (Écrit CLÉ) Outil servant à serrer ou à démonter certaines pièces (écrous, boulons). *Clé à molette. Clé anglaise ou à mâchoires mobiles*. 2. CLEF DE VOÛTE : pierre en forme de coin placée à la partie centrale d'une voûte et servant à maintenir en équilibre les autres pierres. — Abstrait. Point important, partie essentielle, capitale d'un système. *La clef de voûte d'une argumentation*. III. En appos. Ce qui commande l'accès. *Occuper une position clé.* ⇒ **stratégique**. *Industrie clé*, de laquelle dépendent beaucoup d'autres industries. *Des mots clés*. — Ce qui explique, qui permet de comprendre. ⇒ **explication, solution**. *La clef, la clé du mystère*. ⟨ ▶ porte-clefs ⟩

② *clef* ou *clé* [kle] n. f. ■ Signe mis au commencement d'une portée musicale et qui indique, par sa forme et sa position, le nom de la note placée sur cette ligne. *Clef de sol, de fa.* — Loc. À LA CLEF (CLÉ) : avec, à la fin de l'opération. *Il y a une récompense à la clef.*

clématite [klematit] n. f. ■ Plante grimpante à fleurs en bouquet. ⇒ **viorne**.

clémence [klemɑ̃s] n. f. 1. Littér. Vertu qui consiste, de la part de qui dispose d'une autorité, à pardonner les offenses et à adoucir les châtiments. ⇒ **humanité, indulgence, magnanimité**. *Un trait, un acte de clémence. La clémence d'un juge.* / contr. **rigueur, sévérité /** 2. *La clémence de la température, du temps*, la douceur. ▶ **clément, ente** adj. ■ Qui manifeste de la clémence. ⇒ **généreux, humain, indulgent, magnanime**. — *Un hiver clément*, peu rigoureux. ⇒ **doux**. ⟨ ▶ inclément ⟩

clémentine [klemɑ̃tin] n. f. ■ Sorte de petite mandarine à peau fine.

clenche [klɑ̃ʃ] n. f. ■ Petit bras de levier, dans le loquet d'une porte. ⟨ ▶ déclencher, enclencher ⟩

cleptomane ⇒ **kleptomane.**

clerc [klɛʀ] n. m. 1. Celui qui est entré dans l'état ecclésiastique (⇒ **clergé**). *Clerc tonsuré*. / contr. **laïc /** 2. Anciennement. Personne instruite. ⇒ **lettré, savant**. — Loc. *Il est* GRAND CLERC *en la matière*. ⇒ **compétent, expert**. *Pas besoin d'être grand clerc pour savoir cela*. 3. Employé des études d'officiers publics et ministériels. *Clerc de notaire*. 4. Loc. *Faire un* PAS DE CLERC : commettre une erreur, une maladresse par inexpérience. ⟨ ▶ clergé, clérical ⟩

clergé [klɛʀʒe] n. m. ■ Ensemble des ecclésiastiques. *Le clergé catholique. Clergé régulier.*

clergyman [klɛʀʒiman] n. m. ■ Pasteur anglo-saxon. *Des clergymen* [-mɛn].

clérical, ale, aux [klerikal, o] adj. 1. Relatif au clergé. 2. Adj. et n. Partisan des prêtres, de l'Église et de sa politique. *Parti clérical. Les cléricaux.* / contr. **anticlérical /** ▶ *cléricalisme* n. m. ■ Opinion des partisans d'une intervention du clergé dans la politique. ⟨ ▶ anticlérical ⟩

cliché [kliʃe] n. m. 1. Image négative (d'une photo). — Photographie. 2. Péj. Idée ou expression trop souvent utilisée. ⇒ **banalité, lieu** commun, **poncif**. *Une conversation pleine de clichés*. 3. Plaque en relief pour la reproduction, l'impression typographique.

client, ente [klijɑ̃, ɑ̃t] n. 1. Personne qui achète ou demande des services moyennant rétribution. *Les clients d'un médecin, d'un notaire. Magasin plein de clients, d'acheteurs.* ⇒ **achalandé**. / Personne qui se sert toujours au même endroit. ⇒ **habitué ; fidèle**. *Servez-le bien, c'est un client*. 2. Consommateur, importateur. *La Belgique est un très gros client de la France sur le marché automobile.* ▶ *clientèle* n. f. 1. Ensemble de clients, d'acheteurs. *La clientèle d'un médecin. Avoir une grosse clientèle*. 2. Adepte, public. *Une clientèle électorale.* 3. Le fait d'être client, d'acheter. *Il voudrait obtenir la clientèle de cette riche famille.*

cligner [kliɲe] v. ■ conjug. 1. 1. V. tr. Fermer à demi ou fermer et ouvrir rapidement (les yeux). ⇒ **ciller**. — V. tr. indir. CLIGNER DE L'ŒIL (pour faire un signe, pour aguicher). ⇒ **clin d'œil, œillade**. 2. V. intr. (Yeux, paupières) Se fermer et s'ouvrir. *La lumière vive faisait cligner ses yeux.* ▶ *clignement* n. m. 1. *Clignement d'yeux*. 2. Littér. (Lumière) Le fait de briller par intermittence. ⇒ **clignotement**. ▶ *clignoter* v. ■ conjug. 1. 1. V. tr. indir. Cligner coup sur coup rapidement et involontairement. *Clignoter des yeux*. 2. V. intr. Éclairer et s'éteindre alternativement à brefs intervalles. ⇒ **scintiller**. — Faire fonctionner un clignotant (II, 1). ▶ *clignotant, ante* adj. et n. I. 1. (Yeux) Qui clignote. 2. (Lumière) Scintillant, intermittent. *Une lumière clignotante.* II. N. m. 1. Lumière intermittente, qui sert à indiquer la direction que va prendre un véhicule. *Mettre son clignotant pour tourner à gauche.* 2. Indice dont l'apparition signale un danger (dans un plan, un programme économique). ▶ *clignotement* n. m. 1. Le fait de clignoter. *Le clignotement des yeux*. 2. Le fait de s'éclairer et de s'éteindre alternativement à très brefs intervalles. ⟨ ▶ clin d'œil ⟩

climat [klima] n. m. 1. Ensemble de circonstances atmosphériques et météorologiques (humidité, pressions, températures) propres à une région. *Climat équatorial, tropical, désertique, tempéré. Climat agréable, sain ; malsain. Climat sec, humide, pluvieux ; chaud, froid.* 2. Atmosphère morale, conditions (de la vie, d'une situation). ⇒ **ambiance, milieu**. *Dans un climat d'hostilité.* ▶ *climatique* adj. ■ Qui a rapport au climat. *Conditions climatiques.* — *Station climatique*, où l'on envoie les malades à cause des vertus

curatives du climat. ▶ **climatiser** v. tr. ▪ conjug. 1.
1. Maintenir (un lieu) à une température agréable,
par une installation qui permet le réchauffement et
surtout le refroidissement selon les besoins. *Climatiser
un appartement.* **2.** Adapter (un appareil) à l'action
des climats extrêmes. ▶ **climatisé, ée** adj. ▪ *Air
climatisé.* ⇒ **conditionné.** *Salle de cinéma climatisée.*
▶ **climatisation** n. f. ▪ Moyens employés pour
obtenir, dans une pièce, une atmosphère constante
(température, humidité), à l'aide d'appareils. ▶ **cli-
matiseur** n. m. ▪ Appareil de climatisation.
⟨ ▶ acclimater, microclimat ⟩

clin d'œil [klɛ̃dœj] n. m. **1.** Mouvement rapide de
la paupière ⇒ **clignement** pour faire signe. *Des clins
d'œil, d'yeux.* ⇒ **œillade.** *Faire un clin d'œil à qqn.*
2. EN UN CLIN D'ŒIL : en un temps très court. *Il
disparut en un clin d'œil.*

① **clinique** [klinik] n. f. ▪ Établissement privé
dirigé par un médecin, ou *chef de clinique*, et dans
lequel les malades sont opérés ou soignés. ≠ *hôpital.*
Clinique d'accouchement. ⟨ ▶ polyclinique ⟩

② **clinique** adj. et n. f. **1.** Adj. Qui observe
directement (au lit des malades) les manifestations
de la maladie. *Médecine clinique.* **2.** N. f. Enseignement médical donné au chevet des malades. ▶ **clini-
cien, ienne** n. m. ▪ Médecin praticien.

clinquant, ante [klɛ̃kɑ̃, ɑ̃t] n. m. et adj.
1. Mauvaise imitation de métaux, de pierreries.
⇒ **camelote, faux, simili.** *Le mauvais goût du
clinquant.* **2.** Éclat trompeur, tapageur. **3.** Adj. Qui
brille d'un éclat voyant, vulgaire. *Des bijoux clin-
quants. Une décoration trop clinquante.*

① **clip** [klip] n. m. ▪ Anglic. Bijou qui se fixe par
une pince (variante abusive *un clips*).

② **clip** [klip] n. m. ▪ Anglic. Film vidéo, assez court,
réalisé pour promouvoir (une chanson, etc.). *Des clips.*
— REM. On dit aussi VIDÉOCLIP, n. m.

clique [klik] n. f. **1.** Terme d'injure en politique.
Groupe de personnes peu estimables. ⇒ **bande.**
2. Ensemble des tambours et des clairons d'une
musique militaire. ⇒ **fanfare.**

cliques [klik] n. f. pl. ▪ Fam. PRENDRE SES CLIQUES
ET SES CLAQUES : s'en aller en emportant ce que l'on
possède.

cliqueter [klikte] v. intr. ▪ conjug. 4. ▪ Produire
un cliquetis. ▶ **cliquetis** [klikti] n. m. ▪ Série de
bruits secs que produisent certains corps sonores qui
se choquent. *Un cliquetis de verres et d'assiettes, de
clés.* — Fig. *Cliquetis de mots,* verbiage.

clitoris [klitɔʀis] n. m. invar. ▪ Petit organe érectile
de la vulve.

cliver [klive] v. tr. ▪ conjug. 1. ▪ Fendre (un corps
minéral, un diamant) dans le sens naturel de ses
couches. — Pronominalement. *Le mica se clive en fines
lamelles* (appelées *clivures,* n. f.). ▶ **clivage** n. m.
1. Action de cliver, de se cliver. — Loc. *Plan de
clivage d'une roche,* selon lequel elle se fend. **2.** Fig.
Séparation par plans, par niveaux. *Le clivage des
opinions. Les clivages sociaux.*

cloaque [klɔak] n. m. ▪ Lieu malpropre, malsain
(surtout lorsqu'il y a des liquides).

clochard, arde [klɔʃaʀ, aʀd] n. ▪ Personne
socialement inadaptée, qui vit sans travail ni domicile,
dans les grandes villes (fam. *clodo,* n. m.). ⇒ **mendiant,
vagabond.**

① **cloche** [klɔʃ] n. f. **1.** Instrument creux, évasé,
en métal sonore (bronze), dont on tire des vibrations

retentissantes et prolongées en en frappant les parois,
à l'extérieur ou par l'intérieur, grâce à un battant*.
⇒ **bourdon, carillon.** *Cloches qui tintent pour le glas.
Les cloches sonnent à toute volée. Les cloches de
Pâques.* — Loc. *N'entendre qu'un SON DE CLOCHE :
qu'un avis.* *Déménager* À LA CLOCHE DE BOIS : en
cachette. Fam. SONNER LES CLOCHES *à qqn* : le
réprimander fortement. **2.** Objet creux qui recouvre,
protège. *Cloche à fromage.* — CLOCHE À PLONGEUR :
dispositif à l'abri duquel on peut séjourner sous l'eau.
3. Loc. fam. SE TAPER LA CLOCHE (la tête) : bien
manger. *Ils se sont tapé la cloche.* ⟨ ▶ ① clocher,
clochette ⟩

② **cloche** n. f. ▪ Fam. Personne incapable, niaise
et maladroite. *C'est une vieille cloche.* — Adj. *Elle est
un peu cloche.*

à cloche-pied [aklɔʃpje] loc. adv. ▪ En tenant un
pied en l'air et en sautant sur l'autre. *Aller, sauter
à cloche-pied.*

① **clocher** [klɔʃe] n. m. **1.** Bâtiment élevé d'une
église dans lequel on place les cloches. ⇒ **campanile.**
La flèche, le coq, l'horloge du clocher. **2.** Loc.
Querelles, rivalités de clocher, purement locales,
insignifiantes. *Esprit de clocher,* chauvinisme. ⟨ ▶ clocheton ⟩

② **clocher** [klɔʃe] v. intr. ▪ conjug. 1. ▪ Être
défectueux ; aller de travers. *Raisonnement, combinaison qui cloche.* *Il y a quelque chose qui cloche,* qui
ne va pas. ⟨ ▶ clochard, à cloche-pied ⟩

clocheton [klɔʃtɔ̃] n. m. ▪ Ornement en forme de
petit clocher.

clochette [klɔʃɛt] n. f. **1.** Petite cloche. ⇒ **sonnette.**
Clochettes suspendues au cou du bétail. **2.** Fleur,
corolle en forme de petite cloche. *Les clochettes du
muguet.*

cloison [klwazɔ̃] n. f. **1.** Division plus légère que
le mur, qui limite les pièces d'une maison. *Écouter
derrière la cloison. Abattre, percer une cloison.*
2. Séparation entre les parties intérieures (d'un
navire). *Cloison étanche.* **3.** Ce qui divise l'intérieur
(d'une cavité), détermine des compartiments. *Cloison
des fosses nasales.* **4.** Abstrait. Barrière, séparation.
Abattre, faire tomber les cloisons. ▶ **cloisonner** v. tr.
▪ conjug. 1. ▪ Séparer par des cloisons. ⇒ **compartimenter.** — Au p. p. adj. *Une société cloisonnée.*
▶ **cloisonnement** n. m. ▪ Manière dont une chose
est cloisonnée (division, séparation).

cloître [klwatʀ] n. m. **1.** Partie d'un monastère
interdite aux profanes et fermée par une enceinte
⇒ **clôture ;** le monastère ⇒ **abbaye, claustral, clôture** (2), **couvent. 2.** Dans un monastère ou une église.
Galerie à colonnes qui encadre une cour ou un jardin
carré. *Le cloître roman de Saint-Trophime, à Arles.*
▶ **cloîtrer** v. tr. ▪ conjug. 1. **1.** Faire entrer comme
religieux, religieuse dans un monastère fermé. *Cloîtrer
une jeune fille.* — Au p. p. adj. *Religieux cloîtrés.*
2. Enfermer, mettre à l'écart (qqn). — Pronominalement (réfl.). *Se cloîtrer,* vivre à l'écart du monde.
⇒ **s'enfermer, se retirer.** — Abstrait. *Se cloîtrer dans
ses idées, ses habitudes.*

clope [klɔp] n. Fam. **1.** N. m. Mégot. *Le clochard
ramasse les clopes dans la rue.* **2.** N. f. Cigarette.
⇒ fam. **sèche.** *Donne-moi une clope.*

clopiner [klɔpine] v. intr. ▪ conjug. 1. ▪ Marcher
avec peine, en traînant le pied. ⇒ **boiter.** ▶ **clopin-
clopant** [klɔpɛ̃klɔpɑ̃] loc. adv. ▪ Fam. En clopinant.
Aller clopin-clopant.

cloporte [klɔpɔʀt] n. m. ▪ Petit animal (arthropode) qui vit sous les pierres. — Fig. Personnage
ignoble, rampant.

cloque [klɔk] n. f. ■ Petite poche de la peau pleine de sérosité. ⇒ **ampoule.** — Loc. fam. *Être en cloque*, enceinte. ► *cloquer* v. intr. ■ conjug. 1. ■ Former des cloques, des boursouflures en se soulevant.

clore [klɔʀ] v. tr. ■ conjug. 45. **1.** Vx. Fermer pour empêcher l'accès. ⇒ **enclore. 2.** Terminer ; déclarer terminé. *Clore un débat, une discussion, une négociation.* ⇒ **clôturer** (2). *Clore la séance d'une assemblée.* ► ① *clos, ose* [klo, oz] adj. **1.** Littér. Fermé. *Espace clos. Volets clos. Trouver porte close*, ne trouver personne. *Avoir les yeux clos.* — Loc. *Vivre en vase clos*, confiné. **2.** Achevé, terminé. *La séance, la session est close. L'incident est clos.* ► ② *clos* [klo] n. m. invar. **1.** Terrain cultivé et fermé par des haies, des murs, des fossés. *Des clos d'arbres fruitiers.* **2.** Vignoble. *Le clos Vougeot donne un bourgogne réputé.* ► *clôture* n. f. **1.** Ce qui sert à obstruer le passage, à enclore un espace. ⇒ **barrière, enceinte, fermeture.** *Mur, porte de clôture. Clôture métallique.* ⇒ **grille.** *La clôture d'un jardin, d'une propriété.* **2.** Enceinte où des religieux vivent cloîtrés. ⇒ **cloître. 3.** Action de terminer, de déclarer la fin (de qqch.). *Clôture d'une séance. Séance de clôture.* ► *clôturer* v. tr. ■ conjug. 1. **1.** Fermer par une clôture. **2.** Déclarer terminé. ⇒ **achever, clore.** *Clôturer les débats, la séance.* ⇒ **lever.** ‹ ► éclore, enclore ›

① *clou* [klu] n. m. **I. 1.** Petite tige de métal à pointe et le plus souvent à tête, qui sert à fixer, assembler, suspendre. *Petits clous.* ⇒ **semence.** *Tête de clou. Planter des clous.* ⇒ **clouer.** — PROV. *Un clou chasse l'autre*, ce qui disparaît est remplacé par une autre chose (ou une personne) identique. **2.** Fam. *Les clous*, le passage (autrefois, signalé par de gros clous) que les piétons doivent emprunter pour traverser la chaussée. *Traverser dans les clous !* ⇒ passage **clouté. 3.** Loc. Fig. *Maigre comme un clou*, très maigre. Fam. *Ça ne vaut pas un clou*, cela ne vaut rien. — *Des clous !*, rien du tout. **II. 1.** *Clou de girofle*, bouton du giroflier, en forme de clou à tête, utilisé comme épice. **2.** Furoncle. ► *clouer* v. tr. ■ conjug. 1. **1.** Fixer, assembler avec des clous. *Clouer une caisse. Clouer un tableau au mur.* / contr. **déclouer** / **2.** Fixer avec un objet pointu. *Il le cloua au sol d'un coup d'épée.* — Abstrait. Fixer, immobiliser. *Une maladie l'avait cloué au lit.* — Au passif. *Être, rester cloué sur place* (par la peur, l'émotion, la surprise). ⇒ **paralyser. 3.** Loc. CLOUER LE BEC *à qqn* : réduire (qqn) au silence. ► *clouté, ée* adj. **1.** Garni de clous. *Une ceinture cloutée. Des chaussures cloutées.* **2.** PASSAGE CLOUTÉ : passage de la chaussée limité par des grosses têtes de clous (actuellement remplacées par des bandes peintes). ⇒ fam. **clou** (I, 2). ‹ ► déclouer ›

② *clou* n. m. **1.** Fam. Mont-de-piété (où l'on accrochait les objets mis en gage). *Mettre ses bijoux au clou.* **2.** *Le clou du spectacle*, ce qui accroche l'attention des spectateurs. **3.** Mauvaise voiture ou bicyclette, motocyclette... ⇒ fam. **bagnole, guimbarde.** *Un vieux clou.*

clovisse [klɔvis] n. f. ■ Coquillage comestible (du genre Venus).

clown [klun] n. m. **1.** Personnage de cirque, habillé de blanc *(clown blanc)*. — (Impropre ; pour un *auguste*) Comique de cirque qui, très maquillé et grotesquement accoutré, fait des pantomimes et des scènes de farce. *Des clowns.* **2.** Farceur, pitre. *Faire le clown.* ⇒ **guignol.** ► *clownerie* [klunʀi] n. f. ■ Farce digne d'un clown. *Faire des clowneries.* ⇒ **pitrerie.** ► *clownesque* [klunɛsk] adj. ■ Qui a rapport au clown. — Digne d'un clown.

① *club* [klœb] n. m. **1.** Société constituée pour aider ses membres à exercer diverses activités désintéressées (sports, voyages). ⇒ **association.** *Le Club Alpin. Le Touring-Club.* **2.** Cercle privé où des habitués (membres) passent leurs heures de loisir. *Passer la soirée à son club. Des clubs.* **3.** Groupe politique. ‹ ► ciné-club ›

② *club* n. m. ■ Large et profond fauteuil de cuir. — En appos. *Fauteuil club.*

③ *club* n. m. ■ Anglic. Crosse de golf. *Le caddie transporte les clubs du joueur au long du parcours.*

clystère [klistɛʀ] n. m. ■ Vx. Lavement.

co- ■ Élément signifiant « avec, ensemble » (ex. : *coaccusé, coacquéreur, codétenu, codirecteur* et ci-dessous, *coadjuteur, coauteur, coaxial, coexistence, cohabiter,* etc.).

coadjuteur [kɔadʒytœʀ] n. m. ■ Ecclésiastique adjoint à un prélat. *Le coadjuteur d'un évêque.*

coaguler [kɔagyle] v. tr. ■ conjug. 1. ■ Transformer (une substance organique liquide) en une masse solide. ⇒ **cailler, figer.** *Coaguler du sang. La présure coagule le lait.* — SE COAGULER v. pron. réfl. ⇒ **prendre.** / contr. **fondre, liquéfier** / ► *coagulation* n. f. ■ Fait de se coaguler. *La coagulation du sang.* / contr. **liquéfaction** /

coaliser [kɔalize] v. ■ conjug. 1. **I.** SE COALISER v. pron. réfl. **1.** Former une coalition. ⇒ **s'allier,** se liguer. *Les puissances européennes se coalisèrent contre Napoléon.* — Au p. p. adj. *Les puissances coalisées.* — N. *Les coalisés.* **2.** S'unir, s'entendre (contre qqn). **II.** COALISER v. tr. : faire se coaliser. ⇒ **ameuter, réunir.** *Il a coalisé tout le monde contre nous.* ► *coalition* [kɔalisjɔ̃] n. f. **1.** Réunion momentanée (de puissances, de partis ou de personnes) dans la poursuite d'un intérêt commun. ⇒ **alliance, association, entente, ligue.** *Coalition politique, de partis.* ⇒ **bloc, front. 2.** Union, avec un but commun et contre qqn. *Coalition d'intérêts.*

coasser [kɔase] v. intr. ■ conjug. 1. ■ (Grenouille, crapaud) Pousser son cri. ≠ *croasser.* ► *coassement* n. m. ■ *On entendait le coassement des grenouilles.* ≠ *croassement.*

coauteur [kootœʀ] n. m. ■ Personne qui a écrit un livre en collaboration avec une autre.

coaxial, iale, iaux [kɔaksjal, jo] adj. ■ Qui a le même axe qu'un autre objet. *Câble coaxial* (deux conducteurs concentriques).

cobalt [kɔbalt] n. m. ■ Métal dur, blanc gris à reflets. *Acier au cobalt. Cobalt 60*, radioactif ou, n. m., *radiocobalt. Bleu de cobalt. Bombe au cobalt* (irradiations médicales).

cobaye [kɔbaj] n. m. ■ Petit mammifère rongeur, appelé *cochon d'Inde.* On utilise les cobayes comme sujets d'expérience (physiologie, médecine). — Loc. *Servir de cobaye*, être utilisé comme sujet d'expérience.

cobol [kɔbɔl] n. m. ■ *Le cobol*, langage de programmation pour ordinateur.

cobra [kɔbʀa] n. m. ■ Serpent venimeux *(naja)*, à cou dilatable orné d'un dessin rappelant des lunettes (appelé aussi *serpent à lunettes*).

coca [kɔka] n. f. ■ Substance extraite de la feuille d'un arbrisseau d'Amérique (stimulant, aliment d'épargne). ► *coca-cola* n. m. invar. ■ (Marque déposée) Boisson rafraîchissante à base de coca et de cola. *Boire des coca-cola*, ou abrév. *des coca.* ‹ ► cocaïne ›

cocagne [kɔkaɲ] n. f. **1.** Loc. PAYS DE COCAGNE : pays imaginaire où l'on a tout en abondance. **2.** Loc.

MÂT DE COCAGNE : au sommet duquel sont suspendus des objets ou friandises qu'il faut aller détacher en grimpant.

cocaïne [kɔkain] n. f. ■ Alcaloïde extrait du végétal qui donne la coca, utilisé en médecine pour ses propriétés analgésiques et anesthésiques. ⇒ **drogue** ; fam. ④ **coco**. *Abus de la cocaïne.* ▸ *cocaïnomane* n. ■ Personne qui fait un usage abusif de la cocaïne, en est intoxiquée.

cocarde [kɔkaʀd] n. f. **1.** Insigne aux couleurs nationales. *Cocarde tricolore.* **2.** Ornement en ruban, nœud décoratif. ▸ *cocardier, ière* n. et adj. **1.** Patriote exalté. **2.** Adj. Chauvin, militariste.

cocasse [kɔkas] adj. ■ Fam. Qui est d'une étrangeté comique, qui étonne et fait rire. *Une situation cocasse.* ⇒ **burlesque.** / contr. **sérieux** / ▸ *cocasserie* n. f. ■ Bouffonnerie, drôlerie.

coccinelle [kɔksinɛl] n. f. ■ Insecte coléoptère au corps rouge ou orangé tacheté de noir (appelé *bête à bon Dieu*).

coccyx [kɔksis] n. m. invar. ■ Petit os situé à l'extrémité inférieure de la colonne vertébrale, articulé avec le sacrum. — Fam. *Tomber sur le coccyx ; se faire mal au coccyx*, au derrière.

coche [kɔʃ] n. m. **1.** Autrefois. Grande voiture tirée par des chevaux, qui servait au transport des voyageurs. **2.** Loc. fig. MANQUER LE COCHE : perdre l'occasion de faire une chose utile, profitable. ‹ ▸ ① cocher, cochère ›

cochenille [kɔʃnij] n. f. ■ Insecte dont on tirait une teinture rouge écarlate.

① *cocher* [kɔʃe] n. m. ■ Personne qui conduit une voiture à cheval. ⇒ **conducteur ; postillon.** *Cocher de fiacre.*

② *cocher* v. tr. ▪ conjug. 1. ■ Marquer d'un trait, d'un signe. *Cocher un nom sur une liste.*

cochère [kɔʃɛʀ] adj. f. ■ PORTE COCHÈRE : dont les dimensions permettent l'entrée d'une voiture (autrefois d'un *coche*).

cochon [kɔʃɔ̃] n. m. **I. 1.** Porc élevé pour l'alimentation (mâle, opposé à *truie*). ⇒ **goret, pourceau.** *Engraisser, élever des cochons. Cochon de lait*, jeune cochon. — Loc. *Gros, sale comme un cochon. Manger, écrire comme un cochon*, malproprement. ⇒ **cochonner.** — *Ils sont copains comme cochons*, dans des rapports de familiarité excessive. — *Il a une tête de cochon*, mauvais caractère. **2.** COCHON D'INDE : cobaye. **3.** Chair du cochon. ⇒ **porc.** *Manger du cochon.* ⇒ **cochonnaille. II.** N. et adj. Fam. COCHON, ONNE : personne malpropre, au physique ou au moral. ⇒ **dégoûtant, sale.** *Quel cochon !* — Adj. *Histoire cochonne*, licencieuse. ‹ ▸ cochonnaille, cochonner, cochonnerie, cochonnet ›

cochonnaille [kɔʃɔnaj] n. f. ■ Fam. Charcuterie (avec l'idée d'abondance et de préparations simples, campagnardes).

cochonner [kɔʃɔne] v. tr. ▪ conjug. 1. ■ Fam. Faire (un travail) mal, salement. — Au p. p. adj. *C'est du travail cochonné.*

cochonnerie [kɔʃɔnʀi] n. f. ■ Fam. Malpropreté ; chose sale ou mal faite, sans valeur. *Il ne vend que des cochonneries. C'est de la cochonnerie.* ⇒ **saleté.**

cochonnet [kɔʃɔnɛ] n. m. ■ Petite boule servant de but aux joueurs de boules.

cocker [kɔkɛʀ] n. m. ■ Petit chien de chasse voisin de l'épagneul, à longues oreilles tombantes. *Des cockers roux.*

cocktail [kɔktɛl] n. m. **1.** Mélange de boissons contenant de l'alcool. *Un cocktail au gin. Préparer un cocktail dans un shaker. Des cocktails.* **2.** Réunion où l'on boit. *Inviter des amis à un cocktail.* **3.** Mélange. *Un cocktail de parfums embaumait la pièce.* — COCKTAIL MOLOTOV : explosif. *Des cocktails Molotov.*

① *coco* [kɔ(o)ko] n. m. ■ NOIX DE COCO : fruit du cocotier. *Beurre, huile de coco.* ‹ ▸ cocotier ›

② *coco* n. m. ■ Lang. enfantin. Œuf (→ Cocotte).

③ *coco* n. m. **1.** Individu, personnage bizarre, dangereux. ⇒ **type, zèbre.** *Un vilain coco, un drôle de coco.* **2.** (fém. COCOTTE) Terme d'affection. *Mon petit coco, ma cocotte.*

④ *coco* n. f. ■ Fam. Cocaïne.

cocon [kɔkɔ̃] n. m. ■ Enveloppe formée par un long fil de soie enroulé, dont les chenilles de nombreuses espèces de papillons s'entourent. *Cocon de ver à soie.* — Loc. *S'enfermer dans son cocon*, s'isoler, se retirer.

cocorico [kɔkoʀiko] ou *coquerico* [kɔk(ə)ʀiko] n. m. ■ Chant du coq. *Des cocoricos éclatants.*

cocotier [kɔkɔtje] n. m. ■ Palmier au tronc élancé surmonté d'un faisceau de feuilles, et qui produit la noix de coco.

① *cocotte* [kɔkɔt] n. f. **1.** Lang. enfantin. Poule. — COCOTTE EN PAPIER : carré de papier plié en forme d'oiseau. **2.** Fille, femme de mœurs légères. ⇒ fam. **poule.** *Une grande cocotte.* **3.** Terme d'encouragement adressé à un cheval. *Hue, cocotte !* **4.** Terme d'affection. ⇒ ③ **coco.**

② *cocotte* n. f. ■ Marmite ronde, en fonte. *Cocotte-minute* (marque déposée), autocuiseur. *Des cocottes-minute.*

cocu, e [kɔky] n. m. et adj. ■ Fam. Mari dont la femme est infidèle. — Adj. Trompé (mari, femme, amant...). — Loc. *Avoir une veine de cocu*, beaucoup de chance. ▸ *cocuage* n. m. ■ Fam. État de celui qui est cocu. ▸ *cocufier* v. tr. ▪ conjug. 7. ■ Fam. Faire cocu. ⇒ **tromper.**

coda [kɔda] n. m. ■ Conclusion d'un morceau de musique. *Des codas.*

code [kɔd] n. m. **1.** Recueil de lois. — Ensemble des lois et dispositions légales relatives à une matière. *Livre, article d'un code. Le Code civil. Code de commerce. Code pénal.* — *Se tenir dans les marges du code*, de la loi. **2.** Décret ou loi de grande importance, réglant un domaine particulier. — CODE DE LA ROUTE. Sans compl. *Apprendre le code pour passer le permis de conduire.* — Puissance réduite des phares d'automobile. *Se mettre en code. Phares code* ou, n. m., *les codes*, ces phares à puissance réduite. *Allumer ses codes.* **3.** Ensemble de règles, de préceptes, de prescriptions. ⇒ **règlement.** *Le code de l'honneur.* **4.** Recueil de conventions ; dictionnaire des équivalences entre un langage naturel et un langage non naturel. *Code de signaux. Code secret. Déchiffrer, décrypter un code* (décoder). — Structure qui permet de produire des messages. *Les langues sont des codes.* ‹ ▸ codex, codifier, décoder ›

codex [kɔdɛks] n. m. invar. ■ Recueil de formules pharmaceutiques approuvées par la Faculté. ⇒ **pharmacopée.**

codicille [kɔdisil] n. m. ■ Acte ajouté à un testament pour le modifier.

codifier [kɔdifje] v. tr. ▪ conjug. 7. **1.** Réunir des dispositions légales dans un code. *Codifier le droit* *aérien.* **2.** Rendre rationnel ; ériger en système organisé. ▶ **codification** n. f.

coefficient [kɔefisjɑ̃] n. m. **1.** Nombre qui multiplie la valeur d'une quantité. ⇒ **facteur.** *Affecter d'un coefficient.* — *Valeur relative d'une épreuve d'examen. Les mathématiques ont un fort coefficient.* **2.** Nombre caractérisant une propriété. *Coefficient de dilatation, d'élasticité.* **3.** Facteur, pourcentage. *Il faut prévoir un coefficient d'erreur.*

coéquipier, ière [kɔekipje, jɛʀ] n. ■ Personne qui fait équipe avec d'autres.

coercitif, ive [kɔɛʀsitif, iv] adj. ■ Didact. Qui exerce une contrainte (une *coercition*). *Force coercitive. Des moyens coercitifs.*

① **cœur** [kœʀ] n. m. **1.** Organe central de l'appareil circulatoire. — Chez l'homme. Viscère musculaire conique situé entre les deux poumons (⇒ **cardiaque, cardio-**). *Cœur droit, cœur gauche,* moitiés du cœur divisées, chacune, en deux cavités (oreillette, ventricule). *Contraction* (systole), *dilatation* (diastole) *du cœur. Battement du cœur. Opération chirurgicale à* CŒUR OUVERT. **2.** La poitrine. *Il la serra tendrement sur, contre son cœur.* **3.** *J'ai encore mon dîner* SUR LE CŒUR : sur l'estomac. *Avoir* MAL AU CŒUR : avoir des nausées. *Avoir le cœur barbouillé. Soulever le cœur de qqn,* écœurer, dégoûter qqn. ⟨ ▶ **écœurer, haut-le-cœur** ⟩

② **cœur** n. m. **1.** Le siège des sensations et émotions. *Serrement de cœur. Une douleur, un chagrin qui arrache, brise, fend, serre le cœur. Avoir le cœur gros* (de peine). **2.** Dans des loc. Siège du désir, de l'humeur. *Accepter, avouer, consentir* DE BON CŒUR, *de grand cœur, de tout cœur, de gaieté de cœur* : avec plaisir. — *De tout son cœur,* de toutes ses forces. — *Si le cœur vous en dit,* si vous en avez le désir. *Avoir le cœur à...,* avoir envie de. *Je n'ai pas le cœur à rire.* — *Avoir, prendre qqch.* À CŒUR : y prendre un intérêt passionné. *Cela lui tient à cœur,* il y tient. — À CŒUR JOIE : avec grand plaisir, jusqu'à satiété. *S'en donner à cœur joie.* **3.** Le siège des sentiments, des passions. *Les sentiments que le cœur éprouve, ressent. Avoir un cœur sensible.* — Siège de l'amour. *Cœur fidèle. Affaire de cœur. Offrir, refuser son cœur.* **4.** Bonté, sentiments altruistes. *Avoir bon cœur, avoir du cœur.* ⇒ **charité, générosité, sensibilité.** *Avoir un cœur d'or. Homme, femme de cœur.* SANS CŒUR adj. et n. : dur. *Il est sans cœur. C'est une sans cœur.* — Fam. *Avoir le cœur sur la main,* être généreux. — La personne considérée dans ses sentiments, ses affections. *C'est un brave cœur.* — Terme d'affection. *Mon cœur, mon petit cœur.* **5.** Littér. Les qualités de caractère, le siège de la conscience. *Noblesse du cœur.* ⇒ **âme.** — Courage. *Le cœur lui manqua. Il n'aura pas le cœur de faire cela.* **6.** La pensée secrète, intime de (qqn). *Dans le secret de son cœur,* dans son for intérieur. *Ouvrir son cœur.* ⇒ se **confier.** Loc. *Parler à cœur ouvert.* ⇒ se **livrer.** **7.** Loc. *En avoir le cœur* NET : être fixé là-dessus. — PAR CŒUR : de mémoire. *Apprendre, savoir, réciter par cœur.* ⟨ ▶ **accroche-cœur, à contre-cœur, crève-cœur, sacré-cœur** ⟩

③ **cœur** n. m. ■ Ce qui rappelle la forme ou la situation du cœur ①. **1.** Fam. *Faire la* BOUCHE EN CŒUR : affecter l'amabilité. ⇒ **minauder.** **2.** Aux cartes. Une des quatre couleurs, dont les points sont figurés par des cœurs. *As de cœur.* **3.** La partie centrale de qqch. ⇒ **centre, milieu.** *Le cœur d'une laitue, d'un fruit. Un fromage fait* À CŒUR : également, jusqu'en son centre. — *Cœur à la crème,* nom d'un fromage à la crème. — *Cœur de palmier, chou-palmiste** comestible. *Des cœurs de palmier en*

conserve. **4.** AU CŒUR DE *l'hiver, de l'été* : au plus fort de l'hiver, de l'été. — *Le cœur du sujet, de la question,* le point essentiel, capital.

coexistence [kɔɛgzistɑ̃s] n. f. ■ Existence simultanée. — COEXISTENCE PACIFIQUE : principe de tolérance réciproque de l'existence du groupe adverse de nations (entre nations socialistes et capitalistes). / contr. **guerre** froide / ▶ **coexister** [kɔɛgziste] v. intr. ∎ conjug. 1. ■ Exister ensemble, en même temps.

coffrage [kɔfʀaʒ] n. m. ■ Dispositif qui moule et maintient le béton que l'on coule ; sa pose. *Procéder au coffrage.*

coffre [kɔfʀ] n. m. **I. 1.** Meuble de rangement en forme de caisse qui s'ouvre en soulevant le couvercle. *Coffre à outils, à linge.* **2.** Caisse où l'on range de l'argent, des choses précieuses. ⇒ **coffre-fort.** *Les coffres des banques.* **3.** Coffre (d'une voiture), espace aménagé pour le rangement, souvent à l'arrière. ⇒ **malle. II.** Fam. Poitrine ; caisse. *Avoir du coffre,* du souffle, de la résistance. ▶ **coffre-fort** n. m. ■ Coffre métallique destiné à recevoir de l'argent, des objets précieux. *Chiffre, combinaison d'un coffre-fort. Des coffres-forts.* ▶ **coffret** n. m. ■ Petit coffre ; boîte. *Un coffret à bijoux.* ▶ **coffrer** v. tr. ∎ conjug. 1. ■ Fam. ⇒ **emprisonner.** ⟨ ▶ **coffrage** ⟩

cogiter [kɔʒite] v. intr. ∎ conjug. 1. ■ Iron. Réfléchir. *Ne le dérange pas, il cogite.* ▶ **cogitation** n. f. ■ ⇒ **méditation.**

cogito [kɔʒito] n. m. ■ Argument de base de la philosophie de Descartes : « je pense » (donc je suis).

cognac [kɔɲak] n. m. ■ Eau-de-vie de raisin réputée de la région de Cognac. *Boire un bon cognac. Des cognacs.*

cognée [kɔɲe] n. f. ■ Grosse hache à biseau étroit. *Une cognée de bûcheron.* — Loc. *Jeter le manche après la cognée,* se décourager par lassitude, dégoût. ⇒ **abandonner, renoncer.**

cogner [kɔɲe] v. ∎ conjug. 1. **1.** V. tr. dir. Fam. Heurter, frapper fort (qqch.). *Cogner involontairement un meuble.* — Fam. (Compl. personne) Battre, rosser. ⇒ fam. **tabasser.** *Arrête, ou je te cogne !* **2.** V. tr. ind. Frapper fort, à coups répétés. *Cogner sur... ; cogner à, contre la porte.* ⇒ **heurter. 3.** V. intr. Frapper ; heurter. *Il cogne dur. J'entends quelque chose qui cogne. Le moteur cogne,* fait un bruit sourd. **4.** V. pron. *Se cogner,* se heurter. *Elle s'est cognée à un meuble.*

cohabiter [kɔabite] v. intr. ∎ conjug. 1. ■ Habiter, vivre ensemble. *La crise du logement les oblige à cohabiter.* — Fig. *Deux partis qui cohabitent au pouvoir.* ▶ **cohabitation** n. f. ■ Le fait de cohabiter. — Fig. *La cohabitation de deux tendances politiques opposées.*

cohérence [kɔeʀɑ̃s] n. f. ■ Liaison, rapport étroit d'idées qui s'accordent entre elles ; absence de contradiction. *Son raisonnement manque de cohérence.* / contr. **confusion, incohérence** / ▶ **cohérent, ente** adj. ■ Qui se compose de parties liées et harmonisées entre elles. ⇒ **harmonieux, logique, ordonné.** *Idées cohérentes.* / contr. **incohérent /**

cohésion [kɔezjɔ̃] n. f. **1.** Force qui unit les parties d'une substance matérielle (molécules). **2.** Abstrait. Caractère d'un ensemble dont les parties sont unies, harmonisées. *La cohésion d'un groupe.* ⇒ **union, unité.** / contr. **confusion, désagrégation /**

cohorte [kɔɔʀt] n. f. **1.** Dans l'Antiquité. Corps d'infanterie, constitué de centuries (⇒ **centurion**), qui formait la dixième partie de la légion romaine. **2.** Fam. Groupe. *Ils forment une joyeuse cohorte.*

cohue [kɔy] n. f. **1.** Assemblée nombreuse et tumultueuse. ⇒ **foule, multitude.** *Cohue grouillante.* **2.** Bousculade, désordre, dans une assemblée nombreuse. ⇒ **mêlée.** *Il y avait trop de cohue à ce bal.*

coi, coite [kwa, kwat] adj. ■ Vx. Tranquille et silencieux. Loc. *Se tenir coi.* ⇒ **muet, pantois.** *Ils en sont restés cois.*

coiffe [kwaf] n. f. ■ Coiffure féminine en tissu, encore portée dans quelques régions rurales. *Coiffe de Bretonne, de Hollandaise. Des femmes en coiffes.*

coiffer [kwafe] v. tr. ▪ conjug. 1. **I. 1.** Couvrir la tête de (qqn). *Coiffer qqn, se coiffer d'un chapeau. Le chapeau qui le coiffe.* **2.** Recouvrir (qqch.), surmonter (de qqch.). *Coiffer une lampe d'un abat-jour.* **3.** Arranger les cheveux de (qqn). ⇒ **peigner.** *Aller se faire coiffer* (chez le coiffeur). — Pronominalement (réfl.). *Elle est en train de se coiffer.* — Au p. p. *Il est toujours mal coiffé,* dépeigné. **4.** Réunir sous son autorité, être à la tête de. ⇒ **chapeauter.** *Ce directeur coiffe les services commerciaux.* **II.** Vx. Fig. SE COIFFER DE *qqn,* D'une idée v. pron. réfl. : s'enticher de. ▶ *coiffeur, euse* n. ■ Personne qui fait le métier d'arranger les cheveux. *Coiffeur pour hommes,* qui coiffe et fait la barbe. ⇒ vx **barbier.** *Coiffeur pour dames. Aller chez le coiffeur.* ▶ *coiffeuse* n. f. ■ Petite table de toilette munie d'une glace (devant laquelle les femmes se coiffent, se fardent). *Une coiffeuse en acajou.* ▶ *coiffure* n. f. **1.** Ce qui sert à couvrir la tête ou à l'orner (béret, bonnet, chapeau, coiffe, toque ; filet, mantille, etc.). *Sortir sans coiffure.* **2.** Arrangement des cheveux. *Coiffure d'homme, en brosse, plaquée. Elle change souvent de coiffure.* — Métier de coiffeur. *Salon de coiffure,* atelier de coiffeur. ⟨ ▶ coiffe, décoiffer, recoiffer ⟩.

① *coin* [kwɛ̃] n. m **1.** Instrument en forme de prisme triangulaire (en bois, en métal) pour fendre des matériaux, serrer et assujettir certaines choses. ⇒ **cale ; coincer. 2.** Morceau d'acier gravé en creux, poinçon. — Loc. *Une réflexion marquée au coin du bon sens.* ⟨ ▶ coincer ⟩

② *coin* n. m. **1.** Angle rentrant ou saillant. *Figure géométrique à quatre coins. Manger sur le coin d'une table. Signe d'écriture en forme de coin.* ⇒ **cunéiforme.** — *Les quatre coins d'une chambre.* ⇒ **encoignure.** *Punir un enfant en le mettant au coin. Avoir une place de coin, un coin fenêtre* (dans un compartiment de chemin de fer). — *Le coin de la rue,* l'endroit où deux rues se coupent. *Le bistrot du coin.* — *Le coin d'un bois,* l'endroit où une route coupe un bois. Loc. *Je ne voudrais pas le rencontrer au coin d'un bois,* dans un lieu isolé. — *Le coin de la bouche, des yeux. Regarder qqn, qqch. du coin de l'œil. Regard en coin,* de côté. **2.** Petit espace ; portion d'un espace. — Loc. *Cultiver un coin de terre. Se cacher dans un coin. Chercher qqch. dans tous les coins.* — Fam. *Aller au* PETIT COIN : aux cabinets. **3.** Abstrait. Petite partie ou domaine peu connu. — Loc. *Connaître une question* DANS LES COINS : parfaitement. **4.** Loc. fam. *Tu m'en bouches un coin,* tu m'étonnes. ⟨ ▶ recoin ⟩

coincer [kwɛ̃se] v. tr. ▪ conjug. 3. **1.** Assujettir, fixer en immobilisant. ⇒ **bloquer, caler.** *Coincer un meuble avec une cale, un coin. Elle a coincé sa fermeture Éclair.* — Pronominalement (réfl.). *Ce mécanisme se coince, s'est coincé.* **2.** Fam. Mettre dans l'impossibilité de se mouvoir, d'agir. *On a coincé le voleur.* ⇒ **pincer. 3.** Fam. *Coincer qqn,* le mettre dans l'embarras, dans l'impossibilité de répondre. *Il l'a coincé sur cette question.* ⇒ **coller.** ▶ *coincement* n. m. ■ État de ce qui est coincé. ⟨ ▶ décoincer ⟩

coïncider [kɔɛ̃side] v. intr. ▪ conjug. 1. **1.** Arriver, se produire en même temps ; être synchrone. *Sa venue coïncide avec l'événement. Les deux faits coïncidèrent.* **2.** (Figures géométriques) Se recouvrir exactement sur tous les points. *Ces deux cercles de même rayon coïncident.* **3.** Correspondre exactement, s'accorder. ⇒ se **recouper.** *Les deux témoignages coïncident.* / contr. **diverger** / ▶ *coïncidence* n. f. ■ Fait de coïncider. ⇒ **concordance.** — Événements qui arrivent ensemble par hasard. ⇒ **correspondance, rencontre, simultanéité.** *Coïncidence curieuse, étonnante. Quelle coïncidence !* ▶ *coïncident, ente* adj. ■ Didact. Qui coïncide (dans l'espace ou dans le temps).

coin-coin [kwɛ̃kwɛ̃] n. m. invar. ■ Onomatopée imitant le cri du canard. *Des coin-coin.*

coing [kwɛ̃] n. m. ■ Fruit du *cognassier,* ayant la forme d'une poire, de couleur jaune. *Les coings ne se consomment que cuits. Confiture de coings.* — *Être jaune comme un coing,* avoir le teint très jaune.

coït [kɔit] n. m. ■ Accouplement du mâle avec la femelle. ⇒ **copulation.**

coke [kɔk] n. m. ■ Variété de charbon résultant de la carbonisation ou de la distillation de certaines houilles grasses. *Coke métallurgique,* servant au chauffage des hauts fourneaux. *Usage domestique du coke en agglomérés.* ▶ *cokéfaction* [kɔkefaksjɔ̃] n. f. ■ Transformation de la houille en coke (par la chaleur). ▶ *cokéfier* v. tr. ▪ conjug. 7. ■ Transformer en coke.

① *col* [kɔl] n. m. **1.** Partie du vêtement qui entoure le cou. *Col de chemise. Col dur,* empesé. *Faux col, col amovible. Col Claudine, col Danton* (formes de cols de femme). *Chandail à col roulé.* — *Col marin.* COL-BLEU fam. : marin de l'État français. — Les COLS BLANCS : les employés de bureaux (par opposition aux *travailleurs manuels*). **2.** Loc. FAUX COL *d'un verre de bière* : la mousse. *Un demi sans faux col.* ⟨ ▶ collerette, ① collet, se colleter ⟩

② *col* n. m. ▪ ■ Vx. Cou. ⟨ ▶ accolade, accolé, cache-col, col-de-cygne, ② collet, collier, colporter, décolleter, encolure, licol, torticolis ⟩

③ *col* n. m. **1.** Partie étroite, rétrécie (d'un récipient). ⇒ **goulot.** *Le col d'un vase, d'une bouteille.* **2.** Partie rétrécie (d'une cavité de l'organisme : *col de la vessie* ; d'un os : *col du fémur.*

④ *col* n. m. ■ Passage entre deux sommets de montagne. ⇒ **défilé, gorge.** *Le col est enneigé et fermé aux voitures.*

cola ou *kola* [kɔla] n. m. ■ Produit stimulant extrait de la graine d'un arbre d'Afrique (le *kolatier* ; boisson à base de ce produit. ⟨ ▶ coca-cola ⟩

colback [kɔlbak] n. m. **1.** Ancienne coiffure militaire. **2.** Fam. *Il l'a attrapé par le colback,* par le col, le collet.

colchique [kɔlʃik] n. m. ■ Plante des prés humides, à fleurs roses d'automne, très vénéneuse.

cold-cream [kɔldkrim] n. m. ■ Anglic. Crème pour la peau, faite de blanc de baleine, de cire blanche, d'huile d'amandes douces.

col-de-cygne [kɔldəsiɲ] n. m. ■ Instrument, robinet ou conduit, à double courbe (comme le cou d'un cygne). *Des cols-de-cygne.*

-cole ■ Suffixe signifiant « qui concerne la culture, l'habitation » (ex. : *arboricole, viticole*).

coléoptère [kɔleɔptɛr] n. m. ■ Insecte à quatres ailes dont deux (les *élytres*) sont cornées. *Le scarabée est un coléoptère.* — *Les coléoptères,* l'ordre qui comprend ces insectes.

colère [kɔlɛʀ] n. f. **1.** Violent mécontentement accompagné d'agressivité. ⇒ **courroux, emportement, fureur, irritation, rage, rogne.** / contr. **calme, douceur** / *Accès, crise, mouvement de colère. Être rouge de colère. Être dans une colère noire,* terrible. *Passer sa colère sur qqn, qqch.* — EN COLÈRE. *Être, se mettre en colère,* manifester sa colère. **2.** *(Une, des colères)* Accès, crise de colère. *Avoir des colères terribles. Faire une colère* (se dit des enfants). ▶ *coléreux, euse* adj. ■ Qui se met facilement en colère. ⇒ **agressif, emporté, irascible, violent.** *Un enfant coléreux. Caractère, tempérament coléreux.* / contr. **calme, doux** / ▶ *colérique* adj. ■ Coléreux. ⇒ **irascible.** *Un homme, un caractère, un tempérament colérique.* ≠ *cholérique.*

colibacille [kɔlibasil] n. m. ■ Bacille parasite de l'intestin. ▶ *colibacillose* n. f. ■ Maladie, trouble causé par les colibacilles.

colibri [kɔlibʀi] n. m. ■ Oiseau de très petite taille, à plumage éclatant, à long bec. ⇒ **oiseau-mouche.** *Des colibris.*

colifichet [kɔlifiʃɛ] n. m. ■ Petit objet de fantaisie, sans grande valeur. ⇒ **babiole, bagatelle.**

colimaçon [kɔlimasɔ̃] n. m. **1.** Limaçon, escargot. **2.** EN COLIMAÇON loc. adv. : en hélice. *Escalier en colimaçon.*

colin [kɔlɛ̃] n. m. ■ Poisson comestible (même famille que la morue). ⇒ **merlus.**

colin-maillard [kɔlɛ̃majaʀ] n. m. ■ Jeu où l'un des joueurs, les yeux bandés, doit chercher les autres à tâtons, en saisir un et le reconnaître. *Jouer à colin-maillard.*

colique [kɔlik] n. f. **1.** Souvent au plur. Douleur ressentie au niveau des viscères abdominaux. ⇒ **colite, entérite.** *Coliques spasmodiques. Colique hépatique, néphrétique,* due à l'obstruction des canaux biliaires, des uretères par un calcul. **2.** Au sing. Diarrhée. *Avoir la colique.* — Fig. et fam. *Donner la colique à qqn,* ennuyer. *Quelle colique !,* chose, personne ennuyeuse. — *Avoir la colique,* avoir peur. ⇒ **trouille.**

colis [kɔli] n. m. invar. ■ Objet assez grand destiné à être expédié et remis à qqn. ⇒ **paquet.** *Faire, ficeler un colis. Envoyer un colis. Colis postal.*

colite [kɔlit] n. f. ■ Inflammation du côlon (intestin) ; douleur qui en résulte. ⇒ **colique** (1). *Souffrir de colite.*

collaborer [kɔ(l)labɔʀe] v. . conjug. 1. **1.** V. tr. ind. (À, AVEC) Travailler en commun (à qqch. ; avec qqn). *Collaborer à une revue, à un journal.* ⇒ **participer** à. *Collaborer avec qqn.* **2.** V. intr. Agir en tant que collaborateur (2). ▶ *collaborateur, trice* n. **1.** Personne qui collabore à une œuvre commune. ⇒ **adjoint, aide, associé, collègue.** *Les collaborateurs d'une revue scientifique.* **2.** Au cours de l'occupation allemande en France (1940-1944). Français partisan de l'envahisseur allemand. — Abrév. fam. *collabo. Une collabo. Des collabos.* ▶ *collaboration* n. f. **1.** Travail en commun, action de collaborer. *La collaboration d'un spécialiste à une revue. Livre écrit* EN COLLABORATION. ⇒ **association.** *Apporter sa collaboration à une œuvre.* ⇒ **aide, concours, participation.** **2.** Mouvement, attitude des collaborateurs (2).

collage [kɔlaʒ] n. m. **1.** Action de coller. — État de ce qui est collé. — Composition artistique faite d'éléments collés. *Les collages de Picasso.* **2.** Fam. Situation d'un homme et d'une femme qui vivent ensemble sans être mariés. ⇒ **concubinage, union** libre.

collant, ante [kɔlɑ̃, ɑ̃t] adj. et n. m. **1.** Qui adhère, qui colle. ⇒ **adhésif.** *Papier collant.* **2.** Qui s'applique exactement sur une partie du corps. ⇒ **ajusté, moulant, serré.** *Robe collante.* / contr. **flottant, large** / — N. m. UN COLLANT : pantalon, maillot collant. — Sous-vêtement féminin composé d'une culotte et de bas, en une seule pièce. *Enfiler son collant, ses collants.* **3.** Fam. (Personnes) Ennuyeux, dont on ne peut se débarrasser. *Ce qu'il peut être collant !* ⇒ fam. **crampon, importun.** / contr. **discret** / ⟨ ▶ autocollant ⟩

collatéral, ale, aux [kɔlateʀal, o] adj. **1.** Didact. Qui est sur le côté. *Artère collatérale. Nef collatérale d'une église.* ⇒ **bas-côté.** **2.** *Parents collatéraux,* membres d'une même famille descendant d'une même personne. *Les frères, les cousins, les oncles sont des parents collatéraux.* — N. *Les collatéraux.*

collation [kɔlasjɔ̃] n. f. ■ Repas léger. ⇒ **en-cas, lunch.** *Collation de quatre heures.* ⇒ **goûter.**

collationner [kɔlasjɔne] v. tr. . conjug. 1. ■ Comparer (plusieurs versions ou copies d'un texte) pour reconnaître les concordances, les divergences. *Collationner un écrit avec l'original.* ⇒ **confronter.** ▶ *collationnement* n. m. ■ Action de collationner.

① *colle* [kɔl] n. f. ■ Matière gluante adhésive. ⇒ **glu.** *Tube, pot de colle. Enduire, badigeonner qqch. de colle.* — Loc. fam. *Faites chauffer la colle !* (quand on entend un bruit de casse). *Colle forte.* COLLE DE PÂTE : colle végétale (gélose). — Fam. POT DE COLLE : personne dont on ne peut se débarrasser. ⇒ fam. **collant** *Quel pot de colle, ce type !* ⟨ ▶ coller, colloïdal ⟩

② *colle* n. f. Arg. scol. **1.** Interrogation préparatoire aux examens. *Poser une colle,* une question difficile. **2.** Consigne, retenue, devoir donné en punition. *Donner une colle, coller* (I, 5). ⟨ ▶ incollable ⟩

collecte [kɔlɛkt] n. f. **1.** Action de recueillir des dons, des contributions, etc. ⇒ **quête.** *Faire une collecte pour, au profit d'une œuvre.* **2.** Ramassage. *La collecte du lait dans les fermes.* ▶ *collecter* v. tr. . conjug. 1. **1.** Réunir par une collecte. *Collecter des fonds.* **2.** Ramasser en se déplaçant. *Collecter le lait.* ▶ *collecteur, trice* n. et adj. **1.** Personne qui recueille les cotisations, les taxes. *Collecteur d'impôts.* ⇒ **percepteur.** **2.** Organe ou dispositif qui recueille ce qui était épars. *Collecteur d'ondes.* ⇒ **antenne.** — Conduite qui recueille le contenu d'autres conduites. *Collecteur d'eaux pluviales.* **3.** Adj. Qui recueille. *Égout collecteur.*

collectif, ive [kɔlɛktif, iv] adj. et n. m. **1.** Qui comprend ou concerne un ensemble de personnes. *Œuvre, entreprise collective. Démission collective. Propriété collective.* ⇒ **collectivisme.** / contr. **individuel, particulier** / **2.** Se dit d'un terme singulier et concret représentant un ensemble d'individus (ex. : *la foule*). **3.** N. m. Ensemble des dispositions d'un projet de loi de finance. *Le collectif budgétaire.* ⟨ ▶ collectivement, collectiviser, collectivité ⟩

collection [kɔlɛksjɔ̃] n. f. **1.** Réunion d'objets (notamment d'objets précieux, intéressants). *Les collections d'un musée. Collection privée. Une belle collection de livres* ⇒ **bibliothèque,** *de timbres. Il fait collection de...* — Fam. *En voilà toute une collection* (de choses), un grand nombre. ⇒ **quantité.** **2.** Recueil d'ouvrages, de publications ayant une unité. *Ouvrage publié dans une collection.* **3.** Ensemble des modèles présentés en même temps. *La sortie des collections d'été des grands couturiers.* ▶ *collectionner* v. tr. . conjug. 1. ■ Réunir pour faire une collection (1).

— Fam. *Il collectionne les contraventions, les échecs,*
il en a beaucoup. ⇒ **accumuler.** ▶ *collectionneur,*
euse n. ■ Personne qui fait des collections. ⇒ **ama-**
teur. *Un collectionneur de timbres.* ⇒ **philatéliste.**

collectivement [kɔlɛktivmɑ̃] adv. ■ De façon
collective ; ensemble.

collectiviser [kɔlɛktivize] v. tr. ■ conjug. 1. ■ Rendre collectif, gérer collectivement. ⇒ **étatiser, natio-**
naliser. *Collectiviser des terres.* ▶ *collectivisation* n.
f. ■ ⇒ **nationalisation.** *La collectivisation des moyens*
de production. ▶ *collectivisme* n. m. ■ Système social
dans lequel les moyens de production et d'échange
sont la propriété de la collectivité (souvent, de l'État
⇒ **étatisme**). ⇒ **communisme, marxisme.** / contr.
capitalisme, libéralisme / ▶ *collectiviste* adj. et n.
■ *Une société collectiviste.*

collectivité [kɔlɛktivite] n. f. **1.** Ensemble d'individus groupés (naturellement ou pour atteindre un
but commun). ⇒ **communauté, groupe, société.** *Les*
collectivités professionnelles. ⇒ **association, syndicat.**
2. Circonscription administrative dotée de la personnalité morale. *Le budget des collectivités locales.*

① *collège* [kɔlɛʒ] n. m. ■ En France. Établissement
d'enseignement secondaire. ≠ *lycée. Collège d'État.*
Collège municipal. Collège technique. ▶ *collégien,*
ienne n. ■ Élève d'un collège. ⇒ **écolier.**

② *collège* n. m. **1.** COLLÈGE ÉLECTORAL : ensemble des électeurs d'une circonscription. **2.** Corps (de
chanoines, d'évêques). *Le Sacré Collège* (des cardinaux). ▶ *collégial, iale, iaux* adj. ■ Qui a rapport
à un collège de chanoines. *Église collégiale* ou, n. f.,
une collégiale.

collègue [kɔ(l)lɛg] n. ■ Personne qui exerce une
fonction par rapport à ceux qui exercent une fonction
analogue. ⇒ **confrère, consœur.** *Un futur collègue.*
C'est ma collègue. Des collègues de bureau.

coller [kɔle] v. ■ conjug. 1. **I.** V. tr. **1.** Joindre et faire
adhérer deux surfaces avec de la colle. ⇒ **agglutiner,**
fixer. *Coller une affiche sur un mur, un timbre sur*
une enveloppe. / contr. **décoller** / **2.** (Suj. chose) Faire
adhérer, rendre gluant. *La sueur avait collé ses*
cheveux. **3.** *Coller* (le corps, qqn) *contre, sur, à*
(qqch.), l'appliquer fortement. ⇒ **appuyer.** *Coller son*
visage contre la vitre. Coller son oreille à une porte,
pour écouter. — Pronominalement. *Se coller à, contre*
(qqch., qqn). **4.** Fam. Donner, mettre de force. *Collez*
ça dans un coin ! ⇒ fam. **ficher.** *Il lui a collé un zéro.*
⇒ fam. **flanquer. 5.** Fam. Infliger une retenue à.
⇒ **consigner, punir ;** ② **colle.** — *Coller un candidat,*
le refuser à un examen. ⇒ **ajourner, refuser.** — Au
passif. *Il a été collé à son examen. Je suis collé* (opposé
à *reçu*). **6.** Rester obstinément avec (qqn). *Il nous a*
collés tout l'après-midi. **II.** V. intr. **1.** Adhérer. *Ce*
papier colle. **2.** Fam. *Ça colle ?*, ça va ?, ça marche ?
III. V. tr. ind. COLLER À : s'adapter étroitement. *Mot*
qui colle à une idée, qui la traduit exactement.
⟨ ▶ collage, collant, colleur, ② décoller, encoller,
recoller ⟩

collerette [kɔlʁɛt] n. f. ■ Tour de cou plissé, petit
collet, porté parfois par les femmes. ⇒ **fraise.** *Une*
collerette en dentelle.

① *collet* [kɔlɛ] n. m. **I.** Ancienn. Col. COLLET
MONTÉ loc. adj. invar. : qui affecte l'austérité (comme
les femmes qui avaient un collet très haut). *Ils sont*
trop collet monté. ⇒ **affecté, guindé.** — *Prendre qqn*
AU COLLET, *lui sauter au collet :* arrêter qqn, le faire
prisonnier, l'attaquer. **II.** *Collet de la dent,* partie de
la dent entre la couronne et la gencive. ⟨ ▶ se
colleter ⟩

② *collet* n. m. ■ Nœud coulant pour prendre
certains animaux (au cou). ⇒ **lacet.** *Braconnier qui*
tend des collets à lapin.

se colleter [kɔlte] v. pron. ■ conjug. 4. ■ Se battre ;
prendre au collet*. ⇒ **s'empoigner.** *Se colleter avec*
qqn. Ils se sont colletés comme des voyous. — *Se*
colleter avec des difficultés, se débattre.

colleur, euse [kɔlœʁ, øz] n. ■ Personne qui fait
le métier de coller du papier de tapisserie, des affiches.
Il est colleur d'affiches.

collier [kɔlje] n. m. **1.** Cercle en matière résistante
qu'on fait porter à certains animaux pour pouvoir les
attacher. *Collier de chien.* **2.** Partie du harnais qui
entoure le cou des bêtes attelées (cheval, etc.). — Loc.
Prendre, reprendre le collier, un travail dur et de
longue durée. *Donner un* COUP DE COLLIER : fournir
un effort énergique mais momentané. **3.** Bijou,
ornement qui se porte autour du cou. *Collier de*
perles ; de diamants ⇒ **rivière. 4.** *Collier de barbe,*
barbe courte taillée régulièrement et rejoignant les
cheveux des tempes. **5.** Cercle de renfort (par ex.
autour d'un tuyau). *Collier de serrage.*

collimateur [kɔlimatœʁ] n. m. ■ Partie d'un
instrument de visée qui permet d'orienter avec
précision (pour le tir, etc.). *Collimateur de visée.*
— Loc. *Avoir, prendre qqn dans le collimateur,* le
surveiller très étroitement.

colline [kɔlin] n. f. ■ Petite élévation de terrain de
forme arrondie. ⇒ **butte, coteau, hauteur.** *Le sommet,*
le pied d'une colline.

collision [kɔlizjɔ̃] n. f. **1.** Choc de deux corps qui
se rencontrent. ⇒ **heurt, impact.** *Collision entre deux*
voitures. Entrer en collision avec..., heurter. **2.** Abstrait. Lutte, combat ; désaccord. *La collision des idées*
opposées, des préjugés. ≠ **collusion.**

colloïdal, ale, aux [kɔlɔidal, o] adj. ■ Sciences.
Se dit de corps (*colloïde,* n. m.) qui ressemblent à une
colle, une gelée. *État colloïdal. Systèmes colloïdaux.*

colloque [kɔ(l)lɔk] n. m. ■ Débat entre plusieurs
personnes sur des questions théoriques, scientifiques.
⇒ **conférence, discussion.** — Réunion pour ce débat.
Organiser un colloque, une table ronde.

collusion [kɔ(l)lyzjɔ̃] n. f. ■ Entente secrète au
préjudice d'un tiers. ⇒ **complicité, connivence.**
≠ **collision.**

collutoire [kɔ(l)lytwaʁ] n. m. ■ Médicament
destiné à agir sur les gencives et les parois de la
bouche. *Collutoire en pulvérisateur.*

collyre [kɔliʁ] n. m. ■ Médicament qui s'applique
sur la conjonctive de l'œil.

colmater [kɔlmate] v. tr. ■ conjug. 1. ■ Boucher,
fermer. *Colmater une fissure, une brèche avec du*
plâtre. ▶ *colmatage* n. m. ■ Action de colmater ; son
résultat.

colocataire [kɔlɔkatɛʁ] n. ■ Personne qui est
locataire avec d'autres dans le même immeuble.

colombage [kɔlɔ̃baʒ] n. m. ■ Souvent au plur.
Charpente apparente en bois. *Maison normande à*
colombages.

colombe [kɔlɔ̃b] n. f. **1.** Littér. Pigeon, considéré
comme symbole de douceur, de pureté, de paix. *La*
blanche colombe. **2.** Nom de certaines espèces du
genre pigeon. ⇒ **palombe, ramier.** ▶ *colombier* n. m.
■ Littér. Pigeonnier. ▶ *colombophile* [kɔlɔ̃bɔfil] adj.
et n. ■ Qui élève, dresse des pigeons voyageurs. *Société*
colombophile. — *Les colombophiles du Nord.*

colon [kɔlɔ̃] n. m. ■ Personne qui est allée peupler, exploiter une colonie ; habitant d'une colonie. *Les premiers colons d'Amérique.* ⇒ **pionnier.** *Les colons français d'Algérie.* ⟨▶ colonial ⟩

côlon [kolɔ̃] n. m. ■ Portion moyenne du gros intestin. *Inflammation du côlon.* ⇒ **colite.** ⟨▶ colique, colite ⟩

colonel [kɔlɔnɛl] n. m. ■ Officier supérieur qui commande un régiment, ou une formation, un service de même importance. *Les cinq galons d'un colonel* (*et du lieutenant-colonel*). — Abrév. fam. : *Le* COLON. ⟨▶ lieutenant-colonel ⟩

colonial, ale, aux [kɔlɔnjal, o] adj. et n. **1.** Relatif aux colonies. / contr. **métropolitain** / *Régime colonial ; expansion coloniale* (⇒ **colonialisme, impérialisme**). **2.** N. m. Militaire de l'armée coloniale. *Un colonial.* — Habitant des colonies. ⇒ **colon. 3.** N. f. Les troupes coloniales. *Servir dans la coloniale.* ▶ *colonialisme* n. m. ■ Péj. Système d'expansion coloniale. ⇒ **colonisation.** ▶ *colonialiste* adj. et n. ■ Relatif au colonialisme. *Politique colonialiste.* — N. Partisan du colonialisme. ▶ *colonie* n. f. **I. 1.** Établissement fondé dans un pays moins développé par une nation appartenant à un groupe dominant ; ce pays, placé sous la dépendance du pays occupant, qui en tire profit. *Ensemble de colonies* (⇒ **empire**). *Les colonies françaises, britanniques. Indépendance des colonies.* ⇒ **décolonisation. 2.** CO-LONIE (PÉNITENTIAIRE) : établissement pour jeunes délinquants. — COLONIE DE VACANCES : groupement d'enfants des villes que l'on fait séjourner à la campagne. **II. 1.** Groupe de personnes d'une colonie (I). ⇒ **colon. 2.** Ensemble des personnes originaires d'une même province, d'une même ville, qui habitent une autre région ou une ville. *La colonie auvergnate, vietnamienne de Paris.* — Groupe d'hommes vivant en communauté. *Une petite colonie d'artistes.* **3.** Réunion d'animaux vivant en commun. *Une colonie d'abeilles.* ▶ *coloniser* v. tr. ■ conjug. 1. ■ Faire d'un pays une colonie (I, 1). *Coloniser un pays pour le mettre en valeur, en exploiter les richesses.* — Au p. p. adj. *Pays colonisés.* — N. *Les colonisés et les colonisateurs.* ▶ *colonisateur, trice* adj. et n. ■ Qui colonise. *Nation colonisatrice.* — N. *Les colonisateurs* (opposé à *colonisé*). ▶ *colonisation* n. f. **1.** Le fait de peupler de colons, de transformer en colonie. *La colonisation de l'Amérique et de l'Afrique par l'Europe.* **2.** Mise en valeur, exploitation des pays devenus colonies. ⇒ **colonialisme, impérialisme.** ⟨▶ anticolonialisme, décolonisation ⟩

① *colonne* [kɔlɔn] n. f. **I. 1.** Support vertical d'un édifice, ordinairement cylindrique. ⇒ **pilastre, pilier, poteau.** *Petite colonne.* ⇒ **colonnette.** *Colonne adossée, engagée,* partiellement intégrée dans un mur. *Rangée de colonnes.* ⇒ **colonnade. 2.** Monument formé d'une colonne isolée. ⇒ **obélisque, stèle.** *La colonne Vendôme.* **3.** Formation géologique dressée. *Colonnes basaltiques.* ⇒ **orgue. II.** (Objets dressés ou allongés) **1.** *Colonne d'air, d'eau, de mercure,* masse de ce fluide dans un tube vertical. — *Une colonne de fumée, de feu.* **2.** COLONNE MONTANTE : groupant les canalisations d'un immeuble. ▶ *colonnade* n. f. ■ File de colonnes sur une ou plusieurs rangées, formant un ensemble architectural. *La colonnade du Louvre.* ⟨▶ colonnette ⟩

② *colonne* n. f. ■ Section qui divise verticalement une page manuscrite ou imprimée. *Titres sur deux, trois colonnes.* — Loc. *Cinq colonnes à la* (page) *une,* espace occupé par les grands titres, dans certains journaux.

③ *colonne* n. f. **1.** Corps de troupe disposé sur peu de front et beaucoup de profondeur. *Colonne d'infan-*

terie. *Défiler colonne par huit.* **2.** CINQUIÈME COLONNE : les services secrets d'espionnage ennemi sur un territoire.

④ *colonne vertébrale* n. f. ■ Tige osseuse articulée qui soutient l'ensemble du squelette des vertébrés (chez l'être humain, 33 vertèbres). ⇒ **épine** dorsale ; **rachidien.** *Déviation de la colonne vertébrale.*

colonnette n. f. ■ Petite colonne.

colophane [kɔlɔfan] n. f. ■ Résine servant à frotter les crins des archets (de violons, etc.).

coloquinte [kɔlɔkɛ̃t] n. f. **1.** Plante dont les fruits ronds, amers (appelés *chicotins*) fournissent un purgatif. **2.** Fam. ⇒ **tête.** *Le soleil tape sur la coloquinte.*

colorant, ante [kɔlɔrɑ̃, ɑ̃t] adj. et n. m. **1.** Qui colore. *Substances, matières colorantes. Shampooing colorant.* **2.** N. m. UN COLORANT : substance colorée qui peut se fixer à une matière pour la teindre. ⇒ **couleur, teinture.** *Les colorants alimentaires. Garanti sans colorants.* ▶ *coloration* n. f. **1.** Action de colorer ; état de ce qui est coloré. ⇒ **coloris.** *Coloration (des cheveux) faite par le coiffeur.* ⇒ **teinture.** *La coloration de la peau.* ⇒ **couleur. 2.** *Coloration de la voix, d'un sentiment,* aspect particulier.

-colore ■ Élément signifiant « couleur » (ex. : *incolore, tricolore*). ⟨▶ bicolore, multicolore, tricolore ⟩

colorer [kɔlɔre] v. tr. ■ conjug. 1. **1.** Revêtir de couleur, donner une teinte à. ⇒ **teindre, teinter** (bleuir, jaunir, rougir, verdir, etc.). *Le soleil colore le couchant.* — Pronominalement. *Les raisins commencent à se colorer.* / contr. **décolorer** / **2.** Surtout pronominalement. Donner un aspect particulier, changeant. *Son étonnement se colorait d'inquiétude.* ⇒ se **teinter.** ▶ *coloré, ée* adj. **1.** Qui a de vives couleurs. *Un teint coloré.* **2.** Animé, expressif. *Une description colorée et pittoresque.* ⇒ **imagé.** ▶ *colorier* v. tr. ■ conjug. 7. ■ Appliquer des couleurs sur (une surface, notamment du papier). *Colorier un dessin. Colorier aux crayons de couleur, à l'aquarelle.* ▶ *coloriage* n. m. ■ Action de colorier ; son résultat. *Un album de coloriages pour les enfants.* ▶ *coloris* [kɔlɔri] n. m. invar. **1.** Effet qui résulte du choix, du mélange et de l'emploi des couleurs dans un tableau. *Beauté, vigueur d'un coloris.* **2.** Couleur d'objets fabriqués. *Ce tissu existe dans plusieurs coloris.* ▶ *coloriste* n. ■ Peintre qui s'exprime surtout par la couleur. *Les coloristes et les dessinateurs.* ⟨▶ colorant, décolorer ⟩

colossal, ale, aux [kɔlɔsal, o] adj. ■ Qui est extrêmement grand. ⇒ **démesuré, énorme, gigantesque, immense, titanesque.** *Taille colossale. Une statue colossale.* — Fig. *Un État d'une puissance colossale. Il a une mémoire colossale. Il a hérité d'une fortune colossale.* / contr. **minuscule, petit** / ▶ *colossalement* adv. ■ *Il est colossalement riche.* ⇒ **immensément.** ▶ *colosse* n. m. **1.** Statue d'une grandeur extraordinaire. *Le colosse de Rhodes.* **2.** Homme, animal de haute et forte stature, d'une grande force apparente. *Cet homme est un colosse.* ⇒ **géant, hercule. 3.** Personne ou institution considérable, très puissante.

colporter [kɔlpɔrte] v. tr. ■ conjug. 1. **1.** Transporter avec soi (des marchandises) pour vendre. *Colporter des livres.* **2.** Transmettre (une information) à de nombreuses personnes (souvent péj.). ⇒ **divulguer, propager, répandre.** *Colporter une nouvelle, une histoire scandaleuse.* ▶ *colportage* n. m. ■ Action de colporter. — Métier de colporteur. ⇒ **porte à porte.** ▶ *colporteur, euse* n. ■ Marchand(e) ambulant(e) qui vend ses marchandises de porte en porte. ⇒ **camelot, démarcheur.**

colt [kɔlt] n. m. ■ Revolver ou pistolet automatique d'une marque américaine (par ex. dans les histoires de l'Ouest américain). *Le cow-boy tira son colt. Des colts.*

coltiner [kɔltine] v. tr. ■ conjug. 1. **1.** Porter (un lourd fardeau). ⇒ **transbahuter.** *Il va falloir coltiner ce sac jusqu'à la gare.* **2.** Fam. SE COLTINER. ⇒ **exécuter, faire ;** fam. s'**envoyer,** se **taper.** *Je ne vais pas me coltiner seul tout ce travail. Elle s'est coltiné un sacré boulot.*

columbarium [kɔlɔ̃baʀjɔm] n. m. ■ Édifice où l'on place les urnes cinéraires. *Des columbariums.*

colza [kɔlza] n. m. ■ Plante à fleurs jaunes cultivée comme plante fourragère, et pour ses graines. *Huile de colza. Champ de colza.*

coma [kɔma] m. m. ■ Perte prolongée de conscience, de sensibilité, dans de graves états pathologiques. *Entrer, être dans le coma.* ► *comateux, euse* adj. ■ Qui a rapport au coma. *État comateux.* — Qui est dans le coma. — N. *Un comateux.*

combat [kɔ̃ba] n. m. **1.** Action de deux ou de plusieurs adversaires armés, de deux armées qui se battent. ⇒ **engagement, mêlée, rencontre.** *Combat offensif* ⇒ **attaque,** *défensif. Combat aérien, naval. Les combats font rage.* — LIVRER COMBAT *contre* : se battre contre. — *Être mis* HORS DE COMBAT : dans l'impossibilité de poursuivre la lutte. — DE COMBAT : de guerre. *Char, gaz de combat. Tenue de combat.* **2.** Lutte organisée. *Combat de boxe.* ⇒ **match.** — (Animaux) *Combat de coqs.* **3.** Littér. Lutte, opposition. *Un combat d'esprit, de générosité.* ⇒ **assaut,** émulation. — Lutte de l'homme contre les obstacles, les difficultés. *La vie est un combat perpétuel.* ► *combatif, ive* adj. ■ Qui est porté au combat, à la lutte. ⇒ **agressif, belliqueux.** *Esprit, instinct combatif. Humeur combative.* ► *combativité* n. f. ■ Penchant pour le combat, la lutte. *La combativité d'une troupe.* ► *combattant, ante* n. **1.** Personne qui prend part à un combat, à une guerre. ⇒ **soldat ;** autrefois **guerrier.** *Une armée de cent mille combattants —* *Les combattants d'une armée,* ceux qui se battent (opposé aux *non-combattants* : l'intendance, le service sanitaire). — ANCIENS COMBATTANTS : combattants d'une guerre terminée, groupés en associations. — Adj. *Unité combattante.* **2.** Fam. Personne qui se bat à coups de poing. ⇒ **adversaire, antagoniste.** *Séparer les combattants.* ► *combattre* v. ■ conjug. 41. **I.** V. tr. **1.** Se battre, lutter contre (qqn). *Combattre un adversaire, l'ennemi.* — Faire la guerre à. *Napoléon combattit l'Europe.* **2.** S'opposer à. *Combattre un argument.* ⇒ **attaquer, réfuter.** / contr. **approuver, soutenir** / **3.** Aller contre, s'efforcer d'arrêter (un mal, un danger). *Combattre un incendie. Combattre ses habitudes.* **II.** V. tr. ind. et intr. **1.** Livrer combat (contre, avec qqn ; pour qqch.). *Combattre contre son ennemi, avec ses alliés, pour son pays. Combattre avec courage. Combattre pour une cause.* — Faire la guerre. ⇒ se **battre.** *Ces troupes vont monter en ligne pour combattre.* **2.** Lutter (contre un obstacle, un danger, un mal). *Combattre contre la faim, la maladie.* / contr. **faciliter** /

combe [kɔ̃b] n. f. ■ Région. Dépression, vallée profonde. *Les combes du Jura.*

combien [kɔ̃bjɛ̃] adv., conj. et n. m. invar. **1.** Dans quelle mesure, à quel point. ⇒ **comme.** *Si vous saviez combien je l'aime ! Combien il a changé !* ⇒ **que ;** fam. ce **que. 2.** COMBIEN DE : quelle quantité, quel nombre.

Combien a-t-il de livres ? Depuis combien de temps êtes-vous ici ? — Sans compl. *Quelle quantité (distance, temps, prix, etc.). Combien vous dois-je ?* Fam. *Ça fait combien ?* **3.** N. m. invar. Fam. *Le combien.* ⇒ **quantième.** *Le combien sommes-nous ?,* quel jour sommes-nous ? « *Tous les combien passe l'autobus ?* — *Toutes les dix minutes.* » **4.** Ô *combien !* (souvent en incise). *Un personnage équivoque, ô combien !,* très équivoque.

① *combinaison* [kɔ̃binɛzɔ̃] n. f. **1.** Assemblage d'éléments dans un arrangement déterminé. *Combinaison de couleurs, de lignes.* ⇒ **disposition, organisation. 2.** Union des atomes, des éléments qui entrent dans un composé. *La combinaison de deux volumes d'hydrogène et d'un volume d'oxygène donne de l'eau.* ⇒ **synthèse.** / contr. **analyse, décomposition** / **3.** Souvent péj. Organisation précise de moyens en vue d'assurer le succès d'une entreprise. ⇒ **arrangement, combine, manœuvre.** *Des combinaisons financières, politiques.* **4.** Système d'ouverture d'un coffre-fort. ⇒ **chiffre.** ‹ ► combine ›

② *combinaison* n. f. **1.** Sous-vêtement féminin, comportant un haut et une partie remplaçant le jupon. **2.** Vêtement (surtout de travail, de sport, de combat...) d'une seule pièce (pour hommes, femmes, enfants), réunissant veste et pantalon. *Combinaison de mécanicien.* ⇒ **bleu.** *Combinaison de ski.*

combinat [kɔ̃bina] n. m. ■ En U.R.S.S. Groupement de plusieurs industries connexes.

combinatoire [kɔ̃binatwaʀ] adj. ■ Sciences. Relatif aux combinaisons (①, 1).

combine [kɔ̃bin] n. f. ■ Fam. Moyen astucieux et souvent déloyal employé pour parvenir à ses fins. ⇒ **système, truc.** *Tu connais la combine pour entrer sans payer ?* ⇒ fam. **resquille.** ► *combinard, arde* adj. et n. ■ Péj. Qui utilise la combine. *C'est un combinard.* ⇒ **débrouillard.**

combiner [kɔ̃bine] v. tr. ■ conjug. 1. **1.** Réunir (des éléments), le plus souvent dans un arrangement déterminé. ⇒ **arranger, disposer.** *Combiner des signes, des mouvements, des sons.* / contr. **isoler, séparer** / **2.** Organiser en vue d'un but précis. ⇒ **agencer ; combinaison.** *Combiner un voyage, des projets. Combiner un mauvais coup.* ⇒ **manigancer, tramer.** ► *combiné, ée* adj. et n. m. **I.** Adj. Qui forme une combinaison. *Opérations combinées,* faites par plusieurs armées. **II.** N. m. **1.** Partie mobile d'un appareil téléphonique réunissant écouteur et microphone. *Décrocher le combiné.* — Appareil réunissant récepteur-radio, tourne-disque, etc. **2.** Épreuve sportive complexe (en ski : descente et slalom). ‹ ► ① combinaison, ② combinaison, combinat, combinatoire ›

① *comble* [kɔ̃bl] n. m. **1.** Construction surmontant un édifice et destinée à en supporter le toit. ⇒ **charpente.** *Comble métallique, comble en bois.* **2.** *Le comble* ou, au plur., *les combles,* partie la plus haute d'une construction. — LOC. SOUS LES COMBLES : sous le toit. *Il loge sous les combles, dans une chambre de bonne.* **3.** LOC. DE FOND EN COMBLE [dfɔ̃tɑ̃kɔ̃bl] : de bas en haut (de la cave au grenier). *Détruire, fouiller de fond en comble,* complètement.

② *comble* n. m. ■ Le plus haut degré. ⇒ **maximum, sommet.** *C'est le comble du ridicule. Être* AU COMBLE DE *la joie.* — Ellipt. *C'est le comble, c'est un comble !,* il ne manquait plus que cela (se dit d'une chose désagréable).

③ *comble* adj. **1.** Rempli de monde. ⇒ **encombré, plein.** *Impossible d'entrer dans la salle, qui était* *comble. L'autobus est comble.* ⇒ **bondé, bourré, complet.** / contr. **vide** / 2. Loc. *La mesure est comble* (pleine), on n'en supportera pas plus.

combler [kɔ̃ble] v. tr. ■ conjug. 1. 1. Remplir (un vide, un creux). ⇒ **boucher.** *Combler un fossé.* ⇒ **remblayer.** *Combler un interstice.* ⇒ **obturer.** 2. Abstrait. *Combler une lacune. Combler un déficit. Combler les vœux de qqn,* les exaucer. 3. COMBLER *qqn* DE : lui donner (qqch.) à profusion. *On l'a comblé de cadeaux. Cela me comble de joie.* — *Combler qqn,* le satisfaire pleinement. ► *comblé, ée* adj. ■ Qui a obtenu tout ce qu'il (elle) espérait. *Je suis comblé,* très satisfait. ► *comblement* n. m. 1. Action de combler (1). *Le comblement d'un puits.* 2. Le fait d'être comblé. ⟨ ► ③ comble ⟩

comburant, ante [kɔ̃byʁɑ̃, ɑ̃t] adj. ■ Se dit d'un corps qui, en se combinant avec un autre corps, opère la combustion de ce dernier *(le combustible).* — N. m. *L'oxygène est un comburant.*

combustible [kɔ̃bystibl] adj. et n. m. 1. Adj. Qui a la propriété de brûler. *Matière combustible. Ce carton est très combustible.* 2. N. m. Corps utilisé pour produire de la chaleur. ≠ *comburant. Combustibles solides* (anthracite, bois, houille...), *liquides* (essence, mazout, pétrole), *gazeux* (butane, gaz). — Élément qui entretient une réaction atomique en chaîne. ► *combustion* [kɔ̃bystjɔ̃] n. f. 1. Le fait de brûler entièrement. *La combustion d'un gaz dans un brûleur. Moteur à combustion interne.* 2. Chimie. Combinaison d'un corps avec l'oxygène. ⇒ **oxydation.** *Combustion vive,* avec un dégagement de lumière et de chaleur. *Combustion lente* (ex. : *la rouille*). ⟨ ► **comburant, incombustible** ⟩

comédie [kɔmedi] n. f. I. 1. Pièce de théâtre ayant pour but de divertir en représentant les ridicules des caractères et des mœurs d'une société. *Les comédies de Molière. Une courte comédie.* ⇒ **farce, sketch.** *Comédie musicale,* spectacle, film associant la musique, la danse, le chant et la parole. 2. Le genre comique*. *Préférer la comédie à la tragédie.* II. Attitude fausse et théâtrale. *Allons, pas de comédie !* ⇒ **caprice.** *Jouer la comédie,* affecter, feindre (des sentiments, des pensées). *Quelle comédie !* ► *comédien, ienne* n. et adj. 1. Personne qui joue des pièces de théâtre, tourne dans des films ou à la télévision. ⇒ **acteur, artiste.** *Une troupe de comédiens. Mauvais comédien.* ⇒ **cabot.** 2. Personne qui se compose une attitude, « joue la comédie ». ⇒ **hypocrite.** *Quel comédien !* — Adj. *Elle est un peu comédienne.* ⇒ **cabotin.** 3. (Opposé à *tragédien*) Acteur comique. *Il est meilleur comédien que tragédien.* ⟨ ► **tragicomédie** ⟩

comestible [kɔmɛstibl] adj. et n. m. pl. 1. Qui peut servir d'aliment à l'homme. *Denrées comestibles.* / contr. **immangeable, toxique** / *Champignons comestibles.* / contr. **vénéneux** / 2. N. m. pl. COMESTIBLES : denrées alimentaires. *Boutique de comestibles. Marchand de comestibles.*

comète [kɔmɛt] n. f. 1. Astre présentant un noyau brillant (tête) et une traînée gazeuse (chevelure et queue), qui décrit une orbite en forme d'ellipse autour du Soleil. *La comète de Halley.* 2. Loc. *Tirer des* PLANS SUR LA COMÈTE : faire des projets chimériques (→ des châteaux en Espagne).

comices [kɔmis] n. m. pl. ■ COMICES AGRICOLES : réunion des cultivateurs d'une région pour le développement de l'agriculture.

comique [kɔmik] adj. et n. m. 1. Qui appartient à la comédie. *Pièce, film comique. Le genre, le style comique. Auteur comique.* / contr. **dramatique** / 2. N.

Acteur, actrice habituellement chargé(e) de jouer des personnages comiques. *C'est une grande comique.* 3. N. m. *Le comique,* le genre comique ; les éléments comiques au théâtre. *Le comique de caractère, de situation.* 4. Qui provoque le rire. ⇒ **amusant, cocasse, drôle ;** fam. **bidonnant, marrant, poilant, rigolo, roulant, tordant.** *Il est comique avec ses grands airs.* / contr. **sérieux, triste** / ► *comiquement* adv. ■ D'une manière risible. ⟨ ► **opéra-comique, tragicomique** ⟩

comité [kɔmite] n. m. 1. Réunion de personnes prises dans un corps plus nombreux (assemblée, société) pour s'occuper de certaines affaires. ⇒ **commission.** *Élire, désigner un comité.* — *Comité d'entreprise. Comité de gestion.* 2. EN PETIT COMITÉ : entre intimes. *Dîner, réception en petit comité.* ⟨ ► **sous-comité** ⟩

① *commandant* [kɔmɑ̃dɑ̃] n. m. 1. Personne qui a un commandement militaire. ⇒ **chef.** *Commandant en chef, en second.* 2. Titre donné aux chefs de bataillon, d'escadron, de groupe aérien (quatre galons). *Oui, mon commandant !* 3. Officier qui commande un navire, un avion. *Le commandant est sur la passerelle.* — *Commandant de bord.* ⇒ **pilote.**

② *commandant, ante* adj. ■ Fam. Autoritaire. *Elle est un peu commandante.*

① *commande* [kɔmɑ̃d] n. f. 1. Ordre par lequel un client demande une marchandise ou un service à fournir dans un délai déterminé (⇒ **achat**). *Passer une commande au fournisseur. Vous paierez à la commande. Bon de commande. Au restaurant, le maître d'hôtel prend les commandes.* 2. Loc. SUR COMMANDE : à la demande. *Faire qqch. sur commande.* — DE COMMANDE : qui n'est pas sincère. ⇒ **affecté, artificiel.** *Rire, sourire de commande. Enthousiasme, zèle de commande.*

② *commande* n. f. ■ Organe capable de déclencher, arrêter, régler des mécanismes. *Moteur à commande électrique.* — AUX COMMANDES. *Être aux commandes d'un avion.* — *Tenir les commandes,* diriger, avoir en main une affaire. ⇒ **rêne.**

commandement [kɔmɑ̃dmɑ̃] n. m. 1. Ordre bref, donné à voix haute pour faire exécuter certains mouvements. *À mon commandement : garde-à-vous !* 2. Règle de conduite édictée par l'autorité de Dieu, d'une Église. ⇒ **loi, précepte.** *Les dix commandements.* 3. Pouvoir, droit de commander. ⇒ **autorité, direction.** *Prendre, exercer le commandement.* 4. Autorité militaire qui détient le commandement des forces armées. *Le haut commandement des armées.* ⇒ **état-major.**

① *commander* [kɔmɑ̃de] v. ■ conjug. 1. I. V. tr. dir. 1. COMMANDER *qqn* : exercer son autorité sur (qqn) en lui dictant sa conduite. *Il n'aime pas qu'on le commande.* ⇒ **conduire, diriger.** *Il commande ses employés à la baguette.* — Avoir l'autorité hiérarchique sur. *L'officier qui commande le régiment.* 2. COMMANDER *qqch.* : donner l'ordre de ; diriger (une action). / contr. **défendre, interdire** / *Commander une attaque, la retraite.* — Pronominalement (passif). SE COMMANDER. *La sympathie ne se commande pas, ne dépend pas de la volonté.* 3. (Suj. chose) Rendre absolument nécessaire. *Faire ce que les circonstances commandent.* ⇒ **exiger, nécessiter.** 4. Demander à un fabricant, à un fournisseur par une commande (⇒ **acheter**). *Commander un costume. Commander qqch. par lettre, par téléphone, sur catalogue. Commander un plat, au restaurant.* / contr. **décommander** / II. V. tr. ind. COMMANDER À. 1. *Commander à qqn de* (+ infinitif), lui donner ordre de. *Il commande aux auditeurs de se taire.* ⇒ **enjoindre, imposer, ordonner, prescrire.** 2. Abstrait. *Commander à. Commander à ses passions, à ses instincts,* les dominer. III. V. intr. Exercer son autorité ; donner des ordres et les faire exécuter. *Il ne sait pas commander. Qui est-ce qui commande ici ?* ⇒ **décider.** ‹ ► ① commandant, ② commandant, ① commande, commandement, commandeur, commando, décommander ›

② *commander* v. tr. ▪ conjug. 1. (Suj. chose) 1. Dominer en empêchant l'accès de. *Cette position d'artillerie commande toute la plaine.* 2. Faire fonctionner. *La pédale qui commande les freins* (⇒ ② **commande**). ‹ ► ② commande, télécommande ›

commandeur [kɔmɑ̃dœʀ] n. m. ▪ Chevalier d'un ordre (militaire, honorifique). — *Commandeur de la Légion d'honneur* (grade au-dessus de l'officier).

commandite [kɔmɑ̃dit] n. f. ▪ Société formée de deux sortes d'associés : les premiers *(commanditaires)* avancent des fonds à des associés *(commandités* ou *gérants),* seuls responsables de la gestion et répondant des dettes de la société. ► *commanditaire* n. m. ▪ Bailleur de fonds dans une société en commandite. ► *commanditer* v. tr. ▪ conjug. 1. 1. Fournir des fonds à (une société en commandite). 2. Financer (une entreprise, qqn). ► *commandité, ée* n. ▪ Personne commanditée pour gérer les fonds apportés par les commanditaires.

commando [kɔmɑ̃do] n. m. ▪ Groupe de combat employé pour les opérations rapides, isolées. *Un commando de parachutistes. Un raid de commandos. Un commando de terroristes.*

comme [kɔm] conj. et adv. I. Conj. 1. (Comparaison) De la même manière que, au même degré que. *Il a réussi comme son frère. Il écrit comme il parle. Il agit comme s'il avait vingt ans* (condition) ; *elle faisait des signes comme pour nous appeler* (but). *Il est bavard comme une pie* (est bavarde). *Riche comme Crésus. Courir comme un lièvre. Il fait doux comme au printemps.* — TOUT COMME. *Ils ne sont pas divorcés mais c'est tout comme,* c'est la même chose. — Fam. COMME TOUT. ⇒ **extrêmement.** *Elle est jolie comme tout.* 2. (Addition) Ainsi que ; et. *J'oublierai cela comme le reste.* 3. (Manière) De la manière que. *Riche comme il est, il pourra vous aider. Comme il vous plaira,* selon votre désir. — *Comme de juste,* comme il est juste. *Faites votre travail comme il faut,* bien. — Fam. COMME IL FAUT loc. adj. invar. *Une personne très comme il faut.* ⇒ **bien, distingué, respectable.** — COMME QUOI… *Faites-lui un certificat comme quoi son état de santé nécessite du repos* (un certificat disant que…). *Elle a quitté la région : comme quoi tu n'as pas pu la voir aujourd'hui* (ce qui prouve que). — Ellipt. (Atténuatif) *Il était comme fou.* — COMME CELA, fam. COMME ÇA. ⇒ **ainsi.** *Comme ça tout le monde sera content.* — *Comme ci, comme ça,* ni bien ni mal. ⇒ fam. **couci-couça.** « *Comment allez-vous ?* — *Comme ci, comme ça.* » 4. Tel (telle) que. *Je n'ai jamais rencontré d'intelligence comme la sienne.* 5. (Attribution, qualité) En tant que, pour. *Je l'ai choisie comme secrétaire. Comme directeur, il est efficace.* II. Conj. 1. Cause (de préférence en tête de phrase) ⇒ **parce que, puisque.** *Comme elle arrive demain, il faut préparer une chambre.* 2. Temps (Simultanéité) *Nous sommes arrivés comme il partait.* ⇒ **alors** que, **tandis** que. III. Adv. (Interrog. et exclam.) 1. Marque l'intensité. ⇒ **combien, que.** *Comme c'est cher !* 2. En subordonnée. ⇒ **comment.** *Tu sais comme il est. Regardez comme il court !*

commémorer [kɔ(m)memɔʀe] v. tr. ▪ conjug. 1. ▪ Rappeler par une cérémonie le souvenir de (une personne, un événement). ⇒ **célébrer, fêter.** *Commémorer la victoire.* ► *commémoratif, ive* adj. ▪ Qui rappelle le souvenir d'une personne, d'un événement. *Plaque commémorative.* ► *commémoration* n. f. 1. Cérémonie destinée à rappeler le souvenir (d'une personne, d'un événement). ⇒ **anniversaire, fête.** *La commémoration d'une fête nationale, d'une bataille, d'un événement ancien de cent ans* ⇒ **centenaire,** *etc.* 2. Mémoire, souvenir. *Garder un objet en commémoration d'un événement.*

commencer [kɔmɑ̃se] v. ▪ conjug. 3. I. V. tr. 1. Faire la première partie de (une chose ou une série de choses) ; faire exister (ce qui est le résultat d'une activité). ⇒ **amorcer, entamer, entreprendre.** / contr. **finir** / *Commencer un travail, une affaire, une entreprise.* ⇒ **créer, fonder.** 2. Être au commencement de. *Le mot qui commence la phrase.* — (Durée) *Nous commençons l'année aujourd'hui. Il ne fait que commencer ses études.* 3. V. tr. ind. (Personnes) COMMENCER DE ou À (+ infinitif) : être aux premiers instants (de l'action indiquée par le verbe). *Commencer à faire qqch. Il commençait à dormir lorsqu'on l'éveilla.* — Fam. *Je commence à en avoir assez,* j'en ai assez. *Ça commence à bien faire !,* ça suffit ! — (Choses) *Les arbres commencent à avoir des feuilles.* — Impers. *Il commence à pleuvoir.* 4. (Personnes) COMMENCER qqch. PAR qqch. *Commencer son travail par la fin.* — (Sans compl. dir.) *Par où, par quoi allez-vous commencer ? Commençons par toi.* II. V. intr. 1. Entrer dans son commencement. *L'année commence au 1er janvier. Cela commence bien, mal.* ⇒ **débuter, démarrer, partir.** 2. (Choses) COMMENCER PAR qqch. : avoir pour début. *Le texte commence par une description.* ► *commençant, ante* adj. et n. ▪ Vieilli. Personne qui commence dans une activité, un domaine. ⇒ **débutant.** ► *commencement* n. m. ▪ Le fait de commencer ; ce qui commence. 1. Ce qui vient d'abord (dans une durée, un processus) ; première partie. ⇒ **début.** / contr. **fin** / *Le commencement de l'année, du printemps.* ⇒ **arrivée.** *Le commencement des hostilités.* ⇒ **déclenchement, ouverture.** *Du commencement à la fin,* de bout en bout. — *Il y a un commencement à tout,* on ne peut réussir parfaitement qqch. dès le premier essai. 2. Partie qui se présente, que l'on voit avant les autres (dans l'espace). *Le commencement d'une rue, d'un couloir.* ⇒ **entrée.** 3. Au plur. COMMENCEMENTS : les premiers développements, les débuts. *Ses commencements ont été pénibles.* ‹ ► recommencer ›

commensal, ale, aux [kɔmɑ̃sal, o] n. ▪ Didact. Personne qui mange habituellement à la même table avec une ou plusieurs autres. ⇒ **hôte.** *Les commensaux de qqn,* ses invités à un repas.

commensurable [kɔ(m)mɑ̃syʀabl] adj. ▪ Se dit d'une grandeur qui a une commune mesure avec une autre. ⇒ **comparable.** *Nombres commensurables.* / contr. **incommensurable** / ‹ ► incommensurable ›

comment [kɔmɑ̃] adv., n. m. invar. et conj. 1. Interrogation. *Comment allez-vous ? Comment cela ?,* expliquez mieux. *Comment donc est-il vrai ? Comment (dites-vous) ?,* exclamation qui invite à répéter. ⇒ **pardon ;** fam. **hein, quoi.** 2. Interrogation indirecte. *Il ne sait comment elle prendra la chose.* ⇒ **comme.** *N'importe comment,* mal. 3. N. m. invar. Manière. *Chercher les pourquoi et les comment.* 4. Exclamation exprimant l'étonnement, l'indignation. ⇒ **quoi.** *Comment ! c'est ainsi que tu me parles ! Comment, tu es encore ici ? 5. Comment donc !,* en signe d'approbation. *Mais comment donc !* bien **sûr, évidemment.** Fam. *Et comment !* (→ je te crois ; tu parles !).

commentaire [kɔ(m)mɑ̃tɛʀ] n. m. **1.** Ensemble des explications, des remarques que l'on fait à propos d'un texte. ⇒ **exégèse, explication, glose.** *Commentaire littéraire.* ⇒ **explication** de textes. **2.** Remarque, observation. *Commentaires de presse. Fam. Cela se passe de commentaires,* c'est évident. — *Sans commentaire !* loc. fam., la chose se suffit à elle-même (souvent péj.). ▶ *commenter* [kɔ(m)mɑ̃te] v. tr. ◦ conjug. 1. **1.** Expliquer (un texte) par un commentaire. *Commenter un poème.* **2.** Faire des remarques, des observations sur (des faits) pour expliquer, exposer. *Commenter les nouvelles. Journaliste qui commente l'actualité à la radio.* ▶ *commentateur, trice* n. **1.** N. m. Celui qui est l'auteur d'un commentaire. ⇒ **critique, exégète.** *Les commentateurs de la Bible.* **2.** N. Personne qui commente les nouvelles, les émissions (radio, télévision). ⇒ **présentateur, speaker.**

commérage [kɔmeʀaʒ] n. m. ■ Fam. Bavardage indiscret (comme celui d'une commère). ⇒ **ragot, médisance.** *Des commérages malveillants.*

commerce [kɔmɛʀs] n. m. **I.** **1.** Opération qui a pour objet la vente d'une marchandise, d'une valeur, ou l'achat de celle-ci pour la revendre ; entreprise qui fait cette opération. *Le commerce, l'agriculture et l'industrie. Être dans le commerce, faire du commerce.* ⇒ **commerçant. Employé, représentant de commerce. Commerce international. Cela ne se trouve plus dans le commerce. Ce produit n'est pas encore dans le commerce,** n'est pas encore en vente. **2.** Le commerce, les commerçants. *Le petit commerce.* **3.** Un commerce, magasin de détail. *Ouvrir, tenir un commerce.* **4.** Trafic (de choses morales). *Un commerce honteux.* — Loc. *Il fait commerce de son nom.* **II.** Littér. Relations que l'on entretient dans la société. ⇒ **fréquentation, rapport.** Loc. *Être d'un commerce agréable.* ▶ *commerçant, ante* [kɔmɛʀsɑ̃, ɑ̃t] n. et adj. **1.** N. Personne qui fait du commerce (notamment du commerce de détail) par profession. ⇒ **marchand, négociant.** *Un commerçant honnête. Commerçant en gros* ⇒ **grossiste,** *en détail* ⇒ **détaillant.** *Le magasin d'un commerçant.* **2.** Adj. Qui a le sens du commerce. *Elle est très commerçante.* — *Où il y a de nombreux commerces. Rue très commerçante.* ▶ *commercer* v. intr. ◦ conjug. 3. ■ Faire du commerce. *La France commerce avec tous les pays du monde.* ▶ *commercial, iale, iaux* adj. **1.** Qui a rapport au commerce. *Droit commercial. Société commerciale. Opérations commerciales.* **2.** Fam. Se dit d'une œuvre destinée uniquement au succès commercial. *Un film commercial* (opposé à *artistique*). ▶ *commercialement* adv. ■ Du point de vue commercial. *C'est un produit commercialement rentable.* ▶ *commercialiser* v. tr. ◦ conjug. 1. ■ Rendre (qqch.) l'objet d'un commerce. ▶ *commercialisation* n. f. ■ *La commercialisation d'un produit.*

commère [kɔmɛʀ] n. f. ■ Femme qui sait et colporte toutes les nouvelles. ⇒ **bavard.** *Propos de commère.* ⇒ **commérage.** ⟨ ▶ commérage ⟩

① *commettre* [kɔmɛtʀ] v. tr. ◦ conjug. 56. **1.** Accomplir, faire (une action blâmable ou regrettable). *Commettre une maladresse, une imprudence. Commettre une injustice à l'égard de qqn. Commettre un délit, un crime.* ⇒ **perpétrer.** **2.** V. pron. passif. SE COMMETTRE. *De nombreuses fautes se commettent par étourderie.* — Impers. *Il s'est commis beaucoup d'atrocités pendant la guerre.* **3.** Vx. Mettre (qqn) dans une charge. ⟨ ▶ commis, commissaire, commission ⟩

② *se commettre* v. pron. ◦ conjug. 56. ■ Compromettre sa dignité, son caractère, ses intérêts. *Elle s'est commise avec des gens méprisables.*

comminatoire [kɔminatwaʀ] adj. ■ Destiné à intimider. ⇒ **menaçant.** *Ton, lettre comminatoire.*

commis [kɔmi] n. m. invar. **1.** Agent subalterne (administration, banque, bureau, maison de commerce). ⇒ **employé.** *Les commis d'un grand magasin.* ⇒ **vendeur.** *Commis aux écritures.* **2.** *Les* GRANDS COMMIS *de l'État :* hauts fonctionnaires. **3.** Vx. COMMIS VOYAGEUR : représentant, voyageur de commerce.

commisération [kɔmizeʀasjɔ̃] n. f. ■ Sentiment de pitié qui fait prendre part à la misère d'autrui. ⇒ **compassion, miséricorde.** *Éprouver, avoir de la commisération pour qqn.* / contr. **dureté, indifférence** /

commissaire [kɔmisɛʀ] n. m. **1.** Fonctionnaire chargé de fonctions spéciales. *Commissaire du gouvernement.* **2.** COMMISSAIRE AUX COMPTES : agent de surveillance qui vérifie les comptes des administrateurs d'une société anonyme. **3.** Personne qui vérifie qu'une épreuve sportive se déroule régulièrement. **4.** COMMISSAIRE (DE POLICE) : officier de police judiciaire (supérieur à l'*inspecteur*). *Commissaire divisionnaire, principal.* **5.** COMMISSAIRE DE LA RÉPUBLIQUE : en France, appellation conférée aux préfets en 1982 dans le cadre de la réforme de la décentralisation. ▶ *commissaire-priseur* n. m. ■ Officier ministériel chargé de l'estimation des objets mobiliers et de leur vente aux enchères. *Des commissaires-priseurs.* ▶ *commissariat* n. m. **1.** Emploi, fonction de commissaire. **2.** Bureau et services d'un commissaire de police. *Faire une déclaration de perte au commissariat.*

① *commission* [kɔmisjɔ̃] n. f. **1.** Message oral qu'on charge qqn de transmettre. *J'ai une commission pour toi de la part de tes parents.* **2.** Action d'aller chercher ou de porter un objet pour qqn. *On l'a envoyé faire une commission.* — Au plur. *Les commissions,* les achats de provision pour l'usage quotidien. ⇒ **course, emplette.** **3.** Lang. enfantin. *Faire la grosse, la petite commission,* aller à la selle, uriner. ⇒ fam. faire **caca,** faire **pipi.** **4.** Droit, commission. Charge, mandat. *Faire la commission,* acheter, placer des marchandises pour le compte d'un autre. **5.** Pourcentage qu'un intermédiaire perçoit pour sa rémunération. ⇒ **prime.** *Toucher quinze pour cent de commission.* ▶ *commissionnaire* n. **1.** Personne dont le métier est de faire les commissions du public. ⇒ **coursier, porteur.** **2.** Personne qui agit pour le compte d'une autre, dans une opération commerciale.

② *commission* n. f. ■ Réunion de personnes déléguées pour étudier un projet, préparer ou contrôler un travail. ⇒ **bureau, comité.** *Être membre d'une commission. Commissions parlementaires. Commission d'enquête.*

commissure [kɔmisyʀ] n. f. ■ Point de jonction (des lèvres). *Commissures des lèvres,* aux angles de la bouche.

① *commode* [kɔmɔd] adj. **1.** Qui se prête aisément à l'usage qu'on en fait. ⇒ **pratique.** *Un habit commode. Lieu commode pour la conversation. Commode à manier.* / contr. **incommode** / **2.** (Action) Facile, simple. *Ce que vous me demandez là n'est pas commode.* / contr. **difficile** / Fam. *C'est trop commode,* c'est une solution de facilité. **3.** (Personnes ; négatif) *Il n'est pas commode,* il est sévère, exigeant. *Être peu commode à vivre.* ▶ *commodément* adv. ■ D'une manière commode. *S'installer commodément,* à son aise. ▶ *commodité* n. f. **1.** Qualité de ce qui est commode. ⇒ **agrément.** *La commodité d'un lieu. Pour plus de commodité.* / contr. **incommodité** / **2.** Au plur. *Les commodités de la vie*, ce qui rend la vie plus agréable, plus confortable. ⇒ **aise. 3.** Équipement apportant le confort à un logement. *Cet appartement est pourvu de toutes les commodités.* ⟨ ▶ accommoder, incommode, incommoder, malcommode, ① raccommoder ⟩

② *commode* n. f. ■ Meuble à hauteur d'appui, muni de tiroirs, où l'on range le linge, des objets.

commodore [kɔmɔdɔʀ] n. m. ■ Officier de marine britannique ou américain qui vient immédiatement au-dessous du contre-amiral.

commotion [kɔmosjɔ̃] n. f. **1.** Ébranlement violent (de l'organisme ou d'une de ses parties) par un choc direct ou indirect. ⇒ **traumatisme.** *Commotion cérébrale.* **2.** Violente émotion. ⇒ **bouleversement, ébranlement.** *La mort de son fils a été une terrible commotion pour elle.* ▶ *commotionner* v. tr. ▪ conjug. 1. ■ (Suj. chose) Frapper (qqn) d'une commotion. ⇒ **choquer, traumatiser.** *La décharge électrique, cette émotion l'a fortement commotionné.*

commuer [kɔmɥe] v. tr. ▪ conjug. 1. ■ Changer (une peine) en une peine moindre. *La sentence de prison à perpétuité a été commuée en quinze ans* (⇒ **commutation**). ≠ *commuter.*

① *commun, une* [kɔmœ̃, yn] adj. **I. 1.** Qui appartient, qui s'applique à plusieurs personnes ou choses. *La salle commune d'un café. Avoir des intérêts communs avec qqn. Tout est commun entre eux. Un but commun. Avoir des caractères communs.* ⇒ **comparable, identique, semblable.** / contr. **différent, distinct, particulier** / *Le plus petit commun multiple.* — COMMUN À [kɔmœ̃a] : propre également à (plusieurs). *Mur mitoyen, commun à deux propriétés.* **2.** Qui se fait ensemble, à plusieurs. / contr. **individuel** / *Œuvre commune.* ⇒ **collectif.** *Vie commune. D'un commun accord* [dœ̃kɔmœ̃nakɔʀ]. ⇒ **unanimement.** — EN COMMUN : ensemble. *Personnes qui vivent en commun. Mettre en commun,* partager. **3.** Qui appartient au plus grand nombre ou le concerne. ⇒ **général, public, universel** / contr. **particulier** / *L'intérêt, le bien commun.* — NOM COMMUN : (Grammaire) nom de tous les individus de la même espèce (opposé à *nom propre*). *« Arbre », « livre » sont des noms communs.* — Loc. N. m. *Le commun des mortels,* la majorité (opposé aux *privilégiés*). **II. 1.** Qui est ordinaire. ⇒ **banal, courant, habituel.** / contr. **exceptionnel, extraordinaire** / *C'est une réaction assez commune.* — PEU COMMUN : *Il est d'une force peu commune,* très grande. — N. m. *Hors du commun,* extraordinaire. **2.** Qui se rencontre fréquemment. ⇒ **répandu.** *Une variété commune. Lieu* commun.* **3.** (Personnes, manières) Qui n'appartient pas à l'élite, n'est pas distingué. ⇒ **quelconque, vulgaire.** / contr. **distingué** / *Il a des manières très communes.* ⟨ ▶ communauté, communément, communier (2), communisme, communs, excommunier ⟩

② *commun(s)* ⇒ communs.

communal, ale, aux [kɔmynal, o] adj. ■ Qui appartient à une commune. *École communale* ou, n. f., *la communale.* ⟨ ▶ intercommunal ⟩

communard, arde [kɔmynaʀ, aʀd] n. et adj. ■ Partisan de la Commune de Paris, socialiste et patriote, en 1871.

communauté [kɔmynote] n. f. **I. 1.** Groupe social dont les membres vivent ensemble, ou ont des biens, des intérêts communs. ⇒ **collectivité.** *Une petite communauté d'écologistes. Vivre en communauté,* en mettant tout en commun. *Communauté*

nationale, État, nation. **2.** Groupe de religieux qui vivent ensemble. ⇒ **congrégation, ordre. 3.** Groupe d'États. *La Communauté économique européenne (C.E.E.).* **II.** État, caractère de ce qui est commun. *Leur communauté de goûts, de vues.* ⇒ **accord, unité.** *Une communauté d'idées, d'intérêts, d'affections.* **III.** Régime où les biens des deux époux sont communs ; ces biens. *Être marié sous le régime de la communauté.* ▶ *communautaire* adj. ■ Qui a rapport à la communauté, à une communauté. *Vie communautaire.*

commune [kɔmyn] n. f. **1.** La plus petite subdivision administrative du territoire (français), administrée par un maire, des adjoints et un conseil municipal. ⇒ **municipalité. 2.** Dans l'histoire. Ville administrée par ses citoyens (indépendante du seigneur féodal). — *La Commune,* la municipalité de Paris, qui devint Gouvernement révolutionnaire (⇒ **communard**). **3.** *La Chambre des communes* et, ellipt, *les Communes,* la chambre élective (chambre basse), en Grande-Bretagne. ⟨ ▶ communal, communard ⟩

communément [kɔmynemɑ̃] adv. ■ Suivant l'usage commun, ordinaire. ⇒ **couramment, habituellement, ordinairement.** *On dit communément...* / contr. **exceptionnellement, rarement** /

communiant, ante [kɔmynjɑ̃, ɑ̃t] n. ■ Personne, enfant qui communie. *Premier communiant,* qui fait sa première communion. — Fig. *Ce n'est pas un PREMIER COMMUNIANT : un naïf.*

communier [kɔmynje] v. intr. ▪ conjug. 7. **1.** Relig. catholique. Recevoir le sacrement de l'eucharistie. *Communier sous les deux espèces.* **2.** Être en union spirituelle (⇒ **communion**). ▶ *communion* n. f. **1.** Le fait de communier, de recevoir le sacrement de l'eucharistie. *Table de communion. La première communion. La communion privée, solennelle.* — Partie de l'office au cours de laquelle a lieu la communion. **2.** Union de ceux qui ont la même religion. *La communion des fidèles.* **3.** *Être* EN COMMUNION *d'idées, de sentiments avec* : partager les mêmes idées, etc. ⇒ **accord.** ⟨ ▶ communiant, excommunier ⟩

communiquer [kɔmynike] v. ▪ conjug. 1. **I. V. tr. 1.** Faire connaître (qqch. à qqn). ⇒ **divulguer, livrer, publier.** *Communiquer une nouvelle, un renseignement à qqn.* ⇒ **révéler.** *Communiquer ses sentiments à qqn.* **2.** Faire partager. *Il nous a communiqué son enthousiasme.* **3.** (Choses) Rendre commun à ; transmettre (qqch.). *Corps qui communique son mouvement à un autre. Le Soleil communique sa lumière et sa chaleur à la Terre.* **II. V. intr. 1.** Être, se mettre en relation. *Communiquer avec un ami. Deux personnes qui communiquent par lettres* ⇒ **correspondre,** *par téléphone, radio, etc.* **2.** (Choses) Être en rapport avec, par un passage. *Cette chambre communique avec la salle de bains. Corridor qui fait communiquer plusieurs pièces.* ⇒ **desservir.** ▶ *communiqué* n. m. ■ Avis qu'un service compétent communique au public. ⇒ **annonce, bulletin, note.** *Des communiqués de presse. Le communiqué des opérations* (en temps de guerre). ▶ *communicable* adj. ■ Qui peut, qui doit être communiqué. *Une impression difficilement communicable.* ▶ *communicant, ante* adj. ■ Qui communique, établit une communication. *Des chambres communicantes.* — REM. Ne pas confondre avec *communiquant* (part. prés. de *communiquer*). ▶ *communicatif, ive* adj. **1.** Qui se communique facilement. *Rire communicatif.* ⇒ **contagieux. 2.** (Personnes) Qui aime à communiquer ses idées, ses sentiments. ⇒ **expansif.** *Vous n'êtes pas très communicatif, aujourd'hui.* / contr.

secret, taciturne / ▶ *communication* n. f. **1.** Le fait de communiquer, d'établir une relation avec (qqn, qqch.). *Communication entre deux personnes. Être EN COMMUNICATION avec un ami, un correspondant.* ⇒ **correspondance, rapport.** — Toute relation dynamique qui intervient dans un fonctionnement. *Théorie des communications.* ⇒ ① **information** (II). *Étude du sens et de la communication.* ⇒ **sémiologie, sémiotique. 2.** Action de communiquer qqch. à qqn ; résultat de cette action. ⇒ ① **information** (I). *La communication d'une nouvelle à un journaliste. Demander communication d'un dossier.* — *Une communication, message, information. J'ai une communication très importante à vous faire.* ⇒ **message. 3.** Moyen technique par lequel des personnes communiquent ; message qu'elles se transmettent. ⇒ **transmission.** *Une communication téléphonique.* Ellipt. *Je vous passe votre communication.* **4.** Ce qui permet de communiquer dans l'espace ; passage d'un lieu à un autre. *Couper les communications,* les voies. — *Porte DE COMMUNICATION. Voie, moyens de communication.* ⟨ ▶ radio-communication, télécommunication ⟩

communisant, ante [kɔmynizɑ̃, ɑ̃t] adj. et n.
■ Qui sympathise avec les communistes. *Des ouvriers communisants.*

communisme [kɔmynism] n. m. **1.** Organisation politique, sociale, fondée sur la propriété collective. ⇒ **collectivisme, socialisme. 2.** Système social où les biens de production appartiennent à la communauté. *Première phase (étatique, socialiste) du communisme.* / contr. **capitalisme** / **3.** Politique, doctrine des partis communistes. *Le communisme russe, chinois. Communisme léniniste.* ▶ *communiste* adj. et n. **1.** Du communisme. *Doctrines communistes.* **2.** Qui cherche à faire triompher la cause de la révolution sociale. *Parti communiste.* **3.** Qui appartient aux organisations, aux États qui se réclament du marxisme. **4.** Adj. et n. Partisan du communisme. — Membre d'un parti communiste. — Abrév. fam. COCO. *Les cocos.* ⟨ ▶ anti-communisme, communisant ⟩

communs [kɔmœ̃] n. m. pl. ■ Ensemble des bâtiments servant aux cuisines, aux garages, aux écuries. *Les communs d'un château.*

commuter [kɔmyte] v. intr. . conjug. 1. ■ Modifier en substituant un élément à un autre. *Faire commuter deux éléments, deux mots dans une phrase.* ≠ *commuer.* ▶ *commutateur* n. m. ■ Appareil permettant de modifier un circuit électrique ou les connexions entre circuits. ⇒ **bouton, interrupteur.** ▶ *commutation* n. f. **1.** Substitution, remplacement. **2.** COMMUTATION DE PEINE : substitution d'une peine plus faible à la première peine (⇒ **commuer**).

compact, acte [kɔpakt] adj. **1.** Qui est formé de parties serrées, dont les éléments constitutifs sont très cohérents. ⇒ **dense, serré.** *Bloc, pâté d'immeubles compact. Foule compacte.* / contr. **dispersé** / **2.** (Voitures, mécanismes) D'un faible encombrement relatif. — *Disque compact, audionumérique*. Des disques compacts.* ▶ *compacité* n. f. ■ Didact. Caractère de ce qui est compact.

compagne [kɔ̃paɲ] n. f. **1.** Camarade (femme). *Des, ses compagnes d'école, de travail.* ⇒ fam. **copine. 2.** Littér. Épouse, concubine, maîtresse. ⇒ **ami.** ⟨ ▶ compagnon ⟩

compagnie [kɔ̃paɲi] n. f. **1.** Présence auprès de qqn, fait d'être avec qqn. *Apprécier, rechercher la compagnie de qqn.* ⇒ **présence, société.** / contr. **isolement, solitude** / — Loc. *Aller DE COMPAGNIE avec.* ⇒ **accompagner.** *Voyager de compagnie,* ensemble. — *Dame de compagnie,* qui reste auprès d'une

personne âgée, malade. — *Dans la compagnie,* EN COMPAGNIE *de...* : avec. — *Fausser compagnie à.* ⇒ **quitter.** *Tenir compagnie à,* rester auprès de. *Sa fille lui tient compagnie.* — *Être de bonne (mauvaise) compagnie,* bien (mal) élevé. **2.** Vx. Réunion de personnes. — Loc. fam. *Bonsoir, salut la compagnie !* **3.** Association de personnes que rassemblent des statuts communs. ⇒ **entreprise, société.** *Compagnie commerciale, financière. Compagnie d'assurances. Compagnie aérienne,* entreprise de transport aérien. — *Troupe théâtrale permanente.* ⇒ **théâtre.** *Les jeunes compagnies.* **4.** Unité de formation d'infanterie placée sous les ordres d'un capitaine. *Les compagnies d'un bataillon. Les sections d'une compagnie.* — *La Compagnie républicaine de sécurité.* ⇒ **C.R.S.** ⟨ ▶ accompagner ⟩

compagnon [kɔ̃paɲɔ̃] n. m. **1.** Personne qui partage la vie, les occupations d'autres personnes, par rapport à elles. ⇒ **camarade, copain ; compagne.** *Compagnon d'études* ⇒ **condisciple,** *de travail* ⇒ **collègue,** *de voyage. Compagnon d'infortune. Le compagnon d'une femme.* ⇒ **ami** (correspond à *compagne*). **2.** Celui qui n'est plus apprenti et n'est pas encore artisan, dans certains métiers. *Les compagnons du Tour de France.* ▶ *compagnonnage* n. m. ■ Associations de solidarité entre ouvriers, dans l'ancien système des corporations.

comparable [kɔ̃paʀabl] adj. ■ Qui peut être comparé (avec qqn ou avec qqch.). ⇒ **analogue, approchant.** *Rien n'est comparable à cela.* / contr. **incomparable** /

comparaison [kɔ̃paʀɛzɔ̃] n. f. **1.** Le fait d'envisager ensemble (deux ou plusieurs objets de pensée) pour en chercher les différences ou les ressemblances. ⇒ **comparer ; rapprochement.** *Établir une comparaison entre... ; faire la comparaison. Mettre une chose EN COMPARAISON avec une autre.* ⇒ en **parallèle.** *Soutenir la comparaison.* — *Adverbes de comparaison,* indiquant un rapport de supériorité, d'égalité ou d'infériorité (ex. : *plus, autant*). — *Degrés de comparaison,* positif, comparatif, superlatif. **2.** Loc. EN COMPARAISON DE : par rapport à. ⇒ **auprès de, relativement à.** — *Par comparaison à, avec.* — *Sans comparaison,* d'une manière nette, évidente. *Ce pays est le plus riche, sans comparaison, de toute l'Afrique.* **3.** Rapport établi entre un objet et un autre terme, dans le langage. ⇒ **image, métaphore.** « *Beau comme le jour* », « *gai comme un pinson* » sont des comparaisons.

comparaître [kɔ̃paʀɛtʀ] v. intr. . conjug. 57. ■ Se présenter par ordre. *Comparaître en jugement, en justice. Comparaître devant un juge* (⇒ **comparution**).

comparatif, ive [kɔ̃paʀatif, iv] adj. et n. m. **1.** Adj. Qui contient ou établit une comparaison. *Méthode, étude comparative.* **2.** N. m. *Le comparatif,* le second degré dans la signification des adjectifs. *Comparatif de supériorité* ⇒ **plus,** *d'égalité* ⇒ **aussi,** *d'infériorité* ⇒ **moins.** *Adjectifs, adverbes au comparatif.* « *Plus vieux* », « *moins longtemps* » sont des comparatifs de « *vieux* », « *longtemps* ». *Comparatif irrégulier* (ex. : *meilleur, pire*). ▶ *comparativement* adv. ■ Par comparaison. *Comparativement à autre chose. Il fait froid ce mois-ci, comparativement à l'année dernière.*

comparer [kɔ̃paʀe] v. tr. . conjug. 1. **1.** Examiner les rapports de ressemblance et de différence de..., entre... ⇒ **confronter, rapprocher ; comparaison.** *Comparer un écrivain avec un autre, à un autre. Comparer plusieurs artistes entre eux.* — Sans compl. *Comparez avant de choisir.* **2.** Rapprocher en vue d'assimiler ; mettre en parallèle. *Comparer la vie à une aventure. Ces choses ne sauraient se comparer.*

▶ *comparé, ée* adj. ■ Qui étudie les rapports entre plusieurs objets d'étude. *Anatomie comparée. Littérature comparée*, étudiant les influences, les échanges entre littératures. ▶ *comparatisme* n. m. ■ Étude comparée. — Littérature comparée. ▶ *comparatiste* adj. et n. ■ Spécialiste d'une science comparée, de la littérature comparée. ⟨ ▶ comparable, comparaison, comparatif ⟩

comparse [kɔ̃paʀs] n. ■ Personnage dont le rôle est insignifiant.

compartiment [kɔ̃paʀtimɑ̃] n. m. **1.** Division pratiquée dans un espace pour loger des personnes ou des choses en les séparant. ⇒ **case.** *Coffre, tiroir à compartiments.* **2.** Division d'une voiture de chemin de fer (voyageurs), délimitée par des cloisons. *Compartiment (pour) non-fumeurs.* **3.** Subdivision d'une surface (par des figures régulières). *Les compartiments d'un damier.* **4.** Abstrait. Division. ▶ *compartimenter* v. tr. ■ conjug. 1. ■ Diviser en compartiments, par classes, par catégories nettement séparées. ⇒ **cloisonner.** *Une société très compartimentée.* ▶ *compartimentage* n. m.

comparution [kɔ̃paʀysjɔ̃] n. f. ■ Action de comparaître.

compas [kɔ̃pa] n. m. invar. **1.** Instrument composé de deux branches jointes par une charnière et que l'on écarte plus ou moins pour mesurer des angles, tracer des circonférences. *Tracer un cercle au compas.* — Loc. *Avoir le compas dans l'œil*, juger à vue d'œil, avec une grande précision. **2.** Instrument formé d'une aiguille aimantée placée sur un pivot et portant la rose des vents, utilisé par les marins. ⇒ **boussole.** *Compas gyroscopique. Naviguer au compas.*

compassé, ée [kɔ̃pa(ɑ)se] adj. ■ Dont le comportement est affecté et guindé. *Un homme compassé.* / contr. **naturel, simple** / *Manières compassées.*

compassion [kɔ̃pa(ɑ)sjɔ̃] n. f. ■ Sentiment qui porte à plaindre et à partager les maux d'autrui. ⇒ **sympathie ; commisération, miséricorde, pitié.** *Avoir de la compassion pour qqn.* ⇒ **compatir.** / contr. **dureté, indifférence** /

compatible [kɔ̃patibl] adj. ■ Qui peut s'accorder avec autre chose, exister en même temps. ⇒ **conciliable.** *Des caractères compatibles. La fonction de préfet n'est pas compatible avec celle de député.* / contr. **incompatible** / ▶ *compatibilité* n. f. ■ *Compatibilité d'humeur.* ⟨ ▶ incompatibilité ⟩

compatir [kɔ̃patiʀ] v. tr. ind. ■ conjug. 2. — COMPATIR À. ■ Avoir de la compassion pour (une souffrance). ⇒ s'**apitoyer, s'attendrir.** *Il compatit à notre douleur.* ▶ *compatissant, ante* adj. ■ Qui prend part aux souffrances d'autrui. *Il est compatissant aux malheurs d'autrui. Un regard compatissant.* / contr. **dur, insensible** /

compatriote [kɔ̃patʀijɔt] n. ■ Personne originaire du même pays qu'une autre. *Nous sommes compatriotes. Aider un compatriote.* ⇒ **citoyen, concitoyen.**

compenser [kɔ̃pɑ̃se] v. tr. ■ conjug. 1. ■ Équilibrer (un effet par un autre). ⇒ **contrebalancer, corriger, neutraliser.** *Compenser une perte par un gain.* — Sans compl. *Pour compenser, je t'emmènerai au théâtre.* — Pronominalement (récipr.). *Leurs caractères se compensent.* ▶ *compensé, ée* adj. ■ Équilibré. *Semelle compensée*, qui forme un seul bloc avec le talon (chaussures hautes). ▶ *compensateur, trice* adj. ■ Qui compense. *Bénéfice compensateur d'une perte.* ▶ *compensation* n. f. **1.** Avantage qui compense (un désavantage). *Compensation reçue pour des services rendus, des dommages.* ⇒ **indemnité ;**

dédommagement, réparation. — EN COMPENSATION : en revanche. *Si l'appartement est petit, en compensation nous avons une vue magnifique.* **2.** L'action, le fait de compenser, de rendre égal. *Compensation entre les gains et les pertes.* ⟨ ▶ récompense ⟩

compère [kɔ̃pɛʀ] n. m. **1.** Vx. Terme d'amitié. Ami, camarade. *Compère le renard.* **2.** Celui qui, sans qu'on le sache, est de connivence avec qqn pour abuser le public ou faire une supercherie. ⇒ **acolyte.** *Le prestidigitateur avait deux compères dans la salle.*

compère-loriot [kɔ̃pɛʀlɔʀjo] n. m. ■ Petit bouton du bord de la paupière. ⇒ **orgelet.** *Des compères-loriots.*

compétence [kɔ̃petɑ̃s] n. f. **1.** Connaissance approfondie, reconnue, qui confère le droit de juger ou de décider en certaines matières. ⇒ **capacité, qualité.** / contr. **incompétence** / *Avoir de la compétence, des compétences. Elle s'est occupée de cette affaire avec compétence. Cela n'entre pas dans mes compétences.* — Fam. Personne compétente. *C'est une compétence en la matière.* **2.** Aptitude légale ; aptitude d'une juridiction à instruire et juger un procès. *Cette affaire relève de la compétence du préfet.* ⇒ **attribution, domaine, ressort.** ▶ *compétent, ente* adj. **1.** Capable de bien juger d'une chose en vertu de sa connaissance approfondie en la matière. ⇒ **capable, expert, qualifié.** *Un critique compétent. Il est compétent en archéologie.* / contr. **incompétent** / **2.** Qui a la compétence légale, juridique. *Le tribunal compétent est la cour d'appel d'Aix.* ⟨ ▶ incompétence, incompétent ⟩

compétitif, ive [kɔ̃petitif, iv] adj. ■ Qui peut supporter la concurrence du marché. ⇒ **concurrentiel.** *Prix compétitifs.* ▶ *compétition* n. f. **1.** Recherche simultanée par deux ou plusieurs personnes d'un même avantage, d'un même résultat. ⇒ **concurrence, rivalité.** *Compétition entre partis politiques. Sortir vainqueur d'une compétition.* **2.** *Compétition sportive*, épreuve disputée entre plusieurs concurrents. ⇒ **match.** *Sport de compétition.*

compilateur, trice n. **1.** Didact. Personne qui réunit des documents dispersés. **2.** Péj. Auteur qui emprunte aux autres. ⇒ **plagiaire.** ▶ *compilation* n. f. ■ Rassemblement de documents. — REM. On emploie aussi le verbe *compiler*, ■ conjug. 1.

complainte [kɔ̃plɛ̃t] n. f. ■ Chanson populaire d'un ton plaintif. *Des complaintes de matelots.*

complaire [kɔ̃plɛʀ] v. tr. ind. ■ conjug. 54. **1.** Littér. *Complaire à qqn*, lui être agréable. / contr. **déplaire** / **2.** SE COMPLAIRE (À, DANS) v. pron. réfl. : trouver son plaisir, sa satisfaction. *Se complaire dans son erreur. Elles se sont complu à faire, à dire cela.* ⇒ **aimer.** ▶ *complaisance* [kɔ̃plɛzɑ̃s] n. f. **1.** Disposition à s'accommoder aux goûts, aux sentiments d'autrui pour lui plaire. *Attendre qqch. de la complaisance de qqn. Montrer de la complaisance.* ⇒ **amabilité, empressement, serviabilité.** — Péj. *Sourire, rire* DE COMPLAISANCE : en vue de plaire, peu sincère. *Certificat de complaisance*, délivré à une personne qui n'y a pas droit. **2.** Sentiment dans lequel on se complaît par faiblesse, vanité. ⇒ **contentement, satisfaction.** *S'écouter, se regarder avec complaisance*, être content de soi. ▶ *complaisant, ante* adj. **1.** Qui a de la complaisance envers autrui. ⇒ **aimable, empressé, prévenant.** *Vous n'êtes pas très complaisant. Elle s'est montrée complaisante envers (pour) lui.* — *Mari complaisant*, qui ferme les yeux sur les intrigues galantes de sa femme. **2.** Qui a ou témoigne de la complaisance envers soi-même. ⇒ **indulgent.** *Se regarder d'un œil complaisant.* ⇒ **satisfait.**

▶*complaisamment* adv. ■ Avec ou par complaisance. *Il m'a écouté complaisamment.*

complément [kɔ̃plemɑ̃] n. m. **1.** Ce qui s'ajoute ou doit s'ajouter à une chose pour qu'elle soit complète. ⇒ **achèvement.** — *Un complément d'information. Fournir le complément d'une somme d'argent.* **2.** Mot ou proposition rattaché(e) à un autre mot ou à une autre proposition, pour en compléter ou en préciser le sens. *Mot employé en fonction de complément. Complément du nom, du verbe, de l'adjectif. Nature du complément : déterminatif, explicatif ; complément d'objet, d'attribution, de circonstance, d'agent* (avec un verbe passif). *Le complément indirect est introduit par une préposition.* **3.** *Complément d'un angle,* ce qu'il faut lui ajouter pour obtenir un angle droit. ▶ *complémentaire* adj. **1.** Qui apporte un complément. *Renseignement complémentaire.* / contr. **principal** / **2.** (⇒ **complément,** 3) *Angle, nombre, arc complémentaire.* **3.** *Couleurs complémentaires,* dont la combinaison donne la lumière blanche. ▶ *complémenter* v. tr. ▪ conjug. 1. ■ Rendre complet ⇒ **compléter,** par un complément.

① *complet, ète* [kɔ̃plɛ, ɛt] adj. **1.** Auquel ne manque aucun des éléments qui doivent le constituer. / contr. **incomplet** / *Un assortiment complet. Les œuvres complètes de Molière. Aliment complet,* qui réunit tous les éléments nécessaires à l'organisme humain. *Pain complet,* qui renferme aussi du son. **2.** Qui a un ensemble achevé de qualités, de caractères. / contr. **imparfait** / *Donner une idée, une image complète de qqch. Une étude complète.* ⇒ **exhaustif.** *Ruine, destruction complète.* ⇒ **total.** **3.** (Sens faible : avant ou après le nom) Qui possède tous les caractères de son genre. ⇒ **accompli, achevé, parfait.** *C'est un complet idiot. Il est tombé dans un complet discrédit, dans un discrédit complet.* **4.** Tout à fait réalisé. *Dans l'obscurité complète.* ⇒ **absolu.** — Écoulé. *Dix années complètes.* ⇒ **accompli, révolu.** **5.** Avec toutes les parties, tous les éléments qui le composent en fait. ⇒ **entier, total.** *Son mobilier complet se réduit à deux chaises.* — N. m. AU GRAND COMPLET : en entier. ⇒ **intégralement.** *Le parti, au complet, a approuvé son chef.* ⇒ à l'**unanimité. 6.** Qui n'a plus de place disponible. ⇒ **bondé, bourré, plein.** *Train complet.* / contr. **vide** / ▶ *complètement* adv. **1.** D'une manière complète. ⇒ **entièrement.** *Lire un ouvrage complètement.* **2.** Tout à fait, vraiment. *Il est complètement fou, idiot.* ⟨ ▶ compléter ⟩

② *complet* n. m. ▪ Vêtement masculin en deux (ou trois) pièces assorties : veste, pantalon (et gilet). ⇒ **costume ;** fam. **costard.** *Des complets* ou *des complets-veston.*

compléter [kɔ̃plete] v. tr. ▪ conjug. 6. **1.** Rendre complet. *Compléter une collection, l'assortiment d'un magasin.* **2.** SE COMPLÉTER v. pron. : se parfaire en s'associant. *Leurs caractères se complètent.* (Passif) Être complété. ▶ *complétif, ive* adj. ■ (Propositions) Qui joue le rôle d'un complément. — N. f. *Une complétive.*

① *complexe* [kɔ̃plɛks] adj. **1.** Qui contient, qui réunit plusieurs éléments différents. *Question, problème complexe* (⇒ **complexité**). **2.** Difficile, à cause de sa complication. ⇒ **compliqué.** / contr. **clair, simple** / ⟨ ▶ complexité ⟩

② *complexe* n. m. ■ Ensemble des traits personnels, acquis dans l'enfance, doués d'une puissance affective et généralement inconscients. *Complexe d'infériorité,* ensemble des conduites manifestant une lutte contre un pénible sentiment d'infériorité. Fam. *Avoir des complexes,* être timide. *Ça lui donnait des*

complexes. ▶ *complexé, ée* adj. et n. ■ Fam. Timide, inhibé. ⟨ ▶ décomplexer ⟩

③ *complexe* n. m. ■ Grand ensemble industriel. *Un complexe minier.* — Ensemble de bâtiments groupés en fonction de leur utilisation. *Un complexe universitaire.*

complexion [kɔ̃plɛksjɔ̃] n. f. ■ Littér. Constitution, tempérament. *Être d'une complexion délicate, faible.* ⇒ **nature.**

complexité [kɔ̃plɛksite] n. f. ■ État, caractère de ce qui est complexe. *Un problème d'une effroyable complexité.* ⇒ **complication, difficulté.** / contr. **simplicité** /

complication [kɔ̃plikasjɔ̃] n. f. **1.** Caractère de ce qui est compliqué. *La complication d'une machine.* ⇒ **complexité.** *La situation est d'une complication inextricable.* / contr. **simplicité** / **2.** Concours de circonstances capables de créer des embarras, d'augmenter une difficulté. *Éviter, fuir les complications.* **3.** Au plur. Phénomènes morbides nouveaux, au cours d'une maladie. ⇒ **aggravation.** *Le médecin craint des complications.*

complice [kɔ̃plis] adj. et n. **1.** Qui participe avec qqn à une action répréhensible. *Être complice d'un vol.* **2.** Qui favorise l'accomplissement d'une chose. *Le silence, la nuit semblaient complices.* **3.** N. *L'auteur du crime et ses complices ont été arrêtés.* ⇒ **acolyte.** ▶ *complicité* n. f. **1.** Participation à la faute, au délit ou au crime commis par un autre. *Être accusé de complicité de meurtre.* **2.** Entente profonde, spontanée entre personnes. ⇒ **accord, connivence.** *Agir en complicité avec qqn. Une complicité muette.* / contr. **désaccord** /

complies [kɔ̃pli] n. f. pl. ■ Relig. catholique. La dernière heure de l'office divin (après les vêpres).

compliment [kɔ̃plimɑ̃] n. m. **1.** Paroles louangeuses que l'on adresse à qqn pour le féliciter. ⇒ **éloge, félicitation, louange.** / contr. **blâme** / *Faire des compliments à qqn. Tous mes compliments pour votre réussite ! Compliment sincère, hypocrite.* **2.** Paroles de politesse. *Je vous charge de mes compliments pour M. Martin.* **3.** Petit discours adressé à qqn pour lui faire honneur. *Réciter un compliment en vers.* ▶ *complimenter* v. tr. ▪ conjug. 1. ■ Faire un compliment, des compliments à. ⇒ **féliciter.** *Complimenter qqn sur, pour son élégance. Complimenter un élève pour son succès à un examen.* / contr. **blâmer** / ▶ *complimenteur, euse* adj. et n. ■ Qui fait trop de compliments. ⇒ **flatteur.**

compliquer [kɔ̃plike] v. tr. ▪ conjug. 1. **1.** Rendre complexe et difficile à comprendre. ⇒ **embrouiller.** / contr. **simplifier** / *Ce n'est pas la peine de compliquer cette affaire.* **2.** SE COMPLIQUER v. pron. : devenir compliqué. *La situation se complique ; ça se complique.* ▶ *compliqué, ée* adj. **1.** Qui possède de nombreux éléments difficiles à analyser. *Un mécanisme compliqué.* ⇒ **complexe.** / contr. **simple** / *Une histoire compliquée.* ⇒ **confus. 2.** Difficile à comprendre. / contr. **facile** / *Écoutez, ce n'est pas compliqué, vous prenez la première rue à droite.* **3.** Qui aime la complication. *Un esprit compliqué.* — N. Fam. *Vous, vous êtes un compliqué.* ⟨ ▶ complication ⟩

complot [kɔ̃plo] n. m. ■ Projet concerté secrètement (contre qqn, contre une institution). *Faire, tramer un complot. Tremper dans un complot contre l'État.* ⇒ **conjuration, conspiration, machination.** ▶ *comploter* v. ▪ conjug. 1. **1.** V. tr. ind. COMPLOTER DE : Préparer par un complot. *Comploter de tuer qqn.* **2.** V. tr. dir. Préparer secrètement et à plusieurs. ⇒ **mani-**

gancer, tramer. *Qu'est-ce que vous complotez là ? 3.* V. intr. Conspirer, intriguer. *Comploter contre qqn.* ► *comploteur* n. m. ■ ⇒ **conspirateur.**

componction [kɔ̃pɔ̃ksjɔ̃] n. f. ■ Gravité recueillie et affectée. *Il a servi le vin avec componction.* ⇒ **cérémonie.** / contr. **désinvolture** /

comporter [kɔ̃pɔʀte] v. tr. et pron. ■ conjug. 1. **I.** V. tr. Permettre d'être, d'aller avec ; inclure en soi ou être la condition de. ⇒ **contenir, impliquer, inclure.** *Toute règle comporte des exceptions. Cette solution comporte de nombreux avantages.* **2.** Concret. Comprendre en soi. ⇒ **avoir.** *La maison comportait un rez-de-chaussée et un étage.* ⇒ se **composer** de. **3.** SE COMPORTER v. pron. réfl. : se conduire, agir d'une certaine manière. ⇒ **comportement.** *Comment s'est-elle comportée devant cette nouvelle ?* ⇒ **réagir.** ► *comportement* n. m. **1.** Manière de se comporter. ⇒ **attitude, conduite, manière.** *Le comportement d'un auditoire. Le comportement d'un élève en classe.* **2.** Psychologie. Ensemble des réactions objectivement observables. *Psychologie du comportement.*

composer [kɔ̃poze] v. ■ conjug. 1. **I.** V. tr. **1.** Former par la réunion d'éléments. ⇒ **agencer, assembler, constituer.** / contr. **défaire** / *Composer un bouquet de fleurs. — Composer un livre, un poème.* ⇒ **créer, écrire.** *Composer une sonate* (⇒ **compositeur**). **2.** Assembler des caractères d'imprimerie pour former (un texte). *Composer un livre au plomb, avec la linotype* (machine à composer), *par photocomposition* ⇒ **photocomposer.** — *Composer un numéro de téléphone.* **3.** Élaborer, adopter (une apparence, un comportement) ⇒ **affecter.** *Composer son attitude, son maintien.* **4.** (Suj. chose) Constituer en tant qu'élément. *Les pièces qui composent cet ustensile.* **II.** V. intr. **1.** S'accorder (avec qqn ou qqch.) en faisant des concessions. ⇒ **traiter, transiger.** *Composer avec l'ennemi.* **2.** Faire une composition (parfois, pour un examen). *Les élèves sont en train de composer.* **III. 1.** SE COMPOSER v. pron. passif : être formé de. ⇒ **comporter, comprendre.** *La maison se compose de deux étages.* **2.** (ÊTRE) COMPOSÉ, ÉE. *L'assemblée est composée de douze personnes.* ► *composant, ante* adj. et n. **1.** Qui entre dans la composition de qqch. *Corps composant.* ⇒ **élément.** — N. m. UN COMPOSANT : élément d'un corps composé. *L'hydrogène est un composant de l'eau.* — Élément qui entre dans la composition d'un circuit électronique. *L'industrie des composants.* **2.** N. f. UNE COMPOSANTE : en mécanique, partie, force qui se combine pour produire une résultante. — Élément d'un ensemble complexe. ► *composé, ée* adj. et n. m. **1.** Formé de plusieurs éléments. ⇒ **complexe.** / contr. **simple** / *Corps* (*chimique*) *composé,* formé par la combinaison d'un corps simple avec d'autres corps. N. m. *Un composé chimique.* — *Mot composé,* formé de plusieurs mots ou précédé d'un préfixe (ex. : *antigel, chemin de fer, chou-fleur*). — N. m. *Les composés et les dérivés.* — *Temps composé,* formé de l'auxiliaire (avoir, être) et du participe passé du verbe. **2.** N. m. Ensemble formé de parties différentes. ⇒ **amalgame, mélange.** ⟨ ► **composite, compositeur, composition, décomposer** ⟩

composite [kɔ̃pozit] adj. ■ Formé d'éléments très différents. *Style, mobilier composite. Une assemblée composite.* ⇒ **hétérogène.** / contr. **homogène, simple** /

compositeur, trice [kɔ̃pozitœʀ, tʀis] n. **I.** Personne qui compose des œuvres musicales. *Un grand, un célèbre compositeur.* ⇒ **musicien. II.** Personne qui compose des lignes et des pages avec des caractères d'imprimerie. ⇒ **typographe.**

composition [kɔ̃pozisjɔ̃] n. f. **I. 1.** Action ou manière de former un tout en assemblant plusieurs

éléments ; disposition des éléments. ⇒ **agencement, arrangement, organisation, structure.** / contr. **analyse, décomposition** / *La composition d'un mélange. La composition d'un plat. — La composition d'une assemblée,* ce qui la compose. **2.** Imprimerie. Action de composer un texte. *La composition de ce livre est achevée* (⇒ **photocomposition**). **3.** Loc. (Personnes) *Être de bonne composition,* accommodant, facile à vivre. **II. 1.** Surtout en musique. Action de composer (une œuvre d'art) ; façon dont une œuvre est composée. *Pendant la composition de son opéra. Il nous a montré des vers de sa composition. — Une composition,* l'œuvre composée. **2.** *Composition* (*française*), exercice scolaire de français et de littérature. ⇒ **dissertation, rédaction. 3.** Épreuve scolaire comptant pour un classement, en toute matière. *Les compositions trimestrielles. Corriger des compositions. Composition d'histoire.* — Abrév. fam. *Compo,* n. f. *Des compos.* ⟨ ► **photocomposition** ⟩

compost [kɔ̃pɔst] n. m. ■ Engrais végétal.

composter [kɔ̃pɔste] v. tr. ■ conjug. 1. ■ Perforer à l'aide d'un composteur. *Composter un ticket de métro.* — Au p. p. *Billets compostés.* ► *composteur* n. m. ■ Appareil mécanique portant des lettres ou des chiffres amovibles et servant à perforer des billets de chemin de fer, des factures.

compote [kɔ̃pɔt] n. f. **1.** Entremets fait de fruits coupés en quartiers ou écrasés, cuits avec de l'eau et du sucre. ⇒ **marmelade.** *Une compote de pommes.* **2.** Fam. *Avoir la tête, les membres en compote,* meurtris. ► *compotier* [kɔ̃pɔtje] n. m. ■ Plat en forme de coupe (utilisé d'abord pour servir de la compote).

compréhensible [kɔ̃pʀeɑ̃sibl] adj. **1.** Qui peut être compris. ⇒ **clair, intelligible.** *Expliquer qqch. d'une manière compréhensible.* **2.** Qui s'explique facilement. ⇒ **concevable.** *Une attitude compréhensible. C'est très compréhensible.* ⇒ **normal.** / contr. **incompréhensible** / ≠ *compréhensif.*

compréhensif, ive [kɔ̃pʀeɑ̃sif, iv] adj. ■ (Personnes) Qui est apte à comprendre autrui. ⇒ **bienveillant, indulgent, tolérant.** *Des parents compréhensifs. C'est un homme compréhensif, il vous excusera sûrement.* / contr. **borné, incompréhensif** / ≠ *compréhensible.* ► *compréhension* n. f. **1.** Faculté de comprendre ou de percevoir par l'esprit, par le raisonnement. *La compréhension du problème.* ⇒ **intelligence. 2.** (Choses) Possibilité d'être compris. ⇒ **clarté.** *La ponctuation est utile à la compréhension d'un texte.* **3.** Qualité par laquelle on comprend autrui. ⇒ **indulgence, tolérance.** *Être plein de compréhension à l'égard des autres.* ⇒ **compréhensif.** *Manquer de compréhension.* / contr. **incompréhension, intolérance** / ⟨ ► **incompréhension** ⟩

① *comprendre* [kɔ̃pʀɑ̃dʀ] v. tr. ■ conjug. 58. **1.** (Suj. chose) Contenir en soi, être formé de (plusieurs éléments). ⇒ **comporter, se composer, renfermer.** *La péninsule Ibérique comprend l'Espagne et le Portugal.* **2.** (Suj. personne) Faire entrer dans un ensemble. ⇒ **intégrer.** *Le propriétaire a compris les charges dans le prix du loyer.* — COMPRIS, ISE p. p. adj. ⇒ **inclus.** *Le pourboire n'est pas compris. Cent francs, tout compris.* — Loc. invar. Y COMPRIS *qqch., qqn* : qqch., qqn étant compris dans ce qu'on désigne. *Il travaille tous les jours, y compris les dimanches, le dimanche. Tous frais payés, y compris les réparations.* — REM. Si le nom précède la locution, celle-ci s'accorde alors en genre et en nombre. *Tous frais payés, les réparations y comprises* (mais : *y compris les réparations*).

② *comprendre* v. tr. ■ conjug. 58. (Suj. personne) **1.** Avoir une idée nette de ; saisir le sens de. *Fait de* *comprendre qqch.* ⇒ **compréhension.** *Chose facile à comprendre.* ⇒ **compréhensible.** *Chercher à comprendre ce que quelqu'un dit. Comprendre une explication, une plaisanterie.* ⇒ **saisir.** — *Sans compl. Je comprends.* — *Tout comprendre. Comprendre quelque chose à..., comprendre un peu, en partie. Comprends-tu quelque chose aux mathématiques ? Je n'y comprends rien. Faire comprendre.* ⇒ **démontrer, montrer.** *Il parle mieux l'anglais qu'il ne le comprend.* — *Comprendre qqn,* ce qu'il dit, écrit. — *Au p. p. adj. Une leçon bien comprise.* **2.** Se faire une idée claire des causes, des motifs de (qqch.). ⇒ **saisir, sentir.** *Je comprends sa colère, ses raisons.* ⇒ **COMPRENDRE QUE** (+ subjonctif). *Je comprends qu'il soit furieux. Je ne comprends pas qu'il puisse s'ennuyer.* ⇒ **concevoir.** **3.** Se rendre compte de (qqch.). ⇒ **s'apercevoir, voir.** *Il comprenait enfin la gravité de la situation. Ah ! Je comprends !* (→ j'y suis, je vois !). COMPRENDRE POURQUOI, COMMENT (+ indicatif). COMPRENDRE QUE (+ indicatif). *Je comprends qu'il s'ennuyait en ma présence.* **4.** Avoir une attitude compréhensive envers (qqch., qqn). *Comprendre la plaisanterie,* l'admettre sans se vexer. *Comprendre les choses,* avoir l'esprit large. *Je comprends ton père, il n'a pas tout à fait tort de se fâcher. Personne ne me comprend* (⇒ **incompris**). ► *comprenette* [kɔ̃pʁənɛt] n. f. ▪ Fam. Faculté de comprendre. *Il a la comprenette un peu dure, rouillée.* ‹ ► compréhensible, compréhensif, compréhension, incompris ›

compresse [kɔ̃pʁɛs] n. f. ▪ Morceau de linge fin plusieurs fois replié que l'on applique sur une partie malade. ⇒ **pansement.** *Compresse stérilisée.*

compresseur [kɔ̃pʁɛsœʁ] n. m. et adj. m. **1.** Appareil qui comprime les gaz. *Le compresseur d'un moteur Diesel.* **2.** ROULEAU COMPRESSEUR : véhicule muni d'un gros cylindre, employé dans les travaux publics.

compressible [kɔ̃pʁesibl] adj. **1.** Qui peut être comprimé. ⇒ **condensable.** *L'air est compressible.* **2.** Fig. Qui peut être diminué, restreint. *Des dépenses compressibles.* / contr. **incompressible** / ► *compressibilité* n. f. ▪ *La compressibilité des gaz.* — Fig. *La compressibilité des effectifs, des dépenses.*

compression [kɔ̃pʁesjɔ̃] n. f. **1.** Action de comprimer ; son résultat. ⇒ **pression.** *La compression de l'air.* / contr. **dilatation** / **2.** Réduction forcée. *La compression des dépenses. Il y a eu, à l'usine, une compression de personnel.* / contr. **augmentation** /

comprimer [kɔ̃pʁime] v. tr. ▪ conjug. 1. **1.** Exercer une pression sur (qqch.) et en diminuer le volume. ⇒ **presser, serrer ; compression.** *Comprimer une artère pour éviter l'hémorragie. Comprimer un objet entre deux choses.* ⇒ **coincer, écraser.** **2.** Empêcher de se manifester. *Comprimer sa colère, ses larmes.* ⇒ **refouler, retenir.** / contr. **exprimer, extérioriser** / **3.** *Comprimer les dépenses,* les réduire (⇒ **compression**). ► ① *comprimé, ée* adj. ▪ Diminué de volume par pression. *Air comprimé.* ► ② *comprimé* n. m. ▪ Pastille pharmaceutique faite de poudre comprimée. *Prenez deux comprimés dans un verre d'eau.* ≠ *cachet.*

compris ⇒ **comprendre.**

compromettre [kɔ̃pʁɔmɛtʁ] v. tr. ▪ conjug. 56. ▪ Mettre dans une situation dangereuse, difficile, critique (en exposant au jugement d'autrui). ⇒ **exposer, impliquer.** *Compromettre qqn en l'engageant dans des affaires malhonnêtes. Compromettre sa santé, sa réputation.* ⇒ **risquer.** *Compromettre ses chances.* ⇒ **diminuer.** — Au passif et p. p. adj. (ÊTRE) COMPROMIS. *Les associés les plus compromis.* ► *compromettant, ante* adj. ▪ Qui compromet ou

peut compromettre. *Il a des relations compromettantes. Un document compromettant. Ce n'est pas compromettant,* cela n'engage à rien. ► *compromis* [kɔ̃pʁɔmi] n. m. invar. ▪ Arrangement dans lequel on se fait des concessions mutuelles. ⇒ **accord, transaction.** *En arriver, consentir à un compromis. Il a fallu d'interminables discussions pour parvenir à un compromis.* ► *compromission* n. f. **1.** Action par laquelle on est compromis. *Sa compromission dans cette affaire pourrait briser sa carrière politique.* **2.** Acte par lequel on fait ce qu'on désapprouve moralement. *Elle n'accepte aucune compromission.*

comptable [kɔ̃tabl] adj. et n. **1.** Adj. Littér. Qui a des comptes à rendre ; responsable. *N'être comptable à personne de ses actions.* **2.** Qui concerne la comptabilité. *Plan comptable.* **3.** N. Personne dont la profession est de tenir les comptes. *Expert-comptable. Chef comptable. Une bonne comptable.* ► *comptabiliser* [kɔ̃tabilize] v. tr. ▪ conjug. 1. ▪ Inscrire dans la comptabilité. ► *comptabilité* [kɔ̃tabilite] n. f. **1.** Tenue des comptes ; ensemble des comptes tenus selon les règles. *La comptabilité d'une entreprise. Livres de comptabilité.* **2.** Service chargé d'établir les comptes. *Le directeur, le chef de la comptabilité.* ‹ ► expert-comptable ›

compte [kɔ̃t] n. m. ≠ *comte, conte.* **1.** Action d'évaluer une quantité ⇒ **compter ;** cette quantité ⇒ **calcul, énumération.** *Faire un compte. Le compte exact des dépenses.* — Loc. *Compte à rebours.* ⇒ **rebours.** **2.** Énumération, calcul des recettes et des dépenses. ⇒ **comptabilité.** *Les comptes d'une entreprise. Les articles d'un compte. Vérifier un compte.* — Au plur. *Faire ses comptes. Livre de comptes. Les comptes de l'État. La Cour* des comptes.* — État de l'avoir et des dettes d'une personne, dans un établissement financier. *Faire ouvrir un compte dans une banque. Avoir un compte en banque. Compte courant,* représentant toutes les opérations entre une personne et la banque. *Un compte chèque. Approvisionner, débiter son compte. Son compte est à découvert. Compte débiteur*, créditeur*.* — *Laisser une marchandise pour compte,* la laisser au vendeur. — Fig. *Un LAISSÉ POUR COMPTE.* ⇒ **laissé-pourcompte.** **3.** (Argent dû) *Donner, régler son compte à un employé,* lui donner son dû ; le congédier. — Fam. RÉGLER SON COMPTE à qqn : lui faire un mauvais parti. RÈGLEMENT DE COMPTES : explication violente ; attentat, meurtre. — *Son compte est bon,* il aura ce qu'il mérite. *Il a eu son compte,* tout ce qu'il pouvait supporter. **4.** À BON COMPTE : à bon prix. *En être quitte, s'en tirer à bon compte,* sans trop de dommage. **5.** *Il y trouve son compte.* ⇒ **avantage, bénéfice, intérêt, profit.** **6.** Loc. À CE COMPTE-LÀ : d'après ce raisonnement. *Au bout du compte,* tout bien considéré. EN FIN DE COMPTE : après tout, pour conclure. Fam. *Fichez-nous la paix, à la fin du compte.* — *Être LOIN DU COMPTE* (du total) : se tromper de beaucoup. — TOUT COMPTE FAIT : tout bien considéré. **7.** Loc. AU COMPTE DE (à son compte), pour le compte de qqn : pour qqn. *Travailler à son compte,* travailler pour soi, être autonome. *Pour mon compte,* en ce qui me concerne. — *Il n'y a rien à dire sur son compte,* à son sujet. METTRE qqch. SUR LE COMPTE DE qqch. *On a mis son erreur sur le compte de la fatigue.* ⇒ **imputer.** **8.** TENIR COMPTE DE qqch. : prendre en considération, accorder de l'importance à. **9.** *Demander des comptes,* RENDRE COMPTE, des comptes : demander, faire le rapport de ce que l'on a fait, de ce que l'on a vu, pour faire savoir, expliquer ou justifier. ⇒ **explication, rapport.** *N'avoir de comptes à rendre à personne. Rendre compte de sa mission.* ⇒ **compte rendu.** — SE RENDRE COMPTE. ⇒ **s'apercevoir, comprendre, découvrir, remarquer, voir.** *Se* *rendre compte d'une chose. Elle s'est rendu compte de son erreur. Je me rends compte que vous êtes mécontent.* ▶ *compte rendu* [kɔ̃tʀɑ̃dy] n. m. ■ Texte par lequel on rend compte, on expose. *Faire le compte rendu d'une réunion. Des comptes rendus.* ⟨ ▶ laissé-pour-compte ⟩

compte-gouttes [kɔ̃tgut] n. m. invar. **1.** Petite pipette en verre servant à doser des médicaments. *Des compte-gouttes.* **2.** Loc. *Au compte-gouttes,* en très petite quantité.

compter [kɔ̃te] v. ■ conjug. 1. **I.** V. tr. **1.** Déterminer (une quantité) par le calcul ; établir le nombre de. ⇒ **chiffrer, dénombrer.** *Compter les spectateurs d'un théâtre. Compter une somme d'argent. Compter les points d'une partie de billard.* — Pronominalement (passif). *Ses erreurs ne se comptent plus,* sont innombrables. **2.** Mesurer avec parcimonie. *Compter l'argent que l'on dépense.* — Au p. p. adj. *Marcher à pas comptés.* **3.** Mesurer. *Compter les jours, les heures,* trouver le temps long. — Loc. *Il faut compter plusieurs heures pour faire cela,* plusieurs heures sont nécessaires. *Il faut compter mille francs pour la réparation de la voiture.* — Au passif. Loc. *Ses jours sont comptés,* il lui reste peu de temps à vivre. **4.** Comprendre dans un compte, un total. ⇒ **inclure.** *Ils étaient quatre, sans compter les enfants. N'oubliez pas de me compter.* **5.** Avoir l'intention de (+ infinitif). *Il compte pouvoir partir demain.* ⇒ **espérer, penser.** — (Avec *que* + indicatif) *Je compte bien qu'il viendra. Je comptais qu'il viendrait.* ⇒ s'**attendre, croire. 6.** SANS COMPTER QUE : sans considérer que. **II.** V. intr. **1.** Calculer. *Compter sur ses doigts. Cet enfant sait lire, écrire et compter. Donner, dépenser, recevoir* SANS COMPTER : généreusement. **2.** COMPTER AVEC *qqn, qqch.* : tenir compte de. *Il faut compter avec l'opinion.* **3.** COMPTER SUR : faire fond, s'appuyer sur. *Comptez sur moi.* Y COMPTER. *J'y compte bien,* je l'espère bien. **4.** Avoir de l'importance. ⇒ **importer.** *Cela compte peu, ne compte pas.* — Fam. *Compter pour du beurre,* ne pas compter. **5.** Être (parmi). *Compter parmi, au nombre de.* ⇒ **figurer.** *Compter parmi les meilleurs,* être au nombre des meilleurs. **6.** À COMPTER DE : à partir de. *À compter d'aujourd'hui.* ▶ *comptage* [kɔ̃taʒ] n. m. ■ Le fait de compter. *Faire un comptage rapide. Le comptage des voitures sur une route.* ▶ **comptant** [kɔ̃tɑ̃] adj. m., n. m. et adv. **1.** Adj. Que l'on compte sur-le-champ. *Argent comptant,* payé immédiatement et en espèces (opposé à *à terme*). — Loc. *Prendre qqch. pour (de l')argent comptant,* croire trop facilement ce qui est dit. **2.** Loc. *Au comptant,* en argent comptant. *Acheter, vendre au comptant* (opposé à *à crédit*). **3.** Adv. *Payer, régler comptant,* en argent comptant. ▶ **compte-tours** [kɔ̃ttuʀ] n. m. invar. ■ Appareil comptant les tours faits par l'arbre d'un moteur, dans un temps donné. ▶ **compteur** [kɔ̃tœʀ] n. m. ■ Appareil servant à compter, à mesurer en unités de temps (une vitesse, un volume...). *Faire du cent (kilomètres) à l'heure au compteur* (de vitesse). *Compteur Geiger,* qui compte les particules émises par un corps radioactif. *Des compteurs Geiger.* — Appareil servant à mesurer les consommations domestiques. *Compteur à gaz, à eau, d'électricité. Relever le compteur.* ⟨ ▶ acompte, comptable, compte, compte-gouttes, comptine, comptoir, décompter, recompter ⟩

comptine [kɔ̃tin] n. f. ■ Chanson enfantine (chantée ou parlée) servant à désigner le joueur, la joueuse à qui sera attribué un rôle particulier dans un jeu (ex. : *Am, stram, gram*).

comptoir [kɔ̃twaʀ] n. m. **1.** Table, support long et étroit, sur lequel le marchand reçoit l'argent (et le comptait), montre les marchandises. *Le comptoir d'un magasin. Comptoir (d'un débit de boissons),* table

longue et étroite sur laquelle sont servies les consommations. ⇒ **bar, zinc.** *J'ai pris un café au comptoir.* **2.** Installation commerciale d'une entreprise dans un pays éloigné ; entente entre producteurs pour la vente de leurs produits. *Comptoir de vente en commun.* ⇒ **coopérative.**

compulser [kɔ̃pylse] v. tr. ■ conjug. 1. ■ Consulter, examiner, feuilleter. *Compulser des notes pour retrouver un renseignement.*

comte [kɔ̃t] n. m. ■ Titre de noblesse qui, dans la hiérarchie nobiliaire, prend rang après le marquis et avant le vicomte. ≠ *compte, conte.* ▶ ① *comté* n. m. **1.** Domaine dont le possesseur prenait le titre de comte. *Terre érigée en comté.* **2.** Circonscription administrative, en Grande-Bretagne et dans les pays anglo-saxons. ▶ *comtesse* n. f. ■ Femme possédant le titre équivalent à celui de comte. — Femme d'un comte. ⟨ ▶ vicomte ⟩

② *comté* ou *conté* n. m. ■ Fromage français voisin du gruyère.

con, conne [kɔ̃, kɔn] n. et adj. Fam. et vulg. **1.** N. Imbécile, idiot. *Quelle bande de cons ! C'est une conne.* **2.** Adj. *Elle est vraiment con, conne.* — REM. L'adj. s'emploie aussi à la forme masculine avec un sujet féminin. — Impers. *C'est con, c'est bête. C'est con qu'il ne soit pas venu.* **3.** Loc. À LA CON : mal fait, inepte. ⇒ fam. à la **noix.** *Un film à la con.* ⟨ ▶ connerie ⟩

con- (et **com-, col-, cor-**) ■ Préfixe signifiant « avec ». ⇒ **co-.**

concasser [kɔ̃kase] v. tr. ■ conjug. 1. ■ Réduire (une matière solide) en petits fragments. ⇒ **broyer, écraser.** *Concasser du poivre. Concasser de la pierre.* ▶ *concassage* n. m. ■ *Le concassage des pierres.* ▶ *concasseur* n. m. ■ Appareil servant à concasser.

concave [kɔ̃kav] adj. ■ Qui présente une surface courbe en creux. *Surface, miroir concave.* / contr. **convexe** / ▶ *concavité* n. f. ■ Forme concave ; cavité, creux. *Les concavités d'un rocher.*

① *concéder* [kɔ̃sede] v. tr. ■ conjug. 6. ■ Accorder (qqch.) à qqn comme une faveur. ⇒ **céder, donner, octroyer.** *On concède un privilège. Ce droit lui a été concédé pour deux ans.* ⟨ ▶ ① concession ⟩

② *concéder* v. tr. ■ conjug. 6. ■ Dans une discussion, céder sur (un point). ⇒ ② **concession.** *Je vous concède ce point. Concédez que j'ai raison sur ce point.* — En sport. *Concéder un but à l'équipe adverse.* / contr. **contester** / ⟨ ▶ ② concession ⟩

concentrer [kɔ̃sɑ̃tʀe] v. tr. ■ conjug. 1. **1.** Réunir en un point (ce qui était dispersé). *Concentrer des troupes,* rassembler, réunir. / contr. **disperser** / *Concentrer le tir sur un point donné.* **2.** Diminuer la quantité d'eau contenue dans (un liquide). *Concentrer un bouillon.* / contr. **diluer** / **3.** Appliquer avec force sur un seul objet. *Concentrer son énergie, son attention.* — SE CONCENTRER v. pron. réfl. *Se concentrer sur un problème. Taisez-vous, je me concentre.* ▶ *concentré, ée* adj. **1.** Qui contient une faible proportion d'eau. *Du bouillon concentré. Du lait concentré.* ⇒ **condensé.** — N. m. *Un concentré de tomate. C'est du concentré,* c'est très concentré. **2.** Dont l'esprit est accaparé par qqch., attentif. *Avoir l'air concentré.* / contr. **distrait** / ▶ *concentration* n. f. **1.** Réunion en un centre, en un même lieu. *La concentration des troupes en un point du territoire.* ⇒ **rassemblement.** *Concentration économique,* réunion (d'entreprises) sous une direction commune. / contr. **dispersion** / — Loc. *Camp* de concentration.* **2.** Ce qui réunit des éléments assemblés. *Les grandes concentrations urbaines.* ⇒ **agglomération. 3.** En chimie. Le fait de concentrer ou d'être concentré. *Point, degré de concentration* (rapport entre la quantité d'un corps et sa solution). **4.** Abstrait. Application de tout l'effort intellectuel sur un seul objet. *Concentration d'esprit. Ce travail exige une grande concentration.* ⇒ **attention, réflexion.** / contr. **distraction** / ▶ *concentrationnaire* adj. ■ Relatif aux camps de concentration, à la répression pénitentiaire massive.

concentrique [kɔ̃sɑ̃tʀik] adj. **1.** (Courbes, cercles, sphères) Qui a un même centre. *Trois enceintes concentriques de murailles.* **2.** *Mouvement concentrique, vers le centre.*

concept [kɔ̃sɛpt] n. m. **1.** Idée générale ; représentation abstraite d'un objet ou d'un ensemble d'objets ayant des caractères communs. ⇒ ① **conception, notion.** *Le concept d'arbre, de liberté. Les concepts scientifiques, philosophiques et les notions de la vie courante. Le terme qui désigne un concept.* **2.** Idée efficace. *Un tout nouveau concept publicitaire.*

① *conception* [kɔ̃sɛpsjɔ̃] n. f. ■ Façon de concevoir ①, de comprendre ou d'imaginer, de prévoir (qqch.). *Il a une curieuse conception du travail en groupe. Conception artistique, technique. Conception assistée par ordinateur.* ⇒ **C.A.O.** — Chose conçue ; idée, plan. *Des conceptions hardies.* ⇒ **idée, vue.**

② *conception* n. f. ■ Formation d'un nouvel être dans l'utérus maternel à la suite de la réunion d'un spermatozoïde et d'un ovule ; moment où un enfant (un petit) est conçu. ⇒ **fécondation, génération** ; ② **concevoir.** *L'Immaculée Conception,* la Vierge Marie, conçue exempte du péché originel. ⟨ ▶ anticonceptionnel ⟩

concerner [kɔ̃sɛʀne] v. tr. ■ conjug. 1. ■ (Suj. chose) Avoir rapport à. ⇒ **intéresser, regarder, toucher.** *Voici une lettre qui vous concerne. Cela ne vous concerne pas,* ce n'est pas votre affaire. — EN CE QUI CONCERNE... : dans le domaine de... ▶ *concernant* prép. ■ À propos, au sujet de. ⇒ **touchant.** *Des mesures concernant la circulation des véhicules.*

concert [kɔ̃sɛʀ] n. m. **1.** Séance musicale. *Concert donné par un seul musicien.* ⇒ **audition, récital.** *Aller au concert. Salle de concerts.* **2.** Loc. *Le concert des nations,* leurs relations. — DE CONCERT loc. adv. : en accord. ⇒ **ensemble.** *Ils ont agi de concert.* **3.** *Des concerts de louanges, d'approbations, de bénédictions,* des louanges, etc., nombreuses et concordantes. ⟨ ▶ concerto ⟩

concerter [kɔ̃sɛʀte] v. tr. ■ conjug. 1. **1.** Projeter ensemble, en discutant. ⇒ **arranger, organiser.** *Concerter un projet, une décision.* — Au p. p. adj. *Un plan concerté.* — SE CONCERTER v. pron. récipr. : s'entendre pour agir de concert. **2.** Décider après réflexion. — Au p. p. adj. *Une étourderie concertée, une fausse étourderie,* un acte voulu ayant l'apparence d'une étourderie. ▶ *concertation* n. f. ■ Fait de se concerter, de discuter ensemble.

concerto [kɔ̃sɛʀto] n. m. ■ Composition de forme sonate, pour orchestre et un instrument soliste. *Concerto pour piano (violon) et orchestre. Des concertos.*

① *concession* [kɔ̃sesjɔ̃] n. f. **1.** Attribution par une collectivité de terrains ou des ressources du sous-sol pour les mettre en valeur. *Des concessions de mines.* ⇒ **cession.** — Contrat accordant le droit d'assurer un service public. *Concession d'électricité, de transport en commun.* **2.** Terre concédée. *Concession pétrolière, forestière.* ▶ *concessionnaire* n.

1. Personne qui a obtenu une concession de terrain à exploiter, de travaux à exécuter. — Adj. *Société concessionnaire.* **2.** Intermédiaire qui a reçu un droit exclusif de vente dans une région. *Les concessionnaires d'une marque d'automobiles.*

② *concession* n. f. ■ Le fait d'abandonner à son adversaire un point de discussion, de concéder ② ; ce qui est abandonné. *Faire une concession à son adversaire. Ils se sont fait des concessions mutuelles.* ⇒ **compromis.**

① *concevoir* [kɔ̃s(ə)vwaʀ] v. tr. ■ conjug. 28. **1.** Former (un concept). ⇒ ① **conception.** *L'esprit conçoit les idées.* **2.** Avoir une idée claire de. ⇒ **comprendre, saisir.** *Je ne conçois pas ce qu'il veut dire. Cela se conçoit facilement.* CONCEVOIR QUE (+ indicatif) *Je conçois que tu es fatigué* (je me rends compte que) ; (+ subjonctif) *Je conçois que tu sois fatigué* (je comprends). **3.** Créer par l'imagination. ⇒ **imaginer, inventer.** *Concevoir un projet, un dessein.* — Au masc. et au p. p. adj. *Cet ouvrage est bien conçu.* **4.** Éprouver (un état affectif). *Concevoir de l'amitié pour qqn.* ▶ *concevable* [kɔ̃svabl] adj. ■ Qu'on peut imaginer, concevoir ; que l'on peut comprendre. ⇒ **compréhensible, imaginable.** *Cela n'est pas concevable.* ⇒ **pensable.** *Il est très concevable que...* / contr. **inconcevable** / ⟨ ▶ inconcevable, préconçu ⟩

② *concevoir* v. tr. ■ conjug. 28. ■ Former (un enfant) dans son utérus par la conjonction d'un ovule et d'un spermatozoïde ; devenir, être enceinte. ⇒ **engendrer** ; ② **conception.** *Concevoir un enfant.* — Sans compl. *Femme qui ne peut plus concevoir.*

concierge [kɔ̃sjɛʀʒ] n. ■ Personne qui a la garde d'un immeuble, d'une maison importante. ⇒ **gardien, portier.** *La concierge est dans l'escalier. La loge du concierge.* — REM. On dit aujourd'hui *gardien, ienne.* — Fam. *C'est une vraie concierge,* une personne bavarde.

concile [kɔ̃sil] n. m. ■ Assemblée des évêques de l'Église catholique. *Les décisions, les actes d'un concile.* ▶ *conciliaire* adj. ■ D'un concile. *Décisions conciliaires.*

conciliabule [kɔ̃siljabyl] n. m. ■ Conversation où l'on chuchote, comme pour se confier des secrets.

concilier [kɔ̃silje] v. tr. ■ conjug. 7. **1.** Faire aller ensemble, rendre harmonieux (ce qui était très différent, contraire). / contr. **opposer** / *Concilier les opinions. Comment concilier des intérêts divergents ?* — *Concilier la richesse du style avec* (et) *la simplicité.* ⇒ **allier, réunir.** **2.** Littér. Réconcilier (des personnes). / contr. **diviser** / **3.** SE CONCILIER qqn : le disposer favorablement envers soi. *Se concilier l'amitié de qqn. Elle s'est concilié les bonnes grâces de son professeur.* ⇒ **s'attirer, gagner.** ▶ *conciliant, ante* adj. ■ Qui est porté à maintenir la bonne entente avec les autres, par des concessions ②. ⇒ **accommodant, coulant.** *Il est d'un caractère conciliant. Prononcer des paroles conciliantes.* ⇒ **apaisant.** ▶ *conciliateur, trice* n. ■ Personne qui s'efforce de concilier les personnes entre elles. ⇒ **arbitre, médiateur.** *Jouer les conciliateurs.* ▶ *conciliation* n. f. **1.** Action de concilier des opinions, des intérêts ; son résultat. ⇒ **arbitrage, médiation.** — *Faire preuve d'un esprit de conciliation.* ⇒ **conciliant.** **2.** Règlement amiable d'un conflit. ⟨ ▶ inconciliable, irréconciliable, réconcilier ⟩

concis, ise [kɔ̃si, iz] adj. ■ Qui s'exprime en peu de mots. ⇒ **bref, dense, dépouillé, laconique, sobre, succinct.** *Pensée claire et concise. Écrivain concis.* / contr. **diffus, prolixe** / ▶ *concision* n. f. ■ Qualité de ce qui est concis. ⇒ **brièveté, sobriété.** *La concision du style, de la pensée.*

concitoyen, enne [kɔ̃sitwajɛ̃, ɛn] n. ■ Citoyen du même État, d'une même ville (qu'un autre). ⇒ **compatriote.** *Mes chers concitoyens.*

conclave [kɔ̃klav] n. m. ■ Assemblée des cardinaux pour élire un nouveau pape.

conclure [kɔ̃klyʀ] v. tr. ▪ conjug. 35. **I.** V. tr. dir. **1.** Amener à sa fin par un accord. *Conclure qqch. avec qqn.* ⇒ **régler, résoudre.** *Conclure une affaire. Conclure un traité, la paix.* ⇒ **signer.** — Au p. p. adj. *Marché conclu.* **2.** Terminer (un discours, un ouvrage). ⇒ **conclusion.** *Il a conclu son livre par une citation.* — Sans compl. *Concluez ! /* contr. **commencer** / **3.** CONCLURE QUE (+ indicatif) : tirer (une conclusion). *Je conclus que vous avez tort.* **II.** V. tr. ind. **1.** CONCLURE DE : tirer (une conséquence) de prémisses données. ⇒ **démontrer.** *Conclure de qqch. à qqch. Conclure de la beauté du style à l'intérêt de l'œuvre. J'en conclus qu'il était coupable.* **2.** CONCLURE À : tirer (une conclusion, un enseignement). *Les enquêteurs concluent à l'assassinat.* — Décider. *Les juges concluent à l'acquittement.* ▶ *concluant, ante* adj. ■ Qui apporte une preuve irréfutable. *Argument concluant.* ⇒ **convaincant, décisif, probant.** *Expérience concluante.* ▶ *conclusion* n. f. **1.** Arrangement final (d'une affaire). ⇒ **règlement, solution.** *La conclusion d'une affaire, d'un traité.* — Fin. *Les événements approchent de la (de leur) conclusion.* **2.** Ce qui termine (un récit, un ouvrage). ⇒ **dénouement, épilogue, fin.** / contr. **début, introduction** / *La conclusion d'un discours, d'un livre. La conclusion d'une fable.* ⇒ **morale.** **3.** Jugement qui suit un raisonnement. *Sa conclusion est fausse.* ⇒ Déduire, tirer une conclusion de qqch. ⇒ **enseignement.** *Arriver à la conclusion que...* — EN CONCLUSION loc. adv. : pour conclure, en définitive. ⇒ **ainsi, donc.**

concocter [kɔ̃kɔkte] v. tr. ▪ conjug. 1. ■ Plaisant. Préparer, élaborer. *Elle nous a concocté un plat extraordinaire. Il leur a concocté un beau discours.*

concombre [kɔ̃kɔ̃bʀ] n. m. ■ Plante herbacée rampante (cucurbitacée) ; son fruit, qui se consomme comme légume ou en hors-d'œuvre (cru). *Salade de concombres. Petits concombres à la russe.* ⇒ **cornichon.**

concomitant, ante [kɔ̃kɔmitɑ̃, ɑ̃t] adj. ■ Qui accompagne un autre fait, coïncide avec lui. ⇒ **coexistant, simultané.** *Symptômes concomitants d'une maladie.*

① *concordance* [kɔ̃kɔʀdɑ̃s] n. f. **1.** Le fait d'être semblable, de correspondre aux mêmes idées, de tendre au même résultat. ⇒ **accord, conformité ; concorder.** / contr. **désaccord ; contradiction** / *La concordance de deux situations.* ⇒ **ressemblance, similitude.** *La concordance de deux témoignages. Mettre ses actes* EN CONCORDANCE *avec ses principes.* **2.** *Concordance des temps,* règle subordonnant le choix du temps du verbe dans certaines propositions complétives à celui du temps dans la proposition complétée (ex. : *Je regrette qu'il vienne ; je regrettais qu'il vînt*).

② *concordance* n. f. ■ Index alphabétique des mots contenus dans un texte, avec l'indication des passages où ils se trouvent (pour comparer). *Concordance de la Bible.*

concordant, ante [kɔ̃kɔʀdɑ̃, ɑ̃t] adj. — REM. S'emploie surtout au plur. ■ Qui concorde(nt). *Témoignages concordants.* / contr. **discordant, opposé** /

concordat [kɔ̃kɔʀda] n. m. ■ Accord écrit à caractère de compromis. ⇒ **convention.** *Concordat entre le pape et un État souverain.*

concorder [kɔ̃kɔʀde] v. intr. ▪ conjug. 1. **1.** Être semblable ; correspondre au même contenu. *Les renseignements, les témoignages concordent.* ⇒ **correspondre ; concordant.** *Faire concorder des chiffres.* **2.** Pouvoir s'accorder. *Concorder avec... Ses projets concordent avec les nôtres. Leurs caractères ne concordent pas.* ▶ *concorde* n. f. ■ Paix qui résulte de la bonne entente ; union des volontés. ⇒ **accord, entente.** *Un esprit de concorde. La concorde ne règne pas toujours entre eux.* / contr. **discorde, dissension** / ⟨▶ ① concordance, ② concordance, concordant, concordat ⟩

① *concourir* [kɔ̃kuʀiʀ] v. tr. ind. ▪ conjug. 11. — CONCOURIR À. **1.** Tendre à un but commun ; contribuer avec d'autres à un même résultat. ⇒ **collaborer.** *Ces efforts concourent au même but.* **2.** (Directions) Converger. ▶ ① *concours* [kɔ̃kuʀ] n. m. invar. **I.** Le fait d'aider, de participer. *Prêter son concours à un projet.* **II. 1.** Vieilli. Rassemblement. *Un grand concours de peuple, de curieux.* ⇒ **foule.** **2.** Loc. CONCOURS DE CIRCONSTANCES : rencontre de circonstances, hasard (heureux ou non). ⇒ **coïncidence.**

② *concourir* v. intr. ▪ conjug. 11. ■ Entrer, être en compétition pour obtenir un prix, un emploi promis aux meilleurs (⇒ **concours ; concurrent**). *Il veut concourir pour l'agrégation.* ▶ ② *concours* n. m. **1.** Épreuve dans laquelle plusieurs candidats entrent en compétition pour un nombre limité de places, de récompenses. *Les candidats d'un concours. Les concours d'entrée aux grandes écoles. La mairie recrute des employés par voie de concours.* — Suite d'épreuves organisées ⇒ **jeu** et dotées de prix. *Grand concours publicitaire.* **2.** Compétition sportive. *Concours hippique.* ⟨▶ hors-concours ⟩

concret, ète [kɔ̃kʀɛ, ɛt] adj. et n. m. **1.** Qui peut être perçu par les sens ou imaginé ; qui correspond à un élément de la réalité. / contr. **abstrait** / *Exemple concret* (portant sur un cas particulier). *Un nom concret,* qui désigne un être ou un objet (opposé à *abstrait*). *Rendre concret.* ⇒ **concrétiser.** *Tirer d'une situation des avantages concrets.* ⇒ **matériel, réel.** *Ils ont pris des mesures concrètes pour améliorer la situation.* **2.** N. m. LE CONCRET : qualité de ce qui est concret ; ensemble des choses concrètes. ⇒ **réel.** ▶ *concrètement* adv. **1.** Relativement à ce qui est concret. **2.** En fait, en pratique. ⇒ **pratiquement.** *Concrètement, quel avantage en tirez-vous ?* ▶ *concrétiser* v. tr. ▪ conjug. 1. ■ Rendre concret (ce qui était abstrait). ⇒ **matérialiser.** *Concrétiser sa pensée par des exemples. Concrétiser un projet.* — Pronominalement (passif) SE CONCRÉTISER : devenir concret, réel. *Ses espoirs se concrétisent.* ⇒ se **matérialiser,** se **réaliser.**

concrétion [kɔ̃kʀesjɔ̃] n. f. ■ Réunion de parties en un corps solide ; ce corps. *Concrétion calcaire, pierreuse.*

conçu, ue ⇒ concevoir.

concubinage [kɔ̃kybinaʒ] n. m. ■ État d'un homme et d'une femme qui vivent comme mari et femme sans être mariés. ⇒ **union** libre. *Ils vivent en concubinage* (ils sont *concubins*).

concupiscence [kɔ̃kypisɑ̃s] n. f. ■ Penchant aux plaisirs des sens. *Concupiscence de la chair.* ⇒ **sensualité.** ▶ *concupiscent, ente* adj. et n. m. ■ Littér. ou plaisant. Empreint de concupiscence. *Regard concupiscent.* / contr. **chaste, pur** /

concurrence [kɔ̃kyʀɑ̃s] n. f. **1.** Littér. Rivalité entre plusieurs personnes, plusieurs forces poursuivant un même but. ⇒ **compétition, rivalité.** *Entrer en concurrence avec qqn.* **2.** Rapport entre producteurs, commerçants qui se disputent une clientèle.

Libre concurrence. Concurrence déloyale. Des prix défiant toute concurrence, très bas. — L'ensemble des concurrents. **3.** Loc. JUSQU'À CONCURRENCE DE : jusqu'à ce qu'une somme parvienne à en égaler une autre. *Il doit rembourser jusqu'à concurrence de cent mille francs.* ▶ ***concurrencer*** v. tr. ▪ conjug. 3. ▪ Faire concurrence à (qqn, qqch.). *Il les concurrence dangereusement.* ▶ ***concurrentiel, ielle*** adj. ▪ Où la concurrence (2) s'exerce. *Marchés concurrentiels. Prix concurrentiels,* qui permettent de soutenir la concurrence. ⇒ **compétitif.** ▶ ***concurrent, ente*** n. et adj. **1.** Personne en concurrence avec une autre, d'autres. ⇒ **émule, rival.** *Éliminer, vaincre un concurrent. Concurrent malheureux. Les concurrents ont tous pris part au concours, à l'épreuve.* ⇒ **candidat.** **2.** Fournisseur, commerçant qui fait concurrence à d'autres. *Son concurrent vend moins cher que lui.* — Adj. *Les entreprises concurrentes.* ▶ ***concurremment*** [kɔ̃kyʀamɑ̃] adv. ▪ Conjointement, de concert. *Agir concurremment avec qqn. Dans certains pays, on emploie concurremment deux langues.*

concussion [kɔ̃kysjɔ̃] n. f. ▪ Perception abusive d'argent par un fonctionnaire. ⇒ **escroquerie, vol.**

condamner [kɔ̃dane] v. tr. ▪ conjug. 1. **1.** Frapper d'une peine, faire subir une punition à (qqn), par un jugement. *Condamner un coupable à une peine. Il a été condamné pour meurtre.* / contr. **acquitter** / — N. m. *Un condamné.* **2.** Obliger (à une chose pénible). ⇒ **forcer, obliger.** *L'état de nos finances nous condamne à l'économie. Être condamné à l'inaction. Ses fractures le condamnent à rester couché plusieurs mois.* **3.** Interdire ou empêcher formellement (qqch.). *La loi condamne la bigamie.* **4.** Faire en sorte qu'on n'utilise pas (un lieu, un passage). *Condamner une porte, une pièce.* — Au p. p. adj. *Ouverture condamnée.* **5.** Blâmer avec rigueur. ⇒ **réprouver.** *Condamner la violence. L'Académie condamne ce mot.* ⇒ **proscrire.** / contr. **recommander** / ▶ ***condamné, ée*** adj. et n. **1.** ⇒ **condamner.** **2.** Qui n'a aucune chance de guérison, va bientôt mourir. *Un malade condamné.* ⇒ **incurable, perdu.** ▶ ***condamnable*** adj. ▪ Qui mérite d'être condamné. ▶ ***blâmable, critiquable.*** *Action, attitude, opinion condamnable.* / contr. **louable** / ▶ ***condamnation*** n. f. **1.** Décision de justice qui condamne une personne à une obligation ou à une peine. *Condamnation pour vol. Infliger une condamnation à qqn.* ⇒ **peine, sanction.** *Condamnation à la prison.* / contr. **acquittement** / **2.** Action de blâmer (qqn ou qqch.). ⇒ **attaque, critique.** *Ce livre est la condamnation du régime actuel.* / contr. **éloge** /

condenser [kɔ̃dɑse] v. tr. ▪ conjug. 1. **1.** Rendre (un fluide) plus dense ; réduire à un plus petit volume. ⇒ **comprimer, réduire.** / contr. **dilater** / *Condenser un gaz par pression.* — Pronominalement. *Le brouillard se condense en gouttes.* — Au p. p. adj. *Lait condensé,* concentré. **2.** Réduire, ramasser (l'expression de la pensée). *Condenser un récit.* ⇒ **abréger, dépouiller.** — Au p. p. adj. *Texte condensé* ou, n. m., *un condensé.* ⇒ **résumé.** ▶ ***condensateur*** n. m. ▪ Appareil permettant d'accumuler de l'énergie électrique. ⇒ **accumulateur.** ≠ **condenseur.** ▶ ***condensation*** n. f. **1.** Phénomène par lequel un gaz, une vapeur, diminue de volume et augmente de densité. / contr. **dilatation** / *Condensation de l'air par pression. Condensation de la vapeur d'eau en buée, en rosée.* **2.** Accumulation d'énergie électrique sur une surface. ⇒ **condensateur.** ▶ ***condenseur*** n. m. ▪ Technique. Appareil où se fait une condensation (1). ≠ *condensateur.*

condescendre [kɔ̃desɑ̃dʀ] v. tr. ind. ▪ conjug. 41. ▪ CONDESCENDRE À : daigner consentir (avec hauteur). *Il ne condescendra pas à cela, à nous parler.* ▶ ***condescendance*** n. f. ▪ Supériorité bienveillante mêlée de mépris.* ⇒ **arrogance, hauteur.** *Un air de condescendance insupportable.* ▶ ***condescendant, ante*** adj. ▪ Hautain, supérieur. *Un sourire, un ton condescendant.*

condiment [kɔ̃dimɑ̃] n. m. ▪ Substance de saveur forte destinée à relever le goût des aliments. ⇒ **assaisonnement, épice.** *Les câpres, le poivre sont des condiments.* — Moutarde assaisonnée, assez douce.

condisciple [kɔ̃disipl] n. m. ▪ Compagnon d'études. *Ils furent condisciples au lycée.* ⇒ **camarade, collègue.**

condition [kɔ̃disjɔ̃] n. f. **I. 1.** Rang social, place dans la société. ⇒ **classe.** *L'inégalité des conditions sociales. Il est de condition modeste.* **2.** La situation où se trouve un être vivant (notamment l'être humain). *La condition humaine.* ⇒ **destinée, sort.** *La condition féminine.* **3.** État passager, relativement au but visé. EN *(bonne, mauvaise)* CONDITION *(pour)* : dans un état favorable à. *Cet élève est en bonne condition pour passer son examen,* bien préparé. *La condition physique d'un athlète.* ⇒ **forme.** **4.** Loc. METTRE EN CONDITION : préparer les esprits (par la propagande). ⇒ **conditionner. II. 1.** État, situation, fait dont l'existence est indispensable pour qu'un autre état, un autre fait existe. *Remplir les conditions exigées. C'est une condition nécessaire, suffisante.* **2.** Dicter, poser ses conditions. ⇒ **exigence.** — Se rendre SANS CONDITION : sans restriction, purement et simplement. **3.** Loc. À CONDITION de (+ infinitif). *Vous partirez en vacances, à condition de réussir votre examen. À (la) condition que* (+ indicatif futur ou subjonctif). *Vous pouvez faire une promenade à la condition que vous serez, que vous soyez à l'heure pour le repas.* — SOUS CONDITION. *Faire qqch. sous condition,* en respectant certaines conditions préalables. **4.** Au plur. Ensemble de faits dont dépend qqch. ⇒ **circonstance(s).** *Les conditions de vie dans un milieu donné. Les conditions atmosphériques. Dans de bonnes, de mauvaises conditions. Il travaille dans de bonnes conditions. Dans ces conditions,* dans ce cas. — *Conditions de prix. Obtenir des conditions avantageuses.* ▶ ***conditionnel, elle*** adj. et n. m. **1.** Qui dépend de certaines conditions, d'événements incertains. ⇒ **hypothétique.** / contr. **absolu, inconditionnel** / *Promesse conditionnelle. Liberté conditionnelle* (pour un détenu). **2.** Le mode conditionnel. — N. m. *Le conditionnel,* mode du verbe (comprenant un temps présent et deux passés) exprimant un état ou une action subordonnée à quelque condition (ex. : *J'irais si vous le vouliez*). — Se dit aussi du futur dans le passé, employé dans la concordance des temps (ex. : *J'affirmais qu'il viendrait*). ▶ ***conditionnellement*** adv. ▪ Sous une ou plusieurs conditions. ⟨ ▶ *conditionner, inconditionnel* ⟩

conditionner [kɔ̃disjɔne] v. tr. ▪ conjug. 1. **1.** Préparer, traiter (des produits) selon certaines règles, avant de les présenter au public. ⇒ **emballer, présenter, traiter.** *Conditionner des produits, des articles, pour l'expédition et la vente.* **2.** (Suj. chose) Être la condition de. *Son retour conditionne mon départ, de son retour dépend* mon départ.* **3.** Influencer moralement ou intellectuellement (qqn). — Au passif. *Ils ont été conditionnés par la propagande.* ▶ ***conditionné, ée*** adj. **1.** Soumis à des conditions. **2.** Qui a subi un conditionnement. *Produits conditionnés.* **3.** AIR CONDITIONNÉ. ⇒ **air.** ▶ ***conditionnement*** n. m. **1.** Le fait de conditionner (1). *Le conditionnement du blé.* — Emballage et présentation (d'un produit) pour la vente. *Le conditionnement d'un médicament.* **2.** *Conditionnement d'air.* ⇒ **climatisation. 3.** Le fait de conditionner (3). *Le conditionnement du public par les mass media.* ⇒ **conditionner.**

condoléances [kɔ̃dɔleãs] n. f. pl. ■ Expression de la part que l'on prend à la douleur de qqn. ⇒ **sympathie**. *Présenter, faire ses condoléances à l'occasion d'un deuil.*

condominium [kɔ̃dɔminjɔm] n. m. ■ Souveraineté exercée par deux ou plusieurs États sur un même pays colonisé. *Les anciens condominiums franco-britanniques.*

condor [kɔ̃dɔr] n. m. ■ Oiseau rapace de très grande taille, au plumage noir, frangé de blanc aux ailes. *Le condor des Andes. Des condors.*

condottiere [kɔ̃dɔttjere] n. m. ■ Au Moyen Âge. Chef de soldats mercenaires, en Italie. *Des condottieres* ou, rare, *des condottieri* [kɔ̃dɔttjeri]. — Fig. Aventurier.

① *conducteur, trice* [kɔ̃dyktœr, tris] n. **1.** Personne qui dirige, mène. *Un conducteur d'hommes, chef, guide.* **2.** Personne qui conduit (des animaux, un véhicule). *Un conducteur de bestiaux. Conducteur, conductrice de camions.* ⇒ **camionneur, routier.** *Conducteur d'automobile.* ⇒ **automobiliste, chauffeur. 3.** conducteur de travaux : contremaître.

② *conducteur* adj. m. **1.** Qui conduit. *Fil conducteur.* **2.** *Les corps conducteurs,* ceux qui laissent passer le courant électrique, la chaleur (opposé à *isolants*). *Certains corps deviennent conducteurs (de l'électricité) à très basse température* (supraconducteurs). *Le fer est un bon conducteur de l'électricité.* ► *conduction* [kɔ̃dyksjɔ̃] n. f. ■ Physique. Transmission de la chaleur, de l'électricité dans un corps conducteur.

conduire [kɔ̃dɥir] v. tr. ■ conjug. 38. — REM. Part. passé *conduit, ite.* **I. 1.** Mener (qqn) quelque part. ⇒ **accompagner, emmener, guider.** *Conduire qqn chez le médecin. Conduire un enfant à l'école. Elle s'est fait conduire à la gare. Se laisser conduire comme un enfant, faire preuve d'une docilité extrême.* **2.** Diriger (un animal, un véhicule). *Conduire une voiture.* — Sans compl. *Savoir conduire. Apprendre à conduire. Permis* de conduire.* **3.** (Choses) Faire passer, transmettre. ⇒ ② **conducteur. 4.** (Choses) Faire aller (quelque part). *Ses traces nous ont conduits jusqu'ici.* — Sans compl. *Cette route conduit à la ville.* ⇒ **mener. 5.** Faire agir, mener en étant à la tête. ⇒ **commander, diriger.** *Conduire une entreprise.* **6.** Abstrait. Entraîner (à un sentiment, un comportement). *Conduire qqn au désespoir.* ⇒ **pousser, réduire. II.** SE CONDUIRE v. pron. réfl. : agir, se comporter. *Les façons de se conduire.* ⇒ ① **conduite.** *Se conduire mal. Ils se sont conduits comme des mufles.* ► *conduit* n. m. ■ Canal étroit, tuyau par lequel s'écoule un fluide. ⇒ **tube ;** ② **conduite.** *Conduit d'eau. Conduit souterrain.* — (Dans le corps humain) *Conduit auditif, lacrymal.* ► ① *conduite* n. f. **I. 1.** Action de conduire qqn ou qqch. ; son résultat. ⇒ **accompagnement.** *Sous la conduite de qqn.* Fam. *Je vais vous faire un bout, un brin de conduite,* vous accompagner. — Action de conduire une automobile. *La conduite en ville, sur route.* **2.** *Une* CONDUITE INTÉRIEURE : une automobile entièrement couverte. **II. 1.** Action de diriger, de commander. ⇒ **commandement, direction.** *Laissez-lui la conduite de cette affaire.* **2.** Façon d'agir, manière de se comporter. ⇒ **attitude, comportement.** *Une conduite étrange. Bonne, mauvaise conduite* (⇒ **inconduite**). *La conduite d'un élève en classe,* sa façon d'observer la discipline scolaire. *Zéro de conduite.* ► ② *conduite* n. f. ■ Canalisation. *Conduite d'eau, de gaz.* ‹ ► ① conducteur, ② conducteur, inconduite ›

cône [kon] n. m. ■ Figure géométrique à base circulaire ou elliptique, terminée en pointe (⇒ **conique**). — *Cône d'un volcan,* formé par les laves refroidies autour de la cheminée. ‹ ► conifère, conique, tronconique ›

confection [kɔ̃fɛksjɔ̃] n. f. **1.** Préparation (d'un plat, d'un mélange). *La confection d'un plat. Des gâteaux de sa confection.* **2.** *La confection,* l'industrie des vêtements qui ne sont pas faits sur mesure. *Vêtements de confection.* ⇒ **prêt-à-porter.** *Maison de confection. Être dans la confection.* ► *confectionner* v. tr. ■ conjug. 1. ■ Faire, préparer. *Confectionner un plat.* ⇒ **cuisiner ;** plaisant. **concocter.** *Il lui a confectionné une veste avec un vieux manteau.*

confédération [kɔ̃federɑsjɔ̃] n. f. **1.** Union de plusieurs États qui s'associent tout en gardant leur souveraineté. ⇒ **fédération.** *La Confédération helvétique,* la Suisse. **2.** Groupement d'associations, de fédérations. *La Confédération générale du travail* (C.G.T.). ⇒ **syndicat.** ► *confédéral, ale, aux* adj. ■ De la confédération. ► *confédéré, ée* adj. ■ Réuni ⇒ **fédéré** en confédération.

conférence [kɔ̃ferɑs] n. f. **1.** Assemblée de personnes discutant d'un sujet important. ⇒ **assemblée, congrès.** *Conférence diplomatique, internationale ; conférence au sommet.* — Réunion de travail (dans une entreprise). *Le directeur est en conférence avec ses collaborateurs.* ⇒ en **réunion. 2.** Discours, causerie où l'on traite en public une question. *Faire, donner une conférence.* **3.** CONFÉRENCE DE PRESSE : réunion où une ou plusieurs personnalités s'adressent aux journalistes. *Le président de la République a donné, a tenu une conférence de presse.* ► *conférencier, ière* n. ■ Personne qui parle en public, qui fait des conférences (2).

① *conférer* [kɔ̃fere] v. tr. ■ conjug. 6. **1.** Accorder (qqch. à qqn) en vertu du pouvoir qu'on a de le faire. ⇒ **attribuer.** *Conférer un grade, un titre.* **2.** (Suj. chose) Donner. *Les privilèges que confère l'âge.*

② *conférer* v. tr. ind. ou intr. ■ conjug. 6. ■ Littér. S'entretenir sur un sujet. ⇒ **parler.** *Conférer de son affaire avec son avocat.* ‹ ► conférence ›

confesser [kɔ̃fese] v. tr. ■ conjug. 1. **I.** *Confesser qqch.* **1.** Relig. catholique. Déclarer (ses péchés) au prêtre, dans le sacrement de la pénitence. *J'ai confessé ses péchés.* — Pronominalement (réfl.). *Se confesser* (à un prêtre). **2.** Déclarer spontanément, reconnaître pour vrai (qqch. qu'on a honte de [ou réticence à] confier). ⇒ **avouer.** *Confesser son erreur, ses torts.* **3.** Littér. Proclamer (sa croyance). **II.** *Confesser qqn.* **1.** Entendre en confession. *Le prêtre qui le confesse.* **2.** Fam. Faire parler. *Son frère se charge de le confesser.* ► *confesse* n. f. ■ À CONFESSE. *Aller à confesse,* aller se confesser. ⇒ en **confession.** ► *confesseur* n. m. ■ Prêtre à qui l'on se confesse. ► *confession* n. f. **1.** Aveu de ses péchés à un prêtre. ⇒ **confesse, pénitence.** *Entendre qqn en confession.* — Fam. *On lui donnerait le bon Dieu sans confession,* se dit d'une personne d'apparence vertueuse (et trompeuse). **2.** Déclaration que l'on fait (d'un acte blâmable) ; action de se confier. ⇒ **aveu.** *Confession complète, entière, sans réticences. La confession d'un crime, d'une faute.* — CONFESSIONS : titre d'ouvrages où l'auteur expose avec franchise les fautes, les erreurs de sa vie. *« Les Confessions » de saint Augustin, de J.-J. Rousseau.* **3.** Religion, croyance. ⇒ **confessionnel.** ► *confessionnal, aux* n. m. ■ Dans la religion catholique. Lieu fermé dans lequel le prêtre, séparé du pénitent par une grille, entend sa confession. *Des confessionnaux.* ► *confessionnel, elle* adj. ■ Relatif à une confession (3), à une religion. *Querelles confessionnelles.* ⇒ **religieux.**

confetti [kɔ̃feti] n. m. ■ Petite rondelle de papier coloré qu'on lance par poignées pendant le carnaval, les fêtes. *Des confettis.*

confiance [kɔ̃fjɑ̃s] n. f. 1. Espérance ferme, assurance d'une personne qui se fie à qqn ou à qqch. ⇒ **foi, sécurité.** / contr. **crainte, doute** / *Avoir une confiance absolue en (qqch., qqn). Elle a une entière confiance en son médecin. J'ai confiance dans la capacité de mes collaborateurs. Avoir confiance dans un remède. Il est très consciencieux, vous pouvez lui faire confiance. Donner, témoigner sa confiance. Gagner, obtenir, mériter, perdre, tromper la confiance de qqn.* / contr. **méfiance** / — *Homme, personne* DE CONFIANCE : à qui l'on se fie. ⇒ **sûr.** — *Poste de confiance,* qui exige une personne sûre. — *De confiance* loc. adv., sans doute ni méfiance. *Acheter qqch. de confiance, en (toute) confiance.* 2. Sentiment de sécurité d'une personne qui compte sur elle-même. ⇒ **assurance, hardiesse.** *Manquer de confiance (en soi).* 3. Sentiment de sécurité qui règne dans le public. *Le nouveau gouvernement a fait renaître la confiance.* 4. *Vote de confiance,* à l'Assemblée nationale, vote favorable au gouvernement. / contr. **défiance** / *Voter la confiance (au gouvernement).* ▶ *confiant, ante* adj. 1. Qui a confiance en qqn ou en qqch. *Être confiant dans le succès.* 2. Qui a confiance en soi. *Il attend, confiant et tranquille.* 3. Enclin à la confiance, à l'épanchement. *Caractère trop confiant.* ⇒ **crédule.** / contr. **défiant, méfiant** /

confidence [kɔ̃fidɑ̃s] n. f. 1. Communication d'un secret qui concerne soi-même. ⇒ **confession.** *Faire une confidence à qqn.* ⇒ se **confier.** *Il ne m'a pas fait de confidences.* 2. Loc. *Dans la confidence,* dans le secret. — EN CONFIDENCE loc. adv. : secrètement. ▶ *confident, ente* n. ■ Personne qui reçoit les plus secrètes pensées de qqn. ⇒ **confesseur.** *Être le confident des projets de qqn. Un confident discret.* — Au théâtre. Personnage secondaire qui reçoit les confidences des principaux personnages. ▶ *confidentiel, ielle* adj. ■ Qui se dit, se fait sous le sceau du secret. *Avis, entretien confidentiel, ultra-confidentiel.* ⇒ **secret.** ▶ *confidentiellement* adv.

confier [kɔ̃fje] v. tr. ■ conjug. 7. 1. Remettre (qqn, qqch.) aux soins d'une personne dont on est sûr. ⇒ **abandonner, laisser.** *Confier l'un de ses enfants à un ami. Confier une mission à qqn.* 2. Communiquer (qqch. de personnel) sous le sceau du secret. *Confier ses secrets à un ami.* — Pronominalement (réfl.). *Se confier.* ⇒ **confidence.**

configuration [kɔ̃figyʀasjɔ̃] n. f. ■ Didact. Forme extérieure (d'une chose). *La configuration du terrain.*

confiner [kɔ̃fine] v. tr. ■ conjug. 1. 1. V. tr. ind. Toucher aux limites. ⇒ **confins.** *Les prairies qui confinent à la rivière.* — Fig. *Sa docilité confine à la bêtise.* 2. V. tr. dir. Forcer à rester dans un espace limité. ⇒ **enfermer.** *Il voudrait confiner les femmes dans leur rôle de mères de famille.* — SE CONFINER v. pron. réfl. *Se confiner chez soi.* ⇒ s'**isoler.** — *Se confiner dans un rôle.* ⇒ se **cantonner.** ▶ *confiné, ée* adj. 1. ⇒ **confiner** (2). *Elle reste confinée dans sa chambre.* 2. *Atmosphère confinée,* renfermée. ▶ *confinement* n. m. ■ ⇒ **confiner** (2). ⟨ ▶ confins ⟩

confins [kɔ̃fɛ̃] n. m. pl. ■ Parties d'un territoire situées à son extrémité, à sa frontière. ⇒ **limite.** *Le Tchad, aux confins du Sahara.*

confire [kɔ̃fiʀ] v. tr. ■ conjug. 37. — Rare sauf à l'indicatif et au p. p. ■ Préparer (des fruits) dans du sucre. ⇒ **confit.** ⟨ ▶ confiserie, confit, confiture ⟩

confirmer [kɔ̃fiʀme] v. tr. ■ conjug. 1. 1. CONFIRMER *qqn* DANS : rendre (qqn) plus ferme, plus assuré. ⇒ **affirmer, encourager, fortifier.** *Nous l'avons confirmé dans sa résolution.* 2. Rendre certain, affirmer l'exactitude, l'existence de (qqch.). ⇒ **assurer, certifier, corroborer.** *Confirmer l'exactitude d'un fait.* / contr. **démentir, nier** / — CONFIRMER QUE (+ indicatif ou conditionnel). *Je vous confirme qu'il ne viendra pas. Il nous a confirmé que le spectacle était annulé. Les résultats confirment que...* ⇒ **démontrer, prouver.** — *L'exception confirme la règle.* — Pronominalement. *La nouvelle se confirme.* 3. Conférer le sacrement de la confirmation (2) à. ▶ *confirmation* n. f. 1. Ce qui rend une chose plus certaine. ⇒ **affirmation, certitude.** / contr. **annulation, démenti** / *La confirmation d'une nouvelle, d'une promesse. Confirmation officielle. Il est absent de Paris pour quelques mois, j'en ai eu la confirmation aujourd'hui.* 2. Sacrement de l'Église catholique destiné à confirmer le chrétien dans la grâce du baptême.

confiserie [kɔ̃fizʀi] n. f. 1. Commerce, magasin, usine du confiseur. 2. Produits à base de sucre, fabriqués et vendus par les confiseurs. *Déguster des confiseries, de la confiserie.* ⇒ **sucrerie ; bonbon.** ▶ *confiseur, euse* n. ■ Personne qui fabrique et vend des sucreries.

confisquer [kɔ̃fiske] v. tr. ■ conjug. 1. 1. Prendre (ce qui appartient à qqn) par une mesure de punition. ⇒ **saisir.** *Confisquer des marchandises de contrebande. Le professeur lui a confisqué sa calculatrice de poche.* ⇒ **confiscation.** 2. Prendre (qqch.) à son profit. ⇒ **accaparer, voler.** ▶ *confiscation* n. f. ■ Peine par laquelle un bien est confisqué à son propriétaire.

confit, ite [kɔ̃fi, it] adj. et n. m. I. Adj. 1. FRUITS CONFITS : trempés dans des solutions de sucre (et glacés, givrés). ⇒ **confire.** 2. *Être* CONFIT EN DÉVOTION : très dévot. II. N. m. Préparation de viande cuite et mise en conserve dans sa graisse. *Un confit d'oie.*

confiture [kɔ̃fityʀ] n. f. ■ Fruits coupés qu'on a fait cuire dans du sucre pour les conserver (au sens large, inclut les *marmelades* et *gelées*). *Faire, manger de la confiture. De la confiture de fraises. Pot de confitures. Des, les confitures.* ≠ *compote* (1).

conflagration [kɔ̃flagʀasjɔ̃] n. f. ■ Bouleversement de grande portée. *La menace d'une conflagration mondiale.* ⇒ **conflit, guerre.**

conflit [kɔ̃fli] n. m. 1. Guerre ou contestation entre États. *Les conflits internationaux. Conflit armé.* ⇒ **guerre.** / contr. **accord, paix** / 2. Rencontre d'éléments, de sentiments contraires, qui s'opposent. ⇒ **antagonisme, lutte, opposition.** *Un conflit d'intérêts, de passions. Entrer en conflit avec qqn. Les conflits sociaux.* ▶ *conflictuel, elle* [kɔ̃fliktɥɛl] adj. ■ Qui constitue une source de conflits. *Situation conflictuelle.*

confluent [kɔ̃flyɑ̃] n. m. ■ Endroit où deux cours d'eau se joignent. ⇒ **jonction, rencontre.** *Pointe de terre au confluent de deux cours d'eau.*

① *confondre* [kɔ̃fɔ̃dʀ] v. tr. ■ conjug. 41. 1. Littér. Remplir d'un grand étonnement. ⇒ **déconcerter, étonner.** *Son insolence me confond. Il restait confondu.* 2. Réduire (qqn) au silence, en lui prouvant publiquement son erreur, ses torts. *Confondre un menteur.* ⇒ **démasquer ; confus** (I), **confusion** (I). 3. Pronominalement (réfl.). *Se confondre en remerciements, en excuses,* multiplier les remerciements, les excuses. ▶ *confondant, ante* adj. ■ Très étonnant. *Une ressemblance confondante.*

② *confondre* v. tr. ▪ conjug. 41. **1.** Littér. Réunir, mêler pour ne former qu'un tout. ⇒ **mêler**, **unir**. *Fleuves qui confondent leurs eaux.* **2.** Prendre une personne, une chose pour une autre. / contr. **distinguer** / *Confondre deux jumeaux. Confondre une chose et (avec) une autre. Il confond les dates.* — Sans compl. Faire une confusion (II)*. ⇒ se **tromper**. *Il est possible que je confonde.* **3.** SE CONFONDRE v. pron. réfl. : se mêler, s'unir ; être impossible à distinguer de. *Tout se confondait dans son esprit.*

conformation [kɔ̃fɔrmasjɔ̃] n. f. ▪ Disposition des différentes parties (d'un corps organisé). ⇒ **constitution**, **forme**, **organisation**. *La conformation du squelette. Mauvaise conformation* (difformité, malformation). *Présenter un vice de conformation.*

conforme [kɔ̃fɔrm] adj. **1.** Dont la forme est semblable (à celle d'un modèle). ⇒ **semblable**. / contr. **différent** / *Cette écriture est conforme à la vôtre. Copie conforme (à l'original).* **2.** Qui s'accorde (avec qqch.), qui convient à sa destination. ⇒ **assorti**. / contr. **opposé** / *Mener une vie conforme à ses goûts.* ▶ *conformément* adv. ▪ D'après, selon. *Conformément à la loi. Conformément au plan prévu.* / contr. **contrairement** / ‹ ▶ conformer, conformisme, conformité ›

conformer [kɔ̃fɔrme] v. tr. ▪ conjug. 1. **1.** Littér. Rendre conforme, semblable (au modèle). ⇒ **adapter**. *Conformer son attitude à celle des autres.* **2.** SE CONFORMER v. pron. réfl. : devenir conforme ; se comporter de manière à être en accord avec. *Se conformer aux façons de vivre de qqn.* ⇒ **s'accommoder**. *Conformez-vous strictement aux ordres.* ⇒ **obéir**, **observer**. / contr. **s'opposer** / ▶ *conformé, ée* adj. ▪ Qui a une conformation (bonne ou mauvaise). *Être bien, mal conformé.* ‹ ▶ conformation ›

conformisme [kɔ̃fɔrmism] n. m. ▪ Fait de se conformer aux normes, aux usages. ⇒ **traditionalisme**. *Il refusait le conformisme de ses parents. Le conformisme bourgeois.* / contr. **non-conformisme**, **originalité** / ▶ *conformiste* adj. et n. ▪ *Esprit conformiste. Il est conformiste.* — *C'est un, une conformiste.* / contr. **non(-)conformiste** /

conformité [kɔ̃fɔrmite] n. f. ▪ Caractère de ce qui est conforme. ⇒ **accord**, **concordance**. *Conformité d'une chose avec une autre, de deux choses.* / contr. **opposition** / — *Être* EN CONFORMITÉ *de goûts. En conformité avec, conformément à. Il a agi en conformité avec ses principes.*

confort [kɔ̃fɔr] n. m. ▪ Tout ce qui contribue au bien-être, à la commodité de la vie matérielle. *Le confort d'un appartement.* / contr. **inconfort** / *Avoir tout le confort.* — *Confort intellectuel*, bien-être facile de l'esprit (conformisme, satisfaction de soi). ▶ *confortable* adj. **1.** Qui procure, présente du confort. *Maison confortable.* **2.** (Quantité) Assez important. *Il a des revenus confortables.* ⇒ **important**. *Une majorité confortable.* ▶ *confortablement* adv. ▪ *Être installé confortablement dans un fauteuil.* ‹ ▶ inconfort, inconfortable ›

conforter [kɔ̃fɔrte] v. tr. ▪ conjug. 1. ▪ Renforcer (qqn) dans un comportement, une idée. *Cette expérience l'a conforté dans ses certitudes.* ‹ ▶ réconforter ›

confrère [kɔ̃frɛr] n. m. ▪ Celui qui appartient à une société, à une compagnie, considéré par rapport aux autres membres. ⇒ **collègue**. *Un confrère et une consœur. Mon cher confrère.* ▶ *confraternel, elle* adj. ▪ De confrère. *Salutations confraternelles.* ▶ *confrérie* n. f. ▪ Association pieuse de laïcs.

confronter [kɔ̃frɔ̃te] v. tr. ▪ conjug. 1. **1.** Mettre en présence (des personnes) pour comparer leurs affirmations. *Confronter des témoins (entre eux). Confronter un témoin avec l'accusé.* **2.** ÊTRE CONFRONTÉ À, AVEC *qqch.* : se trouver en face de. *Elle est confrontée à des difficultés insurmontables.* **3.** Comparer pour mettre en évidence des ressemblances ou des différences. *Confronter deux textes, deux opinions.* ▶ *confrontation* n. f. ▪ Action de confronter (des personnes, des choses). *Confrontation de témoins. La confrontation de deux civilisations.*

confus, use [kɔ̃fy, yz] adj. **I.** (Personnes) Qui est embarrassé par pudeur, par honte. ⇒ **honteux**, **troublé** ; **confusion** (I). *Confus d'être pris sur le fait. Je suis confus d'arriver en retard.* ⇒ **désolé**. *Je suis confus, excusez-moi.* **II.** (Choses) **1.** Dont les éléments sont mêlés de façon telle qu'il est impossible de les distinguer. ⇒ **désordonné**, **indistinct**. *On voyait vaguement un amas, un groupe confus. Un bruit confus de voix.* ⇒ **brouhaha**. **2.** Qui manque de clarté. ⇒ **embrouillé**, **obscur**. / contr. **clair**, **distinct** / *Souvenir confus, idées confuses. Style, langage confus. Une affaire, une situation confuse.* ▶ *confusément* adv. ▪ Indistinctement. *Comprendre confusément qqch.* ⇒ **vaguement**. / contr. **clairement** /

confusion [kɔ̃fyzjɔ̃] n. f. **I.** Trouble d'une personne confuse (I). ⇒ **embarras**, **gêne**. *Rougir de confusion. Remplir qqn de confusion.* **II. 1.** État de ce qui est confus ; situation embrouillée. ⇒ **désordre**, **trouble**. *Une confusion indescriptible. Confusion politique.* **2.** Manque de clarté, d'ordre dans ce qui touche les opérations de l'esprit. *La confusion des idées. Jeter la confusion dans les esprits.* ⇒ **trouble**. **3.** Action de confondre entre elles (des personnes, des choses). ⇒ **erreur**, **méprise**. *Confusion de noms, de dates. Vous faites une confusion sur la date. Une grossière confusion.*

congé [kɔ̃ʒe] n. m. **1.** Permission de s'absenter, de quitter un service, un emploi, un travail. *Congé (de) maladie, (de) maternité.* ⇒ **repos**. *Congé annuel.* ⇒ **vacances**. — Loc. *Congés payés*, auxquels les salariés ont droit annuellement. *Passer ses congés à la montagne.* **2.** Donner son congé à qqn, le renvoyer. *Recevoir son congé.* **3.** DONNER, PRENDRE CONGÉ : l'autorisation de partir. ▶ *congédier* v. tr. ▪ conjug. 7. **1.** Inviter à se retirer, à s'en aller. ⇒ **éconduire**. *Il le congédia d'un signe, après l'entrevue.* **2.** Congédier un salarié, un employé. ⇒ **licencier**, **renvoyer**. ▶ *congédiement* [kɔ̃ʒedimɑ̃] n. m.

congeler [kɔ̃ʒle] v. tr. ▪ conjug. 5. **1.** Faire passer à l'état solide par l'action du froid. ⇒ **geler**. — Pronominalement. *L'eau se congèle à 0 °C en augmentant de volume.* **2.** Soumettre au froid. ⇒ **surgeler**. *Congeler de la viande, des fruits.* — Au p. p. adj. *Viande congelée.* / contr. **dégeler** / ▶ *congélateur* n. m. ▪ Appareil pour la congélation des aliments. ▶ *congélation* n. f. **1.** Passage de l'état liquide à l'état solide par refroidissement. *Point de congélation de l'eau, 0 °C.* **2.** Action de soumettre un produit au froid (plus vif que la réfrigération) pour le conserver. *Congélation de la viande.*

congénère [kɔ̃ʒenɛr] n. ▪ Animal qui appartient au même genre, à la même espèce. *Cet animal et ses congénères.* — Fam. (Personnes) *Vos congénères.* ⇒ **pareil**, **semblable**.

congénital, ale, aux [kɔ̃ʒenital, o] adj. **1.** (Opposé à *acquis*) (Caractère) Qui existe dès la naissance. **2.** *Maladie, malformation congénitale*, dont l'origine se situe avant la naissance. **3.** Fam. et fig. Inné. *L'optimisme congénital des Américains. Une bêtise congénitale.*

congère [kɔ̃ʒɛʀ] n. f. ■ Amas de neige entassée par le vent.

congestif, ive [kɔ̃ʒɛstif, iv] adj. ■ Qui a rapport à la congestion. ▸ *congestion* [kɔ̃ʒɛstjɔ̃] n. f. ■ Afflux de sang dans une partie du corps. *Congestion cérébrale. Congestion pulmonaire.* ▸ *congestionner* v. tr. ■ conjug. 1. **1.** Produire une congestion dans. — Surtout au passif et p. p. adj. *Avoir le visage congestionné, être congestionné.* ⇒ **rouge. 2.** Encombrer. *Congestionner une rue, une route.* ⇒ **embouteiller.** ⟨ ▸ décongestionner ⟩

conglomérat [kɔ̃glɔmeʀa] n. m. **1.** Roche formée par des fragments agglomérés. **2.** Assemblage informe (de choses). *Un conglomérat d'objets hétéroclites.*

congolais, aise [kɔ̃gɔlɛ, ɛz] adj. et n. **1.** Du Congo. — N. *Les Congolais.* **2.** N. m. invar. Gâteau à la noix de coco.

congratuler [kɔ̃gʀatyle] v. tr. ■ conjug. 1. ■ Plaisant. Faire un compliment, des félicitations. ⇒ **féliciter.** *On se bousculait pour congratuler le champion.* — SE CONGRATULER v. pron. récipr. : échanger des compliments. *Ils se sont longuement congratulés.* ▸ *congratulation* n. f. ■ Compliment, félicitation.

congre [kɔ̃gʀ] n. m. ■ Poisson de mer au corps cylindrique, sans écailles (anguille de mer).

congrégation [kɔ̃gʀegasjɔ̃] n. f. ■ Compagnie de prêtres, de religieux, de religieuses. ⇒ **communauté, ordre.**

congrès [kɔ̃gʀɛ] n. m. invar. **1.** Réunion diplomatique. *Le congrès de Vienne.* **2.** (Avec une majuscule) Corps législatif des États-Unis d'Amérique. **3.** Réunion de personnes qui se rassemblent pour échanger leurs idées ou se communiquer leurs études. *Congrès et colloques. Congrès international de médecine.* ▸ *congressiste* n. ■ Personne qui prend part à un congrès.

congru, ue [kɔ̃gʀy] adj. ■ PORTION CONGRUE : revenu, ressources à peine suffisant(es) pour subsister. *Réduire qqn à la portion congrue.* ⟨ ▸ incongru ⟩

conifère [kɔnifɛʀ] n. m. ■ Arbre dont les organes reproducteurs sont en forme de cônes (pomme de pin) et qui porte des aiguilles persistantes (ex. : *cèdre, if, pin, sapin...*). *Forêt de conifères. Les conifères sont des résineux.*

conique [kɔnik] adj. et n. f. ■ Qui a la forme d'un cône. *Engrenage, pignon conique.* — N. f. Courbe qui résulte de la section d'un cône par un plan.

conjecture [kɔ̃ʒɛktyʀ] n. f. ■ Opinion fondée sur des probabilités. ⇒ **hypothèse, supposition.** *En être réduit aux conjectures. Se perdre en conjectures, envisager de nombreuses hypothèses, être perplexe.* ≠ *conjoncture.* ▸ *conjectural, ale, aux* adj. ■ Fondé sur des suppositions. ▸ *conjecturer* v. tr. ■ conjug. 1. ■ Littér. Croire, juger par conjecture. ⇒ **présumer, supposer.** *Il conjecturait son départ, qu'il allait partir.*

① *conjoint, ointe* [kɔ̃ʒwɛ̃, wɛ̃t] adj. ■ Joint avec ; uni. *Problèmes conjoints. Note conjointe.* ▸ *conjointement* adv. ■ Ensemble.

② *conjoint, ointe* n. ■ Personne jointe (à une autre) par les liens du mariage. ⇒ **époux.** *Le conjoint de..., son conjoint. Les futurs conjoints, les fiancés.*

conjonctif, ive [kɔ̃ʒɔ̃ktif, iv] adj. **1.** *Tissu conjonctif,* qui occupe les intervalles entre les organes. **2.** *Locutions conjonctives,* jouant le rôle de conjonctions (ex. : *bien que, après que, de telle sorte que*).

conjonction [kɔ̃ʒɔ̃ksjɔ̃] n. f. **I.** Action de joindre. *La conjonction de la science et de l'imagination.*

Conjonction des planètes (terme d'astrologie). / contr. **opposition** / **II.** Mot qui sert à joindre deux mots ou groupes de mots. *Conjonctions de coordination,* union *(et),* opposition *(mais, pourtant),* alternative ou négation *(ni, ou),* conséquence *(donc),* conclusion *(ainsi, enfin). Conjonctions de subordination,* qui établissent une dépendance entre les éléments qu'elles unissent *(comme, quand, que).*

conjonctive [kɔ̃ʒɔ̃ktiv] n. f. ■ Membrane muqueuse qui joint le globe de l'œil aux paupières. ▸ *conjonctivite* n. f. ■ Inflammation de la conjonctive.

conjoncture [kɔ̃ʒɔ̃ktyʀ] n. f. ≠ *conjecture.* ■ Situation qui résulte d'une rencontre de circonstances. *Une conjoncture favorable, difficile. Profiter de la conjoncture. Étude de conjoncture,* étude d'une situation économique occasionnelle (opposé à *structure*) en vue d'une prévision. ▸ *conjoncturel, elle* adj. ■ Relatif à la conjoncture économique. *Politique conjoncturelle.*

conjugal, ale, aux [kɔ̃ʒygal, o] adj. ■ Relatif à l'union entre le mari et la femme. ⇒ **matrimonial.** *Amour conjugal.*

conjuguer [kɔ̃ʒyge] v. tr. ■ conjug. 1. **I.** Littér. Joindre ensemble. ⇒ **combiner, unir.** *Ils ont conjugué leurs efforts.* **II.** Réciter ou écrire la conjugaison de (un verbe). — Pronominalement (passif). *Le verbe « manger » se conjugue avec l'auxiliaire « avoir ».* ▸ *conjugaison* n. f. ■ Ensemble des formes verbales ; tableau ordonné de toutes les formes d'un verbe suivant les voix, les modes, les temps, les personnes, les nombres. *Apprendre la conjugaison d'un verbe.*

conjuration [kɔ̃ʒyʀasjɔ̃] n. f. ■ Action préparée secrètement par un groupe de personnes (contre qqn ou qqch.). ⇒ **complot, conspiration.** *Une vaste conjuration se préparait contre le gouvernement. La conjuration des mécontents. C'est une conjuration !* ▸ *conjuré, ée* n. ■ Membre d'une conjuration. *Les conjurés ont préparé un attentat contre le chef de l'État.* ▸ ① *conjurer* v. tr. ■ conjug. 1. ■ Littér. Préparer par un complot (la perte de qqn). ⇒ **comploter, conspirer.** *Conjurer la mort d'un tyran.*

② *conjurer* v. tr. ■ conjug. 1. **I.** Détourner, dissiper (une menace), écarter (un danger). *Conjurer un péril, le mauvais sort.* **II.** Littér. Adjurer, implorer. *Je vous conjure de me croire ; je vous en conjure.*

connaissance [kɔnɛsɑ̃s] n. f. **I. 1.** Le fait ou la manière de connaître. ⇒ **conscience ; compréhension.** / contr. **ignorance** / *Connaissance intuitive. Connaissance abstraite, expérimentale. La connaissance d'une langue étrangère (par qqn).* **2.** Loc. *Avoir connaissance de,* connaître, savoir. *Je n'ai pas eu connaissance de ce dossier.* — *À ma connaissance,* autant que je sache. — *Prendre connaissance (d'un texte, etc.).* — *En connaissance de cause,* avec raison et justesse, à bon escient. *Parler, agir en (toute) connaissance de cause.* **3.** Dans des loc. Le fait de sentir, de percevoir. ⇒ **conscience, sentiment.** *Avoir toute sa connaissance.* ⇒ **lucidité.** *Perdre connaissance.* ⇒ **s'évanouir ;** fam. tomber dans les **pommes.** *Être sans connaissance,* évanoui. **4.** *Les connaissances* (sens objectif), ce que l'on sait, pour l'avoir appris. ⇒ **culture, éducation, savoir.** *Connaissances acquises. Approfondir, enrichir ses connaissances. Il a de grandes connaissances en électronique.* **II. 1.** FAIRE CONNAISSANCE : connaître (qqn) pour la première fois. *J'ai fait connaissance avec lui, j'ai fait sa connaissance. Nous avons fait connaissance. Faire plus ample connaissance avec qqn.* — *Lier connaissance avec qqn.* — DE CONNAISSANCE : connu. *Une personne, un visage de connaissance.* **2.** UNE

CONNAISSANCE : une personne que l'on connaît. ⇒ ① **relation** (4). *Ce n'est pas un ami, c'est une simple connaissance.* ▶ *connaisseur* n. m. ■ Personne compétente. ⇒ **amateur**. *Être connaisseur en vins. Le critique d'art examinait les tableaux en connaisseur.* — Adj. *Il, elle est très connaisseur.*

connaître [kɔnɛtʀ] v. tr. ■ conjug. 57. ■ Avoir présent à l'esprit ; être capable de former l'idée, le concept, l'image de. **I.** CONNAÎTRE *qqch.* **1.** Se faire une idée de. *Connaître un fait.* ⇒ **savoir.** / contr. **ignorer** / *Faire connaître une chose, une idée,* apprendre. — Au p. p. *C'est bien connu.* Loc. *Ni vu ni connu,* personne n'en saura rien. — N. m. *Le connu et l'inconnu.* **2.** *Connaître qqch.,* en avoir l'expérience. *Connaître un pays, une ville. Je connais un bon restaurant chinois. Il connaît bien son métier.* **3.** Avoir présent à l'esprit ; pouvoir utiliser. *Connaître un texte, une œuvre à fond. Il ne connaît pas grand-chose à l'aviation. Il n'y connaît rien. Il connaît plusieurs langues étrangères,* il sait, il parle... — SE CONNAÎTRE À *qqch.* ; S'Y CONNAÎTRE en *qqch.* : être très compétent. *S'y connaître en musique.* **4.** Éprouver, ressentir. *Connaître la faim, les privations.* **5.** *Il ne connaît que le règlement,* rien d'autre ne l'influence. **6.** (Suj. chose) Avoir. *Ce nouveau modèle connaît un grand succès.* ⇒ **rencontrer.** *Sa gentillesse ne connaît pas de bornes,* n'a pas de bornes. **II.** CONNAÎTRE *qqn.* **1.** Être conscient de l'existence de (qqn). *Connaître qqn de nom.* — Être capable de reconnaître. *Je vous connaissais de vue avant qu'on ne nous présente.* — Au p. p. *Il est très connu,* célèbre. **2.** Avoir des relations sociales avec. *Chercher à connaître un homme en vue.* — Pronominalement (récipr.). *Ils se sont connus en Italie.* **3.** Se faire une idée de la personnalité de (qqn). ⇒ **apprécier, comprendre, juger.** *Vous apprendrez à le connaître.* — Pronominalement (réfl.). *Il se connaît mal.* — *Ne plus se connaître,* perdre son sang-froid. ‹ ▶ connaissance, inconnu, méconnaître, reconnaître ›

connecter [kɔnɛkte] v. tr. ■ conjug. 1. ■ Unir par une connexion ; mettre en liaison (plusieurs appareils électriques). ‹ ▶ déconnecter ›

connerie [kɔnʀi] n. f. ■ Fam. et vulg. Imbécillité, absurdité. — Action, parole inepte. *Il dit des conneries.* ⇒ fam. **déconner.**

connétable [kɔnetabl] n. m. ■ Histoire. Sous l'Ancien Régime. Grand officier de la couronne, chef suprême de l'armée.

connexe [kɔnɛks] adj. ■ Qui a des rapports étroits avec autre chose. ⇒ **analogue, uni, voisin.** *Affaires, matières, idées, sciences connexes.* / contr. **indépendant, séparé /** ▶ *connexion* [kɔnɛksjɔ̃] n. f. ■ Le fait d'être connexe. ⇒ **affinité, analogie.** *La connexion des faits entre eux.* — Liaison d'un appareil à un circuit électrique (⇒ **connecter**).

connivence [kɔnivɑ̃s] n. f. ■ Entente secrète. — Accord tacite. ⇒ **entente, intelligence.** *Échanger un sourire* DE CONNIVENCE. *Agir, être de connivence avec qqn.* ⇒ être de **mèche** ③ .

connotation [kɔnɔtasjɔ̃] n. f. ■ Sens particulier ou effet de sens d'un mot, d'un énoncé qui vient s'ajouter au sens ordinaire selon la situation ou le contexte. *Une connotation péjorative.*

connu, ue adj. ⇒ **connaître.**

conque [kɔ̃k] n. f. ■ Tout mollusque de grande taille dont la coquille est en deux parties ; sa coquille.

conquérir [kɔ̃keʀiʀ] v. tr. ■ conjug. 21. **1.** Acquérir par les armes, soumettre par la force. *Conquérir un pays.* ⇒ **soumettre, vaincre.** — Obtenir en luttant.

Conquérir le pouvoir. Conquérir un marché. / contr. **perdre / 2.** Acquérir une forte influence sur (qqn). ⇒ **envoûter, séduire, subjuguer.** *Conquérir les cœurs. Conquérir l'estime de ses supérieurs.* — Au passif. *Elle est conquise par lui.* ▶ *conquérant, ante* n. et adj. **1.** Personne qui fait des conquêtes par les armes. ⇒ **guerrier, vainqueur.** *Guillaume le Conquérant.* — Adj. *Les nations conquérantes.* **2.** Personne qui séduit les cœurs, les esprits. **3.** Adj. Fam. *Un air conquérant,* prétentieux, un peu fat. ▶ *conquête* [kɔ̃kɛt] n. f. **1.** Action de conquérir. ⇒ **domination, prise, soumission.** / contr. **abandon, perte /** *Faire la conquête d'un pays. La conquête de l'espace.* — Au plur. Ce qui est conquis. *Les conquêtes sociales. Les conquêtes de la science.* — Territoire conquis. *Les conquêtes romaines. Conserver, étendre ses conquêtes.* **2.** Action de séduire (qqn) ; pouvoir sur ceux que l'on a conquis. *Il a fait sa conquête,* il lui a plu. **3.** Fam. Personne séduite, conquise. *Vous avez vu sa dernière conquête ?* ‹ ▶ reconquérir ›

conquistador [kɔ̃kistadɔʀ] n. m. ■ Histoire. Conquérant espagnol ou portugais de l'Amérique, au XVIᵉ siècle. *Des conquistadores* ou *des conquistadors.*

consacrer [kɔ̃sakʀe] v. tr. ■ conjug. 1. **I.** Rendre sacré en dédiant à Dieu (⇒ **consécration**). *Consacrer une église.* **II.** CONSACRER *qqch.* à : destiner (qqch.) à un usage. ⇒ **donner.** *Consacrer sa jeunesse à l'étude. Combien de temps pouvez-vous me consacrer ?* ⇒ **accorder.** — Pronominalement (réfl.). *Elle s'est consacrée à son travail, à ses enfants. Se consacrer à une œuvre.* ▶ *consacré, ée* adj. **1.** Hostie consacrée. **2.** Qui est de règle, normal dans une circonstance. *Expression consacrée.* ⇒ **habituel.** ‹ ▶ consécration ›

consanguin, ine [kɔ̃sɑ̃gɛ̃, in] adj. ■ Qui est parent du côté du père. *Des cousins consanguins* (opposé à *utérin*).

consciemment [kɔ̃sjamɑ̃] adv. ■ D'une façon consciente. / contr. **inconsciemment /**

conscience [kɔ̃sjɑ̃s] n. f. ■ Faculté qu'a l'être humain de connaître sa propre réalité et de la juger. **I.** (*Conscience psychologique*) **1.** Connaissance immédiate de sa propre activité psychique. / contr. **inconscience /** *Avoir la conscience de soi, de soi-même. Conscience d'exister, de vivre.* **2.** Avoir, prendre conscience de qqch., une connaissance immédiate, spontanée. *Il a conscience de sa force, de son talent. Cet enfant n'a aucune conscience du danger. J'en ai pris conscience récemment.* ⇒ s'**apercevoir. II.** (*Conscience morale*) **1.** Connaissance intérieure que chacun a de ce qui est bien et mal et qui pousse à porter un jugement de valeur sur ses propres actes. *Une conscience droite, pure. Avoir une conscience élastique,* peu exigeante. *Agir selon sa conscience. Avoir la conscience tranquille. Vous aurez cela* SUR LA CONSCIENCE : vous en serez responsable, coupable. — EN CONSCIENCE : en toute franchise, honnêtement. *En mon âme et conscience* (formule de serment). **2.** BONNE CONSCIENCE : état de la personne qui estime (souvent à tort) n'avoir rien à se reprocher. — *Avoir* MAUVAISE CONSCIENCE : sentiment pénible d'avoir mal agi. **3.** CONSCIENCE PROFESSIONNELLE : l'honnêteté que l'on apporte à l'exécution de son travail. ▶ *consciencieux, ieuse* adj. **1.** Qui obéit à la conscience morale, qui accomplit ses devoirs avec conscience. ⇒ **honnête.** *Employé consciencieux.* **2.** Qui est fait avec conscience. *Examen, travail consciencieux.* / contr. **bâclé /** ▶ *consciencieusement* adv. ▶ *conscient, ente* adj. et n. m. **1.** (Personnes) Qui a conscience (I) de ce qu'il fait ou éprouve. *L'homme est un être conscient. Elle est consciente de ses responsabilités, de la situation.*

2. (Choses) Dont on a conscience (I). *États conscients.* — N. m. *Le conscient et l'inconscient.* ‹ ► consciemment, inconscient, subconscient ›

conscription [kɔ̃skʀipsjɔ̃] n. f. ■ Inscription des jeunes gens pour le service militaire. ⇒ **recrutement.** ► **conscrit** n. m. ■ Jeune homme inscrit pour accomplir son service militaire. — Soldat nouvellement recruté. ⇒ **recrue ;** fam. **bleu.** *Les conscrits de la classe 1988. Enrôler des conscrits.*

consécration [kɔ̃sekʀasjɔ̃] n. f. **I.** Action de consacrer à la divinité. — Action par laquelle le prêtre consacre le pain et le vin, à la messe. *L'élévation suit la consécration.* **II.** Action de sanctionner, de rendre durable (⇒ **consacré).** *Recevoir la consécration du temps* (par le temps). *La consécration d'une œuvre par le succès.*

consécutif, ive [kɔ̃sekytif, iv] adj. **1.** Au plur. Qui se suit dans le temps. *Pendant six jours consécutifs.* **2.** CONSÉCUTIF À : qui suit, résulte de. *La fatigue consécutive à un effort violent.* **3.** En grammaire. *Proposition consécutive,* qui exprime une conséquence. ► *consécutivement* adv. ■ ⇒ **successivement.**

① *conseil* [kɔ̃sɛj] n. m. **1.** Opinion donnée à qqn sur ce qu'il doit faire. ⇒ **avis, recommandation.** *Le, les conseils donnés à qqn par qqn. Conseil prudent. Je vous donne le conseil d'attendre.* ⇒ **conseiller.** *Dangereux, mauvais conseil. Demander conseil à qqn. Suivre un conseil. Un bon conseil : refusez.* — *Un homme de bon conseil,* sage, avisé. **2.** Incitation qui résulte de qqch. *Les conseils de la colère.* — PROV. *La nuit porte conseil.* **3.** *Avocat-conseil, ingénieur-conseil* (qui donnent des avis). *Des avocats-conseils.* — *Conseil juridique,* personne dont la profession est d'assister les particuliers et les entreprises en matière de droit.

② *conseil* n. m. ■ Réunion de personnes qui délibèrent, donnent leur avis sur des affaires publiques ou privées. ⇒ **assemblée, réunion.** *Les membres, le président d'un conseil. Le conseil délibère.* — Institutions françaises. *Le Conseil d'État,* faisant fonction d'assemblée consultative auprès du gouvernement, de tribunal administratif central. *Le Conseil des ministres,* réunion des ministres sous la présidence du chef de l'État. — *Conseils généraux,* assemblées délibérantes dans chaque département. *Conseils municipaux,* chargés de régler les affaires de la commune. — Institutions internationales. *Le Conseil de sécurité* (de l'Organisation des Nations unies). *Le Conseil de l'Europe.* — CONSEIL D'ADMINISTRATION : dans une société anonyme, réunion d'actionnaires pour gérer les affaires (abrév. *C.A.).* — LE CONSEIL DE L'ORDRE *des avocats, des médecins.* — *Conseil de discipline.* — *Conseil de classe,* dans l'enseignement secondaire français, réunion des professeurs, des parents d'élèves et des délégués d'une classe. ■ Membre d'un conseil. *Conseiller à la Cour de cassation* (juge). *Elle est conseiller à la Cour des comptes* (le fém. *conseillère* serait normal).

② *conseiller* [kɔ̃seje] v. tr. ■ conjug. 1. **1.** Indiquer à qqn (ce qu'il doit faire ou ne pas faire). *Conseiller qqch. à qqn.* ⇒ **inspirer, recommander, suggérer.** / contr. **déconseiller** / *Je vous conseille la prudence.* — V. tr. ind. *Conseiller (à qqn) de faire qqch.* **2.** Guider (qqn) en lui indiquant ce qu'il doit faire. *Conseiller un ami dans l'embarras.* — Au passif. *Vous avez été mal conseillé.* ► ③ *conseiller, ère* n. ■ Personne qui donne des conseils. *Un bon conseiller.* — *La colère est mauvaise conseillère.* — *Conseiller, conseillère d'orientation (scolaire, professionnelle).* ‹ ► conseil, déconseiller ›

consensus [kɔ̃sɛ̃sys] n. m. invar. ■ Accord entre personnes. *Le consensus social. Des consensus.*

consentir [kɔ̃sɑ̃tiʀ] v. tr. ■ conjug. 16. **I.** V. tr. ind. CONSENTIR À : accepter qu'une chose se fasse. ⇒ **acquiescer.** *Les parents ont consenti au mariage. J'y consens avec plaisir. Je consens à ce qu'il y aille.* — (+ infinitif) *Il consent à lui payer cette somme.* — PROV. *Qui ne dit mot consent,* celui qui se tait ne s'oppose pas. **II.** V. tr. dir. **1.** *Consentir que* (+ subjonctif). ⇒ **admettre, permettre.** *Je consens qu'il y aille.* / contr. **interdire** / **2.** Accorder (un avantage) à qqn. *Consentir un prêt à un ami.* / contr. **refuser** / ► *consentement* n. m. ■ Acquiescement donné à un projet ; décision de ne pas s'y opposer. ⇒ **accord, assentiment, permission.** *Accorder, refuser son consentement. Se marier sans le consentement de ses parents.* / contr. **interdiction, opposition** /

conséquence [kɔ̃sekɑ̃s] n. f. **1.** Suite qu'une action, un fait entraîne. ⇒ **effet, résultat, suite.** *La cause et les conséquences. Conséquences sérieuses, graves. Avoir (qqch.) pour conséquence. Les inondations ont eu pour conséquence une flambée des prix agricoles. Cela ne tire pas à conséquence,* c'est sans inconvénient. *Sans conséquence,* sans suite fâcheuse ; qui ne mérite pas l'attention. **2.** EN CONSÉQUENCE loc. adv. : conformément à ce qui précède. *Nous agirons en conséquence.*

conséquent, ente [kɔ̃sekɑ̃, ɑ̃t] adj. **1.** Qui agit ou raisonne avec esprit de suite. ⇒ **logique.** *Être conséquent avec ses principes dans ses actions.* **2.** PAR CONSÉQUENT loc. adv. : comme suite logique. *Il pleut, par conséquent nous ne sortirons pas.* ⇒ **ainsi, donc.** **3.** Fam. (Emploi critiqué) Important. *C'est une affaire conséquente.* ‹ ► conséquence ›

conserver [kɔ̃sɛʀve] v. tr. ■ conjug. 1. **1.** Maintenir en bon état, préserver de l'altération, de la destruction. ⇒ **entretenir, garder.** *C'est un ancien danseur, et il a conservé toute sa souplesse. Conserver des denrées alimentaires.* ⇒ **conserve. 2.** Ne pas laisser disparaître ; faire durer. ⇒ **garder.** *Conserver un souvenir. Conserver une tradition.* **3.** Ne pas perdre, garder (avec soi). *Conserver un, son emploi. Conserver son calme. Conserver un espoir.* / contr. **perdre** / **4.** Ne pas jeter. *Conserver des lettres.* — Au passif et p. p. adj. *(Être) conservé, ée. Des manuscrits conservés dans une bibliothèque. Harengs conservés dans l'huile. Un monument bien conservé.* Fam. *Être bien conservé,* paraître moins que son âge. ► *conservateur, trice* n. et adj. **I.** N. m. Ce qui sert à la conservation (des aliments). **II.** N. Personne qui a la charge de conserver des choses précieuses. *Le conservateur du musée, des archives. Elle est conservatrice* ou *conservateur.* **III.** Adj. et n. Fig. En politique. Qui veut conserver, préserver ce qui existe. *Un parti conservateur,* défenseur de l'ordre social, des idées et des institutions du passé. N. *Les conservateurs,* la droite. / contr. **progressiste, révolutionnaire** / ► *conservatisme* n. m. ■ État d'esprit des conservateurs. ⇒ **conformisme, traditionalisme.** / contr. **progressisme** / ► *conservation* n. f. **1.** Action de conserver, de maintenir intact ou dans le même état. ⇒ **entretien, garde, sauvegarde.** *Être chargé de la conservation d'un monument. Instinct de conservation* (de soi-même, de sa propre vie). — *La conservation des aliments par le froid.* ⇒ **congélation.** *Agent de conservation* ou *conservateur.* **2.** État de ce qui est conservé. ► *conservatoire* n. m. ■ École qui forme des musiciens, des comédiens. *Un premier prix du Conservatoire* (de Paris). ► ① *conserve* n. f. **1.** Substance alimentaire conservée dans un récipient hermétiquement fermé. *Acheter, faire des conserves de légumes. Des boîtes de conserve.* **2.** EN CONSERVE : en boîte (opposé à *frais). Des petits* *pois en conserve.* — Plaisant. *Mettre en conserve,* garder indéfiniment. *La musique en conserve,* les disques.

② *de* **conserve** [dəkɔ̃sɛʀv] loc. adv. ■ Ensemble. *Naviguer, aller de conserve,* en compagnie. *Agir de conserve,* d'accord avec qqn. ⇒ **de concert.**

considérable [kɔ̃sideʀabl] adj. ■ (Grandeur, quantité) Très important. ⇒ **grand.** *Dépense considérable. Des sommes considérables.* / contr. **faible, petit** / ▶ **considérablement** adv. ■ En grande quantité ; beaucoup. ⇒ **énormément.**

considérer [kɔ̃sideʀe] v. tr. ■ conjug. 6. **1.** *Considérer qqch.,* envisager par un examen attentif, critique. ⇒ **examiner, observer.** *Considérer une chose sous tous ses aspects. C'est un point à considérer.* **2.** *Considérer qqn,* faire cas de (qqn). ⇒ **estimer.** *Un homme que l'on considère beaucoup.* / contr. **mépriser** / — CONSIDÉRER *qqn, qqch.* COMME. ⇒ **juger, tenir** pour. *Je le considère comme un ami.* — Pronominalement (réfl.). *Il se considère comme un personnage.* **3.** CONSIDÉRER QUE (+ indicatif). ⇒ **estimer, penser.** *Je considère qu'il a raison, qu'il a eu raison.* **4.** Au passif et p. p. adj. (ÊTRE) CONSIDÉRÉ, ÉE : regardé(e) comme. *Il est considéré comme le meilleur journaliste français. Il est très considéré dans la ville,* très estimé. TOUT BIEN CONSIDÉRÉ : tout étant examiné. ▶ *considération* n. f. **1.** Motif, raison que l'on considère pour agir. *Diverses considérations l'ont porté à cette démarche. Je ne peux pas entrer dans ces considérations.* **2.** Digne *de considération,* d'attention. **3.** *Prendre* EN CONSIDÉRATION : tenir compte de, considérer comme important. — EN CONSIDÉRATION DE loc. prép. : en tenant compte de, par égard pour. **4.** Estime que l'on porte à qqn. ⇒ **déférence, égard.** / contr. **mépris** / *Avoir la considération de ses chefs.* ⟨ ▶ considérable, déconsidérer, inconsidéré, reconsidérer ⟩

① **consigner** [kɔ̃siɲe] v. tr. ■ conjug. 1. ■ Mentionner, rapporter par écrit. ⇒ **enregistrer.** *Consigner un détail au procès-verbal. Consigner une réflexion, une pensée sur un carnet.* ⇒ **noter.**

② **consigner** v. tr. ■ conjug. 1. **I.** *(Consigner qqn)* Empêcher (qqn) de sortir par mesure d'ordre, par punition. ⇒ **retenir.** *Consigner un soldat au quartier. Consigner un élève indiscipliné.* ⇒ fam. **coller ; consigne. II.** *(Consigner qqch.)* **1.** Interdire l'accès de. *La police a consigné la salle.* **2.** Mettre à la consigne. *Consigner ses bagages.* **3.** Facturer (un emballage) en s'engageant à reprendre et à rembourser. *Emballages non consignés* (dits *emballages perdus*). ▶ *consignation* n. f. **1.** Action de consigner un emballage ; consigne. **2.** CAISSE DES DÉPÔTS ET CONSIGNATIONS (dépôt de valeurs dues à un créancier). ▶ *consigne* n. f. **I. 1.** Instruction stricte. *Donner, transmettre la consigne. Manger la consigne,* l'oublier. **2.** Défense de sortir par punition. ⇒ **retenue ;** fam. **colle. II. 1.** Service chargé de la garde des bagages ; lieu où les bagages sont déposés. *La consigne d'une gare, d'un aéroport. Mettre sa valise à la consigne automatique.* **2.** Somme remboursable versée à la personne qui consigne un emballage. *Un franc de consigne.* ⇒ **consignation.** *Se faire rembourser la consigne d'une bouteille.*

consister [kɔ̃siste] v. tr. ind. ■ conjug. 1. **1.** *Consister* EN, DANS : se composer de. *Ce bâtiment consiste en trente appartements.* ⇒ **comporter, comprendre.** *En quoi consiste votre projet ?* **2.** *Consister à* (+ infinitif). *La sagesse consiste maintenant à patienter, est de...* ▶ *consistance* n. f. **1.** Degré plus ou moins grand de solidité ou d'épaisseur (d'un corps). ⇒ **dureté, fermeté, solidité.** *La consistance de la boue. La consistance dure, molle, visqueuse d'une substance.* — *Prendre consistance,* durcir. **2.** Abstrait. État de ce qui est ferme, solide. ⇒ **solidité.** *Caractère, esprit sans consistance.* ▶ *consistant, ante* adj. **1.** Qui est ferme, épais. *Une sauce trop consistante.* ⇒ **épais. 2.** Qui a de la consistance (2). / contr. **inconsistant** /

consistoire [kɔ̃sistwaʀ] n. m. ■ Assemblée de cardinaux. — Assemblée de ministres protestants.

consœur [kɔ̃sœʀ] n. f. ■ Femme qui appartient à une société, à une compagnie, considérée par rapport aux autres membres (et notamment aux autres femmes). *Ses consœurs et ses confrères.*

consolant, ante [kɔ̃sɔlɑ̃, ɑ̃t] adj. ■ Propre à consoler. ⇒ **consolateur, réconfortant.** *Pensée, parole consolante. Il est consolant de se dire que cela ne durera pas longtemps.* / contr. **attristant** /

consolateur, trice [kɔ̃sɔlatœʀ, tʀis] adj. et n. ■ (Personnes ; actes) Qui console. *Des paroles consolatrices.* ⇒ **consolant.** — N. *Un consolateur.* ▶ *consolation* n. f. ■ Soulagement apporté à la douleur, à la peine de qqn. ⇒ **réconfort.** *Paroles de consolation. Il aura la consolation de savoir qu'on le regrette.* — *Prix, lot de consolation.*

console [kɔ̃sɔl] n. f. **1.** Moulure saillante en forme de S, qui sert de support. *La console d'une corniche.* **2.** Table adossée contre un mur et dont les pieds ont la forme d'une console. *Console Empire, Directoire.* **3.** *Console d'orgue,* le meuble qui porte les claviers, etc. **4.** Élément périphérique en terminal (d'un ordinateur). *L'unité centrale et les consoles.* ⇒ **terminal.** — Pupitre d'enregistrement sonore. *La console d'un studio d'enregistrement.*

consoler [kɔ̃sɔle] v. tr. ■ conjug. 1. **1.** Soulager (qqn) dans son chagrin, dans sa douleur. ⇒ **apaiser, soulager.** / contr. **accabler, désoler** / *On ne peut le consoler de sa peine.* **2.** V. pron. réfl. SE CONSOLER DE *qqch. :* trouver en soi une consolation. *Il ne se console pas de la mort de sa femme.* ⇒ **inconsolable. 3.** (Choses) Apporter un réconfort, une compensation à. *Ce souvenir le console de bien des regrets.* ⟨ ▶ consolant, consolateur, consolation, inconsolable, inconsolé ⟩

consolider [kɔ̃sɔlide] v. tr. ■ conjug. 1. **1.** Rendre (qqch.) plus solide, plus stable. ⇒ **renforcer, soutenir.** *Consolider un édifice, une charpente.* — Abstrait. Rendre solide, durable. *Ils ont consolidé leur alliance par un traité.* ⇒ **confirmer.** *Consolider sa fortune. Consolider sa position.* **2.** *Consolider une rente, un emprunt,* le garantir. — Au p. p. adj. *Fonds consolidés,* garantis. ▶ *consolidation* n. f. ■ *La consolidation d'un mur.*

① **consommé, ée** [kɔ̃sɔme] adj. (⇒ ② **consommer**) ■ Parvenu à un degré élevé de perfection. ⇒ **accompli, achevé, parfait.** *Diplomate consommé. Habileté consommée.*

② **consommé** n. m. ■ Bouillon de viande concentré. *Un consommé de poulet.*

① **consommer** [kɔ̃sɔme] v. tr. ■ conjug. 1. **1.** Amener (une chose) à destruction en utilisant sa substance, en faire un usage qui la rend ensuite inutilisable ou la fait disparaître. ⇒ **user** de, **utiliser.** *Consommer ses provisions. Consommer des aliments, boire, manger.* — Pronominalement (passif). *Ce plat se consomme froid.* — *Consommer de l'électricité.* **2.** Intransitivement. Prendre une consommation au café. *Consommer à la terrasse, au comptoir.* **3.** (Choses) User (du combustible, etc.). *Cette voiture consomme trop d'essence, consomme trop.* ▶ *consommateur, trice* **1.** Personne qui consomme (des marchandises, des richesses). *Produit qui passe directement du producteur au consommateur.* ⇒ **acheteur.**

2. Personne qui prend une consommation (①, 2) dans un café. ▶ ① *consommation* n. f. **1.** Usage. *Faire une grande consommation de papier à lettres. La production et la consommation. Biens de consommation. Société de consommation,* dont l'équilibre économique repose sur l'importance de la consommation. **2.** Ce qu'un client consomme au café. *Payer les consommations.* ⟨ ▶ inconsommable ⟩

② *consommer* v. tr. ▪ conjug. 1. Littér. **1.** Mener (une chose) au terme de son accomplissement. *Consommer son œuvre.* **2.** *Consommer un forfait, un crime.* ⇒ **accomplir, commettre.** ▶ ② *consommation* n. f. ▪ Achèvement, fin. *Jusqu'à la consommation des siècles.* ⟨ ▶ ① consommé ⟩

consomption [kɔ̃sɔ̃psjɔ̃] n. f. ▪ Amaigrissement et dépérissement, dans une maladie grave et prolongée.

consonance [kɔ̃sɔnɑ̃s] n. f. **1.** Ensemble de sons (accord) considéré traditionnellement dans la musique occidentale comme plus agréable à l'oreille (opposé à *dissonance*). **2.** Uniformité ou ressemblance du son final de deux ou plusieurs mots. ⇒ **assonance, rime. 3.** Succession, ensemble de sons. *Un nom aux consonances harmonieuses, bizarres.* ▶ *consonant, ante* adj. ▪ Qui produit une consonance ; est formé de consonances (1, 2). / contr. **dissonant** /

consonne [kɔ̃sɔn] n. f. **1.** Phonème (bruit : *consonnes sourdes* ; ou son et bruit : *consonnes sonores*) produit par le passage de l'air à travers la gorge, la bouche, formant obstacles. *Les consonnes et les voyelles. Les consonnes bilabiales* [b, p] *se prononcent avec les lèvres.* **2.** Lettre représentant une consonne. ▶ *consonantique* adj. ▪ Relatif aux consonnes (opposé à *vocalique*).

consort [kɔ̃sɔʀ] n. et adj. m. **1.** N. m. pl. *Un tel* ET CONSORTS : et ceux qui agissent avec lui ; et les gens de même espèce (souvent péj.). **2.** Adj. PRINCE CONSORT : époux d'une reine, quand il ne règne pas lui-même.

consortium [kɔ̃sɔʀsjɔm] n. m. ▪ Groupement d'entreprises. *Des consortiums d'achat* (⇒ **comptoir**).

① *conspirer* [kɔ̃spiʀe] v. intr. ▪ conjug. 1. ▪ S'entendre secrètement pour renverser le pouvoir ou contre qqn, qqch. *Conspirer pour renverser le gouvernement.* ▶ *conspirateur, trice* n. ▪ Personne qui conspire. ⇒ **comploteur.** *Prendre un air de conspirateur, un air mystérieux.* ▶ *conspiration* n. f. **1.** Accord secret entre deux ou plusieurs personnes en vue de renverser le pouvoir établi. ⇒ **complot, conjuration.** *Le chef d'une conspiration. Démasquer une conspiration contre le gouvernement.* **2.** Entente dirigée contre qqn ou qqch. *C'est la conspiration du silence.*

② *conspirer* v. tr. ind. ▪ conjug. 1. ▪ CONSPIRER À : contribuer au même effet. ⇒ **concourir.** *Tout conspire à son succès, à le faire réussir.*

conspuer [kɔ̃spɥe] v. tr. ▪ conjug. 1. ▪ Manifester bruyamment et en groupe contre (qqn). ⇒ **huer.** *Conspuer un orateur. Elle s'est fait conspuer.* / contr. **acclamer, applaudir** /

constance [kɔ̃stɑ̃s] n. f. **1.** Persévérance dans ce que l'on entreprend. *La constance d'un amour ; la constance en amour.* ⇒ **fidélité.** / contr. **inconstance** / ▪ Patience. *Vous avez eu de la constance de l'attendre si longtemps.* **2.** Qualité de ce qui ne cesse d'être le même. ⇒ **continuité, permanence, persistance.** *La constance d'un phénomène. La constance de la pluie en cette saison.* / contr. **changement** / ▶ *constant, ante* adj. **1.** (Personnes ; actes) Littér. Persévérant. *Être*

constant dans la poursuite d'un but. **2.** (Choses) Qui persiste dans l'état où il (elle) se trouve ; qui ne s'interrompt pas. ⇒ **continuel, permanent, persistant.** / contr. **changeant** / *Manifester un intérêt constant. Quantité constante.* — N. f. *Une* CONSTANTE : un élément qui ne varie pas (dans un calcul). / contr. **variable** / ▶ *constamment* adv. ▪ D'une manière continuelle. ⇒ **toujours.** *Il est constamment malade.* ⟨ ▶ inconstance, inconstant ⟩

constater [kɔ̃state] v. tr. ▪ conjug. 1. ▪ Établir par expérience directe la vérité, la réalité de. ⇒ **observer, reconnaître.** *Constater un fait, la réalité d'un fait. Constater une erreur. Je constate qu'il est en retard. Vous pouvez constater (par) vous-même qu'il n'est pas venu.* ▶ *constat* n. m. **1.** Procès-verbal dressé pour décrire un état de fait. *Constat d'huissier. Les deux automobilistes accidentés ont établi un constat à l'amiable.* **2.** *Constat de...,* ce par quoi on constate (qqch.). *Dresser un constat d'échec.* ▶ *constatation* n. f. ▪ Action de constater pour attester ; fait constaté. ⇒ **observation.** *La constatation d'un fait. Procéder aux constatations d'usage. Je suis arrivée à la constatation suivante...*

constellation [kɔ̃stɛ(ɛl)lasjɔ̃] n. f. ▪ Groupe apparent d'étoiles qui présente un aspect reconnaissable. *La constellation de la Grande Ourse.*

constellé, ée [kɔ̃stɛ(ɛl)le] adj. ▪ Parsemé d'objets brillants. *Robe constellée de paillettes.*

consterner [kɔ̃stɛʀne] v. tr. ▪ conjug. 1. **1.** Jeter brusquement (qqn) dans un abattement profond. ⇒ **abattre, accabler, atterrer, désoler, navrer.** *Cette nouvelle m'a consterné. Il nous a consternés par sa nullité.* **2.** Au passif et p.p. adj. *(Être)* consterné, ée. *Je suis consterné par son attitude. Un air, un visage consterné.* ⇒ **atterré, abattu.** / contr. **heureux, réjoui** / ▶ *consternant, ante* adj. ▶ *consternation* n. f. ▪ Abattement, accablement. *La nouvelle a jeté la consternation dans l'assistance.*

constipation [kɔ̃stipasjɔ̃] n. f. ▪ Difficulté dans l'évacuation des selles ; état d'une personne qui éprouve cette difficulté. *Laxatif contre la constipation.* / contr. **diarrhée** / ▶ *constiper* v. tr. ▪ conjug. 1. **1.** Causer la constipation de (qqn). — Sans compl. *Le riz constipe.* — Au p. p. *Il est constipé.* **2.** Fam. CONSTIPÉ, ÉE : anxieux, contraint, embarrassé.

constituant, ante ⇒ **constituer ;** ② **constitution.**

constituer [kɔ̃stitɥe] v. tr. ▪ conjug. 1. **1.** (Choses) Concourir, avec d'autres éléments, à former (un tout). ⇒ **composer.** *Parties qui constituent un tout. Les articles qui constituent un traité.* **2.** Être. *Cette action constitue un délit. Cela constitue un progrès.* **3.** (Personnes) Organiser, créer (une chose complexe). *Constituer une société commerciale. Elle s'est constitué une belle collection.* / contr. **défaire** / **4.** V. pron. réfl. *Se constituer prisonnier,* se livrer. ⇒ **se rendre.** *Ils se sont constitués prisonniers.* **5.** Être bien constitué, avoir une bonne constitution ①. ▶ ① *constituant, ante* adj. ou *constitutif, ive* adj. ▪ Qui entre dans la composition de. *Les éléments constitutifs, constituants de l'eau.* ⟨ ▶ ① constitution, reconstituer ⟩

① *constitution* [kɔ̃stitysjɔ̃] n. f. **1.** Manière dont une chose est composée. ⇒ **arrangement, disposition, forme, organisation.** *La constitution d'une substance.* **2.** Action de constituer (un ensemble) ; son résultat. ⇒ **composition, création, élaboration.** *La constitution d'une société, d'un club sportif.* **3.** Ensemble des caractères congénitaux (d'un individu). ⇒ **conformation.** *Forte, robuste constitution.* ▶ ① *constitution-*

nel, elle adj. ■ De la constitution (3). *Faiblesse constitutionnelle (de qqch.).*

② *constitution* n. f. ■ Charte, textes fondamentaux qui déterminent la forme du gouvernement d'un pays. *Voter une constitution. Réviser, réformer la constitution. La Constitution française. Loi conforme à la Constitution.* ⇒ **constitutionnel.** ▶ ② *constituant, ante* adj. et n. f. ■ Qui est chargé de faire une constitution. *Assemblée constituante.* — N. f. *La Constituante,* l'Assemblée française de 1789. ▶ ② *constitutionnel, elle* adj. **1.** Relatif (ou conforme, soumis) à une constitution. *Monarchie constitutionnelle. Cette loi n'est pas constitutionnelle.* / contr. **anticonstitutionnel** / **2.** *Droit constitutionnel,* qui étudie la structure et le fonctionnement du pouvoir politique (branche du droit public). ▶ *constitutionnellement* adv. ■ D'une manière conforme à la constitution. ‹ ▶ anticonstitutionnel, inconstitutionnel ›

constricteur [kɔ̃striktœr] adj. m. ■ Anatomie. Qui resserre. *Muscles constricteurs.* — Zoologie. *Boa constricteur* ou CONSTRICTOR: qui étreint sa proie dans ses anneaux.

construire [kɔ̃struir] v. tr. ■ conjug. 38. — REM. Part. passé : *construit, ite.* **1.** Bâtir, suivant un plan déterminé. ⇒ **édifier.** / contr. **détruire** / *Construire une maison, un pont sur une rivière. Construire un navire, des automobiles.* **2.** Abstrait. Faire exister (un système complexe) en organisant des éléments mentaux. *Construire une intrigue.* ⇒ **composer.** *Construire un système, une théorie.* — Tracer (une figure géométrique) selon un schéma. *Construisez un triangle isocèle. Construire une phrase* (⇒ **construction**). ▶ *constructeur, trice* [kɔ̃stryktœr, tris] adj. et n. **1.** Personne qui bâtit, construit. *Une époque de grands constructeurs. Les constructeurs de cathédrales.* ⇒ **architecte, bâtisseur.** *Constructeur d'automobiles, d'avions.* **2.** Fig. *Un constructeur d'empire.* ⇒ **bâtisseur.** / contr. **destructeur** / ▶ *constructif, ive* adj. **1.** Capable de construire, d'élaborer, de créer. ⇒ **créateur.** *Un esprit constructif.* **2.** Positif. *Une proposition, une critique constructive.* ▶ *construction* [kɔ̃stryksjɔ̃] n. f. **1.** Action de construire. ⇒ **assemblage, édification.** / contr. **destruction** / *La construction d'une maison, d'un mur.* — EN CONSTRUCTION : en train d'être construit. *Une maison en construction.* — *La construction d'une automobile.* ⇒ **fabrication.** — *Matériaux de construction,* servant à la construction. — Industrie qui construit certains objets. *Les constructions aéronautiques.* **2.** Ce qui est construit, bâti. ⇒ **bâtiment, édifice, immeuble.** *Une belle construction en pierres de taille. Plans, devis d'une construction.* **3.** Action de composer, d'élaborer une chose abstraite ; cette chose. ⇒ **composition.** *C'est une simple construction de l'esprit. Construction géométrique,* figure. — Place relative des mots dans la phrase (⇒ **syntaxe**). *Construction grammaticale.* ‹ ▶ reconstruction, reconstruire ›

consubstantiel, ielle [kɔ̃sypstɑ̃sjɛl] adj. ■ Qui est unique par la substance ; inséparable. ▶ *consubstantialité* n. f. ■ Unité et identité de substance des personnes de la Trinité (qui sont consubstantielles). *La consubstantialité du Père et du Fils.*

consul [kɔ̃syl] n. m. **I.** En histoire. **1.** Nom donné aux deux magistrats qui exerçaient l'autorité suprême, sous la République romaine. **2.** Nom des trois magistrats auxquels la Constitution de l'an VIII avait confié le gouvernement de la République française. *Bonaparte, premier consul.* **II.** Agent chargé par un gouvernement de la défense des intérêts de ses nationaux et de fonctions administratives dans un pays étranger. *Être consul de France.* ▶ *consulaire* adj. ■ D'un consul. ▶ *consulat* n. m. **1.** Charge de consul. **2.** Bureaux, services dirigés par un consul (II). *Aller au consulat pour obtenir un visa.* ‹ ▶ proconsul ›

consulter [kɔ̃sylte] v. ■ conjug. 1. **I.** V. tr. **1.** Demander avis, conseil à (qqn). *Consulter un ami. Consulter un médecin, un expert. Consulter qqn sur, au sujet de qqch.* **2.** Regarder (qqch.) pour y chercher des explications, des renseignements. *Consulter un manuel. Consulter un dictionnaire. Ouvrage à consulter. Consulter sa montre. Consulter l'horaire des chemins de fer.* **II.** V. intr. (Médecin) Donner des consultations (3). *Le docteur consulte tous les matins.* ▶ *consultant, ante* n. et adj. ■ Personne qui donne des consultations. ⇒ **conseil.** *Avocat, médecin consultant.* ▶ *consultatif, ive* adj. ■ Qui est constitué pour donner des avis mais non pour décider. *Comité consultatif.* / contr. **délibératif, souverain** / *À titre consultatif,* pour simple avis. ▶ *consultation* n. f. **1.** Action de prendre avis. *La, une consultation de l'opinion.* ⇒ **enquête.** *Consultation électorale.* ⇒ **vote.** *La consultation d'un ouvrage, d'un document.* ⇒ **examen.** **2.** (Savant, avocat, médecin) Action de donner avis. *Les consultations que donne un expert.* **3.** Le fait de recevoir les malades. *Cabinet, heures de consultation.* — Moment, service de consultation. *La consultation d'un hôpital.*

consumer [kɔ̃syme] v. tr. ■ conjug. 1. **1.** Littér. (Suj. nom abstrait) Épuiser complètement les forces de (qqn). ⇒ **abattre, user.** *La passion, le chagrin le consume. La maladie qui le consumait.* — SE CONSUMER v. pron. réfl. *Se consumer,* épuiser sa santé, ses forces. *Il se consume de douleur, d'ennui. Elle se consumait en efforts inutiles.* ⇒ **s'épuiser. 2.** Détruire par le feu. ⇒ **brûler, calciner, embraser.** *Le feu a consumé tout un quartier.* ⇒ **incendier.** — Au p. p. adj. *Bois à demi consumé.*

contact [kɔ̃takt] n. m. **1.** Position, état relatif (de corps qui se touchent). *Le contact de deux choses, entre deux choses, d'une chose et d'une autre. Point de contact. Être, entrer* EN *contact,* se joindre, se toucher. AU *contact de l'air.* — *Lentilles, verres* DE CONTACT : verres correcteurs de la vue qui s'appliquent sur l'œil (verres cornéens). **2.** *Contact électrique,* entre conducteurs, permettant le passage du courant. — Dispositif permettant l'allumage d'un moteur à explosion. *Clef de contact. Couper le contact.* **3.** Relation entre personnes. *Les contacts humains.* — EN CONTACT *avec* : en relation. *Entrer, se mettre en contact avec qqn.* — *Au contact de qqn,* sous son influence. *Il devient plus aimable à votre contact.* — *Prendre contact avec qqn.* ▶ *contacter* v. tr. ■ conjug. 1. REM. Ce terme est critiqué par les puristes. ■ Prendre contact avec (qqn). ⇒ **rencontrer, toucher.** *Contacter qqn par téléphone.*

contagieux, euse [kɔ̃taʒjø, øz] adj. **1.** Qui se communique par la contagion. *Maladie, fièvre contagieuse.* **2.** Agent de contagion. *Cet homme est contagieux.* — N. *Un contagieux.* **3.** Abstrait. Qui se communique facilement. *Rire, enthousiasme contagieux.* ⇒ **communicatif.**

contagion [kɔ̃taʒjɔ̃] n. f. **1.** Transmission d'une maladie à une personne bien portante, par contact (direct ou indirect). ⇒ **contamination, infection.** *S'exposer à la contagion. Pendant la contagion,* la maladie contagieuse. **2.** Imitation involontaire. ⇒ **propagation, transmission.** *La contagion du bâillement.* ‹ ▶ contagieux ›

container [kɔ̃tɛnɛr] n. m. ■ Anglic. ⇒ **conteneur.**

contaminer [kɔ̃tamine] v. tr. ▪ conjug. 1. ■ Transmettre une infection à. ⇒ **infecter.** — Rendre dangereux (par la radioactivité, une infection, etc.). — Au p. p. adj. Infecté ; capable de transmettre la contagion. *Eau contaminée. Une région contaminée,* rendue dangereuse (par la radioactivité, une infection, etc.). ▶ *contamination* n. f. ■ Infection causée par des germes. ⇒ **contagion.** — Action de contaminer par la radioactivité. *La contamination de l'eau d'une rivière.*

conte [kɔ̃t] n. m. ■ Récit de faits, d'aventures imaginaires, destiné à distraire. ⇒ **histoire, récit ; conter.** *Les Contes de Perrault.* — CONTE DE FÉES : récit merveilleux ; fig. aventure, fait étonnant et charmant. ≠ *comte, compte.*

contempler [kɔ̃tɑ̃ple] v. tr. ▪ conjug. 1. ■ Considérer attentivement ; s'absorber dans l'observation de. *Contempler un spectacle. Il la contemple avec admiration.* ▶ *contemplatif, ive* adj. **1.** Qui aime la contemplation, la méditation. *Esprit contemplatif.* **2.** *Ordre contemplatif,* ordre religieux voué à la méditation. *Religieux contemplatif.* — N. *Un contemplatif.* ▶ *contemplation* n. f. **1.** Le fait de s'absorber dans l'observation attentive (de qqn, qqch.). *La contemplation du ciel. En contemplation. Rester en contemplation devant une œuvre d'art.* **2.** Concentration de l'esprit sur des sujets intellectuels ou religieux. ⇒ **méditation ; contemplatif.** *Être plongé, s'abîmer dans la contemplation. Elles ont toutes deux le goût de la solitude et de la contemplation.*

contemporain, aine [kɔ̃tɑ̃pɔʀɛ̃, ɛn] adj. **1.** CONTEMPORAIN DE : qui est du même temps que. *Jeanne d'Arc était contemporaine de Charles VII.* — N. *Les contemporains de Voltaire.* — *Des événements contemporains,* qui se sont produits à la même époque. **2.** Qui est de notre temps. ⇒ **actuel, moderne.** *Étudier les auteurs contemporains, la littérature contemporaine.* / contr. **ancien** /

contempteur, trice [kɔ̃tɑ̃ptœʀ, tʀis] n. ■ Littér. Personne qui méprise, dénigre (qqn, qqch.). *Les contempteurs de la morale.*

contenir [kɔ̃tniʀ] v. tr. ▪ conjug. 22. **1.** Avoir, comprendre en soi, dans sa capacité, son étendue, sa substance. ⇒ **enfermer.** *Ce minerai contient une forte proportion de métal. Une grande enveloppe contenant le courrier.* — *Ce livre contient des erreurs.* **2.** Avoir une capacité de. ⇒ **tenir.** *Ce cinéma peut contenir deux mille spectateurs.* **3.** Empêcher (des personnes, des groupes) d'avancer, de s'étendre. ⇒ **limiter, maintenir, retenir.** *Contenir la foule, les manifestants.* **4.** Empêcher (un sentiment) de se manifester, de s'exprimer. *Contenir ses larmes.* ⇒ **refouler.** *Contenir son émotion, sa colère.* / contr. **exprimer** / **5.** V. pron. réfl. Ne pas exprimer un sentiment fort. ⇒ se **dominer,** se **maîtriser,** se **retenir ;** ① **contenu.** *Essayez de vous contenir. Elle s'est contenue malgré sa douleur.* ‹ ▶ ② **contenance,** ① **contenu,** ② **contenu** ›

① *contenance* [kɔ̃tnɑ̃s] n. f. ■ Manière de se tenir, de se présenter. ⇒ **air, allure, attitude, mine.** *Contenance assurée, modeste, embarrassée. Il a fait bonne contenance quand il a appris la mauvaise nouvelle,* il a gardé son sang-froid, il a montré du courage. — Loc. *Se donner, prendre une contenance,* déguiser son embarras. *Perdre contenance,* être subitement déconcerté (⇒ **décontenancé**). ‹ ▶ décontenancé ›

② *contenance* n. f. ■ Quantité de ce qu'un récipient peut contenir. ⇒ **capacité, contenu.** *La contenance d'une bouteille, d'un réservoir.* ▶ *contenant* [kɔ̃tnɑ̃] n. m. ■ Ce qui contient qqch.

⇒ *récipient. Le contenant et le contenu.* ▶ *conteneur* [kɔ̃tənœʀ] n. m. ■ Grande caisse métallique pour le transport des marchandises. ⇒ **cadre.** *Décharger des conteneurs.* — REM. Éviter l'anglic. *container.*

content, ente [kɔ̃tɑ̃, ɑ̃t] adj. ■ Satisfait. **1.** *Content de qqch.* ⇒ **enchanté, ravi.** *Je suis assez content de mon acquisition,* elle me plaît assez. — NON CONTENT *d'être endetté, il emprunte à tous ses amis :* il ne lui suffit pas de. ⇒ **non** seulement. **2.** *Être content que* (+ subjonctif). *Je serais content que vous veniez me voir. Je suis content de vous.* — *Content de soi,* vaniteux. **4.** Sans compl. Gai, joyeux. *Il a l'air tout content.* / contr. **ennuyé, insatisfait, mécontent, triste** / ▶ *contenter* v. tr. ▪ conjug. 1. **1.** Rendre (qqn) content en lui donnant ce qu'il désire. ⇒ **combler, satisfaire.** / contr. **mécontenter** / *On ne peut pas contenter tout le monde.* ⇒ **plaire** à. *Un rien ne contente.* — *Contenter son envie, sa curiosité.* ⇒ **assouvir.** **2.** SE CONTENTER DE v. pron. réfl. : être satisfait (de qqch.), ne rien demander de plus. ⇒ **s'accommoder, s'arranger.** *Se contenter d'un repas par jour.* — *Pour réponse, elle s'est contentée de sourire.* ▶ *contentement* n. m. ■ Satisfaction. *Son contentement fait plaisir à voir. Contentement de soi.* / contr. **mécontentement** / ‹ ▶ mécontenter ›

contentieux [kɔ̃tɑ̃sjø] n. m. invar. ■ Ensemble des litiges ; service qui s'occupe des affaires litigieuses (dans une entreprise). *Chef du contentieux. Le contentieux de la Sécurité sociale.*

① *contenu, ue* [kɔ̃tny] adj. ■ Que l'on se retient d'exprimer, que l'on contient (⇒ **contenir,** 4). *Une émotion contenue.* / contr. **exprimé, violent** /

② *contenu* n. m. **1.** Ce qui est dans un contenant. *Le contenu d'un récipient. L'étiquette indique la nature du contenu.* **2.** Substance, teneur. *Le contenu d'une lettre, d'un livre.*

conter [kɔ̃te] v. tr. ▪ conjug. 1. **1.** Dire (une histoire imaginaire, un conte) ⇒ plus cour. **raconter.** **2.** Vieilli. Dire (une chose inventée) pour tromper. *Que me contez-vous là ?* — Loc. EN CONTER à qqn : abuser, tromper. *Il ne s'en laisse pas conter, il ne faut pas lui en conter.* ≠ *compter.* ▶ *conteur, euse* n. ■ Personne qui compose, dit ou écrit des contes. *Les poètes conteurs* (aèdes, troubadours...). ≠ *compteur.* ‹ ▶ conte, raconter ›

contester [kɔ̃tɛste] v. tr. ▪ conjug. 1. **1.** Mettre en discussion (le droit, les prétentions de qqn). ⇒ **discuter.** / contr. **admettre, reconnaître** / *Contester le titre, la succession de qqn.* — Sans compl. *Les jeunes aiment contester* (⇒ **contestataire, contestation**). **2.** Mettre en doute. ⇒ **nier.** / contr. **croire** / *Contester un fait. Contester que* (+ subjonctif). *Je conteste qu'il l'ait dit.* (Avec la négation) *Je ne conteste pas qu'il l'a (qu'il l'ait) dit. Je ne conteste pas qu'il réussisse, qu'il réussira.* — Au p. p. *Cette théorie est très contestée. Un peintre contesté.* ▶ *contestable* adj. ■ Qui peut être contesté. ⇒ **discutable.** *Vous avez sur la question des idées contestables. Une hypothèse contestable.* ▶ *contestataire* adj. et n. ■ Qui conteste. *Les étudiants contestataires.* ▶ *contestation* n. f. **1.** Le fait de contester qqch. ; discussion sur un point contesté. ⇒ **controverse, débat.** *Élever une contestation sur un point. La contestation d'un droit.* **2.** Vive opposition. *Entrer en contestation avec qqn.* ⇒ **dispute, opposition, querelle.** — Fait de contester l'ordre établi. ▶ *sans conteste* [sɑ̃kɔ̃tɛst] loc. adv. ■ Sans contredit, sans discussion possible. ⇒ **assurément, incontestablement.** *Shakespeare est, sans conteste, le plus grand dramaturge anglais.* ‹ ▶ incontestable, incontesté › *contexte* [kɔ̃tɛkst] n. m. **1.** Ensemble du texte qui entoure un élément de la langue (un mot, une phrase...). *Vous comprendrez mieux en regardant le contexte.* **2.** Ensemble des circonstances dans lesquelles se produit un fait. *Le contexte politique. Dans un contexte particulier.*

contexture [kɔ̃tɛkstyʀ] n. f. ■ Manière dont les éléments d'un tout organique complexe se présentent. ⇒ ① **constitution, organisation, structure.** *La contexture des os, des muscles.*

contigu, uë [kɔ̃tigy] adj. ■ Qui touche (à autre chose). ⇒ **attenant, avoisinant.** *Deux jardins contigus. Chambre contiguë à une autre.* / contr. **éloigné, séparé** / ► *contiguïté* [kɔ̃tigчite] n. f. ■ ⇒ **mitoyenneté, proximité.**

continence [kɔ̃tinɑ̃s] n. f. ■ État d'une personne qui s'abstient de tout plaisir charnel. ⇒ **chasteté, pureté.** ► ① *continent, ente* adj. ■ Vx. Qui pratique la continence. ⇒ **chaste.** ⟨ ► incontinence ⟩

② *continent* [kɔ̃tinɑ̃] n. m. ■ Grande étendue de terre limitée par un ou plusieurs océans. *L'Ancien Continent,* l'Europe, l'Asie, l'Afrique. *Le Nouveau Continent,* les deux Amériques. ► *continental, ale, aux* adj. ■ Relatif à un continent. *Climat continental,* des régions éloignées des mers. ⟨ ► **intercontinental, transcontinental** ⟩

contingences [kɔ̃tɛ̃ʒɑ̃s] n. f. pl. ■ Les choses qui peuvent changer, qui n'ont pas une importance capitale. *Les contingences de la vie quotidienne,* les événements terre à terre. ► ① *contingent, ente* adj. ■ Qui peut se produire ou non. ⇒ **accidentel, éventuel, occasionnel.** / contr. **nécessaire /** *Événement contingent,* soumis au hasard.

② *contingent* n. m. **1.** Ensemble des jeunes gens appelés au service militaire pour une période déterminée. ⇒ **classe.** *Appel d'un contingent.* **2.** Part que chacun apporte ou reçoit. *Apporter son contingent à une œuvre.* ⇒ **contribution.** ► *contingenter* v. tr. ■ conjug. 1. ■ Fixer un contingent (2) limité, précis à. ⇒ **limiter.** *Contingenter une production, une importation.* ► *contingentement* n. m. ■ *Le contingentement des produits importés.*

continu, ue [kɔ̃tiny] adj. **1.** Qui n'est pas interrompu dans le temps. ⇒ **continuel, incessant, ininterrompu.** / contr. **discontinu, intermittent /** *Mouvement continu. Un bruit continu. Fournir un travail, un effort continu.* ⇒ **assidu.** *Courant continu.* / contr. **alternatif, discontinu /** — *Journée continue,* horaire de travail ne comportant qu'une brève interruption pour le repas. **2.** Composé de parties non séparées. *Ligne, alignement continu.* ► *continuel, elle* adj. ■ Qui dure sans interruption ou se répète à intervalles rapprochés. ⇒ **continu, perpétuel.** *Nous avons eu des pluies continuelles pendant un mois. Faire des efforts continuels.* / contr. **interrompu, momentané /** ► *continuellement* adv. ■ D'une manière continuelle, sans arrêt. *Travailler continuellement. Nous avons continuellement des réclamations.* ⇒ **constamment,** sans **relâche.** ► *continuité* n. f. ■ Caractère de ce qui est continu. ⇒ **persistance.** *La continuité d'une action. Assurer la continuité d'une tradition.* / contr. **discontinuité, interruption /** — Loc. *Solution de continuité,* interruption, discontinuité. ► *continûment* adv. ■ D'une manière continue (plus actif que *continuellement*). ⟨ ► **discontinu** ⟩

continuer [kɔ̃tinчe] v. ■ conjug. 1. **I.** V. tr. **1.** Faire ou maintenir encore, plus longtemps ; ne pas interrompre (ce qui est commencé). / contr. **interrompre /** *Continuer ses études. Continuer une œuvre jusqu'à son achèvement. Continuer son chemin.* — Transitivement ind. CONTINUER À, CONTINUER DE (+ infinitif). *Continuer à parler, de parler.* — Sans compl. *Vous pouvez continuer. Continuez !* **2.** Prolonger (qqch.) dans l'espace. *Continuer une ligne, une route.* **II.** V. intr. (Suj. chose) **1.** Ne pas s'arrêter. ⇒ **durer.** *La fête, la séance continue.* **2.** S'étendre plus loin. ⇒ se **prolonger.** *Cette route continue jusqu'à Paris.* ⇒ **aller.** ► *continuateur, trice* n. ■ Personne qui continue ce qu'une autre a commencé. ⇒ **successeur.** *Les continuateurs de Darwin.* ► *continuation* n. f. ■ Action de continuer (qqch.) ; le fait d'être continué. *La continuation de la guerre.* / contr. **interruption /** *Se charger de la continuation d'une œuvre.* — Fam. *Bonne continuation !,* souhait adressé à qqn qui semble se plaire à ce qu'il fait. ⟨ ► **discontinuer** ⟩

contondant, ante [kɔ̃tɔ̃dɑ̃, ɑ̃t] adj. ■ Didact. *Instrument contondant, arme contondante,* qui blesse, meurtrit sans couper ni percer.

contorsion [kɔ̃tɔʀsjɔ̃] n. f. **1.** Attitude anormale par torsion des membres, du corps. **2.** Attitude outrée, gestes affectés. ⇒ **agitation, grimace.** *Inutile de faire toutes ces contorsions.* ► se *contorsionner* v. pron. réfl. ■ conjug. 1. ■ Faire des contorsions.

contour [kɔ̃tuʀ] n. m. **1.** Limite extérieure (d'un objet, d'un corps). ⇒ **bord, tour.** *Le contour d'une table, d'un vase ; d'un personnage* ⇒ **silhouette.** *Contour précis, net, imprécis. Tracer les contours d'une figure. Les contours du corps humain.* ⇒ **courbe, forme, galbe, ligne. 2.** Forme sinueuse. *Les contours d'une route de montagne.* ⇒ **détour, lacet.** ► *contourné, ée* adj. **1.** Qui présente des courbes, a un contour compliqué. **2.** Affecté et compliqué. *Style, raisonnement contourné.* ⇒ **tarabiscoté.** ► *contourner* v. tr. ■ conjug. 1. ■ Faire le tour de, passer autour. *Le fleuve qui contourne la ville. Contourner les positions de l'ennemi. Contourner un obstacle.* ⇒ **éviter.** ⟨ ► **incontournable** ⟩

contra- ■ Élément savant signifiant « contre » ; en sens contraire ». ⇒ **contre-.** ► *contraception* [kɔ̃tʀasɛpsjɔ̃] n. m. ■ Ensemble des moyens employés pour rendre les rapports sexuels inféconds (empêcher d'avoir un enfant), chez la femme ou chez l'homme. ► *contraceptif, ive* adj. ■ Qui empêche les rapports sexuels d'aboutir à la conception d'un enfant. *Pilule contraceptive.* ⇒ **pilule.** — N. m. *Un contraceptif.* ⟨ ► **contradicteur, contravention** ⟩

① *contracter* [kɔ̃tʀakte] v. tr. ■ conjug. 1. ■ S'engager à faire, à respecter par contrat. *Contracter un mariage, une assurance, une obligation.* ► *contractant, ante* adj. ■ Qui s'engage par contrat.

② *contracter* v. tr. ■ conjug. 1. **1.** Prendre (une habitude, un sentiment, de qqn, de qqch.). ⇒ **former, prendre.** *Contracter une habitude. Il a contracté cette manie de sa mère.* **2.** Attraper (une maladie).

③ *contracter* v. tr. ■ conjug. 1. ■ Réduire dans sa longueur, son volume. ⇒ **raccourcir, resserrer.** *Le froid contracte les corps.* — *Contracter les muscles.* ⇒ **raidir, tendre.** — SE CONTRACTER v. pron. réfl. ■ *Le cœur se contracte et se dilate alternativement* (⇒ **contraction**). ► *contracté, ée* p. p. adj. ■ *Muscles contractés. Son visage était un peu contracté.* — (Personnes) Inquiet, tendu. / contr. **décontracté /** ► *contraction* [kɔ̃tʀaksjɔ̃] n. f. ■ Réaction du muscle qui se raccourcit et se gonfle. *Contraction violente.* ⇒ **crampe, spasme.** *Contractions des muscles du visage.* ⇒ **crispation.** / contr. **décontraction, relâchement /** *Les contractions d'une femme qui accouche.* ⇒ **douleur(s).** ► *contracture* n. f. ■ Contraction musculaire prolongée. ⟨ ► **décontraction, décontracté** ⟩

contractuel, elle [kɔ̃tʀaktɥɛl] adj. et n. **1.** Stipulé par contrat. *Obligation contractuelle.* **2.** En France. *Agent contractuel*, agent non fonctionnaire coopérant à un service public. — N. *Un contractuel*, agent de police chargé de faire respecter les règles de stationnement. *Une contractuelle nous a mis une contravention.*

contradicteur [kɔ̃tʀadiktœʀ] n. m. ▪ Personne qui contredit. ⇒ **adversaire, opposant.** *Un contradicteur courtois ; acharné. Cette députée, cette journaliste est un contradicteur redoutable.*

contradiction [kɔ̃tʀadiksjɔ̃] n. f. **1.** Action de contredire qqn ; échange d'idées entre ceux qui se contredisent. ⇒ **objection, opposition.** / contr. **approbation** / *Il ne supporte pas la contradiction. Porter la contradiction dans un débat.* — *Esprit de contradiction*, disposition à contredire, à s'opposer constamment. **2.** Relation entre deux termes, deux propositions qui affirment et nient. *Il y a contradiction entre « A est vrai » et « A n'est pas vrai ».* — Absurdité, invraisemblance. *Un tissu de contradictions.* **3.** Action de se contredire. *Être en proie à des contradictions. Les contradictions internes d'un système.* / contr. **concordance** / ▶ **contradictoire** adj. **1.** Qui contredit une affirmation. ⇒ **contraire.** *Affirmation contradictoire à une autre, d'une autre.* / contr. **compatible** / **2.** Où il y a contradiction, discussion. *Débat, examen contradictoire.* **3.** Qui implique contradiction, incompatibilité. ⇒ **incompatible.** *Tendances, influences contradictoires.* / contr. **concordant** / ▶ **contradictoirement** adv.

contraindre [kɔ̃tʀɛ̃dʀ] v. tr. ▪ conjug. 52. **1.** *Contraindre qqn à faire qqch.*, lui imposer de faire qqch. contre sa volonté. ⇒ **forcer, obliger.** *Les circonstances l'ont contraint à faire cela.* ⇒ **entraîner, pousser.** *Décidez librement, je ne veux pas vous contraindre.* **2.** SE CONTRAINDRE v. pron. réfl. *Se contraindre devant qqn*, se retenir. *Se contraindre à faire qqch.*, se forcer. **3.** ÊTRE CONTRAINT DE (+ infinitif). *Elle a été contrainte d'accepter.* ▶ **contraignant, ante** [kɔ̃tʀɛɲɑ̃, ɑ̃t] adj. ▪ Qui contraint, gêne et oblige. *Une obligation, une nécessité contraignante.* ⇒ **astreignant, pénible.** ▶ **contraint, ainte** adj. **1.** Qui est gêné, mal à l'aise. *Avoir un air contraint, une mine contrainte.* ⇒ **embarrassé, emprunté. 2.** Loc. *Contraint et forcé*, sous la contrainte. ▶ **contrainte** n. f. **1.** Violence exercée contre qqn ; entrave à la liberté d'action. *Empêcher d'agir par la contrainte.* — Loc. *Agir sous la contrainte.* **2.** Gêne, retenue (surtout dans *sans contrainte*). *Il parla sans aucune contrainte.*

contraire [kɔ̃tʀɛʀ] adj. et n. m. **I.** Adj. **1.** Qui présente la plus grande différence possible (en parlant de deux choses du même genre) ; qui s'oppose (à qqch.). ⇒ **contradictoire, incompatible, inverse, opposé.** / contr. **pareil, semblable** / *Deux opinions contraires. Son attitude est contraire à la raison.* **2.** Qui, en s'opposant, gêne le cours d'une chose. ⇒ **défavorable.** *Vents contraires. La chance lui est contraire.* / contr. **favorable** / **II.** N. m. **1.** Ce qui est opposé (logiquement). *Le contraire de qqch. Faire le contraire de ce que l'on dit. C'est tout le contraire. Dire une chose et son contraire*, se contredire. *Il dit toujours le contraire* (⇒ **contradiction ; contredire**). **2.** AU CONTRAIRE loc. adv. : d'une manière opposée. ⇒ **contrairement, par contre.** *Il ne pense qu'à lui ; au contraire, il est très dévoué. Tout au contraire.* — AU CONTRAIRE DE loc. prép. : d'une manière opposée à. ▶ **contrairement** adv. ▪ *Il fait beau contrairement aux prévisions.*

contralto [kɔ̃tʀalto] n. m. ▪ La plus grave des voix de femme. — Celle qui a cette voix. *Des contraltos.* ≠ *alto.*

contrarier [kɔ̃tʀaʀje] v. tr. ▪ conjug. 7. **1.** Avoir une action contraire, aller contre, s'opposer à (qqch.). ⇒ **combattre, contrecarrer, gêner, résister à.** *Contrarier les projets de qqn.* / contr. **aider, favoriser** / **2.** Causer du dépit, du mécontentement à (qqn) en s'opposant à lui. ⇒ **chagriner, fâcher, mécontenter.** *Il cherche à vous contrarier.* **3.** (Suj. chose) Rendre inquiet, mal à l'aise. *Cette histoire me contrarie un peu.* / contr. **contenter, réjouir** / — Au p. p. adj. *Il a l'air très contrarié.* ▶ **contrariant, ante** adj. **1.** Qui est porté à contrarier (1). *Un esprit contrariant.* **2.** Qui contrarie (3). *Comme c'est contrariant !* ⇒ **ennuyeux.** ▶ **contrariété** n. f. ▪ Déplaisir causé par ce qui contrarie (3). ⇒ **mécontentement.** *Éprouver une vive contrariété.*

contraste [kɔ̃tʀast] n. m. **1.** Opposition de deux choses dont l'une fait ressortir l'autre. ⇒ **antithèse, opposition.** *Contraste entre deux choses, de deux choses. Un contraste de couleurs. Contrastes d'idées.* — *Par contraste*, par l'opposition avec son contraire. ⇒ **comparaison. 2.** *Contraste d'une image*, variation de l'ombre et de la lumière à l'intérieur de cette image. *Régler le contraste de la télévision.* ▶ **contrasté, ée** adj. ▪ Qui présente des contrastes. *Couleurs contrastées.* ▶ **contraster** v. intr. ▪ conjug. 1. ▪ *Contraster avec qqn, qqch.*, être en contraste (avec) ; s'opposer d'une façon frappante. *Des couleurs, des expressions qui contrastent entre elles. La beauté de la vieille ville contraste avec la laideur des grands ensembles.*

contrat [kɔ̃tʀa] n. m. **1.** Convention par laquelle une ou plusieurs personnes s'obligent à donner, à faire ou à ne pas faire qqch. vis-à-vis de qqn. ⇒ **convention, pacte.** *Un contrat d'échange, de louage, de vente, de prêt. Contrat de travail. Stipuler par contrat.* ⇒ **contractuel. 2.** Acte qui enregistre cette convention. *Rédiger un contrat en bonne et due forme. Signer un contrat avec qqn.* ⟨ ▶ ① contracter, contractuel ⟩

contravention [kɔ̃tʀavɑ̃sjɔ̃] n. f. **1.** Infraction que les lois punissent d'une amende ; cette amende. *Attraper une contravention pour infraction au code de la route.* ⇒ fam. ② **contredanse.** — Procès-verbal de cette infraction. *Trouver une contravention sur son pare-brise.* **2.** EN CONTRAVENTION : en infraction à un règlement, etc. *Être, se mettre en contravention.*

① **contre** [kɔ̃tʀ] prép. et adv. **I.** (Proximité, contact) ⇒ **auprès de, près de, sur.** *Pousser le lit contre le mur. Se serrer contre qqn. Joue contre joue.* — Adv. *Appuyez-vous contre.* **II.** (Opposition) **1.** À l'opposé de, dans le sens contraire à. *Nager contre le courant. Contre toute attente*, contrairement à ce qu'on attendait. — PAR CONTRE loc. adv. : au contraire, en compensation. *Le magasin est assez exigu, par contre il est bien situé.* **2.** En dépit de. ⇒ **malgré, nonobstant.** *Contre toute apparence, c'est lui qui a raison. Envers et contre tout*, en dépit de tout. **3.** En opposition à, dans la lutte avec (surtout après les verbes *combattre, lutter*, etc.). ⇒ **avec.** *Se battre, être en colère contre qqn. Aller contre qqn.* ou *qqn*, s'opposer, combattre. — Adv. *Voter pour ou contre.* — *Avoir qqch. contre* (qqch., qqn), ne pas approuver entièrement, ne pas aimer. *Je n'ai rien contre lui.* — Adv. *Je n'ai rien contre.* **4.** Pour se défendre de. *S'abriter contre la pluie. S'assurer contre l'incendie.* **5.** En échange de. *Je te donne mon briquet contre ton couteau de poche. Envoi contre remboursement.* ▶ ② **contre** n. m. **1.** LE POUR ET LE CONTRE. *Peser le pour et le contre*, les avantages et les inconvénients. **2.** À certains jeux, exercices. *Coup contre l'adversaire.* — Action de contrer (2), aux cartes. ⟨ ▶ contraire, contrarier, contraste, contrer, à l'encontre, malencontreux, rencontrer ⟩

contre- ■ Élément qui signifie « opposé, contraire » (invar. au plur. : *des contre-attaques*). — REM. Dans les composés, on prononce le *e* devant consonne : [kɔ̃trəʃa], [kɔ̃trədɔs], etc.

contre-allée [kɔ̃trale] n. f. ■ Allée latérale, parallèle à la voie principale. *Garer sa voiture dans la contre-allée. Des contre-allées.*

contre-amiral, aux n. m. ■ Officier général de la marine, immédiatement au-dessous du vice-amiral. *Des contre-amiraux.*

contre-attaque n. f. ■ Brusque mouvement offensif d'une troupe attaquée. ⇒ **contre-offensive.** *Des contre-attaques.* ▶ *contre-attaquer* v. tr. et intr. ■ conjug. 1. ■ Faire une contre-attaque (contre...). *L'ennemi contre-attaqua immédiatement.*

contrebalancer [kɔ̃trəbalɑ̃se] v. tr. ■ conjug. 3. **1.** Compenser en étant égal à. *Les avantages contrebalancent les inconvénients.* **2.** Fam. SE CONTREBALANCER DE v. pron. réfl. : se moquer de. ⇒ fam. se **balancer** de. *Elle s'en est toujours contrebalancée. Ton histoire, je m'en contrebalance.* ⇒ fam. se **contrefiche,** se **contrefoutre.**

contrebande [kɔ̃trəbɑ̃d] n. f. ■ Introduction clandestine, dans un pays, de marchandises prohibées ; ces marchandises. *Marchandises de contrebande. Faire la contrebande du tabac.* ▶ *contrebandier, ière* n. ■ Personne qui fait de la contrebande.

en contrebas [ɑ̃kɔ̃trəba] loc. adv. ■ À un niveau inférieur. *La route passe en contrebas.* — Loc. prép. *La maison se trouve en contrebas du chemin.*

contrebasse [kɔ̃trəbas] n. f. **1.** Le plus grand et le plus grave des instruments à cordes et à archet. **2.** Musicien qui joue de la contrebasse. *Il est contrebasse dans un orchestre.* ⇒ **contrebassiste.** ▶ *contrebassiste* n. ■ Musicien qui joue de la contrebasse. ⇒ **bassiste.**

contrecarrer v. tr. ■ conjug. 1. ■ S'opposer directement à. ⇒ **gêner.** *Contrecarrer les projets de qqn.*

contrechamp n. m. ■ Cinéma. Prise de vues dans le sens opposé à celui d'une autre prise *(champ)* ; plan ainsi filmé. *Champ et contrechamp.* ≠ *contre-chant.*

contre-chant n. m. ■ Phrase mélodique sur les harmonies du thème, et jouée en même temps que lui. *Des contre-chants.* ≠ *contrechamp.*

à contrecœur loc. adv. ■ Malgré soi, avec répugnance. *Faire une chose à contrecœur.* / contr. de bon **cœur** /

contrecoup n. m. ■ Événement qui se produit en conséquence indirecte d'un autre. ⇒ **réaction.** *Subir le contrecoup d'un désastre. Par contrecoup.*

à contre-courant loc. adv. ■ En remontant le courant ; en sens contraire des autres.

① ***contredanse*** n. f. ■ Danse ancienne où les couples de danseurs se faisaient vis-à-vis et exécutaient des figures ; son air.

② ***contredanse*** n. f. ■ Fam. Contravention. ⇒ **amende.**

contredire [kɔ̃trədir] v. tr. ■ conjug. 37. — REM. 2ᵉ pers. du plur. *vous contredisez.* **1.** S'opposer à (qqn) en disant le contraire de ce qu'il dit. ⇒ **démentir ; contradiction.** / contr. **approuver** / *Contredire qqn. Vous le contredisez sans cesse. Contredire le témoignage de qqn.* — (Choses) *Son témoignage contredit ce que vous prétendez.* **2.** *Se contredire,* dire des choses contradictoires successivement. **3.** (Choses) Aller à

l'encontre de. *Les événements ont contredit ses prédictions, ses espérances.* ▶ *sans contredit* loc. adv. ■ Sans qu'il soit possible d'affirmer le contraire. ⇒ **assurément, certainement.** *Il est, sans contredit, le meilleur.* ⇒ sans **conteste.**

contrée [kɔ̃tre] n. f. ■ Littér. ou région. Étendue de pays. ⇒ **région.** *Une contrée riche, fertile.*

contre-espionnage n. m. ■ Organisation chargée de la surveillance des espions ; cette surveillance. *Faire du contre-espionnage.*

contre-expertise n. f. ■ Expertise destinée à en contrôler une autre. *Des contre-expertises.*

contrefaçon n. f. ■ Action d'imiter *(contrefaire)* une œuvre littéraire, artistique, industrielle au préjudice de son auteur ; cette imitation. ⇒ **copie, plagiat.** *La contrefaçon d'un livre, d'un produit. Délit de contrefaçon de billets.*

contrefaire v. tr. ■ conjug. 60. **1.** Imiter pour tourner en dérision. ⇒ **caricaturer.** *Contrefaire la voix, la démarche de qqn.* **2.** Imiter frauduleusement. ⇒ **contrefaçon.** *Contrefaire une monnaie, une signature.* **3.** Changer, modifier l'apparence de (qqch.) pour tromper. ⇒ **déguiser.** *Contrefaire son écriture.* ▶ *contrefait, aite* adj. ■ (Personnes) Difforme. *Le pauvre est tout contrefait.*

se contrefiche ou ***se contrefoutre*** v. pron. réfl. ■ conjug. *fiche, foutre.* ■ Fam. Se moquer complètement (de). ⇒ fam. se **contrebalancer.** *Je m'en contrefiche.*

contre-filet n. m. ■ Morceau de bœuf correspondant aux lombes (côtés du dos) de l'animal. ⇒ **faux-filet.** *Des contre-filets.*

contrefort n. m. **1.** Pilier, mur servant d'appui à un autre mur. *Les contreforts d'une terrasse, d'une voûte.* **2.** Chaîne de montagnes latérales. *Les contreforts des Alpes.*

contre-indiqué, ée adj. ■ Qui ne convient pas, est dangereux (dans un cas déterminé). ⇒ **déconseillé.** *Ces médicaments sont contre-indiqués pour les enfants.* ▶ *contre-indication* n. f. ■ En médecine. Circonstance où il serait dangereux d'employer un traitement, un médicament. *Des contre-indications.*

à contre-jour loc. adv. ■ En tournant le dos à la lumière, en étant éclairé par derrière.

contremaître n. m. ■ Celui qui est responsable d'une équipe d'ouvriers. — Fém. *Contremaîtresse.*

contre-manifestation n. f. ■ Manifestation organisée pour faire échec à une autre. *Organiser deux contre-manifestations.*

contremarche n. f. ■ Partie verticale de chaque marche d'un escalier.

contremarque n. f. ■ Ticket délivré à ceux qui s'absentent pendant une représentation, afin qu'ils aient le droit de rentrer (à l'entracte, par ex.).

contre-offensive n. f. ■ Contre-attaque en vue d'enlever à l'ennemi l'initiative des opérations. *Des contre-offensives.*

contre-ordre ⇒ **contrordre.**

contrepartie n. f. **1.** Sentiment, avis contraire. *Soutenir la contrepartie d'une opinion.* **2.** Chose qui s'oppose à une autre en la complétant ou en l'équilibrant. *Obtenir une contrepartie financière.* ⇒ **compensation.** *Obtenir de l'argent en contrepartie.* — Loc. adv. *En contrepartie.* ⇒ par **contre,** en **revanche.** *Vous aurez moins de lumière au rez-de-*

chaussée, mais en contrepartie vous disposerez d'un jardin.

contre-pente n. f. ■ Pente opposée à une autre pente. *À contre-pente. Des contre-pentes.*

contrepèterie [kɔ̃tʀəpɛtʀi] n. f. ■ Interversion des lettres ou des syllabes d'un ensemble de mots produisant un sens burlesque, souvent obscène (ex. : *femme folle à la messe et femme molle à la fesse*).

contre-pied n. m. **1.** Ce qui est diamétralement opposé à (une opinion, un comportement). ⇒ **contre-partie.** *Vos opinions sont le contre-pied des siennes. Prendre le contre-pied de qqch.,* faire exactement le contraire pour s'opposer. **2.** En sport. *Être À* CONTRE-PIED : sur le mauvais pied (pour une action). *La balle l'a surpris à contre-pied.*

contre-plaqué n. m. ■ Bois formé de plaques minces collées, à fibres opposées. *Des contre-plaqués.*

contre-plongée n. f. ■ Cinéma, télévision. Prise de vues (cinéma, télévision) faite de bas en haut (à l'inverse de la plongée). *Séquence filmée en contre-plongée. Des contre-plongées.*

contrepoids n. m. invar. **1.** Poids qui fait équilibre à un autre poids. *Les contrepoids d'une horloge.* **2.** Ce qui équilibre, neutralise. ⇒ **contrepartie, équilibre.** *Servir de contrepoids, faire contrepoids à qqch.* ⇒ **contre-balancer.**

contrepoint n. m. **1.** Art de composer de la musique en superposant des dessins mélodiques. *Apprendre l'harmonie et le contrepoint. Le contrepoint s'applique au canon et à la fugue.* **2.** Motif secondaire qui se superpose à qqch. *La musique doit fournir un contrepoint aux images d'un film.* — Loc. adv. *En contrepoint,* en même temps.

contrepoison n. m. ■ Substance destinée à combattre, à neutraliser l'effet d'un poison. ⇒ **antidote.** *Administrer un contrepoison.*

contreproposition n. f. ■ Proposition qu'on fait pour l'opposer à une autre.

contrer v. ■ conjug. 1. **1.** V. tr. Fam. S'opposer avec succès à (qqn). *Se faire contrer.* **2.** V. intr. Aux cartes. S'opposer à la demande d'un joueur. ⇒ ② **contre** (2).

Contre-Réforme n. f. ■ Mouvement catholique qui succéda à la Réforme (des protestants) pour s'y opposer.

contre-révolution n. f. ■ Mouvement politique, social, destiné à combattre une révolution. *Des contre-révolutions.* ▶ *contre-révolutionnaire* adj. et n.

① *contresens* [kɔ̃tʀəsɑ̃s] n. m. invar. **1.** Interprétation contraire à la signification véritable. *Faire un contresens et des faux sens dans une traduction.* **2.** Erreur dans une interprétation. *Un contresens historique.* **3.** À CONTRESENS loc. adv. : dans un sens contraire au sens normal. ⇒ à **l'envers, à rebours.** *Interpréter une phrase à contresens.*

② *à contresens* loc. adv. ■ Dans le mauvais sens. *Emprunter une rue à contresens, en sens interdit.*

contresigner v. tr. ■ conjug. 1. ■ Apposer une deuxième signature à. *Décret contresigné par un ministre.*

contretemps n. m. invar. **1.** Événement, circonstance qui s'oppose à ce que l'on attendait. ⇒ **difficulté, empêchement, ennui.** *Un fâcheux contretemps.* — À CONTRETEMPS loc. adv. : au mauvais moment. *Arriver à contretemps.* **2.** En musique. Action d'attaquer un son sur un temps faible.

contre-terrorisme n. m. ■ Lutte violente contre le terrorisme, par les mêmes méthodes. *Les terrorismes et les contre-terrorismes.* ▶ *contre-terroriste* n. et adj. ■ *Des contre-terroristes.*

contre-torpilleur n. m. ■ Navire de guerre rapide, de tonnage réduit, fortement armé. *Des contre-torpilleurs.*

contretype n. m. ■ Cliché négatif inversé. — Copie d'une épreuve ou d'un cliché photographique.

contre-valeur n. f. ■ Valeur échangée contre une autre.

contrevenir [kɔ̃tʀəv(ə)niʀ] v. tr. ind. ■ conjug. 22. ■ CONTREVENIR À : agir contrairement (à une prescription, à une obligation). ⇒ **enfreindre, transgresser.** *Il a contrevenu à la loi, au règlement* (⇒ **contravention**).

contrevent n. m. ■ Volet extérieur d'une fenêtre. ⇒ **jalousie, persienne.** *Ouvrir, fermer les contrevents.*

contrevérité ou *contre-vérité* n. f. ■ Affirmation visiblement contraire à la vérité. ⇒ **mensonge.** *Des contrevérités.*

contre-visite n. f. ■ Nouvelle visite destinée à contrôler les résultats d'une première inspection. *Des contre-visites.*

à contre-voie loc. adv. ■ Du côté du train où n'est pas le quai. *Descendre à contre-voie.*

contribuable [kɔ̃tʀibɥabl] n. ■ Personne qui paye des impôts. *Répartition de l'impôt entre les contribuables.*

contribuer [kɔ̃tʀibɥe] v. tr. ind. ■ conjug. 1. ■ CONTRIBUER À : aider à l'exécution d'une œuvre commune ; avoir part (à un résultat). ⇒ **concourir, coopérer.** *Contribuer au succès d'une entreprise.* ▶ *contribution* n. f. **1.** Part que chacun donne pour une charge, une dépense commune. ⇒ **part, quote-part.** *Voilà ma contribution.* **2.** Au plur. Impôt. *Payer des contributions.* ⇒ **contribuable.** *Contributions indirectes,* établies sur les objets de consommation. — Administration chargée de la répartition et du recouvrement des impôts. *Fonctionnaires des contributions.* **3.** Collaboration à une œuvre commune. ⇒ **concours.** *Apporter sa contribution à une science.* — METTRE *qqn, qqch.* À CONTRIBUTION : utiliser les services de (qqn, qqch.). ‹ ▶ contribuable ›

contrister [kɔ̃tʀiste] v. tr. ■ conjug. 1. ■ Littér. Causer de la tristesse à (qqn). ⇒ **attrister.** *Cette nouvelle l'a beaucoup contristé.*

contrit, ite [kɔ̃tʀi, it] adj. ■ Qui marque le repentir. *Air contrit.* ⇒ **chagrin, penaud.** *Contenance, mine contrite.* ▶ *contrition* [kɔ̃tʀisjɔ̃] n. f. **1.** Douleur vive et sincère d'avoir offensé Dieu. ⇒ **pénitence.** *Acte de contrition.* **2.** Littér. Remords, repentir.

contrôle [kɔ̃tʀol] n. m. **1.** Vérification (d'actes, de droits, de documents). ⇒ **inspection.** *Le contrôle d'une comptabilité. Le contrôle des billets de chemin de fer. Contrôle d'identité,* des pièces d'identité par la police. *Le contrôle des passeports à la frontière, à l'aéroport.* **2.** Tout examen, pour surveiller ou vérifier. *Exercer un contrôle sur qqn, qqch.* **3.** Le fait de maîtriser. *Perdre le contrôle de sa voiture.* — *Le contrôle de soi-même.* ⇒ **maîtrise.** **4.** *Contrôle des naissances,* libre choix d'avoir ou non des enfants (par ex. grâce aux méthodes contraceptives). ▶ *contrôler* v. tr. ■ conjug. 1. **1.** Soumettre à un contrôle. ⇒ **examiner, inspecter, vérifier.** **2.** Maîtriser ; dominer. *Contrôler ses réactions.* — SE CONTRÔLER v. pron. réfl. : rester maître de soi. ⇒ se **maîtriser.** **3.** Avoir sous sa domination, sa surveillance. *Armée, puissance qui contrôle une région stratégique.* ▸ *contrôleur, euse* n. **1.** Personne qui exerce un contrôle, une vérification. ⇒ **inspecteur.** *Un contrôleur des contributions. Contrôleur d'autobus.* **2.** Appareil de réglage, de contrôle. *Contrôleur de marche, de vitesse.* ▸ *contrôlable* adj. ■ Qui peut être contrôlé. *Une affirmation contrôlable.* / contr. **incontrôlable** /

contrordre n. m. ■ Ordre qui annule un ordre précédent. *Il y a contrordre. Partez, sauf contrordre.*

controuvé, ée [kɔ̃tʀuve] adj. ■ Inventé ; qui n'est pas exact. ⇒ **apocryphe, mensonger.** *Nouvelle controuvée,* inventée de toutes pièces. / contr. **authentique, vrai** /

controverse [kɔ̃tʀɔvɛʀs] n. f. ■ Discussion sur une question, une opinion. ⇒ **polémique.** *Soulever, provoquer une vive controverse.* ▸ *controversé, ée* adj. ■ Qui fait l'objet d'une controverse. ⇒ **contesté, discuté.** *Une théorie très controversée.*

par contumace [paʀkɔ̃tymas] loc. adv. ■ *Être condamné par contumace,* sans être présent, après avoir refusé de comparaître. ⇒ **par défaut.** ▸ *contumax* [kɔ̃tymaks] adj. invar. ■ Se dit de l'accusé en état de contumace. *Un accusé, des accusés contumax.*

contusion [kɔ̃tyzjɔ̃] n. f. ■ Meurtrissure produite par un choc sans qu'il y ait déchirure de la peau. ⇒ **bleu, bosse, ecchymose.** *Légère contusion.* ▸ *contusionner* v. tr. ⸱ conjug. 1. ■ Blesser par contusion. ⇒ **meurtrir.** — Au p. p. adj. *Jambe, bras contusionné.*

conurbation [kɔnyʀbɑsjɔ̃] n. f. ■ Grand ensemble urbain formé par plusieurs villes rapprochées (quand elle est immense, on parle de *mégalopole*).

convaincre [kɔ̃vɛ̃kʀ] v. tr. ⸱ conjug. 42. **1.** Amener (qqn) à reconnaître la vérité d'une proposition ou d'un fait. ⇒ **persuader.** *Convaincre qqn de qqch. Nous l'avons convaincu de la nécessité de recommencer. Nous l'avons convaincu de nous laisser partir. Réussir à convaincre qqn.* **2.** *Convaincre (qqn) de (qqch.),* donner des preuves de (sa faute, sa culpabilité). *Convaincre qqn d'imposture, de trahison. Il a été convaincu de mensonge.* ▸ *convaincant, ante* adj. ■ Qui est propre à convaincre. *Démonstration, preuve convaincante. Ce n'est pas très convaincant.* — REM. Participe : *convainquant* ; adjectif : *convaincant.* ▸ *convaincu, ue* adj. ■ Qui possède, qui exprime la certitude de. ⇒ **certain, persuadé, sûr.** / contr. **sceptique** / *Il est convaincu de ne pas se tromper.* — Sans compl. Sûr de son opinion. *Parler d'un ton convaincu.* ⇒ **assuré.**

convalescence [kɔ̃valesɑ̃s] n. f. ■ Période de transition entre la fin d'une maladie et le retour à la santé. *Sa convalescence a été longue, rapide.* — *Être, entrer en convalescence,* aller mieux. *Maison de convalescence.* ⇒ **repos.** ▸ *convalescent, ente* adj. ■ Qui est en convalescence. *Il est encore convalescent.* ⇒ **faible.** — N. *Un convalescent, une convalescente.*

① *convenir* [kɔ̃vniʀ] v. tr. ind. ⸱ conjug. 22. **1.** CONVENIR À *qqch.* : être approprié à (qqch.). *Les vêtements qui conviennent à la circonstance.* — Sans compl. *Cela pourra convenir.* ⇒ **aller.** **2.** CONVENIR À *qqn* : être agréable ou utile (à qqn) ; être conforme à son goût. ⇒ **agréer, plaire.** *Cela me convient parfaitement. J'irai si ça me convient* (→ fam. si ça me chante). **3.** Impers. IL CONVIENT (avec *de* + infinitif) : il est conforme aux usages, aux nécessités, aux besoins. ⇒ être à **propos.** *Il convenait de se taire.* — IL CONVIENT QUE (+ subjonctif) *Il convient que vous y alliez, vous devez y aller.* **4.** SE CONVENIR v.

pron. récipr. : être approprié l'un à l'autre ; se plaire mutuellement. ▸ *convenable* adj. **1.** Qui convient, est approprié. *Convenable à, pour (l'occasion, les circonstances...). Choisir le moment convenable.* ⇒ **favorable, opportun. 2.** Suffisant, acceptable. *Un salaire convenable, à peine convenable.* ⇒ **correct. 3.** Conforme aux règles, aux conventions de la bienséance. ⇒ **correct, honnête.** / contr. **inconvenant, incorrect** / *Des manières convenables. Une tenue convenable.* ▸ *convenablement* adv. ■ D'une manière convenable. *Il est payé convenablement.* — Correctement. *Un homme pauvre, mais convenablement vêtu.* ▸ *convenance* n. f. **1.** Littér. Caractère de ce qui convient. ⇒ **conformité, harmonie.** *Convenance d'humeur, de caractère.* **2.** Ce qui convient à qqn. ⇒ **goût.** *Consulter les convenances de qqn. Prendre un congé pour des raisons de convenance personnelle.* ⇒ **utilité.** — À MA, TA, SA CONVENANCE : quand cela me, te, lui conviendra. *Choisissez une heure à votre convenance.* **3.** *Les convenances,* ce qui est en accord avec les usages, les bienséances. *Observer, respecter les convenances.* ‹ ▸ inconvenance, inconvénient ›

② *convenir* v. tr. ind. ⸱ conjug. 22. — CONVENIR DE. **1.** (Suj. sing.) Reconnaître la vérité de ; tomber d'accord sur. ⇒ **avouer, reconnaître.** *Vous devriez en convenir.* — CONVENIR QUE (+ indicatif, conditionnel). *Je conviens que c'est, que ce serait imprudent. Il faut convenir qu'il a raison.* ⇒ **admettre. 2.** (Suj. plur.) Faire un accord, s'accorder sur. ⇒ s'**entendre ; convention.** *Ils ont convenu d'une date pour la prochaine réunion.* — (+ infinitif) *Ils conviennent de partir ensemble.* ⇒ **décider.** *Ils ont convenu* (ou littér. : *ils sont convenus*) *d'y aller.* — Passif. *Il a été convenu que,* on a décidé que. — Au p. p. Loc. COMME CONVENU : comme il a été décidé. *Nous vous rejoindrons demain, comme convenu.* ⇒ comme **prévu.** ‹ ▸ convenu, déconvenue, disconvenir ›

① *convention* [kɔ̃vɑ̃sjɔ̃] n. f. **1.** Accord de deux ou plusieurs personnes portant sur un fait précis. ⇒ **arrangement, contrat, entente, traité ;** ② **convenir** (2). *Conventions diplomatiques, commerciales.* ⇒ **accord, traité.** CONVENTION COLLECTIVE : accord entre salariés et employeurs réglant les conditions de travail. **2.** *Les conventions,* ce qu'il est convenu de penser, de faire, dans une société ; ce qui est admis sans critique. *Les conventions sociales.* ⇒ **convenance(s).** *Les conventions du théâtre, du roman.* ⇒ **procédé. 3.** DE CONVENTION loc. adv. : qui est admis par convention. ⇒ **conventionnel.** ▸ *conventionné, ée* adj. ■ En France. Lié par une convention, un accord avec la Sécurité sociale. *Un médecin conventionné. Clinique conventionnée.* ▸ ① *conventionnel, elle* adj. **1.** Qui résulte d'une convention. *Acte, clause conventionnelle.* **2.** Qui résulte d'une décision, n'est pas imposé par la nature. *Signe, caractère conventionnel.* ⇒ **arbitraire. 3.** Conforme aux conventions sociales ; peu naturel, peu sincère. *Il a des idées très conventionnelles.* **4.** Anglic. *Armement conventionnel,* non atomique, classique. ▸ *conventionnellement* adv.

② *convention* n. f. ■ Assemblée exceptionnelle réunie pour établir ou modifier la constitution d'un État. — En France. LA CONVENTION (1792-1795). ▸ ② *conventionnel* n. m. ■ Histoire. Membre de la Convention.

③ *convention* n. f. ■ Anglic. Aux États-Unis. Congrès d'un parti pour désigner son candidat à la présidence.

conventuel, elle [kɔ̃vɑ̃tɥɛl] adj. ■ Qui appartient à une communauté religieuse (un couvent). *La vie conventuelle.*

convenu, ue [kɔ̃vny] adj. ■ Qui est le résultat d'un accord. *Chose convenue.* ⇒ **décidé.** *Vous aurez ce livre au prix convenu.*

converger [kɔ̃vɛrʒe] v. intr. ▪ conjug. 3. **1.** Se diriger (vers un point commun). ⇒ se **concentrer.** *Point où convergent plusieurs routes.* ⇒ **carrefour.** *Les regards convergèrent sur lui,* se dirigèrent tous sur lui. **2.** Abstrait. Tendre au même résultat ; aller en se rapprochant. *Leurs théories convergent.* / contr. **diverger** / ▶ **convergence** n. f. **1.** Le fait de converger. *La convergence de deux lignes.* **2.** Action d'aboutir au même résultat, de tendre vers un but commun. ⇒ **concours.** *La convergence des efforts, des volontés.* / contr. **divergence** / ▶ **convergent, ente** adj. — REM. Part. : *convergeant ;* adj. : *convergent.* **1.** Qui converge. *Lignes convergentes.* **2.** Qui tend au même résultat, se rapproche des autres. *Des efforts convergents.* / contr. **divergent** /

conversation [kɔ̃vɛrsasjɔ̃] n. f. **1.** Échange spontané de propos ; ce qui se dit dans un tel échange. ⇒ **bavardage, entretien.** *Engager, détourner la conversation. Un sujet de conversation. Faire la conversation avec qqn ;* fam. *à qqn. Avoir une conversation téléphonique avec qqn.* ⇒ **communication. 2.** *La conversation de qqn,* sa manière de parler ; ce qu'il (elle) dit dans la conversation. — Fam. *Avoir de la conversation,* parler avec aisance. ▶ **conversationnel, elle** adj. — Anglic. *Mode conversationnel* (d'utilisation d'un ordinateur), qui permet de dialoguer avec la machine. ▶ **converser** v. intr. ▪ conjug. 1. ■ Parler avec (une ou plusieurs personnes) d'une manière spontanée. ⇒ **bavarder, causer.** *Nous avons conversé un moment.*

conversion [kɔ̃vɛrsjɔ̃] n. f. (⇒ **convertir**) **1.** Le fait de passer d'une croyance considérée comme fausse à la vérité présumée. *La conversion d'un athée.* — *Conversion au libéralisme, au communisme.* **2.** Le fait de transformer (qqch. en autre chose). *Conversion des poids et mesures* (en unités nouvelles). *La conversion d'une somme d'argent liquide en valeurs.*

convertible [kɔ̃vɛrtibl] adj. ■ Qui peut être l'objet d'une conversion (2). *Rente convertible* (ou *convertissable). Billet convertible en or.* ▶ **convertibilité** n. f. ■ *La convertibilité d'un papier-monnaie.* ◁ ▶ **inconvertible** ▷

convertir [kɔ̃vɛrtir] v. tr. ▪ conjug. 2. **1.** Amener (qqn) à croire, à adopter une croyance, une religion (considérée comme vraie). *Convertir des Africains au christianisme, à l'islam ; des Européens au bouddhisme. Convertir un sceptique à la foi.* ⇒ **conversion.** — Faire adhérer (à une opinion). ⇒ **rallier.** — SE CONVERTIR v. pron. réfl. *Il s'est converti à l'islam, au judaïsme. Elle s'est convertie à votre avis.* **2.** (Compl. chose) Transformer. *Convertir sa fortune, ses biens en espèces.* ⇒ **réaliser.** *Convertir une rente, un titre. Convertir une fraction en nombre décimal.* ▶ **converti, ie** adj. et n. ■ Qui a passé d'une croyance (religion) à une autre (considérée comme vraie). *Des chrétiens convertis au judaïsme, à l'islam.* — Sans compl. *Des juifs convertis* (au catholicisme). — N. *Un converti.* Loc. *Prêcher un converti,* vouloir convaincre qqn qui l'est déjà. ▶ **convertisseur** n. m. ■ Se dit d'appareils qui transforment. *Convertisseurs Bessemer* (où l'on transforme la fonte en acier). ◁ ▶ **conversion, reconvertir** ▷

convexe [kɔ̃vɛks] adj. ■ Courbé, arrondi en dehors. ⇒ **bombé, renflé.** *Lentille, miroir convexe.* / contr. **concave** / ▶ **convexité** n. f. ■ État d'un corps convexe. ⇒ **courbure.** *La convexité de la colonne vertébrale.* / contr. **concavité** /

conviction [kɔ̃viksjɔ̃] n. f. (⇒ **convaincre**) **1.** Certitude fondée sur des preuves évidentes. *Parler avec conviction et chaleur. J'en ai la conviction,* j'en suis convaincu. — Fam. Sérieux. *Jouer son rôle avec beaucoup de conviction.* — UNE CONVICTION : une opinion ferme. ⇒ **croyance.** *Il agit selon ses convictions personnelles.* / contr. **doute, scepticisme** / **2.** PIÈCE À CONVICTION : objet dont se sert la justice comme élément de preuve dans un procès pénal.

convier [kɔ̃vje] v. tr. ▪ conjug. 7. **1.** Inviter (qqn) à un repas, une réunion. *Convier qqn à une réception.* **2.** Inviter, engager (qqn) à (une activité). *Convier qqn à faire qqch. Le beau temps nous convie à la promenade.*

convive [kɔ̃viv] n. ■ Personne invitée à un repas en même temps que d'autres. *Un, une agréable convive.* ⇒ **hôte.** *D'agréables convives.*

convocation [kɔ̃vɔkasjɔ̃] n. f. **1.** Action de convoquer (qqn, un ensemble de personnes). *Se rendre, répondre à une convocation.* **2.** Feuille de convocation (fam. *collante,* n. f.). *Présenter sa convocation à l'entrée de la salle d'examen.*

convoi [kɔ̃vwa] n. m. **1.** Ensemble de voitures militaires, de navires faisant route sous la protection d'une escorte (⇒ **convoyer**). **2.** Groupe de véhicules, de personnes qui font route ensemble. *Des convois de prisonniers.* **3.** Train. *Ajouter une rame au convoi.* **4.** Cortège funèbre. ⇒ **enterrement.**

convoiter [kɔ̃vwate] v. tr. ▪ conjug. 1. ■ Désirer avec avidité (une chose disputée ou qui appartient à un autre). *Convoiter le bien d'autrui, la première place.* ▶ **convoitise** n. f. ■ Désir extrême et sans scrupule de posséder une chose. ⇒ **avidité, envie.** *Regarder qqch. avec convoitise.*

convoler [kɔ̃vɔle] v. intr. ▪ conjug. 1. ■ Plaisant. *Convoler (en justes noces),* se marier. *Ils viennent de convoler.*

convoquer [kɔ̃vɔke] v. tr. ▪ conjug. 1. **1.** Appeler (plusieurs personnes) à se réunir. *Convoquer une assemblée, le conseil de discipline. On les a convoqués par lettre, par téléphone.* **2.** Faire venir (une seule personne) auprès de soi. *Le directeur m'a convoqué dans son bureau.* ◁ ▶ convocation ▷

convoyer [kɔ̃vwaje] v. tr. ▪ conjug. 8. ■ Accompagner pour protéger. ⇒ **escorter.** *Blindés, avions qui convoient un transport de troupes, de munitions* (⇒ **convoi**). ▶ **convoyeur** n. m. **1.** Personne, bateau qui convoie qqch. *Convoyeur de fonds.* **2.** Transporteur automatique. *Tapis roulant servant de convoyeur (de marchandises).*

convulser [kɔ̃vylse] v. tr. ▪ conjug. 1. ■ Agiter, tordre par des convulsions. ⇒ **contracter, crisper.** *La peur convulsait ses traits.* — Au p. p. *Un visage convulsé par la douleur.* ⇒ **convulsionné.** ▶ **convulsif, ive** adj. **1.** Caractérisé par des convulsions. *Maladies convulsives.* **2.** Qui a le caractère mécanique, involontaire et violent des convulsions. ⇒ **spasmodique ; nerveux.** *Effort, geste, rire convulsif.* ▶ **convulsivement** adv. ■ *S'agiter convulsivement.* ▶ **convulsion** n. f. **1.** Contraction violente, involontaire des muscles. ⇒ **spasme.** *Se tordre dans les convulsions.* **2.** Agitation violente ; trouble soudain. ⇒ **secousse.** *Les convulsions politiques d'une révolution.* ▶ **convulsionner** v. tr. ▪ conjug. 1. ■ Donner des convulsions à. — Au p. p. adj. *Visage convulsionné.* ⇒ **convulsé.**

coolie [kuli] n. m. ■ En Inde, en Chine. Travailleur, porteur. *Des coolies.*

coopérer [kɔɔpere] v. intr. ▪ conjug. 6. ■ Opérer conjointement (avec qqn). ⇒ **collaborer.** — Transitivement ind. *Coopérer à une entreprise.* ► *coopérant* n. m. ■ Spécialiste envoyé au titre de la coopération (2) dans un pays étranger. ► *coopératif, ive* adj. **1.** Qui est fondé sur la coopération (1), la solidarité. *Système coopératif.* **2.** Anglic. (Personnes) Qui apporte volontairement son aide. *Il ne s'est pas montré très coopératif.* ► *coopérative* n. f. ■ Entreprise où les droits de chaque associé (appelé *coopérateur*) à la gestion sont égaux et où le profit est réparti entre eux. ⇒ **association, mutuelle.** *Coopérative d'achat, de vente, de production. Coopérative agricole, vinicole.* ► *coopération* n. f. **1.** Action de participer à une œuvre commune. ⇒ **collaboration.** *Apporter sa coopération à une entreprise.* ⇒ **aide, concours. 2.** Politique d'entente et d'échange culturels, économiques, politiques ou scientifiques entre États de niveau de développement comparable. *Coopération culturelle franco-soviétique.* — Politique par laquelle un pays apporte sa contribution au développement de nations moins développées. *Coopération agricole, industrielle. Il fait son service militaire dans la coopération, comme expert agricole.* ⇒ **coopérant.**

coopter [kɔɔpte] v. tr. . conjug. 1. ■ Nommer, admettre dans une assemblée (le sujet désigne ceux qui en font déjà partie). *Coopter un nouveau membre.* ► *cooptation* n. f. ■ *Être choisi, nommé par cooptation.*

coordination [kɔɔʀdinasjɔ̃] n. f. **1.** Mise en ordre des parties d'un tout en vue d'obtenir un résultat déterminé. ⇒ **organisation ; coordonner.** *La coordination des opérations d'une troupe.* **2.** Conjonction de coordination, liant des mots ou des propositions de même nature ou fonction *(et, ou, donc, or, ni, mais, car).* ► *coordinateur, trice* adj. et n. ■ Qui coordonne. *Bureau coordinateur.* — *Un coordinateur harmonise leurs activités.*

coordonnée [kɔɔʀdɔne] n. f. **1.** Un des éléments qui déterminent la position d'un point par rapport à un système de référence, sur un plan (abscisse, ordonnée) ou dans l'espace (abscisse, ordonnée, cote). — Latitude et longitude. **2.** Au plur. Fam. Renseignements sur le moment et le lieu où l'on peut trouver qqn. *Donnez-moi vos coordonnées, votre adresse, etc.* **3.** Proposition liée à une autre par une conjonction de coordination. ‹ ► coordination, coordonnée ›

coordonner [kɔɔʀdɔne] v. tr. . conjug. 1. **1.** Organiser les différentes parties d'un ensemble selon certains rapports et pour former un tout. ⇒ **agencer, combiner, ordonner, organiser.** *Coordonner une chose à une autre, avec une autre. Elle coordonne les travaux des différentes équipes.* / contr. **désorganiser** / **2.** Relier (des mots, des propositions) par une conjonction de coordination.

copain, copine [kɔpɛ̃, kɔpin] n. ■ Fam. Camarade (de classe, de travail). *Ce sont de bons copains. Une bande de copains. Une copine de classe.* ‹ ► copiner ›

copeau [kɔpo] n. m. ■ Éclat, mince morceau détaché (d'une pièce de bois, etc.) par un instrument tranchant. *Brûler des copeaux.* — *Copeaux d'acier, de cuivre.*

copiage [kɔpjaʒ] n. m. ■ Le fait de copier (dans un examen) ou d'imiter servilement.

copie [kɔpi] n. f. **I. 1.** Reproduction d'un écrit. ⇒ **double, duplicata, photocopie.** *Copie exacte, fidèle. Ce document est une copie, nous n'avons pas l'original.* **2.** Écrit sur lequel l'imprimeur compose. ⇒ **manuscrit.** *Copie manuscrite, dactylographiée.* — Fam. *Journaliste en mal de copie,* qui manque de sujet

d'article. **3.** Feuille de papier utilisée pour la rédaction des devoirs scolaires. *Un paquet de copies doubles.* — Le devoir lui-même. *Des copies à corriger.* **II. 1.** Reproduction (d'une œuvre d'art originale). ⇒ **imitation.** *La copie d'un tableau.* — Exemplaire (d'un film de cinéma). *Faire tirer vingt copies.* **2.** Imitation (d'une œuvre). *Ce livre n'est qu'une pâle copie.* ⇒ **plagiat.** ► *copier* v. tr. . conjug. 7. **1.** Reproduire (un écrit) par écrit. ⇒ **calquer, reproduire.** *Copier fidèlement un texte, un passage.* **2.** Imiter frauduleusement. *Il a copié le cours, son voisin.* — Intransitivement. *Il a copié (sur le voisin).* **3.** Reproduire (une œuvre d'art). ⇒ **imiter.** *Copier un tableau de maître.* **4.** Imiter (qqn, ses manières). *Il copie les Américains qu'il fréquente.* ► *copieur* n. m. ■ Élève qui copie sur ses camarades ou sur ses livres de classe. ‹ ► copiage, copiste, photocopie, polycopie, recopier ›

copieux, euse [kɔpjø, øz] adj. ■ Abondant. *Repas copieux.* / contr. **frugal** / *Un copieux pourboire.* ⇒ **généreux.** / contr. **mesquin, pauvre** / ► *copieusement* adv. ■ Beaucoup ; abondamment. *Manger, boire copieusement. Il s'est copieusement ennuyé à la campagne.*

copilote [kɔpilɔt] n. ■ Pilote qui seconde le premier pilote.

copine n. f. ⇒ **copain.**

copiner [kɔpine] v. intr. . conjug. 1. ■ Fam. Avoir des relations de camaraderie. *Copiner avec une bande de jeunes.* ► *copinage* n. m. ■ Fam. Favoritisme (dans le monde politique, des affaires, etc.). ► *copinerie* n. f. ■ Fam. Relations de copains ; ensemble de copains.

copiste [kɔpist] n. ■ Personne dont le travail est de copier des manuscrits, de la musique. *Faute de copiste.*

coprah [kɔpʀa] n. m. ■ Amande du fruit du cocotier (noix de coco) décortiqué, produisant de l'huile.

coproduction [kɔpʀɔdyksjɔ̃] n. f. ■ Production (d'un film) par plusieurs producteurs (appelés *coproducteurs*) ; ce film. *Une coproduction franco-italienne.*

copropriété [kɔpʀɔpʀijete] n. f. ■ Propriété de plusieurs personnes sur un seul bien. *Immeuble en copropriété. Copropriété indivise.* ► *copropriétaire* n.

copte [kɔpt] adj. et n. ■ Se dit des chrétiens d'Égypte.

copulation [kɔpylasjɔ̃] n. f. ■ Accouplement du mâle avec la femelle.

copule [kɔpyl] n. f. ■ Ce qui lie le « sujet » à l'« attribut ». *Le verbe « être » est une copule.*

copyright [kɔpiʀajt] n. m. ■ Droit exclusif que détient un auteur ou son représentant à exploiter une œuvre (symb. ©).

① *coq* [kɔk] n. m. **1.** Oiseau de basse-cour, mâle de la poule. *Les coqs et les poules. Crête de coq. Le chant du coq.* ⇒ **cocorico.** *Manger du coq au vin.* **2.** Iron. *Le coq du village,* le garçon le plus admiré des femmes. **3.** *Être comme un* COQ EN PÂTE : être soigné, dorloté. **4.** *Poids coq,* catégorie de boxeurs (50,800 kg – 53,520 kg). — *Des poids coq.* **5.** Loc. *Passer, sauter du coq à l'âne.* ⇒ **coq-à-l'âne.** ‹ ► ② coco, cocorico, ① cocotte, coq-à-l'âne, coquelet, coquet ›

② *coq* n. m. ■ Cuisinier à bord d'un navire. *Maître coq,* le cuisinier en chef. *Des maîtres coqs.*

coq-à-l'âne [kɔkalɑn] n. m. invar. ■ Passage sans transition et sans motif d'un sujet à un autre. *Des coq-à-l'âne.*

① *coque* [kɔk] n. f. 1. Enveloppe rigide (de certains fruits). *Coque d'amande, de noisette, de noix.* ⇒ **coquille.** 2. Coquillage comestible (mollusque bivalve). 3. ŒUF À LA COQUE : cuit dans sa coquille et encore mou. *Cuire ses œufs à la coque trois minutes.* ⟨ ▶ coquetier ⟩

② *coque* n. f. 1. Ensemble de la membrure et du revêtement extérieur (d'un navire). 2. Bâti rigide qui remplace le châssis et la carrosserie. *Coque d'automobile.* ⟨ ▶ monocoque, multicoque ⟩

-coque ■ Élément savant signifiant « grain ». ⟨ ▶ diplocoque, gonocoque, pneumocoque, staphylocoque, streptocoque ⟩

coquelet [kɔklɛ] n. m. ■ Jeune coq (en cuisine). *Coquelet au vin blanc.* ≠ *poulet.*

coquelicot [kɔkliko] n. m. ■ Petit pavot sauvage à fleur d'un rouge vif qui croît dans les champs. — Loc. *Rouge comme un coquelicot,* rouge de confusion, de timidité.

coqueluche [kɔklyʃ] n. f. I. Maladie contagieuse, caractérisée par une toux convulsive. *Enfant atteint de coqueluche.* II. *Être* LA COQUELUCHE DE : être aimé, admiré de. ▶ *coquelucheux, euse* adj. ■ De la coqueluche (I). — Adj. et n. Qui a la coqueluche.

coquerico n. m. ⇒ **cocorico.**

coquet, ette [kɔkɛ, ɛt] adj. I. 1. Qui cherche à plaire aux personnes du sexe opposé. *Se montrer coquet, empressé auprès des femmes. Femme coquette.* — N. f. *Une coquette.* 2. Qui veut plaire par sa mise, qui a le goût de la toilette. *Une petite fille coquette.* 3. Qui a un aspect plaisant, soigné. *Logement, mobilier coquet.* II. Fam. D'une importance assez considérable. *Un héritage (assez, plutôt) coquet. Il m'en a coûté la coquette somme de...* ▶ **coquettement** adv. ■ D'une manière coquette (I). *Béret coquettement posé sur l'oreille. Maison coquettement meublée.* ⟨ ▶ coquetterie ⟩

coquetier [kɔktje] n. m. ■ Petite coupe dans laquelle on met un œuf pour le manger à la coque. ⇒ **coque** (3).

coquetterie [kɔkɛtri] n. f. (⇒ **coquet**) 1. Souci de plaire en attirant l'attention ; comportement qui en résulte. *Son refus de se joindre à la discussion, c'est de la coquetterie,* un comportement affecté. — *Avoir une coquetterie dans l'œil* loc. fam., loucher légèrement. 2. Goût de la toilette. *Il est d'une coquetterie exagérée.* ⇒ **élégance.** 3. Légère affectation. *Il a la coquetterie des idées à la mode.*

coquillage [kɔkijaʒ] n. m. 1. Mollusque marin pourvu d'une coquille. *Manger des coquillages.* ⇒ **fruit** de mer. 2. La coquille elle-même. *Collier de coquillages.*

① *coquille* [kɔkij] n. f. I. 1. Enveloppe calcaire qui recouvre le corps de la plupart des mollusques et d'autres animaux aquatiques. ⇒ **carapace, coque, coquillage.** *Coquille bivalve. Coquille enroulée du limaçon.* — Loc. *Rentrer dans sa coquille* (comme l'escargot), se replier sur soi. *Sortir de sa coquille.* — COQUILLE SAINT-JACQUES : coquille d'un mollusque (que les pèlerins de Saint-Jacques-de-Compostelle fixaient à leur manteau et à leur chapeau) ; ce mollusque comestible. ⇒ **pétoncle.** 2. Objet représentant une coquille. *Coquille d'hors-d'œuvre.* II. 1. Enveloppe dure (des noix, noisettes, etc.) ; enveloppe calcaire (des œufs d'oiseaux). *La coquille de cet œuf*

est fêlée. 2. COQUILLE DE NOIX : petit bateau, barque. ▶ *coquillettes* n. f. pl. ■ Pâtes alimentaires en forme de petites coquilles. ⟨ ▶ coquillage ⟩

② *coquille* n. f. ■ Faute typographique, lettre substituée à une autre. *Épreuve pleine de coquilles. Corriger une coquille.*

coquin, ine [kɔkɛ̃, in] n. et adj. 1. Vx. Personne vile, capable d'actions blâmables. ⇒ **bandit, canaille.** *Un infâme coquin.* 2. Personne, surtout enfant, qui a de la malice, de l'espièglerie. *Petit coquin !* ⇒ **garnement.** — Adj. (Enfants) *Cette petite fille est bien coquine.* ⇒ **espiègle.** ▶ *coquinerie* n. f. ■ Vx ou littér. Canaillerie. ⟨ ▶ s'acoquiner ⟩

① *cor* [kɔr] n. m. 1. Autrefois. Corne, trompe. *Le cor de Roland.* ⇒ **olifant.** 2. Instrument à vent en métal, contourné en spirale et terminé par une partie évasée. *Cor de chasse* (les chasseurs disent *trompe*). *Cor d'harmonie,* instrument d'orchestre. *Cor à piston* ou *cor chromatique.* — COR ANGLAIS : hautbois alto. 3. Loc. À COR ET À CRI : en insistant bruyamment. *Réclamer qqch., qqn à cor et à cri.* ≠ *corps.*

② *cor* n. m. ■ Petite tumeur dure siégeant en général au-dessus des articulations des phalanges des orteils. ⇒ **cal, callosité.** *Avoir des cors au pied.* ⟨ ▶ coricide ⟩

③ *cor(s)* ⇒ **cors.**

① *corail, aux* [kɔraj, o] n. m. 1. Animal marin des mers chaudes, qui sécrète un squelette calcaire ⇒ **polypier,** de couleur rouge ou blanche. ⇒ **madrépore.** *Les coraux groupés en colonies peuvent former des récifs* (atoll). 2. La matière calcaire qui forme les coraux, appréciée en bijouterie. — En appos. *Couleur corail,* celle du corail rouge. ▶ *corallien, ienne* [kɔraljɛ̃, jɛn] adj. ■ Formé de coraux. *Récifs coralliens.*

② *corail* adj. invar. ■ En France. *Voitures corail,* type de voitures de la S.N.C.F., sans compartiments, à couloir central. *Train corail,* train composé de voitures corail.

Coran [kɔrɑ̃] n. m. ■ Livre sacré des musulmans contenant la doctrine islamique. *Verset du Coran.* ⇒ **sourate.** ▶ *coranique* adj. ■ Qui a rapport au Coran. *École coranique,* école musulmane traditionnelle.

corbeau [kɔrbo] n. m. ■ Oiseau à plumage noir ou gris (*grand corbeau* et *corneille*). *Le corbeau croasse. Corbeau freux. Noir comme un corbeau,* très noir, très brun. « *Le Corbeau et le Renard* », fable de La Fontaine. ⟨ ▶ bec-de-corbeau ⟩

corbeille [kɔrbɛj] n. f. I. 1. Panier léger. *Corbeille de jonc.* Loc. *Corbeille à ouvrage,* où les femmes mettent leur ouvrage en cours. *Corbeille à pain,* pour présenter le pain sur la table. *Corbeille à papier,* ustensile de bureau où l'on jette les papiers. — Contenu d'une corbeille. *Une magnifique corbeille de fruits.* 2. *Corbeille de mariage,* cadeaux offerts aux nouveaux mariés. II. 1. Espace circulaire entouré d'une balustrade et réservé aux agents de change, à la Bourse. ⇒ **parquet.** 2. Balcon situé immédiatement au-dessus de l'orchestre d'une salle de spectacle. ⇒ **mezzanine.**

corbillard [kɔrbijar] n. m. ■ Voiture servant à transporter les morts jusqu'à leur sépulture. ⇒ **fourgon** mortuaire. *Draperies noires d'un corbillard. Mettre un cercueil dans le corbillard.*

cordage [kɔrdaʒ] n. m. ■ Lien servant au gréement d'un navire et à la manœuvre d'une machine. ⇒ **corde.** *Attacher, tirer, hisser avec un cordage.* ⇒ **filin.**

corde [kɔʀd] n. f. **I. 1.** (Sens général) Réunion de brins d'une matière textile tordus ensemble. ⇒ **câble, cordage, ficelle.** *Une corde en crin. Une corde très résistante. Des semelles de corde. Alpinistes reliés par une corde.* ⇒ **cordée.** *Échelle de corde.* — (Autres matières) *Une corde en matière plastique.* Loc. CORDE À LINGE : fil sur lequel on met le linge à sécher. ⇒ **étendoir. 2.** Loc. *Avoir plus d'une corde, plusieurs cordes à son arc,* plusieurs moyens pour parvenir à ses fins. — *Tirer sur la corde,* abuser d'un avantage, de la patience d'une personne. **3.** Segment d'une ligne droite coupant une circonférence ou un cercle. **4.** Lien que l'on passe autour du cou de qqn pour le pendre. — Loc. fig. *Se mettre la corde au cou,* se mettre dans une situation pénible de dépendance ; se marier. *Parler de corde dans la maison d'un pendu,* faire une allusion maladroite et désobligeante ; gaffer. **5.** Trame d'une étoffe devenue visible par l'usure. *Vêtement qui montre la corde, usé jusqu'à la corde.* **6.** Corde qui, dans les hippodromes, limite intérieurement la piste. *Tenir la corde,* rester près de cette corde. — *Prendre un virage à la corde,* en serrant de très près le bord intérieur du virage. **7.** Fil sur lequel les acrobates font des exercices. *Danseur de corde.* — Loc. *Être sur la* CORDE RAIDE : dans une situation délicate. **8.** CORDE À SAUTER : corde munie de poignées que l'on fait tourner. *Saut à la corde.* **9.** CORDE LISSE, CORDE À NŒUDS : servant à grimper. **10.** *Les cordes du ring,* qui le limitent. *Être envoyé dans les cordes.* **11.** Loc. fig. *Il pleut des cordes,* très fort (→ à verse). **II. 1.** Boyau, crin, fil métallique tendu qui produit les sons sur certains instruments. *Instruments à cordes et instruments à vent. Quatuor à cordes.* — *Les cordes, dans un orchestre* (violons, altos, violoncelles, contrebasses). **2.** Loc. *Faire vibrer, toucher la corde sensible,* parler à une personne de ce qui la touche le plus. **III. 1.** CORDES VOCALES : replis musculo-membraneux du larynx, entre lesquels se trouve la glotte, et qui vibrent pour rendre les sons. **2.** *Ce n'est pas* DANS MES CORDES : ce n'est pas de ma compétence. ▶ *cordeau* n. m. **1.** Petite corde que l'on tend entre deux points pour obtenir une ligne droite. *Le jardinier plante au cordeau. Tracer une rue au cordeau.* — Loc. fig. AU CORDEAU : de façon nette et régulière. *Ici, tout semble tiré au cordeau.* ⇒ **Mèche d'une mine.** *Cordeau Bickford.* ▶ *cordée* n. f. ■ Groupe d'alpinistes attachés pour faire une ascension. *Premier de cordée,* celui qui mène la caravane. *Se mettre en cordée.* ⇒ **s'encorder.** ▶ *cordelette* n. f. ■ Corde fine. ▶ *cordelière* n. f. ■ Corde à plusieurs nœuds servant de ceinture ; cordon. *La cordelière de son sac.* ▶ *corder* v. tr. ∗ conjug. 1. **1.** Lier avec une corde. *Corder une malle.* ⇒ **cercler. 2.** Garnir de cordes (une raquette de tennis). ‹ ▶ cordage, cordier, cordon, cordonnet, s'encorder, monocorde ›

cordi- ■ Élément savant qui signifie « cœur ». ⇒ **cardio-.** ‹ ▶ cordial ›

① *cordial, iaux* [kɔʀdjal, jo] n. m. ■ Médicament qui stimule le fonctionnement du cœur, qui stimule. *Administrer un cordial à un malade. Prendre un cordial.*

② *cordial, iale, iaux* adj. **1.** Qui vient du cœur. ⇒ **affectueux, bienveillant, chaleureux.** / contr. **froid, indifférent ; hostile** / *Accueil cordial. Sentiments cordiaux. Un homme affectueux et cordial.* **2.** Fam. *Il lui voue une antipathie, une haine cordiale,* très vive. ▶ *cordialement* adv. ■ D'une manière cordiale, spontanée. *Il lui a parlé cordialement. Cordialement vôtre ; cordialement* (formule d'amitié, en fin de lettre). ▶ *cordialité* n. f. ■ Affection, bienveillance qui se manifeste avec simplicité. ⇒ **chaleur, sympathie.** *La cordialité d'une personne. Manquer de cordialité. Il lui parle avec cordialité.*

cordillère [kɔʀdijɛʀ] n. f. ■ Chaîne de montagnes. *La cordillère des Andes.*

cordon [kɔʀdɔ̃] n. m. **I. 1.** Petite corde (attache, ornement, tirage). ⇒ **cordelière, cordonnet, frange, lacet, lien.** *Attacher, nouer (qqch.) avec un cordon, des cordons. Cordon de sonnette, de rideaux. Les cordons d'un tablier.* — Loc. *Tenir les cordons de la bourse,* régler les dépenses. *Cordons de souliers.* ⇒ **lacet. 2.** *Cordon Bickford.* ⇒ **cordeau. II. 1.** Ruban qui sert d'insigne aux membres d'un ordre honorifique. *Grand cordon de la Légion d'honneur,* écharpe de grand-croix. **III.** (Parties allongées) **1.** *Cordon ombilical,* qui rattache l'embryon au placenta. **2.** Tendon saillant. **IV. 1.** Série (de plusieurs choses ou personnes alignées). ⇒ **file, ligne, rangée.** *Un cordon d'agents de police formait barrage. Cordon de troupes. Cordon sanitaire,* ligne de postes de surveillance dans une région où règne une épidémie. **2.** *Cordon littoral,* bande de terre qui émerge à peu de distance d'une côte. ▶ *cordonnet* n. m. ■ Petit cordon (I). ‹ ▶ cordon-bleu ›

cordon-bleu [kɔʀdɔ̃blø] n. m. ■ Personne qui fait très bien la cuisine. *Sa femme, son frère est un véritable cordon-bleu. Des cordons-bleus.*

cordonnier, ière [kɔʀdɔnje, jɛʀ] n. ■ Artisan qui répare, entretient les chaussures. *Le cordonnier ressemelle les chaussures.* ≠ *bottier.* — PROV. *Les cordonniers sont toujours les plus mal chaussés.* ▶ *cordonnerie* n. f. ■ Commerce, boutique, atelier du cordonnier. *Faire réparer ses chaussures à la cordonnerie.*

coreligionnaire [kɔʀəliʒjɔnɛʀ] n. ■ Personne qui professe la même religion qu'une autre. *Les coreligionnaires de qqn.*

coriace [kɔʀjas] adj. et n. **1.** (Viande) Très dur ; qui ne se laisse pas couper, mâcher, etc. / contr. **tendre** / *Viande coriace.* **2.** (Personnes) Qui ne cède pas. ⇒ **dur.** *Il est coriace en affaires.* — N. *C'est un coriace.* ⇒ **dur.**

coriandre [kɔʀjɑ̃dʀ] n. f. ■ Plante annuelle dont le fruit séché, aromatique, est employé comme assaisonnement, ainsi que dans la fabrication de liqueurs.

coricide [kɔʀisid] n. m. ■ Préparation qu'on applique sur les cors aux pieds, pour les détruire.

corindon [kɔʀɛ̃dɔ̃] n. m. ■ Pierre précieuse très dure, diversement colorée (aigue-marine, améthyste, rubis, saphir, topaze).

corinthien, ienne [kɔʀɛ̃tjɛ̃, jɛn] adj. et n. ■ Se dit de l'ordre d'architecture grecque, caractérisé par des colonnes élancées, aux chapiteaux ornés de feuilles d'acanthe. *Style corinthien. Chapiteau corinthien.* ≠ *dorique, ionique.*

cormoran [kɔʀmɔʀɑ̃] n. m. ■ Oiseau palmipède au plumage sombre, bon plongeur.

cornac [kɔʀnak] n. m. **1.** Celui qui est chargé des soins et de la conduite d'un éléphant domestiqué (surtout en Inde). **2.** Fam. Personne qui introduit, guide (qqn, un personnage officiel, etc.). ▶ *cornaquer* v. tr. ∗ conjug. 1. ■ Fam. Servir de guide à (qqn). ⇒ **guider, piloter.**

cornaline [kɔʀnalin] n. f. ■ Variété d'agate translucide, rouge. ⇒ **calcédoine.**

corne [kɔʀn] n. f. **I. 1.** Excroissance épidermique, dure et pointue, sur la tête de certains animaux. *Les cornes des ruminants. Cornes ramifiées et massives du cerf.* ⇒ **andouiller, bois.** *Transpercer à coups de corne.* ⇒ **encorner.** — BÊTES À CORNES : bœufs, vaches, chèvres. — Loc. *Prendre le taureau par les cornes,* prendre de front les difficultés. — *Faire, montrer les cornes à qqn,* se moquer de lui, les mains au-dessus de la tête et les doigts disposés de manière à représenter une paire de cornes. **2.** Appendice comparé à une corne. *Les cornes (pédicules oculaires) d'un escargot.* **3.** Loc. fam. *Avoir, porter des cornes,* être trompé (mari, femme). **4.** Angle saillant, coin. *À la corne du bois. Faire une corne à la page d'un livre.* ⇒ ② **corner. II. 1.** *La corne,* substance compacte qui constitue les productions dures de l'épiderme (ongles, cornes, sabots, griffes, bec des oiseaux, fanons de baleine, écailles de tortue). *Peigne de corne.* — CORNE À CHAUSSURES : chausse-pied (fait de corne, à l'origine). **2.** Couches mortes de l'épiderme qui forment des callosités. **III. 1.** Instrument sonore fait d'une corne (1) creuse. ⇒ **cor, cornet, trompe.** *Une corne de berger.* **2.** Vx. Avertisseur sonore (⇒ ① **corner). ▶ corné, ée** adj. ■ Qui a la consistance dure de la corne (II). ◁ **▶ bicorne,** biscornu, Capricorne, ① corner, ② corner, cornet, cornette, cornier, cornu, cornue, écorner, encorner, licorne, racornir, tricorne ▷

corned-beef [kɔʁn(əd)bif] n. m. invar. ■ Viande de bœuf en conserve. ⇒ **singe (4).**

cornée [kɔʁne] n. f. ■ Enveloppe antérieure et transparente de l'œil. **▶ cornéen, enne** [kɔʁneɛ̃, ɛn] adj. ■ De la cornée. *Lentilles cornéennes,* verres optiques de contact.

corneille [kɔʁnɛj] n. f. ■ Oiseau du genre corbeau, plus petit que le grand corbeau, à queue arrondie et plumage terne. *Corneille grise. Corneille noire* ou *corbeau corneille.* — REM. On appelle couramment les corneilles *corbeaux.*

cornélien, ienne [kɔʁneljɛ̃, jɛn] adj. ■ Qui appartient à Pierre Corneille, évoque ses héros, ses tragédies. *Un héros cornélien,* qui fait passer son devoir au-dessus de tout.

cornemuse [kɔʁnəmyz] n. f. ■ Instrument de musique à vent composé d'un sac de cuir et de deux ou trois tuyaux percés de trous. ⇒ **musette.** *Cornemuse bretonne, auvergnate* (cabrette), *écossaise* (pibrock). ⇒ **biniou.**

① **corner** [kɔʁne] v. intr. ▪ conjug. 1. ■ Vx. Faire fonctionner une corne (III), une trompe. *L'automobiliste corne.* ⇒ **klaxonner.** — Fam. *Corner aux oreilles de qqn,* lui ressasser qqch.

② **corner** v. tr. ▪ conjug. 1. ■ Plier en forme de corne (I, 4), relever un coin de. *Corner les pages d'un livre.* — Au p. p. adj. *Feuille cornée.* ◁ **▶ décorner** ▷

③ **corner** [kɔʁnɛʁ] n. m. ■ Anglic. Faute commise par un joueur de football qui a envoyé le ballon derrière la ligne de but de son équipe. *Le ballon sort en corner.* — Coup accordé à l'équipe adverse à la suite de cette faute. *Le corner est tiré d'un angle du terrain.*

① **cornet** [kɔʁnɛ] n. m. ■ CORNET À PISTONS : instrument à vent, cuivre analogue à la trompette, mais plus court. *Jouer du cornet.* **▶ cornettiste** n. ■ Joueur(euse) de cornet. *Le cornettiste d'un orchestre de jazz traditionnel.*

② **cornet** n. m. **1.** Objet en forme de corne ; récipient conique. *Une glace en cornet. Cornet de papier,* papier roulé en corne et susceptible de contenir qqch. — *Un cornet de frites. — Cornet à dés,* godet qui sert à agiter et à jeter les dés. **2.** Loc. fam. *Se mettre qqch. dans le cornet,* manger.

cornette [kɔʁnɛt] n. f. ■ Coiffure de certaines religieuses.

corniaud [kɔʁnjo] n. m. et adj. **1.** Chien bâtard. **2.** Fam. Imbécile. — Adj. *Ce qu'il peut être corniaud !*

corniche [kɔʁniʃ] n. f. **1.** Partie saillante qui couronne un édifice. — Ornement en saillie sur un mur, un meuble, autour d'un plafond. *Corniche de plâtre. La corniche d'une armoire.* **2.** Saillie naturelle surplombant un escarpement. *Route en corniche qui domine un à-pic, surplombe un lac, la mer.* — Cette route. *Suivre la corniche.*

cornichon [kɔʁniʃɔ̃] n. m. **1.** Petit concombre* cueilli avant sa maturité et conservé dans du vinaigre. *Bocal de cornichons.* **2.** Niais, naïf inintelligent. ⇒ **imbécile ;** fam. **corniaud.** *Quel cornichon !*

cornier, ière [kɔʁnje, jɛʁ] adj. ■ Qui est au coin, à l'angle. *Les poteaux corniers d'une charpente.* **▶ cornière** n. f. ■ Pièce cornière, en équerre.

cornouiller [kɔʁnuje] n. m. ■ Arbre commun dans les haies, les bois.

cornu, ue [kɔʁny] adj. **1.** Qui a des cornes. *Animal cornu. Diable cornu.* **2.** Qui a la forme d'une corne, présente des saillies en forme de corne. *Blé cornu,* ergoté.

cornue [kɔʁny] n. f. ■ Récipient à col étroit, long et courbé, qui sert à distiller. ⇒ **alambic.** *Le col d'une cornue.*

corollaire [kɔʁɔlɛʁ] n. m. ■ Proposition dérivant immédiatement d'une autre. — Conséquence, suite naturelle.

corolle [kɔʁɔl] n. f. ■ Ensemble des pétales d'une fleur. — *En corolle,* en forme de corolle de fleur.

coron [kɔʁɔ̃] n. m. ■ Dans le nord de la France, dans les pays miniers. Ensemble d'habitations identiques, disposées régulièrement et construites pour les mineurs. *Habiter un coron.*

coronaire [kɔʁɔnɛʁ] adj. ■ (Anatomie) Disposé en couronne. *Artères coronaires.*

corozo [kɔʁozo] n. m. ■ Matière blanche tirée de la noix d'un palmier et dite ivoire végétal. *Boutons de corozo.*

corporal, aux [kɔʁpɔʁal, o] n. m. ■ Linge consacré qui se met sur l'autel au commencement de la messe pour y déposer le calice.

corporation [kɔʁpɔʁasjɔ̃] n. f. **1.** Autrefois. Association d'artisans, groupés en vue de réglementer leur profession et de défendre leurs intérêts. *Maîtres, apprentis, compagnons d'une corporation.* ⇒ **communauté.** *Une corporation d'artisans, de marchands.* **2.** Ensemble des personnes qui exercent le même métier, la même profession. *La corporation des notaires.* **▶ corporatif, ive** adj. ■ Des corporations. *Problèmes corporatifs.* — *Esprit corporatif,* esprit de corps. **▶ corporatisme** n. m. ■ Doctrine qui préconise les groupements professionnels du type des corporations. ◁ **▶ incorporer** ▷

corporel, elle [kɔʁpɔʁɛl] adj. ■ Relatif au corps. ⇒ **physique.** *Châtiment corporel. Punition corporelle.*

① **corps** [kɔʁ] n. m. invar. ■ Partie matérielle des êtres animés (opposé à *esprit,* à *âme*). *Étude du corps humain,* anatomie, physiologie. *Les parties du corps : membres* (bras, jambe, main, pied), *tête* (crâne, cou, visage), *tronc* (épaule, buste, poitrine, sein, dos, hanche, ceinture), *bassin, ventre, parties génitales. Un corps sain et vigoureux. Un corps bien formé, bien proportionné. Un petit corps d'enfant. Les attitudes, les gestes, les mouvements du corps. Trembler, frissonner* DE TOUT SON CORPS : tout entier.

— CORPS À CORPS [kɔʀakɔʀ] loc. adv. : en serrant le corps d'un autre contre le sien (dans la lutte). *Combattre, lutter corps à corps.* — N. m. *Un corps à corps, lutte corps à corps.* — Loc. CORPS ET ÂME [kɔʀzeɑm] : tout entier, sans restriction. **2.** Cadavre. *La levée du corps aura lieu à 11 h. Porter un corps en terre.* **3.** Le tronc (opposé à *membres*). *Une grosse tête sur un petit corps. Entrer dans l'eau jusqu'au milieu du corps.* ⇒ **mi-corps. 4.** Loc. (où *corps* signifie être humain). *Garde du corps.* — Loc. *À son corps défendant*, malgré soi, à contrecœur. — *Se jeter* À CORPS PERDU *dans une entreprise* : avec fougue, impétuosité. ‹ ▶ à bras-le-corps, corporel, corpulent, garde-corps, haut-le-corps, justaucorps, à mi-corps ›

② *corps* n. m. invar. **I. 1.** Partie principale. *Le corps d'un bâtiment* (opposé à *aile, avant-corps*). — *Le corps d'une lettre, d'un article*, le texte même, sans les indications secondaires. **2.** Loc. *Navire perdu* CORPS ET BIENS [kɔʀzebjɛ̃] : le navire lui-même et les marchandises. **II.** Objet matériel. **1.** *Corps céleste.* ⇒ **astre, satellite. 2.** Objet matériel caractérisé par ses propriétés physiques. *Volume, masse d'un corps. La chute des corps.* ⇒ **pesanteur.** *Corps solides, liquides, gazeux.* — CORPS SIMPLE : constitué par un seul élément chimique. — Loc. CORPS NOIR : corps absorbant toutes les radiations qu'il reçoit. **3.** Élément anatomique qui peut être étudié isolément (organe, etc.). *Corps calleux, jaune, strié.* — *Introduction d'un corps étranger dans l'organisme.* **III. 1.** Épaisseur, consistance. *Ce papier a du corps.* **2.** Force (d'un vin). ⇒ **corsé. IV.** Loc. PRENDRE CORPS : devenir réel ; commencer à s'organiser. FAIRE CORPS AVEC : adhérer, ne faire qu'un. ‹ ▶ anticorps ›

③ *corps* n. m. invar. **1.** Groupe formant un ensemble organisé sur le plan des institutions. ⇒ **association, communauté.** *Le corps politique. Le corps électoral,* l'ensemble des électeurs. *Les corps constitués,* les organes de l'Administration et les tribunaux. **2.** Se dit de compagnies, ordres, administrations. *Corps diplomatique. Le corps enseignant. Le corps médical.* — *Avoir l'*ESPRIT DE CORPS : se sentir solidaire du groupe auquel on appartient. **3.** Unité militaire administrativement indépendante (bataillon, régiment). *Rejoindre son corps. Chef de corps.* — *Corps d'armée,* formé de plusieurs divisions. **4.** *Corps de ballet.* ⇒ **ballet.**

corpulence [kɔʀpylɑ̃s] n. f. ■ Ampleur du corps humain (taille, grosseur). *Il est de forte corpulence.* ⇒ **embonpoint.** ▶ *corpulent, ente* adj. ■ Qui est d'une forte corpulence. ⇒ **gras, gros.**

corpus [kɔʀpys] n. m. invar. ■ Didact. Ensemble limité de textes fournissant de l'information.

corpuscule [kɔʀpyskyl] n. m. **1.** Petite parcelle de matière (atome, molécule) ; petit élément anatomique. **2.** En physique. Élément constituant observable séparément (ex. : *électron*). ▶ *corpusculaire* adj. ■ En physique. *Des corpuscules. La théorie corpusculaire de la lumière. Physique corpusculaire.* ⇒ **atomique, nucléaire.**

corral, als [kɔʀal] n. m. ■ Enclos où l'on parque le bétail (bœufs, taureaux), dans certains pays. *Des corrals.*

correct, ecte [kɔʀɛkt] adj. **1.** Qui respecte les règles, dans un domaine déterminé. / contr. **faux, incorrect** / *Phrase grammaticalement correcte.* **2.** Conforme aux usages, aux mœurs. ⇒ **bienséant, convenable.** *Cela n'est pas correct venant d'un inférieur. Une tenue correcte est de rigueur. Ce n'est pas très correct de répondre comme cela à ta grand-mère.* **3.** Conforme à la morale. *Il n'a pas été*

correct avec lui. Correct en affaires. ⇒ **honnête, régulier. 4.** Fam. Qui, sans présenter de graves fautes, n'est pas remarquable par sa qualité. ⇒ **moyen, passable.** *Votre devoir est tout juste correct. Un hôtel modeste, mais correct.* ⇒ **convenable.** ▶ *correctement* adv. **1.** Sans faute, d'une manière correcte. *Tiens-toi correctement !* ⇒ **convenablement. 2.** Assez bien. *Elle gagne correctement sa vie.* ‹ ▶ incorrect ›

correcteur, trice [kɔʀɛktœʀ, tʀis] n. **1.** Personne qui corrige en relevant les fautes et en jugeant. *Le jury des correcteurs du baccalauréat.* ⇒ **examinateur. 2.** Personne qui corrige les épreuves d'imprimerie. *Il est correcteur dans une maison d'édition. Elle est chef correcteur (correctrice).*

correctif, ive [kɔʀɛktif, iv] adj. et n. m. **I.** Adj. Qui a le pouvoir de corriger. *Gymnastique corrective.* **II.** N. m. Antidote, contrepartie qui atténue. *Il faudrait trouver un correctif à cette mesure trop sévère.*

correction [kɔʀɛksjɔ̃] n. f. **I.** Action de corriger. **1.** Changement que l'on fait à un ouvrage pour l'améliorer. ⇒ **rectification, remaniement, reprise, retouche.** *Corrections de forme, de fond.* — *Correction des épreuves d'imprimerie,* indication des erreurs ; exécution matérielle des changements indiqués sur épreuve. — Action de corriger des devoirs, les épreuves d'un examen. *La correction de l'écrit n'est pas terminée.* **2.** Opération qui rend exact. *La correction d'une observation. Correction de tir.* **3.** Châtiment corporel ; coups donnés à qqn. ⇒ **châtiment, punition.** *Si tu n'es pas sage, tu vas recevoir une correction !* **4.** MAISON DE CORRECTION : autrefois, lieu où les mineurs délinquants étaient tenus. **II. 1.** Qualité de ce qui est correct. *La correction d'une traduction, du langage.* ⇒ **exactitude. 2.** Comportement correct (2 ou 3). *Être d'une parfaite correction.* ⇒ **politesse.** / contr. **incorrection** / ‹ ▶ correctionnel, incorrection ›

correctionnel, elle [kɔʀɛksjɔnɛl] adj. et n. f. ■ Qui a rapport aux actes qualifiés de délits par la loi. *Peine correctionnelle. Tribunal correctionnel.* — N. f. Fam. LA CORRECTIONNELLE : le tribunal correctionnel. *Passer en correctionnelle.*

corrélatif, ive [kɔʀelatif, iv] adj. ■ Qui est en corrélation, qui présente une relation logique avec autre chose. ⇒ **correspondant, relatif.** / contr. **autonome, indépendant** / ▶ *corrélativement* adv. ▶ *corrélation* n. f. ■ Lien, rapport réciproque. *Il n'y a aucune corrélation entre ces événements.* ⇒ **correspondance, interdépendance.** *Mettre en corrélation deux choses.* / contr. **autonomie** /

① *correspondre* [kɔʀɛspɔ̃dʀ] v. tr. ind. ■ conjug. 41. — CORRESPONDRE À. ■ Être en rapport de conformité (avec qqch.), être conforme, se rapporter (à). ⇒ **s'accorder, aller.** *L'an I de l'hégire correspond à l'an 622 de l'ère chrétienne. Ce récit ne correspond pas à la réalité.* ▶ ① *correspondance* [kɔʀɛspɔ̃dɑ̃s] n. f. **1.** Rapport logique entre un terme donné et un ou plusieurs autres termes ⇒ **conséquent,** déterminés par le premier ; rapport de conformité. ⇒ **accord, analogie.** *Correspondance d'idées, de sentiments entre deux personnes.* ⇒ **affinité.** — Grammaire. *Correspondance des temps,* qui règle le temps de la subordonnée par rapport au temps du verbe principal. ⇒ **concordance. 2.** Relation entre moyens de transport. ⇒ **changement.** *Un autocar assurera la correspondance à la gare. Station de métro avec correspondance.* — Le moyen de transport qui assure la correspondance (chemin de fer, autocar). *Attendre la correspondance.* ▶ ① *correspondant, ante* adj. ■ Qui a un rapport avec qqch. ; qui y correspond. ⇒ **relatif.** *Les éléments correspondants de deux séries.*

② **correspondre** v. intr. ▪ conjug. 41. **1.** Avoir des relations par lettres, par téléphone (avec qqn). *Nous avons cessé de correspondre.* ⇒ **s'écrire.** *Correspondre avec qqn.* **2.** (Suj. chose) Être en communication. ⇒ **communiquer.** *Ces deux pièces correspondent.* ▶ ② **correspondance** n. f. ▪ Relation par écrit entre deux personnes ; échange de lettres. *Une correspondance amicale, une correspondance commerciale.* ⇒ **courrier.** *Avoir, entretenir une correspondance avec qqn.* — *Carnet de correspondance,* où sont indiquées les notes d'un élève, et qui doit être transmis aux parents. *Cours par correspondance. Vente par correspondance* (abrév. *V.P.C.*). — Les lettres qui constituent la correspondance. *La correspondance de Madame de Sévigné.* ▶ ② **correspondant, ante** n. **1.** Personne avec qui l'on entretient des relations épistolaires. *Avoir des correspondants dans plusieurs pays.* — Personne à qui on téléphone. *Le numéro de votre correspondant a changé.* **2.** Personne employée par un journal, une agence d'informations pour envoyer des nouvelles d'un lieu éloigné. ⇒ **envoyé.** *Correspondant de guerre. Le correspondant permanent à Londres.* ≠ **envoyé.** **3.** Personne qui communique des informations secrètes (à un gouvernement). ⇒ **espion.** *Un honorable correspondant de l'Intelligence Service.* ▶ **correspondancier, ière** n. ▪ Employé(e) chargé(e) de la correspondance, dans une entreprise commerciale. ⇒ **rédacteur.**

corrida [kɔrida] n. f. **1.** Course de taureaux. *Des corridas.* **2.** Fam. Dispute, agitation. *Quelle corrida !*

corridor [kɔridɔr] n. m. ▪ Passage couvert mettant en communication plusieurs pièces d'un même étage. ⇒ **couloir, passage.** *Au fond du corridor, à droite. Des corridors.*

corrigé [kɔriʒe] n. m. ▪ Devoir donné comme modèle. ⇒ **modèle, solution.** *Le livre du maître contient les corrigés. Dicter le corrigé d'un devoir.*

corriger [kɔriʒe] v. tr. ▪ conjug. 3. **1.** Ramener à la règle (ce qui s'en écarte ou la personne qui s'en écarte). ⇒ **amender, reprendre.** *Corriger un enfant. Corriger les défauts de qqn.* — Pronominalement (réfl.). *Se corriger de son mauvais caractère.* **2.** Supprimer (les fautes, les erreurs). *Corriger complètement une œuvre, un travail.* ⇒ **remanier, reprendre, revoir.** — *Corriger des épreuves d'imprimerie.* ⇒ **correction ; correcteur.** **3.** Relever les fautes de (qqch.) en vue de donner une appréciation, une note. *Corriger des devoirs, des copies, un examen.* **4.** Rendre exact ou plus exact. ⇒ **rectifier.** *Corriger une observation.* **5.** Ramener à la mesure (qqch. d'excessif) par une action contraire. ⇒ **adoucir, atténuer, compenser.** *Corriger l'effet d'une parole trop dure.* **6.** Infliger un châtiment corporel, donner des coups. ⇒ **battre.** *Il s'est fait corriger.* ⟨ ▶ **corrigé, incorrigible** ⟩

corroborer [kɔrɔbɔre] v. tr. ▪ conjug. 1. ▪ Donner appui, ajouter de la force à (une idée, une opinion). ⇒ **confirmer, renforcer.** *Plusieurs indices corroborent les soupçons.* / contr. **démentir** / *Cette nouvelle corrobore tout ce qu'il avait supposé.*

corroder [kɔrɔde] v. tr. ▪ conjug. 1. ▪ Détruire lentement, progressivement, par une action chimique. ⇒ **attaquer, ronger.** *Les acides corrodent les métaux* (⇒ **corrosif).** ⟨ ▶ corrosif, corrosion ⟩

corrompre [kɔrɔpr] v. tr. — REM. conjug. 41, sauf *il corrompt* [-rɔ̃]. **I.** Altérer en décomposant. *La chaleur corrompt la viande.* ⇒ **avarier, gâter. II.** Fig. **1.** Littér. Altérer, gâter (ce qui était pur, bon). *L'usage corrompt certains mots.* ⇒ **abâtardir, déformer.** / contr. **améliorer** / **2.** Altérer ce qui est sain, honnête, dans l'âme. ⇒ **avilir, dépraver, pervertir.** *Corrompre*

la jeunesse. **3.** (Compl. personne) Engager (qqn) par des dons, des promesses ou par la persuasion, à agir contre sa conscience, son devoir. ⇒ **acheter, soudoyer.** *Corrompre un témoin.* ▶ **corrompu, ue** adj. **1.** Altéré, en décomposition. / contr. **frais** / **2.** *Goût, jugement corrompu.* ⇒ **faux, mauvais.** — (Moral) *Une jeunesse corrompue.* ⇒ **dépravé.** / contr. **pur, vertueux** / **3.** Qu'on a corrompu, qu'on peut corrompre. *Juge corrompu.* ⇒ **vénal.** ⟨ ▶ corrupteur ⟩

corrosif, ive [kɔrozif, iv] adj. **1.** Qui corrode ; qui a la propriété de corroder. ⇒ **caustique.** *Les acides sont corrosifs.* **2.** Qui ronge, détruit. ⇒ **destructif.** *Une œuvre, une ironie corrosive.*

corrosion [kɔrozjɔ̃] n. f. ▪ Action de corroder ; son résultat. *Corrosion par un acide.*

corroyer [kɔrwaje] v. tr. ▪ conjug. 8. ▪ Apprêter (le cuir), l'assouplir après le tannage. — Au p. p. adj. *Peaux corroyées.* ▶ **corroyage** n. m. ▪ *Le corroyage des peaux.* ▶ **corroyeur** n. m. ▪ Ouvrier qui corroie les cuirs.

corrupteur, trice [kɔryptœr, tris] n. et adj. **1.** N. Personne qui soudoie, achète qqn. *Le corrupteur et les témoins corrompus ont été punis.* **2.** Adj. Littér. Qui corrompt moralement. ⇒ **malfaisant, nuisible.** *Des spectacles corrupteurs.* ▶ **corruption** [kɔrypsjɔ̃] n. f. **1.** Altération (de la substance) par décomposition. ⇒ **infection, pourriture, putréfaction. 2.** Littér. Altération (du jugement, du goût, du langage). ⇒ **corrompre** (II, 1). **3.** Le fait de corrompre moralement ; état de ce qui est corrompu. ⇒ **avilissement, perversion.** *La corruption des mœurs.* **4.** Moyens que l'on emploie pour faire agir qqn contre son devoir, sa conscience ; fait de se laisser corrompre. *Corruption de fonctionnaire. Corruption électorale.* ⟨ ▶ incorruptible ⟩

cors [kɔr] n. m. pl. ▪ Ramifications des bois du cerf. — En appos. *Un cerf dix cors, un dix cors.* ≠ **cor, corps.**

corsage [kɔrsaʒ] n. m. ▪ Vêtement féminin qui recouvre le buste. ⇒ **blouse, chemisier.** *Corsage montant, décolleté.* ≠ **corselet.**

corsaire [kɔrsɛr] n. m. **1.** Autrefois. Navire armé par des particuliers, avec l'autorisation du gouvernement (lettres de course*, II, 1) d'attaquer les navires d'autres pays (ennemis). ≠ **pirate.** *Le capitaine qui commandait ce navire. Jean Bart, Surcouf sont de célèbres corsaires.* **2.** Aventurier, pirate.

corse [kɔrs] adj. et n. ▪ De la Corse (île de la Méditerranée ; département français). — N. *Les Corses.* — N. m. *Le corse est un dialecte italien.*

corselet [kɔrsəle] n. m. **1.** Vêtement féminin (costumes folkloriques) qui serre la taille et se lace sur le corsage. ≠ **corsage, corset** (1). **2.** Partie antérieure du thorax, chez certains insectes, comme les coléoptères. *Le corselet d'une abeille.*

corser [kɔrse] v. tr. ▪ conjug. 1. **1.** Rendre plus forte (une substance comestible). *Corser une sauce.* **2.** *Corser l'action d'une pièce, l'intrigue d'un roman,* accroître l'intérêt. — Pronominalement (réfl.). *L'affaire se corse,* elle se complique. ▶ **corsé, ée** adj. **1.** Qui est fort (au goût). *Un café corsé.* — *Un vin corsé,* qui a du corps. *Un assaisonnement corsé.* ⇒ **relevé. 2.** Fort. *Une facture corsée.* — *Une histoire corsée,* scabreuse.

corset [kɔrsε] n. m. **1.** Gaine baleinée et lacée, en tissu résistant, qui serre la taille et le ventre des femmes. ⇒ **gaine. 2.** Corselet (1). ⟨ ▶ corselet, corseté ⟩

corseté, ée [kɔrsəte] adj. ▪ Raide, guindé (comme quelqu'un qui porte un corset).

cortège [kɔʀtɛʒ] n. m. **1.** Suite de personnes qui en accompagnent une autre. ⇒ **suite.** *Le cortège d'un haut personnage. Se former en cortège.* **2.** Groupe organisé qui avance. ⇒ **défilé, procession.** *Le cortège des manifestants partira de la place de la République.* — *Un cortège funèbre.* — Fig. *La guerre et son cortège d'horreurs.*

cortex [kɔʀtɛks] n. m. invar. ▪ Partie externe (écorce) du cerveau (terme savant). *Le cortex cérébral.*

cortisone [kɔʀtizɔn] n. f. ▪ Hormone employée en thérapeutique.

corvée [kɔʀve] n. f. **1.** Histoire. Travail gratuit que les serfs, les roturiers devaient au seigneur. *Corvée seigneuriale.* **2.** Obligation ou travail pénible et inévitable. *Quelle corvée !* **3.** Travail que font à tour de rôle les hommes d'un corps de troupe, les membres d'une communauté. *Être de corvée. Corvée de patates* (épluchage des pommes de terre).

corvette [kɔʀvɛt] n. f. ▪ Ancien navire d'escorte. — *Capitaine de corvette,* grade équivalant à celui de commandant dans l'armée de terre.

coryphée [kɔʀife] n. m. **1.** Chef de chœur, dans le théâtre grec de l'Antiquité. **2.** Littér. Celui qui tient le premier rang dans un parti, une secte, une société. ⇒ **chef.**

coryza [kɔʀiza] n. m. ▪ Inflammation de la muqueuse des fosses nasales (rhume* de cerveau). *Des coryzas.*

cosaque [kɔzak] n. m. ▪ Cavalier de l'armée russe.

cosinus [kɔsinys] n. m. invar. ▪ En mathématiques. Sinus* du complément d'un angle. *Des cosinus.*

-cosme ▪ Élément savant signifiant « monde » (ex. : *microcosme*).

cosmétique [kɔsmetik] adj. et n. m. **1.** Adj. (Produits) Qui concerne les soins de beauté. **2.** Produit servant à fixer et lustrer la chevelure. ⇒ **brillantine, laque.**

cosm(o)- ▪ Élément savant signifiant « univers ». ▶ **cosmique** [kɔsmik] adj. **1.** Du monde extra-terrestre *(cosmos). Les corps cosmiques.* ⇒ **astral, céleste.** *Vaisseau cosmique.* ⇒ **spatial. 2.** Loc. RAYONS COSMIQUES : rayonnement de grande énergie, d'origine cosmique, que l'on peut étudier sur Terre par ses effets sur l'atmosphère (ionisation). ▶ **cosmogonie** n. f. ▪ Théorie expliquant la formation de l'univers, de certains objets célestes. ▶ **cosmogonique** adj. ▶ **cosmographie** n. f. ▪ Astronomie descriptive (notamment, du système solaire). ▶ **cosmographique** adj. ▶ **cosmologie** n. f. ▪ Science des lois physiques de l'univers, de sa formation. ▶ **cosmonaute** n. ▪ Voyageur de l'espace. ⇒ **astronaute.** ▶ **cosmopolite** adj. ▪ Qui s'accommode de tous les pays, de mœurs nationales variées. *Une existence cosmopolite.* — Qui comprend des personnes de tous les pays, subit des influences de nombreux pays. *Ville cosmopolite.* ▶ **cosmopolitisme** n. m. ▪ Caractère cosmopolite. *Le cosmopolitisme d'un milieu.* ▶ **cosmos** n. m. invar. **1.** L'univers considéré comme un système bien ordonné. **2.** Espace extra-terrestre. *Envoyer une fusée dans le cosmos* (⇒ **cosmonaute**). ⟨ ▶ macrocosme, microcosme ⟩

① **cosse** [kɔs] n. f. ▪ Fam. Paresse. ⇒ **flemme.** *Quelle cosse !* ▶ **cossard, arde** n. et adj. Fam. ▪ Paresseux. ⇒ **flemmard.**

② **cosse** n. f. ▪ Enveloppe qui renferme les graines de certaines légumineuses. *Des cosses de haricots.* ⟨ ▶ écosser ⟩

cossu, ue [kɔsy] adj. ▪ Qui a une large aisance. ⇒ **riche.** *Des marchands cossus.* — Qui dénote l'aisance. *Maison cossue.*

costal, ale, aux [kɔstal, o] adj. ▪ Qui appartient aux côtes. *Muscles, nerfs costaux. Vertèbres costales.* ⟨ ▶ intercostal ⟩

costard [kɔstaʀ] n. m. ▪ Fam. Costume* d'homme. *Un chouette costard.*

costaud [kɔsto] adj. et n. m. **1.** Fam. Fort, robuste. *Il est drôlement costaud. Il nous faut un type costaud pour monter cette machine au cinquième étage. Cet enfant n'est pas très costaud, il est souvent malade.* — (Au moral) *Il faut être costaud pour résister à un si grand malheur.* — Au fém. *Elle est costaud* ou **costaude** [kɔstod]. **2.** (Choses) Solide.

costume [kɔstym] n. m. **1.** Pièces d'habillement qui constituent un ensemble. ⇒ **vêtement ; tenue.** *Le décor et les costumes sont très réussis.* **2.** Vêtement d'homme composé d'une veste, d'un pantalon et parfois d'un gilet. ⇒ **complet ;** fam. **costard.** *Costume de confection.* ▶ **costumer** v. tr. ▪ conjug. 1. ▪ Revêtir d'un déguisement. *On l'a costumé en cosmonaute.* — Pronominalement (réfl.). *Il se costume en pierrot.* — Au p. p. *Il est costumé,* déguisé. *Bal costumé.* ▶ **costumier, ière** n. ▪ Personne qui fait, vend ou loue des costumes de théâtre. ⟨ ▶ costard ⟩

cotation [kɔtasjɔ̃] n. f. ▪ Action de coter. *Cotation des titres en Bourse.* ⇒ **cours.**

cote [kɔt] n. f. **1.** Montant d'une cotisation, d'un impôt. *Cote mobilière.* — Loc. COTE MAL TAILLÉE : répartition approximative ; compromis, transaction. **2.** Constatation officielle des cours (d'une valeur, d'une monnaie), par ex. en Bourse. *Actions inscrites à la cote.* **3.** (Appréciation) *La cote d'un cheval,* estimation à sa valeur, de ses chances de victoire. — COTE D'AMOUR : appréciation d'un candidat, basée sur une estimation de sa valeur morale, sociale. — *Cote de popularité d'un homme politique.* — Fam. *Avoir la cote,* être apprécié, estimé. **4.** Chiffre indiquant une dimension, un niveau. — COTE D'ALERTE : niveau d'un cours d'eau au-delà duquel commence l'inondation. — Fig. Point critique. *Le chômage a atteint la cote d'alerte.* ≠ *côte, cotte.* ▶ **coté, ée** adj. ▪ Qui a une cote (2, 3). ⇒ **coter.** *Un cheval bien coté.* ⟨ ▶ cotation, coter, cotiser, cotiseur ⟩

① **côte** [kot] n. f. **I. 1.** Os plat du thorax, de forme courbe, qui s'articule sur la colonne vertébrale et le sternum. *Les douze paires de côtes,* délimitant la cage thoracique humaine. — Fam. *Avoir les côtes en long,* être paresseux. SE TENIR LES CÔTES : rire démesurément. — *Côte de bœuf, de veau, d'agneau.* ⇒ **côtelette ; entrecôte. 2.** CÔTE À CÔTE : l'un, l'une à côté de l'autre. *Ils marchaient côte à côte.* **II. 1.** Partie saillante. *Côte de melon, de salade.* **2.** Rayure saillante (d'un tissu, d'un tricot). *Étoffe, velours à côtes.* ⇒ **côtelé.** ⟨ ▶ côté, côtelé, côtelette, entrecôte ⟩

② **côte** n. f. **1.** Pente qui forme l'un des côtés d'une colline. ⇒ **coteau.** *Les côtes du Rhône sont plantées de vignobles.* ⇒ **côtes-du-rhône. 2.** Route en pente. ⇒ **montée, pente.** *Monter la côte. Le cycliste peinait en grimpant la côte.* — *Être à mi-côte,* au milieu d'une côte. ⟨ ▶ coteau, côtes-du-rhône ⟩

③ **côte** n. f. **1.** Rivage de la mer. ⇒ **bord, littoral, rivage.** *Côte sablonneuse, basse. La Côte d'Azur ;* sans compl. *la Côte. Nous passerons nos vacances sur la côte. Régions de la côte. Les côtes françaises.* **2.** Loc. *Être à la côte,* être sans ressources, sans argent (comme un navire échoué à la côte). ≠ *cote.* ⟨ ▶ côtier, garde-côte ⟩

côté [kote] n. m. **1.** Région des côtes (de l'aisselle à la hanche). ⇒ **flanc ;** ① **côte.** *Recevoir un coup dans le côté.* — Loc. POINT DE CÔTÉ : douleur aiguë au-dessous des côtes. — La partie droite ou gauche de tout le corps. *Se coucher sur le côté. À mes (vos, ses) côtés,* près de moi (vous, lui). **2.** (Choses) Partie qui est à droite ou à gauche. *Monter dans une voiture par le côté gauche. Les côtés de la route.* ⇒ **bas-côté.** — *Mettez-vous de ce côté, de l'autre côté.* **3.** Ligne ou surface qui constitue la limite (d'une chose). *Les quatre côtés d'un carré. Les deux côtés d'une feuille de papier,* recto, verso. **4.** Abstrait. *Les bons et les mauvais côtés d'une entreprise. Ne voir que le mauvais côté des choses.* ⇒ **aspect.** *Les bons côtés de qqn.* ⇒ **qualité. 5.** (Après DE) ⇒ **endroit, partie, point.** *De ce côté-ci ; de ce côté-là,* par ici, par là. *De tous côtés,* partout. — *Abstrait. De ce côté-là je n'ai pas à me plaindre.* — Ellipt et fam. *Côté finance, ça peut aller.* — DU CÔTÉ DE : dans la direction de (avec mouvement) ou aux environs de (sans mouvement). *Du côté de la fenêtre. Il habite du côté de l'église. Il est parti du côté opposé au vôtre.* — *De mon côté,* en ce qui me concerne. *De mon côté, j'essaierai de vous aider.* — DE CÔTÉ loc. adv. *Marcher de côté,* de travers. *Se jeter de côté,* faire un écart. *Laisser de côté,* à l'écart. *Mettre de côté,* en réserve (économiser). **6.** À CÔTÉ loc. adv. : à une distance proche. *Il demeure à côté,* tout près. *Passons à côté,* dans la pièce voisine. *Les gens d'à côté.* — À CÔTÉ DE loc. prép. ⇒ **auprès** de, **contre.** *Se placer, marcher à côté de qqn. Abstrait. Vos ennuis ne sont pas graves à côté des miens.* ⇒ en **comparaison.** — *Être, passer à côté de la question.* ⟨ ▶ s'accoter, à-côté, bas-côté, côtoyer ⟩

coteau [koto] n. m. ■ Petite colline ; son versant. *Au pied du coteau, à flanc de coteau.* ⇒ ② **côte.**

côtelé, ée [kotle] adj. ■ Qui est couvert de côtes (①, II, 2). *Étoffe, velours côtelé.*

côtelette [kotlɛt] n. f. ■ Côte (①, I, 1) des animaux de taille moyenne (mouton, porc). *Des côtelettes d'agneau, de mouton, de porc.*

coter [kote] v. tr. • conjug. 1. **1.** Marquer d'une cote, de cotes. ⇒ **numéroter. 2.** Indiquer le cours de (une valeur, une marchandise). ⇒ **estimer, évaluer.** — Au p. p. adj. *Valeur cotée en Bourse.* ⟨ ▶ cotation ⟩

coterie [kɔtri] n. f. ■ Littér. Réunion de personnes soutenant ensemble leurs intérêts. ⇒ **caste, chapelle.** *Une coterie politique.*

côtes-du-rhône [kotdyron] n. m. invar. ■ Vin rouge des côtes du Rhône. *Un côtes-du-rhône.* — Abrév. fam. *Un petit verre de côtes.*

cothurne [kɔtyrn] n. m. ■ Chaussure montante à semelle très épaisse portée par les acteurs tragiques, dans l'Antiquité, pour paraître très grands.

côtier, ière [kotje, jɛr] adj. ■ Qui est relatif aux côtes ③, au bord de la mer. *Navigation côtière. Région côtière. Fleuve côtier,* dont la source est proche de la côte.

① *cotillon* [kɔtijɔ̃] n. m. ■ Loc. *Aimer, courir le cotillon* (⇒ **jupon**), rechercher la compagnie des femmes.

② *cotillon* n. m. ■ Réunion accompagnée de danses et de jeux, le plus souvent à l'occasion d'une fête. *Objets pour bals et cotillons* (serpentins de papier, etc.).

cotiser [kɔtize] v. • conjug. 1. **1.** SE COTISER v. pron. : contribuer, chacun pour sa part, à réunir une certaine somme en vue d'une dépense commune. *Se cotiser pour offrir un cadeau d'anniversaire à qqn.* **2.** V. intr. (même sens). *As-tu cotisé pour le cadeau ?* — Verser une cotisation (2). *Cotiser à la Sécurité sociale.* ▶ *cotisant, ante* adj. et n. ■ Qui cotise. ▶ *cotisation* n. f. **1.** Imposition ou collecte d'argent. *Souscrire à une cotisation.* **2.** Somme à verser par les membres d'une association, en vue des dépenses communes. *Cotisation syndicale. Payer, verser, envoyer sa cotisation.* ⇒ **quote-part.**

coton [kɔtɔ̃] n. m. **1.** Filaments soyeux qui entourent les graines du cotonnier. *Balle de coton. Tissu de coton.* — *Fil de coton. Coton à broder, à repriser.* **2.** *Coton hydrophile,* dont on a éliminé les substances grasses et résineuses. ⇒ **ouate.** — Loc. *Élever un enfant dans du coton,* en l'entourant de soins excessifs. **3.** Loc. *Filer un mauvais coton,* être dans une situation dangereuse. — *Avoir les jambes, les bras en coton,* être très faible. **4.** Fam. *C'est coton, ce problème,* ce problème est difficile. ▶ *cotonnade* n. f. ■ Étoffe fabriquée avec du coton. *De la cotonnade.* ▶ *cotonneux, euse* adj. **1.** Couvert d'un duvet ressemblant au coton. *Feuille cotonneuse.* **2.** Semblable à de la ouate. *Ciel cotonneux. Brume cotonneuse.* ▶ *cotonnier, ière* n. m. ■ Arbrisseau aux fleurs jaunes ou pourpres, aux graines entourées de poils soyeux (⇒ **coton**). ▶ *cotonnier, ière* adj. ■ Qui a rapport au coton. *Industrie cotonnière.*

côtoyer [kotwaje] v. tr. • conjug. 8. **1.** Aller le long de. ⇒ **border, longer.** *Côtoyer la rivière.* **2.** *Côtoyer qqn. Dans son métier, il côtoie beaucoup d'artistes.* **3.** Abstrait. Se rapprocher de. ⇒ **frôler.** *Cela côtoie le ridicule.*

cottage [kɔtɛdʒ ; kɔtaʒ] n. m. ■ Anglic. Petite maison de campagne élégante de style rustique. *Des cottages.*

cotte [kɔt] n. f. **1.** Autrefois. COTTE DE MAILLES : armure défensive à mailles métalliques. ⇒ **haubert. 2.** Vêtement de travail, pantalon et devant montant sur la poitrine. ⇒ **bleu, combinaison, salopette.** ≠ *cote.*

cotylédon [kɔtiledɔ̃] n. m. ■ Feuille ou lobe qui naît sur l'axe de l'embryon d'une plante (réserve nutritive). *Plantes à un, deux cotylédons.* ⟨ ▶ mono-cotylédone, dicotylédone ⟩

cou [ku] n. m. **1.** Partie du corps (de certains vertébrés) qui unit la tête au tronc. *Le long cou du héron, de la girafe.* — (Des personnes) ⇒ **gorge, nuque.** *Avoir un long cou. Un cou de taureau,* large, puissant. *Partie du vêtement qui entoure le cou.* ⇒ **col, collerette, encolure.** *Robe qui dégage le cou.* ⇒ **décolleté.** *Porter un bijou autour du cou.* — Loc. *Sauter, se jeter, se pendre au cou de qqn,* l'embrasser avec effusion. *Serrer le cou,* étrangler. *Tordre le cou (à qqn),* donner la mort par strangulation. *Couper le cou (de, à qqn),* trancher la tête. *Se rompre, se casser le cou,* se blesser. *Prendre ses jambes à son cou,* se sauver en courant. — *Jusqu'au cou,* complètement. *Il est endetté jusqu'au cou.* **2.** *Le cou* ou *le col d'une bouteille,* le goulot. ⟨ ▶ casse-cou, col, collet, cou-de-pied, licou ⟩

couac [kwak] n. m. ■ Son faux et discordant. ⇒ **canard.** *Trompette qui fait un couac. Des couacs.*

couard, arde [kwar, ard] adj. et n. ■ Littér. Qui est lâchement peureux. ⇒ **lâche, poltron.** / contr. **courageux** / ▶ *couardise* n. f. ■ Littér. Poltronnerie.

couchage [kuʃaʒ] n. m. **1.** Action de coucher, de se coucher. *Le couchage des troupes.* **2.** Ensemble des objets qui servent au coucher. *Le couchage des campeurs. Matériel, sac de couchage.*

couchant, ante [kuʃɑ̃, ɑ̃t] adj. et n. m. **1.** *Chien couchant.* ⇒ **chien. 2.** *Soleil couchant,* près de disparaître sous l'horizon. **3.** N. m. Le côté de l'horizon

où le soleil se couche. ⇒ **occident, ouest** (opposé à
levant) ; son aspect.

① *couche* [kuʃ] n. f. **1.** Substance étalée sur une
surface. ⇒ **enduit**. *Une couche de plâtre. Couche de
peinture, de vernis. Étaler une couche de beurre sur
une tartine. — Avoir, en tenir une couche* loc. fam.,
faire preuve d'une grande sottise. **2.** *Champignons de
couche,* qui poussent sur une couche d'engrais.
3. Disposition d'éléments en zones superposées. *Couches géologiques. Couches horizontales,* bancs, strates.
— Région, sphère. *Les couches de l'atmosphère.*
4. Catégorie, classe. *Les couches sociales.*

② *couche* n. f. ■ Vx. Lit. *Partager la couche de
qqn. Couche nuptiale.*

③ *couche* n. f. ■ Linge dont on enveloppe les bébés
au-dessous de la ceinture. ⇒ **lange**. *Changer la
couche, les couches d'un bébé. — Couche jetable. Des
couches-culottes.* ⇒ **change** (III).

④ *couche(s)* n. f. pl. ⇒ **couches**.

① *coucher* [kuʃe] v. ■ conjug. 1. **I.** V. tr. Mettre
(qqn) au lit. *Coucher un enfant.* **II.** V. intr. **1.** S'étendre pour prendre du repos. *Coucher tout habillé.*
— Loc. *Chambre à coucher.* ⇒ **chambre**. — *Allez, va
coucher,* se dit à un chien que l'on veut éloigner.
2. Loger, passer la nuit. ⇒ **dormir, gîter**. *Coucher
chez des amis, à l'hôtel. Coucher sous la tente, dans
le foin. Coucher sous les ponts.* — Loc. fam. *Un nom
À COUCHER DEHORS* : difficile à prononcer et à retenir.
3. *Coucher avec qqn,* partager son lit. Fam. Avoir des
relations sexuelles avec. (→ faire l'amour avec).
III. SE COUCHER v. pron. réfl. **1.** Se mettre au lit (pour
se reposer, dormir). ⇒ **s'allonger, s'étendre** ; fam. aller
au **dodo,** se **pieuter**. *Se coucher tôt. Se coucher sur le
dos, le ventre. C'est l'heure de se coucher.* — Au p.
p. *Être, rester couché,* au lit. — PROV. *Comme on fait
son lit on se couche,* il faut subir les conséquences de
ses actes. **2.** S'étendre. *Se coucher dans l'herbe.* — Se
courber (sur qqch.). *Les rameurs se couchent sur les
avirons.* ⟨ ▶ **couchage,** couchant, ② **couche,** ② **coucher,** ③ **coucher,** couchette, coucheur, découcher,
recoucher ⟩

② *coucher* v. tr. ■ conjug. 1. **I. 1.** Rapprocher de
l'horizontale (ce qui est naturellement vertical).
⇒ **courber, incliner, pencher**. *Coucher une échelle le
long d'un mur.* **2.** COUCHER *un fusil* EN JOUE :
l'ajuster à l'épaule et contre la joue pour tirer.
⇒ **épauler**. *Coucher qqn en joue,* le viser. **3.** Mettre
par écrit. ⇒ **consigner, inscrire, porter**. *Coucher un
article dans un acte, un contrat.* **II.** V. pron. réfl. (Soleil,
astres) Descendre vers l'horizon. ⇒ **couchant**. *Le
soleil va bientôt se coucher.* **III.** Au passif et p. p. adj.
(ÊTRE) COUCHÉ, ÉE. *Les blés étaient couchés par le
vent. Écriture couchée,* très penchée. *Voilier couché
sur l'eau.*

③ *coucher* n. m. **I.** Action de se coucher. *C'est
l'heure du coucher.* **II.** Moment où un astre (spécialt,
le Soleil) descend et se cache sous l'horizon. *Au
coucher du soleil.* ⇒ **crépuscule ; couchant**. *Un
coucher de soleil.*

couches [kuʃ] n. f. pl. ■ État de la femme qui
accouche. ⇒ **accoucher**. *Être en couches.* — Enfantement. *Les couches ont été pénibles.* ⟨ ▶ **accouchée,**
accoucher, fausse-couche ⟩

couchette [kuʃɛt] n. f. **1.** Petit lit. **2.** Lit sommaire
(navire, train). *Compartiment à couchettes.* ≠ *wagon-lit. Réserver une couchette de seconde classe.*
⟨ ▶ autos-couchettes ⟩

coucheur, euse [kuʃœʀ, øz] n. ■ MAUVAIS
COUCHEUR : personne de caractère difficile. ⇒ **hargneux, querelleur.**

couci-couça [kusikusa] loc. adv. ■ Fam. À peu
près, ni bien ni mal. *« Comment allez-vous ?
— Couci-couça. »*

① *coucou* [kuku] n. m. **I. 1.** Oiseau grimpeur, de
la taille d'un pigeon, au plumage gris cendré barré
de noir. *Un nid de coucous.* **2.** Pendule qui imite le
cri du coucou (en guise de sonnerie). **II.** Avion d'un
modèle ancien. *Les coucous de la guerre de 14.*

② *coucou* n. m. ■ Primevère sauvage, à fleurs
jaunes. *Un bouquet de coucous.*

③ *coucou* exclam. ■ Cri des enfants qui jouent à
cache-cache. *Coucou, me voilà !*

coude [kud] n. m. **I. 1.** Partie extérieure du bras
à l'endroit où il se plie. *Le coude et la saignée du
bras. S'appuyer sur le coude.* ⇒ **s'accouder**. *Donner
un coup de coude à qqn, pousser qqn du coude pour
l'avertir.* — Loc. *Lever le coude,* boire beaucoup.
— *L'huile de coude,* l'énergie. *Travailler coude à
coude,* côte à côte. *Jouer des coudes,* pour se frayer
un passage à travers une foule. *Se tenir, se serrer les
coudes,* s'entraider. **2.** Partie de la manche d'un
vêtement, qui recouvre le coude. *Veste trouée aux
coudes.* **II.** Angle saillant. *Les coudes d'une rivière,
d'un chemin.* ⇒ **détour, tournant**. *Le tuyau du poêle
fait deux coudes.* ▶ **coudé, ée** adj. ■ Qui présente
un coude (II). *Tuyau, levier coudé.* ▶ **coudée** n. f.
1. Ancienne mesure de longueur (50 cm). **2.** *Avoir
ses* COUDÉES FRANCHES : la liberté d'agir. ▶ **coudoyer** [kudwaje] v. tr. ■ conjug. 8. ■ Passer tout près
de. *Coudoyer des gens dans la foule.* **2.** Abstrait. Être
en contact avec. *Il coudoie des gens très variés.*
⇒ **côtoyer**. ▶ **coudoiement** n. m ■ Le fait de
coudoyer (qqn, qqch.). ⟨ ▶ s'accouder ⟩

cou-de-pied [kudpje] n. m. ■ Le dessus du pied.
*Il a le cou-de-pied cambré, le cou-de-pied très fort.
Des cous-de-pied.* — Partie de la chaussure qui y
correspond. ≠ *coup de pied.*

coudre [kudʀ] v. tr. ■ conjug. 48. ■ Assembler au
moyen d'un fil passé dans une aiguille (⇒ **cousu**).
*Coudre un bouton à un vêtement. Coudre une robe,
un vêtement,* assembler, coudre ses éléments. ⇒ **couture**. — Sans compl. *Savoir coudre. Machine à coudre.
Coudre à la main, à la machine.* ⟨ ▶ cousu ⟩

coudrier [kudʀije] n. m. ■ Noisetier. *Bois de
coudrier.*

couenne [kwan] n. f. ■ Peau de porc, flambée et
raclée. *La couenne et le lard.*

① *couette* [kwɛt] n. f. ■ Édredon que l'on met
dans une housse amovible.

② *couette* n. f. ■ Fam. Mèche ou touffe de cheveux
retenue par une barrette, un lien.

couffin [kufɛ̃] n. m. **1.** Grand cabas. **2.** Corbeille
souple de paille, d'osier servant de berceau.

couguar [kug(w)aʀ] ou *cougouar* [kugwaʀ]
n. m. ■ Puma.

couic [kwik] interj. ■ Onomatopée imitant un petit
cri, un cri étranglé.

couille [kuj] n. f. ■ Souvent au plur. Vulg. Testicule.
▶ **couillon** [kujɔ̃] n. m. et adj. ■ Fig. et très fam.
Imbécile. ▶ **couillonner** v. tr. ■ conjug. 1. ■ Fam.
Tromper. ▶ **couillonnade** n. f. ■ Fam. Bêtise. ⇒ fam.
connerie.

couiner [kwine] v. intr. ■ conjug. 1. ■ Fam. Pousser
de petits cris ; pleurer. ⇒ **piailler**. — (Choses) Grincer.

coulage [kulaʒ] n. m. **1.** Action de couler (①, II).
Le coulage de la lessive. ⇒ **blanchissage**. — Le

coulage d'un métal en fusion dans un moule. 2. Fam. Gaspillage. *Il y a du coulage.*

① *coulant, ante* [kulɑ̃, ɑ̃t] adj. 1. NŒUD COULANT : formant une boucle qui se resserre quand on tire. 2. Qui semble se faire aisément, sans effort. ⇒ aisé, facile. *Style coulant.* 3. Fam. (Personnes) Accommodant, facile. *Le patron est assez coulant.* ⇒ indulgent.

② *coulant* n. m. ▪ Pièce qui glisse le long de qqch. ⇒ anneau. *Le coulant d'une ceinture.*

à la coule [alakul] loc. adv. ▪ Fam. *Être à la coule,* au courant, averti. *Un type à la coule.*

coulée [kule] n. f. 1. (Métal, lave) Fusion et écoulement. *La coulée des laves d'un volcan.* 2. Masse de matière en fusion que l'on verse dans un moule. *Trou de coulée.*

① *couler* [kule] v. ▪ conjug. 1. I. V. intr. 1. (Liquides) Se déplacer, se mouvoir naturellement. ⇒ s'écouler. *Eau qui coule d'une source.* ⇒ jaillir. *Couler fort, à flots.* ⇒ ruisseler. *La lave coule.* ⇒ coulée. *Couler goutte à goutte.* — *Laisser couler ses larmes. Le sang coulait de la blessure. Le sang a coulé,* il y a eu des blessés ou des morts. — Loc. *Cette histoire a fait couler beaucoup d'encre,* on en a beaucoup parlé. 2. S'en aller rapidement. ⇒ s'écouler. *L'argent lui coule des doigts. Le temps coule.* — Loc. *Couler de source,* être évident, être la conséquence logique ou naturelle de ce qui précède. ⇒ découler. 3. Laisser échapper un liquide. ⇒ fuir. *Le robinet coule. Stylo qui coule,* qui laisse échapper l'encre. *Avoir le nez qui coule.* II. V. tr. 1. Faire passer (un liquide) d'un lieu à un autre. ⇒ verser. *Couler un liquide à travers un linge,* passer. ⇒ coulage. — Mouler. *Couler de la cire, du bronze.* — *Couler du béton.* 2. Faire passer, transmettre discrètement. ⇒ glisser. *Couler un mot à l'oreille de qqn. Il lui a coulé un regard complice.* 3. *Couler une vie heureuse, des jours heureux.* ⇒ passer. — Fam. *Se la couler douce,* mener une vie heureuse, sans complication (→ ne pas s'en faire). III. SE COULER v. pron. réfl. : (personne ; animal) passer d'un lieu à un autre, sans faire de bruit. ⇒ se glisser. *Se couler dans son lit. Se couler adroitement dans la foule.* ⟨ ► coulage, coulant, coulée, coulis, ① coulisse, découler, écouler ⟩

② *couler* v. ▪ conjug. 1. 1. V. intr. S'enfoncer dans l'eau. *Le navire a coulé à pic.* ⇒ sombrer. 2. V. tr. Faire sombrer. *Le sous-marin a coulé plusieurs navires en les torpillant.* — Discréditer, ruiner (qqn ; une entreprise). — Pronominalement. *Elle s'est coulée en publiant ce livre.*

couleur [kulœʀ] n. f. I. 1. Qualité de la lumière renvoyée par la surface des objets, perçue par le sens de la vue et permettant de distinguer des surfaces indépendamment des formes *(une couleur, les couleurs)* ; propriété que l'on attribue à la lumière, aux objets de produire une telle impression *(la couleur).* ⇒ coloris, nuance, teinte, ton. *Couleur claire ; foncée. Les couleurs du spectre* (violet, indigo, bleu, vert, jaune, orangé, rouge). *Couleurs fondamentales,* jaune, rouge et bleu. — Adj. *Des bas couleur chair. Un ciel couleur de feu.* Loc. *En voir, en faire voir à qqn* DE TOUTES LES COULEURS : subir, faire subir des choses désagréables. 2. Au plur. Les zones colorées d'un drapeau. *Les couleurs nationales. Envoyer les couleurs.* ⇒ drapeau, pavillon. 3. Chacune des quatre marques, aux cartes (carreau, cœur, pique, trèfle). — Atout. Loc. *Annoncer la couleur* (proposer aux joueurs une couleur qui servira d'atout). Fig. Dire ce qu'on a à dire. 4. Teinte naturelle (de la peau humaine). *La couleur de la peau. Une jolie couleur de peau.*

— Carnation rose de la figure dans la race blanche. *Reprendre des couleurs.* — Loc. HAUT EN COULEUR : qui a un teint coloré ; fig. très pittoresque. *Une personne haute en couleur.* — *Changer de couleur,* par émotion, colère. *Homme, femme* DE COULEUR : qui n'appartient pas à la race blanche (se dit surtout des Noirs). 5. Teintes, coloris d'un tableau. *Le fondu des couleurs. La vérité de la couleur. La science de la couleur.* 6. Loc. COULEUR LOCALE : en peinture, couleur propre à chaque objet, indépendamment des lumières et des ombres. — Fig. Ensemble des traits extérieurs caractérisant les personnes et les choses dans un lieu, un temps donné. *L'abus de la couleur locale, du pittoresque.* — Adj. invar. *Des scènes de rue très couleur locale.* II. Toute couleur autre que blanc, noir ou gris ; couleur vive. *Vêtements noirs ou de couleur. Film, télévision* EN COULEURS (opposé à *en noir et blanc*). — Spécialt. Tissu, linge de couleur. *Le blanc et la couleur.* III. Substance colorante. ⇒ colorant, pigment ; peinture, teinture. *Couleurs délavées, à l'huile. Marchand de couleurs.* ⇒ droguiste. *Tube, crayon de couleur.* IV. 1. Apparence, aspect particulier que prennent les choses suivant la présentation, les circonstances. *Brusquement, le récit prend une couleur tragique. Ce journal est d'une couleur politique indécise.* ⇒ tendance. 2. SOUS COULEUR DE loc. prép. : avec l'apparence de, sous le prétexte de. *Attaquer sous couleur de se défendre.* 3. Fam. *On n'en voit pas la couleur,* l'apparence. *L'argent qu'il te doit, tu n'en verras jamais la couleur.* ⟨ ► color- ⟩

couleuvre [kulœvʀ] n. f. 1. Serpent non venimeux commun en Europe. 2. Loc. AVALER DES COULEUVRES : subir des affronts sans protester ; croire n'importe quoi.

① *coulis* [kuli] adj. m. invar. ▪ Loc. VENT COULIS : air qui se glisse par les ouvertures ; courant d'air.

② *coulis* n. m. invar. ▪ Produit résultant de la cuisson concentrée de substances alimentaires passées au tamis. *Un coulis de tomates, de framboises. Coulis d'écrevisses.* ⇒ bisque.

① *coulisse* [kulis] n. f. 1. Support ayant une rainure le long de laquelle une pièce mobile peut glisser ; cette pièce. ⇒ glissière. *Fenêtre, porte, placard* À COULISSE. ⇒ coulissant. *Trombone à coulisse.* 2. Ourlet qu'on fait à un vêtement, une étoffe, pour y passer un cordon, un lacet de serrage. 3. *Un regard* EN COULISSE : oblique. ⇒ en coin. ► *coulissant, ante* adj. ▪ Qui glisse sur des coulisses. *Porte coulissante* (ou *à coulisse*). ► *coulisser* v. ▪ conjug. 1. 1. V. intr. Glisser sur des coulisses. *Porte qui coulisse.* 2. V. tr. Garnir (un vêtement) de coulisses (2). *Coulisser des rideaux.*

② *coulisse* n. f. — REM. Ce mot s'emploie surtout au plur. 1. Partie d'un théâtre située sur les côtés et en arrière de la scène, derrière les décors et qui est cachée aux spectateurs. *Le machiniste, l'électricien sont dans les coulisses.* 2. Le côté caché, secret. *Se tenir dans la coulisse,* se tenir caché tout en participant à une action. *Les coulisses de la politique.* ⇒ dessous. 3. À la Bourse. Au sing. Le marché des valeurs non cotées.

couloir [kulwaʀ] n. m. 1. Passage étroit et long, pour aller d'une pièce à l'autre. ⇒ corridor, galerie, passage. *Le couloir d'un appartement. Les couloirs du métro.* 2. Passage étroit. *Couloir d'autobus,* partie de la chaussée réservée à la circulation des autobus et des taxis. *Couloir aérien,* itinéraire que doivent suivre les avions. 3. Une des deux bandes situées de part et d'autre du rectangle formant la partie médiane du court de tennis. *Les couloirs ne sont utilisés que dans le double.*

coulpe [kulp] n. f. ■ Loc. BATTRE SA COULPE : témoigner son repentir ; s'avouer coupable. ‹ ▶ culpabilité ›

coup [ku] n. m. **I. 1.** Mouvement par lequel un corps matériel vient en heurter un autre ; impression produite par ce qui heurte. ⇒ **choc, heurt, tamponnement.** *Coup sec, violent. Donner un coup de poing sur la table. Elle s'est donné un coup contre un meuble.* ⇒ se **cogner.** — Choc brutal que l'on fait subir à qqn pour faire mal. *Donner un coup, des coups à qqn.* ⇒ **battre, frapper.** *Rendre coup pour coup. Rouer de coups.* COUP DE POING. COUP DE PIED*. *Coup bas,* donné plus bas que la ceinture ; fig., procédé déloyal. — (Coups donnés par les animaux) *Coup de bec, de corne, de sabot, de griffe.* — Choc donné à qqn avec un objet, une arme blanche. *Coup de bâton, de fouet. Coup d'épée, de couteau.* **2.** Décharge (d'une arme à feu) ; ses effets (action du projectile). *Coup de feu. Coups de canon, de fusil. Le coup est parti.* — COUP DOUBLE : coup qui tue deux pièces de gibier. *Faire coup double,* obtenir un double résultat par un seul effort. **3.** Fig. Acte, action qui attaque, frappe qqn. *Frapper, porter un grand coup.* Fam. TENIR LE COUP : résister, supporter. *Il a pris un coup de vieux,* il a vieilli subitement. — Fam. COUP DUR : accident, ennui grave, pénible. — SOUS LE COUP DE : sous la menace, l'action, l'effet de. *Être sous le coup d'une condamnation. Être sous le coup d'une émotion.* **II.** (Souvent COUP DE...) **1.** Mouvement (d'une partie du corps de l'homme ou d'un animal). ⇒ **battement.** *Coup d'aile.* — *Coup de reins.* — *Coup d'œil,* regard bref. — COUP DE MAIN : aide, appui. *On te donnera un coup de main pour déménager ta bibliothèque.* — COUP DE MAIN : attaque exécutée à l'improviste, avec hardiesse et promptitude. ⇒ **attaque. 2.** Mouvement (d'un objet, d'un instrument). *Coup de balai, de brosse, de torchon,* nettoyage rapide. *Coup de peigne. Coup de crayon. Coup de pioche, de marteau. Coup de frein. Coup de chapeau,* salut. *Coup de fil, coup de téléphone.* — Fam. *En mettre, en ficher un coup,* travailler dur. — Loc. À COUPS DE : à l'aide de. *Traduire à coups de dictionnaire.* **3.** Fonctionnement, bruit (d'un appareil sonore). *Coup de gong, de sifflet, de sonnette. Les douze coups de midi.* — *Sur le coup de midi,* à midi juste. **4.** Action brusque, soudaine ou violente (d'un élément, du temps) ; impression qu'elle produit. *Coup de chaleur, de froid, de foudre, de soleil, de vent.* **5.** Le fait de lancer (les dés) ; action d'un joueur (jeux de hasard, puis d'adresse). *Un coup de dés. Coup adroit, bien joué.* — COUP DROIT : au tennis, le fait de frapper la balle avec la face de la raquette, après rebond (opposé à *volée, revers*). — *Coup franc*. Coup d'envoi.* **6.** Quantité absorbée en une fois. *Boire un coup de trop.* Fam. *Je te paye un coup, le coup* (de vin). **III. 1.** Action subite et hasardeuse. *Coup de chance,* action réussie par hasard ; hasard heureux. *Réussir, manquer son coup. Mauvais coup. Manigancer, préparer son coup. Je vais t'expliquer le coup,* l'affaire. *Discuter* le coup. Un coup monté,* préparé à l'avance. — Spécialt. *Coup de force. Coup d'État,* révolution, putsch. **2.** Loc. fam. *Être, mettre* DANS LE COUP : participer, faire participer à une affaire. *Être hors du coup,* ne pas être dans le coup. — *Être* AUX CENTS COUPS : très inquiet. — *Faire les quatre cents coups,* commettre des actes dangereux, se livrer à des excès. **3.** Au sens de *fois* (dans des loc.). *Du premier coup.* DU COUP : de ce fait. *À tous les coups*,* chaque fois. *Du même coup,* par la même action, occasion. *Ce coup-ci, c'est le bon.* **4.** Loc. Action rapide, faite en une fois. *Coup sur coup,* sans interruption, l'un après l'autre. — *Sur le coup,* immédiatement. — *Après coup,* plus tard, après. — *À coup sûr,* sûrement, infailliblement. — *Tout d'un coup, tout à coup,* brusquement, soudain. ‹ ▶ à-coup, contrecoup, coup-de-poing ›

coupable [kupabl] adj. et n. **1.** Qui a commis une faute. ⇒ **fautif ; culpabilité.** *Être coupable d'un délit* ⇒ **délinquant,** *d'un crime* ⇒ **criminel.** *Plaidez-vous coupable, ou non coupable ?* — N. *Rechercher, trouver les coupables.* **2.** (Choses) Blâmable, condamnable. *Commettre une action coupable. Un amour coupable.* ⇒ **illicite.**

coupage [kupaʒ] n. m. ■ Action de mélanger des liquides différents. *Le coupage d'un vin par un autre. Vins de coupage.*

coupant, ante [kupɑ̃, ɑ̃t] adj. **1.** Qui coupe. ⇒ **aigu.** *Attention, le bord est très coupant, coupant comme une lame de rasoir. Pince coupante.* **2.** Autoritaire. *Ton coupant.* ⇒ **bref, tranchant.**

coup-de-poing [kudpwɛ̃] n. m. ■ Arme de main, masse métallique percée pour le passage des doigts. *Des coups-de-poing.*

① *coupe* [kup] n. f. **1.** Verre à boire, plus large que profond, et reposant sur un pied. *Coupe de cristal. Une coupe à champagne.* ≠ *flûte.* — PROV. *Il y a loin de la coupe aux lèvres,* les projets, les promesses et les réalisations sont deux choses bien différentes. **2.** Prix qui récompense le vainqueur d'une compétition sportive, d'un championnat. *Gagner la coupe.* — La compétition. *La coupe Davis* (tennis). *La coupe du monde de football.* ‹ ▶ coupole, soucoupe ›

② *coupe* n. f. **I. 1.** Action de couper. ⇒ **Abattage** des arbres en forêt ; étendue de forêt à abattre. *Coupe sombre* (où on laisse une partie des arbres), *coupe claire* (où on ne laisse que des arbres clairsemés). *Coupe réglée,* soumise à certaines règles. *Choix des arbres à conserver dans une coupe.* — Loc. fig. COUPE SOMBRE : suppression importante. *On a fait une coupe sombre dans le personnel.* *Mettre* en COUPE RÉGLÉE : exploiter systématiquement (une personne, une population), lui imposer des sacrifices onéreux. **2.** Manière dont on taille l'étoffe, le cuir, pour en assembler les pièces. *Suivre des cours de coupe.* **3.** *Coupe de cheveux.* **II. 1.** Contour, forme de ce qui est coupé ; endroit où une chose a été coupée. *La coupe d'un tronc d'arbre scié.* **2.** Dessin d'un objet qu'on suppose coupé par un plan. *La coupe d'un navire, d'une maison. Plan en coupe.* **3.** En versification. Légère pause. **III. 1.** Division d'un jeu de cartes en deux paquets. **2.** Loc. *Être, se trouver* SOUS LA COUPE *de qqn* : être dans la dépendance de qqn.

coupé [kupe] n. m. ■ Automobile fermée à deux portes (deux places principales). *Des coupés.*

coupe-choux [kupʃu] n. m. invar. ■ Fam. Sabre court.

coupe-cigares [kupsigaʀ] n. m. invar. ■ Instrument pour couper les bouts des cigares. *Un, des coupe-cigares.*

coupe-circuit [kupsiʀkɥi] n. m. invar. ■ Appareil qui interrompt un circuit électrique par la fusion d'un de ses éléments ⇒ **fusible,** lorsque le courant est trop important, en cas de court-circuit. ⇒ **disjoncteur, plomb(s).** *Des coupe-circuit.*

coupe-coupe [kupkup] n. m. invar. ■ Sabre pour couper les branches, ouvrir une voie dans la forêt vierge. ⇒ **machette.** *Des coupe-coupe.*

coupée [kupe] n. f. ■ Ouverture dans la muraille d'un navire, qui permet l'entrée ou la sortie du bord. *Échelle de coupée.*

coupe-file [kupfil] n. m. invar. ■ Carte officielle de passage, de priorité. *Les coupe-file d'un journaliste.*

coupe-gorge [kupgɔʀʒ] n. m. invar. ■ Lieu, passage dangereux, fréquenté par des malfaiteurs. *La nuit, les ruelles de ce quartier sont de vrais coupe-gorge.*

coupe-ongles [kupɔ̃gl] n. m. invar. ■ Petite pince servant à couper les ongles.

coupe-papier [kuppapje] n. m. invar. ■ Instrument (lame de bois, d'os, de corne) servant à couper le papier. *Couper les pages d'un livre avec un coupe-papier. Des coupe-papier.*

① **couper** [kupe] v. tr. ▪ conjug. 1. **I.** Concret. **1.** Diviser (un corps solide) avec un instrument tranchant ; séparer en tranchant. *Couper du pain avec un couteau. Couper du papier avec des ciseaux. Couper du bois. Couper une tranche de jambon. Couper du pain en tranches. Couper un morceau de pain. Couper en deux, en quatre morceaux.* ⇒ **partager.** — Préparer des morceaux de tissu à assembler pour en faire un vêtement. *Couper une jupe.* ⇒ **tailler.** — Au p. p. adj. *Veste bien coupée.* ⇒ ② **coupe. 2.** Enlever une partie de (qqch.) avec un instrument tranchant. *Couper les branches inutiles d'un arbre. Couper de l'herbe. Couper les cheveux, les ongles (de, à qqn).* ⇒ **tailler.** *Couper la tête.* ⇒ **décapiter.** — Loc. *Couper bras et jambes à qqn,* lui ôter tout moyen d'agir. *Un brouillard à couper au couteau,* très épais. **3.** Intransitivement. Être tranchant. *Les éclats de verre coupent,* sont coupants. *Ce couteau ne coupe plus.* **4.** Blesser en faisant une entaille. *Cet enfant a coupé son frère à la main.* — SE COUPER v. pron. réfl. *Il s'est coupé en se rasant.* **II. 1.** Diviser en plusieurs parties. ⇒ **fractionner, partager, scinder.** — (Suj. chose) *Cette haie coupe le champ.* **2.** Passer au milieu, au travers de (qqch.). ⇒ **traverser.** *Ce chemin en coupe un autre.* ⇒ **croiser.** — Pronominalement. *Les deux routes se coupent à angle droit.* — Sans compl. *Couper à travers champs, couper par le plus court,* passer par le plus court chemin. **3.** Enlever (une partie d'un texte, une scène de film...). *Couper qqch. dans un discours.* **4.** Interrompre (une action, un discours). *Couper sa journée par une sieste, en faisant la sieste.* ⇒ **entrecouper.** — *Couper une communication téléphonique.* ⇒ **interrompre.** *Ne coupez pas !* — *Je vous coupe la parole. Couper l'appétit, la faim à qqn.* **5.** Arrêter, barrer. *Couper le chemin à qqn,* passer devant lui. *Couper les voies ferrées, les ponts,* les rendre impraticables. Fig. *Couper le crédit, les vivres à qqn,* lui refuser de l'argent. **6.** Interrompre le passage de. *Couper le contact. Couper l'eau, le courant. Coupez !,* arrêtez la prise de vues, la prise de son. **III. 1.** Mélanger à un autre liquide. ⇒ **coupage.** *Couper son vin,* l'additionner d'eau. **2.** *Couper une balle de tennis,* la renvoyer de telle sorte qu'elle rebondisse anormalement. — Au p. p. adj. *Balle coupée.* **3.** *C'est à vous de couper,* de diviser le jeu de cartes en deux. — Prendre avec l'atout. *Je coupe le carreau ;* ellipt *je coupe.* **IV.** SE COUPER v. pron. réfl. : se contredire par inadvertance, laisser échapper la vérité. ⇒ se **trahir.** ⟨ ▶ coupage, coupant, ② coupe, coupé, coupe-choux, coupe-cigares, coupe-circuit, coupe-coupe, coupée, coupe-file, coupe-gorge, coupe-ongles, coupe-papier, couperet, coupeur, coupe-vent, coupon, coupure, découper, entrecouper, ① et ② recouper, surcouper ⟩

② **couper** v. tr. ind. ▪ conjug. 1. **1.** Fam. COUPER À. ⇒ **éviter.** *Couper à une corvée,* y échapper. *Il n'y coupera pas.* **2.** COUPER COURT À : faire cesser, suspendre. *Couper court à une discussion.*

couperet [kuprɛ] n. m. **1.** Couteau à large lame pour trancher ou hacher la viande. ⇒ **hachoir. 2.** *Le couperet de la guillotine,* la lame tranchante de la guillotine.

couperose [kuproz] n. f. ■ Inflammation chronique de la peau du visage, caractérisée par des taches rougeâtres. ▶ **couperosé, ée** adj. ■ Atteint de couperose. *Teint, visage couperosé.* — Qui a le visage rouge par plaques.

coupeur, euse [kupœʀ, øz] n. **1.** Personne dont la profession est de couper les vêtements. ⇒ **tailleur. 2.** *Coupeur de,* personne qui coupe (qqch.). *Les coupeurs de têtes d'Amazonie.* — Loc. fig. *C'est un coupeur de cheveux en quatre.* ⇒ **chicaneur.**

coupe-vent [kupvɑ̃] n. m. invar. ■ Dispositif en angle aigu, pour réduire la résistance de l'air. — Loc. fam. *Avoir un profil, un nez en coupe-vent,* aigu, pointu.

couple [kupl] n. m. **1.** Un homme et une femme réunis. *Former un beau couple. Un couple de jeunes mariés. Couple mal assorti.* — (Animaux) *Un couple de pigeons,* le mâle et la femelle. **2.** Région. *Un couple d'heures,* deux heures. — Vx ou région. Au fém. *Une couple.* **3.** En sciences. Ensemble de deux forces parallèles égales entre elles, de sens contraire. ▶ **coupler** v. tr. ▪ conjug. 1. ■ Assembler deux à deux. *Coupler des roues de wagon.* — Au p. p. adj. *Roues couplées.* ▶ **couplage** n. m. ■ Fait de coupler ; assemblage (de pièces mécaniques, d'éléments électriques). ⟨ ▶ accoupler, couplet, découplé ⟩

couplet [kuplɛ] n. m. **1.** Chacune des parties d'une chanson comprenant généralement un même nombre de vers, et séparées par le refrain. ⇒ **stance, strophe. 2.** Fam. Propos répété souvent. ⇒ **refrain.** *Il nous fatigue avec son éternel couplet sur la faillite de l'école.*

coupole [kupɔl] n. f. ■ Voûte hémisphérique d'un dôme. *La coupole des Invalides, du Panthéon* (à Paris). *Être reçu sous la Coupole* (de l'Institut), à l'Académie française.

coupon [kupɔ̃] n. m. **1.** Pièce d'étoffe roulée. **2.** Feuillet que l'on détache d'un titre financier. *Coupon d'action.* **3.** Élément détachable correspondant à l'acquittement d'un droit. *Coupon mensuel d'une carte de transport.* ⇒ **ticket. 4.** COUPONRÉPONSE : permettant à un correspondant d'obtenir, à l'étranger, un timbre pour affranchir sa réponse. — Petit carré imprimé sur une annonce publicitaire, qu'on découpe et envoie pour recevoir des renseignements, acheter quelque chose. *Des coupons-réponses.*

coupure [kupyʀ] n. f. **1.** Blessure faite par un instrument tranchant. ⇒ **entaille.** *Coupure au visage.* ⇒ **balafre, estafilade.** *Elle s'est fait une coupure.* ⇒ se **couper. 2.** Séparation nette, brutale. ⇒ **cassure, fossé.** *Il y a une coupure entre ces deux périodes de sa vie.* / contr. **unité, continuité** / **3.** Suppression d'une partie (d'un ouvrage, d'une pièce de théâtre, d'un film). / contr. **addition** / **4.** *Coupures de journaux,* articles découpés. **5.** Billet de banque dont la valeur est relativement faible. *Il veut la somme en petites coupures.* **6.** Interruption (du courant électrique, du gaz, de l'eau). *Il y aura une coupure de quatre heures à cinq heures.* **7.** Fam. *Connaître la coupure,* l'expédient.

① **cour** [kuʀ] n. f. ■ Espace découvert, clos de murs ou de bâtiments et dépendant d'une habitation. *Cour d'honneur,* située devant l'entrée principale d'un bâtiment. *Au fond de la cour. Chambre sur cour,* donnant sur la cour. *Cour d'école, cour de récréation. Cour de ferme.* ⇒ **basse-cour.** ⟨ ▶ basse-cour ⟩

② **cour** n. f. **I. 1.** Résidence du souverain et de son entourage. *Vivre à la cour. La noblesse de cour.* **2.** L'entourage du souverain. ⇒ **courtisan(s).** *Toute la cour assistait à la cérémonie.* — Le souverain et ses ministres. — Loc. EN COUR. *Être bien en cour, être bien introduit* (auprès de qqn d'important). **3.** Cercle de personnes empressées autour d'une autre en vue d'obtenir ses faveurs. *La cour d'un banquier, d'un auteur célèbre. Elle a une cour d'admirateurs.*

Loc. FAIRE LA COUR *à* (une femme, etc.) : chercher à plaire, à obtenir les faveurs de. **II.** Tribunal. — COUR D'APPEL : juridiction permanente du second degré, chargée de juger les appels. *Une cour d'assises. La Cour de cassation.* — LA COUR DES COMPTES : chargée de contrôler les dépenses de l'État, et en particulier de vérifier si ces dépenses font l'objet d'un crédit inscrit au budget qui a été voté. — *La haute cour de justice* ou HAUTE COUR : tribunal chargé de juger le président de la République et les ministres en cas de faute très grave.

courage [kuʀaʒ] n. m. **1.** Le fait d'agir malgré les difficultés, énergie dans l'action, dans une entreprise. *Avoir du courage pour le travail, au travail. Je n'ai pas le courage de continuer : c'est trop dur. Entreprendre, faire qqch. avec courage.* / contr. **paresse** / — Loc. *S'armer de courage. Perdre courage,* se préparer à abandonner, à céder. — *Bon courage !,* formule d'encouragement. **2.** Le fait de ne pas avoir peur ; force devant le danger ou la souffrance. ⇒ **bravoure**. / contr. **lâcheté** / *Combattre, se battre avec courage.* ⇒ **héroïsme, vaillance**. *Un courage allant jusqu'à la témérité.* ⇒ **audace, témérité.** — Loc. *Prendre son courage à deux mains,* se décider malgré la difficulté, la peur, la timidité. **3.** *Le courage de faire qqch.,* la volonté plus ou moins cruelle. *Je n'ai pas le courage de lui refuser cette aide. Il a eu le courage de dire la vérité.* ▶ *courageux, euse* adj. **1.** Qui a du courage ; agit malgré le danger ou la peur. ⇒ **brave, vaillant ; héroïque, intrépide, téméraire.** *Un soldat courageux.* / contr. **lâche, peureux** / — Énergique. *Il n'est pas très courageux pour l'étude.* / contr. **paresseux** / **2.** Qui manifeste du courage. *Attitude, réponse courageuse.* ▶ *courageusement* adv. ■ Avec courage. *Travailler, se battre courageusement.* ⟨ ▶ décourager, encourager ⟩

① *courant, ante* [kuʀɑ̃, ɑ̃t] adj. **I. 1.** CHIEN COURANT : qui court. **2.** EAU COURANTE : distribuée par tuyaux. **3.** (Temps, action) Qui est présent, s'écoule, se fait au moment où l'on parle. ⇒ **en cours ; actuel.** *L'année courante. Le dix courant,* le dix de ce mois. *Les affaires courantes* (opposé à *affaires extraordinaires*). — N. m. *Dans le courant de la semaine,* pendant. **II.** Qui a cours d'une manière habituelle. ⇒ **commun, habituel, normal, ordinaire.** *Le langage courant. C'est une réaction courante chez les timides. Mot courant,* fréquent, usuel (abrégé *cour.* dans ce dictionnaire). / contr. **extraordinaire, rare** / ▶ *couramment* [kuʀamɑ̃] adv. **1.** Sans difficulté, avec aisance. *Parler couramment une langue étrangère.* / contr. **difficilement, mal** / **2.** D'une façon habituelle, ordinaire. ⇒ **communément, habituellement, ordinairement.** *Cela se fait, se dit couramment.* / contr. **rarement** /

② *courant* n. m. **1.** Mouvement de l'eau, d'un liquide. ⇒ **cours.** *Le courant de la rivière. Un courant rapide, impétueux. Suivre, remonter le courant. Les courants marins,* déplacement de masses d'eau dans les océans. **2.** COURANT D'AIR : passage d'air froid. *Craindre les courants d'air. Un courant d'air a violemment ouvert la porte.* **3.** COURANT (électrique) : déplacement d'électricité dans un conducteur. *Courant continu. Courant alternatif. Fréquence, intensité d'un courant. Couper le courant.* **4.** Déplacement orienté. *Les courants de populations* (émigration, immigration). — Abstrait. *Les courants de l'opinion.* ⇒ **mouvement. 5.** AU COURANT : informé. *Mettre, tenir qqn au courant de qqch.,* avertir. *Se mettre au courant. Cette revue est bien au courant, elle est au fait de l'actualité.*

courante [kuʀɑ̃t] n. f. ■ Fam. Diarrhée. ⇒ **colique ;** fam. **chiasse.** *Avoir la courante.*

courbatu, ue [kuʀbaty] adj. ■ Littér. Qui ressent une lassitude extrême dans tout le corps. ⇒ **courbaturé, moulu.** ▶ *courbature* n. f. ■ Sensation de fatigue douloureuse due à un effort prolongé ou à un état fébrile. ⇒ **lassitude.** *Ressentir une courbature dans les membres.* ▶ *courbaturer* v. tr. ▪ conjug. 1. ■ Donner une courbature à (qqn). *Il manquait d'exercice, la séance de gymnastique l'a courbaturé.* ▶ *courbaturé, ée* adj. ■ Qui a des courbatures. ⇒ **courbatu.** *Elle s'est réveillée toute courbaturée.*

① *courbe* [kuʀb] adj. ■ Qui change de direction sans former d'angles ; qui n'est pas droit (surtout des figures géométriques). ⇒ **arrondi, bombé, cintré, incurvé, recourbé.** *Surface, ligne courbe. Une planche courbe.* / contr. **droit** /

② *courbe* n. f. **1.** Ligne courbe. *La courbe des sourcils. La route fait une courbe.* ⇒ **tournant.** — En géométrie. Lieu des positions successives d'un point qui se meut d'après une loi déterminée. *Courbes fermées* (cercle, ellipse). **2.** Ligne représentant la loi, l'évolution d'un phénomène (⇒ **graphique**). *Une courbe de température. Les courbes de la production, des prix.*

courber [kuʀbe] v. tr. ▪ conjug. 1. **1.** Rendre courbe (ce qui est droit). ⇒ **arrondir, cintrer, fléchir, incurver.** *Courber une branche.* **2.** Pencher en abaissant. *Courber le front, la tête sur un livre.* ⇒ **incliner.** — Au p. p. adj. *Un vieillard tout courbé.* — *Courber la tête, le front,* obéir. *Refuser de courber la tête devant un supérieur.* **3.** Intransitivement. Devenir courbe. ⇒ **ployer.** *Courber sous le poids.* **4.** SE COURBER v. pron. réfl. *La branche se courbe sous le poids des fruits.* — (Personnes) Se baisser. *On devait se courber pour entrer, tant la porte était basse.* ▶ *courbette* n. f. ■ Surtout au plur. Action de s'incliner exagérément, avec une politesse obséquieuse. ⇒ **révérence, salut.** — Loc. *Faire des courbettes à, devant qqn,* être plat, servile avec lui. ▶ *courbure* n. f. ■ Forme de ce qui est courbe. *Courbure rentrante* (concavité), *sortante* (convexité). *La courbure d'un nez aquilin.* ⟨ ▶ courbe, recourber ⟩

coureur, euse [kuʀœʀ, øz] n. et adj. **I.** (Rare au fém.) **1.** Personne qui court. *Un coureur rapide, infatigable.* — *Oiseaux coureurs* (autruche, casoar, émeu). **2.** Athlète qui participe à une course sportive (avec un compl. ou un adj.). *Coureur à pied. Coureur de 110 mètres haies. Coureur cycliste sur route, sur piste* (pistard, routier). *Coureur automobile.* **II.** N. et adj. Homme, femme constamment à la recherche d'aventures amoureuses. *Un vieux coureur. Un coureur de jupons. C'est une petite coureuse.* — Adj. *Elle est un peu coureuse. Il est très coureur.*

courge [kuʀʒ] n. f. **1.** Plante potagère, cultivée pour ses fruits appelés *courges, citrouilles, potirons.* **2.** Le fruit d'une variété de courge. **3.** Fam. Imbécile. ⇒ fam. **gourde.** ▶ *courgette* n. f. ■ Variété de courge plus petite. *Courgettes farcies.*

courir [kuʀiʀ] v. ▪ conjug. 11. **I.** V. intr. (Êtres animés) **1.** Se déplacer par une suite d'élans, en reposant alternativement le corps sur l'une puis l'autre jambe, et d'une allure généralement plus rapide que la marche. ⇒ **course ; filer, trotter ;** fam. **se carapater, cavaler, foncer.** *Les enfants courent dans le square. Courir à toutes jambes, à perdre haleine, à fond de train,* très vite. — PROV. *Rien ne sert de courir, il faut partir à point.* — *Courir après qqn,* pour le rattraper. — *Courir (+ infinitif),* aller en courant (faire qqch.). *La petite fille court embrasser sa maman.* **2.** Aller vite, sans précisément courir. ⇒ se **dépêcher, précipiter.** *Ce n'est pas la peine de courir, nous avons le temps. Je prends ma voiture et je cours* *vers vous ; j'y cours. Les gens courent à ce spectacle,* ils y vont avec empressement. — Fig. *Courir à sa perte, à sa ruine, à un échec.* — Fam. *Courir après qqn,* le rechercher avec assiduité. *Courir après une femme.* ⇒ **coureur.** *Courir après qqch.,* essayer de l'obtenir. *Courir après la richesse, le succès.* — Fam. *Tu peux toujours courir !,* attendre (se dit d'un souhait qui ne se réalisera pas, ou pour refuser qqch.). **3.** (Choses) Se mouvoir avec rapidité. *L'ombre des nuages courait sur la plaine. L'eau qui court.* ⇒ **couler ; courant, cours.** *Laisser courir sa plume sur le papier.* **4.** Être répandu, passer de l'un à l'autre. ⇒ **circuler, propager, se répandre.** *Faire courir une nouvelle. Le bruit court que...,* on dit que... **5.** (Temps) Suivre son cours, passer. *L'année, le mois qui court.* ⇒ **courant,** en **cours.** — Loc. *Par les temps qui courent,* dans l'époque où nous sommes. — *L'intérêt de cette rente court à partir de tel jour,* sera compté à partir de ce jour. — Fam. *Laisser courir,* laisser faire, laisser aller (→ laisser tomber). **II.** V. tr. **1.** Vx ou loc. Poursuivre à la course, chercher à attraper. *Il ne faut pas courir deux lièvres à la fois,* poursuivre deux buts en même temps. **2.** Participer à (une épreuve de course). *Courir le cent mètres. Ce cheval a couru le grand prix.* **3.** Rechercher, aller au-devant de. *Courir les aventures.* — *Courir un danger,* y être exposé. *Courir un risque. Courir sa chance.* ⇒ **essayer, tenter. 4.** Parcourir. *Courir les rues, la campagne.* — Loc. *Cette histoire court les rues,* est connue partout. **5.** Fréquenter assidûment. ⇒ **hanter.** *Courir les théâtres, les concerts, les magasins. Courir les filles* (II). **6.** Fam. *Courir qqn,* l'ennuyer. *Tu nous cours avec tes histoires.* ‹ ▶ **accourir, concourir,** ① et ② **courant, courante, coureur, à courre, courrier, cours, course, couru, discourir, encourir, parcourir** ›

courlis [kuʀli] n. m. invar. ■ Oiseau échassier migrateur, à long bec courbe, qui vit près de l'eau.

① **couronne** [kuʀɔn] n. f. **I. 1.** Cercle qu'on met autour de la tête comme parure ou marque d'honneur. *Une couronne de fleurs, de lauriers. La couronne d'épines,* que l'on mit par dérision à Jésus-Christ, en l'appelant roi des Juifs. **2.** Cercle de métal qu'on met autour de la tête comme insigne d'autorité, de dignité. ⇒ **diadème.** *Couronne de prince, de roi.* **3.** Royauté, souveraineté. *Donner la couronne à qqn.* ⇒ **couronner.** *Héritier de la couronne.* **II.** (Forme circulaire) **1.** EN COURONNE : en cercle. *Greffe en couronne.* **2.** Objet circulaire ; ensemble de choses disposées en cercle, en anneau. *Couronne funéraire. Ni fleurs ni couronnes* (se dit d'un enterrement très simple). — Pain en forme d'anneau. — Partie visible de la dent (opposé à la *racine*). Capsule de métal, de porcelaine, dont on entoure une dent. *Il faut vous poser une couronne.* ≠ *bridge.* — Cercle lumineux. ⇒ **auréole, halo.** *La couronne d'une aurore boréale. Couronne solaire.* ▶ **couronner** v. tr. conjug. 1. **I. 1.** Coiffer (qqn) d'une couronne. — Décerner un prix, une récompense à (qqn, qqch.). *Couronner le lauréat. Couronner un livre.* **2.** Proclamer (qqn) souverain en ceignant d'une couronne. *Couronner un roi.* ⇒ **sacrer. II. 1.** Littér. Orner, entourer (la tête, le sommet) comme fait une couronne. *Un diadème couronnait son front. La neige qui couronne les cimes.* **2.** Blesser (le genou) en faisant une écorchure ronde. (→ IV, 2.) **III.** Littér. Achever en complétant, en rendant parfait. ⇒ **accomplir.** — Iron. *Et pour couronner le tout, il arrive en retard.* **IV.** Au passif et p. p. adj. (ÊTRE) COURONNÉ, ÉE. **1.** *Il a été couronné empereur.* — LOC. *Les* TÊTES COURONNÉES : les souverains. — *Un vainqueur couronné de lauriers. Un ouvrage couronné par l'Académie française.* **2.** *Genou couronné,* qui porte les traces d'une chute. ▶ **couronnement** n. m. **I.** Cérémonie dans laquelle on couronne un souverain. ⇒ **sacre.** *Le couronnement*

d'un roi. **II. 1.** Ce qui termine et orne le sommet (d'un édifice, d'un meuble). *Le couronnement d'un édifice, d'une colonne.* **2.** Ce qui achève, rend complet. *Ce succès fut le couronnement de sa carrière.*

② **couronne** n. f. ■ Unité monétaire de la Tchécoslovaquie, du Danemark, de l'Islande, de la Norvège et de la Suède.

à **courre** [akuʀ] loc. adv. et adj. ■ CHASSE À COURRE : avec les chiens courants et à cheval.

① **courrier** [kuʀje] n. m. **1.** Transport des dépêches, des lettres, des journaux. ⇒ **poste.** *Courrier maritime, aérien. Je vous réponds par retour du courrier.* **2.** Ensemble des lettres, dépêches, journaux envoyés ou à envoyer. *Le courrier est arrivé. Faire, lire son courrier. Envoyer, poster le courrier.* **3.** Article, chronique d'un journal. *Courrier mondain, littéraire.* — *Le* COURRIER DU CŒUR : où les lecteurs font part de leurs problèmes sentimentaux et demandent des conseils. ▶ **courriériste** n. ■ Journaliste qui fait une chronique. ⇒ **chroniqueur.** *Elle est courriériste théâtrale.*

② **courrier** n. m. ■ Autrefois. Celui qui précédait les voitures de poste, ou portait les lettres à cheval. *L'affaire du courrier de Lyon.*

courroie [kuʀwɑ(a)] n. f. ■ Bande étroite d'une matière souple et résistante servant à lier, à attacher. *Courroie de cuir. Les courroies du harnais.* — *Courroie de transmission,* qui transmet le mouvement d'une poulie à une autre. *Courroie de ventilateur* (auto).

courroucer [kuʀuse] v. tr. conjug. 3. ■ Littér. Mettre en colère, irriter. — Au p. p. adj. *Avoir un air courroucé.* ▶ **courroux** [kuʀu] n. m. invar. ■ Littér. Irritation véhémente contre un offenseur. ⇒ **colère.**

① **cours** [kuʀ] n. m. invar. **I.** Écoulement continu (de l'eau des fleuves, rivières, ruisseaux). ⇒ **courant.** *Cours rapide. Descendre le cours du fleuve.* — COURS D'EAU. ⇒ **fleuve, rivière, ruisseau, torrent.** *Cours d'eau qui traverse, arrose une région. Des cours d'eau navigables.* **II.** Loc. DONNER LIBRE COURS À (sa douleur, sa joie : sa joie : ne plus la contenir). ⇒ **manifester. III.** Suite continue dans le temps. ⇒ **déroulement, succession.** *Le cours des saisons. Le cours de la vie.* ⇒ **durée.** *Le cours des événements. Suivre son cours,* évoluer normalement. — AU, EN COURS (DE). ⇒ **durant, pendant.** *Au cours de sa carrière. En cours de carrière. L'année en cours. Le vieux quartier est en cours de rénovation. Les travaux sont en cours. Affaires en cours.* — EN COURS DE ROUTE : pendant. **IV. 1.** Prix auquel sont négociées des marchandises, des valeurs (qui circulent normalement). ⇒ **cote, taux.** *Le cours du yen. Acheter, vendre au cours du marché, de la Bourse. Au cours du jour* et, sans compl., *au cours.* **2.** AVOIR COURS : avoir valeur légale. — Être reconnu, utilisé. *Ces usages n'ont plus cours.* ‹ ▶ **encours, au long** ④ **cours, parcours** ›

② **cours** n. m. invar. **1.** Enseignement suivi sur une matière déterminée. *Faire un cours* (professeur). *Suivre un cours. Cours de chimie. Prendre des cours de musique, de danse.* ⇒ **conférence, leçon.** *J'ai un cours de physique ce matin.* — Notes prises par un élève et reproduisant un cours. *Un cours polycopié.* **2.** Degré des études suivies. *Cours élémentaire. Cours du soir,* enseignement postscolaire. **3.** Établissement scolaire, généralement privé. *Cours de jeunes filles.*

③ **cours** n. m. invar. ■ Avenue servant de promenade (dans quelques villes). *Le cours Mirabeau,* à Aix-en-Provence.

④ *au long* **cours** [olɔ̃kuʀ] loc. adj. ■ *Voyage au long cours,* longue traversée. *Capitaine au long cours.* ⇒ **long-courrier.**

course [kuʀs] n. f. **I. 1.** Action de courir, d'aller plus vite qu'à la marche, en courant. *Une course folle, très rapide. Rattraper qqn à la course.* — Loc. *Au pas de course,* en marchant très vite. — Loc. fig. À BOUT DE COURSE : épuisé. **2.** Épreuve de vitesse. *Course à pied. Course de vitesse, de fond. Course de chevaux. Course de trot. Course cycliste.* — Au plur. *Courses de chevaux. Champ de courses,* hippodrome. *Aller, jouer aux courses.* — Loc. fam. *Être dans la course,* être au courant, savoir ce qu'il faut faire. ⇒ fam. dans le **coup. 3.** COURSE DE TAUREAUX : ⇒ **corrida. II. 1.** Action de parcourir un espace. ⇒ **parcours, trajet.** *Faire une longue course en montagne.* ⇒ **excursion, randonnée.** — Trajet payé (en taxi). *Le prix de la course.* — Histoire. LETTRE DE COURSE : autorisation donnée par le roi de poursuivre et piller les navires de l'ennemi. *Faire la course,* être corsaire*. **2.** Au plur. Déplacements pour porter, aller chercher qqch. GARÇON DE COURSE. ⇒ ② **coursier.** — Achats. *Faire des courses dans plusieurs magasins.* ⇒ **commission. 3.** (Choses) Littér. Mouvement plus ou moins rapide. ⇒ **cours, mouvement.** *La course d'un projectile. La course du temps.* ⇒ **fuite, succession.** ► ① *coursier* [kuʀsje] n. m. ■ Littér. Grand et beau cheval de bataille, de tournoi (palefroi). ≠ *destrier.* ► ② *coursier, ière* n. ■ Personne chargée de faire les courses dans une entreprise, une administration, un hôtel. ⇒ **chasseur, commissionnaire.** 〈 à mi-course 〉

coursive [kuʀsiv] n. f. ■ Couloir étroit à l'intérieur d'un navire.

① *court, courte* [kuʀ, kuʀt] adj. et adv. **I.** Adj. **1.** Qui a peu de longueur d'une extrémité à l'autre (relativement à la taille normale ou par comparaison avec une autre chose). / contr. **long** / *Rendre (plus) court,* raccourcir, écourter. *Robe courte. Jambes courtes. Cheveux courts,* coupés court. — *La ligne droite est le plus court chemin d'un point à un autre.* — Loc. *Avoir la vue courte,* ne pas voir de loin ; n'avoir pas assez de prévoyance. **2.** Qui a peu de durée. ⇒ **bref, éphémère, fugitif, passager.** / contr. **durable, long** / *Trouver le temps court. Les jours d'hiver sont courts. Un court moment. Livre, récit, roman très court.* ⇒ **bref.** — (Suj. personne) *Être court,* bref dans la parole. *Rester court,* manquer d'idées. Loc. À COURT TERME : pour un avenir rapproché. **3.** *Avoir la mémoire courte,* oublier vite. — *Avoir l'haleine, la respiration courte, le souffle court,* s'essouffler facilement et très vite. **4.** Fam. *Cent francs, c'est un peu court,* insuffisant. **II.** Adv. **1.** De manière à rendre court. *Il lui coupa les cheveux court.* **2.** Loc. fig. COUPER COURT À *un entretien* : l'interrompre au plus vite. — TOURNER COURT : mal tourner, ne pas aboutir. **3.** TOUT COURT : sans rien d'autre. *La vérité tout court.* **4.** DE COURT. *Prendre qqn de court,* à l'improviste ; ne pas lui laisser de temps pour agir. **5.** À COURT (DE). *Être à court d'argent,* en manquer. *À court d'arguments, d'idées.* 〈 ► court-bouillon, court-circuit, court-vêtu, écourter, raccourcir, ultra-court 〉

② *court* n. m. ■ Terrain aménagé pour le tennis. *Sur les courts,* au tennis.

courtage [kuʀtaʒ] n. m. **1.** Profession du courtier. *Faire du courtage en librairie.* ⇒ **démarchage. 2.** Commission du courtier.

court-bouillon [kuʀbujɔ̃] n. m. ■ Bouillon dans lequel on fait cuire du poisson. *Daurade au court-bouillon. Des courts-bouillons.*

court-circuit [kuʀsiʀkɥi] n. m. ■ Interruption du courant par fusion des « plombs ». *Des courts-circuits.* ► *court-circuiter* v. tr. · conjug. 1. **1.** Mettre en court-circuit. **2.** Fam. Laisser de côté (un intermé-

diaire normal) en passant par une voie plus rapide. *Il s'est fait court-circuiter par son concurrent.*

courtepointe [kuʀtəpwɛ̃t] n. f. ■ Couverture de lit ouatée et piquée. ⇒ **couvre-pied.**

courtier, ière [kuʀtje, jɛʀ] n. ■ Agent qui met en rapport vendeurs et acheteurs pour des opérations de bourse ou de commerce. *Courtiers libres.* ⇒ **agent, commissionnaire, représentant.** *Courtier en vins.* 〈 ► courtage 〉

courtine [kuʀtin] n. f. **1.** Autrefois. Rideau de lit. **2.** Tenture de porte.

courtisan [kuʀtizɑ̃] n. m. **1.** Celui qui est attaché à la cour, qui fréquente la cour d'un souverain. **2.** Fig. Personne qui cherche à plaire aux gens influents en leur faisant la cour. ⇒ **flatteur.** — Adj. *Poète courtisan.*

courtisane [kuʀtizan] n. f. ■ Vieilli. Femme entretenue, d'un rang social assez élevé.

courtiser [kuʀtize] v. tr. · conjug. 1. ■ Faire la cour à (qqn), chercher à plaire. *Courtiser une femme.*

courtois, oise [kuʀtwa, waz] adj. **1.** Qui est très poli, avec raffinement. ⇒ **aimable.** *Un homme courtois.* — Qui manifeste de la courtoisie. *Un refus courtois.* / contr. **discourtois, impoli** / **2.** *Poésie courtoise* (du Moyen Âge), qui exalte l'amour d'une manière raffinée. ► *courtoisement* adv. ► *courtoisie* n. f. ■ Politesse raffinée. ⇒ **civilité.** *Visite de courtoisie,* faite par politesse.

court-vêtu, ue [kuʀvety] adj. ■ Dont le vêtement est court. *Des femmes court-vêtues.*

couru, ue [kuʀy] adj. **1.** Recherché. *C'est un spectacle très couru.* **2.** Fam. *C'était couru,* prévu. ⇒ **certain, sûr.**

couscous [kuskus] n. m. invar. ■ Semoule roulée en grains servie avec de la viande, des légumes et du bouillon. *Couscous au poulet.*

① *cousin, ine* [kuzɛ̃, in] n. ■ Se dit des enfants et des descendants de personnes qui sont frères et sœurs. *Cousins germains,* ayant un grand-père (ou une grand-mère) commun(e). *Des cousins éloignés.* — Loc. prov. *Le roi n'est pas son cousin,* il est très prétentieux.

② *cousin* n. m. ■ Moustique.

coussin [kusɛ̃] n. m. **1.** Pièce d'une matière souple, cousue et remplie d'un rembourrage, servant à supporter une partie du corps. ⇒ **oreiller.** *Des coussins bourrés de laine. Les coussins d'un fauteuil, d'un siège de voiture. S'asseoir sur des coussins.* **2.** *Coussin d'air,* zone d'air comprimé qui sert de support. *Véhicule sur coussin d'air* (aéroglisseur, etc.). ► *coussinet* n. m. **1.** Petit coussin. **2.** Mécanique. Pièce soutenant une extrémité d'un arbre de transmission. *Coussinet de rail,* pièce de fonte qui supporte un rail. **3.** Partie charnue de la patte (d'un chat).

cousue, ue [kuzy] adj. **1.** Joint par une couture. *Feuillets cousus.* — Loc. *Être (tout)* COUSU D'OR : très riche. **2.** Fam. COUSU MAIN : à la main. — Fam. *C'est du cousu main,* de première qualité.

coût [ku] n. m. ■ Somme que coûte une chose. ⇒ **prix, montant.** *Le coût d'une marchandise. Le coût de la vie augmente.* ► *coûtant* [kutɑ̃] adj. m. ■ Loc. PRIX COÛTANT : prix qu'une chose a coûté. *Revendre qqch. au prix coûtant,* sans bénéfice.

couteau [kuto] n. m. **1.** Instrument tranchant servant à couper, composé d'une lame et d'un manche. *Couper qqch. avec un couteau. La pointe, le tranchant d'un couteau, de sa lame. Affûter, aiguiser les couteaux. *Couteau de poche, couteau pliant,* dont la lame rentre dans le manche. ⇒ **canif.** *Couteau de cuisine. Couteau de table. Couteau à découper. Couteau électrique.* — (Arme) ⇒ **coutelas, poignard.** *Couteau à cran d'arrêt.* — Loc. *Être à couteaux tirés,* en guerre ouverte. *Jouer du couteau,* se battre au couteau. *Coup de couteau. Mettre le couteau sur (sous) la gorge de (qqn),* contraindre par la menace. 2. Nom d'outils et instruments tranchants. *Couteau à papier.* ⇒ **coupe-papier.** *Couteau de vitrier.* — Petite truelle de peintre. *Peindre au couteau.* 3. *Couteau de balance,* arête du prisme triangulaire qui porte le fléau. 4. Coquillage qui ressemble à un manche de couteau. ▶ *couteau-scie* n. m. ■ Couteau dont la lame porte des dents, et qu'on utilise pour couper le pain, les aliments. *Des couteaux-scies.* ▶ *coutelas* [kutla] n. m. invar. ■ Grand couteau à lame large et tranchante, utilisé en cuisine ou comme arme. ▶ *coutellerie* [kutɛlri] n. f. ■ Industrie, fabrication des instruments tranchants ; produits de cette industrie. *Coutellerie ordinaire, de table. Coutellerie fine.* — *Travailler dans une coutellerie.* ⟨▶ porte-couteau⟩

coûter [kute] v. ▪ conjug. 1. I. V. intr. et tr. ind. *Coûter à qqn.* 1. Nécessiter le paiement d'une somme pour être obtenu. ⇒ **revenir, valoir.** *Somme que coûte une chose.* ⇒ **coût, montant, prix.** *Combien cela coûte-t-il ? Coûter cher. Les cinquante francs que ce livre m'a coûté.* — REM. Le participe est invariable ; le complément circonstanciel de prix n'étant pas complément d'objet. 2. COÛTER CHER : causer, entraîner des frais, des dépenses. *Cette habitude lui coûte cher. Cela pourrait vous coûter cher,* vous attirer des ennuis. II. 1. V. tr. Causer (une peine, un effort à qqn). *Ce départ lui a coûté bien des larmes. Les efforts que ce travail lui a coûtés.* — Causer (une perte). *Coûter la vie,* faire mourir. *Cela lui coûte sa tranquillité.* 2. V. intr. et tr. ind. COÛTER À. Être pénible, difficile. *Cet effort lui a coûté.* Loc. *Il n'y a que le premier pas qui coûte.* — Impers. *Il m'en coûte de vous l'avouer.* 3. COÛTE QUE COÛTE loc. adv. : à tout prix, quels que soient les efforts à faire, les peines à supporter. ▶ *coûteux, euse* adj. ■ Qui coûte cher ; cause de grandes dépenses. ⇒ **cher, dispendieux, ruineux.** *Les voyages sont coûteux.* / contr. **économique, gratuit** / ▶ *coûteusement* adv. ■ D'une manière coûteuse. *Ils sont logés trop coûteusement pour leurs moyens.* / contr. **économiquement** / ⟨▶ coût⟩

coutil [kuti] n. m. ■ Toile croisée et serrée, en fil ou coton. *Pantalon de coutil.* — Plur. *Coutils* [kuti].

coutume [kutym] n. f. 1. Manière à laquelle se plupart se conforment, dans un groupe social. *Vieille, ancienne coutume.* ⇒ **tradition, usage.** *Les coutumes d'un peuple.* ⇒ **mœurs.** 2. Loc. *Une fois n'est pas coutume,* une fois, on peut faire une exception. *Je travaillerai dimanche, une fois n'est pas coutume.* — AVOIR COUTUME DE : être accoutumé à, avoir l'habitude de. *Ils ont coutume de passer Noël chez leur grand-mère.* — Loc. adv. DE COUTUME (surtout employé dans les comparatifs) : d'habitude, d'ordinaire. *Il est moins aimable que de coutume.* ▶ *coutumier, ière* adj. 1. Littér. Que l'on fait d'ordinaire. ⇒ **habituel.** *Les travaux coutumiers.* 2. Droit coutumier, ensemble de règles juridiques que constituent les coutumes. 3. *Il est (n'est pas)* COUTUMIER DU FAIT : il le fait (ne le fait pas) souvent. ⟨▶ accoutumer, désaccoutumer, inaccoutumé, réaccoutumer⟩

couture [kutyʀ] n. f. I. 1. Action de coudre. *Faire de la couture.* 2. Profession de ceux qui confectionnent des vêtements. *Travailler, être dans la couture.* — Profession de couturier. *Une maison de couture.* — *La* HAUTE COUTURE : la conception et la fabrication des vêtements féminins qui créent la mode. II. 1. Assemblage par une suite de points exécutés avec du fil et une aiguille. *Les coutures d'un vêtement, d'une chaussure. Bas sans coutures.* 2. Loc. *Examiner* SOUS TOUTES LES COUTURES : dans tous les sens, très attentivement. — BATTRE À PLATE COUTURE : complètement. 3. Cicatrice laissée par des points chirurgicaux (⇒ **couturé**). ▶ *couturier* n. m. ■ Personne qui dirige une maison de couture, crée des modèles ; cette maison. *Collection d'un grand couturier. La griffe d'un couturier.* ▶ *couturière* n. f. ■ Celle qui coud, qui exécute, à son propre compte, des vêtements de femme. ▶ *couturé, ée* adj. ■ Marqué de cicatrices. ⇒ **balafré.** *Visage couturé.*

couvain [kuvɛ̃] n. m. ■ Amas d'œufs (d'abeilles, d'insectes).

couvée n. f. 1. Ensemble des œufs couvés par un oiseau. *Ces poussins sont de la même couvée.* 2. Les petits qui viennent d'éclore. ⇒ **nichée.** *Toute la couvée piaillait.*

couvent [kuvã] n. m. 1. Maison dans laquelle des religieux ou des religieuses vivent en commun ; ces religieux. ⇒ **communauté, monastère ; conventuel.** *Un couvent de carmélites, de chartreux. Cloître, chapelle d'un couvent.* — *Entrer au couvent,* dans les ordres ; prendre le voile (femmes). 2. Pensionnat de jeunes filles dirigé par des religieuses. *Élever une jeune fille au couvent.*

① *couver* [kuve] v. tr. ▪ conjug. 1. I. 1. (Oiseaux) Se tenir pendant un certain temps sur des œufs pour les faire éclore. *La poule couve ses œufs* (⇒ **couvée, couveuse**). 2. *Couver qqn,* l'entourer de soins attentifs. *Cette mère couve ses enfants.* ⇒ **protéger.** — COUVER DES YEUX : regarder (qqn, qqch.) avec convoitise. II. 1. Entretenir, nourrir, préparer mystérieusement. *Couver des projets de vengeance.* ⇒ **tramer.** 2. *Couver une maladie,* porter en soi les germes (⇒ **incubation**). ⟨▶ couvain, couvée, couveuse⟩

② *couver* v. intr. ▪ conjug. 1. ■ Être entretenu sourdement jusqu'au moment de se découvrir, de paraître. *Le feu couve sous la cendre.* — Fig. *La révolte couvait depuis longtemps.* ⇒ **se préparer.**

couvercle [kuvɛʀkl] n. m. ■ Pièce mobile qui s'adapte à l'ouverture (d'un récipient) pour le fermer. *Le couvercle d'une boîte, d'un coffre. Mettre, soulever le couvercle d'une marmite.*

① *couvert* [kuvɛʀ] n. m. 1. Ce qu'on met sur la table pour le repas. *Mettre le couvert.* 2. Ustensiles de table pour une personne. *Une table de six couverts. Votre couvert est mis chez nous.* 3. Cuiller et fourchette. *Des couverts en argent.*

② *couvert* n. m. 1. *Donner le vivre* (la nourriture) *et le couvert* (le logement) *à qqn.* 2. Loc. À COUVERT DE loc. prép. ; à COUVERT loc. adv. : dans un lieu où l'on est couvert, protégé. *À couvert de la pluie. Se mettre à couvert,* se protéger. 3. SOUS (LE) COUVERT DE : en étant abrité ; sous la responsabilité ou la garantie de (qqn) ; sous l'apparence, le prétexte de (qqch.). *Sous (le) couvert de la franchise, il nous dit des choses très désagréables.*

③ *couvert, erte* adj. I. 1. Qui a un vêtement. *Bien couvert ; chaudement couvert.* — *Restez couvert, gardez votre chapeau.* 2. Qui a sur lui, au-dessus de lui (qqch.). *Il est couvert de boue.* — *Ciel couvert (de nuages),* nuageux. *Allée couverte.* 3. À MOTS COUVERTS : en termes obscurs, voilés. II. Protégé par qqn (⇒ **couvrir,** II, 2). *Quoi qu'il fasse, il est toujours couvert par le directeur.* — Protégé par qqch., par une situation. *De toutes les façons, vous êtes couvert.*

couverture [kuvɛʀtyʀ] n. f. **I.** Concret. **1.** Pièce de toile, de drap pour recouvrir. *Couverture de voyage.* ⇒ **plaid.** — Pièce de tissu (souvent de laine) qu'on place sur les draps, qu'on borde sous le matelas, et qui recouvre le lit. — Loc. fig. *Amener, tirer la couverture à soi,* s'approprier la meilleure ou la plus grosse part d'une chose. **2.** Ce qui couvre, recouvre un livre, un cahier. *Couverture cartonnée.* — Enveloppe dont on recouvre un livre pour le protéger. ⇒ **couvre-livre, jaquette.** *Couverture de cahier en matière plastique.* ⇒ **protège-cahier. 3.** Toit. *Le couvreur répare la couverture.* **II.** Abstrait. **1.** Ce qui sert à couvrir (II), à protéger. *Troupes de couverture* chargées de couvrir, de défendre une zone. — Fig. *Affaire servant à dissimuler une activité secrète. Son commerce est une couverture.* **2.** Garantie donnée pour assurer le paiement d'une dette. ⇒ **provision.**

couveuse [kuvøz] n. f. **1.** Poule qui couve. *Une bonne couveuse.* **2.** *Couveuse (artificielle),* étuve où l'on fait éclore les œufs. — Appareil à température constante pour élever les nouveau-nés prématurés fragiles. *Mettre un prématuré en couveuse.*

couvre- ■ Élément invariable de noms composés, tiré du verbe *couvrir (des couvre-...).* ▶ *couvre-chef* [kuvʀəʃɛf] n. m. ■ Par plaisant. Ce qui couvre la tête. ⇒ **chapeau, coiffure.** *Des couvre-chefs.* ▶ *couvre-feu* n. m. **1.** Signal qui indique l'heure de rentrer chez soi. *Des couvre-feux.* **2.** Interdiction de sortir après une heure fixée (mesure de police). ▶ *couvre-lit* n. m. ■ Couverture légère servant de dessus de lit. *Des couvre-lits.* ▶ *couvre-livre* n. m. ■ Protection souple recouvrant un livre. ⇒ **couverture.** *Des couvre-livres.* ▶ *couvre-pied* n. m., ou *couvre-pieds* n. m. invar. ■ Couverture qui recouvre une partie du lit, à partir des pieds. *Des couvre-pieds chauds, douillets.* ⇒ **édredon.**

couvreur [kuvʀœʀ] n. m. ■ Ouvrier qui fait ou répare les toitures des maisons. *Couvreur zingueur.*

couvrir [kuvʀiʀ] v. tr. ■ conjug. 18. ■ Revêtir d'une chose, d'une matière pour cacher, fermer, orner, protéger. **I. 1.** Garnir (un objet) en disposant qqch. dessus. ⇒ **recouvrir.** *Couvrir un plat avec un couvercle. Couvrir un objet d'un enduit. Couvrir un sol d'une moquette.* — (Suj. chose) Être disposé sur. *La housse qui couvre ce fauteuil. Moquette qui couvre le sol.* **2.** SE COUVRIR v. pron. réfl. : se mettre des vêtements chauds. *Couvrez-vous bien.* — Mettre un chapeau. / contr. **découvrir** / **3.** Parsemer (qqch., qqn) d'une grande quantité de. *Couvrir une tombe de fleurs. Couvrir de boue un passant,* l'éclabousser. — COUVRIR qqn DE : lui donner beaucoup de. *Couvrir qqn de caresses, de baisers. On l'a couvert de cadeaux.* ⇒ **combler.** *On l'a couvert d'injures.* ⇒ **accabler.** *Couvrir qqn de honte. Couvrir qqn de compliments.* — Pronominalement (réfl.). *Elle s'est couverte de ridicule.* — (Choses) Être éparpillé, répandu sur. *Les feuilles couvrent le sol.* ⇒ **joncher.** — Pronominalement (passif). *Le ciel, le temps se couvre (de nuages).* ⇒ ③ **couvert** (I, 2). **4.** Cacher en mettant qqch. par-dessus, autour. *Cela couvre un mystère, une énigme.* ⇒ **receler.** *Couvrir la voix de qqn.* ⇒ **dominer, étouffer. II. 1.** Interposer (qqch.) comme défense, protection. ⇒ **garantir, protéger.** *Couvrir qqn de son corps.* **2.** Abriter (qqn) par son autorité, sa protection. *Ce chef couvre toujours ses subordonnés, ses aides.* — Pronominalement (réfl.). *Se couvrir,* se protéger. — Passif *(être couvert par)* et p. p. adj. ⇒ ③ **couvert** (II). **3.** Donner une garantie, la somme d'argent qu'il faut. ⇒ **garantir, approvisionner.** *Couvrir ses frais. Cette somme doit suffire à couvrir vos dépenses.* — *Couvrir un emprunt, une souscription,* souscrire la somme demandée. **III.** Parcourir (une distance). *Les concurrents ont couvert les cent premiers kilomètres*

en deux heures. ⟨ ▶ couvercle, couvert, couverture, couvre-, découvrir, recouvrir ⟩

cover-girl [kɔvœʀgœʀl] n. f. ■ Anglic. Jeune fille, jeune femme qui pose pour les photographies de mode des magazines. *Des cover-girls.* ⇒ **modèle.**

cow-boy [kawbɔj ; kobɔj] n. m. ■ Anglic. Gardien de troupeaux dans l'ouest des États-Unis, personnage essentiel de la légende de l'Ouest américain. *Film de cow-boys.* ⇒ **western.** *Les cow-boys et les Indiens.*

coxalgie [kɔksalʒi] n. f. ■ Médecine. Douleur de la hanche.

coyote [kɔjɔt] n. m. ■ Mammifère carnivore d'Amérique, voisin du chacal.

C.Q.F.D. [sekyɛfde] ■ Abréviation de : *ce qu'il fallait démontrer.*

crabe [kʀab] n. m. **1.** Nom courant de plusieurs crustacés à corps arrondi, dont les pattes sont disposées autour du corps (araignées de mer, tourteaux, etc.). *Les pinces du crabe. La carapace du crabe.* — Loc. *Marcher en crabe,* de côté. — Loc. PANIER DE CRABES : groupe d'individus intriguant les uns contre les autres. **2.** *Vieux crabe !* (injure).

crac [kʀak] interj. ■ Mot imitant un bruit sec (choc, rupture), ou évoquant une chose brusque. *Cric, crac !* ⟨ ▶ craqueler, craquer, craqueter ⟩

cracher [kʀaʃe] v. ■ conjug. 1. **I.** V. intr. **1.** Projeter de la salive, des mucosités de la bouche. *Cracher par terre. Défense de cracher.* **2.** Fam. *Cracher sur qqch., qqn,* exprimer un violent mépris. — *Il ne crache pas sur l'alcool,* il l'aime bien. **3.** *Cette plume, ce stylo crache,* l'encre en jaillit. ⇒ **couler. 4.** Émettre des crépitements. *Haut-parleur, radio qui crache.* ⇒ **crachoter. II.** V. tr. **1.** Lancer (qqch.) de la bouche. *Cracher un bonbon.* ⇒ **rejeter.** — Loc. fam. *Cracher ses poumons,* tousser violemment. **2.** *Cracher des injures.* ⇒ **proférer. 3.** Fam. Donner (de l'argent) ; payer. ⇒ fam. **casquer. 4.** Émettre en lançant. *Cracher de la fumée, des flammes. Volcan qui crache de la lave.* ▶ *crachat* n. m. **1.** Matière crachée, rejetée par la bouche (salive, mucosité). **2.** Fam. Plaque, insigne d'un grade supérieur. ⇒ **décoration.** ▶ *craché, ée* adj. ■ TOUT CRACHÉ (après un n. m., un pronom) : très ressemblant. *C'est son père tout craché.* ▶ *crachement* n. m. **1.** Action de cracher. — Ce qu'on crache. *Un crachement de sang.* **2.** Projection (de gaz, de vapeurs, de flammes). **3.** Crépitement. *Les crachements des haut-parleurs.* ▶ *crachoir* n. m. ■ Petit récipient muni d'un couvercle dans lequel on peut cracher. — Fam. TENIR LE CRACHOIR *à qqn* : lui parler sans arrêt. ▶ *crachoter* v. intr. ■ conjug. 1. **1.** Cracher un peu. **2.** Émettre des crépitements. ⇒ **cracher** (I, 4). *Une vieille radio qui crachote.* ▶ *crachotement* n. m. ■ Action de crachoter. — Bruit de ce qui crachote. ⟨ ▶ crachin, recracher ⟩

crachin [kʀaʃɛ̃] n. m. ■ Pluie fine et serrée. ⇒ **bruine.** ▶ *crachiner* v. impers. ■ conjug. 1. ■ Faire du crachin. ⇒ **bruiner, pleuvoter.**

crack [kʀak] n. m. **1.** Poulain préféré, dans une écurie de course. — Cheval qui gagne les courses. **2.** Fam. *C'est un crack,* un sujet remarquable. ⇒ **as.** *Des cracks.*

cracking [kʀakiŋ] n. m. ■ Anglic. Craquage (du pétrole).

craie [kʀɛ] n. f. **1.** Calcaire naturel. *Craie blanche. Falaise de craie.* ⇒ **crayeux. 2.** Calcaire réduit en poudre et moulé (en bâtons) pour écrire, tracer des signes. *Un morceau de craie. Écrire au tableau noir avec de la craie, à la craie.* — *(Une, des craies)* Bâtonnet de craie pour écrire. ⟨ ▶ crayeux ⟩

craindre [kʀɛ̃dʀ] v. tr. ▪ conjug. 52. **1.** Envisager (qqn, qqch.) comme dangereux, nuisible, et en avoir peur. ⇒ **redouter.** *Craindre le danger.* / contr. **braver** / *Il ne viendra pas, je le crains. Ne craignez rien. Il sait se faire craindre.* **2.** CRAINDRE QUE (+ subjonctif). Avec la négation complète : *Je crains qu'il ne parte pas,* qu'il reste. — REM. Lorsque les verbes des deux propositions sont à l'affirmatif, le *ne* explétif est facultatif. *Je crains qu'il (ne) parte,* je crains son départ. Après l'emploi négatif ou interrogatif de *craindre,* on ne met pas le *ne. Je ne crains pas qu'il parte. Craignez-vous qu'il parte ?* **3.** CRAINDRE DE (+ infinitif). *Il craint d'être découvert. Je ne crains pas d'affirmer,* je n'hésite pas à affirmer. **4.** (Plantes, choses) Être sensible à. *Ces arbres craignent le froid.* **5.** Fam. Impers. *Ça craint,* c'est désagréable, pénible, laid. ⟨ ▶ **crainte** ⟩

crainte [kʀɛ̃t] n. f. **1.** Sentiment par lequel on craint (qqn ou qqch.) ; appréhension inquiète. ⇒ **angoisse, anxiété, frayeur** ; plus cour. **peur.** *L'espoir et la crainte de l'avenir. Avoir une grande crainte que...* ⇒ **craindre.** *Soyez sans crainte à ce sujet. N'ayez crainte,* il viendra. **2.** DANS LA CRAINTE DE ; DE CRAINTE DE ; PAR CRAINTE DE loc. prép. (devant un nom de chose ou un infinitif). *Dans la crainte de son départ. Dans la crainte d'échouer, par crainte d'échouer.* — DE CRAINTE QUE loc. conj. (+ subjonctif, avec *ne* explétif). *De crainte qu'on ne vous entende.* ▶ *craintif, ive* adj. ▪ Qui est sujet à la crainte (occasionnellement ou, surtout, habituellement). ⇒ **inquiet, peureux.** *C'est un enfant craintif. Caractère, naturel craintif.* / contr. **audacieux, brave, courageux** / ▶ **craintivement** adv.

cramer [kʀame] v. ▪ conjug. 1. **1.** V. tr. Brûler (qqch.) légèrement. *Cramer un rôti.* **2.** V. intr. Brûler légèrement. *Les nouilles ont cramé.* — Fam. Brûler. ⇒ **flamber.** *Toute la bicoque a cramé.*

cramoisi, ie [kʀamwazi] adj. **1.** D'une couleur rouge foncé, tirant sur le violet. *Soie cramoisie.* **2.** (Teint, peau) Très rouge. *Il est devenu cramoisi.*

crampe [kʀɑ̃p] n. f. ▪ Contraction douloureuse, involontaire et passagère des muscles. *Avoir une crampe au mollet.* — *Crampe d'estomac,* douleur gastrique.

crampon [kʀɑ̃pɔ̃] n. m. **I. 1.** Pièce de métal servant à attacher, assembler deux éléments (agrafe, crochet). **2.** *Chaussures à crampons,* munies de clous, de petits cylindres de cuir, caoutchouc, etc., destinés à empêcher de glisser. **3.** Racine de fixation qui apparaît le long de la tige (d'une plante grimpante). *Les crampons du lierre.* **II.** Fam. Personne importune et tenace. *Quel crampon !* — Adj. invar. *Ils sont crampon.* ▶ *cramponner* v. tr. ▪ conjug. 1. **1.** Fam. Agir comme un crampon (II) avec (qqn). *Cramponner qqn.* ⇒ **importuner** ; fam. **coller. 2.** SE CRAMPONNER À v. pron. réfl. : s'accrocher, s'attacher ; se tenir fermement. ⇒ **s'agripper,** se retenir / contr. **lâcher, laisser** / *Se cramponner au bras, au cou de qqn. Se cramponner à une idée, à un espoir.*

① *cran* [kʀɑ̃] n. m. **I. 1.** Entaille faite à un corps dur et destinée à accrocher, à arrêter qqch. ⇒ **encoche.** *Hausser d'un cran une étagère. Les crans d'une crémaillère. Entailler par des crans.* ⇒ **créneler** (2). **2.** *Monter, hausser ; baisser d'un cran,* passer à qqch. de supérieur ⇒ **augmenter,** d'inférieur ⇒ **diminuer. 3.** Entaille où s'engage une pièce mobile (tête de gâchette d'une arme à feu, etc.). *Couteau à cran d'arrêt.* **4.** Entaille servant de repère. **5.** Trou servant d'arrêt dans une sangle, une courroie. *Serrer sa ceinture de deux crans.* **II.** Forme ondulée donnée

aux cheveux. *Le coiffeur lui a fait un cran.* ▶ **cranter** v. tr. ▪ conjug. 1. ▪ Faire des crans (I) à (qqch.). — Au p. p. adj. *Pignon cranté.* ⟨ ▶ ② cran ⟩

② *cran* n. m. **1.** Fam. Audace, courage. *Il a du cran. Il a eu le cran de refuser.* **2.** Être À CRAN : prêt à se mettre en colère (→ À bout de nerfs). ⇒ **exaspéré.** *Il l'a mis à cran. Avoir les nerfs à cran.*

① *crâne* [kʀɑn] n. m. **1.** Boîte osseuse renfermant le cerveau. *Les os du crâne et ceux de la face forment la tête. Fracture du crâne. Crâne de bœuf.* **2.** Tête, sommet de la tête. *Avoir le crâne chauve. Avoir mal au crâne.* — Cerveau. *Bourrer le crâne.* ▶ *crânien, ienne* adj. ▪ Du crâne. *Boîte crânienne. Os crâniens.*

② *crâne* adj. ▪ Vx. Courageux, décidé. ▶ *crâner* v. intr. ▪ conjug. 1. Fam. **1.** Affecter la bravoure, le courage, la décision. — Faire le malin. *Ce n'est pas le moment de crâner.* **2.** Prendre un air vaniteux. ⇒ fam. **frimer.** ▶ *crâneur, euse* n. et adj. ▪ fam. ⇒ **prétentieux.** *Faire le crâneur.* — Adj. *Elle est un peu crâneuse.* / contr. **modeste** /

① *crapaud* [kʀapo] n. m. ▪ Batracien à tête large, au corps trapu recouvert d'une peau verruqueuse. ≠ **grenouille.**

② *crapaud* n. m. **I.** Défaut dans un diamant, une pierre précieuse. **II.** Le plus petit des pianos à queue. **III.** En appos. *Fauteuil crapaud,* bas et ramassé.

crapule [kʀapyl] n. f. ▪ Individu très malhonnête. ⇒ **bandit, canaille.** *C'est une crapule.* — Adj. *Il, elle est un peu crapule.* ▶ *crapuleux, euse* adj. ▪ Très malhonnête et sordide. ⇒ **infâme.** (Surtout dans : *crime, assassinat... crapuleux,* accompli pour voler.) *Mener une vie crapuleuse,* de débauche sordide. ▶ *crapuleusement* adv.

craquage [kʀakaʒ] n. m. ▪ Procédé de raffinage du pétrole. ⇒ anglic. **cracking.**

craque [kʀak] n. f. ▪ Fam. Mensonge par exagération. *Il nous a raconté des craques.* ⇒ ② **blague.**

craqueler [kʀakle] v. tr. ▪ conjug. 4. **1.** Fendiller (une surface polie). *Craqueler de la porcelaine.* — Pronominalement (réfl.). *La terre se craquelle sous l'effet de la sécheresse.* — Au p. p. adj. *Émail craquelé.* ▶ *craquelage* n. m. ▶ *craquelure* n. f. ▪ Fendillement du vernis, de l'émail, etc.

craquer [kʀake] v. **I.** V. intr. ▪ conjug. 1. **1.** Produire un bruit sec. *On entend le parquet craquer. Faire craquer ses doigts en tirant sur les articulations.* **2.** Se déchirer brusquement. *Les coutures ont craqué.* Se casser. **3.** Loc. fig. PLEIN(E) À CRAQUER : rempli jusqu'aux limites. *La salle était pleine à craquer.* ⇒ **bondé. 4.** Abstrait. *Ses nerfs ont craqué, il n'a pas pu se dominer.* — (Suj. personne) Céder à une pression psychologique, s'effondrer. *Tu te surmènes, tu vas craquer.* — Céder à la tentation. *Je craque !* **5.** Fig. Être ébranlé, menacer ruine. *Le ministère craque. Ses projets ont craqué.* ⇒ **échouer** ; fam. **capoter. II.** V. tr. *Craquer une allumette,* l'allumer en la frottant. ▶ *craquement* n. m. ▪ Bruit sec (d'une chose qui se rompt, éclate, etc.). *On entend des craquements sinistres. Le craquement des feuilles sèches.* ▶ *craqueter* [kʀakte] v. intr. ▪ conjug. 4. ▪ Produire des craquements répétés. ⟨ ▶ craquage, craqueler ⟩

① *crasse* [kʀas] adj. f. ▪ IGNORANCE (*bêtise...*) CRASSE : totale et grossière. *Tu es d'une ignorance crasse.*

② *crasse* n. f. **1.** Couche de saleté. *Mains couvertes de crasse. Enlever la crasse,* décrasser. **2.** Une crasse, une méchanceté, une indélicatesse. ⇒ **saleté, vache-**

rie. *Faire une crasse à qqn.* ▸ *crasseux, euse* adj. ■ Qui est couvert de crasse, très sale. *Une chemise crasseuse. Un escalier crasseux et puant* (→ fam. cracra, crado, craspec). ▸ *crassier* n. m. ■ Amoncellement des scories de hauts fourneaux. ⇒ **terril.** ⟨ ▸ décrasser, encrasser ⟩

-crate, -cratie, -cratique ■ Éléments savants signifiant « force, pouvoir ». ⟨ ▸ aristocrate, autocrate, bureaucrate, démocrate, gérontocratie, phallocrate, ploutocrate, technocrate, théocratie ⟩

cratère [kʀɑtɛʀ] n. m. ■ Dépression d'un volcan, par laquelle s'échappent des matières en fusion (laves, cendres).

cravache [kʀavaʃ] n. f. **1.** Baguette mince et flexible dont se servent les cavaliers. ⇒ **badine, jonc.** *Coup de cravache.* **2.** Loc. *À la cravache,* brutalement. *Mener qqn à la cravache.* ▸ *cravacher* v. tr. ▪ conjug. 1. **1.** Frapper à coups de cravache. *Cravacher un cheval.* — *Il a fini la course en cravachant.* **2.** Fam. Aller vite. *Il a dû cravacher pour finir à temps.*

cravate [kʀavat] n. f. **1.** Bande d'étoffe que l'on noue autour du cou (surtout cravate d'homme qui se passe sous le col de chemise et se noue par-devant). *Cette cravate va bien avec son costume. Il aime mieux les nœuds papillon que les cravates. Faire un nœud de cravate.* **2.** Bande d'étoffe, insigne de haute décoration. *Cravate de commandeur de la Légion d'honneur.* **3.** Loc. fam. *S'en jeter un* (un verre) DERRIÈRE LA CRAVATE. ⇒ **boire.** ⟨ ▸ cravater ⟩

cravater [kʀavate] v. tr. ▪ conjug. 1. **1.** Attaquer (qqn) en le prenant et en le serrant par le cou. **2.** Fam. Prendre, attraper (qqn). *Le voleur s'est fait cravater.*

crawl [kʀol] n. m. ■ Nage rapide qui consiste en un battement continu des jambes et un tirage alternatif des bras. *Nager le crawl.* ▸ *crawler* [kʀole] v. intr. ▪ conjug. 1. ■ Nager le crawl. — Au p. p. adj. *Dos crawlé,* crawl nagé sur le dos.

crayeux, euse [kʀɛjø, øz] adj. **1.** De la nature de la craie. *Terrain, sol crayeux.* **2.** De la couleur de la craie. ⇒ **blanchâtre.** *Il a un teint crayeux.*

crayon [kʀɛjɔ̃] n. m. **1.** Petite baguette, généralement en bois, servant de gaine à une longue mine. *Écrire, dessiner au crayon. Boîte de crayons de couleur.* **2.** Bâtonnet. *Crayon de rouge à lèvres.* ⇒ **bâton, tube. 3.** Dessin au crayon. *Les crayons de cet artiste sont très recherchés.* ▸ *crayonner* v. tr. ▪ conjug. 1. ■ Dessiner, écrire au crayon, de façon sommaire. *Crayonner des notes, un croquis.* ▸ *crayonnage* n. m. ■ Action de crayonner. — Griffonnage au crayon.

créance [kʀeɑ̃s] n. f. ■ Droit en vertu duquel une personne ⇒ **créancier** peut exiger qqch., une somme d'argent de qqn. / contr. **dette** / *Avoir une créance sur qqn.* REM. *Créance* et *crédit* viennent de mots latins signifiant « croire ». — *Recouvrer une créance.* — Le titre établissant la créance. ▸ *créancier, ière* n. ■ Titulaire d'une créance ; personne à qui il est dû de l'argent. *Être poursuivi par ses créanciers. Payer, rembourser ses créanciers.* / contr. **débiteur** /

créateur, trice [kʀeatœʀ, tʀis] n. et adj. **I.** N. **1.** Personne qui crée, qui tire qqch. du néant. *Le créateur du ciel et de la terre,* Dieu. — Sans compl. *Adorer le Créateur.* **2.** L'auteur (d'une chose nouvelle). *Le créateur d'un genre littéraire, d'une théorie scientifique.* ⇒ **inventeur.** — Absolt. *C'est un créateur.* / contr. **imitateur** / **3.** *Le créateur, la créatrice d'un rôle,* le premier, la première interprète. **3.** *Le créateur d'un produit.* ⇒ **producteur.** *La maison X est la créatrice exclusive de ce modèle.* **II.** Adj. Qui crée ou invente. *Esprit, cerveau créateur. L'imagination créa-*

trice. ▸ *créatif, ive* adj. ■ Qui est d'esprit inventif, qui favorise la création. *Un esprit créatif.* — N. *Les créatifs,* dans une entreprise de publicité, ceux qui inventent (opposés à *ceux qui administrent, gèrent*). ▸ *création* [kʀeɑsjɔ̃] n. f. **I.** *(La création)* **1.** Action de donner l'existence, de tirer du néant. *La création du monde.* ⇒ **genèse. 2.** L'ensemble des choses créées ; le monde créé. ⇒ **monde, nature, univers.** *Les merveilles de la création.* — Loc. *Toutes les plantes* DE LA CRÉATION : toutes les plantes qui existent. **II.** *(Une création, la création de...)* **1.** Action de faire, d'organiser (une chose qui n'existait pas encore). ⇒ **élaboration, invention.** / contr. **abolition, destruction** / *La création d'une ville. Création d'une société.* ⇒ **fondation.** *Ils font partie de l'entreprise depuis sa création.* ⇒ **commencement, début.** *Création d'idées nouvelles.* ⇒ **apparition, naissance.** — Le fait de créer une œuvre. / contr. **imitation** / **2.** Ce qui est créé. *Les plus belles créations de l'homme.* ⇒ **œuvre.** — Nouvelle fabrication ; modèle inédit. *Les dernières créations des grands couturiers.* ▸ *créature* n. f. **1.** Être qui a été créé, tiré du néant (opposé à *créateur*). **2.** *Créature humaine.* ⇒ **femme, homme, humain.** *Une créature,* un être humain. ⇒ **personne. 3.** Femme (surtout péj.). *Une malheureuse créature.* **4.** *La créature de qqn,* personne qui tient sa fortune, sa position de qqn à qui elle est dévouée. ⇒ **favori, protégé.**

crécelle [kʀesɛl] n. f. **1.** Moulinet de bois formé d'une planchette mobile qui tourne bruyamment autour d'un axe. *Bruit de crécelle,* sec et aigu. *Jouer avec une petite crécelle en bois.* **2.** *Voix de crécelle,* aiguë, désagréable.

crèche [kʀɛʃ] n. f. **I.** La mangeoire où Jésus fut placé à sa naissance, dans l'étable de Bethléem, selon la tradition de Noël ; petit édifice représentant l'étable de Bethléem ou une grotte. *Installer une crèche dans l'église.* **II.** Établissement, asile destiné à recevoir dans la journée les enfants de moins de trois ans. ⇒ **garderie, pouponnière.** ▸ *crécher* v. intr. ▪ conjug. 6. ■ Fam. Habiter, loger. *Il crèche chez un copain.*

crédence [kʀedɑ̃s] n. f. ■ Buffet dont les tablettes superposées servent à poser les plats, la verrerie. ⇒ **desserte.**

crédible [kʀedibl] adj. ■ Qui peut être cru. — Qui est vraisemblable, qui peut réussir. *Une politique crédible.* ▸ *crédibilité* n. f. ■ Caractère de ce qui est croyable. ⇒ **vraisemblance.** *La crédibilité d'un témoignage. Son histoire manque de crédibilité.*

crédit [kʀedi] n. m. **I.** Influence dont jouit une personne ou une chose auprès de qqn, par la confiance qu'elle inspire. ⇒ **autorité, influence, pouvoir.** REM. *Crédit,* comme *créance,* est rattaché par son origine à *croire.* — *Jouir d'un grand crédit auprès de qqn.* — Loc. EN CRÉDIT. *Être en crédit auprès de qqn.* ⇒ **faveur.** *Il n'a plus aucun crédit. Cette opinion acquiert du crédit dans tel milieu.* **II.** Situation d'une personne autorisée à ne pas payer immédiatement, à emprunter. **1.** Loc. À CRÉDIT : sans exiger de paiement immédiat (opposé à *au comptant*). *Vendre, vente à crédit.* — FAIRE CRÉDIT *à qqn* : ne pas exiger un paiement immédiat. **2.** Opération par laquelle une personne met une somme d'argent à la disposition d'une autre ; cette somme. ⇒ **prêt ; avance.** *Établissement de crédit. Accorder, obtenir un crédit. Un crédit bancaire.* — Nom d'établissement de crédit. *Le Crédit agricole.* **3.** Au plur. Sommes allouées sur un budget pour un usage déterminé. *Crédits budgétaires. Vote des crédits.* **4.** Partie d'un compte où sont inscrites les sommes remises ou payées à la personne qui tient le compte. ⇒ **avoir.** *Balance du crédit et du débit.* ▸ *créditer* v. tr. ▪ conjug. 1. ■ Porter au crédit de (qqn, son compte). *Créditer un compte de cinq mille francs.* / contr. **débiter** / ► *créditeur, trice* n. ■ Personne qui a des sommes portées à son crédit. — Adj. *Compte, solde créditeur.* / contr. **débiteur** /

credo [kredo] n. m. invar. **1.** (Avec une majuscule) Formule contenant les articles fondamentaux d'une foi religieuse. *Credo catholique,* symbole des Apôtres. — REM. *Credo* signifie « je crois » en latin. **2.** Principes sur lesquels on fonde son opinion, sa conduite. ⇒ **règle.** *Il nous a exposé son credo politique. Des credo.*

crédule [kredyl] adj. ■ Qui a une confiance aveugle en ce qu'il entend ou lit. ⇒ **naïf, simple ;** fam. **gogo, jobard.** *Vous êtes trop crédule.* / contr. **incrédule, sceptique** / ► *crédulité* n. f. ■ Grande facilité à croire. ⇒ **candeur, confiance, naïveté.** *Un charlatan qui abuse de la crédulité du public.*

créer [kree] v. tr. ■ conjug. 1. **1.** Donner l'existence, l'être à ; tirer du néant. *Dieu créa le ciel et la terre.* / contr. **anéantir** / **2.** Faire, réaliser (qqch. qui n'existait pas encore). ⇒ **concevoir, élaborer, inventer, produire.** / contr. **détruire** / *Créer une science, un genre littéraire.* — Sans compl. *L'artiste, le poète créent.* — Établir ou organiser. *Créer une ville, des emplois.* **3.** *Créer un rôle,* en être le premier interprète. *Créer un spectacle,* le mettre en scène. **4.** Fabriquer ou mettre en vente (un produit nouveau). *La maison X a créé et lancé ce produit.* **5.** (Suj. chose) Être la cause de. ⇒ **causer, produire, provoquer.** *La fonction crée l'organe. La publicité crée des besoins nouveaux.* — (Suj. personne) *Sa famille lui crée des ennuis.* **6.** SE CRÉER *qqch.* : susciter pour soi-même. ⇒ **imaginer.** *Se créer des illusions, des besoins. Elle s'est créé des habitudes.* ‹ ► créateur, création, procréer, recréer ›

crémaillère [kremajer] n. f. **1.** Autrefois. Tige de fer à crans qu'on suspendait dans une cheminée pour y accrocher une marmite. — Loc. PENDRE LA CRÉMAILLÈRE : célébrer, par un repas, une fête, son installation dans un nouveau logement. **2.** Pièce munie de crans. *Une étagère à crémaillère.* — Rail denté. *Automobile avec direction à crémaillère. Chemin de fer, funiculaire à crémaillère.*

crémation [kremasjɔ̃] n. f. ■ Littér. Action de brûler le corps des morts. ⇒ **incinération.** ► *crématoire* adj. ■ FOUR CRÉMATOIRE : où l'on réduit les corps en cendres. — N. m. *La fumée des crématoires. Les crématoires et les chambres à gaz des camps d'extermination nazis.*

crème [krem] n. f. **I.** **1.** Matière grasse du lait, dont on fait le beurre. *Crème fraîche. Fromage à la crème. Crème fouettée, crème Chantilly,* fortement émulsionnée (pour la pâtisserie, etc.). — En appos. Invar. CAFÉ CRÈME : avec de la crème ou du lait. *Des cafés crème.* — N. m. *Un crème, un café crème. Des grands crème(s).* **2.** Fam. *C'est la crème des hommes,* meilleur des hommes. **3.** Entremets composé ordinairement de lait et d'œufs. *Crème pâtissière. Crème renversée.* **4.** Liqueur épaisse (en général sucrée). *De la crème de cassis.* **5.** Préparation utilisée dans la toilette et les soins de la peau. *Crème à raser. Crème solaire.* ≠ **chrème.** **II.** Adj. invar. D'une couleur blanche légèrement teintée de jaune. *Des gants crème.* ► *crémeux, euse* adj. ■ Qui contient beaucoup de crème (1). *Du lait bien crémeux.* — Qui a la consistance, l'aspect de la crème. ► *crémerie* [kremri] n. f. **1.** Magasin où l'on vend les produits laitiers. ⇒ **laiterie. 2.** Loc. fam. *Changer de crémerie,* aller ailleurs. ► *crémier, ière* n. ■ Commerçant qui vend des produits laitiers, des œufs, etc. ‹ ► écrémer ›

crémone [kremɔn] n. f. ■ Espagnolette servant à fermer les fenêtres, composée d'une tige de fer qu'on hausse ou qu'on baisse en faisant tourner une poignée.

créneau [kreno] n. m. **1.** Ouverture pratiquée au sommet d'un rempart et qui servait à la défense. ⇒ **meurtrière.** *Des créneaux.* **2.** Espace disponible entre deux véhicules en stationnement. — *Faire un créneau,* se garer. **3.** Place disponible sur un marché ; domaine de commercialisation. *C'est un bon, un nouveau créneau.* ► *créneler* [kre(e)nle] v. tr. ■ conjug. 4. **1.** Munir de créneaux. *Créneler une muraille.* — *Muraille, tour crénelée.* **2.** Entailler en disposant des crans. ⇒ **denteler** *Créneler une pièce de monnaie.*

créole [kreɔl] n. et adj. ■ Personne de race blanche, née dans les colonies intertropicales (Antilles). *Un, une créole.* — Adj. et n. m. *Parlers créoles, les créoles,* langues provenant du contact du français, de l'espagnol, du portugais avec des langues indigènes ou importées (africaines). *Les créoles français des Caraïbes, de l'océan Indien. Le créole haïtien.*

crêpage [krepaʒ] n. m. ■ Action de crêper (les cheveux). Fam. *Un CRÊPAGE DE CHIGNON :* violente dispute.

① *crêpe* [krep] n. f. ■ Fine galette faite d'une pâte liquide composée de lait, de farine et ⇒ **œufs,** frite et saisie à la poêle. *Crêpe de sarrasin,* ⇒ **galette,** *de froment. Crêpes salées, sucrées. Crêpes bretonnes. Marchand de crêpes* (CRÊPIER, IÈRE n.). — Loc. fam. *Retourner qqn comme une crêpe,* le faire complètement changer d'avis. ► *crêperie* n. f. ■ Lieu où l'on vend, où l'on consomme des crêpes. *Crêperie bretonne.*

② *crêpe* n. m. **I.** Tissu léger de soie, de laine fine, ayant un aspect granuleux. *Crêpe de Chine.* — Morceau de crêpe noir, porté en signe de deuil. ⇒ ② **voile. II.** Caoutchouc laminé en feuilles. *Chaussures à semelles de crêpe,* ou en appos. invar., *à semelles crêpe.* ► *crêpon* n. m. ■ Crêpe (1) épais.

crêper [krepe] v. tr. ■ conjug. 1. **1.** Rebrousser (les cheveux) de manière à les faire gonfler. — Au p. p. adj. *Des cheveux crêpés.* **2.** Loc. fam. SE CRÊPER LE CHIGNON : se battre, se prendre aux cheveux. ‹ ► crêpage, crêpu ›

crépi [krepi] n. m. ■ Couche de plâtre, de ciment d'aspect raboteux, dont on revêt une muraille. *Refaire le crépi d'une maison.* ► *crépir* v. tr. ■ conjug. 2. ■ Garnir (une muraille) d'un crépi. *Crépir un mur.* — Au p. p. adj. *Des murs crépis.* ► *crépissage* n. m. ■ Action de crépir (un mur). *Crépissage à la truelle.* — État d'une surface crépie. ‹ ► décrépir ›

crépiter [krepite] v. intr. ■ conjug. 1. ■ Faire entendre une succession de bruits secs. *Le feu crépite.* ⇒ **grésiller, pétiller.** *Les applaudissements crépitaient.* ► *crépitation* n. f., ou *crépitement* n. m. ■ Le fait de crépiter. *Le crépitement d'une mitrailleuse.*

crépu, ue [krepy] adj. ■ (Cheveux) Dont la frisure est très serrée, ne fait pas de boucles. *Cheveux crépus des Noirs.*

crépuscule [krepyskyl] n. m. ■ Lumière incertaine qui succède immédiatement au coucher du soleil. *Au crépuscule, à l'heure du crépuscule, à la nuit tombante.* ⇒ **tombée** du jour. ► *crépusculaire* adj. ■ Du crépuscule. *Une lumière crépusculaire.*

crescendo [krefɛndo] adv. et n. m. invar. **1.** Adv. En augmentant progressivement l'intensité sonore. *Jouer crescendo.* — *Aller crescendo,* aller en augmentant. *Sa nervosité allait crescendo.* / contr. **decrescendo** / **2.** N. m. invar. Son d'intensité croissante ; amplification (d'un son). *Des crescendo.*

cresson [kʀesɔ̃] n. m. ■ Plante herbacée à tige rampante et à petites feuilles rondes ; ces feuilles comestibles. *Cresson de fontaine. Salade de cresson.* ▶ *cressonnière* n. f. ■ Lieu baigné d'eau où l'on cultive le cresson.

crésus [kʀezys] n. m. invar. ■ Homme extrêmement riche. *C'est un crésus* (plus souvent *il est riche comme Crésus*).

crésyl [kʀezil] n. m. ■ (Marque déposée) Désinfectant formé par le mélange de phénols. ≠ **grésil.**

crétacé, ée [kʀetase] adj. et n. m. ■ Qui correspond à une période géologique de la fin du secondaire, au cours de laquelle se sont formés (notamment) les terrains à craie.

crête [kʀɛt] n. f. 1. Excroissance charnue, rouge, dentelée, sur la tête de certains oiseaux gallinacés. *Crête de coq.* 2. Ligne de faîte (d'une montagne, d'un mur, etc.). *La crête d'une montagne* ⇒ **cime, d'un toit.** 3. Arête supérieure (d'une vague). *Des vagues aux crêtes frangées d'écume.*

crétin, ine [kʀetɛ̃, in] n. 1. Personne atteinte de débilité mentale (crétinisme). 2. Personne stupide. ⇒ **idiot, imbécile.** *Bande de crétins !* — Adj. *Il est vraiment crétin.* ▶ *crétinerie* n. f. ■ Action de crétin. ⇒ **bêtise, sottise.** ▶ *crétiniser* v. tr. ■ conjug. 1. ■ **abêtir, abrutir.** *Cette émission télévisée crétinise les spectateurs.* ▶ *crétinisme* n. m. 1. Arriération mentale avec retard du développement physique et affectif. 2. Grande bêtise. ⇒ **idiotie, imbécillité.**

cretonne [kʀətɔn] n. f. ■ Toile de coton très forte. *Des rideaux de cretonne.*

creuser [kʀøze] v. ■ conjug. 1. I. V. tr. 1. Rendre creux en enlevant de la matière ; faire un, des trous dans (qqch.). ⇒ **évider, trouer.** *Creuser la terre.* — *L'exercice creuse l'estomac, m'a creusé* (donné faim). — SE CREUSER *la tête, la cervelle* : faire un grand effort de réflexion, de mémoire. Sans compl. *Si tu te creuses un peu, tu trouveras la solution.* 2. Donner une forme concave à. *La maladie lui a creusé les joues, les yeux.* — Au p. p. adj. *Visage creusé de rides.* 3. Abstrait. Approfondir. *Creuser une idée, une question, un sujet.* II. V. tr. Faire (qqch.) en enlevant de la matière. *Creuser un trou, une fosse, un tunnel, un puits.* III. SE CREUSER v. pron. réfl. 1. Devenir creux, prendre une forme creuse. *Ses joues se creusent.* 2. (Trou) Se former. *Des excavations se sont creusées pendant le tremblement de terre.* — Fig. *Un fossé s'est creusé entre eux.* IV. V. intr. Faire, approfondir un trou. *Creuser dans la terre. Les sauveteurs ont creusé toute la nuit.*

creuset [kʀøze] n. m. 1. Récipient qui sert à faire fondre ou à calciner certaines substances. — Partie inférieure d'un haut fourneau où se trouve le métal en fusion. 2. Littér. Lieu où diverses choses se mêlent, où une chose s'épure. *Le creuset du temps, de la souffrance.*

creux, euse [kʀø, øz] adj. et n. I. Adj. 1. Qui est vide à l'intérieur. *Tige creuse, arbre creux. Ventre, estomac creux,* vide. / contr. **plein** / 2. *Son creux,* celui d'un objet creux sur lequel on frappe. — Adv. *Sonner creux.* 3. Vide de sens. *Paroles creuses. Jugement, raisonnement creux,* peu solide. ⇒ **vain.** 4. *Heures creuses,* pendant lesquelles les activités sont ralenties. 5. Qui présente une courbe rentrante, une concavité. *Assiette creuse,* qui peut contenir des liquides. / contr. **plat** / *Pli creux,* qui forme un creux en s'ouvrant. — *Chemin creux,* en contrebas, entre des haies, des talus. — *Visage creux, joues creuses.*

⇒ **maigre.** II. N. m. 1. Vide intérieur dans un corps. ⇒ **cavité, enfoncement, trou.** 2. Partie concave. Présenter des creux et des bosses. *Dans le creux de la main,* la paume. — *Avoir un creux à (dans) l'estomac,* avoir faim. — *Le creux d'une vague* (opposé à **crête**). Loc. *Être dans le creux de la vague,* au plus bas (du succès, de la réussite). ⟨ ▶ creuser, creuset ⟩

crevaison [kʀəvɛzɔ̃] n. f. ■ Action de crever (objet gonflé : ballon, pneu) ; son résultat. *La crevaison d'un pneu. Réparer une crevaison.*

crevant, ante [kʀəvɑ̃, ɑ̃t] adj. 1. Fam. Qui crève (II, 3), exténue. ⇒ **épuisant, fatigant.** *C'est un travail crevant.* 2. Fam. Qui fait crever de rire. ⇒ **amusant, drôle.** *Il est crevant avec ce chapeau-là.*

crevasse [kʀəvas] n. f. 1. Fente profonde à la surface (d'une chose). *Crevasse d'un mur.* ⇒ **fissure, lézarde.** *Crevasse dans le sol.* — Cassure étroite et profonde dans la glace. 2. N. f. pl. Petites fentes de la peau, généralement provoquées par le froid. ⇒ **engelure, gerçure.** *Avoir des crevasses aux mains.* ▶ *crevasser* v. tr. ■ conjug. 1. ■ Faire des crevasses sur, à (qqch.). *Le froid lui a crevassé les mains.* ⇒ **craqueler, fissurer.** — Au p. p. adj. *Sol crevassé.*

crever [kʀəve] v. ■ conjug. 5. I. V. intr. 1. S'ouvrir en éclatant, par excès de tension. *Nuage qui crève. Sac trop plein qui risque de crever.* ⇒ **craquer.** *Le pneu de sa bicyclette, de sa voiture a crevé.* ⇒ **éclater ; crevaison.** 2. (Personnes) Être trop gros, trop rempli de. *Crever de graisse. — Crever d'argent. Crever d'orgueil, de jalousie, de dépit. C'est à crever de rire, à éclater de rire.* ⇒ **crevant** (2). 3. (Animaux, plantes) Mourir. *Arrosez cette plante, ou elle va crever.* — (Personnes) Fam. *Il va crever.* ⇒ fam. **claquer.** — Fam. *Il fait une chaleur à crever. Crever de froid, de faim,* avoir très froid, faim. II. V. tr. 1. Faire éclater (une chose gonflée ou tendue). *Crever un ballon.* — Au p. p. adj. *Pneu crevé.* 2. (Choses) Loc. *Crever les yeux,* être bien en vue ; être évident. ⇒ **sauter** aux yeux. *Crever le plafond,* dépasser la limite supérieure. 3. Exténuer par un effort excessif. *Crever un cheval.* — (Personnes) Fam. *Ce travail nous crève. Ce voyage l'a complètement crevé.* ⇒ **épuiser, fatiguer ;** fam. **claquer.** — Pronominalement (réfl.). *Se crever au travail.* ▶ *crève* [kʀɛv] n. f. ■ Fam. *Attraper, avoir la crève,* attraper du mal, attraper froid. ⇒ **crever** (I, 3). ▶ *crevé, ée* adj. 1. (Animaux) Mort. *Un chien crevé.* 2. Fam. (Personnes) Épuisé, très fatigué. ⇒ fam. **claqué.** ▶ *crève-cœur* [kʀɛvkœʀ] n. m. invar. ■ Grand déplaisir mêlé de dépit. ▶ *crève-la-faim* [kʀɛvlafɛ̃] n. m. invar. ■ Fam. Miséreux qui ne mange pas à sa faim. ⟨ ▶ crevaison, crevant, crevasse, increvable ⟩

crevette [kʀəvɛt] n. f. ■ Petit crustacé marin, ou d'eau douce, dont certaines espèces sont comestibles : *crevette rose* (bouquet), *grise.*

cri [kʀi] n. m. 1. Son perçant émis par la voix. *Jeter, pousser des cris.* ⇒ **crier.** *Un long cri. Cri aigu, strident* ⇒ **hurlement,** *étouffé. Un cri de surprise, de joie, de douleur.* 2. Parole(s) prononcée(s) très fort, sur un ton aigu. *Cri d'alarme, d'appel. Cris de protestation.* ⇒ **clameur.** *Cris d'approbation* (acclamation, hourra). Loc. *Jeter les hauts cris,* protester. — Fam. *Le dernier cri* (de la mode), sa toute dernière nouveauté. 3. Opinion manifestée hautement. 4. Mouvement intérieur (de la conscience). *C'est le cri du cœur,* l'expression non maîtrisée d'un sentiment sincère. 5. Son émis par les animaux. *Le cri du chat est le miaulement. Cris d'oiseaux.* ▶ *criailler* [kʀi(j)aje] v. intr. ■ conjug. 1. ■ Crier sans cesse, se plaindre fréquemment. ▶ *criaillerie* n. f. ■ Surtout au plur. Plainte répétée sur des sujets anodins. ⇒ **jérémiade.**

▶ **criant, ante** adj. ■ Qui fait protester. *Injustice criante.* ⇒ **choquant, révoltant.** — Très manifeste. ⇒ **évident.** *Une preuve criante. Une explication criante de mauvaise foi.* ▶ **criard, arde** adj. **1.** Qui crie désagréablement. *Un enfant criard.* **2.** Aigu et désagréable. *Sons criards. Voix criarde.* ⇒ **aigu, perçant.** / contr. **harmonieux** / **3.** Qui choque la vue. *Couleur criarde,* trop vive. ⇒ **hurlant.** / contr. **discret** /

crible [kribl] n. m. **1.** Instrument percé d'un grand nombre de trous, et qui sert à trier des objets de grosseur inégale (passoire, tamis). **2.** PASSER *une idée, une opinion* AU CRIBLE : l'examiner avec soin, pour distinguer le vrai du faux, le bon du mauvais. ▶ **cribler** v. tr. ▪ conjug. 1. **1.** Trier avec un crible. ⇒ **tamiser. 2.** Percer de trous, comme un crible. *Cribler une cible de flèches.* — Au p. p. *Des corps criblés de blessures.* — Loc. *Être criblé de dettes,* en avoir beaucoup. ⇒ **accablé.**

cric [krik] n. m. ■ Appareil à crémaillère et à manivelle permettant de soulever à une faible hauteur certains fardeaux très lourds. ⇒ **vérin.** *Cric d'automobile.*

cricket [kriket] n. m. ■ Sport britannique, qui se pratique avec des battes de bois et une balle. *Le base-ball américain dérive du cricket.* ≠ *criquet.*

crier [krije] v. ▪ conjug. 7. **I.** V. intr. **1.** Jeter un ou plusieurs cris. ⇒ **beugler, brailler, gueuler, hurler.** *Enfant qui crie.* ⇒ **pleurer.** *Crier comme un putois, comme un sourd,* crier fort. *Crier à tue-tête.* — (Animaux, et spécialt, oiseaux) Pousser son cri. **2.** Parler fort, élever la voix. *Il ne sait pas parler sans crier.* — *Crier contre qqn, après qqn,* lui manifester de la colère sur un ton élevé. — CRIER À *qqch.* : dénoncer *(crier à la trahison, à l'injustice,* au *scandale)* ou proclamer *(crier au miracle).* **3.** (Choses) Produire un bruit aigre, désagréable. ⇒ **grincer.** *Les gonds de la porte, les essieux crient.* **II.** V. tr. **1.** Dire à qqn d'une voix forte. *Il lui criait de se taire, qu'il se taise. Crier des injures à qqn.* — Faire hautement connaître. *Crier son innocence.* ⇒ **affirmer, clamer, proclamer.** *N'allez pas le crier sur les toits.* **2.** Loc. *Crier famine, crier misère,* se plaindre de la faim, de la misère. *Crier vengeance.* ▶ **criée** [krije] n. f. ■ *Vente à la criée,* ou *la criée,* vente publique aux enchères. ▶ **crieur, euse** n. ■ Marchand ambulant qui annonce en criant ce qu'il vend. — *Crieur de journaux. Crieur public,* personne qui annonçait à haute voix des proclamations publiques. ⟨ ▶ **cri, décrié, s'écrier, se récrier** ⟩

crime [krim] n. m. **1.** Infraction grave, que les lois punissent d'une peine afflictive ou infamante (opposé à *contravention* ou à *délit*). *Les crimes sont jugés par la cour d'assises.* — *Crime de guerre.* **2.** Assassinat, meurtre. ⇒ **homicide.** *Commettre un crime. Un crime horrible. Crime passionnel. Ce n'est pas un accident, c'est un crime. L'arme du crime. Un crime parfait,* impossible à découvrir. — PROV. *Le crime ne paye pas,* on ne profite jamais d'un crime. **3.** Faute blâmable que l'on grossit. *C'est un crime d'avoir abattu de si beaux arbres.* — Loc. *Ce n'est pas un crime,* ce n'est pas interdit. *Ce n'est pas un crime de se tromper.* ▶ **criminel, elle** adj. et n. **I.** N. **1.** En droit. Personne coupable d'un crime (1). ⇒ **malfaiteur, voleur.** *Le criminel et ses complices. Criminel de guerre,* qui commet des atrocités au cours d'une guerre. **2.** Assassin, meurtrier. **II.** Adj. **1.** Relatif à un crime. *Un acte criminel. Un incendie criminel. Une intention criminelle,* de faire un crime. **2.** Relatif aux actes délictueux et à leur répression (⇒ **pénal**). *Droit criminel.* **3.** Fam. (Acte, geste) Très regrettable. *C'est criminel de laisser perdre ce bon vin !* ▶ **criminalité** n. f. ■ Ensemble des actes criminels. *Augmentation de la criminalité.* ▶ **criminellement** adv. **1.** D'une manière criminelle. **2.** Devant une juridiction criminelle. *Poursuivre qqn criminellement.* ▶ **criminologie** n. f. ■ Science de la criminalité. ▶ **criminologiste** n. ■ Spécialiste de criminologie. ⟨ ▶ **incriminer, récriminer** ⟩

crin [krɛ̃] n. m. **1.** Poil long et rude qui pousse au cou (crinière) et à la queue de certains animaux (chevaux, etc.). **2.** Ce poil utilisé à divers usages. *Crin de ligne pour pêcher. Rembourrage de crin.* **3.** *Crin végétal,* fibres préparées pour remplacer le crin animal. **4.** Loc. À TOUS CRINS (du cheval qui a tous ses crins) : complet, ardent, énergique. *Révolutionnaire à tous crins* ou *à tout crin.* **5.** *Être comme un crin,* de mauvaise humeur. ▶ **crinière** n. f. **1.** Ensemble des crins qui garnissent le cou (de certains animaux). *Crinière du lion, du cheval.* **2.** Fam. Chevelure abondante. ⟨ ▶ **crincrin, crinoline** ⟩

crincrin [krɛ̃krɛ̃] n. m. ■ Fam. Mauvais violon.

crinoline [krinɔlin] n. f. ■ Jupe de dessous, garnie de crins, de baleines et de cercles d'acier flexibles, que les femmes portaient pour faire bouffer les robes. ⇒ **panier.** *Robe à crinoline.*

crique [krik] n. f. ■ Enfoncement du rivage où les petits bâtiments peuvent se mettre à l'abri. ⇒ **anse, baie, calanque.**

criquet [krikɛ] n. m. ■ Insecte volant et sauteur, de couleur grise ou brune, très vorace, appelé abusivement *sauterelle* (les « nuages de sauterelles » sont formés de *criquets pèlerins*). *Les criquets dévorent les récoltes.* ≠ *cricket.*

crise [kriz] n. f. **1.** Accident qui atteint une personne en bonne santé apparente, ou aggravation brusque d'un état chronique. ⇒ **accès, attaque** ; ① **critique.** *Être pris d'une crise. Crise d'appendicite, d'asthme.* **2.** Manifestation soudaine et violente (d'émotions). *Piquer une crise de colère. Crise de désespoir.* — Loc. CRISE DE NERFS : manifestation hystérique. — Par ext. *Une crise d'indépendance.* **3.** Phase grave dans une évolution (événements, idées). *Période de crise. Le pays est en crise. Crise économique, politique. La crise du logement. La crise monétaire. Crise ministérielle,* période pendant laquelle le ministère démissionnaire n'est pas remplacé par un nouveau.

crisper [krispe] v. tr. ▪ conjug. 1. **1.** Contracter les muscles, la peau de. *Angoisse, douleur qui crispe le visage.* — SE CRISPER. *Sa figure se crispe. Ne vous crispez pas, détendez-vous.* — (Mains) Se refermer, s'agripper convulsivement. *Sa main se crispa sur la poignée de la porte.* / contr. **décontracter, détendre** / **2.** Fam. *Crisper qqn,* lui causer une vive impatience. ⇒ **agacer, impatienter, irriter.** *Il a le don de me crisper. Sa nonchalance me crispe.* **3.** Au passif et p. adj. (ÊTRE) CRISPÉ. ▶ **crispant, ante** adj. ■ (Personnes, actes) Qui crispe (2), agace. *Une attente crispante.* ▶ **crispation** n. f. **1.** Contraction involontaire et brusque des muscles. **2.** Mouvement d'agacement, d'impatience. ⟨ ▶ **décrispation** ⟩

crisser [krise] v. intr. ▪ conjug. 1. ■ (Objets durs et lisses) Produire un bruit de frottement. ⇒ **grincer.** *Gravier qui crisse sous les pas.* ▶ **crissement** n. m. ■ Fait de crisser ; bruit de ce qui crisse. *Le crissement des pneus dans les virages.*

cristal, aux [kristal, o] n. m. **I.** **1.** Minéral naturel transparent et dur. *Un morceau de cristal de roche. Le cristal, symbole de pureté.* **2.** Variété de verre (verre au plomb) plus transparent et plus lourd que le verre ordinaire. ⇒ **cristallerie.** *Cristal de*

Bohême, de Baccarat. Des verres, des coupes en cristal.
II. Forme géométrique définie ⇒ ① **cristallin** (2), prise par certaines substances minérales ou solidifiées. *Cristaux de glace, de givre. Cristaux à facettes.* ▶ ***cristallerie*** n. f. **1.** Fabrication, fabrique d'objets en cristal (I, 2). ⇒ **verrerie. 2.** Ensemble d'objets en cristal. *Cristallerie de Baccarat.* ▶ ① ***cristallin, ine*** adj. **1.** Clair, transparent comme le cristal. ⇒ **limpide, pur.** *Eaux cristallines. — Son cristallin,* pur et clair. **2.** Relatif à un état solide où la disposition des atomes produit des formes géométriques définies (opposé à *amorphe*). ⇒ **cristal** (II). *Réseau cristallin. Roche cristalline,* formée de cristaux. ▶ ② ***cristallin*** n. m. ■ Partie transparente de l'œil, en arrière de la pupille, en forme de lentille à deux faces convexes. (Selon sa courbure, l'œil est myope, presbyte, etc.) ▶ ***cristalliser*** v. ▪ conjug. 1. **I. 1.** V. tr. Faire passer (un corps) à l'état de cristaux (II). *Cristalliser un sel par dissolution. — Au p. p. adj. Sucre cristallisé,* en petits cristaux. **2.** V. intr. Passer à l'état cristallin. *Substance qui cristallise lentement.* **II.** Abstrait. Littér. **1.** V. tr. Rassembler des éléments épars en un tout cohérent ; rendre fixe, stable. ⇒ **fixer, stabiliser.** *Les événements ont brusquement cristallisé la menace de guerre. Cristalliser des énergies, des sentiments.* **2.** V. intr. (Sentiments, idées) Se fixer. ▶ ***cristallisation*** n. f. **1.** Phénomène par lequel un corps passe à l'état de cristaux. **2.** Concrétion de cristaux. *De belles cristallisations.* **3.** Littér. (Sentiments, idées) Action de se cristalliser. *Cristallisation des souvenirs.* ▶ ***cristallisoir*** n. m. ■ Récipient en verre, à bords bas, utilisé dans les laboratoires. ▶ ***cristallo-*** ■ Élément savant signifiant « cristal ». ▶ ***cristallographie*** n. f. ■ Science qui étudie les formes cristallines (minéralogie). ▶ ***cristallophyllien, ienne*** [kʀistalɔfiljɛ̃, jɛn] adj. ■ Géologie. Relatif aux terrains transformés par métamorphisme général. ▶ ***cristaux*** [kʀisto] n. m. pl. ■ Carbonate de sodium en cristaux (⇒ **cristal,** II), utilisé pour nettoyer.

critère [kʀitɛʀ] n. m. **1.** Caractère, signe qui permet de distinguer une chose, une notion ; de porter sur un objet un jugement d'appréciation. **2.** Ce qui sert de base à un jugement. *Son seul critère est l'avis de son père. Ce n'est pas un critère,* une raison ou une preuve. ▶ ***critérium*** [kʀiteʀjɔm] n. m. ■ Épreuve sportive servant à classer, à éliminer les concurrents. *Critérium cycliste. Des critériums.*

critiquable [kʀitikabl] adj. ■ Qui mérite d'être critiqué. ⇒ **discutable.** *Son attitude est plus que critiquable, elle est condamnable.* / contr. **irréprochable, louable /**

① ***critique*** [kʀitik] adj. **1.** Qui a rapport à une crise (1) ; qui décide de l'issue d'une maladie. *La période critique de l'épidémie est maintenant passée.* **2.** (Situation difficile) Qui fait prévoir des suites fâcheuses ou très importantes. ⇒ **décisif ; crucial.** *Se trouver dans une situation critique.* ⇒ **dangereux, grave. 3.** En sciences. *Point critique,* état limite entre l'état liquide et l'état gazeux. *Pression, température, volume critique. Vitesse critique.*

② ***critique*** n. et adj. **I.** N. f. Examen en vue de porter un jugement. **1.** Art de juger les ouvrages de l'esprit, les œuvres littéraires, artistiques ; jugement sur une œuvre. *La critique dramatique, artistique. Faire la critique d'une pièce de théâtre.* ⇒ **analyse, examen. 2.** Jugement intellectuel, moral. *Critique de la connaissance, de la vérité. Faire sa propre critique.* ⇒ **autocritique. 3.** Tendance de l'esprit à émettre des jugements sévères, défavorables. / contr. **approbation, éloge /** *La critique et la louange. Ne pas admettre, ne pas supporter les critiques. — Une, des critiques,* un, des jugement(s) défavorable(s). *Elle ne tolère*

aucune critique. **II.1.** N. Personne qui fait profession de juger, de commenter les ouvrages de l'esprit, les œuvres d'art (à la radio, dans la presse). ⇒ **commentateur.** *Critique littéraire, critique d'art.* **2.** N. f. Ensemble des critiques. *La critique a bien accueilli son livre.* **III.** Adj. **1.** Qui décide de la valeur, des qualités et des défauts des ouvrages de l'esprit, des œuvres d'art. *Considérations, jugements critiques.* **2.** Qui examine la valeur logique d'une assertion, l'authenticité d'un texte. *Examen critique. Remarques critiques. Édition critique,* établie soigneusement après critique des textes originaux. — ESPRIT CRITIQUE : qui n'accepte aucune assertion sans s'interroger d'abord sur sa valeur. *Manquer d'esprit critique.* — D'UN ŒIL CRITIQUE. ⇒ **curieux, soupçonneux.** / contr. **crédule, naïf / 3.** Qui critique (I, 2). ⇒ **négatif.** / contr. **constructif /** *Elle s'est montrée très critique.* ▶ ***critiquer*** v. tr. ▪ conjug. 1. **1.** Examiner (les ouvrages d'art ou d'esprit) pour en faire ressortir les qualités et les défauts. ⇒ **analyser, étudier, examiner, juger. 2.** Émettre un jugement faisant ressortir les défauts (de qqn, qqch.). ⇒ **blâmer, condamner ;** fam. **arranger, éreinter, taper** sur. *Critiquer avec violence, injustement. Il a peur de se faire critiquer.* / contr. **admirer, approuver, louer /** ‹ ▶ autocritique, critiquable ›

croasser [kʀɔase] v. intr. ▪ conjug. 1. ■ (Corbeau, corneille) Pousser son cri. ≠ *coasser.* ▶ ***croassement*** n. m. ■ Cri du corbeau.

croc [kʀo] n. m. **1.** Dent pointue de certains animaux (⇒ **canine**). *Les crocs d'un chien.* **2.** Loc. Fam. *Avoir les crocs,* très faim (→ Avoir la dent). — Fig. *Montrer les crocs,* prendre une attitude menaçante. **3.** *Moustaches en crocs,* moustaches recourbées. ‹ ▶ accrocher, croc-en-jambe, crochet, crochu, décrocher, par raccroc, raccrocher ›

croc-en-jambe [kʀɔkɑ̃ʒɑ̃b] n. m. ■ Manière de faire tomber qqn en lui tirant une jambe avec le pied. ⇒ **croche-pied.** *Des crocs-en-jambe.*

croche [kʀɔʃ] n. f. ■ Note de musique dont la queue porte un crochet et qui vaut la moitié d'une noire. *Double, triple, quadruple croche,* croche portant deux, trois, quatre crochets et valant la moitié, le quart, le huitième de la croche.

croche-pied [kʀɔʃpje] n. m. ■ Le fait d'accrocher au passage la jambe de qqn avec le pied, pour le faire tomber. ⇒ **croc-en-jambe.** *Il lui a fait des croche-pieds.*

① ***crochet*** [kʀɔʃɛ] n. m. **I. 1.** Pièce de métal recourbée, pour prendre ou retenir qqch. *Crochet de boucherie,* servant à suspendre la viande. **2.** Attache mobile servant à fixer qqch. *Pendre un tableau à un crochet.* **3.** Instrument présentant une extrémité recourbée. *Crochet de serrurier.* **4.** Loc. *Être, vivre* AUX CROCHETS *de qqn :* à ses dépens, à ses frais. **II.** Tige dont l'extrémité recourbée retient le fil qui doit passer dans la maille. *Travail au crochet.* Ouvrage fait avec cet instrument. *Faire du crochet.* ▶ ***crocheter*** v. tr. ▪ conjug. 5. ■ Ouvrir (une serrure) avec un crochet (I, 3). ▶ ***crochetage*** n. m. ■ Action de crocheter. ▶ ***crocheteur*** n. m. **I.** Autrefois. Celui qui portait des fardeaux en s'aidant d'un crochet. **II.** Celui qui crochète les serrures.

② ***crochet*** n. m. ■ Signe graphique, parenthèse à extrémité en angle droit : [...]. *Mettre un mot entre crochets.*

③ ***crochet*** n. m. ■ Détour brusque. *La route fait un crochet.* — Détour. *Je ferai un crochet par chez vous en allant au bureau.*

④ *crochet* n. m. ■ Boxe. Coup de poing où le bras frappe vers l'intérieur, en se pliant. *Envoyer un crochet du droit.*

crochu, ue [kʀɔʃy] adj. **1.** Qui est recourbé. *Il a un grand nez crochu. Des doigts, des ongles crochus.* **2.** Loc. fam. *Ils ont des* ATOMES CROCHUS : des affinités, des sympathies.

crocodile [kʀɔkɔdil] n. m. **1.** Grand reptile à fortes mâchoires, à quatre courtes pattes, qui vit dans les fleuves des régions chaudes. *Les crocodiles du Nil.* — Loc. LARMES DE CROCODILE : larmes hypocrites. **2.** Peau de crocodile traitée (fam. CROCO, n. m.). *Sac en crocodile. Un portefeuille en croco.*

crocus [kʀɔkys] n. m. invar. ■ Plante à bulbe dont une espèce est le safran. — Fleur printanière de cette plante. *Des crocus jaunes.*

croire [kʀwaʀ] v. ▪ conjug. 44. **I.** V. tr. dir. **1.** Penser que (qqch.) est véritable, donner une adhésion de principe à. ⇒ **accepter, admettre, penser.** / contr. **douter, nier** / *Croire une histoire. Je crois ce que vous dites. Il ne croit que ce qu'il voit. Faire croire qqch. à qqn,* convaincre, persuader. **2.** *Croire qqn,* penser que ce qu'il dit est vrai. *Vous pouvez croire cet homme. Croire qqn sur parole,* sans vérifier. — Fam. *Je vous crois !, je te crois !,* je pense ainsi, et aussi c'est évident ! **3.** EN CROIRE : s'en rapporter à (qqn). *Si vous m'en croyez, vous ne lui prêterez pas ce livre. Si j'en crois ce qu'on raconte.* — Loc. *Ne pas en croire ses yeux, ses oreilles,* s'étonner de ce qu'on voit, entend. **4.** CROIRE QUE (+indicatif) : considérer comme vraisemblable ou probable (sans être sûr). ⇒ **estimer, juger, penser.** *Je crois qu'il viendra ; je ne crois pas qu'il viendra. Je croyais qu'il viendrait. Je crois que c'est vrai. Je crois que oui. Nous lui avons fait croire que nous serions absents.* — *On croirait qu'il dort* (mais il ne dort pas). *On croirait qu'il est mort* (→ On dirait que). *Je vous prie de croire que je ne dirai rien,* vous pouvez être sûr que... — REM. Si *croire que* est à la forme négative ou interrogative, on peut employer le subjonctif pour indiquer un doute plus grand. *Croyez-vous qu'il vienne ? Je ne crois pas qu'il vienne. Je ne crois pas que ce soit facile.* **5.** CROIRE (+ infinitif) : sentir, éprouver comme vrai (ce qui ne l'est pas absolument). *J'ai cru, j'ai bien cru réussir. Je croyais arriver plus tôt.* **6.** CROIRE (suivi d'un attribut) ⇒ **estimer, supposer.** *On l'a cru mort. On croit ce pays à la veille de la guerre.* — SE CROIRE v. pron. réfl. (suivi d'un attribut) *Il se croit plus fort, plus malin qu'il n'est. Tu te crois intelligent ? Il se croit qqch. ; il se croit un grand homme,* il se prend pour. *Elle s'est crue morte.* **II.** V. tr. ind. CROIRE À, EN. **1.** *Croire à une chose,* la tenir pour réelle, vraisemblable ou possible. *Croire aux promesses de qqn.* ⇒ **compter** sur. *Ne plus croire à rien. Il y croit dur comme fer. Croire en qqch.,* avoir confiance en qqch. *Croire en l'avenir. Il pensait que j'aurais cru en sa parole.* **2.** CROIRE EN qqn : avoir confiance en lui. ⇒ **compter** sur, **se fier** à. *Il croit en ses amis.* **3.** (Avec *à*) Être persuadé de l'existence et de la valeur de (tel dogme, tel être religieux). *Croire à l'Évangile. Croire à l'astrologie.* — Loc. fam. *Il croit au père Noël,* il est naïf. — CROIRE EN DIEU : avoir la foi religieuse. **4.** CROIRE À qqch. : considérer comme probable, comme très possible. *Il croit de plus en plus au danger atomique. Je ne crois plus au succès.* **III.** V. intr. (Sens fort) **1.** Avoir une attitude d'adhésion intellectuelle. *Il croit sans comprendre.* **2.** Avoir la foi religieuse (⇒ **croyant**) *Le besoin de croire.* ‹ ▶ accroire, croyable, croyance, incroyable ›

croisade [kʀwazad] n. f. **1.** Expédition entreprise par les chrétiens coalisés pour délivrer les lieux saints qu'occupaient les musulmans. **2.** Tentative pour diriger l'opinion dans une lutte. ⇒ **campagne.** *Une croisade contre l'alcoolisme.* ▶ ① *croisé* n. m. ■ Celui qui partait en croisade. *L'armée des croisés.*

② *croisé, ée* [kʀwaze] adj. **1.** Disposé en croix, qui se croisent. *Bâtons croisés.* — *Rester les bras croisés.* (fig., rester à ne rien faire). — (Vêtements) Dont les bords croisent. *Veste croisée* (opposé à *veste droite*). **2.** *Rimes croisées,* rimes qui alternent (en *a, b, a, b ; b, c, b, c*). *Mots croisés.* ⇒ **mot.** **3.** Qui est le résultat d'un croisement, n'est pas de race pure. *Race croisée.* ⇒ **hybride.** ‹ ▶ chassé-croisé ›

croisée [kʀwaze] n. f. **1.** *La croisée des chemins,* l'endroit où ils se coupent. ⇒ **croisement.** **2.** Châssis vitré qui ferme une fenêtre ; la fenêtre. *Ouvrir, fermer la croisée.*

① *croiser* [kʀwaze] v. ▪ conjug. 1. **I.** V. tr. **1.** Disposer (deux choses) l'une sur l'autre, en forme de croix. *Croiser les jambes. Se croiser les bras,* rester dans l'inaction. **2.** CROISER LE FER : engager les épées ; se battre à l'épée. **3.** Passer au travers d'une ligne, d'une route. ⇒ **couper, traverser.** *La voie ferrée croise la route.* — Passer à côté de, en allant en sens contraire. *Croiser qqn dans la rue. Train qui en croise un autre sur une double voie.* **II.** V. intr. **1.** (Bords d'un vêtement) Passer l'un sur l'autre. *Faire croiser un vêtement.* ⇒ ② **croisé.** **2.** (Navire) Aller et venir dans un même parage. *La flotte croise dans la Manche, sur les côtes* (⇒ **croisière, croiseur**). **III.** SE CROISER v. pron. récipr. **1.** Être ou se mettre en travers l'un sur l'autre. *Les deux chemins se croisent à angle droit.* **2.** (Personnes, véhicules) Passer l'un près de l'autre en allant dans une direction différente ou opposée. ⇒ se **rencontrer.** *Ils se sont croisés dans l'escalier.* — *Leurs regards se sont croisés,* se sont rencontrés rapidement. *Nos lettres se sont croisées,* ont été envoyées en même temps. ▶ ① *croisement* n. m. **1.** Action de disposer en croix, de faire se croiser ; disposition croisée. *Croisement des jambes. Le croisement de deux voitures sur une route.* **2.** Point où se coupent deux ou plusieurs voies. ⇒ **croisée, intersection.** *Vous vous arrêterez au croisement.* ⇒ **carrefour.** *Un croisement dangereux.* ‹ ▶ ② croisé, croisée, décroiser, entrecroiser ›

② *croiser* v. tr. ▪ conjug. 1. ■ Accoupler (des animaux, des plantes d'espèces différentes). ⇒ **métisser.** *Croiser deux races de chevaux.* ▶ ② *croisement* n. m. ■ Hybridation, métissage. *Améliorer une race de bovins par des croisements.*

croiseur [kʀwazœʀ] n. m. ■ Navire de guerre rapide, armé de canons. *Croiseur léger, lourd.* ≠ *torpilleur.*

croisière [kʀwazjɛʀ] n. f. ■ Voyage effectué par un paquebot, un navire de plaisance (⇒ ① **croiser,** II, 2). *Croisière en Grèce. Partir en croisière.* — *Croisière aérienne,* voyage d'agrément organisé, par avion. — Loc. VITESSE DE CROISIÈRE : (Bateau, avion) la meilleure allure moyenne sur une longue distance. Fig. *Le programme de recherche a atteint sa vitesse de croisière.*

croisillon [kʀwazijɔ̃] n. m. **1.** Traverse d'une croix. — Moitié du transept (d'une église). **2.** Barre qui partage une baie, un châssis de fenêtre. *Fenêtre à croisillons.*

croissance [kʀwasɑ̃s] n. f. **1.** (Organisme) Le fait de croître, de grandir. ⇒ **développement.** *La croissance d'une plante, d'un animal. Enfant arrêté dans sa croissance. Maladie de croissance.* **2.** (Choses) ⇒ **accroissement, augmentation, développement, progression.** *La croissance d'une ville. Croissance économique,* développement de la production. *Assurer la* croissance. *Croissance rapide, ralentie.* ⇒ **développement.**

① **croissant** [kʀwasɑ̃] n. m. **1.** Forme échancrée de la partie éclairée de la Lune (pendant qu'elle croît et décroît). *Croissant de lune.* **2.** La forme du croissant de lune. — *Le Croissant rouge,* équivalent islamique de la Croix-Rouge (⇒ **croix,** 4). **3.** Petite pâtisserie feuilletée, salée, en forme de croissant. *Prendre un café et un croissant au petit déjeuner.*

② **croissant, ante** adj. ■ Qui croît, s'accroît, augmente. *Un nombre croissant. Avec une colère croissante.* ⇒ **grandissant.** / contr. **décroissant** /

croître [kʀwɑtʀ] v. intr. ▪ conjug. 55. REM. Au p. p., seul le masculin singulier s'écrit avec l'accent circonflexe : *crû ; mais crue, crus.* Ne pas confondre avec les formes de *croire.* **1.** (Êtres organisés) Grandir progressivement jusqu'au terme du développement normal. ⇒ se **développer, grandir, pousser ; croissance.** *Les végétaux croissent lentement.* — Littér. (Personnes) ⇒ **grandir.** *Il croissait en sagesse, en beauté,* devenait plus sage, plus beau, en grandissant. Loc. *Ne faire que croître et embellir,* se dit d'une chose qui augmente en bien, et iron. en mal. **2.** (Choses) Devenir plus grand, plus nombreux. ⇒ **augmenter,** se **développer.** *La chaleur ne cesse de croître. Croître en nombre, en volume.* / contr. **décroître** / ⟨ ▶ accroître, croissance, ② croissant, ① cru, décroître, décrue, excroissance, recrue, surcroît ⟩

croix [kʀwa] n. f. invar. **1.** Poteau muni d'une traverse et sur lequel on attachait les condamnés pour les faire mourir (spécialt celui où Jésus fut cloué et mis à mort). *Le supplice de la croix* (⇒ **crucifier**). — (Dans le christianisme) *Chemin de croix.* ⇒ **chemin.** — *Porter sa croix,* supporter ses épreuves avec résignation. — *Le signe de la croix,* signe que l'on fait en portant la main droite au front, à la poitrine, puis successivement aux deux épaules. **2.** Représentation symbolique de la croix de Jésus-Christ. *Croix érigée sur un chemin, placée sur un mur.* ⇒ **calvaire, crucifix.** — Loc. fam. *C'est la croix et la bannière,* c'est toute une histoire (comme dans une procession). — (Autres symboles) *Croix de Lorraine,* à double croisillon. *Croix grecque,* à branches égales. *Croix de Saint-André,* en X. *Croix gammée*.* — Bijou en forme de croix. **3.** Décoration d'ordres de chevalerie. *La croix de Malte.* — En France. *La croix de la Légion d'honneur.* CROIX DE GUERRE : médaille conférée aux soldats qui se sont distingués au cours d'une guerre. **4.** CROIX-ROUGE : organisme d'entraide et de secours. *Le comité international de la Croix-Rouge.* ⇒ ① **croissant** (2). **5.** Marque formée de deux traits croisés. *Faire une croix au bas d'un acte* (en guise de signature). — Loc. fig. *Faire une croix sur qqch.,* y renoncer définitivement. **6.** EN CROIX : à angle droit ou presque droit. *Avoir, mettre les bras en croix.* ⟨ ▶ chassé-croisé, croisade, ① croisé, ① croiser, croisillon, grand-croix ⟩

① **croquant** [kʀɔkɑ̃] n. m. ■ Paysan révolté, sous Henri IV et Louis XIII. — Péj. Paysan.

② **croquant, ante** adj. ■ Qui croque sous la dent. *Cornichons croquants. Pâtisserie croquante.* ⇒ **croustillant.**

à la croque au sel [alakʀɔkosɛl] loc. adv. ■ Cru, avec du sel. *Radis à la croque au sel.*

croque-mitaine [kʀɔkmitɛn] n. m. ■ Personnage imaginaire qu'on évoque pour effrayer les enfants. — Personne qui fait peur. *Il veut jouer les croque-mitaines.*

croque-monsieur [kʀɔkməsjø] n. m. invar. ■ Sandwich chaud fait de pain de mie grillé, au jambon et au fromage. *Des croque-monsieur.* — Abrév. fam. UN CROQUE.

croque-mort [kʀɔkmɔʀ] n. m. ■ Fam. Employé des pompes funèbres chargé du transport des morts au cimetière. *Des croque-morts.*

croquenot [kʀɔkno] n. m. ■ Fam. Gros soulier. ⇒ **godillot.**

① **croquer** [kʀɔke] v. ▪ conjug. 1. **I.** V. intr. Faire un bruit sec (en parlant des choses que l'on broie avec les dents). ⇒ **craquer.** *Salade, fruit vert qui croque.* **II.** V. tr. **1.** Broyer sous la dent (ce qui fait un bruit sec). *Croquer un bonbon ou le sucer. Chocolat à croquer* (opposé à *chocolat à cuire*). — Intransitivement. *Croquer dans une pomme,* mordre. **2.** *Croquer de l'argent,* dépenser beaucoup. ⇒ **claquer.** *Croquer un héritage.* ⇒ **dilapider.** ⟨ ▶ ② croquant, à la croque au sel, croque-mitaine, croque-monsieur, croque-mort, croquette, croqueuse ⟩

② **croquer** v. tr. ▪ conjug. 1. **1.** Prendre rapidement sur le vif en quelques coups de crayon, de pinceau. ⇒ **ébaucher, esquisser ; croquis.** *Croquer une silhouette.* **2.** Fam. *Jolie, mignonne* À CROQUER : très jolie. *Elle est à croquer, avec ce manteau-là.* ⟨ ▶ croquis ⟩

croquet [kʀɔkɛ] n. m. ■ Jeu qui consiste à faire passer des boules de bois sous des arceaux au moyen d'un maillet, selon un trajet déterminé par des règles. *Faire une partie de croquet.*

croquette [kʀɔkɛt] n. f. **1.** Boulette de pâte, de hachis, frite dans l'huile. *Croquettes de pommes de terre.* **2.** Petit disque de chocolat. **3.** Au plur. Préparation industrielle alimentaire pour animaux, déshydratée, en forme de petites boulettes. *Boîte de croquettes. Des croquettes de poisson,* au poisson.

croqueuse [kʀɔkøz] n. f. ■ Fam. *Une* CROQUEUSE DE DIAMANTS : femme entretenue qui dilapide l'argent, les bijoux.

croquis [kʀɔki] n. m. invar. **1.** Dessin, esquisse rapide. ⇒ **ébauche.** *Il nous a fait un croquis pour montrer comment sont disposées les pièces de l'appartement.* **2.** *Croquis coté.* ⇒ **épure.**

cross [kʀɔs] ou vieilli **cross-country** [kʀɔskuntʀi] n. m. invar. ■ Course à pied en terrain varié, avec des obstacles. *Faire du cross. Champion de cross.* ⟨ ▶ cyclo-cross, moto-cross ⟩

① **crosse** [kʀɔs] n. f. **1.** Bâton pastoral (d'évêque ou d'abbé) dont l'extrémité supérieure se recourbe en volute. **2.** Bâton recourbé utilisé dans certains jeux pour pousser la balle. *Crosse de cricket, de hockey.* **3.** Extrémité recourbée. *La crosse de l'aorte. Les crosses de fougères.*

② **crosse** n. f. ■ Partie postérieure (d'une arme à feu portative). *Appuyer la crosse du fusil contre l'épaule pour tirer* (→ Mettre en joue). — Loc. *Mettre la crosse en l'air,* refuser de combattre.

crosses n. f. pl. ■ Fam. *Chercher des crosses à qqn,* lui chercher querelle.

crotale [kʀɔtal] n. m. ■ Serpent très venimeux, qui porte au bout de la queue une succession de cônes creux produisant un bruit de crécelle *(serpent à sonnettes).*

crotte [kʀɔt] n. f. **1.** Excrément solide en petites boules (de certains animaux). *Crottes de chèvre, de lapin.* — CROTTE DE BIQUE : chose sans valeur. *C'est de la crotte de bique.* — Excrément solide (animal ou humain). *Des crottes de chien.* **2.** Fam. *Crotte !,* interjection de dépit. ⇒ fam. **flûte, zut ;** vulg. **merde.**

3. *Crotte de chocolat,* bonbon de chocolat. ▶ *crottin* n. m. **1.** Excrément du cheval. **2.** Petit fromage de chèvre. *Des crottins de Chavignol.*

crotté, ée adj [kʀɔte] ■ Vx. Couvert de boue. ⇒ **boueux.** — REM. *Crotte a signifi*é « boue ». ⟨ ▶ décrotter, indécrottable ⟩

crouler [kʀule] v. intr. ■ conjug. 1. **1.** (Construction, édifice) Tomber en s'affaissant, ou menacer de tomber. ⇒ **s'écrouler, s'effondrer.** *Cette maison menace de crouler. La voiture croulait sous le poids des bagages.* — Fig. *La salle croule sous les applaudissements.* **2.** S'effondrer. *Tous ses projets ont croulé.* ▶ **croulant, ante** adj. et n. **1.** Qui menace ruine. *Des murs croulants.* **2.** N. Fam. Personne âgée ou d'âge mûr (dans le lang. des jeunes). ⟨ ▶ s'écrouler ⟩

croup [kʀup] n. m. ■ Médecine. Laryngite diphtérique très grave.

croupe [kʀup] n. f. **1.** Partie postérieure arrondie qui s'étend des hanches à l'origine de la queue de certains animaux (cheval, par ex.). ⇒ **derrière, fesse.** — EN CROUPE : à cheval et sur la croupe, derrière la personne en selle. *Prendre qqn en croupe.* **2.** Sommet arrondi (d'une colline, d'une montagne). — à **croupetons** [kʀupt5] loc. adv. ■ Dans une position accroupie. *Se mettre, être à croupetons.* ▶ **croupion** n. m. ■ Extrémité postérieure du corps (de l'oiseau), supportant les plumes de la queue. *Un croupion de volaille.* ⟨ ▶ s'accroupir ⟩

croupier [kʀupje] n. m. ■ Employé d'une maison de jeu qui tient le jeu, paie et ramasse l'argent pour le compte de l'établissement.

croupir [kʀupiʀ] v. intr. ■ conjug. 2. **1.** Rester sans couler et se corrompre (liquide) ; demeurer dans l'eau stagnante. ⇒ **pourrir.** *Eau qui croupit au fond d'une mare. Des fleurs fanées croupissaient dans un vase.* — Au p. p. adj. *Eau croupie.* **2.** (Personnes) Demeurer (dans un état mauvais, pénible) sans pouvoir en sortir. ⇒ **moisir.** *Ils croupissent dans l'ignorance.* ▶ **croupissant, ante** adj. ■ *Eaux croupissantes.* ⇒ **stagnant.**

croustillant, ante [kʀustijã, ãt] adj. **1.** Qui craque sous la dent comme une croûte de pain frais. ⇒ ② **croquant.** *Pain, biscuit croustillant.* **2.** Amusant, léger, grivois. *Des détails assez croustillants.* ▶ **croustiller** v. intr. ■ conjug. 1. ■ Croquer sous la dent (sans résister autant que ce qui croque). *Des biscuits qui croustillent.*

croûte [kʀut] n. f. **I.** **1.** Partie extérieure du pain, durcie par la cuisson. *Manger la croûte et laisser la mie. Des croûtes de pain,* des restes de pain sec. ⇒ **croûton.** **2.** Loc. fam. *Casser la croûte,* manger. *Gagner sa croûte,* sa nourriture, sa vie. **3.** Pâte cuite qui enveloppe un pâté, un vol-au-vent. *Pâté en croûte.* **4.** Partie superficielle du fromage (qui ne se mange pas). **II.** Partie superficielle durcie (du sol, etc.). *La croûte terrestre,* la partie superficielle du globe terrestre. ⇒ **écorce.** — Plaque qui se forme sur une plaie. ⇒ **escarre.** *Faire tomber la croûte d'une plaie.* **III.** Fam. Mauvais tableau. *Ce peintre ne fait que des croûtes.* **IV.** Fam. Personne bornée, encroûtée dans la routine. *C'est une vieille croûte.* ⇒ **croûton.** *Quelle croûte !* ⇒ **imbécile.** ▶ **croûter** v. intr. ■ conjug. 1. ■ Fam. Manger (→ casser la croûte). ▶ **croûton** n. m. **1.** Extrémité d'un pain long. *Manger le croûton.* — Petite croûte ou morceau de pain frit utilisé en cuisine. **2.** Personne arriérée, d'esprit borné. ⇒ fam. **croûte.** *Un vieux croûton.* ⟨ ▶ casse-croûte, encroûter ⟩

croyable [kʀwajabl] adj. ■ (Choses) Qui peut ou doit être cru. *C'est à peine croyable, ce n'est pas*

croyable. ⇒ **imaginable, pensable, possible, vraisemblable.** / contr. **incroyable** /

croyance [kʀwajãs] n. f. **1.** L'action, le fait de croire une chose vraie, vraisemblable ou possible. ⇒ **certitude, conviction, foi.** / contr. **défiance** / *La croyance à la grandeur de l'homme. Croyance dans, en qqch.* **2.** Ce que l'on croit (surtout en matière religieuse). / contr. **incroyance** / *Croyances religieuses.* ⇒ **conviction.** *Respecter toutes les croyances.* ⇒ **dogme.** ▶ **croyant, ante** adj. et n. **1.** Adj. Qui a une foi religieuse. ⇒ **pieux, religieux.** / contr. **athée, incroyant** / *Il n'est plus croyant. Il a perdu la foi.* **2.** N. *Un croyant.* ⇒ **fidèle.** ⟨ ▶ incroyant ⟩

C.R.S. [seeʀɛs] n. m. invar. ■ Agent des *Compagnies républicaines de sécurité. Les C.R.S. ont dispersé une manifestation interdite.*

① **cru** [kʀy] n. m. **I.** Vignoble. *Les grands crus de France.* — *Un grand cru.* ⇒ **vin.** — Loc. DU CRU. *Un vin du cru,* du terroir. *Les auteurs du cru,* du pays où l'on se trouve. **II.** Loc. DE SON CRU, *de son propre cru* : de son invention propre. *Raconter une histoire de son cru.*

② **cru, ue** adj. **1.** (Aliment) Qui n'est pas cuit. *Légumes qui se mangent crus.* ⇒ **crudité.** *Bifteck presque cru.* ⇒ **bleu.** — N. m. *Le cru et le cuit.* **2.** (Couleur, lumière) Que rien n'atténue. ⇒ **brutal.** *Lumière crue. Couleur crue,* qui tranche violemment sur le reste. **3.** Exprimé sans ménagement. *Dire la chose toute crue. Faire une description crue.* — Adj. ⇒ **crûment.** *Je vous le dis tout cru.* **4.** À CRU. *Monter à cru,* monter à cheval sans selle. ⟨ ▶ crudité, crûment ⟩

cruauté [kʀyote] n. f. **1.** Tendance à faire souffrir. ⇒ **férocité, méchanceté, sadisme.** *Traiter qqn avec cruauté.* — *La cruauté d'un geste, d'un acte.* **2.** (Choses) Caractère de ce qui est très nuisible. ⇒ **dureté, rigueur.** *La cruauté du sort.* **3.** (Une, des cruautés) Action cruelle. ⇒ **atrocité.** *C'est une injustice et une cruauté inutile.*

cruche [kʀyʃ] n. f. **1.** Récipient, souvent de grès ou de terre, à col étroit, à large panse. *Cruche vernissée. Cruche à eau.* — Loc. prov. *Tant va la cruche à l'eau* (qu'à la fin elle casse), à s'exposer à un danger, on finit par le subir. **2.** Fam. Personne niaise, bête et ignorante. ⇒ fam. **gourde.** *Quelle cruche !,* quel imbécile ! ▶ **cruchon** n. m. ■ Petite cruche. ⇒ **pichet.** *Un cruchon de vin.*

cruci- ■ Élément savant signifiant « croix ». ▶ **crucifère** adj. ■ Botanique. Dont les fleurs ont des pétales en croix. — N. f. pl. *Les crucifères* (famille de plantes). *La giroflée est une crucifère.* ▶ **cruciverbiste** [kʀysivɛʀbist] n. ■ Amateur de mots-croisés. ⇒ **mots-croisiste.**

crucial, ale, aux [kʀysjal, o] adj. ■ Fondamental, très important (« marqué d'une croix »). ⇒ **capital, décisif.** *Année, question cruciale. Point crucial.*

crucifier [kʀysifje] v. tr. ■ conjug. 7. ■ Attacher (un condamné) sur la croix pour l'y faire mourir. *Jésus fut crucifié sur le Calvaire.* — N. *Un crucifié.* ▶ **crucifiement** n. m. ■ Supplice de la croix. ⇒ **crucifixion.** *Le crucifiement de saint Pierre.* ▶ **crucifix** [kʀysifi] n. m. invar. ■ Croix sur laquelle est représenté Jésus crucifié. *Un crucifix d'ivoire.* ▶ **crucifixion** n. f. ■ Crucifiement du Christ. — Sa représentation en peinture, en sculpture.

crudité [kʀydite] n. f. **I.** Surtout au plur. Légumes, fruits consommés crus. ⇒ **verdure.** *Assiette de crudités.* **II.** **1.** Brutalité (d'une sensation). *La crudité* *des couleurs, de la lumière.* **2.** Caractère cru (3). *La crudité d'une description.* ⇒ **réalisme.** *Parler avec crudité.*

crue [kʀy] n. f. ■ Élévation du niveau dans un cours d'eau, un lac ; niveau maximal (d'un cours d'eau). *La crue des eaux.* ⇒ **montée.** / contr. **baisse, étiage** / *Rivière en crue.*

cruel, elle [kʀyɛl] adj. **1.** Qui prend plaisir à faire, à voir souffrir. ⇒ **féroce, inhumain, sadique.** / contr. **bon, humain** / *Homme cruel.* ⇒ **bourreau, monstre.** *Être cruel avec les animaux. Être cruel envers, pour qqn, à l'égard de qqn.* **2.** Qui dénote, témoigne de cruauté. *Action, parole cruelle. Joie cruelle.* ⇒ **mauvais.** *Ironie cruelle.* ⇒ **féroce.** — *Guerre cruelle.* ⇒ **sanglant. 3.** Littér. *Femme cruelle,* qui fait souffrir ceux qui l'aiment. — N. f. Vx. *Une cruelle.* **4.** (Choses) Qui fait souffrir. *Destin cruel.* ⇒ **implacable, inexorable.** *Une peine, une perte cruelle.* ⇒ **douloureux, pénible.** *C'est une cruelle épreuve pour lui. Ma demande l'a plongé dans un cruel embarras.* ▶ **cruellement** adv. **1.** Avec cruauté. ⇒ **férocement, méchamment.** *Traiter qqn cruellement.* **2.** D'une façon douloureuse, pénible. *Souffrir cruellement.* ⇒ **affreusement, atrocement.** *Les médicaments faisaient cruellement défaut.* ⟨ ▶ cruauté ⟩

crûment [kʀymɑ̃] adv. **1.** D'une manière crue (3), sèche et dure, sans ménagement. ⇒ **brutalement, durement.** *Il lui a dit (tout) crûment qu'il le méprisait.* **2.** *Éclairer un lieu crûment,* d'une lumière crue.

crustacé [kʀystase] n. m. **1.** En zoologie. Animal arthropode, au corps formé de segments munis chacun d'une paire d'appendices, à carapace. *La daphnie, le cloporte sont des crustacés.* **2.** Ces animaux, lorsqu'ils vivent dans l'eau et sont comestibles (crabe, crevette, écrevisse, homard, langouste, langoustine).

cruzado [kʀuzado] n. m. ■ Monnaie du Brésil (a remplacé le *cruzeiro* en 1985). *Des cruzados.*

cryo- ■ Élément savant signifiant « froid ».

crypte [kʀipt] n. f. ■ Caveau souterrain servant de sépulcre (dans certaines églises). *La crypte de la basilique de Saint-Denis.* — Chapelle souterraine.

crypto- ■ Élément savant signifiant « caché ». ▶ **cryptocommuniste** [kʀiptokɔmynist] n. et adj. ■ Partisan du communisme qui dissimule ses convictions. ▶ **cryptogame** adj. et n. m. ■ (Plantes) Qui a les organes de la fructification peu apparents. *Les champignons sont des plantes cryptogames.* — N. M. *Les cryptogames* (algues, champignons...) ▶ **cryptogamique** adj. ■ *Maladies cryptogamiques,* maladies des végétaux provoquées par les champignons. ▶ **cryptogramme** n. m. ■ Ce qui est écrit en caractères secrets, en langage chiffré. ▶ **cryptographie** n. f. ■ Code secret déchiffrable par l'émetteur et le destinataire seulement. ▶ **cryptographique** adj. ■ *Message cryptographique.* ⟨ ▶ décrypter ⟩

cubain, aine [kybɛ̃, ɛn] adj. ■ De Cuba. — N. *Les Cubains.*

cube [kyb] n. m. **1.** Solide à six faces carrées égales (hexaèdre régulier), ou objet cubique. *Des cubes de bois. Ces maisons sont des cubes de béton.* — *Jeu de cubes,* cubes en bois avec lesquels les enfants font des constructions. **2.** Se dit d'une mesure qui exprime le volume d'un corps. *Mètre cube* (m^3), *centimètre cube* (cm^3). — *Cube d'un nombre,* produit de trois facteurs égaux à ce nombre. ⇒ **puissance.** *Le cube de 2 est 8 ; a^3 est le cube de a.* ▶ **cuber** v. ■ conjug. 1. **1.** V. tr. Évaluer (un volume) en unités cubiques. *Cuber des bois de construction.* — Élever au cube. *Cuber un*

nombre. **2.** V. intr. Fam. Atteindre un chiffre élevé. *Si vous évaluez les frais, vous verrez que ça cube.* ▶ **cubage** n. m. ■ Évaluation d'un volume ; volume évalué. *Le cubage d'air de cette pièce est insuffisant pour trois personnes.* ▶ **cubique** adj. **1.** Du cube. *La forme cubique d'une caisse. Une maison cubique.* **2.** RACINE CUBIQUE *d'un nombre* : nombre qui, élevé au cube (à la puissance 3), donne ce nombre. ▶ **cubisme** n. m. ■ École d'art, qui se proposait de représenter les objets décomposés en éléments géométriques simples. ▶ **cubiste** adj. et n. ■ *Peintre cubiste. Les cubistes.*

cubitus [kybitys] n. m. invar. ■ Le plus gros des deux os de l'avant-bras, articulé avec l'humérus (coude).

cucul [kyky] adj. invar. ■ Fam. Niais, un peu ridicule. *Elles sont un peu cucul.*

cucurbitacée [kykyʀbitase] n. f. ■ Plante appartenant à la famille comprenant le concombre, la courge (citrouille, potiron), le melon, etc.

cueillir [kœjiʀ] v. tr. ■ conjug. 12. **1.** Détacher (une partie d'un végétal) de la tige. *Cueillir des fleurs, des fruits.* **2.** Littér. Prendre. *Cueillir un baiser.* **3.** Fam. *Cueillir qqn,* le prendre aisément au passage. *Cueillir un voleur.* ⇒ fam. **pincer.** — Loc. *Être cueilli à froid,* être pris par surprise. ▶ **cueillette** [kœjɛt] n. f. **1.** Action de cueillir. *La cueillette des pommes, des olives.* ⇒ **récolte. 2.** Les fleurs ou les fruits cueillis. *Une belle cueillette.* **3.** Ramassage des produits végétaux comestibles (dans les groupes humains qui ignorent la culture). *Ils vivent de chasse et de cueillette.* ⟨ ▶ accueillir, recueillir ⟩

cuiller ou **cuillère** [kɥijɛʀ] n. f. **1.** Ustensile formé d'un manche et d'une partie creuse, qui sert à transvaser ou à porter à la bouche des aliments liquides ou peu consistants. *Cuiller et fourchette assorties.* ⇒ **couvert.** *Cuiller à soupe, à dessert, à café* ou *petite cuiller. Le manche d'une cuiller, un manche de cuiller.* **2.** Ustensile de forme analogue. *Pêcher à la cuiller,* avec une sorte de petite cuiller (sans manche) garnie d'hameçons. — Pièce qui maintient la goupille d'une grenade. **3.** Loc. fam. *Serrer la cuiller de (qqn),* lui serrer la main. ⇒ fam. **pince.** — *Faire une chose en deux coups de cuiller à pot,* très vite. — *Être à ramasser à la petite cuiller,* être en piteux état. — *Ne pas y aller avec le dos de la cuiller,* agir sans modération. ▶ **cuillerée** [kɥijʀe ; kɥijɛʀe] n. f. ■ La quantité contenue dans une cuiller. *Prenez une cuillerée à café de sirop matin et soir.*

① **cuir** [kɥiʀ] n. m. **1.** Peau des animaux séparée de la chair, tannée et préparée. *Cuir souple. Cuir de bœuf, de veau* ⇒ **vélin,** *de chèvre* ⇒ **maroquin,** *de mouton* ⇒ **basane, chagrin.** *Semelles de cuir. Les premières cuirasses étaient en cuir.* **2.** *Le* CUIR CHEVELU : la peau du crâne. **3.** (Animaux ; homme) Peau épaisse et dure. *Le cuir du rhinocéros.* ⟨ ▶ rond-de-cuir ⟩

② **cuir** n. m. ■ Fam. Faute de langage qui consiste à lier les mots de façon incorrecte (ex. : *les chemins de fer* [z] *anglais*).

cuirasse [kɥiʀas] n. f. **1.** Arme défensive, souvent en métal, qui recouvre le buste. ⇒ **armure.** — *Le* DÉFAUT DE LA CUIRASSE : l'intervalle entre le bord de la cuirasse et les pièces qui s'y joignent ; fig. l'endroit faible, le côté sensible. *Chercher, trouver le défaut de la cuirasse.* **2.** Revêtement d'acier qui protège les navires. ⇒ **blindage. 3.** Défense, protection. *Il a une cuirasse d'indifférence.* ⇒ **carapace.** ▶ ① **cuirassé, ée** adj. ■ Protégé, endurci. *Il est cuirassé contre les désillusions.* ⇒ **blindé.** ▶ ② **cui-**

rassé n. m. ■ Grand navire de guerre blindé et armé d'artillerie lourde. *Le cuirassé Potemkine.* ≠ *cuirassier.* ▶ *cuirasser* v. tr. ▪ conjug. 1. 1. Armer, revêtir d'une cuirasse. ⇒ **blinder.** 2. SE CUIRASSER *contre qqch.* : se protéger contre (qqch.), se rendre insensible à (qqch.). ⇒ s'**aguerrir,** s'**endurcir.** *Se cuirasser contre la douleur.* ▶ *cuirassier* n. m. ■ Soldat d'un régiment de grosse cavalerie. — *Le cinquième cuirassier* (régiment de cuirassiers). ≠ *cuirassé.*

cuire [kɥiʀ] v. ▪ conjug. 38. — REM. Passé simple inusité ; part. passé *cuit(e).* I. V. tr. Rendre propre à l'alimentation par le feu, la chaleur. ⇒ **cuisson.** *Cuire de la viande, des légumes. Cuire un morceau de viande au four, à la broche, à sec* ⇒ **griller, rôtir,** *avec une matière grasse* ⇒ **frire.** *Cuire qqch. à feu doux, à feu vif.* — Transformer par l'action du feu. *Cuire la porcelaine.* 2. Loc. fam. *Être* DUR À CUIRE : opposer une grande résistance. — N. *Un dur à cuire.* 3. (Source de chaleur) Opérer la cuisson de (qqch.). *Le four électrique cuit bien la pâtisserie.* II. V. intr. 1. Devenir propre à l'alimentation par l'action du feu. *Les pâtes doivent cuire dans beaucoup d'eau. La soupe cuit doucement, cuit à feu doux.* ⇒ **mijoter.** 2. Fam. (Suj. personne) *Cuire dans son jus. Cuire,* avoir très chaud. *Ouvrez les fenêtres, on cuit là-dedans !* ⇒ **étouffer.** 3. *(Cuire à qqn)* Produire une sensation d'échauffement, de brûlure. ⇒ **brûler.** *Les mains lui cuisent. Les yeux me cuisent.* ⇒ **piquer.** — Loc. *Il vous en cuira,* vous vous en repentirez, vous en souffrirez par votre faute. ▶ *cuisant, ante* [kɥizã, ãt] adj. ■ Qui provoque une douleur, une peine très vive. *Une déception, une blessure cuisante.* ⇒ **aigu, douloureux, vif.** Remarque, *réflexion cuisante.* ⇒ **blessant, cinglant.** ⟨ ▶ autocuiseur, biscuit, cuisson, cuisine, cuit, cuite, recuire ⟩

cuisine [kɥizin] n. f. 1. Pièce d'une habitation, dans laquelle on prépare et fait cuire des aliments. *Table, chaises, éléments de cuisine. Ustensiles de cuisine* (casseroles, poêles, etc.). *Batterie de cuisine.* 2. Préparation des aliments ; art de préparer les aliments. ⇒ art **culinaire.** *Faire la cuisine. Les recettes de la cuisine chinoise.* 3. Fam. Manœuvre, intrigue louche. ⇒ fam. **magouille.** *La cuisine électorale, parlementaire.* 4. Aliments préparés qu'on sert aux repas. ⇒ fam. **bouffe, cuistance, popote, tambouille.** *Être amateur de bonne cuisine,* gourmet. ▶ *cuisiné, ée* adj. ■ Préparé selon les règles de la cuisine. *Des crudités et des plats cuisinés.* ▶ *cuisiner* v. ▪ conjug. 1. 1. V. intr. Faire la cuisine. *Elle cuisine bien.* 2. V. tr. Préparer, accommoder. *Cuisiner de bons petits plats.* 3. V. tr. Fig. Fam. *Cuisiner qqn,* l'interroger, chercher à obtenir de lui des aveux par tous les moyens. ▶ *cuisinette* n. f. ■ Partie de pièce utilisée comme cuisine (remplace *kitchenette,* anglic.). ▶ *cuisinier, ière* n. ■ Personne qui a pour fonction de faire la cuisine. ⇒ **chef ;** fam. **cuistot.** *Aide-cuisinier.* ⇒ **marmiton.** — Personne qui sait faire la cuisine. *Elle est très bonne cuisinière.* ⇒ **cordon-bleu.** ▶ *cuisinière* n. f. ■ Fourneau de cuisine servant à chauffer, à cuire les aliments. *Cuisinière à gaz. Cuisinière électrique.* ⟨ ▶ cuistance, cuistot ⟩

cuissage [kɥisaʒ] n. m. ■ DROIT DE CUISSAGE : droit qu'avait le seigneur féodal de passer la première nuit des noces avec la nouvelle mariée.

cuisse [kɥis] n. f. 1. Partie du membre inférieur qui s'articule à la hanche et va jusqu'au genou. *Short qui s'arrête à mi-cuisse, en haut des cuisses.* — (Animaux) *Manger une cuisse de poulet.* ⇒ **pilon,** *du cochon* ⇒ **jambon,** *du chevreuil* ⇒ **cuissot, gigue.** 2. Loc. fam. *Se croire sorti de la cuisse de Jupiter,* être très orgueilleux. ▶ *cuissard, arde* n. et adj. 1. N. m. Garniture de protection de

la cuisse. 2. Adj. *Bottes cuissardes,* qui montent jusqu'au milieu des cuisses. — N. f. plur. *Des cuissardes.* ⟨ ▶ cuissage, cuissot ⟩

cuisson [kɥisɔ̃] n. f. 1. Action de cuire ; préparation des aliments par le feu, la chaleur. *Cette viande demande une cuisson prolongée. Temps de cuisson.* 2. Préparation par le feu. *Cuisson industrielle de la porcelaine.* 3. Sensation analogue à une brûlure ; douleur cuisante (⇒ **cuire,** II, 3). *La cuisson d'une piqûre de guêpe.*

cuissot [kɥiso] n. m. ■ Cuisse (du gros gibier). *Cuissot de chevreuil, de sanglier.*

cuistance [kɥistãs] n. f. ■ Fam. Cuisine (2 et 4). ⇒ fam. **tambouille.**

cuistot [kɥisto] n. m. ■ Fam. Cuisinier professionnel (surtout dans une communauté).

cuistre [kɥistʀ] n. m. ■ Littér. Pédant vaniteux et ridicule. — Adj. *Il est un peu cuistre.* ▶ *cuistrerie* n. f. ■ Pédantisme, procédé de cuistre.

cuit, cuite [kɥi, kɥit] adj. 1. Qui a subi la cuisson afin d'être consommé (opposé à *cru*). *Aliment cuit à point, bien cuit. Légumes cuits à l'eau, à la vapeur. Filet de bœuf bien cuit.* / contr. **bleu, saignant /** — N. m. *Le cru et le cuit.* 2. Qui a subi la cuisson pour un usage particulier. *Terre cuite.* 3. Être cuit, pris, vaincu. ⇒ fam. **fait, fichu, refait.** — *C'est du tout cuit,* c'est réussi d'avance.

cuite [kɥit] n. f. ■ Fam. *Prendre une cuite, une bonne cuite,* s'enivrer (fam. *se cuiter,* ▪ conjug. 1.). *Il a sa cuite.*

cuivre [kɥivʀ] n. m. I. Métal rouge, très malléable, bon conducteur électrique. *Mine de cuivre. Alliages de cuivre,* airain, bronze, laiton. — *Casseroles en cuivre.* II. Au plur. Objets en cuivre. 1. LES CUIVRES : ensemble d'instruments de cuisine, d'objets d'ornement en cuivre, en laiton. *Faire les cuivres,* les nettoyer. 2. Ensemble des instruments à vent en cuivre employés dans l'orchestre. *Les cuivres d'une fanfare.* ▶ *cuivré, ée* adj. 1. Qui a la couleur rougeâtre du cuivre. *Reflets cuivrés. Avoir la peau cuivrée.* ⇒ **bronzé, hâlé.** 2. Qui a un timbre éclatant (comme un instrument de cuivre). *Voix cuivrée et chaude.*

cul [ky] n. m. 1. Fam. Derrière, postérieur humain. *Tomber sur le cul. Il a un gros cul. Donner un coup de pied au cul à qqn.* — Loc. fig. *Il en est resté sur le cul,* très étonné. *Être comme cul et chemise,* inséparables. — Vulg. *En avoir plein le cul,* en avoir assez. 2. Fam. Injure. ⇒ **crétin, idiot, imbécile.** *Quel cul !* — Adj. *Ce qu'il (elle) est cul !* ⇒ fam. **cucul.** 3. Par anal. (emploi non vulgaire). Fond de certains objets. *Cul de bouteille.* ⇒ **Cul-de-...** — *Faire* CUL SEC *en buvant* : vider le verre d'un trait. ⟨ ▶ acculer, cucul, culasse, culbute, cul-de-..., culot, culotte, cul-terreux, éculé, gratte-cul, lèche-cul, peigne-cul, reculer, tape-cul, tire-au-cul, tutu ⟩

culasse [kylas] n. f. 1. Extrémité postérieure du canon (d'une arme à feu). *Charger un canon par la culasse. Culasse mobile,* pièce d'acier contenant le percuteur. 2. Partie supérieure du cylindre (d'un moteur à combustion ou à explosion), dans laquelle les gaz sont comprimés. *Joint de culasse.*

culbute [kylbyt] n. f. 1. Tour qu'on fait en mettant la tête en bas et les jambes en haut, de façon à retomber de l'autre côté. ⇒ **cabriole, galipette.** 2. Chute où l'on tombe brusquement à la renverse. ⇒ **dégringolade.** *Il a fait une culbute dans l'escalier.* — Fam. *Faire la culbute,* faire faillite, être ruiné. 3. Loc. Commerce. *Faire la culbute,* revendre qqch.

au double du prix d'achat. ► *culbuter* v. ■ conjug. 1. **I.** V. intr. Faire une culbute (2), tomber à la renverse. ⇒ **dégringoler.** *La voiture a culbuté dans le fossé.* ⇒ **verser. II.** V. tr. **1.** Faire tomber brusquement (qqn). ⇒ **renverser.** *Pousser qqn pour le culbuter.* **2.** Bousculer, pousser. *Culbuter l'ennemi.* ⇒ **enfoncer, repousser.** *Culbuter tous les obstacles.* ► *culbuteur* n. m. **1.** Appareil qui sert à faire basculer un récipient, un wagon pour le vider de son contenu. **2.** Dans un moteur à explosion. Levier oscillant placé au-dessus des cylindres et servant à ouvrir et à fermer les soupapes.

cul-de- [kyd(ə)] ■ Élément de composés (où *cul* veut dire « fond »). ► *cul-de-basse-fosse* n. m. ■ Cachot souterrain. *Des culs-de-basse-fosse.* ► *cul-de-four* n. m. ■ Voûte formée d'une demi-coupole (quart de sphère). *Des culs-de-four.* ► *cul-de-jatte* adj. et n. ■ Infirme qui n'a plus de jambes. *Des culs-de-jatte.* ► *cul-de-lampe* n. m. ■ Ornement, dans un texte, un livre, à la fin d'un chapitre (la forme de certains rappelle le dessous d'une lampe d'église). *Des culs-de-lampe.* ► *en cul-de-poule* [ãkydpul] loc. adv. ■ *Bouche en cul-de-poule*, qui s'arrondit et se resserre en faisant une petite moue. ► *cul-de-sac.* n. m. **1.** Rue sans issue. ⇒ **impasse.** *Des culs-de-sac.* **2.** Carrière, entreprise sans issue, qui ne mène à rien. *Cette situation est un cul-de-sac.*

culée [kyle] n. f. ■ Massif de maçonnerie destiné à contenir la poussée d'un arc, d'une arche, d'une voûte.

culinaire [kylinɛʀ] adj. ■ Qui a rapport à la cuisine (2). ⇒ **gastronomique.** *Art culinaire.*

culminer [kylmine] v. intr. ■ conjug. 1. ■ Atteindre la plus grande hauteur. *Montagne, pic qui culmine au-dessus des sommets voisins.* ⇒ **dominer.** ► *culminant, ante* adj. **1.** Qui atteint sa plus grande hauteur. — POINT CULMINANT. *Le point culminant d'une chaîne de montagnes.* Abstrait. *Le point culminant d'une évolution* ⇒ **apogée,** *d'une crise* ⇒ **comble, maximum,** *d'une histoire* ⇒ **sommet. 2.** Littér. Qui domine. *Sommet culminant.*

① *culot* [kylo] n. m. **1.** Partie inférieure (de certains objets). ⇒ **fond.** — Fond métallique. *Un culot d'obus.* **2.** Résidu métallique au fond d'un creuset. — Résidu qui se forme au fond d'une pipe. ► ① *culotté, ée* adj. **1.** *Pipe culottée,* dont le fourneau est couvert d'un dépôt noir (culot). **2.** Noirci par un dépôt. *Cuir culotté.* ► ① *culotter* v. tr. ■ conjug. 1. ■ Fumer (une pipe) jusqu'à ce qu'elle soit culottée.

② *culot* n. m. ■ Aplomb, audace. *Quel culot !* ⇒ **toupet.** *Il a du culot, un sacré culot.* ► ② *culotté, ée* adj. ■ Qui a du culot. *Tu es culotté de me faire venir pour rien.* ⇒ fam. **gonflé.**

culotte [kylɔt] n. f. **I. 1.** Vêtement masculin de dessus qui couvre de la ceinture aux genoux (d'abord serré aux genoux, et opposé à *pantalon*) et dont la partie inférieure est divisée en deux éléments habillant chacun une jambe. *La culotte ou les culottes. Culottes courtes.* ⇒ **short.** *Culottes longues.* ⇒ **pantalon.** *User ses fonds de culotte sur les bancs de l'école. Culotte de cheval.* Fam. *Trembler, faire dans sa culotte,* avoir très peur. — *Dans ce ménage, c'est la femme qui porte la culotte,* c'est elle qui commande. **2.** Vêtement féminin de dessous qui couvre le bas du ventre, avec deux ouvertures pour les jambes. ⇒ **slip.** — *Culotte d'enfant, de bébé.* ► ② *culotter* v. tr. ■ conjug. 1. ■ Mettre une culotte à (qqn). — Au passif et p. p. adj. *Être culotté(e), bien culotté(e),* avoir une culotte. ⟨ ► **déculotter, jupe-culotte, reculotter, sans-culotte** ⟩

culpabilité [kylpabilite] n. f. ■ État d'une personne qui est coupable. *Nier sa culpabilité. Sa culpabilité n'est pas établie, n'est pas certaine.* / contr. **innocence** / — *Sentiment de culpabilité,* sentiment par lequel on se sent coupable. ► *culpabiliser* v. tr. ■ conjug. 1. ■ Donner un sentiment de culpabilité à (qqn). / contr. **déculpabiliser** /

culte [kylt] n. m. **1.** Hommage religieux rendu à la divinité ou à un saint personnage. *Rendre un culte à un saint.* **2.** Pratiques réglées par une religion, pour rendre hommage à la divinité. ⇒ **liturgie.** *Ministre du culte,* prêtre. **3.** Service religieux protestant. *Assister au culte.* **4.** Admiration mêlée de vénération (pour qqn ou qqch.). ⇒ **adoration, amour, dévouement.** *Rendre, vouer un culte à qqn. Avoir un culte pour ses parents. Avoir le culte de la justice, de l'argent.*

cul-terreux [kytɛʀø] n. m. ■ Péj. Terme injurieux. Paysan. *Des culs-terreux.*

-culteur ■ Élément savant signifiant « qui cultive » (ex : *agriculteur*).

① *cultiver* [kyltive] v. tr. ■ conjug. 1. **1.** Travailler (la terre) pour lui faire produire des végétaux utiles aux besoins de l'homme. ⇒ **défricher, labourer ; agriculture,** ① **culture.** *Cultiver un champ, un coin de terre, son jardin* (⇒ **cultivateur, culture**). — Pronominalement (passif). *Cette terre se cultive facilement.* — Au p. p. adj. *Terre cultivée.* / contr. **inculte** / **2.** Soumettre (une plante) à divers soins en vue de favoriser sa venue ; faire pousser, venir. *Cultiver la vigne, des céréales.* — Au p. p. adj. *Plante cultivée.* / contr. **sauvage** / ► *cultivable* adj. ■ Qui peut être cultivé. *Région cultivable.* ► *cultivateur, trice* n. **1.** Personne qui cultive la terre, exploite une terre. ⇒ **agriculteur, paysan.** *Les petits cultivateurs.* **2.** N. m. Machine qui fait un labourage superficiel. ⇒ **charrue.**

② *cultiver* v. tr. ■ conjug. 1. **1.** Former par l'éducation, l'instruction. ⇒ **éduquer, former, perfectionner ;** ② **culture.** *Cultiver l'intelligence, les bonnes dispositions d'un enfant.* **2.** S'intéresser à (qqch.), consacrer son temps, ses soins à. ⇒ **s'adonner, s'intéresser.** *Cultiver un art. Cultiver le paradoxe.* **3.** Entretenir des relations amicales avec (qqn). *Cultiver ses relations.* ⇒ **soigner.** *C'est un homme à cultiver.* **4.** SE CULTIVER v. pron. réfl. : cultiver (1) son esprit, son intelligence. *Avoir le souci de se cultiver.* ► *cultivé, ée* p. p. adj. ■ Qui a de la culture (2). / contr. **inculte** / *Esprit cultivé. Il est peu cultivé, mais intelligent.*

① *culture* [kyltyʀ] n. f. **1.** Action de cultiver (1) la terre. ⇒ **agriculture.** *La culture d'un champ, d'un verger. Pays de petite, de grande culture.* **2.** Terres cultivées. *L'étendue des cultures.* ⇒ **plantation. 3.** Action de cultiver (un végétal). *Culture de la vigne* ⇒ **viticulture,** *culture fruitière* ⇒ **arboriculture.** *Cultures tropicales.* **4.** Méthode consistant à faire vivre et proliférer des organismes vivants (bactéries), des cellules en milieu approprié. *Culture microbienne. Bouillon de culture.* ⇒ **bouillon.**

② *culture* n. f. **1.** Développement de certaines facultés de l'esprit par des exercices intellectuels appropriés ; ensemble des connaissances acquises. ⇒ **éducation, formation.** *Culture philosophique, scientifique. Culture générale,* dans les domaines considérés comme nécessaires à tous (en dehors des spécialités, des métiers). *Culture de masse,* diffusée par les grands médias. *Avoir de la culture.* ⇒ **cultivé. 2.** Ensemble des aspects intellectuels d'une civilisation. *La culture occidentale, orientale.* — Civilisation ; aspects particuliers de la vie en société (souvent opposé à *nature*). **3.** CULTURE PHYSIQUE : développement méthodique du corps par des exercices appropriés et gradués. ⇒ **éducation** physique, **gymnastique.** *Séances de culture physique.* ▶ *culturel, elle* adj. ■ Qui est relatif à la culture, à la civilisation. *Relations culturelles. Centre culturel,* lieu public destiné à accueillir des *activités culturelles* (arts, musique, spectacles).

cumin [kymɛ̃] n. m. ■ Plante à graines aromatiques ; ces graines utilisées comme assaisonnement. *Fromage de Munster au cumin. Liqueur au cumin.* ⇒ **kummel.**

cumuler [kymyle] v. tr. . conjug. 1. ■ Réunir en sa personne (plusieurs choses différentes). *Cumuler des droits, deux fonctions.* ▶ *cumul* n. m. ■ Action de cumuler. *Cumul de fonctions, de charges,* réunion en une même personne de plusieurs fonctions publiques ou mandats électifs. ▶ *cumulatif, ive* adj. ■ Qui s'ajoute à, qui ajoute. *Un effet cumulatif.* ⟨ ▶ **accumuler** ⟩

cumulus [kymylys] n. m. invar. ■ Gros nuage arrondi présentant des parties éclairées. *Des cumulus et des nimbus.*

cunéiforme [kyneifɔrm] adj. ■ Qui a la forme d'un coin. *Écriture cunéiforme* (des Assyriens, des Mèdes, des Perses), constituée de signes en forme de clous, de coins.

cupide [kypid] adj. ■ Littér. Qui est avide d'argent. ⇒ **rapace.** *Un homme d'affaires cupide.* / contr. **désintéressé, généreux** / ▶ *cupidité* n. f. ■ Désir immodéré de l'argent, des richesses. ⇒ **âpreté, avidité.** / contr. **désintéressement** /

cupule [kypyl] n. f. ■ Partie d'un végétal formant une petite coupe couverte d'écailles. *La cupule d'un gland.*

curable [kyrabl] adj. ■ Qui peut être guéri (⇒ **cure**). ⇒ **guérissable.** *Malade, maladie curable.* / contr. **incurable** /

curaçao [kyraso] n. m. ■ Liqueur faite avec de l'eau-de-vie, de l'écorce d'oranges amères et du sucre.

curare [kyrar] n. m. ■ Poison végétal paralysant, dont se servent certains Indiens d'Amérique du Sud tropicale pour empoisonner leurs flèches.

curateur, trice [kyratœr, tris] n. ■ Personne qui a la charge d'assister, de veiller aux intérêts d'une autre personne (mineur, aliéné).

curatif, ive [kyratif, iv] adj. ■ Relatif à la cure d'une maladie. *Traitement curatif.*

① *cure* [kyr] n. f. **I. 1.** Traitement médical d'une certaine durée ; méthode thérapeutique particulière. — Traitement dans une station thermale (⇒ **saison**). *Faire une cure.* ⇒ **curiste. 2.** Usage abondant (de qqch.) par hygiène ou pour se soigner. ⇒ **régime.** *Faire une cure de raisin. Cure d'air, de repos, de sommeil.* **II.** Loc. N'AVOIR CURE DE *qqch.* : ne pas s'en soucier. *Il n'en a cure. Je n'ai cure, nous n'avons cure de vos protestations.* ⟨ ▶ curatif, curiste, incurable, manucure, pédicure ⟩

② *cure* n. f. **1.** Fonction de curé. Paroisse. *Une cure de village.* **2.** Résidence du curé. ⇒ **presbytère.** ▶ *curé* [kyre] n. m. **1.** Prêtre placé à la tête d'une paroisse. *L'abbé X, curé de telle paroisse. Monsieur le curé est son vicaire.* **2.** Fam. (Souvent péj.) Prêtre catholique. ⇒ **abbé.** *Les curés,* le clergé.

curée [kyre] n. f. **1.** Portion de la bête tuée que l'on donne aux chiens de chasse. **2.** Ruée vers les places, le butin. *La curée des places.*

curer [kyre] v. tr. . conjug. 1. ■ Nettoyer (qqch.) en raclant. ⇒ **racler.** *Curer un fossé, une citerne. Se curer les dents, les oreilles.* ▶ *cure-dent* n. m. ou *cure-dents* [kyrdɑ̃] n. m. invar. ■ Petit instrument pour se curer les dents. *Des cure-dents.* ▶ *cure-oreille* n. m. ou *cure-oreilles* [kyrɔrɛj] n. m. invar. ■ Instrument, petite spatule, pour se nettoyer l'intérieur de l'oreille. *Des cure-oreilles.* ▶ *cure-pipe* [kyrpip] n. m. ■ Instrument servant à nettoyer le fourneau d'une pipe. *Des cure-pipes.* ▶ *curette* n. f. **1.** Outil muni d'une partie tranchante, pour racler. ⇒ **racloir. 2.** En médecine. Petite cuiller à long manche destinée à être introduite dans les cavités du corps pour en extraire des corps étrangers. ▶ *curetage* [kyrtaʒ] n. m. ■ Opération qui consiste à nettoyer avec une curette une cavité naturelle (utérus, articulation) ou accidentelle (abcès). ⟨ ▶ récurer ⟩

① *Curie* [kyri] n. f. ■ Ensemble des administrations qui constituent la Cour de Rome, le gouvernement pontifical.

② *curie* n. m. ■ Unité de mesure de l'activité d'une substance radioactive (du nom de Marie Curie). *Le becquerel a remplacé le curie en 1975.*

curieux, euse [kyrjø, øz] adj. et n. **I. 1.** Qui est désireux (de voir, de savoir). *Curieux de connaître, d'apprendre. Il est curieux de botanique.* / contr. **indifférent** / *Esprit curieux,* qui ne néglige aucune occasion de s'instruire. **2.** Sans compl. Qui cherche à connaître ce qui ne le regarde pas. ⇒ **indiscret.** / contr. **discret** / *Vous êtes trop curieux. Elle est curieuse, elle veut savoir ce que font ses voisins.* — N. *Petite curieuse !* **3.** N. Personne qui s'intéresse à qqch. par simple curiosité. *Un attroupement de curieux.* ⇒ **badaud.** — Amateur, collectionneur. **II.** (Avant ou après le nom) Qui donne de la curiosité ; qui attire et retient l'attention. ⇒ **bizarre, drôle, étonnant, étrange, singulier.** / contr. **banal, ordinaire** / *Une curieuse habitude. Une curieuse coïncidence. C'est une chose curieuse. Ce qui est curieux, c'est que...* Loc. *Ne me regardez pas comme une bête curieuse.* ▶ *curieusement* adv. ■ Bizarrement, étrangement. *Curieusement, il n'a pas réagi à la nouvelle.* ▶ *curiosité* n. f. **I. 1.** Tendance qui porte à apprendre, à connaître des choses nouvelles. / contr. **indifférence** / *Contenter, satisfaire la curiosité de qqn en lui racontant ce qui s'est passé.* **2.** Désir de savoir les secrets, les affaires d'autrui. ⇒ **indiscrétion.** / contr. **discrétion** / *La curiosité est un vilain défaut. Il a été puni de sa curiosité.* **II.** (Une, des curiosités) Chose curieuse (II) notamment, objet recherché par les curieux, les amateurs. ⇒ **nouveauté, rareté.** *Magasin de curiosités. Cet objet n'est pas beau, ce n'est qu'une curiosité. Visiter les curiosités d'une ville.*

curiste [kyrist] n. ■ Personne qui fait une cure thermale.

curling [kœrliŋ] n. m. ■ Anglic. Sport d'hiver qui consiste à faire glisser un palet sur la glace.

curriculum vitæ [kyrikylɔmvite] n. m. invar. ■ Ensemble des indications relatives à l'état civil, aux capacités, aux diplômes et aux activités passées (d'une personne). *Envoyer son curriculum vitæ à un employeur éventuel.* — Abrév. *Un curriculum, un c.v.* [seve]

curry [kyri] n. m. ■ Assaisonnement indien composé de piment et d'autres épices pulvérisées. *Riz au curry.* — *Un curry de volaille,* une volaille au curry.

curseur [kyrsœr] n. m. ■ Petit index qui glisse dans une coulisse pratiquée sur une règle, un compas, etc.

cursif, ive [kyrsif, iv] adj. ■ Bref, rapide. *Style cursif. Écriture cursive,* d'un type tracé rapidement.

cursus [kyʀsys] n. m. invar. ■ Ensemble des études à poursuivre dans une matière donnée. *Des cursus universitaires.*

curule [kyʀyl] adj. ■ CHAISE CURULE : siège d'ivoire réservé aux premiers magistrats de Rome, dans l'Antiquité.

curv(i)- ■ Élément savant signifiant « courbe ». ▶ **curviligne** adj. ■ Didact. Formé par des lignes courbes. ⟨ ▶ incurver ⟩

cutané, ée [kytane] adj. ■ Qui appartient à la peau. ⇒ **épidermique.** *Infection cutanée.* ⟨ ▶ cuti-réaction, sous-cutané ⟩

cuti-réaction [kytiʀeaksjɔ̃] n. f. ■ Test médical pour déceler certaines maladies (tuberculose). *Des cuti-réactions.* ▶ **cuti** n. f. ■ (Même sens) *Cuti positive. Des cutis.* — Loc. *Virer sa cuti,* réagir positivement pour la première fois ; fig. changer radicalement.

cuve [kyv] n. f. **1.** Grand récipient utilisé pour la fermentation du raisin. **2.** Grand récipient (dans quelques techniques). *Cuve de teinturier, de blanchisseur.* ⇒ **baquet, cuvier.** ▶ **cuvée** n. f. **1.** Quantité de vin qui se fait à la fois dans une cuve. *Vin de la première cuvée.* **2.** Produit de toute une vigne. *La cuvée (de) 1981.* ⟨ ▶ cuvelage, cuver, cuvette, cuvier ⟩

cuvelage [kyvlaʒ] n. m. ■ Technique. Revêtement destiné à consolider un puits (de mine, de pétrole, etc.).

cuver [kyve] v. ■ conjug. 1. **I.** V. intr. Séjourner dans la cuve pendant la fermentation. *Faire cuver le vin.* **II.** V. tr. Cour. *Cuver son vin,* dissiper son ivresse en dormant, en se reposant. ⇒ **digérer.** — *On le laissa cuver sa colère,* on a attendu qu'elle passe.

cuvette [kyvɛt] n. f. **1.** Récipient portatif large, peu profond, qui sert principalement à la toilette. — Partie d'un lavabo où coule l'eau. — *La cuvette des cabinets.* **2.** Renflement de la partie inférieure du tube (d'un baromètre). **3.** Dépression de terrain fermée de tous côtés. ⇒ **bassin, entonnoir.** *Une ville construite dans une cuvette.* ▶ **cuvier** n. m. ■ Autrefois. Cuve pour faire la lessive.

cyan(o)- ■ Élément savant signifiant « bleu sombre » ▶ **cyanhydrique** [sjanidʀik] adj. ■ *Acide cyanhydrique* (composé d'hydrogène et du cyanogène, gaz toxique), poison violent. ▶ **cyanose** n. f. ■ Coloration bleue ou noirâtre de la peau due à une maladie. ▶ **cyanure** n. m. ■ Sel de l'acide cyanhydrique. *Les cyanures sont toxiques.*

cybernétique [sibɛʀnetik] n. f. ■ Science des communications et de la régulation dans l'être vivant et la machine. *La cybernétique est à l'origine de l'informatique.* — Adj. De la cybernétique. ▶ **cybernéticien, ienne** n.

cyclable [siklabl] adj. ■ Réservé aux cycles ② : bicyclettes et vélomoteurs. *Piste cyclable.*

cyclamen [siklamɛn] n. m. ■ Plante dont les fleurs mauves ou blanches très décoratives sont portées par un pédoncule recourbé en crosse. *Faire pousser des cyclamens.*

① cycle [sikl] n. m. **1.** Suite de phénomènes se renouvelant sans arrêt dans un ordre immuable. *Le cycle des saisons, des heures. Le cycle de l'eau dans la nature.* — En sciences. Série de changements subis par un système, qui le ramène à son état primitif. *La fréquence d'un courant alternatif se mesure en cycles par seconde. Cycle (d'un moteur à explosion) à quatre temps, à deux temps.* — *Cycle (menstruel),* déroule-ment régulier et continuel des phénomènes physiologiques chez la femme et le mammifère femelle. ⇒ **menstrues, règles. 2.** Dans certaines littératures. Série de poèmes se déroulant autour d'un même sujet et où l'on retrouve les mêmes personnages. ⇒ ② **geste. 3.** *Cycle d'études. Premier cycle* (6e, 5e, 4e), *second cycle* (jusqu'au baccalauréat), dans l'enseignement secondaire. ▶ **cyclique** adj. **I.** Relatif à un cycle ; qui se produit selon un cycle (1). **II.** En chimie. COMPOSÉS CYCLIQUES : dont la molécule forme une chaîne fermée. ⟨ ▶ cyclotron, encyclopédie, hémicycle, recycler ⟩

② cycle n. m. ■ Véhicule à deux roues, sans moteur ⇒ **bicyclette** ou avec un petit moteur ⇒ **cyclomoteur.** *Piste pour les cycles.* ⇒ **cyclable.** ▶ **cyclisme** n. m. ■ Pratique ou sport de la bicyclette. ⇒ **vélo.** ▶ **cycliste** adj. et n. **1.** Adj. Qui concerne le cyclisme. *Courses, coureurs, champions cyclistes.* **2.** N. Personne qui va à bicyclette. *La voiture a renversé un cycliste.* ▶ **cyclo-cross** [siklokʀɔs] n. m. invar. ■ Épreuve de cyclisme en terrain accidenté. *Participer à des cyclo-cross.* ▶ **cyclomoteur** n. m. ■ Bicyclette à moteur (moins de 50 cm³). ⇒ **vélomoteur.** ▶ **cyclomotoriste** n. ■ Personne qui roule en cyclomoteur. ⟨ ▶ bicyclette, cyclable, motocyclette, tricycle ⟩

cyclone [siklon] n. m. **1.** Bourrasque, tempête violente caractérisée par des vents tourbillonnants. ⇒ **ouragan, tornade, typhon.** — Zone de basse pression (opposé à *anticyclone*). **2.** *Cette personne est un cyclone,* elle bouleverse tout. *Arriver comme un cyclone,* en trombe. ⟨ ▶ anticyclone ⟩

cyclopéen, éenne [siklɔpeɛ̃, eɛn] adj. ■ Énorme, gigantesque (comme les travaux des *Cyclopes* de la mythologie grecque). ⇒ **colossal, titanesque.** *Travail cyclopéen.*

cyclotron [siklɔtʀɔ̃] n. m. ■ Accélérateur circulaire de particules (neutrons, protons).

cygne [siɲ] n. m. **1.** Grand oiseau palmipède, à plumage blanc (rarement noir), à long cou flexible. *Une blancheur de cygne,* éclatante. — *Un cou de cygne,* long et flexible. **2.** Loc. *Le* CHANT DU CYGNE (d'après la légende du chant merveilleux du cygne mourant) : le dernier chef-d'œuvre. **3.** Duvet de cygne. *Manteau garni de cygne.* **4.** BEC DE CYGNE : robinet dont la forme évoque un bec de cygne. ⟨ ▶ col-de-cygne ⟩

cylindre [silɛ̃dʀ] n. m. **1.** Solide engendré par une droite mobile tournant autour d'un axe auquel elle est parallèle. *Un tuyau, un tube sont des cylindres. Diamètre, calibre du cylindre.* **2.** Rouleau exerçant une pression uniforme. *Cylindre de laminoir.* **3.** Enveloppe cylindrique, dans laquelle se meut le piston d'une machine, d'un moteur. *Une six cylindres,* automobile à six cylindres. ▶ **cylindrée** n. f. ■ Volume des cylindres (d'un moteur). *Voiture de 1 500 cm³ de cylindrée. Une grosse cylindrée,* moto ou voiture de grosse cylindrée. ▶ **cylindrer** v. tr. ■ conjug. 1. ■ Faire passer (qqch.) sous un rouleau ou donner la forme d'un cylindre à. ▶ **cylindrique** adj. ■ Qui a la forme d'un cylindre (bobine, tambour, tube, etc.). ⇒ **tubulaire.** *Colonne cylindrique.*

cymbale [sɛ̃bal] n. f. ■ Chacun des deux disques de cuivre ou de bronze, légèrement coniques au centre, qui composent un instrument de musique à percussion. *Donner un coup de cymbales.*

cynégétique [sineʒetik] adj. ■ Didact. Qui se rapporte à la chasse.

cynique [sinik] adj. et n. **1.** Qui appartient à l'école philosophique de l'Antiquité qui cherchait le retour à la nature en méprisant les conventions sociales, l'opinion publique et la morale commune. **2.** Qui exprime sans ménagement des sentiments, des opinions contraires à la morale reçue. ⇒ **impudent.** *Un individu cynique. Elle est un peu cynique. Attitude cynique.* — N. *Un, une cynique.* ▶ *cyniquement* adv. ■ D'une manière cynique (2). ▶ *cynisme* n. m. **1.** Doctrine des philosophes cyniques. **2.** Attitude cynique.

cyn(o)- ■ Élément savant signifiant « chien ». ▶ *cynocéphale* [sinɔsefal] n. m. ■ Singe à museau allongé comme celui d'un chien. ⇒ **babouin.** ⟨ ▶ cynégétique ⟩

cyprès [sipʀɛ] n. m. invar. ■ Arbre (conifère) à feuillage vert sombre, à forme droite et élancée. *Rangée, allée de cyprès.*

cyprin [sipʀɛ̃] n. m. ■ *Cyprin doré* (ou *poisson rouge*).

cyrillique [siʀi(l)lik] adj. ■ *Alphabet cyrillique,* l'alphabet slave, attribué à saint Cyrille de Salonique. *Le russe s'écrit en caractères cyrilliques.*

cyst(i)-, cysto- ■ Éléments savants signifiant « vessie » ou « sac ». ▶ *cystite* n. f. ■ Inflammation de la vessie. *Avoir de la cystite, une cystite.*

cytise [sitiz] n. m. ■ Arbrisseau vivace aux fleurs en grappes jaunes.

cyt(o)-, -cyte ■ Préfixe et suffixe signifiant « cavité, cellule ». ▶ *cytologie* [sitɔlɔʒi] n. f. ■ Partie de la biologie qui étudie la cellule vivante. ⇒ **histologie.** ▶ *cytoplasme* n. m. ■ Partie de la substance vivante de la cellule qui entoure le noyau, les vacuoles. ⟨ ▶ leucocyte, lymphocyte, oocyte, phagocyte ⟩

czardas [ksaʀdas] n. m. invar. ■ Danse hongroise formée d'une partie lente et d'une partie rapide ; sa musique. — REM. On écrit parfois CSARDAS.

d

d [de] n. m. **1.** Quatrième lettre, troisième consonne de l'alphabet, notant la dentale sonore [d], qui s'assourdit en liaison en [t] : *un grand homme* [œgrɑ̃tɔm]. **2.** Fam. *Système D,* système des gens débrouillards. **3.** *D,* chiffre romain, représentant le nombre cinq cents.

d' prép. élidée ou art. élidé. ⇒ **de.**

d'abord loc. adv. ⇒ **abord.**

dactylo [daktilo] n. ■ Personne dont la profession est d'écrire ou de transcrire des textes, en se servant de la machine à écrire. *Dactylo qui tape une lettre à la machine. C'est un bon dactylo.* — (Attribut ; aussi au masc.) *Êtes-vous dactylo ?* ► **dactylographie** ou **dactylo** n. f. ■ Technique de la machine à écrire. ► **dactylographier** v. tr. ■ conjug. 7. ■ Écrire (un texte) en dactylographie. ⇒ **taper.** — Au p. p. adj. *Texte dactylographié.* ‹ ► **sténodactylo** ›

dactylo-, -dactyle ■ Éléments savants signifiant « doigt ».

① **dada** [dada] n. m. **1.** Lang. enfantin. Cheval. *À dada. Des dadas.* **2.** Fam. Idée à laquelle on revient sans cesse. ⇒ **marotte.** *C'est son dada.*

② **dada** n. m. ■ Dénomination adoptée par un mouvement artistique et littéraire révolutionnaire, en 1916. — Adj. *Le mouvement dada* (ou *dadaïsme,* n. m.).

dadais [dadɛ] n. m. invar. ■ Garçon niais et de maintien gauche. ⇒ **nigaud, sot.** *Espèce de grand dadais !*

dague [dag] n. f. ■ Autrefois. Épée courte ou long poignard.

dahlia [dalja] n. m. ■ Plante ornementale à tubercules, dont les fleurs ont des couleurs riches et variées ; cette fleur. *Des dahlias orange.*

daigner [deɲe] v. tr. ■ conjug. 1. ■ Consentir à (faire qqch.) soit en faveur d'une personne (inférieure) qui n'en paraît pas indigne, soit parce qu'on ne juge pas cette chose indigne de soi. ⇒ **condescendre** à. *Il a daigné lui parler. Il n'a pas daigné répondre. Daignez agréer mes hommages,* formule de respect. ‹ ► **dédaigner** ›

daim [dɛ̃] n. m. **1.** Mammifère ruminant aux andouillers supérieurs larges et aplatis et à la robe tachetée. **2.** Cuir traité comme la peau de daim (suédé). *Chaussures, veste de daim.*

dais [dɛ] n. m. invar. **1.** Ouvrage (de bois, de tissu) qui s'étend au-dessus d'un autel, d'une chaire ou d'un lit. ⇒ **baldaquin, ciel** de lit. **2.** Pièce d'étoffe tendue, soutenue par de petits montants.

dalaï-lama n. m. ⇒ ② **lama.**

① **dalle** [dal] n. f. ■ Plaque de pierre dure, ou d'une matière similaire (béton, etc.), destinée au pavement du sol, au revêtement. ‹ ► **daller** ›

② *que* **dalle** [kədal] pronom indéf. ■ Arg. Rien. *On n'y comprend que dalle.*

daller [dale] v. tr. ■ conjug. 1. ■ Revêtir de dalles. *Daller une salle.* — Au p. p. adj. *Cuisine dallée.* ► **dallage** n. m. ■ Action de daller ; ensemble de dalles. *Dallage de marbre.*

dalmatien [dalmasjɛ̃] n. m. ■ Chien à poil ras, de taille moyenne, à robe blanche tachetée de noir ou de brun.

daltonien, ienne [daltɔnjɛ̃, jɛn] adj. et n. ■ Qui ne perçoit pas certaines couleurs ou confond les couleurs (surtout rouge et vert).

dam [dɑ̃ ; dam] n. m. ■ Littér. AU GRAND DAM de *qqn* : à son préjudice. ‹ ► **damner** ›

damas [dama] n. m. invar. ■ Tissu dont les dessins brillants sur fond mat à l'endroit se retrouvent mats sur fond brillant à l'envers. *Linge de table en damas.* ► **damassé, ée** adj. ■ Tissé comme le damas. *Nappe damassée.*

damasquiné, ée [damaskine] adj. ■ Qui porte des incrustations de métal. *Poignard damasquiné.*

① **dame** [dam] n. f. **I. 1.** Autrefois. Suzeraine. *La dame de l'île de Sercq.* **2.** Femme de haute naissance. *Une grande dame,* une femme d'esprit noble, élevé. — Femme de la haute société. *C'est une dame, une vraie dame.* — Loc. *Dame patronnesse,* qui se consacre à des œuvres de bienfaisance. *Dame de compagnie,* appointée pour tenir compagnie à une personne âgée. **2.** Femme mariée. *Est-ce une dame ou une jeune fille ?* — Fam. *Ma petite dame, ma bonne dame.* ⇒ **madame. 3.** Femme. *Qui est cette dame ?* **II.** Une des pièces maîtresses, dans certains jeux. *Jeu de dames,* qui se joue à deux avec des pions sur un damier. *Jouer aux dames et aux échecs.* — DAME : pion doublé sur la dernière rangée, qui peut prendre les autres pions en tous sens. *Aller à dame.* — Cartes. Chacune des quatre cartes où est figurée une reine. *Dame de pique.* ‹ ► **dame-jeanne, damer, damier, madame, notre-dame** ›

② *dame* interj. ■ Fam. et région. (Ancien mot signifiant « seigneur ») Assurément !, bien sûr ! ⇒ ma **foi, pardi**. « *Ils sont partis ? — Dame oui ! »*

dame-jeanne [damʒan] n. f. ■ Bonbonne. *Des dames-jeannes.*

damer [dame] v. tr. ▪ conjug. 1. ■ Loc. DAMER LE PION à *qqn* : l'emporter sur lui (⇒ **dame**, II).

damier [damje] n. m. ■ Surface divisée en cent carreaux alternativement blancs et noirs (jeu de dames). ⇒ **échiquier**. — *Tissu en damier*, à carreaux.

damner [dane] v. tr. ▪ conjug. 1. **1.** Condamner aux peines de l'enfer. **2.** Conduire à la damnation. *Damner son âme*. — Pronominalement. *Elle s'est damnée*. / contr. **sauver** / ▶ *damnation* [danɑsjɔ̃] n. f. ■ Condamnation aux peines de l'enfer ; ces peines. ⇒ **châtiment, supplice**. / contr. **salut** / *Enfer et damnation* / ▶ *damné, ée* adj. et n. **1.** (Attribut ou après le nom) Condamné aux peines de l'enfer. — N. *Les damnés*, les réprouvés. / contr. **élu** / *Souffrir comme un damné*, d'une manière abominable. **2.** Adj. (Avant le nom) Fam. Qui cause de l'humeur. ⇒ **maudit, sale, satané**. *Cette damnée histoire. Cette damnée porte grince toujours.*

dan [dan] n. m. ■ Judo. Chacun des dix grades supérieurs des judokas titulaires de la ceinture noire. — En appos. *Il, elle est troisième dan.*

dancing [dãsiŋ] n. m. ■ Établissement public où l'on danse. *Des dancings.*

se dandiner [dãdine] v. pron. ▪ conjug. 1. ■ Se balancer gauchement, se déhancher. ▶ *dandinement* n. m.

dandy [dãdi] n. m. ■ Homme qui se pique d'une suprême élégance dans sa mise et ses manières. *Des dandys.* ▶ *dandysme* n. m. ■ Raffinement du dandy (au XIXᵉ s.).

danger [dãʒe] n. m. ■ Ce qui menace la sûreté, l'existence d'une personne ou d'une chose. ⇒ **péril**. *Danger de mort. Il est hors de danger*, sauvé. — *Danger public* (personnes). *Cet automobiliste est un danger public.* — *Ses jours sont en danger.* — *Courir un danger.* ⇒ **risque**. — *Il n'y a pas de danger*, ça n'arrivera sûrement pas. — Fam. *Pas de danger qu'il arrive en avance.* ▶ *dangereux, euse* [dãʒrø, øz] adj. **1.** Qui constitue ou présente un danger. *Maladie dangereuse.* ⇒ **grave**. *Un produit dangereux. Un virage dangereux. Un sport dangereux. S'engager sur un terrain dangereux. Entreprise dangereuse.* ⇒ **hasardeux, périlleux, téméraire**. *Dangereux pour qqn.* **2.** (Personnes) Qui est capable de nuire. *Un fou dangereux. Un dangereux malfaiteur.* — (Animaux) Qui s'attaque à l'homme (piqûre, morsure). *La vipère est dangereuse.* ⇒ **nuisible**. / contr. **inoffensif** / ▶ *dangereusement* adv. ■ *Il conduit dangereusement.*

danois, oise [danwa, waz] adj. et n. **1.** Du Danemark. — N. *Les Danois.* — N. m. *Le danois*, langue germanique parlée au Danemark. **2.** N. m. invar. Chien de très grande taille, à poil court.

dans [dã] prép. ■ Préposition indiquant la situation d'une personne, d'une chose par rapport à ce qui la contient (⇒ **inter-, intra-**). **1.** LIEU. *Se promener dans un bois, dans une ville. Être dans sa chambre, à l'intérieur de. Les clefs sont dans ma poche. Lire qqch. dans un livre, dans un journal* (mais *sur une affiche*). *Être assis dans un fauteuil* (mais *sur une chaise*). *Dans la rue* (mais *sur un boulevard*). *Monter dans une voiture.* ⇒ **en**. *Apercevoir qqn dans la foule.* ⇒ au **milieu**. / contr. **hors** de / — *C'est dans ses projets.* ⇒ faire **partie**. *Cette idée est dans Descartes.* ⇒ **chez**. — *Il travaille dans la métallurgie. Il est dans les affaires.*

dans l'édition. **2.** MANIÈRE. *Être dans une mauvaise position. Agir dans les règles.* ⇒ **selon**. *Dans l'attente, l'espoir de.* **3.** TEMPS. Pendant. *Cela lui arriva dans son enfance.* — (Futur.) ⇒ **d'ici**. « *Quand partez-vous ? — Dans quinze jours.* » *Dans un instant*, bientôt. **4.** DANS LES : un chiffre voisin de. *Cela coûte dans les cent francs.* ⇒ **environ**. ⟨ ▶ **dedans** ⟩

danse [dãs] n. f. **1.** Suite de mouvements rythmés du corps, exécutés au son d'une musique (*une danse*) ; technique qui règle ces mouvements (*la danse*). *Pas, figure de danse. Danses anciennes, folkloriques. Danse classique.* ⇒ **chorégraphie**. *Chaussons de danse*, permettant de faire les pointes. — *Danses modernes. Réunions de danse.* ⇒ **bal, sauterie, surprise-party**. *Piste, orchestre de danse.* **2.** Musique sur laquelle on danse. **3.** Fam. *Entrer en danse*, agir, participer à qqch. ⇒ **scène**. — Péj. MENER LA DANSE : diriger une action collective. **4.** *Danse de Saint-Guy*, épilepsie. ▶ *danser* v. ▪ conjug. 1. **I.** V. intr. Exécuter une danse. *Apprendre à danser. Faire danser qqn*, danser avec lui. *Aller danser dans une boîte de nuit, un dancing. Un ours qui danse au son du tambourin.* — Loc. fam. *Ne pas savoir sur quel pied danser*, ne savoir que faire, hésiter. **II.** V. tr. Exécuter (une danse). *Danser une valse.* — Pronominalement. *Le menuet ne se danse plus.* ▶ *dansant, ante* adj. **1.** Qui danse. *Chœur dansant.* — Fig. *Des reflets dansants.* **2.** Qui est propre à faire danser. *Musique dansante.* **3.** Pendant lequel on danse. *Thé dansant. Soirée dansante.* ▶ *danseur, euse* n. **1.** Personne dont la profession est la danse. *Une danseuse de ballet.* ⇒ **ballerine**. *Danseuse étoile et première danseuse. Danseur mondain*, qui avait les mêmes fonctions que l'entraîneuse. — *Danseur, danseuse de corde.* ⇒ **funambule**. **2.** Cyclisme. EN DANSEUSE : en pédalant debout, le corps balancé à droite et à gauche. **3.** Personne qui danse avec un ou une partenaire. ⇒ **cavalier**. *Des couples de danseurs.* ⟨ ▶ **contredanse** ⟩

dantesque [dãtɛsk] adj. ■ Spectacle, vision dantesque, qui évoque l'enfer (tel que Dante l'a décrit). ⇒ **apocalyptique**.

dard [daʁ] n. m. **1.** Organe pointu et creux de certains animaux, servant à piquer, à inoculer un venin. ⇒ **aiguillon**. *Dard d'abeille, de scorpion.* **2.** Ancienne arme de jet. ⇒ **javelot**. ▶ *darder* [daʁde] v. tr. ▪ conjug. 1. ■ Lancer (ce qui est assimilé à un dard, une flèche). ⇒ **jeter**. *Le soleil darde ses rayons. Darder sur qqn des regards furibonds.*

dare-dare [daʁdaʁ] loc. adv. ■ Fam. Promptement. ⇒ en toute **hâte, précipitamment, vite**. *Accourir dare-dare.*

darne [daʁn] n. f. ■ Tranche (de gros poisson). *Une darne de colin.*

dartre [daʁtʁ] n. f. ■ Maladie de la peau qui durcit, se dessèche et se détache. ⇒ **impétigo**. ≠ *tartre*.

datcha [datʃa] n. f. ■ Maison de campagne, en Russie. *Des datchas.*

date [dat] n. f. **1.** Indication du jour, du mois et de l'année où s'est produit un fait. *Date de naissance. Date historique* (d'un événement historique). *À quelle date ?, quel jour ? En date du..., à la date du... Prendre date avec qqn la date d'un rendez-vous.* **2.** L'époque où un événement s'est produit. ⇒ **an, année**. *Une amitié de vieille date*, ancienne. *Ils se connaissent de longue date*, depuis longtemps. *De fraîche date*, depuis peu (de temps). — *Faire date*, marquer un moment important. ▶ *datation* n. f. ■ Action de dater, de mettre la date (sur une pièce). *Datation et signature d'un acte de vente.* — Action d'attribuer une date (à qqch.). *La datation d'une*

œuvre d'art. Datation au carbone 14. ▶ **dater** v.
■ conjug. 1. **I.** V. tr. Mettre la date sur (un écrit, un acte). *Dater une lettre.* **2.** Déterminer la date de. *Dater une pièce archéologique.* **3.** V. intr. DATER DE : avoir commencé d'exister (à telle époque). *Le dernier versement date du mois de janvier. Un pont qui date du temps des Romains.* ⇒ **remonter** à. *Cela ne date pas d'hier, c'est ancien.* — Loc. prép. À dater de, à partir de. ⇒ à **compter.** *À dater d'aujourd'hui.* **4.** V. intr. Sans compl. Faire date. *Cet événement date dans sa vie.* ⇒ **marquer.** — Être démodé. *Costume qui date.* ▶ **dateur, euse** adj. ■ Qui sert à dater. *Timbre dateur.* ⟨▶ antidater, postdater⟩

datif [datif] n. m. ■ Cas du nom, de l'adjectif, marquant le complément d'attribution, dans les langues à déclinaisons.

datte [dat] n. f. ■ Fruit comestible du dattier. *Régime de dattes. Datte sèche.* ▶ **dattier** n. m. ■ Palmier qui donne des dattes. — En appos. *Des palmiers dattiers.*

daube [dob] n. f. ■ Manière de faire cuire certaines viandes à l'étouffée dans un récipient fermé. *Bœuf en daube.*

① **dauphin** [dofɛ̃] n. m. ■ Mammifère marin carnivore dont la tête se prolonge en forme de bec armé de dents.

② **dauphin** n. m. **1.** (Avec une majuscule) Fils aîné des rois de France. *Le Dauphin.* **2.** Successeur choisi par un chef d'État, une personnalité importante. *Le dauphin du président.* ▶ **Dauphine** n. f. ■ Autrefois. La femme du Dauphin. *Madame la Dauphine.*

dauphinois, oise [dofinwa, waz] adj. et n. ■ Du Dauphiné, province française. *Gratin dauphinois.* — N. *Les Dauphinois.*

daurade ou **dorade** [dɔrad] n. f. ■ Poisson comestible à reflets dorés ou argentés, des mers chaudes ou tempérées.

davantage [davɑ̃taʒ] adv. **1.** (Modifiant un verbe) Plus. *En vouloir davantage. Bien davantage.* — *Son frère est intelligent, mais lui l'est davantage.* **2.** Plus longtemps. *Ne restez pas davantage. Inutile d'attendre davantage.* **3.** DAVANTAGE QUE : plus que. *La qualité importe bien davantage que la quantité.* / contr. **moins** /

davier [davje] n. m. ■ Chirurgie. Pince à longs bras de leviers et à mors très courts. *Extraire une dent avec un davier.*

D.C.A. [desea] n. f. invar. ■ Abréviation de *défense contre avions.*

D.D.T. [dedete] n. m. invar. ■ Nom d'un insecticide organique.

① **de** [d(ə)], **du** [dy] (pour *de le*), **des** [de] (pour *de les*) prép. — REM. *De* s'élide en *d'* devant une voyelle ou un *h* muet. **I.** (Après un verbe ou un nom) Origine concrète ou abstraite. **1.** LIEU, PROVENANCE. *Sortir de chez soi. Porcelaine de Chine.* — Abstrait. *Se tirer d'embarras.* — Particule nobiliaire. *Jean de La Fontaine. Duc de Talleyrand.* **2.** TEMPS. À partir de (tel moment). *Du 15 mars au 15 mai.* — Pendant. *Travailler de nuit. De nos jours,* à l'époque actuelle. *Il n'a rien fait de la journée.* **3.** CAUSE. *Être puni de ses fautes.* ⇒ **pour.** *Fou de joie. Mort de fatigue. Mourir de faim. Trembler de peur. Sauter de joie. Être contrarié de ce qu'il pleut.* ⇒ **parce que.** *Être heureux de sortir.* **4.** MOYEN. *Être armé d'un bâton. Jouer du violon.* **5.** MANIÈRE. *Citer de mémoire. De l'avis de tous.* ⇒ **selon. 6.** MESURE. *Avancer d'un pas. Retarder de cinq minutes. Une montagne haute de 3 000 mètres. Une tour de vingt-cinq étages. Gagner*

cinquante francs de l'heure. — DE... EN. Marque l'intervalle. *De place en place. D'heure en heure. De loin en loin.* — DE... À, marque l'imminence, l'approximation. *D'une minute à l'autre. Il sera là d'ici à une heure.* **7.** AGENT, AUTEUR. ▶ **par.** *Les œuvres de Bossuet. Être aimé de tous.* ⇒ **par. II.** Relations (entre deux noms ou un adj. et un nom). **1.** APPARTENANCE. *Le fils d'Henri. Le style de Flaubert.* **2.** QUALITÉ, DÉTERMINATION. *La couleur du ciel. La valeur d'une idée.* **3.** MATIÈRE. *Sac de papier.* ⇒ **en.** *Tas de sable.* **4.** GENRE, ESPÈCE. *Robe de bal. Regard de pitié. Une bibliothèque de médecine.* **5.** CONTENU. *Verre d'eau. Paquet de cigarettes. Troupeau de moutons. Collection de timbres.* **6.** Totalité ou partie d'un ensemble. *Les moutons d'un troupeau. L'un de nous.* ⇒ **entre, parmi.** *Le plus travailleur des deux. Le meilleur de tous.* — (Entre deux noms répétés pour marquer l'excellence) *L'as des as. Le fin du fin.* — (Après un adj.) En ce qui concerne. *Être rouge de figure, large d'épaules.* **III.** Fonctions grammaticales. **1.** COMPLÉMENT (objet d'une action). — Après les v. tr. indir. (*se souvenir de qqn*), ou employés indirectement (*penser du mal de qqn*). — (Après le nom) *La pensée de la mort. Un abus de confiance.* — (Après l'adj.) *Être avide de richesses.* — (Après l'adv.) *Il agit indépendamment de moi.* **2.** APPOSITION (après le nom). *La ville de Paris.* **3.** ATTRIBUT (avec les v. *traiter, qualifier*). *Qualifier un journal de tendancieux. Traiter qqn de menteur.* — (Emphatique) *C'est d'un réussi !, d'un mauvais !* **4.** DEVANT UN INFINITIF. — (Sujet) *C'est à nous d'y aller. Il leur est pénible de devoir partir.* — (Compl. d'objet d'un v. tr.) *Cesser de parler.* — (À valeur active de narration) Littér. *Et les enfants de sauter et de crier, se mirent à sauter et crier.* **5.** DEVANT UN ADJ., PRONOM, PART. PASSÉ, ADV. — (Facultatif) *Avoir trois jours (de) libres.* — (Obligatoire) *Cinq minutes de plus. Quoi de neuf? Rien de nouveau.* — Avec EN. *Il y en a deux d'abîmés.* ⟨▶ au-delà, en deçà, dedans, dehors, delà, depuis, derechef, derrière, dessous, ① et ② dessus, dorénavant, pardessus⟩

② **de, du** (pour *de le*), **de la, des** (*de les*) art. partitif ■ Article précédant les noms de choses qu'on ne peut compter. **1.** Devant un nom concret. *Boire du vin, un peu d'eau.* — (Devant un pluriel qui n'a pas de singulier) *Manger des rillettes.* **2.** Devant un nom concret nombrable qui a la valeur d'une espèce. *Manger du lapin.* **3.** Devant un nom abstrait. *Éprouver de la répulsion. Jouer de la musique.* — (Nom propre) *Jouer du Mozart.*

③ **de** art. indéfini. ■ ⇒ **des.** *Il a de bonnes idées.* — (Élidé) *Il m'a fait d'amers reproches.*

① **dé** [de] n. m. ■ Petit cube dont chaque face est marquée de un à six. *Cornet à dés.* — *Coup de dés,* affaire qu'on laisse au hasard. — *Les dés sont jetés,* la résolution est prise quoi qu'il advienne.

② **dé** n. m. ■ Petit étui cylindrique, à surface piquetée, destiné à protéger le doigt qui pousse l'aiguille. *Des dés à coudre. Un dé en argent.* — Fam. DÉ À COUDRE : verre à boire très petit.

dealer [dilœr] n. ■ Anglic. Revendeur de drogue (illégale).

déambuler [deɑ̃byle] v. intr. ■ conjug. 1. ■ Marcher sans but précis, selon sa fantaisie. ⇒ se **promener.** *Elle déambulait dans la maison, de pièce en pièce. Des touristes déambulaient dans les rues.* ▶ **déambulation** n. f. ■ Action de déambuler.

① **débâcle** [debakl] n. f. **1.** Fuite soudaine. *Retraite qui s'achève en débâcle.* ⇒ **débandade, déroute. 2.** Effondrement soudain. *C'est la débâcle pour son entreprise.* ⇒ **faillite, ruine.**

② *débâcle* n. f. ■ Rupture de la couche de glace (d'un cours d'eau) au moment du dégel.

déballer [debale] v. tr. ▪ conjug. 1. **1.** Sortir et étaler (ce qui était dans un contenant : caisse, paquet, colis). *Déballer la marchandise. Déballer ses affaires.* / contr. **emballer** / **2.** Fam. Exposer sans retenue (ce qui était caché). *Déballer ses petits secrets.* ▶ *déballage* n. m. ■ *Le déballage d'une caisse.*

débandade [debɑ̃dad] n. f. **1.** Le fait de se disperser rapidement et en tous sens. ⇒ **débâcle, déroute, fuite.** *La police chargea les manifestants ; ce fut la débandade.* **2.** À LA DÉBANDADE loc. adv. : dans la confusion. *Tout va à la débandade.*

débander [debɑ̃de] v. tr. ▪ conjug. 1. ■ Ôter la bande de. *On lui débanda les yeux.*

débaptiser [debatize] v. tr. ▪ conjug. 1. ■ Changer le nom de (un lieu). *Débaptiser une rue.* — Au p. p. adj. *Rue débaptisée.*

débarbouiller [debaʁbuje] v. tr. ▪ conjug. 1. ■ Débarrasser la figure de ce qui l'a salie, barbouillée. ⇒ **laver, nettoyer.** *Débarbouiller un enfant.* — Pronominalement (réfl.). *Va te débarbouiller !*

débarcadère [debaʁkadɛʁ] n. m. ■ Lieu aménagé pour l'embarquement et le débarquement. ⇒ **appontement, embarcadère, quai.** *Les marchandises sont sur le débarcadère.*

débardeur [debaʁdœʁ] n. m. **1.** Celui qui décharge et charge un navire, un véhicule de transport. ⇒ **docker. 2.** Tricot court, sans col ni manches et très échancré.

débarquer [debaʁke] v. ▪ conjug. 1. **I.** V. tr. Faire sortir d'un navire. / contr. **embarquer** / *Débarquer des marchandises.* ⇒ **décharger. II.** V. intr. **1.** (Personnes) Quitter un navire. *Tous les passagers ont débarqué.* ⇒ **descendre** à terre. — Descendre (d'un véhicule collectif). *Débarquer d'un autocar, d'un avion.* — *L'ennemi n'a pas pu débarquer,* n'a pu prendre pied. ⇒ **débarquement** (3). **2.** Fam. *Débarquer chez qqn,* arriver à l'improviste. **3.** Fam. *Il débarque,* il n'est pas au courant, il est naïf. ▶ *débarquement* n. m. **1.** Action de débarquer (des personnes, des marchandises). *Passerelle de débarquement.* / contr. **embarquement** / **2.** Action d'une personne qui débarque. *Le débarquement des astronautes sur la lune.* **3.** Opération militaire consistant à débarquer un corps expéditionnaire en territoire ennemi. ⇒ **descente.** *Troupes de débarquement. Le débarquement allié en Normandie.*

débarrasser [debaʁase] v. tr. ▪ conjug. 1. ■ Enlever ce qui embarrasse. *Débarrasser une pièce. Débarrasser un bureau des paperasses qui le couvrent. Vous pouvez débarrasser (la table),* enlever le couvert. *Débarrasser qqn de son manteau. Débarrasser qqn d'un mal.* ⇒ **soulager.** — SE DÉBARRASSER v. pron. *Se débarrasser d'un objet inutile* ⇒ **jeter ;** fam. **balancer, bazarder,** *d'une affaire* ⇒ **liquider, vendre.** *Se débarrasser de qqn,* l'éloigner, et par euphém., le faire mourir. *Débarrassez-vous.* ⇒ se **défaire,** se **déshabiller.** ▶ *débarras* [debaʁa] n. m. invar. **1.** Fam. Délivrance de ce qui embarrassait. *Ouf, quel débarras ! Il est parti,* BON DÉBARRAS ! **2.** Endroit où l'on remise les objets qui encombrent. ⇒ **grenier, remise.**

débat [deba] n. m. **1.** Action de débattre une question. *Éclaircir le débat. Soulever un débat. Ouvrir, reprendre le débat.* — Discussion organisée et dirigée. *Débat télévisé.* **2.** Au plur. Discussion des assemblées politiques. *Débats parlementaires.* — Phase d'un procès. *La clôture des débats.*

① *débattre* [debatʁ] v. tr. ▪ conjug. 41. ■ Examiner contradictoirement avec un ou plusieurs interlo-

cuteurs. ⇒ **discuter.** *Débattre un prix. Prix à débattre.* ⇒ **marchander.** *Débattre les conditions d'un accord.* ⇒ **négocier.** ‹ ▶ débat ›

② *se débattre* v. pron. ▪ conjug. 41. ■ Lutter, en faisant beaucoup d'efforts pour se défendre. ⇒ se **démener.** *Se débattre comme un beau diable, comme un forcené. Se débattre contre qqch.*

débauche [deboʃ] n. f. **1.** Excès dans la jouissance des plaisirs sensuels. ⇒ **dépravation, dévergondage, luxure.** *Vivre dans la débauche. Exciter des mineurs à la débauche.* ⇒ **prostitution. 2.** Usage déréglé de qqch. ⇒ **abus, excès.** *Une débauche de couleurs.* ▶ *débauché, ée* adj. ■ Qui vit dans la débauche. — N. *Un, une débauché(e).* ⇒ **coureur, libertin, noceur.**

débaucher [deboʃe] v. tr. ▪ conjug. 1. **I.** Renvoyer (des ouvriers) faute de travail. ⇒ **congédier, licencier.** *Le patron a dû débaucher du personnel pour raisons économiques.* / contr. **embaucher** / **II.** Fam. Détourner (qqn) de ses occupations, pour se divertir. *Se faire débaucher par un camarade.* ‹ ▶ débauche ›

débile [debil] adj. et n. **I. 1.** Adj. Qui manque de force physique. *Un enfant débile.* ⇒ **frêle, malingre. 2.** N. *Un débile (mental),* personne atteinte de débilité (âge mental entre 7 et 10 ans). **II.** Adj. et n. Fam. Imbécile, idiot. *Il est complètement débile.* ⇒ fam. **demeuré.** *Un raisonnement débile.* ⇒ **inepte.** ▶ *débilité* n. f. ■ Faiblesse permanente du corps ou de l'esprit. / contr. **force, vigueur** / *Débilité mentale,* faiblesse native des facultés intellectuelles. ⇒ **arriération.** ▶ *débiliter* v. tr. ▪ conjug. 1. ■ Rendre débile. ⇒ **affaiblir.** *La chaleur l'a débilité.* — Démoraliser. ▶ *débilitant, ante* adj. ■ Qui affaiblit (*climat débilitant*) ; démoralise (*atmosphère débilitante*).

① *débiner* [debine] v. tr. ▪ conjug. 1. ■ Fam. *Débiner qqn,* en dire du mal. ⇒ **dénigrer, médire** de. *Débiner ses supérieurs.*

② *se débiner* v. pron. ▪ conjug. 1. ■ Fam. Se sauver, s'enfuir.

① *débit* [debi] n. m. **1.** Écoulement continu des marchandises par la vente au détail. *Article de faible, de bon débit.* **2.** DÉBIT DE TABAC, de boissons... : endroit où l'on vend du tabac, etc. **3.** Manière d'énoncer, de réciter. ⇒ **élocution.** *Avoir un débit lent, rapide.* **4.** Quantité de fluide, de liquide qui s'écoule en un temps donné. *La rivière a un débit rapide.* ▶ **①** *débiter* v. tr. ▪ conjug. 1. **1.** Écouler (une marchandise) par la vente au détail (⇒ **débit**). **2.** Dire à la suite (des choses incertaines ou sans intérêt). ⇒ fam. **dégoiser.** *Débiter des fadaises.* — Dire en public avec monotonie (un texte étudié). *Il débitait son discours sans conviction.* **3.** Faire s'écouler (une quantité de fluide dans un temps donné). *Courant débité par une dynamo.* ▶ *débitant, ante* n. ■ Personne qui tient un débit (2). *Débitant de boissons, de tabac.*

② *débit* n. m. ■ Compte des sommes dues par une personne à une autre. *Nous mettons l'argent que vous avez retiré à votre débit.* — Partie d'une comptabilité où figurent ces sommes. *Inscrire, porter une somme au débit* (d'un compte). / contr. **crédit ; avoir** / ▶ **②** *débiter* v. tr. ▪ conjug. 1. ■ Rendre débiteur. *Débiter qqn d'une somme.* — *Débiter un compte de telle somme.* — Passif. *Votre chèque n'a pas encore été débité.* / contr. **créditer** / ▶ *débiteur, trice* n. **1.** Personne qui doit (de l'argent) à qqn. ⇒ **emprunteur.** / contr. **créancier, créditeur** / — Adj. *Compte débiteur,* où les débits excèdent le crédit. *Solde débiteur d'un compte, d'un bilan.* **2.** Personne qui a une dette morale. *Je reste votre débiteur.*

③ *débiter* v. tr. ▪ conjug. 1. ▪ Découper (une matière) en morceaux utilisables. *Débiter (à la scie) un arbre en planches. Débiter un bœuf.*

déblatérer [deblateʀe] v. intr. ▪ conjug. 6. ▪ Parler longtemps et avec violence (contre qqn, qqch.). ⇒ **médire** de, **vitupérer**. *Déblatérer contre qqn, sur qqn, sur qqch. Elle déblatérait contre sa famille.*

déblayer [debleje] v. tr. ▪ conjug. 8. **1.** Débarrasser (un endroit) de ce qui encombre, obstrue. ⇒ **dégager**. *Déblayer l'entrée.* **2.** Loc. *Déblayer le terrain*, faire disparaître les premiers obstacles avant d'entreprendre. ⇒ **aplanir**, **préparer**. ▶ *déblaiement* ou *déblayage* n. m. ▪ Opération par laquelle on déblaie (un lieu, un passage). ▶ *déblais* n. m. pl. ▪ Terres, décombres enlevés en déblayant. *Enlever les déblais.*

① *débloquer* [deblɔke] v. tr. ▪ conjug. 1. ▪ Remettre (une chose bloquée) en marche. — Remettre en circulation, en vente. *Débloquer des marchandises. Débloquer des crédits. Débloquer un compte en banque.* / contr. **bloquer** / ▶ *déblocage* n. m. ▪ *Le déblocage des prix.*

② *débloquer* v. intr. ▪ conjug. 1. ▪ Fam. Divaguer, déraisonner.

déboguer [debɔge] v. tr. ▪ conjug. 1. ▪ Informatique. Corriger (un programme) en enlevant les bogues*.

déboire [debwaʀ] n. m. ▪ Surtout au plur. Impression pénible laissée par un événement dont on avait espéré mieux. ⇒ **déception**, **déconvenue**, **désillusion**. *Éprouver, essuyer des déboires. Il a eu de nombreux déboires dans ses affaires.* ⇒ **échec**, **ennui**.

déboiser [debwaze] v. tr. ▪ conjug. 1. ▪ Dégarnir (un terrain) des bois qui le recouvrent. / contr. **boiser**, **reboiser** / ▶ *déboisement* n. m.

① *déboîter* [debwate] v. tr. ▪ conjug. 1. **1.** Faire sortir de ce qui emboîte. *Déboîter une porte. Déboîter des tuyaux.* ⇒ **disjoindre**. **2.** Sortir (un os) de l'articulation. ⇒ **démettre**, **désarticuler**, **luxer**. *Elle s'est déboîté l'épaule.* ▶ *déboîtement* n. m.

② *déboîter* v. intr. ▪ conjug. 1. ▪ (Véhicule) Sortir d'une file. *L'auto a déboîté pour doubler. Il a déboîté sans prévenir.* / contr. se **rabattre** /

se *débonder* [debɔ̃de] v. pron. ▪ conjug. 1. ▪ Littér. Donner libre cours à des sentiments longtemps contenus. ⇒ s'**épancher** — REM. On dit *débonder son cœur.*

débonnaire [debɔnɛʀ] adj. ▪ Doux, pacifique. *Il est calme et débonnaire.* — Inoffensif. *Air, aspect débonnaire.* / contr. **dur**, **sévère** /

déborder [debɔʀde] v. ▪ conjug. 1. **I.** V. intr. **1.** Répandre une partie de son contenu liquide par-dessus bord. *Fleuve qui déborde. Verre plein à déborder.* — Loc. *C'est la goutte d'eau qui fait déborder le vase*, la petite chose pénible qui s'ajoute à tout le reste et fait que l'ensemble devient insupportable (→ l'étincelle qui met le feu aux poudres). **2.** (En parlant du contenu) Se répandre par-dessus bord. ⇒ **couler**, s'**échapper**. *L'eau a débordé (du vase).* **3.** Se répandre, se manifester avec force. *Son enthousiasme déborde.* ⇒ **débordant. II.** V. tr. ind. DÉBORDER DE : être plein (d'un sentiment, d'un principe qui s'exprime avec force). ⇒ **éclater** de. *Déborder de santé.* **III.** V. tr. **1.** Dépasser (le bord) ; être en saillie. *Cette maison déborde (les autres).* — *Déborder le front ennemi.* — Fig. Aller plus loin que. *Cette question déborde le cadre du débat.* **2.** Déborder un lit, tirer les draps, les couvertures qui étaient engagés sous les bords du matelas. — *Déborder qqn, son lit.* — Pronominalement. *Se déborder.* — Au passif. *Être débordé.* ▶ *débordant, ante* adj. ▪ Qui

déborde (I, 3). *Joie débordante.* ⇒ **exubérant.** *Être débordant de vie, de santé, débordant (II) de...* ⇒ **pétulant.** *Activité débordante.* ▶ *débordé, ée* adj. ▪ Submergé. *Être débordé (de travail).* ▶ *débordement* n. m. ▪ Le fait de se répandre en abondance. *Un débordement de paroles, d'injures.* ⇒ **déluge**, **flot**, **torrent.** *Débordement de joie* ⇒ **effusion**, **explosion**, *de vie* ⇒ **exubérance.**

① *déboucher* [debuʃe] v. tr. ▪ conjug. 1. **1.** Débarrasser de ce qui bouche. *Déboucher un lavabo.* **2.** Débarrasser de son bouchon. ⇒ **ouvrir.** *Déboucher une bouteille.* / contr. **boucher** / ▶ *débouchage* n. m. ▪ *Le débouchage d'un évier.*

② *déboucher* v. intr. ▪ conjug. 1. **1.** Passer d'un lieu resserré dans un lieu plus ouvert. *Déboucher d'une petite rue sur le boulevard.* **2.** (Voie, passage) Aboutir à un lieu ouvert, une artère plus large. ⇒ **donner** sur. *Rue qui débouche sur une place.* **3.** Abstrait. *Déboucher sur*, aboutir, mener à. *Les discussions ont débouché sur un compromis.* ▶ *débouché* n. m. **1.** Moyen d'assurer la vente d'un produit. *Ne pas trouver de débouchés.* — Lieu de cette vente. ⇒ **marché.** *Ouvrir des débouchés à une production.* **2.** Perspective de situation. *Les débouchés offerts à un ingénieur.*

déboucler [debukle] v. tr. ▪ conjug. 1. ▪ Ouvrir en détachant une boucle. ⇒ **dégrafer.** *Déboucler sa ceinture.*

débouler [debule] v. intr. ▪ conjug. 1. Fam. **1.** Tomber en roulant. *Le landau a déboulé dans l'escalier.* ⇒ **dégringoler**, **dévaler.** **2.** (Personnes) Faire irruption. *Il a déboulé chez eux en pleine nuit.* ⇒ **débarquer.**

déboulonner [debulɔne] v. tr. ▪ conjug. 1. **1.** Démonter (ce qui était boulonné). *Déboulonner une pièce mécanique.* / contr. **boulonner** / **2.** Fam. Déposséder (qqn) de sa place, de son influence. ⇒ **destituer**, **évincer.**

débourser [debuʀse] v. tr. ▪ conjug. 1. ▪ Tirer de sa bourse, de son portefeuille (une certaine somme). ⇒ **dépenser**, **payer.** *Sans rien débourser, sans débourser un sou*, gratuitement.

déboussoler [debusɔle] v. tr. ▪ conjug. 1. ▪ Fam. Désorienter (qqn), faire qu'il ne sache plus où il en est. — Au p. p. *Il est complètement déboussolé depuis son échec.* ⇒ **désemparé.**

debout [dəbu] adv. **1.** (Choses) Verticalement ; sur l'un des bouts. *Mettre un meuble debout.* **2.** (Personnes) Sur ses pieds (opposé à *assis, couché*). *Se tenir debout.* ⇒ se **lever.** — Interj. *Debout !, levez-vous !* — Levé. *Être debout dès l'aube. Il va mieux, il est déjà debout*, guéri, rétabli. **3.** Être (encore) debout, être en bon état (mur, construction). *Après le tremblement de terre, il restait peu de maisons debout.* — Résister à la destruction. *Cette vieille institution tient encore debout.* — Tenir debout (souv. négatif), être solide. *Il ne tient pas (plus) debout, il est très fatigué.* — Abstrait. *Théorie qui ne tient pas debout*, insoutenable. *Ton histoire ne tient pas debout,* elle est incohérente, invraisemblable.

débouter [debute] v. tr. ▪ conjug. 1. ▪ Droit. Rejeter par jugement, par arrêt, la prétention de (qqn). *Le tribunal l'a débouté de sa demande.*

déboutonner [debutɔne] v. tr. ▪ conjug. 1. **1.** Ouvrir en dégageant les boutons de la boutonnière. ⇒ **défaire.** *Déboutonner son pardessus.* **2.** SE DÉBOUTONNER v. pron. réfl. : déboutonner ses vêtements. / contr. se **boutonner** / — Se confier sans pudeur, sans retenue.

débraillé, ée [debʀaje] adj. et n. m. **1.** Dont les vêtements sont en désordre, ouverts. *Tenue débraillée.*

— *Un air, une allure débraillée.* ⇒ **négligé.** — N. m.
Le débraillé de sa tenue. ⇒ **laisser-aller.** — 2. Fig.
Une conversation débraillée, sans retenue, très libre.

débrancher [debRãʃe] v. tr. ▪ conjug. 1. ▪ Arrêter
(un appareil électrique) en supprimant son branchement. *Débrancher un fer à repasser.* ⇒ **éteindre.**
/ contr. **brancher** /

débrayer [debReje] v. ▪ conjug. 8. 1. V. tr. Interrompre la liaison entre le moteur et les roues. / contr.
embrayer / *Débrayer, passer les vitesses et embrayer.*
2. V. intr. *Les ouvriers ont débrayé ce matin,* ils ont
cessé le travail, se sont mis en grève. ▶ **débrayage**
n. m. 1. Le fait de débrayer. / contr. **embrayage** /
2. Cessation du travail ; mouvement de grève.

débridé, ée [debride] adj. ▪ Sans retenue.
⇒ **déchaîné, effréné.** *Imagination débridée.*

débrider [debride] v. tr. ▪ conjug. 1. ▪ Dégager
(qqch.) de ce qui serre comme une bride. *Débrider
un abcès.* ⇒ **inciser, ouvrir.**

débris [debri] n. m. invar. 1. Rare au sing. Reste
(d'un objet brisé, d'une chose en partie détruite).
⇒ **fragment, morceau.** *Les débris d'un vase. Débris
de bouteille.* ⇒ **tesson.** 2. Au plur. Littér. ⇒ **reste.** *Les
débris d'une armée,* ce qui en reste après la défaite.
Réunir les débris de sa fortune.

débrouiller [debruje] v. tr. ▪ conjug. 1. I. 1. Démêler (ce qui est embrouillé). *Débrouiller les fils d'un
écheveau.* 2. Tirer de la confusion. ⇒ **démêler,**
éclaircir. *Débrouiller une affaire. Les contradictions
ont été débrouillées.* II. SE DÉBROUILLER v. pron. :
se tirer habilement d'affaire. *Se débrouiller avec ce
qu'on a.* ⇒ **s'arranger.** *Se débrouiller tout seul. Je ne
suis pas fort aux échecs, mais je me débrouille.* ⇒ fam.
se **démerder.** ▶ **débrouillard, arde** adj. ▪ Fam. Qui
sait se débrouiller. ⇒ **habile, malin.** *C'est un garçon
débrouillard,* et n., *un débrouillard, une débrouillarde.*
▶ **débrouillardise** n. f. ▪ Qualité d'une personne
débrouillarde.

débroussailler [debRusaje] v. tr. ▪ conjug. 1.
1. Débarrasser (un terrain) des broussailles. ⇒ **défricher.** 2. Abstrait. Rendre plus clair, moins touffu.
Débroussailler un texte, un problème.

débusquer [debyske] v. tr. ▪ conjug. 1. 1. Chasser
(le gibier) du bois. *Débusquer un lièvre.* 2. Faire sortir
de sa position, de son refuge. ⇒ **chasser, déloger.**
Débusquer l'ennemi. On l'a débusqué de sa cachette.

début [deby] n. m. 1. Commencement. *Le début
d'un livre. Appointements de début.* ⇒ **initial.** — *Le
début du jour, de la semaine, de l'année. Du début
à la fin. Au début, tout au début, au tout début.* / contr.
fin / 2. *Les débuts de qqn,* sa première apparition (à
la scène, dans le monde, etc.). *Cet acteur a fait ses
débuts au café-théâtre.* ▶ **débuter** v. intr. ▪ conjug. 1.
1. (Personnes) Faire ses premiers pas dans une
carrière. *Débuter comme dactylo.* — Commencer à
paraître sur la scène, l'écran, etc. *Un comédien qui
débute.* 2. (Choses) Commencer. *Histoire qui débute
mal.* / contr. **finir, terminer** / ▶ **débutant, ante**
adj. et n. ▪ Personne qui débute. ⇒ **apprenti, novice.**
Cours pour débutants. — N. f. Jeune fille qui sort pour
la première fois dans la haute société.

déca [deka] n. m. ▪ Fam. Café décaféiné. *Deux décas
et un (café) normal.*

déca- ▪ Élément savant signifiant « dix » (ex. :
décalitre, décamètre). ≠ *déci-*.

en deçà [ãd(ə)sa] loc. adv. et prép. ▪ EN DEÇÀ
loc. adv. : de ce côté-ci, sans franchir un point donné.
Ne passez pas le fleuve, restez en deçà. — EN DEÇÀ
DE loc. prép. *Rester en deçà de la vérité,* ne pas
l'atteindre. / contr. **au-delà** de /

décacheter [dekaʃte] v. tr. ▪ conjug. 4. ▪ Ouvrir
(ce qui est cacheté). *Il décachette une lettre.* / contr.
cacheter /

décade [dekad] n. f. ▪ Période de dix jours.
≠ *décennie.*

décadence [dekadãs] n. f. ▪ Acheminement vers
la ruine. ⇒ **affaiblissement, chute, déclin.** *Grandeur
et décadence. Civilisation en décadence. La décadence
des mœurs. Tomber en décadence.* — *Les derniers
siècles de l'Empire romain. Les poètes de la décadence.*
▶ **décadent, ente** adj. ▪ Qui est en décadence,
marque un déclin. *Peuple décadent. Art décadent.*

décaféiner [dekafeine] v. tr. ▪ conjug. 1. ▪ Traiter
(le café) pour enlever la caféine. — Au p. p. adj. *Café
décaféiné.* — N. m. *Du décaféiné. Deux décaféinés.*
⇒ fam. **déca.**

décalage [dekalaʒ] n. m. 1. Le fait de décaler dans
l'espace, le temps ; écart temporel ou spatial. *Décalage
horaire entre deux pays. Souffrir du décalage (horaire)
après un voyage en avion.* 2. Manque de correspondance entre deux choses, deux faits. ⇒ **écart ;**
désaccord. *Le décalage entre ses prétentions et ses
possibilités.*

décalcifier [dekalsifje] v. tr. ▪ conjug. 7. ▪ Priver
d'une partie de son calcium. — Pronominalement (réfl.).
Organisme qui se décalcifie. ▶ **décalcifiant, ante**
adj. ▶ **décalcification** n. f. ▪ *La décalcification des
os.*

décalcomanie [dekalkɔmani] n. f. ▪ Procédé par
lequel on décalque des images peintes sur du papier ;
ces images. *Faire des décalcomanies.*

décaler [dekale] v. tr. ▪ conjug. 1. ▪ Déplacer un
peu de la position normale. ⇒ **avancer, reculer ;**
changer. *Décaler une table. Décaler qqch. en avant,
en arrière.* — (Temps) *Décaler un horaire. Décaler un
rendez-vous.*

décalitre [dekalitR] n. m. ▪ Mesure de capacité
qui vaut dix litres (abrév. *dal*). ≠ **décilitre.**

décalquer [dekalke] v. tr. ▪ conjug. 1. ▪ Reporter
le calque de (qqch., dessin, tableau) sur un support
(papier, toile, étoffe, etc.). ⇒ **imprimer.** *Décalquer une
carte de géographie.* ▶ **décalquage** n. m. ▪ Action
de décalquer. *Le décalquage d'un dessin.* ▶ **décalque**
n. m. ▪ Reproduction par décalquage. ‹ ▶ décalcomanie ›

décamper [dekãpe] v. intr. ▪ conjug. 1. ▪ S'en aller
précipitamment. ⇒ **déguerpir, s'enfuir, fuir, se sauver.**

décan [dekã] n. m. ▪ Chacune des trois dizaines
de degrés comptées par chaque signe du zodiaque.
Le premier décan du Scorpion.

décaniller [dekanije] v. intr. ▪ conjug. 1. ▪ Fam.
Décamper, partir vite. *Décanillons avant que l'orage
éclate !* ⇒ **filer.**

décanter [dekãte] v. tr. ▪ conjug. 1. ▪ Débarrasser
(un liquide) des matières qu'il contient en suspension.
⇒ **clarifier, épurer.** — Pronominalement (réfl.). *Laisser
le vin se décanter.* — *Décanter ses idées,* se donner
un temps de réflexion pour mieux comprendre.
⇒ **éclaircir.** Pronominalement (réfl.). *La situation se
décante et tout paraît plus clair.*

décaper [dekape] v. tr. ▪ conjug. 1. ▪ Nettoyer (une
surface métallique) des dépôts qui la recouvrent.
⇒ **poncer.** *Décaper du cuivre.* — Débarrasser (une
surface) de la crasse ou d'un enduit. *Décaper des
parquets sales.* ▶ **décapage** n. m. ▶ **décapant** n. m.
▪ Produit servant à décaper.

décapiter [dekapite] v. tr. ▪ conjug. 1. 1. Trancher
la tête de (qqn). ⇒ **couper** la tête, **guillotiner.**

— Au p. p. adj. *Un cadavre décapité.* **2.** Décapiter un arbre, en enlever la partie supérieure. ⇒ **étêter.** **3.** Supprimer ce qui est à la tête de (un mouvement). *Décapiter un parti politique en exilant ses chefs.* ▶ **décapitation** n. f. ■ *La décapitation d'un réseau terroriste.*

décapoter [dekapɔte] v. tr. ▪ conjug. 1. ■ Enlever la capote, le toit mobile de. *Décapoter sa voiture.* ⇒ **découvrir.** ▶ **décapotable** adj. ■ Qui peut être décapoté. *Voiture décapotable* et, n. f., *une décapotable.*

décapsuler [dekapsyle] v. tr. ▪ conjug. 1. ■ Enlever la capsule de. ⇒ **ouvrir.** *Décapsuler une bouteille.* ▶ **décapsuleur** n. m. ■ Ustensile servant à enlever les capsules de bouteilles. ⇒ **ouvre-bouteilles.**

se décarcasser [dekaʀkase] v. pron. ▪ conjug. 1. ■ Fam. Se donner beaucoup de peine pour parvenir à un résultat. ⇒ **se démener.**

décatir [dekatiʀ] v. tr. ▪ conjug. 2. **1.** Débarrasser (une étoffe) du lustre que lui ont donné les apprêts. **2.** Pronominalement (réfl.). *Se décatir,* perdre toute fraîcheur. *Comme elle s'est décatie !* — Au p. p. adj. *Un vieillard décati.*

décavé, ée [dekave] adj. et n. **1.** Fam. Ruiné. *Être complètement décavé.* **2.** Épuisé. *Il a un de ces airs décavés !*

décéder [desede] v. intr. ▪ conjug. 6. ■ (Personnes) Mourir. *Il est décédé depuis peu.* ⇒ ③ **feu, mort.** — REM. Se conjugue avec l'auxiliaire *être.* ‹ ▶ **décès** ›

déceler [desle] v. tr. ▪ conjug. 5. **1.** Découvrir (ce qui était celé, caché). *Déceler un secret, une intrigue. Déceler une fuite de gaz.* ⇒ **détecter. 2.** (Choses) Être l'indice de. ⇒ **révéler, trahir.** *Son ton décèle une certaine inquiétude.* ⇒ **dénoter.** ▶ **décelable** adj. ■ Qui peut être décelé. *Une amélioration à peine décelable.* ≠ **desceller.**

décélération [deseleʀasjɔ̃] n. f. ■ Réduction de la vitesse. ⇒ **ralentissement.** *La décélération d'une fusée. Décélération de l'avion avant l'atterrissage.* / contr. **accélération** /

décembre [desɑ̃bʀ] n. m. ■ Le douzième et dernier mois de l'année. *Le 25 décembre.* ⇒ **Noël.**

décence [desɑ̃s] n. f. ■ Respect de ce qui touche les bonnes mœurs, les convenances. ⇒ **bienséance, pudeur.** *Garder une certaine décence.* — Tact. *Ayez donc la décence de vous taire !* / contr. **indécence** / ▶ **décent, ente** adj. **1.** Qui est conforme à la décence. ⇒ **bienséant, convenable.** *Il aurait été plus décent de te taire. Tenue décente.* ⇒ **modeste, réservé.** / contr. **indécent / 2.** Acceptable. *Il a une situation décente. Elle joue du piano d'une manière décente.* ⇒ **correct.** ▶ **décemment** [desamɑ̃] adv. **1.** D'une manière décente. ⇒ **convenablement.** *Elle était habillée très décemment.* ⇒ **correctement. 2.** Raisonnablement. *Décemment, il ne pouvait pas s'abstenir.* ‹ ▶ **indécence** ›

décennie [deseni] n. f. ■ Durée de dix ans. ≠ **décade.**

décentraliser [desɑ̃tʀalize] v. tr. ▪ conjug. 1. ■ Rendre plus autonome (ce qui est centralisé). *Décentraliser l'Administration.* — Au p. p. adj. *Un service décentralisé.* ▶ **décentralisation** n. f. ■ Action de décentraliser ; son résultat. *Décentralisation politique, administrative.* ⇒ **régionalisation.**

décentrer [desɑ̃tʀe] v. tr. ▪ conjug. 1. ■ Déplacer le centre de, ce qui était au centre. *Décentrer légèrement l'axe d'un rouage, un rouage.*

déception [desɛpsjɔ̃] n. f. ■ Le fait d'être déçu. ⇒ **déconvenue, désappointement, désillusion ; déce-**

voir. *Causer, éprouver une déception.* — *Ce qui déçoit. C'est une cruelle déception pour nous.*

décerner [desɛʀne] v. tr. ▪ conjug. 1. **1.** En droit. Ordonner juridiquement. *Décerner un mandat d'arrêt, d'amener contre qqn.* **2.** Accorder à qqn (une récompense, une distinction). ⇒ **conférer, octroyer.**

décès [desɛ] n. m. invar. ■ Mort d'une personne (⇒ **décéder**). *Acte de décès. Depuis son décès, depuis qu'il est décédé.* — *Magasin fermé pour cause de décès.* ⇒ **deuil.** — REM. S'emploie surtout dans le langage administratif ou par euphémisme.

décevoir [dɛs(ə)vwaʀ] v. tr. ▪ conjug. 28. ■ Tromper (qqn) dans ses espoirs, son attente. *Cet élève m'a déçu.* ▶ **décevant, ante** adj. ■ Qui déçoit, ne répond pas à ce qu'on espérait. *Un voyage décevant.* ‹ ▶ **déception, déçu** ›

déchaîner [deʃene] v. tr. ▪ conjug. 1. **1.** Donner libre cours à (une force). *Déchaîner les passions.* ⇒ **provoquer, soulever.** *Déchaîner l'hilarité générale. Déchaîner l'opinion contre qqn.* ⇒ **ameuter. 2.** SE DÉCHAÎNER v. pron. : se déclencher avec violence. *La tempête s'était déchaînée.* — (Personnes) Se mettre en colère, s'emporter (contre qqn, qqch.). *Il s'est déchaîné contre cet abus.* ▶ **déchaîné, ée** adj. **1.** Déclenché dans toute sa violence. *Une mer déchaînée.* ⇒ **démonté. 2.** (Personnes) Très excité, qu'on ne peut arrêter. *Cet enfant est déchaîné.* ▶ **déchaînement** n. m. ■ Action de déchaîner, de se déchaîner ; son résultat. *Le déchaînement des éléments.* ⇒ **fureur.** — (Sentiments, passions) ⇒ **explosion, transport.** *Un déchaînement de colère, de violence, de haine.*

déchanter [deʃɑ̃te] v. intr. ▪ conjug. 1. ■ Fam. Changer de ton ; rabattre de ses prétentions, de ses espérances, perdre ses illusions. *Il commence à déchanter.*

① **décharge** [deʃaʀʒ] n. f. **1.** Lieu où l'on jette (les ordures, etc.). *Décharge publique.* **2.** De décharge, par où l'on jette (tuyau, etc.). *Tuyau de décharge.*

② **décharge** n. f. **1.** Libération d'une obligation, d'une dette ; acte qui atteste cette libération (⇒ **reçu**). *Signer une décharge.* **2.** À... DÉCHARGE : en levant les charges qui pèsent sur un accusé. *Témoin à décharge,* qui dépose à l'appui de la défense. / contr. à **charge / Il faut dire, à sa décharge..., pour l'excuser.**

③ **décharge** ⇒ ③ **décharger.**

① **décharger** [deʃaʀʒe] v. tr. ▪ conjug. 3. **1.** Débarrasser de sa charge (une personne, un navire, un véhicule, etc.). **2.** Enlever (un chargement). ⇒ **débarquer.** *Décharger des marchandises, des passagers.* **3.** Décharger une arme, en enlever la charge. — Au p. p. adj. *Pistolet déchargé.* / contr. **charger** / ▶ **déchargement** n. m. ■ *Le déchargement d'un camion, d'un navire.* / contr. **chargement** / ‹ ▶ ① **décharge** ›

② **décharger** v. tr. ▪ conjug. 3. **1.** Débarrasser ou libérer (qqn) d'une charge, d'une obligation, d'une responsabilité. ⇒ **dispenser.** *Être déchargé d'une corvée.* — Pronominalement (réfl.). *Elle s'est déchargée de certains travaux sur ses collaborateurs.* **2.** Libérer d'une accusation. *Décharger un accusé.* ⇒ **disculper, innocenter. 3.** Décharger sa conscience (en avouant). ⇒ **soulager.** / contr. **charger** / ‹ ▶ ② **décharge** ›

③ **décharger** v. tr. ▪ conjug. 3. **1.** Faire partir (une arme à feu) sur (qqn) ou dans (qqch.). ⇒ **tirer.** *Il a déchargé son pistolet sur sa victime.* **2.** SE DÉCHARGER v. pron. : perdre son potentiel électrique. *La pile s'est déchargée.* — Au passif et p. p. adj. *La pile est déchargée.* ▶ ③ **décharge** n. f. **1.** Le fait de décharger une ou des armes à feu. ⇒ **fusillade, salve.**

2. Brusque diminution d'un potentiel électrique. *La décharge d'une batterie.* — *Décharge électrique,* passage d'une charge électrique d'un conducteur à un autre. *Recevoir une décharge électrique.*

décharné, ée [deʃaʀne] adj. ■ Amaigri à l'extrême. *Visage décharné.* ⇒ **émacié, maigre.**

① *déchausser* [deʃose] v. tr. • conjug. 1. ■ Enlever les chaussures de (qqn). *Déchausser un enfant.* — Pronominalement (réfl). *Se déchausser.* — Par ext. *Déchausser des skis,* les ôter des pieds. Sans compl. *J'ai déchaussé,* j'ai enlevé mes skis ; mes skis se sont détachés. / contr. se **chausser** /

② *se déchausser* v. pron. • conjug. 1. ■ *Dent qui se déchausse,* qui n'est plus bien maintenue par la gencive dans l'alvéole dentaire et finit par tomber. — Au p. p. adj. *Dent déchaussée.*

dèche [dɛʃ] n. f. ■ Fam. Manque d'argent, grande gêne. ⇒ **misère, pauvreté.** *Être dans la dèche,* sans le sou.

déchéance [deʃeɑ̃s] n. f. **1.** Le fait de déchoir ; état d'une personne déchue. ⇒ **chute, disgrâce.** *La déchéance d'un souverain.* — *Déchéance physique* ⇒ **décrépitude, vieillissement,** *morale, intellectuelle* ⇒ **avilissement, dégradation. 2.** Perte d'un droit. *Déchéance de la puissance paternelle.*

déchet [deʃɛ] n. m. **1.** Partie d'une matière rejetée comme inutilisable ou inconsommable. ⇒ **débris, résidu.** *Déchets de viande. Déchets radioactifs, toxiques* (agents de pollution). — *Il y a du déchet,* de la perte. **2.** Personne déchue, méprisable. *C'est un déchet de l'humanité, un pauvre déchet.*

déchiffrer [deʃifʀe] v. tr. • conjug. 1. **1.** Lire (ce qui est écrit en chiffres ou dans une écriture inconnue). *Déchiffrer un message. Déchiffrer des hiéroglyphes.* — Lire (une écriture peu lisible). *Le pharmacien n'a pas pu déchiffrer l'ordonnance.* **2.** *Déchiffrer de la musique,* la lire à première vue. ▸ *déchiffrable* adj. ■ Qui peut être déchiffré. ⇒ **lisible.** *Une inscription déchiffrable.* / contr. **indéchiffrable** / ▸ *déchiffrage* n. m. ■ Action de déchiffrer (de la musique). ⟨ ▸ indéchiffrable ⟩

déchiqueter [deʃikte] v. tr. • conjug 4. **1.** Déchirer irrégulièrement en petits morceaux. ⇒ **déchiqueter,** *Déchiqueter de la viande à belles dents.* **2.** Mettre en pièces, en lambeaux. — Au p. p. *Avoir la main déchiquetée par une grenade.*

déchirer [deʃiʀe] v. tr. • conjug. 1. **I. 1.** Mettre en morceaux. *Déchirer une lettre. Déchirer qqch. en petits morceaux. Il a déchiré les brouillons.* — Partager en deux (une étoffe) en la tirant des deux côtés à la fois, ou y faire un accroc. *Elle a déchiré sa robe.* — Au p. p. adj. *Chemise déchirée.* — *Se déchirer un muscle,* se rompre des fibres musculaires. — Fig. *Un cri perçant déchira le silence.* ⇒ **rompre, traverser. 2.** Causer une vive douleur physique ou morale à. *Toux qui déchire la poitrine. Déchirer le cœur, à qqn.* ⇒ **fendre. 3.** Troubler par de tragiques divisions. ⇒ **diviser.** *La guerre civile déchire le pays.* — Au p. p. adj. *Pays déchiré.* **II.** SE DÉCHIRER v. pron. **1.** Devenir déchiré, se fendre. *Sa robe s'est déchirée en s'accrochant.* **2.** Se faire réciproquement du mal, de la peine avec violence. *Des amants qui se déchirent.* ⇒ **s'entre-déchirer.** ▸ *déchirant, ante* adj. ■ Qui déchire le cœur, émeut fortement. *Spectacle déchirant.* ⇒ **navrant.** *Des cris déchirants.* ▸ *déchirement* n. m. **1.** Rare. Action de déchirer ; son résultat. **2.** Grande douleur morale avec impression de rupture intérieure. *Le déchirement des séparations.* ▸ *déchirure* n. f. **1.** Fente faite en déchirant. ⇒ **accroc.** — Rupture ou ouverture irrégulière dans les tissus, les chairs. *Une*

déchirure musculaire. **2.** Déchirement moral. ⟨ ▸ s'entre-déchirer ⟩

déchoir [deʃwaʀ] v. intr. • conjug. 25. — REM. Pas d'imparfait ni de p. prés. ■ Tomber dans un état inférieur à celui où l'on était. ⇒ **s'abaisser.** *Il croirait déchoir en étant aimable. Vous pouvez accepter sans déchoir.* — *Être déchu de ses droits civiques.* ▸ *déchu, ue* adj. ■ Qui n'a plus (une position supérieure, un avantage). *Un prince déchu.* ⇒ **déchéance.** — Privé de l'état de grâce. *Ange déchu.*

déchristianiser [dekʀistjanize] v. intr. • conjug. 1. ■ Faire cesser (un pays, un groupe humain) d'être chrétien. ▸ *déchristianisation* n. f.

déci- ■ Élément savant signifiant « dixième partie » (ex : *décigramme, décilitre, décimètre*) ≠ **déca-.** ⟨ ▸ décimer ⟩

décibel [desibɛl] n. m. ■ Unité de puissance sonore (symb. *dB*).

décider [deside] v. tr. • conjug. 1. **I.** V. tr. dir. **1.** Prendre la décision (2) de. *Décider une opération.* Sans compl. *C'est moi qui décide.* — (+ infinitif, ou que + indicatif) *Il décide de ne pas aller travailler, qu'il n'ira pas travailler.* **2.** Amener (qqn à agir). *Décider qqn à faire qqch. Je l'ai décidé à rester.* ⇒ **convaincre, persuader, pousser. II.** V. tr. ind. DÉCIDER DE qqch. (Personnes) Disposer en maître par son action ou son jugement. *Décider de l'éducation de ses enfants. Il décidera des mesures à prendre au moment opportun.* — (Choses) Déterminer, être la cause principale. *Ce concours décidera de son avenir.* **III.** SE DÉCIDER v. pron. **1.** (Passif) Être tranché, résolu. *Ça s'est décidé très vite.* **2.** (Réfl.) *Se décider à,* prendre la décision de. ⇒ se **résoudre.** *Se décider à une opération. Il faut qu'il se décide à travailler.* — *Décidez-vous donc !,* prenez donc une décision ! / contr. **hésiter** / **3.** (Réfl.) *Se décider pour,* donner la préférence à. ⇒ **choisir, opter,** se **prononcer.** *Ils se sont finalement décidés pour un voyage en Grèce.* **IV.** Au passif. ÊTRE DÉCIDÉ À : avoir pris la décision de. ⇒ **déterminé, résolu.** *J'y suis décidé. Il est décidé à acheter cette maison.* ▸ *décidé, ée* adj. **1.** Qui n'hésite pas pour prendre un parti. ⇒ **résolu.** *Un homme décidé.* — *Un air décidé, une allure décidée.* **2.** Arrêté par décision. *C'est une chose décidée.* ⇒ **réglé, résolu.** ▸ *décidément* adv. de phrase ■ D'une manière décisive, définitive. *Décidément, je n'ai pas de chance !* ⇒ **manifestement.** ⟨ ▸ décisif, décision ⟩

décigramme [desigʀam] n. m. ■ Dixième partie du gramme (abrév. *dg*). ▸ *décilitre* n. m. ■ Dixième partie d'un litre (abrév. *dl*). ≠ **décalitre.** ▸ *décimètre* n. m. ■ Dixième partie du mètre (abrév. *dm*). ≠ **décamètre.**

décimal, ale, aux [desimal, o] adj. et n. f. ■ Qui procède par dix ; qui a pour base le nombre dix. *Nombre décimal,* composé d'une partie entière et d'une partie constituée par une fraction décimale. *3,25* est un nombre décimal. — N. f. Chacun des chiffres placés après la virgule, dans un nombre décimal. *3,25* a deux décimales.

décimer [desime] v. tr. • conjug. 1. ■ Faire périr une grande proportion (d'un ensemble de personnes ou d'animaux). — REM. D'abord, faire mourir un sur dix. *Épidémie qui décime une population, une ville, un troupeau.*

décisif, ive [desizif, iv] adj. **1.** (Choses) Qui décide. ⇒ **capital, prépondérant.** *La pièce décisive d'un procès.* — Qui résout une difficulté, tranche un débat. ⇒ **concluant, péremptoire.** *Un argument décisif.* — Qui conduit à un résultat décisif, capital. *Moment décisif.* **2.** (Personnes) Qui annonce la décision. *Prendre un ton décisif.* ⇒ **péremptoire, tranchant.**

décision [desizjɔ̃] n. f. **1.** Jugement qui apporte une solution. ⇒ **arrêt, décret, sentence, verdict.** *Décision judiciaire, administrative.* **2.** Fin de la délibération dans l'acte volontaire de faire ou ne pas faire (une chose). ⇒ **détermination, résolution.** *Prendre une décision.* ⇒ **décider.** *Il a pris la décision de retourner vivre à la campagne.* ⇒ **parti.** *Sa décision est prise. Obliger qqn à prendre une décision. Revenir sur sa décision,* l'annuler. **3.** Qualité qui consiste à ne pas atermoyer ou changer sans motif ce qu'on a décidé. ⇒ **caractère, fermeté, volonté.** *Esprit de décision. Agir avec décision, beaucoup de décision.* / contr. **hésitation /** ‹ ► indécision ›

déclamer [deklame] v. tr. ◾ conjug. 1. ■ Dire en rythmant fortement ou avec emphase. *Déclamer un texte, un poème.* ► **déclamation** n. f. ■ Action de déclamer. — Péj. Emploi de phrases emphatiques ; ces phrases. ► **déclamatoire** adj. ■ Emphatique. *Ton, style déclamatoire.*

déclarer [deklaʀe] v. tr. ◾ conjug. 1. **1.** Faire connaître (un sentiment, une volonté...) d'une façon claire. ⇒ **proclamer.** *Déclarer ses intentions.* — *Déclarer la guerre à un pays,* ouvrir les hostilités contre lui. — (Avec attribut) *On l'a déclaré coupable.* — DÉCLARER QUE (+ indicatif). ⇒ **assurer, prétendre.** *Il a déclaré que c'était faux.* **2.** Faire connaître (à une autorité) l'existence de (une chose, une personne, un fait). *N'avez-vous rien à déclarer* (à la douane) ? *Déclarer ses revenus.* ⇒ **déclaration. 3.** SE DÉCLARER v. pron. : donner son avis. *Il ne veut pas se déclarer sur ce point.* ⇒ **se prononcer.** *Se déclarer pour, contre.* — (Avec attribut) *Se dire* (tel). *Elle se déclare lésée dans cette affaire.* — Faire une déclaration (d'amour). *Ne pas oser se déclarer.* — (Phénomène dangereux) Se manifester. *La fièvre s'est déclarée brusquement.* ⇒ **apparaître, commencer.** ► **déclaré, ée** adj. ■ Être l'ennemi déclaré de qqn. ⇒ ① **juré.** ► **déclaration** n. f. **1.** Action de déclarer ; discours ou écrit par lequel on déclare. *Déclaration des droits de l'homme. Le témoin a confirmé ses déclarations. Déclaration officielle. Faire une déclaration solennelle. Faire une déclaration à la presse.* **2.** Aveu qu'on fait à une personne de l'amour qu'on éprouve pour elle (souvent iron.). *Déclaration d'amour. Faire sa déclaration à qqn.* **3.** Action de déclarer l'existence d'une situation de fait ou de droit. *Déclarations d'état civil* (décès, naissance). *Faire sa déclaration d'impôts,* des revenus imposables. **4.** *Déclaration de guerre,* action de déclarer la guerre.

① **déclasser** [deklase] v. tr. ◾ conjug. 1. ■ Déranger (des objets classés). *Déclasser des papiers, des livres.*

② **déclasser** v. tr. ◾ conjug. 1. **1.** Faire passer dans une classe, une catégorie inférieure. *Déclasser un hôtel. Il se plaint d'être déclassé dans son nouvel emploi.* — Au p. p. adj. *Wagon de première déclassé.* **2.** Rétrograder (un concurrent). *Il est arrivé premier, mais on l'a déclassé.*

déclencher [deklɑ̃ʃe] v. tr. ◾ conjug. 1. **1.** Déterminer la production de (un phénomène) par un mécanisme. *Déclencher la sonnerie d'un réveil. L'ouverture de la portière déclenche une sonnerie d'alarme.* **2.** Déterminer brusquement (une action, un phénomène). ⇒ **provoquer.** *Déclencher une révolte, une crise. Déclencher la panique.* — Pronominalement (réfl.). *Le processus se déclenche.* ⇒ **commencer.** ► **déclenchement** n. m. ■ *Le déclenchement des hostilités.*

déclic [deklik] n. m. **1.** Mécanisme qui déclenche. *Faire jouer un déclic.* **2.** Bruit sec produit par ce qui se déclenche. *Le déclic d'un appareil de photo. Des déclics répétés.*

① **décliner** [dekline] v. tr. ◾ conjug. 1. **1.** Repousser (ce qui est proposé, attribué). *Décliner une invitation, un honneur.* ⇒ **refuser.** — *Décliner toute responsabilité.* ⇒ **rejeter. 2.** Appliquer le système des déclinaisons, en grammaire. *Décliner « rosa », « dominus ».* — Pronominalement. *Adjectif qui se décline.* **3.** Décliner ses nom, prénoms, titres et qualités. ⇒ **dire, énoncer.** ► **déclinable** adj. ■ Susceptible d'être décliné (2). *Mot déclinable.* / contr. **indéclinable /** ► **déclinaison** n. f. ■ Ensemble des formes ⇒ **désinence** que prennent les noms, pronoms et adjectifs des langues à flexion, suivant les nombres, les genres et les cas. *Les cinq déclinaisons latines. La déclinaison allemande, hongroise.*

② **décliner** v. intr. ◾ conjug. 1. ■ Être dans son déclin. ⇒ **baisser, diminuer, tomber.** *Le jour commence à décliner — Sa santé décline.* ⇒ **affaiblir, décroître.** ► **déclin** [deklɛ̃] n. m. ■ État de ce qui diminue, commence à régresser. *Le déclin de popularité d'un musicien. Être sur son déclin. Le déclin du jour.* ⇒ **crépuscule.** — *Le déclin de la vie, de l'âge.* ⇒ **vieillesse.** — *Une civilisation en déclin.* ⇒ **décadence.** ► **déclinant, ante** adj. ■ Qui est sur son déclin. *Forces déclinantes.*

déclivité [deklivite] n. f. ■ État de ce qui est en pente. *La déclivité d'un terrain.* ⇒ **inclinaison.**

déclouer [deklue] v. tr. ◾ conjug. 1. ■ Défaire (ce qui est cloué). *Déclouer une caisse.*

décocher [dekɔʃe] v. tr. ◾ conjug. 1. **1.** Lancer par une brusque détente. *Décocher un coup à qqn.* **2.** Envoyer comme une flèche. *Décocher une remarque.*

décoction [dekɔksjɔ̃] n. f. ■ Action de faire bouillir dans un liquide une substance pour en extraire les principes solubles ; liquide ainsi obtenu. ⇒ **infusion, tisane.** *Préparer une décoction de plantes, de racines.*

décoder [dekɔde] v. tr. ◾ conjug. 1. ■ Analyser le contenu d'un message (selon un code). ⇒ **décrypter.**

décoiffer [dekwafe] v. tr. ◾ conjug. 1. ■ Déranger la coiffure, l'ordonnance des cheveux de (qqn). ⇒ **dépeigner.** *Le vent l'a décoiffé.* Au p. p. *Être décoiffé.* / contr. **coiffer, recoiffer /**

décoincer [dekwɛ̃se] v. tr. ◾ conjug. 3. ■ Dégager (ce qui est coincé, bloqué). *Décoincer un tiroir bloqué.* ⇒ **débloquer.**

décolérer [dekɔleʀe] v. intr. ◾ conjug. 6. ■ (Emploi négatif) *Ne pas décolérer,* ne pas cesser d'être en colère.

① **décoller** [dekɔle] v. tr. ◾ conjug. 1. ■ Détacher ce qui est collé. *Décoller un timbre.* — Pronominalement. *Affiche qui se décolle.* **2.** Au p. p. adj. *Oreilles décollées,* qui s'écartent de la tête. ► **décollement** n. m. ■ Action de décoller. — Séparation d'un organe, ou d'une partie d'organe, des régions anatomiques qui lui sont normalement adhérentes. *Un décollement de la rétine.*

② **décoller** v. intr. ◾ conjug. 1. ■ (Appareils de locomotion aérienne) Quitter le sol (la mer, etc.), opposé à *amerrir, atterrir.* ⇒ **s'envoler.** *Pas un avion ne décolle pour cause de brume.* ⇒ **partir.** ► **décollage** n. m. ■ *Les passagers doivent attacher leur ceinture avant le décollage.* / contr. **atterrissage /**

③ **décoller** v. intr. ◾ conjug. 1. ■ Fam. Maigrir. *Décoller à vue d'œil.*

décolleter [dekɔlte] v. tr. ◾ conjug. 4. **1.** Couper (un vêtement) de sorte qu'il dégage le cou. ⇒ **échancrer.** *Décolleter un corsage.* — Au p. p. adj. *Robe décolletée,* qui laisse voir le cou et une partie de la gorge. **2.** Pronominalement. *Se décolleter,* porter un vêtement décolleté. — Au passif. *Elle était très décolletée.*

▶ *décolleté* n. m. **1.** Bords d'un vêtement décolleté. *Un décolleté de soie. Un décolleté en pointe.* **2.** Partie de la gorge laissée nue par le décolleté. *Elle a un beau décolleté.*

décoloniser [dekɔlɔnize] v. tr. ■ conjug. 1. ■ (État) Rendre l'indépendance à un pays annexé ⇒ **colonie** (I, 1) ou à un peuple. / contr. **coloniser** / ▶ *décolonisation* n. f. ■ Cessation, pour un pays, de l'état de colonie ; processus par lequel une colonie devient indépendante. ⇒ **indépendance.** / contr. **colonisation** /

décolorer [dekɔlɔʀe] v. tr. ■ conjug. 1. **1.** Altérer, effacer la couleur de. *L'eau oxygénée décolore les cheveux.* — *Elle s'est décoloré les cheveux.* **2.** SE DÉCOLORER v. pron. : perdre sa couleur. ⇒ **se faner,** ① **passer** (III, 3). *Les affiches se sont décolorées au soleil.* ▶ *décolorant, ante* adj. et n. m. ■ Qui décolore. *Produit décolorant.* — N. m. *L'eau de Javel est un décolorant.* ▶ *décoloration* n. f. ■ *Décoloration des cheveux.* ▶ *décoloré, ée* adj. ■ Qui a perdu sa couleur. *Étoffe décolorée.* ⇒ **délavé, passé.** *Cheveux décolorés,* rendus plus clairs.

décombres [dekɔ̃bʀ] n. m. pl. ■ Amas de matériaux provenant d'un édifice détruit. ⇒ **déblais, gravats, ruine.** *Être enfoui sous les décombres.*

décommander [dekɔmɑ̃de] v. tr. ■ conjug. 1. ■ Annuler la commande de (une marchandise). *Décommander une robe.* — Annuler une invitation. *Décommander un repas.* — Pronominalement. *Se décommander,* annuler un rendez-vous.

① *décomposer* [dekɔ̃poze] v. tr. ■ conjug. 1. ■ Diviser, séparer en éléments constitutifs. ⇒ **désagréger, dissocier.** *Décomposer la lumière solaire* (au moyen d'un prisme). — *Décomposer une phrase en propositions. Décomposer un nombre en facteurs premiers.* — Effectuer, en séparant les éléments. *Décomposer un pas de danse.* ▶ *décomposable* adj. ■ Qui peut être décomposé. *Ce texte est décomposable en trois parties.* ▶ ① *décomposition* n. f. ■ Action de décomposer. *La décompositon de l'eau en hydrogène et oxygène.* ⇒ **analyse.**

② *décomposer* v. tr. ■ conjug. 1. **1.** Altérer chimiquement (une substance organique). ⇒ **putréfier.** — Pronominalement. *Poisson qui commence à se décomposer.* ⇒ **pourrir.** **2.** Altérer passagèrement (les traits du visage). *Il est décomposé,* pâle et défait. — Au p. p. adj. *Avoir une mine décomposée.* ▶ ② *décomposition* n. f. ■ Altération (d'une substance organique, chimique) suivie de putréfaction. ⇒ **pourriture.** *Cadavre en décomposition.*

décompression [dekɔ̃pʀesjɔ̃] n. f. ■ Cessation ou diminution de la compression, de la pression d'un gaz. ⇒ **détente, dilatation.**

décompte [dekɔ̃t] n. m. **1.** Ce qu'il y a à déduire sur une somme qu'on paie. ⇒ **réduction.** **2.** Décomposition d'une somme en ses éléments. *Faire le décompte d'un salaire.* ▶ *décompter* v. tr. ■ conjug. 1. ■ Déduire, retrancher. *Il faut décompter les frais de voyage.* ⇒ **défalquer.**

déconcerter [dekɔ̃sɛʀte] v. tr. ■ conjug. 1. ■ Faire perdre contenance à (qqn) ; jeter dans l'incertitude de ce qu'il faut faire, dire ou penser. ⇒ **démonter, désorienter, embarrasser.** *Se laisser facilement déconcerter.* ▶ *déconcertant, ante* adj. ■ Qui déconcerte. ⇒ **déroutant.** *Attitude déconcertante.*

déconfit, ite [dekɔ̃fi, it] adj. ■ Penaud, dépité. *Air déconfit, mine déconfite.*

déconfiture [dekɔ̃fityʀ] n. f. **1.** Fam. Échec, défaite morale. *La déconfiture d'un parti politique.*

2. Fam. Ruine financière. ⇒ **banqueroute, faillite.** *L'entreprise est en pleine déconfiture.*

décongestionner [dekɔ̃ʒɛstjɔne] v. tr. ■ conjug. 1. **1.** Faire cesser la congestion de. *Décongestionner les poumons.* **2.** Dégager. *Décongestionner la circulation urbaine.*

déconnecter [dekɔnɛkte] v. tr. ■ conjug. 1. ■ Supprimer les connexions de (un circuit électrique). ⇒ **débrancher.**

déconner [dekɔne] v. intr. ■ Fam. Dire des absurdités, des *conneries. Arrête de déconner !* — Faire des *conneries. Il passe son temps à déconner.*

déconseiller [dekɔ̃seje] v. tr. ■ conjug. 1. ■ Conseiller de ne pas faire. ⇒ **dissuader.** *Déconseiller à qqn qqch., de faire qqch. Je vous déconseille de partir seul, de rouler de nuit. Je vous déconseille cette voiture, elle est trop fragile.* — Au p. p. adj. *C'est tout à fait déconseillé,* contre-indiqué.

déconsidérer [dekɔ̃sideʀe] v. tr. ■ conjug. 6. ■ Priver (qqn) de la considération, de l'estime d'autrui. *Ses erreurs l'ont déconsidéré auprès de ses collègues.* — SE DÉCONSIDÉRER v. pron. : se discréditer, perdre l'estime dont on jouissait. *Elle s'est déconsidérée aux yeux du public.*

décontenancer [dekɔ̃tnɑ̃se] v. tr. ■ conjug. 3. ■ Faire perdre contenance à. — Pronominalement. *Il se décontenance facilement.* ⇒ **se démonter.** — Au p. p. *Il était tout décontenancé,* déconcerté.

décontracter [dekɔ̃tʀakte] v. tr. ■ conjug. 1. **1.** Faire cesser la contraction musculaire. ⇒ **relâcher.** *Décontracter ses muscles.* **2.** SE DÉCONTRACTER v. pron. : se détendre. ⇒ **se relaxer.** / contr. **contracter** / ▶ *décontracté, ée* adj. **1.** (Muscle) Relâché. — Détendu. **2.** Fam. Insouciant, sans crainte ni angoisse. *Il est très décontracté. Allure, ton décontracté.* / contr. **contracté** / ▶ *décontraction* [dekɔ̃tʀaksjɔ̃] n. f. **1.** Relâchement des muscles. / contr. **contraction** / **2.** Détente du corps. / contr. **raideur** / — Absence d'angoisse. / contr. **angoisse, anxiété** /

déconvenue [dekɔ̃vny] n. f. ■ Désappointement causé par un insuccès, une mésaventure, une erreur. ⇒ **déception.** *Éprouver une grande déconvenue.*

décor [dekɔʀ] n. m. **1.** Ensemble servant à décorer (un intérieur), ou naturellement décoratif. ⇒ **ambiance, atmosphère, cadre.** *Vivre dans un décor somptueux. Un décor de verdure.* **2.** Représentation figurée du lieu où se passe l'action (théâtre, cinéma, télévision). — Loc. fig. CHANGEMENT DE DÉCOR : modification brusque d'une situation. **3.** Fam. (Véhicules) *Entrer* DANS LE DÉCOR : quitter accidentellement la route. ▶ ① *décorer* v. tr. ■ conjug. 1. ■ Pourvoir d'accessoires destinés à embellir. ⇒ **orner.** *Décorer un appartement. Décorer un sapin de Noël avec des guirlandes.* ▶ *décorateur, trice* n. ■ Personne qui fait des travaux de décoration ou qui exécute des décors. *Décorateur d'appartements. Décorateur de théâtre.* ▶ *décoratif, ive* adj. ■ Qui sert à décorer. *Plantes décoratives. Peinture décorative.* ⇒ **ornemental.** *Le musée des Arts décoratifs.* ▶ ① *décoration* n. f. ■ Action de décorer ; ce qui décore. *La décoration d'un appartement.*

② *décorer* v. tr. ■ conjug. 1. ■ Remettre à (qqn) une décoration (insigne). *Décorer un soldat. Il va être décoré* (de la Légion d'honneur, etc.). ▶ ② *décoration* n. f. ■ Insigne d'un ordre honorifique. ⇒ **cordon, croix, médaille, palme, rosette, ruban.** *Procéder à une remise de décorations. Poitrine couverte de décorations.*

décortiquer [dekɔʀtike] v. tr. ■ conjug. 1. ■ Dépouiller de son enveloppe. *Décortiquer des châtaignes, du riz, des écrevisses.* — Au p. p. adj. *Amandes décortiquées.* ⇒ **écorcer.** *Acheter des crevettes décortiquées.* — *Décortiquer un texte,* l'étudier dans ses moindres détails. ⇒ **éplucher.** ▶ *décorticage* n. m. ■ *Le décorticage du grain.*

décorum [dekɔʀɔm] n. m. sing. ■ Ensemble des règles à observer pour tenir son rang dans la haute société. ⇒ **bienséance, protocole.** *Observer le décorum. Les règles du décorum. Décorum royal.*

découcher [dekuʃe] v. intr. ▪ conjug. 1. ■ Coucher hors de chez soi.

découdre [dekudʀ] v. tr. ▪ conjug. 48. **1.** Défaire (ce qui est cousu). *Découdre une doublure, un bouton.* — Pronominalement. *Le sac s'est décousu.* **2.** EN DÉCOUDRE : se battre. *Il va falloir en découdre.* ‹ ▶ *décousu* ›

découler [dekule] v. intr. ▪ conjug. 1. ■ S'ensuivre par développement naturel. ⇒ **procéder, provenir, résulter.** *Les conséquences qui découlent de son acte. Les résultats qui en découlent.*

découper [dekupe] v. tr. ▪ conjug. 1. **1.** Diviser en morceaux, en coupant ou en détachant (une pièce de viande qu'on sert à table). *Découper un gigot.* — Sans compl. *Couteau à découper.* **2.** Couper régulièrement suivant un contour, un tracé. *Découper une pièce de bois. Découper un article de presse.* **3.** SE DÉCOUPER SUR v. pron. : se détacher avec des contours nets. *Montagnes qui se découpent sur le ciel.* **4.** DÉCOUPÉ, ÉE p. p. adj. : qui a été découpé ; qui présente des entailles. *Côte découpée. Feuille de chêne découpée.* ▶ *découpage* n. m. **1.** Action de découper. *Le découpage de tôles au chalumeau. Découpage d'images en carton.* **2.** Image à découper ou découpée. *Faire des découpages.* ▶ *découpure* n. f. **1.** Papier découpé. *Une découpure de journal.* ⇒ **coupure.** **2.** Bord découpé. *Les découpures d'une dentelle, d'une côte rocheuse.*

bien découplé, ée [bjɛ̃dekuple] adj. ■ (Personnes) Bien bâti.

décourager [dekuʀaʒe] v. tr. ▪ conjug. 3. **1.** (Suj. personne ou chose) Rendre (qqn) sans courage, sans énergie, ni envie d'action. *Cette mauvaise nouvelle l'a découragé. Je ne voudrais pas vous décourager. Les médecins ne se laissaient pas décourager par le nombre de blessés.* ⇒ **abattre, accabler, démoraliser.** / contr. **encourager** / — Pronominalement. SE DÉCOURAGER. *Il se décourage à la première difficulté.* — Au p. p. *Être découragé,* abattu, triste. **2.** (Suj. personne) Empêcher d'agir, de persévérer (avec *de* + infinitif). *Il m'a découragé de partir.* ⇒ **dissuader.** ▶ *décourageant, ante* adj. ■ Propre à décourager, à rebuter. *Nouvelle décourageante.* — (Personnes) *Vous êtes décourageant !* ▶ *découragement* n. m. ■ État d'une personne découragée. *Se laisser aller au découragement.* / contr. **courage** /

décousu, ue [dekuzy] adj. **1.** Dont la couture a été défaite (⇒ **découdre**). *Ourlet décousu.* / contr. **cousu** / **2.** Qui est sans suite, sans liaison. ⇒ **incohérent.** *Conversation décousue.* / contr. **suivi** (2) /

découvrir [dekuvʀiʀ] v. tr. ▪ conjug. 18. **I.** Concret. **1.** Dégarnir de ce qui couvre. *Découvrir un plat.* — Ne pas couvrir, dégager. *Robe qui découvre le dos.* ⇒ **dénuder.** **2.** Priver de ce qui protège. ⇒ **exposer.** *Découvrir une frontière.* **II.** **1.** Apercevoir. *Du haut de la colline, on découvre la mer.* — *Découvrir un ami dans la foule.* **2.** Faire connaître (ce qui est caché). ⇒ **divulguer, révéler.** *Découvrir ses projets. Découvrir son jeu,* laisser connaître ses intentions. **3.** Arriver à connaître (ce qui était resté caché ou ignoré). ⇒ **trouver.** *Découvrir un trésor. Découvrir une belle région inconnue des touristes. Découvrir la cause*

d'une maladie. ⇒ **déceler.** *Découvrir un virus* (⇒ **découverte**). DÉCOUVRIR QUE (+ indicatif). ⇒ **comprendre.** *J'ai découvert que vous étiez très compétent.* **4.** Parvenir à connaître (ce qui était délibérément caché ou qqn qui se cachait). *Découvrir un secret, un complot. Craindre d'être découvert.* ⇒ **surprendre.** **III.** SE DÉCOUVRIR v. pron. **1.** Ôter ce dont on est couvert. *Il s'agite et se découvre en dormant.* **2.** Ôter son chapeau, sa coiffure. *Se découvrir par respect.* **3.** (Temps) Devenir moins couvert. *Le ciel se découvre.* ⇒ se **dégager, s'éclaircir.** **4.** (Personnes) Apprendre à se connaître. ▶ ① *découvert, erte* adj. ■ Qui n'est pas couvert. *Avoir la tête découverte.* — Loc. *À visage découvert,* sans masque ; sans détour. — *Terrain découvert.* ▶ ② *découvert* n. m. ■ Ensemble des avances consenties par une banque. *Le découvert d'une caisse, d'un compte.* ▶ *à découvert* loc. adv. **1.** Dans une position qui n'est pas couverte, protégée. *Se trouver à découvert dans la campagne.* **2.** (Compte en banque) Où il n'y a pas (plus) assez d'argent. *Ton compte est à découvert,* il faut verser de l'argent. **3.** ⇒ **franchement, ouvertement.** *Agir à découvert,* sans rien cacher. ▶ *découverte* n. f. **1.** Action de découvrir ce qui était ignoré, inconnu. *Découverte d'un trésor, d'un secret.* — *La découverte scientifique. Une grande découverte.* — À LA DÉCOUVERTE loc. adv. : afin d'explorer, de découvrir. *Aller, partir à la découverte,* à l'aventure. **2.** Ce qu'on a découvert. *Montrez-moi votre découverte.* ⇒ **trouvaille.** ▶ *découvreur, euse* n. ■ Personne qui découvre, a découvert (qqch., un lieu).

décrasser [dekʀase] v. tr. ▪ conjug. 1. ■ Débarrasser de la crasse. ⇒ **laver, nettoyer.** *Décrasser du linge. Elle s'est décrassé la figure.* ▶ *décrassage* n. m. ■ *Le décrassage d'un poêle.*

décrépir [dekʀepiʀ] v. tr. ▪ conjug. 2. ■ Dégarnir du crépi. *Décrépir un mur.* — Au p. p. adj. *Façade décrépie.* ≠ *décrépit.*

décrépit, ite [dekʀepi, it] adj. ■ Qui est dans une extrême déchéance physique. ⇒ **usé, vieux.** *Une vieille décrépite.* ≠ *décrépi.* ▶ *décrépitude* n. f. ■ *La décrépitude d'une civilisation. Tomber en décrépitude.*

décret [dekʀɛ] n. m. **1.** Décision écrite émanant du pouvoir exécutif. ⇒ **arrêté, ordonnance.** *Décret publié au Journal officiel. Décret-loi.* **2.** Littér. Décision, volonté d'une puissance supérieure. *Les décrets de la Providence.* ⇒ **arrêt.** ▶ *décréter* [dekʀete] v. tr. ▪ conjug. 6. **1.** Ordonner par un décret, régler. *Décréter la mobilisation.* **2.** Décider avec autorité. *Décréter que* (+ indicatif). *Elle décrète qu'on voyagera de nuit. Il a décrété qu'il resterait.*

décrié, ée [dekʀije] adj. ■ Littér. Attaqué dans sa réputation, dénigré. *Un personnage décrié.*

décrire [dekʀiʀ] v. tr. ▪ conjug. 39. **1.** Représenter dans son ensemble, par écrit ou oralement. ⇒ **dépeindre ; description.** *Décrire une plante, un animal. Décrire en détail.* ⇒ **détailler.** **2.** Tracer ou suivre (une ligne courbe). *La route décrit une courbe.* ‹ ▶ descriptif, description ›

décrispation [dekʀispasjɔ̃] n. f. ■ Fait de détendre ; détente (rapports politiques et sociaux). / contr. **crispation** /

décrocher [dekʀɔʃe] v. tr. ▪ conjug. 1. **1.** Détacher une chose qui était accrochée. *Décrocher un tableau.* ⇒ **dépendre.** *Décrocher sa veste du portemanteau.* / contr. **accrocher** / — *Décrocher le récepteur téléphonique.* Sans compl. *Ça y est ! Quelqu'un a décroché.* / contr. **raccrocher** / **2.** Fam. Atteindre, obtenir. ⇒ **dénicher.** *Décrocher une bonne situation.* **3.** Intransitivement. Rompre le contact avec un ennemi, se replier. — Renoncer à suivre ou à rattraper. *Les deux* premiers couraient trop vite : j'ai décroché. — Fig. Renoncer à suivre, à comprendre. *Le cours est trop difficile : la moitié des élèves a décroché.* **4.** Se détacher de, soit en renonçant à suivre, soit en allant plus vite. *Il a décroché le peloton dans une échappée.* ▶ *décrochage* n. m.

décroiser [dekʀwaze] v. tr. ▪ conjug. 1. ▪ Faire cesser d'être croisé. *Décroiser les bras, les jambes. Décroiser les fils d'un métier à tisser.*

décroître [dekʀwɑtʀ] v. intr. — REM. ▪ conjug. 55, sauf p. p. : *décru*, sans accent circonflexe. ▪ Diminuer progressivement. ⇒ **baisser, diminuer.** *Les eaux ont décru, sont décrues. Ses forces décroissent chaque jour.* ⇒ **s'affaiblir.** *La fièvre décroît.* ⇒ **tomber.** / contr. **s'accroître, croître** / ▶ *décroissance* n. f. ▪ État de ce qui décroît. ▶ **déclin, diminution.** *La décroissance de la natalité.* ▶ *décroissant, ante* adj. ▪ Qui décroît. *Aller en nombre décroissant.* ▶ *décrue* n. f. ▪ Baisse du niveau (d'un fleuve en crue). / contr. **crue** / ⇒ **étiage.**

décrotter [dekʀɔte] v. tr. ▪ conjug. 1. ▪ Nettoyer en ôtant la boue. *Décrotter des chaussures.* ▶ *décrottoir* n. m. ▪ Lame de fer servant à décrotter les chaussures.

décrypter [dekʀipte] v. tr. ▪ conjug. 1. ▪ Traduire (des messages chiffrés dont on ne possède pas la clef). ⇒ **déchiffrer, décoder.** *Décrypter un texte.*

déçu, ue [desy] adj. (⇒ **décevoir**) **1.** (Espoir) Qui n'est pas réalisé. *Une attente déçue.* **2.** (Personnes) Qui éprouve, qui a éprouvé une déception. *Je suis très déçu par qqn, qqch. Un enfant déçu. Clients, spectateurs déçus.* / contr. **comblé, content** /

déculotter [dekylɔte] v. tr. ▪ conjug. 1. ▪ Enlever la culotte, le pantalon de (qqn). *Déculotter un enfant.* — SE DÉCULOTTER v. pron. : enlever sa culotte, son pantalon. Fig. Avoir une attitude servile.

décupler [dekyple] v. tr. ▪ conjug. 1. **1.** Augmenter d'au moins dix fois. *Décupler sa fortune.* — Abstrait *La colère décuplait ses forces.* **2.** Intransitivement. Devenir dix fois plus grand. *Le prix du terrain a décuplé.*

dédaigner [dedeɲe] v. tr. ▪ conjug. 1. **1.** V. tr. dir. Considérer avec dédain, mépris. *Dédaigner les honneurs.* — Négliger. *Ce n'est pas à dédaigner. Dédaigner les insultes, n'en pas tenir compte.* **2.** V. tr. ind. DÉDAIGNER DE (+ infinitif). *Il dédaigne de répondre.* / contr. **daigner** / ▶ *dédaignable* adj. ▪ (En tournure négative) *Cet avantage n'est pas dédaignable,* n'est pas à dédaigner. ▶ *dédaigneux, euse* adj. ▪ Qui a ou exprime du dédain. ⇒ **fier, hautain, méprisant.** *C'est un homme dédaigneux. Air dédaigneux. Il a pris un ton méprisant et dédaigneux pour me répondre.* ⇒ **supérieur.** — N. *Faire le dédaigneux,* ne pas faire cas de (qqch.). ▶ *dédaigneusement* adv. ▪ *Regarder dédaigneusement qqch.* ▶ *dédain* [dedɛ̃] n. m. ▪ Le fait de dédaigner. ⇒ **arrogance, mépris.** *Considérer avec dédain. Sourire de dédain.* — *Le dédain de l'argent. Avoir le plus complet dédain, n'avoir que du dédain pour qqn, qqch.*

dédale [dedal] n. m. **1.** Lieu où l'on risque de s'égarer à cause de la complication des détours. ⇒ **labyrinthe.** *Un dédale inextricable de rues.* **2.** Abstrait. Ensemble de choses compliquées, embrouillées. *On se perd dans le dédale de ses raisonnements. Le dédale d'une intrigue politique, policière.*

① *dedans* [d(ə)dã] adv. **1.** À l'intérieur. *Vous attendrai-je dehors ou dedans ? « Avez-vous mis le chèque dans l'enveloppe ? — Oui, il est dedans. »* — *Rentrer dedans* (dans qqch., qqn), heurter violemment. *Attention au poteau, vous allez rentrer dedans.*

Fam. Se précipiter sur (qqn) pour le battre. *Il va lui rentrer dedans.* — Fam. *Ficher, foutre qqn dedans,* le tromper. *Je me suis fichu dedans.* **2.** Loc. LÀ-DEDANS : à l'intérieur de ce lieu, en cet endroit. *Il est caché là-dedans.* ⇒ **là.** — DE DEDANS, PAR-DEDANS : de, par l'intérieur. *Le froid saisit en venant de dedans. Il est passé par-dedans.* — EN DEDANS : vers l'intérieur. *Vide en dedans.* ⇒ **creux.** *C'est mieux en dehors qu'en dedans.* — Vers le côté intérieur. *Marcher les pieds en dedans.*

② *dedans* n. m. invar. **1.** Le dedans. ⇒ **intérieur.** *Le dedans d'une maison. Ce bruit vient du dedans.* **2.** AU-DEDANS loc. adv. : à l'intérieur, dedans. *Assurer la paix au-dedans.* — Loc. prép. *Au-dedans de,* à l'intérieur de. *Au-dedans de nous,* dans notre for* intérieur.

dédicace [dedikas] n. f. ▪ Hommage qu'un auteur fait de son œuvre à qqn, par une inscription imprimée en tête de l'ouvrage. ⇒ **dédier.** — Formule manuscrite sur un livre, une photographie pour en faire hommage à qqn. *Une belle, une aimable dédicace.* ⇒ **envoi.** ▶ *dédicacer* v. tr. ▪ conjug. 3. ▪ Mettre une dédicace sur. — Au p. p. adj. *Livre dédicacé à un ami.*

dédier [dedje] v. tr. ▪ conjug. 7. **1.** Mettre (un ouvrage) sous le patronage de qqn, par une inscription imprimée ou gravée en tête de l'œuvre. ⇒ **dédicacer.** *Elle a dédié son premier roman à sa mère.* **2.** Littér. Consacrer, vouer. *Dédier ses efforts à l'intérêt public.* ⟨ ▶ dédicace ⟩

se dédire [dediʀ] v. pron. ▪ conjug. 37. — REM. Se conjugue comme *dire* sauf 2ᵉ pers. plur. indicatif : *vous vous dédisez,* et impératif : *dédisez-vous.* ▪ Ne pas tenir sa parole. *Se dédire d'une promesse, d'un engagement.* ⇒ **manquer** à, se **rétracter.** ▶ *dédit* n. m. ▪ Faculté de ne pas exécuter ou d'interrompre un engagement (en abandonnant une certaine somme). *En cas de dédit.* — Le montant de l'indemnité. *Payer un dédit.*

dédommager [dedɔmaʒe] v. tr. ▪ conjug. 3. **1.** Indemniser (qqn) d'un dommage subi. ⇒ **payer.** *Dédommager qqn d'une perte.* **2.** Donner une compensation à (qqn). *On vous dédommagera de toutes vos peines. Comment pourrai-je jamais vous dédommager ?* ▶ *dédommagement* n. m. **1.** Réparation d'un dommage. ⇒ **indemnité.** *Obtenir une somme d'argent en dédommagement de, à titre de dédommagement.* **2.** Ce qui compense un dommage. ⇒ **consolation.** *C'est un dédommagement à ses peines.*

dédouaner [dedwane] v. tr. ▪ conjug. 1. **1.** Faire sortir (qqch.) de la garde de la douane. *Dédouaner des marchandises.* ⇒ **payer.** *Voiture dédouanée.* **2.** *Dédouaner qqn,* le relever du discrédit dans lequel il était tombé. *Ses amis, ses actes récents l'ont dédouané.* ⇒ **blanchir, disculper.** — Pronominalement. *Il cherche à se dédouaner.*

dédoubler [deduble] v. tr. ▪ conjug. 1. ▪ Partager en deux. ⇒ **diviser.** *Dédoubler un fil de laine. Dédoubler une classe,* dans une école. — *Dédoubler un train,* faire partir deux trains au lieu d'un. — SE DÉDOUBLER v. pron. : être dédoublé ; se séparer en deux. Fig. *Je ne peux pourtant pas me dédoubler,* être à deux endroits à la fois. ▶ *dédoublement* n. m. **1.** Action de dédoubler ; son résultat. **2.** *Dédoublement de la personnalité,* état d'un sujet qui présente deux types de comportement : l'un normal, l'autre pathologique.

① *déduire* [dedɥiʀ] v. tr. ▪ conjug. 38. ▪ Retrancher (une certaine somme) d'un total à payer. ⇒ **défalquer, retenir.** *Déduire d'un compte les sommes déjà versées.* ▶ *déductible* adj. ▪ Qui peut être admis en déduction (d'un revenu, d'un bénéfice). *Charges déductibles.* ▶ ① *déduction* n. f. ▪ Le fait de déduire. ⇒ **décompte**. *Déduction faite des acomptes, il vous reste trois mille francs à verser.*

② *déduire* v. tr. ▪ conjug. 38. ■ Conclure, décider ou trouver (qqch.) par un raisonnement, à titre de conséquence. *De ce que vous exposez, on peut déduire que l'issue est proche,* il ressort, il résulte que... — Pronominalement. *La solution se déduit naturellement de l'hypothèse.* ⇒ **découler**. ▶ ② *déduction* n. f. ■ Raisonnement par lequel on déduit ; ce qui est déduit.

déesse [deɛs] n. f. **1.** Divinité féminine. *Vénus, déesse de l'amour. Les dieux* et les déesses.* **2.** Loc. *Une allure de déesse,* d'une grâce souveraine. — *Un corps de déesse,* aux lignes parfaites.

défaillir [defajiʀ] v. intr. ▪ conjug. 13. ■ Tomber en défaillance. ⇒ se trouver **mal**. *Être sur le point de défaillir. Elle soutenait le malade qu'elle sentait défaillir. Il défaille de faim.* ▶ *défaillance* [defajɑ̃s] n. f. **1.** Diminution importante et momentanée des forces physiques. ⇒ **évanouissement, faiblesse**. *Avoir une défaillance.* **2.** (Choses) Faiblesse, incapacité. *Devant la défaillance des pouvoirs publics.* ⇒ **carence**. **3.** *Sans défaillance,* sans défaut, qui agit ou fonctionne sans faiblesse. *Une mémoire sans défaillance.* ▶ *défaillant, ante* adj. ■ (Forces physiques ou morales) Qui s'affaiblit, décline, vient à manquer. ⇒ **chancelant, faible**. *Mémoire défaillante.*

défaire [defɛʀ] v. tr. ▪ conjug. 60. **I. 1.** Réduire (ce qui était construit, assemblé) à l'état d'éléments. *Défaire une installation. Défaire un tricot. Défaire un nœud.* **2.** Supprimer l'ordre, l'arrangement de (qqch.). *Défaire sa valise,* en défaire le contenu. *Défaire son lit.* — Spécialt. Ouvrir en détachant, en dénouant. *Défaire un paquet.* **3.** Détacher, dénouer (les pièces d'un vêtement). *Défaire sa cravate, sa ceinture.* **4.** Mettre en déroute. *Défaire une armée.* ⇒ **vaincre ; défaite. II. SE DÉFAIRE** v. pron. **1.** Cesser d'être fait, arrangé. *Couture, nœud qui se défait.* — *Les destinées se font et se défont.* **2.** Se débarrasser (de qqn ou qqch.). *Se défaire d'un employé.* ⇒ **congédier, renvoyer**. *Se défaire de mauvaises habitudes.* ⇒ **perdre**. — Se débarrasser (de qqch.) en vendant. *Se défaire d'un vieux meuble. Je ne veux pas m'en défaire.* ▶ *défait, aite* adj. **1.** Qui n'est plus fait, arrangé. *Lit défait.* ⇒ en **désordre**. **2.** Qui semble épuisé. *Visage défait. Mine défaite.* **3.** Armée défaite, battue, vaincue. ▶ *défaite* n. f. **1.** Perte d'une bataille. *Essuyer une défaite.* — Perte d'une guerre. *La défaite française de 1871.* **2.** Échec. *Défaite électorale.* / contr. **victoire** / ▶ *défaitisme* n. m. ■ Attitude de ceux qui ne croient pas à une victoire (et préconisent la cessation des hostilités, l'abandon). ⇒ Pessimisme. ▶ *défaitiste* adj. et n. ■ *Des propos défaitistes.* — N. *La guerre s'éternisait et le nombre des défaitistes augmentait.*

défalquer [defalke] v. tr. ▪ conjug. 1. ■ Retrancher d'une somme, d'une quantité. ⇒ **déduire**. *Défalquer des frais d'une somme à payer.* ▶ *défalcation* n. f.

① *défaut* [defo] n. m. **1.** Absence de ce qui serait nécessaire ou désirable. ⇒ **manque**. *Défaut d'organisation. Défaut d'attention.* — FAIRE DÉFAUT : manquer. *Le temps nous fait défaut.* — *Jugement par défaut,* rendu par le tribunal contre une personne qui ne se présente pas, qui fait défaut. ⇒ par **contumace**. **2.** EN DÉFAUT : en faute. *Prendre, trouver qqn en défaut. Être, se mettre en défaut,* ne pas respecter une règle, un engagement. **3.** À DÉFAUT DE loc. prép. ⇒ **faute de**. *A défaut d'un deux-pièces, je prendrai un studio.* — Loc. adv. *À défaut,* s'il n'y a pas mieux.

② *défaut* n. m. **1.** Imperfection physique. ⇒ **anomalie**. *Défaut de prononciation. Défaut de fabrication.* **2.** Partie imparfaite, anormale dans une matière. *Les défauts d'une étoffe. Ce diamant a un léger défaut. Qui a des défauts.* ⇒ **défectueux**. **3.** Imperfection morale. / contr. **qualité** / *Gros et petits défauts.* **4.** Ce qui est imparfait, insuffisant dans une œuvre, une activité. *Les défauts d'une peinture.* — *Les défauts d'une théorie, d'un système, d'une méthode.* ⇒ **inconvénient, insuffisance**.

défaveur [defavœʀ] n. f. ■ Perte de la faveur, de l'estime. ⇒ **discrédit**. *S'attirer la défaveur du public. Être en défaveur auprès de qqn,* en disgrâce. ‹ ▶ défavorable, défavoriser ›

défavorable [defavɔʀabl] adj. ■ Qui n'est pas favorable. *Circonstances défavorables.* ⇒ **contraire, désavantageux**. *Le directeur s'est montré défavorable au projet. La situation nous est défavorable. Avis, opinion défavorable.* ▶ *défavorablement* adv.

défavoriser [defavɔʀize] v. tr. ▪ conjug. 1. **1.** Priver (qqn) d'un avantage (consenti à un autre). *Des mesures qui défavorisent les petits commerçants.* ⇒ **désavantager, frustrer. 2.** Au passif et p. p. adj. (ÊTRE) DÉFAVORISÉ, ÉE. *Être défavorisé par le sort. Candidat défavorisé. Classe sociale défavorisée. Pays défavorisé.* ⇒ **pauvre, sous-développé**. / contr. **favorisé, privilégié** /

défectif, ive [defɛktif, iv] adj. ■ (Verbe) Qui ne possède pas toutes les formes du type de conjugaison auquel il appartient (ex : *choir, clore, quérir*).

défection [defɛksjɔ̃] n. f. **1.** Abandon d'une cause, d'un parti auquel on appartient. *Faire défection.* **2.** Fait de ne pas venir là où l'on était attendu. *Malgré la défection de plusieurs exposants, la foire aura lieu.*

défectueux, euse [defɛktɥø, øz] adj. ■ Qui présente des imperfections, des défauts. ⇒ **imparfait, insuffisant, mauvais**. *Article défectueux. Installation défectueuse.* — *Raisonnement défectueux.* ⇒ **incorrect**. ▶ *défectuosité* n. f. ■ État de ce qui est défectueux. — Partie défectueuse. *Les défectuosités d'un mécanisme.*

① *défendre* [defɑ̃dʀ] v. tr. ▪ conjug. 41. **I. 1.** Protéger (qqn ou qqch.) contre une attaque en se battant. *Défendre qqn au péril de sa vie. Défendre une frontière. Il a bien défendu son pays, son parti. Défendre sa patrie contre des envahisseurs.* — *Défendre chèrement sa vie.* **2.** Loc. À SON CORPS DÉFENDANT : à contrecœur. *Il a accepté à son corps défendant.* **3.** Soutenir (qqn, qqch.) contre les accusations, les attaques. *L'avocat défend son client.* ⇒ **plaider** pour. *Défendre une opinion, un point de vue.* ⇒ **soutenir. 4.** (Choses) Protéger contre les attaques. *Vêtement qui défend bien du froid.* ⇒ **garantir, préserver. II. SE DÉFENDRE** v. pron. **1.** Résister à une attaque. ⇒ **lutter**. *Se défendre comme un lion.* ⇒ se **battre**. — Fam. Être apte à faire qqch. *Il se défend bien,* il se débrouille. **2.** Se justifier. *Il n'a pas pu se défendre contre cette accusation.* — Refuser d'admettre. *Il se défend d'être bon.* ⇒ **nier. 3.** SE DÉFENDRE DE, CONTRE : se protéger, se préserver. *Se défendre du froid, de la pluie. Se défendre contre le découragement.* — *Se défendre d'un sentiment de pitié.* ⇒ se **retenir**. — (+ infinitif) ⇒ **s'interdire**. *Il se défend de conclure. Il se défend d'intervenir.* ⇒ se **garder. 4.** Au passif. *Être défendable. Votre position se défend.* ▶ *défendable* adj. ■ Qui peut être défendu. *Cette position n'est pas défendable.* ⇒ **indéfendable**. — *C'est défendable,* ça se défend, c'est raisonnable, explicable, etc. ▶ *défendu, ue* p. p. adj. ■ *Une frontière bien défendue.* ▶ ① *défense* [defɑ̃s] n. f. **1.** Action de défendre (un lieu) contre des ennemis. / contr. **attaque** / *La défense du pays. Ligne, position de défense. Ouvrage de défense, abri, fortification. Défense contre avions.*

⇒ **D.C.A.** — DÉFENSE NATIONALE : ensemble des moyens visant à assurer l'intégrité matérielle d'un territoire contre les attaques de l'étranger. *Le ministère de la Défense (nationale).* — *Défense passive,* moyens de protection contre les bombardements aériens. **2.** Action de défendre, de protéger, de soutenir (qqn, qqch.). *Prendre la défense d'un enfant. La défense d'un idéal.* **3.** Le fait de se défendre, de résister (au moral et au physique). *Moyens de défense. L'instinct de défense. Ne pas opposer de défense.* — *Légitime défense,* par laquelle un acte interdit par la loi pénale est permis en cas d'agression. — *La défense de l'organisme contre les microbes, l'infection.* **4.** Action de défendre qqn ou de se défendre contre une accusation. *N'avoir rien à dire pour sa défense.* — Le fait de défendre (qqn qui doit être jugé). *Un avocat assurera la défense de l'accusé.* ⇒ **défenseur.** *La parole est à la défense* (opposé à *accusation*). ► *défenseur* n. m. **1.** Personne qui défend qqn ou qqch. contre ceux qui l'attaquent. ⇒ **champion, protecteur.** *Un défenseur des libertés. Elle s'est faite le défenseur des droits de l'homme.* **2.** Personne qui soutient une cause, une doctrine. ⇒ **avocat, champion.** *Les défenseurs du libéralisme, du socialisme.* **3.** Personne chargée de soutenir les intérêts d'une partie, devant le tribunal. ⇒ **avocat.** *C'est une avocate célèbre qui sera son défenseur.* ► *défensif, ive* adj. ■ Qui est fait pour la défense. *Armes défensives. Alliance défensive et offensive.* ► *défensive* n. f. ■ Disposition à se défendre sans attaquer. *Être, se tenir sur la défensive,* prêt à se défendre contre l'attaque. / contr. **offensive** /

① *défendre* v. tr. ▪ conjug. 41. ■ DÉFENDRE *qqch.* À *qqn* ; DÉFENDRE À *qqn* DE (+ infinitif) : ordonner de ne pas avoir, de ne pas faire. ⇒ **interdire.** *Le médecin lui défend l'alcool, de boire de l'alcool. La loi défend cela.* — *Défendre que* (+ subjonctif). *Il défend qu'on sorte.* — Au passif et p. p. adj. *Le tabac lui est défendu. Il est strictement défendu de fumer ; c'est défendu.* ⇒ **défense** de. ► ② *défense* n. f. ■ Le fait de défendre, d'interdire. ⇒ **interdiction.** *Une défense absolue, stricte.* — *Défense de* (+ infinitif). *Défense d'afficher.* — Loc. littér. FAIRE DÉFENSE DE : interdire. / contr. **autorisation, permission** /

défenestrer [defənɛstʀe] v. tr. ▪ conjug. 1. ■ Faire tomber, jeter (qqn) par une fenêtre.

① et ② *défense* ⇒ ① et ② **défendre.**

③ *défense* n. f. ■ Dent très saillante (chez quelques animaux), qui leur sert de moyen de défense. *Les défenses d'un sanglier, d'un éléphant.* — Spécialt. *Défense d'éléphant. L'ivoire des défenses.*

défequer [defeke] v. intr. ▪ conjug. 6. ■ Didact. Expulser les matières fécales. ⇒ fam. faire **caca** ; vulg. **chier.**

① *déférer* [defeʀe] v. tr. ▪ conjug. 6. ■ Traduire (un accusé) devant l'autorité judiciaire compétente. *Déférer un coupable à la justice.*

② *déférer* v. tr. indir. ▪ conjug. 6. ■ Céder (à qqn) par respect. *Déférer au désir de qqn.* ⇒ s'en **rapporter,** s'en **remettre.** ≠ ① **déférer, déferrer.** ► *déférence* n. f. ■ Considération très respectueuse que l'on témoigne à qqn. *Traiter qqn avec déférence. Faire qqch. par déférence.* ⇒ **égard.** ► *déférent, ente* adj. ■ *Se montrer déférent envers une personne âgée. Parler sur un ton déférent.*

déferler [defɛʀle] v. intr. ▪ conjug. 1. ■ Se dit des vagues qui se brisent en écume en roulant sur elles-mêmes. Se précipiter à la manière d'une vague. *Les manifestants déferlèrent sur la place.* ► *déferlement* n. m. ■ *Le déferlement des vagues.* ⇒ **ressac.** — Abstrait. *Un déferlement d'enthousiasme.*

déferrer [defeʀe] v. tr. ▪ conjug. 1. ■ *Déferrer un cheval,* lui retirer le ou les fers qu'il a aux sabots. ≠ **déférer.** *Le maréchal-ferrant ferre et déferre les chevaux.*

défi [defi] n. m. **1.** Déclaration agressive par laquelle on exprime à qqn qu'il ou elle est incapable de faire une chose. *Lancer un défi. Mettre qqn AU DÉFI de faire qqch.* ⇒ **défier.** *Je vous mets au défi de faire comme moi. Relever le défi,* prendre au mot. **2.** DÉFI À : refus de s'incliner devant (qqn ou qqch.). *Un défi au bon sens.* ⇒ **insulte. 3.** Anglic. Obstacle, difficulté à surmonter (dans la société, dans l'activité économique). ⇒ anglic. **challenge.**

défiance [defjɑ̃s] n. f. ■ Sentiment d'une personne qui se défie. ⇒ **méfiance, suspicion.** *Un air de défiance. Inspirer, éveiller la défiance ; mettre en défiance.* / contr. **confiance** / ► *défiant, ante* adj. ■ *Un air défiant.* ⇒ **méfiant.** / contr. **confiant** /

déficient, ente [defisjɑ̃, ɑ̃t] adj. ■ Qui présente une insuffisance organique ou mentale. *Organisme déficient. Intelligence déficiente. Cet enfant est déficient.* ⇒ **débile.** ► *déficience* n. f. ■ *Déficience mentale.*

déficit [defisit] n. m. ■ Ce qui manque pour équilibrer les recettes avec les dépenses. *Déficit budgétaire. Combler un déficit.* / contr. **bénéfice** / ► *déficitaire* adj. ■ Qui se solde par un déficit. *Budget, entreprise déficitaire.* / contr. **bénéficiaire** / — Insuffisant. *Récolte déficitaire.* / contr. **excédentaire** /

① *défier* [defje] v. tr. ▪ conjug. 7. **1.** Mettre (qqn) au défi de faire qqch. — Vieilli. *Défier qqn,* le provoquer par un défi. — Mod. DÉFIER *qqn* DE (+ infinitif) : mettre au défi. *Je vous défie de faire mieux.* — Jeux. *Défier un adversaire. Défier qqn aux échecs,* lui proposer de jouer, pour le battre. **2.** (Choses) N'être aucunement menacé par. *Des prix qui défient toute concurrence.* **3.** Refuser de se soumettre à. ⇒ **affronter, braver.** *Défier la mort.* ‹ ► **défi** ›

② *se défier* v. pron. ▪ conjug. 7. ■ Littér. Avoir peu de confiance en ; être, se mettre en garde contre. ⇒ se **méfier.** *Je me défie de ses promesses. Se défier de soi-même,* avoir peu de confiance en soi, en ses capacités. ⇒ **douter.** / contr. se **fier** / ‹ ► **défiance** ›

défigurer [defiɡyʀe] v. tr. ▪ conjug. 1. **1.** Abîmer le visage de. *Des brûlures au visage l'ont défiguré.* — Au passif. *Être défiguré par la variole.* ≠ **dévisager. 2.** Donner une reproduction ou une description fausse de. ⇒ **dénaturer.** *Défigurer les faits.* ⇒ **déformer, travestir.** *Défigurer les intentions de qqn.*

① *défiler* [defile] v. intr. ▪ conjug. 1. **1.** Marcher en file, en colonne. *Défiler deux par deux. Des manifestants défilaient.* **2.** Se succéder sans interruption. *Les visiteurs ont défilé toute la journée. Images qui défilent devant les yeux. Mille pensées défilaient dans sa tête.* ► ① *défilé* n. m. ■ Couloir naturel si resserré qu'on n'y peut passer qu'à la file. ⇒ **couloir, passage.** *Défilé entre deux montagnes.* ► ② *défilé* n. m. ■ Manœuvre des troupes qui défilent. *Assister au défilé du 14 Juillet.* — Marche de personnes, de voitures disposées en colonne, en file. *Défilé de manifestants. Un défilé de mode.* — Succession. *Un défilé de visiteurs, de témoins.*

② *se défiler* v. pron. ▪ conjug. 1. ■ Fam. Se cacher ou se récuser au moment critique. ⇒ se **dérober.** *Je comptais sur eux, ils se sont tous défilés.*

définir [definiʀ] v. tr. ▪ conjug. 2. **1.** Déterminer par une formule précise l'ensemble des caractères qui appartiennent à un concept, à une idée générale (et correspondent à une classe de choses). *On définit un* concept et on décrit un objet. *Définir un mot,* donner ses significations (⇒ **définition**). **2.** Caractériser (une chose, une personne particulière). *Une sensation difficile à définir.* ⇒ **indéfinissable. 3.** Préciser l'idée de. ⇒ **déterminer.** *Conditions qui restent à définir.* ▶ *défini, ie* adj. **1.** Qui est défini. *Mot bien défini.* **2.** Qui est déterminé, précis. *Avoir une tâche définie à remplir. Dans des proportions définies.* / contr. **indéfini, indéterminé** / **3.** ARTICLE DÉFINI : qui se rapporte (en principe) à un objet particulier, déterminé (masc. *le,* fém. *la,* plur. *les*). ▶ **définissable** adj. ■ Que l'on peut définir. *Une impression difficilement définissable.* ▶ *définition* n. f. **1.** Opération par laquelle on définit un concept (en énumérant ses caractères ou tous les objets auxquels il renvoie). — Phrase qui définit un élément du lexique (mot, expression). *La définition d'un mot. Définition d'un mot à plusieurs sens.* ⇒ **acception. 2.** Caractérisation ⇒ **description** ou action de préciser. ‹ ▶ **définitif**, indéfini, indéfinissable, redéfinir ›

définitif, ive [definitif, iv] adj. **1.** Qui est défini, fixé de manière qu'il n'y ait plus à revenir sur la chose. ⇒ **irrémédiable, irrévocable.** / contr. **provisoire** / *Les résultats définitifs d'un examen. Sa résolution est définitive.* **2.** EN DÉFINITIVE loc. adv. : après tout, tout bien considéré, en dernière analyse. ⇒ **finalement.** *En définitive, ils ont opté pour la solution la plus simple.* ▶ *définitivement* adv. ■ *C'est une affaire définitivement réglée.* / contr. **passagèrement, provisoirement, temporairement** /

déflagration [deflagʀasjɔ̃] n. f. ■ Explosion. *La déflagration a fait sauter toutes les vitres de l'immeuble.*

déflation [deflasjɔ̃] n. f. ■ Diminution progressive ou suppression de l'inflation (souvent par réduction des échanges, des revenus, du pouvoir d'achat). / contr. **inflation** /

déflecteur [deflɛktœʀ] n. m. ■ Petit volet orientable d'une vitre de portière d'automobile, servant à aérer.

déflorer [defloʀe] v. tr. ■ conjug. 1. **1.** Faire perdre la virginité à (une fille). ⇒ **dépuceler. 2.** Abstrait. Faire perdre sa nouveauté, sa fraîcheur à. *Je ne veux pas déflorer le sujet.*

défoncer [defɔ̃se] v. tr. ■ conjug. 3. **1.** Briser, abîmer par enfoncement. *Défoncer une porte.* ⇒ **enfoncer.** *Défoncer un siège, un sommier.* ⇒ **éventrer. 2.** Labourer profondément. *Défoncer un terrain en friche pour le préparer à la culture.* ▶ *défoncé, ée* adj. **1.** Brisé, abîmé par enfoncement. *Un vieux fauteuil défoncé.* **2.** Qui présente de grandes inégalités, de larges trous. *Route, chaussée défoncée.*

déformer [defɔʀme] v. tr. ■ conjug. 1. **1.** Altérer la forme de. *Il a déformé son pantalon. L'usage a déformé ses chaussures.* — Pronominalement. *Se déformer,* perdre sa forme. *Cette étagère se déforme sous le poids des livres.* — Au p. p. adj. *Une veste toute déformée.* ⇒ **avachi, fatigué. 2.** Altérer en changeant. *Vous déformez ma pensée.* ⇒ **dénaturer, travestir.** ▶ *déformant, ante* adj. ■ Qui déforme. *Glaces déformantes.* ▶ *déformation* n. f. ■ Action de déformer, de se déformer. — Altération de la forme. — Abstrait. *Déformation de l'esprit.* — DÉFORMATION PROFESSIONNELLE : manières de penser, d'agir prises dans l'exercice d'une profession, et abusivement appliquées à la vie courante.

défouler [defule] v. tr. ■ conjug. 1. **1.** Fam. (Suj. chose). Permettre, favoriser l'extériorisation des pulsions. *Viens danser ! Ça va te défouler.* **2.** V. pron. réfl. SE DÉFOULER : libérer, extérioriser ses instincts, son agressivité. *Pendant le carnaval, la ville se défoule.*

▶ *défoulement* n. m. ■ Fait de se défouler. *Un défoulement général.* / contr. **refoulement** /

se défraîchir [defʀeʃiʀ] v. pron. ■ conjug. 2. ■ (Couleur, étoffe, vêtement) Perdre sa fraîcheur. — Au p. p. adj. *Une robe défraîchie.*

défrayer [defʀeje] v. tr. ■ conjug. 8. **1.** Décharger (qqn) de ses frais (en payant, en le remboursant). *Sa société ne l'a pas défrayé.* — Au passif. *Être défrayé de tout.* **2.** *Défrayer la conversation, la chronique,* en être l'objet, le sujet essentiel.

défricher [defʀiʃe] v. tr. ■ conjug. 1. ■ Rendre propre à la culture (une terre en friche). *Défricher une terre.* — Loc. *Défricher le terrain.* ⇒ **déblayer.** *Défricher un domaine scientifique,* en faire une première étude. ▶ *défrichage* ou *défrichement* n. m.

défriser [defʀize] v. tr. ■ conjug. 1. **1.** Défaire la frisure de. *Défriser une chevelure crépue.* — Au p. p. *Cheveux défrisés par la pluie.* / contr. **friser** / **2.** Fam. (Compl. personne) Déplaire, contrarier (en parlant d'un fait). *Il y a quelque chose qui me défrise.*

défroisser [defʀwase] ■ conjug. 1. ■ Remettre en état (ce qui est froissé). *Défroisser un billet.*

défroque [defʀɔk] n. f. ■ Vieux vêtements démodés et bizarres. ⇒ **frusque, hardes.** *Qu'est-ce que c'est que cette défroque ?*

défroqué, ée [defʀɔke] adj. ■ Qui a abandonné l'état de moine ou de prêtre. *Un prêtre défroqué,* qui a abandonné le froc ②. — N. *Un défroqué.*

défunt, unte [defœ̃, œ̃t] adj et n. **1.** Littér. Qui est mort. *Sa défunte mère.* — N. *Les enfants de la défunte. Prière pour les défunts.* **2.** Littér. ⇒ **passé, révolu.** *Les amours défunt(e)s.*

dégager [degaʒe] v. tr. ■ conjug. 3. **I. 1.** Cesser d'engager, libérer d'un engagement. *Dégager sa parole, sa responsabilité.* **2.** Libérer (de ce qui enveloppe, retient). *Dégager un blessé des décombres. Dégager sa main.* — (Vêtements) Rendre plus libre. *Encolure qui dégage la tête.* **3.** Laisser échapper (un fluide, une émanation). ⇒ **exhaler, répandre.** *Les plantes dégagent du gaz carbonique.* **4.** Isoler (un élément, un aspect) d'un ensemble. ⇒ **extraire, tirer.** *Dégager la morale des faits, la mettre en évidence. Dégager l'idée principale.* **II.** Débarrasser, libérer (de ce qui encombre). *Dégager la voie publique.* — Fam. (Personnes) *Allons, dégagez !, partez, circulez.* **III.** SE DÉGAGER v. pron. **1.** Libérer son corps de ce qui l'enveloppe, le retient. *Faire des efforts pour se dégager.* **2.** Se libérer (d'une obligation, d'une contrainte). *Je me suis dégagé à temps de cette affaire.* **3.** Devenir libre de ce qui encombre. *La rue se dégage peu à peu. Le ciel se dégage.* ⇒ **s'éclaircir.** *Mon nez se dégage.* ⇒ se **déboucher. 4.** Sortir (d'un corps). ⇒ **émaner, s'exhaler.** *Odeur qui se dégage.* **5.** Se faire jour. *La vérité se dégage peu à peu.* ⇒ se **manifester.** *Il se dégage de cela que...* ⇒ **ressortir, résulter.** ▶ *dégagé, ée* adj. **1.** Qui n'est pas recouvert, encombré. *Ciel dégagé, sans nuages. Nuque, front dégagé,* que les cheveux, les vêtements découvrent. *Vue dégagée, large et libre.* ⇒ **imprenable. 2.** Qui a de la liberté, de l'aisance. *Démarche dégagée.* — *Un air, un ton dégagé.* ⇒ **cavalier, désinvolte.** ▶ *dégagement* n. m. **1.** Rare. Action de dégager, de libérer (de ce qui retient, obstrue). **2.** Action de sortir, de se dégager. ⇒ **émanation.** *Un dégagement de vapeur, de chaleur.* **3.** Passage ; espace libre. *Cette maison manque de dégagements.*

dégaine [degɛn] n. f. ■ Fam. (Personnes) Aspect extérieur ridicule, bizarre. ⇒ **allure.** *Quelle dégaine !*

dégainer [degene] v. tr. ■ conjug. 1. ■ Tirer (une arme) de son étui. *Dégainer son revolver.* — Sans compl. Sortir une arme pour se battre. *Il dégaina le premier.* / contr. **rengainer** /

se ***déganter*** [degɑ̃te] v. pron. ▪ conjug. 1. ■ Ôter ses gants.

dégarnir [degaʀniʀ] v. tr. ▪ conjug. 2. 1. Dépouiller de ce qui garnit. ⇒ **vider**. *Dégarnir une vitrine.* 2. SE DÉGARNIR v. pron. : perdre une partie de ce qui garnit. *Ses tempes se dégarnissent,* ses cheveux tombent. *Il se dégarnit,* il perd ses cheveux. — Au p. p. adj. *Un front dégarni.*

dégât [degɑ] n. m. (⇒ **gâter**) ■ Dommage résultant d'une cause violente. *La grêle a causé de graves dégâts. Constater les dégâts.* — Fam. *Il y a du dégât.* — *Limiter les dégâts,* éviter le pire.

dégeler [deʒle] v. ▪ conjug. 5. I. V. tr. 1. Faire fondre (ce qui était gelé). 2. Fam. *Dégeler qqn,* lui faire perdre sa froideur, sa réserve. ⇒ **dérider**. *Dégeler l'atmosphère,* la détendre. — Pronominalement. *Il commence à se dégeler.* 3. Débloquer. *Dégeler des crédits, un compte.* II. V. intr. Cesser d'être gelé. *La rivière a dégelé.* ▸ ***dégel*** n. m. ■ Fonte naturelle de la glace et de la neige, lorsque la température s'élève. *C'est le dégel.*

dégénérer [deʒeneʀe] v. intr. ▪ conjug. 6. 1. Littér. Perdre les qualités héréditaires. ⇒ s'**abâtardir**. *Races qui dégénèrent.* — Perdre ses qualités. ⇒ s'**avilir, se dégrader, se pervertir.** *Le goût dégénère.* / contr. se **régénérer** / 2. DÉGÉNÉRER (EN) : se transformer (en ce qui est pis). ⇒ **tourner**. *Dispute qui dégénère. Rhume qui dégénère en bronchite.* ▸ ***dégénéré, ée*** adj. ■ Qui a perdu les qualités de sa race, de son espèce. *Un arbre, une plante dégénéré(e),* rabougri(e). — Fam. *Il est un peu dégénéré.* ⇒ fam. **taré.** ▸ ***dégénérescence*** n. f. 1. Le fait de dégénérer (1). 2. Détérioration (d'un tissu vivant, d'un organe). *La dégénérescence d'un tissu.*

dégingandé, ée [deʒɛ̃gɑ̃de] adj. — REM. Ne pas prononcer [degɛ̃gɑ̃de] ■ Fam. Qui a quelque chose de disproportionné dans sa haute taille et de disloqué dans la démarche.

dégivrer [deʒivʀe] v. tr. ▪ conjug. 1. ■ Enlever le givre de. *Dégivrer un réfrigérateur.* ▸ ***dégivrage*** n. m. ■ *Le dégivrage de la vitre arrière d'une voiture.* ▸ ***dégivreur*** n. m. ■ Appareil pour enlever le givre.

déglinguer [deglɛ̃ge] v. tr. ▪ conjug. 1. Fam. Disloquer. ⇒ **démolir, désarticuler.** *Déglinguer un appareil.* — Au p. p. adj. *Une bicyclette toute déglinguée.*

déglutir [deglytiʀ] v. tr. et intr. ▪ conjug. 2. ■ Avaler (la salive, les aliments). ▸ ***déglutition*** n. f.

dégobiller [degɔbije] v. tr. ▪ conjug. 1. ■ Fam. Vomir. ⇒ vulg. **dégueuler.**

dégoiser [degwaʒe] v. ▪ conjug. 1. ■ Fam. Parler ; dire (de manière déplaisante). *Dégoiser des insanités.*

dégommer [degɔme] v. tr. ▪ conjug. 1. ■ Fam. Destituer (qqn) d'un emploi ; faire perdre une place. ⇒ **limoger** ; fam. **vider.** *Il s'est fait dégommer.*

dégonfler [degɔ̃fle] v. tr. ▪ conjug. 1. 1. Faire cesser d'être gonflé. *Dégonfler un ballon.* — Pronominalement. *Pneu qui se dégonfle.* — Au p. p. adj. *Un pneu dégonflé.* 2. Fam. (Suj. personne) SE DÉGONFLER v. pron. : manquer de courage, d'énergie au moment d'agir. ⇒ avoir **peur** ; fam. **flancher.** *Il y avait quelques risques, alors il s'est dégonflé.* — Au p. p. substantivé. *Passer pour un dégonflé.* ▸ ***dégonflage*** n. m. ■ (sens 1 et 2) ▸ ***dégonflement*** n. m. ■ (sens 1)

dégorger [degɔʀʒe] v. intr. ▪ conjug. 3. 1. Déborder, déverser son contenu liquide (dans). *L'égout dégorge dans le collecteur.* 2. (Dans une préparation culinaire) Rendre un liquide (eau, sang). *Faire dégorger des escargots, des concombres.* ▸ ***dégorgement*** n. m.

dégoter ou ***dégotter*** [degɔte] v. tr. ▪ conjug. 1. ■ Fam. ⇒ **découvrir, dénicher, trouver.** *Où avez-vous dégoté ce bouquin ?*

dégouliner [deguline] v. intr. ▪ conjug. 1. ■ Couler lentement, goutte à goutte ou en filet. *La pluie dégouline du toit.* ⇒ **ruisseler.** *La crème dégouline sur ton chemisier.* ▸ ***dégoulinade*** n. f. ■ Trace de liquide qui a coulé.

dégoupiller [degupije] v. tr. ▪ conjug. 1. ■ Enlever la goupille de. *Dégoupiller une grenade.* — Au p. p. adj. *Une grenade dégoupillée.*

dégourdir [deguʀdiʀ] v. tr. ▪ conjug. 2. 1. Faire sortir de l'engourdissement. *Elle s'est dégourdi les jambes.* — Pronominalement. *Avoir envie de se dégourdir.* 2. Débarrasser (qqn) de sa timidité, de sa gêne. ⇒ **dessaler.** ▸ ***dégourdi, ie*** adj. ■ Qui n'est pas gêné pour agir ; qui est habile et actif. ⇒ **débrouillard, malin.** *Il n'est pas très dégourdi.* — N. *C'est un dégourdi, une petite dégourdie.*

dégoût [degu] n. m. 1. Manque de goût (pour la nourriture). ⇒ **répugnance, répulsion.** *Le dégoût de la viande. Ressentir du dégoût pour...* 2. Aversion éprouvée pour qqch., qqn. *Le dégoût du travail. Ce spectacle inspire le dégoût.* 3. Fait de se désintéresser par lassitude. *Avoir le dégoût de tout.* ⇒ **écœurement.** 4. *Un dégoût,* sentiment de répugnance, de lassitude. ▸ ***dégoûter*** v. tr. ▪ conjug. 1. ≠ **dégoutter.** 1. Inspirer du dégoût, une répugnance (physique, morale). *Le lait me dégoûte. Tout me dégoûte.* ⇒ **déplaire.** *Leurs procédés me dégoûtent.* 2. DÉGOÛTER DE : ôter l'envie de. *C'est à vous dégoûter d'être bon.* — Loc. plaisante. *Si vous n'aimez pas ça, n'en dégoûtez pas les autres !* 3. SE DÉGOÛTER v. pron. : prendre en dégoût. *Se dégoûter d'un plat, de qqn.* ⇒ se **lasser.** — *Je me dégoûte.* — Au passif. *Être dégoûté de.* ⇒ **dégoûté.** ▸ ***dégoûtant, ante*** adj. 1. Qui inspire du dégoût, de la répugnance (au physique et au moral). *C'est dégoûtant ici !* ⇒ **sale.** Fam. *Tu es sale, dégoûtant.* 2. Moral. *C'est un type dégoûtant.* ⇒ **abject, ignoble.** — Fam. Grossier, obscène. *Raconter des histoires dégoûtantes.* ⇒ **cochon, sale.** — N. *Vous êtes un vieux dégoûtant.* ▸ ***dégoûtation*** n. f. ■ Fam. Chose qui dégoûte. ▸ ***dégoûté, ée*** adj. 1. Qui éprouve facilement du dégoût (en particulier pour la nourriture). ⇒ **délicat, difficile.** — *Dégoûté de vivre.* ⇒ **las.** — N. *Faire le dégoûté,* se montrer difficile (sans raison). — *Il n'est pas dégoûté,* il se contente de n'importe quoi. 2. DÉGOÛTÉ DE : qui n'a pas ou plus de goût pour. ⇒ **las, lassé.** *Être dégoûté de vivre, de tout.*

dégoutter [degute] v. intr. ▪ conjug. 1. 1. Couler goutte à goutte. *La sueur lui dégoutte du front.* 2. Laisser tomber goutte à goutte. *Cheveux qui dégouttent de pluie.* ≠ **dégoûter.**

dégradé, ée [degʀade] adj. et n. m. ■ (Lumière, couleur) Dont l'intensité s'affaiblit progressivement. *Des tons dégradés.* — N. m. *Des effets de dégradé. Le dégradé d'une couleur.*

dégrader [degʀade] v. tr. ▪ conjug. 1. 1. Destituer (un militaire) de son grade. 2. Littér. Faire perdre sa dignité, son honneur à (qqn). ⇒ **abaisser, avilir.** *L'alcool, l'abus des plaisirs dégrade l'homme.* — Pronominalement. *Il se dégrade en faisant cela.* 3. Détériorer (un édifice, un objet). *Dégrader des monuments.* — Pronominalement. *Propriété qui se dégrade.* Fig. *Son état de santé se dégrade. La situation sociale se dégrade.* ⇒ se **détériorer.** ▸ ***dégradant, ante*** adj. ■ Qui abaisse moralement. ⇒ **avilissant.** *La misère est dégradante. Il vit dans une misère dégradante.*

▶ *dégradation* n. f. **1.** Destitution infamante d'un grade, d'une dignité. *Dégradation militaire.* **2.** Le fait de dégrader (2). **3.** Détérioration d'un édifice, d'une propriété. ⇒ **déprédation.** — Fig. *La dégradation d'une situation. La dégradation des conditions de travail.* ⇒ **détérioration.**

dégrafer [degrafe] v. tr. ▪ conjug. 1. ■ Défaire, détacher ce qui est agrafé. *Dégrafer sa jupe.* — SE DÉGRAFER v. pron. : se défaire. *Sa robe s'est dégrafée.* / contr. **agrafer** /

dégraisser [degrese] v. tr. ▪ conjug. 1. **1.** Débarrasser (qqch.) de la couche de graisse qui recouvre. *Dégraisser un bouillon, une sauce ; de la viande.* **2.** Nettoyer de ses taches de graisse. *Donner un costume à dégraisser.* ⇒ **détacher.** / contr. **graisser** ; **tacher** / ▶ *dégraissage* n. m. ■ Action de dégraisser ; son résultat. *Le dégraissage d'un vêtement.* ⇒ **nettoyage.**

① *degré* [dəgre] n. m. ■ Littér. Marche d'un escalier. *Les degrés d'un escalier.* — Au plur. Littér. Escalier. *Les degrés d'un temple.*

② *degré* n. m. **I. 1.** Niveau, position dans un ensemble hiérarchisé. ⇒ **échelon.** *Les degrés de l'échelle sociale. Le degré de perfection, d'automatisme d'une machine. Le plus bas, le plus haut degré* ⇒ **sommet** *de la hiérarchie.* **2.** État de développement dans une évolution. ⇒ **stade.** *Le premier, le dernier degré. Brûlure du second degré.* — Loc. *À, jusqu'à un certain degré.* AU PLUS HAUT DEGRÉ. ⇒ **point.** *Il est ambitieux au plus haut degré.* — PAR DEGRÉ(S) loc. adv. ⇒ **graduellement, progressivement** ; par **échelon,** par **étape,** par **palier.** *S'avancer par degrés.* **3.** État intermédiaire. ⇒ **gradation.** *Il y a des degrés entre... Il y a des degrés dans le malheur.* **II.** Dans un système organisé, et sans idée de hiérarchie, de valeur. **1.** Proximité relative dans la parenté. *Le père et le fils sont parents au premier degré. Cousins au premier, au second degré.* **2.** *Degrés de comparaison* (de l'adjectif qualificatif, de l'adverbe). « *Aussi... que* », « *plus... que* », « *le plus* », « *le moins* », « *très* » *sont des formes adverbiales qui marquent le degré de comparaison ou d'intensité de l'adjectif qualificatif.* **3.** *Équation du premier, du second degré,* dont l'inconnue est à la première, à la seconde puissance. **4.** Loc. AU SECOND DEGRÉ. *Plaisanterie, humour au second degré,* dont le sens est exagéré au point de se retourner en son contraire. — *C'est du second degré, l'humour au second degré.*

③ *degré* n. m. **1.** La 360ᵉ partie de la circonférence, unité de mesure des angles. *Angle de 90 degrés ou angle droit.* **2.** Division d'une échelle de température. *Degré Fahrenheit. Degré centigrade* ou *Celsius* (symb. °C), centième de la différence entre la température de la glace fondante (0°) et celle de l'eau bouillante (100°). *La température a baissé de degré. Il fait trente degrés à l'ombre.* — *Degré de concentration d'un alcool,* nombre de cm³ d'alcool pur par 100 cm³ de mélange. *Alcool à 90 degrés. Vin de 11, 12 degrés.*

dégressif, ive [degresif, iv] adj. ■ Qui va en diminuant. *Tarif, taux dégressif.* — *Impôt dégressif,* dont le taux diminue à mesure que le revenu imposé augmente. / contr. **progressif** /

dégrever [degrəve] v. tr. ▪ conjug. 5. ■ Alléger, atténuer la charge fiscale. *Dégrever un contribuable.* ▶ *dégrèvement* n. m. ■ *Accorder un dégrèvement d'impôt.* ⇒ **réduction.**

dégriffer [degrife] v. tr. ▪ conjug. 1. ■ Enlever à (un vêtement, etc.) la griffe de (un couturier). — Au p. p. adj. *Vêtements dégriffés* (vendus moins chers).

dégringoler [degrɛ̃gɔle] v. ▪ conjug. 1. **1.** V. intr. Descendre précipitamment. ⇒ **tomber.** *La neige dégringole du toit. Les livres ont dégringolé de l'étagère. Elle a dégringolé dans l'escalier.* — Fam. Abstrait. *Un chiffre d'affaires qui dégringole.* **2.** V. tr. Descendre très rapidement. *Dégringoler l'escalier. Il a dégringolé la pente à toute vitesse.* ⇒ **dévaler.** ▶ *dégringolade* n. f. ■ Fam. Action de dégringoler ; son résultat. *La dégringolade des cours en Bourse.* ⇒ **chute.**

dégriser [degrize] v. tr. ▪ conjug. 1. **1.** Tirer (qqn) de l'état d'ivresse. ⇒ fam. **dessoûler.** *L'air frais l'a dégrisé.* **2.** Détruire les illusions, l'enthousiasme, l'exaltation de (qqn). ⇒ **désillusionner.** / contr. **griser** /

dégrossir [degrosir] v. tr. ▪ conjug. 2. **1.** Travailler (qqch.) dans une matière brute de manière à donner une première forme encore imparfaite, avant la forme définitive. *Dégrossir un bloc de marbre.* **2.** Fam. *Dégrossir qqn,* lui donner des rudiments de formation, de savoir-vivre. ⇒ **civiliser.** *Son séjour à Paris l'a dégrossi.* — Pronominalement. *Il se dégrossit.* — Au p. p. adj. Loc. *Mal dégrossi,* grossier. ▶ *dégrossissage* n. m. ■ Action de dégrossir (1). *Le dégrossissage d'une pièce de bois.*

déguenillé, ée [degənije] adj. ■ Qui est vêtu de guenilles. ⇒ **dépenaillé, loqueteux.**

déguerpir [degerpir] v. intr. ▪ conjug. 2. ■ Abandonner précipitamment la place. ⇒ **décamper,** s'**enfuir,** se **sauver.** *Faire déguerpir qqn.* ⇒ **chasser.**

dégueulasse [degœ(ø)las] adj. ■ Fam. et vulg. Sale, répugnant (au physique ou au moral). ⇒ **dégoûtant, infect.** *Un travail dégueulasse,* très mauvais. *Un temps dégueulasse.* — N. *Quel dégueulasse !* ⇒ **salaud.** — *C'est pas dégueulasse, c'est pas dégueu* [degø], c'est très bon.

dégueuler [degœle] v. ▪ conjug. 1. ■ Fam. et vulg. Vomir. ⇒ **dégobiller, rendre** (II, 1). ❬ ▶ **dégueulasse** ❭

déguiser [degize] v. tr. ▪ conjug. 1. **I.** Modifier pour tromper. *Déguiser son visage, sa voix. Déguiser son écriture.* ⇒ **contrefaire.** — Abstrait. Littér. Cacher sous des apparences trompeuses. *Déguiser sa pensée.* ⇒ **dissimuler.** *Déguiser la vérité.* ⇒ **masquer. II.** SE DÉGUISER v. pron. : s'habiller de manière à être méconnaissable. *Se déguiser en arlequin.* ⇒ se **travestir.** — (ÊTRE) DÉGUISÉ(E). *Il est déguisé en Indien. Enfants déguisés.* ▶ *déguisement* n. m. ■ Vêtement qui déguise. *Un déguisement de carnaval.*

déguster [degyste] v. tr. ▪ conjug. 1. **1.** Boire ou manger avec grand plaisir. — Apprécier (une boisson, un aliment). ⇒ **savourer.** *Déguster un bon plat, un vieil alcool.* **2.** Goûter (un vin) pour apprécier la qualité. **3.** Fam. Sans compl. Subir un mauvais traitement. *Qu'est-ce que j'ai dégusté !* ▶ *dégustateur, trice* n. ■ Professionnel(le) qui goûte les vins. ▶ *dégustation* n. f. ■ Action, fait de déguster (1, 2).

se déhancher [deãʃe] v. pron. ▪ conjug. 1. ■ Se balancer sur ses hanches, en marchant. ⇒ se **dandiner,** se **tortiller.** ▶ *déhanchement* n. m. **1.** Mouvement d'une personne qui se déhanche. **2.** Position du corps lorsque son poids repose sur une hanche. *Le déhanchement d'une statue.*

① *dehors* [dəɔr] adv. **1.** À l'extérieur. *Aller dehors, sortir. Je serai dehors toute la journée, hors de chez moi. Mettre, jeter qqn dehors,* chasser, congédier, renvoyer. **2.** DE DEHORS, PAR-DEHORS loc. adv. : de, par l'extérieur. *Il appelle de (du) dehors. Il est passé par-dehors.* — EN DEHORS loc. adv. : vers l'extérieur. *Marcher les pieds en dehors. La porte s'ouvre en dehors. Se pencher en dehors.* ⇒ ② au-dehors. — EN DEHORS DE loc. prép. : hors de, à l'extérieur de. *Il habite en dehors de la ville. C'est en dehors de la question.* ⇒ à **côté**. *En dehors de vous, personne n'est au courant.* ⇒ **excepté, hormis.** / contr. **dans, dedans /**

② *dehors* n. m. invar. **1.** *Le dehors.* ⇒ **extérieur.** *Le dehors d'une boîte. Ce bruit vient du dehors. Les ennemis du dehors et du dedans.* **2.** LES DEHORS : l'aspect, l'apparence extérieure. ⇒ **enveloppe, masque.** *Des dehors trompeurs. Sous des dehors plaisants.* **3.** AU-DEHORS loc. adv. : à l'extérieur. *Le liquide se répand au-dehors. Se pencher au-dehors.* ⇒ ① en **dehors.** — DU DEHORS : de l'extérieur. *Les bruits du dehors.* — AU-DEHORS DE loc. prép. *Au-dehors du pays.*

déifier [deifje] v. tr. ▪ conjug. 7. ▪ Considérer (qqn, qqch.) comme un dieu. ⇒ **diviniser.** *Déifier l'homme, la liberté, l'argent.*

déisme [deism] n. m. ▪ Position philosophique de ceux qui admettent l'existence d'une divinité, d'un dieu, sans accepter de religion. / contr. **athéisme /** ▶ *déiste* n. ▪ Personne qui professe le déisme.

déjà [deʒa] adv. de temps **1.** ⇒ Dès maintenant. *Il a déjà fini son travail. Il est déjà quatre heures.* — *Dès ce moment-là. Quand il arriva, son ami était déjà parti.* — Loc. adv. D'ORES ET DÉJÀ : à partir de maintenant. **2.** Auparavant, avant. *Je l'ai déjà rencontré ce matin.* **3.** Fam. (Renforçant une constatation). *C'est déjà bien beau. Ce n'est déjà pas si mal.* — (En fin de phrase, pour réitérer une question) *Comment vous appelez-vous, déjà ?*

déjection [deʒɛksjɔ̃] n. f. ▪ Évacuation d'excréments ; excréments.

déjeté, ée [deʒte] adj. ▪ (Personnes) Déformé, en mauvais état physique. *Une petite vieille toute déjetée.*

① *déjeuner* [deʒœne] v. intr. ▪ conjug. 1. **1.** Prendre le petit déjeuner. *Il est parti travailler sans déjeuner. Il déjeune d'un café noir.* **2.** Prendre le repas du milieu de la journée (repas de midi). *Nous avons déjeuné au restaurant.* ▶ ② *déjeuner* n. m. **1.** Repas du milieu de la journée. *À l'heure du déjeuner.* — REM. Ce repas est appelé *dîner* au Canada. **2.** Les mets qui composent ce repas. *Faire un bon déjeuner.* **3.** PETIT DÉJEUNER : repas léger du matin. *Elle prend du thé au petit déjeuner. Petit déjeuner anglais.* ⇒ **breakfast.** *Petit déjeuner continental (français, etc.).* — Abrév. fam. *Petit déj.* [ptideʒ] **4.** DÉJEUNER DE SOLEIL : ce qui ne dure pas longtemps (objets, sentiment, résolution, entreprise).

déjouer [deʒwe] v. tr. ▪ conjug. 1. ▪ Faire échouer (les manœuvres de qqn). *Déjouer une intrigue, un complot.* — *Déjouer la surveillance.* ⇒ **tromper** (3).

se déjuger [deʒyʒe] v. pron. ▪ conjug. 3. ▪ Revenir sur un jugement exprimé, un parti pris. ⇒ **changer** d'avis, se **dédire.** *Il peut difficilement se déjuger.*

delà [dəla] prép. et adv. de lieu **1.** PAR-DELÀ loc. prép. : plus loin que, de l'autre côté de. *Par-delà les mers.* — *Par-delà les apparences.* **2.** Adv. AU-DELÀ : plus loin. *La maison est un peu au-delà.* — AU-DELÀ DE loc. prép. : plus loin de, que. *C'est au-delà de tout ce que vous pouvez imaginer.* / contr. en **deçà** / **3.** N. m. L'AU-DELÀ. ⇒ **au-delà.** ⟨ ▶ au-delà ⟩

délabrer [delabʀe] v. tr. ▪ conjug. 1. **1.** Mettre en mauvais état. ⇒ **endommager, ruiner.** *Délabrer sa santé par des excès.* **2.** SE DÉLABRER v. pron. : devenir en mauvais état. ⇒ se **dégrader.** *La maison se délabre. Sa santé se délabre.* — Au p. p. adj. *Un vieux château*

tout délabré. *Santé délabrée.* ▶ *délabrement* n. m. ▪ ⇒ **ruine.** *Le vieux manoir était dans un état de délabrement avancé.*

délacer [delase] v. tr. ▪ conjug. 3. ▪ Desserrer ou retirer (une chose lacée). *Délacer ses chaussures.* / contr. **lacer** / ≠ *délasser.*

délai [delɛ] n. m. **1.** Temps accordé pour faire qqch. *Travail exécuté dans le délai fixé. Marchandise livrée dans les délais. Agir dans les délais,* en temps utile. **2.** Prolongation de temps accordée pour faire qqch. *Se faire donner un délai. Accorder un délai d'un mois à qqn, pour qqch.* — SANS DÉLAI : sur-le-champ. *Immédiatement et sans délai.* **3.** Temps à l'expiration duquel on sera tenu de faire une certaine chose. ⇒ **terme.** — *Délai de préavis,* qui met fin à un contrat de travail. — *Nous prendrons une décision à* BREF DÉLAI, *dans les plus brefs délais,* bientôt, très prochainement.

délaisser [delese] v. tr. ▪ conjug. 1. **1.** Laisser (qqn) sans secours ou sans affection. ⇒ **abandonner.** *Il délaisse sa famille, ses amis.* **2.** Abandonner (une activité). *Délaisser son travail.* ⇒ **négliger.** ▶ *délaissé, ée* adj. **1.** (Personnes) Laissé sans affection, sans aide ni secours. *Une épouse délaissée.* **2.** (Choses) Abandonné. *La recherche fondamentale est trop délaissée.* ▶ *délaissement* n. m. ▪ Littér. État de ce qui est délaissé.

délasser [delase] v. tr. ▪ conjug. 1. ▪ Tirer de l'état de lassitude, de fatigue. ⇒ **détendre, reposer.** *Écouter de la musique délasse (l'esprit).* — SE DÉLASSER v. pron. : se reposer en se distrayant. *Aller au cinéma pour se délasser.* / contr. **fatiguer, lasser** / ≠ *délacer.* ▶ *délassant, ante* adj. ▪ Reposant. ▶ *délassement* n. m. **1.** Le fait de se délasser (physiquement ou intellectuellement). ⇒ **détente, loisir.** *Avoir besoin de délassement.* **2.** Ce qui délasse. ⇒ **amusement, distraction.** *La lecture est un délassement.*

délateur, trice [delatœʀ, tʀis] n. ▪ Personne qui dénonce pour des motifs méprisables. ⇒ **dénonciateur.** ▶ *délation* n. f. ▪ Dénonciation de caractère méprisable. *Faire une délation. Une méprisable délation.*

délavé, ée [delave] adj. ▪ Dont la couleur est, ou semble trop étendue d'eau. ⇒ **décoloré, pâle.** *Le ciel est d'un bleu délavé.* — Décoloré (par l'action de l'eau ou d'un produit détersif). *Un jean délavé.*

délayer [deleje] v. tr. ▪ conjug. 8. **1.** Mélanger (une substance) à un liquide. ⇒ **diluer, dissoudre.** *Délayer de la farine dans de l'eau. Délayer de la colle.* **2.** *Délayer une pensée, une idée, un discours,* l'exposer trop longuement, de manière diffuse. — Au p. p. *Son article est trop long, un peu délayé.* ▶ *délayage* [deleʒaʒ] n. m. ▪ Action de délayer (1 et 2). — Ce qui est délayé.

delco [dɛlko] n. m. ▪ (Marque déposée) Système d'allumage d'un moteur à explosion (bobine).

se délecter [delɛkte] v. pron. ▪ conjug. 1. ▪ Prendre un très grand plaisir (à qqch.). ⇒ **régaler, savourer.** *Je me suis délecté à l'écouter parler.* ▶ *délectable* adj. ▪ Littér. Qui est très agréable. *Mets délectable.* ⇒ **savoureux.** ▶ *délectation* n. f. ▪ Plaisir que l'on savoure. ⇒ **délice.** *Déguster un bon plat avec délectation. Écouter avec délectation.* ⇒ **ravissement.**

déléguer [delege] v. tr. ▪ conjug. 6. **1.** Charger (qqn) d'une mission, en transmettant son pouvoir. *Déléguer un représentant à une assemblée.* **2.** Transmettre, confier (une autorité, un pouvoir) pour un objet déterminé. *Déléguer son autorité, ses pouvoirs à qqn.* ▶ *délégation* n. f. **1.** Acte par lequel on délègue ; attribution, transmission pour un objet déterminé. *Délégation de pouvoir (à qqn).* **2.** Ensemble des personnes déléguées. *Faire partie d'une délégation. Envoyer, recevoir une délégation.* ▶ *délégué, ée* n. et adj. ■ Personne qui a été chargée d'une fonction, d'un pouvoir. ⇒ **émissaire, mandataire, représentant.** *Nommer un délégué. Délégué du personnel. Délégué syndical.*

délester [delɛste] v. tr. ▪ conjug. 1. **1.** Décharger de son lest. ⇒ **alléger.** *Délester un navire.* — Pronominalement. *Le navire, l'avion se déleste d'une charge, de son carburant.* **2.** Iron. *On l'a délesté de son portefeuille,* on le lui a volé (→ On l'a soulagé de...). **3.** Décongestionner (une voie, le trafic routier), par des déviations. ▶ *délestage* n. m. ■ Action de délester (1, 3). *Itinéraire de délestage.*

délétère [deletɛʁ] adj. ■ *Gaz délétère,* qui met la santé, la vie en danger. ⇒ **nocif, toxique.**

délibérer [delibeʁe] v. intr. et tr. ind. ▪ conjug. 6. **1.** Discuter avec d'autres personnes en vue d'une décision à prendre. ⇒ se **consulter.** *Le jury délibère.* — *Délibérer de, sur qqch. On n'a pas encore délibéré de l'affaire.* **2.** Littér. Réfléchir sur une décision à prendre, peser le pour et le contre. ⇒ **réfléchir.** *Il délibère sur la conduite à tenir.* ▶ *délibérant, ante* adj. ■ Qui délibère (opposé à *consultatif*). *Assemblée délibérante.* ▶ *délibératif, ive* adj. ■ Qui a qualité pour voter, décider dans une délibération (opposé à *consultatif*). *Avoir voix délibérative dans une assemblée.* ▶ *délibération* n. f. **1.** Action de délibérer avec d'autres personnes. ⇒ **débat, discussion, examen.** *Mettre (une question) en délibération.* **2.** Examen réfléchi. *Décision prise après mûre délibération.* ⇒ **réflexion.** ▶ *délibéré, ée* adj. **1.** Qui a été délibéré, discuté et décidé. ⇒ **intentionnel, réfléchi, voulu.** *Par volonté délibérée.* — DE PROPOS DÉLIBÉRÉ : exprès, volontairement. **2.** Assuré, décidé. *D'un air délibéré.* ▶ *délibérément* adv. ■ De manière délibérée. / contr. à la **légère, inconsidérément** /

délicat, ate [delika, at] adj. **1.** Littér. Qui plaît par la qualité, la finesse. *Parfum délicat.* ⇒ **subtil.** *Nourriture délicate.* ⇒ **raffiné.** — Qui plaît par la finesse de l'exécution. *La touche délicate d'un peintre.* ⇒ **léger ; élégant.** *Travail délicat,* fini avec soin. **2.** Que sa finesse rend sensible aux moindres influences extérieures. ⇒ **fragile.** *Peau, fleur délicate.* — *Un enfant délicat,* facilement malade. / contr. **robuste /** **3.** Dont la subtilité, la complexité rend la compréhension ou l'exécution difficile. ⇒ **embarrassant, malaisé.** *Problème, question délicat(e).* ⇒ **complexe.** *Une situation délicate.* ⇒ **périlleux.** **4.** (Personnes) Qui est doué d'une grande sensibilité. *Esprit délicat.* ⇒ **raffiné, subtil.** *Oreille délicate.* — (Au moral) *Il est peu délicat en affaires.* ⇒ **scrupuleux.** — *Attention, pensée délicate,* pleine de sensibilité, de tact. **5.** Que sa grande sensibilité rend difficile à contenter. ⇒ **exigeant.** *Il ne faut pas être si délicat.* — N. *Il fait le délicat,* le difficile (6). ▶ *délicatement* adv. ■ Finement (dentelles *délicatement ouvragées*) ; légèrement *(prendre délicatement qqch.)* ; élégamment *(agir délicatement).* ▶ *délicatesse* n. f. **1.** Littér. Qualité de ce qui est fin, délicat. *La délicatesse d'un coloris. La délicatesse des traits d'un visage.* ⇒ **joliesse.** **2.** Finesse et précision dans l'exécution, le toucher. *Faire, prendre qqch. avec délicatesse.* ⇒ **délicatement.** **3.** Caractère de ce qui est fragile par suite de sa finesse. *La délicatesse et la blancheur de sa peau.* **4.** Aptitude à sentir, à juger, à exprimer finement. ⇒ **sensibilité.** *Délicatesse de goût, de jugement. Délicatesse du langage, du style.* **5.** Sensibilité morale dans les relations avec autrui. ⇒ **discrétion, tact.** *Elle s'est tue par délicatesse. Manquer de délicatesse. La délicatesse de ses procédés.* ⟨ ▶ indélicat ⟩

délice [delis] n. **I.** DÉLICES n. f. pl. : plaisir qui ravit, transporte. *Les délices de l'amour. Lieu de délices* (⇒ **paradis**). — Loc. *Faire ses délices de qqch.,* y prendre un grand plaisir. **II.** N. m. Plaisir vif et délicat. ⇒ **félicité, joie.** *Quel délice, de vivre ici ! C'est un délice, un vrai délice de l'écouter chanter.* — *Ce rôti est un délice.* ⇒ **régal.** ▶ *délicieux, ieuse* adj. ■ Qui procure un vif plaisir, est extrêmement agréable. ⇒ **exquis.** *Sensation délicieuse.* ⇒ **divin.** *Femme délicieuse.* ⇒ **charmante.** *Fruits délicieux.* ⇒ **délectable.** ▶ *délicieusement* adv. ■ *Il fait délicieusement bon.*

délictueux, euse [deliktɥø, øz] adj. ■ Qui a le caractère d'un délit. ⇒ **répréhensible.**

délié, ée [delje] adj. et n. m. **1.** Littér. Fin, mince. *Une taille déliée.* ⇒ **élancé.** — N. m. *Un délié,* la partie fine, déliée d'une lettre (opposé à *plein*). *Les pleins et les déliés d'une écriture à la plume.* **2.** *Un esprit délié,* qui a beaucoup de pénétration. ⇒ **fin, pénétrant, subtil.**

délier [delje] v. tr. ▪ conjug. 7. **I. 1.** Dégager (qqch., qqn) de ce qui lie. ⇒ **détacher.** *Délier les mains d'un prisonnier.* ⇒ **libérer.** — Défaire le nœud de. ⇒ **dénouer.** *Délier une corde.* **2.** Loc. *Sans bourse délier,* sans rien payer, gratis. — Loc. fig. *Délier la langue de qqn,* le faire parler. — Pronominalement. *Les langues se délient,* on parle. — Au p. p. adj. *Avoir la langue déliée,* être bavard. **II.** Libérer (qqn) d'un engagement, d'une obligation. ⇒ **affranchir, dégager.** *Délier qqn d'une promesse.*

délimiter [delimite] v. tr. ▪ conjug. 1. ■ Déterminer les limites de. *Délimiter la frontière entre deux États.* ⇒ **borner, limiter.** — Former la limite de. *Clôtures qui délimitent une propriété.* — Abstrait. *Délimiter les attributions de qqn.* ⇒ **définir, fixer.** *Délimiter son sujet.* ⇒ **circonscrire.** ▶ *délimitation* n. f. ■ *La délimitation d'un champ.* ⇒ **bornage.** *Délimitation de frontières.* ⇒ **démarcation.**

délinquant, ante [delɛ̃kɑ̃, ɑ̃t] n. et adj. ■ Personne qui commet un délit. *Les jeunes délinquants.* — Adj. *L'enfance délinquante.* ▶ *délinquance* n. f. ■ Ensemble des crimes et des délits considérés sur le plan social. ⇒ **criminalité.** *Délinquance juvénile.*

déliquescence [delikesɑ̃s] n. f. ■ Décadence complète ; perte de la force, de la cohésion. ⇒ **décomposition, ruine.** *Tomber en déliquescence. Société en déliquescence.* ▶ *déliquescent, ente* adj. ■ En état de déliquescence.

délire [deliʁ] n. m. **1.** Forme de confusion mentale due à certaines fièvres ou intoxications. *Le malade est en plein délire. Les délires de la fièvre.* **2.** Maladie mentale caractérisée par un désordre de la personnalité qui se manifeste par des idées et des perceptions anormales. *Délire paranoïaque, verbal, de persécution.* — *C'est du délire !,* c'est de la folie. **3.** Exaltation, enthousiasme exubérant. *Foule en délire. Quand il apparut, ce fut du délire.* ▶ *délirer* v. intr. ▪ conjug. 1. **1.** Avoir le délire. ⇒ **divaguer.** *Le malade délire.* — *Il délire !* ⇒ **déraisonner ;** fam. ② **dérailler.** **2.** Être en proie à une émotion qui trouble l'esprit. *Délirer de joie, de colère, d'enthousiasme.* ▶ *délirant, ante* adj. ■ Qui manque de mesure, extravagant. *Une imagination délirante.* ⇒ **effréné, extravagant.** *Joie délirante.* — Totalement déraisonnable. *C'est délirant !* ⇒ **démentiel, fou.**

delirium tremens [deliʁjɔmtʁemɛ̃s] n. m. invar. ■ (Mots latins signifiant « délire troublant ») Délire (1) aigu accompagné d'agitation et de tremblement, particulier aux alcooliques sevrés ou en état de manque.

délit [deli] n. m. **1.** (Sens large) *Délit (pénal)*, toute infraction à la loi, punie par elle. ⇒ **contravention, crime.** *Coupable de délit.* ⇒ **délinquant.** — *Le* CORPS DU DÉLIT : le fait matériel qui constitue le délit, indépendamment des circonstances. — FLAGRANT DÉLIT : infraction qui est en train ou qui vient de se commettre. *Un flagrant délit d'adultère.* — Fig. *Je vous prends en flagrant délit de mensonge !* **2.** (Sens restreint) *Délit (correctionnel)*, infraction punie de peines correctionnelles (opposé à *contravention* ou à *crime*). ⇒ **délictueux.** ‹ ▶ délictueux ›

① *délivrer* [delivʀe] v. tr. ■ conjug. 1. **1.** Rendre libre. ⇒ **libérer.** *Délivrer un prisonnier.* **2.** *Délivrer qqn de*, rendre libre en écartant, en supprimant. ⇒ **débarrasser, libérer.** *Délivrer qqn d'un importun, d'un rival. Délivrer qqn d'un mal, d'une crainte.* — SE DÉLIVRER v. pron. : se libérer, se dégager de. ⇒ s'**affranchir.** *Se délivrer d'un fardeau. Se délivrer d'une obsession.* **4.** Au p. p. *Cette obsession dont je ne me sens pas délivré.* ▶ ① *délivrance* n. f. **1.** Action de libérer (qqn) d'une gêne, d'un mal, d'un tourment ; impression agréable qui en résulte. ⇒ **soulagement.** « *Ouf ! ils sont partis. Quelle délivrance !* » **2.** Médecine. Fin de l'accouchement.

② *délivrer* v. tr. ■ conjug. 1. ■ Remettre (qqch.) à qqn. *On lui a délivré un certificat, un reçu. Le médecin délivre une ordonnance.* ▶ ② *délivrance* n. f. ■ *La délivrance d'un passeport à qqn.*

déloger [deloʒe] v. tr. ■ conjug. 3. ■ Faire sortir (qqn) du lieu qu'il, elle occupe. ⇒ **chasser, expulser ;** fam. **vider.** *Déloger un locataire. Déloger l'ennemi de ses positions.*

déloyal, ale, aux [delwajal, o] adj. ■ Qui n'est pas loyal. ⇒ **faux, trompeur.** *Être déloyal envers qqn.* — *C'était déloyal de nous prendre par surprise.* — *Procédé, concurrence déloyal(e).* ▶ *déloyauté* [delwajote] n. f. ■ Manque de loyauté. ⇒ **fausseté, malhonnêteté, perfidie.** *Faire acte de déloyauté.* — *La déloyauté d'un procédé.*

delta [dɛlta] n. m. **1.** N. m. invar. Quatrième lettre de l'alphabet grec (Δ). *Des delta majuscules.* **2.** Dépôt d'alluvions émergeant à l'embouchure d'un fleuve et le divisant en bras de plus en plus ramifiés. *Le delta du Rhône. Des deltas immenses.* **3.** *Ailes d'avion en delta*, en triangle. — En appos. Invar. *Avions à ailes delta.* ▶ *deltaplane* n. m. ■ Aile volante, planeur très léger supportant une personne. REM. On dit aussi *aile delta, aile libre.* — Ce sport. *Faire du deltaplane.* ‹ ▶ deltoïde ›

deltoïde [dɛltɔid] adj. et n. m. ■ Anatomie. Du muscle triangulaire de l'épaule. — *Le deltoïde.*

déluge [delyʒ] n. m. **1.** Envahissement de la terre par les eaux, selon la Bible. *L'arche de Noé échappa au déluge.* — Loc. *Remonter au déluge*, très loin dans le passé. *Après moi (nous) le déluge !*, profitons du présent sans souci des catastrophes à venir. **2.** Pluie très abondante, torrentielle. ⇒ **trombe, cataracte ; diluvien.** *La pluie redouble et devient un déluge.* — *Déluge de larmes.* ⇒ **torrent.** *Un véritable déluge de paroles.*

déluré, ée [delyʀe] adj. ■ Qui a l'esprit vif et avisé, qui est habile à se tirer d'embarras. ⇒ **dégourdi, espiègle, malin.** *Une enfant délurée.* — *Air déluré.* ⇒ **éveillé, vif.** — Péj. *D'une hardiesse excessive, provocante.* ⇒ **effronté.** *C'est une fille bien délurée.*

démagogie [demagɔʒi] n. f. ■ Politique par laquelle on flatte les passions populaires pour mieux les exploiter. *Il fait de la démagogie pour se faire élire.* ⇒ **démagogue.** ▶ *démagogique* adj. ■ *Discours démagogiques.* ▶ *démagogue* n. m. ■ Personne qui fait de la démagogie. *Le démagogue est le pire ennemi*

de la démocratie. *C'est une démagogue.* — Adj. *Politicien démagogue.*

se démailler [demaje] v. pron. ■ conjug. 1. ■ Avoir les mailles qui se défont. *Son bas s'est démaillé.* ⇒ **filer.**

démailloter [demajɔte] v. tr. ■ conjug. 1. ■ Débarrasser (un bébé) du maillot. / contr. **emmailloter** /

demain [d(ə)mɛ̃] adv. et n. m. **I.** Le jour suivant celui où s'exprime la personne qui parle. *Je viendrai demain ; aujourd'hui, je n'ai pas le temps.* **1.** Adv. *Demain dans la matinée, demain matin.* — Loc. *Demain il fera jour*, rien ne presse d'agir aujourd'hui. *Ce n'est pas pour demain ; fam. c'est pas demain la veille*, ce n'est pas pour bientôt. **2.** N. m. *Vous avez tout demain pour réfléchir.* — Après une prép. à DEMAIN : nous nous reverrons demain. *Au revoir, et à demain !* — PROV. *Il ne faut pas remettre à demain ce qu'on peut faire le jour même.* — *À partir de demain. C'est pour demain. Demain en huit*, dans huit jours à dater de demain. **II.** Dans un avenir plus ou moins proche. **1.** Adv. Plus tard. *Aujourd'hui c'est ainsi, mais demain ?* **2.** N. m. L'avenir. *Le monde de demain.* ⇒ **futur.** ‹ ▶ après-demain, lendemain ›

se démancher [demɑ̃ʃe] v. pron. ■ conjug. 1. **1.** Se séparer de son manche. *Mon marteau se démanche.* — Au p. p. adj. *Un couteau démanché.* **2.** Fam. Se démettre. *Elle s'est démanché le bras.*

demande [d(ə)mɑ̃d] n. f. **I. 1.** Action de demander (I). ⇒ **désir, souhait.** *Demande faite avec insistance.* ⇒ **réclamation, revendication.** *Demande d'emploi, candidature.* — *Faire une demande ; adresser, formuler, présenter une demande. Répondre favorablement à une demande. Faire qqch. sur la demande, à la demande de qqn. À la demande générale.* **2.** *Demande en mariage*, démarche par laquelle on demande une jeune fille en mariage à ses parents. — Absolt. *Faire sa demande.* **3.** Quantité de produits ou de services que des acheteurs sont disposés à prendre à un prix donné. *La loi de l'offre et de la demande.* **4.** Action intentée en justice pour faire reconnaître un droit. *Former une demande en divorce.* **5.** Annonce par laquelle on s'engage à réaliser un contrat, aux cartes (bridge). **II.** Vx. Question. *Livre, catéchisme par demandes et réponses.* ▶ *demander* v. tr. ■ conjug. 1. **I. 1.** Faire connaître à qqn (ce qu'on désire obtenir de lui). *Demander qqch. à qqn. Il lui a demandé son stylo. Demander un renseignement. Demander à qqn son avis, un conseil. Demander une faveur.* ⇒ **solliciter.** *Demander la permission de faire qqch. Demander son dû.* ⇒ **réclamer, revendiquer.** *Demander aide, assistance, secours. Demander l'aumône, mendier. Demander pardon, s'excuser.* — Loc. *S'enfuir sans demander son reste*, précipitamment. — Indiquer (ce que l'on veut gagner). *Demander cent francs de l'heure.* — DEMANDER À (+ infinitif ; les deux verbes ont le même sujet). *Demander à s'asseoir. Il demande à venir avec nous. Il a demandé au surveillant à sortir* (⇒ **permission**). — DEMANDER DE (+ infinitif ; les deux verbes n'ont pas le même sujet). ⇒ **ordonner, prier, sommer, supplier.** *Je vous demande de me répondre, de m'écouter. Je vous demande de partir, je demande que vous partiez. Elle m'a demandé de lui répondre rapidement. Elle m'a demandé d'emmener son fils à l'hôpital. Je te demande d'être à l'heure. Je ne t'ai pas demandé de venir.* — DEMANDER QUE (+ subjonctif ; le sujet de la complétive est différent de celui du verbe *demander*). *J'ai demandé que le docteur vienne.* **2.** Réclamer par une demande (4) en justice. ⇒ **requérir.** *Ils ont demandé des dommages-intérêts. Demander le divorce.* **3.** Fam. Vouloir, avoir envie de. ⇒ **désirer, souhaiter.** *Ne demander qu'à se laisser convaincre, qu'à croire. Voilà tout ce que je demande.*

— Loc. NE PAS DEMANDER MIEUX QUE : consentir volontiers. *Je ne demande pas mieux que d'y aller.* — Fam. IL *(elle...)* NE DEMANDE QUE ÇA : il (elle...) en a envie. **4.** Prier de donner, d'apporter (qqch.). ⇒ **réclamer.** *Demander l'addition à un serveur. Demander un taxi par téléphone.* **5.** Faire venir, faire chercher (qqn). *Demander qqn* (fam. *après qqn*). *On vous demande au téléphone. Descendez, on vous demande. On demande un médecin.* — Rechercher pour un travail. *On demande un dactylo.* **6.** Demander qqn en mariage. — Loc. *Demander la main (d'une jeune fille),* déclarer qu'on souhaite l'épouser. **7.** Faire connaître (ce qu'on attend de qqn). ⇒ **attendre** de, compter sur. *Demander beaucoup (d'efforts) à qqn.* ⇒ **exiger.** *Fam. Il ne faut pas lui en demander trop.* — (Compl. chose) *Demander beaucoup de (à) la vie.* **8.** (Choses) Avoir pour condition de succès, de réalisation. ⇒ **exiger, nécessiter, réclamer, requérir.** *Votre proposition demande réflexion. C'est un travail qui demande beaucoup de patience. Le voyage demande trois heures.* ⇒ **prendre.** — DEMANDER À (+ infinitif). *Cette toile demande à être examinée de près.* **II.** Interroger. **1.** Essayer de savoir (en interrogeant qqn). *Demander son chemin, son nom à qqn. Demander le prix de qqch. Demander quand, pourquoi, comment...* — Fam. *Je ne te demande pas l'heure qu'il est,* mêle-toi de ce qui te regarde. — Fam. *Je vous (le) demande ; je vous demande un peu !,* marque l'étonnement, la réprobation. — Sans compl. *Vous pouvez demander.* ⇒ **questionner. 2.** SE DEMANDER v. pron. : se poser une question à soi-même. *Je me demande ce qu'il va faire. Elle s'est demandé pourquoi il avait agi ainsi.* ⇒ **ignorer.** *Je me demande s'il va pleuvoir.* ▶ **demandé, ée** p. p. adj. ■ Qui est ou fait l'objet de demandes. *Personne très demandée,* dont on sollicite beaucoup les services. *Article demandé,* en vogue. ▶ **demandeur** n. **1.** N. m. Droit. Celui qui intente une action en justice contre qqn (fém. *demanderesse*). **2.** N. *Demandeur, demandeuse d'emploi,* personne qui cherche du travail. ⇒ **chômeur.** ⟨ ▶ redemander ⟩

démanger [demãʒe] v. intr. ■ conjug. 3. **1.** Faire ressentir une démangeaison (à qqn). *Le bras, la jambe lui démange.* **2.** *Ça me (le...) démange de* (+ infinitif), j'ai (il a) extrêmement envie de... *Ça me démange de lui dire son fait.* Loc. *La main lui démange,* il a envie de frapper, de se battre. *La langue lui démange,* il a grande envie de parler. ▶ **démangeaison** [demãʒɛzɔ̃] n. f. ■ Picotement ou irritation de la peau, sensation qui donne envie de se gratter. — Fig. et fam. *Avoir une démangeaison de,* avoir envie de.

démanteler [demãtle] v. tr. ■ conjug. 5. **1.** Démolir (des fortifications). *Démanteler une place forte.* ⇒ **raser. 2.** Fig. Abattre, détruire. *Démanteler un empire, une institution.* ⇒ **abolir, désorganiser.** ▶ **démantèlement** n. m. ■ *Le démantèlement d'un réseau d'espionnage.*

démantibuler [demãtibyle] v. tr. ■ conjug. 1. ■ Fam. Démolir, défaire de manière à rendre inutilisable ; mettre en pièces. ⇒ **déglinguer, démonter, disloquer.** *Démantibuler un meuble.* — Au p. p. adj. *Appareil tout démantibulé.*

démaquiller [demakije] v. tr. ■ conjug. 1. ■ Enlever le maquillage, le fard de. *Démaquiller un acteur. Démaquiller ses yeux.* — Pronominalement (réfl.). *Se démaquiller.* ▶ **démaquillage** n. m. ▶ **démaquillant, ante** adj. et n. m. ■ Qui sert à démaquiller. *Lait démaquillant, crème démaquillante.* — N. m. *Un démaquillant.*

démarcation [demarkasjɔ̃] n. f. **1.** Action de limiter ; ce qui limite. ⇒ **délimitation, frontière, séparation.** *Démarcation entre la terre et l'eau. Ligne*

de démarcation, frontière. **2.** Ce qui sépare nettement deux choses. ⇒ **limite.** *La démarcation des partis politiques.*

① **démarche** [demarʃ] n. f. **1.** Manière de marcher. ⇒ **allure, marche, pas.** *Démarche aisée, assurée, digne, énergique, majestueuse.* **2.** Manière de progresser dans un raisonnement, une façon de penser. *La démarche de la pensée.* ⇒ **cheminement.**

② **démarche** n. f. ■ Tentative auprès de qqn, d'une administration, pour réussir une entreprise. ⇒ **requête, sollicitation.** *Faire des démarches. Il faut effectuer bien des démarches pour trouver du travail. Tenter une démarche auprès de qqn ; en faveur de qqn, pour aider qqn.* ▶ **démarcheur, euse** n. ■ Vendeur(euse) qui sollicite la clientèle à domicile. ⇒ **représentant(e).**

① **démarquer** [demarke] v. tr. ■ conjug. 1. **1.** Priver de sa, de ses marques. *Démarquer du linge,* en découdre la marque. **2.** Copier en apportant quelques modifications. ⇒ **imiter, plagier.** *Démarquer une œuvre littéraire.* **3.** Baisser le prix d'un article (en changeant la marque). *Démarquer des articles pour les solder.* ⇒ **dégriffer.** ▶ **démarquage** n. m. ■ Fait de démarquer (2).

② **se démarquer** v. pron. ■ conjug. 1. **1.** Dans certains sports. Se libérer du marquage. — Au p. p. adj. *Un joueur démarqué.* **2.** SE DÉMARQUER *de qqn* : prendre ses distances par rapport à qqn de manière à ne pas être confondu avec lui. *Il tient à se démarquer de son prédécesseur.*

démarrer [demare] v. intr. ■ conjug. 1. Commencer à rouler, à partir. *La voiture démarra brusquement.* **2.** Se mettre à marcher, à réussir. *Son affaire commence à démarrer, progresse lentement.* ⇒ **partir.** — REM. L'emploi transitif est incorrect. ⇒ **commencer.** ▶ **démarrage** n. m. ■ *Faire un démarrage en trombe.* — *Le démarrage d'une entreprise, d'une carrière, d'une campagne électorale.* ⇒ **départ.** ▶ **démarreur** n. m. ■ Appareil servant à mettre en marche un moteur. *Le démarreur d'une voiture.* ⟨ ▶ redémarrer ⟩

démasquer [demaske] v. tr. ■ conjug. 1. **1.** Faire connaître (qqn, un comportement) pour ce qu'il est, sous des apparences trompeuses. ⇒ **confondre.** *Démasquer un hypocrite, un coupable ; un complot.* **2.** Loc. *Démasquer ses batteries,* dévoiler ses intentions secrètes.

① **démêler** [demele] v. tr. ■ conjug. 1. ■ Séparer (ce qui était emmêlé). *Démêler ses cheveux.* ⇒ **coiffer, peigner.** ▶ **démêlage** n. m. ▶ **démêloir** n. m. ■ Peigne à grosses dents servant à démêler les cheveux. ▶ **démêlure** n. f. ■ Petite touffe de cheveux enlevée par le peigne. ⟨ ▶ ② démêler ⟩

② **démêler** v. tr. ■ conjug. 1. **1.** Débrouiller, éclaircir (une chose compliquée). *Démêler une affaire délicate,* la tirer au clair. **2.** Littér. *Avoir qqch. à démêler avec qqn,* à discuter, à débattre (⇒ **démêlé**). ▶ **démêlé** n. m. **1.** Au sing. Affaire compliquée dans laquelle chacun veut avoir raison. ⇒ **litige.** *Ils ont eu un démêlé à propos de l'héritage.* **2.** Au plur. Difficulté due à des oppositions, des opinions opposées. — Spécialt. *Avoir des démêlés avec la justice.* ⇒ **ennui(s).**

démembrer [demãbre] v. tr. ■ conjug. 1. ■ Diviser en parties (ce qui forme un tout, devrait rester entier). ⇒ **découper, morceler, partager.** *Démembrer un domaine, un empire.* ▶ **démembrement** n. m. ■ *Le démembrement des grands domaines.* ⇒ **morcellement.** / contr. **remembrement** /

déménager [demenaʒe] v. ■ conjug. 3. **1.** V. tr. Transporter (des objets) d'un logement dans un autre.

Déménager ses meubles, ses livres. **2.** V. intr. Changer de logement ; quitter le logement qu'on occupe pour emménager ailleurs. *Nous déménageons à la fin de l'année.* **3.** Fam. ⇒ **déraisonner.** *Tu déménages !* ▶ **déménagement** n. m. ■ Action de déménager ; transport d'objets d'un logement à un autre. *Faire son déménagement. Entreprise, camion de déménagement.* / contr. **emménagement** / ▶ **déménageur** n. m. ■ Personne (en général, homme) dont le métier est de faire des déménagements.

démence [demɑ̃s] n. f. **1.** Ensemble des troubles mentaux graves. ⇒ **aliénation, folie.** *Sombrer dans la démence.* **2.** Conduite extravagante. *C'est de la démence, de la pure démence d'agir ainsi.* ⇒ **folie, inconscience.** ▶ **dément, ente** adj. et n. **1.** Qui est atteint de démence. *Un dément dangereux.* ⇒ **fou.** — *Acte dément.* ⇒ **démentiel. 2.** Fam. *C'est dément !,* absurde, démesuré. — Extraordinaire. ⇒ fam. **dingue.** ▶ **démentiel, ielle** [demɑ̃sjɛl] adj. **1.** De la démence. *État démentiel.* **2.** Absurde, fou. *C'est un projet absolument démentiel.* / contr. **raisonnable** /

se démener [demne] v. pron. ■ conjug. 3. **1.** S'agiter violemment. ⇒ se **débattre,** se **remuer.** Loc. *Se démener comme un beau diable.* **2.** Se donner beaucoup de peine (pour arriver à un résultat). ⇒ s'**agiter,** se **dépenser.** *Il faut se démener pour réussir. Se démener pour achever un travail à la date promise.* ⇒ se donner du **mal.** *Elle s'est beaucoup démenée pour avoir son examen.*

démentir [demɑ̃tiʀ] v. tr. ■ conjug. 16. **1.** Contredire (qqn) en prétendant qu'il n'a pas dit la vérité. ⇒ **désavouer.** *Je n'ai pas osé le démentir.* **2.** Prétendre (qqch.) contraire à la vérité. ⇒ **nier.** *Démentir formellement un bruit, une nouvelle. Elle démenti l'avoir dit.* — *Démentir que* (+ indicatif ou subjonctif) *Le porte-parole a démenti que l'entrevue ait eu lieu. On n'a pas démenti que l'entrevue a eu lieu.* ⇒ **démenti.** / contr. **confirmer** / **3.** (Choses) Aller à l'encontre de. ⇒ **contredire, infirmer.** *Les résultats démentent les pronostics.* **4.** SE DÉMENTIR v. pron. : cesser de se manifester (surtout au négatif). *Son courage ne s'est jamais démenti, est resté aussi grand, sans défaillance.* ▶ **démenti** n. m. ■ Action de démentir ; ce qui dément qqch. ⇒ **dénégation, désaveu.** *Opposer un démenti formel à une nouvelle. Sa présence est un démenti aux accusations portées.*

se démerder [demɛʀde] v. pron. ■ conjug. 1. ■ Fam. et vulg. Se débrouiller. *Il s'est bien démerdé.* ⇒ s'en **sortir.** ▶ **démerde** adj. et n. f. ■ Qui se démerde (on dit aussi *démerdard, arde*). — *Système démerde.* — N. f. *La démerde,* l'habileté à se débrouiller.

démériter [demeʀite] v. intr. ■ conjug. 1. ■ Agir de manière à encourir le blâme, la désapprobation (de qqn). *Démériter aux yeux de qqn. En quoi a-t-il démérité ?*

démesure [deməzyʀ] n. f. ■ Manque de mesure dans les sentiments, les attitudes. *Il tombe dans l'exagération et la démesure.* ⇒ **excès, outrance.** ▶ **démesuré, ée** adj. **1.** Qui dépasse la mesure ordinaire. ⇒ **colossal, gigantesque, immense.** *Un empire démesuré.* **2.** D'une très grande importance, intensité. ⇒ **énorme, excessif, immense.** *Un orgueil démesuré. Son ambition est démesurée. Il a des prétentions démesurées.* ▶ **démesurément** adv. ■ ⇒ **énormément, immensément.** *Un nez démesurément long.*

① **démettre** [demɛtʀ] v. tr. ■ conjug. 56. ■ Déplacer (un os, une articulation). ⇒ **disloquer, luxer.** *Il lui a démis le poignet. Elle s'est démis le pied en faisant du ski* (⇒ **démis**). ⟨ ▶ démis ⟩

② **démettre** v. tr. ■ conjug. 56. **1.** Retirer (qqn) d'un emploi, d'un poste, etc. ⇒ **casser, destituer, relever.** *On l'a démise, elle a été démise de ses fonctions.* **2.** V. pron. réfl. SE DÉMETTRE DE : quitter (ses fonctions) volontairement ou sous une contrainte. ⇒ **abdiquer, démissionner, partir.** *Se démettre d'une charge.* ⟨ ▶ démission ⟩

au demeurant [odəmœʀɑ̃] loc. adv. ■ Littér. Pour ce qui reste (à dire) ; en ce qui concerne le reste. ⇒ **d'ailleurs,** au **reste.** *Au demeurant, je ne suis pas concerné.*

① **demeure** [dəmœʀ] n. f. ■ (Le fait de rester, situation) **1.** Loc. *Mise* EN DEMEURE : sommation. ⇒ **ultimatum.** — Loc. *Mettre qqn en demeure* (de faire une chose), sommer. **2.** *Il y a (il n'y a pas)* PÉRIL EN LA DEMEURE : le moindre retard entraînerait (n'entraînerait pas) d'inconvénient. — REM. Ne pas confondre avec ② *demeure* (habitation). ⇒ **demeurer.**

demeuré, ée [demœʀe] adj. et n. ■ Fam. Qui a une intelligence faible, peu développée. ⇒ **arriéré, débile.** *Il est gentil, mais un peu demeuré.* — *Des demeurés.*

demeurer [dəmœʀe] v. intr. ■ conjug. 1. **I.** Auxiliaire *être*. **1.** (Personnes) Rester. *Il ne peut pas demeurer en place.* ⇒ **tenir.** — Continuer à être (dans une situation). *Il est demeuré ferme, calme. Il est toujours demeuré dans une passivité absolue. Elle en demeure encore étonnée. Demeurer muet, silencieux.* — Loc. EN DEMEURER LÀ : en rester* là, ne pas continuer. **2.** (Choses) Continuer d'exister. *Les souvenirs qui demeurent, qui demeurent en nous.* — Continuer d'être (dans un état, une situation). *Ses intentions demeurent obscures. Ce qui est arrivé m'est demeuré incompréhensible.* **II.** Auxiliaire *avoir*. Habiter, résider. *Nous avons demeuré à Paris pendant cinq ans ; nous sommes restés, nous avons vécu à Paris. Demeurer dans une rue, sur une place.* — REM. *Habiter* est plus courant. ▶ ② **demeure** n. f. **1.** Vieilli. ⇒ **habitation. 2.** Maison (belle ou importante, souvent ancienne). *Une superbe demeure du XVIIᵉ siècle.* **3.** Loc. fig. *La* DERNIÈRE DEMEURE : la tombe. *Conduire qqn à sa dernière demeure,* l'enterrer. ⟨ ▶ au demeurant, ① demeure, demeuré ⟩

① **demi, ie** [d(ə)mi] adj. et adv. **I.** Adj. REM. *Demi* reste invariable et se rattache au nom qu'il qualifie par un trait d'union. — Divisé par deux ; qui est la moitié d'un, d'une. *Un demi-kilomètre. Trois demi-cuillerées. Un demi-verre de vin.* — Qui n'est pas entier, complet, parfait. *Une demi-conscience. Dans la demi-obscurité.* ⇒ **semi-.** / contr. **plein, total** / **II.** Adj. et DEMI(E). Et la moitié d'un, d'une. — REM. *Demi* s'accorde en genre seulement. *Cinq heures et demie* (→ la demie de cinq heures). *Une douzaine, une livre et demie. Dix centimètres et demi.* **III.** Adv. À moitié, pas entièrement. *Une boîte demi-pleine. Des enfants demi-nus.* **IV.** À DEMI loc. adv. : à moitié. ⇒ **partiellement,** à **moitié.** — Avec un verbe. *Il l'a à demi rassurée ; il ne l'a rassurée qu'à demi. Ouvrir un tiroir à demi. Je ne l'estime qu'à demi. Faire qqch. à demi.* ⇒ **imparfaitement.** — Avec un adjectif ou un p. p. *Elles étaient à demi sourdes. Ils étaient à demi morts de faim.* ⇒ **presque.**

② **demi, ie** n. **I.** N. m. **1.** UN DEMI : la moitié d'une unité. *Un demi ou 0,5 ou 1/2.* — Un demi, verre de bière (qui contenait à l'origine un demi-litre). *Garçon, un demi pression ! Il a bu trois demis.* **2.** Sports d'équipe. Joueur placé entre les avants et les arrières. — *Demi de mêlée,* qui lance le ballon dans la mêlée (au rugby). **II.** N. f. LA DEMIE : la fin de la demi-heure (qui suit une heure quelconque). *La demie de cinq heures, (ou cinq heures et demie),* 5 h 30 ou 17 h 30. *Nous sortirons à la demie.*

demi- ■ Élément de l'adjectif *demi,* qui désigne la division par deux *(demi-douzaine)* ou le caractère incomplet, imparfait *(demi-jour).* ⇒ **semi-.** — Voir ci-dessous.

demi-bouteille [d(ə)mibutɛj] n. f. ■ Petite bouteille contenant environ 37 cl. *Deux demi-bouteilles de bourgogne.* — Abrév. *Une demie.*

demi-cercle [d(ə)misɛrkl] n. m. ■ Moitié d'un cercle limitée par le diamètre (180 degrés). *Table en demi-cercle. Des demi-cercles.* — *Se tenir en demi-cercle.*

demi-douzaine [d(ə)miduzɛn] n. f. ■ Moitié d'une douzaine ou six unités. *Trois demi-douzaines d'huîtres,* une douzaine et demie. — Approximativement six. *Une demi-douzaine d'amis.*

demi-droite [d(ə)midrwat] n. f. ■ Portion de droite limitée par un point (appelé *origine). Deux demi-droites.* ≠ *segment.*

demi-finale [d(ə)mifinal] n. f. ■ Avant-dernière épreuve d'une coupe, d'une compétition. *Notre équipe a remporté la demi-finale. Les demi-finales européennes.*

demi-fond [d(ə)mifɔ̃] n. m. sing. ■ Sports. *Course de demi-fond,* de moyenne distance.

demi-frère [d(ə)mifrɛr] n. m. ■ Frère par le père ou la mère seulement. *Elle a deux demi-frères.*

demi-jour [d(ə)miʒur] n. m. ■ Clarté faible comme celle de l'aube ou du crépuscule. *Un demi-jour blafard. Des demi-jours.*

démilitariser [demilitarize] v. tr. ▪ conjug. 1. ■ Priver (une zone, un pays) de sa force militaire. ▶**démilitarisation** n. f. ■ *La démilitarisation de l'Allemagne au lendemain de la Seconde Guerre mondiale.*

demi-longueur [d(ə)milɔ̃gœr] n. f. ■ *Gagner d'une demi-longueur,* de la moitié de la longueur (du cheval, du bateau), dans une course. *Deux demi-longueurs.*

demi-mal [d(ə)mimal] n. m. sing. ■ Inconvénient moins grave que celui qu'on prévoyait. *C'est un demi-mal.* Loc. *Il n'y a que demi-mal.*

demi-mesure [d(ə)mim(ə)zyr] n. f. **1.** Moyen insuffisant et provisoire. *Avoir horreur des demi-mesures. Ce n'est pas avec des demi-mesures que l'on va enrayer l'épidémie.* **2.** Confection de vêtements d'après les principales mesures (⇒ sur **mesure).**

demi-mondaine [d(ə)mimɔ̃dɛn] n. f. ■ Autrefois. Femme légère qui fréquentait les milieux mondains. ⇒ **courtisane.** *Des demi-mondaines.*

à demi-mot [ad(ə)mimo] loc. adv. ■ Sans qu'il soit nécessaire de tout exprimer. *Comprendre à demi-mot.*

déminer [demine] v. tr. ▪ conjug. 1. ■ Débarrasser (un lieu) des mines qui en rendent l'accès dangereux. ▶ **déminage** n. m. ▶ **démineur, euse** n. ■ Technicien(ienne) du déminage.

demi-pension [d(ə)mipɑ̃sjɔ̃] n. f. **1.** Pension partielle, dans laquelle on ne prend qu'un repas. *Des demi-pensions. Prendre la demi-pension dans un hôtel.* **2.** *Demi-pension* dans un établissement scolaire, qui ne comporte que le repas de midi (opposé à *externat,* *internat).* ▶ **demi-pensionnaire** n. ■ Élève qui suit le régime de la demi-pension. *Ils, elles sont demi-pensionnaires au lycée.*

demi-place [d(ə)miplas] n. f. ■ Place à demi-tarif (transports, spectacles) dont bénéficient certaines

catégories de personnes. *Deux demi-places et une place entière.*

demi-plan [d(ə)miplɑ̃] n. m. ■ Portion de plan limitée par une droite de ce plan. *Les deux demi-plans.*

demi-portion [d(ə)miporsjɔ̃] n. f. ■ Fam. Personne petite, insignifiante (qui n'aurait droit qu'à la moitié d'une portion ou d'un repas). *C'est cette demi-portion qui te fait peur ? Des demi-portions.*

démis, ise [demi, iz] adj. ■ (Os, articulation) Déplacé, luxé. ⇒ **démettre.** *Un poignet démis.*

demi-saison [d(ə)misɛzɔ̃] n. f. ■ L'automne ou le printemps. *Vêtement de demi-saison,* ni trop léger, ni trop chaud. *Pendant les demi-saisons.*

demi-sel [d(ə)misɛl] adj. invar. et n. m. invar. **1.** Adj. invar. Qui n'est que légèrement salé. *Du beurre demi-sel.* — *Fromage demi-sel.* **2.** N. m. invar. Fromage gras et frais légèrement salé. *Des demi-sel.*

demi-sœur [d(ə)misœr] n. f. ■ Sœur par le père ou la mère seulement. *Les deux demi-sœurs.*

demi-solde [d(ə)misɔld] n. **1.** N. f. Solde réduite (d'un militaire en non-activité). *Des demi-soldes.* **2.** N. m. invar. Militaire qui touche une demi-solde (s'est dit notamment des soldats de l'Empire, sous la Restauration).

demi-sommeil [d(ə)misɔmɛj] n. m. ■ État intermédiaire entre le sommeil et l'état de veille. ⇒ **somnolence.** *J'étais dans un demi-sommeil quand le téléphone a sonné. Des demi-sommeils interrompus.*

demi-soupir [d(ə)misupir] n. m. ■ Musique. Silence dont la durée est égale à la moitié d'un soupir. *Des demi-soupirs.*

démission [demisjɔ̃] n. f. **1.** Acte par lequel on se démet d'une fonction, d'une charge. *Donner sa démission. Accepter la démission de qqn.* **2.** Action de qqn qui renonce à poursuivre son effort. *La démission d'un étudiant après un échec à un examen.* ⇒ **abandon, abdication.** *La démission de l'esprit.* ▶ **démissionner** v. intr. ▪ conjug. 1. ■ Donner sa démission. ▶ **démissionnaire** adj. ■ Qui vient de donner sa démission. *Le ministre démissionnaire.*

demi-tarif [d(ə)mitarif] n. m. ■ Tarif réduit de moitié. *Place à demi-tarif. Des demi-tarifs.* — Adj. invar. *Billets demi-tarif.* / contr. plein **tarif** /

demi-teinte [d(ə)mitɛ̃t] n. f. **1.** Teinte qui n'est ni claire ni foncée. *Peinture en demi-teintes.* **2.** Sonorité adoucie. *Chanter en demi-teinte.*

demi-ton [d(ə)mitɔ̃] n. m. ■ Musique. Le plus petit intervalle entre deux degrés successifs de l'échelle musicale. *Deux demi-tons. Il y a un demi-ton entre mi et fa, si et do.*

demi-tour [d(ə)mitur] n. m. **1.** Moitié d'un tour que l'on fait sur soi-même. *Des demi-tours.* **2.** Loc. *Faire demi-tour,* retourner sur ses pas.

démiurge [demjyrʒ] n. m. ■ Littér. Créateur, organisateur (d'un univers). — Fig. *Le romancier est un démiurge.*

démobiliser [demobilize] v. tr. ▪ conjug. 1. **1.** Rendre à la vie civile (des troupes mobilisées). — Au p. p. adj. *Soldats démobilisés.* / contr. **mobiliser** / **2.** Faire tomber la combativité de (militants, etc.). *L'impasse dans la négociation risque de démobiliser les grévistes.* ▶ **démobilisation** n. f. ■ Action de démobiliser. *La démobilisation des troupes.*

démocratie [demɔkrasi] n. f. ■ Forme de gouvernement dans laquelle la souveraineté appartient au peuple ; État ainsi gouverné. *Être en démocratie. Démocratie libérale. Démocratie directe ; parlementaire.* — *Démocratie populaire,* régime socialiste, à parti unique (communiste). ▶ *démocrate* n. et adj. ■ Partisan de la démocratie. *Une démocrate sincère.* ▶ *démocratique* adj. **1.** Qui appartient à la démocratie. *Institution, régime démocratique.* **2.** Libéral. *Esprit démocratique.* — Qui laisse à tous la liberté d'opinions, d'expression. *Une loi démocratique.* / contr. **totalitaire** / ▶ *démocratiquement* adv. ■ *Élire démocratiquement des représentants.* ▶ *démocratiser* v. tr. ▪ conjug. 1. ■ Rendre démocratique, populaire. ▶ *démocratisation* n. f. ■ *La démocratisation de l'enseignement.* ⟨ ▶ **antidémocratique**, **social-démocrate** ⟩

démodé, ée [demɔde] adj. ■ Qui n'est plus à la mode. *Vêtement, prénom démodé.* ⇒ **suranné**, **vieillot**. — *Théories, procédés démodés.* ⇒ **dépassé**, **désuet**, **périmé**. / contr. **moderne** / ▶ *se démoder* v. pron. ▪ conjug. 1. ■ Passer de mode, n'être plus à la mode.

démographie [demɔgrafi] n. f. ■ Étude statistique des populations humaines. ▶ *démographique* adj. ■ Qui appartient à la démographie. *Phénomène démographique.* — De la population (du point de vue du nombre). *Poussée démographique.*

demoiselle [d(ə)mwazɛl] n. f. **1.** Courtois ou iron. Jeune fille. *Quand ces demoiselles voudront bien m'écouter.* **2.** DEMOISELLE D'HONNEUR : jeune fille qui accompagne la mariée. *Les demoiselles et les garçons d'honneur.* ⟨ ▶ **mademoiselle** ⟩

démolir [demɔliʀ] v. tr. ▪ conjug. 2. **I.** *Démolir qqch.* (opposé à *construire*). **1.** Défaire (une construction) en abattant pièce à pièce. ⇒ **abattre**, **détruire**, **raser**. *Démolir un mur, un vieux quartier.* — Au p. p. *Ville démolie par un bombardement.* **2.** Abstrait. Détruire entièrement. ⇒ **anéantir**, **ruiner**. *Démolir une doctrine. Démolir l'autorité de qqn.* **3.** Mettre (qqch.) en pièces. ⇒ **casser** ; fam. **bousiller**, **déglinguer**. *Démolir une voiture. Cet enfant démolit tous ses jouets.* — Mettre en mauvais état. ⇒ **abîmer** ; fam. **esquinter**. *Ces médicaments m'ont démoli l'estomac !* **II.** *Démolir qqn.* **1.** Fam. Mettre hors de combat, en frappant. ⇒ **battre**, **massacrer**. *Si tu m'énerves, je vais te démolir ! Il s'est fait démolir par un gros costaud.* — Fatiguer. *La chaleur me démolit.* **2.** Ruiner le crédit, la réputation, l'influence de (qqn). *Démolir un concurrent.* ▶ *démolisseur, euse* n. ■ Personne qui démolit un bâtiment. *Une équipe de démolisseurs.* ▶ *démolition* n. f. **1.** Action de démolir une construction. *La démolition d'un bâtiment. Un vieux quartier en démolition. Chantier de démolition.* **2.** Au plur. Matériaux des constructions démolies. ⇒ **décombres**, **ruine(s)**. *Vieille pendule retrouvée sous les démolitions.*

démon [demɔ̃] n. m. **1.** Ange révolté contre Dieu, rejeté par lui (déchu), qui pousse les hommes à faire le mal. *Les démons.* ⇒ **diable**. — LE DÉMON : Satan, prince des démons. *Le démon appelé Lucifer. Être possédé du démon.* **2.** Personne méchante, malfaisante. — *C'est un vrai petit démon,* un enfant très espiègle, très turbulent. ⇒ **diable**. **3.** LE DÉMON DE : personnification d'une mauvaise tentation, d'un défaut. *Le démon du jeu ; de la curiosité.* — Le DÉMON DE MIDI : tentation de nature affective et sexuelle qui s'empare des humains vers le milieu de leur vie. ▶ *démoniaque* [demɔnjak] adj. ■ Digne du démon, pervers. ⇒ **diabolique**, **satanique**. *Rire, sourire démoniaque. Fureur démoniaque.* ⟨ ▶ **pandémonium** ⟩

démonétiser [demɔnetize] v. tr. ▪ conjug. 1. ■ Retirer (une monnaie) de la circulation. — Au p. p. adj. *Pièces démonétisées.*

démonstrateur, trice [demɔ̃stratœʀ, tʀis] n. ■ Dans un grand magasin. Personne qui présente un

article (appareil ménager, etc.) en expliquant son fonctionnement, pour le vendre. ≠ *représentant.*

① *démonstratif* [demɔ̃stratif] adj. m. ■ *Adjectif démonstratif,* qui sert à montrer la personne ou la chose désignée par le nom auquel il est joint. ⇒ **ce**. — *Pronom démonstratif,* qui désigne un être, un objet, représente un nom, une idée. ⇒ **ce ; celui ; ceci, cela ; ça**.

② *démonstratif, ive* adj. ■ (Personnes) Qui manifeste vivement ses sentiments (éprouvés ou simulés). ⇒ **expansif**. *Les Méridionaux sont souvent démonstratifs. Cet enfant est peu démonstratif.*

démonstration [demɔ̃strasjɔ̃] n. f. **1.** Opération mentale, raisonnement qui établit une vérité. *La démonstration d'un théorème.* **2.** Action de montrer par des expériences les données d'une science, le fonctionnement d'un appareil. *La démonstration d'un professeur. Il a fait une démonstration de chimie.* — *Démonstration faite par un vendeur* (⇒ **démonstrateur**). **3.** Signes extérieurs volontaires qui manifestent les intentions, les sentiments. ⇒ **marque**. *Démonstrations de joie, d'amitié. Démonstration de force.*

① *démonter* [demɔ̃te] v. tr. ▪ conjug. 1. ■ Étonner au point de faire perdre l'assurance. ⇒ **déconcerter**, **interloquer**. *Son aplomb me démonte.* — Pronominalement. *Elle ne s'est pas démontée pour si peu.*

② *démonter* v. tr. ▪ conjug. 1. ■ Défaire (un tout, un assemblage) en séparant les éléments. *Démonter un échafaudage, une machine, une pendule.* — Pronominalement. *Ce vélo, ce lit se démonte.* ▶ *démontable* adj. ■ Qui peut être démonté. *Jouet démontable.* ▶ *démontage* n. m. ■ *Le démontage d'une roue de secours.* ▶ *démonté, ée* adj. **1.** Dont on a démonté les éléments. *Un moteur démonté.* **2.** Mer démontée, bouleversée par la tempête. ⇒ **agité**, **houleux**. *L'océan était démonté* (⇒ **tempête**). / contr. **calme** /

démontrer [demɔ̃tre] v. tr. ▪ conjug. 1. **1.** (Suj. personne) Établir la vérité de (qqch.) d'une manière évidente et rigoureuse. ⇒ **établir**, **prouver**. *Démontrer un théorème.* — Loc. *Démontrer qqch. par A plus B,* rigoureusement. *Ceci n'est plus à démontrer,* c'est évident. **2.** (Suj. chose) Fournir une preuve de. ⇒ **établir**, **indiquer**. *Ces faits démontrent la nécessité d'une réforme.* ⇒ **justifier**. ▶ *démontrable* adj. ■ Qui peut être démontré. ⟨ ▶ **démonstrateur**, **démonstratif**, **démonstration**, **indémontrable** ⟩

démoraliser [demɔralize] v. tr. ▪ conjug. 1. ■ Affaiblir le moral, le courage de (qqn). ⇒ **abattre**, **décourager**, **déprimer**. *Ce nouvel échec l'a complètement démoralisé.* — Pronominalement. Se décourager. ▶ *démoralisant, ante* adj. ■ Qui démoralise, qui est de nature à décourager. *Un échec démoralisant.* ⇒ **déprimant**. ▶ *démoralisation* n. f. ■ *La démoralisation des chômeurs.*

démordre [demɔrdr] v. tr. indir. ▪ conjug. 41. ■ DÉMORDRE DE (surtout nég.) : renoncer à. ⇒ **abandonner**, **renoncer**. *Il ne démordra pas de son opinion, il n'en démordra pas. Rien ne peut l'en faire démordre, il est très entêté.*

démouler [demule] v. tr. ▪ conjug. 1. ■ Retirer (qqch.) du moule. *Démouler une statue. Démouler un gâteau.* ▶ *démoulage* n. m. ■ *Le démoulage d'une tarte.*

démultiplier [demyltiplije] v. tr. ▪ conjug. 7. ■ Réduire la vitesse de (dans la transmission d'un mouvement). — Au p. p. adj. *Vitesse démultipliée.* Par ext. *Pignons démultipliés.* ▶ *démultiplication* n. f. ■ Rapport de réduction de vitesse.

démunir [demynir] v. tr. ▪ conjug. 2. (Surtout infinitif et passif) ■ Dépouiller (d'une chose essentielle) ; priver. *Être démuni de tout. Se laisser démunir.* — Pronominalement. *Se démunir (de son argent).* ⇒ se **dessaisir.** — Sans compl. *J'étais complètement démuni,* à court d'argent. ⇒ **pauvre ;** fam. **fauché.**

démystifier [demistifje] v. tr. ▪ conjug. 7. **1.** Détromper (les victimes) d'une duperie collective. *Démystifier un public trop crédule.* / contr. **abuser, berner, mystifier / 2.** Dissiper par des explications claires le caractère mystérieux de (qqch.). ≠ *démystifier.* ▶ **démystification** n. f.

démythifier [demitifje] v. tr. ▪ conjug. 7. ▪ Faire cesser le caractère mythique, imaginaire, irréel, idéalisé de (qqn, qqch.). *Il faut démythifier Napoléon.* — *Démythifier une notion.* / contr. **mythifier** / ≠ *démystifier.*

dénatalité [denatalite] n. f. ▪ Diminution des naissances ; natalité décroissante insuffisante.

dénationaliser [denasjɔnalize] v. tr. ▪ conjug. 1. ▪ Restituer à la propriété privée (une entreprise nationalisée). ⇒ **privatiser.** / contr. **nationaliser /** ▶ **dénationalisation** n. f. ▪ ⇒ **privatisation.**

dénaturer [denatyʀe] v. tr. ▪ conjug. 1. **1.** (Suj. personne) Changer la nature de. ⇒ **altérer, corrompre.** *Dénaturer du vin.* — Abstrait. Donner une fausse apparence à. *Dénaturer un fait, un événement.* ⇒ **déformer.** *Dénaturer la pensée, les paroles de qqn,* par une fausse interprétation. ⇒ **défigurer, déformer, travestir.** *Dénaturer un texte,* lui donner une signification qu'il n'a pas. **2.** (Suj. chose) *Ce qui peut dénaturer le goût, l'odeur de qqch.,* les modifier en mal. ▶ **dénaturé, ée** adj. ▪ Altéré jusqu'à perdre les caractères considérés comme naturels, chez l'homme. *Goûts dénaturés.* ⇒ **dépravé, pervers.** *Mœurs dénaturées.* — *Parents dénaturés,* qui négligent de remplir leurs devoirs à l'égard de leurs enfants.

dénégation [denegasjɔ̃] n. f. **1.** Action de nier (qqch.). ⇒ **contestation, démenti, désaveu.** *Malgré ses dénégations, on le crut coupable. Un geste de dénégation.* **2.** Psychologie. *La dénégation,* paroles, attitudes qui révèlent une tendance, un sentiment en le niant, en le refusant consciemment.

déni [deni] n. m. ▪ *Déni (de justice),* refus de rendre justice à qqn, d'être juste, équitable envers lui. ⇒ **injustice.**

déniaiser [denjeze] v. tr. ▪ conjug. 1. ▪ Rendre (qqn) moins niais, moins gauche. ⇒ **dégourdir.**

dénicher [deniʃe] v. tr. ▪ conjug. 1. **1.** Enlever (un oiseau) du nid. **2.** Faire sortir de sa cachette. *On finira bien par dénicher le voleur.* **3.** Découvrir à force de recherches. ⇒ **trouver.** *Dénicher un appartement, une situation.*

denier [dənje] n. m. **1.** Ancienne monnaie romaine d'argent. *Les trente deniers de Judas.* **2.** Ancienne monnaie française, valant la deux cent quarantième partie de la livre. — *Denier du culte,* somme d'argent versée chaque année par les catholiques pour subvenir aux besoins du culte. **3.** Au plur. Loc. DE MES (TES, SES) DENIERS : avec mon (ton, son) propre argent. *Je l'ai payé de mes deniers.* — *Les* DENIERS PUBLICS : les revenus de l'État.

dénier [denje] v. tr. ▪ conjug. 7. ▪ Refuser injustement d'accorder. *Dénier qqch. à qqn,* ⇒ **déni.** *Je dénie à ce livre toute originalité.* ≠ *daigner.* ⟨ ▶ déni, indéniable ⟩

dénigrer [denigʀe] v. tr. ▪ conjug. 1. ▪ S'efforcer de faire mépriser (qqn, qqch.) en disant du mal, en niant les qualités. ⇒ **critiquer, décrier, noircir, rabaisser ;** fam. **débiner.** *Dénigrer ses collègues.* On a

beaucoup dénigré cet ouvrage, cette méthode.* — Sans compl. *Il ne sait que dénigrer et critiquer.* ▶ **dénigrement** n. m. ▪ Action de dénigrer. *Paroles, esprit de dénigrement.* — PAR DÉNIGREMENT. *Ce mot ne s'emploie plus que par dénigrement,* péjorativement.

dénivellation [denive(l)lasjɔ̃] n. f. ▪ Différence de niveau. *Les dénivellations d'une région montagneuse.* ⇒ **inégalité.**

dénombrer [denɔ̃bʀe] v. tr. ▪ conjug. 1. ▪ Faire le compte de ; énoncer (chaque élément) en comptant. ⇒ **recenser.** *Dénombrer les habitants d'une ville.* ▶ **dénombrement** n. m. ▪ Action de dénombrer (des personnes, des choses). ⇒ **comptage, énumération, recensement.**

dénominateur [denɔminatœʀ] n. m. ▪ Celui des deux termes (d'une fraction) qui indique en combien de parties l'unité a été divisée. *Numérateur et dénominateur.* — DÉNOMINATEUR COMMUN : celui que l'on obtient en réduisant plusieurs fractions au même dénominateur. Fig. Caractère, point commun (à des choses ou des personnes).

dénominatif, ive [denɔminatif, iv] adj. ▪ Qui sert à nommer, à désigner. *Terme dénominatif.* — N. m. *Les dénominatifs.* ▶ **dénomination** n. f. ▪ Nom affecté (à une chose, une notion). ⇒ **appellation.** *Donner une dénomination nouvelle à qqch.* ⇒ **dénommer.**

dénommer [denɔme] v. tr. ▪ conjug. 1. ▪ Donner un nom à (une personne, une chose). ⇒ **appeler, désigner, nommer.** *Comment dénomme-t-on cet instrument, ce genre de travail ?* ⇒ **dénommé, ée** adj. ▪ (Suivi d'un nom propre) Celui, celle qui est appelé(e). *Le dénommé Un tel,* le sieur Un tel. *Un dénommé Dupont,* un certain Dupont.

dénoncer [denɔ̃se] v. tr. ▪ conjug. 3. **1.** Annoncer la rupture de. ⇒ **annuler.** *Dénoncer un traité, un contrat.* **2.** Faire connaître (une mauvaise action). *Dénoncer des abus.* — Signaler (qqn) comme coupable. *Dénoncer qqn à la police.* ⇒ **donner** (II, 8), **livrer.** *Dénoncer ses complices.* — Pronominalement (réfl.). *Il s'est dénoncé à la police.* ▶ **dénonciateur, trice** n. f. ▪ Personne qui dénonce qqn à la justice. ⇒ **indicateur, mouchard.** — Adj. *Lettre dénonciatrice.* ▶ **dénonciation** n. f. ▪ *La dénonciation d'un accord.* ⇒ **annulation, rupture.** *La dénonciation d'un coupable, d'un crime par qqn. Ses dénonciations l'ont fait rejeter par le milieu.* ⇒ **délation, trahison.**

dénoter [denɔte] v. tr. ▪ conjug. 1. ▪ Désigner par une caractéristique. ⇒ **indiquer, marquer, signifier.** *Les symptômes qui dénotent une maladie. Cette remarque dénote une certaine naïveté.*

dénouer [denwe] v. tr. et pron. ▪ conjug. 1. **I.** Défaire (une chose nouée). ⇒ **détacher.** *Dénouer une corde, un ruban.* Abstrait. *Dénouer une intrigue.* ⇒ **démêler, résoudre. II.** V. pron. SE DÉNOUER. **1.** Se défaire. *Lacets qui se dénouent.* — Se délier. *Les langues se dénouent,* on parle. **2.** (Difficulté) S'éclaircir, se résoudre. *La crise se dénoue enfin.* ▶ **dénouement** n. m. **1.** Manière dont se dénoue une action au théâtre. *Le dénouement inattendu de la pièce.* **2.** Manière dont se dénoue une affaire difficile. ⇒ **issue.** *Un heureux dénouement. Brusquer le dénouement. Le dénouement d'une affaire.*

dénoyauter [denwajote] v. tr. ▪ conjug. 1. ▪ Séparer (un fruit) de son noyau. *Dénoyauter des prunes.* — Au p. p. adj. *Fruits dénoyautés.*

denrée [dɑ̃ʀe] n. f. **1.** Produit comestible servant à l'alimentation de l'homme (*denrées alimentaires*) ou du bétail. ⇒ **aliment ; provision.** *Denrées périssables.* **2.** *Une denrée rare,* une chose rare.

dense [dãs] adj. **1.** Qui est compact, épais. *Brouil-lard dense.* ⇒ **impénétrable.** *Feuillage dense.* ⇒ **touffu.** — *Une foule dense,* nombreuse et rassemblée. *La circulation était devenue moins dense,* moins importante. **2.** Abstrait. (Paroles, écrits) Qui renferme beaucoup d'éléments en peu de place. *Un livre dense. Style dense.* ⇒ **concis, ramassé. 3.** Qui a une certaine densité (2). *L'eau est plus dense que l'air.* ▶ *densité* [dãsite] n. f. **1.** Qualité de ce qui est (plus ou moins) dense. *Densité de population,* nombre moyen d'habitants au km². **2.** Rapport qui existe entre la masse d'un certain volume d'un corps homogène et celle d'un même volume d'eau (ou d'air, pour les gaz). *La densité des roches, des minéraux.* **3.** Abstrait. Caractère de ce qui est riche par rapport à l'expression. *La densité d'un style* (⇒ **dense,** 2). ⟨ ▶ **condenser** ⟩

dent [dã] n. f. **I. 1.** Chacun des organes annexes de la bouche, durs et calcaires, implantés sur le bord libre des deux maxillaires. *Les 32 dents de l'homme.* ⇒ **canine, incisive, molaire, prémolaire.** *On mord, on mâche avec les dents. Enfant qui fait ses dents,* dont les dents percent. *Les dents du haut, du bas. Dents de lait,* premières dents destinées à tomber vers l'âge de sept ans. *Dents de sagesse,* les quatre troisièmes molaires qui poussent généralement après dix-neuf ans. *Des petites dents.* ⇒ **quenotte.** *Se laver, se curer les dents. Brosse à dents. Des dents gâtées. Une dent creuse. Mal, rage de dents. Se faire soigner les dents, arracher une dent chez le dentiste.* — Animaux. *Les dents d'un chien.* ⇒ **croc.** *Dents de requins.* **2.** Loc. *Serrer les dents* (de douleur, de colère). *Claquer des dents* (de froid, de peur, de fièvre). *Grincer des dents* (de rage contenue). — *Ne pas desserrer les dents,* se taire obstinément. *Parler entre ses dents,* peu distinctement. *Montrer les dents* (comme pour mordre), menacer. *Avoir, garder une dent contre qqn,* de l'animosité, du ressentiment. *Avoir la dent dure,* être sévère dans la critique. *Coup de dent,* critique méchante, blessante. *Mordre, déchirer à belles dents,* critiquer violemment. *Avoir les dents longues,* de grandes prétentions. *Se casser les dents,* échouer. *Être armé jusqu'aux dents. Être sur les dents,* très occupé. *Quand les poules auront des dents,* jamais. — *Manger du bout des dents,* comme à regret. *N'avoir rien à se mettre sous la dent,* n'avoir rien à manger. — Loc. fam. *Avoir la dent,* avoir faim. **II.** Chacun des éléments allongés et pointus (d'un instrument, d'un mécanisme, d'un objet). *Les dents d'un peigne, d'un rateau, d'une fourche.* — *Les dents d'une scie, d'une roue d'engrenage* (⇒ **denté**). — Loc. *En dents de scie,* en présentant des pointes aiguës et des creux. ▶ *dentaire* adj. ■ Relatif aux dents. *Abcès dentaire. Plaque dentaire,* pellicule acide qui attaque l'émail des dents, causant parfois la *carie dentaire.* — *Chirurgie dentaire.* ⇒ **dentisterie.** *Les soins dentaires. Prothèse dentaire.* ⇒ **appareil, bridge, couronne.** *École dentaire,* où l'on forme les dentistes. ▶ *dental, ale, aux* adj. ■ (Consonnes) Qui se prononcent en appliquant la langue sur les dents. — N. f. *Les consonnes d* [d] *et t* [t] *sont des dentales.* ▶ *denté, ée* adj. ■ Dont le bord présente des saillies pointues, aiguës (dent, II). *Roue dentée.* ⟨ ▶ **chiendent, cure-dent, dentelé, dentelle, dentier, édenté, trident** ⟩

dentelé, ée [dãtle] adj. ■ Qui présente des pointes et des creux aigus. *Côte dentelée.* — *Feuille dentelée* (ou *dentée*). ▶ *dentelure* n. f. ■ Découpure de ce qui est dentelé.

dentelle [dãtɛl] n. f. **1.** Tissu très ajouré, orné de dessins, et qui présente un bord dentelé. *Col, robe de dentelle. Un volant en dentelle,* entièrement exécuté en dentelle. *Dentelle au fuseau, à la machine.* **2.** En appos. Invar. *Crêpes dentelle,* très fines.

▶ *dentellière* [dãtəljɛʀ] n. f. ■ Ouvrière, machine qui fabrique de la dentelle. « *La Dentellière »,* tableau de Vermeer. ⟨ ▶ **dentelé** ⟩

dentier [dãtje] n. m. ■ Appareil amovible formé d'une série de dents artificielles que l'on porte dans la bouche. ⇒ **râtelier.** ▶ *dentifrice* n. m. ■ Préparation propre à nettoyer et à blanchir les dents. *Tube de dentifrice.* — Adj. *Pâte, eau dentifrice.* ▶ *dentiste* n. ■ Spécialiste des soins dentaires. *Diplôme de chirurgien dentiste. Aller chez son, sa dentiste. Cabinet de dentiste.* ▶ *dentisterie* n. f. ■ Chirurgie dentaire. ⇒ **odontologie.** ▶ *dentition* n. f. ■ Ensemble des dents. — Didact. Formation et apparition des dents. *Première dentition.* ▶ *denture* n. f. ■ Littér. Ensemble des dents (d'une personne, d'un animal). ⇒ **dentition.** *Avoir une belle denture.*

dénuder [denyde] v. tr. ■ conjug. 1. ■ Mettre à nu ; dépouiller (qqch.) de ce qui recouvre. ⇒ **découvrir.** *Une robe qui dénude le dos.* — *Dénuder un fil électrique,* enlever la gaine isolante qui le recouvre. — Pronominalement. *Les gens qui se dénudent sur les plages,* qui se mettent presque nus. — *Cet arbre se dénude,* perd ses feuilles. ▶ *dénudé, ée* adj. **1.** Mis à nu. *Bras dénudés.* **2.** Dégarni. *Crâne dénudé,* chauve. *Sol dénudé,* sans végétation.

dénué, ée [denye] p. p. et adj. ■ DÉNUÉ DE : démuni, dépourvu de. *Être dénué de tout.* ⇒ **manquer.** — Abstrait. *Il est dénué d'imagination.* ⇒ **sans.** *Ce livre est dénué d'intérêt. Des accusations, des rumeurs, dénuées de tout fondement.* ▶ *dénuement* [denymã] n. m. ■ État d'une personne qui est dénuée du nécessaire. ⇒ **indigence, misère, pauvreté.** *Être dans un grand dénuement.*

dénutrition [denytʀisjõ] n. f. ■ Trouble caractérisé par une nutrition ou une assimilation insuffisante. *Maladies de la dénutrition.*

déodorant [deɔdɔʀã] n. m. et adj. ■ Anglic. Produit destiné à supprimer les odeurs corporelles. *Déodorant en vaporisateur.* — Adj. *Des savons déodorants.* ≠ *désodorisant.*

déontologie [deõtɔlɔʒi] n. f. ■ Didact. Ensemble des règles et des devoirs régissant une profession. *Déontologie médicale,* ensemble des règles et des devoirs professionnels du médecin.

dépanner [depane] v. tr. ■ conjug. 1. **1.** Réparer (un mécanisme en panne). *Dépanner une voiture.* — *Un mécanicien est venu nous dépanner.* **2.** Fam. Tirer (qqn) d'embarras en rendant service, en prêtant de l'argent. *Si vous avez des ennuis d'argent, je vous dépannerai.* ▶ *dépannage* n. m. **1.** Réparation de ce qui était en panne. *Voiture de dépannage.* **2.** Action de tirer d'embarras. ▶ ① *dépanneur* n. m. ■ Professionnel (mécanicien, électricien, etc.) chargé de dépanner. ▶ ② *dépanneur* n. m. ■ Au Québec. Magasin, épicerie ouvert(e) tard le soir (pour *dépanner* les clients). ▶ *dépanneuse* n. f. ■ Voiture utilisée pour remorquer les automobiles en panne.

dépareiller [depaʀeje] v. tr. ■ conjug. 1. ■ Rendre incomplet (un ensemble de choses assorties ou semblables). *Dépareiller un service de table.* ▶ *dépareillé, ée* adj. ■ (Collection, série) Qui n'est pas complet ; qui est composé d'éléments qui ne sont pas assortis. *Serviettes dépareillées.*

déparer [depaʀe] v. tr. ■ conjug. 1. ■ Nuire à la beauté, au bon effet de. ⇒ **enlaidir.** *Cette construction dépare le quartier.* — *C'est un faux ; cela dépare sa collection.*

① *départ* [depaʀ] n. m. **1.** Action de partir. *Départ en voyage. Le jour, l'heure du départ. Préparatifs de départ. Être SUR LE DÉPART : prêt à* partir. *Le départ du courrier.* ⇒ **levée.** — En sports. *Ligne de départ. Signal de départ. Donner, prendre le départ. Les chevaux vont prendre le départ.* / contr. **arrivée** / — Abstrait. *Prendre un bon, un mauvais départ,* bien, mal commencer. **2.** Le lieu d'où l'on part. *Quai de départ. Rendez-vous au départ.* **3.** Le fait de quitter un lieu, une situation. *Exiger le départ d'un employé.* ⇒ **démission, licenciement, renvoi. 4.** Commencement d'une action, d'une série, d'un mouvement. *Nous n'avions pas prévu cela* AU DÉPART : au début. *L'idée de départ,* initiale. — *Le point de départ d'une intrigue, d'un complot.*

② *départ* n. m. ■ LOC. FAIRE LE DÉPART *entre deux choses* (abstraites) : les séparer, les distinguer nettement. ⇒ **départager.** *Il faut faire le départ entre le courage et la témérité.*

départager [depaʀtaʒe] v. tr. ■ conjug. 3. **1.** Faire cesser d'être à égalité. *Question pour départager les gagnants d'un concours.* **2.** Choisir entre (deux opinions, deux camps). *Venez nous départager.*

département [depaʀtəmɑ̃] n. m. **1.** Division administrative du territoire français placée sous l'autorité du préfet commissaire de la République qu'assiste un conseil général. *Le département de la Charente. Chef-lieu de département.* ⇒ **préfecture.** *Les cantons d'un département ; les départements d'une région.* **2.** Secteur administratif dont s'occupe un ministre. *Le département de l'Intérieur, des Affaires étrangères.* — Branche spécialisée d'une administration. *Le département des antiquités grecques et romaines d'un musée. Le département d'histoire d'une université.* ▶ *départemental, ale, aux* adj. ■ Qui appartient au département (1) ; qui est du ressort du département. *Commission départementale.* — *Route départementale* ou, n. f., *une départementale.*

① *départir* [depaʀtiʀ] v. tr. ■ conjug. 16. — REM. Ne s'emploie qu'à l'infinitif, au part. passé *(départi)* et aux temps composés. ■ Attribuer en partage (surtout au passif). *Les tâches qui leur ont été départies.* ⇒ **impartir.**

② *se départir* v. pron. ■ conjug. 16. — SE DÉPARTIR DE. ■ Se séparer (de), abandonner (une attitude). *Sans se départir de son impassibilité, de son calme.* ⇒ **sortir** de. *Il ne se départ pas de ses bonnes manières. Elle s'est départie de sa nonchalance.*

dépasser [depase] v. tr. ■ conjug. 1. **1.** Aller plus loin que (qqn, qqch.) en allant plus vite. *Il nous a dépassés à mi-côte.* ⇒ **distancer.** *Dépasser une voiture.* ⇒ **doubler.** — Pronominalement (récipr.). *Les coureurs cherchent à se dépasser* (les uns les autres). **2.** Aller plus loin que (qqch.). *Dépasser la ligne d'arrivée.* **3.** Aller plus loin en quantité, dimensions, importance. *Dépasser qqn de la tête,* être plus grand d'une tête. *Un entretien qui dépasse dix minutes.* ⇒ **excéder.** *Les résultats dépassent mes prévisions. Cela dépasse mes possibilités.* — Sans compl. direct. *Sa jupe dépasse de son manteau ; elle dépasse,* elle est plus longue. **4.** Aller plus loin (qu'un autre) dans un domaine. *Dépasser qqn en violence, en cruauté.* ⇒ **surpasser. 5.** Aller au-delà de (certaines limites). *Dépasser la mesure, les bornes, les limites,* exagérer. — *Les mots ont dépassé sa pensée. Cela dépasse mes forces. Cela le dépasse,* c'est trop difficile pour lui ; ou bien il ne peut l'imaginer, l'admettre. **6.** SE DÉPASSER v. pron. réfl. : faire effort pour être supérieur à ce qu'on est. *Cette fois, il va tâcher de se dépasser.* **7.** Au passif et p. p. adj. ÊTRE DÉPASSÉ(E) : battu, vaincu. *Être dépassé par les événements. Il est complètement dépassé !* ▶ *dépassé, ée* adj. ■ (Choses) Abandonné, remplacé par quelque chose de nouveau, de mieux. *Des théories, des idées dépassées.* ⇒ **désuet,**

périmé. ▶ *dépassement* n. m. **1.** Action de dépasser. *Un dépassement dangereux* (en voiture). **2.** Fait de dépasser (un budget). *Dépassement de crédit.* **3.** Littér. Action de se dépasser soi-même.

se dépatouiller [depatuje] v. pron. ■ conjug. 1. ■ Fam. Se tirer d'une situation difficile, d'un mauvais pas. *Laissez-le se dépatouiller tout seul.* ⇒ se **débrouiller.**

dépaver [depave] v. tr. ■ conjug. 1. ■ Dégarnir de pavés. *Dépaver une rue.* / contr. **paver** / ▶ *dépavage* n. m. ■ *Le dépavage d'une place, d'un trottoir.*

dépayser [depeize] v. tr. ■ conjug. 1. **1.** Mettre mal à l'aise par changement de décor, de milieu, d'habitudes. ⇒ **dérouter, désorienter.** *Ce voyage nous a complètement dépaysés.* **2.** (ÊTRE) DÉPAYSÉ, ÉE. *Étranger dépaysé dans une ville inconnue. Elle se sent dépaysée dans sa nouvelle école.* ⇒ **perdu.** ▶ *dépaysement* n. m. ■ État d'une personne dépaysée. — Changement agréable d'habitudes. *Rechercher le dépaysement.*

dépecer [depɔse] v. tr. ■ conjug. 5. — REM. Attention à la cédille devant *a* et *o.* ■ Mettre en pièces, en morceaux (un animal). ⇒ **débiter, découper.** *Dépecer un chevreuil.* ▶ *dépeçage* n. m. ■ *Le dépeçage d'un bœuf.*

① *dépêcher* [depeʃe] v. tr. ■ conjug. 1. ■ Envoyer (qqn) en hâte pour porter un message. *Il m'a dépêché auprès de vous pour vous prier de passer chez lui. Dépêcher un émissaire.* ▶ *dépêche* [depɛʃ] n. f. ■ Communication transmise par voie rapide. ⇒ **télégramme.** *Recevoir une dépêche.*

② *se dépêcher* v. pron. ■ conjug. 1. ■ Se hâter, faire vite. ⇒ se **presser.** *Elle s'est dépêchée de finir. Dépêchez-vous.* — (Sans le pronom réfl.) *Allons, dépêchons !*

dépeigner [depeɲe] v. tr. ■ conjug. 1. ■ Décoiffer, déranger l'arrangement des cheveux de (qqn). — Au p. p. adj. *Elle est toute dépeignée.*

dépeindre [depɛ̃dʀ] v. tr. ■ conjug. 52. ■ Décrire et représenter par le discours. *Il est bien tel qu'on me l'a dépeint. On s'est trompé en le dépeignant ainsi.*

dépenaillé, ée [dep(ə)naje] adj. ■ Dont les vêtements sont détachés, mal attachés. ⇒ **débraillé.** *Il est tout dépenaillé.*

① *dépendre* [depɑ̃dʀ] v. tr. indir. ■ conjug. 41. — DÉPENDRE DE. **1.** Ne pouvoir se réaliser sans l'action ou l'intervention (d'une personne, d'une chose). ⇒ **résulter.** *L'effet dépend de la cause. Si cela ne dépendait que de moi !* ⇒ **tenir** à. *Cela dépend des circonstances, des conditions.* « *Est-ce que tu viendras ?* — *Ça dépend* », peut-être. — Impers. *Il dépend de qqn de* (+ infinitif). *Il dépend de vous de réussir. Il dépend de qqn que* (+ subjonctif). *Il ne dépend pas de moi qu'il vienne.* **2.** Faire partie de qqch. ⇒ **appartenir** à. *Ce parc dépend de la propriété. Dépendre d'une juridiction.* ⇒ **relever. 3.** Être sous l'autorité de. *Ne dépendre de personne, ne dépendre que de soi.* ▶ *dépendance* [depɑ̃dɑ̃s] n. f. **1.** Rapport qui fait qu'une chose dépend d'une autre. ⇒ **corrélation.** *Dépendance entre des faits.* **2.** Le fait pour une personne de dépendre de qqn ou de qqch. ⇒ **assujettissement, servitude, sujétion.** *Être dans, sous la dépendance de qqn.* ⇒ **coupe, joug.** / contr. **indépendance** / ▶ *dépendant, ante* adj. ■ Qui dépend de qqn ou de qqch. *Ces deux choses sont dépendantes l'une de l'autre. Être dépendant de qqn,* sous sa dépendance. ⇒ **subordonné, tributaire.** / contr. **indépendant** / ▶ *dépendances* n. f. pl. ■ Terre, bâtiment dépendant d'un domaine, d'un immeuble. *La propriété a, possède de nombreuses dépendances.* ⟨ ▶ **indépendant, interdépendant** ⟩

② **dépendre** v. tr. ▪ conjug. 41. ▪ ■ Retirer (ce qui est pendu). ⇒ **décrocher**, **détacher**. *Dépendre un tableau.*

dépens [depɑ̃] n. m. pl. **I.** Frais judiciaires à la charge de la personne condamnée. *Être condamné aux dépens, à payer les dépens.* **II.** AUX DÉPENS DE [odepɑ̃d(ə)] loc. prép. **1.** En faisant supporter la dépense par. *Il vit à mes dépens.* ⇒ à la **charge**, aux **crochets** de. **2.** En causant du dommage (à qqn ou qqch.). ⇒ au **détriment**. *S'amuser, rire aux dépens de qqn. Apprendre qqch. à ses dépens,* par une expérience désagréable.

dépense [depɑ̃s] n. f. **1.** Action de dépenser. *Le montant d'une dépense. S'engager dans des dépenses.* ⇒ **frais**. *Dépense imprévue. Argent de poche pour les petites dépenses. Faire de grosses, de grandes dépenses.* — *Loc. Faire face à la dépense.* ⇒ **payer**. *Regarder à la dépense,* être économe. *Pousser à la dépense.* **2.** *(La, les dépenses de qqn)* Somme dépensée ; compte sur lequel est portée la dépense. *Colonne des dépenses.* ⇒ **débit**. — *Dépenses publiques,* faites par les personnes publiques dans un but d'utilité publique. ⇒ **finance** ; **budget**. **3.** Usage, emploi (de qqch.). *Dépense de temps. Dépense physique ; dépense de forces ; dépense nerveuse.* — Quantité d'une matière consommée. ⇒ **consommation**. *Dépense d'essence, de chaleur.* ▶ **dépenser** v. tr. ▪ conjug. 1. ■ **I.** Employer de l'argent (pour acheter qqch.). *Dépenser une somme importante. Ne pas dépenser un sou.* ⇒ **débourser**. — Sans compl. *Dépenser sans compter.* / contr. **économiser** ; **gagner** / **II. 1.** Employer (son temps, ses efforts). *Dépenser beaucoup de force pour rien.* ⇒ **prodiguer**. **2.** SE DÉPENSER v. pron. : faire des efforts. ⇒ se **démener**. *Se dépenser physiquement,* se donner beaucoup de mouvement. *Il se dépense sans compter,* il se donne beaucoup de mal. ▶ **dépensier, ière** adj. ■ Qui aime à dépenser (I), qui dépense excessivement. *Il est très dépensier.* / contr. **économe** / ⟨ ▶ dépens ⟩

déperdition [depɛʀdisjɔ̃] n. f. ■ Diminution, perte. *Déperdition de chaleur, de lumière.*

dépérir v. intr. ▪ conjug. 2. **1.** S'affaiblir progressivement. *Cet enfant dépérit faute de soins. Plante qui dépérit.* ⇒ s'**étioler**. — *Santé, forces qui dépérissent.* ⇒ se **délabrer**, se **détériorer**. **2.** *(Suj. chose)* S'acheminer vers la ruine, la destruction. *Affaire qui dépérit.* ⇒ **péricliter**. ▶ **dépérissement** n. m. ■ Fait de dépérir (1, 2).

se **dépêtrer** [depetʀe] v. pron. ▪ conjug. 1. ■ Abstrait. Se tirer (d'une situation), se dégager (de ce qui empêche les mouvements). *Il ne peut pas se dépêtrer de cette situation.* — Se dégager (de quelqu'un). *Je ne peux pas m'en dépêtrer.* / contr. s'**empêtrer** /

dépeupler [depœple] v. tr. ▪ conjug. 1. ■ Dégarnir d'habitants (une région, une agglomération). *L'exode rural a peu à peu dépeuplé les campagnes.* — Pronominalement. *Région qui se dépeuple.* / contr. **repeupler** / ▶ **dépeuplé, ée** adj. ■ Qui a perdu ses habitants. *Village dépeuplé.* ⇒ **abandonné, désert**. ▶ **dépeuplement** n. m. ■ *Le dépeuplement des campagnes.*

déphasé, ée [defaze] adj. ■ Qui n'est pas en accord, en harmonie avec la réalité présente. *Je me sens complètement déphasé.*

dépiauter [depjote] v. tr. ▪ conjug. 1. Fam. **1.** Dépouiller (un animal) de sa peau. ⇒ **écorcher**. *Dépiauter un lapin.* **2.** Débarrasser de ce qui recouvre comme une peau. ⇒ **peler**. *Dépiauter des amandes.*

dépilatoire [depilatwaʀ] adj. ■ Qui fait tomber, supprime les poils. ⇒ **épilatoire**. *Crème dépilatoire.*

dépister [depiste] v. tr. ▪ conjug. 1. **1.** Retrouver (qqn) en suivant sa trace, sa piste. *Dépister un*

criminel. **2.** Découvrir (ce qui est peu apparent, ce qu'on dissimule). ⇒ **déceler**. *Dépister une maladie.* ▶ **dépistage** n. m. ■ (Surtout sens 2) *Le dépistage de la tuberculose, du cancer.*

① **dépit** [depi] n. m. ■ Chagrin mêlé de colère, dû à une déception, à un froissement d'amour-propre. ⇒ **amertume, rancœur**. *Éprouver du dépit. La réussite de son jeune frère lui cause du dépit. Il a réagi par dépit, avec dépit.* ▶ **dépiter** v. tr. ▪ conjug. 1. ■ Causer du dépit à (qqn). *Ce refus l'a dépité.* ⇒ **vexer**. ▶ **dépité, ée** p. p. et adj. ■ Qui éprouve du dépit. *Il est tout dépité.* — *Un air, un sourire dépité.*

② *en* **dépit** *de* [ɑ̃depid(ə)] loc. prép. ■ Sans tenir compte de. ⇒ **malgré**. *Il a agi en dépit de mes conseils. Il n'arrive à rien en dépit de ses efforts.* — Loc. *En dépit du bon sens,* très mal. *Cette affaire est dirigée en dépit du bon sens.*

déplacer [deplase] v. tr. ▪ conjug. 3. **I.** V. tr. **1.** Changer (une chose) de place. *Déplacer des objets, des meubles.* ⇒ **bouger, déménager**. — Abstrait. *Déplacer la question, le problème,* changer le point sur lequel porte la difficulté. **2.** Faire changer (qqn) de poste. *Déplacer un fonctionnaire.* ⇒ **muter**. **II.** SE DÉPLACER v. pron. **1.** (Choses) Changer de place. *Les masses d'air qui se déplacent.* **2.** (Êtres vivants) Quitter sa place. ⇒ **bouger, circuler**. *Sans se déplacer,* en restant sur place. — Changer de place, de lieu. ⇒ **avancer, marcher**, se **mouvoir**. *Avoir de la difficulté à se déplacer.* — Faire un déplacement, voyager. *Il ne se déplace qu'en avion.* ▶ **déplacé, ée** adj. **1.** Qui n'est pas à sa place, qui est dérangé. *Meubles déplacés.* **2.** Qui n'est pas dans le lieu, la situation appropriée. *Sa présence est déplacée.* **3.** Qui manque aux convenances, est de mauvais goût. ⇒ **incongru, inconvenant**. *Tenir des propos déplacés. Question déplacée.* **4.** PERSONNE DÉPLACÉE : qui a dû quitter son pays lors d'une guerre, d'un changement de régime politique. ▶ **déplacement** n. m. **1.** Action de déplacer, de se déplacer. *Le déplacement d'un meuble. Déplacement de population. Moyens de déplacement.* ⇒ **locomotion**. **2.** Voyage auquel oblige un métier, une charge. *Il est continuellement en déplacement. Frais, indemnités de déplacement.*

déplaire [depleʀ] v. tr. indir. ▪ conjug. 54. — DÉPLAIRE À. **1.** Ne pas plaire ; causer du dégoût, de l'aversion. *Cette personne me déplaît (souverainement),* m'est antipathique. *Ce genre de travail déplaît à tout le monde.* ⇒ **rebuter**. / contr. **plaire** / — (+ *de* et l'infinitif ou *que* et le subjonctif) Être désagréable. *Cela me déplaît de jouer les surveillants. Cela me déplaît que tu négliges ton travail.* — Impers. *Il me déplaît d'agir ainsi,* il m'est désagréable, pénible. ⇒ **coûter**. **2.** Causer une irritation passagère. ⇒ **fâcher, indisposer**. *Votre attitude a déplu au directeur.* — Loc. *Ne vous en déplaise,* que cela vous plaise ou non. **3.** V. pron. Ne pas se trouver bien (là où l'on est). ⇒ s'**ennuyer**. *Elle s'est toujours déplu à Paris.* / contr. se **plaire** / ▶ **déplaisant, ante** adj. **1.** Qui ne plaît pas. *Personne déplaisante.* ⇒ **antipathique**. / contr. **plaisant** / **2.** Qui contrarie, agace. ⇒ **désagréable**. *Un bruit déplaisant. Un visage déplaisant. Une réflexion déplaisante.* ⇒ **désobligeant**. *Il est tout à fait déplaisant d'être mêlé à cette affaire.* ▶ **déplaisir** n. m. ■ Impression désagréable. ⇒ **contrariété, mécontentement**. *C'est avec déplaisir que j'ai appris votre échec. Faire un travail sans déplaisir,* avec (un certain) plaisir. / contr. **plaisir** /

déplanter [deplɑ̃te] v. tr. ▪ conjug. 1. ■ Ôter de terre pour planter ailleurs. *Déplanter un arbre.* / contr. **planter, replanter** /

déplâtrer [deplɑtʀe] v. tr. ▪ conjug. 1. ■ Libérer (une partie du corps) du plâtre qui la soutenait. *On* *a déplâtré sa jambe.* — Retirer le plâtre de (qqn). *Ils l'ont déplâtré.* ▶ **déplâtrage** n. m.

déplier [deplije] v. tr. ■ conjug. 7. **1.** Étendre ce qui était plié. *Déplier une serviette. Déplier une carte routière.* ⇒ **déployer. 2.** Pronominalement (passif). *Ça se déplie, ça peut être déplié.* — S'étendre. *Parachute qui se déplie pendant le saut.* ⇒ **s'ouvrir.** ▶ **dépliage** n. m. ▶ **dépliant, ante** n. m. et adj. **1.** N. m. Feuille insérée dans un livre, ou prospectus qu'on déplie pour le consulter. *Un dépliant publicitaire.* ≠ **brochure. 2.** Adj. Qui se déplie. ⇒ **pliant.** *Fauteuil dépliant.*

déplisser [deplise] v. tr. ■ conjug. 1. ■ Défaire les plis de (une étoffe, un vêtement). — Pronominalement. *Cette jupe se déplisse facilement.* ▶ **déplissage** n. m.

déplorer [deplɔʀe] v. tr. ■ conjug. 1. **1.** Pleurer sur (qqch.). *Déplorer les malheurs de qqn.* ⇒ **compatir** à. *Déplorer la perte d'un ami.* **2.** Regretter beaucoup. *Déplorer un événement. Nous avons déploré votre absence.* — (+ *que* et le subjonctif) *Je déplore qu'il ne puisse pas venir.* ▶ **déplorable** adj. **1.** Qui mérite d'être déploré. ⇒ **attristant, navrant.** *Situation déplorable. Il est dans un état déplorable.* ⇒ **lamentable. 2.** Très regrettable. ⇒ **fâcheux.** *Un choix, une erreur déplorable. Incident déplorable. Il est déplorable de* (+ infinitif). *Il est déplorable que* (+ subjonctif). **3.** Très mauvais. ⇒ **détestable, exécrable.** *Goût, exemple, tenue déplorable. Des notes déplorables. Il fait un temps déplorable.*

déployer [deplwaje] v. tr. ■ conjug. 8. **1.** Développer dans toute son extension (une chose qui était pliée). *L'oiseau déploie ses ailes.* ⇒ **étendre.** *Déployer une carte, une étoffe.* ⇒ **déplier.** / contr. **plier** / — *Drapeau qui se déploie au vent.* — Loc. *Rire À* GORGE DÉPLOYÉE : rire aux éclats, d'un rire qui gonfle la gorge. **2.** Disposer sur une plus grande étendue. *Déployer des objets en éventail.* — *Déployer une armée.* — Pronominalement. *Troupes qui se déploient pour combattre.* ⇒ **déploiement. 3.** Montrer dans toute son étendue. *Déployer un luxe provocant.* ⇒ **exhiber.** *Déployer un grand courage, toute son énergie, des trésors d'ingéniosité.* ⇒ **manifester, prodiguer.** ▶ **déploiement** [deplwamɑ̃] n. m. ■ Action de déployer ; étalage, démonstration. *Le déploiement des forces de police.*

se déplumer [deplyme] v. pron. ■ conjug. 1. ■ Perdre ses plumes naturellement. — Fam. Perdre ses cheveux. *Il commence à se déplumer.* — Au p. p. adj. *Il est tout déplumé.*

dépoitraillé, ée [depwatʀaje] adj. ■ Fam. Qui porte un vêtement largement ouvert sur la poitrine. ⇒ **débraillé.**

dépoli, ie [depɔli] adj. ■ Qui a perdu son poli, son éclat. *Glace dépolie.* ⇒ **terni.** — VERRE DÉPOLI : qui laisse passer la lumière mais non les images. *Vitres en verre dépoli.*

dépolitiser [depɔlitize] v. tr. ■ conjug. 1. ■ Ôter tout caractère politique à. *Dépolitiser un débat.* / contr. **politiser** / ▶ **dépolitisation** n. f. ■ *La dépolitisation d'un syndicat.*

déponent, ente [depɔnɑ̃, ɑ̃t] adj. ■ Se dit d'un verbe latin à forme passive et sens actif.

① **déporter** [depɔʀte] v. tr. ■ conjug. 1. **1.** Infliger la peine de déportation à. **2.** Envoyer dans un camp de concentration. ▶ **déportation** n. f. **1.** Exil définitif d'un condamné politique. **2.** Internement dans un camp de concentration. *La déportation des juifs par les nazis. Résistants morts en déportation.* ▶ **déporté, ée** n. ■ Interné dans un camp de concentration. *Camp de déportés. Ancien déporté et prisonnier de guerre.*

② **déporter** v. tr. ■ conjug. 1. ■ (Suj. chose) Dévier de sa direction, entraîner hors de sa route, de sa trajectoire. *Un vent violent a déporté la voiture sur le bas-côté de la route.* — Au passif. *Être déporté par le vent.*

① **déposer** [depoze] v. tr. ■ conjug. 1. **I.** (Suj. personne) **1.** Poser (une chose que l'on portait). *Déposer un fardeau ; une gerbe sur une tombe.* — *Déposer les armes, cesser le combat.* **2.** Laisser (qqn quelque part, lorsqu'on est en voiture). *Déposez-moi ici.* **3.** Mettre en lieu sûr, en dépôt. *Déposer ses bagages à la consigne. Déposer de l'argent à la banque.* ⇒ **verser.** *Il vient déposer de l'argent.* / contr. **retirer** / **4.** *Déposer une plainte en justice.* ⇒ **plainte.** — *Déposer une marque.* ⇒ **enregistrer ; déposé. 5.** *Déposer un roi, un empereur,* destituer. **II.** (Suj. chose) Se dit des liquides qui laissent un dépôt. *Eaux qui déposent du limon.* — Intransitivement. *Ce liquide dépose.* ⇒ se **décanter.** — Pronominalement. *La poussière se dépose* (sur les meubles). ▶ **déposé, ée** adj. ■ (Modèle, objet fabriqué) Qu'on a fait enregistrer afin d'éviter les contrefaçons. *Marque déposée. Nom déposé.* ▶ **dépositaire** n. **1.** Personne à qui l'on confie un dépôt. *Le, la dépositaire d'une lettre.* — Commerçant qui a des marchandises en dépôt. *Être le seul dépositaire d'une marque.* ⇒ **concessionnaire. 2.** Littér. Personne qui reçoit (une confidence, une mission). *La dépositaire d'un secret.* ⟨ ▶ **dépôt** ⟩

② **déposer** v. intr. ■ conjug. 1. ■ Faire une déposition. ⇒ **témoigner.** *Déposer contre, en faveur de qqn.* ▶ **déposition** n. f. ■ Déclaration que fait sous la foi du serment la personne qui témoigne en justice. ⇒ **témoignage.** *Faire, signer sa déposition. Recueillir une déposition.*

déposséder [deposede] v. tr. ■ conjug. 6. ■ Priver (qqn) de la possession (d'une chose). ⇒ **dépouiller.** *Déposséder qqn de ses biens.* ▶ **dépossession** n. f. ■ *La dépossession d'un héritier par des créanciers.*

dépôt [depo] n. m. **1.** Action de déposer ①, de placer en lieu sûr. *Le dépôt d'un testament chez un notaire.* / contr. **retrait** / **2.** Ce qui est confié au dépositaire pour être gardé et restitué ultérieurement. *Confier un dépôt à qqn. Dépôts bancaires,* les fonds déposés en banque. **3.** Lieu où l'on dépose certaines choses, où l'on gare du matériel. *Dépôt de marchandises.* ⇒ **entrepôt, magasin.** *Autobus au dépôt, qui quitte le dépôt.* — Prison où sont gardés les prisonniers de passage. *Conduire un prévenu au dépôt.* **4.** Particules solides qui se déposent au fond d'un liquide composé au repos. *Dépôt des vins.* ⇒ **lie.** *Il y a du dépôt.* ▶ **dépotoir** [depɔtwaʀ] n. m. ■ Fam. Endroit où l'on met des objets de rebut. *Cette pièce sert de dépotoir.* ⇒ **débarras.**

dépoter [depɔte] v. tr. ■ conjug. 1. ■ Enlever (une plante) d'un pot de fleurs.

① **dépouiller** [depuje] v. tr. ■ conjug. 1. **I.** **1.** Littér. Dégarnir de ce qui couvre. *L'automne dépouille les arbres (de leurs feuilles).* **2.** Déposséder (qqn) en lui enlevant ce qu'il a. *Des voleurs l'ont dépouillé.* ⇒ **dévaliser.** *Dépouiller qqn,* le priver de ses biens, de ses revenus. ⇒ **spolier.** — (Compl. chose) *Dépouiller un pays de ses richesses.* **II.** Littér. **1.** Abandonner, ôter (ce qui couvre). ⇒ **enlever, quitter, retirer.** *Dépouiller ses vêtements.* **2.** *Dépouiller tout orgueil,* y renoncer. — *Dépouiller son style,* le priver de tout ornement. **III.** SE DÉPOUILLER v. pron. **1.** Ôter. *Se dépouiller de ses vêtements.* — Perdre. *Les arbres se dépouillent de leurs feuilles.* **2.** Se défaire (de), abandonner. *Se dépouiller de ses biens en faveur de qqn.* ▶ **dépouillé, ée** adj. ■ *Arbre, branche dépouillé(e).* ⇒ **dénudé.** — *Style dépouillé,* sans ornement. ⇒ **sobre.** ▶ **dépouille** n. f. **1.** Littér. *Dépouille (mortelle),* le corps humain après la mort. ⇒ **cadavre. 2.** Peau enlevée

à un animal sauvage. *La dépouille d'un ours.*
▶ ① *dépouillement* n. m. **1.** Action de dépouiller, de se dépouiller (de qqch). *Le dépouillement injuste des héritiers.* ⇒ **spoliation. 2.** Privation, pauvreté volontaire. — Fig. *Le dépouillement du style,* grande sobriété.

② *dépouiller* v. tr. ▪ conjug. 1. ▪ Analyser, examiner minutieusement (un document). *Dépouiller son courrier. Dépouiller un livre.* — *Dépouiller un scrutin,* faire le compte des suffrages après le vote.
▶ ② *dépouillement* n. m. ▪ *Le dépouillement d'un dossier, d'une correspondance.* — *Procéder au dépouillement (des votes d'un scrutin).*

① *dépourvu, ue* [depuʀvy] adj. ▪ DÉPOUR-VU(UE) DE : qui manque de, n'a plus ou n'a pas (qqch.). *Être dépourvu de qualités, d'argent,* être sans qualités ⇒ **dénué,** sans argent ⇒ **démuni.** *Un livre dépourvu d'intérêt. Un vêtement dépourvu de fantaisie.*

② *au dépourvu* [odepuʀvy] loc. adv. — Surtout dans PRENDRE AU DÉPOURVU. ▪ Sans que l'on soit préparé, averti. ⇒ **à l'improviste.** *Votre question me prend au dépourvu.*

dépoussiérer [depusjeʀe] v. tr. ▪ conjug. 6. ▪ Débarrasser de sa poussière (un lieu, une chose) par des moyens mécaniques. *Dépoussiérer un tapis.*
▶ *dépoussiérage* n. m.

dépraver [depʀave] v. tr. ▪ conjug. 1. ▪ Amener (qqn) à désirer le mal, à s'y complaire. ⇒ **corrompre, pervertir.** *Dépraver un adolescent.* ▶ *dépravé, ée* adj. ▪ Corrompu moralement. *Mœurs dépravées. Personne dépravée,* et n., *un, une dépravée,* personne qui a des goûts dépravés. ⇒ **pervers, vicieux.** ▶ *dépravation* n. f. **1.** Déviation contraire à la normale (en morale). *La dépravation des mœurs.* — Débauche. **2.** Goût dépravé. *C'est de la dépravation !* ⇒ **vice.**

déprécier [depʀesje] v. tr. ▪ conjug. 7. **I.** V. tr. DÉPRÉCIER *qqch., qqn* (suj. personne) : ne pas apprécier à sa valeur réelle ; chercher à déconsidérer. ⇒ **critiquer, décrier, dénigrer, rabaisser.** *Il cherche à vous déprécier par jalousie, par rivalité.* **II.** SE DÉPRÉCIER v. pron. (suj. chose) : perdre de sa valeur. *Monnaie qui se déprécie,* dont le pouvoir d'achat baisse (⇒ se **dévaloriser).** ▶ *dépréciation* n. f. ▪ Action de déprécier ; état de ce qui est déprécié. *Dépréciation des marchandises, de la monnaie.* ⇒ **dévalorisation.**

déprédation [depʀedasjɔ̃] n. f. ▪ Administration. Dommage matériel causé aux biens d'autrui, aux biens publics. ⇒ **dégradation, détérioration.** *Les déprédations causées par des vandales. Les émeutiers se sont livrés à des déprédations.*

① *dépression* [depʀesjɔ̃] n. f. **I.** Enfoncement, concavité dans le relief. ⇒ **creux.** *Dépression de terrain.* **II.** *Dépression atmosphérique,* baisse de la pression atmosphérique (temps pluvieux, froid).

② *dépression* n. f. **I.** État mental pathologique caractérisé par de la lassitude, du découragement, de la faiblesse, de l'anxiété. ⇒ **mélancolie, neurasthénie ;** fam. **déprime.** *Avoir des moments de dépression,* être déprimé. — *Dépression nerveuse,* crise d'abattement. **II.** Anglic. Crise économique. ▶ *dépressif, ive* adj. ▪ Relatif à la dépression. *États dépressifs.*

déprimer [depʀime] v. tr. ▪ conjug. 1. **1.** Affaiblir physiquement ou moralement. ⇒ **abattre, décourager ;** ② **dépression.** *La mort de son fils l'a beaucoup déprimé.* **2.** (ÊTRE) DÉPRIMÉ, ÉE. *Se sentir déprimé. Je l'ai trouvée très déprimée.* ▶ *déprimant, ante* adj. ▪ Qui déprime. *Climat déprimant.* ⇒ **débilitant.** — *Occupation morne et déprimante.* ⇒ **démoralisant.** ▶ *déprime* n. f. ▪ Fam. Le fait d'être déprimé. ⇒ ② **dépression.**

dépuceler [depysle] v. tr. ▪ conjug. 4. ▪ Fam. Faire perdre son pucelage à (une fille, un garçon). ⇒ **déflorer.**

depuis [d(ə)pɥi] prép. ▪ À partir de. **I.** (Temps) **1.** À partir de (un moment passé). ⇒ **dès.** *Depuis le 15 mars,* à partir de cette date. *Depuis le matin jusqu'au soir,* du matin au soir. *Depuis quand ?* (quel moment). — Adv. *Nous ne l'avons plus vu depuis. Depuis, nous sommes inquiets.* — À partir de (une époque passée). *Depuis sa mort.* — *Depuis Platon, Aristote.* — DEPUIS QUE loc. conj. (+ indicatif). *Depuis qu'il est parti.* **2.** Pendant la durée passée qui sépare du moment dont on parle. *On vous cherche depuis dix minutes,* il y a dix minutes que... ⇒ **voilà.** « *Vous ne l'avez pas vu depuis combien de temps ?* — *Depuis quelques jours.* » *Depuis longtemps. Depuis peu, récemment. Depuis le temps que...,* il y a si longtemps. *Depuis le temps que je lui dis d'être prudent !* **II.** (Espace) **1.** DEPUIS... JUSQU'À : de cet endroit à tel autre. ⇒ **de.** *Depuis Paris jusqu'à Strasbourg.* **2.** DEPUIS employé seul, marque la provenance avec une idée de continuité. *Depuis Tours, il pleut. On l'entend depuis le perron,* du perron. — Abusivt. *Transmis depuis Marseille,* de Marseille. **III.** DE-PUIS... JUSQU'À : exprime une succession ininterrompue dans une série. *Depuis le début jusqu'à la fin ; depuis A jusqu'à Z. Depuis le haut jusqu'en bas.* — Ellipt. *Costumes depuis 1500 francs,* à partir de.

dépurer [depyʀe] v. tr. ▪ conjug. 1. ▪ Didact. Rendre plus pur. ⇒ **épurer, purifier.** *Dépurer le sang.* ▶ *dépuratif, ive* adj. et n. m. ▪ Qui purifie l'organisme, en favorisant l'élimination des toxines, des poisons. *Plante dépurative.* — N. m. *Prendre un dépuratif.*

député [depyte] n. m. ▪ Personne élue pour faire partie d'une assemblée délibérante. ⇒ **représentant.** *Les députés du tiers état sous l'Ancien Régime.* — En France. Représentant élu pour faire partie de la chambre législative. ⇒ **élu, n., parlementaire.** *Être élu député. Madame le député* ou *Madame la députée* (n. f.). *La Chambre des députés* ou *Assemblée nationale.* ▶ *députation* n. f. ▪ Fonction de député. *Candidat à la députation.*

déraciner [deʀasine] v. tr. ▪ conjug. 1. **1.** Arracher (ce qui tient au sol par des racines). ⇒ **extirper.** *L'orage a déraciné plusieurs arbres.* / contr. **enraciner** / **2.** Abstrait. *Déraciner une erreur.* **3.** *Déraciner qqn,* l'arracher de son pays, de son milieu. — N. *Un déraciné.* ▶ *déracinement* n. m.

① *dérailler* [deʀaje] v. intr. ▪ conjug. 1. ▪ (Wagons, trains) Sortir des rails. *Faire dérailler un train.* ▶ *déraillement* n. m. ▶ *dérailleur* n. m. ▪ Sur une bicyclette, changement de vitesse (qui fait que la chaîne « déraille » et change de pignon).

② *dérailler* v. intr. ▪ conjug. 1. ▪ Fonctionner anormalement. *Voix qui déraille.* — Fam. S'écarter du bon sens. ⇒ **déraisonner, divaguer.** *Elle déraille drôlement !*

déraison [deʀezɔ̃] n. f. ▪ Littér. Manque de raison dans les paroles ou la conduite. *C'est le comble de la déraison !* ▶ *déraisonnable* adj. ▪ Qui n'est pas raisonnable. ⇒ **absurde, insensé.** *Conduite déraisonnable.* ▶ *déraisonner* v. intr. ▪ conjug. 1. ▪ Littér. Tenir des propos dépourvus de raison, de bon sens. ⇒ **divaguer ;** fam. ② **dérailler, déménager** (3). *Vous déraisonnez !*

① *déranger* [deʀɑ̃ʒe] v. tr. ▪ conjug. 3. **1.** Déplacer de son emplacement assigné ; mettre en désordre (ce qui était rangé). ⇒ **bouleverser, chambarder, déplacer.** *Déranger des papiers. Ne dérangez pas mes* *affaires.* **2.** Troubler le fonctionnement, l'action normale de (qqch.). ⇒ **dérégler**, **détraquer**. *L'orage a dérangé le temps.* ▶ *dérangé, ée* adj. ■ Détraqué. *Il a le cerveau, l'esprit un peu dérangé.* ⇒ **malade.** ▶ ① *dérangement* n. m. **1.** Mise en désordre. **2.** Dérèglement (dans le fonctionnement). *Ligne (téléphonique) en dérangement.*

② *déranger* v. tr. ■ conjug. 3. ■ Gêner (qqn) dans son travail, ses occupations. ⇒ **importuner.** *Excusez-moi de vous déranger. J'ai demandé à la secrétaire de ne me déranger sous aucun prétexte.* — SE DÉRANGER v. pron. : quitter ses occupations, son travail. *Ne vous dérangez pas pour moi.* ▶ ② *dérangement* n. m. ■ ⇒ **gêne**, **ennui. 1.** Causer du dérangement à qqn. *Pour vous éviter du dérangement.*

déraper [deʀape] v. intr. ■ conjug. 1. ■ (Voitures, bicyclettes, etc.) Glisser sur le sol. ▶ *dérapage* n. m. ■ Le fait de déraper. *Un dérapage dangereux.* — Fig. Changement non contrôlé. ⟨ ▶ antidérapant ⟩

dératé [deʀate] n. m. ■ Loc. *Courir* COMME UN DÉRATÉ : très vite.

dératiser [deʀatize] v. tr. ■ conjug. 1. ■ Débarrasser (un lieu) des rats. ▶ *dératisation* n. f. ■ Action de dératiser.

derby [dɛʀbi] n. m. **1.** Grande course de chevaux qui a lieu chaque année à Epsom, en Angleterre. *Le derby d'Epsom.* **2.** Sports. Rencontre entre deux équipes de la même région. *Le derby Bayonne-Biarritz.*

derechef [dəʀəʃɛf] adv. ■ Littér. Une seconde fois ; encore une fois. *Il attira derechef mon attention.*

dérégler [deʀegle] v. tr. ■ conjug. 6. **1.** Faire qu'une chose ne soit plus réglée ; mettre en désordre. ⇒ **bouleverser, déranger, détraquer, troubler.** *L'orage a déréglé le temps. Dérégler un mécanisme délicat.* **2.** Troubler l'ordre moral, la discipline de. *Cette liaison a déréglé sa vie.* ▶ *déréglé, ée* adj. **1.** Dont l'ordre, le fonctionnement a été troublé. *Appétit, estomac déréglé. Pendule déréglée.* **2.** Qui est hors de la règle, de l'équilibre (intellectuel, moral, etc.). *Vie déréglée.* ⇒ **désordonné.** — Excessif, démesuré. *Imagination déréglée.* ▶ *dérèglement* n. m. ■ *Le dérèglement du temps, des saisons.*

dérider [deʀide] v. tr. ■ conjug. 1. ■ Rendre moins soucieux, moins triste (comme si on enlevait les rides du front). *Rien ne le déride.* ⇒ **égayer.** — SE DÉRIDER v. pron. : sourire ; rire. *Il ne s'est pas déridé de la soirée.*

dérision [deʀizjɔ̃] n. f. **1.** Mépris qui incite à rire, à se moquer de (qqn, qqch.). ⇒ **dédain, ironie.** *Dire qqch. par dérision, moquerie. Être un objet de dérision.* ⇒ **risée.** — TOURNER EN DÉRISION : se moquer d'une manière méprisante de (qqn, qqch.). **2.** Chose insignifiante, dérisoire. *Dix francs : c'est une dérision !, c'est trop peu.* ▶ *dérisoire* adj. ■ Qui est si insuffisant que cela semble une moquerie. ⇒ **insignifiant, ridicule.** *Un salaire dérisoire. Une proposition, une offre dérisoire.*

① *dériver* [deʀive] v. ■ conjug. 1. **I.** V. tr. **1.** Détourner (des eaux) de leur cours pour leur donner une nouvelle direction. *Dériver l'eau d'un lac. Dériver un cours d'eau.* **2.** Faire dévier. *Dériver l'attention, les préoccupations de qqn.* **II.** V. intr. **1.** S'écarter de sa direction, sous l'effet des vents, des courants. *Le bateau a dérivé. L'avion risque de dériver vers l'Est.* **2.** Fig. Changer de direction, de cours, de manière incontrôlée. ▶ *dérivatif* n. m. ■ Ce qui permet de détourner l'esprit de ses préoccupations. ⇒ **distraction, divertissement.** *Chercher un dérivatif à ses ennuis.* ▶ ① *dérivation* n. f. **1.** Action de dériver (les eaux). *Canal de dérivation.* **2.** Communi-

cation entre deux points d'un circuit, au moyen d'un second conducteur. ▶ *dérive* n. f. **I.** **1.** Déviation d'un navire, d'un avion, sous l'effet des vents ou des courants. **2.** Le fait de se laisser entraîner, de s'écarter (d'un objectif, de sa voie). *Il y a une dérive dangereuse dans son projet.* **3.** Loc. À LA DÉRIVE : en dérivant (navire). — Fig. *Entreprise qui va à la dérive.* ⇒ à **vau-l'eau. II.** Dispositif qui empêche un navire de dériver. *Une dérive immergée.* ▶ *dériveur* n. m. ■ Bateau muni d'une dérive (II).

② *dériver* v. tr. ind. ■ conjug. 1. ■ DÉRIVER DE : découler, provenir, venir de. *Mot qui dérive du grec, du latin. Les malheurs qui dérivent de la guerre.* ▶ ② *dérivation* n. f. ■ Formation de mots à partir d'une racine et d'affixes (suffixes, préfixes). « *Saison* » donne « *saisonnier* » par dérivation. *Dérivation et composition.* ⇒ **dérivé.** ▶ *dérivé* n. m. ■ Mot qui dérive d'un autre mot, d'une racine. *Les dérivés d'un verbe, d'un nom.* — Adj. *Adverbe en « -ment » dérivé (d'un adjectif).* ▶ *dérivée* n. f. ■ En mathématiques. *Dérivée d'une fonction d'une variable,* limite vers laquelle tend le rapport de l'accroissement de cette fonction à l'accroissement de la variable lorsque celui-ci tend vers zéro.

dermato-, derm(o)-, -derme ■ Éléments savants signifiant « peau ». ▶ *dermatologie* [dɛʀmatɔlɔʒi] n. f. ■ Partie de la médecine qui étudie et soigne les maladies de la peau (ou *dermatoses*, n. f.). ▶ *dermatologue* n. ■ Spécialiste de la dermatologie.

derme [dɛʀm] n. m. ■ Couche profonde de la peau, située sous l'épiderme. *Le derme et l'épiderme.* ▶ *dermique* adj. ■ Du derme. *Tissu dermique.* ⟨ ▶ dermato-, échinoderme, épiderme, hypodermique, intradermique, pachyderme, taxidermie ⟩

dernier, ière [dɛʀnje, jɛʀ] adj. et n. **I.** **1.** Adj. (Avant le nom) Qui vient après tous les autres, après lequel il n'y en a pas d'autre. / contr. **premier** / *Le dernier mois de l'année. Prendre le dernier train. Les derniers préparatifs. À la dernière minute. Aux dernières nouvelles. Être à sa dernière heure.* — *Ce n'est pas la première fois ni la dernière. Dépenser jusqu'à son dernier sou. Faire un dernier effort.* ⇒ **suprême, ultime.** *Il veut toujours avoir le dernier mot,* l'emporter dans une discussion. *En dernier lieu.* — (Après le nom) *Jugement* dernier. — (Attribut) *Il est dernier, bon dernier,* classé nettement derrière les autres. **2.** N. *Le dernier de la classe. La dernière des guerres* (fam. *La der des ders*). **3.** EN DERNIER loc. adv. : à la fin, après tous les autres. *Cela vient en dernier. J'irai le voir en dernier,* pour terminer. **II.** Extrême. **1.** Le plus haut, le plus grand. *Au dernier point, au dernier degré. Il me déplaît au dernier point. Protester avec la dernière énergie.* **2.** Le plus bas, le pire, le moindre. *Une marchandise de dernière qualité, de dernier choix, de dernier ordre. C'est le dernier de mes soucis.* ⇒ **cadet.** — N. *Être traitée comme la dernière des dernières.* **III.** Qui est le plus proche du moment présent. *L'an dernier.* ⇒ **passé.** *La dernière guerre. Être habillé à la dernière mode.* — N. *Le petit dernier.* ⇒ **benjamin.** — *Oui, répondit ce dernier,* celui dont on vient de parler. ▶ *dernièrement* adv. ■ Ces derniers temps. ⇒ **récemment.** *Il est venu nous voir tout dernièrement.* ▶ *dernier-né* ⇒ dernier-né. ⟨ ▶ avant-dernier ⟩

dérober [deʀɔbe] v. tr. ■ conjug. 1. **I.** V. tr. **1.** Littér. Prendre furtivement (ce qui appartient à autrui). ⇒ **subtiliser, voler.** *Dérober une montre.* **2.** Obtenir (qqch.) par des moyens peu honnêtes. *Dérober un secret.* ⇒ **surprendre.** — *Dérober un baiser,* embrasser par surprise. **3.** (Suj. chose) Masquer. *Un rideau d'arbres qui dérobe le village aux regards. Une haie* *touffue nous dérobait la vue.* **4.** Cacher, dissimuler. *Dérober son regard.* **II.** SE DÉROBER v. pron. **1.** SE DÉROBER À : éviter d'être vu, pris par (qqn). ⇒ **échapper, se soustraire.** *Se dérober aux regards. Se dérober à la surveillance de qqn. — Se dérober à ses obligations.* ⇒ **manquer** à. **2.** Éviter de répondre, d'agir. *Il cherche à se dérober.* **3.** S'éloigner, s'écarter de qqn. *Il lui prit le bras ; elle ne se dérobait pas.* **4.** (Choses) *Se dérober sous.* ⇒ **manquer.** *Le sol se dérobe sous ses pas.* ▶ *dérobade* n. f. ■ Action de fuir devant une obligation, un engagement. *Répondez-moi, pas de dérobade.* ⇒ **fuite.** ▶ *dérobé, ée* adj. **1.** Pris, volé. *On a retrouvé chez un receleur les bijoux dérobés.* **2.** (Passage, lieu clos) Caché, secret. *Escalier dérobé. S'enfuir par une porte dérobée,* qui permet de sortir d'une maison ou d'y entrer sans être vu. ⇒ **secret.** ▶ *à la dérobée* loc. adv. ■ En cachette *(faire qqch. à la dérobée)* ; furtivement *(regarder qqn à la dérobée).*

① *déroger* [deʀɔʒe] v. tr. indir. ‧ conjug. 3. ■ DÉROGER À : manquer à l'observation d'une loi, à l'application d'une règle. *Déroger à la loi.* ⇒ **enfreindre.** *Déroger à ses habitudes.* ▶ *dérogation* n. f. ■ *Une dérogation à une loi.* ⇒ **infraction.** *— Obtenir, demander une dérogation.* ⇒ **dispense.**

② *déroger* v. intr. ‧ conjug. 3. ■ Littér. Faire une chose indigne de sa position, de ses principes, etc. ⇒ **s'abaisser.** *Il croirait déroger en faisant ce métier.*

① *dérouiller* [deʀuje] v. ‧ conjug. 1. Fam. **1.** V. intr. Être battu. *Qu'est-ce qu'il a dérouillé !* **2.** V. tr. Battre. *Il l'a drôlement dérouillé. Il s'est fait dérouiller.* ▶ *dérouillée* n. f. ■ Fam. *Recevoir une dérouillée,* des coups, une volée.

② *dérouiller* v. tr. ‧ conjug. 1. ■ Fam. Redonner de l'exercice à (ce qui était « rouillé »). *Se dérouiller les jambes,* les dégourdir en marchant. ⇒ **se dégourdir.** *Elle s'est dérouillé les jambes.*

dérouler [deʀule] v. tr. ‧ conjug. 1. **1.** Défaire, étendre (ce qui était roulé). ⇒ **déployer, développer.** *Dérouler une pièce d'étoffe, une bobine de fil.* ⇒ **dévider.** **2.** Montrer, développer successivement. *Dérouler ses souvenirs dans sa mémoire.* — SE DÉROULER : prendre place dans le temps, en parlant d'une suite ininterrompue d'événements, de pensées. ⇒ **s'écouler, se passer.** *La cérémonie s'est bien déroulée.* — *Le lieu où se déroule l'action.* ▶ *déroulement* n. m. **1.** *Le déroulement d'un câble.* **2.** *Le déroulement de l'action dans une pièce de théâtre, un film.*

déroute [deʀut] n. f. ■ Fuite désordonnée de troupes battues ou prises de panique. ⇒ **débâcle, débandade.** *C'est la déroute. Mettre l'ennemi en déroute. L'armée en déroute,* battue.

dérouter [deʀute] v. tr. ‧ conjug. 1. **I.** Dérouter un navire, un avion, le faire changer d'itinéraire, de destination. *En raison du brouillard, on a dérouté l'avion vers (sur) un autre aéroport.* ⇒ **détourner.** **II.** Rendre (qqn) incapable de réagir, de se conduire comme il faudrait. ⇒ **déconcerter.** *Dérouter un candidat par des questions inattendues.* ⇒ **embarrasser.** — Au passif et p. p. adj. *Je me sens déroutée,* désorientée. ▶ *déroutant, ante* adj. ■ Qui déroute. ⇒ **déconcertant.** *Une attitude déroutante.* ⟨ ▶ déroute ⟩

derrick [dɛ(e)ʀik] n. m. ■ Anglic. Bâti métallique supportant l'appareillage servant à forer les puits de pétrole. *Des derricks.*

① *derrière* [dɛʀjɛʀ] prép. et adv. ■ Du côté opposé au visage, à la face, au côté visible (d'une chose). **I.** Prép. **1.** En arrière, au dos de. / contr. **devant** / *Derrière le mur. Se cacher derrière qqn.*

— Fig. *Derrière les apparences...,* au-delà, sous. *Il faut oublier et laisser derrière vous les rancunes.* — DE DERRIÈRE, PAR-DERRIÈRE loc. prép. *Il sortit de derrière la haie. Passez par-derrière la maison, derrière, par le derrière (de).* — Abstrait. *Idées de derrière la tête,* arrière-pensée. **2.** À la suite de. *Marcher l'un derrière l'autre.* ⇒ **après.** — *Laisser qqn loin derrière soi,* dépasser, surpasser. *Il faut être toujours derrière lui,* le surveiller. **II.** Adv. **1.** Du côté opposé à la face, à l'endroit ; en arrière. *Vêtement qui se boutonne derrière. Il est resté derrière, loin derrière.* **2.** PAR-DERRIÈRE loc. adv. *Attaquer qqn par-derrière* (dans le dos). — *Il dit du mal de lui par-derrière* (derrière son dos). ▶ ② *derrière* n. m. **1.** Le côté opposé au *devant,* la partie postérieure. *Il est logé sur le derrière (de l'immeuble). Porte de derrière.* **2.** Partie du corps de l'homme et de certains animaux qui comprend les fesses et le fondement. ⇒ **arrière-train, postérieur** ; fam. **cul.** *S'asseoir, tomber sur le derrière.*

derviche [dɛʀviʃ] n. m. ■ Religieux musulman appartenant à une confrérie. *Les derviches tourneurs,* qui pratiquent une danse rituelle où ils tournent rapidement sur eux-mêmes.

① *des* ⇒ ① et ② **de.**

② *des* [de] art. indéf., plur. de UN, UNE. **1.** Devant un nom commun. *Un livre, des livres.* — REM. Des est remplacé par de devant un adjectif *(il a de bonnes idées)* sauf si l'adjectif fait corps avec le nom *(il mange des petits fours).* **2.** Fam. Devant un nom de nombre, avec une valeur emphatique. *Il soulève des cinquante kilos comme un rien. Se coucher à des une heure du matin.*

dès [dɛ] prép. **I.** (Temps) **1.** À partir de. ⇒ **depuis.** *Dès cette époque.* ⇒ **déjà.** *Se lever dès l'aube. Dès à présent.* ⇒ **désormais.** *Vous viendrez me voir dès mon retour.* ⇒ **sitôt.** *Vous commencerez votre travail dès demain. Dès demain vous pourrez partir.* **2.** DÈS LORS loc. adv. : dès ce moment, aussitôt. *Dès lors, il décida de partir.* — En conséquence. *Il a fourni un alibi, dès lors il est hors de cause.* — DÈS LORS QUE loc. conj. : dès l'instant où ; étant donné que, puisque. **3.** DÈS QUE (+ indicatif) loc. conj. : dès l'instant où. *Dès qu'il sera là. Dès que je fus parti.* ⇒ **aussitôt** que, **sitôt** que. **II.** (Lieu) À partir de. *Dès l'entrée, dès la porte.* ⟨ ▶ déjà, désormais ⟩

désabonner [dezabɔne] v. tr. ‧ conjug. 1. ■ Faire cesser d'être abonné. *Veuillez me désabonner à la revue.*

désabusé, ée [dezabyze] adj. ■ Qui a perdu ses illusions. *Il est désabusé.* — *Sourire désabusé.* ⇒ **désenchanté.**

désaccord [dezakɔʀ] n. m. **1.** (Personnes) Le fait de n'être pas d'accord ; état de personnes qui s'opposent. ⇒ **désunion, différend, mésentente.** *Un léger désaccord. Être, se trouver EN DÉSACCORD avec qqn sur qqch.* **2.** (Choses) Le fait de ne pas s'accorder, de ne pas aller ensemble. ⇒ **discordance, incompatibilité, opposition.** *Il y a désaccord entre ses opinions et sa conduite.*

désaccordé, ée [dezakɔʀde] adj. ■ (Instruments de musique) Qui n'est plus accordé. *Le piano est désaccordé.* ⇒ **faux.**

désaccoutumer [dezakutyme] v. tr. ‧ conjug. 1. ■ Littér. Faire perdre une habitude à (qqn). ⇒ **déshabituer.** / contr. **accoutumer** / — Pronominalement. *Je me suis désaccoutumé du bruit. Elle s'est désaccoutumée de mentir.*

désaffecté, ée [dezafɛkte] adj. ■ Qui n'est plus affecté à sa destination première. *Église, école désaffectée.*

désaffection [dezafɛksjɔ̃] n. f. ■ Perte de l'attachement qu'on éprouvait (pour qqn, qqch.). ⇒ **détachement**. *La désaffection croissante des citoyens à l'égard des institutions. Désaffection pour une coutume.*

désagréable [dezagreabl] adj. **1.** (Choses) Qui déplaît, donne du déplaisir. ⇒ **déplaisant, pénible**. / contr. **agréable** / *Odeur, impression désagréable. Chose désagréable à voir, à entendre. Il est désagréable de* (+ infinitif). *Ce n'est pas désagréable, c'est assez agréable.* — *Être désagréable à qqn. Cela lui est désagréable.* **2.** (Personnes) Qui se conduit de manière à choquer, blesser. *Il est très désagréable. Il est désagréable avec tout le monde.* ⇒ **insupportable, odieux.** / contr. **agréable** / ▶ *désagréablement* adv. ■ *Être désagréablement surpris.* ⇒ **péniblement.**

désagréger [dezagreʒe] v. tr. ■ conjug. 3. et 6. **1.** Décomposer (qqch.) en séparant les parties liées, agrégées. ⇒ **dissocier, dissoudre.** *La pluie désagrège les roches calcaires.* **2.** Décomposer en détruisant l'unité. — Pronominalement. *Tout son système de défense s'est désagrégé.* ⇒ **s'écrouler.** ▶ *désagrégation* n. f. ■ *La désagrégation d'une pierre friable.*

désagrément [dezagremɑ̃] n. m. ■ Chose désagréable ; sujet de contrariété. ⇒ **difficulté, ennui, souci.** *Je vous cause bien des désagréments. S'attirer des désagréments. La situation présente certains désagréments.* ⇒ **inconvénient.** *Supporter les désagréments d'un déménagement.* / contr. **agrément, plaisir** /

désaltérer [dezaltere] v. intr. ■ conjug. 6. ■ Apaiser la soif de (qqn). *Boisson qui désaltère.* — Pronominalement. *Se désaltérer, boire. Se désaltérer à une source.* ▶ *désaltérant, ante* adj. ■ Qui désaltère. *Le thé est très désaltérant.*

désamorcer [dezamɔrse] v. tr. ■ conjug. 3. **1.** Enlever l'amorce de. *Désamorcer un pistolet.* **2.** Interrompre le fonctionnement de (ce qui devait être amorcé). — Au passif. *La pompe est désamorcée.* / contr. **amorcer** / — Abstrait. Empêcher le déclenchement de. *Désamorcer un conflit.* ▶ *désamorçage* n. m.

désappointer [dezapwɛte] v. tr. ■ conjug. 1. ■ Décevoir (qqn) en trompant son attente. *Vous me désappointez.* ▶ *désappointé, ée* p. p. et adj. ■ Qui n'a pas obtenu ce qu'il attendait et en est déçu. *Être tout désappointé. Avoir un air désappointé.* ⇒ **dépité.** *Je suis désappointé de ce refus.* ▶ *désappointement* n. m. ■ État, sensation d'une personne désappointée. ⇒ **déception, déconvenue.** *Cacher son désappointement. Éprouver un léger désappointement.*

désapprobateur, trice [dezaprɔbatœr, tris] adj. ■ Qui désapprouve, marque la désapprobation. *Air, ton désapprobateur. Sa mère lui lança un regard désapprobateur.* / contr. **approbateur** / ▶ *désapprobation* n. f. ■ Action de désapprouver. / contr. **approbation** / *Un murmure de désapprobation s'éleva dans la salle.* ⇒ **réprobation.**

désapprouver [dezapruve] v. tr. ■ conjug. 1. ■ Juger d'une manière défavorable ; trouver mauvais. ⇒ **condamner, critiquer, réprouver.** *Désapprouver un projet, la conduite de qqn. Je le désapprouve d'avoir répliqué. Désapprouver que* (+ subjonctif). *Il (ne) désapprouve (pas) que vous veniez demain.* / contr. **approuver** /

désarçonner [dezarsɔne] v. tr. ■ conjug. 1. **1.** Mettre (qqn) hors des arçons, jeter à bas de la selle. *Le cheval a désarçonné son cavalier.* ⇒ **démonter.** **2.** Confondre (qqn) dans une discussion, mettre à bout d'arguments. ⇒ **déconcerter, démonter.** *Cela me désarçonne.* — Au p. p. *Être désarçonné.*

désargenté, ée [dezarʒɑ̃te] adj. ■ Fam. Qui est démuni d'argent. *Je suis plutôt désargenté en ce moment.*

① *désarmer* [dezarme] v. tr. ■ conjug. 1. **I. 1.** Enlever (par la force) ses armes à (qqn). *Désarmer un malfaiteur.* **2.** Limiter ou supprimer les armements militaires de. *Désarmer un pays.* — Intransitivement. *Les grandes puissances ont décidé de désarmer.* **3.** *Désarmer un navire*, en retirer le matériel et l'équipage. ▶ *désarmement* [dezarməmɑ̃] n. m. **1.** Action de désarmer (un soldat, une garnison). **2.** Réduction ou suppression des armements. *Le désarmement progressif des grandes puissances. Conférences du désarmement.* / contr. **armement** / **3.** *Le désarmement d'un navire* (⇒ **désarmer,** 3).

② *désarmer* v. tr. ■ conjug. 1. **1.** Laisser sans défense ; rendre moins sévère. *Son rire, son inconscience me désarme.* — Au passif. ÊTRE DÉSARMÉ, ÉE. *Il est désarmé devant les difficultés.* **2.** Intransitivement. (Sentiment hostile, violent) Céder, cesser. *Son hostilité ne désarme pas.* ▶ *désarmant, ante* adj. ■ Qui enlève toute sévérité ou laisse sans défense. *Une modestie désarmante. Une naïveté désarmante.* ⇒ **touchant.**

désarroi [dezarwa(ɑ)] n. m. ■ Trouble moral qui entraîne l'indécision. ⇒ **égarement.** *Être en plein désarroi, en grand désarroi.* ⇒ **affolement, détresse.**

se désarticuler [dezartikyle] v. pron. ■ conjug. 1. ■ Plier ses membres en tous sens. ⇒ **se contorsionner.** *Clown qui se désarticule.* — Au p. p. adj. *Pantin désarticulé.*

désassorti, ie [dezasɔrti] adj. ■ Incomplet, dépareillé. *Service de table désassorti.*

désastre [dezastr] n. m. **1.** Malheur très grave, ruine qui en résulte. ⇒ **calamité, cataclysme, catastrophe.** *Un désastre irréparable. Mesurer l'étendue du désastre. Désastre qui frappe une famille, un pays. Cette défaite fut un désastre.* — Par exagér. *Ce temps, c'est un vrai désastre !* **2.** Échec entraînant de graves conséquences. *Désastre financier, commercial.* ⇒ **banqueroute, déconfiture, faillite.** *Nous courons au désastre.* ▶ *désastreux, euse* adj. ■ Très fâcheux. *Un temps désastreux. Les effets désastreux des mesures prises.*

désavantage [dezavɑ̃taʒ] n. m. ■ Condition d'infériorité. ⇒ **handicap, inconvénient.** *Cette situation présente des désavantages.* ⇒ **désagrément.** — *Se montrer à son désavantage*, sous un jour défavorable. *Tourner au désavantage de qqn.* ⇒ **détriment, préjudice.** ▶ *désavantager* v. tr. ■ conjug. 3. ■ Faire subir un désavantage à (qqn), mettre en désavantage. *Désavantager un héritier au profit d'un autre.* ⇒ **frustrer, léser.** / contr. **avantager** / ▶ *désavantageux, euse* adj. ■ Qui cause ou peut causer un désavantage. ⇒ **défavorable.** *Position désavantageuse. Un accord désavantageux pour nous.* / contr. **avantageux** /

désavouer [dezavwe] v. tr. ■ conjug. 1. **1.** Refuser de reconnaître pour sien. *Il a désavoué ses premiers livres.* ⇒ **renier.** **2.** Déclarer qu'on n'est pas d'accord avec (qqn, les actes de qqn qu'on approuvait). ⇒ **condamner, désapprouver.** *Désavouer la conduite de qqn. Désavouer un procédé déloyal.* — Au p. p. *Homme politique désavoué par son parti.* ▶ *désaveu* n. m. ■ Action de désavouer. *C'est un désaveu de la politique de son prédécesseur. En agissant ainsi, il encourt le désaveu de ses supérieurs.*

désaxer [dezakse] v. tr. ■ conjug. 1. ■ Faire sortir (qqn) de l'état normal, habituel. ⇒ **déséquilibrer.** *Cette vie l'a désaxé.* ▶ *désaxé, ée* p. p. et adj.

■ Déséquilibré. *Il est un peu désaxé,* et n., *c'est une désaxée,* une déséquilibrée.

desceller [desele] v. tr. ■ conjug. 1. ■ Arracher, détacher (ce qui est fixé dans la pierre). *Desceller une grille.* / contr. **sceller** / ≠ *déceler, desseller.*

① *descendre* [desɑ̃dʀ] v. ■ conjug. 41. I. V. intr. (Auxiliaire *être*) 1. Aller du haut vers le bas ⇒ **tomber,** en gardant le contrôle du mouvement. *Action, fait de descendre.* ⇒ **descente, chute.** / contr. **monter** / — *Descendre d'un arbre. Descendre* (d'un étage) *par l'ascenseur, par l'escalier. Il est descendu en courant. Descendre en parachute.* — *Descendre dans la rue,* aller manifester. *Descendre en ville,* aller en ville. 2. Aller vers le sud. *Nous descendons jusqu'à Arles.* 3. Loger, au cours d'un voyage. *Descendre chez des amis, à l'hôtel.* 4. Cesser d'être monté (sur, dans). *Descendre de cheval, de train, de voiture.* — *Descendre à terre* (d'un navire). ⇒ **débarquer.** 5. Faire irruption (⇒ **descente,** I, 2). *La police est descendue dans cet hôtel.* 6. Aller vers ce qui est considéré comme plus bas. *Il est descendu dans mon estime.* ⇒ **baisser.** *Il est descendu bien bas !* ⇒ **tomber.** *Descendre de haut.* ⇒ **déchoir.** 7. Descendre jusqu'au (moindre) détail, examiner successivement des choses de moins en moins importantes. II. (Choses) 1. Aller de haut en bas. *Les impuretés du liquide descendent au fond (du récipient).* ⇒ se **déposer.** *Les cours d'eau descendent vers la mer.* ⇒ **couler.** *Le soleil descend sur l'horizon.* ⇒ se **coucher.** — Sans compl. *L'avion commence à descendre.* ⇒ **descente,** I, 2). *S'étendre de haut en bas. Ce pardessus lui descend aux chevilles.* 3. Aller en pente. *La colline descend en pente douce.* 4. Diminuer de niveau. ⇒ **baisser.** *La marée descend. Le thermomètre est descendu d'un degré.* — *Les prix descendent.* ⇒ **diminuer.** III. V. tr. (Auxiliaire *avoir*) 1. Aller en bas, vers le bas de. *Il a descendu l'escalier quatre à quatre. Ils ont descendu la colline, la rivière* (en bateau). 2. Porter de haut en bas. *Descendre des meubles d'un camion. Tu peux descendre les valises.* 3. Fam. Faire tomber ; abattre. *La D.C.A. a descendu un avion.* — Fam. *Descendre un malfaiteur.* ⇒ **tuer.** ▸ ① *descendant, ante* adj. ■ Qui descend. *Chemin descendant.* / contr. **montant** / ▸ *descendeur* n. m. ■ Cycliste, skieur spécialiste des descentes rapides. *C'est un bon descendeur.* ▸ *descente* [desɑ̃t] n. f. I. 1. Action de descendre, d'aller d'un lieu élevé dans un autre plus bas. *Faire, effectuer une descente dans un puits, une mine. Descente en parachute.* — *À la descente,* en descendant. *Il nous attendait à la,* à notre *descente de (du) train.* 2. Irruption soudaine (en vue d'un contrôle, d'une perquisition). *Descente de police.* — Fam. *Faire une descente dans une boîte de nuit.* — Sports. *Vive attaque dans le camp adverse.* 3. (Choses) *L'avion commence, amorce sa descente* (en vue d'atterrir). — Déplacement de haut en bas, spécial *descente d'un organe. Souffrir d'une descente d'estomac.* II. Action de déposer (une chose), de porter en bas. *La descente d'une pièce de vin à la cave.* — DESCENTE DE CROIX : représentation de Jésus-Christ qu'on détache de la croix. III. Ce qui descend, va vers le bas. 1. Chemin, pente par laquelle on descend. *Descente rapide, douce. Freiner dans les descentes. Au bas de la descente.* / contr. **montée** / 2. DESCENTE DE LIT : petit tapis sur lequel on pose les pieds en descendant du lit. ⇒ **carpette.** 3. Fam. *Avoir une bonne descente* (de gosier), boire ou manger beaucoup.

② *descendre* v. tr. ■ conjug. 41. ■ Tenir son origine, être issu de ⇒ **venir** de. *Descendre d'une vieille famille, d'une famille modeste.* ▸ *descendance* n. f. ■ Ensemble des descendants. ⇒ **postérité, progéniture.** *Il a une nombreuse descendance.* / contr. **ascendance** / ▸ ② *descendant, ante* n. ■ Personne

qui est issue d'un ancêtre (enfants, petits-enfants, arrière-petits-enfants...). ⇒ **descendance.**

description [dɛskʀipsjɔ̃] n. f. 1. Action de décrire, énumération des caractères de (qqch., qqn). *La description d'un objet, d'un animal, d'une plante.* 2. Dans une œuvre littéraire. Peinture de choses concrètes. *Description vivante, pittoresque.* ▸ *descriptif, ive* [dɛskʀiptif, iv] adj. ■ Qui décrit, s'attache à décrire. *Les passages descriptifs d'un roman.* — Géométrie descriptive, technique de représentation plane des figures de l'espace.

désemparé, ée [dezɑ̃paʀe] adj. ■ Qui ne sait plus où il en est, qui ne sait plus que dire, que faire. ⇒ **déconcerté, décontenancé.** *Se sentir tout désemparé.*

désemparer [dezɑ̃paʀe] v. intr. ■ conjug. 1. ■ Loc. littér. SANS DÉSEMPARER : sans s'interrompre. *Travailler sans désemparer.*

désemplir [dezɑ̃pliʀ] v. intr. ■ conjug. 2. ■ (Forme négative) *Ne pas désemplir,* être constamment plein (lieu). *Sa boutique ne désemplit pas.*

désenchanté, ée [dezɑ̃ʃɑ̃te] adj. ■ Qui a perdu son enthousiasme, ses illusions. ⇒ **blasé, déçu.** / contr. **satisfait** / *Il est revenu désenchanté. Sourire désenchanté.* ▸ *désenchantement* n. m. ■ *Le désenchantement de ceux qui se heurtent à la réalité.* ⇒ **désillusion.**

désencombrer [dezɑ̃kɔ̃bʀe] v. tr. ■ conjug. 1. ■ Faire cesser d'être encombré. *Désencombrer la voie publique.* / contr. **encombrer** /

désenfler [dezɑ̃fle] v. ■ conjug. 1. ■ Cesser d'être enflé. ⇒ **dégonfler.** *La joue a désenflé* (intransitivement) ; *s'est désenflée* (pronominalement) ; *est désenflée* (passif).

désennuyer [dezɑ̃nɥije] v. tr. ■ conjug. 8. ■ Délasser, distraire (qqn) qui s'ennuie. *Je vais regarder la télé pour me désennuyer.*

désépaissir [dezepesiʀ] v. tr. ■ conjug. 2. ■ Rendre moins épais. *Désépaissir les cheveux.*

déséquilibre [dezekilibʀ] n. m. 1. Absence d'équilibre. ⇒ **instabilité.** *Être en position de déséquilibre.* — Abstrait. *Le déséquilibre des forces. Il y a déséquilibre entre l'offre et la demande.* ⇒ **disproportion, inégalité.** 2. (Personnes) État psychique qui se manifeste par des difficultés d'adaptation, des changements d'attitude immotivés, des réactions asociales. ▸ *déséquilibrer* v. tr. ■ conjug. 1. 1. Faire perdre l'équilibre à (qqch., qqn). *Attitude qui déséquilibre (le corps).* 2. Causer un déséquilibre mental chez (qqn). *Cette dernière épreuve l'a complètement déséquilibré.* ▸ *déséquilibré, ée* adj. ■ Qui n'a pas ou n'a plus son équilibre. — (Personnes) *Il est un peu déséquilibré* (mentalement). — N. *C'est un déséquilibré.* ⇒ **désaxé.**

① *désert, erte* [dezɛʀ, ɛʀt] adj. 1. Sans habitants. *Île déserte.* ⇒ **inhabité.** — Peu fréquenté. *Quartier retiré et désert.* 2. Privé provisoirement de ses occupants. ⇒ **vide.** *Maison déserte. Un stade désert.* / contr. **occupé** /

② *désert* n. m. ■ Zone très sèche, aride et inhabitée. *Déserts froids. Le désert du Sahara, de Gobi. Désert de sable, de pierres.* — Loc. *Prêcher dans le désert,* sans être entendu. ▸ *désertique* adj. 1. Qui appartient au désert. *Des plantes désertiques.* 2. Qui a certains caractères du désert. ⇒ **aride, inculte.** *Région désertique. Climat désertique.*

déserter [dezɛʀte] v. ■ conjug. 1. 1. V. tr. Abandonner (un lieu où l'on devrait rester). ⇒ **abandonner, quitter.** *Déserter son poste.* — *Les jeunes désertent les campagnes pour travailler en ville.* — Abstrait. *Déserter* *une cause, un parti.* — V. intr. Abandonner l'armée sans permission. *Une bonne partie de l'armée a déserté.* ▶ *déserteur* n. m. ■ Soldat qui déserte ou qui a déserté. ▶ *désertion* n. f. ■ Action de déserter, de quitter l'armée sans autorisation. *Un soldat coupable de désertion.*

désespérer [dezɛspeʀe] v. ■ conjug. 6. **I.** **1.** V. tr. indir. (Avec *de*) Perdre l'espoir à propos de, en ce qui concerne. *Désespérer d'une chose, d'une personne. On commençait à désespérer du succès. J'ai désespéré de lui. Désespérer de faire qqch. Il ne désespère pas de réussir un jour.* — Littér. *Désespérer que* (+ subjonctif). *Je ne désespère pas qu'il réussisse, qu'il ne réussisse.* **2.** V. intr. Cesser d'espérer. *Il ne faut pas désespérer, tout s'arrangera.* **II.** V. tr. **1.** Affliger, décevoir profondément ; décourager. *Cet enfant me désespère.* ⇒ **désoler.** **2.** SE DÉSESPÉRER V. pron. : s'abandonner au désespoir. ⇒ se **désoler.** *Ne vous désespérez pas, nous avons encore beaucoup d'espoir de la retrouver.* ▶ *désespérance* n. f. ■ Littér. État d'une personne qui n'a aucune espérance, qui a perdu foi, confiance. ⇒ **désespoir.** / contr. **espérance /** ▶ *désespérant, ante* adj. ■ Qui fait perdre espoir, qui lasse. ⇒ **décourageant.** *Il est d'une lenteur désespérante. Il fait un temps désespérant, dont on n'espère pas qu'il s'améliore. Cet enfant est désespérant, nous n'en ferons jamais rien.* ▶ *désespéré, ée* adj. **1.** Qui est réduit au désespoir. *C'est un homme désespéré.* N. *Un désespéré.* — Par exagér. Désolé, navré. *Je suis désespéré de vous avoir fait attendre.* **2.** Qui exprime le désespoir. ⇒ **triste.** *Regard désespéré.* **3.** Extrême ; dicté par le danger. *C'est un effort désespéré, une tentative désespérée.* **4.** Qui ne laisse aucune espérance. *La situation est désespérée. Le malade est dans un état désespéré.* ▶ *désespérément* adv. **1.** Avec désespoir. *Il se sentait désespérément seul.* — *La salle restait désespérément vide,* il n'y avait plus d'espoir qu'elle se remplisse. **2.** Avec acharnement. *Il cherchait désespérément à se faire comprendre. Lutter désespérément.* ⟨ ▶ désespoir ⟩

désespoir [dezɛspwaʀ] n. m. **1.** Perte de tout espoir (⇒ **désespérance**). / contr. **espoir /** — Peine, tristesse extrême et sans remède. ⇒ **détresse.** *Sombrer dans le désespoir. S'abandonner au désespoir. Lutter contre le désespoir.* **2.** Par exagér. Ce qui cause une grande contrariété. *Cet enfant fait le désespoir de ses parents.* — *Être* AU DÉSESPOIR : regretter vivement. *Je suis au désespoir de n'avoir pu vous rendre service.* **3.** Loc. adv. *En désespoir de cause,* comme dernière tentative et sans grand espoir de succès.

déshabiller [dezabije] v. tr. ■ conjug. 1. **1.** Dépouiller (qqn) de ses vêtements. ⇒ **dévêtir.** / contr. **habiller, rhabiller /** *Déshabiller un enfant pour le mettre au lit.* **2.** SE DÉSHABILLER V. pron. : enlever ses habits. *Se déshabiller pour se coucher.* — Ôter les vêtements destinés à être portés au-dehors (chapeau, manteau, gants, etc.). *Déshabillez-vous.* ▶ *déshabillage* n. m. ▶ *déshabillé* n. m. ■ Vêtement féminin d'étoffe légère, plus luxueux que le peignoir ou la robe de chambre. *Elle s'est mise en déshabillé.*

déshabituer [dezabitɥe] v. tr. ■ conjug. 1. ■ Faire perdre une habitude à (qqn). ⇒ **désaccoutumer.** *Déshabituer qqn de l'alcool.* ⇒ **désintoxiquer.** — SE DÉSHABITUER V. pron. : se défaire d'une habitude. *Se déshabituer de fumer.*

désherber [dezɛʀbe] v. tr. ■ conjug. 1. ■ Enlever les mauvaises herbes de. ⇒ **sarcler.** *Désherber les allées d'un parc.* ▶ *désherbage* n. m. ▶ *désherbant* n. m. ■ Produit qui détruit les mauvaises herbes.

déshériter [dezeʀite] v. tr. ■ conjug. 1. **1.** Priver (qqn) de l'héritage auquel il a droit. *Menacer un parent de le déshériter.* **2.** Priver (qqn) des avantages naturels. ⇒ **désavantager.** *La nature l'a bien déshérité.* ▶ *déshérité, ée* adj. et n. **1.** Privé d'héritage. *Un enfant déshérité.* **2.** Fig. Privé d'avantages naturels, financiers. ⇒ **défavorisé.** *Les populations les plus déshéritées.* — N. *Les déshérités.*

déshonnête [dezɔnɛt] adj. ■ Littér. Contraire à la pudeur, aux bienséances. ⇒ **inconvenant, indécent.** *Tenue, parole déshonnête.* / contr. **correct, décent /**

déshonneur [dezɔnœʀ] n. m. **1.** Perte de l'honneur. *Ne pas survivre au déshonneur. Il n'y a pas de déshonneur à...,* il n'y a pas de honte à... **2.** Celui, celle qui cause le déshonneur. *Être le déshonneur de la famille.* ⇒ **honte.** / contr. **honneur /** ▶ *déshonorer* [dezɔnɔʀe] v. tr. ■ conjug. 1. **1.** Porter atteinte à l'honneur de (qqn). ⇒ **flétrir, salir.** *Déshonorer qqn par des calomnies. Cette action l'a déshonoré. Il se croirait déshonoré de travailler de ses mains.* **2.** Vieilli. *Déshonorer une femme, une jeune fille,* la séduire, abuser d'elle (en général sans violence ≠ *violer*). **3.** SE DÉSHONORER V. pron. : perdre son honneur. ▶ *déshonorant, ante* adj. ■ Qui déshonore. *Conduite déshonorante.* ⇒ **avilissant.**

déshydrater [dezidʀate] v. tr. ■ conjug. 1. **1.** Enlever l'eau qui entre dans la composition de (un corps). ⇒ **dessécher.** *Déshydrater des aliments (fruits, légumes) pour les conserver.* **2.** (Suj. personne) SE DÉSHYDRATER V. pron. : perdre l'eau nécessaire à l'organisme. *Il s'est déshydraté lors de sa maladie.* ▶ *déshydraté, ée* adj. **1.** Privé de son eau ou d'une partie de son eau. *Légumes déshydratés* (pour la conserve). — *Organisme déshydraté.* **2.** Fam. Assoiffé. *Je suis complètement déshydraté.* ▶ *déshydratation* n. f. ■ Action de priver (un corps) de son eau.

desiderata [deziderata] n. m. pl. ■ Ce qu'on désire. *Veuillez nous faire connaître vos desiderata,* ce dont vous regrettez le défaut, l'absence. ⇒ **revendication, souhait.**

design [dizajn] n. m. ■ Anglic. Esthétique industrielle appliquée à la recherche de formes nouvelles et adaptées à leur fonction (pour les objets utilitaires, les meubles, l'habitat en général). — Adj. invar. *Des meubles design.* — REM. Terme critiqué.

désigner [dezine] v. tr. ■ conjug. 1. **I.** **1.** Indiquer de manière à faire distinguer de tous les autres (par un geste, une marque, un signe). *Désigner une personne, un objet. Désigner qqn, qqch. du doigt.* ⇒ **montrer.** *Désigner qqn par son nom.* ⇒ **appeler, nommer.** *Il a été désigné pour entreprendre des recherches. Le professeur a désigné un élève pour surveiller la classe.* **2.** (Suj. chose) ⇒ **destiner** à, **qualifier.** *Ses qualités le désignent pour ce rôle.* — *Il est tout désigné pour...* ▶ *désignation* n. f. **1.** Action de désigner, de choisir. *La désignation d'un délégué, d'un candidat.* **2.** Ce qui désigne (mot, signe). ⇒ **dénomination.** *Cet objet a plusieurs désignations.* ⇒ **nom ; terme.**

désillusion [dezi(l)lyzjɔ̃] n. f. ■ Perte d'une illusion. *Éprouver des désillusions. Quelle désillusion !,* quelle déception. ▶ *désillusionner* v. tr. ■ conjug. 1. ■ Faire perdre ses illusions à. ⇒ **décevoir.** *Une expérience malheureuse l'a désillusionné.*

désincarné, ée [dezɛ̃kaʀne] adj. ■ Qui néglige ou méprise les choses matérielles (souvent iron.). *Il a un air désincarné.*

désinence [dezinɑ̃s] n. f. ■ Élément variable qui s'ajoute au radical d'un mot pour produire les formes des conjugaisons, des déclinaisons. ⇒ **flexion.** *En latin, les cas des mots se distinguent par leur désinence. Désinences verbales marquant la personne, le nombre, le temps.*

désinfecter [dezɛ̃fɛkte] v. tr. ▪ conjug. 1. ▪ Débarrasser des germes d'infection. ⇒ **assainir, purifier.** *Désinfecter la chambre d'un malade. Désinfecter une plaie.* ▶ **désinfectant, ante** adj. et n. m. ▪ Qui sert à désinfecter. *Produit désinfectant.* — N. m. *Un désinfectant.* ▶ **désinfection** n. f. ▪ Opération hygiénique qui a pour but de désinfecter. ⇒ **antisepsie, asepsie, stérilisation.** *La désinfection d'un champ opératoire.* / contr. **infection** / *La désinfection d'une salle d'hôpital, de vêtements.*

désinformation [dezɛ̃fɔʀmasjɔ̃] n. f. ▪ Utilisation des techniques de l'information pour induire le public en erreur, cacher les faits.

désintégrer [dezɛ̃tegʀe] v. tr. ▪ conjug. 6. ▪ Transformer (la matière) en énergie en détruisant sa structure d'atomes. *Désintégrer complètement.* ⇒ **annihiler.** — Pronominalement. *Se désintégrer,* se détruire complètement. ▶ **désintégration** n. f. ▪ Transformation des atomes d'un élément par rupture de leurs noyaux. ⇒ **transmutation.** *Désintégration de la matière, spontanée ou provoquée.* — Fig. Destruction complète.

désintéressé, ée [dezɛ̃teʀese] adj. 1. (Personnes) Qui n'agit pas par intérêt personnel, qui ne recherche pas le profit, l'argent. ⇒ **altruiste, généreux.** / contr. **intéressé** / *C'est un homme parfaitement désintéressé.* 2. Bénévole. *Attitude, conduite désintéressée. Donner un conseil désintéressé.* 3. Qui n'obéit pas à des considérations utilitaires. *Recherche désintéressée.* 4. Objectif, impartial. *Un jugement désintéressé.* ▶ **désintéressement** n. m. ▪ Détachement de tout intérêt personnel. ⇒ **altruisme.** *Agir avec désintéressement.* ≠ *désintérêt.*

se désintéresser [dezɛ̃teʀese] v. pron. ▪ conjug. 1. ▪ Ne plus porter intérêt (à). *Se désintéresser de son travail.* ⇒ **négliger.** — *Il s'est complètement désintéressé de son fils.* / contr. **s'intéresser** / ▶ **désintérêt** n. m. ▪ Absence d'intérêt (pour qqch.). *Son désintérêt pour la politique est total,* la politique ne l'intéresse pas du tout. ≠ *désintéressement.*

désintoxiquer [dezɛ̃tɔksike] v. ▪ conjug. 1. 1. V. tr. Guérir (qqn) d'une intoxication. *Désintoxiquer un alcoolique.* 2. Fam. SE DÉSINTOXIQUER v. pron. : se débarrasser de ses toxines. *Sentir le besoin de se désintoxiquer.* ▶ **désintoxication** n. f. ▪ Traitement qui a pour but de guérir une intoxication par substances toxiques. *Cure de désintoxication,* appliquée à un alcoolique ou à un toxicomane.

désinvolte [dezɛ̃vɔlt] adj. ▪ Qui fait montre d'une liberté un peu insolente, d'une légèreté excessive. *Manières désinvoltes.* ⇒ **cavalier.** *Il est un peu trop désinvolte.* ⇒ **sans-gêne.** ▶ **désinvolture** n. f. ▪ Attitude, tenue, tournure désinvolte. ⇒ **laisser-aller, légèreté.** *Répondre avec désinvolture.*

désir [deziʀ] n. m. 1. (Un, des désirs) Envie d'obtenir qqch. pour en avoir du plaisir. ⇒ **aspiration, envie.** *Exprimer, formuler un désir.* ⇒ **souhait, vœu.** *Vos désirs sont (pour nous) des ordres. On cherche à satisfaire tous ses désirs, ses moindres désirs. Prendre ses désirs pour des réalités,* s'imaginer que la réalité est conforme à ce qu'on souhaite. — DÉSIR DE : action de désirer qqch. *Le désir de changement, d'évasion.* — (+ infinitif) *Le désir de réussir* (ambition, volonté), *de savoir* (curiosité). 2. (Le, du désir) Envie du plaisir sexuel suscitée par qqn. *Éprouver du désir pour qqn.* ▶ **désirer** v. tr. ▪ conjug. 1. 1. Tendre consciemment vers (ce que l'on aimerait posséder), éprouver le désir de. ⇒ **ambitionner, aspirer à, convoiter, souhaiter, vouloir.** *Désirer qqch. Je vous le désire,* si vous voulez. — Loc. *N'avoir plus rien à désirer,* être comblé. 2. DÉSIRER QUE (+ subjonctif) *Elle désire qu'il vienne*

la voir. — DÉSIRER (+ infinitif). *Je désire m'entretenir avec vous.* ⇒ **vouloir.** 3. LAISSER À DÉSIRER : être incomplet, imparfait. *Ce travail laisse à désirer. Ses manières laissent à désirer.* 4. SE FAIRE DÉSIRER : se montrer peu pressé de satisfaire le désir qu'on a de nous voir (souv. iron.). 5. (Par courtoisie) Vouloir (un objet, un service). *Je désirerais cette veste, je voudrais l'acheter.* 6. Éprouver du désir (2) pour (qqn). *Elle ne désire plus son mari.* ▶ **désirable** adj. 1. Qui mérite d'être désiré ; qui excite le désir. ⇒ **enviable, souhaitable, tentant.** *Présenter toutes les qualités désirables.* / contr. **indésirable** / 2. Qui inspire ou peut inspirer un désir sexuel. *Il, elle est encore désirable.* ▶ **désireux, euse** adj. ▪ *Désireux de* (+ infinitif), qui veut, a envie de. *Être désireux de mieux faire.* ⟨ ▶ indésirable ⟩

se désister [deziste] v. pron. ▪ conjug. 1. ▪ Renoncer à un mandat lorsqu'on n'a pas été élu au premier tour de scrutin. ⇒ **se retirer.** *Se désister en faveur de qqn. Il a refusé de se désister.* ▶ **désistement** n. m. ▪ *Les deux partis alliés feront des désistements réciproques.*

désobéir [dezɔbeiʀ] v. tr. indir. ▪ conjug. 2. DÉSOBÉIR À. 1. Ne pas obéir (à qqn), en refusant de faire ce qu'il (elle) commande ou en faisant ce qu'il (elle) défend. ⇒ **s'opposer.** / contr. **obéir** / *Désobéir à ses parents, à ses chefs.* — *Ces enfants ont désobéi.* 2. Désobéir à un ordre, à la loi. ⇒ **contrevenir ; enfreindre, transgresser.** ▶ **désobéissance** n. f. ▪ Action de désobéir. — *Ce qu'on fait en désobéissant.* ▶ **désobéissant, ante** adj. ▪ Qui désobéit (ne se dit guère que des enfants). ⇒ **indiscipliné, indocile, insubordonné.** / contr. **obéissant** /

désobliger [dezɔbliʒe] v. tr. ▪ conjug. 3. ▪ Littér. Indisposer (qqn) par des actions ou des paroles qui froissent l'amour-propre. ⇒ **froisser, peiner, vexer.** *Vous me désobligeriez beaucoup en refusant.* ▶ **désobligeant, ante** adj. ▪ Qui désoblige ; qui est peu aimable. ⇒ **désagréable.** *Une réponse, une remarque désobligeante.* / contr. **aimable** /

désodoriser [dezɔdɔʀize] v. tr. ▪ conjug. 1. ▪ Débarrasser (un lieu) d'une odeur au moyen d'un traitement approprié (substance chimique, produit parfumé). *Désodoriser une pièce.* ▶ **désodorisant, ante** adj. ▪ Qui désodorise. *Produit désodorisant.* — N. m. *Un désodorisant.* ≠ *déodorant.*

désœuvré, ée [dezœvʀe] adj. ▪ Qui ne fait rien et ne cherche pas à s'occuper. ⇒ **inactif, oisif.** *Un enfant désœuvré.* — N. *C'est un désœuvré.* ▶ **désœuvrement** n. m. ▪ État d'une personne désœuvrée. *Faire qqch. par désœuvrement,* pour passer le temps.

désoler [dezɔle] v. tr. ▪ conjug. 1. ▪ Causer une affliction extrême à (qqn). ⇒ **affliger, attrister, consterner, navrer.** *Cet échec me désole.* — Pronominalement. *Elle se désole de ne pouvoir vous aider.* — Contrarier. *Ce contretemps me désole.* ▶ **désolation** n. f. 1. Peine extrême. *La nouvelle de sa mort a plongé sa famille dans la désolation.* 2. État de ce qui est désolé (1). ▶ **désolant, ante** adj. ▪ Qui contrarie. ⇒ **contrariant, ennuyeux.** *C'est vraiment désolant !* ▶ **désolé, ée** adj. 1. Désert et triste. *Un endroit désolé.* 2. Affligé, éploré. *Avoir l'air désolé.* 3. Par exagér. Être désolé, regretter. *Je suis désolé de vous déranger si tôt. Désolé, je ne puis vous renseigner, excusez-moi.*

se désolidariser [desɔlidaʀize] v. pron. ▪ conjug. 1. ▪ Cesser d'être solidaire. *Se désolidariser de, d'avec qqch., qqn.* ⇒ **abandonner.**

désopilant, ante [dezɔpilɑ̃, ɑ̃t] adj. ▪ Qui fait rire de bon cœur ; très drôle. *Histoire désopilante.* ⇒ **tordant.** — *Cet acteur est désopilant.*

désordonné, ée [dezɔrdɔne] adj. **1.** Littér. Qui n'est pas conforme à la règle, au bon ordre. *Conduite, vie désordonnée.* ⇒ **déréglé, dissolu. 2.** (Personnes) Qui manque d'ordre, ne range pas ses affaires. **3.** *Mouvements désordonnés,* qui manquent de coordination. / contr. **ordonné** /

désordre [dezɔrdr] n. m. **1.** Absence d'ordre ; abondance d'objets mal ou non rangés. *Mettre qqch. en désordre, du désordre quelque part.* ⇒ **bouleverser, chambarder, déranger.** *Pièce en désordre. Quel désordre !* ⇒ **fouillis, pagaïe.** — *Désordre dans les affaires publiques, dans l'administration.* ⇒ **gabegie. 2.** Trouble fonctionnel (de l'organisme, etc.). ⇒ **perturbation. 3.** Absence d'ordre ou rupture de l'ordre dans un groupe, une communauté. ⇒ **anarchie.** *Semer le désordre.* — Au plur. Trouble qui interrompt la tranquillité publique, l'ordre social. ⇒ **agitation, bagarre, émeute.** *De graves désordres ont éclaté.*

désorganiser [dezɔrganize] v. tr. ▪ conjug. 1. ■ Détruire l'organisation de. ⇒ **déranger, troubler.** *Désorganiser les plans de qqn.* — Au p. p. *Le parti est désorganisé.* ▶ *désorganisation* n. f. ■ Le fait de désorganiser. — État de ce qui est désorganisé.

désorienter [dezɔrjɑ̃te] v. tr. ▪ conjug. 1. **1.** Faire perdre la bonne direction à. *Le brouillard m'a désorienté et j'ai perdu mon chemin.* **2.** Rendre (qqn) hésitant sur ce qu'il faut faire, sur le comportement à avoir. ⇒ **déconcerter, embarrasser, troubler.** *Il désoriente ses lecteurs par ses changements d'opinion.* — Au p. p. *Il est tout désorienté.* ⇒ **dépaysé, indécis, perdu.**

désormais [dezɔrmɛ] adv. ■ À partir du moment actuel. ⇒ à l'**avenir, dorénavant.** *Désormais, je ne l'écouterai plus. Les portes seront désormais fermées après 5 h.*

désosser [dezɔse] v. tr. ▪ conjug. 1. ■ Ôter l'os, les os de. *Désosser une épaule de mouton.* — Au p. p. adj. *Viande désossée.*

despote [dɛspɔt] n. m. **1.** Souverain qui gouverne avec une autorité arbitraire et absolue. ⇒ **tyran.** *La volonté du despote.* **2.** Personne qui exerce une autorité tyrannique. *Cet enfant est un despote qui tyrannise ses parents.* — Adj. *Un mari despote,* despotique. ▶ *despotique* adj. ■ Tyrannique. *Un souverain, un patron despotique. Parents despotiques.* ▶ *despotisme* n. m. **1.** Pouvoir absolu du despote. — Forme de gouvernement dans lequel tous les pouvoirs sont réunis dans les mains d'un seul. ⇒ **dictature, tyrannie.** *Combattre le despotisme.* **2.** Littér. Autorité tyrannique. *Le despotisme de certains parents.*

se desquamer [dɛskwame] v. pron. ▪ conjug. 1. ■ Se détacher par petites lamelles. *La peau se desquame après la rougeole.* ⇒ **peler.** ▶ *desquamation* n. f. ■ Élimination des couches superficielles de l'épiderme sous forme de petites lamelles ⇒ **squame.**

desquels, desquelles [dekɛl] pronom relat. ⇒ **lequel.**

dessaisir [desezir] v. tr. ▪ conjug. 2. **1.** Enlever à (qqn) ce dont il est saisi. *Dessaisir un tribunal d'une affaire.* **2.** V. pron. *Se dessaisir de...,* renoncer à la possession de, se déposséder de. *Se dessaisir d'une lettre. Je ne peux, je ne veux pas m'en dessaisir.* / contr. **garder** /

dessaler [desale] v. tr. ▪ conjug. 1. **1.** Rendre moins salé ou faire cesser d'être salé. / contr. **saler** / *Dessaler de la morue en la faisant tremper.* — Intransitivement. *Mettre des harengs à dessaler.* **2.** Fam. (Compl. personne) Rendre moins niais, plus déluré. ⇒ **déniaiser.** — Pronominalement. *Il commence à se dessaler.* ⇒ se **dévergonder.** — Au p. p. *Elle est bien dessalée.*

dessécher [deseʃe] v. tr. ▪ conjug. 6. **I. 1.** Rendre sec (ce qui contient naturellement de l'eau). ⇒ **sécher.** *Chaleur qui dessèche le sol.* ⇒ **brûler.** *Le froid dessèche la peau. Le froid dessèche les lèvres et les fait gercer.* — Au p. p. adj. *Fruits desséchés.* ⇒ **déshydraté.** — Pronominalement. *La peau se dessèche au soleil.* **2.** Rendre maigre. *La maladie l'a desséché.* — Au p. p. adj. *Vieillard desséché.* ⇒ **décharné.** — Pronominalement. Fig. *Se dessécher de chagrin.* ⇒ **languir. II.** Rendre insensible, faire perdre à (qqn) la faculté de s'émouvoir. ⇒ **endurcir.** *Dessécher le cœur.* ▶ *desséchant, ante* adj. ■ Qui dessèche. *Vent desséchant.* ▶ *dessèchement* n. m. ■ ⇒ **dessiccation.** *Le dessèchement de la peau.*

dessein [desɛ̃] n. m. **1.** Littér. Idée d'exécuter qqch. ⇒ **but, intention.** *Avoir des desseins secrets. Former le dessein de retourner dans son pays,* le désir, le projet. — DANS LE DESSEIN DE : dans l'intention de ; en vue de. *Il a fait cela dans le dessein de vous nuire.* — *Nourrir de grands desseins.* **2.** À DESSEIN loc. adv. : avec intention, de propos délibéré. ⇒ **exprès.** *Il l'a fait à dessein. C'est à dessein qu'il ne vous a pas prévenu.* ≠ *dessin.*

desseller [desele] v. tr. ▪ conjug. 1. ■ Ôter la selle de. *Desseller un cheval.* / contr. **seller** / ≠ *déceler, desceller.*

desserrer [deseʀe] v. tr. ▪ conjug. 1. **1.** Relâcher (ce qui était serré). ⇒ **défaire.** / contr. **serrer, resserrer** / *Desserrer sa ceinture d'un cran. Il ouvrit sa veste et desserra son écharpe. Desserrer une vis, un écrou.* — *Desserrer son étreinte.* — Pronominalement. Devenir moins serré. *L'écrou s'est desserré.* **2.** *Desserrer les dents,* ouvrir la bouche. — Loc. *Ne pas desserrer les dents,* ne rien dire. ▶ *desserrage* n. m. ■ Action de desserrer. *Le desserrage d'une vis.*

dessert [desɛʀ] n. m. ■ Mets sucré, fruits, pâtisserie servis après le fromage (notamment en France). *Enfant privé de dessert.* — Moment du dessert. *Ils en sont au dessert.*

① *desserte* [desɛrt] n. f. ■ (Transports) Le fait de desservir une localité. ⇒ **service.** *La desserte d'un port par voie ferrée.*

② *desserte* n. f. ■ Meuble où l'on pose les plats quand on dessert la table. ⇒ **buffet.** *Desserte roulante.*

① *desservir* [desɛʀviʀ] v. tr. ▪ conjug. 14. **1.** Faire le service de (une cure, une chapelle...). *Desservir une paroisse.* **2.** Faire le service de (un lieu). ⇒ ① **desserte.** *Aucun train ne dessert ce village.* ⇒ **passer** par. — Au p. p. adj. *Ville bien desservie,* reliée aux autres par de nombreux moyens de transport. **3.** Donner dans, faire communiquer. *L'entrée dessert plusieurs pièces.* ▶ *desservant* n. m. ■ Ecclésiastique qui dessert une cure, une chapelle, une paroisse. ⇒ **curé.** ⟨ ▶ ① *desserte* ⟩

② *desservir* v. tr. ▪ conjug. 14. ■ Débarrasser (une table) des plats qui ont été servis. *Desservir la table.* — Sans compl. *Nous avons fini, on peut desservir.* ⟨ ▶ ② *desserte* ⟩

③ *desservir* v. tr. ▪ conjug. 14. ■ Rendre un mauvais service à (qqn). ⇒ **nuire.** *Desservir qqn auprès de ses amis. Son air bourru l'a desservi.* / contr. **aider** / — Pronominalement. *Elle s'est desservie par sa franchise.*

dessiccation [desikasjɔ̃] n. f. ■ Opération par laquelle on prive (des gaz, des solides) de l'humidité qu'ils renferment. ⇒ **déshydratation ; dessécher.**

dessiller [desije] v. tr. ▪ conjug. 1. ■ *Dessiller les yeux de, à qqn,* l'amener à voir, à connaître ce qu'il ignorait ou voulait ignorer. ⇒ **ouvrir** les yeux.

dessin [desɛ̃] n. m. **1.** Représentation ou suggestion graphique des objets sur une surface ; œuvre (d'art) qui en découle. *Faire un dessin. Dessins d'enfants. Dessin humoristique, publicitaire.* Loc. fam. *Inutile de faire un dessin,* la chose est parfaitement claire. — DESSIN ANIMÉ : film composé d'une suite de dessins (film d'animation). **2.** L'art, la technique du dessin. *École, professeur de dessin. Carton à dessin.* **3.** Représentation de la forme des objets par des lignes, dans un but scientifique, industriel. *Dessin géométrique.* — *Dessin industriel.* ⇒ **épure. 4.** Traits qui semblent tracés sur les formes naturelles. ⇒ **contour, ligne.** *Le dessin d'un visage.* ▶ *dessiner* v. tr. ▪ conjug. 1. **1.** (Suj. personne) Représenter ou suggérer par le dessin. *Dessiner qqch. sur le vif.* ⇒ **croquer.** « *Dessine-moi un mouton* », disait le Petit Prince. *Dessiner des personnages au crayon, à la plume.* — (Sans compl. direct) *Il dessine bien. Mal dessiner.* ⇒ **gribouiller. 2.** (Suj. chose) Faire ressortir les contours, le dessin de. *Vêtement qui dessine les formes (du corps).* — Au p. p. adj. *Bouche bien dessinée,* d'une jolie forme. — SE DESSINER v. pron. : paraître avec un contour net. *Une montagne se dessine au loin.* ⇒ se **profiler.** *Un sourire se dessina sur ses lèvres.* — Abstrait. *Les projets commencent à se dessiner.* ⇒ se **préciser,** prendre **tournure.** ▶ *dessiné, ée* adj. **1.** Représenté par le dessin. *Une fleur dessinée.* **2.** Loc. BANDE* DESSINÉE. ⇒ **b. d.** *Album, journal de bandes dessinées.* ▶ *dessinateur, trice* n. ▪ Personne qui pratique l'art du dessin (artistique, décoratif, industriel...). *Dessinateur humoristique.* ⇒ **caricaturiste.** *Dessinatrice de mode.* ⇒ **modéliste.**

dessouder [desude] v. tr. ▪ conjug. 1. ▪ Ôter la soudure de. *Dessouder des tuyaux.* — Pronominalement. SE DESSOUDER : se défaire, en parlant de ce qui était soudé.

dessoûler [desule] v. ▪ conjug. 1. Fam. **1.** V. tr. Tirer (qqn) de l'ivresse. *Le grand air l'a dessoûlé.* ⇒ **dégriser. 2.** V. intr. Cesser d'être soûl. *Il ne dessoûle pas,* il est toujours ivre. — REM. On écrit aussi *dessaouler.*

① *dessous* [d(ə)su] adv. ▪ Mot indiquant la position d'une chose sous une autre (opposé à *dessus*). **1.** À la face inférieure, dans la partie inférieure. *Le prix du vase est marqué dessous.* **2.** Loc. PAR-DESSOUS. *Baissez-vous et passez par-dessous.* — EN DESSOUS : contre la face inférieure. *Soulevez ce livre, le billet est en dessous,* sous le livre. — *Rire en dessous,* en dissimulant son rire. ⇒ sous **cape.** *Regarder en dessous,* sournoisement. *Agir en dessous,* hypocritement. — CI-DESSOUS : sous ce qu'on vient d'écrire, plus bas. ⇒ **infra.** — LÀ-DESSOUS : sous cet objet, cette chose. *Le chat s'est caché là-dessous.* — *Il y a qqch. là-dessous,* cela cache, dissimule qqch. **3.** PAR-DESSOUS loc. prép. *Le chat est passé par-dessous le grillage.* — DE DESSOUS. *Il a tiré un livre de dessous la pile.*

② *dessous* n. m. invar. **1.** (Opposé à *dessus*) Face inférieure (de qqch.) ; ce qui est sous, ou plus bas (que qqch.). / contr. ② **dessus** / *Le dessous des pieds, des bras. Le dessous d'une assiette.* ⇒ **envers.** *L'étage du dessous.* ⇒ **inférieur.** *Les gens du dessous.* ⇒ d'en **bas.** *Vêtements de dessous,* sous-vêtements. **2.** (DESSOUS-DE-...) Nom de certains objets qui se placent sous qqch. (pour isoler, protéger). *Un, des dessous-de-bouteille. Un, des dessous-de-plat.* **3.** Ce qui est caché. *Les dessous de la politique.* ⇒ **secret.** — UN, DES DESSOUS-DE-TABLE : argent donné secrètement pour obtenir un avantage (en affaires). ▶ **pot-de-vin. 4.** Au plur. LES DESSOUS : vêtements de dessous féminins. ⇒ **sous-vêtement** (1). **5.** Loc. *Être dans la trente-sixième dessous,* dans une très mauvaise situation. — *Avoir le dessous,* être dans un état d'infériorité (lutte, discussion). **6.** AU-DESSOUS loc. adv. : en bas. *Il n'y a personne au-dessous. On en trouve à deux cents francs et au-dessous.* **7.** AU-DESSOUS DE loc. prép. : plus bas que, inférieur à. ⇒ **sous.** *Jupe au-dessous du genou. Cinq degrés au-dessous de zéro.* ⇒ **moins.** *Être au-dessous de sa tâche,* n'être pas capable de l'assumer. *Être au-dessous de tout,* n'être capable de rien (personne, œuvre). ⇒ **nul.** ‹ ▶ dessous-de-bouteille, etc. (Voir ci-dessus) ›

① *dessus* [d(ə)sy] adv. ▪ Mot indiquant la position d'une chose sur une autre (opposé à *dessous*). **1.** À la face supérieure (opposé à *dessous*), extérieur (opposé à *dedans*). *Prenez l'enveloppe, l'adresse est dessus. Ce siège est solide, asseyez-vous dessus.* **2.** (Idée de contact) ⇒ **sur** (et compl.). *Relever sa robe pour ne pas marcher dessus.* Fam. *Sauter, taper, tirer, tomber dessus.* — Fig. *Tout contre. Vous avez le nez dessus. Mettre le doigt dessus,* deviner. *Mettre la main dessus.* ⇒ **saisir ; trouver. 3.** Loc. PAR-DESSUS. *La barrière n'est pas haute, vous pouvez sauter par-dessus. Placez ces caisses les unes par-dessus les autres.* — CI-DESSUS : au-dessus de ce qu'on vient d'écrire, plus haut. ⇒ **supra.** — LÀ-DESSUS : sur cela. *Écrivez là-dessus.* — Abstrait. *Comptez là-dessus !,* iron., n'y comptez pas. *Là-dessus, il nous quitta,* sur ce. — À ce sujet. *Je connais beaucoup de choses là-dessus.* **4.** PAR-DESSUS loc. prép. *Sauter par-dessus le mur.* — *Par-dessus tout,* principalement. ⇒ **surtout.** *Soyez prudent par-dessus tout.* — Loc. *Avoir par-dessus la tête (de qqch.),* avoir assez de. *J'en ai par-dessus la tête de vos histoires.* — *Par-dessus le marché,* en plus.

② *dessus* n. m. invar. **1.** Face, partie supérieure (de qqch.). / contr. ② **dessous** / *Le dessus de la main, d'une table. L'étage du dessus ; les voisins du dessus.* ⇒ d'en **haut.** — Loc. *Le dessus du panier,* ce qu'il y a de meilleur. **2.** DESSUS-DE- : nom de certains objets qui se placent sur qqch. (pour protéger, garnir). *Un, des dessus-de-cheminée.* — UN, DES DESSUS-DE-LIT : pièce d'étoffe qui recouvre la literie. ⇒ **couvre-lit. 3.** *Avoir le dessus.* ⇒ **avantage, supériorité.** *Avoir le dessus dans un combat, une discussion.* ⇒ **gagner.** — *Prendre, reprendre le dessus,* réagir, surmonter un état pénible, physique ou moral. ⇒ se **relever,** se **remettre. 4.** AU-DESSUS loc. adv. : en haut, supérieur. *Les chambres sont au-dessus. La température atteint 40° et au-dessus.* ⇒ **plus.** — Fig. *Il n'y a rien au-dessus,* de mieux. **5.** AU-DESSUS DE loc. prép. : plus haut que, supérieur à. ⇒ **sur.** *L'avion est au-dessus de la mer. Enfants au-dessus de quinze ans.* — *Le colonel est au-dessus du capitaine* (en grade). *Être au-dessus de (qqch.),* dominer une situation, mépriser. *Ces critiques ne le gênent pas, il est au-dessus de ça.* ‹ ▶ pardessus ; dessus-de-lit, etc. (Voir ci-dessus) ›

déstabiliser [destabilize] v. tr. ▪ conjug. 1. ▪ Enlever à (un pays, une économie, etc.) la stabilité ; rendre (une situation politique) moins stable ou instable. ▶ *déstabilisation* n. f. ▪ *La déstabilisation du régime.*

destin [dɛstɛ̃] n. m. **1.** Puissance qui, selon certaines croyances, fixerait de façon irrévocable le cours des événements. ⇒ **destinée, fatalité.** *Pour les chrétiens, la notion de providence* a remplacé celle de destin. Le sentiment dramatique du destin.* **2.** Ensemble des événements soumis au hasard ou à la fatalité, à la nécessité, et qui composent la vie d'un être humain, considérés comme résultant de causes distinctes de sa volonté. ⇒ **destinée, sort.** *Il a eu un destin tragique.* **3.** Ce qu'il adviendra (de qqch.). ⇒ **avenir, fortune.** *Le destin d'un ouvrage littéraire. Le destin d'une civilisation.* ▶ *destinée* n. f. **1.** Littér. Destin (1). **2.** Destin particulier (d'un être). *Tenir entre ses mains la destinée de qqn. La destinée d'un peuple.* **3.** Avenir, sort (de qqch.). *La destinée qui était réservée à cette œuvre.* ⇒ **avenir. 4.** Littér. Vie, existence. *Finir sa destinée,* mourir. *Unir sa destinée à qqn,* l'épouser. ‹ ► prédestiner ›

destiner [dɛstine] v. tr. ▪ conjug. 1. — DESTINER À. **1.** Fixer d'avance (pour être donné à qqn). ⇒ **assigner, attribuer, réserver.** *Je vous destine ce poste. Être destiné à... Il était destiné au succès, à réussir. Cette remarque vous était destinée,* était pour vous, vous concernait. **2.** Fixer d'avance pour être employé (à un usage). ⇒ **affecter.** *Je destine cette somme à l'achat d'un costume.* **3.** Préparer (qqn) à un emploi, à une occupation, à un état. *Son père le destine à la magistrature.* — Pronominalement. *Il se destine à la diplomatie.* ► ***destinataire*** n. ▪ Personne à qui s'adresse un envoi, un message. *Le destinataire d'une lettre.* / contr. **expéditeur** / ► ***destination*** n. f. **1.** Ce pour quoi une personne ou une chose est faite, ce à quoi elle est destinée. *Cet appareil n'a pas d'autre destination.* ⇒ **usage, utilisation.** *La destination d'une somme d'argent.* **2.** Lieu où l'on doit se rendre ; lieu où une chose est adressée. *Contrôler la destination d'un envoi, d'un paquet. Partir pour une destination lointaine. Destination inconnue.* — à DESTINATION. *Arriver à destination. Avion à destination de Marseille.* ⇒ **pour.**

destituer [dɛstitɥe] v. tr. ▪ conjug. 1. ▪ Priver (un personnage important, un fonctionnaire) de sa charge, de sa fonction, de son emploi. ⇒ **licencier, limoger, renvoyer, révoquer.** *Destituer un fonctionnaire.* — Au p. p. adj. *Magistrat destitué (de ses fonctions).* ► ***destitution*** n. f. ▪ Révocation disciplinaire ou pénale. ⇒ **déposition, renvoi.** *La destitution d'un officier.*

destrier [dɛstrije] n. m. ▪ Cheval de bataille, au Moyen Âge (opposé à *palefroi,* cheval de cérémonie).

destructeur, trice [dɛstryktœr, tris] n. et adj. **1.** Personne qui détruit. *Les Romains furent les destructeurs de Carthage.* **2.** Adj. Qui détruit. *Guerre destructrice.* ⇒ **meurtrier.** — Abstrait. *Idée, philosophie destructrice.* ⇒ **subversif.** / contr. **constructif, créateur** / ► ***destructif, ive*** adj. ▪ Qui a le pouvoir de détruire. ⇒ **destructeur.** *Le pouvoir destructif d'un explosif.*

destruction [dɛstryksjɔ̃] n. f. ▪ Action de détruire. **1.** Action de jeter bas, de faire disparaître (une construction). *Un quartier voué à la destruction. Destruction d'une ville par un incendie, par les bombardements.* ⇒ **dévastation. 2.** Action d'altérer profondément (une substance). *Destruction des tissus organiques par certains acides.* **3.** Action de tuer (des êtres vivants). *Destruction d'une armée* ⇒ **extermination, d'un peuple** ⇒ **génocide, massacre.** *Destruction des insectes.* **4.** Action de faire disparaître, de démolir, de mettre au rebut, etc. *Procéder à la destruction de papiers compromettants.* **5.** Le fait de se dégrader jusqu'à disparaître. ⇒ **dégradation.** *La destruction d'une civilisation.*

désuet, ète [desɥɛ, ɛt ; dezɥɛ, ɛt] adj. ▪ Qui a le caractère d'une époque ancienne. ⇒ **archaïque, démodé, suranné, vieillot.** *Le charme romantique et désuet d'une gravure.* / contr. **moderne** / ► ***désuétude*** n. f. ▪ TOMBER EN DÉSUÉTUDE : être abandonné, hors d'usage. *Loi tombée en désuétude. Cette expression est tombée en désuétude,* est sortie de l'usage.

désunir [dezynir] v. tr. ▪ conjug. 2. ▪ Faire cesser l'union morale, jeter le désaccord entre. *Désunir une famille, un ménage.* ⇒ **brouiller.** ► ***désuni, ie*** adj. **1.** Séparé par un désaccord. *Famille désunie. Couple désuni.* **2.** *Coureur, sportif désuni,* dont les mouve-

ments ne sont plus coordonnés. ► ***désunion*** n. f. ▪ Désaccord entre personnes qui devraient être unies. *La désunion entre eux. Amener, faire régner la désunion entre une personne et une autre.*

① ***détacher*** [detaʃe] v. tr. ▪ conjug. 1. **I. 1.** Dégager (qqn, qqch.) de ce qui attachait ou de ce qui était attaché avec. *Détacher un chien. Détacher des vêtements.* ⇒ **déboutonner, défaire, dégrafer.** / contr. **attacher** / **2.** Enlever (un élément) d'un ensemble. *Détacher une remorque, un wagon d'un convoi. Détacher un timbre en suivant le pointillé.* **3.** Loc. *Ne pouvoir détacher ses regards, ses pensées, son attention de...* ⇒ **détourner, distraire.** *Elle ne pouvait détacher ses yeux du spectacle.* **4.** Faire partir (qqn) loin d'autres personnes pour faire qqch. *Détacher qqn au-devant d'un hôte.* ⇒ **dépêcher, envoyer. 5.** Affecter provisoirement (un fonctionnaire) à un autre service. *Faites-vous détacher à Paris.* **6.** Ne pas lier. *Détacher ses lettres en écrivant. Parler en détachant bien les mots. Détacher nettement les syllabes.* ⇒ **articuler.** — Au p. p. adj. *Notes détachées.* **II.** SE DÉTACHER v. pron. **1.** (Concret) Cesser d'être attaché. *Le chien s'est détaché.* **2.** Se séparer. *Fruits qui se détachent de l'arbre. Coureur qui se détache du peloton* (en allant plus vite). **3.** Apparaître nettement comme en sortant d'un fond. ⇒ **se découper, ressortir.** *Le portrait se détache sur un fond sombre.* **4.** (Personnes) Ne plus être attaché par le sentiment, l'intelligence, à (qqn, qqch.). *Ils se détachent l'un de l'autre,* ils s'aiment de moins en moins. *Se détacher des plaisirs,* y renoncer. ⇒ **se désintéresser.** / contr. s'**attacher** / ► ***détachable*** adj. ▪ Qu'on peut détacher. *Coupons détachables.* ► ***détaché, ée*** adj. **1.** Qui n'est plus attaché ; qui n'attache plus. *Lien détaché.* / contr. **attaché** / **2.** Séparé d'un tout. — PIÈCES DÉTACHÉES : servant au remplacement des pièces usagées d'un mécanisme. **3.** *Fonctionnaire détaché,* affecté à d'autres fonctions que les siennes. **II.** Qui a ou qui exprime du détachement (II, 1). *Un ton froid et détaché.* ► ***détachement*** n. m. **I. 1.** ⇒ **désintérêt, indifférence, insensibilité.** *Répondre, parler avec détachement, en affectant le détachement.* ⇒ **désinvolture, insouciance.** / contr. **attachement** / **2.** Situation d'un fonctionnaire provisoirement affecté à d'autres fonctions. *Être en détachement. Son détachement est fini.* **II.** Petit groupe (de soldats, policiers, etc.) séparés (détachés) pour un service spécial. *Envoyer un détachement militaire en reconnaissance, un détachement blindé en renfort.*

② ***détacher*** v. tr. ▪ conjug. 1. ▪ Débarrasser des taches. ⇒ **dégraisser, nettoyer.** *Donner au teinturier un costume à détacher.* ► ***détachage*** n. m. ▪ Action d'enlever les taches. ⇒ **nettoyage.** ► ***détachant*** n. m. ▪ Produit qui enlève les taches. ► ***détacheur, euse*** n. **1.** Personne qui nettoie les vêtements. ⇒ **teinturier. 2.** N. m. En appos. *Flacon détacheur,* contenant un détachant.

détail, ails [detaj] n. m. **1.** (DE DÉTAIL, AU DÉTAIL) Le fait de livrer, de vendre ou d'acheter par petites quantités ce qu'on a acheté en gros. *Commerce de détail. Vendre au détail.* ⇒ **détaillant.** *Prix de détail.* **2.** LE DÉTAIL DE... : action de considérer un ensemble dans ses éléments, un événement dans ses particularités. *Relation d'un fait avec le détail des circonstances.* ⇒ **énumération.** *Faire le détail d'un inventaire.* — Les éléments détachés d'un ensemble. *Entrer, se perdre dans le détail. Ne pas s'occuper du détail.* — EN DÉTAIL : dans toutes ses parties, toutes ses particularités. *Racontez-nous cela en détail.* — DE DÉTAIL. *C'est une question de détail.* **3.** UN, DES DÉTAIL(S) : élément non essentiel d'un ensemble ; circonstance particulière. *Je connais tous les détails.*

Donnez-moi des détails sur leur rencontre. Travailler, soigner les détails (dans une œuvre), *fignoler. — C'est un détail,* c'est une chose sans importance ou secondaire (par rapport à l'essentiel). ▸ *détailler* [detaje] v. tr. ▪ conjug. 1. **1.** Vendre (une marchandise) par petites quantités, au détail. *Nous ne détaillons pas ce produit.* **2.** Littér. Considérer, exposer (qqch.) avec toutes ses particularités. *Détailler un plan.* — Examiner (qqn) en détail. *Il la détaillait des pieds à la tête.* — Au p. p. adj. *Exposé détaillé et complet sur une question,* minutieux, précis. ▸ *détaillant, ante* n. ▪ Vendeur au détail. *Le grossiste approvisionne le détaillant.*

détaler [detale] v. intr. ▪ conjug. 1. ▪ Fam. Partir subitement en courant, généralement pour s'enfuir. ⇒ **décamper, filer.** *Les enfants surpris ont détalé.*

détartrer [detaʀtʀe] v. tr. ▪ conjug. 1. ▪ Débarrasser du tartre. *Détartrer une chaudière. Se faire détartrer les dents par le dentiste.* ▸ *détartrage* n. m. ▪ Élimination du tartre (d'un radiateur, d'un conduit). — Action de détartrer les dents. ▸ *détartrant* ou *détartreur* n. m. ▪ Produit empêchant ou diminuant la formation de tartre dans les conduits.

détaxer [detakse] v. tr. ▪ conjug. 1. ▪ Réduire ou supprimer la taxe sur. *Détaxer une denrée.* — Au p. p. adj. *Acheter un parfum détaxé dans un aéroport.* ▸ *détaxe* n. f. ▪ / contr. **surtaxe** /

détecter [detɛkte] v. tr. ▪ conjug. 1. ▪ Déceler l'existence de (un objet, un phénomène caché). *Détecter une fuite de gaz.* ▸ *détecteur, trice* n. m. et adj. **1.** Appareil servant à détecter. *Détecteur d'ondes. Détecteur de mines,* appareil pour déceler les mines terrestres. **2.** Adj. *Lampe détectrice.* ▸ *détection* n. f. ▪ Action de détecter. *Détection électromagnétique par radar.*

détective [detɛktiv] n. m. **1.** ▪ En Angleterre. Policier chargé des enquêtes, des investigations. **2.** DÉTECTIVE (PRIVÉ) : personne chargée d'enquêtes policières privées. — REM. On dit aussi *un privé.*

déteindre [detɛ̃dʀ] v. intr. ▪ conjug. 52. **1.** Perdre sa couleur. ⇒ **décolorer.** *Cette étoffe déteint facilement. Ce rideau a déteint au soleil. Déteindre au lavage.* **2.** DÉTEINDRE SUR : communiquer une partie de sa couleur, de sa teinture à. *Cette gravure a déteint sur la page suivante.* — Fig. Avoir de l'influence sur. ⇒ **influencer, marquer.** *Elle a complètement déteint sur lui.*

dételer [detle] v. ▪ conjug. 4. **1.** V. tr. Détacher (une bête attelée ou l'attelage). *Le cocher dételle son cheval. Dételer les bœufs d'une charrue. Dételer une charrue.* / contr. **atteler** / **2.** V. intr. Cesser de faire qqch. ⇒ **s'arrêter.** *Il a travaillé toute la journée sans dételer.*

détendre [detɑ̃dʀ] v. tr. ▪ conjug. 41. **I.** Relâcher (ce qui était tendu, contracté). *Détendre la jambe.* / contr. **tendre** / — Pronominalement. *Un ressort qui se détend brusquement.* **II. 1.** Délasser, faire cesser la tension de (qqn, qqch.). *Sortons un peu, ça nous détendra.* — Pronominalement. *Détendez-vous !,* laissez-vous aller. ⇒ se **décontracter. 2.** Au p. p. DÉTENDU, UE. Qui ne manifeste aucune tension. *Il était détendu,* très calme. *Une atmosphère très détendue.* ⇒ **décontracté.** ⟨ ▸ **détente** ⟩

détenir [detniʀ] v. tr. ▪ conjug. 22. **1.** Garder, tenir en sa possession. ⇒ **posséder ; détenteur.** *Détenir un objet volé.* ⇒ **receler. 2.** Fig. Avoir, posséder. *Il détient la clé du mystère. Détenir un secret. Détenir le pouvoir. Détenir le record du monde. Détenir un monopole.* **3.** Garder, retenir (qqn) en captivité. ⇒ **détenu.** *Détenir un délinquant en prison.* ▸ *détenteur, trice* [detɑ̃tœʀ, tʀis] n. ▪ Personne qui détient qqch. *Le détenteur d'un objet volé.* ⇒ **receleur.** *Les détenteurs*

du pouvoir. Détenteur d'armes, de munitions. La détentrice d'un prix, du record. ▸ *détention* n. f. **1.** Le fait de détenir qqch., de l'avoir à sa disposition. *Détention d'armes.* **2.** Action de détenir qqn ; état d'une personne détenue. ⇒ **captivité, emprisonnement.** *Arrestation et détention d'un criminel. Détention arbitraire. Être en détention,* détenu. ▸ *détenu, ue* [detny] n. ▪ Personne qui est maintenue en captivité. ⇒ **prisonnier.** *Détenu politique ; de droit commun.*

détente [detɑ̃t] n. f. **1.** Relâchement (de ce qui est tendu). *La détente d'un ressort.* **2.** Sports. Capacité pour un athlète d'effectuer un mouvement rapide, instantané (au moment du saut, d'un lancer, etc.). *Il a une belle détente.* **3.** Armes à feu. Pièce qui sert à faire partir le coup. *Appuyer sur la détente.* — REM. On emploie abusivement *gâchette.* **4.** Loc. fam. *Il est* DUR À LA DÉTENTE : il est difficile d'obtenir qqch. de lui ; il ne comprend pas vite. **5.** Expansion d'un gaz précédemment soumis à une pression. *La détente d'un gaz, des gaz.* / contr. **compression** / **6.** Relâchement d'une tension intellectuelle, morale, nerveuse ; état agréable qui en résulte. *Il n'a pas un moment de détente.* ⇒ **délassement, répit, repos.** *Ces enfants ont besoin d'une détente.* ⇒ **distraction, récréation.** **7.** Diminution de la tension internationale. *Politique de coexistence et de détente.* / contr. **tension** /

détergent, ente [detɛʀʒɑ̃, ɑ̃t] adj. ▪ Qui nettoie en entraînant par dissolution les impuretés. ⇒ **détersif.** — N. m. *Un détergent.* ▸ *déterger* v. tr. ▪ conjug. 3. ▪ Terme technique. Nettoyer avec un détergent.

détériorer [deteʀjɔʀe] v. tr. ▪ conjug. 1. **1.** Mettre (une chose) en mauvais état, de sorte qu'elle ne puisse plus servir. ⇒ **abîmer, casser, démolir, dégrader, endommager ;** fam. **déglinguer, esquinter.** *Détériorer un appareil, une machine. L'humidité détériore les tentures.* — Pronominalement. *Se détériorer,* s'altérer. — Au p. p. adj. *Du vieux matériel détérioré.* ⇒ **usé. 2.** Fig. *Détériorer sa santé par des excès.* ⇒ **délabrer.** — Pronominalement. *Les relations entre les deux pays se sont détériorées.* ⇒ se **gâter.** ▸ *détérioration* n. f. ▪ Action de détériorer, de mettre en mauvais état ; son résultat. ⇒ **dégradation, déprédation.** *La détérioration d'un appareil, d'une machine. Détérioration de marchandises.* — Fig. *La détérioration des conditions de vie.*

déterminer [detɛʀmine] v. tr. ▪ conjug. 1. **1.** Indiquer, délimiter avec précision. ⇒ **définir, délimiter, évaluer, fixer, préciser, spécifier.** *Déterminer le sens d'un mot. Cette distance est difficile à déterminer.* ⇒ **estimer.** *Déterminer la date, le lieu d'un événement.* **2.** Entraîner la décision de (qqn). ⇒ **décider ; conduire, inciter.** *Ses amis, ces difficultés l'ont déterminé à partir.* — SE DÉTERMINER À v. pron. : prendre la détermination, la décision de. ⇒ se **décider,** se **résoudre.** *Ils se sont déterminés à accepter.* **3.** (Choses) Être la cause de ; être à l'origine de (un phénomène, un effet). ⇒ **causer, provoquer.** *Les événements qui ont déterminé la chute du régime. Les conditions qui déterminent l'action humaine.* ⇒ **déterminisme.** ▸ *déterminant, ante* adj. et n. **1.** Adj. Qui détermine qqn dans sa conduite. *Cette raison a été déterminante.* — Participer à qqch. de manière déterminante. ⇒ **décisif, essentiel. 2.** N. m. Mot qui en détermine un autre. *Les articles, les adjectifs possessifs, démonstratifs, sont des déterminants du substantif* (ex. : *sa* dans *sa maison*). ▸ *déterminatif, ive* adj. ▪ Qui détermine, précise le sens d'un mot. *Complément déterminatif* (ex. : *hiver* dans *un manteau d'hiver*). ▸ *détermination* n. f. **1.** Action de déterminer, de délimiter avec précision ; état de ce qui est déterminé. ⇒ **caractérisation, définition, délimita-**

tion. *La détermination de la latitude d'un lieu. La détermination d'un nom par un article.* **2.** Relation entre deux éléments de connaissance, de telle façon que, de la connaissance du premier, il est possible de déterminer le second. *La détermination d'un phénomène* (soumis au *déterminisme*). **3.** Résultat psychologique de la décision. ⇒ **résolution.** *Sa détermination était bien arrêtée.* **4.** Attitude d'une personne qui agit sans hésitation, selon les décisions qu'elle a prises. ⇒ **décision, fermeté.** / contr. **irrésolution** / *Agir avec détermination. Faire preuve de détermination.* ▶ **déterminé, ée** adj. **1.** Qui a été précisé, défini. ⇒ **arrêté, certain, précis.** / contr. **indéterminé** / *Une quantité déterminée d'énergie.* **2.** Qui se détermine, se décide. ⇒ **décidé, résolu.** *C'est un homme déterminé.* / contr. **irrésolu** / **3.** Soumis au déterminisme. *Phénomènes entièrement déterminés.* ▶ **déterminisme** n. m. **1.** Ordre des faits suivant lequel les conditions d'existence d'un phénomène sont fixées, déterminées absolument (ces conditions étant posées, le phénomène ne peut pas ne pas se produire). *Déterminisme historique.* / contr. **hasard** / **2.** Doctrine philosophique suivant laquelle tous les événements sont liés et déterminés. ▶ **déterministe** adj. ■ *Philosophie déterministe.* ‹ ▶ indéterminé, prédétermination ›

déterrer [detere] v. tr. ■ conjug. 1. **1.** Retirer de terre (ce qui s'y trouvait enfoui). / contr. **enfouir, enterrer** / *Déterrer un mort.* ⇒ **exhumer.** — Au p. p. adj. *Cadavre déterré.* — N. *Il a une mine de déterré,* pâle, cadavérique. **2.** Découvrir (ce qui était caché). ⇒ **dénicher.**

détersif, ive [detersif, iv] adj. et n. ■ Qui nettoie, en dissolvant les impuretés (⇒ **déterger**). *Produit détersif* (savon, lessive, etc.). — N. m. *Un détersif.* ⇒ **détergent.**

détester [detɛste] v. tr. ■ conjug. 1. **1.** Avoir de l'aversion pour (qqn). ⇒ **haïr.** / contr. **aimer, adorer** / *Il déteste son beau-père. Va-t'en, je te déteste !* — Pronominalement (récipr.). *Ils se détestent.* **2.** Ne pas pouvoir supporter (qqch.). *Il déteste le bruit. Elle déteste les enfants. Je déteste attendre. Détester que* (+ subjonctif). *Je déteste qu'on me fasse attendre. Ne pas détester qqch.,* aimer assez. *Il ne déteste pas le bon vin.* ▶ **détestable** adj. ■ Très désagréable ou très mauvais. *Quel temps détestable !* ⇒ **affreux, vilain.** *Être d'une humeur détestable.* ⇒ **exécrable.** *Une détestable habitude.* ▶ **détestablement** adv. ■ *Il joue détestablement,* très mal.

détoner [detɔne] v. intr. ■ conjug. 1. — REM. Ne prend qu'un *n.* ≠ *détonner.* ■ Exploser avec bruit (par combustion rapide, réaction chimique violente, détente d'un gaz) et avec une grande vitesse de décomposition. *Faire détoner un explosif.* ▶ **détonant, ante** adj. ■ Qui est susceptible de détoner. *Mélange détonant,* mélange de gaz capables de s'enflammer et de détoner. ▶ **détonateur** n. m. ■ Amorce (capsule ou autre) qui fait détoner un explosif. *Détonateur de bombe.* ▶ **détonation** n. f. ■ Bruit soudain et violent de ce qui détone. ⇒ **déflagration, explosion.** *J'ai entendu une forte détonation.*

détonner [detɔne] v. intr. ■ conjug. 1. **1.** Sortir du ton, en musique ; chanter faux. *Un chanteur qui détonne.* **2.** Ne pas être dans le ton, ne pas être en harmonie avec le reste. *Ce fauteuil Empire détonne dans un salon moderne.* ≠ *détoner.*

détour [detur] n. m. **1.** Tracé qui s'écarte du chemin direct (voie, cours d'eau). ⇒ **lacet, méandre.** *La route fait des détours. Au détour du chemin,* à l'endroit où il tourne. ⇒ **tournant.** **2.** Action de parcourir un chemin plus long que le chemin direct ;

ce chemin. *J'ai fait un détour pour vous dire bonjour.* ⇒ **crochet.** / contr. **raccourci** / *Détour obligatoire pour cause de travaux.* ⇒ **déviation.** **3.** Moyen indirect de faire ou d'éluder qqch. ⇒ **biais, faux-fuyant, ruse, subterfuge.** *Pas tant de détours, au fait !* — *Sans détour,* simplement, sans ambages. ▶ **détourné, ée** adj. **1.** Qui n'est pas direct, qui fait un détour. *Chemin détourné.* **2.** (Moyen) Indirect. *Prendre des moyens détournés pour parvenir à ses fins.* ⇒ **détour.** *Un reproche, un compliment détourné.* ▶ **détournement** n. m. **1.** Action de changer le cours, la direction. *Le détournement d'un cours d'eau.* ⇒ **dérivation.** — *Détournement (d'avion),* action de contraindre l'équipage d'un avion à changer de direction. **2.** Action de soustraire à son profit. *Un détournement de fonds, d'argent confié.* ⇒ **vol.** **3.** DÉTOURNEMENT DE MINEUR : séduction d'une mineure, d'un mineur par une personne majeure (punie par la loi). ▶ **détourner** v. tr. ■ conjug. 1. **I.** **1.** Changer la direction de (qqch.). *Détourner un cours d'eau,* changer son tracé initial. ⇒ **dériver.** *Détourner un convoi.* ⇒ **dérouter.** *Détourner un avion* (spécialt le contraindre à changer de destination). **2.** Changer le cours de. *Il détourna la conversation. Détourner l'attention de qqn. Détourner les soupçons sur une autre personne.* **3.** Écarter (qqn du chemin à suivre). *Détourner qqn de sa route.* — Abstrait. *Détourner qqn du droit chemin, du devoir.* ⇒ **dévoyer.** *Détourner qqn d'un projet, d'une résolution,* l'y faire renoncer. ⇒ **dissuader.** **II.** Tourner d'un autre côté, pour éviter qqch. *Détourner la tête, les yeux, ses regards.* — Pronominalement. SE DÉTOURNER (pour ne pas voir ou pour ne pas être vu). *Elle se détourna d'un air dédaigneux.* **III.** Soustraire (qqch.) à son profit. *Détourner des fonds.* ⇒ **voler.**

détracteur, trice [detraktœr, tris] n. ■ Personne qui cherche à rabaisser le mérite de qqn, la valeur de qqch. ⇒ **accusateur, critique.** *Les détracteurs d'un homme politique, d'une doctrine.* / contr. **admirateur** /

détraquer [detrake] v. tr. ■ conjug. 1. **1.** Déranger dans son mécanisme, dans son fonctionnement. ⇒ **dérégler, détériorer ;** fam. **déglinguer.** *Il a détraqué son poste de radio.* **2.** Fam. Déranger. *Se détraquer l'estomac, les nerfs.* — Pronominalement. *Un mécanisme qui se détraque. Le temps se détraque, se gâte.* ▶ **détraqué, ée** adj. et n. **1.** Dérangé dans son fonctionnement. *Horloge détraquée.* — Fam. *Santé détraquée.* **2.** Avoir le cerveau détraqué. — N. *C'est un détraqué.* ⇒ **déséquilibré.** ▶ **détraquement** n. m. ■ *Le détraquement d'un mécanisme.* ⇒ **dérèglement.**

détrempe [detrɑ̃p] n. f. ■ Couleur délayée dans de l'eau additionnée d'un agglutinant (gomme, colle, œuf). *Peindre en, à la détrempe. Décors de théâtre peints à la détrempe.* — Tableau fait avec cette couleur.

détremper [detrɑ̃pe] v. tr. ■ conjug. 1. ■ Amollir ou délayer en mélangeant avec un liquide. ⇒ **délayer.** *Détremper des couleurs.* — *La pluie avait détrempé la piste.* — Au p. p. adj. *Détrempé,* très mouillé et amolli. *Voile détrempée (par les vagues).*

détresse [detrɛs] n. f. **1.** Sentiment d'abandon, de solitude, d'impuissance que l'on éprouve dans une situation difficile (besoin, danger, souffrance). ⇒ **désarroi.** *Une âme en détresse.* **2.** Situation difficile et très pénible. — Manque dramatique de moyens matériels. ⇒ **malheur, misère.** *La détresse des populations sinistrées. Il vit dans la détresse, dans une détresse totale.* **3.** Situation périlleuse (d'un navire, d'un avion). ⇒ **perdition.** *Signal de détresse.* ⇒ **S.O.S.** *En détresse,* en perdition. *Avion, navire en détresse.*

détriment [detʀimɑ̃] n. m. ■ À *(mon, son...)* DÉTRIMENT ; AU DÉTRIMENT DE : au désavantage, au préjudice de. *Cet arrangement s'est conclu à mon détriment. Il a avantagé son fils aîné dans sa succession au détriment des autres enfants. Dans ce pays, on a encouragé le développement de l'industrie au détriment de tout le reste.* / contr. **avantage** /

détritus [detʀity(s)] n. m. invar. ■ Matériaux réduits à l'état de débris inutilisables ; ordures. *Les détritus tombés des poubelles.*

détroit [detʀwa] n. m. ■ Bras de mer entre deux terres rapprochées et qui fait communiquer deux mers. ⇒ **bras.** *Le Pas de Calais, détroit entre la France et la Grande-Bretagne.*

détromper [detʀɔ̃pe] v. tr. ■ conjug. 1. ■ Tirer (qqn) d'erreur. ⇒ **désabuser.** *Je veux vous en détromper, vous détromper sur ce point.* — SE DÉTROMPER v. pron. : revenir de son erreur. *Détrompez-vous, n'en croyez rien.*

détrôner [detʀone] v. tr. ■ conjug. 1. 1. ■ Déposséder (qqn) de la souveraineté, du trône. *Détrôner un roi.* ⇒ **déposer, destituer.** 2. Faire cesser la prééminence, le pouvoir de (qqn, qqch.). ⇒ **éclipser, supplanter.** *Les jupes courtes ont détrôné les jupes longues.*

détrousser [detʀuse] v. tr. ■ conjug. 1. ■ Vx ou plaisant. Dépouiller (qqn) de ce qu'il porte, en usant de la violence. ⇒ **dévaliser, voler.** *Détrousser un voyageur.*

détruire [detʀɥiʀ] v. tr. ■ conjug. 38. 1. ■ Défaire entièrement, jeter bas (une construction). ⇒ **abattre, démolir, raser ; destruction.** / contr. **bâtir, construire** / *Détruire un édifice.* — Au p. p. *Une ville détruite par un bombardement.* 2. Altérer jusqu'à faire disparaître. ⇒ **anéantir, supprimer.** *Détruire par le feu, brûler. Le feu a tout détruit. Les pluies torrentielles ont détruit les récoltes. Détruire une lettre, un document.* / contr. **conserver** / 3. Supprimer (un ou plusieurs êtres vivants) en ôtant la vie. ⇒ **tuer.** *L'épidémie a détruit la population du village.* ⇒ **exterminer.** *Ce produit détruit tous les insectes.* ⇒ **tuer.** *Les rongeurs sont détruits par les serpents.* — Pronominalement. *Il a tenté de se détruire.* ⇒ **se suicider.** 4. Fig. Défaire entièrement (ce qui est établi, organisé, élaboré). ⇒ **anéantir, supprimer.** / contr. **édifier, fonder** / *Détruire un usage, une institution, une théorie. Cette mésaventure détruisit tous ses espoirs.* ⇒ **dissiper.** 5. SE DÉTRUIRE v. pron. récipr. : s'annuler, avoir une action contraire. *Effets qui se détruisent.*

dette [dɛt] n. f. 1. Argent qu'une personne ⇒ **débiteur** doit à une autre. / contr. **créance** / *Faire des dettes.* ⇒ **s'endetter.** *Être en dette avec qqn. Être accablé, criblé de dettes. Payer, rembourser une dette.* — PROV. *Qui paye ses dettes s'enrichit.* — DETTE PUBLIQUE : ensemble des dettes contractées par un État et qu'il doit rembourser. ⇒ **emprunt.** 2. Devoir que l'on doit accomplir en échange d'un service rendu. ⇒ **engagement, obligation.** *Acquitter une dette de reconnaissance envers qqn, à l'égard de qqn. Avoir une dette envers la société.* Loc. *Payer sa dette à la justice, purger sa peine.* ⟨ ▶ **endetter** ⟩

deuil [dœj] n. m. 1. Douleur, affliction que l'on éprouve de la mort de qqn. *Sa mort fut un deuil cruel. Jour de deuil.* 2. Mort d'un proche. ⇒ **perte.** *Il vient d'avoir plusieurs deuils dans sa famille.* 3. Signes extérieurs de la mort d'un parent, d'un proche, consacrés par l'usage. *Vêtements de deuil (noirs dans la chrétienté, blancs chez les bouddhistes,...).* Loc. *Porter le deuil. Être EN DEUIL.* — Fam. *Avoir les ongles en deuil,* noirs, sales. 4. Fam. FAIRE SON DEUIL *d'une chose* : se résigner à en être privé. *Tu peux faire ton deuil de ce projet !* ⟨ ▶ **endeuiller** ⟩

deus ex machina [deysɛksmakina] n. m. invar. ■ Personnage, événement dont l'intervention peu vraisemblable apporte un dénouement inespéré à une situation sans issue ou tragique (d'abord au théâtre : un dieu est amené sur scène à l'aide d'une machine). *Des deus ex machina.*

deux [dø] adj. invar. et n. m. invar. I. Adj. numéral cardinal invar. 1. Un plus un (2, II). *Les deux yeux* [ledøzjø]. *Les deux côtés de la rue. Les deux bouts d'un bâton. Deux cents. Ils sont venus tous (les) deux. Deux fois plus.* ⇒ **double.** *Deux personnes.* ⇒ **couple, duo.** *Deux choses.* Loc. *De deux choses l'une,* il n'y a que deux possibilités. 2. *Un ou deux...,* quelques. Loc. *Deux poids deux mesures,* deux façons de juger, différentes selon les objets. — (Opposé à *le même*) Loc. *Cela, ça* FAIT DEUX : ce sont des choses bien distinctes. *L'amour et l'amitié, ça fait deux.* — (Pour indiquer un petit nombre, opposé à *beaucoup de, nombreux*) *C'est à deux pas,* tout près. *Vous y serez en deux minutes.* 3. Adj. numéral ordinal invar. ⇒ **deuxième, second.** *Numéro deux. Tome deux.* II. N. m. invar. 1. Nombre premier succédant à 1 (un). *Le nombre deux. Un et un font deux. Cent cinquante-deux (152). Un virgule deux (1,2).* Loc. *Deux à deux ; deux par deux. Couper qqch. en deux.* — Loc. *C'est clair comme deux et deux font quatre,* c'est évident. — LE DEUX, UN DEUX : carte à jouer *(un deux de trèfle),* dé marqué de deux points. — Deuxième jour du mois. *Nous sommes le deux.* — Numéro deux (d'une rue, etc.). *Elle habite au deux.* 2. Loc. fam. *En moins de deux,* très vite. — *Ne faire ni une ni deux,* se décider rapidement, sans tergiverser. — *Entre les deux,* ni ceci ni cela ; à moitié. *« Fait-il chaud ou froid ? — Entre les deux. »* — PROV. *Jamais deux sans trois,* ce qui arrive deux fois a toute chance d'arriver une troisième fois. 3. Chiffre qui représente ce nombre. *Le deux romain (II). Le deux arabe (2). Effacez ce deux.* ▶ **deuxième** [døzjɛm] adj. n. ■ Qui succède au premier. ⇒ **second.** *Le deuxième chapitre d'un livre. Le deuxième étage,* et ellipt *habiter au deuxième. Un deuxième classe,* un simple soldat. ▶ **deuxièmement** adv. ■ En deuxième lieu (Fam. *deuzio*). ⇒ **secundo.** ▶ **deux-pièces** n. m. invar. I. 1. Ensemble féminin comprenant une jupe et une veste du même tissu. 2. Maillot de bain formé d'un slip et d'un soutien-gorge. ⇒ **bikini.** II. Appartement de deux pièces principales. ▶ **deux-roues** [døʀu] n. m. invar. ■ Véhicule à deux roues (bicyclette, cyclomoteur, moto). ▶ **deux-temps** [døtɑ̃] n. m. invar. ■ Moteur à deux temps ; véhicule ayant ce moteur (voiture, deux-roues). ⟨ **entre-deux, entre-deux-guerres,** à la **six-quatre-deux** ⟩

dévaler [devale] v. ■ conjug. 1. 1. V. intr. Aller vers le bas, brutalement ou très rapidement. ⇒ **descendre, tomber.** *Rochers qui dévalent de la montagne.* 2. V. tr. Descendre rapidement (qqch.). ⇒ **dégringoler.** *Il dévalait l'escalier quatre à quatre.*

dévaliser [devalize] v. tr. ■ conjug. 1. 1. Voler à (qqn) ce qu'il a sur lui, avec lui. *Des cambrioleurs l'ont dévalisé.* 2. Vider (un lieu) des biens qui s'y trouvent. ⇒ **cambrioler.** *Des cambrioleurs ont dévalisé son appartement.* — Fig. *Dévaliser un magasin,* y faire des achats importants.

dévaloriser [devalɔʀize] v. tr. ■ conjug. 1. 1. Diminuer la valeur (spécialt de la monnaie). ⇒ **déprécier, dévaluer.** — Pronominalement. *Monnaie qui se dévalorise.* — Au p. p. adj. *Marchandise dévalorisée,* qui a perdu de sa valeur. 2. Déprécier, faire mal juger (qqn, qqch.). *Il cherche à le dévaloriser auprès de ses amis. Dévaloriser le travail de qqn.* — Pronominalement. *Il se dévalorise en faisant cela.* ▶ **dévalorisation** n. f. ■ *L'inflation entraîne la dévalorisation de la monnaie.* ≠ **dévaluation.**

dévaluer [devalɥe] v. tr. ▪ conjug. 1. ▪ Abaisser la valeur légale de (une monnaie). *Dévaluer le franc.* ▶ *dévaluation* n. f. ▪ Abaissement de la valeur légale d'une monnaie. *Dévaluation du franc, de la livre.*

devancer [d(ə)vɑ̃se] v. tr. ▪ conjug. 3. **1.** Être devant (d'autres qui avancent), laisser derrière soi. ⇒ **dépasser, distancer.** *Un coureur cycliste qui devance le peloton.* **2.** Être avant, quant au rang, au mérite, dans la recherche commune du même but. ⇒ **surpasser.** *Devancer tous ses rivaux.* **3.** Arriver avant (qqn) dans le temps. ⇒ **précéder.** *Nous vous avons devancés au rendez-vous.* **4.** Aller au-devant de. *Devancer les désirs de qqn.* ⇒ **prévenir.** *Il a devancé toutes les objections.* **5.** Faire (qqch.) en avance. *Devancer l'appel,* s'engager dans l'armée avant d'avoir l'âge d'y être appelé. ▶ *devancier, ière* n. ▪ Personne qui en a précédé une autre dans ce qu'elle fait. ⇒ **prédécesseur.** *Marcher sur les traces de ses devanciers.* / contr. **successeur** /

① *devant* [d(ə)vɑ̃] prép. et adv. **I.** Prép. **1.** Du même côté que le visage d'une personne, que le côté visible ou accessible d'une chose. ⇒ en **avant,** en **face, vis-à-vis.** / contr. **derrière** / *Il a arrêté sa voiture devant le magasin. Ne vous mettez pas devant moi, je ne vois rien. Ôtez-vous de devant moi.* **2.** En présence de (qqn, qqch.). *Ne dites pas cela devant lui. Pleurer devant tout le monde. Tous les hommes sont égaux devant la loi.* ⇒ à l'**égard** de. *Reculer devant le danger.* **3.** Dans la direction qui est en face d'une personne, d'une chose ; à l'avant de. *Aller droit devant soi.* — Abstrait. *Avoir du temps, de l'argent devant soi,* en réserve. **II.** Adv. Du côté du visage d'une personne, de la face d'une chose ; en avant. *Passez devant puisque vous êtes pressé. Vêtement qui se ferme devant.* — PAR-DEVANT : du côté qui est devant. *Voiture endommagée par-devant. Passez par-devant.* 〈 ▶ devancer, ② devant, devanture 〉

② *devant* n. m. **1.** La partie qui est placée devant. *Chambres sur le devant.* / contr. **arrière** / *Les pattes de devant* (d'un animal). ⇒ **antérieur. 2.** *Prendre* LES DEVANTS : devancer qqn ou qqch. pour agir avant ou l'empêcher d'agir. **3.** AU-DEVANT DE loc. prép. : à la rencontre de. *Nous irons au-devant de vous.* Fig. *Aller au-devant du danger,* s'exposer témérairement. *Aller au-devant des désirs de qqn,* les combler avant qu'il les exprime. ⇒ **prévenir.**

devanture [d(ə)vɑ̃tyʀ] n. f. **1.** Façade, revêtement du devant d'une boutique. *Faire la devanture d'un magasin.* **2.** Étalage des marchandises, soit à la vitrine, soit dehors. *Flâner en regardant les devantures des magasins* (→ faire du lèche-vitrines).

dévaster [devaste] v. tr. ▪ conjug. 1. ▪ Ruiner (un pays) en détruisant totalement ses richesses. ⇒ **ravager.** *Les guerres ont dévasté cette région. Les criquets ont dévasté les récoltes.* ⇒ **détruire.** ▶ *dévastateur, trice* adj. ▪ Qui dévaste, détruit tout. *Torrent dévastateur. Une guerre dévastatrice.* ▶ *dévastation* n. f. ▪ Action de dévaster ; son résultat. ⇒ **ravage.** *Les dévastations du cyclone, causées par le cyclone.*

déveine [devɛn] n. f. ▪ Fam. Malchance. *Quelle déveine !* ⇒ **guigne, poisse.**

développement [devlɔpmɑ̃] n. m. **I.** Concret. **1.** Action de développer (une pellicule photographique). *Le développement et le tirage d'une pellicule.* **2.** Distance correspondant à un tour de pédale de bicyclette. **II.** **1.** (Organisme, organe) Action de se développer. ⇒ **croissance.** *Le développement des bourgeons, d'une tige. Être arrêté, gêné dans son développement. Le développement de l'intelligence, de l'esprit (par la culture).* **2.** Progrès, en extension ou

en qualité. *Le développement du commerce, d'une affaire. Affaire prospère, en plein développement.* ⇒ **essor, extension.** — Loc. *Pays* EN VOIE DE DÉVELOPPEMENT (tend à remplacer l'expression *pays sous-développé*). — *Les développements d'un incident,* ses prolongements. **3.** Exposition détaillée d'un sujet. ⇒ **exposé, détail.** *Entrer dans des développements superflus.* 〈 ▶ sous-développement 〉

développer [devlɔpe] v. tr. ▪ conjug. 1. **I.** **1.** Étendre (ce qui était plié) ; donner toute son étendue à. *Armée qui développe ses ailes.* ⇒ **déployer, étendre. 2.** Développer un cliché, une pellicule, faire apparaître les images fixées sur la pellicule, au moyen de procédés chimiques. *Donner une pellicule à développer.* **3.** Faire croître ; donner de l'ampleur à. *Les exercices physiques développent la musculature. Développer l'intelligence d'un enfant. Développer son savoir, ses connaissances.* ⇒ **enrichir. 4.** Exposer en détail, étendre en donnant plus de détails. ⇒ **expliquer.** / contr. **résumer** / *Développer un argument, un chapitre.* **II.** SE DÉVELOPPER v. pron. **1.** (Êtres vivants) Croître, s'épanouir. *Adolescent qui se développe rapidement.* — Au p. p. adj. *Poitrine très développée. La vue est le sens le plus développé chez les oiseaux.* **2.** Abstrait. Prendre de l'extension, de l'importance. *L'affaire s'est développée.* 〈 ▶ développement, sous-développé 〉

① *devenir* [dəvniʀ] v. intr. ▪ conjug. 22. **1.** Passer d'un état à (un autre), commencer à être (ce qu'on n'était pas). *Devenir plus grand, plus gros. Il est devenu fou. Elle est devenue riche et célèbre. Devenir ministre. Elle est devenue sa femme.* — (Suj. chose) *Le temps devient froid. La situation devenait difficile.* — Se transformer. *L'ogre devint une souris et le chat la croqua. Devenir une source de désagrément.* **2.** Être dans un état, avoir un sort, un résultat nouveau (dans les phrases interrogatives ou dubitatives). *Qu'allons-nous devenir ? Que sont devenues vos belles résolutions ? Qu'est devenu mon chapeau ?,* où est-il passé ? — Fam. *Qu'est-ce que vous devenez ?,* se dit pour demander des nouvelles d'une personne qu'on n'a pas vue depuis quelque temps. ▶ ② *devenir* n. m. ▪ Didact. Le passage d'un état à un autre ; la suite des changements. ⇒ **changement.** *Le devenir du monde.* ⇒ **futur.** *La conscience est en perpétuel devenir.* ⇒ **évolution.** 〈 ▶ redevenir 〉

dévergondé, ée [devɛʀgɔ̃de] adj. ▪ Qui ne respecte pas les règles de la morale ni les normes sociales reconnues. *Des jeunes gens dévergondés. Une allure dévergondée.* ⇒ **débauché.** — N. Surtout au fém. Personne jeune dont la conduite est trop libre. *Une petite dévergondée.* ▶ se *dévergonder* v. pron. ▪ conjug. 1. ▪ Devenir dévergondé.

déverrouiller [deveʀuje] v. tr. ▪ conjug. 1. ▪ Ouvrir en tirant le verrou. *Déverrouiller une porte.*

par-devers [paʀdəvɛʀ] loc. prép. ▪ En la possession de. ⇒ **avec.** *Je garde ces papiers par-devers moi.*

déverser [devɛʀse] v. tr. ▪ conjug. 1. **1.** V. pron. SE DÉVERSER : couler d'un lieu dans un autre. *L'eau se déverse dans le bassin. Les eaux usées des usines se déversent dans la rivière.* ⇒ s'**écouler, se jeter,** se **vider. 2.** Déposer, laisser tomber en versant. *Les avions ont déversé des tonnes de bombes sur l'objectif.* **3.** Laisser sortir, répandre en grandes quantités. *Chaque train déverse des flots de voyageurs.* — Abstrait. *Déverser sa rancune.* ▶ *déversement* n. m. ▪ Action de déverser. ▶ *déversoir* n. m. ▪ Orifice par lequel s'écoule le trop-plein d'un canal, d'un réservoir. ⇒ **vanne.** *Le déversoir d'un barrage.*

dévêtir [devetiʀ] v. tr. ▪ conjug. 20. Littér. **1.** Dépouiller (qqn) de ses vêtements. ⇒ **déshabiller.**

Dévêtir un blessé. **2.** V. pron. SE DÉVÊTIR : enlever ses vêtements, certains vêtements.

dévider [devide] v. tr. ▪ conjug. 1. **1.** Dérouler. *Dévider une bobine de fil.* **2.** *Dévider un chapelet*, le faire passer entre ses doigts. — Abstrait. Fam. *Dévider son chapelet, son écheveau*, raconter, débiter tout ce qu'on a à dire.

dévier [devje] v. ▪ conjug. 7. **1.** V. intr. Se détourner, être détourné de sa direction, de sa voie. *La balle a dévié.* — DÉVIER DE *qqch.* : s'écarter de. *Dévier de son chemin.* — Abstrait. *Dévier de ses principes. Dévier de la bonne voie.* ⇒ **sortir. 2.** V. tr. Écarter de la direction normale. *Dévier la circulation.* ▶ **déviation** n. f. **I. 1.** Action de sortir de la direction normale ; son résultat. *La déviation d'un avion par rapport à sa route.* **2.** Changement anormal de position dans le corps. *Une déviation de la colonne vertébrale.* ⇒ **déformation, scoliose. 3.** Fig. Changement (considéré comme mauvais). ⇒ **aberration, écart. II. 1.** Action de dévier (un projectile, un véhicule). *Déviation des véhicules pour cause de travaux.* **2.** Chemin que doivent prendre les véhicules déviés. ⇒ **détour.** *Emprunter une déviation.* ▶ **déviationnisme** n. m. ▪ Attitude qui s'écarte de la doctrine, chez les membres d'un parti politique. / contr. **orthodoxie** / ▶ **déviationniste** n. et adj. ▪ *Les déviationnistes de droite, de gauche.*

devin, devineresse [dəvɛ̃, dəvinʀɛs] n. ▪ Vieilli. Personne qui prétend découvrir ce qui est caché, prédire l'avenir par des moyens qui ne relèvent pas d'une connaissance naturelle ou ordinaire. ⇒ **prophète, voyant.** *Les devins babyloniens, grecs, romains, sibériens* (appelés *chamans* [ʃaman], n. m.), *africains...* — Loc. *Je ne suis pas devin,* je ne puis savoir, deviner, prévoir cela. ▶ **deviner** v. tr. ▪ conjug. 1. **1.** Parvenir à connaître par conjecture, supposition, intuition. ⇒ **découvrir, entrevoir, pressentir, trouver.** *Deviner un secret. Deviner les intentions de qqn. Je devine où il veut en venir.* ⇒ **voir. 2.** Trouver la solution de (une énigme). *Deviner une charade.* ▶ **devinette** n. f. ▪ Question posée sous une forme bizarre ou plaisante, et dont il faut deviner la réponse. ⇒ **énigme.** *Poser une devinette.* — Au plur. Jeu où l'on pose des questions. *Les enfants jouent aux devinettes.*

devis [d(ə)vi] n. m. invar. ▪ État détaillé des travaux à exécuter avec l'estimation des prix. *Demander, établir un devis pour une réparation. Le devis d'un peintre, d'un imprimeur.*

dévisager [deviʒaʒe] v. tr. ▪ conjug. 3. ▪ Regarder (qqn) avec attention, avec insistance. ⇒ **fixer.** *Les élèves dévisageaient le nouveau avec curiosité.* ≠ **défigurer.**

① **devise** [d(ə)viz] n. f. **1.** Formule qui accompagne l'écu dans les armoiries. *Devise des chevaliers.* **2.** Paroles exprimant une pensée, un sentiment, un mot d'ordre. « *Liberté, Égalité, Fraternité* », *devise de la République française.* **3.** Règle de vie, d'action. *Ne pas m'en faire, voilà ma devise.*

② **devise** n. f. ▪ Valeur étrangère négociable dans un pays. — Monnaie étrangère. *Prix des devises étrangères.* ⇒ **change.** *Le cours officiel des devises.*

deviser [dəvize] v. intr. ▪ conjug. 1. ▪ Littér. S'entretenir familièrement. ⇒ **converser, parler.** *Nous devisions gaiement. Deviser de choses et d'autres.*

dévisser [devise] v. ▪ conjug. 1. **1.** V. tr. Défaire (ce qui est vissé). *Dévisser le bouchon d'un tube, un tube.* — Fig. *Dévisser qqn de sa place*, l'en sortir. **2.** V. intr. Alpinisme. Lâcher prise et tomber, en montagne. ▶ **dévissage** n. m. ▪ *Le dévissage d'un bocal.*

de visu [devizy] loc. adv. ▪ Après l'avoir vu, pour l'avoir vu. *Se rendre compte de qqch. de visu.*

dévitaliser [devitalize] v. tr. ▪ conjug. 1. ▪ Priver (une dent) de son tissu vital (pulpe et nerfs). — Au p. p. adj. *Une molaire dévitalisée.*

dévoiler [devwale] v. tr. ▪ conjug. 1. **1.** Enlever le voile de (qqn), ce qui cache (qqch.). ⇒ **découvrir.** *Dévoiler une statue que l'on inaugure.* — Pronominalement. *Musulmane qui se dévoile.* **2.** Découvrir (ce qui était secret). ⇒ **révéler.** *Dévoiler un secret, un complot. Il ne veut pas dévoiler ses intentions.* — Pronominalement. Se montrer, se manifester, devenir connu. ⇒ **apparaître.** *Le mystère se dévoile peu à peu.* / contr. **cacher, taire** / ▶ **dévoilement** n. m. ▪ Action de dévoiler, de se dévoiler.

① **devoir** [d(ə)vwaʀ] v. tr. ▪ conjug. 28. — REM. Part. passé masc. sing. *dû*, fém. *due*, plur. *du(e)s.* **I.** DEVOIR À. **1.** Avoir à payer (une somme d'argent), à fournir (qqch. en nature) à qqn. *Il me doit dix mille francs. Payer ce que l'on doit* (⇒ **dette**). — Au passif. *L'argent qui m'est dû.* **2.** Être redevable (à qqn ou à qqch.) de ce qu'on possède. ⇒ **tenir** de. *Il ne veut rien devoir à personne. Devoir la vie à qqn, être sauvé par lui.* — (Avec *de* + infinitif) *Je lui dois d'être en vie. Je lui dois d'avoir réussi.* — *Être dû à*, avoir pour cause. *Sa réussite est due au hasard.* **3.** Être tenu à (qqch., par rapport à qqn) par la loi, les convenances, la morale. *Je vous dois des excuses. On lui doit le respect. Je lui dois bien cela,* il le mérite pour les services qu'il m'a rendus. — Pronominalement. SE DEVOIR DE. *Je me dois de le prévenir,* c'est un devoir pour moi. **II.** (+ infinitif) **1.** Être dans l'obligation de (faire qqch.). ⇒ **avoir** à. *Il doit terminer ce travail ce soir. Vous auriez dû me prévenir.* — *Tu as agi comme tu devais* (faire). — (Au conditionnel) *Tu devrais aller la voir à l'hôpital,* ce serait bien si... — *Il a dû s'arrêter tellement il était fatigué.* **2.** (Exprimant la nécessité) *Cela devait arriver ; il devait en être ainsi. Il devait mourir deux jours plus tard,* il est mort deux jours après le jour dont je parle. **3.** Avoir l'intention de. ⇒ **penser.** *Nous devions l'emmener avec nous, mais il est tombé malade.* **4.** (Exprimant la vraisemblance, la probabilité, l'hypothèse) *On doit avoir froid dans un tel pays. Vous devez vous tromper,* vous vous trompez, selon moi. *Il ne devait pas être bien tard quand il est parti.* **III.** SE DEVOIR v. pron. **1.** (Réfl.) Être obligé de se consacrer à. *Se devoir à ses enfants.* **2.** (Passif impers.) *Comme il se doit,* comme il le faut, ou fam. comme c'était prévu. ▶ ② **devoir** n. m. **1.** Le *devoir*, obligation morale générale. *Agir par devoir. Un homme de devoir,* qui respecte l'obligation morale. **2.** *(Un, des devoirs)* Ce que l'on doit faire, défini par le système moral que l'on accepte, par la loi, les convenances, les circonstances. ⇒ **charge, obligation, responsabilité, tâche.** *Accomplir, faire, remplir, suivre son devoir. Droits et devoirs. Assumer tous les devoirs d'un rôle, d'une charge.* — Loc. *Il est de mon devoir de* (+ infinitif). *Manquer à son devoir, à tous ses devoirs.* — *Devoir professionnel,* attaché à une profession. *Faire son devoir de citoyen,* voter. **3.** Au plur. Loc. *Rendre à qqn* LES DERNIERS DEVOIRS : aller à son enterrement. **4.** Exercice scolaire qu'un professeur fait faire à ses élèves. *Corriger des devoirs.* ⟨ ▶ **dû, indu, redevable** ⟩

dévolu, ue [devɔly] adj. et n. m. **1.** Acquis, échu par droit. *Succession dévolue à l'État, faute d'héritiers.* **2.** N. m. Loc. JETER SON DÉVOLU *sur une personne, sur une chose* : fixer son choix sur elle, manifester la prétention de l'obtenir.

dévorer [devɔʀe] v. tr. ▪ conjug. 1. **1.** Manger en déchirant avec les dents. *Le tigre dévore sa proie.* — Par exagér. Passif. *Être dévoré par les moustiques.* **2.** (Personnes) Manger avidement, gloutonnement (qqch.). ⇒ **engloutir, engouffrer.** — Absolt. *Cet enfant ne mange pas, il dévore.* **3.** Lire avec avidité. *Il dévore des romans.* **4.** *Dévorer qqn, qqch. des yeux*, regarder avec avidité (ce qu'on désire, ce qui intéresse passionnément). **5.** Faire disparaître rapidement. *Les flammes dévoraient l'édifice.* ⇒ **brûler, consumer.** *Cela dévore tout mon temps.* ⇒ **absorber. 6.** Faire éprouver une sensation pénible, un trouble violent à (qqn). ⇒ **tourmenter.** *La soif, le mal qui le dévore. L'impatience me dévorait.* — Au passif. *Être dévoré de remords.* ▶ *dévorant, ante* adj. **1.** *Une faim dévorante*, qui pousse à manger beaucoup. ⇒ **avide. 2.** Qui consume, détruit. *Un feu dévorant.* — Fig. *Une passion dévorante.* ⇒ **ardent, brûlant, dévastateur.**

dévot, ote [devo, ɔt] adj. et n. **1.** Qui est sincèrement attaché à la religion et à ses pratiques. ⇒ **pieux.** *Les personnes dévotes.* **2.** N. FAUX DÉVOT : personne qui affecte hypocritement une dévotion outrée. ⇒ **tartufe.** ▶ *dévotion* n. f. **1.** Attachement sincère et fervent à la religion et à ses pratiques. ⇒ **piété.** *Être rempli de dévotion. Objets de dévotion* (ex. : *chapelet, croix,* etc.). — Péj. *Être confit en dévotion.* **2.** Au plur. Pratique de dévotion. *Faire ses dévotions.* **3.** Culte que l'on rend (à un saint, etc.). *La dévotion à la Vierge.* — REM. *Dévotion*, comme *dévot*, se dit surtout de la religion chrétienne. **4.** Fig. Attachement, dévouement. *Il a une véritable dévotion pour sa fiancée.* ⇒ **adoration, vénération.** — *Être à* LA DÉVOTION DE *qqn* : lui être tout dévoué.

se dévouer [devwe] v. pron. ▪ conjug. 1. **1.** Faire une chose pénible (effort, privation) au profit d'une personne, d'une cause. ⇒ **se sacrifier.** *Il est toujours prêt à se dévouer. Elle s'est dévouée pour le soigner.* **2.** Au passif. *Être dévoué à qqn*, être prêt à le servir, lui être acquis. *Il lui est tout dévoué.* ▶ *dévoué, ée* adj. ▪ Qui consacre tous ses efforts à servir qqn, à lui être agréable. *C'est l'ami le plus dévoué.* ⇒ **fidèle, serviable.** *Veuillez croire à mes sentiments dévoués,* (formule par laquelle on termine une lettre). ▶ *dévouement* [devumɑ̃] n. m. **1.** Action de sacrifier sa vie, ses intérêts (à une personne, à une communauté, à une cause). ⇒ **abnégation, sacrifice.** *Dévouement d'un savant à son œuvre.* **2.** Disposition à servir, à se dévouer pour qqn. ⇒ **bonté.** *Soigner qqn avec beaucoup de dévouement.*

dévoyé, ée [devwaje] adj. et n. ▪ Qui est sorti du droit chemin en agissant contre la morale. *Un jeune homme dévoyé.* ⇒ **dévergondé.** — N. *Un(e) jeune dévoyé(e)*, qui a commis des actes répréhensibles. ⇒ **délinquant.**

dextérité [dɛksteʁite] n. f. **1.** Adresse des mains ; délicatesse, aisance dans l'exécution de qqch. ⇒ **adresse, agilité, légèreté.** *Manier le pinceau avec dextérité.* / contr. **gaucherie** / **2.** Adresse d'esprit pour mener une affaire à bien. ⇒ **art, habileté.** *Il a négocié l'affaire avec dextérité.*

dextre [dɛkstʁ] n. f. ▪ Vx ou plaisant. Main droite. ⟨ ▶ **ambidextre** ⟩

di- ▪ Élément signifiant « deux fois ». ⇒ **bi-.**

à dia [adja] loc. adv. ▪ À gauche. *Tirer à hue et à dia*, en sens contraire ; en employant des moyens qui se contrarient.

diabète [djabɛt] n. m. ▪ Maladie liée à un trouble de l'assimilation des glucides (sucres) et se traduisant par la présence de sucre dans l'urine. *Avoir du diabète.* ▶ *diabétique* adj. ▪ Qui est atteint de diabète. *Il est diabétique.* — N. *Un(e) diabétique. Régime sans sucre pour diabétiques.*

① *diable* [djabl] n. m. **I. 1.** Démon, personnage représentant le mal, dans la tradition populaire. *Un diable à queue fourchue.* **2.** *Le diable*, le prince des démons. ⇒ **démon.** — Loc. *Ne craindre ni Dieu ni diable. Donner, vendre son âme au diable. Avoir* LE DIABLE AU CORPS : avoir de l'énergie pour faire le mal ; avoir une vitalité incontrôlable. *S'agiter comme un diable,* COMME UN BEAU DIABLE : se démener. — *Tirer le diable par la queue*, avoir peine à vivre avec de maigres ressources. *C'est bien le diable si...*, ce serait bien étonnant, extraordinaire. — *Ce n'est pas le diable*, ce n'est pas difficile. **3.** AU DIABLE : très loin. *Habiter au diable,* ou fam. *au diable vert. Envoyer qqn au diable*, le renvoyer avec colère ou impatience. ⇒ fam. **rembarrer.** *Allez au diable !* — À LA DIABLE : sans soin, de façon désordonnée. *Travail fait à la diable.* — DU DIABLE : extrême, excessif. *Il fait un froid, un vent du diable. Un vacarme du diable. Une peur* DE TOUS LES DIABLES. — EN DIABLE : très, terriblement. *Il est paresseux en diable.* **4.** Interj. (Exprimant la surprise, l'étonnement admiratif ou indigné) ⇒ vx **diantre.** *Diable ! C'est un peu cher. Où diable est-il caché ?* **II.** (Personnes) **1.** Enfant vif, emporté, turbulent, insupportable. *Cet enfant est un vrai diable.* — Adj. *Il est bien diable.* ⇒ **turbulent. 2.** *Un* PAUVRE DIABLE : homme malheureux, pauvre, pitoyable. *Un bon diable*, brave homme (bon bougre). — *Un grand diable*, homme très grand, dégingandé. **3.** DIABLE DE (valeur d'adj.) : bizarre, singulier ou mauvais. ⇒ **drôle.** *Un diable d'homme. Des diables d'affaires.* ▶ *diablement* adv. ▪ Fam. Très. ⇒ **rudement, terriblement.** *Il est diablement fort sur ce sujet.* ▶ *diablerie* n. f. **1.** Parole, action pleine de turbulence, de malice. *Ces enfants ne cessent d'inventer des diableries pour se distraire.* ⇒ **espièglerie. 2.** Au Moyen Âge. Mystère ② dans lequel des diables étaient en scène. ▶ *diablesse* n. f. ▪ Diable femelle. — *Femme très active, remuante.* ▶ *diablotin* n. m. ▪ Petit diable. — Jeune enfant très espiègle. ▶ *diabolique* adj. **1.** Qui tient du diable. *Pouvoir diabolique.* ⇒ **démoniaque. 2.** Extrêmement méchant. *Un sourire diabolique. Invention, machination diabolique*, pleine de ruse et de méchanceté. ⇒ **infernal, satanique.** ⟨ ▶ **endiablé** ⟩

② *diable* n. m. ▪ Petit chariot à deux roues qui sert à transporter des caisses, des sacs, etc.

diabolo [djabolo] n. m. ▪ Boisson faite de limonade et d'un sirop. *Des diabolos menthe.*

diacre [djakʁ] n. m. ▪ Homme faisant partie du clergé catholique, qui a reçu le second des ordres majeurs (dit *diaconal, ale, aux* [djakɔnal, o], adj.), mais n'est pas (encore) prêtre. ⟨ ▶ **sous-diacre** ⟩

diacritique [djakʁitik] adj. ▪ En grammaire. Se dit des signes d'écriture (points, accents) qui permettent de distinguer deux mots. *Dans « à », dû », « où »*, les accents sont des signes diacritiques.

diadème [djadɛm] n. m. **1.** Bandeau qui, dans l'Antiquité, était l'insigne du pouvoir monarchique. **2.** Bijou féminin en forme de couronne, que l'on pose sur les cheveux.

diagnostic [djagnɔstik] n. m. **1.** Action de déterminer une maladie d'après les symptômes. *Erreur de diagnostic.* **2.** Prévision, hypothèse tirée de signes. *Faire le diagnostic d'une crise économique. Un diagnostic de crise.* ▶ *diagnostiquer* [djagnɔstike] v. tr. ▪ conjug. 1. ▪ Reconnaître (une maladie) en faisant le diagnostic. *Diagnostiquer une typhoïde.* — Déceler, prévoir, d'après des indices. *Les experts hésitent à diagnostiquer une crise économique.*

diagonale [djagɔnal] n. f. **1.** Droite qui joint deux sommets non consécutifs (opposés) d'un polygone. *Les deux diagonales d'un rectangle.* **2.** EN DIAGONALE. *Traverser une rue en diagonale*, en biais, obliquement. — Fam. *Lire le journal, un article en diagonale*, très rapidement.

diagramme [djagʀam] n. m. **1.** Tracé géométrique sommaire des parties d'un ensemble et de leur disposition les unes par rapport aux autres. *Le diagramme d'une fleur.* **2.** Tracé destiné à présenter sous une forme graphique le déroulement et les variations (d'un phénomène). ⇒ **courbe, graphique.** *Diagramme de natalité. Le diagramme des exportations.*

dialecte [djalɛkt] n. m. ■ Forme nettement distincte, régionale, d'une langue. *Dialecte rural.* ⇒ **patois.** *Le wallon, dialecte français de Belgique* (différent du français régional de Belgique). ▶ *dialectal, ale, aux* adj. ■ D'un dialecte. ▶ *dialectologie* n. f. ■ Étude des dialectes.

dialectique [djalɛktik] n. f. et adj. **1.** Ensemble des moyens mis en œuvre dans la discussion en vue de démontrer, réfuter. *Une dialectique savante.* — Recherche de la vérité par la discussion, le dialogue. **2.** Méthode de pensée qui procède par l'opposition des contraires (thèse, antithèse) et s'efforce ensuite de résoudre ses oppositions dans une synthèse. *La dialectique marxiste.* **3.** Adj. Qui opère par la dialectique (2). *Le matérialisme historique et dialectique de Marx.* ▶ *dialecticien, ienne* n. ■ Personne qui emploie les procédés de la dialectique dans ses raisonnements.

dialogue [djalɔg] n. m. **1.** Entretien entre deux personnes. ⇒ **conversation.** *Les deux interlocuteurs ont eu un long dialogue. Entamer, poursuivre un dialogue avec qqn.* — Contact, discussions entre deux groupes. *Le gouvernement veut renouer le dialogue avec les syndicats.* ⇒ **négociation, pourparlers.** **2.** Ensemble des paroles qu'échangent les personnages (d'une pièce de théâtre, d'un film, d'un récit). *Prévert est l'auteur du dialogue, des dialogues de ce film. Ce dialogue manque de vérité.* **3.** Ouvrage littéraire, philosophique, en forme de conversation. *Les dialogues de Platon.* ▶ *dialoguer* v. ■ conjug. 1. **1.** V. intr. Avoir un dialogue (avec qqn). ⇒ **s'entretenir.** *Les deux ministres ont dialogué.* — *Dialoguer avec un ordinateur* (→ mode conversationnel). **2.** V. tr. Mettre en dialogue. *Dialoguer un roman pour le porter à l'écran.* ▶ *dialoguiste* n. ■ Auteur du dialogue d'un film.

diamant [djamɑ̃] n. m. **1.** Pierre précieuse, la plus brillante et la plus dure de toutes. *Bague sertie de diamants. Diamant taillé. Diamant monté seul.* ⇒ **solitaire.** *Parure, rivière de diamants.* **2.** Instrument au bout duquel est enchâssée une pointe de diamant et qui sert à couper le verre, les glaces. *Diamant de vitrier.* **3.** Pointe de lecture d'un électrophone. *Saphirs et diamants.* ▶ *diamantaire* n. ■ Personne qui taille ou vend des diamants. ⇒ **joaillier.** ▶ *diamanté, ée* adj. ■ Garni de diamants. ▶ *diamantifère* adj. ■ Qui contient du diamant. *Sable diamantifère.*

diamètre [djamɛtʀ] n. m. **1.** Ligne droite qui passe par le centre d'un cercle, d'une sphère. **2.** La plus grande largeur ou grosseur d'un objet cylindrique ou arrondi. *Le diamètre d'un arbre. Diamètre d'un tube.* ⇒ **calibre.** ▶ *diamétralement* adv. ■ Loc. *S'opposer diamétralement.* ⇒ **absolument, entièrement.** *Opinions, intérêts diamétralement opposés.*

diantre [djɑ̃tʀ] interj. ■ Vx. Juron qui marquait l'étonnement, la perplexité ou l'admiration. ⇒ ① **diable.**

diapason [djapazɔ̃] n. m. **1.** Petit instrument d'acier en forme de fourche, qui donne le la lorsqu'on le fait vibrer. **2.** AU DIAPASON : en harmonie avec les idées, les dispositions (de qqn, d'un groupe). *Être, se mettre au diapason de qqn.*

diaphane [djafan] adj. **1.** Qui laisse passer à travers soi les rayons lumineux sans laisser distinguer la forme des objets. ⇒ **translucide.** *Le verre dépoli est diaphane.* / contr. **opaque** / **2.** Littér. Très pâle et qui donne une impression de fragilité. *Teint, peau diaphane. Des mains diaphanes,* blanches et à la peau fine.

diaphragme [djafʀagm] n. m. **1.** Muscle large et mince qui sépare la poitrine de l'abdomen. **2.** Membrane vibrante de certains appareils acoustiques. *Diaphragme de haut-parleur, de microphone.* **3.** Disque opaque percé d'une ouverture réglable, pour faire entrer plus ou moins de lumière dans un appareil de photo. *Régler l'ouverture du diaphragme.* **4.** Préservatif pour les femmes.

diapositive [djapozitiv] ou *diapo* [dja po] n. f. ■ Photo exécutée sur un support transparent et destinée à la projection. *Elle nous a montré ses diapos de Grèce. Passer des diapositives en couleurs.*

diapré, ée [djapʀe] adj. ■ Littér. De couleur variée et changeante. *Papillon diapré. Étoffe diaprée.* ⇒ **chatoyant.** *Une prairie diaprée de fleurs.* ▶ *diaprure* n. f. ■ Aspect de ce qui est diapré. *La diaprure des ailes d'un papillon.*

diarrhée [djaʀe] n. f. ■ Évacuation fréquente d'excréments liquides. ⇒ **colique** ; fam. **chiasse, courante.** *Avoir la diarrhée.* / contr. **constipation** /

diaspora [djaspɔʀa] n. f. **1.** Histoire. Dispersion des Juifs exilés de leur pays. — Dispersion d'un peuple. *La diaspora palestinienne.* **2.** Population ainsi dispersée. *La diaspora arménienne de France.*

diastole [djastɔl] n. f. ■ Mouvement de dilatation du cœur qui alterne avec la contraction. ⇒ **systole.** *Le sang pénètre dans le cœur par la diastole.*

diatomée [djatɔme] n. f. ■ Algue brune microscopique, formée d'une seule cellule.

diatonique [djatɔnik] adj. ■ Qui procède par tons et demi-tons consécutifs (opposé à *chromatique*). *Gamme diatonique.*

diatribe [djatʀib] n. f. ■ Critique violente. *Se lancer dans une longue diatribe contre qqn, qqch. Il a écrit une diatribe contre le gouvernement.* ⇒ **pamphlet.**

dichotomie [dikɔtɔmi] n. f. ■ Didact. Division, opposition (entre deux éléments, deux idées).

dico [diko] n. m. ■ Fam. Dictionnaire. *Des vieux dicos. Regarde dans le dico.*

dicotylédone [dikɔtiledɔn] adj. et n. f. ■ (Plante) Dont la graine a deux cotylédons*. — *Les dicotylédones,* n. f. pl. (classes de végétaux).

dictaphone [diktafɔn] n. m. ■ Magnétophone servant à la dictée du courrier.

dictateur [diktatœʀ] n. m. ■ Personne qui, après s'être emparé du pouvoir, l'exerce sans contrôle. ⇒ **despote, tyran.** *Un dictateur fasciste. Dictateurs militaires.* ▶ *dictatorial, iale, iaux* adj. ■ Des *pouvoirs dictatoriaux.* ▶ *dictature* n. f. **1.** Histoire. Magistrature extraordinaire, la plus élevée de toutes, chez les Romains. **2.** Concentration de tous les pouvoirs (entre les mains d'un individu, d'une assemblée, d'un parti, d'une classe). *La dictature de Cromwell, de la Convention. Dictature militaire. La dictature fasciste.* — *Dictature du prolétariat* (dans les régimes socialistes). **3.** Pouvoir absolu, suprême dans un domaine quelconque. *Exercer une dictature scientifique, littéraire.*

dictée [dikte] n. f. **1.** Action de dicter. *Écrire une lettre sous la dictée.* — Abstrait. *Parler, agir sous la dictée des circonstances, des événements.* **2.** Exercice scolaire consistant en un texte lu qui doit être transcrit selon les règles de l'orthographe. *Avoir trois fautes dans sa dictée.* ▶ **dicter** v. tr. ▪ conjug. 1. **1.** Dire (qqch.) à haute voix en détachant les mots ou les membres de phrases, pour qu'une autre personne les écrive. *Dicter une lettre à son secrétaire. Dicter ses instructions. Dicter aux élèves l'énoncé d'un problème.* **2.** Indiquer en secret, à l'avance, à qqn (ce qu'il doit dire ou faire). *Dicter à qqn sa conduite. Son attitude, ses réponses ont été dictées,* on lui a fait la leçon. — (Suj. chose) *L'attitude de nos adversaires dictera la nôtre.* ⇒ **commander. 3.** Stipuler et imposer. *Dicter ses conditions.* ⟨ ▶ autodictée ⟩

diction [diksjɔ̃] n. f. ▪ Manière de dire, de réciter un texte, des vers, etc. ⇒ **élocution.** *Professeur de diction. Il avait une diction très nette.*

dictionnaire [diksjɔnɛʀ] n. m. **1.** Recueil de mots, d'expressions d'une langue, présentés dans un ordre convenu et destiné à apporter une information. ⇒ fam. **dico.** *Dictionnaire alphabétique, dictionnaire chinois par clés, dictionnaire idéologique, analogique. Chercher un mot dans un dictionnaire, consulter un dictionnaire. Entrée, article de dictionnaire. Dictionnaire bilingue,* qui donne la traduction des mots, expressions d'une langue dans une autre selon les sens et les emplois. *Dictionnaire de langue,* contenant les mots de la langue, leur usage. *Dictionnaire encyclopédique,* donnant des informations sur les choses désignées par les mots, et traitant les noms propres. *Dictionnaires spécialisés, terminologiques. Dictionnaire de synonymes.* **2.** Ensemble des mots différents contenus dans un texte (un livre, une œuvre, etc.). ⇒ **lexique, répertoire. 3.** Fam. Personne qui sait tout. *C'est un vrai dictionnaire, un dictionnaire vivant !* ⇒ **encyclopédie.**

dicton [diktɔ̃] n. m. ▪ Phrase exprimant une idée générale sous une forme proverbiale. *Un vieux dicton.* ⇒ **proverbe.** ≠ *adage, maxime.*

-didacte ▪ Élément savant, signifiant « qui enseigne, apprend » (ex. : *autodidacte*).

didacticiel [didaktisjɛl] n. m. ▪ Informatique. Logiciel à fonction pédagogique.

didactique [didaktik] adj. **1.** Qui vise à instruire, qui a rapport à l'enseignement. *Ouvrages didactiques.* **2.** Qui appartient à la langue des sciences et des techniques. *Terme didactique.*

dièdre [djedʀ] adj. et n. m. ▪ Géométrie. Qui est déterminé par la rencontre de deux plans. — N. m. *Un dièdre.*

dièse [djɛz] n. m. ▪ Musique. Signe d'altération accidentelle élevant d'un demi-ton chromatique la note devant laquelle il est placé (♯) ; s'oppose à *bémol.* — Adj. *Un do dièse.* ▶ **diéser** v. tr. ▪ conjug. 6. ▪ Placer un dièse devant une note pour la hausser. — Au p. p. adj. *Note diésée.*

diesel [djezɛl] n. m. ▪ Moteur à combustion interne, dans lequel l'allumage est obtenu par compression. — En appos. *Un moteur Diesel.* — *Un diesel,* un véhicule à moteur Diesel. *Des diesels.*

① **diète** [djɛt] n. f. **1.** Régime alimentaire particulier. **2.** Cour. Privation totale ou partielle de nourriture pour raison médicale ou hygiénique. ⇒ **régime.** *Se mettre à la diète.* ▶ **diététique** adj. et n. f. **1.** Adj. Relatif au régime d'alimentation. **2.** N. f. Règles à suivre pour une alimentation équilibrée. — Science de l'alimentation, qui étudie la valeur nutritive, calorifique, etc., des aliments. ▶ **diététicien, ienne** n. ▪ Spécialiste de la diététique.

② **diète** n. f. ▪ Histoire. Assemblée politique (en Allemagne, Suède, Pologne, Suisse, Hongrie). *Luther comparut devant la diète de Worms.*

dieu [djø] n. m. ▪ Principe d'explication de l'existence du monde et des êtres humains, représenté par un être supérieur, tout-puissant (dont les attributs et caractères varient selon les religions) ; cet être, considéré comme devant être seul ou non. *Croire en un dieu, en Dieu, en des dieux* (⇒ **déiste**). *Les athées pensent qu'il n'y a pas de dieu(x).* **I. 1.** (Avec une majuscule, *Dieu,* et l'article) Être suprême unique (dans une religion monothéiste). *Le Dieu des chrétiens, des musulmans* (Allah), *des juifs* (Jéhovah, Yahvé). — Loc. (Chez les chrétiens) *Le* BON DIEU. *Remercier le bon Dieu.* Loc. *On lui donnerait le bon Dieu sans confession,* iron. il (elle) semble d'une parfaite innocence. — Juron. *Bon Dieu de bon Dieu !* **2.** (*Dieu,* sans article, avec une majuscule) L'être éternel, créateur de l'univers (en particulier selon la religion chrétienne). *Le fils de Dieu,* Jésus, le Christ. *La mère de Dieu,* la Vierge Marie. *Dieu le père, le fils et le Saint-Esprit ; Dieu en trois personnes.* ⇒ **trinité.** — Loc. *Recommander son âme à Dieu,* se préparer chrétiennement (ou religieusement) à la mort. — PROV. *L'homme propose, Dieu dispose,* les projets sont souvent contrariés par les circonstances. **3.** Dans les locutions. DIEU SAIT... (Pour appuyer une affirmation ou une négation) *Dieu sait si je dis la vérité.* — (Pour exprimer l'incertitude) *Dieu sait ce que nous ferons demain. Dieu seul le sait !* — *À la grâce de Dieu. Dieu vous bénisse ! Dieu merci ! Dieu soit loué !,* Fam. *C'est pas Dieu possible !,* c'est incroyable. **4.** Interjection marquant un sentiment vif ; apostrophe. *Ah, mon Dieu ! Grand Dieu !* — Jurons. *Nom de Dieu ! Tonnerre de Dieu !* **II.** (Dans le polythéisme) UN DIEU, LES DIEUX. **1.** Être supérieur doué d'un pouvoir sur l'homme et d'attributs particuliers. ⇒ **divinité ; idole.** *Les dieux égyptiens, assyriens. Les dieux, les déesses, et les demi-dieux de la Grèce. Les dieux et les génies de l'animisme.* **2.** Loc. *Il est beau comme un dieu (grec),* très beau. *Jurer ses grands dieux,* jurer solennellement. **3.** Personne (ou chose) divinisée. *C'est son dieu,* il a un culte pour lui. ⇒ **idole.** ⟨ ▶ adieu, à-Dieu-va(t), bondieuserie, demi-dieu, hôtel-Dieu, pardieu, prie-Dieu ⟩

diffamer [difame] v. tr. ▪ conjug. 1. ▪ Chercher à porter atteinte à la réputation, à l'honneur de (qqn). ⇒ **décrier, discréditer, médire** de. *Diffamer un adversaire. Diffamer injustement un honnête homme.* ⇒ **calomnier.** / contr. **louer** / ▶ **diffamateur, trice** n. ▪ Personne qui diffame. ⇒ **calomniateur.** ▶ **diffamation** n. f. **1.** Action de diffamer. ⇒ **calomnie, médisance. 2.** Écrit, parole qui diffame. *Les diffamations d'un pamphlétaire.* ▶ **diffamatoire** adj. ▪ Qui a pour but la diffamation. *Article diffamatoire.*

différemment, différence, différent... ⇒ ② **différer.**

① **différer** [difeʀe] v. tr. ▪ conjug. 6. ▪ Remettre à un autre temps ; éloigner la réalisation de (qqch.). ⇒ **remettre, repousser, retarder.** *Différer un paiement, une réponse.* — Littér. *Sans différer.* ⇒ **attendre, tarder.** ▶ **différé, ée** adj. ▪ Qui est fait ou qui est renvoyé à un moment ultérieur. *Crédit différé.* — *Émission différée de télévision,* donnée après avoir été faite et non en même temps. — N. m. *Émission en différé* (opposé à *en direct*).

② **différer** v. intr. ▪ conjug. 6. **1.** Être différent, dissemblable. ⇒ se **différencier,** se **distinguer.** *Ils diffèrent en un point, par ce trait. Mon opinion diffère sensiblement de la sienne.* **2.** Varier, avoir des aspects dissemblables. *Les prix diffèrent selon les magasins.* ▶ **différend** n. m. ▪ Désaccord résultant d'une opposition d'opinions, d'intérêts entre des personnes. ⇒ **démêlé, désaccord, dispute.** *Avoir un différend avec qqn. Il essaye de résoudre les différends entre eux.* / contr. **accord** / ≠ *différent.* ▶ **différence** [difeʀɑ̃s] n. f. **1.** Caractère (*une différence*) ou ensemble des caractères (*la différence*) qui distingue une chose d'une autre, un être d'un autre. ⇒ **dissemblance.** / contr. **identité** / *Une légère différence. Il y a entre eux une grande différence d'âge. Différence d'opinions.* ⇒ **divergence.** — *Faire la différence entre deux choses,* la percevoir, la sentir. ⇒ **distinction.** *Différence de prix.* — À LA DIFFÉRENCE DE : se dit pour opposer des personnes, des choses différentes. *À la différence de son frère, il n'aime pas la campagne.* / contr. **comme, à l'instar** de / 2. DIFFÉRENCE SPÉCIFIQUE : caractère qui distingue une espèce des autres espèces du même genre. 3. Quantité qui, ajoutée à une quantité, donne une somme égale à une autre. *La différence entre deux grandeurs. Voilà déjà mille francs, vous paierez la différence.* ⇒ **complément.** ▶ *différencier* v. tr. . conjug. 7. I. 1. Marquer ou apercevoir une différence entre. ⇒ **distinguer, séparer.** *Différencier deux espèces auparavant confondues.* 2. (Suj. chose) *Son mauvais caractère le différencie de son frère.* II. SE DIFFÉRENCIER v. pron. 1. Être caractérisé par telle ou telle différence. ⇒ se **distinguer ; différer.** *Ils se différencient par leurs activités.* 2. Devenir différent, de plus en plus différent. ⇒ se **distinguer.** *Les cellules se différencient.* 3. Se rendre différent. *Les joueurs de l'équipe A ont revêtu un maillot rouge pour se différencier de leurs adversaires.* ▶ *différenciateur, trice* adj. . Qui différencie. ▶ *différenciation* n. f. . Action de se différencier. *La différenciation des cellules produit les différents tissus de l'organisme, pendant la croissance de l'embryon.* — *La différenciation des fonctions.* 2. Action de différencier. ⇒ **distinction.** *On ne fait pas la différenciation entre eux ; la différenciation est difficile.* ▶ *différent, ente* adj. 1. Qui diffère, qui présente une différence (par rapport à une autre personne, une autre chose). ⇒ **autre, dissemblable, distinct.** / contr. **identique, semblable** / *La route offre des aspects différents à l'aller et au retour. Opinions différentes.* ⇒ **divergent.** *Deux versions complètement différentes. Des conceptions tout à fait différentes. Votre méthode de travail est bien différente de celle de votre collègue. Les deux frères sont très différents* (par le caractère). 2. Au plur. (Avant le nom) Distincts. *Différentes personnes me l'ont dit.* ⇒ **divers, plusieurs.** ≠ *différend.* ▶ *différemment* [diferamã] adv. . D'une manière autre, différente ⇒ **autrement.** *Je pense différemment de vous.* ▶ *différentiel, elle* [diferãsjɛl] adj. et n. m. I. Adj. 1. *Calcul différentiel,* partie des mathématiques qui a pour objet l'étude des variations infiniment petites des fonctions. 2. *Psychologie différentielle,* qui étudie les différences psychologiques entre les individus. II. N. m. LE DIFFÉRENTIEL : engrenage réunissant les deux moitiés d'essieu d'un véhicule automobile. ⟨ ▶ **indifférence** ⟩

difficile [difisil] adj. 1. Qui ne se fait qu'avec effort, avec peine. ⇒ **ardu, compliqué, dur, malaisé, pénible.** / contr. **facile** / *Entreprise, opération, travail difficile. C'est difficile à faire. C'est difficile à dire. Un nom difficile à prononcer. L'incendie était difficile à éteindre, car les maisons étaient en bois. Il est difficile, il m'est difficile d'en parler.* 2. Qui demande un effort intellectuel, des capacités (pour être compris, résolu). *Texte difficile. Problème difficile.* ⇒ **compliqué.** *Morceau de musique difficile* (à jouer). — PROV. *La critique est aisée, et l'art est difficile.* 3. (Accès, passage) Qui présente un danger, une incommodité. ⇒ **périlleux.** *Route difficile.* 4. Qui donne du souci, du mal. *Position, situation difficile. Avoir des débuts difficiles. Le plus difficile reste à faire.* 5. (Personnes) Avec qui les relations ne sont pas aisées. *Enfant difficile. Il est difficile à vivre.* 6. (Personnes) Qui n'est pas facilement satisfait. ⇒ **exigeant.** *Être, se montrer difficile sur la nourriture. Faire le (la) difficile.* ▶ *difficilement* adv. . D'une manière difficile ; avec peine. *Écriture difficilement lisible. Le blessé respirait*

difficilement. Un spectacle difficilement supportable. / contr. **facilement** / ⟨ ▶ difficulté ⟩

difficulté [difikylte] n. f. 1. Caractère de ce qui est difficile ; ce qui rend qqch. difficile. *La difficulté d'une entreprise, d'un travail. Un problème d'une certaine difficulté. Aimer la difficulté. Le malade marchait avec une extrême difficulté.* / contr. **facilité** / *Réussir sans difficulté,* sans peine. 2. DIFFICULTÉ À (+ infinitif). ⇒ **peine.** *Difficulté à s'exprimer. Il a de la difficulté à comprendre cela,* du mal. 3. UNE, DES DIFFICULTÉS : ce qu'il y a de difficile en qqch. ; chose difficile. ⇒ **embarras, empêchement, ennui ;** fam. **accroc, os.** *Difficultés matérielles, financières, sentimentales. Vaincre les difficultés. Cela ne fait aucune difficulté, c'est facile. Il a des difficultés avec son associé,* il est en désaccord avec lui. 4. Raison alléguée, opposition soulevée contre qqch. ⇒ **objection.** *Il n'a pas fait de difficultés pour venir.* 5. EN DIFFICULTÉ : dans une situation difficile. *Alpinistes en difficulté. Mettre qqn en difficulté.*

difforme [diform] adj. . Qui n'a pas la forme et les proportions naturelles (se dit surtout du corps humain). ⇒ **contrefait, déformé.** *Depuis qu'il a grossi, il est devenu difforme. Un monstre difforme.* ▶ *difformité* n. f. . Défaut grave de la forme physique, anomalie dans les proportions. ⇒ **déformation.** *Une difformité congénitale.* ⇒ **malformation.**

diffraction [difraksjɔ̃] n. f. . Phénomène (production de franges) qui se produit lorsqu'un faisceau lumineux passe près d'un corps opaque ou par une fente.

diffus, use [dify, yz] adj. 1. Qui est répandu dans toutes les directions. *Douleur diffuse. Lumière diffuse* (due à une réflexion irrégulière). 2. Abstrait. Littér. Qui délaye sa pensée. ⇒ **verbeux.** *Un style diffus. Écrivain diffus.* / contr. **concis** /

diffuser [difyze] v. tr. . conjug. 1. 1. Répandre. *Diffuser la lumière, la chaleur.* 2. Émettre, transmettre par ondes hertziennes. ⇒ **radiodiffusion.** — Au p. p. adj. *Discours, concert diffusé en direct.* 3. Répandre dans le public. *Diffuser une nouvelle. Diffuser des idées, des sentiments.* 4. Distribuer (un ouvrage de librairie). *L'éditeur s'est entendu avec les messageries pour diffuser cette collection.* — Au p. p. adj. *Un livre mal diffusé.* ▶ *diffuseur* n. m. . Personne, société qui diffuse (un ouvrage). *Cet éditeur est le diffuseur de nos ouvrages.* ▶ *diffusion* n. f. 1. Action de diffuser des ondes sonores. *Émetteur de radio qui assure la diffusion d'un programme.* ⇒ **émission, transmission, radiodiffusion.** 2. Le fait de se répandre. ⇒ **expansion, propagation.** *La diffusion d'une nouvelle. La diffusion des connaissances humaines, de l'instruction.* ⇒ **vulgarisation.** 3. Distribution (d'un ouvrage). *La diffusion de cette revue est mauvaise.* ⟨ ▶ diffus, radiodiffusion, rediffusion ⟩

digérer [diʒeRe] v. tr. . conjug. 6. 1. Faire la digestion de (un aliment, un repas). *Il digère mal le lait.* 2. Mûrir par la réflexion, par un travail intellectuel comparé à la digestion. ⇒ **assimiler.** *Digérer une lecture.* — Au p. p. adj. *Connaissances mal digérées.* 3. Fam. Supporter patiemment (qqch. de fâcheux). ⇒ **avaler.** *C'est dur à digérer, c'est difficile à supporter, à oublier. Digérer un affront, une injure. Je ne peux pas digérer ce procédé.* ▶ *digestible* ou *digeste* adj. . Qui peut être facilement digéré. *Aliment très digestible.* ⇒ **léger.** / contr. **indigeste** / ▶ *digestif, ive* adj. et n. m. 1. Qui contribue à la digestion. *L'appareil digestif* (bouche, gosier, œsophage, estomac, intestin). 2. Relatif à la digestion. *Trouble digestif.* 3. N. m. *Un digestif,* un alcool, une liqueur, pris après le repas. ▶ *digestion* [diʒɛstjɔ̃] n. f. . Ensemble des transformations que subissent les aliments dans le tube digestif avant d'être assimilés. *Digestion difficile, lente. Ne vous baignez pas pendant la digestion.* ‹ ► indigeste ›

① **digital, ale, aux** [diʒital, o] adj. ■ Qui appartient aux doigts. *Empreintes digitales.* ► **digitale** n. f. ■ Plante herbacée vénéneuse portant une longue grappe de fleurs pendantes à corolle en forme de doigtier. ► **digit(o)-** ■ Élément savant signifiant « doigt ». ► **digitigrade** adj. et n. m. pl. ■ Zoologie. (Animaux) Qui marche en appuyant les doigts (et non pas la plante du pied) sur le sol (ex. : *chat, chien* ; opposé à *plantigrade*). ‹ ► prestidigitateur ›

② **digital, ale, aux** adj. Anglic. *Calcul, code digital,* utilisant un système binaire (1, 0). 2.■ Relatif aux quantités mesurées sous forme discrète, discontinue, numérique (⇒ ② **discret**). *Affichage digital. Montre digitale.* ► **digitaliser** v. tr. ■ conjug. 1. ■ Codifier, convertir (des informations continues) en numérique, en discontinu.

digne [diɲ] I. DIGNE DE. 1.■ Qui mérite (qqch.). *Être digne d'admiration. Un objet digne d'intérêt. Un témoin digne de foi.* 2.■ Qui est en accord, en conformité (avec qqn ou qqch.). *Ce roman est digne d'un grand écrivain. Avoir un adversaire digne de soi.* II.■ Qui a de la dignité. *Il sut rester digne en cette circonstance.* ⇒ **grave, respectable.** *Un maintien très digne. Un air très digne.* ► **dignement** adv. ■ Avec dignité. *Se comporter dignement.* ► ① **dignité** [diɲite] n. f. ■ Fonction, titre ou charge qui donne à qqn un rang éminent. *Les plus hautes dignités. La dignité de comte, d'évêque.* ► **dignitaire** n. m. ■ Personne revêtue d'une dignité. *Un dignitaire de l'Église. Les hauts dignitaires de l'État.* ► ② **dignité** n. f. 1.■ Respect que mérite qqn, qqch. ⇒ **grandeur, noblesse.** *Principe de la dignité de la personne humaine. Il a trop de dignité pour s'abaisser ainsi.* 2.■ Respect de soi. ⇒ **amour-propre, fierté, honneur.** *Il manque cruellement de dignité. Il a perdu toute dignité.* ‹ ► indigne ›

digression [digʀesjɔ̃] n. f. ■ Développement oral ou écrit qui s'écarte du sujet. *Le conférencier fit une longue digression pour mieux expliquer un point important.*

digue [dig] n. f. ■ Longue construction destinée à contenir les eaux. ⇒ **chaussée, jetée, môle.** *Digue fluviale. Les digues des polders.* ‹ ► endiguer ›

diktat [diktat] n. m. ■ Chose imposée, en politique internationale. *Les diktats des grandes puissances.*

dilapider [dilapide] v. tr. ■ conjug. 1. ■ Dépenser (des biens) de manière excessive et désordonnée. *Dilapider sa fortune.* ⇒ **gaspiller ;** fam. **croquer.** / contr. **épargner** / ► **dilapidateur, trice** adj. et n. ■ *Un dilapidateur des finances publiques.* ► **dilapidation** n. f. ■ Action de dilapider. *La dilapidation d'un héritage. Une politique de dilapidation. La dilapidation des richesses naturelles d'un pays.* ⇒ **gaspillage.** / contr. **économie** /

dilater [dilate] v. tr. ■ conjug. 1. 1.■ Augmenter le volume de (qqch.). / contr. **contracter** / *La chaleur dilate les corps.* — Au p. p. adj. *Les pupilles dilatées, agrandies. Dilater ses narines.* ⇒ **gonfler.** — Abstrait. *Joie qui dilate le cœur.* 2.■ SE DILATER v. pron. : augmenter de volume. ⇒ **gonfler.** *Métal qui se dilate à la chaleur.* ► **dilatable** adj. ■ Qui peut se dilater. *Corps dilatable.* ⇒ **expansible.** ► **dilatation** n. f. ■ Action de dilater ; fait de se dilater. *La dilatation de la pupille. Dilatation d'un solide sous l'effet de la chaleur.* / contr. **contraction** / ‹ ► vasodilatateur ›

dilatoire [dilatwaʀ] adj. ■ Droit. Qui tend à retarder par des délais, à prolonger un procès. *Se servir de moyens, de manœuvres dilatoires.* — *Une réponse dilatoire, qui vise à gagner du temps.*

dilemme [dilɛm] n. m. — REM. S'écrit avec *mm*. ■ Obligation dans laquelle se trouve une personne de choisir entre deux propositions contraires ou contradictoires qui présentent chacune des désavantages. ⇒ **alternative.** *Comment sortir de ce dilemme ?*

dilettante [diletɑ̃t] n. ■ Personne qui s'occupe d'une chose avec plaisir et goût, mais sans y mettre beaucoup d'assiduité. *Pratiquer un art, un sport en dilettante.* ⇒ en **amateur.** *Faire son travail en dilettante.* ► **dilettantisme** n. m. ■ Amateurisme. *Faire qqch. par dilettantisme. Le dilettantisme en art.*

① **diligence** [diliʒɑ̃s] n. f. ■ Voiture à chevaux qui servait à transporter des voyageurs. *Le conducteur de diligence était le postillon. L'attaque de la diligence par les Indiens est un des thèmes du western.*

diligent, ente [diliʒɑ̃, ɑ̃t] adj. ■ Littér. Qui montre une activité empressée dans l'exécution d'une chose. *Une secrétaire diligente.* / contr. **lent, négligent** / ► ② **diligence** n. f. ■ Vx ou littér. Activité empressée, dans l'exécution d'une chose. ⇒ **célérité, empressement, zèle.** *Sa diligence à nous épargner tout désagrément.* — Loc. *Faire diligence,* se dépêcher. ► **diligemment** [diliʒamɑ̃] adv.

diluer [dilɥe] v. tr. ■ conjug. 1. ■ Délayer, étendre (une substance) dans un liquide. *Diluer du sirop avec de l'eau, dans de l'eau.* — Au p. p. adj. *Alcool dilué, étendu d'eau.* / contr. **condenser** / ► **dilution** n. f. ■ Action de diluer. — Substance diluée.

diluvien, ienne [dilyvjɛ̃, jɛn] adj. 1.■ Qui a rapport au déluge (1). 2.■ *Pluie diluvienne,* très abondante. ‹ ► antédiluvien ›

dimanche [dimɑ̃ʃ] n. m. ■ Septième jour de la semaine*, qui succède au samedi ; jour consacré à Dieu, au repos, dans les civilisations chrétiennes (⇒ **dominical**). *Le dimanche de Pâques. Passer ses dimanches en famille.* — Loc. DU DIMANCHE. *Peintre du dimanche,* peintre amateur. *Un chauffeur du dimanche,* dont la conduite peu assurée dénote un manque de pratique. ‹ ► s'endimancher ›

dîme [dim] n. f. ■ Ancien impôt sur les récoltes, prélevé par l'Église.

dimension [dimɑ̃sjɔ̃] n. f. I.■ Grandeur mesurable ou calculable. 1.■ Grandeur réelle, mesurable, qui détermine la portion d'espace occupée par un corps. *Des objets de toutes les dimensions.* ⇒ **taille.** *Une ville de dimensions modestes.* 2.■ Grandeur qui mesure un corps dans une direction. ⇒ **mesure ; largeur, longueur ; épaisseur, hauteur, profondeur.** *Noter, prendre les dimensions de qqch. Les dimensions d'un livre.* ⇒ **format.** 3.■ Grandeur réelle qui détermine la position d'un point. *Espace à une dimension* (ligne droite), *à deux dimensions* (plan), *à trois dimensions* (géométrie dans l'espace). *La troisième dimension,* perspective d'un tableau. *La quatrième dimension,* d'après la théorie de la relativité, le temps. II.■ 1.■ Importance, valeur. ⇒ **calibre, taille.** *Comment a-t-il pu commettre une faute de cette dimension ?* 2.■ Aspect significatif d'une chose. *Ce problème a des dimensions politiques.* ‹ ► tridimensionnel ›

diminuer [diminɥe] v. ■ conjug. 1. I.■ V. tr. 1.■ Rendre plus petit (une grandeur). ⇒ **réduire.** / contr. **augmenter** / *Diminuer la longueur d'une jupe. Diminuer la hauteur d'une clôture. Diminuer le prix d'un objet.* ⇒ **baisser.** *Diminuer les impôts.* 2.■ (De ce qui n'est pas mesurable) *Rendre moins grand, moins fort. La maladie a diminué ses forces.* ⇒ **affaiblir.** *On débroussaille dans les forêts pour diminuer les risques d'incendie. Diminuer la joie, l'enthousiasme de qqn.*

Des mesures qui tendent à diminuer les souffrances des réfugiés. **3.** Réduire les mérites, la valeur de (qqn). *Prendre plaisir à diminuer les autres.* ⇒ **déprécier, rabaisser. II.** V. intr. Devenir moins grand, moins considérable. ⇒ **baisser, décroître.** / contr. **augmenter, croître** / *La chaleur a diminué aujourd'hui. Les réserves diminuent. La vente va en diminuant. Les jours diminuent.* ⇒ **raccourcir.** — *Les fraises ont diminué,* leur prix a baissé. ▶ **diminué, ée** adj. **1.** Rendu moins grand. *Intervalle (musical) diminué.* — *Tricot diminué* ⇒ **diminution** (2). **2.** (Personnes) Amoindri, affaibli. *Je l'ai trouvé bien diminué depuis sa maladie.* ▶ **diminutif, ive** adj. et n. m. **1.** Qui ajoute une idée de petitesse. « *-et, -ette* » sont des suffixes diminutifs. **2.** N. m. *Un diminutif,* mot formé d'une racine et d'un suffixe diminutif. « *Jardinet* » *est le diminutif de* « *jardin* », « *Pierrot* » *le diminutif de* « *Pierre* ». ▶ **diminution** n. f. **1.** Action de diminuer ; son résultat. ⇒ **baisse, réduction.** *La diminution du nombre des décès. La diminution des prix, des impôts, des salaires. Les effectifs scolaires dans les campagnes sont en constante diminution. Diminution brutale.* ⇒ **chute.** *Diminution des forces, de l'énergie.* ⇒ **affaiblissement.** / contr. **augmentation** / **2.** Action de diminuer le nombre de mailles (au crochet, au tricot). *Faire des diminutions aux emmanchures.*

dinanderie [dinɑ̃dʀi] n. f. ■ Ustensiles de cuivre jaune ; leur fabrication. ⇒ **chaudronnerie.**

dinar [dinaʀ] n. m. ■ Unité monétaire de la Yougoslavie, de la Tunisie, de l'Algérie et de l'Irak. *Deux, cent dinars.*

dinde [dɛ̃d] n. f. **1.** Femelle du dindon. *À Noël, on sert la dinde aux marrons.* **2.** Femme stupide. *Quelle dinde !* ⇒ **bécasse.**

dindon [dɛ̃dɔ̃] n. m. **1.** Grand oiseau mâle de basse-cour, dont la tête et le cou sont recouverts d'une membrane granuleuse, rouge violacé. *Le dindon glougloute.* — Loc. *Être le dindon de la farce,* la victime de la plaisanterie. ▶ **dindonneau** n. m. ■ Petit du dindon. *Des dindonneaux. Rôti de dindonneau.*

① **dîner** [dine] v. intr. ■ conjug. 1. **1.** Prendre le repas du soir. *Nous dînons à huit heures. Inviter qqn à dîner.* PROV. *Qui dort dîne,* le sommeil fait oublier la faim. **2.** Région. Prendre le repas de midi (dans ce cas on dit *souper* pour le soir). ▶ ② **dîner** n. m. **1.** Repas du soir. *L'heure du dîner.* — *Un dîner-débat,* accompagné d'un débat. **2.** Les mets qui composent le dîner. *Un dîner copieux.* **3.** Région. Repas de midi (celui du soir est alors nommé *souper*). ⇒ **déjeuner.**

dînette [dinɛt] n. f. **1.** Petit repas, vrai ou simulé. *Les enfants jouent à la dînette.* **2.** Dînette de poupée, service de table servant de jouet aux enfants.

ding ⇒ **dring.**

dinghy [diŋgi] n. m. ■ Anglic. Canot pneumatique de sauvetage. *Des dinghies.*

dingo [dɛ̃go] adj. et n. ■ Fam. Fou. ⇒ **cinglé, dingue.** *Elle est complètement dingo ! — De vrais dingos.*

dingue [dɛ̃g] adj. et n. ■ Fam. Fou. ⇒ **dingo.** *Vous êtes dingue ! Il mène une vie de dingue.* — Au sens positif. Extraordinaire ⇒ **super.** *Une fête complètement dingue.*

dinguer [dɛ̃ge] v. intr. ■ conjug. 1. Fam. **1.** (Après un verbe) Tomber, être projeté. ⇒ **valser.** *J'ai été dinguer dans le ruisseau.* **2.** ENVOYER DINGUER : repousser violemment, éconduire sans ménagement. ⇒ **paître.** ‹ ▶ **valdinguer** ›

dinosaure [dinozɔʀ] n. m. ■ Énorme animal fossile (reptile) quadrupède, herbivore, de l'ère secondaire. — Fig. Personne, chose importante et archaïque. *Les dinosaures de la politique.*

diocèse [djɔsɛz] n. m. ■ Circonscription ecclésiastique placée sous la juridiction d'un évêque ou d'un archevêque. *Les 87 diocèses de France.* ▶ **diocésain, aine** adj. et n. ■ Relatif à un diocèse. *L'administration diocésaine.* — N. m. Personne qui fait partie d'un diocèse.

diode [djɔd] n. f. ■ Dispositif électronique à deux électrodes.

dionysiaque [djɔnizjak] adj. **1.** Relatif à Dionysos (Bacchus), dieu du vin. *Le culte dionysiaque, dans l'Antiquité grecque.* **2.** Caractérisé par l'inspiration, et non par l'ordre, la mesure.

diphtérie [difteʀi] n. f. ■ Maladie microbienne, contagieuse, caractérisée par la formation de pseudo-membranes sur le larynx, le pharynx, provoquant des étouffements. ▶ **diphtérique** adj. et n. ■ *Angine diphtérique.* ⇒ **croup.** — N. *Un(e) diphtérique.* ‹ ▶ **antidiphtérique** ›

diphtongue [diftɔ̃g] n. f. ■ Voyelle dont la tenue comporte un changement d'articulation produisant une variation de timbre. *Les diphtongues de l'anglais* (ex. : la voyelle dans *take,* prononcée [tejk]).

dipl-, diplo- ■ Éléments savants signifiant « double ».

diplodocus [diplodokys] n. m. invar. ■ Grand reptile de l'ère secondaire (différent du *dinosaure*).

① **diplomate** [diplɔmat] n. m. **I. 1.** N. m. Personne qui est chargée par un gouvernement de fonctions diplomatiques, de négociations avec un gouvernement étranger. *L'ambassadeur est un diplomate. Cette femme est un grand diplomate* (ou *une grande diplomate,* n. f.). **2.** N. et adj. Personne qui sait mener une affaire avec tact. ⇒ **habile.** *Elle n'est pas assez diplomate pour les réconcilier.* ▶ **diplomatie** [diplɔmasi] n. f. **1.** Branche de la politique qui concerne les relations entre les États : représentation des intérêts d'un gouvernement à l'étranger, affaires internationales... *Les moyens de la diplomatie. Faire appel à la diplomatie pour régler un différend.* **2.** Carrière diplomatique ; ensemble des diplomates. *Entrer dans la diplomatie.* **3.** Habileté, tact dans la conduite d'une affaire. ⇒ **doigté.** *Il faut de la diplomatie pour lui faire cette offre.* ▶ **diplomatique** adj. **1.** Relatif à la diplomatie. *Relations diplomatiques. Incidents diplomatiques. Rompre les relations diplomatiques avec un État. Corps diplomatique et corps consulaire.* — *Maladie diplomatique,* prétendue maladie qui sert de prétexte à une absence, etc. **2.** (Des actions, des manières) ⇒ **adroit, habile.** *Ce n'est pas diplomatique.* ▶ **diplomatiquement** adv. ■ *Le litige a été résolu diplomatiquement,* par la diplomatie. — *Il a répondu diplomatiquement à son patron,* avec habileté.

② **diplomate** n. m. ■ Gâteau fait de biscuits à la cuiller, de fruits confits, et d'une crème parfumée au rhum, au kirsch.

diplôme [diplom] n. m. **1.** Acte qui confère et atteste un titre, un grade. *Décerner, obtenir un diplôme. Diplôme de bachelier, de licencié. Examen, concours pour l'obtention du diplôme.* — *Examen pour obtenir un diplôme. Passer un diplôme.* **2.** Diplôme, en France, diplôme d'études supérieures (D.E.S.), décerné, après examen d'un mémoire, à des licenciés. ▶ **diplômé, ée** adj. ■ Qui a obtenu un diplôme. *Infirmière diplômée.* — N. *Les diplômés d'une grande école. Une diplômée.*

diptère [diptɛʀ] n. m. ■ Nom des insectes à métamorphoses complètes (œuf, larve, nymphe, insecte), à deux ailes, dont la tête porte une trompe. *La mouche, le moustique sont des diptères.*

diptyque [diptik] n. m. **1.** Tableau pliant formé de deux volets pouvant se rabattre l'un sur l'autre ≠ **triptyque**. **2.** Œuvre littéraire, artistique en deux parties symétriques.

① ***dire*** [diʀ] v. tr. ▪ conjug. 37. **I.** (Suj. personne) *Dire* (+ nom ou pronom) ; *dire* (+ infinitif) ; *dire que* (+ indicatif ou conditionnel). Exprimer (la pensée, les sentiments, les intentions) par la parole. **1.** Exprimer, communiquer (à qqn). *Dites-moi vos projets. Dire des bêtises. Elle lui dit l'avoir déjà rencontré. Il dit être malade, qu'il est malade. Dites-moi qui vous êtes, où vous allez. J'ai quelque chose à vous dire. Je vous l'ai dit cent fois.* ⇒ **répéter.** *Il ne sait plus que dire, plus quoi dire. Dire ce qu'on pense. Dire la vérité, des mensonges.* — Loc. *À ce qu'il dit, selon ses paroles.* ⇒ ② **dire.** — *Il sait ce qu'il dit,* il parle en connaissance de cause. *Il ne sait pas ce qu'il dit,* il dit n'importe quoi. — Loc. *Dire son fait, ses quatre vérités à qqn,* lui faire savoir ce qu'on pense réellement de lui. *À vrai dire,* véritablement. — *C'est beaucoup dire,* c'est exagéré. — *C'est tout dire,* il n'y a rien à ajouter. — *Pour tout dire,* en somme, en résumé. — *Ce n'est pas une chose à dire,* il vaudrait mieux ne pas en parler. — *Cela va sans dire,* la chose est évidente. — *C'est vous qui le dites,* je ne suis pas de votre avis. — *Ce disant,* en disant cela. *Cela dit,* ces mots ayant été dits. *Cela dit, revenons à notre histoire.* (On dit aussi *ceci dit*) *Ceci dit, il s'en alla.* — *Entre nous soit dit,* confidentiellement. — *Je vous l'avais dit, je l'avais bien dit,* je l'avais prévu. — *À qui le dis-tu, le dites-vous !,* exprime que celui qui parle connaît, a éprouvé ce dont il s'agit aussi bien que son interlocuteur. — *Je ne vous le fais pas dire,* vous l'avez dit spontanément. — Fam. (langue parlée) *Disons ; je veux dire* (en incise). *Les bêtises qu'il a pu faire, je te dis pas !,* il en a tellement fait que je ne peux pas en parler. *Il est fou, je vais te dire !* **2.** Pronominalement. SE DIRE (QUE) : dire à soi-même, penser. *Je me disais bien que c'était impossible.* **3.** Affirmer. *Je dis ce que j'ai à dire. Il a dit : je serai là. Il a dit qu'il serait là. Ça va mal tourner, c'est moi qui vous le dis,* j'en suis sûr. **4.** Révéler. *Il ne veut pas dire la vérité. Personne ne m'a rien dit. Je vais tout vous dire.* ⇒ **avouer.** — *Dire la bonne aventure.* ⇒ **prédire. 5.** Décider, convenir de (qqch.). *Venez cette semaine, disons jeudi.* — Au p. p. Loc. À L'HEURE DITE : à l'heure fixée, convenue. *Il est arrivé à l'heure dite.* — *Tenez-vous le pour dit,* considérez que c'est un ordre. — *Aussitôt dit, aussitôt fait,* la chose a été réalisée sans délai. — *Tout est dit,* la chose est réglée. **6.** Exprimer et avoir (une opinion). *Dire du bien de qqch. Il en a dit du mal.* ⇒ **médire.** *Que vont en dire les gens ?* ⇒ **qu'en-dira-t-on.** *Avoir son mot à dire sur qqch. Dites-moi ce que vous pensez de cette affaire. Que diriez-vous d'une promenade ? Il ne sera pas dit que je l'ai abandonné,* je ne l'abandonnerai pas. — DIRE QUE (en tête de phrase) : exprime l'étonnement, l'indignation, la surprise. *Dire qu'il n'a pas encore vingt ans !* — ON DIRAIT *que* (+ indicatif) : on penserait, on croirait. *On dirait qu'il vient chez nous* (→ *il semble*). — (Suivi d'un nom) *À le voir jouer, on dirait un enfant. Ce poisson ressemble à de la viande, on dirait de la viande.* — Pronominalement. *On se dirait en France, on se croirait.* **7.** Raconter (un fait, une nouvelle). *Je vais vous dire la nouvelle. Je vais vous dire comment cela s'est passé, pourquoi nous sommes en retard. Je vais le dire à ma mère !* ⇒ **rapporter.** — *Je me suis laissé dire que,* j'ai entendu dire, mais sans y ajouter entière foi, que. *On dit qu'il est mort,* le bruit court que. **8.** DIRE QUE (+

subjonctif) ; DIRE DE (+ infinitif) : exprimer (une volonté, un ordre). ⇒ **commander, ordonner.** *Allez lui dire de venir, qu'il vienne. Je vous avais dit d'agir autrement, je vous l'avais bien dit.* ⇒ **recommander.** *Ne pas se le faire dire deux fois,* faire qqch. avec empressement. **9.** Dans des loc. Énoncer une objection. ⇒ **objecter.** *Qu'avez-vous à dire à cela ? Il y aurait beaucoup à dire là-dessus. Je n'ai rien à dire contre* (ceci, cette personne). ⇒ **redire.** *Vous avez beau dire, c'est lui qui a raison.* PROV. *Bien faire et laisser dire,* il faut faire ce qu'on croit bien sans se soucier des critiques. **II.** Employer (une forme de langue) en parlant. **1.** *Dire une phrase, un mot.* ⇒ **énoncer.** *Il a dit quelques mots.* — Loc. *Il ne dit mot,* il se tait. *Avoir son mot à dire,* son opinion à donner. **2.** Reproduire (un énoncé) en le lisant, en le récitant. *Dire ses prières. Cet acteur a très bien dit cette réplique.* **3.** Avec une forme citée. *Dire bonjour, dire oui, non. Dire ouf !* — Le compl. est un énoncé (discours direct). *Il a dit : « Je reviens tout de suite ». Vous venez ? dit-il. Il faut dire « infarctus » et non pas « infractus ». Il est, comme on dit, fauché comme les blés.* **4.** SE DIRE : s'employer, en parlant d'un mot, d'une phrase. *Cela ne se dit plus. « Chien » se dit « dog » en anglais,* lui correspond pour le sens. **III.** Exprimer par le langage (écrit ou oral). **1.** Exprimer par écrit. ⇒ **écrire.** *Je vous ai dit dans ma lettre que... Je ne sais ce que dit Marx à ce sujet.* — *La loi dit que.* ⇒ **stipuler. 2.** (Avec un adv. ou une expression adverbiale) Rendre plus ou moins bien la pensée ; faire entendre plus ou moins clairement qqch. (par la parole ou l'écrit). ⇒ **exprimer.** *Dire qqch. en peu de mots ; dire clairement ; dire carrément, crûment qqch.* — Loc. *Il ne croit pas si bien dire,* il ne sait pas que ce qu'il dit correspond tout à fait à la réalité. — *Pour ainsi dire ;* fam. *comme qui dirait,* approximativement, à peu près. — *Autrement dit,* en d'autres termes. **3.** (Auteur) Exprimer (qqch. de nouveau, de personnel). *Cet écrivain n'a rien à dire.* **IV.** (Suj. chose) **1.** Faire connaître, exprimer par un signe, une manifestation quelconque. ⇒ **exprimer, manifester, marquer, montrer.** *Son silence en dit long.* **2.** Fam. Avoir tel aspect. *Qu'est-ce que ça dit ?,* quelle allure, quelle valeur cela a-t-il ? **3.** CELA ME DIT, NE ME DIT RIEN : me tente, ne me tente pas. *Cela ne me dit rien de bon. Si cela vous disait, nous irions nous promener.* — Loc. *Si le cœur vous en dit,* si vous en avez envie. **4.** VOULOIR DIRE : — (Suj. personne) Avoir l'intention d'exprimer. *Que veux-tu dire par là ?* — (Suj. chose) Signifier. *Que veut dire cette phrase latine ? Ces deux mots veulent dire la même chose. Que veut dire son retard ? Cela veut dire qu'il ne viendra pas.* — Loc. C'EST DIRE : cela montre. *Elle est partie, c'est dire qu'elle en avait assez.* **V.** Loc. (À l'impératif) DIS, DITES (DONC) ! : sert à attirer l'attention de l'interlocuteur (comme *écoutez !, vous !, toi !,* etc.). *Dis, tu viens ? Dis donc* (dites donc), *fais* (faites) *attention !* ► ② ***dire*** n. m. **1.** Au plur. LES DIRES (souvent péj.). *Selon les dires des voisins.* **2.** AU DIRE DE : d'après ce que qqn déclare. *Au dire de sa femme, il aurait tous les torts.* ⟨ ► *c'est-à-dire,* contredire, se dédire, diseur, dit, édit, lieu-dit, on-dit, ouï-dire, prédire, qu'en-dira-t-on, redire, soi-disant ⟩

direct, ecte [diʀɛkt] adj. et n. m. **I.** Adj. **1.** Qui est en ligne droite, sans détour / contr. **indirect** / *C'est le chemin le plus direct pour arriver à la ville.* **2.** Fig. Sans détour. *Attaque directe. Faire une allusion directe.* **3.** Qui se fait sans intermédiaire. *Prendre une part directe dans une affaire. La cause directe d'un phénomène.* — *Complément direct,* construit sans préposition. *Les verbes transitifs directs sont suivis d'un complément d'objet direct.* — *Discours, style direct,* pour rapporter des paroles dites. *Les verbes* de parole (dire, raconter...) *introduisent le style direct.* **4.** Qui ne s'arrête pas (ou peu). *Train direct,* ou n. m., *un direct. L'avion est direct pour Tokyo.* **II.** N. m. **1.** Boxe. Coup droit. *Un direct du gauche.* **2.** EN DIRECT (radio, télévision) : transmis sans enregistrement, au moment même (opposé à *en différé*). *Émission en direct.* ▶ **directement** adv. **1.** En droite ligne, sans détour. *Vous rentrez directement chez vous, ou vous faites des courses ?* **2.** Sans intermédiaire. ⇒ **immédiatement.** *Directement du producteur au consommateur. Elle a été directement mise en cause.* / contr. **indirectement** / ⟨ ▶ indirect ⟩

directeur, trice [dirɛktœr, tris] n. et adj. **1.** Personne qui dirige, est à la tête (d'une entreprise, d'un établissement, d'une administration). ⇒ **chef, patron, président.** *Le directeur général d'une société. Président-directeur général* ⇒ **P.-D.G.** *Directeur de journal. Madame la Directrice. Directeur d'école.* **2.** *Directeur de conscience,* prêtre qui dirige qqn en matière de morale et de religion. ⇒ **confesseur.** **3.** Adj. Qui dirige. ⇒ **dirigeant.** *Comité directeur. L'idée directrice d'un ouvrage. Ligne directrice.* ⟨ ▶ directoire, directorial ⟩

directif, ive [dirɛktif, iv] adj. ■ Qui impose une orientation précise. *Méthode directive. Il est très directif avec ses élèves.* ⇒ **autoritaire.** *Développer une pédagogie moins directive.* ▶ **directive** n. f. ■ Surtout au plur. Ensemble des indications sur la façon de procéder que donne une autorité aux personnes chargées d'une entreprise, d'une mission. *Donner des directives à qqn.* ⇒ **instruction, ordre.** *Recevoir des directives de ses chefs.*

direction [dirɛksjɔ̃] n. f. **I. 1.** Action de diriger (I), de conduire. *On lui a confié la direction de l'entreprise.* ⇒ **gestion.** *Je travaille sous sa direction.* ⇒ **autorité.** **2.** Fonction, poste de directeur. *Être nommé à la direction du personnel.* — *Le directeur, les directeurs d'une entreprise. Demander à rencontrer la direction. La direction lui offre un poste intéressant à l'étranger.* — *Bâtiments, bureaux des directeurs. Aller à la direction.* **II. 1.** Ligne suivant laquelle un corps se meut, une force s'exerce. *La direction, le sens, l'intensité d'une force.* — Caractère commun à toutes les droites, à tous les plans parallèles. *Chaque direction comprend deux sens opposés.* **2.** Orientation ; voie à suivre pour aller à un endroit. *La girouette sert à connaître la direction du vent. Quelle direction a-t-il prise ? Changer de direction,* tourner. — Loc. prép. *Dans la direction de... En direction de...* ⇒ **vers.** *Train en direction de Bruxelles. Nous partons en direction de l'Ouest.* **3.** Abstrait. *Faire des expériences dans une direction nouvelle.* **4.** Ensemble des mécanismes qui permettent de guider les roues d'une voiture (dont le volant). *Direction à vis, à crémaillère. Direction assistée. Il faut régler la direction.*

directoire [dirɛktwar] n. m. **1.** Groupe de personnes *(directeurs)* qui commandent politiquement. — En histoire de France. (Avec une majuscule) *Le Directoire,* dans la Constitution de l'an III, conseil de cinq membres chargé du pouvoir exécutif ; le régime politique durant cette période. — *Le style Directoire,* le style de cette époque (fin XVIIIe s.). **2.** Groupe des directeurs (dans certaines sociétés financières, économiques).

directorial, iale, iaux [dirɛktɔrjal, jo] adj. ■ D'un directeur. *Les bureaux directoriaux. Les fonctions directoriales.*

dirham [diram] ou **dirhem** [dirɛm] n. m. ■ Unité monétaire du Maroc. *Vingt dirhams.*

diriger [diriʒe] v. tr. ▪ conjug. 3. **I. 1.** Conduire, mener (une entreprise, une opération, une affaires) comme maître ou chef responsable. ⇒ **administrer, gérer, organiser.** *Diriger une usine. Diriger un théâtre. Diriger une revue. Diriger un pays.* ⇒ **dirigeant.** *Personne qui dirige.* ⇒ **directeur.** — *Diriger une discussion, un débat.* — Au p. p. adj. *Économie dirigée,* dirigisme. **2.** Conduire l'activité de (qqn). *Diriger des collaborateurs, une équipe.* **II. 1.** Guider (qqch.) dans une certaine direction (avec une idée de déplacement, de mouvement). *Diriger une voiture.* — DIRIGER SUR, VERS : envoyer. *Diriger un colis sur Paris. Diriger un convoi vers telle ville.* ⇒ **acheminer.** *Diriger qqn sur une administration.* — DIRIGER qqch. CONTRE : destiner agressivement, orienter de façon hostile. *Diriger une arme contre qqn. Au passif. Cet article est dirigé contre vous.* **3.** Orienter de manière à envoyer. *Diriger une lumière,* par ext. *une lampe de poche sur, vers qqn, qqch.* ⇒ **braquer.** *Diriger son regard vers qqch.* **4.** SE DIRIGER v. pron. *Il se dirige vers la porte pour sortir.* ▶ **dirigeable** [diriʒabl] adj. et n. m. ■ BALLON DIRIGEABLE : qu'on peut diriger (opposé à *libre*). — N. m. *Un dirigeable. Les zeppelins étaient de grands dirigeables.* ▶ **dirigeant, ante** adj. et n. **1.** Qui dirige. *Les classes dirigeantes.* **2.** N. Personne qui dirige. *Les dirigeants d'une entreprise.* ⇒ **directeur.** *Les dirigeants d'un mouvement, d'un parti.* ⇒ **chef.** *Le pays et ses dirigeants.* ⇒ **gouvernant.** ▶ **dirigisme** n. m. ■ Système dans lequel l'État assume la direction des mécanismes économiques, en conservant les cadres de la société capitaliste. / contr. **libéralisme** / ▶ **dirigiste** adj. ■ Partisan du dirigisme. ⟨ ▶ directeur, direction, directif, directoire ⟩

di(s)- ■ Élément savant indiquant la séparation (ex. : *digression, disjoindre*), ou le défaut (ex. : *disharmonie, dissemblable*).

discerner [disɛrne] v. tr. ▪ conjug. 1. **1.** Percevoir (un objet) par rapport à ce qui l'entoure. ⇒ **distinguer, identifier, reconnaître.** *Discerner la présence de qqn dans l'ombre. Discerner un bruit lointain.* **2.** Se rendre compte de la nature, de la valeur de (qqch.) ; faire la distinction entre (deux choses mêlées, confondues). ⇒ **différencier.** *Discerner le vrai du faux, d'avec le faux.* ⇒ **démêler.** *Discerner une nuance subtile dans un texte.* ⇒ **saisir, sentir.** / contr. **confondre** / ▶ **discernable** adj. ■ Qui peut être discerné, perçu, senti. *Un accent nettement discernable.* ▶ **discernement** n. m. ■ Capacité de l'esprit à juger clairement et sainement des choses. ⇒ **jugement, bon sens.** *Manquer de discernement. Agir sans discernement.* ⟨ ▶ indiscernable ⟩

disciple [disipl] n. ■ Personne qui reçoit l'enseignement d'un maître à penser (morale, religion, philosophie). *Aristote, disciple de Platon. Les disciples de Jésus-Christ. Elle a été une de ses disciples.* / contr. **maître, professeur** / ▶ ① condisciple, ① discipline ⟩

① **discipline** [disiplin] n. f. ■ Branche de la connaissance, en tant que sujet d'études. *Il enseigne deux disciplines, le français et l'histoire. Les disciplines scientifiques.*

② **discipline** n. f. **1.** Règle de conduite que l'on s'impose. *S'astreindre à une discipline sévère.* — Vx. Fouet dont on se frappait par mortification et discipline religieuse. **2.** Règle de conduite commune aux membres d'un corps, d'une collectivité et destinée à y faire régner le bon ordre ; obéissance à cette règle. *Ce professeur fait régner la discipline dans sa classe. Discipline militaire.* — *Conseil de discipline* (d'un établissement d'enseignement ; d'un corps de magistrats, etc.), chargé de sanctionner les infractions à la discipline. ▶ **disciplinaire** adj. ■ Qui se rapporte à la discipline, et spécialt aux sanctions. *Mesures disciplinaires. Les locaux disciplinaires d'une caserne.* ▶ **discipliné, ée** adj. ■ Qui observe la discipline.

⇒ **obéissant, soumis.** *Les Français ne sont guère disciplinés.* ⟨ ▶ indiscipline, indiscipliné ⟩

disc-jockey [diskʒɔkɛ] n. m. ▪ Anglic. Personne chargée de la présentation des disques (4) de variétés à la radio, dans les discothèques. *Des disc-jockeys.*

disco [disko] n. m. et adj. ▪ Musique de danse inspirée du jazz et du rock.

discobole [diskɔbɔl] n. m. ▪ Athlète lanceur de disque (1).

discographie [diskɔgrafi] n. f. ▪ Répertoire des enregistrements sur disques (4). *La discographie de Mozart, du jazz.*

discontinu, ue [diskɔ̃tiny] adj. et n. m. **1.** Qui n'est pas continu, qui offre des solutions de continuité. *Ligne discontinue.* ⇒ ② **discret.** — N. m. *Le discontinu.* **2.** Qui n'est pas continuel. ⇒ **intermittent, momentané, temporaire.** *Effort, mouvement, bruit discontinu.* ▶ *discontinuer* v. intr. ▪ conjug. 1. ▪ Loc. SANS DISCONTINUER : sans arrêt. ⇒ sans **cesse,** sans **trève.** *Il pleut sans discontinuer depuis hier. Il a parlé deux heures sans discontinuer.* ▶ *discontinuité* n. f. ▪ Absence de continuité.

disconvenir [diskɔ̃vnir] v. tr. indir. ▪ conjug. 22. ▪ Littér. NE PAS DISCONVENIR DE *qqch.* : l'admettre, être d'accord. *Qu'il soit sérieux, je n'en disconviens pas,* je ne le nie pas. / contr. **convenir** /

discophile [diskɔfil] adj. et n. ▪ Amateur de musique enregistrée ; collectionneur de disques (4).

discordant, ante [diskɔrdɑ̃, ɑ̃t] adj. ▪ Qui manque d'harmonie, qui ne s'accorde pas. ⇒ **incompatible, opposé.** *Voix discordantes. Caractères discordants. Couleurs discordantes.* ▶ *discordance* n. f. ▪ Défaut d'accord, d'harmonie. ⇒ **disharmonie, dissonance.**

discorde [diskɔrd] n. f. ▪ Littér. Opposition d'idées, d'opinions pouvant conduire à des affrontements. ⇒ **désaccord.** / contr. **concorde, entente** / *Entretenir, semer la discorde dans une famille, entre des personnes.* — Loc. *Pomme de discorde,* sujet de discussion et de division.

discothèque [diskɔtɛk] n. f. **1.** Collection de disques (4). **2.** Lieu de réunion ⇒ **club** où l'on peut danser au son d'une musique enregistrée. ⇒ **boîte.**

discourir [diskurir] v. intr. ▪ conjug. 11. ▪ Péj. Parler sur un sujet en le développant inutilement. ⇒ **disserter, pérorer.** *Agissez au lieu de discourir !* ▶ *discoureur, euse* n. ▪ Personne qui aime à discourir. ⇒ **phraseur.** ⟨ ▶ discours ⟩

discours [diskur] n. m. invar. **1.** Propos que l'on tient. *Le discours qu'il m'a tenu.* **2.** Péj. (Opposé à l'*action*) *Cela aura plus d'effet que tous les discours. Assez de discours, des actes !* ⇒ **bavardage. 3.** Développement oratoire fait devant une réunion de personnes. ⇒ **allocution, harangue** ; fam. **laïus, speech.** *Prononcer un discours. Un discours politique. Discours d'ouverture, de clôture.* **4.** Expression verbale de la pensée. ⇒ **parole ; langage.** *Les parties du discours,* les catégories grammaticales traditionnelles (nom, article, adjectif, verbe, etc.). **5.** Titre d'écrits littéraires didactiques développant un sujet. *Le « Discours de la méthode » de Descartes.* **6.** En linguistique. Ensemble des énoncés, des messages parlés ou écrits (opposé à *langue, système*). — *Le discours direct*, indirect*. Discours rapporté.*

discourtois, oise [diskurtwa, waz] adj. ▪ Qui n'est pas courtois. ⇒ **impoli, indélicat.** / contr. **courtois** / *Il s'est montré discourtois envers la vieille dame. Des paroles discourtoises.*

discrédit [diskredi] n. m. ▪ Diminution de la confiance, de l'estime (*crédit*) dont jouissait une

personne, une idée. ⇒ **déconsidération, défaveur.** *Jeter le discrédit sur qqn. Être, tomber en discrédit auprès de qqn.* / contr. **crédit, faveur** / *Cette théorie est tombée dans le discrédit.* ▶ *discréditer* v. tr. ▪ conjug. 1. ▪ Faire perdre à (qqn, qqch.) l'estime dont il ou elle jouissait. ⇒ **déconsidérer.** *Chercher à discréditer un rival.* — SE DISCRÉDITER v. pron. *Il s'est discrédité dans l'esprit de ses collègues.*

① *discret, ète* [diskrɛ, ɛt] adj. **1.** (Personnes) Qui témoigne de retenue, se manifeste peu dans les relations sociales, n'intervient pas dans les affaires d'autrui. ⇒ **réservé.** / contr. **indiscret, sans-gêne** / *Il est trop discret pour vous poser des questions, pour abuser de votre hospitalité.* **2.** (Choses) Qui n'attire pas l'attention, ne se fait guère remarquer. *Une allusion discrète. Faire une cour discrète à qqn. Vêtements, bijoux discrets.* ⇒ **distingué, sobre.** / contr. **voyant ; tapageur** / **3.** Qui garde les secrets qu'on lui confie. *Je vous en prie, soyez discret là-dessus.* ▶ *discrètement* adv. ▪ D'une manière discrète, qui n'attire pas l'attention. *Nous sommes partis discrètement, sur la pointe des pieds. Faire discrètement allusion à qqch.* / contr. **ostensiblement** / *S'habiller discrètement.* ⇒ **sobrement.** ▶ ① *discrétion* [diskresjɔ̃] n. f. **1.** Qualité d'une personne discrète. ⇒ **délicatesse, réserve, tact.** *Il a trop de discrétion pour vous rendre visite sans prévenir.* **2.** Qualité consistant à savoir garder les secrets. *Vous pouvez compter sur sa discrétion. Discrétion assurée.* ⟨ ▶ indiscret, indiscrétion ⟩

② *discret, ète* adj. ▪ Didact. *Quantité discrète,* composée d'éléments séparés (opposé à *quantité continue*). ⇒ **discontinu.** *Les nombres sont des quantités discrètes.*

② *à (la) discrétion* loc. adv. et prép. **1.** Loc. adv. À DISCRÉTION : comme on le veut, autant qu'on veut. ⇒ **à volonté.** *Il y aura du vin à discrétion* ⇒ fam. à **gogo. 2.** Loc. prép. À LA DISCRÉTION DE *qqn* : en dépendant entièrement de lui. *La décision est à son entière discrétion. Tout est à sa discrétion.* ⇒ à la **merci** de. ▶ *discrétionnaire* adj. ▪ Qui est laissé à la discrétion de qqn, qui confère à qqn le pouvoir de décider.

discrimination [diskriminasjɔ̃] n. f. **1.** Littér. Action de discerner, de distinguer les choses les unes des autres avec précision. ⇒ **différenciation, distinction.** *Ne pas faire la discrimination entre l'essentiel et le superflu.* **2.** Le fait de séparer un groupe social des autres en le traitant plus mal. *Cette loi s'applique à tous sans discrimination,* de façon égalitaire. *Discrimination raciale.* ⇒ **ségrégation.** ▶ *discriminatoire* adj. ▪ Qui tend à distinguer un groupe humain des autres, à son détriment. *Mesures discriminatoires.* ▶ *discriminer* v. tr. ▪ conjug. 1. ▪ Littér. Faire la discrimination entre.

disculper [diskylpe] v. ▪ conjug. 1. **1.** V. tr. Prouver l'innocence de (qqn). *Disculper un ami des accusations dirigées contre lui.* ⇒ **innocenter, justifier.** / contr. **inculper** / *Ce document disculpe l'accusée et prouve que le magistrat l'a inculpée à tort.* **2.** SE DISCULPER v. pron. : se justifier, s'excuser. *Se disculper auprès de qqn, aux yeux de qqn. Je ne cherche pas à me disculper.* ▶ *disculpation* n. f. ▪ Fait de disculper (qqn).

discursif, ive [diskyrsif, iv] adj. ▪ Littér. Qui procède par une série de raisonnements successifs (opposé à *intuitif*). *Méthode discursive. Intelligence discursive.*

discussion [diskysjɔ̃] n. f. **1.** Action de discuter, d'examiner (qqch.), seul ou avec d'autres. ⇒ **examen.** *La discussion d'un projet de loi, du budget à* *l'Assemblée.* **2.** Le fait de discuter (une décision), de s'y opposer par des arguments. *Obéissez, et pas de discussion !* **3.** Échange d'arguments, de vues contradictoires. ⇒ **débat, échange** de vues. *Il y a eu une longue discussion au sujet de l'augmentation des salaires. Prendre part à la discussion. Toute discussion avec lui est impossible.* **4.** Vive contestation. ⇒ **altercation, dispute.** *Ils ont eu ensemble une violente discussion.*

discuter [diskyte] v. ■ conjug. 1. **1.** V. tr. Examiner (qqch.) par un débat, en étudiant le pour et le contre. ⇒ **débattre ; critiquer.** *Discuter un point litigieux.* **2.** Mettre en question, considérer comme peu certain, peu fondé. *Discuter l'existence, la vérité de qqch.* ⇒ **contester.** *Une autorité que personne ne discute.* **3.** Spécialt. Opposer des arguments à (une décision), refuser d'exécuter. *Vous n'avez pas à discuter mes ordres.* **4.** V. intr. Parler avec d'autres en échangeant des idées, des arguments sur un sujet. *Discuter sur un point avec qqn. Nous avons discuté (de) politique.* — Transitivement. Fam. *Discuter le coup, le bout de gras.* ⇒ **bavarder. 5.** SE DISCUTER v. pron. (Suj. chose) *La chose se discute. Cela peut se discuter,* être mis en question. ▶ *discutable* adj. **1.** Qu'on peut discuter, dont la valeur n'est pas certaine. ⇒ **contestable.** *Affirmation discutable. C'est fort discutable.* / contr. **indiscutable** / **2.** Plutôt mauvais. ⇒ **douteux.** *C'est d'un goût discutable.* ▶ *discuté, ée* adj. ■ Qui soulève des discussions, qui ne fait pas l'unanimité. ⇒ **controversé, critiqué.** / contr. **incontesté** / *Théorie discutée. Un homme très discuté,* dont la valeur est mise en cause. ⟨ ▶ **discussion, indiscutable** ⟩

disert, erte [dizɛʀ, ɛʀt] adj. ■ Littér. Qui parle avec facilité et élégance. ⇒ **éloquent.** *Un orateur disert. Elle a été assez diserte sur ce sujet.*

disette [dizɛt] n. f. ■ Manque de vivres. ⇒ **famine.** *Année de disette.* / contr. **abondance** /

diseur, euse [dizœʀ, øz] n. ■ Dans des loc. *Personne qui dit. Diseur de bons mots,* qui dit des bons mots en toute occasion. — *Diseuse de bonne aventure,* femme qui prédit l'avenir. ⇒ **voyante.**

disgrâce [dizgʀɑs] n. f. **1.** Perte des bonnes grâces, de la faveur d'une personne dont on dépend. ⇒ **défaveur.** *La disgrâce d'un courtisan, d'un favori. Tomber, être en disgrâce. Subir sa disgrâce avec résignation.* **2.** Vx. Événement malheureux. ⇒ **infortune, malheur.** *Pour comble de disgrâce.* ▶ *disgracié, iée* adj. et n. **1.** Qui n'est plus en faveur, est tombé en disgrâce. *Un ministre disgracié.* **2.** Peu favorisé, mal partagé. ⇒ **défavorisé.** *Être disgracié (de la nature, par la nature),* laid, malade ou infirme. ▶ *disgracier* v. tr. ■ conjug. 7. ■ Priver (qqn) de la faveur qu'on lui accordait. *Les rois absolus pouvaient disgracier leurs ministres.* — *Être disgracié,* en disgrâce.

disgracieux, euse [disgʀasjø, øz] adj. ■ Qui n'a aucune grâce. *Maintien, geste disgracieux.* ⇒ **inélégant.** *Un visage disgracieux.*

disjoindre [dizʒwɛ̃dʀ] v. tr. ■ conjug. 49. **1.** Écarter les unes des autres (des parties jointes entre elles). ⇒ **désunir, séparer.** *Disjoindre les planches d'une table.* — Pronominalement. *Les planches commencent à se disjoindre.* **2.** Abstrait. Séparer. *Disjoindre deux questions, deux accusations,* les traiter comme distinctes. ⇒ **isoler.** / contr. **joindre ; rapprocher** / ▶ *disjoint, ointe* adj. **1.** Qui n'est plus joint. *Planches disjointes.* **2.** Abstrait. Séparé. *Questions disjointes,* qui n'ont rien à voir ensemble. ⇒ **différent, distinct.** / contr. **conjoint, lié** / ⟨ ▶ **disjoncteur, disjonction** ⟩

disjoncteur [dizʒɔ̃ktœʀ] n. m. ■ Interrupteur automatique de courant électrique. ⇒ **coupe-circuit.**

disjonction [dizʒɔ̃ksjɔ̃] n. f. ■ Action de disjoindre (deux questions, des idées) ; son résultat. ⇒ **séparation.** *La disjonction de deux questions.* / contr. **conjonction** /

disloquer [dislɔke] v. tr. ■ conjug. 1. **1.** Déplacer violemment (les parties d'une articulation). ⇒ **démettre, désarticuler.** *Le coup, l'accident lui a disloqué l'épaule. Elle s'est disloqué une articulation.* **2.** Séparer violemment, sortir de leur place normale (les parties d'un ensemble), séparer les éléments de. *Disloquer les rouages d'une machine. Disloquer une machine.* ⇒ **casser, démolir.** — Pronominalement. *Cortège qui se disloque.* ⇒ **se disperser, se séparer.** Au passif et p. p. adj. (ÊTRE) DISLOQUÉ(E). *La chaise est disloquée. Une voiture toute disloquée.* ⇒ **déglingué.** ▶ *dislocation* n. f. **1.** (Articulation) Le fait de se disloquer. *La dislocation d'un membre.* ⇒ **déboîtement, déplacement.** **2.** Séparation violente. *Disloquer une* — *La dislocation d'un empire.* ⇒ **démembrement. 3.** (Personnes en groupe) Action de se séparer. *La dislocation du cortège s'opéra au rond-point.* ⇒ **dispersion.**

disparaître [dispaʀɛtʀ] v. intr. ■ conjug. 57. **I.** Ne plus être vu ou visible. **1.** Cesser de paraître, d'être visible. ⇒ **s'en aller, s'évanouir.** *Le soleil disparaît derrière un nuage. Il a disparu dans la foule. Le village disparut au tournant de la route. Nous regardions le bateau s'éloigner jusqu'au moment où il disparut à nos yeux.* **2.** S'en aller. ⇒ **fuir, partir.** *Il a disparu sans laisser de traces.* ⇒ **disparu.** — Partir à la dérobée. ⇒ **s'éclipser, s'esquiver.** — (En parlant d'objets qu'on ne peut retrouver) *Mes gants ont disparu, je les ai perdus.* **3.** FAIRE DISPARAÎTRE *qqn, qqch.* : le soustraire à la vue ; enlever, cacher. *Faire disparaître un document compromettant.* **II.** **1.** Cesser d'être, d'exister. *Le grand écrivain qui vient de disparaître,* de mourir. *Le brouillard a disparu vers dix heures.* ⇒ **se dissiper.** *La rougeur de son visage commence à disparaître.* ⇒ **s'effacer.** **2.** Abstrait. *Ses craintes, ses soucis ont disparu en un clin d'œil.* ⇒ **s'évanouir.** *Cette coutume commence à disparaître.* ⇒ **se perdre.** **3.** FAIRE DISPARAÎTRE *qqch.* ⇒ **détruire, effacer.** *Le temps a fait disparaître cette inscription. Médicament qui fait disparaître la fièvre.* ⇒ **chasser.** ▶ *disparition* [dispaʀisjɔ̃] n. f. **1.** Le fait de n'être plus visible. *La disparition du soleil à l'horizon.* / contr. **apparition, réapparition.** **2.** Action de partir d'un lieu, de ne plus se manifester ⇒ **départ** ; surtout, absence inexpliquée. *La disparition de l'enfant remonte à huit jours. Constater la disparition d'une grosse somme d'argent.* **3.** Action de disparaître en cessant d'exister. ⇒ **mort ; fin.** *La disparition d'une espèce animale, végétale. La disparition d'une civilisation.* ▶ *disparu, ue* adj. et n. **1.** Qui a cessé d'être visible. *Chercher à l'horizon un navire disparu.* **2.** Qui a cessé d'exister. *Retrouver les traces d'une civilisation disparue.* **3.** (Personnes) Qu'on ne retrouve pas ; considéré comme perdu, mort. *Marin disparu en mer.* — N. *La catastrophe minière a fait deux morts et trois disparus.* — *Être porté disparu,* considéré comme mort. *Un soldat porté disparu.* **4.** N. Littér. Mort, défunt. *Notre chère disparue.*

disparate [dispaʀat] adj. et n. f. **1.** Qui n'est pas en accord, en harmonie avec ce qui l'entoure ; dont la diversité est choquante. ⇒ **discordant, hétéroclite, hétérogène.** *Des ornements disparates.* **2.** Dont les éléments sont mal accordés. *Un mobilier disparate.* **3.** N. f. Vx. Disparité. ▶ *disparité* n. f. ■ Absence d'harmonie entre les éléments ; caractère disparate. ⇒ **dissemblance ; disproportion.** *Il y a entre eux une grande disparité d'âge.*

dispendieux, ieuse [dispɑ̃djø, jøz] adj. ■ Littér. Qui exige une grande dépense. ⇒ **coûteux, onéreux.** *Il a des goûts dispendieux.*

① **dispenser** [dispɑ̃se] v. tr. ▪ conjug. 1. ■ Littér. (Suj. personnes, puissances supérieures) Distribuer avec générosité, abondance. ⇒ **accorder, donner, prodiguer, répandre.** *La divinité dispense ses bienfaits. Dispenser des compliments à tout le monde. Dispenser des soins.* — *Le Soleil dispense sa chaleur à la Terre.* ▶ **dispensaire** n. m. ■ Centre médical où l'on donne, où l'on *dispense* gratuitement des consultations, des soins. *Se faire soigner dans un dispensaire, au dispensaire.*

② **dispenser** v. tr. ▪ conjug. 1. — DISPENSER *qqn* DE *qqch.*, DE *faire qqch.* **1.** Autoriser (qqn) à ne pas (remplir une obligation) ; permettre à (qqn) de ne pas faire. *On l'a dispensé d'assister à la réunion. Dispensez-moi de cette corvée. Dispenser qqn d'une taxe.* ⇒ **exonérer.** — (Suj. chose) *Sa réponse nous dispense des démarches prévues, d'envoyer une lettre.* **2.** *Je vous dispense de,* je vous le défends, ceci me déplaît. *Je vous dispense à l'avenir de vos visites.* — *Dispensez-moi de vos réflexions.* ⇒ **épargner.** **3.** SE DISPENSER v. pron. : se permettre de ne pas faire (qqch.). *Se dispenser de travailler. On ne peut pas se dispenser de les aider.* **4.** Au passif et p. p. adj. (ÊTRE) DISPENSÉ, ÉE DE. *Cette élève est dispensée de gymnastique. Être dispensé du service militaire.* ⇒ **exempt.** ▶ **dispense** n. f. ■ Autorisation spéciale, donnée par une autorité, de faire ce qui est défendu ou de ne pas faire ce qui est prescrit. *Avoir, obtenir une dispense. Dispense d'âge.* ⇒ **dérogation.** *Dispense du service militaire.* ⇒ **exemption.** *Dispense de droits, d'impôts.* ⇒ **exonération.** ⟨ ▶ indispensable ⟩

disperser [dispɛʀse] v. tr. ▪ conjug. 1. **1.** Jeter, répandre çà et là. ⇒ **disséminer, éparpiller, répandre.** *Disperser au vent les morceaux d'une lettre déchirée.* **2.** Répartir çà et là, en divers endroits, de divers côtés. *Disperser le tir*. Disperser un attroupement, des manifestants.* — Pronominalement. *La foule se dispersa après le spectacle.* — Abstrait. *Disperser ses efforts, ses forces, son attention,* les faire porter sur plusieurs points, ne pas les concentrer. **3.** Pronominalement. SE DISPERSER : s'occuper à des activités trop diverses. *Il se disperse et ne sera jamais un spécialiste.* **4.** Au passif et p. p. adj. (ÊTRE) DISPERSÉ, ÉE. *Quelques arbres fruitiers étaient dispersés dans le jardin. Une documentation dispersée. Un habitat dispersé.* ⇒ **clairsemé, disséminé.** ▶ **dispersion** n. f. **1.** Action de (se) disperser ; état de ce qui est dispersé. *La dispersion d'un peuple* (⇒ **diaspora**). *Donner l'ordre de dispersion à la fin d'une manifestation. La dispersion des élèves à la sortie de l'école.* — *Dispersion de la lumière,* décomposition d'une lumière formée de radiations de différentes longueurs d'onde. **2.** Abstrait. Péj. Application de l'esprit (qui *se disperse*) à des sujets trop différents. ⇒ **éparpillement.** / contr. **concentration** /

disponible [dispɔnibl] adj. **1.** (Choses) Dont on peut disposer. ⇒ **libre.** *Nous avons deux places disponibles. Appartement disponible.* **2.** (Personnes) *Officier, fonctionnaire disponible,* qui n'est pas en activité, mais demeure à la disposition de l'armée, de l'administration. **3.** (Personnes) Qui n'est lié ou engagé par rien. ⇒ **libre.** *Nous sommes disponibles pour cette affaire. Si vous êtes disponible samedi prochain, venez nous rendre visite.* ▶ **disponibilité** n. f. **1.** (Personnes) Situation des fonctionnaires disponibles (2). *Être en disponibilité.* **2.** État de ce qui est disponible (3). *Disponibilité d'esprit.* **3.** Au plur. *Les disponibilités,* les sommes d'actif dont on peut immédiatement disposer (opposé à *immobilisations*). ⇒ **espèces.** ⟨ ▶ indisponibilité, indisponible ⟩

dispos, ose [dispo, oz] adj. ■ Qui est en bonne disposition pour agir. ⇒ **en forme, gaillard.** *Je ne me sens pas très dispos.* Loc. *Il est FRAIS ET DISPOS :*

reposé, en bonne forme. *Elle est fraîche et dispose.* / contr. **fatigué** /

① **disposer** [dispoze] v. tr. ▪ conjug. 1. ■ Arranger, placer (plusieurs choses, personnes) dans un certain ordre. *Disposer les assiettes et les verres sur la table en mettant le couvert. Disposer des choses en ligne, en cercle.* — Pronominalement. *Se disposer en rangs, à la file.* ⇒ se **mettre.** ▶ ① **disposé, ée** adj. ■ *Objets disposés symétriquement.* ▶ ① **disposition** n. f. ■ Action de disposer, de mettre dans un certain ordre ; son résultat. *Une disposition régulière d'objets. La disposition des pièces d'un appartement* ⇒ **distribution,** *des meubles dans une pièce.*

② **disposer** v. tr. ind. et intr. ▪ conjug. 1. **I. 1.** DISPOSER *qqn* À *qqch.*, à *faire qqch.* : préparer psychologiquement (qqn à qqch.). *Disposer qqn à une mauvaise nouvelle.* — Engager (qqn à faire qqch.). ⇒ **inciter.** *Nous l'avons disposé à vous recevoir.* **2.** SE DISPOSER (À) v. pron. : se mettre en état, en mesure de ; être sur le point de. *Je me disposais à partir quand il est arrivé.* ⇒ se **préparer. II.** V. tr. indir. DISPOSER DE. **1.** Avoir à sa disposition, avoir la possession, l'usage de. ⇒ **avoir.** *Il dispose d'une voiture. Nous ne disposons pas de l'électricité. Vous pouvez en disposer, je n'en ai plus besoin.* ⇒ **prendre.** *Je ne dispose que de quelques minutes. Les renseignements dont nous disposons.* **2.** Disposer de qqn, l'employer, le traiter comme on le veut. *Je suis à votre service, disposez de moi. Le droit des peuples à disposer d'eux-mêmes.* **3.** Sans compl. *Disposer,* disposer de soi (dans la construction *pouvoir disposer*). *Vous pouvez partir, vous pouvez vous en aller* (c'est un supérieur qui parle) (→ *Je ne vous retiens* pas*). **III.** V. intr. Décider ; organiser de manière obligatoire. PROV. *L'homme propose, Dieu dispose.* ▶ ② **disposé, ée** adj. **1.** *Disposé à,* être préparé à, avoir l'intention de. ⇒ **prêt** à. *Nous sommes tout disposés à vous rendre service.* **2.** *Être bien, mal disposé envers qqn,* lui vouloir du bien, du mal. ▶ ② **disposition** n. f. **I. 1.** DISPOSITION À : tendance à. *Une disposition à attraper des rhumes.* ⇒ **prédisposition.** — Aptitude à faire qqch. (en bien ou en mal). ⇒ **aptitude, don, inclination, penchant, prédisposition, tendance, vocation.** *Avoir des dispositions pour l'étude.* **2.** (Correspond à *se disposer à, être disposé à*) Au plur. Intentions (envers qqn). *Être dans de bonnes dispositions à l'égard de qqn.* **II.** Le fait de pouvoir se servir de qqch., dans À... DISPOSITION. *Il a mis sa voiture à notre disposition. Je suis à votre entière disposition pour vous faire visiter la ville. Les moyens, le personnel mis à votre disposition.* **III. 1.** Au plur. Moyens, précautions par lesquels on se prépare à qqch. ⇒ **mesure.** *Prendre ses dispositions pour partir en voyage. J'ai pris toutes les dispositions nécessaires.* ⇒ **précaution. 2.** Clause d'un acte juridique (contrat, testament, donation) *Dispositions entre vifs*.* **3.** Point fixé, réglé par une loi, un arrêté, un jugement... *Les dispositions que renferme cet article. Le testament contenait une disposition particulière.* ⟨ ▶ dispositif, indisposer, prédisposer ⟩

dispositif [dispozitif] n. m. **1.** Manière dont sont disposés les pièces, les organes d'un appareil ; mécanisme. *Dispositif de sûreté. Dispositif de commande.* **2.** Ensemble de moyens militaires disposés conformément à un plan. *Un dispositif d'attaque, de défense.*

disproportion [dispʀɔpɔʀsjɔ̃] n. f. ■ Défaut de proportion, trop grande différence (entre deux ou plusieurs choses). ⇒ **disparité, inégalité.** *La disproportion d'âge, de fortune entre deux personnes. La disproportion de la peine et de la punition. La disproportion d'une chose avec une autre, entre une chose et une autre. La disproportion d'une punition* *avec la faute.* ▶ **disproportionné,** *ée* adj. ■ Qui manque de proportion. ⇒ **inégal.** *Récompense disproportionnée au mérite. Réaction disproportionnée.* ⇒ **excessif.** *Une tête disproportionnée, trop grosse ou trop petite par rapport au corps.*

① *disputer* [dispyte] v. tr. ■ conjug. 1. **1.** Fam. Réprimander (qqn). *Disputer qqn.* ⇒ **attraper, gronder.** *Elle s'est fait disputer par sa mère.* **2.** V. pron. SE DISPUTER : avoir une querelle, un échange violent de paroles. ⇒ **se chamailler, se quereller.** *Se disputer avec un collègue.* — (Récipr.) *Ils n'arrêtent pas de se disputer.* ▶ **dispute** n. f. ■ Échange violent de paroles (arguments, reproches, insultes) entre personnes qui s'opposent. ⇒ **altercation, discussion, querelle.** *Une dispute d'amoureux. Dispute qui s'élève, éclate entre plusieurs personnes. Sujet de dispute.*

② *disputer* v. ■ conjug. 1. **I.** V. tr. **1.** Lutter pour la possession ou la conservation d'une chose à laquelle un autre prétend. *Disputer un poste, la victoire à des rivaux.* — Pronominalement. *Animaux qui se disputent une proie.* — *Disputer le terrain,* le défendre avec acharnement. **2.** *Disputer un match, un combat, un concours,* le faire en vue de remporter la victoire, le succès. — Pronominalement (passif). *Le match s'est disputé hier à Paris.* **II.** V. tr. indir. **1.** Vx ou littér. Discuter. *Disputer d'une question.* ⇒ **débattre.** **2.** Littér. Rivaliser. *Les deux rivaux disputent de zèle.*

disqualifier [diskalifje] v. tr. ■ conjug. 7. **1.** Exclure d'une épreuve, en raison d'une infraction au règlement. *Disqualifier un boxeur pour coup bas.* **2.** SE DISQUALIFIER v. pron. : perdre le droit à une position en faisant preuve d'indignité, d'incapacité. *Il s'est disqualifié en tenant de pareils propos.* **3.** Au passif et p. p. adj. *(Être) disqualifié.* ▶ **disqualification** n. f. ■ *La disqualification d'un concurrent.*

disque [disk] n. m. **1.** Cercle de matière dure que les athlètes *(discoboles)* lancent en pivotant sur eux-mêmes. *Lancer le disque.* **2.** Surface visible (de certains grands astres). *Le disque du Soleil, de la Lune.* **3.** Objet de forme ronde et plate (cercle, cylindre de peu de hauteur). — *Disque d'embrayage,* qui met en rapport le volant du moteur et l'arbre d'embrayage. **4.** Plaque circulaire sur laquelle sont enregistrés des sons en minces sillons spiralés. *Disque microsillon de longue durée (un disque 33 tours, 45 tours, ou un 33, 45 tours). Disque noir,* ce disque (opposé à *disque compact, audionumérique* * ; à *disque laser*). *Mettre un disque,* le faire jouer. *Présentateur de disques.* ⇒ anglic. **disc-jockey.** — Loc. fam. *Changer de disque,* parler d'autre chose. **5.** En informatique. Support d'information. *Bandes et disques magnétiques. Disque souple.* ⇒ **disquette.** *Disque dur.* — *Disque vidéo (vidéodisque).* ▶ **disquaire** n. ■ Marchand(e) de disques (4). *Un, une disquaire.* ▶ **disquette** n. f. ■ Petit disque (5) souple pour la mise en mémoire de données. ⟨▶ **disc-jockey, disco, discobole, discographie, discophile, discothèque, tourne-disque** ⟩

dissection [disɛksjɔ̃] n. f. ■ Action de disséquer un corps organisé. *La dissection d'un cobaye.*

dissemblable [disɑ̃blabl] adj. ■ Se dit de deux ou plusieurs personnes ou choses qui ne sont pas semblables, bien qu'ayant entre elles des caractères communs. ⇒ **différent, disparate.** *Ils sont trop dissemblables pour s'entendre.* ▶ **dissemblance** n. f. ■ Manque de ressemblance entre des êtres, des choses. ⇒ **différence, disparité.** *La tortue et le serpent appartiennent à la classe des reptiles malgré leurs dissemblances.*

disséminer [disemine] v. tr. ■ conjug. 1. **1.** Répandre en de nombreux points assez écartés. ⇒ **disperser,** éparpiller, semer. *Le vent dissémine les graines de certains végétaux.* **2.** Disperser. *Disséminer les troupes.* — Pronominalement. *Les hommes se sont disséminés.* — Au p. p. adj. *Informations disséminées.* ▶ **dissémination** n. f. **1.** Dispersion (des graines). **2.** Éparpillement, dispersion. *La dissémination des habitants en pays de montagne.* — Abstrait. *La dissémination des idées.* ⇒ **diffusion, propagation.**

dissension [disɑ̃sjɔ̃] n. f. ■ Littér. Division profonde de sentiments, d'intérêts, de convictions. ⇒ **désaccord, discorde, dissentiment, divorce.** *Dissensions familiales, civiles. On n'a pas pu mettre fin aux dissensions existantes.* / contr. **concorde, harmonie** /

dissentiment [disɑ̃timɑ̃] n. m. ■ Différence dans la manière de juger, de voir, qui crée des heurts. ⇒ **conflit, désaccord.** *Il y a dissentiment entre nous sur ce point.*

disséquer [diseke] v. tr. ■ conjug. 6. **1.** Diviser méthodiquement les parties de (une plante, un corps organisé) en vue d'en étudier la structure. *Disséquer le pistil d'une fleur. Disséquer un animal* (⇒ **dissection**). **2.** Analyser minutieusement et méthodiquement. ⇒ **éplucher.** *Disséquer un ouvrage ; un auteur* ⟨▶ **dissection** ⟩

disserter [disɛrte] v. intr. ■ conjug. 1. ■ Faire un développement écrit, ou le plus souvent oral, sur une question, un sujet. ⇒ **discourir, traiter** de. *Disserter sur la politique, de politique.* ▶ **dissertation** n. f. **1.** Texte où l'on disserte. ⇒ **discours, traité.** **2.** Exercice écrit que doivent rédiger les élèves des grandes classes des lycées, les étudiants, sur des sujets littéraires, philosophiques, historiques. *Corriger des dissertations.* — Abrév. fam. *Dissert(e)* [disɛrt].

dissidence [disidɑ̃s] n. f. ■ Action ou état de ceux qui se séparent d'une communauté religieuse, politique, sociale. ⇒ **révolte, scission, sécession, séparation.** *Entrer, être en dissidence.* — Groupe de dissidents. *Rejoindre la dissidence.* ▶ **dissident, ente** adj. ■ Qui est en dissidence, qui fait partie d'une dissidence. *Église, province dissidente.* ⇒ **séparatiste.** — N. Personne qui manifeste son opposition (dans un parti, un pays). *Les dissidents soviétiques.*

dissimuler [disimyle] v. tr. ■ conjug. 1. **1.** Ne pas laisser paraître (ce qu'on pense, ce qu'on éprouve, ce qu'on sait) ⇒ **cacher, taire,** ou chercher à en donner une idée fausse ⇒ **déguiser.** *Dissimuler sa jalousie, sa joie, ses véritables projets. Se dissimuler les dangers d'une entreprise,* refuser de les voir. — (Avec que + indicatif) *Je ne vous dissimulerai pas que cette solution ne me convient guère.* **2.** Empêcher de voir (une chose concrète). ⇒ **masquer, voiler.** — (Suj. personne) *Il dissimule le paquet derrière son dos.* — (Suj. chose) *Une tenture dissimule la porte.* **3.** Ne pas déclarer, par fraude. *Dissimuler une partie de ses bénéfices.* **4.** SE DISSIMULER v. pron. : cacher sa présence ou la rendre très discrète. *Se dissimuler derrière un pilier.* ▶ **dissimulateur, trice** adj. et n. ■ Qui dissimule. *Un caractère dissimulateur.* — N. Personne qui dissimule. *C'est une dissimulatrice.* ⇒ **hypocrite.** ▶ **dissimulation** n. f. **1.** Action de dissimuler ; comportement d'une personne qui dissimule. *Agir avec dissimulation.* ⇒ **duplicité, hypocrisie, sournoiserie.** / contr. **franchise** / **2.** Action de dissimuler (de l'argent). *Dissimulation de bénéfices, de revenus dans une déclaration au fisc.* ▶ **dissimulé, ée** adj. **1.** Caché. *Sentiment dissimulé. Défaut bien dissimulé.* **2.** Qui dissimule. ⇒ **cachottier, dissimulateur, sournois.** *Cet enfant est très dissimulé. Une personne au tempérament faible et dissimulé.*

dissiper [disipe] v. tr. ■ conjug. 1. **I. 1.** Faire cesser en dispersant. *Le soleil dissipe les brouillards.* ⇒ **chas-**

distinct

ser. — Pronominalement. *La brume se dissipe.* ⇒ **disparaître.** — Abstrait. *Dissiper un trouble, un malaise.* ⇒ **anéantir, supprimer.** *Dissiper un malentendu.* ⇒ **éclaircir.** *Dissiper les craintes, les soupçons, les illusions de qqn.* **2.** Dépenser follement. ⇒ **gaspiller.** *Dissiper son patrimoine, une fortune.* ⇒ **dilapider.** **II.** SE DISSIPER v. pron. (Suj. personne) : devenir dissipé. *Les élèves se dissipent en fin de journée.* ▶ **dissipation** n. f. **I. 1.** Fait de se dissiper (1). *La dissipation de la brume.* **2.** Action de dissiper en dépensant avec prodigalité. ⇒ **dilapidation, gaspillage. II.** Mauvaise conduite d'une personne (surtout, d'un élève) soumise à une discipline collective. ⇒ **indiscipline.** ▶ *dissipé, ée* adj. **1.** Qui s'amuse quand il faudrait écouter ou travailler. *Enfant, élève dissipé.* ⇒ **dissipation** (II). / contr. **appliqué, sage** / **2.** Littér. Frivole, déréglé. *Mener une vie dissipée.* ⇒ **dissolu.** / contr. **rangé** /

dissocier [disɔsje] v. tr. ▪ conjug. 7. **1.** Séparer (des éléments qui étaient associés). *Dissocier les molécules d'un corps, dissocier un corps.* ⇒ **désagréger, désintégrer.** — Pronominalement. *Éléments qui se dissocient.* **2.** Abstrait. *Dissocier deux questions.* ⇒ **disjoindre.** / contr. **associer** / ▶ *dissociable* adj. ▪ Qui peut être dissocié. *Les deux problèmes ne sont pas dissociables.* ▶ *dissociation* n. f. ▪ Action de dissocier ; son résultat. *La dissociation d'un composé chimique en ses éléments.* — Séparation. *La dissociation de deux problèmes.* ⟨ ▶ **indissociable** ⟩

dissolu, ue [disɔly] adj. ▪ *Vie dissolue, mœurs dissolues,* corrompues, débauchées. ⇒ **dépravé, déréglé.** / contr. **rangé** /

dissolution [disɔlysjɔ̃] n. f. **1.** Décomposition (d'un agrégat, d'un organisme) par la séparation des éléments constituants. *Dissolution des matières animales, végétales.* **2.** Action de mettre fin légalement. *Dissolution du mariage,* divorce. *Prononcer la dissolution d'une assemblée.* ⇒ **dissoudre** (2). **3.** Le fait, pour un corps chimique, de passer à l'état de solution. *Dissolution du sel dans l'eau.* **4.** Liquide résultant de la dissolution. ⇒ **solution.** — Colle au caoutchouc, utilisée pour la réparation des chambres à air. ▶ *dissolvant, ante* adj. et n. m. **1.** Qui dissout (1), forme une solution avec un corps. **2.** N. m. Liquide qui dissout (un corps). ⇒ **solvant.** — Produit pour ôter le vernis à ongles. **3.** Qui détruit les principes, les croyances. *Une critique dissolvante.*

dissonance [disɔnɑ̃s] n. f. **1.** Réunion de sons dont la simultanéité ou la succession est désagréable. / contr. **euphonie** / **2.** Intervalle musical ou accord qui appelle une consonance*. **3.** Abstrait. *Dissonance entre les principes et la conduite.* ⇒ **désaccord.** / contr. **harmonie** / ▶ *dissonant, ante* adj. ▪ Qui fait dissonance. *Sons dissonants.*

dissoudre [disudʀ] v. tr. ▪ conjug. 51. **1.** Désagréger (un corps solide ou gazeux) au moyen d'un liquide dans lequel ses molécules se dispersent. (⇒ **dissolution, dissolvant**). *On peut dissoudre le sucre dans l'eau ; l'eau dissout le sucre* (→ le sucre est *soluble* dans l'eau). — Pronominalement. *Le savon se dissout dans l'eau. Se dissoudre en. La neige se dissout en eau.* **2.** Mettre légalement fin à (une association). *Dissoudre un parti.* — Au p. p. adj. *Assemblée dissoute. Comité dissous.* ⟨ ▶ **dissolution** ⟩

dissuader [disɥade] v. tr. ▪ conjug. 1. ▪ DISSUADER *qqn* DE : amener (qqn) à renoncer (à faire qqch.). ⇒ **détourner.** *Il m'a dissuadé d'accepter.* ▶ *dissuasif, ive* [disɥazif, iv] adj. ▪ Propre à dissuader l'ennemi d'attaquer. *Stratégie dissuasive. L'action dissuasive des armes nucléaires.* ▶ *dissuasion* [disɥazjɔ̃] n. f. ▪ Action de dissuader ; son résultat. *Forces de dissuasion,* destinées à dissuader l'adversaire d'attaquer. ⇒ **dissuasif.**

dissyllabique [disi(l)labik] adj. et n. m. ▪ (Mot, vers) Qui est composé de deux syllabes. *Le mot « chemin » est dissyllabique.* (On dit aussi c'est un *dissyllabe*).

dissymétrie [disimetʀi] n. f. ▪ Défaut de symétrie. ⇒ **asymétrie.** *La dissymétrie d'un visage.* ▶ *dissymétrique* adj. ▪ *Façade dissymétrique d'un palais.*

distance [distɑ̃s] n. f. **1.** Longueur, espace linéaire qui sépare une chose d'une autre. ⇒ **écart, éloignement, espace, étendue, intervalle.** *Les oiseaux migrateurs parcourent d'énormes distances. La distance entre deux lieux. Distance de la Terre à la Lune. Distance parcourue par qqn.* ⇒ **chemin, trajet.** — *À...* DISTANCE. *À grande, à petite distance de... Arbres plantés à égale distance les uns des autres. Influence exercée à distance,* de loin. **2.** Espace qui sépare deux personnes. — Loc. *Prendre ses distances,* s'aligner en étendant le bras horizontalement. — *Tenir qqn à distance respectueuse,* l'empêcher d'approcher. Fig. *Tenir à distance,* tenir à l'écart. *Garder ses distances,* repousser la familiarité en se tenant dans la réserve. **3.** Écart entre deux moments du temps. ⇒ **intervalle.** *Ces deux livres ont été publiés à deux ans de distance.* **4.** Différence notable de rang, de condition, de valeur (séparant des personnes ou des choses). ⇒ **abîme.** *La distance qui nous sépare. La distance entre le désir et la réalité.* ▶ *distancer* v. tr. ▪ conjug. 3. ▪ Dépasser (ce qui avance) d'une certaine distance. ⇒ **devancer ;** fam. **semer.** *Le champion les a tous distancés.* — Abstrait. *Se laisser distancer par un concurrent.* ⇒ **surpasser.** ▶ *distant, ante* adj. **1.** Qui est à une certaine distance. ⇒ **éloigné, loin.** *Ces deux villes sont distantes (l'une de l'autre) d'environ vingt kilomètres.* **2.** (Personnes) Qui garde ses distances, reste sur la réserve. — **froid, réservé.** *Il s'est montré distant envers nous.* — *Un air distant.* / contr. **familier** /

distendre [distɑ̃dʀ] v. tr. ▪ conjug. 41. **I.** Allonger, étirer en soumettant à une forte tension. *Distendre un ressort.* ⇒ **tendre. II.** SE DISTENDRE v. pron. **1.** Se tendre, s'étirer. *La peau se distend.* **2.** (Liens) Se relâcher, être moins serré. *Leurs liens d'amitié se sont distendus.*

distiller [distile] v. ▪ conjug. 1. **I.** V. tr. **1.** Laisser couler goutte à goutte. ⇒ **sécréter.** *Le pin distille la résine.* — Fig. *Distiller son venin,* répandre, laisser se répandre des méchancetés. — *Son discours distillait l'ennui.* **2.** Soumettre (qqch.) à la distillation. *Distiller un mélange dans un alambic. Purifier de l'eau en la distillant. Alcool obtenu en distillant des fruits.* — Au p. p. adj. *De l'eau distillée,* absolument pure. **3.** Littér. Fabriquer lentement (une chose précieuse, un suc,...). *L'abeille distille le miel.* **II.** V. intr. Se séparer (d'un mélange) par distillation. *Le gas-oil commence à distiller vers 230 °C.* ▶ *distillateur, trice* [distilatœʀ, tʀis] n. ▪ Personne qui fabrique et vend les produits obtenus par la distillation. — Fabricant d'eau-de-vie. *Un distillateur de cognac, d'armagnac.* ▶ *distillation* [distilasjɔ̃] n. f. ▪ Procédé qui consiste à convertir en vapeur un liquide mêlé à un corps non volatil, ou des liquides mêlés, afin de les séparer. *Distillation des fruits, des grains pour obtenir de l'eau-de-vie. La distillation des plantes aromatiques. La distillation fractionnée des produits pétroliers.* ▶ *distillerie* [distilʀi] n. f. ▪ Lieu où l'on fabrique les produits de la distillation. *Des distilleries de cognac. Les alambics d'une distillerie.*

distinct, incte [distɛ̃, ɛ̃kt] adj. **1.** Qui ne se confond pas avec qqch. d'analogue, de voisin. ⇒ **différent, indépendant, séparé.** *Problèmes, domaines distincts. La tête du serpent n'est pas toujours* distincte du tronc. **2.** Qui se perçoit nettement. *Parler d'une voix distincte.* ⇒ **clair, net.** / contr. **confus /** ► **distinctement** [distɛ̃ktəmɑ̃] adv. ■ *Voir, entendre distinctement.* ⇒ **clairement, nettement.** *Parler distinctement, en articulant bien.* ⟨ ► indistinct ⟩

distinctif, ive [distɛ̃ktif, iv] adj. ■ Qui permet de distinguer. ⇒ **caractéristique, typique.** *Les caractères distinctifs d'une espèce. Attribut, signe, trait distinctif.* ► **distinction** [distɛ̃ksjɔ̃] n. f. **1.** Action de distinguer, de reconnaître pour autre, différent. ⇒ **différenciation, discrimination, séparation.** *Faire la distinction entre deux choses.* ⇒ **départ.** — SANS DISTINCTION. *Recevoir tout le monde sans distinction.* ⇒ **indistinctement.** *Sans distinction d'âge. Sans distinction de race, de religion.* **2.** Le fait d'être distinct, séparé. *Les distinctions sociales.* **3.** Supériorité qui place au-dessus du commun. *La distinction de sa naissance.* ⇒ **noblesse. 4.** *(Une, des distinctions)* Marque d'estime, honneur qui récompense le mérite. ⇒ **décoration, dignité.** *Obtenir une haute distinction.* **5.** *(La distinction)* Élégance, délicatesse et réserve dans la tenue et les manières. *Avoir de la distinction.* ⇒ **distingué.** / contr. **vulgarité /**

distingué, ée [distɛ̃ge] adj. **1.** Littér. Remarquable par son rang, son mérite. ⇒ **éminent, supérieur.** *C'est l'un des peintres les plus distingués du siècle.* **2.** Politesse. *Recevez l'assurance de mes sentiments distingués.* **3.** Qui a de la distinction (5). *Votre amie est très distinguée. Air distingué.* / contr. **vulgaire /**

distinguer [distɛ̃ge] v. tr. ■ conjug. 1. **I. 1.** (Le suj. désigne une différence, un trait caractéristique) Permettre de reconnaître (une personne ou une chose d'une autre). ⇒ **différencier.** *La raison, le langage distingue l'homme des animaux.* **2.** Reconnaître (une personne ou une chose) pour distincte (d'une autre). ⇒ **différencier, isoler, séparer.** / contr. **confondre /** *On ne peut distinguer ces jumeaux l'un de l'autre. Distinguer le vrai du faux.* ⇒ **démêler, discerner.** *Distinguer les divers sens d'un mot.* **3.** Mettre (qqn) à part des autres, en le remarquant comme supérieur. *Je l'ai tout de suite distingué.* ⇒ **remarquer. 4.** Percevoir d'une manière distincte, sans confusion. *On commence à distinguer les montagnes. Le brouillard est si épais qu'on peut à peine distinguer sa main devant soi. On distingua le bruit d'une voiture qui ralentissait.* ⇒ **discerner, voir.** *Distinguer qqn au milieu d'une foule. Une douceur où l'on distingue de l'amertume.* **II.** SE DISTINGUER v. pron. **1.** Être ou se rendre distinct, différent de. ⇒ **différer.** *Ces espèces se distinguent par leur couleur.* **2.** S'élever au-dessus des autres, se faire remarquer. ⇒ **s'illustrer, se signaler.** *Elle se distingue par son talent. Il se distingue de son frère par son courage. Il se distingua pendant la guerre. Quel bon gâteau ! La cuisinière s'est distinguée.* ⟨ ► distinctif, distinction, distingué ⟩

distique [distik] n. m. ■ Groupe de deux vers renfermant un énoncé complet.

distorsion [distɔrsjɔ̃] n. f. **1.** État d'une partie du corps qui se tourne d'un seul côté. **2.** Déformation de l'image d'un objet, du son (dans un appareil sonore). **3.** Déséquilibre (entre plusieurs facteurs), entraînant une tension. *Distorsion entre l'offre et la demande d'un produit. Distorsion entre le but et les moyens.*

① **distraire** [distrɛr] v. tr. ■ conjug. 50. **1.** Détourner (qqn) de l'objet auquel il s'applique, de ce dont il est occupé. *Distraire qqn de ses travaux, de ses occupations. Ne le distrayez pas de son travail.* ⇒ **déranger.** *Ne vous laissez pas distraire. Il faut le distraire de ses ennuis, de son chagrin.* **2.** Faire passer le temps agréablement. ⇒ **amuser, désennuyer, divertir, égayer ; distraction (2).** *Comment distraire nos*

hôtes ? / contr. **ennuyer /** — Pronominalement. *Il a besoin de se distraire.* ⇒ **s'amuser, se détendre.** ► ① **distraction** [distraksjɔ̃] n. f. **1.** Manque d'attention habituel ou momentané aux choses dont on devrait normalement s'occuper, l'esprit étant absorbé par un autre objet. ⇒ **inattention ; distrait.** *Son travail se ressent de sa distraction.* — UNE DISTRACTION : action qui procède de la distraction. *Avoir des distractions.* ⇒ **absence.** *Les distractions des savants.* ⇒ **étourderie.** *Il a mis du sel dans son café par distraction.* **2.** Diversion apportée par une occupation propre à délasser l'esprit. *Il faut à cet enfant un peu de distraction.* ⇒ **détente.** — UNE DISTRACTION : occupation qui apporte la distraction. ⇒ **divertissement.** *Le jeu, la promenade sont ses distractions quotidiennes.* ► **distrait, aite** adj. **1.** Absorbé par autre chose. *Il m'a paru distrait.* ⇒ **absent.** *Écouter d'une oreille distraite.* **2.** Qui est ordinairement occupé d'autre chose que de ce qu'il fait, ou de ce qu'on lui dit. *Il est si distrait qu'il ne sait jamais où il a mis ses affaires.* ⇒ **étourdi.** / contr. **attentif /** ► **distraitement** adv. ■ De façon distraite. *Dans la salle d'attente, je feuilletais distraitement une revue.* ► **distrayant, ante** [distrɛjɑ̃, ɑ̃t] adj. ■ Avec quoi l'on peut se distraire, se détendre l'esprit. ⇒ **amusant, délassant, divertissant.** *Film distrayant.* / contr. **ennuyeux /**

② **distraire** v. tr. ■ conjug. 50. ■ Littér. Séparer d'un ensemble. *Distraire de l'argent, une somme de son emploi normal.* ⇒ **détourner.** ► ② **distraction** n. f. ■ Rare. *La distraction d'une somme.* ⇒ **détournement.**

distribuer [distribɥe] v. tr. ■ conjug. 1. **1.** Donner à plusieurs personnes prises séparément (une partie d'une chose ou d'un ensemble de choses). ⇒ **donner, partager, répartir.** *Distribuer des uniformes aux soldats. Distribuer des tracts. Distribuer son travail, du travail à chacun.* **2.** Donner un grand nombre, au hasard. ⇒ **dispenser, prodiguer.** *Distribuer des saluts, des sourires, des coups.* **3.** (Suj. chose) Répartir dans plusieurs endroits. ⇒ **amener, conduire.** *Les conduites qui distribuent l'eau dans une ville.* **4.** Répartir (plusieurs choses) d'une manière particulière, selon un certain ordre. ⇒ **ordonner, organiser.** *Distribuer un film* (aux exploitants), en assurer la distribution (⇒ **distributeur**). *Distribuer des tâches. Distribuer des rôles à des acteurs.* — Au p. p. adj. *Appartement bien distribué,* où la disposition des pièces est rationnelle, agréable. ► **distributeur, trice** n. et adj. **1.** Personne qui distribue. *Distributeur de films,* personne dont le métier est de distribuer les copies des films aux cinémas. **2.** Appareil servant à distribuer. — Automobiles. Mécanisme qui répartit entre les cylindres les étincelles fournies par l'allumage. — Appareil qui distribue qqch. au public. *Distributeur d'essence.* ⇒ **pompe.** *Distributeur automatique,* appareil public qui distribue des objets en échange d'une ou plusieurs pièces de monnaie glissées dans une fente. — Adj. *Appareil distributeur de billets de banque.* ⇒ **billetterie. 3.** Personne qui distribue (qqch.). *Un distributeur, une distributrice de tracts à la sortie du métro.* ► **distribution** n. f. **1.** Répartition à des personnes. *Distribution de prix. Distribution du courrier par le facteur. La distribution de vivres aux populations sinistrées.* **2.** La distribution d'une pièce, d'un film, l'ensemble des acteurs qui l'interprètent. *Une bonne distribution.* **3.** Répartition à des endroits différents. *Distribution des eaux,* ensemble des moyens permettant d'approvisionner une ville en eau potable. **4.** Arrangement (de choses) selon un certain ordre. *La distribution des chapitres dans un livre.* ⇒ **ordonnance, ordre. 5.** Spécialt (logement). Division en pièces distinctes et différentes. ⇒ **agencement.** *La distribu-*

tion de cet appartement est peu pratique. ▶ **distributif, ive** adj. **1.** Droit. *Justice distributive*, qui donne à chacun la part qui lui revient ; fig., fam. qui sanctionne ou récompense de façon équitable. **2.** Grammaire. Qui sert à désigner en particulier (opposé à *collectif*). « *Chaque* » *est un adjectif distributif.* **3.** Mathématiques. *La multiplication est distributive par rapport à l'addition :* $a \times (b + c) = (a \times b) + (a \times c)$. ‹ ▶ redistribuer, redistribution ›

district [distʀikt] n. m. ■ Subdivision territoriale. *Ce territoire est divisé en plusieurs districts. Certains pays fédéraux ont un district fédéral.*

dit, dite [di, dit] adj. **1.** Surnommé. *Louis XV, dit le Bien-Aimé.* **2.** Joint à l'article défini (LEDIT, LADITE, etc.) il sert à désigner, en droit, ce dont on vient de parler. *Ledit acheteur. Ladite maison. Lesdits plaignants.*

dithyrambe [ditiʀɑ̃b] n. m. ■ Littér. Éloge enthousiaste, emphatique. ⇒ **panégyrique**. ▶ **dithyrambique** adj. ■ *Il a parlé de vous en termes dithyrambiques.*

diurétique [djyʀetik] adj. et n. m. ■ Qui augmente l'excrétion d'urine, qui fait uriner. — N. m. *Le fenouil est un diurétique.*

diurne [djyʀn] adj. ■ Qui se montre le jour. *Rapaces, papillons diurnes. Fleur diurne*, qui se ferme pendant la nuit. — Qui a lieu le jour. *Températures diurnes. Les activités diurnes.* / contr. **nocturne** /

diva [diva] n. f. ■ Cantatrice de grande réputation. *Des divas.*

divaguer [divage] v. intr. . conjug. 1. ■ Dire n'importe quoi, ne pas raisonner correctement. ⇒ **déraisonner ; fam. débloquer, dérailler.** *Qu'est-ce que tu dis ? Tu divagues complètement.* ▶ **divagation** n. f. ■ Le fait de déraisonner. *Les divagations d'un malade.* ⇒ **délire.**

divan [divɑ̃] n. m. ■ Long siège sans dossier ni bras qui peut servir de lit (le *canapé* a un dossier). *Il couche sur un divan.*

divergence [divɛʀʒɑ̃s] n. f. **1.** État de ce qui diverge, de ce qui va en s'écartant. ⇒ **dispersion.** / contr. **convergence** / *La divergence de deux droites.* ⇒ **écartement. 2.** Grande différence. *Divergence d'idées, d'opinions, de vues.* ⇒ **désaccord, différence.** / contr. **accord** / ▶ **divergent, ente** adj. **1.** Qui diverge, qui va en s'écartant. *Rayons divergents. Droites divergentes.* / contr. **convergent. 2.** Qui ne s'accorde pas. ⇒ **différent.** *Idées, opinions divergentes.* / contr. **concordant** / ≠ **divergeant** (part. prés. de *diverger*). ▶ **diverger** v. intr. . conjug. 3. **1.** Aller en s'écartant de plus en plus (en parlant d'éléments rapprochés à leur point de départ). *Les côtés d'un angle divergent. Ici, les deux routes divergent.* / contr. **converger.** — Abstrait. S'écarter de plus en plus (d'une origine commune, d'un type commun). *Ces deux partis, les politiques de ces deux pays ont divergé.* **2.** Être en désaccord. ⇒ **s'opposer.** *Leurs interprétations divergent sur ce point.*

divers, erse [divɛʀ, ɛʀs] adj. **1.** Littér. Au sing. Changeant ou varié. *C'est un esprit, un talent très divers.* ⇒ **varié. 2.** Au plur. Qui présentent des différences intrinsèques et qualitatives (en parlant de choses que l'on compare). ⇒ **différent, dissemblable, varié.** *Les peuples divers du pourtour de la Méditerranée. Les divers sens d'un mot. Parler sur les sujets les plus divers.* — *Frais divers*, qui ne sont pas classés dans une rubrique précise. **3.** FAITS DIVERS : rubrique sous laquelle on groupe les incidents du jour (accidents, crimes, etc.). — Au sing. *Un fait divers.*

4. Au plur. (Devant un substantif) Adj. indéfini. ⇒ **plusieurs, quelques.** *Diverses personnes m'en ont parlé. En diverses occasions. Je l'ai rencontré à diverses reprises.* ▶ **diversement** adv. ■ D'une manière diverse, de plusieurs manières différentes. ⇒ **différemment.** *Un fait diversement interprété par les commentateurs. Ils ont réagi diversement à sa proposition.* ▶ **diversifier** v. tr. . conjug. 7. ■ Rendre divers. ⇒ **varier.** *Il faut diversifier l'enseignement.* — Pronominalement. *Les sciences se sont peu à peu diversifiées.* ▶ **diversité** n. f. ■ Caractère, état de ce qui est divers (1, 2). ⇒ **variété.** *La diversité de la vie. La diversité des goûts, des opinions.* / contr. **monotonie, uniformité** /

diversion [divɛʀsjɔ̃] n. f. ■ Littér. Action qui détourne qqn de ce qui le préoccupe, le chagrine, l'ennuie. ⇒ **dérivatif.** *Un travail régulier sera une diversion à son ennui.* — *Faire diversion à*, détourner, distraire de. *L'arrivée du nouveau fit diversion.*

divertir [divɛʀtiʀ] v. tr. . conjug. 2. ■ Distraire en délassant. ⇒ **amuser, égayer.** / contr. **ennuyer** / *Le spectacle nous a bien divertis. Il faut instruire en divertissant.* — SE DIVERTIR v. pron. : se distraire, se récréer. *Vous devriez vous divertir un peu. Se divertir à jouer aux échecs.* — Vieilli. *Se divertir de qqn, qqch.*, s'en moquer. ▶ **divertissant, ante** adj. ■ ⇒ **distrayant, drôle, réjouissant.** *Spectacle divertissant.* / contr. **ennuyeux** / ▶ **divertissement** n. m. ■ Action de divertir ; moyen de se divertir. ⇒ **amusement, délassement, distraction, plaisir.** *Il se livre à ce travail pour son divertissement personnel. La chasse, la pêche sont ses divertissements favoris.*

dividende [dividɑ̃d] n. m. **1.** Nombre à diviser par un autre (appelé *diviseur*). **2.** Part des bénéfices versée périodiquement (à des actionnaires, des cotisants, des associés). *Toucher des dividendes.*

divin, ine [divɛ̃, in] adj. **1.** Qui appartient à Dieu, aux dieux. *Bonté, justice divine. La divine Providence. Droit divin*, considéré comme révélé par Dieu aux hommes. *Une monarchie de droit divin. Le divin enfant* [lədivinɑ̃fɑ̃], l'enfant Jésus. **2.** Qui est dû à Dieu, à un dieu. *Le culte divin.* **3.** Excellent, parfait. ⇒ **céleste, sublime, suprême.** *Une poésie, une musique divine.* — (Personnes) Très agréable. *Il fait un temps divin.* ⇒ **délicieux.** ▶ **divinement** adv. ■ D'une manière divine (3), parfaite. ⇒ **parfaitement, souverainement, suprêmement.** *Elle chante divinement. Il fait divinement beau.* ▶ **diviniser** v. tr. . conjug. 1. **1.** Mettre au rang des dieux. ⇒ **déifier.** *Les romains divinisaient leurs empereurs.* **2.** Donner une valeur sacrée ou une grande valeur à (qqn, qqch.). ⇒ **exalter, glorifier.** *Diviniser l'amour.* ▶ **divinisation** n. f. ■ *La divinisation d'un pharaon, d'un héros.* ▶ **divinité** n. f. **1.** Nature de Dieu. *La divinité de Jésus-Christ.* **2.** UNE DIVINITÉ : être divin. ⇒ **déesse, dieu.** *Les divinités mythologiques. Les divinités grecques. Les divinités de la terre, de la mer.* **3.** Personne ou chose qu'on adore, que l'on considère comme une puissance surnaturelle.

divination [divinasjɔ̃] n. f. **1.** Art de découvrir ce qui est caché par des moyens qui ne relèvent pas d'une connaissance naturelle. ⇒ **devin ; suff. -mancie.** *La divination antique était fondée sur l'interprétation de signes, présages et prodiges* (→ augures, auspices...). *La divination de l'avenir par une voyante.* **2.** Faculté, action de deviner, de prévoir. ⇒ **intuition, prévision, sagacité.** *Comment pouvait-il être au courant ? C'est de la divination.* ▶ **divinatoire** adj. ■ Relatif à la divination. *Art, science divinatoire.* ⇒ **prophétique.**

diviser [divize] v. tr. . conjug. 1. **1.** Séparer (une chose ou un ensemble de choses) en plusieurs parties. ⇒ **fractionner, fragmenter ; morceler, partager.** *Divi-*

ser une somme. Diviser un terrain, un domaine.
2. DIVISER *qqch.* EN : partager (une quantité) en
quantités égales plus petites. *Divisez-le en cinq.*
L'année est divisée en mois. — *Diviser un ouvrage*
littéraire en chapitres. ⇒ **subdiviser.** — *Diviser entre.*
Il veut diviser son domaine entre ses enfants.
3. DIVISER PAR : chercher, calculer combien de fois
une quantité est contenue dans une autre. *Diviser un*
nombre par quatre (opposé à *multiplier).* **4.** SE DIVISER
v. pron. : se séparer ou être séparé en parties. *L'œuf*
se divise en cellules. Route qui se divise à un carrefour.
⇒ **bifurquer,** se **ramifier.** *Son discours se divise en trois*
parties. **5.** Semer la discorde, la désunion entre (des
personnes, des groupes). ⇒ **brouiller, désunir, oppo-**
ser. / contr. **rapprocher** / *Oppositions qui divisent les*
esprits. Leurs opinions les divisent. Une question qui
divise le pays. L'affaire Dreyfus divisa la France. — Au
p. p. adj. *Une opinion publique divisée.* — Loc. prov.
Diviser pour régner, opposer les autres entre eux pour
garder le pouvoir, l'influence. ▶ *diviseur* n. m.
■ Nombre par lequel on en divise un autre (appelé
dividende). ▶ *divisible* adj. ■ Qui peut être divisé.
Les nombres pairs sont divisibles par 2. ▶ *divisibilité*
n. f. ■ *Divisibilité d'un nombre. Divisibilité par deux.*
/ contr. **indivisibilité** / ▶ *division* n. f. **1.** Action de
diviser ; état de ce qui est divisé (rare en emploi
concret). ⇒ **fragmentation, morcellement.** *La division*
d'une propriété en parts. ⇒ **partage. 2.** Opération,
calcul ayant pour but, connaissant le produit de deux
facteurs ⇒ **dividende** et l'un d'eux ⇒ **diviseur,** de
trouver le facteur inconnu ⇒ **quotient.** *Je n'arrive pas*
à faire cette division. **3.** DIVISION DU TRAVAIL :
organisation économique consistant dans la décomposition et la répartition des tâches. **4.** Séparation d'un
objet de pensée en ses éléments. *La division d'un livre*
en chapitres. Division en classes. ⇒ **classification,**
subdivision. 5. Le fait de se diviser (en...). *La division*
d'un fleuve en plusieurs bras. **6.** Trait qui divise.
Tracer des divisions sur un thermomètre. ⇒ **gradua-**
tion. — Petit tiret que l'on place à la fin d'une ligne,
après une partie d'un mot, pour indiquer que l'autre
partie en est reportée à la ligne suivante. ⇒ **tiret.**
7. Partie d'un tout divisé. *Divisions administratives*
d'un territoire. Les grandes divisions du règne animal.
Divisions et subdivisions. — Réunion de plusieurs
services (dans une administration). *Chef de division.*
— *Première, deuxième division,* dans laquelle un club
est admis pour disputer un championnat. *Tomber en*
deuxième division. **8.** Grande unité militaire réunissant des corps de troupes (régiments) d'armes
différentes et des services. *Division blindée. Général*
de division (ou DIVISIONNAIRE, adj. et n. m.) **9.** Séparation, opposition d'intérêts, de sentiments entre plusieurs personnes. ⇒ **désaccord, rupture.** *Mettre, semer*
la division dans une famille, dans les esprits. / contr.
union / ⟨ ▶ **indivis, indivisible, subdiviser** ⟩

divorce [divɔʀs] n. m. **1.** Séparation d'intérêts, de
sentiments, etc. ⇒ **désaccord, rupture, séparation.** *Il*
y a divorce entre la théorie et la pratique, entre les
intentions et les résultats. **2.** Rupture légale du
mariage civil, du vivant des époux. *Demander le*
divorce. Elle est, ils sont en instance de divorce. Son
divorce d'avec Françoise. ▶ *divorcer* v. intr. ■ conjug. 3. ■ Se séparer par le divorce (de l'autre époux).
Elle a divorcé avec (*d'avec, de*) *lui. Ils ont divorcé.*
— Sans compl. *Elle a décidé de divorcer.* — Au passif
et p. p. *Il est divorcé depuis deux ans.* ▶ *divorcé, ée*
adj. et n. ■ Séparé par le divorce. *Parents divorcés.*
— Il a épousé une divorcée.

divulguer [divylge] v. tr. ■ conjug. 1. ■ Porter à
la connaissance du public. ⇒ **dévoiler, ébruiter,**
proclamer, publier, répandre. *Divulguer un secret, une*
nouvelle. Les journaux ont divulgué l'entretien. / contr.

cacher / ▶ *divulgation* n. f. ■ Action de divulguer
(qqch.) ; son résultat. ⇒ **propagation, révélation.**
Divulgation de secrets d'État.

dix [dis] adj. invar. et n. m. invar. **1.** Adj. numéral
cardinal invariable ([di] devant un nom commençant par
une consonne, [diz] devant un nom commençant par
une voyelle, [dis] dans les autres cas). Nombre égal à
deux fois cinq, à neuf plus un (10). *Dix francs. Les*
dix doigts des deux mains. Dix mille (10 000).
— *Répéter, recommencer dix fois la même chose,* un
grand nombre de fois. — Sans nom. *Ils étaient dix*
[dis]. Loc. *Neuf fois sur dix,* presque toujours. **2.** Adj.
numéral ordinal invariable. ⇒ **dixième.** *Le roi Charles X*
(Charles dix). *Page dix. Il est dix heures.* **3.** N. m. [dis]
Le nombre 10. *Dix et dix font vingt. Soixante-dix*
(70) ; *quatre-vingt-dix* (90). *Noter sur dix. Dix sur dix.*
Le dix, spécialt, le dixième jour (*le dix du mois*), le
numéro dix (*elle habite au dix*). — Carte, dé,
domino... marqué de dix signes. *Dix de carreau.*
Amener un dix. ▶ *dixième* [dizjɛm] adj. et n. **1.** Qui
succède au neuvième. *Elle habite au dixième (étage).*
2. N. m. Partie d'un tout divisé également en dix. *Les*
neuf dixièmes. **3.** Billet de loterie qui a la valeur d'un
dixième du billet entier. ▶ *dixièmement* adv. ■ En
dixième lieu. ▶ *dix-huit* [dizɥit] adj. invar. et n. m.
invar. ■ Dix plus huit (18). *Il a dix-huit ans. Dix-huit*
cents (1 800) ou *mille huit cents.* — Dix-huitième.
Louis XVIII (Louis dix-huit). ▶ *dix-huitième* adj.
et n. ■ *Les grands écrivains du dix-huitième siècle.*
L'esprit des lumières au dix-huitième (siècle). ▶ *dix-*
neuf [diznœf] adj. invar. et n. m. invar. **1.** Adj. numéral
cardinal (19). *Dix-neuf ans* [diznœvɑ̃]. — Adj. ordinal.
Page dix-neuf. **2.** N. m. *Dix-neuf est un nombre*
premier. ▶ *dix-neuvième* adj. et n. ■ *Il habite au*
dix-neuvième étage d'une tour. Le dix-neuvième
arrondissement (à Paris). ▶ *dix-sept* [dissɛt] adj.
invar. et n. m. invar. **1.** Adj. numéral cardinal (17).
Dix-sept cents (1 700). — Adj. ordinal. *Le numéro*
dix-sept. **2.** N. m. Nombre formé de dix plus sept.
▶ *dix-septième* adj. et n. ■ *Le dix-septième (siècle).*
Il est le dix-septième de sa classe. ⟨ ▶ **dizaine,**
quatre-vingt-dix, soixante-dix ⟩

dizaine [dizɛn] n. f. **1.** Groupe de dix unités
(nombre). *Une dizaine de mille. Le chiffre des*
dizaines. **2.** Réunion de dix personnes, de dix choses
(ou environ) de même nature. *Une dizaine de livres.*
Il y a une dizaine d'années. **3.** *Une dizaine de chapelet,*
série de dix grains d'un chapelet ; série de dix prières
qui y correspond.

djellaba(h) [dʒelaba] n. f. ■ Longue robe à
manches longues et à capuchon, portée par les
hommes et les femmes, en Afrique du Nord. *Des*
djellaba(h)s bleues.

do [do] n. m. invar. ■ Premier son de la gamme
naturelle. ⇒ **ut.** *Do dièse, do bémol. Dans la notation*
allemande, anglaise, do est désigné par C.

doberman [dɔbɛʀman] n. m. ■ Chien de garde
appartenant à une race d'origine allemande, à poils
ras, de forme svelte. *Des dobermans.*

docile [dɔsil] adj. ■ Qui obéit facilement. ⇒ **obéis-**
sant. *Caractère docile.* ⇒ **facile, maniable.** — *Animal,*
monture docile. / contr. **indocile** / — *Cheveux dociles,*
qui se coiffent aisément. ▶ *docilement* adv. ■ *Il me*
suivit docilement. ▶ *docilité* n. f. ■ Comportement
soumis ; tendance à obéir. ⇒ **obéissance.** *Il se résigna*
avec docilité. ⟨ ▶ **indocile** ⟩

dock [dɔk] n. m. **1.** Vaste bassin entouré de quais
et destiné au chargement et au déchargement des
navires. **2.** Hangars, magasins situés en bordure de
ce bassin. *Dock à blé. Aller se promener aux docks.*
▶ *docker* [dɔkɛʀ] n. m. ■ Ouvrier qui travaille au

chargement et au déchargement des navires. ⇒ **débardeur**. *Grève des dockers.*

docte [dɔkt] adj. ■ Vieilli. Érudit, savant. — Péj. *Un docte personnage.* ⇒ **pédant**. ▶ *doctement* adv. ■ *Parler doctement.* ⇒ **savamment.** ‹ ▶ ① docteur ›

① *docteur* [dɔktœʀ] n. m. — REM. S'emploie le plus souvent avec un compl. **1.** *Les* DOCTEURS DE L'ÉGLISE : les théologiens qui ont enseigné les dogmes du christianisme. **2.** Personne qui est promue au plus haut grade universitaire dans une faculté. ⇒ **doctorat**. *Docteur ès lettres. Docteur en droit, en médecine. Elle est docteur ès sciences.* — REM. *Docteur ès* doit être suivi d'un nom au pluriel sans article (*ès* veut dire « dans les »). ▶ *doctoral, ale, aux* [dɔktɔʀal, o] adj. ■ Péj. *Air, ton doctoral,* l'air, le ton grave, solennel de celui qui pontifie. ⇒ **docte, doctrinaire, pédantesque.** ▶ *doctorat* n. m. ■ Grade de docteur. *Avoir un doctorat ès lettres, en médecine. Thèse de doctorat.* ‹ ▶ ② docteur ›

② *docteur* n. m. ■ Personne qui possède le titre de docteur en médecine et qui exerce la médecine ou la chirurgie (abrév. *Dr* ou *D*ᵗ). ⇒ **médecin ;** fam. **toubib.** *Il, elle est docteur. Faire venir le docteur. Aller chez le docteur. Le docteur Marie Dupont.* ⇒ **doctoresse.** — (Appellatif) *Bonjour, docteur* (aussi à une femme). ▶ *doctoresse* n. f. ■ Vieilli. Femme médecin.

doctrine [dɔktʀin] n. f. **1.** Ensemble de principes, de croyances, de règles qu'on affirme être vrais et par lesquels on prétend fournir une interprétation des faits, orienter ou diriger l'action. ⇒ **dogme, système, théorie.** *La doctrine de Hegel. Les adeptes d'une doctrine. Doctrines politiques, religieuses, morales, philosophiques.* **2.** Ensemble des travaux juridiques destinés à exposer ou à interpréter le droit (opposé à *législation* et à *jurisprudence*). ▶ *doctrinaire* n. et adj. **1.** Personne qui se montre étroitement attachée à une doctrine, à une opinion. ⇒ **dogmatique. 2.** Adj. Doctoral, sentencieux. *Il parla d'un ton doctrinaire.* ▶ *doctrinal, ale, aux* adj. ■ Qui se rapporte à une doctrine, aux systèmes de doctrine. *Querelles doctrinales.* ‹ ▶ endoctriner ›

document [dɔkymɑ̃] n. m. **1.** Écrit qui sert de preuve ou de renseignement. *Documents scientifiques. Les archives sont l'ensemble des documents.* **2.** Objet ou texte servant de preuve, de témoignage. ⇒ **pièce** à conviction. *C'est un document précieux pour l'enquête. Document historique. Document cinématographique. Document sonore.* **3.** Pièce qui permet d'identifier une marchandise en cours de transport. ▶ *documentaliste* n. ■ Personne dont le métier est de réunir, classer, conserver et diffuser des documents. ▶ ① *documentaire* adj. **1.** Qui a le caractère d'un document, repose sur des documents. *Ce livre présente un réel intérêt documentaire.* — Loc. *À titre documentaire,* à titre de renseignement. **2.** Qui concerne l'information des documents. *L'analyse documentaire.* ▶ ② *documentaire* n. m. ■ Film instructif destiné à montrer des faits enregistrés et non élaborés pour l'occasion (opposé à *film de fiction*). *Des documentaires de court métrage.* ▶ *documenter* v. tr. ■ conjug. 1. **1.** Fournir des documents à (qqn). ⇒ **informer.** *Documenter qqn sur une question.* — Pronominalement. *Il s'est documenté sur ce sujet.* — Au passif et p. p. adj. (ÊTRE) DOCUMENTÉ, ÉE. *Elle est très bien documentée sur...* **2.** Appuyer, étayer sur des documents (surtout au p. p.). *Thèse solidement documentée.* ▶ *documentation* n. f. **1.** Recherche de documents. *Travail, fiches de documentation.* **2.** Ensemble de documents sur un sujet. *Réunir une documentation. Une riche documentation.* — Abrév. fam. *La doc.* **3.** Connaissances, travail de documentaliste. ‹ ▶ porte-documents ›

dodéca- ■ Élément savant signifiant « douze ». ▶ *dodécaphonique* [dɔdekafɔnik] adj. ■ (Musique) Qui utilise la série de douze sons. ⇒ **sériel.** *La musique dodécaphonique abandonne les modes (musique modale) et les tons, la gamme (musique tonale).* ▶ *dodécaphonisme* n. m. ▶ *dodécaphoniste* adj. ▶ *dodécasyllabe* [dɔdekasi(l)lab] adj. et n. m. ■ Qui a douze syllabes. ⇒ **alexandrin.** — N. m. *Un dodécasyllabe.*

dodeliner [dɔdline] v. intr. ■ conjug. 1. ■ Se balancer doucement. *Il s'endormait en dodelinant de la tête.*

dodo [dodo] n. m. Lang. enfantin. **1.** Sommeil. *Faire dodo,* dormir. *De gros dodos.* **2.** Lit. *Aller au dodo.*

dodu, ue [dɔdy] adj. ■ Bien en chair. ⇒ **gras.** *Une poularde dodue. Des bras dodus.* ⇒ **potelé.** / contr. **maigre /**

doge [dɔʒ] n. m. ■ Chef élu de l'ancienne république de Venise (ou de Gênes). *Le palais des Doges.*

dogme [dɔgm] n. m. **1.** Point de doctrine établi ou regardé comme une vérité fondamentale, incontestable (dans une religion, une école philosophique). *Les dogmes du christianisme. Le dogme de la Trinité. Admettre comme un dogme que...* ⇒ **loi ; dogmatique. 2.** LE DOGME : l'ensemble des dogmes d'une religion (spécialt de la religion chrétienne). *Enseigner le dogme.* ▶ *dogmatique* adj. **1.** Didact. Relatif au dogme. *Théologie dogmatique. Querelles dogmatiques.* — Qui admet certaines vérités ; qui affirme des principes (opposé à *sceptique*). *Philosophie dogmatique.* **2.** Qui exprime ses opinions d'une manière péremptoire. ⇒ **doctrinaire, systématique.** *Il est très dogmatique. Un marxiste, un libéral dogmatique. Ton dogmatique.* ⇒ **doctoral, sentencieux.** ▶ *dogmatiser* v. intr. ■ conjug. 1. ■ Exprimer son opinion d'une manière absolue, sentencieuse, tranchante. ▶ *dogmatisme* n. m. ■ Caractère de ce qui est dogmatique (3). *Le dogmatisme de qqn, de ses idées. Il est d'un dogmatisme effrayant.*

dogue [dɔg] n. m. ■ Chien de garde trapu, à grosse tête, à fortes mâchoires, au museau écrasé. ⇒ **bouledogue.**

doigt [dwa] n. m. **I. 1.** Chacun des cinq prolongements qui terminent la main de l'homme. *Les cinq doigts de la main.* ⇒ **pouce, index, majeur** (ou **médius**), **annulaire, auriculaire** (ou PETIT DOIGT). *Empreinte du doigt* (⇒ ① **digital**). — *Avoir des doigts longs et fins ; épais et courts comme des boudins. Ne mange pas avec les doigts. Lever le doigt* (pour demander la parole, etc.). — Loc. *On peut les compter sur les doigts,* il y en a peu (au plus dix). *Vous avez mis le doigt sur la difficulté,* vous l'avez trouvée. *Faire toucher une chose du doigt,* convaincre qqn par des preuves palpables. — *Montrer qqn du doigt,* le désigner, l'accuser, lui faire honte. — *Se mordre les doigts de qqch.,* regretter, se repentir. *Se faire taper sur les doigts,* se faire réprimander. — *Ne rien faire de ses dix doigts,* être paresseux, incapable. *Ils sont comme les deux doigts de la main,* très unis. *Ne pas lever le petit doigt,* ne pas intervenir, ne pas faire le moindre effort. *Sans bouger le petit doigt,* sans rien faire pour cela. — *Savoir qqch. sur le bout des doigts,* parfaitement. — *Se mettre, se fourrer le doigt dans l'œil,* se tromper grossièrement. — *Être obéi, servi au doigt et à l'œil,* exactement, ponctuellement. **2.** Extrémité articulée des pieds, des pattes de certains animaux (et de la main du singe). *Doigts munis de griffes.* **3.** *Les doigts d'un gant,* parties qui recouvrent les doigts. **II.** Mesure approximative, équivalant à un travers de doigt. *Jupe trop courte d'un doigt. Boire un doigt de vin,* une très petite quantité. ⇒ **goutte.**

— *À un doigt de,* très près. *La balle est passée à un doigt du cœur. Être à deux doigts de la mort,* tout près. ▶ **doigtier** [dwatje] n. m. ■ Fourreau pour protéger un doigt. ▶ **doigté** [dwate] n. m. **1.** Choix et jeu des doigts dans l'exécution d'un morceau de musique. *Ce pianiste a un bon doigté. Doigtés de guitare.* **2.** Délicatesse dans l'habileté. ⇒ **diplomatie, savoir-faire, tact.** *Ce genre d'affaire demande du doigté.* 〈 ▶ rince-doigts 〉

dol [dɔl] n. m. ■ Droit. Manœuvres frauduleuses (dites *dolosives*) pour tromper.

doléances [dɔleɑ̃s] n. f. pl. ■ Plaintes pour réclamer au sujet d'un grief ou pour déplorer des malheurs personnels. ⇒ **plainte, réclamation.** *Présenter ses doléances. Les cahiers de doléances des États généraux de 1789.* 〈 ▶ condoléances 〉

dolent, ente [dɔlɑ̃, ɑ̃t] adj. ■ Qui se sent malheureux et cherche à se faire plaindre. *Il est toujours dolent. Un ton dolent.* ⇒ **plaintif.**

dolichocéphale [dɔlikɔsefal] adj. et n. ■ (Êtres humains) Qui a le crâne long. / contr. **brachycéphale** /

dollar [dɔlaʀ] n. m. ■ Unité monétaire des États-Unis d'Amérique et de quelques pays, divisée en 100 cents. *Dollar canadien* (souvent appelé en français du Canada *piastre*), *libérien.*

dolmen [dɔlmɛn] n. m. ■ Monument mégalithique ; grosses pierres agencées en forme de table gigantesque. *Des dolmens.* ≠ **menhir.**

dom [dɔ̃] n. m. invar. **1.** Titre donné à certains religieux (bénédictins, chartreux, trappistes). **2.** Ancien titre donné à certains nobles espagnols et portugais. ⇒ **don.** *Le « Dom Juan » de Molière.*

D.O.M. [dɔm] n. m. invar. ■ *Département* français d'*outre-mer. Les D.O.M.-T.O.M.,* les départements et territoires d'outre-mer.

domaine [dɔmɛn] n. m. **1.** Grande propriété (terres, bâtiments...). ⇒ **propriété, terre.** *Bois, chasses, prairies, fermes composant un domaine. Il a hérité d'un vaste domaine en Normandie. Domaine vinicole.* — En France. *Le domaine public,* ne pouvant appartenir aux particuliers (cours d'eau, rivages, forêts, routes, voies ferrées, casernes). ⇒ **domanial.** **2.** Loc. *Tomber dans le* DOMAINE PUBLIC : se dit des œuvres littéraires, musicales, artistiques qui, après un temps déterminé par les lois (50 ans, plus les années de guerre) cessent d'être la propriété des auteurs ou de leurs héritiers. **3.** Lieu où qqn se considère comme chez lui. *Sa chambre, c'est son domaine.* — (Êtres vivants) *La forêt tropicale, domaine des singes, des serpents, des lianes.* **4.** Ce qu'embrasse un art, une science, un sujet, une idée. ⇒ **monde, univers.** *Ce domaine est encore fermé aux savants.* ⇒ **sphère.** *Dans tous les domaines,* en toutes matières, dans tous les ordres d'idée. — LE DOMAINE DE *qqn* : ce qu'il connaît plus particulièrement. *L'art médiéval est son domaine.* ⇒ **spécialité.** ▶ **domanial, iale, iaux** [dɔmanjal, jo] adj. ■ Qui appartient au domaine public. *Forêts domaniales.*

dôme [dom] n. m. **1.** Sommet arrondi de certains grands édifices. *Dôme hémisphérique.* ⇒ **coupole.** *Le dôme du Panthéon.* **2.** Littér. *Un dôme de feuillages, de verdure.* ⇒ **voûte.**

domestique [dɔmɛstik] adj. et n. **I.** Adj. **1.** (Vx, sauf dans des expressions) Qui concerne la vie à la maison, en famille. *Travaux domestiques. Querelles domestiques.* ⇒ **familial.** *Les dieux domestiques chez les anciens Romains,* ceux du foyer (⇒ **lare, pénate**). **2.** (Animaux) Qui vit auprès de l'homme pour l'aider ou le distraire. ⇒ **apprivoisé ; domestiqué.** / contr. **sauvage** / *Le chien, le chat, le cheval sont des animaux* domestiques. *Le chat domestique* (opposé à *chat sauvage*). **II.** N. Personne chargée du service personnel, chez un employeur. ⇒ **bonne, femme** de chambre, de ménage ; **cuisinier ; valet** de chambre. — REM. On dit officiellement *employé(e) de maison, gens de maison.* — Péj. *Il nous traite comme des domestiques. Je ne suis pas son domestique.* ⇒ **esclave, larbin, valet.** ▶ **domesticité** n. f. ■ Ensemble des domestiques. *La domesticité d'un château.* ⇒ **personnel.** 〈 ▶ domestiquer 〉

domestiquer [dɔmɛstike] v. tr. ■ conjug. 1. **1.** Rendre domestique (une espèce animale sauvage). ⇒ **apprivoiser.** *En Asie, on domestique l'éléphant.* **2.** Littér. Amener à une soumission totale, mettre dans la dépendance. ⇒ **asservir, assujettir.** *Le gouvernement a domestiqué l'opposition.* **3.** Rendre utilisable (une force). *Domestiquer la force des torrents* (pour produire de l'énergie électrique). ▶ **domestication** n. f. ■ Action de domestiquer ; son résultat. ⇒ **apprivoisement, asservissement.** *La domestication de l'énergie des marées.*

domicile [dɔmisil] n. m. ■ Lieu ordinaire d'habitation, demeure légale et habituelle. ⇒ **logement, résidence.** *Il a élu domicile 9, place de la Libération, il a pris domicile. Personne* SANS DOMICILE : nomade, vagabond. *Abandonner le domicile conjugal* (en parlant d'un conjoints). — À DOMICILE loc. adv. : dans la demeure même de qqn. *Livrer un colis à domicile. Le facteur porte les lettres à domicile. Travailler à domicile, chez soi.* ▶ **domiciliaire** adj. ■ *Visite, perquisition domiciliaire,* faite dans le domicile de qqn par autorité de justice. ▶ **domicilié, ée** adj. ■ Qui a un domicile (quelque part). *Il est domicilié à Lyon.*

dominer [dɔmine] v. ■ conjug. 1. **I.** V. tr. **1.** Avoir, tenir sous sa suprématie, sous sa domination. *Les Romains dominèrent tout le bassin méditerranéen et une partie de l'Europe.* ⇒ **régir, soumettre.** — Être plus fort que. *Il a dominé tous ses concurrents, tous ses adversaires* (→ ci-dessous II, 1). **2.** Avoir une influence décisive sur. *Ce problème, cette question domine toute l'affaire.* **3.** Maîtriser. *Dominer sa colère, son trouble. Se laisser dominer par ses passions.* — SE DOMINER v. pron. : être ou se rendre maître de soi, de ses réactions. *Ne pleurez pas, dominez-vous !* **4.** Avoir au-dessous de soi (dans l'espace environnant). ⇒ **surplomber.** *Monument qui domine une ville. Du haut de cette tour, on domine toute la ville. Il domine ses voisins de la tête.* ⇒ **dépasser. 5.** Abstrait. *Écrivain qui domine son sujet,* qui est capable de le voir, de l'embrasser dans son ensemble. **II.** V. intr. **1.** (Personnes) Être le plus fort. *Il cherche à dominer.* ⇒ **commander.** — *Notre équipe a dominé pendant la première mi-temps.* ⇒ **mener. 2.** Être le plus apparent, le plus important, parmi plusieurs éléments. ⇒ **l'emporter, prédominer.** *Les femmes dominent dans cette assemblée,* il y a surtout des femmes. *Un imprimé où le rouge domine.* ▶ **dominant, ante** adj. **1.** Qui exerce l'autorité sur d'autres. *Nation dominante.* **2.** Qui est le plus important, l'emporte parmi d'autres. ⇒ **prépondérant, principal.** *Trait dominant. Les couleurs dominantes du tableau. Les idées dominantes d'un ouvrage. Vents dominants,* ceux d'une direction donnée les plus fréquents. **3.** Qui domine, surplombe, surmonte. ⇒ **culminant, élevé.** *Le château est dans une position dominante.* — Abstrait. *Il occupe une place dominante dans l'entreprise.* ⇒ **éminent.** / contr. **inférieur** / ▶ **dominante** n. f. **1.** Ce qui est dominant (2), essentiel, caractéristique parmi plusieurs choses. *La dominante de son œuvre est l'ironie.* **2.** Cinquième degré de la gamme diatonique ascendante. *Le sol est la dominante dans la gamme de do.* ▶ **dominateur, trice** n. et adj. **1.** N.

Littér. Personne ou puissance qui exerce l'autorité sur d'autres. *L'Angleterre fut la dominatrice des mers.* **2.** Adj. Qui aime à dominer (1) les autres. *Il a un air dominateur.* ⇒ **autoritaire.** ▶ *domination* n. f. **1.** Action, fait de dominer ; autorité souveraine. ⇒ **empire, suprématie.** *L'Asie, l'Afrique ont rejeté la domination de l'Europe. Vivre sous une domination étrangère. En 1965, le Tibet est passé sous la domination de la Chine.* **2.** Le fait d'exercer une influence déterminante. *Il exerce sur tous une domination irrésistible.* ⇒ **ascendant, emprise.** ⟨ ▶ prédominer ⟩

① *dominicain, aine* [dɔminikɛ̃, ɛn] n. ■ Religieux, religieuse de l'ordre des *frères prêcheurs,* fondé par saint Dominique au XIIIe siècle. *Un couvent de dominicains.* — Adj. *Le costume dominicain.*

② *dominicain, aine* adj. et n. ■ De l'île de Saint-Domingue *(République dominicaine).*

dominical, ale, aux [dɔminikal, o] adj. ■ Littér. Qui a rapport au dimanche. *Repos dominical. Promenade dominicale.* — *L'oraison, la prière dominicale.*

dominion [dɔminjɔn] n. m. ■ Chacun des États, aujourd'hui indépendants, qui composent l'Union britannique.

domino [dɔmino] n. m. **1.** Ancien costume de bal masqué, robe flottante à capuchon. *Porter un domino.* **2.** Petite plaque dont le dessus est divisé en deux parties portant de zéro à six points noirs. *Un domino marqué d'un seul point.* — Au plur. LES DOMINOS : jeu qui se joue avec ces plaques. *Jouer aux dominos. Faire une partie de dominos.*

dommage [dɔmaʒ] n. m. **1.** Préjudice subi par qqn. ⇒ **détriment, tort.** *Dommage matériel, moral. Subir un dommage.* — DOMMAGES-INTÉRÊTS (ou *dommages et intérêts*) : indemnité due par l'auteur d'un délit en réparation du préjudice causé. *Réclamer des dommages-intérêts. Il a été condamné à verser un franc de dommages-intérêts.* **2.** Dégât matériel causé aux choses. *L'inondation a provoqué de grands dommages.* DOMMAGES DE GUERRE : dus pour les destructions causées par la guerre. **3.** *C'est dommage, c'est bien dommage,* c'est une chose fâcheuse, regrettable. *C'est dommage de, quel dommage de* (+ infinitif). *Ce serait dommage de l'abîmer. Quel dommage d'abattre de si beaux arbres ! C'est dommage que, quel dommage que, il est dommage que* (+ subjonctif). *C'est dommage qu'il soit parti si tôt.* — *Dommage que vous ne puissiez l'attendre !* ▶ *dommageable* adj. ■ Qui cause du dommage. ⇒ **fâcheux, nuisible, préjudiciable.** *Ces erreurs sont dommageables à la nation entière.* / contr. **profitable, utile /** ⟨ ▶ dédommager, endommager ⟩

dompter [dɔ̃te] (mieux que [dɔ̃pte]) v. tr. ■ conjug. 1. **1.** Réduire à l'obéissance (un animal sauvage, dangereux). ⇒ **dresser.** *Dompter des fauves.* **2.** Soumettre à son autorité (qqn, un groupe de personnes). ⇒ **maîtriser, mater, soumettre.** *Dompter des rebelles, des insoumis.* — *Dompter ses passions.* ▶ *dompteur, euse* [dɔ̃tœr] (mieux que [dɔ̃ptœr]) n. ■ Personne qui dompte. *Un dompteur de tigres. Les dompteurs d'un cirque.* ⟨ ▶ indomptable ⟩

① *don* [dɔ̃] n. m. **1.** Action d'abandonner gratuitement (⇒ **donner**) à qqn la propriété ou la jouissance de qqch. FAIRE DON DE qqch. À qqn. — *Le don de soi.* ⇒ **dévouement, sacrifice. 2.** Ce qu'on abandonne à qqn sans rien recevoir de lui en retour. ⇒ **cadeau, donation, présent.** *Ce tableau est un don d'un célèbre collectionneur. Faire un don à une œuvre charitable.* **3.** Qualité, avantage psychologique, intellectuel, etc., considérés comme donnés (par la nature, le sort,

Dieu). ⇒ **aptitude, génie, talent.** *Avoir le don de la parole, de l'éloquence, de l'à-propos,* être doué pour. ⇒ **doué.** *Un don pour les sciences, les langues, le commerce.* — Iron. *Il a le don de m'agacer.*

② *don* [dɔ̃] n. m. invar., *doña* [dɔnja] n. f. invar. ■ Titre d'honneur des nobles d'Espagne, qui se place ordinairement devant le prénom. ⇒ **dom.** ⟨ ▶ don Juan, don Quichotte ⟩

donateur, trice [dɔnatœr, tris] n. **1.** Personne qui fait un don, des dons à une œuvre. *Un généreux donateur.* **2.** Personne qui fait une donation. ▶ *donation* n. f. ■ Contrat par lequel le *donateur* abandonne un bien à un *donataire* qui l'accepte. ⇒ **don, libéralité.** *Faire une donation par acte notarié. Il a reçu une donation de cent mille francs.* ▶ *donataire* n. ■ Personne à qui une donation est faite.

donc [dɔ̃k] conj. **1.** Conjonction qui sert à amener la conséquence, la conclusion de ce qui précède. ⇒ par **conséquent.** *Il était là tout à l'heure : il n'est donc pas bien loin. J'ai refusé ; donc, inutile d'insister.* — Transition pour revenir à un sujet, après une digression. *Je disais donc que...* **2.** S'emploie pour exprimer la surprise causée par ce qui précède ou ce que l'on constate. ⇒ **ainsi.** *Il voulait donc venir ici ? Vous habitez donc là ? Allons donc !* — Exprime le doute. *Qui donc ?* — Pour renforcer une injonction. *Taisez-vous donc ! Venez donc par ici !* Fam. *Dites donc, vous là-bas !*

dondon [dɔ̃dɔ̃] n. f. ■ Fam. et péj. Grosse femme. *Une grosse dondon.*

donjon [dɔ̃ʒɔ̃] n. m. ■ Tour principale qui dominait le château fort.

don Juan [dɔ̃ʒɥɑ̃] n. m. ■ Séducteur sans scrupule (souvent iron.). *Méfiez-vous, c'est un don Juan ! Des don Juans.*

donne [dɔn] n. f. ■ Action de distribuer (*donner,* II, 2) les cartes au jeu. *À vous la donne. Mauvaise donne.* ⇒ **maldonne.** — Fig. Distribution, répartition (des chances, des forces). *Une nouvelle donne politique.*

donné, ée [dɔne] adj. et n. m. **1.** Connu, déterminé. *Nombres donnés dans l'énoncé d'un problème.* ⇒ **donnée.** *À une distance donnée.* — Loc. *À un moment donné,* tout à coup. **2.** Loc. prép. ÉTANT DONNÉ. ⇒ **vu.** *Étant donné les circonstances présentes, il faut agir vite.* — ÉTANT DONNÉ QUE (+ indicatif) : en considérant que, puisque. *Étant donné qu'il ne vient pas, nous pouvons partir.* **3.** N. m. *Le donné, ce qui est immédiatement présenté à l'esprit (opposé à *ce qui est construit, élaboré*).*

donnée [dɔne] n. f. **1.** Ce qui est donné, connu, déterminé dans l'énoncé d'un problème, et qui sert à découvrir ce qui est inconnu. *Les données du problème.* **2.** Ce qui est admis, connu ou reconnu, et qui sert de base à un raisonnement, de point de départ pour une recherche. *Les données d'une science, d'une recherche expérimentale. Données statistiques.* — En informatique. Représentation conventionnelle d'une information. *Banque, base de données. Traitement des données.*

donner [dɔne] v. ■ conjug. 1. **I.** V. tr. Mettre (qqch.) en la possession de qqn (DONNER qqch. À qqn). **1.** Abandonner à qqn sans rien demander en retour (une chose que l'on possède ou dont on jouit). ⇒ **offrir.** *Donner qqch. par testament. Donner de l'argent, un pourboire, des étrennes à qqn.* — Sans compl. *Il aime mieux donner que recevoir.* — Au p. p. adj. Spécialt. *Ce manteau est donné,* très bon marché. *Cent francs n'est pas donné,* c'est cher. **2.** Abstrait. Faire don de (qqch. à qqn). *Il lui a donné

son amitié. Donner sa vie, son sang pour la patrie, faire
le sacrifice de sa vie. **3.** DONNER *qqch.* POUR, CONTRE
qqch. : céder (qqch.) en échange d'autre chose.
⇒ **céder, fournir.** *Donner qqch. contre, pour de
l'argent. Elle m'a donné deux billes contre une image.*
⇒ **échanger.** — Par ext. *Donnez-moi un kilo de
pommes.* ⇒ **vendre.** — Loc. adv. DONNANT, DON-
NANT : en ne donnant qu'à la condition de recevoir
en échange. — DONNER (une somme) DE *qqch.* : payer
qqch. Je vous en donne cent francs (d'une marchandise). ⇒ **offrir.** — Payer (une certaine somme à qqn).
*Combien donne-t-il à ses ouvriers ? On lui donne
X francs (de) l'heure.* — *Donner qqch. pour* (+ infinitif).
Je donnerais beaucoup pour savoir la vérité. **4.** Confier
(une chose) à qqn, pour un service. ⇒ **remettre.**
*Donner ses chaussures au cordonnier, son passeport
à un douanier.* **II.** V. tr. Mettre à la disposition de
(qqn), DONNER À. **1.** Mettre à la disposition, à la
portée de. ⇒ **fournir, offrir, procurer.** *Voulez-vous
donner des sièges aux invités ? Donner du travail à
un chômeur. Donner la main à qqn,* le tenir par la
main. *Donner à* (+ infinitif) *à qqn. Donnez-lui à
manger.* **2.** Distribuer des cartes aux joueurs. *Il est
en train de donner les cartes.* — Sans compl. *C'est à
vous de donner* (→ à vous de faire). **3.** Organiser et
offrir à des invités, à des spectateurs. *Donner un bal,
une réception. Qu'est-ce qu'on donne cette semaine au
cinéma ?* ⇒ **jouer.** **4.** Communiquer, exposer (qqch.)
à qqn. *Donnez-moi votre adresse. Donner de ses
nouvelles à qqn. Je vais vous donner tous les détails
sur cette question. Donner son avis. Donner un
renseignement, des explications, un conseil à qqn.
Professeur qui donne des cours.* **5.** Transmettre par
contagion. *Il lui a donné son rhume.* ⇒ **passer** ; fam.
refiler. **6.** Accepter de mettre (qqch.) à la disposition,
à la portée de qqn. ⇒ **accorder, concéder, octroyer.**
Donnez-moi un peu de temps, de répit. ⇒ **laisser.**
Donner son accord. Donner sa parole (d'honneur),
jurer, promettre. *Donner sa chance à qqn.* — Sans
article) *Donner libre cours à sa colère.* DONNER PRISE :
mériter ou recevoir sans pouvoir réagir (une critique).
→ Prêter le flanc. *Il donne prise à toutes les calomnies.*
7. (Avec deux compl. de personne) *Donner sa fille (en
mariage) à un jeune homme. Elle a donné deux fils
à son mari.* **8.** Dénoncer à la police. *Son copain l'a
donné.* ⇒ **livrer ; donneur** (3.). **9.** Assigner à qqn, à
qqch. (une marque, un signe, etc.). ⇒ **assigner, fixer,
imposer.** *Donner un nom à un enfant. Donner un titre
à un ouvrage.* — DONNER *qqch.* À (+ infinitif). *Donner
un livre à relier, des chaussures à réparer. On m'a
donné cela à faire.* **10.** Impers. passif. ÊTRE DONNÉ
À *qqn* : être en son pouvoir, être une chose possible
pour lui. *Il ne lui a pas été donné de vivre assez
longtemps pour finir son livre. Il n'est pas donné à tout
le monde d'avoir ce courage,* tout le monde n'a pas...
III. V. tr. Être l'auteur, la cause de. **1.** Produire (une
œuvre). *Cet écrivain donne un roman par an.*
⇒ **publier.** **2.** (Suj. personne, chose) Être la cause de
(le compl. exprime un sentiment, un fait psychologique).
⇒ **causer, susciter.** *Cet enfant me donne bien du souci.
Cela me donne une idée. Cela vous donnera l'occasion
de...* ⇒ **fournir, procurer.** — *Cela me donne envie de
dormir. Ce travail me donne chaud, soif. La marche
donne de l'appétit.* — Loc. *Donner lieu, matière,
occasion, sujet.* ⇒ **causer, provoquer.** — DONNER À
rire, à penser, etc. : faire rire, penser, etc. **3.** (Choses
concrètes) Sans compl. indir. Produire. *Les fleurs, les
fruits que donne un arbre. Cette vigne donne trente
hectolitres de vin à l'hectare.* ⇒ **rapporter, rendre.**
— Fam. Avoir pour conséquence, pour résultat. *Je
me demande ce que ça va donner. Les recherches n'ont
rien donné.* **4.** Faire sentir à (qqn, un animal) l'effet
d'une action physique. *Donner un baiser, une gifle
à qqn ; un coup à un chien.* — *Donner un coup de*

pied à une table, dans la table. ⇒ fam. **ficher, flanquer,
foutre.** — Effectuer sur une chose (une opération qui
en modifie l'état). *Donner un coup de peigne, de balai.
Donner une couche de peinture à un banc.* **5.** Conférer
(un caractère nouveau) à une personne ou à une chose
par une opération, une action qui la modifie. *Donner
de la solidité à... Cet argument donne de la valeur
à sa thèse.* — Loc. *Donner le jour, la vie à un enfant,*
engendrer. *Donner la mort,* mettre à mort, tuer.
6. Abstrait. Considérer (une qualité, un caractère)
comme propre à qqn, à qqch. ⇒ **accorder, attribuer,
prêter, supposer.** *Quel âge lui donnez-vous ? Donner
de la valeur, du prix, de l'importance.* ⇒ **attacher.**
7. DONNER POUR : présenter comme étant. *Je vous
le donne pour ce qu'il vaut. Donner une chose pour
vraie.* — Pronominalement.*Se donner pour un progressiste,* se faire passer pour. **IV.** V. intr. **1.** Porter un
coup (contre, sur). ⇒ **cogner, frapper, heurter.** *Le
navire alla donner sur les écueils. Il alla donner de
la tête contre le mur.* ⇒ **taper.** Loc. *Ne plus savoir
où donner de la tête,* être affolé, surmené. **2.** Se porter
(dans, vers). ⇒ **s'engager, se jeter, tomber.** *Donner
dans un piège.* — Se laisser aller à. *Donner dans un
défaut, dans le ridicule.* **3.** Attaquer, charger, comba-
tre. *L'état-major a fait donner les blindés.* **4.** DONNER
SUR : être exposé, situé ; avoir vue, accès sur. *Porte
qui donne sur la rue, sur un jardin.* **V.** SE DONNER
v. pron. **1.** (Réfl.) Faire don de soi-même. ⇒ se
consacrer, se **vouer.** *Elle se donne à ses enfants. Se
donner à l'étude.* ⇒ **s'adonner.** — Vieilli. Se dit d'une
femme qui accepte de faire l'amour. **2.** (Faux pron.)
*Donner à soi-même. La république s'est donné un
nouveau président.* — *Se donner du mal, de la peine.
Donnez-vous la peine d'entrer.* — *Ils s'en sont donné
à cœur joie,* ils ont fait cela avec enthousiasme.
3. (Récipr.) ⇒ **échanger.** *Ils se donnèrent des coups,
des baisers.* — Loc. SE DONNER LE MOT. *Ils se
donnèrent le mot pour arriver en même temps.*
⇒ **s'entendre.** — *Se donner la main.* ▸ **donneur,
euse** n. **1.** Personne qui donne (qqch. d'abstrait). *Une
donneuse de leçons, de conseils.* **2.** Personne qui donne
(un tissu vivant, un organe, etc.). *Un donneur, une
donneuse de sang* (pour les transfusions). *Un
donneur universel. Donneur de sperme* (pour l'insémination artificielle). *Le donneur et le receveur* (dans
une transplantation d'organes). **3.** Personne qui
donne (II, 8), dénonce qqn à la police. ⇒ **dénonciateur, indicateur, mouchard.** ‹ ▸ s'adonner, ① **don,**
donation, donataire, donateur, donne, donné,
donnée, maldonne, redonner ›

don Quichotte [dɔ̃kiʃɔt] n. m. ■ Homme

généreux, naïf et exalté (comme le héros de Cervantès)
qui s'attaque sans efficacité aux injustices. *Il joue les
don Quichottes.* — Adj. *Il, elle est un peu don
Quichotte.*

dont [dɔ̃] ([dɔ̃t] devant voyelle) pronom ■ Pronom

relatif de forme invariable qui peut remplacer le nom de
personnes, d'animaux ou de choses. Il représente dans
la surbordonnée un terme de la principale (appelé
antécédent). Les antécédents peuvent être féminins ou
masculins, singuliers ou pluriels : *la maison* (antécédent) *dont je rêve.* Dont introduit une proposition
relative, à l'intérieur de laquelle il joue le rôle d'un
complément introduit par la préposition *de.* Il peut
être remplacé par *de qui* (personnes) ou *duquel, de
laquelle, de quoi* (choses). *La personne dont (de qui)
vous parlez. La maison dont (de laquelle) vous êtes
propriétaire.* **I.** Exprimant le complément (de lieu,
moyen, etc.) du verbe. **1.** Avec le sens adverbial de
d'où. La chambre dont je sors. — Il marque aussi la
provenance, la descendance. *La famille dont il est issu.*
2. (Moyen, instrument, agent, manière) *La manière
dont elle est habillée.* — Au sujet de qui, de quoi.

Cet homme dont je sais qu'il a été marié. La personne dont on me disait qu'elle conviendrait. **II.** Exprimant l'objet. **1.** (Objet du verbe) *L'homme dont on parle. La maison dont je rêve. Voilà ce dont il faut vous occuper.* **2.** (Compl. de l'adjectif) *Le malheur dont vous êtes responsable. C'est ce dont je suis fier.* **III.** Exprimant le compl. de nom. **1.** Possession, qualité, matière (compl. d'un nom ou d'un pronom). *Cette plante dont les fleurs sont bleues.* — REM. On ne doit pas dire *la personne dont le cartable de son fils a été perdu* mais *dont le fils a perdu son cartable* ; ni *l'homme dont je compte sur l'aide,* mais *sur l'aide de qui je compte.* **2.** Partie d'un tout (compl. d'une expression partitive). *Des livres dont trois sont reliés ; dont j'ai gardé une dizaine.* — Amenant une proposition sans verbe. *C'est un long texte dont voici l'essentiel. Quelques-uns étaient là, dont votre père, parmi lesquels.*

donzelle [dɔzɛl] n. f. ■ Jeune fille ou femme prétentieuse et ridicule.

doper [dɔpe] v. tr. ▪ conjug. 1. ■ Administrer un stimulant à. *Doper un cheval de course, un sportif.* — Pronominalement. *Se doper avant un examen,* prendre un excitant. ► **dopage** n. m. ■ Emploi de certains excitants ; ces excitants eux-mêmes. *Le dopage est dangereux et interdit. Ce cycliste a été suspendu pour dopage.*

dorade n. f. ⇒ **daurade**.

dorénavant [dɔʀenavɑ̃] adv. ■ À partir du moment présent, à l'avenir. ⇒ **désormais**. *Dorénavant, il viendra tous les dimanches.*

dorer [dɔʀe] v. tr. ▪ conjug. 1. **1.** Revêtir (un objet, une surface) d'une mince couche d'or. *Dorer un cadre de miroir.* **2.** Loc. fam. DORER LA PILULE *à qqn* : lui faire accepter une chose désagréable au moyen de paroles aimables, flatteuses. ⇒ **tromper**. **3.** Donner une teinte dorée à. *Faire dorer des pommes de terre.* — Pronominalement. *Se dorer au soleil,* bronzer. ► **doré, ée** adj. **1.** Qui est recouvert d'une mince couche d'or ou d'une substance imitant l'or. *Boutons dorés d'un uniforme. Livre* DORÉ SUR TRANCHE. *Argent doré,* vermeil. **2.** Qui a l'éclat, la couleur jaune cuivré de l'or. *Cheveux dorés.* **3.** *La* JEUNESSE DORÉE : jeunes gens riches, élégants et oisifs. ► **doreur, euse** n. ■ Personne dont le métier est de dorer. *Doreur sur bois. Doreur-relieur.* ‹ ► **dorure, redorer** ›

d'ores et déjà ⇒ **ores**.

dorique [dɔʀik] adj. et n. m. ■ *L'ordre dorique,* ou n. m., *le dorique,* le premier et le plus simple des trois ordres d'architecture grecque. *Colonne dorique.* ≠ *corinthien, ionique.*

dorloter [dɔʀlɔte] v. tr. ▪ conjug. 1. ■ Entourer de soins, de tendresse ; traiter délicatement (qqn). ⇒ **cajoler**. *Dorloter son enfant. Il se fait dorloter par sa femme.*

dormir [dɔʀmiʀ] v. intr. ▪ conjug. 16. **1.** Être dans l'état de sommeil. — fam. **pioncer, roupiller**. *Il dort encore. Dormir dans un lit, sur un divan, par terre. Le bébé dort dans les bras de sa maman. Il dort profondément. Dormir très tard, se lever tard.* Loc. *Dormir à poings fermés, comme un loir,* profondément. — *Dormir d'un sommeil léger.* ⇒ **sommeiller**. Loc. *Ne dormir que d'un œil,* légèrement. — *J'ai mal dormi. Avoir envie de dormir.* — *Dormir debout,* avoir sommeil. *Conte à dormir debout,* extravagant. — *Vous pouvez dormir tranquille,* loc. *dormir sur vos deux oreilles,* soyez rassuré. — Loc. *Il n'en dort pas,* cela l'empêche de dormir (en parlant d'une préoccupation). **2.** Se dit de la nature, d'un lieu pendant la nuit ou aux moments de moindre activité. *Tout dort dans la maison.* **3.** Être dans l'inactivité. *Dormir sur son*

travail, le faire lentement, sans courage. ⇒ **traîner**. *Ce n'est pas le moment de dormir.* **4.** (Suj. chose) Ne pas produire, ne pas avoir d'effets. *Laisser dormir qqch.,* ne pas s'en occuper. *Des capitaux qui dorment,* ne rapportent pas d'intérêt. **5.** (Eau) Stagner. *L'eau qui dort.* ⇒ ① **dormant** (2). ► ① **dormant, ante** adj. **1.** Vx. Qui dort. — Loc. *La Belle au bois dormant* (qui dort dans le bois). **2.** (Eau) Qui n'est agité par aucun courant. ⇒ **immobile, stagnant**. *Une eau dormante.* **3.** Terme technique. Qui ne bouge pas. ⇒ **fixe** ; ② **dormant**. — Qui ne s'ouvre pas. *Vitrage dormant.* / contr. **ouvrant** / *Ligne* (de pêche) *dormante,* qui reste fixée à la rive, ou au bateau, sans que le pêcheur la tienne. *Manœuvres dormantes* (sur un bateau), qui ne sont pas déplacées. ► ② **dormant** n. m. ■ Partie fixe (d'une fenêtre, d'une baie). ► **dormeur, euse** n. **1.** Personne en train de dormir. *Dormeur, dormeuse qui ronfle, qui rêve.* ■ Personne qui dort beaucoup, aime à dormir. *C'est un gros dormeur, c'est une dormeuse.* ‹ ► **dortoir, endormir, se rendormir** ›

dorsal, ale, aux [dɔʀsal, o] adj. ■ Qui appartient au dos ; du dos (d'une personne, d'un animal). *L'épine* dorsale. *Nageoires dorsales et nageoires ventrales.*

dortoir [dɔʀtwaʀ] n. m. ■ Grande salle commune où dorment les membres d'une communauté. *Le dortoir d'un collège.* — CITÉ-DORTOIR, VILLE-DORTOIR : où la population passe la nuit, le lieu de travail étant différent. *Des villes-dortoirs.*

dorure [dɔʀyʀ] n. f. **1.** Mince couche d'or décorative. *La dorure d'un cadre de tableau.* **2.** Ornements dorés. *Uniforme couvert de dorures.* **3.** Action de recouvrir d'une couche d'or. *Spécialiste de la dorure sur bois.* ⇒ **doreur**. *La dorure de la porcelaine.*

doryphore [dɔʀifɔʀ] n. m. ■ Insecte aux élytres rayés d'or, parasite des plants de pommes de terre dont il dévore les feuilles.

dos [do] n. m. invar. **I. 1.** Partie du corps de l'homme qui s'étend des épaules jusqu'aux reins, de chaque côté de la colonne vertébrale. *Relatif au dos.* ⇒ **dorsal**. *Il a un dos large. Dos de vieillard.* — Loc. AVOIR BON DOS : se dit d'une personne ou d'une chose que l'on charge d'une responsabilité pour s'en décharger soi-même. *Son travail a bon dos,* est un mauvais prétexte. — Fam. *En avoir* PLEIN LE DOS : être excédé de qqn, qqch., en avoir assez. — AU DOS : dans le dos, sur le dos. *Mettez les mains au dos. Sac au dos.* — DANS LE DOS. *Robe décolletée dans le dos. Cacher qqch dans son dos, derrière son dos. Passer la main dans le dos de qqn,* le flatter. *Faire froid dans le dos,* effrayer. *Tirer dans le dos de qqn,* par-derrière. — Loc. fig. *Agir dans le dos de qqn,* par-derrière, sans qu'il le sache. — DE DOS : du côté du dos (opposé à *de face*). *C'est elle, vue de dos,* montrant le dos. *Cette coiffure est mieux de dos.* — DERRIÈRE LE DOS. *Cacher qqch. derrière le, son dos.* — Loc. fig. *Faire qqch. derrière le dos de qqn,* sans qu'il en soit averti, sans son consentement. — DOS À DOS [do(z)ado]. *Placer deux personnes dos à dos,* chacune tournant le dos à l'autre. *Renvoyer deux personnes, deux parties dos à dos,* sans donner raison à personne. — SUR LE DOS. *Se coucher, s'allonger sur le dos. Avoir un sac sur le dos. N'avoir rien à se mettre sur le dos,* n'avoir rien pour s'habiller. — Loc. fig. *Mettre qqch. sur le dos de qqn,* l'en accuser, l'en rendre responsable. *Cela vous retombera sur le dos,* vous en supporterez les conséquences. — Être toujours sur (derrière) le dos de qqn, surveiller ce qu'il fait. *Avoir qqn sur le dos.* **2.** TOURNER LE DOS à qqch., à qqn : se présenter de dos. *Le dos tourné à la porte, le dos contre la porte. Dès qu'il a le dos tourné,* dès qu'il s'absente un instant.

— Marcher dans une direction opposée à celle que l'on veut ou que l'on doit prendre. *Le village n'est pas dans cette direction, vous lui tournez le dos.* **3.** Face supérieure du corps (des animaux). *Faire le gros dos,* bomber le dos en raidissant les pattes postérieures (chat). *Monter sur le dos d'un cheval* (→ sur un cheval). — À DOS DE. *Transport à dos de chameau, de mulet.* **II. 1.** Partie (d'un vêtement) qui couvre le dos. *Le dos d'une robe.* **2.** Dossier. *Le dos d'une chaise.* **3.** Partie supérieure et convexe. *Dos et paume de la main.* ⇒ **revers.** *Dos et plante du pied.* — (Choses) *Le dos d'une fourchette.* **4.** Côté opposé au tranchant. *Le dos d'une lame, d'un couteau.* **5.** Partie d'un livre qui unit les deux plats (opposé à *tranche*). *Titre au dos d'un livre.* **6.** Envers (d'un papier écrit). ⇒ **verso.** *L'endroit et le dos de la feuille. Signer au dos d'un chèque.* ⟨ ▶ adosser, dos d'âne, dossard, ① dossier, endosser ⟩

dos d'âne [dodɑn] n. m. invar. ■ Bombement transversal (d'une chaussée). *Ralentir avant le dos d'âne.*

dose [doz] n. f. **1.** Quantité (d'un médicament) qui doit être administrée en une fois. *À haute, à faible dose. Diminuer, augmenter, forcer la dose. Ne pas dépasser la dose prescrite.* **2.** Quantité. *Boire sa dose de vin.* ⇒ **ration.** — *Avoir une bonne dose de sottise.* ⇒ **couche.** ▶ **doser** v. tr. ■ conjug. 1. **1.** Déterminer la dose de (un médicament). *Compte-gouttes pour doser un remède.* **2.** Déterminer la proportion des éléments qui entrent dans un mélange. *Doser les ingrédients pour faire une sauce.* ⇒ **mesurer, proportionner, régler.** — Abstrait. *Il faut savoir doser l'ironie.* ▶ **dosage** n. m. ■ Action de doser ; son résultat. *Faire un dosage.* ▶ **doseur** n. m. ■ *Bouchon doseur d'un flacon,* qui donne la mesure d'une dose.

dossard [dosaʀ] n. m. ■ Carré d'étoffe que les coureurs ou les joueurs d'une équipe portent sur le dos et qui indique leur numéro d'ordre.

① dossier [dosje] n. m. ■ Partie (d'un siège) sur laquelle on appuie le dos. *Le dossier d'une chaise.*

② dossier n. m. ■ Ensemble des pièces relatives à une affaire et placées dans une chemise, un carton. *Constituer, établir un dossier. Un dossier d'inscription. Je vais examiner le dossier de ce fonctionnaire.*

dot [dɔt] n. f. ■ Bien qu'une femme apporte en se mariant. *Elle a une grosse dot. Il l'épouse pour sa dot.* ▶ **dotal, ale, aux** adj. ■ Droit. Qui a rapport à la dot. *Se marier sous le régime dotal,* régime matrimonial dans lequel seuls *les biens dotaux* (apportés par la femme en dot) sont confiés à l'administration du mari. ▶ **doter** v. tr. ■ conjug. 1. **1.** Pourvoir d'une dot. *Doter richement sa fille.* **2.** Fournir en équipement, en matériel (surtout au p. p.). *Régiment doté d'armes modernes.* ⇒ **équiper.** **3.** Pourvoir de certains avantages. ⇒ **favoriser.** *La nature a doté son esprit de brillantes qualités.* ▶ **dotation** n. f. **1.** Action d'attribuer un revenu ; ce revenu. *La dotation d'un hôpital, d'une fondation.* **2.** Action de doter d'un équipement, de matériel. *La dotation d'un service en véhicules.*

douairière [dwɛʀjɛʀ] n. f. ■ Vieille dame de la haute société. *Une douairière du faubourg Saint-Germain.*

douane [dwan] n. f. **1.** Branche de l'Administration publique chargée d'établir et de percevoir les droits imposés sur les marchandises, à la sortie ou à l'entrée d'un pays. *Payer des droits de douane.* **2.** Lieu où est établie l'Administration des douanes. *Passer à la douane, passer la douane. La douane d'un poste frontière.* **3.** Droit de douane. *Marchandise exemptée de douane.* ▶ **① douanier** n. m. ■ Membre du service actif de l'Administration des douanes.

Douanier qui fouille une valise. Elle est douanier (ou *douanière,* n. f.). ▶ **②** *douanier, ière* adj. ■ Relatif à la douane, à la réglementation des importations et exportations. *Barrière douanière. Tarif douanier.* ⟨ ▶ dédouaner ⟩

double [dubl] adj. et n. **I.** Adj. **1.** Qui est répété deux fois, qui vaut deux fois (la chose désignée), ou qui est formé de deux choses identiques. *Consonne double* (ex. : *nn*). *Des doubles rideaux. Un double menton. Fermer une porte à double tour* (de clé). *En double exemplaire.* — (Avec de et un compl.) *Une surface double d'une autre.* **2.** (Personnes ; actes) Qui a deux aspects dont un seul est révélé. ⇒ **duplicité.** *Il est double, son attitude est double. Jouer un double jeu*. Mener une* DOUBLE VIE : mener, en marge de sa vie normale, habituelle, une existence que l'on tient cachée. **II.** N. m. **1.** Quantité qui équivaut à deux fois une autre. *Dix est le double de cinq. Il gagne le double, plus du double.* **2.** Chose semblable à une autre. *Le double d'une facture, d'un acte.* ⇒ **copie, duplicata, reproduction.** — EN DOUBLE loc. adv. : en deux exemplaires. *Les articles que j'ai en double.* **3.** Partie de tennis, de ping-pong, entre deux équipes de deux joueurs. *Un double messieurs. Les championnats de double.* ▶ **①** *doublement* adv. ■ De deux manières, pour une double raison. *Elle est doublement fautive. Ils se trompent doublement.* ▶ **doublet** [dublɛ] n. m. ■ Mot de même étymologie, mais de forme et de signification différentes. « *Hôpital* » et « *hôtel* » sont des doublets. ⟨ ▶ doubler ⟩

doubler [duble] v. ■ conjug. 1. **I.** V. tr. **1.** Rendre double. *Il a doublé sa fortune. Il faut doubler la mise. Doubler le pas,* marcher deux fois plus vite ; augmenter son allure. ⇒ **accélérer.** **2.** Mettre qqch. en double, unir deux à deux. / contr. **dédoubler** / *Doubler des fils de tissage.* **3.** Garnir intérieurement de qqch. qui recouvre, augmente l'épaisseur. *Doubler un vêtement de fourrure.* — Au p. p. adj. *Veste doublée* ⇒ **doublure. 4.** V. pron. SE DOUBLER DE. ⇒ s'**accompagner.** *Des compliments qui se doublent d'une moquerie.* **5.** Se dit d'un véhicule qui en dépasse un autre sur la voie qu'il suit. *Voiture qui double un camion.* — Sans compl. *Défense de doubler en côte. Doubler sans visibilité est très dangereux.* **6.** Remplacer (qqn) qui ne peut jouer. *Personne qui double un acteur dans une pièce.* ⇒ **doublure** (2). **7.** Faire le doublage de (un film, un acteur). — Au p. p. adj. *Film doublé* (opposé à *en version originale, sous-titré*). **II.** V. intr. Devenir double. *Le chiffre des importations a doublé.* ▶ **doublage** n. m. **1.** Remplacement d'un acteur par un autre, au théâtre. **2.** Remplacement de la bande sonore originale d'un film par l'enregistrement d'autres voix, en une langue différente. *Le doublage d'un film italien en français.* ▶ **②** *doublement* n. m. ■ Action de rendre double. *Le doublement des effectifs.* ▶ **doublure** n. f. **1.** Matière (étoffe, etc.) qui sert à garnir la surface intérieure de qqch. *Un manteau à doublure de soie.* **2.** Acteur, actrice qui remplace, en cas de besoin celui, celle qui devait jouer. *La doublure d'une vedette de cinéma. Pour une scène dangereuse, la doublure est un cascadeur.* ⟨ ▶ dédoubler, redoubler ⟩

en douce loc. adv. ⇒ **doux.**

douceâtre [dusatʀ] adj. ■ Qui est d'une douceur fade. *Un goût douceâtre. Un air, un sourire douceâtre.* ⇒ **doucereux.**

doucement [dusmɑ̃] adv. **1.** Sans employer une grande énergie, sans hâte, sans violence. / contr. **fort, rapidement** / *On frappa doucement à la porte.* ⇒ **légèrement.** *Voiture qui roule doucement.* ⇒ **lentement.** *Travailler doucement,* sans se hâter. ⇒ **mollement.** *Éclairer doucement.* ⇒ **faiblement.** *Parler dou-*

cement, à voix basse. **2.** Sans heurter, sans faire de peine. *Reprendre qqn doucement*, avec bonté, sans sévérité. **3.** Médiocrement ; assez mal. ⇒ **couci-couça**. *« Comment va le malade ? — Tout doucement. »* **4.** Interjection pour inviter au calme, à la modération. *Doucement, ne nous emballons pas !* — Loc. fam. *Doucement les basses !*, n'exagérez pas. ▶ **doucettement** [dusetmã] adv. ■ Fam. Très doucement.

douceur [dusœʀ] n. f. **1.** Qualité de ce qui procure aux sens un plaisir délicat. *La douceur d'une musique, d'un parfum. La douceur d'une peau fine. La douceur de la température.* **2.** Qualité d'un mouvement progressif et aisé, de ce qui fonctionne sans heurt ni bruit. *La douceur d'un mécanisme.* — EN DOUCEUR loc. adv. *Voiture qui démarre en douceur.* **3.** Impression douce, plaisir modéré et calme. ⇒ **joie, satisfaction.** *La douceur de vivre.* ⇒ **bien-être, bonheur.** **4.** Qualité morale qui porte à ne pas heurter autrui de front, à être patient, conciliant, affectueux. ⇒ **bienveillance, bonté, gentillesse, indulgence.** *Douceur de caractère.* — *Faire qqch. avec douceur. Il lui parla avec une grande douceur. Prendre qqn par la douceur*, l'amener à faire ce qu'on veut sans le brusquer. / contr. **brutalité, dureté** / **5.** Au plur. DES DOUCEURS : des friandises, des sucreries. ▶ **doucereux, euse** [dusʀø, øz] adj. ■ D'une douceur affectée. ⇒ **mielleux, sucré.** *Un air, un ton doucereux.* — N. *Faire le doucereux.*

douche [duʃ] n. f. **1.** Projection d'eau en jet ou en pluie qui arrose le corps. *Prendre une douche froide. Passer, être sous la douche.* Fam. *Il a besoin d'une douche*, d'être calmé. ■ DOUCHE ÉCOSSAISE : chaude, puis froide ; paroles, événements très désagréables qui suivent immédiatement une parole, un événement très agréable. **3.** Système pour prendre une douche. *Cabinet de toilette avec douche. La douche est cassée.* — Au plur. Ensemble des installations permettant de prendre des douches. *Les douches d'un gymnase.* **4.** Averse ; liquide qui asperge une personne. *L'orage l'a surpris, il a pris une bonne douche.* **5.** Ce qui détruit un espoir, une illusion ⇒ **déception, désappointement**, rabat les prétentions, ramène au sens des réalités. *Il ne s'attendait pas à un pareil échec, quelle douche pour lui !* ▶ **doucher** v. tr. ▪ conjug. 1. **1.** Arroser au moyen d'une douche. *Doucher un enfant.* — Pronominalement. *Se doucher*, prendre une douche. **2.** *Nous avons été douchés par l'orage.* ⇒ **mouiller, tremper.** **3.** Fam. Réprimander ou décevoir de façon brutale. *Il s'est fait doucher par son père* (→ laver la tête, passer un savon). *Cet accueil l'a douché.*

doudoune [dudun] n. f. ■ Fam. Veste en duvet. *Mettre sa doudoune pour faire du ski.*

doué, ée [dwe] adj. **1.** DOUÉ(ÉE) DE : qui possède naturellement. *Elle est douée d'une bonne mémoire.* **2.** DOUÉ(ÉE) POUR : qui a un don, des dons. *Un étudiant doué pour les mathématiques.* ⇒ **bon.** *Il est très doué pour la musique.* — Sans compl. *Un enfant très doué*, qui a des dons naturels. — Fam. *T'es pas doué, toi*, tu es maladroit, incapable. ▶ **douer** v. tr. ▪ conjug. 1. ■ (Dieu, la nature, etc.) Pourvoir de qualités, d'avantages. ⇒ **doter.** *La nature l'a doué de beaucoup de patience.*

douille [duj] n. f. **1.** Pièce de métal cylindrique qui sert à adapter un instrument à un manche. *La douille d'une bêche.* — Pièce métallique dans laquelle on fixe le culot d'une ampoule. *Douille à vis, douille à baïonnette (d'une lampe).* **2.** Cylindre qui contient l'amorce et la charge de la cartouche. *Douille d'obus, de fusil.*

douillet, ette [dujε, εt] adj. **1.** Qui est délicatement moelleux. ⇒ **confortable, doux.** *Lit douillet. Vêtement douillet*, moelleux et chaud. *Un intérieur*

douillet, confortable. **2.** (Personnes) Exagérément sensible aux petites douleurs physiques. *Il ne faut pas être si douillet.* / contr. **courageux, endurant** / — N. *Faire le douillet.* ▶ **douillette** n. f. ■ ▶ **douillettement** adv. ■ Élever un enfant trop douillettement.

douleur [dulœʀ] n. f. **1.** Sensation physique pénible. / contr. **plaisir** / *Ressentir une douleur dans l'épaule* (⇒ **souffrir**). *Cri de douleur. Un blessé qui se tord de douleur. Douleur aiguë, lancinante, sourde. Remède qui calme la douleur.* **2.** Sentiment ou émotion pénible résultant d'un manque, d'une peine, d'un événement malheureux. ⇒ **chagrin, peine, souffrance.** / contr. **bonheur** / *J'ai eu la douleur de perdre ma mère. Confier sa douleur à qqn.* PROV. *Les grandes douleurs sont muettes*, on ne peut pas les exprimer. ▶ **douloureux, euse** adj. **1.** Qui cause une douleur, s'accompagne de douleur physique. *Sensation douloureuse. Maladie douloureuse.* / contr. **indolore** / **2.** Qui est le siège d'une douleur physique. *Avoir les pieds douloureux* ⇒ **endolori.** **3.** Qui cause une douleur morale. *Séparation douloureuse. Un moment douloureux*, rempli de douleurs. ⇒ **pénible, triste.** / contr. **agréable, plaisant** / ▶ **douloureuse** f. ■ Fam. La note à payer. *J'ai reçu la douloureuse.* ▶ **douloureusement** adv. ■ *Ils ont été douloureusement éprouvés par la mort de leur mère.* ⟨ ▶ **endolori**, indolore, souffre-douleur ⟩

doute [dut] n. m. **1.** État de l'esprit qui est incertain de la réalité d'un fait, de la vérité de paroles, de la conduite à adopter dans une circonstance. ⇒ **hésitation, incertitude, perplexité.** *Être dans le doute au sujet de qqch.* PROV. *Dans le doute, abstiens-toi.* — HORS DE DOUTE. *Cela est hors du doute, certain, incontestable.* — METTRE EN DOUTE. *Je mets en doute sa sincérité.* **2.** Position philosophique qui consiste à ne rien affirmer d'aucune chose. ⇒ **scepticisme.** *Le doute cartésien.* **3.** UN DOUTE : jugement par lequel on doute de qqch. *Avoir un doute (des doutes) sur l'authenticité d'un document. Il n'y a pas de doute, pas l'ombre d'un doute, la chose est certaine. Cela n'y fait aucun doute.* — *Il n'y a pas de doute que... ; nul doute que...* (avec ne + subjonctif). *Nul doute qu'il ne vienne.* (+ indicatif) *Il n'y a pas de doute qu'il viendra.* **4.** SANS DOUTE loc. adv. : selon toutes les apparences. — REM. L'expression *sans doute* implique aujourd'hui, qu'il y a au contraire un doute. ⇒ **apparemment, peut-être, probablement, vraisemblablement.** *Il a sans doute oublié. Sans doute arrivera-t-elle demain.* — Marquant une concession. *C'est sans doute vrai, mais...* — SANS NUL (AUCUN) DOUTE : certainement, assurément. *« Vous viendrez ? — Sans aucun doute. »* ▶ ① **douter** v. tr. ind. et dir. ▪ conjug. 1. **1.** Être dans l'incertitude de (la réalité d'un fait, la vérité d'une assertion). DOUTER DE. *Je doute de son succès. « Il acceptera ? — J'en doute fort. » N'en doutez pas*, soyez-en certain. — DOUTER QUE (+ subjonctif). *Je doute fort qu'il vous reçoive. Je ne doute pas que vous remplissiez dignement votre mission.* **2.** Mettre en doute (des croyances fondamentales considérées comme des vérités). *Les sceptiques doutent de tout.* **3.** NE DOUTER DE RIEN : aller de l'avant sans s'inquiéter des difficultés. **4.** Ne pas avoir confiance en (qqn, qqch.). ⇒ se **défier**, se **méfier.** *Douter de qqn, de sa parole.* ▶ ② se **douter** v. pron. ▪ conjug. 1. ■ SE DOUTER DE : considérer, se représenter comme tout à fait probable (ce dont on n'a pas connaissance). ⇒ **croire, deviner, imaginer, pressentir, soupçonner.** *Vous doutiez-vous de cela ? Je ne me doutais de rien. Il est très mécontent, je m'en doute ; je ne me doutais jamais assez doute.* — SE DOUTER QUE (+ indicatif) ⇒ **supposer.** *Je me doute que c'est difficile. Nous nous doutions bien qu'il ne viendrait pas.* ▶ **douteux, euse** adj. **1.** Dont l'existence ou la réalisation n'est pas certaine, dont on peut douter.

⇒ **incertain.** / contr. **assuré** / *Un fait douteux. Son succès est douteux.* ⇒ **problématique.** — IL EST DOUTEUX QUE (+ subjonctif). *Il est douteux qu'il vienne ce soir.* (Négatif, + indicatif ou subjonctif) *Il n'est pas douteux qu'il va venir, qu'il vienne.* **2.** Dont la nature n'est pas certaine, sur quoi on s'interroge. *Sens douteux d'une phrase, d'une proposition.* ⇒ **ambigu.** **3.** Qui n'a pas ou ne semble pas avoir les qualités qu'on en attend. *Un jour douteux,* une clarté faible. *Viande douteuse* (peut-être avariée), *champignon douteux* (peut-être vénéneux). *Décoration d'un goût douteux,* plutôt mauvais. **4.** Qui n'est guère propre. *Verres, vêtements douteux.*

① *douve* [duv] n. f. ■ Fossé, originellement rempli d'eau, autour d'un château. *Les douves d'une forteresse.*

② *douve* n. f. ■ Planche servant à la fabrication des tonneaux.

doux, douce [du, dus] adj. et adv. **I.** Adj. **1.** Qui a un goût faible ou sucré (opposé à *acide, amer, fort, piquant, salé,* etc.). ⇒ péj. **douceâtre.** *Amandes, oranges, pommes douces. Vin doux,* sucré. — *Eau douce,* eau des lacs et des rivières, non salée. **2.** Agréable au toucher par son caractère lisse, souple (opposé à *dur*). *Peau douce. Lit, matelas très doux.* ⇒ **moelleux.** **3.** Qui épargne les sensations violentes, désagréables. *Cette année, l'hiver a été doux.* ⇒ **clément.** *Doux murmures.* ⇒ **léger.** *Lumière douce.* ⇒ **tamisé. 4.** Qui procure une jouissance calme et délicate. ⇒ **agréable.** *Un espoir bien doux. Avoir la vie douce.* ⇒ **facile. 5.** Qui n'a rien d'extrême, d'excessif. ⇒ **faible.** *Pente douce. Cuire à feu doux. Châtiment trop doux.* — MÉDECINES DOUCES *(homéopathie, acupuncture,* etc.). **6.** (Personnes) Qui ne heurte, ne blesse personne, n'impose rien, ne se met pas en colère. ⇒ **bienveillant, gentil, indulgent, patient.** / contr. **agressif, brutal, violent** / *Une jeune fille douce. Elle est douce avec ses enfants. Doux comme un agneau, comme un mouton.* ⇒ **inoffensif.** — N. *C'est un doux,* un homme doux. **7.** Qui exprime des sentiments tendres, amoureux. — Loc. *Faire les yeux doux,* regarder amoureusement. *Un billet doux,* galant. **II.** Adv. **1.** Loc. fam. FILER DOUX : obéir humblement sans opposer de résistance. **2.** Fam. ˙EN DOUCE : sans bruit, avec discrétion. *Partir en douce. En douce, il a réussi mieux que tout le monde,* sans en avoir l'air. ⟨▶ adoucir, aigre-doux, douceâtre, doucement, douceur, radoucir, redoux, taille-douce⟩

douze [duz] adj. invar. et n. invar. **1.** Adj. numéral cardinal. Nombre correspondant à dix plus deux (12). *Les douze mois de l'année. Soixante-douze* (72). *Douze cents* ou *mille deux cents* (1 200). **2.** Adj. numéral ordinal. ⇒ **douzième.** *Numéro douze. Douze heures trente,* ou plus cour. *midi et demi. Le douze mai.* **3.** N. m. Le nombre douze. *Trois fois quatre font douze. Le douze* (numéro). ▶ *douzaine* n. f. **1.** Réunion de douze choses de même nature. *Une douzaine d'œufs, d'huîtres.* **2.** Quantité indéterminée se rapprochant de douze. *Un garçon d'une douzaine d'années.* — Loc. fam. *À la douzaine,* en quantité. ▶ *douzième* adj. et n. **1.** Adj. ordinal. *Le douzième et dernier mois de l'année.* — N. *Arriver le, la douzième.* **2.** Se dit d'une fraction d'un tout divisé également en douze. — N. m. *Un douzième des candidats a été reçu.* ▶ *douzièmement* adv. ■ En douzième lieu. ⟨▶ demi-douzaine, in-douze⟩

doyen, enne [dwajɛ̃, ɛn] n. **1.** Titre de la première dignité dans les facultés d'une université. *Le doyen de la faculté des lettres.* **2.** Personne qui est le plus ancien des membres d'un corps, par ordre de réception. *Le doyen de l'Académie française.* **3.** Personne la plus âgée (on dit aussi *doyen d'âge*). *La doyenne du village est centenaire.*

drachme [dʁakm] n. f. ■ Dans la Grèce antique. Monnaie d'argent divisée en six oboles. — Unité monétaire de la Grèce moderne.

draconien, ienne [dʁakɔnjɛ̃, jɛn] adj. ■ D'une excessive sévérité. ⇒ **rigoureux.** *Le gouvernement a pris des mesures draconiennes.*

dragage [dʁagaʒ] n. m. ■ Action de draguer. *Le dragage d'une rivière.*

dragée [dʁaʒe] n. f. **1.** Confiserie, amande ou praline recouverte de sucre durci. *Un cornet de dragées. Dragées de baptême,* roses (filles), bleues (garçons). **2.** Préparation pharmaceutique à sucer, formée d'un médicament recouvert de sucre. **3.** Loc. TENIR LA DRAGÉE HAUTE *à qqn,* lui faire sentir son pouvoir, lui tenir tête.

dragon [dʁagɔ̃] n. m. **I. 1.** Animal fabuleux qu'on représente généralement avec des ailes, des griffes et une queue de serpent. *Un dragon gardait les pommes d'or du jardin des Hespérides.* **2.** Dans l'iconographie chrétienne. Figure du démon (⇒ **serpent**). *Saint Michel terrassant le dragon.* **3.** Plaisant. Loc. *Un* DRAGON DE VERTU : une femme affectant une vertu farouche. **II. 1.** Autrefois. Soldat de cavalerie. *Expédition des dragons contre les huguenots* (protestants), *sous Louis XIV* (appelée *dragonnade,* n. f.). **2.** Soldat de certaines unités de blindés.

dragonne [dʁagɔn] n. f. ■ Cordon, galon qui garnit la poignée d'un sabre, d'une épée, d'un parapluie.

① *drague* [dʁag] n. f. **1.** Filet de pêche en forme de poche et dont la partie inférieure racle le fond. *Drague à huîtres, à moules. Pêcheur à la drague.* **2.** Engin mécanique installé sur un navire et destiné à curer les fonds des fleuves, canaux, estuaires, à creuser les bassins et chenaux des ports. *Drague à godets. Drague suceuse.* ▶ ① *draguer* v. tr. ▪ conjug. 1. ■ Curer, nettoyer (le fond d'une rivière, d'un port) à la drague. *Draguer un bassin.* ▶ ① *dragueur* n. m. ■ Bateau muni d'une drague. — Navire destiné à la recherche et à l'enlèvement des mines sous-marines. *Dragueur de mines.* ⟨▶ dragage⟩

② *draguer* v. tr. ▪ conjug. 1. ■ Fam. Chercher à racoler (qqn). *Draguer les filles.* — Sans compl. *Il drague sur les boulevards.* ▶ ② *drague* n. f. ■ Fam. Le fait de draguer. ▶ ② *dragueur, euse* n. ■ Fam. Personne qui recherche une, des aventures amoureuses.

drain [dʁɛ̃] n. m. **1.** Tube percé de trous et destiné à favoriser l'écoulement des liquides (pus, etc.) dans l'organisme. *Placer un drain dans une plaie.* **2.** Tuyau servant à faire écouler l'eau des sols trop humides. *Mettre des drains dans un terrain.* ▶ *drainer* v. tr. ▪ conjug. 1. **1.** Débarrasser (un terrain) de son excès d'eau par le drainage. ⇒ **assécher.** / contr. **irriguer** / *Drainer un marais.* — Au p. p. adj. *Prairie drainée.* — *Drainer une plaie,* favoriser l'écoulement des liquides (pus, etc.) en plaçant un drain. **2.** Faire affluer en attirant à soi (pour conserver ou pour dériver). *Drainer la main-d'œuvre étrangère par une politique d'immigration.* ▶ *drainage* n. m. ■ Écoulement de l'eau retenue en excès dans les terres. *Le drainage d'un marais.*

draisienne [dʁɛzjɛn] n. f. ■ Ancêtre de la bicyclette, véhicule à deux roues reliées par une pièce de bois sur laquelle on montait à califourchon.

drakkar [dʁakaʁ] n. m. ■ Ancien navire à voile carrée et à rames des pirates normands (Vikings). *Drakkars normands.*

dramatique [dʁamatik] adj. et n. **1.** (Ouvrage littéraire) Destiné au théâtre ; relatif aux ouvrages de théâtre. *Art dramatique,* l'ensemble des activités théâtrales. *Musique dramatique,* la musique composée pour la scène. ⇒ **opéra.** — *Émission dramatique,* de théâtre. ⇒ **théâtral.** N. f. *Une dramatique.* **2.** Qui s'occupe de théâtre. *Auteur, poète dramatique.* ⇒ **dramaturge. 3.** Qui est susceptible d'émouvoir vivement le spectateur, au théâtre. ⇒ **émouvant, poignant.** *Situation, dénouement dramatique.* **4.** (Événements réels) Très grave et dangereux ou pénible. ⇒ **terrible, tragique.** *La situation est dramatique. Cela n'a rien de dramatique,* ce n'est pas bien grave. ▶ *dramatiquement* adv. ■ D'une manière dramatique, tragique. *L'affaire se termina dramatiquement.* ⇒ **tragiquement.** ▶ *dramatiser* v. tr. ■ conjug. 1. ■ Accorder une importance exagérée à. ⇒ **exagérer.** *Il ne faut rien dramatiser, la situation n'est pas perdue.* ▶ *dramaturge* n. ■ Auteur d'ouvrages destinés au théâtre. *Un dramaturge de talent.* ⟨▶ **mélodramatique** ⟩

drame [dʀam] n. m. **1.** En histoire littéraire. Genre théâtral comportant des pièces dont l'action généralement tragique s'accompagne d'éléments réalistes, familiers, comiques. *Le drame bourgeois* (genre du XVIIIᵉ siècle), *le drame romantique* (XIXᵉ siècle). **2.** Toute pièce d'un caractère grave, pathétique (opposé à *comédie*). « *Les Mouches* », *drame de J.-P. Sartre.* **3.** Événement ou suite d'événements tragiques, terribles. ⇒ **catastrophe, tragédie.** *Un drame affreux, sanglant. Il ne faut pas en faire un drame,* dramatiser. *Un drame passionnel.* ⟨▶ **dramatique, mélodrame, psychodrame** ⟩

drap [dʀa] n. m. **1.** Tissu de laine dont les fibres sont feutrées par le foulage. *Drap fin, gros drap. Costume de drap.* **2.** DRAP DE LIT ou DRAP : pièce de toile rectangulaire, qui sert à isoler le corps soit du matelas (*drap de dessous*), soit des couvertures (*drap de dessus*). *Une paire de draps.* — *Drap-housse,* drap de dessous dont les coins sont cousus de manière à emboîter le matelas. *Des draps-housses.* **3.** Loc. fig. DANS DE BEAUX DRAPS : dans une situation critique. *Nous voilà dans de beaux draps !* ▶ *draper* v. tr. ■ conjug. 1. **1.** Habiller (qqn) de vêtements amples, formant des plis harmonieux. *Draper un mannequin dans une soierie.* — Pronominalement. *Se draper dans une cape.* **2.** (Étoffe) Recouvrir en formant des plis. **3.** Disposer (une étoffe) de manière qu'elle forme des plis harmonieux. *Couturier qui drape une étoffe sur un mannequin.* — Au p. p. adj. *Étoffe drapée.* — N. m. *Un beau drapé.* **4.** Loc. *Se draper dans sa dignité,* affecter une attitude de dignité offensée, orgueilleuse. ▶ *draperie* [dʀapʀi] n. f. **1.** Tissu de laine, dans le commerce. ⇒ **lainage. 2.** Étoffe, vêtement ample et formant de grands plis. *Les draperies d'une sculpture.* ⇒ **drapé. 3.** Étoffe de tenture drapée. *Les draperies d'une fenêtre.* ▶ *drapier, ière* n. ■ Fabricant, marchand(e) de drap (I). — En appos. *Des marchands drapiers.*

drapeau [dʀapo] n. m. **1.** Étoffe attachée à une hampe et portant les couleurs, les emblèmes d'une nation, d'un groupement, d'un chef, pour servir de signe de ralliement, de symbole. ⇒ **étendard, pavillon.** *Le drapeau bleu blanc rouge de la France, le drapeau à fleur de lis du Québec. Hisser un drapeau. Garnir un édifice de drapeaux.* ⇒ **pavoiser.** *Drapeau rouge,* emblème révolutionnaire. *Drapeau blanc,* drapeau qui, en temps de guerre, indique à l'ennemi qu'on veut parlementer ou se rendre. *Drapeau noir,* des pirates, des anarchistes. **2.** Drapeau servant de signal. *Drapeau rouge de chef de gare.* **3.** Symbole de l'armée, de la patrie. *Le respect du drapeau.* — Loc. *Être* SOUS LES DRAPEAUX : être en activité de service dans l'armée. **4.** Fam. *Planter un drapeau,* partir sans payer, faire une dette. ⟨▶ **porte-drapeau** ⟩

① *dresser* [dʀese] v. tr. ■ conjug. 1. **1.** V. tr. **1.** Tenir droit et verticalement. ⇒ **lever.** *Chien, cheval*

qui dresse les oreilles. — Loc. *Dresser l'oreille,* écouter attentivement, diriger son attention. **2.** Faire tenir droit. ⇒ **élever, ériger.** *Dresser un monument, une statue. Dresser un lit, une tente.* ⇒ **monter. 3.** Disposer comme il le faut. ⇒ **installer, préparer.** — Vx. *Dresser la table, le couvert,* mettre. *Dresser un plat,* le présenter. **4.** Faire, établir avec soin ou dans la forme prescrite. *Dresser une carte, un plan. Dresser un inventaire. Je vais dresser la liste des cadeaux de Noël. Dresser un procès-verbal.* **5.** Abstrait. *Dresser une personne contre une autre,* mettre en opposition. ⇒ **braquer, monter. II.** SE DRESSER v. pron. **1.** (Êtres vivants) Se mettre droit. *Se dresser sur la pointe des pieds pour mieux voir.* **2.** (Suj. chose) Être droit. *Montagne qui se dresse à l'horizon.* ⇒ **s'élever.** *Les obstacles qui se dressent sur la route.* **3.** Abstrait. *Se dresser contre qqn.* ⇒ **s'opposer** à. *Le peuple, le pays s'est dressé contre l'envahisseur, l'oppresseur.* ⟨▶ **dressoir, redresser** ⟩

② *dresser* v. tr. ■ conjug. 1. **1.** Habituer (un animal) à faire docilement et régulièrement qqch. *Dresser un chien à rapporter le gibier. Dresser des animaux de cirque, des fauves.* ⇒ **dompter.** — Au p. p. adj. *Des animaux dressés.* **2.** Fam. Faire céder, plier (qqn). ⇒ **mater.** *Je vais te dresser. Ça le dressera.* ▶ *dressage* n. m. **1.** Action de dresser un animal. *Dressage savant des animaux de cirque.* **2.** Fam. Éducation très sévère. ▶ *dresseur, euse* n. ■ Personne qui dresse des animaux. *Dresseur de chiens.*

dressoir [dʀeswaʀ] n. m. ■ Étagère, buffet anciens où sont disposés des objets faisant partie du service de la table (vaisselle, récipients).

dreyfusard, arde [dʀɛfyzaʀ, aʀd] adj. et n. ■ Partisan du capitaine Dreyfus, accusé et condamné injustement (pendant *l'affaire Dreyfus*).

dribbler [dʀible] v. ■ conjug. 1. **1.** V. intr. Courir en poussant devant soi la balle à petits coups de pied sans en perdre le contrôle. *Le joueur arrive en dribblant.* **2.** V. tr. *Dribbler un adversaire,* le passer en dribblant. ▶ *dribble* [dʀibl] n. m. ■ Action de dribbler. *Trois dribbles successifs.*

drille [dʀij] n. m. ■ *Un* JOYEUX DRILLE : un joyeux compagnon, un homme jovial. ⇒ **luron.**

dring [dʀiŋ] ou *ding* [diŋ] interj. et n. m. ■ Onomatopée évoquant le bruit d'une sonnette. — Répété : *Dring, dring !*

drive [dʀajv] n. m. ■ Anglic. Coup droit, au tennis. *Des drives.*

drogue [dʀɔg] n. f. **1.** Médicament dont on conteste l'utilité, l'efficacité ou dont on condamne l'usage. *Toutes les drogues que lui ordonne son médecin lui font plus de mal que de bien.* **2.** LA DROGUE : toxiques, stupéfiants (cocaïne, morphine, L.S.D., etc.). *Faire le trafic de la drogue.* ▶ *drogué, ée* adj. et n. ■ (Personne) Qui se drogue. ⇒ **toxicomane.** *Un jeune lycéen drogué. — Une droguée.* ▶ *droguer* v. tr. ■ conjug. 1. **1.** Faire prendre à (un malade) beaucoup de drogues. — Pronominalement. *Il se détruira la santé à force de se droguer.* **2.** Faire prendre de la drogue, des stupéfiants à. *On l'a drogué.* — Pronominalement. *Il se drogue depuis des années.*

droguerie [dʀɔgʀi] n. f. ■ Commerce et magasin de produits chimiques et pharmaceutiques les plus courants, des produits de toilette, d'hygiène, de ménage, d'entretien. ▶ *droguiste* n. ■ Personne qui tient une droguerie. ⇒ **marchand de couleurs.**

① *droit, droite* [dʀwa, dʀwat] adj. et adv. **I.** Adj. **1.** Qui est sans déviation, d'un bout à l'autre. / contr. **courbe** / *Barre droite. Se tenir droit. Être droit comme un I, un piquet,* très droit. *Ligne droite,* dont la direction est constante ; qui va d'un point à un autre par le chemin le plus court. *Il y a deux kilomètres en ligne droite. La route est droite.* **2.** Vertical. / contr. **oblique** / *Tenez la soupière bien droite. Remettre droit ce qui est tombé.* ⇒ **debout.** *Écriture droite* (opposé à *penché*). *Angle droit,* de 90°. *Ces deux rues se coupent à angle droit.* **3.** Dont les formes sont verticales. *Veston droit,* bord à bord (opposé à *croisé*). *Jupe droite.* **4.** Abstrait. (Personnes) Qui ne s'écarte pas d'une règle (morale). ⇒ **droiture.** *Un homme simple et droit.* ⇒ **honnête, juste, loyal, sincère. II.** Adv. En ligne droite. *Marcher droit. Viser droit. C'est droit devant vous, tout droit. Aller droit devant soi.* — Abstrait. ALLER DROIT : par la voie la plus rapide. ⇒ **directement.** *Aller droit au but. Allez droit au fait. Cette intention me va droit au cœur.* — MARCHER DROIT : bien se conduire, être obéissant. *Il va falloir marcher droit !* ⟨ ▶ **droite, droiture** ⟩

② *droit, droite* adj. et n. m. **I.** Adj. Qui est du côté opposé à celui du cœur de l'observateur (opposé à *gauche*). *Le côté droit* (⇒ **droite**). *La main droite. La rive droite d'une rivière* (dans le sens du courant). **II.** N. m. Le poing droit du boxeur. *Direct, crochet du droit.* ⟨ ▶ **droitier** ⟩

③ *droit* n. m. **I.** UN DROIT, DES DROITS. **1.** Ce que chacun peut exiger, ce qui est permis, selon une règle morale, sociale. *Les droits naturels. Priver qqn de ses droits. Les Droits de l'homme. Le droit des peuples à disposer d'eux-mêmes.* — AVOIR LE DROIT DE (+ infinitif). *Il n'a pas le droit de me juger. Elles n'ont pas le droit de sortir le soir.* ⇒ **permission.** — AVOIR DROIT À (+ substantif). *Vous avez droit à des excuses.* — ÊTRE EN DROIT DE : avoir le droit de. *Vous êtes en droit de réclamer un dédommagement. Être dans son (bon) droit.* **2.** Ce qui est exigible ou permis par conformité à une règle précise (loi, règlement). ⇒ **faculté, prérogative, privilège.** *Droits civiques, droits du citoyen, droits politiques,* électoral, éligibilité. — *Droits civils, privés. Défendre ses droits devant la justice. Droit de chasse, de stationnement. Droits d'auteur* (⇒ **auteur**). **3.** Ce qui donne une autorité morale considérée comme légitime. *Les droits de l'amitié. Avoir des droits à la reconnaissance de qqn.* **4.** Somme d'argent, redevance exigée. ⇒ **contribution, impôt, taxe.** *Droits d'inscription à l'Université. Droits de douane.* **II.** LE DROIT. **1.** Ce qui constitue le fondement des droits de l'homme vivant en société. ⇒ **légalité, justice,** morale. *Du droit.* ⇒ **juridique.** *Opposer le droit au fait.* PROV. *La force prime le droit.* — Loc. FAIRE DROIT. *Faire droit à une demande,* la satisfaire. — À BON DROIT loc. adv. : d'une façon juste et légitime. *Il peut à bon droit se plaindre.* — DROIT DIVIN : doctrine du XVIIᵉ s., d'après laquelle le roi est directement investi par Dieu. *Monarchie de droit divin.* **2.** Règles juridiques en vigueur dans un État. *Droit français. Droit commun,* règles générales, lorsqu'il n'y a aucune dérogation particulière. *Les prisonniers de droit commun* (opposé à *prisonniers politiques*). — Loc. adv. DE DROIT : légal, prévu par les textes juridiques. — DE PLEIN DROIT : sans qu'il soit nécessaire de manifester de volonté, d'accomplir de formalité. — QUI DE DROIT : personne ayant un droit sur..., personne compétente. *Adressez-vous à qui de droit.* — EN DROIT. ⇒ **juridiquement.** *Être responsable en droit* (s'oppose à *en fait*). — *Droit public et droit privé. Droit civil,* traitant des personnes (capacité, famille, mariage), des biens, des successions, des obligations... *Droit constitutionnel,* partie du droit public relative à l'organisation de l'État (pouvoir ; souveraineté ; constitution, régime). — *Droit pénal* ou *criminel,* qui a trait aux infractions et aux peines, à la procédure criminelle. **3.** La science juridique. *Étudiant en droit. Faire son droit.* ⟨ ▶ **ayant droit, passe-droit** ⟩

① *droite* [dʀwat] n. f. / contr. **gauche** / **1.** Le côté droit, la partie droite. *Il ne sait pas distinguer sa droite de sa gauche. Se diriger vers la droite. C'est à votre droite, sur votre droite.* **2.** Le côté droit d'un chemin, d'une route. *Tenir, garder sa droite.* **3.** *La droite d'une* assemblée politique, les députés des partis conservateurs (qui siègent à droite du président). — Fraction de l'opinion publique conservatrice ou réactionnaire. *Toute la droite a voté pour lui. Journal d'extrême droite.* **4.** Loc. adv. À DROITE : du côté droit. *Tourner à droite. De droite et de gauche,* de tous côtés. — Sur la partie droite de la chaussée. *Roulez à droite !* — Fam. Avec les gens de droite, en politique. *Voter à droite.* — Adj. *Elle est très à droite.*

② *droite* n. f. ■ Ligne dont l'image est celle d'un fil parfaitement tendu et qui, en géométrie euclidienne, est le chemin le plus court d'un point à un autre. / contr. **courbe** / *Par deux points on peut faire passer une droite et une seule. Droites parallèles.*

droitier, ière [dʀwatje, jɛʀ] adj. ■ Qui se sert mieux de la main droite que de la main gauche. — N. *Un droitier.* / contr. **gaucher** /

droiture [dʀwatyʀ] n. f. ■ Qualité d'une personne droite (①, I, 4), dont la conduite est conforme aux lois de la morale, du devoir. ⇒ **franchise, honnêteté, loyauté.**

① *drôle* [dʀol] adj. **I.** Comique. **1.** Qui prête à rire, fait rire. ⇒ **amusant, comique, plaisant ;** fam. **marrant, rigolo.** *Il est drôle avec ce petit chapeau. Une histoire drôle. La situation actuelle n'est pas drôle,* elle est triste. ⇒ **amusant, gai.** *Ce fantaisiste est drôle.* **II.** Bizarre. **1.** Qui est anormal, étonnant. ⇒ **bizarre, curieux, étonnant, étrange, singulier.** / contr. **normal** / *La porte était restée ouverte, ça m'a semblé drôle.* (Avec que + subjonctif) *Nous trouvons drôle qu'il ait oublié de nous prévenir.* — (Personnes) *Vous êtes drôle ! Qu'auriez-vous fait à ma place ? Se sentir tout drôle,* ne pas se sentir comme d'habitude. **2.** DRÔLE DE... *Un drôle d'instrument. Il porte une drôle de casquette. Faire une drôle de tête. Un drôle de type, de coco,* qui étonne, ou dont il convient de se méfier. **3.** Fam. (Intensif) Rude. ⇒ **sacré.** *Cet homme a une drôle de poigne,* une forte poigne. *Il faut une drôle de patience pour supporter cela,* il en faut beaucoup. ▶ *drolatique* [dʀolatik] adj. ■ Littér. Qui a de la drôlerie, qui est récréatif et pittoresque. ⇒ **cocasse.** *Un personnage drolatique.* ▶ *drôlement* adv. **1.** Bizarrement. *Elle est drôlement accoutrée. Vous vous comportez drôlement.* **2.** Fam. De manière extraordinaire. ⇒ **bien, rudement.** *Les prix ont drôlement augmenté. Elle est drôlement jolie, drôlement bien.* ⇒ **très.** ▶ *drôlerie* [dʀolʀi] n. f. **1.** Parole ou action drôle et pittoresque. ⇒ **bouffonnerie.** *Dire des drôleries.* **2.** Caractère de ce qui est drôle. *Situation pleine de drôlerie.*

② *drôle, drôlesse* n. **1.** Vx. Coquin(e). **2.** Région. (Sud de la France) Gamin, gamine.

dromadaire [dʀomadɛʀ] n. m. ■ Mammifère voisin du chameau, à une seule bosse. — REM. On appelle souvent les dromadaires *chameaux* (par confusion).

-drome, -dromie ■ Éléments savants, signifiant « course » ou « piste » (ex. : *hippodrome*).

dru, ue [dʀy] adj. **1.** Qui pousse vigoureusement. ⇒ **épais, touffu.** *Herbe haute et drue. Une barbe drue et noire.* / contr. **clairsemé** / **2.** Adv. *La pluie, la neige tombent dru.*

drugstore [dʀœgstɔʀ] n. m. ■ Anglic. Magasin sur le modèle américain où l'on vend divers produits (alimentation, hygiène, pharmacie). *Des drugstores.*

druide [dʀyid] n. m. ■ Prêtre gaulois ou celte. *Chaque année, les druides cueillaient le gui sacré sur les chênes.* ▶ *druidique* adj. ■ *Monuments druidiques.*

druze [dʀyz] adj. et n. ■ Qui appartient à une population musulmane arabophone de Syrie, du Liban et de Palestine, dont la religion est dérivée de l'ismaïlisme. *Les populations druzes du Liban.* — N. *Une Druze.*

dry [dʀaj] adj. invar. et n. m. invar. ■ Anglic. *Champagne dry, sec ; extra-dry, très sec.*

dryade [dʀijad] n. f. ■ Nymphe protectrice des forêts.

du [dy] art. 1. Article défini contracté. *Venir du Portugal.* ⇒ ① de et le. 2. Article partitif. *Manger du pain.* ⇒ ② de.

dû, due [dy] adj. et n. m. 1. Que l'on doit. *Somme due.* ⇒ impayé. Loc. prov. *Chose promise, chose due.* — *Colis expédié en port dû.* 2. DÛ À : qui est causé par. *Ces troubles sont dus à votre accident.* 3. *Acte en* BONNE ET DUE FORME : rédigé conformément à la loi et revêtu des formalités nécessaires. 4. N. m. Ce qui est dû. *Réclamer son dû.* ⟨ ▶ dûment ⟩

dualisme [dɥalism] n. m. 1. Doctrine ou système qui admet la coexistence de deux principes irréductibles. 2. Coexistence de deux éléments différents. ⇒ dualité. ▶ *dualiste* adj. ■ *Philosophie, religion dualiste.* ▶ *dualité* n. f. ■ Caractère ou état de ce qui est double en soi ; coexistence de deux éléments de nature différente. / contr. unité /

dubitatif, ive [dybitatif, iv] adj. ■ Qui exprime le doute. *Réponse dubitative.* / contr. affirmatif /

duc [dyk], *duchesse* [dyʃɛs] n. ■ Personne qui porte le titre de noblesse le plus élevé après celui de prince. *Le duc de Guise. La duchesse de Langeais.* ▶ *ducal, ale, aux* adj. ■ Qui appartient à un duc, à une duchesse. *Couronne ducale. Palais ducal.* ⟨ ▶ archiduc, duché, ① grand-duc ⟩

ducasse [dykas] n. f. ■ Fête publique, en Belgique et dans le Nord de la France. ⇒ kermesse.

ducat [dyka] n. m. ■ Ancienne monnaie d'or.

duce [dutʃe] n. m. ■ *Le duce,* titre pris par Mussolini, chef de l'Italie fasciste.

duché [dyʃe] n. m. ■ Seigneurie, principauté à laquelle le titre de duc était attaché. ▶ *duchesse* n. f. I. ⇒ duc. II. Nom d'une variété de poire fondante.

ductile [dyktil] adj. ■ Qui peut être allongé, étendu, étiré sans se rompre. *Métaux ductiles.*

duègne [dɥɛɲ] n. f. ■ Vx. Femme âgée chargée de veiller sur la conduite d'une jeune fille ou d'une jeune femme. ⇒ chaperon.

① *duel* [dɥɛl] n. m. 1. Combat entre deux personnes dont l'une exige de l'autre la réparation d'une offense par les armes. *Se battre en duel.* 2. DUEL ORATOIRE : échange de répliques entre deux orateurs. ⇒ joute. ▶ *duelliste* n. ■ Personne qui se bat en duel.

② *duel* n. m. ■ En grammaire. Nombre distinct du pluriel qui s'emploie dans certaines langues (comme le grec ancien) pour désigner deux personnes, deux choses. *Singulier, duel et pluriel.*

duettiste [dɥetist] n. ■ Personne qui joue ou qui chante une partie dans un duo.

duffel-coat [dœfœlkot] n. m. ■ Anglic. Manteau trois-quarts avec capuchon, en gros tissu de laine. *Des duffel-coats.*

dulcinée [dylsine] n. f. ■ Plaisant. (Nom de la femme aimée de don Quichotte) Femme inspirant une passion romanesque. *Il soupire auprès de sa dulcinée.* ⇒ bien-aimée.

dûment [dymɑ̃] adv. ■ Selon les formes prescrites en droit. *Un fait dûment constaté.* / contr. indûment /

dune [dyn] n. f. ■ Butte, colline de sable fin formée par le vent sur le bord des mers ou dans l'intérieur des déserts.

dunette [dynɛt] n. f. ■ Superstructure élevée sur le pont arrière d'un navire et s'étendant sur toute sa largeur. *Le capitaine est sur la dunette.*

duo [dɥo] n. m. 1. Composition musicale pour deux voix ou deux instruments. *Chanter en duo. Des duos.* 2. Fam. *Duo d'injures,* échange d'injures. 3. Plaisant. Couple ; deux personnes. *Ils font un curieux duo.* ⇒ paire. ⟨ ▶ duettiste ⟩

duodécimal, ale, aux [dɥɔdesimal, o] adj. ■ Qui a pour base le nombre douze. *Numération duodécimale.* ≠ *décimal.*

duodénum [dɥɔdenɔm] n. m. ■ Partie de l'intestin grêle qui s'étend du pylore au côté gauche de la deuxième vertèbre lombaire. ▶ *duodénal, ale, aux* adj. ■ Du duodénum.

dupe [dyp] n. f. et adj. 1. Personne que l'on trompe sans qu'elle en ait le moindre soupçon. ⇒ pigeon. *Être la dupe de qqn. C'est un marché de dupes,* où l'on est abusé. 2. Adj. (Seulement attribut) *Il me ment, mais je ne suis pas dupe, je le sais.* — (Compl. chose) *Les hommes sont facilement dupes de ce qui flatte leur orgueil. Je ne suis pas dupe de ses grands airs, je ne m'y laisse pas prendre.* ▶ *duper* v. tr. ■ conjug. 1. ■ Littér. Prendre pour dupe. ⇒ tromper ; fam. avoir, posséder, rouler. *Il est facile à duper. On nous a dupés,* on s'est moqué de nous. ▶ *duperie* n. f. ■ Littér. Action de duper (qqn), tromperie.

duplex [dyplɛks] n. m. invar. 1. Système de télécommunications qui permet d'assurer simultanément l'envoi et la réception de messages. *Émission en duplex.* 2. Appartement sur deux étages.

duplicata [dyplikata] n. m. invar. ■ Second exemplaire (d'une pièce ou d'un acte qui doit porter cette mention). *Le duplicata d'une carte d'étudiant.* ⇒ double. *Des duplicata.*

duplicateur [dyplikatœʀ] n. m. ■ Appareil, machine servant à reproduire un document à un grand nombre d'exemplaires.

duplicité [dyplisite] n. f. ■ Caractère d'une personne qui a deux attitudes, joue deux rôles. ⇒ fausseté, hypocrisie. *Il y a beaucoup de duplicité dans son attitude. Cette duplicité va le perdre.*

duquel pronom relat. ⇒ lequel.

dur, dure [dyʀ] adj., adv. et n. I. Adj. 1. Qui résiste à la pression, au toucher ; qui ne se laisse pas entamer facilement. ⇒ résistant, rigide, solide ; dureté. *Le fer, l'acier sont des métaux durs. Lit dur. Roches dures et roches tendres. Viande dure,* qu'on mâche avec peine. ⇒ coriace. *Du pain dur,* sec. ⇒ rassis. / contr. frais / *Œuf dur,* cuit dans sa coque assez longtemps pour être durci. *Col dur.* ⇒ empesé. *Crayon dur,* mine dure. / contr. mou, tendre / 2. Qui résiste à l'effort, à une action. *Cette porte est dure,* résiste quand on l'ouvre ou la ferme. — *Être* DUR D'OREILLE (et fam. *dur de la feuille*) : être un peu sourd. *Avoir la tête dure,* ne rien comprendre. *Avoir la vie dure,* résister longtemps à la mort. Abstrait. *Des préjugés qui ont la vie dure.* ⇒ tenace. — DUR À qqch. : (personnes) résistant. *Être dur à la tâche.* ⇒ courageux, endurant. — Loc. *Il est dur à la détente,* il ne comprend pas vite. — *Dur à...* (+ infinitif) *Instrument dur à manier. Aliment dur à digérer* (et abstrait *cet affront est dur à digérer, à avaler*). 3. Difficile. *Ce problème est dur. C'est trop dur pour moi.* / contr. facile / 4. Pénible à supporter. *Vous êtes docker. Ça doit être dur. Un climat très dur.*

⇒ **rigoureux.** *Une dure leçon.* ⇒ **sévère.** *Ce fut une dure épreuve.* ⇒ **rude.** *De durs combats.* ⇒ **acharné.** *Être à dure école.* — *Un coup dur* (⇒ **coup**)*. Mener, rendre la vie dure à qqn,* le rendre malheureux. **5.** Désagréable (à voir, à entendre), par un caractère brutal. *Avoir les traits* (du visage) *durs,* accusés et sans grâce. / contr. **doux** / **6.** Qui manque de cœur, d'humanité ou d'indulgence. *Une personne dure.* ⇒ **inflexible, inhumain, sévère.** / contr. **doux, tendre** / *Être dur pour qqn, envers qqn. La critique a été dure. Répondre sur un ton dur. Un air dur.* **II.** Adv. Fam. Avec violence ou intensité. *Frapper, cogner dur.* ⇒ **fort.** / contr. **doucement** / *Travailler dur.* Fam. *Dur, dur !,* c'est pénible ! **III.** N. **1.** N. m. Ce qui est dur. — Loc. EN DUR : construit en matériau dur (opposé à *préfabriqué*)*. Bâtiment en dur.* **2.** Fam. N. m. Train. *Prendre le dur.* **3.** DURE n. f. *Coucher sur la dure,* par terre, sur la terre nue. — *Élevé à la dure,* de manière rude. — *En voir de dures,* subir des épreuves pénibles. **4.** N. Fam. Personne qui n'a peur de rien, ne recule devant rien. *Jouer les durs. C'est une dure.* Loc. *Un dur de dur.* — *Un dur, une dure à cuire,* une personne qui ne se laisse ni émouvoir ni mener. ⟨ ▶ **durcir, durement, dureté, durillon, endurcir, endurer, induration** ⟩

durable [dyʀabl] adj. ■ De nature à durer longtemps. *Une construction durable. Amour durable.* / contr. **passager** / *Un souvenir durable.* / contr. **éphémère** / ▶ **durablement** adv. ■ De manière à durer ; pendant longtemps.

duralumin [dyʀalymɛ̃] n. m. ■ Alliage léger d'aluminium, de cuivre, de magnésium et de manganèse.

durant [dyʀɑ̃] prép. **1.** (Avant le nom) Pendant la durée de. ⇒ **pendant.** *Durant la nuit. Durant l'été. Durant tout le* XVIIe *siècle.* **2.** (Après le nom, dans quelques loc.) *Parler une heure durant,* complète, entière. *Vous toucherez cette rente votre vie durant.*

durcir [dyʀsiʀ] v. ■ conjug. **2. I.** V. tr. **1.** Rendre dur, ferme. *La sécheresse durcit le sol.* / contr. **amollir** / **2.** Rendre plus ferme, plus intransigeant. *Ils ont durci leur attitude depuis cette réunion.* — Pronominalement. *Leur position s'est durcie.* **3.** Faire paraître dur, plus dur. *Cette coiffure lui durcit les traits, le visage.* / contr. **adoucir** / **II.** V. intr. Devenir dur, ferme. *Ce pain durcit rapidement.* ⇒ **rassir, sécher.** ▶ **durcissement** n. m. **1.** Le fait de durcir ; son résultat. *Durcissement de l'argile, du ciment.* **2.** Le fait de devenir plus intransigeant. *Durcissement d'une attitude politique.* ⟨ ▶ **endurcir** ⟩

durée [dyʀe] n. f. **1.** Espace de temps qui s'écoule entre le début et la fin (d'un phénomène, d'une action). ⇒ **temps.** *La durée d'un spectacle, d'un voyage. Pendant une durée de quinze jours. De longue durée* (⇒ **durable**)*. Un bonheur de courte durée,* éphémère, momentané. **2.** Sentiment du temps qui passe, temps vécu. ⇒ **temps.**

durement [dyʀmɑ̃] adv. **1.** D'une manière brutale, pénible à supporter. *Il l'a frappé durement. Il a été durement éprouvé par cette perte. Il a été élevé durement.* ⇒ **à la dure. 2.** Sans bonté, sans humanité. *Parler, répondre durement.* / contr. **doucement, gentiment** /

durer [dyʀe] v. intr. ■ conjug. **1. I.** (Choses) **1.** Avoir une durée de. *Le spectacle a duré deux heures. Leur conversation dure encore, dure depuis midi. Cela a assez duré. Ça durera ce que ça durera,* tant pis si ça ne dure pas plus longtemps. **2.** Sans compl. DURER : durer longtemps. *Le beau temps dure.* ⇒ se **maintenir.** *Faire durer,* prolonger, entretenir. *Faire durer le plaisir.* **3.** Résister contre les causes de destruction, d'usure. ⇒ se **conserver, tenir.** *La pierre dure plus que le bois. Ce costume a duré deux ans.*

— *Cette ration devra vous durer huit jours.* **II.** (Personnes) Région. (À la forme négative) *Ne pouvoir durer en place,* rester. ⟨ ▶ **durée, endurer** ⟩

dureté [dyʀte] n. f. ■ **1.** Propriété de ce qui est dur (1)*. La dureté du marbre, du diamant.* **2.** Défaut d'harmonie, de douceur. *La dureté des traits du visage. La dureté d'un dessin.* **3.** Caractère de ce qui est pénible à supporter. *La dureté d'une condition. L'excessive dureté d'un châtiment.* ⇒ **sévérité. 4.** (Personnes) Manque de sensibilité, de cœur. ⇒ **insensibilité, rudesse.** *Traiter qqn avec dureté.* — *Dureté d'âme. Dureté du regard.* / contr. **douceur** /

durillon [dyʀijɔ̃] n. m. ■ Callosité qui se forme sur la plante des pieds et la paume des mains par épaississement de l'épiderme. ⇒ **cal, cor.**

durit ou **durite** [dyʀit] n. f. ■ Tuyau, conduite en caoutchouc traité pour les raccords de canalisations des moteurs à explosion. *Changer une durit.*

duvet [dyvɛ] n. m. **I. 1.** Petites plumes molles et très légères qui poussent les premières sur le corps des oisillons et qu'on trouve sur le ventre et le dessous des ailes chez les oiseaux adultes. *Le duvet des poussins. Duvet de cygne. Oreiller de duvet.* **2.** Sac de couchage bourré de duvet ou d'une matière analogue. *Le duvet d'un campeur.* **II. 1.** Poils fins et doux (chez certains animaux et certaines plantes). *Feuilles couvertes d'un léger duvet.* **2.** Poils très fins (de certaines parties du corps humain). *Le duvet de ses joues.* ▶ **duveté, ée** [dyvte] adj. ■ Couvert de duvet. *Pêche duvetée. Lèvre duvetée.* ▶ se **duveter** v. pron. ■ conjug. **5.** ■ Se couvrir de duvet. ▶ **duveteux, euse** adj. ■ Qui a beaucoup de duvet.

dynamique [dinamik] adj. et n. f. **I. 1.** Relatif aux forces, à la notion de force. *Électricité dynamique,* le courant électrique. / contr. **statique** / **2.** Qui considère les choses dans leur mouvement, leur transformation. / contr. **statique** / **3.** (Personnes, actes) Qui manifeste une grande vitalité, de la décision et de l'entrain. *Elle est très dynamique.* / contr. **mou** / **II.** N. f. **1.** *La dynamique,* partie de la mécanique qui étudie le mouvement considéré dans ses rapports avec les forces qui en sont les causes. **2.** Ensemble des forces qui s'exercent dans un phénomène. *La dynamique sociale.* **3.** Force orientée vers un progrès, un développement. *Déclencher une dynamique révolutionnaire.* ▶ **dynamisme** n. m. **1.** Doctrine qui pose le mouvement ou le devenir comme primitif (opposé à *statisme*)*. Le dynamisme philosophique de Bergson.* **2.** ⇒ **énergie, vitalité.** *Il manque de dynamisme.* ⟨ ▶ **aérodynamique, électrodynamique, hydrodynamique, thermodynamique** ⟩

dynamite [dinamit] n. f. ■ Substance explosive, composée d'un mélange de nitroglycérine et de matières solides. *Attentat à la dynamite.* — Fam. *C'est de la dynamite, ce bonhomme,* il est remuant, explosif. *Ces documents, cette révélation, c'est de la dynamite,* cela va faire du bruit, avoir un effet « explosif ». ▶ **dynamiter** v. tr. ■ conjug. **1.** ■ Faire sauter à la dynamite. *Dynamiter un pont.* ▶ **dynamitage** n. m. ▶ **dynamiteur, euse** n. ■ Auteur d'attentats à la dynamite.

dynamo [dinamo] n. f. ■ (Abréviation de *machine dynamo-électrique*) Machine transformant l'énergie mécanique en énergie électrique. *La dynamo d'une automobile charge les accumulateurs. Des dynamos.*

dynam(o)- ■ Élément savant signifiant « force ». ▶ **dynamomètre** [dinamɔmɛtʀ] n. m. ■ Instrument servant à mesurer l'intensité des forces. ⟨ ▶ **dynamique, dynamite, dyne** ⟩

dynastie [dinasti] n. f. **1.** Succession des souverains d'une même famille. *La dynastie capétienne.* **2.** Succession d'hommes célèbres, dans une même famille. *La dynastie des Bach. Une dynastie de financiers.* ▶ *dynastique* adj. ■ D'une dynastie.

dyne [din] n. f. ■ Unité principale de force dans le système C.G.S. : force qui, appliquée à une masse de 1 gramme, lui communique une accélération de 1 cm par seconde.

dys- [dis] ■ Élément savant signifiant « difficulté, trouble » (ex. : *dyslexie* [dislɛksi], n. f., difficulté à lire ;

dysménorrhée [dismenoʀe], n. f., règles douloureuses).
▶ *dysfonctionnement* n. m. ■ Trouble dans le fonctionnement. *Dysfonctionnement rénal.*

dysenterie [disɑ̃tʀi] n. f. ■ Maladie infectieuse caractérisée par une inflammation ulcéreuse du gros intestin.

dyspepsie [dispɛpsi] n. f. ■ Digestion difficile. *Souffrir de dyspepsie.*

e

e [ə] n. m. ■ Cinquième lettre, deuxième voyelle de l'alphabet. — REM. Le *e* est ouvert [ɛ] dans *mer, près, bête* ; fermé [e] dans *et, chanter, assez* ; muet (ou caduc) [ə] dans *petit. Le e appelé muet est souvent prononcé dans le sud de la France.* — En physique, *e*, symbole de l'électron.

E.A.O. [əɑo] ■ Abréviation de *enseignement* assisté par ordinateur.*

eau [o] n. f. **I. 1.** Liquide naturel, inodore, incolore et transparent quand il est pur. *L'eau est formée d'hydrogène et d'oxygène. La formule chimique de l'eau est H_2O. Eau de pluie. Eau de source. Nappe d'eau souterraine. L'eau gèle à 0 °C* ⇒ **glace***, s'évapore à 100 °C* ⇒ **vapeur***. Boire de l'eau en mangeant. Pommes de terre (cuites) à l'eau. Robinet d'eau froide, d'eau chaude. Laver qqch. à grande eau,* en faisant couler l'eau. *Une bouteille d'eau minérale.* — Loc. *Mettre de l'eau dans son vin,* le couper ; fig. modérer ses prétentions. **2.** Loc. PRENDRE L'EAU : (Vêtement) être perméable. FAIRE EAU : (Bateau) laisser entrer l'eau par une brèche. **3.** Au plur. LES EAUX : les eaux minérales d'une station thermale. *Aller aux eaux, prendre les eaux,* faire une cure thermale. *Une ville d'eaux.* **4.** Étendue ou masse plus ou moins considérable de ce liquide. *La surface, le fond de l'eau. Traverser l'eau,* aller d'une rive ou d'une côte à une autre. *Aller sur l'eau.* ⇒ **naviguer.** *Mettre un navire à l'eau,* le lancer. *Il est tombé à l'eau et s'est noyé.* — Au plur. *Basses eaux,* niveau le plus bas d'un fleuve. *Les grandes eaux,* jets d'eau et cascades d'un parc. *Eaux territoriales,* zone de mer s'étendant des côtes d'un pays jusqu'à une ligne considérée comme sa frontière maritime. **5.** Solution où il entre de l'eau. *Eau de Seltz,* eau gazeuse. *Eau oxygénée. Eau de Cologne, eau de toilette,* préparation alcoolisée parfumée avec des essences de fleurs, etc. *Eau de lavande.* ⇒ **lotion, parfum.** **6.** EAU LOURDE : composé d'hydrogène lourd et d'oxygène. **7.** *Les Eaux et Forêts,* ancienne administration française chargée de la délimitation, de la plantation, de la conservation des forêts de l'État. **II.** Dans les expressions. Sécrétion liquide incolore du corps humain. *J'étais tout en eau,* en sueur. *Avoir l'eau à la bouche,* saliver devant un mets appétissant ; être particulièrement attiré, tenté par qqch. de désirable. *La description de ce repas me mettait l'eau à la bouche.* **III.** Transparence, pureté (des pierres précieuses). *Un diamant de la plus belle eau.* — Iron. *Un escroc, un imbécile de la plus belle eau,* ce qu'on peut trouver de mieux en fait d'escroc, d'imbécile. ▶ **eau-de-vie** [odvi] n. f. ■ Liquide alcoolique provenant de la distillation du jus fermenté des fruits *(eau-de-vie naturelle)* ou de la distillation de céréales, fruits, tubercules. ⇒ **alcool** ; fam. **gnôle.** *Cerises, prunes à l'eau-de-vie. Des eaux-de-vie.* ▶ **eau-forte** n. f. **1.** Acide dont les graveurs se servent pour attaquer le cuivre, là où le vernis a été enlevé par la pointe. *Graveur à l'eau-forte.* ⇒ **aquafortiste.** **2.** Gravure utilisant ce procédé. *Livre illustré d'eaux-fortes originales.* ⟨ ▶ chauffe-eau, eau de Javel*, tiran d'eau, à vau-l'eau, Verseau ⟩

ébahir [ebaiʀ] v. tr. ■ conjug. 2. ■ Frapper d'un grand étonnement. ⇒ **abasourdir, stupéfier.** *Voilà une nouvelle qui m'ébahit.* — Au p. p. adj. *J'en suis tout ébahi. Un air ébahi.* ⇒ **ahuri, stupéfait** ; fam. **épaté.** ▶ **ébahissement** n. m. ■ Étonnement extrême. ⇒ **stupéfaction, surprise.**

ébarber [ebaʀbe] v. tr. ■ conjug. 1. ■ Débarrasser des aspérités, bavures (une surface ou une pièce mécanique, des feuilles de papier, etc.). ⇒ **limer.**

s'ébattre [ebatʀ] v. pron. ■ conjug. 41. ■ Littér. Se donner du mouvement pour s'amuser. *Les enfants s'ébattent dans le jardin.* ⇒ **folâtrer, jouer.** ▶ *ébats* [eba] n. m. pl. ■ (Personne, animal) Littér. ou plaisant. Jeux, mouvements d'un être qui s'ébat. — *Ébats amoureux,* activités érotiques.

ébaucher [ebo∫e] v. tr. ■ conjug. 1. **1.** Donner la première forme à (une matière). ⇒ **dégrossir.** *Ébaucher un diamant,* commencer à le tailler. **2.** Donner la première forme à (un ouvrage). ⇒ **esquisser.** *Il commençait à ébaucher son tableau.* — Concevoir, préparer dans les grandes lignes (une idée, un projet). **3.** Commencer sans exécuter jusqu'au bout. ⇒ **esquisser.** *Il a ébauché un geste.* — Pronominalement. *Un rapprochement s'ébauche entre les deux pays.* / contr. **achever** / ▶ *ébauche* n. f. **1.** Première forme, encore imparfaite, que l'on donne à une œuvre. ⇒ **esquisse.** *Un tableau, une sculpture à l'état d'ébauche.* **2.** Première manifestation, commencement. *L'ébauche d'un sourire.* ▶ *ébauchoir* n. m. ■ Outil pour ébaucher (1).

ébène [ebɛn] n. f. ■ Bois de l'arbre dit *ébénier,* très noir, d'un grain uni et d'une grande dureté. *Un coffret d'ébène.* — Loc. *Noir comme l'ébène.* ▶ *ébéniste* n. ■ Artisan spécialisé dans la fabrication des meubles de luxe. ▶ *ébénisterie* n. f. ■ Fabrication des meubles de luxe, ou décoratifs. *L'acajou, le palissandre sont des bois d'ébénisterie.*

éberlué, ée [ebɛʀlɥe] adj. ■ Ébahi, stupéfait. *La foule éberluée restait muette.*

éblouir [ebluiʀ] v. tr. ▪ conjug. 2. **1.** Troubler (la vue, ou une personne dans sa vision) par un éclat qui fait mal aux yeux. ⇒ **aveugler.** *Ses phares nous éblouissaient.* — Au passif. *Nous étions éblouis par le soleil.* **2.** Frapper d'admiration. ⇒ **émerveiller.** *Nous étions éblouis par ce spectacle.* — Impressionner, séduire. *Il veut nous éblouir.* ▶ *éblouissant, ante* adj. **1.** Qui éblouit. *Une lumière éblouissante.* ⇒ **aveuglant, éclatant.** *Une blancheur éblouissante.* **2.** D'une beauté merveilleuse, d'une qualité brillante. ⇒ **fascinant.** *Une pièce de théâtre éblouissante.* / contr. **terne** / ▶ *éblouissement* n. m. **1.** Trouble de la vue provoqué par une cause interne (faiblesse, congestion), ou extérieure (lumière trop forte, choc), et généralement accompagné de vertige. *Avoir un, des éblouissements.* **2.** Émerveillement, enchantement. *Ce spectacle était un éblouissement.*

ébonite [ebɔnit] n. f. ■ Matière plastique dure et noire, isolante, obtenue par la vulcanisation du caoutchouc. *Téléphone en ébonite.*

éborgner [ebɔʀɲe] v. tr. ▪ conjug. 1. ■ Rendre borgne. — Pronominalement. *J'ai failli m'éborgner, me crever un œil.*

éboueur [ebuœʀ] n. m. ■ Personne qui vide les ordures. ⇒ **boueux.**

ébouillanter [ebujɑ̃te] v. tr. ▪ conjug. 1. ■ Passer à l'eau bouillante. *Ébouillanter des légumes.* ⇒ **blanchir.** — Pronominalement. S'ÉBOUILLANTER : se brûler avec de l'eau bouillante. *Elles se sont ébouillantées en renversant la théière.*

s'ébouler [ebule] v. pron. ▪ conjug. 1. ■ Tomber par morceaux, en s'affaissant. *Le tas de bois s'est éboulé.* ⇒ **crouler, s'effondrer.** ▶ *éboulement* n. m. ■ Chute de terre, de rochers, matériaux, constructions qui s'éboulent. *Des mineurs victimes d'un éboulement.* ⇒ **affaissement, effondrement.** ▶ *éboulis* n. m. invar. ■ Amas lentement constitué de matériaux éboulés. *Marcher à travers des éboulis de roches.*

ébouriffer [ebuʀife] v. tr. ▪ conjug. 1. **1.** Mettre (les cheveux) en désordre. — Au p. p. adj. *Il était tout ébouriffé,* échevelé. **2.** Fam. Surprendre au point de choquer. *Sa façon de raconter les choses m'ébouriffe.* ▶ *ébouriffant, ante* adj. ■ Fam. Qui ébouriffe (2). *Une histoire ébouriffante.* ⇒ **renversant.**

ébrancher [ebʀɑ̃ʃe] v. tr. ▪ conjug. 1. ■ Dépouiller (un arbre) de ses branches. *Ébrancher des platanes.* ⇒ **élaguer, émonder, tailler.**

ébranler [ebʀɑ̃le] v. tr. ▪ conjug. 1. **1.** Faire trembler, vibrer par un choc. ⇒ **secouer.** *La détonation a ébranlé les vitres.* **2.** Abstrait. Mettre en danger de crise ou de ruine. ⇒ **compromettre.** / contr. **consolider** / *Les événements ont ébranlé le régime, la confiance.* **3.** Rendre peu ferme, incertain (les opinions, le moral de qqn). *Cet accident a ébranlé sa santé.* ⇒ **affaiblir.** — (Compl. personne) Troubler, faire chanceler dans ses convictions. *Rien ne pouvait l'ébranler. Vos objections ne l'ont pas ébranlé.* ⇒ **troubler. 4.** S'ÉBRANLER v. pron. réfl. : se mettre en branle, en marche. *Le cortège s'ébranle lentement.* ▶ *ébranlement* n. m. **1.** Oscillation ou vibration produite par un choc ou une secousse. ⇒ **commotion.** *L'ébranlement des vitres, du sol.* ⇒ **tremblement. 2.** Abstrait. Fait d'ébranler (un régime, des institutions).

ébrécher [ebʀeʃe] v. tr. ▪ conjug. 6. **1.** Endommager en entamant le bord de. *Ébrécher un plat, un couteau.* — Au p. p. adj. *Des assiettes ébréchées.* **2.** Fam. Abstrait. Diminuer, entamer. *Il a bien ébréché sa fortune.* ⇒ **écorner.**

ébriété [ebʀijete] n. f. ■ (Surtout style admin.) Ivresse. *Un individu en état d'ébriété,* ivre.

s'ébrouer [ebʀue] v. pron. ▪ conjug. 1. **1.** (Cheval) Souffler bruyamment en secouant la tête. **2.** Souffler en s'agitant. *Le plongeur s'ébroue en sortant de l'eau.*

ébruiter [ebʀɥite] v. tr. ▪ conjug. 1. ■ Faire circuler (une nouvelle qui aurait dû rester secrète). ⇒ **divulguer.** *Il ne faut pas ébruiter nos projets.* — Pronominalement. *Toute l'affaire s'est ébruitée.* ⇒ se **répandre.**

ébullition [ebylisjɔ̃] n. f. **1.** État d'un liquide soumis à l'action de la chaleur, et dans lequel se forment des bulles de vapeur qui viennent crever à la surface (⇒ **bouillir**). *Attendre l'ébullition avant de jeter les pâtes dans la casserole. Point d'ébullition,* température où un liquide se met à bouillir. **2.** Fig. EN ÉBULLITION : dans un état de vive agitation, de surexcitation. ⇒ **effervescence.** *Tout le quartier était en ébullition.*

écaille [ekaj] n. f. **1.** Petite plaque qui recouvre la peau (de certains poissons, de reptiles). *Les écailles du serpent.* — Petite lame coriace imbriquée enveloppant certains organes de végétaux (bourgeons, bulbes). ≠ **écale. 2.** Matière qui recouvre la carapace des tortues de mer. *Lunettes à monture d'écaille.* — Résine synthétique imitant cette matière. ▶ ① *écailler* v. tr. ▪ conjug. 1. **1.** Enlever, racler les écailles de (un poisson). *Écailler une carpe.* **2.** Ouvrir (une huître). ⇒ ② **écailler. 3.** Faire tomber en écailles (un enduit). — Pronominalement. *La peinture s'était écaillée.* ▶ ② *écailler, ère* n. ■ Personne qui ouvre et vend des huîtres. ▶ *écailleux, euse* adj. **1.** Qui a des écailles. *La peau écailleuse du lézard.* **2.** Qui se détache par écailles. *Peinture écailleuse.*

écale [ekal] n. f. ■ Enveloppe recouvrant la coque des noix, noisettes, amandes, châtaignes. ≠ **écaille.** ▶ *écaler* v. tr. ▪ conjug. 1. ■ Enlever l'écale de (noix, amandes...). ⇒ **décortiquer.**

écarlate [ekaʀlat] n. f. et adj. **1.** N. f. Couleur d'un rouge éclatant tirée de la cochenille. — Étoffe teinte de cette couleur. **2.** Adj. Très rouge. *À ces mots, il est devenu écarlate* (de honte, de confusion). ⇒ **cramoisi.**

écarquiller [ekaʀkije] v. tr. ▪ conjug. 1. ■ Ouvrir démesurément (les yeux). *Il écarquille les yeux.* — Au p. p. adj. *Des yeux écarquillés d'étonnement.*

écart [ekaʀ] n. m. **1.** Distance qui sépare deux choses qu'on écarte ou qui s'écartent. ⇒ **écartement.** — GRAND ÉCART [gʀɑ̃tekaʀ] : écart des jambes d'avant en arrière de telle façon qu'elles soient à l'horizontale. *Faire le grand écart.* **2.** Différence entre deux grandeurs ou valeurs (dont l'une, en particulier, est une moyenne ou une grandeur de référence). *L'écart entre le prix de revient et le prix de vente.* ⇒ **variation. 3.** Action de s'écarter, de s'éloigner d'une direction ou d'une position. *Son cheval a fait un écart sur le côté, en arrière.* **4.** Un écart, des écarts de conduite, de langage. ⇒ **erreur, faute. 5.** Loc. adv. À L'ÉCART : dans un endroit écarté, à une certaine distance (de la foule, d'un groupe). *Elle se tenait à l'écart.* — Abstrait. *Tenir qqn à l'écart,* ne pas le faire participer à une activité. *On le tient à l'écart.* — Loc. prép. À L'ÉCART DE. *La maison était un peu à l'écart de la route. Se tenir à l'écart d'une affaire de famille,* ne pas s'en mêler.

écarteler [ekaʀtəle] v. tr. ▪ conjug. 5. **1.** Déchirer en quatre (un condamné) en faisant tirer ses membres par quatre chevaux (ancien supplice). **2.** Abstrait. Tirailler. — Au passif. *Il est écartelé entre ses sentiments et ses intérêts.* ⇒ **partagé.** ▶ *écartèlement* n. m. **1.** Supplice consistant à écarteler. **2.** Abstrait. État d'un homme écartelé (2), tiraillé.

① *écarter* [ekaʀte] v. tr. ▪ conjug. 1. **1.** Mettre (plusieurs choses ou plusieurs parties d'une chose) à quelque distance les unes des autres. ⇒ **séparer.** / contr. **rapprocher** / *Écarter les doigts, les jambes.* **2.** Mettre à une certaine distance (d'une chose, d'une personne). ⇒ **éloigner.** *Il faut écarter la table du mur.* — Repousser (qqch., qqn qui barre le passage). *Il écarta son frère pour passer.* Abstrait. *Tous les obstacles étaient enfin écartés.* ⇒ **lever.** — Éloigner de soi. *Écarter toute idée préconçue.* — Exclure. *On l'a écarté de l'équipe.* **3.** Éloigner d'une direction. *Écarter une rivière de son lit.* ⇒ **détourner. 2.** Au plur. : se disperser. *Les nuages s'écartent. Ses doigts s'écartent.* ⇒ **s'ouvrir.** — S'éloigner (d'un lieu, d'une direction). *Écartez-vous de là. Nous nous écartons de la bonne route.* — Se détourner de, ne pas suivre (une ligne). *L'artiste s'écarte de la nature, de son modèle...* / contr. **rapprocher** / ▶ ① *écarté, ée* adj. **1.** Assez éloigné des centres, des lieux de passage. ⇒ **isolé.** *Un chemin, un endroit écarté.* **2.** Au plur. *Les bras écartés,* éloignés l'un de l'autre. ▶ *écartement* n. m. ▪ Espace qui sépare une chose d'une ou plusieurs autres. ⇒ **écart, distance.** *L'écartement des essieux.* ⟨ ▶ écart ⟩

② *écarter* v. tr. ▪ conjug. 1. ▪ Dans les jeux de cartes. Rejeter de son jeu (une ou plusieurs cartes). ▶ ② *écarté* n. m. ▪ Jeu de cartes où chaque joueur peut, si l'adversaire l'accorde, écarter les cartes qui ne lui conviennent pas et en recevoir de nouvelles.

ecchymose [ekimoz] n. f. ▪ Tache (noire, jaunâtre) produite par l'épanchement du sang sous la peau. ⇒ plus cour. **bleu.**

ecclésiastique [eklezjastik] adj. et n. m. **1.** Relatif à une Église, à son clergé. / contr. **laïque** / *L'État, la vie ecclésiastique.* **2.** N. m. Membre d'un clergé. ⇒ **ministre, pasteur, prêtre, religieux.**

écervelé, ée [esɛʀvəle] adj. et n. ▪ Qui est sans cervelle, sans jugement. ⇒ **étourdi, fou.** *Une petite écervelée.*

échafaud [eʃafo] n. m. ▪ Plate-forme en charpente destinée à l'exécution des condamnés. *Il finira sur l'échafaud.* — Autrefois. Peine de mort par décapitation. *Les assassins risquaient l'échafaud.*

échafauder [eʃafode] v. ▪ conjug. 1. **1.** V. intr. Construire un échafaudage. *Échafauder pour bâtir un mur.* **2.** V. tr. Former par des combinaisons hâtives et fragiles. *Il échafaude des projets.* ▶ *échafaudage* n. m. **1.** Construction temporaire, passerelles, plates-formes soutenues par une charpente (sur la façade d'un bâtiment à édifier ou à réparer). *Un échafaudage en tubes métalliques. Dresser un échafaudage pour réparer un toit.* **2.** Assemblage de choses posées les unes sur les autres. ⇒ **pyramide.** *Un échafaudage de livres.* — Assemblage complexe et peu solide (de faits, de preuves, d'arguments...). *Un échafaudage de mensonges.*

échalas [eʃala] n. m. invar. ▪ Pieu en bois que l'on enfonce dans le sol au pied d'un arbuste, d'un cep de vigne pour le soutenir. — Loc. *Il est sec, raide comme un échalas.* — *Un grand échalas,* une personne grande et maigre. ⇒ **perche.**

échalote [eʃalɔt] n. f. ▪ Variété d'ail à bulbe plus petit et au goût moins fort. *Sauce à l'échalote, aux échalotes.*

échancrer [eʃɑ̃kʀe] v. tr. ▪ conjug. 1. ▪ Creuser ou découper en creux (arrondi ou angle). *Il faut échancrer l'encolure.* ▶ *échancré, ée* adj. ▪ *Un corsage échancré. La côte est profondément échancrée,* découpée. ▶ *échancrure* n. f. ▪ Partie échancrée. *L'échancrure d'une robe.* ⇒ **décolleté.** *L'échancrure d'un rivage.* ⇒ **baie, golfe.**

échanger [eʃɑ̃ʒe] v. tr. ▪ conjug. 3. **1.** Laisser (qqch.) à qqn en recevant une autre chose en contrepartie. *Échanger une marchandise contre une autre, contre de l'argent.* — (Sujet au plur.) Donner et recevoir (des choses équivalentes). *Ils échangent des timbres.* **2.** Adresser et recevoir en retour. *Il a échangé avec elle un léger sourire.* — (Sujet au plur.) Se faire des envois, des communications réciproques de (choses du même genre). *Ils ont échangé des lettres. Les spectateurs échangeaient leurs impressions.* ▶ *échange* n. m. **1.** Opération par laquelle on échange (des biens, des personnes). *Proposer un échange à un collectionneur. Discuter d'un échange de prisonniers.* — Contrat par lequel on donne une chose contre une autre. *Un échange d'appartements.* **2.** Au plur. Commerce, opération commerciale. *Le volume des échanges. Les échanges internationaux.* **3.** ÉCHANGE DE : communication réciproque (de documents, renseignements, etc.). *Un échange de lettres, de politesses. Un échange de vues.* **4.** Passage de substances entre la cellule et le milieu extérieur. *Échanges gazeux.* **5.** EN ÉCHANGE loc. adv. : de manière qu'il y ait échange. ⇒ en **contrepartie,** en **retour.** — EN ÉCHANGE DE loc. prép. : pour compenser, remplacer, payer. ▶ *échangeur* n. m. **1.** Appareil destiné à réchauffer ou refroidir un liquide, un gaz au moyen d'un autre fluide à une température différente. **2.** Intersection routière à plusieurs niveaux. *Un échangeur d'autoroutes.* ⇒ **trèfle.**

échanson [eʃɑ̃sɔ̃] n. m. ▪ Officier d'une cour, dont la fonction était de servir à boire à la table du prince.

échantillon [eʃɑ̃tijɔ̃] n. m. **1.** Petite quantité (d'une marchandise) qu'on montre pour donner une idée de l'ensemble. *Boîte, cahier d'échantillons d'étoffes.* **2.** Spécimen remarquable (d'une espèce, d'un genre). ⇒ **exemple, représentant.** *Il a rapporté du Brésil plusieurs échantillons de papillons très rares.* **3.** Fraction représentative d'une population, choisie en vue d'un sondage. *Un échantillon de mille personnes.* ▶ *échantillonner* v. tr. ▪ conjug. 1. **1.** Prélever, choisir des échantillons de (tissus, produits, etc.). **2.** Choisir comme échantillon en vue d'un sondage. ▶ *échantillonnage* n. m. ▪ Action d'échantillonner. — Collection d'échantillons. *Un bon échantillonnage.*

échapper [eʃape] v. ▪ conjug. 1. **I.** V. tr. ind. ÉCHAPPER À. **1.** Cesser d'être prisonnier de (un lieu, une personne). *Ils ont échappé à leur gardien.* — Se tirer (d'un danger). *Il a échappé à l'accident.* **2.** Cesser d'appartenir. *Elle sentait que son fils lui échappait.* — *Son nom m'échappe,* je ne peux pas m'en souvenir. **3.** Être prononcé contre la volonté du sujet. *Je regrette les paroles qui m'ont échappé.* **4.** Éviter (qqn, qqch. de menaçant). *Il s'est caché pour échapper à la police. Vous ne pourrez pas y échapper.* ⇒ **couper.** — (Choses) N'être pas touché, contrôlé, connu par. *Rien ne lui échappe,* il remarque tout. *Le sens de cette phrase m'échappe.* **II.** V. tr. ind. ÉCHAPPER DE. (Choses) Cesser d'être tenu, retenu. *La tasse lui a échappé des mains.* ⇒ **glisser, tomber. III.** V. tr. Loc. L'ÉCHAPPER BELLE : échapper de justesse à un danger. **IV.** V. pron. S'ÉCHAPPER (DE). **1.** S'enfuir, se sauver. *Les prisonniers se sont échappés.* — S'en aller, partir discrètement. *Il s'est échappé de la réunion.* ⇒ **s'esquiver. 2.** (Choses) Sortir. *Le gaz s'échappe du tuyau.* ⇒ **échappement** (2). *L'eau s'échappe par les fissures.* ⇒ **suinter.** ▶ *échappatoire* n. f. ▪ Moyen détourné par lequel on cherche à se tirer d'embarras. ⇒ **dérobade, faux-fuyant.** *Il essaya de s'en tirer par une échappatoire. Aucune échappatoire n'est possible.* ⇒ **subterfuge.** ▶ *échappée* n. f. **1.** Action menée par un ou plusieurs coureurs cyclistes qui lâchent le peloton. *Prendre la tête d'une échappée.* **2.** Espace libre mais resserré (ouvert à la vue, à la lumière). *Avoir une échappée sur la campagne.* — *Par échappées*, à de rares et brefs moments. ▶ *échappement* n. m. **1.** Mécanisme d'horlogerie qui règle le mouvement. **2.** Dernière phase de la distribution et de la circulation de la vapeur dans les cylindres. — Dernier temps du cycle d'un moteur pendant lequel les gaz brûlés sont évacués. / contr. **admission** / *Échappement libre*, par lequel les gaz sortent directement du moteur. *Le pot d'échappement d'un véhicule automobile. Échappement silencieux.* ⇒ **silencieux.** ⟨ ▶ réchapper ⟩

écharde [eʃaʀd] n. f. ■ Petit fragment pointu de bois ou épine qui a pénétré sous la peau par accident. *Avoir une écharde dans le doigt.*

écharpe [eʃaʀp] n. f. **1.** Large bande d'étoffe servant d'insigne. *L'écharpe tricolore des députés.* — *Avoir un bras* EN ÉCHARPE, soutenu par un bandage passé par-dessus une épaule. — EN ÉCHARPE loc. adv. : en bandoulière ; en oblique. *Le camion a été pris en écharpe*, accroché sur le côté. **2.** Longue bande de tissu, de tricot qu'on porte autour du cou. ⇒ **cache-col, cache-nez, foulard.**

écharper [eʃaʀpe] v. tr. ■ conjug. 1. ■ Déchiqueter, massacrer. *L'assassin a failli se faire écharper par la foule.* ⇒ **lyncher.**

échasse [eʃas] n. f. ■ Chacun des deux longs bâtons munis d'un étrier pour le pied, permettant de se déplacer dans des terrains difficiles. *Les bergers des Landes étaient montés sur des échasses.* ▶ *échassier* n. m. ■ Oiseau des marais auquel ses longues pattes permettent de marcher sur des fonds vaseux.

échauder [eʃode] v. tr. ■ conjug. 1. **1.** Passer, laver à l'eau chaude. — Tremper dans l'eau bouillante (des légumes, des fruits pour les peler). *Échauder des tomates.* ⇒ **ébouillanter.** **2.** (Personnes) *Se faire échauder*, être échaudé, être victime d'une mésaventure, éprouver un dommage, une déception. — Au p. p. PROV. *Chat échaudé craint l'eau froide.*

échauffer [eʃofe] v. tr. ■ conjug. 1. **1.** Rare. Rendre chaud par degrés. *Le soleil échauffe le sol.* ⇒ **chauffer.** / contr. **refroidir** / — Loc. *Échauffer la bile*, exciter la colère. *Il commence à nous échauffer les oreilles*, à nous énerver. **2.** Déterminer l'échauffement, l'altération de. **3.** S'ÉCHAUFFER v. pron. : entraîner ses muscles avant un match, une épreuve. *L'athlète court un peu pour s'échauffer.* — S'animer, se passionner en parlant. *Il s'échauffait dès qu'on abordait son sujet favori.* ▶ *échauffement* n. m. ■ Fait de s'échauffer. / contr. **refroidissement** / *L'échauffement du sol. L'échauffement d'une pièce mécanique.* **2.** Action d'échauffer le corps (par des mouvements appropriés). *Les sportifs font des exercices d'échauffement.*

échauffourée [eʃofuʀe] n. f. ■ Courte bataille. ⇒ **accrochage, bagarre.**

échauguette [eʃoɡɛt] n. f. ■ Guérite en pierre dépassant les murs, aux angles des châteaux forts, des bastions, pour surveiller. ⇒ **poivrière.**

èche ou *esche* [ɛʃ] n. f. ■ Appât fixé à l'hameçon.

échéance [eʃeɑ̃s] n. f. **1.** Date à laquelle expire un délai, à laquelle on doit payer, faire qqch. ⇒ **expiration, terme ; échoir.** *L'échéance d'un loyer.* — Obligations, paiement dont l'échéance tombe à une date donnée. *Faire face à une lourde échéance.* — Date à laquelle une chose doit arriver, une faute se payer. **2.** À LONGUE, À BRÈVE ÉCHÉANCE loc. adv. : à long, à court terme. *Obtenir des résultats à brève échéance*, rapidement.

échéant ■ Loc. adv. LE CAS ÉCHÉANT [ləkazeʃeɑ̃] : si l'occasion se présente.

① *échec* [eʃɛk] n. m. **1.** Le fait de ne pas réussir, de ne pas obtenir qqch. ⇒ ② **échouer ; revers.** / contr. **succès** / *Son échec à l'examen. Subir, essuyer un échec.* — Insuccès, faillite (d'un projet, d'une entreprise). *Tentative vouée à l'échec.* **2.** EN ÉCHEC loc. adv. *Tenir qqn en échec*, l'empêcher de réussir, d'avoir l'avantage, le mettre en difficulté.

② *échec* n. m. **I.** LES ÉCHECS : jeu dans lequel deux joueurs font manœuvrer l'une contre l'autre deux séries de 16 pièces diverses (pion, fou, cavalier, tour, roi, reine), sur une tablette divisée en 64 cases (⇒ **échiquier**). *Un jeu d'échecs. Partie, problème d'échecs.* **II.** Au sing. Situation du roi ou de la reine qui se trouve sur une case battue par une pièce de l'adversaire. — Adj. *Vous êtes échec et mat*, vous avez perdu la partie. ⟨ ▶ échiquier ⟩

échelle [eʃɛl] n. f. **1.** Objet formé de deux montants réunis en distance par des barreaux transversaux (⇒ **échelon**) servant de marches. *Monter sur une échelle, à l'échelle. Échelle simple*, qu'on appuie sur un mur. *Échelle pliante, double. Échelle d'incendie.* — *Échelle de corde*, dont les montants sont en corde. — (Bateau) *Échelle de coupée*, servant à monter à bord. — Loc. *Faire la* COURTE ÉCHELLE *à qqn* : l'aider à s'élever en lui offrant comme points d'appui les mains puis les épaules. L'aider à réussir. — *Il n'y a plus qu'à tirer l'échelle*, ce n'est plus la peine de continuer, d'insister. **2.** Suite continue ou progressive. ⇒ **hiérarchie, série.** *Échelle (sociale)*, hiérarchie des conditions, des situations dans un groupe. *Être en haut, en bas de l'échelle. Échelle des valeurs.* — *L'échelle des sons.* ⇒ **gamme.** — *L'échelle des salaires, des traitements. Échelle mobile*, système où le prix ou le salaire doit suivre les variations du coût de la vie. **3.** Rapport existant entre une longueur et sa représentation sur la carte ; proportion (d'un modèle réduit, d'un plan). *1 mm représente 100 m à l'échelle de 1/100 000. L'échelle d'une maquette, d'un modèle réduit. Carte à grande échelle*, représentant sur une grande surface un terrain peu étendu. *Faire qqch. sur une grande échelle*, en grand, largement. **4.** Série de divisions (sur un instrument de mesure, un tableau, etc.). ⇒ **graduation.** *L'échelle d'un thermomètre. Échelle de Beaufort*, graduation de 0 à 12 donnant la force du vent, en météorologie. *Échelle de Richter*, graduation de 0 à 8 donnant l'intensité d'un tremblement de terre, en sismologie. — À L'ÉCHELLE (DE) loc. prép. : selon un ordre de grandeur, à la mesure de. *Ce problème se pose à l'échelle nationale, à l'échelle de la nation.* ▶ *échelon* [eʃlɔ̃] n. m. **1.** Traverse d'une échelle. *Les échelons sont en bois, en métal.* ⇒ **barreau, degré.** Ce par quoi on monte, on descend d'un rang à un autre. *S'élever par échelons*, graduellement. — Position d'un fonctionnaire à l'intérieur d'un grade, d'une classe. *Avancer d'un échelon.* **3.** À L'ÉCHELON (DE) loc. prép. : selon le niveau (d'une administration, etc.). *À l'échelon communal, départemental.* **4.** Militaire. Élément d'une troupe fractionnée en profondeur. *Échelon d'attaque.* ▶ *échelonner* v. tr. ■ conjug. 1. **1.** Disposer (plusieurs choses) à une certaine distance les unes des autres, ou par degrés. ⇒ **graduer.** **2.** Distribuer dans le temps, exécuter à intervalles réguliers. *On a prévu d'échelonner les paiements.* ⇒ **étaler.** — Pronominalement. *Les maisons s'échelonnent sur la colline*, s'étagent. *Les travaux s'échelonneront sur un an.* ⇒ se **répartir.** ▶ *échelonnement* n. m. ■ *L'échelonnement des paiements.*

écheniller [eʃnije] v. tr. ■ conjug. 1. ■ Débarrasser (un arbre, une haie) des chenilles qui s'y trouvent. *Écheniller une haie.* ▶ *échenillage* n. m.

écheveau [ɛʃvo] n. m. **1.** Assemblage de fils repliés et réunis par un fil de liage. *Un écheveau de laine* à *mettre en pelote. Défaire un écheveau.* **2.** Loc. fig. *Démêler l'écheveau d'un récit, d'une situation,* éclaircir ce qui est embrouillé, compliqué.

échevelé, ée [eʃəvle] adj. **1.** Dont les cheveux sont en désordre. ⇒ **décoiffé, ébouriffé. 2.** Désordonné. *Une danse échevelée. Une histoire échevelée.*

échevin [eʃvɛ̃] n. m. **1.** Magistrat municipal (jusqu'à la Révolution). **2.** Magistrat adjoint au bourgmestre, aux Pays-Bas et en Belgique. ▶ *échevinal, ale, aux* adj. ■ (Sens 2)

échine [eʃin] n. f. **1.** Colonne vertébrale de l'homme et de certains animaux ; région correspondant du dos. — Loc. *Courber, plier l'échine,* se soumettre. *Avoir l'échine souple,* être prêt à faire des courbettes. **2.** Viande de porc correspondant à une partie de la longe. *Acheter une côte de porc dans l'échine.* ▶ *s'échiner* [eʃine] v. pron. ■ conjug. 1. ■ Se donner beaucoup de peine, s'éreinter.

échinodermes [ekinɔdɛrm] n. m. plur. ■ Nom zoologique d'animaux marins à symétrie en rayons autour d'un centre (étoiles de mers, oursins, etc.). — Au sing. *Un échinoderme.*

échiquier [eʃikje] n. m. **1.** Tableau divisé en soixante-quatre cases alternativement blanches et noires et sur lequel on joue aux échecs. — Damier, quadrillage. *En échiquier,* se dit d'objets disposés en une série de carrés comme sur un échiquier. **2.** Lieu où se joue une partie serrée, où se rapportent plusieurs intérêts. *La place d'un pays sur l'échiquier européen.* **3.** En Angleterre. Administration financière centrale. *Le chancelier de l'Échiquier* (ministre des Finances).

écho [eko] n. m. ≠ *écot.* **1.** Réflexion du son par un obstacle qui le répercute ; le son ainsi répété. *Entendre un écho.* **2.** Ce qui est répété par qqn. ⇒ **bruit, nouvelle.** *J'ai eu un écho, des échos de leurs discussions.* — *Les échos d'un journal,* rubrique consacrée aux petites nouvelles mondaines ou locales. ⇒ **échotier. 3.** *Se faire l'écho de certains bruits,* les répandre. **4.** Accueil et réaction favorable. ⇒ **réponse.** *Sa protestation est restée sans écho.* ▶ *échographie* [ekɔgrafi] n. f. ■ Méthode utilisée en médecine pour explorer, au moyen d'ultrasons, divers organes du corps. *Échographie du foie, de l'œil. L'échographie est utilisée dans la surveillance des grossesses pour contrôler le développement du fœtus.* ⟨▶ échotier ⟩

échoir [eʃwar] v. intr. et défectif : *il échoit, ils échoient ; il échut ; il échoira ; il échoirait ; échéant ; échu.* ■ Littér. Être dévolu par le sort ou par un hasard. *Le rôle, le sort qui m'échoit, qui m'est échu.* ⟨▶ échéance, échéant, échu ⟩

échoppe [eʃɔp] n. f. ■ Petite boutique. *Une échoppe de cordonnier. Des échoppes d'artisans.*

échotier [ekɔtje] n. m. ■ Rédacteur des échos dans un journal. *Un échotier des spectacles.*

① *échouer* [eʃwe] v. intr. ■ conjug. 1. **1.** (Navire) Toucher le fond par accident et se trouver arrêté dans sa marche. — Être poussé, jeté sur la côte. *Le navire a échoué, est échoué.* — Plus cour. S'ÉCHOUER v. pron. *Le cargo s'est échoué.* **2.** S'arrêter par lassitude, ou comme poussé par le hasard. *Ils avaient échoué dans un restaurant bondé.* ▶ *échouage* n. m. ■ Le fait d'échouer (1), de s'échouer. *L'échouage d'une barque.*

② *échouer* v. intr. ■ conjug. 1. ■ Ne pas réussir (dans une entreprise, un examen...). ⇒ **échec.** *Il a échoué dans ses projets, au concours.* — (Choses) ⇒ **manquer, rater.** *Toutes ses tentatives avaient échoué. Faire échouer un plan.*

échu, ue [eʃy] adj. (⇒ **échoir**) ■ Arrivé à échéance. *Terme échu. Délai échu,* expiré.

éclabousser [eklabuse] v. tr. ■ conjug. 1. **1.** Couvrir d'un liquide salissant qu'on a fait rejaillir. ⇒ **arroser, asperger.** *La voiture a éclaboussé les passants.* **2.** Abstrait. Salir par contrecoup. *Ce scandale a éclaboussé beaucoup de personnalités.* — (Suj. personne) Humilier par l'étalage de son luxe. *Depuis qu'il est riche, il veut éclabousser tout le monde.* ⇒ **écraser.** ▶ *éclaboussure* n. f. **1.** Goutte d'un liquide salissant qui a rejailli. ⇒ **tache.** — Souvent au plur. *Un pantalon couvert d'éclaboussures.* **2.** Littér. Au plur. Tache (à la réputation, etc.). *En cas de scandale, vous recevrez des éclaboussures.*

① *éclair* [eklɛr] n. m. **1.** Lumière intense et brève, formant une ligne sinueuse et ramifiée, provoquée par une décharge électrique pendant un orage. *Le ciel était sillonné d'éclairs. La lueur des éclairs.* — Loc. Au sing. *Avec la rapidité de l'éclair, comme un éclair, comme l'éclair,* très rapidement. *Il est parti comme un éclair.* ⇒ **flèche.** — En appos. Invar. Très rapide. *Il m'a fait une visite éclair. Des voyages éclair.* ⇒ **bref. 2.** Lumière vive, de courte durée. *Un éclair de magnésium.* — Lueur dans le regard. *Un éclair de malice.* **3.** Manifestation soudaine et passagère ; bref moment. *Un éclair de génie, de lucidité, de bon sens.*

② *éclair* n. m. ■ Petit gâteau allongé, fourré d'une crème cuite (au café, au chocolat) et glacé par-dessus.

éclairage [eklɛraʒ] n. m. **1.** Action, manière d'éclairer la voie publique, les locaux par une lumière artificielle. *Éclairage électrique. L'éclairage d'une vitrine. Un éclairage éblouissant, faible.* — *Éclairage indirect,* qui éclaire par réflexion sur les parois, sur le plafond. **2.** Distribution de la lumière (naturelle ou artificielle). *Le mauvais éclairage de ce rez-de-chaussée.* — Manière, propre à un peintre, d'éclairer une scène. **3.** Manière de décrire, d'envisager ; point de vue. *Sous cet éclairage, votre démarche est justifiée.* ⇒ **angle, aspect.** ▶ *éclairagiste* n. ■ (Théâtre, cinéma) Personne qui s'occupe de l'éclairage.

éclaircir [eklɛrsir] v. tr. ■ conjug. 2. **1.** Rendre plus clair, moins sombre. / contr. **assombrir** / *Éclaircir une couleur, une teinte.* — Pronominalement. Devenir plus clair. *Le ciel, le temps s'est éclairci.* — *S'éclaircir la voix, la gorge,* se racler la gorge pour que la voix soit plus nette. **2.** Rendre moins épais, moins dense. *Elle a demandé au coiffeur de lui éclaircir les cheveux.* **3.** Rendre clair pour l'esprit. ⇒ **débrouiller, élucider.** *Un mystère, une énigme qu'on n'a pas éclaircis.* ▶ *éclaircie* n. f. ■ Endroit clair qui apparaît dans un ciel nuageux, brève interruption du temps pluvieux. ⇒ **embellie.** *Profiter d'une éclaircie pour sortir.* ▶ *éclaircissement* n. m. ■ Explication (d'une chose obscure ou douteuse), note explicative, renseignement. *L'éclaircissement d'un passage obscur.* — Explication tendant à une mise au point, à une justification. *Obtenir des éclaircissements. Il a donné des éclaircissements sur son projet.* ⇒ **renseignement.** *Sans éclaircissement, sans un mot d'éclaircissement,* sans explication.

éclairer [eklɛre] v. tr. ■ conjug. 1. **I. 1.** Répandre de la lumière sur (qqch. ou qqn). / contr. **obscurcir** / *La lampe éclaire la chambre.* — Pourvoir de la lumière nécessaire. *Éclairer une salle de café au néon.* — Au p. p. adj. *Les locataires sont chauffés et éclairés.* — Commander l'éclairage de (un lieu). *Une minuterie éclaire l'escalier.* — Pronominalement. *Prendre une bougie pour s'éclairer dans la cave. Aujourd'hui, on s'éclaire à l'électricité.* **2.** Répandre une espèce de lumière sur (le visage) ; rendre plus clair. ⇒ **illuminer.** *Un sourire éclaira son visage.* **3.** Intransitivement. *Cette lampe n'éclaire plus, éclaire mal.* **II.** Abstrait. **1.** Mettre (qqn) en état de voir clair, de discerner le vrai du faux. ⇒ **instruire.** *Éclairez-nous sur ce sujet.*

⇒ **informer. 2.** Rendre clair, intelligible. ⇒ **expliquer.** / contr. **embrouiller** / *Ce commentaire éclaire la pensée de l'auteur.* — Pronominalement. *Maintenant, tout s'éclaire, s'explique.* ▶ *éclairé, ée* adj. ■ Qui a de l'instruction, de l'esprit critique. *Un public éclairé, capable d'apprécier ce qu'on lui présente.* ▶ *éclairement* n. m. ■ Durée ou intensité de la lumière ; rapport de cette intensité à la surface éclairée. ⟨ ▶ éclairage ⟩

éclaireur, euse [eklɛrœr, øz] n. **1.** N. m. Soldat envoyé en reconnaissance. *Un détachement d'éclaireurs.* **2.** Membre de certaines associations du scoutisme français.

éclat [ekla] n. m. **I. 1.** Petit morceau, fragment d'un corps qui éclate, qu'on brise. *Éclat de verre. Il a été blessé par un éclat d'obus.* Loc. EN ÉCLATS. *La vitre vole en éclats,* se brise. **2.** Bruit violent et soudain. *Des éclats de voix.* ⇒ **cri.** *Il partit d'un grand éclat de rire.* **3.** Loc. FAIRE UN ÉCLAT : provoquer un scandale en manifestant son opinion. *S'il est mécontent, il est capable de faire un éclat.* **II. 1.** Lumière vive. *L'éclat de la neige était insoutenable. L'éclat de son regard.* **2.** (Couleur) Vivacité et fraîcheur. *L'éclat des coloris. L'éclat du teint.* **3.** Caractère de ce qui est brillant, magnifique. *Dans tout l'éclat de sa réussite.* — D'ÉCLAT : remarquable, éclatant. *Action, coup d'éclat.*

éclater [eklate] v. intr. ■ conjug. 1. **1.** Se rompre avec violence et généralement avec bruit, en projetant des fragments, ou en s'ouvrant. ⇒ **exploser, sauter.** *L'obus a éclaté. Le pneu arrière droit a éclaté.* ⇒ **crever. 2.** Retentir avec un bruit violent et soudain. *Des applaudissements éclatent.* — Loc. (Personnes) *Éclater de rire. L'enfant éclata en sanglots.* **3.** (Choses) Se manifester tout à coup en un début brutal. ⇒ **commencer,** se **déclarer.** *L'incendie, la guerre a éclaté.* **4.** Littér. Apparaître de façon manifeste, évidente. *La vérité éclate.* ▶ *éclatant, ante* adj. **1.** Qui fait un grand bruit. *Le son éclatant de la trompette.* **2.** Qui brille avec éclat, dont la couleur a de l'éclat. / contr. **terne** / ⇒ **brillant, éblouissant.** *Linge d'une blancheur éclatante. Être éclatant de santé,* rayonnant. **3.** Qui se manifeste de la façon la plus frappante. ⇒ **remarquable.** *Un mérite, des dons éclatants. Une éclatante revanche. Une mauvaise foi éclatante,* évidente. ▶ *éclatement* n. m. **1.** Fait d'éclater. *L'éclatement d'une bombe.* ⇒ **explosion.** *L'éclatement d'un pneu.* ⇒ **crevaison. 2.** *L'éclatement d'un parti,* sa division brutale en groupes nouveaux. ⇒ **scission.** ⟨ ▶ éclat ⟩

éclectique [eklɛktik] adj. **1.** Philosophie. Qui emprunte des éléments à plusieurs systèmes. **2.** (Personnes) Qui n'a pas de goût exclusif, ne se limite pas à une catégorie d'objets. *Il est éclectique en amour, dans ses lectures.* — *Esprit, attitude éclectique.* ▶ *éclectisme* n. m. **1.** Philosophie éclectique. **2.** Disposition d'esprit éclectique. *Faire preuve d'éclectisme dans ses relations.*

éclipse [eklips] n. f. **1.** Disparition passagère d'un astre, quand un autre corps céleste passe entre cet astre et la source de lumière ou entre cet astre et le point d'observation. *Une éclipse de Soleil, de Lune. Éclipse totale, partielle.* — (Lumière artificielle) Arrêt momentané. **2.** Période de fléchissement, de défaillance. *Avoir des éclipses de mémoire.* — À ÉCLIPSES : qui apparaît et disparaît de façon intermittente. *Une activité à éclipses. Phare à éclipses.* ▶ *éclipser* v. tr. ■ conjug. 1. **1.** Provoquer l'éclipse de (un autre astre). — Rendre momentanément invisible. ⇒ **voiler.** *Un nuage éclipse le soleil.* ⇒ **cacher. 2.** Empêcher de paraître, de plaire, en brillant soi-même davantage. ⇒ **surpasser.** *Elle a éclipsé tous les concurrents.*

3. S'ÉCLIPSER v. pron. : s'en aller à la dérobée. ⇒ s'**esquiver.** *Je me suis éclipsé avant la fin* (→ filer à l'anglaise).

écliptique [ekliptik] n. m. ■ Grand cercle d'intersection du plan de l'orbite terrestre avec la sphère céleste ; ce plan.

éclisse [eklis] n. f. **1.** Plaque de bois mince qui maintient les os d'un membre fracturé. **2.** Pièce d'acier reliant les rails de chemin de fer. *Jonction par éclisse.*

éclopé, ée [eklope] adj. ■ Qui marche péniblement en raison d'un accident ou d'une blessure. ⇒ **boiteux, estropié.** — N. *Une bande d'éclopés.*

éclore [eklɔr] v. intr. ■ conjug. 45. **1.** (Œuf) S'ouvrir. *Les œufs éclosent, ont éclos, viennent d'éclore.* **2.** Se dit d'une fleur en bouton qui s'ouvre. — Au p. p. adj. *Une fleur à peine éclose.* **3.** Fig. *Des lectures qui font éclore une vocation,* naître, paraître. ▶ *éclosion* n. f. **1.** (Œuf) Fait d'éclore. *La poule couve les œufs jusqu'à l'éclosion.* **2.** (Fleur) Épanouissement. **3.** Littér. Naissance, apparition. *L'éclosion d'un projet, de nouveaux talents.*

écluse [eklyz] n. f. ■ Dans une voie d'eau, un canal, espace limité par des portes munies de vannes, et destiné à retenir ou à lâcher l'eau. *Les écluses d'un canal* (destinées à faire passer les bateaux d'un changements de niveau). *Ouvrir, fermer les écluses, les portes de l'écluse.* ▶ *écluser* v. tr. ■ conjug. 1. **1.** Faire passer (un bateau) par une écluse. *Écluser une péniche.* **2.** Fam. Boire. ▶ *éclusier, ière* n. ■ Personne chargée de la manœuvre d'une écluse.

écœurer [ekœre] v. tr. ■ conjug. 1. **1.** Dégoûter au point de donner envie de vomir. *Les odeurs de cuisine l'écœuraient.* **2.** Dégoûter, en inspirant l'indignation ou le mépris. *Toutes ces intrigues m'écœuraient.* **3.** Décourager, démoraliser profondément. *Ses échecs répétés l'ont écœuré.* ▶ *écœurant, ante* adj. **1.** Qui écœure, soulève le cœur. ⇒ **dégoûtant.** / contr. **appétissant** / *Des odeurs écœurantes.* — Fade, trop gras ou trop sucré. *Un gâteau écœurant.* **2.** Moralement répugnant, révoltant. *Une écœurante servilité.* **3.** Qui entraîne une espèce de malaise, de découragement. ⇒ **décourageant, démoralisant.** *Il a une facilité ! C'en est écœurant.* ▶ *écœurement* n. m. **1.** État d'une personne qui est écœurée. ⇒ **nausée. 2.** Dégoût profond, répugnance. *On est pris d'écœurement à le voir agir si malhonnêtement.* **3.** Découragement. *L'écœurement provoqué par de mauvais résultats.*

école [ekɔl] n. f. **1.** Établissement dans lequel est donné un enseignement collectif (général ou spécialisé). *École primaire. École maternelle. École de, de dessin.* ⇒ **cours.** *Les élèves d'une école.* ⇒ **écolier.** *Les grandes écoles,* appartenant à l'enseignement supérieur (les élèves sont des *étudiants*). — (En France) *L'École normale supérieure. L'École nationale d'administration* (E.N.A. [ena]). — Loc. *Renvoyer qqn à l'école,* lui conseiller de retourner à l'école, lui montrer qu'il ne connaît pas la question. — Établissement d'enseignement primaire. *École publique, laïque. École privée, confessionnelle. Elle va bientôt aller à l'école.* — L'ensemble des élèves et des enseignants d'une école. *L'école aura congé à telle date.* **2.** Instruction, exercice militaire. *L'école du soldat.* — Loc. *Haute école,* équitation savante. **3.** Ce qui est propre à instruire et à former ; source d'enseignement. *Une école de courage.* — Loc. (avec à) *Avec vous, il est à bonne école,* vous saurez le former. *À l'école de...,* en recevant l'enseignement qu'apporte... *Il a été à rude école,* le malheur, les difficultés l'ont instruit. **4.** Groupe ou suite de personnes, d'écrivains, d'artistes qui se réclament d'un maître ou professeur les mêmes doctrines. ⇒ **mouvement**. *L'école classique, romantique. L'école de Rubens. Le manifeste d'une école*. — Ensemble de peintres qu'on peut rapprocher par leur origine et leur style. *L'école flamande. L'école de Paris* (XXᵉ s.). — Loc. FAIRE ÉCOLE : avoir des disciples, des adeptes. ▶ **écolier, ière** n. ■ Enfant qui fréquente l'école primaire, suit les petites classes d'un collège. ⇒ **élève**. *Une bande d'écoliers.* ‹ ▶ auto-école ›

écologie [ekɔlɔʒi] n. f. ■ Étude des milieux où vivent les êtres vivants, ainsi que des rapports de ces êtres avec le milieu. ▶ **écologique** adj. ■ Relatif à l'écologie. *Les problèmes écologiques dans la société industrielle.* ▶ **écologiste** n. **1.** Spécialiste de l'écologie. **2.** Partisan de la défense de la nature, de la qualité de l'environnement. — Abrév. fam. ÉCOLO [ekɔlo] adj. et n. *Elles sont écolos.*

éconduire [ekɔ̃dɥiʀ] v. tr. ■ conjug. 38. **1.** Repousser (un solliciteur), ne pas accéder à la demande de (qqn). ⇒ **refuser**. *Un des soupirants qu'elle a éconduits.* **2.** Congédier, renvoyer. *Il a éconduit l'importun.* / contr. **accueillir, recevoir** /

① *économe* [ekɔnɔm] n. ■ Personne chargée de l'administration matérielle, des recettes et dépenses dans une communauté religieuse, un établissement hospitalier, un collège. ⇒ **intendant**. ▶ **économat** n. m. ■ Fonction ; bureaux d'un économe.

② *économe* adj. ■ Qui dépense avec mesure, sait éviter toute dépense inutile. *Il est trop économe.* / contr. **dépensier** / *Être économe de ses louanges, de son temps,* ne pas donner ses louanges, son temps sans compter. ‹ ▶ ② économie ›

① *économie* [ekɔnɔmi] n. f. **1.** Vx. Bonne administration (d'une maison, d'un État). **2.** ÉCONOMIE POLITIQUE : science des phénomènes concernant la production, la distribution et la consommation des richesses, des biens matériels, dans un groupe humain. *Étudier l'économie politique.* — On dit aussi, dans ce sens, *l'économie.* **3.** Activité, vie économique. *L'économie française,* agriculture, industrie, commerce, etc. *Économie libérale, dirigée, socialiste.* ▶ **économétrie** n. f. ■ Étude statistique des données économiques. ▶ ① *économique* adj. ■ Qui concerne la production, la distribution, la consommation des richesses, leur étude (économie politique). *La vie économique et sociale.* ▶ ① *économiquement* adv. ■ Par rapport à la vie ou à la science économique. — Loc. *Les économiquement faibles,* ceux qui ont des ressources insuffisantes. ⇒ **pauvre**. ▶ *économiste* n. ■ Spécialiste de l'économie politique.

② *économie* n. f. **1.** Littér. L'ÉCONOMIE : gestion où l'on évite toute dépense inutile. *Pratiquer l'économie,* être économe ②. ⇒ **épargne**. / contr. **gaspillage** / **2.** UNE, DES ÉCONOMIE(S) : ce qu'on épargne, ce qu'on évite de dépenser. *Une sérieuse économie. Faire des économies d'énergie.* — Loc. *Des économies de bouts de chandelle,* insignifiantes. — *Une économie de temps, de fatigue.* ⇒ **gain**. — *Faire l'économie de,* éviter. *Il a fait l'économie d'une explication difficile.* **3.** DES ÉCONOMIES : somme d'argent conservée, économisée. *Faire, avoir des économies, de petites économies.* ▶ ② *économique* adj. ■ Qui réduit la dépense, les frais. / contr. **coûteux** / *Trouver une façon plus économique de se loger. Une voiture économique,* qui consomme peu. ▶ ② *économiquement* adv. ■ En dépensant peu. ▶ *économiser* v. tr. ■ conjug. 1. **1.** Dépenser, utiliser avec mesure. — *Savoir économiser ses forces, son temps.* ⇒ **ménager**. *Économiser l'électricité.* / contr. **gâcher, gaspiller** / **2.** Mettre de côté en épargnant. *Il arrive à économiser un peu d'argent tous les mois.*

③ *économie* n. f. ■ Littér. Organisation des éléments (d'un ensemble) ; manière dont sont distribuées les parties. *L'économie du récit, de l'œuvre.*

écoper [ekɔpe] v. tr. ■ conjug. 1. **1.** Vider (un bateau) avec une pelle (appelée *écope,* n. f.). — Sans compl. *Il va falloir écoper.* **2.** V. tr. ind. Fam. Recevoir (une punition). *Il a écopé de deux mois de prison.*

écorce [ekɔʀs] n. f. **1.** Enveloppe d'un tronc d'arbre et de ses branches, qu'on peut détacher du bois. *L'écorce argentée des peupliers.* **2.** Enveloppe coriace (de certains fruits : melon, orange...). ⇒ **peau, pelure, zeste. 3.** *Écorce terrestre,* partie superficielle du globe. ⇒ **croûte**. ▶ *écorcer* v. tr. ■ conjug. 3. ■ Dépouiller de son écorce (un arbre, les fruits). *Écorcer un pamplemousse.* ⇒ **peler**.

écorcher [ekɔʀʃe] v. tr. ■ conjug. 1. **1.** Dépouiller de sa peau (un corps). *Écorcher un lapin.* **2.** Blesser en entamant superficiellement la peau. *Des ronces lui ont écorché les mains.* ⇒ **égratigner, griffer**. — Pronominalement. *Elle s'est écorchée.* — Par exagér. *Ces hurlements écorchent les oreilles. Ça t'écorcherait la bouche de dire merci ?* **3.** Déformer, prononcer de travers. ⇒ **estropier**. *Il écorche tous les noms propres.* ▶ *écorché* n. m. **1.** Homme écorché. — Loc. *Crier, hurler comme un écorché vif.* **2.** Statue d'homme, d'animal représentant comme dépouillé de sa peau. *Les étudiants des Beaux-Arts dessinent d'après un écorché.* ▶ *écorchure* n. f. ■ Déchirure légère de la peau. ⇒ **égratignure, griffure**. *Ses écorchures au genou sont sans gravité.*

écorner [ekɔʀne] v. tr. ■ conjug. 1. **1.** Casser, endommager un angle de. — Au p. p. adj. *Des livres tout écornés par l'usage.* **2.** Abstrait. Entamer, réduire. *Il a bien écorné sa fortune.* ⇒ **ébrécher**.

écossais, aise [ekɔsɛ, ɛz] adj. et n. ■ De l'Écosse. *Les lacs écossais.* ⇒ **loch**. — N. *Les Écossais. Le kilt des Écossais.* — *Tissu écossais,* ou n. m., *écossais,* tissu de fils de laine peignée disposés par bandes de couleurs différentes se croisant à angle droit. *Cravate, jupe écossaise,* en tissu écossais. / contr. **uni** / — N. m. Langue celtique d'Écosse. Dialecte anglais de l'Écosse.

écosser [ekɔse] v. tr. ■ conjug. 1. ■ Dépouiller (des pois, des haricots) de la cosse. *Des haricots à écosser,* à manger en grains (opposé à *haricots verts*).

écot [eko] n. m. ■ Loc. *Payer son écot,* sa quote-part pour un repas à frais communs. ≠ *écho.*

écouler [ekule] v. pron. et tr. ■ conjug. 1. **1.** V. pron. Couler hors d'un endroit. ⇒ se **déverser**. *L'eau s'écoule par le trop plein.* (Personnes) Se retirer en groupe. *La foule s'écoulait lentement.* **2.** (Temps) Se passer. *La semaine s'est écoulée bien vite.* — Au p. p. adj. *Les années écoulées,* qui se sont écoulées. **3.** V. tr. Vendre de façon continue jusqu'à épuisement. *Des produits faciles à écouler.* — *Écouler de faux billets,* les faire passer dans la circulation. ▶ *écoulement* n. m. **1.** Fait de s'écouler, mouvement d'un liquide qui s'écoule. ⇒ **déversement**. *Chéneau servant à l'écoulement des eaux d'un toit.* ⇒ **évacuation**. *Canal, conduit, fossé d'écoulement.* **2.** Mouvement de personnes, de véhicules qui se retirent d'un lieu. *Faciliter l'écoulement de la foule.* **3.** Possibilité d'écouler (des marchandises). ⇒ **débit**. *L'écoulement des récoltes, des marchandises sur le marché.*

écourter [ekuʀte] v. tr. ■ conjug. 1. **1.** Vx. Rendre plus court en longueur. ⇒ **raccourcir**. *Écourter un manteau.* **2.** Rendre plus court en durée. *J'ai dû écourter mon séjour.* **3.** Rendre anormalement court. ⇒ **tronquer**. *Fausser la pensée d'un auteur en écourtant les citations.* — Au p. p. adj. *Un dénouement écourté.*

écouter [ekute] v. tr. ▪ conjug. 1. **1.** S'appliquer à entendre, prêter son attention à (des bruits, des paroles). *Vous n'avez pas écouté ce que je disais. Il entendait la conversation mais ne l'écoutait pas. Écouter un disque. Il l'écoutait chanter. Écoute s'il pleut.* — Au p. p. adj. *Un des orateurs les plus écoutés à la Chambre.* — Sans compl. Prêter une oreille attentive. *Allô, j'écoute ! S'instruire en écoutant. N'écouter que d'une oreille,* distraitement. *Écouter aux portes,* écouter indiscrètement derrière une porte. *Écoute, écoutez !,* s'emploie pour attirer l'attention de l'interlocuteur sur ce qu'on va dire. **2.** Recevoir, accepter. *Il n'a jamais voulu écouter nos conseils.* ⇒ **suivre.** *Ces enfants n'écoutent pas leurs parents.* ⇒ **obéir.** — *N'écouter que son courage, son devoir,* se laisser uniquement guider par lui. **3.** V. pron. S'ÉCOUTER. *Il s'écoute parler,* il parle lentement et avec complaisance, en s'admirant. — Suivre son inspiration. *Si je m'écoutais, je n'irais pas.* — Prêter une trop grande attention à sa santé. ⇒ **s'observer.** *Ne vous écoutez pas tant, vous irez mieux.* ▶ *écoute* n. f. **1.** *Être* AUX ÉCOUTES (à un endroit où on peut guetter, écouter) : être aux aguets, très attentif. *Journaliste aux écoutes de l'actualité.* **2.** Détection par le son. *Appareil d'écoute sous-marine,* servant à repérer les sous-marins. *Poste d'écoute.* **3.** Action d'écouter une communication téléphonique, une émission radiophonique. *Les heures de grande écoute. Restez à l'écoute. Prenez l'écoute,* commencez à écouter. *Table d'écoute,* permettant d'intercepter les communications téléphoniques. ▶ *écouteur* n. m. ▪ Partie du récepteur téléphonique qu'on applique sur l'oreille pour écouter. *Prendre l'écouteur.*

écoutille [ekutij] n. f. ▪ Ouverture rectangulaire pratiquée dans le pont d'un navire et qui permet l'accès aux étages inférieurs. *Fermer les écoutilles.*

écouvillon [ekuvijɔ̃] n. m. ▪ Brosse cylindrique pour nettoyer un objet creux (canon, etc.). *Nettoyer une bouteille avec un écouvillon.* ⇒ **goupillon.**

écrabouiller [ekʀabuje] v. tr. ▪ conjug. 1. ▪ Fam. Écraser, réduire en bouillie (un être vivant, un membre, une chose). ⇒ **broyer.** *Regarde où tu marches, tu écrabouilles les fleurs.* ⇒ **écraser.**

écran [ekʀɑ̃] n. m. **1.** Panneau, enveloppe ou paroi destinée à protéger de la chaleur, d'un rayonnement, des actions électriques ou magnétiques. *Écran métallique.* **2.** Objet interposé qui dissimule ou protège. *Un écran de fumée.* ⇒ **rideau.** *Faire écran de (avec) sa main.* **3.** Surface sur laquelle se reproduit l'image d'un objet. *Écran de projection* ou *écran,* surface blanche sur laquelle sont projetées des images photographiques ou cinématographiques. *Écran de cinémascope.* — Loc. Cinéma. *Crever l'écran,* avoir beaucoup de présence. *C'est un acteur qui crève l'écran.* — Surface fluorescente sur laquelle se forme l'image dans les tubes cathodiques. *L'écran d'un récepteur de télévision.* **4.** *L'écran,* l'art cinématographique. *Porter un roman à l'écran,* en tirer un film. — *Le* PETIT ÉCRAN : la télévision. *Une vedette du petit écran.*

écraser [ekʀaze] v. tr. ▪ conjug. 1. **1.** Aplatir et déformer (un corps) par une forte compression, par un choc violent. *Écraser une limace sous son pied.* ⇒ fam. **écrabouiller.** *La porte en se refermant lui a écrasé le doigt. Écraser du poivre, de l'ail.* ⇒ **piler.** — Pronominalement. *L'avion s'est écrasé au sol.* **2.** Renverser et passer sur le corps de. *Il s'est fait écraser* (par une automobile). — Au p. p. adj. *La rubrique des chiens écrasés,* dans un journal, les faits divers sans intérêt. **3.** Fam. Appuyer fortement sur. *Il a écrasé la pédale de frein.* — Pronominalement. Se serrer à l'extrême, s'entasser. *La foule s'écrasait dans le métro.* **4.** Dominer par sa masse, faire paraître bas ou petit. *Les grands immeubles écrasaient les pavillons.* — (Personnes) Dominer, humilier. *Il nous écrase de son luxe.* **5.** *Écraser qqn de...* ⇒ **accabler, surcharger.** — Au passif. *Le peuple était écrasé d'impôts.* **6.** Vaincre, réduire totalement (un ennemi, une résistance). ⇒ **anéantir.** *L'armée a écrasé l'insurrection. Notre équipe a été écrasée,* a subi une lourde défaite. **7.** Fam. EN ÉCRASER : dormir profondément. — Fam. *Écrase !,* n'insiste pas, laisse tomber ! **8.** S'ÉCRASER v. pron. : se faire petit. *Je m'écrasais contre le mur pour le laisser passer.* — Fam. S'écraser *devant qqn,* ne pas protester, ne rien dire. *Tu ferais mieux de t'écraser.* ▶ *écrasé, ée* adj. ▪ Très aplati, court et ramassé. *Un nez écrasé.* ▶ *écrasant, ante* adj. **1.** Extrêmement lourd. *Un poids écrasant. Une responsabilité écrasante. Des dettes écrasantes. Il faisait une chaleur écrasante.* ⇒ **accablant. 2.** Qui entraîne l'écrasement de l'adversaire. *Il a fait preuve d'une supériorité écrasante.* ▶ *écrasement* n. m. **1.** Action d'écraser, fait d'être écrasé. *L'écrasement du raisin dans la cuve.* **2.** Destruction complète (des forces d'un adversaire). ⇒ **anéantissement.** *L'écrasement des forces ennemies, d'une révolte.* ▶ *écraseur, euse* n. ▪ Conducteur dangereux. ⇒ **chauffard.** ⟨ ▶ écrabouiller ⟩

écrémer [ekʀeme] v. tr. ▪ conjug. 6. **1.** Dépouiller (le lait) de la crème, de la matière grasse. — Au p. p. adj. *Lait écrémé, demi-écrémé.* ⇒ **maigre. 2.** Dépouiller des meilleurs éléments (un ensemble, un groupe). *Sa collection a déjà été écrémée,* les pièces rares n'y sont plus. ▶ *écrémage* n. m. ▪ Action d'écrémer (1). *L'écrémage du lait pour faire le beurre.* ▶ *écrémeuse* n. f. ▪ Machine à écrémer le lait.

écrevisse [ekʀəvis] n. f. ▪ Crustacé d'eau douce, de taille moyenne, aux pattes antérieures armées de fortes pinces. *Préparer des écrevisses au court-bouillon.* — Loc. *Marcher, aller comme une écrevisse,* à reculons. — *Rouge comme une écrevisse* (comme les écrevisses après la cuisson).

s'écrier [ekʀije] v. pron. ▪ conjug. 7. ▪ Dire d'une voix forte et émue. *Elle s'écria que c'était injuste.* « *Dépêchez-vous !* » *s'écria-t-il.*

écrin [ekʀɛ̃] n. m. ▪ Boîte ou coffret où l'on range des bijoux, des objets précieux. *Ranger l'argenterie dans les écrins.*

écrire [ekʀiʀ] v. tr. ▪ conjug. 39. **I. 1.** Tracer (des signes d'écriture, un ensemble organisé de ces signes). *Effacez ce que vous avez écrit. Écrire un paragraphe. Écrire quelques mots sur (dans) un cahier.* — Sans compl. *Apprendre à écrire. Il ne sait ni lire, ni écrire. Écrire mal, comme un chat. Écrire gros, fin. Écrire en majuscules. Écrire lisiblement. Écrire au brouillon, au propre.* — Orthographier. *Je ne sais pas écrire son nom.* Pronominalement. « *Appeler* » *s'écrit avec deux* p. **2.** Consigner, noter par écrit. ⇒ **inscrire, marquer.** *J'ai dû écrire son adresse quelque part.* **3.** Rédiger (un message destiné à être envoyé à qqn). *Il écrivait une longue lettre à sa mère.* Pronominalement. *Ils ne s'écrivent plus.* — Sans compl. Faire de la correspondance. *Il n'aime pas écrire.* **4.** Annoncer par lettre. *Je lui ai écrit que j'étais malade.* **II. 1.** Composer (un ouvrage scientifique, littéraire). *Il a commencé à écrire ses mémoires. Il n'a rien écrit cette année.* ⇒ **publier.** — Sans compl. Composer un texte pour la publication. *Écrire en prose, en vers. Il écrit dans un grand journal.* — Sans compl. Être écrivain et produire. **2.** Exprimer sa pensée par le langage écrit. *Il écrit comme il parle. Il écrit bien, mal. L'art d'écrire,* de bien écrire. **3.** Exposer (une idée) dans un ouvrage. *On lui a reproché d'avoir écrit que...* ▶ ① *écrit* n. m. **1.** Document écrit. *Un écrit anonyme.* **2.** Ouvrage de l'esprit, composition littéraire, scientifique. ⇒ **livre, œuvre**. *Les écrits des anciens.* **3.** Épreuves écrites d'un examen ou d'un concours. *Il attend les résultats de l'écrit. L'écrit et l'oral.* **4.** PAR ÉCRIT loc. adv. : par un document écrit. *Je veux que vous m'en donniez l'ordre par écrit.* ▸ ② *écrit, ite* adj. **1.** Tracé par l'écriture. *Des notes très mal écrites.* — Couvert de signes d'écriture. *Deux pages écrites et une page blanche.* **2.** Exprimé par l'écriture, par des textes. / contr. **oral, parlé** / *La langue écrite.* **3.** Qui est voulu par la Providence ou le destin, fixé et arrêté d'avance. *C'était écrit.* ⇒ **fatal**. *Il est écrit qu'on n'y arrivera jamais.* ▸ *écriteau* n. m. ■ Surface plane portant une inscription en grosses lettres, destinée à faire connaître qqch. au public. ⇒ **pancarte**. *Un écriteau annonçait que la maison était à vendre. Des écriteaux.* ▸ *écritoire* n. f. ■ Anciennement. Petit coffret contenant tout ce qu'il faut pour écrire. *Une écritoire portative.* ▸ *écriture* n. f. **1.** Système de signes visibles, tracés, représentant un langage parlé. (ex. : *hiéroglyphes*), *alphabétique.* **2.** Type de caractères adopté dans un tel système. *Écriture gothique, romaine, arabe, russe (cyrillique).* **3.** Manière personnelle dont on trace les caractères en écrivant ; ces caractères. ⇒ **graphologie**. *Avoir une belle écriture, une écriture illisible. J'ai reconnu votre écriture.* **4.** Littér. Manière d'écrire (II) d'une personne (style), d'une époque, etc. *L'écriture automatique*, technique des surréalistes visant à traduire la pensée spontanée. — Acte d'écrire. **5.** Droit. Écrit. *Faux en écriture.* — Au plur. Actes de procédure nécessaires à la soutenance d'un procès. — Inscription d'une opération comptable. *Passer une écriture. Tenir les écritures*, la comptabilité. **6.** (Avec une majuscule) *L'Écriture, les Écritures*, les livres saints. ⇒ **Bible**. ▸ *écrivain* n. m. **1.** Personne qui compose, écrit des ouvrages littéraires. ⇒ **auteur**. *Les grands écrivains. Le style d'un écrivain. Elle est écrivain (parfois écrivaine,* n. f.*). Un écrivain traduit en plusieurs langues.* **2.** ÉCRIVAIN PUBLIC : celui qui écrit (des lettres, etc.) pour ceux qui ne savent pas ou savent mal écrire. ▸ *écrivailleur, euse* [ekʀivajœʀ, øz] ou *écrivaillon* [ekʀivajɔ̃] n. ■ Péj. Homme ou femme de lettres médiocre (qui ne fait qu'*écrivailler* ou *écrivasser*). ⟨ ▸ *récrire* ⟩

① *écrou* [ekʀu] n. m. ■ Procès-verbal constatant qu'un individu a été remis à un directeur de prison, et mentionnant la date et la cause de l'emprisonnement. *Registre d'écrou. Levée d'écrou*, constatation de la remise en liberté d'un détenu. ▸ *écrouer* v. tr. ■ conjug. 1. ■ Inscrire sur le registre d'écrou, emprisonner. *Il a été écroué à la prison de la Santé.* ⇒ **incarcérer**. / contr. **élargir, libérer** /

② *écrou* n. m. ■ Pièce de métal, de bois, etc., percée d'un trou fileté pour le logement d'une vis ou d'un boulon. *Serrer, desserrer des écrous.*

écrouelles [ekʀuɛl] n. f. pl. ■ Abcès ganglionnaires que le roi de France, le jour du sacre, était censé pouvoir guérir par attouchement. ⇒ **scrofuleux**.

s'*écrouler* [ekʀule] v. pron. ■ conjug. 1. **1.** Tomber soudainement de toute sa masse. ⇒ **s'abattre, s'affaisser, crouler, s'ébouler, s'effondrer**. *Des pans de murs s'écroulaient dans les flammes.* — Au p. p. adj. *Une maison écroulée.* **2.** Abstrait. Subir une destruction, une fin brutale. ⇒ **sombrer**. *Sa fortune, son autorité s'est écroulée. Tous ses projets s'écroulent.* **3.** Fam. (Personnes) Se laisser tomber lourdement. ⇒ **s'affaler**. *Il s'écroula dans un fauteuil.* **4.** Fig. Être accablé de. *Le soir, il s'écroulait de fatigue.* — Fam. *S'écrouler (de rire)*, n'en plus pouvoir à force de rire. Au p. p. adj. *Rien qu'à le voir, on était tous écroulés.* ▸ *écroulement* n. m. **1.** Fait de s'écrouler, chute soudaine. ⇒ **effondrement, ruine**. *L'écroulement d'un*

mur. **2.** Fig. Destruction soudaine et complète. ⇒ **anéantissement**. *Après l'écroulement de l'Empire. L'écroulement de sa raison.* **3.** Fait de s'écrouler physiquement, de s'effondrer.

écru, ue [ekʀy] adj. ■ Qui n'est pas blanchi, lessivé (chanvre, soie...). *Toile écrue.*

-*ectomie* ■ Élément savant signifiant « ablation ». ⇒ -**tomie**.

ectoplasme [ektɔplasm] n. m. ■ Émanation visible du corps du médium ②. — Par plaisanterie. Personne faible, molle, silencieuse qu'on ne remarque pas. ⇒ **zombie**.

écu [eky] n. m. **1.** Bouclier des hommes d'armes au Moyen Âge. **2.** Champ en forme de bouclier où sont représentées les pièces des armoiries ; ces armoiries. ⇒ **écusson**. **3.** Ancienne monnaie française. *Un écu d'or.* — Ancienne pièce de cinq francs en argent. ⟨ ▸ écusson ⟩

E.C.U. [eky] n. m. invar. ■ Unité monétaire européenne. ≠ *écu* (3).

écubier [ekybje] n. m. ■ Ouverture ménagée à l'avant d'un navire, sur le côté de l'étrave, pour le passage des câbles ou des chaînes.

écueil [ekœj] n. m. **1.** Rocher, banc de sable à fleur d'eau contre lequel un navire risque de se briser ou de s'échouer. ⇒ **brisant, récif**. *Heurter un écueil. Se briser sur, contre un écueil.* **2.** Obstacle dangereux, cause d'échec. ⇒ **danger**. *La vie est pleine d'écueils. C'est là l'écueil.*

écuelle [ekyɛl] n. f. ■ Assiette large et creuse sans rebord (encore utilisée dans certaines campagnes) ; son contenu. *Une écuelle en bois, en terre.*

éculé, ée [ekyle] adj. **1.** Dont le talon est usé, déformé. *Des savates éculées.* **2.** Usé, qui a perdu toute fraîcheur, toute originalité, à force d'avoir servi. *Ces plaisanteries éculées ne font plus rire.* ⇒ **rebattu**.

écumant, ante ⇒ **écumer**.

① *écume* [ekym] n. f. **1.** Mousse blanchâtre qui se forme à la surface des liquides agités, chauffés ou en fermentation. *L'écume d'un bouillon. L'écume d'un torrent, de la mer.* **2.** Bave mousseuse de certains animaux. *Mufle couvert d'écume.* — Bave mousseuse qui vient aux lèvres d'une personne en colère ou en proie à une attaque (épilepsie, etc.). — Sueur blanchâtre qui s'amasse sur le corps d'un cheval, d'un taureau. **3.** Impuretés, scories qui flottent à la surface des métaux en fusion. ▸ *écumeux, euse* adj. ■ Qui forme de l'écume, se couvre d'écume. ⇒ **écumant**. *Cascade écumeuse.* ⟨ ▸ écumer ⟩

② *écume* n. f. ■ Silicate naturel de magnésium. (On dit aussi *écume de mer*.) *Une pipe en écume.*

écumer [ekyme] v. ■ conjug. 1. **I.** **1.** V. intr. (Mer) Se couvrir d'écume. ⇒ **moutonner**. **2.** (Animaux) Baver. *Le cheval écumait.* — (Personnes) Écumer (de rage), être au dernier degré de la fureur. **II.** V. tr. **1.** Débarrasser (qqch.) de son écume, des impuretés. ⇒ **écumoire**. *Il faut écumer les confitures. Écumer un pot-au-feu.* **2.** Fig. *Écumer les mers, les côtes*, y exercer la piraterie. — Prendre ce qui est le plus profitable ou intéressant dans... *Les antiquaires ont écumé la région.* ▸ *écumant, ante* adj. ■ Qui écume (I). *Une mer écumante.* ⇒ **écumeux**. — *Chien écumant.* — (Personnes) *Être écumant de rage.* ▸ *écumoire* n. f. ■ Ustensile de cuisine composé d'un disque aplati, percé de trous, monté sur un manche, servant à écumer le bouillon, le sirop, etc. — Loc. *Comme une écumoire, en écumoire*, criblé, percé de nombreux trous. ⇒ **passoire**.

écureuil [ekyʀœj] n. m. ■ Petit mammifère rongeur au pelage généralement roux, à la queue longue et en panache. — Fourrure de cet animal. *Une veste en écureuil.* — Loc. *Être vif, souple, agile comme un écureuil.*

écurie [ekүʀi] n. f. **1.** Bâtiment destiné à loger des chevaux, ânes, mulets. *Écurie de ferme. Garçon d'écurie.* ⇒ **lad, palefrenier.** — Loc. *C'est une vraie écurie,* se dit d'un local très sale. — *Entrer quelque part comme dans une écurie,* sans saluer, d'une façon impolie. *Vous vous croyez dans une écurie !* **2.** Ensemble des bêtes logées dans une écurie. — ÉCURIE (DE COURSES) : ensemble des chevaux qu'un propriétaire fait courir ; chevaux appartenant à un même propriétaire et s'alignant dans la même course. — Voitures de course, coureurs, cyclistes courant pour une même marque.

écusson [ekүsɔ̃] n. m. **1.** Petit écu (2). **2.** Plaque blasonnée servant d'enseigne, de panonceau. — Petit morceau d'étoffe cousu sur un uniforme, qui indique l'arme, l'unité ou le service. ▶ **écussonner** v. tr. ▪ conjug. 1. ▪ Orner d'un écusson.

écuyer, yère [ekɥije, jɛʀ] n. **1.** N. m. Gentilhomme qui était au service d'un chevalier, d'un prince. — Personne qui était préposée aux écuries d'un prince. **2.** Personne sachant bien monter à cheval. ⇒ **amazone, cavalier.** *Une bonne écuyère. Bottes d'écuyère.* — Personne qui fait des exercices d'équitation dans un cirque.

eczéma [ɛgzema] n. m. ▪ Maladie de la peau, caractérisée par des vésicules, des rougeurs et des plaques qui se détachent. *L'eczéma provoque des démangeaisons.* ▶ **eczémateux, euse** adj. ▪ De l'eczéma. — Adj. et n. Qui a de l'eczéma.

edelweiss [edɛlvajs ; -vɛs] n. m. invar. ▪ Plante alpine, couverte d'un duvet blanc et laineux. *Un bouquet d'edelweiss.*

éden [edɛn] n. m. ▪ Littér. *L'Éden,* le Paradis. — (Avec *un, des*) Cette région est un véritable éden, un lieu très agréable. *Des édens.*

édenter [edɑ̃te] v. tr. ▪ conjug. 1. ▪ Casser les dents de (un objet). *Édenter un engrenage, un peigne.* ▶ **édenté, ée** adj. et n. **1.** Qui a perdu une partie ou la totalité de ses dents. *Un vieillard édenté.* **2.** LES ÉDENTÉS n. m. pl. : ordre de mammifères sans incisives ou pourvus d'une seule sorte de dents (paresseux, fourmiliers, etc.). — Au sing. *Un édenté.*

édicter [edikte] v. tr. ▪ conjug. 1. ▪ Établir, prescrire par une loi, par un règlement. ⇒ **décréter, promulguer.** *Édicter une loi.*

édicule [edikyl] n. m. **1.** Chapelle ou dépendance d'un édifice religieux. **2.** Petite construction édifiée sur la voie publique (kiosque, urinoir).

① édifier [edifje] v. tr. ▪ conjug. 7. **1.** Bâtir (un édifice, un ensemble architectural). ⇒ **construire.** / contr. **détruire** / **2.** Abstrait. Établir, créer (un vaste ensemble). *Édifier une théorie.* — Au p. p. *Le savoir édifié par l'humanité.* ▶ **① édification** n. f. ▪ Action d'édifier, de construire (un édifice). *L'édification d'une ville nouvelle.* ⇒ **construction.** / contr. **destruction** / **2.** Abstrait. Création (de ce qui se construit). *L'édification d'une œuvre, d'une théorie, d'une science.* ▶ **édifice** n. m. **1.** Bâtiment important. ⇒ **construction, monument.** *Bâtir, élever, détruire un édifice. Les édifices publics.* **2.** Abstrait. Ensemble vaste et organisé. *L'édifice de la civilisation.* — Loc. *Apporter sa pierre à l'édifice,* contribuer à une entreprise.

② édifier v. tr. ▪ conjug. 7. **1.** Porter à la vertu, à la piété, par l'exemple ou par le discours. / contr. **scandaliser** / **2.** Iron. Mettre à même d'apprécier, de juger sans illusion. *Après son dernier discours, nous voilà édifiés !* ▶ **édifiant, ante** adj. **1.** Qui édifie,

porte à la vertu, à la piété. *Une vie édifiante.* **2.** Iron. Particulièrement instructif. *Voilà un témoignage édifiant sur les mœurs de l'époque.* ▶ **② édification** n. f. ▪ Action de porter à la vertu, à la piété. *Pour l'édification des fidèles.* — Action d'instruire. *Je vous le dis pour votre édification.*

édile [edil] n. m. **1.** Magistrat romain qui était chargé de l'inspection des édifices, de l'approvisionnement de la ville. **2.** Magistrat municipal qui s'occupe des constructions, de l'urbanisme (en style officiel ou de journalisme). ≠ *architecte, urbaniste.*

édit [edi] n. m. **1.** Acte législatif émanant des anciens rois de France. *L'édit de Nantes* (en 1598). **2.** Règlement publié par un magistrat romain. — Constitution impériale, à Rome. *L'édit de Dioclétien* (contre les chrétiens).

éditer [edite] v. tr. ▪ conjug. 1. **1.** Publier et mettre en vente (un livre). *Éditer des romans, des ouvrages techniques.* ⇒ **publier.** — *Éditer un auteur,* éditer ses ouvrages. **2.** Littér. Faire paraître (un texte qu'on présente, annote, etc.). *Éditer une pièce classique avec des notes critiques. Ce professeur édite des textes du Moyen Âge.* ▶ **éditeur, trice** n. **1.** Personne (ou société) qui assure la publication et la mise en vente des ouvrages d'un auteur, d'un musicien, etc. *Libraire éditeur.* — Adj. *Société éditrice de films.* **2.** Littér. Érudit qui établit et fait paraître un texte. ▶ **édition** n. f. **I. 1.** Reproduction et diffusion d'une œuvre intellectuelle ou artistique par un éditeur (1). ⇒ **publication.** *Maison, société d'édition.* **2.** Ensemble des exemplaires d'un ouvrage publié ; série des exemplaires édités en une fois. ⇒ **tirage.** *La nouvelle édition d'un livre.* ⇒ **réédition.** *Édition originale,* première édition en librairie d'un texte inédit. *Édition revue et corrigée. Acheter un roman dans une édition de poche. Édition reliée, brochée.* — Ensemble des exemplaires d'un journal imprimés en une fois. *Dernière édition. Édition spéciale.* **3.** Métier, activité de l'éditeur. *Travailler dans l'édition.* **II.** Action d'éditer (un texte qu'on présente, annote, etc.). — Texte ainsi édité. *Édition critique,* établie soigneusement après critique des textes originaux. ⟨ ▶ **éditorial,** inédit, rééditer ⟩

éditorial, aux [editɔʀjal, o] n. m. ▪ Article qui provient de la direction d'un journal, d'une revue et qui correspond à une orientation générale. *Lire l'éditorial en première page.* ▶ **éditorialiste** n. ▪ Personne qui écrit l'éditorial d'un journal, d'une revue.

édredon [edʀədɔ̃] n. m. ▪ Couvre-pied de duvet (d'eider, d'oie, etc.), de plume ou de fibres synthétiques. ⇒ **couette.**

éducateur, trice [edykatœʀ, tʀis] n. et adj. **1.** N. Personne qui s'occupe d'éducation, qui donne l'éducation. *Le métier d'éducateur. Les parents sont les premiers éducateurs.* **2.** Adj. Éducatif.

éducatif, ive [edykatif, iv] adj. ▪ Qui a l'éducation pour but ; qui éduque, forme efficacement. *Des jeux éducatifs. Des méthodes éducatives.*

éducation [edykasjɔ̃] n. f. **1.** Façon d'assurer la formation et le développement d'un être humain ; les moyens pour y parvenir. *Recevoir une bonne éducation.* ⇒ **formation.** *Faire l'éducation d'un enfant. Le ministre de l'Éducation nationale,* appelé autrefois (en France) ministre de l'Instruction publique. ⇒ **pédagogie.** — ÉDUCATION PHYSIQUE : ensemble des exercices physiques, des sports propres à favoriser le développement harmonieux du corps. ⇒ **gymnastique, sport.** *Éducation sexuelle,* destinée à lever les tabous sexuels. *Éducation civique,* destinée à former le citoyen. ⇒ **instruction.** **2.** Développement méthodique (d'une faculté, d'un organe). ⇒ **exercice.**

L'éducation de la volonté, de la mémoire, du goût. **3.** Connaissance et pratique des usages de la société. ⇒ **politesse, savoir-vivre.** *Cet homme a beaucoup d'éducation. Il manque d'éducation.*

édulcorer [edylkɔʀe] v. tr. ▪ conjug. 1. **1.** Adoucir par addition de sucre, de sirop (un médicament). **2.** Rendre plus faible dans son expression. ⇒ **adoucir, atténuer.** *Rapporter des propos violents en les édulcorant.*

éduquer [edyke] v. tr. ▪ conjug. 1. ▪ Former par l'éducation. ⇒ **élever.** *Elle a bien éduqué ses enfants.* ‹ ▶ éducateur, éducatif, éducation ›

effacer [efase] v. ▪ conjug. 3. **I.** V. tr. **1.** Faire disparaître sans laisser de trace (ce qui était marqué). ⇒ **gommer, gratter.** *Efface ce qui est écrit au tableau. Le voleur a effacé ses empreintes.* — (Choses) Rendre moins net, moins visible. *Le temps a effacé l'inscription.* **2.** Faire disparaître, faire oublier. *Effaçons le passé.* **3.** Empêcher de paraître, de briller (en brillant davantage). ⇒ **éclipser.** *Sa réussite efface toutes les autres.* **4.** Tenir de côté ou en retrait, de manière à présenter le moins de surface ou de saillie. *Alignez-vous, effacez l'épaule droite.* **II.** S'EFFACER v. pron. **1.** (Choses) Disparaître plus ou moins. ⇒ **s'estomper.** *Ce crayon s'efface facilement. Des lignes qui s'effacent dans la brume.* — Abstrait. *Son souvenir ne s'effacera jamais.* **2.** (Personnes) Se tenir de façon à paraître ou à gêner le moins possible. *Il s'efface pour laisser passer ses invités.* — *L'exécutant doit s'effacer devant l'auteur. Il s'efface par timidité.* ▶ **effacé, ée** adj. **1.** Qui a disparu ou presque disparu. *Une inscription effacée.* **2.** Qui a peu d'éclat, qui a passé. *Des teintes effacées.* **3.** Qui ne se fait pas voir, reste dans l'ombre. ⇒ **modeste.** *Une mère de famille douce et effacée. Jouer un rôle effacé.* ▶ **effacement** n. m. **1.** Action d'effacer ; son résultat. **2.** Attitude effacée, modeste. *Vivre dans l'effacement.* ‹ ▶ ineffaçable ›

effarer [efaʀe] v. tr. ▪ conjug. 1. ▪ Troubler en provoquant un effroi mêlé de stupeur. ⇒ **affoler, effrayer, stupéfier.** *L'audace de ses plans nous a effarés.* ▶ **effaré, ée** adj. ▪ Qui éprouve un effroi mêlé de surprise. ⇒ **effrayé, égaré.** *Un air, un regard effaré.* ▶ **effarant, ante** adj. ▪ Qui effare ou étonne en indignant. *Il est d'une inconscience effarante.* — Par exagér. *Il roule toujours à une vitesse effarante. Mais c'est effarant !*, incroyable. ▶ **effarement** n. m. ▪ État d'une personne effarée. ⇒ **effroi, stupeur, trouble.** *Il y eut dans la salle un moment d'effarement.*

effaroucher [efaʀuʃe] v. tr. ▪ conjug. 1. **1.** Effrayer (un animal) de sorte qu'on le fait fuir. *Attention, vous allez effaroucher le gibier.* **2.** Mettre (qqn) dans un état de crainte ou de défiance. / contr. **rassurer** / *Un rien suffit à l'effaroucher, à le choquer, à l'offusquer.* — Au p. p. adj. *Un cheval effarouché. Une enfant tout effarouchée.* ▶ **effarouchement** n. m. ▪ État d'une personne effarouchée.

① effectif, ive [efɛktif, iv] adj. ▪ Qui se traduit par un effet, par des actes réels. ⇒ **concret, positif, réel, tangible.** *Apporter une aide effective.* ▶ **effectivement** adv. **1.** D'une manière effective. ⇒ **réellement.** *Pourrons-nous nous y opposer effectivement ?* **2.** Adv. de phrase. S'emploie pour confirmer une affirmation. ⇒ en **effet.** *Effectivement, il s'est trompé. Effectivement, il aurait mieux fait de rester chez lui.*

② effectif n. m. **1.** Nombre réglementaire des hommes qui constituent une formation militaire. *L'effectif d'un bataillon.* — Au plur. *Nous avons augmenté nos effectifs, nos troupes.* **2.** Nombre des membres (d'un groupe). *L'effectif d'une classe. Les effectifs d'une entreprise.*

effectuer [efɛktɥe] v. tr. ▪ conjug. 1. ▪ Faire, exécuter (une opération complexe ou délicate, techni-

que). *Il faut effectuer les réformes indispensables. Effectuer une dépense.* — Pronominalement. *Un mouvement qui s'effectue en deux temps.*

efféminé, ée [efemine] adj. ▪ Qui a les caractères physiques et moraux qu'on prête traditionnellement aux femmes. *Des manières efféminées.* ⇒ **féminin.** / contr. **mâle, viril** /

effervescence [efɛʀvesɑ̃s] n. f. **1.** Bouillonnement produit par un dégagement de gaz lorsque certaines substances entrent en contact. *La chaux vive est en effervescence au contact de l'eau.* **2.** Agitation, émotion vive mais passagère. ⇒ **fermentation, mouvement.** *Une effervescence révolutionnaire. Cet événement a mis tout le pays en effervescence.* ⇒ **agitation, émoi.** ▶ **effervescent, ente** adj. ▪ En effervescence. *Boisson effervescente, gazeuse. Des comprimés effervescents.* — *Une foule effervescente.* ⇒ **tumultueux.**

① effet [efɛ] n. m. **1.** Ce qui est produit par une cause. ⇒ **conséquence, résultat, suite.** / contr. **cause** / *Rapport de cause à effet. Un effet du hasard. Les mesures sont restées sans effet. Il ressent les effets de la fatigue.* — Puissance transmise (par une force, une machine). *Machine à double effet.* **2.** Phénomène particulier (acoustique, électrique, etc.) apparaissant dans certaines conditions. **3.** (Exécution) Loc. *Loi qui prend effet à telle date,* qui devient applicable, exécutoire à cette date. — EN EFFET loc. adv. : s'emploie pour introduire un argument, une explication. ⇒ **car.** *En effet, je lui ai demandé de venir.* ⇒ **effectivement.** — À CET EFFET : en vue de cela, pour cet usage. **4.** Impression produite (sur qqn). *Un effet de surprise. Son intervention a fait très mauvais effet sur l'auditoire.* — FAIRE EFFET, FAIRE DE L'EFFET : produire une vive impression. ⇒ faire **sensation.** — FAIRE L'EFFET DE : donner l'impression de, avoir l'air de. *Il nous fait l'effet d'un revenant. Cela m'a fait l'effet d'un reproche.* **5.** Impression esthétique recherchée par l'emploi de certaines techniques. *Manquer, rater son effet.* — Sans compl. (Surtout péj.) *Des phrases à effet,* prétentieuses. — Au plur. Impression recherchée par des gestes, des attitudes. *Faire des effets de jambes, de voix.*

② effet n. m. ▪ EFFET (DE COMMERCE) : titre donnant droit au paiement d'une somme d'argent à une échéance (billet, chèque, traite). *Payer, encaisser un effet.* — *Effets publics,* rentes, obligations, bons du Trésor, émis et garantis par l'État, les départements, les établissements publics.

effets n. m. pl. ▪ Le linge et les vêtements. ⇒ **vêtement.** *Ranger ses effets dans une valise. Des effets militaires.*

effeuiller [efœje] v. tr. ▪ conjug. 1. **1.** Dépouiller de ses feuilles. *Effeuiller une branche. Effeuiller des artichauts.* — Au p. p. adj. *Un arbre effeuillé.* **2.** Dépouiller de ses pétales. — (Par jeu ou par superstition) *Effeuiller la marguerite,* pour savoir si on est aimé, en disant, à chaque pétale qu'on enlève : « il (ou elle) m'aime, un peu, beaucoup, passionnément, à la folie, pas du tout ».

efficace [efikas] adj. **1.** (Choses) Qui produit l'effet qu'on en attend. ⇒ **actif, puissant, souverain.** *Un remède, un traitement efficace. Il m'a apporté une aide efficace.* **2.** (Personnes) Dont la volonté, l'activité produisent leur effet. *Un collaborateur efficace.* / contr. **inefficace** / ▶ **efficacement** adv. ▪ D'une manière efficace. *Il a su intervenir efficacement.* ▶ **efficacité** n. f. **1.** Caractère de ce qui est efficace. ⇒ **action.** **2.** Capacité de produire le maximum de résultats avec le minimum d'effort, de dépense. ⇒ **rendement.** *Il recherche l'efficacité, il a le sens de l'efficacité. Il travaille correctement, mais il manque d'efficacité.*

effigie [efiʒi] n. f. **1.** (Peinture, sculpture) Représentation d'une personne. ⇒ **image, portrait.** — Loc. *Pendre, brûler, exécuter qqn en effigie,* pendre, brûler, exécuter un mannequin le représentant. **2.** Représentation du visage (d'une personne), sur une monnaie, une médaille. *Pièce de dix francs à l'effigie de Victor Hugo.*

① *effiler* [efile] v. tr. ▪ conjug. 1. **1.** Défaire (un tissu) fil à fil. ⇒ **effilocher.** *Effiler un tissu. Effiler des haricots verts,* en enlever les fils. — Pronominalement. *Le bord de son écharpe s'effile.* ▶ ① *effilé* n. m. ▪ Frange d'une étoffe, formée en effilant la chaîne du tissu. *Les effilés d'un châle.* ▶ *effilocher* v. tr. ▪ conjug. 1. ▪ Effiler (des tissus, des chiffons) pour réduire en bourre, en ouate. — Au p. p. adj. Qui laisse échapper des fils. *Un pull tout effiloché aux poignets.* — Pronominalement. (Tissu) *S'effilocher,* devenir effiloché.

② *effiler* v. tr. ▪ conjug. 1. ▪ Rendre allongé et fin ou pointu. ⇒ **allonger, amincir.** *Il effile la pointe de son crayon.* — *Effiler les cheveux,* en amincissant les mèches à leur extrémité. ▶ ② *effilé, ée* adj. ▪ Qui va en s'amincissant ; mince et allongé. *Un crayon bien effilé. Des doigts effilés.* / contr. **épais, large** /

efflanqué, ée [eflɑ̃ke] adj. ▪ (Surtout du cheval) Trop maigre. *Un vieux cheval efflanqué.* ⇒ **maigre, squelettique.** — (Personnes) *Il paraissait tout efflanqué dans cet uniforme.*

effleurer [eflœʀe] v. tr. ▪ conjug. 1. **1.** Toucher légèrement, du bout des doigts, des lèvres. ⇒ **frôler.** *Il effleura mon bras.* **2.** Abstrait. Toucher à peine (un sujet), examiner superficiellement. *Il n'a fait qu'effleurer le problème.* — (Choses) Faire une impression légère et fugitive sur (qqn). *Cette idée ne m'avait jamais effleuré.* ▶ *effleurement* n. m. ▪ Caresse ou atteinte légère. ⇒ **frôlement.**

efflorescence [eflɔʀesɑ̃s] n. f. ▪ Littér. Floraison, épanouissement (d'un art, d'idées...). ▶ *efflorescent, ente* adj. ▪ Littér. En pleine floraison. *Une végétation efflorescente.* ⇒ **luxuriant.**

effluve [eflyv] n. m. **1.** Littér. (Surtout au plur.) Émanation qui se dégage d'un corps vivant, ou de certaines substances. ⇒ **exhalaison.** *Les effluves légers des tilleuls en fleur.* **2.** *Effluve électrique,* décharge électrique à faible luminescence. *L'air est chargé d'effluves avant un orage.*

s'effondrer [efɔ̃dʀe] v. pron. ▪ conjug. 1. **1.** Crouler sous le poids ou faute d'appui. ⇒ **s'affaisser,** s'**écrouler.** *La galerie s'est effondrée sur les mineurs.* **2.** Fig. S'écrouler, ne plus tenir. *Toute son histoire s'effondre.* **3.** (Personnes) Tomber comme une masse. *Il s'est effondré dans le fauteuil.* Spécialt. *Les hommes s'effondraient par dizaines,* tombaient morts ou blessés. — Céder brusquement. *Interrogé pendant des heures, le suspect a fini par s'effondrer.* ⇒ **craquer.** ▶ *effondré, ée* adj. ▪ *Un toit effondré.* — (Personnes) Très abattu, sans réaction (après un malheur, un échec). *Après l'accident, il est resté complètement effondré.* ▶ *effondrement* n. m. **1.** Fait de s'effondrer. ⇒ **éboulement, écroulement.** *L'effondrement d'un mur, d'un toit.* Fig. Chute, fin brutale. ⇒ **ruine.** *L'effondrement de l'Empire romain. L'effondrement du prix des matières premières.* **3.** (Personnes) État d'abattement extrême. *Il est dans un état d'effondrement complet.* — Écroulement physique. *L'effondrement d'un sportif après des efforts trop violents.*

s'efforcer [efɔʀse] v. pron. ▪ conjug. 3. **1.** S'EFFORCER DE (+ infinitif) : faire tous ses efforts, employer toute sa force, son adresse, son intelligence en vue de (faire, comprendre, etc.). *Je m'efforce de rester*

calme. *Il s'efforce de m'entraîner, de me convaincre.* ⇒ **s'appliquer, s'évertuer, tâcher. 2.** Littér. S'EFFORCER À (+ nom) : faire des efforts pour atteindre un but. *Il s'efforçait à un travail soigneux.* ▶ *effort* [efɔʀ] n. m. **1.** Activité d'un être conscient qui emploie toutes ses forces pour agir, vaincre une résistance (extérieure ou intérieure). *Effort physique* (caractérisé par les contractions musculaires). *Effort intellectuel,* tension de l'esprit. *Un effort de mémoire, d'imagination. Un effort soutenu, constant. Faire un effort, des efforts pour...* ⇒ **s'efforcer.** *Faire tous ses efforts,* tout son possible. *Continuez vos efforts.* — Loc. *Je veux bien faire un effort,* envisager une aide financière. ⇒ **sacrifice.** *Allons, faites un petit effort !,* manifestez votre bonne volonté. — *Un partisan du moindre effort,* un paresseux. *Il ne fait aucun effort,* il ne travaille pas. — Loc. adv. *Il le fait sans effort,* facilement. **2.** En sciences, technique. Force exercée. *Effort de traction, de torsion.* — Force de résistance aux forces extérieures. *L'effort des arches d'un pont.*

effraction [efʀaksjɔ̃] n. f. ▪ Bris de clôture ou de serrures. *Vol avec effraction* (circonstance aggravante). *Pénétrer dans une maison par effraction.*

effraie [efʀɛ] n. f. ▪ Chouette au plumage clair, destructrice de rongeurs.

effranger [efʀɑ̃ʒe] v. tr. ▪ conjug. 3. ▪ Effiler sur les bords de manière que les fils pendent. — Plus cour. Pronominalement. *Le pantalon commence à s'effranger au talon.* ⇒ s'**effilocher.**

effrayer [efʀeje] v. tr. ▪ conjug. 8. ▪ Frapper de frayeur, faire peur à. ⇒ **épouvanter, terrifier.** / contr. **rassurer** / *Les coups de tonnerre l'effrayaient. Il est facile à effrayer.* — Au p. p. *Ils se sauvaient, effrayés par les flammes.* — Pronominalement. Avoir peur. *Il s'effraie pour rien.* ⇒ s'**affoler.** ▶ *effrayant, ante* [efʀejɑ̃, ɑ̃t] adj. **1.** Qui inspire ou peut inspirer de la frayeur. ⇒ **effroyable, épouvantable, terrible.** / contr. **rassurant** / *J'ai fait un cauchemar effrayant.* **2.** Fam. Extraordinaire, extrême. ⇒ **formidable.** *Il fait une chaleur effrayante. Ça coûte un prix effrayant.*

effréné, ée [efʀene] adj. ▪ Littér. Qui est sans retenue, sans mesure. *Une course effrénée.* — Abstrait. *Une jalousie effrénée.* ⇒ **démesuré, immodéré.**

effriter [efʀite] v. tr. ▪ conjug. 1. **1.** Rendre friable, réduire en poussière. *Effriter un croûton de pain.* — S'EFFRITER v. pron. : se désagréger progressivement, tomber en poussière. *Le bois vermoulu s'effritait.* **2.** Fig. S'EFFRITER v. pron. : s'affaiblir en perdant des éléments. ⇒ s'**amenuiser.** *La majorité gouvernementale s'effrite à chaque vote.* ▶ *effritement* n. m. ▪ Fait de s'effriter, état de ce qui est effrité. ⇒ **désagrégation.**

effroi [efʀwa(a)] n. m. ▪ Littér. Grande frayeur, souvent mêlée d'horreur. ⇒ **épouvante, terreur.** *Un cri d'effroi.* ⟨ ▶ **effroyable** ⟩

effronté, ée [efʀɔ̃te] adj. et n. ▪ Qui est d'une grande insolence, qui n'a honte de rien. *Voilà un garçon bien effronté !* / contr. **timide** / — N. *Taisez-vous, petit effronté !* ⇒ **insolent.** ▶ *effrontément* adv. ▪ D'une manière effrontée. *Il mentait effrontément.* ▶ *effronterie* n. f. ▪ Caractère, attitude d'une personne effrontée. ⇒ **impudence, insolence.** / contr. **timidité** / *Le gamin la regardait avec effronterie.*

effroyable [efʀwajabl] adj. **1.** Très effrayant. *Une effroyable catastrophe.* ⇒ **effrayant, terrible.** *Le tremblement de terre fut effroyable. Il vivait dans une misère effroyable.* **2.** Fig. Énorme. *C'est effroyable, le temps que l'on peut perdre.* ⇒ **effrayant** (2). ▶ *effroyablement* adv. ▪ Fam. Extrêmement, terriblement. *Une affaire effroyablement compliquée.*

effusion [efyzjɔ̃] n. f. **1.** *Effusion de sang*, action de faire couler le sang (dans une action violente). *L'ordre a été rétabli sans effusion de sang.* **2.** Littér. Manifestation sincère d'un sentiment. *Il nous a remerciés avec effusion.* / contr. **froideur** / *Je n'aime guère toutes ces embrassades et effusions.*

s'égailler [egaje] v. pron. ▪ conjug. 1. ■ Se disperser, s'éparpiller. *Le jeu commençant, les enfants s'égaillèrent dans le bois pour s'y cacher.* ≠ **égayer** (qui se prononce autrement).

égal, ale, aux [egal, o] adj. et n. **1.** (Personnes, choses) Qui est de même quantité, dimension, nature, qualité ou valeur. ⇒ **identique, même ; équivalent.** / contr. **inégal ; différent** / *Elle a découpé la tarte en parts égales. Deux quantités égales à une même troisième sont égales entre elles. Ils sont de force égale.* — Loc. *Toutes choses égales d'ailleurs*, en supposant que tous les autres éléments de la situation restent les mêmes. — *N'avoir d'égal que...*, n'être égalé que par. *Sa sottise n'a d'égale que sa méchanceté.* **2.** Qui met à égalité. *La partie n'est pas égale.* — Loc. *Faire jeu égal*, se dit d'adversaires qui se montrent de force égale. **3.** (Personnes) Qui est sur le même rang ; qui a les mêmes droits ou charges. ⇒ **pareil.** *Tous les citoyens sont égaux devant la loi. Être, rester égal à soi-même*, garder le même caractère. — N. Personne égale par le mérite ou par la condition. *La femme est l'égale de l'homme. Il a trouvé son égal.* Loc. *Traiter d'égal à égal avec qqn*, sur un pied d'égalité. — *Sans égal(e)*, qui n'a pas son pareil, inégalable. *Il est d'une gentillesse sans égal(e).* Invar. au masc. plur. *Des élans sans égal.* — *À l'égal de*, autant que. **4.** Qui est toujours le même ; qui ne varie pas. ⇒ **constant, régulier.** / contr. **irrégulier** / *Un pouls égal. Il parlait d'une voix égale. Une humeur toujours égale.* **5.** Loc. *Ça m'est* (bien, complètement, parfaitement, tout à fait) *égal*, ça ne m'intéresse pas. *Faites ce que vous voulez, ça m'est bien égal.* — *C'est égal*, quoi qu'il en soit, malgré tout. *C'est égal, je préfère ne pas le voir.* ▶ **également** adv. **1.** D'une manière égale. *Sa fortune doit être également partagée entre ses deux enfants.* **2.** De même, aussi. *Je lui ai parlé, mais je tiens à vous en parler également.* ▶ **égaler** v. tr. ▪ conjug. 1. **1.** Être égal à. *Une œuvre que rien n'égale en beauté.* — Avoir la même qualité, le même intérêt que. *La réalité égale et souvent dépasse la fiction.* **2.** Être égal en quantité à. *Deux plus trois égalent cinq* (2 + 3 = 5). — REM. Le verbe peut rester au singulier. *Deux plus trois égale cinq.* **3.** *Égaler un record*, réussir le même temps, le même nombre de points. ▶ **égaliser** v. tr. ▪ conjug. 1. **1.** Rendre égal quant à la quantité ou aux dimensions. *Le jardinier égalise les rameaux d'une haie. Se faire égaliser les cheveux.* — Aplanir, niveler (un terrain, une surface...). **2.** Intransitivement. Obtenir le même nombre de points, de buts que l'adversaire. *À la mi-temps, l'équipe adverse avait égalisé.* ▶ **égalisation** n. f. ■ Action d'égaliser. *L'égalisation des salaires de diverses zones. Notre équipe a obtenu l'égalisation, a réussi à égaliser.* ▶ **égalité** n. f. **1.** Caractère de ce qui est égal. *L'égalité des forces en présence. Les joueurs sont à égalité* (de points). ⇒ **ex æquo.** *Comparatif d'égalité* (aussi, autant... que). **2.** Rapport entre individus égaux. *L'égalité devant la loi. Égalité civile, politique. L'égalité des chances.* **3.** Rapport entre des grandeurs égales ; formule qui exprime ce rapport. *L'égalité de deux nombres.* **4.** Qualité de ce qui est constant, régulier. *J'admire l'égalité de son humeur.* ▶ **égalitaire** adj. ■ Qui vise à l'égalité (2) entre les hommes. *La répartition égalitaire des richesses.* ‹ ▶ **inégal** ›

égard [egaʀ] n. m. **1.** Loc. AVOIR ÉGARD À : considérer (une personne ou une chose) avec une particulière attention. *Il faut avoir égard aux circonstances.* — EU ÉGARD À loc. prép. : en considération, en tenant compte de. *Il ne participe plus aux compétitions eu égard à son âge.* — À L'ÉGARD DE loc. prép. : pour ce qui concerne (qqn). ⇒ **envers.** *Votre indifférence à mon égard, à l'égard de ma famille.* — À CET ÉGARD loc. adv. : sous ce rapport, de ce point de vue. *Ne craignez rien à cet égard.* — À TOUS ÉGARDS loc. adv. : sous tous les rapports. *Un appartement agréable à tous égards.* **2.** Considération d'ordre moral, déférence, respect. *Si je l'ai fait, c'est par égard pour votre père. Vous agissez sans égard pour vos parents.* — Au plur. Marques de considération, d'estime. *Il a été reçu avec les égards dus à son rang. Avoir des égards pour qqn.* ⇒ **gentillesse.**

égarer [egaʀe] v. tr. ▪ conjug. 1. **1.** Mettre hors du bon chemin. ⇒ **fourvoyer.** *Le guide nous a égarés.* — Mettre (une chose) à une place qu'on oublie ; perdre momentanément. *J'ai égaré mes clefs.* ⇒ **perdre. 2.** (Compl. personne) Mettre hors du droit chemin, écarter de la vérité, du bien. ⇒ **tromper.** *La passion, la colère vous égare.* **3.** V. pron. S'ÉGARER : (Choses, personnes) se perdre. *La lettre a dû s'égarer. Il s'est égaré dans la forêt.* — Fig. Faire fausse route, sortir du sujet. *La discussion s'égare.* — (Personnes) Sortir du bon sens. *Sa raison s'égarait.* ▶ **égaré, ée** adj. **1.** Qui a perdu son chemin. *Un voyageur égaré.* — Qui a été égaré. *Un objet égaré.* **2.** Qui est comme fou ; trahit le désordre mental. *Un regard égaré.* ▶ **égarement** n. m. ■ Littér. État d'une personne qui s'écarte du bon sens. ⇒ **dérèglement, désordre.** *Dans un moment d'égarement, il l'a frappé.*

égayer [egeje] v. tr. ▪ conjug. 8. **1.** Littér. Rendre gai, amuser. ⇒ **divertir, réjouir.** *Il savait nous égayer par ses plaisanteries.* — (Choses) Rendre agréable, colorer d'une certaine gaieté. *Des bibelots, des rideaux qui égaient une pièce. Cet intermède a égayé la séance.* **2.** S'ÉGAYER v. pron. : s'amuser. *S'égayer aux dépens de qqn*, en se moquant. ≠ **s'égailler** (qui se prononce autrement).

égérie [eʒeʀi] n. f. ■ Conseillère, inspiratrice (d'un homme politique, d'un artiste).

égide [eʒid] n. f. ■ Littér. Loc. SOUS L'ÉGIDE DE : sous la protection (d'une autorité, d'une loi). *Prendre qqn sous son égide.*

églantier [eglɑ̃tje] n. m. ■ Rosier sauvage. ▶ **églantine** n. f. ■ Fleur de l'églantier.

églefin [egləfɛ̃] n. m. ■ Poisson de mer, proche de la morue. *Églefin fumé.* ⇒ **haddock.** — REM. On dit aussi *aiglefin* [egləfɛ̃], n. m. ≠ *aigrefin.*

église [egliz] n. f. **I.** (Avec une majuscule) *L'Église.* **1.** Ensemble des personnes qui ont la foi en Jésus-Christ. ⇒ **chrétienté. 2.** Ensemble de fidèles unis, au sein du christianisme, dans une communion particulière. ⇒ **confession, religion.** *L'Église catholique, orthodoxe. Les Églises réformées ou protestantes.* **3.** *L'Église catholique. Les prières, les cérémonies, les chants de l'Église. L'Église et l'État.* **4.** L'état ecclésiastique, l'ensemble des ecclésiastiques. ⇒ **clergé.** *Un homme d'Église. L'Église, l'Épée, la Robe*, les trois états (Église, noblesse, magistrature), sous l'Ancien Régime. **II.** (Une, des églises) Édifice consacré au culte de la religion chrétienne, surtout catholique (on dit *temple* pour le culte protestant). ⇒ **basilique, cathédrale, chapelle ; abbatiale.** *Église paroissiale. Église romane, gothique. Aller à l'église*, dans une église particulière ou en général dans les églises. *Elle ne va plus à l'église*, elle ne pratique plus la religion.

églogue [eglɔg] n. f. ■ Petit poème pastoral ou champêtre. ⇒ **bucolique, idylle, pastorale.**

égocentrique [egosɑ̃tʀik] adj. ■ Qui rapporte tout à soi. ▶ *égocentrisme* n. m. ■ Tendance à tout rapporter à soi, à ne s'intéresser vraiment qu'à soi.

égoïne [egɔin] n. f. ■ Petite scie à main, composée d'une lame terminée par une poignée (on s'en sert seul). — En appos. *Une scie égoïne.*

égoïsme [egɔism] n. m. ■ Attachement excessif à soi-même qui fait que l'on recherche exclusivement son plaisir et son intérêt personnels. / contr. altruisme / — Tendance, chez les membres d'un groupe, à tout subordonner à leur intérêt. *Un égoïsme de classe.* ▶ *égoïste* adj. et n. ■ Qui fait preuve d'égoïsme, est caractérisé par l'égoïsme. *Une attitude égoïste. Il se conduit en égoïste.* / contr. altruiste / ▶ *égoïstement* adv. ■ D'une manière égoïste. *Il profite égoïstement de la situation.* ⟨ ▶ égocentrique ⟩

égorger [egɔʀʒe] v. tr. ▪ conjug. 3. ■ Tuer (un animal, un être humain) en lui coupant la gorge. *Égorger un cochon.* ⇒ saigner. *La victime a été égorgée à coups de rasoir.* ▶ *égorgeur, euse* n. ■ Assassin qui égorge ses victimes.

s'égosiller [egozije] v. pron. ▪ conjug. 1. 1. Se fatiguer la gorge à force de parler, de crier. ⇒ s'époumoner. *Il s'égosillait à lui expliquer comment s'y prendre.* 2. (Surtout en parlant des oiseaux) Chanter longtemps le plus fort possible.

égout [egu] n. m. ■ Canalisation, généralement souterraine, servant à l'écoulement et à l'évacuation des eaux ménagères et industrielles des villes. *Les eaux d'égout. Le réseau des égouts de Paris.* — BOUCHE D'ÉGOUT : orifice sur le bord d'une chaussée pour l'écoulement des eaux. ▶ *égoutier* [egutje] n. m. ■ Personne qui travaille à l'entretien des égouts.

égoutter [egute] v. tr. ▪ conjug. 1. ■ Débarrasser (une chose) d'un liquide qu'on fait écouler goutte à goutte. *Égoutter des légumes. Fromages frais qu'on n'a pas encore égouttés.* — Pronominalement. Perdre son eau goutte à goutte. *Laisser la vaisselle s'égoutter.* ▶ *égouttoir* n. m. ■ Appareil qui sert à faire égoutter qqch. *Égouttoir à vaisselle, à fromages.*

égrapper [egʀape] v. tr. ▪ conjug. 1. ■ Détacher (les fruits) de la grappe. *Égrapper des raisins, des groseilles.* — Au p. p. *Marc égrappé, de raisins égrappés.*

égratigner [egʀatiɲe] v. tr. ▪ conjug. 1. 1. Écorcher, en déchirant superficiellement la peau. ⇒ érafler, griffer. *Le chat lui a égratigné la main.* — Pronominalement. *Elle s'est égratignée en cueillant des mûres.* — Entamer superficiellement (une matière quelconque). ⇒ érailler. *Le vernis du meuble a été égratigné.* — Au p. p. adj. *Une reliure égratignée.* 2. Abstrait. Blesser légèrement par un mot, un trait ironique. *Les critiques l'ont un peu égratigné.* ▶ *égratignure* n. f. ■ Blessure superficielle et sans gravité. ⇒ écorchure, éraflure. *Il s'est tiré de l'accident sans une égratignure, sans la moindre blessure.*

égrener [egʀəne] v. tr. ▪ conjug. 5. 1. Dégarnir de ses grains (un épi, une cosse, une grappe). *Égrener du blé.* 2. *Égrener un chapelet,* en faire passer chaque grain successivement entre ses doigts à chaque prière. 3. Faire entendre un à un, de façon détachée. *L'horloge égrène les heures.* 4. S'ÉGRENER v. pron. : s'allonger en file en se divisant en éléments successifs. *La bande commença à s'égrener.* ▶ *égrenage* n. m. ■ Action d'égrener. *L'égrenage du maïs.*

égrillard, arde [egʀijaʀ, aʀd] adj. ■ Qui se complaît dans des propos ou des sous-entendus licencieux. / contr. pudibond, réservé / *À la fin du repas, il devenait égrillard. Une chanson égrillarde.* ⇒ osé, salé.

égyptien, ienne [eʒipsjɛ̃, jɛn] adj. et n. ■ De l'Égypte (ancienne ou moderne). *Le delta égyptien.* — N. *Les Égyptiens.* — N. m. *L'égyptien ancien,* la langue des anciens Égyptiens (⇒ hiéroglyphe). *L'égyptien moderne,* l'arabe d'Égypte. ▶ *égyptologie* n. f. ■ Connaissance de l'ancienne Égypte, de son histoire, de sa langue, de sa civilisation. ▶ *égyptologue* n. ■ Spécialiste d'égyptologie ; archéologue qui s'occupe des antiquités égyptiennes.

eh [e] interj. ■ Exclamation, variante de *hé ! Eh ! Fais attention !* — Renforce le mot suivant. *Eh oui ! c'est comme ça !*

éhonté, ée [eɔ̃te] adj. ■ Qui n'a pas honte en commettant des actes répréhensibles. ⇒ cynique, impudent. *Un tricheur éhonté.* — *C'est un mensonge éhonté.*

eider [ɛdɛʀ] n. m. ■ Genre de grand canard des pays du Nord, fournissant un duvet apprécié. *Des eiders.*

éjaculer [eʒakyle] v. intr. ▪ conjug. 1. ■ Émettre le sperme. ▶ *éjaculation* n. f. ■ Émission du sperme par la verge en érection.

éjecter [eʒɛkte] v. tr. ▪ conjug. 1. 1. Rejeter en dehors. *La douille est éjectée quand le tireur réarme.* 2. Fam. (Compl. personne) Expulser, renvoyer. *Il s'est fait éjecter avec perte et fracas.* ▶ *éjectable* adj. ■ Siège, cabine éjectable, qui peut être éjecté(e) hors de l'avion, avec son occupant, en cas de perdition. ▶ *éjecteur* n. m. ■ Appareil, mécanisme servant à éjecter une pièce, à évacuer un fluide. *L'éjecteur d'un fusil.* ▶ *éjection* n. f. ■ Action d'éjecter, fait d'être éjecté (1 et 2). *L'éjection d'une douille.* — Fam. *L'éjection d'un contestataire, lors d'une réunion.*

élaborer [elabɔʀe] v. tr. ▪ conjug. 1. 1. Préparer mûrement, par un lent travail de l'esprit. ⇒ combiner, former. *Nous avons soigneusement élaboré ce plan.* 2. Produire (une substance organique) par une transformation physiologique. *Les globules blancs élaborent des antitoxines.* ▶ *élaboration* n. f. 1. Action d'élaborer par un travail intellectuel. *L'élaboration d'un projet, d'un ouvrage.* 2. Production (d'une substance organique) par une transformation physiologique. *L'élaboration de la bile par le foie.*

élaguer [elage] v. tr. ▪ conjug. 1. 1. Dépouiller (un arbre) des branches superflues. ⇒ ébrancher, tailler. *Élaguer des branches mortes.* 2. Fig. Débarrasser des détails ou développements inutiles. *Il faut élaguer votre exposé.* — Retrancher. *Il y a beaucoup à élaguer dans cet article.* ▶ *élagage* n. m. ■ Action d'élaguer. *L'élagage d'un arbre.*

① **élan** [elɑ̃] n. m. 1. Mouvement par lequel on s'élance. *Il a mal calculé son élan.* — Mouvement progressif préparant l'exécution d'un saut, d'un exercice. *Le sauteur prend son élan.* — Mouvement d'une chose lancée. *Un camion emporté par son élan.* 2. Fig. Mouvement ardent, subit, qu'un vif sentiment inspire. ⇒ transport. *Il ne sait pas contenir ses élans. Un élan d'enthousiasme.* — Mouvement affectueux, moment d'expansion. *Il n'a jamais un élan vers elle.*

② **élan** n. m. ■ Grand cerf des pays du Nord, à grosse tête, aux bois aplatis en éventail.

élancé, ée [elɑ̃se] adj. ■ Mince et svelte. *Une jeune fille élancée.*

① **élancer** [elɑ̃se] v. intr. ▪ conjug. 3. ■ Causer des élancements. *Son doigt (lui) élance. Ça m'élance.* ▶ *élancement* n. m. ■ Douleur brusque, aiguë, lancinante.

② **s'élancer** v. pron. ▪ conjug. 3. ■ Se lancer en avant avec force et vitesse. ⇒ se précipiter, se ruer ; ① élan. *Les passants s'élancèrent à sa poursuite.*

① **élargir** [elaʀʒiʀ] v. tr. ▪ conjug. 2. **1.** Rendre plus large. / contr. **rétrécir** / *On a élargi la route.* ⇒ **agrandir.** *Elle a dû élargir sa jupe.* — Pronominalement. Devenir plus large. *Le sentier s'élargissait.* — Au p. p. adj. *Des souliers élargis.* — Faire paraître plus large. *Cette veste élargit sa taille, lui élargit les épaules.* **2.** Abstrait. Rendre plus ample, plus général. ⇒ **étendre.** / contr. **limiter** / *Il faut élargir le débat.* — Au p. p. adj. *Le gouvernement s'appuiera sur une majorité élargie.* **3.** Intransitivement. Fam. *Il a élargi,* il a pris de la carrure. ⇒ **forcir.** ▶ ① **élargissement** n. m. **1.** Action d'élargir, fait de s'élargir. *Les travaux d'élargissement d'une rue.* **2.** Abstrait. Action de rendre plus ample. ⇒ **développement, extension.** *L'élargissement d'une influence.*

② **élargir** v. tr. ▪ conjug. 2. ▪ Mettre en liberté (un détenu). ⇒ **libérer, relâcher** / contr. **emprisonner, incarcérer** / ▶ ② **élargissement** n. m. ▪ Mise en liberté (d'un détenu). / contr. **emprisonnement, incarcération** / *Les avocats ont obtenu son élargissement.*

élasticité [elastisite] n. f. **1.** Propriété qu'ont certains corps de reprendre (au moins partiellement) leur forme et leur volume primitifs quand la force qui s'exerçait sur eux cesse d'agir. *L'élasticité du caoutchouc, des gaz.* **2.** Souplesse (de l'allure, des mouvements). *L'élasticité de la démarche du chat.* **3.** Abstrait. Possibilité de s'interpréter, de s'appliquer de façons diverses. / contr. **rigidité** / *Profiter de l'élasticité d'un règlement.* — Faculté d'adaptation d'un phénomène à des influences extérieures. *L'élasticité de l'offre et de la demande.* ▶ **élastique** adj. et n. **I.** Adj. **1.** Qui a de l'élasticité. ⇒ **compressible, extensible, flexible.** *Les gaz sont très élastiques.* — Fait d'une matière douée d'élasticité. *Bretelles élastiques.* **2.** Souple. *Une foulée élastique.* **3.** Abstrait. Dont on peut étendre le sens, l'application. / contr. **rigide, rigoureux** / *Une notion assez élastique.* — Péj. *Une conscience, une morale élastique,* sans rigueur, très accommodante. **II.** N. m. Tissu souple contenant des fils de caoutchouc. *Des bretelles en élastique.* — Ruban d'une matière élastique. ⇒ **caoutchouc.** *Mettre des élastiques à des chaussettes.* ▶ **élastomère** n. m. ▪ Caoutchouc synthétique. *Semelles en élastomère.*

eldorado [ɛldɔʀado] n. m. ▪ Pays merveilleux d'abondance et de délices (→ pays de cocagne). *Des eldorados.*

électeur, trice [elɛktœʀ, tʀis] n. **1.** Personne qui a le droit de vote dans une élection. *L'inscription d'un électeur sur une liste électorale. Le candidat sollicite le suffrage des électeurs.* **2.** Histoire. Prince, évêque de l'Empire germanique ayant le droit d'élire l'empereur. *L'électeur palatin.* ▶ **élection** [elɛksjɔ̃] n. f. **1.** Choix, désignation d'une ou plusieurs personnes par un vote. *Procéder à l'élection du président.* — *Les (élections) législatives,* des députés. *L'élection présidentielle,* d'un président. *Les (élections) municipales,* des conseillers municipaux. *Les (élections) cantonales,* des conseillers généraux. *Fixer la date des élections.* **2.** Loc. D'ÉLECTION : qu'on a choisi. *C'est sa patrie d'élection.* ▶ **électif, ive** [elɛktif, iv] adj. ▪ Nommé ou conféré par élection. *Le pape est électif. Une charge élective.* ▶ **électoral, ale, aux** adj. ▪ Relatif aux élections. *Loi électorale. Réunion électorale. Liste électorale,* des électeurs. ▶ **électorat** n. m. **1.** Qualité d'électeur, usage du droit d'électeur. *En France, les femmes ont obtenu l'électorat en 1946.* **2.** Ensemble des électeurs. *L'électorat français. L'électorat féminin, l'électorat communiste.* ‹ ▶ **pré-électoral, réélection** ›

électricité [elɛktʀisite] n. f. ▪ Une des formes de l'énergie, mise en évidence par la structure de la matière ; ensemble des phénomènes causés par une charge électrique. *Électricité et magnétisme.* ⇒ **électromagnétisme.** *Électricité statique,* en équilibre (phénomènes d'électrisation par frottement, par contact). ⇒ **électrostatique.** *Électricité dynamique,* courant électrique. ⇒ **électrodynamique.** — Loc. fig. *Il y a de l'électricité dans l'air,* les gens sont nerveux, excités. — Cette énergie dans son usage domestique. *Se chauffer à l'électricité. Payer une note d'électricité. Une panne, une coupure d'électricité.* Fam. *Allumer, éteindre l'électricité,* l'éclairage électrique. ▶ **électricien, ienne** n. ▪ Technicien(ienne) ou ouvrier(ère) spécialisé(e) dans le matériel et les installations électriques. ▶ **électrifier** v. tr. ▪ conjug. 7. **1.** Faire fonctionner en utilisant l'énergie électrique. *Électrifier une ligne de chemin de fer.* — Au p. p. adj. *Une ligne électrifiée.* **2.** Pourvoir d'énergie électrique. *Électrifier un village.* ▶ **électrification** n. f. ▪ Action d'électrifier. *L'électrification du réseau ferroviaire.* ▶ **électrique** adj. **1.** Propre ou relatif à l'électricité. *L'énergie électrique. Charge, courant électrique. L'équipement électrique d'un pays* — Qui utilise l'électricité. *L'éclairage électrique.* **2.** Qui marche à l'électricité. *Fer à repasser, four, rasoir électriques. Il joue au train électrique.* — *La chaise* électrique.* **3.** *Bleu électrique,* bleu vert, très vif. ▶ **électriquement** adv. ▪ Par l'énergie électrique. *Horloge mue électriquement.* ‹ ▶ **électriser, électro-, électrocuter, électrode, électron, hydro-électrique, photo-électrique, radioélectrique, thermoélectrique, triboélectricité** ›

électriser [elɛktʀize] v. tr. ▪ conjug. 1. **1.** Communiquer à (un corps) des propriétés, des charges électriques. — Au p. p. *Corps électrisé par frottement.* **2.** Fig. Animer, pousser à l'action, en produisant une impression vive, exaltante. ⇒ **enflammer, galvaniser, transporter.** *L'orateur avait électrisé la foule.* ▶ **électrisation** n. f. ▪ Action d'électriser, fait d'être électrisé.

électro- ▪ Élément signifiant « électrique ». ‹ ▶ **électroacoustique, électrocardiogramme, électrochimie, électrochoc, électrodynamique, électroencéphalogramme, électrogène, électrolyse, électromagnétisme, électroménager, électrophone, électrostatique, électrotechnique** ›

électroacoustique [elɛktʀoakustik] adj. et n. f. ▪ Technique de production, d'enregistrement et de reproduction des sons. — Adj. *Musique électroacoustique.*

électrocardiogramme [elɛktʀokaʀdjɔgʀam] n. m. ▪ Tracé obtenu par enregistrement des phénomènes électriques du cœur vivant (ou *électrocardiographie*).

électrochimie [elɛktʀoʃimi] n. f. ▪ Étude et technique des applications industrielles de l'électricité. *Une usine d'électrochimie.* ▶ **électrochimique** adj.

électrochoc [elɛktʀoʃɔk] n. m. ▪ Procédé de traitement psychiatrique consistant à provoquer une perte de conscience, suivie de convulsions, par le passage d'un courant alternatif à travers la boîte crânienne. *On lui a fait des électrochocs.*

électrocuter [elɛktʀokyte] v. tr. ▪ conjug. 1. ▪ Tuer par une décharge électrique. *Dans certains États des États-Unis, on électrocute les condamnés à mort.* — Pronominalement. *Il a failli s'électrocuter en touchant le fil.* ▶ **électrocution** n. f. ▪ Action d'électrocuter, de s'électrocuter. *Électrocution produite par une ligne à haute tension. L'électrocution d'un condamné.*

électrode [elɛktʀɔd] n. f. ▪ Conducteur par lequel le courant arrive ou sort. ⇒ **anode, cathode.** — Cha-

cune des tiges (de graphite, de métal) entre lesquelles
on fait jaillir un arc électrique.

électrodynamique [elɛktʀodinamik] n. f. et adj.
1. N. f. Partie de la physique qui traite de l'électricité
dynamique (courants électriques). **2.** Adj. Qui appartient au domaine de cette science.

électroencéphalogramme [elɛktʀoãsefalɔ
gʀam] n. m. ■ Tracé obtenu par enregistrement de
l'activité électrique du cerveau. *Un électroencéphalogramme plat signale la mort clinique.*

électrogène [elɛktʀɔʒɛn] adj. ■ *Groupe électrogène,* formé par un moteur et un système dynamo-
électrique.

électrolyse [elɛktʀɔliz] n. f. ■ Décomposition
chimique (de substances en fusion ou en solution)
obtenue par le passage d'un courant électrique.
▶ **électrolyte** n. m. ■ Corps qui peut être décomposé
par électrolyse (*électrolysé*).

électromagnétisme [elɛktʀomaɲetism] n. m.
■ Partie de la physique qui étudie les interactions
entre courants électriques et champs magnétiques
(phénomènes dits *électromagnétiques*).

électroménager [elɛktʀomenaʒe] adj. m. ■ (Appareils ménagers) Qui utilise l'énergie électrique (fers,
aspirateurs, réfrigérateurs, etc.). *L'appareillage électroménager.* — N. m. *Une exposition d'électroménager.*

électromoteur, trice [elɛktʀomɔtœʀ, tʀis] adj.
■ Qui développe de l'électricité sous l'action d'un
agent mécanique ou chimique. — *Force électromotrice*
(abrév. : *f. é. m.*), quotient de la puissance électrique
dirigée dans un circuit, par l'intensité du courant qui
le traverse. ⇒ **volt.**

électron [elɛktʀɔ̃] n. m. ■ Particule élémentaire
extrêmement légère, gravitant normalement autour
du noyau atomique, et chargée d'électricité négative.
Les électrons sont l'un des constituants de la matière.
▶ ① **électronique** adj. **1.** Propre ou relatif aux
électrons. *Émission, flux électronique.* **2.** Qui appartient à l'électronique ②, fonctionne suivant les lois
de l'électronique. *Microscope électronique. Calculateur électronique. Montre électronique.* ⇒ **quartz.**
— Qui est fait par des procédés électroniques. *La mise
en service de l'annuaire électronique. Écouter de la
musique électronique.* ▶ ② **électronique** n. f. ■ Partie de la physique étudiant les phénomènes où sont
mis en jeu des électrons à l'état libre ; technique
dérivant de cette science (utilisation des tubes
électroniques, des transistors). ▶ **électronicien,
ienne** n. ■ Spécialiste de l'électronique. *Après ses
études, elle sera électronicienne.*

électrophone [elɛktʀofɔn] n. m. ■ Appareil de
reproduction sonore des enregistrements sur disque.
⇒ **pick-up.**

électrostatique [elɛktʀostatik] adj. et n. f. **1.** Adj.
Propre ou relatif à l'électricité statique. *Machines
électrostatiques.* **2.** N. f. Partie de la physique traitant
des phénomènes d'électricité statique.

électrotechnique [elɛktʀoteknik] adj. et n. f.
1. Adj. Relatif aux applications techniques de l'électricité. **2.** N. f. Étude de ces applications. ▶ **électrotechnicien, ienne** n. ■ Spécialiste d'électrotechnique.
Obtenir le brevet supérieur d'électrotechnicien.

élégant, ante [elegã, ãt] adj. **1.** Qui a de la grâce
et de la simplicité (formes naturelles ou créées par
l'homme). ⇒ **gracieux.** *La forme élégante d'une
colonnade. Porter un costume très élégant.* **2.** (Personnes, lieux fréquentés) Qui a de l'élégance, du chic.
⇒ **chic, distingué.** / contr. **vulgaire** / *Une femme
élégante. Un restaurant élégant,* fréquenté par une

clientèle élégante. **3.** Qui a de la pureté dans
l'expression. *Un style élégant. Il dit des choses
désagréables d'un ton élégant.* **4.** Qui a de l'élégance
morale, intellectuelle. *Un procédé peu élégant. C'est
la solution la plus élégante.* ▶ **élégamment** adv.
■ Avec élégance. *Il est toujours élégamment vêtu.
Parler élégamment. Il n'a pas agi très élégamment.*
▶ **élégance** n. f. **1.** Qualité esthétique de ce qui est
élégant. *Un meuble remarquable par l'élégance de ses
formes, de ses proportions.* **2.** Choix heureux des
expressions, style harmonieux. *Il s'exprime avec
élégance. Une phrase d'une grande élégance.*
— Surtout au plur. *Une, des élégance(s),* tournure,
expression élégante (souvent péj.). ⇒ **ornement.**
3. Bon goût manifestant un style personnel dans
l'habillement, la parure, les manières. ⇒ **chic, distinction.** / contr. **vulgarité** / *L'élégance de sa toilette. Il
est toujours vêtu avec une grande élégance, avec une
élégance raffinée.* **4.** Bon goût, distinction morale ou
intellectuelle accompagnés d'aisance. *Ses façons de
faire manquent d'élégance.* ⇒ **délicatesse.** *L'élégance
d'une démonstration, d'une solution.* ⟨ ▶ **inélégant** ⟩

élégie [eleʒi] n. f. ■ Poème lyrique exprimant une
plainte douloureuse, des sentiments mélancoliques.
Les élégies de Ronsard, de Chénier. ▶ **élégiaque** adj.
et n. ■ Propre à l'élégie. *Des poésies élégiaques.*

élément [elemã] n. m. **I. 1.** Chacune des choses
dont la combinaison, la réunion forme une autre
chose, un tout. ⇒ **composant(e), morceau, partie.**
/ contr. **ensemble** / *Les éléments d'un assemblage.
Vous avez là tous les éléments du problème.* — Un
des « objets » qui constituent un ensemble mathématique, logique. « *L'élément a appartient à l'ensemble
A » s'écrit « a ∈ A ».* **2.** Partie (d'un mécanisme, d'un
appareil) composé de séries semblables. *Les éléments
d'un radiateur, d'un accumulateur. Éléments préfabriqués* (construction). **3.** Au plur. Premiers principes sur
lesquels on fonde une science, une technique. *Apprendre les éléments de la physique.* ⇒ **rudiment.** **4.** Personne appartenant à un groupe. *Il nous faut recruter
de nouveaux éléments. Les bons éléments d'une classe.*
— Sing. collectif. *L'élément féminin y était fortement
représenté.* **5.** Formation militaire appartenant à un
ensemble plus important. *Des éléments blindés,
motorisés.* **II. 1.** Vx. Principe constitutif des corps
matériels. *On distinguait quatre éléments* (terre, eau,
air, feu). **2.** LES ÉLÉMENTS : l'ensemble des forces
naturelles qui agitent la terre, la mer, l'atmosphère.
Lutter contre les éléments déchaînés. **3.** *L'élément de
qqn,* milieu, entourage habituel ou favorable où il est
à l'aise. *Quand on discute politique, il est dans son
élément.* **4.** Corps chimique simple. *Les éléments
hydrogène (H) et oxygène (O) de l'eau (H₂O). Des
éléments radioactifs.* ▶ **élémentaire** adj. **I. 1.** Didact.
Qui concerne les éléments (I, 1). **2.** Qui contient, qui
concerne les premiers éléments d'une science, d'un
art. *Traité de géométrie élémentaire.* — *Les classes
élémentaires d'un lycée. Cours élémentaires,* entre le
cours préparatoire et le cours moyen dans les écoles
primaires. **3.** Très simple, réduit à l'essentiel, au
minimum. ⇒ **rudimentaire.** *La plus élémentaire des
politesses voulait que vous lui répondiez. Ce sont des
précautions élémentaires. C'est élémentaire,* c'est
évident ; c'est le minimum. **II.** D'un élément (II, 4)
chimique. ⟨ ▶ **oligo-élément** ⟩

éléphant [elefã] n. m. **1.** Très grand mammifère
herbivore, à corps massif, à peau rugueuse, à grandes
oreilles plates, à nez allongé en trompe et à défenses.
Éléphant mâle, femelle (parfois *une éléphante,* n. f.).
Des défenses d'éléphant. L'éléphant barrit. — Fam. Se
dit d'une personne très grosse, à la démarche pesante.
Loc. *C'est un éléphant dans un magasin de porcelaine,*
un lourdaud qui intervient dans une affaire délicate.

Il a une mémoire d'éléphant, une mémoire exceptionnelle, plus spécialt, il n'oublie jamais le mal qu'on lui a fait, il est rancunier. **2.** ÉLÉPHANT DE MER : phoque à trompe, de grande taille. ▶ *éléphanteau* n. m. ■ Très jeune éléphant. *Des éléphanteaux.*

élève [elɛv] n. **1.** Personne qui reçoit ou suit l'enseignement d'un maître (dans un art, une science) ou d'un précepteur. ⇒ **disciple.** *Ce tableau est d'un élève de Léonard de Vinci.* **2.** Enfant, adolescent qui reçoit l'enseignement donné dans un établissement d'enseignement. ⇒ **collégien, écolier, lycéen.** (REM. Pour les universités, on dit *étudiant.*) *C'est une excellente élève. Un mauvais élève.* ⇒ **cancre.** *Élève interne, externe. Le classement des élèves.* **3.** Candidat à un grade militaire. *Élève officier d'active (E.O.A.), de réserve (E.O.R.).*

① *élever* [elve] v. tr. ■ conjug. 5. **I. 1.** Mettre ou porter plus haut. ⇒ **hisser, lever, soulever.** / contr. **baisser** / — Tenir haut, dresser. *Il élève les bras au-dessus de sa tête.* **2.** Faire monter à un niveau supérieur. ⇒ **hausser.** *Les pluies ont élevé le niveau de la rivière. Élever la maison d'un étage.* — Construire (en hauteur). *Élever un mur, un bâtiment.* ⇒ **bâtir.** *On lui a élevé une statue.* ⇒ **dresser, ériger. 3.** Abstrait. Soulever, susciter. *Ils ont élevé plusieurs objections.* **II.** Fig. **1.** Porter à un rang supérieur. *Il a été élevé au grade supérieur.* ⇒ **promouvoir. 2.** Porter à un degré supérieur. ⇒ **augmenter, relever.** *La Banque de France a élevé le taux de l'escompte.* — *Élever le ton, la voix,* parler plus haut ; parler avec autorité. *Il a élevé la voix en sa faveur,* il l'a fortement défendu. *Élever la voix contre qqn,* l'accuser. *Il n'ose pas élever la voix,* parler. **3.** Rendre moralement ou intellectuellement supérieur. *Cette lecture élève l'esprit.* **III.** S'ÉLEVER v. pron. **1.** Aller plus haut, prendre de la hauteur. *Le cerf-volant s'élève dans le ciel.* **2.** (Hauteur, édifice) Aller jusqu'à une certaine hauteur. *Les falaises s'élevaient à cent mètres au-dessus de la mer.* **3.** Fig. *Le ton de la discussion s'élevait,* devenait plus fort. **4.** (Personnes) S'ÉLEVER CONTRE : intervenir (comme en se dressant) pour combattre. *Je m'élève contre son attitude.* **5.** (Personnes) Arriver à un rang supérieur. *Il s'est élevé par son seul travail.* ⇒ **réussir. 6.** (Choses mesurables) Augmenter, devenir plus haut. *La température s'élève.* — *Le prix s'élève à deux mille francs. Les réparations s'élèvent à cent mille francs.* ▶ *élévateur, trice* adj. et n. **1.** Adj. Se dit de muscles qui élèvent, relèvent (certaines parties du corps). *Le muscle élévateur de la paupière.* **2.** *Appareil élévateur,* ou n. m., *élévateur,* appareil capable d'élever qqch. à un niveau supérieur. *Chariot élévateur.* ▶ *élévation* n. f. **1.** Action de lever, d'élever ; position élevée. *Mouvement d'élévation du bras.* **2.** Moment de la messe où le prêtre élève l'hostie. **3.** Fait de s'élever. ⇒ **montée.** *L'élévation du niveau des eaux.* — Fig. *Une forte élévation de température.* ⇒ **augmentation, hausse.** / contr. **baisse** / *L'élévation de la voix,* son passage à un ton plus haut. **4.** *(Une, des élévations)* Terrain élevé. ⇒ **éminence, hauteur.** *Une élévation nous cachait la vue.* **5.** Fig. Action d'élever, de s'élever (à un rang éminent, supérieur). *Son élévation au grade d'officier de la Légion d'honneur.* ⇒ **accession. 6.** Caractère noble, élevé (de l'esprit). ⇒ **noblesse.** *Une grande élévation d'idées, de sentiments.* ▶ ① *élevé, ée* adj. **1.** Situé à une certaine hauteur. ⇒ **haut.** / contr. **bas** / *Une colline peu élevée. Le point le plus élevé.* **2.** Qui atteint une grande importance. *Une température élevée.* **3.** Littér. Supérieur moralement ou intellectuellement. ⇒ **noble.** *Il a un sentiment très élevé de son devoir.*

② *élever* v. tr. ■ conjug. 5. **1.** Amener (un enfant) à son plein développement physique et moral.

⇒ **entretenir, nourrir, soigner.** *Ils ont eu beaucoup de mal à élever cet enfant.* **2.** Faire l'éducation de (un être humain). ⇒ **éduquer.** *On l'a élevé en lui donnant de bons principes. Élever des enfants à l'école.* ⇒ **élève. 3.** Faire l'élevage de (un animal). *Élever des lapins.* ▶ *élevage* n. m. ■ Action d'élever (les animaux domestiques ou utiles), art de les faire naître, de veiller à leur développement, leur entretien, leur reproduction. *L'élevage du bétail. L'élevage des abeilles, des vers à soie.* ⇒ **culture.** — Sans compl. *Élevage du bétail. Un pays d'élevage, d'élevage extensif.* ▶ ② *élevé, ée* adj. ■ BIEN, MAL ÉLEVÉ, ÉE : qui a reçu une bonne, une mauvaise éducation, est poli, impoli. — *Il est mieux élevé, moins bien élevé que son frère.* — N. MAL ÉLEVÉ, ÉE. ⇒ **impoli, grossier.** *Il s'est conduit comme un mal élevé. Une mal élevée.* — Fam. *C'est très mal élevé de dire, de faire ça,* c'est une preuve de mauvaise éducation, d'impolitesse. ⇒ **impoli, incorrect.** ▶ *éleveur, euse* n. ■ Personne qui pratique l'élevage. *Propriétaire et éleveur de chevaux de course.*

elfe [ɛlf] n. m. ■ Génie de l'air, dans la mythologie scandinave. ⇒ **sylphe.**

élider [elide] v. tr. ■ conjug. 1. ■ Effacer (une voyelle) par l'élision. — Au p. p. adj. *Article élidé* (ex. : *l'* pour *le, la*).

éligible [eliʒibl] adj. ■ Qui est dans les conditions requises pour pouvoir être élu (député, etc.). *Elle est éligible.* ▶ *éligibilité* n. f. ■ Capacité à être candidat aux élections. ⟨ ▶ **inéligible, rééligible** ⟩

élimer [elime] v. tr. ■ conjug. 1. ■ User (une étoffe) par le frottement, à force de s'en servir. *Élimer sa veste aux coudes.* — Au p. p. adj. *Chemise élimée aux poignets.*

éliminer [elimine] v. tr. ■ conjug. 1. **1.** Écarter à la suite d'un choix, d'une sélection. ⇒ **exclure, rejeter.** *Le jury a éliminé la moitié des candidats.* — (ÊTRE) ÉLIMINÉ, ÉE (passif). *À la troisième étape, il était éliminé.* — Au p. p. adj. *Les équipes éliminées de la Coupe.* **2.** Supprimer par un moyen quelconque. *Éliminer les difficultés. Éliminer les inconnues d'une équation.* — Pronominalement. *Ces erreurs peuvent s'éliminer facilement.* **3.** Faire disparaître en supprimant l'existence. *La dictature a éliminé les opposants.* ⇒ **tuer** ; fam. **liquider. 4.** Évacuer (les déchets, toxines, etc.). — Sans compl. *Il élimine mal.* ▶ *élimination* n. f. **1.** Action d'éliminer, fait d'être éliminé. *L'élimination de notre équipe au second tour.* — Procéder par élimination, écarter toutes les hypothèses que le raisonnement ou l'expérience empêchent d'admettre. **2.** Évacuation des substances nuisibles et inutiles, de déchets résultant du métabolisme. ⇒ **excrétion.** ▶ *éliminatoire* adj. et n. f. **1.** Adj. Qui sert à éliminer (1). *Cette mauvaise note n'est pas éliminatoire.* **2.** N. f. Épreuve sportive dont l'objet est de sélectionner les sujets les plus qualifiés en éliminant les autres. *Sais-tu quand auront lieu les éliminatoires ?*

élire [elir] v. tr. ■ conjug. 43. **1.** Nommer (qqn) à une dignité, à une fonction par voie de suffrages. ⇒ **élection.** *Élire un candidat à l'unanimité. Il est élu pour cinq ans.* **2.** Loc. *Élire domicile,* se fixer (dans un lieu) pour y habiter. ⟨ ▶ **éligible, élu, réélire** ⟩

élision [elizjɔ̃] n. f. ■ Effacement d'une voyelle finale devant une voyelle initiale ou un h muet. *Élision du a de « la » devant « amie » : l'amie ; du e de « le » devant « homme » : l'homme.*

élite [elit] n. f. **1.** Ensemble des personnes les plus remarquables (d'un groupe, d'une communauté). *L'élite de l'armée, de l'université.* — D'ÉLITE : qui appartient à l'élite ; éminent, supérieur. *Un sujet d'élite. Un tireur d'élite.* **2.** LES ÉLITES : les personnes

qui, par leur valeur, occupent le premier rang.
▶ **élitisme** n. m. ■ Le fait de favoriser une élite.
L'élitisme d'un enseignement. ▶ **élitiste** adj. ■ Qui
favorise l'élite sans se soucier du niveau moyen. *Un
enseignement scientifique élitiste.*

élixir [eliksiʀ] n. m. ■ Préparation pharmaceutique,
mélange de sirops, d'alcool et de substances aromatiques. *Un élixir pour calmer la toux.*

elle, elles [εl] pronom pers. f. ■ Pronom personnel
féminin sujet (⇒ **il**) ou complément de la troisième
personne. *Elle arrive. Je l'ai vue, elle. Adressez-vous
à elles. Dites-lui, à elle.* (REM. *Parlez-lui*, et non *parlez
à elle.*) *C'est pour elle. Elle-même l'a dit,* elle en
personne. *Elles-mêmes.*

ellébore [e(εl)lebɔʀ] n. m. ■ Herbe dont la racine
a des propriétés purgatives, vermifuges, et qui passait
autrefois pour guérir la folie.

① *ellipse* [elips] n. f. ■ Omission de un ou
plusieurs mots dans une phrase qui reste cependant
compréhensible. *Ellipse du verbe, du nom. « Chacun
pour soi » pour « chacun agit pour soi » est une ellipse.*
▶ ① *elliptique* adj. ■ Qui présente une ellipse, des
ellipses. *Une proposition elliptique.* — Qui ne développe pas toute sa pensée. *C'est une façon de
s'exprimer un peu trop elliptique.*

② *ellipse* n. f. ■ Courbe plane fermée dont chaque
point est tel que la somme de ses distances à deux
points fixes (appelés *foyers*) est constante. *Les ellipses
que décrivent les planètes.* ▶ **ellipsoïde** [elipsɔid] n.
m. et adj. **1.** N. M. *Ellipsoïde de révolution,* solide
engendré par une ellipse tournant autour d'un de ses
axes. **2.** Adj. Qui a la forme d'une ellipse. ▶ ② *elliptique* adj. ■ Qui appartient à l'ellipse, est en ellipse.
Orbite elliptique.

élocution [elɔkysjɔ̃] n. f. ■ Manière de s'exprimer
oralement, d'articuler et d'enchaîner les phrases.
⇒ **articulation.** *Il a une grande facilité d'élocution.
Un défaut d'élocution.*

éloge [elɔʒ] n. m. **1.** Discours pour célébrer qqn ou
qqch. *Les éloges académiques. Un éloge funèbre,* où
l'on expose les mérites d'un défunt. **2.** Jugement
favorable (qu'on exprime au sujet de qqn). ⇒ **compliment, félicitation, louange.** / contr. **blâme, critique** /
*Il a été couvert, comblé d'éloges. On ne parle de lui
qu'avec éloge.* — *Faire l'éloge de qqn,* le louer. *C'est
tout à son éloge,* à son honneur. ▶ *élogieux, euse*
adj. ■ Qui renferme un éloge, des éloges. ⇒ **flatteur,
louangeur.** *Parler de qqn en termes élogieux. Des
paroles élogieuses.* ▶ *élogieusement* adv. ■ D'une
manière élogieuse. *Il a parlé élogieusement de ce film.*

éloigner [elwaɲe] v. tr. ■ conjug. 1. **1.** Mettre ou
faire aller à une certaine distance, loin. ⇒ **écarter,
reculer, repousser.** *Éloignez les enfants du feu. Cet
accident éloigne la date de mon départ.* ⇒ **retarder.**
2. Fig. Écarter, détourner qqn. *Cette révélation l'a
éloigné de la politique.* **3.** S'ÉLOIGNER v. pron. ⇒ **s'en
aller, partir.** *Ne t'éloigne pas d'ici.* — Sans compl. *Il
s'éloignait lentement.* — Abstrait. *Elle s'éloigne de lui,*
elle l'aime moins, s'en détache. *Nous nous éloignons
du sujet.* ▶ *éloigné, ée* adj. **1.** Qui est à une certaine
distance, à une assez grande distance (dans l'espace
ou dans le temps). / contr. **proche** / *Un pays éloigné.
Un passé peu éloigné.* — ÉLOIGNÉ, ÉE DE. *Il vit éloigné
de sa famille. C'est une maison éloignée de la ville.*
2. Abstrait. Qui a des liens de parenté indirects avec
(qqn). / contr. **proche** / *Un cousin éloigné.* **3.** Littér.
Je ne suis pas éloigné de croire (de penser) que, je le
crois (pense) presque. ▶ *éloignement* n. m. **1.** Mesure par laquelle on éloigne (qqn). **2.** Fait d'être
éloigné dans l'espace. / contr. **proximité** / — (Personnes) *Son éloignement a été de courte durée.*

⇒ **absence. (Choses)** *L'éloignement de deux villes.*
3. Fait d'être éloigné dans le temps. *Avec l'éloignement, les faits prennent un autre sens.* ⇒ **recul.**
4. Littér. Fait de se tenir à l'écart ; aversion.

élongation [elɔ̃gasjɔ̃] n. f. ■ Lésion produite par
un étirement ou une rupture d'un muscle, d'un
tendon.

éloquence [elɔkɑ̃s] n. f. **1.** Don de la parole, facilité
pour bien s'exprimer. ⇒ **verve ;** péj. **bagou, faconde.**
*J'ai eu besoin de toute mon éloquence pour le décider.
Parler avec éloquence.* **2.** Art de toucher et de
persuader par le discours. ⇒ **rhétorique.** *L'éloquence
politique, religieuse.* **3.** Qualité de ce qui, sans parole,
est expressif, éloquent. *L'éloquence d'une mimique.*
— Caractère probant. *L'éloquence des chiffres.*

éloquent, ente [elɔkɑ̃, ɑ̃t] adj. **1.** Qui a de la
facilité pour s'exprimer par la parole. *Un avocat
éloquent.* — Qui est dit ou écrit avec éloquence.
S'exprimer en termes éloquents. **2.** Qui parle volontiers (sur un sujet). *Vous n'êtes pas très éloquent sur
ce problème.* **3.** Qui, sans discours, est expressif,
révélateur. *Un geste éloquent.* — Qui est probant,
parle de lui-même. *Ces chiffres sont éloquents.*
▶ *éloquemment* [elɔkamɑ̃] adv. ■ Avec éloquence.
Parler, plaider éloquemment. ⟨ ▶ **éloquence** ⟩

élu, ue [ely] adj. et n. **I.** Désigné par élection.
⇒ **élire.** — N. *Les élus.* **II. 1.** Choisi par Dieu. — N.
Les élus de Dieu, destinés à la vie éternelle. — Loc.
Il y a beaucoup d'appelés mais peu d'élus, les chances
de réussir sont faibles. **2.** N. Personne que le cœur
choisit. *«Il va se marier. — Quelle est l'heureuse
élue ?»*

élucider [elyside] v. tr. ■ conjug. 1. ■ Rendre clair
(ce qui présente à l'esprit des difficultés). ⇒ **clarifier,
éclaircir, expliquer.** *L'enquête n'a pas encore permis
d'élucider l'affaire.* ≠ *éluder.* ▶ *élucidation* n. f.
■ Action d'élucider. ⇒ **éclaircissement, explication.**
L'élucidation d'une question difficile.

élucubration [elykybʀasjɔ̃] n. f. ■ Surtout au plur.
Péj. Œuvre ou théorie laborieusement édifiée et peu
sensée, peu réaliste. *Je ne vais pas continuer à écouter
ces élucubrations.*

éluder [elyde] v. tr. ■ conjug. 1. ■ Éviter avec
adresse, par un artifice, un faux-fuyant. ⇒ **escamoter,
tourner.** *Il essaie d'éluder le problème, la difficulté.*
≠ *élucider.*

élytre [elitʀ] n. m. ■ Aile dure et cornée (des
insectes coléoptères) qui recouvre l'aile inférieure à
la façon d'un étui. *Les élytres du hanneton, du
scarabée.*

émacié, ée [emasje] adj. ■ Qui est très amaigri,
marqué par un amaigrissement extrême. ⇒ **maigre.**
Un visage émacié.

émail, aux [emaj, o] n. m. **1.** Vernis constitué par
un produit vitreux, coloré, fondu, puis solidifié. ⇒
l'émail. **2.** Au plur. ÉMAUX : ouvrage d'orfèvrerie
émaillé. *Des émaux peints.* **3.** Tôle, fonte émaillée.
Fourneau à gaz en émail. **4.** Substance transparente
extrêmement dure, qui recouvre l'ivoire de la couronne des dents. ▶ *émailler* v. tr. ■ conjug. 1.
1. Recouvrir d'émail (opération dite *émaillage*). *Émailler une porcelaine.* — Au p. p. adj. *De la fonte émaillée.*
2. Littér. (Suj. chose) Orner de points de couleur vive.
Les fleurs qui émaillent les prés. **3.** Fig. Semer (un
ouvrage) d'ornements divers. ⇒ **enrichir.** *Émailler un
texte de citations.* — Fig. Iron. *Lettre émaillée de fautes.*
▶ *émailleur, euse* n. ■ Personne qui fabrique des
émaux ; ouvrier spécialisé dans l'émaillage des
métaux.

émanciper [emɑ̃sipe] v. tr. ■ conjug. 1. **1.** Affranchir (un mineur) de la puissance paternelle ou de la

tutelle. **2.** Affranchir (qqn) de la tutelle d'une autorité supérieure. ⇒ **libérer**. / contr. **asservir** / *Émanciper les femmes.* — S'ÉMANCIPER v. pron. réfl. : s'affranchir (d'une tutelle, d'une sujétion, de servitudes). *Il s'est émancipé de la tutelle familiale.* **3.** Fam. Prendre des libertés, rompre avec les contraintes morales et sociales. *Elle m'a l'air de s'être drôlement émancipée, d'être bien émancipée.* ⇒ **affranchi.** ▶ *émancipation* n. f. **1.** Acte par lequel un mineur est affranchi de la puissance paternelle ou de la tutelle. **2.** Action d'affranchir ou de s'affranchir d'une autorité, de servitudes ou de préjugés. / **libération**. / contr. **asservissement** / *Mouvement d'émancipation des colonies.* ⇒ **décolonisation**. *L'émancipation de la femme.*

émaner [emane] v. intr. ▪ conjug. 1. **1.** Provenir comme de sa source naturelle. ⇒ **découler, dériver**. *Ce décret émane du gouvernement.* **2.** Provenir (d'une source physique). *La lumière émane du soleil.* — (Gaz, radiations) S'échapper d'un corps. **3.** Provenir comme par rayonnement. *Un charme particulier émanait de cette femme.* ▶ *émanation* n. f. **1.** Ce qui émane, procède d'autre chose. ⇒ **expression**. *Le pouvoir, dans une démocratie, est une émanation de la volonté populaire.* **2.** Émission ou exhalaison de particules impalpables, de corpuscules. *Des émanations gazeuses. Émanations volcaniques. Les émanations d'un égout,* mauvaises odeurs. ⇒ **miasme**. **3.** Gaz radioactif produit par la désagrégation du radium, du thorium et de l'actinium.

émarger [emaʀʒe] v. tr. ▪ conjug. 3. ■ Signer à la marge (un compte, un état). — Sans compl. Toucher le traitement affecté à un emploi. ▶ *émargement* n. m. ■ Action d'émarger. *Feuille d'émargement,* feuille de présence.

émasculer [emaskyle] v. tr. ▪ conjug. 1. **1.** Priver (un mâle) des organes de la reproduction. ⇒ **castrer, châtrer**. **2.** Fig. Dépouiller de sa force originelle. *Le traducteur a émasculé la phrase.*

émaux ⇒ **émail**.

① *emballer* [ɑ̃bale] v. tr. ▪ conjug. 1. **1.** Mettre (un objet, une marchandise) dans une enveloppe qui protège, sert au transport, à la présentation. ⇒ **empaqueter, envelopper**. *Emballer soigneusement des verres.* **2.** Fam. Arrêter (qqn). *La police l'a emballé.* ▶ *emballage* n. m. ■ Action d'emballer. ⇒ **conditionnement**. *L'emballage des fruits. Les frais d'emballage sont à votre charge.* — Ce qui sert à emballer. *Papier d'emballage. Emballage consigné.* ▶ *emballeur, euse* n. ■ Personne spécialisée dans l'emballage.

② *emballer* v. tr. **I.** V. tr. **1.** *Emballer un moteur,* le faire tourner trop vite. **2.** Fam. Enchanter, enthousiasmer. *Ça ne m'emballe pas d'aller au cinéma.* **II.** S'EMBALLER v. pron. **1.** (Cheval) Prendre le mors aux dents, échapper à la main du cavalier. — *Le moteur s'emballe,* prend un régime de marche trop rapide. **2.** (Personnes) Se laisser emporter par un mouvement irréfléchi, céder à l'impatience ou à l'enthousiasme. *Ne nous emballons pas !* ⇒ se **précipiter**. *Calme-toi, tu t'emballes pour rien.* ⇒ s'**emporter**. ▶ *emballement* n. m. ■ Fait de s'emballer ; enthousiasme irréfléchi. *Méfiez-vous des emballements.*

embarcadère [ɑ̃baʀkadeʀ] n. m. ■ Emplacement aménagé (dans un port, sur une rivière) pour permettre l'embarquement des voyageurs et des marchandises. ⇒ **appontement, débarcadère**.

embarcation [ɑ̃baʀkasjɔ̃] n. f. ■ Bateau de petite dimension, ou canot. ⇒ **barque**. *Mettre une embarcation à la mer.*

embardée [ɑ̃baʀde] n. f. **1.** Brusque changement de direction (d'un bateau, sous l'effet du vent, du courant ou d'un coup de barre involontaire). **2.** Écart brusque et dangereux. *La voiture a fait une embardée pour éviter le piéton.*

embargo [ɑ̃baʀgo] n. m. **1.** Interdiction faite par un gouvernement de laisser partir les navires étrangers mouillés dans ses ports ou de laisser exporter certaines marchandises. *Mettre, lever l'embargo.* **2.** Interdiction ˙de laisser circuler (un objet, une nouvelle). *Mettre l'embargo sur une information. Des embargos.*

embarquer [ɑ̃baʀke] v. ▪ conjug. 1. **I.** V. tr. **1.** Mettre, faire monter dans un navire. *Embarquer des passagers à l'escale.* / contr. **débarquer** / *Embarquer des marchandises, du matériel.* ⇒ **charger**. — Recevoir par-dessus bord (un paquet de mer). **2.** Charger (dans un véhicule). *On embarquait les marchandises dans le camion.* ⇒ **charger**. — Fam. *Nous l'avons embarqué dans le train,* nous l'avons accompagné et installé. *Des agents l'ont embarqué,* arrêté. **3.** Engager, dans une affaire difficile dont on ne peut sortir de sitôt. *Je me suis laissé embarquer dans une drôle d'histoire.* **II.** V. intr. **1.** Monter à bord d'un bateau pour un voyage. *C'est l'heure de l'embarquer.* **2.** Passer et se répandre par-dessus bord. *La mer embarque.* **III.** S'EMBARQUER v. pron. **1.** Monter à bord d'un bateau. *Nous nous embarquerons à Marseille.* **2.** Fig. S'engager, s'aventurer (dans une affaire qui comporte des risques). ⇒ s'**embringuer**. *Elle s'est embarquée dans cette affaire sans réfléchir.* ▶ *embarquement* n. m. ■ Action d'embarquer, de s'embarquer. / contr. **débarquement** / *L'embarquement du matériel.* ⇒ **chargement**. *Les formalités d'embarquement. L'embarquement des passagers.*

embarras [ɑ̃baʀa] n. m. invar. **I. 1.** Position gênante, situation difficile et ennuyeuse. *Être dans l'embarras. Il m'a mis dans l'embarras.* ⇒ **pétrin**. *Un embarras pécuniaire. Aider un ami dans l'embarras.* **2.** UN EMBARRAS : un obstacle, une gêne. *Susciter des embarras à qqn.* ⇒ **difficulté**. **3.** Incertitude de l'esprit, perplexité. *Votre offre me met dans l'embarras. Vous n'avez que* L'EMBARRAS DU CHOIX : la seule difficulté est de choisir. **4.** État d'une personne qui éprouve un malaise pour agir ou parler. ⇒ **confusion, gêne, trouble**. *Il ne pouvait dissimuler son embarras. Il baissait les yeux avec embarras.* **5.** Loc. *Faire de l'embarras, des embarras,* faire des manières, manquer de naturel. ⇒ **façon, histoire**. **II. 1.** Vx. Encombrement, embouteillage. *Les embarras de Paris.* **2.** EMBARRAS GASTRIQUE : troubles de l'estomac et de l'intestin provoqués par une infection, une intoxication.

embarrasser [ɑ̃baʀase] v. tr. ▪ conjug. 1. **I. 1.** Gêner dans les mouvements. / contr. **débarrasser** / *Posez donc votre manteau, il vous embarrasse.* **2.** Encombrer (qqn) de sa présence. ⇒ **déranger, importuner**. *Je m'en vais, je vois bien que je vous embarrasse.* **3.** Mettre dans une position difficile. ⇒ **gêner**. *Cette initiative va embarrasser le gouvernement.* — Rendre hésitant, perplexe. ⇒ **déconcerter, troubler**. *Sa question m'embarrasse.* **II.** V. pron. **1.** S'encombrer. *Je me suis embarrassé inutilement d'un parapluie.* — Se soucier, tenir compte exagérément. ⇒ s'**inquiéter**, se **préoccuper**. *Il ne s'embarrasse pas de l'avenir.* **2.** Fig. S'EMBARRASSER DANS : s'empêtrer. *Il finit par s'embarrasser dans ses mensonges.* ⇒ s'**embrouiller**. ▶ *embarrassant, ante* adj. **1.** Qui met dans l'embarras. ⇒ **difficile, gênant**. *C'est une situation, une question embarrassante. Une objection embarrassante,* à laquelle on a du mal à répondre. **2.** Qui encombre. ⇒ **encombrant**. *Enlevez donc ces paquets embarrassants.* ▶ *embarrassé, ée* adj. **1.** Gêné dans ses mouvements. *Avoir les mains embarrassées.* — *Avoir l'estomac embarrassé,* avoir un peu d'embarras gastrique. **2.** Qui éprouve de l'embarras. ⇒ **indécis, perplexe.** *Il était embarrassé, ne savait que répondre.* — Qui montre de la gêne. ⇒ **gauche, timide.** *Un air embarrassé.* **3.** Qui est compliqué, manque d'aisance ou de clarté. ⇒ **confus, obscur.** *Il s'est lancé dans des explications embarrassées.* ‹ ▶ débarrasser, embarras ›

embaucher [ãboʃe] v. tr. ▪ conjug. 1. ▪ Engager (une personne) en vue d'un travail. / contr. **débaucher** / *On l'a embauché dans un garage. Sans compl. Ici, on embauche.* — Entraîner (qqn) dans une activité. *Il m'a embauché pour son déménagement.* ▶ *embauchage* n. m. ou *embauche* n. f. ▪ Action d'embaucher. *Une offre d'embauche.* ‹ ▶ réembaucher ›

embaumer [ãbome] v. tr. ▪ conjug. 1. **1.** Remplir (un cadavre) de substances qui permettent de le dessécher et de le conserver. *Les anciens Égyptiens embaumaient les morts.* **2.** Remplir d'une odeur agréable. ⇒ **parfumer.** *Des roses embaumaient la chambre.* / contr. **empester, puer** / — Sans compl. Répandre une odeur très agréable. Fam. (Négatif) *Ça n'embaume pas (la rose, etc.),* ça sent mauvais. ▶ *embaumement* n. m. ▪ Action d'embaumer (un cadavre). ▶ *embaumeur, euse* n. ▪ Personne dont le métier est d'embaumer les morts.

embellie [ãbeli] n. f. ▪ Accalmie (sur mer). — Brève amélioration du temps. ⇒ **éclaircie.**

embellir [ãbeliʀ] v. ▪ conjug. 2. **I.** V. tr. **1.** Rendre beau ou plus beau (une personne, un visage). / contr. **enlaidir** / *Cette coiffure l'embellit.* ▪ **flatter.** *L'amour embellit.* — Rendre plus agréable à l'œil, orner (un lieu, une maison...). *Ils ont embelli leur maison. Les cyprès embellissaient le parc.* **2.** Faire apparaître sous un plus bel aspect. *L'imagination embellit la réalité.* ⇒ **idéaliser, poétiser.** *L'auteur a embelli l'histoire, les personnages.* — Rendre trop beau. *Vous embellissez la situation.* **II.** V. intr. Devenir beau, plus beau. *Cet enfant embellit tous les jours.* ▶ *embellissement* n. m. ▪ Action ou manière d'embellir, de rendre plus agréable à l'œil (une ville, une maison). / contr. **enlaidissement** / *Les récents embellissements de notre ville.* — Modification tendant à embellir la réalité. *Il y a des embellissements dans votre histoire.* ⇒ **enjolivement.** ‹ ▶ embellie ›

emberlificoter [ãbɛʀlifikɔte] v. tr. ▪ conjug. 1. ▪ Entortiller, embrouiller (qqn, pour le tromper). ⇒ **embobiner.** *Vous n'arriverez pas à l'emberlificoter* — Pronominalement. *Il s'emberlificotait dans ses explications.* — Au p. p. adj. *Une lettre emberlificotée,* embarrassée.

embêter [ãbete] v. tr. ▪ conjug. 1. **1.** Ennuyer fortement. *Ce spectacle m'embête.* ⇒ **raser ;** fam. **emmerder. 2.** Contrarier fortement. *Ça m'embête d'être en retard. Ne l'embête donc pas !* ⇒ **importuner. 3.** S'EMBÊTER v. pron. réfl. : s'ennuyer. *On s'est rudement embêtés à cette soirée. Il ne s'embête pas, il n'est pas à plaindre.* ▶ *embêtant, ante* adj. ▪ Qui embête. ⇒ **ennuyeux.** *Qu'est-ce qu'il peut être embêtant !* ⇒ **importun.** *C'est une histoire bien embêtante.* ⇒ **contrariant.** ▶ *embêtement* n. m. ▪ *(Un, des embêtements)* Chose qui donne du souci. ⇒ **contrariété, ennui.** *J'ai assez d'embêtements comme ça.*

emblaver [ãblave] v. tr. ▪ conjug. 1. ▪ Ensemencer (une terre) en blé, ou toute autre céréale.

d'emblée [dãble] loc. adv. ▪ Du premier coup, au premier effort fait. ⇒ **aussitôt.** *Le projet a été adopté d'emblée. L'équipe marqua d'emblée un but.*

emblème [ãblɛm] n. m. **1.** Figure symbolique généralement accompagnée d'une devise. **2.** Figure, attribut destinés à représenter une autorité, un métier,

un parti. ⇒ **insigne.** *La femme au bonnet phrygien est l'emblème de la République française.* — Hercule a pour emblème la massue. ⇒ **attribut.** ▶ *emblématique* adj. ▪ Qui présente un emblème, se rapporte à un emblème. ⇒ **allégorique, symbolique.** *La colombe est la figure emblématique de la paix.*

embobiner [ãbɔbine] v. tr. ▪ conjug. 1. ▪ Fam. Tromper en embrouillant. ⇒ **emberlificoter, entortiller.** *Elle s'est fait facilement embobiner.*

emboîter [ãbwate] v. tr. ▪ conjug. 1. **1.** Faire entrer (une chose dans une autre ; plusieurs choses l'une dans l'autre). ⇒ **ajuster, encastrer, enchâsser.** *Emboîter des tuyaux. Emboîter un outil dans un manche.* — Pronominalement. *Les deux pièces s'emboîtent exactement.* **2.** Envelopper exactement comme une boîte. *Ces chaussures emboîtent bien le pied.* **3.** Loc. EMBOÎTER LE PAS *à qqn* : marcher juste derrière lui (comme si on mettait le pied juste à l'endroit où il a marché), le suivre pas à pas. — Abstrait. Suivre docilement, imiter. *Dès qu'il proposait quelque chose, ses camarades lui emboîtaient le pas.* ▶ *emboîtage* n. m. **1.** Enveloppe d'un livre de luxe (chemise et étui). **2.** Au plur. Jeu pour enfants, constitué d'objets qui s'emboîtent. ▶ *emboîtement* n. m. ▪ Assemblage de deux pièces qui s'emboîtent l'une dans l'autre. *L'emboîtement d'un os dans un autre.*

embolie [ãbɔli] n. f. ▪ Obstruction brusque d'un vaisseau par un corps étranger. *Mourir d'une embolie.*

embonpoint [ãbɔ̃pwɛ̃] n. m. ▪ État d'un corps bien en chair, un peu gras. ⇒ **corpulence.** *Il a tendance à l'embonpoint. Prendre de l'embonpoint,* engraisser.

mal embouché, ée [malãbuʃe] adj. ▪ Qui dit des grossièretés. *Elle est assez mal embouchée.*

emboucher [ãbuʃe] v. tr. ▪ conjug. 1. ▪ Mettre à sa bouche (un instrument à vent). *Il emboucha son saxophone et attaqua le morceau.* ▶ ① *embouchure* n. f. ▪ Bout (d'un instrument à vent), qu'on met contre les lèvres pour jouer. *L'embouchure d'un clairon. Changer d'embouchure.*

② *embouchure* n. f. ▪ Ouverture par laquelle un cours d'eau se jette dans une mer ou un lac. ⇒ **bouche, delta, estuaire.** *Ville bâtie à l'embouchure d'un fleuve.*

embourber [ãbuʀbe] v. tr. ▪ conjug. 1. ▪ Enfoncer dans un bourbier. ⇒ **enliser.** — Au passif. *Notre voiture était embourbée,* ou pronominalement, *s'était embourbée.* — Au p. p. adj. *Des roues embourbées.*

s'embourgeoiser [ãbuʀʒwaze] v. pron. ▪ conjug. 1. ▪ Prendre les habitudes, l'esprit de la classe bourgeoise (goût de l'ordre, du confort, respect des conventions). *Il a perdu le goût de l'aventure : il s'embourgeoise.* ▶ *embourgeoisement* n. m. ▪ Fait de s'embourgeoiser.

embout [ãbu] n. m. ▪ Garniture qui se place au bout (d'une canne, d'un parapluie, etc.). ⇒ **bout.** *Un embout en caoutchouc.*

embouteiller [ãbuteje] v. tr. ▪ conjug. 1. ▪ Obstruer (une voie de communication) en provoquant un encombrement. *Le camion en panne embouteillait la rue.* ▶ *embouteillage* n. m. ▪ Encombrement qui arrête la circulation. ⇒ **bouchon.** *Je suis resté bloqué dans un embouteillage.*

emboutir [ãbutiʀ] v. tr. ▪ conjug. 2. **1.** Travailler (un métal) avec un instrument (marteau, repoussoir), pour y former le relief d'une empreinte ; travailler (une plaque de métal) pour la courber, l'arrondir. **2.** Enfoncer en heurtant violemment. *Un camion a embouti l'arrière de ma voiture.*

embranchement [ɑ̃bʁɑ̃ʃmɑ̃] n. m. **1.** Division en branches ou rameaux secondaires (d'une voie, d'une canalisation...) ; voie, direction ayant son origine sur la voie ou direction principale. ⇒ **ramification. 2.** Point de jonction de ces voies. ⇒ **carrefour, croisement.** *À l'embranchement des deux routes.* **3.** Chacune des grandes divisions du monde animal ou végétal. *L'embranchement des vertébrés.* ≠ *classe, règne.* ▶ *embrancher* v. tr. ▪ conjug. 1. ▪ Raccorder (une voie, une canalisation) à une ligne déjà existante. *Embrancher une voie ferrée à la ligne principale.* ⇒ **brancher.**

embraser [ɑ̃bʁaze] v. tr. ▪ conjug. 1. Littér. **1.** Enflammer, incendier. *Le feu embrase la forêt.* **2.** Éclairer vivement, illuminer. *Le soleil couchant embrasait le ciel.* **3.** Fig. Emplir d'une passion ardente. *L'amour embrasait son cœur.* ⇒ **enflammer.** ▶ *embrasement* n. m. ▪ Le fait d'embraser, d'être embrasé. *L'embrasement de l'horizon par le soleil couchant.*

embrasser [ɑ̃bʁase] v. tr. ▪ conjug. 1. **1.** Prendre et serrer entre ses bras, en particulier pour marquer son amour ou son affection. **2.** Donner un baiser, des baisers à (qqn). REM. On ne dit plus *baiser*, v. *Avant de partir, il l'embrassa sur les deux joues.* — (À la fin d'une lettre) *Embrasse toute la famille pour moi.* — Pronominalement (récipr.). *Ils s'embrassaient sur la bouche. Ils se sont embrassés.* **3.** Littér. et fig. Adopter (une opinion, un parti). *Embrasser la cause de la paix.* Choisir (une carrière). *Embrasser la profession des armes.* PROV. *Qui trop embrasse mal étreint*, qui veut trop entreprendre risque de ne rien réussir. **4.** Fig. Saisir par la vue dans toute son étendue. *De là, il embrassait d'un coup d'œil tout le pays.* — Appréhender par la pensée de façon globale (un ensemble de faits, de problèmes). *Un auteur, un ouvrage qui embrasse toutes ces questions.* ▶ *embrassade* n. f. ▪ Action de deux personnes qui s'embrassent (1, 2) amicalement. ⇒ **accolade.** *Quand ils se retrouvèrent, ce furent des embrassades.* ▶ *embrasse* n. f. ▪ Cordelière ou pièce d'étoffe servant à retenir un rideau. *Des rideaux à embrasses.*

embrasure [ɑ̃bʁazyʁ] n. f. **1.** Ouverture pratiquée dans l'épaisseur d'un mur pour recevoir une porte, une fenêtre. **2.** Espace vide compris entre les parois du mur. *Il se tenait dans l'embrasure de la porte.*

embrayer [ɑ̃bʁeje] v. ▪ conjug. 8. **1.** V. tr. Mettre en communication (une pièce mobile) avec l'arbre moteur. *Embrayer une courroie.* — Sans compl. Établir la communication entre un moteur et la machine qu'il entraîne. / contr. **débrayer** / *Débrayer, changer de vitesse et embrayer.* **2.** V. intr. (Suj. personne, groupe de personnes) EMBRAYER SUR *qqch., qqn* : avoir une action, de l'influence sur. *Le gouvernement n'embrayait plus sur les événements.* — Fig. et fam. Commencer à discourir. *Quand il embraye sur ses vacances, on ne peut plus l'arrêter.* ▶ *embrayage* n. m. ▪ Mécanisme permettant d'établir la communication entre un moteur et une machine ou de les désaccoupler sans arrêter le moteur. *Une pédale d'embrayage. Faire patiner l'embrayage.* ‹ ▶ débrayer ›

embrigader [ɑ̃bʁigade] v. tr. ▪ conjug. 1. ▪ Rassembler, réunir sous une même autorité et en vue d'une action commune. ⇒ **enrégimenter, enrôler.** *Il ne veut pas se laisser embrigader.* ▶ *embrigadement* n. m. ▪ Action d'embrigader. ⇒ **recrutement.**

embringuer [ɑ̃bʁɛ̃ge] v. tr. ▪ conjug. 1. ▪ Fam. Engager de façon fâcheuse, embarrassante. ⇒ **embarquer.** *On l'a embringué dans une histoire un peu louche.* — Pronominalement (réfl.). *Il s'est embringué dans une sale affaire.*

embrocation [ɑ̃bʁɔkasjɔ̃] n. f. ▪ Application d'un liquide huileux et calmant produisant de la chaleur. — Ce liquide. *Les embrocations utilisées pour les massages.*

embrocher [ɑ̃bʁɔʃe] v. tr. ▪ conjug. 1. **1.** Enfiler (une viande, des morceaux de viande) sur une broche, sur des brochettes. *Embrocher une volaille.* **2.** Fam. Transpercer (qqn) d'un coup d'épée.

embrouiller [ɑ̃bʁuje] v. tr. ▪ conjug. 1. **1.** Emmêler (des fils). ⇒ **enchevêtrer.** / contr. **débrouiller, démêler** / *Embrouiller un écheveau, une pelote de laine.* **2.** Abstrait. Compliquer, rendre obscur (qqch.). ⇒ **brouiller.** *Vous embrouillez la situation au lieu de l'éclaircir.* **3.** Fig. Troubler (qqn), lui faire perdre le fil de ses idées. *Vous m'avez embrouillé.* — Pronominalement (réfl.). Se perdre (dans qqch.). *Il s'embrouille dans ses explications.* ⇒ **s'embarrasser.** ▶ *embrouillamini* n. m. ▪ Fam. Désordre ou confusion extrême. ⇒ **imbroglio.** ▶ *embrouillé, ée* adj. ▪ Extrêmement compliqué et confus. *Des explications embrouillées. Il a l'esprit embrouillé.* ⇒ **brouillon.** ▶ *embrouillement* n. m. ▪ Fait d'être embrouillé. ⇒ **complication.**

embroussaillé, ée [ɑ̃bʁusaje] adj. **1.** Couvert de broussailles, en broussailles. **2.** Fig. *Des cheveux embroussaillés*, emmêlés.

embrumer [ɑ̃bʁyme] v. tr. ▪ conjug. 1. **1.** Couvrir de brume. — Au p. p. adj. *Un horizon embrumé.* **2.** Abstrait. *Embrumer les idées, le cerveau*, y mettre de la confusion.

embrun [ɑ̃bʁœ̃] n. m. ▪ Surtout au plur. Poussière de gouttelettes formées par les vagues qui se brisent, et emportée par le vent. *Des embruns glacés.* ≠ *bruine, brume.*

embryo- ▪ Élément savant, signifiant « embryon ». ▶ *embryologie* [ɑ̃bʁijɔlɔʒi] n. f. ▪ Science qui traite de l'embryon et de son développement. ⇒ **génétique.**

embryon [ɑ̃bʁijɔ̃] n. m. **1.** Organisme en voie de développement dans l'œuf des ovipares, et chez l'animal vivipare ou l'homme, avant d'être un fœtus. — Ensemble de cellules donnant naissance à la « plantule » (la jeune tige) d'une graine. **2.** Fig. et littér. Ce qui commence d'être, mais qui n'est pas achevé. ⇒ **commencement, germe.** *Un embryon d'organisation.* ▶ *embryonnaire* adj. **1.** Relatif ou propre à l'embryon. **2.** Fig. Qui n'est qu'en germe, à l'état rudimentaire. *Un plan à l'état embryonnaire, d'ébauche.* ‹ ▶ embryo- ›

embûches [ɑ̃byʃ] n. f. pl. ▪ Difficultés se présentant comme un piège, un traquenard. *Un sujet plein d'embûches. Il a triomphé de toutes les embûches.*

embuer [ɑ̃bɥe] v. tr. ▪ conjug. 1. ▪ Couvrir d'une buée, d'une sorte de buée. *Les larmes embuaient ses yeux.* — Pronominalement. *Les vitres s'embuent.* — Au p. p. adj. *Des pare-brise embués.*

embuscade [ɑ̃byskad] n. f. ▪ Manœuvre par laquelle on dissimule une troupe en un endroit propice, pour surprendre et attaquer l'ennemi. *Dresser, préparer une embuscade. Se mettre, se tenir, être EN EMBUSCADE. Tomber dans une embuscade.*

embusquer [ɑ̃byske] v. tr. ▪ conjug. 1. **1.** Mettre en embuscade, poster en vue d'une agression. *Il embusqua les soldats derrière les rochers.* — Pronominalement (réfl.). *La troupe s'était embusquée derrière le bois.* **2.** Affecter par faveur (un mobilisé) à un poste non exposé, à une unité de l'arrière. *Il a réussi à se faire embusquer, à s'embusquer.* ⇒ **se planquer.** ▶ *embusqué, ée* adj. et n. ▪ Adj. *Des hommes embusqués dans un fourré.* — UN, UNE EMBUSQUÉ,

ÉE : une personne qui s'est fait embusquer (2).‹ ▶ embuscade ›

éméché, ée [emeʃe] adj. ■ Fam. Un peu ivre. ⇒ **gai** ; fam. **pompette.**

émeraude [emrod] n. f. 1. Pierre précieuse verte, variété de béryl (ou de corindon). *Un collier d'émeraudes.* 2. Adj. invar. D'un vert qui rappelle celui de l'émeraude. *Des rayures émeraude.*

émerger [emɛrʒe] v. intr. ■ conjug. 3. 1. Sortir d'un milieu liquide de manière à apparaître à la surface. *L'îlot émerge à marée basse.* — Sortir d'un milieu quelconque. ⇒ **apparaître.** *Une silhouette émerge de l'ombre.* 2. Fig. Se manifester, apparaître plus clairement. ⇒ se **dégager,** se faire **jour.** *La vérité finissait par émerger.* — Fam. Devenir actif, attentif. *Le matin, il a du mal à émerger,* à être bien réveillé. ▶ *émergence* n. f. 1. Sortie (d'un rayon, d'un fluide, d'un nerf). 2. Apparition d'un organe biologique nouveau ou de propriétés nouvelles d'ordre supérieur. 3. Abstrait. Apparition soudaine (dans une suite d'événements, d'idées). *L'émergence d'une solution à un problème.*

émeri [emri] n. m. ■ Abrasif fait d'une roche (corindon) réduite en poudre. *Papier, toile (d')émeri,* enduits de colle forte et saupoudrés de *poudre d'émeri.* — Fam. *Bouché à l'émeri,* complètement borné. *Il ne comprend jamais rien, il est bouché à l'émeri.*

émérite [emerit] adj. ■ Qui, par une longue pratique, a acquis une compétence, une habileté remarquable. ⇒ **éminent.** / contr. **novice** / *C'est une cavalière émérite.*

émerveiller [emɛrveje] v. tr. ■ conjug. 1. ■ Frapper d'étonnement et d'admiration. ⇒ **éblouir.** *Ce film nous a émerveillés.* S'ÉMERVEILLER (DE) v. pron. réfl. : éprouver un étonnement agréable (devant qqch. d'inattendu ou jugé merveilleux). *L'enfant s'émerveillait de voir les avions décoller. Il s'émerveille devant la mer.* — Au p. p. adj. *Un regard émerveillé.* ▶ *émerveillement* n. m. ■ Fait d'être émerveillé. ⇒ **enchantement.**

émétique [emetik] adj. et n. m. ■ Vomitif. *Une préparation émétique.* — *Prendre un émétique.*

émettre [emɛtr] v. tr. ■ conjug. 56. 1. Mettre en circulation, offrir au public (des billets, des chèques, des emprunts...). *La Banque de France a émis une nouvelle pièce de monnaie.* — Au p. p. *Emprunt émis par l'État.* 2. Exprimer (un vœu, une opinion...). *Personne n'a émis un avis autorisé. Émettre un doute, des réserves.* 3. Projeter spontanément hors de soi, par rayonnement (des radiations, des ondes). *Les étoiles émettent des radiations.* — Au p. p. *Les particules émises par le noyau d'un corps radioactif.* — Envoyer (des signaux, des images) sur ondes électromagnétiques. Sans compl. Faire des émissions. ▶ *émetteur, trice* n. et adj. 1. Personne, organisme qui émet des billets, des effets). *L'émetteur d'un chèque. Une banque émettrice d'un emprunt.* 2. Poste émetteur ou, n. m., émetteur, ensemble des dispositifs et appareils destinés à produire des ondes électromagnétiques capables de transmettre des sons et des images. *Émetteurs radiophoniques, de télévision.* — Station qui effectue des émissions radiophoniques (opposé à *récepteur*). ‹ ▶ émission ›

émeu [emø] n. m. ■ Grand oiseau coureur d'Australie (qui ressemble un peu à l'autruche). *Des émeus.*

émeute [emøt] n. f. ■ Soulèvement populaire, généralement spontané et non organisé. ⇒ **agitation.** ≠ révolte, révolution. ▶ *émeutier, ière* n. ■ Personne qui excite à une émeute ou qui y prend part. *En 1848, les émeutiers dressèrent des barricades.*

-émie ■ Élément final de mots médicaux signifiant « sang ». ⇒ **anémie, leucémie.**

émietter [emjete] v. tr. ■ conjug. 1. 1. Réduire en miettes, désagréger en petits morceaux. *Il émiette du pain pour les oiseaux.* — Au p. p. *Une roche émiettée par l'érosion.* 2. Fig. Morceler à l'excès. *Émietter une propriété en parcelles.* — Éparpiller, disperser (une activité, un effort...). ▶ *émiettement* n. m. ■ Fait d'être émietté, morcelé à l'excès. *L'émiettement de la propriété rurale.*

émigrer [emigre] v. intr. ■ conjug. 1. 1. Quitter son pays pour aller s'établir dans un autre, momentanément ou définitivement. ⇒ s'**expatrier.** / contr. **immigrer** / *Beaucoup de gens émigrent pour des raisons économiques.* 2. (Animaux) Quitter périodiquement et par troupes une contrée pour séjourner ailleurs. ⇒ **migration.** *Les hirondelles émigrent à l'automne vers le sud.* ▶ *émigrant, ante* n. ■ Personne qui émigre. ≠ *immigrant.* ▶ *émigration* n. f. ■ Action d'émigrer. / contr. **immigration** / *Pays à forte émigration.* ▶ *émigré, ée* n. ■ Personne qui s'est expatriée (pour des raisons politiques, économiques, etc.). ≠ *immigré. Les travailleurs émigrés. Un émigré politique.* — *Les émigrés,* en histoire, partisans de l'Ancien Régime réfugiés à l'étranger pendant la Révolution française.

émincer [emɛ̃se] v. tr. ■ conjug. 3. ■ Couper en tranches minces (une viande, du lard, des oignons...). ▶ *émincé, ée* adj. et n. m. 1. Adj. *Du fromage émincé,* coupé en tranches minces. 2. N. m. Fine tranche de viande. *Des émincés de gigot.* — Plat à base d'aliments émincés. *Un émincé de volaille.*

① **éminence** [eminɑ̃s] n. f. ■ Élévation de terrain relativement isolée. ⇒ **hauteur, monticule, tertre.** *Un observatoire a été établi sur cette éminence.*

② **éminence** n. f. ■ Titre d'honneur qu'on donne aux cardinaux. *La mitre de son Éminence.* — *L'Éminence grise,* le père Joseph, confident de Richelieu et son ministre occulte. *L'éminence grise d'un chef politique, d'un parti,* le conseiller intime et secret. ▶ *éminent, ente* adj. 1. Qui est au-dessus du niveau commun, d'ordre supérieur. / contr. **médiocre** / *Il a rendu d'éminents services.* 2. (Personnes) Très distingué, remarquable. *Un éminent spécialiste.* ▶ *éminemment* [eminamɑ̃] adv. ■ Au plus haut degré. *J'en suis éminemment convaincu.*

émir [emir] n. m. ■ Titre honorifique donné autrefois au chef du monde musulman, aux descendants du Prophète, puis à des princes, des gouverneurs, des chefs militaires de l'Islam. ▶ *émirat* n. m. ■ Territoire musulman gouverné par un émir. *L'émirat de Koweit.*

① **émissaire** [emisɛr] n. m. ■ Agent chargé d'une mission secrète. *Envoyer un émissaire.*

② **émissaire** adj. m. ⇒ **bouc** émissaire.

émission [emisjɔ̃] n. f. 1. Fait d'émettre*, de projeter au-dehors (un liquide physiologique, un gaz sans pression). *Émission d'urine, de vapeur.* 2. Production (de sons vocaux). *Lire une phrase d'une seule émission de voix.* 3. Production en un point donné et rayonnement dans l'espace (d'ondes électromagnétiques, de particules élémentaires, de vibrations, etc.). *Émission de chaleur. Émission lumineuse.* — Transmission à l'aide d'ondes électromagnétiques, de signaux, de sons et d'images. ⇒ **émettre** (3) ; **radiodiffusion, télévision.** — Cour. Ce qui est ainsi transmis. *Le programme des émissions de la soirée. Les émissions sont terminées. Hier, j'ai regardé une bonne émission.* 4. Mise en circulation (de monnaies, titres, effets, etc.). — Action d'offrir au public (des emprunts, des actions).

emmagasiner [ɑ̃magazine] v. tr. ■ conjug. 1.
1. Mettre en magasin, entreposer (des marchandises).
⇒ **stocker.** *Emmagasiner de l'outillage dans un entrepôt.* **2.** Fig. Garder dans l'esprit, dans la mémoire. *Toutes les connaissances qu'il a emmagasinées.*
▶ *emmagasinage* n. m. ■ Action d'emmagasiner.

emmailloter [ɑ̃majɔte] v. tr. ■ conjug. 1. ■ Envelopper complètement (un corps, un membre, un objet). *On a emmailloté sa main blessée. Elle s'est emmailloté les pieds dans une couverture. — Au p. p. Être emmailloté de couvertures.*

emmancher [ɑ̃mɑ̃ʃe] v. tr. ■ conjug. 1. **1.** Ajuster sur un manche, engager et fixer dans un support. *Essayez de mieux emmancher ce balai.* **2.** Fig. et fam. Engager, mettre en train (une activité, un processus). — Surtout au p. p. adj. *Une affaire mal emmanchée.*

emmanchure [ɑ̃mɑ̃ʃyʀ] n. f. ■ Chacune des ouvertures d'un vêtement, faites pour adapter une manche ou laisser passer le bras. *Un veston étroit aux emmanchures.* ⇒ **entournure.**

emmêler [ɑ̃mele] v. tr. ■ conjug. 1. ■ Mêler l'un à l'autre, d'une manière désordonnée. ⇒ **embrouiller, enchevêtrer.** *Emmêler les fils d'un écheveau. — Pronominalement. Tous les fils se sont emmêlés. — Au p. p. adj. Cheveux emmêlés. Une intrigue très emmêlée, embrouillée. — Fam. Il s'emmêle les pieds, les pédales, il s'embrouille (dans une explication). / contr.* **démêler /** ▶ *emmêlement* n. m. ■ Action d'emmêler ; fait d'être emmêlé. ⇒ **enchevêtrement, fouillis.**

emménager [ɑ̃menaʒe] v. intr. ■ conjug. 3. ■ S'installer dans un nouveau logement. / contr. **déménager /** *Ils ont emménagé dans un grand appartement.* ▶ *emménagement* n. m. ■ Action d'emménager. ⇒ **installation.** / contr. **déménagement /**

emmener [ɑ̃mne] v. tr. ■ conjug. 5. **1.** Mener avec soi (qqn, un animal) en allant d'un lieu à un autre. *Si tu veux, j'emmène les enfants.* — REM. Avec un compl. désignant un objet, on emploie *emporter. Emporte toutes les valises et n'oublie pas d'emmener le chat.* — Mener avec soi en allant quelque part. *Je vous emmène à Paris.* — REM. *Emmener suppose que l'accompagnateur reste avec l'accompagné* (*Je vous emmène à la piscine,* j'y vais avec vous ; *je vous amène à la piscine,* jusqu'à la piscine). *Je t'emmène chez mon frère. Emmène-moi ailleurs.* — (+ infinitif) *Il nous a emmenés dîner dans un restaurant japonais.* **2.** Conduire, entraîner en avant avec élan (des soldats, les membres d'une équipe...). *Les avants étaient bien emmenés par le capitaine.* **3.** (Suj. chose) Conduire, transporter au loin. *L'avion les emmène en Afrique.*

emmenthal [ɑ̃mɛ̃tal] n. m. ■ Fromage de gruyère, à croûte jaune, présentant de grands trous. ⇒ **gruyère.**

emmerder [ɑ̃mɛʀde] v. tr. ■ conjug. 1. **1.** Fam. (Suj. personne) Causer des ennuis à (qqn) ; (Suj. chose) représenter des ennuis pour (qqn). ⇒ **agacer, embêter, empoisonner, ennuyer, importuner.** *Arrête de m'emmerder avec tes histoires. — Au p. p. Il est bien emmerdé maintenant. — Pronominalement. Se donner du mal. Ne t'emmerde pas à le réparer.* **2.** Fam. Faire naître l'ennui. *Ce genre de film m'emmerde.* **3.** Tenir pour négligeable (par défi). *Les gens du quartier ? Je les emmerde.* ▶ *emmerdant, ante* adj. ■ Fam. Qui contrarie, dérange fortement. *C'est bien emmerdant, ça !* — Qui fait naître l'ennui. ⇒ **ennuyeux.** *C'est un bouquin plutôt emmerdant.* ▶ *emmerdement* n. m. ■ Fam. Gros ennui. ⇒ **difficulté, embêtement.** *Il a toujours des emmerdements. Ah ! Quel emmerdement !* ⇒ **guigne, pépin, tuile.** ▶ *emmerdeur, euse* n. ■ Fam. Personne particulièrement embêtante, soit

ennuyeuse, soit agaçante et tatillonne. ⇒ **gêneur, importun.** *Ne l'invite pas, c'est une emmerdeuse.*

emmitoufler [ɑ̃mitufle] v. tr. ■ conjug. 1. ■ Fam. Envelopper dans des fourrures, des vêtements chauds et moelleux. — Pronominalement (réfl.). Se couvrir chaudement des pieds à la tête. *S'emmitoufler dans un gros manteau.*

emmurer [ɑ̃myʀe] v. tr. ■ conjug. 1. ■ Enfermer (qqn) dans un cachot muré. — *L'éboulement les a emmurés.* ⇒ **emprisonner.** — Abstrait. *S'emmurer, être emmuré dans le silence,* se couper, être coupé des autres.

émoi [emwa] n. m. Littér. **1.** Agitation, effervescence. — EN ÉMOI. *Tout le quartier était en émoi.* **2.** Trouble qui naît de l'appréhension, ou d'une émotion sensuelle. *L'émoi du jeune homme était visible.*

émoluments [emɔlymɑ̃] n. m. pl. ■ Rétribution représentant un traitement fixe ou variable. ⇒ **appointements, rémunération.**

émonder [emɔ̃de] v. tr. ■ conjug. 1. ■ Débarrasser (un arbre) des branches mortes ou inutiles, nuisibles, des plantes parasites. ⇒ **élaguer, tailler.** ▶ *émondage* n. m. ■ Action d'émonder.

émotif, ive [emɔtif, iv] adj. **1.** Relatif à l'émotion. ⇒ **émotionnel.** *Avoir un comportement émotif.* **2.** (Personnes) Qui réagit par des émotions fortes ; qui est facilement ému (⇒ **émouvoir**). ⇒ **impressionnable, sensible.** *Soyez patient avec lui, il a un caractère très émotif.* — N. *Un émotif, une émotive.* ▶ *émotivité* n. f. ■ Caractère d'une personne émotive. *Un enfant d'une grande émotivité.* / contr. **flegme /**

émotion [emosjɔ̃] n. f. ■ État affectif intense, caractérisé par des troubles divers (pâleur, accélération du pouls, tremblements, etc.). *L'émotion l'étouffait, le paralysait. Sa voix se brisa d'émotion. Causer l'émotion, une émotion.* ⇒ **émouvoir.** — État affectif, plaisir ou douleur nettement prononcé. ⇒ **sentiment.** *Il évoquait ses souvenirs avec émotion.* / contr. **froideur /** Fam. *Tu nous as donné des émotions, tu nous a fait peur.* ▶ *émotionnel, elle* adj. ■ Propre à l'émotion, qui a le caractère de l'émotion. *Les états émotionnels.* ▶ *émotionner* v. tr. ■ conjug. 1. ■ Fam. Toucher par une émotion. ⇒ **émouvoir.**

émouchet [emuʃɛ] n. m. ■ Petit rapace diurne.

frais émoulu, ue [fʀɛemuly] adj. ■ Récemment sorti (d'une école). Fém. : *frais* ou *fraîche émoulue. Elles sont frais émoulues* ou *fraîches émoulues du lycée.*

émousser [emuse] v. tr. ■ conjug. 1. **1.** Rendre moins coupant, moins aigu. / contr. **aiguiser /** *Émousser la pointe d'un outil.* **2.** Littér. Rendre moins vif, moins pénétrant, moins incisif. ⇒ **affaiblir, amortir.** *Les images violentes de la télévision émoussent la sensibilité.* — Pronominalement. *Son chagrin s'est émoussé avec le temps.* ▶ *émoussé, ée* adj. **1.** Rendre moins aigu, moins tranchant. *Couteau émoussé.* **2.** Littér. Rendu moins vif. *Sentiments émoussés* (par l'habitude).

émoustiller [emustije] v. tr. ■ conjug. 1. ■ Fam. Mettre de bonne humeur en excitant. *Le champagne avait l'air de les émoustiller.* ⇒ **égayer.** ▶ *émoustillant, ante* adj.

émouvoir [emuvwaʀ] v. tr. ■ conjug. 27. **1.** Agiter (qqn) par une émotion. ⇒ **émotionner, remuer.** *Cette lettre, cette nouvelle m'a beaucoup ému.* — Pronominalement. Se troubler. *Il s'émeut à l'idée de partir. Sans s'émouvoir,* sans s'inquiéter. **2.** Toucher (qqn, un groupe) en éveillant un intérêt puissant. *Ce roman* *a ému toute une génération. Il n'est pas facile à émouvoir.* ▶ **émouvant, ante** adj. ■ Qui émeut, qui fait naître une émotion désintéressée (compassion, admiration). ⇒ **pathétique, poignant, touchant.** *Une cérémonie émouvante.* ‹ ▶ émotif, émotion ›

empailler [ɑ̃paje] v. tr. ■ conjug. 1. **1.** Bourrer de paille (la peau d'animaux morts qu'on veut conserver). ⇒ **naturaliser.** — Au p. p. adj. *Un oiseau empaillé.* Loc. fam. *Il a l'air empaillé,* peu dégourdi. ⇒ **empoté,** ② **gauche. 2.** Mettre de la paille autour de (qqch.) pour protéger. *Empailler de jeunes arbres. Empailler des bouteilles.* ▶ **empaillage** n. m. ■ Action d'empailler. *L'empaillage des oiseaux.* ▶ **empailleur, euse** n. ■ ⇒ **taxidermiste.**

empaler [ɑ̃pale] v. tr. ■ conjug. 1. **1.** Soumettre au supplice du pal. **2.** S'EMPALER v. pron. réfl. : tomber sur un objet pointu qui s'enfonce à travers le corps. *Il est venu s'empaler sur une fourche.*

empanaché, ée [ɑ̃panaʃe] adj. ■ Orné d'un panache. *Un casque empanaché.*

empaqueter [ɑ̃pakte] v. tr. ■ conjug. 4. ■ Faire un paquet de (linge, marchandises, etc.). ⇒ **emballer.** *Il empaquette ses livres.* ▶ **empaquetage** n. m. ■ Action d'empaqueter.

s'emparer [ɑ̃paʀe] v. pron. ■ conjug. 1. **1.** Prendre violemment ou indûment possession (de). ⇒ **conquérir, enlever, se saisir.** / contr. **restituer** / *Les insurgés se sont emparés d'un dépôt d'armes. Les terroristes se sont emparés de plusieurs otages. L'armée s'est emparée du pouvoir.* **2.** Se rendre maître (d'un esprit, d'une personne) au point de dominer. — (Suj. chose) Envahir la conscience (de qqn). *La rêverie, l'émotion qui s'emparait de moi. Le sommeil s'empara de lui.* **3.** Se saisir (de qqch.), parvenir à prendre. *Le gardien de but réussit à s'emparer du ballon.*

empâter [ɑ̃pate] v. tr. ■ conjug. 1. ■ Rendre épais, pâteux. *L'excès de vin lui empâte la langue.* — Pronominalement (réfl.). Épaissir, grossir. *Ses joues s'empâtaient.* ▶ **empâté, ée** adj. ■ Devenu épais. ⇒ **bouffi.** / contr. **émacié** / *Des traits empâtés.* ▶ **empâtement** n. m. ■ Épaississement produisant un effacement des traits. *L'empâtement du menton.* ≠ *empattement.*

empattement [ɑ̃patmɑ̃] n. m. ■ **1.** Maçonnerie en saillie à la base d'un mur. **2.** Distance séparant les essieux d'une voiture. ≠ *empâtement.*

empêcher [ɑ̃peʃe] v. tr. ■ conjug. 1. **1.** *Empêcher qqch.,* faire en sorte que ne se produise pas qqch. ; rendre impossible en s'opposant. ⇒ **interdire.** / contr. **permettre** / *J'ai tout fait pour empêcher ce mariage. L'inondation empêche la circulation. Vous n'empêcherez pas que la vérité (ne) soit connue.* — Loc. *(Il)* N'EMPÊCHE que..., cela n'empêche pas que : cependant, malgré cela. *N'empêche que j'ai raison,* j'ai quand même raison. Fam. *N'empêche,* ce n'est pas une raison.* **2.** *Empêcher qqn de faire qqch.,* faire en sorte qu'il ne puisse pas. *Tu empêches les autres de travailler.* — (Suj. chose) *Rien ne m'empêchera de faire ce que j'ai décidé. Qu'est-ce qui vous en empêche ?* **3.** Pronominalement. (Souvent négatif) Se défendre, se retenir de. *Il ne pouvait s'empêcher de rire.* **4.** Être *empêché,* retenu par des occupations. *Vous l'excuserez, il a été empêché.* ▶ **empêchement** n. m. ■ Ce qui empêche d'agir, de faire ce qu'on voudrait. ⇒ **contretemps, difficulté, obstacle.** *Il n'y a pas d'empêchement. En cas d'absence ou d'empêchement. J'ai eu un empêchement de dernière minute.* ▶ **empêcheur, euse** n. ■ Loc. *Empêcheur de danser en rond,* ennemi de la gaieté. ⇒ **rabat-joie, trouble-fête.**

empeigne [ɑ̃pɛɲ] n. f. ■ Dessus (d'une chaussure), du cou-de-pied jusqu'à la pointe.

empenner [ɑ̃pene] v. tr. ■ conjug. 1. ■ Garnir (une flèche) de plumes ou d'ailerons stabilisateurs. ▶ **empennage** [ɑ̃penaʒ] n. m. ■ Surfaces placées à l'arrière des ailes ou de la queue d'un avion, et destinées à lui donner de la stabilité.

empereur [ɑ̃pʀœʀ] n. m. **1.** Chef souverain de certains États (appelés *empire*). ⇒ **mikado, tsar.** *L'empereur et l'impératrice.* — En France. *L'Empereur,* Napoléon Iᵉʳ, puis Napoléon III. **2.** En histoire. Détenteur du pouvoir suprême, dans l'Empire romain, le Saint Empire germanique, etc. *Les empereurs romains. L'empereur d'Autriche.*

emperler [ɑ̃pɛʀle] v. tr. ■ conjug. 1. ■ Littér. Couvrir de gouttelettes. *La sueur emperlait son front.* — Au p. p. *Des prés emperlés de rosée.*

empeser [ɑ̃pəze] v. tr. ■ conjug. 5. ■ Apprêter (un tissu) en amidonnant (avec de l'*empois*). ⇒ **amidonner.** *Empeser un col de chemise.* ▶ **empesé, ée** adj. **1.** Qu'on a empesé. *Col empesé.* ⇒ **dur. 2.** Abstrait. Apprêté, dépourvu de naturel. *Il a encore son air empesé.* ⇒ **guindé.** *Un style empesé,* qui manque de naturel.

empester [ɑ̃pɛste] v. ■ conjug. 1. **1.** V. tr. Infester de mauvaises odeurs. ⇒ **empuantir, puer.** / contr. **embaumer** / *Vous nous empestez avec votre fumée.* **2.** V. intr. Sentir très mauvais. *Ça empeste, ici !*

empêtrer [ɑ̃petʀe] v. tr. ■ conjug. 1. **1.** Entraver, engager (qqn ou les pieds, les jambes) dans qqch. qui retient ou embarrasse. — Pronominalement (réfl.). *Il s'empêtrait dans ses bagages.* **2.** Fig. Engager dans une situation difficile, embarrassante. ⇒ **embringuer.** Surtout passif et pron. *Il est encore empêtré dans ses difficultés financières.* — Pronominalement (réfl.). *Il s'empêtrait dans ses explications.* ⇒ **s'embrouiller.**

emphase [ɑ̃faz] n. f. ■ Ton, style déclamatoire abusif ou déplacé. ⇒ **déclamation, grandiloquence.** *Il parle avec emphase pour dire les choses les plus banales.* / contr. **simplicité** / ▶ **emphatique** [ɑ̃fatik] adj. ■ Plein d'emphase. ⇒ **déclamatoire, grandiloquent, pompeux.** / contr. **simple** /

emphysème [ɑ̃fizɛm] n. m. ■ En médecine. Gonflement produit par une infiltration gazeuse dans le tissu cellulaire (notamment du poumon).

empiècement [ɑ̃pjɛsmɑ̃] n. m. ■ Partie supérieure (d'une robe ou d'une jupe) qui maintient la partie ample du bas. *Robe à empiècement.*

empierrer [ɑ̃pjeʀe] v. tr. ■ conjug. 1. ■ Couvrir d'une couche de pierres, de caillasse. *Les cantonniers sont en train d'empierrer la route.* — Au p. p. adj. *Chemin empierré.* ▶ **empierrement** n. m. ■ Action d'empierrer ; couche de pierres cassées.

empiéter [ɑ̃pjete] v. intr. ■ conjug. 6. **1.** EMPIÉTER SUR (une propriété, un droit...) : prendre indûment et par une lente progression un peu de (cette propriété, ce droit). *Empiéter sur le terrain du voisin.* **2.** (Choses) Déborder sur. *Un baraquement qui empiète sur le trottoir.* ▶ **empiétement** n. m. ■ Action d'empiéter.

s'empiffrer [ɑ̃pifʀe] v. pron. ■ conjug. 1. ■ Manger gloutonnement. ⇒ se **bourrer,** se **gaver.** *Il attend le moment du dessert pour s'empiffrer de gâteaux.*

empiler [ɑ̃pile] v. tr. ■ conjug. 1. **1.** Mettre en pile. *Il empile ses livres, faute de place. Empiler du bois.* **2.** Entasser (des êtres vivants) dans un petit espace. — Pronominalement (réfl.). *Les voyageurs s'empilaient sur la plate-forme.* **3.** Fam. Tromper (qqn) en le volant. ⇒ **rouler.** ▶ **empilement** n. m. ■ Action d'empiler (des choses) ; choses empilées.

empire [ɑ̃piʀ] n. m. **1.** Autorité, domination absolue. *Les États qui se sont disputé l'empire du monde.*

— Fig. *Être* SOUS L'EMPIRE *de* : sous l'influence, la domination. *Il est sous l'empire de la drogue.* **2.** Autorité souveraine d'un chef d'État qui porte le titre d'empereur ; État ou ensemble d'États soumis à cette autorité. *L'Empire romain.* — *L'Empire*, période où la France fut un État gouverné par un empereur. *Le premier Empire* (Napoléon Iᵉʳ). *Le second Empire* (Napoléon III). — *Style, meuble Empire*, du premier Empire. **3.** Ensemble de territoires colonisés par une puissance. *L'empire colonial.* **4.** Loc. *Pas pour un empire !*, pour rien au monde. *Je ne viendrais pas pour un empire.*

empirer [ɑ̃piʀe] v. ■ conjug. 1. **1.** V. intr. (Situation, état) Devenir pire. *Son mal a empiré depuis hier. La situation économique empire rapidement.* **2.** V. tr. Littér. Rendre pire (une situation, les choses). *Votre intervention n'a fait qu'empirer les choses.* ⇒ **aggraver.** / contr. **améliorer /**

empirique [ɑ̃piʀik] adj. ■ Qui ne s'appuie que sur l'expérience, qui reste au niveau de l'expérience spontanée ou commune, n'a rien de rationnel ni de systématique. *C'est moins une méthode qu'un procédé empirique.* ⇒ **pragmatique.** ▶ *empiriquement* adv. ■ De façon empirique. ▶ *empirisme* n. m. **1.** Esprit, caractère empirique. *L'empirisme d'une méthode de travail.* **2.** Théorie philosophique (des *empiristes*), d'après laquelle toutes nos connaissances viennent de l'expérience.

emplacement [ɑ̃plasmɑ̃] n. m. ■ Place choisie et aménagée par l'homme (pour une construction, une installation). ⇒ **endroit.** *Le commerçant a choisi un bon emplacement. Déterminer l'emplacement d'une usine.* — Lieu de stationnement. *Emplacement réservé aux livraisons.*

emplâtre [ɑ̃platʀ] n. m. **1.** Médicament externe se ramollissant légèrement à la chaleur et devenant alors adhérent. **2.** Aliment lourd et bourratif. **3.** Fam. Individu sans énergie, bon à rien. *Quel emplâtre !* ⇒ **empoté.**

emplette [ɑ̃plɛt] n. f. **1.** Vieilli. Achat (de marchandises courantes mais non quotidiennes). ⇒ **course(s).** *Faire l'emplette d'un chapeau.* **2.** Au plur. Faire des emplettes, ses achats. — Objets que l'on a achetés. *Montrez-moi vos emplettes.*

emplir [ɑ̃pliʀ] v. tr. ■ conjug. 2. **1.** Littér. Remplir. *Emplir une valise.* — Au p. p. adj. *Verre empli jusqu'au bord.* ⇒ **plein.** — Pronominalement. *La barque s'emplissait d'eau.* **2.** Occuper par soi-même (la capacité d'un réceptacle, une place vide). *La foule emplissait les rues.* ⟨ ▶ **désemplir, remplir** ⟩

emploi [ɑ̃plwa] n. m. **1.** Action ou manière d'employer une chose ; ce à quoi elle est employée. ⇒ **usage, utilisation.** *Faire un bon, un mauvais emploi de son temps, de son argent. Mot susceptible de divers emplois.* — MODE D'EMPLOI : notice expliquant la manière de se servir d'un objet. — EMPLOI DU TEMPS : répartition dans le temps de tâches à effectuer ; règlement, tableau établissant cette répartition. ⇒ **programme.** *Avoir un emploi du temps très chargé,* être très occupé. — Loc. *Cela fait* DOUBLE EMPLOI : c'est inutile, cela répond à un besoin déjà satisfait par autre chose. **2.** Ce à quoi s'applique l'activité rétribuée (d'un employé, d'un salarié). ⇒ **place, situation.** *Avoir, exercer un emploi. Il, elle est sans emploi,* au chômage. *Il cherche de l'emploi, du travail. Offres, demandes d'emploi* (par petites annonces). *S'inscrire comme demandeur d'emploi.* — (*L'emploi*) Somme du travail humain effectivement employé et rémunéré, dans un système économique. *Le marché de l'emploi.* **3.** Genre de rôle dont est chargé un acteur. *Avoir, tenir l'emploi du jeune premier.* — Loc. *Avoir le physique (la tête) de l'emploi,* avoir l'air de ce qu'on fait. ⟨ ▶ **plein-emploi, sous-emploi** ⟩

employer [ɑ̃plwaje] v. tr. ■ conjug. 8. **1.** Faire servir à une fin (un instrument, un moyen, une force...). *Vous avez bien employé votre temps, votre argent. Il emploie un terme impropre.* ⇒ se **servir, utiliser.** *Il ne sait pas employer son temps.* — Au p. p. adj. *Une somme d'argent bien employée.* — Pronominalement. *Cette expression ne s'emploie plus.* **2.** Faire travailler (qqn) pour son compte en échange d'une rémunération. *Cette entreprise emploie plusieurs milliers d'ouvriers.* **3.** S'EMPLOYER À v. pron. : s'occuper avec ardeur et constance. *Il s'emploie à trouver une solution convenable. Il s'y emploie.* ⇒ se **consacrer.** ▶ *employé, ée* n. ■ Salarié (généralement payé au mois) qui est employé (2) à un travail non manuel (opposé à *ouvrier*). ⇒ **agent, commis.** *Les employés d'un ministère. Employé de banque. Une employée des postes.* ▶ *employeur, euse* n. ■ Personne employant du personnel salarié. ⇒ **patron.** ⟨ ▶ **emploi, inemployé, réemployer** ⟩

emplumé, ée [ɑ̃plyme] adj. ■ Couvert, orné de plumes.

empocher [ɑ̃pɔʃe] v. tr. ■ conjug. 1. ■ Toucher, recevoir (de l'argent). *Il essaiera d'empocher tous les bénéfices.*

empoigner [ɑ̃pwaɲe] v. tr. ■ conjug. 1. **1.** Prendre en serrant dans la main. *Empoigner un manche de pioche. Il a empoigné le gamin au collet.* — Pronominalement (récipr.). Se saisir l'un de l'autre pour se battre. ⇒ se **colleter.** Fig. Se quereller. *Ils se sont empoignés en public.* **2.** Fig. Émouvoir profondément. *La fin tragique du film empoigna les spectateurs.* ▶ *empoignade* n. f. ■ Altercation, discussion violente. ▶ *empoigne* n. f. ■ Loc. FOIRE D'EMPOIGNE : mêlée, affrontement d'intérêts et de spéculations malhonnêtes.

empois [ɑ̃pwa] n. m. invar. ■ Colle à base d'amidon employée à l'apprêt du linge (⇒ **empeser**).

empoisonner [ɑ̃pwazɔne] v. tr. ■ conjug. 1. **1.** (Suj. personne) Faire mourir, ou mettre en danger de mort, en faisant absorber du poison. *On a empoisonné notre chien. S'empoisonner,* se tuer en absorbant du poison. **2.** Surtout au p. p. adj. Mêler, infecter de poison. *Des flèches empoisonnées au curare.* — Littér. *Des propos empoisonnés,* particulièrement venimeux. **3.** Remplir d'une odeur infecte. ⇒ **empester, empuantir.** *Les odeurs de l'égout empoisonnaient tout le quartier.* **4.** Altérer dans sa qualité, son agrément. ⇒ **gâter.** *Des soucis, des regrets qui empoisonnent la vie.* **5.** Fam. Rendre la vie impossible à (qqn). ⇒ **embêter.** *Il m'a empoisonné pendant des heures.* ▶ *empoisonnant, ante* adj. ■ Fam. Très ennuyeux, embêtant. *Tais-toi un peu ! Tu es empoisonnant.* ▶ *empoisonnement* n. m. **1.** Introduction dans l'organisme d'une substance toxique, capable d'altérer la santé ou d'entraîner la mort. ⇒ **intoxication.** *Empoisonnement dû à des champignons vénéneux.* — Meurtre par le poison. **2.** Souvent au plur. Fam. Ennui, embêtement. *J'ai eu assez d'empoisonnements comme ça.* ▶ *empoisonneur, euse* n. **1.** Criminel(le) qui use du poison. **2.** Fam. Personne qui ennuie tout le monde. ⇒ fam. **poison.**

empoissonner [ɑ̃pwasɔne] v. tr. ■ conjug. 1. ■ Peupler de poissons. ⇒ **aleviner.** *Empoissonner un lac.* ▶ *empoissonnement* n. m. ■ Action d'empoissonner.

emporter [ɑ̃pɔʀte] v. tr. ■ conjug. 1. **1.** Prendre avec soi et porter hors d'un lieu (qqch. ou qqn qui ne se déplace pas par soi-même). *Partir en voyage en emportant une valise. Vous pouvez emporter ces livres.*

Elle emporte le bébé dans ses bras. — Fig. *Il a emporté son secret dans la tombe.* — Loc. *Vous ne l'emporterez pas au (en) paradis,* vous ne jouirez pas longtemps du bien, du succès actuel ; je me vengerai tôt ou tard. **2.** (Suj. chose) Enlever avec rapidité, violence. ⇒ **arracher, balayer.** *Le cyclone a tout emporté sur son passage.* Loc. *Autant en emporte le vent,* se dit à propos d'une chose dont on pense qu'il. ne restera rien. — (Maladie soudaine) Faire mourir. ⇒ **tuer.** *Le mal l'a emporté en quelques heures.* **3.** S'emparer de (qqch.) par la force. ⇒ **enlever.** *Les troupes ont emporté la position.* ⇒ Loc. *Emporter le morceau,* réussir une affaire. **4.** (Suj. chose abstraite) Entraîner, pousser avec force. *La passion vous emporte.* **5.** L'EMPORTER : avoir le dessus, se montrer supérieur. ⇒ **triompher.** *Notre équipe l'a emporté par trois buts à un. La raison a fini par l'emporter sur le fanatisme.* **6.** S'EMPORTER v. pron. : se laisser aller à des mouvements de colère, à des actes de violence. *Essaie de discuter sans t'emporter.* ▶ **emporté, ée** adj. ■ Qui s'emporte facilement. ⇒ **coléreux, irritable, violent.** / contr. **calme, paisible** / ▶ **emportement** n. m. **1.** Littér. Élan, ardeur. ⇒ **fougue.** *Il se jeta avec emportement dans ses études.* **2.** Violent mouvement de colère. *Dans des moments d'emportement, il devient grossier.* ▶ **emporte-pièce** n. m. invar. **1.** Outil servant à découper et à enlever d'un seul coup des pièces de forme déterminée dans des feuilles de métal, de cuir, etc. **2.** À L'EMPORTE-PIÈCE loc. adj. : (paroles) mordant, incisif. *Des phrases à l'emporte-pièce.* ⟨ ▶ remporter ⟩

empoté, ée [ɑ̃pɔte] adj. ■ Fam. Maladroit et lent. — N. *Quel empoté !*

empourprer [ɑ̃puʀpʀe] v. tr. ■ conjug. 1. ■ Littér. Colorer de pourpre, de rouge, par l'effet de phénomènes naturels. — Pronominalement. *Son visage s'empourpra,* rougit (de colère, de honte...). — Au p. p. adj. *Des joues empourprées.* ⇒ **cramoisi.**

empreint, einte [ɑ̃pʀɛ̃, ɛ̃t] adj. ■ Littér. Marqué profondément. *Un poème empreint de sincérité.*

empreinte [ɑ̃pʀɛ̃t] n. f. **1.** Marque en creux ou en relief laissée par un corps qu'on presse sur une surface. ⇒ **impression.** *L'empreinte d'un cachet sur la cire. Prendre l'empreinte d'une serrure, d'une clé.* ⇒ **moulage.** — Trace naturelle. *Reconnaître les empreintes d'un animal sur le sol.* — EMPREINTES (DIGITALES) : traces laissées par les doigts et qui permettent d'identifier qqn. *Mettre ses empreintes sur une carte d'identité.* **2.** Abstrait. Marque profonde, durable. *Il garde l'empreinte de son milieu familial. Marquer qqn, qqch. de son empreinte.*

s'empresser [ɑ̃pʀese] v. pron. ■ conjug. 1. **1.** Mettre de l'ardeur, du zèle à servir qqn ou à lui plaire. *On le voit toujours s'empresser auprès des jolies femmes.* **2.** S'EMPRESSER DE (+ infinitif) : se hâter. *Il s'empressa de prendre la parole. Je m'empresse d'ajouter que...* ▶ **empressé, ée** adj. ■ Qui est plein d'un zèle et d'un dévouement un peu trop visibles. *Des employés empressés auprès du directeur. Il ne s'est pas montré très empressé pour nous aider.* ▶ **empressement** n. m. **1.** Action de s'empresser auprès de qqn. *Il s'étonnait d'être reçu avec tant d'empressement.* **2.** Hâte qu'inspire le zèle. ⇒ **ardeur.** *Obéir avec empressement. Son empressement à s'accuser paraissait suspect aux policiers.*

emprise [ɑ̃pʀiz] n. f. ■ Domination intellectuelle ou morale. ⇒ **influence.** *Se dégager de l'emprise exercée par le milieu. Je n'ai aucune emprise sur lui.*

emprisonner [ɑ̃pʀizɔne] v. tr. ■ conjug. 1. **1.** Mettre en prison. ⇒ **incarcérer.** *On a condamné et emprisonné le coupable.* / contr. ② **élargir, libérer** /

2. Tenir à l'étroit, serrer. — Au p. p. *Avoir la jambe emprisonnée dans un plâtre.* ▶ **emprisonnement** n. m. ■ Action d'emprisonner, état de celui qui est emprisonné. ⇒ **détention, incarcération.** / contr. ② **élargissement, libération** /

emprunt [ɑ̃pʀœ̃] n. m. **1.** Action d'obtenir une somme d'argent, à titre de prêt ; cet argent. *Faire, contracter un emprunt.* ⇒ **emprunter.** — *Emprunt (public),* par lequel l'État ou une collectivité publique demande les fonds nécessaires pour financer des dépenses publiques. *Émettre, lancer un emprunt. Souscrire à un emprunt.* **2.** Action d'utiliser pour une œuvre un thème, des expressions d'un auteur ; thème, expression ainsi utilisés. *Les emprunts que Molière a faits à Plaute.* **3.** Processus par lequel une langue accueille un élément d'une autre langue ; élément (mot, tour) ainsi incorporé. *Emprunts à l'anglais,* anglicismes. **4.** D'EMPRUNT loc. adj. : qui n'appartient pas en propre au sujet, vient d'ailleurs. *Il voyageait sous un nom d'emprunt,* un faux nom. ⇒ **pseudonyme.**

emprunté, ée [ɑ̃pʀœ̃te] adj. ■ Qui manque d'aisance ou de naturel. ⇒ **embarrassé, gauche.** *Avoir un air emprunté.*

emprunter [ɑ̃pʀœ̃te] v. tr. ■ conjug. 1. **1.** Obtenir (de l'argent, un objet...) à titre de prêt ou pour un usage momentané. ⇒ **emprunt.** *Emprunter de l'argent à une banque. Je voudrais t'emprunter ce livre.* **2.** Fig. Prendre ailleurs et faire sien (un bien d'ordre intellectuel, esthétique...). — Au p. p. *Un mot emprunté à l'anglais.* ⇒ **emprunt** (3). **3.** Prendre (une voie). *Le conducteur ne peut emprunter la moitié gauche de la chaussée.* ▶ **emprunteur, euse** n. ■ Personne qui emprunte (1) de l'argent. ⇒ **débiteur.** ⟨ ▶ emprunt ⟩

empuantir [ɑ̃pɥɑ̃tiʀ] v. tr. ■ conjug. 2. ■ Remplir (un lieu), gêner (qqn) par une odeur infecte. ⇒ **empester.** / contr. **embaumer** /

empyrée [ɑ̃piʀe] n. m. ■ Littér. Ciel, monde supraterrestre.

ému, ue [emy] adj. (⇒ **émouvoir**) **1.** En proie à une émotion plus ou moins vive. *On le sentait très ému.* **2.** Qui est marqué d'une émotion. *J'en ai gardé un souvenir ému.*

émulation [emylasjɔ̃] n. f. ■ Sentiment qui porte à égaler ou à surpasser (qqn) en mérite, en savoir, en travail. *Il y a une grande émulation entre les élèves de cette classe.* ▶ **émule** n. ■ Littér. Personne qui cherche à égaler ou à surpasser qqn en qqch. de louable. ⇒ **concurrent.** *Un, une émule.*

émulsion [emylsjɔ̃] n. f. **1.** Préparation liquide tenant en suspension une substance huileuse ou résineuse. **2.** En sciences. Milieu hétérogène constitué par la dispersion, à l'état de particules très fines, d'un liquide dans un autre liquide. **3.** *Émulsion photographique,* couche sensible à la lumière (sur la plaque ou le film). *La sensibilité d'une émulsion.* ▶ **émulsionner** v. tr. ■ conjug. 1. **1.** Mettre à l'état d'émulsion (2) (une substance dans un milieu où elle n'est pas soluble). **2.** Couvrir (le support photographique) de l'émulsion (3).

① **en** [ɑ̃] prép. — REM. Se prononce [ɑ̃n] en liaison : *en avant* [ɑ̃navɑ̃] **I.** (Devant un nom sans déterminant, ou avec un art. indéfini [*un*] un démonstratif, un possessif, etc.) Préposition marquant en général la position à l'intérieur d'un espace, d'un temps, d'un état. **1.** Dans. *On l'a mis en prison. Monter en voiture. Il passe ses vacances en Bretagne.* ⇒ **à** *(au Pays Basque). En un lieu, en cet endroit.* — (Lieu abstrait) *Avoir en mémoire, en tête. Docteur en droit. C'est bien beau en théorie.* **2.** Sur. *Mettez un genou en terre.*

3. (Matière) *Un buste en marbre. Un pantalon en velours. Un sac en papier.* ⇒ **de.** — Abstrait. *Écrire en anglais. Être fort en chimie.* **4.** Pendant (un temps). ⇒ **à, dans.** *Il viendra en février, en semaine, en 1995. On laboure en automne. En été, en hiver* (mais *au printemps). En quelle année ? En son temps.* — (Espace de temps) *J'ai fait ma lettre en dix minutes. En quelques heures, en un tournemain.* **5.** (État, manière) *Ne vous mettez pas en colère. Il n'est plus en danger. Les arbres sont en fleur.* — *Il part en voiture. Répondez en quelques mots.* — (Introduisant un nom qui fait fonction d'attribut) ⇒ **comme.** *Il parle en connaisseur.* **6.** DE... EN... (marque la progression). *Son état empirait d'heure en heure. Être de plus en plus pauvre.* — (Périodicité) *De deux heures en deux heures, toutes les deux heures.* **II.** (Formant des locutions adverbiales) *En général,* généralement. *C'est vrai en gros. En avant ou en arrière.* **III.** (Devant le verbe au part. prés.) *C'est en forgeant qu'on devient forgeron. L'appétit vient en mangeant. Il est parti en courant.* ⟨ ▶ arc-en-ciel, boute-en-train, chienlit, croc-en-jambe, dorénavant, embonpoint, en-cas, à l'encontre, ① endroit, ② endroit, enfin, enjeu, ensuite, en-tête, entrain, ① envers, ② envers, lendemain, malencontreux, pissenlit, rencontre, surlendemain ⟩

② *en* pronom adv. — REM. Se prononce [ɑ̃n] en liaison. ■ De ce(s)..., de cette..., de cela (représente une chose, un énoncé, et quelquefois une personne). **I.** (Compl. d'un verbe) **1.** Indique le lieu d'où l'on vient, la provenance, l'origine. *J'en viens, je viens de cet endroit. Il en tirera un joli bénéfice. Qu'est-ce qu'on en fera, de cet argent ?* — (Cause, agent) *J'ai trop de soucis, je n'en dors plus, je ne dors plus à cause de...* **2.** (Compl. d'un verbe construit avec *de*) *Je m'en souviendrai ! S'il reste des gâteaux, j'en reprendrai. Donne m'en un peu.* **3.** (Dans diverses locutions verbales) *On n'en finit pas. On s'en va. Je m'en tiens là.* **II.** (Compl. de nom, ou servant d'appui à des quantitatifs et des indéfinis) *J'en connais tous les avantages,* les avantages « de cela ». *Tenez, en voilà un. Il y en a plusieurs, quelques-uns. Je n'en sais rien !* **III.** (Compl. d'adjectif) *Il en est bien capable. Elle n'en est pas peu fière.* ⟨ ▶ je-m'en-fichisme, je-m'en-foutisme, qu'en-dira-t-on ⟩

énarque [enaʁk] n. ■ Ancien(ne) élève de l'École nationale d'administration (E. N. A.).

encablure [ɑ̃kablyʁ] n. f. ■ Ancienne mesure marine de longueur (environ 200 m).

encadrer [ɑ̃kadʁe] v. tr. ▪ conjug. 1. **1.** Mettre dans un cadre, entourer d'un cadre. *Faire encadrer une gravure.* — Fam. *C'est, il est à encadrer,* cela (il) mérite d'être montré en exemple de ridicule. Loc. fam. *Ne pas pouvoir encadrer qqn,* le détester. ⇒ **encaisser** (3), **sentir. 2.** Entourer à la manière d'un cadre qui orne ou limite. *De longs cheveux encadrent son visage.* — (Suj. personne) *Encadrer un objectif,* en réglant le tir. *Les deux gardiens encadrèrent le prisonnier.* — Pronominalement. Apparaître comme dans un cadre. *Sa silhouette s'encadrait dans la porte.* **3.** Pourvoir de cadres (une troupe, un personnel...). *Il faut encadrer vos collaborateurs.* — Au p. p. adj. *Des employés bien encadrés.* ▶ *encadrement* n. m. **1.** Action d'entourer d'un cadre ; ornement servant de cadre. *Préparer l'encadrement d'un tableau.* — Action d'encadrer (un objectif de tir). **2.** Action d'encadrer (des troupes, un personnel). — Ceux qui encadrent. *Le personnel de l'encadrement.* ▶ *encadreur, euse* n. ■ Artisan qui exécute et pose des cadres (de tableaux, gravures, photos, etc.).

encaissé, ée [ɑ̃kese] adj. ■ Resserré entre deux pentes. *Rivière, vallée encaissée,* profonde et étroite. ▶ ① *encaissement* n. m. ■ État de ce qui est encaissé. *L'encaissement d'une rivière.*

encaisser [ɑ̃kese] v. tr. ▪ conjug. 1. **1.** Recevoir, toucher (de l'argent, le montant d'une facture). / contr. **payer** / *Il a encaissé une grosse somme.* **2.** Fam. Recevoir (des coups). Encaisser un direct. — Sans compl. *Boxeur qui encaisse bien,* qui supporte bien les coups. **3.** (Surtout dans un contexte négatif) Recevoir sans sourciller, supporter. *Ils n'ont jamais encaissé cette critique.* — Supporter (qqn). *Il n'encaissait pas les bourgeois.* ⇒ fam. **encadrer** (1), **sentir.** ▶ *encaisse* n. f. ■ Sommes, valeurs qui sont dans la caisse ou en portefeuille. *L'encaisse métallique,* les valeurs en or et en argent qui, dans les banques d'émission, servent de garantie aux billets. ▶ ② *encaissement* n. m. ■ Action d'encaisser (de l'argent, des valeurs). *Remettre un chèque à l'encaissement.* ▶ *encaisseur* n. m. ■ Employé qui va à domicile encaisser des sommes, recouvrer des effets.

à l'encan [alɑ̃kɑ̃] loc. adv. ■ Littér. En vente aux enchères publiques. *Vendre à l'encan.* — Comme un objet de trafic livré au plus offrant. *La justice était à l'encan.*

s'encanailler [sɑ̃kanaje] v. pron. ▪ conjug. 1. ■ Fréquenter des gens vulgaires, de mœurs douteuses. *Elles se sont encanaillées.*

encapuchonner [ɑ̃kapyʃɔne] v. tr. ▪ conjug. 1. ■ Couvrir d'un capuchon, comme d'un capuchon. — Au p. p. adj. *La tête encapuchonnée.*

encart [ɑ̃kaʁ] n. m. ■ Feuille volante ou petit cahier que l'on insère dans une brochure. *Un encart publicitaire.* ▶ *encarter* v. tr. ▪ conjug. 1. **1.** Insérer (un dépliant, un prospectus) dans une revue, un livre. **2.** Fixer sur des cartons. *Encarter des boutons.*

en-cas [ɑ̃ka] n. m. invar. ■ Repas léger tenu prêt à toute heure. ⇒ **casse-croûte.** *Emportez un en-cas, le voyage sera long. Des en-cas.*

encastrer [ɑ̃kastʁe] v. tr. ▪ conjug. 1. ■ Insérer, loger (dans une surface ou dans un objet exactement taillés ou creusés à cet effet). ⇒ **emboîter, enchâsser.** *Encastrer des éléments de cuisine.* — Au p. p. adj. *Une baignoire encastrée.* ▶ *encastrable* adj. ■ Qu'on peut encastrer. *Un réfrigérateur encastrable.*

encaustique [ɑ̃kostik] n. f. ■ Préparation à base de cire et d'essence qu'on utilise pour entretenir et faire reluire les meubles, les parquets. ▶ *encaustiquer* v. tr. ▪ conjug. 1. ■ Passer à l'encaustique. ⇒ **cirer.** *Encaustiquer un meuble.* — Au p. p. adj. *Des parquets encaustiqués.*

① *enceinte* [ɑ̃sɛ̃t] n. f. **1.** Ce qui entoure un espace à la manière d'une clôture et en défend l'accès. *Le mur d'enceinte d'une place forte. Les enceintes de l'ancien Paris.* **2.** L'espace ainsi entouré. *Pénétrer dans l'enceinte du tribunal. Enceinte réservée.* **3.** *Enceinte acoustique* ou, ellipt, *enceinte,* dans une chaîne haute-fidélité, ensemble de plusieurs haut-parleurs et d'un filtre. ⇒ **baffle.**

② *enceinte* adj. f. ■ (Femme) Qui est en état de grossesse. *Elle est enceinte de trois mois.*

encens [ɑ̃sɑ̃] n. m. invar. ■ Substance résineuse aromatique, qui brûle en répandant une odeur pénétrante. *La chapelle sentait l'encens.* ▶ *encenser* v. tr. ▪ conjug. 1. **1.** Honorer en brûlant de l'encens, en agitant l'encensoir. *Le prêtre encense le cercueil.* **2.** Fig. Honorer d'hommages excessifs, combler de louanges et de flatteries. ⇒ **flatter.** *Encenser une personne influente.* ▶ *encensoir* n. m. ■ Sorte de cassolette suspendue à des chaînettes dans laquelle on brûle l'encens. — Fam. *Manier l'encensoir, donner des coups d'encensoir,* louer, flatter avec excès. ⇒ **encenser** (2).

encéphale [ɑ̃sefal] n. m. ■ Ensemble des centres nerveux contenus dans le crâne (le cerveau et ses annexes). ▶ *encéphalite* n. f. ■ Inflammation de l'encéphale. ▶ *encéphalo-*■ Élément de mots savants, signifiant « cerveau ». ⇒ **électroencéphalogramme.**

encercler [ɑ̃sɛʀkle] v. tr. ■ conjug. 1. ■ Entourer d'un cercle d'alliances (un pays qui se juge menacé). — Entourer de toutes parts de façon menaçante. *Les policiers ont encerclé la maison.* ⇒ **cerner.** — Au p. p. adj. *Des troupes encerclées.* ▶ *encerclement* n. m. ■ Action d'encercler. *Manœuvre d'encerclement.*

enchaîner [ɑ̃ʃene] v. ■ conjug. 1. **I.** V. tr. **1.** Attacher avec une chaîne. *Enchaîner un chien.* **2.** Littér. Mettre sous une dépendance. ⇒ **asservir, assujettir.** *Le dictateur veut enchaîner la presse. Enchaîner qqn à sa promesse.* **3.** Unir par l'effet d'une succession naturelle ou le rapport de liens logiques. ⇒ **coordonner, lier.** *Vous enchaînez correctement vos idées.* — Pronominalement. *Le raisonnement s'enchaîne bien. Tout s'enchaîne.* **II.**V. intr. **1.** Reprendre la suite des répliques au théâtre après une interruption. **2.** Passer d'une séquence à une autre, au cinéma. *Enchaîner sur une scène de poursuite.* **3.** Dans une narration, un discours. Continuer. ▶ *enchaînement* n. m. **1.** Série de choses qui sont entre elles dans un rapport de dépendance. *Un fatal enchaînement de circonstances.* **2.** Caractère lié, rapport entre les éléments. ⇒ **liaison, suite.** *L'enchaînement des idées dans un exposé.* **3.** Action d'enchaîner (II).

enchanter [ɑ̃ʃɑ̃te] v. tr. ■ conjug. 1. **1.** Soumettre à une action surnaturelle par l'effet d'une opération magique. ⇒ **ensorceler, envoûter. 2.** Remplir d'un vif plaisir, satisfaire au plus haut point. ⇒ **ravir.** *Cette histoire m'enchante. Cela ne m'enchante pas beaucoup de les voir.* ▶ *enchanté, ée* adj. **1.** Qui détient un pouvoir d'enchantement. *Une bague enchantée.* — Soumis à un enchantement. ⇒ **magique.** *Le monde enchanté des contes de fées.* **2.** (Personnes) Très content, ravi. *Enchanté de faire votre connaissance. Je suis enchanté de votre venue, que vous veniez.* ▶ *enchantement* n. m. **1.** Opération magique consistant à enchanter ; son effet. ⇒ **ensorcellement, incantation, magie.** *Jeter, rompre un enchantement.* — COMME PAR ENCHANTEMENT : d'une manière inattendue et soudaine. *La douleur a disparu comme par enchantement.* **2.** (L'enchantement) État de celui qui est enchanté, joie extrêmement vive. ⇒ **ravissement.** *Il est dans l'enchantement.* **3.** Sujet de joie, chose qui fait un immense plaisir. *Ce spectacle est un enchantement.* ▶ *enchanteur, teresse* n. et adj. **1.** N. Personne qui pratique les enchantements. ⇒ **magicien, sorcier.** *L'histoire de Merlin l'Enchanteur.* — Au fém. Littér. *L'enchanteresse Circé.* — Fig. Personne douée d'un charme irrésistible. ⇒ **charmeur. 2.** Adj. Qui enchante, est extrêmement séduisant. ⇒ **charmant, ravissant.** *Un spectacle enchanteur. Un sourire enchanteur.* ⇒ **séduisant.** ‹ ▶ désenchanté ›

enchâsser [ɑ̃ʃase] v. tr. ■ conjug. 1. **1.** Mettre (une pierre précieuse) dans une monture. ⇒ **monter, sertir.** — Encastrer, fixer (dans une entaille, un châssis). *Enchâsser les panneaux d'une porte.* **2.** Abstrait. Insérer dans un texte. *Enchâsser une citation dans un texte.* ▶ *enchâssement* n. m. ■ Action d'enchâsser. *L'enchâssement d'un diamant dans le chaton d'une bague.*

enchère [ɑ̃ʃɛʀ] n. f. **1.** Offre d'une somme supérieure à la mise à prix ou aux offres précédentes, dans une vente au plus offrant. ⇒ à l'**encan.** *Faire une enchère. Couvrir une enchère,* mettre une enchère supérieure. — AUX ENCHÈRES. *Sa collection a été vendue aux enchères. Mettre des lots aux enchères.* **2.** À certains jeux de cartes. Demande supérieure à celle de l'adversaire. *Le système des enchères au*

bridge. ▶ *enchérir* v. intr. ■ conjug. 2. **1.** Mettre une enchère. *Enchérir sur qqn,* faire une enchère plus élevée que lui. **2.** Fig. et littér. Aller au-delà de ce qu'un autre a dit, fait. ⇒ **renchérir.** ▶ *enchérisseur* n. m. ■ Personne qui fait une enchère. *Le dernier enchérisseur.* ‹ ▶ renchérir ›

enchevêtrer [ɑ̃ʃ(ə)vetʀe] v. tr. ■ conjug. 1. ■ Engager l'une dans l'autre (diverses choses) de façon désordonnée, ou particulièrement complexe. *Enchevêtrer des fils.* ⇒ **embrouiller.** / contr. **démêler** / — Pronominalement. *Les branches s'enchevêtraient.* — Abstrait. *Toutes ces idées s'enchevêtraient dans sa cervelle.* — Au p. p. adj. *Des affaires enchevêtrées.* ▶ *enchevêtrement* n. m. ■ Disposition ou amas de choses enchevêtrées. *On se perd dans l'enchevêtrement de ses mensonges.* ⇒ **embrouillement.** — Extrême complication, désordre. *Un enchevêtrement de ruelles.*

enchifrené, ée [ɑ̃ʃifʀəne] adj. ■ Qui a le nez embarrassé par un rhume de cerveau.

enclaver [ɑ̃klave] v. tr. ■ conjug. 1. **1.** Contenir, entourer en formant une enclave (1). — Surtout au passif. *Ce jardin est enclavé dans sa propriété.* **2.** Engager (une pièce dans une autre pièce). *Le prestidigitateur a enclavé ses deux anneaux.* ▶ *enclave* n. f. **1.** Terrain, territoire enfermé dans d'autres propriétés, dans un autre territoire. **2.** Élément englobé dans une masse.

enclencher [ɑ̃klɑ̃ʃe] v. tr. ■ conjug. 1. ■ Faire fonctionner (un mécanisme) en rendant plusieurs pièces solidaires. *Une vitesse difficile à enclencher,* à passer. — Fig. *L'affaire est enclenchée,* bien engagée. ▶ *enclenchement* n. m. ■ Dispositif (mécanique, électrique) destiné à rendre solidaires diverses pièces d'un mécanisme ou divers appareils.

enclin, ine [ɑ̃klɛ̃, in] adj. ■ Littér. Porté, par un penchant naturel et permanent, à. *Il est enclin à la méfiance. Ils sont enclins à la bienveillance. Elle est encline à se fâcher.*

enclore [ɑ̃klɔʀ] v. tr. ■ conjug. 45. — REM. Surtout au présent de l'indic. et au p. p. Littér.**1.** Entourer d'une clôture. ⇒ **clôturer.** *Il enclot son jardin d'une haie.* — Au p. p. *Un champ enclos. Une ville enclose de murailles.* **2.** (Choses) Entourer comme une clôture continue. ▶ *enclos* n. m. invar. **1.** Espace de terrain entouré d'une clôture. *Les vaches paissent dans un vaste enclos.* **2.** Clôture. *Fermer l'enclos des poules.*

enclume [ɑ̃klym] n. f. ■ Masse métallique montée sur un socle et sur laquelle on forge les métaux. *Frapper, battre l'enclume.* — Outil ou pièce d'un instrument destiné à recevoir des chocs. *Enclume de cordonnier.* — Loc. *Être entre l'enclume et le marteau,* pris entre deux partis opposés et exposé à recevoir des coups des deux côtés.

encoche [ɑ̃kɔʃ] n. f. ■ Petite entaille ou découpure. *Faire une encoche sur, dans un morceau de bois.* — Entaille servant de marque. *Les encoches d'un répertoire.* ▶ *encocher* v. tr. ■ conjug. 1. ■ Faire une encoche à (une pièce métallique, une clé, etc.).

encoder [ɑ̃kɔde] v. tr. ■ conjug. 1. ■ En informatique. Coder* (une information). — Spécialt. Coder avant d'introduire dans l'ordinateur. / contr. **décoder** /

encoignure [ɑ̃kɔ(wa)ɲyʀ] n. f. ■ Angle intérieur formé par la rencontre de deux pans de mur. ⇒ **coin.** *Elle s'était cachée dans une encoignure.*

encoller [ɑ̃kɔle] v. tr. ■ conjug. 1. ■ Enduire (du papier, des tissus, du bois) de colle, de gomme, d'apprêt. *On encolle le dos d'un livre pour le relier.* ▶ *encollage* n. m. ■ Action d'encoller ; son résultat. *L'encollage d'un mur.*

encolure [ãkɔlyʀ] n. f. **1.** Partie du corps du cheval (et de certains animaux) qui s'étend entre la tête et les épaules ou le poitrail. — Longueur de cette partie du corps du cheval. *Il a gagné d'une encolure.* **2.** Largeur donnée au col d'un vêtement. *Une chemise d'encolure 39.* **3.** Partie du vêtement par où passe la tête. *L'encolure d'une chemise. Une encolure échancrée.* ⇒ **décolleté.**

encombrer [ãkɔ̃bʀe] v. tr. ▪ conjug. 1. **1.** (Suj. chose) Remplir en s'entassant, en faisant obstacle à la circulation, au libre usage des choses. ⇒ **gêner, obstruer.** *Un amas de paperasses encombrait la table. Les voitures encombrent l'entrée de la ville.* ⇒ **embouteiller.** — (Suj. personne) *La foule encombrait les trottoirs. Elle encombre le couloir avec ses valises.* — Pronominalement. Être encombré. *Ne t'encombre pas de bagages inutiles.* — Au p. p. adj. *Une rue encombrée* **2.** Fig. Remplir ou occuper à l'excès, en gênant. *Trop de gens mal formés viennent encombrer cette profession. N'encombrez pas votre mémoire de détails inutiles.* ⇒ **surcharger.** — S'ENCOMBRER v. pron. *Elle ne s'est pas encombrée de scrupules. Pour ce travail, je ne peux pas m'encombrer d'un maladroit.* ⇒ **s'embarrasser.** — Au p. p. adj. *C'est une carrière, une profession très encombrée, où les offres d'emploi sont rares.* ▶ *encombrant, ante* adj. ▪ Qui encombre. *Ce paquet n'est pas lourd, mais encombrant. Ces gens sont vraiment encombrants.* ⇒ **importun.** ▶ *sans encombre* [sã zãkɔ̃bʀ] loc. adv. ▪ Sans rencontrer d'obstacle, sans ennui, sans incident. *Nous sommes arrivés sans encombre.* ▶ *encombrement* n. m. **1.** État de ce qui est encombré ou rempli à l'excès. *L'encombrement d'un magasin. L'encombrement du marché automobile.* ⇒ **surproduction.** **2.** Amas de choses qui encombrent. *Comment s'y retrouvait-il dans l'encombrement de ses papiers ?* ⇒ **amas.** **3.** Voitures qui encombrent une voie. ⇒ **bouchon, embouteillage.** *Je n'ai pas pu éviter l'encombrement. Il y a des encombrements à la sortie de Paris.* **4.** Dimensions qui font qu'un objet encombre plus ou moins. *L'encombrement d'un meuble,* son volume par rapport à une place disponible.

à l'encontre [alãkɔ̃tʀ] loc. Littér. **1.** Loc. adv. Contre cela, en s'opposant à la chose. *Je n'irai pas à l'encontre.* **2.** Loc. prép. *À l'encontre de,* contre, à l'opposé de. *Votre demande ira à l'encontre du but recherché.*

encorbellement [ãkɔʀbɛlmã] n. m. ▪ Position d'une construction (balcon, corniche, tourelle) en saillie sur un mur ; cette construction. *Perron, escalier en encorbellement.* ⇒ **saillie.**

s'encorder [ãkɔʀde] v. pron. ▪ conjug. 1. ▪ En alpinisme. S'attacher avec une même corde pour constituer une cordée*. *Les alpinistes se sont encordés.*

encore [ãkɔʀ] adv. **1.** Adverbe de temps, marquant la persistance d'une action ou d'un état au moment considéré. *Vous êtes encore là ?* ⇒ **toujours.** *C'est encore l'été. Il est encore souple.* — PAS ENCORE : indique que ce qui doit se produire ne s'est pas, pour le moment, produit. *Il n'a pas encore déjeuné. Il ne fait pas encore jour.* **2.** Adverbe marquant une idée de répétition ou de supplément. ⇒ **re-.** *Il est encore en colère ? Tu as encore manqué la cible. Vous prendrez bien encore un verre. Encore un peu ?* — *Mais encore ?,* se dit pour demander des précisions supplémentaires. — (Avec un mot marquant l'accroissement ou la diminution) *La vie a encore augmenté. Ses affaires vont encore plus mal.* **3.** Introduisant une restriction. *Encore faut-il avoir le temps. Si encore il faisait un effort, on lui pardonnerait.* ⇒ **si seulement.** *Et encore !,* se dit pour restreindre ce qui vient d'être

dit, comme dépassant la réalité. *On vous en donnera cinq cents francs, et encore !,* au plus cinq cents francs. **4.** Loc. conj. Littér. ENCORE QUE (+ subjonctif, indicatif ou conditionnel) : quoique. *Nous l'aiderons, encore qu'il ne le mérite pas.*

encorner [ãkɔʀne] v. tr. ▪ conjug. 1. ▪ Frapper, blesser à coups de cornes. *Le matador a été encorné.*

encourager [ãkuʀaʒe] v. tr. ▪ conjug. 3. **1.** Donner du courage, de l'assurance à (qqn). ⇒ **réconforter, stimuler.** / contr. **décourager** / *Il faut encourager cet élève. Les spectateurs encourageaient l'équipe de la voix.* — (Avec à + infinitif) *Il abandonnera si on ne l'encourage pas à persévérer.* **2.** Aider ou favoriser par une protection spéciale, par des récompenses, des subventions. *L'État doit encourager les artistes, les talents.* — *Encourager un projet,* l'approuver et l'aider à se réaliser. ▶ *encourageant, ante* adj. ▪ Qui encourage, est propre à encourager. *Les premiers résultats sont encourageants. Des nouvelles encourageantes.* / contr. **décourageant** / ▶ *encouragement* n. m. **1.** Action d'encourager. *Les cris d'encouragement stimulaient l'équipe.* **2.** (Un, des encouragements) Acte, parole qui encourage. ⇒ **appui, soutien.** *Il a reçu peu d'encouragements.*

encourir [ãkuʀiʀ] v. tr. ▪ conjug. 11. ▪ Littér. Se mettre dans le cas de subir (une peine, un reproche, qqch. de fâcheux). ⇒ **s'exposer à, mériter.** *Vous allez encourir des reproches.* — Au p. p. adj. *Les peines encourues.*

encrage [ãkʀaʒ] n. m. ▪ Opération consistant à encrer (un rouleau de presse, une planche gravée) dans une machine d'impression. ≠ *ancrage.*

encrasser [ãkʀase] v. tr. ▪ conjug. 1. ▪ Couvrir d'un dépôt (suie, rouille, saletés diverses) qui empêche le bon fonctionnement. *La poussière encrasse les vêtements. Une mauvaise hygiène qui encrasse l'organisme.* — Pronominalement (réfl.). *La chaudière s'est encrassée. Décrasser ce qui était encrassé.* — Au p. p. adj. *Des bougies encrassées.* ▶ *encrassement* n. m. ▪ Action d'encrasser, de s'encrasser. *L'encrassement d'un piston.*

encre [ãkʀ] n. f. ▪ Liquide, noir ou diversement coloré, utilisé pour écrire. *Encre bleue, violette, rouge. Écrire à l'encre. Encre d'imprimerie. Encre sympathique,* dont la trace invisible apparaît sous l'action d'un réactif. *Encre de Chine,* très noire, employée pour les dessins au pinceau, à la plume. — Loc. *Une nuit d'encre,* très noire. *Se faire un sang d'encre,* du souci. ≠ *ancre.* ▶ *encrer* v. tr. ▪ conjug. 1. ▪ Enduire d'encre (typographique, lithographique). ⇒ **encrage.** *Encrer un rouleau.* ≠ *ancrer.* ▶ *encreur, euse* adj. ▪ Qui sert à encrer. *Rouleau, tampon encreur.* ▶ *encrier* n. m. ▪ Petit récipient où l'on met de l'encre. *Tremper la plume dans l'encrier.* ⟨ ▶ encrage ⟩

encroûter [ãkʀute] v. tr. ▪ conjug. 1. ▪ Surtout pronominalement et p. p. Enfermer (qqn) dans des habitudes qui suppriment la spontanéité, empêchent de changer, de faire des progrès. *Sa paresse l'encroûte. Il est encroûté dans des habitudes de paresse.* — Pronominalement. *Elle s'est encroûtée dans la routine.*

encyclique [ãsiklik] n. f. ▪ Lettre envoyée par le pape à tous les évêques à propos d'un problème d'actualité.

encyclopédie [ãsiklɔpedi] n. f. **1.** Ouvrage qui fait le tour des connaissances dans tous les domaines, par articles rangés dans un ordre alphabétique ⇒ **dictionnaire** ou méthodique. — Ouvrage analogue qui traite d'un domaine précis (science, art, etc.). *Une encyclopédie de l'architecture.* **2.** Fig. *Une encyclopédie* *vivante,* une personne aux connaissances extrêmement étendues et variées. ▶ *encyclopédique* adj. ■ Qui embrasse l'ensemble des connaissances. *Un diction-naire encyclopédique* (opposé à *dictionnaire de langue*). — Qui présente un caractère d'encyclopédie. *Il a des connaissances encyclopédiques.* ▶ *encyclopédiste* n. m. ■ Auteur d'une encyclopédie. *Les encyclopédistes du XVIIIᵉ s.*

endémie [ɑ̃demi] n. f. ■ Présence habituelle d'une maladie particulière à une région. ▶ *endémique* adj. ■ Qui a un caractère d'endémie. *Une fièvre endémi-que.* — Fig. Qui sévit constamment dans un pays, un milieu. *Un chômage endémique.*

endetter [ɑ̃dete] v. tr. ▪ conjug. 1. ■ Engager dans des dettes. *L'achat de son appartement l'a endetté.* — Pronominalement. Contracter des dettes. *Il s'endette en achetant à crédit.* — Au p. p. *Être endetté de mille francs. Elle est très endettée.* ▶ *endettement* n. m. ■ Fait de s'endetter, d'être endetté. *Il a un endettement trop important.* / contr. **crédit** /

endeuiller [ɑ̃dœje] v. tr. ▪ conjug. 1. ■ Plonger dans le deuil, remplir de tristesse. *Cette catastrophe a endeuillé tout le pays.*

endiablé, ée [ɑ̃djable] adj. ■ D'une vivacité extrême. ⇒ **fougueux, impétueux.** *Se lancer dans une danse endiablée. Une verve endiablée. Ces gosses sont endiablés.* ⇒ **diable** (II, 1).

endiguer [ɑ̃dige] v. tr. ▪ conjug. 1. 1. Contenir au moyen de digues. *Endiguer un fleuve.* 2. Retenir, contenir ; canaliser. *Les agents s'efforçaient d'endiguer le flot des manifestants.* — Abstrait. *Endiguer le progrès.*

s'endimancher [ɑ̃dimɑ̃ʃe] v. pron. ▪ conjug. 1. ■ Revêtir des habits du dimanche, mettre une toilette plus soignée que d'habitude et que l'on porte avec gêne. *Ils se sont endimanchés pour aller au restaurant.* — Au p. p. adj. *Il a l'air endimanché dans ses beaux habits,* gêné, mal à l'aise.

endive [ɑ̃div] n. f. ■ Pousse blanche comestible d'une variété de chicorée. *Endives braisées, en salade.*

endo- ■ Élément de mots savants, signifiant « en dedans ». / contr. **exo-** / ▶ *endocarde* [ɑ̃dokard] n. m. ■ Tunique interne du cœur. ▶ *endocarpe* n. m. ■ Partie interne du fruit la plus proche de la graine. ▶ *endocrine* adj. f. ■ Se dit des glandes à sécrétion interne, dont les produits sont déversés directement dans le sang (ex. : *le foie, la thyroïde*). ⟨ ▶ *endoscope* ⟩

endoctriner [ɑ̃dɔktrine] v. tr. ▪ conjug. 1. ■ Péj. Faire la leçon à (qqn) pour convaincre, faire adhérer à une doctrine, à un point de vue. *N'essayez pas de nous endoctriner.* ▶ *endoctrinement* n. m. ■ Action d'endoctriner.

endolori, ie [ɑ̃dɔlɔri] p. p. adj. ■ Envahi par une douleur diffuse. *Être tout endolori. Le lendemain du match, il avait les membres endoloris.*

endommager [ɑ̃dɔmaʒe] v. tr. ▪ conjug. 3. ■ Cau-ser du dommage, des dégâts à (qqch.), mettre en mauvais état. ⇒ **abîmer, détériorer.** *La grêle a endommagé les récoltes. La toiture a été endommagée par la tempête.* ▶ *endommagé, ée* adj. ■ Qui a subi du dommage. / contr. **intact** / *Une voiture endom-magée.*

endormir [ɑ̃dɔrmir] v. tr. ▪ conjug. 16. 1. Faire dormir, amener au sommeil. *Bercer un bébé pour l'endormir.* — (Sommeil artificiel) *Endormir un malade avant de l'opérer.* ⇒ **anesthésier.** 2. Donner envie de dormir à force d'ennui. ⇒ **assommer, ennuyer.** *Il endort son auditoire.* 3. Fig. et littér. Atténuer jusqu'à faire disparaître (une sensation, un

sentiment pénible). *Il prend des comprimés pour endormir la douleur.* ⇒ **calmer.** — Rendre moins vif, moins agissant (un sentiment, une disposition d'esprit). *Il espère ainsi endormir les soupçons.* — Littér. *Endormir qqn,* le tromper. *On ne l'endort pas avec de belles paroles. Des discours destinés à endormir l'opinion publique.* 4. S'ENDORMIR v. pron. réfl. : commencer à dormir, glisser dans le sommeil. ⇒ **s'assoupir.** *Elle s'est endormie tard.* — Fig. et littér. Perdre de sa vivacité, de sa force. *Ses remords s'étaient endormis à la longue.* ▶ *endormant, ante* adj. ■ Qui donne envie de dormir à force d'ennui. ⇒ **ennuyeux, soporifique.** *Un conférencier, un discours endormant.* ▶ *endormi, ie* adj. 1. Qui est en train de dormir. / contr. **éveillé** / *Il est encore tout endormi.* — Où chacun dort, où tout semble en sommeil. *Il se promenait à travers la ville endormie.* 2. Fig. Dont l'activité est en sommeil. 3. Fam. Indolent, inerte. *Intelligence endormie.* — N. *Quel endormi !* / contr. **actif, remuant**.

endoscope [ɑ̃dɔskɔp] n. m. ■ Instrument servant à examiner les cavités profondes du corps en les éclairant. ▶ *endoscopie* n. f. ■ Examen à l'endo-scope.

① *endosser* [ɑ̃dose] v. tr. ▪ conjug. 1. 1. Mettre sur son dos (un vêtement). ⇒ **revêtir.** *Il endosse son pardessus avant de sortir.* 2. Prendre ou accepter la responsabilité de. ⇒ **assumer.** *Je suis prêt à endosser les conséquences. Endosser la paternité d'un enfant,* s'en reconnaître le père.

② *endosser* v. tr. ▪ conjug. 1. ■ Mettre un ordre de paiement à une autre personne au dos de (un chèque, une traite...). *Le chèque est endossé à mon nom : je peux le toucher.*

① *endroit* [ɑ̃drwa] n. m. 1. Partie déterminée d'un espace. ⇒ **lieu, place.** *Il leur fallait un endroit où se réunir. Je vais vous montrer l'endroit précis. À quel endroit ?* ⇒ **où.** — Fam. *Le PETIT ENDROIT :* les toilettes (→ petit coin). 2. Localité. ⇒ **coin.** *Les gens de l'endroit sont accueillants. Un endroit perdu.* ⇒ fam. **bled.** 3. Place déterminée, partie localisée (d'une chose, du corps). *À quel endroit faut-il signer ? Montre l'endroit où tu as mal.* — Abstrait. Partie de la personne morale. *Trouver l'endroit sensible.* ⇒ **point.** *Il se montre par ses meilleurs endroits,* sous son meilleur côté. 4. Passage déterminé (d'un ouvrage). *Cet endroit n'est pas très clair. Rire au bon endroit.* 5. PAR ENDROITS loc. adv. : à différents endroits dispersés, çà et là. *On avait planté par endroits des rosiers.* — Littér. À L'ENDROIT DE qqn loc. prép. : envers. *Son attitude à mon, à votre endroit est désagréable.*

② *endroit* n. m. ■ Côté destiné à être vu, dans un objet à deux faces (tissu, feuillet...). ⇒ **recto.** / contr. **envers** / *L'endroit d'un tapis.* — À L'ENDROIT loc. adv. : du bon côté. *Remettez vos chaussettes à l'endroit.*

enduire [ɑ̃dɥir] v. tr. ▪ conjug. 38. ■ Recouvrir (une surface) d'une matière plus ou moins molle qui l'imprègne. *Il enduit de crème ses mains gercées. Enduire un mur de plâtre.* — Pronominalement (réfl.). *Enduire son corps. Elle s'est enduite de crème solaire.* ▶ *enduit* n. m. ■ Préparation molle ou fluide qu'on applique à la surface de certains objets pour les protéger, les garnir. ⇒ **revêtement.** *Enduit à la chaux.* — Préparation destinée à isoler le support d'un tableau de la couche de peinture.

endurance [ɑ̃dyrɑ̃s] n. f. ■ Aptitude à résister à la fatigue, à la souffrance. *Il manque d'endurance. L'endurance d'un coureur de fond.* — L'endurance d'un moteur. Épreuve automobile d'endurance, compétition sur longue distance. ▶ *endurant, ante* adj. ■ Qui a de l'endurance. ⇒ **résistant.** / contr. **fragile** / *Il est très endurant.* ▶ *enduro* n. m. ■ Épreuve d'endurance et de régularité tout-terrain, en moto. *L'enduro et le trial.*

endurcir [ɑ̃dyʀsiʀ] v. tr. ▪ conjug. 2. **1.** Rendre (qqn) plus dur au mal, rendre résistant. ⇒ **aguerrir.** *Ce climat l'a endurci au froid.* **2.** Rendre moins sensible moralement. *Les malheurs l'ont endurci, ont endurci son cœur, lui ont endurci le cœur.* / contr. **attendrir** / — Pronominalement (réfl.). *Elle s'est endurcie à son contact.* ▶ *endurci, ie* adj. ■ Devenu résistant par l'habitude. *Être endurci au travail, au froid.* — Qui avec le temps s'est fortifié, figé dans son opinion, son occupation. ⇒ **invétéré.** *Un criminel endurci. Un célibataire endurci.* ▶ *endurcissement* n. m. ■ Le fait de s'endurcir (2). ⇒ **insensibilité.** *L'endurcissement au malheur. L'endurcissement du cœur.*

endurer [ɑ̃dyʀe] v. tr. ▪ conjug. 1. ■ Supporter avec patience (ce qui est dur, pénible). ⇒ **subir.** *Il endure tout sans se plaindre. Quand je pense aux épreuves qu'il a dû endurer ! Je n'en endurerai pas plus.* ⇒ **supporter, tolérer.**

énergétique [enɛʀʒetik] adj. et n. f. **1.** Adj. En physique et physiologie. Relatif à l'énergie. *Les ressources énergétiques d'un pays.* **2.** N. f. Science des manifestations de l'énergie.

énergie [enɛʀʒi] n. f. **I.** Force et fermeté dans l'action, qui rend capable de grands effets. ⇒ **volonté.** *Il poursuit son but avec beaucoup d'énergie. Je proteste avec énergie. Un style plein d'énergie,* de vigueur. — Vitalité physique. *Se sentir plein d'énergie.* **II.** En sciences. **1.** Caractère d'un système matériel capable de produire du travail. *Les différentes formes de l'énergie : énergie mécanique, électrique, thermique, chimique, atomique. Les énergies renouvelables,* provenant de sources naturelles non épuisables (soleil, vent, marée...). *Les énergies nouvelles* (nucléaire, solaire, etc.). *Utilisation, transport de l'énergie.* **2.** Énergie chimique potentielle fournie par les aliments et transformée par l'organisme vivant. *Une dépense d'énergie.* ▶ *énergique* adj. **1.** Actif, efficace. *Un remède énergique.* — Plein d'énergie (dans l'expression). ⇒ **vigoureux.** **2.** (Personnes ; actions) Qui a ou marque de l'énergie, de la volonté. ⇒ **ferme, résolu.** *Un homme énergique. Une intervention énergique des autorités.* — Fort (dans l'ordre physique). *La poussée énergique des avants dans la mêlée.* / contr. **faible** / ▶ *énergiquement* adv. ■ Avec énergie. ⇒ **fermement.** *Il faut lui parler énergiquement.* ⟨ ▶ énergéti-que ⟩

énergumène [enɛʀgymɛn] n. ■ Personne exaltée qui se livre à des cris, à des gestes excessifs dans l'enthousiasme ou la fureur. ⇒ **agité, fanatique, forcené.**

énerver [enɛʀve] v. tr. ▪ conjug. 1. ■ Agacer, exciter, en provoquant de la nervosité. / contr. **calmer** / *Ses manies nous énervent. Ça m'énerve de le voir faire !* ⇒ **agacer.** — Pronominalement (réfl.). Devenir de plus en plus nerveux, agité. *Du calme ! Ne nous énervons pas !* ▶ *énervant, ante* adj. ■ Qui excite désagréablement. ⇒ **agaçant, irritant.** *Il est énervant avec ses allusions. Un bruit énervant.* ▶ *énervé, ée* adj. ■ Qui se trouve dans un état de nervosité inhabituel. / contr. **calme** / *Laissez-le, il est un peu énervé ! Une réponse énervée.* ▶ *énervement* n. m. ■ État d'une personne énervée. ⇒ **agacement, nervosité.** *Elle était dans un grand état d'énervement.*

① *enfant* [ɑ̃fɑ̃] n. **1.** *(Un, des enfants)* Être humain dans l'âge de l'enfance, de la naissance à l'adolescence. ⇒ **bambin, bébé, fille, garçon, petit ;** fam. **gosse, mioche, môme.** *Un enfant au berceau. Un enfant calme, câlin, capricieux, turbulent. Livres d'enfants, pour enfants. Lit, voiture d'enfant. Les maladies des enfants.* ⇒ **infantile.** *Maltraiter un enfant. Bourreau d'enfant.* — Loc. *Il n'y a plus d'enfants,* se dit quand un enfant fait ou dit des choses qui ne sont pas de son âge. *Il me prend pour un enfant,* pour un naïf. *Ne faites pas l'enfant,* soyez sérieux. *L'enfant terrible d'un parti, d'un groupe,* un membre qui aime à manifester son indépendance d'esprit. *Un enfant gâté,* une personne qui a l'habitude de voir satisfaire tous ses caprices. **2.** ENFANT DE CHŒUR : enfant qui se tient dans le chœur pendant les offices pour servir le prêtre. — *Il nous prend pour des enfants de chœur,* des naïfs. **3.** Personne qui a conservé dans l'âge adulte des sentiments, des traits propres à l'enfance. *Il sera toute sa vie un enfant.* — Adj. *Elles sont restées très enfants.* ⇒ **enfantin, puéril.** / contr. **mûr** / ▶ *enfance* n. f. **1.** Première période de la vie humaine, de la naissance à l'adolescence. *Il a eu une enfance heureuse. Souvenirs d'enfance. Un camarade d'enfance.* **2.** (Sing. collectif) Les enfants. *S'occuper de l'enfance délinquante, malheureuse.* **3.** Retomber en enfance, dans l'enfance, se dit d'un vieillard dont les facultés mentales s'affaiblissent. *Être en enfance* (⇒ **gâteux**). **4.** Fig. Première période d'existence (d'une chose). ⇒ **commencement.** *L'enfance de l'humanité. Une science encore dans l'enfance.* — *C'est* L'ENFANCE DE L'ART loc. fam. : c'est élémentaire (comme les premières choses que l'on apprend dans un art, un métier). ▶ *enfantillage* n. m. ■ Manière d'agir, de s'exprimer, peu sérieuse, qui ne convient qu'à un enfant. ⇒ **puérilité.** *Vous dites des enfantillages.* ▶ *enfantin, ine* adj. **1.** Qui est propre à l'enfant, le caractère de l'enfance. *Le langage enfantin.* **2.** Péj. Qui ne convient guère qu'à un enfant. ⇒ **puéril.** *Des remarques enfantines.* **3.** (Choses à faire) Très simple, très facile. *Un problème enfantin.* ⇒ **élémentaire.** ⟨ ▶ bon enfant ⟩

② *enfant* n. **1.** Être humain à l'égard de sa filiation, fils ou fille (opposé à *parents*). *Ils veulent deux enfants. Elle attend un enfant* (ou un bébé), elle est enceinte. *Un enfant unique. Un enfant adoptif. Ils sont venus avec leurs enfants. Un enfant naturel,* né hors mariage. *Un enfant trouvé,* qu'on a trouvé abandonné par ses parents. — *L'enfant prodigue,* l'enfant que l'on accueille avec joie au retour au foyer qu'il avait depuis longtemps abandonné. **2.** *Mon (cher) enfant, mes enfants,* se dit à des êtres plus jeunes. **3.** Descendant. *Tous ces enfants de la vieille dame étaient là pour son anniversaire.* — Personne originaire de (un pays, un milieu). *Un enfant de Paris. Un enfant du peuple.* — ENFANT DE TROUPE : nom donné autrefois à un fils de militaire élevé dans une école militaire. ▶ *enfanter* v. tr. ▪ conjug. 1. ■ Vx. (Femmes) Mettre au monde (un enfant). — Abstrait. Littér. Créer, produire (une œuvre). ▶ *enfantement* n. m. ■ (Femmes) Fait d'enfanter. — Loc. *Les douleurs de l'enfantement.* — Abstrait. Littér. *L'enfantement d'une œuvre.* ⟨ ▶ petits-enfants ⟩

enfariné, ée [ɑ̃faʀine] adj. ■ Couvert de farine, de poudre blanche. *La figure enfarinée d'un clown.* — Fig. et fam. *Venir la gueule enfarinée,* le bec enfariné, avec la naïve confiance d'obtenir ce qu'on demande.

enfer [ɑ̃fɛʀ] n. m. **I. 1.** Au sing. Dans la religion chrétienne. Lieu destiné au supplice des damnés. / contr. **paradis** / *Les démons, les diables de l'enfer.* ⇒ **infernal.** — PROV. *L'enfer est pavé de bonnes intentions,* beaucoup de bonnes résolutions n'aboutissent qu'à un résultat déplorable ou nul. — D'ENFER loc. adj. : qui évoque l'enfer. *C'était une vision d'enfer.*

— Très intense. ⇒ **infernal**. *Un appétit d'enfer. Il joue un jeu d'enfer,* un très gros jeu. *Aller, rouler à un train d'enfer,* très vite. — Fam. *D'enfer,* extraordinaire, fabuleux. **2.** Lieu, occasion de cruelles souffrances. *Son foyer est devenu un enfer.* **II.** LES ENFERS : lieu souterrain habité par les morts, séjour des ombres, des morts (dans plusieurs religions).

enfermer [ãfɛʀme] v. tr. ▪ conjug. 1. **1.** Mettre en un lieu d'où il est impossible de sortir. *On l'a puni et enfermé dans sa chambre. Il faut l'enfermer* (dans un asile), il faut l'interner, il est fou. — S'ENFERMER v. pron. *Elle s'était enfermée dans son bureau.* ⇒ se **barricader.** — Fig. *Il s'enferme dans le silence, dans son rôle, dans cette attitude…, il n'en veut pas en sortir.* **2.** Mettre (qqch.) dans un lieu clos. *Enfermer des provisions dans un buffet.* **3.** Entourer complètement (un terrain, un espace). *Enfermer un jardin de haies.* ⇒ **enclore. 4.** Dans une course. Serrer (un concurrent) à la corde, ou à l'intérieur du peloton, de façon à briser son élan. *Elle s'est laissé enfermer au moment du sprint.* ⟨ ▶ renfermer ⟩

s'enferrer [ãfeʀe] v. pron. ▪ conjug. 1. ▪ Abstrait. Être victime, par maladresse, de sa propre défense, de ses propres arguments. *Il voulut se justifier mais s'enferra dans ses mensonges.* ⇒ s'**embrouiller.**

enfiévrer [ãfjevʀe] v. tr. ▪ conjug. 6. ▪ Littér. Animer d'une sorte de fièvre, d'une vive ardeur. ⇒ **surexciter.** *Cette lecture avait enfiévré son imagination.* — Au p. p. adj. *Une voix, une foule enfiévrée.*

enfilade [ãfilad] n. f. **1.** Suite de choses à la file l'une de l'autre. *Toute une enfilade de chambres. Des chambres en enfilade.* **2.** *Tir d'enfilade,* dirigé dans le sens de la plus grande dimension de l'objectif. *Prendre en enfilade* (une troupe), soumettre à un tir d'enfilade.

enfiler [ãfile] v. tr. ▪ conjug. 1. **1.** Passer un fil, un lien, etc., à l'intérieur de (un objet percé). *Une aiguille fine qu'on enfile difficilement. Enfiler des morceaux de viande sur une brochette. Enfiler des perles.* — *Nous ne sommes pas là pour* ENFILER DES PERLES loc. fam. : pour perdre notre temps à des futilités. **2.** Mettre, passer (un vêtement). *Enfiler sa veste.* **3.** S'engager tout droit dans (un chemin, un passage plutôt étroit). *Il a tourné et enfilé la ruelle.* ⇒ **prendre. 4.** Fam. S'ENFILER *qqch.* : avaler. ⇒ fam. s'**envoyer.** *Elle s'est enfilé un bon repas, toute la bouteille.* Avoir à supporter (une corvée). *Je me suis enfilé tout le nettoyage.* ⟨ ▶ enfilade, renfiler ⟩

enfin [ãfɛ̃] adv. **1.** Sert à marquer le terme d'une longue attente. *Je vous ai enfin retrouvé. Enfin seuls !* **2.** Sert à introduire le dernier élément d'une série. (Dans le temps) *On vit arriver un coureur, puis le peloton, enfin quelques isolés.* — (Dans le discours) En dernier lieu. *Je vous dirai enfin ce que vous aurez à faire.* **3.** Sert à conclure. *Il est plein d'énergie, ambitieux, enfin capable de réussir. Enfin, ils sont arrivés, c'est le principal. Enfin bref.* — (Conclusion résignée) *Enfin, puisque c'est comme ça ! Enfin, on verra bien !* **4.** Sert à marquer l'impatience. *Rends-moi ça, enfin !* **5.** Sert à corriger ce que l'on vient de dire. *Elle est blonde, enfin plutôt rousse.*

enflammer [ãfl(a)ame] v. tr. ▪ conjug. 1. **1.** Mettre en flamme. ⇒ **allumer.** *Le bois est humide, je n'arrive pas à l'enflammer.* — Pronominalement. *L'essence s'enflamme brusquement.* — Fig. Colorer vivement. *Une rougeur enflammait ses pommettes.* **2.** Mettre dans un état inflammatoire. ⇒ **irriter.** *Enflammer une piqûre d'insecte en se grattant.* **3.** Remplir (qqn) d'ardeur, de passion. ⇒ **électriser, embraser.** *La colère l'enflammait.* — Pronominalement (réfl.). S'enthousiasmer, s'exalter. *Il s'enflamme facile-*

ment. ▶ *enflammé, ée* adj. **1.** Qui est en flamme. *Une torche enflammée.* **2.** Qui est dans un état inflammatoire. *Des amygdales très enflammées.* **3.** Rempli d'ardeur, de passion. ⇒ **ardent, passionné.** *C'est une nature enflammée. Il lui avait envoyé une déclaration enflammée.*

enfler [ãfle] v. ▪ conjug. 1. **I.** V. tr. **1.** Provoquer l'enflure de (une partie du corps). *Les engelures enflent les doigts.* **2.** Augmenter la force de (la voix, un son…). *L'orateur essaie d'enfler sa voix.* **II.** V. intr. Augmenter anormalement de volume par suite d'une enflure. *Sa cheville a enflé.* ▶ *enflé, ée* adj. **1.** Atteint d'enflure. *Il a un abcès, la joue est très enflée.* **2.** N. Fam. Gros lourdaud, imbécile. *Quel enflé !* ▶ *enflure* n. f. ▪ État d'un organe, d'une partie du corps qui subit une augmentation anormale de volume par suite d'une maladie, d'un coup, d'un accident musculaire, etc. ⇒ **ballonnement, bouffissure, gonflement, tuméfaction.** ⟨ ▶ désenfler, renfler ⟩

enfoncer [ãfɔ̃se] v. ▪ conjug. 3. **I.** V. tr. **1.** Faire aller vers le fond, faire pénétrer profondément. ⇒ **planter.** *Il enfonce les pieux de la clôture. Il m'enfonçait ses coudes dans les côtes. Il enfonça ses mains dans ses poches.* — Loc. *Enfoncer le clou,* recommencer inlassablement une explication afin de se faire bien comprendre. *J'essaie de lui enfoncer ça dans la tête, dans le crâne,* de le lui faire comprendre. — Mettre (un chapeau) de telle façon que la tête y entre profondément. **2.** Fig. Entraîner, pousser (dans une situation comparable à un fond, un abîme). *Enfoncer qqn dans l'erreur.* **3.** Briser, faire plier (une porte, une barrière) en poussant, en pesant. ⇒ **défoncer, forcer.** *Le camion a enfoncé le mur.* — Loc. *Enfoncer une porte ouverte,* démontrer une chose évidente ou admise depuis longtemps. **4.** Forcer (une troupe) à plier sur toute la ligne. — Fam. Battre, surpasser en faisant preuve d'une très grande supériorité. *Les avants ont enfoncé la défense.* — Au p. p. *Enfoncés, les champions !* **II.** V. intr. Aller vers le fond, pénétrer jusqu'au fond. *On enfonce jusqu'aux genoux, pénétrer jusqu'au fond. On enfonce jusqu'aux genoux.* **III.** S'ENFONCER v. pron. **1.** Aller vers le fond, vers le bas. *Le navire s'enfonçait lentement.* ⇒ **couler, sombrer. 2.** Pénétrer profondément. *Le pieu s'enfonce dans le sol.* **3.** S'installer tout au fond. *Elle s'est enfoncée dans son fauteuil.* **4.** Abstrait. Être entraîné de plus en plus bas. *Il s'enfonce dans ses préjugés.* — Se ruiner. *Son commerce s'est enfoncé avec la crise.* **5.** Pénétrer, s'engager bien avant dans. *Les chasseurs s'enfoncent dans le bois.* — Abstrait. S'abandonner à (qqch. qui absorbe entièrement). ⇒ se **plonger.** *Il s'enfonçait dans sa rêverie.* ▶ *enfoncé, ée* adj. **1.** Qui pénètre dans (qqch.). *Une épine enfoncée dans le doigt.* **2.** Occupé complètement. *Il est enfoncé dans sa lecture.* ⇒ **absorbé. 3.** Qui rentre dans le visage, dans le corps. *Avoir les yeux enfoncés,* ⇒ **creux. 4.** Brisé. *Une porte enfoncée.* ▶ *enfoncement* n. m. **1.** Action d'enfoncer ; fait de s'enfoncer. **2.** Partie reculée, située vers le fond de qqch. ⇒ **creux.** *Une maison située dans un enfoncement.* — Partie en retrait. ⇒ **renfoncement.** *Un enfoncement du mur.* ⟨ ▶ renfoncer, renfoncement ⟩

enfouir [ãfwiʀ] v. tr. ▪ conjug. 2. **1.** Mettre en terre, sous terre, après avoir creusé le sol. ⇒ **enterrer.** *On n'a pas retrouvé le trésor qu'ils avaient enfoui.* — Au p. p. adj. *Des graines enfouies dans le sol.* **2.** ENFOUIR SOUS, DANS *qqch.* : mettre. *Elle a enfoui tous les papiers dans la malle.* — Au p. p. adj. *Des braises enfouies sous la cendre.* — Pronominalement (réfl.). *S'enfouir sous ses draps.* Fig. *S'enfouir dans son travail.* ▶ *enfouissement* n. m. ▪ Action d'enfouir (1).

enfourcher [ãfuʀʃe] v. tr. ▪ conjug. 1. ▪ Se mettre à califourchon sur (un cheval, une bicyclette).

— Abstrait. Fam. *Enfourcher son dada,* reprendre son sujet favori.

enfourner [ãfuʀne] v. tr. ▪ conjug. 1. **1.** Mettre dans un four (du pain, un aliment, des poteries). **2.** Fam. Avaler rapidement (qqch.). *Il a enfourné une plaque de chocolat.* — Introduire (qqn) en poussant. *Il l'enfourna dans un taxi.* — Pronominalement. *S'enfourner dans le métro.*

enfreindre [ãfʀɛ̃dʀ] v. tr. ▪ conjug. 52. ■ Littér. Ne pas respecter (un engagement, une loi). ⇒ **transgresser, violer.** *Vous avez enfreint votre promesse. Enfreindre un règlement.*

s'enfuir [ãfɥiʀ] v. pron. ▪ conjug. 17. **1.** S'éloigner en fuyant, ou en hâte. ⇒ s'en **aller, déguerpir, s'échapper, filer, fuir,** se **sauver.** *Elle s'est enfuie à toutes jambes. S'enfuir par la fenêtre.* **2.** Poét. S'écouler rapidement. ⇒ **disparaître.** *L'été s'est enfui. Le temps s'enfuit.* ⇒ **passer.**

enfumer [ãfyme] v. tr. ▪ conjug. 1. ■ Incommoder (qqn) par la fumée (spécialt du tabac). *Vous nous enfumez avec votre pipe.* — Remplir ou environner de fumée. *Enfumer une ruche, des abeilles (pour les neutraliser).*

engager [ãgaʒe] v. tr. ▪ conjug. 3. **I. 1.** Mettre, donner (qqch.) en gage. *Elle a dû engager ses bijoux.* **2.** Lier (qqn) par une promesse ou une convention. *Il ne veut rien dire qui puisse l'engager.* — Sans compl. direct. *Cela n'engage à rien,* on peut le faire en restant libre de ses décisions. — *Vous engagez votre responsabilité.* **3.** Recruter (qqn) par engagement. — Attacher à son service. *L'hôtel a engagé un nouveau cuisinier.* **II. 1.** Faire entrer (dans qqch. qui retient, dans un lieu resserré). ⇒ **introduire, mettre.** / contr. **dégager, retirer** / *Engagez bien la clef dans la serrure. Il a mal engagé sa voiture.* **2.** Mettre en train, commencer (une partie, une bataille, une discussion...). *On engagea des négociations. Engager la conversation.* ⇒ **entamer.** **3.** Faire entrer (dans une entreprise ou une situation qui ne laisse pas libre). *Il a engagé de gros capitaux dans cette affaire.* **4.** Mettre (qqn) dans une situation qui crée des responsabilités et implique certains choix. *J'estime que ses écrits l'engagent.* — Au p. p. adj. *Un écrivain engagé,* au service d'une cause. **5.** ENGAGER *qqn* à : tenter d'amener (à quelque décision ou action). ⇒ **exhorter, inciter.** *Il nous engage à résister, à la résistance.* **III.** S'ENGAGER v. pron. **1.** Se lier par une promesse, une convention. *Vous ne savez pas à quoi vous vous engagez.* **2.** Contracter un engagement dans l'armée. — Entrer au service de qqn. *Elle s'est engagée comme vendeuse.* **3.** Entrer ou commencer à entrer (dans qqch. qui retient, contraint). — Avancer en pénétrant. *Il s'engagea sur une petite route.* **4.** (Choses) Commencer. *La discussion s'est mal engagée. La partie d'échecs s'engage.* **5.** Se lancer (dans). *Il le voyait s'engager dans des entreprises hasardeuses.* ⇒ s'**aventurer.** **6.** Se mettre au service d'une cause politique, sociale. *Cet écrivain ne craint pas de s'engager.* ▶ *engageant, ante* adj. ■ Qui est attirant, séduisant. *Ce sont des paroles engageantes. Un sourire engageant. Ce restaurant n'est pas bien engageant.* ▶ *engagement* n. m. **1.** Action de se lier par une promesse ou une convention. *Il a respecté ses engagements envers nous. Il a pris l'engagement de venir.* **2.** Contrat par lequel un individu qui n'est pas soumis à l'obligation du service militaire actif s'engage à servir dans l'armée. *Un engagement de deux ans.* — Contrat par lequel certaines personnes louent leurs services. *Un engagement à l'essai. Un acteur qui se trouve sans engagement.* **3.** État d'une chose engagée dans une autre. *L'engagement d'une roue dentée dans un pignon.* **4.** Introduction d'une unité dans la bataille ; combat localisé et de courte durée. *Il a été*

blessé au cours d'un engagement de patrouilles. **5.** Coup d'envoi d'un match. *Le premier but a été marqué juste après l'engagement.* **6.** Acte ou attitude d'un écrivain, d'un artiste qui s'engage. ⟨ ▶ **rengager** ⟩

engeance [ãʒãs] n. f. ■ Péj. Catégorie de personnes (méprisables ou détestables). *Quelle maudite engeance !*

engelure [ãʒlyʀ] n. f. ■ Enflure douloureuse des mains et des pieds, due au froid. *Attraper des engelures.*

engendrer [ãʒãdʀe] v. tr. ▪ conjug. 1. **1.** Littér. (Suj. être humain) Faire naître. *Il, elle a engendré trois enfants.* **2.** Faire naître, avoir pour effet (qqch.). ⇒ **causer, produire.** *L'oisiveté engendre l'ennui.* Fam. *Il n'engendre pas la mélancolie,* il est gai, il répand la bonne humeur autour de lui. **3.** Géométrie. Décrire ou produire (une figure géométrique) en se déplaçant. ▶ *engendrement* n. m. ■ Action d'engendrer.

engin [ãʒɛ̃] n. m. **1.** Nom donné à divers outils, instruments, appareils ou machines. — (Armes) *Engins militaires. Engins à tir courbe* (mortiers, obusiers). *Engins sol-sol, sol-air...,* projectiles autopropulsés, nommés d'après leur point de départ et leur objectif. — (Véhicules) *Engins blindés.* — (Instruments) *Engins de pêche, de chasse,* destinés à prendre le poisson ou le gibier. — *Engins de levage, de manutention.* **2.** Fam. Objet fabriqué qu'on ne peut pas ou qu'on ne veut pas désigner. ⇒ fam. **machin.** *C'est un drôle d'engin.*

englober [ãglɔbe] v. tr. ▪ conjug. 1. **1.** ENGLOBER DANS : faire entrer dans un ensemble déjà existant. *Englober des terrains dans un domaine.* **2.** Réunir en un tout (plusieurs choses ou personnes considérées comme du même ordre). / contr. **séparer** / *La classe des mammifères englobe des animaux terrestres, aériens et aquatiques.*

engloutir [ãglutiʀ] v. tr. ▪ conjug. 2. **1.** Avaler gloutonnement. ⇒ **dévorer, engouffrer.** *Engloutir un kilo de viande.* ⇒ fam. **s'enfiler, s'envoyer.** **2.** Fig. Dépenser rapidement. ⇒ **dissiper.** *Il a englouti beaucoup d'argent dans son affaire.* (Suj. chose) Absorber, épuiser (une fortune, des biens). *Les réparations de la maison ont englouti ses économies.* **3.** (Suj. chose) Faire disparaître brusquement en noyant ou en submergeant. *Le chalutier a été englouti dans, par la tempête.* ▶ *engloutissement* n. m. ■ Action d'engloutir ; fait d'être englouti.

engluer [ãglye] v. tr. ▪ conjug. 1. **1.** Prendre à la glu (un oiseau). — Prendre, retenir dans une matière gluante. — Au p. p. adj. *Chaussures engluées dans la boue.* **2.** Enduire de glu, d'une matière gluante.

engoncer [ãgɔ̃se] v. tr. ▪ conjug. 3. ■ (Vêtement) Habiller d'une façon disgracieuse, en faisant paraître le cou enfoncé dans les épaules. *Ce manteau l'engonce.* — Au p. p. *Être engoncé dans son pardessus.* Fig. *Avoir l'air engoncé,* gauche, guindé.

engorger [ãgɔʀʒe] v. tr. ▪ conjug. 3. ■ Obstruer (un conduit, un passage) par l'accumulation de matières solides. ⇒ **boucher.** / contr. **dégorger** / *La boue engorge le canal.* — Pronominalement. *L'égout s'est engorgé.* — Obstruer une voie de communication. *Les voitures engorgent la rue.* ▶ *engorgement* n. m. ■ État d'un conduit, d'une voie engorgé(e). *Un engorgement à l'entrée d'une grande ville.* ⟨ ▶ se **rengorger** ⟩

s'engouer [ãgwe] v. pron. ▪ conjug. 1. ■ Se prendre d'une passion ou d'une admiration excessive et passagère (pour qqn ou qqch.). *Le public s'était engoué de ce chanteur.* ⇒ s'**emballer, s'enticher.**

/ contr. se **dégoûter** / — Au p. p. *Être engoué d'une musique à la mode.* ▶ **engouement** [ãgumã] n. m. ■ Fait de s'engouer. ⇒ **emballement, toquade.** *Cette nouveauté est l'objet d'un engouement extraordinaire.*

engouffrer [ãgufʀe] v. tr. ▪ conjug. 1. **1.** Fam. Manger avidement et en grande quantité. ⇒ **engloutir. 2.** Engloutir (une fortune). *Il a engouffré son héritage.* **3.** S'ENGOUFFRER v. pron. : se précipiter avec violence dans une ouverture, un passage. *Le vent s'engouffrait dans la ruelle. Les manifestants poursuivis se sont engouffrés dans le métro.*

engoulevent [ãgulvã] n. m. ■ Oiseau passereau brun-roux, au bec largement fendu.

engourdir [ãguʀdiʀ] v. tr. ▪ conjug. 2. **1.** Priver en grande partie (un membre, le corps) de mobilité et de sensibilité. ⇒ **paralyser.** *Le froid engourdit ses mains.* / contr. **dégourdir** / — Au p. p. adj. *En descendant de voiture, il se sentait les jambes engourdies.* **2.** Mettre dans un état général de ralentissement des fonctions vitales, de moindre réaction. *La chaleur excessive nous engourdissait.* — Fig. *La paresse engourdit l'esprit.* — Pronominalement (réfl.). *L'hiver, la nature s'engourdit.* ⇒ **s'endormir.** — Au p. p. *L'esprit engourdi par la routine.* ⇒ **rouillé.** ▶ **engourdissement** n. m. ■ État de ce qui est engourdi (corps, facultés...). ⇒ **léthargie, torpeur.** *L'engourdissement du corps, d'un bras. Il faut le tirer de son engourdissement.*

① **engraisser** [ãgʀese] v. ▪ conjug. 1. **1.** V. tr. Rendre gras, faire grossir (des animaux). *Engraisser des volailles, du bétail.* **2.** Fig. Rendre prospère. *Les contribuables craignent d'engraisser les administrations.* — Pronominalement (réfl.). Devenir prospère. *S'engraisser de la sueur du peuple.* **3.** V. intr. Devenir gras, prendre de l'embonpoint. *Il a engraissé depuis l'année dernière.* ⇒ **forcir, grossir.** / contr. **maigrir** / ▶ ① **à l'engrais** loc. adj. et adv. ■ (Animaux) De manière à engraisser. *Mettre des oies, des bestiaux à l'engrais.* ▶ **engraissement** n. m. ■ Action d'engraisser (les animaux) ; son résultat.

② **engraisser** v. tr. ▪ conjug. 1. ■ Enrichir (une terre) au moyen d'engrais. ⇒ **fertiliser,** ④ **fumer.** ▶ ② **engrais** n. m. invar. ■ Substance que l'on mêle au sol pour le fertiliser. *Engrais végétaux, organiques, chimiques.*

engranger [ãgʀãʒe] v. tr. ▪ conjug. 3. ■ Mettre en grange (une récolte). — Fig. et littér. Mettre en réserve. *Engranger des souvenirs, des informations.* ⇒ **emmagasiner.** ▶ **engrangement** n. m. ■ Action d'engranger.

engrenage [ãgʀənaʒ] n. m. **1.** Système de roues dentées qui entrent les unes dans les autres de manière à transmettre un mouvement ; disposition, entraînement des roues de ce système. *L'engrenage de direction d'une automobile.* **2.** Fig. Enchaînement de circonstances ou d'actes, qui prend un caractère mécanique. *Il est pris dans l'engrenage du jeu, de la violence.* ▶ **s'engrener** v. pron. ▪ conjug. 5. ■ (Pièces d'un engrenage) Entrer les uns dans les autres. *Les pignons s'engrènent.*

engrosser [ãgʀose] v. tr. ▪ conjug. 1. ■ Fam. Rendre (une femme) grosse, enceinte.

engueuler [ãgœle] v. tr. ▪ conjug. 1. Fam. **1.** Invectiver grossièrement et bruyamment pour exprimer son mécontentement. *Engueuler qqn comme du poisson pourri,* violemment. — Pronominalement (récipr.). *Ils se sont engueulés dans la rue.* **2.** Réprimander. ⇒ **attraper, enguirlander** (II). *J'en ai assez de me faire engueuler.* ▶ **engueulade** n. f. ■ Fam. Action d'engueuler, de s'engueuler. *Il a reçu une bonne engueulade.* ⇒ **réprimande, savon.**

enguirlander [ãgiʀlãde] v. tr. ▪ conjug. 1. **I.** Orner de guirlandes. *On enguirlanda toute la maison pour le mariage.* **II.** Fam. Engueuler, attraper (qqn). *Si je rentre en retard, je vais me faire enguirlander.*

enhardir [ãaʀdiʀ] v. tr. ▪ conjug. 2. ■ Rendre hardi, plus hardi. ⇒ **encourager.** / contr. **intimider** / *Son succès l'enhardissait.* — Pronominalement (réfl.). Devenir plus hardi, prendre de l'assurance. *Il s'enhardit jusqu'à refuser d'obéir.*

énième [ɛnjɛm] adj. ⇒ **nième.**

énigme [enigm] n. f. **1.** Chose à deviner d'après une définition ou une description faite en termes obscurs. ⇒ **devinette.** *Poser, trouver une énigme. L'énigme proposée à Œdipe par le Sphinx.* — *Parler par énigmes,* d'une manière obscure et allusive. *C'est le mot de l'énigme,* l'explication de ce que l'on ne comprenait pas. **2.** Chose difficile à comprendre, à expliquer, à connaître. ⇒ **mystère, problème.** *Cette disparition reste une énigme.* ▶ **énigmatique** adj. ■ Qui renferme une énigme, tient de l'énigme par son caractère ambigu ou peu clair. ⇒ **équivoque, mystérieux, obscur.** *Une réponse, un sourire énigmatique. Il a prononcé des paroles énigmatiques.* — (Personnes) Dont le comportement, le caractère est mystérieux. ⇒ **étrange, inexplicable.**

enivrer [ãnivʀe] v. tr. ▪ conjug. 1. **1.** Littér. Rendre ivre. ⇒ **griser, soûler.** *Ces vins m'ont enivré.* — Pronominalement (réfl.). Se mettre en état d'ivresse. — fam. se **cuiter. 2.** Fig. Remplir d'une sorte d'ivresse des sens, d'une excitation ou d'une émotion très vive. ⇒ **exciter, transporter, troubler.** *Sa beauté m'enivrait.* — Au p. p. *Être enivré de joie.* — Rendre ivre d'orgueil. *Ses succès l'enivrent.* ▶ **enivrant, ante** adj. ■ Qui remplit d'une sorte d'ivresse. ⇒ **grisant.** *Un parfum, un air enivrant. Des louanges enivrantes.* ▶ **enivrement** n. m. ■ Littér. Exaltation agréable, voluptueuse. ⇒ **griserie, transport.** *Il était encore dans l'enivrement de son succès.*

enjambée [ãʒãbe] n. f. ■ Grand pas. *Il les a rejoints en quelques enjambées.* — *D'une enjambée,* en enjambant en une seule fois. ▶ **enjamber** v. tr. ▪ conjug. 1. ■ Franchir (un obstacle) en étendant la jambe. *Enjamber le ruisseau.* ⟨ ▶ **enjambement** ⟩

enjambement [ãʒãbmã] n. m. ■ Procédé rythmique consistant à reporter sur le vers suivant un ou plusieurs mots nécessaires au sens du vers précédent. ⇒ **rejet.**

enjeu [ãʒø] n. m. **1.** Argent que l'on met en jeu en commençant une partie et qui doit revenir au gagnant. ⇒ **mise.** *Les enjeux sont importants dans ce casino. Les enjeux sont sur la table* (→ les jeux sont faits). **2.** Ce que l'on peut gagner ou perdre, dans une compétition, une entreprise. *Voilà l'enjeu du conflit.*

enjoindre [ãʒwɛdʀ] v. tr. ▪ conjug. 49. ■ Littér. *Enjoindre à qqn de* (+ infinitif), ordonner expressément. ⇒ **prescrire.** *Je vous enjoins solennellement d'obéir.*

enjôler [ãʒole] v. tr. ▪ conjug. 1. ■ Littér. Duper, abuser par de belles paroles, des cajoleries, des flatteries. ⇒ **attraper, séduire.** *Vous vous êtes laissé enjôler par ses discours.* ▶ **enjôleur, euse** n. et adj. ■ N. Personne habile à enjôler les autres. — Adj. Charmeur, séduisant. *Un sourire enjôleur.*

enjoliver [ãʒolive] v. tr. ▪ conjug. 1. **1.** Orner de façon à rendre plus joli, plus agréable. *Un grand bouquet de fleurs enjolivait la table.* ⇒ **embellir. 2.** Agrémenter, embellir de détails ajoutés plus ou moins exacts. *Il a enjolivé son récit.* ⇒ **broder.** ▶ **enjolivement** n. m. ou **enjolivure** n. f. ■ Ornement destiné à enjoliver. — Addition destinée à enjoliver. *Il raconte le match avec des enjolivures.* ▶ *enjoliveur* n. m. ■ Garniture métallique pour enjoliver des roues d'automobile.

enjoué, ée [ɑ̃ʒwe] adj. ■ Qui a ou marque de l'enjouement. ⇒ **aimable, gai.** / contr. **triste** / *C'est une femme très enjouée. Une voix enjouée.* ▶ *enjouement* n. m. ■ Littér. Disposition à la bonne humeur, à une gaieté aimable et souriante. ⇒ **entrain.** / contr. **tristesse** /

enlacer [ɑ̃lase] v. tr. ▪ conjug. 3. **1.** Entourer plusieurs fois en serrant. *Un lierre enlace ce chêne.* **2.** Serrer (qqn) dans ses bras, ou en passant un bras autour de la taille. ⇒ **étreindre.** *Le danseur enlace sa cavalière.* — Pronominalement (récipr.). *Les amoureux s'enlaçaient.* — Au p. p. adj. *Des corps enlacés.* ▶ *enlacement* n. m. ■ Littér. Étreinte de personnes qui s'enlacent.

enlaidir [ɑ̃lediʀ] v. ▪ conjug. 2. **1.** V. tr. Rendre ou faire paraître laid. / contr. **embellir** / *Cette coiffure l'enlaidissait. Le nouvel immeuble enlaidit le vieux quartier.* **2.** V. intr. Devenir laid. *Il a enlaidi avec l'âge.* ▶ *enlaidissement* n. m. ■ Action d'enlaidir. — Ce qui enlaidit.

enlevé, ée [ɑ̃lve] adj. ■ Exécuté, développé avec brio. *Une scène magistralement enlevée.*

enlever [ɑ̃lve] v. tr. ▪ conjug. 5. **I. 1.** Littér. Porter vers le haut. ⇒ **lever, soulever.** *L'avion les enlevait à dix mille mètres.* **2.** Faire bondir ou partir à toute allure (un cheval). *Il enleva le cheval d'un coup de fouet.* **3.** Fig. *Enlever un morceau de musique,* l'exécuter brillamment avec aisance et rapidité (⇒ **enlevé**). **II. 1.** Faire qu'une chose ne soit plus là où elle était (en déplaçant, en séparant, en supprimant). ⇒ **ôter.** *Enlevez cette table de l'entrée. Il a enlevé ses gants.* ⇒ **retirer.** *On lui a enlevé les amygdales. Ce produit enlève les taches. Enlevez cette phrase de votre texte.* ⇒ **supprimer.** — Pronominalement (passif). *La housse s'enlève facilement. Les taches de goudron ne s'enlèvent pas.* ⇒ **partir. 2.** Abstrait. Priver (qqn) de (qqch. d'ordre moral). *Vous m'enlevez tout espoir. Cela m'a enlevé l'envie de recommencer.* **III. 1.** Prendre avec soi. ⇒ **emporter.** *Les déménageurs viennent enlever les meubles.* — Emporter (une marchandise qui se vend facilement et rapidement). *Les soldes furent enlevés en quelques heures.* — Pronominalement (passif). *Ça s'enlève comme des petits pains.* **2.** Prendre d'assaut. *L'armée a enlevé la place forte.* — *Enlever une course,* la gagner. **3.** Soustraire (une personne) à l'autorité de ceux qui en ont la garde. *Les ravisseurs exigent une rançon pour l'enfant qu'ils ont enlevé.* ⇒ **kidnapper.** — Fam. *Je vous enlève pour la soirée,* je vous emmène avec moi. — Emmener dans une fugue amoureuse. **4.** Littér. (Suj. mort, maladie, etc.) *La mort l'a enlevé,* emporté de ce monde. — Au p. p. *Une personne enlevée par une pneumonie.* ▶ *enlèvement* n. m. **1.** Action d'enlever (une personne). ⇒ **kidnappage, rapt. 2.** Action d'enlever (une position militaire). **3.** Action d'enlever (des objets). *L'enlèvement des ordures ménagères.* ⟨ ▶ enlevé ⟩

enliser [ɑ̃lize] v. tr. ▪ conjug. 1. **1.** Enfoncer (qqn, qqch.) dans du sable mouvant, en terrain marécageux. **2.** S'ENLISER v. pron. : s'enfoncer dans le sable, la vase et s'immobiliser. ⇒ **s'embourber.** *La voiture s'est enlisée.* — Abstrait. Ne plus pouvoir progresser. *Les petits travaux quotidiens où s'enlise notre vie.* ▶ *enlisement* n. m. ■ Fait de s'enliser.

enluminer [ɑ̃lymine] v. tr. ▪ conjug. 1. **1.** Orner d'enluminures. *Enluminer un manuscrit.* **2.** Colorer vivement. ⇒ **enflammer.** — Au p. p. adj. *La trogne enluminée d'un gros buveur.* ▶ *enlumineur, euse*

n. ■ Artiste spécialisé dans l'enluminure. ⇒ **miniaturiste.** ▶ *enluminure* n. f. ■ Lettre peinte ou miniature ornant d'anciens manuscrits, des livres religieux. — Art des enlumineurs. *Les moines qui pratiquaient l'enluminure.*

enneigé, ée [ɑ̃neʒe] adj. ■ Couvert de neige. *Un col enneigé fermé en hiver.* ▶ *enneigement* n. m. ■ État d'une surface enneigée ; hauteur de la neige sur un terrain. *Un enneigement d'un mètre. Bulletin d'enneigement,* publié dans les stations de sports d'hiver.

ennemi, ie [ɛnmi] n. et adj. **I. 1.** Personne qui déteste qqn, est hostile et cherche à nuire. / contr. **ami** / *C'est son ennemi mortel. Elle s'est fait des ennemis. Les ennemis du régime,* l'opposition. ⇒ **adversaire.** — Adj. *Des familles ennemies.* **2.** Personne qui a de l'aversion, de l'éloignement (pour qqch.). *Les ennemis du progrès technique.* / contr. **partisan** /— Adj. *Il est ennemi de l'alcool.* **3.** Ce qu'un homme ou un groupe juge contraire à son bien. *Le bruit est notre ennemi.* — Chose qui s'oppose à une autre et lui nuit. PROV. *Le mieux est l'ennemi du bien.* **II.** (Au plur. ou sing. collectif) Ceux contre lesquels on est en guerre, leur nation ou leur armée. *Attaquer, charger l'ennemi.* / contr. **allié** / *Tomber entre les mains de l'ennemi,* être fait prisonnier. — Adj. *L'armée ennemie.*

ennoblir [ɑ̃nɔbliʀ] v. tr. ▪ conjug. 2. ■ Donner de la noblesse, de la grandeur morale à (qqn, qqch.). *Cette action courageuse vous ennoblit.* / contr. **abaisser, avilir** / ≠ **anoblir.**

ennui [ɑ̃nɥi] n. m. **1.** Vx (par ex., dans le théâtre classique). Tristesse profonde. **2.** *(Un, des ennuis)* Peine qu'on éprouve d'une contrariété ; cette contrariété. ⇒ **désagrément, souci, tracas ;** fam. **embêtement.** *Des ennuis d'argent, de métier, de voiture. Tu te prépares bien des ennuis ! Tu ne crains pas qu'on te fasse des ennuis ? Je ne vais pas vous raconter mes ennuis.* ⇒ **problème.** *J'ai eu un gros ennui. L'ennui, c'est que..., ce qu'il y a d'ennuyeux.* — Mauvais fonctionnement. *Des ennuis mécaniques.* **3.** Au sing. Impression de vide, de lassitude causée par le désœuvrement, par une occupation monotone ou sans intérêt. *Quelle soirée ! On a failli mourir d'ennui ! Il donnait des signes d'ennui. Je ne connais jamais l'ennui.* **4.** Littér. Mélancolie vague, lassitude morale qui fait qu'on ne prend d'intérêt, de plaisir à rien. ⇒ **cafard, neurasthénie, spleen.** *Son ennui vient du mal du pays.*

ennuyer [ɑ̃nɥije] v. tr. ▪ conjug. 8. **1.** (Suj. chose) Causer du souci, de la contrariété à (qqn). ⇒ **contrarier, préoccuper.** *Ça m'ennuie, cette petite fièvre. Cela m'ennuierait d'arriver en retard.* **2.** (Suj. personne) Importuner. ⇒ **agacer, assommer, embêter.** *Tu nous ennuies avec tes histoires.* **3.** Remplir d'ennui, lasser l'intérêt de (qqn). ⇒ fam. **barber, raser.** / contr. **distraire** / *Ce professeur ennuie ses élèves.* **4.** S'ENNUYER v. pron. réfl. : éprouver de l'ennui. ⇒ **s'embêter.** *Je ne m'ennuie jamais avec vous.* ▶ *ennuyé, ée* adj. ■ Préoccupé, contrarié. *Il a l'air ennuyé. Je suis très ennuyé de sa visite.* ▶ *ennuyeux, euse* adj. **1.** Qui cause de la contrariété, du souci ou, simplement, de la gêne ou du désagrément. ⇒ **contrariant, désagréable, embêtant.** *Je n'ai pas de réponse, c'est très ennuyeux ! C'est une chose ennuyeuse à dire.* **2.** Qui ennuie (3). ⇒ **assommant, embêtant, fastidieux, monotone ;** fam. **barbant, emmerdant, rasant.** / contr. **intéressant** / *Un film ennuyeux.* Loc. *Ces soirées étaient ennuyeuses comme la pluie.* — (Personnes) *Un conférencier mortellement ennuyeux.* ⟨ ▶ désennuyer, ennui ⟩

énoncer [enɔ̃se] v. tr. ▪ conjug. 3. ■ Exprimer en termes nets, sous une forme précise (ce qu'on veut dire). ⇒ **exposer, formuler.** *Il vous suffit d'énoncer les faits. Énoncer les données d'un problème. Le traité énonce un certain nombre de conditions.* — Pronominalement (réfl.). S'exprimer, parler. *Énoncez-vous plus clairement.* ▶ *énoncé* n. m. **1.** Ensemble de formules exprimant (qqch.) de façon précise. *L'énoncé d'un problème.* ⇒ **texte ; termes. 2.** Suite d'éléments du langage qui a un sens complet. ⇒ **parole(s), texte ; discours** (terme de linguistique). ▶ *énonciation* n. f. ■ Action, manière d'énoncer. *L'énonciation des faits. En linguistique, on oppose l'énonciation* (acte) *à l'énoncé.*

enorgueillir [ɑ̃nɔʀgœjiʀ] v. tr. ■ conjug. 2. **1.** Littér. Rendre orgueilleux, flatter (qqn) dans sa vanité. *Vos diplômes ne doivent pas vous enorgueillir.* **2.** S'ENORGUEILLIR v. pron. réfl. : devenir orgueilleux, tirer vanité (de qqch.). ⇒ se **glorifier.** *Il s'enorgueillit d'un résultat qui n'est dû qu'au hasard.*

énorme [enɔʀm] adj. **1.** Dont les dimensions sont considérables. ⇒ **colossal, gigantesque, immense.** / contr. **petit** / *Les murs énormes de la forteresse. Une différence, une perte énorme. Il y avait un monde énorme, beaucoup de monde. Ce n'est pas énorme, c'est peu. Un homme énorme,* très gros. **2.** Qui dépasse ce que l'on a l'habitude d'observer et de juger. ⇒ **anormal, démesuré, monstrueux.** / contr. **normal** / *Une énorme injustice. Il a dit ça ? c'est énorme ! —* Fam. (Personnes) *Un type énorme,* remarquable. ▶ *énormément* adv. ■ Sert de superlatif à beaucoup. *Il a dépensé énormément d'argent. Il a énormément à faire,* beaucoup de choses. ▶ *énormité* n. f. **1.** Dimension anormale ou simplement considérable. *L'énormité de ses prétentions. On est surpris de l'énormité du travail.* **2.** (Une, des énormités) *Une* très grosse faute, une maladresse. *Vous avez commis une énormité. Il nous a sorti des énormités,* d'énormes sottises.

s'enquérir [ɑ̃keʀiʀ] v. pron. ■ conjug. 21. ■ Littér. Chercher à savoir (en examinant, en interrogeant), à se renseigner. ⇒ s'**informer.** *Il s'est enquis de votre santé. Il faudra vous enquérir du prix du voyage.* ⟨ ▶ **enquête** ⟩

enquête [ɑ̃kɛt] n. f. **1.** Recherche de la vérité par l'audition de témoins et l'accumulation d'informations. *Faire, ouvrir une enquête.* — Phase de l'instruction criminelle comportant les interrogatoires. *L'inspecteur X conduit l'enquête.* **2.** Recherche méthodique reposant sur des questions et des témoignages. ⇒ **examen, investigation.** *Je ferai ma petite enquête sur place.* — Étude d'une question sociale, économique, politique... par le rassemblement des avis, des témoignages des intéressés. *La revue a mené une enquête auprès de ses lecteurs.* ⇒ **sondage.** ▶ *enquêter* v. intr. ■ conjug. 1. ■ Faire, conduire une enquête. *La police enquête sur une affaire embrouillée.* ▶ *enquêteur, euse* adj. et n. ■ Personne qui mène une enquête (policière, sociologique).

enquiquiner [ɑ̃kikine] v. tr. ■ conjug. 1. ■ Fam. Embêter, ennuyer. ⇒ fam. **emmerder.** *Tu commences vraiment à nous enquiquiner !* ▶ *enquiquinant, ante* adj. ■ Fam. Qui enquiquine. *Faire un travail enquiquinant.* ⇒ fam. **emmerdant.** ▶ *enquiquineur, euse* n. ■ Fam. Personne qui enquiquine. ⇒ fam. **casse-pieds, emmerdeur.**

enraciner [ɑ̃ʀasine] v. tr. ■ conjug. 1. **1.** Faire prendre racine à (un arbre, une plante). / contr. **déraciner** / — Pronominalement. Prendre racine. *Les arbustes s'enracinaient profondément.* **2.** Fig. Fixer profondément, solidement (dans l'esprit, le cœur) ; établir de façon durable (dans les mœurs). ⇒ **ancrer, implanter.** *La littérature populaire a fini par enraciner cette légende.* ▶ *enraciné, ée* adj. ■ Fixé profondé-

ment. *Un arbuste enraciné dans la muraille.* — Fig. *Des préjugés bien enracinés. Un homme enraciné dans ses habitudes.* ▶ *enracinement* n. m. ■ Fait d'enraciner ou de s'enraciner. *L'enracinement d'un arbre.* — *L'enracinement d'un souvenir.* ⇒ **ancrage.**

enrager [ɑ̃ʀaʒe] v. intr. ■ conjug. 3. ■ Éprouver un violent dépit. ⇒ **rager.** *J'enrage de ne pas pouvoir lui dire ce que je pense.* — *Faire enrager qqn,* l'exaspérer en le taquinant. ▶ *enragé, ée* adj. et n. **1.** Furieux, fou de colère. — Passionné au plus haut point. *Un joueur enragé. Être enragé de musique.* — N. *C'est une enragée de rock. Un enragé du football.* ⇒ **fanatique.** — *Manger de la* VACHE ENRAGÉE loc. fam. : mener une vie de privations. ▶ *enrageant, ante* adj. ■ Qui fait enrager. *C'est enrageant.*

enrayer [ɑ̃ʀeje] v. tr. ■ conjug. 8. **1.** Empêcher accidentellement de fonctionner (une arme à feu, un mécanisme). ⇒ **bloquer.** — Pronominalement. *Sa carabine s'est enrayée.* ⇒ se **coincer, se gripper.** **2.** Arrêter dans son cours (une progression dangereuse, un mal). ⇒ **juguler.** *Les mesures prises pour enrayer l'épidémie.*

enrégimenter [ɑ̃ʀeʒimɑ̃te] v. tr. ■ conjug. 1. ■ Faire entrer (qqn) dans un parti qui exige une obéissance militaire. ⇒ **embrigader.**

enregistrer [ɑ̃ʀ(ə)ʒistʀe] v. tr. ■ conjug. 1. **1.** Inscrire sur un registre public ou privé. *Enregistrer un record. Faire enregistrer un contrat.* **2.** Inscrire (les bagages à transporter qui ne restent pas avec le voyageur). *Va faire enregistrer ta valise, mais garde ton sac.* **3.** Consigner par écrit, noter. *Enregistrer un mot dans un dictionnaire.* — Constater avec l'intention de se rappeler. *J'enregistre vos déclarations.* **4.** Transcrire et fixer sur un support matériel, à l'aide de techniques et appareils divers (un phénomène, une information). *Enregistrer les battements du cœur. L'émission a été enregistrée pour être transmise en différé.* — Au p. p. adj. *Un programme enregistré* (opposé à *en direct*). **5.** Produire (de la musique, un discours) pour les faire enregistrer. *Cette vedette a enregistré plusieurs chansons.* — Produire (un disque). ▶ *enregistrement* n. m. **1.** Transcription ou mention sur registre public, moyennant le paiement d'un droit fiscal, d'actes ou de déclarations. *Droits d'enregistrement.* — En France. *L'Enregistrement,* l'administration publique chargée de ce service. **2.** *Enregistrement des bagages,* opération par laquelle un transporteur enregistre les bagages dont les voyageurs ne conservent pas la garde. **3.** Action de consigner par écrit, de noter comme réel ou authentique. **4.** Action ou manière d'enregistrer (des informations, signaux et phénomènes divers). *L'enregistrement des images, du son* (permettant de les conserver et de les reproduire). *Enregistrement sur bande magnétique, sur cassette. Un studio d'enregistrement.* — Support sur lequel a été effectué un enregistrement (disque, bande magnétique). ▶ *enregistreur, euse* adj. et n. m. ■ Se dit d'un appareil destiné à enregistrer un phénomène. ⇒ **-graphe.** *Thermomètre enregistreur. Caisse enregistreuse.* — N. m. Appareil enregistreur. *Un enregistreur de pression.*

enrhumer [ɑ̃ʀyme] v. tr. ■ conjug. 1. ■ Causer le rhume de (qqn). — Au p. p. adj. *Il est enrhumé,* très enrhumé. ▶ S'ENRHUMER v. pron. réfl. : attraper un rhume. *Elle s'est enrhumée l'hiver dernier.*

enrichir [ɑ̃ʀiʃiʀ] v. tr. ■ conjug. 2. **1.** Rendre riche. *L'industrie du pétrole a enrichi la région.* / contr. **appauvrir** / — Pronominalement (réfl.). Devenir riche. *Il s'est enrichi dans le commerce.* — PROV. *Qui paie ses dettes s'enrichit.* **2.** Fig. Rendre plus riche ou précieux en ajoutant un ornement ou un élément de valeur. *Il a enrichi sa collection de deux pièces rares.*

Des lectures qui enrichissent l'esprit. **3.** Traiter (une substance) en augmentant l'un de ses constituants ou sa teneur. *Enrichir une terre par des engrais.* ▶ *enrichi, ie* adj. **1.** Qui s'est enrichi. *Un commerçant enrichi.* **2.** (Substance) Dont l'un des composants a été augmenté. ▶ *enrichissant, ante* adj. ■ Qui enrichit l'esprit. *Une expérience enrichissante.* ▶ *enrichissement* n. m. **1.** Fait d'augmenter ses biens, de faire fortune. / contr. **appauvrissement** / *L'enrichissement de la bourgeoisie au XIXᵉ siècle.* **2.** Action, manière d'enrichir (une collection, un ouvrage, l'esprit, etc.). *L'enrichissement d'un musée par de nouvelles acquisitions.*

enrober [ɑ̃ʀɔbe] v. tr. ■ conjug. 1. **1.** Entourer (une marchandise, un produit) d'une enveloppe ou d'une couche protectrice. *Enrober des pilules.* — Au p. p. *Glace à la vanille enrobée de chocolat.* **2.** Fig. Envelopper de manière à masquer ou adoucir. *Il a enrobé son refus de quelques compliments.*

enrôler [ɑ̃ʀole] v. tr. ■ conjug. 1. **1.** Inscrire sur les rôles (II, 1) de l'armée. ⇒ **recruter.** — Pronominalement (réfl.). S'engager. *Il s'est enrôlé dans l'aviation.* **2.** Fig. Amener à entrer dans un groupe, un parti. ⇒ **embrigader.** ▶ *enrôlement* n. m.

s'enrouer [ɑ̃ʀwe] v. pron. ■ conjug. 1. ■ Devenir enroué. *Il s'est enroué à force de crier.* ▶ *enroué, ée* adj. ■ Devenu rauque. *Voix enrouée.* — Atteint d'enrouement. *Il est très enroué, on ne l'entend plus.* ▶ *enrouement* [ɑ̃ʀumɑ̃] n. m. ■ Altération de la voix due à une inflammation ou à une atteinte du larynx.

enrouler [ɑ̃ʀule] v. tr. ■ conjug. 1. **1.** Rouler (une chose) sur elle-même. *Enrouler du papier d'emballage, un cordage.* **2.** Rouler (une chose) sur, autour de qqch. / contr. **dérouler** / *On a enroulé un pansement autour de son poignet.* — Au p. p. adj. *Du fil enroulé sur une bobine.* — Pronominalement (réfl.). S'envelopper dans (qqch. qui entoure). *Elle s'est enroulée dans sa couverture pour dormir.* ▶ *enroulement* n. m. **1.** Ornement en spirale, objet présentant des spires. **2.** Disposition de ce qui est enroulé sur soi-même ou autour de qqch.

enrubanner [ɑ̃ʀybane] v. tr. ■ conjug. 1. ■ Garnir, orner de rubans. *Enrubanner une boîte de friandises.*

s'ensabler [ɑ̃sable] v. pron. ■ conjug. 1. **1.** S'enfoncer, s'échouer dans le sable. ⇒ **s'enliser.** *La barque s'est ensablée.* **2.** Se remplir de sable. *L'estuaire s'ensable lentement.* — Au p. p. adj. *Un port ensablé.* ▶ *ensablement* n. m. ■ Dépôt de sable formé par l'eau ou par le vent ; état d'un lieu ensablé. *L'ensablement de la baie du Mont-Saint-Michel.*

ensacher [ɑ̃saʃe] v. tr. ■ conjug. 1. ■ Mettre en sac, en sachet. *Ensacher du grain.* ▶ *ensachage* n. m. ■ Action d'ensacher.

ensanglanter [ɑ̃sɑ̃glɑ̃te] v. tr. ■ conjug. 1. **1.** Tacher de sang. — Au p. p. adj. *Un linge ensanglanté.* **2.** (Suj. meurtre, guerre, etc.) Couvrir, souiller de sang qu'on fait couler. *Des troubles ont ensanglanté le pays.*

enseignant, ante [ɑ̃sɛɲɑ̃, ɑ̃t] adj. et n. ■ Qui enseigne, est chargé de l'enseignement. *Le corps enseignant,* l'ensemble des professeurs et instituteurs. — N. Souvent au plur. *Les enseignants,* les membres du corps enseignant.

① *enseigne* [ɑ̃sɛɲ] n. f. **1.** Symbole de commandement qui servait de signe de ralliement pour les troupes. **2.** Panneau portant un emblème ou une inscription, ou un objet symbolique qui signale un établissement. *L'enseigne lumineuse d'une pharmacie.*

— Loc. *Être logé* À LA MÊME ENSEIGNE *que qqn :* être dans la même situation désagréable.

② *enseigne* n. m. ■ *Enseigne de vaisseau,* officier de la marine de guerre, d'un grade correspondant à sous-lieutenant et lieutenant.

③ *à telle enseigne* [atɛlɑ̃sɛɲ] loc. adv. ■ Littér. À TELLE ENSEIGNE QUE : d'une manière telle, si vraie que... ⇒ **tellement.**

enseignement [ɑ̃sɛɲmɑ̃] n. m. **1.** Action, art d'enseigner, de transmettre des connaissances à un élève. ⇒ **éducation, instruction, pédagogie.** *L'enseignement des langues vivantes. Méthodes d'enseignement. Enseignement assisté par ordinateur.* ⇒ **E.A.O.** *Enseignement public* (organisé par l'État), *privé* (dans les écoles privées). *Enseignement primaire, secondaire, supérieur. Enseignement technique.* — Profession, carrière des enseignants. *Entrer dans l'enseignement.* **2.** Surtout au plur. Littér. Précepte, leçon. *Les enseignements de l'expérience.*

enseigner [ɑ̃sɛɲe] v. tr. ■ conjug 1. **1.** Transmettre à un élève de façon qu'il comprenne et assimile (des connaissances, des techniques). ⇒ **apprendre.** *Il enseigne les mathématiques aux élèves de seconde. Elle enseigne le dessin.* **2.** Apprendre à qqn, par une sorte de leçon ou par l'exemple. *Il nous a enseigné la persévérance, la modestie... — Enseigner à qqn à faire qqch., lui enseigner qu'il faut...* — (Suj. chose) *L'histoire, l'expérience nous a enseigné qu'il fallait prévoir l'avenir.* ‹ ▶ **enseignant, enseignement** ›

① *ensemble* [ɑ̃sɑ̃bl] adv. **1.** L'un avec l'autre, les uns avec les autres. ⇒ **collectivement.** *Ils ne peuvent plus vivre ensemble. On fera cela ensemble.* ⇒ en **commun.** *Elles ne sont pas très bien ensemble,* elles ne s'entendent pas bien. **2.** L'un avec l'autre et en même temps. ⇒ **simultanément.** *Venez ensemble. Ne parlez pas tous ensemble.*

② *ensemble* n. m. **1.** Unité tenant au synchronisme des mouvements, à la collaboration des divers éléments. *Les gymnastes ont évolué avec un ensemble impressionnant.* Iron. *Ils mentent avec un ensemble touchant.* **2.** Totalité d'éléments réunis. *Étudier les détails sans perdre de vue l'ensemble. Cela s'adresse à l'ensemble des habitants. J'ai lu l'ensemble de son œuvre.* — Loc. *Une vue d'ensemble, une idée d'ensemble,* globale. — DANS L'ENSEMBLE loc. adv. : en considérant plutôt l'ensemble que les composants. ⇒ en **gros.** *Le voyage, dans l'ensemble, a été intéressant.* **3.** Groupe de plusieurs personnes ou choses réunies en un tout. *Ensemble vocal, instrumental,* ensemble de chanteurs, de musiciens. *Réunir un ensemble de conditions.* **4.** Groupe d'habitations ou de monuments. GRAND ENSEMBLE : quartier d'habitations neuves conçues ensemble. **5.** Pièces d'habillement assorties, faites pour être portées ensemble. *Un ensemble de plage.* **6.** En mathématiques. Collection d'éléments, en nombre fini ou infini, susceptibles de posséder certaines propriétés, et d'avoir entre eux, ou avec des éléments d'autres ensembles, certaines relations. *La théorie des ensembles.* ‹ ▶ sous-ensemble ›

ensemencer [ɑ̃smɑ̃se] v. tr. ■ conjug. 3. **1.** Pourvoir de semences (une terre). ⇒ **semer. 2.** *Ensemencer une rivière, un étang, etc.,* y placer du petit poisson. ⇒ **aleviner.** — Introduire des germes, des bactéries dans (un bouillon de culture, un milieu). ▶ *ensemencement* n. m. ■ Action d'ensemencer. *L'ensemencement d'un champ.*

enserrer [ɑ̃seʀe] v. tr. ■ conjug. 1. ■ Littér. (Choses) Entourer en serrant étroitement, de près. *La rivière enserre la ville.* — Au p. p. *Le poignet enserré d'un bracelet.*

ensevelir [ɑ̃səvliʀ] v. tr. ▪ conjug. 2. **1.** Littér. Mettre (un mort) au tombeau. ⇒ **enterrer**. *Il a été enseveli dans le caveau de famille.* — Envelopper dans un linceul. **2.** (Suj. chose) Faire disparaître sous un amoncellement. *L'avalanche avait enseveli plusieurs villages.* **3.** Abstrait. Littér. Enfouir en cachant. *La solitude, le silence les a ensevelis.* Pronominalement (réfl.). *Il s'ensevelit dans ses pensées, dans la solitude.* — Au p. p. *Être enseveli dans son chagrin.* ▶ **ensevelissement** n. m. **1.** Littér. Action d'ensevelir dans une tombe. ⇒ **enterrement**. **2.** Fait d'être enfoui, caché.

ensoleiller [ɑ̃soleje] v. tr. ▪ conjug. 1. ▪ Remplir de la lumière du soleil. / contr. **ombrager** / — Au p. p. adj. *Une façade ensoleillée, exposée au soleil.* ▶ **ensoleillement** n. m. ▪ État d'un lieu ensoleillé. *L'ensoleillement d'une rue.* — Temps pendant lequel un lieu est ensoleillé. *L'ensoleillement annuel d'une station balnéaire.*

ensommeillé, ée [ɑ̃sɔmeje] adj. ▪ Qui reste sous l'influence du sommeil, est mal réveillé. *Avant sa douche, il est tout ensommeillé.* ⇒ **somnolent**.

ensorceler [ɑ̃sɔʀsəle] v. tr. ▪ conjug. 4. **1.** Soumettre (qqn) à l'action d'un sortilège, jeter un sort sur (qqn). ⇒ **envoûter**. **2.** Captiver entièrement, comme par un sortilège irrésistible. ⇒ **charmer, fasciner, séduire.** ▶ **ensorcelant, ante** adj. ▪ Qui ensorcelle, séduit irrésistiblement. ⇒ **fascinant, séduisant.** *Un sourire ensorcelant.* ▶ **ensorcellement** n. m. **1.** Pratique de sorcellerie ; état d'un être ensorcelé. ⇒ **enchantement, envoûtement, sortilège. 2.** Fig. Séduction irrésistible. ⇒ **fascination.** *L'ensorcellement de la musique.* ▶ **ensorceleur, euse** adj. et n. ▪ Littér. Qui ensorcelle.

ensuite [ɑ̃sɥit] adv. **1.** Après cela, plus tard. ⇒ **puis.** / contr. d'**abord, avant** / *Termine ton travail, tu pourras sortir ensuite.* **2.** Derrière en suivant. *Arrivait ensuite le peloton.* — En second lieu. *D'abord, je ne veux pas ; ensuite, je ne peux pas.*

s'ensuivre [sɑ̃sɥivʀ] v. pron. ▪ conjug. 40. — REM. Infinitif et 3ᵉˢ pers. seulement. **1.** En loc. *Et tout ce qui s'ensuit,* tout ce qui vient après, accompagne la chose. **2.** Survenir en tant qu'effet naturel ou conséquence logique. *Certains résultats s'ensuivent nécessairement.* — Impers. *Il s'ensuit que,* il en résulte que. *Il s'ensuit que vous devez l'aider.*

entablement [ɑ̃tabləmɑ̃] n. m. **1.** Saillie au sommet des murs, qui supporte la charpente de la toiture. **2.** Partie qui surmonte une colonnade et comprend l'architrave, la frise et la corniche.

entacher [ɑ̃taʃe] v. tr. ▪ conjug. 1. **1.** Littér. Marquer d'une tache morale. ⇒ **souiller, ternir.** *Cette condamnation entache son honneur.* **2.** (Choses) (ÊTRE) ENTACHÉ, ÉE DE... : gâté par (un défaut). *Un acte entaché de nullité.*

entaille [ɑ̃taj] n. f. **1.** Coupure qui enlève une partie, laisse une marque allongée ; cette marque. ⇒ **encoche, fente.** *L'entaille d'une greffe* (sur un arbre). **2.** Incision profonde faite dans les chairs. ⇒ **balafre, coupure, estafilade.** *Elle s'est fait une entaille dans la main.* ▶ **entailler** v. tr. ▪ conjug. 1. ▪ Couper en faisant une entaille. *Entailler une pièce de bois.* — *Elle s'est entaillé le pouce en coupant un morceau de pain.*

entamer [ɑ̃tame] v. tr. ▪ conjug. 1. **I. 1.** Enlever en coupant une partie à (qqch. dont on n'a encore rien pris). *Allons, entamons ce pâté !* **2.** Diminuer (un tout dont on n'a encore rien pris) en utilisant une partie. *Il a dû entamer son capital.* — Au p. p. *La journée est déjà bien entamée.* **3.** (Suj. chose) Couper, pénétrer (la matière). *La rouille entame le fer. Les blindés ont entamé la première ligne de résistance.*

⇒ **percer.** — **II.** Abstrait. *Rien ne peut entamer sa réputation.* **II.** Commencer à faire (qqch.). ⇒ **commencer, entreprendre.** / contr. **achever** / *Ils entamèrent la conversation. Les deux pays vont entamer des négociations.* ⇒ **engager.** ▶ **entame** n. f. ▪ Premier morceau coupé (d'une chose à manger). ⇒ **bout.** *L'entame d'un jambon.*

entartrer [ɑ̃taʀtʀe] v. tr. ▪ conjug. 1. ▪ Recouvrir de tartre incrusté. *L'eau calcaire entartre les tuyaux.* — Au p. p. adj. *Une canalisation entartrée.* ▶ **entartrage** n. m. ▪ État de ce qui est entartré.

entasser [ɑ̃tase] v. tr. ▪ conjug. 1. **1.** Mettre (des choses) en tas, généralement sans ordre. ⇒ **amonceler, empiler.** / contr. **éparpiller** / *Il avait entassé tous ses vieux vêtements dans une malle.* — Pronominalement. *Son courrier s'entasse dans un tiroir.* **2.** Réunir (des personnes) dans un espace trop étroit. ⇒ **serrer, tasser.** — Pronominalement (réfl.). *Les spectateurs s'entassaient dans la salle.* **3.** Accumuler. *L'auteur entasse les citations, les références.* — Amasser de l'argent. ⇒ **économiser.** / contr. **dépenser** / *Elle entassait ses économies.* ▶ **entassement** n. m. ▪ Action d'entasser ou de s'entasser. — Choses entassées. ⇒ **amas, tas.** *Un entassement de livres.*

① **entendre** [ɑ̃tɑ̃dʀ] v. tr. ▪ conjug. 41. **I. 1.** Percevoir par le sens de l'ouïe. ⇒ **ouïr.** *Avez-vous entendu ce qu'il a dit ?* — (+ infinitif) *J'ai entendu la voiture arriver, je l'ai entendue arriver. Je connaissais la chanson que nous avons entendu chanter.* — Loc. *Il ne l'entend pas de cette oreille,* il n'est pas d'accord. — ENTENDRE PARLER *de qqch., qqn :* apprendre qqch. à ce sujet. *Je n'ai pas entendu parler de cette histoire. Ne pas vouloir entendre parler d'une chose,* la rejeter sans examen. *Je ne veux pas entendre parler de vos excuses.* — *J'ai entendu dire que...,* j'ai appris. *J'ai entendu dire qu'elle était satisfaite.* Faire entendre, émettre (un son, une parole). **2.** Sans compl. Percevoir (plus ou moins bien) par l'ouïe. *Parlez plus fort, il entend mal.* **3.** Littér. Écouter, prêter attention à. *On l'a condamné sans l'entendre. Il ne veut rien entendre,* rien de ce qu'on peut lui dire ne l'influencera. *Il ne veut pas entendre raison,* se ranger aux avis raisonnables qu'on lui donne. **4.** Écouter. *Aller entendre un concert, un artiste.* — Loc. *À l'entendre,* si on l'en croit, si on l'écoute. *À l'entendre, il sait tout faire.* **5.** Pronominalement (passif). S'ENTENDRE : être entendu. *Le choc s'entendit de loin. Cette expression s'entend encore,* est encore employée, se dit encore. ‹ ▶ **malentendant, réentendre** ›

② **entendre** v. tr. ▪ conjug. 41. **I.** Littér. ENTENDRE QUE (+ subjonctif), ENTENDRE (+ infinitif) : avoir l'intention, le dessein de. ⇒ **vouloir.** *J'entends qu'on m'obéisse ; j'entends être obéi.* — *Faites comme vous l'entendez. Chacun fera comme il l'entend.* ⇒ **désirer. II. 1.** Littér. Percevoir, saisir par l'intelligence. ⇒ **comprendre.** *Comment entendez-vous cette phrase ? J'entends bien, je comprends bien ce que vous voulez dire.* — Loc. *Laisser entendre, donner à entendre,* laisser deviner. ⇒ **insinuer.** *Il a laissé entendre qu'il partirait sans nous.* **2.** (Personnes) Vouloir dire. *Qu'entendez-vous par ce mot ?,* quel sens lui donnez-vous ? **3.** Pronominalement (passif). Être compris. *Ce mot peut s'entendre de diverses manières.* — *Cela s'entend* et, ellipt. *s'entend,* c'est évident. *Nous réglerons ces difficultés bientôt ; entre nous, cela s'entend.* **4.** S'Y ENTENDRE : être expert en la matière. ⇒ **s'y connaître.** *Je te laisse préparer la pâte, je m'y entends pas.* ▶ **entendement** n. m. ▪ Littér. Faculté de comprendre. *La démarche de l'entendement.* — Ensemble des facultés intellectuelles. ⇒ **intelligence, raison.** Loc. *Cela dépasse l'entendement,* incompréhensible. ▶ **entendeur** n. m. ▪ Loc. À BON

ENTENDEUR, SALUT : que celui qui comprend bien en fasse son profit (souligne une menace). *Je vous ai prévenu ! À bon entendeur, salut !* ▶ **entendu, ue** adj. **1.** Vx. *Un homme entendu (à qqch., à faire qqch.),* habile, compétent. — *Un air, un sourire entendu,* malin, complice. **2.** Accepté ou décidé après accord. ⇒ **convenu.** *C'est une affaire entendue. C'est entendu.* Ellipt. *Entendu !* ⇒ d'**accord.** — BIEN ENTENDU [bjɛ̃nɑ̃tɑ̃dy] loc. adv. : la chose est évidente, naturelle. ⇒ **évidemment, naturellement.** « *Vous nous accompagnez ? — Bien entendu !* » Fam. *Comme de bien entendu.* **3.** Littér. BIEN (MAL) ENTENDU, UE : bien, mal compris, mis en œuvre. *Zèle mal entendu. Son intérêt bien entendu.* ▶ ① **entente** n. f. ■ Loc. *Une phrase* À DOUBLE ENTENTE : qui a deux significations. ⇒ **ambigu.** ⟨ ▶ malentendu, sous-entendre ⟩

③ s'**entendre** v. pron. ■ conjug. 41. **1.** Se mettre d'accord. *Ils n'ont pas réussi à s'entendre sur le plan à suivre. Entendons-nous bien !,* mettons-nous bien d'accord ! **2.** Avoir des rapports (bons ou mauvais). *Les deux sœurs se sont toujours bien entendues. Ils s'entendent comme chien et chat,* très mal. ▶ ② **entente** n. f. **1.** Le fait de s'entendre, de s'accorder ; état qui en résulte. ⇒ **accord.** *Parvenir à une entente.* — *Entente entre producteurs, entre entreprises.* ⇒ **cartel, trust.** — Collaboration politique entre États. ⇒ **alliance. 2.** *Entente, bonne entente,* relations amicales, bonne intelligence entre plusieurs personnes. ⇒ **amitié, union.** *Il règne entre eux une entente parfaite.* — *L'entente,* l'accord entre plusieurs personnes. *Maintenant, l'entente règne.* ⟨ ▶ mésentente ⟩

enter [ɑ̃te] v. tr. ■ conjug. 1. ■ Greffer. *Enter une vigne.* ≠ *hanter.*

entériner [ɑ̃terine] v. tr. ■ conjug. 1. **1.** Rendre définitif, valide (un acte) en l'approuvant juridiquement. ⇒ **homologuer, ratifier, valider.** *Le tribunal a entériné les rapports d'experts.* **2.** Admettre ou consacrer. ⇒ **approuver.** *Nous n'entérinerons pas le fait accompli.*

entérite [ɑ̃terit] n. f. ■ Inflammation de la muqueuse intestinale, généralement accompagnée de colique, de diarrhée. ▶ **entéro-** ■ Élément de mots savants, signifiant « intestin » (ex. : *entérologie,* n. f., médecine de l'intestin). ⟨ ▶ dysenterie, gastro-entérite, mésentère ⟩

enterrer [ɑ̃tere] v. tr. ■ conjug. 1. **I. 1.** Déposer le corps de (qqn) dans la terre, dans une sépulture. ⇒ **ensevelir, inhumer.** *On l'a enterré dans le caveau de famille.* **2.** Loc. *Il est mort et enterré,* il est mort depuis longtemps. *Vous nous enterrerez tous,* vous vivrez plus longtemps que nous. — *Enterrer sa vie de garçon,* passer avec ses amis une dernière et joyeuse soirée de célibataire. **3.** Abandonner ou faire disparaître (comme une chose finie, morte). Surtout au passif. *Le scandale a été enterré.* — Au p. p. adj. *C'est une histoire enterrée,* oubliée. **II. 1.** Enfouir dans la terre. / contr. **déterrer** / *Enterrer profondément une canalisation.* **2.** Surtout au p. p. Recouvrir d'un amoncellement. ⇒ **ensevelir.** *Il est resté deux heures enterré sous les décombres.* **3.** Pronominalement. Se retirer. *S'enterrer à la campagne, en province.* ▶ **enterrement** n. m. **1.** Action d'enterrer un mort, de lui donner la sépulture. ⇒ **inhumation.** *L'enterrement aura lieu au cimetière du village.* — Cérémonies qui s'y rattachent. ⇒ **funérailles, obsèques.** *Aller à un enterrement. Enterrement religieux, civil.* — Loc. *Avoir une tête, une mine d'enterrement,* triste. **2.** Cortège funèbre. ⇒ **convoi, obsèques.** *Les gens se découvraient au passage de l'enterrement.* **3.** Fig. Abandon (de qqch. qu'on considère comme mort). *Ce vote, c'était l'enterrement de leur projet.*

en-tête [ɑ̃tɛt] n. m. **1.** Inscription en tête d'un papier officiel, de commerce. *Papier à lettre à en-tête. Des en-têtes commerciaux.* **2.** Informatique. Partie initiale d'un message, contenant des informations extérieures au texte.

① **entêter** [ɑ̃tete] v. tr. ■ conjug. 1. ■ Littér. Incommoder par des vapeurs, des émanations qui montent à la tête. *Ce parfum m'entête.*

② s'**entêter** v. pron. ■ conjug. 1. ■ S'ENTÊTER À faire qqch., DANS (une opinion, etc.) : persister dans une volonté, sans céder, avec obstination. *Il s'entêtait à leur écrire, à les relancer. Elle s'entête dans son refus.* — Sans compl. *Plus vous insisterez, plus il s'entêtera.* ▶ **entêté, ée** adj. ■ Qui s'entête. *Il est très entêté.* ⇒ **obstiné, têtu.** — N. *Mais quel entêté !* ▶ **entêtement** n. m. ■ Le fait de persister dans un comportement volontaire sans tenir compte des circonstances. ⇒ **obstination, opiniâtreté.** *Son entêtement finira par lui coûter cher.* — Caractère d'une personne têtue.

enthousiasme [ɑ̃tuzjasm] n. m. **1.** Littér. Dans l'Antiquité. Délire sacré, inspiration divine ou extraordinaire. *L'enthousiasme des prophètes.* **2.** Émotion vive portant à admirer. / contr. **indifférence** / *Cette victoire a déchaîné l'enthousiasme de la foule. Il a parlé du film avec enthousiasme.* **3.** Émotion se traduisant par une excitation joyeuse. ⇒ **allégresse, joie.** *J'accepte avec enthousiasme,* avec une grande joie. ▶ **enthousiasmer** v. tr. ■ conjug. 1. ■ Remplir d'enthousiasme. *Son interprétation a enthousiasmé l'auditoire.* — Au passif. *Être enthousiasmé,* ravi, transporté (de joie, etc.). — Au p. p. adj. *Un regard enthousiasmé.* — Pronominalement (réfl.). *S'enthousiasmer pour qqn, qqch.* ⇒ **s'emballer, s'enflammer.** ▶ **enthousiasmant, ante** adj. ■ Qui enthousiasme. *Une rencontre enthousiasmante. Tout cela n'est pas très enthousiasmant.* ▶ **enthousiaste** adj. ■ Qui ressent de l'enthousiasme, marque de l'enthousiasme. / contr. **froid, glacial** / *L'acteur fut applaudi par une salle enthousiaste. Un partisan enthousiaste.* ⇒ **fervent.** *Un accueil enthousiaste.* ⇒ **chaleureux.**

s'**enticher** [ɑ̃tiʃe] v. pron. ■ conjug. 1. ■ Prendre un goût extrême et irraisonné pour. ⇒ **s'engouer,** se **toquer.** *Il s'est entiché de cette jeune femme.* ⇒ **s'amouracher.** — Au p. p. *Elle est entichée de yoga.*

① **entier, ière** [ɑ̃tje, jɛʀ] adj. et n. m. **1.** Dans toute son étendue. ⇒ **tout.** *Dans le monde entier,* partout. *Une heure entière. Payer place entière,* sans réduction. — TOUT ENTIER : absolument entier. REM. *Tout* reste invariable. *La ville tout entière. Se donner tout entier à,* consacrer tout son temps à, se dévouer à. — N. m. EN, DANS SON (LEUR) ENTIER : dans sa totalité. EN ENTIER : complètement, entièrement. *Je n'ai pas vu le film en entier.* **2.** À quoi il ne manque rien. ⇒ **complet, intact.** *La liasse est entière,* on n'en a retiré aucun billet. — *Nombre entier,* composé d'une ou plusieurs unités (opposé à *nombre fractionnaire*). — N. *Un entier.* **3.** (Chose abstraite) Qui n'a subi aucune altération. ⇒ **absolu, parfait, total.** *Je lui parlais avec une entière liberté. Ma confiance reste entière.* ⇒ **intact.** *La question reste entière,* le problème n'a pas reçu un commencement de solution. ▶ **entièrement** adv. ■ D'une manière entière. ⇒ **complètement, totalement.** / contr. **partiellement** / *La maison a été entièrement détruite. Ils sont entièrement d'accord.* ⇒ **parfaitement.**

② **entier, ière** adj. ■ (Personnes et actions) Littér. Qui n'admet aucune restriction, aucune demi-mesure. *Un caractère entier et obstiné. Il est assez entier dans ses opinions.*

entité [ɑ̃tite] n. f. ■ Idée générale, abstraction que l'on considère comme une réalité.

entoiler [ɑ̃twale] v. tr. ▪ conjug. 1. ▪ Fixer sur une toile. — Au p. p. *Ces cartes sont vendues entoilées.* — Renforcer (une étoffe) d'une toile fine. *Entoiler une cravate.* ▶ **entoilage** n. m. ▪ Action d'entoiler. — Toile dont on s'est servi pour entoiler.

entôler [ɑ̃tole] v. tr. ▪ conjug. 1. ▪ Fam. Voler en trompant. *Il s'est fait complètement entôler.*

entomologie [ɑ̃tɔmɔlɔʒi] n. f. ▪ Partie de la zoologie qui traite des insectes. ▶ **entomologique** adj. ▪ Relatif à l'entomologie. ▶ **entomologiste** n. ▪ Spécialiste de l'entomologie.

entonner [ɑ̃tɔne] v. tr. ▪ conjug. 1. 1. ▪ Commencer à chanter (un air). *La foule entonna la Marseillaise.* 2. ▪ Fig. *Entonner la louange de qqn,* faire son éloge.

entonnoir [ɑ̃tɔnwaʀ] n. m. 1. ▪ Instrument de forme conique, terminé par un tube et servant à verser un liquide dans un récipient de petite ouverture. — *En entonnoir,* en forme d'entonnoir. 2. ▪ Cavité naturelle qui va en se rétrécissant. *Les eaux du torrent se perdaient au fond d'un entonnoir.* — Excavation produite par une explosion, un obus (trou d'obus), une bombe.

entorse [ɑ̃tɔʀs] n. f. 1. ▪ Lésion douloureuse d'une articulation, provenant d'une distension violente avec arrachement des ligaments. ⇒ **foulure, luxation.** *Elle s'est fait une entorse au poignet.* 2. ▪ Abstrait. *Faire une entorse à...,* ne pas respecter (la vérité, la légalité...). *Une sérieuse entorse au règlement.* ⇒ **infraction.**

entortiller [ɑ̃tɔʀtije] v. tr. ▪ conjug. 1. 1. ▪ Envelopper (un objet) dans qqch. que l'on tortille ; tortiller (qqch.), notamment autour d'un objet. *Entortiller un bonbon dans du papier. Entortiller du papier autour de qqch. Entortiller son mouchoir.* — Pronominalement (réfl.). *Il s'entortille dans ses draps.* 2. ▪ Fig. Persuader (qqn) en le trompant. ⇒ **circonvenir ;** fam. **rouler.** *Tu t'es laissé entortiller par ses promesses.* 3. ▪ Fig. Compliquer (des phrases, des propos) par des circonlocutions et des obscurités. ⇒ **embrouiller.** — Au p. p. adj. *Des excuses entortillées.*

entourer [ɑ̃tuʀe] v. tr. ▪ conjug. 1. 1. ▪ Garnir de qqch. qu'on met tout autour ; mettre autour de. *Il a entouré de murs sa propriété. La mère entourait l'enfant de ses bras.* — Abstrait. *Pourquoi entourer de mystère votre voyage ?* 2. ▪ (Choses) Être autour de (qqch., qqn) de manière à enfermer. *Une clôture entoure le jardin.* — Au p. p. *Un jardin entouré de haies.* 3. ▪ (Personnes) Se tenir tout autour de. *Les troupes entourent la ville.* ⇒ **cerner, encercler.** 4. ▪ (Personnes ou choses) Être habituellement ou momentanément autour de (qqn). *Les gens qui nous entourent, ce qui nous entoure.* ⇒ **entourage, milieu.** — Pronominalement. *S'entourer de...,* mettre ou réunir autour de soi. *Les ministres se sont entourés de conseillers.* 5. ▪ S'occuper de (qqn), aider ou soutenir par sa présence, ses attentions. / contr. **délaisser** / *Ses amis l'entourent beaucoup, depuis son deuil.* — Au passif. *Être entouré d'amis.* — Sans compl. *Elle est très entourée.* ▶ **entourage** n. m. 1. ▪ Personnes qui entourent habituellement qqn, et vivent dans sa familiarité. ⇒ **compagnie.** *Ce n'est pas lui qu'on accuse, mais son entourage, une personne de son entourage.* 2. ▪ Ornement disposé autour (de certains objets). *L'entourage d'un massif.*

entourloupette [ɑ̃tuʀlupɛt] n. f. ▪ Fam. Mauvais tour joué à qqn. *Il lui a fait une entourloupette.*

entournure [ɑ̃tuʀnyʀ] n. f. 1. ▪ Partie du vêtement qui fait le tour du bras, là où s'ajuste la manche. ⇒ **emmanchure.** *Entournures trop larges.* 2. ▪ Loc. *Être gêné dans les entournures, aux entournures,* être mal à l'aise, en difficulté.

entracte [ɑ̃tʀakt] n. m. 1. ▪ Intervalle entre les parties d'un spectacle. *Films publicitaires projetés à l'entracte* (au cinéma). 2. ▪ Fig. Temps d'arrêt, de repos, au cours d'une action. ⇒ **interruption.** *Les entractes d'une carrière politique.*

s'entraider [ɑ̃tʀede] v. pron. ▪ conjug. 1. ▪ S'aider mutuellement. ⇒ s'**aider.** *Ils se sont entraidés.* ▶ **entraide** n. f. ▪ Aide mutuelle. *Un comité d'entraide.* ⇒ **solidarité.**

entrailles [ɑ̃tʀɑj] n. f. pl. 1. ▪ Ensemble des organes enfermés dans l'abdomen (homme, animaux). ⇒ **boyau, intestin, tripe, viscère.** 2. ▪ Littér. Les organes de la femme qui portent l'enfant. ⇒ **sein.** « *Vous êtes bénie entre toutes les femmes, et le fruit de vos entrailles est béni* » (prière du *Je vous salue, Marie*). 3. ▪ Littér. La partie profonde, essentielle (d'une chose, de l'être sensible). *Les entrailles de la terre, d'un navire. Cela nous a remués jusqu'au fond des entrailles. Un homme sans entrailles,* insensible.

entrain [ɑ̃tʀɛ̃] n. m. 1. ▪ Vivacité et bonne humeur communicatives. ⇒ **ardeur, enthousiasme, fougue, vivacité ; boute-en-train.** *Avoir de l'entrain ; être plein d'entrain. Il fait tout avec entrain.* 2. ▪ (Actes, paroles) Animation gaie. *La conversation manque d'entrain.* / contr. **apathie, calme** /

① **entraîner** [ɑ̃tʀene] v. tr. ▪ conjug. 1. 1. ▪ Emmener de force avec soi. *Le courant entraîne le navire vers la côte.* — Communiquer son mouvement à. *Le moteur entraîne la machine.* 2. ▪ Conduire, mener (qqn) avec soi. ⇒ **emmener, mener.** *Il l'entraîna vers le buffet.* — Conduire (qqn) en exerçant une pression morale. *Il se laisse entraîner par de mauvais camarades.* 3. ▪ (Suj. chose) Pousser (qqn) par un enchaînement psychologique ou matériel. *Son enthousiasme l'entraîne trop loin. Il l'a entraîné dans sa ruine.* ⇒ **emporter, pousser.** *Entraîner à* (+ infinitif). *Vos préjugés, vos difficultés vous entraînent à être injuste.* ⇒ **conduire.** 4. ▪ (Suj. chose) Avoir pour conséquence nécessaire, inévitable. ⇒ **amener, produire, provoquer.** *Cette imprudence risque d'entraîner de graves conséquences.* ⇒ **déclencher.** *Toutes ces discussions entraînent des retards.* ▶ **entraînant, ante** adj. ▪ Qui entraîne (3) à la gaieté, donne de l'entrain. *Un refrain entraînant.* ▶ ① **entraînement** n. m. 1. ▪ Mouvement par lequel une personne se trouve déterminée à agir, indépendamment de sa volonté. *L'entraînement des passions, des habitudes. Céder à ses entraînements.* ⇒ **impulsion.** 2. ▪ Communication d'un mouvement. *Un entraînement par courroies, par engrenages.* ▶ **entraîneuse** n. f. ▪ Jeune femme employée dans les bars, les dancings pour engager les clients à danser, à consommer.

② **entraîner** v. tr. ▪ conjug. 1. 1. ▪ Préparer (un animal, une personne, une équipe) à une performance sportive, au moyen d'exercices appropriés. ⇒ **exercer.** *Entraîner un cheval, un athlète, une équipe.* — Pronominalement (réfl.). *Ils s'entraînent pour le championnat.* — Au p. p. adj. *Un athlète bien, mal entraîné.* 2. ▪ Faire l'apprentissage de (qqn). *Entraîner qqn à un exercice.* ⇒ **endurcir, former.** — Pronominalement (réfl.). *S'entraîner à prendre la parole en public.* ▶ ② **entraînement** n. m. 1. ▪ Action d'entraîner, de s'entraîner en vue d'une compétition sportive. *Terrain d'entraînement. À l'entraînement,* pendant les séances d'entraînement. 2. ▪ Préparation méthodique, apprentissage par l'habitude. *Vous y parviendrez avec un peu d'entraînement.* ▶ **entraîneur** n. m. 1. ▪ Personne qui entraîne des chevaux pour la course. 2. ▪ Personne qui entraîne des sportifs. ⇒ **manager.** *L'entraîneur d'un boxeur. Elle est entraîneur de notre championne.*

① **entraver** [ɑ̃tʀave] v. tr. ▪ conjug. 1. 1. ▪ Retenir, attacher (un animal) au moyen d'une entrave.

Entraver un cheval pour le ferrer. **2.** Fig. Empêcher de se faire, de se développer. ⇒ **enrayer, freiner, gêner.** *Entraver une évolution. Des rivaux ont entravé sa carrière. La foule entravait la circulation.* ▶ *entrave* n. f. **1.** Ce qu'on met aux jambes de certains animaux pour gêner leur marche. *Mettre des entraves à un cheval pour l'empêcher de ruer.* **2.** Fig. Ce qui retient, gêne. *Cette loi est une entrave à la liberté de la presse.* ⇒ **empêchement, obstacle.** ▶ *entravé, ée* adj. **1.** Qui a des entraves. *Un animal entravé.* **2.** *Jupe entravée,* très resserrée dans le bas.

② *entraver* v. tr. ▪ conjug. 1. ▪ Fam. Comprendre. *J'y entrave que dalle,* je n'y comprends rien.

entre [ɑ̃tʀ] prép. **I.** **1.** Dans l'espace qui sépare (des choses, des personnes). *Les Pyrénées s'étendent entre la France et l'Espagne. Distance, écart compris entre deux points.* ⇒ **intervalle.** *Des mots entre parenthèses, entre guillemets.* — (Dans une série, une suite) *C est entre B et D ; 8 entre 7 et 9.* **2.** Dans le temps qui sépare (deux dates, deux époques, deux faits). *Nous passerons chez vous entre 10 et 11 heures.* Loc. *Personne entre deux âges,* ni jeune ni vieille. **3.** Abstrait. À égale distance, dans l'espace qui sépare (deux choses, deux éléments). *Hésiter entre deux choix, deux solutions. Il est resté entre la vie et la mort.* **II.** Au milieu de. **1.** (En tirant d'un ensemble) *Choisir entre plusieurs solutions.* ⇒ **parmi.** — ENTRE AUTRES. *Il y avait, entre autres choses, un vieux buffet.* — Sans nom. *Il a reçu, entre autres, un ballon de football.* **2.** (Suivi d'un pronom pers. ou d'un nom de pers. au plur. sans article) En ne sortant pas d'un groupe (de personnes) ; en formant un cercle fermé. *Ils veulent rester entre eux. Soit dit entre nous ou,* ellipt, *entre nous,* dans le secret. **III.** Exprimant un rapport entre personnes ou choses. **1.** L'un l'autre, l'un à l'autre, avec l'autre. *Les loups se dévorent entre eux. Match entre deux équipes.* — *Ils ont entre eux des disputes,* les uns avec, contre les autres. **2.** (Comparaison) *Voir le rapport de deux choses entre elles. Il n'y a rien de commun entre lui et moi.*

entr(e)- ▪ Élément servant à former des noms et des verbes (avec ou sans trait d'union, parfois avec apostrophe), pour désigner l'intervalle (ex. : *entracte, entrefilet*), une action mutuelle (ex. : *entraide, entrevue*) ; pour indiquer qu'une action est réciproque (ex. : *s'entraider, s'entredéchirer, s'entre-détruire,* etc.), qu'une action ne se fait qu'à demi (ex. : *entrouvrir*) ou par intervalles (ex. : *entrecouper*). — Voir ci-dessous à l'ordre alphabétique.

entrebâiller [ɑ̃tʀəbaje] v. tr. ▪ conjug. 1. ▪ Ouvrir très peu (une porte, une fenêtre). ⇒ **entrouvrir.** — Au p. p. adj. *Une porte entrebâillée.* ▶ *entrebâillement* n. m. ▪ Intervalle formé par ce qui est entrebâillé. *Il apparut dans l'entrebâillement de la porte.*

entrechat [ɑ̃tʀəʃa] n. m. **1.** Dans la danse classique. Saut pendant lequel les pieds battent rapidement l'un contre l'autre. *Faire un entrechat.* **2.** Saut, gambade. *Faire des entrechats, gambader.*

entrechoquer [ɑ̃tʀəʃɔke] v. tr. ▪ conjug. 1. ▪ Choquer, heurter l'un contre l'autre. *Ils entrechoquent des cailloux pour faire du feu.* — Pronominalement. *Verres qui s'entrechoquent.*

entrecôte [ɑ̃tʀəkot] n. f. ▪ Morceau de viande de bœuf coupé entre les côtes.

entrecouper [ɑ̃tʀəkupe] v. tr. ▪ conjug. 1. ▪ Interrompre par intervalles. *Entrecouper un récit de rires, de commentaires.* ⇒ **entremêler.** — Au p. p. adj. *Des paroles entrecoupées,* interrompues. / contr. **continu** /

entrecroiser [ɑ̃tʀəkʀwaze] v. tr. ▪ conjug. 1. ▪ Croiser ensemble, à plusieurs reprises. ⇒ **entrelacer.** *Entrecroiser des fils, des rubans.* — Au p. p. adj.

Des lignes entrecroisées. ▶ *entrecroisement* n. m. ▪ État de ce qui est entrecroisé. *Un entrecroisement de lignes.*

entre-deux [ɑ̃tʀədø] n. m. invar. **1.** Espace, état entre deux choses, deux extrêmes. *Être dans l'entre-deux.* **2.** Bande (de dentelle, broderie) qui coupe un tissu.

entre-deux-guerres [ɑ̃tʀədøgɛʀ] n. m. invar. ▪ Période entre deux guerres (spécialt, en France, entre 1918 et 1939). *La génération de l'entre-deux-guerres.*

① *entrée* [ɑ̃tʀe] n. f. **I.** **1.** Passage de l'extérieur à l'intérieur. / contr. **sortie** / *L'entrée d'un visiteur dans le salon. À son entrée, le silence se fit.* ⇒ **arrivée.** *Entrée soudaine, en trombe.* ⇒ **irruption.** *L'entrée d'un train en gare.* — *Acteur qui fait son entrée en scène.* — Abstrait. ENTRÉE DANS, À. *Faire son entrée dans le monde. L'entrée d'un enfant au collège.* — ENTRÉE EN. *Entrée en fonctions, en charge. Entrée en action.* **2.** Informatique. Passage d'une information de l'extérieur à l'intérieur d'un ordinateur. **3.** Possibilité d'entrer, de pénétrer dans un lieu. ⇒ **accès.** *Une porte d'entrée. Refuser l'entrée à quelqu'un. Entrée interdite. Passer un examen d'entrée.* — Accès (à un spectacle, une manifestation, une réunion). *Carte, billet d'entrée. Entrée gratuite.* — Le titre pour entrer. *Je n'ai pu obtenir que deux entrées.* ⇒ **billet, place.** — Loc. AVOIR SES ENTRÉES *chez qqn, dans la maison de qqn :* y être reçu. **4.** Les entrées, l'argent qui entre dans un avoir. **II.** **1.** Ce qui donne accès dans un lieu ; endroit par où l'on entre. *Les entrées d'une maison, d'une cour.* ⇒ **porte.** *Entrée de service. L'entrée d'un tunnel.* ⇒ **orifice, ouverture.** **2.** Pièce à l'entrée d'un appartement. ⇒ **hall, vestibule.** *Attendez-moi dans l'entrée.* **3.** ENTRÉE DE : ce qui donne accès à. *Entrée d'air,* cheminée, puits d'aération. **III.** (Temporel) Loc. À L'ENTRÉE DE : au début. *À l'entrée de la vie. À l'entrée de l'hiver.* — D'ENTRÉE DE JEU loc. adv. : dès le commencement, dès l'abord. ⟨ ▶ **rentrée** ⟩

② *entrée* n. f. ▪ Plat qui est servi entre les hors-d'œuvre et le plat principal. *Servir un pâté froid en entrée. Des entrées chaudes.*

sur ces entrefaites [syʀsezɑ̃tʀəfɛt] loc. adv. ▪ À ce moment. ⇒ **alors.** *Il est parti, arrivé sur ces entrefaites.*

entrefilet [ɑ̃tʀəfilɛ] n. m. ▪ Court article inséré dans un journal. *Un entrefilet annonçait la maladie de l'acteur.*

entregent [ɑ̃tʀəʒɑ̃] n. m. ▪ Adresse à se conduire en société, à lier d'utiles relations. ⇒ **habileté, savoir-faire.** *Il a beaucoup d'entregent.*

entre-jambes ou *entrejambes* [ɑ̃tʀəʒɑ̃b] n. m. invar. ▪ Partie d'un pantalon, d'une culotte, entre les jambes. *Slip à entre-jambes renforcé.*

entrelacer [ɑ̃tʀəlase] v. tr. ▪ conjug. 3. ▪ Enlacer l'un dans l'autre. *Entrelacer des fils, des rubans.* ⇒ **entrecroiser, tisser, tresser.** / contr. **délier** / — S'ENTRELACER v. pron. récipr. *Les plantes grimpantes s'entrelaçaient.* ⇒ **s'enchevêtrer, s'entremêler.** — Au p. p. adj. *Branches entrelacées. Mains entrelacées.* ▶ *entrelacement* n. m. ▪ Action d'entrelacer ; choses entrelacées. *Un entrelacement de fils, de lignes.* ⇒ **entrecroisement, entrelacs.** ▶ *entrelacs* [ɑ̃tʀəla] n. m. invar. ▪ Ornement composé de motifs entrelacés, dont les lignes s'entrecroisent. *Les entrelacs de l'art arabe.* ⇒ **arabesque.**

entrelarder [ɑ̃tʀəlaʀde] v. tr. ▪ conjug. 1. **1.** Piquer (une viande) de lardons. ⇒ **larder.** *Entrelarder une volaille.* **2.** Abstrait. *Entrelarder son discours de citations.* ⇒ **farcir, truffer.**

entremêler [ɑ̃tʀəmele] v. tr. • conjug. 1. **1.** Mêler
(des choses différentes) les unes aux autres. *Entremêler des fleurs rouges à des fleurs blanches.* **2.** Mélanger,
mêler. *Entremêler des banalités et des traits d'esprit.*
3. ENTREMÊLER DE : insérer dans (une chose, une
durée) plusieurs éléments hétérogènes. *Il entremêle
son discours de citations latines.* — Au p. p. *Paroles
entremêlées de sanglots.* ⇒ **entrecoupé.**

entremets [ɑ̃tʀəmɛ] n. m. invar. ■ Plat sucré
cuisiné (que l'on sert entre le fromage et le dessert,
ou comme dessert). *On servit deux entremets au
dessert, une compote et un sorbet.*

entremetteur, euse [ɑ̃tʀəmɛtœʀ, øz] n.
■ Surtout au fém. Péj. Personne qui sert d'intermédiaire dans les intrigues amoureuses.

s'entremettre [ɑ̃tʀəmɛtʀ] v. pron. • conjug. 56.
■ Intervenir entre deux ou plusieurs personnes pour
les rapprocher, pour faciliter la conclusion d'une
affaire. ⇒ **s'interposer.** *S'entremettre dans une querelle.* ▶ *entremise* n. f. ■ Action d'une personne qui
s'entremet. *Offrir son entremise dans une affaire.*
⇒ **arbitrage, intervention.** *Par, grâce à l'entremise de.*
⇒ **canal, intermédiaire, moyen.** *Il a appris la nouvelle
par l'entremise de son oncle.* ‹ ▶ **entremetteur** ›

entrepont [ɑ̃tʀəpɔ̃] n. m. ■ Espace, étage compris
entre deux ponts d'un navire (surtout entre le faux
pont et le premier pont). *Voyager dans l'entrepont.*

entreposer [ɑ̃tʀəpoze] v. tr. • conjug. 1. **1.** Déposer dans un entrepôt. *Entreposer des marchandises.*
2. Déposer, laisser en garde. *Entreposer des meubles
chez un ami.* ▶ *entreposage* n. m. ■ Action
d'entreposer. *L'entreposage de viande dans un magasin frigorifique.* ▶ *entrepôt* n. m. ■ Bâtiment,
emplacement servant d'abri, de lieu de dépôt pour
les marchandises. ⇒ **dock, magasin.** *Marchandises en
entrepôt.*

entreprendre [ɑ̃tʀəpʀɑ̃dʀ] v. tr. • conjug. 58.
I. Se mettre à faire (qqch.). ⇒ **commencer.** *Entreprendre une affaire, une étude. Entreprendre un procès
contre qqn.* — *Entreprendre de faire qqch.* ⇒ **essayer,
tenter.** Sans compl. PROV. *Il n'est pas nécessaire
d'espérer pour entreprendre.* **II.** Tâcher de convaincre,
de séduire (qqn). *Entreprendre une femme,* tenter de
la conquérir. — *Entreprendre qqn sur un sujet,*
commencer à l'entretenir de ce sujet. *Quand il vous
entreprend sur sa collection de timbres, on ne peut pas
l'arrêter.* ▶ *entreprenant, ante* adj. **1.** Qui entreprend avec audace, hardiesse. ⇒ **audacieux, hardi.**
/ contr. **hésitant** / *Il est trop entreprenant et se lance
à la légère.* ⇒ **téméraire.** *Caractère, esprit entreprenant.* **2.** Hardi auprès des femmes. / contr. **timide** /
C'est un jeune homme entreprenant. ▶ *entrepreneur, euse* n. (fém. rare) **1.** Personne qui se charge
de l'exécution d'un travail *(contrat d'entreprise).
Entrepreneur de menuiserie, de transports.* **2.** Sans
compl. Personne, société qui est chargée d'exécuter
des travaux de construction. *Prendre un rendez-vous
de chantier avec l'entrepreneur. Elle est entrepreneur
en maçonnerie.* **3.** Personne qui dirige une entreprise
pour son compte. ⇒ **patron(onne).** *Un petit entrepreneur. Un important entrepreneur.* ▶ *entreprise* n. f.
I. 1. Ce qu'on se propose d'entreprendre ⇒ **dessein,
projet ;** mise à exécution d'un projet ⇒ **affaire,
opération.** *Organiser, préparer une entreprise. Réalisation, exécution d'une entreprise. Il est venu à bout de
son entreprise.* **2.** En droit. Le fait, pour un entrepreneur, de s'engager à fournir son travail pour un
ouvrage, dans des conditions données. *Contrat
d'entreprise.* **3.** Organisation de production de biens
ou de services à caractère commercial. ⇒ **affaire,
commerce, établissement, exploitation, industrie.**
Entreprise agricole, industrielle. Entreprise pri-

*vée, publique. Les petites et moyennes entreprises
(P.M.E.).* — CHEF D'ENTREPRISE. ⇒ **entrepre-
neur** (3). **II. 1.** Littér. Action par laquelle on attaque
qqn, on tente de porter atteinte à ses droits, à sa
liberté. *C'est une entreprise contre le droit des gens.*
2. Au plur. Tentatives de séduction. *Résister, succomber aux entreprises de qqn.*

entrer [ɑ̃tʀe] v. intr. • conjug. 1. — REM. Dans la
plupart de ses emplois, *entrer* est couramment remplacé
(à tort) par *rentrer,* surtout dans l'usage parlé. **I.** (Avec
l'auxiliaire ÊTRE) **1.** Passer du dehors au dedans. (Avec
*chez, dans, à l'intérieur de) Entrer dans un lieu, dans
une maison.* ⇒ **aller, pénétrer.** / contr. **sortir** / *Entrer
chez un commerçant. Entrer dans une voiture.*
⇒ **monter.** — (Avec *à) Entrer au cinéma.* — Loc.
Entrer en scène. **2.** Commencer à être dans (un lieu),
à (un endroit). *Entrer dans un village, dans une région.*
— Fam. (D'un véhicule ou de ses occupants) *Entrer dans
un obstacle, dans un arbre.* ⇒ **percuter, tamponner.**
— (Avec *dedans)* Fam. *Une voiture lui est entrée
dedans.* **3.** Sans compl. Passer à l'intérieur, dedans.
*Entrer par la porte, par la fenêtre. Entrez ! Défense
d'entrer. Il a salué en entrant.* **4.** (Choses) Aller à
l'intérieur. ⇒ **pénétrer.** *L'eau entre de toutes parts.
Cela entre comme dans du beurre, facilement. Cette
valise n'entre pas dans le coffre de ma voiture. Le vent
entre par la fenêtre.* ⇒ **s'engouffrer.** — Abstrait.
*Sentiments, passions qui entrent dans le cœur, dans
l'âme.* ⇒ **s'insinuer, pénétrer.** *Le soupçon, le doute
est entré dans son esprit.* **5.** Commencer à faire partie
de (un groupe, un ensemble). *Entrer au lycée. Entrer
dans l'armée.* ⇒ **s'engager.** *Entrer dans un parti
politique.* ⇒ **adhérer.** **6.** Commencer à prendre part
à. ⇒ **participer.** *Entrer dans une affaire. Entrer dans
une danse, dans le jeu.* **7.** (Temporel) Aborder (une
période), commencer à être (dans une période). *Entrer
dans sa dixième année. On entre dans les mauvais
jours de l'hiver.* **8.** ENTRER EN : commencer à être
dans (un état). *Entrer en convalescence. Eau qui entre
en ébullition. Entrer en action,* se mettre à agir. *Ce
pays est entré en guerre.* **9.** ENTRER DANS :
comprendre, saisir (ce que l'esprit pénètre). *Entrer
dans les sentiments de qqn,* le comprendre, se mettre
à sa place. ⇒ **partager.** — *Entrer dans les idées de
qqn,* les partager. **II.** (Avec l'auxiliaire ÊTRE) **1.** Être
compris dans. *Entrer dans une catégorie, dans un
total. Faire entrer en (ligne de) compte,* prendre en
considération. *Cela entre, n'entre pas dans ses
intentions.* **2.** Être pour qqch., être un élément de.
De la colère entre dans sa décision. **3.** (Suj. chose) Être
employé dans la composition ou dans la fabrication
de qqch. *Les éléments qui entrent dans un mélange.*
III. Transitivement. (Avec l'auxiliaire AVOIR) **1.** Faire
entrer. ⇒ **introduire.** *Entrer un meuble par la fenêtre.
Il a entré sa voiture au garage.* **2.** Enfoncer. *Il lui
entrait ses ongles dans la main.* ‹ ▶ ① **entrée,**
② **entrée, rentrer** ›

entresol [ɑ̃tʀəsɔl] n. m. ■ Espace d'un bâtiment
entre le rez-de-chaussée et le premier étage. *Habiter
un entresol. Troisième étage au-dessus de l'entresol.*

entre-temps [ɑ̃tʀətɑ̃] adv. ■ Dans cet intervalle
de temps. *Ils sont partis en vacances, entre-temps leur
maison a été cambriolée.*

① *entretenir* [ɑ̃tʀətniʀ] v. tr. • conjug. 22.
1. Faire durer, faire persévérer. ⇒ **maintenir, prolonger.** *Entretenir un feu.* ⇒ **alimenter.** *L'été, les
ombrages entretiennent la fraîcheur. Il entretient de
bons rapports avec son voisin.* — PROV. *Les petits
cadeaux entretiennent l'amitié.* **2.** ENTRETENIR qqn
DANS (un état affectif ou psychologique). *Entretenir
qqn dans une idée, dans l'erreur.* **3.** Maintenir en bon
état en prenant toutes les mesures appropriées.

⇒ **conserver**. *Entretenir une route, ses vêtements. Entretenir sa mémoire.* — Pronominalement (réfl.). *Il marche un peu tous les jours pour s'entretenir.* — Au p. p. adj. *Une voiture bien entretenue.* **4.** Fournir ce qui est nécessaire à la dépense, à la subsistance de (qqn). ⇒ se **charger** de, **nourrir**. *Entretenir une famille, un enfant.* ⇒ **élever**. — Au p. p. adj. *Femme entretenue.* ▶ ① **entretien** [ɑ̃tʀətjɛ̃] n. m. **1.** Soins, réparations, dépenses qu'exige le maintien en bon état. *Il ne suffit pas d'acheter une voiture, il faut prévoir son entretien. L'entretien des routes. Une notice d'entretien. Des produits d'entretien.* **2.** Ce qui est nécessaire à l'existence matérielle (d'un individu, d'une collectivité). *Pendant ses études, ses parents assurent son entretien.*

② **entretenir** v. tr. ▪ conjug. 22. ▪ ENTRETENIR *qqn* DE *qqch.* : lui en parler. *Je voudrais vous entretenir de cette affaire.* — Pronominalement. Converser (avec qqn). ⇒ **causer, parler**. *S'entretenir avec qqn de vive voix.* ▶ ② **entretien** n. m. ▪ Action d'échanger des paroles avec une ou plusieurs personnes ; sujet dont on s'entretient. ⇒ **conversation, discussion**. *Avoir un entretien avec qqn. Demander, accorder un entretien.* ⇒ **audience, entrevue**. *Engager, prolonger un entretien.*

entretoise [ɑ̃tʀətwaz] n. f. ▪ Pièce qui sert à relier dans un écartement fixe des poutres, des pièces de machine. *Les entretoises d'un fuselage.*

s'**entre-tuer** [ɑ̃tʀətɥe] v. pron. ▪ conjug. 1. ▪ Se tuer mutuellement ; se battre jusqu'à la mort. *Les malfaiteurs se sont entre-tués.*

entrevoir [ɑ̃tʀəvwaʀ] v. tr. ▪ conjug. 30. **1.** Voir à demi (indistinctement ou trop rapidement). ⇒ **apercevoir**. *Il passait en voiture, je ne l'ai qu'entrevu.* ⇒ **distinguer**. **2.** Avoir une idée imprécise, une lueur soudaine de (qqch. d'actuel ou de futur). ⇒ **deviner, soupçonner**. *On finit par entrevoir une solution. Entrevoir les difficultés d'une entreprise.* ⇒ **pressentir**. ⟨ ▶ entrevue ⟩

entrevue [ɑ̃tʀəvy] n. f. ▪ Rencontre concertée entre personnes qui ont à parler, à traiter une affaire. *Avoir une entrevue avec qqn.* ⇒ **entretien**. *Une entrevue d'hommes d'État. Il demanda une entrevue au directeur.*

entropie [ɑ̃tʀɔpi] n. f. ▪ Fonction mathématique exprimant le principe de la dégradation de l'énergie. — Cette dégradation, qui se traduit par un état de désordre toujours croissant de la matière. *L'entropie du monde tend vers un maximum.*

entrouvrir [ɑ̃tʀuvʀiʀ] v. tr. ▪ conjug. 18. ▪ Ouvrir à demi, très peu. *Entrouvrir une porte, une fenêtre.* ⇒ **entrebâiller**. *Entrouvrir les yeux.* — Pronominalement. *La porte s'entrouvrit doucement.* — Au p. p. adj. *Porte entrouverte. Il reste la bouche entrouverte.*

énumérer [enymeʀe] v. tr. ▪ conjug. 6. Énoncer une à une (les parties d'un tout). ⇒ **compter, détailler**. *Énumérer des possibilités. Il énumérait tous les avantages de l'opération.* ▶ **énumératif, ive** adj. ▪ Qui énumère. *Liste énumérative.* ▶ **énumération** n. f. ▪ Action d'énumérer. ⇒ **compte, dénombrement, recensement**. *L'énumération des objets d'une collection.* ⇒ **inventaire, liste, répertoire**. *La locution « à savoir » introduit une énumération.*

envahir [ɑ̃vaiʀ] v. tr. ▪ conjug. 2. **1.** Occuper (un territoire) brusquement et par la force. ⇒ **conquérir, prendre**. *La France a souvent été envahie.* **2.** Occuper, s'étendre dans (un espace) d'une manière abusive, ou excessive, intense. (Suj. personne) *La foule envahit les rues.* — (Suj. animal, plante) *Les sauterelles envahissent la plaine.* ⇒ **infester**. *Le chiendent envahit le jardin.* — (Suj. chose) ⇒ **empiéter**, se **répandre**. *Les produits*

étrangers envahissent le marché. **3.** (Suj. sentiment, idée, etc.) Occuper en entier. ⇒ **couvrir, remplir**. *Le sommeil l'envahissait doucement.* ⇒ **gagner**. *La joie l'envahit.* ▶ **envahissant, ante** adj. **1.** Qui a tendance à envahir. *Un soupçon envahissant. De mauvaises herbes envahissantes.* **2.** (Personnes) *Nous avons des voisins envahissants,* qui s'introduisent dans notre intimité. ⇒ **importun, indiscret**. ▶ **envahissement** n. m. **1.** Action d'envahir ; son résultat. *L'envahissement d'un pays.* ⇒ **invasion, occupation**. **2.** Le fait d'envahir (2, 3). ▶ **envahisseur** n. m. ▪ Ennemi qui envahit. *Repousser, chasser les envahisseurs* (ou *l'envahisseur*). — En appos. *Des extra-terrestres envahisseurs.*

s'**envaser** [ɑ̃vaze] v. tr. ▪ conjug. 1. **1.** Se remplir de vase. *Le port s'est envasé.* **2.** S'enfoncer dans la vase. ⇒ s'**embourber, s'enliser**. *L'embarcation s'est envasée.* — Au p. p. adj. *Barque envasée.* ▶ **envasement** n. m. ▪ *L'envasement d'un canal.*

enveloppant, ante [ɑ̃vlɔpɑ̃, ɑ̃t] adj. **1.** Qui enveloppe. *La cornée, membrane enveloppante de l'œil.* **2.** Abstrait. Qui séduit progressivement. ⇒ **captivant, enjôleur, séduisant**. *Des manières douces et enveloppantes.*

enveloppe [ɑ̃vlɔp] n. f. **I. 1.** Chose souple qui enveloppe, entoure. — Étui, gaine. *Enveloppe protectrice, isolante.* **2.** Feuille de papier pliée et collée en forme de poche. ⇒ **pli**. *Mettre une lettre sous enveloppe. Adresse écrite sur l'enveloppe. Enveloppe autocollante. Cacheter, décacheter une enveloppe.* **II.** Littér. Ce qui constitue l'apparence extérieure d'une chose. *L'enveloppe mortelle,* le corps. — Air, apparence, aspect extérieur. *Cacher son agressivité sous une enveloppe de douceur.* ⇒ **dehors**.

envelopper [ɑ̃vlɔpe] v. tr. ▪ conjug. 1. **1.** Entourer d'une chose souple qui couvre de tous côtés. ⇒ **entourer, recouvrir**. *Envelopper un objet dans un papier, une étoffe.* ⇒ **emballer, empaqueter**. *Envelopper un blessé dans une couverture.* — Constituer l'enveloppe de. *Emballages qui enveloppent les marchandises.* — Au p. p. *Fromage enveloppé de papier.* **2.** Littér. Entourer complètement. *Les ténèbres enveloppent la terre.* **3.** V. pron. S'ENVELOPPER *dans son manteau.* — Abstrait. *S'envelopper dans sa dignité.* ⇒ se **draper**. *S'envelopper dans une certaine réserve.* **4.** Littér. ENVELOPPER DE : entourer de qqch. qui cache. ⇒ **cacher, dissimuler**. *Envelopper la vérité sous des formes agréables.* — Au p. p. *Crime enveloppé de mystère.* ▶ **enveloppé, ée** adj. ▪ (Personnes) Qui a un peu d'embonpoint, qui est bien en chair. *Sans être gros, il est cependant un peu enveloppé.* ▶ **enveloppement** n. m. **1.** Action d'envelopper ; état de ce qui est enveloppé. **2.** Mouvement stratégique destiné à encercler l'ennemi. *Manœuvre d'enveloppement.* ⟨ ▶ enveloppant, enveloppe ⟩

envenimer [ɑ̃vnime] v. tr. ▪ conjug. 1. **1.** Infecter (une blessure), rendre plus difficile à guérir. ⇒ **enflammer, infecter, irriter**. *Il a envenimé cette écorchure en la grattant.* — Pronominalement (réfl.). *La blessure s'est envenimée.* **2.** Rendre plus virulent, plus pénible. *Envenimer une querelle.* ⇒ **aggraver, attiser, aviver**. / contr. **apaiser, calmer** / — Pronominalement (réfl.). *La situation s'est envenimée.* — Au p. p. adj. *Des propos envenimés,* pleins de malveillance.

envergure [ɑ̃vɛʀgyʀ] n. f. **1.** *L'envergure d'un oiseau,* l'étendue des ailes déployées. — La plus grande largeur d'un avion. **2.** Abstrait. (Personnes) Ampleur, ouverture (de l'intelligence). *Son prédécesseur était d'une autre envergure.* ⇒ **calibre, classe, valeur**. *Un esprit de grande, de large envergure,* apte à comprendre beaucoup de choses. ⇒ **ouverture**.

— (Choses) Étendue. *Elle s'est lancée dans une entreprise d'une grande envergure.*

① *envers* [ɑ̃vɛʀ] prép. **1.** À l'égard de (qqn) (après un mot désignant un sentiment, une action). *Il est bien disposé envers vous. Elle est pleine d'indulgence envers les enfants.* ⇒ **pour.** — À l'égard de (une chose morale). *Traître envers la patrie.* **2.** Loc. ENVERS ET CONTRE TOUS : en dépit de l'opposition générale. *Je soutiendrai cette opinion envers et contre tous.* — ENVERS ET CONTRE TOUT : en dépit de tout, malgré tout.

② *envers* n. m. invar. **I. 1.** Le côté (d'une chose) opposé à celui qui doit être vu ou qui est vu d'ordinaire. ⇒ **derrière.** *L'envers et l'endroit. L'envers d'une médaille.* ⇒ **revers.** Loc. *L'envers du décor,* les inconvénients cachés. **2.** Aspect opposé, mais inséparable. ⇒ **contraire, inverse.** *Les défauts sont l'envers des qualités.* **II.** À L'ENVERS loc. adv. **1.** Du mauvais côté, du côté qui n'est pas fait pour être vu. *Mettre un chandail à l'envers.* **2.** Sens dessus dessous. *Mes locataires ont laissé ma maison à l'envers !* ⇒ en **désordre,** en **pagaille.** *Avoir la tête, la cervelle à l'envers,* l'esprit agité. **3.** Dans un sens inhabituel, dans le mauvais sens. *Lire un texte à l'envers. Vous comprenez tout à l'envers. Le monde va à l'envers,* mal. ⟨ ▶ **à la renverse, renverser** ⟩

à l'envi [alɑ̃vi] loc. adv. ▪ Littér. À qui mieux mieux ; en rivalisant. *Ils l'imitaient tous à l'envi.* ≠ *envie.*

envie [ɑ̃vi] n. f. **1.** Sentiment de tristesse, d'irritation et de haine contre ceux qui possèdent un bien. ⇒ **jalousie.** *Éprouver de l'envie pour un rival heureux. C'est l'envie qui le rend si désagréable.* **2.** Désir de jouir d'un avantage, d'un plaisir égal à celui d'autrui. *Digne d'envie.* ⇒ **enviable.** *Exciter, attirer l'envie de ses voisins. Regarder qqch. avec un œil, avec des regards d'envie.* **3.** ENVIE DE : désir (d'avoir, de posséder, de faire qqch.). ⇒ **besoin, désir, goût.** *Éprouver, ressentir l'envie, une grande envie de faire qqch. Cela ne me donne guère envie de rire.* — Besoin organique. *Envie de manger* (faim), *de boire* (soif), *de dormir* (sommeil). *Il a envie de rire.* — Fam. *Il a envie* (d'uriner, d'aller à la selle). AVOIR ENVIE DE : convoiter, vouloir. — (+ substantif) *J'ai envie de cette voiture.* — (+ infinitif) *Elle a envie de voyager.* — *Avoir envie que* (+ subjonctif). ⇒ **souhaiter, vouloir.** *Il a envie que vous restiez ici.* — Fam. *J'en ai très envie. J'irai quand j'en aurai envie,* quand je voudrai. — Loc. *Il en meurt, il en crève d'envie.* — FAIRE ENVIE : exciter le désir. ⇒ **tenter.** *Ce voyage me fait envie. Je vais vous en faire passer l'envie,* vous en ôter le désir. ⇒ **dégoûter.** ▶ *enviable* adj. ▪ Qui est digne d'envie ; que l'on peut envier. ⇒ **désirable, souhaitable, tentant.** / contr. **détestable** / *Une situation, une position enviable. Un sort peu enviable.* ▶ *envier* v. tr. ▪ conjug. 7. **1.** Éprouver envers (qqn) un sentiment d'envie (1, 2), soit qu'on désire ses biens, soit qu'on souhaite être à sa place. ⇒ **jalouser.** *Tout le monde l'envie. Je vous envie d'être si peu frileux ! 2.* Éprouver un sentiment d'envie envers (qqch.). ⇒ **convoiter, désirer.** *Envier qqch. à qqn,* désirer posséder ce qu'il possède. *Je vous envie votre situation.* — Loc. *N'avoir rien à envier à personne,* n'avoir rien à désirer. ▶ *envieux, euse* adj. et n. **1.** Qui éprouve de l'envie. ⇒ **jaloux.** *Esprit, caractère envieux. Être envieux du bien d'autrui.* ⇒ **avide, cupide. 2.** N. *C'est un jaloux et un envieux.* — Loc. *Faire des envieux,* provoquer l'envie des autres (par sa réussite, son bonheur...). **3.** Qui a le caractère de l'envie. *Des regards envieux.*

envies [ɑ̃vi] n. f. pl. ▪ Petits filets de peau autour des ongles.

environ [ɑ̃viʀɔ̃] adv. ▪ À peu près ; un peu plus, un peu moins (devant un nom de nombre). ⇒ **approxi-**

mativement. / contr. **exactement** / *Il y a environ deux ans ; il y a deux ans environ. Un homme d'environ cinquante ans.* — *Sa propriété vaut environ huit cent mille francs.* ⇒ **dans** les.

environner [ɑ̃viʀɔne] v. tr. ▪ conjug. 1. **1.** Être autour de, dans les environs de. *Des montagnes environnent la ville.* **2.** S'ENVIRONNER v. pron. et passif. (Personnes) *Il s'environne d'amis ; il est environné d'amis.* ▶ *environnant, ante* adj. ▪ Qui environne, qui est dans les environs. ⇒ **proche, voisin.** *Les bois environnants.* / contr. **éloigné, lointain** / ▶ *environnement* n. m. **1.** Entourage habituel (de qqn). *L'environnement familial.* **2.** Ensemble des conditions naturelles et culturelles qui peuvent agir sur les organismes vivants et les activités humaines. *Des mesures contre la pollution prises pour protéger l'environnement.* ⇒ **écologique.**

environs n. m. pl. ▪ Les alentours (d'un lieu). *La ville est sans intérêt, mais les environs sont très pittoresques. Aux environs,* à proximité, dans le voisinage. — (Emploi courant mais critiqué) *Aux environs de Noël,* un peu avant ou après. ⟨ ▶ **environner** ⟩

envisager [ɑ̃vizaʒe] v. tr. ▪ conjug. 3. **1.** Considérer sous un certain aspect. ⇒ **regarder, voir.** *L'aspect, l'angle sous lequel il faut envisager la question,* le point de vue. *Envisager la situation.* **2.** Prendre en considération. ⇒ **considérer.** *C'est une hypothèse à envisager. Il n'envisage que l'intérêt général.* ⇒ **penser** à. **3.** Prévoir, imaginer comme possible. *Envisager le pire. Il n'a pas envisagé les conséquences de ses actes. Dans ces conditions, il devient difficile d'envisager cette construction.* **4.** ENVISAGER DE (+ infinitif) : faire le projet de. ⇒ **penser, projeter.** *Il envisage de mettre ses enfants en pension.* ▶ *envisageable* adj. ▪ Qu'on peut envisager, imaginer. *Cette solution n'est pas envisageable.* ⇒ **possible.**

envoi [ɑ̃vwa] n. m. **I. 1.** Action d'envoyer. *L'envoi d'une lettre, d'un message par la poste.* ⇒ **expédition.** *Envoi de fleurs.* — Au football. COUP D'ENVOI : du ballon par l'avant qui ouvre le jeu ; fig. début, déclenchement d'une opération. **2.** Ce qui a été envoyé. *J'ai reçu votre envoi hier.* **II.** Dans la ballade. Dernière strophe de quatre vers qui dédie le poème à qqn.

s'envoler [ɑ̃vɔle] v. pron. ▪ conjug. 1. **1.** Prendre son vol ; partir en volant. *Les oiseaux se sont envolés. S'envoler à tire-d'aile.* / contr. se **poser** / *L'avion s'envola, malgré le brouillard.* ⇒ **décoller, partir.** / contr. **atterrir** / *Il s'est envolé pour le Japon,* est parti par avion. **2.** Fam. Disparaître subitement. ⇒ **partir.** *Personne ! Ils se sont envolés ! Je ne trouve pas ma montre, elle ne s'est pourtant pas envolée !* **3.** Être emporté par le vent, par un souffle. *La fumée s'envole. Son chapeau s'est envolé.* **4.** (Bruit) S'élever, monter. **5.** (Temps, sentiments) Passer rapidement, disparaître. ⇒ **s'enfuir, partir, passer.** *Le temps s'envole. Tous ses espoirs se sont envolés.* ▶ *envol* [ɑ̃vɔl] n. m. **1.** Action de s'envoler, de prendre son vol. *L'envol d'un oiseau.* (Avion, etc.) Le fait de quitter le sol. ⇒ **décollage.** *Une piste d'envol. À l'envol.* ▶ *envolée* [ɑ̃vɔle] n. f. **1.** Action de s'envoler. *Une envolée de moineaux.* — Au Québec. Vol (d'un avion). **2.** Élan dans l'inspiration (en poésie et dans le discours). *De belles envolées lyriques.*

envoûter [ɑ̃vute] v. tr. ▪ conjug. 1. **1.** Représenter (une personne) par une figure (statuette, etc.) pour lui faire subir l'effet magique de ce que l'on fait à cette figure (incantations, violences...). **2.** Abstrait. Exercer sur (qqn) un attrait, une domination irrésistible. ⇒ **captiver, ensorceler, fasciner.** *Cette femme l'a envoûté. Envoûter son auditoire.* ▶ *envoûtant, ante* adj. ■ Qui envoûte, séduit irrésistiblement. ⇒ **captivant, ensorcelant.** *Un charme envoûtant.* ▶ *envoûtement* n. m. **1.** Action d'envoûter ; son résultat. *Formules d'envoûtement.* ⇒ **sortilège. 2.** Abstrait. Fascination, séduction. *La puissance d'envoûtement d'un poème.*

envoyer [ãvwaje] v. tr. — REM. ■ conjug. 8, sauf au futur : *j'enverrai, nous enverrons,* et au conditionnel : *j'enverrais, nous enverrions.* **I.** ENVOYER *qqn.* **1.** Faire aller, partir (qqn quelque part). *Envoyer un enfant à la montagne, à l'école, en classe. Envoyer une délégation auprès de qqn.* — Loc. *Envoyer qqn dans l'autre monde,* le faire mourir. — *Envoyer à qqn* (pour le rencontrer) *Envoyez-moi les gens que cela intéresse.* **2.** Faire aller (qqn) quelque part (afin de faire qqch.). *Envoyer une personne en course.* ⇒ **envoyé.** — (+ infinitif) *Envoyer un enfant faire des courses. Je l'enverrai chercher du pain.* Loc. fam. *Il l'a envoyé balader, promener, paître,* il l'a repoussé, il s'en est débarrassé. **3.** Pousser, jeter (qqn quelque part). *Le boxeur a envoyé son adversaire au tapis.* **II.** ENVOYER *qqch.* **1.** Faire partir, faire parvenir (qqch. à qqn) par l'intermédiaire d'une personne ou des postes. ⇒ **adresser, expédier.** *Envoyer un télégramme, une lettre, un colis. Envoyer des excuses.* **2.** Faire parvenir (qqch.) à, jusqu'à (qqn ou qqch.), par une impulsion matérielle. *Envoyer une balle à un joueur.* ⇒ **jeter, lancer.** *Envoyer des pierres dans une vitre.* — Au p. p. adj. *Balle bien envoyée.* — *Envoyer une gifle, un coup à qqn.* ⇒ **allonger, donner, flanquer.** *Envoyer un coup de fusil.* ⇒ **tirer.** — Adresser à distance (à une personne). *Il nous envoie des baisers, un sourire.* — Au p. p. *Sa réponse était (bien) envoyée,* elle portait. — (+ infinitif) *Envoyer dinguer, promener, valser qqch.,* rejeter, abandonner complètement. **3.** (Suj. chose) Faire aller jusqu'à. *Le cœur envoie le sang dans les artères.* **4.** Fam. S'ENVOYER *qqch.* : prendre pour soi. ⇒ **s'enfiler, se farcir, se taper.** *Elle s'est envoyé tout le travail, tout le chemin à pied,* elle l'a fait péniblement, de mauvais gré. *S'envoyer un verre de vin, un bon repas,* le boire, le manger. ▶ *envoyé, ée* n. ■ Personne qu'on a envoyée quelque part pour accomplir une mission. *L'envoyée spéciale d'un journal,* journaliste envoyée spécialement pour un événement précis. ≠ *correspondant. Envoyé chargé de représenter un parti, un pays.* ▶ *envoyeur, euse* n. ■ Personne qui envoie. *Retour à l'envoyeur.* ⇒ **expéditeur.** / contr. **destinataire** / ‹ ▶ renvoyer ›

enzyme [ãzim] n. m. (fém. pour l'Académie) ■ Substance organique produite par des cellules vivantes, qui agit comme catalyseur dans les changements chimiques. ⇒ **diastase, ferment.** *Les enzymes favorisent les réactions chimiques de la digestion. Lessive aux enzymes.*

éolien, ienne [eɔljɛ̃, jɛn] adj. et n. f. **1.** Qui fonctionne par la force du vent *(pompe éolienne),* provient de l'action du vent. **2.** N. f. UNE ÉOLIENNE : roue métallique qui capte l'énergie du vent.

épagneul, eule [epaɲœl] n. ■ Chien, chienne de chasse, à longs poils soyeux et à oreilles pendantes. *Le cocker, le setter sont des variétés d'épagneul. Une épagneule.*

épais, aisse [epɛ, ɛs] adj. **1.** Qui est de grande dimension, en épaisseur (2). / contr. **mince ; fin** / *Un mur épais. Une épaisse tranche de pain. Papier épais.* ⇒ **fort.** — Qui mesure (telle dimension), en épaisseur. *Une couche épaisse d'un centimètre.* **2.** Dont la grosseur rend les formes lourdes. / contr. **fin, svelte** / *Avoir des doigts épais, des mains épaisses. Taille épaisse.* — Fam. *Il n'est pas épais,* il est mince. **3.** Qui manque de finesse (au moral). *Un esprit épais.* ⇒ **grossier.** / contr. **délicat** / *Une plaisanterie épaisse.*

⇒ **lourd. 4.** Dont les constituants sont nombreux et serrés. ⇒ **fourni.** / contr. **clairsemé** / *Feuillage épais. Chevelure épaisse.* — N. m. *Au plus épais de la foule,* à l'endroit le plus dense. — (Liquide) Qui a de la consistance. ⇒ **consistant, pâteux, visqueux.** / contr. **clair** / *Une huile épaisse.* **5.** (Gaz, vapeur) Dense. / contr. **léger, transparent** / *Un brouillard épais. Une épaisse fumée.* — Obscur. *Ombre épaisse.* ⇒ **profond. 6.** Adv. D'une manière serrée. *Semer épais.* — Fam. Beaucoup. *Il n'y en a pas épais !* ⇒ **lourd.** ▶ *épaisseur* n. f. **1.** Caractère de ce qui est épais (1), gros. *L'épaisseur de la peau de l'éléphant.* / contr. **finesse, minceur** / **2.** Troisième dimension (d'un corps solide), les deux autres étant la longueur et la largeur, ou la hauteur et la largeur ; dimension (d'un corps) formant l'écart entre ses deux surfaces parallèles. *Creuser une niche dans l'épaisseur d'un mur. L'épaisseur d'une armoire.* — Fam. *Il s'en est fallu de l'épaisseur d'un cheveu, d'un fil,* il s'en est fallu de peu. — Mesure de cette dimension. *L'épaisseur d'un livre.* ⇒ **grosseur.** *Une épaisseur de deux centimètres.* — (Avec un numéral) *Quatre épaisseurs de tissu. Papier en double épaisseur,* replié, en double. **3.** Caractère de ce qui est épais (4), serré. *L'épaisseur d'une chevelure.* **4.** Caractère de ce qui est consistant, dense. *L'épaisseur d'une crème.* ⇒ **consistance.** / contr. **fluidité** / *L'épaisseur du brouillard nous cachait le paysage.* ⇒ **densité.** / contr. **légèreté, transparence** / **5.** Abstrait. Consistance, profondeur, richesse (on ne dit pas *épais,* dans ce sens). *Ce roman a beaucoup d'épaisseur. Ce personnage manque d'épaisseur.* ▶ *épaissir* v. ■ conjug. 2. **I.** V. intr. **1.** Devenir épais, consistant, dense. *Dès que la crème épaissit, ôtez-la du feu.* — Au p. p. adj. *Une sauce épaissie.* **2.** Perdre sa minceur, sa sveltesse. ⇒ **grossir.** *Sa taille a épaissi.* — *Il épaissit en vieillissant.* / contr. **maigrir** / **II.** V. tr. Rendre plus épais, plus consistant. *Épaissir un sirop, une sauce.* **2.** Abstrait. Rendre plus important, plus solide. *Épaissir un dossier.* **III.** S'ÉPAISSIR v. pron. : devenir plus serré, plus compact, plus dense, plus consistant. *Sa chevelure s'épaissit. Le brouillard s'est épaissi.* — Abstrait. *Le mystère s'épaissit autour de cette affaire.* / contr. **s'éclaircir** / ▶ *épaississement* n. m. ■ Le fait de devenir plus épais. **1.** (En consistance, densité) *L'épaississement du brouillard, des nuages.* **2.** (En dimension) Perte de la minceur. *Épaississement de la taille.*

① *épanchement* [epɑ̃ʃmɑ̃] n. m. ■ Écoulement anormal, accumulation dans les tissus ou dans une cavité, d'un liquide ou d'un gaz organique. ⇒ **écoulement, infiltration.** *Épanchement de synovie.*

épancher [epɑ̃ʃe] v. tr. ■ conjug. 1. **I.** Littér. Communiquer librement, avec confiance et sincérité. ⇒ **confier, livrer.** *Épancher son amour, ses secrets.* **II.** S'ÉPANCHER v. pron. **1.** Communiquer librement, avec abandon, ses sentiments, ses opinions, ce que l'on cachait. ⇒ **s'abandonner, se confier.** *Il a besoin de s'épancher. S'épancher dans un journal intime.* **2.** Littér. Se répandre. *Son amour s'épanchait.* ▶ ② *épanchement* n. m. ■ Communication libre et confiante de sentiments, de pensées intimes. ⇒ **abandon, effusion, expansion.** *Doux, tendres épanchements. Arrêter ses épanchements.*

épandre [epɑ̃dʀ] v. tr. ■ conjug. 41. **1.** Étendre en étalant. *Épandre de l'engrais dans un champ.* **2.** Littér. Donner en abondance. ⇒ **répandre, verser.** *Il épandait sa bonté sur tous. Sa bonté s'épandait.* ▶ *épandage* n. m. ■ Action d'épandre (l'engrais, le fumier) sur un sol. *Champ d'épandage,* où l'on verse les ordures. ⇒ **décharge.** ‹ ▶ répandre ›

épanouir [epanwiʀ] v. tr. ■ conjug. 2. **1.** Ouvrir, faire ouvrir (une fleur) en déployant les pétales. *La* *plante épanouit ses fleurs au printemps.* ⇒ **déployer, étaler, étendre.** — Pronominalement (réfl.). *La corolle s'épanouit.* ⇒ **éclore.** — Au p. p. adj. *Fleur épanouie.* / contr. **fermé / 2.** Détendre, en rendant joyeux. *La joie, un bon mot épanouit leurs visages.* ⇒ **dérider, réjouir.** / contr. **assombrir, attrister /** — Au p. p. adj. *Visage, sourire épanoui.* ⇒ **joyeux, radieux.** — S'ÉPANOUIR v. pron. *Son visage s'épanouit de joie.* — (Personnes) *Devenir joyeux, radieux. À cette nouvelle, il s'est épanoui.* **3.** S'ÉPANOUIR v. pron. : se développer librement dans toutes ses possibilités. *Sa beauté, ses charmes commencent à s'épanouir.* — Au p. p. adj. *Un corps épanoui.* ▶ *épanouissement* n. m. **1.** Déploiement de la corolle. *L'épanouissement des roses.* ⇒ **éclosion.** — *Un épanouissement d'étincelles.* ⇒ **gerbe. 2.** Le fait de s'épanouir (2). *L'épanouissement du visage.* **3.** Entier développement. *L'épanouissement d'un talent. Être dans tout l'épanouissement de sa beauté.* ⇒ **éclat, plénitude.**

① *épargner* [epaʁɲe] v. tr. ▪ conjug. 1. (Compl. chose) **1.** (Surtout en emploi négatif) Consommer, dépenser avec mesure, de façon à garder une réserve. ⇒ **économiser, ménager.** / contr. **utiliser /** *On n'a pas épargné le beurre dans ce plat, on en a mis beaucoup.* **2.** Conserver, accumuler par épargne. *Épargner une somme d'argent.* ⇒ **économiser.** / contr. **dépenser / 3.** Employer avec mesure. ⇒ **compter, ménager.** *Épargner ses pas, sa peine, ses forces. Je n'épargnerai rien pour vous donner satisfaction.* ⇒ **négliger.** *Il n'épargne rien pour arriver à ses fins, il emploie tous les moyens.* **4.** ÉPARGNER UNE CHOSE À *qqn* : ne pas la lui imposer, faire en sorte qu'il ne la subisse pas. ⇒ **éviter.** *Épargner un travail, une peine à qqn. Épargnez-moi vos explications. Vous vous seriez épargné bien des ennuis, en restant chez vous.* ▶ *épargnant, ante* n. ▪ Personne qui épargne (1), met de l'argent de côté. *Les épargnants et les consommateurs.* — *Grand, petit épargnant.* ▶ *épargne* n. f. **1.** Le fait de dépenser moins que ce qu'on gagne. ⇒ **économie.** *Rembourser une dette par l'épargne.* — Loc. CAISSE D'ÉPARGNE : établissement qui reçoit en dépôt les économies des particuliers et leur sert un intérêt. *Un livret de caisse d'épargne. Déposer de l'argent à la caisse d'épargne.* **2.** Ensemble des sommes mises en réserve ou employées à créer du capital. *Rémunération de l'épargne.* ⇒ **intérêt.** *La petite épargne,* les économies de petits épargnants. **3.** Abstrait. Action de ménager, d'utiliser (une chose) avec modération. ⇒ **économie.** *L'épargne du temps, des forces.*

② *épargner* v. tr. ▪ conjug. 1. (Compl. personne) **1.** Traiter avec ménagement, indulgence. *Épargner un adversaire.* — *Épargner l'amour-propre de qqn.* ⇒ **ménager, respecter.** — (Suj. chose) *La guerre a épargné ces populations.* / contr. **accabler, frapper /** — Ménager en paroles, dans un écrit (surtout en emploi négatif). *Il n'a épargné personne dans sa critique.* **2.** Laisser vivre. *Épargner un condamné.* ⇒ **gracier.** *La mort n'épargne personne.*

éparpiller [epaʁpije] v. tr. ▪ conjug. 1. **1.** Jeter, laisser tomber çà et là (plusieurs choses légères ou plusieurs parties d'une chose légère). ⇒ **disperser, disséminer, répandre, semer.** / contr. **rassembler /** *Éparpiller de la paille, du foin sur le sol.* — Au p. p. adj. *Papiers éparpillés.* ⇒ **épars. 2.** Disposer, distribuer irrégulièrement. *Des amis que la vie a éparpillés aux quatre coins du pays.* ⇒ **disperser, séparer.** / contr. **réunir /** — Pronominalement. *La foule s'éparpilla en petits groupes.* **3.** *Éparpiller ses forces, ses efforts, son attention,* les diriger sur plusieurs objets à la fois, les disperser inefficacement. — S'ÉPARPILLER v. pron. : passer d'une idée à l'autre, d'une occupation à l'autre. / contr. se **concentrer /** *Il s'éparpille trop pour réussir.*

▶ *éparpillement* n. m. ▪ Action d'éparpiller, fait de s'éparpiller. *L'éparpillement des efforts.* / contr. **concentration /**

épars, arse [epaʁ, aʁs] adj. ▪ Au plur. Placés dans des lieux, des positions séparées et au hasard. ⇒ **dispersé, éparpillé.** *Maisons éparses autour d'un village. Cheveux épars,* en désordre, décoiffés. / contr. **rassemblé, réuni /** — Abstrait. *Rassembler des idées éparses.* — Au sing. *Chevelure éparse. Une végétation éparse.* ⟨ ▶ éparpiller ⟩

épatant, ante [epatɑ̃, ɑ̃t] adj. ▪ Fam. Qui provoque l'admiration, donne un grand plaisir. ⇒ **merveilleux, sensationnel ;** fam. **chouette, formidable.** *Il fait un temps épatant. Il n'est pas épatant, votre fromage, il est quelconque. C'est un type épatant.* ▶ *épatamment* [epa tamɑ̃] adv. ▪ Fam. D'une manière épatante, très bien. ⇒ **admirablement, merveilleusement.** *Ce costume vous va épatamment.*

① *épaté, ée* [epate] adj. ▪ Élargi à la base. *Nez épaté,* court et large. ⇒ **aplati, camus.** ▶ *épatement* n. m. ▪ Forme de ce qui est épaté. *L'épatement du nez.*

épater [epate] v. tr. ▪ conjug. 1. ▪ Fam. Provoquer un étonnement admiratif chez (qqn). ⇒ **ébahir, stupéfier.** *Il veut épater la galerie. Rien ne l'épate.* ▶ *épate* n. f. ▪ Fam. Action d'épater. ⇒ **bluff ;** fam. **chiqué.** *Il fait de l'épate, un peu d'épate.* ▶ ② *épaté, ée* adj. ▪ Fam. Ébahi, très surpris. *Il a pris un air très épaté.* ⟨ ▶ épatant ⟩

épaule [epol] n. f. **1.** Partie supérieure du bras à l'endroit où il s'attache au tronc. *Cavité sous l'épaule,* aisselle. *Largeur d'épaules,* d'une épaule à l'autre. ⇒ **carrure.** — Loc. *Hausser, lever les épaules,* pour manifester son indifférence, son mécontentement. — *Baisser les épaules,* accepter avec soumission. — *Avoir la tête sur les épaules,* être sensé, savoir ce qu'on fait. **2.** La partie de la jambe de devant qui se rattache au corps (d'un quadrupède). — Cette partie découpée pour la consommation. *Une épaule désossée. Une épaule de mouton* (correspond au *gigot*). ▶ *épauler* v. tr. ▪ conjug. 1. **I.** *Épauler qqn,* l'aider dans sa réussite. ⇒ **assister, soutenir.** *Je vous épaulerai auprès du ministre.* — Pronominalement. *S'entraider. Ils se sont épaulés mutuellement.* **II.** *Épauler qqch.* **1.** (Suj. personne) Appuyer contre l'épaule. *Épauler un fusil,* pour viser et tirer (mettre en joue). **2.** (Suj. chose) Amortir la poussée de (un mur, une voûte...) par une maçonnerie pleine. *Mur de soutènement qui épaule un remblai.* ▶ *épaulé-jeté* n. m. ▪ Aux poids et haltères. Mouvement en deux temps consistant à amener la barre au niveau des épaules (*épaulé*), puis à la soulever rapidement à bout de bras (*jeté*). *Des épaulés-jetés.* ▶ *épaulement* n. m. ▪ Mur de soutènement ou escarpement naturel. ▶ *épaulette* n. f. **1.** Ornement militaire fait d'une patte placée sur l'épaule. *Galons fixés sur l'épaulette.* — Spécialt. *Épaulettes d'officier.* **2.** Ruban étroit qui passe sur l'épaule pour soutenir un vêtement féminin. ⇒ **bretelle.** *Épaulette de combinaison.* **3.** Rembourrage en demi-cercle cousu à l'épaule d'un vêtement. *L'épaulette d'un veston.*

épave [epav] n. f. **1.** Coque d'un navire naufragé ; objet abandonné en mer ou rejeté sur le rivage. *Rivage couvert d'épaves après une tempête. Flotter comme une épave.* **2.** Personne désemparée qui ne trouve plus sa place dans la société. *C'est une triste épave, presque un clochard.*

épée [epe] n. f. ▪ Arme faite d'une lame aiguë et droite, emmanchée dans une poignée munie d'une garde. ⇒ **fleuret, rapière.** *La pointe d'une épée. Dégainer, tirer l'épée. Le choc, le cliquetis des épées.*

Se battre à l'épée ; duel, escrime à l'épée. — Loc. *Passer qqn au fil de l'épée,* le tuer à l'arme blanche. — *Un coup d'épée dans l'eau,* un effort inutile, vain. — *Mettre à qqn l'épée dans les reins,* le harceler, le presser sans répit. — *Épée de Damoclès,* danger qui peut s'abattre sur qqn d'un moment à l'autre.

épeiche [epɛʃ] n. f. ▪ Variété de pic (oiseau).

épeler [eple] v. tr. ▪ conjug. 4. 1. ▪ Nommer successivement chacune des lettres de (un mot). *Voulez-vous épeler votre nom ?* 2. ▪ Lire lentement, avec difficulté. ⇒ **ânonner.** *J'épelle le russe, mais je ne le lis pas bien.*

éperdu, ue [epɛʁdy] adj. 1. ▪ Qui a l'esprit profondément troublé par une émotion violente. ⇒ **affolé, agité.** *Éperdu de bonheur, de joie,* fou de. 2. ▪ (Sentiments) Très violent. ⇒ **passionné.** *Un besoin éperdu de bonheur. Des regards éperdus,* désespérés. — Extrêmement rapide. *Une fuite éperdue.* ▶ *éperdument* adv. ▪ D'une manière éperdue. *Être éperdument amoureux.* ⇒ **follement.** *Je m'en moque éperdument,* complètement.

éperlan [epɛʁlɑ̃] n. m. ▪ Petit poisson marin. *Une friture d'éperlans.*

éperon [epʁɔ̃] n. m. 1. ▪ Pièce de métal, fixée au talon du cavalier et terminée par une roue à pointes, pour piquer les flancs du cheval. *Presser son cheval de l'éperon.* 2. ▪ Pointe de la proue (d'un navire). 3. ▪ Avancée en pointe. *Éperon rocheux.* ▶ *éperonner* [eprɔne] v. tr. ▪ conjug. 1. 1. ▪ Piquer avec les éperons (1). *Éperonner son cheval.* 2. ▪ Abstrait. Aiguillonner, stimuler. *La peur, la colère l'éperonnait.* — Au passif. *Être éperonné par l'ambition.*

① *épervier* [epɛʁvje] n. m. ▪ Oiseau rapace diurne de la taille d'un pigeon.

② *épervier* n. m. ▪ Filet de pêche conique, garni de plomb. *Lancer l'épervier. Pêche à l'épervier.*

éphèbe [efɛb] n. m. ▪ Dans la Grèce antique. Jeune garçon arrivé à l'âge de la puberté. *Statue d'un éphèbe.* — Iron. Très beau jeune homme. ⇒ **adonis.**

éphélides [efelid] n. f. plur. ▪ Synonyme savant de « taches de rousseur ».

① *éphémère* [efemɛʁ] adj. ▪ Qui est de courte durée, cesse vite. ⇒ **momentané, passager, temporaire.** *Gloire, succès éphémère. Un plaisir, un bonheur éphémère.* ⇒ **fragile, précaire.** / contr. **durable** / ▶ ② *éphémère* n. m. ▪ Insecte ressemblant à une petite libellule, dont l'adulte vit quelques heures.

éphéméride [efemerid] n. f. 1. ▪ Calendrier dont on détache chaque jour une feuille. 2. ▪ Liste groupant les événements qui se sont produits le même jour de l'année à différentes époques. *L'éphéméride du 5 mars.* 3. ▪ Ouvrage indiquant pour l'année à venir les faits astronomiques ou météorologiques. 4. ▪ N. f. pl. Tables astronomiques donnant pour chaque jour la position des astres.

épi [epi] n. m. I. 1. ▪ Partie terminale de la tige de certaines graminées (graines serrées). *Un épi de blé, d'orge. Les blés sont en épis. Égrener des épis.* — Fleurs disposées le long d'un axe allongé. *Épi simple, composé, ramifié.* 2. ▪ Mèche de cheveux dont la direction est contraire à celle des autres. *Avoir un épi.* II. 1. ▪ Ornement décorant la crête d'un toit. *L'épi d'un faîtage.* 2. ▪ Ouvrage perpendiculaire, ramification latérale. *Épi d'une voie ferrée, d'une jetée.* 3. ▪ EN ÉPI : selon une disposition oblique. *Voitures garées en épi,* obliquement par rapport à la voie.

épice [epis] n. f. ▪ Substance végétale, aromatique ou piquante, servant à l'assaisonnement des mets. ⇒ **aromate.** *La cannelle, le cumin, la noix muscade, le paprika, le poivre sont des épices.* ▶ ① *épicé, ée*

adj. ▪ Assaisonné d'épices. *Il n'aime pas la cuisine trop épicée.* ⇒ **fort, relevé.** / contr. **fade** / ▶ *épicer* v. tr. ▪ conjug. 3. ▪ Assaisonner avec des épices. *Ce cuisinier épice trop ses sauces.* ⇒ **relever.** ‹ ▶ épicerie, épices ›

② *épicé, ée* adj. ▪ Qui contient des détails grivois. *Récit un peu épicé.* ⇒ **salé.**

épicéa [episea] n. m. ▪ Arbre voisin du sapin. *Des épicéas.*

épicentre [episɑ̃tʁ] n. m. ▪ Foyer apparent des ébranlements au cours d'un tremblement de terre (opposé au *foyer réel* ou *souterrain*). *Épicentre sismique.* ⇒ **séisme.**

épicerie [episʁi] n. f. 1. ▪ (REM. D'abord, commerce des *épices*.) Vente de nombreux produits de consommation courante (alimentation générale) ; magasin où se fait cette vente. 2. ▪ Produits d'alimentation qui se conservent. *Mettre l'épicerie dans un placard.* ▶ *épicier, ière* n. ▪ Personne qui tient une épicerie, un commerce d'épicerie. *Marchand, garçon épicier.* — Fam. et péj. Homme à l'esprit étroit, terre à terre. *Une mentalité, des idées d'épicier.*

épices n. f. pl. ▪ Sous l'Ancien Régime. Cadeau offert au juge, taxe payée dans un procès.

épicurien, ienne [epikyʁjɛ̃, jɛn] adj. et n. 1. ▪ Qui ne songe qu'au plaisir. ⇒ **sensuel.** *Un joyeux épicurien.* 2. ▪ En philosophie. De la doctrine d'Épicure (ou *épicurisme,* n. m.). *Morale épicurienne.*

épidémie [epidemi] n. f. 1. ▪ Maladie infectieuse qui frappe en même temps et en un même endroit un grand nombre de personnes ou d'animaux *(épizootie).* *Épidémie de choléra, de grippe. L'épidémie se propage par contagion.* ≠ **endémie.** 2. ▪ Abstrait. Ce qui touche un grand nombre de personnes en se propageant. ⇒ **contagion, mode.** *Une véritable épidémie de rire, de peur.* ▶ *épidémique* adj. 1. ▪ Qui a les caractères de l'épidémie. *Maladie épidémique.* 2. ▪ Qui touche en même temps un grand nombre d'individus par entraînement. ⇒ **contagieux.** *Les comportements racistes sont souvent épidémiques.*

épiderme [epidɛʁm] n. m. ▪ Couche superficielle de la peau. *Le derme et l'épiderme. Une brûlure du premier degré n'atteint que l'épiderme.* — Abstrait. Loc. *Avoir l'épiderme sensible,* être susceptible. ▶ *épidermique* adj. 1. ▪ De l'épiderme. ⇒ **cutané.** *Tissu épidermique.* 2. ▪ Abstrait. (Sentiments, réactions) Superficiel. *C'est une réaction, une attitude épidermique.* / contr. **profond** /

épier [epje] v. tr. ▪ conjug. 7. 1. ▪ Observer attentivement et secrètement (qqn, un animal). *Épier une personne suspecte.* ⇒ **espionner.** *Animal qui épie sa proie.* ⇒ **guetter.** 2. ▪ Observer attentivement, essayer de découvrir (qqch.). *Épier les réactions de qqn sur son visage.* — Attendre avec espoir ou angoisse (un moment). *Il épiait l'occasion favorable pour s'emparer de l'argent.*

épieu [epjø] n. m. ▪ Gros et long bâton terminé par un fer plat, large et pointu. *Des épieux.*

épigastre [epigastʁ] n. m. ▪ Creux de l'estomac. *Douleur de l'épigastre.*

épigone [epigɔn] n. m. ▪ Littér. Successeur, imitateur. *Les épigones du naturalisme.*

épigramme [epigram] n. f. 1. ▪ Petit poème satirique. *Faire une épigramme contre qqn.* 2. ▪ Trait satirique, mot spirituel contre qqn. ⇒ **raillerie.** / contr. **compliment** /

épigraphe [epigraf] n. f. 1. ▪ Inscription placée sur un édifice pour en indiquer la date, la destination. 2. ▪ Courte citation en tête d'un livre, d'un chapitre.

Mettre une maxime en épigraphe. ▶ *épigraphie* n. f. ■ Étude scientifique des inscriptions. ▶ *épigraphique* adj. ■ Qui se rapporte aux inscriptions. *Études épigraphiques.*

épiler [epile] v. tr. ▪ conjug. 1. ■ Arracher les poils de (une partie du corps). ⇒ *épilation. Elle s'est fait épiler les jambes. Pince à épiler.* — Au p. p. adj. *Des sourcils épilés.* ▶ *épilation* n. f. ■ Action d'épiler. *Épilation avec une crème. Épilation électrique.* ▶ *épilatoire* adj. ■ Qui sert à épiler. ⇒ *dépilatoire. Une crème épilatoire.*

épilepsie [epilɛpsi] n. f. ■ Maladie nerveuse caractérisée par de brusques attaques convulsives avec perte de connaissance. *Crise d'épilepsie.* ▶ *épileptique* [epilɛptik] adj. **1.** Relatif à l'épilepsie. *Convulsions épileptiques.* **2.** Atteint d'épilepsie. — N. *Un, une épileptique.*

épilogue [epilɔg] n. m. **1.** Résumé à la fin d'un discours, d'un poème (opposé à *prologue*). ⇒ *conclusion.* — Partie qui termine (un ouvrage littéraire). *L'épilogue d'un roman, d'une pièce de théâtre.* **2.** Abstrait. Dénouement (d'une affaire longue, embrouillée). *Le long procès trouva son épilogue.* ▶ *épiloguer* v. tr. ind. ▪ conjug. 1. ■ ÉPILOGUER SUR : faire de longs commentaires sur. *Il ne sert à rien d'épiloguer sur ce qui vient de vous arriver.*

épinard [epinaʀ] n. m. ■ Plante aux feuilles épaisses et molles d'un vert soutenu. *Des graines d'épinard.* — Au plur. Feuilles comestibles de cette plante. *Des épinards en branches. Veau aux épinards.* — En appos. Invar. *Vert épinard,* sombre et soutenu.

épine [epin] n. f. **1.** Vx. Arbre ou arbrisseau aux branches armées de piquants (aubépine, prunellier, etc.). *La couronne d'épines* (faite de branches épineuses) *du Christ.* **2.** Piquant (d'une plante). ⇒ *aiguille. Les épines du rosier.* — Loc. *Enlever, ôter à qqn une épine du pied,* le tirer d'embarras. — *Il n'y a pas de rose sans épines,* tout plaisir comporte un désagrément. **3.** Partie piquante de certains animaux. *Les épines du hérisson.* ⟨ ▶ *aubépine, épineux, épine-vinette, épinoche* ⟩

épine dorsale [epindɔʀsal] n. f. **1.** Saillie longitudinale que déterminent les vertèbres au milieu du dos. — Colonne vertébrale (⇒ *spinal*). **2.** Chaîne centrale d'un système montagneux. ⟨ ▶ *épinière* ⟩

épinette [epinɛt] n. f. ■ Ancien instrument de musique à clavier et à cordes pincées, plus petit qu'un clavecin.

épineux, euse [epinø, øz] adj. **1.** Qui est hérissé d'épines ou de piquants. *Arbuste épineux.* — N. m. *Un, des épineux.* **2.** Abstrait. Qui est plein de difficultés. ⇒ *délicat, difficile, embarrassant. Affaire épineuse. Question épineuse.*

épine-vinette [epinvinɛt] n. f. ■ Arbrisseau à fleurs jaunes en grappes pendantes, dont les fruits sont des baies rouges et comestibles. *Une haie d'épine-vinette. Des épines-vinettes.*

épingle [epɛ̃gl] n. f. **1.** Petite tige de métal, pointue d'un bout, garnie d'une boule (tête) de l'autre, dont on se sert pour attacher, fixer des choses souples (tissu, papier, etc.). *Une pelote à épingles. Piqûre d'épingle.* — Loc. *Être tiré à quatre épingles,* être vêtu avec un soin méticuleux. — *Tirer son épingle du jeu,* se dégager adroitement d'une situation délicate. — *Pointe d'épingle,* chose extrêmement fine, fragile. **2.** Objet pointu, servant à attacher, à fixer. *Épingle à chapeau, épingle de cravate.* — Loc. *Monter en épingle,* mettre en évidence, en relief. — ÉPINGLE À CHEVEUX : à deux branches, pour maintenir les chignons. *Virage en épingle à cheveux,*

très serré. — *Épingle de sûreté* ou *épingle de nourrice,* munie d'une fermeture. — *Épingle à linge,* pince en bois, en matière plastique. ⇒ *pince.* ▶ *épingler* v. tr. ▪ conjug. 1. **1.** Attacher, fixer avec des épingles. *Épingler des billets ensemble. Épingler un papillon sur un support, un œillet à son corsage.* **2.** Fam. *Épingler qqn,* l'arrêter, le faire prisonnier. *Se faire épingler,* se faire prendre. ⇒ fam. *pincer.*

épinière [epinjɛʀ] adj. f. ■ *Moelle épinière.* ⇒ *moelle.*

épinoche [epinɔʃ] n. f. ■ Poisson qui porte de deux à quatre épines dorsales indépendants. *Épinoche d'eau douce.*

Épiphanie [epifani] n. f. ■ Fête catholique qui commémore l'adoration des Rois mages *(jour des Rois).* *On mange la galette des Rois le jour de l'Épiphanie.*

épiphyse [epifiz] n. f. ■ Extrémité renflée (d'un os long).

épiploon [epiplɔ̃] n. m. ■ Terme d'anatomie. Repli du péritoine.

épique [epik] adj. **1.** Qui raconte en vers une action héroïque (⇒ *épopée*). « *L'Iliade* », « *la Chanson de Roland* », « *le Paradis perdu* » *sont des poèmes épiques.* — Relatif à l'épopée. *Style épique. Vers épiques,* employés par l'épopée. **2.** Digne de figurer dans une épopée. *Les dernières heures du rallye furent épiques.* — Iron. *Il y eut des scènes, des discussions épiques.*

épiscopal, ale, aux [episkɔpal, o] adj. ■ D'un évêque. *Les ornements épiscopaux.* ▶ *épiscopat* n. m. **1.** Dignité, fonction d'évêque ; sa durée. **2.** Ensemble des évêques. *L'épiscopat français.* ⟨ ▶ *archiépiscopal* ⟩

épisode [epizɔd] n. m. **1.** Fait accessoire qui se rattache à un ensemble. ⇒ *circonstance. Ce n'est qu'un épisode dans sa vie.* ⇒ *péripétie.* **2.** Action secondaire (dans une œuvre d'imagination, pièce, roman, film). *Un épisode comique dans une histoire tragique.* **3.** Division (d'un roman, d'un film...). *Émission de télévision, feuilleton à épisodes.* ▶ *épisodique* adj. **1.** Littér. Qui a un caractère secondaire. *C'est un événement épisodique. Une action épisodique.* **2.** Qui se produit de temps en temps, irrégulièrement. ⇒ *intermittent. On ne le voit que de façon épisodique.* ▶ *épisodiquement* adv. ■ D'une manière épisodique. *Il est venu épisodiquement ces derniers mois.*

épissure [episyʀ] n. f. ■ Jonction, nœud de deux cordages (câbles, fils électriques, etc.), dont on entrelace les éléments.

épistémologie [epistemɔlɔʒi] n. f. ■ Étude critique des sciences, destinée à déterminer leur origine logique, leur valeur et leur portée *(théorie de la connaissance).* ▶ *épistémologue* ou *épistémologiste* n. ■ Spécialiste de l'épistémologie.

épistolaire [epistɔlɛʀ] adj. ■ Qui a rapport à la correspondance par lettres. *Être en relations épistolaires avec qqn. La littérature épistolaire.*

épitaphe [epitaf] n. f. ■ Inscription funéraire. *L'épitaphe commence souvent par les mots* « *ci-gît* ».

épithalame [epitalam] n. m. ■ Littér. Poème composé à l'occasion d'un mariage.

épithélium [epiteljɔm] n. m. ■ En biologie. Tissu formé de cellules juxtaposées qui recouvre la surface du corps ou qui tapisse l'intérieur de tous les organes creux. *Épithélium simple, stratifié.* ▶ *épithélial, ale, aux* adj. ■ De l'épithélium. *Cellules épithéliales.*

épithète [epitɛt] n. f. et adj. **1.** Ce qu'on adjoint à un nom, à un pronom pour le qualifier (adjectif qualificatif, nom, expression en apposition). — En grammaire. Se dit d'un adjectif qualificatif qui n'est pas relié au nom par un verbe (opposé à *attribut*). *Dans « une grande maison », « grande » est épithète de « maison ».* **2.** Qualification (louangeuse ou injurieuse) donnée à qqn. *Il s'est fait traiter d'idiot, ce n'est pas une épithète qui lui convient.*

épitoge [epitɔʒ] n. f. **1.** Dans l'antiquité romaine. Vêtement porté sur la toge. **2.** Bande d'étoffe garnie d'hermine, fixée à l'épaule de la robe de cérémonie des magistrats, de certains professeurs.

épître [epitʀ] n. f. **1.** Dans la liturgie catholique. Partie de la messe généralement tirée des épîtres (lettres) des Apôtres. *La messe en est à l'épître.* **2.** Littér. Lettre en vers. *Les épîtres de Boileau.* — Iron. Longue lettre. *Il m'a envoyé une interminable épître.*

épizootie [epizɔti] n. f. ▪ Didact. Épidémie qui frappe les animaux. *Épizootie de fièvre aphteuse.*

éploré, ée [eplɔʀe] adj. ▪ Littér. Qui est tout en pleurs. *Elle s'est enfuie tout éplorée.* — *Air, visage éploré.* ⇒ **désolé, triste.**

éployer [eplwaje] v. tr. ▪ conjug. 8. ▪ Littér. *Éployer ses ailes.* ⇒ **déployer.**

éplucher [eplyʃe] v. tr. ▪ conjug. 1. **1.** Nettoyer en enlevant les parties inutiles ou mauvaises, en coupant, grattant. ⇒ **décortiquer, peler.** *Éplucher de la salade, des radis, des noix (écosser).* — Enlever la peau de. ⇒ **peler.** *Éplucher des pommes de terre, une pêche.* **2.** Abstrait. Examiner avec un soin minutieux afin de découvrir ce qu'il peut y avoir à critiquer, à reprendre en qqch. *Il épluchera votre livre (pour découvrir toutes les erreurs). Éplucher un compte.* ▶ *épluchage* n. m. **1.** Action d'éplucher (un fruit, un légume). **2.** Examen détaillé. *L'épluchage des comptes.* ▶ *éplucheur, euse* n. ▪ Personne ou instrument qui épluche. *Un éplucheur électrique.* — En appos. *Couteau éplucheur.* ▶ *épluchure* n. f. ▪ Ce qu'on enlève à une chose en l'épluchant. *Des épluchures de pommes de terre. Épluchures d'oranges.* ⇒ **pelure.** ⟨ ▶ *pluches* ⟩

épode [epɔd] n. f. ▪ Troisième partie d'une ode. *Une ode se divise en strophe, antistrophe et épode.*

épointer [epwɛ̃te] v. tr. ▪ conjug. 1. ▪ Émousser en ôtant, en cassant ou en usant la pointe. *Épointer une aiguille.*

éponge [epɔ̃ʒ] n. f. **I. 1.** Substance légère et poreuse (d'abord faite d'une *éponge*, II), qui peut absorber les liquides et les rejeter à la pression ; objet fait de cette substance (⇒ **spongieux**). *Éponge de toilette. Éponge en caoutchouc, en plastique. Nettoyer avec une éponge.* **2.** Loc. *Presser l'éponge*, soutirer de qqn tout ce que l'on peut. — *Passer l'éponge sur une faute*, la pardonner, n'en plus parler. *Jeter l'éponge*, abandonner un combat (d'abord, boxe), une lutte. **3.** En appos. *Tissu-éponge*, dont les fils dressés absorbent l'eau. *Des tissus-éponges. Serviette-éponge*, en un tel tissu. *Des serviettes-éponges.* **II.** Animal marin, fixé, de forme irrégulière et dont le squelette léger et poreux fournit la matière appelée *éponge* (I). *Pêcheur d'éponges.* ▶ *éponger* v. tr. ▪ conjug. 3. **1.** Étancher (un liquide) avec une éponge, un chiffon, etc. *Épongez vite cette encre.* **2.** Essuyer, sécher. *Éponger son front, s'éponger le front avec un mouchoir.* — (Suj. chose) *Cette serviette éponge bien.* **3.** Abstrait Résorber (un excédent financier) ; absorber (ce qui est en trop). *Éponger une dette.* ⇒ **supprimer.**

éponyme [epɔnim] adj. ▪ Didact. Qui donne son nom à (qqn, qqch.). *Athéna, déesse éponyme d'Athènes.*

épopée [epɔpe] n. f. **1.** Long poème ou récit de style élevé où la légende se mêle à l'histoire pour célébrer un héros ou un grand fait (⇒ **épique**). « *L'Iliade* », « *l'Odyssée* » sont des épopées. « *La Chanson de Roland* », une des épopées du Moyen Âge. (→ Chanson de geste.) **2.** Suite d'événements historiques de caractère héroïque et sublime. *L'épopée napoléonienne.*

époque [epɔk] n. f. **1.** Période historique déterminée par des événements importants ou caractérisée par un état de choses. *L'époque des grandes invasions.* ⇒ **période.** *L'époque d'Henri IV* ⇒ **règne,** *de la Régence. Nous vivons une drôle d'époque ! Ah ! Quelle époque ! Les modes d'une époque. Il n'est pas reconnu par son époque,* par ses contemporains. *La Belle Époque,* les premières années du XXᵉ s. (considérées comme l'époque d'une vie agréable et légère). — Loc. *Faire époque,* marquer une date importante, laisser un souvenir durable. **2.** Période caractérisée par un style artistique. *Le théâtre de l'époque classique.* — D'ÉPOQUE : vraiment ancien. *Une commode Louis XVI d'époque,* authentique. **3.** Période marquée par un fait déterminé. *Cela s'est passé à l'époque où j'étais jeune. L'époque d'une rencontre.* ⇒ **date, moment.** *L'époque des semailles,* saison. — *À la même, à pareille époque* (moment de l'année). **4.** Division d'une période géologique. *L'époque carbonifère.*

épouiller [epuje] v. tr. ▪ conjug. 1. ▪ Débarrasser (un être vivant) de ses poux. — Pronominalement (réfl.). *Un mendiant qui s'épouille.* ▶ *épouillage* n. m. ▪ Action d'épouiller.

s'époumoner [epumɔne] v. pron. ▪ conjug. 1. ▪ Parler, crier très fort. *Cesse donc de t'époumoner !* ⇒ **hurler.** — Se fatiguer (en parlant). ⇒ **s'essouffler.** *Il s'époumonait à nous convaincre.*

épousailles [epuzaj] n. f. pl. ▪ Vx ou plaisant. Célébration d'un mariage. ⇒ **noce.**

épouse n. f. ⇒ **époux.**

épouser [epuze] v. tr. ▪ conjug. 1. **1.** Prendre pour époux, pour épouse ; se marier avec. *Épouser qqn par amour, par intérêt. Il a épousé une divorcée. Elle cherche à se faire épouser.* — Pronominalement (récipr.). *Ils se sont épousés l'année dernière.* **2.** Abstrait. S'attacher de propos délibéré et avec ardeur à (qqch.). *Épouser les idées, les opinions d'un ami.* ⇒ **partager.** *Il épouse nos intérêts.* ⇒ **soutenir.** *Épouser son époque, son temps,* s'y adapter. **3.** S'adapter exactement à (une forme, un mouvement). *Cette robe épouse les formes du corps.* ⇒ **mouler.** ⟨ ▶ épousailles, époux ⟩

épousseter [epuste] v. tr. ▪ conjug. 4. ▪ Nettoyer, en ôtant la poussière avec un chiffon, un plumeau, etc. *Épousseter des meubles, des bibelots.* ▶ *époussetage* n. m. ▪ Action d'épousseter.

époustoufler [epustufle] v. tr. ▪ conjug. 1. ▪ Fam. Jeter (qqn) dans l'étonnement, la surprise admirative. ⇒ **épater, étonner.** *Votre histoire m'a époustouflé.* ▶ *époustouflant, ante* adj. ▪ Fam. Extraordinaire, prodigieux. *Une réussite époustouflante.*

épouvantable [epuvɑ̃tabl] adj. **1.** Qui cause ou est de nature à causer de l'épouvante. *Des cris épouvantables.* ⇒ **effroyable, horrible, terrifiant.** *Crime épouvantable.* ⇒ **monstrueux.** *Ce fut un supplice, une mort épouvantable.* ⇒ **affreux, atroce. 2.** Inquiétant, très mauvais. *Il a une mine épouvantable.* — Très désagréable. *Il fait un temps épouvantable.* ⇒ **affreux.** — Fam. *Cet enfant est épouvantable,* insupportable. **3.** Excessif. *Un bruit, un fracas épouvantable.* ⇒ **violent.** *Il entra dans une colère épouvantable.* ▶ *épouvantablement* adv. ▪ D'une manière épouvantable. *Il a été épouvantablement torturé. Il est épouvantablement laid.* ⇒ **terriblement.**

épouvantail, ails [epuvɑ̃taj] n. m. **1.** Objet (mannequin vêtu de haillons, etc.) qu'on met dans les champs, les jardins, les arbres pour effrayer *(épouvanter)* les oiseaux. *Des épouvantails à moineaux. Il est habillé comme un épouvantail.* 2. Abstrait. Chose, personne qui inspire d'excessives terreurs. ⇒ **croque-mitaine.**

épouvanter [epuvɑ̃te] v. tr. ▪ conjug. 1. 1. Remplir d'épouvante. ⇒ **effrayer, terrifier.** *Les armes atomiques épouvantent le monde.* — Au p. p. adj. *Il s'enfuit, épouvanté.* 2. Causer de vives appréhensions à. ⇒ **effrayer, inquiéter.** *L'idée de partir à l'étranger l'épouvante.* ▶ **épouvante** n. f. 1. Peur violente et soudaine causée par qqch. d'extraordinaire, de menaçant. ⇒ **effroi, frayeur, horreur, terreur.** *Rester cloué, glacé d'épouvante. La vue de ce massacre l'a frappé, saisi d'épouvante. Roman, film d'épouvante.* 2. Vive inquiétude. ⇒ **appréhension, crainte.** *Je vois venir la rentrée des classes avec épouvante.* ⟨ ▶ épouvantable, épouvantail ⟩

époux, ouse [epu, uz] n. 1. Personne unie à une autre par le mariage. *Prendre qqn pour époux, pour épouse.* ⇒ **femme, mari** (mots plus courants). *Les époux, les conjoints.* — Fam. *Et comment va votre épouse, votre époux ?* (Usage courant : *votre mari, votre femme* ; usage soutenu : *Monsieur X, Madame X*). 2. Au fém. (quand *femme* serait ambigu). *Elle est plus mère qu'épouse.*

s'éprendre [eprɑ̃dr] v. pron. ▪ conjug. 58. 1. Littér. Être saisi, entraîné (par un sentiment, une passion). *S'éprendre d'une grande passion pour la musique.* 2. S'ÉPRENDRE DE qqn : devenir amoureux (⇒ **épris**). *Ils se sont épris l'un de l'autre.* — *S'éprendre de qqch.,* commencer à aimer. ⇒ se **passionner.** *S'éprendre de son travail.* ⟨ ▶ épris ⟩

① **épreuve** [eprœv] n. f. I. 1. Souffrance, malheur, danger qui atteint durement qqn (⇒ **éprouver**). *Vie pleine d'épreuves, remplie d'épreuves.* ⇒ **malheur, peine.** *Il a supporté une pénible, une rude épreuve.* — *Il a été fortifié par l'épreuve,* le malheur. 2. Ce qui permet de juger la valeur d'une idée, d'une qualité intellectuelle ou morale, d'une œuvre, d'une personne. ⇒ **critère, pierre** de touche, **test.** *Le danger, épreuve du courage. Cet exercice est une épreuve d'intelligence.* 3. À L'ÉPREUVE. *Mettre à l'épreuve,* éprouver (1). *Mettre la patience de qqn à rude épreuve, abuser de sa patience.* — À TOUTE ÉPREUVE : inébranlable, résistant. *Une patience, une santé à toute épreuve.* 4. Essai qui permet de juger les qualités de qqch. *Épreuve de résistance.* — À L'ÉPREUVE DE : capable de résister à. *Vêtement à l'épreuve des balles* ⇒ **pare-balles,** *du feu.* II. 1. Acte imposé à qqn et destiné à lui conférer une qualité, une dignité, à le classer. *Épreuves d'initiation. Les épreuves d'un examen, d'un concours,* les diverses parties qui le composent. *Épreuves écrites* (composition, devoir), orales (interrogation, oral). *Épreuves éliminatoires.* 2. Compétition sportive. *Les épreuves d'un championnat, des jeux Olympiques. Épreuve contre la montre.*

② **épreuve** n. f. 1. Texte imprimé d'un manuscrit tel qu'il sort de la composition. *Corriger des fautes, les coquilles sur une épreuve, corriger les épreuves.* 2. Exemplaire d'une estampe. *Une épreuve numérotée.* — Photographie. *Épreuve négative.* ⇒ **négatif.**

épris, ise [epri, iz] adj. (⇒ s'**éprendre**) 1. *Épris de qqch.,* pris de passion pour (qqch.). *Être épris de justice. Il est épris de son métier.* 2. *Épris de qqn,* amoureux de qqn. *Il est très épris de cette femme.* ⇒ s'**éprendre.** — Sans compl. *Elle paraît très éprise.*

éprouver [epruve] v. tr. ▪ conjug. 1. 1. Essayer (qqch.) pour vérifier la valeur, la qualité. ⇒ **expérimenter.** *Éprouver différentes façons de procéder. Éprouver les connaissances de qqn en l'interrogeant.*

Éprouver la valeur de qqn, de qqch., mettre à l'épreuve. — Au p. p. adj. *Des qualités éprouvées,* certaines. 2. (Suj. chose) Faire subir une épreuve (①, I, 1) ; des souffrances à (qqn). *La perte de son père l'a bien éprouvé.* ⇒ **frapper.** *La guerre a durement éprouvé ce pays.* — Au p. p. adj. *C'est un homme (très) éprouvé,* il a souffert. 3. Apprécier, connaître par une expérience personnelle. ⇒ **constater, reconnaître.** *Il éprouva à ses dépens qu'on ne pouvait se fier à eux.* 4. Avoir, ressentir (une sensation, un sentiment). *Éprouver un besoin, un désir, une impression. Éprouver de la gêne, de la joie. Éprouver de la tendresse pour qqn. Dites au médecin ce que vous éprouvez.* ⇒ **sentir, ressentir.** 5. Subir. *Il a éprouvé des difficultés. Éprouver des pertes.* ▶ **éprouvant, ante** adj. ▪ Difficile à supporter. *Un climat éprouvant. Une journée très éprouvante,* épuisante. ⟨ ▶ épreuve, éprouvette ⟩

éprouvette [epruvet] n. f. 1. Tube allongé fermé à un bout, employé dans les expériences de physique et de chimie pour recueillir ou manipuler les gaz et les liquides. ⇒ **tube** à essai. 2. En technique. Échantillon d'un métal dont on éprouve les qualités.

épuiser [epɥize] v. tr. ▪ conjug. 1. I. 1. Utiliser (qqch.) jusqu'à ce qu'il ne reste plus rien. ⇒ **consommer, dépenser, user.** *Épuiser les réserves, les munitions. La mine, la terre est épuisée,* ne peut plus rien donner. *Épuiser un stock* (en le vendant). ⇒ **écouler.** 2. Abstrait. User jusqu'au bout. *Épuiser la patience de qqn.* ⇒ **lasser.** *Ce travail a épuisé toute son énergie.* — *Épuiser un sujet,* le traiter à fond. II. Réduire à un affaiblissement complet (qqn, ses forces, sa santé). ⇒ **affaiblir, exténuer, fatiguer, user** ; fam. **vider.** *Cette maladie l'épuise. Épuiser ses forces.* — Excéder, lasser. *Son bavardage m'épuise.* — S'ÉPUISER v. pron. : perdre ses forces. *S'épuiser à faire qqch.* ⇒ s'**éreinter.** *Il s'épuise au travail, sur un travail.* ⇒ se **tuer.** *S'épuiser à force de crier, à crier,* en efforts inutiles. Par exagér. *Je m'épuise à vous le répéter.* ⇒ s'**évertuer.** ▶ **épuisant, ante** adj. ▪ Qui fatigue beaucoup. *Régime, climat épuisant.* ⇒ **éprouvant, éreintant.** ▶ **épuisé, ée** adj. 1. Qui n'est pas disponible pour la vente. *Livre épuisé.* 2. À bout de forces. ⇒ **exténué, harassé.** *Un nageur épuisé. Tomber épuisé.* ▶ **épuisement** n. m. 1. Action d'épuiser (I) ; état de ce qui est épuisé. *L'épuisement du sol.* ⇒ **appauvrissement.** *L'épuisement des provisions.* 2. Absence de forces, grande faiblesse (physique ou morale). ⇒ **abattement, fatigue, faiblesse.** *Tomber dans l'épuisement. Il est dans un état d'épuisement extrême.* ⟨ ▶ inépuisable ⟩

épuisette [epɥizet] n. f. ▪ Petit filet de pêche en forme de poche monté sur un cerceau et fixé à un long manche. *Sortir un poisson de l'eau avec une épuisette.*

épuration [epyrasjɔ̃] n. f. 1. Action d'épurer. ⇒ **purification.** *Épuration des eaux naturelles. Un station d'épuration.* 2. Abstrait. Assainissement, purification. *L'épuration des mœurs. Épuration de la langue.* 3. Élimination (des membres qu'on juge indésirables) dans une association, un parti. ⇒ **exclusion, purge.** *L'épuration des collaborateurs à la Libération* (1944).

épure [epyr] n. f. ▪ Dessin au trait qui donne l'élévation, le plan et le profil d'une figure (projetée avec les cotes précisant ses dimensions). ⇒ **plan.** *L'épure d'une voûte, d'une charpente.*

épurer [epyre] v. tr. ▪ conjug. 1. 1. Rendre pur, plus pur, en éliminant les éléments étrangers. ⇒ **purifier** ; **épuration.** *Épurer de l'eau* (clarifier, distiller, filtrer). *Épurer un minerai.* 2. Abstrait. Rendre meilleur, plus correct ou plus fin. ⇒ **améliorer, perfectionner.** *Épurer le goût, les mœurs.* — Au p. p. adj. *Une langue épurée,* châtiée. 3. Éliminer certains éléments de (un groupe, une société). *Épurer une assemblée, une administration.* ▸ **épurateur** n. m. ■ Appareil pour épurer (les liquides, gaz). ⟨ ▸ épuration ⟩

équanimité [ekwanimite] n. f. ■ Littér. Égalité d'âme, d'humeur. ⇒ **indifférence, sérénité.** *Il a supporté ces critiques avec équanimité.*

équarrir [ekaRiR] v. tr. ■ conjug. 2. **I.** Tailler pour rendre carré, régulier. *Équarrir une poutre. Équarrir un tronc d'arbre pour en tirer des planches.* — Au p. p. adj. *Une pièce de bois équarrie.* Abstrait. *Mal équarri,* grossier. **II.** Couper en quartiers, dépecer (un animal mort). *Équarrir un cheval.* ▸ **équarrissage** n. m. **1.** Action d'équarrir. *L'équarrissage d'une poutre.* **2.** Abattage et dépeçage d'animaux impropres à la consommation alimentaire (chevaux, etc.). ▸ **équarrisseur** n. m. ■ Celui dont le métier est d'équarrir les animaux.

équateur [ekwatœR] n. m. **1.** Grand cercle de la sphère terrestre, perpendiculaire à son axe de rotation. *L'équateur est situé à égale distance des pôles. Cercles parallèles à l'équateur,* parallèles. *Demi-cercles perpendiculaires à l'équateur,* méridiens. **2.** Les régions comprises dans la zone équatoriale. **3.** *Équateur céleste,* grand cercle de la sphère céleste (dans le même plan que l'équateur terrestre). ⟨ ▸ équatorial ⟩

équation [ekwasjɔ̃] n. f. **1.** Relation conditionnelle existant entre deux quantités et dépendant de certaines variables (ou inconnues). *Résoudre une équation,* trouver les valeurs des inconnues *(racines ou solutions de l'équation)* qui la vérifient. *Équation à une, à deux, à plusieurs inconnues.* **2.** Formule d'égalité ou formule rendant deux quantités égales. *Équation chimique.*

équatorial, iale, iaux [ekwatɔRjal, jo] adj. et n. m. **I.** Adj. **1.** Relatif à l'équateur terrestre. *La zone équatoriale,* comprise entre les deux tropiques. **2.** De l'équateur céleste. *Coordonnées équatoriales d'un astre* (ascension droite et déclinaison). **II.** N. m. Astronomie. Appareil qui sert à mesurer la position d'une étoile.

équerre [ekɛR] n. f. **1.** Instrument destiné à tracer des angles droits ou à élever des perpendiculaires. *Équerre à dessiner,* en forme de triangle rectangle. *Fausse équerre,* à branches mobiles, pour prendre la mesure d'un angle quelconque. **2.** À L'ÉQUERRE, EN ÉQUERRE : à angle droit. *Athlète qui monte à la corde lisse, les jambes en équerre* (faisant un angle droit avec le tronc). — D'ÉQUERRE loc. adv. : à angle droit. *Mettre d'équerre une pièce de bois.*

équestre [ekɛstR] adj. **1.** Qui représente une personne (en général, un homme) à cheval. *Figure, statue équestre.* **2.** Relatif à l'équitation. *Exercices équestres.*

équi- ■ Préfixe savant signifiant « égal ». ▸ **équidistant, ante** [ekɥidistɑ̃, ɑ̃t] adj. ■ Qui est à distance égale ou constante de points (de droites, de plans) déterminés. *Tous les points d'une circonférence sont équidistants du centre.* ▸ **équilatéral, ale, aux** [ekɥilateRal, o] adj. ■ Dont les côtés sont égaux entre eux. *Triangle équilatéral.* ⟨ ▸ équateur, équation, équilibre, équinoxe, équité, équivaloir, équivoque ⟩

équidés [eki(kɥi)de] n. m. pl. ■ Famille de mammifères à pattes terminées par un seul doigt. *Le cheval, l'âne sont des équidés.* — Au sing. *Un équidé.*

équilibre [ekilibR] n. m. **I.** État de ce qui est soumis à des forces opposées égales. / contr. déséquilibre / **1.** État d'un système matériel soumis à l'action de forces lorsqu'il demeure dans le même état (repos ou mouvement). *Équilibre des forces.* ⇒ **statique.** *Équilibre stable,* où le système matériel revient à sa

position initiale. *Équilibre instable,* dans lequel le corps, écarté de sa position, se met en équilibre dans une position différente. — *Équilibre chimique. Équilibre radioactif,* d'une substance dont la désintégration donne un nouveau produit radioactif. **2.** Attitude ou position verticale stable. *L'équilibre du corps.* ⇒ **aplomb.** *Garder, perdre l'équilibre. Faire un exercice d'équilibre* (⇒ **équilibriste**). — EN ÉQUILIBRE. *Être, mettre en équilibre.* ⇒ **équilibrer.** *Marcher en équilibre sur une poutre.* **II. 1.** Juste proportion entre des choses opposées ; état de stabilité ou d'harmonie qui en résulte. ⇒ **harmonie.** *Faire, rétablir l'équilibre,* rendre les choses égales. *L'équilibre des pouvoirs dans la Constitution. Équilibre budgétaire.* **2.** Harmonie entre les tendances psychiques qui se traduit par une activité, une adaptation normales. *C'est un homme très intelligent, mais il manque d'équilibre.* **3.** Répartition des lignes, des masses, des pleins et des vides ; agencement harmonieux. ⇒ **proportion, symétrie.** *L'équilibre des volumes dans un groupe sculpté.* ▸ **équilibrage** n. m. ■ Action d'équilibrer ; son résultat. *L'équilibrage des roues d'une voiture.* ▸ **équilibré, ée** adj. **1.** En équilibre. ⇒ **stable.** *Balance équilibrée.* **2.** Esprit, caractère (bien) équilibré, dont les qualités sont dans un rapport harmonieux. *Il n'est pas très équilibré.* ⇒ **déséquilibré.** ▸ **équilibrer** v. tr. ■ conjug. 1. **1.** Opposer une force à (une autre), de manière à créer une équilibre. ⇒ **compenser.** *Équilibrer un poids par un contrepoids.* **2.** Mettre en équilibre ; rendre stable. *Équilibrer une balançoire.* ⇒ **stabiliser. /** contr. **déséquilibrer /** *Équilibrer les masses, les volumes,* dans une composition, un tableau. *Équilibrer son budget.* **3.** S'ÉQUILIBRER v. pron. ■ Être dans un état d'équilibre. *Leurs qualités et ses défauts s'équilibrent.* ▸ **équilibriste** n. ■ Personne dont le métier est de faire des tours d'adresse, d'équilibre. ⇒ **acrobate.** *Elle est équilibriste dans un cirque.* ⟨ ▸ déséquilibre, rééquilibrer ⟩

équille [ekij] n. f. ■ Poisson long et mince qui s'enfouit dans le sable.

équinoxe [ekinɔks] n. m. ■ L'une des deux périodes de l'année où le jour a une durée égale à celle de la nuit (parce que le Soleil passe par l'équateur [3]). *Équinoxe de printemps* (21 mars), *d'automne* (23 septembre). *Tempêtes d'équinoxe. Marées d'équinoxe,* les plus hautes de l'année.

① *équipage* [ekipaʒ] n. m. **1.** Personnel navigant assurant la manœuvre et le service sur un navire (⇒ **marin**). *Homme d'équipage.* **2.** Ensemble des personnes qui assurent la manœuvre d'un avion (et personnel attaché au service dans les avions de transport). *L'équipage d'un avion long-courrier.* — *L'équipage d'un vaisseau spatial.*

② *équipage* n. m. **1.** Autrefois. Voitures, chevaux et le personnel qui en a la charge. *L'équipage d'un prince.* **2.** Loc. TRAIN DES ÉQUIPAGES : organisation militaire qui s'occupe du matériel, son transport. ⇒ **équipement. 3.** Loc. Vx. *Être en mauvais, triste, piteux équipage,* dans un triste état. ⇒ **situation.**

équipe [ekip] n. f. **1.** Groupe de personnes unies dans une tâche commune. *Une équipe de travail très unie, soudée. Travailler en équipe. Faire équipe avec qqn. Chef d'équipe.* — ESPRIT D'ÉQUIPE : animant une équipe dont les membres collaborent en parfait accord. *Il n'a pas l'esprit d'équipe.* **2.** Groupe de personnes qui agissent, se distraient ensemble. *C'est une bonne équipe de copains. En voilà une équipe !* **3.** Groupe de joueurs pratiquant un même sport. *Jouer en équipe, par équipe* (⇒ **équipier**). *Sport d'équipe. Équipe de football. Équipe de coureurs cyclistes.* ⟨ ▸ équipier ⟩

équipée [ekipe] n. f. **1.** Sortie, promenade en toute liberté. *Ils sont sortis le soir pour une petite équipée* *dans la ville.* **2.** Action entreprise à la légère. ⇒ **aventure.** *Son équipée en mer faillit avoir des conséquences fâcheuses.*

équipement [ekipmã] n. m. **1.** Objets nécessaires à l'armement, à l'entretien (d'une armée, d'un soldat). ⇒ **matériel.** *Équipement complet du fantassin.* **2.** Tout ce qui sert à équiper une personne, un animal, une chose en vue d'une activité déterminée (objets, vêtements, appareils, accessoires). *Équipement de chasse, de pêche, de ski. L'équipement d'une usine.* ⇒ **matériel, outillage.** *Moderniser l'équipement industriel d'une région.*

équiper [ekipe] v. tr. • conjug. 1. ■ Pourvoir des choses nécessaires à une activité. *Équiper une armée ; un navire.* ⇒ **armer, fréter.** — *Équiper une voiture d'une boîte de vitesses automatique.* ⇒ **munir.** — *Équiper un local,* pour une destination. ⇒ **aménager, installer.** — Pronominalement (réfl.). *Elle s'est bien équipée pour son voyage.* — Au p. p. adj. *Être bien équipé pour la chasse. Une cuisine toute équipée.* ‹ ▶ équipage, équipement ›

équipier, ière [ekipje, jɛʀ] n. ■ Membre d'une équipe (sportive). ⇒ **coéquipier.** *Le capitaine donne ses instructions aux équipiers.* ⇒ **joueur.** *Équipier en titre* (opposé à *remplaçant*). ‹ ▶ coéquipier ›

équitable [ekitabl] adj. **1.** Littér. Qui a de l'équité. *Un arbitre équitable.* ⇒ **impartial, intègre.** **2.** (Choses) Conforme à l'équité. *Un partage équitable.* / contr. **injuste, partial** / ▶ **équitablement** adv. ■ D'une manière équitable. *Juger équitablement des torts de chacun.* ⇒ **impartialement.**

équitation [ekitasjɔ̃] n. f. ■ Action et art de monter à cheval. *De l'équitation.* ⇒ **équestre** (2). *École d'équitation. Équitation de cirque.* ⇒ **voltige ;** haute **école.** *Équitation de compétition.* ⇒ **hippisme.**

équité [ekite] n. f. **1.** Vertu qui consiste à régler sa conduite sur le sentiment naturel du juste et de l'injuste ; justice impartiale. / contr. **iniquité, injustice, partialité** / *En toute équité, je reconnais qu'il a raison.* ⇒ **impartialité.** *Conforme à l'équité,* équitable. **2.** Justice spontanée, qui n'est pas inspirée par les règles du droit en vigueur (opposé à *droit positif, loi*). *Juger selon l'équité, sans s'occuper de la loi.* ‹ ▶ équitable ›

① **équivalent, ente** [ekivalã, ãt] adj. — REM. Ne pas confondre avec le part. prés. du v. équivaloir : *équivalant.* **1.** Dont la quantité a la même valeur. ⇒ **égal.** *Ces deux sommes sont équivalentes.* / contr. **différent** / **2.** Qui a la même valeur ou fonction. *Ces diplômes sont équivalents.* ⇒ **comparable, semblable.** *Ces deux expressions sont équivalentes, l'une est équivalente à l'autre.* ⇒ **synonyme.** ▶ **équivalence** n. f. ■ Qualité de ce qui est équivalent. ⇒ **égalité, identité.** *L'équivalence des fortunes.* — Assimilation d'un titre, d'un diplôme à un autre. *Accorder une équivalence à qqn.* ● ② **équivalent** n. m. ■ Ce qui équivaut, la chose équivalente (en quantité ou en qualité). *On lui a proposé des équivalents. Chercher un équivalent à un mot, l'équivalent d'un mot,* un mot équivalent. *Une qualité sans équivalent,* unique. — *Équivalent mécanique de la chaleur* (rapport constant entre le travail et la quantité de chaleur).

équivaloir [ekivalwaʀ] v. tr. ind. • conjug. 29. (Rare à l'infinitif) — ÉQUIVALOIR À. ■ Valoir autant, être de même valeur. ⇒ **égaler.** **1.** Avoir la même valeur en quantité que. *En valeur nutritive, deux cents grammes de poisson équivalent à cent grammes de viande.* **2.** Avoir la même valeur ou fonction que. *Cette réponse équivaut à un refus.* ‹ ▶ équivalent ›

① **équivoque** [ekivɔk] adj. **1.** Qui peut s'interpréter de plusieurs manières, et n'est pas clair. ⇒ **ambigu.** *Phrase, réponse équivoque. Il lui a répondu de façon*

non équivoque, claire. / contr. **catégorique, net** / **2.** Dont la signification n'est pas certaine, qui peut s'expliquer de diverses façons. *Faits équivoques,* difficiles à expliquer. / contr. **clair** / **3.** Qui n'inspire pas confiance. *Passé, réputation équivoque.* ⇒ **douteux, louche.** *Regards, allures équivoques.* ⇒ **inquiétant.** / contr. **franc** / ▶ ② **équivoque** n. f. **1.** Caractère de ce qui prête à des interprétations diverses. ⇒ **ambiguïté.** *Cette équivoque entretient la confusion. Une déclaration sans équivoque.* **2.** Incertitude laissant le jugement hésitant. *Il n'y a aucune équivoque entre nous.* ⇒ **malentendu.**

érable [eʀabl] n. m. ■ Grand arbre dont le fruit est muni d'une longue aile membraneuse. *Érable faux platane* (appelé improprement *sycomore*). *Érable du Canada* ou *érable à sucre.* *Une table en érable,* en bois d'érable. *Du sirop, du sucre d'érable.*

éradication [eʀadikasjɔ̃] n. f. ■ Didact. Action d'arracher, d'extirper, de supprimer totalement. *L'éradication d'une maladie épidémique.*

érafler [eʀafle] v. tr. • conjug. 1. **1.** Entamer légèrement (la peau), la peau de (qqn). *La branche l'a éraflé.* — *Elle s'est éraflé la main avec un clou. S'érafler les genoux.* ⇒ **écorcher, égratigner.** **2.** *Érafler le plâtre d'un mur, le bois d'un meuble.* ⇒ **rayer.** ▶ **éraflure** n. f. ■ Entaille superficielle, écorchure légère. *Les ronces lui ont fait des éraflures aux jambes.* ⇒ **égratignure.**

érailler [eʀaje] v. tr. • conjug. 1. **1.** Déchirer superficiellement. ⇒ **érafler, rayer.** *Érailler du bois, du cuir. Érailler un tissu.* **2.** Rendre rauque (la voix). *Le tabac éraille la voix.* — *S'érailler la voix à crier.* ▶ **éraillé, ée** adj. **1.** Qui présente des rayures, des déchirures superficielles. *Un tissu éraillé par l'usure.* **2.** *Une voix éraillée,* rauque. **3.** *Des yeux éraillés,* injectés de sang. ▶ **éraillement** n. m. ■ Fait de s'érailler, d'être éraillé. *L'éraillement de sa voix.* ▶ **éraillure** n. f. ■ Marque, rayure sur ce qui est éraillé. ⇒ **éraflure.**

ère [ɛʀ] n. f. **1.** Espace de temps de longue durée, qui commence à un point fixe et déterminé. *L'ère chrétienne débute avec la naissance du Christ. L'ère musulmane avec l'hégire. Avant notre ère,* avant l'ère chrétienne. **2.** Époque qui commence avec un nouvel ordre de choses. ⇒ **âge, époque, période.** *L'ère industrielle, atomique.* **3.** La plus grande division des temps géologiques. *Ère primaire, secondaire, tertiaire, quaternaire.*

érection [eʀɛksjɔ̃] n. f. **1.** Littér. Action d'ériger, d'élever (un monument). ⇒ **construction.** *L'érection d'une chapelle, d'une statue.* **2.** Le fait, pour certains tissus ou organes (spécialt le pénis), de se redresser en devenant raides, durs et gonflés. *Avoir une érection. Être en érection* (hommes). — fam. **bander.** *L'érection du clitoris.* ▶ **érectile** [eʀɛktil] adj. ■ Capable de se dresser. *Poils érectiles.*

éreinter [eʀɛ̃te] v. tr. • conjug. 1. **1.** Accabler de fatigue. ⇒ **claquer, crever, épuiser, esquinter, harasser.** *Cette longue promenade m'a éreinté.* — S'ÉREINTER v. pron. *Il s'est éreinté à préparer le concours.* — Au p. p. adj. *Je l'ai trouvé éreinté.* ⇒ **flapi, fourbu, moulu.** **2.** Fig. Critiquer de manière à détruire la réputation de (qqn, qqch.). ⇒ **démolir, maltraiter.** *Éreinter un adversaire politique. Ce film a été éreinté par les critiques.* ▶ **éreintant, ante** adj. ■ Qui éreinte (1). ⇒ **fatigant.** *Une marche éreintante.* ▶ **éreintage** n. m. ou **éreintement** n. m. ■ Critique très sévère et malveillante.

érésipèle ou **érysipèle** [eʀe-, eʀizipɛl] n. m. ■ Maladie infectieuse et contagieuse où la peau est enflammée, gonflée.

éréthisme [ERetism] n. m. ■ En médecine. *Éréthisme cardiaque,* excitation du cœur.

① *erg* [ERg] n. m. ■ Région du Sahara couverte de dunes. *Des ergs.*

② *erg* n. m. ■ Unité C.G.S. qui correspond au travail produit par une dyne dont le point d'application se déplace de 1 centimètre dans la direction de la force.

ergot [ERgo] n. m. **I.** Chez les gallinacés mâles. Pointe recourbée du tarse (talon) servant d'arme offensive. *Les ergots du coq.* — Loc. fig. *Monter, se dresser sur ses ergots,* prendre une attitude agressive, menaçante. **II.** Petit corps oblong et vénéneux formé par un champignon parasite (des céréales). *L'ergot du blé, du seigle.*

ergoter [ERgɔte] v. intr. ▪ conjug. 1. ■ Trouver à redire sur des points de détail, des choses insignifiantes. ⇒ **chicaner, discuter, pinailler.** *Vous n'allez pas ergoter pour trois francs !* ▶ *ergoteur, euse* n. et adj. ■ Personne qui aime à ergoter. ⇒ **chicanier.** — Adj. *Il est ergoteur.*

ergothérapie [ERgoteRapi] n. f. ■ Traitement de rééducation des infirmes, des invalides, des malades mentaux, par un travail physique, manuel, adapté à leurs possibilités et leur permettant de se réinsérer dans la vie sociale. ▶ *ergothérapeute* n. ■ Spécialiste qui pratique l'ergothérapie.

ériger [eRiʒe] v. tr. ▪ conjug. 3. **1.** Placer (un monument) en station verticale. ⇒ **dresser ; érection** (1). *On érigea l'obélisque place de la Concorde.* — Construire avec solennité. ⇒ **élever.** *Ériger un temple, une statue.* **2.** ÉRIGER *qqn, qqch.* EN : donner le caractère de ; faire passer à (une condition plus élevée, plus importante). *Ériger ses caprices en règle morale.* — S'ÉRIGER EN v. pron. : s'attribuer la personnalité, le rôle de. ⇒ **se poser** en. *S'ériger en moraliste, en maître à penser.* ⟨ ▶ **érection** ⟩

ermite [ERmit] n. m. ■ Religieux retiré dans un lieu désert. ⇒ **anachorète** (opposé à *cénobite, moine*). *Vie d'ermite.* — *Vivre comme un ermite,* seul. ▶ *ermitage* n. m. ■ Lieu écarté, solitaire. *Vivre dans un ermitage.* ⟨ ▶ **bernard-l'ermite** ⟩

éroder [eRɔde] v. tr. ▪ conjug. 1. ■ Didact. User, détruire par une action lente. *L'eau érode le lit des rivières.* — Au p. p. *Vallée érodée par les eaux.* ⟨ ▶ **érosion** ⟩

érogène [eRɔʒEn] adj. ■ Susceptible de provoquer une excitation sexuelle (→ érotique). *Les zones érogènes.*

érosion [eRozjɔ̃] n. f. ■ Usure et transformation que les eaux et les actions atmosphériques font subir à l'écorce terrestre (⇒ **éroder**). *Érosion glaciaire, marine, éolienne.*

érotique [eRɔtik] adj. **1.** Didact. Qui a rapport à l'amour. *Poésie érotique.* **2.** Qui a rapport à l'amour physique. *Des désirs, des souvenirs érotiques. Un film érotique.* — Qui provoque le désir amoureux, le plaisir sexuel. *Un comportement, une pose érotique.* ▶ *érotiquement* adv. ■ D'une manière érotique. ▶ *érotiser* v. tr. ▪ conjug. 1. ■ Donner un caractère érotique à. *Beaucoup de publicités érotisent les produits à vendre.* ▶ *érotisme* n. m. **1.** Caractère érotique (d'une situation, d'une personne). **2.** Caractère de ce qui a l'amour physique pour thème. *L'érotisme d'un film. L'érotisme dans l'œuvre de Verlaine.*

errance [eRɑ̃s] n. f. ■ Littér. Action d'errer çà et là. ⇒ **vagabondage.**

errant, ante [eRɑ̃, ɑ̃t] adj. **1.** Qui va de côté et d'autre, qui n'est pas fixé. ⇒ **vagabond.** *Chien errant.*

⇒ **perdu.** *La vie errante des peuples nomades.* **2.** *Un chevalier errant,* qui voyageait sans cesse. *Le Juif errant* (légende). **3.** Littér. (Expression, sourire, regard, etc.) Flottant, incertain. *Regard errant. Une imagination errante.* ⇒ **vagabond.** / contr. **fixe** /

errata [eRata] n. m. invar. et *erratum* [eRatɔm] n. m. sing. **1.** ERRATA : liste des fautes d'impression d'un ouvrage. *Placer l'errata à la fin d'un volume. Des errata.* **2.** ERRATUM : faute signalée.

erratique [eRatik] adj. ■ Didact. Qui n'est pas fixe. *Fièvre erratique.* — *Blocs, roches erratiques,* qui ont été transportés par les glaciers.

sur son erre [syRsɔ̃nER] loc. adv. ■ (Navire) Sur sa lancée, par la vitesse acquise. *Continuer sur son erre.*

errements [eRmɑ̃] n. m. pl. ■ Littér. et péj. Habitude invétérée et mauvaise ; manière d'agir blâmable. ≠ *erreur. Persévérer, retomber dans ses anciens errements.*

errer [eRe] v. intr. ▪ conjug. 1. **1.** Aller au hasard, à l'aventure. ⇒ **errance.** *Mendiant, rôdeur, vagabond qui erre sur les chemins.* ⇒ **rôder, vagabonder.** *Ils ont longtemps erré sans pouvoir s'orienter.* ⇒ **se perdre. 2.** (Choses) Se manifester çà et là, ou fugitivement. ⇒ **flotter, passer.** *Un sourire errait sur ses lèvres. Laisser errer sa pensée.* ⇒ **vagabonder.** ⟨ ▶ **aberrant, errance, errant, erratique** ⟩

erreur [eRœR] n. f. **I. 1.** Acte de l'esprit qui tient pour vrai ce qui est faux et inversement. *Une erreur choquante, grossière, commise par ignorance.* ⇒ **ânerie, bêtise.** *Erreur des sens.* ⇒ **illusion ; confusion, méprise.** *Faire, commettre une erreur, se tromper. C'est une erreur de croire, que de croire cela.* — FAIRE ERREUR. ⇒ **se méprendre, se tromper.** — IL Y A ERREUR. *Il y a erreur sur la personne.* ⇒ **confusion, malentendu.** — Fam. *Il n'y a pas d'erreur, pas d'erreur, c'est bien cela.* — SAUF ERREUR : excepté si l'on se trompe. *Sauf erreur de ma part, vous venez bien ce soir ?* **2.** État d'une personne qui se trompe. / contr. **justesse, vérité** / *Être, tomber dans l'erreur. Induire qqn en erreur.* ⇒ **tromper. 3.** Assertion, opinion fausse. *Il est revenu de bien des erreurs. Il reconnaît ses erreurs.* **4.** Action regrettable, maladroite, déraisonnable. ⇒ **faute.** *Il a commis une grossière erreur en négligeant de l'inviter.* ⇒ **gaffe, maladresse.** — Écart de conduite ; action jugée blâmable par la personne qui l'a commise. *Des erreurs de jeunesse.* ≠ *errements.* **II.** (Sens objectif) **1.** Chose fausse, par rapport à une norme (différence par rapport à un modèle ou au réel). ⇒ **faute, inexactitude.** / contr. **certitude, réalité** / *Trouver, relever une erreur dans un texte. Corriger une erreur d'impression.* ⇒ **coquille.** *Raccrochez, c'est une erreur !* (au téléphone). **2.** Chose fausse (⇒ **erronée**), élément inexact, dans une opération. *Erreur dans un compte.* ⇒ **mécompte.** *Erreur de calcul, de mesure.* — *Erreur judiciaire,* erreur de fait commise par le juge et entraînant la condamnation d'un innocent. ⟨ ▶ **erroné** ⟩

erroné, ée [eRɔne] adj. ■ Qui contient des erreurs ; qui constitue une erreur. ⇒ **faux, inexact.** *Affirmation, assertion erronée. Citation erronée.* ⇒ **fautif.** *Vos conclusions sont erronées.* / contr. **exact, réel, vrai** / ▶ *erronément* adv. ■ Faussement, à tort. *On a prétendu erronément que vous étiez partis.*

ersatz [ERzats] n. m. invar. ■ Produit alimentaire qui en remplace un autre de qualité supérieure, devenu rare. ⇒ **succédané.** *Un, des ersatz de café.* — Abstrait. Ce qui remplace (qqch., qqn) sans le valoir. *Un ersatz de littérature.*

éructer [eRykte] v. ▪ conjug. 1. **1.** V. intr. Littér. Renvoyer par la bouche les gaz contenus dans l'estomac. ⇒ **roter. 2.** V. tr. Fig. Littér. Manifester grossièrement (des idées, des sentiments). *Éructer des injures.* ⇒ **lancer.** ▶ *éructation* n. f. ■ Littér. Renvoi. ⇒ **rot.**

érudit, ite [eʀydi, it] adj. et n. **1.** Adj. Qui a de l'érudition. ⇒ **savant.** *Un historien érudit.* — (Choses) Qui demande de l'érudition. *Il poursuit des recherches érudites.* — Qui est produit par l'érudition. *Ouvrage érudit.* **2.** N. Personne érudite. *Un érudit, une érudite.* ▶ *érudition* n. f. ■ Savoir approfondi fondé sur l'étude des sources historiques, des documents, des textes. *Ouvrages, travaux d'érudition.*

éruption [eʀypsjɔ̃] n. f. **1.** Apparition soudaine (de taches, de boutons, etc.) sur la peau. *Une éruption de furoncles.* **2.** Jaillissement des matières volcaniques ; état d'un volcan qui émet ces matières. *Les éruptions du volcan. Volcan en éruption* (opposé à *éteint*). **3.** Fig. Production soudaine et abondante. *Éruption de joie, de colère.* ⇒ **explosion, jaillissement.** ≠ **irruption.** ▶ *éruptif, ive* [eʀyptif, iv] adj. ■ Qui a rapport aux éruptions (2). *Roches éruptives,* provenant du refroidissement du magma volcanique.

érysipèle ⇒ **érésipèle.**

érythème [eʀitɛm] n. m. ■ Maladie de peau caractérisée par une rougeur superficielle. *Érythème solaire.* ▶ *érythémateux, euse* adj.

érythro- ■ Élément de mots savants, signifiant « rouge ».

ès [ɛs] prép. ■ (Devant un nom pluriel) *Docteur ès lettres,* dans les lettres, de lettres. *Licence ès sciences.* REM. On dit couramment *docteur en lettres ; licence en sciences, licence de sciences.*

esbroufe [ɛsbʀuf] n. f. ■ Fam. Étalage de manières prétentieuses et insolentes. ⇒ **bluff, chiqué, embarras.** *Faire de l'esbroufe. Il a eu ce qu'il voulait à l'esbroufe,* par le bluff. / contr. **naturel, simplicité** / ▶ *esbroufer* v. tr. ▪ conjug. 1. ■ Fam. En imposer à (qqn) en faisant de l'esbroufe. *Il cherche à nous esbroufer.* ⇒ **bluffer, épater.** ▶ *esbroufeur, euse* n. ■ Fam. Personne qui fait de l'esbroufe.

escabeau [ɛskabo] n. m. **1.** Siège peu élevé, sans bras, ni dossier, pour une personne. ⇒ **tabouret.** *Escabeau à trois, à quatre pieds. Des escabeaux.* **2.** Marchepied à quelques degrés. *Monter sur un escabeau.*

escadre [ɛskadʀ] n. f. **1.** Force navale importante. **2.** *Escadre aérienne,* division d'avions de l'armée de l'air. ⇒ **escadrille** (plus cour.). ▶ *escadrille* [ɛskadʀij] n. f. ■ Groupe d'avions de combat. *Escadrille de chasse, de bombardement.* ▶ *escadron* n. m. **1.** Unité de cavalerie (quatre pelotons), du train des équipages, de gendarmerie. *Escadron motorisé.* **2.** Plaisant. Groupe important. ⇒ **bataillon, troupe.** *Un escadron de jolies filles.*

escalade [ɛskalad] n. f. **1.** Action de passer par-dessus (une clôture) pour pénétrer. *L'escalade d'une grille, d'un portail.* **2.** Ascension, montée. *L'escalade d'une montagne.* **3.** Abstrait. Stratégie qui consiste à gravir les « échelons » de mesures militaires de plus en plus graves. *L'escalade américaine au Viêt-Nam.* — Montée brutale. *L'escalade de la violence.* ▶ *escalader* v. tr. ▪ conjug. 1. **1.** Passer par-dessus (une clôture). ⇒ **enjamber, franchir.** *Les voleurs ont escaladé le mur du jardin.* **2.** Faire l'ascension de. ⇒ **gravir, monter.** *Cordée d'alpinistes qui escaladent une montagne. Escalader un arbre.* **3.** (Choses) Être disposé sur une pente raide. *Les maisons qui escaladent la colline.*

escalator [ɛskalatɔʀ] n. m. ■ Escalier mécanique. *Les escalators d'un grand magasin.*

escale [ɛskal] n. f. **1.** FAIRE ESCALE : s'arrêter pour se ravitailler, pour embarquer ou débarquer des passagers, du fret. ⇒ **halte, relâche.** *L'avion fait escale à Londres.* — Durée de l'arrêt. *Visiter une ville pendant l'escale.* — *Un vol sans escale,* direct. **2.** Lieu offrant la possibilité de relâcher. *Arriver à l'escale.*

escalier [ɛskalje] n. m. **1.** Suite de degrés qui servent à monter et à descendre. *Marches, paliers, rampe d'un escalier. Escalier de service,* à l'usage des domestiques, des livreurs. *Monter, descendre l'escalier, les escaliers.* — L'ESPRIT (D') DE L'ESCALIER loc. fig. : un esprit de repartie qui se manifeste à retardement. **2.** *Escalier roulant, mécanique,* escalier articulé et mobile, qui transporte l'usager. ⇒ **escalator. 3.** EN ESCALIER : par degrés successifs.

escalope [ɛskalɔp] n. f. ■ Tranche mince de viande blanche (surtout veau). *Escalope sautée, panée.*

escamoter [ɛskamɔte] v. tr. ▪ conjug. 1. **1.** Faire disparaître (qqch.) par un tour de main qui échappe à la vue des spectateurs. *Le prestidigitateur a escamoté une carte.* **2.** Faire disparaître habilement ; s'emparer de (qqch.) sans être vu. ⇒ **dérober, subtiliser.** *Un voleur lui a escamoté son portefeuille.* **3.** Rentrer (l'organe saillant d'une machine, le train d'atterrissage d'un avion). **4.** Abstrait. Éviter habilement, de façon peu honnête. ⇒ **éluder, esquiver.** *Escamoter une objection, une difficulté.* **5.** *Escamoter un mot,* le prononcer très vite ou très bas. ⇒ **sauter.** *Escamoter une note au piano,* ne pas la jouer. ▶ *escamotable* adj. ■ Qui peut être escamoté (3). *Train d'atterrissage, antenne escamotable.* ▶ *escamotage* n. m. ■ Action d'escamoter. *Tour d'escamotage d'un prestidigitateur.* ⇒ **passe-passe.** *L'escamotage des difficultés.* ▶ *escamoteur, euse* n. ■ Personne qui escamote (1, 2) qqch. ⇒ **illusionniste, prestidigitateur.** *Une adresse d'escamoteur.*

escampette [ɛskɑ̃pɛt] n. f. ■ *Prendre la* POUDRE D'ESCAMPETTE : s'enfuir. ⇒ **décamper, déguerpir.**

escapade [ɛskapad] n. f. ■ Le fait d'échapper aux obligations, aux habitudes de la vie quotidienne (fuite, absence physique ou écart de conduite). *Faire une escapade.* ⇒ **équipée, fredaine, fugue.**

escarbille [ɛskaʀbij] n. f. ■ Fragment de houille incomplètement brûlé que l'on retrouve dans les cendres ou qui s'échappe de la cheminée d'une machine à vapeur. *Recevoir une escarbille dans l'œil.*

escarboucle [ɛskaʀbukl] n. f. ■ Vx. Variété de grenat (pierre précieuse) rouge foncé. *Ses yeux brillaient comme des escarboucles.*

escarcelle [ɛskaʀsɛl] n. f. ■ Autrefois. Grande bourse que l'on portait suspendue à la ceinture. — Plaisant. Bourse, portefeuille. *L'argent rentre dans son escarcelle.*

escargot [ɛskaʀgo] n. m. ■ Mollusque gastéropode terrestre, à coquille arrondie en spirale. ⇒ **colimaçon, limaçon.** *Les « cornes » de l'escargot portent les yeux. Manger des escargots.* — *Aller, avancer comme un escargot,* très lentement. (→ *Comme une tortue.*)

escarmouche [ɛskaʀmuʃ] n. f. **1.** Petit combat entre des soldats isolés ou des détachements de deux armées. ⇒ **accrochage, échauffourée.** *Guerre d'escarmouches.* **2.** Fig. Petite lutte, engagement préliminaire. *Escarmouches parlementaires.*

escarpe [ɛskaʀp] n. m. ■ Autrefois. Assassin ; voleur dangereux.

escarpé, ée [ɛskaʀpe] adj. ■ Qui est en pente raide. ⇒ **abrupt ;** à pic. *Rives escarpées.* — *Chemin escarpé.* ⇒ **montant, raide.** / contr. **facile** / ▶ *escarpement* n. m. ■ Versant en pente raide. *L'escarpement d'un talus, d'une falaise.*

escarpin [ɛskaʀpɛ̃] n. m. ■ Chaussure très fine, qui laisse le cou-de-pied découvert. *Escarpins vernis.*

escarpolette [ɛskaʀpɔlɛt] n. f. ■ Siège suspendu par des cordes et sur lequel on se place pour être balancé. ⇒ **balancelle, balançoire.**

escarre [ɛskaʀ] n. f. ■ Croûte noirâtre qui se forme sur la peau morte, après une brûlure, un frottement prolongé, etc.

esche ⇒ **èche.**

escient [esjɑ̃] n. m. sing. ■ À BON ESCIENT loc. adv. : avec discernement, à raison. *Agir, parler à bon escient.* — À MAUVAIS ESCIENT : à tort.

s'esclaffer [ɛsklafe] v. pron. ■ conjug. 1. ■ Éclater de rire bruyamment. ⇒ **pouffer.** *Les grimaces du clown les faisaient s'esclaffer.*

esclandre [ɛsklɑ̃dʀ] n. m. ■ Manifestation orale, bruyante et scandaleuse, contre qqn ou qqch. ⇒ **éclat, scandale.** *Causer, faire de l'esclandre. Faire un esclandre à qqn.* ⇒ **scène.**

esclavage [ɛsklavaʒ] n. m. **1.** Surtout avec un compl. plur. État, condition d'esclave. ⇒ **servitude ; captivité.** *L'esclavage des Noirs.* **2.** État de ceux qui sont soumis à une autorité tyrannique. ⇒ **asservissement, dépendance, joug, oppression, servitude.** / contr. **indépendance, liberté** / *Tenir un peuple dans l'esclavage.* **3.** Chose, activité, sentiment qui impose une contrainte ; cette contrainte. *L'esclavage de la drogue.* ▶ **esclavagiste** adj. et n. ■ Partisan de l'esclavage (spécialt de l'esclavage des Noirs). *Les esclavagistes des États du Sud* (pendant la guerre de Sécession aux États-Unis). ⟨ ▶ antiesclavagiste ⟩

esclave [ɛsklav] n. **1.** Personne qui n'est pas de condition libre, qui est sous la puissance absolue d'un maître. ⇒ **captif ; serf.** / contr. **homme libre** / *Le commerce des esclaves. Le maître et l'esclave.* (Se dit surtout des esclaves de l'Antiquité grecque, latine ou des Noirs avant le XIXᵉ s.) *Esclave affranchi.* **2.** Personne qui se soumet complètement (à qqn). *Un peuple d'esclaves.* / contr. **révolté** / *Elle est l'esclave de ses enfants.* **3.** Personne soumise (à qqch.). *Il est l'esclave de ses habitudes.* — Adj. Qui se laisse dominer, asservir (par qqch. ou qqn). ⇒ **dépendant.** *Il est esclave de ses besoins, de sa profession. Être esclave du tabac, de l'alcool.* ⟨ ▶ esclavage ⟩

escogriffe [ɛskɔgʀif] n. m. ■ Homme de grande taille et d'allure dégingandée (surtout dans : *un grand escogriffe*). ⇒ **échalas.**

escompte [ɛskɔ̃t] n. m. ■ Diminution d'un prix, d'une somme à payer, quand l'effet acheté, la dette remboursée n'est pas arrivée à son échéance (⇒ **prime, remise**). *Accorder, faire un escompte de tant. Taux d'escompte.* ▶ ① **escompter** v. tr. ■ conjug. 1. ■ Payer (un effet de commerce) avant l'échéance, moyennant une retenue (⇒ **agios, commission, escompte**). *Escompter une lettre de change.*

② **escompter** v. tr. ■ conjug. 1. ■ S'attendre à (qqch.), et généralement se comporter, agir en conséquence. ⇒ **attendre, compter sur, espérer, prévoir.** *Il n'en escomptait pas tant. J'escompte leur succès, qu'ils réussiront.* — Au p. p. adj. *Obtenir le résultat escompté.*

escopette [ɛskɔpɛt] n. f. ■ Ancienne arme à feu portative à bouche évasée. ⇒ **tromblon.**

escorte [ɛskɔʀt] n. f. **1.** Troupe chargée d'accompagner qqn ou qqch., de veiller à sa sûreté, de surveiller. *Quelques policiers lui servaient d'escorte. Convoi de prisonniers placés sous bonne escorte, sous bonne garde.* — *Faire escorte à qqn.* ⇒ **escorter.** *Navire d'escorte,* chargé de protéger des navires de transport. ⇒ **escorteur. 2.** Cortège qui accompagne une per-

sonne pour l'honorer. *Une brillante escorte. L'escorte du président, présidentielle.* ▶ **escorter** v. tr. ■ conjug. 1. **1.** Accompagner pour guider, surveiller, protéger ou honorer pendant la marche. *Escorter un convoi. Des motards escortaient les voitures officielles.* **2.** Accompagner en groupe (ou même seul). *Ils ont escorté leur camarade jusqu'à la gare.* ▶ **escorteur** n. m. ■ Petit navire de guerre destiné à l'escorte de navires marchands.

escouade [ɛskwad] n. f. ■ Petite troupe, groupe de quelques hommes.

escrime [ɛskʀim] n. f. ■ Exercice par lequel on apprend l'art de manier l'arme blanche (épée, fleuret, sabre). *Faire de l'escrime.* ⇒ **tirer.** *Salle d'escrime* (salle d'armes). *Moniteur d'escrime* (maître, prévôt d'armes). ▶ **escrimeur, euse** n. ■ Personne qui fait de l'escrime. ⟨ ▶ s'escrimer ⟩

s'escrimer [ɛskʀime] v. pron. ■ conjug. 1. **1.** S'ESCRIMER À (+ infinitif) : faire (qqch.) avec de grands efforts. ⇒ s'**évertuer.** *S'escrimer à faire des vers, à jouer du violon.* — S'ESCRIMER SUR qqch. : s'efforcer de faire. *Il s'escrime sur sa version depuis deux heures.* **2.** S'escrimer contre qqn. *S'escrimer des pieds et des poings,* se démener en se battant.

escroc [ɛskʀo] n. m. ■ Personne qui escroque, qui a l'habitude d'escroquer. ⇒ **filou.** *Être victime d'un escroc. C'est un escroc, mais pas un voleur.* ▶ **escroquer** v. tr. ■ conjug. 1. **1.** Obtenir (qqch. de qqn) en trompant, par des manœuvres frauduleuses. ⇒ s'**approprier, extorquer, soutirer.** *Il leur a escroqué de l'argent en leur promettant des bénéfices fabuleux. Escroquer une signature à qqn.* **2.** Escroquer qqn, obtenir qqch. de lui en le trompant. ⇒ fam. ② **estamper, filouter.** *Il escroque tout le monde.* ▶ **escroquerie** n. f. ■ Action d'escroquer. ⇒ **fraude.** *Délit d'escroquerie. Vendre une voiture d'occasion à ce prix, c'est une escroquerie.*

escudo [ɛskydo] n. m. ■ Unité monétaire du Portugal.

esgourde [ɛzguʀd] n. f. ■ Arg. fam. Oreille. *Ouvre bien tes esgourdes.*

eskimo ⇒ **esquimau.**

ésotérique [ezɔteʀik] adj. **1.** (Doctrine, connaissance) Qui se transmet seulement à des adeptes qualifiés. ⇒ **occulte. 2.** Obscur, incompréhensible pour quiconque n'appartient pas au petit groupe des initiés. *Une poésie ésotérique.* ▶ **ésotérisme** n. m. ■ Doctrine ésotérique. — Caractère d'une œuvre impénétrable, énigmatique.

① **espace** [ɛspas] n. m. **I.** Milieu concret où peut se situer qqch. ; partie quelconque de ce milieu. **1.** L'ESPACE : étendue qui ne fait pas obstacle au mouvement. *L'espace qui nous environne. Regarder dans l'espace,* dans le vague. *Il a besoin de beaucoup d'espace,* d'air, de mouvement. *La peur de l'espace* ⇒ **agoraphobie,** *du manque d'espace* ⇒ **claustrophobie. 2.** (Un, des espaces) Portion de ce milieu. *L'espace occupé par un meuble.* ⇒ **emplacement, place.** *Un espace libre. Un espace vide* (opposé à *plein*). ⇒ **creux, interstice, trou, vide. 3.** Milieu géographique où vit l'espèce humaine. *La conquête des espaces vierges. Aménager l'espace urbain.* — ESPACE VERT : espace planté d'arbres, entre les espaces construits. *On a multiplié les espaces verts dans la ville nouvelle.* — ESPACE VITAL : espace revendiqué par un pays (pour des raisons économiques, démographiques). **4.** Étendue des airs. ⇒ **air, ciel.** *L'espace aérien d'un pays,* la zone de circulation aérienne qu'il contrôle. — Seulement au sing. Le milieu extra-terrestre. *La conquête de l'espace. Des voyageurs de l'espace.* ⇒ **astronaute, cosmonaute.** — Au plur. *Les espaces* *interstellaires, intersidéraux.* **II.** Milieu abstrait. Étendue mathématique ; partie de cette étendue. **1.** Système de référence d'une géométrie. *L'espace à trois dimensions de la géométrie euclidienne. Géométrie dans l'espace* (opposé à *géométrie plane*). — *Espace à n dimensions des géométries non euclidiennes. Espace courbe.* — Dans la théorie de la relativité. ESPACE-TEMPS : milieu à quatre dimensions (les trois de l'espace euclidien, et le temps) où quatre variables sont nécessaires pour déterminer totalement un phénomène. **2.** Distance qui sépare deux points, deux lignes, deux objets. ⇒ **espacement, intervalle.** *Espaces égaux entre les arbres d'une allée. Espace parcouru.* ⇒ **chemin, distance.** *Espace parcouru par unité de temps.* ⇒ **vitesse. 3.** (Temps) UN ESPACE DE (suivi d'un adj. numéral ou indéfini et d'un nom de durée) : une durée de. *En l'espace de trois mois, de quelques minutes.* ⇒ **en.** *Cela a duré l'espace d'un éclair,* un très bref instant. **III.** Milieu dans lequel l'être humain localise ses perceptions. *Nous situons les corps et les déplacements dans l'espace. L'espace visuel, tactile. S'orienter dans l'espace.* ▶ *espacer* v. tr. ▪ conjug. 3. **1.** Ranger (des choses) en laissant entre elles un intervalle. *Espacer deux jalons.* / contr. **rapprocher** / — Pronominalement. *Plus on montait, plus les arbres s'espaçaient.* — Au p. p. adj. *Arbres régulièrement espacés.* **2.** Séparer par un intervalle de temps. ⇒ **échelonner.** *Espacer ses visites, ses paiements.* — Pronominalement (réfl.). *Peu à peu les bruits s'espaçaient.* — Au p. p. adj. *On ne recevait que des lettres espacées.* / contr. **fréquent** / ▶ *espacement* n. m. **1.** Disposition de choses espacées. **2.** Distance entre deux choses qu'on a espacées. *Réduire l'espacement entre deux pylônes.*

② *espace* n. f. ▪ En imprimerie. Petite tige de plomb qui sert à espacer les mots d'une ligne. *Mettre une espace forte entre deux mots.* — Blanc qui sépare deux mots.

espadon [ɛspadɔ̃] n. m. ▪ Grand poisson dont la mâchoire supérieure se prolonge en forme d'épée. *La pêche à l'espadon.*

espadrille [ɛspadʀij] n. f. ▪ Chaussure dont l'empeigne est de toile et la semelle de corde. *Une paire d'espadrilles.*

espagnol, ole [ɛspaɲɔl] adj. et n. ▪ De l'Espagne. ⇒ **hispanique, ibérique.** — N. *Les Espagnols.* — N. m. Langue romane parlée en Espagne. *Les Espagnols parlent l'espagnol* (ou *castillan*), *le catalan, le basque, le galicien.*

espagnolette [ɛspaɲɔlɛt] n. f. ▪ Ferrure à poignée tournante servant à fermer et à ouvrir les châssis d'une fenêtre. ⇒ **crémone.** — *Fenêtre fermée à l'espagnolette,* laissée entrouverte, l'espagnolette maintenant seulement les deux châssis l'un contre l'autre.

espalier [ɛspalje] n. m. **1.** Mur le long duquel on plante des arbres fruitiers. *Un espalier bien exposé.* — EN ESPALIER : appuyé contre un espalier. *Culture en espalier(s). Des pommiers en espalier.* — Rangée d'arbres fruitiers plantée contre un mur. *Un espalier d'abricotiers.* **2.** Sports. Au plur. *Les espaliers,* appareil formé d'une large échelle fixée à un mur, dont les barreaux servent de support pour des exercices.

espar [ɛspaʀ] n. m. ▪ Longue pièce de bois, sur un navire (mât, vergue...). *Des espars.*

espèce [ɛspɛs] n. f. **I. 1.** Nature propre à plusieurs personnes ou choses, qui permet de les considérer comme appartenant à une catégorie distincte. ⇒ **genre, qualité, sorte.** *Les différentes espèces de verres, d'assiettes d'un service de table. Plusieurs espèces de fruits* (concret, au plur.), *de plaisir* (abstrait,

au sing.). *De la même espèce,* comparable, semblable. ⇒ **nature, ordre.** *De toute espèce* (ou *de toutes espèces*), variés, très différents. *Je ne discute pas avec des gens de votre espèce,* comme vous. — Loc. *Cela n'a aucune espèce d'importance,* aucune importance. **2.** UNE ESPÈCE DE : personne ou chose qu'on ne peut définir précisément et qu'on assimile à une autre par approximation. ⇒ **sorte ; manière.** *Une espèce de chapeau de gendarme.* — (Personnes, pour renforcer un terme péjoratif) *Une espèce d'idiot. Espèces d'imbéciles !* REM. L'emploi de *un espèce de* avec un nom masculin est une faute courante (*un espèce d'imbécile* au lieu de *une espèce d'imbécile*). **3.** Loc. C'est un CAS D'ESPÈCE : qui ne rentre pas dans la règle générale, qui doit être étudié spécialement. ⇒ **particulier.** — *En l'espèce,* en ce cas particulier. **II. 1.** Dans une classification. Division du genre. *Les caractères d'une espèce.* ⇒ **spécifique. 2.** Ensemble des êtres vivants d'un même genre ayant en commun des caractères distinctifs et pouvant se reproduire. *Espèces animales, végétales. Une bonne espèce de fruits. L'espèce canine.* **3.** ESPÈCE HUMAINE : notre espèce, les humains (⇒ **femme, homme**). *La sauvegarde de l'espèce* (humaine). ▶ *espèces* n. f. pl. **I. 1.** Le pain et le vin du sacrement de l'Eucharistie, représentant le corps et le sang du Christ. *Communier sous les deux espèces.* **2.** Loc. SOUS LES ESPÈCES DE : sous la forme de. **II. 1.** Autrefois. Monnaie métallique (opposé à *billet*). **2.** PAYER EN ESPÈCES : en argent liquide (opposé à *en nature, par chèque, par carte de crédit*). *Vous verserez une partie de la somme en espèces.*

espérance [ɛspeʀɑ̃s] n. f. **1.** *L'espérance,* sentiment qui fait entrevoir comme probable la réalisation de ce que l'on désire. ⇒ **confiance, croyance ; espoir** (plus cour.). / contr. **désespérance** / *Le vert, couleur de l'espérance.* **2.** *Une espérance, l'espérance de (qqch.),* ce sentiment appliqué à un objet déterminé. *Entretenir, former des espérances. Avoir une espérance de guérir, de guérison. Il a l'espérance que tout ira bien.* — *Contre toute espérance,* alors qu'il semblait impossible d'espérer. ⇒ **attente.** — Au plur. *Cette femme a des espérances,* elle attend un enfant. **3.** *Espérance de vie,* durée moyenne de la vie humaine, dans une société donnée, établie statistiquement. **4.** Au plur. ESPÉRANCES : biens qu'on attend d'un héritage. *Ils ont des espérances.*

espéranto [ɛspeʀɑ̃to] n. m. ▪ Langue internationale conventionnelle, fondée vers 1887.

espérer [ɛspeʀe] v. tr. ▪ conjug. 6. **1.** Considérer (ce qu'on désire) comme devant se réaliser. ⇒ **compter sur, escompter ; espérance, espoir.** / contr. **désespérer, craindre** / *Espérer une récompense. Il n'espère plus rien. Qu'espérait-il de plus ?* ⇒ **souhaiter.** « *Croyez-vous qu'il viendra ? — Je l'espère bien ; je l'espère pour lui* » (il a intérêt à venir). *Je n'en espérais pas tant.* — Sans compl. *Il viendra, j'espère, dès qu'il aura terminé.* **2.** ESPÉRER qqn : espérer sa venue, sa présence. *Enfin vous voilà ! Je ne vous espérais plus.* **3.** (Sens 1) — ESPÉRER (+ infinitif, quand les deux verbes ont le même sujet). ⇒ **compter, penser.** *J'espère réussir, que je réussirai. Il espérait vous voir.* — (Appliqué au passé) Aimer à croire, à penser. *J'espère avoir fait ce qu'il fallait.* — ESPÉRER QUE. *J'espère qu'il viendra. J'espérais qu'il viendrait. Je n'espère pas qu'il vienne. Espérait-il qu'il viendrait ?* (Formule de souhait) *Espérer que* (+ v. au prés. ou au passé), aimer à croire, à penser que. *J'espère que tu vas bien. Espérons qu'il n'a rien entendu.* — Sans compl. Avoir confiance. *Il espère encore.* — ESPÉRER EN : mettre sa confiance en (qqch.). *Il espère en des temps meilleurs.* ‹ ▶ espérance, désespérer, inespéré ›

espiègle [ɛspjɛgl] adj. et n. ▪ (Enfant) Vif et malicieux, sans méchanceté. ⇒ **coquin, turbulent.**

Une enfant espiègle. ⇒ **diablotin, polisson.** — *Humeur, gaieté espiègle. Une réflexion espiègle,* malicieuse. — N. *C'est une petite espiègle.* ▶ **espièglerie** n. f. **1.** Caractère espiègle. **2.** Tour d'espiègle. *C'est une espièglerie d'enfant.* ⇒ **farce.** *Faire des espiègleries.*

espion, onne [ɛspjɔ̃, ɔn] n. **1.** Personne chargée de recueillir clandestinement des documents, des renseignements secrets sur une puissance étrangère. ⇒ **agent** secret ; fam. **barbouze ; espionnage.** *Fausse identité d'un espion.* — En appos. ; toujours masc. *Avion espion, satellite espion. Des navires espions.* **2.** Personne payée par la police pour apporter des renseignements. ⇒ **indicateur.** ▶ **espion(n)ite** n. f. ■ Manie de voir des espions (1) partout. ▶ **espionnage** n. m. ■ Au sing. Activité des espions. *Le Deuxième Bureau, service d'espionnage français. Romans d'espionnage.* — *Espionnage industriel,* moyens utilisés pour connaître les secrets de fabrication d'un produit. ▶ **espionner** v. tr. ▪ conjug. 1. ■ Surveiller secrètement, pour faire un rapport ou par malveillance. *Mari qui fait espionner sa femme.* ⇒ **surveiller.** *Espionner ses voisins.* — Sans compl. *Vous restez là pour espionner ?* — Faire de l'espionnage contre un pays. *Espionner un pays au profit d'un autre.*

esplanade [ɛsplanad] n. f. ■ Terrain plat, aménagé en vue de dégager les abords d'un édifice, de ménager une perspective. *Une esplanade bordée d'arbres.*

espoir [ɛspwaʀ] n. m. **1.** *L'espoir de..., un espoir,* le fait d'espérer, d'attendre (qqch.) avec confiance. ⇒ **espérance.** *J'ai le ferme espoir, j'ai bon espoir qu'il réussira.* ⇒ **certitude, conviction.** *J'étais venu dans (avec) l'espoir de vous voir. Je mets tout mon espoir, mes espoirs en vous. C'est sans espoir,* c'est désespéré. — Personne sur laquelle on fonde un espoir. *Vous êtes notre seul espoir. C'est un espoir du ski,* on espère qu'il deviendra un champion. **2.** *L'espoir,* sentiment qui porte à espérer. *Être plein d'espoir. Aimer sans espoir.* / contr. **désespoir ; appréhension, crainte** / ⟨ ▶ **désespoir** ⟩

① **esprit** [ɛspʀi] n. m. **I.** Au sing. **1.** Le principe pensant en général (opposé à *l'objet de pensée,* à la *matière*). ⇒ **pensée.** *L'esprit humain.* Doctrines philosophiques sur *l'esprit et la matière,* idéalisme, spiritualisme, matérialisme. — (Opposé à *la réalité*) *Vue de l'esprit,* position abstraite, théorique. *Jeu de l'esprit.* **2.** Principe de la vie psychique, affective et intellectuelle (chez une personne). ⇒ **âme, conscience, moi.** *L'esprit et le corps d'un enfant, d'une femme, d'un homme. Ce problème occupe mon esprit. Disposition d'esprit, état d'esprit* (⇒ ① **état**). Loc. *Avoir l'esprit ailleurs,* être distrait. *En esprit,* par la pensée. — *Perdre l'esprit,* devenir fou. — Littér. *Rendre l'esprit,* mourir. **3.** Ensemble des dispositions, des façons d'agir habituelles. ⇒ **caractère.** *Avoir l'esprit changeant, étroit, enjoué, souple.* — AVOIR BON, MAUVAIS ESPRIT : être bienveillant, confiant ; être malveillant, rebelle, méfiant. — AVOIR L'ESPRIT À : l'humeur. *Je n'ai pas l'esprit au jeu, l'esprit à m'amuser en ce moment.* **4.** Principe de la vie intellectuelle (opposé à *la sensibilité*). ⇒ **entendement, pensée, raison.** *Clarté, vivacité d'esprit. Elle a un esprit logique. Vous avez l'esprit mal tourné. Lenteur, paresse d'esprit. La lecture ouvre l'esprit. Une idée me vient à l'esprit. Cela m'est sorti de l'esprit,* je l'ai oublié. *Dans mon esprit,* selon moi. *Présence d'esprit,* aptitude à faire ou à dire sans hésitation ce qui est à propos. **5.** Aptitude de l'intelligence. *Il a l'esprit de synthèse, d'observation,* il est doué pour... *Esprit d'à-propos.* **II.** *Un, les esprit(s),* une, les personnes caractérisées par une psychologie, une intelligence. *C'est un esprit*

romanesque. *Influencer, calmer les esprits.* PROV. *Les grands esprits se rencontrent,* se dit lorsque deux personnes ont la même idée en même temps. **III.** Au plur. (Précédé d'un possessif) *Perdre ses esprits,* perdre connaissance ou perdre la raison. *Il a repris ses esprits.* **IV.** L'ESPRIT (sans compl.) : vivacité, ingéniosité dans la façon de concevoir et d'exposer qqch. (⇒ **finesse, humour**). *Avoir de l'esprit, beaucoup d'esprit.* ⇒ **spirituel.** *Homme d'esprit. Faire de l'esprit* (péj.), faire étalage d'esprit. *Repartie pleine d'esprit. Mot d'esprit.* **V.** ESPRIT DE... **1.** Attitude, idée qui détermine (un comportement, une action). ⇒ **intention, volonté.** *Esprit de révolte. Il a eu le bon esprit de ne pas intervenir,* la bonne idée. — DANS L'ESPRIT DE, DANS CET ESPRIT : dans cette intention ou de ce point de vue. *Il a parlé dans un esprit d'apaisement. C'est dans cet esprit qu'il faut agir.* **2.** Fonds d'idées, de sentiments (qui oriente l'action d'une collectivité). *L'esprit d'une société, d'une époque.* ⇒ **génie.** — Loc. ESPRIT DE CORPS : d'attachement et de dévouement au groupe auquel on appartient. ⇒ **solidarité.** ESPRIT D'ÉQUIPE*. **3.** Le sens profond (d'un texte). *L'esprit d'une constitution. L'esprit et la lettre.*

② **esprit** n. m. ■ Être vivant sans apparence perceptible. *Dieu est un pur esprit. L'esprit du mal,* le démon. — Dans la religion catholique. LE SAINT-ESPRIT, L'ESPRIT-SAINT : Dieu, comme troisième personne de la Trinité. **2.** *Un, les esprit(s),* êtres actifs dans les mythes, les légendes (elfes, fées, génies, lutins). **3.** Âme d'un mort. ⇒ **fantôme, revenant ; spiritisme.** *Il croit aux esprits* (⇒ **animisme**). *Esprit, es-tu là ?*

③ **esprit** n. m. ■ Dans des loc. Émanation volatile d'un corps. ESPRIT-DE-SEL : acide chlorhydrique étendu d'eau. ESPRIT-DE-VIN : alcool éthylique.

-esque ■ Élément qu'on joint à des noms propres avec le sens de « à la façon de » (ex. : *dantesque, ubuesque*).

esquif [ɛskif] n. m. ■ Littér. Petite embarcation légère. *Un frêle esquif.*

esquille [ɛskij] n. f. ■ Petit fragment qui se détache d'un os fracturé ou carié. *Extraire les esquilles.*

① **esquimau, aude** [ɛskimo, od] ou **eskimo** [ɛskimo] n. et adj. ■ Habitant des terres arctiques de l'Amérique et du Groenland. *Les Esquimaux.* — Adj. Relatif à ces habitants. *Chien esquimau.* — REM. On emploie parfois *eskimo, esquimau* comme adj. invar. *Une femme esquimau, esquimaude* ou *eskimo.* — REM. Il vaut mieux dire *inuit.*

② **esquimau** n. m. ■ Glace enrobée de chocolat qu'on tient (comme les sucettes) par un bâtonnet plat. *Des esquimaux.*

esquinter [ɛskɛ̃te] v. tr. ▪ conjug. 1. **1.** Fam. Abîmer (qqch.) ; blesser (qqn). *Esquinter sa voiture.* ⇒ **abîmer.** *Il s'est fait esquinter.* ⇒ **amocher.** — Au p. p. adj. *Une voiture esquintée.* — Fig. Critiquer très sévèrement. *Esquinter un auteur, un film.* ⇒ **éreinter.** **2.** Fatiguer extrêmement. ⇒ **épuiser, éreinter ;** fam. **claquer, crever.** *La marche l'a esquinté.* — Pronominalement (réfl.). *Je ne vais pas m'esquinter pour rien.* — Au p. p. adj. *Il est esquinté.* ▶ **esquintant, ante** adj. ■ Fam. Très fatigant. ⇒ **épuisant, éreintant.** *Un travail esquintant.*

esquisse [ɛskis] n. f. **1.** Première forme (d'un dessin, d'une statue, d'une œuvre d'architecture), qui sert de guide à l'artiste quand il passe à l'exécution. ⇒ **croquis, ébauche, maquette.** *Une esquisse au crayon, à la plume. Ce n'est qu'une esquisse.* **2.** Plan sommaire, notes indiquant l'essentiel (d'un travail, d'une œuvre). ⇒ **canevas, idée, plan, projet.** *Esquisse d'un roman.* **3.** Action d'esquisser (3). ⇒ **ébauche.**

L'esquisse d'un sourire. ▶ **esquisser** v. tr. ▪ conjug. 1. **1.** Représenter, faire en esquisse. ⇒ **ébaucher**. *Esquisser un portrait, un paysage.* **2.** Fixer le plan, les grands traits (de une œuvre littéraire). — *Décrire à grands traits. Esquisser l'action d'une comédie.* **3.** Commencer à faire. ⇒ **amorcer, ébaucher**. *Esquisser un geste, un mouvement de recul.*

esquiver [ɛskive] v. tr. ▪ conjug. 1. **1.** Éviter adroitement. ⇒ **échapper** à. *Esquiver un coup de poing. Esquiver une difficulté.* ⇒ **éluder**. **2.** S'ESQUIVER v. pron. : se retirer, s'en aller en évitant d'être vu (→ Brûler la politesse, filer à l'anglaise). *Quand ils l'ont vu, ils se sont esquivés.* ▶ **esquive** n. f. ▪ Action d'esquiver un coup. *Jeu d'esquive d'un boxeur, d'un escrimeur.*

essai [esɛ] n. m. **I. 1.** Opération par laquelle on s'assure des qualités, des propriétés (d'une chose) ou de la manière d'utiliser (une chose). *Faire l'essai d'un produit.* ⇒ **essayer**. *Essai des monnaies.* ⇒ **vérification**. *Essais en laboratoire. Banc d'essai.* ⇒ ② **banc**. *Vol, pilote* D'ESSAI : pour essayer les prototypes d'avions. — *Cinéma d'essai*, qui projette des films hors du réseau commercial normal. — À L'ESSAI : aux fins d'essai. *Prendre, engager à l'essai un employé. Mettre à l'essai*, éprouver. **2.** Action faite sans être sûr du résultat. *Un essai de conciliation. Un timide essai.* — Première tentative. *Il a fait ses premiers essais au cinéma. Un essai malheureux. Un coup d'essai.* **3.** Chacune des tentatives d'un athlète, dont on retient la meilleure. *Premier, second essai.* **4.** Au rugby. Avantage obtenu quand un joueur parvient à poser ou à toucher le ballon le premier derrière la ligne de but du camp adverse. *Transformer un essai* (en but). **II. 1.** Résultat d'un essai, premières productions. *Ce ne sont que de modestes essais.* **2.** Ouvrage littéraire en prose, de facture libre, traitant d'un sujet qu'il n'épuise pas ou réunissant des articles (⇒ **essayiste**). *Essai historique, politique.* **3.** Bout d'essai, bout de film tourné spécialement pour juger un acteur, avant de l'engager.

essaim [esɛ̃] n. m. **1.** Groupe d'abeilles, d'insectes en vol ou posés. *Un essaim de moucherons.* **2.** Fig. Groupe nombreux qui se déplace. *Un essaim d'écoliers.* ▶ **essaimer** [eseme] v. intr. ▪ conjug. 1. **1.** (Abeilles) Quitter la ruche en essaim pour aller s'établir ailleurs. *Les abeilles n'ont pas encore essaimé.* **2.** Se dit d'une collectivité dont se détachent certains éléments. *Ces immigrants ont essaimé dans tout le pays.* ⇒ se **disperser**. *Cette société a essaimé sur tout le territoire, y a établi des succursales.*

essayer [eseje] v. tr. ▪ conjug. 8. **1.** Soumettre (une chose) à une ou des opérations pour voir si elle répond aux caractères qu'elle doit avoir. ⇒ **contrôler, examiner, tester ; essai**. *Ce modèle a été essayé à l'usine. Essayer un moteur.* — *Essayer sa force.* **2.** Mettre (un vêtement, etc.) pour voir s'il va. *Essayer une robe dans un magasin.* ⇒ **essayage**. *J'ai essayé un manteau.* **3.** Employer, utiliser (une chose) pour la première fois, pour voir si elle convient et on peut l'adopter. *Essayer un vin.* ⇒ **goûter**. *Avez-vous essayé la cuisine indonésienne ?* — (Avec le partitif) *Essayer d'un vin.* **4.** Employer (qqch.) pour atteindre un but particulier, sans être sûr du résultat. *Essayer un moyen, une méthode.* ⇒ **expérimenter**. *Essayer la persuasion. J'ai tout essayé, sans résultat.* — ESSAYER DE (+ infinitif) : faire des efforts dans le dessein de. ⇒ s'**efforcer, tenter** de. *J'ai essayé de comprendre. Essayer de dormir.* — Sans compl. *Cela ne vous coûtera rien d'essayer.* — *Essaie un peu* (de faire qqch.), *tu verras ce qu'il t'en coûtera.* **5.** S'ESSAYER À v. pron. : faire l'essai de ses capacités pour ; s'exercer à (sans bien savoir). *S'essayer à la course.* — (+ infinitif) Faire une tentative

en vue de. *S'essayer à parler en public.* ▶ **essayage** n. m. ▪ Action d'essayer (2) (un vêtement). *Salon d'essayage d'une maison de couture, d'un magasin. Cabine d'essayage.* ▶ **essayeur, euse** n. ▪ Personne qui essaie les vêtements aux clients. — Personne qui essaie un matériel, qui contrôle la qualité de produits commerciaux. ▶ **essayiste** n. m. ▪ Auteur d'essais (II, 2) littéraires. ⟨ ▶ essai, réessayer ⟩

① **essence** [esɑ̃s] n. f. **1.** Fond de l'être, nature des choses. ⇒ **nature, substance**. — (Opposé à *existence*) *Platon pense que l'essence précède l'existence.* **2.** Ce qui fait qu'une chose est ce qu'elle est ; ensemble des caractères constitutifs et invariables (⇒ **essentiel**). *L'essence de l'être humain réside en la pensée.* — PAR ESSENCE loc. adv. littér. : par sa nature même. ⇒ par **définition**. ⟨ ▶ essentiel ⟩

② **essence** n. f. **1.** Produit liquide, volatil, inflammable, de la distillation du pétrole. *Pompe à essence ; faire le plein (d'essence). Essence ordinaire* (opposé à *super*). *L'indice d'octane de l'essence.* **2.** Liquide volatil très odorant qu'on extrait des végétaux, utilisé en parfumerie, en confiserie. *Essence de lavande, de violette. Essences synthétiques.* **3.** Extrait concentré (d'aliments). *Essence de café.* ⟨ ▶ quintessence ⟩

③ **essence** n. f. ▪ Espèce (d'un arbre). *Une forêt remplie d'essences variées.*

essentiel, elle [esɑ̃sjɛl] adj. et n. m. **I.** Adj. **1.** Littér. Qui est ce qu'il est par son essence (⇒ ① **essence**) et non par accident (opposé à *accidentel, relatif*). ⇒ **absolu**. — Qui appartient à l'essence (①, 1). *Un caractère essentiel.* ⇒ **fondamental**. **2.** ESSENTIEL À..., POUR : qui est absolument nécessaire (opposé à *inutile*). ⇒ **indispensable, nécessaire**. *Cette formalité est essentielle pour votre mariage. La nutrition est essentielle à la vie.* **3.** Le plus important, très important (opposé à *secondaire*). ⇒ **principal**. *Nous arrivons au point, au fait essentiel.* ⇒ **capital**. *C'est un livre essentiel, que vous devez avoir lu. Il est essentiel de lui en parler.* **II.** N. m. **1.** Le point le plus important. *Vous oubliez l'essentiel !* ⇒ **principal**. *Allez à l'essentiel ! L'essentiel est de réussir. Nous sommes d'accord sur l'essentiel.* **2.** *L'essentiel de...*, ce qu'il y a de plus important. *Je vous résume l'essentiel de son discours.* ▶ **essentiellement** adv. **1.** Par essence. **2.** Avant tout, au plus haut point. *Nous tenons essentiellement à cette garantie.* ⇒ **absolument**.

esseulé, ée [esœle] adj. ▪ Littér. Qu'on laisse seul, sans compagnie. ⇒ **délaissé, isolé, solitaire**. *Il ne connaissait personne et resta esseulé toute la soirée.* ⇒ **seul**.

essieu [esjø] n. m. ▪ Pièce transversale d'un véhicule, dont les extrémités entrent dans les moyeux des roues. *Les essieux porteurs d'une locomotive. L'essieu avant* ⇒ **train**, *arrière* ⇒ **pont** *d'une automobile. Distance entre les essieux d'une voiture.* ⇒ **empattement**.

essor [esɔʀ] n. m. (Rare au plur.) **1.** Élan d'un oiseau qui s'envole. ⇒ **envol, envolée**. *L'aigle prend son essor.* **2.** Littér. Élan, impulsion. *L'essor de son imagination.* **3.** Développement hardi et fécond. / contr. **déclin, stagnation** / *L'essor d'une entreprise.* ⇒ **croissance**. *Industrie en plein essor, qui prend un grand essor.*

essorer [esɔʀe] v. tr. ▪ conjug. 1. ▪ Débarrasser par pression (une chose mouillée) d'une grande partie de l'eau qu'elle contient. *Essorer du linge.* — Au p. p. adj. *Linge essoré.* ▶ **essorage** n. m. ▪ Action d'essorer (le linge). ▶ **essoreuse** n. f. ▪ Machine destinée à enlever l'eau qui imprègne le linge. *Passer son linge à l'essoreuse.*

essouffler [esufle] v. tr. ▪ conjug. 1. **1.** Mettre presque hors d'haleine, à bout de souffle. *La montée* *m'a essoufflé. Le coureur a fini par essouffler ses concurrents, ils se sont essoufflés à le suivre.* — Pronominalement (réfl.). *Il s'essouffle facilement. S'essouffler à force de crier, d'appeler.* ⇒ s'**époumoner.** — Au p. p. adj. *Il est essoufflé, tout essoufflé.* **2.** Abstrait. S'ESSOUFFLER v. pron. : perdre l'inspiration. *Ce cinéaste s'essouffle, son dernier film est décevant.* — Ne plus pouvoir suivre le rythme de croissance. *L'industrie textile s'essouffle.* ▶ **essoufflement** n. m. ■ État de celui qui est essoufflé ; respiration courte et gênée. ⇒ **suffocation.** *Je n'en pouvais plus d'essoufflement.* — Abstrait. *L'essoufflement de l'économie.*

essuie- ■ Élément tiré du verbe « essuyer ». ▶ **essuie-glace** [esɥiglas] n. m. ■ Tige de métal articulée, munie d'une lame souple (balai) qui essuie automatiquement le pare-brise d'une automobile. *Des essuie-glaces.* ▶ **essuie-mains** n. m. invar. ■ Serviette à mains. ▶ **essuie-tout** n. m. invar. ■ Papier absorbant assez résistant, à usages multiples (surtout domestiques).

① **essuyer** [esɥije] v. tr. ▪ conjug. 8. **1.** Sécher (ce qui est mouillé) en frottant avec un linge sec, sur une chose sèche. *Laver et essuyer la vaisselle. Essuyer la bouche d'un bébé. Essuie-toi la bouche. Essuyer ses pieds,* frotter ses semelles sur un paillasson. — Pronominalement (réfl.). *S'essuyer en sortant du bain.* — Loc. fam. *Essuyer les plâtres,* occuper une habitation qui vient d'être achevée ; subir le premier les conséquences d'une situation fâcheuse. **2.** Ôter (ce qui mouille qqch.). *Essuyer l'eau qui a coulé sur la table.* ⇒ **éponger.** *Essuyer ses larmes.* — Fig. *Essuyer les larmes de qqn,* le consoler. **3.** Ôter la poussière de (qqch.) en frottant. *Essuyer les meubles avec un chiffon de laine.* ▶ **essuyage** n. m. ■ Action d'essuyer. *L'essuyage de la vaisselle.* ⟨ ▶ essuie- ⟩

② **essuyer** v. tr. ▪ conjug. 8. ■ Avoir à supporter (qqch. de fâcheux). ⇒ **éprouver, subir.** *Le navire a essuyé une tempête. Essuyer le feu de l'ennemi. Essuyer des pertes. Essuyer des reproches.* ⇒ **endurer, subir.**

est [est] n. m. **1.** Un des points cardinaux, au soleil levant (abrév. E). ⇒ **orient.** *Mosquée orientée vers l'est. Le vent souffle de l'est.* — Lieu situé du côté de l'est. — En appos. *La banlieue Est de Paris, Berlin-Est.* **2.** *L'Est* (en France) : l'Alsace et la Lorraine. *Habiter dans l'Est.* — Les pays à l'est de l'Europe, spécialt les pays appartenant à la zone d'influence soviétique. *Relations entre l'Est et l'Ouest. Allemagne de l'Est.* (Adjectif formé d'après l'anglais : *Est-Allemand* ; il vaut mieux dire *Allemand de l'Est.*) ⟨ ▶ nord-est, sud-est ⟩

estacade [estakad] n. f. ■ Barrage fait par l'assemblage de pieux, de pilotis, de radeaux. *Une estacade ferme l'entrée du port.* ⇒ **digue, jetée.** ≠ **estocade.**

estafette [estafɛt] n. f. **1.** Autrefois. Courrier, messager chargé d'une dépêche. *Estafette à cheval.* **2.** Militaire agent de liaison. *Dépêcher une estafette.*

estafilade [estafilad] n. f. **1.** Entaille faite avec une arme tranchante (sabre, rasoir), surtout au visage. ⇒ **balafre, coupure.** *Se faire une estafilade en se rasant.* **2.** Maille filée sur toute la hauteur d'un bas, d'un collant.

estaminet [estaminɛ] n. m. ■ Vx. Petit café populaire (surtout dans le Nord de la France, en Belgique).

① **estamper** [estɑ̃pe] v. tr. ▪ conjug. 1. ■ Imprimer en relief ou en creux (l'empreinte gravée sur un moule, une matrice). *Estamper une feuille de métal, de cuir.* ▶ **estampe** n. f. ■ Image imprimée au moyen d'une planche gravée ou par lithographie. ⇒ **gravure.** *Tirer une estampe. Un livre illustré d'estampes.* ▶ **estampeur, euse** n. ■ Personne qui estampe.

▶ **estampille** [estɑ̃pij] n. f. ■ Empreinte (cachet, poinçon, signature) qui atteste l'authenticité d'un produit, d'un document, en indique l'origine ou constate le paiement d'un droit fiscal. *L'estampille d'un produit industriel* (marque de fabrique ; label). ▶ **estampiller** v. tr. ▪ conjug. 1. ■ Marquer d'une estampille. ⇒ **poinçonner, timbrer.** *Estampiller des produits manufacturés.* ≠ *estamper* — Au p. p. adj. *Briquet, tapis estampillé.* ▶ **estampillage** n. m. ■ Action d'estampiller ; son résultat. *L'estampillage d'une marchandise.*

② **estamper** v. tr. ▪ conjug. 1. ■ Fam. Faire payer trop cher (qqn). ⇒ **escroquer, voler.** *Il s'est fait estamper au restaurant.* ≠ *estampiller.*

est-ce que [ɛskə] adv. interrogatif. ■ Marque l'interrogation directe (rétablit l'ordre sujet-verbe inversé dans *est-il..., est-elle... ?*). *Est-ce qu'il est arrivé ?* — Fam. (Après un adv., un pronom interrogatif) *Quand est-ce qu'il est venu ? Comment est-ce que tu fais ? Qui est-ce qui arrive ? Je veux savoir qui est-ce qui arrive,* qui arrive.

ester [ɛstɛʀ] n. m. ■ Corps résultant de l'action d'un acide sur un alcool avec élimination d'eau (appelé autrefois *éther-sel*). ⟨ ▶ polyester ⟩

esthète [ɛstɛt] n. et adj. ■ Personne qui affecte le culte raffiné de la beauté formelle. *Il a un œil, un goût d'esthète.* — Adj. *Il, elle est très esthète.* ▶ **esthétique** [estetik] n. f. et adj. **I.** N. f. **1.** Science du beau dans la nature et dans l'art ; conception particulière du beau. *Un traité d'esthétique.* **2.** Beauté. *L'esthétique d'une pose, d'un visage. Sacrifier l'utilité à l'esthétique.* **II.** Adj. **1.** Relatif à la beauté, à l'esthétique (I, 1). *Sentiment, jugement esthétique.* **2.** Qui participe de l'art. ⇒ **artistique. 3.** Qui a un certain caractère de beauté. *Attitudes, gestes esthétiques.* ⇒ **beau, harmonieux.** *Cet immeuble n'a rien d'esthétique.* **4.** CHIRURGIE ESTHÉTIQUE : qui embellit les formes du corps, du visage. ▶ **esthéticien, ienne** [estetisjɛ̃, jɛn] n. **1.** Didact. Personne qui s'occupe d'esthétique (I, 1). **2.** Personne dont le métier consiste à donner des soins de beauté (maquillage, etc.). *L'esthéticienne d'un institut de beauté.* ▶ **esthétiquement** adv. ■ Du point de vue esthétique ; d'une manière esthétique. *Cet immeuble est esthétiquement bien conçu.* ⟨ ▶ inesthétique ⟩

estimable [estimabl] adj. **1.** Digne d'estime. *Une personne très estimable.* ⇒ **honorable.** / contr. **méprisable / 2.** Qui a du mérite, sans être remarquable. *Un auteur, un peintre estimable. C'est un ouvrage estimable et sérieux.* ⟨ ▶ inestimable ⟩

estimation [estimasjɔ̃] n. f. **1.** Action d'estimer, de déterminer la valeur, le prix qu'on attribue (à une chose). ⇒ **appréciation, évaluation.** *L'estimation d'une œuvre d'art par un expert,* expertise. *Estimation du prix des travaux,* devis. **2.** Action d'évaluer (une grandeur). ⇒ **calcul, évaluation.** *Estimation rapide, approximative. Selon mon estimation, mes estimations, nous arriverons dans deux heures.* ▶ **estimatif, ive** [estimatif, iv] adj. ■ Qui contient une estimation. *Un devis, un état estimatif.*

estime [estim] n. f. **I. 1.** Sentiment favorable né de la bonne opinion qu'on a du mérite, de la valeur (de qqn). ⇒ **considération, respect.** / contr. **dédain, mépris /** *Avoir de l'estime pour qqn. Tenir une personne en (grande) estime. Il a monté, baissé dans mon estime. Vous remontez dans mon estime.* **2.** Sentiment qui attache du prix à qqch. *Sa ténacité inspire de l'estime. Succès d'estime* (d'une œuvre qui n'obtient pas la faveur du grand public). **II.** Loc. À L'ESTIME : en estimant rapidement, approximativement. *À l'estime, il vous en faut cinq mètres. Naviguer à l'estime,* d'après les instruments de navigation.

estimer [ɛstime] v. tr. ▪ conjug. 1. **I.** **1.** Déterminer le prix, la valeur de (qqch.) par une appréciation. ⇒ **apprécier ; estimation.** *Faire estimer un objet d'art par un expert. Estimer qqch. au-dessous* ⇒ **sous-estimer,** *au-dessus* ⇒ **surestimer** *de sa valeur. Estimer une aide, une personne à sa juste valeur.* **2.** Calculer approximativement. *Estimer une distance au juger.* ⇒ **à l'estime.** *Le nombre des morts est difficile à estimer.* — Au passif et au p. p. adj. *(Être) estimé à deux mille francs.* **II.** **1.** (+ adj. attribut) Avoir une opinion sur (une personne, une chose). ⇒ **croire, tenir pour, trouver.** *Estimer indispensable de faire qqch.* — (+ infinitif ou subordonnée) ⇒ **considérer, penser.** *J'estime avoir fait mon devoir. J'estime que vous avez suffisamment travaillé aujourd'hui.* **2.** Avoir bonne opinion de, reconnaître la valeur de (qqn ou, moins souvent, qqch.). ⇒ **apprécier, considérer ; estime.** / contr. **dédaigner, mépriser /** *Estimer un collègue, un employé. Il s'est fait estimer par son sérieux.* **III.** S'ESTIMER v. pron. (+ adj. attribut) : se considérer, se trouver. *S'estimer satisfait. Estimons-nous heureux.* ▪ **estimé, ée** adj. ▪ Qui jouit de l'estime d'autrui. *Une collaboratrice très estimée.* — (Choses) Apprécié. *Un cadeau estimé.* ‹ ▪ **estimable, estimation, estime, mésestimer, sous-estimer, surestimer** ›

estival, ale, aux [ɛstival, o] adj. ▪ Propre à l'été, d'été. *Une température estivale. Une tenue estivale.* ▪ **estivant, ante** n. ▪ Personne qui passe les vacances d'été dans une station de villégiature. *Les estivants recherchent le soleil du Midi.* ⇒ **vacancier.**

d'estoc [dɛstɔk] loc. adv. ▪ D'ESTOC ET DE TAILLE : avec la pointe et le tranchant (de l'épée). ▪ **estocade** n. f. ▪ Coup d'épée, dans la mise à mort du taureau. *Le matador donne l'estocade.*

estomac [ɛstɔma] n. m. **I.** Viscère creux, organe de l'appareil digestif. **1.** (Personnes) Poche musculeuse, située dans la partie supérieure de la cavité abdominale. ⇒ **gastéro-, gastro- ; stomacal.** *Avoir l'estomac vide, plein. Se remplir l'estomac.* ⇒ **ventre.** *Ulcère à l'estomac.* — Loc. *Avoir l'estomac dans les talons,* avoir faim. — *Ouvrir l'estomac,* donner faim. *Avoir un petit, un gros estomac,* être un petit, un gros mangeur. **2.** (Animaux) Partie renflée du tube digestif, qui reçoit les aliments. *L'estomac des ruminants* (panse, bonnet, feuillet, caillette). *L'estomac des oiseaux* (gésier). **II.** (Personnes) Partie du torse située sous les côtes, le diaphragme. *Le creux de l'estomac. Boxeur qui frappe à l'estomac.* **III.** *Avoir de l'estomac* ou *manquer d'estomac,* faire preuve de ou manquer de hardiesse, d'audace. ⇒ **aplomb, cran, culot.** Loc. adv. fam. *Faire qqch. à l'estomac,* au culot. ‹ ▪ **estomaquer** ›

estomaquer [ɛstɔmake] v. tr. ▪ conjug. 1. ▪ Fam. Étonner, surprendre (par qqch. de choquant, d'offensant). *Sa conduite a estomaqué tout le monde.* ⇒ **scandaliser.** — REM. S'emploie surtout à l'infinitif et aux temps composés. — Au p. p. Ahuri d'étonnement. *Je suis encore tout estomaqué d'avoir entendu ça.*

estompe [ɛstɔ̃p] n. f. ▪ Petit rouleau de peau ou de papier cotonneux, terminé en pointe, servant à étendre le crayon, le fusain, le pastel sur un dessin. ▪ **estomper** v. tr. ▪ conjug. 1. **1.** Dessiner, ombrer avec l'estompe. *Adoucir un trait en l'estompant.* **2.** Rendre moins net, rendre flou. ⇒ **voiler.** / contr. **dessiner, détacher /** *La brume estompait le paysage.* — Pronominalement (réfl.). *Le paysage s'estompait.* — Au p. p. adj. *Contours estompés, image estompée.* **3.** Abstrait. (Souvenir, sentiment) Enlever de son relief à. ⇒ **adoucir, atténuer, voiler.** *Le temps estompe les douleurs.* — Pronominalement (réfl.). *Les haines, les rancœurs s'estompent.* ▪ **estompage** n. m. ▪ Action d'estomper ; son résultat.

estourbir [ɛsturbir] v. tr. ▪ conjug. 2. Fam. **1.** Assommer. *On l'a estourbi pour lui voler sa sacoche.* **2.** Étonner violemment. *Ton échec m'a estourbi.*

estrade [ɛstrad] n. f. ▪ Plancher élevé de quelques marches au-dessus du sol ou du parquet. *L'estrade d'une salle de classe. Estrade dressée pour un match de boxe.* ⇒ **ring.**

estragon [ɛstragɔ̃] n. m. ▪ Plante dont la tige et les feuilles aromatiques sont employées comme condiment. — Ce condiment. *Vinaigre, moutarde à l'estragon.*

estrapade [ɛstrapad] n. f. ▪ Supplice qui consistait à faire tomber le condamné au bout d'une corde, soit dans l'eau, soit à quelques pieds du sol.

estropier [ɛstrɔpje] v. tr. ▪ conjug. 7. **1.** Priver d'un membre, mutiler par blessure ou maladie. ⇒ **écloper.** *L'accident l'a estropié.* — Pronominalement (réfl.). *Elle s'est estropiée en tombant d'une échelle.* **2.** Modifier ou tronquer (un mot, un texte, etc.). *Estropier une citation. Estropier un nom propre, un mot étranger.* ⇒ **écorcher.** ▪ **estropié, ée** adj. ▪ Qu'on a estropié ; qui s'est estropié. ⇒ **infirme.** — N. *Un estropié.* — *Un texte estropié,* déformé.

estuaire [ɛstɥɛr] n. m. ▪ Embouchure (d'un cours d'eau) dessinant un golfe évasé et profond. *La Gironde, estuaire de la Garonne.*

estudiantin, ine [ɛstydjɑ̃tɛ̃, in] adj. ▪ Relatif à l'étudiant, aux étudiants. *Vie estudiantine.*

esturgeon [ɛstyrʒɔ̃] n. m. ▪ Grand poisson qui vit en mer et va pondre dans les grands fleuves. *Les œufs d'esturgeon servent à la préparation du caviar.*

et [e] conj. **I.** Conjonction de coordination qui sert à lier les mots, les syntagmes, les propositions ayant même fonction ou même rôle et à exprimer une addition, une liaison. **1.** Reliant deux parties de même nature. *Paul et Virginie. Le meunier, son fils et l'âne. Toi et moi. Deux et deux font quatre.* ⇒ **plus.** *Taisez-vous et écoutez. Cela n'est pas et ne sera pas.* ⇒ **ni.** *J'ai accepté ; et vous ?* — *Il y a parfum et parfum, mensonge et mensonge,* tous les parfums, tous les mensonges ne sont pas pareils. — Précédant le dernier terme d'une énumération. *Vous ajouterez du thym, du laurier et du romarin.* — Littér. Devant chaque terme de l'énumération, pour insister sur l'importance des éléments. *Il est tellement calme, et souriant, et aimable...* **2.** Reliant deux parties de nature différente et de même fonction. *Un paletot court et sans manches. Voici un livre nouveau et qui n'est pas encore en librairie.* **3.** Dans les nombres composés (joignant UN aux dizaines [sauf dans *quatre-vingt-un*] et dans *soixante et onze*]. *Vingt et un, trente et un.* — Devant la fraction. *Deux heures et demie. Deux heures et quart* (ou *un quart*). **II.** Au début d'une phrase, avec valeur emphatique. *Et voici que tout à coup il se met à courir.* ⇒ **alors.** — Fam. *Et d'un(e), et de deux,* etc., pour mettre en évidence un processus. *Et d'un tu parles trop, et de deux on m'a tout raconté.*

-et, -ette ▪ Suffixe diminutif (noms et adj.).

étable [etabl] n. f. ▪ Bâtiment où on loge les bestiaux, les bovidés. *Une grande étable. Engraisser des veaux à l'étable.* ≠ **écurie.**

établi [etabli] n. m. ▪ Table massive sur laquelle les ouvriers qui travaillent le bois ou le métal disposent ou fixent leur ouvrage. *Établi de menuisier. Des établis.*

établir [etablir] v. tr. ▪ conjug. 2. **I.** Mettre, faire tenir (une chose) dans un lieu et d'une manière stable. ⇒ **construire, installer.** *Établir une estrade dans une salle, sur une place. Établir une usine, une imprimerie* *dans une ville.* ⇒ **implanter. II.** Fig. **1.** Mettre en vigueur, en application. ⇒ **fonder, instituer.** / contr. **abolir, supprimer** / *Établir un gouvernement. Établir un impôt. Il tentait d'établir le silence.* — Fonder de manière stable. *Établir sa fortune, sa réputation sur des bases solides.* ⇒ **asseoir, bâtir, édifier.** — Au p. p. adj. *Une réputation établie,* assise, solide. **2.** Placer (qqn) dans une situation, pourvoir d'un emploi. *Établir qqn dans une charge. Il a bien établi tous ses enfants.* ⇒ **caser. 3.** Fonder sur des arguments solides, sur des preuves. *Établir sa démonstration, ses droits sur des faits.* ⇒ **appuyer, baser.** — Faire apparaître comme vrai. *Établir la réalité d'un fait.* ⇒ **démontrer, prouver.** — (Avec *que* + indicatif) *Nous établirons que c'est vrai.* — Au p. p. adj. *Vérité établie,* démontrée, sûre. **4.** Faire commencer (des relations). *Établir des liens d'amitié avec qqn.* ⇒ **nouer. III.** S'ÉTABLIR v. pron. **1.** Fixer sa demeure (en un lieu). *Il est allé s'établir à Toulouse, en Belgique, au Québec, chez son frère.* ⇒ **habiter, s'installer.** — Prendre la profession de. *S'établir comme menuisier. Une dentiste vient de s'établir dans la ville,* d'y ouvrir un cabinet. **2.** S'ÉTABLIR (+ attribut) : s'instituer, se constituer, se poser en. *S'établir juge des actes d'autrui.* **3.** Pronominalement. Prendre naissance, s'instaurer. *Cette coutume aura peine à s'établir.* **4.** Impers. *Il s'est établi entre eux de bonnes relations.* ▶ ① *établissement* n. m. **1.** Action de fonder, d'établir. *L'établissement d'une usine, d'un tribunal.* ⇒ **création, fondation, institution. 2.** Le fait d'établir (II, 3). *L'établissement d'un fait.* ⇒ **démonstration, preuve. 3.** Le fait de s'établir (III, 1). ‹ ▶ établi, ② établissement, préétabli, rétablir ›

② *établissement* n. m. ■ Ensemble des installations établies pour l'exploitation, le fonctionnement d'une entreprise ; cette entreprise. *Établissement agricole, commercial, industriel* (⇒ **atelier, boutique, bureau, exploitation, ferme, industrie, magasin, maison, usine**). *Les établissements X.* ⇒ **entreprise, société.** — ÉTABLISSEMENT PUBLIC : chargé de gérer un service public. — *Établissement scolaire,* hospitalier. *Établissement thermal.*

étage [etaʒ] n. m. **I. 1.** Espace compris entre deux planchers successifs d'un édifice. *Les étages d'une maison. Immeuble à, de quatre étages. Loger, habiter au troisième étage. Grimper, escalader les étages,* l'escalier. **2.** Chacun des plans (d'une chose ou d'un ensemble formé de parties superposées). *Le terrain descend par étages.* **3.** Niveau d'énergie ou de renforcement (correspondant ou non à un dispositif matériel en *étages*). **4.** Élément propulseur détachable (d'une fusée). *Fusées à trois étages.* **II.** DE BAS ÉTAGE : de condition médiocre. *Individu de bas étage.* ▶ *étagement* n. m. ■ Disposition étagée. *L'étagement des vignes en terrasses.* ▶ *étager* v. tr. ■ conjug. 3. ■ Disposer par étages (par rangs superposés). ⇒ **échelonner, superposer.** *Étager des cultures.* — Pronominalement. Être disposé par étages. *Les vergers s'étageaient sur la colline.* — Au p. p. adj. *Maisons étagées sur une pente.* ▶ *étagère* n. f. **1.** Planche, tablette. *Des étagères couvertes de livres.* **2.** Meuble formé de montants qui supportent des tablettes horizontales.

étai [etɛ] n. m. ■ Pièce de charpente destinée à soutenir provisoirement (⇒ **étayer**). *Poser des étais.* ‹ ▶ étayer ›

étain [etɛ̃] n. m. **1.** Métal blanc grisâtre, très malléable. *Emplois de l'étain.* ⇒ **étamage, tain.** *Papier d'étain,* feuille très fine, servant à l'emballage (dit aussi *papier d'argent*). *Vaisselle, pot en étain.* **2.** Objet d'étain. *Des étains du XVIᵉ s.*

étal, als ou *aux* [etal] n. m. **1.** Table où l'on expose (étale) les marchandises dans les marchés

publics. ⇒ **éventaire.** *Les étals du marché.* **2.** Table de bois épais sur laquelle les bouchers débitent la viande.

étalage [etalaʒ] n. m. **1.** Exposition de marchandises qu'on veut vendre. *Réglementation de l'étalage.* — Lieu où l'on expose des marchandises ; ensemble des marchandises exposées. ⇒ **devanture, vitrine.** *Les étalages d'un grand magasin. S'attarder devant les étalages.* ⇒ **lécher** les vitrines. *La décoration d'un étalage.* **2.** Action d'exposer, de déployer aux regards avec ostentation. *Un étalage d'érudition.* ⇒ **démonstration.** *Étalage de luxe.* ⇒ **déploiement.** — FAIRE ÉTALAGE DE : exhiber. *Faire étalage de ses qualités.* ▶ *étalagiste* n. ■ Personne dont le métier est de composer, de disposer les étalages (1) aux devantures des magasins.

étale [etal] adj. ■ Sans mouvement, immobile. *Un navire étale.* — *Mer étale,* qui a cessé de monter et qui ne descend pas encore.

étaler [etale] v. tr. ■ conjug. 1. **I.** Concret. **1.** Exposer (des marchandises à vendre). *Le marchand ambulant étale sa marchandise.* / contr. **remballer** / **2.** Disposer de façon à faire occuper une grande surface, notamment pour montrer. / contr. **ramasser** / *Il étalait tous ses papiers sur la table.* ⇒ **éparpiller.** *Étaler un journal,* l'ouvrir largement. ⇒ **déplier, déployer.** / contr. **replier** / **3.** Étendre sur une grande surface en une couche fine. *Étaler de la peinture. Étaler du beurre sur le pain.* ⇒ **tartiner.** *Étaler du foin pour le faire sécher.* **4.** Fam. (Personnes) Faire tomber. *Il l'a étalé d'un coup de poing.* — Fig. *Il s'est fait étaler à l'examen,* il a échoué. **II.** Fig. **1.** Faire voir, montrer avec excès, prétention. ⇒ **déployer, exposer.** *Étaler ses talents, sa science, sa force.* ⇒ **exhiber.** *Étaler un luxe insolent.* **2.** Montrer, rendre évident (ce qui était caché). *Étaler un scandale.* ⇒ **révéler. III.** Répartir dans le temps. *On doit étaler les travaux sur plusieurs années. Étaler ses paiements.* ⇒ **échelonner.** — Au p. p. adj. *Des traites étalées.* **IV.** S'ÉTALER v. pron. **1.** Être étendu sur une surface. *Le brouillard s'étale dans la vallée. Cette peinture s'étale bien.* **2.** (Dans le temps) *Les vacances devraient s'étaler sur trois mois.* **3.** V. pron. réfl. Fam. (Personnes) Prendre de la place. *Il s'étale dans un fauteuil.* ⇒ **s'avachir.** — Fam. Tomber. *Il a trébuché et s'est étalé de tout son long.* — *S'étaler à un examen,* échouer. ▶ *étalement* n. m. **1.** (Dans l'espace) Action d'étaler. *L'étalement de papiers sur une table.* **2.** (Dans le temps) Action d'étaler, de répartir. *Étalement des paiements.* ⇒ **échelonnement.** *L'étalement des vacances* (sur différents mois de l'année). ‹ ▶ étal, étalage, étale ›

① *étalon* [etalɔ̃] n. m. ■ Cheval entier destiné à la reproduction (opposé à *hongre*). *Des étalons pur sang.*

② *étalon* n. m. **1.** Modèle légal de mesure ; représentation matérielle d'une unité de mesure. *Étalons de longueur.* — En appos. *Mètre étalon.* — Unité légale de mesure. *Étalons électriques.* **2.** Métal sur lequel est fondée la valeur d'une unité monétaire. *Système d'étalon-or.* ▶ *étalonner* v. tr. ■ conjug. 1. **1.** Vérifier (une mesure) par comparaison avec un étalon. — Au p. p. adj. *Mesure étalonnée par un vérificateur.* **2.** Graduer (un instrument) conformément à l'étalon. *Étalonner un appareil de mesure.* **3.** Appliquer un test quantitatif à (un groupe de référence). ▶ *étalonnage* ou *étalonnement* n. m. ■ Action d'étalonner (une mesure, un appareil).

étambot [etɑ̃bo] n. m. ■ Partie du navire qui continue la quille à l'arrière et où se trouve le gouvernail.

386

étamer [etame] v. tr. ▪ conjug. 1. **1.** Recouvrir (un métal) d'une couche d'étain. *Faire étamer une casserole.* — Au p. p. adj. *Tôle étamée, fer-blanc.* **2.** Recouvrir (la face interne d'une glace) d'un amalgame d'étain et de mercure (⇒ **tain**). ▶ **étamage** n. m. ▪ Action d'étamer. *Étamage des glaces.* ▶ **étameur, euse** n. ▪ Personne dont le métier est d'étamer. — En appos. *Ouvrier étameur.* ⟨ ▶ ① rétamer ⟩

① **étamine** [etamin] n. f. **1.** Étoffe mince, légère. *Étamine de laine.* **2.** Tissu lâche (soie, fil...) qui sert à cribler ou à filtrer. *Passer un liquide à l'étamine.*

② **étamine** n. f. ▪ Organe mâle producteur du pollen, chez les plantes à fleurs, formé d'une partie allongée supportant une partie renflée. *Plante à plusieurs étamines.*

étanche [etɑ̃ʃ] adj. ▪ Qui ne laisse pas passer les fluides, ne fuit pas. *Un tonneau étanche. Toiture étanche.* ⇒ **imperméable.** *Embarcation étanche. Montre étanche* (pour la plongée). — Fig. CLOISON ÉTANCHE : séparation absolue. *Les cloisons étanches entre des sciences, des classes sociales.* ▶ **étanchéité** [etɑ̃ʃeite] n. f. ▪ Caractère de ce qui est étanche. *L'étanchéité d'un réservoir, d'une montre.*

étancher [etɑ̃ʃe] v. tr. ▪ conjug. 1. **1.** Arrêter (un liquide) dans son écoulement. ⇒ **éponger.** *On étancha le sang qui coulait de la plaie.* **2.** *Étancher sa soif,* l'apaiser en buvant. ⇒ se **désaltérer.** ⟨ ▶ étanche ⟩

étançon [etɑ̃sɔ̃] n. m. ▪ Grosse pièce de bois dressée pour soutenir qqch. ⇒ **béquille, contrefort, étai.** *Placer des étançons contre un mur.* ▶ **étançonner** v. tr. ▪ conjug. 1. ▪ Étayer à l'aide d'étançons.

étang [etɑ̃] n. m. ▪ Étendue d'eau moins vaste et moins profonde qu'un lac. *Étangs naturels et étangs artificiels. Des étangs poissonneux.*

étape [etap] n. f. **1.** Lieu où l'on s'arrête au cours d'un déplacement, d'un voyage. ⇒ **halte.** *Arriver à l'étape. Les étapes du Tour de France cycliste,* où les coureurs se reposent entre deux courses. — Loc. *Faire étape quelque part,* s'y arrêter pour la nuit. *Brûler l'étape,* ne pas s'arrêter à l'étape prévue (troupes, voyageurs). — Fig. *Brûler les étapes,* aller plus vite que prévu. **2.** Distance à parcourir pour arriver à l'étape (1). *Voyager par petites étapes. Parcourir une longue étape.* ⇒ **route.** — Dans une course. *Classement par étapes. Étape contre la montre.* **3.** Fig. Période dans une progression, une évolution. ⇒ **état, moment, phase.** *Les réformes se feront par étapes.* ⇒ **degré.** *Les principales étapes de la civilisation. Une première étape vers un but.*

① **état** [eta] n. m. **I.** Manière d'être (d'une personne ou d'une chose), considérée dans ce qu'elle a de durable (opposé à *devenir*). *État permanent, stable ; momentané. Les états successifs d'une évolution.* ⇒ **degré, étape.** *Demeurer dans le même état.* **1.** Manière d'être physique, intellectuelle, morale (d'une personne). *État de santé. Son état s'aggrave, empire. Son état n'a pas changé.* — ÉTAT GÉNÉRAL : état de santé considéré indépendamment de toute affection particulière. *L'état général du malade est stationnaire.* — DANS, EN... ÉTAT. *Le malade est en meilleur état. Ses agresseurs l'ont mis dans un triste état. Il est dans un état d'énervement extrême.* — Loc. *Être dans tous ses états,* très agité, affolé. — ÉTAT D'ESPRIT : disposition particulière de l'esprit. *Il a un curieux état d'esprit.* ⇒ **mentalité.** — ÉTAT D'ÂME : disposition des sentiments. ⇒ **humeur.** *Nous ne pouvons pas tenir compte de vos états d'âme.* ÉTAT DE CONSCIENCE : fait psychique conscient (sensation, sentiment, volition). — EN, HORS D'ÉTAT DE (+ infinitif) : capable ou non de. *Je ne suis pas en état*

de le recevoir. ⇒ **décidé, disposé, prêt.** *Il est hors d'état de vous répondre.* ⇒ **incapable.** *Mettre un adversaire hors d'état de nuire.* **2.** (Surtout dans des expressions) Manière d'être (d'une chose). *L'état de ses finances ne lui permet pas de prendre des vacances.* — EN (bon, mauvais) ÉTAT ; DANS (tel ou tel) ÉTAT. *Livres d'occasion en bon état. Véhicule en état de marche.* EN ÉTAT : dans son état normal ou dans l'état antérieur. *Remettre une vieille voiture en état.* ⇒ **réparer.** *Tout doit rester en l'état,* dans l'état antérieur. ÉTAT DE CHOSES : circonstance, situation. *Cet état de choses ne peut pas durer.* — À L'ÉTAT (+ adjectif) : sous la forme. *À l'état brut, élaboré. Le jardin restait à l'état sauvage.* — Loc. EN TOUT ÉTAT DE CAUSE : dans tous les cas, n'importe comment. ⇒ **toujours. 3.** En sciences. Manière d'être (des corps matériels) résultant de la plus ou moins grande cohésion de leurs molécules. *État solide, liquide, gazeux. Un corps à l'état pur.* **II.** Loc. verb. FAIRE ÉTAT DE : tenir compte de ; mettre en avant. ⇒ **mention.** *Faire état d'un document.* ⇒ **citer.** *Faire état de l'opinion d'un philosophe. Ne faites pas état de ce qu'il a dit,* n'en parlez pas. **III.** Situation (d'une personne) dans la société. **1.** Littér. Fonction sociale. *L'état religieux. Il est satisfait de son état.* — DE SON ÉTAT : de son métier. *Il est boucher de son état.* **2.** Ensemble de qualités inhérentes à la personne, auxquelles la loi civile attache des effets juridiques. *État de sujet français, britannique. État d'époux, de parent.* — ÉTAT CIVIL : mode de constatation des principaux faits relatifs à l'état des personnes (naissance, mariage, décès...) ; service public chargé de dresser les actes constatant ces faits. *Une fiche d'état civil.* **3.** Autrefois. Groupe social (clergé, noblesse...). — TIERS ÉTAT [tjɛrzeta] : sous l'Ancien Régime, troisième état comprenant ceux qui n'étaient ni de la noblesse ni du clergé : bourgeois, artisans et paysans. — Au plur. ÉTATS GÉNÉRAUX : assemblée des députés des trois « états » convoquée par le roi pour donner des avis. *Les états généraux de 1789.*

② **État** n. m. (Avec une majuscule) **1.** Autorité souveraine s'exerçant sur un peuple et un territoire déterminés. *L'État et la nation. Les affaires de l'État* (administration, politique). *Enseignement, école d'État* (opposé à *privé*). *État démocratique, totalitaire. Socialisme d'État.* — CHEF D'ÉTAT : personne qui exerce l'autorité souveraine dans un pays. *Femme chef d'État. Le chef de l'État* (même sens). — HOMME D'ÉTAT : celui qui a une charge, un rôle dans l'État, le gouvernement (homme politique) ; celui qui a des aptitudes particulières pour diriger le gouvernement. *C'est un bon administrateur, mais non pas un véritable homme d'État. Femme d'État.* — COUP D'ÉTAT : conquête ou tentative de conquête du pouvoir par des moyens illégaux. *Le coup d'État du 18 Brumaire* (1799), par lequel Bonaparte s'empara du pouvoir. — RAISON D'ÉTAT : considération d'intérêt public que l'on invoque pour justifier une action illégale, injuste, en matière politique. — *Former un État dans l'État,* se dit d'un groupement, d'un parti qui acquiert une certaine autonomie au sein d'un État. *Dans certains pays, l'armée forme un État dans l'État.* **2.** (Opposé aux *pouvoirs* et *services locaux*) Ensemble des services généraux d'une nation. — Gouvernement central. *L'État et les collectivités locales* (département, commune). *État centralisé, décentralisé. Impôt d'État* (opposé à *impôts locaux*). *Industrie, monopole d'État.* — UN ÉTAT, DES ÉTATS : groupement humain fixé sur un territoire déterminé, soumis à une même autorité. ⇒ **empire, nation, pays, puissance, royaume.** *Grands, petits États. État fédéral, fédératif. Les États-Unis (d'Amérique)* : le pays fédéral d'Amérique du Nord placé entre le Canada et le Mexique et formé de 50 États fédérés. *Habitant des États-Unis.* ⇒ **amé-**

ricain. ▶ *étatiser* v. tr. ▪ conjug. 1. ▪ Transformer en administration d'État ; faire gérer par l'État. *Étatiser une entreprise, une usine.* ⇒ **nationaliser.** ▶ *étatisation* n. f. ▪ Gestion par l'État d'un secteur d'activité (industrie, agriculture, commerce). ⇒ **nationalisation.** *L'étatisation des manufactures de tabac en France.* / contr. privatisation / ▶ *étatisme* n. m. ▪ Doctrine politique préconisant l'extension du rôle de l'État. ⇒ **dirigisme.** / contr. libéralisme / ▶ *étatiste* adj. et n. ▪ Relatif à l'étatisme. — *Un, une étatiste,* partisan de l'étatisme.

③ *état* n. m. ▪ Écrit qui constate, décrit un état de choses à un moment donné (compte rendu). ⇒ **inventaire, mémoire.** *État comparatif, descriptif. État de frais,* bilan, facture. — *États de service d'un militaire, d'un fonctionnaire,* liste des fonctions qu'il a exercées ; ces fonctions, sa carrière. — *État des lieux,* description précise (d'un immeuble, d'un appartement). *Établir un état des lieux à l'entrée d'un locataire.* ⟨ ▶ **état-major** ⟩

état-major [etamaʒɔʀ] n. m. **1.** Officiers et personnel attachés à un officier supérieur ou général pour élaborer et transmettre les ordres. ⇒ **commandement.** *L'état-major de division, d'armée.* — *État-major d'un navire,* l'ensemble des officiers. *Des états-majors.* — *Carte d'état-major,* carte au 1/80 000. **2.** Ensemble des collaborateurs immédiats (d'un chef), des dirigeants (d'un groupe). *L'état-major d'un ministre, d'un parti, d'un syndicat.* ⇒ **direction, tête.**

étau [eto] n. m. ▪ Presse formée de deux tiges terminées par des mâchoires qu'on rapproche à volonté, de manière à tenir solidement les objets que l'on veut travailler. *Étau d'établi. Des étaux.* — Loc. *Être pris, serré (comme) dans un étau,* dans une situation dangereuse, pénible. *L'étau se resserre de plus en plus autour des assiégés.* ⇒ **étreinte.**

étayer [eteje] v. tr. ▪ conjug. 8. **1.** Soutenir à l'aide d'étais*. ⇒ **caler, renforcer.** *Étayer un mur, une voûte.* **2.** Abstrait. Appuyer, soutenir. *Cela étaiera sa réputation.* — Au p. p. adj. *Une démonstration bien étayée.* / contr. détruire, saper / ▶ *étayage* [etejaʒ] n. m. ou *étaiement* [etemɑ̃] n. m. ▪ Action d'étayer ; opération par laquelle on étaie. *Des travaux d'étayage.*

et cætera ou *et cetera* [ɛtsetera], région. [ɛtʃetera] loc. ▪ Et le reste (rarement écrit en toutes lettres ; abrév. : *etc.*).

① *été* Part. passé invar. du v. *être.*

② *été* [ete] n. m. ▪ Saison qui succède au printemps et précède l'automne, et qui, dans l'hémisphère Nord, commence au *solstice d'été* (21 ou 22 juin) et s'achève à l'équinoxe d'automne (22 ou 23 septembre). *En été. Des étés torrides. Vacances d'été* (⇒ **estivant**)*. Tenue d'été,* légère. ⇒ **estival.** *Se mettre en été,* en vêtements d'été. — *L'été indien* ou *des Sauvages* (Canada), période de beaux jours en automne.

éteignoir [etɛɲwaʀ] n. m. **1.** Ustensile creux en forme de cône qu'on pose sur une chandelle, une bougie, un cierge, pour l'éteindre. **2.** Ce qui arrête l'élan de l'esprit, de la gaieté. — (Personnes) *Il est toujours triste, c'est un éteignoir.* — **rabat-joie.**

éteindre [etɛ̃dʀ] v. tr. ▪ conjug. 52. **I. 1.** Faire cesser de brûler. *Éteindre le feu. Les pompiers éteignirent rapidement l'incendie. La chaudière est éteinte.* — Faire cesser d'éclairer. *Éteindre la lumière, l'électricité.* **2.** Littér. Diminuer l'ardeur, l'intensité de ; faire cesser d'exister. ⇒ **apaiser, calmer, diminuer.** *Éteindre la douleur, la soif. Le chagrin éteignait l'éclat de son regard. Le soleil éteint les couleurs.* ⇒ **faner. 3.** *Éteindre un droit, une dette.* ⇒ **acquitter, annuler. II.** S'ÉTEINDRE v. pron. **1.** Cesser de brûler. *Faute de combustible, le feu s'éteint.* ⇒ **mourir.** — Cesser d'éclairer. *Les lumières se sont éteintes.*

2. Littér. (Son) Perdre son éclat, sa vivacité, disparaître. *Le bruit diminua et s'éteignit.* — Abstrait. *Son souvenir ne s'éteindra jamais.* ⇒ **disparaître, finir. 3.** (Personnes) Mourir. *Elle s'éteignit dans les bras de sa fille.* — *Race, famille qui s'éteint,* qui ne laisse pas de descendance. ▶ *éteint, einte* [etɛ̃, ɛ̃t] adj. **1.** Qui ne brûle plus, n'éclaire plus. *Un volcan éteint* (opposé à *en activité*)*. Circuler tous feux éteints.* **2.** (Choses) Qui a perdu son éclat, sa vivacité. *Une couleur éteinte,* pâle. *Un regard éteint,* morne. *Il parle d'une voix éteinte.* **3.** Abstrait. Qui est affaibli ou supprimé. *Des sentiments, des souvenirs éteints.* **4.** (Personnes) Qui est sans force, sans expression (par fatigue, maladie). ⇒ **apathique, atone.** *Il est complètement éteint.* ⟨ ▶ **éteignoir** ⟩

étendard [etɑ̃daʀ] n. m. **1.** Autrefois. Drapeau. **2.** Signe de ralliement ; symbole (d'un parti, d'une cause). *Se ranger, combattre sous les étendards de... Lever l'étendard de la révolte.*

étendre [etɑ̃dʀ] v. tr. ▪ conjug. 41. **I. 1.** Déployer (un membre, une partie du corps) dans sa longueur (en l'écartant du corps, etc.). *Étendre les bras, les jambes.* ⇒ **allonger, étirer.** / contr. plier, replier / — *L'oiseau étendait ses ailes.* ⇒ **déployer. 2.** Placer à plat ou dans sa grande dimension (ce qui était plié). *Étendre du linge,* pour qu'il sèche. *Étendre un tapis sur le parquet.* **3.** Coucher (qqn) de tout son long. *Étendre un blessé sur un lit.* Fam. Faire tomber. *Le boxeur a étendu son adversaire au tapis.* — Fam. *Se faire étendre au bachot.* ⇒ **refuser** ; fam. **coller, étaler. 4.** Rendre (qqch.) plus long, plus large ; faire couvrir une surface plus grande à. *Étendre du beurre sur du pain,* étaler. **5.** Diluer. *Étendre une sauce,* y ajouter de l'eau pour qu'elle soit moins concentrée. **6.** Abstrait. Rendre plus grand. ⇒ **accroître, agrandir, augmenter.** / contr. diminuer, limiter / *Étendre son influence, ses relations. Étendre son vocabulaire, ses connaissances.* **II.** S'ÉTENDRE v. pron. **1.** Augmenter en surface ou en longueur. *Ce tissu s'étend au lavage.* / contr. rétrécir / *L'ombre des arbres s'étend le soir.* ⇒ **s'allonger, grandir. 2.** (Personnes) ⇒ **s'allonger, se coucher.** *Il aime s'étendre après le repas.* — Au passif. *Être étendu(e).* **3.** Couvrir, occuper un certain espace. *La forêt s'étend depuis le village jusqu'à la rivière. S'étendre à perte de vue.* **4.** (Choses) Prendre de l'extension, de l'ampleur. ⇒ **augmenter, croître.** *Ses connaissances se sont étendues. Le mal s'est étendu.* **5.** (Personnes) *S'étendre sur un sujet,* le développer longuement. *Il s'étend trop là-dessus.* ⇒ **s'attarder.** ▶ *étendoir* n. m. ▪ Dispositif, endroit pour étendre le linge. ▶ *étendu, ue* adj. **1.** Qu'on a étendu ou qui s'est étendu. *Du linge étendu. Des ailes étendues,* déployées. *Un homme étendu sur un lit.* **2.** Qui a une grande étendue. ⇒ **spacieux, vaste.** *Vue étendue. Vocabulaire étendu. Connaissances étendues.* / contr. borné, restreint / ▶ *étendue* n. f. **1.** L'espace perceptible, visible ; l'espace occupé par qqch. *L'étendue d'un champ.* ⇒ **surface.** *Dans l'étendue de la circonscription. Une grande étendue désertique.* **2.** *L'étendue d'une voix, d'un instrument,* écart entre le son le plus grave et le son le plus aigu. ⇒ **registre. 3.** Espace de temps. ⇒ **durée.** *L'étendue de la vie.* — Abstrait. Importance, développement. *Mesurer toute l'étendue d'une catastrophe. Accroître l'étendue de ses connaissances.* ⇒ **champ, domaine.** ⟨ ▶ **étendard** ⟩

éternel, elle [etɛʀnɛl] adj. et n. m. **I. 1.** Qui est hors du temps, qui n'a pas eu de commencement et n'aura pas de fin. ⇒ contr. **temporel.** *Dieu est conçu comme éternel.* — N. M. L'ÉTERNEL : Dieu. *Invoquer, louer l'Éternel.* **2.** Qui est de tous les temps ou qui doit durer toujours. *La vie est un éternel recommencement. La vie éternelle ; le salut éternel,* après la mort (religion). *Le repos éternel,* la mort. — Loc. *L'éternel* *féminin ;* (moins courant) *l'éternel masculin,* caractères psychologiques supposés immuables, attribués à l'un et à l'autre sexe. **3.** Qui dure très longtemps, dont on ne peut imaginer la fin. ⇒ **durable, impérissable.** / contr. **court, éphémère** / *Serments, regrets éternels. Rome, la Ville éternelle. Les neiges, les glaces éternelles,* qui ne fondent pas, ne sont pas saisonnières. **II.** (Avant le nom) **1.** Qui ne semble pas devoir finir ; qui ennuie, fatigue par la répétition. ⇒ **continuel, interminable, perpétuel.** *Je suis lassé de ses éternelles récriminations.* — (Personnes ; actes) Qui est toujours dans le même état. *C'est un éternel mécontent.* **2.** (Précédé le plus souvent de l'adj. possessif) Qui se trouve continuellement associé à qqch., à qqn. ⇒ **inséparable.** *Le voilà avec son éternel parapluie.* ▶ **éternellement** adv. **1.** De tout temps, toujours ou sans fin. ⇒ **indéfiniment. 2.** Sans cesse, continuellement. *Allez-vous rester là éternellement ?* ⇒ **toujours.** ▶ **éterniser** v. tr. • conjug. 1. **I. 1.** Littér. Rendre éternel, faire durer sans fin. ⇒ **immortaliser, perpétuer.** *Cette découverte éternisera la mémoire de ce grand savant.* **2.** Prolonger indéfiniment. ⇒ **faire durer.** *Je ne veux pas éterniser la discussion.* **II.** S'ÉTERNISER v. pron. **1.** (Choses) Se perpétuer, se prolonger. *La guerre s'éternise, on n'en voit pas la fin.* **2.** (Personnes) Fam. Demeurer indéfiniment, s'attarder trop longtemps. *Je ne vais pas m'éterniser ici.* ▶ **éternité** n. f. **I.** Sans compl. **1.** Durée qui n'a ni commencement ni fin, qui échappe à toute détermination chronologique (surtout dans un contexte religieux). *La notion de Dieu implique l'éternité.* **2.** Durée ayant un commencement, mais pas de fin ; relig., la vie future. *Songez à vous préparer pour l'éternité.* **3.** Temps qui semble extrêmement long. *Cela a duré une éternité. Il y a des éternités qu'on ne t'a vu.* **4.** DE TOUTE ÉTERNITÉ : depuis toujours. **II.** (*L'éternité de...*) Caractère de ce qui est éternel. *L'éternité de l'esprit, de la matière.*

éternuer [etɛʀnɥe] v. tr. • conjug. 1. ■ Faire un éternuement. *Il tousse et il éternue. Poudre à éternuer,* qui provoque l'éternuement. ▶ **éternuement** [etɛʀnymɑ̃] n. m. ■ Expiration brusque et bruyante par le nez et la bouche, à la suite d'un mouvement subit et convulsif des muscles expirateurs provoqué par l'irritation des muqueuses nasales. *Bruit de l'éternuement* (traditionnellement noté *atchoum*). *Les éternuements du rhume.*

étêter [etete] v. tr. • conjug. 1. ■ Couper la tête de (un arbre, un petit animal, un objet). *Étêter de jeunes arbres avant de les transplanter. Étêter des sardines* (pour les mettre en conserve).

éthane [etan] n. m. ■ Gaz combustible, hydrocarbure saturé.

① **éther** [etɛʀ] n. m. **1.** Littér. L'air le plus pur. *Les espaces célestes.* ⇒ **air, ciel. 2.** (Ancienne science) Milieu subtil qui imprègne tous les corps et vibre sous l'action d'une source lumineuse. ▶ **éthéré, ée** adj. Littér. **1.** Qui est de la nature de l'éther. *La voûte éthérée,* le ciel. **2.** ⇒ **aérien, irréel, léger.** *Créature éthérée. Sentiments éthérés,* qui s'élèvent au-dessus des choses terrestres. ⇒ **pur, sublime.** / contr. **matériel, terre à terre** /

② **éther** ■ n. m. **1.** En chimie. Se disait de tout composé volatil résultant de la combinaison d'acides avec des alcools. *Éthers-sels.* ⇒ **ester. 2.** Liquide incolore d'une odeur forte, très volatil et pouvant anesthésier. *L'éther est employé comme antiseptique.* ▶ **éthéromane** adj. et n. ■ Personne (toxicomane) qui s'intoxique en respirant de l'éther (2).

éthique [etik] adj. et n. f. **1.** N. f. Science de la morale ; ensemble des conceptions morales de qqn. ⇒ **morale. 2.** Adj. Qui concerne la morale. *Des jugements éthiques.* ⇒ **moral,** adj. *Une justification éthique de la justice.* ≠ *étique.*

ethn(o)- ■ Élément qui signifie « peuple », entrant dans la formation de termes didactiques. ▶ **ethnie** [ɛtni] n. f. ■ Ensemble de personnes que rapproche un certain nombre de caractères de civilisation (communauté de langue et de culture, alors que la *race* dépend de caractères génétiques). ▶ **ethnique** adj. ■ Relatif à l'ethnie, à une ethnie. ≠ *racial. Caractères ethniques. Groupes ethniques.* ▶ **ethnographie** n. f. ■ Étude descriptive des groupes humains (ethnies), de leurs caractères anthropologiques, sociaux, etc. ▶ **ethnographe** n. ■ Personne qui s'occupe d'ethnographie. *Cette ethnographe étudie les pygmées du Cameroun.* ▶ **ethnographique** adj. ■ Relatif à l'ethnographie. *Études ethnographiques.* ▶ **ethnologie** n. f. ■ Étude théorique des groupes humains décrits par l'ethnographie. ⇒ **anthropologie.** ▶ **ethnologique** adj. ■ Relatif à l'ethnologie. *Recherches ethnologiques.* ▶ **ethnologue** n. ■ Personne qui s'occupe d'ethnologie. *Une ethnologue spécialiste des Indiens de l'Amazonie.*

éthologie [etɔlɔʒi] n. f. ■ Didact. Science des comportements des espèces animales dans leur milieu naturel.

éthylène [etilɛn] n. m. ■ Gaz incolore peu soluble dans l'eau. *Matières plastiques fabriquées avec des dérivés de l'éthylène.* ▶ **éthylénique** adj. ■ *Carbures éthyléniques,* hydrocarbures à chaîne ouverte contenant une liaison double, et dont l'éthylène est le plus simple.

éthylique [etilik] adj. **1.** Dû à l'ingestion exagérée d'alcool (*éthylisme,* n. m.). *Intoxication éthylique.* **2.** N. Alcoolique, ivrogne. *Un, une éthylique.*

étiage [etjaʒ] n. m. ■ Baisse périodique des eaux (d'un cours d'eau) ; le plus bas niveau des eaux. *Les crues et les étiages d'un fleuve.*

étinceler [etɛ̃sle] v. intr. • conjug. 4. **1.** Briller au contact d'un rayon lumineux. *La mer étincelle au clair de lune. Métal qui étincelle.* **2.** Littér. Produire un éclat vif. *Regards qui étincellent d'ardeur, de haine.* **3.** Littér. (Choses abstraites) Avoir de l'éclat. *Sa conversation étincelle d'esprit.* ▶ **étincelant, ante** adj. **1.** Littér. Qui étincelle. *Un ciel étincelant d'étoiles. Des yeux étincelants de colère. Une prairie aux fleurs étincelantes,* d'une couleur très vive. **2.** Abstrait. *Un discours étincelant.* ⇒ **brillant.** *Une virtuosité étincelante.* ▶ **étincellement** n. m. ■ Le fait d'étinceler ; éclat, lueur de ce qui étincelle. ⇒ **scintillation.**

étincelle [etɛ̃sɛl] n. f. **1.** Parcelle incandescente qui se détache d'un corps qui brûle ou qui jaillit au contact, sous le choc de deux corps. *Jeter des étincelles. Étincelles qui crépitent. Étincelle électrique.* **2.** Point brillant ; reflet. *Prunelles semées d'étincelles dorées.* **3.** Abstrait. *Une étincelle de raison, de courage,* un petit peu. ⇒ **lueur.** — Fam. *Il a fait des étincelles,* il a été brillant. — Loc. *C'est l'étincelle qui a mis le feu aux poudres,* le petit incident qui a déclenché la catastrophe (→ c'est la goutte d'eau qui a fait déborder* le vase). ⟨ ▶ **étinceler** ⟩

étioler [etjɔle] v. tr. • conjug. 1. **1.** Rendre (une plante) grêle et décolorée, par manque d'air, de lumière. ⇒ **rabougrir.** *L'obscurité étiole les plantes.* — Pronominalement (réfl.). *Cet arbuste s'étiole.* — Au p. p. adj. *Une fleur étiolée.* — *Étioler du pissenlit, des chicorées,* les faire pousser à l'abri de l'air pour qu'ils restent blancs. **2.** Rendre (qqn) chétif, pâle. ⇒ **affaiblir, anémier.** *Le manque de grand air, d'exercice étiole les enfants.* **3.** Abstrait. Affaiblir, atrophier. / contr. **épanouir, fortifier** / *L'esprit, la mémoire s'étiolent dans l'oisiveté.* ▶ **étiolement** n. m. ■ Le fait de s'étioler ; état de ce qui est étiolé. ⇒ **affaiblissement**. *L'étiolement de l'esprit, des facultés intellectuelles.*

étique [etik] adj. ■ Littér. D'une extrême maigreur. ⇒ **décharné, desséché, maigre, squelettique**. *Il est devenu étique. Un vieux cheval étique.* ≠ **éthique**.

① *étiquette* [etikɛt] n. f. **1.** Petit morceau de papier, de carton, fixé à un objet (pour en indiquer la nature, le contenu, le prix, la destination, le possesseur). ▸ **marque**. *Attacher, mettre une étiquette sur un sac, sur un colis, à un objet. Étiquette de qualité.* ⇒ **label**. — Loc. *La valse des étiquettes*, la hausse des prix. **2.** Fig. Ce qui marque qqn et le classe (dans un parti, une école, etc.) *On ne peut pas les décrire sous la même étiquette*, la même désignation. *Il s'est présenté aux élections sans étiquette.* ▸ *étiqueter* [etikte] v. tr. ▪ conjug. 4. **1.** Marquer d'une étiquette. *Étiqueter des marchandises.* — Au p. p. adj. *Des bocaux étiquetés.* **2.** Ranger sous l'étiquette d'un parti, d'une école. ⇒ **classer, dénommer, noter**. *On l'étiquette comme anarchiste.* ▸ *étiquetage* n. m. ▪ Action d'étiqueter. *Étiquetage de cartons.*

② *étiquette* n. f. ▪ Ordre de préséances ; cérémonial en usage auprès d'un chef d'État, d'un grand personnage. ⇒ **protocole**. *Respecter l'étiquette.*

étirer [etire] v. tr. ▪ conjug. 1. **1.** Allonger ou étendre par traction. *Étirer les métaux, le verre, du caoutchouc.* — Pronominalement. *Ce tissu s'est étiré, est devenu plus long à l'usage.* **2.** S'ÉTIRER v. pron. : étendre ses membres pour en rétablir la souplesse. ⇒ se **détendre**. *S'étirer en bâillant.* ▸ *étirage* n. m. ▪ Opération par laquelle on étire (1). *Étirage du verre à chaud.* ▸ *étirement* n. m. ▪ Le fait de s'étirer (1, 2).

étoffe [etɔf] n. f. **I.** Tissu dont on fait des habits, des garnitures d'ameublement. *Étoffes de laine, de coton, de soie. Étoffe imprimée. Pièce, rouleau d'étoffe. Une étoffe imperméable, lavable.* **II.** Abstrait. **1.** Ce qui constitue la nature, les qualités, les aptitudes (de qqn ou qqch.). *C'est un homme d'une certaine étoffe.* — AVOIR L'ÉTOFFE *de* : les qualités, les capacités de. *Il n'a pas l'étoffe d'un homme d'État.* ⇒ **envergure**. — Absolt. *Avoir de l'étoffe*, une forte personnalité. ⇒ **valeur**. *Manquer d'étoffe*, d'envergure. **2.** Matière, sujet. *Ce roman manque un peu d'étoffe.* ▸ *étoffer* v. tr. ▪ conjug. 1. **1.** Abstrait. Rendre plus abondant, plus riche. ⇒ **enrichir**. *Étoffer un ouvrage*, lui fournir une matière plus abondante. ⇒ **nourrir**. *Il faudrait étoffer le début de l'histoire.* — Littér. *Étoffer un personnage*, lui donner une personnalité plus riche. — Au p. p. adj. *Un récit très étoffé.* **2.** S'ÉTOFFER v. pron. : (Personnes) s'élargir, prendre la carrure. *Il s'est étoffé depuis qu'il fait du sport.*

① *étoile* [etwal] n. f. **I. 1.** Cour. Tout astre visible, excepté le Soleil et la Lune ; point brillant dans le ciel, la nuit. *Les étoiles du ciel. L'étoile du berger*, la planète Vénus. *L'étoile Polaire*, située approximativement dans la direction du pôle Nord. — Fam. *À la belle étoile*, en plein air, la nuit. **2.** En astronomie. Astre producteur et émetteur d'énergie. *Le Soleil est une étoile. Étoiles géantes, naines. Étoiles radioélectriques* (ou *radio-étoiles*, n. f.), émettrices d'ondes radioélectriques. *Quasi-étoiles.* ⇒ **quasar**. **3.** ÉTOILE FILANTE : météorite dont le passage dans l'atmosphère terrestre se signale par un trait de lumière. ⇒ **aérolithe, bolide**. **II.** (Dans des expressions) Astre, considéré comme exerçant une influence sur la destinée de qqn. *Être né sous une bonne, une mauvaise étoile. Être confiant dans, en son étoile.* ⇒ **chance, destin**. **III. 1.** Objet, ornement disposé en rayons (forme sous laquelle on représente traditionnellement les étoiles). *Étoile à cinq branches. Général à trois étoiles.*

— (Servant à classer les catégories d'hôtels, etc.) *Un hôtel trois étoiles, un restaurant quatre étoiles.* Ellipt. *Un deux étoiles.* — *Étoile de David*, symbole du judaïsme. *L'étoile jaune*, insigne que les nazis obligeaient les juifs à porter. — Fêlure rayonnante. *Un caillou a fait une étoile sur le pare-brise.* — Dans un texte imprimé. Signe remplaçant les lettres manquantes d'un mot. *Monsieur*** (trois étoiles).* ⇒ **astérisque**. **2.** EN ÉTOILE : dans une disposition rayonnante, présentant des lignes divergentes. *Branches, routes en étoile.* — *Moteur en étoile*, dont les cylindres sont disposés en rayons sur un même plan. **3.** ÉTOILE DE MER : nom courant de l'*astérie*, échinoderme. ▸ *étoilé, ée* adj. **1.** Semé d'étoiles (I, 1). *Ciel étoilé. Nuit étoilée.* **2.** Qui porte des étoiles (III) dessinées. *La bannière étoilée*, le drapeau des États-Unis d'Amérique. **3.** En forme d'étoile. *Cristaux étoilés.* **4.** Fêlé en étoile. *Vitre étoilée.* ▸ *étoiler* v. tr. ▪ conjug. 1. **1.** Parsemer d'étoiles. — Pronominalement (réfl.). *Le ciel s'étoile.* **2.** Former une étoile (III). **3.** Fêler en forme d'étoile. *Étoiler une glace.* ▸ *étoilement* n. m. **1.** Action d'étoiler, de s'étoiler. *L'étoilement du ciel.* **2.** Disposition en étoile. *Un étoilement de rues.*

② *étoile* n. f. ▪ Personne qui a une très grande réputation (dans le monde du spectacle). *Une étoile de cinéma.* ⇒ **star**. — En appos. *Danseur, danseuse étoile.* — Loc. *L'étoile montante*, la personne qui devient la plus célèbre.

étole [etɔl] n. f. **1.** Bande d'étoffe que l'évêque, le prêtre et le diacre portent au cou dans l'exercice de fonctions liturgiques. **2.** Fourrure rappelant la forme de l'étole. *Une étole de vison.*

étonnant, ante [etɔnɑ̃, ɑ̃t] adj. **1.** Qui surprend, déconcerte par qqch. d'extraordinaire. ⇒ **ahurissant, effarant, renversant, surprenant ; incroyable.** / contr. **habituel, normal, ordinaire** / *Événement étonnant, nouvelle étonnante. Je viens d'apprendre une chose étonnante. Je trouve étonnant, il est étonnant qu'il ne m'ait pas prévenu. Cela n'a rien d'étonnant.* **2.** Qui frappe par un caractère remarquable, réussi. ⇒ **épatant, fantastique, remarquable ;** fam. **formidable, terrible.** *Un film, un livre étonnant.* — (Personnes) Digne d'admiration. *C'est une femme étonnante.* ▸ *étonnamment* adv. ▪ D'une manière étonnante. *Je me sens étonnamment bien.*

étonner [etɔne] v. tr. ▪ conjug. 1. **I.** Causer de la surprise à (qqn). ⇒ **abasourdir, ébahir, éberluer, surprendre**. (Dans la langue classique, le mot était plus fort et signifiait « frapper comme par le tonnerre, foudroyer ».) *Étonner par la beauté, l'importance.* ⇒ **éblouir, émerveiller, épater, impressionner**. *Cela m'a beaucoup, bien étonné. Ça m'étonnerait, je considère cela comme peu probable, peu vraisemblable.* — ÊTRE ÉTONNÉ DE, PAR (+ nom). *Il a été étonné de la réponse, par la réponse.* — ÊTRE ÉTONNÉ DE (+ infinitif), SI (+ indicatif), QUE (+ subjonctif). *Elle a été étonnée de le voir. Vous seriez étonnés s'il venait, qu'il vînt.* — Au p. p. adj. *Un air, un regard étonné.* **II.** S'ÉTONNER v. pron. : trouver étrange, être surpris. *S'étonner à l'annonce d'une nouvelle. S'étonner de tout.* — S'ÉTONNER DE CE QUE (+ indicatif ou subjonctif). *Je m'étonne de ce qu'il est venu, de ce qu'il soit venu.* — S'ÉTONNER DE (+ infinitif). *Il s'étonna de le rencontrer à pareille heure.* — S'ÉTONNER QUE (+ subjonctif). *Je m'étonne qu'il soit, qu'il ne soit pas venu.* ▸ *étonnement* n. m. ▪ Surprise causée par qqch. d'extraordinaire, d'inattendu. (Le mot était plus fort dans la langue classique.) ⇒ **ahurissement, ébahissement, stupéfaction**. *Causer de l'étonnement. Grand, profond étonnement. À mon étonnement, j'ai vu que... Sans manifester le moindre étonnement.* ⟨ ▸ *étonnant* ⟩

à l'étouffée [aletufe] loc. adv. ■ *Cuire à l'étouffée,* en vase clos, à la vapeur. *Viande cuite à l'étouffée.*

étouffer [etufe] v. ▪ conjug. 1. **I.** V. tr. **1.** Asphyxier ou suffoquer (qqn) en pesant sur la poitrine, en appliquant qqch. sur le nez, la bouche, qui empêche de respirer. *Étouffer qqn avec un oreiller.* **2.** (Suj. chose) Gêner (qqn) en rendant la respiration difficile. *Cette chaleur m'étouffe.* — Fam. *Les scrupules, la bonne foi ne l'étouffent pas,* il n'a aucun scrupule, aucune bonne foi. *Ce n'est pas la politesse qui l'étouffe.* **3.** Gêner la croissance de (une plante). *Le lierre va étouffer cet arbre.* **4.** Priver de l'oxygène nécessaire à la combustion. ⇒ **éteindre.** *Étouffer un foyer d'incendie.* **5.** Empêcher (un son) de se faire entendre, de se propager. ⇒ **amortir, assourdir.** *Des tentures étouffaient les bruits.* — Au p. p. adj. *Bruits étouffés,* assourdis. — Faire taire. *Étouffer l'opposition, l'opinion publique.* ⇒ **bâillonner, garrotter. 6.** Réprimer (un soupir, un sanglot...). *Étouffer un cri.* — Abstrait. Supprimer ou affaiblir (un sentiment, une opinion) ; empêcher de se développer en soi. ⇒ **contenir, refouler, réprimer.** / contr. **exprimer** / *Étouffer ses sentiments, ses émotions.* **7.** Empêcher d'éclater, de se développer. ⇒ **arrêter, enrayer.** *Étouffer une affaire, un scandale. L'armée étouffa la révolte dans l'œuf.* **II.** S'ÉTOUFFER v. pron. **1.** Perdre la respiration. *S'étouffer en mangeant, en avalant de travers. Il s'étouffait de rire.* **2.** (Récipr.) *S'étouffer mutuellement.* — Se serrer les uns les autres dans la foule. ⇒ s'**écraser,** se **presser.** *On s'étouffait à cette réception.* **III.** V. intr. **1.** Respirer avec peine, difficulté ; ne plus pouvoir respirer. ⇒ **suffoquer.** — Sans compl. Avoir très chaud. *On étouffe, ici.* — *Étouffer de rire.* ⇒ s'**étrangler. 2.** Être mal à l'aise, ressentir une impression d'oppression, d'ennui, etc. ▶ **étouffant, ante** adj. ■ Qui fait qu'on étouffe, qu'on respire mal. ⇒ **asphyxiant, suffocant.** *Atmosphère étouffante. La chaleur est étouffante.* ▶ **étouffement** n. m. **1.** Difficulté à respirer. *Sensation d'étouffement.* ⇒ **suffocation.** *Crise d'étouffements causée par l'asthme.* **2.** Action d'étouffer un être vivant. ⇒ **asphyxie.** *Étouffement par noyade, pendaison.* **3.** Action d'étouffer (6, 7), d'empêcher d'éclater, de se développer. *L'étouffement d'une révolte.* ⇒ **répression.** *L'étouffement d'un scandale.* ▶ **étouffoir** n. m. ■ Lieu où l'on étouffe. — Abstrait. *Sa famille est un véritable étouffoir.* ⟨ ▶ à l'étouffée ⟩

étoupe [etup] n. f. ■ La partie la plus grossière de la filasse. *Paquet, tampon d'étoupe. Avoir les cheveux comme de l'étoupe,* ternes et en mauvais état.

étourderie [eturdəri] n. f. **1.** *(Une, des étourderies)* Acte d'étourdi. *Faire une étourderie.* **2.** Caractère de la personne qui est étourdie. ⇒ **distraction, inattention, irréflexion.** *L'étourderie des enfants. Il a agi par étourderie, avec étourderie.* / contr. **attention, réflexion** /

étourdi, ie [eturdi] adj. et n. **1.** Adj. Qui agit sans réflexion, ne porte pas attention à ce qu'il fait. ⇒ **distrait, irréfléchi, léger.** / contr. **attentif** / *C'est un enfant étourdi.* — Qui oublie, égare facilement ; qui manque de mémoire et d'organisation. *Vous êtes trop étourdi pour faire ce travail de secrétariat.* / contr. **organisé** / **2.** N. *Un étourdi, une étourdie. Vous vous conduisez comme un étourdi.* ⇒ **distrait, écervelé, étourneau** (2). **3.** À L'ÉTOURDIE loc. adv. : ⇒ **étourdiment.** *Agir à l'étourdie.* ▶ **étourdiment** adv. ■ À la manière d'un étourdi. ⇒ **inconsidérément.** *Agir, parler étourdiment.* ⟨ ▶ étourderie ⟩

étourdir [eturdir] v. tr. ▪ conjug. 2. **1.** Faire perdre à demi connaissance à (qqn), affecter subitement la vue, l'ouïe de (qqn). ⇒ **assommer.** *Le coup de poing l'a étourdi.* ⇒ fam. **sonner.** — Au p. p. adj. *Il reste* encore tout étourdi. **2.** Causer une sorte d'ivresse, de vertige à (qqn). *Le vin l'étourdit.* ⇒ **griser. 3.** Fatiguer, lasser par le bruit, les paroles. ⇒ **assourdir.** *Le bruit des voitures l'étourdissait.* — (Suj. personne) *Tu m'étourdis de tes bavardages.* **4.** S'ÉTOURDIR v. pron. : perdre une claire conscience. *Boire pour s'étourdir. S'étourdir de paroles.* ⇒ s'**enivrer,** se **griser.** *Chercher à s'étourdir pour oublier son chagrin.* ▶ **étourdissant, ante** adj. **I.** Qui étourdit par son bruit. ⇒ **assourdissant, fatigant.** *Vacarme étourdissant.* **II.** Qui fait sensation, cause une stupéfaction admirative. ⇒ **étonnant, sensationnel.** *Un succès étourdissant. Une virtuosité étourdissante.* — (Personnes) *Elle était étourdissante de beauté.* ▶ **étourdissement** n. m. **1.** Trouble caractérisé par une sensation de tournoiement, d'engourdissement. ⇒ **faiblesse, vertige.** *Avoir un étourdissement, des étourdissements.* — État d'une personne étourdie. ⇒ **griserie, ivresse.** *L'étourdissement causé par un succès.* **2.** Action de s'étourdir. ⟨ ▶ étourdi ⟩

étourneau [eturno] n. m. **1.** Petit oiseau à plumage sombre, à reflets métalliques, moucheté de taches blanches. ⇒ **sansonnet.** *Des étourneaux.* **2.** Personne légère, inconsidérée. ⇒ **étourdi.** *Quel étourneau !* ⇒ tête de **linotte.**

étrange [etrɑ̃ʒ] adj. ■ Très différent de ce qu'on a l'habitude de voir, d'apprendre ; qui étonne, surprend. ⇒ **bizarre, curieux, drôle, extraordinaire, singulier.** / contr. **banal, courant, ordinaire** / *Une étrange aventure. Un air, un sourire étrange.* ⇒ **indéfinissable.** *C'est un étrange garçon.* ⇒ **incompréhensible, original.** *Une conduite étrange.* — N. m. *L'étrange,* caractère étrange. ⇒ **étrangeté.** *L'étrange est qu'ils se fréquentent encore.* ▶ **étrangement** adv. ■ D'une manière étrange, étonnante. ⇒ **bizarrement, curieusement.** *Il était étrangement habillé. Il nous a étrangement traités.* ▶ **étrangeté** [etrɑ̃ʒte] n. f. **1.** Caractère étrange. ⇒ **singularité.** *Impression d'étrangeté, de jamais vu.* **2.** Littér. Action, chose étrange. *Il y a des étrangetés dans ce livre.*

étranger, ère [etrɑ̃ʒe, ɛr] adj. et n. **I.** Adj. **1.** Qui est d'une autre nation ; qui est autre, en parlant d'une nation. / contr. **autochtone** / *Les nations, les puissances étrangères. Les travailleurs étrangers en France.* ⇒ **immigré.** *Langues étrangères.* **2.** Relatif aux rapports avec les autres nations. *Les Affaires étrangères,* la diplomatie. *Le ministre des Affaires étrangères.* **3.** Qui n'appartient pas à un groupe (familial, social). *Se sentir étranger dans une réunion, un milieu. Être étranger à qqn, à un milieu,* n'avoir rien de commun avec. **4.** (Choses) ÉTRANGER À *qqn* : qui n'est pas propre ou naturel à qqn. *Ces préoccupations, ces considérations me sont étrangères.* — Qui n'est pas connu ou familier (de qqn). *Ce visage ne m'est pas étranger.* ⇒ **inconnu. 5.** (Personnes) ÉTRANGER À *qqch.* : qui n'a pas de part à qqch., se tient à l'écart de qqch. *Il est étranger au complot, à cette affaire, il n'y a pas participé. Être étranger à tout sentiment de pitié,* être incapable d'éprouver ce sentiment. *Il reste étranger à toute idée nouvelle,* incapable de la comprendre. ⇒ **imperméable. 6.** (Choses) Qui ne fait pas partie de ; qui n'a aucun rapport avec. ⇒ **distinct, extérieur.** *Fait étranger à la cause. Des digressions étrangères à un sujet.* **7.** CORPS ÉTRANGER : chose qui se trouve contre nature dans l'organisme. *Extraire un corps étranger d'une plaie.* **II.** N. **1.** Personne dont la nationalité n'est pas celle d'un pays donné (par rapport aux nationaux de ce même pays). / contr. **citoyen** / *Épouser une étrangère.* — N. m. (Collect.) *L'étranger,* les étrangers et, plus souvent, l'ennemi. *Pays envahi par l'étranger.* **2.** Personne qui ne fait pas partie d'un groupe ; personne avec laquelle on n'a rien de commun. *Ils se vouvoient devant les étrangers.*

/ contr. **intime** / **3.** N. m. Pays étranger (surtout dans à, pour l'étranger ; de l'étranger). *Voyager à l'étranger. Il part pour l'étranger. Nouvelles de l'étranger.*

étrangler [etrɑ̃gle] v. tr. ▪ conjug. 1. **1.** Priver de respiration (jusqu'à ce que mort s'ensuive, ou non) par une forte compression du cou. ⇒ **asphyxier, étouffer.** *Étrangler qqn de ses mains, avec un nœud coulant.* — Pronominalement. *Il s'étrangle en avalant de travers.* ⇒ **s'étouffer. 2.** Gêner la respiration, serrer la gorge de (qqn). *La soif, l'émotion l'étranglait.* — Pronominalement (réfl.). *Cet enfant s'étrangle à force de crier.* — Au p. p. adj. *Voix étranglée,* gênée. **3.** Abstrait. Gêner ou supprimer par une contrainte insupportable. *Étrangler la liberté.* ⇒ **assassiner.** *Tous ses soucis l'étranglaient.* — Littér. Empêcher de s'exprimer. *La dictature étrangle la presse.* ⇒ **bâillonner, étouffer.** ▶ **étranglement** n. m. **1.** Vx. Étouffement, suffocation. *Mourir d'étranglement.* — Le fait d'étrangler (2). **2.** (Organe) Le fait de se resserrer ; rétrécissement. *Étranglement entre le thorax et l'abdomen des insectes.* / contr. **dilatation, distension ; élargissement.** / ⇒ *Goulet d'étranglement.* **3.** Abstrait. Littér. Action d'entraver dans son expression, de freiner dans son développement. *L'étranglement des libertés, de la presse.* ⇒ **étouffement.** / contr. **libération** / ▶ **étrangleur, euse** n. ▪ Personne qui étrangle. *Avoir des mains d'étrangleur,* de fortes mains brutales.

étrave [etrav] n. f. ▪ Pièce saillante qui forme la proue d'un navire.

① **être** [etr] v. intr. ▪ conjug. 61. Aux temps composés, se conjugue avec AVOIR. **I. 1.** Avoir une réalité. ⇒ **exister.** — (Personnes) *Je pense, donc je suis.* Littér. Vivre. *Il n'était pas encore au monde. Il n'est plus, il est mort.* — (Choses) *Ne changeons pas ce qui est. Ce temps n'est plus. Cela peut être. Soient deux lignes parallèles, si l'on pose...* **2.** Impers. (surtout littér.) IL EST, EST-IL, IL N'EST PAS... : il y a, y a-t-il, etc. ⇒ **avoir.** *Il est des gens que la vérité effraie. Il n'est rien d'aussi beau.* — Toujours est-il que, en tout cas. *Toujours est-il que nous n'étions pas d'accord.* — S'IL EN EST. *Un coquin s'il en est, s'il en fut,* un parfait coquin. **3.** (Moment dans le temps) *Quelle heure est-il ? Il est midi. Il est temps de partir.* **II.** Verbe reliant l'attribut au sujet. *La terre est ronde. Je suis jeune. Soyez poli. Le vol est un délit.* ⇒ **constituer.** *Il est comme il est,* il faut l'admettre tel qu'il est ; il ne change pas. (→ Il faut prendre les gens comme ils sont.) *Si j'étais vous,* si j'étais à votre place. — ÊTRE qqch. *Il est rien pour moi.* ⇒ **représenter. III.** Suivi d'une préposition ou d'un adverbe, d'une locution adverbiale. **1.** (État) *Être bien, être mal* (relativement au confort, à la santé). ⇒ **aller.** *Comment êtes-vous ce matin ?* **2.** Se trouver (quelque part). *J'y suis, j'y reste. Je suis à l'hôtel de la Gare.* ⇒ **demeurer, loger.** *La voiture est au garage. Je ne suis là pour personne.* **3.** Abstrait. Avoir l'esprit attentif, présent. *Il n'est pas à ce qu'il fait. Être ailleurs,* avoir l'esprit absent. — Y ÊTRE : comprendre. *Ah ! J'y suis ! Vous n'y êtes pas du tout, mon pauvre ami.* **3.** (Au passé, avec un compl. de lieu, un infinitif) Aller. *J'ai été à Rome, l'an dernier,* j'y suis allé. *Nous avons été l'accompagner.* **5.** (Temps) *Nous sommes au mois de mars, en mars, le 2 mars. Quel jour sommes-nous ? J'y suis.* **4.** (Avec certaines prépositions) — ÊTRE À. *Ceci est à moi,* m'appartient. *Je suis à vous dans un instant,* à votre disposition. *Être à son travail, être à travailler,* occupé à, en train de. *Le temps est à la pluie. C'est à prendre ou à laisser.* — ÊTRE DE... (Provenance) *Être de Normandie,* né en Normandie. *Cette comédie est de Molière.* — (Participation) Faire partie de, participer. *Être de la fête. Vous êtes des nôtres.* — COMME SI DE RIEN N'ÉTAIT : sans avoir

l'air de participer, avec indifférence. *Il prit mon stylo comme si de rien n'était.* — EN ÊTRE : a) Faire partie de. *Nous organisons une réception, en serez-vous ?* b) *En être à la moitié du chemin,* avoir parcouru la moitié du chemin. *Où en êtes-vous dans vos recherches ?* c) *En être pour sa peine, son argent,* avoir perdu sa peine, son argent. — ÊTRE EN : manière d'être. *Être en survêtement, en chaussons.* — ÊTRE POUR : a) *Être pour ou contre qqn, qqch. Pour qui êtes-vous dans cette discussion ?* b) *Être pour qqch. dans...,* être en partie responsable de. *Vous avez été pour beaucoup dans sa décision.* — ÊTRE SANS : a) N'avoir pas. *Être sans abri. Être sans le sou.* b) (Devant un infinitif, à la forme négative) *N'être pas sans savoir qqch.,* ne pas l'ignorer. *Vous n'êtes pas sans avoir entendu dire que,* vous avez probablement entendu dire que. **IV.** C'EST, CE SERA, C'ÉTAIT, etc. **1.** Présentant une personne, une chose ; rappelant ce dont il a été question. *C'est une personne aimable. C'est mon frère. Ce sont* (fam. *c'est*) *mes collègues. C'est trois heures qui sonnent* (toujours sing. pour l'heure). *Ce sera très facile. Qu'est-ce ? Ce n'est rien.* **2.** Annonçant ce qui suit (cette tournure permet de mettre en relief un élément de la phrase). *C'est moi qui l'ai dit. C'est à vous d'agir.* — SI CE N'ÉTAIT..., N'ÉTAIT. *Si ce n'était, n'était l'amitié que j'ai pour vous, je vous dénoncerais,* s'il n'y avait... — Littér. N'EÛT ÉTÉ. *N'eût été ma migraine, nous serions sortis.* — FÛT-CE, NE FÛT-CE QUE. *Acceptez mon aide, ne fût-ce que pour me faire plaisir,* — NE SERAIT-CE QUE. *Je lui répondrai, ne serait-ce que pour le faire enrager.* — C'EST-À-DIRE. ⇒ **c'est-à-dire.** EST-CE QUE. ⇒ **est-ce que.** N'EST-CE PAS. ⇒ **n'est-ce pas. V.** Verbe auxiliaire servant à former : **1.** La forme passive des verbes transitifs. *Être aimé. Je suis accompagné. Vous avez été critiqués.* **2.** Les temps composés de certains verbes intransitifs. *Elle était tombée. Nous étions partis.* **3.** Les temps composés de tous les verbes pronominaux ou actifs à la forme pronominale. *Ils se sont aimés.* — REM. Le participe passé reste invariable : a) Si l'objet direct n'est pas le pronom réfléchi. *Ils se sont trouvé des prétextes pour partir* (mais : *ils se sont trouvés ensemble à la réunion* [ils ont trouvé eux-mêmes]). b) S'il est suivi d'un infinitif ayant un sujet autre que celui du verbe. *Elle s'est laissé voler* (mais : *elle s'est laissée aller*). c) Si le verbe ne peut avoir de complément d'objet direct. *Ils se sont convenu, nui, parlé, souri, succédé. Ils se sont plu dans cet endroit.* ⟨▶ **bien-être, c'est-à-dire, est-ce que,** ② **être, mieux-être, n'est-ce pas, peut-être, soit** ⟩

② **être** n. m. **I.** Fait d'être ⇒ **existence,** qualité de ce qui est. *Étude de l'être.* ⇒ **ontologie.** *L'être et le néant.* / contr. **néant** / **II. 1.** Ce qui est vivant et animé. *Les êtres vivants.* — Spécialt. *L'Être suprême,* éternel, Dieu. **2.** Personne, être humain. ⇒ **personne.** *Un être aimé. C'est un être d'exception,* une personne qui n'a pas son semblable. Péj. *Quel être !* **3.** *L'être de qqn, mon, son être.* ⇒ **âme, conscience, personne.** *Désirer qqch. de tout son être.*

étreindre [etrɛ̃dr] v. tr. ▪ conjug. 52. **1.** Entourer avec les membres, avec le corps, en serrant étroitement. ⇒ **embrasser, enlacer, serrer.** *Étreindre qqn sur son cœur, sa poitrine. Une main lui étreignait le bras.* ⇒ **empoigner.** — Pronominalement (récipr.). *Ils s'étreignirent longtemps.* **2.** (Sentiments) ⇒ **oppresser, serrer.** *Angoisse, détresse qui étreint le cœur.* ▶ **étreinte** n. f. **1.** Action d'étreindre ; pression exercée par ce qui étreint. *L'étreinte d'une main. L'armée resserre son étreinte autour de l'ennemi.* **2.** Action d'embrasser, de presser dans ses bras. ⇒ **embrassement, enlacement.** *Une étreinte amoureuse. S'arracher aux étreintes de qqn.*

étrenne [etrɛn] n. f. ▪ Premier usage qu'on fait d'une chose. *Je viens d'acheter ce disque, tu en auras*

étrennes

l'étrenne. ⇒ **primeur.** ▶ *étrenner* v. ▪ conjug. 1. **1.** V. tr. Être le premier à employer. — Utiliser pour la première fois. *Monique était fière d'étrenner sa robe de bal.* **2.** V. intr. Être le premier à souffrir d'un inconvénient (coup, disgrâce, reproche). *On a frappé les responsables, c'est malheureusement lui qui a étrenné.* ⟨ ▶ **étrennes** ⟩

étrennes [etʀɛn] n. f. plur. **1.** Présent, cadeau à l'occasion du premier jour de l'année. *Il a eu de belles étrennes.* **2.** Gratification de fin d'année. *Les facteurs, les éboueurs, sont venus chercher leurs étrennes.*

étrier [etʀije] n. m. **1.** Anneau métallique triangulaire qui pend de chaque côté de la selle et soutient le pied du cavalier. *Se dresser sur ses étriers. Tenir l'étrier à qqn,* pour l'aider à monter. — Loc. *Avoir le pied à l'étrier,* être bien placé pour réussir. *Boire le coup de l'étrier,* le dernier coup avant de partir. **2.** Osselet de l'oreille en forme d'étrier.

étrille [etʀij] n. f. **1.** Instrument en fer garni de petites lames dentelées, utilisé pour nettoyer la peau de certains animaux (cheval, mulet, etc.). **2.** Petit crabe comestible à pattes postérieures aplaties en palettes. ▶ *étriller* [etʀije] v. tr. ▪ conjug. 1. **1.** Frotter, nettoyer (un animal) avec une étrille. **2.** Critiquer violemment ; faire payer trop cher. *Nous nous sommes fait étriller dans ce restaurant.* ▶ *étrillage* n. m. ▪ Action d'étriller. *L'étrillage d'un cheval.*

étriper [etʀipe] v. tr. ▪ conjug. 1. **1.** Ôter les tripes à. ⇒ **vider.** *Étriper un veau.* **2.** Fam. S'ÉTRIPER v. pron. récipr. : se battre en se blessant, se tuer. *Ils se sont étripés sans merci.* ▶ *étripage* n. m. **1.** Action d'étriper. *L'étripage des poissons dans une conserverie.* **2.** Fam. Tuerie.

étriqué, ée [etʀike] adj. **1.** (Vêtements) Qui est trop étroit, n'a pas l'ampleur suffisante. *Une veste étriquée.* / contr. **ample, flottant, large** / — (Personnes) *Il était tout étriqué dans le vieux manteau de son frère.* **2.** Minuscule. *Un appartement étriqué.* ⇒ **exigu.** — Abstrait. Sans ampleur, trop limité. *Un esprit étriqué.* ⇒ **étroit, mesquin.** *Une vie étriquée.* ⇒ **médiocre.**

étrivière [etʀivjɛʀ] n. f. ▪ Courroie par laquelle l'étrier est suspendu à la selle. — Loc. Vx. *Donner des coups d'étrivière, les étrivières à qqn,* battre, corriger.

étroit, oite [etʀwa, wat] adj. **1.** Qui a peu de largeur. / contr. **large** / *Un ruban étroit. Route étroite et dangereuse. Fenêtres étroites et hautes. Épaules étroites. Vêtements, souliers trop étroits.* ⇒ **étriqué, serré. 2.** (Espace) De peu d'étendue, petit. ⇒ **exigu.** / contr. **grand, vaste** / *Orifice trop étroit. D'étroites limites.* — (Sens) De peu d'extension. *Mot pris dans son sens étroit* (opposé au *sens large*). ⇒ **restreint. 3.** Abstrait. Insuffisant par l'étendue, l'ampleur. *Esprit étroit,* sans largeur de vues, sans compréhension ni tolérance. ⇒ **borné, mesquin.** / contr. **compréhensif, large** / *Des vues étroites. Une vie étroite,* sans aisance. **4.** Qui tient serré. *Faire un nœud étroit.* — Abstrait. Qui unit de près. *En étroite union. Rester en rapports étroits avec qqn.* **5.** À L'ÉTROIT loc. adv. : dans un espace trop petit. *Ils sont logés bien à l'étroit.* ▶ *étroitement* adv. **1.** Par un lien étroit ; en serrant très près. *Tenir qqn étroitement embrassé. Ces problèmes sont étroitement unis.* **2.** De près. *Surveiller qqn étroitement.* **3.** Rigoureusement, strictement. *Observer étroitement la règle.* ▶ *étroitesse* n. f. **1.** Caractère de ce qui est étroit (1, 2). *L'étroitesse d'une rue.* **2.** Caractère de ce qui est étroit (3), borné. *L'étroitesse de ses idées.* / contr. **largeur** /

étron [etʀɔ̃] n. m. ▪ Excrément moulé (de l'homme et de certains animaux). ⇒ **crotte.**

étude [etyd] n. f. **I.** Application méthodique de l'esprit cherchant à apprendre et à comprendre. *Aimer l'étude* (⇒ **studieux**). **1.** Effort pour acquérir des connaissances. *Se consacrer à l'étude du droit.* — LES ÉTUDES : série ordonnée de travaux et d'exercices nécessaires à l'instruction. *Faire ses études. Poursuivre, achever ses études. Études obligatoires.* ⇒ **scolarité.** *Études primaires, secondaires, supérieures* (⇒ **enseignement**). **2.** Effort intellectuel orienté vers l'observation et la compréhension des choses, des faits. ⇒ **science.** *L'étude de la nature. L'étude des textes.* **3.** Examen systématique. *L'étude d'une question, d'un dossier. Mettre un projet de loi à l'étude. Voyage, mission d'études.* **II.** (Ouvrage) ⇒ **essai, travail. 1.** Ouvrage littéraire étudiant un sujet. *Publier une étude sur un peintre.* **2.** Représentation graphique (dessin, peinture) constituant un essai ou un exercice. ⇒ **esquisse.** *Faire une étude de main.* **3.** Composition musicale écrite pour servir (en principe) à exercer l'habileté de l'exécutant. *Études pour le piano. Les études de Chopin.* **III.** (Lieu) **1.** Salle où les élèves travaillent en dehors des heures de cours. — Temps passé à ce travail. *Faire ses devoirs, apprendre ses leçons à l'étude. L'étude du soir.* **2.** Local où travaille un notaire, un huissier, un commissaire-priseur. *Panonceau signalant une étude.* — Charge du notaire. *Le notaire a cédé son étude à son premier clerc.* ⟨ ▶ étudier ⟩

étudiant, ante [etydjɑ̃, ɑ̃t] n. et adj. **1.** N. Personne qui fait des études supérieures et suit les cours d'une université, d'une grande école. ≠ *écolier, élève. Étudiant en lettres. Sa fille est encore étudiante. Étudiant salarié,* qui travaille tout en poursuivant ses études. **2.** Adj. Propre aux étudiants. *La vie étudiante.* ⇒ **estudiantin.** *Le monde étudiant et le monde ouvrier.*

étudier [etydje] v. tr. ▪ conjug. 7. **I. 1.** Chercher à acquérir la connaissance de. *Étudier l'histoire, l'anglais. Étudier le piano,* apprendre à en jouer. — Apprendre par cœur. *Élève qui étudie sa leçon.* **2.** Chercher à comprendre par un examen. ⇒ **analyser, observer.** *Étudier une réaction chimique. Étudier un texte.* — *Étudier qqn,* observer attentivement son comportement. **3.** Examiner afin de décider, d'agir. *Étudier un projet, un plan, les propositions de qqn. Étudier un dossier, une affaire. Étudier les points faibles d'un adversaire.* ⇒ **chercher. II.** S'ÉTUDIER v. pron. **1.** Se prendre pour objet de son étude. *S'étudier afin de se connaître.* **2.** Se composer une attitude lorsqu'on se sent observé, jugé. ⇒ **s'observer, se surveiller.** ▶ *étudié, ée* adj. **1.** Mûrement médité et préparé (opposé à *improvisé*). *Un discours étudié.* — *Des prix très étudiés,* calculés au plus juste, relativement peu élevés. **2.** Volontairement produit (opposé à *naturel*). *Des gestes étudiés.* — (Personnes) Qui compose son attitude, son expression. ⟨ ▶ étudiant ⟩

étui [etɥi] n. m. ▪ Enveloppe, le plus souvent rigide, adaptée à l'objet qu'elle doit contenir. ⇒ **gaine, porte-.** *L'étui d'une arme blanche.* ⇒ **fourreau, gaine.** *Étui à ciseaux, à violon, à lunettes. Des étuis.*

étuve [etyv] n. f. **1.** Endroit clos dont on élève la température pour provoquer la sudation. ⇒ bain de **vapeur.** *Une chaleur d'étuve,* chaleur humide, pénible à supporter. — Lieu où il fait très chaud. *Ouvrez la fenêtre, c'est une étuve ici !* **2.** Appareil clos destiné à obtenir une température déterminée. *Étuve à désinfection, à stérilisation.* ⇒ **autoclave.** *Étuve pour sécher les fruits.* ▶ *étuvée* [etyve] loc. adv. ▪ *Aliments* À L'ÉTUVÉE : cuits en vase clos, dans leur vapeur. ⇒ à l'**étouffée.** ▶ *étuver* v. tr. ▪ conjug 1. **1.** Faire passer à l'étuve (2). ⇒ **stériliser. 2.** Cuire à l'étuvée.

étymologie [etimɔlɔʒi] n f. **1.** Science de l'origine des mots, reconstitution de leur évolution en remontant de l'état actuel à l'état le plus anciennement accessible. **2.** Origine ou filiation (d'un mot). *Rechercher, donner l'étymologie d'un mot.* ▶ *étymologique* adj. **1.** Relatif à l'étymologie. *Dictionnaire étymologique.* **2.** Conforme à l'étymologie. *Sens étymologique d'un mot,* le sens le plus proche de celui du mot d'où il dérive (⇒ **étymon**). ▶ *étymologiquement* adv. ■ Conformément à l'étymologie. ▶ *étymologiste* n. ■ Linguiste qui s'occupe d'étymologie. ▶ *étymon* [etimɔ̃] n. m. ■ Mot qui donne l'étymologie (2) d'un autre mot. *Le latin « pater » est l'étymon de « père ».*

eu, eue part. passé du v. AVOIR.

eucalyptus [økaliptys] n. m. invar. ■ Grand arbre exotique à feuilles pointues très odorantes. — Ces feuilles. *Inhalation d'eucalyptus.*

eucharistie [økaristi] n. f. ■ Sacrement essentiel du christianisme qui commémore et perpétue le sacrifice du Christ. ⇒ **communion.** *Le mystère, le sacrement de l'eucharistie.* ▶ *eucharistique* adj. ■ Relatif à l'eucharistie. *Congrès eucharistique.*

euclidien, ienne [øklidjɛ̃, jɛn] adj. ■ Relatif à Euclide. *Géométrie euclidienne,* à trois dimensions. ‹ ▶ non euclidien ›

euh [ø] interj. ■ Onomatopée qui marque l'embarras, le doute, l'étonnement, l'hésitation. *« Vous ne voulez pas venir ? — Euh... »*

eunuque [ønyk] n. m. **1.** Homme châtré qui gardait les femmes dans les harems. **2.** Fam. Homme sans virilité (physique ou morale).

euphémisme [øfemism] n. m. ■ Expression atténuée d'une notion dont l'expression directe aurait quelque chose de déplaisant. ⇒ **adoucissement.** *« Disparu » pour « mort » est un euphémisme.* ▶ *euphémique* adj. ■ De l'euphémisme. *Une expression, une phrase euphémique.*

euphonie [øfɔni] n. f. ■ Harmonie de sons agréablement combinés (spécialt des sons qui se succèdent dans le mot ou la phrase). *Le « t » de « a-t-il » est ajouté pour l'euphonie.* ▶ *euphonique* adj. ■ Relatif à l'euphonie. — Qui a de l'euphonie.

euphorbe [øfɔrb] n. f. ■ Plante vivace, arbrisseau renfermant un suc laiteux.

euphorie [øfɔri] n. f. ■ Sentiment de bien-être général. *Être en pleine euphorie, dans l'euphorie.* ▶ *euphorique* adj. ■ Qui provoque l'euphorie. — De l'euphorie. *Être dans un état euphorique.* — (Personnes) *Se sentir euphorique.* ▶ *euphorisant, ante* adj. ■ Qui suscite l'euphorie. *Une ambiance euphorisante. Médicament euphorisant* et, n. m., *un euphorisant* (ou *antidépressif).*

eurasien, enne [ørazjɛ̃, ɛn] adj. et n. **1.** D'Eurasie. *Les Eurasiens.* **2.** Métis né d'un Européen et d'une Asiatique (ou l'inverse). *Sa femme est une Eurasienne.*

eurêka [øreka] interj. ■ S'emploie lorsqu'on trouve subitement une solution, un moyen, une bonne idée. — REM. C'est l'exclamation grecque d'Archimède, découvrant son principe : « j'ai trouvé ».

eurodollar [ørodɔlar] n. m. ■ Dollar acquis par les banques centrales européennes.

euromissile [øromisil] n. m. ■ Missile nucléaire de moyenne portée basé en Europe.

européen, éenne [ørɔpeɛ̃, ɛɛn] adj. et n. **1.** De l'Europe. *Les peuples européens, la civilisation européenne.* — N. *Les Européens.* **2.** Qui concerne le projet d'une Europe économiquement et politiquement unifiée ; qui en est partisan. *Le marché européen.* *L'E.C.U.,* unité monétaire européenne. N. Partisan de l'Europe. *C'est un Européen, une Européenne convaincu(e).* ▶ *européaniser* v. tr. . conjug. 1. ■ Donner un caractère européen à. *Le Japon s'est européanisé et américanisé.* ‹ ▶ eurodollar, euromissile, eurovision, Indo-européen ›

eurovision [ørovizjɔ̃] n. f. ■ Émission simultanée de programmes télévisés dans plusieurs pays d'Europe. *Un match retransmis en eurovision.*

euthanasie [øtanazi] n. f. ■ Théorie selon laquelle il est légitime et moral de provoquer la mort de malades incurables dont la fin est proche, lorsqu'ils souffrent beaucoup.

eux [ø] pronom pers. 3e pers. masc. plur. ■ Pronom complément après une préposition, forme tonique correspondant à *ils* (⇒ **il**), pluriel de *lui* (⇒ **lui**). *Je vis avec eux, chez eux. C'est à eux de parler. L'un d'eux. Eux-mêmes. Ce sont (*fam. c'est*) eux qui crient* (Le verbe reste au singulier à la forme négative : *Ce n'est pas eux*). — (Forme d'insistance) *Ils n'oublient pas, eux.* — (Comme sujet) *Si vous acceptez, eux refuseront.*

-eux, -euse ■ Élément de nombreux adjectifs (ex. : *peureux, cuivreux*).

évacuer [evakɥe] v. tr. . conjug. 1. **1.** Rejeter, expulser de l'organisme (surtout les excréments). ⇒ **éliminer.** *Évacuer l'urine.* **2.** Faire sortir (un liquide) d'un lieu. *Conduite, tuyau qui évacue l'eau d'un réservoir.* ⇒ **déverser, vider. 3.** Cesser d'occuper militairement (un lieu, un pays). ⇒ **abandonner,** se **retirer.** *Évacuer une position.* — Quitter (un lieu) en masse, par nécessité ou par un ordre. *Le président fit évacuer la salle. Les passagers durent évacuer l'avion à l'escale.* — Au p. p. adj. *Ville évacuée.* **4.** Faire partir en masse, hors d'un lieu où il est dangereux, interdit de demeurer. *Évacuer la population d'une ville bombardée.* — Au p. p. adj. *Population évacuée.* N. *Les évacués.* ▶ *évacuation* n. f. **1.** Rejet, expulsion hors de l'organisme. ⇒ **élimination. 2.** Écoulement (d'un liquide) hors d'un lieu. ⇒ **déversement.** *Évacuation des eaux d'égout. Orifice d'évacuation.* **3.** Action d'abandonner en masse (un lieu). ⇒ **abandon, départ,** retrait. *L'évacuation d'un territoire, d'un pays par des troupes d'occupation.* **4.** Action d'évacuer (des personnes). *Évacuation de blessés, de prisonniers.*

s'évader [evade] v. pron. . conjug. 1. **1.** S'échapper d'un lieu où l'on était retenu, enfermé. ⇒ s'**enfuir,** se **sauver ; évasion.** *S'évader d'une prison.* — Au p. p. adj. *Les prisonniers évadés.* N. *Capturer, reprendre un évadé.* ⇒ **fugitif. 2.** Échapper volontairement à (une réalité). ⇒ **fuir.** *S'évader de sa condition. S'évader du réel par le rêve, par l'imagination.* ‹ ▶ évasion ›

évaluer [evalɥe] v. tr. . conjug. 1. **1.** Porter un jugement sur la valeur, le prix de. ⇒ **estimer, priser.** *Faire évaluer un meuble, un tableau, par un expert.* ⇒ **expertiser.** *Évaluer un bien au-dessus* ⇒ **surévaluer,** *au-dessous* ⇒ **sous-évaluer** *de sa valeur.* — Déterminer (une quantité) par le calcul sans recourir à la mesure directe. *Évaluer un volume, le débit d'une rivière.* ⇒ **jauger. 2.** Fixer approximativement. ⇒ **apprécier, estimer, juger.** *Évaluer une distance à vue d'œil. Évaluer ses chances, un risque.* ▶ *évaluation* n. f. ■ Action d'évaluer. ⇒ **calcul, détermination, estimation.** *L'évaluation d'une fortune, d'une distance, d'une longueur.* — La valeur, la quantité évaluée. *Évaluation insuffisante, trop faible* (mesure, prix, valeur). ‹ ▶ dévaluer, réévaluer ›

évanescent, ente [evanesã, ãt] adj. ■ Littér. Qui s'amoindrit et disparaît graduellement. *Image évanescente.* ⇒ **fugitif.** *Impression évanescente,* qui s'efface,

s'évanouit. / contr. **durable** / *Des formes évanescentes,*
floues, imprécises.

évangélique [evɑ̃ʒelik] adj. **1.** Relatif ou conforme à l'Évangile. ⇒ **chrétien.** *La charité évangéli-*
que. **2.** Qui est de la religion protestante, fondée sur
les Évangiles. *Église luthérienne évangélique.* ▶ *évan-*
géliser v. tr. ▪ conjug. 1. ▪ Prêcher l'Évangile à.
⇒ **christianiser.** *Évangéliser les païens.* ▶ *évangé-*
lisateur, trice adj. et n. ▪ Qui évangélise. — N. *Une*
évangélisatrice. ▶ *évangélisation* n. f. ▪ Action
d'évangéliser. ⇒ **christianisation.** *L'évangélisation de*
la Chine par les jésuites, aux XVIIIe *et* XIXe *siècles.*
▶ *évangéliste* n. m. **1.** Auteur de l'un des Évangiles.
Les quatre évangélistes Matthieu, Marc, Luc et Jean.
2. Prédicateur itinérant de l'Église réformée.

évangile [evɑ̃ʒil] n. m. **1.** (Avec une majuscule)
Enseignement de Jésus-Christ. *Répandre l'Évangile.*
⇒ **évangéliser.** **2.** (Avec une majuscule) Chacun des
livres de la Bible où la vie et la doctrine de
Jésus-Christ ont été consignées. ⇒ **évangéliste.** *Les*
Évangiles. — PAROLE D'ÉVANGILE : chose sûre,
indiscutable. *Ce qu'il vous a dit n'est pas parole*
d'évangile. **3.** Document essentiel (d'une croyance,
d'une doctrine). ⇒ **bible.** ⟨ ▶ évangélique ⟩

s'évanouir [evanwiʀ] v. pron. ▪ conjug. 2. **1.** Disparaître sans laisser de traces. ⇒ **s'effacer.** *Il avait*
aperçu une ombre qui s'évanouit aussitôt. ⇒ se
dissiper. *Les ennemis s'évanouirent en un clin d'œil,*
s'enfuirent. Sentiment, souvenir qui s'évanouit. — Au
p. p. adj. *Un rêve évanoui,* disparu. **2.** (Personnes)
Perdre connaissance ; tomber en syncope. ⇒ **défaillir**
(→ se trouver mal ; fam. tourner de l'œil, tomber dans
les pommes). *S'évanouir d'émotion, de douleur. On*
a cru qu'il allait s'évanouir. / contr. **revenir** à soi /
— Au p. p. adj. *Il resta longtemps évanoui.* ▶ *éva-*
nouissement n. m. **1.** Littér. Disparition complète.
L'évanouissement de ses espérances. ⇒ **anéantisse-**
ment. **2.** Le fait de perdre connaissance. ⇒ **syncope.**
Un évanouissement dû à la fatigue. Revenir d'un
évanouissement (revenir à soi). ⟨ ▶ évanescent ⟩

s'évaporer [evapɔʀe] v. pron. ▪ conjug. 1. **1.** Se
transformer en vapeur ⇒ se **vaporiser,** et, spécialt, se
transformer lentement en vapeur par sa surface libre.
La brume, la rosée s'évapore à la chaleur du soleil.
Le contenu du flacon s'évapore. **2.** Fam. Disparaître
brusquement. *À peine arrivé, il s'évapore.* ⇒ **s'éclipser.**
Ce livre ne s'est tout de même pas évaporé !
⇒ **s'envoler.** — Fam. *S'évaporer dans la nature,*
disparaître. ⇒ **s'évanouir.** ▶ *évaporateur* n. m.
▪ Appareil qui fonctionne par l'évaporation d'un
fluide. ▶ *évaporation* n. f. ▪ Transformation (d'un
liquide) en vapeur par sa surface libre. *L'évaporation*
de l'eau salée (pour obtenir le sel marin). Évaporation
de l'eau par ébullition. ▶ *évaporé, ée* adj. et n. ▪ Fig.
Qui a un caractère étourdi, léger ; qui se dissipe en
choses vaines. ⇒ **écervelé, étourdi.** / contr. **posé,**
sérieux / *Une jeune fille évaporée. Air évaporé.* — N.
Une évaporée.

évaser [evaze] v. tr. ▪ conjug. 1. ▪ Élargir à l'orifice,
à l'extrémité. *Évaser un tuyau. Évaser l'orifice d'un*
trou. — S'ÉVASER v. pron. *Les manches de sa robe*
s'évasent au poignet. ▶ *évasé, ée* adj. ▪ (Objet
cylindrique, tubulaire) Qui va en s'élargissant. *Amphore*
évasée. ▶ *évasement* n. m. ▪ Forme évasée.
L'évasement d'un col de carafe. / contr. **rétrécis-**
sement /

évasif, ive [evazif, iv] adj. ▪ Qui cherche à éluder
en restant dans l'imprécision. *Il n'a rien promis, il*
est resté très évasif. Un geste évasif. Réponse, formule
évasive. ⇒ **ambigu, vague.** / contr. **clair, net, précis** /
▶ *évasivement* adv. ▪ D'une manière évasive. *Il a*
répondu évasivement à nos questions.

évasion [eva(ɑ)zjɔ̃] n. f. **1.** Action de s'évader, de
s'échapper d'un lieu où l'on était enfermé. *Une*
tentative d'évasion. L'évasion d'un prisonnier de
guerre. Une évasion avec prise d'otages. **2.** Abstrait.
Fait de se distraire. *Évasion hors de la réalité par le*
sommeil, le rêve, la lecture. Besoin d'évasion.
⇒ **changement, distraction.** *Un livre d'évasion,* de
détente. **3.** Abstrait. Fuite de valeurs. *L'évasion de*
capitaux à l'étranger.

évêché [eveʃe] n. m. **1.** Juridiction d'un évêque,
territoire soumis à son autorité. **2.** Dignité épiscopale.
3. Palais où réside l'évêque. *Se rendre à l'évêché.*
⟨ ▶ archevêché ⟩

éveil [evɛj] n. m. **1.** DONNER L'ÉVEIL : donner
l'alarme, mettre en alerte en éveillant l'attention.
Faites moins de bruit, vous allez donner l'éveil. — *Être*
EN ÉVEIL : être attentif, sur ses gardes. *Son esprit*
est toujours en éveil. **2.** (Facultés, sentiments) Action
de se révéler, de se manifester. *L'éveil de l'intelligence,*
de l'imagination. **3.** (Nature) Le fait de sortir du
sommeil. *L'éveil de la nature au printemps.* ⇒ **réveil.**
/ contr. **sommeil** /

éveiller [eveje] v. tr. ▪ conjug. 1. **I.** V. tr. **1.** Littér.
Tirer du sommeil. ⇒ **réveiller** (plus cour.). *Parlez*
moins fort, vous allez l'éveiller. **2.** Rendre effectif,
manifester (une disposition, etc.). *La lecture éveille*
l'imagination. — Faire naître, apparaître (un sentiment, une idée). ⇒ **provoquer, révéler, susciter.**
Éveiller une passion, un désir chez qqn. Éveiller la
défiance, les soupçons. Éveiller la curiosité. / contr.
endormir / **II.** S'ÉVEILLER v. pron. **1.** Sortir du
sommeil. ⇒ se **réveiller.** — S'ÉVEILLER À (un
sentiment) : éprouver pour la première fois. *S'éveiller*
à l'amour. **2.** (Sentiments, idées) Naître, se manifester.
Sa curiosité s'éveilla. ▶ *éveillé, ée* adj. **1.** Qui ne dort
pas. *Il est resté éveillé la moitié de la nuit. Un rêve,*
un songe éveillé, que l'on a sans dormir. **2.** (Personnes)
Plein de vie, de vivacité. *Un enfant éveillé.* ⇒ **alerte,**
dégourdi, déluré, malicieux, vif. *Avoir l'œil, l'air*
éveillé. ⇒ **futé.** / contr. **endormi, indolent, mou** /
⟨ ▶ éveil, réveiller ⟩

événement [evɛnmɑ̃] n. m. — REM. Attention aux
deux accents aigus. ▪ Ce qui arrive et qui a de
l'importance pour l'homme. ⇒ **fait.** *L'événement a*
eu lieu, s'est passé, produit il y a huit jours. Événement
heureux, bonheur, chance. *Un heureux événement,*
une naissance. *Événement malheureux,* désastre,
drame, malheur. *Un événement imprévu. Il est dépassé*
(débordé) par les événements, il ne maîtrise plus la
situation. *Le grand événement du siècle. Il se tient*
au courant des événements. — Fam. *Lorsqu'il part en*
voyage, c'est un événement, cela prend une importance
démesurée. ⇒ **affaire, histoire.** ▶ *événementiel,*
elle adj. ▪ *Histoire événementielle,* qui ne fait que
décrire les événements.

évent [evɑ̃] n. m. **1.** Narines des cétacés. *Colonne*
de vapeur rejetée par les évents de la baleine.
2. Conduit pour l'échappement des gaz ; canal
d'aération.

éventail, ails [evɑ̃taj] n. m. **1.** Instrument
portatif qu'on agite avec un mouvement de va-et-vient
pour produire de la fraîcheur. ⇒ **s'éventer.** *Ouvrir,*
déployer, fermer, plier un éventail. Des éventails. **2.** EN
ÉVENTAIL : en forme d'éventail ouvert (lignes qui
partent d'un point et s'écartent). *Plis, plissé en*
éventail. Tenir ses cartes en éventail. — Loc. fam. *Avoir*
les doigts de pied en éventail, rester à ne rien faire.
3. Ensemble de choses diverses d'une même catégorie
(qui peut être augmenté ou diminué comme on ouvre
ou ferme un éventail). *Éventail d'articles offerts à*
l'acheteur. ⇒ **choix, gamme.** *L'éventail des salaires.*
⇒ **échelle.** *L'éventail des recherches s'élargit.*

éventaire [evãtɛʀ] n. m. ■ Étalage en plein air, à l'extérieur d'une boutique, sur la voie publique, sur un marché. ⇒ **devanture, étal.** *L'éventaire d'un marchand de journaux.* ≠ *inventaire.*

① *éventer* [evãte] v. tr. . conjug. 1. **I.** Rafraîchir en agitant l'air. *Éventer qqn avec une feuille de papier, un éventail.* — Pronominalement (réfl.). *Il s'éventait avec un journal.* **II.** S'ÉVENTER v. pron. : perdre son parfum, son goût, en restant au contact de l'air. *La bouteille était mal bouchée : le vin s'est éventé.* ▶ ① *éventé, ée* adj. **1.** Exposé au vent. *Une rue, une terrasse très éventée* (opposé à *abrité*). **2.** Altéré, corrompu par l'air. *Parfum, vin éventé.* ⟨ ▶ évent, éventail ⟩

② *éventer* v. tr. . conjug. 1. ■ (Personnes) Rendre public, faire connaître. *Éventer un complot, un piège.* — Loc. littér. *Éventer la mèche*, découvrir un secret. ▶ ② *éventé, ée* adj. ■ Découvert, connu. *C'est un truc éventé, personne ne s'y laissera prendre.*

éventrer [evãtʀe] v. tr. . conjug. 1. **1.** Déchirer en ouvrant le ventre. ⇒ **étriper. 2.** Fendre largement (un objet) pour atteindre le contenu. ⇒ **ouvrir.** *Éventrer une malle, un matelas.* — Défoncer (qqch.). *Éventrer un mur.* ▶ *éventration* n. f. **1.** Hernie ventrale. **2.** Action d'éventrer. ▶ *éventreur* n. m. ■ Celui qui éventre. *Jack l'Éventreur, criminel célèbre.* — *Un éventreur de coffres-forts.*

éventualité [evãtyalite] n. f. **1.** Caractère de ce qui est éventuel. *L'éventualité d'un événement.* ⇒ **incertitude.** *Envisager l'éventualité d'une guerre.* ⇒ **possibilité. 2.** *(Une, des éventualités)* Circonstance, événement pouvant survenir à l'occasion d'une action. *Être prêt, parer à toute éventualité*, prévoir tous les événements qui peuvent s'opposer à un projet.

éventuel, elle [evãtyɛl] adj. ■ Qui peut ou non se produire. *Profits éventuels.* ⇒ **possible.** *Tout cela est bien séduisant, mais reste éventuel.* ⇒ **hypothétique, incertain.** / contr. **certain, sûr** / — (Personnes) *Le successeur éventuel*, celui qui sera peut-être le successeur. ▶ *éventuellement* adv. ■ D'une manière éventuelle. *J'aurais éventuellement besoin de votre concours.* ⇒ **peut-être.** ⟨ ▶ éventualité ⟩

évêque [evɛk] n. m. ■ Dignitaire de l'ordre le plus élevé de la prêtrise chrétienne ⇒ **prélat** qui, dans l'Église catholique, est chargé de la conduite d'un diocèse. ⇒ **évêché ; épiscopal.** *La crosse, la mitre de l'évêque. Monseigneur X, évêque de...* ⟨ ▶ archevêque, évêché ⟩

s'évertuer [evɛʀtye] v. pron. . conjug. 1. ■ Faire tous ses efforts, se donner beaucoup de peine. ⇒ **s'appliquer,** s'**escrimer.** *S'évertuer à expliquer, à démontrer qqch.*

éviction [eviksjɔ̃] n. f. ■ Action d'évincer, de priver d'un droit. ⇒ **exclusion, expulsion, rejet.** *L'éviction du chef d'un parti.*

évident, ente [evidã, ãt] adj. ■ Qui s'impose à l'esprit par son caractère d'évidence*. ⇒ **certain, flagrant, incontestable, indiscutable, sûr.** *Vérité, preuve évidente. Il fait preuve d'une évidente bonne volonté. Il est évident qu'il a menti.* / contr. **contestable, discutable, douteux, incertain** / ▶ *évidemment* [evidamã] adv. d'affirmation. ■ ⇒ **assurément, certainement.** « *Vous acceptez ? — Évidemment !* » *Évidemment, je me trompe.* ▶ *évidence* n. f. **1.** Caractère de ce qui s'impose à l'esprit avec une telle force qu'on n'a besoin d'aucune autre preuve pour en connaître la vérité, la réalité. ⇒ **certitude.** *La force de l'évidence. C'est l'évidence même.* Loc. *Se rendre à l'évidence*, finir par admettre ce qui est incontestable. — *(Une, des évidences)* Chose évidente. *Il démontre des évidences. C'est une évidence !* **2.** EN ÉVIDENCE : en se

présentant de façon à être vu, remarqué immédiatement. *Mettre, placer en évidence. Elle avait mis le bibelot bien en évidence. Être en évidence*, apparaître, se montrer très nettement. *Se mettre en évidence.* — Abstrait. *Il ne manque jamais de se mettre en évidence*, de se mettre en avant. **3.** À L'ÉVIDENCE, DE TOUTE ÉVIDENCE loc. adv. ⇒ **certainement, sûrement.** *Démontrer à l'évidence que... De toute évidence, il ne reviendra plus.*

évider [evide] v. tr. . conjug. 1. ■ Creuser en enlevant une partie de la matière, à la surface ou à l'intérieur. *Évider une pièce de bois pour faire des moulures. Évider une tige de sureau. Évider des tomates* (pour les farcir). ▶ *évidage* ou *évidement* n. m. ■ Action d'évider ; état de ce qui est évidé. *L'évidement d'une pièce de bois, d'une sculpture.*

évier [evje] n. m. ■ Emplacement formant un bassin, et aménagé pour l'écoulement des eaux, dans une cuisine. ≠ *lavabo. Évier à deux bacs.*

évincer [evɛ̃se] v. tr. . conjug. 3. ■ Déposséder (qqn) par intrigue d'une affaire, d'une place. ⇒ **chasser, écarter, éliminer, exclure ; éviction.** *Il est parvenu à l'évincer de cette place. Elle s'est fait évincer.*

évitable [evitabl] adj. — REM. Moins courant qu'*inévitable.* ■ (Surtout dans un contexte négatif) Qui peut être évité. *Cette erreur était difficilement évitable.*

évitement [evitmã] n. m. ■ D'ÉVITEMENT : où l'on gare les trains, les wagons, pour laisser libre une voie. *Gare, voie d'évitement.*

éviter [evite] v. tr. . conjug. 1. **1.** Faire en sorte de ne pas heurter en rencontrant (qqn, qqch.). *Il a fait une embardée pour éviter l'obstacle, le piéton.* — Faire en sorte de ne pas subir (une chose nuisible, désagréable). *Éviter un coup.* ⇒ **esquiver, parer.** *Éviter un choc.* **2.** Faire en sorte de ne pas rencontrer (qqn). *Je pars tout de suite, je tiens à l'éviter. Éviter le regard de qqn.* — Pronominalement (récipr.). *Ils s'évitent depuis des années.* **3.** Écarter, ne pas subir (ce qui menace). *Éviter un danger, un accident. Éviter le combat. On a réussi à éviter le pire.* **4.** ÉVITER DE (+ infinitif) : faire en sorte de ne pas. *Évitez de lui parler, de mentir.* ⇒ **s'abstenir,** se **dispenser,** se **garder.** — ÉVITER QUE (+ subjonctif) *J'évitais qu'il ne m'en parlât* (ou *qu'il m'en parlât*). **5.** ÉVITER qqch. À qqn. *Éviter une peine, une corvée à qqn.* ⇒ **épargner.** *Vous voulez éviter cette fatigue.* (Suj. chose) *Cela lui évitera des ennuis, lui évitera d'avoir des ennuis.* ⟨ ▶ évitable, évitement, inévitable ⟩

évocation [evɔkasjɔ̃] n. f. **1.** Action d'évoquer (les esprits, les démons) par la magie, l'occultisme. ⇒ **incantation, sortilège. 2.** Action de rappeler (une chose oubliée), de rendre présent à l'esprit. *L'évocation de souvenirs communs, du passé.* ⇒ **rappel.** *Le pouvoir d'évocation d'un mot.*

① *évoluer* [evɔlye] v. intr. . conjug. 1. **1.** Changer de position par une suite de mouvements réglés. *L'escadre évolue en approchant du port.* ⇒ **manœuvrer. 2.** *Évoluer* (suivi d'un compl. de lieu), agir (dans tel ou tel milieu). *Il évoluait avec aisance au milieu des invités.* ▶ ① *évolution* n. f. **1.** Mouvements réglés. *L'évolution des troupes au milieu d'une bataille.* **2.** Au plur. Suite de mouvements variés. *Les évolutions d'un avion, d'une danseuse.*

② *évoluer* v. intr. . conjug. 1. ■ Passer par une série de transformations. ⇒ **changer, devenir,** se **modifier,** se **transformer.** *Ses idées ont évolué. La chirurgie a beaucoup évolué depuis le siècle dernier.* ⇒ **progresser.** *La situation évolue. J'ai beaucoup évolué.* — *Maladie qui évolue*, qui suit son cours. ▶ *évolué, ée* adj. ■ Qui a subi une évolution, un développement, un progrès. *Pays évolué*, à l'avant-garde du progrès (scientifique, social, etc.). *Une personne évoluée*, indépendante, cultivée, avec des idées larges, modernes. / contr. **arriéré, rétrograde** / ▶ *évolutif, ive* adj. ■ Qui est susceptible d'évolution. *Des mouvements évolutifs. Maladie évolutive.* ▶ ② *évolution* n. f. 1. Suite de transformations dans un même sens ; transformation graduelle assez lente. ⇒ **changement**. / contr. **immobilité, stabilité** / *Considérer les choses dans leur évolution.* ⇒ **devenir, mouvement**. *L'évolution des idées, des mœurs.* — Changement dans le caractère, les conceptions d'une personne, d'un groupe. *Il est venu à cette doctrine par une lente évolution.* 2. Transformation progressive d'une espèce vivante en une autre. *La théorie darwinienne de l'évolution des espèces. Évolution discontinue par mutations.* ▶ *évolutionnisme* n. m. ■ Théorie qui applique l'idée d'évolution à toutes les espèces. ▶ *évolutionniste* adj. et n. ■ Relatif à l'évolution. *Théorie, doctrine évolutionniste.* — *Les évolutionnistes.*

évoquer [evɔke] v. tr. ■ conjug. 1. 1. Appeler, faire apparaître par la magie. *Évoquer les âmes des morts, les démons, les esprits.* ⇒ **invoquer** (uniquement dans ce sens). / contr. **conjurer** / 2. Littér. Apostropher, interpeller dans un discours (les mânes d'un héros, les choses inanimées, en leur prêtant l'existence, la parole). 3. Rappeler à la mémoire. ⇒ **remémorer**. *Évoquer le souvenir de qqn.* ⇒ **éveiller, réveiller, susciter**. *Évoquer un ami disparu. Ils évoquaient leur jeunesse.* 4. Faire apparaître à l'esprit de qqn par des images et des associations d'idées. ⇒ **représenter**. *Évoquer une région dans un livre.* ⇒ **décrire, montrer**. *Nous n'avons fait qu'évoquer le problème.* ⇒ **aborder, poser**. *N'évoquez pas ce sujet devant lui.* — (Suj. chose) Faire penser à. *Cela évoquait pour nous, nous évoquait les vacances. Ce mot ne m'évoque rien.* ▶ *évocateur, trice* adj. ■ Qui a un pouvoir d'évocation. *Image évocatrice, mot évocateur, qui crée des associations d'idées. Style évocateur.* ⟨ ▶ évocation ⟩

① *ex-* ■ Préfixe signifiant « hors de ».

② *ex-* ■ (Devant un nom, joint par un trait d'union) Antérieurement. *M. X, ex-député.* ⇒ **ancien**. *L'ex-ministre. Des ex-ministres.* — (Dans l'usage familier, s'emploie seul) *On a rencontré son ex (femme, mari). Des ex.*

exacerber [ɛgzasɛrbe] v. tr. ■ conjug. 1. ■ Rendre (un mal) plus aigu, porter à son paroxysme. *Ce traitement n'a fait qu'exacerber la douleur.* — Rendre plus violent. *Exacerber la colère.* — Au p. p. adj. *Sensibilité exacerbée. Orgueil exacerbé*, démesuré. / contr. **apaiser, atténuer, calmer** /

exact, exacte [ɛgza(kt) ; ɛgzakt] adj. I. (Choses) 1. Entièrement conforme à la réalité, à la vérité. ⇒ **correct, juste, vrai**. / contr. **inexact ; faux** / *C'est la vérité exacte, l'exacte vérité, c'est exact. Les circonstances exactes de l'accident. Rendre un compte exact de ses actions.* ⇒ **complet, sincère**. — Qui reproduit fidèlement la réalité, l'original, le modèle. ⇒ **conforme**. *Reproduction, copie exacte d'un texte.* 2. (Après le nom) Adéquat à son objet. ⇒ **juste**. *Un raisonnement exact. Se faire une idée exacte de qqch. Au sens exact du mot.* 3. (Après le nom) Égal à la grandeur mesurée. ⇒ **précis**. / contr. **approximatif, imprécis, vague** / *Nombre exact. Valeur exacte.* — *Sciences exactes*, celles qui sont constituées par des propositions exactes. II. (Personnes) Précis, qui arrive à l'heure convenue. ⇒ **ponctuel**. *Il est toujours exact. Il n'était pas exact au rendez-vous.* ▶ *exactement* [ɛgzaktəmã] adv. ■ D'une manière exacte. *Que vous a-t-il dit exactement ?* (→ au juste). *Ce n'est pas exactement la même chose. Reproduire exactement un texte.* ⇒ **fidèlement**. *Il est arrivé exactement à*

3 heures. ⇒ **précisément**. ▶ *exactitude* [ɛgzaktityd] n. f. I. 1. Conformité avec la réalité, la vérité. ⇒ **correction, fidélité, rigueur**. / contr. **inexactitude, erreur, fausseté** / *L'exactitude d'un récit. Exactitude historique.* 2. Égalité avec ce qui est mesuré. *Exactitude d'une mesure, d'un compte.* ⇒ **précision**. *Vérifier l'exactitude d'une opération.* — Précision (d'un instrument de mesure). *L'exactitude d'un chronomètre.* II. Précision, ponctualité. *Il est d'une exactitude scrupuleuse.* ⟨ ▶ inexact ⟩

exaction [ɛgzaksjɔ̃] n. f. ■ Didact. Action d'exiger ce qui n'est pas dû ou plus qu'il n'est dû. ⇒ **extorsion, malversation**.

ex æquo [ɛgzeko] loc. adv. ■ Sur le même rang. *Élèves classés ex æquo. Premier ex æquo.*

exagération [ɛgzaʒerasjɔ̃] n. f. 1. Action d'exagérer. *Il y a beaucoup d'exagération dans ce qu'il raconte.* ⇒ **amplification, enflure**. / contr. **mesure, modération** / *Sans exagération, on peut dire que...* 2. (Une, des exagérations) Propos exagéré. 3. Caractère de ce qui est exagéré. *Il est économe, sans exagération, sans l'être trop.* ⇒ **outrance**.

exagérer [ɛgzaʒere] v. tr. ■ conjug. 6. 1. Parler de (qqch.) en présentant comme plus grand, plus important que dans la réalité. ⇒ **amplifier, enfler, grossir**. / contr. **atténuer, minimiser** / *Exagérer ses succès en les racontant.* ⇒ **ajouter, broder**. *Il ne faut rien exagérer ! Sans exagérer, j'ai bien attendu deux heures. Il a l'habitude de tout exagérer.* 2. Grossir, accentuer en donnant un caractère (taille, proportion, intensité, etc.) qui dépasse la normale. ⇒ **amplifier, grandir**. *Vous exagérez les précautions. Exagérer une attitude.* — S'EXAGÉRER *qqch.* : se représenter une chose comme plus importante qu'elle n'est. *Elle s'est exagéré l'importance de son travail.* 3. Sans compl. En prendre trop à son aise. ⇒ **abuser** ; fam. **charrier**. *Vraiment, il exagère !* ▶ *exagéré, ée* adj. 1. Qui dépasse la mesure. *Une sévérité exagérée.* ⇒ **excessif**. *Développement exagéré des muscles*, hypertrophie. 2. Qui amplifie la réalité. *Louanges, compliments exagérés.* ⇒ **extrême, outré**. *Prix, chiffres exagérés.* ⇒ **astronomique, exorbitant**. / contr. **mesuré, modéré** / ▶ *exagérément* adv. ■ D'une manière exagérée. ⇒ **trop**. ⟨ ▶ exagération ⟩

exalter [ɛgzalte] v. tr. ■ conjug. 1. 1. Élever (qqn) au-dessus de l'état d'esprit ordinaire. ⇒ **enthousiasmer, passionner, soulever, transporter**. / contr. **calmer** / *La perspective du succès, les encouragements l'exaltent.* 2. Littér. Glorifier ou élever très haut ; proposer à l'admiration. *Exalter qqn, les mérites de qqn.* ⇒ **louer, vanter**. / contr. **dénigrer, rabaisser** / 3. Littér. Rendre plus intense (un sentiment). *Les circonstances dramatiques exaltent l'esprit de sacrifice.* ▶ *exaltant, ante* adj. ■ Qui exalte. *Lecture, musique exaltante. La situation n'a rien de très exaltant.* / contr. **déprimant** / ▶ *exaltation* n. f. 1. Grande excitation de l'esprit. ⇒ **ardeur, enthousiasme, fièvre, ivresse**. / contr. **calme, indifférence** / *État d'exaltation. Exaltation intellectuelle.* 2. Littér. Le fait d'exalter (2), de célébrer. *L'exaltation d'un grand personnage.* ⇒ **glorification**. ▶ *exalté, ée* adj. ■ Trop enthousiaste, trop passionné. *Un patriote exalté. C'est un tempérament exalté. Une attitude exaltée.* — N. Péj. *Un(e) exalté(e)*, une personne exaltée jusqu'au fanatisme.

examen [ɛgzamɛ̃] n. m. 1. Action de considérer, d'observer avec attention. ⇒ **étude, investigation, observation, recherche**. *Examen destiné à apprécier* (critique, estimation), *constater* (constatation), *vérifier* (contrôle, vérification). *Examen superficiel ; détaillé, minutieux. Cette thèse ne résiste pas à l'examen.* — *Examen médical. Examen à la radioscopie.*

2. EXAMEN DE CONSCIENCE : examen attentif de sa propre conduite, du point de vue moral. *Faire son examen de conscience.* **3.** Série d'épreuves destinées à délibérer l'aptitude d'un candidat et où l'admission dépend d'une note à atteindre. *Examens et concours. Examen écrit, oral. Le programme d'un examen. Une salle d'examen. Le baccalauréat, la licence sont des examens. Se présenter, être reçu, collé, recalé à un examen. Examen blanc,* pour vérifier si les candidats sont suffisamment préparés. — Abrév. fam. **exam** [ɛgzam]. *Passer ses exams.* ‹ ▶ réexamen ›

examiner [ɛgzamine] v. tr. ▪ conjug. 1. **1.** Considérer avec attention, avec réflexion. ⇒ **observer.** *Examiner les qualités et les défauts, la valeur de qqch. Examiner une affaire en comité, en conférence.* ⇒ **délibérer, discuter** de. *Il va falloir examiner cela de plus près.* ⇒ **regarder, voir.** — *Examiner un malade.* **2.** Regarder très attentivement. *Examiner une préparation au microscope. Examiner qqn.* ⇒ **dévisager. 3.** Faire subir un examen (3) à ; soumettre (un candidat) à une épreuve. ⇒ **interroger.** ▶ **examinateur, trice** n. ▪ Personne qui fait passer un examen (3), qui soumet un candidat à une épreuve, surtout orale. *Une examinatrice de mathématiques.* ‹ ▶ réexaminer ›

exanthème [ɛgzɑ̃tɛm] n. m. ▪ Rougeur de la peau, qui accompagne certaines maladies (érésipèle, roséole, rougeole, scarlatine, urticaire).

exaspérer [ɛgzaspeʀe] v. tr. ▪ conjug. 6. **1.** Irriter (qqn) excessivement. ⇒ **agacer, crisper, énerver, excéder, impatienter.** *Il m'exaspère avec ses plaintes, sa lenteur !* — Au p. p. Très irrité. *Il était exaspéré.* ⇒ **furieux.** — Pronominalement. *Il s'exaspère à la moindre remarque.* **2.** Littér. Rendre plus intense (un mal physique ou moral), un sentiment. ⇒ **aggraver, aviver, exacerber, exciter.** *Exaspérer la souffrance, le désir. Les souvenirs exaspérants son chagrin.* — Au p. p. adj. D'une intensité extrême. *Douleur exaspérée.* ⇒ **aigu.** *Sensibilité exaspérée.* ⇒ **exacerbé.** — Pronominalement. *Souffrance, désir qui s'exaspère.* ▶ **exaspérant, ante** adj. ▪ Qui exaspère (1), met de nature à exaspérer (qqn). ⇒ **agaçant, crispant, énervant, irritant.** *D'où vient ce bruit exaspérant ? Vous êtes exaspérante.* ▶ **exaspération** n. f. **1.** État de violente irritation. ⇒ **agacement, énervement.** *Après ce reproche, il était au comble de l'exaspération.* **2.** Littér. Action d'exaspérer (2) d'exacerber une peine, un sentiment.

exaucer [ɛgzose] v. tr. ▪ conjug. 3. **1.** (En parlant de Dieu, d'une puissance supérieure) Satisfaire (qqn) en lui accordant ce qu'il demande. *Dieu, le ciel l'a exaucé.* ⇒ **écouter. 2.** Accueillir favorablement (un vœu, une demande). ⇒ **accomplir, accorder.** *Exaucer une demande, une prière, un souhait.* ≠ **exhausser.**

ex cathedra [ɛkskatedʀa] loc. adv. ▪ *Parler ex cathedra,* du haut de la chaire. — D'un ton doctoral, dogmatique.

excaver [ɛkskave] v. tr. ▪ conjug. 1. ▪ Didact. Creuser sous terre. *Excaver un tunnel.* ▶ **excavateur, trice** n. ▪ Machine destinée à creuser le sol, à faire des déblais. ⇒ **bulldozer, pelle** mécanique. *Excavateur à air comprimé. Une excavatrice.* ▶ **excavation** n. f. ▪ Creux dans un terrain. ⇒ **cavité.** *Excavation naturelle, caverne, grotte. Excavation creusée par une explosion.*

① **excéder** [ɛksede] v. tr. ▪ conjug. 6. — EXCÉDER *qqch.* **1.** Dépasser en nombre, en quantité. *Le prix de cet appartement n'excède pas deux cent mille francs.* — Dépasser en durée. *La durée excède neuf ans.* **2.** Aller au-delà de (certaines limites) ; être plus

fort que (une force, une capacité). *Excéder son pouvoir, ses pouvoirs.* ⇒ **outrepasser.** ▶ **excédent** [ɛksedɑ̃] n. m. ▪ Ce qui est en plus du nombre fixé. ⇒ **excès, surplus.** *L'excédent des exportations sur les importations. Payer un supplément pour un excédent de bagage.* — *Payer quarante francs d'excédent,* en supplément. — *En excédent,* qui constitue ou fournit un excédent. *Un budget en excédent.* ▶ **excédentaire** adj. ▪ Qui est en excédent. *Écouler la production excédentaire. Un budget excédentaire,* avec un excédent de recettes. / contr. **déficitaire** /

② **excéder** v. tr. ▪ conjug. 1. ▪ EXCÉDER *qqn* : fatiguer en irritant. *Sa présence m'excède.* ⇒ **énerver, exaspérer.** *Je suis excédé par ses enfantillages.* — Au p. p. adj. *Il avait un air excédé. Je suis excédé.*

excellence [ɛksɛlɑ̃s] n. f. **1.** Littér. Caractère de ce qui est excellent, ne peut être meilleur. ⇒ **perfection, supériorité.** / contr. **médiocrité** / *L'excellence d'un vin, d'un remède.* — PRIX D'EXCELLENCE : décerné au meilleur élève dans l'ensemble des matières. **2.** (Avec une majuscule) Titre honorifique donné aux ambassadeurs, ministres, archevêques, évêques. *Son Excellence* (abrév. *S.E.*). *Leurs Excellences* (abrév. *LL. EE.*). **3.** PAR EXCELLENCE loc. adv. : d'une manière hautement représentative, caractéristique. *C'est le moyen par excellence pour arriver au but.* ▶ **excellent, ente** [ɛksɛlɑ̃, ɑ̃t] adj. **1.** Très bon. ⇒ **admirable, merveilleux, parfait, supérieur.** / contr. **mauvais, médiocre** / *C'est excellent pour la santé. Excellente idée ! Excellent !,* très bien, parfait. *Il a une excellente mémoire. Un excellent professeur.* **2.** (Personnes) Qui a une grande bonté, une nature généreuse. *C'est un excellent homme, un homme excellent.* ▶ **excellemment** [ɛksɛlamɑ̃] adv. ▪ Littér. Parfaitement bien. *Il joue excellemment du piano.*

exceller [ɛksele] v. intr. ▪ conjug. 1. ▪ Être supérieur, excellent. *Exceller dans sa profession.* — EXCELLER À (+ nom ou infinitif). *Il excelle à ce travail, à dessiner des caricatures.* ‹ ▶ excellence, excellent ›

① **excentrique** [ɛksɑ̃tʀik] adj. ▪ Dont l'apparence, la manière s'oppose aux habitudes. ⇒ **original.** *Un homme assez excentrique. Des idées excentriques. Elle aime les toilettes excentriques.* — N. *Un, une excentrique.* ▶ ① **excentricité** n. f. **1.** Manière d'être, de penser, d'agir, qui s'éloigne de celle du commun des hommes. ⇒ **bizarrerie, extravagance, originalité, singularité.** *On apprécie peu l'excentricité de son caractère.* **2.** Acte qui révèle cette manière d'être. *Il se fait remarquer par ses excentricités.*

② **excentrique** adj. **1.** Dont le centre s'écarte d'un point donné. **2.** Éloigné du centre. *Quartiers excentriques d'une ville.* ⇒ **périphérique.** ▶ ② **excentricité** n. f. ▪ Caractère de ce qui est loin du centre. *L'excentricité d'un quartier.*

③ **excentrique** n. m. ▪ Mécanisme conçu de telle sorte que l'axe de rotation de la pièce motrice n'en occupe pas le centre.

excepter [ɛksɛpte] v. tr. ▪ conjug. 1. ▪ Ne pas comprendre dans (un ensemble). / contr. **inclure** / *Excepter qqn d'une mesure collective.* ⇒ **exclure.** *Tous les peuples, sans excepter celui-là.* ⇒ **négliger, oublier.** — Au p. p. adj. (Après le nom et accordé) *Les Britanniques, les Écossais exceptés.* ▶ **excepté** prép. invar. ▪ À l'exception de, en excluant (placé devant le nom). ⇒ **hormis, hors, à part, sauf, sinon.** *Tous furent découverts, excepté trois d'entre eux. J'y vais à pied, excepté quand je suis malade. Je suis content de tous, excepté de vous.* ▶ **exception** [ɛksɛpsjɔ̃] n. f. **1.** Action d'excepter. *Il ne sera fait aucune exception à cette consigne.* ⇒ **dérogation, restriction.**

Nous ferons une exception pour vous. Tout le monde sans (aucune) exception ira à la piscine. — D'EXCEPTION : en dehors de ce qui est courant. *Un être d'exception,* unique. *Tribunal d'exception* (opposé à *tribunal de droit commun*). *Régime, loi d'exception.* — À L'EXCEPTION DE loc. prép. *Ils sont tous reçus, à l'exception d'un seul.* ⇒ **excepté, sauf. 2.** Ce qui est en dehors du général, du commun. ⇒ **anomalie, singularité.** *Les personnes de ce genre sont l'exception,* sont rares. *À de rares exceptions près, c'est vrai. L'exception confirme la règle* (en droit : « *l'exception confirme la règle pour les cas non exceptés.* »), il n'y aurait pas d'exception s'il n'y avait pas de règle. ▶ *exceptionnel, elle* adj. **1.** Qui constitue une exception (1). / contr. **normal, régulier** / *Congé exceptionnel.* **2.** Qui est hors de l'ordinaire. ⇒ **extraordinaire.** / contr. **banal, courant** / *Des circonstances exceptionnelles. Cela n'a vraiment rien d'exceptionnel,* c'est courant. **3.** Qui sort de l'ordinaire par sa valeur, ses qualités. ⇒ **remarquable, supérieur.** *Une occasion, une chance exceptionnelle.* ⇒ **inattendu.** *C'est un homme exceptionnel.* ▶ *exceptionnellement* adv. **1.** Par exception (1). **2.** D'une manière exceptionnelle (2). ⇒ **extraordinairement, extrêmement.** *Un homme exceptionnellement beau.*

excès [ɛksɛ] n. m. invar. **1.** Différence en plus entre deux quantités inégales ; ce qui dépasse une quantité. / contr. **défaut, manque** / *L'excès d'une longueur sur une largeur, des dépenses sur les recettes. Total approché par excès,* arrondi au chiffre supérieur. **2.** Trop grande quantité ; dépassement de la mesure normale. *Contravention pour excès de vitesse. Un excès de précautions.* ⇒ **surabondance.** — PROV. *L'excès en tout est un défaut.* — AVEC EXCÈS : sans mesure. *Il mange, il dépense avec excès.* — SANS EXCÈS : modérément. *Vous pouvez boire du café, mais sans excès.* — À L'EXCÈS loc. adv. : excessivement, outre mesure. *Boire à l'excès. Il est prudent à l'excès.* — EXCÈS DE POUVOIR : action dépassant le pouvoir légal ; décision d'un juge qui dépasse sa compétence. **3.** UN, DES EXCÈS : chose, action qui dépasse la mesure ordinaire ou permise. ⇒ **abus.** *Excès de langage,* paroles peu respectueuses, peu courtoises. *Excès de table,* abus de nourriture et de boisson. *Faire des excès, un petit excès.* ▶ *excessif, ive* [ɛksɛsif, iv] adj. **1.** Qui dépasse la mesure souhaitable ou permise ; trop grand, trop important. ⇒ **énorme, extrême.** *Il fait une chaleur excessive,* insupportable. *Deux mille francs ? C'est excessif !* ⇒ **exagéré.** / contr. **raisonnable** / **2.** (Emploi critiqué) Très grand (sans idée d'excès). ⇒ **extrême.** *C'est un homme d'une excessive bonté.* **3.** (Personnes) Qui pousse les choses à l'excès, qui est incapable de nuances, de modération. ⇒ **extrême.** ▶ *excessivement* adv. **1.** Qui dépasse la mesure. ⇒ **exagérément, trop.** *Denrée excessivement chère.* **2.** (Emploi critiqué) Très, tout à fait. ⇒ **extrêmement, infiniment.** *C'est excessivement agréable.*

exciper [ɛksipe] v. tr. ind. ■ conjug. 1. ■ Littér. EXCIPER DE : se servir de (qqch.) pour sa défense. *Exciper de sa bonne foi.* ⇒ **s'autoriser.**

excipient [ɛksipjɑ̃] n. m. ■ Substance qui entre dans la composition d'un médicament et qui sert à incorporer les principes actifs. *Excipient sucré.*

excision [ɛksizjɔ̃] n. f. ■ Ablation d'une partie peu volumineuse (d'organe, de tissu). *Excision d'un cor au pied, d'une verrue.*

excitable [ɛksitabl] adj. **1.** Qui est facilement excité. ⇒ **irritable, nerveux.** *Un homme excitable.* **2.** Qui répond à l'excitation (II). ▶ *excitabilité* n. f. **1.** Caractère excitable. *Il est dans un grand état d'excitabilité.* **2.** Propriété que possèdent certains systèmes organiques de pouvoir répondre à des

actions extérieures ou à leurs agents naturels de fonctionnement. ⇒ **irritabilité, sensibilité.** *Excitabilité musculaire.*

excitant, ante [ɛksitɑ̃, ɑ̃t] adj. et n. m. **1.** Qui excite ; qui éveille les sensations, des sentiments. ⇒ **émouvant, troublant.** / contr. **calmant, ennuyeux** / *Lecture, étude excitante pour l'esprit. Beauté excitante, femme excitante.* ⇒ **provocant.** — Fam. *Ce n'est pas (très) excitant.* ⇒ **intéressant. 2.** Qui excite, stimule l'organisme. / contr. **calmant** / *Le café est excitant.* — N. m. *Prendre un excitant.*

excitation [ɛksitasjɔ̃] n. f. **I. 1.** État de la personne qui est excitée ; accélération du processus psychique. ⇒ **agitation, énervement, surexcitation.** *Excitation intellectuelle, excitation de l'esprit.* ⇒ **exaltation.** — *L'excitation contre qqn,* exaspération, irritation. *L'état d'excitation d'un maniaque.* **2.** Action d'exciter (qqn), surtout dans : EXCITATION À qqch. ⇒ **encouragement, invitation.** *L'excitation au travail ; à la haine, à la violence.* ⇒ **incitation. II. 1.** Déclenchement de l'activité fonctionnelle (d'un système vivant). *Excitation d'une extrémité nerveuse.* — Ensemble des modifications locales qui suivent la stimulation et qui préparent la réponse du système. **2.** Création d'un champ magnétique dans l'inducteur d'un électroaimant, d'une dynamo. ▶ *excitateur, trice* n. et adj. **1.** Littér. Personne qui excite (I). *Un excitateur de troubles.* ⇒ **instigateur.** — *Une manœuvre excitatrice.* **2.** N. m. Appareil formé de deux branches métalliques, qui sert à décharger un appareil électrique. ‹ ▶ **surexcitation** ›

exciter [ɛksite] v. tr. ■ conjug. 1. **I. 1.** Faire naître, provoquer (une réaction physique, ou plus cour., morale, mentale). ⇒ **causer, éveiller, provoquer, susciter.** / contr. **arrêter, calmer** / *Exciter le goût, l'envie. Exciter la passion, l'imagination, l'admiration de qqn. Vos remarques ont excité son amour-propre.* **2.** Accroître, rendre plus vif (une sensation, un sentiment). ⇒ **aviver, exalter.** / contr. **réprimer** / *Cela excita encore sa colère, sa rage.* ⇒ **stimuler. 3.** EXCITER À (+ nom ou + infinitif) : pousser fortement à (une détermination difficile, une action violente). ⇒ **entraîner, porter, pousser.** / contr. **retenir** / *Exciter qqn à la révolte. Les encouragements l'ont excité à mieux faire.* **4.** EXCITER qqn : augmenter l'activité psychique, intellectuelle de (qqn). — (Suj. chose ou au passif) ⇒ **agiter, émouvoir, passionner, surexciter.** / contr. **apaiser, calmer** / *Ces lectures l'excitent beaucoup trop. La boisson, la nourriture l'excite.* — Fam. (Négatif) *Ce travail ne l'excite pas beaucoup, ne l'intéresse pas.* — (Suj. personne) Mettre en colère, en fureur. ⇒ **irriter.** *Exciter qqn par des railleries. On les a excités l'un contre l'autre.* **5.** Éveiller le désir de (qqn). **6.** S'EXCITER V. pron. : s'énerver, s'irriter ou ressentir une excitation sensuelle. — Fam. *S'exciter sur qqch.,* y prendre un très grand intérêt. ⇒ **s'enthousiasmer. II.** Déclencher l'activité de (un système excitable) [⇒ **excitation,** (II)]. *Exciter un nerf, un muscle.* ▶ *excité, ée* adj. et n. **1.** Qui a une activité mentale, psychique anormalement vive. *Il est trop excité pour vous écouter.* ⇒ **agité, énervé, nerveux.** / contr. **calme, tranquille** / **2.** N. Péj. *Un, une excité(e). Une bande d'excités, de jeunes excités.* / contr. **calme, tranquille** / ‹ ▶ **excitable, excitant, excitation, surexciter** ›

s'exclamer [ɛksklame] v. pron. ■ conjug. 1. ■ Proférer des paroles ou des cris (*exclamations*) en exprimant spontanément une émotion, un sentiment. ⇒ **s'écrier, se récrier.** *Il s'exclamait bruyamment. « Ah non ! » s'exclama-t-il.* ▶ *exclamatif, ive* adj. ■ Qui marque ou exprime l'exclamation. *Phrase exclamative.* — *Adjectif exclamatif,* sert à marquer la valeur exclamative d'une phrase. *Dans « Quelle chaleur ! », « quelle » est un adjectif exclamatif. Adverbe exclamatif.* ▶ **exclamation** n. f. ▪ Parole ou cri par lesquels on s'exclame. ⇒ **interjection.** *Pousser des exclamations. Il retient une exclamation de surprise.* — **Point d'exclamation,** signe de ponctuation (!) qui suit toujours une exclamation ou une phrase exclamative.

exclure [ɛksklyʀ] v. tr. ▪ conjug. 35. **1.** Renvoyer, chasser (qqn) d'un endroit où il était admis, ou refuser d'admettre. ⇒ **chasser, expulser, renvoyer.** / contr. **garder** / *Exclure qqn d'un syndicat, d'une équipe. Elle s'est fait exclure du groupe.* **2.** Ne pas admettre, ne pas employer (qqch.). / contr. **inclure** / *Il faut exclure les graisses de votre alimentation.* **3.** Refuser d'envisager. *J'exclus votre participation à cette affaire ; nous excluons que vous y participiez.* **4.** (Suj. chose) Qui rend impossible (qqch.) par son existence même. *La bonté n'exclut pas la sévérité.* ⇒ **exclusif.** — Pronominalement (récipr.) *Ces idées s'excluent l'une l'autre.* ▶ **exclu, ue** adj. et n. **1.** (Personnes) Renvoyé, refusé. *Les membres exclus. Il se sent toujours exclu de la conversation.* — N. *Les exclus.* **2.** (Choses) Qu'on refuse d'envisager. *Cette solution est exclue.* — Impers. *Il est exclu que je vienne. Il n'est pas exclu que,* il est possible que. — Non compté. *Jusqu'à mardi exclu.* ⇒ **exclusivement.** / contr. **inclus** / ⟨ ▶ exclusif, exclusion ⟩

exclusif, ive [ɛksklyzif, iv] adj. **1.** Qui est exclu de tout partage, de toute participation. *Privilèges, droits exclusifs,* qui appartiennent à une seule personne. — EXCLUSIF DE : qui exclut comme incompatible. *Un patriotisme exclusif de tout droit de critique.* **2.** Qui est produit, vendu seulement par une firme. *Modèle exclusif.* **3.** Qui tend à exclure tout ce qui est gênant ou étranger. *Sa préoccupation exclusive.* ⇒ **seule** (sa seule préoccupation). **4.** (Personnes) Qui a des opinions absolues, ne supporte pas la contradiction. *Il est trop exclusif dans ses goûts. Elle est exclusive en amitié.* ⇒ **entier ; absolu.** / contr. **large, tolérant** / ▶ **exclusive** n. f. ▪ Décision d'exclure. *Prononcer l'exclusive contre qqn.* ⇒ **interdit, veto.** *Agir sans esprit d'exclusive,* sans rien rejeter, ni personne. ▶ **exclusivement** adv. **I. 1.** En excluant tout le reste, à l'exclusion de toute autre chose. ⇒ **seulement, uniquement.** *Il voit exclusivement des films comiques.* **2.** D'une manière exclusive (3), absolue. *Il s'occupe exclusivement de sa famille.* **II.** (En fin de proposition) En ne comprenant pas. *Du mois de janvier au mois d'août exclusivement* (ou exclu), en ne comptant pas le mois d'août. / contr. **inclus, inclusivement** / ▶ **exclusivité** n. f. **1.** Propriété exclusive ; droit exclusif (de vendre, de publier). *Avoir, acheter l'exclusivité d'une marque.* — EN EXCLUSIVITÉ : d'une manière exclusive. — Projection d'un film dans un seul (ou quelques) cinéma(s). *Cinéma d'exclusivité.* **2.** Produit, film, etc., vendu, exploité par une seule firme. *C'est une exclusivité de la firme X.* **3.** Presse. Information importante donnée en exclusivité par un journal, une chaîne de radio, de télévision. ⇒ anglic. **scoop.**

exclusion [ɛksklyzjɔ̃] n. f. **1.** Action d'exclure (qqn), en le chassant d'un endroit où il avait précédemment sa place ou en le privant de certains droits. ⇒ **élimination, expulsion, radiation.** *Prononcer l'exclusion de qqn. Il a protesté contre son exclusion de la compétition. Une exclusion temporaire.* / contr. **admission, réintégration** / **2.** Action d'exclure (qqch.) d'un ensemble. / contr. **inclusion** — À L'EXCLUSION DE loc. prép. : en excluant, de manière à exclure. ⇒ à l'**exception** de. *Cultiver un don à l'exclusion des autres.*

excommunier [ɛkskɔmynje] v. tr. ▪ conjug. 7. ▪ Retrancher (qqn) de la communion de l'Église

catholique. *Excommunier un hérétique.* — Au p. p. adj. *Hérétique excommunié.* — N. *Un excommunié.* ▶ **excommunication** n. f. ▪ Peine ecclésiastique par laquelle qqn est excommunié. — Exclusion d'une société, d'un parti politique.

excrément [ɛkskʀemɑ̃] n. m. ▪ Les matières fécales. *Excréments de l'homme.* ⇒ **déjection ;** fam. **caca, crotte, merde.** *Excréments des animaux domestiques* ⇒ **bouse, crotte, crottin,** *des oiseaux* ⇒ **fiente, guano.**

excréter [ɛkskʀete] v. tr. ▪ conjug. 6. ▪ En physiologie. Évacuer par excrétion. *Matières excrétées.* ▶ **excréteur, trice** adj. ▪ Qui opère l'excrétion. *Canal excréteur d'une glande.* ▶ **excrétion** [ɛkskʀesjɔ̃] n. f. **1.** Action par laquelle les déchets de l'organisme sont rejetés au-dehors. *Excrétion de l'urine, de la salive.* ⇒ **évacuation, expulsion. 2.** Au plur. Les déchets de la nutrition rejetés hors de l'organisme. ⟨ ▶ excrément ⟩

excroissance [ɛkskʀwasɑ̃s] n. f. ▪ Petite tumeur bénigne de la peau. *Une verrue est une excroissance.*

excursion [ɛkskyʀsjɔ̃] n. f. ▪ Action de parcourir une région pour l'explorer, la visiter (souvent à pied). ⇒ **course, expédition, tournée.** *Faire une excursion en montagne.* ⇒ **ascension.** ▶ **excursionner** v. intr. ▪ conjug. 1. ▪ Faire une excursion. ▶ **excursionniste** n. ▪ Personne qui fait une excursion.

excuse [ɛkskyz] n. f. **1.** Raison alléguée pour se défendre d'une accusation, d'un reproche, pour expliquer ou atténuer une faute. ⇒ **justification.** *Alléguer, donner, fournir une bonne excuse, une excuse valable. Le manque d'expérience, c'est son excuse, c'est sa seule excuse. Chercher de mauvaises excuses. Sa faute est sans excuse.* — Fam. *Faites excuse* [fɛtɛkskyz], acceptez mes excuses. **2.** Regret que l'on témoigne à qqn de l'avoir offensé, contrarié, gêné. ⇒ **pardon, regret.** *Faire, présenter des excuses, ses excuses à qqn. Un geste d'excuse. Je vous fais toutes mes excuses. J'accepte vos excuses.* **3.** Motif que l'on invoque pour se dispenser de qqch., ou pour ne pas avoir fait ce qu'on devait. ⇒ **prétexte.** *Apporter un mot d'excuse. Le mauvais temps lui a servi d'excuse pour ne pas venir.*

excuser [ɛkskyze] v. tr. ▪ conjug. 1. **I. 1.** S'efforcer de justifier (une personne, une action) en alléguant des excuses. ⇒ **défendre.** *Il essaie de l'excuser.* ⇒ **disculper.** — (Choses) Servir d'excuse à (qqn). *L'intention n'excuse pas la faute. Rien ne peut excuser son mensonge.* **2.** Décharger (qqn) de ce dont on l'accusait, en admettant des motifs qui atténuent sa faute ou la justifient. ⇒ **absoudre, pardonner.** *Veuillez m'excuser, excuser mon retard. Pour cette fois, je vous excuse.* **3.** Dispenser (qqn) d'une charge, d'une obligation. *Se faire excuser.* **4.** (Formules de politesse) *Excusez-moi, vous m'excuserez,* je regrette (de vous gêner, de refuser, de vous contredire, etc.). *Excusez-moi si je ne peux vous accompagner. Excuse-moi, mais je ne suis pas de ton avis.* **II.** S'EXCUSER v. pron. : présenter ses excuses, exprimer ses regrets (de qqch.). *Je m'excuse d'avoir pris du retard.* — Je m'excuse (s'emploie incorrectement pour *excusez-moi* ou *je vous prie de m'excuser*). ▶ **excusable** adj. ▪ Qui peut être excusé. ⇒ **justifiable, pardonnable.** *Une colère bien excusable. À son âge, c'est excusable.* / contr. **impardonnable, inexcusable** / ⟨ ▶ excuse, inexcusable ⟩

exécrer [ɛgzekʀe] v. tr. ▪ conjug. 6. **1.** Littér. Haïr (qqn) au plus haut point. ⇒ **abhorrer, détester.** *Il s'est fait exécrer de tous.* **2.** Avoir de l'aversion, du dégoût pour (qqch.). *Exécrer l'odeur de l'éther. Exécrer le style d'un auteur.* / contr. **aimer** / ▶ **exécrable** adj. **1.** Littér. Qu'on doit exécrer, avoir en horreur.

⇒ **abominable, détestable.** *C'est une action exécrable.*
2. Extrêmement mauvais. *Odeur, nourriture exécrable.* ⇒ **dégoûtant, infect.** *Un film exécrable,* très mauvais. *Ce matin, il est d'une humeur exécrable.* ⇒ **affreux, épouvantable.** / contr. **bon, excellent** / ▶ *exécration* n. f. ■ Littér. Haine violente pour ce qui est digne de malédiction. ⇒ **aversion, horreur.** *Avoir qqn, qqch. en exécration,* en horreur.

exécuter [ɛgzekyte] v. tr. ■ conjug. 1. **I.** EXÉCUTER *qqch.* **1.** Mettre à effet, mener à accomplissement (ce qui est conçu par soi [projet], ou par d'autres [ordre]). ⇒ **accomplir, effectuer, faire, réaliser.** *Ce plan est difficile à exécuter. Exécuter les ordres de qqn.* — Sans compl. *Il veut commander et que les autres exécutent,* agissent. **2.** Rendre effectif (un projet, une décision) ; faire (un ouvrage) d'après un plan, un projet. *Exécuter une fresque, une décoration. Exécuter une commande.* — Au p. p. adj. *Broderie entièrement exécutée à la main.* **3.** Interpréter, jouer (une œuvre musicale). ⇒ **exécutant (2).** *Exécuter une symphonie, une sonate.* **4.** Faire (un mouvement complexe, un ensemble de gestes prévu ou réglé d'avance). *Exécuter un pas de danse, une pirouette, un mouvement.* **II.** EXÉCUTER *qqn.* **1.** Faire mourir (qqn) conformément à une décision de justice (décapiter, guillotiner, fusiller, électrocuter, pendre). *Exécuter un condamné.* **2.** Faire mourir sans jugement (pour se venger, etc.). *Exécuter un otage.* ⇒ **abattre, tuer.** *Bandits qui exécutent un mouchard.* **3.** Abstrait. Discréditer (qqn), dénigrer. *Les critiques ont exécuté le metteur en scène.* ⇒ **éreinter.** **III.** S'EXÉCUTER v. pron. réfl. : se déterminer à faire une chose pénible, désagréable. ⇒ **se résoudre.** *Je lui ai demandé de m'aider, elle s'est exécutée sans se faire prier, de bonne grâce.* ▶ *exécutable* adj. ■ Qui peut être exécuté. ⇒ **réalisable.** *Plan facilement exécutable. L'ordre n'était pas exécutable.* / contr. **impossible** / ▶ *exécutant, ante* n. **1.** Personne qui exécute (un ordre, une tâche, une œuvre). ⇒ **agent.** *Ce n'est pas un créateur, mais un simple exécutant.* **2.** Musicien d'un ensemble. *Orchestre, chorale de cinquante exécutants.* ▶ *exécuteur, trice* n. **1.** N. m. Celui qui exécute un condamné. ⇒ **bourreau.** *L'exécuteur des hautes œuvres.* **2.** EXÉCUTEUR, TRICE TESTAMENTAIRE : personne qui assure l'exécution des dernières volontés de l'auteur d'un testament. ▶ *exécutif, ive* adj. et n. m. ■ Relatif à la mise en œuvre des lois. *Séparation du pouvoir législatif, du pouvoir exécutif* (gouvernement) *et du pouvoir judiciaire.* — N. m. L'EXÉCUTIF : le pouvoir exécutif. ⟨ ▶ **exécution, exécutoire, inexécutable** ⟩

exécution [ɛgzekysjɔ̃] n. f. **I.** **1.** Action d'exécuter (qqch.), de passer à l'accomplissement. ⇒ **réalisation.** *L'exécution d'un projet, d'une décision. Début d'exécution* (mise en train). *Passer de la conception à l'exécution. Travail en cours, en voie d'exécution,* en train d'être exécuté. — METTRE À EXÉCUTION : commencer à faire, à exécuter (ce qui a été prévu, décidé, ordonné). **2.** Application (d'un jugement, d'un acte juridique). *Exécution d'un jugement. Exécution forcée,* contrainte, saisie. **3.** Action, manière d'exécuter (un ouvrage, un travail) d'après une règle, un plan. *L'exécution des travaux a été confiée à cette entreprise. L'exécution d'un mouvement, d'une manœuvre.* **4.** Action, manière d'interpréter (en chantant, en jouant) une œuvre musicale. ⇒ **interprétation.** *L'exécution d'un opéra. Ce morceau présente de grandes difficultés d'exécution.* **II.** Mise à mort (d'un condamné). ⇒ **exécuter (II).** *Peloton, poteau d'exécution.* ▶ *exécutoire* adj. ■ En droit. Qui peut et doit être mis à exécution.

exégèse [ɛgzeʒɛz] n. f. ■ Didact. Interprétation philologique et doctrinale d'un texte dont le sens, la portée sont obscurs. ⇒ **commentaire, critique.** *Exé-*

gèse biblique, historique.* ▶ *exégète* n. m. ■ Personne qui s'occupe d'exégèse. ⇒ **commentateur.**

① *exemplaire* [ɛgzɑ̃plɛʀ] n. m. **1.** Chacun des objets (surtout imprimés) reproduisant un type commun. ⇒ **copie, épreuve.** *Tirer un livre à dix mille exemplaires. Les exemplaires d'un journal, d'une gravure, d'une médaille. Photocopier une lettre en plusieurs exemplaires.* **2.** Chacun des individus (d'une même espèce). *De beaux exemplaires d'une plante.* ⇒ **échantillon, spécimen.** **3.** Se dit de choses semblables. *C'est une attitude très commune, que l'on rencontre à des milliers d'exemplaires.*

exemple [ɛgzɑ̃pl] n. m. **I.** **1.** Action, manière d'être qu'on peut imiter. *Bon exemple, exemple à suivre.* ⇒ **modèle, règle** ; ② **exemplaire.** *Donner l'exemple,* faire qqch. le premier. *Suivre l'exemple de qqn, prendre exemple sur qqn,* imiter qqn. — Littér. À L'EXEMPLE DE loc. prép. : pour se conformer à, pour imiter. *Il agit à l'exemple de son père.* **2.** Personne dont les actes sont dignes d'être imités. ⇒ **modèle.** *On ne peut vraiment pas vous donner en (pour) exemple.* **3.** (Dans les expressions : *faire un, des exemples ; pour l'exemple*) Châtiment pouvant servir de leçon (pour les autres). *Il a été fusillé pour l'exemple. Les juges voulaient faire un exemple.* **II.** **1.** Chose semblable ou comparable à celle dont il s'agit. *L'unique, le seul exemple que je connaisse, l'exemple le plus connu.* ⇒ **cas.** *On en trouvera facilement dix exemples. Il est d'une sottise sans exemple,* unique. **2.** Événement particulier, chose précise qui entre dans une catégorie, dans un genre et qui sert à illustrer, à préciser l'idée. *Voici un exemple de sa bêtise.* ⇒ **aperçu, échantillon, spécimen.** *Donnez-moi un exemple. Exemple bien choisi.* — Passage d'un texte que l'on cite pour illustrer l'emploi d'un mot, d'une expression. *Exemple de grammaire. Les exemples d'un dictionnaire.* **3.** PAR EXEMPLE loc. adv. : pour confirmer, expliquer, illustrer par un exemple ce qui vient d'être dit. *Considérons, par exemple, ce cas. Une invention moderne, par exemple la télévision.* ⇒ **comme, notamment.** — Fam. Pour marquer une restriction. *Je ne fume pas ; par exemple, ne me proposez pas un bon cigare.* ⇒ **mais, toutefois.** — *Par exemple !,* marque l'étonnement, la surprise, l'incrédulité. *Ça par exemple ! Mais c'est lui !* ▶ ② *exemplaire* adj. **1.** Qui peut servir d'exemple. ⇒ **édifiant, parfait.** *Une mère exemplaire. Il mène une vie exemplaire.* **2.** Dont l'exemple doit servir d'avertissement, de leçon. *Châtiment, punition exemplaire.* ⇒ **sévère.** ▶ *exemplairement* adv. ■ D'une manière exemplaire. *Vivre exemplairement. Être puni exemplairement.* ▶ *exemplifier* v. tr. ■ conjug. 7. ■ Illustrer d'exemples. *Exemplifier un dictionnaire, une grammaire, une démonstration.* ▶ *exemplification* n. f. Didact.

exempt, empte [ɛgzɑ̃, ɑ̃t] — REM. On ne prononce pas le *p.* Adj. et n. m. **I.** Adj. **1.** (Personnes) EXEMPT DE *qqch.* : qui n'est pas obligé d'accomplir (une charge, un service). ⇒ **exemption.** *Être exempt du service militaire.* ⇒ **dispensé, libéré.** / contr. **astreint, obligé** / — (Choses) *Revue exempte de timbre.* **2.** (Personnes) Préservé (d'un mal, d'un désagrément). *Il est exempt de tout souci,* à l'abri de. **3.** Qui n'est pas sujet à (un défaut, une tendance). *Il est exempt de toute méchanceté. Vous n'êtes pas exempt de vous tromper ; personne n'en est exempt.* — (Choses) ⇒ **sans.** *Calcul exempt d'erreurs.* **II.** N. m. Personne exempte, exemptée d'une charge, d'un service. *Les exempts de gymnastique iront à l'étude.* ▶ *exempter* [ɛgzɑ̃te] v. tr. ■ conjug. 1. **1.** Rendre exempt (d'une charge, d'un service commun). ⇒ **dispenser.** *Exempter qqn d'une obligation, d'une peine.* — Au passif. *Il a été exempté du service militaire.*

⇒ **exempt. 2.** Littér. (Suj. chose) Dispenser, mettre à l'abri de. ⇒ **garantir, préserver.** *Son goût du travail l'exemptait de la paresse.* **3.** S'EXEMPTER v. pron. ⇒ **éviter, se dispenser.** *Vous auriez pu vous en exempter.* ▸ *exemption* [ɛgzɑ̃psjɔ̃] n. f. ▪ Dispense (d'une charge, d'un service commun). *Exemption d'impôts, d'obligations.*

exercer [ɛgzɛʀse] v. tr. ▪ conjug. 3. **I.** V. tr. **1.** Soumettre à une activité régulière, en vue d'entretenir ou de développer. *Exercer tous ses sens, sa vue, l'ouïe. Exercer son souffle, sa résistance. Exercer son esprit, sa mémoire.* ⇒ **cultiver. 2.** Soumettre (qqn, un animal) à un entraînement. ⇒ **former, habituer.** *Exercer un chien à la chasse.* ⇒ **dresser.** — (Compl. abstrait) *Exercer l'esprit à l'observation.* — EXERCER À (+ infinitif). *Exercer les soldats à marcher au pas.* **3.** Mettre en usage (un moyen d'action, une disposition à agir) ; faire agir (ce qui est en sa possession, à sa disposition). *Exercer un pouvoir, son autorité, une influence. Exercer sa méchanceté sur qqn. Il a trouvé enfin le métier où il peut exercer son vrai talent.* ⇒ **déployer, employer. 4.** Pratiquer (des activités professionnelles). *Exercer un métier.* ⇒ **faire.** *Il exerce (la médecine) depuis de longues années.* **II.** S'EXERCER v. pron. **1.** Avoir une activité réglée pour acquérir la pratique. *Le musicien s'exerce plusieurs heures par jour.* ⇒ **s'entraîner** — (Avec *à* + infinitif) *S'exercer à calculer vite.* ⇒ **apprendre. 2.** (Choses) Se manifester (à l'égard de, contre qqn ou qqch.). *Sa méfiance s'exerce contre tout le monde.* **3.** (Passif) Être exercé. *Pouvoir, puissance, influence qui s'exerce sur qqn, dans un domaine.* ⇒ **se faire sentir.** *Sa patience a dû s'exercer,* être mise à l'épreuve. ▸ *exercé, ée* adj. ▪ Devenu habile à force de s'exercer ou d'être exercé ; *Un œil exercé, une oreille exercée. Un spécialiste exercé,* adroit. ‹ ▸ exercice ›

exercice [ɛgzɛʀsis] n. m. **I. 1.** L'EXERCICE : le fait d'exercer son corps par l'activité physique. *Le docteur lui a recommandé de prendre de l'exercice, de faire un peu d'exercice.* **2.** Entraînement des soldats au maniement des armes, aux mouvements sur le terrain. ⇒ **manœuvre.** *Le lieutenant instructeur fait faire l'exercice à sa section.* **3.** UN, DES EXERCICE(S) : activité réglée, ensemble de mouvements, d'actions destiné(e)s à exercer qqn dans un domaine particulier. — *Exercices scolaires,* devoir aux difficultés graduées. *Exercices de grammaire, de version. Faire des exercices sur un piano. Les exercices d'une chanteuse.* ⇒ **vocalise. 4.** Littér. Action ou façon de s'exercer. ⇒ **apprentissage, étude, travail.** *Acquérir le talent de la parole par un long exercice.* **II. 1.** EXERCICE DE : action d'exercer en employant, en mettant en usage (⇒ **exercer,** I, 3). *L'exercice du pouvoir.* ⇒ **pratique.** Le fait d'exercer (une activité d'ordre professionnel). ⇒ **exercer** (I, 4). *L'exercice d'une profession, d'un métier. Exercice illégal de la médecine.* — EN EXERCICE : en activité, en service. *Entrer en exercice.* **3.** Le fait de pratiquer (un culte). *Le libre exercice des cultes.* **III.** Période comprise entre deux inventaires, deux budgets (souvent une année). *Bilan en fin d'exercice.*

exergue [ɛgzɛʀg] n. m. ▪ Inscription placée dans une œuvre d'art (tableau, médaille) ou en tête d'un texte. EN EXERGUE : comme présentation, explication. *Mettre un proverbe en exergue à un tableau, à un texte.*

s'exfolier [ɛksfɔlje] v. pron. ▪ conjug. 7. ▪ Se détacher par feuilles, par lamelles. *L'écorce du platane s'exfolie.* ▸ *exfoliation* n. f. ▪ Le fait de s'exfolier ; son résultat. *L'exfoliation d'une roche.*

exhaler [ɛgzale] v. tr. ▪ conjug. 1. **1.** Dégager de soi et répandre au-dehors (une chose volatile, odeur, vapeur, gaz). *Exhaler des effluves. Exhaler une odeur* (agréable ou désagréable). **2.** Laisser échapper de sa gorge, de sa bouche (un souffle, un son, un soupir). *Exhaler le dernier soupir.* ⇒ **pousser, rendre. 3.** Littér. Manifester (un sentiment) de façon audible, par des chants, des pleurs, etc. ⇒ **exprimer, manifester.** *Exhaler sa joie dans un chant.* ▸ *exhalaison* [ɛgzalɛzɔ̃] n. f. ▪ Ce qui s'exhale d'un corps. ⇒ **émanation.** *Des exhalaisons odorantes.* ⇒ **effluve, odeur.**

exhausser [ɛgzose] v. tr. ▪ conjug. 1. ▪ Augmenter (une construction) en hauteur. ⇒ **surélever.** *Exhausser un mur, une digue. Exhausser une maison d'un étage.* / contr. **abaisser** / ≠ **exaucer.** ▸ *exhaussement* n. m. ▪ Action d'exhausser ; son résultat. ⇒ **surélévation.** *L'exhaussement d'un mur, d'un édifice.*

exhaustif, ive [ɛgzostif, iv] adj. ▪ Qui traite complètement un sujet. *Étude exhaustive. Liste, bibliographie exhaustive.* / contr. **incomplet** / ▸ *exhaustivement* adv. ▪ *Les mots de ce texte ont été relevés exhaustivement.* ▸ *exhaustivité* n. f. ▪ Caractère de ce qui est exhaustif. *Sa bibliographie vise à atteindre l'exhaustivité.*

exhiber [ɛgzibe] v. tr. ▪ conjug. 1. **1.** Montrer, faire voir (à qqn, au public). *Il exhibe son diplôme à tous ses amis.* **2.** Péj. Montrer avec ostentation. *Exhiber ses décorations, des toilettes tapageuses.* ⇒ **arborer, déployer, étaler.** *Exhiber ses seins, les montrer nus.* — Abstrait. *Exhiber sa science.* — Péj. S'EXHIBER v. pron. : se produire, se montrer en public. *Il ne manque jamais de s'exhiber dans les soirées.* ▸ *exhibition* [ɛgzibisjɔ̃] n. f. **1.** Action de montrer (spécialt au public). ⇒ **présentation.** *Exhibition de fauves, dans un cirque.* **2.** Déploiement, étalage ostentatoire. *Exhibition de toilettes fastueuses, de luxe.* ▸ *exhibitionnisme* n. m. **1.** Obsession morbide qui pousse certains sujets à exhiber leurs organes génitaux. **2.** Fait d'afficher en public ses sentiments, sa vie privée, ce qu'on devrait cacher. *L'exhibitionnisme d'un écrivain.* ▸ *exhibitionniste* n. et adj. **1.** Personne qui manifeste de l'exhibitionnisme (1). *Un exhibitionniste.* — *Des tendances exhibitionnistes.* — Personne qui aime se montrer nue. *C'est un(e) exhibitionniste.* **2.** Qui affiche en public ses sentiments, sa vie privée.

exhorter [ɛgzɔʀte] v. tr. ▪ conjug. 1. ▪ EXHORTER qqn À : s'efforcer par des discours persuasifs de lui faire faire qqch. ⇒ **encourager, engager, inciter, inviter** à. *Je vous exhorte à la patience.* — (+ infinitif) *Je vous exhorte à faire votre devoir.* — Pronominalement. *Ils s'exhortaient à l'action, à agir.* ▸ *exhortation* n. f. ▪ Paroles pour exhorter. ⇒ **encouragement, incitation.** *Toutes nos exhortations n'ont servi à rien.*

exhumer [ɛgzyme] v. tr. ▪ conjug. 1. **1.** Retirer (un cadavre) de la terre, de la sépulture. ⇒ **déterrer.** / contr. **inhumer** / *Exhumer un corps pour l'autopsie.* **2.** Retirer (une chose enfouie) du sol, spécialt des fouilles. *Exhumer les ruines d'une ville romaine.* **3.** Abstrait. Tirer de l'oubli. ⇒ **rappeler, ressusciter.** *Exhumer de vieilles rancunes, des souvenirs.* ▸ *exhumation* n. f. ▪ Littér. Action d'exhumer ; son résultat. *L'exhumation d'un corps. L'exhumation de vestiges.*

exigeant, ante [ɛgziʒɑ̃, ɑ̃t] adj. **1.** Qui est habitué à exiger beaucoup. *Vous n'êtes pas très exigeant. Caractère exigeant,* difficile à contenter. ⇒ **difficile.** — (Du point de vue moral, intellectuel) ⇒ **sévère.** *C'est un critique exigeant.* **2.** (Disposition, sentiment, activité) Qui a besoin de beaucoup pour s'affirmer, s'exercer. *Profession exigeante. Une religion exigeante.* / contr. **facile** /

exigence [ɛgziʒɑ̃s] n. f. Action d'exiger ; ce qui est exigé. **1.** Au plur. Ce qu'une personne, une collectivité, une discipline, réclame d'autrui. *Si tu te laisses faire, ses exigences n'auront plus de limites.* ⇒ **revendication.** *Céder aux exigences de qqn,* faire toutes ses volontés. — Ce qu'on demande, en argent (prix, salaire). *Quelles sont vos exigences ?* ⇒ **condition, prétention. 2.** Au sing. et au plur. Ce qui est réclamé comme nécessaire (moralement). *Il a une grande exigence d'honnêteté.* **3.** Au sing. Caractère d'une personne exigeante, difficile à contenter. *Il est d'une exigence insupportable.*

exiger [ɛgziʒe] v. tr. ▪ conjug. 3. **1.** Demander impérativement (ce que l'on pense avoir le droit ou la force d'obtenir). ⇒ **réclamer, requérir.** *Il exige une compensation, des réparations. Exiger le silence. Qu'exigez-vous de moi ?* — Requérir comme nécessaire pour remplir tel rôle, telle fonction. *Ce métier exige beaucoup de qualités.* — Au p. p. adj. *Diplômes exigés.* — EXIGER QUE (+ subjonctif). *Elle exige qu'il revienne.* ⇒ **commander, ordonner, sommer.** (+ conditionnel) *Il exigea, avant de signer, qu'on lui réserverait ce droit.* — EXIGER DE (+ infinitif). *Il exigea de partir le premier.* **2.** (Suj. chose) Rendre indispensable, inévitable, obligatoire. *Les circonstances exigent une action immédiate.* ⇒ **imposer, nécessiter, réclamer.** *Ce travail exige beaucoup d'attention.* ▶ **exigible** adj. ▪ Qu'on a le droit d'exiger. *Somme exigible à la commande.* ⟨ ▶ exigeant, exigence ⟩

exigu, uë [ɛgzigy] adj. ▪ D'une dimension insuffisante. ⇒ **petit.** *Un appartement, un jardin exigu.* ⟨ / contr. **grand** / ▶ **exiguïté** [ɛgziguite] n. f. ▪ Caractère de ce qui est de dimension insuffisante. ⇒ **petitesse.** *L'exiguïté d'un logement.*

exil [ɛgzil] n. m. **1.** Expulsion de qqn hors de sa patrie, avec défense d'y rentrer ; situation de la personne expulsée. ⇒ **bannissement, déportation.** *Condamner qqn à l'exil. Envoyer qqn en exil ; être en exil. Lieu, terre d'exil. Au retour de l'exil.* **2.** Littér. Obligation de séjourner hors d'un lieu, loin d'une personne qu'on regrette. ⇒ **éloignement, séparation.** *Vivre loin d'elle est pour lui un dur exil.* ▶ **exiler** v. tr. ▪ conjug. 1. **1.** Envoyer (qqn) en exil. ⇒ **bannir, déporter, expatrier, expulser, proscrire.** *Le gouvernement militaire a exilé ses adversaires.* **2.** Éloigner (qqn) d'un lieu et lui interdire d'y revenir. ⇒ **chasser, éloigner.** — S'EXILER V. pron. réfl. : se condamner à l'exil ; s'installer très loin de son pays. *Il ne veut pas (aller) s'exiler en Australie. Ils se sont exilés pour trouver du travail, ils ont émigré.* ▶ **exilé, ée** adj. et n. ▪ Qui est en exil (1). *Opposant politique exilé.* — N. *Un, une exilé(e).*

existence [ɛgzistɑ̃s] n. f. **I. 1.** Le fait d'être ou d'exister. ⇒ ② **être.** *Pour Descartes, c'est la pensée qui assure l'homme de son existence.* **2.** Le fait d'exister, d'avoir une réalité (pour un observateur). *Tiens, le voilà, celui-là ; j'avais oublié son existence. J'ignorais l'existence de ce testament. Découvrir l'existence d'une étoile, d'un corps chimique.* **II. 1.** Vie considérée dans sa durée, son contenu. *Traîner une existence misérable. Conditions, moyens d'existence (ou de vie). Il se complique inutilement l'existence.* — Durée (d'une situation, d'une institution). *Cette institution a maintenant deux siècles d'existence.* **2.** Mode, type de vie. *Changer d'existence en se mariant.* ▶ **existentialisme** [ɛgzistɑ̃sjalism] n. m. ▪ Doctrine philosophique selon laquelle l'homme n'est pas déterminé d'avance par son essence*, mais est libre et responsable de son existence. ▶ **existentialiste** adj. et n. ▪ Qui se rapporte à l'existentialisme. *Philosophe existentialiste.* — N. *Les existentialistes chrétiens, athées.* ⟨ ▶ coexistence, inexistence, préexistence ⟩

exister [ɛgziste] v. intr. ▪ conjug. 1. **1.** Avoir une réalité. ⇒ **être.** *Être imaginaire qui n'a jamais existé. Cette ancienne coutume existe encore.* ⇒ **continuer, durer, persister.** — Se trouver (quelque part). *Cette variété d'oiseau n'existe pas en Europe.* — Impers. IL EXISTE... : il y a. *Il existe un commissariat de police dans chaque arrondissement.* **2.** (Suj. personne) Vivre. *Il a une raison d'exister. Quand j'aurai cessé d'exister.* **3.** (Sens fort) Avoir de l'importance, de la valeur. ⇒ **compter.** *Le passé n'existe pas pour elle. Rien n'existe pour lui lorsqu'il travaille. Et nos souvenirs ? Ça existe !* ▶ **existant, ante** adj. **1.** Qui existe, qui a une réalité. ⇒ **positif, réel.** *Les choses existantes et les choses imaginaires.* / contr. **irréel, virtuel** / **2.** Qui existe actuellement. ⇒ **actuel, présent.** *Majorer les tarifs existants.* ⟨ ▶ coexister, existence, inexistant, préexister ⟩

ex-libris [ɛkslibʁis] n. m. invar. ▪ Inscription apposée sur un livre pour en indiquer le propriétaire. *Des ex-libris.*

exo- ▪ Élément signifiant « au-dehors ». / contr. **endo-** /

exode [ɛgzɔd] n. m. **1.** (Personnes) Émigration, départ en masse. *L'exode des civils français fuyant les troupes allemandes (mai-juin 1940).* — *Exode rural,* dépeuplement des campagnes. — *L'exode des Parisiens au moment des vacances.* **2.** (Choses) *Exode des capitaux,* leur départ à l'étranger.

exonérer [ɛgzɔneʁe] v. tr. ▪ conjug. 6. ▪ Décharger (qqn de qqch. à payer). *Exonérer un contribuable,* le décharger d'une partie ou de la totalité de l'impôt. — Par ext. Au p. p. adj. *Marchandises exonérées,* dispensées de droits de douane. ▶ **exonération** n. f. ▪ Action d'exonérer ; son résultat. ⇒ **abattement, déduction, dégrèvement, exemption, immunité, remise.** *Exonération fiscale.* / contr. **majoration, surtaxe** /

exophtalmie [ɛgzɔftalmi] n. f. ▪ Saillie anormale du globe oculaire hors de l'orbite.

exorbitant, ante [ɛgzɔʁbitɑ̃, ɑ̃t] adj. ▪ Qui sort des bornes, qui dépasse la juste mesure. ⇒ **excessif.** *Sommes exorbitantes. Prix exorbitant. Ses prétentions sont exorbitantes.*

exorbité, ée [ɛgzɔʁbite] adj. ▪ *Yeux exorbités,* qui sortent de l'orbite ; tout grand ouverts (d'étonnement, de peur, etc.).

exorciser [ɛgzɔʁsize] v. tr. ▪ conjug. 1. **1.** Chasser (les démons) du corps des possédés à l'aide de formules et de cérémonies. *Exorciser un démon.* — Littér. *Exorciser la peur, la haine.* **2.** Délivrer (un possédé) de ses démons. ▶ **exorcisme** n. m. ▪ Pratique religieuse pour exorciser. *Faire des exorcismes.* ▶ **exorciste** n. ▪ Personne qui exorcise.

exorde [ɛgzɔʁd] n. m. ▪ Première partie (d'un discours), entrée en matière. ⇒ **introduction, préambule, prologue.** *Après un bel exorde, il aborda son sujet.* / contr. **conclusion, épilogue** /

exotique [ɛgzɔtik] adj. et n. ▪ Qui n'appartient pas aux civilisations de l'Occident ; qui est apporté de pays lointains. *Produits, denrées exotiques* (opposé à *indigène*). *Danses exotiques.* ▶ **exotisme** n. m. **1.** Caractère de ce qui est exotique. *Avoir le goût de l'exotisme.* **2.** Goût des choses exotiques.

expansible [ɛkspɑ̃sibl] adj. ▪ Terme de science. Qui est susceptible d'expansion, qui peut se dilater. *Les gaz sont expansibles.*

expansif, ive [ɛkspɑ̃sif, iv] adj. ▪ Qui s'exprime avec effusion. ⇒ **communicatif, démonstratif, exubérant.** *Un homme peu expansif. Être d'un naturel* *expansif.* ⇒ **ouvert.** / contr. **renfermé, réservé** / *Une joie expansive,* débordante. ▶ *expansivité* n. f. ■ Caractère expansif. *Refouler son expansivité.* / contr. **réservé** /

expansion [εkspɑ̃sjɔ̃] n. f. **1.** Action de s'étendre, de prendre plus de terrain ou de place en se développant. ⇒ **extension.** / contr. **recul, régression** / *L'expansion d'un pays hors de ses frontières. Expansion économique. Le secteur de l'électronique est en pleine expansion. L'expansion des idées nouvelles.* ⇒ **diffusion, propagation. 2.** Mouvement par lequel une personne communique ses pensées, ses sentiments. ⇒ **effusion, épanchement.** *Besoin d'expansion.* / contr. **froideur, réserve** / **3.** Dans les sciences. Développement (d'un corps fluide) en volume ou en surface (dilatation, décompression, etc.). *L'expansion des gaz* (⇒ **expansible**). ▶ *expansionnisme* n. m. ■ Politique d'expansion (1). ▶ *expansionniste* n. et adj. ■ Partisan de l'expansion territoriale, économique. — *Une politique expansionniste.* ‹ ▶ expansible, expansif ›

expatrier [εkspatʀije] v. tr. ▪ conjug. 7. **1.** Rare. Obliger (qqn) à quitter sa patrie. ⇒ **exiler, expulser.** — *Expatrier des capitaux,* les placer à l'étranger. **2.** S'EXPATRIER v. pron. réfl. : quitter sa patrie pour s'établir ailleurs. ⇒ **émigrer.** *Ouvriers qui s'expatrient pour trouver du travail.* ▶ *expatrié, ée* adj. ■ Ennemis politiques expatriés, exilés, réfugiés. — N. *Des expatriés.* ▶ *expatriation* n. f. ■ Action d'expatrier ou de s'expatrier ; son résultat. *L'expatriation des protestants, au XVIIᵉ siècle. L'expatriation des capitaux.*

expectative [εkspεktativ] n. f. **1.** Littér. Attente fondée sur des promesses ou des probabilités. *Une longue expectative.* **2.** Attente prudente qui consiste à ne pas prendre parti, en attendant une solution. *Demeurer, rester dans l'expectative. Sortir de son expectative.*

expectorer [εkspεktɔʀe] v. tr. ▪ conjug. 1. ■ Rejeter (les mucosités qui obstruent les voies respiratoires, les bronches). ⇒ **cracher, tousser.** ▶ *expectoration* n. f.

① *expédient, ente* [εkspedjɑ̃, ɑ̃t] adj. ■ Littér. Qui convient pour la circonstance. ⇒ **commode, convenable, utile.** *Vous ferez ce que vous jugerez expédient. Trouver un moyen expédient.* / contr. **inopportun, inutile** /

② *expédient* n. m. **1.** Mesure qui permet de se tirer d'embarras momentanément. *Nous trouverons toujours un expédient, sinon une véritable solution.* **2.** Moyen pour se procurer de l'argent. *Vivre d'expédients,* être obligé, pour vivre, de recourir à des moyens anormaux, indélicats.

① *expédier* [εkspedje] v. tr. ▪ conjug. 7. **1.** Faire (qqch.) rapidement, sans attendre. *Expédier les affaires courantes.* — Faire sans soin, pour se débarrasser. *Expédier une corvée. Écolier qui expédie ses devoirs.* ⇒ **bâcler** ; fam. **torcher.** *Expédier qqn,* en finir au plus vite avec lui pour s'en débarrasser. ⇒ se **débarrasser.** ▶ *expéditif, ive* adj. ■ Qui expédie les affaires, son travail. ⇒ **actif, rapide, vif.** *Être expéditif en affaires.* — (Choses) Qui permet d'expédier les affaires. *Le moyen le plus expéditif.* ⇒ **court.** / contr. **lent** / — *Justice expéditive,* rendue trop rapidement pour être sans défaut. ▶ ① *expédition* n. f. ■ Action d'expédier (1) ce qu'on a à faire. *L'expédition des affaires courantes.*

② *expédier* v. tr. ▪ conjug. 7. **1.** Faire partir pour une destination. ⇒ **envoyer.** *Expédier une lettre, un colis par la poste.* **2.** Fam. Envoyer (qqn) au loin pour s'en débarrasser. *Ils ont expédié leur fille en colonie*

de vacances. — *Expédier qqn dans l'autre monde,* le tuer. ▶ *expéditeur, trice* n. ■ Personne qui expédie qqch. ⇒ **envoyer.** *L'expéditeur d'une lettre, d'un colis. L'expéditeur et le destinataire.* — Adj. *Gare expéditrice.* ▶ ② *expédition* n. f. **1.** Action de faire partir (qqch.) pour une destination. ⇒ **envoi.** *Expédition de marchandises pour l'étranger. Expédition par bateau. L'expédition du courrier.* **2.** Chose expédiée. *Je n'ai pas reçu votre expédition.* ⇒ **envoi.** — Quantité de marchandises expédiées. *Les expéditions ont augmenté.* ▶ ① *expéditionnaire* n. ■ Employé(e) chargé(e) des expéditions dans une maison de commerce. ‹ ▶ réexpédier ›

③ *expédition* n. f. **1.** Opération militaire exigeant un déplacement de troupes. ⇒ **campagne.** *Expédition rapide pour surprendre l'ennemi.* ⇒ **coup** de main, **raid. 2.** Voyage d'exploration dans un pays difficilement accessible ; personnel et matériel nécessaires à ce voyage. *Organiser, financer une expédition scientifique. Film rapporté par une expédition.* — *C'est une véritable expédition !,* se dit d'un déplacement qui exige tout un matériel. ▶ ② *expéditionnaire* adj. ■ Envoyé en expédition militaire. *Corps expéditionnaire.*

① *expérience* [εkspeʀjɑ̃s] n. f. **1.** L'EXPÉRIENCE DE qqch. : le fait d'éprouver qqch., considéré comme un élargissement ou un enrichissement de la connaissance, du savoir, des aptitudes. ⇒ **pratique, usage.** *Expérience prolongée d'une chose.* ⇒ **habitude.** *L'expérience du monde, des hommes. Faire l'expérience de qqch.,* éprouver, ressentir. ⇒ **expérimenter.** *Je n'en ai pas encore fait l'expérience.* — Le fait d'éprouver une fois qqch. *C'est une expérience qu'il ne recommencera pas !* **2.** Sans compl. La pratique que l'on a eue de qqch., considérée comme un enseignement. *L'expérience l'a rendu sage. Les leçons de l'expérience. Vérité, fait d'expérience.* ⇒ **constatation. 3.** Sans compl. Ensemble des acquisitions de l'esprit résultant de l'exercice des facultés, au contact de la réalité, de la vie. ⇒ **connaissance, savoir.** *Avoir plus de courage, de bonne volonté que d'expérience. C'est un débutant sans expérience.* ‹ ▶ inexpérience ›

② *expérience* n. f. **1.** Le fait de provoquer une observation dans l'intention d'étudier un phénomène, de contrôler ou de suggérer une idée, une hypothèse. ⇒ **épreuve, essai, expérimentation.** *Se livrer à des expériences. Faire une expérience, des expériences de physique, de chimie. Hypothèse confirmée par l'expérience.* **2.** Essai, tentative. *Tentons l'expérience par curiosité. Faire une expérience de vie commune.*

① *expérimenter* [εkspeʀimɑ̃te] v. tr. ▪ conjug. 1. ■ Éprouver, connaître par expérience. ⇒ **éprouver.** *On ne peut juger de cela sans l'avoir expérimenté.* ▶ *expérimenté, ée* adj. ■ Qui est instruit par l'expérience (①, 3). ⇒ **éprouvé, exercé, expert.** *C'est un homme expérimenté. Un acheteur expérimenté,* averti. / contr. **débutant, inexpérimenté** / ‹ ▶ inexpérimenté ›

② *expérimenter* v. tr. ▪ conjug. 1. ■ Pratiquer des opérations destinées à étudier, à juger (qqch.). ⇒ **éprouver, essayer, vérifier.** *Expérimenter un vaccin sur un cobaye. Expérimenter un nouveau procédé, une nouvelle voiture.* ▶ *expérimental, ale, aux* adj. **1.** Fondé sur l'expérience scientifique ; qui emploie systématiquement l'expérience. *Méthode expérimentale,* observation, classification, hypothèse et vérification par les expériences appropriées. *Science expérimentale.* **2.** Qui constitue une expérience. — Fait, construit pour en éprouver les qualités. *Cultures expérimentales. Fusée expérimentale. À titre expérimental,* pour en faire l'expérience. ▶ *expérimentalement* adv. ■ Par l'expérience scientifique. *Cette* théorie a été vérifiée expérimentalement. ▶ *expérimentateur, trice* n. ■ Personne qui effectue des expériences scientifiques. *Une habile expérimentatrice.* ▶ *expérimentation* n. f. ■ Emploi systématique de l'expérience scientifique. *L'expérimentation en chimie, en agriculture.*

expert, erte [ɛkspɛʀ, ɛʀt] adj et n. m. **I.** Adj. Qui a acquis une grande habileté par l'expérience, par la pratique. ⇒ **expérimenté.** / contr. **inexpérimenté ; amateur /** *Un technicien expert.* ⇒ **éprouvé,** *Elle n'est pas experte dans cet art, en la matière. Être expert à manier une arme.* **II.** UN EXPERT n. m. : personne choisie pour ses connaissances techniques et chargée de faire des examens, constatations ou appréciations de fait. ⇒ **expertise.** *L'avis des experts. Elle est expert devant les tribunaux civils.* — Personne dont la profession consiste à reconnaître l'authenticité et à apprécier la valeur des objets d'art. *Faire estimer un tableau, un meuble, une collection par un expert.* ▶ *expert-comptable* n. m. ■ Personne faisant profession d'organiser, vérifier, apprécier ou redresser les comptabilités sous sa responsabilité. *Des experts-comptables. Elle est expert-comptable.* ▶ *expertise.* n. f. **1.** Mesure par laquelle des experts sont chargés de procéder à un examen technique (pendant l'instruction d'un procès). *Le juge a ordonné une expertise.* **2.** Estimation de la valeur d'un objet d'art, étude de son authenticité par un expert. *L'expertise a prouvé que le tableau qui un faux.* ▶ *expertiser* v. tr. ■ conjug. 1. ■ Soumettre à une expertise. *Expertiser les dégâts.* ⇒ **estimer, évaluer.** *Faire expertiser un tableau.* ‹ ▶ contre-expertise ›

expier [ɛkspje] v. tr. ■ conjug. 7. **1.** Réparer, en subissant une expiation. *Expier ses torts.* — Dans la religion chrétienne. *Expier ses péchés par la pénitence.* **2.** Payer pour (en subissant une conséquence ou par sentiment de culpabilité). *Expier une erreur, ses imprudences.* ▶ *expiation* n. f. ■ Souffrance imposée ou acceptée à la suite d'une faute et considérée comme un remède ou une purification. *Le remords d'une faute entraîne un désir d'expiation.* ⇒ **rachat, réparation, repentir.** *Châtiment infligé en expiation d'un crime.* ▶ *expiatoire* adj. ■ Qui est destiné à une expiation. *Une peine expiatoire. Victime expiatoire* (d'un sacrifice). ‹ ▶ inexpiable ›

① *expirer* [ɛkspiʀe] v. tr. ■ conjug. 1. ■ Expulser des poumons (l'air inspiré). ⇒ **souffler.** *Inspirez profondément, expirez !* — Au p. p. adj. *L'air expiré.* ▶ ① *expiration* n. f. ■ Action par laquelle les poumons expulsent l'air (⇒ **respiration**). *Expiration par le nez, la bouche.*

② *expirer* v. intr. ■ conjug. 1. **1.** Rendre le dernier soupir. ⇒ **s'éteindre, mourir.** *Il est sur le point d'expirer.* ⇒ **expirant.** *Le malade a expiré dans la soirée, est expiré depuis l'aube.* **2.** (Choses) Cesser d'être ; prendre fin. ⇒ **disparaître, s'évanouir.** *Le feu expirait lentement.* **3.** (Temps prescrit, convention) Arriver à son terme. ⇒ **finir.** *Ce passeport expire le 1ᵉʳ septembre. Votre abonnement expirera le mois prochain.* ▶ *expirant, ante* adj. **1.** Qui est près d'expirer. ⇒ **agonisant, mourant. 2.** Qui finit, qui va cesser d'être. *Une flamme expirante. Parler d'une voix expirante.* ▶ ② *expiration* n. f. ■ Moment où se termine (un temps prescrit ou convenu). ⇒ **échéance, fin, terme.** *À l'expiration des délais.* — Fin de la validité (d'une convention). *L'expiration d'une trêve. Le bail arrive à expiration.* / contr. **continuation /**

explétif, ive [ɛkspletif, iv] adj. ■ Qui sert à remplir la phrase sans être nécessaire au sens (ex. : dans « il craint que je ne sois trop jeune », « regardez-moi ce maladroit », *ne, moi* sont explétifs).

explicable [ɛksplikabl] adj. ■ Qui s'explique ; dont on peut donner la cause, la raison. ⇒ **compré-**

hensible. *Cette erreur n'est pas explicable. C'est un phénomène facilement explicable.* / contr. **incompréhensible, inexplicable /** ‹ ▶ inexplicable ›

explicatif, ive [ɛksplikatif, iv] adj. **1.** (Choses) Qui explique. *Note explicative jointe à un dossier, un rapport. Commentaires explicatifs au bas d'une page.* — Qui indique comment se servir de qqch. *Note explicative jointe à un appareil.* ⇒ **notice. 2.** Grammaire. *Proposition relative explicative,* qui ne fait qu'expliquer l'antécédent sans en restreindre le sens (ex. : son père *qui était en Italie* lui écrivait rarement).

explication [ɛksplikasjɔ̃] n. f. Action d'expliquer ; son résultat. **1.** Développement destiné à éclaircir le sens de qqch. ⇒ **commentaire, éclaircissement.** *Il a fourni des explications supplémentaires. Explications jointes à un texte* ⇒ **note, remarque,** *à une carte* ⇒ **légende.** — *Explication de textes,* étude littéraire, stylistique d'un texte. **2.** Ce qui rend compte d'un fait. ⇒ **cause, motif, raison.** *Quelle est l'explication de ce retard dans le courrier ?* **3.** Éclaircissement sur les intentions, la conduite. ⇒ **justification.** *Demander des explications à qqn sur une démarche. Je ne trouve aucune explication à sa conduite.* **4.** Discussion dans laquelle on s'explique (3). *Ils ont eu une longue explication, une explication franche, orageuse.*

explicite [ɛksplisit] adj. **1.** Qui est suffisamment clair et précis dans l'énoncé ; qui ne peut laisser de doute. ⇒ **net.** / contr. **implicite /** *Sa déclaration est parfaitement explicite.* **2.** (Personnes) Qui s'exprime avec clarté, sans équivoque. *Il n'a pas été très explicite sur ce point.* ▶ *explicitement* adv. ■ D'une manière explicite, formelle. *Demande formulée explicitement.* / contr. **implicitement /** ▶ *expliciter* v. tr. ■ conjug. 1. ■ Énoncer formellement. ⇒ **formuler.** *Toutes les clauses du contrat ont été explicitées.* — Rendre clair et précis. *Il vous faut expliciter votre point de vue.*

expliquer [ɛksplike] v. tr. ■ conjug. 1. **I. 1.** Faire connaître, faire comprendre nettement en développant. *Expliquer ses projets, ses intentions à qqn.* ⇒ **exposer.** *Il m'a tout expliqué en détail.* **2.** Rendre clair, faire comprendre (ce qui est ou paraît obscur). ⇒ **commenter, éclaircir, éclairer.** *Expliquer un texte difficile, un théorème.* — Donner les indications, la recette (pour faire qqch.). ⇒ **apprendre, enseigner.** *Expliquer à qqn le maniement d'une voiture, la règle d'un jeu.* ⇒ **montrer. 3.** Faire connaître la raison, la cause de (qqch.). *Je constate le fait, mais je ne peux pas l'expliquer. Comment expliquer ce brusque revirement ?* — (Choses) Être la cause, la raison visible de ; rendre compte de. *Cela explique bien des choses !* **4.** EXPLIQUER QUE : faire comprendre que. ⇒ **dire, exposer, montrer que.** *Expliquez-lui que nous comptons sur lui.* — (+ subjonctif) *Comment expliquez-vous qu'il puisse vivre sans travailler ?* **II.** S'EXPLIQUER v. pron. **1.** Faire connaître sa pensée, sa manière de voir. *Je ne sais si je me suis bien expliqué. Je m'explique, je donne des précisions sur ce que je viens de dire.* **2.** Rendre raison d'un fait, d'une opinion. *Elle s'est expliquée sur son absence.* ⇒ **disculper, justifier.** *S'expliquer avec qqn,* se justifier auprès de lui. *Allez donc vous expliquer avec elle !* **3.** (Récipr.) Avoir une discussion. *Ils se sont expliqués et ont fini par se mettre d'accord.* — Fam. Se battre. *Ils sont partis s'expliquer dehors.* **4.** (Réfl.) Comprendre la raison, la cause de (qqch.). *Je m'explique mal ce que vous faites ici.* — (+ subjonctif) *Je ne m'explique pas qu'elle soit en retard.* **5.** (Passif) Être rendu intelligible. *Cet accident ne peut s'expliquer que par une négligence. La chose s'explique d'elle-même.* ‹ ▶ explicable, explicatif, explication, inexpliqué ›

exploit [ɛksplwa] n. m. **I.** Action remarquable, exceptionnelle. ⇒ **prouesse.** *Exploit sportif, athlétique.* ⇒ **performance, record.** *En gagnant cette course, il a réalisé un véritable exploit.* — Iron. *Vous avez fait* *là un bel exploit !*, en parlant d'une action faite mal à propos. **II.** EXPLOIT D'HUISSIER, EXPLOIT : acte judiciaire signifié par huissier pour assigner, notifier ou saisir.

exploiter [ɛksplwate] v. tr. ▪ conjug. 1. **1.** Faire valoir (une chose) ; tirer parti de. *Exploiter une mine. Exploiter un réseau de chemin de fer. Exploiter un brevet, une licence.* **2.** Fig. Utiliser d'une manière avantageuse, faire rendre les meilleurs résultats. *Il faut exploiter la situation ; elle ne durera pas.* ⇒ **profiter** de. *On a exploité sa déclaration contre lui.* **3.** Se servir de (qqn) en n'ayant en vue que le profit. ⇒ **abuser** de. *Exploiter qqn* (spécialt le faire travailler en le payant trop peu). *Ce patron exploite ses employés.*
▶ **exploitable** adj. ▪ (Choses) Qui peut être exploité avec profit. *Cette forêt n'est pas encore exploitable.*
▶ **exploitant, ante** n. **1.** Personne (ou société) qui fait fonctionner une exploitation. *L'exploitant d'un domaine agricole. Les petits exploitants.* **2.** Propriétaire ou directeur de salle de cinéma. ▶ **exploitation** n. f. **1.** Action d'exploiter, de faire valoir (une chose). → Mise en valeur. *L'exploitation du sol, d'un domaine.* ⇒ **culture.** *Exploitation d'une mine, du sous-sol.* — Action de faire fonctionner en vue d'un profit. *L'exploitation d'une ligne aérienne.* — En informatique. *Système d'exploitation,* ensemble des programmes standards livrés avec un ordinateur. **2.** Le bien exploité ; le lieu où se fait la mise en valeur de ce bien. *Une exploitation familiale. Exploitation agricole* ⇒ **domaine, ferme, propriété,** *industrielle* ⇒ **fabrique, industrie, usine,** *commerciale* ⇒ **commerce, entreprise, établissement.** **3.** Abstrait. Utilisation méthodique. *L'exploitation rationnelle d'une idée originale, d'une situation.* **4.** Action d'abuser à son profit. *L'exploitation de la crédulité publique.* — Terminologie marxiste. *Exploitation de l'homme par l'homme,* le fait de tirer un profit (plus-value) du travail d'autres hommes. *L'exploitation capitaliste.*
▶ **exploité, ée** adj. et n. ▪ Qu'on exploite. *Un domaine bien exploité.* — (Personnes) *Une classe sociale exploitée.* — N. *Les exploiteurs et les exploités.*
▶ **exploiteur, euse** n. ▪ Personne qui tire un profit abusif d'une situation ou d'une personne. ⇒ **profiteur.**
/ contr. **exploité** / ‹ ▶ **inexploitable, surexploiter** ›

explorer [ɛksplɔʀe] v. tr. ▪ conjug. 1. **1.** Parcourir (un pays mal connu) en l'étudiant avec soin. *Découvrir et explorer une île, une zone polaire.* — Parcourir en observant, en cherchant. *Nous avons exploré toute la maison, mais nous n'avons rien trouvé.* **2.** Abstrait. Faire des recherches sur (qqch.), dans le domaine de la pensée. *Explorer une science, une question.* ⇒ **approfondir, étudier.** **3.** Reconnaître, observer (un organe, etc.) à l'aide d'instruments ou de procédés spéciaux. ⇒ **ausculter, examiner, sonder.** *Explorer une plaie avec une sonde.* ▶ **explorateur, trice** n. ▪ Personne qui explore un pays lointain, peu accessible ou peu connu. *Une équipe d'explorateurs.*
▶ **exploration** n. f. **1.** Action d'explorer (un pays). *Partir en exploration.* ⇒ **expédition.** — Examen méthodique (d'un lieu). *L'exploration d'une grotte, d'une forêt.* **2.** Abstrait. *L'exploration d'un sujet, d'un problème.* ⇒ **approfondissement.** *L'exploration du subconscient.* **3.** Examen minutieux de la structure ou du fonctionnement (des organes internes). ‹ ▶ **inexploré** ›

exploser [ɛksploze] v. intr. ▪ conjug. 1. **1.** Faire explosion. ⇒ **éclater, détoner, sauter** ; fam. **péter.** *Bombe, obus qui explose. Ce gaz explose au contact d'une flamme.* **2.** Fig. (Sentiments) Se manifester brusquement et violemment. ⇒ **éclater.** *Sa colère, son mécontentement explosa.* — (Personnes) *Exploser en injures, en imprécations.* **3.** Se développer largement ou brusquement. *La pénurie de matières premières a fait exploser les prix* ▶ **explosible** adj. ▪ Qui peut

faire explosion. *Gaz explosible.* ▶ ① **explosif, ive** adj. **1.** Relatif à l'explosion. *Onde explosive,* créée par une explosion. **2.** Qui peut faire explosion. ⇒ **explosible.** *Obus explosifs percutants et fusants.* **3.** Fig. *Une situation explosive,* critique, tendue. — *Un tempérament explosif,* sujet à de brusques colères. ▶ ② **explosif** n. m. ▪ Composé ou mélange de corps susceptible de dégager en un temps extrêmement court un grand volume de gaz portés à haute température. *La dynamite, le plastic sont des explosifs. Explosifs thermonucléaires* ou *atomiques,* corps fissibles donnant lieu à une réaction en chaîne. ▶ **explosion** n. f. **1.** Le fait de se rompre brutalement en projetant parfois des fragments. — Phénomène au cours duquel des gaz sous pression sont produits dans un temps très court. ⇒ **commotion, déflagration, éclatement.** ≠ *implosion. Faire explosion,* exploser. *Explosion d'un obus. Explosion atomique, nucléaire.* — Rupture violente, accidentelle (produite par un excès de pression, une brusque expansion de gaz, etc.). *La chaudière a fait explosion.* — *Entendre une explosion.* **2.** MOTEUR À EXPLOSION : qui transforme son énergie à l'expansion d'un gaz, provoquée par la combustion rapide d'un mélange carburé (mélange détonant). **3.** Fig. EXPLOSION DE : manifestation soudaine et violente de. *Explosion de joie, d'enthousiasme, de colère.* — Expansion soudaine. *Explosion démographique.* ⇒ anglic. **boom.**

exponentiel, ielle [ɛkspɔnɑ̃sjɛl] adj. et n. f. **1.** En mathématiques. Dont l'exposant est variable ou inconnu. *Fonction exponentielle* ou, n. f., *une exponentielle.* **2.** Cour. Qui augmente de manière continue et rapide.

exporter [ɛkspɔʀte] v. tr. ▪ conjug. 1. **1.** Envoyer et vendre hors d'un pays (ses produits). *Ce petit pays exporte des produits bruts. Exporter des excédents.* Sans compl. *Pour exporter, il faut produire.* — *Exporter des capitaux,* les placer à l'étranger. **2.** Exporter *une mode, une innovation,* la transporter à l'étranger. / contr. **importer** / ▶ **exportable** adj. ▪ Qui peut être exporté. *Une marchandise exportable.* ▶ **exportateur, trice** n. ▪ Personne qui exporte des marchandises, etc. ⇒ **expéditeur, vendeur.** *Les exportateurs de céréales.* — Adj. *Les pays exportateurs de pétrole.* / contr. **importateur** / ▶ **exportation** n. f. **1.** Action d'exporter ; sortie de marchandises nationales vendues à un pays étranger. *Commerce, maison d'importation et d'exportation* (import-export). *Des mesures destinées à favoriser l'exportation.* — *Une, des exportations,* ce qui est exporté. *Déficit, excédent des exportations. Exportations invisibles,* intérêts des capitaux placés à l'étranger, services (transports, assurances, services bancaires), dépenses faites par des étrangers (tourisme). **2.** *L'exportation d'une mode, d'une coutume.* / contr. **importation** /

① **exposant** [ɛkspozɑ̃] n. m. ▪ Expression numérique ou algébrique exprimant la puissance à laquelle une quantité est élevée. *Deux est l'exposant du carré, trois celui du cube. Fonction à exposants variables.* ⇒ **exponentiel.**

① **exposer** [ɛkspoze] v. tr. ▪ conjug. 1. **1.** Disposer de manière à mettre en vue. ⇒ **étaler, montrer, présenter.** *Exposer des marchandises dans une vitrine. Exposer qqch. aux yeux, à la vue de qqn,* montrer. / contr. **cacher, dissimuler** / — Placer (des œuvres d'art) dans un lieu d'exposition publique. *Cette galerie expose en ce moment des Dufy.* — (Suj. : artiste dont les œuvres sont exposées) *Il expose ses sculptures sur une grande place.* — Sans compl. *Il n'a pas exposé cette année.* — Au p. p. adj. *Catalogue des œuvres exposées.* **2.** EXPOSER qqch. À : disposer, placer dans la direction de. *Exposer une maison au sud.* — Au p. p. adj. *Un bâtiment bien, mal exposé.* **3.** Disposer pour soumettre à l'action de qqch. *Exposer un film* à la lumière. *Exposer une substance à la chaleur, à des radiations.* — Au p. p. adj. *Cliché insuffisamment exposé* ⇒ **sous-exposé**, *trop exposé* ⇒ **surexposé**. ▶ ② **exposant, ante** n. ■ Personne dont les œuvres, les produits sont présentés dans une exposition (2). *Cette foire groupe de nombreux exposants.* ▶ ① **exposition** n. f. **1.** Action d'exposer, de mettre en vue. ⇒ **étalage, exhibition, présentation.** *L'exposition de marchandises dans une devanture.* **2.** UNE EXPOSITION : présentation publique de produits, d'œuvres d'art ; ensemble des objets exposés ; lieu où on les expose. *Exposition de peinture, de sculpture.* ⇒ **salon.** *Exposition des œuvres de Van Gogh, exposition Van Gogh.* — *Exposition industrielle, agricole,* où sont présentés publiquement les produits de l'industrie, de l'agriculture d'un ou plusieurs pays. ⇒ **foire.** *Les participants d'une exposition.* ⇒ ② **exposant.** *Visiter une exposition.* **3.** Situation (d'un édifice, d'un terrain) par rapport à une direction donnée. ⇒ **orientation, situation.** *Exposition d'un bâtiment au sud. Une bonne exposition.* **4.** Action de soumettre à l'action de. *Évitez les longues expositions au soleil.* — En photographie. *Exposition du papier à la lumière pour tirer des épreuves.* ⟨ ▶ **sous-exposer, surexposer** ⟩

② **exposer** v. tr. ▪ conjug. 1. **1.** EXPOSER qqn À : mettre (qqn) dans une situation dangereuse. *Son métier l'expose constamment au danger. Sa façon de faire l'expose à la moquerie.* — Risquer de perdre. *Exposer sa vie, sa fortune.* ⇒ **compromettre, risquer. 2.** S'EXPOSER v. pron. : se mettre dans le cas de subir. *S'exposer à un péril, à un danger.* ⇒ **affronter, chercher, risquer.** / contr. se **dérober** / *En allant le voir, il s'exposera à de graves reproches. Il s'expose à perdre sa réputation.* — Sans compl. Se mettre en danger. *Il a bien trop peur pour s'exposer.*

③ **exposer** v. tr. ▪ conjug. 1. ■ Présenter en ordre (un ensemble de faits, d'idées). ⇒ **décrire, énoncer, raconter.** *Exposer un fait en détail. Exposer une question, des plans. Exposez-nous votre point de vue.* ▶ **exposé** n. m. **1.** Développement par lequel on expose (un ensemble de faits, d'idées). ⇒ **analyse, description, énoncé, rapport, récit.** *L'exposé des faits, de la situation.* — *Exposé des motifs,* qui précède le dispositif d'un projet, d'une proposition de loi. **2.** *Un exposé,* bref discours sur un sujet précis, didactique. ⇒ **communication, conférence** ; fam. **laïus.** *L'épreuve orale de cet examen consiste en un exposé de dix minutes. Exposé écrit.* ▶ ② **exposition** n. f. **1.** Action de faire connaître, d'expliquer. *Exposition d'un ensemble de faits.* ⇒ **exposé, narration, récit. 2.** Partie initiale (d'une œuvre littéraire, spécialt d'une œuvre dramatique). *L'exposition d'une tragédie.* / contr. **dénouement** /

① **exprès, esse** [ɛkspʀɛ] adj. ■ En droit. Qui exprime formellement la volonté de qqn. *Il y a deux conditions expresses. Défense expresse* (⇒ **expressément**). ▶ **expressément** adv. ■ En termes exprès, formels ; avec une intention bien définie. ⇒ **explicitement, nettement.** *Il défendit expressément qu'on touchât à rien.*

② **exprès** [ɛkspʀɛs] adj. invar. ■ *Lettre exprès, colis exprès,* remis immédiatement au destinataire avant l'heure de la distribution ordinaire. — N. *Des exprès.* ≠ **express**

③ **exprès** [ɛkspʀɛ] adv. ■ Avec intention spéciale ; à dessein. ⇒ **délibérément, intentionnellement.** — (Avec un verbe) *Une écharpe fabriquée exprès pour lui. Elles sont venues tout exprès pour vous voir.* — FAIRE EXPRÈS. *Il fait exprès de vous contredire. C'est fait exprès,* c'est voulu. — Ellipt. UN FAIT EXPRÈS [fɛtɛkspʀɛ] n. m. : coïncidence généralement fâcheuse. *On dirait un fait exprès, le seul livre dont j'ai besoin n'est plus en librairie. Comme (par) un fait exprès, je me casse la jambe la veille du départ.*

① **express** [ɛkspʀɛs] adj. invar. et n. m. invar. ■ Qui assure un déplacement ou un service rapide. *Train express,* qui va à destination, en ne s'arrêtant qu'à un petit nombre de stations. — N. m. invar. *Un express, des express. L'express va plus vite que l'omnibus, mais moins vite que le rapide.* ≠ ② **exprès.**

② **express** adj. invar. et n. m. invar. ■ *Café express,* fait à la vapeur, à l'aide d'un percolateur. — N. m. invar. (plus cour.) *Un express serré, fort.*

expressif, ive [ɛkspʀesif, iv] adj. **1.** Qui exprime bien ce qu'on veut exprimer, faire entendre. *Un terme particulièrement expressif. Un geste, un silence expressif.* ⇒ **démonstratif, éloquent, significatif. 2.** Qui a beaucoup d'expression, de vivacité. ⇒ **animé, mobile, vivant.** *Une physionomie expressive.* / contr. **inexpressif** / ⟨ ▶ **inexpressif** ⟩

expression [ɛkspʀesjɔ̃] n. f. **I.** Action ou manière d'exprimer ou de s'exprimer. **1.** Le fait d'exprimer par le langage. *Expression écrite, orale. Revendiquer la libre expression de la pensée, des opinions de chacun.* — *Au-delà de toute expression,* extrêmement. *Il est sot au-delà de toute expression.* — (Formule de politesse) *Veuillez agréer l'expression de mes sentiments distingués.* **2.** Manière de s'exprimer (mot ou groupe de mots). ⇒ **locution, tour, tournure.** *Expressions populaires, argotiques. Expression figurée. L'exactitude d'une expression. Expressions toutes faites, clichés, formules.* **3.** Formule par laquelle on exprime une valeur, un système. *Expression algébrique. Réduire une fraction, une équation à sa plus simple expression. Réduire (qqch.) à la forme la plus simple, élémentaire.* **4.** Le fait d'exprimer un contenu psychologique par l'art. ⇒ **style.** *Les différentes formes de l'expression littéraire.* — Qualité d'un artiste ou d'une œuvre d'art qui exprime avec force (⇒ **expressionnisme**). *Portrait, masque remarquables par l'expression, pleins d'expression.* **5.** Le fait d'exprimer (les émotions, les sentiments) par le comportement extérieur, le visage. *Une expression ironique, indifférente* (du visage). — Absolt. Animation, aptitude à manifester vivement ce qui est ressenti. / contr. **impassibilité** / *Elle a un visage plaisant, avec beaucoup d'expression.* ⇒ **caractère, vie.** *Un regard sans expression,* terne. **II.** Ce par quoi qqn ou qqch. s'exprime, se manifeste. *La faim est l'expression d'un besoin.* ⇒ **manifestation.** *La loi est l'expression de la volonté générale.* ⇒ **émanation.** ⟨ ▶ **expressionnisme** ⟩

expressionnisme [ɛkspʀesjɔnism] n. m. ■ Forme d'art faisant consister la valeur de la représentation dans l'intensité de l'expression (d'abord en peinture). *L'expressionnisme allemand. L'expressionnisme au théâtre, au cinéma.* ▶ **expressionniste** adj. ■ Peinture expressionniste. — N. *Un, une expressionniste, un, une artiste expressionniste.*

① **exprimer** [ɛkspʀime] v. tr. ▪ conjug. 1. **I.** Rendre sensible par un signe (⇒ **expression**). **1.** Faire connaître par le langage. *Exprimer sa pensée en termes clairs. Mots, termes qui expriment une idée, une nuance.* ⇒ **signifier.** *Comment vous exprimer mes regrets ?* **2.** Servir à noter (une quantité, une relation). *Le signe = exprime l'égalité.* **3.** Rendre sensible, faire connaître par le moyen de l'art. *L'artiste exprime son univers intérieur, son époque.* **4.** Rendre sensible par le comportement. ⇒ **manifester.** *Il fronça les sourcils, exprimant son mécontentement. Regard qui exprime l'étonnement. Tout en lui exprime la franchise.* **II.** S'EXPRIMER v. pron. réfl. **1.** Manifester sa pensée, ses sentiments (par le langage, les gestes, l'art). *S'exprimer en français. S'exprimer bien.* ⇒ **parler.** *Empêcher l'opposition de s'exprimer.* — *S'exprimer par gestes, par une mimique.* **2.** Se manifester librement, agir selon ses tendances profondes. *Il faut laisser cet adolescent s'exprimer.* ▶ **exprimable** adj.

■ Qu'on peut exprimer. *Un sentiment difficilement exprimable.* ⇒ **traduisible.** / contr. **inexprimable /** ‹ ▶ inexprimable, inexprimé ›

② **exprimer** v. tr. ▪ conjug. 1. ■ Littér. Faire sortir par pression (un liquide). ⇒ **extraire.** *Exprimer le jus d'un citron.*

exproprier [ɛkspʀɔpʀije] v. tr. ▪ conjug. 7. ■ Déposséder légalement (qqn) de la propriété d'un bien (spécialt l'obliger d'abandonner à l'Administration la propriété de son bien, moyennant indemnité, lorsque l'utilité publique l'exige). *Exproprier un débiteur.* ⇒ **saisir.** *On a exproprié des centaines de personnes pour construire cette autoroute.* — Au p. p. adj. *Propriétaire, immeuble exproprié.* — N. *Les expropriés.* ▶ **expropriation** n. f. ■ Action d'exproprier. *Expropriation d'immeubles.*

expulser [ɛkspylse] v. tr. ▪ conjug. 1. ■ 1. Chasser (qqn) du lieu où il était établi. *Expulser qqn de son pays.* ⇒ **bannir, chasser, exiler, expatrier.** *Son propriétaire veut le faire expulser.* — Au p. p. adj. *Personnes expulsées.* N. *Les expulsés.* — Faire sortir (qqn) avec violence, impérativement. *Il s'est fait expulser du café.* ⇒ **faire. éjecter, vider. 2.** Faire évacuer (qqch.) de l'organisme. ⇒ **éliminer, évacuer.** *Expulser les déchets, les excréments.* ▶ **expulsion** n. f. **1.** Action d'expulser (qqn). *L'expulsion d'une personne hors de sa patrie.* ⇒ **bannissement, exil.** *Expulsion d'un locataire qui ne paie pas son loyer.* — Exclusion (d'un groupe, d'une assemblée). **2.** Action d'expulser de l'organisme. ⇒ **élimination, évacuation.** *L'expulsion des urines.*

expurger [ɛkspyʀʒe] v. tr. ▪ conjug. 3. ■ Abréger (un texte) en éliminant ce qui est contraire à une morale, à un dogme. ⇒ **épurer.** *La censure a expurgé le scénario de ce film.* — Au p. p. adj. *Édition expurgée.*

exquis, ise [ɛkski, iz] adj. **1.** Qui est d'une délicatesse recherchée, raffinée. / contr. **commun, ordinaire /** *Politesse, douceur exquise.* **2.** Qui produit une impression très agréable par sa délicatesse. ⇒ **délicieux.** / contr. **mauvais, médiocre /** *Mets exquis, nourriture exquise. Femme exquise d'élégance et de beauté. Sourire exquis.* ⇒ **adorable, charmant.** *Un homme exquis. Temps exquis.*

exsangue [ɛksɑ̃g ; ɛgzɑ̃g] adj. **1.** Qui a perdu beaucoup de sang. *Organe exsangue.* **2.** (Parties colorées du corps) Très pâle. ⇒ **blafard, blême, pâle.** *Lèvres exsangues.* **3.** Abstrait. Littér. Vidé de sa substance, de sa force. *Une littérature, un art exsangue.* / contr. **vigoureux /**

exsuder [ɛksyde] v. ▪ conjug. 1. ■ **1.** V. intr. Sortir, à la façon de la sueur. ⇒ **suinter.** *Sang qui exsude.* **2.** V. tr. Émettre par transpiration, suintement. *Arbre qui exsude de la résine.* ▶ **exsudation** n. f. ■ Suintement (liquide organique, résine).

extase [ɛkstɑz] n. f. **1.** État dans lequel une personne se trouve comme transportée hors de soi et du monde sensible. *Extase mystique.* **2.** Exaltation provoquée par une joie ou une admiration extrême. ⇒ **béatitude, ivresse, ravissement.** *Être* EN EXTASE *devant qqn, qqch.* : dans un état d'admiration éperdue. ▶ **s'extasier** v. pron. ▪ conjug. 7. ■ Manifester, par des démonstrations d'enthousiasme, son admiration, son émerveillement. ⇒ se **pâmer.** *Elle s'extasiait devant la cathédrale. Il n'y a pas de quoi s'extasier.* — Au p. p. adj. *Elle demeurait là, extasiée.* ▶ **extatique** adj. Littér. **1.** Qui a le caractère de l'extase. *Transport, vision extatique.* **2.** Qui est en extase. *Personne, air extatique.* ⇒ **extasié.**

extenseur [ɛkstɑ̃sœʀ] adj. et n. m. **1.** Terme d'anatomie. Qui sert à étendre. *Muscles extenseurs.*

2. N. m. Appareil composé de tendeurs élastiques, permettant des exercices d'extension musculaire.

extensible [ɛkstɑ̃sibl] adj. ■ Qui peut s'étendre, s'étirer. *Le caoutchouc, matière extensible.* ⇒ **élastique.** ▶ **extensibilité** n. f. ■ Caractère de ce qui est extensible.

① **extensif, ive** [ɛkstɑ̃sif, iv] adj. ■ CULTURE EXTENSIVE : qui met à profit la fertilité naturelle du sol, sur de grandes surfaces (avec repos périodique de la terre et rendement assez faible). / contr. **intensif /**

extension [ɛkstɑ̃sjɔ̃] n. f. I. **1.** Action de donner à qqch. une plus grande dimension ; fait de s'étendre. ⇒ **accroissement, agrandissement, augmentation, élargissement.** *L'extension d'un sinistre, d'une épidémie.* ⇒ **propagation.** *Cette entreprise a pris de l'extension.* ⇒ **expansion. 2.** Mouvement par lequel on étend un membre. *Extension, puis flexion du bras.* II. Abstrait. Action de donner à qqch. une portée plus générale, la possibilité d'englober un plus grand nombre de choses. *Extension donnée à une loi, à une clause de contrat.* — Propriété d'un terme de s'appliquer à plus d'objets. *Une extension du sens propre d'un mot. Par extension, on dira...* ▶ ② **extensif, ive** adj. ■ Qui marque une extension (II). *Mot pris dans un sens extensif.* ‹ ▶ extenseur, extensible, ① extensif ›

in extenso ⇒ in extenso.

exténuer [ɛkstenye] v. tr. ▪ conjug. 1. ■ Rendre faible par épuisement des forces. ⇒ **affaiblir, épuiser.** *Cette longue marche l'a exténué.* — Au p. p. adj. *Un air exténué.* s'EXTÉNUER v. pron. *S'exténuer à crier. Je ne vais pas m'exténuer à vous le répéter.* ▶ **exténuant, ante** adj. ■ Qui fatigue extrêmement. ⇒ **épuisant, harassant.** *Des efforts exténuants.* ▶ **exténuation** n. f. ■ Littér. Action d'exténuer ; extrême fatigue. *Être dans un état d'exténuation.*

① **extérieur, eure** [ɛksteʀjœʀ] adj. I. **1.** EXTÉRIEUR À : qui est situé dans l'espace hors de (qqch.). ⇒ **en dehors.** *Circonférence extérieure à une autre.* — Abstrait. Qui ne fait pas partie de, ne concerne pas. ⇒ **étranger.** *Des considérations extérieures au sujet.* **2.** Sans compl. indir. Qui est dehors. *Cour extérieure.* — Qui concerne les pays étrangers. *Politique extérieure.* **3.** Qui existe en dehors d'un individu. *La réalité extérieure.* ⇒ **objectif.** II. **1.** Se dit des parties d'une chose en contact avec l'espace que cette chose n'occupe pas. ⇒ **externe.** *La surface extérieure d'un récipient. Boulevards extérieurs, sur le pourtour d'une ville.* ⇒ **périphérique. 2.** Que l'on peut voir du dehors. ⇒ **apparent, visible.** *Aspect extérieur. Signes extérieurs de richesse. La manifestation extérieure d'un sentiment.* ⇒ **extérioriser.** / contr. **intérieur, interne /** ▶ **extérieurement** adv. **1.** À l'extérieur. *Extérieurement, la maison est très jolie.* **2.** (Dans les manifestations, les gestes) En apparence. ⇒ **apparemment.** *Il a l'air gai, mais il ne l'est qu'extérieurement.* / contr. **intérieurement /** ‹ ▶ extérioriser, extériorité ›

② **extérieur** n. m. I. **1.** Partie de l'espace en dehors de qqch. ⇒ **dehors.** / contr. **dedans, intérieur /** — Plus souvent après une prép. À L'EXTÉRIEUR. *Rentrez les chaises dans la maison, ne les laissez pas à l'extérieur.* AVEC, VERS L'EXTÉRIEUR. *La cuisine communique avec l'extérieur. Cette porte s'ouvre vers l'extérieur.* — DE L'EXTÉRIEUR. *Regarder de l'extérieur.* — Les pays étrangers. *Relations avec l'extérieur.* ⇒ **étranger. 2.** Prise de vues hors des studios. *Les extérieurs de ce film ont été réalisés en Italie. Séquence tournée en extérieur* (opposé à *en studio*). **3.** Le monde extérieur (opposé à *la conscience*). *Nos sens nous font communiquer avec l'extérieur.* II. Partie (d'une chose) en contact direct avec l'espace qui l'environne, et visible de cet endroit. *L'extérieur de ce coffret est peint à la main, l'intérieur est doublé de soie. L'extérieur délabré d'une maison.* ⇒ **aspect.**

extérioriser [ɛksteʀjɔʀize] v. tr. ▪ conjug. 1. ▪ Donner une réalité extérieure, visible, à (ce qui n'existait que dans la conscience). ⇒ **exprimer, manifester, montrer.** *Extérioriser ses sentiments, sa joie.* — S'EXTÉRIORISER v. pron. : s'exprimer, se manifester. *Sa colère ne s'extériorise pas.* / contr. **intérioriser, renfermer** / ▶ *extériorisation* n. f. ▪ Action d'extérioriser. *L'extériorisation d'un sentiment, d'une idée.*

extériorité [ɛksteʀjɔʀite] n. f. ▪ Didact. Caractère de ce qui est extérieur.

exterminer [ɛkstɛʀmine] v. tr. ▪ conjug. 1. **1.** Faire périr jusqu'au dernier. ⇒ **anéantir, détruire, supprimer, tuer.** *Les nazis tentèrent d'exterminer les juifs.* — Au p. p. adj. *Peuple exterminé par un génocide.* **2.** Fam. S'EXTERMINER À. ⇒ s'**épuiser,** s'**esquinter.** *Je m'exterminais à travailler.* ▶ *exterminateur, trice* adj. ▪ Littér. Qui extermine. *L'ange exterminateur. Fureur exterminatrice.* — N. *Un exterminateur.* ▶ *extermination* n. f. ▪ Action d'exterminer. ⇒ **anéantissement, destruction, massacre.** *Guerre d'extermination,* visant à l'anéantissement du peuple ennemi. *L'extermination d'un peuple, d'une race.* ⇒ **génocide.** *Camp d'extermination* (→ camp de la mort).

① *externe* [ɛkstɛʀn] adj. ▪ Qui est situé en dehors, est tourné vers l'extérieur. ⇒ **extérieur.** / contr. **interne** / *Parties, faces, bords externes. Médicament pour l'usage externe, à usage externe,* à ne pas avaler.

② *externe* n. **1.** Élève qui vient suivre les cours d'une école, mais n'y vit pas en pension. / contr. **interne** / **2.** Étudiant(e) en médecine, qui assiste les internes dans le service des hôpitaux. *Externe des hôpitaux. Elle est externe en médecine.* ▶ *externat* n. m. **1.** École où on ne reçoit que des élèves externes ; régime de l'externe ; temps où un élève est externe. / contr. **internat ; demi-pension** / **2.** Condition d'externe dans les hôpitaux.

extincteur [ɛkstɛ̃ktœʀ] n. m. ▪ Appareil capable d'éteindre un foyer d'incendie (par projection d'une substance sous pression). *Un extincteur à mousse carbonique.*

extinction [ɛkstɛ̃ksjɔ̃] n. f. **1.** Action d'éteindre. *Extinction d'un feu, d'un incendie.* / contr. **embrasement** / — *Extinction des feux, des lumières,* moment où toutes les lumières doivent être éteintes. **2.** Action par laquelle qqch. perd son existence ou son efficacité. *L'extinction d'une ancienne famille. Espèce animale en voie d'extinction.* ⇒ **disparition, fin.** / contr. **développement** / *Lutter contre la maladie jusqu'à l'extinction de ses forces.* ⇒ **épuisement.** — EXTINCTION DE VOIX : impossibilité momentanée de parler avec une voix claire (⇒ **aphone**). ‹ ▶ extincteur ›

extirper [ɛkstiʀpe] v. tr. ▪ conjug. 1. **1.** Littér. Faire disparaître complètement. ⇒ **arracher, détruire.** *Extirper les abus, les vices.* **2.** Arracher (une plante) avec ses racines, de sorte qu'elle ne puisse pas repousser. *Extirper du chiendent.* — Enlever radicalement. ⇒ **extraire.** *Extirper une tumeur.* **3.** Fam. Faire sortir (qqn, qqch.) avec difficulté. ⇒ **arracher, tirer.** *Extirper qqn de son lit. Il est difficile de lui extirper un mot.* — S'EXTIRPER v. pron. : sortir de qqch. avec peine. *Il s'extirpa du fauteuil.* ⇒ s'**extraire.** ▶ *extirpation* n. f. ▪ Action d'extirper (1, 2). *L'extirpation d'un kyste.*

extorquer [ɛkstɔʀke] v. tr. ▪ conjug. 1. ▪ Obtenir (qqch.) sans le libre consentement du détenteur (par la force, la menace ou la ruse). ⇒ **escroquer, soutirer, voler.** *Extorquer à qqn une signature, une promesse, de l'argent.* ▶ *extorsion* n. f. ▪ Didact. Action d'extorquer. *L'extorsion d'un consentement. Extorsion de fonds sous la menace.* ⇒ **chantage.**

① *extra* [ɛkstʀa] n. m. invar. **1.** Ce que l'on fait d'extraordinaire ; chose ajoutée à ce qui est habituel. ⇒ **supplément.** *Faire des extra.* — (En parlant de boissons, de mets inhabituels et meilleurs) *Nous allons faire un petit extra, nous dînerons au champagne.* **2.** Serviteur, domestique supplémentaire engagé pour peu de temps. *Engager deux extra.*

② *extra* adj. invar. ▪ Fam. Extraordinaire, supérieur (qualité d'un produit). *Un vin de qualité extra. Des bonbons extra.* — Très bien, très agréable. *On a vu un film extra.* ⇒ fam. **super.**

extra- ▪ Préfixe qui signifie « en dehors (de), au-delà (de) », « vers l'extérieur » (ex. : *extraordinaire ; extra-terrestre ; extraverti*) ; et également « plus que, mieux que, tout à fait ». ⇒ **super-, ultra-.** ‹ ▶ extra-fin, extra-lucide, extra-terrestre ›

extracteur [ɛkstʀaktœʀ] n. m. ▪ (Technique, chirurgie...) Appareil destiné à l'extraction de qqch. ▶ *extractif, ive* adj. ▪ Relatif à l'extraction. *Machine extractive.* — *Industries extractives,* exploitant les richesses minérales.

extraction [ɛkstʀaksjɔ̃] n. f. **I. 1.** Action d'extraire, de retirer (une chose) du lieu où elle se trouve enfouie ou enfoncée. *Extraction de sable, de pierres dans une carrière. L'extraction de la houille. Un puits d'extraction.* **2.** Action de retirer de l'organisme (un corps étranger, etc.). ⇒ **arrachement, extirpation.** *L'extraction d'une dent cariée. L'extraction d'une épine, d'une balle.* **3.** Action de séparer (une substance) du composé dont elle fait partie. *L'extraction du sucre de la betterave.* **4.** *L'extraction de la racine carrée,* son calcul. **II.** *Être de haute, de basse extraction,* origine.

extradition [ɛkstʀadisjɔ̃] n. f. ▪ Procédure permettant à un État de se faire livrer un individu poursuivi ou condamné et qui se trouve sur le territoire d'un autre État. *Demander l'extradition d'un criminel.* ▶ *extrader* v. tr. ▪ conjug. 1. ▪ Livrer (qqn) par l'extradition. *Extrader un terroriste.*

extra-fin, fine [ɛkstʀafɛ̃, fin] adj. **1.** Très fin, très petit. *Aiguille extra-fine. Haricots verts, petits pois extra-fins.* **2.** Supérieur. *Chocolats extra-fins.*

extraire [ɛkstʀɛʀ] v. tr. ▪ conjug. 50. **I. 1.** Tirer (qqch.) du lieu dans lequel il se trouve enfoncé. *Extraire la pierre d'une carrière.* — Enlever, retirer (un corps étranger) par une opération. *On lui a extrait une balle de la jambe.* ⇒ **extirper, retirer ; extraction.** **2.** Tirer (un passage ⇒ **extrait**) d'un livre, d'un écrit. *Dépouiller un livre pour en extraire des citations.* **3.** S'EXTRAIRE DE v. pron. : sortir avec difficulté (d'un lieu étroit). *S'extraire de sa voiture, d'une cabine de pilotage de planeur.* **II. 1.** Séparer (une substance) du corps dont elle fait partie. ⇒ ② **exprimer, tirer.** *Extraire le jus d'un fruit. Extraire l'essence des fleurs.* **2.** Abstrait. Dégager (le contenu) d'une œuvre. *Extraire les bases théoriques d'un long traité.* — *Extraire la substantifique moelle* (citation de Rabelais), dégager l'essentiel d'une idée, d'un texte, d'un livre... **3.** *Extraire la racine carrée, la racine cubique d'un nombre,* la calculer (⇒ **extraction,** 4). ▶ *extrait* n. m. **1.** Produit qu'on retire d'une substance par une opération chimique. *Extrait de viande,* concentration solide du bouillon de bœuf. — Parfum concentré. ⇒ **essence.**

Extrait de violette. **2.** Passage tiré d'un texte. *Citer de larges extraits d'un auteur.* ⇒ **citation.** *Lire quelques extraits d'un ouvrage.* ⇒ **fragment, morceau.** — EXTRAITS : morceaux choisis (d'un auteur). ⇒ **anthologie. 3.** Copie conforme (d'un acte officiel). *Extrait de naissance. Extrait de casier judiciaire.* ❬ ▶ extracteur, extraction ❭

extra-lucide[ɛkstRalysid] adj. et n. f. ■ VOYANTE EXTRA-LUCIDE : qui voit tout ce qui est caché et prédit l'avenir. — N. f. *Des extra-lucides.*

extraordinaire [ɛkstRaɔRdinɛR] adj. **1.** Qui n'est pas selon l'usage ordinaire, selon l'ordre commun. ⇒ **anormal, exceptionnel, inhabituel.** / contr. **ordinaire** / *Les moyens habituels ne suffisant pas, on a pris des mesures extraordinaires. Assemblée, tribunal extraordinaire.* — PAR EXTRAORDINAIRE : par un événement peu probable. *Si, par extraordinaire, vous ne le rencontrez pas...* **2.** Qui étonne, suscite la surprise ou l'admiration par sa rareté, sa singularité. ⇒ **anormal, bizarre, curieux, étonnant, étrange, insolite, singulier.** / contr. **banal, commun** / *Accident, aventure extraordinaire.* ⇒ **incroyable, inouï.** *Récit, conte extraordinaire.* ⇒ **fantastique, merveilleux.** *Un costume, un langage extraordinaire et déplacé.* ⇒ **excentrique, extravagant.** *Je trouve extraordinaire qu'il ne nous ait pas prévenus. Cela n'a rien d'extraordinaire.* **3.** Très grand ; remarquable dans son genre. ⇒ **exceptionnel, extrême.** / contr. **médiocre, moyen** / *Qualités extraordinaires, beauté extraordinaire.* ⇒ **admirable, sublime.** *Une frayeur, une peur extraordinaire.* ⇒ **terrible.** *Il a obtenu des résultats extraordinaires.* — (Personnes) *Homme extraordinaire, génie, prodige.* — Fam. *Très bon. Ce film est extraordinaire. Ce restaurant n'est pas extraordinaire, est médiocre.* ▶ **extraordinairement** adv. **1.** Par l'effet de circonstances extraordinaires. **2.** D'une manière étrange, bizarre. *Il s'exprime extraordinairement.* **3.** D'une manière intense, au-delà de la mesure ordinaire. ⇒ **extrêmement, très.** *Il est extraordinairement grand. Il l'aime extraordinairement.* ⇒ **beaucoup.**

extrapoler [ɛkstRapɔle] v. intr. ■ conjug. 1. ■ Appliquer une chose connue à un autre domaine pour en déduire qqch. *À partir de quelques faits connus, il a extrapolé.* — Tirer une conclusion à partir de données insuffisantes. ▶ **extrapolation** n. f. ■ Déduction, généralisation sans preuve.

extra-terrestre [ɛkstRateRɛstR] adj. et n. **1.** Extérieur à la Terre ou à l'atmosphère terrestre. *L'espace extra-terrestre. Mondes extra-terrestres.* **2.** N. Habitant d'une autre planète que la Terre (dans un récit d'anticipation, etc.).

extravagant, ante [ɛkstRavagɑ̃, ɑ̃t] adj. **1.** Qui sort des limites du bon sens, bizarre et déraisonnable. *Idées, conceptions, théories extravagantes.* ⇒ **bizarre, grotesque.** / contr. **raisonnable, sensé** / *Costume extravagant.* ⇒ **excentrique.** *Dépenses extravagantes.* ⇒ **excessif.** *Ce que vous dites est extravagant.* **2.** (Personnes) Très excentrique, qui agit contre le bon sens. *Il est un peu extravagant.* ▶ **extravagance** n. f. **1.** Absurdité, bizarrerie déraisonnable. *L'extravagance de sa conduite, de ses actes, de ses propos* **2.** (*Une, des extravagances*) Idée, parole, action extravagante. ⇒ **excentricité.** *Je n'ai pas le temps d'écouter ses extravagances.*

extraverti, ie [ɛkstRaveRti] ou **extroverti, ie** [ɛkstRɔveRti] adj. et n. ■ Qui est tourné vers le monde extérieur. / contr. **introverti** /

① **extrême** [ɛkstRɛm] adj. **1.** (Souvent avant le nom) Qui est tout à fait au bout, qui termine (un espace, une durée). *Extrême limite.* ⇒ **dernier.**

/ contr. **moyen** / *À l'extrême pointe,* tout au bout. *L'extrême droite, l'extrême gauche d'une assemblée politique.* — ⇒ **dernier.** *L'extrême fin de l'année, du mois. Pousser qqch. à son point extrême.* **2.** (Avant ou après le nom) Littér. Qui est au plus haut point ou à un très haut degré. ⇒ **grand, intense ; extraordinaire.** / contr. **faible, ordinaire** / *Joie extrême. Extrême difficulté. Extrême malheur. J'ai un extrême besoin de repos.* — Loc. *À l'extrême rigueur. Extrême urgence.* **3.** (Après le nom) Qui est le plus éloigné de la moyenne, du juste milieu. ⇒ **excessif, immodéré.** *Climat extrême,* très chaud ou très froid. *Situations extrêmes,* très graves. *Avoir des opinions extrêmes en politique.* ⇒ **extrémiste.** — (Personnes) Dont les sentiments sont extrêmes. *Il est extrême en tout.* ⇒ **excessif.** ▶ **extrêmement** adv. de manière modifiant un adj. ou un adv. ■ D'une manière extrême, à un très haut degré. ⇒ **exceptionnellement, extraordinairement, infiniment, très.** / contr. **médiocrement, peu** / *Une personne extrêmement belle, extrêmement intelligente. Un été extrêmement pluvieux. Extrêmement bien, mal.* ⇒ **terriblement.** ▶ **extrême-onction** n. f. ■ Sacrement de l'Église destiné aux fidèles en péril de mort. *Des extrêmes-onctions.* ▶ **extrême-oriental, ale, aux** adj. et n. ■ De l'Extrême-Orient (Asie extrême, par rapport à l'Occident). *Les mœurs extrême-orientales.* — *Les Extrême-Orientaux.* ❬ ▶ ② extrême, extrémiste, extrémité ❭

② **extrême** n. m. **I.** LES EXTRÊMES. **1.** Surtout au plur. Situation, décision extrême. *Se porter tout de suite aux extrêmes.* **2.** Les deux extrêmes limites d'une chose. ⇒ **contraire, opposé.** Loc. *Les extrêmes se touchent,* il arrive souvent que des choses opposées soient comparables et voisines. — *Les extrêmes d'une proportion,* le premier et le dernier terme. — Au sing. *Passer d'un extrême à l'autre.* ⇒ **extrémité (4). II.** À L'EXTRÊME loc. adv. : à la dernière limite ; au-delà de toute mesure. *Il pousse son raisonnement à l'extrême.*

in extremis ⇒ in extremis.

extrémiste [ɛkstRemist] n. et adj. ■ Partisan d'une doctrine poussée jusqu'à ses limites, ses conséquences extrêmes ; personne qui a des opinions extrêmes. *Un parti d'extrémistes.* — Adj. *Les députés les plus extrémistes.* / contr. **modéré** / ▶ **extrémisme** n. m. ■ Attitude de l'extrémiste. / contr. **modération** /

extrémité [ɛkstRemite] n. f. **1.** La partie extrême, qui termine une chose. ⇒ **bout, fin, terminaison.** / contr. **centre, milieu** / *L'extrémité du doigt. Loger à l'extrémité de la rue.* **2.** Au plur. LES EXTRÉMITÉS : les pieds et les mains. *Avoir les extrémités glacées.* **3.** État très misérable, situation désespérée. — Loc. *Il manque de tout, il est réduit à la dernière extrémité.* — *Le malade est à toute extrémité, à la dernière extrémité,* à l'agonie, près de mourir. **4.** Décision, action extrême ; excès de violence. *Se porter aux pires extrémités. Tomber d'une extrémité dans une autre.* ⇒ ② **extrême (2).**

extrinsèque [ɛkstRɛ̃sɛk] adj. ■ Didact. Qui est extérieur, n'appartient pas à l'essence (de qqch.). *Causes extrinsèques.* / contr. **intrinsèque** (plus cour.) /

extroverti ⇒ extraverti.

exubérance [ɛgzybeRɑ̃s] n. f. **1.** État de ce qui est très abondant. ⇒ **abondance, profusion.** / contr. **indigence, pauvreté** / *L'exubérance de la végétation. L'exubérance du style, des paroles.* **2.** Trop-plein de vie qui se manifeste dans le comportement, les propos. / contr. **calme, froideur** / *Manifester sa joie, ses sentiments avec exubérance.* ⇒ **exagération.** ▶ **exubérant, ante** adj. **1.** Qui a de l'exubérance. / contr. **maigre, pauvre** / *Végétation exubérante.* ⇒ **luxuriant.**

Une imagination exubérante. **2.** (Personnes, sentiments) Qui se comporte ou se manifeste sans retenue. ⇒ **communicatif, débordant, démonstratif, expansif.** / contr. **calme, froid** / *Caractère exubérant. Joie exubérante. Il a des gestes exubérants.*

exulter [ɛgzylte] v. intr. . conjug. 1. ■ (Personnes) Être transporté d'une joie extrême, qu'on ne peut contenir ni dissimuler. ⇒ **jubiler.** *Il exulte, il est aux anges.* — *Exulter de* (+ infinitif). ⇒ **se réjouir.** *Il exulte d'avoir réussi.* / contr. se **désespérer, se désoler** /

▶ **exultation** n. f. ■ Relig. ou littér. Transport de joie. ⇒ **allégresse, gaieté.**

exutoire [ɛgzytwaʀ] n. m. ■ Littér. Ce qui permet de se soulager, de se débarrasser (d'un besoin, d'une envie). *La musique est son exutoire pour exprimer ses sentiments secrets.*

ex-voto [ɛksvɔto] n. m. invar. ■ Objet, plaque portant une formule de reconnaissance, que l'on place dans une église, une chapelle, en accomplissement d'un vœu ou en remerciement. *Suspendre des ex-voto.*

f

f [ɛf] n. m. ou f. invar. **1.** Sixième lettre de l'alphabet, quatrième consonne. **2.** N. m. (Écrit *F*, suivi d'un chiffre de 2 à 5) Appartement ou pavillon comprenant deux à cinq pièces principales (en France). *Je cherche à louer un F4 en banlieue.*

fa [fa] n. m. invar. ■ Note de musique comprise entre mi et sol. *Clef de fa. Sonate en fa majeur.*

fable [fabl] n. f. **1.** Littér. Récit à base d'imagination. ⇒ **conte, fiction, légende, mythe. 2.** Petit récit en vers ou en prose, destiné à illustrer un précepte. ⇒ **apologue.** *Les Fables de La Fontaine.* **3.** Littér. Mensonge élaboré. *Il a inventé je ne sais quelle fable pour se faire pardonner.* **4.** Être la fable de qqn, un sujet de rire, de moquerie pour (qqn). *Il est la fable du quartier.* ⇒ **risée.** ▶**fabliau** [fablijo] n. m. ■ Petit récit en vers de huit syllabes (XIIIe et XIVe s.). *Des fabliaux.* ⟨ ▶ fabulation, fabuleux ⟩

fabriquer [fabrike] v. tr. ▪ conjug. 1. **1.** Transformer des matières en objet(s). ⇒ **confectionner.** *Il a fabriqué de ses propres mains ce petit appareil. Elle s'est fabriqué des étagères.* **2.** Fam. Faire. *Qu'est-ce que tu fabriques ?* **3.** Produire à l'aide de matières premières ou semi-finies (des objets destinés au commerce). *Fabriquer des outils, des tissus.* — Au p. p. *Article fabriqué en série.* **4.** Élaborer (en imitant, en imaginant de manière à tromper). *Ce graveur s'est fait connaître en fabriquant de la fausse monnaie.* — *C'est une histoire fabriquée,* inventée. ⇒ **faux.** ▶**fabricant, ante** n. ■ Personne qui fabrique des produits commerciaux, ou dirige, possède une entreprise qui les fabrique. *Fabricant de jouets, de tissus.* ▶**fabrication** n. f. **1.** Art ou action de fabriquer. *Fabrication artisanale, industrielle. Produit de fabrication française. Défaut de fabrication.* **2.** Confection. *Est-ce une robe de votre fabrication ?* ▶**fabrique** n. f. ■ Établissement de taille intermédiaire entre l'atelier artisanal et l'usine de grande industrie, produisant des objets finis. ⇒ **manufacture.** *Marque de fabrique,* apposée par le fabricant. *Prix de fabrique,* prix à la sortie de la fabrique.

fabulation [fabylasjɔ̃] n. f. ■ Propos jugé contraire à la réalité ou à la vérité. *Ce témoignage est une pure fabulation.* ⇒ **affabulation, fable.** ▶**fabuleux, euse** adj. **1.** Littér. Qui appartient à la fable, au merveilleux antique. ⇒ **légendaire, mythique, mythologique.** / contr. **historique** / *Animaux fabuleux.* **2.** Incroyable mais vrai ; qui, à ce titre, mérite d'être raconté. ⇒ **extraordinaire, fantastique,** invraisemblable, prodigieux. *Une vie aux aventures fabuleuses.* — (Intensif) Énorme. *Prix fabuleux.* ▶**fabuleusement** adv. ■ D'une manière fabuleuse (2), difficile à imaginer. *Il est fabuleusement riche.* ▶**fabuliste** n. m. ■ Auteur qui compose des fables. ⟨ ▶ affabulation ⟩

fac [fak] n. f. ■ Fam. Faculté ou université. *La fac de lettres. Elle est étudiante à la fac de Lille.*

face [fas] n. f. **1.** Partie antérieure de la tête de l'homme. ⇒ **figure, visage.** *Une face large, pleine, colorée. Détourner la face.* — Abstrait. *Se voiler la face,* être horrifié, dégoûté (souvent iron.). — À LA FACE DE. *À la face de qqn, du monde,* devant, en présence de. *Il me jette ses preuves à la face.* — PERDRE LA FACE : perdre son prestige en tolérant une atteinte à son honneur, à sa réputation. — SAUVER LA FACE : sauvegarder son prestige, sa dignité. **2.** (Médaille, monnaie) Côté qui porte une figure (opposé à *pile* ou à *revers*). *Jouer à pile ou face.* — *Côté face,* l'endroit. ⇒ **recto. 3.** Surface. *La face cachée de la lune,* invisible depuis la terre (avant sa photographie par satellite). **4.** Chacun des côtés d'une chose. *Les faces d'un prisme. Considérer un objet sous toutes ses faces.* **5.** Aspect sous lequel une chose se présente. *Il prétend changer la face du monde.* — Abstrait. *Les choses ont bien changé de face.* ⇒ **tournure. 6.** FAIRE FACE (À) loc. verb. : présenter la face, l'avant tourné vers un certain côté. *L'hôtel faisait face à la mer.* — Abstrait. Réagir efficacement en présence d'une difficulté. ⇒ **parer** à, **répondre** à. *Faire face à l'attaque. Faire face à une dépense, à des engagements.* **7.** EN FACE loc. adv. : par-devant. *Regarder qqn en face,* soutenir hardiment son regard. *Il le lui a dit en face,* directement. — *Regarder la mort en face,* sans crainte. *Il faut voir les choses en face,* sans chercher à se leurrer. — EN FACE DE loc. prép. : vis-à-vis de. *Ils restaient muets l'un en face de l'autre. La maison d'en face.* — *Il n'a pas peur en face du danger.* **8.** FACE À FACE loc. adv. : les faces tournées l'une vers l'autre. ⇒ **nez-à-nez, vis-à-vis.** *Il se trouva face à face avec un ancien camarade.* **9.** DE FACE loc. adv. : le visage s'offrant aux regards. *Un portrait de face* (opposé à *de profil*). — *De là où l'on voit le devant* (opposé à *de côté*). *Choisir au théâtre une loge de face.* ▶**façade** [fasad] n. f. **1.** Face antérieure d'un bâtiment où s'ouvre l'entrée principale. *Quatre pièces en façade et deux sur cour.* **2.** Abstrait. Apparence. *Sa politesse n'est qu'une façade.* — *Une politesse de façade.* ▶**face-à-face** [fasafas] n. m. invar. ■ Émission de radio, de télévision, confrontant des personnalités. *Le ministre a participé à trois face-à-face successifs.* ► **face-à-main** [fasamɛ] n. m. ■ Lorgnon à manche que l'on tient à la main. ⇒ **binocle.** *Des faces-à-main.* ≠ *pince-nez.* ‹ ►facette, facial, faciès, surface, volte-face ›

facétie [fasesi] n. f. ■ Plaisanterie burlesque. ⇒ **farce.** ► **facétieux, euse** adj. ■ Qui aime à dire ou à faire des facéties. ⇒ **farceur, moqueur.** / contr. sérieux /

facette [faset] n. f. 1.■ Une des petites faces d'un corps qui en a beaucoup. *Facettes d'un diamant.* 2.■ Abstrait. *À facettes,* à plusieurs aspects. *Une pensée à facettes.*

fâcher [faʃe] v. tr. ■ conjug. 1. 1.■ Mettre dans un état d'irritation. ⇒ **mécontenter.** *Ne sors pas, cela va fâcher ton père.* 2.■ SE FÂCHER (CONTRE) v. pron. réfl. : se mettre en colère. ⇒ **s'emporter,** s'irriter. *Se fâcher contre qqn. Si tu continues, je vais me fâcher.* — SE FÂCHER (AVEC *qqn*). ⇒ se **brouiller, rompre.** — V. pron. récipr. *Ils se sont fâchés.* ► **fâché, ée** adj. 1.■ FÂCHÉ DE *qqch.* : qui est désolé, regrette. ⇒ **navré.** *Je suis fâché de ce contretemps. Je n'en suis pas fâché,* plutôt content. 2.■ FÂCHÉ CONTRE *qqn* : en colère contre. *Il est fâché contre moi.* 3.■ FÂCHÉ AVEC *qqn* : brouillé, en mauvais termes. *C'est fâché avec moi. Nous sommes fâchés.* ► **fâcherie** [faʃʀi] n. f. ■ Brouille, désaccord. *Notre fâcherie est née d'un malentendu.* ► **fâcheux, euse** adj. 1.■ Littér. Qui est cause de déplaisir ⇒ **ennuyeux,** ou de souffrance ⇒ **affligeant.** *Une fâcheuse nouvelle.* ⇒ **mauvais.** *Fâcheuse affaire.* 2.■ Qui porte préjudice. ⇒ **contrariant, regrettable.** *Un contretemps fâcheux.* ► **fâcheusement** adv. ■ D'une manière fâcheuse. / contr. heureusement /

facho [faʃo] adj. et n. ■ Fam. Fasciste. *Elles sont un peu fachos.*

facial, ale, aux [fasjal, o] adj. ■ De la face. *Chirurgie faciale.*

faciès [fasjɛs] n. m. invar. ■ Aspect du visage (surtout quand il est considéré comme décelant l'origine ethnique).

facile [fasil] adj. 1.■ Qui se réalise, s'accomplit sans effort. ⇒ **aisé, commode, élémentaire, enfantin, simple.** / contr. difficile / *C'est facile comme bonjour,* très facile. *Problème facile. Passage, texte facile,* dont la compréhension est facile. *Vie facile,* sans souci. *La chose est facile pour un homme comme lui. Il lui est facile de réussir.* 2.■ FACILE À (+ infinitif) : qui demande peu d'efforts. *Plat facile à réussir. C'est plus facile à dire qu'à faire.* — (Personnes) *Un homme facile à contenter,* que l'on contente facilement. *Facile à vivre,* qui est toujours de bonne humeur. 3.■ Péj. Sans mérite. *Musique facile.* / contr. recherché / *C'est une plaisanterie un peu facile.* — *Femme facile,* qui accorde aisément ses faveurs. ► **facilement** adv. 1.■ Sans effort, sans peine. ⇒ **aisément.** « *Vous pouvez faire cela ?* — *Facilement.* » 2.■ Pour peu de chose. *Il se vexe facilement,* pour un rien. *Cette matière se casse facilement.* ► **facilité** n. f. 1.■ Caractère, qualité de ce qui se fait sans peine, sans effort, sans problème. / contr. difficulté / *Un travail d'une grande facilité. Il y parviendra avec facilité.* 2.■ Surtout au plur. Moyen qui permet de réaliser, d'obtenir qqch. sans effort, sans peine. ⇒ **moyen, occasion, possibilité.** *Procurer à qqn toutes facilités pour...* — *Facilités de paiement* ou FACILITÉS : délai, échelonnement d'un paiement. 3.■ Disposition à faire qqch. simplement, sans apprêt. ⇒ **aptitude, habileté.** *Écrire avec facilité. Cet enfant montre de grandes facilités en dessin,* un don naturel pour le dessin. ► **faciliter** v. tr. ■ conjug. 1. ■ Rendre

facile, moins difficile. ⇒ **aider, arranger.** *Faciliter une entrevue.* ⇒ **ménager.** *Son entêtement ne facilitera pas les choses.*

façon [fasɔ̃] n. f. I. 1.■ LA FAÇON : le travail d'un artisan à qui l'on fournit les matières premières. ⇒ **exécution, fabrication.** *Je n'ai payé que la façon.* ⇒ **main-d'œuvre.** — À FAÇON. *Couturière à façon,* à domicile. 2.■ LA FAÇON DE *qqch.* : le détail des formes données à un objet fini. ⇒ **facture.** *J'aime beaucoup la façon de cette robe.* ⇒ **coupe.** 3.■ DE MA, TA, SA... FAÇON : par un procédé personnel. ⇒ **invention.** *C'est bien une idée de sa façon,* une idée à lui. *Je vais vous raconter une histoire de ma façon,* de mon cru. *Elle nous a joué un tour de sa façon,* un mauvais tour. II. 1.■ LA FAÇON DE (+ infinitif) : manière d'agir, comparée à d'autres. *Il y a plusieurs façons de procéder.* ⇒ **manière, méthode.** *Selon la façon d'interpréter la loi (la façon dont on interprète la loi), vous serez condamné ou relaxé. C'est une façon de parler,* il ne faut pas prendre au pied de la lettre ce qui vient d'être dit. *C'est une façon de voir,* il existe d'autres points de vue. — MA, TA, SA... FAÇON (+ infinitif) : manière particulière d'agir. *Sa façon de parler (la façon dont il parle) m'agace. Tes façons de faire à mon égard sont honnêtes,* tu agis honnêtement avec moi. 2.■ À LA FAÇON DE : en imitant quelqu'un d'autre. *Il parle à la façon d'un orateur.* ⇒ **comme.** *Il travaille à la façon d'un professionnel,* aussi bien qu'un professionnel. — En appos. invar. FAÇON : qui imite la matière ou la manière de. *Des écharpes façon cachemire.* ⇒ **imitation.** *Une petite robe façon haute couture.* ⇒ **genre.** — À MA, TA, SA... FAÇON : d'une manière différente. *Je vais vous raconter son histoire à ma façon,* de mon point de vue. *Laissez-le vivre à sa façon,* à sa guise. — À TA, SA... FAÇON DE (+ infinitif). *À votre façon de parler, on voit que vous êtes fâché.* 3.■ DE ... FAÇON : de (telle) manière. *Ne réponds pas de cette façon.* ⇒ **ainsi.** *De quelle façon êtes-vous arrivés ?* ⇒ **comment.** *De toute façon,* en tout cas, dans tous les cas. — DE FAÇON À : pour. *Elle s'est placée de façon à être vue.* — DE FAÇON QUE : pour que. *Elle s'est placée de façon qu'on la voie.* — DE TELLE FAÇON QUE : de sorte que. *Elle s'est placée de telle façon que tout le monde la vue.* III. 1.■ FAÇONS : comportement qui surprend par excès de politesse ou de familiarité. *Ne faites pas tant de façons,* soyez plus naturel.* ⇒ **chichi, simagrée.** *Quelles façons détestables !* 2.■ SANS FAÇON : naturel. *Des filles sans façon,* très simples. Loc. adv. Naturellement, sans complications inutiles. *Ils nous ont reçus sans façon. Non merci, sans façon, n'insistez pas.* ► **façonner** [fasɔne] v. tr. ■ conjug. 1. 1.■ Mettre en œuvre, travailler (une matière, une chose), en vue de donner une forme particulière. ⇒ **façon** (I, 1). *Façonner de la terre glaise pour faire un pot.* 2.■ Faire (un ouvrage) en travaillant la matière. ⇒ **confectionner, fabriquer.** *Façonner une pièce mécanique à l'aide d'une machine-outil.* — Au p. p. *Ouvrage grossièrement façonné.* 3.■ Former peu à peu (qqn) par l'éducation, l'habitude. *Une forte éducation puritaine l'a façonné.* ► **façonnage** n. m. ■ Action, fait de façonner (2).

faconde [fakɔ̃d] n. f. ■ Littér. Élocution facile, abondante jusqu'à déplaire. *Il n'a rien perdu de sa faconde.*

fac-similé [faksimile] n. m. ■ Reproduction à l'identique d'un écrit, d'un dessin. *Des fac-similés.*

① facteur [faktœʀ] n. m. ■ *Facteur d'orgues, de pianos,* fabricant d'orgues, de pianos.

② facteur, trice n. ■ Personne qui porte et distribue à leurs destinataires les lettres, mandats, imprimés, colis envoyés par la poste. ⇒ **préposé.** *Le facteur est passé, il n'y avait pas de courrier.*

③ *facteur* n. m. **I.** Chacun des éléments constitutifs d'un produit. ⇒ **coefficient.** *Si l'un des facteurs est nul, le produit est nul.* **II.** Chacun des éléments contribuant à un résultat. ⇒ **élément.** *Les facteurs de la production.* — *Avec un mot en appos. Le facteur chance ; le facteur prix.* ‹ ▶ factoriel, factoriser ›

factice [faktis] adj. **1.** Qui est faux, imité. *Diamant factice. Sourire factice.* **2.** Qui n'est pas naturel. ⇒ **artificiel.** *Les plaisirs factices de l'ivresse.*

factieux, euse [faksjø, øz] adj. et n. m. **1.** Adj. Qui exerce contre le pouvoir établi une opposition violente tendant à provoquer des troubles. *Parti factieux.* **2.** N. m. *Un factieux.* ⇒ **agitateur, insurgé, mutin, rebelle.** ▶ ① *faction* [faksjɔ̃] n. f. ■ Groupe, parti se livrant à une activité factieuse dans un État, une société. *Ce pays est en proie aux factions.*

② *faction* n. f. ■ Action d'un soldat en armes qui surveille les abords d'un poste. ⇒ **garde, guet.** (Surtout dans *en faction, de faction*) *Mettre un homme de faction devant une porte.* ▶ *factionnaire* n. m. ■ Soldat en faction.

factoriel, ielle [faktɔrjɛl] adj. ■ Relatif à un facteur ③. *Analyse factorielle.*

factoriser [faktɔrize] v. tr. ▪ conjug. 1. ■ Écrire un nombre sous forme de produit de facteurs ③. ▶ *factorisation* n. f. ■ Opération arithmétique ou algébrique consistant à chercher les diviseurs d'un nombre entier ou les facteurs d'un polynôme ; le résultat écrit de cette recherche.

factum [faktɔm] n. m. ■ Littér. Mémoire littéraire contre un adversaire. *Des factums.*

① *facture* [faktyr] n. f. ■ Manière dont un produit est fabriqué, dont est réalisée la mise en œuvre des moyens matériels et techniques. ⇒ **façon.** *La facture d'une robe, d'une œuvre d'art.*

② *facture* n. f. ■ Écrit indiquant la quantité, la nature et les prix des marchandises vendues, des services exécutés ; note à payer. *La facture du gaz. Payer une facture.* ▶ *facturer* v. tr. ▪ conjug. 1. ■ Porter (une marchandise) sur une facture, dresser la facture de. *Cet article n'a pas été facturé. Produit facturé cent francs.* ▶ *facturation* n. f. **1.** Action d'établir une facture. *Une erreur de facturation. Un logiciel de facturation.* **2.** Locaux, service (d'une entreprise) où se travail s'effectue. ▶ *facturier, ière* n. ■ Comptabilité. Personne chargée des factures.

facultatif, ive [fakyltatif, iv] adj. ■ Qu'on peut faire, employer, observer ou non. *Exercice facultatif. Présence facultative.* ⇒ **libre.** / contr. **obligatoire** /

① *faculté* [fakylte] n. f. **1.** Littér. Possibilité de faire qqch. *Laisser à qqn la faculté de choisir.* **2.** Aptitude, capacité. *Il ne jouit plus de toutes ses facultés (mentales, intellectuelles). Il a une grande faculté d'attention.*

② *faculté* n. f. ■ Corps des professeurs qui, dans une université, sont chargés d'une même discipline ; partie de l'université où se donne cet enseignement. ⇒ fam. **fac.** *La faculté de lettres, de médecine. Entrer en faculté.* — *La Faculté,* le corps médical, les médecins.

fada [fada] adj. et n. ■ Fam. Un peu fou. ⇒ fam. **cinglé, dingue.** *Elle est fada. Quels fadas !*

fadaise [fadɛz] n. f. ■ Propos plat, sot, insignifiant. ⇒ **baliverne, niaiserie.** *J'en ai assez de ses fadaises.*

fade [fad] adj. **1.** Qui manque de saveur, de goût. ⇒ **insipide.** *Plat, boisson fade.* **2.** Sans éclat. *Une couleur fade.* ⇒ **délavé, pâle, terne.** *Une blonde un peu fade.* **3.** Qui est sans caractère, sans intérêt particulier. ⇒ **ennuyeux, insignifiant, monotone.** *De*

fades compliments. ▶ *fadasse* adj. ■ Fam. Trop fade. *Cette boisson est plutôt fadasse.* ▶ *fadeur* n. f. ■ Caractère de ce qui est fade. ‹ ▶ affadir ›

fado [fado] n. m. ■ Poésie et chanson portugaise, sentimentale et nostalgique. *Des fados.*

fagne [faɲ] n. f. ■ Petit marais des Ardennes. *Il est allé chasser dans les fagnes.*

fagot [fago] n. m. ■ Faisceau de petit bois, de branchages. *Allumer le feu avec un fagot.* — Loc. *Vin, bouteille de* DERRIÈRE LES FAGOTS : le meilleur vin, vieilli à la cave.

fagoter [fagɔte] v. tr. ▪ conjug. 1. ■ Habiller mal, sans goût. ⇒ **accoutrer, affubler.** *Elle fagote ses enfants d'une façon inimaginable.* — Au p. p. *Elle est mal fagotée,* mal habillée. ⇒ **ficelé.**

faible [fɛbl] adj. et n. m. **I.** Adj. **1.** Qui manque de force, de vigueur physique. / contr. **fort** / *Un homme faible.* ⇒ **délicat, fluet, fragile.** *Se sentir faible.* ⇒ **affaibli, fatigué, las.** *Avoir le cœur faible,* malade. **2.** (Choses) Qui a peu de résistance, de solidité. ⇒ **fragile.** *Poutre trop faible pour supporter un poids.* **3.** Qui n'est pas en état de résister, de lutter. *Pays faible.* — Loc. *Le sexe faible,* les femmes. Iron. *Une faible femme.* — N. m. *Les économiquement faibles,* ceux qui ont de très petits revenus. **4.** Qui manque de capacités intellectuelles. *Élève, étudiant faible. Il est faible en maths.* **5.** Sans force, sans valeur. *Raisonnement faible. Ce chapitre est le plus faible du livre.* **6.** (Personnes) Qui manque de force morale, d'énergie, de fermeté. ⇒ **indécis, lâche, mou, velléitaire, veule.** *C'est un homme faible et craintif. Il a toujours été trop faible avec ses enfants.* **7.** (Choses) Qui a peu d'intensité, qui est suivi de peu d'effet. ⇒ **insuffisant.** *Une faible lumière. D'une voix faible.* **8.** Peu considérable. ⇒ **petit.** *Faible quantité. Faible taille. À faible hauteur. Faible indice. De faibles revenus.* **9.** *Le côté, le point, la partie faible* (d'une personne, d'une chose), ce qu'il y a de faible, de défectueux en elle. ⇒ **insuffisance.** *Les mathématiques sont le point faible de cet élève.* **II.** N. m. **1.** Personne sans force morale, sans fermeté. *C'est un faible, on le mène facilement.* **2.** FAIBLE D'ESPRIT : personne dont les facultés intellectuelles sont insuffisantes. ⇒ **idiot, imbécile, simple.** **3.** Goût, penchant. *Il a un faible pour les jolies femmes. Le champagne, c'est mon faible. Prendre qqn par son faible.* ▶ *faiblard, arde* adj. ■ Fam. Un peu faible (surtout sens 1, 4 et 5). ▶ *faiblement* adv. **1.** D'une manière faible. **2.** À un faible degré. ⇒ **doucement, peu.** *La lampe éclaire faiblement,* à peine. ▶ *faiblesse* n. f. **1.** Manque de force, de vigueur physique. *Faiblesse momentanée.* ⇒ **fatigue ; défaillance.** — UNE FAIBLESSE : un vertige, un évanouissement. *Elle a eu une faiblesse.* **2.** Incapacité à se défendre, à résister. *La faiblesse d'un régime.* **3.** Manque de capacités intellectuelles. *La faiblesse d'un élève.* **4.** Défaut de qualité d'une œuvre, d'une production de l'esprit. ⇒ **indigence, médiocrité, pauvreté.** *Roman, tableau d'une grande faiblesse.* **5.** Manque de force morale, d'énergie. ⇒ **lâcheté, veulerie.** *Se laisser entraîner par faiblesse. Sa faiblesse envers son fils. Si vous avez la faiblesse de lui céder, il recommencera.* — (*Une, des faiblesses*) Défaut ou passion qui dénote un manque de force morale, de fermeté. ⇒ **défaut.** *Chacun a ses faiblesses.* **6.** Manque d'intensité, d'importance. ⇒ **petitesse.** *La faiblesse de la réaction.* ▶ *faiblir* v. intr. ▪ conjug. 2. **1.** Devenir faible. ⇒ **s'affaiblir.** *Ses forces faiblissent. Le malade faiblit.* **2.** Perdre de sa force, de son ardeur. *Son courage faiblit peu à peu.* ⇒ **s'amollir.** **3.** (Choses) Perdre de son intensité, de son importance. ⇒ **diminuer.** *Son espoir, sa patience faiblit.* **4.** Ne plus opposer de résistance. ⇒ **céder, fléchir,**

plier. *Branche, poutre qui faiblit sous un poids.*
5. (Œuvres) Devenir faible, moins bon. *Cette pièce commence bien, mais faiblit au troisième acte.*
⟨ ▶ **affaiblir** ⟩

faïence [fajɑ̃s] n. f. ■ Poterie de terre blanchâtre ou rougeâtre, recouverte de vernis ou d'émail. *Carreaux de faïence. Assiettes en faïence de Rouen, de Sèvres.* ≠ **céramique, porcelaine.**

① **faille** [faj] n. f. **1.** Fracture de l'écorce terrestre, suivie du glissement d'un des deux bords le long de l'autre. **2.** Cassure, défaut. *Ce raisonnement présente une faille.* — *Il y a désormais une faille dans notre amitié.*

② **faille** n. f. ■ Tissu de soie à gros grains.

③ **faille** ⇒ **falloir** (subj. prés.).

faillir [fajiʀ] v. intr. (Seult p. p. *failli* suivi d'un infinitif) **1.** Indique que l'action était sur le point de se produire, mais ne s'est pas produite. *J'ai failli tomber, je suis presque tombé. Ils ont failli être en retard. Elle avait failli lui avouer son secret.* **2.** Vx. Manquer. *Il aura failli à son devoir.* — SANS FAILLIR loc. adv. : sans se dérober, sans faute. ≠ *falloir.* ▶ **failli, ie** n. et adj. ■ Commerçant qui a fait faillite. ▶ **faillite** [fajit] n. f. **1.** Situation d'un commerçant qui ne peut payer ses dettes, tenir ses engagements. ⇒ **déconfiture, ruine.** *Être en faillite, faire faillite* (⇒ **failli**). **2.** Échec complet d'une entreprise, d'une idée, etc. ⇒ **échec.** *La faillite de ses espérances. La faillite d'une politique.* ⟨ ▶ **défaillir,** ① **défaut,** ② **défaut,** ① **faute,** ② **faute, fautif, infaillible** ⟩

faim [fɛ̃] n. f. **1.** Sensation qui, normalement, accompagne le besoin de manger. *Avoir faim, fam. très faim, littér. grand-faim. J'ai une faim de loup. Le grand air donne faim. Manger à sa faim. Rester sur sa faim,* avoir encore faim après avoir mangé ; abstrait, ne pas obtenir autant qu'on attendait. — Loc. *Mourir de faim,* de famine ; par exagér., vivre dans la misère. **2.** Fig. *Avoir faim de tendresse, de liberté, de justice,* en avoir grand besoin. ⇒ **désir, soif.** ⟨ ▶ **affamer, crève-la-faim** ⟩

faine [fɛn] n. f. ■ Fruit du hêtre.

fainéant, ante [fɛneɑ̃, ɑ̃t] n. et adj. ■ Personne qui ne veut rien faire. ⇒ **paresseux.** / contr. **travailleur** / *Au travail, fainéants ! Elle est fainéante.* ▶ **fainéanter** v. intr. ■ conjug. 1. ■ Surtout à l'inf. et aux temps composés. Faire le fainéant. ⇒ **paresser.** *Il a fainéanté toute la journée.* ▶ **fainéantise** n. f. ■ Caractère du fainéant ⇒ **paresse, flemme** ; état du fainéant ⇒ **inaction, oisiveté.**

① **faire** [fɛʀ] v. tr. ■ conjug. 60. — REM. Les formes en *fais-* (faisant, faisons) se prononcent [fəz-]. Le participe passé est variable : *fait, faite.* **I.** Exprime l'action d'un être vivant, le plus souvent d'une personne. **1.** À l'infinitif. *Comment faire ?, s'y prendre ? Pour quoi faire ?,* pour quel usage ? *Que faire ?,* quelle solution mettre en œuvre ? *Rien à faire,* n'insistez pas. — *Il n'y a plus rien à faire,* le cas est désespéré. — POUR CE FAIRE loc. adv. : pour faire cela, parvenir à tel ou tel résultat. — AVOIR BEAU FAIRE : multiplier en vain ses efforts. **2.** Réaliser, produire (par l'esprit). *Dieu en ce monde nous a faits.* ⇒ **créer.** *Mozart a fait son « Don Juan » en 1787.* ⇒ **composer, écrire.** *Picasso a fait « Guernica » en 1937.* ⇒ **peindre. 3.** Produire (par son corps). FAIRE UN ENFANT : donner naissance, engendrer. *Il lui a fait un enfant, l'a rendue enceinte. Elle l'a enfin fait, cet enfant !* ⇒ **accoucher, enfanter.** *Ils ne veulent plus faire d'enfant(s).* ⇒ **procréer.** *Elle ne lui a fait que des filles* (il voulait un fils). — (Animaux) Mettre bas. ⇒ **pouliner, vêler.** *La chatte fait ses petits.* — (Organismes) *La rose fait ses boutons. Bébé fait ses dents.* REM. Cette

phrase signifie aussi : *Bébé exerce ses dents* (en mordant son hochet, etc.). **4.** Évacuer (des excréments). *Faire pipi, caca. Faire ses besoins.* — Sans compl. *Il a fait au lit.* **5.** Produire (par un travail). ⇒ **bâtir, confectionner, construire, effectuer, élaborer, fabriquer, opérer, préparer, réaliser** ; **savoir-faire.** *Le fermier voisin ne fait que du blé. Le boulanger fait son pain. Ils ont fait des travaux d'aménagement. Cet élève ne fait jamais ses devoirs. Voulez-vous que je fasse à dîner ? Avez-vous fait le calcul ? Il ne sait rien faire ; il ne fait jamais rien. Il ne sait plus ce qu'il fait, il perd la tête.* — (Animaux) PROV. *Petit à petit, l'oiseau fait son nid. Une hirondelle ne fait pas le printemps,* le premier signe favorable n'est pas suffisant pour se réjouir. — Pronominalement (réfl.). *Cet homme s'est fait lui-même.* ⇒ **self-made-man. 6.** FAIRE *qqch.* POUR *qqn* : aider, rendre service. *Pouvez-vous faire quelque chose pour lui ? Faites cela pour moi.* **7.** Fournir, vendre. *Nous ne faisons plus cet article. La maison ne fait pas crédit.* **8.** Exercer (une activité, publique ou privée). *Quel métier fait-elle ? Elle est dentiste. Elle fait des (ses) études de droit (du droit, son droit), elle veut être avocate.* ⇒ **étudier.** *Il fait beaucoup de sport, du ski, du tennis, de la natation.* ⇒ **pratiquer.** *Il ne sait quoi faire de ses dix doigts, il s'ennuie, il est oisif.* — (Enfant) *Plus tard, je ferai pompier.* ⇒ **être. 9.** Décorer, nettoyer, ranger. *Elle s'est fait les yeux.* ⇒ **fait.** *Il fait le ménage, les chambres, les lits, la vaisselle. C'est la bonne* à tout faire.* — *Faire ses bagages. Allez, fais tes valises, va-t-en !* — Pronominalement. Fam. *Il s'est fait la malle,* il a disparu. **10.** *J'ai fait les courses, les commissions, les provisions. J'ai fait des achats dans les grands magasins. As-tu fait le plein (d'essence) ?* **11.** Obtenir (un résultat). *J'ai fait mes preuves. Il a fait une brillante carrière. Ils ont fait de gros bénéfices ; fam. ils ont fait leur beurre. Il a fait fortune dans les pétroles.* — (Choses) *Les pétroles ont fait sa fortune.* **12.** Exprimer (par la parole). *Faites « Ah ! ». « Oh ! » fit-il. « Venez ! » nous fit-elle en ouvrant la porte.* ⇒ **crier, demander, dire, s'exclamer, répondre.** *Il n'eut pas le temps de faire ouf, de réagir.* — (Par le geste) *Il fit « Non » de la tête. Il nous fit « Venez ! » de la main.* **13.** FAIRE... À : communiquer (par un mouvement corporel). *Il faisait les yeux doux, des sourires à sa voisine. Il me fit un clin d'œil.* ⇒ **jeter, lancer.** *Elle lui fit la grimace, un pied de nez. Elle fit une révérence au public.* **14.** Accomplir (un mouvement). *Faire un pas.* ⇒ **avancer, un bond** ⇒ **bondir, un plongeon** ⇒ **plonger, un saut** ⇒ **sauter. 15.** Dans des loc. Commettre (un acte jugé mauvais). *Dans sa jeunesse, il a fait les quatre cents coups. Il a fait pis que pendre. Tu as fait des bêtises ? Il a encore fait des siennes, des bêtises, à son habitude. Vous avez fait des folies, ce cadeau est excessif. Faire le mur,* s'évader. **16.** Parcourir (une distance). *J'ai fait le trajet en une heure. Il fait le cent mètres en dix secondes. Il a fait le tour du monde.* **17.** Visiter (un lieu), séjourner. *Nous ferons l'Égypte à Noël.* ⇒ **aller.** (REM. ≠ *Nous ferons l'Égypte après Noël,* nous l'étudierons après cette date.) *J'ai fait dix adresses pour te retrouver.* ⇒ **courir.** *Ce représentant ne fait que la province.* ⇒ **assurer, couvrir, prospecter.** *Cet enfant a fait tous les collèges de la ville.* — *Il a fait un an de prison.* — *Il vit en faisant les poubelles.* ⇒ **fouiller.** *Qui m'a fait les poches ?* ⇒ **voler. 18.** S'occuper de. *Ce professeur ne fait que les terminales. Le médecin ne fait que les malades du quartier.* **19.** FAIRE *qqch.* DE : conduire, mener, placer. *« Que ferez-vous de votre fils ? — Nous en ferons un avocat. » « Qu'avez-vous fait du bébé ? — Nous l'avons laissé chez sa nourrice. » — Qu'est-ce que j'ai fait de mes lunettes, qu'en ai-je fait ?,* où les ai-je mises ? — Changer en. *Il a fait tout un roman de cette histoire, il en a fait un drame ;* fam.

il en a fait tout un plat. **20.** N'AVOIR QUE FAIRE DE : n'avoir aucun besoin de. *Je n'ai que faire de vos dons.* **21.** SE FAIRE. *Se faire une idée, concevoir. Elle se fait une idée de ce qui l'attend, elle l'imagine. Tu te fais des idées, des illusions. Ne vous faites pas d'illusions, aucune illusion !* — Acquérir, gagner. *Tu t'es fait des amis, ici ?* — Fam. *Ce gars se fait trente mille francs par mois* (de revenus). **22.** SE FAIRE À : s'accoutumer, s'habituer à. *Elle ne s'est pas faite à son nouvel emploi. Il ne peut pas s'y faire.* **II.** Exprime l'état d'une personne. **1.** Être vraiment. *Ce garçon fait un excellent mari.* **2.** Paraître. *Elle fait enfant pour son âge. Elle ne fait pas son âge.* — Adj. invar. *Elle fait vieux.* **3.** Tenir le rôle de. *Molière faisait Sganarelle dans « Dom Juan ».* ⇒ **jouer.** *C'est moi qui fais la bonne.* **4.** Agir comme. — REM. Le possessif exprime une attitude habituelle. *Notre ami fait son petit don Juan,* cherche à séduire toutes les femmes. *Elle fait l'enfant, des caprices. Il a fait le difficile. Ne fais pas la sainte nitouche, ne sois pas hypocrite. Cesse de faire le Jacques,* l'imbécile. **5.** Chercher à passer pour. *Il a fait le mort.* ⇒ **simuler.** — Loc. fam. *Faire l'âne pour avoir du son,* faire semblant de ne pas comprendre son interlocuteur pour en tirer un avantage. — PROV. *Qui veut faire l'ange fait la bête,* trop de vertu nuit. **6.** Donner la qualité de. *Il a été fait président de son club.* ⇒ **désigner, élire, nommer.** *Je vous fais juge.* **7.** Considérer comme. *Ne le faites pas plus méchant qu'il n'est.* **8.** Présenter (des caractéristiques mesurables). *Cet enfant fait un mètre vingt. Il fait cinquante kilos.* — *Il fait quarante de fièvre* (il fait de la fièvre). — (Par extension) *Il nous a encore fait une angine.* **9.** SE FAIRE (+ attribut) : se rendre, devenir. *Elle s'est faite belle,* volontairement. *Il se fait vieux, il vieillit sensiblement. Je me suis faite toute petite, j'aurais voulu disparaître. Vous vous faites rare, on ne vous voit pas souvent.* **III.** Intransitivement. **1.** Agir. *Faites ! Faites vite ! Faites comme chez vous ! C'est à vous de faire,* de distribuer les cartes. — *Pour bien faire, il faudrait tout vérifier.* **2.** Paraître. *Vous faites très bien sur cette photo.* **IV.** Emplois impersonnels. **A.** IL FAIT... **1.** FAIRE exprime un état de l'atmosphère. *Il fait jour, nuit. Il fait bon, doux, chaud. Il fait soleil, du soleil. Il a fait froid, mauvais. Il fait un temps de chien, un froid de canard. Avec le mauvais temps qu'il a fait... Il ferait beau s'il faisait moins de vent. Demain, il fera dix degrés au-dessous de zéro.* **2.** Pronominalement. *Il se fait tard. Il commence à se faire tard,* à être tard. — *Il se fit un grand silence.* ⇒ **s'abattre, s'établir.** **3.** Exprime une sensation. Fam. *Il fait soif,* on a soif. — *Il fait bon vivre ici !* **4.** IL SE FAIT QUE : il se trouve que, il arrive que. Interrog. au subjonctif. *Comment se fait-il que tu sois en retard ?,* comment est-ce possible ? — Hypothèse au subjonctif. *Il peut se faire qu'il soit malade.* — Affirm. à l'indicatif. *Il se fait que je suis malade.* **B.** CELA, ÇA FAIT... ⇒ **il y a** (avoir, IV). **1.** Cela, ça ne fait rien, il n'y a pas de mal, ce n'est pas grave. **2.** (Distances) *De Paris à Nice, cela fait mille kilomètres.* **3.** (Temps) CELA FAIT... QUE. *Cela fait deux jours que j'attends, j'attends depuis deux jours.* **4.** CE QUI FAIT QUE : en conséquence. *Il a plu, ce qui fait que la pelouse est trempée.* **5.** CELA FAIT QUE : ce qui explique que. *Ses enfants sont élevés, cela fait qu'elle cherche un emploi.* **6.** Passif. C'EST FAIT : c'est terminé. *C'en est fait de moi* (de toi...), je suis (tu es...) perdu(e). *Ce qui est fait est fait, il n'y a pas à y revenir. C'est BIEN FAIT pour lui, il n'a que ce qu'il mérite. Ce n'est ni fait, ni à faire, c'est un travail bâclé.* **7.** Pronominalement. *Cela ne se fait pas,* c'est inconvenant, impoli. **V.** FAIRE exprime l'action ou l'aspect d'une chose. **1.** Produire. *Ce savon fait trop de mousse. Un feu fait toujours un peu de fumée.* ⇒ **dégager.** *La pluie a fait une mare devant la maison. La boue m'a*

fait des taches. *La nouvelle a fait du bruit, des vagues, a fait scandale. Ces couleurs font un ensemble harmonieux.* ⇒ **former.** — PROV. *Les petits ruisseaux font les grandes rivières,* rien ne doit être considéré comme négligeable. *L'habit ne fait pas le moine,* il ne faut pas se fier aux apparences. — (Impliquant une personne) *Faire qqch. à qqn,* produire sur lui (elle) un effet moral. *La vue du sang ne lui fait rien, ne lui fait ni chaud ni froid.* ⇒ **émouvoir.** — *Qu'est-ce que cela peut vous faire ?,* en quoi cela vous concerne-t-il ? *Qu'est-ce que ça fait ?,* en quoi est-ce si important ?* **2.** Prendre. *À chaque escale, le navire faisait de l'eau,* se ravitaillait en eau douce. *Le navire faisait eau de toute part,* l'eau l'envahissait. **3.** Faire office de, se changer en. Fam. *Cette chambre fait aussi bureau.* **4.** Durer. *Cette chemise m'a fait dix ans.* **5.** Coûter. *Combien fait ce lot de cannes ?* — *Il fait mille francs.* **6.** Valoir. *Deux et deux font quatre. Une livre fait cinq cents grammes.* — Par ext. *« Journal » fait « journaux » au pluriel.* **7.** Mesurer. *Ce coupon fait un mètre sur deux.* **8.** Présenter (un aspect). *Ce tissu fait des plis. La route faisait une courbe.* **9.** Intransitivement. Produire un effet. *Ce tableau ferait beaucoup mieux encadré.* — Produire (qqch.). *Ce moteur fait de l'huile,* perd son huile par une fuite. *Cette voiture fait du cent de moyenne,* roule à cent kilomètres à l'heure en moyenne. *Elle fait six litres,* consomme six litres de carburant pour cent kilomètres. *Elle fait six chevaux,* sa puissance est de six chevaux. **10.** ÊTRE FAIT POUR : être destiné à. *Cette voiture n'est pas faite pour transporter dix personnes.* **11.** SE FAIRE : se modeler, s'adapter. *Mes chaussures finiront bien par se faire.* — Être fabriqué. *Les bottes ne se font plus cette année, ne sont plus à la mode. Voilà ce qui se fait de mieux dans le genre.* — PROV. *Paris ne s'est pas fait en un jour.* **VI.** Locutions. REM. FAIRE peut recevoir un très grand nombre de compléments directs, qui seuls expriment le sens de l'action. **1.** (*Faire* est suivi d'un complément sans article) *Faire attention (à). Faire bloc (contre), face (à), front. Faire cause commune (avec). Faire fête (à). Faire feu (sur). Faire grève. Faire honte (à). Faire main basse (sur). Faire mouche. Faire peur (à). Faire plaisir (à). Faire (fausse, bonne) route (vers). Faire table rase (de). Faire signe (à). Faire tache d'huile,* etc. **2.** (Compl. précédé d'un article partitif) *Ce médicament m'a fait du bien, du mal, de l'effet. Il ne m'a rien fait. Ça lui a fait de la peine* (quelque chose) *de la voir partir. Son attitude lui a fait du tort.* **3.** (Compl. précédé d'un article indéfini) *Faire un aveu, des aveux (à). Faire un effort, un progrès, des efforts, des progrès (en). Faire un projet, des projets (de). Faire un rêve, des rêves (de).* **4.** (Article défini, possessif non réfléchi) *Faites l'amour, pas la guerre. Faites-lui nos amitiés. Il a fait la conquête de sa voisine,* lui a plu, l'a séduite. *Il lui a fait la cour. Il lui a fait (le) serment de l'épouser.* — Fam. *Il a fait la fête,* s'est amusé. **5.** (Possessif réfléchi) *Il nous a fait ses adieux. Il a fait son service* (militaire). *Il a fait son devoir de soldat,* risqué sa vie au combat, il est mort en combattant. *Il a fait son devoir, son exercice scolaire.* — *Elle a fait ses débuts à Paris,* commencé sa carrière à Paris. **6.** SE FAIRE UN (DES)... DE... (+ infinitif) *Je me faisais une joie de vous revoir, j'en étais très heureux.* **7.** SE FAIRE DU (DE LA, DES). *Il s'est fait du mauvais sang, de la bile, des cheveux (blancs) pour toi, il s'est fait beaucoup de souci pour toi.* — NE PAS S'EN FAIRE : s'en moquer. *Il ne faut pas vous en faire, ne vous en faites pas, ce n'est pas grave.* ▶ ② **faire** semi-auxiliaire. — conjug. 60. — REM. Le participe passé *fait* est invariable. **I.** FAIRE à l'infinitif suit un verbe et reprend une proposition. **1.** *Tu casses tout, et moi, je te laisserais faire ?, tout casser ?* — LE FAIRE. *Piloter un avion ? Moi aussi je sais le faire. Je voudrais bien prendre des*

vacances en hiver, mais je ne peux jamais le faire.
2. Dans les comparaisons. « *Comment répondre ?* — *Faites comme moi.* » *Je répondrai comme vous* (*l'*) *avez fait,* comme vous avez répondu. *Tu réussis mieux que je ne fais,* mieux que moi. **II.** FAIRE suivi d'un infinitif : l'action touche plusieurs personnes à la fois. **1.** Être cause de. *Il vous fait appeler,* il demande que vous veniez. *Tu me fais rougir ! Il leur a fait visiter le musée. Faites-lui réciter ses leçons. Les leçons que je lui ai fait réciter. Je vais te faire voir,* te montrer. (REM. « *te faire montrer* » est fautif.) *Tu vas faire aboyer le chien ! J'ai fait tomber la lampe. Faites cuire à feu doux.* — (Choses) *Le soleil fait fondre la neige.* **2.** Pronominalement. SE FAIRE : se laisser. *Elle s'est fait prier.* — Exiger (une action de qqn). *Il se faisait respecter.* — Demander (un service à qqn). *Elle s'est fait reconduire chez elle par un ami. Je me suis fait couper les cheveux.* — REM. S'agissant d'un accident, plutôt que *Je me suis fait mordre par un chien,* il est recommandé de dire *Un chien m'a mordu* ou *J'ai été mordu par un chien.* — Vulgaire. *Allez vous faire foutre !,* allez au diable ! **3.** FAIRE FAIRE : confier la réalisation (de qqch. à qqn). *Elle a fait faire une jolie robe à* (par, chez) *sa couturière.* Pronominalement. *Elle s'est fait faire une robe. Regarde la robe qu'elle s'est fait faire par* (chez) *sa couturière.* ⇒ **commander.** — Entraîner (qqn à exécuter qqch.). *Je lui ai fait faire ses devoirs.* ⇒ **aider.** — *Tu m'as fait faire une erreur.* ⇒ **induire.** *Il m'a fait faire une excellente affaire.* **III.** Loc. verb. (Seul le sujet est concerné.) **1.** NE FAIRE QUE : faire seulement. *Il ne fait que passer, il va repartir tout de suite. Il ne fait qu'arriver,* il vient tout juste d'arriver. *Il ne fait que parler,* il parle sans agir ; il n'arrête pas de parler. *Il ne fait qu'en rire,* il s'en moque. *Il ne fait que dormir,* il dort sans arrêt. **2.** Intransitivement. FAIRE BIEN DE, MIEUX DE : avoir intérêt à. *Tu ferais bien* (bien mieux, mieux) *de te reposer.* ▶ **faire-part** [fɛʁpaʁ] n. m. invar. ■ Lettre imprimée qui annonce une nouvelle ayant trait à la vie civile. *Faire-part de mariage ; de décès* (bordé de noir). ▶ **faire-valoir** n. m. invar. ■ Comparse, personnage secondaire qui sert surtout à mettre en valeur le personnage principal. ‹ ▶ affaire, affaires, bienfaisant, bienfait, contrefaire, défaire, sur ces entrefaites, fact-, faît, fainéant, faisable, faiseur, ① fait, ② fait, fait-tout, ① imparfait, ② imparfait, infaisable, insatisfait, malfaisant, malfaiteur, méfait, parfaire, parfait, refaire, satisfaire, savoir-faire, stupéfait, surfait ›

fair-play [fɛʁplɛ] adj. invar. ■ Qui accepte loyalement les règles d'un jeu, d'un sport, des affaires. *Elles ont été fair-play,* elles ont joué franc-jeu avec nous.

faisable [fəzabl] adj. ■ Qui peut être fait. *La chose est faisable.* ⇒ **possible, réalisable.** / contr. **infaisable** / ▶ **faisabilité** [fəzabilite] n. f. ■ En économie. Caractère de ce qui est faisable. — Possibilité de réussite (d'un projet, d'une entreprise). *Étude de faisabilité d'un projet.*

faisan, ane [fəzɑ̃, an] ■ n. Oiseau gallinacé, à plumage coloré, à longue queue, et dont la chair est estimée. *La chasse au faisan. Faisans d'élevage.* — Adj. *Poule faisane.* ▶ **faisander** [fəzɑ̃de] v. tr. ■ conjug. 1. ■ Soumettre (le gibier) à un commencement de décomposition, pour lui faire acquérir du fumet. ▶ **faisandé, ée** adj. ■ *Viande faisandée,* un peu corrompue.

faisceau [fɛso] n. m. **1.** Assemblage parallèle de choses semblables, de forme allongée. *Balai fait d'un faisceau de brindilles. Faisceau musculaire,* de fibres musculaires. — *Mettre les fusils en faisceau,* les former en pyramide en les appuyant les uns contre

les autres. — *Faisceau des licteurs,* dans la Rome antique, symbole du pouvoir de l'État. ⇒ **fascisme.** **2.** *Faisceau lumineux,* rayonnement lumineux. *Un lièvre apparut dans le faisceau des phares. Faisceau électronique, hertzien. Des faisceaux.* **3.** Ensemble de choses (abstraites) rassemblées. *Un faisceau d'habitudes, d'arguments.*

faiseur, euse [fəzœʁ, øz] n. **1.** Souvent péj. FAISEUR DE : celui qui fait habituellement. *Faiseur de vers. Faiseuse de mariages. Un faiseur d'embarras.* **2.** *Le bon faiseur,* le bon tailleur. **3.** N. m. Celui qui cherche à se faire valoir par des vantardises, des mensonges. ⇒ **hâbleur, poseur.**

① **fait, faite** [fɛ, fɛt] p. p. et adj. **1.** Qui présente tel ou tel aspect. *Il est bien fait, mal fait de sa personne.* ⇒ **bâti.** *Une femme bien faite.* **2.** Qui est arrivé à son plein développement. *Un homme fait.* ⇒ **mûr.** — Arrivé à un certain point de maturation nécessaire à la consommation. *Un fromage fait, bien fait.* ⇒ **à point, à cœur.** **3.** Fabriqué, composé, exécuté. *Un travail mal fait, ni fait ni à faire.* TOUT FAIT : tout prêt. *Idées toutes faites,* préjugés. — FAIT MAIN. *Une robe fait main. Un sac fait main,* de production artisanale. **4.** Qui est fardé. *Des yeux faits.* — Verni. *Ongles faits.* **5.** (Personnes) *Être fait, pris. Être fait comme un rat. Nous sommes faits.*

② **fait** [fɛ] n. m. **I. 1.** LE FAIT DE : action de faire. ⇒ **acte, action.** *Le fait de parler. Il a été licencié pour fait de grève. Il est coutumier du fait,* de cette action. *La générosité n'est pas son fait,* n'est pas dans ses habitudes. — *Prendre qqn* SUR LE FAIT : le surprendre au moment où il agit. ⇒ flagrant **délit.** — Au plur. *Les* FAITS ET GESTES *de qqn* : ses activités. ⇒ **us.** **2.** Action mémorable, remarquable. *Fait d'armes, de guerre ; hauts faits.* **3.** VOIE DE FAIT : coup, violence. **4.** PRENDRE FAIT ET CAUSE *pour qqn* : sa défense, son parti. **II. 1.** Ce qui est arrivé, ce qui a eu lieu. ⇒ **affaire, événement.** *C'est un fait courant. Déroulement des faits. Mettre qqn devant le fait accompli,* l'obliger à accepter une chose sur laquelle il n'y a plus à revenir. — LE FAIT QUE. *Le fait que vous soyez malade ne vous excuse pas.* — DU FAIT DE : par suite de. — DU FAIT QUE. ⇒ **puisque.** *Du seul fait que,* pour cette seule raison que. **2.** FAITS DIVERS : nouvelles peu importantes d'un journal. ⇒ **chiens** écrasés. — Au sing. *Un fait divers.* **3.** Ce qui existe réellement (opposé à l'*idée,* au *rêve,* etc.). ⇒ **réalité, réel.** *S'incliner devant les faits. Juger sur les faits, d'après les faits. C'est un fait,* c'est certain, sûr, vrai. — LE FAIT EST *que vous avez raison* : je dois l'admettre. — Loc. adv. PAR LE FAIT, DE FAIT, EN FAIT : en réalité. ⇒ **effectivement, réellement.** *En fait, les choses se sont passées tout autrement.* — TOUT À FAIT. ⇒ ① **tout** (IV, 3). **4.** Cas, sujet particulier dont il est question. *Être sûr de son fait. Aller au fait ; (en) venir au fait,* à l'essentiel. Ellipt. *Au fait ! Être au fait de,* au courant de. — AU FAIT (en tête de phrase) : à propos. — EN FAIT DE : en ce qui concerne, en matière de. *En fait de cadeaux, il n'a pas été gâté !*

faîte [fɛt] n. m. ■ La partie la plus haute de qqch. d'élevé. ⇒ **cime, haut, sommet.** *Le faîte d'un arbre, d'une montagne.* ▶ **faîtage** n. m. ■ Toiture. ▶ **faîtière** [fɛtjɛʁ] n. f. et adj. f. ■ Élément supérieur d'une toiture. *Cette faîtière est pourrie, il faut la remplacer.* — Adj. *La poutre faîtière est encore bonne.*

faites ■ Forme du verbe *faire.* — Fém. plur. de ① *fait.*

fait-tout n. m. invar. ou **faitout** [fɛtu] n. m. ■ Instrument de cuisine, récipient à deux poignées et à couvercle, qui va au feu. *Des fait-tout, des faitouts.*

faix [fɛ] n. m. invar. ■ Littér. Lourd fardeau. *Il ploie sous le faix des années.* ⇒ **poids.** ‹ ▶ s'affaisser › *fakir* [fakiʀ] n. m. ■ Professionnel du spectacle présentant des numéros d'insensibilité à la douleur, de transmission de pensée, etc. *Des fakirs.*

falaise [falɛz] n. f. ■ Escarpement rocheux créé par le travail des eaux.

falbalas [falbala] n. m. pl. ■ Ornements successifs, grande toilette. *Il déteste les falbalas des grandes réceptions.*

fallacieux, euse [falasjø, øz] adj. ■ Littér. Trompeur. *Promesses fallacieuses. Arguments fallacieux.* ⇒ **spécieux.**

① *falloir* [falwaʀ] v. impers. ▪ conjug. 29. **I. 1.** IL FAUT. *Qu'est ce qu'il vous faut ?, que désirez-vous ? Il lui faut qqn pour l'aider.* **2.** IL FAUT (+ infinitif). *Il faut (il faudrait) l'avertir tout de suite.* **3.** IL FAUT QUE (+ subjonctif). *Il faut (il faudra) que je vous voie, c'est indispensable. — Il faut, il a fallu qu'il vienne en ce moment !, il est venu comme par une fatalité.* ≠ *faillir.* **4.** IL LE FAUT (*le* remplaçant l'infinitif ou la propos.). *Vous irez le voir, il le faut.* **5.** Ce qui est juste, à propos. *Il a l'art de ne dire que ce qu'il faut.* — COMME IL FAUT. *Se conduire, s'exprimer comme il faut,* convenablement. — Adj. invar. Fam. *Des gens très comme il faut.* **II.** IL FAUT (+ infinitif), IL FAUT QUE (+ subjonctif) : il est nécessaire, selon la logique du raisonnement. *Dire des choses pareilles ! Il faut avoir perdu l'esprit ! Encore faut-il que ce soit possible.*

② *s'en falloir* v. impers. ▪ conjug. 29. ■ IL S'EN FAUT DE : il manque. *Il s'en est fallu de peu que je parte.* — TANT (PEU) S'EN FAUT. *Il n'est pas sot, tant s'en faut, il est loin d'être sot. Il est perdu ou peu s'en faut.* ⇒ **presque.**

① *falot* [falo] n. m. ■ Grande lanterne. ⇒ **fanal.**

② *falot, ote* [falo, ɔt] adj. ■ Sans personnalité. *Personnage falot.* / contr. **brillant** /

falsifier [falsifje] v. tr. ▪ conjug. 7. ■ Altérer volontairement dans le dessein de tromper. *Falsifier un vin. Falsifier une date sur un acte, un document.* ⇒ **maquiller, truquer.** *Falsifier la pensée de qqn,* en la rapportant inexactement. ⇒ **dénaturer, fausser.** ▶ *falsificateur, trice* n. ■ Personne qui falsifie. ▶ *falsification* n. f. ■ Action de falsifier.

falzar [falzaʀ] n. m. ■ Fam. Pantalon.

mal famé, ée [fame] adj. ■ (Lieu) Qui a mauvaise réputation. *Maison, rue mal famée.*

famélique [famelik] adj. ■ Littér. Qui ne mange pas à sa faim, est maigre. *Des chats faméliques.* ⇒ **étique.**

fameux, euse [famø, øz] adj. **1.** Qui a une grande réputation. ⇒ **célèbre, renommé.** *Région fameuse par (ou pour) ses crus.* **2.** Iron. Dont on a beaucoup parlé. *C'était le fameux jour où nous nous sommes disputés.* **3.** (Avant le nom) Remarquable. *Une fameuse canaille.* ⇒ **beau, rude, sacré.** *Il a attrapé un fameux coup de soleil.* **4.** (Après le nom) Très bon. ⇒ **excellent.** *Un vin fameux. Ce devoir n'est pas fameux.*

familial, ale, aux [familjal, o] adj. ■ Relatif à la famille. *Vie, réunion familiale.* — *Allocations familiales,* aide financière de l'État aux personnes qui ont des enfants. ▶ *familier, ière* n. m. et adj. **I.** N. m. (pas de fém.) **1.** Personne qui est considérée comme un membre de la famille. ⇒ **ami.** *Les familiers du prince.* **2.** Personne qui fréquente assidûment un lieu. *Les familiers d'un club.* ⇒ **habitué.** **II.** Adj. **1.** Qui est bien connu ; dont on a l'expérience habituelle. *Vivre au milieu d'objets familiers. Voix familière. Le mensonge lui est familier.* **2.** Qui montre dans ses rapports avec ses semblables, ses subordonnés, une simplicité qui les met à l'aise / contr. **distant** / ou avec

ses supérieurs, une simplicité trop désinvolte. ⇒ ③ **cavalier.** *Un inconnu trop familier. Manières familières.* **3.** *Mot familier,* qu'on emploie dans la conversation courante et par écrit, mais qu'on évite dans les relations avec des supérieurs, les relations officielles et les ouvrages sérieux. « *Emmerdant* » *est un mot familier.* ▶ *familièrement* adv. ■ D'une manière familière (II, 2). ⇒ **simplement.** *Ils causaient familièrement.* ▶ *familiariser* v. tr. ▪ conjug. 1. **I.** Rendre familier (avec qqch.). ⇒ **accoutumer, habituer.** **II.** SE FAMILIARISER v. pron. **1.** Devenir familier avec qqn, avec les gens. ⇒ s'**apprivoiser.** *Enfant qui se familiarise.* **2.** Se familiariser *avec qqch.,* se rendre familier par l'habitude, la pratique. *Se familiariser avec une langue étrangère, avec le danger.* ▶ *familiarité* n. f. **1.** Relations familières, comme celles qu'entretiennent les membres d'une même famille les uns avec les autres. ⇒ **intimité.** **2.** Manière familière de se comporter à l'égard de qqn. ⇒ **bonhomie, liberté.** / contr. **réserve** / **3.** Au plur. DES FAMILIARITÉS : façons trop libres, inconvenantes. ⇒ **liberté, privauté.** *Se permettre des familiarités avec qqn.*

famille [famij] n. f. **I. 1.** (Sens restreint) Le père, la mère et les enfants. *Fonder une famille,* avoir un, des enfants. *Chef de famille. La vie de famille. Famille dispersée par la guerre, brisée par un divorce.* ⇒ **familial.** — DES FAMILLES : à l'usage des familles. *Un petit bridge des familles,* sans prétention ni gravité. **2.** Les enfants issus du mariage. *Père, mère de famille. Vivre en bon père de famille,* sagement. **3.** L'ensemble des personnes liées entre elles par le mariage et par la filiation ou, exceptionnellement, par l'adoption. *Nom de famille.* ⇒ **patronymique.** *Famille naturelle et belle-famille d'un époux. La famille de qqn, sa famille. Être en famille,* réunis entre gens de la même famille. **4.** *Famille étendue, patriarcale,* ensemble des descendants et des collatéraux d'un *chef de famille,* vivant dans la même maison. **5.** Succession des individus qui descendent les uns des autres, de génération en génération. *La famille des Habsbourg.* ⇒ **descendance, lignée, postérité.** *Bonne famille,* estimée. *Fils de famille,* qui profite de la situation privilégiée de ses parents (→ péj. Fils à papa). *Un air de famille,* une ressemblance. **II.** Abstrait. **1.** (Avec un adj., un déterminatif) Personnes ayant des caractères communs. *Une famille d'esprits. Famille littéraire.* **2.** L'une des grandes divisions employées dans la classification des animaux et des végétaux, qui regroupe des genres. **3.** *Famille de mots,* groupe de mots provenant d'une même origine. ⇒ **étymologie.** ⟨ ▶ familial, familier ⟩

famine [famin] n. f. ■ Manque d'aliments par lequel une population meurt de faim. ⇒ **disette.** *Les famines du Sahel.* — *Salaire de famine,* qui ne donne pas de quoi vivre. ⇒ **misère.**

fan [fan] n. ■ Fam. Fanatique (2), admirateur enthousiaste (de qqn). *Ses fans l'attendaient à l'entrée des artistes.* ▶ *fana* **■** Fam. Fanatique (2), amateur passionné (de qqn ou de qqch.). ⇒ **fou.** *Elles sont fanas de moto.* — N. *Des fanas de moto.*

fanal, aux [fanal, o] n. m. ■ Grosse lanterne devant servir de signal, souvent fixée sur un véhicule (⇒ **feu**).

fanatique [fanatik] adj. et n. **1.** Animé envers une religion, une doctrine, une personne, d'une foi absolue et d'un zèle aveugle. *Partisan fanatique.* — N. *Les excès des fanatiques.* ⇒ **exalté.** ≠ **frénétique.** **2.** Qui a une passion, une admiration excessive pour qqn ou qqch. ⇒ **fan, fana, passionné.** *Il est fanatique de musique.* ⇒ **fou.** — N. *Un fanatique du football.* ⇒ fam. **fana.** ▶ *fanatiquement* adv. ▶ *fanatiser*

v. tr. . conjug. 1. ■ Rendre fanatique. ► *fanatisme* n. m. **1.** Comportement de fanatique (1). *Fanatisme religieux.* ⇒ **intolérance.** ≠ *fatalisme.* **2.** Enthousiasme de fanatique (2).

fandango [fãdãgo] n. m. ■ Nom d'une danse espagnole. *Des fandangos.*

fane [fan] n. f. ■ Tiges et feuilles de certaines plantes potagères dont on consomme une autre partie. *Fanes de carottes, de pois.*

① *faner* [fane] v. tr. . conjug. 1. **1.** Faire perdre à (une plante) sa fraîcheur. ⇒ **flétrir, sécher. 2.** SE FANER v. pron. réfl. : (plante, fleur) qui sèche et meurt, en perdant sa couleur, sa consistance. ⇒ se **flétrir.** ► *fané, ée* adj. **1.** (Plante, fleur) Qui s'est fané. *Un bouquet fané.* **2.** Qui est défraîchi, flétri. *Un visage fané.* ⇒ **flétri.** — *Couleur fanée,* passée, très douce. / contr. **vif** /

② *faner* v. tr. . conjug. 1. ■ Retourner (un végétal fauché) pour le faire sécher. *Faner de la luzerne. Machine à faner,* à faire les foins. ► *faneur, euse* n. ■ Personne qui fane.

fanfare [fãfaR] n. f. **1.** Air vif et rythmé, dans le mode majeur, généralement exécuté par des cuivres. *Sonner la fanfare.* **2.** Fam. *Réveil en fanfare,* réveil brutal. **3.** Orchestre de cuivres, musiciens de cet orchestre. *La fanfare municipale.* ⇒ **orphéon.**

fanfaron, onne [fãfaRɔ̃, ɔn] adj. et n. ■ Qui se vante avec exagération d'exploits réels ou imaginaires. *Il est fanfaron.* — *Attitude fanfaronne en face du danger.* — N. *Faire le fanfaron.* ⇒ **bravache, matamore.** ► *fanfaronnade* n. f. ■ Propos, acte de fanfaron. ⇒ **rodomontade, vantardise.**

fanfreluche [fãfRəlyʃ] n. f. ■ Souvent péj. Ornement léger (nœud, dentelle, volant, pompon) du vêtement ou de l'ameublement. *Il y a trop de fanfreluches sur cette robe.*

fange [fãʒ] n. f. ■ Littér. Boue liquide et sale. — Loc. fig. *On l'a traîné dans la fange,* on l'a souillé par des accusations ignobles. ► *fangeux, euse* adj. ■ Plein de fange. *Mare fangeuse.*

fanion [fanjɔ̃] n. m. ■ Petit drapeau. *Fanion d'un régiment, d'un club.*

fanon [fanɔ̃] n. m. **1.** Repli de la peau qui pend sous le cou de certains animaux. *Fanon de taureau, de dindon.* **2.** Chacune des lames cornées qui garnissent la bouche de certains cétacés. *La baleine retient avec ses fanons le krill dont elle se nourrit.*

fantaisie [fãtezi] n. f. **1.** Imagination créatrice. *L'artiste a donné libre cours à sa fantaisie.* — DE FANTAISIE : se dit de produits qui ne cherchent pas à être pris au sérieux. *Bijoux de fantaisie. Uniforme de fantaisie.* — En appos. invar. *Des boutons fantaisie.* **2.** (Une, des fantaisies) Œuvre d'art dans laquelle l'imagination s'est donné libre cours. **3.** Désir, goût passager qui ne correspond pas à un besoin véritable. ⇒ **caprice, désir, envie.** *Il lui a pris la fantaisie de repartir aussitôt.* **4.** Tendance à agir en dehors des règles par caprice et selon son humeur. ⇒ **gré, guise.** *Il n'en fait qu'à sa fantaisie.* **5.** (La fantaisie) Originalité amusante, imagination dans les initiatives. *Elle est pleine de fantaisie, elle a beaucoup de fantaisie. Vie, existence qui manque de fantaisie,* monotone, terne. ► *fantaisiste* adj. et n. **1.** Qui agit à sa guise, au mépris de ce qu'il faut faire ; qui n'est pas sérieux. ⇒ **amateur, dilettante, fantasque, farfelu, fumiste.** *Cet élève est un peu fantaisiste.* N. *C'est un fantaisiste.* — (Choses) *Remède fantaisiste. Interprétation fantaisiste.* **2.** Artiste de music-hall, de cabaret qui chante, imite, raconte des histoires.

fantasmagorie [fãtasmagɔRi] n. f. ■ Spectacle fantastique, surnaturel. ► *fantasmagorique* adj. ■ Qui tient de la fantasmagorie. *Une apparition fantasmagorique,* féerique, irréelle.

fantasme ou *phantasme* [fãtasm] n. m. ■ Idée, imagination suggérée par l'inconscient. ⇒ **rêve.** *Il a des fantasmes de richesse.* ► *fantasmatique* adj. ■ Relatif aux fantasmes. ⇒ **imaginaire.** ► *fantasmer* v. intr. . conjug. 1. ■ Se laisser aller à des fantasmes, prendre ses désirs pour la réalité. *Tu fantasmes !* ⇒ **rêver.**

fantasque [fãtask] adj. ■ Dont on ne peut prévoir le comportement. ⇒ **bizarre, capricieux, changeant, lunatique.**

fantassin [fãtasɛ̃] n. m. ■ Soldat d'infanterie.

fantastique [fãtastik] adj. et n. m. **1.** Qui est créé par l'imagination, ou semble tel. ⇒ **fabuleux, surnaturel.** *Créature fantastique. Conte fantastique.* **2.** (Intensif) Extravagant. ⇒ **formidable, sensationnel.** *Une réussite fantastique. C'est fantastique !* **3.** N. m. Le fantastique, ce qui est fantastique, irréel ; le genre fantastique dans l'art. ► *fantastiquement* adv. ■ D'une manière fantastique (2). ⇒ **fabuleusement.**

fantoche [fãtɔʃ] n. m. **1.** Marionnette manipulée par des fils. ⇒ **pantin, polichinelle. 2.** Personne sans consistance ni volonté, qui est souvent l'instrument des autres et qui ne mérite pas d'être prise au sérieux. *Cet homme n'est qu'un fantoche.* — homme de **paille.** — En appos. *Des gouvernements fantoches.*

fantôme [fãtom] n. m. **1.** Apparition surnaturelle d'une personne morte. ⇒ **esprit, revenant, spectre.** *Maison hantée par les fantômes.* **2.** Personnage ou chose qui hante l'esprit. *Les fantômes du passé.* **3.** En appos. Qui apparaît et disparaît comme un fantôme. *Le vaisseau fantôme.* — Qui ne mérite pas son nom. *Un gouvernement fantôme.* ► *fantomatique* adj. — REM. Pas d'accent sur le *o.* ■ Semblable à une apparition, à un fantôme.

faon [fã] n. m. ■ Petit du cerf, du daim ou du chevreuil. *Une biche et ses faons.*

far [faR] n. m. ■ Sorte de flan, le plus souvent aux pruneaux. — REM. On dit souvent *far breton.* ≠ *fard, fart, phare.*

faramineux, euse [faRaminø, øz] adj. ■ Fam. Fantastique. ⇒ **étonnant, extraordinaire, prodigieux.** *Des prix faramineux,* exagérément élevés.

farandole [faRãdɔl] n. f. ■ Danse rythmée, exécutée par une file de danseurs se tenant par la main. — Cette file de danseurs.

① *farce* [faRs] n. f. ■ Hachis d'aliments (viande ou autres) servant à farcir. ► *farcir* v. tr. . conjug. 2. **1.** Remplir de farce. *Farcir une volaille.* **2.** Péj. Remplir, garnir abondamment de. ⇒ **bourrer.** *Farcir un écrit de citations.* ⇒ **truffer. 3.** Fam. *Se farcir qqch.,* faire jusqu'au dégoût. *Se farcir tout le travail.* — Avoir, consommer. *Se farcir un bon repas.* — (Choses, personnes) *Il faut se le farcir,* il faut le supporter. ► *farci, ie* adj. **1.** Rempli de farce. *Tomates farcies.* **2.** Péj. Rempli de. ⇒ **bourré, plein.** *J'ai la tête farcie de ses histoires. Il est farci de préjugés.*

② *farce* n. f. **1.** Intermède, comédie où dominent les jeux de farce. *Les scènes de farce dans Molière.* — Fig. *La vie est une farce. Cela tourne à la farce,* devient ridicule. **2.** Tour plaisant qu'on joue à qqn. ⇒ **mystification, niche.** *Élèves qui font des farces à leur maître. Une bonne farce,* drôle, qui réussit. *Une mauvaise farce,* qui nuit ou déplaît à celui qui en est victime. **3.** Objet vendu dans le commerce, servant à faire une farce. *Farces et attrapes.* ► *farceur, euse*

n. ■ Personne qui ne parle pas sérieusement, qui plaisante et raconte des histoires pour mystifier. ⇒ **blagueur, plaisantin**. *Sacré farceur !* — Adj. *Elle est très farceuse.*

fard [faʀ] n. m. **1.** Produit qu'on applique sur le visage pour en changer l'aspect naturel. ⇒ **maquillage, rimmel.** ≠ *far, fart, phare. Elle ne met pas de fard.* **2.** SANS FARD : sans artifice. *Un discours sans fard.* **3.** Fam. (Personnes) *Piquer un fard,* rougir. ▶ *farder* v. tr. ∙ conjug. 1. **1.** Mettre du fard à. ⇒ **maquiller.** *Farder un acteur.* ⇒ **grimer.** — SE FARDER v. pron. réfl. *Cette jeune fille se farde trop, s'est trop fardée. Des fardeaux.* **2.** Chose pénible qu'il faut de (qqch.) sous un revêtement trompeur. ⇒ **embellir.** *Farder sa pensée.*

fardeau [faʀdo] n. m. **1.** Chose pesante qu'il faut lever ou transporter. ⇒ **charge.** *Porter un fardeau sur ses épaules. Des fardeaux.* **2.** Chose pénible qu'il faut supporter. *Le fardeau de l'existence.*

farfadet [faʀfadɛ] n. m. ■ Esprit follet, lutin d'une grâce vive et légère.

farfelu, ue [faʀfəly] adj. ∎ Fam. Un peu fou, bizarre. *Il est farfelu. Une idée farfelue,* cocasse.

farfouiller [faʀfuje] v. intr. ∙ conjug. 1. ■ Fam. Fouiller en bouleversant tout. ⇒ **fourgonner, fureter, trifouiller.** *Il farfouille dans mes affaires.*

faribole [faʀibɔl] n. f. ■ Propos vain et frivole. ⇒ **baliverne, bêtise.** *Dire des fariboles.*

farine [faʀin] n. f. **1.** Poudre obtenue par la mouture de graines de céréales. *Farine de blé, de maïs, de riz. Farine lactée,* pour les bouillies des bébés. — Loc. *Des gens de même farine,* qui ne valent pas mieux l'un que l'autre. — *Se faire rouler dans la farine,* se faire tromper. **2.** Poudre résultant du broyage de certaines denrées (poisson, soja). ▶ *farineux, euse* adj. et n. **1.** Qui contient de la farine et par ext. de la fécule. *Légume farineux.* — N. m. ⇒ **féculent.** *Les haricots, les pommes de terre sont des farineux.* **2.** Qui donne en bouche l'impression de la farine. *Pomme farineuse.* ⟨ ▶ **enfariné** ⟩

farniente [faʀnjɑ̃t ; faʀnjɛnte] n. m. ■ Douce oisiveté. *Aimer le farniente.*

farouche [faʀuʃ] adj. **1.** Qui n'est pas apprivoisé et s'effarouche facilement. ⇒ **sauvage.** *Ces moineaux ne sont pas farouches.* / contr. **familier** / **2.** (Personnes) Qui redoute par tempérament le contact avec d'autres personnes. ⇒ **insociable, misanthrope, sauvage.** *Un enfant farouche.* ⇒ **timide.** — *Elle n'est pas farouche,* elle ne repousse pas les amoureux. **3.** D'une rudesse sauvage. *C'est mon adversaire le plus farouche.* ⇒ **acharné.** *Opposer une farouche résistance.* ⇒ **tenace, violent.** ▶ *farouchement* adv. ■ D'une manière farouche (3). ⇒ **violemment.** *Il s'y est farouchement opposé.* ⟨ ▶ **effaroucher** ⟩

fart [faʀ(t)] n. m. ■ Cire dont on enduit la semelle des skis pour les empêcher de coller à la neige. ≠ *far, fard.* ▶ *farter* v. tr. ∙ conjug. 1. ■ Enduire de fart.

Far West [faʀwɛst] n. m. ■ Les territoires de l'Ouest des États-Unis, au moment de leur conquête. *Film sur le Far West.* ⇒ **western.**

fascicule [fasikyl] n. m. ■ Ensemble de feuilles, formant une partie d'un ouvrage publié par fragments. *Chaque fascicule compte trente-deux pages.* — Petit cahier imprimé. *Ce manuel est accompagné d'un fascicule d'exercices.*

fasciner [fasine] v. tr. ∙ conjug. 1. **1.** Maîtriser, immobiliser par la seule puissance du regard. ⇒ **hypnotiser.** **2.** Éblouir par la beauté, l'ascendant, le prestige. ⇒ **captiver, charmer, séduire.** *Il a fasciné l'assistance. Se laisser fasciner par des promesses.* ▶ *fascinant, ante* adj. ■ Qui fascine (2), charme. *Projet fascinant.* ▶ *fascination* [fasinɑsjɔ̃] n. f. **1.** Action de fasciner. *Le pouvoir de fascination de l'or.* **2.** Action d'exercer une irrésistible séduction. ⇒ **charme, envoûtement.** *La fascination qu'exercent les tropiques sur les Européens.*

fascisme [faʃism] n. m. **1.** Doctrine, système politique nationaliste et totalitaire que Mussolini établit en Italie en 1922. **2.** Toute doctrine tendant à instaurer dans un État une dictature du même type. ▶ *fasciste* n. et adj. **1.** Qui se réclame du fascisme. — Adj. *Régime fasciste.* **2.** Personne autoritaire et violente, partisan de la manière forte. ⇒ fam. **facho.** — Adj. *Comportement fasciste. Idées fascistes.* ⟨ ▶ **antifasciste** ⟩

① *faste* [fast] n. m. ■ Déploiement de magnificence. ⇒ **apparat, luxe, pompe.** *Le faste d'une cérémonie.* ▶ *fastueux, euse* adj. ■ Qui marque le faste. *Un fastueux décor.* ⇒ **riche, somptueux.** / contr. **simple** / ▶ *fastueusement* adv. ■ *On l'a reçu fastueusement.*

② *faste* adj. ■ *Jour faste,* heureux, favorable, de bon augure. *Il considère le vendredi comme un jour faste.* / contr. **néfaste** /

fast-food [fastfud] n. m. ■ Anglic. Commerce de repas rapides, ou à emporter, standardisés. *Les fast-foods font de la concurrence aux bistros.*

fastidieux, euse [fastidjø, øz] adj. ■ Qui rebute en provoquant l'ennui, la lassitude. ⇒ **assommant, ennuyeux, fatigant, insupportable.** *Une énumération fastidieuse. Il est fastidieux, avec ses histoires.* / contr. **amusant, intéressant** / ▶ *fastidieusement* adv.

fat [fa] ou [fat] adj. et n. m. ■ Vieilli. (Homme) Qui montre sa prétention de façon déplaisante et un peu ridicule. ⇒ **imbu, infatué, vaniteux ; fatuité.** *Il est un peu fat. Un air fat.* ⇒ **avantageux.** — N. m. *Quel fat !* / contr. **modeste** / ⟨ ▶ **fatuité,** infatué ⟩

fatal, ale, als [fatal] adj. **1.** Fixé, marqué par le destin. *Le moment, l'instant fatal,* décisif. **2.** Qui doit arriver nécessairement. ⇒ **inévitable, obligatoire.** « *Il a refusé ?* — *Oui, c'était fatal.* » ⇒ écrit. **3.** Qui donne la mort. *Porter le coup fatal.* ⇒ **mortel. 4.** Qui entraîne inévitablement la ruine, qui a des effets désastreux. ⇒ **funeste.** *C'est une étourderie qui peut vous être fatale. Une femme fatale,* qui séduit et perd les hommes. ▶ *fatalement* adv. ■ Inévitablement. ▶ *fatalisme* n. m. ■ Doctrine ou attitude selon laquelle on ne peut modifier le cours des événements fixés par le destin. *Fatalisme religieux.* — *Il a pris son échec avec fatalisme,* sans s'émouvoir. ▶ *fataliste* n. et adj. ■ Personne qui accepte les événements avec fatalisme. — Adj. *Il est devenu fataliste avec l'âge.* ▶ *fatalité* n. f. **1.** Caractère de ce qui est fatal (1, 4). *Fatalité de la mort.* **2.** Force surnaturelle par laquelle tout ce qui arrive (surtout ce qui est désagréable) est déterminé d'avance. ⇒ **destin, destinée.** *C'est la fatalité !* **3.** Source obscure d'actes inexplicables. *Une fatalité intérieure l'a poussé à ce crime.* **4.** Hasard malheureux (opposé à *chance*). ⇒ **malédiction.** *Je ne sais par quelle fatalité elle prit le bateau qui devait sombrer.* ▶ *fatidique* adj. ■ Où parle le destin, la Providence. *Jour fatidique.*

fatigue [fatig] n. f. ■ Affaiblissement physique dû à un effort excessif ; sensation pénible qui l'accompagne. / contr. **repos** / *Légère fatigue* ⇒ **lassitude,** *grande fatigue* ⇒ **épuisement.** *Fatigue des jambes ; fatigue générale. Je tombe, je suis mort de fatigue. Fatigue nerveuse ; fatigue intellectuelle.* ⇒ **surmenage.** — *La fatigue, les fatigues du voyage,* causée(s) par le voyage. ▶ *fatigant, ante* adj. **1.** Qui cause de la fatigue physique ou intellectuelle. *Exercice, travail fatigant.* ⇒ **crevant, épuisant, pénible, rude.** *Journée fatigante.* / contr. **reposant** / **2.** Qui importune, lasse. ⇒ **assommant, ennuyeux, lassant.** *C'est fatigant de ne jamais trouver ce qu'on cherche. Il est fatigant, avec ses histoires.* ▶*fatiguer* v. ▪ conjug. 1. **I.** V. tr. **1.** Causer de la fatigue à. *Lecture qui fatigue les yeux. Ce trajet les a fatigués.* ⇒ **épuiser, éreinter, exténuer, harasser, vanner.** *Les études le fatiguent.* / contr. **reposer** / **2.** Rebuter par l'ennui. *Vous n'arriverez à rien en le fatiguant de (par des) demandes réitérées.* ⇒ **importuner. II.** V. intr. **1.** (Mécanisme) ⇒ **peiner.** *Le moteur fatigue dans la montée.* **2.** Subir des déformations à la suite d'un trop grand effort. ⇒ se **déformer, faiblir, plier.** *Poutre qui fatigue sous une trop forte poussée.* **III.** SE FATIGUER v. pron. **1.** Se donner de la fatigue. *Se fatiguer en travaillant trop. Il ne s'est pas trop fatigué,* il n'a guère fait d'effort. — Fam. Faire des efforts inutiles. *Ne vous fatiguez pas* (à mentir), *je sais tout.* **2.** SE FATIGUER DE : se lasser de. *On se fatigue des meilleures choses ; de regarder la télévision.* ▶*fatigué, ée* adj. **1.** Dont l'activité est diminuée par la fatigue. *Cœur, cerveau fatigué. Personne fatiguée,* qui ressent de la fatigue. ⇒ **flapi, las, moulu, vanné. 2.** Qui est marqué par la fatigue. *Figure fatiguée.* ⇒ **tiré.** *Un air fatigué.* **3.** Dérangé. *Avoir l'estomac, le foie fatigué.* **4.** Qui a beaucoup servi, a perdu son éclat. ⇒ **abîmé, déformé, défraîchi, usagé, usé.** *Vêtements, souliers fatigués.* **5.** *Fatigué de, las de. Je suis fatigué d'attendre,* j'en ai assez. ⟨ ▶ infatigable ⟩

fatras [fatʀa] n. m. invar. ▪ Ensemble confus de choses sans valeur, sans intérêt. *Un fatras de vieux papiers. Esprit encombré d'un fatras de connaissances mal assimilées.*

fatuité [fatɥite] n. f. ▪ Satisfaction de soi-même qui s'étale d'une manière insolente, déplaisante ou ridicule. ⇒ **prétention, suffisance ; fat.**

faubourg [fobuʀ] n. m. ▪ Partie d'une ville qui déborde son enceinte, ses limites ; quartiers périphériques. ⇒ **banlieue.** ▶*faubourien, ienne* adj. ▪ Qui appartient aux faubourgs (de Paris). *Accent faubourien.*

① *faucher* [foʃe] v. tr. ▪ conjug. 1. **1.** Couper avec une faux, une faucheuse. *Faucher une prairie.* **2.** Faire tomber comme le fait une faux. ⇒ **abattre, coucher.** — Au passif et p. p. *Assaillants fauchés par le tir des mitrailleuses. Footballeur brutalement fauché par un adversaire.* ▶*fauchage* n. m. ▪ Action de faucher (1). *Le fauchage d'un pré.* — Action de faucher (2). *Un fauchage pénalisé par l'arbitre.* ⇒ **croc-en-jambe.** ▶*faucheur, euse* n. ▪ Personne qui fauche. — Littér. LA FAUCHEUSE : la mort en personne. ⇒ ② **faux.** ▶*faucheuse* n. f. ▪ Machine agricole destinée à faucher. *Il conduisait la faucheuse.* ⇒ **moissonneuse.** ▶*faucheux* n. m. invar. ▪ Petit animal voisin de l'araignée, à quatre pattes longues et fines.

② *faucher* v. tr. ▪ conjug. 1. ▪ Fam. Voler. ⇒ fam. **barboter, chiper.** *On m'a fauché mon portefeuille.* ▶*fauche* n. f. **1.** Fam. Le fait d'être sans argent. *Plus un sou, c'est la fauche.* **2.** Fam. De la rapine, du vol. ▶*fauché, ée* adj. ▪ Fam. Sans argent. *Je suis (complètement) fauché.* — N. *Ce sont des fauchés.*

faucille [fosij] n. f. ▪ Instrument fait d'une lame d'acier en demi-cercle, fixée à une poignée de bois, dont on se sert pour couper l'herbe. ⇒ **faux, serpe.** — *La faucille et le marteau,* outils symbolisant les classes paysanne et ouvrière.

faucon [fokɔ̃] n. m. ▪ Oiseau rapace diurne au bec court et crochu. *Chasse au faucon,* avec un faucon apprivoisé et dressé. ▶*fauconneau* n. m. ▪ Jeune

faucon. *Des fauconneaux.* ▶*fauconnerie* n. f. ▪ Chasse pratiquée avec des oiseaux de proie.

① *faufiler* [fofile] v. tr. ▪ conjug. 1. ▪ Coudre à grands points pour maintenir provisoirement les parties d'un ouvrage. ⇒ **bâtir.** *Faufiler une manche.* ▶*faufilage* n. m.

② se *faufiler* v. pron. ▪ conjug. 1. ▪ Passer, glisser adroitement à travers, sans être aperçu. ⇒ se **couler,** se **glisser.** *Un resquilleur qui se faufile entre les files d'attente.*

① *faune* [fon] n. m. ▪ Divinité champêtre, à l'image de Pan. *Les faunes sont représentés avec des corps velu, de longues oreilles pointues, des cornes et des pieds de chèvre.* ⇒ **satyre.**

② *faune* n. f. **1.** Ensemble des animaux (d'une région ou d'un milieu déterminés). *La faune et la flore des Alpes.* **2.** Péj. Ensemble de gens qui fréquentent un lieu et ont des mœurs particulières et pittoresques. *La faune du quartier des Halles.*

faussaire [fosɛʀ] n. ▪ Personne qui fait un faux (II, 2). ⇒ **contrefacteur.**

fausse féminin de ① *faux.* ≠ *fosse.*

fausse couche [foskuʃ] n. f. ▪ Interruption accidentelle de la grossesse entraînant la mort du fœtus. ≠ *avortement. Des fausses couches.*

faussement [fosmɑ̃] adv. **1.** Contre la vérité. *Être faussement accusé de vol,* à tort. **2.** D'une manière fausse. *Se persuader faussement d'une chose.* **3.** (Devant un adj.) D'une manière affectée, simulée. *Un ton faussement indifférent.*

fausser [fose] v. tr. ▪ conjug. 1. **1.** Rendre faux, déformer la vérité, l'exactitude de (une chose abstraite). ⇒ **altérer, dénaturer, falsifier.** *Erreur qui fausse les résultats d'un calcul.* **2.** Déformer (qqch.) ; faire perdre sa justesse, sa perfection à. *Fausser l'esprit de qqn,* faire qu'il ne raisonne plus sainement. *Ses lectures lui ont faussé le jugement.* / contr. **redresser** / **3.** Déformer (un instrument, un objet) par une pression excessive. *Fausser une clé.* ⇒ **tordre.** *Fausser une serrure.* ⇒ **forcer. 4.** FAUSSER COMPAGNIE À qqn : le quitter brusquement ou sans prévenir.

fausset [fosɛ] n. m. ▪ VOIX DE FAUSSET : voix de tête, suraiguë (mais non pas fausse).

fausseté [foste] n. f. **1.** Caractère d'un discours faux. *Démontrer la fausseté d'une accusation.* ⇒ **inexactitude.** / contr. **justesse, véracité** / **2.** Défaut du caractère qui consiste à dissimuler ses pensées véritables, à mentir. ⇒ **déloyauté, dissimulation, fourberie, hypocrisie.** / contr. **franchise** /

il faut ⇒ ① **falloir.**

① *faute* [fot] n. f. ▪ Manque (dans quelques expressions). FAUTE DE loc. prép. : par manque de. *Le blessé est mort faute de soins.* PROV. *Faute de grives, on mange des merles,* on se contente de ce qu'on a. ⇒ à **défaut** de. — (+ infinitif) *Faute d'aimer, on dépérit.* — SANS FAUTE : à coup sûr, sans faillir. *Venez demain, sans faute.* — NE PAS SE FAIRE FAUTE DE : ne pas manquer de. *Elle ne s'est pas fait faute d'en parler.*

② *faute* n. f. **1.** Manquement à la règle morale, au devoir ; mauvaise action. ⇒ **méfait.** *Commettre, faire une faute. Avouer sa faute.* Loc. prov. *Faute avouée est à moitié pardonnée.* — *Prendre, surprendre qqn en faute.* **2.** Manquement à une règle, à un principe (dans une discipline intellectuelle, un art). ⇒ **erreur.** *Faute professionnelle, faute grossière, faute bénigne. Faute d'étourderie, d'inattention,* commise par étourderie, par inattention. *Fautes de langage.* ⇒ **incorrection.** *Faute de syntaxe. Faute d'impression.*

⇒ **coquille. 3.** Manière d'agir maladroite, fâcheuse, imprudente. ⇒ **erreur, maladresse.** *Ç'a été une faute de ne rien répondre.* **4.** (Dans des expressions) Responsabilité d'une action. *C'est sa faute, c'est bien sa faute s'il lui est arrivé malheur. C'est la faute de son frère. Ce n'est vraiment pas sa faute s'il a si bien réussi,* il n'y est pour rien. — *C'est de sa faute* (même sens). *Tout est de ma faute ! — C'est arrivé par la faute de son frère, par sa faute.* ▶ *fauter* v. intr. . conjug. 1. ▪ Vx. Faire une faute morale. — (Jeune fille) Se laisser séduire. ⟨ ▶ fautif ⟩

fauteuil [fotœj] n. m. **1.** Siège à dossier et à bras, pour une personne. *S'asseoir dans un fauteuil. Fauteuil club. Fauteuil roulant pour malade.* — Au théâtre. *Fauteuil d'orchestre.* **2.** Loc. fam. *Arriver dans un fauteuil,* arriver premier sans peine dans une compétition.

fauteur de troubles [fotœrdətrubl] n. m. ▪ Personne qui favorise, cherche à provoquer des troubles, de l'agitation. *Les fauteurs de troubles seront poursuivis.*

fautif, ive [fotif, iv] adj. **1.** Qui est en faute. ⇒ **coupable.** / contr. **innocent** / *Il se sentait fautif.* — N. *C'est lui le fautif dans cette affaire.* **2.** (Choses) Entaché de fautes, d'erreurs, de défauts. *Calcul fautif.* ⇒ **erroné.** / contr. **correct, exact** / ▶ *fautivement* adv.

① *fauve* [fov] adj. et n. m. **1.** Se dit des grands mammifères féroces (félins). *Bêtes fauves.* ⇒ **féroce, sauvage.** — UN FAUVE n. m. : une bête fauve. ⇒ **lion, tigre.** *Chasse aux fauves, aux grands fauves. Dompteur dans la cage du fauve.* **2.** Adj. D'un jaune tirant sur le roux. *Ton, couleur fauve. La fauvette a un plumage fauve. Des teintes fauves.*

② *fauve* n. m. ▪ En histoire de la peinture. Artiste appartenant au *fauvisme* (vers 1900-1910), variété d'expressionnisme (ils employaient des couleurs très vives).

fauvette [fovɛt] n. f. ▪ Petit oiseau des buissons, à plumage fauve, au chant agréable.

① *faux, fausse* [fo, fos] adj. et n. m. **I.** Adj. **1.** Qui n'est pas vrai, qui est contraire à la vérité (pensable, constatable). *Avoir des idées fausses sur une question.* ⇒ **erroné.** *C'est faux !* / contr. **juste** / *Un faux bruit. Fausse déclaration.* ⇒ **inexact, inventé, mensonger.** *Faux témoignage. Il est faux que vous m'ayez vu là, je n'y étais pas. Il est faux de dire, de croire que...* **2.** Qui n'est pas vraiment, réellement ce qui paraît être (le plus souvent avant le nom). / contr. **vrai** / *Fausse fenêtre. Fausses perles. Une fausse maigre,* femme qui est bien moins maigre qu'elle n'en a l'air. *Fabriquer de la fausse monnaie. Fausses clefs. Fausses cartes. Faux papiers. Un faux Vermeer.* — Abstrait. *De fausses raisons.* ⇒ **prétexte.** *Fausse douceur,* douceur simulée. **3.** Qui n'est pas ce qu'on le nomme. (*Faux* s'emploie devant un grand nombre de noms de choses pour marquer une désignation impropre ou approximative.) *Faux acacia, fausse oronge, faux-filet, faux frais.* — Qui ne mérite pas son nom. *Un faux champion.* **4.** Qui n'est pas ce qu'il veut paraître (en trompant délibérément). ⇒ **imposteur.** *Faux prophète. C'est un faux frère.* — *Un faux jeton. Un homme faux,* qui trompe, qui dissimule. ⇒ **déloyal, fourbe, hypocrite, sournois.** / contr. **franc, sincère** / **5.** Qui n'est pas naturel à qqn, qui ne lui appartient pas naturellement. ⇒ **emprunté, postiche.** *Porter une fausse barbe.* **6.** Qui n'est pas justifié, fondé. *Éprouver une fausse joie à la suite d'une bonne nouvelle bientôt démentie. Une fausse alerte. Un faux problème,* qui n'a pas lieu de se poser. **7.** Qui n'est pas comme il doit être (par rapport à ce qui est correct, normal).

Faire un faux pas, un faux mouvement. Être dans une situation fausse. ⇒ **équivoque. 8.** (Esprit, facultés) Qui juge mal, ne peut atteindre la vérité. *Avoir le jugement faux, le goût faux, l'esprit faux.* **9.** Qui n'est pas dans le ton juste, qui pèche contre l'harmonie. *Ce piano est faux, il a besoin d'être accordé. Fausse note.* — Adv. *Chanter, jouer faux.* ⇒ **détonner.** / contr. **juste** / *Ses explications sonnent faux,* sont peu vraisemblables. **10.** À FAUX loc. adv. : hors d'aplomb. *Porter à faux,* se dit d'une pièce mal assise ou ne portant pas directement sur son point d'appui. ⇒ **porte-à-faux.** **II.** N. m. **1.** Ce qui est faux. *Discerner le vrai du faux.* **2.** Contrefaçon ou falsification d'un écrit, d'une œuvre d'art ou d'un objet de valeur. *Faire, commettre un faux. Ce Vermeer est un faux.* ⟨ ▶ faussaire, fausse couche, faussement, fausser, fausset, fausseté, faux-filet, faux-fuyant, faux-monnayeur, faux-sens, porte-à-faux ⟩

② *faux* [fo] n. f. invar. ▪ Instrument formé d'une lame arquée fixée au bout d'un long manche, dont on se sert pour couper le fourrage, les céréales. — Instrument allégorique de la mort. ⇒ **faucheuse.** ⟨ ▶ faucille ⟩

faux-filet [fofilɛ] n. m. ▪ Morceau de bœuf à rôtir, situé à côté du filet (le long de l'échine). *Des faux-filets.*

faux-fuyant [fofɥijɑ̃] n. m. ▪ Moyen détourné par lequel on évite de s'expliquer, de se prononcer, de se décider. *Pas de faux-fuyants, tu n'as aucune excuse !* ⇒ **échappatoire, prétexte.**

faux-monnayeur [fomɔnɛjœr] n. m. ▪ Personne qui fabrique de la fausse monnaie. *Des faux-monnayeurs.*

faux-sens [fosɑ̃s] n. m. invar. ▪ Faute de compréhension, de traduction commise sur le sens d'un mot. ⇒ **barbarisme, contresens, solécisme.**

favela [favela] n. f. ▪ Bidonville (au Brésil). *Les favelas de Sao Paulo.*

① *faveur* [favœr] n. f. **1.** Protection, appui dont bénéficie qqn de préférence aux autres. *Il doit la rapidité de sa carrière à la faveur d'un ministre.* — EN FAVEUR : qui a la faveur du roi, du public. ⇒ en **vogue. 2.** UNE FAVEUR : avantage dû à la préférence de qqn, au pouvoir qu'on a sur qqn. *Il a comblé de faveurs.* ⇒ **bienfait.** Littér. (Euphémisme) *Elle lui accorde ses faveurs,* elle a des relations intimes avec lui. **3.** Bienfait, décision indulgente qui avantage qqn. *Solliciter une faveur. Faites-moi la faveur d'intervenir pour moi auprès de lui.* — DE FAVEUR : obtenu par faveur. *Un traitement de faveur.* **4.** EN FAVEUR DE loc. prép. : en considération de. *On lui a pardonné en faveur de sa belle conduite pendant la guerre.* — Au profit, au bénéfice de. *Parler en faveur de qqn. Le jugement a été rendu en votre faveur.* **5.** À LA FAVEUR DE loc. prép. : au moyen de, à l'aide de, en profitant de. *Il s'est enfui à la faveur de la nuit.* ⇒ **grâce à.** ▶ *favorable* adj. **1.** Qui est animé d'une disposition bienveillante, de bonnes intentions à l'égard de qqn. *Il a été favorable à mon projet.* / contr. **hostile** / **2.** Qui est à l'avantage de qqn ou de qqch., qui aide à l'accomplissement de qqch. ⇒ **bon.** *Cette plante a trouvé un terrain favorable pour se développer. Le moment était favorable pour lui parler.* ▶ *favorablement* adv. ▪ *Ma demande a été accueillie favorablement.* ▶ *favori, ite* adj. et n. **1.** Qui plaît particulièrement à qqn. *Balzac est son auteur favori.* — N. *C'est son favori.* ⇒ **préféré.** — *Mes lectures favorites.* **2.** Qui est considéré comme le gagnant probable. *Il est parti favori.* — N. *Les favoris et les outsiders.* **3.** Celui qui occupe la première place dans les bonnes grâces d'un roi, d'un grand personnage. — FAVORITE n. f. :

maîtresse préférée d'un roi. *Madame de Pompadour, favorite de Louis XIV.* ▶*favoriser* v. tr. ▪ conjug. 1. **1.** Agir en faveur de ⇒ **aider, protéger, soutenir.** *L'examinateur a favorisé ce candidat.* ⇒ **avantager. 2.** (Choses) Être favorable à (qqn). — Au passif. *Des hommes favorisés par le talent.* **3.** Aider, contribuer au développement, au succès de (qqch.). *La faiblesse du pouvoir favorisa l'insurrection. L'obscurité a favorisé sa fuite.* ⇒ **faciliter.** ▶*favoritisme* n. m. ▪ Attribution des situations par faveur et non selon la justice ou le mérite. ⇒ **népotisme.** ‹ ▶ défaveur, défavorable, défavoriser ›

② *faveur* n. f. ▪ Ruban. *Paquet noué d'une faveur rose.*

favoris [favɔʀi] n. m. pl. ▪ Touffe de poils qu'un homme laisse pousser sur la joue devant chaque oreille. *Il porte des favoris.*

① *fayot* [fajo] n. m. ▪ Fam. Haricot sec. *Un gigot avec des fayots.*

② *fayot* n. et adj. m. ▪ Fam. (Personnes) Qui fait du zèle. *C'est un fayot. Ce qu'il peut être fayot !* ▶*fayoter* v. intr. ▪ conjug. 1. ▪ Fam. Faire du zèle.

fébrifuge [febʀifyʒ] adj. ▪ Qui fait baisser la température du corps, combat la fièvre.

fébrile [febʀil] adj. **1.** Qui a rapport à la fièvre. *État fébrile. Il est fébrile,* il a un peu de fièvre. ⇒ **fiévreux. 2.** Qui manifeste une agitation excessive. *Mouvements fébriles.* ▶ **excité.** ▶*fébrilement* adv. ▪ D'une manière fébrile (2). ▶*fébrilité* n. f. ▪ État fébrile ; état d'excitation, d'agitation intense. ⇒ **excitation, fièvre, nervosité.** *Elle ouvrait les tiroirs les uns après les autres avec fébrilité.*

fécal, ale, aux [fekal, o] adj. ▪ Qui a rapport aux excréments humains. *Les matières fécales* (ou *fèces,* n. f. pl.), les excréments.

fécond, onde [fekɔ̃, ɔ̃d] adj. **1.** Capable de se reproduire. / contr. **stérile** / *Les mulets ne sont pas féconds.* **2.** (Animaux) Qui produit beaucoup de petits. ⇒ **prolifique.** *Les lapins sont très féconds.* **3.** Qui produit beaucoup. *Un travail fécond.* ⇒ **fructueux.** *Idée féconde.* — *Écrivain fécond.* ⇒ **productif.** *Journée féconde en événements.* ⇒ **riche.** ▶*féconder* v. tr. ▪ conjug. 1. **1.** Transformer un ovule, un œuf en embryon, en fruit ou en graine. **2.** Rendre (une femelle) pleine. *Femelle fécondée par le mâle.* **3.** Rendre fertile, productif (la terre, le sol). ⇒ **fertiliser.** *La pluie a fécondé la savane.* ▶*fécondation* n. f. ▪ Action de féconder (1, 2) ; résultat de cette action. *Fécondation artificielle.* ⇒ **insémination.** ▶*fécondité* n. f. **1.** Faculté de se reproduire. *Période de fécondité.* / contr. **stérilité** / **2.** (Femme, femelle) Le fait de se reproduire fréquemment, d'avoir beaucoup d'enfants. **3.** Fertilité (d'un sol). **4.** Abstrait. *La fécondité de son imagination.* / contr. **sécheresse** / ‹ ▶ infécond ›

fécule [fekyl] n. f. ▪ Substance blanche et farineuse composée d'amidon, extraite des pommes de terre et d'autres tubercules comestibles. *Lier une sauce à la fécule.* ▶*féculent, ente* adj. et n. m. ▪ Qui contient beaucoup de fécule. — N. m. *Les lentilles sont des féculents.*

fedayin [fedajin] n. m. ▪ Combattant d'une organisation musulmane et nationaliste du Moyen-Orient. ⇒ **moudjahid.** (C'est un pluriel en arabe ; sing. *fédaï*).

fédérer [fedeʀe] v. tr. ▪ conjug. 6. ▪ Réunir en une fédération. — SE FÉDÉRER v. pron. réfl. *Trois petits États se sont fédérés.* ▶*fédération* n. f. **1.** Groupement, union de plusieurs États en un seul État fédéral, doté de compétences propres (justice, fiscalité) ou exclusives (armée, diplomatie). **2.** Association de

plusieurs sociétés, syndicats, groupés sous une autorité commune. ⇒ **association, union.** *Fédération sportive.* ▶*fédéral, ale, aux* adj. **1.** Se dit d'un État composé de collectivités politiques autonomes (États fédérés). *Allemagne fédérale. Les États-Unis d'Amérique sont un État fédéral composé de cinquante États fédérés.* — Qui appartient à un État fédéral. *Armée fédérale.* **2.** Relatif au gouvernement central, dans un État fédéral. *Justice, police fédérale. Le gouvernement fédéral du Canada et le gouvernement du Québec, de l'Ontario.* — N. m. *Les Fédéraux,* les Nordistes pendant la guerre de Sécession. **3.** Relatif à une fédération de sociétés, etc. *Union fédérale de syndicats.* ▶*fédéralisme* n. m. ▪ Système politique d'un État fédéral, régissant les rapports entre gouvernement central et gouvernements locaux. ▶*fédéraliste* adj. et n. ▪ Du fédéralisme. ▶*fédéré, ée* adj. et n. m. **1.** Adj. Qui fait partie d'une fédération ; est membre d'un État fédéral. *Les cantons fédérés de Suisse.* **2.** N. m. Soldat insurgé de la Commune de Paris, en 1871 ; communard. ‹ ▶ confédérer ›

fée [fe] n. f. **1.** Créature imaginaire de forme féminine à laquelle la légende attribue un pouvoir surnaturel et une influence sur la destinée des humains. *Bonne fée. Fée Carabosse,* méchante fée. ⇒ **sorcière.** *Conte de fées.* **2.** Loc. *Avoir des doigts de fée,* travailler comme une fée, être d'une adresse qui semble surnaturelle. *La fée du logis,* celle qui s'occupe admirablement de la maison, du foyer. *C'est un vrai conte de fées,* une aventure, une histoire si belle qu'elle est incroyable. ▶*féerie* [fe(e)ʀi] n. f. ▪ Spectacle splendide, merveilleux. ▶*féerique* [fe(e)ʀik] adj. **1.** Qui appartient au monde des fées. **2.** D'une beauté irréelle. *Vision féerique.*

feignant, ante [fɛɲɑ̃, ɑ̃t] n. et adj. ▪ Fainéant.

feindre [fɛ̃dʀ] v. tr. ▪ conjug. 52. **1.** Simuler (un sentiment, une qualité que l'on n'a pas). ⇒ **affecter.** *Feindre l'étonnement, la joie.* — Au p. p. adj. *Une émotion feinte.* ▶ **factice. 2.** FEINDRE DE : faire semblant de. *Il feignait de ne rien comprendre aux allusions.* **3.** Littér. Cacher à autrui ce qu'on sent, ce qu'on pense, en déguisant ses sentiments. ⇒ **mentir.** *Inutile de feindre.* ▶*feinte* n. f. **1.** Vieilli. Action de feindre. ⇒ **ruse, tromperie.** *Dites-nous sans feinte ce qu'il en est.* **2.** Coup, mouvement simulé par lequel on trompe l'adversaire. *Boxeur qui fait une feinte.* **3.** Fam. Attrape, piège. ▶*feinter* v. tr. ▪ conjug. 1. ▪ Fam. Tromper (qqn) par une feinte. ⇒ **avoir, posséder, rouler, tromper.** *Il a été plus malin que moi, j'ai été bien feinté.*

feldspath [fɛldspat] n. m. ▪ Minéral à structure en lamelles, à éclat vitreux.

fêler [fele] v. tr. ▪ conjug. 1. ▪ Fendre (un objet cassant) sans que les parties se séparent. ⇒ **briser, rompre.** — Pronominalement. *La glace s'est fêlée* (⇒ **fêlure).** ▶*fêlé, ée* adj. **1.** Qui est fêlé, présente une fêlure. *Une assiette fêlée et ébréchée.* **2.** *Voix fêlée,* cassée, au timbre peu clair. **3.** *Avoir la tête, le cerveau fêlé,* être un peu fou. Fam. *Tu est fêlé !* ‹ ▶ fêlure ›

félibre [felibʀ] n. ▪ Écrivain, poète de langue d'oc (surtout provençal), faisant partie du *Félibrige.*

félicité [felisite] n. f. **1.** Littér. Bonheur calme et durable. ⇒ **béatitude. 2.** Littér. Au plur. Joies, plaisirs.

féliciter [felisite] v. tr. ▪ conjug. 1. **1.** Assurer (qqn) de la part qu'on prend à ce qui lui arrive d'heureux. ⇒ **congratuler.** *Féliciter la jeune accouchée.* **2.** Complimenter (qqn) sur sa conduite. ⇒ **applaudir, approuver.** *Il m'a félicitée d'avoir été si prudente.* / contr. **blâmer** / *Je ne vous félicite pas pour cette initiative.* **3.** SE FÉLICITER v. pron. : s'estimer heureux, content. ⇒ se **réjouir.** *Je me félicite de ton succès.* / contr.

déplorer / — S'approuver soi-même. *Je me félicite de mon choix, d'avoir choisi cela.* / contr. se reprocher / ▶ **félicitations** n. f. pl. **1.** Compliments que l'on adresse à qqn pour lui témoigner la part que l'on prend à ce qui lui arrive d'heureux. ⇒ **congratulation.** / contr. **condoléances** / *Faire, adresser des félicitations. Toutes mes félicitations.* **2.** Chaleureuse approbation. ⇒ **éloge.** *Recevoir les félicitations du jury.* / contr. **blâme** /

félin, ine [felɛ̃, in] n. et adj. **1.** N. m. UN FÉLIN : un carnassier du type chat. *Les grands félins (tigres, lions, panthères...).* ⇒ **fauve.** **2.** Adj. Qui a les mouvements doux, souples et gracieux du chat. *Une grâce féline.*

fellag(h)a [fe(ɛl)laga] n. m. ■ Nom donné par les Français aux combattants partisans de l'Algérie indépendante (1954-1962). *Des fellaghas.* ⇒ **moudjahid.**

fellah [fe(ɛl)la] n. m. ■ Paysan égyptien. *Des fellahs.*

félon, onne [felɔ̃, ɔn] adj. ■ Pendant la féodalité. Qui agit contre la parole donnée. *Un vassal félon.* ⇒ **traître.** ▶ **félonie** n. f. ■ Trahison.

felouque [fəluk] n. f. ■ Petit bateau de la Méditerranée ou du Nil, à voile ou à rames.

fêlure [felyʀ] n. f. ■ Fente d'une chose fêlée. *Fêlure d'une assiette.*

femelle [fəmɛl] n. f. et adj. **I.** N. f. **1.** Animal du sexe qui reproduit l'espèce en étant fécondé par le mâle. *La chèvre est la femelle du bouc.* **2.** Injurieux. Femme. **II.** Adj. **1.** (Animaux et plantes) *Une souris femelle, un hareng femelle. Un démon femelle, une femme mauvaise. Palmier femelle.* **2.** Se dit de pièces destinées à en recevoir une autre, appelée « mâle ». *Tuyau femelle, prise femelle.*

féminin, ine [feminɛ̃, in] adj. **1.** Qui est propre à la femme. *Sexe féminin. Charme féminin.* / contr. **masculin, viril** / **2.** Qui a de la féminité (2). *Il a un beau visage, des traits un peu féminins. Elle est très féminine.* **3.** Qui concerne les femmes. *Main-d'œuvre féminine. Journaux féminins.* **4.** (Quand il y a deux genres) Qui appartient au genre marqué (opposé à *masculin*). *« Sentinelle » est un nom féminin.* — N. m. *Accord du féminin.* **5.** Rime féminine, terminée par un e muet. ▶ **féminiser** v. tr. ▪ conjug. 1. **1.** Donner le caractère, l'aspect féminin à. **2.** *Féminiser une profession, une organisation,* augmenter la proportion de femmes qui en font partie. — SE FÉMINISER. *La médecine s'est beaucoup féminisée en vingt ans.* ▶ **féminisation** n. f. **1.** Action de féminiser (2). *La féminisation de la médecine.* **2.** Action de créer une forme féminine pour un nom de métier masculin. *La féminisation d'« écrivain » en « écrivaine ».* ▶ **féminisme** n. m. ■ Doctrine qui lutte en faveur de droits égaux entre l'homme et la femme. ▶ **féministe** adj. ■ Qui a rapport au féminisme. *Propagande féministe.* — N. Partisan du féminisme. *Un, une féministe.* ▶ **féminité** n. f. **1.** Sexe féminin. **2.** Ensemble des caractères (charme, douceur, délicatesse...) correspondant à une image sociale de la femme qu'on oppose à une image sociale de l'homme. / contr. **virilité** /

femme [fam] n. f. **I.** Être humain du sexe qui met au monde les enfants. **1.** UNE FEMME : un être humain adulte de sexe féminin. ⇒ **fille, fillette, jeune fille.** *Les hommes, les femmes et les enfants. Une belle, une jolie femme. Une maîtresse femme,* qui sait se faire obéir. *Cette femme est professeur, c'est un professeur ; un professeur femme. Femme médecin, doctoresse (ou docteur).* **2.** LA FEMME (collect.) : l'être humain du sexe féminin. *La psychologie de la femme. Émancipation de la femme.* — (En attribut) *Elle est femme, très femme,* elle a de la féminité. / contr. **mâle** / **3.** Jeune

fille nubile ou qui n'est plus vierge. *À présent, tu es une femme.* **4.** JEUNE FEMME : femme (mariée ou supposée telle) qui est jeune. **5.** ⇒ **bonne femme.** **6.** ⇒ **sage-femme. II.** Épouse. *Jeanne est la femme de Philippe. C'est sa femme. Sa première femme, sa seconde femme. Prendre femme,* se marier. **III.** Loc. FEMME D'AFFAIRES : femme cadre ou chef d'entreprise privée. — *Femme politique.* — FEMME DE CHAMBRE : domestique attachée au service intérieur d'une maison, d'un hôtel. ⇒ **servante, soubrette.** — FEMME DE MÉNAGE : femme qui vient faire le ménage dans une maison et qui est généralement payée à l'heure. — FEMME DE SERVICE : employée d'une collectivité, chargée du nettoyage. — FEMME OBJET : femme considérée par l'homme (les hommes) comme un objet et non comme une personne, un sujet. ▶ **femmelette** [famlɛt] n. f. ■ Homme sans force, craintif. *Il tremble, c'est une vraie femmelette.* ⟨ ▶ bonne femme, sage-femme ⟩

fémur [femyʀ] n. m. ■ Os long qui constitue le squelette de la cuisse. ▶ **fémoral, ale, aux** adj. ■ Du fémur. *L'artère fémorale.*

fenaison [fənɛzɔ̃] n. f. ■ Coupe et récolte des foins.

fendant [fɑ̃dɑ̃] n. m. ■ Variété de chasselas cultivée en Suisse. — Vin blanc produit de ce raisin. *Un décilitre de fendant.*

fendiller [fɑ̃dije] v. tr. ▪ conjug. 1. ■ Provoquer de petites fentes superficielles à (qqch.). — Pronominalement. *Peau qui se fendille sous l'effet du froid.* ⇒ se **crevasser,** se **gercer.** *La peinture se fendille.* ⇒ **craqueler.**

fendre [fɑ̃dʀ] v. tr. ▪ conjug. 41. **I. 1.** Diviser (un corps solide), le plus souvent dans le sens de la longueur. *Fendre du bois avec une hache.* ⇒ **couper.** *Il gèle à pierre fendre,* très fort. *Elle s'est fendu la lèvre en tombant.* ⇒ **ouvrir.** — Loc. Fam. *Se fendre la pipe,* rire aux éclats. **2.** Abstrait. *Fendre le cœur, l'âme,* faire éprouver un vif sentiment de chagrin, de pitié. ⇒ **briser, déchirer.** *Ce spectacle me fend le cœur. Des cris se fendre l'âme.* **3.** S'ouvrir un chemin à travers. *Le navire fend les flots. Fendre la foule pour se frayer un passage.* **II. 1.** SE FENDRE v. pron. : s'ouvrir, se couvrir de fentes. *Un vieux mur qui se fend.* ⇒ se **crevasser,** se **lézarder. 2.** Abstrait. Se briser. *Son cœur se fend.* **3.** Escrime. Porter vivement une jambe loin en avant pour toucher l'adversaire. **4.** Fam. *Se fendre de,* se décider à offrir, à payer. *Il s'est fendu d'une bouteille.* ▶ **fendu, ue** adj. **1.** Coupé. *Du bois fendu.* **2.** Qui présente une fente. — Qui présente une entaille. *Crâne fendu.* **3.** Qui présente une fêlure. *Assiette fendue de part en part.* **4.** Ouvert en longueur, comme une fente. *Bouche fendue jusqu'aux oreilles.* ⟨ ▶ fendiller, fente, pourfendre ⟩

fenêtre [f(ə)nɛtʀ] n. f. ■ Ouverture faite dans un mur pour laisser pénétrer l'air et la lumière. ⇒ **baie, porte-fenêtre.** *Appartement à trois fenêtres sur cour. Ouvrir, fermer une fenêtre. Se mettre à la fenêtre. Passer, regarder par la fenêtre.* — Loc. *Jeter son argent par les fenêtres,* le dépenser inconsidérément. ⟨ ▶ porte-fenêtre ⟩

fenil [fəni(l)] n. m. ■ Grenier à foin. ⇒ **grange.**

fennec [fenɛk] n. m. ■ Mammifère d'Afrique ayant l'aspect d'un petit renard.

fenouil [fənuj] n. m. ■ Plante herbacée à goût anisé utilisée comme légume ou comme épice. *Loup (poisson) au fenouil.*

fente [fɑ̃t] n. f. **1.** Fissure à la surface d'un solide. *Il y a une fente dans la toiture. Reboucher une fente.* **2.** Ouverture étroite et allongée, accidentelle ou fabriquée. ⇒ **interstice.** *Mettre son œil aux fentes* *d'une palissade. Fente d'une boîte à lettres. Fentes d'un volet.*

féodal, ale, aux [feɔdal, o] ■ adj. Qui appartient à un fief, à l'ordre politique et social fondé sur l'institution du fief. *Certains pays ont conservé une économie féodale. De grands seigneurs féodaux.* ⇒ **médiéval.** ▶ *féodalisme* n. m. ■ Caractère des institutions, coutumes... de la féodalité. ▶ *féodalité* n. f. ■ Forme d'organisation politique et sociale du Moyen Âge, caractérisée par l'existence de fiefs.

fer [fɛʀ] n. m. **I. 1.** Métal blanc grisâtre, très commun. *L'aimant attire le fer. L'acier, la fonte contiennent du fer. Le fer rouille. Fer battu.* PROV. *Il faut battre le fer quand il est chaud,* mener l'entreprise à son terme. *Fer forgé. Fil de fer. Rideau de fer. Chemin de fer.* — *Croire dur comme fer à qqch.,* en être absolument convaincu. — *Âge du fer,* période qui succède à l'âge du bronze (vers l'an 1000 av. J.-C.). **2.** Abstrait. DE FER. ⇒ **fort, résistant, robuste, rude.** *Avoir une santé de fer. Avoir une main, une poigne de fer. Avoir une volonté de fer.* ⇒ **inflexible. II.** Objet, instrument en fer, en acier. **1.** Partie en fer, partie métallique d'un instrument, d'une arme. *Le fer d'une lance, d'une flèche. En fer de lance,* pointu. — Abstrait. *Le fer de lance* (d'une organisation), l'avant-garde. **2.** Instrument en fer servant à donner une forme, à marquer un signe. — FER À REPASSER, et absolt. FER : instrument en métal, à base plane, muni d'une poignée, qui une fois chaud sert à repasser le linge. *Fer à vapeur. Coup de fer,* repassage rapide. — FER À SOUDER : instrument servant à faire fondre la soudure. — FER ROUGE : tige de fer que l'on porte au rouge. *Le marquage des bœufs au fer rouge.* **3.** Épée, fleuret. *Croiser le fer,* se battre à l'épée, livrer un duel. — Loc. *Retourner le fer dans la plaie,* insister sur un fait qui est cause de déplaisir pour l'interlocuteur. **4.** FER À CHEVAL ou FER : pièce de fer qui sert à garnir les sabots des chevaux. — Sa forme. *Escalier en fer à cheval.* **5.** LES FERS n. m. pl. : barre de fer servant à enchaîner un prisonnier. *Mettre un prisonnier aux fers. Être dans les fers.* ⇒ **captif.** ▶ *fer-blanc* n. m. ■ Tôle de fer recouverte d'une couche d'étain pour la protéger de la rouille. *Boîte en fer-blanc.* ▶ *ferblantier, ière* n. ■ Fabricant(e), commerçant(e) d'objets en fer-blanc. ⟨ ▶ brise-fer, chemin de fer, déferrer, s'enferrer, ferraille, ferrailler, ① ferré, ② ferré, ferrer, ferreux, ferronnerie, ferrugineux, ferrure, maréchal-ferrant ⟩

-fère ■ Élément de mots savants, signifiant « qui porte ».

férié, ée [feʀje] adj. ■ Se dit d'un jour où il y a cessation de travail pour la célébration d'une fête religieuse ou civile. *Les dimanches sont des jours fériés.* / contr. **ouvrable** / *Ne pas travailler entre deux jours fériés.* ⇒ faire le **pont.**

férir [feʀiʀ] v. tr. ■ Uniquement à l'infinitif, dans SANS COUP FÉRIR : sans rencontrer la moindre résistance.

fermage [fɛʀmaʒ] n. m. ■ Loyer d'une ferme ②.

① **ferme** [fɛʀm] adj. et adv. **I. Adj. 1.** Qui n'est ni mou, ni dur, mais entre les deux. ⇒ **compact, consistant.** / contr. **mou** / *Les chairs fermes et souples des personnes jeunes.* / contr. **flasque** / *Sol ferme,* où l'on n'enfonce pas. *La terre ferme* (opposé à *la mer*). **2.** Qui n'hésite pas, qui a de l'assurance. ⇒ **assuré, décidé.** *Marcher d'un pas ferme. Écriture ferme.* — FERME SUR SES JAMBES : qui ne fléchit pas, ne chancelle pas. — DE PIED FERME : résolument, sans frémir. — Abstrait. *Il attend la critique de pied ferme,* sans crainte, avec l'intention d'y répondre. — Qui ne se laisse pas influencer, qui montre un calme autorité. ⇒ **déterminé, inflexible.** *Soyez ferme avec vos enfants,*

dans vos résolutions. Avoir la ferme intention de faire qqch. **3.** (Règlements, conventions) Qui ne change pas. *Prix ferme et définitif.* **II. Adv. 1.** Avec force, vigueur. ⇒ **dur, fort.** *Poussez ferme ! Discuter ferme,* avec ardeur. **2.** Beaucoup. *Je me suis ennuyé ferme.* ▶ *fermement* [fɛʀməmɑ̃] adv. **1.** D'une manière ferme. *Tenir fermement un objet dans ses mains.* **2.** Avec fermeté, conviction. *Croire fermement qqch.* ▶ *fermeté* n. f. **1.** État de ce qui est ferme, consistant. ⇒ **consistance, dureté.** *Fermeté des chairs.* **2.** État de ce qui est assuré, décidé. *Fermeté de la main.* ⇒ **sûreté, vigueur.** — En peinture, etc. *Fermeté d'exécution. Fermeté du style.* **3.** Qualité d'une personne que rien n'ébranle. ⇒ **détermination, résolution, sang-froid.** *Envisager la mort avec calme et fermeté.* **4.** Qualité d'une personne qui a de l'autorité sans brutalité. ⇒ **autorité, poigne.** / contr. **mollesse** / ⟨ ▶ affermir, raffermir ⟩

② **ferme** [fɛʀm] n. f. **I.** Exploitation agricole louée à des exploitants qui doivent une redevance au propriétaire. — Ce louage (À FERME). ≠ **métayage. II. 1.** Exploitation agricole. ⇒ **domaine.** *Les grandes fermes de la Beauce. Une ferme exploitée par son propriétaire.* **2.** Bâtiments de l'exploitation agricole ; maison de paysans. *Les troupeaux rentrent le soir à la ferme. Acheter une petite ferme pour en faire sa résidence secondaire.* ▶ *fermette* n. f. ■ Ancienne petite ferme servant de maison de campagne. ⟨ ▶ fermage, fermier ⟩

ferment [fɛʀmɑ̃] n. m. **1.** Substance qui en fait fermenter une autre. ⇒ **levain, levure.** *Ferment lactique.* **2.** Élément qui suscite des bouleversements. *Ce nouvel impôt fut un ferment de révolte.* ▶ *fermenter* v. intr. ■ conjug. 1. **1.** Être en fermentation. *Le raisin fermente dans la cuve.* ⇒ **bouillir.** — Au p. p. adj. *Boisson fermentée.* **2.** Se dit des esprits qui s'agitent, des passions dangereuses qui s'échauffent. ≠ **fomenter.** ▶ *fermentation* n. f. **1.** Transformation d'une substance organique, sous l'influence d'un ferment ou d'une bactérie. *Fermentation alcoolique,* qui donne l'alcool à partir de sucres. **2.** Dégradation de la matière organique par des micro-organismes. *Viande en fermentation.* ⇒ **putréfaction. 3.** Agitation fiévreuse (des esprits). ⇒ **effervescence.**

fermer [fɛʀme] v. ■ conjug. 1. **I. V. tr. 1.** Appliquer (une partie mobile) de manière à boucher un passage, une ouverture. *Fermer la porte. Fermer les rideaux.* **2.** Priver de communication avec l'extérieur, par la mise en place d'un élément mobile. ⇒ **clore.** / contr. **ouvrir** / *Fermer une armoire, une valise. Fermer un magasin. Dépêchez-vous, on ferme !* **3.** Rapprocher, réunir (les parties d'un organe, les éléments d'un objet), de manière à ne pas laisser d'intervalle ou à replier vers l'intérieur. *Fermer la main, le poing. Fermer la bouche.* Fam. *Fermez-la ! La ferme !,* taisez-vous. — *Fermer une lettre.* ⇒ **cacheter.** *Fermez vos livres et vos cahiers ! Fermer son parapluie. Fermer son manteau.* **4.** Rendre infranchissable ; empêcher d'utiliser (un moyen d'accéder, d'avancer). *Fermer un chemin.* ⇒ **barrer, boucher, obstruer.** *L'aéroport est fermé. Fermer tout accès à qqn.* **5.** Arrêter (un flux, un courant) par un mécanisme. *Fermer l'eau, l'électricité.* — *Fermer le robinet.* — Faire cesser de fonctionner. *Fermer la télévision.* ⇒ **éteindre. 6.** Rendre inaccessible. *Fermer une carrière à qqn. Fermer son cœur à la pitié.* **7.** Mettre une fin à. *Fermer une liste, une souscription.* ⇒ **arrêter, clore.** *Fermer la parenthèse. Le plus petit fermait la marche.* **II.** SE FERMER v. pron. **1.** (Réfl.) *La porte s'est fermée toute seule.* — *Se fermer à,* refuser l'accès de. *Pays qui se ferme aux produits de l'étranger.* **2.** (Passif) *Robe qui se ferme dans le dos.* **III.** V. intr. **1.** Être, rester fermé. *Magasin qui ferme un jour par semaine.* **2.** Pouvoir être fermé (plus ou moins bien). *Cette porte ferme mal.* ► **fermé, ée** adj. **1.** Qui ne communique pas avec l'extérieur. *La Caspienne est une mer fermée.* — Qu'on a fermé. *Le magasin est fermé. La porte est fermée.* ⇒ **clos.** / contr. **ouvert** / **2.** Où l'on s'introduit très difficilement. *Club fermé.* **3.** *Courbe fermée,* qui limite une surface (ex. : *circonférence, ellipse*). **4.** Peu expansif. *Il a l'air fermé. Visage fermé.* **5.** *Fermé à,* inaccessible, insensible à. *Il a l'esprit fermé aux mathématiques.* ‹ ► enfermer, fermeture, fermoir, refermer, renfermer ›

fermeture [fɛrmətyr] n. f. **1.** Dispositif servant à fermer. *La serrure, le verrou sont des fermetures. La fermeture automatique d'une porte.* — FERME-TURE ÉCLAIR (marque déposée) : fermeture à glissière, double ruban dentelé dont les dents s'emboîtent ou se déboîtent grâce à un curseur. *Des fermetures Éclair.* **2.** Action de fermer ; état de ce qui est fermé (local, etc.). *Heures de fermeture d'un magasin. Arriver après la fermeture.* / contr. **ouverture** /

fermier, ière [fɛrmje, jɛr] n. **I. 1.** Personne qui exploite un domaine agricole *à ferme.* ⇒ ② **ferme.** ≠ *métayer, propriétaire.* **2.** Toute personne, propriétaire ou non, exploitant un domaine agricole. ⇒ **agriculteur, cultivateur, paysan. 3.** En appos. De ferme. *Poulet, beurre fermier.* **II.** En histoire. FERMIER GÉNÉRAL : financier qui, sous l'Ancien Régime, assurait la perception des impôts. *Les fermiers généraux étaient souvent très riches.*

fermoir [fɛrmwar] n. m. ■ Attache ou agrafe destinée à tenir fermé (un sac, un bijou, un livre...).

féroce [feros] adj. **1.** (Animaux) Qui est cruel par instinct. ⇒ **sanguinaire, sauvage.** *Bêtes féroces.* **2.** Cruel et impitoyable. *Il a été féroce avec son rival. Joie féroce.* **3.** Par exagér. ⇒ **terrible.** *Une envie féroce.* ► **férocement** adv. ► **férocité** n. f. **1.** (Animaux) Naturel féroce. *La férocité du tigre.* ⇒ **cruauté. 2.** Caractère féroce (2).

ferraille [fɛraj] n. f. **1.** Déchets de fer, d'acier ; vieux morceaux ou équipements de fer inutilisables. *Tas de ferraille.* **2.** Commerce de vieux métaux. *Cette voiture est bonne pour la ferraille.* **3.** Petite monnaie. ⇒ **mitraille.** ► **ferrailleur** n. m. ■ Marchand de ferraille.

ferrailler [fɛraje] v. intr. ■ conjug. 1. ■ Péj. Se battre au sabre ou à l'épée.

① **ferré, ée** [fɛre] adj. **1.** Garni de fer. *Souliers ferrés.* **2.** De chemin de fer. *Voie ferrée. Réseau ferré.* ⇒ **ferroviaire.**

② **ferré, ée** adj. ■ Très savant. *Être ferré sur un sujet, une question.* ⇒ **calé, fort, instruit.** ≠ **féru.**

ferrer [fɛre] v. tr. ■ conjug. 1. **1.** Garnir de fer(s). *Ferrer un cheval.* **2.** *Ferrer le poisson,* engager le fer d'un hameçon dans les chairs du poisson qui a mordu à l'appât.

ferret [fɛrɛ] n. m. ■ Pièce métallique (de fer, etc.) ou plastique, au bout d'un lacet, d'un ruban. — Par ext. *Des ferrets de diamants,* ornés de diamants.

ferreux [fɛrø] adj. m. ■ Qui contient du fer. *Le cuivre et le nickel sont des métaux non ferreux.*

ferronnerie [fɛrɔnri] n. f. **1.** Objets, ornements, garnitures artistiques en fer. *Rampes, grilles, balcons de fer forgé.* **2.** En technique. Art du fer forgé.

ferroviaire [fɛrɔvjɛr] adj. ■ Relatif aux chemins de fer. *Réseau ferroviaire. Compagnie ferroviaire.*

ferrugineux, euse [fɛryʒinø, øz] adj. ■ Qui contient du fer, le plus souvent à l'état d'oxyde. *Source thermale ferrugineuse.*

ferrure [fɛryr] n. f. ■ Garniture de fer, de métal. *Les ferrures d'une porte.*

ferry-boat [fɛribot] n. m. ■ Anglic. Navire spécialement conçu pour le transport des trains d'une rive à l'autre d'un fleuve, d'un lac, d'un bras de mer. *Des ferry-boats.*

fertile [fɛrtil] adj. **1.** (Sol, terre) Qui produit beaucoup de végétation utile. ⇒ **productif.** *Champ fertile. Terre fertile en blés.* / contr. **stérile** / **2.** Abstrait. FERTILE EN : qui fournit beaucoup de. ⇒ **fécond, prodigue.** *Période fertile en événements. Ce film est fertile en rebondissements.* **3.** *Imagination fertile,* très inventive. ► **fertiliser** v. tr. ■ conjug. 1. ■ Rendre fertile (une terre). ⇒ **amender.** ► **fertilisant, ante** adj. ■ Qui fertilise. — N. m. *Un fertilisant,* un produit qui fertilise. ⇒ **engrais.** ► **fertilisation** n. f. ■ *La fertilisation des sols.* ⇒ **amendement.** ► **fertilité** n. f. **1.** Qualité d'un sol, d'une terre fertile. / contr. **aridité, stérilité** / **2.** *Fertilité d'imagination,* qualité d'une imagination fertile. ‹ ► infertile ›

féru, ue [fery] adj. ■ Qui est très épris. ⇒ **passionné.** *Être féru d'une science, d'une idée.* ≠ ② **ferré.**

férule [feryl] n. f. **1.** Petite palette de bois ou de cuir avec laquelle on frappait la main des écoliers en faute. **2.** Abstrait. *Être* SOUS LA FÉRULE DE *qqn* : dans l'obligation de lui obéir. ⇒ **autorité, pouvoir.**

fervent, ente [fɛrvɑ̃, ɑ̃t] adj. **1.** Qui a de la ferveur. *C'est un républicain fervent. Les fervents de Beethoven.* ⇒ **admirateur. 2.** Où il entre de la ferveur. *Un amour fervent.* ⇒ **brûlant.** ► **ferveur** [fɛrvœr] n. f. ■ Ardeur vive et enthousiaste. *Prier avec ferveur. Accomplir un travail avec ferveur.* ⇒ **zèle.**

fesse [fɛs] n. f. ■ Chacune des masses charnues à la partie postérieure du bassin, dans l'espèce humaine et chez certains mammifères. *Les fesses.* ⇒ **croupe, derrière, fessier** ; fam. **cul.** *Botter les fesses de qqn. Poser ses fesses quelque part,* s'asseoir. *Histoires de fesses,* d'amour physique. — Fam. *Serrer les fesses,* avoir chaud aux fesses, avoir peur. ► ① **fessier** n. m. ■ Les deux fesses. ⇒ **derrière.** ► ② **fessier, ière** adj. ■ Relatif à la région des fesses. *Muscles fessiers.* ► **fesser** v. tr. ■ conjug. 1. ■ Battre en donnant des coups sur les fesses. ► **fessée** n. f. **1.** Coups donnés sur les fesses. *Il a reçu la fessée, une bonne fessée.* **2.** Abstrait. Défaite humiliante. ‹ ► tire-fesses ›

festin [fɛstɛ̃] n. m. ■ Repas somptueux, excellent. *Quel festin !*

festival, als [fɛstival] n. m. **1.** Grande manifestation musicale. *Le programme des festivals.* **2.** Série de représentations où l'on produit des œuvres d'un art ou d'un artiste. *Ce film a obtenu un prix au Festival de Cannes.*

festivité [fɛstivite] n. f. ■ Surtout au plur. (Souvent iron.) Fête, réjouissance. *Festivités à l'occasion d'un anniversaire.*

feston [fɛstɔ̃] n. m. **1.** Guirlande de fleurs et de feuilles liées en cordon, que l'on suspend, en forme d'arc. — Ornement qui la représente. **2.** Bordure dentelée et brodée, en couture. *Lingerie à festons.* ► **festonner** v. tr. ■ conjug. 1. ■ Orner de festons.

festoyer [fɛstwaje] v. intr. ■ conjug. 8. ■ Prendre part à une fête, à un festin. *Ils étaient en train de festoyer.*

fête [fɛt] n. f. **I. 1.** Solennité religieuse célébrée certains jours de l'année. *Jour de fête. Les fêtes de Pâques. La Fête-Dieu. Les dimanches et fêtes sont fériés.* **2.** Jour de la fête du saint dont qqn porte le nom. *Souhaiter à qqn sa fête. Joyeuse fête !* ≠ *anniversaire.* — Loc. fam. *Ça va être ta fête,* gare à toi. **3.** Réjouissance publique et périodique en mémoire d'un événement, d'un personnage, etc. *La fête nationale est chômée.* **4.** Ensemble de réjouissances organisées occasionnellement. *Les fêtes de Versailles sous Louis XIV. Fête de la musique.* ⇒ **festival.** *La fête du village.* ⇒ **kermesse.** *Salle des fêtes.* **5.** FAIRE LA FÊTE : mener une vie de plaisir et de désordre. ⇒ **fêtard.** **II.** (Dans des expressions) Bonheur, joie, plaisir. *Un air de fête. Il se fait une fête de,* il s'en réjouit. *La nature est en fête,* est gaie. — FAIRE FÊTE *à qqn* : lui réserver un accueil chaleureux. — À LA FÊTE. *Il n'a jamais été à pareille fête,* il n'a jamais été si heureux. ▶ **fêtard, arde** n. ■ Fam. Personne qui fait la fête. ⇒ **noceur, viveur.** *Les fêtards nous ont réveillés au milieu de la nuit.* ▶ **fêter** v. tr. ▪ conjug. 1. **1.** Consacrer, marquer par une fête. ⇒ **célébrer, commémorer.** *Fêter une victoire.* **2.** Faire fête à. *Fêter un ami retrouvé.* ⟨ ▶ **trouble-fête** ⟩

fétiche [fetiʃ] n. m. et adj. **1.** Objet de culte des civilisations animistes. **2.** Objet auquel on attribue un pouvoir magique et bénéfique. ⇒ **amulette, porte-bonheur.** ▶ **féticheur** n. m. ■ Prêtre des religions à fétiches. ▶ **fétichisme** [fetiʃism] n. m. **1.** Culte des fétiches. **2.** Admiration exagérée et sans réserve d'une personne ou d'une chose. ⇒ **vénération.** ▶ **fétichiste** adj. et n. ■ Qui pratique le fétichisme ou concerne les fétiches.

fétide [fetid] adj. ■ Qui a une odeur très désagréable. ⇒ **nauséabond, puant.** *L'haleine fétide de certains malades.*

fétu [fety] n. m. ■ Brin (de paille). — Loc. (Personnes) *Être emporté, traîné comme un fétu de paille.*

① feu [fø] n. m. **I.** **1.** LE FEU : combustion dégageant des flammes, chaleur et lumière. *Allumer, faire du feu,* réunir des matières combustibles et les faire brûler. *Mettre le feu à qqch.,* faire brûler. ⇒ **enflammer.** *La maison est en feu,* elle flambe. — Abstrait. Loc. *Faire feu de tout bois,* utiliser tous les moyens en son pouvoir. ⇒ **flèche.** — *Jouer avec le feu,* jouer avec le danger. — *J'en mettrais ma main au feu,* j'en jurerais, j'en suis sûr. — PROV. *Il n'y a pas de fumée sans feu,* pas d'effet sans cause. — *N'y voir que du feu,* être dupe. — Fam. *Avoir le feu au derrière,* fuir, se précipiter. — Fam. *Péter le feu,* avoir une activité débordante. **2.** Matières rassemblées et allumées (pour produire de la chaleur, etc.). ⇒ **foyer.** *Faire un feu. Un grand feu.* ⇒ **brasier.** *Feu de bois. Se chauffer devant le feu.* — FEU DE JOIE : feu allumé en signe de réjouissance à l'occasion d'une fête. — Fig. FEU DE PAILLE : sentiment vif mais passager. — FEU DE CAMP : feu allumé dans un camp de scouts, etc., et autour duquel on se réunit pour chanter. **3.** Source de chaleur pour la cuisson des aliments, etc. *Mettre un plat sur le feu. Faites cuire à feu doux, à feu vif.* — COUP DE FEU : action vive du feu. Fig. *Coup de feu,* moment de presse où l'on doit déployer une grande activité. **4.** Embrasement ; incendie. *Au feu ! Le feu est à la maison ; il y a le feu. Ne t'énerve pas, il n'y a pas le feu ! Mettre un pays à feu et à sang. Feu de cheminée.* — Loc. fig. *Faire la part du feu,* se résigner à perdre ce qui ne peut plus être sauvé pour préserver le reste. **5.** Ce qui sert à allumer le tabac. *Avez-vous du feu ?,* des allumettes, un briquet. **II.** **1.** COUP DE FEU : détonation d'une arme à feu. — ARME À FEU : toute arme lançant un projectile par l'explosion d'une matière fulminante. **2.** NE PAS FAIRE LONG FEU : ne pas durer. *Leur association n'a pas fait long feu.* ⇒ **échouer.** **3.** Tir d'armes à feu ; *Ouvrir le feu sur un objectif. Faire feu. Feu !*

— Abstrait. Loc. *Être pris entre deux feux,* entre deux dangers. **4.** FEU D'ARTIFICE. ⇒ **artifice.** **5.** Fam. Pistolet, revolver. *Il a sorti son feu.* **III.** **1.** Toute source de lumière (d'abord flamme d'un feu). ⇒ **lumière, flambeau, lampe, torche.** *Le feu des projecteurs. Les feux de la rampe,* au théâtre. **2.** Signal lumineux. *Feux d'un navire.* ⇒ **fanal.** *Feu de position, de stationnement, feux de détresse, feux clignotants, feux de croisement d'une voiture.* — (Réglant la circulation routière) *Feu tricolore : feu rouge* (passage interdit), *orange* ou *jaune* (ralentir), *vert* (voie libre). *Brûler un feu rouge,* ne pas s'arrêter. — Loc. fig. *Donner le feu vert,* autoriser officiellement (une action). **3.** Éclat. *Les feux d'un diamant. Le feu du regard.* **4.** FEU SAINT-ELME : décharge d'électricité atmosphérique (sur les mâts et le gréement d'un navire). **IV.** **1.** Sensation de chaleur intense, de brûlure. *Le feu lui monte au visage. Le feu du rasoir,* sensation de brûlure après s'être rasé. — EN FEU : très chaud. *Avoir les joues en feu.* **2.** Ardeur des sentiments, des passions. ⇒ **exaltation.** *Le feu de la colère.* — Loc. *Être tout feu tout flamme (pour),* enflammé, embrasé de passion. — *Parler avec feu.* ⇒ **chaleur, conviction.** *Dans le feu de l'action, de la dispute.* — *Avoir le feu sacré,* de l'enthousiasme. ▶ **② feu** n. m. ■ Vx. Foyer. *Une commune de cent feux.* ⇒ **famille.** — Loc. *Sans feu ni lieu,* sans domicile fixe. ⟨ ▶ *feu d'artifice,* cessez-le-feu, couvre-feu, pare-feu, pique-feu, pot-au-feu ⟩

③ feu, feue adj. ■ Littér. Qui est mort depuis peu de temps. ⇒ **défunt.** *Feu son père. Feu la reine. La feue reine. Mes feus grands-parents.*

① feuille [fœj] n. f. **1.** Partie des végétaux (siège de la photosynthèse) par laquelle ces plantes respirent. ⇒ **aiguille.** *Des feuilles et des fleurs. Tige couverte de feuilles. Les nervures d'une feuille de chêne. Feuille de laurier. Feuille découpée, dentelée. Feuilles persistantes. Chute des feuilles. Feuilles mortes.* — FEUILLE-MORTE adj. invar. : d'une couleur rouille. *Des tissus feuille-morte.* — Loc. (Personnes) *Trembler comme une feuille.* **2.** FEUILLE DE VIGNE : feuille sculptée cachant le sexe des statues nues. ▶ **feuillage** [fœjaʒ] n. m. **1.** Ensemble des feuilles d'un arbre ou d'une plante de grande taille. *Feuillage du chêne, du lierre.* **2.** Rameaux coupés, couverts de feuilles. ▶ **feuillaison** n. f. ■ Renouvellement annuel des feuilles. ▶ **feuillée** n. f. ■ Littér. Abri que forme le feuillage des arbres. *Se reposer sous la feuillée.* ▶ **feuillées** n. f. pl. ■ Tranchée destinée à servir de latrines. ▶ **feuillu, ue** adj. **1.** Qui a beaucoup de feuilles. ⇒ **touffu.** *Chêne feuillu.* **2.** Qui porte des feuilles. *Les arbres feuillus.* — N. m. *Des feuillus* (opposé à *résineux, à aiguilles).* ⟨ ▶ **chèvrefeuille,** effeuiller ⟩

② feuille n. f. **1.** Morceau de papier rectangulaire. ⇒ **bristol, ③ fiche, ② page.** *Feuille blanche, vierge. Feuille volante,* isolée. **2.** (Papiers, documents, états) *Feuille d'impôt. Feuille de paye. Feuille de maladie.* **3.** Journal. *Une feuille d'extrême gauche.* Péj. *Feuille de chou.* **4.** Plaque mince (d'une matière quelconque). *Feuille de carton, de métal.* **5.** Fam. Oreille. *Être dur de la feuille,* un peu sourd. ▶ **① feuillet** [fœjɛ] n. m. ■ Feuille de papier utilisée sur ses deux faces (folio, recto). ▶ **② feuillet** n. m. ■ Troisième poche de l'estomac des ruminants. ▶ **feuilleté, ée** [fœjte] adj. **1.** Qui présente des feuilles, des lames superposées. *Roche feuilletée.* **2.** *Pâte feuilletée,* pâte culinaire formée de fines feuilles superposées. *Une galette en pâte feuilletée.* ⇒ **millefeuille.** ▶ **feuilleter** v. tr. ▪ conjug. 4. ■ Tourner les pages de (un livre, un cahier), spécialt en les regardant rapidement. *Je n'ai pas lu ce roman, je n'ai fait que le feuilleter.* ⇒ **lire en diagonale, parcourir.** ▶ **feuilleton** [fœjtɔ̃] n. m. **1.** Épisode d'un roman qui paraît régulièrement dans un journal. — Histoire fragmentée (télévision, radio). *Regarder le feuilleton du jour.* — Chronique régulière. **2.** ROMAN-FEUILLETON : roman qui paraît par fragments dans un journal. *Des romans-feuilletons.* — Abstrait. Histoire invraisemblable. *C'est du roman-feuilleton.* ▶ **feuilletoniste** n. ■ Écrivain, journaliste qui fait des feuilletons, des romans-feuilletons. ⟨ ▶ millefeuille, portefeuille ⟩

feuler [føle] v. intr. ▪ conjug. 1. ■ (Tigre) Pousser son cri. — (Chat) Grogner. ▶ **feulement** n. m. ■ Cri du tigre.

feutre [føtʀ] n. m. **1.** Étoffe non tissée et épaisse obtenue en pressant et collant le poil ou de la laine. *Chaussons, chapeau de feutre.* **2.** Chapeau de feutre. *Il est coiffé d'un feutre gris.* ▶ **feutré, ée** adj. **1.** Garni de feutre, ou de qqch. qui donne l'impression du feutre. **2.** Qui a pris l'aspect du feutre après lavage. *Lainage feutré.* ⇒ **pelucheux.** **3.** Étouffé, peu sonore. *Bruit feutré. Marcher à pas feutrés.* ⇒ **discret, silencieux.** ▶ **feutrage** n. m. ■ Action de se feutrer. ▶ *se feutrer* v. pron. ▪ conjug. 1. ■ (Lainages) Prendre l'aspect du feutre après lavage. ▶ **feutrine** [føtʀin] n. f. ■ Feutre mince utilisé en couture et en décoration.

fève [fɛv] n. f. **1.** Plante légumineuse dont les graines se consomment fraîches ou conservées (sèches). — La graine de cette plante. *Écosser des fèves. Des fèves et des haricots.* **2.** *Fève des Rois,* petite figurine que l'on met dans la galette de l'Épiphanie (6 janvier).

février [fevʀije] n. m. ■ Second mois de l'année, qui a vingt-huit jours dans les années ordinaires et vingt-neuf dans les années bissextiles.

fez [fɛz] n. m. invar. ■ Calotte de laine, parfois ornée d'un gland ou d'une mèche. ⇒ **chéchia.** *De nombreux musulmans portent encore le fez.*

fi [fi] interj. **1.** Vx. Interjection exprimant le dédain, le dégoût. ⇒ **pouah.** **2.** FAIRE FI DE : dédaigner, mépriser. *Il a fait fi de mes conseils.*

fiable [fjabl] adj. ■ En qui ou en quoi on peut avoir toute confiance, on peut se *fier. Ton ami n'est pas fiable. Cette montre est très fiable.* ▶ **fiabilité** n. f. ■ Caractère de ce qui est fiable.

fiacre [fjakʀ] n. m. ■ Voiture à cheval qu'on loue à la course ou à l'heure.

fiancer [fjɑ̃se] v. tr. ▪ conjug. 3. ■ Engager par une promesse de mariage. *Elle a été fiancée, on l'a fiancée par force.* — SE FIANCER v. pron. *Il vient de se fiancer avec Sylvie. Ils se sont fiancés hier.* ▶ **fiançailles** [fjɑ̃saj] n. f. pl. **1.** Promesse solennelle de mariage, échangée entre futurs époux. *Bague de fiançailles.* **2.** Le temps qui s'écoule entre la promesse et la célébration du mariage. *Durant leurs fiançailles.* ▶ **fiancé, ée** n. ■ Personne fiancée. *Les deux fiancés.* ⇒ **futur.** *Le fiancé d'Isabelle.*

fiasco [fjasko] n. m. ■ Échec. *L'entreprise a fait fiasco.* ⇒ **échouer.** *Cette pièce est un fiasco.* ⇒ **four.** / contr. **réussite, tabac** / *Des fiascos.*

fiasque [fjask] n. f. ■ Bouteille à col long et à large panse garnie de paille. *Une fiasque de chianti.* ≠ ② *flasque.*

fibre [fibʀ] n. f. **1.** Chacun des filaments flexibles qui, groupés en faisceaux, constituent certaines substances. *Les fibres du bois. Les fibres de la viande. Les fibres musculaires.* **2.** Fibre textile, substance filamenteuse susceptible d'être filée et tissée. *Fibre synthétique, fibre de verre. Fibre optique.* **3.** Matière fabriquée à partir de fibres. *Une mallette en fibre.* **4.** Abstrait. LA FIBRE : le sentiment. *Faire vibrer la fibre paternelle,* chercher à émouvoir un père en faveur de ses enfants. ▶ **fibreux, euse** adj. ■ Qui

a des fibres. *De la viande fibreuse.* ⇒ **filandreux.** ▶ *fibrille* [fibʀil] n. f. ■ Petite fibre. *Les fibrilles d'une racine.* ▶ *fibrociment* n. m. ■ Matériau de construction fait de ciment dans lequel le sable est remplacé par des fibres et de la poudre d'amiante. ▶ *fibrome* n. m. ■ Tumeur formée par des tissus fibreux. *Elle s'est fait opérer d'un fibrome.*

ficeler [fisle] v. tr. ▪ conjug. 4. ■ Attacher, lier avec de la ficelle. *Ficeler un paquet.* — *Ficeler un prisonnier à un poteau.* ▶ **ficelé, ée** adj. **1.** Qu'on a ficelé. *Paquet ficelé.* **2.** Fam. Habillé. *Mal ficelé.* ⇒ **fagoté.** **3.** *Un travail bien ficelé,* bien fait. ▶ **ficelage** n. m. ■ Action de ficeler ; son résultat.

ficelle [fisɛl] n. f. **I. 1.** Corde mince. *Défaire la ficelle d'un colis.* **2.** Fig. *Tirer les ficelles,* faire agir les autres sans être vu (comme le montreur de marionnettes). **3.** *Les ficelles d'un art, d'un métier,* les procédés cachés. ⇒ **truc. II.** Petite baguette (pain). ⟨ ▶ ficeler ⟩

① *fiche* [fiʃ] ou ① *ficher* v. tr. ▪ conjug. 1. REM. Le p. p. est *fichu, ue.* — Fam. S'emploie par euphémisme à la place de *foutre.* **1.** Faire. *Je n'ai rien fichu aujourd'hui.* **2.** Donner. *Je lui ai fichu une gifle.* ⇒ fam. **flanquer.** *Ça me fiche le cafard. Fiche-moi la paix !,* laisse-moi tranquille. **3.** Mettre. *On va le fiche en prison. Ils ont fichu le gouvernement par terre.* ⇒ **renverser.** — Pronominalement. *Il s'est fichu par terre.* ⇒ **tomber.** *Se fiche dedans,* se tromper. — *Ficher qqn à la porte,* le renvoyer. *Fiche (ou ficher) le camp,* décamper, partir. **4.** SE FICHE DE v. pron. : se moquer. *Il s'est fichu de moi.* ⇒ se **moquer, railler.** — *Je m'en fiche,* ça m'est égal. *Il se fichait pas mal du résultat.* ⟨ ▶ se contrefiche, ② fichu, je-m'en-fichisme ⟩

② *fiche* n. f. ■ Cheville, tige de bois ou de métal destinée à être fichée, enfoncée. ▶ ② *ficher* v. tr. ▪ conjug. 1. ■ Faire pénétrer et fixer par la pointe. ⇒ **planter.** *Ficher un clou dans un mur. Des piquets fichés en terre.* ⟨ ▶ affiche ⟩

③ *fiche* n. f. ■ Feuille, morceau de carton sur lequel on inscrit des renseignements en vue d'un classement. *Faire, remplir une fiche. Consulter des fiches dans un fichier.* ▶ ③ *ficher* v. tr. ▪ conjug. 1. ■ Mettre en fiche. *Ficher un renseignement ; ficher des gens.* ▶ *fichier* n. m. **1.** Collection de fiches. — Meuble, boîte, classeur contenant des fiches. **2.** En informatique. Groupement de données mis en mémoire.

fichtre [fiʃtʀ] interj. ■ Fam. Exprime l'étonnement, l'admiration. ▶ *fichtrement* adv.

① *fichu, ue* p. p. ⇒ ① **fiche (ficher).**

② *fichu, ue* [fiʃy] adj. — REM. S'emploie par euphémisme à la place de *foutu.* **1.** Fam. Détestable, mauvais. *Il a un fichu caractère. Fichu temps ! Fichu métier !* ⇒ **maudit.** **2.** Fam. Dans une fâcheuse situation, un mauvais état. *Il n'en a plus pour longtemps, il est fichu.* ⇒ **perdu.** *Mon costume est fichu.* **3.** Arrangé, mis dans un certain état. *Elle est fichue comme l'as de pique.* — MAL FICHU, UE : un peu malade, souffrant ; contrefait, difforme. *Elles sont mal fichues.* **4.** Fam. Capable de. *Elle n'est pas fichue de gagner sa vie.*

③ *fichu* n. m. ■ Pièce d'étoffe triangulaire dont les femmes se couvrent la tête, les épaules. ⇒ **châle.** *Des fichus.*

fictif, ive [fiktif, iv] adj. **1.** Créé par l'imagination. *Des personnages fictifs.* ⇒ **imaginaire.** — N. m. *Mêler le réel au fictif.* **2.** Qui n'existe qu'en apparence. ⇒ **faux, feint.** *Promesses fictives.* **3.** Supposé par convention. *Valeur fictive.* ⇒ **hypothétique.** ▶ *fictivement* adv. ■ De manière fictive.

fiction [fiksjɔ̃] n. f. **1.** Fait imaginé (opposé à *réalité*). ⇒ **invention. 2.** En littérature. Création de l'imagination. *Livre de fiction* (conte, roman). ‹ ▶ science-fiction ›

fidèle [fidɛl] adj. et n. **I.** Adj. **1.** Qui ne manque pas à la foi donnée (à qqn), aux engagements pris (envers qqn). ⇒ **dévoué, loyal.** / contr. **traître** / *Rester fidèle à un chef d'État. Être fidèle à soi-même.* **2.** Dont les affections, les sentiments (envers qqn) ne changent pas. ⇒ **attaché, constant.** / contr. **infidèle** / *Ami fidèle. Chien fidèle.* **3.** Qui n'a de relations amoureuses qu'avec celui (celle) à qui elle (il) a donné sa foi. *Mari fidèle. Elle est fidèle à son mari,* elle ne le trompe pas. **4.** *Fidèle à qqch.* : qui ne manque pas à, qui ne trahit pas. *Être fidèle à ses promesses.* **5.** Qui ne s'écarte pas de la vérité. *Historien fidèle. Récit fidèle. Traduction fidèle,* conforme au texte original. — *Mémoire fidèle,* qui retient avec exactitude. ⇒ **fiable. II.** N. **1.** Personne fidèle à. *Même ses fidèles l'ont abandonné.* — Client, cliente fidèle. *Je suis une fidèle des Galeries.* **2.** Personne unie à une Église, à une religion par la foi. ⇒ **croyant.** *L'assemblée des fidèles.* ▶ **fidèlement** adv. ■ *Fidèlement vôtre* (à la fin d'une lettre). *Reproduire fidèlement.* ▶ **fidélité** n. f. **1.** Qualité d'une personne fidèle (à qqn). / contr. **trahison** / *Fidélité à, envers qqn. Jurer fidélité.* **2.** Constance dans les affections, les sentiments. *La fidélité du chien. Fidélité conjugale.* **3.** *Fidélité à qqch.,* le fait de ne pas manquer à, de ne pas trahir. *Fidélité à ses promesses.* **4.** Conformité à un modèle original. ⇒ **exactitude, véracité.** *Fidélité d'un traducteur ; d'une reproduction.* — HAUTE-FIDÉLITÉ : restitution très exacte du son enregistré.

fief [fjɛf] n. m. **1.** Au Moyen Âge. Domaine concédé par le seigneur à son vassal, en contrepartie de certains services. *Le fief est l'institution fondamentale de la féodalité*.* **2.** Domaine où qqn est maître. *Fief électoral,* où l'on est toujours réélu.

fieffé, ée [fjefe] adj. ■ Qui possède au plus haut degré un défaut, un vice. ⇒ **fini, parfait.** *Un fieffé menteur.*

fiel [fjɛl] n. m. **1.** Bile des animaux de boucherie, de la volaille. **2.** Littér. Amertume qui s'accompagne de méchanceté. ⇒ **acrimonie, haine.** *Compliments pleins de fiel.* ▶ **fielleux, euse** adj. ■ Plein de fiel (2). ⇒ **haineux, méchant.** *Paroles fielleuses. Hommes fielleux.*

fiente [fjɑ̃t] n. f. ■ Excrément d'oiseau. *Fiente de pigeon.* ▶ **fienter** v. intr. ■ conjug. 1. ■ Faire de la fiente.

se fier [fje] v. pron. ■ conjug. 7. ■ Accorder sa confiance (à qqn ou à qqch.). *On ne sait plus à qui se fier. Je me fie à votre jugement.* — *Ne vous y fiez pas,* méfiez-vous. ‹ ▶ fiable, se méfier ›

fier, fière [fjɛʀ] adj. **1.** Vieilli. Qui, par son attitude hautaine, ses manières distantes montre qu'il se croit supérieur aux autres. / contr. **familier, simple** / *Il n'est pas fier, il parle à tout le monde.* — N. *Faire le fier.* **2.** Littér. Qui a un vif sentiment de sa dignité, de son honneur. *Il est fier et courageux.* / contr. **veule** / *Il est trop fier pour accepter votre argent.* **3.** FIER DE *qqn, qqch.* : qui a de la joie, de la satisfaction de. ⇒ **content, heureux, satisfait.** / contr. **honteux** / *Je l'ai fait et j'en suis fier. Elle est fière de ses enfants. Elle n'est pas peu fière d'avoir réussi.* — FIER QUE (+ subjonctif) : *Je suis fier qu'elle ait réussi.* **4.** (Avant le nom) *Il a un fier culot !* ⇒ **sacré.** ▶ **fièrement** adv. ■ D'une manière fière, courageuse et digne. ⇒ **dignement.** ▶ **fierté** n. f. **1.** Attitude arrogante. ⇒ ① **morgue.** **2.** Littér. Sentiment élevé de la dignité, de l'honneur. ⇒ **amour-propre, orgueil. 3.** Le fait d'être fier (3) de

qqch., de s'enorgueillir. ⇒ **contentement, satisfaction.** / contr. **honte** / *Il en tire une juste fierté.* — *C'est sa fierté,* ce qui lui fait concevoir de la fierté.

fièvre [fjɛvʀ] n. f. **1.** Élévation anormale de la température du corps. *Avoir de la fièvre. Fièvre de cheval,* forte. **2.** Maladie fébrile. *Fièvre jaune* (vomito negro). *Fièvre aphteuse.* — Au plur. *Les fièvres,* la fièvre paludéenne. **3.** Vive agitation, état passionné. ⇒ **excitation, fébrilité.** *Discuter avec fièvre. La fièvre du départ.* **4.** FIÈVRE DE (+ infinitif) : désir ardent. ⇒ **amour, passion.** *La fièvre d'écrire.* ▶ **fiévreux, euse** adj. **1.** Qui a ou dénote la fièvre. *Se sentir fiévreux. Mains fiévreuses.* ⇒ **brûlant. 2.** Qui a qqch. d'intense, de hâtif. *Activité fiévreuse.* ⇒ **fébrile.** *La vie fiévreuse de la ville.* **3.** Qui est dans l'agitation de l'inquiétude. *Attente fiévreuse.* / contr. **calme** / ▶ **fiévreusement** adv. ■ D'une manière fiévreuse (2). ‹ ▶ enfiévrer ›

fifre [fifʀ] n. m. **1.** Petite flûte en bois au son aigu. **2.** Joueur de fifre. *Les fifres marchaient devant les tambours.* ‹ ▶ sous-fifre ›

se figer [fiʒe] v. pron. ■ conjug. 3. **1.** (Liquide gras) Se solidifier par le froid. *La sauce s'est figée.* **2.** Se fixer dans une certaine attitude, un certain état. *Sourire, expression qui se fige.* — *Se figer dans une attitude,* la garder obstinément. — Au p. p. adj. *Locution figée,* dont on ne peut pas changer les termes. *« Tout de suite »* est une locution figée. ▶ **figement** n. m. ■ Fait de se figer.

fignoler [fiɲɔle] v. tr. ■ conjug. 1. ■ Exécuter avec un soin minutieux jusque dans les détails. ⇒ **parfaire.** / contr. **bâcler** / *Il fignole son dessin.* — Au p. p. adj. *Travail, devoir fignolé.* ⇒ **léché.** ▶ **fignolage** n. m. ▶ **fignoleur, euse** n.

figue [fig] n. f. **1.** Fruit charnu vert ou violacé et comestible du figuier. *Figues fraîches. Figues séchées.* **2.** FIGUE DE BARBARIE : fruit comestible d'une plante grasse (l'*oponce,* n. m.). **3.** MI-FIGUE, MI-RAISIN loc. adj. : qui exprime un mélange de satisfaction et de mécontentement. *Il m'a fait un accueil mi-figue, mi-raisin.* ▶ **figuier** n. m. ■ Arbre méditerranéen, à feuilles lobées, qui donne les figues.

① **figure** [figyʀ] n. f. **1.** Illustration (d'un texte). *Livre, édition ornée de figures.* ⇒ **carte, croquis, dessin, image, schéma. 2.** FIGURE DE PROUE : buste (d'une personne, d'un animal) à la proue des anciens navires à voile. — Fig. Personne célèbre et influente (→ 4). **3.** Loc. FAIRE FIGURE DE : avoir l'air, paraître, passer pour. *Il fait figure de grand homme.* **4.** Personnalité marquante. ⇒ **personnage.** *Les grandes figures de l'histoire.* **5.** Les volumes, surfaces, lignes et points considérés en eux-mêmes. *Un point, une courbe, une pyramide sont des figures géométriques.* **6.** Enchaînement de mouvements par les danseurs, les patineurs, suivant un certain parcours. *Figures libres, imposées.* ▶ **figurer** v. ■ conjug. 1. **I.** V. tr. **1.** Représenter (une personne, une chose) sous une forme visible. ⇒ **dessiner, peindre, sculpter. 2.** (Suj. chose) Être l'image de. *La scène figure un intérieur bourgeois.* **II.** V. intr. **1.** Jouer un rôle de figurant. **2.** Apparaître, se trouver (quelque part). *Son nom ne figure pas sur la liste,* il n'y est pas mentionné. **III.** SE FIGURER V. pron. : se représenter par la pensée, l'imagination. ⇒ **s'imaginer, se représenter.** *Elle s'était figuré pouvoir réussir. Tu ne peux pas te figurer comme il est bête.* ▶ **figurant, ante** n. **1.** Personnage de théâtre, de cinéma, remplissant un rôle secondaire et généralement muet. **2.** Toute personne dont le rôle est effacé (ou simplement décoratif) dans une réunion, une société. *Ne comptez pas sur moi pour faire le figurant, je dirai ce que j'ai à dire.* ▶ **figuratif, ive** adj. ■ *Art figuratif,* qui s'attache à la représentation de l'objet (opposé à l'*art abstrait*, ou *non figuratif*). ▶ *figuration* n. f. 1. Ensemble des figurants d'une pièce de théâtre, d'un film. — Rôle de figurant. 2. Représentation graphique. *La figuration des plaines se fait en vert.* ▶ *figurine* n. f. ■ Statuette de petite dimension. ⟨ ▶ configuration, ③ défigurer, préfigurer, transfigurer ⟩

② *figure* n. f. 1. Partie antérieure de la tête humaine. ⇒ **face, visage.** *Il a la figure maigre. Casser la figure à qqn.* 2. Air, mine. *Il fait une drôle de figure.* ⇒ **tête.** *Faire bonne figure,* avoir l'air aimable, content. — *Faire triste figure,* ne pas se montrer à la hauteur des circonstances ⟨ ▶ ② défigurer ⟩

③ *figure* n. f. ■ Expression, tournure imagée, ou atténuée, ou insistante de la pensée (métaphore, euphémisme, ironie...) « *Il n'est pas bête* » pour « *Il est très intelligent* » est une figure. *Figures de rhétorique, de style.* ▶ *figuré, ée* adj. ■ *Sens figuré* (opposé à *sens propre*), application expressive d'un mot à un emploi pour lequel il n'était pas fait au départ. *Dans* « *Ce garçon est un âne* », « *âne* » *doit être pris au sens figuré.* / contr. au pied de la **lettre /**

fil [fil] n. m. I. 1. Réunion de brins ou fibres textiles, tordus et filés (⇒ **filature, filer**). *Des fils* [fil]. *Fil de lin, de soie, de nylon. Fil de trame, de chaîne d'un tissu.* — DROIT FIL : le sens du fil (trame ou chaîne) d'un tissu (opposé à *biais*). En appos. Invar. *Une jupe droit fil.* — *Bobine de fil à coudre mercerisé.* — Loc. *Malice cousue de fil blanc,* trop apparente pour abuser quiconque. — *De fil en aiguille,* petit à petit, insensiblement. — *Donner du fil à retordre à qqn,* lui créer des embarras, des difficultés. — *Mince comme un fil,* très mince. 2. Brin de matière textile, de fibre ou de toute matière souple, servant à tenir, attacher. *Fil de canne à pêche.* ⇒ ④ **filet, ligne.** Loc. *Ne tenir qu'à un fil,* à très peu de chose, être fragile, précaire. *Sa vie ne tient plus qu'à un fil.* 3. FIL À PLOMB : instrument formé d'une masse de plomb fixée à un fil, servant à donner la verticale. 4. Matière métallique, étirée en long brin mince. *Fil d'acier. Clôture en fils de fer barbelés.* — Loc. *Il n'a pas inventé le fil à couper le beurre,* il n'est pas bien malin. 5. Conducteur électrique, fait de fil de cuivre entouré d'une gaine isolante. *Fil électrique. Fil d'une lampe. Fils télégraphiques, téléphoniques.* — Fam. *Qui est au bout du fil ?,* à l'appareil. *Donner, passer un* COUP DE FIL : un coup de téléphone. 6. Matière produite et filée par l'organisme de quelques animaux (araignée, ver à soie). 7. Sens des fibres. *Tailler des planches dans le fil du bois.* II. Fig. 1. AU FIL DE L'EAU : sens dans lequel une rivière coule. 2. Cours, enchaînement. ⇒ **suite.** *Le fil de la conversation. Suivre le fil de ses idées. Perdre le fil,* ne plus savoir ce qu'on voulait dire. III. Partie coupante d'une lame. ⇒ **tranchant.** *Fil d'un rasoir.* — *Passer au fil de l'épée,* tuer en passant l'épée au travers du corps. ▶ *filage* n. m. ■ Action de filer à la main (⇒ **filer**). ▶ *filament* [filamɑ̃] n. m. 1. Production organique longue et fine comme un fil. *Filaments de bave, de moisissures.* 2. Fil conducteur extrêmement fin porté à incandescence dans les ampoules électriques. *Ampoule dont le filament est grillé.* ▶ *filamenteux, euse* adj. ■ Qui a des filaments. *Matière filamenteuse.* ⇒ **fibreux.** ▶ *filandreux, euse* adj. 1. (Viande, légumes) Rempli de fibres dures. *Viande filandreuse.* 2. Abstrait. *Phrase filandreuse,* interminable, enchevêtrée, confuse. ▶ *filant, ante* adj. 1. Qui coule lentement sans se diviser et s'allonge en une sorte de fil continu (⇒ **filer**). *Sauce filante.* 2. *Pouls filant,* très faible. 3. *Étoile filante,* astéroïde qui file, va vite (pour l'œil). ▶ *filasse* n. f. 1. Matière textile végétale non encore filée. *Filasse de chanvre.* ⇒ **étoupe.** 2. *Cheveux blond filasse,* et adj. invar., *cheveux filasse,* d'un blond fade, sans éclat.

▶ ① *filature* n. f. 1. Ensemble des opérations industrielles qui transforment les matières textiles en fils à tisser. 2. Usine où est fabriqué le fil. *Les filatures de Roubaix.* ▶ ② *filature* n. f. ■ Action de filer (I, 6), de suivre qqn pour le surveiller. *Prendre qqn en filature.* ⟨ ▶ affiler, se défiler, effiler, enfiler, faufiler, ficelle, filet, filière, filiforme, filigrane, filin, filon, sans-fil ⟩

file [fil] n. f. 1. Suite de personnes, de choses placées en rang, l'une derrière l'autre. ⇒ **ligne.** *File de gens.* ⇒ **colonne.** *Des files d'acheteurs.* ⇒ **queue.** *Prendre la file,* se ranger dans une file après la dernière personne. 2. *Chef de file,* celui qui est à la tête d'un groupe, d'une entreprise. 3. EN FILE, À LA FILE loc. adv. : les uns derrière les autres, l'un derrière l'autre. *Marcher, se suivre à la file. Avancer en file indienne, à la file indienne,* immédiatement l'un derrière l'autre. — EN DOUBLE FILE : à côté d'une première file de voitures. *Stationner en double file.* ⟨ ▶ d'affilée, défiler ⟩

filer [file] v. ■ conjug. 1. I. V. tr. 1. Transformer en fil. *Filer de la laine.* — *Filer du verre,* l'étirer en fil. — Au p. p. adj. *Bibelots en verre filé.* 2. (Du ver à soie, de l'araignée qui sécrètent un fil) *L'araignée file sa toile.* 3. Dérouler de façon égale et continue. *Filer les amarres.* ⇒ **dévider.** — *Vaisseau qui file de l'huile dans la tempête* (pour empêcher les vagues de déferler). — *Navire qui file trente nœuds,* qui a une vitesse de trente nœuds. 4. Littér. *Filer une métaphore,* la développer longuement, progressivement. — Fam. *Filer le parfait amour,* se donner réciproquement des témoignages constants d'un amour partagé. 5. FILER DOUX : être docile, soumis. 6. Marcher derrière qqn, le suivre pour le surveiller. *Un policier a filé le suspect.* ⇒ ② **filature.** 7. Fam. Donner. *File-moi cent francs ! Elle lui a filé une gifle.* II. V. intr. 1. Couler lentement sans que les gouttes se séparent. *Sirop qui file.* — (Matière visqueuse) Former des fils. *Le gruyère fondu file.* 2. *Maille qui file,* dont la boucle de fil se défait, entraînant les mailles de la même rangée verticale. *Son bas a filé.* 3. Aller droit devant soi, en ligne droite ; aller vite. *Le messager fila comme une flèche, comme un zèbre.* ⇒ **courir.** — Fam. *Le temps file,* passe vite. 4. Fam. S'en aller, se retirer. ⇒ **déguerpir, partir.** *Allons, filez !* ⇒ **décamper.** *Filer à l'anglaise.* ⇒ s'**esquiver.** — (Choses) S'en aller très vite. *L'argent file,* surveillez les dépenses. ⟨ ▶ filage, filant, fileur, surfiler, tréfiler ⟩

① *filet* [filɛ] n. m. 1. Ce qui ressemble à un fil. *Filet nerveux.* 2. Petite moulure. *Filets d'un chapiteau.* 3. Trait fin. *Couleurs séparées par un filet.* 4. Écoulement fin et continu. *Un filet d'eau, d'air.* — Abstrait. *Un filet de vinaigre,* une très petite quantité. *Un filet de voix,* une voix très faible qui se fait à peine entendre.

② *filet* n. m. ■ Partie creuse, découpée en spirale, d'une vis, d'un boulon, d'un écrou. *Un pas de vis à filet carré.* ▶ *filetage* [filtaʒ] n. m. 1. Action de fileter. 2. Ensemble des filets d'une vis, d'un bouton, d'un écrou. ▶ *fileté* adj. ■ Qui porte des filets. *Tige filetée.* ▶ *fileter* v. tr. ■ conjug. 1. ■ Creuser des filets (au tour, à la filière) dans une tige de métal. ⇒ **tarauder.**

③ *filet* n. m. 1. Morceau de viande, partie charnue et tendre le long de l'épine dorsale. *Du filet de bœuf grillé.* ⇒ **chateaubriand, tournedos.** *Un steak dans le filet.* 2. Chaque morceau de chair levé de part et d'autre de l'arête d'un poisson. *Filets de sole. Filets de hareng* (fumés). ⟨ ▶ faux-filet ⟩

④ *filet* n. m. 1. Réseau à larges mailles servant à capturer des animaux. *Filets de pêche ; filets à poissons, à crevettes. Filet à papillons.* — Fig. *Un beau* coup de filet, une belle prise de malfaiteurs. *Attirer qqn dans ses filets,* le séduire. **2.** Réseau de mailles (pour envelopper, tenir, retenir). — Réseau pour maintenir les cheveux. ⇒ **résille.** — Sac en réseau de fils pour mettre les achats. *Filet à provisions.* **3.** Réseau qui sépare la table, le terrain en deux parties et au-dessus duquel la balle doit passer (tennis, etc.). **4.** Réseau tendu par précaution sous des acrobates. Loc. fig. *Travailler sans filet,* prendre des risques.

fileur, euse [filœʀ, øz] n. **1.** Personne qui file une matière textile à la main. *Fileuse à son rouet.* **2.** Conducteur(trice) d'un métier à filer.

filial, ale, aux [filjal, o] adj. ■ Qui émane d'un enfant, d'un fils ou d'une fille, à l'égard de ses parents. *Amour filial.*

filiale [filjal] n. f. ■ Société jouissant d'une personnalité juridique propre (ce qui la distingue de la succursale) mais dirigée par la société mère.

filiation [filjɑsjɔ̃] n. f. **1.** Lien de parenté unissant l'enfant à son père ou à sa mère. **2.** Succession de choses issues les unes des autres. ⇒ **enchaînement, liaison.** *La filiation des idées, des événements. La filiation des mots* (étymologie). ⟨ ▶ **affiliation** ⟩

filière [filjɛʀ] n. f. **1.** Instrument, organe destiné à produire des fils, à étirer une matière malléable, à creuser des filets ②. *Faire passer un métal par la filière.* ⇒ **profiler, tréfiler. 2.** Succession de degrés à franchir, de formalités à accomplir avant de parvenir à un résultat. *Passer par la filière,* par les degrés d'une hiérarchie.

filiforme [filifɔʀm] adj. ■ Mince, fin comme un fil. *Insecte à pattes filiformes.* — Fam. D'une extrême minceur. *Elle est filiforme.*

filigrane [filigʀan] n. m. **1.** Ouvrage fait de fils de métal (argent, or). **2.** Dessin imprimé dans l'épaisseur d'un papier et qui peut se voir par transparence. *Filigrane des billets de banque.* — Loc. *Lire en filigrane,* deviner ce qui n'est pas explicitement dit dans un texte. ▶ **filigrané, ée** adj. **1.** *Bracelets d'argent filigrané.* **2.** *Papier filigrané.*

filin [filɛ̃] n. m. ■ En marine. Cordage en chanvre.

fille [fij] n. f. **I. 1.** LA FILLE DE *qqn,* SA FILLE, etc. : personne du sexe féminin (opposé à *fils*) considérée par rapport à son père et à sa mère. ⇒ **enfants.** *Ils sont venus avec leur fille aînée et leurs deux fils.* Fam. *La fille Dupuis.* ⇒ **mademoiselle.** Fam. *Ma fille,* terme d'affection. **2.** Littér. Descendante. *Une fille de rois. Fille d'Ève,* femme. **II. 1.** Enfant ou jeune être humain du sexe féminin (opposé à *garçon*). *C'est une fille, ce bébé ? Vestiaire des filles.* **2.** Fam. (Avec un déterminatif) Jeune fille ou jeune femme. *Il a épousé une fille de son âge. Une jolie fille. Un beau brin de fille.* — (En attribut) *Elle est bonne fille. Elle est assez belle fille.* **3.** PETITE FILLE : enfant du sexe féminin jusqu'à l'âge nubile. ⇒ **fillette.** ≠ *petite-fille.* **4.** GRANDE FILLE : fillette. *Obéis, comme une grande fille !* **5.** JEUNE FILLE : fille nubile ou femme jeune non mariée (moins familier que *fille* tout court). ⇒ **demoiselle.** *Une grande, une petite jeune fille* (selon l'âge). *Une jeune fille et un jeune homme. Des jeunes filles et des jeunes gens**. **6.** Célibataire. *Elle est restée fille.* Vx. FILLE-MÈRE : mère célibataire. — VIEILLE FILLE : femme qui a atteint ou passé l'âge mûr sans se marier (péj., implique des idées étroites, une vie monotone). **7.** Prostituée. **8.** Nom donné à certaines religieuses. *Les Filles du Calvaire.* **9.** FILLE DE : jeune fille ou femme employée à une fonction, un travail. *Fille d'auberge, de ferme, de cuisine.* ▶ **fillette** [fijet] n. f. ■ Petite fille (autour de l'âge de dix ans). ⟨ ▶ **belle-fille, petite-fille** ⟩

② **fillette** n. f. ■ Région. Bouteille de vin contenant un tiers de litre.

filleul, eule [fijœl] n. ■ La personne qui a été tenue sur les fonts baptismaux, par rapport à ses parrain et marraine.

① **film** [film] n. m. **1.** Pellicule cinématographique. *Un mètre de film comporte 52 images. Film ultrasensible.* **2.** Œuvre cinématographique enregistrée sur film. ⇒ **cinéma.** *Tourner un film. Film muet, parlant. Mauvais film.* ⇒ fam. **navet.** *Films d'animation* (→ dessins animés). ▶ **filmer** v. tr. ▪ conjug. 1. ■ Enregistrer (des vues) sur un film cinématographique. *Filmer un enfant qui joue.* — Sans compl. *Ce cinéaste a toujours filmé en studio.* ⇒ **tourner.** ▶ **filmage** n. m. ■ Action de filmer. ⇒ **tournage.** ▶ **filmé, ée** adj. ■ Enregistré sur film. *Du théâtre filmé.* ▶ **filmique** adj. ■ Didact. Relatif aux films de cinéma. ▶ **filmographie** n. f. ■ fam. **navet.** Liste des films (d'un auteur, d'un acteur, d'un genre...). ⟨ ▶ **microfilm, téléfilm** ⟩

② **film** n. m. ■ Anglic. Technique. Couche très mince.

filon [filɔ̃] n. m. **1.** Masse allongée de minéraux solides existant dans le sol au milieu de couches de nature différente. *Filon de cuivre.* ⇒ **veine.** *Exploiter un filon.* **2.** Abstrait. *Exploiter un filon comique. Ce sujet est un filon.* ⇒ **mine. 3.** Fam. Moyen, occasion de s'enrichir ou d'améliorer son existence. *Trouver le filon. Un bon filon.*

filou [filu] n. m. ■ Escroc, voleur. *Des filous.* ▶ **filouter** v. tr. ▪ conjug. 1. ■ Voler adroitement. *Filouter une montre.* — *Filouter qqn.*

fils [fis] n. m. invar. **1.** Être humain du sexe masculin (opposé à *fille*), considéré par rapport à son père et à sa mère. ⇒ **aîné, benjamin, cadet, enfant, puîné.** *C'est le fils de M. X ; c'est son fils.* ⇒ fam. **fiston.** *L'amour du fils pour son père.* ⇒ **filial.** *Dumas fils.* PROV. *Tel père, tel fils.* ⇒ **junior.** — *À père avare, fils prodigue.* — Loc. péj. FILS À PAPA : qui profite de la situation de son père. **2.** *Fils de Dieu, fils de l'homme, le Fils,* Jésus-Christ. **3.** *Les fils de,* les descendants de. ⟨ ▶ **beau-fils, fiston, petit-fils** ⟩

filtre [filtʀ] n. m. **1.** Appareil (tissu ou réseau, passoire) à travers lequel on fait passer un liquide pour le débarrasser des particules solides qui s'y trouvent. — *Café-filtre* ou *filtre,* café préparé au moyen d'un filtre. **2.** Appareil servant à débarrasser un fluide ou un aérosol de ses impuretés. *Filtre à air, à essence, à huile. Cigarettes à bout filtre,* où un tampon poreux retient en partie la nicotine et les goudrons. ≠ *philtre.* ▶ **filtrer** v. ▪ conjug. 1. **I.** V. tr. **1.** Faire passer à travers un filtre. *Filtrer de l'eau pour la rendre potable.* ⇒ **purifier. 2.** Soumettre à un contrôle, à une vérification, à un tri. *La censure filtre sévèrement les nouvelles.* **II.** V. intr. **1.** S'écouler lentement. *L'eau filtre à travers le sable.* **2.** Passer. *Lumière qui filtre à travers les volets.* — Abstrait. *La nouvelle, la vérité a fini par filtrer,* par être connue. ▶ **filtrage** n. m. **1.** Action de filtrer. **2.** *Le filtrage des nouvelles.* ▶ **filtrant, ante** adj. **1.** Qui sert à filtrer. — *Verre filtrant,* filtre optique. — *Crème filtrante,* cosmétique qui contrôle l'effet du soleil sur la peau. **2.** *Regard filtrant,* jeté à travers les paupières mi-closes. ⟨ ▶ **s'infiltrer** ⟩

① **fin, fine** [fɛ̃, fin] adj. **I.** Vx. Extrême. **1.** LE FIN FOND DE. *Il vit au fin fond de la forêt,* tout au fond de la forêt. — *Le fin mot d'une histoire,* le dernier mot, le mot qui donne la clé du reste. **2.** Adv. Tout à fait. ⇒ **complètement.** *Elle est fin prête. Elle est fin saoule.* **II. 1.** Qui est de la dernière pureté. ⇒ **affiné, pur.** *Or fin. Perles fines.* / contr. **fantaisie** / *Pierres fines.* ⇒ **précieux. 2.** Qui est de la meilleure qualité.

Lingerie fine. Épicerie fine. Vins fins. Fines herbes. — N. m. Loc. *Le fin du fin,* ce qu'il y a de mieux dans le genre. **3.** D'une grande acuité. ⇒ **sensible.** *Avoir l'oreille fine, le nez fin.* **4.** Qui marque de la subtilité d'esprit, une sensibilité délicate. *Une fine remarque.* (⇒ **finement, finesse**). **5.** (Personnes) Qui excelle dans une activité réclamant de l'adresse et du discernement. ⇒ **adroit, habile.** *Fin connaisseur. Fin gourmet.* **6.** Qui a une habileté proche de la ruse. ⇒ **astucieux, finaud, malin, rusé.** *Il se croit plus fin que les autres. Jouer au plus fin.* — Iron. *C'est fin, ce que tu as fait là !* ⇒ **malin. III. 1.** Dont les éléments sont très petits. *Sable fin. Sel fin.* / contr. **gros** / — *Une pluie fine.* **2.** Délié. *Cheveux fins et soyeux. Taille fine. Traits fins.* **3.** Qui est très mince (opposé à *épais*). *Stylo à pointe fine.* **4.** Difficile à percevoir. *Les plus fines nuances de la pensée.* ⇒ **ténu.** ‹ ▶ affiner, demi-fin, extra-fin, finasser, finaud, fine, finement, finesse, finette, raffinement, ① raffiner, ② raffiner ›

② *fin* [fɛ̃] n. f. **I. 1.** Moment, instant auquel s'arrête un phénomène, une période, une action. ⇒ **borne, bout, limite, échéance, terme.** / contr. **commencement** / *Payer à la fin du mois. À la fin de mai, fin mai. Du début à la fin.* — Loc. adv. À LA FIN. ⇒ en **définitive, enfin, finalement.** *À la fin, elle lui a pardonné.* — Fam. *Tu m'ennuies à la fin !,* à force d'insister. **2.** Derniers éléments (d'une durée), dernière partie (d'une action, d'un ouvrage). *La fin de la journée a été belle. Il n'a pu assister qu'à la fin du match. Je ne vous raconte pas la fin du film.* **3.** Loc. *Faire une fin,* se marier, prendre une situation stable et sûre. ⇒ se **ranger. 4.** Disparition (d'un être, d'un phénomène, d'un sentiment). *La fin prématurée d'un héros.* ⇒ **mort.** *C'est la fin de tout !,* il n'y a plus rien à faire. Fam. *C'est la fin des haricots !* — METTRE FIN À : faire cesser. *Il est temps de mettre fin à cette mascarade.* ⇒ **terminer.** *Mettre fin à ses jours,* se suicider. — PRENDRE FIN : cesser. *La réunion a pris fin à deux heures du matin.* ⇒ se **terminer.** — Loc. adj. et adv. SANS FIN. *Discourir sans fin,* sans s'arrêter. *Des développements sans fin,* infinis. Cessation par achèvement. ⇒ **aboutissement.** *Mener à bonne fin un travail, une affaire.* **III. 1.** Souvent au plur. Chose qu'on veut réaliser, à laquelle on tend volontairement. ⇒ **but.** *Arriver, en venir à ses fins.* ⇒ **réussir.** Loc. prov. *Qui veut la fin veut les moyens,* celui qui veut atteindre son but accepte d'y arriver par tous les moyens. *La fin justifie les moyens.* — *Fin en soi,* résultat cherché pour lui-même. — Loc. *À cette fin,* pour arriver à ce but. *À cette fin, nous avons décidé... À toutes fins utiles,* pour servir le cas échéant. *A seule fin de,* dans le seul but de. **2.** Intention plus ou moins secrète. *Je me demande à quelle fin il m'a fait appeler. Il m'a opposé une* FIN DE NON-RECEVOIR : un refus. ▶ ① *finale* n. m. ■ Dernière partie d'un opéra, d'une symphonie, d'un concerto... *Le finale a emporté l'enthousiasme de l'auditoire.* ⇒ **coda.** ▶ ② *finale* n. f. **1.** Son ou syllabe qui termine un mot ou une phrase. **2.** Dernière épreuve (d'un tournoi, d'une coupe) qui, après les éliminatoires, désigne le vainqueur, entre les finalistes. ▶ *finaliste* n. ■ Concurrent(e) qualifié(e) pour la finale ▶ *final, ale, als* ou (rare) *aux* adj. ■ Qui est à la fin, qui sert de fin. / contr. **initial** / *Accords finals d'un air.* ⇒ **dernier.** *Point final,* à la fin d'un énoncé. ▶ *finalement* adv. ■ À la fin ; en définitive. ▶ *finalité* n. f. ■ Caractère de ce qui tend à un but. *Quelle est la finalité de cette politique ?* ‹ ▶ afin de, confiner, confins, demi-finale, enfin, fini, finir, indéfini, infini ›

finance [finɑ̃s] n. f. **1.** Au plur. Activité de l'État dans le domaine de l'argent. *Le ministère des Finances.* ⇒ **budget économie, fisc, trésor. 2.** Possessions en argent. *Ses finances vont mal.* **3.** Au sing.

Grandes affaires d'argent ; activité bancaire, boursière. ⇒ **affaire ; banque, bourse.** *Être dans la finance.* — Ensemble de ceux qui ont de grosses affaires d'argent. ⇒ **financier.** *La haute finance internationale.* **4.** MOYENNANT FINANCE : contre de l'argent. ▶ *financer* v. ■ . conjug. 3. **1.** V. tr. Soutenir financièrement (une entreprise) ; procurer les capitaux nécessaires au fonctionnement de. *Société qui finance un journal.* **2.** V. intr. Plaisant. Payer. *Il ne regarde pas à la dépense, c'est son père qui finance.* ▶ *financement* n. m. ■ Action de procurer des fonds à une entreprise, à un service public. ⇒ **autofinancement, investissement.** ▶ *financier, ière* n. et adj. **I.** N. m. (Rarement n. f.) Personne qui fait de grosses affaires d'argent, des opérations de banque, de bourse. ⇒ **banquier, capitaliste. II.** Adj. **1.** Relatif à l'argent. *Besoin, équilibre financier.* **2.** Relatif aux finances publiques. *Politique financière. Crise financière.* ▶ *financièrement* adv. **1.** En matière de finances. *Société, État financièrement prospère.* **2.** Fam. En ce qui concerne l'argent exclusivement. ⇒ **matériellement.** *Financièrement, la situation est bonne, mais je ne sais plus où donner de la tête.* ‹ ▶ autofinancement ›

finasser [finase] v. intr. . conjug. 1. ■ Agir avec une finesse excessive. ⇒ **ruser.**

finaud, aude [fino, od] adj. ■ Qui cache de la finesse sous un air de simplicité. ⇒ **futé, matois.** *Un paysan finaud.* — N. *La petite finaude avait tout deviné.*

fine [fin] n. f. ■ Eau-de-vie de qualité supérieure. *Un verre de fine.*

finement [finmɑ̃] adv. **1.** Avec finesse, subtilité. **2.** Avec habileté. ⇒ **adroitement.** *Il a finement calculé son coup.* **3.** D'une manière fine, délicate. *Objet finement ouvragé.*

finesse [fines] n. f. **1.** Qualité de ce qui est délicat et bien exécuté. *Finesse d'une broderie.* **2.** Aptitude à discerner les choses les plus délicates par les sens ou par la pensée. *Une grande finesse d'esprit.* / contr. **grossièreté** / **3.** Extrême délicatesse de forme ou de matière. *Finesse d'une poudre. Finesse d'une aiguille. Finesse des cheveux.* / contr. **épaisseur** / **4.** Au plur. Chose difficile à comprendre, à manier (qui demande de la finesse). *Connaître toutes les finesses d'une langue, d'un art.*

finette [finet] n.f. ■ Étoffe de coton croisé dont l'envers est pelucheux. *Chemise de nuit en finette.*

fini, ie [fini] p. p. et adj. **1.** Dont la finition est bonne. *Vêtement bien fini.* — N. m. *Le fini,* la qualité de ce qui est soigné jusque dans les détails. **2.** Péj. Achevé, parfait en son genre. *Un menteur fini.* ⇒ **fieffé. 3.** (Personnes) *C'est un homme fini,* diminué, usé au point d'avoir perdu toute possibilité d'agir, de réussir. **4.** Qui a des limites. *Pour les anciens Grecs, le cosmos, l'univers était fini.* — N. m. *Le fini et l'infini.*

finir [finiʀ] v. . conjug. 2. **I.** V. tr. Mener à sa fin. **1.** Conduire (une occupation, un travail) à son terme en faisant ce qui reste à faire. ⇒ **achever, terminer.** / contr. **commencer** / *Finir un ouvrage. Il a presque fini. Vous n'avez pas fini de vous disputer ?* **2.** Mener (une période) à son terme, en passant le temps qui reste à passer. *Finir sa vie dans la misère.* **3.** Mener (une quantité) à épuisement, en prenant ce qui reste à prendre. *Il finit tous les plats.* — Fam. Utiliser jusqu'au bout. *On ne lui achètera pas de chaussures, il finira celles de son frère.* **4.** Mettre un terme à. ⇒ **arrêter, cesser,** mettre **fin** à. *Il est temps de finir nos querelles.* **II.** V. intr. Arriver à sa fin. **1.** Arriver à son terme dans le temps. ⇒ s'**achever, se terminer.** *Le spectacle finira vers minuit, il est temps que cela* *finisse.* ⇒ **cesser. 2.** Avoir telle ou telle fin, tel ou tel aboutissement. *Un film qui finit bien.* — (Personnes) *Ce garçon commence à mal tourner, je crois qu'il finira mal.* **3.** Arriver au terme de sa vie. ⇒ **mourir, périr.** *Finir dans un accident, à l'hôpital.* **4.** Arriver à son terme dans l'espace. *Le sentier finissait là.* ⇒ s'**arrêter. 5.** FINIR PAR (+ infinitif) : arriver, après une série de faits, à tel ou tel résultat. *Je finirai bien par trouver. Tout finit par s'arranger.* **6.** FINIR DE (+ infinitif). *Finissez de vous plaindre !* ⇒ **cesser. III.** EN FINIR **1.** Mettre fin à une chose longue, désagréable. *Que d'explications ! Il n'en finit plus !* — En finir avec qqch., arriver à une solution. ⇒ **régler, résoudre.** *On n'en finira jamais avec cette affaire.* — En finir avec qqn, se débarrasser de lui. — Fam. EN FINIR DE. *On n'en finirait pas de raconter ses aventures.* ⇒ s'**arrêter. 2.** N'EN PAS (PLUS) FINIR : être trop long. *Un discours qui n'en finit plus. Des applaudissements qui n'en finissent pas. Il n'en finit pas de s'habiller.* ▸ **finissant, ante,** adj. ■ En train de finir. *Le siècle finissant.* ▸ **finissage** n. m. ■ Action de finir une fabrication, une pièce. ⇒ **finition.** ▸ **finisseur, euse** n. ■ Ouvrier(ère) chargé(e) des travaux de finissage, de finition. ▸ **finition** n. f. **1.** Opération ou ensemble d'opérations (finissage, etc.) qui termine la fabrication d'un objet, d'un produit livré au public. **2.** Caractère de ce qui est plus ou moins bien fini. *C'est une bonne voiture, mais sa finition est insuffisante.* **3.** *Les finitions,* les derniers travaux. *Les finitions d'une maison.* / contr. gros œuvre / *Couturière qui fait les finitions* (ourlets, surfilage, boutonnières, etc.). ⟨ ▸ fini ⟩

finlandais, aise [fɛ̃lɑ̃dɛ, ɛz] adj. ■ De Finlande. — N. *Les Finlandais.* ▸ **finnois, oise** [finwa, waz] adj. et n. ■ Du peuple de langue non indo-européenne *(le finnois)* qui vit en Finlande.

fiole [fjɔl] n. f. **1.** Petite bouteille de verre à col étroit utilisée spécialement en pharmacie. ⇒ **flacon. 2.** Fam. ⇒ **tête.** *Se payer la fiole de qqn,* s'en moquer, en rire.

fiord ⇒ **fjord.**

fioriture [fjɔʀityʀ] n. f. ■ Ornement complexe. *Les fioritures d'un dessin, d'un motif décoratif.* — Souv. péj. *Fioritures de style.*

fioul ⇒ **fuel.**

firmament [fiʀmamɑ̃] n. m. ■ Poét. La voûte céleste.

firme [fiʀm] n. f. ■ Entreprise industrielle ou commerciale.

fisc [fisk] n.m. ■ Ensemble des administrations qui s'occupent des impôts. *Frauder le fisc. Inspecteur du fisc.* ⇒ **contributions.** ▸ **fiscal, ale, aux** adj. ■ Qui se rapporte au fisc, à l'impôt. *Politique fiscale. Fraude fiscale.* ▸ **fiscalement** adv. ▸ **fiscalité** n. f. ■ Système fiscal. *La réforme de la fiscalité.*

fissible [fisibl] adj. ■ Susceptible de donner lieu au phénomène de fission. *L'uranium, le plutonium sont des corps fissibles.* ≠ **fissile.**

fissile [fisil] adj. **1.** Qui tend à se fendre, à se diviser en feuillets minces. *Schiste fissile.* **2.** *Noyau fissile* (d'un corps fissible).

fission [fisjɔ̃] n. f. ■ Rupture d'un noyau d'atome. / contr. **fusion** / ≠ *scission.*

fissure [fisyʀ] n. f. ■ Petite fente. *Les fissures d'un mur.* ⇒ **lézarde.** *Fissure d'un vase, d'un tuyau.* ⇒ **fêlure, fuite.** — Abstrait. *Il y a une fissure dans leur amitié.* ⇒ **brèche.** ▸ **fissurer** v. tr. . conjug. 1. ■ Diviser par fissures. ⇒ **crevasser, fendre.** — Pronominalement. *Mur qui se fissure.* — Au p. p. adj. *Plafond fissuré.*

fiston [fistɔ̃] n. m. ■ Fam. Fils.

fistule [fistyl] n. f. ■ Canal qui se forme pour donner passage dans l'organisme à un liquide physiologique ou pathologique. ▸ **fistuleux, euse** adj. ■ *Ulcères fistuleux.*

fixation [fiksɑsjɔ̃] n. f. **1.** Action de fixer. *Fixation de l'oxygène par l'hémoglobine du sang.* **2.** Le fait de faire tenir solidement (une chose). *Crochets de fixation.* **3.** Attache. *Fixations de sécurité.* **4.** En psychologie. Attachement intense à une personne, à un objet ou à un stade du développement. *Fixation au père.* **5.** Action de déterminer. ⇒ **détermination.** *La fixation du prix du blé.* ▸ **fixateur** n. m. **1.** Vaporisateur qui projette un fixatif. **2.** Substance qui fixe l'image photographique. ▸ **fixatif** n. m. ■ Vernis dilué qui sert à fixer un fusain ou un pastel maigre sur son support.

fixe [fiks] adj. **I. 1.** Qui ne bouge pas, ne change pas de position. ⇒ **immobile.** *Un point fixe. Vagabond sans domicile fixe.* **2.** *Avoir les yeux fixes,* regarder le même point, sans dévier ; regarder dans le vague. **3.** Interj. FIXE ! : commandement militaire prescrivant aux hommes de se tenir immobiles. ⇒ **garde** à vous. **II. 1.** Qui ne change pas, reste en l'état. ⇒ **immuable, invariable, permanent.** *Couleur fixe. Feu fixe* (opposé à *clignotant). Beau fixe,* beau temps durable *(météo).* **2.** Réglé d'une façon précise et définitive. ⇒ **défini, déterminé.** *Manger à heure fixe. Menu à prix fixe.* — IDÉE FIXE : idée dominante, dont l'esprit ne peut se détacher. ⇒ **obsession. 3.** ⇒ **assuré, régulier.** *Revenu fixe, appointements fixes.* — N. m. *Un fixe,* appointements fixes (opposé à *commission).* ▸ **fixement** [fiksəmɑ̃] adv. ■ D'un regard fixe. *Il la regarde fixement.* ▸ **fixité** n. f. ■ Caractère de ce qui est fixe (I, 1, 2). *La fixité du regard.* ⟨ ▸ crucifix, fixer, préfixe, suffixe ⟩

fixer [fikse] v. tr. . conjug. 1. **I. 1.** Établir de façon durable à une place déterminée. ⇒ **attacher, maintenir.** *Fixer les volets avec des crochets.* — (Personnes) SE FIXER : s'installer durablement. *Il s'est fixé à Paris.* **2.** FIXER qqn (du regard) : le regarder avec insistance. **3.** Abstrait. *Fixer son attention sur un objet.* — Pronominalement. *Mon choix s'est fixé sur tel article.* **II. 1.** Recouvrir de fixatif. *Fixer un pastel, un fusain.* **2.** Rendre stable et immobile (ce qui évolue, change). *L'usage a fixé le sens de cette expression.* ⇒ **figer.** — Pronominalement. *L'orthographe s'est progressivement fixée.* ⇒ se **stabiliser. 3.** Faire qu'une personne ne soit plus dans l'indécision ou l'incertitude. *Fixer qqn sur,* le renseigner exactement sur. *Je l'ai fixé sur vos intentions à son égard.* — Au p. p. adj. *Je ne suis pas encore fixé, pas très fixé, je ne sais pas quel parti prendre.* ⇒ **décidé. 4.** Régler d'une façon déterminée, définitive. *Fixer ses conditions. Les limites fixées par la loi.* ⇒ **dicter, édicter.** *Fixer un prix. Fixer un rendez-vous. Au jour fixé,* dit, décidé, convenu. ⟨ ▸ fixation ⟩

fjord ou **fiord** [fjɔʀd] n. m. ■ Golfe s'enfonçant profondément dans l'intérieur des terres (surtout en Scandinavie, en Écosse). *Les fjords de Norvège.*

flac [flak] interj. ■ Onomatopée imitant le bruit de l'eau qui tombe, de ce qui tombe dans l'eau ⇒ **floc** ou à plat ⇒ **clac, crac.**

flacon [flakɔ̃] n. m. ■ Petite bouteille contenant un liquide précieux. *Flacon de parfum.*

fla-flas [flafla] n. m. pl. ■ Fam. Manières, façons. ⇒ fam. **chichi.**

flagada [flagada] adj. invar. ■ Fam. Sans force, fatigué. *Avec cette chaleur, elles se sentent complètement flagada.*

flageller [flaʒe(ɛl)le] v. tr. ▪ conjug. 1. ▪ Battre de coups de fouet. ⇒ **fouetter**. ► *flagellation* n. f. ▪ Supplice du fouet. *La flagellation du Christ.*

flageoler [flaʒɔle] v. intr. ▪ conjug. 1. ▪ (Jambes de l'homme, du cheval) Trembler de faiblesse, de fatigue, de peur. *J'ai les jambes qui flageolent.* — (Personnes) *Flageoler sur ses jambes.* ► *flageolant, ante* adj. ▪ *Jambes flageolantes.*

① *flageolet* [flaʒɔlɛ] n. m. ▪ Flûte à bec, généralement percée de six trous.

② *flageolet* n. m. ▪ Variété de haricot nain très estimé, qui se mange en grains. *Gigot aux flageolets.*

flagorner [flagɔrne] v. tr. ▪ conjug. 1. ▪ Littér. Flatter bassement, servilement. ► *flagornerie* n. f. ▪ Flatterie grossière et basse. ► *flagorneur, euse* n. et adj. ▪ Qui flagorne.

flagrant, ante [flagrã, ãt] adj. ▪ 1. Qui est commis sous les yeux mêmes de celui qui le constate. *Flagrant délit.* ⇒ **délit**. 2. Qui paraît évident aux yeux de tous, qui n'est pas niable. ⇒ **criant, évident, patent.** *Injustice flagrante.* ≠ *fragrance.*

flair [flɛr] n. m. ▪ 1. Faculté de discerner par l'odeur. ⇒ **odorat**. *Le flair du chien.* 2. Aptitude instinctive à prévoir, deviner. ⇒ **clairvoyance, intuition, perspicacité.** *Il a eu du flair dans cette affaire.* ► *flairer* v. tr. ▪ conjug. 1. 1. (Animaux) Discerner, reconnaître ou chercher par l'odeur. *Chien qui flaire son maître.* 2. Discerner qqch. par intuition. ⇒ **deviner, pressentir, soupçonner, subodorer.** *Il flaire un piège là-dessous.*

flamand, ande [flamã, ãd] adj. et n. m. 1. Adj. Des Flandres. ▪ N. *Les Flamands.* 2. N. m. Parler néerlandais de Belgique (langue officielle de ce pays, avec le français). ⇒ **flamingant.**

flamant [flamã] n. m. ▪ Oiseau échassier palmipède, au plumage généralement rose.

flambant, ante [flãbã, ãt] adj. ▪ Vieilli. Beau, superbe. *Une voiture toute flambante.* — FLAMBANT NEUF : tout neuf. *Maison flambant neuf* ou *flambant neuve. Des bureaux flambant neufs.*

flambeur, euse [flãbœr, øz] n. ▪ Fam. Personne qui joue gros jeu (on dit qu'elle *flambe*).

flamber [flãbe] v. ▪ conjug. 1. 1. V. intr. Brûler avec flammes et production de lumière. *Papier qui flambe.* II. V. tr. Passer à la flamme. *Flamber une volaille,* pour brûler le duvet, les dernières plumes. *Flamber un instrument de chirurgie,* pour le stériliser. ► *flambage* n. m. ▪ *Flambage d'un poulet.* ► *flambé, ée* adj. 1. En cuisine. Arrosé d'alcool auquel on met le feu. *Crêpes flambées.* 2. (Personnes) Perdu, ruiné. *Il est flambé !* ► *flambeau* n. m. 1. Mèche enduite de cire, de résine pour éclairer. ⇒ **torche.** *À la lueur des flambeaux.* 2. Littér. Ce qui éclaire (intellectuellement ou moralement). ⇒ **lumière.** *Le flambeau du progrès.* 3. Candélabre, chandelier. *Flambeau d'argent.* ► *flambée* n. f. 1. Feu vif et assez bref. *Faire une flambée pour se réchauffer devant la cheminée.* 2. Explosion (d'un sentiment violent, d'une action). *Flambée de colère. Flambée de terrorisme.* ► *flamboyer* [flãbwaje] v. intr. ▪ conjug. 8. ▪ Jeter par intervalles des flammes ou des reflets éclatants de lumière. *On voyait flamboyer l'incendie.* ► *flamboiement* [flãbwamã] n. m. ▪ Éclat de ce qui flamboie. ► *flamboyant, ante* adj. 1. Qui flamboie. ⇒ **brillant, étincelant.** *Des yeux flamboyants de haine.* 2. GOTHIQUE FLAMBOYANT (XV ᵉ s.) : où certains ornements architecturaux ont une forme ondulée.

flamenco [flamɛnko] n. m. ▪ Musique populaire andalouse.

flamingant, ante [flamɛ̃gã, ãt] adj. 1. Qui parle flamand; où l'on parle flamand. *La Belgique flamingante.* 2. Partisan de l'autonomie de la Flandre ou de la limitation de la langue, de la culture françaises en Flandre belge. — N. *Un Flamingant.*

① *flamme* [fla(ɑ)m] n. f. 1. Production lumineuse et mobile de gaz en combustion. *Le feu jette des flammes.* ⇒ **flamber.** *La flamme est éteinte, il ne reste que des braises. Ranimer les flammes. Flamme d'un briquet.* — *En flammes,* qui brûle par incendie. *Maison en flammes.* 2. Éclat. *La flamme de son regard.* ⇒ **feu.** 3. Animation, passion. *Il parle avec flamme.* 4. Littér. Passion amoureuse. *Déclarer sa flamme.* ► *flammèche* n. f. ▪ Parcelle enflammée qui se détache d'un brasier, d'un foyer. *Une flammèche a mis le feu au bâtiment.* ⟨ ► **enflammer**, inflammable, lance-flammes ⟩

② *flamme* n. f. ▪ Petit drapeau étroit et long. ⇒ **oriflamme,** ③ **pavillon.**

① *flan* [flã] n. m. 1. Crème à base de lait, d'œufs, de farine que l'on fait prendre au four. 2. Fam. *En rester comme* DEUX RONDS DE FLAN : être stupéfait, muet d'étonnement. ⇒ fam. **baba.**

② *flan* n. m. ▪ Loc. fam. *C'est du flan,* de la blague. *A la flan,* sans valeur, mal fait. *Au flan,* au hasard, sans réfléchir.

flanc [flã] n. m. 1. Partie latérale du corps de l'homme et de certains animaux. *Se coucher sur le flanc, sur le côté.* — Loc. *Être sur le flanc,* extrêmement fatigué. — Fam. *Tirer au flanc,* paresser. ⇒ **tire-au-flanc.** 2. Littér. (Choses) Partie latérale. *Les flancs d'un vaisseau.* — À FLANC DE, SUR LE FLANC DE. *Une maison à flanc de coteau.* 3. Côté droit ou gauche d'une troupe, d'une armée (opposé à *front*). ⇒ **aile.** 4. PRÊTER LE FLANC : donner prise. ⇒ s'**exposer.** *Il prête le flanc à la critique.* ⟨ ► bat-flanc, efflanqué, ① flanquer, tire-au-flanc ⟩

flancher [flãʃe] v. intr. ▪ conjug. 1. ▪ Fam. Céder, faiblir. *Le cœur du malade a flanché brusquement. Il semblait résolu, mais il a flanché au dernier moment.* ⇒ se **dérober.**

flanelle [flanɛl] n. f. ▪ Tissu de laine peu serré, doux et pelucheux. *Pantalon de flanelle*

flâner [flɑne] v. intr. ▪ conjug. 1. 1. Se promener sans hâte, en s'abandonnant à l'impression et au spectacle du moment. ⇒ **balader, musarder.** *J'ai flâné dans les rues.* 2. S'attarder, travailler lentement. *Ne flânez pas, au travail ! Faire qqch. sans flâner.* / contr. se **hâter** / ► *flânerie* n. f. ▪ Action ou habitude de flâner. ► *flâneur, euse* n. ▪ Personne qui flâne, ou qui aime à flâner (1). ⇒ **badaud, promeneur.** *Les flâneurs du dimanche.*

① *flanquer* [flãke] v. tr. ▪ conjug. 1. ▪ Être sur le côté, sur le flanc de (une construction, un meuble). *Les pavillons qui flanquent le bâtiment central.* — FLANQUÉ(ÉE) DE. *Un château flanqué de tourelles.* — Péj. (Personnes) Accompagné de. *Il était flanqué de ses gardes du corps.*

② *flanquer* v. tr. ▪ conjug. 1. 1. Fam. Lancer, jeter brutalement ou brusquement. ⇒ **donner ;** fam. **fiche** ou **ficher, foutre.** *Flanquer un coup, une gifle à qqn. Se flanquer par terre,* tomber. *Flanquer un employé à la porte.* ⇒ **renvoyer.** 2. Fam. *Il m'a flanqué la frousse,* fait peur.

flapi, ie [flapi] adj. ▪ Fam. Épuisé, éreinté. *Nous sommes flapis.*

flaque [flak] n. f. ▪ Petite mare de liquide stagnant. *Chemin couvert de flaques d'eau.*

flash [flaʃ] n. m. Anglic. 1. Lampe servant à prendre des instantanés grâce à une émission de lumière brève et très intense. *Des flashes.* **2.** Scène rapide d'un film. **3.** Courte nouvelle transmise en priorité dans la presse. ▶ *flash-back* [flaʃbak] n. m. ■ Anglic. Retour en arrière, dans un récit. *Les flash-back (ou flashes-back) rendent ce film difficile à suivre.*

① *flasque* [flask] adj. ■ Qui manque de fermeté. ⇒ **mou ; mollasse.** *Chair flasque. Peau flasque.*

② *flasque* n. f. ■ Petite gourde, petite bouteille plate. ≠ *fiasque.*

flatter [flate] v. tr. ▪ conjug. 1. **I.** (Suj. et compl. animés) **1.** Louer excessivement ou faussement (qqn), pour plaire, séduire. ⇒ **encenser, flagorner.** *Il flatte son patron. Sans vous flatter, vous êtes irremplaçable.* **2.** FLATTER *qqn* DE *qqch.* : laisser faussement espérer. *Il y a longtemps qu'on le flatte de cette espérance.* ⇒ **bercer, leurrer. 3.** Caresser (un animal) avec la main. *Flatter un chien.* **II.** (Suj. chose) **1.** Être agréable à, faire concevoir de la fierté ou de l'orgueil. *Cette distinction me flatte et m'honore.* ⇒ **toucher.** *Sa venue me flatte, je suis flatté qu'il vienne. Cela flatte sa vanité.* **2.** Faire paraître plus beau que la réalité. ⇒ **avantager, embellir.** *Ce portrait, cette coiffure la flatte.* — Au p. p. adj. *Portrait flatté,* où la personne est représentée plus belle qu'elle n'est. **III.** FLATTER *qqch.* **1.** Encourager, favoriser avec complaisance. *Flatter les manies, les vices* (de qqn). **2.** Affecter agréablement (les sens). ⇒ **charmer.** *Couleurs qui flattent les yeux.* **IV.** SE FLATTER DE v. pron. **1.** (+ infinitif) Se croire assuré de. *Il se flatte de réussir.* ⇒ **espérer. 2.** (+ nom ou infinitif) Tirer orgueil, vanité. ⇒ **se targuer.** *Il se flatte de sa réussite, d'avoir si bien réussi.* ▶ *flatterie* [flatʀi] n. f. ■ Action de flatter, propos qui flatte. *Il est sensible à la flatterie. Il nous a fait mille flatteries.* ▶ *flatteur, euse* n. et adj. **I.** N. Personne qui flatte. *N'écoutez pas les flatteurs.* **II.** Adj. **1.** Qui loue avec exagération ou de façon intéressée. *Il n'est pas flatteur.* **2.** Qui flatte l'amour-propre, l'orgueil. ⇒ **avantageux, élogieux.** *Une comparaison flatteuse. Ce n'est pas flatteur !,* la comparaison, la remarque est dure. **3.** Qui embellit. *Faire un tableau flatteur de la situation.* ▶ *flatteusement* adv.

flatuosité [flatɥozite] n. f. ■ Gaz accumulé dans les intestins ou expulsé du tube digestif. ⇒ **vent.**

① *fléau* [fleo] n. m. **1.** Instrument à battre les céréales, composé de deux bâtons liés bout à bout par des courroies. *Des fléaux.* **2.** Pièce rigide en équilibre sur laquelle reposent les plateaux d'une balance.

② *fléau* n. m. **1.** Calamité qui s'abat sur un peuple. ⇒ **cataclysme, catastrophe, désastre.** *Le fléau de la guerre.* **2.** Personne ou chose nuisible. *L'alcool et la drogue sont des fléaux.*

flèche [flɛʃ] n. f. **1.** Arme de jet consistant en une tige de bois munie d'une pointe à une extrémité et d'un empennage de plumes à l'autre. *Lancer une flèche avec un arc. Tirer une flèche.* — Loc. *Partir, filer comme une flèche,* très vite. *Monter en flèche,* très vite. *Faire flèche de tout bois,* utiliser tous les moyens disponibles, même s'ils sont mal adaptés. **2.** Signe figurant une flèche et servant à indiquer un sens. *Suivez les flèches.* **3.** Littér. Trait d'esprit, attaque plus ou moins déguisée. ⇒ **pique. 4.** Toit pyramidal ou conique d'un clocher, d'une tour. *La flèche d'une cathédrale.* **5.** Fig. EN FLÈCHE. *Se trouver en flèche,* à l'avant-garde par rapport aux autres membres d'un groupe, d'un parti. ▶ *fléché, ée* adj. ■ Qui porte une flèche, est indiqué par des flèches. *Itinéraire fléché.* ▶ *fléchette* n. f. ■ Petite flèche qui se lance à la main contre une cible. *Jeu de fléchettes.*

fléchir [fleʃiʀ] v. ▪ conjug. 2. **I.** V. tr. **1.** Faire plier progressivement sous un effort, une pression. ⇒ **courber, ployer.** *Fléchir le corps en avant. Fléchir le bras,*

le plier. **2.** Faire céder peu à peu. *Il essaie de fléchir son père qui s'oppose à ses projets.* **II.** V. intr. **1.** Plier, se courber peu à peu sous un effort, une pression. *La poutre commence à fléchir. Ses jambes fléchissent et il tombe.* **2.** Céder. *Il ne fléchira pas, sa résolution est prise.* **3.** Perdre de sa force, de sa rigueur. *Ses résolutions fléchissent.* **4.** Baisser, diminuer. *La courbe de production fléchit.* ⇒ s' **infléchir.** ▶ *fléchissement* n. m. **1.** Action de fléchir ; état d'un corps qui fléchit. ⇒ **flexion.** *Le fléchissement du bras.* **2.** Le fait de céder, de faiblir. **3.** *Fléchissement des cours en Bourse.* ⇒ **baisse, diminution.** ⟨ ▶ infléchir ⟩

flegme [flɛgm] n. m. ■ Caractère calme, non émotif. ⇒ **froideur, impassibilité.** *Faire perdre son flegme à qqn.* ▶ *flegmatique* adj. ■ Qui a un caractère calme et lent, qui contrôle facilement ses émotions. ⇒ **froid, impassible.** *Les Britanniques ont la réputation d'être flegmatiques.* ▶ *flegmatiquement* adv.

flegmon ⇒ **phlegmon.**

flemme [flɛm] n. f. ■ Fam. Grande paresse. ⇒ **cosse.** *Avoir la flemme, tirer sa flemme, paresser.* ▶ *flemmard, arde* adj. et n. ■ Fam. Qui n'aime pas faire d'efforts, travailler. *Elle est flemmarde.* ⇒ **paresseux ; cossard.** *Quel flemmard !* ⇒ **fainéant.** ▶ *flemmarder* v. intr. ▪ conjug. 1. ■ Fam. Avoir la flemme ; ne rien faire.

flétan [fletɑ̃] n. m. ■ Grand poisson plat des mers froides, à chair blanche et délicate.

① *flétrir* [fletʀiʀ] v. tr. ▪ conjug. 2. **1.** Faire perdre sa forme naturelle, son port et ses couleurs à (une plante), en privant d'eau. ⇒ **décolorer, faner, sécher.** *La chaleur a flétri ces fleurs.* — SE FLÉTRIR v. pron. : se faner. **2.** Littér. Dépouiller de son éclat, de sa fraîcheur. ⇒ **altérer, rider.** *L'âge a flétri son visage.* **3.** Littér. ⇒ **avilir.** — Au p. p. adj. *Peau flétrie.* ▶ ① *flétrissure* n. f. **1.** État d'une plante flétrie. **2.** Altération de la fraîcheur, de l'éclat (du teint, de la beauté).

② *flétrir* v. tr. ▪ conjug. 2. ■ Littér. Exprimer une indignation violente contre (qqn). ⇒ **stigmatiser.** ▶ ② *flétrissure* n. f. ■ Littér. Grave atteinte à la réputation, à l'honneur. ⇒ **déshonneur, infamie.**

① *fleur* [flœʀ] n. f. **1.** Production délicate, souvent odorante, des plantes à graines, qui porte les organes reproducteurs. *Pétales de fleur. Corolle d'une fleur. Fleur en bouton, qui s'ouvre, s'épanouit, se fane. Un arbre en fleur. Bouquet de fleurs.* **2.** Plante qui porte des fleurs (belles, grandes). *Cultiver, arroser des fleurs. Pot de fleurs.* **3.** Reproduction, imitation de cette partie du végétal. *Tissu à fleurs. Fleur de tissu, en tissu.* — FLEUR DE LIS : emblème de la royauté représentant en fait un iris. *La fleur de lis (lys) du Québec. Drapeau à fleurs de lis* (ou *fleurdelisé,* adj.). **4.** Loc. adj. invar. FLEUR BLEUE : sentimental. *Ils, elles sont très fleur bleue.* **5.** COMME UNE FLEUR loc. fam. : très facilement. *Il est arrivé premier comme une fleur.* — FAIRE UNE FLEUR *à qqn* : une faveur. **6.** À LA, DANS LA FLEUR DE : au moment le plus beau. *Être dans la fleur de sa jeunesse. Mourir à la fleur de l'âge.* **7.** Ce qu'il y a de meilleur. ⇒ **crème, élite.** *La fleur, la fine fleur de la société.* — *Fleur de farine,* la partie la plus fine. Au plur. Fam. *S'envoyer des fleurs,* échanger des louanges. ▶ *fleurette* n. f. **1.** Petite fleur. **2.** CONTER FLEURETTE *à une femme* : courtiser. ⇒ **flirt.** ▶ *fleurer* v. intr. ▪ conjug. 1. ■ Littér. Répandre une odeur agréable. ⇒ **embaumer.** *Le vent fleure la menthe et le thym.* ⟨ ▶ chou-fleur, fleurir, fleuriste, fleuron ⟩

② *fleur* n. f. **1.** Surface. *Cuir pleine fleur,* dont la surface n'a subi aucun ponçage. **2.** À FLEUR DE loc. prép. : presque au niveau de, sur le même plan. *Les* *rochers à fleur d'eau sont dangereux pour les navires. Avoir les, des yeux à fleur de tête*, saillants. — Abstrait. *Sensibilité à fleur de peau*, qui réagit à la plus petite excitation. ‹ ▶ affleurer, effleurer ›

fleuret [flœʀɛ] n. m. ■ Épée à lame de section carrée, au bout moucheté pour s'exercer à l'escrime.

fleurir [flœʀiʀ] v. . conjug. 2. **I.** V. intr. **1.** (Plantes) Produire des fleurs, être en fleur. *Le rosier va fleurir.* **2.** Plaisant. Se couvrir de boutons. *Son nez fleurit.* ⇒ **bourgeonner. II.** V. tr. Orner de fleurs, d'une fleur. *Fleurir un salon, une table. Fleurir une tombe. Fleurir qqn*, lui mettre une fleur au corsage, à la boutonnière. ▶ **fleuri, ie** adj. **1.** En fleur, couvert de fleurs. *Pommier, pré fleuri.* **2.** Garni de fleurs. *Vase fleuri.* — Orné de fleurs représentées. *Tissu fleuri.* **3.** Qui a la fraîcheur, les vives couleurs de la santé. *Un teint fleuri.* **4.** Très orné, précieux. *Un style fleuri.*

fleuriste [flœʀist] n. ■ Personne qui fait le commerce des fleurs.

fleuron [flœʀɔ̃] n. m. ■ Ornement en forme de fleur. *Fleurons d'une couronne.* — Abstrait. *Le plus beau fleuron de sa couronne*, son bien le plus précieux.

fleuve [flœv] n. m. **1.** Grande rivière (remarquable par le nombre de ses affluents, l'importance de son débit, la longueur de son cours) qui se jette dans la mer. **2.** Courant ; ce qui coule. *Fleuve de lave. Fleuve de sang, de larmes.* ⇒ **flot.** — Abstrait. *Des romans-fleuves*, qui semblent ne jamais devoir finir.

flexible [flɛksibl] adj. **1.** Qui se laisse courber, plier. ⇒ **élastique, souple ; fléchir.** *Tige flexible. Cou flexible.* **2.** Qui s'accommode facilement aux circonstances. ⇒ **malléable, souple.** *Caractère flexible. Horaire flexible.* ▶ **flexibilité** n. f. ■ Caractère de ce qui est flexible. ⇒ **élasticité, souplesse.** *Flexibilité de l'osier.*

flexion [flɛksjɔ̃] n. f. **1.** Mouvement par lequel une chose fléchit ; état de ce qui est fléchi. ⇒ **fléchissement.** *La flexion d'un ressort. Flexion de l'avant-bras, de la jambe, du genou* (opposé à *extension*). **2.** Modification d'un mot à l'aide d'éléments (⇒ **désinence**) qui expriment certains aspects et rapports grammaticaux.

flibustier [flibystje] n. m. ■ Pirate. ⇒ **corsaire.**

flic [flik] n. m. ■ Fam. Agent de police. *Attention, vingt-deux ! les flics !* — *C'est un vrai flic*, il aime faire régner l'ordre et punir. ▶ **fliquer** v. tr. ■ Surveiller, réprimer (comme le fait la police).

flingue [flɛ̃g] n. m. ■ Fam. Pistolet ou revolver. ▶ **flinguer** v. tr. . conjug. 1. ■ Fam. Tirer sur (qqn) avec une arme à feu.

① **flipper** [flipe] v. intr. . conjug. 1. ■ Anglic. Fam. Être subitement déprimé. *La seule idée de travailler le fait flipper.*

② **flipper** [flipœʀ] n. m. ■ Anglic. Billard électrique. *Il adore le flipper. Des flippers.* — Une partie à ce jeu. *Si on faisait un flipper ?*

flirt [flœʀt] n. m. **1.** Relation amoureuse plus ou moins chaste, généralement dénuée de sentiments profonds. *Ce n'est qu'un flirt.* **2.** Personne avec laquelle on flirte. *C'est son dernier flirt. Des flirts.* ⇒ **amoureux.** ▶ **flirter** v. intr. . conjug. 1. ■ Avoir un flirt (avec qqn). *Ils ont beaucoup flirté ensemble.*

floc [flɔk] interj. ■ Onomatopée imitant le bruit de l'eau qui tombe, de ce qui tombe dans l'eau. ⇒ **flac.**

flocon [flɔkɔ̃] n. m. **1.** Petite touffe (de laine, de soie, de coton). **2.** Petite masse peu dense (de neige, vapeur, etc.). *La neige tombe à gros flocons.* **3.** *Flocons de* (céréales), céréales réduites en lamelles. *Flocons d'avoine.* ▶ **floconneux, euse** adj. ■ Qui est en flocons ou ressemble à des flocons. *Nuages floconneux.*

flonflons [flɔ̃flɔ̃] n. m. pl. ■ Accords sourds et bruyants de certains morceaux de musique populaire. *Les flonflons d'un bal.*

flopée [flɔpe] n. f. ■ Fam. Grande quantité. *Il a une flopée d'enfants.*

flor-, flori-, -flore ■ Éléments signifiant « fleur ». ▶ **floraison** [flɔʀezɔ̃] n. f. **1.** Épanouissement des fleurs. *Pommiers en pleine floraison.* **2.** Abstrait. Épanouissement. *Une floraison de talents.* ▶ **floral, ale, aux** adj. ■ De la fleur ou de fleurs. *Les organes floraux. Exposition florale.* ▶ **floralies** n. f. pl. ■ Exposition de fleurs. ▶ **flore** n. f. ■ Ensemble des plantes (d'un pays ou d'une région). *La faune et la flore de la Bretagne.* ▶ **floriculture** n. f. ■ Branche de l'horticulture qui s'occupe de la culture des fleurs, des plantes d'ornement. ▶ **florilège** n. m. ■ Recueil de pièces choisies. ⇒ **anthologie.** ‹ ▶ déflorer, efflorescence, florissant, inflorescence, passiflore ›

florentin, ine [flɔʀɑ̃tɛ̃, in] adj. et n. ■ De Florence, ville d'Italie.

faire florès [flɔʀɛs] loc. verb. ■ Littér. Obtenir des succès, de la réputation. ⇒ **briller, réussir.**

florin [flɔʀɛ̃] n. m. ■ Pièce de monnaie en or (du XIIIᵉ au XVIIIᵉ siècle). — Unité monétaire des Pays-Bas.

florissant, ante [flɔʀisɑ̃, ɑ̃t] adj. ■ Qui est en plein épanouissement, en pleine prospérité. *Peuple, pays florissant.* ⇒ **heureux, prospère, riche.** *Commerce florissant.* / contr. **pauvre** / — *Santé florissante*, très bonne. *Un teint florissant, une mine florissante.* ⇒ **resplendissant.**

flot [flo] n. m. **I.** **1.** Au plur. Eaux en mouvement (spécialt et poét. la mer). ⇒ **onde, vague.** *Les flots de la mer, d'un lac. Le bateau navigue sur les flots.* — Au sing. ⇒ **courant.** *Le flot monte. Le flot*, la marée montante. ⇒ **flux.** **2.** Ce qui est ondoyant, se déroule en vagues. *Des flots de ruban.* **3.** Quantité considérable de liquide versé, répandu. ⇒ **fleuve, torrent.** *Verser des flots de larmes.* **4.** Ce qui est comparé aux flots (écoulement abondant). ⇒ **affluence, fleuve, torrent.** *Des flots de lumière. Un flot de voyageurs.* ⇒ **foule.** — Abstrait. *Un flot de souvenirs. Flots de paroles.* — Loc. adv. À **flots**, à grands flots. ⇒ **abondamment.** *Le soleil entre à flots.* **II.** À **FLOT** loc. adj. : qui flotte. *Navire à flot*, qui a assez d'eau pour flotter. — Abstrait. *Être à flot*, cesser d'être submergé par les difficultés (d'argent, de travail).

① **flotte** [flɔt] n. f. ■ Fam. Eau. *Boire de la flotte. Il tombe de la flotte.* ⇒ **pluie.** ▶ ① **flotter** v. impers. . conjug. 1. ■ Fam. Pleuvoir.

② **flotte** n. f. **1.** Réunion de navires naviguant ensemble, destinés aux mêmes opérations ou se livrant à la même activité. *La flotte de la Méditerranée.* ⇒ **escadre.** **2.** L'ensemble des forces navales d'un pays. *La flotte de guerre* ou, absolt, *la Flotte.* ⇒ **marine.** *Flotte de commerce.* **3.** *Flotte aérienne*, formation d'avions, ensemble des forces aériennes. ▶ **flottille** [flɔtij] n. f. ■ Réunion de petits bâtiments. *Flottille de pêche.*

② **flotter** [flɔte] v. . conjug. 1. **I.** V. intr. **1.** Être porté sur un liquide. ⇒ **surnager.** *Épave qui flotte à la dérive.* / contr. **couler** / **2.** Être en suspension dans les airs. ⇒ **voler, voltiger.** *La brume flottait au-dessus des prés.* **3.** Bouger, remuer au gré du vent ou d'un mouvement. ⇒ **ondoyer, onduler.** *Faire flotter un drapeau.* — Se dit de ce qu'on laisse lâche, qu'on ne retient pas. *Vêtements qui flottent autour du corps.* **4.** Être instable, errer. *Un sourire flottait sur ses lèvres.* — Abstrait. *Laisser flotter ses pensées, son attention*, renoncer à les diriger, à les contrôler. **II.** V. tr. *Flotter* du bois, le lâcher dans un cours d'eau pour qu'il soit transporté. — Au p. p. adj. *Bois flotté.* ▶ *flottage* n. m. ■ Transport par eau de bois flotté. *Train de flottage.* ▶ *flottaison* n. f. ■ ⇒ **ligne** de flottaison. ▶ *flottant, ante* adj. **1.** Qui flotte. *Glaces flottantes.* **2.** Qui flotte dans les airs au gré du vent. *Brume flottante. Cheveux flottants. Vêtement flottant.* **3.** Qui n'est pas fixe ou assuré. ⇒ **variable.** *Virgule flottante* (suivie d'un nombre variable de décimales). **4.** Qui change sans cesse, ne s'arrête à rien de précis. *Caractère, esprit flottant,* incertain dans ses jugements, ses décisions. ⇒ **indécis, irrésolu.** *Son attention est flottante.* ▶ *flottement* n. m. **1.** Mouvement d'ondulation. ⇒ **agitation, balancement.** *Il y a du flottement dans les rangs,* un mouvement d'ondulation qui rompt l'alignement. **2.** État incertain dû à des hésitations. ⇒ **incertitude, indécision.** *Un flottement se produit dans l'assemblée, il y a du flottement.* ▶ *flotteur* n. m. **1.** Objet (généralement creux) capable de flotter à la surface de l'eau. ⇒ **bouée.** *Flotteurs en liège.* ⇒ **bouchon.** *Flotteurs en verre* (pour soutenir des filets). **2.** Organe qui repose sur l'eau et fait flotter un engin. *Les flotteurs d'un hydravion, d'un pédalo.*

flou, floue [flu] adj. **1.** Dont les contours sont peu nets. ⇒ **fondu, vaporeux.** *Images floues. Photo floue.* / contr. **net** / **2.** Qui n'a pas de forme précise. *Robe floue,* non ajustée. *Coiffure floue.* **3.** Incertain, indécis. ⇒ **vague.** *Pensée floue.*

flouer [flue] v. tr. . conjug. 1. ■ Fam. et vx. Voler (qqn) en le trompant.

fluctuant, ante [flyktɥɑ̃, ɑ̃t] adj. ■ Qui varie, va d'un objet à un autre et revient au premier. *Il est fluctuant dans ses opinions, dans ses goûts.* ⇒ **inconstant, instable.** — Qui subit des fluctuations. *Prix fluctuants.* ⇒ **changeant.** / contr. **invariable** / ▶ *fluctuation* n. f. ■ Surtout au plur. Variations successives en sens contraire. ⇒ **changement.** *Les fluctuations de l'opinion.*

fluet, ette [flyɛ, ɛt] adj. ■ (Personnes, parties du corps) Mince et d'apparence frêle. ⇒ **délicat, gracile, grêle.** *Un enfant fluet. Des jambes fluettes.* — Une *voix fluette.* ⇒ **faible.**

① *fluide* [flɥid] adj. **1.** Qui n'est ni solide ni épais, qui coule aisément. *Huile très fluide. Pâte fluide.* ⇒ **clair.** / contr. **épais** / — *La circulation est fluide,* les voitures roulent sans difficulté, il n'y a pas de bouchons. **2.** Qui a tendance à échapper, qu'il est difficile de saisir, de fixer. ⇒ **fluctuant, insaisissable.** *Pensée fluide.* ▶ *fluidifier* v. tr. . conjug. 7. ■ Rendre fluide. ▶ *fluidité* n. f. **1.** État de ce qui est fluide. *Fluidité du sang.* **2.** Caractère de ce qui est changeant et insaisissable.

② *fluide* n. m. **1.** Tout corps qui se laisse déformer sous l'action de forces minimes. ⇒ **gaz, liquide.** / contr. **solide** / **2.** Force, influence subtile, mystérieuse qui émanerait des astres, des êtres ou des choses. ⇒ **émanation, influx, onde.** *Fluide astral. Avoir du fluide,* un pouvoir occulte (ex. : *magnétiseurs, sourciers,* etc.).

fluor [flyɔʀ] n. m. ■ Corps simple, métalloïde, gaz jaune verdâtre, très dangereux à respirer. ▶ *fluorescence* [flyɔʀesɑ̃s] n. f. ■ Propriété de certains corps d'émettre de la lumière sous l'influence d'un rayonnement. *À la différence de la phosphorescence, la fluorescence cesse dès que cesse le rayonnement.* ▶ *fluorescent, ente* adj. ■ *Lampe fluorescente,* au néon.

① *flûte* [flyt] n. f. **1.** Instrument à vent formé d'un tube percé de plusieurs trous, ou de tubes d'inégales longueurs. *Petite flûte.* ⇒ **fifre.** *Flûte traversière. Grande flûte. Flûte de Pan,* à plusieurs tuyaux. *Jouer*

de la flûte. *Sonate pour flûte et piano.* **2.** Pain de forme mince et allongée. ⇒ **baguette.** **3.** Verre à pied, haut et étroit. *Une flûte à champagne.* — Son contenu. *Boire une flûte de champagne.* **4.** Au plur. Fam. Les jambes. *Jouer des flûtes.* ⇒ **courir.** ▶ *flûté, ée* adj. ■ Semblable au son de la flûte. *Une voix flûtée.* ⇒ **aigu.** ▶ *flûteau* ou *flûtiau* n. m. ■ Petite flûte rustique. *Des flûteaux ; des flûtiaux.* ▶ *flûtiste* n. ■ Musicien(ienne) qui joue de la flûte.

② *flûte* interj. ■ Interjection marquant l'impatience, la déception. ⇒ **zut.**

fluvial, ale, aux [flyvjal, o] adj. ■ Relatif aux fleuves, aux rivières. *Navigation fluviale.*

flux [fly] n. m. invar. **1.** Écoulement d'un liquide organique. *Flux de sang.* **2.** Grande quantité. ⇒ **flot.** *Un flux de paroles, de protestations.* **3.** Marée montante (opposé à *reflux*). **4.** *Flux lumineux,* quantité de lumière émise par une source lumineuse dans un temps déterminé. — *Flux électrique, magnétique* (courant).

fluxion [flyksjɔ̃] n. f. **1.** Congestion. — *Une* FLUXION DE POITRINE : congestion pulmonaire compliquée de congestion des bronches, de la plèvre. ⇒ **pneumonie.** **2.** Gonflement inflammatoire des gencives ou des joues, provoqué par une infection dentaire.

foc [fɔk] n. m. ■ Voile triangulaire à l'avant d'un bateau. *Le grand foc et le petit foc. Foc d'artimon,* à l'avant de l'artimon. *Des focs.*

focal, ale, aux [fɔkal, o] adj. et n. f. ■ Qui concerne le (ou les) foyer(s) d'un instrument d'optique. *Distance focale* ou, n. f., *la focale. Objectif à focale variable.* ▶ *focaliser* v. tr. . conjug. 1. ■ Concentrer en un point (foyer).

fœtus [fetys] n. m. invar. ■ Biologie. Produit de la conception encore renfermé dans l'utérus, lorsqu'il n'est plus à l'état d'embryon et commence à présenter les caractères distinctifs de l'espèce. ▶ *fœtal, ale, aux* adj. ■ Relatif au fœtus.

fofolle ⇒ **foufou.**

foi [fwa] n. f. **I. 1.** Littér. Assurance donnée d'être fidèle à sa parole, d'accomplir exactement ce que l'on a promis. ⇒ **engagement, promesse, serment.** *Se fier à la foi d'autrui. Foi d'honnête homme !* ⇒ **honneur.** — MA FOI (en tête de phrase, en incise) : certes, en effet. *C'est ma foi vrai.* **2.** *Sous la foi du serment,* après avoir prêté serment. — SUR LA FOI DE. *Sur la foi des témoins,* en se fiant à eux. — FAIRE FOI (suj. chose) : démontrer la véracité, porter témoignage de. *Le cachet de la poste faisant foi (du jour d'expédition).* **3.** BONNE FOI : qualité d'une personne qui parle, agit avec une intention droite, sans ruse. ⇒ **franchise, loyauté.** *Abuser de la bonne foi de qqn. En toute bonne foi,* très sincèrement. — MAUVAISE FOI : déloyauté, duplicité. *Vous êtes de mauvaise foi !* **II. 1.** Le fait de croire qqn, d'avoir confiance en qqch. *Une personne, un témoin digne de foi. Ajouter foi à* (des paroles), y croire. **2.** Confiance absolue que l'on met (en qqn, en qqch.). *Avoir foi en qqn.* ⇒ **se fier.** *Sa foi en l'avenir.* **3.** Le fait de croire en Dieu, en un dogme par une adhésion profonde de l'esprit et du cœur. ⇒ **croyance.** *La foi chrétienne. Trouver, perdre la foi.* / contr. **incrédulité, scepticisme** / — Iron. *Il n'y a que la foi qui sauve,* se dit de ceux qui se forgent des illusions. — *N'avoir ni foi ni loi,* ni religion ni morale.

foie [fwa] n. m. **1.** Organe situé dans la partie supérieure droite de l'abdomen, qui filtre et renouvelle le sang. *Du foie.* ⇒ **hépatique.** *Maladie de foie* (cirrhose, ictère, jaunisse). **2.** *Manger du foie de veau.*

Pâté de foie. Fam. *Avoir les jambes en pâté de foie*, molles. — FOIE GRAS : foie d'oie ou de canard spécialement engraissé(e) pour faire des pâtés. **3.** Loc. *Se manger, se ronger les foies*, se faire beaucoup de soucis. — Fam. *Avoir les foies*, avoir peur.

① *foin* [fwɛ̃] n. m. **1.** Herbe des prairies fauchée et séchée pour la nourriture du bétail. ⇒ **fourrage.** *Botte, meule de foin.* **2.** Herbe sur pied destinée à être fauchée. *Faire les foins, couper et ramasser les foins.* ⇒ **faner.** — *Rhume des foins*, allergie commune à l'époque de la floraison des graminées.

② *foin* n. m. ■ Fam. *Faire du foin*, du scandale, du bruit ; protester.

③ *foin* interj. ■ Vx. Ancienne interjection de mépris. *Foin des richesses !*

foire [fwaR] n. f. **1.** Grand marché public qui a lieu à des dates et en des lieux fixes. *Foire à la ferraille, aux bestiaux. Les paysans allaient à la foire.* **2.** Grande réunion périodique où des échantillons de marchandises diverses sont présentés au public. ⇒ **exposition.** *La foire internationale de Bruxelles, de Paris.* **3.** Fête foraine ayant lieu à certaines époques de l'année. *Les manèges de la Foire du Trône.* **4.** Fam. Lieu bruyant où règnent le désordre et la confusion. **5.** Fam. FAIRE LA FOIRE : s'adonner à une vie de débauche.

foirer [fwaRe] v. intr. ■ conjug. 1. ■ Fam. Rater, échouer lamentablement (sens concret : avoir la diarrhée). ▶ *foireux, euse* adj. ■ Fam. Qui échoue ; raté.

fois [fwa] n. f. invar. **I.** Marquant la fréquence, le retour d'un événement. Cas, occasion où un fait se (re)produit. **1.** (Sans prép.) *C'est arrivé une fois, une seule fois. Encore une fois.* — *Une bonne fois, une fois pour toutes*, d'une manière définitive. *On n'a pas besoin de le lui dire deux fois. Plus d'une fois, plusieurs fois, mainte(s) fois, cent fois...*, souvent. — (Avec une unité de temps) *Une fois l'an. Deux fois par mois. Une fois tous les huit jours.* — (Avec un ordinal) *La première, la seconde..., la dernière fois.* — (Avec divers déterminants) *On le tient, cette fois ! Chaque fois. La prochaine fois. L'autre fois, l'autre jour. La fois où il est venu.* — Fam. DES FOIS : certaines fois. ⇒ **parfois, quelquefois.** **2.** (Précédé d'une préposition) — Avec PAR. *Par deux fois*, à deux reprises. — Avec EN. *Payer en plusieurs fois*, par versements. — Avec POUR. *Pour la première fois. Pour une fois.* — Avec À. *S'y prendre à deux fois.* **3.** À LA FOIS loc. adv. : en même temps. *Ne parlez pas tous à la fois. Il est à la fois aimable et distant.* **4.** Vx ou région. UNE FOIS : un certain jour, à une certaine époque passée. ⇒ **autrefois, jadis.** *Il était une fois* (commencement classique des contes de fées). **5.** UNE FOIS QUE : dès que, dès l'instant où. *Une fois qu'il s'est mis quelque chose en tête, il ne veut plus rien entendre.* — Ellipt. *Une fois en mouvement, il ne s'arrête plus.* **II.** (Servant d'élément multiplicateur ou diviseur) *Quantité deux fois plus grande, plus petite qu'une autre. Trois fois quatre font douze.* ⟨ ▶ *autrefois, parfois, quelquefois, toutefois* ⟩

à *foison* [afwazɔ̃] loc. adv. ■ En grande quantité. ⇒ **abondamment, beaucoup.** *Nous en avons à foison.* ▶ *foisonner* v. intr. ■ conjug. 1. **1.** Être en grande abondance, à foison. ⇒ **abonder.** *Le gibier foisonne dans ce bois. Les occasions foisonnent.* **2.** FOISONNER EN, DE : être pourvu abondamment de. ⇒ **abonder, regorger.** *Ce bois foisonne en gibier.* ▶ *foisonnant, ante* adj. ■ Qui foisonne. ▶ *foisonnement* n. m. ■ Abondance.

fol, folle ⇒ **fou.**

folâtre [folatR] adj. ■ Qui incite au jeu, à la plaisanterie. *Gaieté folâtre. Il n'était pas d'humeur*

folâtre. / contr. **triste** / ▶ *folâtrer* v. intr. ■ conjug. 1. ■ Jouer ou s'agiter de façon folâtre. ⇒ **batifoler.**

folichon, onne [foliʃɔ̃, ɔn] adj. ■ PAS FOLICHON, ONNE : pas gai(e), pas drôle. *La pièce n'était pas folichonne. Cela n'a rien de folichon.*

① *folie* [foli] n. f. **1.** Trouble mental ; dérèglement, égarement de l'esprit. ⇒ **aliénation, délire, démence psychose ; fou.** *Accès de folie. Folie furieuse. Folie des grandeurs.* ⇒ **mégalomanie.** *Folie de la persécution.* ⇒ **paranoïa.** **2.** Manque de jugement ; absence de raison. ⇒ **déraison.** *Vous n'aurez pas la folie de faire cela.* ⇒ **inconscience.** *C'est de la folie, de la pure folie.* ⇒ **absurdité.** — À LA FOLIE : passionnément. *Il l'aime à la folie.* — Comptine (en effeuillant une fleur). *Je t'aime un peu, beaucoup, passionnément, à la folie, pas du tout* (⇒ ① **marguerite**). **3.** UNE FOLIE : idée, parole, action déraisonnable. *Faire une folie, des folies.* ⇒ **extravagance, sottise.** — Dépense excessive. *Vous avez fait une folie en nous offrant ce cadeau.*

② *folie* n. f. ■ Vx. Maison, édifice d'agrément (mot repris en architecture).

folio [foljo] n. m. **1.** Feuillet de registre. **2.** Chiffre qui numérote chaque page d'un livre. *Changer les folios.*

folklore [folklɔR] n. m. ■ Science des traditions, des usages et de l'art populaires d'un pays. ⇒ ② **culture.** — Ensemble de ces traditions. *Une légende du folklore breton.* ▶ *folklorique* adj. **1.** Relatif au folklore. *Costume folklorique. Musique folklorique.* **2.** Fam. Pittoresque, mais sans authenticité. *Manifestation folklorique.* Abrév. fam. FOLKLO. ▶ *folk* adj. et n. m. ■ Anglic. *Musique folk ; le folk*, musique traditionnelle modernisée (d'abord aux États-Unis). *Rock* et folk.* — Adj. *Des groupes folks.*

folle ⇒ **fou.**

follement [folmã] adv. **1.** D'une manière folle, déraisonnable, excessive. *Il est follement amoureux.* **2.** Au plus haut point. ⇒ **extrêmement.** *Il est follement gai.*

follet, ette [folɛ, ɛt] adj. **1.** POIL(S) FOLLET(S) : première barbe légère, ou duvet. **2.** FEU FOLLET : petite flamme due à une exhalaison de gaz (phosphore d'hydrogène qui brûle spontanément au contact de l'air). *Des feux follets.*

folliculaire [folikylɛR] n. ■ Péj. Mauvais journaliste.

follicule [folikyl] n. m. ■ Petit sac membraneux dans l'épaisseur d'un tégument. *Follicule dentaire, ovarien.* ▶ *folliculine* n. f. ■ L'une des hormones produites par le follicule ovarien.

fomenter [fomɑ̃te] v. tr. ■ conjug. 1. ■ Susciter ou entretenir (un sentiment ou une action néfaste). *Fomenter des troubles, la révolte.*

foncé, ée [fɔ̃se] adj. ■ (Couleur) Qui est d'une nuance sombre. *Un bleu foncé. Peau foncée, teint foncé.* ⇒ **basané, brun, métis.** / contr. **clair, pâle** / ▶ ① *foncer* v. intr. ■ conjug. 3. ■ Devenir foncé. *Ses cheveux ont foncé.*

② *foncer* [fɔ̃se] v. intr. ■ conjug. 3. **1.** Fam. Se jeter impétueusement sur. ⇒ **attaquer, charger.** *Foncer sur l'ennemi.* ⇒ ② **fondre.** *Foncer sur le tas.* **2.** Fam. Aller très vite, droit devant soi. ⇒ **filer.** *Il fonce à toute allure.* — *Foncer dans le brouillard*, aller hardiment de l'avant.

foncier, ière [fɔ̃sje, jɛR] adj. **1.** Qui constitue un bien-fonds, une terre ou un bâtiment (⇒ **immeuble**). *Propriété foncière.* — Qui possède un fonds, des terres. *Propriétaire foncier.* — Relatif à un bien-fonds. *Crédit* *foncier. Impôt foncier.* **2.** Qui est au fond de la nature, du caractère de qqn. ⇒ **inné.** *Méchanceté foncière.* ▶ *foncièrement* adv. ■ Essentiellement, profondément. *Foncièrement bon, égoïste.*

fonction [fɔksjɔ̃] n. f. **I.** (Personnes) **1.** Ce que doit accomplir une personne dans son travail, son emploi. ⇒ **activité, devoir, mission, office, rôle, service, tâche, travail.** *Il s'acquitte très bien de ses fonctions.* **2.** Cet emploi lui-même, considéré comme indispensable à la collectivité. ⇒ **charge, métier, poste, situation.** *Fonction de directeur, de magasinier.* — *Fonction publique, administrative,* situation juridique de l'agent d'un service public. ⇒ **fonctionnaire.** — EN FONCTION. *Être, rester en fonction.* — FAIRE FONCTION DE : jouer le rôle de. *Il fait fonction de directeur.* **II. 1.** Action particulière (d'une chose dans l'ensemble dont elle fait partie). ⇒ **rôle, utilité.** *La fonction de l'estomac est de digérer les aliments. La reproduction est une fonction vitale.* — FAIRE FONCTION DE. ⇒ **office ; remplacer. 2.** Ensemble des propriétés (d'une unité, d'un système). *Analyser la nature et la fonction d'un mot, d'une proposition.* (Suivi d'un mot en appos.) *Fonction sujet, objet d'un nom.* **III. 1.** *Fonction (algébrique),* relation qui existe entre deux quantités, telle que toute variation de la première entraîne une variation correspondante de la seconde. **2.** ÊTRE FONCTION DE : venir en même temps que, dépendre de. *Les résultats sont fonction des efforts.* ⇒ **à la mesure** de. **3.** EN FONCTION DE : relativement à. *L'attention varie en fonction inverse de la fatigue.* ▶ *fonctionnaire* [fɔksjɔnɛʀ] n. ■ Personne qui occupe un emploi permanent dans les cadres d'une administration publique. *Statut de fonctionnaire. Fonctionnaire des Postes. Les hauts fonctionnaires.* ▶ *fonctionnel, elle* adj. **1.** En sciences. Relatif aux fonctions. *Troubles fonctionnels d'un organe,* qui ne semblent pas dus à une blessure. — Qui étudie les fonctions, tient compte des fonctions. *Analyse, grammaire fonctionnelle.* **2.** (Choses) Pratique avant tout. *Meubles fonctionnels.* ▶ *fonctionner* v. intr. ■ conjug. 1. ■ (Organe, mécanisme) Accomplir une fonction. ⇒ **aller, marcher.** *Mon stylo fonctionne bien. Comment fonctionne cet appareil ?* — *Organisation, institution qui fonctionne mal.* ▶ *fonctionnement* n. m. ■ Action, manière de fonctionner. ⇒ **marche, travail.** *Machine en fonctionnement.* / contr. à l'**arrêt** / *Vérifier le bon fonctionnement d'un mécanisme.*

fond [fɔ̃] n. m. **I.** Partie la plus basse de qqch. de creux, de profond. / contr. **dessus ; surface** / ≠ *fonds, font, fonts.* **1.** Paroi inférieure (d'un récipient, d'un contenant). *Le fond du verre est sale. Le sucre est resté* AU FOND. *Le fond d'une poche, d'un sac.* **2.** *Un fond* (de verre, etc.), une petite quantité. *Versez-m'en un fond.* **3.** Sol où reposent des eaux. ⇒ **bas-fond, haut-fond.** *Le fond de l'eau, de la mer, d'un fleuve. Bateau qui touche le fond,* qui échoue. *Envoyer par le fond,* couler. **4.** Hauteur d'eau. ⇒ **profondeur.** *Il n'y a pas assez de fond pour plonger.* **5.** Le point le plus bas. *Toucher le fond du désespoir, de la misère.* **6.** Partie basse d'un paysage. *Le fond de la vallée.* **7.** Intérieur de la mine (opposé à *carreau, surface* ou *jour*). *Mineur de fond, qui a dix ans de fond.* **II. 1.** Partie la plus reculée (opposé à *entrée*). / contr. **bord, entrée** / *Le fond de la salle. Le fond d'une grotte.* ⇒ **ouverture.** *Au fond des bois.* / contr. **orée** / *Le fond d'une armoire. Un fond de tiroir.* **2.** Partie d'un vêtement éloignée des bords. *Le fond d'une casquette. Un fond de culotte.* **3.** Ce qu'on voit ou entend par derrière, en arrière-plan. *Tissus à fleurs noires sur fond rouge. Fond sonore,* musique accompagnant un spectacle. *Bruit de fond,* parasite. **4.** FOND DE TEINT : crème colorée destinée à donner au visage un teint uniforme. **5.** Loc. *Le fond de l'air est frais,* il fait assez

froid malgré le soleil. **6.** Par métaphore. *Le fond de son cœur.* **III. 1.** La réalité profonde. *Nous touchons ici au fond du problème, de la question.* **2.** Loc. adv. AU FOND, DANS LE FOND : à considérer le fond des choses (et non l'apparence ou la surface). ⇒ en **réalité.** / contr. en **apparence** / *On l'a blâmé, mais au fond il n'avait pas tort.* — À FOND : en allant jusqu'au fond, jusqu'à la limite du possible. ⇒ **complètement, entièrement.** *Respirer à fond. Étudier qqch. à fond.* / contr. **superficiellement** / **3.** Élément essentiel, permanent. REM. Seul emploi où *fond* puisse se confondre avec *fonds. Un fond d'honnêteté. Le fond historique d'une légende.* **4.** Ce qui appartient au contenu (opposé à *forme*). *Je suis d'accord sur le fond, mais pas sur la forme. Un article* DE FOND : qui étudie les conditions et les effets d'un événement. **IV.** Qualités physiques essentielles de résistance. *Courses de fond* (5 000 à 10 000 m), *de demi-fond* (800 à 3 000 m), opposé à *vitesse, sprint. Ski de fond.* ▶ *fondamental, ale, aux* adj. **1.** Qui sert de fondement ; qui a un caractère essentiel et déterminant. *Lois fondamentales de l'État.* ⇒ **constitution.** *Une question fondamentale.* ⇒ **essentiel, important, vital.** / contr. **accessoire, secondaire** / **2.** Qui se manifeste avant toute chose et à fond. *Un mépris fondamental.* ⇒ **foncier, radical.** *Recherche fondamentale,* théorique, non appliquée. ⇒ **pur.** ▶ *fondamentalement* adv. ■ Essentiellement. ‹ ▶ bas-fond, bien-fondé, demi-fond, fonder, ① fondeur, haut-fond, plafond, profond ›

fondant, ante [fɔdɑ̃, ɑ̃t] adj. **1.** Qui fond. ⇒ **fondre.** *La température de la glace fondante est le zéro de l'échelle Celsius.* **2.** Qui se dissout, fond dans la bouche. *Bonbons fondants. Poire fondante.*

fonder [fɔde] v. tr. ■ conjug. 1. **1.** Prendre l'initiative de construire (une ville), d'édifier (une œuvre) en faisant les premiers travaux d'établissement. ⇒ **créer.** *Fonder un parti* ⇒ **former,** *une société* ⇒ **constituer. 2.** FONDER *qqch.* SUR : établir (sur une base déterminée). ⇒ **baser.** *Fonder son pouvoir sur la force. Je fonde de grands espoirs sur vous. C'est sur ce qu'il fonde ses prétentions, ses espoirs.* — Pronominalement (réfl.). *Sur quoi vous fondez-vous pour affirmer cela ?* — Au p. p. adj. *Récit fondé sur des documents authentiques.* **3.** Constituer le fondement de. ⇒ **justifier, motiver.** *Voilà ce qui fonde ma réclamation.* — Au passif. *Une opinion bien ou mal fondée. Un reproche fondé. C'est une interprétation qui me paraît fondée.* ⇒ **juste, raisonnable.** — (Personnes) ÊTRE FONDÉ À (+ infinitif) : avoir de bonnes raisons pour. *Être fondé à croire qqch.* ▶ *fondateur, trice* n. ■ Personne qui fonde (qqch.). ⇒ **créateur.** *Le fondateur d'une cité, d'un empire. Hérodote est le fondateur de l'histoire.* ⇒ **père.** *Les fondateurs,* adj. *les membres fondateurs d'une société.* ▶ *fondation* n. f. ■ Au sing. Action de fonder (une ville, un établissement, une institution). ⇒ **création.** *La fondation d'un parti, d'une société (par qqn).* **2.** Création par voie de donation ou de legs d'une œuvre d'intérêt public ou d'utilité sociale. ⇒ **fonds** (III). **3.** Œuvre qui recueille des dons ou des legs. *La fondation de France.* ▶ *fondations* n. f. pl. ■ Travaux et ouvrages destinés à assurer la stabilité d'une construction. *Creuser les fondations d'un immeuble.* ▶ *fondé(e) de pouvoir* n. ■ Personne qui est chargée d'agir au nom d'une autre ou d'une société. *Des fondés de pouvoir.* ▶ ① *fondement* n. m. **1.** Fait justificatif d'un discours abstrait, d'une croyance. *Vos craintes sont sans fondement.* ⇒ **motif, raison. 2.** Point de départ d'un système d'idées. *Euclide a posé les fondements de la géométrie.* ⇒ **principe.** ▶ ② *fondement* n. m. ■ Fam. Fesses ; derrière.

① *fondeur, euse* [fɔdœʀ, øz] n. ■ Personne qui fait du ski de fond.

① *fondre* [fɔdʀ] v. ▪ conjug. 41. **I.** V. tr. **1.** Rendre liquide (un corps solide ou pâteux) par l'action de la chaleur. ⇒ **liquéfier ; fondu, fonte, fusion.** *Fondre des métaux.* **2.** Fabriquer avec une matière fondue. ⇒ **mouler.** *Fondre une cloche, une statue.* **3.** Combiner intimement de manière à former un tout. ⇒ **amalgamer.** *Fondre deux phrases en une seule.* **II.** V. intr. **1.** (D'un solide) Passer à l'état liquide par l'effet de la chaleur. ⇒ **se liquéfier.** *La neige a fondu. Le plomb fond aisément* (⇒ **fusible**). — Loc. *Fondre en pleurs, en larmes.* **2.** Se dissoudre dans un liquide. *Laisser fondre le sucre dans son café. Cela fond dans la bouche,* c'est très tendre. **3.** Diminuer rapidement. ⇒ **disparaître.** *L'argent lui fond dans les mains. Il a fondu depuis sa maladie, il a maigri.* **III.** SE FONDRE v. pron. : se réunir, s'unir en un tout. *Maison de commerce qui se fond dans, avec telle autre.* ⇒ **fusionner.** *Silhouette qui se fond dans la brume.* ⇒ se **dissiper.** ▶ *fonderie* n. f. ▪ Usine où on fond le minerai ⇒ **aciérie, forge,** où l'on coule le métal en fusion. ▶ ② *fondeur* n. m. ▪ Ouvrier travaillant dans une fonderie. ‹ ▶ ① confondre, ② confondre, fondant, fondu, fondue, refondre ›

② *fondre* v. intr. ▪ conjug. 41. — FONDRE SUR. ▪ S'abattre avec violence. *L'aigle fond sur sa proie.* ⇒ ② **foncer.** — *Les malheurs qui viennent de fondre sur lui.* ⇒ **tomber.**

fondrière [fɔdʀijɛʀ] n. f. ▪ Trou plein d'eau ou de boue. *Les fondrières d'un chemin défoncé.*

fonds [fɔ] n. m. invar. **I.** FONDS DE COMMERCE ou, absolt, *fonds* : ensemble des biens mobiliers et des droits appartenant à un commerçant ou à un industriel et lui permettant l'exercice de sa profession. ⇒ **établissement, exploitation.** *Il est propriétaire du fonds, mais pas des murs.* **II.** Le plus souvent au plur. **1.** Capital. *Dépenser tous ses fonds. Prêter à fonds perdus,* sans espoir d'être remboursé. — *Fonds publics,* emprunts d'État ou ressources financières en provenance de l'État. — *Posséder les fonds nécessaires à une entreprise.* Loc. *Bailleur de fonds,* commanditaire. *Mise de fonds,* investissement, apport financier. **2.** Organisme officiel national ou international de financement. *Le Fonds monétaire européen.* **3.** Argent comptant. *Manier des fonds considérables.* ⇒ **somme.** *Dépôt de fonds dans une banque.* ⇒ **espèces.** *Mouvement de fonds.* — ÊTRE EN FONDS : disposer d'argent. **III.** Au sing. et au plur. ≠ *fond.* Ressources propres à qqch. ou personnelles à qqn. *Il y a là un fonds très riche que les historiens devraient exploiter.* ⇒ **filon, mine.** *Le fonds Un tel,* les œuvres provenant de la collection de monsieur Un tel et léguées à une bibliothèque, un musée. ⇒ **fondation** (2), **legs.** ‹ ▶ tréfonds ›

fondu, ue [fɔdy] adj. et n. m. **1.** Adj. Amené à l'état liquide. *Neige fondue.* **2.** *Des tons fondus,* couleurs juxtaposées en passant de l'une à l'autre par mélange. ⇒ **dégradé.** **3.** N. m. *Fondu enchaîné,* au cinéma, effet où une image se substitue progressivement à une autre (qui s'efface).

fondue [fɔdy] n. f. **1.** *Fondue (savoyarde),* mets préparé avec du fromage fondu (gruyère, emmenthal) au vin blanc, dans lequel chaque convive trempe des morceaux de pain. **2.** *Fondue bourguignonne,* morceaux de viande crue que chaque convive trempe dans l'huile bouillante.

fong(i)- ▪ Élément signifiant « champignon » (ex : *fongicide,* adj., qui tue les champignons parasites).

ils, elles font ⇒ **faire.**

fontaine [fɔtɛn] n. f. **1.** Construction d'où sortent des eaux amenées par canalisation, généralement accompagnée d'un bassin. *Fontaine publique.* **2.** Vx.

Source. **3.** PROV. *Il ne faut pas dire « Fontaine, je ne boirai pas de ton eau »,* il ne faut pas jurer qu'on ne fera pas telle chose, qu'on n'en aura jamais besoin.

fontanelle [fɔtanɛl] n. f. ▪ Espace compris entre les os du crâne des nouveau-nés, qui s'ossifie progressivement au cours de la croissance.

① *fonte* [fɔt] n. f. **1.** Le fait de fondre (①, II). *La fonte des neiges, des glaces.* **2.** Fabrication par fusion et moulage d'un métal. *La fonte d'une cloche, d'une statue.*

② *fonte* n. f. ▪ Alliage de fer et de carbone obtenu dans les hauts fourneaux. *Une cocotte, une poêle en fonte. Tuyaux de fonte.* — *Fonte d'aluminium,* aluminium moulé.

fontes [fɔt] n. f. pl. ▪ Fourreaux ou poches de cuir attachés à une selle pour y placer des armes, des munitions, des vivres. ≠ **fonte.**

fonts [fɔ] n. m. pl. ▪ FONTS BAPTISMAUX [fɔbatismo] : bassin sur un socle destiné à l'eau du baptême. ⇒ **baptistère.** ≠ *fond, fonds.*

football [futbol] n. m. ▪ Sport opposant deux équipes de onze joueurs, où il faut faire pénétrer un ballon rond dans les buts adverses sans utiliser les mains. *Équipe de football composée d'avants, de demis, d'arrières et d'un gardien de but.* — Abrév. fam. FOOT. *Jouer au foot.* ▶ *footballeur, euse* n. ▪ Joueur(euse) de football.

footing [futiŋ] n. m. ▪ Anglic. Promenade hygiénique rapide, à pied. *Il fait une heure de footing chaque matin.* ⇒ **jogging.**

for n. m. ▪ *En, dans mon (son, etc.) FOR* INTÉRIEUR [fɔʀɛtɛʀjœʀ] : dans la conscience, au fond de soi-même. *Dans son for intérieur, il se jugeait fort mal.*

forage [fɔʀaʒ] n. m. ▪ Action de forer. *Perceuse pour le forage des pièces métalliques.* ⇒ **foreuse.** *Plate-forme de forage (du pétrole) en mer.* — *Forages de prospection.* ⇒ **sondage.**

forain, aine [fɔʀɛ, ɛn] adj. et n. **1.** *Marchand* ou *commerçant forain,* qui s'installe sur les marchés et les foires. ⇒ **ambulant, nomade.** — N. *Des forains.* **2.** FÊTE FORAINE : à l'occasion d'une foire. *Baraque foraine.* — N. Personne qui organise les distractions foraines (manèges, cirque, attractions diverses).

forban [fɔʀbɑ] n. m. **1.** Pirate qui entreprenait à son profit une expédition armée sur mer sans l'autorisation du roi. ≠ **corsaire.** *Des forbans.* **2.** Individu sans scrupules, capable de tous les méfaits. *Ce financier est un forban.* ⇒ **bandit.**

forçage [fɔʀsaʒ] n. m. ▪ Culture des plantes avant la saison (en châssis, serres, etc.). *Forçage des primeurs, des jacinthes.*

forçat [fɔʀsa] n. m. **1.** Autrefois. Bagnard ou galérien. — Loc. *Travailler comme un forçat,* travailler très dur.

① *force* [fɔʀs] n. f. **I.** Au sens individuel. **1.** Puissance d'action. *Force physique ; force musculaire.* ⇒ **robustesse, vigueur.** / contr. **débilité, faiblesse** / *Ne plus avoir la force de marcher, de parler. Lutter à forces égales.* — *C'est une force de la nature,* se dit d'une personne à la vitalité irrésistible. — Au plur. *Énergie personnelle. Ménager ses forces. Ce travail est au-dessus de ses forces. Reprendre des forces. De toutes ses forces,* le plus fort possible. — EN FORCE (opposé à *en souplesse*). *Passer, entrer en force.* — DE FORCE : qui exige de la force. *Tour de force. Épreuve de force,* conflit ouvert. — *Dans la* FORCE DE L'ÂGE : au milieu de l'existence humaine. ⇒ **maturité.** **2.** Capacité de l'esprit ; possibilités intellectuelles et morales. *Force morale, force d'âme.* ⇒ **courage, énergie, fermeté,** volonté. *Force de caractère. Ce sacrifice est au-dessus de mes forces.* **3.** DE *(telle ou telle)* FORCE. *Ils sont de la même force au tennis, en mathématiques.* ⇒ **niveau.** **II.** Au sens collectif. **1.** Pouvoir, puissance. *Force militaire d'un pays. La force publique,* la police. *La force armée,* les troupes. — FORCE DE FRAPPE : ensemble des moyens militaires modernes (missiles, armes atomiques) destinés à écraser rapidement l'ennemi. — EN FORCE. *Être en force ; arriver, attaquer en force,* avec des effectifs considérables. **2.** Au plur. Ensemble des armées. ⇒ **armée, troupe.** *Les forces armées françaises. Forces aériennes. Les forces de police, les forces de l'ordre.* **III.** (Choses) **1.** Résistance (d'un objet). ⇒ **résistance, robustesse, solidité.** *La force d'un mur, d'une barre.* **2.** Intensité ou pouvoir d'action, caractère de ce qui est fort (III). *La force du vent. Force d'un coup, d'un choc. La force d'un sentiment, d'un désir,* son intensité. *La force d'un argument, d'une idée.* **IV.** Dans les sciences et techniques. **1.** Toute cause capable de déformer un corps, ou d'en modifier le mouvement, la direction, la vitesse. *Résultante de deux forces. Équilibre des forces.* — Produit de la masse d'un corps par l'accélération que ce corps subit. *Force ascensionnelle d'un ballon. Force centrifuge.* **2.** Courant électrique et, spécialt, courant électrique triphasé. *Faire installer la force chez soi.* **V.** Dans les relations sociales. Pouvoir de contrainte. **1.** Contrainte, violence (individuelle ou collective). *Employer alternativement la force et la douceur. Le gouvernement menace de recourir à la force.* — Loc. *Coup de force. Situation de force.* **2.** (Exercée par une chose) *Être mû par la force de l'habitude.* — Loc. *La force des choses,* la nécessité qui résulte d'une situation. *Avoir force de loi,* en avoir l'autorité, le caractère obligatoire. — *Cas de force majeure,* événement imprévisible et inévitable. — FORCE EST DE (+ infinitif) : il faut, on ne peut éviter de. **VI.** **1.** Loc. adv. DE FORCE : en faisant effort pour surmonter une résistance. *Prendre, enlever de force qqch. à qqn. Il obéira de gré ou de force,* qu'il le veuille ou non. — PAR FORCE : en recourant ou en cédant à la force. *Obtenir qqch. par force.* — À TOUTE FORCE : en dépit de tous les obstacles. *Il voulait à toute force que nous l'accompagnions.* **2.** À FORCE DE. loc. prép. : par beaucoup de, grâce à beaucoup de. *À force de patience, il finira par réussir.* ⇒ **avec.** — (+ infinitif) *À force d'y réfléchir, vous finirez par résoudre le problème.* ‹ ▶ s'efforcer, ② force, forcer, forcir, renforcer, renfort ›

② *force* adv. ■ Vx ou littér. Beaucoup de. *Il nous a reçus avec force sourires.*

forcené, ée [fɔʀsəne] adj. et n. **I.** Adj. Animé d'une rage folle ou d'une folle ardeur. ⇒ **acharné, furieux.** *Des cris forcenés. Un chasseur forcené.* **II.** N. Personne folle de colère. *S'agiter, crier comme un forcené.*

forceps [fɔʀsɛps] n. m. invar. ■ Instrument en forme de pinces à branches séparables dont on se sert dans les accouchements difficiles.

forcer [fɔʀse] v. ∎ conjug. 3. **I.** V. tr. **1.** Faire céder (qqch.) par force. *Forcer une porte, un coffre.* ⇒ **briser, fracturer.** *Forcer une serrure.* — *Forcer la porte de qqn,* pénétrer chez lui malgré son interdiction. **2.** Faire céder (qqn) par la force ou la contrainte. ⇒ **contraindre, obliger.** *Il faut le forcer. Forcer la main à qqn,* le faire agir contre son gré. — FORCER À qqch. *Cela me force à des démarches compliquées.* ⇒ **obliger, réduire.** *On me force à partir.* — FORCÉ À, DE. *Me voilà forcé de partir.* **3.** Obtenir, soit par la contrainte, soit par l'effet d'un ascendant irrésistible. *Forcer l'admiration, l'estime de tout le monde.* ⇒ **emporter.** — S'assurer la maîtrise de qqch. *Forcer le succès, le destin.* **4.** Imposer un effort excessif à.

Forcer un cheval. — *Chanteur, orateur qui force sa voix. Forcer son talent.* **5.** Dépasser (la mesure normale). ⇒ **augmenter, exagérer.** *Forcer la dose. Forcer un effet.* **6.** Altérer, déformer par une interprétation abusive. ⇒ **dénaturer, solliciter.** *Forcer la vérité.* **II.** V. intr. Fournir un grand effort. *Forcer sur les avirons,* ramer le plus vigoureusement possible. *Sans forcer,* en souplesse. **III.** SE FORCER v. pron. : faire un effort sur soi-même. *Il n'aime pas se forcer.* — *Se forcer à,* s'imposer la pénible obligation de. ⇒ **s'obliger.** *Il se force à sourire.* ▶ **forcé, ée** adj. **1.** Qui est imposé par la force des hommes ou des choses. *L'avion a dû faire un atterrissage forcé.* ⇒ **obligatoire.** — *Culture forcée* (⇒ **forçage**). **2.** Fam. (Pour marquer le caractère nécessaire d'un événement passé ou futur) *C'est forcé.* ⇒ **évident, fatal.** *Il perdra, c'est forcé !* **3.** Qui s'écarte du naturel. *Un rire, un sourire forcé.* ⇒ **affecté, factice.** *Une comparaison forcée.* ⇒ **excessif.** ▶ **forcément** adv. ■ D'une manière nécessaire, par une conséquence inévitable. *Cela doit forcément se produire.*

forcir [fɔʀsiʀ] v. intr. ∎ conjug. 2. ■ Devenir plus fort, plus gros. ⇒ **se fortifier, grossir.** *Cet enfant a forci.* — (Choses) *Le vent forcit.*

forer [fɔʀe] v. tr. ∎ conjug. 1. **1.** Percer un trou dans (une matière dure) par des moyens mécaniques. *Forer une roche.* **2.** Former (un trou, une excavation) en creusant mécaniquement. *Forer un trou de mine, un puits.* ▶ **foreur** n. m. ■ Ouvrier qui fore. ▶ **foreuse** n. f. ■ Machine servant à forer le métal ⇒ **perceuse,** les roches ⇒ **perforatrice, trépan.** ‹ ▶ forage, foret, perforer ›

forestier, ière [fɔʀɛstje, jɛʀ] n. et adj. **I.** N. m. Personne qui exerce une charge dans une forêt du domaine public. — Adj. *Des gardes forestiers.* **II.** Adj. Qui est couvert de forêts, qui appartient à la forêt. *Région forestière. Chemin forestier. Maison forestière,* habitation du garde forestier. ▶ **foresterie** n. f. ■ Exploitation des forêts ; industrie forestière.

foret [fɔʀɛ] n. m. ■ Fer servant à forer les bois, les métaux. ⇒ **perceuse, vilebrequin, vrille.**

forêt [fɔʀɛ] n. f. **1.** Vaste étendue de terrain couverte d'arbres ; ensemble de ces arbres. ⇒ **bois, futaie.** *Forêt dense, impénétrable. Forêt vierge. À la lisière, à l'orée de la forêt. Plantation et exploitation des forêts.* ⇒ **sylviculture.** — EAUX ET FORÊTS : ancien nom de l'*Administration des Forêts,* ensemble des services de l'État chargés du contrôle, du développement et de l'exploitation de la forêt française. **2.** Ensemble très dense. *Une forêt de colonnes, de mâts.* ‹ ▶ forestier ›

① forfait [fɔʀfɛ] n. m. ■ Littér. Crime énorme. *Commettre, expier un forfait.* ▶ **forfaiture** n. f. **1.** Violation du serment féodal. ⇒ **félonie.** — Littér. Manque de loyauté. **2.** Crime d'un fonctionnaire qui commet certaines graves infractions dans l'exercice de ses fonctions. ⇒ **concussion, prévarication, trahison.**

② forfait n. m. ■ Convention fixant par avance le prix ferme et définitif d'un service, d'un travail, d'une taxe. *Voyage à forfait.* — *Faire un forfait avec un entrepreneur pour la construction d'une maison* (⇒ **devis**). — À FORFAIT. *Vendre, acheter à forfait. Travailler au forfait.* ▶ **forfaitaire** adj. ■ Qui a rapport à un forfait ; à forfait. *Prix forfaitaire. Impôt forfaitaire* (opposé à *réel*).

③ forfait n. m. ■ Indemnité que doit payer le propriétaire d'un cheval engagé dans une course, s'il ne le fait pas courir. *Déclarer forfait pour un cheval.* — *Déclarer forfait,* ne pas participer à une compétition (quelconque). *Je déclare forfait,* je renonce.

forfanterie [fɔʀfɑ̃tʀi] n. f. **1.** Vantardise impudente. **2.** *(Une, des forfanteries)* Action, parole de fanfaron, de vantard. ⇒ **fanfaronnade, vantardise.**

forge [fɔʀʒ] n. f. **1.** Atelier où l'on travaille les métaux au feu et au marteau. *L'enclume, le soufflet, le marteau de la forge.* — Loc. *Ronfler comme un soufflet de forge.* **2.** Installation où l'on façonne par traitement mécanique (à froid ou à chaud) les métaux et alliages. — Au plur. Fonderie. *Maître de forges,* autrefois, patron d'une fonderie.

forger [fɔʀʒe] v. tr. . conjug. 3. **1.** Travailler (un métal, un alliage) à chaud ou à froid (pour lui donner une forme, etc.). ⇒ **battre.** *Forger le fer* (⇒ **dinanderie, ferronnerie, serrurerie**). — Au p. p. FER FORGÉ (servant à fabriquer la ferronnerie d'art). — *Forger l'or* (⇒ **orfèvrerie**). — PROV. *C'est en forgeant qu'on devient forgeron,* c'est à force de s'exercer à qqch. qu'on y devient habile. **2.** Façonner (un objet de métal) à la forge. *Forger un fer à cheval, une pièce de mécanique.* **3.** Élaborer (⇒ **fabriquer**). *Forger un mot nouveau. Forger une expression.* ⇒ **inventer, trouver.** — Inventer pour abuser. *Forger une excuse.* — Au p. p. *Histoire forgée de toutes pièces.* ⇒ **faux.** ▶ *forgeage* n. m. ▶ *forgeron* n. m. ■ Celui qui travaille le fer au marteau après l'avoir fait chauffer au feu de la forge. *Forgeron qui ferre un cheval.* ⇒ **maréchal-ferrant.**

formalisé, ée [fɔʀmalize] adj. ■ Qui présente de manière formelle (4), en réduisant aux structures abstraites. ▶ *formalisation* n. f. ■ Représentation formelle.

se formaliser [fɔʀmalize] v. pron. . conjug. 1. ■ Être choqué d'un manquement au savoir-vivre, à la politesse. ⇒ s'**offenser,** se **vexer.** *Il ne faut pas vous formaliser de cet oubli, de ses manières.*

formalisme [fɔʀmalism] n. m. **1.** En droit. Système dans lequel la validité des actes est strictement soumise à l'observation de formes, de formalités. *Formalisme juridique, administratif.* **2.** En art. Tendance à rechercher exclusivement la beauté formelle. — Doctrine selon laquelle les formes se suffisent à elles-mêmes (opposé à *réalisme*). **3.** En philosophie. Doctrine selon laquelle les vérités scientifiques sont formelles, reposent sur des conventions. **4.** En sciences. Emploi de systèmes formels (4). ▶ *formaliste* adj. **1.** Qui observe, où l'on observe les formalités avec scrupule. *Religion formaliste.* ⇒ **rigoriste.** **2.** Trop attaché aux formes, aux règles. **3.** En philosophie, en art, en littérature, en sciences. Qui est partisan du formalisme. *Mathématicien, peintre formaliste.* — N. *Un, une formaliste.*

formalité [fɔʀmalite] n. f. **1.** Opération prescrite par la loi et sans laquelle un acte n'est pas légal. ⇒ **forme, procédure.** *Formalités de douanes, douanières.* **2.** Acte, geste imposé par le respect des convenances, des conventions mondaines. ⇒ **cérémonial.** **3.** Acte qu'on doit accomplir, mais auquel on n'attache pas d'importance ou qui ne présente aucune difficulté. *Ce n'est qu'une petite, une simple formalité.*

format [fɔʀma] n. m. **1.** Dimension caractéristique d'un imprimé (livre, journal), déterminée par le nombre de feuillets d'une feuille. *Format in-folio* (deux feuillets, quatre pages), *in-quarto, in-huit* ou *in-octavo.* — Dimensions en hauteur et en largeur. *Livre de petit format. Journal de format tabloïd,* réduit de moitié par rapport au format habituel. **2.** Dimension caractéristique (d'une feuille de papier, gravure, photo...). *Photo de format 9 x 13. Format A3,* 42 x 29,7 cm, *A4,* 21 x 29,7 cm. **3.** Dimension, taille. **4.** Informatique. Organisation formelle des données, résultant du formatage. ▶ *formater* v. tr. . conjug. 1. ■ Informatique. Préparer un support magnétique à recevoir des données. *N'oubliez pas de formater vos disquettes.* — Au p. p. adj. *Disquette non formatée.* ▶ *formatage* n. m. ■ Action de formater.

formateur, trice [fɔʀmatœʀ, tʀis] adj. et n. **1.** Qui forme. *Éléments formateurs.* **2.** N. Personne chargée de la formation (②, 2). ⇒ **animateur, instructeur.**

① *formation* [fɔʀmasjɔ̃] n. f. **1.** Action de former, de se former, manière dont une chose est formée. ⇒ **composition, constitution, création, élaboration.** *Être en cours, en voie de formation.* **2.** Couche de terrain d'origine définie. *La formation sédimentaire.* **3.** Mouvement par lequel une troupe prend une disposition ; cette disposition. *Formation en carré, en ligne.* **4.** Groupement de personnes. ⇒ **groupe, unité.** *Formation aérienne* (militaire). — *Les grandes formations politiques, syndicales.* ⇒ **organisation, parti.** *Formation de musiciens.* ⇒ **ensemble, groupe, orchestre.** *Formation sportive.* ⇒ **équipe.**

② *formation* n. f. **1.** Éducation intellectuelle et morale. *La formation du caractère, du goût. Elle a reçu une solide formation littéraire.* **2.** Ensemble de connaissances théoriques et pratiques dans une technique, un métier ; leur acquisition. *Formation professionnelle.* ⇒ **apprentissage.** *Stage de formation. Formation continue.* ⇒ **recyclage.** **3.** Ces connaissances. *Ils n'ont pas reçu la même formation musicale.*

forme [fɔʀm] n. f. **I.** Apparence naturelle. **1.** Ensemble des contours (d'un objet, d'un être), en fonction de ses parties. ⇒ **configuration, conformation, contour, figure.** *Avoir une forme régulière, symétrique, irrégulière, géométrique.* PRENDRE FORME : acquérir une forme. **2.** Être ou objet confusément aperçu. *Une forme imprécise disparaît dans la nuit.* ⇒ **ombre.** **3.** Apparence extérieure propre à un objet ou à un être ; modèle à reproduire. *Donner sa forme à un vase. Manteau de forme raglan.* ⇒ **coupe, façon.** — EN FORME DE. *Des sourcils en forme de virgule.* — SOUS FORME DE : se dit de la façon dont une chose se présente, sans changer de nature. *Médicament administré sous forme de cachets. Il déteste la tyrannie sous toutes ses formes.* **4.** *Les formes,* les contours du corps humain. *Formes fines et élancées.* **5.** Les contours considérés d'un point de vue esthétique. ⇒ **dessin, galbe, ligne, modelé, relief, tracé.** *Les formes et les couleurs. Beauté des formes* (⇒ **plastique**). **II.** Conception d'un fait scientifique ou technique. **1.** Manière dont une notion, un événement, une action, un phénomène se présente. *Les différentes formes de l'énergie, de la vie.* ⇒ **aspect, état, variété.** **2.** Variante grammaticale. *Étude des formes.* ⇒ **morphologie.** *Les formes du singulier, du féminin.* **3.** Manière dont une pensée, une idée s'exprime. ⇒ **expression, style.** *Donner une forme nouvelle à une idée banale. Opposer la forme au fond, au contenu.* **III.** Dans la vie sociale et en droit. **1.** Manière de procéder, d'agir selon les règles. ⇒ **formalité, norme, règle.** *Les formes de l'étiquette.* — *Dans les formes, en forme,* avec les formes habituelles. **2.** Aspect extérieur d'un acte juridique. *Jugement cassé pour vice de forme. Contrat en bonne et due forme.* — POUR LA FORME : par simple respect des usages ou conventions. **IV.** Condition physique (d'un cheval, d'un sportif, etc.) favorable aux performances. *Être en pleine forme avant la compétition. Il est dans une forme médiocre.* — Bonne condition physique et morale. *Être, se sentir en forme, dans une forme excellente. Quelle forme !* **V. 1.** Ce qui sert à donner une forme déterminée à un produit manufacturé. ⇒ **gabarit, modèle, patron.** *Une forme de modiste.* **2.** Moule creux. ⇒ **matrice.** *Forme à fromage.*

-forme ■ Élément signifiant « qui a la forme, l'aspect de… » (ex. : *cruciforme*, adj., en forme de croix).

formel, elle [fɔʀmɛl] adj. **1.** Dont la précision et la netteté excluent tout malentendu. ⇒ **clair, explicite, précis.** / contr. **ambigu, douteux, équivoque** / *Déclaration formelle ; démenti formel. Refus formel.* ⇒ **absolu, catégorique.** *Preuve formelle.* — (Personnes) *Il a été formel sur ce point.* **2.** Qui privilégie la forme par rapport au contenu. *Classement, plan formel. Politesse formelle,* tout extérieure. **3.** Relatif à la forme (3). *Étude formelle d'un texte.* **4.** Qui décrit de manière claire (non ambiguë) et complète les relations entre les éléments. *Logique formelle.* ⇒ **formalisé, structural.** ▶ **formellement** adv. **1.** De façon formelle. ⇒ **absolument.** *Il est formellement interdit de fumer.* **2.** En considérant la forme. *Raisonnement formellement juste.*

former [fɔʀme] v. tr. · conjug. 1. **I. 1.** Faire naître dans son esprit. *Former un projet. Nous avons formé l'idée de nous associer. Former des vœux pour le succès de qqn.* ⇒ **formuler. 2.** Créer (un ensemble, une chose complexe) en arrangeant des éléments. *Former un train, un convoi. Le Premier ministre forme son gouvernement.* ⇒ **constituer. 3.** (Choses) Être la cause de. *Les dépôts calcaires qui forment des stalagmites.* **II. 1.** Façonner en donnant une forme déterminée. *Bien former ses lettres.* — Au p. p. adj. *Phrase mal formée,* mal construite. **2.** Développer (une aptitude, une qualité) ; exercer ou façonner (l'esprit, le caractère). ⇒ **cultiver, élever, instruire.** *Former son goût par de bonnes lectures. L'instituteur forme l'esprit critique des enfants.* — *Former un apprenti.* PROV. *Les voyages forment la jeunesse.* **III.** (Suj. chose ou personne) **1.** Composer, constituer en tant qu'élément. *Les barreaux forment une grille. Parties qui forment un tout. Les personnes qui forment une assemblée. Un ensemble formé de ceci et de cela.* **2.** Prendre la forme, l'aspect, l'apparence de. ⇒ **faire, présenter.** *La route forme une série de courbes.* **IV.** SE FORMER v. pron. **1.** Naître sous une certaine forme. *Manière dont la Terre s'est formée, dont les êtres se sont formés. Les sentiments qui se forment en nous.* **2.** Prendre une certaine forme. *L'armée se forma en carré, en ordre de bataille.* **3.** S'instruire, se cultiver, apprendre son métier. *Elle s'est formée sur le tas.* ▶ **formé, ée** adj. **1.** Part. passé de *former,* de *se former.* **2.** (Jeune fille) Qui a ses règles. ⇒ **pubère.**

formica [fɔʀmika] n. m. ■ (Marque déposée) Revêtement synthétique, papier imprégné d'une résine dure, utilisé en ameublement. *Une table en formica.*

formidable [fɔʀmidabl] adj. **1.** Vx. Qui inspire une grande crainte. ⇒ **effrayant, redoutable. 2.** Dont la taille, la force, la puissance est très grande. ⇒ **énorme, extraordinaire.** *Des effectifs formidables, un nombre formidable.* **3.** Fam. Excellent. ⇒ **sensationnel.** *Un livre, un film formidable. J'ai une idée formidable !* ▶ **formidablement** adv. ■ Énormément. — Fam. Terriblement. ⇒ **très.**

formique [fɔʀmik] adj. ■ *Acide formique,* liquide incolore, piquant et corrosif. *Aldéhyde formique,* antiseptique. ▶ **formol** n. m. ■ Solution bactéricide (d'aldéhyde *formique*). *Vipère conservée dans le formol.*

formule [fɔʀmyl] n. f. **I. 1.** En religion, en magie. Paroles rituelles qui doivent être prononcées dans certaines circonstances, pour obtenir un résultat. *Formule incantatoire (« Abracadabra ») ; formule magique (« Sésame, ouvre-toi ! »).* **2.** Expression consacrée dont la coutume, l'usage commande l'emploi dans certaines circonstances. *Formules de politesse.* ⇒ **condoléances, félicitations. II. 1.** Dans les sciences. Expression concise, souvent symbolique, définissant une relation ou une opération. H_2O, *formule moléculaire de l'eau. Formule algébrique, géométrique.* **2.** Solution type (d'un problème), manière de procéder. *Il a trouvé une bonne formule.* ⇒ **méthode, procédé.** *Formule de paiement.* ⇒ **mode.** — *Une nouvelle formule de spectacle, de restaurant.* **3.** Expression lapidaire, nette et frappante, d'une idée ou d'un ensemble d'idées. ⇒ **aphorisme, proverbe, slogan. 4.** Feuille de papier imprimée contenant quelques indications et destinée à recevoir un texte court. *Remplir une formule de télégramme.* ⇒ **feuille, formulaire.** ▶ **formuler** v. tr. · conjug. 1. **1.** Énoncer avec la précision, la netteté d'une formule. ⇒ **exposer, exprimer.** *Formuler une réclamation. Formuler une plainte (en justice).* ⇒ **déposer. 2.** Exprimer par des mots. ⇒ **émettre.** *Formuler un souhait, des vœux.* ⇒ **former.** ▶ **formulaire** n. m. **1.** Recueil de formules. *Le formulaire des pharmaciens.* **2.** Formule où sont imprimées des questions en face desquelles la personne intéressée doit inscrire ses réponses. ⇒ **questionnaire.** ▶ **formulation** n. f. **1.** Action d'exposer avec précision ; manière dont qqch. est formulé. **2.** Action de mettre en formule (II). ⟨ ▶ *informulé* ⟩

fors [fɔʀ] prép. ■ Vx. Excepté, sauf. « *Tout est perdu, fors l'honneur* » (mot attribué à François Ier, fait prisonnier par Charles Quint à la bataille de Pavie).

① **fort, forte** [fɔʀ, fɔʀt] adj. **I. 1.** (Personnes) Qui a de la force physique. ⇒ **robuste, vigoureux.** / contr. **faible, fragile** / *Un homme grand et fort. Être fort comme un Turc, comme un bœuf,* très fort. *Recourir à la manière forte,* à la contrainte, à la violence. ⇒ ① **force** (V). **2.** Considérable par les dimensions. ⇒ **grand, gros.** / contr. **mince ; fluet** / — (Surtout femmes) Euphémisme pour *gros. Femme forte, un peu forte.* ⇒ **corpulent** (II, 3). **3.** Qui a une grande force intellectuelle, de grandes connaissances (dans un domaine). ⇒ **bon, capable, doué, féru, habile.** / contr. **faible, nul** / *Être fort sur une question. Être fort à un exercice, un jeu,* savoir très bien le pratiquer. — Fam. (Choses) ⇒ **intelligent.** *J'ai lu sa dernière critique, ce n'est pas très fort !* **II. 1.** (Choses) Qui résiste. ⇒ **résistant, solide.** *Papier fort.* ⇒ **épais.** *Fil, ruban fort. Colle forte, extra-forte.* **2.** Fortifié. *Une place forte. Un château fort.* ⇒ ⑤ **fort. 3.** (Sur le plan moral) Qui est capable de résister au monde extérieur ou à soi-même. ⇒ **courageux, énergique, ferme.** *Une forte femme. Être fort dans l'adversité, l'épreuve. Un esprit fort,* incrédule. **III. 1.** (Mouvement, effort physique) Intense. *Coup très fort.* ⇒ **énergique, violent.** / contr. **faible** / *Forte poussée.* — (Avant le nom) Qui dépasse la normale. *De fortes chutes de neige.* ⇒ **abondant.** *Une forte fièvre. Payer une forte somme.* ⇒ **gros.** *Il a de fortes chances. Avoir affaire à forte partie.* **2.** Dont l'intensité a une grande action sur les sens. / contr. **doux** / *Voix forte. Lumière forte. Des odeurs fortes. Moutarde forte,* à saveur forte. *Cigarettes fortes. Café, thé fort.* **3.** Abstrait. ⇒ **grand, intense.** / contr. **faible** / *Douleur trop forte. Faire une forte impression sur qqn.* **4.** Difficile à croire ou à supporter par son caractère excessif. *La plaisanterie est un peu forte.* ⇒ **exagéré, poussé.** *Ça c'est fort, c'est un peu fort !* ⇒ **inouï.** *Le plus fort, c'est que…* ⇒ **extraordinaire. 5.** (Personnes) Qui a un grand pouvoir d'action, de l'influence. ⇒ **influent, puissant** (souv. opposé à *faible*). *Il est fort parce qu'il est riche.* — ÊTRE FORT DE : puiser sa force, sa confiance, son assurance dans. SE FAIRE FORT DE (*fort* invar.) : se déclarer assez fort pour faire telle chose, obtenir tel résultat. ⇒ **se targuer, se vanter.** *Elle s'est fait fort de réussir.* **6.** Qui a la force (II) ou n'hésite pas à employer la contrainte ⇒ ① **force** (V). *Gouvernement*

fort. *L'homme fort d'un régime. Une armée forte.*
7. Qui agit efficacement, produit des effets importants (qualités morales ou intellectuelles). *Sentiment, préjugé plus fort que la raison. C'est plus fort que moi,* se dit d'une habitude, d'un désir, etc., auquel on ne peut résister. ‹ ►eau-forte, coffre-fort, conforter, extra-fort, forcir, fortement, fortiche, ① fortifier, main-forte, raifort, réconforter ›

② *fort* [fɔʀ] adv. **I. 1.** Avec de la force physique, en fournissant un gros effort. ⇒ **fortement.** *Frapper fort.* ⇒ **dur, vigoureusement.** *Serrer très fort. Respirez fort !* **2.** Avec une grande intensité. *Le vent souffle fort. Parler, crier fort.* — Y ALLER FORT : exagérer. **II.** (Rare dans la langue parlée) Adv. de quantité. (Avec un verbe) ⇒ **beaucoup.** *Cet homme me déplaît fort. J'en doute fort. Il aura fort à faire* [fɔʀafɛʀ] *pour vous convaincre.* — (Devant un adj. ou un adv.) ⇒ **très.** *Un homme fort occupé. Je le sais fort bien.* ‹ ► forte, fortissimo ›

③ *fort* n. m. **1.** *Les forts des Halles,* les employés de la Halle de Paris qui manipulaient et livraient les marchandises. **2.** Personne qui a la force, la puissance (matérielle). ⇒ **puissant.** *Protéger le faible contre le fort.* **3.** Personne qui a de la force morale.

④ *fort* n. m. **1.** (Après un poss.) Ce en quoi qqn est fort, excelle. *C'est son fort.* — Surtout négatif. *La générosité n'est pas son fort.* **2.** AU FORT DE *l'été, de l'hiver.* ⇒ **cœur, milieu.**

⑤ *fort* n. m. ■ Ouvrage (①château fort, place forte) destiné à protéger un lieu stratégique, une ville. ⇒ **forteresse, fortin.**

forte [fɔʀte] adv. ■ En musique. Fort. *Jouer forte.* / contr. **piano** / ‹ ►fortissimo ›

fortement [fɔʀtəmɑ̃] adv. **1.** Avec force. *Serrer fortement.* ⇒ **fort ; vigoureusement.** *Cela tient fortement au mur.* ⇒ **solidement.** — *Désirer, espérer fortement.* ⇒ **intensément, profondément. 2.** Très. *Il a été fortement intéressé par votre projet.*

forteresse [fɔʀtəʀɛs] n. f. **1.** Lieu fortifié pour défendre un territoire, une ville. ⇒ **citadelle, ⑤ fort.** *Forteresse imprenable.* **2.** FORTERESSE VOLANTE : bombardier lourd américain mis en service au cours de la Seconde Guerre mondiale.

① *fortifier* [fɔʀtifje] v. tr. ■ conjug. 7. **1.** Rendre fort, vigoureux ; donner plus de force à. / contr. **affaiblir** / *L'exercice fortifie le corps. Nourriture, remède qui fortifie.* ⇒ **soutenir. 2.** Abstrait. *Fortifier son âme, sa volonté. Le temps fortifie l'amitié.* ⇒ **augmenter, renforcer.** ► *fortifiant, ante* adj. et n. m. ■ (Aliments, boissons) Qui fortifie. ⇒ **reconstituant, tonique ;** fam. **remontant.** *Une nourriture fortifiante.* — N. m. Aliment, médicament qui fortifie.

② *fortifier* v. tr. ■ conjug. 7. ■ Munir d'ouvrages de défense. — Au p. p. adj. *Ville fortifiée.* ► *fortification* n. f. ■ Souvent au plur. Ouvrages fortifiés destinés à la défense d'une position, d'une place. ⇒ **bastion, casemate, citadelle, enceinte, ⑤ fort, forteresse, fortin.** — *Les anciennes fortifications de Paris, qui furent longtemps un terrain vague mal famé. Abrév.* fam. *Les fortifs.*

fortin [fɔʀtɛ̃] n. m. ■ Petit fort ⑤.

a fortiori ⇒ a fortiori.

fortissimo [fɔʀtisimo] adv. ■ En musique. Très fort. ⇒ **forte.**

fortran [fɔʀtʀɑ̃] n. m. ■ Informatique. Langage adapté aux calculatrices électroniques pour la programmation du calcul scientifique. ⇒ **basic, cobol.**

fortuit, uite [fɔʀtɥi, ɥit] adj. ■ Qui arrive par hasard, d'une manière imprévue. ⇒ **accidentel.**

/ contr. **nécessaire /** *Une rencontre fortuite.* ► *fortuitement* adv.

fortune [fɔʀtyn] n. f. **I. 1.** *Une fortune,* ensemble des biens, des richesses. ⇒ **argent, capital, richesse.** *Les biens qui composent sa fortune. Situation de fortune,* situation financière. *Il n'a aucune fortune personnelle. Ça coûte une fortune !* **2.** *La fortune,* ensemble de biens d'une valeur considérable. *Avoir, posséder de la fortune. Le pétrole est la seule fortune de ce pays.* — FAIRE FORTUNE : s'enrichir. **II. 1.** Littér. Puissance qui est censée distribuer le bonheur et le malheur sans règle apparente. ⇒ **hasard, sort.** *Les caprices de la fortune.* — PROV. *La fortune sourit aux audacieux. La fortune vient en dormant.* **2.** (Dans des expressions) Événement ou suite d'événements considérés dans ce qu'ils ont d'heureux ou de malheureux. ⇒ **chance.** *Avoir la bonne, l'heureuse fortune de. Mauvaise fortune,* infortune, malheur. *Chercher, tenter fortune. Revers de fortune.* — DE FORTUNE : improvisé pour parer au plus pressé. *Une installation, des moyens de fortune.* ► *fortuné, ée* adj. **1.** Vx. Heureux. **2.** Qui a de la fortune. ⇒ **aisé, riche.** ‹ ► infortune ›

forum [fɔʀɔm] n. m. **1.** Dans l'Antiquité romaine. Place où se tenaient les assemblées du peuple et où se discutaient les affaires publiques (comme l'*agora* des Grecs). **2.** Réunion-débat. ⇒ **colloque.** *Des forums.*

fosse [fos] n. f. **1.** Trou creusé dans le sol et aménagé. ⇒ **excavation, fossé.** — *Fosse septique,* destinée à recevoir les matières fécales. — *Fosse aux lions. Fosse d'orchestre.* **2.** Trou creusé en terre pour l'inhumation des morts. ⇒ **tombe.** *Ensevelir, enterrer qqn dans une fosse* (⇒ **fossoyeur**)*. Fosse commune,* où sont déposés ensemble plusieurs cadavres ou cercueils. **3.** Cavité naturelle. *Fosses nasales.* — *Fosse géologique,* vaste dépression. ► *fossé* n. m. **1.** Fossé creusé en long dans le sol. ⇒ **tranchée.** *Fossé formant la clôture d'un champ. La voiture est tombée dans le fossé.* **2.** Abstrait. Cassure, coupure. *Le fossé s'est élargi entre eux.* ⇒ **abîme.** ► *fossette* n. f. ■ Petit creux dans une partie charnue (joues, menton, etc.). ‹ ► cul-de-basse-fosse, fossoyeur ›

fossile [fosil] adj. et n. m. **1.** Se dit des débris ou des empreintes des végétaux et animaux conservés dans les dépôts sédimentaires et qui ne sont en général plus représentés par des spécimens vivants. *Plantes, végétaux fossiles.* — N. m. UN FOSSILE. *Science, étude des fossiles.* ⇒ **paléontologie. 2.** N. m. Fam. Personne démodée, vieux jeu. *C'est un vieux fossile.* ► *fossiliser* v. tr. ■ conjug. 1. ■ Rendre fossile : amener à l'état de fossile. — Pronominalement. Devenir fossile (1). ► *fossilisation* n. f. ■ Fait de se fossiliser.

fossoyeur [foswajœʀ] n. m. **1.** Personne qui creuse les fosses dans un cimetière. **2.** Littér. Personne qui anéantit, ruine qqch. ⇒ **démolisseur.** *Les fossoyeurs d'une civilisation, d'une doctrine.*

① *fou* (ou *fol*), *folle* [fu, fɔl] n. et adj. **I.** N. **1.** Personne atteinte de troubles, de désordres mentaux. ⇒ **aliéné, dément.** — REM. Comme *folie,* ne s'emploie plus en psychiatrie. *Au fou ! Fou furieux.* MAISON DE FOUS : vx, asile ; par exagér. lieu dont les habitants agissent bizarrement et font régner le désordre. — HISTOIRE DE FOUS (fam.) : anecdote comique dont les personnages sont des aliénés. *C'est une véritable histoire de fous que vous me racontez là !,* une histoire invraisemblable. **2.** Personne qui, sans être atteinte de troubles mentaux, se comporte d'une manière déraisonnable, extravagante. *Un jeune fou. Une vieille folle.* — *Un fou du volant,* un conducteur dangereux. **3.** Personne d'une gaieté vive et exubérante. *Les enfants ont fait les fous toute la journée.* PROV. *Plus on est de fous, plus on rit,* plus on est nombreux, plus on s'amuse. **II.** Adj. (*Fol* devant un nom sing. commençant par une voyelle ou un *h* aspiré : *fol espoir*, *fol hasard* ; ou par archaïsme, par plaisant.) **1.** Atteint de désordres, de troubles mentaux. / contr. **équilibré, sensé** / *Il est devenu fou et on a dû l'enfermer.* **2.** Qui est hors de soi. *Sa lenteur me rend fou*, m'énerve, m'impatiente. *Fou de joie, de colère.* **3.** FOU DE : qui a un goût extrême pour. ⇒ **amoureux, passionné.** *Elle est folle de lui. Être fou de musique, de Mozart.* ⇒ **fanatique. 4.** Qui agit, se comporte d'une façon peu sensée, anormale. ⇒ **anormal, bizarre, dérangé, détraqué, malade.** *L'automobiliste fou a fauché trois passants. Il est fou à lier. Il faut être fou pour dire cela. Il n'est pas fou* (fam.), il est malin, habile. — Qui dénote la folie, la bizarrerie. *Regard fou.* ⇒ **hagard.** *Fou rire*, rire que l'on ne peut réprimer. — (Choses, notions abstraites) Contraire à la raison, à la sagesse. ⇒ **absurde, déraisonnable.** *Idée folle. Folle idée, passion. L'amour fou.* **5.** (Après le nom) Dont le mouvement est irrégulier, imprévisible, incontrôlable. *Camion fou.* Fam. ⇒ **emballé.** *Roue, poulie folle*, qui tourne à vide. Fam. *Patte folle*, jambe qui boite. — *Herbes folles. Mèches folles.* **6.** (Après le nom) ⇒ **énorme, immense, prodigieux.** *Il y avait un monde fou à cette réception. Un succès fou. Dépenser un argent fou.* ‹ ▶**affoler, folasse, folâtre, folichon, folie, follement, follet, foufou, garde-fou, raffoler, tout-fou** ›

② *fou* n. m. **1.** Anciennt. Bouffon (d'un roi, d'un haut personnage). *Des fous.* **2.** Pièce du jeu d'échecs qui circule en diagonale.

③ *fou* n. m. ■ Oiseau marin palmipède plongeur. *Fou de Bassan.*

fouace [fwas] ou *fougasse* [fugas] n. f. ■ Région. Galette cuite.

fouailler [fwaje] v. tr. ▪ conjug. 1. ■ Littér. Frapper de coups de fouet répétés. ⇒ **battre, fouetter.** ≠ *fouiller.*

① *foudre* [fudʀ] n. m. ■ Loc. (souvent iron.) *Un* FOUDRE DE GUERRE : un grand capitaine.

② *foudre* n. m. ■ Grand tonneau (de 5 à 30 m³). ⇒ **futaille.** *Un foudre de vin.*

③ *foudre* n. f. **1.** Décharge électrique qui se produit par temps d'orage entre deux nuages ou entre un nuage et le sol avec une lumière et une détonation (⇒ **éclair, tonnerre**). *La foudre éclate, tombe. Arbres frappés par la foudre.* **2.** COUP DE FOUDRE : manifestation subite de l'amour dès la première rencontre. **3.** Au plur. FOUDRES : condamnation, reproches. *Elle s'est attiré les foudres de son père.* ▶**foudroyer** [fudʀwaje] v. tr. ▪ conjug. 8. **1.** Frapper, tuer par la foudre, par une décharge électrique. *Il a été foudroyé par le courant à haute tension.* ⇒ **électrocuter. 2.** Tuer, anéantir avec soudaineté. *Une crise cardiaque l'a foudroyé.* — Par exagér. *Foudroyer qqn du regard.* ▶**foudroyant, ante** adj. ■ Qui a la rapidité, la violence de la foudre. *Mort foudroyante. Succès foudroyant.* ⇒ **fulgurant.**

fouet [fwɛ] n. m. **I. 1.** Instrument formé d'une lanière de cuir ou d'une cordelette au bout d'un manche. ⇒ **chat** (II) à neuf queues, **cravache, knout,** ② **martinet.** *Donner des coups de fouet.* ⇒ **fouetter. 2.** COUP DE FOUET : excitation, impulsion vigoureuse. *Médicament qui donne un coup de fouet à l'organisme.* **3.** DE PLEIN FOUET : de face et violemment. *Les deux voitures se sont heurtées de plein fouet.* **II.** Appareil servant à battre les sauces, les blancs d'œufs, etc. *Fouet électrique.* ⇒ **batteur.** ▶**fouetter** ▪ conjug. 1. **I.** V. tr. **1.** Frapper avec un fouet. ⇒ **flageller, fouailler.** *Être fouetté jusqu'au sang.* — Loc. *Avoir d'autres chats à fouetter*, autre chose à faire. **2.** Frapper comme avec

un fouet. *La pluie lui fouettait le visage.* **3.** Battre vivement, rapidement. — Au p. p. adj. *Crème fouettée.* **4.** Donner un coup de fouet à ; stimuler. *Ce premier succès fouetta son ambition.* ⇒ **allumer, exciter. II.** V. intr. **1.** Frapper, cingler comme le fait un fouet. *La pluie fouette contre les volets.* — (Pièce mécanique) *Tourner à vide.* **2.** Vulg. Sentir mauvais. *Ça fouette ici !* ⇒ **puer.** ▶**fouettard, arde** adj. ■ PÈRE FOUETTARD : personnage dont on menace les enfants. ⇒ **croque-mitaine.**

foufou [fufu], *fofolle* [fɔfɔl] adj. ■ Un peu fou, folle, léger et folâtre. ⇒ **fou.** *Ils sont un peu foufous.*

fougasse ⇒ **fouace.**

fougère [fuʒɛʀ] n. f. ■ Plante à tige rampante souterraine, à feuilles de taille élevée, très découpées et souvent enroulées en crosse au début du développement.

fougue [fug] n. f. ■ Ardeur impétueuse. ⇒ **élan, emportement, enthousiasme, transport.** *Il a agi avec la fougue de la jeunesse. La fougue d'un orateur.* ⇒ **verve.** / contr. **calme ; froideur** / ▶**fougueux, euse** adj. ■ *Cheval fougueux. Jeunesse fougueuse.* ▶**fougueusement** adv. ■ *Attaquer fougueusement.*

fouiller [fuje] v. ▪ conjug. 1. **I.** V. tr. **1.** Creuser (un sol, un emplacement) pour mettre à découvert ce qui peut être enfoui. *Fouiller un terrain riche en vestiges gallo-romains.* ≠ *fouailler.* **2.** Explorer avec soin en tous sens. *Douanier qui fouille des bagages.* ⇒ **examiner, visiter.** *Fouiller ses poches.* — *Fouiller qqn*, chercher soigneusement ce qu'il peut cacher dans ses vêtements, sur son corps. *Fouiller un voleur.* **3.** Travailler les détails de, aller en profondeur. *Fouiller une description.* — Au p. p. adj. *Étude très fouillée.* **II.** V. intr. **1.** Faire un creux dans le sol. *Animaux qui fouillent pour trouver leur nourriture.* ⇒ **fouir. 2.** Faire des recherches, en déplaçant tout ce qui peut cacher la chose que l'on cherche. ⇒ **chercher ;** fam. **farfouiller, fouiner.** *Fouiller dans ses poches*, en explorer le contenu. — *Fouiller dans le passé, dans ses souvenirs*, afin de retrouver ce qui était perdu, oublié. **III.** SE FOUILLER v. pron. Fam. *Il peut se fouiller !*, il ne doit pas compter, espérer obtenir ce qu'il désire. *Tu peux toujours te fouiller !* ⇒ **attendre.** ▶**fouille** [fuj] n. f. **1.** Excavation pratiquée dans la terre pour mettre à découvert et étudier les ruines ensevelies de civilisations disparues. Surtout au plur. *L'archéologue qui dirige les fouilles. Faire des fouilles.* **2.** Excavation faite dans la terre (pour les constructions, travaux publics, etc.). **3.** Action d'explorer, en vue de découvrir qqch. de caché. *Les malfaiteurs appréhendés ont été soumis à une fouille en règle, au corps. Fouille des bagages en douane.* ⇒ **visite.** ▶**fouillis** [fuji] n. m. invar. ■ Fam. Entassement d'objets disparates réunis pêle-mêle. ⇒ **désordre, pagaïe.** *Quel fouillis ! Sa chambre est en fouillis.* ‹ ▶**farfouiller, trifouiller** ›

fouine [fwin] n. f. ■ Petit animal du genre des martres, mammifère carnivore à corps mince et museau allongé. *La fouine saigne les volailles.* ▶**fouiner** v. intr. ▪ conjug. 1. ■ Fam. Fouiller indiscrètement dans les affaires des autres. ⇒ **fureter.** *Il n'aime pas qu'on vienne fouiner dans ses affaires.* ▶**fouineur, euse** adj. et n. ■ Qui cherche indiscrètement, fouine partout. ⇒ **curieux, fureteur.** *Il a l'air fouineur et soupçonneux.*

fouir [fwiʀ] v. tr. ▪ conjug. 2. ■ (Surtout en parlant des animaux) Creuser (la terre, le sol). ⇒ **fouiller.** ▶**fouisseur, euse** n. m. et adj. ■ (Animaux) Qui creuse le sol avec une grande facilité. *La taupe est un animal fouisseur.*

foulage [fulaʒ] n. m. ■ Action de fouler (le raisin, le drap).

foulant, ante [fulɑ̃, ɑ̃t] adj. **I.** Qui élève le niveau d'un liquide par pression. *Pompe aspirante et foulante.* **II.** Fam. Fatigant. ⇒ fam. se **fouler**. Surtout négatif. *Ce n'est pas un travail bien foulant.*

foulard [fulaʀ] n. m. **1.** Écharpe de soie, de coton. **2.** Coiffure faite d'un mouchoir noué autour de la tête. ⇒ **carré**. *Les Antillaises portent des foulards aux couleurs vives.* ⇒ **madras**.

foule [ful] n. f. **1.** Multitude de personnes rassemblées en un lieu. ⇒ **affluence, monde**. *Se mêler à la foule. Foule grouillante.* ⇒ **cohue**. *Il y a foule,* il y a beaucoup de monde, d'affluence. **2.** LA FOULE : le commun des hommes (opposé à *élite*). ⇒ **masse, multitude**. **3.** UNE FOULE DE : grand nombre de personnes ou de choses de même catégorie. *Une foule de clients, de visiteurs est venue aujourd'hui* (totalité considérée collectivement : verbe au sing.). *Une foule de gens pensent que c'est faux* (pluralité dont les éléments sont considérés individuellement : verbe au plur.). **4.** EN FOULE : en masse, en grand nombre. *Le public est venu en foule.*

foulée [fule] n. f. **1.** Appui que le cheval prend sur le sol à chaque temps de sa course ; mouvement effectué à chaque temps de galop (pour le trot, on dit *battue*). **2.** Enjambée de l'athlète en course. *Ce coureur a une magnifique foulée. — Suivre un adversaire dans sa foulée,* de près.

① **fouler** [fule] v. tr. ▪ conjug. 1. **1.** Presser (qqch.) en appuyant à plusieurs reprises, avec les mains, les pieds, un outil. *Fouler des cuirs, du drap.* **2.** Littér. Presser (le sol) en marchant dessus. *Fouler le sol de la patrie.* — FOULER AUX PIEDS : marcher avec violence, colère ou mépris sur (qqn, qqch.). ⇒ **piétiner**. — Abstrait. Traiter avec le plus grand mépris. ⇒ **bafouer**. *Fouler aux pieds les convenances.* ▶ **foulon** n. m. **1.** TERRE À FOULON : argile servant au dégraissage du drap destiné au foulage. **2.** Machine servant au foulage (des étoffes de laine, des cuirs). ‹ ▶ défouler, foulage, foulant (I), foulée, refouler ›

② **se fouler** v. pron. ▪ conjug. 1. **1.** Faux pron. *Se fouler la cheville, le pied...,* se donner une foulure. *Elle s'est foulé la cheville.* — Fam. *Se fouler la rate,* se donner du mal, de la peine. **2.** Fam. *Ne pas se fouler,* ne pas se fatiguer. *Il a fait ça sans se fouler.* ▶ **foulure** n. f. ▪ Légère entorse. *Foulure du poignet.* ‹ ▶ foulant (II) ›

foulque [fulk] n. f. ▪ Oiseau échassier au plumage noir, voisin de la poule d'eau.

① **four** [fuʀ] n. m. **1.** Ouvrage de maçonnerie généralement voûté, muni d'une ouverture par-devant, et où l'on fait cuire la pâtisserie, etc. *Four de boulanger.* ⇒ **fournil**. *Mettre au four,* enfourner. — Loc. *Ouvrir la bouche comme un four.* — *Il fait noir comme dans un four.* **2.** Partie fermée d'une cuisinière, élément séparé où l'on peut mettre les aliments pour les faire cuire. *Rôti cuit au four. — Four à micro-ondes.* **3.** Ouvrage ou appareil dans lequel on fait subir à diverses matières, sous l'effet d'une chaleur intense, les transformations physiques ou chimiques. ⇒ **fourneau**. ‹ ▶ cul-de-four, fournaise, fourneau, fournée, fournil ›

② **four** n. m. ▪ (Spectacle, réunion, manifestation artistique) Échec, insuccès. *La représentation a été un four complet.* / contr. **tabac** /

③ **four** ⇒ petit four.

fourbe [fuʀb] adj. et n. ▪ Qui trompe ou agit mal en se cachant, en feignant l'honnêteté. ⇒ **faux, hypocrite, perfide, sournois**. *Il est fourbe et menteur.* / contr. **franc, honnête, loyal** / *Un air fourbe.* — N. *C'est un, une fourbe.* ▶ **fourberie** n. f. **1.** Caractère du fourbe. ⇒ **duplicité, fausseté, hypocrisie**. **2.** Littér. *Une fourberie,* tromperie hypocrite. ⇒ **ruse, trahison**.

fourbi [fuʀbi] n. m. Fam. **1.** Toutes les armes, tous les objets que possède un soldat. ⇒ **attirail, barda**. **2.** Les affaires, les effets que possède qqn ; choses en désordre. *On ne s'y reconnaît pas, dans ce fourbi !* **3.** Tout objet dont on ne peut dire le nom. ⇒ **bidule, chose, machin, truc**.

fourbir [fuʀbiʀ] v. tr. ▪ conjug. 2. ▪ Nettoyer (un objet de métal) de façon à le rendre brillant. ⇒ **astiquer**. — Fig. Littér. *Fourbir ses armes,* s'armer, se préparer à la guerre, à un combat

fourbu, ue [fuʀby] adj. **1.** *Cheval, animal fourbu,* épuisé de fatigue. **2.** (Personnes) Qui est harassé, très fatigué. ⇒ **éreinté, moulu, rompu**.

fourche [fuʀʃ] n. f. **I.** Instrument à main, formé d'un long manche muni de deux dents ou plus, qui sert en agriculture. **II.** Disposition en forme de fourche ; partie présentant cette position. *Fourche d'un arbre,* endroit où les grosses branches se séparent du tronc. *Fourche de bicyclette, de motocyclette,* partie du cadre où est fixée la roue. ▶ **fourcher** v. intr. ▪ conjug. 1. ▪ Loc. *La langue lui a fourché,* il a prononcé un mot au lieu d'un autre, par méprise. ▶ **fourchette** n. f. **I. 1.** Ustensile de table (d'abord à deux, puis à trois, quatre dents), dont on se sert pour piquer les aliments et les porter à la bouche. *La fourchette et le couteau.* ⇒ **couvert**. *Fourchette à dessert, à poisson, à huîtres.* — Loc. *Avoir un bon coup de fourchette,* être gros mangeur. **2.** Pièce ou organe en forme de fourchette (pièce du changement de vitesse ; soudure des deux clavicules de l'oiseau, etc.). **II. 1.** Loc. *Prendre son adversaire en fourchette,* avoir deux cartes, l'une supérieure, l'autre inférieure à celle d'un adversaire. **2.** Écart entre deux valeurs extrêmes. ▶ **fourchu, ue** adj. ▪ Qui a la forme, l'aspect d'une fourche ; qui fait une fourche. *Chemin fourchu. Arbre fourchu.* ‹ ▶ à califourchon, carrefour, enfourcher ›

① **fourgon** [fuʀgɔ̃] n. m. ▪ Fer servant à attiser le feu. ▶ **fourgonner** v. intr. ▪ conjug. 1. **1.** Vx. Remuer la braise du four, le combustible d'un feu avec un fourgon. ⇒ **tisonner**. **2.** Fouiller (dans qqch.) en dérangeant tout. ⇒ **fouiller, fourrager**.

② **fourgon** n. m. **1.** Long véhicule couvert pour le transport de bagages, de meubles, d'animaux. **2.** Dans un train de voyageurs. Wagon servant au transport des bagages. *Fourgon de tête, de queue.* — *Fourgon à bestiaux.* ▶ **fourgonnette** n. f. ▪ Petite camionnette.

fourguer [fuʀge] v. tr. ▪ conjug. 1. ▪ Fam. Vendre, placer (une mauvaise marchandise). ⇒ **refiler**. *Il nous a fourgué du pain rassis.*

fourme [fuʀm] n. f. ▪ Fromage de lait de vache à pâte ferme, chauffée et pressée. *Fourme du Cantal* ⇒ **cantal**, *d'Ambert.*

fourmi [fuʀmi] n. f. **1.** Petit insecte hyménoptère qui vit en colonies nombreuses dans des fourmilières. *Fourmi noire, rouge. Fourmis ailées.* **2.** *Avoir des fourmis dans les membres,* y éprouver une sensation de picotement. **3.** (Symbole de petitesse) *D'avion, on voyait les gens comme des fourmis.* — (Allusion au travail anonyme et obstiné des fourmis) *C'est une fourmi,* une personne laborieuse, économe. ▶ **fourmilier** n. m. ▪ Tamanoir, animal à langue visqueuse qui se nourrit de termites. ▶ **fourmilière** n. f. **1.** Lieu où vivent en commun les fourmis. *Galeries, loges d'une fourmilière.* ⇒ **nid** de fourmis. **2.** Lieu où vit et s'agite une multitude de personnes. ⇒ **ruche**. *Cette ville est une véritable fourmilière.* ▶ **fourmi-lion** n. m. ▪ Insecte dont la larve se nourrit des fourmis qui tombent dans l'entonnoir qu'elle a creusé. *Des* *fourmis-lions.* ► **fourmiller** [fuʀmije] v. intr. ■ conjug. 1. **1.** S'agiter ou être en grand nombre (comme font les fourmis). ⇒ **pulluler.** *Les erreurs fourmillent dans ce texte. Les idées fourmillent dans sa tête.* — FOURMILLER DE : être rempli d'un grand nombre de. *Ce texte fourmille d'erreurs. Ce garçon fourmille d'idées.* **2.** Être le siège d'une sensation de picotement. ⇒ **démanger.** ► **fourmillant, ante** adj. ■ Qui s'agite, qui grouille. ⇒ **grouillant.** ► **fourmillement** n. m. **1.** Agitation désordonnée et continuelle d'une multitude d'êtres. ⇒ **grouillement, pullulement.** *Un fourmillement de vers. Un fourmillement d'idées.* **2.** Sensation comparable à celle que donnent des fourmis courant sur la peau. ⇒ **picotement.**

fournaise [fuʀnɛz] n. f. **1.** Grand four où brûle un feu violent. **2.** Endroit très chaud, surchauffé. *Cette chambre sous les toits est une fournaise en été et une glacière en hiver.*

fourneau [fuʀno] n. m. **I. 1.** Sorte de four dans lequel on soumet à un feu violent certaines substances à fondre, à calciner. *Fourneau à bois, à charbon.* — HAUT FOURNEAU : grand four à cuve destiné à fondre le minerai de fer et dans lequel le coke est en contact avec le minerai. *Des hauts fourneaux.* **2.** Petite cuisinière à bois, à charbon ou à gaz. *Les foyers, le four d'un fourneau. Fourneau de cuisine.* — Au plur. *Le chef est à ses fourneaux,* fait la cuisine. **II.** Partie évasée d'une pipe où brûle le tabac.

fournée [fuʀne] n. f. **1.** Quantité de pain que l'on fait cuire à la fois dans un four. *Le boulanger fait deux fournées par jour.* **2.** Fam. Ensemble de personnes nommées à la fois aux mêmes fonctions ou dignités ; groupe de personnes qui accomplissent ou subissent qqch. en même temps.

fournil [fuʀni] n. m. ■ Local où est placé le four* du boulanger et où l'on peut pétrir la pâte.

fournir [fuʀniʀ] v. tr. ■ conjug. 2. **I.** V. tr. dir. **1.** Pourvoir de ce qui est nécessaire. ⇒ **alimenter, approvisionner.** *Fournir qqn de, en qqch. C'est ce marchand qui nous fournit en produits d'entretien.* ⇒ **fournisseur.** — Sans compl. indir. *Fournir une famille, une cantine.* — Pronominalement. *Se fournir chez un marchand.* ⇒ se **ravitailler,** se **servir. 2.** *Fournir qqch. à qqn,* faire avoir (qqch. à qqn). *Il m'a fourni des renseignements. Je vous en fournirai les moyens. Cela me fournira l'occasion, le prétexte que je cherchais.* — (Entreprises économiques, commerciales, financières) *Ce magasin nous fournit tous les produits d'épicerie.* ⇒ **livrer, vendre.** *Fournir des armes, des vivres à une armée.* **3.** Produire. *Ce vignoble fournit un vin estimé.* — *Il a dû fournir un effort considérable.* ⇒ **faire. II.** V. tr. ind. FOURNIR À : contribuer, en tout ou en partie, à. ⇒ **participer.** *Fournir à la dépense, à l'entretien de.* ► **fourni, ie** adj. **1.** Approvisionné, pourvu, rempli. *Une table bien fournie. Cette librairie est vraiment bien fournie.* **2.** Où la matière abonde. *Une barbe, une chevelure fournie.* ⇒ **dru, épais.** ► **fourniment** n. m. ■ Ensemble des objets composant l'équipement du soldat, d'une profession, etc. ⇒ **fourbi.** *Il a apporté tout son fourniment.* ⇒ **matériel.** ► **fournisseur** n. m. ■ Personne qui fournit des marchandises à un client, à un marchand. *Changer de fournisseur.* ► **fourniture** n. f. **1.** Action de fournir. *Être chargé de la fourniture des vivres.* ⇒ **approvisionnement. 2.** Ce qu'on fournit, ce qu'on livre (généralement au plur.). ⇒ **provision.** *On trouve dans cette librairie toutes les fournitures scolaires.*

fourrage [fuʀaʒ] n. m. ■ Plantes servant à la nourriture du bétail. *Fourrage vert,* brouté sur place ou coupé pour être mangé à l'étable ; *fourrage sec,* récolté et séché. ► ① *fourrager, ère* adj. ■ Surtout au fém. Qui fournit du fourrage. *Betterave fourragère.*

► ① *fourragère* n. f. **1.** Champ consacré à la production du fourrage. *Fourragère de luzerne.* **2.** Charrette servant au transport du fourrage.

② *fourrager* [fuʀaʒe] v. ■ conjug. 3. **I.** V. intr. Chercher en remuant, en mettant du désordre. ⇒ **fouiller, fourgonner.** *Fourrager dans un tiroir, dans des papiers.* **II.** V. tr. Mettre en désordre en manipulant. *Fourrager des papiers.*

② *fourragère* n. f. ■ Ornement de l'uniforme militaire ou insigne formé d'une tresse agrafée à l'épaule. *La fourragère d'un régiment.*

① *fourré* [fuʀe] n. m. ■ Massif épais et touffu de végétaux de taille moyenne, d'arbustes à branches basses. *Les fourrés d'un bois.* ⇒ **buisson, taillis.**

② *fourré, ée* [fuʀe] adj. ■ COUP FOURRÉ : en escrime, coup tel que la personne qui attaque et touche est attaquée, touchée en même temps. — Abstrait. Fam. Attaque hypocrite, coup en traître. ⇒ **traîtrise.**

fourreau [fuʀo] n. m. **1.** Enveloppe allongée, destinée à recevoir une chose de même forme pour la préserver quand on ne s'en sert pas. ⇒ **étui, gaine.** *Des fourreaux d'épée. Fourreau de parapluie.* **2.** Robe de femme très moulante. — En appos. *Robe, jupe fourreau.*

fourrer [fuʀe] v. tr. ■ conjug. 1. **I. 1.** Doubler de fourrure. *Fourrer un manteau avec du lapin.* — Au p. p. adj. *Des bottes fourrées.* **2.** Garnir l'intérieur (d'une confiserie, d'une pâtisserie). — Au p. p. adj. *Gâteaux, bonbons, chocolats fourrés.* ⇒ **enrobé.** ≠ *farci.* **II. 1.** Faire entrer (dans une chose creuse). *Fourrer ses mains dans ses poches. Fourrer ses doigts dans son nez.* — Fam. *Il fourre son nez dans mes affaires,* il est indiscret. *Ils se sont fourré le doigt dans l'œil,* ils se sont trompés. **2.** Faire entrer brutalement ou sans ordre. ⇒ **enfourner.** *Fourrer des objets dans un sac ; fourrer une valise sous un meuble.* ⇒ **flanquer.** *On l'a fourré en prison.* ⇒ **mettre.** — *Fourrer qqch. dans la tête, le crâne de qqn* (soit pour le faire apprendre, soit pour le faire croire, accepter). **3.** Placer sans soin. *Je me demande où j'ai bien pu fourrer mes lunettes !* **III.** SE FOURRER v. pron. Fam. **1.** Se mettre, se placer (dans, sous qqch.). *Se fourrer sous les couvertures.* — Péj. *Il est tout le temps fourré chez nous.* **2.** Se fourrer dans une mauvaise affaire, dans un guêpier. ⇒ se **jeter.** ► **fourre-tout** n. m. invar. ■ Fam. Pièce. ⇒ **débarras.** Lieu où l'on met, fourre toutes sortes de choses. ‹ ► **fourrure** ›

fourrure [fuʀyʀ] n. f. **1.** Peau d'animal munie de son poil, préparée pour servir de vêtement, de doublure (⇒ **fourrer,** I, 1), d'ornement. ⇒ **pelleterie.** *Fourrure à long poil, à poil ras. Chasseur de fourrures.* ⇒ **trappeur.** *Manteau de fourrure.* **2.** Poil particulièrement beau, épais de certains animaux. ⇒ **pelage.** *La fourrure du chat angora.* ► **fourreur** n. ■ Personne qui confectionne et vend des vêtements de fourrure.

fourrier [fuʀje] n. m. ■ Sous-officier chargé du cantonnement des troupes, des distributions de vivres.

fourrière [fuʀjɛʀ] n. f. ■ Lieu de dépôt d'animaux, de voitures, saisis et retenus par la police jusqu'au paiement d'une amende. *Véhicule en stationnement interdit, que la police met en fourrière.*

fourvoyer [fuʀvwaje] v. tr. ■ conjug. 8. **1.** Mettre hors de la voie, détourner du bon chemin. ⇒ **égarer.** *Ce passant nous a fourvoyés.* — SE FOURVOYER v. pron. : se perdre. ⇒ se **perdre.** *Les mauvais exemples l'ont fourvoyé. Ici, le traducteur s'est fourvoyé.* ► **fourvoiement** [fuʀvwamɑ̃] n. m. ■ Littér. Le fait de s'égarer, de se tromper.

foutaise [futɛz] n. f. ■ Fam. Chose insignifiante, sans intérêt. *C'est de la foutaise !*

foutoir [futwaʀ] n. m. ■ Fam. et vulg. Grand désordre.

① ***foutre*** [futʀ] v. tr. (*je fous, nous foutons, je foutais ; je foutrai ; je foutrais ; que je foute, que nous foutions ; foutant, foutu ;* inusité aux passés simple et antérieur de l'indic., aux passé et plus-que-parfait du subj.). REM. Mot grossier, alors que ① *fiche* ou *ficher* est simplement familier. **1.** Vx. Posséder sexuellement. **2.** Faire. *Un paresseux qui ne fout rien de toute la journée. Qu'est-ce que ça peut me foutre ? J'en ai rien à foutre,* ça ne me concerne, ne m'intéresse pas. **3.** Donner. *Tais-toi, ou je te fous une baffe !* ⇒ **flanquer.** — Mettre. *Il a tout foutu par terre.* — Pronominalement (réfl.). *Elle s'est foutue par terre.* — *Foutre qqn à la porte. Foutre le camp,* s'en aller. *Ça la fout mal,* c'est fâcheux, regrettable. **4.** SE FOUTRE DE v. pron. : se moquer. *Il s'en fout complètement.* ▶ ***foutu, ue*** adj. **1.** (Avant le nom) Mauvais. *Il a un foutu caractère.* ⇒ **sacré, sale. 2.** (Après le nom) Perdu, ruiné ou condamné. *C'est un type foutu.* **3.** Dans tel ou tel état. *Bien, mal foutu. Être mal foutu,* fatigué. — Capable. *Il n'est pas foutu de réussir.* ▶ ② ***foutre*** interj. ■ Vulg. ⇒ **fichtre.** ‹ ▶ se contrefoutre, foutaise, foutoir, jean-foutre, je-m'en-foutisme ›

fox-terrier [fɔkstɛʀje] n. m., ou ***fox*** [fɔks] n. m. invar. ■ Chien terrier à poils lisses et durs, blancs avec des taches fauves ou noires. *Des fox-terriers.*

fox-trot [fɔkstʀɔt] n. m. invar. ■ Danse à quatre temps, d'allure saccadée. *Des fox-trot.*

① ***foyer*** [fwaje] n. m. **I. 1.** Espace ouvert aménagé dans une maison pour y faire du feu. ⇒ **âtre, cheminée. 2.** Le feu qui brûle dans cet espace. — *Foyer d'incendie,* brasier d'où se propage l'incendie. **3.** Partie fermée d'un appareil de chauffage où brûle le combustible. *Le foyer d'une chaudière.* **II. 1.** Point d'où rayonne la chaleur, la lumière. *Un puissant foyer lumineux.* ⇒ **source.** — Point où convergent des rayons lumineux. *Lunettes, verres à double foyer.* ⇒ **focal. 2.** Point (d'une ellipse, hyperbole...) par rapport auquel se définit la courbe. **3.** Lieu d'origine (d'un phénomène). *Le foyer de la révolte.* — Siège principal d'une maladie. *Foyer d'infection.*

② ***foyer*** n. m. **1.** Lieu où habite la famille. ⇒ **demeure, maison.** — La famille elle-même. ⇒ **ménage.** *Le foyer paternel, conjugal.* ⇒ **domicile.** *Fonder un foyer,* se marier. *Femme au foyer,* qui n'a pas d'emploi à l'extérieur. — Au plur. *Soldat qui rentre dans ses foyers,* chez lui. **2.** Local servant de lieu de réunion, d'asile à certaines catégories de personnes. *Foyer d'étudiants. Foyer de jeunes travailleurs.* **3.** Salle d'un théâtre où l'on fume, boit.

frac [fʀak] n. m. ■ Ancienn. Habit d'homme, noir à basques. ≠ *froc.*

fracas [fʀaka] n. m. invar. ■ Bruit violent. — Loc. *Avec perte et fracas,* brutalement. ▶ ***fracasser*** v. tr. ■ conjug. 1. ■ Mettre en pièces, briser avec violence. ⇒ **briser, casser.** — Pronominalement (réfl.). *La barque s'est fracassée sur un écueil.* ▶ ***fracassant, ante*** adj. **1.** Très bruyant. **2.** *Déclaration fracassante,* qui fait un effet violent. ⇒ **tonitruant.**

fraction [fʀaksjɔ̃] n. f. **1.** Quantité qui représente une ou plusieurs parties égales de l'unité ; symbole formé d'un dénominateur et d'un numérateur. *Dans la fraction 6/10 (six dixièmes), le numérateur 6 et le dénominateur 10 sont séparés par la barre de fraction. L'algèbre débute par l'étude des fractions.* **2.** Partie d'une totalité. ⇒ **minorité, morceau, parcelle, partie, portion.** *Une fraction de l'assemblée. Une fraction de seconde.* ▶ ***fractionnaire*** adj. ■ Qui est sous forme de fraction. *Nombre fractionnaire.* ▶ ***fractionnel, elle*** adj. ■ Qui tend à diviser. *Activité fractionnelle au sein d'un parti.* ▶ ***fractionner*** v. tr. ■ conjug. 1. ■ Diviser (une totalité) en parties, en fractions. ⇒ **partager, rompre, séparer.** — Pronominalement (réfl.). *L'assemblée s'est fractionnée en trois groupes.* ▶ ***fractionnement*** n. m. ■ Action de fractionner. ⇒ **division.** ▶ ***fracture*** n. f. **1.** Rupture d'un os. *Fracture ouverte. Fracture incomplète.* ⇒ **fêlure.** *Fracture du crâne.* **2.** Cassure (de l'écorce terrestre, etc.). ⇒ **faille.** ▶ ***fracturer*** v. tr. ■ conjug. 1. **1.** Blesser par une fracture. *Elle s'est fracturé une côte.* ⇒ **casser, rompre. 2.** Briser avec effort. *Fracturer une porte, une serrure.*

fragile [fʀaʒil] adj. **1.** Qui se brise, se casse facilement. ⇒ **cassant.** *Fragile comme du verre.* / contr. **solide** / **2.** (Personnes) De constitution faible. ⇒ **débile, délicat.** / contr. **fort, robuste** / *Cet enfant est très fragile, il attrape toutes les maladies.* ⇒ **chétif, malingre.** *Il a l'estomac fragile. Une santé fragile.* **3.** Qui est facile à ébranler, menacé de ruine. *Autorité fragile.* ⇒ **changeant, inconstant.** / contr. **durable, stable** / *Théorie fragile.* / contr. **sûr** / ▶ ***fragilité*** n. f. **1.** *La fragilité d'une matière.* / contr. **solidité** / — *La fragilité d'un mécanisme.* / contr. **robustesse** / — *La fragilité de cet enfant nous inquiète.* — *La fragilité de la gloire, de la puissance.* ⇒ **faiblesse, instabilité.**

fragment [fʀagmã] n. m. **1.** Morceau d'une chose qui a été cassée, brisée. ⇒ **bout, débris, éclat, morceau.** *Les fragments d'un vase, d'une statue.* **2.** Partie (d'une œuvre). *Fragment d'un texte.* ⇒ **citation, extrait, passage.** *Fragment d'un tableau.* ⇒ **détail.** ▶ ***fragmentaire*** adj. ■ Qui existe à l'état de fragments. *Documentation fragmentaire.* ⇒ **incomplet, partiel.** / contr. **complet, entier** / ▶ ***fragmenter*** v. tr. ■ conjug. 1. ■ Partager, morceler. *Fragmenter un ouvrage, un capital.* / contr. **rassembler, réunir** / ▶ ***fragmentation*** n. f. ■ Action de fragmenter ; son résultat.

fragrance [fʀagʀãs] n. f. ■ Littér. Parfum subtil, odeur agréable. *La fragrance des héliotropes.*

frai [fʀɛ] n. m. **1.** Ponte des œufs par la femelle des poissons. *La saison, le temps du frai.* **2.** Œufs de batraciens, de poissons. *Du frai de carpes.*

① ***frais, fraîche*** [fʀɛ, fʀɛʃ] adj. **I. 1.** Un peu froid, qui donne une sensation légère de poids. REM. Correspond à *tiède* pour la chaleur. / contr. **chaud** / *Un vent frais. Servir un vin frais. Boire de l'eau fraîche.* — Adv. *Il fait frais ce matin.* — N. m. *Prendre le frais,* respirer l'air frais. **2.** Sans chaleur, sans cordialité. *On lui a réservé un accueil plutôt frais.* **II. 1.** Qui vient d'arriver, de se produire, d'être fait. ⇒ **neuf, nouveau, récent.** / contr. **ancien, vieux** / *Découvrir des traces toutes fraîches. Vous n'avez pas de nouvelles plus fraîches ? De fraîche date,* récent. *Peinture fraîche,* pas encore séchée. — Adv. (Devant un p. p.) Depuis très peu de temps. ⇒ **fraîchement, nouvellement.** *Un collègue frais émoulu* de l'université,* qui vient d'achever ses études. **2.** Qui est tout nouvellement produit, n'a rien perdu de ses qualités naturelles (opposé à *douteux, gâté, pourri*). *Un fruit, des œufs frais. Du pain frais* (opposé à *dur, rassis, sec*). — Consommé sans préparation de conservation. *Légumes, fruits frais* (opposé à *en conserve, séché, surgelé*). **3.** Qui a ou garde des qualités inaltérées d'éclat, de vitalité, de jeunesse. *Une fille fraîche et jolie. Il est frais et dispos. Avoir le teint frais.* **4.** Fam. (En parlant de qqn qui s'est mis dans une fâcheuse situation) *Eh bien ! cette fois, nous voilà frais !* ⇒ ② **propre** (2). **5.** En bon état, dans l'aspect du neuf. *Ce costume n'est pas très frais ; il faudrait le repasser.* **6.** Qui donne une impression vivifiante de pureté, de jeunesse. *La fraîche odeur d'un bouquet* *de violettes.* ▸ *à la* **fraîche** loc. adv. ■ À l'heure où il fait frais, le soir. ▸ **fraîchement** adv. **1.** Depuis très peu de temps. ⇒ **récemment.** *Il est fraîchement débarqué à Paris.* **2.** Avec une froideur marquée. ⇒ **froidement.** *Il fut fraîchement accueilli par la population.* / contr. **chaleureusement** / ▸ **fraîcheur** n. f. **I. 1.** Température fraîche. *La fraîcheur de l'air. Une sensation de fraîcheur.* **2.** Fig. Froideur. *La fraîcheur d'un accueil.* **II. 1.** Qualité d'un produit frais, non altéré. *La fraîcheur d'un œuf, d'un fruit.* **2.** Qualité de ce qui a un aspect sain, vigoureux, de ce qui garde son éclat. *La fraîcheur de son teint. Il a terminé la course dans un état de fraîcheur remarquable.* — (En parlant de ce qui touche la vue, l'odorat, l'ouïe) *La fraîcheur d'un coloris.* — (Sentiments, idées) *La fraîcheur d'un premier amour.* ⇒ **pureté.** *Fraîcheur d'âme.* ⇒ **innocence, jeunesse.** ▸ **fraîchir** v. intr. ■ conjug. 2. ■ Devenir frais, ou plus frais. ⇒ se **rafraîchir.** *Le temps fraîchit depuis quelques jours.* — *Le vent fraîchit,* devient plus fort (terme de marins). ⇒ **forcir.** ⟨ ▸ se défraîchir, rafraîchir ⟩

② *frais* n. m. pl. **1.** Dépenses occasionnées par une opération. ⇒ **coût.** *Les frais de déplacement, d'habillement. Frais professionnels. Faire beaucoup de frais.* Loc. *Rentrer dans ses frais,* en être remboursé par un gain. ⇒ **argent, fonds. 2.** Loc. — Avec à. *À grands frais,* en dépensant beaucoup, en se donnant beaucoup de peine. *À peu de frais, à moindre frais,* économiquement. *Aux frais de qqn,* les frais étant couverts par lui. — *Se mettre* EN FRAIS : s'engager dans des dépenses inhabituelles ; faire des efforts. — FAIRE LES FRAIS : fournir à une dépense. Fig. Être le seul ou le premier à employer sa peine. *C'est encore nous qui ferons les frais de sa bêtise,* qui en serons les victimes, en subirons les conséquences. *Faire les frais de la conversation,* l'alimenter à son corps défendant. — EN ÊTRE POUR SES FRAIS : ne rien obtenir en échange de ses dépenses, de ses efforts. **3.** FAUX FRAIS : dépense accidentelle s'ajoutant aux dépenses principales. ⟨ ① défrayer, ② défrayer ⟩

① *fraise* [fʀɛz] n. f. **1.** Fruit du fraisier. *Fraise des bois. Fraises cultivées* (plus grosses). *Tarte aux fraises. Confiture de fraises. Glace à la fraise.* — Adj. invar. De la nuance de rouge propre à la fraise. *Des rubans fraise.* **2.** Loc. *Aller aux fraises,* aller cueillir des fraises, et aussi plaisant., aller dans les bois en galante compagnie. — Fam. *Sucrer les fraises,* être agité d'un tremblement (malades, vieillards). **3.** Fam. Figure. *Ramener sa fraise,* se manifeste hors de propos. ▸ **fraisier** n. m. ■ Plante qui produit les fraises.

② *fraise* n. f. ■ Petit outil d'acier, de forme conique ou cylindrique, servant à évaser l'orifice d'un trou. — Roulette de dentiste. ▸ **fraiser** v. tr. ■ conjug. 1. ■ Évaser l'orifice d'un trou. ▸ **fraiseur** n. m. ■ Ouvrier qualifié conducteur d'une fraiseuse. ⇒ **ajusteur, tourneur.** ▸ **fraiseuse** n. f. ■ Machine-outil servant à fraiser les métaux.

③ *fraise* n. f. ■ Membrane qui enveloppe les intestins du veau et de l'agneau.

④ *fraise* n. f. ■ Grand col blanc, plissé et empesé, porté au XVIᵉ siècle.

framboise [fʀɑ̃bwaz] n. f. **1.** Fruit composé, blanc ou rouge, très parfumé, produit par le framboisier. *Confiture de framboises. Sirop de framboise.* **2.** Liqueur, eau-de-vie de framboise. ▸ **framboisier** n. m. ■ Arbrisseau qui produit les framboises.

framée [fʀame] n. f. ■ Long javelot dont se servaient les Francs.

① *franc, franque* [fʀɑ̃, fʀɑ̃k] n. et adj. ■ Membre des peuplades germaniques qui, à la veille des grandes invasions, occupaient les rives du Rhin et la région maritime de la Belgique et de la Hollande. *Les Francs parlaient le francique.* — Adj. *La Gaule franque,* conquise par les Francs. ⟨ ▸ francique, francisque ⟩

② *franc, franche* [fʀɑ̃, fʀɑ̃ʃ] adj. **1.** En loc. Sans entrave, ni gêne, ni obligation. *Avoir les coudées franches,* être libre d'agir à sa guise. *Franc du collier.* — CORPS FRANCS : troupes ne faisant pas partie des unités combattantes régulières. — COUP FRANC (football, etc.) : coup tiré sans opposition de l'adversaire, pour sanctionner une faute. **2.** Affranchi, libéré de certaines servitudes ; exempt de charges, taxes (⇒ **franchise**). *Port franc. Zone franche. Expédition franc de port.* ⇒ ① **franco** (1). ⟨ ▸ ① affranchir, ② affranchir, franchise (I), franc jeu, franc-maçon, franc-parler, franc-tireur, à la bonne franquette ⟩

③ *franc, franche* adj. **1.** Qui s'exprime ou se présente ouvertement, sans artifice, ni réticence. ⇒ **droit, honnête, loyal, sincère.** / contr. **hypocrite, menteur, sournois** / *Soyez franc ! Il est franc comme l'or,* très franc. *Nous avons eu une explication franche.* **2.** Qui présente des caractères de pureté, de naturel. ⇒ **pur, simple.** *Couleurs franches.* **3.** (Précédant le nom) Péj. Qui est véritablement tel. ⇒ **achevé, fieffé, vrai.** *Une franche canaille. C'est une franche comédie.* **4.** Adv. *À parler franc,* franchement. ▸ **franchement** adv. **1.** Sans hésitation, d'une manière décidée. ⇒ **carrément, résolument.** *Allez-y franchement.* **2.** Sans équivoque, nettement. *Poser franchement un problème.* — (Devant un adj.) Indiscutablement, vraiment. *C'est franchement mauvais.* **3.** Sans détour, sans dissimulation (dans les rapports humains). ⇒ **loyalement, sincèrement.** *Je vous le dis franchement.* ⟨ ▸ franchise (II) ⟩

④ *franc* [fʀɑ̃] n. m. **1.** Unité monétaire légale de la France. — REM. Les Français comptent parfois encore en *anciens francs* (centimes actuels). *Cinq millions d'anciens francs,* ou *cinquante mille francs.* **2.** (Hors de France) *Franc belge, franc suisse,* unité monétaire de la Belgique, de la Suisse. *Francs C. F. A.,* utilisés en Afrique.

français, aise [fʀɑ̃sɛ, ɛz] adj. et n. **1.** Adj. Qui appartient, est relatif à la France et à ses habitants. *La République française.* — N. Personne de nationalité française. *Un Français, une Française.* **2.** N. m. LE FRANÇAIS : la langue française, langue romane parlée en France, Belgique, Suisse, au Canada (Québec), et comme langue seconde en Afrique, etc. *Ancien français* (IXᵉ-XIIIᵉ s.) ; *moyen français* (XIVᵉ-XVIᵉ s.) ; *français classique* (XVIIᵉ-XVIIIᵉ) ; *français moderne.* — Loc. fam. *Vous ne comprenez pas le français ?,* vous n'avez donc pas compris ce qu'on vous dit ? ⟨ ▸ franco- ⟩

franchement ⇒ ③ *franc.*

franchir [fʀɑ̃ʃiʀ] v. tr. ■ conjug. 2. **1.** Passer par-dessus (un obstacle), en sautant, en grimpant. *Franchir un ruisseau, un mur.* — Surmonter, vaincre (une difficulté). — **2.** Aller au-delà de (une limite). ⇒ **passer.** *Franchir la frontière.* **3.** Traverser (un passage). — Aller d'un bout à l'autre de. ⇒ **parcourir, traverser.** *Franchir un pont.* — (Temps) *Sa réputation a franchi les siècles.* ▸ **franchissable** adj. ▸ **franchissement** n. m. ■ ⇒ **passage.** *Le franchissement d'un col, d'un obstacle.* ⟨ ▸ infranchissable ⟩

franchise [fʀɑ̃ʃiz] n. f. **I. 1.** Droit qui limitait l'autorité du roi ou du seigneur local sur une ville, un corps, un individu. **2.** Droit de certaines exemptions ou exonérations. *Franchise postale. Envoi en franchise.* ⇒ ① **franco. 3.** Commerce en franchise, boutique, magasin dont l'exploitant est propriétaire du fonds, mais reste lié par contrat à une marque et à ses produits _(franchisé, ée)._ **II.** Qualité de celui qui est franc ②. ⇒ **droiture, loyauté, sincérité.** / contr. **dissimulation, fausseté, hypocrisie /** _Il nous a parlé avec beaucoup de franchise._

francien [frɑ̃sjɛ̃] n. m. ■ Histoire. Dialecte roman (de langue d'oïl) parlé pendant le haut Moyen Âge en Île-de-France, ancêtre du français.

francique [frɑ̃sik] n. m. ■ Langue des anciens Francs. — Dialecte allemand.

franciscain, aine [frɑ̃siskɛ̃, ɛn] n. ■ Religieux, religieuse de l'ordre fondé par saint François d'Assise. — Adj. _L'art franciscain._

franciser [frɑ̃size] v. tr. . conjug. 1. ■ Donner une forme française à (un mot étranger). _Il a francisé son patronyme._ — Au p. p. adj. « _Fioul_ » _et_ « _gazole_ » _sont des anglicismes francisés._ ▶ _francisation_ n. f. ■ _La francisation de_ « _fuel_ » _en_ « _fioul_ ».

francisque [frɑ̃sisk] n. f. ■ Hache de guerre des Francs à double fer. — Emblème du pétainisme.

franc jeu [frɑ̃ʒø] n. m. ■ JOUER FRANC JEU _(avec qqn)_ : être loyal. — Adj. invar. (Avec un trait d'union) _Être franc-jeu._ ⇒ anglic. **fair-play.**

franc-maçon, onne [frɑ̃masɔ̃, ɔn] n. m. et adj. ■ Adepte de la franc-maçonnerie. _Des francs-maçons._ — Adj. _Les influences franc-maçonnes._ ▶ _franc-maçonnerie_ n. f. **1.** Association internationale, en partie secrète, de caractère mutualiste et philanthropique. **2.** Rare et péj. Alliance secrète entre personnes de même profession, de mêmes idées. ⇒ **coterie.**

franco [frɑ̃ko] adv. **1.** Sans avoir à payer le transport (opposé à _en port dû_). _Franco de port._ **2.** Fam. Franchement, carrément. _Allez-y franco._

franco- Préfixe signifiant « français ». _Les relations franco-soviétiques._ ▶ _francophile_ [frɑ̃kɔfil] adj. ■ Qui aime la France et les Français. — N. _Un francophile._ ▶ _francophilie_ n. f. ▶ _francophobe_ adj. ■ Hostile à la France et aux Français. ▶ _francophone_ adj. ■ Qui parle habituellement le français. _Les Africains francophones._ — N. _Les francophones du Canada._ ▶ _francophonie_ n. f. ■ Communauté des peuples francophones. ‹ ▶ franciser ›

franc-parler [frɑ̃parle] n. m. sing. ■ Liberté de dire ce qu'on pense. _Il a son franc-parler._

franc-tireur [frɑ̃tirœr] n. m. **1.** Combattant qui n'appartient pas à une armée régulière. ⇒ **guérillero, maquisard, partisan, résistant.** _Les francs-tireurs ont été considérés comme des terroristes._ **2.** Celui qui mène une action indépendante, n'observe pas la discipline d'un groupe. ⇒ **indépendant.** _Agir en franc-tireur._

frange [frɑ̃ʒ] n. f. **1.** Bande de tissu d'où pendent des fils, servant à orner en bordure des vêtements, des meubles, etc. ⇒ **passementerie.** _La frange d'un tapis._ **2.** _Frange de cheveux_ ou _frange,_ cheveux coupés couvrant le front sur toute sa largeur. **3.** Contour. _Une frange de lumière._ **4.** Limite imprécise entre deux états, deux notions. ⇒ **marge.** _Agir à la frange de la légalité._ **5.** Minorité plus ou moins marginale. _Une frange de la population._ ▶ _franger_ v. tr. . conjug. 3. ■ Garnir, orner de franges. — Au p. p. adj. _Des vagues frangées d'écume._ ‹ ▶ effranger ›

frangin, ine [frɑ̃ʒɛ̃, in] n. ■ Fam. Frère, sœur. — _Une frangine, une fille._

frangipane [frɑ̃ʒipan] n. f. ■ Crème pâtissière à base d'amandes.

à la bonne franquette [alabɔnfrɑ̃kɛt] loc. ■ Sans façon, sans cérémonie. ⇒ **simplement.** _Restez donc, on dînera à la bonne franquette._

franquisme [frɑ̃kism] n. m. ■ Doctrine politique, économique du régime du général Franco (en Espagne), voisine du fascisme italien. ▶ _franquiste_ adj. et n. ■ Partisan du général Franco et de son régime.

① **_frappe_** ou **_frape_** [frap] n. f. ■ Fam. et péj. Voyou. Seulement dans : _Une petite frappe._

frapper [frape] v. . conjug. 1. **I.** V. tr. dir. **1.** Toucher plus ou moins rudement en portant un ou plusieurs coups. ⇒ **battre.** _Il l'a frappé au menton._ — _Frapper le sol du pied._ **2.** Marquer (qqch.) d'une empreinte par un choc, une pression. _Frapper la monnaie,_ la marquer d'une empreinte (avec le coin, le poinçon, etc.) — Au p. p. adj. Abstrait. _Une remarque frappée au coin du bon sens,_ pleine de bon sens. **3.** _Frapper du vin,_ le refroidir avec de la glace. — Au p. p. adj. _Champagne frappé._ / contr. **chambré** / **4.** Atteindre d'un coup porté avec une arme. _La balle l'a frappé en plein cœur._ **5.** Donner, porter (un coup). _Le régisseur a frappé les trois coups_ (indiquant que le rideau va se lever). **6.** Atteindre de quelque mal. _Le grand malheur qui la frappait._ **7.** Affecter d'une impression vive et soudaine. Surprendre. ⇒ **étonner, saisir.** _Il a frappé tout le monde par son énergie._ — Au passif et p. p. adj. _Être frappé de stupeur._ **II.** V. tr. indir. Donner un coup, des coups. _Frapper sur la table, contre un mur._ — _Frapper à la porte. Entrez sans frapper._ **III.** SE FRAPPER v. pron. : s'inquiéter, se faire du souci. _Ne vous frappez pas ! Il irait mieux, s'il ne se frappait pas tant._ ▶ _frappant, ante_ adj. ■ Qui frappe, fait une vive impression. ⇒ **impressionnant, saisissant.** _Une ressemblance frappante._ ⇒ **étonnant.** ▶ ② _frappe_ n. f. **1.** Action, manière de taper à la machine. ⇒ **dactylographie.** _Le manuscrit est à la frappe. Faute de frappe._ **2.** FORCE DE FRAPPE. ⇒ ① **force** (II, 1). ▶ _frappeur, euse_ adj. ■ _Esprits frappeurs,_ esprits qui, dans les séances de spiritisme, se signalent en frappant des coups.

frasque [frask] n. f. ■ Écart de conduite. ⇒ **fredaine.** _Des frasques de jeunesse._

fraternel, elle [fratɛrnɛl] adj. **1.** Qui concerne les relations entre frères ou entre frères et sœurs. _L'amour fraternel._ **2.** Propre à des êtres qui se traitent en frères. ⇒ **affectueux, amical, cordial.** _Un sourire, un geste fraternel._ — (Personnes) Qui se conduit comme un frère (envers qqn). _Il s'est montré très fraternel avec moi._ ▶ _fraternellement_ adv. ■ Partager fraternellement avec des camarades. ▶ _fraterniser_ v. intr. . conjug. 1. ■ Faire acte de fraternité, de sympathie ou de solidarité. _Fraterniser avec qqn_ (homme ou femme). ▶ _fraternisation_ n. f. ■ _La fraternisation de soldats ennemis._ ▶ _fraternité_ n. f. **1.** Lien existant entre personnes (hommes ou femmes) considérées comme membres de la famille humaine ; sentiment profond de ce lien. ⇒ **solidarité.** _Un élan de fraternité._ **2.** Lien particulier établissant des rapports fraternels. ⇒ **camaraderie.** _Fraternité d'armes._ ‹ ▶ confraternel ›

fratricide [fratrisid] n. et adj. **1.** N. m. Meurtre d'un frère, d'une sœur. **2.** N. Personne qui tue son frère ou sa sœur. **3.** Adj. Qui conduit les humains à s'entre-tuer. _Des guerres, des haines fratricides._

fraude [frod] n. f. ■ Tromperie ou falsification punie par la loi. ⇒ **délit.** _Inspecteurs chargés de la répression des fraudes. Fraude électorale._ — EN FRAUDE loc. adv. : par un acte qui constitue une fraude. ⇒ **clandestinement, illégalement.** ▶ _frauder_ v. . conjug. 1. **1.** V. tr. Commettre une fraude au détriment de. ⇒ **voler.** _Frauder le fisc._ **2.** V. intr. Être coupable de fraude. _Frauder à un examen._ ⇒ **tricher.** ▶ _fraudeur, euse_ n. ■ Personne qui fraude. ⇒ **falsificateur.** ▶ _frauduleux, euse_ adj. ■ Entaché de fraude. *Faillite frauduleuse.* ▶ *frauduleusement* adv.

① *frayer* [fʀeje] v. tr. ▪ conjug. 8. ■ Tracer ou ouvrir (un chemin) au milieu d'obstacles. *Écarter les branches pour frayer un passage. Se frayer un chemin à travers la foule.* — Au p. p. adj. *Les chemins frayés,* battus, connus, habituels.

② *frayer* v. intr. ▪ conjug. 8. **1.** Se dit de la femelle du poisson qui dépose ses œufs, et du mâle qui les féconde. ⇒ **frai. 2.** Avoir des relations familières et suivies, fréquenter. *Il frayait peu avec ses collègues.*

frayeur [fʀejœʀ] n. f. ■ Peur très vive, généralement passagère et peu justifiée. *Vous êtes remis de vos frayeurs ?*

fredaine [fʀəden] n. f. ■ Écart de conduite sans gravité. ⇒ **frasque.**

fredonner [fʀədɔne] v. tr. ▪ conjug. 1. ■ Chanter (un air) à mi-voix, à bouche fermée. ⇒ **chantonner.** ▶ *fredonnement* n. m.

freezer [fʀizœʀ] n. m. ■ Anglic. Compartiment d'un réfrigérateur où se forme la glace. ⇒ **congélateur.** *Des freezers.*

frégate [fʀegat] n. f. **I. 1.** Ancien bateau de guerre à trois mâts, plus rapide que le vaisseau. **2.** Bâtiment de combat, entre la corvette et le croiseur. **II.** Oiseau de mer aux grandes ailes fines, au bec très long et crochu.

frein [fʀɛ̃] n. m. **1.** Dispositif servant à ralentir, à arrêter le mouvement d'un ensemble mécanique. *Freins à disque, à tambour. Frein aérodynamique. Frein à main. La pédale de frein d'une automobile. Cette voiture a de bons freins. Donner un coup de frein,* freiner. — *Frein moteur,* résistance opposée par le moteur ralenti au mouvement des roues. **2.** Ce qui ralentit, entrave un développement. *Mettre un frein à qqch. Une imagination sans frein.* ⇒ **effréné. 3.** Loc. *Ronger son frein,* contenir difficilement son impatience (comme le cheval qui ronge son mors). ▶ *freiner* v. ▪ conjug. 1. **1.** V. intr. Ralentir, arrêter la marche d'une machine au moyen de freins. *Mon vélo ne freine plus.* — *Freiner des quatre fers,* brutalement. **2.** V. tr. Ralentir dans son mouvement. *Le vent freinait les coureurs.* — Ralentir (une évolution, un essor). ⇒ **contrarier, gêner.** *Freiner le progrès.* / contr. **accélérer, encourager** / ▶ *freinage* n. m. ■ Action de freiner (1). / contr. **accélération** /

frelaté, ée [fʀəlate] adj. **1.** Altéré dans sa pureté. ⇒ **dénaturé, falsifié.** *Un vin frelaté.* **2.** Abstrait. Qui n'est pas pur, pas naturel. *Des plaisirs frelatés.*

frêle [fʀɛl] adj. **1.** Dont l'aspect ténu donne une impression de fragilité. *Des jambes frêles.* **2.** (Personnes) *Une jeune fille un peu frêle,* délicate, fragile.

frelon [fʀəlɔ̃] n. m. ■ Grosse guêpe rousse et jaune, à corselet noir.

freluquet [fʀəlykɛ] n. m. ■ Jeune homme frivole et prétentieux. ⇒ **godelureau.**

frémir [fʀemiʀ] v. intr. ▪ conjug. 2. **1.** Être agité d'un faible mouvement d'oscillation ou de vibration qui produit un son léger, confus. ⇒ **bruire, frissonner, vibrer.** — Se dit de l'eau sur le point de bouillir. **2.** (Personnes) Être agité d'un tremblement. *Frémir de,* sous l'action de. *Frémir d'espoir, d'horreur. C'est à faire frémir !, c'est horrible.* ▶ *frémissant, ante* adj. **1.** Qui frémit. ⇒ **tremblant. 2.** Toujours prêt à s'émouvoir. ⇒ **vibrant.** *Une sensibilité frémissante.* ▶ *frémissement* n. m. **1.** Faible mouvement d'oscillation ou de vibration qui rend un léger bruit. ⇒ **bruissement, murmure. 2.** Tremblement léger, causé par une émotion. ⇒ **frisson.** — Agitation qui se propage dans une foule.

frêne [fʀɛn] n. m. ■ Arbre à bois clair, dur et élastique. — Bois de cet arbre.

frénésie [fʀenezi] n. f. **1.** État d'exaltation violente qui met hors de soi. ⇒ **fièvre, folie. 2.** Ardeur ou violence extrême. ⇒ **fureur.** *Il se mit à travailler avec frénésie.* ▶ *frénétique* adj. ■ Qui marque de la frénésie, est poussé jusqu'à la frénésie. ⇒ **délirant, effréné, violent.** *Des applaudissements frénétiques.* ▶ *frénétiquement* adv.

fréquent, ente [fʀekɑ̃, ɑ̃t] adj. **1.** Qui se produit souvent, se répète à intervalles rapprochés. ⇒ **nombreux, répété.** / contr. **rare** / *De fréquents orages.* **2.** Dont on voit de nombreux exemples dans une circonstance donnée. ⇒ **commun, courant.** *C'est une situation fréquente en temps de guerre.* ▶ *fréquemment* adv. ■ D'une manière fréquente. ⇒ **souvent.** *Cela arrive fréquemment.* / contr. **rarement** / ▶ *fréquence* n. f. **1.** Caractère de ce qui se reproduit à intervalles plus ou moins rapprochés. *La fréquence de ses visites.* **2.** En sciences. Nombre de périodes ou de cycles complets de variations qui succèdent en une seconde. ⇒ **cycle, hertz.** *Courants alternatifs à basse, moyenne, haute fréquence. Modulation de fréquence* (radio). ⇒ **modulation.** — *Fréquence d'un son,* nombre de vibrations sonores par unité de temps (dont dépend la sensation de hauteur).

fréquenter [fʀekɑ̃te] v. tr. ▪ conjug. 1. **1.** Aller souvent, habituellement dans (un lieu). / contr. **éviter** / *Fréquenter les bals.* — Au p. p. *Un établissement mal fréquenté,* où vont des gens peu recommandables. **2.** Avoir des relations habituelles (avec qqn) ; rencontrer, voir fréquemment. *Il fréquentait des voisins.* — Pronominalement (récipr.). *Ils ont cessé de se fréquenter.* **3.** Voir (qqn) fréquemment pour des raisons sentimentales ; courtiser. ▶ *fréquentable* adj. ■ Que l'on peut fréquenter. *Un individu peu fréquentable.* ▶ *fréquentation* n. f. **1.** Action de fréquenter (un lieu, une personne). *Ce que peut nous apporter la fréquentation des théâtres, des musées, d'amis cultivés.* **2.** Personne qu'on fréquente. *Il a de mauvaises fréquentations.*

frère [fʀɛʀ] n. m. **1.** Celui qui est né des mêmes parents que la personne considérée, ou seulement du même père ou de la même mère ⇒ **demi-frère** ; fam. **frangin, frérot.** *Son frère aîné, cadet* (fam. *son grand, son petit frère*). ⇒ **benjamin, puîné.** — *Frère de lait*. Il lui ressemble comme un frère,* comme deux gouttes d'eau, beaucoup. **2.** Se dit des hommes considérés comme membres de la famille humaine ; des fidèles d'une même religion. — Appellation des membres d'ordres religieux. *Les frères des écoles chrétiennes.* **3.** Homme qui a avec la personne considérée une communauté d'origine, d'intérêts, d'idées. ⇒ **ami, camarade, compagnon.** — En appos. *Des peuples frères.* — Loc. *Vieux frère,* se dit à un ami ou camarade. *Un faux frère,* un homme qui trahit ses amis, ses associés. — *Frère d'armes,* celui qui a combattu aux côtés de la personne considérée. ▶ *frérot* n. m. ■ Fam. Petit frère. ⟨ ▶ **beau-frère, confrère, demi-frère** ⟩

fresque [fʀɛsk] n. f. **1.** Procédé de peinture qui consiste à utiliser les couleurs à l'eau sur un enduit de mortier frais. — Œuvre peinte d'après ce procédé. *Les fresques de la chapelle Sixtine.* **2.** Vaste peinture murale quelle qu'elle soit. **3.** Vaste composition littéraire, présentant un tableau d'ensemble d'une époque, d'une société. *Balzac nous a laissé une fresque détaillée des mœurs bourgeoises.*

fressure [fʀesyʀ] n. f. ■ Ensemble des gros viscères d'un animal (cœur, foie, rate, poumons).

fret [fʀɛ(t)] n. m. **1.** Prix du transport des marchandises ; leur transport. **2.** Cargaison d'un navire ; chargement d'un avion ou d'un camion. *Débarquer, décharger son fret.* ▶ *fréter* v. tr. ▪ conjug. 6. **1.** Prendre en location (un véhicule). ⇒ **louer**. *Ils frétèrent une voiture*. **2.** Donner en location (un navire). ⟨ ▸ affréter ⟩

frétiller [fʀetije] v. intr. . conjug. 1. ∎ Remuer, s'agiter par petits mouvements rapides. *Poissons qui frétillent.* — *Il frétillait de joie.* ⇒ se **trémousser**. ▸ *frétillant, ante* adj. ∎ Qui frétille. — Gai, sémillant. *Vous voilà tout frétillant.* ▸ *frétillement* n. m.

fretin [fʀətɛ̃] n. m. **1.** Petits poissons. *Rejeter le fretin à l'eau.* **2.** Dans un groupe, une collection. Ce qu'on considère comme négligeable ou insignifiant (surtout : *le* MENU FRETIN).

freudien, ienne [fʀødjɛ̃, jɛn] adj. ∎ Propre ou relatif à Freud (créateur de la psychanalyse). — Partisan de Freud, de sa psychanalyse.

freux [fʀø] n. m. invar. ∎ Corneille à bec étroit.

friable [fʀijabl] adj. ∎ Qui peut facilement se réduire en menus fragments, en poudre. *Galette à pâte friable.*

① *friand, ande* [fʀijɑ̃, ɑ̃d] adj. ∎ FRIAND DE : qui recherche, aime particulièrement (un aliment). *Il est friand de poisson.* — Fig. Qui recherche et aime (qqch.). ⇒ **avide.** *Être friand de compliments.*

② *friand* n. m. **1.** Petit pâté feuilleté garni d'un hachis de viande. **2.** Petit gâteau à pâte d'amandes.

friandise [fʀijɑ̃diz] n. f. ∎ Petite pièce de confiserie ou de pâtisserie qu'on mange avec les doigts. ⇒ **sucrerie.**

fric [fʀik] n. m. sing. ∎ Fam. Argent ②.

fricandeau [fʀikɑ̃do] n. m. ∎ Morceau de veau braisé. *Des fricandeaux à l'oseille.*

fricassée [fʀikase] n. f. ∎ Ragoût fait de morceaux de poulet ou de lapin cuits à la casserole. ⇒ **gibelotte.** ▸ *fricasser* v. tr. . conjug. 1. ∎ Faire cuire en fricassée.

fric-frac [fʀikfʀak] n. m. ∎ Fam. Effraction, cambriolage avec effraction. *Une série de fric-fracs.*

friche [fʀiʃ] n. f. **1.** Terre non cultivée. **2.** EN FRICHE loc. adv. ou adj. : inculte. ⇒ à l'**abandon**. *Laisser les champs en friche.* — *Laisser ses dons en friche*, ne pas les employer. ⟨ ▸ défricher ⟩

frichti [fʀiʃti] n. m. ∎ Fam. Repas, plat que l'on cuisine. ⇒ fam. **fricot, tambouille**. *Préparer le frichti.*

fricot [fʀiko] n. m. ∎ Fam. Ragoût, mets grossièrement cuisiné. ⇒ fam. **frichti, rata**.

fricoter [fʀikɔte] v. . conjug. 1. Fam. **1.** V. tr. Manigancer, mijoter. *Qu'est-ce qu'il fricote encore ?* **2.** V. intr. S'occuper d'affaires louches, trafiquer. ▸ *fricotage* n. m. ▸ *fricoteur, euse* n. ∎ Fam. Trafiquant(e) malhonnête. ⇒ **magouilleur.**

① *friction* [fʀiksjɔ̃] n. f. ∎ Manœuvre de massage consistant à frotter vigoureusement une partie du corps pour améliorer la circulation du sang ou faire absorber un médicament par la peau. *Une friction à l'huile camphrée.* ▸ *frictionner* v. tr. . conjug. 1. ∎ Administrer une friction à (qqn, une partie du corps). ⇒ **frotter.** — Pronominalement (réfl.). *Se frictionner après le bain.*

② *friction* n. f. **1.** En technique. Résistance au mouvement qui se produit entre deux surfaces en contact. ⇒ **frottement.** *Entraînement par friction.* **2.** Désaccord entre personnes. *Point de friction*, motif de querelle.

Frigidaire [fʀiʒidɛʀ] n. m. invar. ∎ (Nom déposé) Réfrigérateur (de cette marque). ⇒ fam. **frigo.** *Des Frigidaire.*

frigide [fʀiʒid] adj. ∎ Qui n'éprouve pas le plaisir sexuel. *Femme frigide.* ▸ *frigidité* n. f.

frigorifier [fʀigɔʀifje] v. tr. . conjug. 7. **1.** Soumettre au froid pour conserver (les viandes). ⇒ **congeler, réfrigérer. 2.** Fam. *Le vent nous frigorifiait.* — Au p. p. *Je suis frigorifié*, j'ai très froid. ⇒ **gelé.** ▸ *frigorifique* adj. ∎ Qui sert à produire le froid. ⇒ **réfrigérant.** *Mélange frigorifique. Wagon, camion, chambre frigorifique*, équipé(e) d'une installation frigorifique. ▸ *frigo* n. m. ∎ Fam. Chambre frigorifique, réfrigérateur. *Mettre un rôti au frigo. Des frigos.*

frileux, euse [fʀilø, øz] adj. **1.** Qui craint beaucoup le froid, y est très sensible. **2.** Qui indique qu'on a froid, qu'on est sensible au froid. *Une posture un peu frileuse.* **3.** Fig. Craintif, apeuré. *Une attitude frileuse devant la vie.* ▸ *frileusement* adv.

frimas [fʀima] n. m. invar. ∎ Poét. (Surtout au plur.) Brouillard formant des dépôts de givre. — *Les frimas*, les temps froids de l'hiver.

frime [fʀim] n. f. ∎ Fam. Semblant, apparence trompeuse. ⇒ **comédie.** *C'est de la frime.* ⇒ **bluff.** ▸ *frimer* v. intr. . conjug. 1. ∎ (Personnes) Fam. Chercher à se faire remarquer ; faire de l'esbroufe*.

frimousse [fʀimus] n. f. ∎ Visage enfantin. ⇒ **minois.**

fringale [fʀɛ̃gal] n. f. **1.** Fam. Faim violente et pressante. *J'ai la fringale, une de ces fringales !* **2.** Désir violent, irrésistible. ⇒ **envie.** *J'ai une fringale de cinéma.*

fringant, ante [fʀɛ̃gɑ̃, ɑ̃t] adj. **1.** (Chevaux) Très vif, toujours en mouvement. **2.** (Personnes) Dont l'allure vive, la mise élégante dénotent de la vitalité, une belle humeur. ⇒ **alerte, guilleret, pimpant, sémillant.**

fringuer [fʀɛ̃ge] v. tr. . conjug. 1. ∎ Fam. Habiller. — Pronominalement (réfl.). *Elle s'était bien fringuée pour sortir.* — Au p. p. adj. *Bien, mal fringué.* ▸ *fringues* n. f. pl. ∎ Fam. Vêtements.

friper [fʀipe] v. tr. . conjug. 1. ∎ Défraîchir en froissant. *Elle a fripé sa robe.* — Au p. p. adj. *Visage fripé*, ridé.

friperie [fʀipʀi] n. f. **1.** Vieux habits, linge usagé. **2.** Commerce, boutique de fripier. ▸ *fripier, ière* n. ∎ Personne qui revend d'occasion des habits, du linge.

fripon, onne [fʀipɔ̃, ɔn] n. et adj. **1.** Vx. Personne malhonnête. ⇒ **coquin. 2.** Se dit à un enfant malicieux, une fille coquette. ⇒ **brigand, coquin.** *Ah, le petit fripon !* — Adj. Qui a qqch. de malin, d'un peu provocant. *Un petit air fripon.* ▸ *friponnerie* n. f. ∎ Vx ou littér. Caractère ; action de fripon (1).

fripouille [fʀipuj] n. f. ∎ Fam. Homme sans scrupules, qui se livre à l'escroquerie et à toutes sortes de trafics. ⇒ **canaille, crapule, escroc.** ▸ *fripouillerie* n. f. ∎ Escroquerie.

friquet [fʀikɛ] n. m. ∎ Moineau des champs.

frire [fʀiʀ] v. (Seuls l'infinitif et le p. p. adj. sont usuels) **1.** V. tr. Faire cuire en plongeant dans un corps gras bouillant. *Poêle à frire.* **2.** V. intr. Cuire dans la friture. *Faire frire, mettre à frire du poisson.* ⟨ ▸ frit ⟩

① *frise* [fʀiz] n. f. **1.** Bande située au-dessus de la corniche. — elle-même au-dessus d'une colonnade). *Les frises du Parthénon sont l'œuvre de Phidias.* **2.** Ornement en forme de bande continue.

② *cheval de frise* [ʃ(ə)valdəfʀiz] n. m. ∎ Pièce de bois ou de fer hérissée de pointes, utilisée dans les retranchements. *Des chevaux de frise.*

friselis [fʀizli] n. m. invar. ∎ Littér. Faible frémissement.

friser [fʀize] v. ▪ conjug. 1. **I.** V. tr. **1.** Mettre en boucles (des cheveux, poils, fibres, etc.). ⇒ **boucler**. *Fer à friser.* — Au p. p. adj. *Cheveux frisés.* / contr. **plat, raide** / *Elle était frisée comme un mouton.* **2.** Passer au ras de, effleurer. ⇒ **frôler, raser.** *La lumière frise son visage.* **3.** Approcher de très près. *Elle devait bien friser la soixantaine. Cela frise le ridicule.* **II.** V. intr. Être ou devenir frisé. *Ses cheveux frisent sous la pluie.* ▶ ① *frisette* n. f. ▪ Petite boucle de cheveux frisés. ▶ *frisotter* v. ▪ conjug. 1. **1.** V. tr. Friser, enrouler en petites boucles serrées. — Au p. p. adj. *Cheveux frisottés.* **2.** V. intr. Friser (II) en petites ondulations serrées. ⟨ ▶ défriser, frisure, indéfrisable ⟩

② **frisette** [fʀizɛt] n. f. ▪ Lame de bois, généralement en sapin ou en pin, de faible épaisseur. *Ce faux plafond en frisette cache une isolation en laine de verre.*

frisquet, ette [fʀiskɛ, ɛt] adj. ▪ Un peu froid. ⇒ **frais.** *Il fait frisquet, ce matin.*

frisson [fʀisɔ̃] n. m. **1.** Tremblement irrégulier, dû à la fièvre, accompagné d'une sensation de froid. *Le malade était secoué de frissons.* **2.** Frémissement qui accompagne une émotion. *Avoir un frisson de terreur, de plaisir. Fam. Le grand frisson,* l'orgasme. **3.** Poét. Léger mouvement. — Bruit léger qui accompagne ce mouvement. *Le frisson des herbes agitées par le vent.* ▶ *frissonner* v. intr. ▪ conjug. 1. **1.** Avoir le frisson, être agité de frissons. *Frissonner de fièvre.* **2.** Être saisi d'un léger tremblement produit par une vive émotion. ⇒ **frémir, tressaillir.** *Frissonner de peur.* ▶ *frissonnant, ante* adj. ▪ Qui frissonne. ▶ *frissonnement* n. m. ▪ Littér. Léger frisson.

frisure [fʀizyʀ] n. f. ▪ Façon de friser, état des cheveux frisés. *Frisure légère.* ⇒ **indéfrisable, permanente.** — Boucle, frisette.

frit, frite [fʀi, fʀit] adj. **1.** Cuit dans un corps gras bouillant ⇒ **frire.** *Poissons frits.* ⇒ **friture.** *Pommes (de terre) frites.* **2.** Fam. (Personnes) Perdu, fichu. *Nous sommes frits.* ⇒ **fait.** ▶ *frite* n. f. **1.** Généralement au plur. Petit morceau allongé de pomme de terre que l'on mange frit et chaud. ⇒ **chips.** *Un cornet de frites. Bifteck frites,* accompagné de frites. **2.** Fam. *Avoir la frite,* se sentir en forme. ▶ *friteuse* n. f. ▪ Récipient pourvu d'un couvercle et d'un égouttoir, destiné aux fritures. ▶ *friture* n. f. **I.** **1.** Action, manière de frire un aliment. *Friture à l'huile, à la graisse.* **2.** Matière grasse qui sert à frire et qu'on garde ensuite pour le même usage. **3.** Aliment frit. *Une friture de beignets.* — Poissons frits. *Il aime beaucoup la petite friture.* **II.** Bruit de friture ou *friture,* grésillement qui se produit par moments dans les appareils de téléphone ou de radio. *Il y a de la friture.*

Fritz [fʀits] n. m. invar. ▪ Péj. Allemand.

frivole [fʀivɔl] adj. **1.** Qui a peu de sérieux et, par suite, d'importance. ⇒ **futile.** *Une discussion frivole.* **2.** (Personnes) Qui ne s'occupe que de choses futiles ou traite à la légère les choses sérieuses. / contr. **grave, sérieux** / ▶ *frivolité* n. f. **1.** Caractère d'une personne frivole. ⇒ **légèreté.** / contr. **sérieux** / **2.** Chose frivole. ⇒ **bagatelle, futilité.** **3.** Au plur. Petits articles de mode, de parure. ⇒ **colifichet, fanfreluche.** *Marchande de frivolités.*

① **froc** [fʀɔk] n. m. ▪ Fam. Pantalon. ≠ *frac.* ⟨ ▶ défroque ⟩

② **froc** n. m. ▪ Vx. Habit de moine. — Loc. *Jeter le froc aux orties,* abandonner l'état de moine, de prêtre. ⇒ **défroqué.** ⟨ ▶ défroqué ⟩

① **froid, froide** [fʀwa, fʀwad] adj. **I.** **1.** Qui est à une température sensiblement plus basse que celle du corps humain (dans l'échelle : glacial, glacé, froid,

frais ; opposé à tiède, chaud, brûlant). *Eau froide. Un vent froid.* **2.** Qui s'est refroidi, qu'on a laissé refroidir. *Une odeur de pipe froide. Le moteur est encore froid, faites-le tourner.* **II.** (Humains) **1.** Qui ne s'anime ou ne s'émeut pas facilement. ⇒ **calme, flegmatique.** / contr. **ardent** / *Un caractère froid. Une femme froide,* peu sensuelle. ⇒ **frigide.** — Loc. *Garder la tête froide,* réfléchir. *Une colère froide,* qui n'éclate pas, rentrée. **2.** Dont la réserve marque de l'indifférence ou une certaine hostilité. ⇒ **distant, glacial, réservé, sévère.** / contr. **chaleureux, enthousiaste** / *Un ton froid,* détaché. *Ça me laisse froid,* indifférent. **3.** Qui manque de sensibilité, de générosité. ⇒ **dur, insensible.** *Un homme froid et impitoyable.* / contr. **sensible** / **4.** En art. Qui ne suscite aucune émotion, par défaut de sensibilité, de vie. ⇒ **inexpressif, terne.** / contr. **émouvant, expressif** / **III.** À FROID loc. adv. : sans mettre au feu, sans chauffer. *Laminer à froid. Pour démarrer à froid, tirez le starter.* — *Prendre, cueillir un adversaire* À FROID : le surprendre par une action ou un coup rapide, sans lui laisser le temps de s'échauffer. — Sans chaleur apparente, sans émotion véritable. *S'emporter, s'exciter à froid sur un sujet.* ▶ *froidement* adv. **1.** Avec réserve (⇒ **froid,** II, 2). *On l'a reçu froidement.* **2.** En gardant la tête froide, lucide. ⇒ **calmement.** **3.** Avec insensibilité. *Il acheva froidement le blessé.* ▶ *froideur* n. f. **1.** Absence relative d'émotivité, de sensibilité. ⇒ **flegme, impassibilité.** — Manque de sensualité. **2.** Indifférence marquée, manque d'empressement et d'intérêt. ⇒ **détachement, réserve.** / contr. **chaleur** / **fraîcheur, tiédeur.** *Une froideur méprisante.* **3.** En art. Défaut de chaleur, d'éclat. ⇒ **sécheresse.** ⟨ ▶ ② froid, pisse-froid, refroidir, sang-froid ⟩

② **froid** n. m. **1.** État de la matière, de l'atmosphère quand elle est froide ; sensation résultant du contact de la peau avec un corps ou un milieu froid. ⇒ ① **froid.** *La saison des grands froids. Vague de froid. Un froid de canard, un grand froid.* — *Il fait froid, le temps est froid.* ⇒ **frisquet.** *Avoir froid,* éprouver une sensation de froid. *Prendre, attraper froid,* un refroidissement. — Loc. *N'avoir pas froid aux yeux,* n'avoir peur de rien. **2.** État ou sensation comparable à la précédente. Loc. *Cela me fait froid dans le dos* (de peur, d'horreur) *rien que d'y penser. Ces mots ont jeté un froid dans l'assistance,* y ont provoqué un malaise. **3.** EN FROID loc. adv. *Nous sommes en froid,* brouillés, fâchés. ▶ *froidure* n. f. ▪ Grand froid de l'hiver (S'emploie surtout au Québec).

froisser [fʀwase] v. tr. ▪ conjug. 1. **1.** Faire prendre des faux plis à (une étoffe). ⇒ **friper.** / contr. **défroisser** / — Pronominalement (réfl.). *Un tissu qui ne se froisse pas,* infroissable. — Chiffonner. *Froisser une feuille.* **2.** Meurtrir par une forte pression. *Elle s'est froissé un muscle.* **3.** Abstrait. Blesser légèrement (qqn) dans son amour-propre, dans sa délicatesse. ⇒ **désobliger, vexer.** *Il ne voulait pas vous froisser.* — SE FROISSER v. pron. : se vexer. ▶ *froissement* n. m. **1.** Action de froisser, de chiffonner, de plisser ; son résultat. *Le froissement d'un muscle,* claquage. — Bruissement de ce qui est froissé. *On n'entendait plus que le froissement des robes.* **2.** Littér. Ce qui blesse qqn dans son amour-propre, sa sensibilité. ⇒ **blessure.** *Épargnez-moi ce froissement.* ⟨ ▶ défroisser, infroissable ⟩

frôler [fʀole] v. tr. ▪ conjug. 1. **1.** Toucher légèrement en glissant, en passant. ⇒ **effleurer.** **2.** Passer très près de, en touchant presque. ⇒ **raser.** *La voiture a frôlé le trottoir.* — *Il a frôlé la mort,* il a failli mourir. ▶ *frôlement* n. m. ▪ Léger et rapide contact d'un objet qui se déplace le long d'un autre.

fromage [fʀɔmaʒ] n. m. **1.** Aliment obtenu par la coagulation du lait, suivie ou non de cuisson, de fermentation ; masse moulée de cet aliment. *Fromage (de lait) de vache, de chèvre. Fromages frais,* avec lait écrémé *(fromage blanc, etc.). Le camembert est un fromage fermenté. Fromage fondu. Plateau, cloche à fromage.* **2.** Situation, place aussi avantageuse que peu fatigante. ⇒ **sinécure.** *Il a assez de relations pour obtenir un bon fromage.* **3.** Nom de certains plats préparés dans un moule, une terrine. — FROMAGE DE TÊTE : pâté de tête de porc en gelée. ▶ ① *fromager, ère* adj. ■ Relatif au fromage. *Industrie fromagère.* ▶ ② *fromager* n. m. ■ Fabricant, marchand de fromages. ▶ *fromagerie* n. f. ■ Local où l'on fabrique et vend en gros des fromages ; industrie, commerce des fromages. — REM. Pour la vente au détail, on dit *crémerie.*

③ *fromager* n. m. ■ Grand arbre tropical, à racines énormes dont les fruits fournissent le kapok.

froment [fʀɔmɑ̃] n. m. ■ Blé. — Grains de blé. *Farine de froment.*

fronce [fʀɔ̃s] n. f. ■ Pli court et serré donné à une étoffe en tirant sur un fil. *Jupe à fronces.* ▶ *froncer* v. tr. ■ conjug. 3. **1.** Plisser, rider en contractant, en resserrant. *Il fronça les sourcils.* **2.** Plisser (une étoffe) en formant des fronces. ▶ *froncement* n. m. ■ *Un froncement de sourcils.*

frondaisons [fʀɔ̃dɛzɔ̃] n. f. plur. ■ Littér. Le feuillage (des arbres). *Des frondaisons luxuriantes.*

① *fronde* [fʀɔ̃d] n. f. **1.** Arme de jet utilisant la force centrifuge, poche de cuir suspendue par deux cordes et contenant un projectile (balle ou pierre). **2.** Lance-pierres à élastique, jouet d'enfant.

② *fronde* n. f. **1.** (Avec une majuscule) Sédition qui éclata contre Mazarin (1648-1653). **2.** *Un esprit de fronde, un vent de fronde,* de révolte. ▶ *fronder* v. tr. ■ conjug. 1. ■ Attaquer ou railler (une personne ou une chose généralement entourée de respect). ⇒ **attaquer, critiquer.** *Fronder le gouvernement, le pouvoir.* ▶ *frondeur, euse* n. **1.** Personne qui appartenait au parti de la Fronde. **2.** Personne qui critique, sans retenue ni déférence, le gouvernement, l'autorité. — Adj. *Un esprit frondeur,* enclin à la révolte, impertinent.

front [fʀɔ̃] n. m. **I. 1.** Partie supérieure du visage comprise entre les sourcils et la racine des cheveux, et s'étendant d'une tempe à l'autre. *Un front haut, large, bombé, fuyant. Elle s'est épongé le front.* — Partie antérieure et supérieure de la tête de certains animaux. *Cheval qui a une étoile au front.* — Abstrait. Loc. *Courber, relever le front,* la tête. *Les opprimés, les vaincus commencent à relever le front,* à résister. **2.** *Avoir le front de,* l'audace, la prétention de. ⇒ **culot. II. 1.** Face antérieure que présentent des choses d'une certaine étendue. Vx. *Le front d'un bâtiment.* ⇒ **façade, fronton.** Loc. FRONT DE MER : avenue en bordure de la mer. **2.** *Le front,* la ligne des positions occupées face à l'ennemi, la zone des batailles (opposé à *l'arrière*). *La première ligne du front. Les combattants du front. Mourir au front.* ⇒ **champ** d'honneur. **3.** Union étroite constituée entre des partis ou des individus s'accordant sur un programme commun. ⇒ **bloc, groupement, ligue.** *Front populaire. Front de libération nationale (F.L.N.).* **4.** DE FRONT loc. adv. : du côté de la face, par-devant. *Attaquer de front l'ennemi,* sans biaiser. *Aborder de front un problème.* — Sur la même ligne, côte à côte. *Chevaux attelés de front. Mener de front plusieurs affaires.* ⇒ **ensemble. 5.** FAIRE FRONT loc. : se réunir pour résister. — Affronter, faire face. *Il faut faire front aux dépenses.* ▶ *frontal, ale, aux* adj. ■ Du front (1). *Os frontal.* ▶ *frontalier, ière* n. et adj. ■ Habitant d'une région frontière. — Adj. *Ville frontalière.*

▶ *frontière* n. f. **1.** Limite d'un territoire, ou séparant deux États. ⇒ **démarcation.** — Zone située près de cette limite. ⇒ ③ **marche.** *Frontières naturelles,* constituées par un obstacle géographique. *Postes de police et de douane installés à la frontière. — Incident de frontière.* — En appos. *Région, zone frontière. Un poste frontière. Des villes frontière(s). — Sans frontières,* international. **2.** Abstrait. Limite, séparation. *Aux frontières de la vie et de la mort.* ⟨ ▶ affronter, confronter, effronté, frontispice, fronton ⟩

frontispice [fʀɔ̃tispis] n. m. ■ Grand titre d'un ouvrage. — Gravure placée face au titre.

fronton [fʀɔ̃tɔ̃] n. m. **1.** Ornement vertical, le plus souvent triangulaire, au-dessus de l'entrée d'un édifice. *Fronton d'un temple grec.* **2.** Mur contre lequel on joue à la pelote basque.

frotter [fʀɔte] v. ■ conjug. 1. **I.** V. tr. **1.** Exercer une pression accompagnée de mouvement, soit en imposant un mouvement à un corps en contact avec un autre *(frotter son doigt contre une table, sur une table),* soit en imposant à un corps la pression d'un autre corps en mouvement *(frotter une table du doigt).* **2.** Rendre plus propre, plus luisant... en frottant. *Frotter le parquet.* ⇒ **astiquer, briquer. 3.** *Frotter ses yeux, se frotter les yeux* pour mieux voir (en se réveillant ou devant un spectacle surprenant). — *Se frotter les mains,* en signe de contentement. ⇒ *se* **réjouir.** — *Frotter les oreilles de qqn,* le battre. **4.** *Frotter qqch. de (avec...),* enduire par frottement. *Frotter d'huile.* — Au p. p. adj. *Pain frotté d'ail.* **II.** SE FROTTER v. pron. **1.** Frotter son corps. ⇒ **frictionner, masser. 2.** S'enduire. **3.** *Se frotter à qqn,* l'attaquer. ⇒ **attaquer, défier, provoquer.** *Il vaut mieux ne pas se frotter à ces gens-là. Ne vous y frottez pas.* **III.** V. intr. Se dit d'une surface qui glisse mal sur une autre. *Pièces d'un mécanisme qui frottent.* ⇒ **gripper.** ▶ *frottement* n. m. **1.** Action de frotter ; contact de deux corps dont l'un se déplace par rapport à l'autre. *Un bruit de frottement.* ⇒ ② **friction. 2.** Force qui s'oppose au glissement d'une surface sur une autre. *Freinage par frottement.* **3.** Difficulté, friction (②, 2). *Il y a eu des frottements.* ▶ *frottis* n. m. invar. **1.** Mince couche de couleur, en peinture. **2.** Préparation en couche mince, sur une lame de verre, d'une substance organique qu'on examine au microscope. ▶ *frottoir* n. m. ■ Objet, ustensile dont on se sert pour frotter. *Le frottoir d'une boîte d'allumettes.*

frou-frou ou *froufrou* [fʀufʀu] n. m. ■ Bruit léger produit par le frôlement ou le froissement d'une étoffe soyeuse, de plumes, etc. ⇒ **bruissement.** *Des froufrous ; des froufrous.* ▶ *froufrouter* v. intr. ■ conjug. 1. ■ Produire un froufrou. ▶ *froufroutant, ante* adj. ■ *Des dessous froufroutants.*

frousse [fʀus] n. f. ■ Fam. Peur. ⇒ fam. **trouille.** *Il m'a flanqué une de ces frousses !* ▶ *froussard, arde* adj. et n. ■ Peureux, poltron. *Quels froussards !*

fructifier [fʀyktifje] v. intr. ■ conjug. 7. **1.** Produire, donner des récoltes, des fruits (II). **2.** Produire des résultats avantageux, des bénéfices. *Faire fructifier son capital.* ⇒ **rapporter.** ▶ *fructification* n. f. **1.** Formation, production de fruits. **2.** Le fait de fructifier (2). ▶ *fructueux, euse* [fʀyktɥø, øz] adj. ■ Qui donne des résultats avantageux. *Spéculation fructueuse.* ⇒ **avantageux, profitable ; lucratif, rentable.** *Ses efforts ont été fructueux. Collaboration fructueuse.* / contr. **improductif** / ⟨ ▶ infructueux ⟩

frugal, ale, aux [fʀygal, o] adj. **1.** Qui consiste en aliments simples, peu recherchés, peu abondants. *Nourriture frugale.* **2.** Qui se contente d'une nourriture simple. ⇒ **sobre.** *Il est plutôt frugal et ascétique. Vie frugale.* ⇒ **austère, simple.** ▶ *frugalité* n. f. ■ Caractère frugal.

fruit [fʀɥi] n. m. **I. 1.** Production des plantes qui apparaît après la fleur, surtout comestible et sucrée. *Arbre à fruits.* ⇒ **fruitier.** *La pomme, la prune sont des fruits. Fruit à pépins, fruit à noyau. Fruit vert, fruit mûr. Fruit frais, fruit sec* (ou *séché*). *Jus de fruit. Voulez-vous un fruit, du fruit, des fruits au dessert ?* **2.** LE FRUIT DÉFENDU loc. : fruit de l'arbre de la science du bien et du mal, que Dieu avait défendu à Adam et Ève de manger ; chose qu'on désire d'autant plus qu'on doit s'en abstenir. **3.** FRUITS ET LÉGUMES : appellation usuelle d'une fruiterie. **II.** Produit. **1.** *Le fruit d'une union, d'un mariage,* l'enfant. **2.** Résultat avantageux que produit qqch. ⇒ **avantage, profit, récompense.** *Perdre le fruit d'un an de travail. Le fruit de l'expérience.* — AVEC FRUIT, SANS FRUIT : avec profit, sans profit. **3.** FRUITS DE MER loc. : coquillages comestibles, oursins, etc. ▶ *fruité, ée* adj. ■ Qui a un goût de fruit frais. *Vin fruité.* ▶ *fruiterie* n. f. ■ Boutique où l'on vend au détail des fruits et accessoirement des légumes, des laitages. ⇒ **fruit** (I, 3). — REM. On dit parfois *cours des halles.* ▶ *fruitier, ière* adj. et n. **I.** Adj. Qui donne des fruits comestibles, en parlant d'un arbre (généralement cultivé à cet effet). *Arbres fruitiers.* **II. 1.** N. m. Lieu planté d'arbres fruitiers. ⇒ **verger.** — Local où l'on garde les fruits frais. *Pommes, poires conservées dans un fruitier* (on dit aussi *dépense, resserre*). **2.** N. m. et f. Marchand, marchande qui tient une fruiterie. ⟨ ▶ fructifier ⟩

frusques [fʀysk] n. f. pl. ■ Fam. Vieux habits ; habits. ⇒ **fringues, hardes.**

fruste [fʀyst] adj. **1.** En technique. Usé, altéré par le temps, le frottement. *Médaille, sculpture fruste.* **2.** (Personnes) Mal dégrossi. *Il est un peu fruste.* ⇒ **balourd, inculte, lourd, primitif.** / contr. **cultivé, raffiné /**

frustrer [fʀystʀe] v. tr. - conjug. 1. **1.** Priver (qqn) d'un bien, d'un avantage sur lequel il croyait pouvoir compter. *Frustrer un héritier de sa part.* ⇒ **déposséder, dépouiller. 2.** Priver (qqn) d'une satisfaction. *Cet échec l'a frustré.* — Au p. p. *Être, se sentir frustré.* ▶ *frustration* n. f. **1.** Action de frustrer. *Frustration d'un héritier.* **2.** Action de frustrer ; état d'une personne frustrée. *Il supporte mal les frustrations. Sentiment de frustration.* / contr. **satisfaction /**

fuchsia [fyʃja] n. m. ■ Arbrisseau aux fleurs pourpres, roses, en clochettes pendantes. ▶ *fuchsine* [fyksin] n. f. ■ Colorant rouge.

fuel ou **fioul** [fjul] n. m. ■ Combustible liquide issu de la distillation du pétrole brut. ⇒ **mazout.** — REM. La graphie francisée *fioul* est préférable.

fugace [fygas] adj. ■ Qui disparaît vite, dure très peu. ⇒ **fugitif.** *Beauté fugace.* ⇒ **éphémère, passager, périssable.** *Impression, sensation, souvenir fugace.* ⇒ **court.** / contr. **durable, permanent /** ▶ *fugacité* n. f.

-fuge ■ Suffixe signifiant « fuir » ou « faire fuir », « faire partir » (ex. : *centrifuge*).

fugitif, ive [fyʒitif, iv] adj. et n. **1.** Qui s'enfuit, qui s'est échappé. *Prisonnier fugitif.* — N. Personne qui s'est enfuie. ⇒ **évadé, fuyard.** *La police est à la poursuite des fugitifs.* **2.** Se dit de ce qui passe et disparaît rapidement, de sensations très brèves. ⇒ **fugace.** *Vision fugitive. Idée, émotion fugitive.* ⇒ **passager.** / contr. **durable /**

① **fugue** [fyg] n. f. ■ Action de s'enfuir momentanément du lieu où l'on vit habituellement. ⇒ **escapade, fuite.** *Faire une fugue.* — *Enfant qui fait des fugues (fugueur).*

② **fugue** n. f. ■ Composition musicale écrite dans le style du contrepoint et dans laquelle un thème et ses imitations successives forment plusieurs parties. ⇒ **canon.**

führer [fyʀœʀ] n. m. ■ Titre porté par Hitler (mot allemand signifiant « guide »).

fuir [fɥiʀ] v. - conjug. 17. **I.** V. intr. **1.** S'éloigner en toute hâte pour échapper à qqn ou à qqch. de menaçant. ⇒ **s'enfuir.** *Fuir devant qqn, devant un danger. Fuir précipitamment, à toutes jambes.* ⇒ **décamper, détaler. 2.** (Choses) S'éloigner ou sembler s'éloigner par un mouvement rapide. — (Du temps) Passer rapidement. *Le temps fuit. Les beaux jours ont fui.* ⇒ **s'écouler, s'évanouir. 3.** S'échapper par une issue étroite ou cachée. *Eau qui fuit d'un réservoir.* **4.** Présenter une issue, une fente par où s'échappe ce qui est contenu. *Tonneau, vase qui fuit.* **II.** V. tr. **1.** Chercher à éviter en s'éloignant, en se tenant à l'écart. *Fuir qqn, la présence de qqn. On les fuit comme la peste. Fuir un danger.* ⇒ **esquiver, éviter.** *Fuir les responsabilités.* / contr. **affronter / 2.** (Suj. chose) Littér. Échapper à la possession de, se refuser à (qqn). *Le sommeil me fuit.* ▶ *fuite* n. f. **I.** (Êtres vivants) **1.** Action de fuir ; mouvement d'une personne qui fuit. *Une fuite éperdue, précipitée.* ⇒ **débâcle, débandade, déroute.** *Être en train de fuir.* ⇒ **fugue ; fugitif, fuyard.** *Prendre la fuite,* se mettre à fuir. *Mettre en fuite,* faire fuir. *Délit de fuite,* commis par une personne qui s'enfuit après avoir causé un accident. — *Fuite en avant,* accélération risquée d'un processus. **2.** Action de se dérober (à une difficulté, à un devoir). *La fuite de qqn devant ses responsabilités.* **II.** (Choses) **1.** Action de fuir, de s'éloigner. *La fuite des galaxies. Fuite des saisons, des années.* **2.** Écoulement par une issue étroite ou cachée. *Fuite d'eau, de gaz.* — Issue, fissure. *Il y a une fuite dans le tuyau.* **3.** Disparition de documents destinés à demeurer secrets. *Il y a eu des fuites et la presse a révélé le scandale.* ⟨ ▶ s'enfuir, faux-fuyant, fuyant, fuyard ⟩

fulgurant, ante [fylgyʀɑ̃, ɑ̃t] adj. **1.** Qui jette une lueur vive et rapide comme l'éclair. ⇒ **brillant, éclatant.** *Clarté fulgurante. Regard fulgurant.* **2.** Qui frappe vivement et soudainement l'esprit, l'imagination. *Idée, découverte fulgurante.* **3.** Rapide comme l'éclair. *Des progrès fulgurants.* ⇒ **foudroyant.** ▶ *fulguration* n. f. ■ Didact. Lueur fulgurante. — Choc électrique (foudre).

fuligineux, euse [fyliʒinø, øz] adj. ■ Qui rappelle la suie, ou en dégage ; qui en a la couleur. ⇒ **noirâtre.**

fulminer [fylmine] v. - conjug. 1. **I.** V. intr. **1.** En chimie. Faire explosion. ⇒ **détoner, exploser. 2.** Se laisser aller à une violente explosion de colère, éclater en menaces, en reproches. ⇒ **s'emporter, tonner.** *Fulminer contre qqn.* **II.** V. tr. Formuler avec véhémence. *Fulminer des reproches contre qqn.* ▶ *fulminant, ante* adj. **1.** En chimie. Qui peut détoner sous l'influence de la chaleur ou par l'effet d'un choc. *Mélange fulminant.* ⇒ **détonant.** *Capsule fulminante,* amorce. **2.** Qui est en colère et profère des menaces. — Chargé de menaces. *Une lettre fulminante.*

fumable adj. ■ (Tabac) Qui est bon à fumer.

① **fumage** [fymaʒ] n. m. ■ Action d'exposer (des aliments) à la fumée. ⇒ ② **fumer.** *Le fumage des jambons.* — REM. On dit aussi *fumaison.*

② **fumage** n. m. ■ Action de fumer ④ une terre. ⇒ **fumure.**

fumant, ante [fymɑ̃, ɑ̃t] adj. **1.** Qui émet de la fumée, qui fume ①. *Cendres encore fumantes.* **2.** Qui émet (ou semble émettre) de la vapeur. *Soupe* *fumante*. **3.** Fam. *Un coup fumant,* coup admirablement réussi.

fume-cigare [fymsigaʀ], **fume-cigarette** [fymsigaʀɛt] n. m. invar. ■ Petit tube de bois, d'ambre, au bout duquel on adapte le cigare, la cigarette.

fumée [fyme] n. f. **1.** Produit gazeux qui se dégage d'un feu. *Fumée de cigarette. Tu sens la fumée. Fumée des usines. Nuage, panache de fumée.* — Abstrait. PROV. *Il n'y a pas de fumée sans feu,* il doit y avoir qqch. de vrai dans le bruit qui court. — Loc. *S'en aller, s'évanouir* EN FUMÉE : être consommé sans profit, ne rien donner. **2.** Vapeur qui se dégage d'une surface liquide plus chaude que l'air. *Une fumée légère monte de l'étang. La fumée de la soupe.* **3.** Au plur. Vapeurs qui sont supposées monter au cerveau sous l'effet de l'alcool, brouillant les idées. *Les fumées du vin, de l'ivresse.* ⇒ **excitation, vertige.** ‹ ▶ fumigène, fumivore ›

① **fumer** [fyme] v. intr. . conjug. 1. **1.** Dégager de la fumée. *Le cratère du Vésuve fume depuis quelques jours.* **2.** Exhaler de la vapeur. *Vêtements mouillés qui fument devant le feu.* ▶ *fumerolle* n. f. ■ Émanation de gaz qui s'échappe d'un volcan. ‹ ▶ enfumer, fumant, fumée, fumet, fumeux, ① fumiste ›

② **fumer** v. tr. . conjug. 1. ■ Exposer, soumettre à l'action de la fumée. ⇒ **boucaner.** *Fumer du lard, du poisson...,* pour les sécher et les conserver. ≠ enfumer. ▶ *fumé, ée* adj. **1.** Préparé par fumage ①. *Le haddock est de l'aiglefin fumé.* **2.** Obscurci comme par de la fumée. *Des lunettes en verre fumé* — (Couleur) *Terre de Sienne fumée,* sombre. ‹ ▶ ① fumage ›

③ **fumer** v. tr. . conjug. 1. ■ Faire brûler (du tabac*, des herbes) en aspirant la fumée par la bouche. *Fumer une cigarette, un cigare.* ⇒ **griller.** *Fumer la pipe. Fumer l'opium.* — Sans compl. *Il fume trop. Défense de fumer.* ▶ *fumerie* n. f. ■ Lieu où l'on fume l'opium. ≠ fumoir. ‹ ▶ fumable, fume-cigare, fumeur, fumoir, infumable ›

④ **fumer** v. tr. . conjug. 1. ■ Répandre du fumier, de la fumure, sur (une terre). ⇒ **fertiliser.** *Fumer un champ.* ‹ ▶ ② fumage, fumier, fumure ›

fumet [fyme] n. m. **1.** Odeur agréable et pénétrante d'un plat pendant ou après la cuisson. *Le fumet du rôti.* **2.** Odeur puissante que dégagent certains animaux sauvages. *Un fumet de ménagerie.*

fumeterre [fymtɛr] n. f. ■ Plante à feuilles très découpées et à fleurs roses.

fumeur, euse [fymœʀ, øz] n. ■ Personne qui a l'habitude de fumer ③. — *Compartiment fumeurs, non-fumeurs,* où il est permis, interdit de fumer.

fumeux, euse [fymø, øz] adj. **1.** Qui répand de la fumée. *Flamme fumeuse.* **2.** Qui manque de clarté ou de netteté. ⇒ **obscur, vague.** *Idées, explications fumeuses.*

fumier [fymje] n. m. **1.** Mélange des litières (paille, fourrage, etc.) et des excréments des animaux d'élevage, utilisé comme engrais. **2.** Fam. (très injurieux). Homme méprisable. ⇒ **ordure, salaud.** *C'est un beau fumier !*

fumigation [fymigasjɔ̃] n. f. **1.** Destruction de germes, de parasites par la fumée de substances chimiques. **2.** Remède consistant à respirer des vapeurs médicamenteuses. ⇒ **inhalation.**

fumigène [fymiʒɛn] adj ■ Qui produit de la fumée. *Bombe fumigène.*

① **fumiste** [fymist] n. m. ■ Celui dont le métier est d'installer ou de réparer les cheminées et appareils de chauffage. ⇒ **chauffagiste, plombier, ramoneur.**

② **fumiste** n. ■ Fam. Personne qui ne fait rien sérieusement, sur qui on ne peut compter. ⇒ **amateur, fantaisiste.** *Il n'a pas tenu sa promesse. Quel fumiste !* — Adj. *Elle est un peu fumiste.* ▶ *fumisterie* n. f. ■ Fam. Action, chose entièrement dépourvue de sérieux. ⇒ **farce.** *Ce beau programme est une vaste fumisterie.*

fumivore [fymivɔr] adj. ■ Qui absorbe de la fumée. *Appareils fumivores des usines.*

fumoir [fymwar] n. m. ■ Local, salon disposé pour les fumeurs. *Le fumoir d'un théâtre.* ⇒ **foyer.** ≠ fumerie.

fumure [fymyr] n. f. ■ Amélioration des terres par le fumier, par un fertilisant.

funambule [fynãbyl] n. ■ Personne qui marche, danse sur la corde raide. ⇒ **acrobate, danseur de corde.** ▶ *funambulesque* adj. ■ Bizarre, extravagant. *Projet funambulesque.* ⇒ **abracadabrant, farfelu, rocambolesque.**

funèbre [fynɛbr] adj. **1.** Qui a rapport aux funérailles. *Ornements funèbres.* ⇒ **funéraire, mortuaire.** *Service funèbre,* messe d'enterrement. POMPES FUNÈBRES : entreprise spécialisée dans les enterrements. *Marche funèbre. Oraison funèbre,* paroles prononcées pour dire adieu à un mort. **2.** Qui inspire un sentiment de sombre tristesse. ⇒ **lugubre, sinistre.** *Un visage, un ton funèbre.*

funérailles [fyneraj] n. f. pl. ■ Ensemble des cérémonies civiles (et religieuses) accomplies pour rendre les honneurs suprêmes à un mort. ⇒ **enterrement, obsèques.**

funéraire [fynerɛr] adj. ■ Qui concerne les funérailles. ⇒ **funèbre.** *Convoi funéraire. L'art funéraire de l'Égypte ancienne.*

funeste [fynɛst] adj. ■ Qui porte avec soi le malheur et la désolation, est de nature à entraîner de graves dommages. ⇒ **désastreux.** *Erreurs funestes. Cela peut avoir des suites funestes.* ⇒ **tragique.** — FUNESTE À. ■ **fatal.** *Son audace lui a été funeste.*

funiculaire [fynikylɛr] n. m. ■ Chemin de fer tiré par des câbles (sur une voie en forte pente). *Un funiculaire à crémaillère.*

fur ⇒ au fur et à mesure.

furax [fyraks] adj. invar. ■ Fam. Furieux. *Elle est furax !*

furet [fyrɛ] n. m. **1.** Petit mammifère carnivore, au pelage blanc et aux yeux rouges, qui sert à chasser le lapin. **2.** Jeu de société dans lequel des joueurs assis en rond se passent rapidement de main en main un objet *(le furet),* tandis qu'un autre joueur se tenant au milieu du cercle doit deviner dans quelle main il se trouve. ‹ ▶ fureter ›

fureter [fyrte] v. intr. . conjug. 5. ■ Chercher, s'introduire partout avec curiosité (comme un furet en chasse) dans l'espoir d'une découverte. *Elle furète dans tous les coins.* ⇒ **fouiller, fouiner.** ▶ *fureteur, euse* adj. et n. ■ Qui cherche partout avec curiosité. ⇒ **curieux, fouineur, indiscret.** *Il est fureteur. Des yeux fureteurs.* — N. *Un fureteur.*

fureur [fyrœr] n. f. **I. 1.** Colère folle, sans mesure. *Entrer, être en fureur ; mettre qqn en fureur. Se battre avec fureur.* ⇒ **acharnement, furie, violence. 2.** (Choses) Caractère d'extrême violence. *La fureur des combats.* **II. 1.** Littér. Passion irrésistible. *La fureur de discuter, de vivre.* **2.** FAIRE FUREUR loc. : avoir un immense succès. *Chanson qui fait fureur.*

furibond, onde [fyribɔ̃, ɔ̃d] adj. ■ Qui ressent ou annonce une grande fureur, généralement disproportionnée à l'objet qui l'inspire, au point d'en être légèrement comique. ⇒ **furieux.** *Il est furibond. Air furibond. Rouler des yeux furibonds.* ▶ ***furibard, arde*** adj. ■ Fam. Furibond.

furie [fyʀi] n. f. **1.** Fureur brutale. *Mettre qqn en furie.* ⇒ **rage.** *Mer en furie,* déchaînée par la tempête. *Attaquer avec furie.* **2.** Dans la mythologie grecque. Divinité infernale. — Femme haineuse, méchante et coléreuse. ⇒ **mégère.** ‹ ▶ furibond, furieux ›

furieux, euse [fyʀjø, øz] adj. **1.** En proie à une fureur maladive. *Un fou furieux.* ⇒ **forcené. 2.** En proie à une folle colère. ⇒ **furibond.** *Être furieux contre qqn. Il est furieux que je lui aie dit ses quatre vérités.* — *Un lion, un taureau furieux.* **3.** Dont la force va jusqu'à la violence. *Vent, torrent furieux. Une attaque, une charge furieuse.* ▶ ***furieusement*** adv. **1.** Avec fureur. **2.** Vx. Terriblement.

furoncle [fyʀɔ̃kl] n. m. ■ Abcès fermé, volumineux et douloureux, dû à un staphylocoque. ⇒ **anthrax, clou** (II, 2). ▶ ***furonculose*** n. f. ■ Éruption de furoncles.

furtif, ive [fyʀtif, iv] adj. ■ Qui se fait à la dérobée, qui passe presque inaperçu. *Regard, sourire furtif. Visite furtive,* rapide et discrète. ▶ ***furtivement*** adv. ■ *S'esquiver furtivement,* sur la pointe des pieds, comme un voleur.

fusain [fyzɛ̃] n. m. **1.** Arbrisseau à feuilles sombres et luisantes et à fruits rouges. *Haie de fusains.* **2.** Charbon à dessiner (fait avec le bois du fusain). **3.** Dessin exécuté au fusain.

fusant, ante [fyzɑ̃, ɑ̃t] adj. ■ Qui fuse. *Obus fusant.* — N. m. *Un fusant.*

fuseau [fyzo] n. m. **1.** Petite toupie allongée qui sert à tordre puis à enrouler du fil, lorsqu'on file à la quenouille. ≠ *navette.* — Petite bobine de fil à coudre, à broder. **2.** EN FUSEAU : de forme allongée, le centre étant légèrement renflé. ⇒ **fuselé, fusiforme** ; ② **fusée.** *Colonne en fuseau.* — En appos. *Pantalon fuseau,* serré aux chevilles. *Mettre son fuseau* ou *ses fuseaux pour aller skier.* **3.** FUSEAU HORAIRE : chacun des fuseaux imaginaires tracés à la surface de la Terre, d'un pôle à l'autre, numérotés de 0 à 23, servant à fixer l'heure locale légale. ‹ ▶ fuselage, fuselé ›

① ***fusée*** [fyze] n. f. **I. 1.** Pièce de feu d'artifice propulsée par de la poudre et qui éclate en dégageant une vive lumière colorée. *Le naufragé a envoyé des fusées pour être repéré.* **2.** Engin militaire, propulsé par un propergol ou des gaz liquéfiés. *Une fusée nucléaire. Des fusées antichars.* ⇒ **missile, roquette. 3.** Moteur d'un véhicule spatial. *Une fusée de deux, trois étages.* ⇒ ② **lanceur.** — Ce véhicule. *La fusée européenne Ariane.* **II.** FUSÉE D'OBUS : amorce déclenchant l'explosion de l'obus qui heurte le sol ou son objectif.

② ***fusée*** n. f. ■ Pièce mécanique en forme de fuseau.

fuselage [fyzlaʒ] n. m. ■ Corps fuselé d'un avion, auquel sont fixées les ailes. ⇒ **cellule.**

fuselé, ée [fyzle] adj. ■ En forme de fuseau. ⇒ **fusiforme.** *Doigts fuselés,* longs et minces.

fuser [fyze] v. intr. ■ conjug. 1. **1.** Couler, se répandre en fondant. *Cire, bougie qui fuse.* **2.** Éclater lentement, crépiter (chimie, explosifs). **3.** Jaillir comme une fusée. *Les plaisanteries, les rires fusaient de toutes parts.* ‹ ▶ fusant, fusible ›

fusible [fyzibl] adj. et n. m. **I.** Adj. Qui peut fondre, passer à l'état liquide sous l'effet de la chaleur. **II.** N. m. Petit fil d'un alliage fusible qu'on interpose dans un circuit électrique pour protéger une installation,

un appareil. ⇒ **coupe-circuit, plomb.** ▶ ***fusibilité*** n. f. ■ Qualité de ce qui est fusible.

fusiforme [fyzifɔʀm] adj. ■ Qui a la forme d'un fuseau. ⇒ **fuselé.** *Poisson fusiforme.*

① ***fusil*** [fyzi] n. m. **1.** Arme à feu portative à long canon. *Fusil de guerre,* à simple canon. *Balle de fusil. Fusil de chasse,* à deux canons et à cartouches. *Fusil à simple canon.* ⇒ **carabine.** *Fusil sous-marin. Coup de fusil.* **2.** *Un excellent fusil,* un bon tireur. **3.** Loc. *Changer son fusil d'épaule,* changer de projet, d'opinion, de décision. — Fam. *Coup de fusil,* addition très élevée, dans un restaurant, un hôtel. ▶ ***fusilier marin*** [fyziljəmaʀɛ̃] n. m. ■ Matelot initié aux manœuvres de l'infanterie. *Des fusiliers marins.* ▶ ***fusiller*** [fyzije] v. tr. ■ conjug. 1. **1.** Tuer un condamné par une décharge de coups de fusil. ⇒ **exécuter, passer** par les armes. *Être fusillé pour trahison.* **2.** Fam. *Fusiller du regard,* foudroyer. **3.** Fam. Abîmer, détériorer. *Fusiller un moteur.* ▶ ***fusillade*** n. f. **1.** Échange de coups de feu. **2.** Décharge simultanée de coups de fusil (par ex. lors d'une exécution). ▶ ***fusil-mitrailleur*** n. m. ■ Arme automatique, alimentée par boîte-chargeur (abrév. F.-M.), remplacée aujourd'hui par le fusil d'assaut. ⇒ **mitrailleuse, pistolet-mitrailleur.** *Des fusils-mitrailleurs.*

② ***fusil*** n. m. **1.** Tige d'acier munie d'un manche, sur laquelle on aiguise les couteaux. **2.** PIERRE À FUSIL : silex donnant une étincelle par percussion sur une petite pièce d'acier.

fusion [fyzjɔ̃] n. f. **I. 1.** Passage d'un corps solide à l'état liquide sous l'action de la chaleur. ⇒ **fonte, liquéfaction ; fondre.** *Point de fusion.* **2.** État d'une matière liquéfiée par la chaleur. *Métal en fusion.* **3.** *Fusion nucléaire de l'hydrogène,* dans laquelle deux atomes d'hydrogène se fondent en un atome d'hélium et libèrent de l'énergie (ex. dans la bombe H). ≠ **fission. II.** Union intime résultant de la combinaison ou de l'interpénétration d'êtres ou de choses. ⇒ **réunion.** *La fusion des cœurs, des esprits.* — (Personnes morales, réalités sociales, historiques) *Fusion de plusieurs religions. Fusion de sociétés, d'entreprises.* ⇒ **absorption.** ▶ ***fusionner*** v. ■ conjug. 1. **1.** V. tr. Unir par fusion (des collectivités auparavant distinctes). ⇒ **fondre** (III). **2.** V. intr. S'unir par fusion.

fustanelle [fystanɛl] n. f. ■ Court jupon masculin, tuyauté et empesé, qui fait partie du costume national grec.

fustiger [fystiʒe] v. tr. ■ conjug. 3. ■ Littér. Blâmer violemment.

fut, fût ⇒ **être.**

① ***fût*** [fy] n. m. **1.** Tronc d'arbre dans sa partie droite et dépourvue de branches. **2.** Tige d'une colonne entre la base et le chapiteau. *Fût à cannelures.* **3.** Monture de bois d'une arme, d'un instrument. ▶ ***futaie*** n. f. ■ Forêt de grands arbres aux fûts dégagés.

② ***fût*** n. m. ■ Tonneau. *Fût d'eau-de-vie.* ⇒ **baril, tonnelet.** ▶ ***futaille*** n. f. **1.** Récipient de bois en forme de tonneau, pour le vin, les alcools, l'huile. ⇒ **fût.** *Futailles de vin.* ⇒ **barrique, foudre, tonneau. 2.** Nom collectif des tonneaux, des fûts, etc. *Ranger la futaille dans un chai.*

futaine [fytɛn] n. f. ■ Ancien tissu de coton, du type le plus simple.

futé, ée [fyte] adj. ■ Qui est plein de finesse, de malice, sait déjouer les pièges. ⇒ **débrouillard, finaud, malin, rusé.** *Un gamin futé.* — N. *C'est une futée.*

futile [fytil] adj. **1.** Qui est dépourvu de sérieux, qui ne mérite pas qu'on s'y arrête. ⇒ **insignifiant.**

/ contr. **important** / *Discours, propos futiles.* ⇒ **frivole, vide.** *Sous le prétexte le plus futile.* ⇒ **léger. 2.** (Personnes) Qui ne se préoccupe que de choses sans importance. ⇒ **frivole, léger, superficiel.** *Ne soyez donc pas si futile !* / contr. **sérieux** / ▶ **futilité** n. f. **1.** Caractère futile. ⇒ **frivolité.** / contr. **gravité, importance, sérieux** / **2.** Chose futile. *La journée se passe en futilités.*

futur, ure [fytyʀ] adj. et n. m. **I.** Adj. **1.** Qui appartient à l'avenir. ⇒ **prochain, ultérieur.** *Les générations futures.* **2.** (L'adj. précédant presque toujours le nom) Qui sera tel dans l'avenir. *Vos futurs collègues. Son futur mari, sa future épouse* et, n., *le futur, la future.* ⇒ **fiancé. II.** N. m. **1.** Partie du temps qui vient après le présent. ⇒ **avenir.** *Le passé, le présent et le futur.* **2.** Ensemble des formes d'un verbe qui expriment qu'une action, un état sont placés dans un moment de l'avenir. *Futur proche* (ex. : *je vais parler*). *Futur simple* (ex. : *je parlerai*). *Futur antérieur* (ex. : *j'aurai parlé*). *Futur du passé,* dont les formes sont identiques à celles du conditionnel présent (ex. : *je lui écrivis que je viendrais*). ▶ **futurisme** n. m. ■ Doctrine esthétique exaltant tout ce qui dans le présent (vie ardente, vitesse, machinisme, etc.) préfigurerait le monde futur. ▶ **futuriste** adj. et n. **1.** Partisan du futurisme. **2.** Adj. Qui évoque l'état futur de l'humanité. *Une architecture futuriste.*

fuyant, ante [fɥijɑ̃, ɑ̃t] adj. **1.** Qui échappe, qui se dérobe à toute prise. ⇒ **insaisissable.** *Regard fuyant. Caractère fuyant,* qu'on ne peut retenir, comprendre. ⇒ **évasif.** — (Personnes) *Il est assez fuyant et hyprocrite.* **2.** Qui paraît s'éloigner, s'enfoncer dans le lointain. *Une perspective fuyante.* **3.** Dont les lignes s'incurvent vers l'arrière. *Front, menton fuyant.*

fuyard, arde [fɥijaʀ, aʀd] n. ■ Personne qui s'enfuit, fugitif, et, spécialt, soldat qui abandonne son poste de combat pour fuir devant l'ennemi.

g

g [ʒe] n. m. invar. **1.** Septième lettre, cinquième consonne de l'alphabet. — REM. *G* se prononce [g] devant une consonne et devant les voyelles *a, o, u* : *gai, gomme, figue* ; et [ʒ] devant *e, i, y* : *gel, rageant, gîte*. **2.** Symbole de *gramme*.

gabardine [gabaʀdin] n. f. **1.** Tissu serré de laine ou de coton. **2.** Imperméable en gabardine. *Il pleut ; mets ta gabardine !*

gabarit [gabaʀi] n. m. **1.** Modèle en grandeur réelle d'une pièce de construction navale ou architecturale. **2.** Appareil de mesure qui sert à vérifier une forme ou des dimensions. **3.** Type, modèle, format. *Du même gabarit.* ⇒ **acabit.** — Carrure, stature. *Un grand gabarit.*

gabegie [gabʒi] n. f. ■ Désordre résultant d'une mauvaise administration ou gestion. ⇒ **gaspillage.**

gabelle [gabɛl] n. f. ■ Impôt indirect sur le sel (du XIVᵉ au XVIIIᵉ siècle) en France.

gabier [gabje] n. m. ■ Matelot chargé de l'entretien et de la manœuvre sous les ordres du quartier-maître.

gable ou **gâble** [gɑbl] n. m. ■ Pignon décoratif aigu.

gâche [gɑʃ] n. f. ■ Pièce de métal munie d'une ouverture dans laquelle s'engage le pêne* d'une serrure. ‹ ▶ **gâchette** ›

gâcher [gɑʃe] v. tr. ▪ conjug. 1. **1.** Délayer (du mortier, du plâtre) avec de l'eau. **2.** Perdre, manquer (qqch.) faute de savoir en profiter. ⇒ **gaspiller.** *Gâcher son argent, son talent, une occasion.* — Au p. p. adj. *Une vie gâchée.* **3.** *Gâcher le métier,* travailler à trop bon marché. ▶ **gâchage** n. m. ■ Action de gâcher (1). ▶ **gâcheur, euse** n. ■ Personne qui gâche (2), gaspille. ▶ **gâchis** n. m. ■ **1.** Mauvais emploi d'un produit. *Quel gâchis de jeter tout ce bon pain !* **2.** Mauvais emploi d'une ressource, d'une occasion. *Sa vie est un gâchis.* **3.** Situation confuse et dangereuse. *Faire du gâchis.* ⇒ **désordre, pagaïe.**

gâchette [gɑ(a)ʃɛt] n. f. **1.** Pièce immobilisant le percuteur d'une arme à feu. **2.** Abusivt. La détente de cette arme. *Appuyer sur la gâchette.* — Loc. *Une fine gâchette,* un très bon tireur.

gadget [gadʒɛt] n. m. ■ Anglic. Objet amusant et nouveau plus ou moins futile. *Des gadgets idiots.* — En appos. *Une montre gadget.*

gadin [gadɛ̃] n. m. ■ Fam. Chute (d'une personne). *Ramasser, prendre un gadin,* tomber.

gadoue [gadu] n. f. ■ Terre détrempée. ⇒ **boue.** *Cet enfant aime patauger dans la gadoue.*

gaélique [gaelik] adj. et n. m. **1.** Adj. Relatif aux populations celtes du nord de l'Écosse. **2.** N. m. Groupe des dialectes celtiques* d'Irlande et de Grande-Bretagne.

① **gaffe** [gaf] n. f. ■ Perche ② munie d'un croc et d'une pointe de fer.

② **gaffe** n. f. Fam. **1.** Action, parole intempestive ou maladroite. ⇒ **bévue, impair, maladresse.** *Faire une gaffe.* **2.** FAIRE GAFFE : faire attention. *Fais gaffe à toi,* prends garde ! *Gaffe !* (même sens). ▶ **gaffer** v. intr. ▪ conjug. 1. ■ Fam. Faire une gaffe, un impair. *Il a encore gaffé.* ▶ **gaffeur, euse** n. ■ Fam. Personne qui fait des gaffes. ⇒ **maladroit.** — Adj. *Il est très gaffeur.*

gag [gag] n. m. **1.** Au cinéma. Brève action comique. *Un enchaînement de gags.* **2.** Situation burlesque. *Tu es premier ? C'est un gag !*

gaga [gaga] n. et adj. ■ Fam. (Surtout attribut) Gâteux. *Elles sont gagas de leur chat.*

gage [gaʒ] n. m. **1.** Objet de valeur remis (à qqn) pour garantir le paiement d'une dette. ⇒ **caution, dépôt, garantie.** *Donner, laisser un gage. Mettre sa montre en gage. Prêteur sur gages.* **2.** Jeux de société. Pénitence que le joueur perdant doit exécuter. **3.** Ce qui représente une preuve de sincérité. ⇒ **assurance, promesse.** *Donner des gages de fidélité, d'amour. Accepte ce cadeau, en gage d'amitié.* ⇒ **témoignage.** ‹ ▶ **dégager, engager, gager, gages, gageure** ›

gager [gaʒe] v. tr. ▪ conjug. 3. ■ Vx. GAGER QUE (+ indicatif) : exprimer un simple avis (en n'engageant que son opinion). *Gageons qu'il ne tiendra pas ses promesses.*

gages n. m. pl. **1.** Vx. Salaire d'un domestique. ⇒ **appointement.** *Les gages d'une cuisinière.* **2.** Loc. TUEUR À GAGES : personne payée pour assassiner.

gageure [gaʒyʀ] n. f. — REM. [gaʒœʀ] est fautif. ■ Littér. Action, projet, opinion si étrange, si difficile, qu'on dirait un pari impossible à tenir. ⇒ **défi.**

gagnant, ante [gaɲɑ̃, ɑ̃t] adj. et n. **1.** Qui gagne. *Numéro gagnant. Elle part gagnante.* **2.** N. La personne qui gagne. / contr. **perdant** / *Le gagnant du gros lot.*

gagne-pain [gaɲpɛ̃] n. m. invar. ■ Ce qui permet à qqn de gagner modestement sa vie. *Des gagne-pain.* ⇒ **emploi, job.**

gagne-petit [gaɲpəti] n. m. invar. ■ Personne dont le métier rapporte peu. *Des gagne-petit.*

gagner [gaɲe] v. tr. ▪ conjug. 1. **I.** S'assurer (un profit matériel). **1.** (Par un travail, par une activité)

Gagner de l'argent. ⇒ **gain.** *Gagner 40 F de l'heure. Gagner 6 000 F par mois.* ⇒ **toucher.** *Gagner de quoi vivre, gagner sa vie,* fam. *sa croûte,* travailler pour vivre. *Voici cent francs, vous les avez bien gagnés,* mérités. **2.** (Par le jeu, par un hasard favorable) ⇒ **empocher, ramasser.** *Gagner le gros lot. À tous les coups l'on gagne !* **II. 1.** Acquérir, obtenir (un avantage). *Il a guéri beaucoup de gens, et y a gagné l'estime de tous. Vous avez bien gagné vos vacances.* ⇒ **mériter.** — *Gagner du temps,* faire une économie de temps. *Par le raccourci, on gagne un bon quart d'heure.* — *Ne vous embarquez pas dans cette affaire, je crains que vous n'y gagniez rien, rien de bon.* ⇒ **retirer, tirer.** — Sans compl. *Vous y gagnerez, vous y trouverez un avantage.* — GAGNER EN : sous le rapport de. *Il a gagné trois centimètres en hauteur.* ⇒ **augmenter, croître.** *Son style a gagné en force.* — Intransitivement. GAGNER À (+ infinitif) : retirer quelque avantage, avoir une meilleure position. *C'est un homme qui gagne (qui ne gagne pas) à être connu. On gagne à le connaître.* GAGNER DE (+ infinitif) : obtenir l'avantage de. *Vous y gagnerez d'être enfin tranquille.* **2.** Obtenir (les dispositions favorables d'autrui) ⇒ s'**attirer, conquérir.** *Il a gagné l'estime de tout le monde.* — Se rendre favorable (qqn). ⇒ **amadouer,** se **concilier.** *Elle s'est laissé gagner par mes prières.* ⇒ **convaincre, persuader.** *Nous l'avons enfin gagné à notre cause.* **III.** (Dans une compétition, une rivalité) **1.** Obtenir, remporter (un enjeu). *Gagner le troisième prix.* **2.** Être vainqueur dans (la compétition). *Gagner une bataille, un match, un pari* (contre qqn). **3.** *Gagner qqn de vitesse,* arriver avant lui en allant plus vite. ⇒ **dépasser, devancer. 4.** GAGNER DU TERRAIN *sur qqn* : se rapprocher de qqn (si on le poursuit), s'en éloigner (si l'on est poursuivi). — *L'incendie gagne du terrain.* ⇒ s'**étendre. 5.** Intransitivement. S'étendre au détriment de (qqn, qqch.). *L'incendie, l'obscurité gagne.* ⇒ se **propager. IV.** Atteindre (une position) en parcourant la distance qui en sépare. **1.** Atteindre en se déplaçant. *Le navire a gagné le rivage. Tâche de gagner la sortie.* **2.** Atteindre en s'étendant. ⇒ se **propager ; progresser,** se **répandre.** *L'incendie avait gagné le grenier.* — (Le sujet désigne une impression) *Le froid, le sommeil, la faim, la fatigue commençaient à nous gagner,* à s'emparer de nous. *L'affolement gagne les esprits.* ⟨ ▸ **gagnant, gagne-pain, gagne-petit, regagner** ⟩

① *gai, gaie* [ge] adj. **1.** (Êtres vivants) Qui a de la gaieté. ⇒ **content, enjoué, guilleret, joyeux, réjoui.** / contr. **triste** / *Un gai luron. Un caractère gai et facile. Gai comme un pinson.* — Dont la gaieté provient d'une légère ivresse. *Être un peu gai.* ⇒ **éméché, gris. 2.** (Choses) Qui marque de la gaieté ; où règne la gaieté. / contr. **sombre** / *Un air gai. Une soirée très gaie.* **3.** Qui inspire de la gaieté. *Un auteur gai.* ⇒ **amusant, comique, divertissant, drôle, réjouissant.** *J'aime ces couleurs gaies.* ⇒ **riant, vif.** / contr. **attristant** / *C'est la pièce la plus gaie de l'appartement.* ⇒ **plaisant.** — Iron. *Nous voilà encore en panne, c'est gai !* ▸ ② *gai* ou *gay* adj. ∎ Anglic. Relatif aux homosexuels masculins. *Un magazine gai (gay). Il est gai (gay).* — N. m. *Les gais (gays).* ▸ **gaiement** ou, vx, *gaiment* adv. ∎ ⇒ **joyeusement.** — *Allons-y gaiement,* de bon cœur. ▸ **gaieté** ou, vx, *gaîté* n. f. **1.** Comportement, état d'esprit d'une personne animée par la joie de vivre, la bonne humeur. ⇒ **enjouement, entrain, joie.** / contr. **chagrin, tristesse** / *Franche, folle gaieté. Mettre en gaieté.* ⇒ **égayer, réjouir.** — Loc. adv. (Après une négation) DE GAIETÉ DE CŒUR. *Je ne vais pas à ce rendez-vous de gaieté de cœur,* je n'y vais pas volontiers. **2.** Caractère de ce qui est gai. *La gaieté de la conversation.* ⟨ ▸ **égayer** ⟩

① *gaillard, arde* [gajaʁ, aʁd] adj. et n. **I.** Adj. **1.** Plein de vie, grâce à sa bonne santé. ⇒ **alerte,**

allègre, vif. C'est un vieillard encore très gaillard. ⇒ **vert. 2.** D'une gaieté un peu osée. *Des chansons gaillardes.* ⇒ **léger, leste, licencieux. II.** N. **1.** Homme plein de vigueur et d'entrain. *Un grand et solide gaillard.* **2.** Fam. Gars, lascar. *Ce sont des gaillards qu'il faut avoir à l'œil. Ah ! je t'y prends, mon gaillard !* ▸ **gaillardement** adv. ∎ Avec vigueur et entrain. ⟨ ▸ **ragaillardir** ⟩

② *gaillard* n. m. ∎ Marine. Logement et poste couvert qui domine le pont supérieur d'un navire. *Gaillard d'arrière.* ⇒ **dunette.** *Gaillard d'avant.*

gain [gɛ̃] n. m. **1.** Action de gagner. *Le gain d'une bataille. Il a eu, il a obtenu* GAIN DE CAUSE : il a obtenu ce qu'il voulait. **2.** Ce qu'on gagne. ⇒ **bénéfice, profit, rapport, rémunération, revenu, salaire.** / contr. **dépense, perte** / *Les gains d'un ouvrier, d'un chef d'entreprise. L'amour, la soif du gain.* **3.** Abstrait. Avantage. *Le gain que l'on retire d'une lecture.* ⇒ **fruit, profit.** *Un gain de temps, de place.* ⇒ **économie.** ⟨ ▸ **regain** ⟩

gaine [gɛn] n. f. **1.** Enveloppe ayant la forme de l'objet qu'elle protège. ⇒ **étui, fourreau.** *La gaine d'un pistolet.* **2.** Sous-vêtement féminin en tissu élastique enserrant les hanches et la taille. ▸ **gainer** v. tr. ∎ conjug. 1. **1.** Mettre une gaine à. *Gainer un fil électrique.* **2.** Mouler comme fait une gaine. — Au p. p. *Jambes gainées de soie.* ⟨ ▸ **dégainer, rengainer** ⟩

gala [gala] n. m. ∎ Grande fête officielle. ⇒ **cérémonie, réception.** *Une soirée de gala. Je vais mettre ma tenue de gala. Des galas.*

galact(o)- ∎ Élément signifiant « lait ». ▸ *galactique* [galaktik] adj. ∎ Relatif à la Voie lactée. — Qui appartient à une galaxie. *Nuage galactique. Voyages intergalactiques.* ⟨ ▸ **galaxie** ⟩

galant, ante [galɑ̃, ɑ̃t] adj. et n. m. **1.** (Homme) Qui cherche à plaire aux femmes. — Poli, délicat, attentionné à l'égard des femmes. *Soyez galant et offrez votre place à cette dame.* / contr. **goujat** / **2.** Qui a rapport aux relations amoureuses. *Il a été surpris en galante compagnie. Ton, propos galants. Un rendez-vous galant.* **3.** N. M. Vx. *Elle est fière de tous ses galants.* ⇒ **amoureux, soupirant.** — Loc. *Un vert galant,* un homme à femmes. ▸ **galamment** adv. ∎ D'une manière prévenante (envers les femmes). *Il l'aida galamment à passer son manteau.* ▸ **galanterie** n. f. **1.** Courtoisie empressée auprès des femmes. *La vieille galanterie française.* **2.** Propos flatteur adressé à une femme. *Débiter des galanteries.*

galantine [galɑ̃tin] n. f. ∎ Charcuterie à base de viande ou de volaille, servie dans la gelée. *Une tranche de galantine.*

galapiat [galapja] n. m. ∎ Fam. Vaurien. *Un petit galapiat.* ⇒ **polisson.**

galaxie [galaksi] n. f. **1.** *(La galaxie)* La Voie lactée (⇒ **galactique**). **2.** *(Une, des galaxies)* Nébuleuse en forme de spirale, faite d'un amas d'étoiles, de gaz, de poussières. *La galaxie à laquelle appartient le Soleil est la Voie lactée. Des galaxies à des millions d'années-lumière.*

galbe [galb] n. m. **1.** Contour harmonieux d'une construction, d'un objet d'art aux lignes courbes. *Le galbe d'un vase, d'un fauteuil.* **2.** Contour harmonieux d'un corps, d'un visage humain. *Un visage d'un beau galbe.* ▸ **galbé, ée** adj. ∎ Dont le contour est courbe et harmonieux. *Une commode galbée. Des jambes bien galbées.*

gale [gal] n. f. **1.** Maladie contagieuse de la peau, produite par un parasite animal, caractérisée par des démangeaisons. *Avoir la gale.* — Maladie des végé-

taux. **2.** *Une gale,* une personne très méchante.
⇒ **peste, teigne.** *Mauvais comme la gale.* ≠ *galle.*
‹ ▶ galeux ›

galéjade [galeʒad] n. f. ■ Région. En Provence.
Histoire inventée ou exagérée, que l'on raconte pour
duper qqn.

galère [galɛʀ] n. f. **1.** Grand navire de guerre ou
de commerce, à rames et à voiles, utilisé de l'Antiquité
au XVIIIᵉ siècle. ⇒ **galiote.** — *Loc. Que diable allait-il
faire dans cette galère ?,* comment a-t-il pu s'embarquer dans cette entreprise ? **2.** Au plur. LES GALÈRES :
la peine de ceux qui étaient condamnés à ramer sur
les galères du roi. **3.** Métier pénible, situation très
difficile. *Ce travail, c'est la galère.* ⇒ **bagne.** ‹ ▶ galérien ›

galerie [galʀi] n. f. **1.** Lieu de passage ou de
promenade, couvert, beaucoup plus long que large.
Galerie vitrée. ⇒ **véranda.** *La galerie intérieure d'un
appartement.* ⇒ **corridor, couloir.** *La galerie des
glaces, à Versailles.* — *Une galerie marchande.*
2. Magasin où sont exposés des objets d'art en vue
de la vente ; collection d'objets d'art. *Elle tient une
galerie d'avant-garde.* **3.** Balcon à plusieurs rangs de
spectateurs, au théâtre. *Premières, secondes galeries.*
⇒ **paradis, poulailler. 4.** *Loc. Parler pour la galerie,*
amuser, épater la galerie, le public, l'assistance. *Il fait
cela uniquement pour la galerie.* **5.** Cadre métallique
à rebords, que l'on fixe sur le toit d'une voiture, et
qui sert de porte-bagages. **6.** Passage souterrain.
⇒ **boyau, tunnel.** *Des galeries de mine. La taupe
creuse des galeries où elle circule.*

galérien [galeʀjɛ̃] n. m. ■ Homme condamné à
ramer sur les galères. ⇒ **bagnard, forçat.** — *Mener
une vie de galérien,* extrêmement pénible.

galet [galɛ] n. m. **I.** Caillou usé et poli par le
frottement de l'eau, que l'on trouve au bord de la
mer ou dans le lit des torrents. *Plage de galets.*
II. Disque, petite roue. *Les galets d'un fauteuil, d'un
lit.* ⇒ **roulette.** *Mécanisme à galets.*

galetas [galta] n. m. invar. ■ Logement très pauvre,
sordide. ⇒ **réduit, taudis.**

① *galette* [galɛt] n. f. **1.** Gâteau plat et rond fait
d'un mélange très simple. *Une galette des Rois pour
dix personnes.* — *Petit gâteau sec de même forme.
Un paquet de galettes bretonnes.* — *Crêpe de sarrasin
ou de maïs.* **2.** *Loc. Plat comme une galette,* très plat.
3. Objet en forme de galette. *Siège recouvert d'une
galette de cuir.*

② *galette* n. f. ■ *Fam.* Argent. ⇒ **blé.** *Il a de la
galette. La grosse galette,* la fortune.

galeux, euse [galø, øz] adj. et n. **1.** Atteint de
la gale. *Chien galeux.* — *N. Un galeux.* **2.** Qui a
rapport à la gale. *Éruption galeuse.* **3.** Dont la surface
est sale, pelée. *Des façades galeuses.*

galimatias [galimatja] n. m. invar. ■ Discours,
écrit confus, incompréhensible. *Je ne comprends rien
à cette brochure ; c'est du galimatias.* ⇒ **charabia.**

galion [galjɔ̃] n. m. ■ Ancien navire de commerce
colonial entre l'Amérique et l'Espagne.

galiote [galjɔt] n. f. ■ Petite galère.

galipette [galipɛt] n. f. ■ *Fam.* Cabriole, culbute.
Faire la galipette en avant, en arrière.

galle [gal] n. f. ■ Sur un tissu végétal, tumeur due
à des insectes parasites. *La galle du chêne, riche en
tanin* (appelée aussi *noix de galle*). ≠ *gale.*

gallican, ane [ga(l)likã, an] adj. ■ Qui concerne
l'Église catholique de France. / contr. **ultramontain** /
▶ *gallicanisme* n. m. ■ Principes et doctrines de
l'Église gallicane.

gallicisme [ga(l)lisism] n. m. **1.** Construction ou
emploi propre à la langue française. **2.** Dans une autre
langue, mot, construction empruntés au français.
L'anglais moderne emploie de nombreux gallicismes.

gallinacés [ga(l)linase] n. m. pl. ■ Oiseaux de la
famille de la poule et du coq (caille, dindon, faisan,
perdrix, pintade...).

gallon [galɔ̃] n. m. ■ Mesure de capacité utilisée
dans les pays anglo-saxons pour les grains et les
liquides (4,54 l en Grande-Bretagne ; 3,78 l aux
États-Unis). *Un gallon de whisky.* ≠ *galon.*

gallo-romain, aine [galloʀɔmɛ̃, ɛn] adj. et n.
■ Relatif à la population, à la civilisation née du
mélange des Romains et des Gaulois après la conquête
de la Gaule. — N. *Les Gallo-Romains.*

galoche [galɔʃ] n. f. **1.** Chaussure de cuir grossière
à semelle de bois épaisse. **2.** *Loc. fam. Menton en
galoche,* long et relevé vers l'avant.

galon [galɔ̃] n. m. **1.** Ruban de tissu épais, qui sert
à orner. *Rideau, vêtement bordé d'un galon.* **2.** Signe
distinctif des grades dans l'armée. ⇒ **ficelle.** *Un
lieutenant à deux galons.* — *Prendre du galon,* monter
en grade. ▶ *galonné, ée* adj. et n. ■ Orné d'un galon.
Revers galonnés. — N. m. *Fam.* UN GALONNÉ : un
officier ou un sous-officier. ⇒ **grade.** ≠ *gallon.*

galop [galo] n. m. **1.** Allure la plus rapide que prend
naturellement le cheval (et certains animaux de la
même famille). *La mer monte parfois à la vitesse d'un
cheval au galop.* **2.** *Loc.* GALOP D'ESSAI : examen
d'entraînement. — AU GALOP : vite. *Allons ! au travail
et au galop !,* dépêchez-vous. **3.** Ancienne danse au
mouvement très vif. ▶ *galopade* n. f. ■ Course
précipitée. *Une galopade d'enfants dans l'escalier.*
▶ *galoper* v. intr. . conjug. 1. **1.** Aller au galop.
Galoper ventre à terre. **2.** Courir rapidement. *Les
gamins galopaient derrière lui.* **3.** Abstrait. Aller très
vite. *Son imagination galope.* ▶ *galopant, ante* adj.
■ Qui augmente très rapidement. *Inflation galopante.*
‹ ▶ galopin ›

galopin [galɔpɛ̃] n. m. ■ Gamin qui court les rues.
— Enfant espiègle, effronté. ⇒ **chenapan, garnement,
polisson.**

galurin [galyʀɛ̃] ou *galure* [galyʀ] n. m. ■ *Fam.*
Chapeau.

galvanique [galvanik] adj. ■ Relatif aux phénomènes électriques (étudiés par Galvani). *Pile, électricité galvanique.* ▶ *galvaniser* v. tr. . conjug. 1.
1. Animer d'une énergie soudaine, souvent passagère.
⇒ **électriser, entraîner, exalter, exciter.** *Cet orateur
galvanise la foule.* **2.** Recouvrir un métal ferreux
d'une mince couche de zinc pour le protéger de la
rouille. — Au p. p. adj. *Tôle galvanisée.* ▶ *galvanisation* n. f. ■ Action de galvaniser (2). ▶ *galvanomè-
tre* n. m. ■ Instrument servant à mesurer l'intensité
des courants électriques.

galvauder [galvode] v. tr. . conjug. 1. ■ Compromettre (un avantage, un don, une qualité) par un
mauvais usage. *Galvauder son nom.* ⇒ **avilir.** *Galvauder son talent.*

gambade [gãbad] n. f. ■ Bond joyeux et spontané
accompagné de mouvements de jambes. ⇒ **cabriole,
ébats, entrechat, galipette.** *Faire des gambades.*
▶ *gambader* v. intr. . conjug. 1. ■ *Gambader de joie.*
— *Son esprit gambade,* suit sa fantaisie.

gamelle [gamɛl] n. f. **1.** Récipient individuel pour
la nourriture, muni d'un couvercle, et que l'on peut
faire chauffer. *La gamelle du soldat, du campeur, de
l'ouvrier de chantier.* **2.** *Fam. Ramasser une gamelle,*
tomber ; subir un échec.

gamète [gamɛt] n. m. ■ Cellule reproductrice mâle ou femelle qui contient un seul chromosome*. *Le gamète mâle (spermatozoïde) peut s'unir au gamète femelle (ovule) pour former un œuf.*

gamin, ine [gamɛ̃, in] n. et adj. **1.** Enfant ou adolescent. ⇒ **gosse.** *Une gamine de onze ans.* — Fam. *Il est venu avec ses deux gamins, qui s'appellent Paul et Claire, ses deux enfants.* — *Un gamin de Paris.* ⇒ **titi. 2.** Adj. Jeune et espiègle. *Air, esprit gamin. Elle a quinze ans, mais elle est restée bien gamine.* ▶ **gaminerie** n. f. ■ Comportement, acte, propos dignes d'un gamin. ⇒ **enfantillage, puérilité.** *Il a passé l'âge de ces gamineries.*

gamma [ga(m)ma] n. m. invar. ■ Troisième lettre de l'alphabet grec (Γ, γ), correspondant au G (g).

gamme [gam] n. f. **1.** Suite montante ou descendante de notes de musique comprises dans une octave, suivant des intervalles déterminés. ⇒ **échelle, mode.** *Gamme diatonique majeure : do ré mi fa sol la si do. Faire ses gammes au piano.* **2.** Série de couleurs qui passent insensiblement d'un ton à un autre. *Une gamme de gris.* **3.** Série continue où tous les degrés, toutes les espèces sont représentés. *Toute la gamme des sentiments. Une gamme de produits de beauté.*

gammée [game] adj. fém. ■ CROIX GAMMÉE : dont les branches sont coudées en forme de gamma majuscule. (On dit aussi *svastika,* n. m.) *La croix gammée, emblème des nazis.*

ganache [ganaʃ] n. f. ■ Fam. Personne incapable, sans intelligence. ⇒ **imbécile.** *C'est une vieille ganache.*

gandin [gɑ̃dɛ̃] n. m. ■ Jeune homme d'une élégance excessive.

gandoura [gɑ̃duʀa] n. f. ■ Tunique sans manche, qui se porte en Afrique du Nord et en Orient sous le burnous.

gang [gɑ̃g] n. m. ■ Bande organisée, association de malfaiteurs. *Un chef de gang.* ⇒ **gangster.** *Lutte contre les gangs.* ≠ **gangue.** ⟨ ▶ gangster ⟩

ganglion [gɑ̃glijɔ̃] n. m. ■ Renflement sur le trajet d'un vaisseau lymphatique ou d'un nerf. *Ganglions (ou glandes) lymphatiques. Les ganglions du cou, de l'aine.* — Fam. *Cet enfant a des ganglions,* ses ganglions lymphatiques ont enflé.

gangrène [gɑ̃gʀɛn] n. f. **1.** Mort et putréfaction des tissus animaux. *Il faut amputer le pied pour arrêter la gangrène qui le ronge.* **2.** Ce qui pourrit, corrompt. ⇒ **corruption, pourriture.** *Le racisme est une gangrène sociale.* ▶ **gangrener** [gɑ̃gʀəne] v. tr. . conjug. 5. **1.** Attaquer (qqch.) par la gangrène (1) — Pronominalement (réfl.). *Membre, plaie qui se gangrène.* — Au p. p. adj. *Membre gangrené.* **2.** ⇒ **empoisonner, pervertir.** *Le gouvernement était gangrené par la corruption.* ▶ **gangreneux, euse** adj. ■ *Plaie gangreneuse.*

gangster [gɑ̃gstɛʀ] n. m. **1.** Membre d'un gang. ⇒ **bandit, malfaiteur.** *Un film de gangsters.* **2.** Crapule. *Ce financier est un fameux gangster !* ▶ **gangstérisme** n. m. ■ Méfaits des gangsters. ⇒ **banditisme.**

gangue [gɑ̃g] n. f. **1.** Matière sans valeur qui entoure un minerai, une pierre précieuse à l'état naturel. **2.** Enveloppe. *Une gangue de boue.* — Dégager des idées de leur gangue.

ganse [gɑ̃s] n. f. ■ Cordonnet ou ruban tressé qui sert à orner. *Coudre une ganse sur une robe.*

gant [gɑ̃] n. m. **1.** Pièce de l'habillement qui s'adapte exactement à la main en couvrant chaque doigt séparément. *Une paire de gants. Gants de peau. Gants fourrés.* **2.** Objet analogue, qui enveloppe la main sans séparer les doigts. ⇒ ① **moufle.** — GANT DE BOXE : moufle de cuir bourrée de crin. — GANT DE CRIN : avec lequel on frictionne la peau pour activer la circulation du sang. — GANT DE TOILETTE : poche en tissu éponge avec laquelle on fait sa toilette. ⇒ **main. 3.** Loc. *Retourner qqn comme un gant,* le faire changer complètement d'avis. — *Ce costume te va comme un gant,* convient parfaitement. — *Jeter le gant (à la face de qqn),* défier, provoquer. *Relever le gant,* le défi. — Fam. *Prendre, mettre des gants,* agir avec ménagement. *Il lui a annoncé son renvoi sans prendre de gants.* ⇒ **forme.** — *Se donner les gants (de qqch.),* s'attribuer à tort le mérite (de qqch.). ⇒ se **vanter.** ▶ **gantelet** [gɑ̃tlɛ] n. m. **1.** Gant d'une armure. **2.** Morceau de cuir avec lequel certains artisans protègent la paume de leurs mains. ▶ **ganter** v. tr. . conjug. 1. **1.** Mettre des gants à. *Des mains faciles à ganter.* — Pronominalement. *Se ganter de soie.* — Au p. p. adj. *Un monsieur ganté et cravaté.* **2.** (Gants) Aller. *Ces gants noirs vous gantent très bien.* ▶ **ganterie** n. f. ■ Industrie, commerce, atelier du gantier. ▶ **gantier, ière** n. ■ Personne qui confectionne, qui vend des gants. — En appos. *Ouvrier gantier.* ⟨ ▶ se déganter ⟩

garage [gaʀaʒ] n. m. **1.** Action de ranger des wagons à l'écart de la voie principale. — VOIE DE GARAGE : voie où l'on gare les trains, les wagons ; fig. situation sans progrès possible. **2.** Abri généralement clos, destiné à recevoir des véhicules. *Un garage d'avions. Un garage d'automobiles, d'autobus.* ⇒ **dépôt.** *Rentrer sa voiture au garage.* ⇒ **box. 3.** Entreprise qui s'occupe de la garde, de l'entretien, et de la réparation des automobiles. ▶ **garagiste** n. ■ Personne qui tient un garage (3) pour automobiles.

garance [gaʀɑ̃s] adj. invar. ■ Rouge vif. *Les pantalons garance de l'ancienne infanterie de ligne.*

garant, ante [gaʀɑ̃, ɑ̃t] n. **1.** En droit. Personne qui s'engage, devant une autre, à répondre (de qqch.) *Vous serez garant des avaries.* ⇒ **responsable.** — Personne qui répond de la dette d'autrui. **2.** ÊTRE, SE PORTER GARANT DE : répondre de. *Je me porte garant de sa conduite.* **3.** Ce qui constitue une garantie (2). ⇒ **assurance, caution.** *Sa profession est le garant de sa liberté.* ▶ **garantie** [gaʀɑ̃ti] n. f. **1.** Engagement par lequel une entreprise répond de la qualité de ce qu'elle vend (produit, service). *Contrat de garantie. Vendre un objet avec garantie. Ma montre est encore sous (la) garantie.* **2.** Ce qui constitue une assurance de la valeur de qqch., de qqn. *Cet employé présente toutes les garanties.* ▶ **garantir** v. tr. . conjug. 2. **1.** Assurer sous sa responsabilité (qqch.) à qqn. **1.** En droit. (Sujet : celui qui se porte garant) ⇒ **cautionner.** — (Sujet : chose) *Il existe des lois garantissant les libertés du citoyen.* **2.** Assurer de la qualité ou du bon fonctionnement. *Je viens d'acheter une voiture d'occasion, que le vendeur m'a garantie.* — Au p. p. adj. *Occasion garantie un an.* **3.** Donner (qqch.) pour certain, véridique. ⇒ **certifier.** *Je peux vous garantir le fait.* — GARANTIR QUE... (+ indicatif). *Je te garantis que tout ira bien.* **II.** Mettre à l'abri de. ⇒ **défendre, préserver, protéger.** *Des volets garantissent du vent, du soleil.*

garce [gaʀs] n. f. ■ Fam. Femme, fille méchante, désagréable. — *Ah ! la garce !* — GARCE DE (+ n. f.). *Cette garce de vie.*

garçon [gaʀsɔ̃] n. m. **I. 1.** Enfant du sexe masculin. *Les filles et les garçons. Cette petite est un garçon manqué,* elle se conduit comme un garçon. — PETIT GARÇON : enfant entre l'âge où il commence à parler et la douzième année environ. ⇒ **garçonnet.** — GRAND GARÇON. *Tu es un grand garçon,* se dit à un enfant pour le flatter ou faire appel à sa raison.

— JEUNE GARÇON : adolescent. **2.** Jeune homme. *Un garçon de vingt ans.* ⇒ **gars.** — Loc. *Un beau garçon. Il est joli garçon, beau garçon.* — *C'est un garçon bien élevé. Un* MAUVAIS GARÇON : un voyou. **3.** Jeune homme non marié. ⇒ **célibataire.** Vx. *Rester garçon* (on dit : *vieux garçon,* dans ce sens). — Loc. *Garçons d'honneur,* dans le cortège d'un mariage. **II.** Spécialt ou en loc. **1.** Homme qui travaille comme aide, comme commis. *Garçon coiffeur, épicier, boucher. Garçon de magasin, de laboratoire, de bureau. Garçon de course.* ⇒ **coursier. 2.** Employé chargé de servir la clientèle d'un établissement. — *Garçon de café, de restaurant, d'hôtel.* ⇒ **serveur.** *Garçon, un demi !* ▶ **garçonnet** n. m. ■ Petit garçon. ▶ **garçonnier, ière** adj. ■ Qui, chez une fille, rappelle les allures d'un garçon. *Manières garçonnières.* ▶ **garçonnière** n. f. ■ Petit appartement pour un homme seul, un « garçon » (I, 3). ⇒ **studio.**

① **garde** [gaʀd] n. f. **1.** Action de conserver ou protéger (qqch.) en le surveillant. *Le service de la consigne se charge de la garde des bagages. Mettre, tenir sous bonne garde.* **2.** Action de veiller sur une personne. ⇒ **protection, surveillance.** *Ils ont confié leur petite fille à la garde d'une nourrice. Après le divorce, c'est la mère qui a eu la garde des enfants.* **3.** Surveillance. *Faire bonne garde.* CHIEN DE GARDE : chien qui veille sur une maison et ses dépendances. **4.** Service de surveillance. *La garde de nuit.* ⇒ **veille.** — DE GARDE. *Être de garde,* être chargé de rester à un poste. *Pharmacien de garde. Tour de garde.* **5.** Position de défense (en escrime, en boxe...). *Être en garde.* Ellipt. *En garde !* **6.** *Mettre qqn* EN GARDE : l'avertir, le prévenir. *Je vous mets en garde contre ses procédés.* — *Une mise en garde,* un avertissement. — *Être, se mettre, se tenir* SUR SES GARDES : être vigilant. **7.** PRENDRE GARDE : faire attention (pour éviter un danger). ⇒ **veiller.** *Prends garde ! Prends garde à toi !* — *Prendre garde* (+ prop. nég.). *Prends garde qu'il ne te voie pas, de ne pas être vu ! Sans y prendre garde, je me suis trompé de chemin, sans m'en rendre compte.*

② **garde** n. f. **1.** Groupe de personnes chargées de veiller sur qqn, qqch. *La garde d'honneur. La garde impériale* (de Napoléon Ier). — *La* GARDE MOBILE : corps de gendarmerie chargé de la protection du territoire. **2.** Ensemble des soldats en armes qui occupent un poste, exercent une surveillance. *Monter la garde,* surveiller en sentinelle. — CORPS DE GARDE : groupe de soldats chargés de garder un poste. *Plaisanterie de corps de garde,* grossière. ⟨ ▶ **arrière-garde, avant-garde** ⟩

③ **garde** n. f. **1.** *La garde d'une épée, d'un sabre,* rebord placé entre la lame et la poignée. *Enfoncer jusqu'à la garde,* de toute la longueur de la lame. **2.** *Pages de garde,* pages vierges placées au début et à la fin d'un livre.

④ **garde** n. ■ Personne qui surveille qqn, qqch. **I.** N. m. **1.** Celui qui garde une chose, un dépôt, un lieu. ⇒ **conservateur, dépositaire, gardien, surveillant.** *Le garde des Sceaux,* le ministre de la Justice. — *Garde forestier,* chargé de surveiller les forêts domaniales ou privées. ⇒ **garde-chasse.** — GARDE CHAMPÊTRE : agent communal, préposé à la garde des propriétés rurales. **2.** Celui qui a la garde d'un prisonnier. ⇒ **gardien, geôlier. 3.** Celui qui veille sur la personne d'un souverain, d'un prince, d'un chef d'armée. — *Garde du corps,* personne qui suit qqn pour le protéger. **4.** Soldat d'une garde (②, 1). *Un garde républicain. Un garde mobile.* **II.** N. f. Celle qui garde un malade, un enfant. ⇒ **garde-malade, infirmière, nurse.** *La garde a veillé toute la nuit dans la chambre du malade.*

garde- ■ Élément de mots composés, du v. *garder* ou de *garde* ④. ▶ **garde-à-vous** [gaʀdavu] n. m. invar. ■ Position immobile du soldat debout qui est prêt à exécuter un ordre. *Se mettre, rester au garde-à-vous.* — *Garde à vous ! Fixe !* ▶ **garde-barrière** n. ■ Personne qui surveille un passage à niveau sur une voie ferrée. *La maison des gardes-barrières.* ▶ **garde-boue** n. m. invar. ■ Bande de métal qui recouvre le dessus de la roue d'une bicyclette, d'une moto, des anciennes automobiles. ▶ **garde champêtre** ⇒ ④ **garde.** ▶ **garde-chasse** n. m. ■ Homme préposé à la garde du gibier. *Des gardes-chasse.* ▶ **garde-chiourme** n. m. ■ Surveillant des forçats. — Surveillant brutal. *Des gardes-chiourme.* ▶ **garde-côte** n. m. ■ Bateau chargé de défendre les côtes, de surveiller la pêche. *Des garde-côtes.* ▶ **garde-fou** n. m. ■ Parapet établi pour empêcher les gens de tomber (appelé aussi *garde-corps,* n. m. invar.). ⇒ **barrière, rembarde.** *Des garde-fous.* ▶ **garde-magasin** n. m. ■ Militaire chargé de surveiller les magasins d'un corps de troupe. ⇒ **magasinier.** *Des gardes-magasins.* ▶ **garde-malade** n. ■ Personne qui garde les malades et leur donne des soins élémentaires. ⇒ **garde** (④, II). *Des gardes-malades.* ▶ **garde-manger** n. m. invar. ■ Petite armoire mobile, garnie de toile métallique, dans laquelle on conserve des aliments. ▶ **garde-meuble** n. m. ■ Lieu où l'on entrepose des meubles pour un temps limité. *Des garde-meubles. Mettre un piano au garde-meuble.* ▶ **garde-pêche** n. m. **1.** Personne chargée de faire observer les règlements sur la pêche. *Des gardes-pêche.* **2.** Navire qui assure le même service. *Des garde-pêche.* ⇒ **garde-côte.** ▶ **garde-robe** n. f. **1.** Armoire où l'on range les vêtements. ⇒ **penderie. 2.** L'ensemble des vêtements d'une personne. *Elle a renouvelé sa garde-robe. Des garde-robes.*

gardénal [gaʀdenal] n. m. ■ Nom d'un médicament calmant.

gardénia [gaʀdenja] n. m. ■ Arbuste exotique à feuilles persistantes, à fleurs d'un beau blanc mat. — Cette fleur. *Des beaux gardénias.*

garden-party [gaʀdɛnpaʀti] n. f. ■ Anglic. Vieilli. Réception mondaine donnée dans un grand jardin ou dans un parc. *Des garden-parties.*

garder [gaʀde] v. tr. · conjug. 1. **I. 1.** Prendre soin de (une personne, un animal). ⇒ **veiller sur, surveiller.** *Garder des bestiaux.* PROV. *À chacun son métier, les vaches seront bien gardées.* — *Garder des enfants,* rester avec eux et les surveiller. — Loc. GARDER L'ŒIL, UN ŒIL *sur qqn, qqch.,* surveiller qqn, qqch. du regard. **2.** Empêcher (une personne) de sortir, de s'en aller. *Garder un prisonnier.* ⇒ **détenir. 3.** Rester dans (un lieu) pour le surveiller, pour défendre qqn ou qqch. *Garder une maison, un magasin. Garder une porte, une entrée,* surveiller ceux qui entrent ou qui sortent. **4.** Littér. Protéger, préserver (qqn) de qqch. ⇒ **garantir.** *Garder qqn de l'erreur.* — Au subjonctif sans *que* (valeur de souhait) *Dieu me garde de la maladie. Dieu te garde ! Dieu m'en garde !.* **II.** Conserver. / contr. **céder, laisser** / **1.** Empêcher que (une chose) ne se gâte, ne disparaisse. *Il est difficile de garder la viande pendant les grosses chaleurs. Garder des marchandises en entrepôt. Garder du beurre au frais.* **2.** Conserver pour soi, ne pas se dessaisir de. *J'ai gardé le stylo que tu m'avais offert.* — *Ne rien garder,* vomir. **3.** Conserver sur soi (un vêtement, un bijou). *Gardez votre chapeau.* / contr. **enlever** / **4.** Ne pas quitter (un lieu). *Le médecin lui a ordonné de garder la chambre.* **5.** Retenir (une personne) avec soi. *Garder qqn à dîner. Il m'a gardé une heure.* ⇒ **tenir.** — *Garder un collaborateur, un employé.* / contr. **renvoyer** / **6.** Ne pas divulguer, ne pas communiquer. / contr. **dire** / *Garder un secret. Gardez cela pour vous,* n'en dites pas un mot, soyez discret. **7.** Abstrait. Continuer à avoir. *Elle suit un régime pour garder la ligne. Garder son calme, son sérieux. Je lui ai gardé rancune de sa mauvaise blague.* — Loc. TOUTES PROPORTIONS GARDÉES : en tenant compte des proportions de chacun des termes d'une comparaison. **8.** (Avec un adj. attribut) *Garder les yeux baissés.* ⇒ **tenir.** **III.** Mettre de côté, en réserve. ⇒ **réserver.** *Garder qqch. pour, à qqn. Si tu arrives le premier, garde-moi une place.* **IV.** Observer fidèlement, avec soin. ⇒ **pratiquer, respecter.** / contr. **négliger** / *Garder le jeûne. Garder le silence. Garder ses distances,* s'abstenir de toute familiarité. **V.** SE GARDER. v. pron. **1.** *Se garder de* (+ nom de personne ou de chose abstraite), prendre garde à. ⇒ se **défier,** se **méfier.** *Il faut se garder des jugements hâtifs.* — *Se garder de* (+ infinitif), s'abstenir de. *Garde-toi de tomber malade, garde-t'en bien !* **2.** (Passif) Se conserver. *Ce fromage ne se garde pas plus de deux jours.* ▶ *gardé, ée* adj. **1.** CHASSE GARDÉE : réservée (au propriétaire, à un groupe de personnes). **2.** *Toutes proportions gardées.* ⇒ **garder** (II, 7). ▶ *garderie* n. f. ■ Local où l'on garde de jeunes enfants en dehors des heures de classe. ⇒ **crèche.** ▶ *gardeur, euse* n. ■ (+ compl.) Personne qui garde des animaux. ⇒ **berger, gardien.** *Gardeuse d'oies.* ‹ ▶ **égard,** ①, ②, ③ et ④ **garde, garde-, gardien,** par **mégarde, sauvegarde** ›

gardian [gaʀdjã] n. m. ■ Gardien d'un troupeau de gros bétail, en Camargue.

gardien, ienne [gaʀdjɛ̃, jɛn] n. **1.** Personne qui a charge de garder qqn, un animal, un lieu, un bâtiment, etc. ⇒ **garde.** *Gardien de prison.* ⇒ **geôlier, surveillant.** *Le gardien d'un hôtel, d'un immeuble.* ⇒ **concierge, portier.** *Gardien de nuit.* ⇒ **veilleur.** — GARDIEN DE BUT : le joueur chargé de défendre le but dans un sport d'équipe (football, etc.). **2.** Celui qui défend, qui protège. *Le Sénat, gardien de la Constitution.* **3.** GARDIEN DE LA PAIX : agent de police. ▶ *gardiennage* [gaʀdjɛnaʒ] n. m. ■ Emploi de gardien (1). — Service du gardien.

gardon [gaʀdɔ̃] n. m. ■ Petit poisson d'eau douce, comestible. — *Frais comme un gardon,* en bonne santé, en bonne forme.

① *gare* [ga(ɑ)ʀ] n. f. ■ Ensemble des installations établies aux stations des lignes de chemin de fer pour l'embarquement et le débarquement des voyageurs et des marchandises. *Gare de triage,* où se fait le triage des wagons. *Le buffet de la gare. Chef de gare. Gare routière.* — EN GARE. *L'entrée en gare du train.* ‹ ▶ **aérogare, héligare** ›

② *gare* interj. ■ Exclamation pour avertir de se garer ; de laisser passer qqn, qqch., de prendre garde à quelque danger. ⇒ **attention.** — GARE À... *Gare à la secousse.* — (Menace) *Gare à toi, si tu désobéis !* — Loc. SANS CRIER GARE : à l'improviste.

garenne [gaʀɛn] n. f. ■ Lieu boisé où les lapins vivent à l'état sauvage. *Des lapins de garenne.*

garer [gaʀe] v. tr. . conjug. 1. **I.** **1.** Ranger (un bateau, un véhicule) à l'écart de la circulation, ou dans un lieu abrité (⇒ **garage**). *Garer sa voiture.* — (Passif) Fam. *Je suis mal garé,* ma voiture est mal garée. **2.** SE GARER v. pron. réfl. : se dit du conducteur qui met son véhicule en un lieu de stationnement. *Elle s'est garée dans la rue voisine.* **II.** **1.** SE GARER v. pron. réfl. : se ranger de côté pour laisser passer un véhicule. **2.** SE GARER DE v. pron. réfl. : faire en sorte d'éviter... *Se garer des voitures. Se garer des coups.* ⇒ se **protéger.** ‹ ▶ **garage,** ① **gare,** ② **gare** ›

gargantua [gaʀgɑ̃tɥa] n. m. ■ Gros mangeur. ▶ *gargantuesque* adj. ■ *Repas gargantuesque.*

se gargariser [gaʀgaʀize] v. pron. réfl. . conjug. 1. **1.** Se rincer le fond de la bouche avec un liquide. *Il se gargarise à l'eau tiède.* **2.** Fam. ⇒ se **délecter, savourer.** *Il se gargarise de compliments.* ▶ *gargarisme* n. m. ■ Médicament liquide avec lequel on se gargarise. — Fait de se gargariser (1).

gargote [gaʀgɔt] n. f. ■ Restaurant à bon marché, où la cuisine est médiocre.

gargouille [gaʀguj] n. f. ■ Gouttière en saillie par laquelle s'éjectent les eaux de pluie, souvent sculptée en forme d'animal, de démon, de monstre.

gargouiller [gaʀguje] v. intr. . conjug. 1. ■ Produire un bruit d'eau qui coule. ▶ *gargouillement* n. m. ■ Bruit d'eau qui coule. ⇒ **glouglou.** *Les gargouillements de la fontaine.* — Ce bruit, dans un viscère de l'appareil digestif. *Gargouillements intestinaux.* ⇒ **borborygme.** ▶ *gargouillis* n. m. invar. ■ Fam. Gargouillement. *Il a des gargouillis dans l'estomac.*

gargoulette [gaʀgulɛt] n. f. ■ Région. Vase poreux dans lequel les liquides se rafraîchissent par évaporation. ≠ *margoulette.*

garnement [gaʀnəmã] n. m. ■ Jeune garçon turbulent, insupportable. ⇒ **galopin.**

garni [gaʀni] n. m. ■ Vx. Maison, chambre qu'on loue meublée (on dit aujourd'hui *meublé,* n. m.).

garnir [gaʀniʀ] v. tr. . conjug. 2. **1.** Pourvoir d'éléments destinés à protéger ou à renforcer. — Au p. p. *Mur garni de carreaux de faïence.* **2.** Pourvoir de tous les éléments dont la présence est nécessaire ou normale. ⇒ **équiper, outiller, remplir.** *Garnir un rayonnage de livres.* / contr. **dégarnir** / *La salle garnissait peu à peu* (de gens). ⇒ s'**emplir.** — Au p. p. adj. *Un portefeuille bien garni.* **3.** Pourvoir d'éléments qui s'ajoutent à titre d'accessoires ou d'ornements. *Garnir une robe de broderies.* — Au p. p. *Plat de viande garni* (de légumes). **4.** (Suj. chose) *Des livres garnissent les étagères.* ⇒ **remplir.** *Un ruban garnit ses cheveux.* ⇒ **orner.** ▶ *garnissage* n. m. ⇒ **garniture.** ‹ ▶ **dégarnir, garni, garniture** ›

garnison [gaʀnizɔ̃] n. f. ■ Corps de troupes caserné dans une ville. — Cette ville.

garniture [gaʀnityʀ] n. f. **1.** Ce qui peut servir à garnir (1, 3) qqch. ⇒ **ornement, parure.** *Garniture de lit.* — *Garniture de frein,* plaque montée sur les mâchoires du frein. **2.** Ce qui remplit, accompagne, en cuisine. *Garniture d'un vol-au-vent. La garniture d'un plat de viande,* les légumes.

garrigue [gaʀig] n. f. ■ Terrain aride et calcaire de la région méditerranéenne ; végétation de chênes verts et de buissons aromatiques qui couvre ce terrain. ⇒ **maquis.**

① *garrot* [gaʀo] n. m. ■ Chez les grands quadrupèdes. Partie du corps située au-dessus de l'épaule et qui prolonge l'encolure. *Le garrot d'un cheval.*

② *garrot* n. m. **1.** Lien servant à comprimer les vaisseaux d'un membre pour arrêter une hémorragie. **2.** Instrument de supplice pour étrangler, sorte de collier de fer serré avec une vis. ▶ *garrotter* v. tr. . conjug. 1. ■ Attacher, lier très solidement. *Garrotter un prisonnier.* — Abstrait. ⇒ **bâillonner.** *Garrotter la presse.*

gars [gɑ] n. m. invar. ■ Fam. Garçon, homme. *Un petit gars. C'est un drôle de gars.* ⇒ **type.** — (Appellation fam.) *Eh les gars ! Bonjour, mon gars !* ‹ ▶ **garce, garçon** ›

gascon, onne [gaskɔ̃, ɔn] adj. et n. **1.** De la Gascogne, ancienne province de France. — N. *Les Gascons.* — *Le gascon,* dialecte d'oc. **2.** Loc. *Une promesse de Gascon,* qui n'est pas tenue.

gas-oil [gazɔjl ; gazwal] ou mieux, *gazole* [gazɔl] n. m. ■ Produit pétrolier utilisé comme carburant dans les moteurs Diesel.

gaspiller [gaspije] v. tr. ■ conjug. 1. ■ Dépenser, consommer sans discernement, inutilement. *Il gaspille son salaire en gadgets coûteux.* — *Gaspiller l'eau en période de sécheresse.* — *Gaspiller son temps, son talent.* / contr. **conserver, économiser, épargner** / ▶ *gaspillage* n. m. ■ *Les gens économes détestent le gaspillage.* ⇒ **dilapidation, dissipation, prodigalité.** — *Un gaspillage de forces, d'énergie.* / contr. **économie, épargne** / (Abrév. fam. *gaspi*) ▶ *gaspilleur, euse* n. ■ Dépensier (ière). — Adj. *Il est très gaspilleur.*

gastéro-, gastr(o)-, -gastre ■ Éléments signifiant « ventre », « estomac » (ex. : *gastro-intestinal*). ▶ *gastéropode* [gasteʀɔpɔd] n. m. ■ Mollusque au large pied charnu lui servant à ramper (escargot, limace). ▶ *gastrique* adj. ■ De l'estomac. *Suc gastrique. Embarras gastrique.* ▶ *gastronome* [gastʀɔnɔm] n. m. ■ Amateur de bonne chère. ⇒ **gourmet.** ▶ *gastronomie* n. f. ■ Art de la bonne chère (cuisine, vins, ordonnance des repas, etc.). ▶ *gastronomique* adj. ■ *Restaurant, menu gastronomique.* ⟨ ▶ épigastre ⟩

① *gâteau* [gɑto] n. m. 1. ■ Pâtisserie à base de farine, de beurre et d'œufs, le plus souvent sucrée. *Gâteaux secs,* qui se conservent. *Gâteau de riz, de semoule,* entremets. — Fam. *C'est du gâteau !,* c'est agréable et facile, c'est tout simple. 2. ■ *Gâteau de cire, de miel,* ensemble des alvéoles, dans lesquels les abeilles déposent leur miel et leurs œufs. ⇒ **rayon** (③, I).

② *gâteau* adj. invar. ■ Fam. *Papa, maman gâteau,* qui gâte les enfants. *Des grand-mères gâteau.*

① *gâter* [gɑte] v. tr. ■ conjug. 1. I. 1. (Surtout au passif) Détériorer en pourrissant. ⇒ **avarier, corrompre.** *L'humidité a gâté ces fruits.* — Au p. p. adj. *Une dent gâtée,* cariée. 2. ■ Priver de sa beauté, de ses qualités naturelles. ⇒ **déparer, enlaidir.** *Cet immeuble gâte la vue, le paysage.* 3. ■ Enrayer la bonne marche, les possibilités de succès de (qqch.). *Gâter les affaires. Tout gâter.* ⇒ **compromettre.** *Ce qui ne gâte rien,* c'est un avantage de plus. *Ce joli garçon et très fin, ce qui ne gâte rien.* 4. ■ Diminuer, détruire en supprimant l'effet agréable de (qqch.). *Cette mauvaise nouvelle nous a gâté nos vacances.* ⇒ **empoisonner, gâcher.** II. SE GÂTER v. pron. réfl. 1. ■ S'abîmer, pourrir. 2. ■ Se détériorer. *Le temps se gâte,* commence à devenir mauvais. *Attention, ça se gâte,* la situation se dégrade. ▶ *gâte-sauce* [gɑtsos] n. m. invar. ■ Vx. Marmiton. — Mauvais cuisinier. ▶ *gâteux, euse* adj. et n. ■ Dont les facultés intellectuelles sont amoindries par l'âge. *Un vieillard gâteux.* — Qui devient stupide sous l'empire d'un sentiment violent. *Il aime sa petite-fille à en être gâteux. Il est gâteux avec elle.* ⇒ fam. **gaga.** ▶ *gâtisme* n. m. ■ État de celui qui est gâteux. ⟨ ▶ dégât ⟩

② *gâter* v. tr. ■ conjug. 1. ■ Combler (qqn) d'attentions, de cadeaux. *Sa grand-mère l'a gâté pour Noël.* ⇒ ② **gâteau.** — ENFANT GÂTÉ : dont on satisfait tous les désirs. ▶ *gâterie* n. f. 1. ■ Action de gâter (qqn). 2. ■ Petit cadeau (surprise, friandise). *Je t'ai apporté une petite gâterie pour le dessert.* ⟨ ▶ ② gâteau ⟩

① *gauche* [goʃ] adj. et n. f. 1. (Par rapport à une personne) Se dit de ce qui, pour elle, est situé du côté de son cœur. / contr. **droit** / *Côté gauche. Rive gauche de la Seine. Main, bras gauche.* — N. m. *Un crochet du gauche,* du poing gauche. — N. f. LA GAUCHE : le côté gauche. *Assieds-toi à la gauche de ton frère. Sur votre gauche, vous voyez l'église.* — *Jusqu'à la gauche,* complètement. — À GAUCHE loc. adv. : du côté gauche. *La première rue à gauche.* — *Mettre de*

l'argent à gauche, de côté. — À GAUCHE DE loc. prép. *À gauche de l'église.* 2. ■ N. f. LA GAUCHE : les gens qui professent des idées avancées, progressistes. / contr. **droite** / *Un gouvernement de gauche. La politique de la gauche. Un journal d'extrême gauche.* — Loc. adv. *Être à gauche, être de gauche,* avoir des opinions de gauche. ▶ *gaucher, ère* adj. ■ Qui se sert ordinairement de la main gauche. *Ce joueur de tennis est gaucher.* — N. *Un gaucher.* ▶ *gauchisme* n. m. ■ Courant politique d'extrême gauche. ▶ *gauchiste* adj. et n.

② *gauche* adj. ■ (Personnes) Maladroit et disgracieux. *Un enfant gauche. Air, geste gauche.* ⇒ **embarrassé.** / contr. **habile** / ▶ *gauchement* adv. ■ Maladroitement. ▶ *gaucherie* n. f. ■ *Une gaucherie d'adolescent.* ⇒ **embarras.**

③ *gauche* adj. ■ Qui est de travers, dévié par rapport à une surface plane. *Courbe gauche.* ▶ *gauchir* [goʃiʀ] v. ■ conjug. 2. I. V. intr. (Choses planes) Perdre sa forme. ⇒ se **courber,** se **déformer.** *La porte a gauchi, elle ne peut plus fermer.* II. V. tr. 1. Rendre gauche. ⇒ **tordre.** / contr. **redresser** / 2. Altérer, déformer, fausser. *Gauchir un fait, une idée. Gauchir un fait divers.*

gaucho [go(t)ʃo] n. m. ■ En Amérique du Sud. Cavalier qui garde les troupeaux de bovins dans la pampa. *Des gauchos.*

gaudriole [godʀijɔl] n. f. 1. Fam. Plaisanterie un peu leste. ⇒ **gauloiserie, grivoiserie.** *Débiter des gaudrioles.* 2. ■ *La gaudriole,* l'amour physique. *Il ne pense qu'à la gaudriole.*

gaufre [gofʀ] n. f. ■ Gâteau léger cuit entre deux plaques qui lui impriment un dessin quadrillé en relief. *Marchand de gaufres.* ▶ *gaufrette* n. f. ■ Petite gaufre sèche feuilletée. ▶ *gaufrier* n. m. ■ Moule à gaufres. ▶ *gaufrer* v. tr. ■ conjug. 1. ■ Imprimer des motifs ornementaux en relief ou en creux sur (qqch.). *Plaques à gaufrer le cuir.* — Au p. p. adj. *Papier gaufré.* ▶ *gaufrage* n. m. 1. Action de gaufrer. 2. Ornement gaufré.

gaule [gol] n. f. ■ Longue perche utilisée pour faire tomber les fruits d'un arbre. — Canne à pêche. ▶ *gauler* v. tr. ■ conjug. 1. ■ Faire tomber (des fruits) avec une gaule. *Gauler les noix, les pommes.*

gaulliste [golist] adj. et n. ■ Partisan du général de Gaulle ; relatif à sa politique. ▶ *gaullisme* n. m.

gaulois, oise [golwa, waz] adj. 1. Adj. De Gaule. *Les peuples gaulois.* ⇒ **celte.** *Prêtres gaulois,* druides. — N. *Les Gaulois.* — *Moustache à la gauloise,* longue et tombante. 2. ■ D'une gaieté un peu leste. *Plaisanterie gauloise.* ⇒ **grivois.** *L'esprit gaulois de Rabelais.* ▶ *gauloiserie* n. f. ■ Propos licencieux.

gauloise n. f. ■ Cigarette de tabac brun, de la Régie française. *Un paquet de gauloises.*

se gausser [gose] v. pron. ■ conjug. 1. ■ Littér. Se moquer ouvertement (de qqn ou de qqch.). ⇒ **railler.** *Elles se sont gaussées de nous, de notre allure.*

gave [gav] n. m. ■ Torrent pyrénéen.

gaver [gave] v. tr. ■ conjug. 1. 1. ■ Faire manger de force et abondamment (les animaux qu'on veut engraisser). *Gaver des oies.* 2. ■ Gaver qqn de, lui faire manger trop de. 3. ■ Pronominalement (réfl.). SE GAVER : manger énormément. *Il se gave de gâteaux.* ⇒ **bourrer.** ▶ *gavage* n. m. ■ *Le gavage des volailles.*

gavial, als [gavjal] n. m. ■ Animal voisin du crocodile, à longues mâchoires étroites. *Les gavials du Gange.*

gavotte [gavɔt] n. f. ■ Ancienne danse à deux temps ; air sur lequel on la danse.

gavroche [gavrɔʃ] n. m. et adj. ■ Gamin de Paris, spirituel et moqueur. ⇒ **titi.** — Adj. *Il a un petit air gavroche.*

gay adj. et n. m. ⇒ ② **gai.**

gaz [gaz] n. m. invar. **1.** Tout corps qui se présente à l'état de fluide expansible et compressible (état gazeux) dans les conditions de température et de pression normales. *Gaz comprimé, raréfié. Gaz carbonique.* — GAZ RARES : argon, crypton, hélium... — *Avoir des gaz,* des gaz accumulés dans le tube digestif. ⇒ **flatuosité. 2.** LE GAZ : le gaz utilisé pour l'éclairage, le chauffage, l'alimentation des cuisinières. *Gaz de ville. Four à gaz. Gaz d'éclairage. Réchaud à gaz. Compteur à gaz. Employé du gaz.* — Loc. fam. *Il y a de l'eau dans le gaz,* l'atmosphère est à la querelle. **3.** Corps gazeux destiné à produire des effets nocifs sur l'organisme. *Gaz de combat. Gaz asphyxiants, lacrymogènes. Masque à gaz. Chambre à gaz,* pièce où l'on exécute des condamnés à mort par un gaz toxique. **4.** Mélange gazeux utilisé dans les moteurs à explosion. *Gaz d'admission, d'échappement.* — *Il roule à* PLEINS GAZ : à pleine puissance. ⇒ ② **gazer. Mets les gaz,** accélère. ⟨ ► allume-gaz, camping-gaz, gazéifier, ① gazer, ② gazer, gazeux, gazoduc, gazomètre ⟩

gaze [gaz] n. f. ■ Tissu lâche et très léger, de soie ou de coton. *Une écharpe de gaze. Une compresse de gaze hydrophile.*

gazéifier [gazeifje] v. tr. ■ conjug. 7. **1.** Faire passer à l'état de gaz. ⇒ **sublimer, vaporiser. 2.** Faire dissoudre du gaz carbonique (dans un liquide). — Au p. p. adj. *Une boisson gazéifiée.*

gazelle [gazɛl] n. f. ■ Mammifère ongulé d'Afrique et d'Asie, ruminant, à longues pattes fines, à cornes annelées.

① *gazer* [gaze] v. tr. ■ conjug. 1. ■ Intoxiquer (qqn) avec un gaz de combat. ⇒ **asphyxier.** — Au p. p. adj. et n. *Les gazés de 14-18.*

② *gazer* v. intr. ■ conjug 1. **1.** Fam. Aller à toute vitesse, à pleins gaz. ⇒ **filer, foncer. 2.** Fam. *Ça gaze, ça marche, ça va bien.*

gazette [gazɛt] n. f. ■ Autrefois. Journal, revue.

gazeux, euse [gazø, øz] adj. **1.** Relatif au gaz ; sous forme de gaz. *Fluide gazeux.* **2.** Qui contient du gaz carbonique dissous. *Eau, boisson gazeuse.* ⇒ **pétillant.**

gazoduc [ga(a)zɔdyk] n. m. ■ Canalisation qui alimente en gaz sur de très longues distances.

gazole n. m. ⇒ **gas-oil.**

gazomètre [ga(a)zɔmɛtR] n. m. ■ Grand réservoir où l'on stocke le gaz de ville avant de le distribuer.

gazon [gazɔ̃] n. m. ■ Herbe courte, dense et fine. *Tondeuse à gazon. S'asseoir sur le gazon.* ⇒ **pelouse.** ► *gazonné, ée* adj. ■ Où l'on a planté du gazon. *Jardin gazonné.*

gazouiller [gazuje] v. intr. ■ conjug. 1. **1.** Produire un bruit léger et doux. ⇒ **bruire, murmurer.** *Oiseaux qui gazouillent.* ⇒ **chanter. 2.** (Nourrisson) Émettre des petits sons à peine articulés. ⇒ **babiller.** ► *gazouillant, ante* adj. ► *gazouillement* n. m. ► *gazouillis* n. m. invar. ■ Bruit léger produit par un ensemble de gazouillements. *Le gazouillis des oiseaux.*

geai [ʒɛ] n. m. ■ Oiseau passereau de la taille du pigeon, à plumage bigarré. *Geai bleu. Le geai jase. Des geais.* ≠ **jais.**

géant, ante [ʒeɑ̃, ɑ̃t] n. et adj. **I.** N. **1.** Personne dont la taille dépasse anormalement la moyenne. *Les géants de la mythologie.* / contr. **nain** / *Des pas de*

géant, des très grands pas. **2.** Génie, héros, surhomme. *Les géants de l'art, du sport.* **II.** Adj. **1.** Dont la taille dépasse de beaucoup la moyenne. ⇒ **colossal, énorme, gigantesque.** *Paquet géant. Cactus géant. Des trusts géants.* / contr. **petit** / **2.** Fam. (Intensif) *C'est géant !* ⇒ **fabuleux, formidable.**

géhenne [ʒeɛn] n. f. ■ Vieilli. Torture appliquée aux criminels. ⇒ **question** (3). — Souffrance intense, intolérable.

geindre [ʒɛ̃dR] v. intr. ■ conjug. 52. **1.** Faire entendre des plaintes faibles et inarticulées. ⇒ **gémir,** se **plaindre.** *Le malade geint, geint de douleur.* — (Choses) Produire un bruit plaintif. **2.** Se lamenter à tout propos, sans raison valable (⇒ **geignard**). ► *geignard, arde* [ʒɛɲaR, aRd] adj. ■ Fam. Qui se lamente à tout propos. ⇒ **pleurnicheur.** — *Une musique geignarde.* ⇒ **plaintif.**

① *gel* [ʒɛl] n. m. **1.** Temps de gelée ①. *Une nuit de gel.* **2.** Congélation des eaux (et de la vapeur d'eau atmosphérique). ⇒ **givre, glace.** *Le gel a fendu la roche en deux.* **3.** Arrêt, blocage (d'une activité politique ou économique). *Le gel des crédits.* ⟨ ► antigel, dégel ⟩

② *gel* n. m. ■ En physique. Substance obtenue par formation de petits flocons dans une solution colloïdale. ► *gélatine* [ʒelatin] n. f. ■ Substance extraite, sous forme de gelée ②, de certains tissus animaux. ► *gélatineux, euse* adj. ■ Qui a la nature, la consistance ou l'apparence de la gélatine. *Chair gélatineuse et flasque. Entremets gélatineux.* ⟨ ► ② gelée, gélule ⟩

① *gelée* [ʒ(ə)le] n. f. ■ Abaissement de la température au-dessous de zéro, ce qui provoque la congélation de l'eau. ⇒ ① **gel, glace, verglas.** — *Gelée blanche,* congélation de la rosée avant le lever du soleil, par nuit claire.

② *gelée* n. f. **1.** Suc de substance animale (viande, os) qui s'est coagulé en se refroidissant. *Bœuf en gelée.* **2.** Jus de fruits cuit au sucre et coagulé. *Gelée de groseille.*

geler [ʒ(ə)le] v. ■ conjug. 5. **I.** V. intr. **1.** Se transformer en glace. *La mer gèle rarement dans les fjords.* / contr. **dégeler** / **2.** Souffrir du froid. ⇒ **grelotter.** *Fermez donc la fenêtre, on gèle, ici !* **II.** (Sujet impers.) *Il a gelé cette nuit.* **III.** V. tr. Rendre gelé. *Cette humidité nous gelait.* **IV.** SE GELER v. pron. réfl. : avoir très froid. *Ne reste pas dehors à te geler.* ► *gelé, ée* adj. **1.** Transformé en glace. *Étang gelé.* **2.** Dont les tissus organiques sont brûlés par le froid. *Plantes gelées. Mains gelées.* **3.** Qui a très froid. *Je me sens gelé. J'ai les pieds gelés.* ⇒ **glacé,** transi. **4.** (Argent) Qui ne circule plus. *Crédits gelés.* ⟨ ► **congeler,** dégeler, engelure, ① gel, ① gelée; surgeler ⟩

gelinotte [ʒelinɔt] n. f. ■ Oiseau très voisin de la perdrix (communément appelé *coq des marais*).

gélule [ʒelyl] n. f. ■ Capsule en gélatine dure qui contient un médicament en poudre.

gémeau, elle, eaux [ʒemo, ɛl, o] adj. et n. **1.** Vx. Jumeau. **2.** N. m. pl. (Avec une majuscule) *Les Gémeaux,* troisième signe du zodiaque (21 mai-21 juin). *Être du signe des Gémeaux, être des Gémeaux.* — Ellipt. *Elle est Gémeaux.* ► *gémellaire* [ʒemelɛR] adj. ■ Relatif aux jumeaux. *Grossesse gémellaire.*

géminé, ée [ʒemine] adj. ■ Disposé par paires. *Colonnes, fenêtres géminées. Fleurs géminées.*

gémir [ʒemiR] v. intr. ■ conjug. 2. **1.** Exprimer sa souffrance d'une voix plaintive et inarticulée. ⇒ **geindre,** se **plaindre.** *Le malade gémit.* **2.** Se plaindre à l'aide de mots. *Elle gémit sur son sort.* **3.** (Choses) Émettre un son plaintif et prolongé. *Le vent gémit dans les arbres.* ▶ *gémissant, ante* adj. ■ Qui gémit. *Une voix gémissante.* ⇒ **plaintif.** ▶ *gémissement* n. m. **1.** Son vocal inarticulé et plaintif. ⇒ **lamentation, plainte.** *Il pousse un gémissement de douleur.* **2.** Son plaintif. *Le gémissement du violon.*

① *gemme* [ʒɛm] n. f. ■ Pierre précieuse. *Des gemmes fabuleuses.*

② *gemme* adj. m. ■ *Sel gemme,* qu'on tire des mines.

gémonies [ʒemɔni] n. f. pl. ■ Loc. VOUER qqn AUX GÉMONIES : l'accabler publiquement de mépris, de honte.

gén-, -gène ■ Élément signifiant « naître ; engendrer, produire » (ex. : *gène, génocide, homogène*).

gênant, ante [ʒɛnɑ̃, ɑ̃t] adj. ■ Qui gêne, crée de la gêne. ⇒ **embarrassant, pénible.** *Une infirmité gênante. L'eau est coupée, c'est gênant.* / contr. **commode** / *Un témoin gênant.*

gencive [ʒɑ̃siv] n. f. ■ Muqueuse épaisse qui recouvre la base des dents. *Inflammation, tumeur des gencives.* ⇒ **gingivite.** — Fam. La mâchoire, les dents. Loc. fam. *Prendre un coup dans les gencives,* subir un affront.

① *gendarme* [ʒɑ̃daʀm] n. m. **I.** Autrefois (gens d'arme). Homme de guerre à cheval, ayant sous ses ordres un certain nombre d'autres cavaliers. **II.** Militaire appartenant à la gendarmerie (II, 1). *Il s'est fait arrêter par les gendarmes.* ⇒ Loc. fam. *Faire le gendarme,* faire régner l'ordre, la discipline d'une manière très autoritaire. *La peur du gendarme,* la peur du châtiment. ▶ *gendarmerie* n. f. **I.** Autrefois. Corps de gendarmes, cavalerie lourde. **II.** **1.** Corps militaire, chargé de maintenir l'ordre et la sécurité publiques, et de collaborer à la police judiciaire. **2.** Caserne où les gendarmes sont logés ; bureaux où ils remplissent leurs fonctions. *Faire une déclaration de vol à la gendarmerie.*

② *gendarme* n. m. ■ Fam. Saucisson sec, plat et très dur. — Hareng-saur.

gendre [ʒɑ̃dʀ] n. m. ■ Le mari d'une femme par rapport au père et à la mère de celle-ci. ⇒ **beau-fils.**

gêne [ʒɛn] n. f. **1.** Malaise ou trouble physique dû à une situation désagréable. *Éprouver une sensation de gêne.* **2.** Situation embarrassante, imposant une contrainte, un désagrément. ⇒ **dérangement, embarras, ennui, incommodité.** *Je voudrais être sûr de ne vous causer aucune gêne.* — PROV. *Où (il) y a de la gêne, (il n') y a pas de plaisir.* — *Être, vivre dans la gêne,* manquer d'argent. **3.** Impression désagréable que l'on éprouve devant qqn quand on se sent mal à l'aise. ⇒ **confusion, embarras.** *Il y eut un moment de gêne, de silence.* ≠ *gène.* ⟨ ▶ *sans-gêne* ⟩

gène [ʒɛn] n. m. ■ Élément contenu dans le chromosome, grâce auquel se transmet un caractère héréditaire. *Relatif aux gènes.* ⇒ **génétique.** ≠ *gêne.*

généalogie [ʒenealɔʒi] n. f. **1.** Liste qui donne la succession des ancêtres de (qqn) (⇒ **ascendance, descendance, lignée**). **2.** Science qui a pour objet la recherche des filiations. ▶ *généalogique* adj. ■ *Pièce, document généalogique. Dresser un arbre généalogique.* ▶ *généalogiste* n. ■ Personne qui recherche et dresse les généalogies. *Une généalogiste et héraldiste renommée.*

gêner [ʒene] v. tr. ▪ conjug. 1. **1.** Mettre (qqn) à l'étroit ou mal à l'aise, en causant une gêne physique. *Ces souliers me gênent.* ⇒ **serrer.** *Est-ce que le soleil,*

la fumée vous gêne ? ⇒ **déranger, incommoder, indisposer.** *Donnez-moi ce paquet qui vous gêne.* ⇒ **embarrasser, encombrer. 2.** Entraver (une action). *Pousse-toi, tu gênes le passage.* **3.** Mettre dans une situation embarrassante, difficile. ⇒ **embarrasser, empêcher.** *J'ai été gêné par le manque de temps, de place.* — Infliger à qqn l'importunité d'une présence, d'une démarche. ⇒ **déranger, importuner.** *Je crains de vous gêner en m'installant chez vous.* — Au p. p. *Je me trouve un peu gêné,* à court d'argent. ⇒ **gêne** (2). **4.** Mettre mal à l'aise. ⇒ **intimider, troubler.** *Vous me gênez, votre question me gêne.* **5.** SE GÊNER v. pron. réfl. : s'imposer une contrainte physique ou morale. *Je ne me gêne pas pour lui dire ce que je pense.* ⟨ ▶ *gênant, gêne, gêneur* ⟩

① *général, ale, aux* [ʒeneʀal, o] adj. **1.** Qui s'applique, se rapporte à un ensemble de cas ou d'individus. / contr. **individuel, particulier** / *Idées, observations, vues générales. D'une manière générale.* — N. m. *Aller, conclure du particulier au général.* ⇒ **généraliser.** — *En règle générale,* dans la plupart des cas. **2.** Qui concerne, réunit la totalité ou la majorité des membres d'un groupe. / contr. **partiel** / *Assemblée générale. Grève générale. Mobilisation générale.* — *Répétition générale,* ou ellipt, n. f. GÉNÉRALE : dernière répétition d'ensemble d'une pièce. **3.** Qui embrasse l'ensemble d'un service, d'une organisation. *Direction générale.* — Qui est à la tête de toute une organisation. *Président-directeur général.* **4.** EN GÉNÉRAL loc. adv. : sans considérer les détails. *Parler en général.* — Dans la plupart des cas, le plus souvent. ⇒ **généralement.** *C'est en général ce qui arrive.* ▶ *généralement* adv. **1.** D'un point de vue général. *Généralement parlant.* **2.** Dans l'ensemble ou la grande majorité des individus. ⇒ **communément.** *Usage généralement répandu.* **3.** Dans la plupart des cas. ⇒ **habituellement, ordinairement.** ▶ *généraliser* v. tr. ▪ conjug. 1. **1.** Étendre, appliquer (qqch.) à l'ensemble ou à la majorité des individus. / contr. **limiter** / *Généraliser une mesure.* — Au p. p. adj. *Crise généralisée.* **2.** Tirer une conclusion générale de l'observation d'un cas limité. *Il a tendance à trop généraliser. Ne généralise pas ton cas, tout le monde n'est pas comme toi.* ▶ *généralisable* adj. ▶ *généralisateur, trice* adj. ■ *Esprit généralisateur.* ▶ *généralisation* n. f. **1.** Action de généraliser ou de se généraliser. *Souhaiter la généralisation d'une mesure.* **2.** Abstrait. *Généralisation hâtive, imprudente.* ▶ *généraliste* adj. et n. m. ■ Qui pratique la médecine générale. (On dit aussi *omnipraticien, ienne,* adj. et n.) / contr. **spécialiste** / ▶ *généralité* n. f. **1.** Caractère de ce qui est général (1). *Généralité d'un théorème.* ⇒ **universalité. 2.** Idée, notion générale, trop générale (surtout au plur.). *Émettre des généralités. Il se perd dans de vagues généralités.* / contr. **détail** / **3.** *La généralité des...,* le plus grand nombre. ⇒ **majorité,** la **plupart.** *Dans la généralité des cas.* / contr. **minorité** /

② *général, ale, aux* n. **I.** N. m. **1.** Celui qui commande en chef une armée. *Alexandre le Grand, général fameux. Général en chef.* **2.** Celui qui est à la tête d'un ordre religieux. ⇒ **supérieur.** *Le général des jésuites.* **3.** Officier du plus haut grade commandant une grande unité dans les armées de terre et de l'air. *Général de brigade* (2 étoiles), *de division* (3), *de corps d'armée* (4), *d'armée* et commandant en chef (5). **II.** N. f. GÉNÉRALE : femme d'un général. *Madame la générale.* ▶ *généralissime* n. m. ■ Général chargé du commandement en chef.

génératif, ive [ʒeneʀatif, iv] adj. ■ *Grammaire générative,* description systématique, plus ou moins formalisée, des lois de production des phrases d'une langue.

génération [ʒenerɑsjɔ̃] n. f. ■ Action d'engendrer. **1.** Vx. Reproduction (I). *Génération sexuée. Génération spontanée,* théorie répandue avant les travaux de Pasteur, d'après laquelle certains êtres vivants pourraient naître spontanément à partir de matière non vivante. **2.** Ensemble des êtres qui descendent de qqn à chacun des degrés de filiation. ⇒ **progéniture.** *De génération en génération,* de père en fils. *Le conflit des générations.* — Espace de temps d'une trentaine d'années. **3.** Ensemble de ceux qui, à la même époque, ont à peu près le même âge. *La jeune, la nouvelle génération ; la génération montante. La génération de Mai 68.* **4.** Série de produits d'un même niveau de la technique. *Une génération nouvelle d'ordinateurs.* ▶ *générateur, trice* adj. ■ Qui engendre, sert à engendrer. ▶ *génératrice* n. f. ■ Machine produisant de l'énergie électrique. ⇒ **dynamo.**

généreux, euse [ʒenerø, øz] adj. **1.** Qui a de nobles sentiments qui le portent au désintéressement, au dévouement. *Un cœur généreux.* ⇒ **bon, charitable, humain.** / contr. **égoïste, mesquin** / **2.** Qui donne sans compter / contr. **avare** / *Généreux donateur.* — *Geste généreux.* — N. *Faire le généreux.* **3.** D'une nature riche, abondante. *Vin généreux,* riche en alcool. *Poitrine généreuse.* ▶ *généreusement* adv. ⟨ ▶ *générosité* ⟩

① *générique* [ʒenerik] adj. ■ Didact. Qui appartient au genre (opposé à **spécifique**). « *Voie* » *est le terme générique désignant les chemins, routes, rues, sentiers...*

② *générique* n. m. ■ Partie d'un film où sont indiqués les noms des auteurs, des collaborateurs. *Son nom figure au générique.*

générosité [ʒenerozite] n. f. **1.** Caractère d'un être généreux, d'une action généreuse. **2.** Qualité qui dispose à sacrifier son intérêt personnel. ⇒ **bonté, indulgence.** *Il en a parlé sans générosité.* **3.** Disposition à donner sans compter. ⇒ **largesse, libéralité. 4.** Au plur. Dons. *Ses générosités l'ont ruiné.*

genèse [ʒənɛz] n. f. **1.** Création du monde. **2.** Manière dont une chose se forme, se développe. ⇒ **formation.** *La genèse d'une œuvre d'art.* ⟨ ▶ *génétique* ⟩

genêt [ʒ(ə)nɛ] n. m. ■ Arbrisseau sauvage, à fleurs jaunes odorantes.

génétique [ʒenetik] adj. et n. f. **I. 1.** Adj. Relatif aux gènes, à l'hérédité. ⇒ **héréditaire.** *Mutation génétique.* **2.** N. f. Science des lois de l'hérédité. *La génétique des populations.* **II.** Relatif à une genèse (2). *Psychologie génétique.* ▶ *généticien, ienne* n. ■ Personne qui s'occupe de génétique.

gêneur, euse [ʒɛnœʀ, øz] n. ■ Personne qui gêne, empêche d'agir librement.

genévrier [ʒənevʀije] n. m. ■ Arbre ou arbuste à feuilles piquantes, dont les fruits sont des petites baies d'un noir violacé. ⇒ **genièvre.**

① *génie* [ʒeni] n. m. **1.** LE GÉNIE DE : l'ensemble des tendances caractéristiques de qqn, d'un groupe, d'une réalité vivante. *Le génie d'une langue, d'un peuple.* — Disposition naturelle. *Il a le génie des affaires.* **2.** Aptitude supérieure de l'esprit qui rend qqn capable de créations, d'inventions qui paraissent extraordinaires. *Génie poétique, musical. Il a du génie.* — DE GÉNIE loc. prép. : qui a du génie ou qui en porte la marque. ⇒ **génial.** *Homme, invention de génie.* **3.** N. m. Personne qui a du génie. *Un génie méconnu.* ▶ *génial, ale, aux* adj. **1.** Inspiré par le génie. *Géniale invention. Idée géniale.* **2.** Qui a du génie. *Un mathématicien génial.* **3.** Fam. *C'est génial,* c'est

épatant. ▶ *génialement* adv. ⟨ ▶ *s'ingénier, ingénieux* ⟩

② *génie* n. m. **1.** Personnage surnaturel doué de pouvoirs magiques. ⇒ **démon, esprit.** *Un bon génie, un génie protecteur,* qui influence la destinée. *Génie de l'air* ⇒ **elfe, sylphe. 2.** Représentation artistique de ce personnage. *Le génie de la Liberté.*

③ *génie* n. m. **1.** *Le génie militaire,* l'ensemble des services de travaux de l'armée. *Soldats du génie.* **2.** *Génie civil,* art des constructions ; ensemble des ingénieurs civils. ⟨ ▶ *ingénieur* ⟩

genièvre [ʒənjɛvʀ] n. m. **1.** Nom courant du genévrier. — Fruit de cet arbre. **2.** Eau-de-vie à base de baies de genièvre. ⇒ **gin.**

génisse [ʒenis] n. f. ■ Jeune vache qui n'a pas encore eu de veau. *Foie de génisse.*

génital, ale, aux [ʒenital, o] adj. ■ Qui se rapporte, qui sert à la reproduction sexuée des animaux et des hommes. *Parties génitales, organes génitaux.* ⇒ **sexe.** *Fonctions génitales.* — *Vie génitale.* ⇒ **sexuel.** ⟨ ▶ *congénital* ⟩

génitif [ʒenitif] n. m. ■ Dans les langues à déclinaisons. Cas des noms, adjectifs, pronoms, participes, qui exprime le plus souvent la dépendance ou l'appartenance (français : *de*).

génocide [ʒenɔsid] n. m. ■ Destruction méthodique d'un groupe humain . *L'extermination des juifs par les nazis est un génocide. Le génocide cambodgien.*

genou [ʒ(ə)nu] n. m. **1.** Partie du corps humain où la jambe s'articule avec la cuisse. ⇒ **rotule.** *Ils se sont enfoncés jusqu'aux genoux dans la boue. Fléchir le genou.* ⇒ **génuflexion.** *Pantalon usé aux genoux,* à l'endroit des genoux. — *Prendre un enfant sur ses genoux.* — *Tomber aux genoux de qqn,* se prosterner devant lui. — *Être sur les genoux,* très fatigué. — À GENOUX loc. adv. : avec le poids du corps sur les genoux posés au sol. *Se mettre à genoux.* ⇒ **s'agenouiller.** — *C'est à se mettre à genoux,* c'est admirable. — *Faire du genou à qqn,* attirer discrètement l'attention de qqn par de petits coups de genou. **2.** Chez les quadrupèdes. Articulation du membre antérieur. *Un cheval à genoux arqués.* ▶ *genouillère* [ʒ(ə)nujɛʀ] n. f. ■ Ce qu'on met sur le genou pour le protéger. *Genouillères de gardien de but* (en cuir rembourré). ⟨ ▶ *s'agenouiller* ⟩

genre [ʒɑ̃ʀ] n. m. **I. 1.** Groupe d'êtres ou d'objets présentant des caractères communs. *Le genre, les espèces et les individus. Je n'aime pas ce genre de manteau.* ⇒ **espèce, sorte.** *Du même genre. Elle est unique en son genre.* — *Genre de vie.* ⇒ ② **mode. 2.** En sciences naturelles. Subdivision de la famille. **3.** *Le genre humain,* l'espèce humaine. **4.** Catégorie d'œuvres, définie par la tradition (d'après le sujet, le ton, le style). *Les genres littéraires et les styles.* **II.** Catégorie grammaticale suivant laquelle un nom est dit masculin, féminin, ou neutre. — En français, le genre est soit le *masculin,* soit le *féminin,* et est exprimé soit par la forme du mot (au fém., *elle, la,* recouverte, son amie), soit par la forme de son entourage (le *sort, la mort,* des manches longues, *une dentiste,* l'acrobate brune). **III. 1.** Façons de s'habiller, de se comporter. ⇒ **allure, manière(s).** *Elle a (un) mauvais genre.* — (+ nom ou adj. en appos.) *Le genre bohème, le genre artiste.* **2.** Loc. *Faire du genre, se donner un genre,* affecter certaines manières pour être distingué par autrui.

gens [ʒɑ̃] n. m. et f. pl. — REM. L'adjectif placé juste avant *gens* se met au féminin bien que ce qui suit reste au masculin : *ces vieilles gens semblent fort las.* **1.** Personnes, en nombre indéterminé. ⇒ **homme,**

personne. *Peu de gens, beaucoup de gens. Un tas de gens. La plupart des gens. Certaines gens. Ces gens-là.* — REM. Ne s'emploie pas avec *quelques, plusieurs,* ni avec les noms de nombre. ⇒ **personne.** — *Ce sont des gens sympathiques, de braves gens. Des petites gens,* des gens à revenus modestes. — *Les gens sont fous,* l'humanité en général. **2.** JEUNES GENS : jeunes célibataires, filles et garçons. ⇒ **adolescent.** *Un groupe de joyeux jeunes gens.* — Plur. de *jeune homme.* ⇒ **homme.** *Les jeunes filles et les jeunes gens.* **3.** GENS DE (+ nom désignant l'état, la profession). *Gens de loi. De courageux gens de mer.* ⇒ **marin.** *Les gens de lettres,* écrivains professionnels. **4.** *Droit des gens,* droit des nations, droit international public. ⟨ ▶ gendarme ⟩

gent [ʒɑ̃] n. f. ■ Vx. Espèce, race. *La gent canine.* ⟨ ▶ entregent, gens ⟩

gentiane [ʒɑ̃sjan] n. f. **1.** Plante des montagnes à suc amer. **2.** Boisson apéritive à base de racine de gentiane.

① *gentil, ille* [ʒɑ̃ti, ij] adj. **1.** Qui plaît par la grâce de ses formes, de son allure, de ses manières. ⇒ **agréable, aimable, mignon.** *Elle est gentille comme un cœur.* — (Choses) ⇒ **charmant.** *Une gentille petite robe. C'est gentil comme tout.* **2.** Qui plaît par sa délicatesse morale, sa douceur. ⇒ **délicat, généreux.** *J'ai reçu votre gentille lettre. Vous êtes trop gentil. C'est gentil à vous,* de votre part. **3.** (Enfants) ⇒ **sage, tranquille.** *Les enfants sont restés bien gentils toute la journée.* **4.** Dans le domaine financier. D'une certaine importance. ⇒ **coquet, rondelet.** *Il vient de gagner une gentille somme au jeu.* ▶ *gentillesse* [ʒɑ̃tijɛs] n. f. **1.** Qualité d'une personne gentille. ⇒ **amabilité, complaisance, obligeance.** *Il a eu la gentillesse de m'aider.* **2.** Action, parole pleine de gentillesse. ⇒ **attention, prévenance.** *Je vous remercie de toutes les gentillesses que vous avez eues pour moi.* ▶ *gentillet, ette* adj. ■ Assez gentil ; petit et gentil. ▶ *gentiment* adv. ■ D'une manière gentille. *Accueillez-le gentiment.* ⇒ **aimablement.** — Sagement. *S'amuser gentiment.* ⟨ ▶ gentilhomme ⟩

② *gentil* n. m. ■ Nom que les juifs et les premiers chrétiens donnaient aux personnes étrangères à leur religion. ⇒ **infidèle.**

gentilhomme [ʒɑ̃tijɔm], plur. *gentilshommes* [ʒɑ̃tizɔm] n. m. **1.** Vx. Homme d'origine noble. *Gentilhomme campagnard.* **2.** Littér. Homme généreux, distingué. ⇒ **gentleman.** ▶ *gentilhommière* [ʒɑ̃tijɔmjɛʀ] n. f. ■ Petit château à la campagne. ⇒ **castel, manoir.**

gentleman [dʒɛntləman] n. m. ■ Anglic. Homme distingué, d'une parfaite éducation. *Il se conduit en gentleman.* Plur. *Des gentlemen* [-mɛn].

génuflexion [ʒenyflɛksjɔ̃] n. f. ■ Action de fléchir le genou, les genoux, en signe d'adoration, de respect, de soumission. ⇒ **agenouillement.**

géo- ■ Élément de mots savants, signifiant « Terre » (voir ci-dessous).

géode [ʒeɔd] n. f. ■ Masse pierreuse, de forme arrondie, creuse, dont l'intérieur est tapissé de cristaux. — Construction de cette forme. *La géode du parc de la Villette.*

géodésie [ʒeɔdezi] n. f. ■ Science qui a pour objet la détermination de la forme de la Terre, la mesure de ses dimensions, l'établissement des cartes. ▶ *géodésique* adj. ■ *Relevés géodésiques.*

géographie [ʒeɔgʀafi] n. f. **1.** Science qui a pour objet la description de l'aspect actuel du globe terrestre, au point de vue naturel et humain. *Géographie physique générale. Géographie humaine.*

Géographie économique. **2.** La réalité physique, biologique, humaine que cette science étudie. *La géographie de la France, du Bassin parisien.* ▶ *géographe* n. ■ Spécialiste de la géographie. ▶ *géographique* adj. ■ Relatif à la géographie. *Carte géographique.* ▶ *géographiquement* adv.

geôle [ʒol] n. f. ■ Littér. Cachot, prison. ▶ *geôlier, ière* [ʒolje, jɛʀ] n. ■ Littér. Personne qui garde les prisonniers. ⟨ ▶ enjôler ⟩

géologie [ʒeɔlɔʒi] n. f. **1.** Science qui a pour objet l'étude de la structure et de l'évolution de l'écorce terrestre. **2.** Les terrains, formations, etc., que la géologie étudie. ▶ *géologique* adj. ■ De géologie. ▶ *géologue* n. ■ Spécialiste de la géologie.

géométrie [ʒeɔmetʀi] n. f. ■ Partie des mathématiques qui a pour objet l'étude des figures dans l'espace. *Géométrie plane, dans l'espace.* — *Le cercle, le carré sont des figures de géométrie.* ▶ *géomètre* n. **1.** Spécialiste de la géométrie. *Une bonne géomètre.* **2.** En appos. *Arpenteur géomètre,* ou *géomètre,* technicien qui s'occupe de relever les plans de terrains. ▶ *géométrique* adj. **1.** De la géométrie. *Figure géométrique.* **2.** Simple et régulier comme les figures géométriques. *Les formes géométriques d'un édifice. Ornementation géométrique,* sans éléments animaux ou végétaux. **3.** Qui procède avec la rigueur, la précision de la « géométrie » au sens ancien de Mathématiques. *Exactitude, précision, rigueur géométrique.* ▶ *géométriquement* adv.

géomorphologie [ʒeɔmɔʀfɔlɔʒi] n. f. ■ Étude de la forme et de l'évolution du relief terrestre.

géophysique [ʒeɔfizik] n. f. ■ Étude des propriétés physiques du globe terrestre (mouvements de l'écorce, magnétisme terrestre, électricité terrestre, météorologie). — Adj. *Études, prospection géophysiques.* ▶ *géophysicien, ienne* n. ■ Spécialiste de géophysique.

gérance [ʒeʀɑ̃s] n. f. ■ Fonction de gérant. ⇒ **administration, gestion.** *Cela fait trois ans qu'elle a pris la gérance de l'entreprise.* — Durée de cette fonction. *Une gérance de dix ans.* ▶ *gérant, ante* n. ■ Personne qui gère pour le compte d'autrui. ⇒ **administrateur, directeur.** *Le gérant d'un immeuble.* — *Le gérant d'un journal,* le responsable de la publication.

géranium [ʒeʀanjɔm] n. m. ■ (Erroné en botanique) Plante à feuilles arrondies et velues, à fleurs en ombelles roses, blanches ou rouges. *Il a un pot de géraniums sur sa fenêtre.*

gerbe [ʒɛʀb] n. f. **1.** Botte de céréales coupées, où les épis sont disposés d'un même côté, et qui va s'élargissant par les queues aux têtes. *Une gerbe de blé.* **2.** Botte de fleurs coupées à longues tiges. *Offrir une gerbe de roses à une mariée.* **3.** (En parlant de qqch. qui jaillit en se déployant) ⇒ **bouquet, faisceau.** *Une gerbe d'eau, une gerbe d'étincelles.* ▶ *gerbier* n. m. ■ Grand tas de gerbes isolé dans les champs. ⇒ **meule.**

gerboise [ʒɛʀbwaz] n. f. ■ Petit rongeur à pattes antérieures très courtes, à pattes postérieures et queue très longues.

gercer [ʒɛʀse] v. tr. ■ conjug. 3. ■ Faire des petites crevasses, en parlant de l'action du froid ou de la sécheresse. ⇒ **crevasser.** — Pronominalement. *Il gèle, j'ai les mains qui se gercent.* — Au p. p. adj. *Lèvres gercées.* ▶ *gerçure* [ʒɛʀsyʀ] n. f. ■ Petite fissure de l'épiderme.

gérer [ʒeʀe] v. tr. ■ conjug. 6. **1.** Administrer (les intérêts, les affaires d'un autre). ⇒ **gestion.** *Gérer un commerce, un immeuble, une affaire* (⇒ **gérance,** gérant). **2.** (En parlant de ses propres affaires) Administrer. *Il gère son budget avec soin* (⇒ **gestion**). ⟨ ▶ gérance, s'ingérer ⟩

gerfaut [ʒɛʀfo] n. m. ■ Grand faucon à plumage gris clair.

① *germain, aine* [ʒɛʀmɛ̃, ɛn] adj. ■ COUSINS GERMAINS : cousins ayant une grand-mère ou un grand-père commun. — N. *Cousins issus de germains*, cousins ayant un arrière-grand-père ou une arrière-grand-mère en commun.

② *germain, aine* adj. ■ Qui appartient à la Germanie (territoire actuel de l'Allemagne). — N. *Les Germains.* ▶ *germanique* adj. **1.** Qui a rapport aux Germains, à la Germanie. *Empire romain germanique.* — *Langues germaniques,* langues des peuples que les Romains nommaient Germains et langues qui en dérivent (allemand, anglais, néerlandais, langues scandinaves). **2.** De l'Allemagne. ⇒ **allemand.** ▶ *germaniser* v. tr. ▪ conjug. 1. ■ Rendre germain, allemand. ▶ *germanisation* n. f. ▶ *germanisme* n. m. ■ Façon d'exprimer propre à l'allemand ; emprunt à la langue allemande. ▶ *germano-* ▪ Préfixe signifiant « allemand » (ex. : *germanophile*, adj. et n., qui aime les Allemands).

germe [ʒɛʀm] n. m. **1.** Élément microscopique qui, en se développant, produit un organisme (ferment, bactérie, spore, œuf). *Germes microbiens.* — Première pousse qui sort de la graine, du bulbe, du tubercule (⇒ **germer**). *Des germes de pommes de terre.* **2.** Principe, élément de développement (de qqch.). ⇒ **cause.** *Un germe de vie, de maladie.* — EN GERME. *L'esquisse contient en germe le tableau.* ▶ *germer* v. intr. ▪ conjug. 1. **1.** (Semence, bulbe, tubercule) Pousser son germe au-dehors. *Le blé a germé.* — Au p. p. adj. *Des pommes de terre germées.* **2.** Commencer à se développer. ⇒ se **former, naître.** *L'espoir d'un changement germe dans les esprits.* ▶ *germination* n. f. ■ Ensemble des phénomènes par lesquels une graine se développe et donne naissance à une nouvelle plante. ▶ *germinatif, ive* adj. ■ Relatif à la germination.

gérondif [ʒeʀɔ̃dif] n. m. **1.** Forme verbale, déclinaison de l'infinitif en latin : *cantandi, cantandum, cantando (de cantare, « chanter »).* **2.** En français. Participe présent généralement précédé de la préposition *en,* et servant à exprimer des compléments circonstanciels (ex. : *En forgeant, on devient forgeron*).

géront(o)- ■ Préfixe signifiant « vieillard ». ▶ *gérontocratie* n. f. ■ Didact. Gouvernement, domination par des vieillards. ▶ *gérontologie* n. f. ■ Étude des problèmes particuliers aux personnes âgées.

gésier [ʒezje] n. m. ■ Troisième poche digestive des oiseaux, très musclée. *Un gésier de poulet.*

gésir [ʒeziʀ] v. intr. défectif (Seult : *je gis, tu gis, il gît, nous gisons, vous gisez, ils gisent ; je gisais, etc. ; gisant.*) **1.** Littér. Être couché, étendu, sans mouvement (⇒ **gisant**). *Le malade gît sur son lit, épuisé.* **2.** Être enterré. CI-GÎT..., ICI-GÎT... : ici repose... (formule d'épitaphe). ⟨ ▶ gisant, gisement, ① gîte ⟩

gestapo [gɛstapo] n. f. ■ Police politique secrète de l'Allemagne nazie.

gestation [ʒɛstasjɔ̃] n. f. sing. **1.** État d'une femelle vivipare qui porte son petit, depuis la conception jusqu'à l'accouchement. ⇒ **grossesse. 2.** Travail d'élaboration lent. *Une œuvre littéraire, artistique en gestation.*

① *geste* [ʒɛst] n. m. **1.** Mouvement du corps (surtout des bras, des mains, de la tête), révélant un état d'esprit ou visant à exprimer, à exécuter qqch. ⇒ **attitude, mouvement.** *S'exprimer par gestes. Il a*

des gestes lents. Gestes brusques, vifs. Faire un geste de la main. ⇒ **signe. 2.** Abstrait. ⇒ **acte, action.** *Un geste d'autorité, de générosité. Faire un beau geste. Les faits et gestes de qqn,* sa conduite, ses actes. ⟨ ▶ gesticuler ⟩

② *geste* n. f. ■ Ensemble des poèmes épiques du Moyen Âge, relatant les exploits d'un héros. ⇒ **cycle.** *Chanson de geste.*

gesticuler [ʒɛstikyle] v. intr. ▪ conjug. 1. ■ Faire beaucoup de gestes, trop de gestes. *Elle ne cesse de gesticuler en parlant.* ▶ *gesticulation* n. f.

gestion [ʒɛstjɔ̃] n. f. ■ Action de gérer. ⇒ **administration, direction.** *La gestion d'un budget.* ▶ *gestionnaire* adj. et n. ■ Qui concerne la gestion d'une affaire. — Qui en est chargé. *Administrateur gestionnaire.* — N. *Un bon gestionnaire.* ⟨ ▶ autogestion ⟩

geyser [ʒezɛʀ] n. m. ■ Source d'eau chaude qui jaillit violemment, par intermittence. — Grande gerbe jaillissante. *Des geysers.*

ghetto [ge(e)to] n. m. **1.** Quartier où les juifs étaient forcés de résider. *L'insurrection du ghetto de Varsovie.* **2.** Quartier où une communauté vit à l'écart. *Le ghetto noir d'une ville américaine. Des ghettos.*

gibbon [ʒibɔ̃] n. m. ■ Singe d'Asie, sans queue et à longs bras.

gibbosité [ʒibozite] n. f. ■ Littér. Bosse.

gibecière [ʒibsjɛʀ] n. f. ■ Sac où le chasseur met son gibier. — Sac en bandoulière.

gibelotte [ʒiblɔt] n. f. ■ *Lapin en gibelotte,* fricassée de lapin au vin blanc.

giberne [ʒibɛʀn] n. f. ■ Ancienne boîte à cartouche des soldats. ⇒ **cartouchière.**

gibet [ʒibɛ] n. m. ■ Potence où l'on exécutait les condamnés à la pendaison.

gibier [ʒibje] n. m. **1.** Tous les animaux sauvages à chair comestible que l'on prend à la chasse. *Ce pays abonde en gibier.* ⇒ **giboyeux.** *Gros gibier,* cerf, chevreuil, daim, sanglier. *Poursuivre, rabattre le gibier. Manger du gibier.* **2.** Personne que l'on cherche à prendre, à attraper, à duper. — Loc. *Gibier de potence,* personne qui mérite d'être pendue.

giboulée [ʒibule] n. f. ■ Grosse averse parfois accompagnée de grêle, de neige. ⇒ **ondée.** *Les giboulées de mars.*

giboyeux, euse [ʒibwajø, øz] adj. ■ Riche en gibier. *Pays giboyeux.*

gibus [ʒibys] n. m. invar. ■ Chapeau haut de forme à ressorts (appelé aussi *chapeau claque*).

gicler [ʒikle] v. intr. ▪ conjug. 1. ■ (Liquide) Jaillir, rejaillir avec force. *La boue a giclé du caniveau sur les passants.* ⇒ **éclabousser.** ▶ *giclée* n. f. ■ Jet de ce qui gicle. ▶ *gicleur* n. m. ■ Petit tube du carburateur servant à doser l'arrivée d'essence.

gifle [ʒifl] n. f. ■ Coup donné du plat ou du revers de la main sur la joue de qqn. ⇒ littér. **soufflet ;** fam. **baffe.** *Donner, recevoir une paire de gifles.* — Loc. fam. *Tête à gifles,* visage fermé, déplaisant. *Quelle tête à gifles !,* il est exaspérant de bêtise, ou de prétention. ▶ *gifler* v. tr. ▪ conjug. 1. ■ Frapper d'une gifle. *Gifler un enfant.* — Au p. p. *Visage giflé par la pluie, le vent.* ⇒ **cingler, fouetter.**

gigantesque [ʒigɑ̃tɛsk] adj. **1.** Qui dépasse de beaucoup la taille ordinaire ; qui paraît extrêmement grand. ⇒ **colossal, démesuré, énorme, géant, monstrueux.** *Le séquoia, arbre gigantesque.* / contr. *petit* / **2.** Qui dépasse la commune mesure. ⇒ **énorme, étonnant.** *L'œuvre gigantesque de Balzac.* ▶ *gigan-*

tisme n. m. ■ Développement de la taille d'un individu très au-delà de la taille normale (⇒ **géant**). / contr. **nanisme** /

gigogne [ʒigɔɲ] adj. ■ Toujours épithète. Formé de parties emboîtées. *Tables gigognes. Fusée gigogne. Poupées gigognes.*

gigolo [ʒigolo] n. m. ■ Fam. Jeune homme amant d'une femme plus âgée par laquelle il est entretenu. *Elle a un gigolo. Des gigolos.*

gigot [ʒigo] n. m. 1. Cuisse de mouton, de chevreuil ⇒ **cuissot**, coupée pour être mangée. *Manger un gigot, du gigot.* 2. Fam. Cuisse d'une personne. *Il a de bons gigots.* 3. Manches à gigot, des manches gigot, bouffantes aux épaules et serrées au coude.

gigoter [ʒigɔte] v. intr. ■ conjug. 1. ■ Fam. Agiter ses membres, son corps . ⇒ se **trémousser**. *Le petit enfant gigote dans son berceau.*

① *gigue* [ʒig] n. f. ■ Fam. *Une grande gigue*, une fille grande et maigre.

② *gigue* n. f. ■ Danse très rythmée originaire des îles Britanniques.

gilet [ʒilɛ] n. m. 1. Vêtement court sans manches. *Il porte un gilet sous son veston. Gilet de flanelle*, à même la peau. — Loc. *Venir pleurer dans le gilet de qqn*, venir se plaindre et chercher une consolation. 2. *Gilet de sauvetage*, gilet gonflé à l'air comprimé qui permet de flotter. 3. *Cardigan.* 4. *Gilet pare-balles*, à l'épreuve des balles.

gin [dʒin] n. m. ■ Eau-de-vie de grains, fabriquée dans les pays anglo-saxons. *Cocktail au gin et au citron* (GIN-FIZZ [dʒinfiz] n. m. invar.). *Deux gins.* ≠ **jean**.

gingembre [ʒɛ̃ʒɑ̃bʁ] n. m. ■ Plante tropicale. — Rhizome de cette plante utilisé comme condiment. *Biscuits au gingembre.*

gingivite [ʒɛ̃ʒivit] n. f. ■ Inflammation des gencives.

a giorno [adʒɔʁno ; aʒjɔʁno] loc. adv. ■ Aussi brillamment que par la lumière du jour. *Salon éclairé a giorno.*

girafe [ʒiʁaf] n. f. ■ Grand mammifère, à cou très long et rigide, dont le pelage roux présente des dessins polygonaux. — Loc. fam. PEIGNER LA GIRAFE : faire un travail inutile.

girandole [ʒiʁɑ̃dɔl] n. f. 1. Gerbe de fusées de feu d'artifice qui tournoie. — Candélabre orné de pendeloques de cristal. 2. Guirlande lumineuse qui décore une fête, un manège.

giratoire [ʒiʁatwaʁ] adj. ■ (Mouvement) Circulaire. *Mouvement giratoire. Sens giratoire*, sens obligatoire que doivent suivre les véhicules autour d'un rond-point.

girl [gœʁl] n. f. ■ Anglic. Jeune danseuse de music-hall faisant partie d'une troupe. *Des girls* [gœʁl ; gœʁlz].

girofle [ʒiʁɔfl] n. m. ■ CLOU DE GIROFLE : bouton des fleurs d'un arbre exotique (le *giroflier*), utilisé comme condiment. ▸*giroflée* n. f. ■ Plante à fleurs jaunes ou rousses qui sentent le clou de girofle.

girolle [ʒiʁɔl] n. f. ■ Champignon jaune très apprécié. ⇒ ② **chanterelle**. *Poulet aux girolles.*

giron [ʒiʁɔ̃] n. m. 1. Vx. Partie du corps allant de la ceinture aux genoux, chez une personne assise. 2. Littér. Milieu qui offre un refuge. *Quitter le giron familial. Revenir dans le giron d'un parti.*

girond, onde [ʒiʁɔ̃, ɔ̃d] adj. ■ Fam. (Personnes) Bien fait et un peu rond. *Une femme gironde.*

girouette [ʒiʁwɛt] n. f. 1. Plaque légère, mobile autour d'un axe vertical, placée au sommet d'un édifice pour indiquer l'orientation du vent. *Girouette qui tourne.* 2. Personne qui change facilement d'avis. *Ne vous fiez pas à lui, c'est une girouette.* ⇒ **pantin**.

gisant [ʒizɑ̃] n. m. ■ Statue funéraire représentant le défunt étendu (⇒ **gésir**). *Un gisant de pierre.*

gisement [ʒizmɑ̃] n. m. ■ Masse importante de minerai. *Prospecter une contrée riche en gisements.* ⇒ **bassin**. *Exploiter un gisement de pétrole.*

gît ⇒ **gésir**.

gitan, ane [ʒitɑ̃, an] n. et adj. 1. Bohémien(ienne) d'Espagne. — Adj. *Campement gitan. Pèlerinage gitan.* 2. GITANE. n. f. : cigarette brune d'une marque de la Régie française. *Fumer une gitane.*

① *gîte* [ʒit] n. m. 1. Littér. Lieu où l'on trouve à se loger, où l'on peut coucher. ⇒ **abri, demeure, logement, maison**. *Offrir le gîte et le couvert à qqn.* — Cour. *Gîte rural.* 2. Lieu où s'abrite le gibier. *Lever un lièvre au gîte.*

② *gîte* n. m. ■ Partie inférieure de la cuisse du bœuf (en boucherie). *Gîte à la noix*, où se trouve la noix.

③ *gîte* n. f. ■ Loc. (Navire) DONNER DE LA GÎTE : pencher.

givre [ʒivʁ] n. m. ■ Fine couche de glace qui se forme par temps brumeux. *Cristaux de givre.* ▸*givrer* v. tr. ■ conjug. 1. 1. Couvrir de givre. / contr. **dégivrer** / 2. Couvrir d'une couche blanche comme le givre. *Givrer des verres avec du sucre cristallisé.* ▸*givrage* n. m. ■ Formation de givre. ▸*givrant, ante* adj. ■ Qui produit du givre. *Brouillard givrant.* ▸*givré, ée* adj. 1. Couvert de givre. *Arbres givrés.* 2. *Citron givré, orange givrée*, sorbet présenté dans l'écorce du fruit. 3. Fam. Fou ; ivre. *Elle est complètement givrée.* ⟨ ▸ **dégivrer** ⟩

glabre [glabʁ] adj. ■ Dépourvu de poils (imberbe ou rasé). *Menton, visage glabre.* / contr. **barbu, poilu** /

① *glace* [glas] n. f. 1. Eau congelée. *Patiner sur la glace, faire du patin à glace. Mettre un cube de glace, de la glace dans une boisson.* ⇒ **glaçon**. — Au plur. *La fonte des glaces.* ⇒ **dégel**. — Loc. ÊTRE, RESTER DE GLACE : insensible et imperturbable. *Un cœur, un visage de glace. Un accueil de glace.* ⇒ **glacial**. — *Rompre, briser la glace*, dissiper la gêne. 2. Crème glacée ou sorbet. *Manger une glace à la vanille.* ⇒ ① *glacer* v. tr. ■ conjug. 3. 1. Rare. Convertir (un liquide) en glace. ⇒ **congeler**. / contr. **dégeler** / — Fig. Pronominalement (réfl.). *Son sang se glaça dans ses veines.* 2. Rare. Refroidir à l'aide de glace artificielle. *Glacer une boisson, du champagne.* ⇒ **frapper**. 3. Causer une vive sensation de froid, pénétrer d'un froid très vif. *Cette petite pluie fine me glace.* ⇒ **transir**. / contr. **réchauffer** / 4. Paralyser, décourager par sa froideur, son aspect rebutant. *Son attitude me glace.* ⇒ **glaçant, glacial**. *Cet examinateur glace les candidats.* ⇒ **intimider**. 5. Frapper d'une émotion violente et profonde, qui cloue sur place. ⇒ **pétrifier**. *Ce hurlement dans la nuit les glaça d'horreur.* ▸*glaçant, ante* [glasɑ̃, ɑ̃t] adj ■ Qui glace (4). *Attitudes, manières glaçantes.* ⇒ **réfrigérant**. ▸*glacé, ée* adj. 1. Converti en glace. ⇒ **gelé**. *Neige glacée.* — *Crème glacée* (opposé à *sorbet*). ⇒ **glace** (2). 2. Très froid. *Eau glacée. Un vent glacé.* ⇒ **glacial**. — Refroidi à l'aide de glace ou de glaçons. *Jus de fruits glacé. Vin, entremets à servir glacé.* (En parlant du corps) *J'ai les mains glacées.* ⇒ **gelé**. *Il est glacé, il a très froid.* 4. Abstrait. D'une grande froideur. *Ils se sont salués avec une politesse glacée.* ▸*glaciaire* adj. ■ Propre aux glaciers. *Calotte, relief glaciaire.* — *Période glaciaire*, période géologique durant laquelle les glaciers ont couvert de très grandes étendues. ⇒ **glaciation.** ≠ *glacière.* ▶ **glacial, ale, als** ou **aux** (plur. rare) adj. **1.** Qui est très froid, qui pénètre d'un froid très vif. *Air, vent glacial,* glacé. *La maison est glaciale.* — *L'océan Glacial Arctique.* / contr. **chaud** / **2.** D'une froideur qui glace, rebute, paralyse. ⇒ **glaçant, glacé** (4). *Un accueil glacial.* ⇒ **froid, sec.** *Un homme glacial.* / contr. **accueillant, chaleureux** / ▶ **glaciation** n. f. ■ Période glaciaire. ▶ ① **glacier** n. m. ■ Champ de glace éternelle qui s'écoule très lentement. *Les glaciers des Alpes.* ▶ ② **glacier** n. m. ■ Personne qui vend des glaces (2). *Pâtissier-glacier.* ▶ **glacière** n. f. **1.** Armoire réfrigérée où l'on conserve les aliments. ⇒ **réfrigérateur. 2.** Fam. Lieu extrêmement froid. *Cette chambre est une glacière.* ≠ *glaciaire.* ⟨ ▶ brise-glace, glaçon ⟩

② **glace** n. f. **1.** Plaque de verre transparente. *La glace de la vitrine est fendue. Bris de glaces.* **2.** Vitre fixe ou mobile d'une voiture, d'un wagon. *Baisser, lever les glaces.* **3.** Plaque de verre étamée. ⇒ **miroir.** *Se voir, se regarder dans la glace. Une glace de poche.* ⟨ ▶ essuie-glace, lave-glace ⟩

② **glacer** v. tr. ∎ conjug. 3. **1.** Garnir d'un apprêt, d'un enduit brillant. ⇒ **glaçage.** *Glacer des étoffes, des peaux.* — Au p. p. adj. *Papier glacé.* **2.** Revêtir d'un glacis ②. **3.** Recouvrir de sucre transparent. — Au p. p. adj. *Marrons glacés.* ▶ **glaçage** [glɑsaʒ] n. m. **1.** Action de glacer (1). **2.** Fine couche de sucre fondu, parfois aromatisée. *Gâteau garni d'un glaçage au chocolat.* ⟨ ▶ ② glacis ⟩

① **glacis** [glasi] n. m. invar. ■ Talus incliné, devant une fortification.

② **glacis** n. m. invar. ■ Vernis coloré que l'on passe sur les couleurs sèches d'un tableau. *Poser les glacis sur une toile.* ⇒ ② **glacer.**

glaçon [glasɔ̃] n. m. **1.** Morceau de glace. *La rivière charrie de gros glaçons.* — Petit cube de glace artificielle. *Veux-tu que je mette un glaçon dans ton orangeade ?* **2.** Fam. Personne froide (glaciale, glacée) et indifférente. *Quel glaçon, celle-là !*

gladiateur [gladjatœʀ] n. m. ■ Homme qui combattait dans les jeux du cirque, à Rome (de son propre gré ou par châtiment).

glaïeul [glajœl] n. m. ■ Plante à feuilles en forme de glaive à grandes fleurs décoratives ; ces fleurs. *Gerbe de glaïeuls.*

glaire [glɛʀ] n. f. ■ Liquide visqueux comme du blanc d'œuf, sécrété par les muqueuses. *Cet enfant a des glaires sous le nez, il devrait se moucher.* ▶ **glaireux, euse** adj. ■ Qui a la nature ou l'aspect de la glaire.

glaise [glɛz] n. f. ■ Terre grasse compacte et plastique, imperméable. ⇒ **argile, marne.** *L'ébauche en glaise d'une statue.* — Adj. *Cabane de terre glaise. Des terres glaises.* ▶ **glaiseux, euse** adj. ■ Qui contient de la glaise. *Sol glaiseux.*

glaive [glɛv] n. m. ■ Ancienne épée de combat à deux tranchants. — Symbole du combat. *Brandir le glaive de la vengeance. Le glaive de la Justice.*

gland [glɑ̃] n. m. **1.** Fruit du chêne. *Ramasser des glands pour les cochons.* **2.** Extrémité de la verge ou du clitoris. **3.** Ornement de passementerie en forme de gland. *Rideau garni de glands à franges. Glands de cordelière.*

glande [glɑ̃d] n. f. **1.** Organe dont la fonction est de produire une sécrétion. *Glandes salivaires, sudoripares, lymphatiques.* **2.** Fam. Ganglion lymphatique enflammé. *Votre fillette a des glandes.*

glaner [glane] v. tr. ∎ conjug. 1. **1.** Ramasser dans les champs les épis qui ont échappé aux moissonneurs. *Glaner quelques épis.* — Sans compl. *S'en aller glaner aux champs.* **2.** Recueillir par-ci par-là des bribes dont on peut tirer parti. *Il n'y a plus rien à glaner. Glaner des renseignements sur qqn.* ▶ **glaneur, euse** n. ■ Personne qui glane.

glapir [glapiʀ] v. intr. ∎ conjug. 2. **1.** (Animaux) Pousser un cri bref et aigu. *Le renard, la grue glapissent.* **2.** (Personnes) Faire entendre une voix aigre, des cris aigus. *On l'entend glapir de loin.* — Transitivement. *Glapir des injures.* ▶ **glapissement** n. m. ■ *Il poussait des glapissements furieux.*

glas [gla] n. m. sing. ■ Tintement d'une cloche d'église pour prévenir de l'agonie de qqn, annoncer une mort ou un enterrement. *Sonner le glas pour qqn.* — Loc. SONNER LE GLAS DE qqch. : en annoncer la fin, la chute. *La guerre a sonné le glas d'une période de prospérité.*

glaucome [glokom] n. m. ■ Maladie des yeux.

glauque [glok] adj. ■ D'un vert qui tire sur le bleu. ⇒ **verdâtre.** *Lumière glauque.* — REM. Ne signifie pas *trouble, sans éclat.*

glèbe [glɛb] n. f. ■ Littér. Terre, domaine cultivé. *Les serfs attachés à la glèbe.*

glisser [glise] v. ∎ conjug. 1. **I.** V. intr. **1.** Se déplacer d'un mouvement continu, sur une surface lisse ou le long d'un autre corps. *Glisser sur une pente raide. Glisser sur un parquet ciré. Son pied a glissé.* — *L'objet lui a glissé des mains.* ⇒ **échapper, tomber. 2.** Avancer en glissant. *La barque glisse au fil de l'eau.* — Passer doucement, graduellement. *La majorité gouvernementale glisse vers la droite.* **3.** Passer légèrement (sur qqch.). ⇒ **courir, passer.** *Ses doigts glissent doucement sur les touches du piano.* — *Son regard glisse sur les choses.* ⇒ **effleurer.** *Les injures glissent sur lui,* ne l'atteignent pas. **4.** Ne pas approfondir. *N'insistons pas ; glissons.* **II.** V. tr. Faire passer, introduire adroitement ou furtivement (qqch.). *Glisser un levier sous une pierre.* ⇒ **engager.** *Si tu n'es pas là, je glisserai un petit mot sous ta porte.* — *Glisser un mot à l'oreille de qqn.* **III.** SE GLISSER. v. pron. réfl. : passer, pénétrer adroitement ou subrepticement quelque part. ⇒ se **faufiler.** *Il se glisse sous les couvertures. — Une erreur s'est glissée dans le texte.* ▶ **glissade** n. f. ■ Action de glisser ; mouvement que l'on fait en glissant. *Faire des glissades sur la glace.* — Pas de danse. ▶ **glisse** n. f. ■ Sports de glisse, ski, planche à voile, etc. ▶ **glissant, ante** adj. **1.** Qui glisse. *Attention, chaussée glissante.* **2.** Qui glisse facilement entre les mains. *Poisson glissant qui échappe des mains.* ▶ **glissement** n. m. **1.** Action de glisser ; mouvement de ce qui glisse. *Le glissement d'un traîneau sur la neige. Huiler les pièces d'une machine pour faciliter leur glissement.* — *Glissement de terrain.* **2.** Changement progressif et sans heurts. ⇒ **évolution.** *Un glissement de l'opinion publique s'est effectué.* ▶ **glissière** n. f. ■ Pièce métallique rainurée dans laquelle glisse une autre pièce. *Porte à glissière. Fermeture à glissière.* ⇒ **coulisse.** ▶ **glissoire** n. f. ■ Étendue de glace où les enfants s'amusent à glisser. ⟨ ▶ aéroglisseur, hydroglisseur ⟩

global, ale, aux [glɔbal, o] adj. ■ Qui s'applique à un ensemble. ⇒ **entier, total.** *Somme globale. Vision globale de la situation.* / contr. **partiel** / ▶ **globalement** adv. ■ Dans l'ensemble.

globe [glɔb] n. m. **1.** Boule, sphère. *Le centre, le diamètre d'un globe.* — *Le globe oculaire,* l'œil. **2.** *Le globe terrestre* ou *le globe.* ⇒ **terre.** *Une partie, une région du globe,* de la surface terrestre. *Un globe terrestre,* sphère sur laquelle est dessinée une carte de la Terre. *Un globe céleste*, sphère sur laquelle figure une carte du ciel. **3.** Sphère ou demi-sphère creuse de verre, de cristal. *Globe d'un luminaire.* — Loc. iron. *C'est à mettre sous globe*, à conserver soigneusement. ⟨ ► globule, globuleux, hémoglobine ⟩

globe-trotter [glɔbtʀɔtœʀ] n. m. ■ Voyageur qui parcourt la terre. *Des globe-trotters.*

globule [glɔbyl] n. m. ■ Cellule qui se trouve en suspension dans le sang, la lymphe. *Globules du sang : rouges* (hématies), *blancs* (leucocytes). ► **globulaire** adj. **1.** Qui a la forme d'un globe, d'une sphère. *Les flammes s'élevaient en masses globulaires.* **2.** Relatif aux globules du sang. *Se faire faire une numération globulaire.*

globuleux, euse [glɔbylø, øz] adj. ■ *Œil globuleux*, dont le globe est saillant. *Les yeux globuleux de la grenouille.*

gloire [glwaʀ] n. f. **I. 1.** Grande renommée répandue dans un très vaste public. ⇒ **célébrité, honneur, renom.** / contr. **obscurité ; déshonneur** / *Amour de la gloire. Se couvrir de gloire. À la gloire de qqn, qqch.*, en l'honneur de, qui fait l'éloge de. *Monument à la gloire des héros. Poème à la gloire de la paix.* **2.** *La gloire de qqch.*, l'honneur acquis par une action, un mérite. *S'attribuer toute la gloire d'une réussite.* ⇒ **mérite.** *Se faire gloire de qqch.*, s'en vanter. **3.** (RENDRE) GLOIRE À : rendre un hommage de respect, d'admiration. *Gloire à Dieu !* **4.** Une gloire, une personne célèbre. ⇒ **célébrité.** *Il fut une des gloires de son pays.* **II.** Auréole enveloppant tout le corps du Christ. *Représenter le Christ en gloire.* ⟨ ► glorieux, glorifier, gloriole ⟩

gloria [glɔʀja] n. m. invar. ■ Hymne de la messe chanté ou récité à la gloire de Dieu. *Des gloria.*

glorieux, euse [glɔʀjø, øz] adj. **1.** (Choses) Qui procure de la gloire ou qui est plein de gloire. ⇒ **célèbre, fameux, illustre, mémorable.** *Glorieux exploits. Mort glorieuse.* — *Journée glorieuse.* **2.** Qui s'est acquis de la gloire (surtout militaire). *Glorieux conquérant.* **3.** Littér. et péj. ÊTRE GLORIEUX DE qqch. : tirer vanité de qqch. / contr. **modeste** / *Il est tout glorieux de sa richesse.* ► **glorieusement** adv.

glorifier [glɔʀifje] v. tr. ⸳ conjug. 7. **1.** Proclamer la gloire de (qqn, qqch.). ⇒ **célébrer, exalter.** *Glorifier une révolution. Poème qui glorifie la liberté.* **2.** Rendre gloire à (Dieu). **3.** SE GLORIFIER v. pron. réfl. : se faire gloire, tirer gloire de. ⇒ se **flatter.** *Il ne peut se glorifier de ses notes à l'examen.* ► **glorification** n. f. ■ Action de glorifier, célébration, louange. ⇒ **apologie.**

gloriole [glɔʀjɔl] n. f. ■ Vanité qu'on tire de petites choses. *Raconter ses succès par pure gloriole.*

glose [gloz] n. f. ■ Petite note en marge ou au bas d'un texte, pour expliquer un mot difficile, éclaircir un passage obscur. ⇒ **explication.** ► **gloser** v. tr. ⸳ conjug. 1. ■ Expliquer par une glose. *Gloser un texte.* ⇒ **annoter, commenter.** ⟨ ► glossaire ⟩

glossaire [glɔsɛʀ] n. m. ■ Lexique placé à la fin d'un ouvrage, expliquant les mots difficiles. — Lexique d'un dialecte, d'un patois.

glotte [glɔt] n. f. ■ Partie du larynx située entre les cordes vocales inférieures.

glouglou [gluglu] n. m. **1.** Fam. Bruit que fait un liquide qui coule dans un conduit, d'un récipient, etc. *Un glouglou de bouteille qui se vide. Des glouglous.* **2.** Cri de la dinde et du dindon. ► **glouglouter** v. intr. ⸳ conjug. 1. ■ Produire un glouglou. ⇒ **gargouiller.**

glousser [gluse] v. intr. ⸳ conjug. 1. **1.** Pousser un gloussement. *La poule glousse pour appeler ses petits.* **2.** Rire en poussant de petits cris. ► **gloussement** n. m. **1.** Cri de la poule, de la gelinotte. **2.** Rire et petits cris étouffés. *Un gloussement de moquerie.*

glouton, onne [glutõ, ɔn] adj. et n. m. ■ Qui mange avidement, excessivement, en engloutissant les morceaux. ⇒ **goinfre, goulu, vorace.** *Un enfant glouton.* — N. *Quel glouton !* ► **gloutonnement** adv. ■ « *Les loups mangent gloutonnement* » (La Fontaine). ► **gloutonnerie** n. f. ■ Avidité de glouton.

glu [gly] n. f. **1.** Matière végétale visqueuse et collante, qui sert surtout à prendre les oiseaux. **2.** Personne importune et tenace. *Quelle glu, ce gars-là !* ► **gluant, ante** [glyã, ãt] adj. ■ Visqueux et collant (d'une manière désagréable). *Mains gluantes.* ⇒ **poisseux.** ⟨ ► engluer ⟩

gluc(o)-, glyc(o)- ■ Préfixes de mots savants, qui signifient « sucre, sucré ». ► **glucide** [glysid] n. m. ■ Composant de la matière vivante formé de carbone, hydrogène et oxygène. *Les glucides et les lipides*, les « sucres » et les corps gras. ► **glucose** [glykoz] n. m. ■ Sucre très répandu dans la nature (miel, raisin, amidon). *Sirop de glucose* (employé en confiserie).

gluten [glytɛn] n. m. ■ Matière azotée visqueuse qui subsiste après l'élimination de l'amidon des farines de céréales.

glycérine [gliseʀin] n. f. ■ Liquide incolore, sirupeux, de saveur sucrée, provenant de corps gras. *Suppositoires à la glycérine.* ⟨ ► nitroglycérine ⟩

glycine [glisin] n. f. ■ Arbre grimpant, à grappes de fleurs mauves et odorantes.

glyco- ⇒ gluc(o)-.

gnangnan ou **gnian-gnian** [ɲãɲã] adj. invar. ■ Fam. Mou, sans énergie, à qui le moindre effort arrache des plaintes. *Elles sont un peu gnangnan.* ⇒ **mollasse.**

gneiss [gnɛs] n. m. invar. ■ Roche composée de feldspath, de quartz, de mica.

gnocchi [nɔki] n. m. ■ Boulette de pâte pochée, puis cuite au four. *Des gnocchis à la romaine.*

gnognote ou **gnognotte** [ɲɔɲɔt] n. f. ■ Fam. *C'est de la gnognote*, c'est quelque chose de tout à fait négligeable.

gnôle ou **gniole** [ɲol] ■ Fam. Eau-de-vie, liqueur. *Un petit verre de gniole.*

gnome [gnom] n. m. ■ Petit personnage des contes, laid et difforme. ⇒ **lutin, nain.**

gnon [ɲõ] n. m. ■ Coup. — Marque laissée par un coup.

gnose [gnoz] n. f. ■ Philosophie selon laquelle il est possible de connaître les choses divines.

gnou [gnu] n. m. ■ Mammifère d'Afrique, au corps lourd, à tête épaisse et barbue, et à grosses cornes. *Des gnous.*

① **go** [go] n. m. ■ Go ou JEU DE GO : jeu de stratégie à deux partenaires, qui se joue avec des pions sur un damier.

② **tout de go** [tudgo] loc. adv. ■ Fam. Directement, sans préambule. *N'allez pas lui avouer cela tout de go.*

goal [gol] n. m. ■ Anglic. Gardien de but. *Des goals.*

gobelet [gɔblɛ] n. m. **1.** Récipient pour boire, généralement plus haut que large et sans pied. ⇒ **godet, timbale. 2.** Récipient servant à lancer les dés.

gober [gɔbe] v. tr. ⸳ conjug. 1. **1.** Avaler brusquement en aspirant, et sans mâcher. *Gober un œuf cru.*

2. Fam. Croire sans examen. ⇒ **avaler.** *Il gobe tout ce qu'on lui dit.* **3.** Fam. Estimer, apprécier. *Ils ne peuvent pas le gober.* ▶ *gobeur, euse* n. et adj. ▪ Fam. Crédule, naïf.

se **goberger** [gɔbɛRʒe] v. pron. réfl. ▪ conjug. **3.** ▪ Prendre ses aises, se prélasser. — Faire bombance.

godasse [gɔdas] n. f. ▪ Fam. Chaussure.

godelureau [gɔdlyRo] n. m. ▪ Fam. et péj. Jeune homme qui se fait remarquer par ses manières trop galantes. *Des godelureaux.*

goder [gɔde] ou **godailler** [gɔdaje] v. intr. ▪ conjug. **1.** ▪ Faire des faux plis. *Jupe qui gode, godaille. Le papier peint, mal collé, godaille,* fait un godet (II).

godet [gɔdɛ] n. m. **I. 1.** Petit récipient sans pied ni anse. ⇒ **gobelet.** *Les godets d'un peintre.* **2.** Fam. Verre. *Prendre un godet.* **3.** *Roue à godets, chaîne à godets,* à auges. **II.** Faux pli ou large pli d'un vêtement, d'une étoffe. ⇒ **goder.**

godiche [gɔdiʃ] adj. ▪ Fam. Benêt, maladroit. *Qu'il est godiche ! Quel air godiche !* — N. *Quelle godiche, cette fille !*

godille [gɔdij] n. f. **1.** Aviron placé à l'arrière d'une embarcation. **2.** Mouvements latéraux pour ralentir la descente à skis. **3.** À LA GODILLE loc. fam. : de travers. *Marcher à la godille.* ▶ *godiller* v. intr. ▪ conjug. **1.** ▪ Manœuvrer avec la godille.

godillot [gɔdijo] n. m. ▪ Chaussure militaire. — Fam. Gros soulier.

goéland [gɔelɑ̃] n. m. ▪ Oiseau de mer à tête blanche, de la taille d'une grosse mouette. *Une colonie de goélands.*

goélette [gɔelɛt] n. f. ▪ Bateau léger à deux mâts. *Goélette de pêche.*

goémon [gɔemɔ̃] n. m. ▪ Algues marines. ⇒ **varech.** *Ramasser du goémon.*

① *à* **gogo** [agogo] loc. adv. ▪ Fam. Abondamment ; à volonté. *Avoir tout à gogo. Aujourd'hui, viande à gogo !*

② **gogo** [gogo] n. m. ▪ Fam. Homme crédule et niais. ⇒ **naïf.** *C'est bon pour les gogos.*

goguenard, arde [gɔgnaR, aRd] adj. ▪ Qui a l'air de se moquer familièrement d'autrui. ⇒ **narquois.** *Ton, sourire, œil goguenard.*

goguette [gɔgɛt] n. f. ▪ Fam. EN GOGUETTE : émoustillé, légèrement ivre.

goinfre [gwɛ̃fR] n. m. et adj. ▪ Individu qui mange avec excès et salement. ⇒ **glouton, goulu.** *Il se jette sur les plats comme un goinfre.* ▶ *se goinfrer* v. pron. réfl. ▪ conjug. **1.** ▪ Manger comme un goinfre. *Elle se goinfre de chocolat.* ⇒ s'**empiffrer.** ▶ *goinfrerie* n. f. ▪ Manière de manger du goinfre.

goitre [gwatR] n. m. ▪ Tumeur du corps thyroïde, qui déforme la partie antérieure du cou. ▶ *goitreux, euse* adj. ▪ *Tumeur goitreuse.* ▪ Qui est atteint d'un goitre. — N. *Un goitreux.*

golden [gɔldɛn] n. f. invar. ▪ Pomme à manger, à peau jaune et à chair juteuse. *Un kilo de golden bien mûres.* — En appos. *Des pommes golden.*

golf [gɔlf] n. m. **1.** Sport qui consiste à envoyer une petite balle dure dans des trous disposés le long d'un parcours. — Le terrain gazonné de ce parcours. — *Golf miniature,* jeu de jardin ou de salon. **2.** *Culottes (pantalon) de golf ; des golfs* (vieilli), culottes bouffantes, et serrées au-dessous du genou.

≠ **golfe.** ▶ *golfeur, euse* n. ▪ Joueur, joueuse de golf.

golfe [gɔlf] n. m. ▪ Vaste échancrure d'une côte où avance la mer. *Le golfe du Mexique. Petit golfe.* ⇒ **baie.** ≠ **golf.**

gomina [gɔmina] n. f. ▪ Pommade pour les cheveux à base de gomme (nom déposé). ⇒ **brillantine.** ▶ *se gominer* v. pron. réfl. ▪ conjug. **1.** ▪ Enduire ses cheveux de gomina, ou d'une pommade quelconque. — Au p. p. adj. *Des danseurs gominés.*

① **gomme** [gɔm] n. f. ▪ Substance visqueuse et transparente qui suinte de l'écorce de certains arbres *(gommiers).* *Gomme arabique,* colle obtenue à partir de la gomme d'un acacia. — BOULE DE GOMME : bonbon fait d'un mélange naturel de gomme et de résine. ▶ ① *gommer* v. tr. ▪ conjug. **1.** ▪ Enduire d'une solution de gomme. *Gommer les bords d'une enveloppe.* — Au p. p. adj. *Papier gommé,* qui colle si on l'humecte. ◁ ▶ dégommer ▷

② **gomme** n. f. ▪ Petit bloc de caoutchouc ou d'élastomère servant à effacer. ▶ ② *gommer* v. tr. ▪ conjug. **1.** ▪ Effacer avec une gomme. ▶ *gommage* n. m. ▪ Action de gommer.

③ *à la* **gomme** loc. adv. ▪ Fam. Sans valeur. *Un type, un truc à la gomme.* ⇒ fam. à la **noix.**

④ **gomme** n. f. ▪ Loc. fam. METTRE (TOUTE) LA GOMME : accélérer l'allure d'un véhicule.

gommeux [gɔmø] n. m. invar. ▪ Autrefois. Jeune homme désœuvré, d'une élégance excessive et ridicule.

gonade [gɔnad] n. f. ▪ Organe sexuel qui produit les gamètes. *Gonade femelle* (ovaire), *mâle* (testicule).

gond [gɔ̃] n. m. **1.** Pièce métallique autour de laquelle pivote le battant d'une porte ou d'une fenêtre. ⇒ **charnière.** *La porte tourna lentement sur ses gonds.* **2.** Loc. SORTIR DE SES GONDS : se mettre en colère. *Jeter, mettre qqn hors de ses gonds.*

gondole [gɔ̃dɔl] n. f. ▪ Barque vénitienne à un seul aviron, longue et plate, aux extrémités relevées et recourbées. ▶ *gondolier* n. m. ▪ Batelier qui conduit une gondole.

① **gondoler** [gɔ̃dɔle] v. intr. ▪ conjug. **1.** ▪ Se bomber anormalement dans certaines parties. *Planche, carton, tôle, vernis qui gondole.* — Pronominalement. *Cette planche s'est gondolée.* ▶ *gondolage* ou *gondolement* n. m. ▪ *Le gondolage d'une planche.*

② *se* **gondoler** v. pron. réfl. ▪ conjug. **1.** ▪ Fam. Se tordre de rire. ▶ *gondolant, ante* adj. ▪ Fam. Très amusant. ⇒ **tordant.**

gonfler [gɔ̃fle] v. tr. ▪ conjug. **1.** **1.** Distendre en remplissant d'air, de gaz. *Gonfler un ballon, un pneu.* / contr. **dégonfler** / *Gonfler ses joues, ses narines.* ⇒ **dilater, enfler. 2.** Faire augmenter de volume, sous l'action d'une cause quelconque. *L'averse a gonflé la rivière.* — Au p. p. *Éponge gonflée d'eau. Yeux gonflés, gonflés de larmes.* **3.** Surestimer volontairement (un chiffre, une évaluation). ⇒ **grossir.** *Les journaux ont gonflé l'importance de l'affaire.* — Au p. p. adj. *Prix gonflés.* **4.** Intransitivement. Augmenter de volume. *Son genou a gonflé.* ⇒ **enfler. 5.** SE GONFLER v. pron. : se distendre. *La voile se gonfle au vent.* — Augmenter de volume. *La pâte à pain se gonfle.* — Abstrait. *Son cœur se gonfle d'amertume.* ▶ *gonflable* adj. ▪ Qui peut être gonflé d'air. *Matelas gonflable.* ▶ *gonflage* n. m. ▪ Action de remplir d'air, de gaz ; son résultat. *Vérifier le gonflage des pneus.* ▶ *gonflé, ée* adj. ▪ Loc. fam. *Être gonflé à bloc,* rempli d'une ardeur et d'une assurance à toute épreuve. ⇒ **remonté.** *Il est gonflé ! C'est gonflé de sa part !,* il a du culot. / contr. **dégonflé** /

peureux, timide / ▶*gonflement* n. m. ■ Action d'augmenter de volume ; son résultat. *Le gonflement des pieds.* ⇒ **dilatation, enflure.** — Augmentation exagérée. *Le gonflement de la circulation des billets.* ⇒ **inflation.** ▶*gonfleur* n. m. ■ Appareil servant à gonfler. *Gonfleur à air comprimé.* ‹ ▶ **dégonfler,** regonfler ›

gong [gɔ̃g] n. m. ■ Plateau de métal suspendu, sur lequel on frappe pour qu'il résonne. *Un coup de gong qui annonce le début du round de boxe. Des gongs.*

goniomètre [gɔnjɔmɛtʀ] n. m. ■ Instrument servant à mesurer les angles.

goret [gɔʀɛ] n. m. **1.** Jeune cochon. **2.** Fam. Enfant sale. *Va te laver, petit goret !*

① *gorge* [gɔʀʒ] n. f. **I. 1.** Partie antérieure du cou. *Serrer la gorge.* ⇒ **étrangler.** *Le chien saute à la gorge du voleur. Couper la gorge à qqn.* ⇒ **égorger.** — Loc. PRENDRE qqn À LA GORGE : le contraindre par la violence, par une pression impitoyable. AVOIR LE COUTEAU SOUS LA GORGE : subir une contrainte (qui oblige à faire qqch. sur-le-champ). **2.** Littér. Seins de femme. ⇒ **buste, poitrine. II. 1.** Cavité intérieure du cou, à partir de l'arrière-bouche (larynx, pharynx). ⇒ **gosier.** *Mal de gorge. Avoir la gorge sèche, la gorge serrée.* — *Voix de gorge.* ⇒ **guttural.** *Rire à gorge déployée,* très fort. **2.** Loc. FAIRE DES GORGES CHAUDES *de qqch.* : se répandre en plaisanteries malveillantes. ⇒ se **moquer.** — RENDRE GORGE : restituer par force ce qu'on a pris par des moyens illicites. *Ils sont parvenus à lui faire rendre gorge.* ▶*gorge-de-pigeon* adj. invar. ■ D'une couleur à reflets changeants comme la gorge du pigeon. *Des soieries gorge-de-pigeon.* ▶*gorgée* n. f. ■ Quantité de liquide qu'on avale naturellement en une seule fois. ⇒ **lampée.** *Boire à petites gorgées.* ‹ ▶ **arrière-gorge,** coupe-gorge, dégorger, égorger, engorger, gorger, regorger, se rengorger, rouge-gorge, soutien-gorge ›

② *gorge* n. f. **1.** Vallée étroite et encaissée. *Les gorges du Tarn.* **2.** Partie creuse, cannelure, dans une pièce métallique. *La gorge d'une poulie.*

gorger [gɔʀʒe] v. tr. • conjug. 3. **1.** Remplir (de nourriture) avec excès. *Ils nous ont gorgés des produits de leur ferme.* **2.** SE GORGER v. pron. réfl. ⇒ se **bourrer,** se gaver, s'**empiffrer.** *En se gorgeant de bonbons, on tombe malade.* **3.** Au p. p. GORGÉ DE : complètement imprégné, saturé de. *Terre gorgée d'eau.*

gorgonzola [gɔʀgɔ̃zɔla] n. m. ■ Fromage italien, qui rappelle le roquefort. *Des gorgonzolas.*

gorille [gɔʀij] n. m. **1.** Grand singe anthropoïde d'Afrique. **2.** Fam. Garde du corps. *Voilà le Premier ministre, escorté de ses gorilles.*

gosier [gozje] n. m. **1.** Arrière-gorge et pharynx. **2.** Siège de la voix, prolongement du pharynx communiquant avec le larynx. *Chanter, crier à plein gosier,* à pleine gorge. ⇒ s'**égosiller.**

gosse [gɔs] n. et adj. Fam. **1.** Enfant, jeune garçon ou fille. *Les gosses du quartier. Il a deux gosses au berceau. Une sale gosse,* insupportable. *C'est un vrai gosse,* il est resté très enfant. — Adj. *Lorsque sa famille a déménagé, elle était encore toute gosse.* ⇒ **môme. 2.** *Un beau gosse, une belle gosse,* beau garçon, belle fille. — Adj. *Être beau gosse.*

gothique [gɔtik] adj. et n. **1.** *Le style gothique* ou, n. m., *le gothique,* le style répandu en Europe du XIIᵉ au XVIᵉ s. entre le style roman et le style Renaissance. — Adj. *Architecture gothique.* ⇒ **ogival.** *Cathédrale gothique. Style gothique flamboyant.* **2.** *Écriture gothique,* à caractères droits, à angles et à crochets. — N.

Le gothique ou (plus souvent) GOTIQUE : langue des Goths (langue germanique disparue).

gouache [gwaʃ] n. f. ■ Peinture à l'eau faite de matières colorantes opaques. *Tube de gouache. Tableau peint à la gouache.* — *Une gouache,* ce tableau. ▶*gouacher* v. tr. • conjug. 1. ■ Rehausser de touches de gouache. *Gouacher un dessin.*

gouailler [gwaje] v. intr. • conjug. 1. ■ Littér. Dire des railleries de façon plutôt vulgaire. ⇒ se **moquer.** ▶*gouaillerie* ou *gouaille* n. f. ■ Attitude insolente et railleuse avec vulgarité. ▶*gouailleur, euse* adj. ■ *Sourire gouailleur. Une verve gouailleuse.*

gouape [gwap] n. f. ■ Fam. Voyou. *Ce type est une petite gouape.*

goudron [gudʀɔ̃] n. m. ■ Produit visqueux, brun ou noir, obtenu par distillation de matières végétales ou minérales. *Goudron de houille. Goudron pour route.* ⇒ **asphalte, bitume.** ▶*goudronner* v. tr. • conjug. 1. ■ Enduire ou imbiber de goudron. — Au p. p. adj. *Une belle route goudronnée.* ▶*goudronnage* n. m.

gouffre [gufʀ] n. m. **1.** Trou vertical, effrayant par sa profondeur et sa largeur. ⇒ **abîme, précipice.** — Cavité naturelle souterraine. *Les gouffres et les grottes du Jura.* **2.** Courant tourbillonnaire. *Le gouffre du Maelström.* **3.** Littér. (En parlant de ce qui est insondable et terrible) *Le gouffre du néant, de l'oubli. Un gouffre de malheurs, de souffrances.* — Loc. ÊTRE AU BORD DU GOUFFRE : devant un péril imminent. **4.** Ce qui engloutit de l'argent. *Ce procès est un gouffre.* ⇒ **ruine.** ‹ ▶ engouffrer ›

goujat [guʒa] n. m. ■ Homme grossier, indélicat (surtout envers les femmes). ⇒ **malotru, mufle.** *Vous êtes un goujat.* ▶*goujaterie* n. f. ■ Caractère, conduite d'un goujat. ⇒ **grossièreté, impolitesse, mufflerie.** *Il est d'une goujaterie peu commune.*

goujon [guʒɔ̃] n. m. ■ Petit poisson d'eau douce très répandu. *Pêcher le goujon. Une friture de goujons.*

goulasch ou *goulache* [gulaʃ] n. m. ou f. ■ Ragoût de bœuf cuit et assaisonné à la mode hongroise.

goule [gul] n. f. ■ Vampire femelle des légendes orientales.

goulée [gule] n. f. ■ Fam. Grande gorgée. *Prendre, aspirer une goulée d'air frais.*

goulet [gulɛ] n. m. ■ Passage, couloir étroit dans un relief naturel. ⇒ ① **défilé.** — Entrée étroite d'un port, d'une rade. *Le navire franchit le goulet.* ≠ *goulot.*

goulot [gulo] n. m. ■ Col étroit d'un récipient. *Le goulot d'une bouteille. Boire au goulot,* directement à la bouteille. ≠ *goulet.*

goulu, ue [guly] adj. ■ Qui mange avec avidité. ⇒ **glouton.** — N. *Un goulu.* / contr. **frugal, sobre** / ▶*goulûment* adv. ■ *Manger goulûment.*

goupille [gupij] n. f. ■ Cheville métallique qui sert à faire un assemblage démontable. ▶*goupiller* v. tr. • conjug. 1. **1.** Fixer avec des goupilles. *Goupiller une roue sur un axe.* **2.** Fam. Arranger, combiner. — Au p. p. *C'est bien goupillé,* bien fait. — Pronominalement. *Ça se goupille mal.* ‹ ▶ dégoupiller ›

goupillon [gupijɔ̃] n. m. **1.** Instrument liturgique pour asperger d'eau bénite. — Loc. *Le sabre et le goupillon,* l'armée et l'Église. **2.** Longue brosse cylindrique pour nettoyer les objets creux. *Nettoyer une bouteille avec un goupillon.*

gourbi [guʀbi] n. m. **1.** Habitation sommaire en Afrique du Nord. ⇒ **cabane. 2.** Abri de tranchée.

3. Habitation misérable et sale. *Ils logent à six dans un gourbi. Des gourbis.*

gourd, gourde [guʀ, guʀd] adj. ■ Engourdi par le froid. *Avoir les doigts gourds.* ‹ ▶ dégourdir, engourdir ›

① **gourde** [guʀd] n. f. ■ Bouteille ou bidon protégé par une enveloppe.

② **gourde** n. f. et adj. ■ Personne niaise et maladroite. *Quelle gourde, ce gars !* — Adj. ⇒ **stupide.** *Il a l'air gourde.*

gourdin [guʀdɛ̃] n. m. ■ Gros bâton solide qui sert à frapper. ⇒ **trique.** *Un coup de gourdin.*

se gourer [guʀe] v. pron. ▪ conjug. 1. ■ Fam. Se tromper. *Je t'assure que tu te goures.*

gourgandine [guʀgɑ̃din] n. f. ■ Vx. Femme facile, dévergondée.

gourmand, ande [guʀmɑ̃, ɑ̃d] adj. **1.** Qui aime la bonne nourriture, mange par plaisir. *Elle est gourmande. Il est très gourmand de gibier.* ⇒ **friand.** — N. *Un gourmand raffiné.* ⇒ **gastronome, gourmet. 2.** *Un regard gourmand,* avide, qui se délecte. **3.** Qui exige trop d'argent dans une affaire. *Son associé est gourmand.* ▶ **gourmandise** n. f. **1.** Caractère, défaut de celui qui est gourmand. **2.** Au plur. Mets délicieux, friandises. ⇒ **gâterie.**

gourmander [guʀmɑ̃de] v. tr. ▪ conjug. 1. ■ Littér. Réprimander (qqn) en lui adressant des reproches sévères. ⇒ **gronder, sermonner.**

gourme [guʀm] n. f. **1.** Maladie de peau au visage, au cuir chevelu. ⇒ **impétigo. 2.** Maladie du cheval, inflammation des voies respiratoires. **3.** Loc. JETER SA GOURME : en parlant d'un jeune homme, faire ses premières frasques.

gourmé, ée [guʀme] adj. ■ Dont le maintien est grave et raide. *Une personne gourmée.* — *Air gourmé.* ⇒ **affecté, compassé, guindé.**

gourmet [guʀmɛ] n. m. ■ Personne qui sait apprécier le raffinement en matière de boire et de manger. ⇒ **gastronome.** *Il est gros mangeur, mais ce n'est pas un gourmet.*

gourmette [guʀmɛt] n. f. **1.** Chaînette qui fixe le mors dans la bouche du cheval. **2.** Bracelet à mailles de métal aplaties. *Elle a une gourmette en or au poignet.*

gousse [gus] n. f. **1.** Fruit des légumineuses, fait d'une capsule allongée s'ouvrant par deux fentes et renfermant des graines (⇒ **cosse**). *Une gousse de fèves.* **2.** *Gousse d'ail,* chacun des éléments de la tête d'ail.

gousset [gusɛ] n. m. **1.** Autrefois. Petite bourse. **2.** Petite poche de gilet ou de pantalon. *Il tira sa montre du gousset de son pantalon.*

goût [gu] n. m. **I. 1.** Sens grâce auquel l'homme et les animaux perçoivent les saveurs des aliments (⇒ **goûter ; gustatif**). *La langue et le palais sont les organes du goût. À cause de mon rhume, j'ai perdu le goût.* **2.** Saveur. *Goût acide, amer, sucré, fade, fort d'un aliment.* **3.** Appétit, envie. / contr. **dégoût** / — Abstrait. *Elle n'a plus le goût de vivre, elle n'a plus goût à la vie.* **4.** GOÛT DE, POUR qqch. : penchant. ⇒ **disposition, vocation.** *Le goût du travail. Le goût de la provocation. Il a peu de goût pour ce genre de travail.* / contr. **aversion, dégoût** / — *Prendre goût à,* se mettre à apprécier. — *Avis au goût de,* elle lui plaît. **II. 1.** Aptitude à sentir, à discerner les beautés et les défauts (d'une œuvre, etc.). *Avoir le goût délicat, difficile. Je trouve que ces gens ont mauvais goût.* — *Avis,* jugement. *À mon goût, ceci ne vaut rien.* **2.** LE BON GOÛT ou LE

GOÛT : jugement sûr en matière esthétique. *Avoir du goût ; manquer de goût. Une femme habillée, coiffée avec goût.* ⇒ **élégance. 3.** Au plur. Tendances, préférences qui se manifestent dans le genre de vie, les habitudes. *Être liés par des goûts communs.* — Loc. prov. *Des goûts et des couleurs on ne discute pas. Tous les goûts sont dans la nature ; chacun ses goûts.* — DE (tel ou tel) GOÛT : se dit des choses qui dénotent, révèlent un goût (bon ou mauvais). *Une plaisanterie d'un goût douteux. Des vêtements de bon goût. Il serait de mauvais goût d'insister.* **4.** DANS LE GOÛT. ⇒ **genre, manière, mode, style.** *Tableau dans le goût classique.* ▶ ① **goûter** v. ▪ conjug. 1. **I.** V. tr. **1.** Goûter qqch., manger ou boire un peu de qqch. pour connaître son goût. *Goûtez notre vin.* ⇒ **déguster.** *Goûter une sauce pour voir si elle est suffisamment assaisonnée.* **2.** Éprouver avec plaisir (une sensation, une émotion). ⇒ **savourer.** *Il goûtait le plaisir de ne rien faire. Goûter la fraîcheur du soir.* **3.** Littér. Trouver à son goût, juger favorablement. ⇒ **aimer, apprécier, estimer.** *Il ne goûte pas la plaisanterie.* **II.** V. tr. ind. **1.** GOÛTER À : prendre un peu d'une chose dont on n'a pas encore bu ou mangé. ⇒ **entamer.** *Goûtez-y, vous m'en direz des nouvelles. Il y a à peine goûté.* ⇒ **toucher. 2.** GOÛTER DE : boire ou manger pour la première fois. — Faire l'expérience de. *Il a goûté du métier.* ⇒ **tâter. III.** V. intr. Faire une collation, entre le déjeuner et le dîner. *Goûter à cinq heures.* ≠ *goûter.* ▶ ② **goûter** n. m. ■ Nourriture (et boisson) que l'on prend dans l'après-midi. ⇒ **collation.** ‹ ▶ arrière-goût, avant-goût, dégoûter, ragoût ›

① **goutte** [gut] n. f. **1.** Très petite quantité de liquide qui prend une forme arrondie. *Goutte d'eau. Il n'est pas tombé une goutte de pluie depuis des mois. Il n'y a plus une goutte de vin. Suer à grosses gouttes, transpirer abondamment.* — Fam. *Avoir la goutte au nez,* avoir le nez qui coule. **2.** Loc. *Se ressembler comme deux gouttes d'eau,* se ressembler trait pour trait. **3.** GOUTTE À GOUTTE loc. adv. : une goutte après l'autre. *Couler goutte à goutte.* ⇒ **dégouliner, s'égoutter, goutter. 4.** Très petite quantité de boisson. *« Voulez-vous du café ? — Juste une goutte. »* ⇒ **doigt, larme. 5.** Fam. Boire la goutte, boire un petit verre d'alcool. **6.** Au plur. *Gouttes,* nom donné à certains médicaments qui sont prescrits et administrés en gouttes. *As-tu pris tes gouttes ? Elle s'est mis des gouttes dans le nez.* ▶ **gouttelette** n. f. ■ Petite goutte de liquide. ▶ **goutter** v. intr. ▪ conjug .1. ■ Couler goutte à goutte. *Eau qui goutte d'un robinet.* ⇒ **s'égoutter.** ≠ *goûter.* ‹ ▶ compte-gouttes, dégoutter, égout, égoutter, gouttière, tout-à-l'égout ›

② **goutte** adv. de négation. ■ Vx ou plaisant. NE... GOUTTE : ne... pas. *Allume la lumière, on n'y voit goutte, on n'y voit rien du tout. N'y entendre goutte,* ne rien comprendre.

③ **goutte** n. f. ■ Inflammation douloureuse des articulations. ⇒ **rhumatisme.** *Avoir la goutte, une attaque de goutte.* ▶ **goutteux, euse** adj. ■ *Un vieillard goutteux.* — N. *Un goutteux.*

gouttière [gutjɛʀ] n. f. **1.** Canal demi-cylindrique, fixé au bord inférieur des toits, permettant l'écoulement des eaux de pluie. ⇒ **chéneau.** *Gouttière en zinc.* **2.** Appareil qui sert à immobiliser un membre fracturé. *Une gouttière de plâtre.*

gouverner [guvɛʀne] v. tr. ▪ conjug. 1. **I.** Exercer le pouvoir politique sur. *Gouverner les peuples, les hommes.* ⇒ **conduire, diriger.** — Au p. p. subst. *les gouvernés,* ceux qui doivent obéir au pouvoir politique. — Diriger les affaires publiques d'un État, détenir et exercer le pouvoir politique, et spécialt le pouvoir exécutif. *Le roi ne gouverne pas, il règne.* — SE

GOUVERNER v. pron. réfl. : (Société) exercer le pouvoir politique sur soi-même. *Le droit des peuples à se gouverner eux-mêmes.* II. Diriger la conduite de (qqch., qqn). 1. Vx ou littér. Exercer une influence déterminante sur la conduite de (qqn). ⇒ **commander, guider.** *Il se laisse gouverner par sa femme. Gouverner ses sentiments.* ⇒ **maîtriser.** 2. Exercer son empire sur. ⇒ **dominer.** *L'intérêt gouverne le monde.* 3. En grammaire. Régir. *En latin, le verbe actif gouverne l'accusatif.* III. Sans compl. Diriger une embarcation. *Gouverner vent arrière.* ▶ *gouvernable* adj. ■ Susceptible d'être gouverné. *Peuple difficilement gouvernable.* / contr. **ingouvernable** / ▶ *gouvernail, ails* n. m. 1. Plan mince orientable que l'on manœuvre à l'aide de la barre, et qui sert à diriger un bateau. ⇒ ① **gouverne.** *Des gouvernails.* 2. Direction des affaires. *Prendre, tenir, abandonner le gouvernail.* ⇒ **barre** (3). ▶ *gouvernant* n. m. ■ *Les gouvernants,* ceux qui déterminent et exercent le pouvoir politique, le pouvoir exécutif (opposé à *gouvernés*). ▶ *gouvernante* n. f. 1. Femme à qui l'on confie la garde et l'éducation d'enfants. ⇒ **nurse, préceptrice.** 2. Femme chargée de s'occuper du ménage d'un homme seul. *La gouvernante du curé.* ▶ ① *gouverne* n. f. ■ Dispositif externe orientable qui fait partie des commandes d'un engin aérien (avion, etc.). *Il faut réparer les gouvernes qui sont défectueuses.* ⇒ **gouvernail.** ▶ ② *gouverne* n. f. ■ Loc. POUR (VOTRE, SA) GOUVERNE : pour servir de règle de conduite. *Tu sauras, pour ta gouverne, qu'il vaut mieux réfléchir avant de parler.* ▶ *gouvernement* n. m. I. Le pouvoir qui gouverne un État ; ceux qui le détiennent. 1. Le pouvoir politique ; les organes de ce pouvoir (exécutif, législatif). ⇒ **État,** *Gouvernement central, gouvernements locaux d'un État fédéral. Un gouvernement instable.* 2. Pouvoir exécutif suprême (opposé à *administration*) ; organes qui l'exercent (opposé à *pouvoir législatif). Le gouvernement français* (chef de l'État ; conseil des ministres). 3. Dans les régimes parlementaires. Le corps des ministres. ⇒ **cabinet, conseil, ministère.** *Le chef du gouvernement,* le Premier ministre. II. Constitution politique de l'État. ⇒ **institution(s), régime, système.** *Gouvernement totalitaire, absolu* ⇒ **absolutisme, despotisme, dictature,** *démocratique, républicain* ⇒ **démocratie, république,** *impérial, monarchique* ⇒ **empire, monarchie.** III. Action de gouverner. *Connaître l'art du gouvernement.* ▶ *gouvernemental, ale, aux* adj. 1. Relatif au pouvoir exécutif. *Organes gouvernementaux.* 2. Relatif au ministère. ⇒ **ministériel.** *L'équipe gouvernementale.* 3. Qui soutient le ministère. *Journal gouvernemental* (ou *progouvernemental). Parti gouvernemental.* / contr. **antigouvernemental** / ▶ *gouverneur* n. m. ■ Personne qui est à la tête d'une région militaire ou administrative, parfois d'un établissement financier. *Gouverneur militaire. Le gouverneur d'une province de l'Empire romain. Le gouverneur de la Banque de France.* ⟨ ▶ antigouvernemental, ingouvernable ⟩

goyave [gɔjav] n. f. ■ Fruit d'un arbre d'Amérique tropicale (le *goyavier*). *De succulentes goyaves.*

grabat [gʀaba] n. m. ■ Lit misérable. *Le pauvre homme gît sur son grabat.* ▶ *grabataire* adj. et n. ■ (Personnes) Qui ne peut se lever (par maladie, faiblesse, vieillesse).

grabuge [gʀabyʒ] n. m. ■ Fam. Dispute, querelle bruyante ; désordre qui en résulte. ⇒ **bagarre, bataille.** *Attention, il va y avoir du grabuge. Faire du grabuge.*

① *grâce* [gʀɑs] n. f. I. 1. Faveur accordée librement à qqn. ⇒ **bienfait, don.** *Demander, solliciter, obtenir une grâce.* — LES BONNES GRÂCES DE *qqn* :

les faveurs qu'il accorde ; ses dispositions favorables. *Rentrer dans les bonnes grâces de qqn.* 2. Disposition à faire des faveurs, à être agréable à qqn. — Loc. RENTRER EN GRÂCE *auprès de qqn* : retrouver sa faveur. — TROUVER GRÂCE *devant qqn, aux yeux de qqn* : lui plaire, gagner sa bienveillance. — DE GRÂCE : je vous en prie. — BONNE GRÂCE : bonne volonté naturelle et aimable. ⇒ **affabilité, amabilité, douceur, gentillesse.** *Faire qqch. de bonne grâce,* volontiers. — MAUVAISE GRÂCE : mauvaise volonté. *Il aurait mauvaise grâce de se plaindre, à se plaindre. De mauvaise grâce,* à contrecœur. 3. Titre d'honneur (surtout dans les pays anglo-saxons). *Votre Grâce.* 4. La bonté divine ; les faveurs qu'elle dispense. ⇒ **bénédiction, faveur.** *La grâce de Dieu. An de grâce,* se dit de chacune des années de l'ère chrétienne. *En l'an de grâce 1654, Louis XIV fut sacré roi.* — Loc. *À la grâce de Dieu,* comme il plaira à Dieu, en laissant les choses évoluer sans intervenir. 5. Aide de Dieu qui rend l'homme capable de parvenir au salut. *La grâce a touché ce pécheur. Être en état de grâce.* 6. *Avoir la grâce,* avoir le don, l'inspiration. *Pour créer de telles œuvres, il faut avoir la grâce.* II. 1. Pardon, remise de peine, de dette accordée bénévolement. ⇒ **amnistie, sursis.** *Demander la grâce de qqn.* — (Sans article) *Demander grâce. Crier grâce,* supplier. Ellipt. *Grâce !* ⇒ **pitié.** *Faire grâce.* ⇒ **gracier.** — *Je vous fais grâce du travail qui reste,* je vous en dispense. *Je te fais grâce de la petite monnaie,* je te dispense de me la rendre. — *Recours en grâce d'un condamné à mort.* 2. COUP DE GRÂCE : coup qui achève définitivement qqn qui est blessé, qui souffre). *Donner, porter le coup de grâce.* ⇒ **achever.** III. 1. (Dans des expressions) Reconnaissance, remerciements. *Rendre grâce, rendre grâces.* ⇒ **remercier.** — Action de grâce, de grâces, acte, prière qui exprime de la gratitude envers Dieu. 2. Loc. prép. GRÂCE À *qqn, qqch.* : à l'aide, au moyen de (en parlant d'un résultat heureux). *Grâce à Dieu, tout s'est bien passé,* par bonheur. *Grâce à toi, grâce à ton aide, nous avons fini notre ouvrage à temps. C'est grâce à toi que nous avons fini à temps. Grâce à son aide, nous avons pu y arriver.* ▶ *gracier* v. tr. ■ conjug. 7. ■ Faire grâce (II) à (qqn). *Le condamné a été gracié par le président de la République.* ▶ ① *gracieux, ieuse* adj. ■ Qui est accordé, sans être dû, sans que rien soit exigé en retour. ⇒ **bénévole, gratuit.** *Prêter un concours gracieux.* ▶ ① *gracieusement* adv. ■ Gratuitement. *Un cadeau sera remis gracieusement à tout acheteur.* ⟨ ▶ disgrâce ⟩

② *grâce* n. f. 1. Charme, agrément. *Elle a de la grâce.* ⇒ **gracieux.** *Grâce des gestes, des mouvements.* ⇒ **aisance.** *Évoluer, danser avec grâce.* ⇒ **élégance, facilité.** / contr. **lourdeur, maladresse** / 2. Au plur. LES GRÂCES. ⇒ **beauté.** *Les grâces d'une personne* (vieilli). ⇒ **attrait, charme.** — (Souvent iron.) Manières gracieuses. *Faire des grâces.* ⇒ **façon.** ▶ ② *gracieux, ieuse* adj. ■ Qui a de la grâce, de l'agrément ; qui est aimable. ⇒ **charmant, élégant, gentil.** *Un corps svelte et gracieux. Une enfant gracieuse.* / contr. **disgracieux, laid** / ▶ ② *gracieusement* adv. ■ Avec grâce. *Sourire gracieusement.* ⟨ ▶ disgracieux ⟩

gracile [gʀasil] adj. ■ Mince et délicat. ⇒ **élancé, frêle.** *Une fillette au corps gracile.* / contr. **épais, trapu** / ▶ *gracilité* n. f. Littér.

gradation [gʀadasjɔ̃] n. f. 1. Progression par degrés successifs, et le plus souvent ascendante. *Une gradation de tons, de couleurs. Par gradation.* ⇒ **graduellement.** 2. Degré. *Passer par une suite de gradations.* ≠ **graduation.**

① *grade* [gʀad] n. m. 1. Degré d'une hiérarchie (surtout militaire). ⇒ **échelon.** *Le grade d'un officier.*

Avancer, monter EN GRADE (⇒ **avancement, promotion**). **2.** Loc. fam. *En prendre,* PRENDRE *qqch.* POUR SON GRADE : se faire réprimander vertement. ▶ *gradé* n. m. ■ Qui a un grade inférieur à celui d'officier, dans les armées de terre et de l'air. ⟨ ▶ gradation ⟩

② *grade* n. m. ■ Centième partie d'un quadrant (quart de cercle).

-grade ■ Suffixe signifiant « façon de marcher » (ex. : *plantigrade*).

gradin [gradɛ̃] n. m. **1.** Chacun des bancs disposés en étages dans un amphithéâtre, un stade. *La foule descend les gradins du vélodrome.* **2.** EN GRADINS : disposé par paliers successifs. *Un jardin, des cultures en gradins.*

graduation [graduasjɔ̃] n. f. ■ Action de graduer (2). — Échelle graduée d'un instrument de mesure. *La graduation du thermomètre est effacée.* — Système de division. *La graduation de Fahrenheit.* ≠ *gradation.*

graduel, elle [graduɛl] adj. ■ Qui va par degrés. ⇒ **progressif.** *Effort graduel.* / contr. **brusque** / ▶ *graduellement* adv. ■ Progressivement. *Gagner du terrain graduellement.*

graduer [gradᵤe] v. tr. ■ conjug. 1. **1.** Augmenter graduellement. *Graduer les difficultés.* — Au p. p. adj. *Exercices gradués,* progressifs. **2.** Diviser en degrés. ⇒ **étalonner.** *Graduer une éprouvette, une règle* (⇒ **graduation**). — Au p. p. adj. *Thermomètre gradué.* ⟨ ▶ graduation ⟩

graffiti [grafiti] n. m. plur. ■ Inscriptions ou dessins griffonnés sur les murs. *Des graffiti maladroits.* — Au sing. *Un graffiti.*

graillon [grajɔ̃] n. m. **1.** Au plur. Morceaux de gras frits qui restent dans un plat, une poêle. **2.** Péj. Odeur de graisse brûlée, de mauvaise cuisine. *Ce restaurant sent le graillon.* ▶ ① *graillonner* v. intr. ■ conjug. 1. ■ Avoir une odeur de graillon.

② *graillonner* [grajɔne] v. intr. ■ conjug. 1. Fam. **1.** Tousser en crachant. **2.** Parler d'une voix grasse, enrouée.

① *grain* [grɛ̃] n. m. **1.** Fruit comestible des graminées. *Grain de blé, de riz.* — LES GRAINS ou LE GRAIN (collectif) : les grains récoltés des céréales. *Séparer le grain de la balle. Donner du grain aux volailles.* — *Poulet de grain,* poulet de qualité supérieure nourri exclusivement de grain. **2.** Semence. ⇒ **graine.** *Semer le grain.* **3.** Fruit, petite graine arrondie de certaines plantes. *Grain de raisin, de groseille. Grain de poivre, de café.* — *Café, poivre en grains* (opposé à *moulu*). **4.** Petite parcelle arrondie. *Grain de sable, de poussière, de poudre, de farine, de pollen. Grain de sel.* — Loc. fam. *Mettre, mêler son grain de sel,* intervenir sans y être invité. *Il met son grain de sel partout,* il se mêle trop de ce qui ne le regarde pas. **5.** GRAIN DE BEAUTÉ : petite tache brune de la peau. **6.** LE GRAIN : aspect d'une surface plus ou moins grenue. *Le grain de la peau. Le grain d'un cuir, d'un papier.* **7.** Très petite quantité. ⇒ **atome, once.** *Il n'a pas un grain de bon sens.* ⇒ **brin.** *Un grain de fantaisie, de folie.* **8.** AVOIR UN (PETIT) GRAIN : être un peu fou. ⟨ ▶ graine, gros-grain ⟩

② *grain* n. m. **1.** Coup de vent soudain et violent, en mer. — Averse accompagnée de vent. ⇒ **ondée.** **2.** VEILLER AU GRAIN : être vigilant, en prévision d'un danger.

graine [grɛn] n. f. **1.** Partie des plantes à fleurs qui, une fois germée, assure leur reproduction (⇒ **grain**). *Semer des graines d'œillets. La graine a germé. Les*

lentilles sont des graines comestibles. **2.** Loc. MONTER EN GRAINE : se dit d'une plante qui a poussé jusqu'à porter des graines. *Les salades montent en graines, on ne peut plus les manger.* — *En parlant de la graine,* tirer un exemple, une leçon (de qqch.). *Ton frère était bachelier à 16 ans ; prends-en de la graine.* **3.** Péj. GRAINE DE : personne qui risque de mal tourner. *C'est de la graine de voyou.* — MAUVAISE GRAINE : se dit de qqn dont on ne présage rien de bon. **4.** Loc. fam. CASSER LA GRAINE : manger, casser la croûte. ▶ *grainetier, ière* [grɛntje, jɛr] n. ■ Personne qui vend des grains, des graines comestibles, ou des graines de semence, des oignons, des bulbes. ▶ *graineterie* [grɛn(ə)tri] n. f. ■ Commerce, magasin du grainetier.

graisse [grɛs] n. f. **1.** Substance onctueuse répandue en diverses parties du corps de l'homme et des animaux, sous la peau. *Il est bouffi de graisse. Exercices, massages pour faire perdre la graisse.* **2.** Corps gras d'origine animale, végétale, ou minérale. *Graisse à friture. Graisse végétale.* ⇒ **beurre, huile, margarine, suif, paraffine, vaseline.** ▶ *graisser* v. tr. ■ conjug. 1. **1.** Enduire, frotter d'un corps gras. *Graisser les engrenages d'une machine.* ⇒ **lubrifier.** *Graisser ses bottes.* **2.** Loc. fig. GRAISSER LA PATTE à *qqn* : lui donner de l'argent discrètement pour en obtenir un avantage, le soudoyer. ▶ *graissage* n. m. ■ *Vidange et graissage d'une voiture.* ▶ *graisseur* n. m. ■ Ouvrier ou appareil automatique qui opère le graissage. ▶ *graisseux, euse* adj. **1.** De la nature de la graisse. ⇒ **adipeux.** *Tumeur graisseuse.* **2.** Taché, enduit de graisse. ⇒ **gras.** *Cheveux graisseux. Évier graisseux.* ⟨ ▶ dégraisser, engraisser ⟩

graminée [gramine] n. f. ■ Toute plante à fleurs minuscules groupées en épis, à tige creuse, qui compose les prairies. *Les céréales sont des graminées.* ⇒ ① **grain.**

gramm-, -gramme ■ Élément signifiant « lettre, écriture » (ex. : *grammaire, télégramme*) ou « courbe, tracé » (ex. : *diagramme*).

grammaire [gra(m)mɛr] n. f. **1.** Ensemble des règles à suivre pour parler et écrire correctement une langue. *Règle, faute de grammaire.* **2.** Partie de la linguistique qui regroupe la phonologie, la morphologie et la syntaxe, ou seulement les deux dernières. **3.** Livre, traité, manuel de grammaire. *J'ai oublié ma grammaire anglaise à la maison.* **4.** Ensemble des règles (d'un art). *La grammaire de la peinture.* ▶ *grammairien, ienne* n. **1.** Lettré qui fixe les règles du bon usage d'une langue. *Vaugelas, grammairien célèbre. Grammairien puriste.* **2.** Linguiste spécialisé dans l'étude de la morphologie et de la syntaxe. ▶ *grammatical, ale, aux* adj. **1.** Relatif à la grammaire, de la grammaire. *Exercices grammaticaux. Analyse grammaticale.* **2.** Conforme aux règles de la grammaire. *Cette phrase est grammaticale.*

gramme [gram] n. m. **1.** Unité de masse du système métrique représentant la masse d'un centimètre cube d'eau distillée, prise à son maximum de densité (abrév. *g*). **2.** Très petite quantité. *Il n'a pas un gramme de bon sens.* ⇒ **grain.** ⟨ ▶ centigramme, décigramme, hectogramme, kilogramme, milligramme ⟩

grand, grande [grã, grãd] adj. **I.** Dans l'ordre physique (avec possibilité de mesure). / contr. **petit** / **1.** Dont la hauteur, la taille dépasse la moyenne. *Un homme grand et mince. De grands arbres.* **2.** Qui atteint toute sa taille. ⇒ **adulte.** *Tu comprendras quand tu seras grand. Les grandes personnes,* les adultes. — N. *Tu iras tout seul, comme un grand. Les grands,* les aînés ; les élèves les plus âgés. — Loc. *Être assez grand pour,* être capable de (sans avoir besoin de l'aide de personne). *Je suis assez grand pour savoir ce que j'ai à faire.* **3.** Dont la longueur dépasse la moyenne. ⇒ **long.** *Grand nez. Grand couteau. Marcher à grands pas.* **4.** Dont la surface dépasse la moyenne. ⇒ **étendu, spacieux, vaste.** *Grand appartement* [gʀɑ̃tapaʀtəmɑ̃]. *Grande ville. Grand ensemble.* **5.** Dont le volume, l'ensemble des dimensions en général dépasse la moyenne. *Le plus grand barrage du monde.* **6.** (Mesures) *Grande taille, grande largeur. Grand poids. Grande quantité. Grand nombre. Grand âge. À grande vitesse.* — *Deux grands kilomètres,* deux kilomètres et plus. ⇒ **bon.** **7.** Très abondant ou très intense, très important. *Grande foule.* ⇒ **nombreux.** Loc. *Il n'y a pas grand monde,* il y a peu de monde. *Laver à grande eau,* avec beaucoup d'eau. — *Grande fortune.* ⇒ **gros.** — Loc. *À grands frais.* — *Grande chaleur, grand froid. Grand bruit, grand effort. Grand coup.* Loc. *Au grand air,* en plein air. *Au grand jour.* **II.** Dans l'ordre qualitatif (mettant en relief la notion exprimée). **1.** ⇒ **important.** *Grands événements. Un grand jour. Grand chagrin, grand mérite.* — (Sans article) *Avoir grand avantage. Faire grand tort. Avoir grand besoin.* **2.** (Équivalent d'un superlatif) *Grand travailleur,* celui qui travaille beaucoup. *Grand blessé,* blessé grave. *Grand criminel. Grand fumeur.* **3.** (Établissant une distinction parmi les autres) *Les grandes puissances.* ⇒ **principal.** — N. m. *Les cinq grands.* — *Les grandes Écoles. Grands vins.* ⇒ **meilleur.** **4.** (Personnes) Qui est d'une condition sociale ou politique élevée. *Un grand personnage. Grand seigneur. Grande dame. Le grand monde,* la haute société. — N. *Les grands, les grands de ce monde.* **5.** Qui est supérieur en raison de ses talents, de ses qualités, de son mérite. ⇒ **fameux, glorieux, illustre, supérieur.** *Grand homme.* ⇒ **génie, héros.** *Les grands créateurs. Un grand champion.* — (En parlant des choses et qualités humaines) ⇒ **beau, grandiose, magnifique, noble.** *Grandes actions. Rien de grand ne se fait sans audace. C'est du grand art.* **III.** (Vx, ou dans des expressions) GRAND- (+ n. f.). *Grand-rue,* la rue principale. *Grand-route, grand-messe. Avoir grand-faim, grand-soif. J'ai grand-peur que cela ne tourne mal.* — À GRAND-PEINE loc. adv. : très difficilement. — *Pas grand-chose.* ⇒ **grand-chose.** **IV.** Adv. (S'accorde avec le nom qui précède) **1.** *Grand ouvert, grande ouverte,* ouvert(e) au maximum. *Yeux grands ouverts. Ouvrir la fenêtre toute grande.* — VOIR GRAND : avoir de grands projets, prévoir largement. *Il a vu grand, en achetant cette énorme tarte.* **2.** EN GRAND : sur de grandes dimensions, un vaste plan. *Il a réalisé en grand ce que vous avez fait en petit.* ▸ **grand-angle** ou **grand-angulaire** [gʀɑ̃tɑ̃gl ; gʀɑ̃tɑ̃gylɛʀ] n. m. et adj. ■ Objectif photographique couvrant un large champ. *Des grands-angles. Des grands-angulaires.* — Adj. *Un objectif grand-angulaire.* ▸ **grand-chose** [gʀɑ̃ʃoz] pronom indéf. et n. invar. **1.** PAS GRAND-CHOSE : peu de chose. *Cela ne vaut pas grand-chose.* **2.** Fam. *Un, une pas grand-chose,* personne qui ne mérite pas d'estime. ▸ **grand-croix** n. invar. ■ N. f. invar. Décoration la plus élevée dans l'ordre de la Légion d'honneur. — N. m. invar. Titulaire de ce grade. ▸ ① **grand-duc** n. m. **1.** Titre de princes souverains (fém. GRANDE-DUCHESSE). **2.** Fam. *Faire la tournée des grands-ducs,* la tournée des restaurants, des cabarets luxueux. ▸ **grand-duché** n. m. ■ *Des grands-duchés.* ▸ ② **grand-duc** n. m. ■ Variété de rapace nocturne ; hibou de grande taille. *Des grands-ducs.* ▸ **grand-guignol** n. m. ■ *Du grand-guignol,* un spectacle d'une horreur sanglante, mélodramatique (comme les spectacles du théâtre qui portait ce nom). ▸ **grand-guignolesque** adj. ■ Digne du grand-guignol. ▸ **grandement** adv. **1.** Beaucoup, tout à fait. *Il a grandement contribué au succès.* ⇒ **fortement.** — Largement, en abondance.

Il a grandement de quoi vivre. ⇒ **amplement.** **2.** Dans des proportions et avec une ampleur qui dépasse l'ordinaire. *Être logé grandement. Faire les choses grandement,* sans rien épargner. ⇒ **généreusement.** ▸ **grandeur** n. f. **I.** (Sens absolu) **1.** Caractère de ce qui est grand, important. ⇒ **étendue, importance.** *La grandeur d'un sacrifice.* **2.** (Personnes) Importance sociale, politique. ⇒ **gloire, pouvoir, puissance.** *La grandeur d'un État. Air de grandeur.* ⇒ **majesté.** *Du temps de sa grandeur. Regarder qqn du haut de sa grandeur,* avec mépris. — Au plur. *Il a la folie des grandeurs.* ⇒ **mégalomanie.** **3.** Élévation, noblesse. / contr. **mesquinerie** / *Grandeur d'âme.* **II.** (Sens relatif) **1.** Qualité de ce qui est plus ou moins grand. ⇒ **dimension, étendue, taille.** *Choses d'égale grandeur. Des livres de toutes les grandeurs. Une calculatrice de la grandeur d'un timbre.* **2.** GRANDEUR NATURE loc. adj. invar. : qui est représenté selon ses dimensions réelles. *Des portraits grandeur nature.* **3.** Nombre qui caractérise l'éclat d'une étoile. ⇒ **magnitude.** *Les étoiles de première grandeur, les plus brillantes.* **III.** Ce qui est susceptible de mesure. ⇒ **quantité.** *Définition, mesure d'une grandeur.* ⟨ ▸ agrandir, grandiose, grandir, grand-mère, mère-grand ⟩

grandiloquence [gʀɑ̃dilɔkɑ̃s] n. f. ■ Forme d'expression qui abuse des grands mots et des effets faciles. ▸ **grandiloquent, ente** adj. ■ Qui s'exprime avec grandiloquence. — Où il entre de la grandiloquence. ⇒ **pompeux.** *Un ton grandiloquent.*

grandiose [gʀɑ̃djoz] adj. ■ (Choses) Qui frappe, impressionne par son caractère de grandeur, son aspect majestueux. ⇒ **imposant, magnifique, majestueux.** *Paysage, spectacle grandiose. Œuvre grandiose. Époque grandiose.*

grandir [gʀɑ̃diʀ] v. ■ conjug. 2. **I.** V. intr. **1.** Devenir plus grand. / contr. **rapetisser** / *Cet enfant a beaucoup grandi.* **2.** Devenir plus intense. ⇒ **augmenter.** / contr. **diminuer** / *Le vacarme ne cesse de grandir. Le mécontentement grandissait.* **3.** Gagner en valeur humaine. *Il sort grandi de cette épreuve.* **II.** V. tr. **1.** Rendre ou faire paraître plus grand. *Ses hauts talons la grandissent. Le microscope grandit ce qu'on y observe.* ⇒ **agrandir.** **2.** Donner plus de grandeur, de noblesse. ⇒ **ennoblir.** *Cela ne le grandit pas à mes yeux.* ▸ **grandissant, ante** adj. ■ Qui grandit peu à peu, qui va croissant. *Un vacarme grandissant. Une impatience grandissante.*

grand-mère n. f. **1.** Mère du père ou de la mère de qqn. ⇒ **aïeul(e).** — *Grand-mère maternelle, paternelle.* **2.** Fam. Vieille femme. *Laissez passer la grand-mère. Des grand-mères.* ▸ **grand-père** n. m. **1.** Père du père ou de la mère de qqn. ⇒ **aïeul.** — *Grand-père paternel, maternel.* **2.** Fam. Homme âgé, vieillard. *Des vieux grands-pères.* ⇒ **pépé.** ▸ **grands-parents** n. m. pl. ■ Le grand-père et la grand-mère du côté paternel et maternel. ▸ **grand-oncle** [gʀɑ̃tɔ̃kl] n. m. ■ Frère du grand-père ou de la grand-mère. *Un de mes grands-oncles.* (On dit aussi *oncle* en ce sens.) ▸ **grand-tante** [gʀɑ̃tɑ̃t] n. f. ■ Sœur du grand-père ou de la grand-mère. *Une de ses grand-tantes.* (On dit aussi *tante* en ce sens.) ⟨ ▸ arrière-grand-mère, arrière-grand-père, arrière-grands-parents ⟩

grange [gʀɑ̃ʒ] n. f. ■ Bâtiment clos servant à abriter la récolte dans une exploitation agricole. ⟨ ▸ engranger ⟩

gran(i)- ■ Élément qui signifie « grain ① ». ▸ **granit** ou **granite** [gʀanit] n. m. **1.** Roche dure, abondante, formée de cristaux de feldspath, de quartz, de mica, etc. *Une falaise de granite rose.* **2.** Symbole de dureté. *Cœur de granit,* insensible, impitoyable.

⇒ **pierre.** ▶ *granitique* adj. ■ *Roches granitiques.* ▶ *granité, ée* adj. ■ Qui présente des grains comme le granit. ⇒ **grenu.** *Papier granité.* ▶ *granivore* adj. ■ Qui se nourrit de grains. *Oiseaux granivores.* ▶ *granule* n. m. ■ Petite pilule. *Granules homéopathiques.* ▶ *granulé* n. m. ■ Préparation pharmaceutique présentée sous forme de petits grains irréguliers et fondants. *Prendre des granulés pour la digestion.* ▶ *granuleux, euse* adj. ■ Formé de petits grains ou d'aspérités en forme de grains. *Papier granuleux. Peau granuleuse.* / contr. **lisse** / ▶ *granulation* n. f. ■ Surtout au plur. Aspect granuleux. *Surface qui présente des granulations.* ⟨ ▶ **filigrane** ⟩

grape-fruit ou *grapefruit* [gʀɛpfʀut] n. m. ■ Anglic. Pamplemousse (poméló). *Des grape-fruits; des grapefruits.*

graph(o)-, -graphe, -graphie ■ Éléments savants signifiant « écrire, décrire, tracer ». ▶ *graphème* [gʀafɛm] n. m. ■ Lettre ou groupe de lettres transcrivant un phonème. *« o » et « au » sont deux graphèmes pour* [o]. ▶ *graphie* [gʀafi] n. f. ■ Manière dont un mot est écrit. ⇒ **orthographe.** *La graphie de « granite » est variable* (granit, granite). ▶ *graphique* [gʀafik] adj. et n. ■ I. Adj. Qui représente, par des signes ou des lignes, des figures sur une surface. *Arts graphiques,* dessin, peinture, gravure, etc. *Industrie graphique. L'alphabet est un système de signes graphiques.* II. N. m. Représentation des variations d'un phénomène (en fonction du temps, du coût, etc.) à l'aide d'une ligne droite, courbe, ou brisée. ⇒ **courbe, diagramme.** *Graphique tracé par un appareil enregistreur.* ▶ *graphiquement* adv. ■ Par le dessin et l'écriture. ▶ *graphisme* [gʀafism] n. m. 1. Manière de former les lettres, d'écrire, qui fournit des indications sur le tempérament de celui qui les trace. *Une écriture d'un graphisme arrondi.* 2. Manière de dessiner, d'écrire, considérée sur le plan esthétique. *Le graphisme de Picasso.* ▶ *graphiste* n. ■ Professionnel des arts graphiques. *Elle est graphiste dans une agence de publicité.* ▶ *graphite* n. m. ■ Variété de carbone cristallisé, gris noir, dont on se sert pour écrire (appelé aussi *mine de plomb*). ▶ *graphologie* n. f. ■ Étude des écritures individuelles. ▶ *graphologique* adj. ■ *Analyse graphologique.* ▶ *graphologue* n. ■ Personne qui pratique la graphologie. *Expert-graphologue.*

grappe [gʀap] n. f. 1. Assemblage de fleurs ou de fruits portés par des pédoncules étagés sur un axe commun (⇒ **inflorescence**). *Grappe de glycine. Grappe de raisin.* 2. Assemblage serré de petits objets (grains, etc.) ou de personnes. *Des grappes d'œufs de seiche. Des grappes de voyageurs s'accrochaient aux marchepieds.* ▶ *grappiller* [gʀapije] v. tr. ■ conjug. 1. 1. Prendre de-ci, de-là (des fruits, des fleurs). ⇒ **cueillir, ramasser.** *Grappiller du raisin.* 2. Prendre, recueillir au hasard. *Grappiller des connaissances.* ⇒ **glaner.** *Grappiller quelques sous.* ▶ *grappillage* n. m. ■ Action de grappiller. — Petits larcins. ⇒ **égrapper.** ⟨ ▶ **égrapper** ⟩

grappin [gʀapɛ̃] n. m. 1. Instrument en fer muni de crochets et fixé au bout d'une corde. ⇒ **crampon, croc.** 2. Abstrait. METTRE LE GRAPPIN SUR : accaparer. *Attention, ce raseur va nous mettre le grappin dessus.*

gras, grasse [gʀɑ, gʀɑs] adj. I. 1. Formé de graisse; qui contient de la graisse. *Matière grasse. Les corps gras,* les graisses, les lipides. *Aliments gras.* — N. m. *Le gras,* la partie grasse de la viande. 2. *Jours gras,* où l'on peut manger de la viande, quand on est catholique. *Mardi gras.* — Adv. *Faire gras,* manger de la viande. 3. (Personnes) Qui a beaucoup de graisse. ⇒ **adipeux, grassouillet, gros.** / contr. **maigre** / *Elle*

est un peu grasse. — N. m. *Le gras de la jambe,* le mollet. 4. Enduit, sali de graisse. ⇒ **graisseux, huileux, poisseux.** *Avoir les cheveux gras, les mains grasses.* II. Par anal. 1. Qui évoque la graisse par sa consistance. ⇒ **onctueux.** *Terre argileuse et grasse. Toux grasse,* accompagnée d'une expectoration de mucosités. 2. *Caractères gras,* caractères épais et noirs en imprimerie. *Crayon gras,* à mine tendre. 3. *Plantes grasses,* à feuilles épaisses et charnues (ex. *les cactus*). 4. Abondant. *La prime n'est pas grasse.* — Adv. Fam. *Il n'y a pas gras à manger,* pas beaucoup. ▶ *grassement* adv. ■ Abondamment, largement. *Il est grassement payé.* ⇒ **généreusement.** ▶ *gras-double* [gʀɑdubl] n. m. ■ Membrane comestible de l'estomac du bœuf. *Des gras-doubles à la lyonnaise.* ⟨ ▶ **grassouillet** ⟩

grasseyé [gʀaseje] adj. m. ■ *R grasseyé,* R prononcé du fond de la gorge sans être roulé.

grassouillet, ette [gʀasujɛ, ɛt] adj. ■ Assez gras et rebondi. ⇒ **potelé.** *Un petit homme grassouillet.*

gratifier [gʀatifje] v. tr. ■ conjug. 7. 1. Pourvoir libéralement de quelque avantage (don, faveur, honneur). *On l'a gratifié d'un nouveau bureau.* — Iron. *Gratifier un garnement d'une paire de gifles.* 2. Procurer une satisfaction psychologique valorisante à (opposé à *frustrer*). — Au p. prés. adj. *Une occupation gratifiante.* ▶ *gratification* n. f. 1. Somme d'argent donnée par un employeur en sus du salaire. ⇒ **prime.** 2. Ce qui gratifie psychologiquement. *Tout le monde a besoin de gratifications.* / contr. **frustration** /

gratin [gʀatɛ̃] n. m. 1. AU GRATIN : se dit de plats cuits au four après avoir été saupoudrés de chapelure ou de fromage râpé. *Macaronis au gratin.* 2. Mets ainsi préparé. *Un gratin de pommes de terre. Gratin dauphinois.* — Croûte dorée qui se forme à la surface de ce plat. 3. Fam. Partie d'une société particulièrement relevée par ses titres, son élégance, sa richesse. ⇒ **élite.** *Il fréquente le gratin.* ▶ *gratiner* v. tr. ■ conjug. 1. ■ Cuire au gratin. *Faire gratiner des légumes.* ▶ *gratiné, ée* adj. et n. f. 1. Cuit au gratin. 2. N. f. UNE GRATINÉE : soupe à l'oignon, au gratin. 3. Fam. Remarquable, par l'excès ou le ridicule. *Il est gratiné, son chapeau ! Un sujet de rédaction gratiné,* très difficile.

gratis [gʀatis] adv. ■ Fam. ⇒ **gratuitement.** *Assister gratis à un spectacle.* — Adj. invar. *L'entrée est gratis.*

gratitude [gʀatityd] n. f. ■ Sentiment affectueux que l'on éprouve envers celui dont on a reçu un bienfait, un service. ⇒ **reconnaissance.** / contr. **ingratitude** /

grattage [gʀataʒ] n. m. ■ Action de gratter (1 et 4); son résultat. *Le grattage d'un vieux papier peint.*

gratte [gʀat] n. f. ■ Fam. Petit profit obtenu en grattant. ⇒ **gratter** (I, 5). *Faire de la gratte.*

gratte-ciel [gʀatsjɛl] n. m. invar. ■ Immeuble à très nombreux étages, atteignant une grande hauteur. ⇒ **tour.** *Des gratte-ciel.*

gratte-cul [gʀatky] n. m. ■ Fruit du rosier, de l'églantier, petite baie orange remplie de poil à gratter. *Des gratte-cul(s).*

gratte-papier [gʀatpapje] n. m. invar. ■ Péj. Modeste employé de bureau. ⇒ **scribouillard.** *Des gratte-papier.*

gratter [gʀate] v. ■ conjug. 1. I. V. tr. 1. Frotter avec qqch. de dur en entamant très légèrement la surface de. ⇒ **racler.** *Gratter une porte pour en ôter la peinture. Gratter une allumette.* 2. (En employant les ongles, les griffes) *Se gratter la tête, le front. Les poules grattent le sol de la basse-cour.* — *Gratte-moi*

le dos, il me démange. **3.** Fam. Faire éprouver une
démangeaison. *Ce vêtement me gratte terriblement.*
— *Poil à gratter.* **4.** Faire disparaître ce qui est sur
la surface ainsi frottée. ⇒ **effacer, enlever.** *Gratter un
mot, une inscription.* **5.** Prélever à son profit, mettre
de côté de petites sommes. *C'est une affaire où il n'y
a pas grand-chose à gratter.* ⇒ **grappiller. 6.** Fam.
Dépasser (un concurrent). ⇒ **devancer, griller.** *Il a
gratté son camarade (en classe).* **II.** V. intr. Frotter
avec les ongles. *Il gratte à la porte* (au lieu de frapper,
par discrétion, timidité). — *Gratter de la guitare,* en
jouer médiocrement. **III.** SE GRATTER v. pron. réfl. :
gratter l'endroit qui démange. *Se gratter jusqu'au
sang.* ▶ *grattement* n. m. ■ Rare. Action de se
gratter. *De pensifs grattements de tête.* — Bruit de
ce qui gratte. *On entend un léger grattement à la porte.*
▶ *grattoir* n. m. ■ Instrument qui sert à gratter, à
racler. ⟨ ▶ égratigner, grattage, gratte, gratte-ciel,
gratte-cul, gratte-papier ⟩

gratuit, uite [gratɥi, ɥit] adj. **1.** Que l'on donne
sans faire payer ; dont on profite sans payer. / contr.
payant / *Enseignement gratuit et obligatoire. L'entrée
du spectacle est gratuite.* ⇒ **libre ;** fam. **gratis.**
Échantillon gratuit. À titre gratuit. ⇒ **gratuitement.**
2. Qui n'a pas de fondement, de preuve. ⇒ **arbitraire,
hasardeux.** *Accusation gratuite.* **3.** Acte gratuit, irrationnel, sans motif apparent. ▶ *gratuité* n. f.
1. Caractère de ce qui est gratuit (1), non payant.
2. Caractère de ce qui est injustifié, non motivé ou
désintéressé. ▶ *gratuitement* adv. **1.** Sans rétribution, sans contrepartie. ⇒ **gracieusement ;** fam. **gratis.**
Soigner un malade gratuitement. **2.** Sans motif, sans
fondement. *Il lui prête gratuitement des intentions
mauvaises.* **3.** Sans motif ni but rationnels. *Commettre
gratuitement un crime.*

gravats [grava] n. m. pl. ■ Débris provenant d'une
démolition. ⇒ **décombres, plâtras.** *Un tas de gravats.*

grave [grav] adj. **I.** Abstrait. **1.** Qui se comporte,
agit avec réserve et dignité ; qui donne de l'importance
aux choses. ⇒ **austère, digne, posé, sérieux.** / contr.
léger ; frivole / *Un grave magistrat. Air grave.* **2.** Qui
a de l'importance, du poids. ⇒ **important, sérieux.**
C'est une grave question. **3.** Susceptible de suites
fâcheuses, dangereuses. / contr. **bénin** / *De graves
ennuis. Le moment est grave.* ⇒ **critique, dramatique,
tragique.** *Maladie grave.* **4.** *Blessé grave,* gravement
touché. **II. 1.** (Son) Qui occupe le bas du registre
musical. / contr. **aigu** / *Son, note grave. Voix grave.*
— N. m. *Le grave,* le registre des sons graves. **2.** *Accent
grave,* en français, signe (`) servant à noter le timbre
de l'*e* ouvert ([ɛ]) et à distinguer certains mots de
leurs homonymes (*à, où, là*). ▶ *gravement* adv.
1. Avec gravité. ⇒ **dignement.** *Marcher, parler gravement.* **2.** D'une manière importante, dangereuse.
Gravement blessé. ⇒ **grièvement.** ⟨ ▶ aggraver,
① gravité ⟩

graveleux, euse [gravlø, øz] adj. ■ Littér. Très
licencieux. *Raconter des histoires graveleuses.*

gravelle [gravɛl] n. f. ■ Vx. Maladie qui provoque
des calculs dans le rein. ⇒ **pierre** (III).

graver [grave] v. tr. ■ conjug. 1. **1.** Tracer en creux
sur une matière dure, au moyen d'un instrument
pointu. *Graver des initiales sur une bague.* **2.** Tracer
en creux (un dessin, des caractères, etc.), sur une
matière dure, dans le but de les reproduire (⇒ **gravure**). *Graver un portrait au burin. Graver un disque.*
3. Reproduire par le procédé de la gravure. *Faire
graver des cartes de visite.* **4.** Rendre durable (dans
l'esprit, le cœur). ⇒ **fixer, imprimer.** *Ce souvenir est
gravé, s'est gravé dans ma mémoire.* ▶ *graveur* n. m.
■ Professionnel de la gravure. *Graveur sur métaux,
sur bois.* ⟨ ▶ gravure ⟩

gravide [gravid] adj. ■ (Femelle animale) Fécondée.
Jument gravide, pleine.

gravier [gravje] n. m. **1.** Ensemble de petits
cailloux servant au revêtement des allées, dans un
jardin, etc. *Ratisser le gravier. Gravier fin.* ⇒ **gravillon. 2.** Sable grossier mêlé de cailloux qui se trouve
dans le lit des rivières ou au bord de la mer.

gravillon [gravijɔ̃] n. m. ■ Fin gravier. *Répandre
du gravillon sur une route goudronnée.* — Au plur. *Les
gravillons,* les petits cailloux du gravillon. *Une pluie
de gravillons s'abat sur le pare-brise.*

gravir [gravir] v. tr. ■ conjug. 2. ■ Monter avec
effort (une pente rude). *Gravir une montagne.*
⇒ **escalader.** *Les vélos gravissaient lentement la côte.*

gravitation [gravitasjɔ̃] n. f. ■ Phénomène par
lequel deux corps quelconques s'attirent avec une
force qui dépend de leur masse et de leur distance.
⇒ **attraction.** *La loi de la gravitation universelle.*

① *gravité* [gravite] n. f. **1.** Qualité d'une personne grave ; air, maintien grave. ⇒ **austérité,
componction, dignité.** *Un air de gravité.* **2.** Caractère
de ce qui a de l'importance, de ce qui peut entraîner
de graves conséquences. *Vu la gravité de la situation,
il faut prendre des mesures. Un accident sans gravité.*

② *gravité* n. f. ■ Phénomène par lequel un corps
subit l'attraction de la Terre. ⇒ **pesanteur.** *Centre de
gravité.* ⇒ **centre.**

graviter [gravite] v. intr. ■ conjug. 1. ■ GRAVITER
AUTOUR : tourner autour (d'un centre d'attraction).
Les planètes gravitent autour du Soleil. — Abstrait.
(Personnes) *Les gens qui gravitent autour du ministre.*
⟨ ▶ gravitation ⟩

gravure [gravyr] n. f. **1.** Action de graver.
Manière dont un objet est gravé. *La gravure d'un
bijou.* **2.** Art de graver, soit pour orner un objet dur,
soit pour reproduire une œuvre graphique. *La gravure
sur métaux, sur bois. Gravure à l'eau-forte, sur cuivre.*
3. Reproduction de l'ouvrage du graveur, par un
procédé quelconque. ⇒ **estampe, illustration.** *Une
gravure en couleurs. Des gravures de mode.* **4.** Toute
image reproduisant un tableau, une photographie, etc.
⇒ **reproduction.** *Accrocher des gravures au mur.*
5. Enregistrement d'un disque. *La gravure de ce
disque est médiocre.* ⟨ ▶ héliogravure, photogravure,
pyrogravure, similigravure ⟩

gré [gre] n. m. **1.** AU GRÉ DE : selon le goût, le
caprice, la volonté de. *Trouver qqn, qqch. à son gré.
Agissez à votre gré.* ⇒ **convenance, guise.** — *Au gré
des événements, des circonstances,* selon le caprice des
événements, des circonstances. *Au gré du vent.* — DE
SON PLEIN GRÉ : sans contrainte. *Je suis venu de mon
plein gré.* ⇒ **volontairement.** — DE BON GRÉ : de bon
cœur. — DE GRÉ OU DE FORCE : qu'on le veuille ou
pas. — CONTRE LE GRÉ : contre la volonté de.
Faire qqch. contre le gré de ses parents. — BON GRÉ
MAL GRÉ : en se résignant, malgré soi. *J'accepte bon
gré mal gré cette solution.* **2.** SAVOIR GRÉ : avoir de
la reconnaissance pour qqn. *Je lui sais gré de son aide,
de m'avoir aidé.* ⟨ ▶ agréable, agréer, agrément,
désagréable, désagrément, malgré, maugréer ⟩

grec, grecque [grɛk] adj. et n. **1.** De Grèce.
⇒ **hellénique. 2.** N. *Les Grecs.* ⇒ **hellène. 3.** N. m. La
langue grecque. *Le grec ancien, le grec moderne.*
▶ *gréco-latin, ine* [grekɔlatɛ̃, in] adj. ■ Qui
concerne à la fois les langues grecque et latine. *Études
gréco-latines.* ▶ *gréco-romain, aine* adj. ■ Qui
appartient aux Grecs et aux Romains. *Art gréco-
romain. Lutte gréco-romaine. Mythes gréco-romains.*
⟨ ▶ grecque ⟩

grecque [grɛk] n. f. ■ Ornement fait de lignes
brisées qui reviennent sur elles-mêmes à angle droit.

gredin, ine [grədɛ̃, in] n. ■ Vx. Personne malhonnête, méprisable. ⇒ **bandit, coquin, malfaiteur.** *Nous ferons un procès à ce gredin.* — Fam. *Petit gredin !,* petit fripon.

gréer [gree] v. tr. ▪ conjug. 1. ■ Garnir (un navire, un mât) de gréement. — Au p. p. adj. *Navire gréé en goélette.* ▶ *gréement* [gremɑ̃] n. m. ■ Ensemble du matériel nécessaire à la manœuvre des navires à voiles (⇒ **agrès, cordage, mâture, voile**). — Sur un navire à moteur, ensemble du matériel de manœuvre et de sécurité (⇒ **ancre, chaîne, embarcation,** etc.).

① *greffe* [grɛf] n. m. ■ Bureau où l'on garde les minutes des actes de procédure. *Le greffe du tribunal d'instance.* ▶ *greffier* [grefje] n. m. ■ Officier public préposé au greffe. *Le greffier du tribunal civil.*

② *greffe* [grɛf] n. f. **1.** Greffon végétal ou animal. **2.** Opération par laquelle on implante un greffon végétal ou animal. — Résultat de cette action. *La greffe d'un arbre. Les greffes du rein, du cœur.* ⇒ **transplantation.** ▶ *greffer* [grefe] v. tr. ▪ conjug. 1. **1.** Soumettre (une plante) à l'opération de la greffe. *Greffer un arbre.* **2.** Insérer (un greffon) sur un sujet. *On lui a greffé un rein.* **3.** Abstrait. SE GREFFER SUR : s'ajouter à. *Des complications imprévues sont venues se greffer là-dessus.* ▶ *greffage* n. m. ■ Action de greffer. ▶ *greffon* [grefɔ̃] n. m. **1.** Partie d'une plante (bouton, rameau, bourgeon) que l'on insère sur une autre plante (dite *sujet* ou *porte-greffe*) afin d'obtenir un spécimen nouveau. **2.** Partie de l'organisme humain ou animal prélevée afin d'être greffée. ⟨ ▶ porte-greffe ⟩

grégaire [greger] adj. ■ Qui vit par troupeaux. *Animaux grégaires. — Instinct grégaire,* qui pousse à se rassembler et à s'imiter.

grège [grɛʒ] adj. ■ *Soie grège,* soie brute, telle qu'on la dévide du cocon, de couleur gris-beige. — De cette couleur. *Des pulls grèges.*

grégorien, ienne [gregɔrjɛ̃, jɛn] adj. ■ *Chant grégorien,* et n. m., *le grégorien,* le plain-chant.

① *grêle* [grɛl] adj **1.** D'une longueur et d'une finesse excessives. ⇒ **filiforme, fin, fluet, mince.** *Échassier perché sur ses pattes grêles.* **2.** L'INTESTIN GRÊLE : portion la plus étroite de l'intestin, comprise entre le duodénum et le cæcum.

② *grêle* [grɛl] n. f. **1.** Précipitation faite de grains de glace. ⇒ **grêlon.** *Fine grêle.* ⇒ **grésil. 2.** Ce qui tombe comme la grêle. *Il a reçu une grêle de balles.* — *Accabler qqn sous une grêle d'injures.* ▶ *grêlé, ée* adj. ■ Marqué par de petites cicatrices (dues à la variole, etc.). *Un visage grêlé.* ▶ *grêler* [grɛle] v. impers. ▪ conjug. 1. **1.** (Grêle) Tomber. *Il grêle et il vente.* **2.** Transitivement. Gâter, dévaster par la grêle. *Toute cette région a été grêlée.* ▶ *grêlon* n. m. ■ Grain d'eau congelée qui tombe pendant une averse de grêle. ⟨ ▶ paragrêle ⟩

grelot [grəlo] n. m. ■ Sonnette constituée d'une boule de métal creuse, percée de trous, contenant un morceau de métal qui la fait résonner dès qu'on l'agite. *Les grelots des vaches tintinnabulent.*

grelotter [grəlɔte] v. intr. ▪ conjug. 1. **1.** Trembler (de froid, de peur, de fièvre). ⇒ **frissonner. 2.** Avoir très froid. ⇒ **geler** (I, 2). *On grelotte ici, fermez les fenêtres.* ▶ *grelottant, ante* adj. ■ Qui grelotte. *Elle est toute grelottante.*

① *grenade* [grənad] n. f. ■ Fruit comestible du grenadier, grosse baie ronde à la pulpe rouge, pleine de pépins. ▶ *grenadine* n. f. ■ Sirop de jus de grenade ou d'autres fruits rouges. — Boisson artificielle de goût analogue. ▶ ① *grenadier* n. m.

■ Arbrisseau épineux à feuillage persistant, à fleurs rouges, qui produit les grenades.

② *grenade* n. f. ■ Projectile formé d'une charge d'explosif enveloppée de métal, muni d'un détonateur pour en régler l'explosion. *Grenade à main. Grenade lacrymogène. Grenade incendiaire. Dégoupiller une grenade.* ▶ ② *grenadier* n. m. ■ Vx. Soldat chargé de lancer des grenades. — Histoire. Soldat d'élite. *Les grenadiers de Napoléon.* ⟨ ▶ lance-grenades ⟩

grenaille [grənɑj] n. f. ■ Métal réduit en grains. *De la grenaille de plomb.*

grenat [grəna] n. m. **1.** Pierre précieuse très dure, généralement d'un beau rouge. **2.** Adj. invar. Rouge sombre. *Des rubans grenat.*

grenier [grənje] n. m. **1.** Partie d'une ferme, d'ordinaire située sous les combles, où l'on conserve les grains et les fourrages. ⇒ **fenil, grange.** *Grenier à blé, à foin.* **2.** Étage supérieur d'une maison particulière, sous les combles, qui sert généralement de débarras. — *Fouiller une maison de la cave au grenier,* depuis le bas jusqu'en haut.

grenouillage [grənujaʒ] n. m. ■ Fam. Intrigues louches, tractations immorales. ⇒ **magouille.**

grenouille [grənuj] n. f. ■ Batracien aux pattes postérieures longues et palmées, à peau lisse, nageur et sauteur. *Grenouille verte, rousse. La grenouille coasse. Larve de grenouille.* ⇒ **têtard.** *La grenouille et le crapaud sont des espèces différentes. Manger des cuisses de grenouille.* ⟨ ▶ homme-grenouille ⟩

grenu, ue [grəny] adj. ■ (Choses) Dont la surface présente de nombreux grains. *Cuir grenu. Roches grenues,* dont on peut voir tous les cristaux.

grès [grɛ] n. m. invar. **1.** Roche sédimentaire dure formée de sable dont les grains sont unis par un ciment. *Grès rouge, gris.* **2.** Terre glaise mêlée de sable fin dont on fait des poteries. *Pot de grès.* ▶ *gréseux, euse* [grezø, øz] adj. ■ De la nature du grès ; contenant du grès.

grésil [grezi(l)] n. m. ■ Variété de grêle, fine, blanche et dure.

grésiller [grezije] v. intr. ▪ conjug. 1. ■ Produire un crépitement rapide et assez faible. ▶ *grésillement* n. m. ■ Léger crépitement. *Le grésillement de la friture.*

gressin [gresɛ̃] n. m. ■ Petite flûte de pain séché, ayant la consistance des biscottes.

① *grève* [grɛv] n. f. ■ Terrain plat formé de sables et de graviers, situé au bord de la mer ou d'un cours d'eau. ⇒ **plage, rivage.** *Navire échoué sur la grève.*

② *grève* n. f. **1.** Cessation volontaire et collective du travail décidée par des salariés ou par des personnes ayant des intérêts communs, pour des raisons économiques ou politiques. ⇒ **arrêt** de travail, **débrayage.** *Faire grève, se mettre en grève. Le syndicat a lancé un ordre de grève. Grève tournante,* qui affecte successivement tous les secteurs de production. *Piquet de grève. Briseur de grève.* ⇒ **jaune** (II, 5). *La grève des mineurs, des transports.* **2.** *Faire la grève de la faim,* refuser de manger, en manière de protestation. *Détenu qui fait la grève de la faim.* ▶ *gréviste* n. ■ Personne qui fait grève.

grever [grəve] v. tr. ▪ conjug. 5. ■ Frapper de charges financières, de servitudes. *Dépenses qui grèvent un budget.* ⇒ **alourdir.** — Au p. p. *Un pays grevé d'impôts.* ⟨ ▶ dégrever ⟩

gribouille [gribuj] n. ■ Personne naïve qui se jette stupidement dans les ennuis qu'elle voulait éviter. *Une politique de gribouille.*

gribouiller [gʀibuje] v. . conjug. 1. **1.** V. intr. Faire des gribouillages. ⇒ **griffonner.** *Empêchez cet enfant de gribouiller sur les murs !* **2.** V. tr. Écrire de manière confuse. — Au p. p. adj. *Message gribouillé, à peine lisible.* ▶ *gribouillage* n. m. ou *gribouillis* n. m. invar. **1.** Dessin confus, informe. ⇒ **griffonnage.** *Buvard couvert de gribouillages.* **2.** Écriture informe, illisible. *Cette écriture n'est qu'un gribouillis maladroit.*

grièche [gʀijɛʃ] ⇒ **pie-grièche.**

grief [gʀijɛf] n. m. ■ Souvent au plur. Sujet, motif de plainte (généralement contre une personne). ⇒ **doléance, reproche.** *Avoir des griefs contre qqn. Exposer, formuler ses griefs,* se plaindre, protester. — Loc. TENIR, FAIRE GRIEF DE *qqch.* À *qqn* : le lui reprocher. *Ne me tenez pas grief de mes absences.*

grièvement [gʀijɛvmɑ̃] adv. ■ *Grièvement blessé,* gravement* blessé. / contr. **légèrement** /

griffe [gʀif] n. f. **1.** Ongle pointu et crochu de certains animaux. *Le chat sort ses griffes. Coup de griffe.* — Loc. MONTRER LES GRIFFES : menacer. *Rentrer ses griffes,* revenir à une attitude moins agressive. *Tomber sous la griffe de qqn,* en son pouvoir. *Arracher une personne des griffes d'une autre.* **2.** Petit crochet qui maintient une pierre sur un bijou. **3.** Empreinte reproduisant une signature. *Apposer sa griffe.* — Marque au nom d'un fabricant d'objets de luxe, apposée sur ses produits. *Ce manteau porte la griffe d'un grand couturier. La griffe est enlevée.* ⇒ **dégriffer.** **4.** Marque caractéristique du style de qqn dans ses œuvres. *On reconnaît la griffe de l'auteur.* ▶ *griffer* v. tr. . conjug. 1. ■ Égratigner d'un coup de griffe ou d'ongle. *Le chat m'a griffé.* ⟨ ▶ dégriffer, griffonner, griffu, griffure ⟩

griffon [gʀifɔ̃] n. m. **1.** Animal fabuleux, ailé, à corps de lion et à tête d'aigle. **2.** Chien de chasse à poils longs et rudes.

griffonner [gʀifɔne] v. tr. . conjug. 1. **1.** Écrire (qqch.) d'une manière confuse, peu lisible. *Les médecins griffonnent leurs ordonnances.* — Sans compl. Faire des lettres, des signes, des dessins informes. ⇒ **gribouiller.** *Griffonner sur un buvard.* **2.** Rédiger à la hâte. *Griffonner un billet.* ▶ *griffonnage* n. m. **1.** Écriture mal formée, illisible ; dessin informe. ⇒ **gribouillage, gribouillis. 2.** Ce qu'on rédige hâtivement, avec maladresse. *Des griffonnages de jeunesse.*

griffu, ue [gʀify] adj. ■ Armé de griffes ou d'ongles longs et crochus. *Des pattes griffues.*

griffure [gʀifyʀ] n. f. ■ Marque laissée par un coup de griffe, égratignure. ⇒ **écorchure, éraflure.**

grignoter [gʀiɲɔte] v. . conjug. 1. **I.** V. intr. **1.** Manger en rongeant. *Le hamster grignote.* **2.** Manger très peu, du bout des dents. ⇒ **chipoter.** *Le soir, au lieu de dîner, elle grignote.* **II.** V. tr. **1.** Manger (qqch.) petit à petit, lentement, en rongeant. *Grignoter un biscuit. Souris qui grignote un fromage.* **2.** Détruire peu à peu, lentement. *Grignoter ses économies.* **3.** S'approprier, gagner. *Il n'y a rien à grignoter dans cette affaire.* ⇒ **gratter.** ▶ *grignotement* n. m. ■ Action de grignoter ; bruit qui en résulte.

grigou [gʀigu] n. m. ■ Fam. Homme avare. *Quel grigou ! Des vieux grigous.*

gri-gri ⇒ **gris-gris.**

gril [gʀi(l)] n. m. ■ Ustensile de cuisine fait d'une grille métallique ou d'une plaque en fonte nervurée, sur lequel on fait cuire à feu vif de la viande, du poisson, etc. — Loc. fig. *Être sur le gril,* extrêmement anxieux ou impatient. ▶ *grillade* [gʀijad] n. f.

■ Viande grillée. *J'ai mangé une grillade. Une grillade de porc.* ⟨ ▶ griller ⟩

grillage [gʀijaʒ] n. m. **1.** Treillis le plus souvent métallique qu'on met aux fenêtres, aux portes à jour, etc. **2.** Clôture en treillis de fils de fer. *Jardins enclos d'un grillage.* ▶ *grillager* v. tr. . conjug. 3. ■ Munir d'un grillage. — Au p. p. adj. *Fenêtre grillagée.*

grille [gʀij] n. f. **I. 1.** Assemblage de barreaux entrecroisés ou parallèles fermant une ouverture. *Les grilles des fenêtres d'une prison.* **2.** Clôture formée de barreaux métalliques verticaux, plus ou moins ouvragés. *La grille d'un jardin public.* **3.** Châssis équipé de barres de fonte soutenant le charbon ou le petit bois dans un fourneau, une cheminée. **II. 1.** Carton ajouré à l'aide duquel on code ou décode un message secret. ⇒ **cryptographie. 2.** *Grille de mots croisés,* l'ensemble des cases à remplir. **3.** Plan, tableau donnant un ensemble d'indications chiffrées. *Grille des horaires de trains. Grille des programmes de la radio. Grille des salaires.* ⟨ ▶ grillage ⟩

griller [gʀije] v. . conjug. 1. **I.** V. tr. **1.** Faire cuire, rôtir sur le gril. *Griller du boudin.* — Au p. p. adj. *Viande grillée.* ⇒ **grillade.** *Pain grillé.* **2.** Chauffer à l'excès. *La flambée lui grillait le visage.* **3.** Torréfier. *Griller du café.* — Au p. p. adj. *Amandes grillées.* **4.** Fam. *Griller une cigarette,* la fumer. **5.** Mettre hors d'usage par un court-circuit ou par un courant trop intense. *Griller une résistance.* **6.** *Griller une étape, un feu rouge,* ne pas s'y arrêter. ⇒ **brûler. 7.** Fam. Dépasser, supplanter (un concurrent). ⇒ **gratter. II.** V. intr. **1.** Rôtir sur le gril. *Mettre des châtaignes à griller.* **2.** Fam. Être exposé à une chaleur trop vive. *On grille ici !* / contr. **geler** / **3.** Abstrait. GRILLER DE... : brûler de... *Griller d'impatience. Nous grillons de vous entendre !* ▶ *grille-pain* [gʀijpɛ̃] n. m. invar. ■ Appareil sur lequel on grille des tranches de pain. *Des grille-pain électriques.*

grillon [gʀijɔ̃] n. m. ■ Insecte sauteur, noir ou jaune (aussi appelé *cri-cri,* en raison du bruit que le mâle fait avec ses élytres).

grimace [gʀimas] n. f. **1.** Contorsion du visage, faite inconsciemment ⇒ **tic,** ou volontairement. *Une grimace de dégoût, de douleur. Les enfants s'amusent à se faire des grimaces.* **2.** Fig. *Faire la grimace,* manifester son mécontentement, son dégoût. *Quand on lui a offert ce poste, il a fait la grimace.* **3.** Mauvais pli. *L'ourlet de sa jupe fait une grimace.* **4.** Au plur. Mines affectées, hypocrites. ⇒ **simagrée, singerie.** *Assez de grimaces !* ▶ *grimacer* v. intr. . conjug. 3. **1.** Faire des grimaces. *Grimacer de douleur.* **2.** Faire un faux pli. *Sa veste grimace dans le dos.* ▶ *grimaçant, ante* adj. ■ Qui grimace. *Visage grimaçant.* ▶ *grimacier, ière* adj. **1.** Qui a l'habitude de faire des grimaces. *Un enfant grimacier.* **2.** Vx. Qui minaude avec affectation.

grimer [gʀime] v. tr. . conjug. 1. ■ Maquiller pour le théâtre, le cinéma, etc. — Pronominalement (réfl.). *Le clown se grime avec art.* ▶ *grimage* n. m. ■ Maquillage de théâtre.

grimoire [gʀimwaʀ] n. m. ■ Écrit indéchiffrable, illisible ou incompréhensible.

grimper [gʀɛ̃pe] V. **I.** V. intr. . conjug. 1. **1.** Monter en s'aidant des mains et des pieds. *Grimper aux arbres, sur un arbre. Grimper à l'échelle.* — N. m. LE GRIMPER : exercice de montée d'une corde lisse ou à nœuds. **2.** (Plantes) *Le lierre grimpe jusqu'au toit.* **3.** Monter sur un lieu élevé, d'accès difficile. *Grimper sur une montagne. Le petit enfant a grimpé sur la table.* — Au p. p. adj. *Un couvreur grimpé sur un toit.* **4.** (Suj. chose) S'élever en pente raide. *La route grimpe dur.* **5.** Fam. Monter, s'élever, augmenter rapidement.

Les prix ont grimpé. **II.** V. tr. Gravir. *Grimper un escalier quatre à quatre.* ▶ **grimpant, ante** adj. **1.** *Plante grimpante,* dont la tige ne peut s'élever qu'en s'accrochant ou en s'enroulant à un support voisin. **2.** N. m. Fam. Pantalon. ▶ **grimpée** n. f. ■ Ascension rude et pénible. ▶ **grimpette** n. f. ■ Fam. Chemin court qui monte raide. ⇒ **raidillon.** ▶ **grimpeur, euse** adj. et n. ■ (Animaux) Qui a l'habitude de grimper. *Le perroquet est un oiseau grimpeur.* — N. *Un grimpeur,* un alpiniste ; un coureur qui excelle à monter les côtes.

grincer [grɛ̃se] v. intr. ■ conjug. 3. **1.** (Suj. chose) Produire un son aigu et prolongé, désagréable. ⇒ **crier.** *Roue, essieux qui grincent.* **2.** (Suj. personne) Loc. GRINCER DES DENTS : faire entendre un crissement en serrant les mâchoires. *Il grince des dents de douleur, de colère.* ▶ **grinçant, ante** adj. **1.** Qui grince. *Sommier aux ressorts grinçants.* **2.** Acerbe. *Humour, sourire grinçant.* ▶ **grincement** n. m. ■ Action de grincer ; bruit aigre ou strident qui en résulte. *Le grincement d'une porte. Des grincements de dents.*

grincheux, euse [grɛ̃ʃø, øz] adj. ■ D'humeur maussade et revêche. ⇒ **acariâtre, hargneux.** — N. *C'est un vieux grincheux.*

gringalet [grɛ̃galɛ] n. m. ■ Péj. Homme de petite taille, de corps maigre et chétif. *Ce gringalet ne me fait pas peur !*

griot [grijo] n. m. ■ En Afrique noire. Membre d'une caste de conteurs ambulants, auquel on attribue parfois des pouvoirs magiques.

griotte [grijɔt] n. f. ■ Cerise à queue courte, à chair molle et acide.

① **grippe** [grip] n. f. ■ Loc. PRENDRE EN GRIPPE : avoir une aversion soudaine contre (qqn, qqch.), ne plus pouvoir supporter (qqn). *Le professeur a pris ce garçon en grippe.*

② **grippe** n. f. ■ Maladie infectieuse, contagieuse, caractérisée par de la fièvre, un abattement général et des symptômes tels que rhume, bronchite, etc. *Il a la grippe ; il a attrapé la grippe.* — *Grippe espagnole, asiatique* (d'après l'origine de l'épidémie). ▶ **grippal, ale, aux** adj. ■ Propre à la grippe. *État grippal.* ▶ **grippé, ée** adj. ■ Atteint de la grippe. *Elle est grippée et reste à la maison.* ⟨ ▶ antigrippe ⟩

gripper [gripe] v. intr. ■ conjug. 1. ■ Se coincer, s'arrêter par manque de lubrifiant. *Le moteur va gripper, va se gripper si on ne le graisse pas.* — Pronominalement. Abstrait. *Les échanges monétaires se grippent.* ▶ **grippage** n. m. ■ *Le grippage d'un moteur.*

grippe-sou [gripsu] n. m. ■ Avare qui fait de misérables économies. *Des grippe-sous.* — Adj. *Il, elle est assez grippe-sou.*

① **gris, grise** [gri, griz] adj. et n. **I. 1.** D'une couleur intermédiaire entre le blanc et le noir. *Les tons gris d'un ciel orageux. Temps gris. Il fait gris,* le temps est couvert. **2.** *Cheveux gris,* où il y a beaucoup de cheveux blancs. **3.** Loc. *Faire* GRISE *MINE à qqn* : lui faire mauvais visage, médiocre accueil. ⇒ **maussade. II.** N. m. **1.** Couleur grise. *Gris perle. Gris souris. Gris fer. Gris ardoise. Il est habillé en gris.* **2.** Tabac ordinaire (enveloppé de papier gris). *Fumer du gris.* ▶ **grisaille** [grizɑj] n. f. ■ Paysage gris, hivernal. *On apercevait les toits rouges dans la grisaille.* ▶ **grisâtre** adj. ■ Qui tire sur le gris. *Jour grisâtre.* ▶ **grisé** n. m. ■ Teinte grise obtenue par des hachures ou par un pointillé (sur une gravure, une carte). ⟨ ▶ grisonnier, petit-gris, vert-de-gris ⟩

② **gris, grise** adj. ■ Ivre. *Au milieu du repas, il était un peu gris.* ▶ **griser** v. tr. ■ conjug. 1. **1.** Rendre gris. ⇒ **enivrer.** *Vin qui grise.* **2.** Mettre dans un état d'excitation physique ou morale comparable aux premières impressions de l'ivresse. *L'air vif des montagnes l'a grisé.* ⇒ **étourdir.** *Les succès l'ont grisé.* **3.** SE GRISER v. pron. réfl. : s'exalter, se repaître. *Se griser de grand air. Se griser de ses propres paroles.* ▶ **grisant, ante** adj. ■ Qui grise en exaltant, en surexcitant. ⇒ **enivrant, excitant.** *Un parfum grisant. Elle est grisante dans cette robe.* ▶ **griserie** [grizri] n. f. ■ *La griserie du succès. La griserie de la vitesse.* ⟨ ▶ dégriser ⟩

grisette [grizɛt] n. f. ■ Vx. Jeune ouvrière coquette. *Étudiants et grisettes de l'époque romantique.*

gris-gris ou **gri-gri** [grigri] n. m. ■ Amulette (mot africain). *Des gris-gris.*

grisonner [grizɔne] v. intr. ■ conjug. 1. ■ (Poil) Commencer à devenir gris. — Avoir le poil gris par l'effet de l'âge. *Ses cheveux grisonnent ; il grisonne.* ▶ **grisonnant, ante** adj. ■ *Cheveux grisonnants. Tempes grisonnantes.* ▶ **grisonnement** n. m. ■ Fait de grisonner.

grisou [grizu] n. m. ■ Gaz inflammable qui se dégage des mines de houille et explose au contact de l'air. — COUP DE GRISOU : explosion de grisou.

grive [griv] n. f. ■ Oiseau passereau au plumage brunâtre, au chant mélodieux. *Pâté de grives.* — Loc. *Soûl comme une grive,* complètement soûl. — PROV. *Faute de grives, on mange des merles,* faute de ce que l'on désire, il faut se contenter de ce que l'on a.

grivèlerie [grivɛlri] n. f. ■ Petit délit qui consiste à consommer sans payer, dans un café, un restaurant, un hôtel. ⇒ **fraude, resquille.**

grivois, oise [grivwa, waz] adj. ■ Qui est d'une gaieté licencieuse. ⇒ **égrillard, gaulois.** *Un conteur grivois. Chansons grivoises.* ▶ **grivoiserie** n. f.

grizzli ou **grizzly** [grizli] n. m. ■ Grand ours gris des montagnes Rocheuses. *Des grizzlis ; des grizzlys.*

grœnendael [grœnendal] n. m. ■ Chien de berger à longs poils noirs. *Des grœnendaels.*

grog [grɔg] n. m. ■ Boisson faite d'eau chaude sucrée, de rhum, et de citron. *Des grogs. Le grog est excellent contre les refroidissements.*

groggy [grɔgi] adj. Anglic. **1.** Étourdi par les coups, qui semble près de s'écrouler. ⇒ **sonné.** *Boxeur groggy.* **2.** Fam. Étourdi, assommé (par la fatigue, l'ivresse, etc.). *Il faisait si chaud qu'elles étaient groggys.*

grognard [grɔɲar] n. m. ■ Soldat de la vieille garde, sous Napoléon Iᵉʳ.

grogner [grɔɲe] v. intr. ■ conjug. 1. **1.** (Cochon, sanglier, ours) Pousser un cri (*grognement*). — Émettre un bruit sourd, une sorte de grondement. *Chien qui grogne.* **2.** Manifester son mécontentement par de sourdes protestations. ⇒ **bougonner, grommeler, ronchonner.** *Obéir en grognant. Grogner contre qqn.* ▶ **grogne** n. f. ■ Mécontentement exprimé en grognant. ▶ **grognement** n. m. **1.** (Animaux) *Grognements du cochon.* **2.** (Personnes) *Des grognements de protestation.* ▶ **grognon, onne** adj. et n. ■ Qui a l'habitude de grogner, qui est d'une humeur maussade, désagréable. ⇒ **bougon.** *Enfant grognon. Une humeur grognon, grognonne. Un air grognon.* — N. *Un vieux grognon.* ⇒ **ronchon.** / contr. **aimable** / ⟨ ▶ grognard ⟩

groin [grwɛ̃] n. m. ■ Museau du porc, du sanglier, propre à fouir.

grole ou **grolle** [grɔl] n. f. ■ Fam. Chaussure. *Des grolles neuves.*

grommeler [grɔmle] v. _ conjug. 4. **1.** V. intr. Murmurer, se plaindre entre ses dents. ⇒ **bougonner, grogner.** *Obéir en grommelant.* **2.** V. tr. Dire en grommelant. *Il grommelle des injures, des menaces.* ⇒ **marmonner.** ▸ *grommellement* [grɔmɛlmã] n. m.

gronder [grɔ̃de] v. _ conjug. 1. **I.** V. intr. **1.** Produire un bruit sourd, grave et terrible. *Le canon gronde. Le tonnerre gronde.* **2.** Abstrait. Être menaçant, près d'éclater. *L'émeute gronde.* **II.** V. tr. **1.** Réprimander (un enfant). ⇒ **attraper, disputer, tancer.** *Tu vas te faire gronder si tu désobéis.* **2.** Réprimander amicalement. *Nous devons vous gronder d'avoir fait un si beau cadeau.* ▸ *grondant, ante* adj. ▸ *grondement* n. m. ■ Bruit sourd et prolongé. *Le grondement de l'avalanche.* ▸ *gronderie* n. f. ■ Réprimande. ▸ *grondeur, euse* adj. ■ Humeur, voix grondeuse, qui réprimande.

grondin [grɔ̃dɛ̃] n. m. ■ Poisson de mer comestible (la variété rose est dite *rouget grondin*).

groom [grum] n. m. ■ Jeune employé en livrée, chargé de faire les courses dans les hôtels, restaurants, cercles. ⇒ **chasseur.** *Des grooms.*

gros, grosse [gro, gros] adj., adv. et n. **I.** Adj. **1.** Qui, dans son genre, dépasse la mesure ordinaire. / contr. **petit** / *Gros nuage ; grosse vague. Grosse valise.* ⇒ **volumineux.** *Grosse voiture. Gros caractères. Gros arbre. Grosse araignée. Grosse fièvre.* **2.** (Personnes) Qui est plus large et plus gras que la moyenne des gens. ⇒ **corpulent, empâté, gras, replet, ventripotent.** / contr. **maigre** / *Il est gros et gras. Il est très gros, mais pas obèse. Une grosse femme. Gros bébé.* — Loc. ÊTRE GROS-JEAN COMME DEVANT : éprouver une désillusion. **3.** (Exprimant les dimensions relatives) *Gros comme le poing, comme une tête d'épingle, comme le petit doigt ; comme une fourmi, très petit.* **4.** Désignant une catégorie de grande taille par rapport à une autre. *Gros sel. Gros pain. Gros gibier. Le gros intestin.* **5.** Qui est temporairement, anormalement gros. *Grosse mer, mer houleuse dont les vagues s'enflent. Gros temps, mauvais temps, sur mer.* — Vieilli (Après le nom) *Femme grosse.* ⇒ **enceinte.** — *Avoir le cœur gros,* avoir du chagrin. — GROS DE : qui recèle certaines choses en germe. *Un événement gros de conséquences. Le cœur gros de soupirs.* **6.** Abondant, important. *Grosse averse. Faire de grosses dépenses.* ⇒ **excessif.** *Grosse affaire.* — N. m. *Le plus gros est fait.* ⇒ **essentiel, principal. 7.** (Personnes) *Gros buveur, gros mangeur,* celui qui boit, mange en très grande quantité (⇒ **grand**). — Important par le rang, par la fortune. ⇒ **influent, opulent, riche.** *Gros bourgeois. Gros capitaliste.* **8.** Dont les effets sont importants. ⇒ **fort, intense.** *Grosse voix,* forte et grave. *Grosse fièvre.* ⇒ **violent.** *Gros rhume. De gros ennuis. Grosse erreur.* ⇒ **grave. 9.** Qui manque de raffinement, de finesse, de délicatesse. ⇒ **grossier, ordinaire.** / contr. **fin** / *Avoir de gros traits.* Fam. *Une bouteille de gros rouge,* de vin ordinaire. *Gros travaux.* ⇒ **grossier.** *Grosse plaisanterie.* ⇒ **vulgaire.** — GROS MOT. ⇒ **grossier. 10.** Pour renforcer une qualification péjorative. ⇒ **grand.** *Gros fainéant. Espèce de gros nigaud !* **II.** Adv. **1.** Écrire gros, avec de gros caractères. *Risquer gros. Gagner gros, beaucoup. Risquer gros.* — *En avoir gros sur le cœur,* avoir du chagrin, du dépit. **2.** EN GROS loc. adv. : en grandes dimensions. *C'est écrit en gros sur l'écriteau.* — En grande quantité. *Vente en gros ou au détail.* — Dans les grandes lignes, sans entrer dans les détails. ⇒ **grosso modo.** *Dites-moi en gros ce dont il s'agit.* **III.** N. **1.** Personne grosse. *Un bon gros.* Loc. fam. *Un gros plein de soupe,* gros et riche. **2.** Au masc. plur. Fam. LES GROS : personnes riches, influentes. *Les petits payent pour les gros.* **3.** N. m. LE GROS DE : la plus grande quantité de (qqch.). *Le gros de l'assemblée, des troupes.* **4.** Commerce de gros, d'achat et de vente en grandes quantités. *Maison de gros. Prix de gros. Marchand de gros, en gros.* ⇒ **grossiste.** / contr. **détail** / ‹ ▸ **dégrossir, engrosser, gros-grain, grosse, grossesse, grosseur, grossier, grossir, grossiste, grosso modo** ›

groseille [grozɛj] n. f. **1.** Fruit du groseillier, petite baie acide rouge ou blanche, en grappes. *Gelée de groseille.* **2.** Adj. invar. De la couleur de la groseille rouge. ▸ *groseillier* n. m. ■ Arbuste cultivé pour ses fruits, les groseilles.

gros-grain [grogrɛ̃] n. m. ■ Large ruban à côtes, résistant, qui sert à renforcer. *Un chapeau monté sur du gros-grain. Des gros-grains.*

grosse [gros] n. f. **1.** Copie exécutoire d'un acte notarié ou d'un jugement. **2.** Douze douzaines. *Une grosse de boutons. Une grosse d'huîtres.*

grossesse [grosɛs] n. f. ■ État d'une femme enceinte. *Une grossesse pénible. Pendant sa grossesse.* — *Elle a fait une grossesse nerveuse,* elle a présenté des signes de grossesse sans être enceinte.

grosseur [grosœr] n. f. **1.** (Sens absolu) État d'une personne grosse. ⇒ **corpulence, embonpoint.** *Il est d'une grosseur maladive.* **2.** (Sens relatif) Volume de ce qui est plus ou moins gros. ⇒ **dimension, épaisseur, largeur, taille.** *Trier des œufs selon leur grosseur.* **3.** (Une, des grosseurs) Enflure visible à la surface de la peau ou sensible au palper. ⇒ **bosse, tumeur.** *Avoir une grosseur à l'aine.*

grossier, ière [grosje, jɛr] adj. **1.** Qui est de mauvaise qualité ou qui est fait de façon rudimentaire. ⇒ **brut, commun, ordinaire.** *Matière grossière. Outil grossier. Lavage grossier.* ⇒ **sommaire.** *Grossière imitation.* ⇒ **maladroit. 2.** Abstrait. Qui n'est pas assez élaboré, approfondi. *Solution grossière. Je n'en ai qu'une idée grossière.* ⇒ **imprécis. 3.** Qui manque de finesse, de grâce. ⇒ **épais, lourd.** / contr. **fin** / *Visage aux traits grossiers.* **4.** Digne d'un esprit peu cultivé, peu subtil. *Erreur grossière.* ⇒ **gros.** *Plaisirs grossiers.* ⇒ **bas.** — MOT GROSSIER : qui offense la pudeur, est contraire aux bienséances. ⇒ **gros** mot. **5.** (Personnes) Qui manque d'éducation, de politesse. *Il a été grossier avec nous.* ⇒ **discourtois, incorrect, insolent.** *Quel grossier personnage !* ▸ *grossièrement* adj. **1.** D'une manière grossière. *Bois grossièrement équarri.* ⇒ **sommairement.** *Se tromper grossièrement.* ⇒ **lourdement. 2.** D'une façon blessante ou inconvenante. *Répondre grossièrement à qqn.* ⇒ **brutalement.** ▸ *grossièreté* n. f. **1.** Ignorance ou mépris des bonnes manières ; action peu délicate, dans les relations sociales. / contr. **politesse, raffinement** / **2.** Caractère d'une personne grossière dans son langage. *Sa grossièreté est choquante.* **3.** Mot, propos grossier. *Dire, débiter des grossièretés.*

grossir [grosir] v. _ conjug. 2. **I.** V. intr. **1.** (Personnes) Devenir gros, plus gros. ⇒ **engraisser.** / contr. **maigrir** / *Il a beaucoup grossi. Régime qui empêche de grossir.* **2.** (Choses) Enfler, gonfler. *Le nuage grossit à vue d'œil.* **3.** Augmenter en nombre, en importance, en intensité. ⇒ **augmenter.** *La foule des badauds grossissait. Bruit qui grossit.* **II.** V. tr. **1.** Faire paraître gros, plus gros. *Ce vêtement vous grossit. Microscope qui grossit mille fois.* **2.** Rendre plus nombreux, plus important en venant s'ajouter. ⇒ **renforcer.** *Il va grossir le nombre des mécontents.* — Pronominalement (passif). *La foule s'était grossie de nombreux badauds.* **3.** Amplifier, exagérer. ⇒ **dramatiser.** *On a grossi l'affaire à des fins politiques.* / contr. **minimiser** / ▸ *grossissant, ante* adj. ■ Qui fait paraître plus gros. *Verre grossissant.* ▶ *grossissement* n. m. **1.** Le fait de devenir gros ; augmentation de volume. *Le grossissement anormal d'une personne.* **2.** Accroissement apparent de la taille d'un objet, grâce à un instrument interposé. *Loupe, lunette, télescope à fort grossissement.* **3.** Amplification, exagération. *Le grossissement d'un fait divers.*

grossiste [grɔsist] n. ■ Marchand en gros, intermédiaire entre le détaillant et le producteur ou le fabricant. / contr. **détaillant** /

grosso modo [grɔsomodo] loc. adv. ■ En gros, sans entrer dans le détail. *Voici, grosso modo, nos objectifs.* / contr. **précisément** /

grotesque [grɔtɛsk] n. et adj. **I.** N. f. pl. Ornements faits de compositions fantaisistes, de figures caricaturales. *De belles grotesques italiennes. Peintre de grotesques.* **II.** Adj. **1.** Risible par son apparence bizarre, caricaturale. ⇒ **burlesque, extravagant.** *Personnage grotesque. Accoutrement grotesque.* **2.** Qui prête à rire (sans idée de bizarrerie). ⇒ **ridicule.** *Il me sens grotesque.* **3.** N. m. Caractère grotesque. *Il est d'un grotesque achevé.* — Le comique de caricature poussé jusqu'au fantastique, à l'irréel. *Le grotesque dans l'art.* ▶ *grotesquement* adv.

grotte [grɔt] n. f. ■ Cavité de grande taille dans le rocher, le flanc d'une montagne. ⇒ **caverne.** *Grottes préhistoriques,* ayant servi d'abri aux premiers hommes.

grouiller [gruje] v. intr. ▪ conjug. 1. **1.** Remuer, s'agiter en masse confuse, en parlant d'éléments nombreux. *La foule grouillait sur la place.* **2.** (Suj. chose) Présenter une agitation confuse ; être plein de, abonder en (éléments qui s'agitent). *Cette branche grouille d'insectes. Rue qui grouille de monde.* **3.** Fam. SE GROUILLER v. pron. réfl. : se dépêcher, se hâter. *Allez, grouille-toi.* ▶ *grouillant, ante* adj. **1.** Qui grouille, remue en masse confuse. *Foule grouillante.* **2.** Qui grouille (de...). *Une place grouillante de monde.* ▶ *grouillement* n. m. ■ État de ce qui grouille.

groupe [grup] n. m. **1.** Réunion de plusieurs personnes dans un même lieu. *Des groupes de gens bavardaient. Des groupes se formèrent dans la rue.* ⇒ **attroupement.** **2.** Ensemble de personnes ayant qqch. en commun. *Groupe ethnique. Psychologie de groupe. Travail de groupe, travail en groupe. Groupe politique, parlementaire,* ensemble des parlementaires d'un même parti. *Groupe littéraire.* ⇒ **cénacle.** *Groupe financier.* — Petit orchestre. *Groupe folklorique. Groupe rock, groupe de rock.* **3.** Unité élémentaire de combat, dans l'infanterie. *Section de trois groupes. Groupe franc,* commando. — Unité, dans l'armée de l'air. *Le groupe comprend le plus souvent deux escadrilles.* **4.** Ensemble de choses. *Des groupes d'arbres. Groupe électrogène.* — GROUPE SCOLAIRE : ensemble des bâtiments d'une école communale. **5.** GROUPES SANGUINS : permettant la classification des individus selon la composition de leur sang. *Groupe A, B* (récepteurs universels) ; *groupe O* (donneurs universels). ▶ *groupement* [grupmã] n. m. **1.** Action de grouper ; fait d'être groupé. ⇒ **assemblage, rassemblement.** *Le groupement de l'habitat rural.* **2.** Réunion importante de personnes ou de choses volontairement groupées. ⇒ **association.** *Groupement syndical.* ⇒ **fédération.** ▶ *grouper* v. tr. ▪ conjug. 1. **1.** Surtout abstrait. Mettre ensemble. ⇒ **assembler, réunir.** *Grouper des documents.* — Au p. p. adj. *Lignes téléphoniques groupées.* **2.** SE GROUPER v. pron. réfl. *Groupez-vous par trois. Se grouper autour d'un chef.* / contr. se **disperser** / ▶ *groupage* n. m. ■ Action de réunir des colis ayant une même

destination. ▶ *groupuscule* n. m. ■ Péj. Petit groupe politique. ⟨ ▶ regrouper ⟩

grouse [gruz] n. f. ■ Coq de bruyère.

gruau [gryo] n. m. **1.** Grains de céréales grossièrement moulus et privés de son. *Un potage au gruau d'avoine.* **2.** Fine fleur de froment. *Pain de gruau.*

grue [gry] n. f. **1.** Oiseau échassier migrateur qui vole par bandes. — Loc. FAIRE LE PIED DE GRUE : attendre longtemps debout (comme une grue qui se tient sur une patte). **2.** Vx et fam. Femme légère et vénale. **3.** Machine de levage et de manutention. ⇒ ② **chèvre.** *Grue montée sur rails. La grue domine le chantier.* **4.** Grue de prise de vues, appareil articulé permettant les mouvements de caméra. *Travelling à la grue.* ⟨ ▶ grutier ⟩

gruger [gryʒe] v. tr. ▪ conjug. 3. ■ Littér. Duper (qqn) en affaires ; le dépouiller de son bien. ⇒ **spolier, voler.** *Il s'est fait gruger par son associé.*

grumeau [grymo] n. m. ■ Petite masse coagulée dans un liquide, une pâte. *La sauce fait des grumeaux.* ▶ *grumeleux, euse* [grymlø, øz] adj. **1.** Qui est en grumeaux. *Potage grumeleux.* **2.** Qui présente des granulations. *Une peau grumeleuse.*

grutier [grytje] n. m. ■ Ouvrier ou mécanicien qui manœuvre une grue (3).

gruyère [gryjɛr] n. m. ■ Fromage de lait de vache, à pâte cuite et formant des trous. *Gruyère râpé.*

guano [gwano] n. m. ■ Engrais fabriqué avec des débris et des excréments d'oiseaux, de poissons, etc.

gué [ge] n. m. ■ Endroit d'une rivière où le niveau de l'eau est assez bas pour qu'on puisse traverser à pied. ⇒ **passage.** *Passer plusieurs gués. Traverser à gué.* ≠ *guet.*

guelte [gɛlt] n. f. ■ Pourcentage accordé à un employé de commerce sur les ventes qu'il effectue. ⇒ **boni, gratification, prime.** *Il est à la guelte. Toucher sa guelte.*

guenille [gənij] n. f. **1.** Au plur. Vêtement en lambeaux. ⇒ **haillon, hardes.** *Un clochard en guenilles.* **2.** Littér. Homme qui a perdu toute vigueur physique ou morale. ⇒ **loque.** ⟨ ▶ déguenillé ⟩

guenon [gənɔ̃] n. f. ■ Femelle du singe.

guépard [gepar] n. m. ■ Félin voisin de la panthère, au pelage tacheté de noir, haut sur pattes, à la course très rapide.

guêpe [gɛp] n. f. **1.** Insecte hyménoptère, dont la femelle porte un aiguillon venimeux. **2.** *Taille de guêpe,* taille très fine d'une femme. **3.** Loc. fam. *Pas folle, la guêpe !,* se dit de qqn qui a trop de ruse pour se laisser tromper. ▶ *guêpier* n. m. **1.** Nid de guêpes. *Enfumer un guêpier.* **2.** Loc. *Se fourrer, tomber dans un guêpier,* dans une affaire dangereuse, un piège dont on peut difficilement sortir indemne.

guère [gɛr] adv. — NE... GUÈRE. **1.** Pas beaucoup, pas très. ⇒ **médiocrement, peu.** *Vous n'êtes guère raisonnable. Je n'ai guère de courage. Vous ne l'avez guère bien reçu. À mon avis, il n'a guère plus de soixante ans. Il ne va guère mieux. Cela ne se dit guère. Je n'aime guère ce quartier.* « *Aimez-vous ce quartier ? — Guère.* » *Ce mot n'est plus guère employé.* — (Avec NE... QUE) *Il n'y a guère que deux heures qu'il est parti.* **2.** Pas longtemps. *La paix ne dura guère.* — Pas souvent, presque jamais. ⇒ **rarement.** *Vous ne venez guère nous voir.* ⟨ ▶ naguère ⟩

guéret [gerɛ] n. m. ■ Terre labourée et non ensemencée. *Des guérets récemment labourés.*

guéridon [geridɔ̃] n. m. ■ Petite table ronde ou ovale, généralement à pied central.

quérilla [gɛrija] n. f. ■ Guerre de coups de main. *Guérilla urbaine. Des guérillas.* ▶ *guérillero* n. m. ■ Celui qui se bat dans une guérilla. *Des guérilleros.*

quérir [gɛriʀ] v. ▪ conjug. 2. I. V. tr. 1. Délivrer d'un mal physique ; rendre la santé à (qqn). *Ce remède l'a guéri de son mal. Le médecin a guéri notre malade.* 2. (Suj. chose) Faire cesser (une maladie). *Médicament, traitement qui guérit la bronchite.* 3. Délivrer d'un mal moral. *Il faut le guérir de cette obsession, de cette mauvaise habitude.* ⇒ **débarrasser. II.** V. intr. 1. Recouvrer la santé ; aller mieux et sortir de maladie. ⇒ se **rétablir.** *Espérons qu'elle guérira.* 2. (Suj. maladie) Disparaître. *Mon rhume ne veut pas guérir.* III. SE GUÉRIR v. pron. réfl. 1. Se délivrer d'un mal physique. *Elle s'est enfin guérie de ses maux de tête.* 2. Se délivrer d'une imperfection morale, d'une mauvaise habitude. *Il ne s'est pas encore guéri de ses préjugés.* ⇒ se **débarrasser.** *Il finira par se guérir de cette manie.* ⇒ se **corriger.** ▶ *guéri, ie* adj. 1. Rétabli d'un mal physique. *Il a été très malade, mais maintenant il est guéri.* 2. Être guéri de, ne plus vouloir de... pour l'avoir expérimenté. ⇒ **revenu de.** *Dépenser autant d'argent pour de pareilles bêtises, j'en suis guéri !* ▶ *guérison* n. f. ■ Le fait de guérir. ⇒ **rétablissement.** *Malade en voie de guérison.* ▶ *guérissable* adj. ■ (Maladie, personne) Qui peut être guéri. ▶ *guérisseur, euse* n. ■ Personne qui soigne les malades sans avoir la qualité officielle de médecin, et par des procédés que la science ne peut expliquer. ⇒ **rebouteux.** ⟨ ▶ inguérissable ⟩

quérite [gɛrit] n. f. 1. Abri d'une sentinelle. 2. Baraque aménagée pour abriter un travailleur, faire office de bureau sur un chantier, etc.

guerre [gɛʀ] n. f. I. 1. Lutte armée entre États, considérée comme un phénomène historique et social. / contr. **paix** / *Déclarer la guerre à un pays.* PROV. *Si tu veux la paix, prépare la guerre. Faire la guerre. Soldat qui va à la guerre. Le nerf de la guerre,* l'argent. — EN GUERRE : en état de guerre. *Être en guerre. Nations en guerre. Entrer en guerre contre un pays voisin. Ces deux pays sont en guerre* (l'un contre l'autre). — DE GUERRE. *État de guerre. Crime de guerre. Correspondant de guerre d'un journal. Blessé, mutilé, prisonnier de guerre. Navire de guerre.* 2. Les questions militaires ; l'organisation des armées (en temps de paix comme en temps de guerre). *Conseil de guerre.* — Autrefois. *Le ministère de la Guerre.* ⇒ **défense.** 3. UNE GUERRE, LA GUERRE (en parlant d'un conflit particulier, localisé dans l'espace et dans le temps). ⇒ **conflit, hostilité.** *Des guerres éclatent aux quatre coins du globe. Gagner, perdre une guerre. La Grande Guerre, la guerre de 14* (1914). *La drôle de guerre,* nom donné en France à la période de guerre qui précéda l'invasion allemande (sept. 1939 — mai 1940). *Guerre de libération, de conquête. Guerre atomique. Guerre de partisans.* ⇒ **guérilla.** *La guerre en dentelles,* la guerre au XVIIIᵉ s. — *Guerre sainte,* guerre que mènent les fidèles d'une religion au nom de leur foi. ⇒ **croisade.** *Guerres de religion.* — GUERRE CIVILE : lutte armée entre groupes et citoyens d'un même État. ⇒ **révolution.** — *Guerre n'allant pas jusqu'au conflit armé. Guerre économique.* Loc. *Guerre des nerfs,* visant à briser la résistance morale de l'adversaire. — *Guerre froide,* état de tension prolongée entre États ou entre personnes. II. 1. Toute espèce de combat, de lutte. *Vivre en guerre avec tout le monde. Il fait la guerre à ses élèves pour qu'ils arrivent à l'heure.* — *Faire la guerre à qqch.* ⇒ **combattre.** *Faire la guerre aux abus, aux injustices.* 2. Loc. DE GUERRE LASSE : en renonçant à résister, par lassitude. — *C'est de bonne guerre,* sans hypocrisie, ni traîtrise. ⇒ **loyalement.** — PROV. *À la guerre comme à la guerre,* il faut accepter les

inconvénients qu'imposent les circonstances. — *Nom de guerre,* pseudonyme pris à la guerre ou dans le civil. ▶ *guerroyer* [gɛʀwaje] v. intr. ▪ conjug. 8. ■ Vx. Faire la guerre (contre qqn). *Le seigneur guerroyait contre ses vassaux.* ▶ *guerrier, ière* n. et adj. I. N. Autrefois. Personne dont le métier était de faire la guerre. ⇒ **soldat.** *Un courageux guerrier.* — *Le guerrier,* l'homme de guerre, le soldat. *La psychologie du guerrier.* II. Adj. 1. Littér. Relatif à la guerre. ⇒ **militaire.** *Chant guerrier.* 2. Qui aime la guerre. ⇒ **belliqueux.** *Peuple guerrier.* ⟨ ▶ aguerrir, après-guerre, avant-guerre, entre-deux-guerres ⟩

guet [gɛ] n. m. 1. Action de guetter. *Faire le guet. Avoir l'œil, l'oreille au guet.* 2. Autrefois. Surveillance exercée de nuit par la troupe ou la police. ≠ **gué.**

guet-apens [gɛtapɑ̃] n. m. 1. Piège qui consiste à guetter qqn en un endroit afin de l'attaquer par surprise. *Attirer qqn dans un guet-apens. Il est tombé dans un guet-apens et s'est fait rouer de coups.* 2. Machination perfidement préparée en vue de nuire gravement à qqn sans lui laisser d'issue. ⇒ **piège, traquenard.** *Des guets-apens* [gɛtapɑ̃].

guêtre [gɛtʀ] n. f. ■ Enveloppe de tissu ou de cuir qui recouvre le haut de la chaussure et le bas de la jambe. *Une paire de guêtres.* Loc. fam. *Traîner ses guêtres,* se déplacer, voyager sans but précis.

guetter [gete] v. tr. ▪ conjug. 1. 1. Observer en cachette pour surprendre. *Guetter l'ennemi. Le chat guette la souris.* 2. Attendre avec impatience (qqn, qqch.) en étant attentif à ne pas (le) laisser échapper. *Guetter une occasion favorable. Je guetterai ton signal.* ⇒ être à l'**affût.** *Guetter le passage d'une vedette. Il guette sa place.* ⇒ **convoiter, guigner.** 3. (Suj. chose) Menacer. *La maladie, le sommeil le guette.* ▶ *guetteur* n. m. 1. Personne qui est chargée de surveiller et de donner l'alerte. *Des guetteurs étaient postés au sommet du beffroi.* — Militaire. *Un guetteur tapi dans une tranchée.* 2. Préposé qui recueille et envoie des signaux aux navires qui passent au large. ⟨ ▶ aux aguets, guet, guet-apens ⟩

gueulante [gœlɑ̃t] n. f. ■ Fam. Clameur de protestation ou d'acclamation. *Les élèves ont poussé une gueulante.*

① *gueulard* [gœlaʀ] n. m. ■ Ouverture supérieure d'un haut fourneau, d'une chaudière (de locomotive, de bateau).

② *gueulard, arde* [gœlaʀ, aʀd] adj. et n. 1. Région. Porté sur les plaisirs de la table. ⇒ **gourmand.** 2. Fam. Qui a l'habitude de gueuler, de parler haut et fort. — N. *Faites taire ce gueulard !* ⇒ **braillard.**

gueule [gœl] n. f. I. Bouche de certains animaux, surtout carnassiers. *La gueule d'un chien, d'un reptile.* — Loc. SE JETER DANS LA GUEULE DU LOUP : aller au-devant d'un danger certain, et cela sans prudence. II. Fam. Bouche humaine. ⇒ **bouche.** 1. (Servant à parler ou crier) *Vas-tu fermer ta gueule ! Ta gueule !,* tais-toi ! *Un fort en gueule.* — *Une grande gueule,* qqn qui parle très fort et avec autorité ⇒ **braillard,** ② **gueulard** (2), ou encore, qui est plus fort en paroles qu'en actes. 2. (Servant à manger) *S'en mettre plein la gueule.* — Loc. AVOIR LA GUEULE DE BOIS : avoir la bouche empâtée et la tête lourde après avoir trop bu. — *Une fine gueule,* un gourmet. ⇒ ② **gueulard** (1). III. Fam. 1. Figure, visage. *Il a une bonne gueule, une sale gueule.* — Loc. *Faire la gueule.* ⇒ **bouder,** faire la **tête.** — *Se casser la gueule,* tomber. *Casser la gueule de qqn,* le frapper. — Arg. milit. *Une gueule cassée,* un mutilé de guerre, blessé au visage. — Arg. du Nord. *Gueules noires,* surnom des mineurs. 2. Fam. Se dit de l'aspect, de la forme d'un objet. *Ce chapeau* *a une drôle de gueule.* — *Ce tableau a de la gueule, il fait grand effet.* **IV.** Ouverture par laquelle entre ou sort qqch. *La gueule d'un pot, d'un haut fourneau.* ⇒ ① **gueulard.** — *La gueule d'un canon.* ▶ **gueule-de-loup** n. f. ■ Plante ornementale dont la fleur s'ouvre comme une gueule. *Des gueules-de-loup.* ▶ **gueuler** [gœle] v. ■ conjug. 1. **1.** V. intr. Fam. Chanter, crier, parler très fort. *Il gueule pour un rien.* — *Faire gueuler son poste de radio.* ⇒ **beugler, brailler. 2.** Fam. Protester bruyamment. *Les nouveaux impôts vont faire gueuler les commerçants.* **3.** V. tr. Proférer en criant. *Gueuler des ordres.* ▶ **gueulement** n. m. ■ Fam. Cri. ▶ **gueuleton** [gœltɔ̃] n. m. ■ Fam. Très bon repas, copieux, et souvent gai. *Faire un bon gueuleton.* ▶ **gueuletonner** v. intr. ■ conjug. 1. ■ Fam. Faire un gueuleton. 〈 ▶ amuse-gueule, bégueule, brûle-gueule, casse-gueule, dégueulasse, dégueuler, engueuler, gueulante, ① et ② gueulard 〉

gueux, gueuse [gø, gøz] n. **1.** Vx. Personne qui vit d'aumônes. ⇒ **mendiant, miséreux. 2.** *Courir la gueuse,* courir les filles, se débaucher.

gui [gi] n. m. ■ Plante parasite à baies blanches qui vit sur les branches de certains arbres. *Des baies du gui on extrait la glu. Au premier de l'an, on s'embrasse sous le gui.*

guibole ou **guibolle** [gibɔl] n. f. ■ Fam. Jambe.

guichet [giʃɛ] n. m. **1.** Petite ouverture, pratiquée dans une porte, un mur et par laquelle on peut parler à qqn. *Guichet grillagé.* ⇒ **judas.** — *Le guichet d'une cellule de prison.* **2.** Petite ouverture par laquelle le public communique avec les employés d'une administration, d'un bureau. *Le guichet de la poste.* — Loc. JOUER À GUICHETS (ou *à bureaux*) FERMÉS : faire salle comble, tous les billets étant vendus avant le jour du spectacle. ▶ **guichetier, ière** [giʃtje, jɛʀ] n. ■ Personne qui est préposée à un guichet.

guidage [gidaʒ] n. m. ■ Action de guider. — Spécialt. Aide apportée aux avions en vol par des stations radio-électriques. ⇒ **radioguidage.**

① **guide** [gid] n. **1.** Personne qui accompagne pour montrer le chemin. *Servir de guide à qqn.* ⇒ **cicérone.** — *Guide de montagne,* alpiniste professionnel diplômé. *Elle est guide à Chamonix.* — *Le guide du musée. Suivez le guide !* **2.** Celui, celle qui conduit d'autres personnes dans la vie, les affaires. ⇒ **conseiller.** *Il est plus que mon confident, c'est mon guide. Guide spirituel.* — (En parlant d'une chose) *N'avoir d'autre guide que son caprice.* **3.** N. m. Ouvrage contenant des renseignements utiles. *Le guide des bons vins.* — Description d'une région, d'un pays à l'usage des voyageurs. *Guide touristique.* ▶ **guides** n. f. pl. **1.** Lanières de cuir qui servent à diriger un cheval de trait (Pour un cheval monté, on emploie le mot *rênes*). **2.** Loc. *Mener la vie à grandes guides,* faire de grandes dépenses. ⇒ mener grand **train.**

② **guide** n. f. ■ Jeune fille appartenant à un mouvement féminin de scoutisme.

guider [gide] v. tr. ■ conjug. 1. **1.** Accompagner en montrant le chemin. ⇒ **conduire, piloter.** *Guider un touriste. Guider un aveugle pour traverser une rue.* **2.** Faire aller dans une certaine direction. ⇒ **diriger, mener.** — Au p. p. *Bateau, avion, fusée guidés par radio.* ⇒ **téléguidé. 3.** (Suj. chose) Mettre sur la voie, aider à reconnaître le chemin. *L'étoile qui guida les Rois mages.* **4.** Abstrait. Entraîner dans une certaine direction morale, intellectuelle ; aider à choisir une direction. ⇒ **conseiller, éclairer, orienter.** *Guider un enfant dans le choix d'une carrière. Il se laisse guider*

par son flair. **5.** V. pron. réfl. SE GUIDER SUR : se diriger d'après qqch. que l'on prend pour repère. *Se guider sur le soleil. Se guider sur l'exemple de qqn.* ▶ **guidon** n. m. **1.** Tube de métal muni de poignées qui commande la roue directrice d'une bicyclette, d'une motocyclette. *Un guidon de course. Des poignées de guidon.* **2.** Petite saillie à l'extrémité du canon d'une arme à feu, qui donne la ligne de mire. *Viser plein guidon.* 〈 ▶ guidage, ① guide, téléguider 〉

① **guigne** [giɲ] n. f. **1.** Petite cerise rouge foncé ou noire, à chair ferme et sucrée. **2.** SE SOUCIER DE qqn, qqch. COMME D'UNE GUIGNE : très peu, pas du tout. 〈 ▶ guignolet 〉

② **guigne** n. f. ■ Fam. Malchance qui semble s'attacher à qqn. *Avoir la guigne, porter la guigne à qqn.* ⇒ fam. **poisse.** *Quelle guigne !* / contr. **chance, veine /** (On disait autrefois *guignon,* n. m.)

guigner [giɲe] v. tr. ■ conjug. 1. **1.** Regarder avec envie, à la dérobée. *Il guigne toutes les femmes au passage.* **2.** Abstrait. Considérer avec convoitise. ⇒ **guetter.** *Guigner une place, un beau parti,* avoir des vues sur.

guignol [giɲɔl] n. m. **1.** Théâtre de marionnettes où l'on joue des pièces dont Guignol est le héros. *Mener ses enfants au guignol.* — *C'est du guignol !,* ce n'est pas sérieux. **2.** Personne involontairement comique ou ridicule. ⇒ **pantin.** *Arrête de faire le guignol.* ⇒ **pitre.** 〈 ▶ grand-guignol 〉

guignolet [giɲɔlɛ] n. m. ■ Liqueur de guignes ① ou de griottes.

guilledou [gijdu] n. m. ■ Loc. COURIR LE GUILLEDOU : aller en quête d'aventures galantes.

guillemet [gijmɛ] n. m. ■ Générált au plur. Signe typographique (« ... ») qu'on emploie pour isoler un mot, un groupe de mots, etc., cités, rapportés, ou simplement mis en valeur. *Mettre une citation entre guillemets. Ouvrez, fermez les guillemets.*

guilleret, ette [gijʀɛ, ɛt] adj. ■ Qui manifeste une gaieté vive, insouciante. ⇒ **frétillant, fringant.** *Il est tout guilleret dès le matin.* — *Je me sens d'humeur guillerette.* ⇒ **réjoui.** / contr. **triste /**

guillocher [gijɔʃe] v. tr. ■ conjug. 1. ■ Orner de traits gravés en creux et entrecroisés. — Au p. p. adj. *Un boîtier de montre guilloché.* ▶ **guillochure** n. f. ■ Trait gravé d'un objet guilloché. *Les guillochures d'un bijou.*

guillotine [gijɔtin] n. f. **1.** Instrument de supplice servant à trancher la tête des condamnés à mort (en France, autrefois). *Dresser la guillotine sur l'échafaud.* — *Le supplice de la guillotine.* ⇒ **décapitation.** *Envoyer un criminel à la guillotine.* **2.** *Fenêtre à guillotine,* dont le châssis glisse verticalement entre deux rainures. ▶ **guillotiner** v. tr. ■ conjug. 1. ■ Faire mourir par le supplice de la guillotine. ⇒ **décapiter.** — Au p. p. subst. *Le cadavre d'un guillotiné.*

guimauve [gimov] n. f. **1.** Plante à haute tige, à fleurs d'un blanc rosé, qui pousse dans les terrains humides. *Guimauve rose,* rose trémière. **2.** Pâte de guimauve ou *guimauve,* pâte comestible molle et sucrée. **3.** Loc. *Une histoire* À LA GUIMAUVE : niaise et sentimentale.

guimbarde [gɛ̃baʀd] n. f. ■ Vieille voiture délabrée. ⇒ **tacot.**

guimpe [gɛ̃p] n. f. **1.** Pièce de toile qui couvre la tête, encadre le visage des religieuses. **2.** Corsage ou plastron léger porté sous une robe décolletée.

guincher [gɛ̃ʃe] v. intr. ■ conjug. 1. ■ Fam. Danser dans un bal public.

① *se* **guinder** [gɛ̃de] v. pron. réfl. ▪ conjug. 1.
▪ Prendre une attitude raide, pas naturelle. *Elle s'est
guindée.* ▸ **guindé, ée** adj. ▪ Qui manque de naturel,
a de la raideur. ⇒ **contraint.** *Avoir un air guindé. Il
était un peu guindé dans ses vêtements neufs. Style
guindé.*

② **guinder** v. tr. ▪ conjug. 1. ▪ Hisser (un mât).
— Élever (un fardeau) avec une machine. ▸ **guindeau** [gɛ̃do] n. m. ▪ Treuil à axe horizontal qui sert
à manœuvrer les ancres. *Des guindeaux.* — Loc. *Virer
au guindeau,* faire effort sur le guindeau pour détacher
l'ancre du fond.

de **guingois** [d(ə)gɛ̃gwa] loc. adv. ▪ Fam. De
travers. ⇒ **obliquement.** *Il est assis de guingois.*
/ contr. **droit** /

guinguette [gɛ̃gɛt] n. f. ▪ Café de banlieue, de
campagne, où l'on consomme et où l'on danse.

guipure [gipyʀ] n. f. ▪ Dentelle sans fond à larges
mailles. *Un col de guipure.*

guirlande [giʀlɑ̃d] n. f. ▪ Cordon décoratif de
végétaux naturels ou artificiels, de papier découpé,
qu'on pend en feston, enroule en couronne, etc.
Guirlande de fleurs. ⟨ ▸ enguirlander ⟩

guise [giz] n. f. **I.** À SA GUISE loc. adv. : selon son
goût, sa volonté propre. *Laissez chacun vivre, agir à
sa guise,* à son gré, à sa fantaisie. *À ta guise,* comme
tu voudras. — Péj. *Il n'en fait qu'à sa guise,* à sa tête.
II. EN GUISE DE loc. prép. : pour tenir lieu de, comme
(mais moins bien). *On lui a donné ce petit emploi en
guise de consolation.* ⇒ à **titre** de. — À la place de.
Il portait un simple ruban en guise de cravate.

guitare [gitaʀ] n. f. ▪ Instrument de musique à
six cordes que l'on pince avec les doigts ou avec un
petit instrument. *Jouer de la guitare.* — *Guitare
électrique,* à son amplifié. *Guitare folk.* ▸ **guitariste**
n. ▪ Personne qui joue de la guitare.

guitoune [gitun] n. f. ▪ Fam. Tente.

gustatif, ive [gystatif, iv] adj. ▪ Qui a rapport
au goût. *Papilles gustatives.* ⟨ ▸ déguster ⟩

guttural, ale, aux [gytyʀal, o] adj. ▪ Émis par
le gosier. *Une voix gutturale,* aux intonations rauques.
Consonne gutturale.

gymn(o)- ▪ Élément savant qui signifie « (athlète)
nu ». ▸ ① **gymnase** [ʒimnaz] n. m. ▪ Établissement
où sont installés tous les appareils nécessaires à la
pratique des exercices corporels. ▸ **gymnastique** n.
f. **1.** Art d'assouplir et de fortifier le corps par des
exercices convenables ; ces exercices (abrév. fam. *la
gym*). ⇒ **éducation** physique. *Appareils et instruments
de gymnastique* (agrès, barre, anneaux, trapèze, etc.).
*Il fait sa gymnastique, de la gymnastique. Gymnasti-
que corrective, rythmique, en musique* (aérobic). — *Le
pas (de) gymnastique,* pas de course cadencé. **2.** Série
de mouvements plus ou moins acrobatiques. *Quelle
gymnastique pour nettoyer ce plafond !* — Abstrait.
Gymnastique intellectuelle. ⇒ **exercice.** ▸ **gymnaste**
n. ▪ Professionnel(le) de la gymnastique. ⇒ **acrobate.**
Un gymnaste accompli.

② **gymnase** n. m. ▪ En Allemagne, en Suisse. École
secondaire. ⇒ **lycée.**

gymnospermes [ʒimnɔspɛʀm] n. f. pl. ▪ Plantes
dont l'appareil reproducteur est nu, visible. ⇒ **conifère.** / contr. **angiospermes** /

gyn(é)-, -gyne, gynéco- ▪ Élément savant qui
signifie « femme » (ex. : *misogyne*). ▸ **gynécée**
[ʒinese] n. m. ▪ Appartement réservé aux femmes
dans les maisons grecques et romaines de l'Antiquité
(comme le *harem* chez les Arabes). *Un vaste gynécée.*
▸ **gynécologie** [ʒinekɔlɔʒi] n. f. ▪ Science médicale
qui a pour objet l'étude de l'appareil génital de la
femme. ▸ **gynécologique** adj. ▪ *Examen gynécologique.* ▸ **gynécologue** n. ▪ Médecin spécialiste de la
gynécologie. *Consulter un bon, une bonne gynécologue.* ⟨ ▸ androgyne, misogyne ⟩

gypaète [ʒipaɛt] n. m. ▪ Grand oiseau rapace,
diurne, qui ressemble à l'aigle. *Le gypaète barbu.*

gypse [ʒips] n. m. ▪ Roche sédimentaire saline.
Gypse fer de lance.

gyro- ▪ Élément savant signifiant « tourner ».
▸ **gyrophare** [ʒiʀɔfaʀ] n. m. ▪ Phare rotatif placé
sur le toit de certains véhicules prioritaires. ▸ **gyroscope** [ʒiʀɔskɔp] n. m. ▪ Appareil tournant autour
d'un axe qui fournit une direction constante. *Gyroscope à laser.* ▸ **gyroscopique** adj. ▪ *Compas gyroscopique.*

h [aʃ] n. m. ou f. invar. **1.** Huitième lettre, sixième consonne de l'alphabet. — REM. Le *h* dit « aspiré » interdit la liaison et l'élision (*un héros* [œ̃eʀo], *des haricots* [deaʀiko], *enhardir* [ɑ̃aʀdiʀ]...). Dans ce dictionnaire, les mots commençant par un *h* « aspiré » sont précédés de *, et de ' dans la transcription phonétique. Le *h* muet rend la liaison et l'élision obligatoires (*un homme* [œ̃nɔm], *bonheur* [bɔnœʀ]...). — Le groupe CH transcrit soit un son chuintant [ʃ] (*ch*ant, *ch*apeau), soit [k] (*ch*iromancie). **2.** Abréviation de *hydrogène. Bombe H*, bombe atomique à l'hydrogène. — Abréviation de *hecto-, heure*.

*ha ['a ; ha] interj. ■ Interjection expressive du rire, surtout sous la forme redoublée. ⇒ **ah**. *Ha, ha !* ⇒ **hi**.

habile [abil] adj. **1.** Qui exécute (qqch.) avec adresse et compétence. ⇒ **adroit**. / contr. **inhabile, malhabile** / *Ouvrier habile.* ⇒ **expert**. *Mains, doigts habiles.* — Loc. *Être habile de ses mains, de ses dix doigts.* — *Politicien habile.* ⇒ **malin, rusé**. — HABILE À... (+ infinitif) : qui excelle à... ⇒ **apte, propre** à. *Un homme habile à tromper.* — HABILE À qqch. *Il est habile à ce jeu.* **2.** Qui est fait avec adresse et intelligence. *Manœuvre, compliment habile.* ▶ *habilement* adv. ▶ *habileté* n. f. ■ Qualité d'une personne habile, de ce qui est habile. ⇒ **adresse, savoir-faire**. ⟨ ▶ inhabile, malhabile ⟩

habiliter [abilite] v. tr. ▪ conjug. 1. (Surtout au passif) ■ Rendre légalement capable d'exercer certains pouvoirs, d'accomplir certains actes. *Il est habilité à passer ce marché*, il a qualité pour... ⟨ ▶ réhabiliter ⟩

habiller [abije] v. tr. ▪ conjug. 1. **I.** **1.** Couvrir (qqn) de vêtements, d'habits. ⇒ littér. **vêtir**. *Mal habiller qqn.* ⇒ **accoutrer, affubler, fagoter, ficeler**. / contr. **déshabiller** / *Habiller un enfant.* HABILLER *qqn* DE (vêtements déterminés). *On l'a habillé d'un costume neuf.* — Passif ou p. p. *Être bien, mal habillé. Elle est habillée de noir, en noir.* **2.** Fournir (qqn) en vêtements. *L'armée habille les recrues des pieds à la tête.* ⇒ **équiper**. HABILLER EN... (+ nom de personnage). *On l'habillera en Pierrot.* ⇒ **déguiser**. — Au p. p. *Enfant habillé en cow-boy.* **4.** (Vêtements) ⇒ **aller**. *Son nouveau tailleur l'habille mieux.* Loc. *Un rien l'habille*, tout lui va. **II.** S'HABILLER v. pron. réfl. **1.** Mettre ses habits. ⇒ **se vêtir**. **2.** Mettre telle sorte d'habits. *S'habiller légèrement. S'habiller court, long, à la dernière mode. Elle aime s'habiller de bleu. Comment t'habilles-tu ?*, qu'est-ce que tu mets ? — *Il ne sait pas s'habiller*, il manque de goût. **3.** Revêtir une tenue de cérémonie, de soirée. **4.** Se pourvoir d'habits. *S'habiller sur mesure. S'habiller de neuf. Elle s'habille chez les grands couturiers.* **5.** S'HABILLER EN... : se déguiser. *Elle s'était habillée en gitane.* ▶ *habillage* n. m. ■ Action d'habiller, de s'habiller. *L'habillage d'un acteur.* / contr. **déshabillage** / *Salon d'habillage.* ▶ *habillé, ée* adj. ■ (Choses) Qui a une allure élégante. *Robe habillée, qui fait très habillé. Dîner habillé, soirée habillée*, où l'on s'habille (3). ▶ *habillement* n. m. **1.** Action de pourvoir ou de se pourvoir de vêtements. *Dépenses d'habillement.* **2.** Ensemble des habits dont on est vêtu. ⇒ **mise, tenue, vêtement**. ▶ *habilleuse* n. f. ■ Personne qui aide les acteurs, les mannequins à s'habiller et qui prend soin de leurs costumes. ⟨ ▶ déshabiller, rhabiller ⟩

habit [abi] n. m. **1.** Au plur. LES HABITS : l'ensemble des vêtements de dessus. ⇒ **vêtements** ; fam. **fringues, frusques, nippes**. *Mettre, enlever ses habits.* ⇒ **s'habiller** ; **se déshabiller**. *Brosse à habits.* **2.** Vêtement propre à une fonction ou à une circonstance. *Habit de cour. Un habit de gala.* ⇒ **costume**. *Il était en habit d'Arlequin. L'habit militaire.* ⇒ **uniforme**. — Loc. PRENDRE L'HABIT : devenir prêtre, moine. — PROV. *L'habit ne fait pas le moine*, on ne doit pas juger les gens sur leur aspect. **3.** Costume de cérémonie masculin, à longues basques par-derrière. *Ce soir-là, l'habit ou le smoking étaient de rigueur.* ⇒ **tenue de soirée**.

habitable [abitabl] adj. ■ Où l'on peut habiter, vivre. *Maison habitable*, en bon état, salubre, etc. / contr. **inhabitable** /

habitacle [abitakl] n. m. **1.** Poste de pilotage d'un avion. **2.** Partie d'un véhicule spatial où peut séjourner (« habiter ») l'équipage.

habitant, ante [abitɑ̃, ɑ̃t] n. **1.** Personne qui a son domicile, qui habite en un lieu déterminé. *Nombre d'habitants au kilomètre carré*, densité de population. — (Collectif) *Loger chez l'habitant*, chez les gens du pays (par oppos. à *loger à l'hôtel*). **2.** Personne qui habite (une maison). ⇒ **occupant**. *Les habitants d'un grand immeuble.*

habitat n. m. ■ Mode d'organisation et de peuplement par l'homme du milieu où il vit, habite. *Habitat rural, urbain. Habitat groupé.* — Ensemble des conditions d'habitation, de logement. *L'amélioration de l'habitat.*

habitation [abitasjɔ̃] n. f. **1.** Le fait d'habiter quelque part. *Locaux à usage d'habitation. Améliorer* *les conditions d'habitation.* ⇒ **habitat. 2.** *Une habitation,* lieu où l'on habite. ⇒ **demeure, logement, maison ; gîte, toit.** *C'est une habitation confortable. Habitations à loyer modéré.* ⇒ **H.L.M.**

habiter [abite] v. ■ conjug. 1. **1.** V. tr. ou intr. Avoir sa demeure. ⇒ **loger, résider, vivre.** *Habiter (à) la campagne, la ville, en ville. J'habite (sur) les quais. Il habite (sur) la Côte. Habiter chez des amis, avec qqn.* ⇒ **cohabiter.** *Elle habite 2, rue de Rome, au 2 de la rue de Rome.* **2.** V. tr. Être comme dans une demeure. *L'âme qui habite ce corps. La croyance qui l'habite.* ⇒ **animer, posséder.** ▶ *habité, ée* adj. ■ *Régions habitées.* — *Château habité.* / contr. **inhabité** / ⟨ ▶ cohabiter, habitable, habitacle, habitant, habitat, habitation, inhabitable ⟩

habitude [abityd] n. f. **1.** Manière usuelle d'agir (d'une personne). *Prendre une bonne, une mauvaise habitude.* ⇒ **pli.** *Être esclave de ses habitudes. Cela n'est pas son habitude, dans ses habitudes,* il n'agit pas ainsi d'ordinaire. — Loc. PAR HABITUDE : machinalement, parce qu'on a toujours agi ainsi. ⇒ **routine.** SELON, SUIVANT SON HABITUDE, COMME À SON HABITUDE : comme il fait d'ordinaire. AVOIR, PRENDRE, PERDRE L'HABITUDE DE (+ infinitif). *Je n'ai pas l'habitude de déjeuner si tôt.* — (Collectif) L'ensemble des habitudes de qqn. PROV. *L'habitude est une seconde nature.* **2.** Usage (d'une collectivité, d'un lieu). ⇒ **coutume, mœurs, tradition, usage.** *Ce sont les habitudes de l'endroit. Avoir des habitudes de bourgeois.* ⇒ **manière. 3.** Accoutumance par familiarité avec (une action, une situation, une chose, un être). ⇒ **expérience, pratique.** *J'ai l'habitude de la marche. L'habitude du malheur. Je n'ai pas l'habitude de cette voiture. Elle a l'habitude des enfants. C'est une question d'habitude.* **4.** D'HABITUDE loc. adv. : de manière courante, d'ordinaire. ⇒ **habituellement.** *D'habitude, je me lève tard.* ⇒ **généralement.** *Le café est meilleur que d'habitude.* ⇒ **ordinairement.** — *Comme d'habitude,* comme toujours. ▶ *habituel, elle* [abityɛl] adj. **1.** Passé à l'état d'habitude. ⇒ **commun, coutumier.** *Ce comportement lui est habituel. Gestes habituels.* ⇒ **familier. 2.** Constant, ou très fréquent. *Au sens habituel du terme.* ⇒ **courant.** *Il n'est pas dans son état habituel.* ⇒ **normal.** / contr. **inhabituel** / ▶ *habituellement* adv. ■ = d'ordinaire. ▶ *habituer* v. tr. ■ conjug. 1. **1.** Faire prendre à (qqn) l'habitude de (par accoutumance, éducation). *Habituer un enfant au froid, à la fatigue.* ⇒ **endurcir, entraîner.** *Il faut l'habituer à faire son lit.* **2.** S'HABITUER À v. pron. réfl. : prendre l'habitude de (par accoutumance ou éducation). *Les yeux s'habituent à l'obscurité.* ⇒ **s'adapter, se faire.** *S'habituer à parler en public.* **3.** (Passif) ÊTRE HABITUÉ À : avoir l'habitude de. *Elle est habituée aux travaux pénibles. Il est habitué à réagir vite.* / contr. **déshabituer** / ▶ *habituée, ée* n. ■ Personne qui fréquente habituellement un lieu (public ou privé). *Ce sont des habitués.* ⇒ **client.** *Un habitué de la maison.* ⇒ **familier.** ⟨ ▶ déshabituer, inhabituel, réhabituer ⟩

*hâbleur, euse ['ablœʀ, øz] n. et adj. ■ Personne qui a l'habitude d'exagérer, de se vanter en parlant d'elle (surtout au masculin). *C'est un drôle de hâbleur !* ▶ **hâblerie* ['ablǝri] n. f. ■ Caractère, action du hâbleur.

*hache ['aʃ] n. f. ■ Instrument tranchant à forte lame, servant à fendre. *Fendre du bois avec une hache.* — *La hache du bourreau,* avec laquelle il tranchait la tête du condamné. ▶ **hachette* n. f. ■ Petite hache. ▶ **hacher* ['aʃe] v. tr. ■ conjug. 1. **1.** Couper en petits morceaux avec un instrument tranchant. *Hacher du persil, du tabac.* **2.** Loc. *Il se ferait plutôt hacher que de céder,* plutôt maltraiter. ▶ **haché,*

ée adj. et n. m. **1.** Coupé en petits morceaux. *Bifteck haché.* — N. m. *Du haché,* de la viande de bœuf hachée. **2.** Entrecoupé, interrompu. *Style haché.* ⇒ **heurté, saccadé.** ▶ **hachis* n. m. invar. ■ Préparation de viande, poisson, etc., hachés très fins. *Farcir une volaille avec du hachis. Hachis Parmentier,* hachis de bœuf mélangé à de la purée de pommes de terre. ▶ **hachoir* n. m. ■ Instrument qui sert à hacher (la viande, les légumes, etc.). ⟨ ▶ hachure ⟩

*hachisch ⇒ **haschisch.**

*hachure ['aʃyʀ] n. f. ■ Traits parallèles serrés qui figurent les ombres, les volumes (sur un dessin, une gravure). ▶ **hachurer* v. tr. ■ conjug. 1. ■ Couvrir de hachures. ⇒ **rayer.** — Au p. p. adj. *Les parties hachurées d'une carte.*

*haddock ['adɔk] n. m. ■ Églefin (poisson) fumé. *Une tranche de haddock. Des haddocks.*

*hagard, arde ['agaʀ, aʀd] adj. ■ Qui traduit l'égarement, le désarroi. ⇒ **effaré.** *Œil hagard. Air, visage, gestes hagards.*

hagiographie [aʒjɔgʀafi] n. f. ■ Didact. Vie de saint.

*haie ['ɛ] n. f. **1.** Clôture végétale servant à limiter ou à protéger un champ, un jardin. ⇒ **bordure.** *Des haies de fusains, d'aubépines. Tailler une haie. Une haie vive,* formée d'arbustes en pleine végétation. — COURSE DE HAIES : où les chevaux, les coureurs ont à franchir des haies, des barrières. — *100 mètres haies, 400 mètres haies,* courses où le sportif doit franchir des barrières. **2.** File de personnes bordant une voie pour laisser le passage à qqn, à un cortège. *Défiler entre deux haies de spectateurs. Haie d'honneur. Former, faire la haie.*

*haïku ['ajku] n. m. ■ Poème classique japonais de trois vers.

*haillon ['ajɔ̃] n. m. ■ Vêtement en lambeaux ; lambeau d'étoffe servant de vêtement. ⇒ **guenille, loque.** *Un clochard en haillons, couvert de haillons.*

*haine ['ɛn] n. f. **1.** Sentiment violent qui pousse à vouloir du mal à qqn et à se réjouir du mal qui lui arrive. ⇒ **aversion, répulsion ;** suff. **-phobe.** / contr. **amour** / *Il leur a voué une haine implacable. Éprouver de la haine pour, contre qqn. Prendre qqn en haine. Assouvir sa haine.* ⇒ **vengeance.** *Agir par haine.* — Au plur. *Haines sourdes. De vieilles haines.* **2.** Aversion profonde (pour qqch. d'humain). *La haine de l'hypocrisie.* ▶ **haineux, euse* adj. **1.** Naturellement porté à la haine. ⇒ **malveillant, vindicatif.** *Caractère haineux.* **2.** Qui trahit la haine. *Un coup d'œil haineux.* **3.** Inspiré par la haine. ⇒ **fielleux, venimeux.** *Une joie mauvaise, haineuse.* ▶ **haineusement* adv.

*haïr ['aiʀ] v. tr. ■ conjug. 10. **1.** Avoir (qqn) en haine. ⇒ **détester, exécrer.** *Haïr ses ennemis.* / contr. **aimer** / — (Avec un infinitif compl. de cause) *Je le hais de m'avoir trompé de la sorte.* **2.** Avoir (qqch.) en haine. *Haïr le vice, la contrainte. Je hais cette façon de parler.* ▶ **haïssable* adj. ■ Qui mérite d'être haï. ⇒ **détestable, exécrable, odieux.** *Un individu haïssable. La guerre est haïssable.*

*halage ['a(ɑ)laʒ] n. m. ■ Action de haler un bateau. — *Chemin de halage,* chemin qui longe un cours d'eau pour permettre le halage des bateaux.

*hâle ['ɑl] n. m. ■ Couleur brune que prend la peau exposée à l'air et au soleil. ⇒ **bronzage.** *Son visage a pris un beau hâle.*

haleine [alɛn] n. f. **1.** Air qui sort des poumons pendant l'expiration. *Haleine fraîche. Avoir mauvaise haleine,* sentir mauvais de la bouche. **2.** La respiration (inspiration et expiration). ⇒ **souffle**. *Avoir l'haleine courte, le souffle court.* — Loc. ÊTRE HORS D'HALEINE : à bout de souffle. ⇒ **haletant**. RETENIR SON HALEINE : sa respiration. REPRENDRE HALEINE : reprendre sa respiration après un effort. ⇒ **souffler**. À PERDRE HALEINE loc. adv. : au point de ne plus pouvoir respirer. *Courir à perdre haleine.* — Loc. D'UNE (SEULE) HALEINE : sans s'arrêter pour respirer. ⇒ d'un **trait**. *Débiter une phrase d'une seule haleine.* — TENIR EN HALEINE : maintenir l'attention de (qqn) en éveil ; maintenir dans un état d'incertitude, d'attente. *La curiosité me tient en haleine.* **3.** *Un travail* DE LONGUE HALEINE : qui exige beaucoup de temps et d'efforts.

* *haler* ['a(ɑ)le] v. tr. ▪ conjug. 1. ▪ Remorquer (un bateau) au moyen d'un cordage tiré du rivage. *Chevaux qui halent une péniche.* ≠ *hâler.* ⟨ ▶ hala-ge ⟩

* *hâler* ['ɑle] v. tr. ▪ conjug. 1. ▪ (Air, soleil) Rendre (la peau, le teint) brun ou rougeâtre. ⇒ **bronzer, brunir.** — Surtout au p. p. adj. *Teint hâlé (par le soleil et le vent).* ≠ *haler.* ⟨ ▶ hâle ⟩

* *haleter* ['alte] v. intr. ▪ conjug. 5. **1.** Respirer à un rythme anormalement précipité ; être à bout de souffle, hors d'haleine. *Je haletais d'émotion.* **2.** Être tenu en haleine. *Tout l'auditoire haletait.* ▶ * *haletant, ante* adj. ▪ Qui halète. ⇒ **essoufflé.** *Chien haletant. Respiration haletante.* ⇒ **précipité.** *Être haletant d'impatience,* très impatient, excité par l'attente. ▶ * *halètement* ['alɛtmɑ̃] n. m. ▪ Respiration précipitée. ≠ *allaitement.*

* *hall* ['ol] n. m. ▪ Grand vestibule ou très vaste local (dans les édifices publics, les grandes maisons). ⇒ **entrée.** *Un hall d'hôtel. Le hall de la gare. Des halls.* ≠ **halle.**

hallali [alali] n. m. ▪ Cri ou sonnerie de chasse à courre annonçant que l'animal est aux abois. *Sonner l'hallali. Des hallalis.*

* *halle* ['al] n. f. **1.** Au sing. Vaste emplacement couvert où se tient un marché, un commerce de gros. ⇒ **marché ; hangar, magasin.** *La halle aux vins.* **2.** Au plur. LES HALLES : emplacement, bâtiment où se tient le marché central de denrées alimentaires d'une ville. *Les halles de Rungis.*

* *hallebarde* [albaʀd] n. f. **1.** Autrefois. Arme à longue hampe, munie d'un fer tranchant et pointu. **2.** Loc. fam. *Il pleut, il tombe des hallebardes,* il pleut à verse. ▶ * *hallebardier* n. m. ▪ Homme qui portait la hallebarde.

hallucination [a(l)lysinɑsjɔ̃] n. f. ▪ Perception, sensation éprouvée à l'état de veille sans qu'aucune cause extérieure réelle la provoque. ⇒ **illusion, rêve.** *Hallucinations visuelles* ⇒ **vision,** *auditives* ⇒ entendre des **voix.** — Erreur des sens, illusion. *Être victime, être le jouet d'une hallucination. J'ai cru le voir ici, je dois avoir des hallucinations.* ▶ *hallucinant, ante* adj. ▪ Qui a une grande puissance d'évocation. *Une ressemblance hallucinante.* ⇒ **extraordinaire.** ▶ *hallu-ciné, ée* adj. et n. ▪ Qui a des hallucinations. *Un poète halluciné.* — *Un air halluciné.* ⇒ **égaré ; bizarre.** — N. *Les visions d'un halluciné.* ⇒ **vision-naire.** ▶ *hallucinogène* adj. et n. m. ▪ Qui donne des hallucinations. *Une drogue hallucinogène.*

* *halo* ['alo] n. m. **1.** Auréole lumineuse diffuse (autour d'une source lumineuse). *Le halo d'une lampe, des réverbères dans le brouillard.* **2.** Éclat qui semble émaner de (qqn). ⇒ **aura.** *Il est entouré d'un halo de gloire.*

halogène [alɔʒɛn] n. m. et adj. ▪ Élément chimique rare, voisin du chlore. *Lampe à halogène.* — Adj. *Gaz halogène. Lampe halogène, éclairage halogène.*

* *halte* ['alt] n. f. **1.** Temps d'arrêt consacré au repos, au cours d'une activité ou d'un déplacement. *Faire halte,* s'arrêter. *Une courte halte.* ⇒ **arrêt.** **2.** Lieu où l'on fait halte. ⇒ **escale, étape.** *Une halte de routiers.* **3.** Interj. HALTE ! : commandement par lequel on ordonne à qqn de s'arrêter. / contr. **marche / Section, halte !** — Abstrait. *(Dire) halte à la guerre.* — HALTE-LÀ ! : sommation par laquelle une sentinelle, une patrouille enjoint un suspect de s'arrêter. ⇒ **qui-vive.**

haltère [altɛʀ] n. m. ▪ Instrument de gymnastique fait de deux boules ou disques de métal réunis par une tige. *Un petit haltère. Faire des haltères.* — *Poids et haltères,* sport consistant à soulever des haltères, etc., en exécutant certains mouvements. ▶ *haltéro-phile* n. ▪ Athlète pratiquant le sport des poids et haltères *(haltérophilie).*

* *hamac* ['amak] n. m. ▪ Rectangle de toile ou de filet suspendu horizontalement par deux extrémités, utilisé comme lit. *Se balancer dans un hamac. Des hamacs.*

* *hamburger* ['ɑ̃buʀɡœʀ, 'ɑ̃byʀɡɛʀ] n. m. ▪ Anglic. Bifteck haché servi dans un pain. *Des hambur-gers.*

* *hameau* ['amo] n. m. ▪ Petit groupe de maisons isolé d'un village, dans la campagne. *Des hameaux tranquilles.*

hameçon [amsɔ̃] n. m. **1.** Crochet pointu garni d'un appât qu'on adapte au bout d'une ligne, pour prendre le poisson. *Le poisson a mordu à l'hameçon.* **2.** Loc. *Mordre à l'hameçon,* se laisser prendre au piège d'une proposition avantageuse. ⇒ **appât.**

* *hammam* ['amam] n. m. ▪ Établissement de bains de vapeur (surtout dans les pays d'Islam). ⇒ bains **turcs.**

* *hampe* ['ɑ̃p] n. f. ▪ Long manche de bois auquel est fixé le fer (d'une lance, une croix, un drapeau...). *La hampe d'une crosse épiscopale.*

* *hamster* ['amstɛʀ] n. m. ▪ Petit rongeur roux et blanc. *Un couple de hamsters.*

* *hanap* ['anap] n. m. ▪ Autrefois. Grand vase à boire en métal. *Des hanaps précieux.*

* *hanche* ['ɑ̃ʃ] n. f. ▪ Chacune des deux régions symétriques du corps formant saillie au-dessous de la taille. ⇒ os **iliaque.** *Hanches étroites, larges. Tour de hanches.* — *Rouler, balancer les hanches.* ⇒ se **déhancher.** *Mettre les poings sur les hanches.* ≠ *anche.* ⟨ ▶ déhanchement ⟩

* *handball* ['ɑ̃dbal] n. m. ▪ Sport d'équipe qui se joue à la main avec un ballon rond.

* *handicap* ['ɑ̃dikap] n. m. **1.** Épreuve sportive, course où l'on impose aux meilleurs concurrents certains désavantages au départ afin d'égaliser les chances de succès. *Cheval qui rend vingt-cinq mètres dans un handicap. Courir le 300 mètres handicap.* **2.** Désavantage, infériorité qu'on doit supporter. *Son âge est un sérieux handicap.* ▶ * *handicaper* v. tr. ▪ conjug. 1. ▪ Mettre (qqn) en état d'infériorité. ⇒ **défavoriser, désavantager.** *Sa timidité l'a long-temps handicapé.* ▶ * *handicapé, ée* adj. et n. ▪ Qui a une maladie, une malformation gênante dans les activités courantes. *Il est handicapé depuis son accident.* — N. *Un handicapé moteur. Rampe d'accès pour les handicapés. Réservé aux handicapés.*

* *hangar* ['ɑ̃ɡaʀ] n. m. ▪ Construction plus ou moins sommaire destinée à abriter du gros matériel, certaines marchandises. ⇒ **entrepôt, remise.** *Hangar à récoltes, à fourrage.* ⇒ **grange ; fenil.** — Vaste garage pour avions.

*hanneton ['ãntɔ̃] n. m. **1.** Coléoptère ordinairement roux, au vol lourd et bruyant. **2.** Loc. fam. *C'est pas piqué des hannetons,* se dit de qqch. qui force l'attention par son caractère extrême.

*hanter ['ãte] v. tr. ◾ conjug. 1. **1.** Littér. Fréquenter (un lieu) d'une manière habituelle, familière. *Hanter les mauvais lieux.* **2.** (Esprits, fantômes) Fréquenter (un lieu). — Au p. p. adj. *Maison hantée.* **3.** Habiter l'esprit (en gênant). ⇒ **obséder, poursuivre.** *Ce souvenir le hantait. Les rêves qui hantent son sommeil.* ⇒ **habiter, peupler.** ▶ ***hantise** n. f. ◾ Caractère obsédant (d'une pensée, d'un souvenir). ⇒ idée **fixe.** *La hantise de la mort.* ⇒ **peur.**

*happer ['ape] v. tr. ◾ conjug. 1. **1.** Saisir, attraper brusquement et avec violence. — Au passif. *Être happé par un train.* **2.** (Animaux) Saisir brusquement dans la bouche, la gueule, le bec. *Le chien happe le sucre au vol.*

*haquenée ['akne] n. f. ≠ *acné* ◾ Cheval ou jument d'allure douce, que montaient les dames du Moyen Âge. ≠ *palefroi.*

*hara-kiri ['aʀakiʀi] n. m. ◾ Suicide par le sabre, particulièrement honorable, au Japon. *Les samouraïs condamnés à mort avaient le privilège du hara-kiri. Des hara-kiris.* — *(Se) faire hara-kiri,* se suicider en s'éventrant ; par plaisant., se sacrifier.

*harangue ['aʀãg] n. f. **1.** Discours solennel prononcé devant une assemblée, un haut personnage. *Sa harangue fut courte.* **2.** Discours pompeux et ennuyeux, remontrance interminable. ⇒ **sermon.** ▶ ***haranguer** v. tr. ◾ conjug. 1. ◾ Faire une harangue à (qqn). *Officier haranguant ses troupes.*

*haras ['aʀɑ] n. m. invar. ◾ Lieu, établissement destiné à la sélection, à la reproduction et à l'élevage des chevaux. *Les prés d'un haras.* — Souvent plur. *Des haras.*

*harasser ['aʀase] v. tr. ◾ conjug. 1. ◾ Accabler de fatigue (plus fort que *fatiguer**). ⇒ fam. **crever.** *L'excursion nous a harassés. Être harassé (de fatigue).* ⇒ **épuisé, fourbu.** ▶ ***harassant, ante** adj. ◾ ⇒ **fatigant.** *Travail harassant.*

*harceler ['aʀsəle] v. tr. ◾ conjug. 5. ◾ Soumettre sans répit à de petites attaques. *Harceler l'ennemi.* — *Ses créanciers le harcèlent depuis un mois.* ⇒ **talonner.** — *Être harcelé de soucis.* ⇒ **assailli.** ▶ ***harcèlement** ['aʀsɛlmã] n. m. ◾ Action de harceler (en actes ou en paroles). *Une guerre de harcèlement.* ⇒ **guérilla.**

*harde ['aʀd] n. f. ◾ Troupe de bêtes sauvages vivant ensemble. *Une harde de cerfs.* ≠ *horde.*

*hardes ['aʀd] n. f. pl. ◾ Péj. Vêtements pauvres et usagés. ⇒ **nippes.** *Un paquet de vieilles hardes.*

*hardi, ie ['aʀdi] adj. **1.** Qui ose sans se laisser intimider. ⇒ **audacieux, aventureux, entreprenant, intrépide.** / contr. **timide ; peureux** / *Hardi jusqu'à l'excès.* ⇒ **téméraire.** *Un garçon hardi.* — *Une initiative, une entreprise hardie.* **2.** Vx et péj. Qui manifeste un grand mépris des convenances. ⇒ **effronté, impudent, provocant.** / contr. **modeste, sage** / *Une fille hardie. Décolleté hardi.* ⇒ **audacieux.** *Un livre qui contient des passages un peu hardis.* ⇒ **osé. 3.** Original. *Une pensée hardie. Des rimes hardies* / contr. **banal** /**4.** HARDI loc. interj. : expression servant à encourager et pousser en avant. *Hardi, les gars !* ⇒ **courage.** Fam. *Hardi petit !* ▶ ***hardiesse** ['aʀdjɛs] n. f. Littér. **1.** Qualité de qqn ou de qqch. de hardi. ⇒ **cœur, courage, énergie, intrépidité.** *Avoir, montrer de la hardiesse.* — *La hardiesse d'un projet.* **2.** Littér. Surtout au plur. *(Une, des hardiesses)* Action, idée, parole, expression hardie. *Se permettre certaines hardiesses.*

⇒ **liberté.** ▶ ***hardiment** adv. ◾ *S'exposer hardiment aux dangers.* ⇒ **courageusement.** *Il a tout nié hardiment.* ⇒ **effrontément, impudemment.** ⟨ ▶ enhardir ⟩

*harem ['aʀɛm] n. m. ◾ Appartement réservé aux femmes, chez les musulmans. ⇒ **gynécée.** *Des harems.*

*hareng ['aʀã] n. m. ◾ Poisson de mer, vivant en bancs souvent immenses. *Pêche au hareng. Harengs frais. Harengs saurs. Filets de hareng.* — Loc. fam. *Être serrés comme des harengs,* très serrés. ▶ ***harengère** ['aʀãʒɛʀ] n. f. ◾ Femme grossière et criarde (comme les anciennes marchandes de hareng). ⇒ **poissarde.** *Les harengères des Halles.*

*hargne ['aʀɲ] n. f. ◾ Mauvaise humeur se traduisant par des propos acerbes, une attitude agressive, méchante ou haineuse. *Répondre avec hargne.* ▶ ***hargneux, euse** adj. ◾ Qui est plein de hargne. ⇒ **acariâtre.** *Une femme hargneuse. Un caractère hargneux.* — *Ton hargneux.* ⇒ **revêche.** ▶ ***hargneusement** adv.

① ***haricot** ['aʀiko] n. m. **1.** Plante légumineuse à fruits comestibles. *Un pied de haricot.* **2.** Au plur. DES HARICOTS : gousses de cette plante qui se consomment encore vertes *(haricots verts),* ou contenant les graines mûres *(haricots mange-tout).* ⇒ **flageolet ;** fam. **fayot.** Absolt. *Les, des haricots,* ces graines. *Haricots blancs, rouges. Haricots frais, secs. Faire (cuire), manger des haricots. Un gigot de mouton aux haricots. Les haricots d'un cassoulet*.* Au sing. *Un haricot,* une gousse ; une graine. **3.** Fam. *Des haricots !, vous n'aurez rien du tout !* ⇒ fam. des **clous.** *C'est la fin des haricots,* la fin de tout.

② ***haricot** n. m. ◾ *Un haricot de mouton,* un ragoût de mouton.

*haridelle ['aʀidɛl] n. f. ◾ Mauvais cheval efflanqué.

harmonica [aʀmɔnika] n. m. ◾ Instrument de musique en forme de petite boîte plate, dont on fait vibrer les languettes en soufflant.

harmonie [aʀmɔni] n. f. **1.** Ensemble des principes qui règlent l'emploi et la combinaison de sons simultanés, en musique. *Étudier l'harmonie. Traité d'harmonie.* **2.** Littér. Ensemble des caractères (combinaisons de sons, accents, rythme) qui rendent un discours agréable à l'oreille. ⇒ **euphonie.** *L'harmonie des vers.* ⇒ **mélodie. 3.** Accord entre les diverses parties (d'un tout) ; effet qui en résulte. *L'harmonie des organes du corps.* ⇒ **ordre, organisation.** *Il règne une grande harmonie de sentiments au sein de cette équipe.* ⇒ **communauté, concordance, conformité.** *Être* EN HARMONIE *avec.* ⇒ **convenir, correspondre.** *Ces deux choses sont en parfaite harmonie,* vont bien ensemble. — Beauté régulière. *L'harmonie des tons dans un tableau. L'harmonie d'un paysage.* ⇒ **équilibre.** *L'harmonie d'un visage.* ⇒ **beauté, régularité. 4.** Littér. Accord, bonnes relations (entre personnes). ⇒ **entente, paix, union.** *L'harmonie qui règne dans une communauté. Vivre en parfaite harmonie,* en parfaite concordance de sentiments, de vues. ⇒ **amitié, entente, sympathie.** ▶ *harmonieux, euse* [aʀmɔnjø, øz] adj. **1.** (Combinaison de sons) Agréable à l'oreille. ⇒ **mélodieux.** *Voix harmonieuse.* **2.** (Langage) Qui a de l'harmonie. *Style harmonieux.* **3.** Dont l'accord entre les divers éléments dégage une harmonie. *Harmonieux équilibre. Formes, couleurs harmonieuses.* ▶ *harmonieusement* adv. ◾ D'une manière harmonieuse. ▶ *harmonique* adj. ◾ Relatif à l'harmonie (1) en musique. — *Son harmonique,* et, n. m. HARMONIQUE : son musical simple dont la fréquence est un multiple entier de celle du son fondamental. ▶ *harmoniser* v. tr. ◾ conjug. 1. **1.** Mettre en harmonie, en accord. ⇒ **accorder, arranger.** *Nous tenterons d'harmoniser les intérêts du groupe.* ⇒ **concilier. 2.** Combiner (une mélodie) avec d'autres parties ou des suites d'accords. *Harmoniser un chant, composer un accompagnement.* **3.** S'HAR-MONISER v. pron. : se mettre, être en harmonie. ⇒ s'**accorder.** *Ces couleurs s'harmonisent. Ses senti-ments s'harmonisaient avec le paysage.* ▶ *harmoni-sation* n. f. ■ Action d'harmoniser. — Manière dont une musique est harmonisée. ▶ *harmonium* [aʀmɔnjɔm] n. m. ■ Instrument à clavier et à soufflerie, muni d'anches libres (à la différence de l'orgue). *Elle joue de l'harmonium à l'église. Des harmoniums.* ⟨ ▶ harmonica, philharmonique ⟩

harnacher [aʀnaʃe] v. tr. ▪ conjug. 1. **1.** Mettre le harnais à (un animal de selle ou de trait). — Au p. p. adj. *Cheval richement harnaché.* **2.** (Personnes) ÊTRE HARNACHÉ : être habillé et équipé lourdement. — *Comment es-tu donc harnaché ?* ⇒ **accoutré, ficelé.** ▶ *harnachement* n. m. **1.** Action de harnacher. — Ensemble des harnais. **2.** Habillement et équipe-ment. — Péj. *Quel harnachement !*

harnais [aʀnɛ] n. m. invar. **1.** Autrefois. Équipe-ment complet d'un homme d'arme. Loc. *Blanchi sous le harnais* (ou *sous le harnois*), vieilli dans le métier (surtout des armes). **2.** Ensemble des pièces compo-sant l'équipement d'un animal de selle ou de trait. ⇒ **harnachement.**

haro [aʀo] n. m. ■ Loc. *Crier haro sur le baudet* (allus. à une fable de La Fontaine), dénoncer à l'indigna-tion de tous.

harpe [aʀp] n. f. ■ Grand instrument à cordes pincées, à cadre le plus souvent triangulaire. *Harpe celtique.* ▶ *harpiste* n. ■ Personne qui joue de la harpe.

harpie [aʀpi] n. f. ■ Femme méchante, acariâtre (nom d'un monstre volant de la mythologie). ⇒ **mégère.** *Une vieille harpie.*

harpon [aʀpɔ̃] n. m. ■ Dard emmanché, relié à un filin ou une ligne, qui sert à prendre les gros poissons, les cétacés. *Pêche au harpon. Fusil à harpon pour la pêche sous-marine.* ▶ *harponner* v. tr. ▪ conjug. 1. **1.** Atteindre, accrocher avec un harpon, ou un instrument semblable. *Harponner une baleine.* **2.** Fam. Arrêter, saisir brutalement. *Ils ont harponné un malfaiteur.* ▶ *harponnage* n. m.

haruspice ⇒ **aruspice.**

hasard [azaʀ] n. m. **I.** UN, DES HASARD(S). **1.** Événement fortuit ; concours de circonstances inattendu et inexplicable. *Quel hasard !* ⇒ **coïnci-dence.** *C'est un vrai, un pur hasard,* rien n'était calculé, prémédité. *Un heureux hasard.* ⇒ **chance, occasion, veine.** *Un hasard malheureux.* ⇒ **accident, déveine, malchance. 2.** Littér. Surtout au plur. Risque, circonstance dangereuse. *Les hasards de la guerre.* ⇒ **aléa. II. 1.** LE HASARD : cause fictive attribuée à des événements apparemment inexplicables. *Les lois du hasard.* ⇒ **probabilité.** *Le hasard fait bien les choses* (en parlant d'un concours de circonstances heureux). *Les caprices du hasard.* ⇒ **destin, sort.** *Il ne laisse rien au hasard,* il prévoit tout. *Faire la part du hasard dans un projet.* **2.** Loc. AU HASARD loc. adv. : n'importe où. *Coups tirés au hasard.* Sans réflexion. *Conseils donnés au hasard.* — Au petit **bonheur.** — AU HASARD DE loc. prép. : selon les hasards de. *Au hasard des rencontres, des cir-constances.* — À TOUT HASARD loc. adv. : en prévision ou dans l'attente de tout ce qui pourrait se présenter. *Laissez-moi votre adresse, à tout hasard.* — PAR HASARD loc. adv. ⇒ **accidentellement, fortuitement.** *Je l'ai rencontré par hasard. Comme par hasard,*

comme si c'était un hasard. *Si par hasard,* au cas où, dans l'éventualité où. **3.** JEU DE HASARD : jeu où le calcul, l'habileté n'ont, en principe, aucune part (dés, roulette, baccara, loterie). *Il aime tous les jeux de hasard.* ▶ *hasarder* [azaʀde] v. tr. ▪ con-jug. 1. **1.** Littér. Livrer (qqch.) aux risques du hasard, du sort. ⇒ **aventurer, exposer, risquer.** *Hasarder sa vie, sa réputation.* **2.** Entreprendre (qqch.) en courant le risque d'échouer ou de déplaire. ⇒ **tenter.** *Hasarder une démarche.* — Au p. p. adj. *Une hypothèse, une démarche hasardée,* que l'on fait sans trop y croire. **3.** SE HASARDER v. pron. réfl. : aller, se risquer (en un lieu où il y a du danger). *Il n'est pas prudent de s'y hasarder.* ⇒ s'**aventurer.** — SE HASARDER À : se risquer à. *Se hasarder à demander qqch.* ▶ *hasar-deux, euse* adj. ■ Qui expose à des périls ; qui comporte un risque d'échec. *Entreprise hasardeuse.* ⇒ **aléatoire, aventuré, dangereux.**

haschisch ou *hachisch* [aʃiʃ] n. m. ■ Chan-vre indien dont on extrait une substance hallucino-gène* ; cette drogue. ⇒ **marijuana.** *Fumer du has-chisch.* — Abrév. cour. *Du hasch.*

hase [az] n. f. ■ Femelle du lièvre ou du lapin de garenne. ⇒ **lapine.**

hâte [ɑt] n. f. **1.** Grande promptitude (dans l'exécution d'un travail, etc.). ⇒ **activité, empresse-ment.** *Vous faites montre d'une hâte excessive.* ⇒ **précipitation.** *Mettre peu de hâte à faire qqch.* — *J'ai hâte, j'ai grand-hâte de sortir. N'avoir qu'une hâte, qu'un désir, qu'un souci. Il n'a qu'une hâte, avec cette corvée, c'est d'en finir.* **2.** Loc. adv. SANS HÂTE : calmement, en prenant son temps. EN HÂTE. ⇒ **promptement, rapidement, vite.** *Venez en toute hâte !* ⇒ d'**urgence.** À LA HÂTE : avec précipitation, sans soin. *Un travail fait à la hâte.* ▶ *hâter* v. tr. ▪ conjug. 1. **1.** Littér. Faire arriver plus tôt, plus vite. ⇒ **avancer, brusquer, précipiter.** *Hâter son départ.* **2.** Faire évoluer plus vite, rendre plus rapide. ⇒ **accélérer, activer.** *Hâter le mouvement !* ⇒ **presser.** *Hâter le pas.* **3.** SE HÂTER v. pron. réfl. : se dépêcher, se presser. *Hâtez-vous. Se hâter vers la sortie.* ⇒ **courir,** se **précipiter.** *Se hâter de terminer un travail.* ▶ *hâtif, ive* adj. **1.** Dont la maturité est naturellement précoce. *Petits pois hâtifs.* **2.** Qui se fait ou a été fait trop vite, à la hâte. *Un travail hâtif.* ⇒ **bâclé.** *Conclusion hâtive.* ⇒ **prématuré.** ▶ *hâti-vement* adv.

hauban [obɑ̃] n. m. ■ Cordage, câble servant à étayer le mât d'un navire, à soutenir une pièce, etc. *Les haubans de misaine, d'artimon.*

hausse [os] n. f. ■ Action d'augmenter, de s'élever, en parlant d'une grandeur numérique. ⇒ **aug-mentation, élévation.** *Hausse de la température.* — Le baromètre est en hausse, la pression barométrique remonte. *La hausse des prix.* ⇒ **montée.** *On enregistre une hausse sensible du coût de la vie.* — Loc. *Jouer à la hausse,* spéculer sur la hausse du cours des valeurs boursières. — Loc. *Ses actions sont en hausse, ses affaires vont mieux.* / contr. **baisse** /

hausser [ose] v. tr. ▪ conjug. 1. **1.** Donner plus d'ampleur, d'intensité à. *Hausser la voix, le ton.* ⇒ **enfler. 2.** Mettre à un niveau plus élevé. ⇒ **lever.** *Hausser les épaules.* — Pronominalement réfl. *se hausser sur la pointe des pieds.* ⇒ se **dresser.** ▶ *haussement* n. m. ■ *Elle eut un haussement d'épaules excédé.* ⟨ ▶ hausse ⟩

① *haut, haute* [o, ot] adj. ■ / contr. **bas** / **I. 1.** D'une dimension déterminée (HAUT DE..., COMME...) ou supérieure à la moyenne, dans le sens vertical. *Mur haut de deux mètres.* Loc. *Haut comme trois pommes,* très petit. — *De hautes montagnes.*

⇒ **élevé.** *Hautes herbes. Pièce haute de plafond. Hautes cheminées. Un homme de haute taille,* très grand. — *Talons hauts.* — *La haute mer.* ⇒ **large** (II, 4). **2.** Dans sa position la plus élevée. *Le soleil est haut dans le ciel.* — Loc. *Aller, marcher la tête haute, le front haut,* sans craindre de reproches ni d'affronts. — Loc. *Avoir la* HAUTE MAIN *dans une affaire,* la diriger, en avoir le contrôle. **3.** Situé sur un plan supérieur. *Les hautes branches d'un arbre. Le plus haut massif.* ⇒ **culminant.** *Une note haute, une haute note.* ⇒ **aigu.** — *Le haut Rhin, la haute Égypte* (régions les plus proches de la source ou les plus éloignées de la mer). **4.** Dans le temps (avant le nom). *La plus haute antiquité,* la plus ancienne. **5.** En intensité. ⇒ **fort, grand.** *Haute pression. Haute fréquence.* / contr. **bas, faible** / — (Sons, voix) *À haute voix.* ⇒ **sonore, retentissant.** *N'avoir jamais une parole plus haute que l'autre,* parler sur un ton uni qui marque l'égalité d'humeur ou le sang-froid. **6.** (En parlant du prix, des valeurs cotées) *Les cours sont hauts.* ⇒ **élevé.** *De hauts salaires.* **II.** Abstrait (avant le nom). **1.** (Dans l'ordre de la puissance) ⇒ **éminent, grand, important.** *Hauts fonctionnaires. La haute finance. La haute société.* — Loc. EN HAUT LIEU : au sommet de la hiérarchie. — N. m. *Le Très-Haut,* Dieu. **2.** (Dans l'échelle des valeurs) ⇒ **supérieur.** *Haute intelligence. Les hauts faits.* ⇒ **héroïque.** — *Haute couture, coiffure.* **3.** Très grand. ⇒ **extrême.** *Je le tiens en haute estime. Une communication de la plus haute importance. Il a une haute idée de lui-même.* ⇒ **exagéré.** *Un instrument de haute précision.* HAUTE-FIDÉLITÉ : reproduction sonore très fidèle. *Chaîne haute-fidélité.* ⇒ **hi-fi.**

▶ ② ***haut** n. m. et adv. **I.** N. m. **1.** Dimension verticale déterminée, de la base au sommet. ⇒ **altitude, hauteur.** *La tour Eiffel a trois cent vingt mètres de haut.* — Loc. TOMBER DE (TOUT) SON HAUT : s'étaler au sol ; abstrait, être stupéfait. **2.** Position haute. *Parler du haut de la tribune. Tomber du haut du cinquième* (étage). *Elle a des hauts et des bas,* une suite de bons et de mauvais moments. **3.** Partie, région haute (d'une chose). *Le haut de la poitrine. Au haut du mur. Laver la cuisine du haut en bas.* ⇒ **sommet.** *Déplacement vers le haut.* — *Le haut d'une robe,* la partie au-dessus de la taille. ⇒ **corsage.** *Prends ce meuble par le haut, je le prends par le bas. Les voisins du haut.* ⇒ **du dessus.** — *Rouler du haut d'un escalier, du haut en bas.* **4.** Région. Terrain élevé. ⇒ **hauteur, montagne.** *Les hauts de Meuse.* **II.** Adv. **1.** En un point élevé sur la verticale. / contr. **bas** / *Monter, sauter haut, plus haut.* **2.** Loc. (Adj. à valeur adverbiale) En position haute. HAUT LES MAINS ! : sommation faite à un adversaire de lever les mains ouvertes. — HAUT LA MAIN : avec autorité, en surmontant aisément tous les obstacles. *Il a emporté le prix haut la main.* **3.** En un point reculé dans le temps. ⇒ **loin.** *Remonter plus haut, vers la source,* l'origine. — (Dans un texte) *Voir plus haut.* ⇒ **ci-dessus, supra. 4.** (Intensité) *À voix haute.* ⇒ **fort.** *Parlez plus haut. Lire tout haut.* — Sans craindre de se faire entendre. *Je le dirai bien haut, s'il le faut !* ⇒ **franchement, hautement** (1). *Parler haut et clair,* avec autorité. — (Sons) *Monter haut,* atteindre les notes aiguës. **5.** (Puissance) *Des personnes haut placées. Il vise haut,* il est ambitieux. **6.** (Prix, valeurs) *La dépense monte haut,* s'élève à un prix considérable. *Estimer très haut certaines qualités,* leur accorder un grand prix. *Placer (qqn) très haut dans son estime.* **III.** Loc. adv. **1.** DE HAUT : avec une distance qui donne de la supériorité. — Loc. TOMBER DE HAUT : perdre ses illusions. — *Voir les choses de haut,* d'une vue générale et sereine. *Elle a pris la chose de haut, de très haut,* elle a réagi avec arrogance. *Regarder, traiter qqn de haut,* DE HAUT EN BAS : avec dédain.

⇒ **hautain. 2.** EN HAUT : dans la région (la plus) haute. *Il loge en haut. Blouson fermé jusqu'en haut. Tout en haut,* au point le plus haut. *Par en haut.* — En direction du haut. *Regarder en haut. De bas en haut.* — EN HAUT DE loc. prép. : dans la partie supérieure de. *En haut de la côte.* — D'EN HAUT : de la partie haute, supérieure. *La lumière vient d'en haut.* — *Des ordres qui viennent d'en haut,* d'une autorité supérieure. — ***hautain, aine** ['otɛ̃, ɛn] adj. ■ Dont les manières sont dédaigneuses ; qui montre de l'arrogance. ⇒ **altier, orgueilleux.** *Homme hautain et distant. Manières hautaines, air hautain.* ▶ ***hautement** ['otmã] adv. **1.** Tout haut et sans craindre de se faire entendre. ⇒ **franchement, nettement, ouvertement.** *Déclarer hautement son mécontentement.* **2.** À un degré supérieur, fortement. *C'était hautement comique. Un matériel hautement sophistiqué.* ▶ ***hauteur** n. f. **I. 1.** Dimension plus ou moins importante dans le sens vertical (⇒ ② **haut**). *La hauteur d'un mur, d'un pont. Grande hauteur, faible hauteur.* — (Personnes) ⇒ **taille.** *Se dresser de toute sa hauteur.* — En géométrie. Droite perpendiculaire abaissée du sommet à la base d'une figure ; longueur de cette droite. *La hauteur d'un triangle.* **2.** Position déterminée sur la verticale. *Se trouver à une certaine hauteur. Hauteur vertigineuse. À hauteur d'homme. Rebord de fenêtre à hauteur d'appui.* — *Saut en hauteur.* — *Prendre de la hauteur,* s'élever dans l'espace (avion, engin). **3.** À LA HAUTEUR DE loc. prép. *Placer une pancarte à la hauteur des yeux.* ⇒ **niveau.** ÊTRE À LA HAUTEUR DE : être au même niveau (intellectuel, moral) que, être l'égal de. *Il sait se mettre à la hauteur des enfants.* ⇒ **portée.** *Être à la hauteur de la situation,* avoir les qualités requises pour y faire face. — Fam. Sans compl. *Il n'est pas à la hauteur,* il n'a pas les capacités suffisantes. — Au niveau de, sur la même ligne que. *Je vous attends à (la) hauteur de la poste.* **4.** Terrain, lieu élevé. *Ma maison est sur une hauteur. Les hauteurs qui dominent la ville.* **II. 1.** Supériorité (d'ordre moral ou intellectuel). ⇒ **grandeur, noblesse.** *La hauteur de ses vues est notoire.* **2.** Péj. Caractère, attitude de celui qui regarde les autres de haut, avec mépris. *Parler avec hauteur* (⇒ **hautain**). ▶ ***hautbois** ['obwɑ] n. m. invar. ■ Instrument de musique à vent. — Personne qui joue du hautbois (on dit aussi ***hauboïste** ['oboist] n.). ▶ ***haut-de-chausse(s)** ['odʃos] n. m. ■ Autrefois. Partie de l'habillement masculin allant de la ceinture aux genoux. ⇒ **chausse(s), culotte.** *Des hauts-de-chausses.* ▶ ***haut-de-forme** ['odfɔrm] n. m. ■ Chapeau d'homme, en soie, haut et cylindrique, qui se porte avec la redingote ou l'habit. *Des hauts-de-forme.* — Adj. (Sans traits d'union) *Des chapeaux hauts de forme.* ▶ ***haut-fond** ['ofɔ̃] n. m. ■ Sommet sous-marin, endroit d'une rivière recouvert d'une faible épaisseur d'eau, dangereux pour la navigation. *Des hauts-fonds.* ▶ ***haut-le-cœur** ['olkœr] n. m. invar. ■ Soulèvement de l'estomac. ⇒ **nausée.** *Des haut-le-cœur. Cela me donne du haut-le-cœur, cela me dégoûte.* ▶ ***haut-le-corps** ['olkɔr] n. m. invar. ■ Mouvement brusque et involontaire du haut du corps sous l'effet de la surprise ou de l'indignation. *Avoir, réprimer un haut-le-corps.* ⇒ **sursaut, tressaillement.** ▶ ***haut-parleur** ['oparlœr] n. m. ■ Appareil qui transforme les variations d'un courant électrique en ondes sonores. *Brancher des haut-parleurs.*

***havane** ['avan] n. m. et adj. **I.** Tabac de La Havane. *Il fume du havane.* — Cigare réputé, fabriqué avec ce tabac. *Une boîte de havanes.* **II.** Adj. invar. De la couleur (marron clair) des havanes. *Des gants havane.*

***hâve** ['ɑv] adj. ■ Amaigri et pâli par les épreuves, la faim… ⇒ **émacié.** *Gens hâves et déguenillés.* — *Visage, teint hâve.* ⇒ **blafard, blême.**

haver ['ave] v. tr. ▪ conjug. 1. ▪ Entailler (le charbon) dans une mine. ▶ ****havage*** n. m. ▪ Opération par laquelle on have le charbon.

*havre ['ɑvʀ] n. m. ▪ Littér. Ce qui constitue un refuge sûr et calme. ⇒ **abri, port.** *Cette maison est un havre de paix. C'est un havre pour l'esprit.*

*havresac ['ɑ(a)vʀəsak] n. m. ▪ Autrefois. Sac que le fantassin portait sur son dos, et qui contenait son équipement.

*hé ['e, he] interj. ▪ Sert à interpeller, à appeler, à attirer l'attention. *Hé ! vous, là-bas.* ⇒ **hep.** *Holà ! hé ! pas si vite ! — Hé ! Hé !* (approbation, appréciation, ironie, moquerie, selon le ton). *Hé là !* ⇒ **holà.** ‹ ▶ hélas ›

*heaume ['om] n. m. ▪ Au Moyen Âge. Casque enveloppant toute la tête et le visage du combattant. *Le cimier d'un heaume.*

hebdomadaire [ɛbdɔmadɛʀ] adj. et n. m. **1.** Adj. Qui s'étend sur une semaine. *Travail hebdomadaire,* fixé pour la semaine. — Qui se renouvelle chaque semaine. *Congé hebdomadaire. Une revue hebdomadaire.* **2.** N. m. *Un hebdomadaire,* publication qui paraît une fois par semaine. — Abrév. fam. *Un* HEBDO [ɛbdo]. *Des hebdos.*

héberger [ebɛʀʒe] v. tr. ▪ conjug. 1. **1.** Loger (qqn) chez soi. *Peux-tu m'héberger pour la nuit ?* ⇒ **abriter.** — *Être hébergé pendant une semaine par un ami,* être reçu. **2.** Accueillir, recevoir sur son sol. *Pays qui héberge des réfugiés.* ▶ ***hébergement*** n. m. ▪ *Un centre d'hébergement.*

hébété [ebete] adj. ▪ Rendu stupide (par qqch.). ⇒ **abêti, abruti.** *Il est hébété. Hébété de fatigue. Un air, un regard, des yeux hébétés.* ▶ ***hébétude*** n. f. ▪ Littér. État de celui qui est hébété, stupide. ⇒ **abrutissement, stupeur.** *L'hébétude de l'ivresse.*

hébraïque [ebʀaik] adj. ▪ Qui concerne la langue ou la civilisation des Hébreux. *Grammaire, tradition hébraïque. — École hébraïque,* où l'on enseigne en hébreu. ▶ ***hébreu*** [ebʀø] n. et adj. m. **I.** N. m. **1.** Nom primitif des Juifs. *Un Hébreu* (mais *une Israélite, une Juive*). **2.** La langue hébraïque. *L'hébreu, langue sémitique.* — Fam. *C'est de l'hébreu,* c'est inintelligible (→ C'est du chinois). **II.** ▪ Adj. m. Se dit du peuple, de la langue des Hébreux. *Textes, mots hébreux. Prophète hébreu.*

*H.E.C. ['aʃəse] n. f. invar. ▪ Sigle de *École des Hautes Études commerciales. Il prépare H.E.C.*

hécatombe [ekatɔ̃b] n. f. ▪ Massacre d'un grand nombre de personnes ou d'animaux. ⇒ **boucherie, carnage, massacre, tuerie.** *Les hécatombes de la guerre. Faire une hécatombe de gibier.* — Plaisant. *Quatre-vingts pour cent de recalés à cet examen, quelle hécatombe !*

hecto [ɛkto] n. m. ▪ Abréviation d'*hectolitre* et (plus rarement) d'*hectogramme. Il a produit cette année deux mille hectos de vin.*

hect(o)- ▪ Élément savant signifiant « cent ». ▶ ***hectare*** [ɛktaʀ] n. m. ▪ Mesure de superficie équivalant à cent ares (Abrév. *ha*). *Une exploitation agricole de cinquante hectares.* ▶ ***hectogramme*** n. m. ▪ Masse de cent grammes (Abrév. *hg*). ▶ ***hectolitre*** n. m. ▪ Mesure de cent litres (Abrév. *hl*). *Trois cents hectolitres de vin.* ▶ ***hectomètre*** n. m. ▪ Longueur de cent mètres (Abrév. *hm*). ▶ ***hectowatt*** [ɛktɔwat] n. m. ▪ Unité de puissance, valant cent watts (Abrév. *hW*).

hédonisme [edɔnism] n. m. ▪ Doctrine qui place la recherche du plaisir au-dessus des autres valeurs. *Un adepte de l'hédonisme.*

hégémonie [eʒemɔni] n. f. ▪ Suprématie d'un État, d'une nation sur d'autres. ⇒ **prépondérance.** *Lutte pour l'hégémonie du monde. Exercer une hégémonie.* ⇒ **domination.** ▶ ***hégémonique*** adj.

hégire [eʒiʀ] n. f. ▪ Début de la chronologie musulmane (622 de l'ère chrétienne). *L'an deux cent de l'hégire.*

*hein ['ɛ, hɛ̃] interj. **1.** Interjection familière d'interrogation (pour faire répéter, demander un complément d'information, ou exprimer l'étonnement). *Hein ? Qu'est-ce que tu dis ?* ⇒ **comment, pardon. 2.** Renforce une interrogation. *Tu viendras, hein ?* ⇒ **n'est-ce pas.**

*hélas ['elɑs] interj. ▪ Interjection de plainte, exprimant la douleur, le regret. *Hélas ! les beaux jours sont finis. « Va-t-il mieux ? — Hélas ! non. »*

*héler [ele] v. tr. ▪ conjug. 6. ▪ Appeler de loin, pour faire venir. *Enfin, un taxi passe ; je le hèle. Héler un porteur.*

hélice [elis] n. f. **1.** Appareil de traction ou de propulsion constitué de plusieurs pales solidaires d'un axe. *L'hélice du navire. Les hélices d'un avion.* **2.** Courbe engendrée par une droite oblique s'enroulant sur un cylindre. ⇒ **spirale.** ▶ ***hélicoïdal, aux*** [elikɔidal, o] adj. ▪ En forme d'hélice (2). *Des ressorts hélicoïdaux.*

hélicoptère [elikɔptɛʀ] n. m. ▪ Appareil volant qui se déplace à l'aide d'une ou de plusieurs hélices horizontales. *L'hélicoptère décolle à la verticale.* ▶ ***héligare*** n. f. ▪ Gare d'hélicoptères. ⇒ **héliport.**

héli(o)- ▪ Élément savant signifiant « soleil », « lumière ». ▶ ***héliogravure*** [eljɔgʀavyʀ] n. f. ▪ Procédé de gravure en creux par voie photographique. — Reproduction obtenue par ce procédé. *Livre orné d'héliogravures.* ▶ ***héliothérapie*** n. f. ▪ Traitement médical par la lumière et la chaleur solaires (bains de soleil). ▶ ***héliotrope*** n. m. ▪ Plante à fleurs odorantes, des régions chaudes et tempérées. *Un massif d'héliotropes blancs.* ⇒ **tournesol.** ‹ ▶ éphélide, hélium ›

héliport [elipɔʀ] n. m. ▪ Aéroport pour hélicoptères. ▶ ***héliporté, ée*** adj. ▪ Transporté par hélicoptère. *Commando héliporté.*

hélium [eljɔm] n. m. ▪ Gaz très léger, ininflammable, découvert dans l'atmosphère solaire et très rare dans l'air. *Ballon gonflé à l'hélium.*

hellène [e(ɛl)lɛn] adj. ▪ De la Grèce ancienne (Hellade) ou moderne. ⇒ **grec.** *Le peuple hellène.* — N. *Les Hellènes.* ▶ ***hellénique*** adj. ▪ Civilisation, langue hellénique. ▶ ***hellénisme*** n. m. **1.** Civilisation grecque. *Un passionné d'hellénisme.* **2.** Construction ou emploi propre à la langue grecque. ▶ ***helléniste*** n. ▪ Personne qui s'occupe de philologie, de littérature grecques. ▶ ***hellénistique*** adj. ▪ De la civilisation de langue grecque, après la mort d'Alexandre le Grand et jusqu'à la conquête romaine.

helvétique [ɛlvetik] adj. ▪ Relatif à la Suisse. ⇒ **suisse.** *La Confédération helvétique.*

*hem ['ɛm, hɛm] interj. ⇒ **hum.**

hémat(o)-, hémo- ▪ Éléments savants signifiant « sang ». ▶ ***hématie*** [emasi] n. f. ▪ Globule rouge du sang ▶ ***hématologie*** [ematɔlɔʒi] n. f. ▪ Étude du sang et de ses maladies. ▶ ***hématologiste*** ou ***hématologue*** n. ▪ Spécialiste de l'hématologie. ▶ ***hématome*** [ematom] n. m. ▪ Accumulation de sang dans un tissu, due à une rupture de vaisseaux. *Hématome du tissu cutané.* ⇒ **bleu, ecchymose.**

hémi- ▪ Élément savant qui signifie « demi ». ▶ ***hémicycle*** [emisikl] n. m. **1.** Espace, construction en demi-cercle. *L'hémicycle d'une basilique.* **2.** Rangées de gradins disposées en demi-cercle, destinées à des auditeurs, des spectateurs, etc. *L'hémicycle de l'Assemblée nationale* (sans compl. *l'hémicycle*). ▶ **hémiplégie** [emipleʒi] n. f. ■ Paralysie frappant un seul côté du corps, provoquée par une lésion du cerveau ou de la moelle épinière. *Attaque d'hémiplégie.* ▶ **hémiplégique** adj. et n. ■ Qui a rapport à l'hémiplégie. — N. Personne atteinte d'hémiplégie. *Un, une hémiplégique.* ▶ **hémisphère** [emisfɛʀ] n. m. **1.** Moitié d'une sphère. — *Voûte en hémisphère.* ⇒ **coupole.** **2.** Moitié du globe terrestre (surtout, moitié limitée par l'équateur). *L'hémisphère nord* ou *boréal, sud* ou *austral.* **3.** *Les hémisphères cérébraux,* les deux moitiés latérales du cerveau. ▶ **hémisphérique** adj. ■ Qui a la forme d'un hémisphère. ▶ **hémistiche** [emistiʃ] n. m. ■ Moitié d'un vers, partagé par une césure. — Cette césure. *Rime intérieure à l'hémistiche.*

hémo- ⇒ **hémat(o).** ▶ **hémoglobine** [emɔglɔbin] n. f. **1.** Substance protéique, qui donne au sang sa couleur rouge. **2.** Fam. Sang. *Il y a trop d'hémoglobine dans ce film.* ▶ **hémophilie** [emɔfili] n. f. ■ Disposition pathologique aux hémorragies par retard ou absence de coagulation. *L'hémophilie se transmet par les femmes, mais seuls les hommes en sont atteints.* ▶ **hémophile** adj. et n. ■ Atteint d'hémophilie. — N. *Un, une hémophile.* ▶ **hémoptysie** [emɔptizi] n. f. ■ Médecine. Crachement de sang. ▶ **hémorragie** [emɔʀaʒi] n. f. **1.** Fuite de sang hors d'un vaisseau sanguin. ⇒ **saignement.** *Hémorragie interne. Elle a eu une hémorragie cérébrale.* ⇒ **apoplexie.** *Arrêter une hémorragie par un garrot.* **2.** Perte de vies humaines. *L'hémorragie causée par une guerre.* — Perte, fuite. *L'hémorragie des capitaux.* ▶ **hémorragique** adj. ■ *Accidents hémorragiques.* ▶ **hémorroïde** [emɔʀɔid] n. f. ■ Surtout au plur. Varice qui se forme à l'anus et au rectum. *Il a des hémorroïdes très douloureuses.* ▶ **hémorroïdal, ale, aux** adj. ▶ **hémostatique** adj. et n. m. ■ Propre à arrêter les hémorragies. *Pinces hémostatiques.* N. m. *Les hémostatiques* (médicaments).

*****henné** ['ene] n. m. ■ Poudre jaune ou rouge utilisée pour teindre les cheveux ou se farder (surtout dans les pays musulmans). *Shampooing au henné.* — Cette teinture. *Elle s'est fait un henné.*

*****hennin** ['enɛ̃] n. m. ■ Coiffure féminine du xvᵉ siècle, faite d'un bonnet conique très haut et rigide.

*****hennir** ['eniʀ] v. intr. • conjug. 2. ■ Pousser un hennissement. *Les chevaux et les juments hennissent.* ▶ *****hennissant, ante** adj. ■ Qui hennit. ▶ *****hennissement** n. m. ■ Cri spécifique du cheval.

*****hep** ['ɛp, hɛp] interj. ■ Interjection servant à appeler. ⇒ **hé.** *Hep ! vous, là-bas...*

hépat(o)- ■ Élément savant signifiant « foie ». ▶ **hépatique** [epatik] adj. ■ **1.** Qui a rapport au foie. *Canal hépatique. Insuffisance hépatique.* **2.** *Colique hépatique,* crise douloureuse des voies biliaires (et non du foie). **3.** Qui souffre du foie. *Il est hépatique.* — N. *Un, une hépatique.* ▶ **hépatite** n. f. ■ Inflammation du foie. ⇒ **cirrhose, ictère, jaunisse.** *Hépatite virale.*

hepta- ■ Élément savant qui signifie « sept ». ▶ **heptagone** [ɛptagɔn] n. m. ■ Figure géométrique qui a sept angles et sept côtés.

héraldique [eʀaldik] adj. ■ Relatif au blason. *Science héraldique. Pièce, figure héraldique.* — N. f. *L'héraldique,* connaissance des armoiries. ▶ **héraldiste** n. ■ Spécialiste du blason.

*****héraut** ['eʀo] n. m. **1.** HÉRAUT D'ARMES ou *héraut,* au Moyen Âge, officier qui avait pour fonction,

entre autres, de transmettre les messages importants (déclaration de guerre, défi, etc.). **2.** Littér. ⇒ **annonciateur, messager.** *Elle s'est faite le héraut de l'avant-garde littéraire.* ≠ **héros.**

herbacé, ée [ɛʀbase] adj. ■ *Tige herbacée,* tige molle, qui a l'apparence de l'herbe. *Plantes herbacées,* non ligneuses.

herbage [ɛʀbaʒ] n. m. ■ Prairie naturelle dont l'herbe est consommée sur place par le bétail.

herbe [ɛʀb] n. f. **1.** Toute plante de petite taille, non ligneuse, dont les parties aériennes meurent chaque année. *Herbes aquatiques. Herbes médicinales, officinales* (⇒ **herboriste**). — FINES HERBES : herbes aromatiques qui servent à l'assaisonnement. ⇒ **cerfeuil, ciboulette, estragon, persil.** *Omelette aux fines herbes.* **2.** Plante herbacée, graminée sauvage. *Les hautes herbes des savanes. Herbes folles. Une propriété envahie par les herbes.* — MAUVAISE HERBE : herbe qui nuit aux cultures qu'elle envahit. *Enlever, arracher les mauvaises herbes,* désherber. **3.** Sing. collectif. Végétation naturelle de plantes herbacées peu élevées. *Touffe, brin d'herbe. L'herbe des prairies, des prés. Couper de l'herbe pour les lapins. Marcher, se coucher dans l'herbe. Suporter sur l'herbe. Herbe séchée.* ⇒ **foin.** — Loc. *Couper l'herbe sous les pieds de qqn,* le frustrer d'un avantage en le devançant, en le supplantant. **4.** Cette végétation cultivée. *L'herbe des pelouses.* **5.** EN HERBE : se dit des céréales qui, au début de leur croissance sont encore tendres et vertes. *Du blé en herbe.* — Loc. *Manger son blé en herbe,* dépenser un capital avant qu'il n'ait rapporté. — (En parlant d'enfants, de jeunes gens qui ont des dispositions pour qqch.) *Un pianiste en herbe.* ⇒ **futur.** ▶ **herbeux, euse** adj. ■ Où il pousse de l'herbe. *Sentier herbeux.* ▶ **herbier** n. m. ■ Collection de plantes desséchées destinées à l'étude, et conservées aplaties entre des feuillets. *Confectionner un herbier.* ▶ **herbivore** adj. et n. ■ Qui se nourrit d'herbes, de feuilles. *Animal herbivore.* — N. m. pl. *Les herbivores,* les mammifères herbivores (⇒ **ruminant**). *Le bœuf, le mouton, le rhinocéros sont des herbivores.* ▶ **herboriser** v. intr. • conjug. 1. ■ Recueillir des plantes dans la nature pour les étudier, en faire un herbier, ou utiliser leurs vertus médicinales. *Nous avons herborisé dans les prés.* ▶ **herboriste** n. ■ Personne qui vend des plantes médicinales et aussi des articles d'hygiène, de la parfumerie. — En appos. *Pharmacien herboriste.* ▶ **herboristerie** n. f. ■ Commerce, boutique d'herboriste. ⟨ ▶ **désherber, herbacé, herbage** ⟩

hercule [ɛʀkyl] n. m. ■ Homme d'une force physique exceptionnelle. *Il est bâti en hercule.* — *Hercule de foire,* qui fait des tours de force. ⇒ **lutteur.** ▶ **herculéen, éenne** adj. ■ Digne d'Hercule. *Force herculéenne.* ⇒ **colossal.**

hercynien, enne [ɛʀsinjɛ̃, ɛn] adj. ■ Se dit de terrains, de plissements géologiques datant du carbonifère. *Chaîne hercynienne.*

*****hère** ['ɛʀ] n. m. ■ Loc. PAUVRE HÈRE : miséreux qui inspire la pitié.

hérédité [eʀedite] n. f. **I.** Transmission par voie de succession (d'un bien, d'un titre). *L'hérédité de la couronne.* **II. 1.** Transmission des caractères d'un être vivant à ses descendants. *La science de l'hérédité.* ⇒ **génétique.** *Les lois de l'hérédité.* **2.** L'ensemble des caractères que l'on hérite de ses parents, de ses ascendants. *Avoir une lourde hérédité, une hérédité chargée,* une hérédité comportant des tares. *Hérédité maternelle, paternelle.* ▶ **héréditaire** adj. **1.** Relatif à l'hérédité (I). *Droit héréditaire,* droit de recueillir une succession. — Qui se transmet par droit de succession. *Biens héréditaires. Monarchie héréditaire.*

2. Qui se transmet par voie de reproduction, des parents aux descendants (⇒ **hérédité,** II). *Caractères héréditaires.* — *Maladie héréditaire.* ≠ *congénital.* **3.** Hérité des parents, des ancêtres par l'habitude, la tradition. *Ennemi héréditaire.*

hérésie [eʀezi] n. f. **1.** Doctrine, opinion émise au sein de l'Église catholique et condamnée par elle. / contr. **orthodoxie** / *Certaines hérésies peuvent entraîner un schisme.* **2.** Idée, théorie, pratique qui heurte les opinions considérées comme justes et raisonnables. *Une hérésie scientifique, littéraire.* — Par plaisant. *Servir du bourgogne rouge avec le poisson ! Quelle hérésie !* ⇒ **sacrilège.** ▶ *hérétique* [eʀetik] adj. **1.** Dans la religion catholique. Qui soutient une hérésie. — N. *L'Église excommunie les hérétiques.* **2.** Qui est entaché d'hérésie. *Doctrine hérétique.* ⇒ **hétérodoxe.** **3.** Qui soutient une opinion, une doctrine contraire aux idées reçues (par un groupe). ⇒ **dissident.** *Penseur hérétique.*

*hérisser [eʀise] v. tr. ▪ conjug. 1. **I.** V. tr. **1.** Dresser ou faire dresser (les poils, les plumes... des animaux). *Le chat hérisse ses poils. Le froid hérisse les poils du chat.* **2.** HÉRISSER *qqch.* DE : garnir, munir de choses pointues. *Hérisser une grille de pointes de fer.* **3.** Fig. Disposer défavorablement (qqn) en inspirant de la colère, de l'aversion. ⇒ **horripiler, irriter.** *Cela me hérisse.* **II.** SE HÉRISSER v. pron. réfl. **1.** (Suj. poils, plumes...) Se dresser. *Ses cheveux se hérissent sur sa tête.* **2.** (Personnes) Manifester son opposition, sa colère. ⇒ **se fâcher, s'irriter.** *Il se hérisse à la moindre remarque.* ▶ **hérissé, ée* adj. **1.** Dressé. *Cheveux, poils, plumes hérissés.* **2.** HÉRISSÉ DE : muni, garni de (choses dressées, saillantes sur une surface). *Tête hérissée de cheveux roux. Parcours hérissé d'obstacles. Surface hérissée de pointes, de clous.* — Abstrait. ⇒ **surchargé.** *Un problème de géométrie hérissé de difficultés.* ▶ **hérissement* n. m. ⟨ ▶ hérisson ⟩

*hérisson [eʀisɔ̃] n. m. **1.** Petit mammifère au corps recouvert de piquants, qui se nourrit essentiellement d'insectes. *Le hérisson se roule en boule et hérisse ses piquants à l'approche du danger.* ≠ *porc-épic.* **2.** Personne d'un caractère difficile. *C'est un vrai hérisson !*

héritage [eʀitaʒ] n. m. **1.** Patrimoine laissé par une personne décédée et transmis par succession. *Faire un héritage, le recueillir. Un bel héritage.* — *Laisser, transmettre en héritage* (⇒ **legs, testament**). **2.** Ce qui est transmis comme par succession. *L'héritage de croyances, de coutumes, que possède un pays. Un héritage spirituel.*

hériter [eʀite] v. tr. dir. ou indir. (avec la prép. *de*) ▪ conjug. 1. **1.** Recevoir (un bien, un titre) par succession. *Hériter (d') un immeuble, (d') une fortune. Il a hérité de son père une maison. La maison dont il a hérité, qu'il a héritée de son père.* — Sans compl. dir. Recevoir un héritage. *Il a hérité d'un oncle. Depuis qu'il a hérité, il mène grand train.* **2.** HÉRITER DE : recueillir, recevoir (qqch.) par un don. *J'ai hérité d'un beau tapis.* **3.** Avoir par hérédité. *J'ai hérité de ses qualités.* ▶ *héritier, ière* n. **1.** Personne qui doit recevoir ou qui reçoit des biens en héritage. ⇒ **légataire, successeur.** *Héritier direct. L'héritier d'une grande fortune. Un riche héritier, une riche héritière,* fils, fille qui doit hériter d'une grosse fortune. **2.** ⇒ **continuateur, successeur.** *Les héritiers d'une civilisation.* **3.** Fam. Enfant. *Attendre un héritier.* ⟨ ▶ déshériter, héritage ⟩

hermaphrodite [eʀmafʀɔdit] adj. **1.** Se dit d'un être humain anormal qui est doté de caractères des deux sexes. *Statue de dieu hermaphrodite.* — N. *Un hermaphrodite.* ⇒ **androgyne.** **2.** (Végétaux) Qui contient dans une même fleur les organes mâles

(étamines) et femelles (pistil). — (Animal) À la fois mâle et femelle. *L'escargot, la sangsue, le ver de terre sont hermaphrodites.*

① *hermétique* [eʀmetik] adj. ▪ Se dit d'une fermeture aussi parfaite que possible. ⇒ **étanche.** — *Bocal hermétique.* ▶ *hermétiquement* adv. ▪ Par une fermeture hermétique. *Fermer qqch. hermétiquement. Volets hermétiquement clos,* tout à fait clos.

② *hermétique* adj. ▪ Impénétrable, difficile ou impossible à comprendre. ⇒ **obscur.** *Écrivain hermétique. Tenir des propos hermétiques. Un visage strictement hermétique,* sans expression. ⇒ **fermé, impénétrable.** ▶ *hermétisme* n. m. **1.** Littér. Caractère de ce qui est incompréhensible, obscur. **2.** Didact. Doctrines secrètes, hermétiques des alchimistes.

hermine [eʀmin] n. f. **1.** Mammifère carnivore voisin de la belette. *Le pelage de l'hermine est blanc en hiver.* **2.** Fourrure de l'hermine. *Une étole d'hermine.*

*hernie [ˈeʀni] n. f. **1.** Tumeur molle formée par un organe sorti de la cavité qui le contient à l'état normal. *Hernie abdominale* (ou, ellipt, *hernie*). *Elle s'est fait opérer d'une hernie.* **2.** Gonflement localisé (d'une enveloppe qui risque d'éclater : pneu, etc.). *Chambre à air qui a une hernie.* ▶ **herniaire* adj. ▪ *Bandage herniaire,* pour comprimer une hernie (1).

① *héroïne* [eʀɔin] n. f. **1.** Femme qui fait preuve de vertus exceptionnelles, se dévoue à une cause. *Jeanne d'Arc, héroïne nationale française.* ⇒ **héros.** **2.** Principal personnage féminin (d'une œuvre, d'une aventure...). *L'héroïne du film.*

② *héroïne* n. f. ▪ Médicament et stupéfiant dérivé de la morphine. ▶ *héroïnomane* n. et adj. ▪ Intoxiqué(e) par l'héroïne.

héroïque [eʀɔik] adj. **1.** Qui a trait aux héros anciens, à leurs exploits. *Les siècles héroïques. Poésie héroïque.* ⇒ **épique.** — *Temps héroïques,* époque très reculée. — Loc. *Les temps héroïques de (qqch.),* les débuts. *Les temps héroïques du cinéma.* **2.** Qui est digne d'un héros ; qui dénote de l'héroïsme. *Une âme héroïque. Résistance héroïque. Une décision héroïque.* **3.** (Personnes) Qui fait preuve d'héroïsme. ⇒ **brave, courageux.** *Combattants héroïques.* ▶ *héroïquement* adv. ▪ *Se conduire héroïquement.* ▶ *héroïsme* n. m. ▪ Courage propre aux héros. *L'héroïsme d'un martyr, d'un soldat. Actes d'héroïsme.* — Par plaisant. *Vivre avec un homme pareil, c'est de l'héroïsme !*

*héron [ˈeʀɔ̃] n. m. ▪ Grand oiseau échassier à long cou grêle et à très long bec. *Un envol de hérons.*

*héros [ˈeʀo] n. m. invar. **1.** Personnage légendaire auquel on prête un courage et des exploits remarquables. ⇒ **demi-dieu.** *Hercule, héros de la mythologie gréco-latine.* **2.** Celui qui se distingue par ses exploits ou un courage extraordinaire (dans le domaine des armes). ⇒ **brave.** *Il s'est conduit, il est mort en héros. Les héros de la Résistance. Cette femme est un héros.* ⇒ ① **héroïne.** **3.** Tout homme digne de gloire, par son dévouement total à une cause, une œuvre. *Pierre le Grand, héros national russe.* — *Un héros du travail, de la science.* **4.** Personnage principal (d'une œuvre, d'une aventure, etc. ⇒ **héroïne**). *Le héros d'une tragédie. Le héros meurt à la fin du roman. Le triste héros d'un fait divers. Un anti-héros,* un personnage principal très ordinaire. *Le héros de la fête,* celui en l'honneur de qui elle se donne. *Le héros du jour.* ≠ *héraut.* ⟨ ▶ ① héroïne, héroïque ⟩

herpès [eʀpɛs] n. m. invar. ▪ Maladie de peau caractérisée par une éruption de petites vésicules transparentes sur un fond rouge. *Une poussée d'herpès.*

*herse [ɛrs] n. f. **1.** Instrument à dents de fer, qu'on traîne sur une terre labourée pour briser les mottes, enfouir les semences. *Passer la herse sur un champ.* **2.** Grille armée de fortes pointes, à l'entrée d'un château fort. *Abattre, relever la herse.*

*hertz [ɛrts] n. m. invar. ■ Électricité. Unité de fréquence (Symb. *Hz*). ▶ ***hertzien, ienne** [ɛrtsjɛ̃, jɛn] adj. ■ Qui a rapport aux ondes électromagnétiques. *Ondes hertziennes.* ⟨ ▶ mégahertz ⟩

hésiter [ezite] v. intr. ▪ conjug. 1. **1.** Être dans un état d'incertitude, d'irrésolution. ⇒ **tâter**. *Se décider après avoir longtemps hésité. N'hésitez plus, le temps presse. Il n'hésita pas une seconde.* ⇒ **attendre, tergiverser**. *Il n'y a pas à hésiter. J'ai répondu « oui » sans hésiter.* — HÉSITER SUR. *Hésiter sur l'orthographe d'un mot.* HÉSITER ENTRE. ⇒ **osciller**. *Hésiter entre deux solutions.* HÉSITER À (+ infinitif). *Hésiter à aborder qqn, à engager une bataille.* ⇒ **craindre** de. **2.** Marquer de l'indécision (par un temps d'arrêt, un mouvement de recul). *Cheval qui hésite devant l'obstacle.* — *Hésiter en parlant,* par timidité, défaut de mémoire ou d'élocution. ⇒ **balbutier, bégayer, chercher** ses mots. *Elle hésitait en récitant sa leçon.* ▶ **hésitant, ante,** adj. **1.** (Personnes) Qui hésite, a de la peine à se décider. ⇒ **incertain, irrésolu**. *Elle est tout hésitante.* **2.** (Choses) *La victoire demeura longtemps hésitante.* ⇒ **douteux**. **3.** Qui manque d'assurance, de fermeté. *Voix hésitante. Geste, pas hésitant. Réponse hésitante.* ▶ **hésitation** n. f. ■ Fait d'hésiter ; attitude qui en découle. — Loc. *Sans hésitation. Obéir sans hésitation ni murmure.* ⇒ **atermoiement, réticence**. — *Il eut une minute d'hésitation, d'embarras. Il perçut l'hésitation de son interlocuteur.*

hétér(o)- ■ Élément savant signifiant « autre, différent ». / contr. **homo-** / ▶ **hétéroclite** [eterɔklit] adj. ■ Dont les parties sont de différentes sortes et mal assorties. *Un assemblage, un mobilier hétéroclite.* ⇒ **composite, disparate**. — *Des objets hétéroclites, mal assortis, trop variés.* ▶ **hétérodoxe** [eterɔdɔks] adj. **1.** Qui s'écarte du dogme d'une religion. / contr. **orthodoxe** / *Théologien hétérodoxe.* ⇒ **hérétique**. **2.** Qui n'est pas conforme à une opinion reçue, conformiste. *Idées hétérodoxes.* ▶ **hétérodoxie** n. f. ▶ **hétérogène** adj. **1.** Qui est composé d'éléments de nature différente. *Roche hétérogène* **2.** Qui n'a pas d'unité. ⇒ **composite, disparate, divers, héréroclite**. — REM. *Hétérogène* ne contient pas de nuance péjorative, à la différence d'*hétéroclite*. *Nation hétérogène.* / contr. **homogène** / ▶ **hétérogénéité** n. f. ▶ **hétérosexuel, elle** [eterɔsɛksɥɛl] adj. ■ Qui caractérise l'attirance sexuelle entre individus de sexes opposés. *Couple hétérosexuel.* / contr. **homosexuel** / ▶ **hétérosexualité** n. f.

*hêtre [ɛtr] n. m. ■ Arbre forestier de grande taille, à écorce lisse gris clair, à feuilles ovales. — Son bois. *Meuble en hêtre.* ▶ ***hêtraie** [ɛtrɛ] n. f. ■ Lieu planté de hêtres.

*heu [ø] interj. ■ Interjection qui marque l'embarras, la difficulté à trouver ses mots. « *Comment s'appelle-t-il, au fait ? — Heu... Attends... »*

heure [œr] n. f. **1.** Espace de temps égal à la vingt-quatrième partie du jour solaire. *L'heure est subdivisée en 60 minutes. Dans (les) vingt-quatre heures (un jour), quarante-huit heures (deux jours). Relatif à l'heure.* ⇒ **horaire**. — HEURE DE : heure consacrée à, occupée par. *J'ai une heure de liberté devant moi. Une heure de trajet (un trajet d'une heure). Journée de huit heures, semaine de trente-neuf heures (de travail). Plusieurs fois par heure.* — *Faire cent kilomètres à l'heure, du cent à l'heure.* — *Ouvrier payé à l'heure* (par opposition à *payé à la semaine, au*

mois). Il touche trente francs (de) l'heure, par heure. Loc. fam. *S'embêter à cent sous de l'heure,* au plus haut point. — *Une bonne heure,* un peu plus d'une heure. *Trois bons quarts d'heure. Voilà une heure qu'on t'attend !* **2.** Chiffre indiquant (sur une horloge) l'une des 24 divisions du jour solaire (Abrév. *h*). *L'heure locale* (différente d'un méridien à l'autre). *L'heure légale,* déterminée par le gouvernement de chaque pays. *L'heure d'été, l'heure d'hiver.* ⇒ **minuit**, *12 heures.* ⇒ **midi**. *15 heures ou 3 heures de l'après-midi. 7 heures du matin. 7 heures du soir.* — *Pouvez-vous me dire l'heure, me donner l'heure ? Quelle heure est-il ? Il est huit heures passées,* plus de huit heures. *Trois heures dix ; trois heures moins vingt* (minutes). Loc. fam. *Je ne te demande pas l'heure qu'il est !,* je ne m'adresse pas à toi, mêle-toi de tes affaires. — *À cinq heures juste, pile, tapant(es).* — Ellipt. *De deux à trois, de cinq à sept* (heures). — *L'horloge sonne les heures. Trois heures ont sonné.* **3.** L'HEURE : l'heure fixée, prévue. *Commencer avant l'heure. Arriver après l'heure.* ÊTRE À L'HEURE : être exact, ponctuel. *N'avoir pas d'heure,* pas d'horaire régulier. **4.** Moment de la journée, selon son emploi ou l'aspect sous lequel il est considéré. *Aux heures des repas. Heures d'affluence. Une heure indue, avancée* ⇒ **tard**. *C'est l'heure de se lever, d'aller se coucher. À la première heure,* de très bon matin. *Les combattants de la première heure,* les premiers à avoir combattu. *Les nouvelles de (la) dernière heure,* celles qui précèdent la mise sous presse. — (Avec un possessif) Moment habituel ou agréable à qqn pour faire telle ou telle chose. *Ce doit être lui qui téléphone, c'est son heure. Il est poète à ses heures,* quand ça lui plaît. — À LA BONNE HEURE loc. adv. (marquant l'approbation) : c'est parfait. *À la bonne heure, je vois que nous sommes d'accord.* **5.** Moment de la vie d'un individu ou d'une société. ⇒ **époque, instant, temps**. *Il avait connu des heures agréables. À l'heure du danger.* — *L'heure suprême, dernière,* les derniers instants d'une vie. *Sa dernière heure,* (ellipt) *son heure est venue, a sonné,* il va bientôt mourir. — (Avec un possessif) Moment particulier de la vie, qui en modifie le cours. *Il aura son heure. Son heure viendra* (en bonne ou mauvaise part). ⇒ **tour**. *Avoir son heure de gloire, de célébrité.* — L'HEURE : l'heure actuelle. *L'heure est grave.* ⇒ **circonstance**. *Les difficultés, les problèmes de l'heure.* ⇒ **actuel**. *L'heure H,* l'heure prévue pour l'attaque, l'heure de la décision. **6.** Loc. À CETTE HEURE [astœr] (vieilli ou rural) : maintenant, présentement. — À L'HEURE QU'IL EST : à l'heure actuelle. *À l'heure qu'il est, il doit être loin.* — À TOUTE HEURE : à tout moment de la journée. ⇒ **continuellement**. *Brasserie ouverte à toute heure.* — POUR L'HEURE : pour le moment. *Pour l'heure, je ne peux rien faire.* — SUR L'HEURE : sur-le-champ. ⇒ **immédiatement**. *Veuillez obéir sur l'heure.* — TOUT À L'HEURE : dans un moment. *Je le verrai tout à l'heure.* — Il y a très peu de temps. *Je l'ai vu tout à l'heure.* — D'HEURE EN HEURE : au fur et à mesure que les heures s'écoulent. *La situation s'aggrave d'heure en heure.* — D'UNE HEURE À L'AUTRE : en l'espace d'une heure, d'un moment à l'autre. *L'orage peut éclater d'une heure à l'autre.* — DE BONNE HEURE : à une heure matinale ⇒ **tôt**, ou en avance. *Se lever de bonne heure. De très bonne heure. Les cerises ont été mûres de bonne heure,* précocement. ⟨ ▶ demi-heure, kilowatt-heure, watt-heure ⟩

heureux, euse [œrø, øz] adj. **I. 1.** (Personnes) Qui bénéficie d'une chance favorable, que le sort favorise. ⇒ **chanceux, veinard**. *Être heureux au jeu, en affaires. S'estimer heureux de* (+ infinitif), estimer qu'on a de la chance de, que (+ subjonctif). *Estimez-vous heureux d'être encore en vie ! Estime-toi heureux qu'on t'ait mis la moyenne !* — Ellipt.

(Politesse) *Trop heureux si je peux vous être utile.*
2. (Choses) Favorable. *Heureux hasard. Un coup heureux. Une heureuse issue, un heureux résultat.* ⇒ **avantageux, beau.** — *Que le succès accompagne. Heureuse initiative.* — Impers. *C'est heureux pour vous,* c'est une chance pour vous. Iron. *Vous en convenez, c'est heureux !* Ellipt. *Encore heureux qu'il soit là !* **3.** Qui marque une disposition favorable de la nature. *Heureux caractère.* ⇒ **bon.** *Heureuse nature,* portée à l'optimisme. **4.** Domaine esthétique. Dont l'habileté semble due à la chance ; bien trouvé. ⇒ **réussi.** *Expression, formule heureuse. Un heureux choix de couleurs.* **II.** **1.** (Personnes) Qui jouit du bonheur. *Elle a tout pour être heureuse. Il était heureux comme un roi, comme un poisson dans l'eau,* très heureux. — Exclam. *Heureux celui qui... !* ⇒ **bienheureux.** — *Heureux de.* ⇒ **content, satisfait.** *Je suis très heureux de votre succès.* — Ellipt. *Très heureux de vous connaître !* ⇒ **charmé, enchanté, ravi.** — N. *Faire un heureux, des heureux,* faire le bonheur de qqn, de quelques personnes. **2.** Qui exprime le bonheur. *Un air heureux.* ⇒ **radieux. 3.** (Choses) Marqué par le bonheur. *Vie heureuse. Bonne et heureuse année !* / contr. **malheureux /** ▶ **heureusement** adv. **1.** D'une manière heureuse, avantageuse. *Terminer heureusement une affaire,* avec succès. **2.** D'une manière esthétiquement heureuse. *Cela est heureusement exprimé.* **3.** Par une heureuse chance, par bonheur (→ Dieu merci ; grâce à Dieu). *Heureusement, il est indemne.* — Ellipt. *Heureusement pour moi,* c'est heureux pour moi. / contr. **malheureusement** / *Heureusement qu'il était là !* ⟨ ▶ bienheureux, malheureux ⟩

*heurt ['œʀ] n. m. **1.** Action de heurter ; son résultat. ⇒ **choc, coup.** *Déplacer sans heurt un objet fragile. Le heurt du marteau sur la cloison.* **2.** Abstrait. Opposition brutale, choc résultant d'un désaccord, d'une dispute. ⇒ **friction, froissement.** *Leur collaboration ne va pas sans quelques heurts.* ▶ ***heurter** ['œʀte] v. . conjug. 1. **I.** V. tr. dir. **1.** Toucher rudement, en entrant brusquement en contact avec. ⇒ **cogner.** *Un passant m'a heurté du coude. Un autocar a heurté l'arbre.* ⇒ **emboutir, tamponner.** — Faire entrer brutalement en contact. *Heurter son front, sa tête contre qqch., à qqch.* **2.** Abstrait. Contrecarrer (qqn) d'une façon qui choque et provoque une résistance. ⇒ **blesser, froisser, offenser.** *Heurter de front qqn, ses sentiments, ses idées. Heurter les intérêts, les préjugés, l'opinion.* **II.** V. tr. indir. Vx. HEURTER À : frapper avec intention à. *Heurter à la porte, à la vitre.* **III.** V. tr. indir. **A heurté du front contre la vitre,** il a heurté son front contre la vitre. **IV.** SE HEURTER v. pron. **1.** (Réfl.) ⇒ se **cogner.** *Se heurter à, contre qqch.* (de concret). — Rencontrer un obstacle d'ordre humain, moral. *Se heurter à un refus, à une résistance inattendue.* **2.** (Récipr.) Se cogner l'un l'autre. *Les deux motos se sont heurtées de plein fouet.* — (Personnes) Entrer en conflit. ⇒ s'**accrocher,** s'**affronter.** *Étant si différents, ils ne peuvent que se heurter.* — (Choses) Faire un violent contraste. *Couleurs qui se heurtent.* ▶ ***heurté, ée** adj. ■ Qui est fait de contrastes trop appuyés. / contr. **fondu /** *Tons, contours heurtés.* — *Style heurté.* ⇒ **abrupt.** ▶ ***heurtoir** n. m. ■ Marteau adapté à la porte d'entrée d'une maison, dont on se sert pour frapper.

hévéa [evea] n. m. ■ Grand arbre des régions chaudes, cultivé pour son latex. *Des hévéas productifs.*

hexa- ■ Préfixe savant signifiant « six ». ▶ **hexagone** [ɛgzagɔn] n. m. ■ Polygone à six côtés. — *L'Hexagone,* la France (à cause de la forme de sa carte). ▶ **hexagonal, ale, aux** adj. ■ *Figure hexagonale.* ▶ **hexamètre** adj. et n. m. ■ Qui a six

pieds ou six syllabes. *Vers hexamètre.* — N. m. *Un hexamètre.* ▶ **hexapode** adj. et n. m. ■ (Insectes) Qui a six pattes.

*hi ['i, hi] interj. ■ Onomatopée qui, répétée, figure le rire ⇒ **ha,** et, parfois, les pleurs.

hiatus [jatys] n. m. invar. ■ Rencontre de deux voyelles prononcées, soit à l'intérieur d'un mot (ex : *aérer, géant*), soit entre deux mots énoncés sans pause (ex. : *il a été*). *L'hiatus.*

hibernation [ibɛrnasjɔ̃] n. f. ■ État de vie ralentie, engourdissement que subissent certains mammifères sous l'action du froid hivernal. — Fig. Inertie. *Être en état d'hibernation intellectuelle.* ▶ **hiberner** v. intr. . conjug. 1. ■ Passer l'hiver dans un état d'hibernation. *Le loir hiberne.* ≠ **hiverner.** ▶ **hibernant, ante** adj. ■ *Animaux hibernants,* chauve-souris, marmotte, loir, hérisson...

*hibou ['ibu] n. m. ■ Oiseau rapace nocturne, à la face ronde et aplatie, portant des aigrettes. ⇒ ② **grand-duc.** *Les hiboux hululent.*

*hic ['ik] n. m. ■ Fam. Point difficile, délicat. *Le hic, c'est qu'il ne sait pas nager. Il y a un hic. Voilà le hic ; c'est bien là le hic.*

hidalgo [idalgo] n. m. ■ Vx. Noble espagnol. *De pauvres hidalgos.*

*hideux ['idø, øz] adj. ■ D'une laideur repoussante, horrible. *Un visage hideux. Une chose hideuse à voir.* ⇒ **ignoble, répugnant.** *Un crime hideux.* ⇒ **abject, ignoble.** ▶ ***hideur** n. f. ■ Ignoble laideur. *La hideur de ces lieux misérables.* ▶ ***hideusement** adv.

hier [(i)jɛʀ] adv. **1.** Le jour qui précède immédiatement celui où l'on est. *Hier, aujourd'hui et demain. Hier matin, hier (au) soir. Il est arrivé d'hier au soir.* — N. m. *Vous aviez hier tout entier pour vous décider.* **2.** Dans un passé récent, à une date récente. *Ça ne date pas d'hier ! Je m'en souviens comme si c'était hier,* très bien. — Loc. fam. *N'être pas né d'hier,* avoir de l'expérience. ⟨ ▶ avant-hier ⟩

hiér(o)- ■ Élément savant signifiant « sacré ». ⟨ ▶ hiérarchie, hiératique, hiéroglyphe ⟩

*hiérarchie ['jeʀaʀʃi] n. f. **1.** Organisation sociale fondée sur des rapports de subordination entre chacun des membres du groupe (selon ses pouvoirs, sa situation). ⇒ **ordre.** *Les degrés, les échelons de la hiérarchie. Être au sommet de la hiérarchie,* être le chef. **2.** Organisation d'un ensemble en une série où chaque terme est supérieur au terme suivant. ⇒ **classement, classification, ordre.** *Une hiérarchie de valeurs. Hiérarchie morale, intellectuelle.* ▶ ***hiérarchique** adj. ■ Relatif à la hiérarchie. *Degré hiérarchique. Adressez-vous à vos supérieurs hiérarchiques. Suivre la voie hiérarchique.* ▶ ***hiérarchiquement** adv. ▶ ***hiérarchiser** v. tr. . conjug. 1. ■ Organiser, régler selon une hiérarchie, d'après un ordre hiérarchique. *Société fortement hiérarchisée.* ▶ ***hiérarchisation** n. f.

hiératique [jeʀatik] adj. ■ Dont la majesté semble réglée, imposée par un rite, un cérémonial, une tradition. ⇒ **solennel.** *Attitude, gestes hiératiques.* ▶ **hiératisme** n. m. ■ Littér. Caractère hiératique. *L'hiératisme de son attitude.*

hiéroglyphe [jeʀɔglif] n. m. ■ REM. L'usage actuel a tendance à prononcer le *h* « aspiré ». **1.** Caractère, signe des plus anciennes écritures égyptiennes. *Les hiéroglyphes peuvent avoir une valeur figurative, idéographique ou phonétique.* **2.** Au plur. Fam. Écriture difficile à lire. *Les hiéroglyphes d'une ordonnance médicale.*

*hi-fi [ifi] adj. invar. et n. f. sing. ■ Anglic. Haute-fidélité. *Des chaînes hi-fi.* — *La hi-fi.*

*hi-han [iᾶ] interj. ■ Onomatopée exprimant le cri de l'âne. — N. m. *Âne qui pousse des hi-hans.* ⇒ **braire.**

hilare [ilaʀ] adj. ■ Qui est dans un état de gaieté extrême. *Public hilare.* — *Face, visage hilare.* ⇒ **réjoui.** ▸ **hilarant, ante** adj. ■ Qui fait rire. *Une histoire hilarante.* ▸ **hilarité** n. f. ■ Brusque accès de gaieté ; explosion de rires. *Déchaîner, déclencher l'hilarité générale.*

hindou, oue [ɛ̃du] adj. et n. ■ De l'Inde comme civilisation du brahmanisme (⇒ ① **indien**). *Les castes de la société hindoue.* — N. *Un Hindou. Une Hindoue. Des Hindous.* ▸ **hindouisme** n. m. ■ Religion majoritaire de l'Inde. ⇒ **brahmanisme.** ▸ **hindouiste** adj. et n.

*hippie ou ***hippy** [ipi] n. et adj. ■ Anglic. Se dit de jeunes gens qui rejettent la société de consommation et tentent de mettre en pratique la liberté des mœurs et la non-violence. *Les hippies.*

hipp(o)- ■ Élément signifiant « cheval ». ≠ *hyp(o)-.* ▸ **hippique** [ipik] adj. ■ Qui a rapport au cheval, à l'équitation. *Concours hippique. Sport hippique.* ⇒ **équestre.** ▸ **hippisme** n. m. ■ Ensemble des sports hippiques. *Amateur d'hippisme.* ⇒ **équitation.** ▸ **hippocampe** [ipɔkᾶp] n. m. ■ Petit poisson de mer qui nage en position verticale et dont la tête rabattue contre la gorge rappelle celle d'un cheval. ▸ **hippodrome** n. m. ■ Terrain de sport hippique ; champ de courses. *Les tribunes d'un hippodrome.* ▸ **hippopotame** n. m. ■ Gros mammifère amphibie, massif et trapu, dont chaque membre est pourvu de quatre petits sabots. *L'hippopotame vit en Afrique.* — Abrév. *hippo,* n. m. — Fam. Personne énorme.

hirondelle [iʀɔ̃dɛl] n. f. **1.** Oiseau migrateur noir et blanc, aux ailes fines et longues, à la queue fourchue. ⇒ **martinet.** — PROV. *Une hirondelle ne fait pas le printemps,* un seul exemple ne permet pas de tirer une conclusion générale. **2.** *Hirondelle de mer,* oiseau palmipède de la famille des mouettes. **3.** NID D'HIRONDELLE : nid d'une espèce d'hirondelle dont on fait un mets très apprécié en Extrême-Orient. *Potage aux nids d'hirondelle.*

*hirsute [iʀsyt] adj. ■ (Cheveux, barbe) En désordre. ⇒ **ébouriffé.** *Chevelure hirsute.* — Qui a les cheveux hirsutes. *Tête hirsute. Un gamin hirsute.*

hispan(o)- ■ Élément signifiant « espagnol ». ▸ **hispanique** [ispanik] adj. ■ Qui a trait à l'Espagne, aux Espagnols. *Institut d'études hispaniques.* ▸ **hispanisme** n. m. ■ Façon d'exprimer propre à la langue espagnole.

*hisser [ise] v. tr. - conjug. 1. **1.** Élever, faire monter au moyen de cordages, de cordes. *Hisser un mât, un pavillon. Hisser les couleurs.* **2.** Tirer en haut et avec effort. ⇒ **élever.** *Hisser un fardeau au moyen d'une grue.* **3.** SE HISSER v. pron. réfl. : s'élever avec effort. ⇒ **grimper, monter.** *Elle s'est hissée sur le mur. Je me hisse sur la pointe des pieds.* ⇒ se **hausser.** ▸ *oh*

*hisse [ois] interj. ■ Interjection qui accompagne un effort collectif, rythmé pour hisser, tirer. *Allez, tous ensemble ! Oh ! Hisse !*

hist(o)- ■ Biologie. Élément signifiant « tissu vivant ». ⇒ **histologie.**

histoire [istwaʀ] n. f. **I.** L'HISTOIRE. **1.** Connaissance et récit des événements du passé (relatifs à l'évolution de l'humanité, d'un groupe, d'un homme) jugés dignes de mémoire ; les faits ainsi relatés. *L'histoire de France. L'histoire ancienne, contemporaine. L'histoire d'un grand homme.* ⇒ **biographie,** *vie. L'histoire politique. L'histoire de l'art, de la littérature, des sciences.* — *Histoire sainte,* les récits de la Bible. — *La petite histoire,* les anecdotes qui se rattachent à une période historique. **2.** Étude scientifique d'une évolution. *L'histoire du globe. L'histoire d'un mot.* **3.** Sans compl. Méthode scientifique permettant d'acquérir et de transmettre la connaissance du passé. *Les sources, les documents de l'histoire. Faire de l'histoire. Professeur d'histoire.* **4.** La mémoire des hommes, le jugement de la postérité. *Il laissera son nom dans l'histoire. L'histoire jugera, dira s'il a eu raison d'agir ainsi.* — *La vérité historique. Récit conforme à l'histoire.* **5.** La suite des événements qu'étudie l'histoire (⇒ **passé**). *Au cours de l'histoire. Le cours, la marche de l'histoire. L'histoire s'accélère. Le sens de l'histoire.* **6.** La partie du passé de l'humanité connue par des documents écrits (par opposition à *la préhistoire*). *L'histoire a-t-elle commencé à Sumer ?* **7.** Livre d'histoire. *Acheter une histoire de France.* — *As-tu appris ton histoire ?* **II.** HISTOIRE NATURELLE : ancienne désignation des sciences naturelles. ⇒ **science. III.** UNE, DES HISTOIRE(S). **1.** Récit d'actions, d'événements réels ou imaginaires. ⇒ **anecdote.** *Raconter une, des histoires. Histoire vraie.* / contr. **légende** / *Une belle histoire. La morale de cette histoire. Une histoire qui finit bien, qui finit mal. Bonne histoire* (ellipt et fam. *une bien bonne*), anecdote comique. **2.** Histoire inventée, invraisemblable ou destinée à tromper, à mystifier. ⇒ **conte, fable, mensonge.** *Tout ça, ce sont des histoires.* ⇒ **baliverne, blague.** *Raconter des histoires, des mensonges.* **3.** Suite, succession d'événements. ⇒ **affaire.** *Oubliez cette histoire. C'est une tout autre histoire. Il m'est arrivé une drôle d'histoire.* ⇒ **aventure.** *C'est toujours la même histoire,* les mêmes choses se reproduisent, les mêmes ennuis se répètent. **4.** Succession d'événements compliqués, malencontreux. *Se fourrer dans une sale histoire. Il va s'attirer des histoires.* ⇒ **ennui(s).** — *Allons, pas d'histoires ! Faire des histoires pour rien.* ⇒ **embarras, façon(s), manière(s).** *Pour le faire manger, c'est toute une histoire, c'est très compliqué.* — Loc. fam. HISTOIRE DE (+ infinitif) : marque le but, l'intention. ⇒ **pour.** *Histoire de voir. Il a dit cela histoire de rire.* **5.** Fam. Chose, objet quelconque. *Qu'est-ce que c'est que cette histoire-là ?* ⇒ **affaire.** ⟨ ▸ **histor-, préhistoire** ⟩

histologie [istɔlɔʒi] n. f. ■ Partie de l'anatomie qui traite des tissus organiques. ▸ **histologique** adj.

histor- ■ Élément qui signifie « histoire » (et qui prend aussi la forme *historio-*). ▸ **historicité** [istɔʀisite] n. f. ■ Caractère de ce qui est historique (2). *Une preuve d'historicité.* ⇒ **authenticité.** ▸ **historié, ée** adj. ■ Décoré de scènes à personnages. *Chapiteaux romans historiés.* ▸ **historien, ienne** n. ■ Spécialiste de l'histoire ; auteur de travaux historiques. ⇒ **chroniqueur, historiographe, mémorialiste.** *Les historiens du nazisme. Un historien du cinéma.* ▸ **historiette** n. f. ■ Récit d'une petite aventure, d'événements de peu d'importance. ⇒ **anecdote, conte, nouvelle.** *Recueil d'historiettes amusantes.* ▸ **historiographe** n. m. ■ Écrivain chargé officiellement d'écrire l'histoire de son temps. *Racine, Boileau, historiographes de Louis XIV.* ▸ **historique** adj. et n. m. **1.** Qui a rapport à l'histoire. *Ouvrage historique. L'exposé historique d'une question. Documents historiques.* — Qui utilise la méthode historique. *Grammaire historique.* **2.** (Opposé à *légendaire*) Réel, vrai. *Personnage historique.* — *Roman historique,* dont le sujet est emprunté partiellement à l'histoire. **3.** Qui est ou mérite d'être conservé par l'histoire. *Événement historique. Nous vivons des circonstances historiques. Mots historiques.* — *Monument historique,* présentant un intérêt historique et artistique, et protégé par l'État. **4.** N. m. Exposé chronologique des faits. *Faire l'historique d'une question, d'une affaire.* ▶ **historiquement** adv. ■ *Fait historiquement exact.* ⟨▶ préhistorique⟩

histrion [istʀijɔ̃] n. m. ■ Péj. et littér. Comédien.

hitlérien, ienne [itleʀjɛ̃, jɛn] adj. ■ Qui a rapport à Hitler. ⇒ **national-socialiste, nazi.** *Jeunesses hitlériennes.*

hiver [ivɛʀ] n. m. ■ Saison qui succède à l'automne et précède le printemps et qui, dans l'hémisphère Nord, commence au *solstice d'hiver* (21 ou 22 décembre) et s'achève à l'équinoxe de printemps (20 ou 21 mars). *Hiver rigoureux, rude. Longues soirées d'hiver. En hiver, l'hiver, la route est bloquée.* — SPORTS D'HIVER : qui se pratiquent sur la neige, la glace (ski, luge, patinage, bobsleigh, etc.). — Loc. *Été comme hiver,* en toutes saisons. ▶ *hivernal, ale, aux* adj. ■ Propre à l'hiver, de l'hiver. *Froid hivernal.* ▶ **hiverner** v. intr. ▪ conjug. 1. ≠ *hiberner.* **1.** (Navires, troupes) Passer l'hiver à l'abri ou (animaux) dans un lieu tempéré. *Le bétail hiverne à l'étable.* **2.** (Personnes) Passer l'hiver en un endroit. *Hiverner à Cannes.* ▶ **hivernage** n. m. **1.** Temps de la mauvaise saison que les navires passent à l'abri, au repos ; cet abri. *L'hivernage d'une expédition polaire.* **2.** Séjour des bestiaux à l'étable pendant l'hiver. **3.** En Afrique. Saison des pluies (correspondant à l'été des climats tempérés). ▶ *hivernant, ante* ■ Personne qui séjourne dans un lieu pendant l'hiver (opposé à *estivant*). *Les hivernants ont été nombreux cette année sur la Côte d'Azur.* ⟨▶ hiberner⟩

***H.L.M.** [aʃɛlɛm] n. m. invar. ■ (Sigle de *habitation à loyer modéré*) Grand immeuble construit par une collectivité et affecté aux foyers qui ont de petits revenus. — En appos. *Une cité H.L.M.*

***ho** [ˈo, ho] interj. ■ Interjection servant à appeler. ⇒ **eh, hé.** *Ho ! toi ! viens ici !* — Vx. Servant à exprimer l'étonnement, l'indignation. ⇒ **oh.** ≠ ô. ⟨▶ holà⟩

***hobby** [ˈɔbi] n. m. ■ Anglic. Passe-temps, activité de loisir. ⇒ **violon** d'Ingres. *Des hobbies.*

***hobereau** [ˈɔbʀo] n. m. ■ Gentilhomme campagnard de petite noblesse, qui vit sur ses terres.

***hocher** [ˈɔʃe] v. tr. ▪ conjug. 1. ■ Loc. HOCHER LA TÊTE : la secouer (de haut en bas pour signifier « oui », de droite à gauche pour signifier « non »). *Je hochai la tête en signe de dénégation.* ▶ *hochement* n. m. ▶ ***hochet** [ˈɔʃɛ] n. m. ■ Jouet de bébé formé d'un manche et d'une partie qui fait du bruit quand on la secoue.

***hockey** [ˈɔkɛ] n. m. ■ Sport d'équipe qui consiste à faire passer une balle entre deux poteaux (buts) au moyen d'une crosse. *Hockey sur gazon. Hockey en salle. Match de hockey.* — *Hockey sur glace,* joué avec un palet par deux équipes chaussées de patins à glace. ▶ ***hockeyeur, euse** [ˈɔkɛjœʀ, øz] n. ■ Joueur (euse) de hockey.

***holà** [ˈɔla ; hɔla] interj. et n. m. **1.** Interj. Sert à appeler ; sert à modérer, à arrêter. ⇒ **assez, doucement.** *Holà ! Du calme !* ⇒ **hé. 2.** N. m. Loc. METTRE LE HOLÀ À : mettre fin, bon ordre à. *Mettre le holà à des dépenses excessives.*

***hold-up** [ˈɔldœp] n. m. invar. ■ Anglic. Attaque à main armée dans un lieu public, pour effectuer un cambriolage. *Le hold-up d'une banque, d'un fourgon postal. Des hold-up sanglants.*

***hollandais, aise** [ˈɔllɑ̃dɛ, ɛz] adj. et n. ■ De Hollande, des Pays-Bas. ⇒ **néerlandais.** — N. *Les Hollandais.*

***hollande** [ˈɔllɑ̃d] n. m. **1.** Fromage de Hollande, à croûte rouge, à pâte dure. **2.** Papier de luxe.

holocauste [ɔlɔkost] n. m. **1.** Sacrifice total, à caractère religieux ou non. *Victime brûlée en holocauste.* — Loc. Littér. *S'offrir en holocauste (à la patrie, à une cause...),* se sacrifier totalement. **2.** Extermination (d'un peuple). ⇒ **génocide.**

holographie [ɔlɔgʀafi] n. f. ■ Procédé photographique qui restitue le relief des objets, grâce à un faisceau laser. ▶ **hologramme** n. m. ■ Image obtenue par le procédé de l'holographie. *Une exposition d'hologrammes.*

***homard** [ˈɔmaʀ] n. m. ■ Grand crustacé marin, aux pattes antérieures armées de grosses pinces. ≠ *langouste.* — Loc. fam. *Être rouge comme un homard,* très rouge, comme l'est un homard après la cuisson.

***home** [ˈom] n. m. Anglic. **1.** Le foyer, le logis. *Enfin ! je retrouve mon home !,* mon chez-moi. **2.** HOME D'ENFANTS : centre d'accueil pour enfants.

homélie [ɔmeli] n. f. ■ Littér. Discours moralisateur. ⇒ **sermon.** *Subir des homélies continuelles.*

homéo- ■ Élément qui signifie « semblable, de même ». ⇒ **homo-.** ▶ **homéopathie** [ɔmeɔpati] n. f. ■ Méthode thérapeutique qui consiste à administrer à doses minuscules des remèdes capables, à doses plus élevées, de produire des symptômes semblables à ceux de la maladie à combattre. ▶ **homéopathe** n. ■ Médecin qui pratique l'homéopathie. — Adj. *Médecin homéopathe.* ▶ **homéopathique** adj. ■ *Pharmacie, traitement homéopathique.* — *À dose homéopathique,* à très petite dose. ▶ **homéostasie** n. f. ■ Biologie. Réglage des constantes physiologiques d'un organisme.

homérique [ɔmeʀik] adj. **1.** Qui a rapport à Homère. *Poèmes homériques.* **2.** Qui a un caractère épique, spectaculaire. *Personnage homérique. Lutte homérique.* — Loc. *Rire homérique,* fou rire bruyant.

homicide n. m. **1.** N. m. Action de tuer un être humain. *Commettre un homicide involontaire, par imprudence. Être accusé d'homicide volontaire.* ⇒ **assassinat, crime, meurtre. 2.** Adj. Qui cause la mort d'une ou de plusieurs personnes. ⇒ **meurtrier.** *Folie, guerre homicide. Personne homicide.*

hominiens [ɔminjɛ̃] n. m. pl. ■ Famille de primates qui comprend l'homme actuel et toutes les espèces fossiles considérées comme des ancêtres de notre espèce. ⇒ **homo sapiens.** — Au sing. *Le pithécanthrope est un hominien.*

hommage [ɔmaʒ] n. m. **1.** Acte de courtoisie, preuve de dévouement d'un homme à une femme. *Recevoir l'hommage de nombreux admirateurs. Elle est sensible aux hommages.* ⇒ **compliment, flatterie.** — Au plur. (Formule de politesse) ⇒ **civilité.** *Présenter ses hommages. Daignez agréer, Madame, mes respectueux hommages.* Ellipt. *Mes hommages, Madame.* **2.** Marque de vénération. ⇒ **culte.** *Rendre hommage à Dieu ; à qqn.* ⇒ **honorer.** *Rendre hommage au talent, au courage, à la loyauté de qqn. Rendre un dernier hommage (à un défunt).* — EN HOMMAGE : en signe d'hommage. **3.** Vx. Don respectueux. *L'auteur m'a fait l'hommage de son livre,* m'en a offert un exemplaire.

hommasse [ɔmas] adj. ■ Péj. (Femme) Qui ressemble à un homme par la carrure, les manières. ⇒ **masculin.** *Elle est un peu hommasse.*

homme [ɔm] n. m. **I.** Être appartenant à l'espèce animale la plus évoluée de la Terre, mammifère de la famille des hominiens, seul représentant de son espèce, vivant en société, caractérisé par une intelligence développée et un langage articulé. — REM. Dans ce sens, *homme* désigne les hommes (II) et les femmes, mais ne se dit pas en parlant seulement des femmes. *Les hommes.* ⇒ **humanité.** *Les droits de l'homme. L'homme est un « animal raisonnable ». Les dieux et les hommes.* ⇒ **créature, mortel.** — *Le fils de Dieu fait homme, le Fils de l'homme,* le Christ. *Être digne du nom d'homme,* en avoir les vertus. *Ce n'est qu'un homme* (avec toutes ses faiblesses). **II.** Être humain mâle. *Les hommes et les femmes.* **1.** Être humain mâle et adulte. *Comment s'appelle cet homme ?* ⇒ **individu, monsieur.** *Parvenir à l'âge d'homme. Vieil homme.* ⇒ **vieillard, vieux.** *Une voix d'homme. Vêtements d'homme.* ⇒ **masculin.** *À quinze ans il était déjà un homme. Il se fait homme. Homme à femmes.* ⇒ **don Juan, séducteur.** *Homme marié* ⇒ **époux, mari,** *qui a des enfants* ⇒ **père.** — HOMME DE. *Homme d'action. Homme de bien. Homme de génie.* — (Condition) *Homme du monde. Homme du peuple.* — (Collectif) *L'homme de la rue,* l'homme moyen quelconque. *L'homme du jour,* celui dont on parle actuellement. — (Profession) *Homme d'État. Homme de loi. Homme d'affaires. Homme de lettres. Homme de science,* savant, chercheur. *Homme de peine.* — Loc. ÊTRE HOMME À (+ infinitif) : être capable de. *Il n'est pas homme à tenir ses promesses.* — (Précédé d'un possessif) *L'homme qui convient,* dont on a besoin. *Le parti a trouvé son homme. Voilà mon homme. Je suis votre homme. Être l'homme de qqch.,* qui convient à (qqch.). *C'est l'homme de la situation.* — D'HOMME À HOMME : directement, en toute franchise et sans intermédiaire. **2.** L'homme considéré quant aux qualités attribuées ou propres à son sexe. *Ose le répéter si tu es un homme ! Parole d'homme. Ne pleure pas, sois un homme !* — (Quant à sa virilité) *Les eunuques ne sont pas des hommes.* — Fam. *C'est mon homme,* mon mari, mon amant. **III.** Individu dépendant d'une autorité (civile ou militaire). *Il y avait trente mille hommes en ligne.* ⇒ **soldat.** *Le chef de chantier et ses hommes.* ⇒ **ouvrier.** — Loc. COMME UN SEUL HOMME : avec un ensemble parfait. *Ils ont agi comme un seul homme.* **IV.** JEUNE HOMME. **1.** Homme jeune. *Il n'a plus des jambes de jeune homme.* **2.** Garçon pubère, homme jeune célibataire (plur. *jeunes gens*). ⇒ **adolescent, garçon, gars.** *Un jeune homme et une jeune fille* (on dit globalement *des jeunes gens). Un tout jeune homme,* qui sort à peine de l'enfance. *Un grand jeune homme.* — Pop. *Votre jeune homme.* — Fam. Petit garçon. *Bonjour, jeune homme ! Que veut ce jeune homme ?* ▶ **homme-grenouille** n. m. ■ Plongeur muni d'un scaphandre autonome, qui travaille sous l'eau. *Des hommes-grenouilles.* ▶ **homme-orchestre** n. m. **1.** Musicien qui joue en même temps de plusieurs instruments. **2.** Personne qui accomplit des fonctions diverses dans un domaine, qui a des compétences variées. *Des hommes-orchestres.* ▶ **homme-sandwich** [ɔmsɑ̃dwitʃ] n. m. ■ Homme qui promène dans les rues deux panneaux publicitaires, l'un sur la poitrine, l'autre dans le dos. *Des hommes-sandwichs.* ⟨ ▶ bonhomie, bonhomme, gentilhomme, hommasse, prud'homme, surhomme ⟩

homo- ■ Élément savant signifiant « semblable, le même ». ⇒ **homéo-.** / contr. **hétéro-** / ⟨ ▶ homogène, homologue, homonyme, homosexuel ⟩

homogène [ɔmɔʒɛn] adj. **1.** (En parlant d'un tout) Formé d'éléments de même nature ou répartis de façon uniforme. / contr. **hétérogène** / *Mélange homogène. Substance homogène.* — Abstrait. ⇒ **cohérent, uniforme.** *Équipe homogène,* œuvre homogène, qui a une grande unité. / contr. **disparate** / **2.** Au plur. (En parlant des parties) Qui sont de même nature. ⇒ **semblable.** *Les éléments homogènes d'une substance chimiquement pure.* / contr. **hétérogène** /

▶ *homogénéiser* [ɔmɔʒeneize] v. tr. ■ conjug. 1. ■ Rendre homogène. — Au p. p. adj. *Lait homogénéisé,* qui a subi un traitement empêchant la crème de remonter. ▶ *homogénéisation* n. f. ▶ *homogénéité* n. f. ■ Caractère de ce qui est homogène. *L'homogénéité d'une substance.* — Abstrait. ⇒ **cohérence, cohésion, harmonie, unité.** *L'homogénéité d'un parti.* / contr. **hétérogénéité** /

homologue [ɔmɔlɔg] adj. et n. ■ Équivalent. *Le grade d'amiral est homologue de celui de général.* — N. *Le chef de l'État français s'est entretenu avec son homologue américain.* ▶ *homologuer* v. tr. ■ conjug. 1. **1.** En droit. Entériner (un acte) afin de permettre son exécution. ⇒ **ratifier, sanctionner, valider.** *Le tribunal homologue le testament.* — Au p. p. adj. *Tarif homologué.* **2.** Reconnaître, enregistrer officiellement après vérification (une performance, un record). ▶ *homologation* n. f.

homonyme [ɔmɔnim] adj. et n. **1.** Se dit des mots de prononciation identique et de sens différents. *Noms, adjectifs homonymes* (ex. : *ceint, sain, sein, seing*). — N. m. *Un homonyme.* **2.** N. Se dit des personnes, des villes, etc., qui portent le même nom. *Monsieur Dupont a de nombreux homonymes. Troyes et son homonyme Troie.* ▶ *homonymie* n. f. ■ *Il y a homonymie entre « pain » et « pin ».*

homo sapiens [ɔmɔsapjɛ̃s] n. m. ■ L'espèce à laquelle appartiennent les humains actuels (par rapport aux hommes préhistoriques).

homosexuel, elle [ɔmosɛksɥɛl] n. et adj. ■ Personne qui éprouve une attirance sexuelle pour les individus de son propre sexe. — Adj. Relatif à l'homosexualité. *Tendances homosexuelles.* / contr. **hétérosexuel** / ▶ *homosexualité* n. f. ■ Tendance, conduite des homosexuels. *L'homosexualité féminine,* masculine.

*hongre [ˈɔ̃gʁ] adj. ■ (Cheval) Châtré. *Des pur-sang hongres.*

*hongrois, oise [ˈɔ̃gʁwa, waz] adj. et n. ■ De Hongrie. *Peuple hongrois.* ⇒ **magyar.** *Danses hongroises.* — N. *Un Hongrois, une Hongroise.* — N. m. *Le hongrois,* langue parlée en Hongrie.

honnête [ɔnɛt] adj. **I. 1.** Qui se conforme aux lois de la probité, du devoir, de la vertu. ⇒ **droit, franc, intègre, loyal.** *C'est un honnête homme, un homme foncièrement honnête.* — Vx. (Femmes) Irréprochable dans sa conduite. ⇒ **vertueux.** *Je suis une honnête femme, Monsieur !* — *Une vie, une conduite honnête.* ⇒ **louable, moral.** *Mes intentions sont tout à fait honnêtes !* **2.** Qui ne vole pas, ne fait pas d'escroquerie. / contr. **malhonnête** / *Caissière, commerçant honnête.* **II.** (Choses) Qui se conforme à certaines normes raisonnables. ⇒ **convenable, correct, honorable, passable, suffisant.** *Des résultats honnêtes, plus qu'honnêtes. Un vin honnête. Votre copie est honnête, sans plus.* ⇒ **acceptable.** ▶ *honnêtement* adv. ■ D'une manière honnête. **1.** Selon le devoir, la vertu, la probité. ⇒ **bien.** *Gérer honnêtement une affaire.* ■ Il m'a honnêtement mis en garde. ⇒ **loyalement.** — Ellipt. Franchement. *Honnêtement, n'étiez-vous pas au courant ?* **2.** Selon des normes raisonnables ou moyennes. ⇒ **correctement, passablement.** *Il s'en tire très honnêtement,* assez bien. ▶ *honnêteté* n. f. ■ Qualité d'une personne honnête ou de ce qui est honnête. ⇒ **droiture, intégrité, probité.** / contr. **malhonnêteté** / *Un homme d'une parfaite honnêteté. L'honnêteté de ses intentions. Aie au moins l'honnêteté de reconnaître ton erreur.* ⇒ **bonne foi.** ⟨ ▶ déshonnête, malhonnête ⟩

honneur [ɔnœʁ] n. m. **I.** Dignité morale qui naît du besoin de l'estime des autres et de soi-même.

/ contr. **déshonneur** / **1.** Cette dignité en tant qu'objet susceptible d'être perdu. ⇒ **fierté**. *Défendre, sauver, venger, son honneur. Mon honneur est en jeu.* — (Collectivité) *Compromettre, sauver l'honneur de sa famille, de son nom,* leur réputation. *L'honneur national.* — POINT D'HONNEUR : ce qui met en jeu, en premier lieu, l'honneur. *Il se fait un point d'honneur d'être équitable ; il met son point d'honneur, un point d'honneur à être équitable.* — *Affaire d'honneur,* où l'honneur est engagé (autrefois, duel). — *Donner sa* PAROLE D'HONNEUR : jurer. Ellipt. Exclam. *(Ma) parole d'honneur !* — *Je l'atteste, j'en réponds sur l'honneur,* je le jure. — Vx. *L'honneur d'une femme,* lié au caractère irréprochable de ses mœurs. **2.** Le sentiment qui pousse à agir pour obtenir ou préserver la possession de cette dignité. *Le code de l'honneur. Homme d'honneur,* animé par le sentiment de l'honneur. *Bandit d'honneur,* qui s'est fait bandit pour conserver son honneur. **II. 1.** Considération qui s'attache au mérite, à la vertu, aux talents. ⇒ **gloire, réputation.** *Il s'en est tiré avec honneur,* sans perdre la face, avec succès. *C'est tout à son honneur,* cela l'honore. *Travailler pour l'honneur,* de façon désintéressée. — (Suj. chose) ÊTRE EN HONNEUR : être considéré, estimé. *Cette pratique est actuellement en honneur.* ⇒ **à la mode,** en **vogue.** METTRE, REMETTRE EN HONNEUR. *Remettre en honneur d'anciennes coutumes.* — ÊTRE L'HONNEUR DE : une source d'honneur pour. ⇒ **fierté.** *Être l'honneur de la famille.* — CHAMP D'HONNEUR : champ de bataille, à la guerre. *Mort au champ d'honneur.* **2.** Traitement spécial destiné à honorer qqn. *Je n'ai pas mérité cet honneur. À toi l'honneur !,* à toi de commencer. PROV. *À tout seigneur tout honneur,* à chacun selon son rang ; nous vous devons bien cela. — *Faire un grand honneur à qqn. C'est lui faire trop d'honneur,* il ne mérite pas tant d'égards. — Loc. EN L'HONNEUR DE *qqn* : en vue de lui rendre honneur. ⇒ **hommage.** *On va donner une fête en son honneur.* — L'HONNEUR DE (un événement) : en vue de fêter, de célébrer. *En l'honneur de son mariage.* — Fam. *En quel honneur, en l'honneur de qui ?,* pourquoi, pour qui ? *En quel honneur as-tu mis cette belle robe ?* — L'HONNEUR DE (+ infinitif) : l'honneur qui consiste à. *Il m'a fait l'honneur de me recevoir.* ⇒ **faveur, grâce.** *Il a l'honneur de siéger dans cette assemblée.* ⇒ **prérogative, privilège.** — (Formule de politesse [sens affaibli]) *Faites-moi l'honneur d'être mon témoin.* Ellipt. *À qui ai-je l'honneur (de parler) ?,* formule par laquelle on demande son nom à qqn. **3.** D'HONNEUR : après un substantif, marque que la personne ou la chose rend ou confère un honneur. *Garçon, demoiselle d'honneur. La cour d'honneur d'un édifice. Place d'honneur. Vin d'honneur. Prix, tableau d'honneur. Croix d'honneur. La Légion d'honneur.* — *Président, membre d'honneur.* ⇒ **honoraire. 4.** FAIRE HONNEUR À *qqn* : lui procurer de l'honneur, de la considération. *Élève qui fait honneur à son maître. Ces scrupules vous font honneur.* — FAIRE HONNEUR À *qqch.* : en y restant fidèle. *Faire honneur à ses engagements, à ses obligations,* les tenir, les remplir. *Faire honneur à sa signature,* respecter l'engagement signé. ⇒ **honorer**(4). — Fam. *Faire honneur à un repas,* manger abondamment. **5.** VOTRE HONNEUR : titre usité en Grande-Bretagne lorsque l'on s'adresse à certains hauts personnages. **III.** LES HONNEURS. **1.** Témoignages d'honneur. *Décerner des honneurs. Il a été reçu avec tous les honneurs dus à son rang.* ⇒ **égard.** — *Honneurs militaires,* saluts, salves d'artillerie, sonneries. *Rendre les honneurs, les honneurs militaires. Honneurs funèbres. Obtenir les honneurs de la guerre,* bénéficier dans une capitulation de conditions honorables ; fig. se sortir honorablement d'une situation critique (débat, procès...). — *Faire à*

qqn les honneurs d'une maison, l'y accueillir et l'y guider soi-même avec le souci de lui être agréable. **2.** Tout ce qui confère éclat ou supériorité dans la société. ⇒ **grandeur ; dignité, privilège.** *Briguer les honneurs. Refuser, mépriser les honneurs.* **3.** Les cartes les plus hautes à certains jeux (notamment au bridge). ⟨ ▶ **déshonneur, honorer, honoris causa** ⟩

honnir [ˈɔniʀ] v. tr. ▪ conjug. 2. (Surtout au passif et au p. p. adj.) ▪ Rejeter avec mépris. — ÊTRE HONNI : être l'objet de la haine et du mépris public. — Au p. p. adj. *Gouvernement honni. Dictateur honni.* — *Honni soit qui mal y pense !,* honte à celui qui y voit du mal (devise de l'ordre de la Jarretière, en Angleterre).

honorer [ɔnɔʀe] v. tr. ▪ conjug. 1. **I. 1.** Mettre en honneur. *Ce savant honore son pays.* / contr. **déshonorer** / — Faire honneur. *Ces scrupules vous honorent.* **2.** Rendre honneur à, traiter avec beaucoup de respect et d'égard. *Honorer Dieu et ses saints.* ⇒ **adorer.** *Honorer son père et sa mère.* ⇒ **vénérer.** *Honorer la mémoire de qqn.* ⇒ **célébrer,** rendre **hommage.** — HONORER *qqn* DE *qqch.* (qui précise l'honneur que l'on accorde). ⇒ **gratifier.** *Il veut bien m'honorer de son amitié. Votre confiance m'honore.* **3.** Tenir en haute estime. ⇒ **respecter.** — Au p. p. adj. *Famille estimée et honorée.* **4.** S'HONORER v. pron. réfl. *S'honorer de,* tirer honneur, orgueil, fierté de. ⇒ **s'enorgueillir.** *Je m'honore d'être son ami.* **II.** Acquitter, payer pour rester fidèle, pour faire honneur à un engagement. *Honorer sa signature.* — Au p. p. adj. *Chèque non honoré.* ▶ **honoré, ée** adj. **1.** (Politesse) Flatté. *Je suis très honoré.* **2.** (En s'adressant à qqn) *Que l'on honore. Mon honoré confrère.* ⇒ **estimé, honorable.** ▶ **honorée** n. f. ▪ Dans la correspondance commerciale. Lettre. *Votre honorée du trois août.* ▶ **honorable** adj. **1.** Qui mérite d'être honoré, estimé. *Une famille honorable.* **2.** Qui honore, qui attire la considération, le respect. *Profession honorable. Classement très honorable.* — Qui sauvegarde l'honneur, la dignité. *Défaite honorable. Capituler à des conditions honorables* (→ les honneurs [III, 1] de la guerre). **3.** (Sens affaibli) ⇒ **convenable, honnête, moyen.** *Un résultat assez honorable.* ▶ **honorabilité** n. f. ▪ Qualité d'une personne honorable. *Un homme d'une parfaite honorabilité.* ⇒ **respectabilité.** ▶ **honorablement** adv. **1.** Avec honneur. *Il est honorablement connu dans le quartier.* **2.** D'une manière suffisante, convenable. *Il a de quoi vivre honorablement.* ⇒ **convenablement.** ▶ **honorifique** adj. **1.** Qui confère des honneurs (sans avantages matériels). *Titres, distinctions honorifiques.* **2.** À titre honorifique, par un titre qui n'entraîne pas d'avantages matériels. *Président à titre honorifique.* ⇒ **d'honneur, honoraire ; honoris causa.** ⟨ ▶ **déshonorer, honoraire** ⟩

honoraire [ɔnɔʀɛʀ] adj. **1.** Qui, ayant cessé d'exercer une fonction, en garde le titre et les prérogatives honorifiques. *Professeur honoraire.* **2.** Qui, sans exercer la fonction, en a le titre honorifique. *Président, membre honoraire d'une société.* ⇒ **d'honneur ; honoris causa.**

honoraires [ɔnɔʀɛʀ] n. m. pl. ▪ Rétribution perçue par les personnes exerçant une profession libérale. ⇒ **émolument.** *Les honoraires d'un médecin, d'un avocat. Toucher, verser des honoraires.*

honoris causa [ɔnɔʀiskoza] loc. adj. ▪ *Docteur honoris causa* (d'une université), à titre honorifique.

honte [ˈɔ̃t] n. f. **1.** Déshonneur humiliant. ⇒ **opprobre.** *Essuyer la honte d'un affront. Couvrir qqn de honte.* — *À la honte de qqn,* en lui infligeant un déshonneur. *J'ai fait cela, à ma grande honte. Être la honte de sa famille. Il n'y a pas de honte à pleurer.*

— *C'est une honte ! Quelle honte !,* c'est une chose honteuse. — *Honte à ...(qqn) !,* que le déshonneur soit sur lui. ⇒ **honni. 2.** Sentiment pénible d'infériorité ou d'humiliation devant autrui. ⇒ **confusion.** *Rougir de honte.* AVOIR HONTE (DE *qqn, qqch.*) : éprouver de la honte. *Avoir honte de sa conduite.* ⇒ **regret, remords.** *Tu devrais avoir honte !* **3.** FAIRE HONTE (À *qqn*) : être pour lui un sujet de honte. *Il fait honte à son père. Tu me fais honte.* — Inspirer de la honte à qqn en le rendant conscient de son infériorité. *Cet élève fait honte aux autres par ses progrès.* ⇒ **humilier.** — FAIRE HONTE (À *qqn*) DE *qqch.* : lui faire des reproches. *Faites-lui honte de sa conduite, il le mérite bien.* **4.** FAUSSE HONTE : honte éprouvée, par scrupule ou timidité, à propos de ce qui n'est pas blâmable. ⇒ **réserve, respect** humain, **retenue.** *Acceptez sans fausse honte,* sans scrupule. **5.** Sentiment de gêne inspiré par la timidité, la modestie... *Il étale sans honte ses richesses.* ▸ **honteux, euse* ['ɔ̃tø, øz] adj. **1.** Qui cause de la honte, dont on a honte. ⇒ **avilissant, dégradant, déshonorant.** *C'est honteux. Action, conduite honteuse.* ⇒ **immoral, infâme, méprisable, vil.** *Pensées honteuses.* ⇒ **inavouable.** *Fuite honteuse.* ⇒ **lâche.** Impers. *Il est, il serait honteux que* (+ subjonctif), *de* (+ indicatif). **2.** Qui éprouve un sentiment de honte. ⇒ **confus.** *Être honteux de son ignorance. Elle est toute honteuse. Honteux d'avoir été ridicule.* ⇒ **penaud.** — *Air honteux.* **3.** (Épithète ; après le nom) *Les pauvres honteux,* qui cachent leur pauvreté. *Un chrétien honteux,* qui se cache de l'être. ▸ **honteusement* adv. ⟨ ▸ éhonté ⟩

*hop ['ɔp] interj. ▪ Interjection servant à stimuler, à faire sauter. *Allez, hop ! Hop là !* — Pour exprimer un geste, une action brusque. *Je me change, et hop ! je pars.*

hôpital, aux [ɔ(o)pital, o] n. m. ▪ Établissement public ou privé ⇒ **clinique** qui reçoit et traite les malades, les blessés et les femmes en couches ; spécialt. établissement médical public (opposé à *clinique*). ⇒ **hôtel-Dieu.** — Abrév. Fam. HOSTO. *Des hostos.* — *Médecin des hôpitaux. D*r *X,* ancien interne des hôpitaux de Paris. *Lit d'hôpital. Admettre un malade dans un hôpital, à l'hôpital.* ⇒ **hospitaliser.** *Hôpital militaire. Hôpital psychiatrique* (anciennt *asile*). ≠ *hospice.* ⟨ ▸ ② hospitalier, hospitaliser ⟩

*hoquet ['ɔkɛ] n. m. ▪ Contraction spasmodique du diaphragme produisant un appel d'air sonore ; bruit rauque qui en résulte. *Avoir le hoquet.* ▸ **hoqueter* ['ɔkte] v. intr. ▪ conjug. 4. ▪ Avoir le hoquet, un hoquet. *Sangloter en hoquetant.* — (Suj. chose) Émettre par à-coups un bruit qui rappelle le hoquet. *Le moteur hoquette.*

horaire [ɔRɛR] adj. et n. **I.** Adj. Relatif aux heures. *Tableau horaire. Décalage horaire,* entre les temps locaux d'endroits éloignés. — Qui correspond à une durée d'une heure. *Vitesse, moyenne horaire. Salaire horaire.* **II.** N. M. **1.** Relevé des heures de départ, de passage, d'arrivée des services de transport. *Changement d'horaire. Le car, l'avion est en avance sur son horaire.* — Tableau, livret... indiquant un horaire. *Consulter l'horaire des chemins de fer.* ⇒ **indicateur.** *L'horaire des films.* **2.** Emploi du temps heure par heure. ⇒ **programme.** *Afficher l'horaire des cours. Avoir un horaire chargé.* — Répartition des heures de travail. *Un horaire commode.*

*horde ['ɔRd] n. f. **1.** Autrefois. Troupe, peuplade errante. *Les hordes mongoles.* **2.** Péj. Troupe ou groupe d'hommes indisciplinés. *Des hordes d'envahisseurs.* — *Une horde de gamins intrépides.* ⇒ **bande.** ≠ *harde.*

*horion ['ɔRjɔ̃] n. m. ▪ Littér. Surtout au plur. Coup violent. *Donner, échanger des horions.*

horizon [ɔRizɔ̃] n. m. **1.** Limite circulaire de la vue, pour un observateur qui en est le centre. *Plaine qui s'étend jusqu'à l'horizon. Le soleil descend sur, à l'horizon. La ligne d'horizon,* la ligne qui semble séparer le ciel de la terre (ou de la mer), à l'horizon. **2.** Les parties de la surface terrestre et du ciel voisines de l'horizon visuel, de la ligne d'horizon. *La teinte bleutée de l'horizon.* — En appos. Invar. *Bleu horizon. Des tenues bleu horizon.* — *Voir, apercevoir qqch. à l'horizon.* ⇒ au **loin.** *Scruter l'horizon. Les quatre points de l'horizon,* les points cardinaux. — *Chaîne de montagnes qui limite l'horizon. Changer d'horizon,* changer de paysage, de cadre. **3.** Abstrait. Domaine qui s'ouvre à la pensée, à l'activité de qqn. ⇒ **champ** d'action, **perspective.** *Ce livre m'a dévoilé, ouvert des horizons.* — Loc. *Ouvrir des horizons (à qqn). Ce stage m'a ouvert des horizons.* — *L'horizon politique, économique,* les perspectives politiques, économiques. *Menace de crise à l'horizon,* pour l'avenir. — *Faire un* TOUR D'HORIZON : aborder, étudier successivement et succinctement tous les aspects d'une question. ▸ *horizontal, ale, aux* [ɔRizɔtal, o] adj. ▪ Qui est perpendiculaire à la direction de la pesanteur en un lieu (opposé à *oblique, vertical*). *Plan horizontal ; ligne horizontale.* — Fam. *Prendre la position horizontale,* se coucher, s'allonger. ▸ *horizontale* n. f. ▪ Ligne droite horizontale. — À L'HORIZONTALE loc. adv. : dans une position horizontale. *Amener ses bras à l'horizontale.* ▸ *horizontalement* adv. — *horizontalité* n. f. ▪ *L'horizontalité d'une surface.*

horloge [ɔRlɔʒ] n. f. **1.** Grand appareil, souvent muni d'une sonnerie, destiné à indiquer l'heure par des aiguilles. *Horloge à poids, à balancier. Horloge électrique. Une horloge à quartz.* — *Le tic-tac d'une horloge. Le carillon d'une horloge. Monter, remonter une horloge.* — *L'horloge parlante,* qui diffuse l'heure de l'Observatoire par téléphone (en France). **2.** Loc. *Être réglé comme une horloge,* avoir des habitudes très régulières. ▸ *horloger, ère* n. et adj. **1.** N. Personne qui s'occupe d'horlogerie. *Horloger bijoutier.* **2.** Adj. Relatif à l'horlogerie. *L'industrie horlogère.* ▸ *horlogerie* [ɔRlɔʒRi] n. f. **1.** Industrie et commerce des instruments destinés à la mesure du temps. *L'horlogerie de précision.* — Tenir un magasin d'horlogerie, une horlogerie. **2.** Ouvrages de cette industrie (chronomètres, horloges, pendules, montres). *Des pièces d'horlogerie.*

*hormis ['ɔRmi] prép. ▪ Vx ou littér. À part. ⇒ **excepté, hors, sauf.** *Hormis les cas de force majeure. Toutes, hormis une.* / contr. **compris** /

hormone [ɔRmɔn] n. f. ▪ Substance chimique élaborée par un groupe de cellules ou une glande endocrine et qui exerce une action spécifique sur le fonctionnement d'un organe. *Hormones de croissance. Hormones sexuelles mâles, femelles.* ▸ *hormonal, ale, aux* adj. ▪ Relatif à une hormone, aux hormones. *Troubles hormonaux.*

hor(o)- ▪ Élément savant signifiant « heure ». ⇒ **horaire.** ▸ *horoscope* [ɔRɔs kɔp] n. m. ▪ Étude de la destinée de qqn, effectuée d'après les données zodiacales et astrologiques que fournissent sa date et son heure de naissance. *Un horoscope minutieux. Faire l'horoscope de qqn. Consulter son horoscope.*

horreur [ɔRœR] n. f. **I.** (Sens subjectif) **1.** Impression violente causée par la vue ou la pensée d'une chose qui fait peur ou qui répugne. ⇒ **effroi, épouvante, peur, répulsion.** *Frémir d'horreur. Cri d'horreur.* — FAIRE HORREUR (À) : répugner ; dégoûter, écœurer. *Cette idée, cette chose, cette personne me fait horreur.* — *Cette vue la remplissait d'horreur. Objet d'horreur,* qui fait horreur. **2.** Sentiment extrêmement défavorable qu'une chose inspire.

⇒ **aversion, dégoût, répugnance.** *Avoir l'horreur du risque. L'horreur de l'eau, des lieux clos.* ⇒ **phobie.** *Il a une sainte horreur du travail.* — Loc. littér. *Avoir l'horreur de.* ⇒ **détester, exécrer, haïr.** *Avoir l'horreur de la guerre.* — AVOIR HORREUR DE... (sens affaibli). *Elle a horreur de ce prénom. Il a horreur de se lever tôt.* — AVOIR, PRENDRE *qqn, qqch.* EN HORREUR. ⇒ **haine ;** en **grippe.** *J'ai ce lieu en horreur. Je commence à le prendre en horreur, à ne plus pouvoir le supporter.* **II.** (Sens objectif) **1.** Caractère de ce qui fait peur et inspire de la répulsion (⇒ **effroyable, horrible**). *L'horreur de la situation. C'est la misère dans toute son horreur. Vision d'horreur. Un film d'horreur,* réalisé pour effrayer. *L'horreur d'un crime.* **2.** La chose, l'acte qui inspire un sentiment d'horreur. ⇒ **monstruosité.** *Quelle horreur d'avoir fait cela !* — Fam. Par exagér. Ce qui est repoussant par sa laideur, sa saleté. *Ta chambre est une horreur ! Mignon, lui ? Une horreur !* — Fam. Exclamation marquant le dégoût, la répulsion, l'indignation. *Quelle horreur !* **3.** Au plur. Aspects horribles d'une chose ; choses horribles. *Les horreurs de la guerre.* ⇒ **atrocité.** — Actes criminels, cruels, sanglants. ⇒ **atrocité.** *Commettre des horreurs.* **4.** Au plur. Propos outrageants, calomnieux. *Répandre des horreurs sur qqn.* — Propos obscènes. ⇒ **grossièreté.** *Dire, débiter des horreurs.* ▶ *horrible* adj. **1.** Qui fait horreur, remplit d'horreur ou de dégoût. ⇒ **affreux, atroce, effrayant, épouvantable.** *Une mort horrible. Des cris horribles (à entendre). Monstre horrible (à voir).* — N. m. *Le goût de l'horrible.* **2.** Très laid, très mauvais. ⇒ **affreux, exécrable.** *Un temps horrible. Une écriture horrible. Un horrible petit chapeau.* **3.** (Choses) Qui est excessif, désagréable ou dangereux. ⇒ **extrême, terrible.** *Chaleur horrible. Une soif horrible.* ⇒ **intolérable.** ▶ *horriblement* adv. ■ D'une manière horrible. *Jurer horriblement.* — Par exagér. ⇒ **extrêmement.** *C'est horriblement cher.*

horrifier [ɔʀifje] v. tr. ■ conjug. 7. (Surtout au passif et au p. p. adj.) **1.** Remplir, frapper d'horreur. — Au passif et au p. p. adj. *Être horrifié par un fait divers. Visage horrifié,* très effrayé. **2.** Scandaliser. — Au p. p. adj. *Un air horrifié.* ▶ *horrifiant, ante* adj. ■ Souvent iron. Qui horrifie. ⇒ **épouvantable, terrifiant.** *Faire un tableau horrifiant de la situation.*

horripiler [ɔʀipile] v. tr. ■ conjug. 1. ■ Mettre (qqn) dans un état d'énervement hostile. ⇒ **agacer, exaspérer, impatienter.** *Il m'horripile, avec ses grands airs.* ▶ *horripilant, ante* adj. ■ *Un enfant horripilant. Une voix horripilante.*

*hors [ˈɔʀ] prép. **I.** Prép. (Suivi d'un nom sans article) En dehors de, au-delà de (dans des expressions). *Ingénieur hors classe. Modèle hors série. Talent hors ligne, hors pair.* **II.** HORS DE loc. prép. **1.** À l'extérieur de. *Il s'élança hors de sa chambre. Poisson qui saute hors de l'eau.* — Ellipt. *Hors d'ici !, sortez !* **2.** Loc. *Hors d'atteinte. Hors de portée. Hors de sujet.* ⇒ à **côté de.** — Fam. *Être hors du coup* (opposé à *dans le coup*). — (Exclusion, extériorité) *Hors de saison,* déplacé. *Hors de danger. Hors d'état de nuire. Mettre hors de combat. Hors d'usage. Hors de proportion. Hors de prix,* très cher. *Il est hors de doute qu'il va venir,* il est certain qu'il va venir. — *Hors de soi,* furieux ; très agité. *Elle semble hors d'elle.* ▶ **hors-bord* [ˈɔʀbɔʀ] n. m. invar. **1.** Moteur placé en dehors de la coque d'une embarcation. — En appos. *Un moteur hors-bord.* **2.** Petit canot automobile propulsé par un moteur hors-bord. *Des courses de hors-bord.* ▶ **hors-concours* n. m. invar. ; **hors concours* adj. invar. ■ Qui ne peut concourir (à cause d'une supériorité écrasante sur ses concurrents, ou parce qu'il [elle] est déjà lauréat[e]). *Elle est, elle est mise hors concours.* — N. *Les hors-concours.* ▶ **hors-*

d'œuvre n. m. invar. ■ Petit plat froid que l'on sert au début du repas, avant les entrées ou le plat principal. *Hors-d'œuvre variés. Servir des radis en hors-d'œuvre.* ▶ **hors-jeu* n. m. invar. ; **hors jeu* adj. invar. ■ (Sports d'équipe) Faute du joueur qui se met hors du jeu par sa position au-delà de la ligne permise. *Il a commis un hors-jeu.* — Adj. *Joueur hors jeu.* ▶ **hors-la-loi* n. invar. ; **hors la loi* adj. invar. ■ Personne qui s'affranchit des lois, vit en marge des lois. *Ces bandits sont des hors-la-loi. Une hors-la-loi.* — Adj. *Être hors la loi,* ne plus bénéficier de la protection des lois et être passible d'une certaine peine sans jugement. ▶ **hors-texte* n. m. invar. ■ Illustration imprimée à part, intercalée dans un livre. *Les hors-texte en couleurs d'un livre d'art.* ⟨ ▶ dehors, hormis ⟩

hortensia [ɔʀtɑ̃sja] n. m. ■ Arbrisseau ornemental, cultivé pour ses fleurs groupées en grosses boules ; ces fleurs. *Hortensias roses, blancs, bleus. Pot d'hortensia.*

horticole [ɔʀtikɔl] adj. ■ Relatif à la culture des jardins, à l'horticulture. *Exposition horticole.* ▶ *horticulteur, trice* n. ■ Personne qui pratique l'horticulture. ⇒ **jardinier, maraîcher.** — Personne qui cultive des plantes d'ornement (arbres, fleurs). ⇒ **arboriculteur, fleuriste, pépiniériste.** ▶ *horticulture* n. f. ■ Culture des plantes d'ornement, des jardins ; culture maraîchère, potagère. *École nationale d'horticulture.*

hosanna [oza(n)na] n. m. ■ Chant, hymne de joie (terme de religion juive et chrétienne). *Des hosannas. Entonner l'hosanna, un hosanna.*

hospice [ɔspis] n. m. **1.** Maison où des religieux donnent l'hospitalité aux pèlerins, aux voyageurs. *L'hospice du Grand-Saint-Bernard.* **2.** Établissement public ou privé où l'on reçoit et entretient des vieillards et des infirmes dans le besoin. ⇒ **asile.** *Hospice de vieillards. Finir à l'hospice.* ≠ **hôpital.**

① *hospitalier, ière* [ɔspitalje, jɛʀ] adj. **1.** Qui pratique volontiers l'hospitalité. ⇒ **accueillant.** *Il est très hospitalier,* sa maison est ouverte à tous. **2.** Où l'hospitalité est pratiquée. *Une région très hospitalière.* / contr. **hostile, inhospitalier** /

② *hospitalier, ière* adj. ■ Relatif aux hôpitaux. *Établissements, services hospitaliers.*

hospitaliser [ɔspitalize] v. tr. ■ conjug. 1. ■ Faire entrer, admettre (qqn) dans un hôpital. *Hospitaliser un malade. J'ai dû faire hospitaliser mon père.* — Au p. p. adj. *Malades hospitalisés.* ▶ *hospitalisation* n. f. ■ Admission dans un hôpital. *La veille de son hospitalisation.* — Séjour dans un hôpital. *Durant son hospitalisation.*

hospitalité [ɔspitalite] n. f. **1.** Le fait de recevoir qqn sous son toit, de le loger gratuitement (⇒ **hôte**). *Offrir l'hospitalité à qqn. Demander, accepter, recevoir l'hospitalité.* — Action de recevoir chez soi, d'accueillir. ⇒ **accueil, réception.** *Merci de votre aimable hospitalité.* **2.** Caractère d'une personne hospitalière.

hostellerie [ɔstɛlʀi] n. f. ■ Hôtel ou restaurant d'apparence rustique, mais confortable ou même luxueux. ⇒ **hôtellerie.**

hostie [ɔsti] n. f. ■ Fine petite rondelle de pain, généralement sans levain, que le prêtre consacre pendant la messe. *L'élévation de l'hostie. Ciboire contenant des hosties. Déposer l'hostie sur la langue (ou dans la main) d'un communiant. Avaler l'hostie.*

hostile [ɔstil] adj. **1.** Qui est ennemi, se conduit en ennemi. *Pays, puissance hostile. Foule hostile et menaçante.* — *Nature hostile,* peu accueillante. / contr. ① **hospitalier** / *Forces hostiles.* ⇒ **néfaste.**

2. HOSTILE À. ⇒ **défavorable ; contraire, opposé** à. *Il est hostile à ce projet,* il est contre. *Un journal hostile au gouvernement.* ⇒ **antigouvernemental. 3.** Qui est d'un ennemi, annonce, caractérise un ennemi. *Action, entreprise hostile. Silence, regard hostile.* ⇒ **inamical.** *Propos hostiles.* ⇒ **malveillant.** ▶ *hostilité* n. f. ■ Disposition hostile, inamicale. ⇒ **antipathie, haine.** *Avoir, éprouver de l'hostilité envers, contre qqn. Acte d'hostilité,* qui manifeste de l'agressivité. ▶ **hostilités** n. f. pl. ■ Ensemble des opérations de guerre. ⇒ **conflit.** *Engager les hostilités. La cessation des hostilités* (⇒ **armistice, trêve**).

hôte, hôtesse [ot, otɛs] n. **I. 1.** Personne qui donne l'hospitalité, qui reçoit qqn. ⇒ **maître** de maison. *Remercier ses hôtes.* **2.** Autrefois. TABLE D'HÔTE : table commune où l'on mange à prix fixe. *Déjeuner à table d'hôte.* **3.** HÔTESSE : jeune femme chargée de veiller au confort des passagers dans les appareils de transport aérien *(hôtesse de l'air),* d'accueillir et renseigner les visiteurs, les clients dans une exposition, un magasin, etc. **II. 1.** Personne qui reçoit l'hospitalité (fém. HÔTE). *Loger, nourrir, régaler un hôte, une hôte, ses hôtes.* ⇒ **invité.** *Un hôte de marque, hôte important.* **2.** *Chambre d'hôte,* louée au voyageur par un particulier. — *Hôte payant,* qui prend pension chez qqn, moyennant redevance.

hôtel [o(ɔ)tɛl] n. m. **I.** Maison meublée où on loge et où l'on trouve toutes les commodités du service (à la différence du *meublé*). ⇒ **auberge, hostellerie, pension.** *Hôtel luxueux, grand hôtel.* ⇒ **palace.** *Hôtel de tourisme. Un hôtel-restaurant (des hôtels-restaurants). Le hall, la réception d'un hôtel. Chambre d'hôtel. La catégorie d'un hôtel* (⇒ **étoile**). *Descendre à l'hôtel.* **II. 1.** Demeure citadine d'un grand seigneur. ⇒ **palais.** *Un vieil hôtel du XVIIIᵉ siècle. Hôtel particulier,* immeuble entièrement habité par un riche particulier. **2.** MAÎTRE D'HÔTEL : celui qui dirige les services de table, chez un riche particulier ⇒ **major-dome,** ou dans un restaurant. *Appeler le maître d'hôtel.* **III.** Grand édifice destiné à un établissement public. *Hôtel de la Monnaie. Hôtel des ventes,* salle des ventes. — HÔTEL DE VILLE : édifice où siège l'autorité municipale dans une grande ville. ⇒ **mairie.** ≠ *autel.* ▶ *hôtel-Dieu* [o(ɔ)tɛldjø] n. m. ■ Dans certaines villes, hôpital de fondation ancienne. *Des hôtels-Dieu.* ▶ *hôtelier, ière* [o(ɔ)təlje, jɛʀ] n. et adj. **I.** N. Personne qui tient un hôtel. **II.** Adj. Relatif aux hôtels, à l'hôtellerie (II). *Industrie hôtelière. École hôtelière,* formant ses élèves aux professions de l'hôtellerie. *Syndicats hôteliers.* ▶ *hôtellerie* [o(ɔ)tɛlʀi] n. f. **I.** Vx. Hostellerie. **II.** Métier, profession d'hôtelier ; industrie hôtelière. *Travailler dans l'hôtellerie.*

hôtesse n. f. ⇒ **hôte.**

hotte [ɔt] n. f. **I.** Grand panier ou cuve, souvent tronconique, qu'on porte sur le dos. *Hotte de vendangeur,* pour le transport des raisins. *La hotte du père Noël.* **II.** Construction en forme de hotte (I) renversée, se raccordant au bas d'un tuyau de cheminée ou d'un conduit d'aération. *Une hotte de pierre. Hotte aspirante,* qui fait évacuer les émanations d'une cuisine grâce à un dispositif électrique.

hottentot, ote [ɔtɑ̃to, ɔt] adj. et n. ■ Relatif à un peuple d'éleveurs nomades d'Afrique du Sud.

hou [u, hu] interj. ■ Interjection pour railler, faire peur ou honte. *Hou ! la vilaine !*

houblon [ublɔ̃] n. m. ■ Plante grimpante dont les fleurs servent à aromatiser la bière. *La culture du houblon.* ▶ *houblonnière* n. f. ■ Champ de houblon.

houe [u] n. f. ■ Pioche à lame assez large dont on se sert pour biner la terre. *Sarcler à la houe.*

houille [uj] n. f. **1.** Combustible minéral de formation sédimentaire, noir, à facettes brillantes, à forte teneur en carbone. ⇒ **charbon.** *Gisement de houille. Mine de houille. Produits de la distillation de la houille.* ⇒ **coke, goudron ; gaz** d'éclairage. **2.** HOUILLE BLANCHE : énergie hydraulique fournie par les chutes d'eau en montagne. ⇒ **barrage ; hydro-électrique.** ▶ *houiller, ère* [uje, ɛʀ] adj. ■ Qui renferme des couches de houille. *Bassin houiller.* — Relatif à la houille. *Industries houillères.* ▶ *houillère* n. f. ■ Mine de houille. *Les houillères du nord de la France. Exploitation d'une houillère.* ⇒ **charbonnage.**

houle [ul] n. f. **1.** Mouvement d'ondulation qui agite la mer sans faire déferler les vagues. *Forte, grosse houle. Navire balancé par la houle.* ⇒ **roulis, tangage. 2.** Ce qui rappelle par son aspect ou son mouvement, la surface d'une mer houleuse. *Une houle humaine.* ⇒ **mer.** ▶ *houleux, euse* [ulø, øz] adj. **1.** Agité par la houle. *Mer houleuse.* **2.** Abstrait (Qualifiant qqch. de collectif) Agité, troublé. *Salle houleuse. La séance fut houleuse.* ⇒ **mouvementé, orageux.** / contr. **calme, paisible** /

houlette [ulɛt] n. f. ■ Littér. Bâton de berger, de bergère. — Loc. SOUS LA HOULETTE DE : sous la conduite de.

houppe [up] n. f. **1.** Assemblage de brins de fil, de laine, de soie, formant une touffe. ⇒ **houppette. 2.** *Houppe de cheveux.* ⇒ **toupet.** *Riquet à la houppe,* personnage des contes de Perrault. ▶ *houppette* n. f. ■ Petite houppe. — Petit tampon arrondi fait de coton, de duvet..., dont on se sert pour se poudrer.

houppelande [uplɑ̃d] n. f. ■ Long vêtement de dessus, chaud, très ample et ouvert par-devant. ⇒ **cape.** *La houppelande du berger.*

hourdis [uʀdi] n. m. invar. ■ Maçonnerie légère garnissant un colombage.

hourra [uʀa, huʀa] interj. et n. m. ■ Interjection pour acclamer, montrer son enthousiasme. *Hourra ! Hip, hip, hip, hourra !* — N. m. *Pousser un hourra, des hourras.*

hourvari [uʀvaʀi] n. m. ■ Littér. Grand tumulte. *Un hourvari de clameurs.*

houspiller [uspije] v. tr. ■ conjug. 1. ■ Accabler de reproches, de critiques. ⇒ **quereller.** *Il s'est fait houspiller rudement.*

housse [us] n. f. ■ Enveloppe souple dont on recouvre temporairement certains objets (meubles, vêtements, etc.) pour les protéger, et qui épouse leur forme. *Des housses de fauteuils. La housse d'une machine à écrire. Housse de couette. Housse à vêtements.* — *Drap-housse,* drap de dessous maintenu sur le matelas par des élastiques.

houx [u] n. m. invar. ■ Arbre ou arbuste, à feuilles luisantes, dures et bordées de piquants, à petites baies rouge vif. *Un buisson de houx.*

hublot [yblo] n. m. **1.** Petite fenêtre étanche généralement ronde, munie d'un verre épais pour donner du jour et de l'air à l'intérieur du navire. — Fenêtre dans un avion de transport. *Regarder par le hublot.* **2.** Partie vitrée de la porte (d'un appareil ménager : machine à laver, four...).

huche [yʃ] n. f. ■ Grand coffre de bois rectangulaire à couvercle plat. *Huche à provisions. Huche à pain.*

hue [y, hy] interj. ■ Mot dont on se sert pour faire avancer (ou tourner à droite ; opposé à *dia*) un cheval. *Hue cocotte ! Allez, hue !*

huée [ɥe] n. f. ■ Cri de dérision, de réprobation poussé par une réunion de personnes. *Orateur interrompu par des sifflets et des huées.* ⇒ **tollé.** *S'enfuir sous les huées.* ► *huer* v. tr. ▪ conjug. 1. ▪ Pousser des cris de dérision, des cris hostiles contre (qqn). ⇒ **conspuer, siffler.** *Elle s'est fait huer. Huer un orateur, un acteur.* — *Huer un spectacle.* ⟨ ► chat-huant ⟩

huguenot, ote ['ygno, ɔt] n. et adj. ▪ Surnom donné aux protestants calvinistes, en France, par les catholiques, du XVIᵉ au XVIIIᵉ s. *Les papistes et les huguenots.* — Adj. *Faction huguenote.*

① *huile* [ɥil] n. f. 1. Liquide gras, insoluble dans l'eau, d'origine végétale, animale ou minérale. ⇒ **graisse.** *Les huiles sont inflammables. Huiles végétales alimentaires. Huile d'arachide, de noix, d'olive ; de colza. Huile de ricin,* purgatif. *Huiles animales. Huile de foie de morue. Huiles minérales,* hydrocarbures liquides. *Huile de graissage. Huile de vidange.* 2. Produit obtenu par macération de substances végétales ou animales dans une huile végétale. *Huile camphrée. Huile solaire,* pour protéger la peau du soleil et faire bronzer. — *Huile essentielle.* ⇒ ② **essence** (I, 2). 3. (Sans adj. ni compl.) Huile comestible. *Bouteille d'huile. Cuisine à l'huile. Assaisonner avec de l'huile et du vinaigre.* ⇒ **vinaigrette.** — *Huile de graissage. Bidon d'huile. Vidanger l'huile d'une voiture.* — Mélange d'huile (de lin, d'œillette) et d'une matière colorante. *Peinture à l'huile* (opposé à *peinture à l'eau*). *Une huile,* un tableau peint à l'huile. 4. *Les saintes huiles.* ⇒ **chrême.** 5. Loc. *Mer d'huile,* très calme, sans vagues (comme une nappe d'huile). — *Faire tache d'huile,* se propager de manière insensible, lente et continue. *Innovation qui fait tache d'huile.* — *Jeter de l'huile sur le feu,* attiser une querelle, pousser à la dispute. ⇒ **envenimer, exciter.** — Fig. et fam. *Huile de coude,* énergie physique (déployée pour faire qqch.). ► *huiler* v. tr. ▪ conjug. 1. ▪ Frotter avec de l'huile. ⇒ **graisser, lubrifier.** *Huiler les rouages d'une machine.* — Au p. p. adj. *Mécanisme bien huilé.* ► *huilage* n. m. ▪ *L'huilage des machines.* ⇒ **graissage.** ► *huilerie* n. f. 1. Usine où l'on fabrique les huiles. *Les huileries de Marseille.* 2. Commerce des huiles. *Travailler dans l'huilerie.* — Industrie agricole de la fabrication des huiles végétales. ► *huileux, euse* adj. 1. Qui contient de l'huile. *Liquide huileux. Tache huileuse.* 2. Qui est ou semble imbibé d'huile. ⇒ **graisseux, gras.** *Peau huileuse.* ► *huilier* n. m. ▪ Ustensile de table composé de deux flacons pour l'huile et le vinaigre. ⇒ **vinaigrier.**

② *huile* n. f. ▪ Surtout au plur. Fam. Personnage important. *C'est une des huiles du parti.* ⇒ fam. grosse **légume.**

huis [ɥi] n. m. invar. 1. Vx. Porte. *Fermer l'huis.* 2. Loc. À HUIS CLOS [aɥiklo] : toutes portes fermées ; sans que le public soit admis. *Audience à huis clos.* — N. m. *HUIS CLOS* ['yiklo]. *Tribunal qui ordonne le huis clos.* ⟨ ► huissier ⟩

huissier [ɥisje] n. m. 1. Employé chargé d'accueillir, d'annoncer et d'introduire les visiteurs (dans un ministère, une administration). *Donner son nom à l'huissier.* 2. Celui qui est préposé au service de certaines assemblées. *Les huissiers du Palais-Bourbon, d'une faculté.* ⇒ **appariteur.** 3. Officier ministériel chargé de mettre à exécution des décisions de justice. *Si vous refusez de payer, je vous enverrai l'huissier.*

huit ['ɥi(t)] adj. et n. I. 1. Adjectif numéral cardinal invariable (prononcé ['ɥi] devant un nom commençant par une consonne ou un *h* aspiré, ['ɥit] dans tous les autres cas). *Sept plus un* (8). ⇒ **oct-.** *Journée de huit heures.* (D')*aujourd'hui en huit,* dans huit jours. ⇒ **huitaine.** *Je viendrai jeudi en huit,* le jeudi après celui qui vient. — *Huit jours,* semaine (bien qu'elle

n'ait que sept jours). Loc. *Donner ses huit jours à un* domestique, le renvoyer. 2. Adjectif numéral ordinal invariable. ⇒ **huitième.** *Je reviendrai le huit mai,* (ellipt) *le huit. Henri VIII* (huit). II. N. m. invar. ['ɥit] *Cinq et trois font huit. Dix-huit, vingt-huit* [dizɥit ; vɛ̃tɥit]. — *Carte à jouer marquée de huit points. Le huit de pique.* — Numéro huit (d'une rue). *J'habite au huit.* — Chiffre qui représente ce nombre. *Huit romain* (VIII), *arabe* (8). ► *huitaine* ['ɥitɛn] n. f. ▪ Ensemble de huit, d'environ huit éléments de même sorte. — *Une huitaine,* huit jours. ⇒ **semaine.** *Il part dans une huitaine.* ► *huitième* ['ɥitjɛm] adj. et n. I. Qui succède au septième. 1. Adj. numér. ordinal. — Loc. *La huitième merveille du monde,* se dit d'une chose merveilleuse qui paraît pouvoir s'ajouter aux sept merveilles traditionnelles. 2. N. m. et f. *Arriver le huitième dans une compétition.* — *Il habite au huitième* (étage). II. Fraction d'un tout divisé également en huit. 1. Adj. *La huitième partie.* 2. N. m. *Trois huitièmes.* — En sports. *Huitième de finale.* ► *huitièmement* adv. ⟨ ► dix-huit ⟩

huître [ɥitʁ] n. f. ▪ Mollusque bivalve, comestible, à coquille feuilletée ou rugueuse dont on pratique l'élevage (⇒ **ostréiculture**). *Sécrétion minérale des huîtres.* ⇒ **nacre, perle.** *Huîtres perlières.* — *Huître plate.* ⇒ **belon.** *Huître portugaise, fine de claire.* ► **claire.** *Écailler, ouvrir des huîtres. Bancs d'huîtres. Une douzaine d'huîtres. Plat, fourchette à huîtres.*

hulotte ['ylɔt] n. f. ▪ Grande chouette au pelage brun qui se nourrit principalement d'insectes et de petits rongeurs. ⇒ **chat-huant.** *Le cri de la hulotte.*

hululer ['ylyle] ou *ululer* v. intr. ▪ conjug. 1. ▪ Pousser un hululement. *Le hibou hulule.* ► *hululement* ou *ululement* n. m. ▪ Cri des oiseaux de nuit.

hum ['œm, hœm] interj. ▪ Interjection qui exprime généralement le doute, la réticence. *Hum ! cela cache quelque chose !* — Répété, sert à noter une petite toux.

humage ['ymaʒ] n. m. ▪ Action de humer. *Le humage des vapeurs.*

humain, aine [ymɛ̃, ɛn] adj. et n. m. I. Adj. 1. De l'homme, propre à l'homme (I) en tant qu'espèce. *Les êtres humains. La nature humaine. Organisme humain. Chair humaine. La condition humaine. C'est au-dessus des forces humaines.* ⇒ **surhumain.** *Le cœur humain. Faiblesse, dignité humaine. C'est humain, c'est une réaction bien humaine, c'est excusable.* — (Opposé à *divin*) *Justice divine et justice humaine.* — Qui a les caractères de l'homme (opposé à *animal*). *Créature humaine. Être humain.* ⇒ **femme, homme ; individu, personne.** — Formé, composé d'hommes. *Espèce humaine. Les différentes races humaines. Le genre humain.* ⇒ **humanité.** — Qui traite de l'homme. *Anatomie humaine. Sciences humaines. Géographie humaine.* 2. Qui est compréhensif et compatissant, manifeste de la sensibilité. ⇒ **bon.** *C'est une femme très humaine.* / contr. **inhumain** / — *Sentiments humains.* ⇒ **humanitaire.** II. N. m. 1. Ce qui est humain. *L'humain et le divin.* 2. Être humain. *Les humains.* ⇒ **humanité.** *Vivre séparé du reste des humains.* ⇒ **gens.** ► *humainement* [ymɛnmɑ̃] adv. 1. En tant qu'homme, en tant qu'être humain. *Elle a fait tout ce qui était humainement possible pour le sauver.* 2. Avec humanité. ⇒ **charitablement.** *Traiter humainement un ennemi, un coupable.* / contr. **inhumainement** / ⟨ ► humaniser, humanisme, humanité, humanités, inhumain, surhumain ⟩

humaniser [ymanize] v. tr. ▪ conjug. 1. ▪ Rendre plus humain. *Humaniser les conditions de travail.* — Pronominalement. *Cette personne s'humanise,* devient plus sociable, plus accommodante. ▶ *huma-nisation* n. f.

humanisme [ymanism] n. m. **1.** Théorie ou doctrine qui place la personne humaine et son épanouissement au-dessus de toutes les autres valeurs. *L'humanisme de la Renaissance.* **2.** Formation de l'esprit humain par la culture littéraire ou scientifique (⇒ **humanités**). ▶ *humaniste* n. m. **1.** Spécialiste des langues et littératures grecques et latines. **2.** Partisan de l'humanisme (1). *Ce philosophe est un humaniste.* — Adj. *Philosophie humaniste.* **3.** Savant, érudit partisan de l'humanisme, pendant la Renaissance.

humanité [ymanite] n. f. **1.** Caractère de ce qui est humain ; nature humaine. *Humanité et divinité du Christ.* **2.** Sentiment de bienveillance, de compassion envers son prochain. / contr. **inhumanité** / *Traiter des prisonniers avec humanité. Faire preuve d'humanité.* ⇒ **bonté.** **3.** Le genre humain, les hommes en général. *Un bienfaiteur de l'humanité. Histoire de l'humanité.* ⇒ **civilisation.** ▶ *humanitaire* adj. ▪ (Choses) Qui vise au bien de l'humanité. ⇒ **philan-thropique.** *Système humanitaire. Sentiments humani-taires.* ⇒ **bon, humain.**

humanités n. f. pl. ▪ Étude de la langue et de la littérature grecques et latines. *Faire ses humanités.*

humble [œbl] adj. **I.** (Personnes) **1.** Qui s'abaisse volontairement, par modestie ou par déférence (⇒ **humilité**). *Il était humble et soumis.* ⇒ **effacé, modeste.** **2.** Littér. Qui est d'une condition sociale modeste. ⇒ **pauvre, simple.** *Un humble bûcheron.* — N. *Les humbles,* les petits, les petites gens. **II.** (Choses) **1.** Qui marque de l'humilité, de la déférence. *Air, manières, ton humbles.* ⇒ **timide.** — (Par modestie réelle ou affectée) *À mon humble avis, tu te trompes.* **2.** Littér. Qui est sans éclat, sans préten-tion. ⇒ **modeste.** *Une humble demeure.* ⇒ **pauvre.** ▶ *humblement* adv. ▪ D'une manière humble. *Remercier humblement.* — (Par modestie affectée) *Je te ferai humblement remarquer que tu te trompes.*

humecter [ymɛkte] v. tr. ▪ conjug. 1. ▪ Rendre humide, mouiller légèrement. *Humecter du linge avant de le repasser.* ⇒ **humidifier.** *Humecter ses lèvres, s'humecter les lèvres.* — Au p. p. *Yeux humectés (de larmes).* — Pronominalement. *Ses yeux s'humectè-rent, devinrent humides de larmes.* ▶ *humectage* n. m. ⟨ ▶ ② humeur, humoral, humide ⟩

***humer** ['yme] v. tr. ▪ conjug. 1. ▪ **1.** Aspirer par le nez en respirant. *Je hume avec délice l'air frais du matin.* ⇒ **respirer.** **2.** Aspirer par le nez pour sentir. *Humer une odeur, un parfum.* ⟨ ▶ humage ⟩

humérus [ymerys] n. m. invar. ▪ Os long constituant le squelette du bras, de l'épaule au coude. *Le col et la tête de l'humérus. Des humérus.*

① **humeur** [ymœr] n. f. **1.** Ensemble des ten-dances dominantes qui forment le tempérament de qqn (attribuées autrefois aux *humeurs* ② du corps). ⇒ **naturel, tempérament.** *Il est d'humeur, il a l'humeur chagrine, maussade. Égalité d'humeur. Une saute d'humeur. Incompatibilité d'humeur entre deux personnes.* **2.** Littér. Comportement irréfléchi (opposé à *la raison,* à *la volonté*). ⇒ **caprice, fantaisie, impul-sion.** *Se livrer à son humeur.* **3.** Disposition momenta-née qui ne constitue pas un trait de caractère. *Cela dépendra de mon humeur.* — Loc. *Être, se sentir* D'HUMEUR À (+ infinitif). ⇒ **disposé, enclin.** *Je ne suis pas d'humeur à plaisanter.* **4.** *Bonne, belle... humeur,* disposition à la gaieté, à l'optimisme, qui se manifeste à un moment précis. ⇒ **enjouement, entrain.** *Être de bonne, d'excellente humeur.* ⇒ **gai ; content.** *Sa belle humeur disparut soudain.* **5.** *Mauvaise, méchante... humeur,* disposition à la tristesse, à l'irritation, à la

colère. *Manifester de la mauvaise humeur. Il est de très mauvaise humeur, de fort méchante humeur, d'une humeur massacrante, d'une humeur de chien.* Ellipt. *Il est d'une humeur !...* — *Humeur sombre, noire,* mélancolie profonde ; tristesse, abattement. ⇒ **cafard.** **6.** Littér. Mauvaise humeur. ⇒ **colère, irritation.** *Garder de l'humeur contre qqn.* ⇒ **rancune.** *Accès, mouvement d'humeur.* ▶ ② *humeur* n. f. **1.** Vx. LES HUMEURS : le sang, la bile, la sueur, la salive, la lymphe, etc. **2.** En anatomie. *Humeur aqueuse, humeur vitrée,* substance transparente conte-nue dans la cavité oculaire. ⟨ ▶ humoral ⟩

humide [ymid] adj. ▪ Chargé, imprégné d'eau, de liquide, de vapeur. / contr. **sec** / *Éponge, serviette humide. Murs humides.* ⇒ **suintant.** *Cave humide. Front humide de sueur.* — *Atmosphère, temps humide. Une chaleur humide.* — *Yeux humides de larmes. Regards humides.* ⇒ **mouillé.** ▶ *humidifier* v. tr. ▪ conjug. 7. ▪ Rendre humide. ⇒ **humecter.** *Humidi-fier l'air.* / contr. **dessécher**/ ▶ *humidificateur* n. m. ▪ Appareil utilisé pour accroître le degré d'humidité de l'air. ▶ *humidification* n. f. ▪ Action d'humidi-fier. ▶ *humidité* n. f. ▪ Caractère de ce qui est humide ; l'eau, la vapeur que contient un corps, un lieu. *Un métal rongé par l'humidité. L'humidité de l'air, du climat.* / contr. **sécheresse** /

humilier [ymilje] v. tr. ▪ conjug. 7. ▪ Abaisser d'une manière insultante. ⇒ **mortifier, rabaisser.** *Il cherche à humilier son adversaire.* — Pronominale-ment. *S'humilier devant qqn.* ▶ *humiliant, ante* adj. ▪ Qui cause de l'humiliation. *Aveu humiliant. Essuyer un échec humiliant.* ⇒ **mortifiant.** *Travail humiliant.* ⇒ **avilissant, dégradant.** ▶ *humiliation* n. f. **1.** Ac-tion d'humilier ou de s'humilier ; sentiment qui en découle. ⇒ **abaissement ; confusion, honte.** *Vivre dans l'humiliation. Rougir d'humiliation.* **2.** (Une, des humiliations) Ce qui humilie, blesse l'amour-propre. ⇒ **affront.** *Infliger, endurer des humiliations.* ▶ *hu-milié, ée* adj. ▪ Qui a subi une humiliation. ⇒ **honteux.** — N. *Les humiliés.*

humilité [ymilite] n. f. ▪ Le fait d'être humble*. **1.** Sentiment de sa propre insuffisance. ⇒ **modestie.** *Agir dans un profond esprit d'humilité. En signe d'humilité.* **2.** Grande déférence. ⇒ **soumission.** *S'effacer devant qqn par humilité.* **3.** Littér. Caractère humble, modeste (de la nature humaine, ou d'une condition sociale). *L'humilité de sa condition.*

humoral, ale, aux [ymɔral, o] adj. ▪ Relatif aux humeurs ② du corps. *Troubles humoraux.*

humour [ymur] n. m. ▪ Forme d'esprit qui consiste à dégager les aspects plaisants et insolites de la réalité, avec un certain détachement. *L'humour britannique. Humour noir,* qui s'exerce à propos de graves, voire de macabres situations. — *Avoir de l'humour, le sens de l'humour,* être capable de s'exprimer avec humour, de comprendre l'humour (même à ses dépens). ▶ *humoriste* n. ▪ (Personnes) Qui a de l'humour. *Écrivain humoriste.* — N. *Un, une humoriste.* ▶ *humoristique* adj. ▪ Qui s'exprime avec humour ; empreint d'humour. *Dessi-nateur humoristique. Récit, ton humoristique.*

humus [ymys] n. m. invar. ▪ Terre formée par la décomposition des végétaux. ⇒ **terreau.** *Couche d'humus. Des humus très riches.*

***hune** ['yn] n. f. ▪ Plate-forme arrondie fixée au mât d'un navire, à une certaine hauteur. *Mât de hune,* situé au-dessus de la hune. ≠ *une.* ▶ *hunier* n. m. ▪ Voile carrée gréée sur le mât de hune.

***huppe** ['yp] n. f. **1.** Touffe de plumes que certains oiseaux ont sur la tête. ⇒ **aigrette.** *La huppe du cacatoès.* **2.** Nom d'un passereau qui porte une huppe.

huppé, ée [ˈype] adj. ▪ Fam. De haut rang ; haut placé ; riche. *Des gens chic, très huppés.*

hure [ˈyʀ] n. f. **1.** Tête du sanglier, du cochon. **2.** Charcuterie à base de morceaux de hure (de porc).

hurler [ˈyʀle] v. ▪ conjug. 1. **I.** V. intr. **1.** (Animaux) Pousser des cris prolongés. *Chien qui hurle à la mort.* ⇒ **aboyer.** — Loc. *Hurler avec les loups,* se ranger du côté du plus fort. **2.** (Personnes) Pousser des cris prolongés et violents. *Hurler de douleur, de terreur.* **3.** Parler, crier, chanter de toutes ses forces. ⇒ **brailler, vociférer ;** fam. **gueuler.** *La foule hurlait. Hurler de rire.* **4.** Produire un son, un bruit semblable à un hurlement. *Le vent hurle dans la cheminée.* **II.** V. tr. Exprimer par des hurlements. *Hurler sa douleur.* — Dire avec fureur, en criant très fort. ⇒ **clamer.** *Hurler des injures, des menaces.* **III.** V. intr. (Choses) Produire un effet violemment discordant. ⇒ **jurer.** *Couleurs qui hurlent.* ▶ ***hurlant, ante*** adj. **1.** Qui hurle. *Foule hurlante.* **2.** Qui produit un effet violent. *Couleurs hurlantes.* ⇒ **criard.** ▶ ***hurlement*** n. m. **1.** Cri aigu et prolongé que poussent certains animaux (loup, chien). **2.** (Personnes) *Hurlement de rage, de terreur, de souffrance.* — (Choses) *Les hurlements du vent.*

hurluberlu [yʀlybɛʀly] n. m. ▪ Personne extravagante, qui parle et agit d'une manière inconsidérée. ⇒ **écervelé.** *Quel est cet huluberlu ?* — Adj. *Elle est un peu hurluberlue.*

hurrah ⇒ **hourra.**

hussard [ˈysaʀ] n. m. **1.** Autrefois, soldat de la cavalerie légère ; aujourd'hui, soldat d'un régiment blindé. *Les régiments de hussards.* **2.** À LA HUSSARDE : brutalement, sans retenue ni délicatesse.

hutte [ˈyt] n. f. ▪ Abri rudimentaire, servant parfois d'habitation. ⇒ **cabane, case.** *Une hutte de paille, de branchages. Une hutte sur pilotis. Hutte de chasseur.*

hybride [ibʀid] adj. et n. m. **1.** (Plantes, animaux) Qui provient du croisement de variétés ou d'espèces différentes. *Animal hybride.* — N. m. *Le mulet est un hybride. Les hybrides ne sont pas féconds.* **2.** *Mots hybrides,* formés d'éléments empruntés à deux langues différentes (ex. : dans *hypertension, hyper* vient du grec, *tension* du latin). **3.** Composé de deux ou plusieurs éléments de nature, genre, style... différents. *Le centaure, créature hybride. Œuvre hybride.* ⇒ **composite.** *Solution hybride.* ⇒ **bâtard.** ▶ ***hybridation*** n. f. ▪ Croisement entre plantes ou animaux de variété ou d'espèce différente.

hydre [idʀ] n. f. ▪ Dans la mythologie, les légendes. Serpent à plusieurs têtes. *L'hydre de Lerne.*

① ***hydr(o)-*** ▪ Élément signifiant « eau ». ≠ *hygro-.* ⟨▶ hydrate, hydraulique, hydravion, hydrocéphale, hydrocution, hydrodynamique, hydro-électrique, hydrogène, hydroglisseur, hydrographie, hydrologie, hydrolyse, hydromel, hydrophile, hydrophobie, hydropisie, hydrostatique, hydrothérapie ⟩

② ***hydr(o)-*** ▪ Élément signifiant « hydrogène ». ⟨▶ hydrocarbure, hydroxyde ⟩

hydrate [idʀat] n. m. **1.** Composé contenant une ou plusieurs molécules d'eau. *Hydrate de calcium.* **2.** HYDRATE DE CARBONE : composé organique constitué uniquement de carbone, d'hydrogène et d'oxygène. ⇒ **glucide.** ▶ ***hydrater*** v. tr. ▪ conjug. 1. **1.** Combiner avec de l'eau. *Hydrater de la chaux.* / contr. **déshydrater** / **2.** Introduire de l'eau dans (l'organisme). — V. pron. réfl. Fam. *S'hydrater,* boire. ▶ ***hydratant, ante*** adj. et n. ▪ Qui fixe l'eau, permet l'hydratation. *Substance hydratante.* — *Crème hydra-*

tante (pour le visage). ▶ ***hydratation*** n. f. ▪ Transformation en hydrate ; introduction d'eau dans l'organisme. / contr. **déshydratation** / ⟨▶ déshydrater ⟩

hydraulique [idʀolik] adj. et n. f. **I.** Adj. **1.** Mû par l'eau ; qui utilise l'énergie de l'eau. *Moteur hydraulique. Usine hydraulique. Presse hydraulique.* **2.** *Énergie hydraulique,* fournie par les chutes d'eau ⇒ **houille** blanche, les marées ⇒ **hydro-électrique.** **3.** Relatif à la circulation, la distribution de l'eau. *Installation hydraulique.* **II.** N. f. *L'hydraulique,* science et technique des liquides en mouvement.

hydravion [idʀavjɔ̃] n. m. ▪ Avion spécialement construit pour décoller sur l'eau et y amerrir.

hydrocarbure [idʀokaʀbyʀ] n. m. ▪ Composé contenant seulement du carbone et de l'hydrogène. *Le pétrole, l'essence sont des hydrocarbures utilisés comme carburants.*

hydrocéphale [idʀosefal] adj. et n. ▪ Qui est atteint d'un épanchement de sérosité à l'intérieur du cerveau. — N. *Les hydrocéphales ont un crâne anormalement gros.*

hydrocution [idʀokysjɔ̃] n. f. ▪ Syncope survenant lors d'un contact trop brutal avec l'eau froide, et pouvant entraîner la mort (comme l'électrocution).

hydrodynamique [idʀodinamik] n. f. ▪ Science qui étudie le mouvement des fluides.

hydro-électrique [idʀoelɛktʀik] adj. ▪ Relatif à la production d'électricité par l'énergie hydraulique (chutes d'eau). *Énergie hydro-électrique* (ou *hydro-électricité,* n. f.), énergie électrique qui provient de la transformation de l'énergie hydraulique.

hydrogène [idʀoʒɛn] n. m. ▪ Corps simple (symb. H, n° at. 1), gaz incolore, inodore, sans saveur, le plus léger que l'on connaisse. *L'hydrogène existe à l'état naturel comme constituant de l'eau.* — *Hydrogène lourd,* isotope de l'hydrogène. — *Bombe à hydrogène* ou *bombe H.* ⇒ **thermonucléaire.**

hydroglisseur [idʀoɡlisœʀ] n. m. ▪ Bateau à fond plat mû par une hélice aérienne ou un moteur à réaction.

hydrographie [idʀoɡʀafi] n. f. **1.** Partie de la géographie physique qui traite des océans ⇒ **océanographie,** des mers, des lacs et des cours d'eau. — Topographie maritime. **2.** Ensemble des cours d'eau et des lacs d'une région. *Décrire l'hydrographie du Jura.*

hydrologie [idʀoloʒi] n. f. ▪ Étude des eaux, de leurs propriétés.

hydrolyse [idʀoliz] n. f. ▪ Décomposition chimique d'un corps sous l'action de l'eau, dont il fixe les éléments ou se dédoublant (il s'*hydrolyse*).

hydromel [idʀomɛl] n. m. ▪ Boisson faite d'eau et de miel, qui se consomme fraîche ou fermentée. *L'hydromel, boisson des dieux de l'Olympe.*

hydrophile [idʀofil] adj. ▪ (Choses) Qui absorbe l'eau, ou tout autre liquide. *Coton hydrophile,* servant en chirurgie et pour l'hygiène courante.

hydrophobie [idʀofobi] n. f. ▪ Peur morbide de l'eau. *Il fait de l'hydrophobie.*

hydropisie [idʀopizi] n. f. ▪ Épanchement de sérosité dans une cavité naturelle du corps (spécialt l'abdomen) ou entre les éléments du tissu conjonctif. *Visage bouffi par l'hydropisie.* ▶ ***hydropique*** adj. ▪ Atteint d'hydropisie. — N. *Un hydropique.*

hydrostatique [idʀostatik] n. f. et adj. **1.** N. f. Partie de la mécanique qui étudie l'équilibre et la pression des liquides. **2.** Adj. Relatif à l'hydrostatique.

hydrothérapie [idrɔterapi] n. f. ■ Emploi thérapeutique de l'eau. — Traitement par usage externe de l'eau (bains, douches, etc.). *Cure d'hydrothérapie.* ⇒ **thalassothérapie.** ▶ *hydrothérapique* adj.

hydroxyde [idrɔksid] n. m. ■ Composé chimique dérivé de l'eau mais où l'hydrogène est remplacé par des ions positifs.

⌊*⌉*hyène* [jɛn ; 'jɛn] n. f. ■ Mammifère carnassier d'Afrique et d'Asie, à pelage gris ou fauve se nourrissant surtout de charognes. *Des cris de hyène. L'hyène* ou *la hyène.*

hygiène [iʒjɛn] n. f. ■ Ensemble des principes et des pratiques tendant à préserver, à améliorer la santé. *Articles d'hygiène. Hygiène corporelle.* ⇒ **propreté.** *Manquer d'hygiène. Hygiène publique,* ensemble des moyens mis en œuvre par l'État pour sauvegarder la santé publique. *Mesures d'hygiène collectives.* — *Hygiène alimentaire,* pour une alimentation saine. ⇒ **diététique.** ▶ *hygiénique* adj. **1.** Qui a rapport à l'hygiène. — Par euphém. *Papier, seau, serviette hygiénique.* **2.** Qui est conforme à l'hygiène, favorable à la santé. ⇒ **sain.** *Promenade hygiénique.*

hygro- ■ Préfixe savant signifiant « humide ». ≠ *hydro-.* ▶ *hygrométrie* [igrɔ metri] n. f. ■ Partie de la météorologie qui a pour objet de déterminer le degré d'humidité de l'atmosphère. — Cette humidité. ▶ *hygrométrique* adj. ■ *Degré hygrométrique.*

① *hymen* [imɛn] ou *hyménée* [imene] n. m. ■ Littér. et vx. Mariage. *Les liens, les nœuds de l'hymen, de l'hyménée.*

② *hymen* n. m. ■ En anatomie. Membrane qui obstrue partiellement l'orifice vaginal, chez la vierge.

hymén(o)- ■ Préfixe savant signifiant « membrane ». ▶ *hyménoptères* [imenɔp tɛr] n. m. pl. ■ Ordre d'insectes caractérisés par quatre ailes membraneuses transparentes (ex : *abeilles*). — Au sing. *Un hyménoptère.* — Adj. *Insecte hyménoptère.*

hymne [imn] n. **1.** N. f. Dans la tradition chrétienne. Chant à la louange de Dieu. ⇒ **cantique, psaume.** *Chanter une hymne.* **2.** N. m. Chant, poème lyrique exprimant la joie, l'enthousiasme, célébrant une personne, une chose. *Composer un hymne à la gloire d'un héros. Hymne à la nature, à l'amour.* — Chant solennel en l'honneur de la patrie, de ses défenseurs. *La Marseillaise est l'hymne national français.*

hyper- ■ Préfixe savant qui exprime l'exagération, l'excès, le plus haut degré (ex. : *hyperémotivité,* n. f., très grande émotivité ; *hypersécrétion,* n. f.). ⇒ **super-.** / contr. **hypo- /** ⟨▶ hyperbole, hypermétrope, hypernerveux, hypersensibilité, hypertension, hypertrophie ⟩

① *hyperbole* [ipɛrbɔl] n. f. ■ Figure de style qui consiste à mettre en relief une idée au moyen d'une expression qui la dépasse. ⇒ **exagération.** *Dire « une fille sensationnelle » pour « une fille très bien »* est une hyperbole. ▶ *hyperbolique* adj. ■ Caractérisé par l'hyperbole. *Style hyperbolique. Louanges hyperboliques.* ⇒ **exagéré.**

② *hyperbole* n. f. ■ Courbe géométrique formée par l'ensemble des points d'un plan dont la différence des distances à deux points fixes de ce plan (foyers) est constante. ≠ *parabole.*

hypermétrope [ipɛrmetrɔp] adj. et n. ■ Qui ne distingue pas avec netteté les objets rapprochés (opposé à *myope*). ⇒ **presbyte.** — N. *Un, une hypermétrope.* ▶ *hypermétropie* n. f. ■ Anomalie de la vision, due à un défaut du globe oculaire, qui fait que l'image se forme en arrière de la rétine (opposé à *myopie*).

hypernerveux, euse [ipɛrnɛrvø, øz] adj. et n. ■ D'une nervosité excessive, pathologique. — N. *C'est un hypernerveux.*

hypersensibilité [ipɛrsãsibilite] n. f. ■ Sensibilité exagérée. ▶ *hypersensible* adj. et n. ■ D'une sensibilité extrême, exagérée. *Cet enfant est hypersensible.*

hypertension [ipɛrtãsjɔ̃] n. f. ■ Tension supérieure à la normale ; augmentation de la tension. *Hypertension artérielle. Il a, il fait de l'hypertension.* / contr. **hypotension /** ▶ *hypertendu, ue* adj. ■ Qui souffre d'hypertension. — N. *Un, une hypertendu(e).*

hypertrophie [ipɛrtrɔfi] n. f. **1.** Augmentation de volume d'un organe avec ou sans altération anatomique. / contr. **atrophie /** *Hypertrophie du cœur.* **2.** Abstrait. Développement excessif, anormal. ⇒ **exagération.** *Hypertrophie du moi.* ▶ *hypertrophier* v. tr. ■ conjug. 7. ■ Produire l'hypertrophie de. — Pronominalement. Se développer exagérément. *Organe qui s'hypertrophie.* — Au p. p. adj. *Organe hypertrophié.* / contr. **atrophier /** — Abstrait. *Une sensibilité hypertrophiée.* ▶ *hypertrophique* adj.

hypn(o)- ■ Élément savant signifiant « sommeil ». ▶ *hypnose* [ipnoz] n. f. ■ Sommeil incomplet, provoqué par des manœuvres de suggestion ⇒ **hypnotisme, magnétisme,** ou des moyens chimiques ⇒ **narcose, somnambulisme.** *Être sous hypnose, en état d'hypnose.* ▶ *hypnotique* adj. **1.** Qui provoque l'hypnose. ⇒ **narcotique.** — N. m. *Un hypnotique,* un médicament hypnotique. **2.** Qui a rapport à l'hypnose, à l'hypnotisme. *État hypnotique. Transe hypnotique.* ▶ *hypnotiser* v. tr. ■ conjug. 1. **1.** (Suj. personne ou animal) Endormir (qqn) par hypnotisation. **2.** Éblouir, fasciner. — Au passif. *Être hypnotisé par qqn, par sa personnalité.* — Pronominalement. *S'hypnotiser sur une chose,* être comme fasciné par elle. ▶ *hypnotiseur* n. m. ■ Personne qui hypnotise. — En appos. *Guérisseur hypnotiseur.* ▶ *hypnotisme* n. m. ■ Ensemble des procédés (surtout psychologiques) mis en œuvre pour déclencher les phénomènes d'hypnose. *Séance d'hypnotisme.* — Science qui traite des phénomènes hypnotiques.

hyp(o)- ■ Préfixe savant qui signifie « au-dessous », « au-dessous de la normale », « insuffisamment » (ex. : *hypocalorique,* adj., faible en calories ; *hypo-sécrétion,* n. f.). / contr. **hyper-/** ≠ *hipp(o)-.*

hypocondrie [ipɔkɔ̃dri] n. f. ■ Vx. Anxiété habituelle et excessive à propos de sa santé. ▶ *hypocondriaque* adj. et n. ■ Qui est atteint d'hypocondrie, a constamment peur d'être malade. — N. *Un hypocondriaque,* un malade imaginaire.

hypocrisie [ipɔkrizi] n. f. **1.** Le fait de déguiser son véritable caractère, d'exprimer des opinions, des sentiments qu'on n'a pas. ⇒ **dissimulation, duplicité, fausseté, fourberie.** *Ces gens sont d'une hypocrisie révoltante.* **2.** Caractère de ce qui est hypocrite. *L'hypocrisie du procédé. L'hypocrisie de son regard.* **3.** Acte, manifestation hypocrite. ⇒ **comédie, mensonge, simagrée.** *Tout cela est pure hypocrisie.*

hypocrite [ipɔkrit] n. et adj. **I.** N. Personne qui a de l'hypocrisie, qui dissimule ou déguise ses sentiments. ⇒ **fourbe.** *Faire l'hypocrite. Quel hypocrite, il ne pense pas un mot de ce qu'il dit !* **II.** Adj. (Personnes) Qui se comporte avec hypocrisie. ⇒ **dissimulé, faux, menteur, sournois.** *Homme hypocrite. Il est très hypocrite.* — (Choses) *Sourire, ton hypocrite. Louanges hypocrites.* ▶ *hypocritement* adv. ■ D'une manière hypocrite. ⟨ ▶ hypocrisie ⟩

hypodermique [ipɔdɛrmik] adj. ■ Qui concerne le tissu sous-cutané. *Piqûre hypodermique,* faite sous la peau. *Seringue hypodermique*

hypogée [ipɔʒe] n. m. ■ Didact. Sépulture souterraine. *Un hypogée égyptien.*

hypokhâgne ou *hypocagne* [ipokaɲ] n. f.
■ Fam. Classe de préparation à l'École normale
supérieure, précédant la khâgne.

hypophyse [ipɔfiz] n. f. ■ Glande endocrine située
à la base du crâne. *L'hypophyse sécrète plusieurs
hormones.* ▶ *hypophysaire* adj. ■ De l'hypophyse.
Hormones hypophysaires.

hypotension [ipotɑ̃sjɔ̃] n. f. ■ Tension artérielle
inférieure à la normale ; diminution de la tension.
/ contr. **hypertension** / *Elle est sujette à l'hypotension.*
▶ *hypotendu, ue* adj. et n. ■ Qui a une tension
artérielle insuffisante.

hypoténuse [ipotenyz] n. f. ■ Le côté opposé à
l'angle droit, dans un triangle rectangle. *Le carré de
l'hypoténuse est égal à la somme des carrés des deux
autres côtés* (théorème de Pythagore).

hypothèque [ipotɛk] n. f. **1.** Droit accordé à un
créancier sur un bien immeuble (maison, terrain...)
en garantie d'une dette, sans que le propriétaire perde
sa propriété. ⟹ **gage, garantie.** *Prêter sur hypothèque*
(l'hypothèque servant de garantie). *Grever un immeuble d'une hypothèque.* **2.** Obstacle, difficulté qui
entrave ou empêche l'accomplissement de qqch.
*L'hypothèque qui pèse sur les relations entre deux pays.
Lever l'hypothèque.* ▶ *hypothécaire* adj. ■ Relatif
à l'hypothèque. *Garantie hypothécaire. Prêts hypothé-
caires.* ▶ *hypothéquer* [ipoteke] v. tr. ■ conjug. 6. **1.** Mettre une hypothèque sur (une maison,
un terrain) pour recevoir un prêt. *Hypothéquer un
immeuble.* — Au p. p. adj. *Maison, terrains hypothé-
qués.* — Garantir par une hypothèque. *Hypothéquer
une créance.* **2.** *Hypothéquer l'avenir,* s'engager, se lier
par un acte qui compromet l'avenir.

hypothèse [ipotɛz] n. f. **I.** En sciences. **1.** Proposition admise comme donnée d'un problème, ou pour
la démonstration d'un théorème (⟹ **axiome, postulat**). *Le segment AB étant par hypothèse égal à BC...*
2. Proposition relative à l'explication de phénomènes
naturels et qui doit être vérifiée par la déduction ou
l'expérience. ⟹ **conjecture.** *Hypothèse expérimentale.
Vérifier la validité d'une hypothèse.* **II.** Ce qu'on
suppose concernant l'explication ou la possibilité d'un
événement. ⟹ **supposition.** *Émettre, énoncer, faire
une hypothèse. Envisager l'hypothèse, l'éventualité.
Nous en sommes réduits aux hypothèses. En toute
hypothèse, en tout cas. Par hypothèse,* par définition.
*Il est par hypothèse opposé à tout changement. Dans
l'hypothèse où tu ne pourrais pas venir,* dans le cas
où, en supposant que... ▶ *hypothétique* [ipotetik]
adj. **1.** Qui repose sur une hypothèse, n'existe qu'à
l'état d'hypothèse. *Cas hypothétique.* ⟹ **supposé.**
2. Qui n'est pas certain. ⟹ **douteux, incertain,
problématique.** *Un héritage hypothétique.* ▶ *hypothé-
tiquement* adv.

hysope [izɔp] n. f. ■ Arbrisseau vivace à feuilles
persistantes, à fleurs bleues. *L'arôme de l'hysope. Une
infusion d'hysope.*

hystérie [isteʀi] n. f. **1.** En médecine. Névrose qui
se traduit par des troubles organiques (sans lésion
véritable) et des manifestations d'angoisse, de délires,
etc. *Freud a beaucoup travaillé sur l'hystérie. Crise
d'hystérie.* **2.** Cour. Comportement violent d'une personne qui ne peut plus se contrôler (cris, pleurs, etc.) ;
excitation extrême. *Hystérie collective.* — *C'est de
l'hystérie !* ⟹ **folie, rage.** ▶ *hystérique* adj. et n.
1. Atteint d'hystérie. — Relatif à l'hystérie. *Troubles
d'origine hystérique.* — N. *Un, une hystérique.* **2.** Qui
est dans un état d'hystérie (2). *Cette musique le rend
hystérique.* ⟹ **surexcité.** — *Rires, cris, gesticulations
hystériques.*

i

i [i] n. m. invar. ■ Neuvième lettre (I, i), troisième voyelle de l'alphabet. *L'i (ou le i) minuscule est toujours surmonté d'un point.* I *tréma (ï).* — Loc. *Mettre les points sur les i,* s'expliquer nettement, clairement. *Se tenir droit comme un I,* très droit. — *I,* chiffre romain signifiant 1.

iambe [jɑ̃b] n. m. ■ Dans la poésie antique. Pied de deux syllabes, la première brève, la seconde longue. — Vers grec ou latin, dont certains pieds étaient des iambes. — REM. Ce mot s'est aussi écrit *ïambe*.

ibérique [iberik] adj. ■ Relatif à l'Espagne et au Portugal. *La péninsule Ibérique.*

ibidem [ibidɛm] adv. ■ Dans le même ouvrage, dans le même passage (abrév. *ibid., ib.*). *Remplacer par « ibidem » le titre d'un ouvrage déjà cité.*

ibis [ibis] n. m. invar. ■ Oiseau échassier des régions d'Afrique et d'Amérique, à bec long, mince et arqué.

iceberg [ajsbɛʀg ; isbɛʀg] n. m. ■ Masse de glace flottante, détachée de la banquise ou d'un glacier polaire. *Des icebergs.* — Loc. *La partie cachée de l'iceberg,* ce qui est caché et plus important que la partie visible d'une chose.

ichtyologie [iktjɔlɔʒi] n. f. ■ Partie de la zoologie qui traite des poissons.

ici [isi] adv. I. 1. Dans le lieu où se trouve celui qui parle (opposé à *là, là-bas*). *On est bien ici. Vous êtes ici chez vous. Il fait plus frais ici qu'à Paris.* — À cet endroit. *Veuillez signer ici.* — D'ICI : de ce lieu, de ce pays. *Sortez d'ici ! Vous n'êtes pas d'ici ?,* de ce pays ? — Loc. *Je vois cela (ça) d'ici,* j'imagine la chose. — PAR ICI : par cet endroit, dans cette direction. *Par ici la sortie.* Dans les environs, dans ce pays. *Il habite par ici.* 2. ICI-BAS loc. adv. : dans ce bas monde ; sur la terre (par opposition à *là-haut,* désignant le paradis) 3. À l'endroit où l'on se trouve, que l'on désigne, dans un discours, un écrit. *Je me sers ici de ce mot.* II. Adv. de temps. *Jusqu'ici,* jusqu'à présent. *Jusqu'ici, vous n'avez fait aucune erreur.* — D'ICI : marquant le point de départ dans le temps. *D'ici (à) demain. D'ici peu,* dans peu de temps. ‹ ▶ ceci, celui-ci, ① ci, revoici, voici ›

icône [ikon] n. f. ■ Dans l'Église d'Orient. Peinture religieuse exécutée sur un panneau de bois. *Icônes (icones) byzantines, russes.* ▶ *iconoclaste* n. et adj. ■ Personne qui interdit ou détruit les images saintes, les œuvres d'art. ▶ *iconographie* n. f. ■ Étude des représentations figurées d'un sujet (personnage célè-

bre, époque, religion, etc.) ; ces représentations. *L'iconographie de Jeanne d'Arc, de la Révolution française.* — Ensemble d'images dans un livre. *L'iconographie d'un livre d'art.* ▶ *iconographique* adj. ■ Relatif à l'iconographie. *Documents iconographiques.* ▶ *iconostase* n. f. ■ Dans les églises orthodoxes. Cloison décorée d'images, d'icônes, qui sépare la nef du sanctuaire.

ictère [iktɛʀ] n. m. ■ Coloration jaune de la peau et des muqueuses, qui révèle la présence de pigments biliaires dans les tissus. ⇒ **jaunisse.**

① *idéal, ale, als* ou *aux* [ideal, o] adj. 1. Qui est conçu et représenté dans l'esprit sans être ou pouvoir être perçu par les sens. / contr. **réel** / *Les objets idéaux de la géométrie. Un monde idéal.* 2. Qui atteint toute la perfection que l'on peut concevoir ou souhaiter. ⇒ **absolu.** *La beauté idéale.* 3. Parfait en son genre. *C'est un mari idéal. C'est la solution idéale.* ▶ *idéalement* adv. ■ D'une manière idéale.

② *idéal, als* ou *aux* n. m. 1. Ce qu'on se représente ou se propose comme type parfait ou modèle absolu dans l'ordre pratique, esthétique ou intellectuel. *Un idéal esthétique, politique. Chercher à réaliser son idéal, un idéal. Les idéaux (idéals) d'une époque.* — Individu qui est le modèle d'un genre. *Cet homme est un idéal de droiture.* ⇒ **modèle.** 2. L'IDÉAL : ce qui donnerait une parfaite satisfaction aux aspirations du cœur ou de l'esprit. / contr. **réalité** / — Loc. *Dans l'idéal,* sans tenir compte de la réalité, des difficultés matérielles. *Dans l'idéal, votre programme est séduisant.* — *L'idéal, ce serait de* (+ infinitif), *que* (+ subjonctif) : ce qu'il y aurait de mieux, ce serait... ▶ *idéaliser* v. tr. ■ conjug. 1. ■ Revêtir d'un caractère idéal. *Ce peintre a idéalisé son modèle.* ▶ *idéalisation* n. f. ■ Action d'idéaliser ; résultat de cette action. *L'idéalisation d'un personnage historique.*

idéalisme [idealism] n. m. 1. Système philosophique qui ramène l'être à la pensée, et les choses à l'esprit. 2. Attitude d'esprit ou forme de caractère qui pousse à faire une large place à l'idéal, au sentiment. / contr. **réalisme** / ▶ *idéaliste* adj. et n. ■ Propre à l'idéalisme, attaché à l'idéalisme. / contr. **réaliste** / *Ce sont des vues idéalistes.* — N. *C'est un idéaliste,* un rêveur.

idée [ide] n. f. I. 1. Représentation abstraite et générale d'un être, d'une manière d'être, ou d'un rapport *(idée générale).* ⇒ **concept, notion.** *L'idée de* *nombre, d'étendue.* **2.** Toute représentation élaborée par la pensée correspondant à un mot ou à une phrase (qu'il existe ou non un objet qui lui corresponde). *Une idée claire, juste. Avoir des idées fausses. Suivre, perdre le fil de ses idées. Sauter d'une idée à l'autre. Avoir des idées noires,* être triste. — *À l'idée de se retrouver seul, qu'il se retrouverait seul,* quand il pensait qu'il se retrouverait seul. **3.** Vue élémentaire, approximative. ⇒ **aperçu.** *Pour vous en donner une idée. Je n'en ai aucune idée, pas la moindre idée. On n'a pas idée (de cela),* ce n'est pas imaginable, c'est fou. *Quelle idée !* (même sens). — *J'ai idée que,* il me semble que. *J'ai idée qu'il reviendra vite.* **4.** Conception imaginaire, fausse ou irréalisable. ⇒ **chimère, rêve.** *Se faire des idées,* s'imaginer qqch. — *La visite du musée lui donnait des idées,* excitait son imagination. **5.** Vue, plus ou moins originale, que l'intelligence élabore dans le domaine de la connaissance, de l'action ou de la création artistique. ⇒ **projet, plan.** *Il me vient une idée. C'est une bonne, une heureuse idée. J'ai changé d'idée. C'est lui qui a lancé cette idée.* — *L'idée directrice, l'idée centrale d'un texte.* — Au plur. Pensées neuves, fortes, heureuses. *Un ouvrage plein d'idées.* **6.** Façon particulière de se représenter le réel, de voir les choses. ⇒ **opinion.** *J'ai mon idée sur la question. Juger, agir à son idée,* sans s'occuper de l'opinion d'autrui. *Une idée reçue,* une opinion courante, un préjugé. — Au plur. Ensemble des opinions (d'un individu, d'un groupe). ⇒ **théorie.** *Cela n'est pas dans mes idées. Idées politiques. Il a des idées avancées. Avoir des idées étroites, larges.* — Absolt. *Les idées,* spéculations touchant aux plus hauts problèmes. *L'histoire des idées. Ce sont les idées qui mènent le monde.* **II.** L'IDÉE : l'esprit qui élabore les idées. Loc. *J'ai dans l'idée qu'il ne viendra pas,* dans l'esprit. *On ne m'ôtera pas ça de l'idée.* **III.** Dans la philosophie de Platon. Essence éternelle qui rend les choses intelligibles. ⟨ ► ① idéal, ② idéal, idéaliser, idéalisme, idéo- ⟩

idem [idɛm] adv. ■ (Être, objet) Le même. S'emploie généralement (abrév. *id.*) pour éviter la répétition d'un nom, d'une référence.

identifier [idɑ̃tifje] v. tr. ▪ conjug. 7. **1.** Considérer comme identique, comme assimilable à autre chose ou comme ne faisant qu'un (avec qqch.). ⇒ **assimiler, confondre.** / contr. **différencier** / *Identifier une chose avec une autre, à une autre, une chose et une autre.* **2.** Reconnaître, du point de vue de l'état civil. *On n'a pas encore pu identifier le cadavre, ces empreintes.* — Au p. p. *Voleur identifié par la police.* **3.** Reconnaître comme appartenant à une espèce ou classe. *Je n'identifie pas cette plante. Un bruit étrange qu'il n'arrivait pas à identifier.* **4.** S'IDENTIFIER v. pron. : se faire ou devenir identique, se confondre, en pensée ou en fait. *Acteur qui s'identifie avec son personnage.* ► *identifiable* adj. ■ Qui peut être identifié. ► *identification* n. f. ■ Action d'identifier, de s'identifier. *L'identification d'un cadavre. L'identification d'un lecteur à un personnage de roman.*

identique [idɑ̃tik] adj. **1.** (Êtres, objets) Tout à fait semblable, mais distinct. ⇒ **pareil.** *Deux couteaux identiques.* / contr. **différent** / *Aboutir à des conclusions identiques.* **2.** Didact. *Identique à soi-même,* se dit de ce qui est unique, ou reste le même. ► *identiquement* adv. ■ D'une manière identique. *Les deux événements se sont produits identiquement.* ⟨ ► identifier, identité ⟩

identité [idɑ̃tite] n. f. **I.** **1.** Caractère de deux choses identiques. / contr. **différence** / — Relation entre deux termes identiques. **2.** Caractère de ce qui est un ⇒ **unité,** de ce qui demeure identique à soi-même. *Le problème de l'identité du moi.* **II.** Ce qui permet de reconnaître une personne parmi toutes les autres (état civil, signalement). *Établir, vérifier l'identité de qqn. Pièce, carte, photo d'identité.* — *Identité judiciaire,* service de la police chargé de la recherche et de l'établissement de l'identité des malfaiteurs.

idéo- ■ Élément qui signifie « idée ». ► *idéogramme* [ideɔgram] n. m. ■ Signe graphique qui représente une idée et un mot. *Les écritures chinoise et japonaise comportent des idéogrammes.* ≠ *pictogramme.* ► *idéographique* adj. ■ Se dit d'une écriture, d'un système de signes à idéogrammes. ⇒ **hiéroglyphe.** ► *idéologie* n. f. ■ Ensemble des idées, des croyances et des doctrines propres à une époque, à une société ou à une classe. — Ensemble d'idées qui forment une doctrine. *L'idéologie pacifiste.* ► *idéologique* adj. ■ Relatif à l'idéologie. ► *idéologue* n. ■ Souvent péj. Personne qui prétend interpréter la réalité en fonction d'idées, de théories préconçues.

ides [id] n. f. pl. ■ Dans le calendrier romain. Division du mois qui tombait vers le milieu. *César fut assassiné aux ides de mars.*

idiome [idjom] n. m. ■ Langue envisagée comme ensemble des moyens d'expression propres à une communauté. ► *idiotisme* n. m. ■ Forme, locution propre à une seule langue, intraduisible (gallicisme, anglicisme, italianisme...).

idiosyncrasie [idjɔsɛ̃krazi] n. f. ■ Didact. Caractère individuel, tempérament personnel. *L'idiosyncrasie d'un malade.*

idiot, idiote [idjo, idjɔt] adj. et n. **I.** Adj. Qui manque d'intelligence, de bon sens. ⇒ **bête.** *Il est complètement idiot.* — *Une réflexion idiote.* ≠ **inepte.** *Un film idiot.* — Impers. *Ce serait idiot de refuser.* **II.** N. **1.** Personne sans intelligence. ⇒ **crétin, imbécile.** *Quel idiot !* — (Comme injure, sans contenu précis) *Pauvre idiot ! Espèce d'idiot ! Faire l'idiot,* simuler la bêtise, la naïveté. *Ne fais pas l'idiot, tu as très bien compris.* — Agir de manière absurde. *Il a fait l'idiot en refusant le poste qu'on lui offrait.* **2.** Personne atteinte d'idiotie. ⇒ Fam. *L'idiot du village,* simple d'esprit, innocent. ► *idiotement* adv. ■ D'une façon idiote. *Il a agi idiotement. Rire idiotement.* ► *idiotie* [idjɔsi] n. f. **1.** Manque d'intelligence, de bon sens. ⇒ **stupidité.** *L'idiotie d'une personne, d'un film.* **2.** (Une, des idioties) Action, parole qui traduit un manque d'intelligence, de bon sens. ⇒ **bêtise.** *Ne dites pas d'idioties ! Vous ne croyez pas à ces idioties ?* — Fam. Œuvre stupide. *Ne lisez pas cette idiotie.* **3.** En médecine. Insuffisance mentale, arriération très grave. ⇒ **crétinisme.**

idoine [idwan] adj. ■ Vx ou plaisant. Qui convient parfaitement, approprié. ⇒ **adéquat.** *Vous avez trouvé l'homme idoine.*

idole [idɔl] n. f. **1.** Représentation d'une divinité (image, statue...), qu'on adore comme si elle était la divinité elle-même. **2.** Personne ou chose qui est l'objet d'une adoration. *Faire de qqn son idole.* — *Les idoles des jeunes,* les chanteurs, artistes, etc., admirés du jeune public. ► *idolâtre* adj. et n. **1.** Qui rend un culte divin aux idoles. *Les peuples idolâtres de l'Antiquité.* **2.** Littér. Qui voue une adoration (à qqn, à qqch.). *Il est idolâtre de sa femme.* ► *idolâtrer* v. tr. ▪ conjug. 1. ■ Littér. Aimer avec passion en rendant une sorte de culte. ⇒ **adorer.** *Elle a toujours idolâtré ses enfants.* ► *idolâtrie* n. f. **1.** Culte rendu à l'image d'un dieu comme si elle était le dieu en personne. **2.** Amour passionné, admiration outrée. *Un culte de la personnalité qui va jusqu'à l'idolâtrie.*

idylle [idil] n. f. **1.** Petit poème à sujet pastoral et amoureux. ⇒ **églogue, pastorale.** **2.** Petite aventure amoureuse naïve et tendre. ⇒ **amourette.** ▶ *idylli-que* adj. ■ Qui rappelle l'idylle par le décor champêtre, l'amour tendre, les sentiments idéalisés. *Il nous a fait un tableau idyllique de la vie dans ces îles.*

if [if] n. m. ■ Arbre (conifère) à fruits rouges, décoratifs. *Des ifs bien taillés.*

igloo ou *iglou* [iglu] n. m. ■ Abri des Esquimaux, construit avec des blocs de glace ou de neige. *Des igloos ; des iglous.*

igname [iɲam] n. f. ■ Plante tropicale à gros tubercules farineux ; ce tubercule (utilisé en Afrique pour l'alimentation).

ignare [iɲaʀ] adj. et n. ■ Totalement ignorant. / contr. **instruit** / *Il est ignare en musique.* — N. *Quelle ignare !*

igné, ée [igne] ou [iɲe] adj. ■ Produit par l'action du feu. *Roches ignées.* ▶ *ignifuge* [ignifyʒ] ou [iɲi-] adj. ■ Qui rend ininflammables les objets naturelle-ment combustibles. *Une substance ignifuge.* ▶ *ignifu-ger* [ignifyʒe] ou [iɲi-] v. tr. . conjug. 3. ■ Rendre ininflammable. ▶ *ignition* [ignisjɔ̃] n. f. ■ Didact. État de ce qui est en feu. ⇒ **combustion.**

ignoble [iɲɔbl] adj. **1.** Vil, moralement bas. ⇒ **abject, infâme.** *Un ignoble individu. Une conduite ignoble.* **2.** D'une laideur affreuse ou d'une saleté repoussante. ⇒ **immonde, répugnant.** *Un taudis igno-ble.* — Par ext. *Un temps ignoble,* affreux. *Un acteur ignoble,* très mauvais. ▶ *ignoblement* adv.

ignominie [iɲɔmini] n. f. Littér. **1.** Déshonneur extrême causé par un outrage public, une peine, une action infamante. ⇒ **honte, infamie, opprobre.** / contr. **gloire, honneur** / *Il s'est couvert d'ignominie. Traîner qqn dans l'ignominie.* **2.** Caractère de ce qui déshonore. *L'ignominie d'une condamnation.* **3.** *(Une, des ignominies)* Action ignoble. ⇒ **turpitude.** *Il s'abaisse aux pires ignominies.* ▶ *ignominieux, euse* adj. ■ Littér. Qui apporte, cause de l'ignominie. ⇒ **hon-teux.** *Une condamnation ignominieuse.* ▶ *ignomi-nieusement* adv. ■ Littér. D'une manière ignomi-nieuse. *Mourir ignominieusement.*

ignorance [iɲɔʀɑ̃s] n. f. **1.** État de celui qui ignore ; le fait de ne pas connaître qqch. *L'ignorance de qqch. Ignorance crasse, complète. Dans l'ignorance où je suis de vos démarches.* — Défaut de connais-sances. ⇒ **incompétence.** *Reconnaissez votre ignorance sur ce chapitre, en cette matière. Pécher par ignorance.* **2.** Manque d'instruction, de savoir, de culture géné-rale. *Combattre l'ignorance.* — *(Une, des ignorances)* Manifestation d'ignorance. *Vous montrez de graves ignorances en anglais.* ⇒ **lacune.** *C'est une ignorance excusable.* ▶ *ignorant, ante* adj. et n. **1.** IGNORANT DE : qui n'a pas la connaissance d'une chose ; qui n'est pas informé (de). *Je suis encore ignorant des usages du pays.* — N. *Il fait l'ignorant.* **2.** Qui manque de connaissance ou de pratique dans un certain domaine. ⇒ **ignare.** *Elle est ignorante en géographie.* **3.** Qui manque d'instruction, de savoir. ⇒ **inculte.** / contr. **instruit** / *Il est intelligent mais ignorant.* — N. *C'est un ignorant.*

ignorer [iɲɔʀe] v. tr. . conjug. 1. **1.** Ne pas connaître, ne pas savoir. *Nul n'est censé ignorer la loi. J'ignore tout de cette affaire. J'ignore les motifs de son silence.* — *Ignorer qqn,* le traiter comme si sa personne ne méritait aucune considération. — Pro-nominalement. *C'est un chrétien qui s'ignore,* il est chrétien sans le savoir. — (Suivi d'une proposition) *Il ignore qui je suis. J'ignorais si vous viendriez. Vous ignorez que c'est un de mes amis.* — (Suivi d'une proposition infinitive) Rare. *Il ignorait vous avoir fait tant de peine.* **2.** Ne pas avoir l'expérience de. *Un*

peuple qui ignore la guerre. ▶ *ignoré, ée* adj. ■ Qui n'est pas su, connu. ⇒ **inconnu.** *Des faits ignorés. Vivre ignoré,* obscur. / contr. **célèbre** / *Il souhaite que sa présence reste ignorée.* ⟨ ▶ ignorance ⟩

iguane [igwan] n. m. ■ Reptile saurien de l'Amérique tropicale, ayant l'aspect d'un grand lézard.

il, ils [il] pronom pers. m. — REM. Quand *ils* est placé devant le verbe, la liaison est obligatoire (ex. : *ils aiment* [ilzɛm]). **I. 1.** Pronom personnel masculin de la troisième personne, faisant fonction de sujet, représen-tant un nom masculin de personne ou de chose qui vient d'être exprimé ou qui va suivre. *Pierre cherche son foulard et il s'énerve. Sont-ils venus ?* — (Reprenant le nom en interrogation) *Ton frère part-il avec nous ?* — (Renforçant le nom) *Ton ami, il est en retard.* (Sert de pluriel commun pour représenter le masculin et le féminin) *Ton père et ta mère t'accompagneront-ils ?* **2.** *Ils,* désignant des personnes indéterminées (gouver-nement, administration, riches, etc.). ⇒ **on.** *Ils vont augmenter le tabac.* **II.** Au sing. Sert à introduire les verbes impersonnels, et tous les verbes employés impersonnellement. *Il a neigé. Il fait froid. Il était une fois. Il est arrivé bien des choses. Il se fait tard.* — Littér. *Il est vrai,* c'est vrai.

île [il] n. f. **1.** Étendue de terre ferme émergée d'une manière durable dans les eaux (⇒ **insulaire**). *Une île rocheuse. Un groupe d'îles.* ⇒ **archipel.** *Les îles Anglo-Normandes. Une île déserte,* inhabitée. *L'île de la Cité, berceau de Paris.* **2.** *Les Îles,* les Antilles. *Bois des Îles,* exotique. **3.** *Île flottante,* entremets composé de blancs d'œufs battus flottant sur la crème. ▶ *îlien, îlienne* adj. et n. ■ Qui habite une île. ⇒ **insulaire.** ⟨ ▶ îlot, presqu'île ⟩

ilion [iljɔ̃] ou *ilium* [iljɔm] n. m. ■ Partie supérieure de l'os de la hanche. ▶ *iliaque* adj. ■ *Os iliaque,* os de la hanche.

illégal, ale, aux [i(l)legal, o] adj. ■ Qui est contraire à la loi. ⇒ **illicite, irrégulier.** / contr. **légal** / *Des mesures illégales.* ⇒ **arbitraire.** *Condamné pour exercice illégal de la médecine.* ▶ *illégalement* adv. ■ D'une manière contraire à la loi. *Il est détenu illégalement.* ▶ *illégalité* n. f. **1.** Caractère de ce qui est illégal. *L'illégalité d'une mesure administrative.* — *(Une, des illégalités)* Acte illégal. *Il y a eu des illégalités dans ce procès.* **2.** Situation d'une personne qui contrevient à la loi. *Vivre dans l'illégalité* (⇒ **hors-la-loi**).

illégitime [i(l)leʒitim] adj. **1.** (Enfant) Né hors du mariage. ⇒ ① **naturel** (I, 5). **2.** Qui n'est pas conforme au droit moral, est injustifié. *Manœuvres, revendications illégitimes.* ⇒ **illégal, irrégulier.** / contr. **légitime** /

illettré, ée [i(l)letʀe] adj. et n. ■ Qui est partiellement ou complètement incapable de lire et d'écrire. ⇒ **analphabète.** — N. *Un(e) illettré(e).* ▶ *illettrisme* n. m. ■ ⇒ **analphabétisme.**

illicite [i(l)lisit] adj. ■ Qui n'est pas licite, qui est défendu par la morale ou par la loi. ⇒ **interdit, prohibé.** *Des moyens illicites. Profits illicites.*

illico [i(l)liko] adv. ■ Fam. Sur-le-champ. ⇒ **aussi-tôt, immédiatement.** *Il faut revenir illico.* — Loc. *Illico presto* (même sens).

illimité, ée [i(l)limite] adj. **1.** Qui n'a pas de bornes, de limites visibles. ⇒ **immense, infini.** *Un pouvoir illimité. Sa fortune est illimitée.* **2.** Dont la grandeur n'est pas fixée. ⇒ **indéterminé.** *Pour une durée illimitée.*

illisible [i(l)lizibl] adj. **1.** Qu'on ne peut lire, très difficile à lire. ⇒ **indéchiffrable.** *La signature est* *illisible*. **2.** Dont la lecture est insupportable. *C'est un ouvrage illisible.*

illogique [i(l)lɔʒik] adj. ■ Littér. Qui n'est pas logique. *Un raisonnement illogique. C'est un peu illogique de sa part.* ⇒ **incohérent.** ▶ *illogisme* n. m. ■ Littér. Caractère de ce qui manque de logique. *L'illogisme de sa conduite.*

① **illuminé, ée** n. ■ Mystique qui se croyait inspiré par Dieu. — Péj. Esprit chimérique qui ne doute pas de ses inspirations. ▶ *illuminisme* n. m. ■ Doctrine, mouvement des illuminés.

illuminer [i(l)lymine] v. tr. ▪ conjug. 1. **1.** Éclairer d'une vive lumière. *Éclair qui illumine le ciel.* — (Suj. personne) Orner de lumières (un monument, une rue) à l'occasion d'une fête. *On illuminait les rues toute la nuit.* **2.** Mettre un reflet, un éclat lumineux sur. *La joie illuminait son visage.* ▶ *illumination* n. f. ■ Action d'éclairer, de baigner de lumière. *L'illumination d'un monument par des projecteurs.* — Au plur. Ensemble de lumières en vue d'une fête. *Les illuminations du 14 Juillet.* ▶ ② *illuminé, ée* adj. ■ Éclairé de nombreuses lumières. *Les avenues étaient illuminées. Une salle illuminée.*

illusion [i(l)lyzjɔ̃] n. f. **I. 1.** Interprétation fausse de ce que l'on perçoit. *Être victime d'une illusion.* — Loc. *Illusion d'optique,* provenant des lois de l'optique ; abstrait, erreur de point de vue. **2.** Apparence dépourvue de réalité. *Ce bout de jardin donnait une illusion de fraîcheur.* **II.** Opinion fausse, croyance erronée qui trompe par son caractère séduisant. ⇒ **chimère, rêve, utopie.** *Ce sont des illusions généreuses. Les illusions de la jeunesse,* que cause la jeunesse, propres à la jeunesse. *Bercer qqn d'illusions. J'ai perdu mes illusions à son sujet. Il a encore des illusions. Se faire des illusions,* se faire des idées. *Ne vous faites pas trop d'illusions !,* voyez les choses en face. — Absolt. *L'homme a besoin de l'illusion.* — FAIRE ILLUSION : donner l'impression trompeuse de la valeur, de la qualité. *Son mauvais talent a fait quelque temps illusion.* ▶ *s'illusionner* v. pron. ▪ conjug. 1. ■ Se faire des illusions. ⇒ s'**abuser,** se **leurrer.** *Vous vous illusionnez sur vos chances de succès.* ▶ *illusionnisme* n. m. ■ Art de créer l'illusion par des trucages, des tours de prestidigitation, etc. ▶ *illusionniste* n. ■ Personne qui pratique l'illusionnisme. ⇒ **prestidigitateur.** *Matériel d'illusionniste.* ▶ *illusoire* [i(l)lyzwaʀ] adj. ■ Qui peut faire illusion, mais ne repose sur rien de réel, de sérieux. ⇒ **faux, trompeur, vain.** *Une sécurité illusoire.* ⟨ ▶ **désillusion** ⟩

illustre [i(l)lystʀ] adj. ■ Qui est très connu, du fait d'un mérite ou de qualités extraordinaires. ⇒ **célèbre, fameux.** *Un écrivain, un savant, un général illustre.* — Plaisant. *Un illustre inconnu.* ▶ ① *illustrer* v. tr. ▪ conjug. 1. ■ Littér. Rendre illustre, célèbre. *Illustrer son nom, sa famille.* — Pronominalement (réfl.) *S'illustrer par des conquêtes, par des découvertes.* ⇒ se **distinguer.**

② **illustrer** [i(l)lystʀe] v. tr. ▪ conjug. 1. **1.** Orner de figures, d'images (un ouvrage). *Illustrer des livres d'enfants.* **2.** Rendre plus clair par des exemples. *Illustrer la définition d'un mot par des citations.* ▶ *illustrateur, trice* n. ■ Artiste spécialisé dans l'illustration (1). *L'illustratrice d'un livre d'enfants.* ▶ *illustratif, ive* adj. ■ Qui sert d'illustration, à l'illustration (2). *Un exemple illustratif.* ▶ *illustration* n. f. **1.** Figure (gravure, reproduction, etc.) illustrant un texte. *Un livre comprenant des illustrations en couleurs.* — (Sing. collectif) *Une abondante illustration.* ⇒ **iconographie.** **2.** Action d'éclairer, d'illustrer (2) par des explications, des exemples. *Vous avez là l'illustration de nos idées.* ▶ *illustré, ée* adj.

et n. m. **1.** Adj. Orné d'illustrations. *Un livre illustré. Une édition illustrée.* **2.** N. m. UN ILLUSTRÉ : périodique qui comporte de nombreuses illustrations (dessins, photographies, etc.) accompagnées de légendes. *Acheter un illustré.*

îlot [ilo] n. m. **1.** Très petite île. *Îlot dans un lac.* **2.** Petit espace isolé. *Des îlots de verdure.* — Fig. Point isolé. *Des îlots de résistance.* **3.** Groupe de maisons. *Démolir un îlot insalubre.*

ilote [ilɔt] n. **1.** Dans l'Antiquité grecque. Habitant de Laconie réduit en esclavage par les Spartiates. **2.** Littér. Personne asservie, réduite à la misère et à l'ignorance.

image [imaʒ] n. f. **I.** Reproduction visuelle d'un objet réel. **1.** Reproduction inversée d'un objet qui se réfléchit. ⇒ **reflet.** *Il voyait son image dans la glace. Une image nette, trouble.* **2.** Reproduction d'un objet par l'intermédiaire d'un système optique. *Projection d'images réelles et renversées sur l'écran d'une chambre noire.* Reproduction de l'objet par la photographie, le cinéma, la télévision. *L'image est très nette. Images en noir et blanc, en couleurs, en relief* ⇒ **hologramme. 3.** Représentation (d'un objet) par les arts graphiques ou plastiques. ⇒ **dessin, figure, gravure, illustration.** *Livre d'images. Images pieuses. Images d'Épinal* (images naïves du XIXᵉ siècle). — Loc. fam. *Sage comme une image,* se dit d'un enfant calme, posé. **II.** Fig. **1.** Reproduction ou représentation analogique (d'un être, d'une chose). *Il est l'image de son père.* ⇒ **portrait.** *Dieu créa l'homme à son image.* ⇒ **ressemblance. 2.** Ce qui évoque une réalité. ⇒ **symbole.** *C'est l'image de la vie moderne. Il donnait une image très sombre de la situation.* — Loc. *Image de marque,* symbole d'un produit, d'une firme, d'une personne ; représentation qu'on en a. *Une campagne de publicité avait amélioré son image de marque. Soigner son image de marque.* **3.** Expression de l'abstrait par le concret, dans le langage écrit ou oral. ⇒ **comparaison, figure, métaphore.** *Une image neuve, banale. Cet écrivain s'exprime par des images.* **III. 1.** Reproduction mentale d'une perception (ou impression) antérieure, en l'absence de l'objet extérieur. *Image visuelle, auditive. Conserver, évoquer l'image d'un être.* ⇒ **souvenir. 2.** Produit de l'imagination, du rêve. *Il se faisait une image fantaisiste du réel.* ▶ *imagé, ée* adj. ■ (Style) Orné d'images, de métaphores. *Un langage imagé.* ⇒ **figuré.** ▶ *imagerie* n. f. ■ Ensemble d'images de même origine, ou de même inspiration, caractéristiques d'un genre, d'une époque. *L'imagerie populaire, d'Épinal.* ⟨ ▶ imaginable, imaginaire, imagination, imaginer, inimaginable ⟩

imaginable adj. ⇒ **imaginer.**

imaginaire [imaʒinɛʀ] adj. et n. m. **1.** Qui n'existe que dans l'imagination, qui est sans réalité. ⇒ **irréel ; fictif, mythique. /** contr. **réel /** *Les êtres imaginaires qu'un romancier fait venir d'autres planètes.* — Nombre imaginaire (par ex. : √-1). **2.** Qui n'est tel que dans sa propre imagination. *Un malade imaginaire.* **3.** N. m. Domaine de l'imagination. *Préférer l'imaginaire au réel. Les inventions de l'imaginaire.*

imagination [imaʒinasjɔ̃] n. f. **I.** (L'IMAGINATION) **1.** Faculté que possède l'esprit de se représenter des images, d'évoquer les images d'objets déjà perçus. *Cela a frappé son imagination.* **2.** Faculté de former des images d'objets qu'on n'a pas perçus ou de faire des combinaisons nouvelles d'images ou d'idées (*imagination créatrice*). *L'imagination déforme la réalité. Une imagination débordante, vagabonde. S'abandonner à son imagination. L'imagination d'un romancier.* — *Cela n'existe que dans votre imagination,* dans l'imaginaire. — *Avoir de l'imagination,* être capable de susciter facilement l'image de ce qu'on ne connaît pas, et notamment de se représenter des situations possibles, mais non connues. *Il manque totalement d'imagination.* **II.** (UNE, DES IMAGINA-TIONS) Littér. Ce que qqn imagine ; chose imaginaire ou imaginée. ⇒ **chimère, rêve.** *Vous êtes le jouet de vos imaginations. Cela dépasse toute imagination, tout ce qui peut être imaginé à ce sujet.*

imaginer [imaʒine] v. tr. ▪ conjug. 1. **I.** 1. Se représenter dans l'esprit. ⇒ **concevoir.** *J'imagine très bien la scène. Vous ne pouvez imaginer à quel point j'ai été déçu. Qu'allez-vous donc imaginer ?* ⇒ **cher-cher.** — IMAGINER QUE. *Nous n'imaginions pas que nous puissions être séparés.* — (En incise) *J'imagine, je pense, je suppose. Vous avez, j'imagine, beaucoup de choses à nous raconter.* 2. Inventer. *Il a imaginé un moyen d'en sortir. Imaginer de* (+ infinitif), avoir l'idée de. **II.** S'IMAGINER v. pron. 1. Se représenter, concevoir. ⇒ se **figurer.** *Je me l'imaginais autrement.* 2. Croire à tort. *Ils s'imaginent qu'ils sont les plus forts. Elle s'était imaginé avoir tout compris.* ▸ *imagi-nable* adj. ▪ Que l'on peut imaginer, concevoir. ⇒ **concevable.** *C'est une solution difficilement imagi-nable.* — (Avec *tous* et un plur.) *Il a utilisé tous les moyens possibles et imaginables.* / contr. **inimagina-ble** / ▸ *imaginatif, ive* adj. et n. ▪ Qui a l'imagination fertile, qui imagine aisément. ⇒ **inven-tif.** *C'est un esprit imaginatif.* — N. *Une grande imaginative.* ▸ *imaginé, ée* adj. ▪ Inventé. *C'est une histoire imaginée de toutes pièces.*

imam [imam] n. m. ▪ Titre donné au successeur de Mahomet et à ceux d'Ali chez les chiites*.

imbattable [ɛ̃batabl] adj. ▪ Qui ne peut être battu, vaincu. *Il est imbattable sur cette distance* ⇒ **invincible,** *sur cette matière* ⇒ **incollable.** *Un record imbattable.* — *Des prix imbattables,* plus avantageux que partout ailleurs.

imbécile [ɛ̃besil] adj. et n. 1. Qui est dépourvu d'intelligence, qui parle, agit bêtement ; propre à une personne de cette espèce. *Une réflexion imbécile.* ⇒ **bête, idiot, stupide.** / contr. **intelligent** / — N. Personne sans intelligence. ⇒ **abruti, crétin, idiot.** *C'est un imbécile, le dernier des imbéciles. Imbécile heureux,* satisfait de lui. *Il me prend pour un imbécile !* 2. N. En médecine. Arriéré mental. ▸ *imbécilement* adv. ▪ D'une manière imbécile (1). *Agir imbécilement.* ▸ *imbécillité* n. f. 1. Grave manque d'intelligence. *Il a eu l'imbécillité de le contredire.* / contr. **intelli-gence** / — (Une, des imbécillités) Acte, parole, idée imbécile. *Il ne dit que des imbécillités.* ⇒ **ânerie, bêtise, idiotie.** 2. En médecine. Arriération mentale.

imberbe [ɛ̃bɛrb] adj. ▪ Qui est sans barbe ⇒ **glabre,** n'a pas encore de barbe. *Un garçon imberbe.* / contr. **barbu** /

imbiber [ɛ̃bibe] v. tr. ▪ conjug. 1. 1. Pénétrer, imprégner d'eau, d'un liquide. ⇒ **tremper.** *Imbiber une éponge. Des compresses qu'on imbibait d'eau oxygénée.* — Au p. p. *Terre imbibée d'eau.* 2. Pronomi-nalement. Absorber un liquide. *Le bois s'est peu à peu imbibé.* — Fam. *Il s'est imbibé d'alcool,* il a trop bu. — Au p. p. *Il est complètement imbibé de vin.*

imbriqué, ée [ɛ̃brike] adj. 1. Se dit de choses qui se recouvrent partiellement (à la manière des tuiles d'un toit). *Des écailles imbriquées.* 2. Abstrait. Se dit de choses étroitement liées. *Une suite d'événements imbriqués.* ▸ *imbrication* n. f. ▪ Disposition de choses imbriquées. *L'imbrication des tuiles d'un toit.* ▸ *s'imbriquer* v. pron. ▪ conjug. 1. ▪ Être disposé de façon à se chevaucher. *Plaques, ardoises, écailles qui s'imbriquent.* — Abstrait. S'enchevêtrer, être étroitement lié. *Dans ce roman, plusieurs intrigues s'imbriquent.*

imbroglio [ɛ̃brɔljo ; ɛ̃brɔglijo] n. m. ▪ Situation confuse, embrouillée. ⇒ **complication.** *Des imbroglios. Démêler un imbroglio.*

imbu, ue [ɛ̃by] adj. ▪ Péj. Imprégné, pénétré (de sentiments, d'idées, de préjugés...). — *Être imbu de soi-même, de sa supériorité,* se croire supérieur aux autres. ⇒ **infatué.**

imbuvable [ɛ̃byvabl] adj. 1. Qui n'est pas buva-ble. *Une eau imbuvable,* non potable. *Un café imbuvable,* mauvais. 2. (Personnes) Fam. Insupporta-ble. *Vous le trouvez amusant ? Pour moi, il est imbuvable.*

imitateur, trice [imitatœr, tris] n. 1. Personne qui imite (les gestes, le comportement d'autrui). — Artiste de variétés qui imite des personnages célèbres. 2. Personne qui imite (les œuvres d'autrui). *Les imitateurs de Racine.* ⇒ **plagiaire.**

imitation [imitasjɔ̃] n. f. 1. Action de reproduire volontairement ou de chercher à reproduire (une apparence, un geste, un acte d'autrui). *Imitation fidèle, réussie. Il fait des imitations très drôles.* — Reproduction consciente ou inconsciente de gestes, d'actes. *L'instinct d'imitation. Agir par imitation.* 2. Le fait de prendre une personne, une œuvre pour modèle. *Imitation d'un maître par ses disciples.* 3. Œuvre sans originalité imitée d'un modèle. *Une imitation plate, servile.* 4. Reproduction d'un objet, d'une matière qui imite l'original ; objet imité d'une autre. ⇒ **copie, plagiat.** *Fabriquer des imitations de meubles anciens.* — En appos. *Reliure imitation cuir.* ⇒ **simili.** 5. À L'IMITATION DE loc. prép. : sur le modèle de. *Un film à l'imitation des comiques du cinéma muet.*

imiter [imite] v. tr. ▪ conjug. 1. 1. Chercher à reproduire. ⇒ **copier, singer.** *Il imite admirablement les gestes, les accents... Imiter le cri d'un animal.* — Faire comme (qqn). *Il leva son verre et tout le monde l'imita.* 2. Prendre pour modèle, pour exem-ple. *Il l'imite en tout.* 3. Prendre pour modèle (l'œuvre, le style d'un autre) ⇒ s'**inspirer.** *Molière a parfois imité Plaute.* 4. S'efforcer de reproduire dans l'intention de faire passer la reproduction pour authentique. ⇒ **contrefaire.** *Faussaire qui imite une signature.* — Au p. p. *C'est bien imité !* 5. (Choses) Produire le même effet que. ⇒ **ressembler** à. *Ces peintures imitent la mosaïque.* ▸ *imitable* adj. ▪ Qui peut être imité. *Un accent facilement imitable.* / contr. **inimitable** / ▸ *imitatif, ive* adj. ▪ Qui imite les sons de la nature. *Musique imitative.* ‹ ▸ imitateur, imitation, inimitable ›

immaculé, ée [i(m)makyle] adj. 1. Dans la religion chrétienne. Qui est sans péché. *L'Immaculée Conception,* la Sainte Vierge. 2. (Choses) Sans une tache ; d'une propreté, d'une blancheur parfaite. *Une neige immaculée.* / contr. **maculé, souillé** /

immanent, ente [i(m)manɑ̃, ɑ̃t] adj. ▪ Philoso-phie. Se dit de ce qui est contenu dans la nature d'un être, ne provient pas d'un principe extérieur. / contr. **transcendant** / — *Justice immanente,* dont le principe est contenu dans les choses elles-mêmes. ≠ *immi-nent.* ▸ *immanence* n. f. ▪ Caractère de ce qui est immanent.

immangeable [ɛ̃mɑ̃ʒabl] adj. ▪ Qui n'est pas bon à manger. / contr. **comestible, mangeable** / *Le rôti, trop cuit, était immangeable.*

immanquable [ɛ̃mɑ̃kabl] adj. ▪ Qui ne peut manquer d'arriver. ⇒ **fatal, inévitable.** — Qui ne peut manquer d'atteindre son but. ⇒ **infaillible.** *Un coup immanquable.* ▸ *immanquablement* adv. ▪ D'une manière immanquable. *Quoi que vous fassiez, cela arrivera immanquablement.*

immatériel, elle [i(m)mateʁjɛl] adj. **1.** Qui n'est pas formé de matière, ou ne concerne pas les sens. ⇒ **spirituel. 2.** Qui ne semble pas de nature matérielle. *Un tissu d'une finesse, d'une minceur immatérielle.*

immatriculer [i(m)matʁikyle] v. tr. conjug. 1. ■ Inscrire sur un registre public. *Il s'est fait immatriculer à la faculté de droit.* — Au p. p. adj. *Voiture immatriculée dans le département de la Somme.* ▶ *immatriculation* n. f. ■ Action d'immatriculer ; résultat de cette action. *Immatriculation d'un étudiant. Plaque d'immatriculation d'une automobile.*

immature [i(m)matyʁ] adj. ■ (Personnes) Qui manque de maturité intellectuelle, affective. / contr. **mûr** / *Un adolescent immature.*

immédiat, ate [i(m)medja, at] adj. **1.** Qui précède ou suit sans intermédiaire (dans l'espace ou dans le temps). *Les ancêtres immédiats. Successeur immédiat. Au voisinage immédiat de votre maison.* — En philosophie. Qui agit ou se produit sans intermédiaire. / contr. **médiat** / *Cause immédiate. Les données immédiates de la conscience.* **2.** Qui suit sans intervalle de temps ; qui a lieu tout de suite. *Rappel immédiat des réservistes. Une réaction, une réplique immédiate. L'immédiat après-guerre. La mort a été immédiate.* — N. *Dans l'immédiat,* pour le moment. *Ne venez pas dans l'immédiat.* ▶ *immédiatement* adv. **1.** Tout de suite avant ou après. *La période qui précède immédiatement cet événement.* **2.** À l'instant même, tout de suite. ⇒ **aussitôt.** *Il a répondu immédiatement. Sortez immédiatement !*

immémorial, ale, aux [i(m)memɔʁjal, o] adj. ■ Qui remonte à une époque si ancienne qu'elle est sortie de la mémoire. *Des coutumes immémoriales.*

immense [i(m)mɑ̃s] adj. **1.** Dont l'étendue, les dimensions sont considérables. ⇒ **grand, illimité, vaste.** *Perdu dans l'immense océan. Une gare immense.* **2.** Qui est très considérable en son genre (par la force, l'importance, la quantité). ⇒ **colossal, énorme.** / contr. **infime, petit** / *Un cèdre immense. Une foule immense. Une immense fortune.* ▶ *immensément* adv. ■ Extrêmement. *Il est immensément riche.* ▶ *immensité* n. f. **1.** Étendue trop vaste pour être facilement mesurée. *L'immensité de la mer, du ciel.* — Absolt. *L'immensité,* l'espace. *Perdu dans l'immensité.* **2.** Grandeur considérable (de qqch.). *L'immensité de ses richesses.*

immerger [i(m)mɛʁʒe] v. tr. conjug. 3. ■ Plonger (dans un liquide, dans la mer). *On a immergé un nouveau câble.* — Pronominalement. *Le sous-marin s'immergeait rapidement.* ⇒ **plonger.** / contr. **émerger** / — Au p. p. adj. *Rochers immergés à marée haute. Plantes immergées,* qui croissent sous l'eau. ▶ *immersion* n. f. ■ Action d'immerger, de plonger dans un liquide. *L'immersion d'un câble dans la mer.*

immérité, ée [i(m)meʁite] adj. ■ Qui n'est pas mérité. ⇒ **injuste.** *Des reproches immérités. Un succès immérité.*

immettable [ɛ̃mɛtabl] adj. ■ (Vêtement) Qu'on ne peut ou qu'on n'ose pas mettre.

① *immeuble* [i(m)mœbl] adj. ■ En droit. Qui ne peut être déplacé (ou qui est réputé tel par la loi). / contr. **meuble** / *Biens immeubles.* ⇒ **immobilier.**

② *immeuble* n. m. ■ Grand bâtiment urbain à plusieurs étages ; grande maison de rapport. *Un immeuble de quatre étages. Un immeuble de quarante étages.* ⇒ **gratte-ciel,** ① **tour.** *Louer un appartement dans un immeuble. Gérant d'immeubles.* ⟨ ▶ immobilier ⟩

immigrer [i(m)migʁe] v. intr. conjug. 1. ■ Entrer dans un pays étranger pour s'y établir (opposé à *émigrer*). *Immigrer en Europe, aux États-Unis.* ▶ *immigrant, ante* n. ■ Personne qui immigre dans un pays ou qui y a immigré récemment (opposé à *émigrant*). ▶ *immigration* n. f. ■ Entrée dans un pays de personnes qui viennent s'y établir, y trouver un emploi. *Les services de l'immigration. Mouvement d'immigration. Contrôle de l'immigration.* ▶ *immigré, ée* adj. et n. ■ (Personnes) Qui est venu de l'étranger, souvent d'un pays peu développé, et qui travaille dans un pays industrialisé. *Les travailleurs immigrés.* — N. *Une immigrée. Les immigrés algériens en France. Racisme à l'égard des immigrés.*

imminent, ente [i(m)minɑ̃, ɑ̃t] adj. ■ Qui va se produire dans très peu de temps. ⇒ **immédiat, proche.** *Un danger imminent. La crise est imminente.* / contr. **lointain** / ≠ *immanent.* ▶ *imminence* n. f. ■ Caractère de ce qui est imminent. *L'imminence d'une décision. Devant l'imminence du danger.* ⇒ **proximité.**

s'immiscer [i(m)mise] v. pron. conjug. 3. ■ Intervenir mal à propos ou sans en avoir le droit (dans une affaire). ⇒ **s'ingérer,** se **mêler.** *Votre pays n'a pas à s'immiscer dans nos affaires.* ▶ *immixtion* [i(m)miksjɔ̃] n. f. ■ Action de s'immiscer. *Immixtion dans la vie privée de qqn.*

immobile [i(m)mɔbil] adj. **1.** Qui ne se déplace pas, reste sans bouger. *Immobile comme une souche, une statue.* / contr. **mobile** / — (Choses) Que rien ne fait mouvoir. *Mer, lac immobile.* ⇒ **étale. 2.** Abstrait. Fixé une fois pour toutes. ⇒ **invariable.** *Des dogmes immobiles.* ▶ *immobiliser* v. tr. conjug. 1. ■ Rendre immobile, maintenir dans l'immobilité ou l'inactivité. ⇒ **arrêter, fixer.** *La fracture l'a immobilisé un mois. La peur l'a immobilisé sur place.* — Au p. p. adj. *Une voiture immobilisée par une panne.* — S'IMMOBILISER v. pron. : se tenir immobile, s'arrêter. *Le train s'immobilise en rase campagne.* ▶ *immobilisation* n. f. ■ Action de rendre immobile ; résultat de cette action. *L'immobilisation d'un membre fracturé.* ▶ *immobilisme* n. m. ■ Disposition à se satisfaire de l'état présent des choses, à refuser le mouvement ou le progrès. *Se satisfaire de l'immobilisme d'une société.* ▶ *immobilité* n. f. ■ État de ce qui est immobile. *La maladie le condamne à l'immobilité. Immobilité des traits du visage.* ⇒ **impassibilité.** — Abstrait. État de ce qui ne change pas. *Immobilité d'une situation.*

immobilier, ière [i(m)mɔbilje, jɛʁ] adj. **1.** Qui est immeuble ①, composé de biens immeubles. *Succession immobilière.* **2.** Qui concerne un immeuble ②, des immeubles. *Un scandale immobilier. Société immobilière,* s'occupant de la construction, de la vente d'immeubles. *Promoteur immobilier.*

immodéré, ée [i(m)mɔdeʁe] adj. ■ Qui n'est pas modéré, qui dépasse la mesure, la normale. ⇒ **abusif, excessif.** / contr. **modéré** / *Un usage immodéré de l'alcool. Des dépenses immodérées.* ▶ *immodérément* adv. ■ Littér. D'une manière immodérée. / contr. **modérément** / *Il mange immodérément.* ⇒ **excessivement.**

immoler [i(m)mɔle] v. tr. conjug. 1. **1.** Relig. Tuer en sacrifice à une divinité. ⇒ **sacrifier.** *Immoler une victime sur l'autel.* **2.** Littér. Abandonner (qqch.) dans un esprit de sacrifice ou d'obéissance. *Immoler ses intérêts à son devoir.* **3.** Pronominalement. Faire le sacrifice de sa vie. *Elle s'est immolée par le feu en signe de protestation.* ▶ *immolation* n. f. ■ Littér. Action d'immoler ; résultat de cette action. ⇒ **sacrifice.** *L'immolation d'une victime.*

immonde [i(m)mɔ̃d] adj. **1.** Littér. Impur selon la loi religieuse. **2.** D'une saleté ou d'une hideur qui soulève le dégoût. ⇒ **dégoûtant.** *Un taudis immonde.* **3.** D'une immoralité ou d'une bassesse qui révolte la conscience. ⇒ **ignoble.** *Un crime immonde. Des propos immondes.* ▶ **immondices** [i(m)mɔ̃dis] n. f. pl. ■ Déchets de la vie humaine et animale, résidus du commerce et de l'industrie. ⇒ **ordure.** *Enlèvement des immondices par les services de la voirie.*

immoral, ale, aux [i(m)mɔʀal, o] adj. ■ Qui est contraire aux principes de la morale ou agit contre la morale. ⇒ **corrompu, dépravé.** *Un être, une conduite, une œuvre immorale.* ▶ **immoralité** n. f. ■ Caractère immoral (d'une personne, d'une chose). *L'immoralité d'un homme, d'une société, d'un ouvrage.* ▶ **immoralisme** n. m. ■ Doctrine qui propose des règles d'action différentes, inverses de celles qu'admet la morale courante.

immortel, elle [i(m)mɔʀtɛl] adj. et n. **1.** Qui n'est pas sujet à la mort. *Les dieux immortels.* — N. Littér. *Un immortel, une immortelle,* un dieu, une déesse. **2.** Qu'on suppose ne devoir jamais finir, que rien ne pourra détruire. ⇒ **éternel, impérissable.** *Un amour immortel.* **3.** Qui survit et doit survivre éternellement dans la mémoire des hommes. *L'immortel auteur de « Don Quichotte ».* **4.** N. Membre de l'Académie française. ▶ **immortaliser** [i(m)mɔʀtalize] v. tr. ■ conjug. 1. ■ Rendre immortel dans la mémoire des hommes. *Ce tableau suffira à immortaliser son nom.* — Pronominalement. *Il s'est immortalisé par ses découvertes.* ▶ **immortalité** n. f. **1.** Qualité, état de celui ou de ce qui est immortel. *L'immortalité des dieux grecs. La croyance à l'immortalité de l'âme.* **2.** Littér. État de ce qui survit sans fin dans la mémoire des hommes. ▶ **immortelle** n. f. ■ Plante dont la fleur desséchée présente une collerette de feuilles colorées persistantes.

immotivé, ée [i(m)mɔtive] adj. ■ Qui n'a pas de motif. *Sa conduite paraît immotivée. Action immotivée.* ⇒ **gratuit.** / contr. **motivé** /

immuable [i(m)mɥabl] adj. **1.** Qui reste identique, ne change pas. / contr. **changeant** / *Les lois immuables de la nature.* **2.** Qui ne change guère, qui dure longtemps. ⇒ **constant, invariable.** *Une position, une attitude immuable. Elle reste immuable dans ses convictions.* ▶ **immuablement** adv. ■ D'une manière immuable. *Il faisait immuablement les mêmes plaisanteries.*

immuniser [i(m)mynize] v. tr. ■ conjug. 1. **1.** Rendre réfractaire aux causes de maladies, à une maladie infectieuse. ⇒ **vacciner.** *Immuniser par un vaccin.* — Au p. p. adj. *Personne immunisée contre la diphtérie.* **2.** Abstrait. *Immuniser contre...,* protéger contre, mettre à l'abri de... *Ses échecs ne l'ont pas immunisé contre les illusions.* ▶ ① **immunité** n. f. ■ Propriété (d'un organisme) de résister à une cause de maladie. *Immunité à un virus.*

② **immunité** n. f. ■ Prérogative accordée par la loi à une catégorie de personnes. ⇒ **franchise, privilège.** *Immunité parlementaire,* assurant aux parlementaires une protection (qui peut être levée) contre les actions judiciaires. — *Immunité diplomatique,* privilèges qui soustraient les diplomates étrangers aux juridictions du pays où ils résident.

impact [ɛ̃pakt] n. m. **1.** POINT D'IMPACT : collision, heurt ; point où le projectile vient frapper et, par ext., trace qu'il laisse. *Relever les points d'impact des balles.* **2.** Abstrait. Effet produit, action exercée. *Cette campagne de publicité n'a pas eu d'impact sur la population.*

① **impair, aire** [ɛ̃pɛʀ] adj. ■ (Nombre) Dont la division par deux donne un nombre fractionnaire. *Un,*

trois... dix-sept sont des nombres impairs. Numéros impairs, jours impairs. / contr. **pair** /

② **impair** n. m. ■ Maladresse choquante ou préjudiciable. ⇒ **gaffe.** *Faire, commettre un impair.*

impalpable [ɛ̃palpabl] adj. ■ Dont les éléments séparés sont si petits qu'on ne les sent pas au toucher. ⇒ **fin.** *Une poussière impalpable.*

imparable [ɛ̃paʀabl] adj. ■ Qu'on ne peut éviter, parer. *Un coup imparable.*

impardonnable [ɛ̃paʀdɔnabl] adj. ■ Qui ne mérite pas de pardon, d'excuse. *C'est une faute impardonnable.* ⇒ **inexcusable.** — (Personnes) *On serait impardonnable de s'en désintéresser.*

① **imparfait, aite** [ɛ̃paʀfɛ, ɛt] adj. **1.** Littér. Qui n'est pas achevé, pas complet. ⇒ **incomplet.** *J'en ai une connaissance imparfaite.* **2.** Qui présente des défauts, des imperfections. ⇒ **inégal.** *Une œuvre imparfaite.* / contr. **parfait** / ▶ **imparfaitement** adv. ■ D'une manière imparfaite. *Connaître imparfaitement un pays.* ⇒ **incomplètement, insuffisamment.** / contr. à **fond, parfaitement** /

② **imparfait** n. m. **1.** Temps du verbe ayant essentiellement pour fonction d'énoncer une action en voie d'accomplissement dans le passé et conçue comme non achevée. « *Cherchais* » *dans* « *je le cherchais toute la journée* » *est à l'imparfait de l'indicatif.* **2.** Temps passé du subjonctif dans la concordance des temps. « *Fût* » *dans* « *je voulus qu'il fût avec nous* » *est à l'imparfait du subjonctif.* (La phrase correspondante au présent est *je veux qu'il soit avec nous.*)

impartial, ale, aux [ɛ̃paʀsjal, o] adj. ■ Qui est sans parti pris. ⇒ **juste, neutre, objectif.** / contr. **partial** / *Un juge impartial.* (Choses) *Son compte rendu est vraiment impartial.* ▶ **impartialement** adv. ■ D'une manière impartiale. *Il a donné son avis impartialement.* / contr. **partialement** / ▶ **impartialité** n. f. ■ Fait d'être impartial. *Critiquer avec impartialité. L'impartialité d'un jugement.*

impartir [ɛ̃paʀtiʀ] v. tr. ■ conjug. 2. (Seulement infinitif, indicatif prés. et p. p.) ■ Littér. Donner en partage. *Les dons que la nature nous a impartis.* — Accorder par décision de justice. *Impartir un délai à qqn. Des délais lui ont été impartis.*

impasse [ɛ̃pas] n. f. **1.** Rue sans issue. ⇒ **cul-de-sac.** *S'engager dans une impasse.* — Abstrait. Situation sans issue favorable. *Être dans une impasse, être acculé à une impasse.* **2.** *Impasse budgétaire,* déficit qui sera couvert par l'emprunt, etc. **3.** Au bridge, à la belote. *Faire l'impasse au roi,* jouer la dame, quand on a l'as, pour prendre la carte intermédiaire. — Partie du programme qu'un étudiant n'apprend pas (jouant sur les probabilités de sortie du sujet à l'examen). *Faire des impasses.*

impassible [ɛ̃pasibl] adj. ■ Qui n'éprouve ou ne trahit aucune émotion, aucun sentiment. ⇒ **calme, froid, imperturbable.** *Il se troublait tandis que son interlocuteur restait impassible. Un visage impassible.* ⇒ **fermé, impénétrable.** ▶ **impassibilité** n. f. ■ Calme, sang-froid. *Sans se départir de son impassibilité.*

impatient, ente [ɛ̃pasjɑ̃, ɑ̃t] adj. **1.** Qui manque de patience, qui est incapable de se contenir, de patienter. **2.** Qui supporte ou attend avec impatience. / contr. **patient** / *Ne soyez pas si impatient ! Un geste impatient.* — IMPATIENT DE (+ infinitif). ⇒ **avide, désireux.** *Il est impatient de vous revoir.* ▶ **impatiemment** [ɛ̃pasjamɑ̃] adv. ■ Avec impatience. *J'attends impatiemment votre réponse.* ▶ **impatience** n. f. **1.** Manque de patience habituel, naturel. *L'impatience de la jeunesse.* **2.** Manque de patience pour supporter, attendre qqch. ou qqn. ⇒ **énervement.** *Calmer l'impatience de qqn. En les écoutant, il donnait des signes d'impatience. Il regardait sa montre avec une impatience grandissante. Brûler d'impatience de faire qqch.* ▶ *impatienter* v. tr. ■ conjug. 1. **1.** Faire perdre patience à. ⇒ **agacer, énerver.** *Il finissait par impatienter son auditoire.* **2.** S'IMPATIENTER v. pron. : perdre patience, manifester de l'impatience. *Venez vite, il commence à s'impatienter. S'impatienter pour des riens.* ▶ *impatientant, ante* adj. ■ Qui impatiente.

impavide [ɛ̃pavid] adj. ■ Littér. Qui n'éprouve ou ne montre aucune crainte. *Rester impavide devant le danger.* ⇒ **impassible.**

impayable [ɛ̃pɛjabl] adj. ■ D'une bizarrerie extraordinaire ou très comique. *Une aventure impayable.* ⇒ **cocasse.**

impayé, ée [ɛ̃peje] adj. ■ Qui n'a pas été payé. *Une traite impayée.* — N. *Les impayés,* les effets ② impayés.

impeccable [ɛ̃pekabl] adj. **1.** Littér. Incapable de pécher, de commettre une erreur. ⇒ **infaillible.** **2.** Sans défaut. ⇒ **irréprochable.** *Un impeccable garde-à-vous.* — Fam. Parfait. *Il a été impeccable en cette occasion.* **3.** D'une propreté parfaite. *Une chemise impeccable.* — (Personnes) *Il est toujours impeccable,* d'une tenue parfaite. — Abrév. fam. (Sens 2 et 3) IMPEC [ɛ̃pɛk]. ▶ *impeccablement* adv. ■ D'une manière impeccable (2 ou 3). *Être habillé impeccablement.*

impédance [ɛ̃pedɑ̃s] n. f. ■ En électricité. Grandeur qui est, pour les courants alternatifs, l'équivalent de la résistance pour les courants continus.

impénétrable [ɛ̃penetrabl] adj. **1.** Où l'on ne peut pénétrer ; qui ne peut être traversé. *Forêt tropicale impénétrable.* **2.** Abstrait. Qu'il est difficile ou impossible de connaître, d'expliquer. ⇒ **incompréhensible, insondable.** *Ses intentions sont impénétrables.* — Qui ne laisse rien deviner de lui-même. *Une personne impénétrable. Un air impénétrable.*

impénitent, ente [ɛ̃penitɑ̃, ɑ̃t] adj. **1.** Relig. Qui ne se repent pas de ses péchés. **2.** Qui ne renonce pas à une habitude. ⇒ **incorrigible, invétéré.** *Un joueur, un rêveur impénitent.* ▶ *impénitence* n. f. ■ Relig. État du pécheur impénitent.

impensable [ɛ̃pɑ̃sabl] adj. ■ Que l'on a du mal à imaginer. ⇒ **incroyable, inimaginable.** *Il est impensable qu'il n'y ait pas songé.*

impératif, ive [ɛ̃peratif, iv] n. m. et adj. **I.** N. m. **1.** Mode grammatical qui exprime le commandement et la défense. *Les trois personnes de l'impératif* (ex. : *donne, donnons, donnez ; prends, prenons, prenez*). **2.** Prescription d'ordre moral, esthétique, etc. *Les impératifs de la mode.* **II.** Adj. Qui exprime ou impose un ordre. *Une consigne impérative. Un geste impératif.* ⇒ **impérieux.** ▶ *impérativement* adv. ■ D'une manière impérative. *Vous devez impérativement rendre votre devoir demain.* ⇒ **obligatoirement.**

impératrice [ɛ̃peratris] n. f. **1.** Épouse d'un empereur. **2.** Souveraine d'un empire. *La reine Victoria, impératrice des Indes.*

imperceptible [ɛ̃pɛʀsɛptibl] adj. **1.** Qu'il est impossible de percevoir par les seuls organes des sens. ⇒ **insensible.** — *Une odeur, un bruit imperceptible.* **2.** Impossible ou très difficile à apprécier par l'esprit. *Des nuances imperceptibles. Une ironie imperceptible à la plupart des lecteurs* ▶ *imperceptiblement* adv. ■ D'une manière imperceptible. *Le paysage se modifiait imperceptiblement.* ⇒ **insensiblement.**

imperdable [ɛ̃pɛʀdabl] adj. ■ Qu'on ne peut, ne devrait pas perdre. *Un procès, un match imperdable.*

imperfectif [ɛ̃pɛʀfɛktif] adj. ■ Grammaire. *Aspect, verbe imperfectif,* qui exprime la durée (opposé à *perfectif*). — N. m. *Un imperfectif.*

imperfection [ɛ̃pɛʀfɛksjɔ̃] n. f. **1.** État de ce qui est imparfait. *L'imperfection d'une solution.* **2.** *(Une, des imperfections)* Ce qui rend (qqch.) imparfait. ⇒ **défaut.** *Les imperfections d'un ouvrage. Corriger une imperfection.*

impérial, ale, aux [ɛ̃peʀjal, o] adj. **1.** Qui appartient à un empereur, à son autorité, à ses États. *La garde impériale de Napoléon.* — *Un air impérial,* majestueux et autoritaire. **2.** Relatif à l'Empire romain. *Le latin impérial.* ⟨ ▶ impérialisme ⟩

impériale n. f. ■ Étage supérieur de certains véhicules publics. *Un autobus à impériale.*

impérialisme [ɛ̃peʀjalism] n. m. ■ Politique d'un État visant à réduire d'autres États sous sa dépendance politique ou économique. ⇒ **colonialisme.** ▶ *impérialiste* adj. et n. ■ Qui soutient l'impérialisme. *Politique impérialiste.* — N. *Les impérialistes.*

impérieux, euse [ɛ̃peʀjø, øz] adj. **1.** Qui commande d'une façon qui n'admet ni résistance ni réplique. ⇒ **autoritaire, tyrannique.** *Un chef impérieux* (vx). — Plus cour. *Des manières impérieuses. Un ton impérieux.* **2.** *(Choses)* Qui force à céder ; auquel on ne peut résister. ⇒ **irrésistible, pressant.** *Un besoin impérieux.* ▶ *impérieusement* adv. ■ D'une manière impérieuse. *Il lui ordonna impérieusement de se taire.*

impérissable [ɛ̃peʀisabl] adj. ■ *(Choses)* Qui ne peut périr, qui dure très longtemps. ⇒ **immortel.** *Un souvenir, une gloire impérissable.*

impéritie [ɛ̃peʀisi] n. f. ■ Littér. Manque d'aptitude, d'habileté. ⇒ **incapacité.** *L'impéritie d'un général, d'un homme politique.*

imperméable [ɛ̃pɛʀmeabl] adj. **1.** Qui ne se laisse pas traverser par un liquide, notamment par l'eau. *Terrains imperméables.* — *Un manteau imperméable.* N. m. UN IMPERMÉABLE : vêtement, manteau de pluie en tissu imperméabilisé (abrév. fam. IMPER [ɛ̃pɛʀ] n. m. *Des impers.*). **2.** Abstrait. Qui ne se laisse pas atteindre ; est absolument étranger (à). *Il est imperméable aux influences, à tout sentiment généreux.* ▶ *imperméabiliser* v. tr. ■ conjug. 1. ■ Rendre imperméable (1). *Imperméabiliser une toile d'emballage, un tissu.* — Au p. adj. *Gabardine imperméabilisée.* ▶ *imperméabilisation* n. f. ■ Fait de rendre imperméable. ▶ *imperméabilité* n. f. ■ Caractère de ce qui est imperméable. *Imperméabilité d'un sol, d'un tissu.*

impersonnel, elle [ɛ̃pɛʀsɔnɛl] adj. **1.** Qui exprime une action sans sujet réel ou déterminé. *Verbes impersonnels,* ne s'employant qu'à la troisième personne du singulier et à l'infinitif (ex. : *pleuvoir, geler*). **2.** Qui ne constitue pas une personne. — Qui n'appartient pas à une personne, ne s'adresse pas à une personne en particulier. *La loi est impersonnelle.* **3.** Qui n'a aucune particularité individuelle ; neutre. *Un style impersonnel.* ▶ *impersonnalité* n. f. ■ Caractère impersonnel. *L'impersonnalité de la science.* ▶ *impersonnellement* adv. ■ D'une manière impersonnelle. *Employer impersonnellement un verbe.*

impertinent, ente [ɛ̃pɛʀtinɑ̃, ɑ̃t] adj. ■ Qui montre une familiarité choquante, qui manque de respect. ⇒ **impoli, incorrect, insolent.** *Un enfant impertinent. Être impertinent avec ses supérieurs.* — N. *C'est une impertinente.* ▶ *impertinence* n. f. ■ Littér.

Attitude, conduite d'une personne impertinente. ⇒ **impolitesse, insolence.** *Se conduire avec impertinence.* — *(Une, des impertinences)* Parole, action impertinente.

imperturbable [ɛ̃pɛʀtyʀbabl] adj. ■ Que rien ne peut troubler, émouvoir. ⇒ **impassible.** *Vous pouviez l'insulter, il restait imperturbable.* — *(Choses) Une confiance absolue, imperturbable.* ⇒ **inébranlable.** *Un aplomb imperturbable.* ▶ **imperturbablement** adv.

impétigo [ɛ̃petigo] n. m. ■ Maladie de la peau caractérisée par la formation de petites vésicules.

impétrant, ante [ɛ̃petʀɑ̃, ɑ̃t] n. ■ Terme administratif. Personne qui a obtenu qqch. (titre, diplôme, etc.) d'une autorité. *Signature de l'impétrant.*

impétueux, euse [ɛ̃petɥø, øz] adj. Littér. **1.** Dont l'impulsion est violente et rapide. *Un vent impétueux.* **2.** Qui a de la rapidité et de la violence dans son comportement. ⇒ **ardent, fougueux.** *Un orateur impétueux. Un tempérament impétueux.* ▶ **impétueusement** adv. ■ D'une manière impétueuse. *Intervenir impétueusement dans une querelle.* ⇒ **fougueusement.** ▶ **impétuosité** n. f. ■ Caractère impétueux, très vif. / contr. **nonchalance** / *S'élancer avec impétuosité.* ⇒ **ardeur, fougue.** *L'impétuosité d'un tempérament.* ⇒ **violence.**

impie [ɛ̃pi] adj. et n. **1.** Adj. (Choses) Qui marque le mépris de la religion, des croyances religieuses. / contr. **pieux** / *Des paroles impies.* ⇒ **blasphématoire. 2.** N. Littér. ou relig. Personne qui insulte à la religion. ⇒ **blasphémateur, sacrilège.** ▶ **impiété** n. f. ■ Littér. ou relig. Mépris pour la religion. *L'impiété de don Juan.* — *(Une, des impiétés)* Action impie. *Dire des impiétés.*

impitoyable [ɛ̃pitwajabl] adj. ■ Qui est sans pitié. ⇒ **cruel, implacable, inflexible.** / contr. **charitable** / *Un ennemi impitoyable. Être impitoyable pour qqn.* — Qui juge sans indulgence, ne fait grâce de rien. / contr. **indulgent** / *Un critique impitoyable.* ▶ **impitoyablement** adv. ■ D'une manière impitoyable, sans pitié. *Traiter qqn impitoyablement.*

implacable [ɛ̃plakabl] adj. **1.** Littér. Qu'on ne peut apaiser, fléchir. ⇒ **impitoyable, inflexible.** *D'implacables ennemis. Une haine implacable.* **2.** À quoi l'on ne peut se soustraire. ⇒ **irrésistible.** *Une logique implacable.* — *Un soleil implacable,* très fort. ▶ **implacablement** adv. ■ D'une manière implacable. *Se venger implacablement.*

implanter [ɛ̃plɑ̃te] v. tr. ■ conjug. 1. ■ Introduire et faire se développer d'une manière durable (dans un nouveau milieu). *Il faut implanter des industries nouvelles dans cette région.* — Au p. p. adj. *Un préjugé bien implanté.* — S'IMPLANTER v. pron. réfl. : se fixer, s'établir. *Cette mode s'est facilement implantée.* ▶ **implantation** n. f. ■ Action d'implanter, de s'implanter. *L'implantation d'immigrants dans un pays. L'implantation d'une industrie nouvelle.*

implication n. f. ⇒ **impliquer.**

implicite [ɛ̃plisit] adj. ■ Qui est virtuellement contenu dans une proposition, un fait, sans être formellement exprimé. / contr. **explicite** / *Une condition implicite.* ▶ **implicitement** adv. ■ D'une manière implicite. *Il accepta implicitement mes remarques.*

impliquer [ɛ̃plike] v. tr. ■ conjug. 1. **1.** Engager (dans une affaire fâcheuse), mettre en cause (dans une accusation). ⇒ **mêler.** *On a voulu impliquer dans le procès diverses personnalités.* **2.** (Choses) Comporter de façon implicite, entraîner comme conséquence. *Votre refus implique une rupture.* — IMPLIQUER QUE :

supposer (par conséquence logique). *Votre désaccord implique que vous avez une autre solution.* ▶ **implication** n. f. **1.** Action d'impliquer qqn dans une affaire. **2.** Au plur. Conséquences. *Il faut prendre en compte toutes les implications de cette politique.*

implorer [ɛ̃plɔʀe] v. tr. ■ conjug. 1. **1.** Supplier (qqn) d'une manière humble et touchante. ⇒ **adjurer, prier.** *Implorer Dieu.* **2.** Demander (une aide, une faveur) avec insistance. ⇒ **solliciter.** *J'implore votre appui, votre indulgence.* ▶ **implorant, ante** adj. ■ Littér. Suppliant. *Une voix implorante.* ▶ **imploration** n. f. ■ Littér. Action d'implorer ; supplication.

implosion [ɛ̃plozjɔ̃] n. f. ■ Irruption très brutale d'un fluide, d'un gaz dans une enceinte dont la pression est beaucoup plus faible que la pression extérieure. *L'implosion d'un téléviseur.* ≠ *explosion.* ▶ **imploser** v. intr. ■ conjug. 1. ■ Faire implosion. ≠ *exploser.*

impoli, ie [ɛ̃pɔli] adj. ■ Qui manque à la politesse. ⇒ **grossier, incorrect.** *Vous avez été impoli envers lui.* — *(Choses)* Qui dénote un manque de politesse. *Un langage impoli.* — *Il est impoli d'arriver en retard.* / contr. **poli** / ▶ **impoliment** adv. ■ De manière impolie. *Ne réponds pas impoliment.* / contr. **poliment** / ▶ **impolitesse** n. f. **1.** Manque de politesse. ⇒ **grossièreté, incorrection.** *Sa franchise frise l'impolitesse.* **2.** *(Une, des impolitesses)* Acte, manifestation d'impolitesse. *Vous avez commis une impolitesse. Dire des impolitesses.*

impondérable [ɛ̃pɔ̃deʀabl] adj. **1.** Didact. Qui ne produit aucun effet notable sur la balance la plus sensible ; qui n'a pas de poids. *Des particules impondérables.* **2.** Abstrait. Dont l'action, quoique déterminante, ne peut être exactement appréciée ni prévue. — N. m. *Il faut toujours compter avec les impondérables.*

impopulaire [ɛ̃pɔpylɛʀ] adj. ■ Qui déplaît au peuple. *Un ministre impopulaire.* — *Des mesures impopulaires.* ▶ **impopularité** n. f. ■ Caractère impopulaire. *L'impopularité d'une guerre.*

importance [ɛ̃pɔʀtɑ̃s] n. f. **1.** Caractère de ce qui est important. ⇒ **gravité, intérêt.** *Mesurer l'importance d'un événement. Une communication de la plus haute importance. Cela n'a aucune importance, c'est sans importance, cela ne fait rien. Vous donnez, vous attachez trop d'importance à un petit détail.* **2.** (Personnes) Autorité que confèrent un rang social élevé, de graves responsabilités. *Vous lui donnez une importance qu'il n'a pas. Il est pénétré de son importance.* **3.** D'IMPORTANCE : important. *L'affaire est d'importance.* ⇒ **de taille.**

important, ante [ɛ̃pɔʀtɑ̃, ɑ̃t] adj. **I.** (Choses) **1.** Qui importe ② ; qui a de grandes conséquences, beaucoup d'intérêt. ⇒ **considérable.** / contr. **insignifiant** / *Un rôle important. Rien d'important à signaler. C'est le point le plus important.* ⇒ **intéressant.** — Impers. *Il est important d'agir vite, que nous agissions vite.* — N. m. Ce qui importe. *L'important est de, est que... Le plus important est fait.* **2.** Considérable. *Une somme importante. Une majorité importante.* **II.** (Personnes) Qui a de l'importance par sa situation. ⇒ **influent.** *D'importants personnages.* — N. Péj. *Faire l'important.*

① **importer** [ɛ̃pɔʀte] v. tr. ■ conjug. 1. **1.** Introduire sur le territoire national (des produits en provenance de pays étrangers). / contr. **exporter** / *La France importe du café.* — Au p. p. adj. *Des marchandises importées.* **2.** Introduire (qqch., une coutume) dans un pays. *Importer une mode des États-Unis.* — Au p. p. adj. *Musique importée des Caraïbes.* ▶ **importateur, trice** n. et adj. ■ Personne qui fait le commerce d'importation. / contr. **exporta-teur** / *Importateur de coton.* — Adj. *Pays importateur.* ▶ *importation* n. f. **1.** Action d'importer (des marchandises). / contr. **exportation** / — Ce qui est importé. *Le coût des importations.* **2.** Action d'introduire (qqch.) dans un pays. ▶ *import-export* [ɛ̃pɔʁɛkspɔʁ] n. m. ■ Anglic. Commerce de produits importés et exportés. *Une société d'import-export. Elle s'est lancée dans l'import-export.*

② *importer* v. ■ conjug. 1. (Seulement à l'infinitif et aux troisièmes pers.) **1.** V. tr. ind. (Choses) IMPORTER À qqn : avoir de l'importance, de l'intérêt pour qqn. ⇒ **intéresser ; importance, important.** *Votre opinion nous importe peu.* — Loc. *Peu m'importe, peu lui importe..., cela m'est, lui est indifférent. Peu m'importe, peu m'importent vos remarques.* REM. L'accord du verbe est facultatif. — Impers. *Il lui importe que vous réussissiez.* **2.** V. intr. Avoir de l'importance dans une situation donnée. ⇒ **compter.** *C'est la seule chose qui importe.* — Loc. *Qu'importe ! Peu importe.* **3.** Impers. (avec *de* + infinitif) *Il importe de réfléchir avant de se décider.* — (avec *que* + subjonctif) *Il importe que vous guérissiez vite.* — IL N'IMPORTE (littér.), N'IMPORTE. *« Lequel choisis-tu ? — N'importe. »* **4.** N'IMPORTE QUI, QUOI pronom indéf. : une personne, une chose quelconque. *N'importe qui pourrait entrer. Ils parlaient de n'importe quoi.* — *N'importe lequel, laquelle d'entre nous.* — N'IMPORTE QUEL, QUELLE (choses, personnes) adj. indéf. : quelconque, quel qu'il soit. *Ils achètent à n'importe quel prix.* — N'IMPORTE COMMENT, OÙ, QUAND loc. adv. : d'une manière, dans un endroit, à un moment quelconque, indifférent. *N'importe comment, je vous attendrai, de toute façon, dans tous les cas. Il peut venir n'importe quand.*

importun, une [ɛ̃pɔʁtœ̃, yn] adj. et n. **1.** Qui ennuie, gêne par sa présence ou sa conduite. ⇒ **indiscret.** *Je ne voudrais pas être importun.* — N. *Éviter un importun.* ⇒ **gêneur. 2.** (Choses) Gênant, qui dérange. ⇒ **inopportun.** *Une visite importune. Ce sont des remarques importunes.* / contr. **opportun** / ▶ *importuner* v. tr. ■ conjug. 1. ■ Littér. Ennuyer en étant importun. *Je ne veux pas vous importuner plus longtemps.* ⇒ **déranger.** *Le bruit m'importune.* ⇒ **gêner.** ▶ *importunité* n. f. ■ Littér. Caractère de ce qui est importun. *L'importunité d'une démarche.* / contr. **opportunité** / — *(Une, des importunités)* Chose désagréable.

① *imposer* [ɛ̃poze] v. tr. ■ conjug. 1. **1.** Faire payer obligatoirement. *Le vainqueur leur imposa un tribut.* — Au p. p. adj. *Prix imposé,* qui doit être observé strictement. / contr. **libre** / **2.** Assujettir (qqn) à l'impôt. ⇒ **taxer.** — Au p. p. adj. *Contribuables peu, lourdement imposés.* ▶ *imposable* adj. ■ Qui peut être imposé, assujetti à l'impôt. *Revenu imposable.* ▶ ① *imposition* n. f. ■ Fait d'imposer (une contribution). ‹ ▶ impôt ›

② *imposer* v. tr. ■ conjug. 1. **1.** IMPOSER qqch. À qqn : prescrire ou faire subir à qqn (une chose pénible). *Il nous a imposé une lourde tâche, sa volonté, ses conditions...* — Faire admettre (qqch.) par une contrainte morale. *Il est arrivé à imposer ses façons de voir. S'imposer un effort, un sacrifice,* s'en faire une obligation. **2.** V. pron. réfl. (Suj. chose) Ne pouvoir être rejeté. *Cette solution s'impose. Cela s'impose pas, ce n'est pas indispensable.* **3.** Faire accepter (qqn) par force, autorité, prestige, etc. *Il nous a imposé son protégé.* — S'IMPOSER v. pron. réfl. : se faire admettre, reconnaître (par sa valeur, etc.). *Il s'est imposé à ce poste. Pour ce rôle, c'est elle qui s'impose,* qui est la plus qualifiée.

③ *imposer* v. tr. ■ conjug. 1. ■ Poser, mettre (sur), par un geste liturgique. *Imposer les mains* (pour bénir). ▶ ② *imposition* n. f. ■ Action d'imposer (les mains). *L'imposition des mains* (pour conférer certains sacrements).

④ *en imposer* v. tr. ind. ■ conjug. 1. ■ *En imposer (à qqn),* faire une forte impression, commander le respect. *Ses succès répétés en imposent.* ▶ *imposant, ante* adj. **1.** Qui impose le respect, décourage toute familiarité. *Une grande dame à l'air imposant.* ⇒ **majestueux, noble. 2.** Qui impressionne par l'importance, la quantité. ⇒ **considérable.** *Une somme imposante. Une imposante majorité.*

impossible [ɛ̃pɔsibl] adj. et n. m. **I.** Adj. **1.** Qui ne peut se produire, être atteint ni réalisé. / contr. **certain, possible** / *La guerre lui paraît impossible. Il s'est attelé à une tâche impossible.* — *Impossible à* (+ infinitif), qu'on ne peut... *Une idée impossible à admettre.* — Impers. *Il est impossible de* (+ infinitif). Ellipt. *Impossible de le savoir.* — Absolt. *Impossible !,* c'est impossible. — *Il est impossible que...* (+ subjonctif) *Il n'est pas impossible qu'il revienne demain.* **2.** Très difficile, très pénible (à faire, imaginer, supporter). *Il nous rend l'existence impossible.* **3.** Fam. Extravagant, invraisemblable. *Il lui arrive toujours des aventures impossibles. Il a fait une scène impossible.* **4.** (Personnes) Qu'on ne peut accepter ou supporter. *Ces enfants sont impossibles.* ⇒ **insupportable. II.** N. m. **1.** Ce qui n'est pas possible. *Vous demandez l'impossible. Tenter l'impossible.* — Par exagér. *Nous ferons l'impossible,* tout le possible. **2.** PAR IMPOSSIBLE loc. adv. : par une hypothèse peu vraisemblable. *Si, par impossible, cette affaire réussissait.* ▶ *impossibilité* n. f. **1.** Caractère de ce qui est impossible ; défaut de possibilité. *Être dans l'impossibilité matérielle, morale de faire qqch.* **2.** *(Une, des impossibilités)* Chose impossible. *Nous nous heurtons à une impossibilité.*

imposteur [ɛ̃pɔstœʁ] n. m. ■ Personne qui abuse de la confiance d'autrui par des mensonges, en usurpant une qualité, etc. *Le prétendu général était un imposteur qu'on a démasqué.* ⇒ **escroc.** *Cette femme n'est qu'un imposteur.* ▶ *imposture* n. f. ■ Littér. Tromperie d'un imposteur.

impôt [ɛ̃po] n. m. **1.** Prélèvement que l'État opère sur les ressources des particuliers afin de subvenir aux charges publiques ; sommes prélevées. ⇒ **contribution, fiscalité, imposition, taxe.** *Administration chargée des impôts. Remplir sa feuille d'impôts. Il ne paie pas d'impôts. Impôts directs,* prélèvement d'une partie du revenu du contribuable. *Impôts indirects,* taxes sur les prix. **2.** Obligation imposée. *L'impôt du sang,* l'obligation du service militaire.

impotent, ente [ɛ̃pɔtɑ̃, ɑ̃t] adj. et n. ■ Qui ne peut pas se déplacer, ou se déplace très difficilement. ⇒ **infirme, invalide.** *Un vieillard impotent.* — N. *Un impotent, une impotente.* ▶ *impotence* n. f. ■ État d'une personne impotente.

impraticable [ɛ̃pʁatikabl] adj. **1.** Littér. Qu'on ne peut mettre à exécution. ⇒ **irréalisable.** *Des projets impraticables.* **2.** Où l'on ne peut passer, où l'on passe très difficilement. *Piste impraticable pour les voitures.* / contr. **praticable** /

imprécation [ɛ̃pʁekasjɔ̃] n. f. ■ Littér. Souhait de malheur contre qqn. ⇒ **malédiction.** *Lancer des imprécations contre qqn.*

imprécis, ise [ɛ̃pʁesi, iz] adj. ■ Qui n'est pas précis, manque de netteté. ⇒ **flou, incertain, vague.** *Des souvenirs, des renseignements imprécis. Votre description est trop imprécise. Des gestes imprécis.* ▶ *imprécision* n. f. ■ Manque de précision, de netteté. *Imprécision du vocabulaire, d'un tir. L'imprécision des renseignements fournis.*

imprégner [ɛ̃pʀeɲe] v. tr. ▪ conjug. 6. **1.** Pénétrer (un corps) de liquide dans toutes ses parties. ⇒ **imbiber.** *Teinture dont on imprègne les cuirs.* — Au p. p. *Mouchoir imprégné de parfum.* **2.** Abstrait. Pénétrer, influencer profondément. *Son éducation l'a imprégné de certaines croyances, de préjugés ; il en est imprégné.* — Pronominalement. *S'imprégner de connaissances.* ▶ *imprégnation* n. f. ▪ Fait de s'imprégner, d'être imprégné.

imprenable [ɛ̃pʀənabl] adj. **1.** Qui ne peut être pris. *Une forteresse imprenable.* ⇒ **inexpugnable.** **2.** *Vue imprenable,* qui ne peut être masquée par de nouvelles constructions.

imprésario [ɛ̃pʀes(z)aʀjo] n. m. ▪ Celui qui s'occupe de l'organisation matérielle d'un spectacle, d'un concert, de la vie professionnelle et des engagements d'un artiste. *L'imprésario d'un chanteur. Des imprésarios.*

imprescriptible [ɛ̃pʀɛskʀiptibl] adj. ▪ (Droit, bien) Qui ne peut pas être supprimé, enlevé après un délai (prescription).

① *impression* [ɛ̃pʀesjɔ̃] n. f. **1.** Vx. Empreinte. **2.** Procédé de reproduction par pression d'une surface sur une autre qui en garde l'empreinte. *Impression des papiers peints.* — Reproduction d'un texte par l'imprimerie. *Manuscrit remis à l'impression. Fautes d'impression.* ⇒ **coquille.** ▶ ① *impressionner* v. tr. ▪ conjug. 1. ▪ *Impressionner une pellicule photographique,* y laisser une impression, une image.

② *impression* n. f. **1.** Marque morale, effet qu'une cause produit sur une personne. *Faire, produire une vive, une forte impression. Décrire ses impressions.* — Absolt. *Faire impression,* attirer vivement l'attention. *Son entrée a fait impression.* **2.** Connaissance élémentaire, immédiate et vague (d'un être, d'un objet, d'un événement). ⇒ **sentiment, sensation.** *Éprouver, ressentir une impression. Faire bonne, mauvaise impression. Impressions de voyage.* — Loc. *Donner l'impression, une impression de,* faire naître le sentiment, l'illusion de (ce dont on suggère l'image, l'idée). — *J'ai l'impression de perdre, que je perds mon temps,* il me semble que... *Je n'ai pas l'impression qu'il ait compris.* ▶ ② *impressionner* v. tr. ▪ conjug. 1. ▪ Affecter d'une vive impression. ⇒ **frapper, toucher.** *Cette mort m'a impressionné. Ne te laisse pas impressionner.* ⇒ **influencer, intimider.** ▶ *impressionnable* adj. ▪ Facile à impressionner. *Un enfant impressionnable.* ⇒ **émotif, sensible.** / contr. **insensible** / ▶ *impressionnant, ante* adj. ▪ Qui impressionne. ⇒ **étonnant, frappant.** *C'était un spectacle impressionnant. On arrive au total impressionnant de plusieurs millions.*

impressionnisme [ɛ̃pʀɛsjɔnism] n. m. ▪ Style des peintres, écrivains et musiciens qui se proposent d'exprimer les impressions fugitives. *L'impressionnisme de Debussy.* ▶ *impressionniste* n. et adj. ▪ Se dit de peintres qui, à la fin du XIXᵉ s., s'efforcèrent d'exprimer les impressions que les objets et la lumière suscitent. *Les impressionnistes.* — Adj. *Degas, Monet, peintres impressionnistes. Un tableau impressionniste.*

imprévisible [ɛ̃pʀeviziblə] adj. ▪ Qui ne peut être prévu. *Des événements imprévisibles.* ≠ *imprévu.* ▶ *imprévisibilité* n. f. ▪ *L'imprévisibilité d'une décision.*

imprévoyant, ante [ɛ̃pʀevwajɑ̃, ɑ̃t] adj. et n. ▪ Qui manque de prévoyance. ⇒ **insouciant.** ▶ *imprévoyance* n. f. ▪ Caractère d'une personne imprévoyante. *Il est d'une grande imprévoyance.* — *(Une, des imprévoyances)* Action imprévoyante.

imprévu, ue [ɛ̃pʀevy] adj. et n. m. ▪ Qui n'a pas été prévu ; qui arrive lorsqu'on ne s'y attend pas.

⇒ **inattendu, inopiné.** *Un ennui imprévu. Des dépenses imprévues.* / contr. **prévu** / ≠ *imprévisible.* — N. m. *L'imprévu,* ce qui est imprévu. *Un voyage plein d'imprévu. En cas d'imprévu, prévenez-moi. Des imprévus.*

imprimatur [ɛ̃pʀimatyʀ] n. m. invar. ▪ Autorisation d'imprimer (accordée par l'autorité ecclésiastique ou par l'Université). *L'imprimatur d'un catéchisme. Des imprimatur.*

① *imprimer* [ɛ̃pʀime] v. tr. ▪ conjug. 1. **1.** Littér. Faire, laisser (une marque, une trace) par pression. *Un pied avait imprimé sa forme dans le sable.* **2.** Reproduire (une figure, une image) par l'application et la pression d'une surface sur une autre. *Imprimer la marque d'un cachet. Imprimer une estampe, une lithographie. Imprimer un tissu.* **3.** Reproduire (un texte) par la technique de l'imprimerie. *Imprimer un ouvrage.* — *Imprimer un livre à mille exemplaires.* — Publier l'œuvre de (un auteur). *Imprimer un auteur. Se faire imprimer.* ▶ *imprimé, ée* adj. et n. m. **I.** Reproduit par impression ; orné de motifs ainsi reproduits. *Tissu imprimé.* — N. m. *Un imprimé à fleurs.* **II.** **1.** Reproduit par l'imprimerie. *Papier à en-tête imprimé.* **2.** *Un imprimé,* impression ou reproduction sur papier ou sur une matière analogue. / contr. **manuscrit** / *Le département des imprimés à la Bibliothèque nationale.* **3.** Feuille, formule imprimée. *Remplissez lisiblement les imprimés.* ▶ *imprimante* n. f. ▪ Informatique. Dispositif qui imprime, sur feuilles ou liasse de papier en continu, les textes préalablement mis en mémoire (saisis) dans un ordinateur. *Les imprimantes à laser ont amélioré la qualité typographique des documents.* ⟨ ▶ imprimerie ⟩

② *imprimer* v. tr. ▪ conjug. 1. **1.** Littér. Faire pénétrer profondément (dans le cœur, l'esprit de qqn) en laissant une empreinte durable (⇒ **impression**). *Imprimer des principes dans l'esprit de qqn.* — Au p. p. adj. *Des souvenirs imprimés dans la mémoire.* **2.** Communiquer, transmettre (un mouvement, une impulsion...). *Imprimer une énergie.* — Au passif et p. p. adj. *La vitesse imprimée à l'engin par la fusée.*

imprimerie [ɛ̃pʀimʀi] n. f. **1.** Art d'imprimer (des livres) ; ensemble des techniques permettant la reproduction d'un texte par impression de caractères mobiles ⇒ **typographie,** ou report sur plaques ⇒ **offset, photocomposition.** *La découverte de l'imprimerie.* **2.** (Une, des imprimeries) Établissement, lieu où l'on imprime (des livres, des journaux). *L'Imprimerie nationale,* qui imprime les actes officiels. — Matériel servant à l'impression (presse, etc.). ▶ *imprimeur* n. m. **1.** Propriétaire, directeur d'une imprimerie. *L'imprimeur d'un journal. Elle est imprimeur.* **2.** Ouvrier travaillant dans une imprimerie (typographe, etc.).

improbable [ɛ̃pʀɔbabl] adj. ▪ Qui n'est pas probable ; qui a peu de chances de se produire. ⇒ **douteux.** *Dans le cas, bien improbable, où... C'est plus qu'improbable, c'est impossible.* ▶ *improbabilité* n. f. ▪ Le fait d'être improbable. *L'improbabilité d'un événement.*

improbation [ɛ̃pʀɔbasjɔ̃] n. f. ▪ Littér. Action de désapprouver, de condamner. ⇒ **désapprobation, réprobation.** / contr. **approbation** / *Les spectateurs manifestaient leur improbation par des sifflets.*

improductif, ive [ɛ̃pʀɔdyktif, iv] adj. ▪ Qui ne produit, ne rapporte rien. *Un sol improductif.* ⇒ **stérile.** — N. (Personnes) *Un improductif,* qui ne contribue pas à produire des biens.

impromptu, ue [ɛ̃pʀɔ̃pty] n. m., adj. et adv. **1.** N. m. Petite pièce (de vers, de musique) de composition

simple. **2.** Adj. Improvisé. *Un dîner impromptu.*
3. Adv. À l'improviste, sans préparation. *Une allocution prononcée impromptu.*

imprononçable [ɛ̃pʀɔnɔ̃sabl] adj. ■ Impossible
à prononcer. *Un groupe de consonnes imprononçable.*

impropre [ɛ̃pʀɔpʀ] adj. **1.** Qui ne convient pas,
n'exprime pas exactement l'idée. *Mot, expression
impropre.* **2.** Littér. IMPROPRE À : qui n'est pas propre,
apte à (un travail, un service). ⇒ **inapte.** — *(Choses)*
Qui ne convient pas à. *Une eau impropre à la cuisson
des légumes.* ▶ *improprement* adv. ■ D'une
manière impropre. *L'araignée est improprement appelée insecte.* ▶ *impropriété* n. f. ■ Caractère d'un mot,
d'une expression impropre. — *(Une, des impropriétés)*
Emploi impropre d'un mot. *Une impropriété de
langage. Dire « malgré que » pour « bien que » est
une impropriété courante.*

improviser [ɛ̃pʀɔvize] v. tr. ■ conjug. 1. **1.** Composer sur-le-champ et sans préparation. *Il a dû
improviser un discours.* — Sans compl. *Il improvise
au piano.* **2.** Organiser sur-le-champ, à la hâte. *Nous
avons improvisé une rencontre.* **3.** Pourvoir inopinément (qqn) d'une fonction. *On l'improvisa cuisinier
pour la circonstance.* — Pronominalement. *On ne
s'improvise pas orateur.* ▶ *improvisation* n. f.
1. Action, art d'improviser. *Parler au hasard de
l'improvisation.* **2.** Ce qui est improvisé (discours,
vers, etc.). *Une improvisation de jazz.* ⟨ ▶ à l'improviste ⟩

à l'improviste [alɛ̃pʀɔvist] loc. adv. ■ D'une
manière imprévue, au moment où on s'y attend le
moins. ⇒ **inopinément.** *Il a débarqué chez nous à
l'improviste. Je l'ai rencontré à l'improviste,* par
hasard.

imprudence [ɛ̃pʀydɑ̃s] n. f. **1.** Manque de prudence. *Son imprudence l'expose à bien des dangers.*
— *Homicide par imprudence,* homicide involontaire
mais qui engage la responsabilité. — Caractère de ce
qui est imprudent. *L'imprudence de sa conduite.*
2. *(Une, des imprudences)* Action imprudente. *Ne
faites pas d'imprudences.* ▶ *imprudent, ente* adj.
■ Qui manque de prudence. ⇒ **aventureux, téméraire.** *Un automobiliste imprudent.* — N. *Une imprudente.* — *(Choses) Ce sont des paroles imprudentes.
C'est bien imprudent.* ▶ *imprudemment* [ɛ̃pʀy-
damɑ̃] adv. ■ D'une manière imprudente. *Il conduit
très imprudemment.*

impubère [ɛ̃pybɛʀ] n. et adj. ■ Littér. Personne qui
n'a pas atteint la puberté. *Un, une impubère.* — Adj.
Un corps impubère.

impubliable [ɛ̃pyblijabl] adj. ■ Qui est trop
mauvais, trop osé... pour être publié. *Un article
impubliable.*

impudence [ɛ̃pydɑ̃s] n. f. ■ Littér. Effronterie
audacieuse ou cynique qui choque, indigne. *Mentir
avec cette impudence !* — Caractère de ce qui est
impudent. — *(Une, des impudences)* Action, parole
impudente. ≠ *imprudence.* ▶ *impudent, ente* adj.
■ Littér. Qui montre de l'impudence. ⇒ **cynique,
effronté, insolent.** *Des propos impudents.* ≠ *imprudent.* ▶ *impudemment* [ɛ̃pydamɑ̃] adv. ■ Littér.
D'une manière impudente. *Mentir impudemment.*
≠ *imprudemment.*

impudeur [ɛ̃pydœʀ] n. f. **1.** Manque de pudeur,
de discrétion. *Franchise poussée jusqu'à l'impudeur.
L'impudeur d'un nu, d'un geste.* ⇒ **impudicité.**
2. Manque de retenue. *Il a eu l'impudeur de me
demander de l'argent.*

impudique [ɛ̃pydik] adj. ■ Qui outrage la pudeur
en étalant l'immoralité de sa conduite. ⇒ **dévergondé,**

immodeste. — *(Choses) Des gestes, des paroles
impudiques.* ⇒ **indécent, obscène.** ▶ *impudique-
ment.* adv. ■ Littér. D'une manière impudique.
▶ *impudicité* n. f. ■ Littér. Caractère de ce qui est
impudique ; comportement impudique. ⇒ **indécence,
obscénité.**

impuissance [ɛ̃pɥisɑ̃s] n. f. **1.** Manque de moyens
suffisants pour faire qqch. ⇒ **faiblesse, incapacité.** *Le
sentiment de son impuissance l'écrasait. Frapper
d'impuissance,* paralyser. *Leur impuissance à se faire
obéir.* — Caractère de ce qui est impuissant.
L'impuissance de leurs efforts. **2.** Incapacité physique
d'accomplir l'acte sexuel normal et complet, pour
l'homme. ▶ *impuissant, ante* adj. **1.** Qui n'a pas de
moyens suffisants pour faire qqch. *Il reste impuissant
devant ce désastre.* **2.** (Homme) Physiquement incapable d'accomplir l'acte sexuel. — N. m. *C'est un
impuissant.* **3.** Littér. Qui est sans effet, sans efficacité.
Une rage impuissante.

impulsif, ive [ɛ̃pylsif, iv] adj. ■ Qui agit sous
l'impulsion de mouvements spontanés ou plus forts
que sa volonté. / contr. **réfléchi** / *L'homme impulsif.
Une réaction impulsive.* — N. *Un impulsif.* ▶ *impulsivement* adv. ■ D'une manière impulsive. *Agir
impulsivement.* ▶ *impulsivité* n. f. ■ Littér. Caractère
impulsif. *Répondre avec impulsivité.*

impulsion [ɛ̃pylsjɔ̃] n. f. **1.** Action de pousser.
— Ce qui pousse. ⇒ **poussée.** *Communiquer une
impulsion à un wagonnet.* **2.** Abstrait. Le fait d'inciter ;
ce qui anime. *L'impulsion donnée aux affaires.*
3. Littér. Action de pousser (qqn) à faire qqch.
⇒ **influence.** *Agir sous l'impulsion de la colère.*
— *(Une, des impulsions)* Tendance spontanée à
l'action. *Tu as tort de céder à tes impulsions.*
⟨ ▶ impulsif ⟩

impunément [ɛ̃pynemɑ̃] adv. **1.** Sans subir de
punition. *Braver impunément l'autorité. Se moquer
impunément de qqn.* **2.** Sans dommage pour soi. *On
ne boit pas impunément une bouteille de vin à chaque
repas.*

impuni, ie [ɛ̃pyni] adj. ■ Qui n'est pas puni, ne
reçoit pas de punition. *Ce crime est resté impuni.*
▶ *impunité* n. f. ■ Caractère de ce qui est impuni.
Il se croyait assuré de l'impunité. / contr. **punition** /

impur, ure [ɛ̃pyʀ] adj. **1.** Altéré, corrompu par
des éléments étrangers. *Eau impure.* **2.** Dont la loi
religieuse commande de fuir le contact. ⇒ **immonde**
(1). **3.** Littér. Qui est mauvais (moralement). ⇒ **immoral.** *Un cœur impur.* — Impudique, indécent. *Des
paroles impures.* ▶ *impureté* n. f. **1.** Corruption
résultant d'une altération, d'un mélange. *L'impureté
de l'air.* — *(Une, des impuretés)* Ce qui rend impur.
Les impuretés qui se déposent au fond d'un récipient.
2. Littér. Impudicité. *L'impureté d'une conversation.*

imputer [ɛ̃pyte] v. tr. ■ conjug. 1. **I.** IMPUTER À.
1. Attribuer (à qqn) une chose digne de blâme (faute,
crime...). *On lui impute cette grave erreur.* **2.** Littér.
On lui impute à crime un simple oubli, on considère
comme un crime... **II.** Appliquer à un compte
déterminé. ⇒ **affecter.** *Imputer les frais d'hôpital au
budget de la ville.* ▶ *imputable* adj. **1.** Qui peut, qui
doit être imputé, attribué. *Un accident imputable à
la négligence.* **2.** Qui doit être imputé, prélevé (sur
un compte, un crédit). ▶ *imputation* n. f. **1.** Action
d'imputer à qqn, de mettre sur le compte de qqn (une
action blâmable, une faute). ⇒ **accusation.** *Une
imputation de vol sans fondement.* **2.** Affectation
d'une somme à un compte déterminé. *L'imputation
d'une somme au crédit d'un compte.*

imputrescible [ɛ̃pytʀesibl] adj. ■ Qui ne peut
pas pourrir. / contr. **putrescible** /

in- ■ Élément négatif d'un adjectif (im- devant *b*, *m*, *p* ; *il-* devant *l* ; *ir-* devant *r*, sauf *inracontable*).

inabordable [inabɔʀdabl] adj. **1.** Littér. Qu'il est impossible ou très difficile d'approcher. ⇒ **inaccessible.** — *Une côte inabordable.* — Abstrait. *C'est un homme inabordable.* **2.** D'un prix élevé, qui n'est pas à la portée de toutes les bourses. ⇒ **cher.** *Les asperges sont inabordables cette année.*

inaccentué, ée [inaksɑ̃tɥe] adj. ■ Qui ne porte pas d'accent ①. ⇒ **atone.** / contr. **accentué, tonique** / « *Me* », « *te* », « *se* » sont les formes inaccentuées du pronom personnel (en regard de « moi », « toi », « soi »).

inacceptable [inaksɛptabl] adj. ■ Qu'on ne peut, qu'on ne doit pas accepter. ⇒ **inadmissible.** *Ce sont des propositions inacceptables.*

inaccessible [inaksesibl] adj. **1.** Dont l'accès est impossible. *Un sommet inaccessible.* — Abstrait. (Personnes) Qui est d'un abord difficile. *Ses occupations en font un personnage inaccessible.* ⇒ **inabordable.** — Qu'on ne peut atteindre. *Vous vous proposez un objectif inaccessible.* **2.** INACCESSIBLE À *qqch.* : qui ne se laisse ni convaincre ni toucher par, qui est fermé à (certains sentiments). ⇒ **insensible** à. *Un homme inaccessible à la pitié.*

inaccoutumé, ée [inakutyme] adj. ■ Qui n'a pas coutume de se produire. ⇒ **inhabituel, insolite.** *Une agitation inaccoutumée.*

inachevé, ée [inaʃve] adj. ■ Qui n'est pas achevé. *Il a laissé un roman inachevé.* ▶ *inachèvement* [inaʃɛvmɑ̃] n. m. ■ État de ce qui n'est pas achevé. *L'inachèvement d'une route.*

inactif, ive [inaktif, iv] adj. **1.** Qui est sans activité. *Il n'est pas resté inactif pendant tout ce temps-là.* ⇒ **oisif.** — Qui ne travaille pas de manière régulière. *Les personnes inactives.* **2.** Qui est sans action. *Un médicament inactif.* ⇒ **inefficace.** ▶ *inactivité* n. f. **1.** Manque d'activité. ⇒ **inaction.** *Inactivité d'un malade.* **2.** Situation d'un fonctionnaire, d'un militaire qui n'est pas en service actif.

inaction [inaksjɔ̃] n. f. ■ Absence ou cessation de toute action. ⇒ **inactivité, oisiveté.** *Il ne peut supporter l'inaction.*

inactuel, elle [inaktɥɛl] adj. ■ Qui n'est pas d'actualité. *Des idées inactuelles.* ⇒ **périmé.**

inadapté, ée [inadapte] adj. ■ Qui n'est pas adapté à la vie sociale. — *Enfant inadapté* (à la vie scolaire). — N. *Rééducation des inadaptés.* ▶ *inadaptation* n. f. ■ Défaut d'adaptation. — État d'une personne inadaptée.

inadéquat, ate [inadekwa, at] adj. ■ Qui n'est pas adéquat. *L'utilisation de cette expression est inadéquate.* ⇒ **impropre.**

inadmissible [inadmisibl] adj. ■ Qu'il est impossible d'admettre. ⇒ **inacceptable.** *Son attitude est inadmissible. C'est une réponse inadmissible.*

par ***inadvertance*** [paʀinadvɛʀtɑ̃s] loc. adv. ■ Par défaut d'attention, par mégarde. *J'ai oublié de vous prévenir par inadvertance.*

inaliénable [inaljenabl] adj. ■ Qui ne peut être aliéné, cédé, vendu. *Les biens du domaine public sont inaliénables.*

inaltérable [inalteʀabl] adj. **1.** Qui ne peut être altéré ; qui garde ses qualités. *Des couleurs inaltérables. L'or est inaltérable.* **2.** Abstrait. Que rien ne peut changer. *Une bonne humeur inaltérable.* ⇒ **constant, éternel.** / contr. **passager** / ▶ *inaltérabilité* n. f. ■ Caractère de ce qui est inaltérable. *L'inaltérabilité d'un métal.*

inamical, ale, aux [inamikal, o] adj. ■ Qui n'est pas amical. ⇒ **hostile.** *Un geste inamical.*

inamovible [inamɔvibl] adj. ■ Qui n'est pas amovible, qui ne peut être destitué, suspendu ou déplacé. *Des magistrats inamovibles.* — Plaisant. Qu'on ne peut déplacer ou remplacer. *Un champion, un leader inamovible.* ▶ *inamovibilité* n. f. ■ Caractère d'une personne inamovible. *L'inamovibilité d'un magistrat.*

inanimé, ée [inanime] adj. **1.** Qui, par essence, est sans vie. *La matière inanimée.* **2.** Qui a perdu la vie, ou qui a perdu connaissance. *Il est tombé inanimé.*

inanité [inanite] n. f. ■ Littér. Caractère de ce qui est futile, inutile. ⇒ **futilité, inutilité.** *L'inanité de nos efforts.*

inanition [inanisjɔ̃] n. f. ■ Épuisement par défaut de nourriture. *Souffrir d'inanition. Mourir d'inanition.* ⇒ de **faim.**

inaperçu, ue [inapɛʀsy] adj. ■ Qui n'est pas aperçu, remarqué. *Un geste inaperçu.* — *Passer inaperçu,* ne pas être remarqué. *Avec cette coiffure, il ne passera pas inaperçu.*

inapplicable [inaplikabl] adj. ■ Qui ne peut être appliqué. *Une réforme inapplicable.*

inappréciable [inapʀesjabl] adj. ■ Qu'on ne saurait trop apprécier, estimer ; de grande valeur. ⇒ **inestimable, précieux.** *D'inappréciables avantages.* — (Personnes) *Un ami inappréciable.*

inapte [inapt] adj. ■ Qui n'est pas apte, qui manque d'aptitude. ⇒ **incapable.** *Il s'est montré inapte aux affaires, à diriger une affaire.* — Impropre au service militaire ou à une arme ⑤ en particulier. ▶ *inaptitude* n. f. ■ Défaut d'aptitude (à qqch.). ⇒ **incapacité.** *Son inaptitude aux études, pour faire des études.* — État d'un soldat inapte.

inarticulé, ée [inaʀtikyle] adj. ■ Qui n'est pas articulé, qui est prononcé sans netteté. *Des sons inarticulés.*

inassimilable [inasimilabl] adj. ■ Qui n'est pas assimilable. *Une personne inassimilable,* qui ne peut s'intégrer dans une société.

inassouvi, ie [inasuvi] adj. ■ Littér. Qui n'est pas assouvi, satisfait. ⇒ **insatisfait.** *Une faim inassouvie. Un désir inassouvi.*

inattaquable [inatakabl] adj. **1.** Qu'on ne peut attaquer ou mettre en cause avec quelque chance de succès. *Une position, une théorie inattaquable.* — *Un homme inattaquable,* irréprochable. **2.** Qui ne peut être altéré. *Un métal inattaquable.*

inattendu, ue [inatɑ̃dy] adj. ■ Qu'on n'attendait pas, à quoi on ne s'attendait pas. ⇒ **imprévu, inopiné.** *Une rencontre inattendue.* — (Personnes) *Un visiteur inattendu.* — N. m. *L'inattendu est arrivé.*

inattentif, ive [inatɑ̃tif, iv] adj. ■ Qui ne prête pas attention. ⇒ **distrait.** *Un lecteur inattentif. Un air inattentif. Être inattentif à ce qui se passe.*

inattention [inatɑ̃sjɔ̃] n. f. ■ Manque d'attention. ⇒ **distraction.** *Un instant d'inattention. Une faute, une erreur d'inattention* (dues à l'inattention), *une étourderie.*

inaudible [inodibl] adj. ■ Que l'on ne peut entendre. *Vibrations inaudibles* (infra-sons, ultra-sons). *Un murmure presque inaudible.*

inaugurer [ino(o)gyʀe] v. tr. ∙ conjug. 1. **1.** Consacrer ou livrer au public solennellement (un monument, un édifice nouveau). *Inaugurer un hôpital.* — Commencer solennellement, ouvrir (une réunion).

2. Entreprendre, mettre en pratique pour la première fois. *Le gouvernement veut inaugurer une nouvelle politique.* ▶ *inaugural, ale, aux* adj. ■ Qui a rapport à une inauguration. *Séance inaugurale d'un congrès.* ▶ *inauguration* n. f. ■ Cérémonie par laquelle on inaugure (1).

inauthentique [inɔ(o)tɑ̃tik] adj. ■ Qui n'est pas authentique. ⇒ **apocryphe, faux.** *Des faits inauthentiques.* ⇒ **controuvé.**

inavouable [inavwabl] adj. ■ Qui n'est pas avouable. ⇒ **honteux.** *Des intentions inavouables.*

inca [ɛ̃ka] adj. invar. et n. ■ Relatif à la puissance politique établie au Pérou avant la conquête espagnole. *L'Empire inca. Les tribus inca.* — N. *Les Incas ou les Inca. Une Inca.*

incalculable [ɛ̃kalkylabl] adj. ■ Impossible ou difficile à apprécier. ⇒ **considérable.** *Ce petit événement a eu d'incalculables conséquences.*

incandescent, ente [ɛ̃kɑ̃desɑ̃, ɑ̃t] adj. ■ Chauffé à blanc ou au rouge vif ; rendu lumineux par une chaleur intense. ⇒ **ardent ①** . *Charbon incandescent.* ▶ *incandescence* n. f. ■ État d'un corps incandescent. *Porter un métal à l'incandescence.*

incantation [ɛ̃kɑ̃tasjɔ̃] n. f. ■ Emploi de paroles magiques. — Paroles magiques (dites *incantatoires,* adj.) pour opérer un charme, un sortilège (⇒ **enchantement**).

incapable [ɛ̃kapabl] adj. **1.** INCAPABLE DE (+ infinitif) : qui n'est pas capable (par nature ou par accident, de façon temporaire ou définitive) de. ⇒ **impuissant, inapte.** *Il est incapable de s'en sortir. Êtes-vous incapable de comprendre ?* — (Suivi d'un nom) *Il est incapable de générosité.* **2.** Absolt. Qui n'a pas l'aptitude, la capacité nécessaire. — N. *C'est un incapable, un bon à rien.* ⇒ **nullité. 3.** Qui est en état d'incapacité (3) juridique.

incapacité [ɛ̃kapasite] n. f. **1.** État de celui, de celle qui est incapable (de faire qqch.). ⇒ **impossibilité.** *Je suis dans l'incapacité de vous répondre.* — Absolt. Incompétence. *Il a reconnu son incapacité.* **2.** État d'une personne qui, à la suite d'une blessure, d'une maladie, est devenue incapable de travailler. *Incapacité totale, partielle.* ⇒ **invalidité. 3.** Absence de l'aptitude à jouir d'un droit ou à l'exercer par soi-même. *L'incapacité d'exercice des mineurs,* leur inaptitude à exercer eux-mêmes certains droits.

incarcérer [ɛ̃karsere] v. tr. ■ conjug. 6. ■ Mettre en prison. ⇒ **emprisonner.** *Incarcérer un condamné.* ▶ *incarcération* n. f. ■ Action d'incarcérer. ⇒ **emprisonnement.** ■ État d'une personne incarcérée.

incarnat, ate [ɛ̃karna, at] adj. ■ D'un rouge clair et vif. *Un velours incarnat. Des lèvres incarnates.*

incarné, ée [ɛ̃karne] adj. ■ *Ongle incarné,* qui a pénétré dans les chairs.

incarner [ɛ̃karne] v. tr. ■ conjug. 1. **1.** Revêtir (un être spirituel) d'un corps charnel, d'une forme humaine ou animale. — Pronominalement. *Une divinité qui s'incarne dans des corps différents.* — Au p. p. adj. *Le Verbe incarné,* le Christ. **2.** Représenter en soi, soi-même (une chose abstraite). *Il incarnait la Révolution.* — Au p. p. adj. *Elle est la jalousie incarnée,* personnifiée. **3.** Représenter (un personnage) dans un spectacle. ⇒ **jouer.** *Cet acteur a incarné Napoléon.* ▶ *incarnation* n. f. **1.** Dans la religion chrétienne. Union intime en Jésus-Christ de la nature divine avec une nature humaine. **2.** Ce qui incarne, représente. ⇒ **personnification.** *Ce régime lui apparaissait comme l'incarnation de l'injustice.*

incartade [ɛ̃kartad] n. f. ■ Léger écart de conduite. ⇒ **caprice.** *Ce n'est pas sa première incartade !*

incassable [ɛ̃kasabl] adj. ■ Qui ne se casse pas, ou ne se casse pas facilement. *Verre incassable.*

incendie [ɛ̃sɑ̃di] n. m. ■ Grand feu qui se propage en causant des dégâts. *Un incendie de forêt. Les pompiers ont maîtrisé l'incendie.* ▶ *incendiaire* n. et adj. **I.** N. Personne qui allume volontairement un incendie. ⇒ **pyromane. II.** Adj. **1.** Propre à causer l'incendie. *Des bombes incendiaires.* **2.** Propre à enflammer les esprits, à allumer la révolte. *Des déclarations incendiaires.* — Qui éveille les désirs amoureux. *Une œillade incendiaire.* ▶ *incendier* v. tr. ■ conjug. 7. **1.** Mettre en feu. ⇒ **brûler.** *Incendier une maison.* **2.** Irriter en provoquant une impression de brûlure. *Les piments lui ont incendié la gorge.* **3.** Littér. Colorer d'une lueur ardente. *Le soleil incendiait l'horizon.* **4.** Fam. *Incendier qqn,* l'accabler de reproches. *Elle s'est fait incendier par le patron.*

incertain, aine [ɛ̃sɛrtɛ̃, ɛn] adj. **I.** **1.** Qui n'est pas certain, assuré. ⇒ **aléatoire, douteux, hypothétique, problématique.** / contr. **certain** / *Le résultat est bien incertain.* — Sur lequel on ne peut compter. *Une aide incertaine. Le temps est incertain.* ⇒ **changeant. 2.** Qui n'est pas connu avec certitude. *Un mot d'origine incertaine.* **3.** Littér. Dont la forme, la nature n'est pas nette. ⇒ **confus, imprécis, vague.** *Une silhouette aux contours incertains.* **II.** (Personnes) Qui manque de certitude, de décision, qui est dans le doute. ⇒ **embarrassé, hésitant, indécis, irrésolu.** *Il restait incertain du parti qu'il devait prendre.* — *Des pas incertains,* mal assurés.

incertitude [ɛ̃sɛrtityd] n. f. **I.** **1.** État de ce qui est incertain. *L'incertitude de notre avenir.* **2.** (*Une, des incertitudes*) Chose imprévisible. *S'engager dans une voie pleine d'incertitudes. Les incertitudes de la guerre.* **II.** État d'une personne incertaine, qui ne sait ce qu'elle doit faire. ⇒ **doute, embarras, indécision, perplexité.** *Je suis dans l'incertitude au sujet de (quant à) cette affaire.*

incessant, ante [ɛ̃sesɑ̃, ɑ̃t] adj. ■ Qui ne cesse pas, dure sans interruption. ⇒ **continuel, ininterrompu.** *Un bruit incessant.* — Qui se répète souvent. *D'incessantes récriminations.* ▶ *incessamment* adv. ■ Très prochainement, sans délai. ⇒ **bientôt.** *Il doit arriver incessamment.*

incessible [ɛ̃sesibl] adj. ■ En droit. Qui ne peut être cédé. ⇒ **inaliénable.**

inceste [ɛ̃sɛst] n. m. ■ Relations sexuelles entre proches parents (dont le mariage est interdit). *Commettre un inceste. Inceste entre le frère et la sœur.* ▶ *incestueux, euse* adj. ■ Coupable d'inceste. *Un père incestueux.* — Caractérisé par l'inceste. *Amour incestueux.*

inchangé, ée [ɛ̃ʃɑ̃ʒe] adj. ■ Qui n'a pas changé. *La situation demeure inchangée.* ⇒ **identique,** la **même.**

incidemment [ɛ̃sidamɑ̃] adv. ■ D'une manière incidente ; sans y attacher une importance capitale. *J'en ai fait mention incidemment.*

incidence [ɛ̃sidɑ̃s] n. f. **1.** Rencontre d'un rayon et d'une surface. *Point, angle d'incidence.* **2.** Conséquence, influence (⇒ **② incident**). *L'incidence des salaires sur les prix de revient.*

① *incident* [ɛ̃sidɑ̃] n. m. **1.** Petit événement qui survient. *C'est un simple incident.* — Petite difficulté imprévue qui survient au cours d'une entreprise. ⇒ **anicroche.** *Le voyage s'est passé sans incident.*

Incidents de parcours. **2.** Événement peu important, mais capable d'entraîner de graves conséquences diplomatiques ou politiques. *Un incident de frontière.* — Désordre. *Ils veulent provoquer des incidents à la prochaine réunion.* — Objection soulevée par une personne (dans un débat). *Des incidents de séance. L'incident est clos,* la querelle est terminée.

② **incident, ente** adj. **1.** Qui survient accessoirement dans un procès, une affaire. ⇒ **accessoire.** *Une question incidente.* **2.** En physique. *Rayon incident à* (une surface), qui la rencontre. **3.** En grammaire. (Proposition, remarque) Qui suspend une phrase, un exposé, pour y introduire un énoncé accessoire. — N. f. *Une incidente. Mettre une incidente entre parenthèses, entre tirets* (ex. : « *Vous viendrez – je le suppose – avec vos parents.* »). ‹ ▶ incidemment, incidence, ① incident ›

incinérer [ε̃sineʀe] v. tr. ■ conjug. 6. ■ Réduire en cendres. ⇒ **brûler.** *Appareil à incinérer les ordures* (appelé *incinérateur,* n. m.). — *Son cadavre a été incinéré.* ▶ *incinération* n. f. ■ Action d'incinérer. *Incinération d'un cadavre.* ⇒ **crémation.**

incipit [ε̃sipit, insipit] n. m. invar. ■ Premiers mots d'un livre. *Des incipit.*

incise [ε̃siz] n. f. ■ Courte proposition insérée dans la phrase, pour indiquer qu'on rapporte les paroles de qqn (ex : *dit-elle,* dans *Je viendrai, dit-elle, demain*).

inciser [ε̃size] v. tr. ■ conjug. 1. ■ Fendre avec un instrument tranchant. ⇒ **couper, entailler.** *Inciser l'écorce d'un arbre pour le greffage. Inciser un abcès.* ▶ *incision* n. f. ■ Action d'inciser ; son résultat. ⇒ **entaille.** *Faire une incision dans l'écorce d'un arbre. Le chirurgien a pratiqué l'incision de la plaie.* ▶ *incisif, ive* adj. ■ Abstrait. Acéré, mordant dans l'expression. *Une ironie incisive.* ▶ *incisive* n. f. ■ Dent aplatie et tranchante, sur le devant de la mâchoire. *Incisives inférieures, supérieures.* ‹ ▶ incise ›

inciter [ε̃site] v. tr. ■ conjug. 1. **1.** *Inciter qqn à qqch., à faire qqch.,* entraîner, pousser. **2.** (Choses) Conduire (qqn) à un sentiment, un comportement. ⇒ **engager, incliner.** *Sa réponse m'incite à penser qu'il est innocent.* ▶ *incitation* n. f. ■ Action d'inciter ; ce qui incite. ⇒ **encouragement.** *Condamné pour incitation à la révolte, au meurtre.* ⇒ **provocation.**

incivil, ile [ε̃sivil] adj. ■ Littér. Impoli. *Un homme incivil.* ▶ *incivilité* n. f. ■ Littér. Impolitesse.

inclassable [ε̃klasabl] adj. ■ Qu'on ne peut définir, rapporter à un ensemble connu. *Une œuvre inclassable.*

inclément, ente [ε̃klemɑ̃, ɑ̃t] adj. ■ Littér. Rigoureux. *Un climat, une saison inclémente.* ▶ *inclémence* n. f. ■ Littér. Caractère pénible (des éléments). *L'inclémence du temps.*

inclinaison [ε̃klinεzɔ̃] n. f. **1.** État de ce qui est incliné ; obliquité (d'une ligne droite, d'une surface plane). *L'inclinaison du mur est dangereuse.* **2.** *Inclinaison d'une surface, d'une ligne,* angle qu'elles font avec une autre surface ou ligne. — *Inclinaison magnétique,* angle formé avec l'horizon par l'aiguille aimantée. **3.** Action de pencher ; position penchée (de la tête, du buste).

inclination [ε̃klinɑsjɔ̃] n. f. **I.** Action d'incliner (la tête ou le corps) en signe d'acquiescement ou de déférence. ⇒ **révérence, salut.** *Il nous salua d'une inclination de tête.* **II.** Abstrait. **1.** Mouvement affectif, spontané vers un objet ou une fin. ⇒ **goût, penchant, tendance.** *Combattre, suivre ses inclinations. Il montre de l'inclination pour les sciences.* **2.** Littér. Mouvement qui porte à aimer qqn. *Se prendre d'une forte*

inclination pour qqn. Un mariage d'inclination, fait par inclination.

incliner [ε̃kline] v. ■ conjug. 1. **I.** V. tr. **1.** Rendre oblique ce qui est vertical ou horizontal. ⇒ **baisser, courber, pencher.** / contr. **redresser** / *Inclinez le flacon et versez doucement.* — Au p. p. adj. *Plan incliné.* ⇒ **plan.** *Une écriture inclinée. Avoir la tête inclinée.* **2.** Abstrait. INCLINER *qqn* À : rendre (qqn) enclin à. ⇒ **inciter, porter.** *Votre réponse m'incline à être indulgent, à l'indulgence.* **II.** S'INCLINER v. pron. **1.** Se courber, se pencher. *Saluer en s'inclinant profondément.* **2.** Abstrait. *S'incliner devant qqn,* reconnaître sa supériorité. — S'avouer vaincu, renoncer à lutter. ⇒ **abandonner, obéir.** *Je m'incline.* **3.** (Choses) Être placé obliquement par rapport à un plan. **III.** V. intr. Littér. INCLINER À : avoir de l'inclination pour, être porté à (qqch.). *Le juge semblait incliner à l'indulgence.* ⇒ **pencher.** *J'incline à penser que vous avez raison.* ‹ ▶ inclinaison, inclination ›

inclure [ε̃klyʀ] v. tr. ■ conjug. 35. — REM. Part. passé *inclus(e).* **1.** Mettre (qqch.) dans un ensemble (envoi, texte, compte, etc.). ⇒ **insérer, introduire.** *Je tiens à inclure cette clause dans le contrat.* **2.** Abstrait. Comporter, impliquer. / contr. **exclure** / *Le sens du mot « fleur » inclut celui de « rose ».* ▶ *inclus, use* adj. **1.** Contenu, compris (dans). / contr. **exclu** / *C'est inclus dans les frais généraux.* — *Jusqu'au troisième chapitre inclus.* **2.** CI-INCLUS, INCLUSE : inclus ici, ci-joint. *Vous trouverez ci-inclus les documents nécessaires.* — Invar. *Ci-inclus notre facture.* ▶ *inclusion* n. f. **1.** Action d'inclure ; ce qui est inclus. *L'inclusion d'une clause dans un contrat.* **2.** En sciences. Rapport entre deux ensembles dont l'un est entièrement compris dans l'autre. ▶ *inclusivement* adv. ■ En comprenant (la chose dont on vient de parler). *Jusqu'au XVe siècle inclusivement.* ⇒ **compris.** / contr. **exclusivement** /

incoercible [ε̃kɔεʀsibl] adj. ■ Littér. Qu'on ne peut contenir, réprimer. ⇒ **irrépressible.** *Un fou rire incoercible.*

incognito [ε̃kɔɲ(gn)ito] adv. et n. m. **1.** Adv. En faisant en sorte qu'on ne soit pas reconnu (dans un lieu). *Voyager incognito.* **2.** N. m. Situation d'une personne qui cherche à n'être pas reconnue. *La vedette n'a pu garder l'incognito.*

incohérent, ente [ε̃kɔeʀɑ̃, ɑ̃t] adj. ■ Qui n'est pas cohérent, manque de suite, de logique, d'unité. / contr. **cohérent** / *Des propos incohérents.* ⇒ **incompréhensible.** *Des gestes incohérents.* ▶ *incohérence* n. f. **1.** Caractère de ce qui est incohérent. / contr. **cohérence** / *L'incohérence de ses discours, de sa conduite.* **2.** *(Une, des incohérences)* Parole, idée, action incohérente. *La défense de l'accusé est pleine d'incohérences.*

incollable [ε̃kɔlabl] adj. et n. ■ Fam. Qu'on ne peut coller, qui répond à toutes les questions. *Il est incollable en histoire.* ⇒ **imbattable.**

incolore [ε̃kɔlɔʀ] adj. **1.** Qui n'est pas coloré. *Gaz incolore et inodore. Vernis incolore.* **2.** Abstrait. Sans éclat. ⇒ **terne.** *Un style incolore,* sans images.

incomber [ε̃kɔ̃be] v. tr. ind. ■ conjug. 1. (3es pers. seulement) ■ (Charge, obligation) INCOMBER À : peser sur (qqn), être imposé à (qqn). *Ces responsabilités lui incombent.* — Impers. *C'est à vous qu'il incombe de, qu'il revient de.*

incombustible [ε̃kɔ̃bystibl] adj. ■ Qui ne brûle pas ou très mal. *Des matériaux incombustibles.* ⇒ **ininflammable.**

incommensurable [ε̃kɔmɑ̃syʀabl] adj. **1.** En sciences. (Grandeurs) Qui n'a pas de mesure commune, dont le rapport ne peut donner de nombre entier ni fractionnaire. **2.** Littér. Qui ne peut être mesuré, qui est très grand. ⇒ **démesuré, illimité, immense.** *Sa vanité est incommensurable.*

incommode [ɛkɔmɔd] adj. **1.** Qui est peu pratique à l'usage. *Un appareil d'une manipulation incommode.* **2.** Littér. Qui est désagréable, qui gêne. *Une posture incommode.* ⇒ **inconfortable.** ▸ *incommodément* adv. ■ D'une manière incommode. *Être installé, assis incommodément.* ⇒ **inconfortablement.** ▸ *incommodité* n. f. **1.** Caractère de ce qui n'est pas pratique. *L'incommodité de cette installation.* **2.** Littér. Gêne causée par (qqch.). *L'incommodité d'un voisinage bruyant.* ◂ ▸ incommoder ▸

incommoder [ɛkɔmɔde] v. tr. ▪ conjug. 1. ■ Causer une gêne physique à (qqn), mettre mal à l'aise. ⇒ **fatiguer, gêner, indisposer.** *Le bruit, la chaleur nous incommodait.* — Littér. *Être incommodé,* être indisposé, se sentir un peu souffrant. ▸ *incommodant, ante* adj. ■ Qui incommode physiquement. ⇒ **gênant.** *Un parfum incommodant.*

incommunicable [ɛkɔmynikabl] adj. **1.** Dont on ne peut faire part à personne. ⇒ **inexprimable.** *Un état d'âme incommunicable.* **2.** Au plur. Qui ne peuvent être mis en communication. *Ce sont deux mondes incommunicables.*

incomparable [ɛkɔpaʀabl] adj. **1.** Au plur. Qui ne peuvent être mis en comparaison. *Deux choses absolument incomparables, complètement différentes.* **2.** À qui ou à quoi rien ne semble pouvoir être comparé (en bien) ; sans pareil. ⇒ **inégalable, supérieur.** *Un talent incomparable.* — (Personnes) *Un artiste incomparable.* ▸ *incomparablement* adv. ■ Sans comparaison possible. — (Suivi d'un comparatif) *Elle joue incomparablement mieux.* — (Suivi d'un adj.) *Il est incomparablement plus adroit.*

incompatible [ɛkɔpatibl] adj. **1.** Qui ne peut coexister, être associé avec (une autre chose). ⇒ **inconciliable, opposé.** *La science et l'action ne sont pas incompatibles. Ce sont des caractères incompatibles.* **2.** (Fonctions, mandats, emplois) Dont la loi interdit le cumul. ▸ *incompatibilité* n. f. **1.** Impossibilité de s'accorder, d'exister ensemble. ⇒ **désaccord, opposition.** *Il y a entre eux une incompatibilité d'idées, d'humeur. L'incompatibilité de deux groupes sanguins.* **2.** Impossibilité légale de cumuler certaines fonctions ou occupations. ◂

incompétent, ente [ɛkɔpetã, ãt] adj. **1.** Qui n'a pas les connaissances suffisantes pour juger, décider d'une chose. *Il est incompétent dans ce domaine, sur ce sujet.* **2.** Qui n'est pas juridiquement compétent. *Le tribunal s'est déclaré incompétent.* ▸ *incompétence* n. f. ■ Défaut de compétence. ⇒ **ignorance.** *Je reconnais mon incompétence en cette matière.*

incomplet, ète [ɛkɔplɛ, ɛt] adj. ■ Qui n'est pas complet ; auquel il manque qqch., un élément. *Une liste incomplète.* — *Vous avez une vue incomplète de la situation. Une instruction incomplète.* ▸ *incomplètement* adv. ■ D'une manière incomplète. ⇒ **imparfaitement.**

incompréhensible [ɛkɔpʀeãsibl] adj. ■ Impossible ou très difficile à comprendre, à expliquer. *Texte incompréhensible.* ⇒ **obscur.** *Sa disparition est incompréhensible.* ⇒ **inexplicable, mystérieux.** — (Personnes) *Vous êtes incompréhensible,* je ne comprends pas votre conduite. ≠ *incompréhensif.*

incompréhensif, ive [ɛkɔpʀeãsif, iv] adj. ■ (Personnes) Qui ne comprend pas autrui, qui ne se met pas à la portée des autres. *Des parents incompréhensifs.* ≠ *incompréhensible.*

incompréhension [ɛkɔpʀeãsjɔ] n. f. ■ Incapacité ou refus de comprendre qqn ou qqch., de lui rendre justice. *L'incompréhension entre deux personnes. Ce poète a souffert de l'incompréhension du public.*

incompressible [ɛkɔpʀesibl] adj. ■ Qui n'est pas compressible. *Aucun gaz n'est incompressible.* — Fig. Qu'on ne peut réduire. *Des dépenses incompressibles.*

incompris, ise [ɛkɔpʀi, iz] adj. et n. ■ Qui n'est pas compris, apprécié à sa juste valeur. *Il se plaint d'être incompris.* — N. *Une incomprise.*

inconcevable [ɛkɔsvabl] adj. **1.** Dont l'esprit humain ne peut se former aucune représentation. *L'infini est inconcevable.* **2.** Impossible ou difficile à comprendre, à imaginer, à croire. ⇒ **incompréhensible, incroyable.** — REM. Souvent péj. *Il a fait preuve d'une légèreté inconcevable. Il est inconcevable qu'il ait échoué.*

inconciliable [ɛkɔsiljabl] adj. ■ Qui n'est pas conciliable. ⇒ **incompatible.** *Leurs intérêts sont inconciliables.*

inconditionnel, elle [ɛkɔdisjɔnɛl] adj. **1.** Qui ne dépend d'aucune condition. ⇒ **absolu.** *Une acceptation inconditionnelle. Vous recevrez un soutien inconditionnel.* **2.** Qui suit en toute circonstance et sans discussion les décisions (d'un homme, d'un parti). — N. *Les inconditionnels,* les partisans inconditionnels. ▸ *inconditionnellement* adv. ■ D'une manière inconditionnelle. *Le Premier ministre attend que la majorité le soutienne inconditionnellement.*

inconduite [ɛkɔdɥit] n. f. ■ Mauvaise conduite sur le plan moral. ⇒ **débauche.** *Une inconduite scandaleuse.*

inconfort [ɛkɔfɔʀ] n. m. ■ Manque de confort. *Vivre dans l'inconfort.* ▸ *inconfortable* adj. ■ Qui n'est pas confortable. *Un logement inconfortable.* — Abstrait. *Il est dans une position inconfortable.* ⇒ **délicat, gênant.** ▸ *inconfortablement* adv. ■ D'une manière inconfortable. *Il vivait très inconfortablement.*

incongru, ue [ɛkɔgʀy] adj. ■ Contraire aux usages, à la bienséance. *On a remarqué bien incongrue.* ▸ *incongruité* [ɛkɔgʀɥite] n. f. ■ Action ou parole incongrue, déplacée. *Il ne dit que des incongruités.*

inconnaissable [ɛkɔnɛsabl] adj. et n. m. ■ Qui ne peut être connu. — N. m. *L'inconnaissable,* ce qui échappe à la connaissance humaine.

inconnu, ue [ɛkɔny] adj. et n. **1.** (Choses) Sans compl. Dont on ignore l'existence ou la nature. *La découverte d'un monde inconnu.* ⇒ **mystérieux, secret.** *Il est parti pour une destination inconnue.* — N. m. *Aller du connu à l'inconnu.* **2.** (Personnes) Dont on ignore l'identité. *Enfant né de père inconnu. Elle désire demeurer inconnue.* ⇒ garder l'**anonymat,** garder l'**incognito.** — Fam. *Inconnu au bataillon,* complètement inconnu (de la personne qui parle). — N. m. *Déposer une plainte contre inconnu* (→ plainte contre X). **3.** Qu'on connaît très peu, faute d'étude, d'expérience. *Être en pays inconnu.* — INCONNU À, DE qqn. *Une coutume inconnue de nous, inconnue aux Belges, aux Français.* ⇒ **étranger.** — Qu'on n'a encore jamais ressenti. ⇒ **nouveau.** *Une impression inconnue (de moi...).* **4.** (Personnes) Dont on n'a jamais fait connaissance. *Il ne m'est pas complètement inconnu.* — N. *Votre ami est un inconnu pour moi.* — *Un inconnu,* une personne qui n'est pas connue, notoire, célèbre. ▸ *inconnue* n. f. ■ Quantité inconnue (d'une équation). *Une équation à deux inconnues.* — Élément inconnu d'un problème, d'une situation envisagée.

inconscience [ɛ̃kɔ̃sjãs] n. f. **1.** Privation permanente ou abolition momentanée de la conscience. *Le malade a sombré dans l'inconscience.* **2.** Absence de jugement, de conscience claire. *Courir un pareil risque, c'est de l'inconscience.* ⇒ **aveuglement, folie.** ▶ *inconscient, ente* adj. et n. **I.** Adj. **1.** À qui la conscience fait défaut. *Il était inconscient,* évanoui. **2.** Qui ne se rend pas compte clairement des choses. *Il est inconscient du danger. Il est complètement inconscient.* — N. *C'est un inconscient.* ⇒ **fou.** **3.** (Choses) Dont on n'a pas conscience ; qui échappe à la conscience. *Un mouvement inconscient.* ⇒ **instinctif, machinal. II.** N. m. L'INCONSCIENT : ce qui échappe entièrement à la conscience, même quand le sujet cherche à le percevoir. ≠ *subconscient.* ▶ *inconsciemment* [ɛ̃kɔ̃sjamã] adv. ■ De façon inconsciente, sans s'en rendre compte. *Elle s'est engagée un peu inconsciemment.*

inconséquent, ente [ɛ̃kɔ̃sekã, ãt] adj. Littér. **1.** (Choses) Qui n'est pas conforme à la logique. *Raisonnement inconséquent.* — Dont on n'a pas calculé les conséquences (qui risquent d'être fâcheuses). ⇒ **inconsidéré.** *Une démarche inconséquente.* **2.** (Personnes) Qui est en contradiction avec soi-même. *Il est inconséquent avec ses intentions.* — Qui ne calcule pas les conséquences de ses actes. *Il a été assez inconséquent pour se lancer dans cette entreprise.* ▶ *inconséquence* n. f. **1.** Manque de suite dans les idées, de réflexion dans la conduite. *Avoir beaucoup d'inconséquence dans ses propos.* ⇒ **légèreté.** **2.** (Une, des inconséquences) Action ou parole inconséquente. ⇒ **contradiction.**

inconsidéré, ée [ɛ̃kɔ̃sidere] adj. ■ Qui témoigne d'un manque de réflexion ; qui n'a pas été considéré, pesé. ⇒ **imprudent, irréfléchi.** *Une démarche, une initiative inconsidérée.* ▶ *inconsidérément* adv. ■ Sans réflexion suffisante. ⇒ **étourdiment.** *Répondre inconsidérément.*

inconsistant, ante [ɛ̃kɔ̃sistã, ãt] adj. ■ Qui manque de consistance morale, de cohérence, de solidité. *Un caractère inconsistant.* ⇒ **faible.** *Une argumentation inconsistante. Un film, un livre inconsistant,* qui manque d'intérêt. ▶ *inconsistance* n. f. ■ Manque de fermeté, d'intérêt. *L'inconsistance d'un raisonnement. L'inconsistance d'un roman.*

inconsolable [ɛ̃kɔ̃sɔlabl] adj. ■ Qu'on ne peut consoler. *Ils ont perdu leur fils, ils sont inconsolables.*

inconstant, ante [ɛ̃kɔ̃stã, ãt] adj. **1.** Qui n'est pas constant, change facilement (d'opinion, de sentiment, de conduite). ⇒ **changeant, instable, versatile.** *Être inconstant dans ses goûts, dans ses idées. Une humeur inconstante.* — Qui a tendance à être infidèle en amour. *Une femme inconstante.* **2.** (Choses) Littér. Qui est sujet à changer. ⇒ **changeant.** *Temps inconstant,* très variable. ▶ *inconstance* n. f. ■ Caractère d'une personne, d'une chose inconstante. *L'inconstance du public.* ⇒ **versatilité.** *L'inconstance d'un amant.* ⇒ **infidélité.** *L'inconstance des choses humaines.* ⇒ **fragilité.**

inconstitutionnel, elle [ɛ̃kɔ̃stitysjɔnɛl] adj. ■ Qui n'est pas constitutionnel ; qui est en opposition avec la constitution d'un État. ⇒ **anticonstitutionnel.** ▶ *inconstitutionnalité* n. f. ■ Caractère inconstitutionnel.

incontestable [ɛ̃kɔ̃tɛstabl] adj. ■ Qui n'est pas contestable, que l'on ne peut mettre en doute. ⇒ **certain, indiscutable, sûr.** *Ce sont des faits incontestables. Il est incontestable qu'il y a une crise. C'est incontestable, cela tombe sous le sens.* ▶ *incontestablement* adv. ■ D'une manière incontestable. ⇒ **assurément.** *Il a incontestablement beaucoup de talent.*

incontesté, ée [ɛ̃kɔ̃tɛste] adj. ■ Qui n'est pas contesté ; que l'on ne met pas en doute, en question. / contr. **contesté** / *Le chef incontesté du parti.*

① *incontinent, ente* [ɛ̃kɔ̃tinã, ãt] adj. **1.** Littér. Qui manque de retenue, de modération. **2.** Qui ne peut contrôler ses émissions d'urine. *Un enfant incontinent.* — N. *Un(e) incontinent(e).* ▶ *incontinence* n. f. **1.** Littér. Absence de retenue (en matière de langage). **2.** Émission involontaire d'urine (le mot savant est *énurésie,* n. f.).

② *incontinent* adv. ■ Vx. Tout de suite, sur-le-champ.

incontournable [ɛ̃kɔ̃turnabl] adj. ■ Qu'on ne peut se dispenser de connaître ; que l'on ne peut éviter, « contourner ».

incontrôlable [ɛ̃kɔ̃trolabl] adj. ■ Qui n'est pas contrôlable. ⇒ **invérifiable.** *Des témoignages incontrôlables.* ▶ *incontrôlé, ée* adj. ■ Qui n'est pas contrôlé. *Des nouvelles incontrôlées. Des bandes incontrôlées de rebelles,* qui échappent à toute autorité.

inconvenant, ante [ɛ̃kɔ̃vnã, ãt] adj. ■ Littér. Qui est contraire aux convenances, aux usages. *Des sous-entendus inconvenants.* ⇒ **déplacé, grossier, indécent.** / contr. **convenable, décent** / *Une question inconvenante.* ⇒ **incongru.** ▶ *inconvenance* n. f. Littér. **1.** Caractère de ce qui est inconvenant, contraire aux convenances. ⇒ **incorrection, indécence.** *Il s'est conduit avec inconvenance.* **2.** (Une, des inconvenances) Parole, action inconvenante. ⇒ **grossièreté, impolitesse.** *Commettre des inconvenances.*

inconvénient [ɛ̃kɔ̃venjã] n. m. (⇒ **convenir**) **1.** Conséquence fâcheuse (d'une action, d'une situation). *C'est vous qui en subirez les inconvénients. Il n'y a pas d'inconvénient à essayer. Si vous n'y voyez pas d'inconvénient,* si cela ne vous dérange pas. **2.** Désavantage inhérent à une chose qui, par ailleurs, est ou peut être bonne. *Ce sont les avantages et les inconvénients du métier !,* le bon et le mauvais côté.

inconvertible [ɛ̃kɔ̃vɛrtibl] adj. ■ Qu'on ne peut convertir (2). *Monnaie inconvertible,* qui ne peut être échangée contre une autre.

incorporer [ɛ̃kɔrpɔre] v. tr. ■ conjug. 1. **1.** Unir intimement (une matière à une autre). ⇒ **mélanger.** *Il faut incorporer soigneusement le jaune d'œuf à la crème.* **2.** Faire entrer comme partie dans un tout. ⇒ **réunir.** / contr. **exclure, séparer** / *Il a essayé d'incorporer le dialogue au récit.* — (Compl. personne) *Incorporer qqn dans une association. Sa jeune femme a été tout de suite incorporée dans la famille.* **3.** Enrôler (un conscrit). — Au p. p. adj. *Jeunes gens incorporés.* ⇒ **appelé.** ▶ *incorporé, ée* adj. ■ Élément intégré à un mécanisme. *Appareil de photo avec cellule incorporée.* ▶ *incorporation* n. f. **1.** Action de faire entrer (une substance) dans une autre. ⇒ **mélange.** *L'incorporation de jaunes d'œufs dans la farine.* **2.** Action d'incorporer (2). / contr. **exclusion** / *L'incorporation de cette minorité à la communauté a été difficile.* **3.** Inscription (des recrues) sur les registres de l'armée. ⇒ **appel.** *Un sursis d'incorporation.*

incorrect, ecte [ɛ̃kɔrɛkt] adj. **1.** Qui n'est pas correct (dans le domaine intellectuel, technique...). *Cette expression est incorrecte.* ⇒ **impropre.** *Une interprétation incorrecte des faits.* ⇒ **inexact. 2.** Qui est contraire aux usages, aux bienséances. ⇒ **déplacé, inconvenant.** *Une tenue incorrecte.* — (Personnes) *Être incorrect avec qqn,* manquer envers (elle) aux usages, aux règles (de la politesse, des affaires, etc.). ▶ *incorrectement* adv. ■ D'une manière incorrecte. *Parler incorrectement une langue. Ne vous conduisez pas incorrectement.* ▶ *incorrection* n. f. **1.** Défaut de correction du style. — *(Une, des incorrections)* Expression incorrecte. ⇒ **faute, impropriété.** *Il y a beaucoup d'incorrections dans ce devoir.* 2. Caractère incorrect de ce qui est contraire aux usages, aux règles du savoir-vivre. ⇒ **inconvenance.** — *Incorrection en affaires.* ⇒ **indélicatesse.** — *(Une, des incorrections)* Parole ou action incorrecte. ⇒ **grossièreté, impolitesse.**

incorrigible [ɛ̃kɔʀiʒibl] adj. 1. (Personnes) Qui persévère dans ses défauts, ses erreurs. *Cet enfant est incorrigible. Un incorrigible optimiste.* ⇒ **impénitent.** 2. (Erreurs, défauts) Qui persiste chez qqn. ⇒ **incurable.** *Son incorrigible étourderie.*

incorruptible [ɛ̃kɔʀyptibl] adj. 1. (Choses) Qui n'est pas corruptible. ⇒ **inaltérable.** *Du bois incorruptible.* 2. (Personnes) Qui est incapable de se laisser corrompre pour agir contre son devoir. ⇒ **intègre.** *Un juge, un policier incorruptible.*

incrédule [ɛ̃kʀedyl] adj. et n. 1. Littér. Qui ne croit pas, qui doute (en matière de religion). ⇒ **incroyant.** — N. *Les incrédules.* 2. Qui ne croit pas facilement, qui se laisse difficilement persuader, convaincre. ⇒ **sceptique.** *Ses affirmations me laissent incrédule.* — Qui marque un doute. *Un sourire incrédule.* ▶ *incrédulité* n. f. 1. Littér. Manque de foi, de croyance religieuse. ⇒ **incroyance.** 2. État d'une personne incrédule. ⇒ **doute, scepticisme.** *La nouvelle n'a suscité que de l'incrédulité. Il eut un sourire d'incrédulité.*

increvable [ɛ̃kʀəvabl] adj. 1. Qui ne peut être crevé. *Un pneu increvable.* 2. Fam. Qui n'est jamais fatigué. ⇒ **infatigable.** *Et il continue à marcher ! Il est increvable !*

incriminer [ɛ̃kʀimine] v. tr. ▪ conjug. 1. ▪ Mettre (qqn) en cause ; s'en prendre à (qqn). ⇒ **accuser.** *On incriminait son entourage plus que lui-même.*

① *incroyable* [ɛ̃kʀwajabl] adj. 1. Qui n'est pas croyable ; qu'il est impossible ou très difficile de croire. ⇒ **étonnant, invraisemblable, renversant.** *D'incroyables nouvelles.* — Impers. *Il est, il semble incroyable que (+ subjonctif). Il est incroyable que tu n'aies rien vu.* — *C'est incroyable ce qu'il fait chaud.* 2. Qui est peu commun, peu ordinaire. ⇒ **extraordinaire, fantastique, inouï.** *Il a fait des progrès incroyables.* — *Il a un culot incroyable,* inadmissible. 3. (Personnes) Dont le comportement étonne. *Il est incroyable avec ses prétentions !* ▶ ② *Incroyable* n. ▪ Histoire. *Les Incroyables,* nom donné, sous le Directoire, à des jeunes gens qui affichaient une recherche extravagante dans leur mise et dans leur langage. ▶ *incroyablement* adv. ▪ D'une manière incroyable. *Il est incroyablement prétentieux.* ⇒ **extrêmement.**

incroyant, ante [ɛ̃kʀwajã, ãt] adj. ▪ Qui n'est pas croyant, qui refuse de croire (en matière de religion). — N. *Les incroyants.* ⇒ **agnostique, athée, incrédule.** ▶ *incroyance* n. f. ▪ Absence de croyance religieuse. ⇒ **athéisme, incrédulité.**

incruster [ɛ̃kʀyste] v. tr. ▪ conjug. 1. I. (Surtout passif) 1. Orner (un objet, une surface), suivant un dessin gravé en creux, avec des fragments d'une autre matière. — Au p. p. adj. *Un poignard incrusté d'or.* — Insérer dans une surface évidée (des matériaux d'ornement taillés en fragments). *Incruster de l'émail.* 2. Couvrir d'un dépôt (⇒ **incrustation**, 3). II. S'INCRUSTER v. pron. 1. Adhérer fortement à un corps, s'y implanter. *Ce coquillage s'est incrusté dans la pierre.* 2. (Personnes) *S'incruster chez qqn,* ne plus en déloger. ⇒ **s'enraciner.** ▶ *incrustation* n. f. 1. Action d'incruster. *La mosaïque se fait par incrustation.* 2. Surtout au plur. Ornement incrusté.

Meuble orné d'incrustations. 3. Enduit pierreux naturel déposé par des matières salines autour d'un objet, contre une paroi. ⇒ **tartre.**

incubation [ɛ̃kybasjɔ̃] n. f. 1. Action de couver des œufs ; développement de l'embryon dans l'œuf. *Les œufs éclosent après incubation. Incubation artificielle* (en couveuse ou, n. m. *incubateur*). 2. Temps qui s'écoule entre l'époque de la contagion et l'apparition des symptômes d'une maladie. 3. Période pendant laquelle un événement, une création se prépare. *L'incubation de l'insurrection.*

inculper [ɛ̃kylpe] v. tr. ▪ conjug. 1. ▪ Attribuer officiellement un crime, un délit à (qqn). / contr. disculper / *Il a été inculpé de vol.* ▶ *inculpé, ée* adj. et n. ▪ Qui est inculpé. — N. *Un inculpé, une inculpée,* personne qui est sous le coup d'une inculpation. ▶ *inculpation* n. f. ▪ Action d'inculper (un individu contre qui est dirigée une procédure d'instruction). *Être arrêté sous l'inculpation d'assassinat.*

inculquer [ɛ̃kylke] v. tr. ▪ conjug. 1. ▪ Faire entrer (qqch.) dans l'esprit d'une façon durable, profonde. *On leur avait inculqué de bons principes.*

① *inculte* [ɛ̃kylt] adj. 1. (Terre, sol...) Qui n'est pas cultivé. 2. (Cheveux, barbe...) Qui n'est pas soigné.

② *inculte* adj. ▪ (Personnes) Sans culture intellectuelle. ⇒ **ignorant.** *Un homme intelligent mais inculte.* ▶ *inculture* n. f. ▪ Absence de culture intellectuelle.

incunable [ɛ̃kynabl] n. m. ▪ Ouvrage imprimé antérieur à 1500, tiré à peu d'exemplaires et très rare.

incurable [ɛ̃kyʀabl] adj. ▪ Qui ne peut être guéri. ⇒ **inguérissable.** *Un mal, un malade incurable.* — *Une vanité incurable.* ⇒ **incorrigible.** ▶ *incurablement* adv. ▪ *Il est incurablement atteint.* — *Incurablement paresseux.*

incurie [ɛ̃kyʀi] n. f. ▪ Manque de soin, d'organisation. ⇒ **négligence.** *L'incurie d'un service administratif.*

incursion [ɛ̃kyʀsjɔ̃] n. f. 1. Entrée, court séjour d'envahisseurs en pays ennemi. ⇒ **attaque, invasion.** *Une incursion de bandes armées.* — Loc. *Faire incursion chez qqn, quelque part.* 2. Abstrait. Le fait de pénétrer momentanément dans un domaine qui n'est pas le sien.

incurver [ɛ̃kyʀve] v. tr. ▪ conjug. 1. ▪ Rendre courbe. ⇒ **courber.** — Au p. p. adj. *Un meuble aux pieds incurvés.*

indécent, ente [ɛ̃desã, ãt] adj. 1. Vieilli. Inconvenant, choquant. *Un luxe indécent.* 2. Contraire à la décence. ⇒ **déshonnête, impudique, obscène.** *Une posture, une conversation indécente.* 3. Qui choque par sa démesure. ⇒ **insolent** (3). *Il a une veine indécente.* ▶ *indécence* n. f. 1. Manque de correction. *Aurez-vous l'indécence d'en réclamer davantage ?* 2. Caractère indécent, impudique. ⇒ **impudicité.** *L'indécence de ses plaisanteries.* 3. *(Une, des indécences)* Action, parole indécente.

indéchiffrable [ɛ̃deʃifʀabl] adj. ▪ Qui ne peut être déchiffré, illisible. *Une écriture indéchiffrable.* — Incompréhensible. *Une énigme indéchiffrable.*

indécis, ise [ɛ̃desi, iz] adj. 1. (Choses) Qui n'est pas certain. ⇒ **douteux, incertain.** *La victoire demeura longtemps indécise.* — Qui n'est pas bien déterminé, qu'il est difficile de distinguer, de reconnaître. ⇒ **imprécis, vague.** *Des formes indécises.* ⇒ **flou.** 2. (Personnes) Qui n'a pas encore pris une décision. *Je suis encore indécis.* ⇒ **hésitant, perplexe.** — Qui hésite pour prendre une décision. — N. *C'est un perpétuel indécis.* ▶ *indécision* n. f. ▪ Hésitation, incertitude. *Son indécision lui fait manquer bien des occasions.*

indécomposable [ɛ̃dekɔ̃pozabl] adj. ■ Qui ne peut être décomposé. *Corps simple indécomposable.*

indécrottable [ɛ̃dekrɔtabl] adj. ■ Qu'on ne parvient pas à débarrasser de ses manières grossières, de ses mauvaises habitudes. ⇒ **incorrigible.** *Un paresseux indécrottable.*

indéfectible [ɛ̃defɛktibl] adj. ■ Littér. Qui ne peut cesser d'être, qui dure toujours. ⇒ **éternel, indestructible.** *Un attachement indéfectible.*

indéfendable [ɛ̃defɑ̃dabl] adj. **1.** Qui ne peut être défendu contre l'ennemi. *Une ville, une position indéfendable.* / contr. **imprenable** / **2.** Abstrait. Trop mauvais pour être défendu. *Une théorie indéfendable.* ⇒ **insoutenable** (1).

indéfini, ie [ɛ̃defini] adj. **1.** Dont les limites ne sont ou ne peuvent être déterminées. *Des éléments en nombre indéfini.* **2.** Qui n'est pas défini, qu'on ne peut définir. ⇒ **imprécis, indéterminé, vague.** *Une couleur indéfinie.* **3.** (Mot) Qui sert à désigner ou à présenter une chose, une personne (ou plusieurs) qui ne sont ni déterminées ni désignées par un démonstratif. *Les articles indéfinis sont « un, une, des ». Pronoms, adjectifs indéfinis.* — N. m. *Un indéfini.* ▶ *indéfiniment* adv. ■ D'une manière indéfinie. ⇒ **éternellement.** *Nous ne pouvons demeurer ici indéfiniment.* ⇒ **toujours.**

indéfinissable [ɛ̃definisabl] adj. **1.** Qu'on ne peut définir. **2.** Dont on ne saurait préciser la nature. *Une saveur, une émotion indéfinissable.* ⇒ **indescriptible, indicible.**

indéformable [ɛ̃defɔrmabl] adj. ■ Qui ne peut être déformé.

indéfrisable [ɛ̃defrizabl] n. f. ■ Frisure artificielle destinée à durer assez longtemps. ⇒ **permanente.**

indélébile [ɛ̃delebil] adj. ■ Qui ne peut s'effacer. ⇒ **ineffaçable.** *Une tache indélébile.* — Abstrait. *Un souvenir indélébile.*

indélicat, ate [ɛ̃delika, at] adj. **1.** Qui manque de délicatesse morale. *Une personne indélicate.* ⇒ **grossier. 2.** Euphémisme. Malhonnête. *Un commerçant indélicat.* ▶ *indélicatesse* n. f. **1.** Défaut d'une personne indélicate. *Son indélicatesse est désagréable.* ⇒ **grossièreté, impolitesse. 2.** Procédé, acte indélicat. *Il a commis une indélicatesse.* ⇒ **malhonnêteté.**

indémaillable [ɛ̃demɑjabl] adj. ■ (Tissu) Dont les mailles ne peuvent se défaire. — N. m. *Une combinaison en indémaillable.*

indemne [ɛ̃dɛmn] adj. ■ Qui n'a éprouvé aucun dommage. *Sortir indemne d'un accident.* ⇒ **sain** et **sauf.**

indemniser [ɛ̃dɛmnize] v. tr. ■ conjug. 1. ■ Dédommager (qqn) de ses pertes, de ses frais, etc. *Les sinistrés ont été indemnisés.* ▶ *indemnisation* n. f. ■ Action d'indemniser. ⇒ **dédommagement.** — Fixation d'une indemnité. ▶ *indemnité* n. f. **1.** Ce qui est attribué à qqn en réparation d'un dommage. ⇒ **dédommagement.** *Recevoir une indemnité de licenciement.* **2.** Ce qui est attribué en compensation de certains frais. ⇒ **allocation.** *Indemnités de logement. Indemnité journalière de chômage.*

indémontrable [ɛ̃demɔ̃trabl] adj. ■ Qui ne peut être démontré, prouvé (qu'on le considère comme vrai ou comme douteux). *Un postulat est indémontrable.*

indéniable [ɛ̃denjabl] adj. ■ Qu'on ne peut nier ou réfuter. ⇒ **certain, incontestable.** *Des faits, des preuves indéniables. C'est indéniable.* ▶ *indéniable-*

ment adv. ■ Incontestablement. *Elle est indéniablement dans son tort.*

indépendamment [ɛ̃depɑ̃damɑ̃] adv. — INDÉPENDAMMENT DE loc. prép. **1.** Sans aucun égard à (une chose), en faisant abstraction de. *Indépendamment de ses problèmes financiers, il a très bien.* **2.** En plus de. *Indépendamment de son travail, il s'occupe d'un ciné-club.* ⇒ ② **outre,** en **plus** de.

indépendant, ante [ɛ̃depɑ̃dɑ̃, ɑ̃t] adj. **I. 1.** Qui ne dépend pas (d'une personne, d'une chose) ; qui est libre de toute dépendance. *Une femme indépendante.* — Loc. *Un travailleur indépendant,* non soumis à un employeur. **2.** Qui aime l'indépendance, ne veut être soumis à personne. *Un esprit indépendant.* **3.** Qui jouit de l'indépendance politique. *État indépendant et souverain.* **II. 1.** INDÉPENDANT DE... : qui ne varie pas en fonction de (qqch.). *Ce phénomène est indépendant du climat.* — Qui n'a pas de rapport avec (qqch.). *Pour des raisons indépendantes de notre volonté.* **2.** Au plur. Sans compl. Sans dépendance mutuelle. *Roues avant indépendantes.* **3.** (Logement, pièce) Qui est séparé des logements contigus, avec une entrée particulière. **4.** Grammaire. *Proposition indépendante,* qui ne dépend d'aucune autre (ex. : *Il court vite*). — N. f. *Une indépendante.* ▶ *indépendance* n. f. **I. 1.** État d'une personne indépendante. ⇒ **liberté.** *Il veut conserver son indépendance.* ⇒ **Caractère indépendant (de l'esprit), non-conformisme. 3.** Situation d'une collectivité qui n'est pas soumise à une autre. ⇒ **autonomie.** / contr. **dépendance** / *Les pays colonisés ont acquis leur indépendance.* **II.** Absence de relation, de dépendance (entre plusieurs phénomènes ou choses). *L'indépendance de deux événements.*

indescriptible [ɛ̃dɛskriptibl] adj. ■ Qu'on ne peut décrire, caractériser. *Dans un désordre indescriptible. Un enthousiasme indescriptible.* ⇒ **inexprimable.**

indésirable [ɛ̃dezirabl] adj. ■ Qu'on ne désire pas accueillir dans un pays ; dont on ne veut pas dans un groupe. *Le parti a exclu des éléments indésirables.* — N. *Un, une indésirable.*

indestructible [ɛ̃dɛstryktibl] adj. **1.** Qui ne peut ou semble ne pouvoir être détruit. *Une matière indestructible.* / contr. **périssable** / **2.** Abstrait. Qui dure très longtemps, que rien ne peut altérer. *Une indestructible solidarité.*

indétermination [ɛ̃detɛrminasjɔ̃] n. f. **1.** Caractère de ce qui n'est pas défini ou connu avec précision. ⇒ **imprécision. 2.** État d'une personne qui n'a pas encore pris de détermination, qui hésite. ⇒ **indécision, irrésolution.** *Demeurer, être dans l'indétermination.*

indéterminé, ée [ɛ̃detɛrmine] adj. ■ Qui n'est pas déterminé, fixé. ⇒ **imprécis, incertain.** *À une date indéterminée.*

① *index* [ɛ̃dɛks] n. m. invar. ■ Doigt de la main le plus proche du pouce. *Prendre un objet entre le pouce et l'index.*

② *index* n. m. invar. **1.** Table alphabétique (de sujets traités, de noms cités dans un livre) accompagnée de références. *Index des matières.* **2.** *L'Index,* catalogue des livres interdits par l'Église catholique. *Ce livre est à l'Index.* — Loc. *Mettre qqn, qqch. à l'Index,* condamner comme indésirable. ⇒ **exclure, proscrire.**

indexer [ɛ̃dɛkse] v. tr. ■ conjug. 1. ■ Lier les variations d'une valeur à celles d'un élément de référence, d'un indice déterminé. *On a indexé cet emprunt sur le cours de l'or.* ▶ *indexation* n. f. ■ Fait d'indexer. *Indexation des salaires sur le coût de la vie.*

indicateur, trice [ɛ̃dikatœʀ, tʀis] n. et adj. **I.** Personne qui dénonce un suspect, se met à la solde de la police pour la renseigner. ⇒ **mouchard.** — Abrév. fam. *Un indic* [ɛ̃dik]. *Des indics.* **II.** **1.** Livre, brochure donnant des renseignements. *L'indicateur des chemins de fer.* **2.** Instrument servant à fournir des indications sur un phénomène. *Indicateur de pression, d'altitude, de vitesse.* **III.** Adj. Qui fournit une indication. *Poteau indicateur. Plaque indicatrice.*

① **indicatif, ive** [ɛ̃dikatif, iv] adj. et n. m. **1.** Qui indique. *Voici quelques prix, à titre indicatif.* **2.** N. m. Fragment musical qui annonce une émission (de radio, de télévision...). *L'indicatif du journal télévisé.* — *Indicatif d'appel,* appellation conventionnelle formée de lettres et de chiffres, particulière à chaque émetteur-récepteur télégraphique ou radiophonique.

② **indicatif** n. m. ■ Mode verbal convenant à l'énoncé de la réalité (opposé à *subjonctif,* etc.). *Les temps de l'indicatif. Le présent, le passé composé de l'indicatif.*

indication [ɛ̃dikasjɔ̃] n. f. **1.** Action d'indiquer ; résultat de cette action. *L'indication de travaux sur un panneau.* — *(Une, des indications)* Ce qui indique, révèle qqch. ⇒ **indice, signe.** *C'est une indication sur les projets du gouvernement.* **2.** Ce qui est indiqué. *Conformez-vous à ces indications.* ‹ ▶ contre-indication ›

indice [ɛ̃dis] n. m. **I.** Signe apparent qui indique avec probabilité. *Sa bonne mine est l'indice d'une bonne santé. Condamner les gens sur des indices vagues.* **II. 1.** Indication (nombre ou lettre) qui sert à caractériser un signe mathématique. « a_1 » se lit « a indice un ». **2.** Nombre qui sert à exprimer un rapport. *Lier une quantité à un indice.* ⇒ **indexer.** *Indice d'octane d'un carburant. Indice des prix, par rapport à un prix de référence exprimé par le nombre 100.*

indicible [ɛ̃disibl] adj. ■ Littér. Qu'on ne peut dire, exprimer. ⇒ **inexprimable.** *Éprouver une joie indicible.*

① **indien, ienne** [ɛ̃djɛ̃, jɛn] adj. ■ Des Indes. *L'océan Indien.* — N. *La plupart des Indiens sont hindous ou musulmans.* ▶ **indienne** n. f. ■ Toile de coton peinte ou imprimée qui se fabriquait primitivement aux Indes.

② **indien, ienne** adj. et n. ■ Des autochtones d'Amérique (« Peaux-Rouges »), appelée autrefois Indes occidentales. *Les civilisations indiennes.* — N. *Les Indiens mayas. Indien apache. Les Indiens sioux.*

indifférencié, ée [ɛ̃difeʀɑ̃sje] adj. ■ Qui n'est pas différencié. *Cellules vivantes indifférenciées.*

indifférent, ente [ɛ̃difeʀɑ̃, ɑ̃t] adj. **I.** (Choses, personnes) **1.** Sans intérêt, sans importance. *Causer de choses indifférentes.* **2.** INDIFFÉRENT À : qui n'intéresse pas, ne touche pas. *Elle m'est indifférente. Son sort m'est indifférent.* **3.** Qui ne fait pas de différence (pour qqn). *Ici ou là, cela m'est indifférent.* ⇒ **égal. II.** (Personnes) **1.** Qui ne s'intéresse pas à, qui n'est pas préoccupé de (qqch. ou qqn). ⇒ **insensible.** *Il semble indifférent à son sort.* **2.** Qui marque de l'indifférence en amour. **3.** Qui n'est touché par rien ni par personne. ⇒ **blasé, froid.** — Qui manifeste de l'indifférence. *Un air indifférent.* ▶ **indifféremment** [ɛ̃difeʀamɑ̃] adv. ■ Sans distinction, sans faire de différence. ⇒ **indistinctement.** *Il soutient indifféremment le pour et le contre.* ▶ **indifférence** n. f. **1.** Sans compl. État de la personne qui n'éprouve ni douleur, ni plaisir, ni crainte, ni désir. ⇒ **apathie, insensibilité.** *Il reste dans un état d'indifférence totale.* **2.** INDIFFÉRENCE À, POUR qqch. : détachement à l'égard d'une chose, d'un événement. / contr. **intérêt, passion** / *Son indifférence à la mode, pour la politique.* **3.** Absence d'intérêt à l'égard d'un être, des hommes. ⇒ **froideur.** *L'indifférence que lui a montrée son entourage.* — Absence d'amour. *Ils n'avaient que de l'indifférence l'un pour l'autre.* ▶ **indifférer** v. tr. ind. . conjug. 6. ■ Fam. Être indifférent (surtout 3ᵉ pers. ; avec pronom compl.). *Cela m'indiffère complètement, cela m'est égal,* fam. je m'en fiche. *Elle l'indifférait, elle lui était indifférente.*

indigène [ɛ̃diʒɛn] adj. et n. **1.** Qui est né dans le pays dont il est question. ⇒ **aborigène, autochtone.** / contr. **allogène** / — (Animal, plante) Qui vit, croît naturellement dans une région. *L'abricotier n'est pas indigène en France.* / contr. **exotique** / **2.** Qui appartient à un groupe ethnique existant dans un pays d'outre-mer avant sa colonisation. — N. *Un Européen marié à une indigène.* — REM. Le mot est devenu péjoratif.

indigent, ente [ɛ̃diʒɑ̃, ɑ̃t] adj. **1.** Qui manque de choses les plus nécessaires à la vie. ⇒ **nécessiteux, pauvre.** / contr. **riche** / — N. Personne sans ressources. *Aide aux indigents.* **2.** Littér. Pauvre ; peu fourni. *Une végétation indigente.* — Abstrait. *Une imagination indigente.* ▶ **indigence** n. f. **1.** État d'une personne indigente. ⇒ **misère, pauvreté.** / contr. **richesse** / *Tomber dans l'indigence.* **2.** Littér. Pauvreté (intellectuelle, morale). *Un texte d'une rare indigence.*

indigeste [ɛ̃diʒɛst] adj. **1.** Difficile à digérer. *Une nourriture indigeste.* ⇒ **lourd. 2.** Fig. Mal ordonné et, par suite, mal assimilable. *Une compilation indigeste.* ▶ **indigestion** [ɛ̃diʒɛstjɔ̃] n. f. **1.** Indisposition momentanée due à une digestion qui se fait mal, incomplètement. *Avoir une indigestion.* **2.** *Avoir une indigestion de qqch.,* en avoir trop, jusqu'à en éprouver la satiété, le dégoût.

indignation [ɛ̃diɲasjɔ̃] n. f. ■ Sentiment de colère que soulève une action qui heurte la conscience morale, le sentiment de la justice (⇒ **indigner**). *Être rempli d'indignation. On ne peut voir cela sans indignation.*

indigne [ɛ̃diɲ] adj. **I.** INDIGNE DE. **1.** Qui n'est pas digne de (qqch.), qui ne mérite pas. *Il est indigne de notre confiance. Il est indigne de vivre !* **2.** Qui n'est pas à la hauteur (de qqn). *Ce travail lui paraissait indigne de lui.* **II.** Absolt. **1.** Qui n'est pas digne de sa fonction, de son rôle. *Un père indigne.* **2.** (Choses) Très condamnable. ⇒ **déshonorant, odieux, révoltant.** *C'est une action, une conduite indigne.* ▶ **indignement** adv. ■ *On l'a indignement trompé.* ‹ ▶ indignité ›

indigner [ɛ̃diɲe] v. tr. **1.** Remplir d'indignation. ⇒ **révolter, scandaliser.** *Sa conduite a indigné tout le monde.* **2.** S'INDIGNER v. pron. : être saisi d'indignation. *Il s'indignait de ces procédés, de voir sa malhonnêteté.* ▶ **indigné, ée** adj. ■ (Personnes) Qui éprouve de l'indignation. ⇒ **outré.** — Qui marque l'indignation. *Un regard indigné.* ‹ ▶ indignation ›

indignité [ɛ̃diɲite] n. f. **1.** Littér. Caractère d'une personne indigne. — *Indignité nationale,* sanctionnant les faits de collaboration avec l'ennemi. **2.** Caractère de ce qui est indigne. ⇒ **bassesse.** *L'indignité d'une action.* **3.** *(Une, des indignités)* Action, conduite indigne. *C'est une indignité.*

indigo [ɛ̃digo] n. m. et adj. invar. **1.** Teinture bleue, extraite autrefois d'un arbrisseau exotique (l'*indigotier,* n. m.). *Un indigo obtenu par synthèse.* **2.** Bleu violacé très sombre. *Des indigos.* — Adj. invar. *Des étoffes indigo.*

indiquer [ɛ̃dike] v. tr. ▪ conjug. 1. **1.** Faire voir d'une manière précise, par un geste, un repère, un signal. ⇒ **désigner, montrer, signaler ; indication.** *Il nous a indiqué la bonne direction. L'horloge indique l'heure.* **2.** Faire connaître (à qqn) la chose ou la personne qu'il a besoin de connaître. *Pouvez-vous m'indiquer un hôtel convenable ?, quand arrive le train ?* — *Les emplois qu'indique un dictionnaire.* — Déterminer et faire connaître (une date, un lieu choisis). ⇒ **fixer.** *Il m'a indiqué le jour et l'heure, mais pas l'endroit. Indiquez-moi quand et où nous nous retrouverons.* — Au p. p. adj. *À l'heure indiquée.* **3.** (Choses) Faire connaître (l'existence ou le caractère de qqn, qqch.) en servant d'indice. ⇒ **annoncer, manifester, signaler.** *Les traces de pas indiquent le passage du fugitif.* **4.** Représenter en s'en tenant aux traits essentiels, sans s'attacher aux détails. ⇒ **esquisser, tracer.** *L'auteur n'a fait qu'indiquer ce caractère.* ▸ **indiqué, ée** adj. **1.** ⇒ **indiquer. 2.** Signalé comme étant le meilleur (remède, traitement). *Le traitement indiqué dans, pour la rougeole.* / contr. **contre-indiqué / 3.** Adéquat, opportun. *C'est tout indiqué ! Il n'est pas très indiqué de le déranger maintenant.* ⟨ ▸ contre-indiqué, indicateur, ① indicatif, indication ⟩

indirect, ecte [ɛ̃dirɛkt] adj. **1.** Qui n'est pas direct, qui fait des détours. / contr. **direct /** *Itinéraire indirect. Éclairage indirect.* — Abstrait. *Par des moyens indirects. Une critique indirecte.* **2.** Qui comporte un ou plusieurs intermédiaires. / contr. **immédiat /** *Une cause, une conséquence indirecte.* — *Complément indirect,* rattaché au verbe par une préposition. *Verbe transitif indirect* (ex. : *parler à qqn*). — *Style, discours indirect* (opposé à *direct*), qui consiste à rapporter les paroles de qqn sous forme de propositions subordonnées par l'intermédiaire d'un narrateur (ex. : *Il m'a dit qu'il accepterait* au lieu de *il m'a dit :* « *j'accepte* » [direct]). ▸ **indirectement** adv. ▪ D'une manière indirecte (1, 2). *Je ne l'ai appris qu'indirectement.*

indiscernable [ɛ̃disɛrnabl] adj. **1.** Qui ne peut être discerné (d'une autre chose de même nature). *Des choses indiscernables entre elles, l'une de l'autre.* **2.** Dont on ne peut se rendre compte précisément. *Des nuances indiscernables.*

indiscipline [ɛ̃disiplin] n. f. ▪ Manque de discipline. *Faire acte d'indiscipline.* ▸ **indiscipliné, ée** adj. ▪ Qui n'est pas discipliné, qui n'observe pas la discipline. ⇒ **désobéissant, indocile.** *Des troupes indisciplinées.* — *Cheveux indisciplinés,* difficiles à peigner.

indiscret, ète [ɛ̃diskrɛ, ɛt] adj. **1.** (Personnes) Qui manque de discrétion, de retenue dans les relations sociales. *J'ai peur d'être indiscret en venant chez vous si tard.* — N. *Un coin tranquille à l'abri des indiscrets.* ⇒ **gêneur. 2.** (Comportements) Qui dénote de l'indiscrétion. *Une curiosité indiscrète. Serait-ce indiscret de vous demander...* **3.** (Personnes) Qui ne sait pas garder un secret. ⇒ **bavard.** *Un confident indiscret. Méfiez-vous des oreilles indiscrètes.* ▸ **indiscrètement** adv. ▪ *Ouvrir indiscrètement une porte.* ▸ **indiscrétion** [ɛ̃diskresjɔ̃] n. f. **1.** Manque de discrétion, de retenue dans les relations sociales. *Il poussait l'indiscrétion jusqu'à lire mon courrier. Sans indiscrétion, peut-on savoir votre adresse ?* **2.** Le fait de révéler un secret. **3.** *(Une, des indiscrétions)* Déclaration indiscrète. *Les indiscrétions d'un journaliste. La moindre indiscrétion pourrait faire échouer notre plan.*

indiscutable [ɛ̃diskytabl] adj. ▪ Qui s'impose par son évidence, son authenticité. ⇒ **certain, évident,**

incontestable. *Une supériorité, un témoignage indiscutable.* ▸ **indiscutablement** adv. ▪ *Prouver indiscutablement qqch. Indiscutablement, il a tort.*

indispensable [ɛ̃dispɑ̃sabl] adj. ▪ Qui est très nécessaire, dont on ne peut pas se passer. / contr. **inutile /** *Acquérir les connaissances indispensables.* — N. m. *Il n'a, en fait de meubles, que l'indispensable. Faire l'indispensable,* ce qu'il faut. — (Personnes) *Il se croit indispensable.*

indisponible [ɛ̃dispɔnibl] adj. ▪ Qui n'est pas disponible. ▸ **indisponibilité** n. f. ▪ État d'une chose, d'une personne indisponible.

indisposer [ɛ̃dispoze] v. tr. ▪ conjug. 1. **1.** Altérer légèrement la santé de. ⇒ **incommoder.** *Ce long voyage l'a indisposé.* **2.** Mettre dans une disposition peu favorable. ⇒ **déplaire à.** *Sa prétention indispose tout le monde.* ▸ **indisposé, ée** adj. **1.** Qui est affecté d'une indisposition. ⇒ **souffrant. 2.** (Femmes) Qui a ses règles. ▸ **indisposition** n. f. ▪ Légère altération de la santé. ⇒ **fatigue.** *Il est remis de son indisposition.*

indissociable [ɛ̃disɔsjabl] adj. ▪ Qu'on ne peut dissocier, séparer. *Le corps et l'esprit humain sont indissociables.*

indissoluble [ɛ̃disɔlybl] adj. ▪ Qui ne peut être dissous, délié. *Des liens indissolubles.* ▸ **indissolublement** adv. ▪ *Des questions indissolublement liées.*

indistinct, incte [ɛ̃distɛ̃, ɛ̃kt] adj. ▪ Qui n'est pas distinct, que l'on distingue mal. ⇒ **confus, imprécis, vague.** / contr. **net /** *Des objets indistincts. Un bruit de voix encore indistinct.* ▸ **indistinctement** adv. **1.** D'une manière indistincte. ⇒ **confusément.** *Prononcer indistinctement une phrase.* / contr. **nettement / 2.** Sans distinction, sans faire de différence. ⇒ **indifféremment.** *Tous les Français indistinctement.*

individu [ɛ̃dividy] n. m. **I. 1.** Corps organisé vivant d'une existence propre et qui ne saurait être divisé sans être détruit (plante, animal). **2.** Être humain. ⇒ **personne.** *Sacrifier l'individu à l'espèce.* — L'être humain, en tant qu'être particulier, différent de tous les autres. *L'individu et la personne.* — UN INDIVIDU : membre d'une collectivité humaine. ⇒ **homme, femme.** — (Collectif) *L'individu et l'État.* **II.** Péj. Homme quelconque, que l'on ne peut ou que l'on ne veut pas nommer. ⇒ **bonhomme, gars, type.** *C'est un drôle d'individu, un individu sans scrupules.* ▸ **individualiser** v. tr. ▪ conjug. 1. ▪ Différencier par des caractères individuels. ⇒ **caractériser, distinguer.** *Les caractères qui individualisent les êtres.* — Au p. p. adj. *Un enseignement individualisé.* — S'INDIVIDUALISER v. pron. : acquérir ou accentuer des caractères distinctifs. *Peu à peu, le style de ce peintre s'individualise.* ▸ **individualisation** n. f. ▪ Action d'individualiser. *L'individualisation des peines, leur adaptation aux délinquants.* ▸ **individualisme** n. m. ▪ Théorie ou tendance qui considère l'individu comme la suprême valeur dans le domaine politique, économique, moral. — Indépendance, absence de conformisme. *Par individualisme, il rejette les modes.* ▸ **individualiste** adj. ▪ Qui montre de l'individualisme dans sa vie, dans sa conduite. *Les jeunes sont souvent plus individualistes que les personnes d'âge mûr.* — N. *Un, une individualiste.* ▸ **individualité** n. f. **1.** Caractère ou ensemble de caractères par lesquels une personne ou une chose diffère des autres. ⇒ **originalité, particularité.** *L'individualité d'un artiste.* **2.** Individu, considéré dans ce qui le différencie des autres. — UNE INDIVIDUALITÉ : personne douée d'un caractère très marqué. — REM. On emploie plus couramment dans ce sens *personnalité.* ▸ **individuel, elle** adj. **1.** Qui concerne l'individu, est propre à un individu. *Caractères individuels. La liberté individuelle.* ⇒ **personnel.** **2.** Qui concerne une seule personne, une seule personne à la fois. / contr. **collectif** / *Après quelques interventions individuelles, ils ont fait une pétition. Une chambre individuelle.* ▶ *individuellement* adv. ■ Chacun en particulier, à part.

indivis, ise [ɛ̃divi, iz] adj. ■ Se dit d'un bien sur lequel plusieurs personnes ont un droit et qui n'est pas matériellement divisé entre elles. *Propriété indivise.* ▶ *indivision* n. f. ■ État d'une chose indivise. *Propriété en indivision.*

indivisible [ɛ̃divizibl] adj. ■ Qui n'est pas divisible. *La République française proclamée une et indivisible* (en 1791). ▶ *indivisibilité* n. f. ■ Caractère de ce qui est indivisible. / contr. **divisibilité** /

indochinois, oise [ɛ̃dɔʃinwa, waz] adj. ■ D'Indochine (Viêt-nam, Cambodge, etc.). — N. *Les Indochinois.*

indocile [ɛ̃dɔsil] adj. ■ Littér. Qui n'est pas docile. ⇒ **désobéissant, rebelle.** *Être indocile par entêtement.* ▶ *indocilité* n. f. ■ Littér. Caractère d'une personne indocile. / contr. **docilité** /

indo-européen, éenne [ɛ̃dɔœ(ø)ʀɔpeɛ̃, eɛn] adj. ■ Se dit de langues d'Europe et d'Asie qui ont une origine commune (sanskrit, grec, latin, et langues romanes, langues slaves, germaniques, etc.), et des peuples qui parlent ces langues.

indolent, ente [ɛ̃dɔlɑ̃, ɑ̃t] adj. ■ Littér. Qui évite de faire des efforts. ⇒ **mou, nonchalant, paresseux.** *Un enfant indolent.* — *Un air indolent,* alangui. ▶ *indolence* n. f. ■ Littér. Disposition à éviter le moindre effort physique ou moral. ⇒ **mollesse, nonchalance.**

indolore [ɛ̃dɔlɔʀ] adj. ■ (Choses) Qui ne cause pas de douleur. / contr. **douloureux** / *Maladie indolore. L'opération est absolument indolore.*

indomptable [ɛ̃dɔ̃tabl] ou moins bien [ɛ̃dɔ̃ptabl] adj. ■ Littér. Qu'on ne peut soumettre à aucune autorité ; dont rien ne peut venir à bout. *Une volonté indomptable.* ⇒ **inflexible.**

indonésien, ienne [ɛ̃dɔnezjɛ̃, ɛn] adj. ■ D'Indonésie. *Les îles indonésiennes.* — N. *Les Indonésiens.*

in-douze [induz] adj. invar. et n. m. invar. ■ (Format) Dont les feuilles sont pliées en douze feuillets (vingt-quatre pages). — N. m. invar. *Un, des in-douze,* livres de ce format. — REM. On emploie aussi *in-huit, in-seize,* adj. invar. et n. m. invar.

indu, ue [ɛ̃dy] adj. ■ Qui va à l'encontre de la règle, de l'usage. *Rentrer, arriver à une heure indue,* anormale. — Qui n'est pas fondé juridiquement. *Une réclamation indue.* ▶ *indûment* adv. ■ D'une manière indue. ⇒ à **tort.** *Vous détenez indûment ces biens.* / contr. **dûment** /

indubitable [ɛ̃dybitabl] adj. ■ Littér. Dont on ne peut douter, qu'on ne peut mettre en doute. ⇒ **certain, incontestable, indiscutable.** *C'est un fait indubitable. Il est indubitable qu'il a raison.* / contr. **douteux** / ▶ *indubitablement* adv. ■ Littér. Sans aucun doute. ⇒ **assurément, sûrement.**

inducteur, trice [ɛ̃dyktœʀ, tʀis] adj. et n. m. ■ Qui produit l'induction ② électrique. — N. m. *Un inducteur,* aimant ou électro-aimant produisant le champ inducteur dans une machine électrique. / contr. **induit** /

① *induction* [ɛ̃dyksjɔ̃] n. f. ■ Opération mentale qui consiste à remonter des faits à la loi, de cas singuliers à une proposition plus générale. ⇒ **généra-**

lisation. *Raisonnement par induction.* ⇒ **inférence.** / contr. **déduction** /

② *induction* n. f. ■ Transmission à distance d'énergie électrique ou magnétique par l'intermédiaire d'un aimant ou d'un courant (⇒ **induit**). *Bobine d'induction. Induction électromagnétique.*

induire [ɛ̃dɥiʀ] v. tr. ■ conjug. 38. — REM. Part. passé *induit(e).* **1.** Loc. *Induire qqn en erreur,* tromper. *Il nous a induits en erreur.* **2.** Didact. Trouver par l'induction. ⇒ **inférer.** / contr. **déduire** / *On peut induire la rotation de la Terre de l'observation du mouvement des étoiles. J'en induis que...* (+ indicatif). ⟨ ▶ induction ⟩

induit, ite [ɛ̃dɥi, it] adj. ■ (Courant électrique) Qui est produit par une variation de flux dans un circuit. — *Circuit induit* ou, n. m., UN INDUIT : organe d'une machine électrique dans lequel prennent naissance les forces électromotrices produites par l'inducteur. / contr. **inducteur** /

indulgent, ente [ɛ̃dylʒɑ̃, ɑ̃t] adj. **1.** Qui excuse, pardonne facilement. ⇒ **bienveillant, bon.** *Un père indulgent. Être indulgent avec, envers, pour qqn.* **2.** (Choses) Qui marque l'indulgence. *Une appréciation bien indulgente.* / contr. **sévère** / ▶ *indulgence* n. f. **1.** Facilité à excuser, à pardonner. ⇒ **bienveillance, bonté, compréhension.** / contr. **sévérité** / *Avoir de l'indulgence pour les fautes de qqn. L'indulgence du jury.* — *Une remarque sans indulgence.* **2.** UNE INDULGENCE : remise des peines méritées par les péchés, accordée par l'Église catholique dans une circonstance particulière.

indûment ⇒ **indu.**

induration [ɛ̃dyʀɑsjɔ̃] n. f. ■ Durcissement d'un tissu organique (peau, etc.) ; callosité qui en résulte.

industrialiser [ɛ̃dystʀijalize] v. tr. ■ conjug. 1. **1.** Exploiter industriellement, organiser en industrie. *Il faut industrialiser l'agriculture.* **2.** Équiper d'industries (une région, un pays...). — Au p. p. adj. *Les pays industrialisés.* — Pronominalement. *Cette région s'industrialise.* ▶ *industrialisation* n. f. ■ Action d'équiper d'industries. *L'industrialisation de la France au XIXᵉ siècle.*

① *industrie* [ɛ̃dystʀi] n. f. **1.** Ensemble d'activités ou d'opérations économiques. *L'industrie des transports.* **2.** Ensemble des activités économiques ayant pour objet l'exploitation des richesses minérales et des sources d'énergie, la transformation des matières premières en produits fabriqués. *L'industrie française, allemande. Petite, moyenne, grande industrie,* selon l'importance de la production, des moyens. *Industrie lourde,* la grande industrie de première transformation des matières premières lourdes (fer, charbon...). *Industrie légère,* transformant les produits de l'industrie lourde en produits fabriqués. *L'industrie automobile. Les industries textiles.* **3.** UNE INDUSTRIE : une entreprise industrielle. ⇒ **entreprise.** *Il est à la tête de plusieurs industries.* ▶ *industriel, elle* adj. et n. m. **1.** Qui a rapport à l'industrie. *La révolution industrielle. La chimie industrielle.* **2.** Qui est produit par l'industrie. *Produits industriels. Bronze industriel.* — Loc. fam. *En quantité industrielle,* en très grande quantité. — Qui emploie les procédés de l'industrie. / contr. **artisanal** / *Boulangerie industrielle.* **3.** Où l'industrie est développée. *Une région industrielle.* **4.** N. m. UN INDUSTRIEL : propriétaire d'une usine ; chef d'industrie. ⇒ **fabricant.** *Les industriels du textile.* — Fém. rare : *une industrielle.* ▶ *industriellement* adv. **1.** Par les moyens et les méthodes de l'industrie. *Produit fabriqué industriellement.* **2.** Relativement à l'industrie. *Les pays industriellement avancés.* ⟨ ▶ industrialiser ⟩

② *industrie* n. f. **1.** Vx. Habileté, art. *Il utilisa toute son industrie pour réussir.* **2.** Littér. Métier. *Le voleur exerçait sa coupable industrie.* ▶ *industrieux, euse* adj. ■ Littér. Qui a, qui montre de l'adresse, de l'habileté. ⇒ **ingénieux.**

inébranlable [inebʀɑ̃labl] adj. **1.** Qu'on ne peut ébranler, dont on ne peut compromettre la solidité. *Un mur inébranlable.* **2.** (Personnes) Qui ne se laisse pas abattre. ⇒ **constant.** — Qu'on ne peut faire changer de dessein, d'opinion. ⇒ **inflexible.** *Il restait inébranlable dans ses résolutions.* — (Comportements, attitudes) Qui ne change pas. *Une certitude inébranlable.*

inédit, ite [inedi, it] adj. **1.** Qui n'a pas été édité. *La correspondance inédite d'un écrivain.* — N. m. *Publier des inédits.* **2.** Qui n'est pas connu. ⇒ **nouveau, original.** *Un moyen inédit de réussir.* — N. m. *Voilà de l'inédit !*

ineffable [inefabl] adj. **1.** Littér. Qui ne peut être exprimé par des paroles (se dit de choses agréables). ⇒ **inexprimable.** *Un bonheur ineffable.* **2.** Fam. Péj. *L'ineffable Monsieur X,* ce Monsieur X dont on ne peut parler sans rire. ⇒ **inénarrable.**

ineffaçable [inefasabl] adj. ■ Qui ne peut être effacé ou détruit. ⇒ **indélébile.** *Une trace ineffaçable. Une impression ineffaçable.*

inefficace [inefikas] adj. ■ Qui n'est pas efficace, qui ne produit pas l'effet souhaité. *Un remède, une mesure inefficace. Il fait ce qu'il peut, mais il est inefficace.* ▶ *inefficacement* adv. ■ Littér. D'une manière inefficace. ▶ *inefficacité* n. f. ■ Caractère de ce qui est inefficace. *L'inefficacité d'un moyen, d'une personne.*

inégal, ale, aux [inegal, o] adj. **I. 1.** Au plur. Dont la quantité, la nature, la qualité n'est pas la même dans plusieurs objets ou cas. *L'inclinaison de la Terre fait les jours inégaux. Des forces inégales.* — Au sing. Qui a plusieurs mesures, dimensions, etc. ⇒ **différent.** *Des cordes d'inégale grosseur, de grosseur inégale.* **2.** Dont les éléments ou les participants ne sont pas égaux. *Un combat inégal.* **II. 1.** Qui n'est pas uni, lisse. *Une surface inégale qui a besoin d'être aplanie.* **2.** Irrégulier. *Le pouls est inégal.* **3.** Qui n'est pas constant. *Un caractère inégal.* — Dont la qualité n'est pas constamment bonne. *C'est une œuvre inégale.* ▶ *inégalement* adv. ■ D'une manière inégale. *Cette œuvre a été inégalement appréciée.* ⇒ **diversement.** ▶ *inégalité* n. f. **I. 1.** Défaut d'égalité. ⇒ **différence, disproportion.** *L'inégalité sociale.* **2.** Expression mathématique dans laquelle on compare deux quantités inégales. / contr. **équation** / **II.** Défaut d'uniformité, de régularité. ⇒ **irrégularité.** *Des inégalités de terrain.* ⇒ **accident.** — *Des inégalités d'humeur.* ▶ *inégalitaire* adj. ■ Qui crée ou est caractérisé par des inégalités sociales. / contr. **égalitaire** / ▶ *inégalable* adj. ■ Qui ne peut être égalé. *Une habileté inégalable.* ⇒ **incomparable.** ▶ *inégalé, ée* adj. ■ Qui n'est pas égalé, qui n'a pas de rival.

inélégant, ante [inelegɑ̃, ɑ̃t] adj. **1.** (Choses) Qui n'est pas élégant. *Une démarche, une pose inélégante.* **2.** Qui n'est pas très correct. *Un procédé inélégant.* ⇒ **indélicat.** ▶ *inélégance* n. f. ■ Manque d'élégance. / contr. **élégance** /

inéligible [ineliʒibl] adj. ■ Qui ne peut être élu. ▶ *inéligibilité* n. f.

inéluctable [inelyktabl] adj. ■ Qu'on ne peut empêcher, éviter. *Un sort inéluctable.* ▶ *inéluctablement* adv. ■ ⇒ **inévitablement.**

inemployé, ée [inɑ̃plwaje] adj. ■ (Choses) Qui n'est pas employé. ⇒ **inutilisé.** *Des talents inemployés.*

inénarrable [inenaʀabl] adj. ■ Dont on ne peut parler sans rire. ⇒ **comique, ineffable, risible.** *Si vous aviez vu la scène, c'était inénarrable ! Il, elle est inénarrable,* très drôle (volontairement ou non).

inepte [inɛpt] adj. ■ Tout à fait absurde ou stupide. *Une histoire inepte.* ▶ *ineptie* [inɛpsi] n. f. **1.** Caractère de ce qui est inepte. ⇒ **bêtise, stupidité.** **2.** (Une, des inepties) Action, parole inepte. ⇒ **idiotie.** *Débiter gravement des inepties.*

inépuisable [inepɥizabl] adj. **1.** Qu'on ne peut épuiser. *Une source inépuisable.* — *Une mine inépuisable de renseignements.* — *Une bonté inépuisable.* **2.** (Personnes) Intarissable. *Il est inépuisable sur ce chapitre.*

inerte [inɛʀt] adj. **1.** Qui n'a ni activité ni mouvement propre. *La matière inerte.* — *Gaz, liquide inerte,* qui ne provoque aucune réaction des corps avec lesquels il est en contact. **2.** Qui ne donne pas signe de vie ; (personnes) qui reste sans réaction. *Ils ont assisté à la scène en spectateurs inertes.* ▶ *inertie* [inɛʀsi] n. f. **1.** Propriété qu'ont les corps de ne pouvoir d'eux-mêmes changer l'état de repos ou de mouvement où ils se trouvent. — FORCE D'INERTIE : résistance que les corps opposent au mouvement. Loc. *Il nous oppose sa force d'inertie, son apathie, sa volonté de ne rien faire.* **2.** Perte de la propriété (d'un muscle, d'un organe) de changer de forme, de se contracter. **3.** Manque absolu d'activité, d'énergie intellectuelle ou morale. ⇒ **paresse, passivité.** *Va-t-il sortir de son inertie ?*

inespéré [inɛspeʀe] adj. ■ Se dit d'un événement heureux que l'on n'espérait pas, ou d'un événement qu'on n'espérait pas aussi heureux. *Une victoire inespérée. Il est arrivé à des résultats inespérés.*

inesthétique [inɛstetik] adj. ■ (Objets, comportements) Sans beauté. ⇒ **laid.** *Une construction inesthétique.*

inestimable [inɛstimabl] adj. ■ Dont la valeur dépasse toute estimation. *Une œuvre d'art inestimable. Il m'a rendu un service inestimable.* ⇒ **immense.**

inévitable [inevitabl] adj. **1.** Qu'on ne peut pas éviter. ⇒ **certain, immanquable, inéluctable.** *La catastrophe est inévitable.* — N. m. *Il se résignait à accepter l'inévitable.* **2.** Plaisant. Qui est toujours présent et qu'il faut toujours supporter. *Il était venu avec son inévitable cortège d'admirateurs.* ▶ *inévitablement* adv. ■ ⇒ **fatalement.**

inexact, acte [inɛgza(kt), akt] adj. **1.** Qui n'est pas exact. ⇒ **faux.** *Un renseignement inexact. Non, c'est inexact.* — Qui manque d'exactitude. *Donner une version inexacte d'un événement.* **2.** (Personnes) Qui manque de ponctualité. *Il est inexact à ses rendez-vous.* ▶ *inexactement* adv. ■ *Il a rapporté inexactement mes propos.* / contr. **exactement** / ▶ *inexactitude* n. f. **1.** Manque d'exactitude. *L'inexactitude d'un calcul.* **2.** (Une, des inexactitudes) Erreur. *Ce récit fourmille d'inexactitudes.* **3.** Manque de ponctualité.

inexcusable [inɛkskyzabl] adj. ■ (Choses, personnes) Qu'il est impossible d'excuser. ⇒ **impardonnable.** *Une paresse inexcusable. Je suis inexcusable d'être en retard.*

inexistant, ante [inɛgzistɑ̃, ɑ̃t] adj. **1.** Littér. Qui n'existe pas. ⇒ **irréel.** *Le monde inexistant de la légende.* **2.** Sans valeur, sans efficacité. ⇒ **nul.** *L'aide qu'il m'apporte est inexistante.* ▶ *inexistence* n. f. ■ Littér. Le fait de ne pas exister.

inexorable [inɛgzɔʀabl] adj. Littér. **1.** (Personnes) Qu'on ne peut fléchir par des prières ; sans pitié. ⇒ **impitoyable, inflexible.** *Un refus inexorable.* **2.** À quoi l'on ne peut se soustraire. ⇒ **implacable**. *Une fatalité inexorable.* ▶ **inexorablement** adv. ■ Littér. ⇒ **fatalement**. *Il va inexorablement à la catastrophe.*

inexpérience [inɛksperjɑ̃s] n. f. ■ Manque d'expérience. *L'inexpérience d'un débutant. Une erreur due à l'inexpérience.*

inexpérimenté, ée [inɛksperimɑ̃te] adj. ■ Qui n'a pas d'expérience. — Qui manque de pratique dans un domaine déterminé. ⇒ **novice**. *Un alpiniste inexpérimenté.*

inexpiable [inɛkspjabl] adj. Littér. 1. Qui ne peut être expié. *Un crime inexpiable.* 2. Que rien ne peut apaiser, faire cesser. *Une guerre inexpiable.*

inexplicable [inɛksplikabl] adj. ■ Qu'il est impossible ou très difficile d'expliquer, de s'expliquer. ⇒ **incompréhensible**. *Un accident inexplicable. Sa conduite est inexplicable. — Un homme inexplicable, dont le comportement ne s'explique pas.* ⇒ **étrange**. ▶ *inexplicablement* adv. ■ *La maladie a évolué inexplicablement.*

inexpliqué, ée [inɛksplike] adj. ■ Qui n'a pas reçu d'explication. *Cet accident reste inexpliqué.* ⇒ **mystérieux**.

inexploitable [inɛksplwatabl] adj. ■ Qu'on ne peut exploiter. / contr. **exploitable** / *Un gisement inexploitable.*

inexploité, ée [inɛksplwate] adj. ■ Qui n'est pas exploité. *Des ressources inexploitées.*

inexploré, ée [inɛksplɔre] adj. ■ Qui n'a pas été exploré. *Des régions inexplorées.* ⇒ **inconnu**.

inexpressif, ive [inɛkspresif, iv] adj. ■ Qui n'est pas expressif, manque d'expression. *Un visage fermé et inexpressif.*

inexprimable [inɛksprimabl] adj. ■ Qu'il est impossible ou très difficile d'exprimer ; qui est au-delà de toute expression. ⇒ **indicible**. *Avec une haine, une douceur inexprimable.*

inexprimé, ée [inɛksprime] adj. ■ Qui n'est pas exprimé. *On le sentait plein de regrets inexprimés.*

inexpugnable [inɛkspygnabl] adj. ■ Littér. Qu'on ne peut prendre d'assaut. *Une forteresse inexpugnable.*

in extenso [inɛkstɛ̃so] loc. adv. ■ Littér. Dans toute son étendue, toute sa longueur (d'un texte). *Publier un discours in extenso.* ⇒ **intégralement**. — Adj. invar. *Le compte rendu in extenso du débat.*

inextinguible [inɛkstɛ̃gibl] adj. ■ Littér. Qu'il est impossible d'apaiser. *Une soif, une fureur inextinguible.* — *Rire inextinguible,* fou rire qu'on ne peut arrêter.

in extremis [inɛkstremis] loc. adv. et adj. invar. 1. À l'article de la mort, à la dernière extrémité. 2. Au tout dernier moment. *Il s'est rattrapé in extremis.*

inextricable [inɛkstrikabl] adj. ■ Qu'on ne peut démêler. *Un fouillis inextricable. Un embouteillage inextricable, dont on ne peut sortir.* — Abstrait. *Une affaire inextricable, très embrouillée.* ▶ *inextricablement* adv. ■ Littér. *Des ornements inextricablement mêlés.*

infaillible [ɛ̃fajibl] adj. 1. Vx. Qui ne peut manquer de se produire. 2. Qui ne peut tromper, qui a des résultats assurés. *Un remède, un moyen infaillible.* 3. (Personnes) Qui ne peut pas se tromper, qui n'est pas sujet à l'erreur. *Personne n'est infaillible.* — (Choses) *Un instinct infaillible.* ⇒ **sûr**. ▶ **infaillibilité** n. f. 1. Caractère de ce qui ne peut manquer de réussir. *L'infaillibilité de ce procédé.* 2. Caractère d'une

personne infaillible. *Le dogme de l'infaillibilité pontificale,* selon lequel le pape est infaillible quand il parle ex cathedra pour définir la doctrine de l'Église. ▶ *infailliblement* adv. ■ D'une manière certaine. *Cela arrivera infailliblement.* ⇒ **immanquablement**.

infaisable [ɛ̃fəzabl] adj. ■ Qui ne peut être fait. ⇒ **impossible**. *Un travail infaisable.* ⇒ **irréalisable**. *C'est presque infaisable.*

infamant, ante [ɛ̃famɑ̃, ɑ̃t] adj. — REM. Pas d'accent circonflexe. ■ Littér. Qui entache l'honneur, la réputation. ⇒ **avilissant, déshonorant**. *Une accusation infamante. Les peines infamantes* (ex. : *le bannissement, la dégradation*).

infâme [ɛ̃fam] adj. 1. Littér. Infamant. *Un infâme trafic.* ⇒ **dégradant, honteux**. 2. Détestable, odieux. *Infâme saligaud.* ⇒ **ignoble**. 3. Répugnant. *Un infâme taudis.* — Très mauvais. ⇒ **infect**. *Une odeur infâme.* ▶ *infamie* n. f. — REM. Pas d'accent circonflexe. 1. Vx. Flétrissure sociale ou légale faite à la réputation de qqn. ⇒ **déshonneur**. 2. Vx. Caractère d'une personne infâme. ⇒ **abjection, bassesse**. 3. (Une, des infamies) Littér. Action, parole infâme. *C'est une infamie ! Dire des infamies de qqn.* ⟨ ▶ infamant ⟩

infant, ante [ɛ̃fɑ̃, ɑ̃t] n. ■ Titre donné aux enfants des rois d'Espagne et du Portugal qui n'étaient pas les aînés. *Le personnage de l'infante dans « le Cid »* de Corneille.

infanterie [ɛ̃fɑ̃tri] n. f. 1. Autrefois. Ensemble des soldats qui allaient et combattaient à pied, n'étaient pas à cheval. 2. L'arme (5) qui est chargée de la conquête et de l'occupation du terrain. ⇒ **fantassin**. *Section, régiment, division d'infanterie. L'infanterie de marine.*

infanticide [ɛ̃fɑ̃tisid] n. m. et adj. 1. Meurtre d'un enfant (spécialt d'un nouveau-né). 2. Qui tue volontairement un enfant (spécialt un nouveau-né). *Une mère infanticide.* — N. *Un, une infanticide.*

infantile [ɛ̃fɑ̃til] adj. 1. Relatif à la première enfance. *Maladies infantiles.* 2. Digne d'un enfant (quant au niveau intellectuel et affectif). *Une réaction infantile.* ⇒ **enfantin, puéril**. / contr. **adulte** / ▶ *infantilisme* n. m. 1. État d'un adulte qui présente un aspect rappelant celui d'un enfant. 2. Caractère, comportement puéril. *Réagir ainsi, c'est de l'infantilisme.*

infarctus [ɛ̃farktys] n. m. invar. ■ Altération d'un tissu, d'un organe par obstruction de l'artère qui assure son irrigation. — *Infarctus (du myocarde),* hémorragie à l'intérieur du cœur.

infatigable [ɛ̃fatigabl] adj. ■ Qui ne peut se fatiguer, qui ne se fatigue pas facilement. *Elles sont infatigables. Un travailleur infatigable.* ▶ *infatigablement* adv. ■ Sans se fatiguer, sans se lasser. *Il répète infatigablement la même histoire.* ⇒ **inlassablement**.

infatué, ée [ɛ̃fatɥe] adj. ■ Littér. Trop pénétré de ses mérites ; content de soi. *Un personnage très infatué.* ⇒ **fat, prétentieux, vaniteux**. / contr. **modeste** / — *Être* INFATUÉ DE *soi-même, de ses mérites...* ▶ *infatuation* n. f. ■ Littér. Sentiment d'une personne infatuée d'elle-même. ⇒ **fatuité, suffisance, vanité**. / contr. **modestie** /

infécond, onde [ɛ̃fekɔ̃, ɔ̃d] adj. 1. Littér. Qui ne produit rien. *Une terre inféconde.* ⇒ **infertile**. 2. Qui n'est pas fécond. ⇒ **stérile**. *Fleur inféconde.* ▶ *infécondité* n. f. 1. Caractère de ce qui ne produit rien. 2. État d'une femelle, d'une femme inféconde.

infect, ecte [ɛ̃fɛkt] adj. 1. (Odeur, goût...) Particulièrement répugnant. 2. Très mauvais dans son genre. *Ce repas est infect. Il fait un temps infect.* **3.** Moralement ignoble. ⇒ **ignoble, infâme.** *Un type infect.* ▶ ① *infecter* v. tr. ■ conjug. 1. ■ Vx. Imprégner (l'air) d'émanations malsaines, puantes. ⇒ **empuantir.** ▶ ① *infection* [ɛ̃fɛksjɔ̃] n. f. **1.** Vx. Grande puanteur. **2.** Chose qui suscite le dégoût. *Quelle infection !* ⇒ fam. **saloperie.**

② *infecter* [ɛ̃fɛkte] v. tr. ■ conjug. 1. ■ Communiquer, transmettre (à l'organisme) des germes pathogènes. ≠ *infester.* — Pronominalement. *La plaie s'est infectée.* ▶ ② *infection* n. f. ■ Pénétration dans l'organisme de germes pathogènes. *Infection généralisée.* — Maladie infectieuse. *Combattre l'infection, une infection.* ▶ *infectieux, euse* [ɛ̃fɛksjø, øz] adj. ■ Qui communique l'infection. *Germes infectieux.* — Qui s'accompagne d'infection. *Maladies infectieuses.* ⟨ ▶ désinfecter, primo-infection ⟩

inféoder [ɛ̃feɔde] v. tr. ■ conjug. 1. (⇒ **féodal**) **1.** Au Moyen Âge. Donner (une terre) en fief. **2.** Soumettre (à une autorité absolue). *Inféoder un journal à un parti, à un groupe financier.* — Pronominalement. *Il refuse de s'inféoder.* — Au passif. *Être inféodé à un parti.*

inférer [ɛ̃fere] v. tr. ■ conjug. 6. ■ Littér. Établir par inférence. ⇒ **conclure, induire.** *J'en infère que nous pouvons réussir.* ▶ *inférence* n. f. ■ Littér. Opération logique par laquelle on admet une proposition en vertu de sa liaison avec d'autres propositions déjà tenues pour vraies. ⇒ **induction.**

inférieur, eure [ɛ̃ferjœʀ] adj. et n. **I.** Concret. **1.** Qui est au-dessous, plus bas, en bas. / contr. **supérieur** / *Les étages inférieurs d'un immeuble. La mâchoire inférieure.* **2.** Qui est plus bas, plus près du niveau de la mer. *Le cours inférieur d'un fleuve.* **II.** Abstrait. **1.** Qui a une valeur moins grande ; qui occupe une place au-dessous, dans une classification, une hiérarchie. *Il lui est très inférieur. Il a une situation inférieure.* — *Il n'a pas été inférieur à sa tâche,* il a été à la hauteur. **2.** Plus petit que. *Nombre inférieur à 10* (< 10), *inférieur ou égal à 10* (≤ 10). / contr. **supérieur** / **3.** Moins avancé, peu avancé dans l'évolution. *Les animaux inférieurs.* **4.** N. Personne qui occupe une position sociale inférieure (par rapport à une autre). ⇒ **subalterne, subordonné.** *Traiter qqn en inférieur.* ▶ *infériorité* n. f. **1.** État de ce qui est inférieur (en rang, force, valeur, mérite). / contr. **supériorité** / *L'infériorité numérique de nos troupes. Reconnaître son infériorité.* — *Sentiment d'infériorité,* impression pénible d'être inférieur (à la normale, aux autres, à un idéal désiré). ⇒ ② **complexe. 2.** Ce qui rend inférieur. *C'est une infériorité.* ⇒ **désavantage.**

infernal, ale, aux [ɛ̃fɛʀnal, o] adj. **1.** Littér. Qui appartient aux enfers, à l'enfer. *Les puissances infernales.* **2.** Qui évoque l'enfer, le mal. *Une méchanceté infernale.* ⇒ **diabolique. 3.** Fam. Très vif, très intense. *Il fait une chaleur infernale. Il conduit à une allure infernale.* **4.** (Personnes) Insupportable, terrible. *Ce gosse est infernal.*

infertile [ɛ̃fɛʀtil] adj. ■ Littér. Qui n'est pas fertile. ⇒ **aride, stérile.** *Une région infertile.*

infester [ɛ̃fɛste] v. tr. ■ conjug. 1. **1.** Littér. Ravager, rendre peu sûr (un pays) par des attaques incessantes. *Les pirates infestaient les côtes.* **2.** (Animaux ou plantes nuisibles) Surtout au p. p. Envahir. *Une mer infestée de requins.* ≠ *infecter.*

① *infidèle* [ɛ̃fidɛl] adj. **1.** Qui est changeant dans ses sentiments. *Un ami infidèle.* — Qui n'est pas fidèle en amour. *Une femme infidèle.* — N. *L'infidèle lui reviendra.* **2.** Qui ne respecte pas (qqch. qui engage). *Il est infidèle à sa parole.* **3.** Qui manque à la vérité, à l'exactitude. *Un traducteur, une traduction infidèle.*

Sa mémoire est infidèle. — N. f. Loc. fig. *Les belles infidèles,* les traductions belles et inexactes. ▶ *infidèlement* adv. ■ Inexactement. ▶ *infidélité* n. f. **1.** Manque de fidélité (dans les sentiments, en amour) ; acte qui en résulte. ⇒ **inconstance, trahison.** *Il a fait des infidélités à sa femme.* — *Faire des infidélités à son fournisseur habituel,* se fournir parfois chez un autre commerçant. **2.** Manque de fidélité (à une obligation). *Infidélité à la parole donnée.* **3.** Manque d'exactitude. *Infidélité de la mémoire.* — *Les infidélités d'une traduction.* ⇒ **inexactitude.**

② *infidèle* adj. et n. ■ Vx. Qui ne professe pas la religion considérée comme vraie. ⇒ **païen.** — N. *Croisade contre les infidèles. La guerre sainte des musulmans contre les infidèles.*

s'infiltrer [ɛ̃filtʀe] v. pron. ■ conjug. 1. **1.** Pénétrer (dans un corps) en s'insinuant. *L'eau s'infiltre dans certains terrains.* **2.** Passer, entrer insensiblement. ⇒ **se glisser, s'introduire.** *Notre détachement s'était infiltré à travers les lignes ennemies.* ▶ *infiltration* n. f. **1.** Action de s'infiltrer. *L'infiltration de l'eau dans la terre.* — Pénétration accidentelle de l'eau dans un mur. *Il y a des infiltrations.* **2.** Envahissement du tissu cellulaire par un liquide, par des gaz. ⇒ **épanchement.** *Infiltration graisseuse.* **3.** Pénétration d'hommes par petits groupes dans un pays.

infime [ɛ̃fim] adj. ■ Tout petit, qui ne compte pas. ⇒ **minime, minuscule.** *En nombre infime.* — *Des détails infimes.*

infini, ie [ɛ̃fini] adj. et n. m. **I. 1.** En quoi on ne peut remarquer ni concevoir aucune limite. *Concevoir l'espace comme infini.* — (Dans le temps) Qui n'a pas de fin, de terme. ⇒ **éternel. 2.** Très considérable (par la grandeur, la durée, le nombre, l'intensité). ⇒ **illimité, immense.** *Des bavardages infinis. Avec une patience infinie,* sans bornes. **II.** N. m. **1.** Ce qui est infini, plus grand que tout ce qui a une limite. *L'infini mathématique* (signe ∞). *Les deux infinis,* l'infiniment grand et l'infiniment petit. — (Distance) Zone éloignée où les objets donnent une image photographique nette dans le plan focal. *Régler l'objectif sur l'infini.* **2.** Ce qui semble infini. *L'infini de l'océan.* **3.** À L'INFINI loc. adv. : sans qu'il y ait de borne, de fin. *Droite prolongée à l'infini.* — Indéfiniment. *On peut discuter là-dessus à l'infini.* ▶ *infiniment* adv. **1.** D'une manière infinie. *Infiniment grand,* plus grand que toute quantité donnée. *Infiniment petit,* plus petit que toute quantité donnée. **2.** Beaucoup, extrêmement. *Je regrette infiniment. Je vous suis infiniment reconnaissant.* — (Avec un comparatif) *C'est infiniment mieux.* ▶ *infinité* n. f. **1.** Didact. Quantité infinie, nombre infini. **2.** Très grande quantité. *Une infinité de gens.* ⇒ **multitude.** ⟨ ▶ infinitésimal ⟩

infinitésimal, ale, aux [ɛ̃finitezimal, o] adj. **1.** Relatif aux quantités infiniment petites. *Calcul infinitésimal.* **2.** Extrêmement petit. ⇒ **infime.** *Une dose infinitésimale.*

infinitif, ive [ɛ̃finitif, iv] n. m. et adj. **I.** N. m. Forme nominale du verbe (mode impersonnel) exprimant l'idée de l'action ou de l'état d'une façon abstraite et indéterminée. *Verbe à l'infinitif.* « Chanter », « finir », « vendre » *sont des infinitifs. Infinitif présent et infinitif passé* (ex. : « donner », « avoir donné »). **II.** Adj. *Proposition infinitive,* dont le verbe est à l'infinitif.

infirme [ɛ̃fiʀm] adj. ■ Qui est atteint d'infirmités (2). ⇒ **handicapé, impotent, invalide.** *Demeurer infirme à la suite d'un accident.* — N. *Un, une infirme.* ⟨ ▶ infirmité ⟩

infirmer [ɛ̃fiʀme] v. tr. ■ conjug. 1. **1.** Affaiblir (qqch.) dans son autorité, sa force, son crédit.

L'expertise a infirmé ce témoignage. / contr. **confirmer** / **2.** En droit. Annuler ou réformer (une décision rendue par une juridiction inférieure). *La cour d'appel a infirmé le jugement.*

infirmerie [ɛ̃fiʀməʀi] n. f. ■ Local destiné à recevoir et soigner les malades, les blessés, dans une communauté. *L'élève blessé a été transporté à l'infirmerie.* ► **infirmier, ière** n. ■ Personne qui, par profession, soigne des malades et s'en occupe, sous la direction des médecins. *Faire des études d'infirmier. Aller se faire faire une piqûre chez l'infirmière. Infirmière-chef. Les infirmières d'un hôpital, d'une clinique.*

infirmité [ɛ̃fiʀmite] n. f. **1.** Littér. Faiblesse. *L'infirmité humaine.* **2.** Une infirmité, état d'un individu ne jouissant pas d'une de ses fonctions ou n'en jouissant qu'imparfaitement (sans que sa santé générale en souffre). *Devenu sourd, il supportait mal son infirmité.*

inflammable [ɛ̃flamabl] adj. ■ Qui a la propriété de s'enflammer facilement. *Les matières inflammables. Un gaz très inflammable.* / contr. **ininflammable** / ‹ ► ininflammable ›

inflammation [ɛ̃flamasjɔ̃] n. f. ■ Ensemble des réactions qui se produisent au point de l'organisme irrité par un agent pathogène. ⇒ suff. **-ite.** *Une inflammation des amygdales. Inflammation de la peau, de l'œil.* ► **inflammatoire** adj. ■ Caractérisé par une inflammation. *Maladie inflammatoire d'origine microbienne, virale.*

inflation [ɛ̃flasjɔ̃] n. f. ■ Accroissement excessif des instruments de paiement (billets de banque, capitaux) entraînant une hausse des prix et une dépréciation de la monnaie. / contr. **déflation** / ► **inflationniste** adj. ■ Qui tend à l'inflation. *Le danger inflationniste.*

infléchir [ɛ̃fleʃiʀ] v. tr. ▪ conjug. 2. **1.** Fléchir de manière à former une courbe. ⇒ **courber.** — Pronominalement. *La tringle s'est infléchie sous le poids.* **2.** Modifier la direction, l'orientation de. *Essayer d'infléchir la politique du gouvernement.* ‹ ► inflexion ›

inflexible [ɛ̃flɛksibl] adj. ■ Que rien ne peut fléchir ni émouvoir ; qui résiste à toutes les influences. ⇒ **ferme, intransigeant.** *Il est resté inflexible.* ⇒ **inébranlable.** *Une volonté inflexible.* ► **inflexibilité** n. f. ■ Le fait de ne pas céder. *L'inflexibilité d'un caractère.* ► **inflexiblement** adv. ■ S'en tenir inflexiblement à une résolution.

inflexion [ɛ̃flɛksjɔ̃] n. f. **1.** Mouvement par lequel une chose s'infléchit. ⇒ **courbure, flexion.** *L'inflexion des rayons lumineux. Saluer d'une inflexion de la tête.* ⇒ **inclination.** **2.** Changement subit d'accent ou de ton dans la voix. *Sa voix prenait des inflexions plus douces.*

infliger [ɛ̃fliʒe] v. tr. ▪ conjug. 3. **1.** Appliquer (une peine matérielle ou morale). *On lui a infligé une amende.* **2.** Faire subir (qqch. à qqn). *Nous ne pouvons pas lui infliger la présence des enfants pendant un mois.* ⇒ **imposer.** *Je vais lui infliger un démenti.*

inflorescence [ɛ̃flɔʀesɑ̃s] n. f. ■ Mode de groupement des fleurs d'une plante (ex. : *fleurs en grappes, en ombelles...*).

influence [ɛ̃flyɑ̃s] n. f. **1.** Action qu'exerce une chose, un phénomène, une situation sur qqn ou qqch. ⇒ **effet.** *L'influence de l'éducation sur la personnalité. Il a agi sous l'influence de la colère.* **2.** Action volontaire ou non qu'une personne exerce (sur qqn). ⇒ **ascendant, empire, emprise, pouvoir.** *Je compte sur votre influence pour le persuader. Il a une mauvaise*

influence sur elle. **3.** Pouvoir social de celui qui amène les autres à se ranger à son avis. ⇒ **autorité, crédit.** *Cet homme a beaucoup d'influence. User de son influence en faveur de qqn.* **4.** Action morale, intellectuelle. *On sent dans ce livre l'influence de Sartre.* **5.** Autorité politique (d'un État). *L'influence des États-Unis en Amérique du Sud.* ► **influençable** adj. ■ (Personnes) Qui se laisse influencer. *Un caractère influençable.* ► **influencer** v. tr. ▪ conjug. 3. ■ Soumettre à son influence (2). *Je ne veux pas vous influencer, influencer votre choix. Il se laisse facilement influencer.* ► **influent, ente** adj. ■ Qui a de l'influence (3), du prestige. ⇒ **important.** *Un personnage influent.*

influer [ɛ̃flye] v. intr. ▪ conjug. 1. ■ INFLUER SUR : exercer sur une personne ou une chose une action de nature à la modifier. *Le temps influe sur notre humeur.* ⇒ **influencer.** ‹ ► influence ›

influx [ɛ̃fly] n. m. invar. ■ *Influx nerveux,* phénomène par lequel on explique la propagation des effets de l'excitation dans les nerfs.

in-folio [infɔljo] adj. invar. et n. m. invar. ■ (Format) Dont la feuille d'impression est pliée en deux, formant quatre pages. *Format in-folio. Des gros dictionnaires in-folio.* — N. *Un in-folio,* un livre de ce grand format.

informateur, trice n. ⇒ **informer.**

① **information** [ɛ̃fɔʀmasjɔ̃] n. f. **I. 1.** Renseignements (sur qqn, sur qqch.). *J'ai pu recueillir d'utiles informations. Des informations confidentielles. Aller aux informations,* aller s'informer. **2.** Action de s'informer. *Le ministre fait un voyage d'information. Une réunion d'information.* **3.** *(Une, les informations)* Renseignement ou événement qu'on porte à la connaissance d'une personne, d'un public. *Les informations politiques, sportives. Bulletin d'informations.* — L'INFORMATION : action d'informer le public, l'opinion (par la presse, la radio, la télévision...). *Journal d'information et journal d'opinion.* **II.** En sciences. Se dit de ce qui peut être transmis par un signal ou une combinaison de signaux, ce qui est transmis (objet de connaissance, de mémoire). *Le traitement automatique de l'information.* ⇒ **informatique.** ‹ ► désinformation, informatique ›

② **information** n. f. ■ En droit. Enquête pour établir la preuve d'une infraction, pour en découvrir les auteurs. *Ouvrir une information contre inconnu.*

informatique [ɛ̃fɔʀmatik] n. f. et adj. ■ Théorie et traitement de l'information (①, II) à l'aide de programmes mis en œuvre sur ordinateurs. *Informatique bancaire, de gestion.* ⇒ **bureautique.** *Informatique domestique,* avec des micro-ordinateurs. — Adj. *L'industrie informatique. Le matériel informatique.* ► **informaticien, ienne** n. ■ Spécialiste en informatique. *Une bonne informaticienne.* — Adj. ou en appos. *Ingénieur informaticien.* ► **informatiser** v. tr. ▪ conjug. 1. ■ Traiter (un problème), organiser par les méthodes de l'informatique. *Informatiser la gestion.* — Au p. p. adj. *Un secteur informatisé.* ► **informatisation** n. f. ■ Introduction (dans une activité) de méthodes informatiques. *L'informatisation de la gestion dans une banque.* ‹ ► microinformatique ›

informe [ɛ̃fɔʀm] adj. **1.** Qui n'a pas de forme propre, ou de forme bien définissable. *Matière informe.* **2.** Dont la forme n'est pas achevée. ⇒ **grossier.** *Un brouillon informe.* — Laid, disgracieux. *Une silhouette informe.*

informer [ɛ̃fɔʀme] v. tr. ▪ conjug. 1. **1.** Mettre au courant (de qqch.). ⇒ **avertir, aviser, instruire, renseigner ;** ① **information.** *Il ne nous avait pas informés de son arrivée. Il m'a informé qu'il refusait.*

Être bien, mal informé sur une affaire. **2.** **S'INFORMER** v. pron. : s'enquérir en vue de, se mettre au courant. *Je me suis informé de ses projets. Informez-vous s'il est arrivé.* — Recueillir des informations. *Il veut s'informer avant d'agir.* ▶ *informé, ée* adj. et n. **1.** Adj. Qui sait ce qu'il faut savoir. *Un public informé. Journal bien informé,* dont les informations sont sérieuses. **2.** N. m. Loc. *Jusqu'à plus ample informé,* avant d'en savoir plus sur l'affaire. ▶ *informateur, trice* n. ■ Personne qui donne des informations (surtout à la police). *Disposer d'informateurs dans tous les milieux.* ⇒ **espion, indicateur, mouchard.** ⟨▶ ① information ⟩

infortune [ɛ̃fɔʀtyn] n. f. ■ Littér. Malheur. *Pour comble d'infortune, il se cassa la jambe.* ⇒ **malchance.** *Compagnon d'infortune,* personne qui supporte les mêmes malheurs. ▶ *infortuné, ée* adj. et n. ■ Littér. Malheureux. *Les infortunées victimes.*

infra [ɛ̃fʀa] adv. ■ Sert à renvoyer à un passage qui se trouve plus loin dans un texte. ⇒ ci-**dessous.** / contr. **supra** / *Se reporter infra, page tant.*

infra- ■ Élément signifiant « inférieur », « en dessous ». ⟨▶ infrarouge, infra-son, infrastructure ⟩

infraction [ɛ̃fʀaksjɔ̃] n. f. **1.** **INFRACTION À...** : violation d'un engagement, d'une loi. ⇒ **faute, manquement.** *Une infraction à la règle, à la discipline.* **2.** Violation (en général sans gravité) d'une loi de l'État, qui est frappée d'une peine. ⇒ **délit.** *Commettre une infraction.*

infranchissable [ɛ̃fʀɑ̃ʃisabl] adj. ■ Qu'on ne peut franchir. *Un obstacle infranchissable.* — Fig. *Une difficulté infranchissable.* ⇒ **insurmontable.**

infrarouge [ɛ̃fʀaʀuʒ] adj. ■ Se dit des radiations invisibles qui sont en deçà du rouge, dans le spectre solaire. *Rayons infrarouges.* — N. m. *Chauffage à l'infrarouge.*

infra-son [ɛ̃fʀasɔ̃] n. m. ■ Vibration inaudible, de fréquence inférieure à 15 ou 20 périodes par seconde. *Les infra-sons et les ultra-sons.*

infrastructure [ɛ̃fʀastʀyktyʀ] n. f. **1.** Parties inférieures (d'une construction) (opposé à *superstructure*). — Terrassements et ouvrages (d'une voie). ⇒ **fondation.** — Ensemble des installations au sol nécessaires à l'aviation. **2.** Ensemble des équipements économiques ou techniques. *L'infrastructure routière d'un pays.* **3.** Vocab. marxiste. Organisation économique de la société, considérée comme le fondement de son idéologie. / contr. **superstructure** /

infroissable [ɛ̃fʀwasabl] adj. ■ Qui n'est pas froissable, qui est peu froissable. *Tissu infroissable.*

infructueux, euse [ɛ̃fʀyktɥø, øz] adj. ■ Sans profit, sans résultat. ⇒ **inefficace, inutile.** *Des tentatives infructueuses.*

infus, use [ɛ̃fy, yz] adj. ■ Littér. Inné. — Loc. *Avoir la* SCIENCE INFUSE : être savant sans avoir étudié.

infuser [ɛ̃fyze] v. tr. ■ conjug. 1. **1.** Laisser tremper (une substance) dans un liquide afin qu'il se charge des principes qu'elle contient. ⇒ **macérer.** *Infuser du thé, du tilleul.* — Au p. p. adj. *Thé bien infusé.* — Intransitivement. *Laisse infuser encore un peu.* **2.** Littér. Faire pénétrer, communiquer. *Il faut infuser à notre parti un sang nouveau.* ▶ *infusion* n. f. **1.** Action d'infuser dans un liquide (une substance dont on veut extraire les principes solubles). **2.** Tisane de plantes (camomille, menthe, tilleul, verveine). *Prendrez-vous du café ou une infusion ? Une infusion de camomille.*

infusoire [ɛ̃fyzwaʀ] n. m. ■ Animal unicellulaire microscopique (protozoaire) qui vit dans les liquides.

ingambe [ɛ̃gɑ̃b] adj. ■ Vx ou plaisant. Qui est alerte, et, in usage normal de ses jambes. *Un vieillard encore ingambe.*

s'ingénier [ɛ̃ʒenje] v. pron. ■ conjug. 7. ■ Mettre en jeu toutes les ressources de son esprit. ⇒ s'**évertuer.** *Il s'ingéniait à nous faire plaisir.*

ingénieur [ɛ̃ʒenjœʀ] n. m. ■ Personne qui a reçu une formation scientifique et technique la rendant apte à diriger certains travaux, à participer aux applications de la science. *Ingénieur agronome, chimiste, électricien. Ingénieur de l'aéronautique. Mme X est ingénieur,* est un brillant ingénieur (au Québec, n. f., est une ingénieure). — En apposition. *Femme ingénieur.* ▶ *ingénierie* [ɛ̃ʒeniʀi] n. f. ■ Étude globale d'un projet industriel. — Remplace l'anglic. *engineering.*

ingénieux, euse [ɛ̃ʒenjø, øz] adj. **1.** Qui a l'esprit inventif. ⇒ **adroit, habile.** *Un bricoleur ingénieux.* **2.** (Choses) Qui marque beaucoup d'invention, d'imagination. *Un mécanisme ingénieux. Votre explication est très ingénieuse.* ▶ *ingénieusement* adv. ■ *Il a expliqué ingénieusement ce petit mystère.* ⇒ **habilement.** ▶ *ingéniosité* n. f. ■ Adresse inventive. *Faire preuve d'ingéniosité. C'est une merveille d'ingéniosité.*

ingénu, ue [ɛ̃ʒeny] adj. ■ Qui a une sincérité innocente et naïve. ⇒ **candide, naïf, simple.** *Jeune fille ingénue.* — N. f. *Un rôle d'ingénue au théâtre.* — *Un regard ingénu. Une question ingénue.* ▶ *ingénument* adv. ■ Littér. *Il répondait ingénument à nos questions.* ▶ *ingénuité* [ɛ̃ʒenɥite] n. f. ■ Littér. Sincérité naïve. ⇒ **candeur, naïveté.**

① *s'ingérer* v. pron. ■ conjug. 6. ■ Littér. Intervenir sans en avoir le droit. ⇒ s'**immiscer.** *S'ingérer dans une discussion. Grande puissance qui s'ingère dans les affaires d'un pays voisin.* ▶ *ingérence* n. f. ■ Fait de s'ingérer. *Je ne tolère pas d'ingérence dans ma vie privée.*

② *ingérer* v. tr. ■ conjug. 6. ■ Didact. Introduire par la bouche (dans les voies digestives). ⇒ **avaler.** ▶ *ingestion* n. f. ■ Action d'ingérer. *L'ingestion d'un médicament.*

ingouvernable [ɛ̃guvɛʀnabl] adj. ■ Impossible à gouverner. *Ces gens-là sont ingouvernables.*

ingrat, ate [ɛ̃gʀa, at] adj. et n. **1.** Qui n'a aucune reconnaissance. *Se montrer ingrat envers un bienfaiteur.* / contr. **reconnaissant** / — N. *Un ingrat. Ce n'est pas une ingrate.* **2.** (Choses) Qui ne dédommage guère de la peine qu'il donne, des efforts qu'il coûte. / contr. **fécond** / *Une terre ingrate. Étudier un sujet ingrat.* **3.** Qui manque d'agrément, de grâce. ⇒ **désagréable, disgracieux.** *Un visage ingrat.* — *Âge ingrat,* celui de la puberté. ▶ *ingratitude* n. f. ■ Caractère d'une personne ingrate ; manque de reconnaissance. *Acte d'ingratitude. Témoigner de l'ingratitude envers qqn.*

ingrédient [ɛ̃gʀedjɑ̃] n. m. ■ Élément qui entre dans la composition (d'une préparation ou d'un mélange). *Les divers ingrédients d'une sauce. Il doit manquer un ingrédient.*

inguérissable [ɛ̃geʀisabl] adj. ■ Qui n'est pas guérissable. *Une maladie inguérissable.* ⇒ **incurable.** — *Un chagrin inguérissable.*

inguinal, ale, aux [ɛ̃gɥinal, o] adj. ■ Didact. Qui appartient à l'aine, à la région de l'aine. *Hernie inguinale.*

ingurgiter [ɛ̃gyʀʒite] v. tr. ■ conjug. 1. ■ Avaler avidement et en quantité. ⇒ **engloutir.** — Plaisant. *Il a dû ingurgiter en deux mois tout son programme.*

inhabile [inabil] adj. ■ Littér. Qui manque d'habileté. *Des gestes inhabiles.* ⇒ **malhabile, maladroit.**

▶ *inhabileté* n. f. ■ Manque d'habileté. ⇒ **maladresse.**

inhabitable [inabitabl] adj. ■ Qui n'est pas habitable, qui est difficilement habitable. *Une maison inhabitable*, sans aucun confort. ▶ *inhabité, ée* adj. ■ Qui n'est pas habité. *Les régions inhabitées.* ⇒ **désert.** *Maison inhabitée*, inoccupée.

inhabituel, elle [inabituεl] adj. ■ Qui n'est pas habituel. ⇒ **inaccoutumé, insolite.** *Il régnait dans la rue une animation inhabituelle.* / contr. **habituel** /

inhaler [inale] v. tr. ■ conjug. 1. ■ Absorber par les voies respiratoires. / contr. **exhaler** / ▶ *inhalation* n. f. ■ Action d'inhaler (un gaz, une vapeur). *L'inhalation d'un gaz toxique.* — Spécialt. Au plur. Aspiration par le nez de vapeurs qui désinfectent, décongestionnent. ⇒ **fumigation.** *Faire des inhalations.* ▶ *inhalateur* n. m. ■ Appareil servant aux inhalations.

inhérent, ente [ineRã, ãt] adj. ■ Qui appartient essentiellement (à un être, à une chose), qui est joint inséparablement. ⇒ **essentiel, intrinsèque.** *Les contradictions inhérentes à ce régime.*

inhiber [inibe] v. tr. ■ conjug. 1. **1.** (Suj. chose) Empêcher (qqn) d'agir, de manifester ses sentiments, ses opinions. *Sa crainte d'être ridicule l'inhibe.* — Au p. p. *Il est inhibé.* N. *C'est un inhibé*, une personne qui ne peut pas agir, s'exprimer. **2.** En sciences. (Action nerveuse ou hormonale) Empêcher ou diminuer le fonctionnement de (un organe). ▶ *inhibition* n. f. ■ Le fait d'être inhibé. *Il faut vaincre vos inhibitions.* ⇒ **crainte, timidité.** — En sciences. Action d'inhiber.

inhospitalier, ière [inɔspitalje, jεR] adj. ■ Qui ne pratique pas l'hospitalité. *Un peuple inhospitalier.* / contr. **hospitalier** / — (Choses) Qui ne présente pas les conditions favorables à l'homme. *Une côte inhospitalière.* / contr. **accueillant** /

inhumain, aine [inymε̃, εn] adj. **1.** Qui manque d'humanité. ⇒ **barbare, cruel.** *Un traitement inhumain.* **2.** Qui n'a rien d'humain. *Un hurlement inhumain. Un travail inhumain*, très pénible. ▶ *inhumainement* adv. ■ *Traiter qqn inhumainement.* ▶ *inhumanité* n. f. ■ Littér. Caractère d'une personne, d'une chose inhumaine. ⇒ **cruauté, férocité.** *Acte d'inhumanité.* / contr. **humanité** /

inhumer [inyme] v. tr. ■ conjug. 1. ■ Mettre en terre (un corps humain), avec les cérémonies d'usage. ⇒ **ensevelir, enterrer.** / contr. **exhumer** / *Permis d'inhumer*, donné par le médecin. ▶ *inhumation* n. f. ■ Action d'inhumer. *L'inhumation du corps dans un caveau.* ⇒ **enterrement.**

inimaginable [inimaʒinabl] adj. ■ Qu'on ne peut imaginer, dont on n'a pas idée. ⇒ **extraordinaire, incroyable.** *Un désordre inimaginable. Une histoire inimaginable.* ⇒ **impensable.**

inimitable [inimitabl] adj. ■ Qui ne peut être imité. *Il est inimitable dans ce domaine.*

inimitié [inimitje] n. f. ■ Sentiment hostile (envers qqn). ⇒ **antipathie, hostilité.** *Avoir de l'inimitié contre, à l'égard de qqn.*

ininflammable [inε̃flamabl] adj. ■ Qui n'est pas inflammable. *Un tissu ininflammable.* / contr. **inflammable** /

inintelligent, ente [inε̃teliʒã, ãt] adj. ■ Qui n'est pas intelligent. ⇒ **bête.** *Élève inintelligent.* / contr. **intelligent** / ▶ *inintelligence* n. f. ■ Manque d'intelligence.

inintelligible [inε̃teliʒibl] adj. ■ Qu'on ne peut comprendre. ⇒ **incompréhensible.** *Il marmonnait des mots inintelligibles. C'est à peu près inintelligible.*

▶ *inintelligiblement* adv. ■ Littér. Bredouiller inintelligiblement. / contr. **intelligiblement** / ▶ *inintelligibilité* n. f. ■ Littér. Caractère de ce qui est inintelligible. *L'inintelligibilité d'un texte.*

inintéressant, ante [inε̃teresã, ãt] adj. ■ Dépourvu d'intérêt. *Un film inintéressant.* / contr. **intéressant** /

ininterrompu, ue [inε̃terɔpy] adj. ■ Qui n'est pas interrompu (dans l'espace ou dans le temps). ⇒ **continu.** *Une file ininterrompue de voitures. Un quart d'heure de musique ininterrompue.*

inique [inik] adj. ■ Littér. Qui manque gravement à l'équité ; très injuste. *Une décision inique.* ▶ *iniquité* [inikite] n. f. **1.** Vx. Péché. **2.** Littér. Manque d'équité. ⇒ **injustice.** *L'iniquité d'un jugement.* — Acte, chose inique.

initial, ale, aux [inisjal, o] adj. et n. f. **1.** Qui est au commencement, qui caractérise le commencement (de qqch.). ⇒ **originel, premier.** / contr. **terminal** / *La cause initiale de nos malentendus.* **2.** Qui commence un mot. *La consonne initiale d'un nom.* — N. f. Consonne ou voyelle initiale (d'un nom propre). *Signer de ses initiales.* ▶ *initialement* adv. ■ Dans la période initiale ; au commencement.

initiateur, trice [inisjatœR, tRis] n. ■ Personne qui initie (qqn), qui enseigne ou propose le premier (qqch.). *Les initiateurs de ce mouvement.* ⇒ **précurseur.**

initiation [inisjasjɔ̃] n. f. **1.** Admission (à une religion, un culte, un état social particulier). *Les rites d'initiation (ou initiatiques) dans les sociétés traditionnelles.* **2.** INITIATION À : introduction à la connaissance (de choses secrètes, difficiles). — Action de donner ou de recevoir les premiers éléments (d'une science, d'un art). ⇒ **apprentissage.** *Stage d'initiation à l'informatique.* ▶ *initiatique* adj. ■ Didact. Relatif à l'initiation (1). *Rites initiatiques.*

initiative [inisjativ] n. f. **1.** Action d'une personne qui propose, entreprend, organise (qqch.) en étant la première. *Prendre l'initiative d'une démarche. Savoir prendre des initiatives. Une initiative malheureuse. L'initiative privée* (opposé à *l'action étatique*). *Sur, à l'initiative de qqn.* **2.** Droit de soumettre à l'autorité compétente une proposition en vue de la faire adopter. *Le Parlement a l'initiative des lois.* **3.** Qualité d'une personne disposée à entreprendre, à oser. *C'est un poste qui exige de l'initiative. Manque d'initiative.*

initier [inisje] v. tr. ■ conjug. 7. **1.** Admettre (à un état social, à une connaissance réservée) par une série d'épreuves (⇒ **initiation**). *Initier qqn au christianisme.* **2.** Admettre à la connaissance (de choses d'accès difficile, réservées à des privilégiés). *Son père l'a initié aux secrets de la Bourse.* — Être le premier à instruire, à mettre au fait. ⇒ **apprendre, enseigner.** *On l'a initié tout jeune à la musique.* — S'INITIER À : acquérir les premiers éléments (d'un art, d'une science). *S'initier à la musique.* — REM. *Initier* ne signifie pas en français « commencer », « mettre en œuvre » (anglic). ▶ *initié, ée* n. **1.** Personne qui a bénéficié de l'initiation (religieuse, sociale). **2.** Personne qui est dans le secret (d'une entreprise, d'un art). *Une poésie réservée à des initiés.* / contr. **profane** / ⟨ ▶ **initiateur, initiation** ⟩

injecter [ε̃ʒεkte] v. tr. ■ conjug. 1. **1.** Introduire (un liquide en jet, un gaz sous pression) dans un organisme. *On lui a injecté un centigramme de sérum.* **2.** Faire pénétrer (un liquide sous pression) dans un matériau. *Injecter du ciment dans un mur*, pour le consolider. **3.** Apporter (des capitaux) dans un secteur de l'économie pour le relancer. *Injecter de l'argent dans une entreprise.* ▶ *injectable* adj.

■ Qu'on peut ou qu'on doit injecter. *Ampoules injectables* (opposé à *buvables*). ▶ *injecté, ée* adj. ■ (Yeux) *Injecté de sang*, coloré par l'afflux du sang. ▶ *injecteur* n. m. 1. Appareil servant à injecter un liquide dans l'organisme. 2. Dispositif assurant l'alimentation en eau (d'une chaudière), en carburant (d'un moteur). ▶ *injection* [ɛ̃ʒɛksjɔ̃] n. f. 1. Introduction d'un fluide sous pression dans l'organisme. *Poire à injections.* — *Piqûre. Injection intraveineuse.* 2. Pénétration d'un liquide sous pression (dans une substance). — *Moteur à injection*, dont l'alimentation en carburant est assurée par un injecteur. ≠ *injonction.*

injonction [ɛ̃ʒɔ̃ksjɔ̃] n. f. ■ Action d'enjoindre ; ordre. *Se rendre à une injonction.* ≠ *injection.*

injure [ɛ̃ʒyʀ] n. f. 1. Parole offensante. ⇒ *insulte. Il leur adressait des injures, les accablait d'injures. Une bordée d'injures. Des injures grossières.* 2. Littér. Offense grave. ⇒ *affront, outrage.* — Loc. *Faire injure à qqn*, l'offenser. ▶ *injurier* v. tr. ▪ conjug. 7. ■ Dire des injures à (qqn). ⇒ *insulter* ; fam. *engueuler. Il s'est fait copieusement injurier.* ▶ *injurieux, euse* adj. ■ Qui contient des injures, qui constitue une injure. ⇒ *blessant, insultant, offensant. Employer des termes injurieux. Une attitude injurieuse.*

injuste [ɛ̃ʒyst] adj. 1. Qui agit contre la justice ou l'équité. *Vous avez été injuste envers lui.* 2. (Choses) Qui est contraire à la justice. ⇒ *inique. C'est une sentence, une punition injuste.* / contr. *juste* / *Il est injuste de lui en vouloir.* ▶ *injustement* adv. ■ *Être injustement condamné.* ▶ *injustice* n. f. 1. Caractère d'une personne, d'une chose injuste ; manque de justice. ⇒ *iniquité. L'injustice sociale.* — Absolt. *Ce qui est injuste. Se révolter contre l'injustice.* 2. (Une, des injustices) Acte, décision contraire à la justice. *Il est victime d'une terrible injustice.*

injustifiable [ɛ̃ʒystifjabl] adj. ■ Qu'on ne peut justifier. ⇒ *inexcusable. Votre refus est injustifiable.* ▶ *injustifié, ée* adj. ■ Qui n'est pas justifié. *Une réclamation injustifiée.* ⇒ *immotivé.*

inlassable [ɛ̃lɑsabl] adj. ■ Qui ne se lasse pas. ⇒ *infatigable. Il recommence avec une patience inlassable.* ▶ *inlassablement* adv. ■ *Je le lui répète inlassablement.*

inné, ée [i(n)ne] adj. ■ Que l'on a en naissant, dès la naissance (opposé à *acquis*). *C'est un don inné.* ⇒ *naturel.* — *Idées innées* (Descartes), antérieures à toute expérience.

innerver [inɛʀve] v. tr. ▪ conjug. 1. ■ (Tronc nerveux) Fournir de nerfs (un organe). — Au p. p. adj. *Une région du corps peu innervée.* ▶ *innervation* n. f. ■ Distribution des nerfs (dans une région du corps).

innocence [inɔsɑ̃s] n. f. (⇒ *innocent*) 1. Religion. État de l'être qui n'est pas souillé par le mal. ⇒ *pureté. L'innocence de l'homme avant le péché originel.* — État d'une personne qui ignore le mal. ⇒ *candeur, ingénuité. Elle l'a dit en toute innocence.* 2. État d'une personne qui n'est pas coupable (d'une chose particulière). / contr. *culpabilité* / *L'accusé a protesté de son innocence. Son innocence a été reconnue.*

innocent, ente [inɔsɑ̃, ɑ̃t] adj. et n. 1. Religion. Qui n'est pas souillé par le mal. ⇒ *pur.* — Qui ignore le mal. ⇒ *candide. Elle est innocente comme l'enfant qui vient de naître.* 2. Qui est trop naïf. ⇒ *crédule, niais.* — N. *Et tu le crois ? pauvre innocent !* — PROV. *Aux innocents les mains pleines*, les simples sont heureux dans leurs entreprises. 3. Qui n'est pas coupable. *Il est innocent du crime dont on l'accuse.* — N. *On a condamné un innocent.* Loc. *Faire l'innocent*, prendre la contenance de celui qui n'est

pas coupable. 4. Qui n'est pas blâmable. *Des plaisirs bien innocents. Un baiser innocent.* ▶ *innocemment* [inɔsamɑ̃] adv. ■ Avec innocence, sans faire ou sans vouloir faire le mal. *Il avoua tout innocemment.* ▶ *innocenter* v. tr. ▪ conjug. 1. ■ Déclarer innocent, faire reconnaître non coupable. ⇒ *disculper. Cette déclaration du témoin innocente l'accusé.* ⟨ ▶ *innocence* ⟩

innocuité [inɔkɥite] n. f. ■ Didact. Qualité de ce qui n'est pas nuisible. *L'innocuité d'une boisson.* / contr. *nocivité* /

innombrable [i(n)nɔ̃brabl] adj. ■ Extrêmement nombreux. ⇒ *nombreux. Une foule innombrable. Des détails innombrables.*

innommable [i(n)nɔmabl] adj. ■ Trop mauvais, méprisable, trop ignoble pour être désigné ou qualifié. *Des procédés innommables.* — Très mauvais. ⇒ *infect. Une nourriture innommable.*

innover [i(n)nɔve] v. intr. ▪ conjug. 1. ■ Introduire qqch. de nouveau (dans un domaine). *Innover en art, en matière économique.* ▶ *innovation* n. f. ■ Action d'innover ; chose nouvellement introduite. ⇒ *changement, nouveauté. Une innovation en matière de théâtre. Des innovations techniques.*

inoccupé, ée [inɔkype] adj. 1. (Lieux) Où il n'y a personne. *Place inoccupée.* ⇒ *libre. Un appartement inoccupé.* ⇒ *inhabité, vide.* 2. (Personnes) Qui n'a pas d'occupation. ⇒ *désœuvré. Il n'est jamais inoccupé.* ⇒ *oisif.*

in-octavo [inɔktavo] adj. invar. et n. m. invar. ■ (Format) Où la feuille d'impression est pliée en huit feuillets (ou seize pages). — N. m. Livre de ce format. *Des in-octavo.*

inoculer [inɔkyle] v. tr. ▪ conjug. 1. 1. Introduire dans l'organisme (les germes d'une maladie). *Inoculer la variole.* ⇒ *vacciner.* 2. Abstrait. Communiquer, transmettre (une passion, une idée mauvaise, que l'on compare à un virus). *Il lui a inoculé son vice.* ▶ *inoculation* n. f. ■ Action d'inoculer.

inodore [inɔdɔʀ] adj. ■ Qui ne dégage aucune odeur. *Un gaz inodore.* / contr. *odorant* /

inoffensif, ive [inɔfɑ̃sif, iv] adj. ■ Qui est incapable de nuire ; qui ne fait pas de mal à autrui. / contr. *nuisible ; dangereux* / *N'ayez pas peur, ce chien est absolument inoffensif.* — (Choses) *Une plaisanterie inoffensive.* ⇒ *anodin.*

inonder [inɔ̃de] v. tr. ▪ conjug. 1. 1. Couvrir d'eaux qui débordent ou affluent. *Le fleuve a inondé les prés.* 2. Mouiller abondamment. ⇒ *arroser, tremper. Il a inondé la salle de bains. Elle s'est inondé les cheveux d'eau de Cologne.* — *L'averse nous a inondés.* — Au p. p. *Avoir les joues inondées de larmes.* 3. Envahir massivement. *Le marché est inondé de ce genre de produits.* 4. Littér. Abstrait. Submerger, remplir. *La joie l'inondait.* ▶ *inondation* n. f. 1. Débordement d'eaux qui inondent le pays environnant. *Les inondations périodiques du Nil.* 2. Grande quantité d'eau qui se répand. *Il y a une inondation dans la salle de bains.* 3. Fig. Afflux massif. *C'était une inondation de tracts et de brochures de toutes sortes.*

inopérable [inɔpeʀabl] adj. ■ Qui ne peut être opéré. *Malade inopérable.*

inopérant, ante [inɔpeʀɑ̃, ɑ̃t] adj. ■ Qui ne produit aucun effet. ⇒ *inefficace. Des mesures inopérantes.*

inopiné, ée [inɔpine] adj. ■ Qui arrive, se produit alors qu'on ne s'y attendait pas. ⇒ *imprévu, inattendu. Une visite, une inspection inopinée.* ▶ *inopinément* adv. ■ À l'improviste. *Il est arrivé inopinément.*

inopportun, une [inɔpɔʀtœ̃, yn] adj. ■ Qui n'est pas opportun. ⇒ **déplacé, intempestif.** *Une demande inopportune. Le moment est inopportun,* mal choisi. ▶ *inopportunément* adv. ■ Littér. *Il arriva inopportunément en avance.* ▶ *inopportunité* n. f. ■ Littér. Caractère de ce qui est inopportun. *L'inopportunité d'une demande.*

inorganique [inɔʀɡanik] adj. ■ Qui n'est pas constitué en un organisme susceptible de vie. *Substances inorganiques.*

inorganisé, ée [inɔʀɡanize] adj. **1.** Qui n'est pas organisé. *Matière inorganisée.* ⇒ **inorganique.** — *Une œuvre inorganisée.* **2.** Qui n'appartient pas à une organisation syndicale.

inoubliable [inublijabl] adj. ■ Que l'on ne peut oublier (du fait de sa qualité, de son caractère exceptionnel). ⇒ **mémorable.** *Ce fut une journée inoubliable.*

inouï, ïe [inwi] adj. **1.** Littér. Qu'on n'a jamais entendu. *Des accords inouïs.* **2.** Extraordinaire, incroyable. *Avec une violence inouïe.* — Fam. *Vous ne protestez pas ? vous êtes inouï !*

inoxydable [inɔksidabl] adj. ■ Qui ne s'oxyde pas. / contr. **oxydable** / — N. Métal inoxydable. *Des couverts en inoxydable.* ⇒ **inox.** ▶ *inox* [inɔks] adj. invar. et n. m. invar. ■ Abréviation de *inoxydable. Des couteaux inox, en inox.*

in petto [inpe(ɛt)to] loc. adv. ■ Littér. ou plaisant. Intérieurement, à part soi.

inqualifiable [ɛ̃kalifjabl] adj. ■ Qu'on ne peut qualifier (assez sévèrement). ⇒ **indigne.** *Sa conduite est inqualifiable.*

in-quarto [inkwaʀto] adj. invar. et n. m. invar. ■ (Format) Dont la feuille, pliée en quatre feuillets, forme huit pages. — N. m. invar. Livre de ce format. *Des in-quarto.*

inquiet, ète [ɛ̃kjɛ, ɛt] adj. **1.** Qui est agité par la crainte, l'incertitude. ⇒ **anxieux, soucieux, tourmenté.** *Elle est inquiète de votre silence. Je suis inquiet à son sujet. Il est facilement inquiet.* **2.** (Choses) Empreint d'inquiétude. *Une attente inquiète. Un regard, un air inquiet.* ▶ *inquiéter* v. tr. ▪ conjug. 6. **1.** Poursuivre, menacer (qqn) d'une sanction. *La police ne l'a plus inquiété.* **2.** Remplir d'inquiétude, rendre inquiet (qqn). ⇒ **alarmer, tourmenter.** / contr. **rassurer** / *Sa santé m'inquiète. Vous m'inquiétez.* **3.** S'INQUIÉTER v. pron. réfl. : commencer à être inquiet. *Il n'y a pas de quoi s'inquiéter. Je ne m'inquiète pas pour lui,* je ne me fais pas de souci. — *S'inquiéter de,* se préoccuper de. *Jamais il ne s'est inquiété de savoir si j'étais d'accord.* ▶ *inquiétant, ante* adj. ■ Qui inquiète (2). ⇒ **alarmant.** / contr. **rassurant** / *Des nouvelles inquiétantes. L'état du malade est inquiétant. Un personnage inquiétant.* ▶ *inquiétude* n. f. **1.** État pénible déterminé par l'attente d'un événement, d'une souffrance que l'on craint, par l'incertitude où l'on est. ⇒ **appréhension, souci, tourment.** *Je comprends votre inquiétude. Soyez sans inquiétude,* ne vous inquiétez pas. — *J'ai des inquiétudes,* des sujets d'inquiétude. **2.** Littér. Insatisfaction de l'esprit tourmenté. *L'inquiétude métaphysique.*

inquisiteur, trice [ɛ̃kizitœʀ, tʀis] n. m. et adj. **1.** N. m. Juge du tribunal de l'Inquisition. **2.** Adj. Qui interroge indiscrètement, de façon autoritaire. *Un regard inquisiteur.* ▶ *inquisitorial, ale, aux* adj. ■ Qui a rapport à l'Inquisition. *Juges inquisitoriaux.*

inquisition [ɛ̃kizisjɔ̃] n. f. **1.** (Avec une majuscule) *L'Inquisition,* ancienne juridiction ecclésiastique d'exception pour la répression des crimes d'hérésie, des faits de sorcellerie, etc. **2.** Littér. Enquête ou recherche vexatoire et arbitraire. *L'inquisition fiscale.* ‹ ▶ inquisiteur ›

inracontable [ɛ̃ʀakɔ̃tabl] adj. ■ Impossible à raconter. *Un film inracontable.*

insaisissable [ɛ̃sezisabl] adj. **1.** En droit. Qui ne peut faire l'objet d'une saisie. *La partie insaisissable du salaire.* **2.** Qu'on ne peut saisir, attraper. *Un ennemi insaisissable.* **3.** Qui échappe aux sens. *Des nuances insaisissables.* ⇒ **imperceptible.**

insalubre [ɛ̃salybʀ] adj. ■ Qui n'est pas salubre. ⇒ **malsain.** *Un logement insalubre.* ▶ *insalubrité* n. f. ■ Caractère de ce qui est insalubre. *L'insalubrité d'un climat.* / contr. **salubrité** /

insane [ɛ̃san] adj. ■ Littér. Qui est contraire à la saine raison, au bon sens. ⇒ **absurde, inepte, insensé.** *Des projets insanes.* ▶ *insanité* n. f. Littér. **1.** Caractère de ce qui est déraisonnable. *L'insanité de ses remarques.* **2.** (Une, des insanités) Action ou parole absurde, insensée. ⇒ **absurdité, ineptie.** *Un tissu d'insanités.*

insatiable [ɛ̃sasjabl] adj. ■ Qui ne peut être rassasié, satisfait. *Tu en veux encore ? Tu es insatiable. Une avidité, une curiosité insatiable.*

insatisfait, aite [ɛ̃satisfɛ, ɛt] adj. ■ (Personnes) Qui n'est pas satisfait. *Cette expérience l'a laissé insatisfait.* — N. *Un éternel insatisfait.* ⇒ **mécontent.** — (Désir, passion) Qui n'est pas assouvi. ▶ *insatisfaction* [ɛ̃satisfaksjɔ̃] n. f. ■ État de celui, de celle qui n'est pas satisfait(e), n'a pas ce qu'il (elle) souhaite. ⇒ **mécontentement.** *Montrer son insatisfaction.*

inscription [ɛ̃skʀipsjɔ̃] n. f. **1.** Ensemble de caractères écrits ou gravés pour conserver un souvenir, indiquer une destination, etc. ⇒ **épigraphe, graffiti.** *Murs couverts d'inscriptions. Une inscription funéraire.* — Courte indication écrite. *Écriteau portant une inscription.* **2.** Action d'inscrire (qqn, qqch.) sur un registre, une liste ; ce qui est inscrit. ⇒ **immatriculation.** *L'inscription d'un étudiant dans une faculté.* — *Inscription maritime,* enregistrement des navigateurs professionnels. — *Inscription en faux,* procédure qui tend à établir la fausseté d'un écrit.

inscrire [ɛ̃skʀiʀ] v. tr. ▪ conjug. 49. **1.** Écrire, graver (sur la pierre, le marbre, le métal). *Inscrire son nom sur une table.* **2.** Écrire (ce qui ne doit pas être oublié). ⇒ **noter.** *Inscrivez bien la date sur votre carnet.* — Pronominalement (réfl.). *S'inscrire,* inscrire ou faire inscrire son nom. *Je me suis inscrit au club.* — Au p. p. adj. *Les personnes inscrites.* N. *Les inscrits.* — LOC. S'INSCRIRE EN FAUX : recourir à la procédure d'inscription en faux. *S'inscrire en faux contre qqch.,* y opposer un démenti. **3.** Tracer dans l'intérieur d'une figure (une autre figure). *Inscrire un triangle dans un cercle.* — Au p. p. adj. *Angle inscrit,* dont le sommet se trouve sur une circonférence. — Pronominalement. *S'inscrire. Ce projet s'inscrit dans un plan de réformes.* ‹ ▶ inscription ›

insécable [ɛ̃sekabl] adj. ■ Littér. Qui ne peut être coupé, divisé.

insecte [ɛ̃sɛkt] n. m. ■ Petit animal invertébré articulé (Arthropodes), à six pattes, le plus souvent ailé, respirant par des trachées et subissant des métamorphoses (ex. : *papillon*). ⇒ **entomologie.** ▶ *insecticide* adj. et n. m. ■ Qui tue, détruit les insectes. *Poudre insecticide.* — N. m. *Un insecticide.* ▶ *insectivore* adj. ■ Qui se nourrit d'insectes. *Oiseaux insectivores ;* n. *les insectivores.*

insécurité [ɛ̃sekyʀite] n. f. ■ Manque de sécurité. *Vivre dans l'insécurité.* — *L'insécurité d'une région.*

insémination [ɛ̃seminasjɔ̃] n. f. ■ *Insémination artificielle*, introduction de sperme dans les voies génitales femelles sans qu'il y ait accouplement.

insensé, ée [ɛ̃sɑ̃se] adj. **1.** Vx. Fou. — N. *Un pauvre insensé.* **2.** Contraire au bon sens. ⇒ **absurde, déraisonnable, extravagant.** *Des projets, des désirs insensés. C'est insensé.* **3.** Incroyablement grand. *Il a une chance insensée.* ⇒ **inouï** (2).

① *insensible* [ɛ̃sɑ̃sibl] adj. **1.** Qui n'a pas de sensibilité physique. *Le nerf est devenu insensible. Être insensible au froid.* **2.** Qui n'a pas de sensibilité morale ; qui n'a pas ou a peu d'émotions. ⇒ **froid, impassible, indifférent ; insensibilité.** *Il est resté insensible à nos prières. Un homme insensible à la poésie.* ▶ *insensibiliser* v. tr. ■ conjug. 1. ■ Rendre insensible (1). ⇒ **anesthésier.** *Extraire une dent après avoir insensibilisé la mâchoire.* ▶ *insensibilisation* n. f. ■ Action d'insensibiliser ; résultat de cette action. *L'insensibilisation d'une dent.* ⇒ **anesthésie.** ▶ *insensibilité* n. f. **1.** Absence de sensibilité physique. *Insensibilité à la douleur.* **2.** Absence de sensibilité morale, de sympathie. *Son insensibilité aux malheurs d'autrui.* ⇒ **indifférence.** *Insensibilité aux reproches.*

② *insensible* adj. **1.** Qu'on ne sent pas, qui est à peine sensible. ⇒ **imperceptible.** *La force insensible du courant.* **2.** Graduel, progressif. *Une pente insensible.* ▶ *insensiblement* adv. ■ D'une manière insensible, graduelle.

inséparable [ɛ̃separabl] adj. **1.** (Choses abstraites) Que l'on ne peut séparer. ⇒ **joint ; inhérent.** — *Inséparable de...*, qui doit être considéré avec. *Théorie inséparable des applications pratiques.* **2.** (Personnes) Qui est toujours avec (qqn) ; qui sont toujours ensemble. *Deux amis inséparables. Don Quichotte et son inséparable Sancho.* ▶ *inséparablement* adv. ■ *Ils sont inséparablement unis.*

insérer [ɛ̃seʀe] v. tr. ■ conjug. 6. **1.** Introduire (une chose) dans une autre de façon à incorporer. *Insérer une feuille dans un livre.* **2.** Faire entrer (un texte) dans. *Le communiqué qui a été inséré dans le journal* (⇒ **insertion**). **3.** S'INSÉRER v. pron. : s'attacher à, sur. *Les muscles s'insèrent sur les os.*

insermenté [ɛ̃seʀmɑ̃te] adj. m. ■ Histoire. Se dit des prêtres qui refusèrent de prêter serment lorsque la Constitution civile du clergé fut proclamée en 1790 (opposé à *assermenté*).

insertion [ɛ̃seʀsjɔ̃] n. f. **1.** Action d'insérer ; son résultat. *Insertion d'une greffe sous l'écorce.* — Introduction d'un élément supplémentaire (dans un texte). *L'insertion d'une annonce dans un journal. Insertion légale*, publication dans les journaux prescrite par la loi ou par un jugement. **2.** Mode d'attache (des muscles, etc.). **3.** Intégration sociale. *L'insertion des immigrés.*

insidieux, euse [ɛ̃sidjø, øz] adj. ■ Qui a le caractère d'un piège. ⇒ **trompeur.** *Une question insidieuse.* — (Maladie) Dont l'apparence bénigne masque au début la gravité réelle. ▶ *insidieusement* adv. ■ Littér. *Il le questionnait insidieusement.*

① *insigne* [ɛ̃siɲ] adj. ■ Littér. Qui s'impose ou qui est digne de s'imposer à l'attention. ⇒ **remarquable.** *C'est une faveur insigne.* — Iron. *Une insigne maladresse.*

② *insigne* [ɛ̃siɲ] n. m. **1.** Marque extérieure et distinctive d'une dignité, d'un grade. ⇒ **emblème, marque, signe, symbole.** *Un insigne honorifique.* **2.** Signe distinctif des membres (d'un groupe, d'un groupement). *Il arbore l'insigne de son association sportive.* ⇒ **badge.**

insignifiant, ante [ɛ̃siɲifjɑ̃, ɑ̃t] adj. **1.** Qui ne présente aucun intérêt, manque de personnalité. ⇒ **effacé, quelconque, terne.** / contr. **remarquable** / *C'est un type insignifiant.* **2.** (Choses) Qui n'est pas important. *Des détails insignifiants.* ⇒ **minime.** *Pour une somme insignifiante.* ⇒ **infime.** *C'est un bobo insignifiant. Un cadeau insignifiant*, de faible prix. ▶ *insignifiance* n. f. ■ Caractère de ce qui est insignifiant. *Une conversation d'une grande insignifiance.*

① *insinuer* [ɛ̃sinɥe] v. tr. ■ conjug. 1. ■ Donner à entendre (qqch.) sans dire expressément (surtout avec un mauvais dessein). *Qu'est-ce que vous insinuez ? Il a osé insinuer qu'on nous payait pour cela.* ▶ *insinuation* n. f. ■ Ce que l'on fait comprendre sans le dire, sans l'affirmer. ⇒ **allusion, sous-entendu.** *Des insinuations perfides.*

② *s'insinuer* v. pron. ■ conjug. 1. ■ Vx. Se glisser, pénétrer. *L'eau s'insinue dans le sol.* — S'introduire habilement, se faire admettre quelque part, auprès de qqn. *Intrigant qui s'insinue partout.* ▶ *insinuant, ante* adj. ■ Qui s'insinue auprès des gens ; propre à une personne qui s'insinue. *Des façons insinuantes.*

insipide [ɛ̃sipid] adj. **1.** Qui n'a aucune saveur, aucun goût. / contr. **savoureux** / *Un breuvage insipide.* **2.** Qui manque d'agrément, d'intérêt. *Je trouve cette comédie insipide.* ⇒ **ennuyeux, fade, fastidieux.** ▶ *insipidité* n. f. ■ Caractère de ce qui est insipide. *L'insipidité d'un plat.* / contr. **saveur** / — Fig. *L'insipidité d'un spectacle.*

insister [ɛ̃siste] v. intr. ■ conjug. 1. **1.** S'arrêter avec force sur un point particulier ; mettre l'accent sur. *Il insistait sur un sujet qui lui tenait à cœur.* — Sans compl. *J'ai compris, inutile d'insister.* **2.** Persévérer à demander (qqch.). *Il a insisté pour venir vous voir.* — Sans compl. *S'il refuse, n'insistez pas.* **3.** Fam. Persévérer dans son effort. *Il s'est vu battu et n'a pas insisté.* ▶ *insistance* n. f. ■ Action d'insister. *Réclamer avec insistance, avec une insistance déplacée. Regarder qqn avec insistance.* ▶ *insistant, ante* adj. ■ Qui insiste, marque de l'insistance. *Des regards insistants*, indiscrets.

insociable [ɛ̃sɔsjabl] adj. ■ Littér. (Personnes) Qui n'est pas sociable. *Quel homme insociable, c'est un ours !* ≠ asocial.

insolation [ɛ̃sɔlasjɔ̃] n. f. **1.** Exposition au soleil, à la lumière solaire. — Ensoleillement. *L'insolation faible des mois d'hiver.* **2.** Troubles provoqués par l'exposition prolongée au soleil. *Il a attrapé une insolation.* ≠ coup de soleil.

insolence [ɛ̃sɔlɑ̃s] n. f. **1.** Manque de respect qui a un caractère injurieux (de la part d'un inférieur ou d'une personne jugée telle). — *(Une, des insolences)* Parole insolente. ⇒ **impertinence.** *Quelle insolence ! Je ne supporterai pas plus longtemps vos insolences.* **2.** Orgueil offensant (pour des inférieurs ou des personnes traitées comme telles). ⇒ **arrogance, morgue.** *Une insolence de parvenu.*

insolent, ente [ɛ̃sɔlɑ̃, ɑ̃t] adj. **1.** Dont le manque de respect est offensant. ⇒ **impertinent, impoli.** *Un enfant insolent, qui répond sur un ton insolent.* — N. *Un insolent.* **2.** Qui blesse par son orgueil outrageant. ⇒ **arrogant.** *Un vainqueur insolent.* **3.** Qui, par son caractère extraordinaire, apparaît comme un défi, une provocation envers une condition commune. *Une beauté insolente. Il a une veine insolente.* ⇒ **indécent** (3). ▶ *insolemment* adv. ■ *Parler insolemment.* ⟨ ▶ insolence ⟩

insolite [ɛ̃sɔlit] adj. ■ Qui étonne, surprend par son caractère inaccoutumé. ⇒ **anormal, bizarre, étrange, inhabituel.** *Une apparence insolite. Une visite insolite.* — N. m. *Un artiste qui recherche l'insolite.*

insoluble [ɛ̃sɔlybl] adj. **1.** Qu'on ne peut résoudre. *Un problème insoluble.* **2.** Qui ne peut se dissoudre. *Substance insoluble dans l'eau.*

insolvable [ɛ̃sɔlvabl] adj. ■ Qui est hors d'état de payer ses dettes.

insomnie [ɛ̃sɔmni] n. f. ■ Absence anormale de sommeil. *Remède contre l'insomnie.* ⇒ **somnifère.** *Avoir des insomnies.* ▶ *insomniaque* adj. et n. ■ Qui souffre d'insomnie. *Un vieillard insomniaque. — Un, une insomniaque.*

insondable [ɛ̃sɔ̃dabl] adj. **1.** Qui ne peut être sondé, dont on ne peut atteindre le fond. *Un gouffre insondable.* **2.** Abstrait. Qu'il est difficile ou impossible d'expliquer. *Un mystère insondable.* **3.** Péj. Immense. *Une insondable bêtise.*

insonore [ɛ̃sɔnɔR] adj. ■ Qui amortit les sons. *Le liège est un matériau insonore.* ▶ *insonoriser* v. tr. . conjug. 1. ■ Rendre moins sonore, plus silencieux en isolant. *Insonoriser une pièce. — Au p. p. adj. Studio insonorisé.* ▶ *insonorisation* n. f. ■ Fait d'insonoriser ; son résultat. *Techniques d'insonorisation.*

insouciant, ante [ɛ̃susjɑ̃, ɑ̃t] adj. **1.** INSOUCIANT DE : qui ne se soucie pas de (qqch.). ⇒ **indifférent.** *Il s'exposait, insouciant du danger.* **2.** Qui ne se préoccupe de rien, vit sans souci. *Ils sont gais et insouciants. /* contr. **soucieux /** ▶ *insouciance* n. f. ■ État ou caractère d'une personne insouciante. *Il a échoué par insouciance. Avoir un geste d'insouciance.*

insoucieux, euse [ɛ̃susjø, øz] adj. ■ Littér. Insouciant. *Une vie insoucieuse. Être insoucieux de l'heure.*

insoumis, ise [ɛ̃sumi, iz] adj. et n. m. **1.** Qui n'est pas soumis, refuse de se soumettre. ⇒ **rebelle, révolté.** *Les tribus insoumises.* **2.** *Soldat insoumis* et, n. m., *un insoumis,* militaire qui ne s'est pas rendu là où il devait dans les délais prévus. ⇒ **déserteur, réfractaire.** ▶ *insoumission* n. f. **1.** Caractère, état d'une personne insoumise. ⇒ **désobéissance, révolte.** *Un acte d'insoumission.* **2.** Délit du militaire insoumis. ⇒ **désertion.**

insoupçonnable [ɛ̃supsɔnabl] adj. ■ Qui est à l'abri de tout soupçon. *Il est d'une honnêteté insoupçonnable.* ▶ *insoupçonné, ée* adj. ■ Dont l'existence n'est pas soupçonnée. *Un domaine nouveau, aux richesses insoupçonnées.* ⇒ **inconnu.**

insoutenable [ɛ̃sutnabl] adj. **1.** Qu'on ne peut soutenir, défendre. ⇒ **indéfendable.** *Une théorie insoutenable.* **2.** Qu'on ne peut supporter. *Un film d'une violence insoutenable.* ⇒ **insupportable.**

inspecter [ɛ̃spɛkte] v. tr. . conjug. 1. **1.** Examiner (ce dont on a la surveillance). ⇒ **contrôler, surveiller.** *Il devait inspecter les travaux.* ⇒ **inspecteur. 2.** Examiner avec attention. *L'étranger se sentait inspecté des pieds à la tête. Inspecter un lieu.* ▶ *inspecteur, trice* n. ■ Personne qui est chargée de surveiller un travail, de contrôler le fonctionnement d'un service, de veiller à l'application de règlements. ⇒ **contrôleur.** *Inspecteur du travail. Inspecteur, inspectrice de l'enseignement primaire, secondaire. Inspecteur d'académie,* directeur de l'enseignement dans une académie. — INSPECTEUR DES FINANCES : membre de l'inspection générale des Finances, un des grands corps de l'État. — INSPECTEUR (DE POLICE) : agent sans uniforme attaché à un commissariat, une préfecture de police. — REM. Pour ces emplois, les femmes sont souvent nommées *inspecteur,* et non *inspectrice* (sauf au Québec). ▶ *inspection* [ɛ̃spɛksjɔ̃] n. f. **1.** Examen attentif dans un but de contrôle, de surveillance, de vérification ; travail, fonction d'inspecteur. *Faire une* inspection, une tournée d'inspection. Un rapport d'inspection. **2.** Ensemble des inspecteurs(trices) d'une administration ; le service qui les emploie. *Entrer à l'inspection des Finances.*

① *inspirer* [ɛ̃spiRe] v. tr. . conjug. 1. **1.** Animer d'un souffle divin. *Dieu inspira les prophètes.* **2.** Donner l'inspiration à (qqn), déterminer le souffle créateur (dans l'art, les activités intellectuelles). *Les événements, les paysages qui ont inspiré l'artiste. —* Fam. *Ça ne m'inspire pas,* ça ne me dit rien. **3.** Faire naître (un sentiment, une idée). *Cela lui inspirer des regrets, de bonnes résolutions. Voilà ce qui a inspiré ma conduite.* ⇒ **commander.** — Être la cause de (un sentiment) chez qqn. ⇒ **donner.** *Il ne m'inspire pas confiance. Sa santé nous inspire de vives inquiétudes.* **4.** S'INSPIRER v. pron. : (art, recherche) prendre, emprunter des idées, des éléments à. *Le romancier s'est inspiré d'une légende populaire.* ▶ *inspirateur, trice* n. **1.** N. Personne qui inspire, anime (une personne, une entreprise). *Il est l'inspirateur de ce mouvement.* **2.** N. f. Femme qui inspire un artiste. ⇒ **muse.** ▶ ① *inspiration* n. f. **1.** Sorte de souffle émanant d'un être surnaturel, qui apporterait aux hommes des révélations. *L'inspiration du Saint-Esprit.* **2.** Souffle créateur qui anime les artistes, les chercheurs. *L'inspiration poétique. Attendre l'inspiration.* **3.** Action d'inspirer, de conseiller qqch. à qqn ; résultat de cette action. ⇒ **influence, instigation. 4.** (Œuvre, art) D'INSPIRATION (+ adjectif) : fait de s'inspirer de (une œuvre du passé). *Une musique d'inspiration romantique.* **5.** Idée, résolution spontanée, soudaine. *Il a eu une heureuse inspiration.* ▶ *inspiré, ée* adj. **1.** Animé par un souffle créateur. *Livres inspirés. Un poète inspiré.* **2.** Bien, mal inspiré, qui a une bonne, une mauvaise idée (pour agir). *Il a été bien inspiré de vendre avant la crise.* **3.** INSPIRÉ DE. *Mode inspirée du passé.*

② *inspirer* v. intr. . conjug. 1. ■ Faire entrer l'air dans ses poumons. ⇒ **aspirer.** / contr. **expirer /** ▶ ② *inspiration* n. f. ■ Aspiration d'air.

instable [ɛ̃stabl] adj. **1.** Mal équilibré. ⇒ **branlant.** *Cette chaise est instable.* **2.** (Combinaison chimique) Qui se décompose facilement en ses éléments. **3.** Qui se déplace, n'est pas stable en un lieu. *Une population instable.* ⇒ **nomade. 4.** Qui n'est pas fixe, durable. ⇒ **fragile, précaire.** *La paix est encore bien instable. Temps instable.* ⇒ **variable. 5.** (Personnes) Qui change constamment d'état affectif, de comportement. ⇒ **changeant.** — N. *Cet enfant est un instable.* ▶ *instabilité* n. f. **1.** État de ce qui est instable (1, 2). *L'instabilité d'un meuble. /* contr. **stabilité / 2.** Caractère de ce qui change de place. ⇒ **mobilité.** — Caractère de ce qui n'est pas fixe. ⇒ **fragilité, précarité.** *L'instabilité des opinions. L'instabilité des prix.*

installer [ɛ̃stale] v. tr. . conjug. 1. **I. 1.** Mettre (qqn) dans la demeure, dans l'endroit qui lui était destiné. *Nous l'avons installé dans son nouveau logement.* — Placer ou loger d'une façon déterminée. *Installez le malade dans son lit. Installez-le dans un fauteuil.* **2.** Disposer, établir (qqch.) dans un lieu désigné ou selon un ordre. ⇒ **mettre, placer.** *Le téléphone n'est pas encore installé.* — Aménager (un appartement, une pièce). *Il a fini d'installer sa chambre.* — Au p. p. *C'est bien installé, ici.* **II.** S'INSTALLER v. pron. **1.** Se mettre, se loger à une place déterminée ou d'une façon déterminée. *Ils vont s'installer d'abord chez les beaux-parents.* **2.** S'établir de façon durable. *Les nations s'installaient dans la guerre.* ▶ *installateur, trice* n. ■ Personne (commerçant, artisan) qui s'occupe d'installations. *Installateur de chauffage.* ▶ *installation* n. f.

1. Action de s'installer dans un logement. *Il a fêté son installation* (→ Pendre la crémaillère*). — Manière dont on est installé. **2.** Action d'installer (qqch.). ⇒ **aménagement.** *S'occuper de l'installation de l'électricité dans un immeuble.* **3.** *(Une, des installations)* Ensemble des objets, dispositifs, bâtiments, etc., installés en vue d'un usage déterminé. ⇒ **équipement.** *Les installations sanitaires.* ‹ ► réinstaller ›

instamment [ɛ̃stamɑ̃] adv. ■ D'une manière instante ①, avec force. *Je vous prie, je vous demande instamment de...*

instance [ɛ̃stɑ̃s] n. f. **1.** Poursuite en justice. *Introduire une instance.* — *Affaire en instance,* en cours. — Loc. EN INSTANCE : en attente. *Courrier en instance. Convoi en instance de départ,* sur le point de départ. — *Première instance,* premier degré dans la hiérarchie des juridictions. *Tribunal de première instance.* **2.** Juridiction. *L'instance supérieure.* — Autorité, corps constitué qui détient un pouvoir de décision. *Les instances internationales.*

instances n. f. pl. ■ Littér. Sollicitations pressantes. *Il a finalement accepté, sur les instances de ses amis.* ► ① *instant, ante* adj. ■ Littér. Très pressant. *Une prière instante.* ‹ ► instamment ›

② *instant* [ɛ̃stɑ̃] n. m. ■ Durée très courte que la conscience saisit comme un tout. ⇒ **moment.** *Attendre l'instant propice. Jouir de l'instant présent. À l'instant de partir,* à l'instant où il allait partir. — *Un instant,* un temps très court. *Attendez un instant.* Ellipt. *Un instant ! ne soyez pas pressé...* — EN UN INSTANT loc. adv. : rapidement, très vite. — DANS UN INSTANT : bientôt. *Je reviens dans un instant.* — À L'INSTANT : tout de suite. ⇒ **aussitôt.** — À CHAQUE, À TOUT INSTANT : très souvent. ⇒ **continuellement.** *Il changeait d'idée à chaque instant.* — POUR L'INSTANT : pour le moment. *Pour l'instant, nous restons avec vous.* — PAR INSTANTS : par moments, de temps en temps. — DE TOUS LES INSTANTS : constant, perpétuel. *Une attention de tous les instants.* DÈS L'INSTANT OÙ..., QUE... loc. conj. : dès que, puisque. ► *instantané, ée* adj. **1.** Qui se produit en un instant, soudainement. ⇒ **immédiat, subit.** *La mort fut instantanée.* **2.** *Photographie instantanée,* obtenue par une exposition de très courte durée. — N. m. *Prendre un instantané* (opposé à *pose*). **3.** Qui se dissout instantanément. *Café, cacao instantané.* ► *instantanément* adv. ■ Tout de suite, aussitôt. *Il s'est arrêté instantanément.*

à l'instar de [alɛ̃stardǝ] loc. prép. ■ Littér. À l'exemple, à la manière de. *À l'instar de son frère, il jouait de la guitare.*

instaurer [ɛ̃stɔʀe] v. tr. ▪ conjug. 1. ■ Établir pour la première fois. ⇒ **fonder, instituer.** *La révolution qui instaura la république.* — Pronominalement (réfl.). Se mettre en place. *De nouvelles habitudes s'instaurent.* ► *instauration* n. f. ■ Littér. Action d'instaurer. *L'instauration d'une mode.*

instigateur, trice [ɛ̃stigatœʀ, tʀis] n. ■ Personne qui incite, qui pousse à faire qqch. *Les principaux instigateurs du mouvement.* ► *instigation* n. f. ■ En loc. Action de pousser qqn à faire qqch. ⇒ **incitation.** *À, sous l'instigation de qqn,* sous son influence, sur ses conseils. *Nous avons agi à son instigation.*

instiller [ɛ̃stije] v. tr. ▪ conjug. 1. ■ Verser goutte à goutte. *Un collyre à instiller dans l'œil.* ► *instillation* n. f. ■ Action d'instiller. *Seringue à instillations.*

instinct [ɛ̃stɛ̃] n. m. **1.** Tendance innée et puissante, commune à tous les êtres vivants ou à tous les individus d'une même espèce. *L'instinct de conserva-*

tion. *L'instinct sexuel ; maternel.* **2.** Tendance innée à des actes déterminés, exécutés parfaitement sans expérience préalable. *L'instinct des animaux et l'intelligence humaine.* **3.** (Chez l'homme) L'intuition, le sentiment (opposé à *raison*). *Se fier à son instinct.* — D'INSTINCT loc. adv. : d'une manière naturelle et spontanée. *Il a fait cela d'instinct.* — Faculté naturelle de sentir, de deviner. *Un secret instinct l'avertissait.* — Don, disposition naturelle. *Elle a l'instinct du commerce.* **4.** Tendance innée et irréfléchie propre à un individu. *Céder à ses instincts.* ► *instinctif, ive* [ɛ̃stɛ̃ktif, iv] adj. **1.** Qui naît d'un instinct, de l'instinct. ⇒ **irréfléchi, spontané.** *Une antipathie instinctive. C'est instinctif !,* c'est une chose qu'on fait, qu'on sent d'instinct. *Un geste instinctif.* **2.** (Personnes) En qui domine l'impulsion, la spontanéité de l'instinct. *Un être instinctif.* ► *instinctivement* [ɛ̃stɛ̃ktivmɑ̃] adv. ■ Par l'instinct, spontanément. *Il évita instinctivement le coup.*

instituer [ɛ̃stitɥe] v. tr. ▪ conjug. 1. **1.** *Instituer qqn,* établir officiellement en fonction (un dignitaire ecclésiastique). *Instituer héritier qqn,* nommer héritier par testament. ⇒ **constituer. 2.** *Instituer qqch.,* établir de manière durable. *Instituer une exposition annuelle.* — Au p. p. *Le régime institué par la Vᵉ République.* ⇒ **créer, fonder, instaurer ;** ① **institution.** — Pronominalement. *De bonnes relations se sont instituées entre ces deux pays.* ‹ ► ① institution ›

institut [ɛ̃stity] n. m. **1.** Titre donné à certains corps constitués de savants, d'artistes, d'écrivains. *Des instituts de recherche scientifique. L'Institut (de France),* comprenant les cinq Académies. — Nom donné à des établissements de recherche, d'enseignement. *L'Institut national agronomique.* **2.** Établissement où l'on donne des soins *(un institut de beauté),* des cours. ⇒ ② **institution.**

instituteur, trice [ɛ̃stitytœʀ, tʀis] n. ■ Personne qui enseigne dans une école primaire. ⇒ **maître, maîtresse.** *L'institutrice communale.* — Abrév. fam. UN(E), DES INSTITS [ɛ̃stit]. *Le nouvel instit. Elles sont instits.*

① *institution* [ɛ̃stitysjɔ̃] n. f. **1.** Action d'instituer. ⇒ **création, établissement.** *L'institution des jeux Olympiques.* **2.** La chose instituée (personne morale, groupement, régime). *Les institutions nationales, internationales.* — *Les institutions,* l'ensemble des formes ou organisations sociales établies par la loi ou la coutume. ⇒ **constitution, régime.** *La réforme des institutions. Défendre les institutions.* **3.** Iron. Se dit de qqch. qui est entré dans les mœurs, se pratique couramment. *Dans ce pays, la mendicité est devenue une véritable institution.* ► *institutionnaliser* v. tr. ▪ conjug. 1. ■ Donner à (qqch.) le caractère officiel d'une institution. *Institutionnaliser le dialogue entre les chefs d'entreprise et les syndicats.* ► *institutionnalisation* n. f. ■ Le fait d'institutionnaliser. *L'institutionnalisation de l'aide aux pays pauvres.* ► *institutionnel, elle* adj. ■ Relatif aux institutions. *Acquérir un statut institutionnel.*

② *institution* n. f. **1.** Vx. Éducation, instruction. **2.** Établissement privé d'éducation et d'instruction. ⇒ **institut** (2). *Il est professeur dans une institution privée.*

instructeur [ɛ̃stʀyktœʀ] n. m. et adj. ■ Celui qui est chargé de l'instruction des recrues. — Adj. *Sergent instructeur.*

instructif, ive [ɛ̃stʀyktif, iv] adj. ■ (Choses) Qui instruit. *Une lecture, une conversation instructive.*

instruction [ɛ̃stʀyksjɔ̃] n. f. **I. 1.** Action d'enrichir et de former l'esprit (de la jeunesse). ⇒ **enseignement, pédagogie.** *Une instruction complète. L'instruc-*

tion publique, dispensée par l'État (en France). — Dans un domaine précis. *Instruction civique.* **2.** Savoir d'une personne instruite. ⇒ **connaissance(s), culture.** *Avoir de l'instruction, peu d'instruction. Un homme sans instruction.* **II. 1.** Vx. Leçon, précepte. — Enseignement (dans des expressions). *Manuel d'instruction civique. L'instruction des jeunes recrues* (⇒ **instructeur**). **2.** INSTRUCTIONS : explications à l'usage de la personne chargée d'une entreprise ou mission. ⇒ **consigne, directive, ordre.** *Donnez-lui vos instructions. Conformément aux instructions reçues.* — Ordre de service émanant d'une autorité supérieure. *Le diplomate attendait des instructions.* — Mode d'emploi d'un produit. *Se conformer aux instructions ci-jointes.* **3.** Document écrit émanant d'un chef à l'usage de ses services. *Instruction n°... en date du...* **4.** En informatique. Consigne exprimée dans un langage de programmation. *Instructions de traitement.* **III.** Action d'instruire (III) une cause. ⇒ **information.** *Juge d'instruction. Code d'instruction criminelle.*

instruire [ɛ̃stʀɥiʀ] v. tr. — conjug. 38. — REM. Part. passé *instruit(e)*. **I. 1.** Littér. Mettre en possession de connaissances nouvelles, éclairer. *Instruire ses enfants par l'exemple.* — Au p. p. *Instruit par l'expérience, il est devenu méfiant.* **2.** Dispenser un enseignement à (un élève). ⇒ **éduquer, former.** *Instruire un élève, en sciences, sur un sujet.* — *Instruire de jeunes soldats, leur apprendre le maniement des armes.* **3.** Littér. INSTRUIRE *qqn* DE : le mettre au courant, l'informer de (qqch.). *Instruisez-moi de ce qui s'est passé.* **II.** S'INSTRUIRE : enrichir ses connaissances ou son expérience. ⇒ **apprendre.** *On s'instruit à tout âge, on a toujours qqch. à apprendre.* **III.** Mettre (une cause) en état d'être jugée. *Le juge chargé d'instruire l'affaire.* ▶ *instruit, ite* adj. ■ Qui a des connaissances étendues dénotant une solide instruction. *Un homme très instruit.* ⇒ **cultivé, érudit, savant.** ⟨ ▶ instructeur, instructif, instruction ⟩

① *instrument* [ɛ̃stʀymɑ̃] n. m. **I.** Objet fabriqué servant à exécuter qqch., à faire une opération. ⇒ **appareil, machine, outil.** *Instruments de mesure* ⇒ **-mètre,** *d'observation* ⇒ **-scope,** *enregistreurs* ⇒ **-graphe.** — *Instrument tranchant,* couteau, hache, etc. **II.** Littér. Fig. Personne ou chose servant à obtenir un résultat. *L'instrument de sa réussite. Il considère ses employés comme des instruments.*

② *instrument* de musique n. m. ■ Objet fabriqué servant à jouer de la musique. — Ellipt. *Jouer d'un instrument. Instrument à cordes, à vent. Les instruments de l'orchestre.* ▶ *instrumental, ale, aux* adj. ■ Qui s'exécute avec des instruments. *Musique instrumentale* (opposé à *musique vocale*). *Ensemble instrumental,* composé d'instruments. ▶ *instrumentation* n. f. ■ Connaissance des instruments ; application de leurs qualités propres à l'écriture musicale. *Instrumentation orchestrale.* ⇒ **orchestration.** ▶ *instrumentiste* n. ■ Musicien qui joue d'un instrument. *Une instrumentiste soliste.*

instrumentalisme [ɛ̃stʀymɑ̃talism] n. m. ■ Philosophie. Doctrine pragmatique suivant laquelle toute théorie est un outil, un instrument pour l'action.

instrumenter [ɛ̃stʀymɑ̃te] v. intr. ■ conjug. 1. ■ En droit. Dresser (un contrat, un exploit, un procès-verbal).

à l'insu de [alɛ̃syde] loc. prép. ■ Sans que la chose soit sue de (qqn). / contr. au **su** de / *À l'insu de sa famille. À mon insu.* — Sans en avoir conscience. *Tu t'es trahi à ton insu, sans t'en rendre compte.*

insubmersible [ɛ̃sybmɛʀsibl] adj. ■ Qui ne peut être submergé, coulé. *Canot insubmersible.*

insubordonné, ée [ɛ̃sybɔʀdɔne] adj. ■ Qui refuse de se soumettre. ⇒ **désobéissant, indiscipliné.** *Troupes insubordonnées.* ▶ *insubordination* n. f. ■ Refus de se soumettre. *Esprit d'insubordination.* ⇒ **désobéissance, indiscipline.** — Refus d'obéissance d'un militaire aux ordres d'un supérieur.

insuccès [ɛ̃syksɛ] n. m. invar. ■ Le fait de ne pas réussir. ⇒ **échec.** / contr. **succès** / *Reconnaître son insuccès. Un projet voué à l'insuccès.*

insuffisant, ante [ɛ̃syfizɑ̃, ɑ̃t] adj. **1.** Qui ne suffit pas. *En quantité insuffisante. Des connaissances insuffisantes. Une lumière insuffisante,* trop faible. **2.** (Personnes) Qui manque de dons, est inférieur à sa tâche. ⇒ **inapte, inférieur.** ▶ *insuffisamment* adv. ■ *Il travaille insuffisamment.* ▶ *insuffisance* n. f. **1.** Caractère, état de ce qui ne suffit pas. ⇒ **manque.** / contr. **abondance** / *Par insuffisance de moyens. L'insuffisance de nos ressources.* **2.** Au plur. Défaut, lacune. *Un travail qui révèle de graves insuffisances.* **3.** Déficience (d'un organe). *Insuffisance hépatique.*

insuffler [ɛ̃syfle] v. tr. ■ conjug. 1. **1.** Littér. Faire pénétrer par le souffle. *Dieu insuffla la vie à sa créature.* — Inspirer (un sentiment). **2.** Faire pénétrer (de l'air, un gaz) dans les poumons, une cavité de l'organisme. *Insuffler de l'oxygène à un asphyxié.* ▶ *insufflation* n. f. ■ En médecine. Action d'insuffler (2), en particulier de l'azote dans la plèvre.

insulaire [ɛ̃sylɛʀ] adj. ■ Qui habite une île, appartient à une île. *Des traditions insulaires.* — N. *Les insulaires.* ⇒ **îlien.** / contr. **continental** / ▶ *insularité* n. f. ■ Caractère de ce qui forme une ou des îles. *L'insularité de l'Irlande.* — Caractère de ce qui est insulaire. ⟨ ▶ péninsule ⟩

insuline [ɛ̃sylin] n. f. ■ Hormone sécrétée par le pancréas. *Des injections d'insuline* (traitement du diabète).

insulte [ɛ̃sylt] n. f. **1.** Acte ou parole qui vise à outrager ou constitue un outrage. ⇒ **injure.** *Adresser, dire, crier des insultes à qqn.* **2.** Atteinte, offense. *C'est une insulte à notre chagrin.* ▶ *insulter* v. tr. ■ conjug. 1. **1.** Attaquer (qqn) par des propos ou des actes outrageants. ⇒ **injurier, offenser.** *Je ne me laisserai pas insulter.* **2.** V. tr. ind. Littér. INSULTER À : constituer une atteinte, un défi à. *Leur luxe insulte à notre misère.* ▶ *insultant, ante* adj. ■ Qui insulte, constitue une insulte. ⇒ **injurieux, offensant, outrageant.** *Des propos insultants. Un air insultant.*

insupportable [ɛ̃sypɔʀtabl] adj. **1.** Qu'on ne peut supporter, endurer. *Une douleur insupportable.* ⇒ **intolérable.** / contr. **supportable** / — Extrêmement désagréable. *Ce vacarme est insupportable. Cela m'est insupportable.* **2.** (Personnes) Particulièrement désagréable ou agaçant. ⇒ **infernal, odieux.** *Ce gosse est insupportable.* ⇒ **intenable.** *Il est d'une humeur insupportable.*

s'insurger [ɛ̃syʀʒe] v. pron. ■ conjug. 3. **1.** Se soulever (contre l'autorité). ⇒ **se révolter ; insurrection.** *La population s'est insurgée contre le gouvernement militaire.* **2.** Protester vivement. *Je m'insurge contre cette interprétation, contre ces prétentions.* ▶ *insurgé, ée* adj. et n. ■ Qui s'est insurgé, soulevé. *Les populations insurgées.* — N. *Les insurgés.*

insurmontable [ɛ̃syʀmɔ̃tabl] adj. **1.** Qu'on ne peut surmonter. *Un obstacle insurmontable.* ⇒ **infranchissable.** **2.** (Sentiments) Qu'on ne peut dominer, réprimer. *Une angoisse insurmontable.*

insurrection [ɛ̃syʀɛksjɔ̃] n. f. ■ Action de s'insurger ; soulèvement qui vise à renverser le pouvoir établi. ⇒ **émeute, révolte, sédition, soulèvement.** *L'insurrection de la Commune.* ▶ *insurrec-*

tionnel, elle adj. ■ Qui tient de l'insurrection. *Mouvement insurrectionnel.* ⇒ **révolutionnaire.** — *Gouvernement insurrectionnel,* issu de l'insurrection.

intact, acte [ɛ̃takt] adj. 1. Qui n'a pas subi de dommage. *Les fresques des tombeaux étaient intactes.* 2. Abstrait. Qui n'a souffert aucune atteinte. *Sa réputation est intacte.* ⇒ ① **sauf.** *Caractère de ce qui reste intact.* ⇒ ② **intégrité.**

intangible [ɛ̃tɑ̃ʒibl] adj. ■ Littér. À quoi l'on ne doit pas toucher, porter atteinte ; que l'on doit maintenir intact. ⇒ **inviolable, sacré.** *Des principes intangibles.* ▶ *intangibilité* n. f. ■ Littér. *L'intangibilité d'une loi.*

intarissable [ɛ̃taʀisabl] adj. 1. Littér. Qui coule sans arrêt. *Une source intarissable. Des larmes intarissables.* 2. (Personnes) Qui n'épuise pas ce qu'il a à dire. *Il est intarissable sur ce sujet.* ▶ *intarissablement* adv. ■ *Répéter intarissablement la même chose.*

intégral, ale, aux [ɛ̃tegʀal, o] adj. et n. f. I. Qui n'est l'objet d'aucune diminution, d'aucune restriction. ⇒ **complet, entier.** / contr. **partiel** / *Il exige le remboursement intégral. Bronzage intégral.* — *Casque intégral,* casque de motocycliste qui protège à la fois le crâne, la face et la mâchoire. *Des casques intégraux.* — N. f. Édition intégrale. *Acheter en disques l'intégrale des symphonies de Beethoven.* II. 1. *Calcul intégral.* ⇒ **calcul.** 2. N. f. UNE INTÉGRALE : résultat de l'opération fondamentale du *calcul intégral* (⇒ **intégration**). ▶ *intégralement* adv. ■ D'une manière intégrale, complètement. *Payer intégralement ses dettes.* ▶ *intégralité* n. f. ■ État d'une chose complète. *Dans son intégralité,* dans sa totalité.

intégrant, ante [ɛ̃tegʀɑ̃, ɑ̃t] adj. ■ *Partie intégrante,* sans laquelle un ensemble ne serait pas complet. *Les membres, parties intégrantes du corps.*

intégration [ɛ̃tegʀasjɔ̃] n. f. I. 1. Incorporation (de nouveaux éléments) à un système. *L'intégration d'une dépense dans un budget.* 2. Assimilation (d'un individu, d'un groupe) à une communauté, à un groupe social. *L'intégration raciale* (opposé à *ségrégation*). II. En mathématiques. Opération par laquelle on détermine la grandeur limite de la somme de quantités infinitésimales en nombre indéfiniment croissant. ▶ *intégrationniste* adj. et n. ■ Favorable à l'intégration politique ou raciale. *Des manifestations intégrationnistes.* ⟨ ▶ **désintégration, réintégration** ⟩

intègre [ɛ̃tɛgʀ] adj. ■ D'une probité absolue. ⇒ **honnête, incorruptible.** / contr. **corrompu, malhonnête** / *Un juge intègre. Vie intègre.* ▶ ① *intégrité* n. f. ■ Honnêteté absolue. ⇒ **probité.** *Un homme d'une parfaite intégrité.*

intégrer [ɛ̃tegʀe] v. ■ conjug. 6. I. V. tr. Faire entrer dans un ensemble en tant que partie intégrante. ⇒ **assimiler, incorporer.** — Pronominalement (réfl.). *Ils ont du mal à s'intégrer dans la collectivité.* II. V. tr. En mathématiques. Faire l'intégration (II) de. III. V. tr. et intr. Arg. scol. Être reçu au concours d'entrée dans une grande école. *Elle a intégré (à) Sciences-Po.* ▶ *intégré, ée* adj. 1. Assimilé. *Des populations encore mal intégrées.* 2. Dispositif, système intégré, qui unit des éléments divers. — En informatique. *Traitement intégré (des données),* réalisant automatiquement une série complexe d'opérations. ⟨ ▶ **désintégrer, intégral, intégrant, intégration, réintégrer** ⟩

intégrisme [ɛ̃tegʀism] n. m. ■ Attitude de ceux qui refusent toute évolution d'une doctrine (spécialt d'une religion). *L'intégrisme musulman.* ▶ *intégriste* adj. et n. ■ *Les intégristes catholiques.*

② *intégrité* [ɛ̃tegʀite] n. f. ■ État d'une chose qui demeure intacte, entière. *Lutter pour défendre l'intégrité du territoire.* ⟨ ▶ **intégrisme** ⟩

intellect [ɛ̃telɛkt] n. m. 1. Littér. ou en sciences. Faculté de connaître. ⇒ **intelligence.** 2. Fam. Esprit. ⟨ ▶ **intellectuel** ⟩

intellectuel, elle [ɛ̃telɛktɥɛl] adj. et n. 1. Qui se rapporte à l'intelligence (connaissance ou entendement). *La vie intellectuelle. L'effort, le travail intellectuel.* 2. Qui a un goût prononcé (ou excessif) pour les choses de l'esprit. ⇒ **cérébral.** *Elle est très intellectuelle.* — Dont la vie est consacrée aux activités de l'esprit. *Les travailleurs intellectuels et les travailleurs manuels.* — N. *Un, une intellectuel(le).* — Au plur. *Les intellectuels.* ⇒ **intelligentsia.** Abrév. fam. *Un intello. Les intellos.* ▶ *intellectuellement* adv. ■ Sous le rapport de l'intelligence. *Un enfant intellectuellement très développé.* ▶ *intellectualisme* n. m. ■ Tendance à tout subordonner à l'intelligence, à la vie intellectuelle.

① *intelligence* [ɛ̃teliʒɑ̃s] n. f. I. 1. Faculté de connaître, de comprendre ; qualité de l'esprit qui comprend et s'adapte facilement. / contr. **bêtise** / *Cet enfant fait preuve d'une vive intelligence. Cela ferait douter de son intelligence.* 2. L'ensemble des fonctions mentales ayant pour objet la connaissance rationnelle (opposé à *sensation* et à *intuition*). ⇒ **entendement, raison.** *De l'intelligence.* ⇒ **intellectuel** (1). 3. INTELLIGENCE ARTIFICIELLE : ensemble des théories et des techniques développant des programmes informatiques complexes capables de résoudre des problèmes sans que les règles de résolution soient fournies. II. Personne intelligente. *C'est une intelligence remarquable.* III. L'INTELLIGENCE DE *qqch.* : acte ou capacité de comprendre (qqch.). ⇒ **compréhension, sens.** *Je lui envie son intelligence des affaires. Pour l'intelligence de ce qui va suivre, notons que...* ▶ *intelligent, ente* adj. 1. Qui a la faculté de connaître et de comprendre. ⇒ **pensant.** *L'homme, être intelligent.* 2. Qui est, à un degré variable, doué d'intelligence. *Un garçon très, peu intelligent.* — Absolt. Qui comprend vite et bien, s'adapte facilement aux situations. / contr. **bête, inintelligent** / 3. (Actes) Qui dénote de l'intelligence. *Un choix intelligent. Une réponse intelligente.* ▶ *intelligemment* [ɛ̃teliʒamɑ̃] adv. ■ Avec intelligence. *Travailler, parler intelligemment.* ⟨ ▶ **inintelligent** ⟩

② *intelligence* n. f. 1. Littér. D'INTELLIGENCE : de complicité, par complicité. *Être, agir d'intelligence avec qqn.* ⇒ de **concert.** *Faire à qqn des signes d'intelligence.* 2. Au plur. Complicités secrètes entre personnes dans des camps opposés. *Condamné pour intelligences avec l'ennemi. Avoir des intelligences dans la place,* dans un milieu d'accès difficile. 3. EN bonne, mauvaise... INTELLIGENCE : en s'entendant bien, mal. *Ils vivent en bonne intelligence.*

intelligentsia [ɛ̃teliɡɛntsja] n. f. ■ Parfois péj. groupe des intellectuels (dans une société, un pays).

intelligible [ɛ̃teliʒibl] adj. 1. Qui ne peut être connu que par l'entendement (opposé à *sensible*). 2. Qui peut être compris, est aisé à comprendre. ⇒ **clair, compréhensible.** *Un texte intelligible.* 3. Qui peut être distinctement entendu. — Loc. *Parler à haute et intelligible voix.* ▶ *intelligibilité* n. f. ■ Caractère intelligible. *L'intelligibilité d'un discours.* ▶ *intelligiblement* adv. ■ *S'exprimer intelligiblement.* ⇒ **clairement.** ⟨ ▶ **inintelligible** ⟩

intempérant, ante [ɛ̃tɑ̃peʀɑ̃, ɑ̃t] adj. et n. ■ Littér. Qui manque de modération dans les plaisirs de la table et les plaisirs sexuels. ▶ *intempérance* n. f. 1. Vx. Manque de modération, liberté excessive. *Son intempérance de langage nous choque.* 2. Abus des plaisirs de la table et des plaisirs sexuels.

intempéries [ɛ̃tɑ̃peʀi] n. f. pl. ■ Les rigueurs du climat (pluie, vent). *Être exposé aux intempéries.*

intempestif, ive [ɛ̃tɑ̃pestif, iv] adj. ■ Qui se fait ou se manifeste à contretemps. ⇒ **déplacé, inopportun.** / contr. **opportun** / *Une démarche intempestive. Pas de zèle intempestif !*

intenable [ɛ̃tnabl] adj. **1.** Que l'on ne peut tenir ou soutenir. *Une position intenable.* **2.** Insupportable. *Quelle chaleur ! c'est intenable !* — (Personnes) Que l'on ne peut faire tenir tranquille. *C'est un gamin intenable.* ⇒ **insupportable.**

intendance [ɛ̃tɑ̃dɑ̃s] n. f. **1.** Charge, fonction, circonscription des anciens intendants. **2.** Service administratif chargé du ravitaillement et de l'entretien (d'une armée, d'une collectivité). *L'intendance d'un lycée.* **3.** Économat d'un lycée. ▶ ① *intendant* n. m. ■ Autrefois. Agent du pouvoir royal dans une province. ▶ ② *intendant, ante* n. **1.** Nom de divers fonctionnaires du service de l'intendance (militaire, universitaire). **2.** Personne chargée d'administrer la maison d'un riche particulier. ⇒ **régisseur.** ⟨ ▶ sur-intendant ⟩

intense [ɛ̃tɑ̃s] adj. ■ (Choses) Qui agit avec force, est porté à un haut degré. ⇒ **vif.** / contr. **faible** / *Une lumière intense. Une végétation intense.* — *Un plaisir intense.* ▶ *intensément* adv. ■ *Vivre intensément.* ▶ *intensif, ive* [ɛ̃tɑ̃sif, iv] adj. **1.** Qui est l'objet d'un effort intense, soutenu, pour accroître l'effet. *Une propagande intensive.* **2.** *Culture intensive,* à haut rendement par unité de surface. / contr. ① **extensif** / ▶ *intensifier* v. tr. ■ conjug. 7. ■ Rendre plus intense, au prix d'un effort. — **augmenter.** *Intensifier la lutte contre la drogue.* — S'INTENSIFIER v. pron. réfl. : devenir plus intense. *Les échanges commerciaux s'intensifient.* ▶ *intensification* n. f. ■ Action d'intensifier, de s'intensifier. ⇒ **augmentation.** *L'intensification de la propagande.* ▶ *intensité* n. f. **1.** Degré d'activité, de force ou de puissance. *Une crise de faible intensité.* — *Intensité d'un courant électrique,* quantité d'électricité traversant un conducteur pendant l'unité de temps (seconde). **2.** Caractère de ce qui est intense, très vif. *L'intensité d'une émotion.* ⇒ **violence.** *Intensité dramatique.*

intenter [ɛ̃tɑ̃te] v. tr. ■ conjug. 1. ■ Entreprendre contre qqn (une action en justice). *Il m'a intenté un procès.*

intention [ɛ̃tɑ̃sjɔ̃] n. f. ■ Le fait de se proposer un certain but. ⇒ **dessein.** *Un acte commis avec l'intention de nuire. Je l'ai fait sans mauvaise intention. Quelles sont vos intentions à son égard ? Il n'est pas dans mes intentions d'accepter.* — AVOIR L'INTENTION DE (+ infinitif) : se proposer de, vouloir. *Il n'a pas l'intention de céder.* — DANS L'INTENTION DE (+ infinitif) : en vue de, pour. *Il fait cela dans l'intention de vous plaire.* — À L'INTENTION DE qqn : pour lui, en son honneur ; à son adresse. *Une fête à l'intention des enfants.* ≠ *à l'attention de.* ▶ *intentionné, ée* adj. ■ *Bien, mal intentionné,* qui a de bonnes, de mauvaises intentions. ▶ *intentionnel, elle* adj. ■ Qui est fait exprès. ⇒ **prémédité, volontaire.** / contr. **involontaire** / *Nous avons compris que votre réponse blessante était intentionnelle.* ▶ *intentionnellement* adv. ■ Avec intention, de propos délibéré. ⇒ **exprès, volontairement.** *C'est intentionnellement que je n'en ai pas parlé.*

① *inter* [ɛ̃tɛʀ] n. m. ■ Abréviation de *interurbain. Avant l'automatique, on demandait l'inter.*

② *inter* n. m. ■ Au football. Avant placé entre un ailier et l'avant-centre.

inter- ■ Élément exprimant l'espacement, la répartition ou une relation réciproque (ex. : *interallié,*

adj., qui concerne les nations alliées ; *interarmes,* adj., relatif à plusieurs armes : infanterie, etc.). Voir ci-dessous.

interaction [ɛ̃tɛʀaksjɔ̃] n. f. ■ Réaction réciproque. ⇒ **interdépendance.** *Phénomènes en interaction.*

interbancaire [ɛ̃tɛʀbɑ̃kɛʀ] adj. ■ Qui relève des relations entre les banques. — *Carte interbancaire,* carte de crédit acceptée par différentes banques.

intercaler [ɛ̃tɛʀkale] v. tr. ■ conjug. 1. ■ Faire entrer après coup dans une série, dans un ensemble ; mettre (une chose) entre deux autres. ⇒ **insérer, introduire.** *Intercaler des exemples dans un texte.* ▶ *intercalaire* adj. et n. m. ■ Qui peut s'intercaler, être inséré. *Feuillet, fiche intercalaire.* — N. m. *Un intercalaire.*

intercéder [ɛ̃tɛʀsede] v. intr. ■ conjug. 6. ■ Intervenir, user de son influence (en faveur de qqn). *Il intercédera pour vous auprès du patron.* ⇒ **intervenir ; intercesseur, intercession.**

intercepter [ɛ̃tɛʀsɛpte] v. tr. ■ conjug. 1. **1.** Prendre au passage et par surprise (ce qui est adressé, envoyé ou destiné à qqn). *Ses parents ont intercepté la lettre. Le joueur a essayé d'intercepter le ballon. Avion chargé d'intercepter des bombardiers.* **2.** Arrêter (la lumière), cacher (une source lumineuse). ▶ *interception* [ɛ̃tɛʀsɛpsjɔ̃] n. f. ■ Action d'intercepter. *Avions d'interception.*

intercesseur [ɛ̃tɛʀsesœʀ] n. m. ■ Littér. Personne qui intercède. *Il m'a demandé d'être son intercesseur auprès de vous.* ▶ *intercession* n. f. ■ Littér. Action d'intercéder. *Obtenir un poste grâce à l'intercession de qqn.*

interchangeable [ɛ̃tɛʀʃɑ̃ʒabl] adj. ■ Se dit d'objets semblables, de même destination, qui peuvent être mis à la place les uns des autres. *Des pneus interchangeables.*

interclasse [ɛ̃tɛʀklas] n. m. ■ Court intervalle entre deux cours, dans un établissement scolaire.

intercommunal, ale, aux [ɛ̃tɛʀkɔmy nal, o] adj. ■ Qui concerne plusieurs communes. *Des décisions intercommunales.*

intercontinental, ale, aux [ɛ̃tɛʀkɔ̃ti nãtal, o] adj. ■ Qui concerne les relations entre deux continents. *Lignes aériennes intercontinentales.* — *Missiles intercontinentaux,* dont la portée s'étend d'un continent à un autre (notamment, Amérique et Europe).

intercostal, ale, aux [ɛ̃tɛʀkɔstal, o] adj. ■ Qui est situé ou se fait sentir entre deux côtes. *Des douleurs intercostales.*

interdépendant, ante [ɛ̃tɛʀdepɑ̃dɑ̃, ɑ̃t] adj. ■ Qui est dans un état de dépendance réciproque (appelée *interdépendance,* n. f.). *Des événements interdépendants.*

interdiction [ɛ̃tɛʀdiksjɔ̃] n. f. **1.** Action d'interdire. ⇒ **défense.** / contr. **autorisation** / *Interdiction de bâtir. L'interdiction d'un film.* **2.** Action d'interdire à un membre d'un corps constitué l'exercice de ses fonctions. — Action d'ôter à une personne majeure la libre disposition et l'administration de ses biens. *Il a fait l'objet d'une interdiction.* — *Interdiction de séjour,* défense faite à un condamné libéré de se trouver dans certains lieux.

interdire [ɛ̃tɛʀdiʀ] v. tr. ■ conjug. 37. — REM. 2ᵉ pers. plur. prés. de l'indicatif et du prés. de l'impératif : *interdisez.* **1.** Défendre (qqch. à qqn). *Le médecin lui interdit l'alcool, le tabac. Le meeting a été interdit. Interdire un film.* ⇒ **censurer.** *S'interdire tout effort,* s'imposer de ne faire aucun effort. — *Il est interdit de fumer dans la salle. Il est interdit d'interdire* (slogan, 1968). — (Avec *que* + subjonctif) *Il a interdit que nous restions ici.* **2.** (Choses) Empêcher. *Leur attitude interdit tout espoir de paix.* ⇒ **exclure.** **3.** Frapper (qqn) d'interdiction (2). ▶ ① *interdit, ite* adj. **1.** Non autorisé. *Stationnement interdit. Film interdit aux moins de dix-huit ans. Ne cueille pas les fleurs, c'est interdit.* **2.** (Personnes) Frappé d'interdiction. — N. *Un interdit de séjour.* ⟨ ▶ interdiction, ③ interdit ⟩

② *interdit, ite* [ɛ̃tɛʀdi, it] adj. ■ Très étonné, stupide d'étonnement. ⇒ **ahuri, ébahi.** *Il est resté tout interdit.*

③ *interdit* n. m. ■ Interdiction ou exclusive émanant d'un groupe social ou religieux. *Braver les interdits.*

① *intérêt* [ɛ̃teʀɛ] n. m. **1.** Attention favorable que l'on porte à qqn, part que l'on prend à ce qui le concerne. *Témoigner de l'intérêt à qqn. Une marque, un témoignage d'intérêt.* **2.** État de l'esprit qui prend part à ce qu'il trouve digne d'attention, ce qu'il juge important. / contr. **désintérêt** / *Écouter, lire avec intérêt. Éveiller l'intérêt d'un auditoire.* ⇒ **attention.** **3.** Qualité de ce qui est intéressant. *Histoire pleine d'intérêt. C'est sans intérêt. Cela présente, offre de l'intérêt.* ▶ ① *intéressant, ante* adj. **1.** Qui retient l'attention, captive l'esprit. ⇒ **captivant, passionnant.** *Un livre intéressant. Il serait intéressant de poursuivre les recherches. Ce n'est pas très intéressant.* — (Personnes) Qui intéresse par son esprit, sa personnalité. *Un auteur intéressant.* Péj. *Chercher à se rendre intéressant, à se faire remarquer.* — N. *Faire l'intéressant(e).* **2.** Qui touche moralement, qui est digne d'intérêt, de considération. *Ces gens-là ne sont pas intéressants.* ▶ ① *intéressé, ée* adj. ■ Qui a un intérêt, un rôle (dans qqch.) ; qui est en cause. *Les parties intéressées.* — N. *Sans consulter les intéressés. Vous êtes le principal intéressé.* ▶ ① *intéresser* v. tr. ∎ conjug. 1. **I.** **1.** (Choses) Avoir de l'intérêt, de l'importance pour (qqn, qqch.). ⇒ **concerner, regarder.** *Cette loi intéresse l'ordre public. La dépression atmosphérique intéresse toute la côte.* **2.** Retenir l'attention de (qqn) ; constituer un objet d'intérêt pour. *Il semble intéressé par notre offre. Cette conférence nous a intéressés.* ⇒ **captiver, passionner.** *Ça ne m'intéresse pas.* **3.** Toucher, tenir à cœur. *Leur sort n'intéresse personne.* **4.** (Personnes) Éveiller l'intérêt de (qqn). *Il ne sait pas intéresser les élèves.* Iron. *Continue, tu m'intéresses !*, ce que tu dis ne m'intéresse pas. **II.** S'INTÉRESSER v. pron. : prendre intérêt. *Vous ne vous intéressez pas à ce que je fais. Il s'intéresse à tout.* ⟨ ▶ se désintéresser, désintérêt, inintéressant ⟩

② *intérêt* n. m. **I.** Somme due par l'emprunteur au prêteur. *Prêt à intérêt. Le taux de l'intérêt. Intérêts composés,* calculés sur un capital accru de ses intérêts. — Ce que rapporte un capital placé. ⇒ **dividende.** **II.** **1.** Ce qui importe, ce qui convient à qqn (en quelque domaine que ce soit). *Agir dans son intérêt, contre son intérêt. C'est dans votre intérêt. Avoir intérêt à* (faire qqch.). ⇒ **avantage.** *L'intérêt général. Société reconnue d'intérêt public.* **2.** Recherche de son avantage personnel. / contr. **désintéressement** / *Un mariage d'intérêt.* ▶ ② *intéressant, ante* adj. ■ Avantageux. *Acheter qqch. à un prix intéressant. C'est une affaire intéressante.* ▶ ② *intéressé, ée* adj. ■ Qui recherche avant tout son intérêt matériel, est avide et avare. / contr. **désintéressé** / — Inspiré par la recherche d'un avantage personnel. *Un service intéressé.* ▶ *intéressement* n. m. ■ Action d'intéresser (une personne) aux bénéfices de l'entreprise, par une rémunération qui s'ajoute au salaire. ▶ ② *intéresser* v. tr. ∎ conjug. 1. ■ Associer (qqn) à un profit.

Intéresser qqn dans une affaire. — *Il est intéressé aux bénéfices.* ⇒ **intéressement.** ⟨ ▶ désintéressement ⟩

interférer [ɛ̃tɛʀfeʀe] v. intr. ∎ conjug. 6. **1.** Produire des interférences. *Vibrations, ondes qui interfèrent.* **2.** Se dit d'actions simultanées qui se font tort. *Leurs initiatives risquent d'interférer.* ▶ *interférence* n. f. ■ Rencontre d'ondes (lumineuses, sonores...) de même direction, qui se détruisent ou se renforcent. *Interférences sonores.*

intérieur, eure [ɛ̃teʀjœʀ] adj. et n. **I.** Adj. **1.** Qui est au-dedans, tourné vers le dedans. ⇒ **interne.** / contr. **extérieur** / *Point intérieur à un cercle. Une cour intérieure. La poche intérieure d'un vêtement.* **2.** Qui concerne un pays, indépendamment de ses relations avec les autres pays. / contr. **extérieur** / *La politique intérieure.* **3.** Qui concerne la vie psychologique, qui se passe dans l'esprit. *La vie intérieure. L'équilibre intérieur.* **II.** N. m. **1.** Espace compris entre les limites (d'une chose). ⇒ **dedans.** *L'intérieur d'une boîte.* Absolt. *Attendez-moi à l'intérieur* (de la maison). **2.** Local où l'on habite (considéré surtout dans son aménagement). ⇒ **chez-soi, foyer.** *Un intérieur confortable. Femme, homme d'intérieur,* qui se plaît à tenir sa maison. **3.** Espace compris entre les frontières d'un pays ; vie, politique du pays dans ses frontières. *Le ministre de l'Intérieur.* ▶ *intérieurement* adv. **1.** Au-dedans. **2.** Dans l'esprit, le cœur. *Pester intérieurement,* tout bas. ▶ *intérioriser* v. tr. ∎ conjug. 1. ■ Ramener à la vie intérieure. — Au p. p. adj. *Un sentiment intériorisé.* ▶ *intériorité* n. f. ■ Caractère de ce qui est intérieur (I, 3), psychologique et non exprimé.

intérim [ɛ̃teʀim] n. m. ■ Intervalle de temps pendant lequel une fonction vacante est exercée par une autre personne que le titulaire ; exercice d'une fonction pendant ce temps. *Assurer un intérim. Président par intérim. Effectuer un travail par intérim. Faire des intérims.* — Organisation de travail temporaire. *Agence d'intérim.* ▶ *intérimaire* adj. ■ Relatif à un intérim ; qui assure l'intérim. *Travail intérimaire.* ⇒ **temporaire.** *Personnel intérimaire.* — N. *Un(e) intérimaire,* personne qui assure l'intérim ; qui travaille pour une agence d'intérim.

interjection [ɛ̃tɛʀʒɛksjɔ̃] n. f. ■ Mot invariable pouvant être employé isolément pour traduire une attitude affective du sujet parlant (ex. : *ah !, oh !, zut !*). ⇒ **exclamation.**

interligne [ɛ̃tɛʀliɲ] n. m. ■ Espace qui est entre deux lignes écrites ou imprimées. ⇒ **blanc.** *Taper une page à simple, à double interligne.* ▶ *interligner* v. tr. ∎ conjug. 1. ■ Séparer par des interlignes. — Au p. p. adj. *Texte interligné.*

interlocuteur, trice [ɛ̃tɛʀlɔkytœʀ, tʀis] n. **1.** Personne qui parle, converse avec une autre. *Il n'écoute pas ses interlocuteurs.* **2.** Personne avec laquelle on peut engager une négociation politique. *Chercher un interlocuteur valable.*

interlope [ɛ̃tɛʀlɔp] adj. **1.** Dont l'activité n'est pas légale. *Un commerce interlope.* **2.** D'apparence louche, suspecte. *Un bar interlope.*

interloquer [ɛ̃tɛʀlɔke] v. tr. ∎ conjug. 1. ■ Rendre tout interdit ②, étonné et sans réaction. ⇒ **décontenancer.** *Cette remarque l'a interloqué.* — Au p. p. adj. *Il est resté interloqué.*

interlude [ɛ̃tɛʀlyd] n. m. **1.** Petit intermède dans un programme. **2.** Courte pièce musicale exécutée entre deux autres plus importantes.

intermède [ɛ̃tɛʀmɛd] n. m. **1.** Divertissement entre les actes d'une pièce de théâtre, les parties d'un spectacle. *Intermède en musique.* **2.** Ce qui interrompt momentanément une activité. *Après cet inter-mède, nous pouvons reprendre la séance.*

intermédiaire [ɛ̃tɛʀmedjɛʀ] adj. et n. **I.** Adj. Qui, étant entre deux termes, forme une transition ou assure une communication. *Les chaînons intermé-diaires d'une évolution. Choisir une solution intermé-diaire.* ⇒ **compromis. II. 1.** N. m. Terme, état intermédiaire. *Sans intermédiaire,* directement. — *Par l'intermédiaire de,* par l'entremise, le moyen de. **2.** N. m. et f. Personne qui met en relation deux personnes ou deux groupes. ⇒ **médiateur.** *Servir d'intermédiaire dans une négociation.* — Personne qui intervient dans un circuit commercial (entre le producteur et le consommateur).

interminable [ɛ̃tɛʀminabl] adj. ■ Qui n'a pas ou ne semble pas avoir de terme, de limite (dans l'espace ou dans le temps). *Une file interminable. Des conversations interminables,* trop longues. ▶ **intermi-nablement** adv. ■ *Parler interminablement,* très longtemps.

interministériel, ielle [ɛ̃tɛʀministerjɛl] adj. ■ Commun à plusieurs ministères. *Une conférence interministérielle.*

intermittent, ente [ɛ̃tɛʀmitɑ̃, ɑ̃t] adj. ■ Qui s'arrête et reprend par intervalle. ⇒ **irrégulier.** *Pouls intermittent. Pluie intermittente.* ▶ **intermittence** n. f. ■ Caractère intermittent, interruption momentanée. *Par intermittence,* irrégulièrement, par accès. *Travail-ler par intermittence.*

internat [ɛ̃tɛʀna] n. m. **1.** État d'élève interne ; temps que dure cet état. / contr. **externat** / — École où vivent des internes. ⇒ **pensionnat.** *Surveillant d'internat.* **2.** Fonction d'interne des hôpitaux. *Concours d'internat.*

international, ale, aux [ɛ̃tɛʀnasjɔnal, o] adj. ■ Qui a lieu de nation à nation, entre plusieurs nations ; qui concerne les rapports entre nations. *La politique internationale. Les organismes internatio-naux.* — En sports. *Rencontre internationale,* opposant deux ou plusieurs nations. — N. UN(E) INTERNATIO-NAL(E) : joueur(euse), athlète sélectionné(e) pour les rencontres internationales. — *Comité international de la Croix-Rouge.* — N. f. *L'Internationale,* groupement de prolétaires de diverses nations, unis pour défendre leurs revendications communes. *L'Internationale,* hymne révolutionnaire. ▶ **internationaliser** v. tr. ■ conjug. 1. ■ Rendre international. *Internationaliser un conflit.* — Mettre sous régime international. ▶ **internationalisation** n. f. ■ *L'internationalisa-tion d'une guerre.* ▶ **internationalisme** n. m. ■ Doc-trine préconisant l'union internationale des peuples, par-delà les frontières. ▶ **internationaliste** adj. ■ Partisan de l'internationalisme.

interne [ɛ̃tɛʀn] adj. et n. **1.** Didact. Qui est situé en dedans, est tourné vers l'intérieur. ⇒ **intérieur.** / contr. **externe** / *La face interne d'un organe. Oreille interne.* — Qui appartient au dedans. *Glandes endocrines à sécrétion interne.* **2.** N. UN, UNE INTERNE : élève logé(e) et nourri(e) dans l'établisse-ment scolaire qu'il (elle) fréquente. ⇒ **pensionnaire.** — Étudiant(e) en médecine reçu(e) au concours de l'internat, qui lui permet d'être attaché(e) à un hôpital. *Le docteur X, ancien interne des hôpitaux de Paris. Elle est interne.* ▶ **interner** v. tr. ■ conjug. 1. ■ Enfermer par mesure administrative (des réfugiés, des étrangers...). — Enfermer dans un hôpital psychiatrique. — Au p. p. adj. *Malades internés.* — N. *Des internés politiques.* ⇒ **prisonnier.** ▶ **interne-ment** n. m. ■ Action d'interner (qqn) ; le fait d'être interné. *Camp d'internement.* — Placement d'une personne dans un hôpital psychiatrique. *Prescrire l'internement d'un aliéné.*

interpeller [ɛ̃tɛʀpele] v. tr. ■ conjug. 1. — REM. Ce verbe prend deux *l* à toutes les formes. **1.** Adresser la parole brusquement à (qqn) pour demander qqch., l'insulter. ⇒ **apostropher. 2.** Adresser une interpella-tion à (un ministre). *Interpeller un ministre sur un projet de réforme.* **3.** Questionner (un suspect) sur son identité. *La police a interpellé une trentaine de manifestants.* ▶ **interpellateur, trice** n. ■ Personne qui interpelle. ▶ **interpellation** n. f. **1.** Action d'interpeller. ⇒ **apostrophe. 2.** Demande d'explica-tions adressée au gouvernement par un membre du Parlement en séance publique. *Répondre à une interpellation.* **3.** ⇒ **interpeller** (3).

interphone [ɛ̃tɛʀfɔn] n. m. ■ Appareil de communication téléphonique intérieur. *Parler à qqn par l'interphone.*

interplanétaire [ɛ̃tɛʀplanetɛʀ] adj. ■ Qui est, a lieu entre les planètes. *Voyages interplanétaires.*

interpoler [ɛ̃tɛʀpɔle] v. tr. ■ conjug. 1. **1.** Intro-duire dans un texte, par erreur ou par fraude (des mots ou des phrases n'appartenant pas à l'original). **2.** Intercaler dans une série de valeurs ou de termes connus (des termes et valeurs intermédiaires). / contr. **extrapoler** / ▶ **interpolation** n. f. ■ Action d'inter-poler ; son résultat. *Texte modifié par des interpola-tions.* ‹ ▶ **extrapoler** ›

interposer [ɛ̃tɛʀpoze] v. tr. ■ conjug. 1. **1.** Poser entre deux choses de façon à modifier le milieu. *Interposer un écran entre une source lumineuse et l'œil.* **2.** Faire intervenir. — Pronominalement (réfl.). *S'interposer dans une dispute,* intervenir pour y mettre fin. ⇒ **s'entremettre.** ▶ **interposé, ée** adj. ■ *Par personnes interposées,* en utilisant des intermédiaires. ▶ **interposition** n. f. ■ Action d'interposer.

interprétation [ɛ̃tɛʀpʀetasjɔ̃] n. f. **1.** Action d'expliquer, de donner une signification claire à une chose obscure, ambiguë ; son résultat. ⇒ **explication.** *Il a donné une interprétation nouvelle de ce texte. L'interprétation des rêves.* **2.** Action d'interpréter (2). *Les diverses interprétations d'un même fait. Une erreur d'interprétation.* **3.** Action d'interpréter (3). *Interpré-tation simultanée,* qui se fait à mesure. *École d'interprétation.* **4.** Façon dont une œuvre dramati-que, musicale est jouée, exécutée. ⇒ **exécution.** *L'interprétation d'un personnage.*

interprète [ɛ̃tɛʀpʀɛt] n. **1.** Personne qui explique, éclaircit le sens (d'un texte, d'un rêve, etc.). **2.** Per-sonne qui donne oralement l'équivalent en une autre langue (⇒ **traducteur**) de ce qui est dit, et sert d'intermédiaire entre personnes ignorant une langue employée. *École d'interprètes. Interprète de confé-rence.* **3.** Personne qui fait connaître les sentiments, les volontés d'une autre. ⇒ **porte-parole.** *Je veux bien être votre interprète auprès de lui.* **4.** Acteur, musicien qui interprète (3). *Un interprète du rôle de don Juan.*

interpréter [ɛ̃tɛʀpʀete] v. tr. ■ conjug. 6. **1.** Expli-quer (un texte, un rêve, un acte...) en rendant clair ce qui est obscur. ⇒ **commenter.** *Interpréter un vers d'après le contexte.* **2.** Donner un sens à (qqch.), tirer une signification de. *Elle avait interprété ce silence comme un aveu. On peut interpréter votre attitude de plusieurs façons.* **3.** Produire oralement dans une autre langue une intervention ou un discours équiva-lant à l'original. ⇒ **traduire** oralement. *Le discours anglais fut interprété en russe.* **4.** Jouer d'une manière personnelle (un rôle, un morceau de musique...). *Il a interprété ce rôle au cinéma.* — Au p. p. adj. *Symphonie bien interprétée.* ‹ ▶ interprétation, inter-prète ›

interrègne [ɛ̃tɛʀʀɛɲ] n. m. **1.** Temps qui s'écoule entre deux règnes ; intervalle pendant lequel un État est sans chef. **2.** Littér. ou plaisant. Espace de temps entre deux fonctions, deux présences. ⇒ **intérim.**

interrogateur, trice [ɛte(ɛ)ʀɔgatœʀ, tʀis] n. et adj. **1.** N. Personne qui fait subir une interrogation orale à un candidat. ⇒ **examinateur. 2.** Adj. Qui contient une interrogation. ⇒ **interrogatif.** *Un regard, un air interrogateur.*

interrogatif, ive [ɛte(ɛ)ʀɔgatif, iv] adj. et n. f. ■ Qui exprime l'interrogation. ⇒ **interrogateur** (2). *Une intonation interrogative.* — En grammaire. Qui sert à interroger. *Pronoms interrogatifs* (ex. : *lequel*), *adjectifs interrogatifs* (ex. : *quel*), *adverbes interrogatifs* (ex. : *combien, où*). — N. f. *Une interrogative,* une proposition interrogative. ▶ *interrogativement* adv. ■ *Elle nous regardait interrogativement.*

interrogation [ɛte(ɛ)ʀɔgasjɔ̃] n. f. **1.** Action de questionner, d'interroger. *L'interrogation des témoins.* — Question ou ensemble de questions que l'on pose à un élève, à un candidat. ⇒ **épreuve.** *Interrogation écrite, orale.* **2.** Phrase qui a pour objet de poser une question ou qui implique un doute. *Interrogation directe* (ex. : *quelle heure est-il ?*), *indirecte* (ex. : *je me demande quelle heure il est*). — *Point d'interrogation* (?). Loc. *C'est un point d'interrogation,* une question à laquelle on ne peut donner de réponse certaine.

interrogatoire [ɛte(ɛ)ʀɔgatwaʀ] n. m. ■ Questions posées à qqn pour connaître la vérité dans une affaire juridique. *Le juge d'instruction commença l'interrogatoire de l'inculpé.*

interroger [ɛte(ɛ)ʀɔʒe] v. tr. ■ conjug. 3. **1.** Questionner (qqn), avec l'idée qu'il doit une réponse. *La police interroge les témoins.* — Au p. p. *Les candidats interrogés par l'examinateur* (ou *interrogateur*). — Pronominalement (réfl.) *S'interroger,* se poser des questions, descendre en soi-même. **2.** Examiner avec attention (compl. chose) pour trouver une réponse aux questions qu'on se pose. *L'expérimentateur interroge les faits. Interroger le passé.* ⟨ ▶ interrogateur, interrogatif, interrogation, interrogatoire ⟩

interrompre [ɛte(ɛ)ʀɔ̃pʀ] v. tr. ■ conjug. 41. **1.** Rompre (qqch.) dans sa continuité. ⇒ **arrêter, couper, suspendre.** *Il a dû interrompre ses études. Interrompre un voyage.* **2.** Empêcher (qqn) de continuer ce qu'il est en train de faire. *Je l'ai interrompu dans son travail.* **3.** Couper la parole à. *Ne m'interrompez pas tout le temps.* **4.** S'INTERROMPRE v. pron. : s'arrêter (de faire qqch., de parler...). *Il s'interrompit de lire pour m'aider. Parler sans s'interrompre.* ▶ *interrupteur* [ɛte(ɛ)ʀyptɛʀ] n. m. ■ Dispositif permettant d'interrompre et de rétablir le passage du courant électrique dans un circuit. ⇒ **commutateur, disjoncteur.** ▶ *interruption* [ɛte(ɛ)ʀypsjɔ̃] n. f. **1.** Action d'interrompre ; état de ce qui est interrompu. ⇒ **arrêt, coupure, suspension.** *L'interruption des communications. Il a travaillé quatre heures sans interruption,* sans s'arrêter. — Spécialt. *Interruption volontaire de grossesse,* avortement. — I.V.G. **2.** Action d'interrompre (3) qqn. *Vives interruptions sur les bancs de l'opposition.* ⟨ ▶ ininterrompu ⟩

intersection [ɛtɛʀsɛksjɔ̃] n. f. ■ Rencontre, lieu de rencontre (de deux lignes, de deux surfaces, ou de deux volumes qui se coupent). *À l'intersection des deux routes.*

intersidéral, ale, aux [ɛtɛʀsideʀal, o] adj. ■ Qui est situé, se passe entre les astres.

interstellaire [ɛtɛʀste(ɛl)lɛʀ] adj. ■ Qui est situé entre les étoiles. *Espaces interstellaires.*

interstice [ɛtɛʀstis] n. m. ■ Très petit espace vide (entre les parties d'un corps ou entre différents corps). *Le jour filtrait par les interstices des rideaux.*

interurbain, aine [ɛtɛʀyʀbɛ̃, ɛn] adj. et n. m. ■ Qui assure les communications (téléphoniques) entre deux ou plusieurs villes (avant l'automatisation). — N. m. L'INTERURBAIN (abrév. ⇒ ① **inter**).

intervalle [ɛtɛʀval] n. m. **1.** Distance, espace qui existe, est ménagé(e) entre deux points, deux lignes, deux objets. ⇒ **espacement.** *Augmenter l'intervalle entre deux paragraphes. Un étroit intervalle entre deux murs. Des arbustes plantés à trois mètres d'intervalle, tous les trois mètres.* **2.** Écart entre deux sons, mesuré par le rapport de leurs fréquences. *Intervalles de tierce, quarte...* **3.** Espace de temps qui sépare deux époques, deux faits. *Un intervalle d'une heure. À intervalles rapprochés, à longs intervalles. Dans l'intervalle, pendant cet intervalle.* ⇒ **entre-temps.** PAR INTERVALLES : de temps à autre. ⇒ par **moments.**

intervenir [ɛtɛʀvəniʀ] v. intr. ■ conjug. 22. **1.** Arriver, se produire au cours d'un procès, d'une discussion. *Un accord est intervenu entre la direction et les grévistes.* **2.** (Suj. personne) Prendre part à une action, à une affaire en cours, dans l'intention d'influer sur son déroulement. *Il se propose d'intervenir dans le débat. Il est intervenu en votre faveur.* ⇒ **intercéder.** — Sans compl. Entrer en action. *La police est prête à intervenir.* **3.** (Choses) Agir, jouer un rôle. *Les facteurs qui interviennent dans...* ▶ *intervention* [ɛtɛʀvɑ̃sjɔ̃] n. f. **1.** Action d'intervenir. *Sans votre intervention, on allait m'accuser. L'intervention de l'État.* — *Politique d'intervention* (dans les affaires d'un pays étranger). ⇒ **ingérence.** *Intervention armée, militaire.* ⇒ **action, opération. 2.** Acte chirurgical. *Après l'accident, il a dû subir une intervention.* ⇒ **opération. 3.** Action, rôle (de qqch.). ▶ *interventionnisme* n. m. ■ Doctrine qui préconise l'intervention de l'État dans le domaine économique. ⇒ **dirigisme.** — Politique d'intervention d'une nation dans les affaires internationales. ▶ *interventionniste* adj. et n.

intervertir [ɛtɛʀvɛʀtiʀ] v. tr. ■ conjug. 2. ■ Déplacer (les éléments d'un tout, d'une série) en renversant l'ordre, en mettant les éléments chacun à la place de l'autre. *Vous pouvez intervertir l'ordre des mots.* — *Intervertir les rôles,* prendre envers une personne l'attitude qui normalement est réservée à une autre. ▶ *interversion* n. f. ■ Renversement de l'ordre naturel, habituel ou logique. *Interversion de deux lettres dans un mot.*

interview [ɛtɛʀvju] n. f. ■ Anglic. Entrevue au cours de laquelle un journaliste (dit *interviewer* [ɛtɛʀvjuvœʀ], n. m.) interroge une personne sur sa vie, ses projets, ses opinions, dans l'intention de publier une relation de l'entretien ; cette relation. *Demander, accorder une interview.* ▶ *interviewer* [ɛtɛʀvjuve] v. tr. ■ conjug. 1. ■ Anglic. Soumettre (qqn) à une interview. *Interviewer un acteur.*

intestat [ɛtɛsta] adj. invar. en genre ■ Qui n'a pas fait de testament. *Elles sont mortes intestats.*

intestin [ɛtɛstɛ̃] n. m. ■ Partie du tube digestif qui fait suite à l'estomac. *L'intestin grêle* ⇒ **duodénum** *et le gros intestin. Il souffre de l'intestin.* ▶ *intestinal, ale, aux* adj. ■ De l'intestin. *Glandes intestinales.*

intestine [ɛtɛstin] adj. f. ■ Littér. (Querelle, lutte) Qui se passe à l'intérieur d'un corps social. *Nous étions divisés par nos querelles intestines.*

intime [ɛtim] adj. **1.** Littér. Qui est contenu au plus profond d'un être. *J'ai la conviction intime que vous vous trompez.* **2.** Qui lie étroitement, par ce qu'il y a de plus profond. *Avoir des relations intimes avec une personne,* être très étroitement lié avec elle. Spécialt. *Rapports, relations intimes,* rapports sexuels. — (Personnes) Très uni. *Être intime avec qqn. Ami intime.*

— N. *Une réunion entre intimes.* **3.** Qui est tout à fait privé et généralement tenu caché aux autres. *La vie intime,* celle que les autres ignorent. ⇒ **personnel, privé.** / contr. **public** / **4.** Qui crée ou évoque l'intimité. *Une petite fête intime.* ▶ *intimement* adv. **1.** Très profondément. *J'en suis intimement persuadé.* **2.** Étroitement. *Personnes intimement liées.* ▶ *intimité* n. f. **1.** Littér. Caractère intime et profond ; ce qui est intérieur et secret. *Dans l'intimité de la conscience.* **2.** Liaison, relations étroites et familières. ⇒ **union.** *L'intimité conjugale. Vivre dans l'intimité avec qqn.* **3.** La vie privée. *Il entend préserver son intimité.* — Absolt. *Dans l'intimité,* dans les relations avec les intimes. *Le mariage aura lieu dans la plus stricte intimité,* les intimes seront seuls admis. **4.** Agrément (d'un endroit intime, 4). *L'intimité d'un petit appartement.*

intimer [ɛ̃time] v. tr. ▪ conjug. 1. ▪ Signifier (qqch. à qqn) avec autorité. ⇒ **enjoindre, notifier.** — (Surtout avec *ordre*) *Il m'a intimé l'ordre de rester.*

intimider [ɛ̃timide] v. tr. ▪ conjug. 1. **1.** Remplir (qqn) de peur, en imposant sa force, son autorité. ⇒ **effrayer.** *Je ne me laisserai pas intimider par vos menaces.* **2.** Remplir involontairement de timidité, de gêne. ⇒ **effaroucher, troubler.** *Examinateur qui intimide les candidats.* — (Suj. chose) *Tout ce luxe l'intimidait.* — Au p. p. adj. Troublé. *Elle a l'air intimidée.* ▶ *intimidant, ante* adj. ▪ Qui intimide (2), trouble. *Une situation intimidante.* ▶ *intimidation* n. f. ▪ Action d'intimider (1) volontairement ; son résultat. ⇒ **menace, pression.** *Des manœuvres d'intimidation.*

intituler [ɛ̃tityle] v. tr. ▪ conjug. 1. ▪ Donner un titre à (un livre, etc.). — S'INTITULER v. pron. : avoir pour titre. *Je ne sais plus comment s'intitule ce film.* — (Personnes) Se donner le titre, le nom de.

intolérable [ɛ̃tɔleʁabl] adj. **1.** Qu'on ne peut supporter. ⇒ **insupportable.** *Une douleur intolérable.* — Pénible, désagréable. *Ils font un bruit intolérable.* **2.** Qu'on ne peut admettre, tolérer. ⇒ **inacceptable, inadmissible.** *Des pratiques intolérables.*

intolérance [ɛ̃tɔleʁɑ̃s] n. f. **1.** Tendance à ne pas supporter, à condamner ce qui déplaît dans les opinions ou la conduite d'autrui. ⇒ **intransigeance, sectarisme.** *Intolérance religieuse, politique.* **2.** Inaptitude (d'un organisme, d'un organe) à tolérer un agent extérieur (aliment, remède). ▶ *intolérant, ante* adj. ▪ Qui fait preuve d'intolérance (1). *Des personnes intolérantes.* ⇒ **fanatique, sectaire.**

intonation [ɛ̃tɔnasjɔ̃] n. f. ▪ Ton que l'on prend en parlant, en lisant. ⇒ **accent, inflexion.** *Une voix aux intonations tendres.*

intouchable [ɛ̃tuʃabl] adj. **1.** Qu'on n'a pas le droit de toucher. — N. *Un intouchable* (en Inde), un paria. **2.** Qui ne peut être l'objet d'aucun blâme, d'aucune sanction. *Il a de hautes protections, il se croit intouchable.*

intoxiquer [ɛ̃tɔksike] v. tr. ▪ conjug. 1. **1.** Affecter (un être vivant) de troubles plus ou moins graves par l'effet de substances toxiques, vénéneuses. ⇒ **empoisonner.** *Il a été intoxiqué par l'oxyde de carbone.* — Pronominalement (réfl.). *Il fume trop, il s'intoxique.* — N. *Un intoxiqué.* **2.** Abstrait. Influencer les esprits insidieusement. *Se laisser intoxiquer par la propagande.* ▶ *intoxication* n. f. **1.** Action d'intoxiquer ; son résultat. *L'intoxication par le tabac, par l'alcool. Une intoxication alimentaire.* **2.** Abstrait. Action insidieuse sur les esprits (pour accréditer une opinion, démoraliser, influencer). *L'intoxication par la publicité.* — Abrév. fam. *Intoxe* [ɛ̃tɔks] n. f. *Faire de l'intoxe.* ‹ ▶ désintoxication, désintoxiquer ›

intra- ▪ Élément savant signifiant « à l'intérieur de ». ▶ *intradermique* [ɛ̃tʁadɛʁmik] adj. ▪ Qui se fait dans l'épaisseur du derme. *Infection intradermique.* ‹ ▶ intramusculaire, intraveineux ›

intraduisible [ɛ̃tʁadyizibl] adj. ▪ Qu'il est impossible de traduire ou d'interpréter. *Une locution intraduisible.*

intraitable [ɛ̃tʁɛtabl] adj. ▪ Qu'on ne peut pas faire changer d'avis, qui refuse de céder. ⇒ **intransigeant.** / contr. **conciliant** / *Il est intraitable sur ce chapitre.*

intramusculaire [ɛ̃tʁamyskylɛʁ] adj. ▪ Qui se fait dans l'épaisseur d'un muscle. *Injection intramusculaire.*

intransigeant, ante [ɛ̃tʁɑ̃ziʒɑ̃, ɑ̃t] adj. ▪ Qui ne transige pas, n'admet aucune concession, aucun compromis. ⇒ **intraitable, irréductible.** *Vous êtes trop intransigeant. Un caractère intransigeant.* / contr. **accommodant** / ▶ *intransigeance* n. f. ▪ Caractère d'une personne intransigeante.

intransitif, ive [ɛ̃tʁɑ̃zitif, iv] adj. ▪ (Verbe) Qui n'admet aucun complément d'objet et peut constituer avec le sujet une phrase minimale achevée (ex. : *Paul court*). ▶ *intransitivement* adv. ▪ *Verbe transitif qui s'emploie intransitivement* (ex. : *il mange trop*).

intransportable [ɛ̃tʁɑ̃spɔʁtabl] adj. ▪ Qui n'est pas transportable. *Des blessés intransportables,* dont l'état est trop grave pour qu'ils puissent supporter le transport.

intraveineux, euse [ɛ̃tʁavenø, øz] adj. ▪ Qui se fait à l'intérieur des veines. *Une piqûre intraveineuse.*

intrépide [ɛ̃tʁepid] adj. ▪ Qui ne tremble pas devant le danger. ⇒ **courageux.** *Un alpiniste intrépide.* ▶ *intrépidement* adv. ▪ ⇒ **hardiment.** ▶ *intrépidité* n. f. ▪ Caractère d'une personne intrépide. ⇒ **courage, hardiesse.** *Lutter avec intrépidité.*

intrigue [ɛ̃tʁig] n. f. **1.** Littér. Liaison amoureuse généralement clandestine et peu durable. ⇒ **aventure.** *Avoir une intrigue avec qqn.* **2.** Ensemble de combinaisons secrètes et compliquées. ⇒ **manœuvre.** *Des intrigues politiques. L'intrigue a été déjouée.* **3.** Ensemble des événements principaux (d'une pièce de théâtre, d'un roman, d'un film). ⇒ **action, scénario.** *Le dénouement d'une intrigue.* ▶ *intrigant, ante* adj. et n. ▪ Qui recourt à l'intrigue pour parvenir à ses fins. ▶ *intriguer* v. ▪ conjug. 1. **1.** V. tr. Embarrasser ou étonner (qqn) en excitant la curiosité. *Sa disparition intriguait les voisins.* — Au p. p. adj. *Un air intrigué.* **2.** V. intr. Mener une intrigue, recourir à l'intrigue (2). ⇒ **manœuvrer ; intrigant.** *Il intrigue pour obtenir ce poste.*

intrinsèque [ɛ̃tʁɛ̃sɛk] adj. ▪ Qui est intérieur et propre à l'objet dont il s'agit. *La valeur intrinsèque d'une monnaie,* qu'elle tient de sa nature (et non d'une convention). ▶ *intrinsèquement* adv. ▪ En soi.

introduction [ɛ̃tʁɔdyksjɔ̃] n. f. **I. 1.** Action d'introduire, de faire entrer (qqn). *L'introduction d'un malade dans la salle d'attente. Lettre d'introduction,* par laquelle on recommande qqn. **2.** Action de faire adopter (une mode, un produit...). ⇒ **adoption.** *L'introduction d'une mode dans un pays.* **3.** Action de faire entrer (une chose dans une autre). *L'introduction d'une sonde dans l'organisme.* **II. 1.** Ce qui prépare qqn à la connaissance, à la pratique d'une chose (texte, etc.). *C'est une bonne introduction à la psychanalyse.* **2.** Préface explicative. *Ce livre commence par une brève introduction.* — Entrée en matière (d'un exposé). *L'introduction expose le plan d'ensemble.*

introduire [ɛ̃tʀɔdɥiʀ] v. tr. ▪ conjug. 38. — REM. Part. passé *introduit(e)*. **1.** Faire entrer (qqn) dans un lieu. *L'huissier l'a introduit dans le bureau du ministre.* — Faire admettre (qqn) dans un groupe, une société. *Il a été introduit auprès du directeur.* — Au p. p. adj. Qui a ses entrées, qui est reçu habituellement. *Il est bien introduit à l'ambassade.* **2.** Faire adopter (qqch.). *C'est lui qui a introduit cette réforme. Introduire une mode, de nouvelles idées.* **3.** Faire entrer (une chose). ⇒ **engager, insérer.** *Il n'arrivait pas à introduire la clef dans la serrure.* — Au p. p. adj. *Une marchandise introduite en contrebande.* **4.** S'INTRODUIRE v. pron. : entrer, pénétrer. *Le cambrioleur s'est introduit sans peine dans l'appartement.* — Se faire admettre. *Il a réussi à s'introduire dans l'association.* ⟨ ▶ introduction, réintroduire ⟩

introniser [ɛ̃tʀɔnize] v. tr. ▪ conjug. 1. ▪ Placer solennellement sur le trône, sur la chaire pontificale (un roi, un pape). *Introniser un souverain.* — Introduire (qqch.) de manière officielle ou solennelle. *Introniser une politique nouvelle.* ▶ *intronisation* n. f. ▪ Action d'introniser.

introspection [ɛ̃tʀɔspɛksjɔ̃] n. f. ▪ Littér. Observation, analyse de ses sentiments, de ses motivations par le sujet lui-même.

introverti, ie [ɛ̃tʀɔvɛʀti] adj. ▪ Terme de psychologie. Qui est tourné vers son moi, son monde intérieur. / contr. **extraverti** ou **extroverti** /

introuvable [ɛ̃tʀuvabl] adj. **1.** Qu'on ne parvient pas à trouver. *Le voleur reste introuvable.* **2.** Très difficile à trouver (du fait de sa rareté). *Une édition originale introuvable.*

intrus, use [ɛ̃tʀy, yz] n. ▪ Personne qui s'introduit quelque part sans y être invitée, ni désirée. ⇒ **indésirable.** *Elle se sentait comme une intruse dans ce milieu.* ▶ *intrusion* [ɛ̃tʀyzjɔ̃] n. f. ▪ Action de s'introduire, sans en avoir le droit, dans une place, une société. *Faire intrusion quelque part, chez qqn.*

intuition [ɛ̃tɥisjɔ̃] n. f. **1.** Forme de connaissance immédiate qui ne recourt pas au raisonnement. *Comprendre par intuition.* / contr. **raisonnement** / **2.** Sentiment ou conviction de ce qu'on ne peut vérifier, de ce qui n'existe pas encore. ⇒ **pressentiment.** *Il ne faut pas se fier à ses intuitions. J'en ai l'intuition.* — Absolt. *Avoir de l'intuition,* sentir ou deviner les choses. ⇒ **flair.** ▶ *intuitif, ive* adj. **1.** Qui est le résultat d'une intuition. *Connaissance intuitive.* **2.** (Personnes) Qui fait ordinairement preuve d'intuition. *Être intuitif en affaires.* — N. *C'est un intuitif.* ▶ *intuitivement* adv. ▪ Par l'intuition. *Il a répondu intuitivement.*

inuit [inɥit] n. et adj. ▪ Nom autochtone des Esquimaux. *Un, une Inuit.* — *La civilisation inuit.*

inusable [inyzabl] adj. ▪ Qui ne peut s'user, dure très longtemps. *Des chaussures inusables.*

inusité, ée [inyzite] adj. ▪ (Mots, expressions) Que personne ou presque personne n'emploie. ⇒ **rare.** *Mot inusité.* / contr. **courant, usuel** / — Inhabituel. *Un événement inusité.*

inutile [inytil] adj. **1.** Qui n'est pas utile. ⇒ **superflu.** *S'encombrer de bagages inutiles. Éviter toute fatigue inutile.* — Impers. *Il est inutile d'essayer,* ce n'est pas la peine. *Inutile d'insister !* **2.** (Personnes) Qui ne rend pas de services. *Les bouches inutiles.* — N. *Un inutile.* ▶ *inutilement* adv. ▪ Pour rien. *Ne vous dérangez pas inutilement.* ▶ *inutilité* n. f. ▪ Caractère de ce qui est inutile. *Vous comprenez l'inutilité de votre démarche.*

inutilisable [inytilizabl] adj. ▪ Qui ne peut être utilisé. ▶ *inutilisé, ée* adj. ▪ Qui n'a pas servi, n'a

pas été utilisé. *Des outils inutilisés et presque à l'état neuf.*

invalide [ɛ̃valid] adj. et n. ▪ Qui n'est pas en état de mener une vie active, du fait de sa mauvaise santé, de ses infirmités, etc. ⇒ **handicapé, impotent, infirme.** — N. Militaire, travailleur que l'âge, les blessures rendent incapables de servir, de travailler. *Les invalides du travail.* ▶ *invalidité* n. f. ▪ État d'une personne invalide. — Diminution de la capacité de travail (des deux tiers au moins). *Pension d'invalidité.*

invalider [ɛ̃valide] v. tr. ▪ conjug. 1. ▪ Droit. Rendre non valable. ⇒ **annuler.** *Son élection a été invalidée.* ▶ *invalidation* n. f. ▪ Action d'invalider.

invariable [ɛ̃vaʀjabl] adj. **1.** Qui ne varie, ne change pas. ⇒ **constant, immuable.** *Des règles invariables.* — (Mots) Qui ne comporte pas de modifications dans sa forme. *Les adverbes sont invariables. Nom, adjectif invariables au pluriel* (abrév. *invar.*). **2.** Qui se répète sans varier. *Un menu invariable.* ▶ *invariablement* adv. ▪ *Il est invariablement en retard.* ⇒ **toujours.**

invasion [ɛ̃vazjɔ̃] n. f. **1.** Pénétration massive (de forces armées qui envahissent* le territoire d'un autre État). *Se défendre contre l'invasion.* **2.** Action d'envahir, de se répandre dangereusement. *Une invasion de sauterelles.* — Entrée soudaine et massive. *L'invasion des manifestations dans la salle.* ⇒ **irruption.**

invective [ɛ̃vɛktiv] n. f. ▪ Parole ou suite de paroles violentes (contre qqn ou qqch.). *Il était furieux et se répandait en invectives.* ▶ *invectiver* v. ▪ conjug. 1. Littér. **1.** V. intr. Lancer des invectives. **2.** V. tr. Couvrir (qqn) d'invectives. ⇒ **injurier.**

invendable [ɛ̃vɑ̃dabl] adj. ▪ Qui n'est pas vendable, qui ne peut trouver d'acheteur. ▶ *invendu, ue* [ɛ̃vɑ̃dy] adj. ▪ Qui n'a pas été vendu. *Marchandises invendues en solde. Les journaux invendus.* — N. m. *Les invendus.*

inventaire [ɛ̃vɑ̃tɛʀ] n. m. **1.** Opération qui consiste à recenser l'actif et le passif (d'une communauté, d'un commerce, etc.) ; état descriptif dressé lors de cette opération. *Faire, dresser un inventaire.* ⇒ **inventorier.** *Inventaire de fin d'année.* **2.** Revue et étude minutieuse. *L'inventaire des monuments d'une région.* ≠ *éventaire.* ⟨ ▶ inventorier ⟩

inventer [ɛ̃vɑ̃te] v. tr. ▪ conjug. 1. **1.** Créer ou découvrir (qqch. de nouveau). *Les Chinois ont inventé l'imprimerie.* **2.** Trouver, imaginer pour un usage particulier. *Ils ne savent qu'inventer pour nous faire plaisir.* **3.** Imaginer de façon arbitraire. *J'ai inventé une histoire pour m'excuser. Crois-moi, je n'invente rien,* c'est la vérité. Loc. *Inventer qqch. de toutes pièces,* complètement. — Pronominalement (passif). *Ce sont des choses qui ne s'inventent pas,* qui sont sûrement vraies. ▶ *inventeur, trice* n. **1.** Personne qui invente, qui a inventé. *L'inventeur d'une machine.* — Auteur d'inventions importantes. *Les grands inventeurs.* **2.** En droit. Personne qui trouve (un trésor, un objet, etc.). *L'inventeur d'une épave de l'Antiquité.* ▶ *inventif, ive* adj. **1.** Qui a le don d'inventer. *Un génie inventif.* **2.** Fertile en ressources, en expédients. ⇒ **ingénieux.** ▶ *invention* [ɛ̃vɑ̃sjɔ̃] n. f. **1.** *L'invention de qqch. ; une invention,* action d'inventer. ⇒ **découverte.** *L'invention de l'imprimerie.* — (Une, des inventions) Chose inventée, nouveauté scientifique ou technique. **2.** *L'invention,* faculté, don d'inventer. ⇒ **imagination.** *Il manque d'invention.* **3.** Action d'imaginer (un moyen) ; d'inventer (une histoire). *Une histoire de son invention.* **4.** Chose imaginée. *Qu'est-ce que c'est encore que cette invention ? C'est une pure invention.* ⇒ **fiction, mensonge.**

inventorier [ɛ̃vɑ̃tɔrje] v. tr. ▪ conjug. 7. ■ Faire l'inventaire de. *Inventorier les meubles d'une maison.*

invérifiable [ɛ̃verifjabl] adj. ■ Qui ne peut être vérifié. *Des hypothèses invérifiables.*

inverse [ɛ̃vɛʀs] adj. et n. m. I. Adj. 1. (Direction, ordre) Qui est exactement opposé, contraire. *En sens inverse.* 2. *Rapport inverse,* rapport de deux quantités dont l'une augmente dans la même proportion que l'autre diminue. II. N. m. *L'inverse,* la chose inverse (soit par changement d'ordre ou de sens, soit par contradiction totale). ⇒ le **contraire.** *C'est justement l'inverse. Supposons l'inverse.* — Loc. *À l'inverse,* tout au contraire. ▶ *inversement* adv. 1. D'une manière inverse. *Inversement proportionnel.* 2. (En tête de phrase) Par un phénomène, un raisonnement inverse. *Inversement, on peut dire que...* — (À la fin de la proposition) *Ou inversement,* ou c'est l'inverse. ⇒ **vice versa.** ▶ *inverser* v. tr. ▪ conjug. 1. 1. Changer (la position, l'ordre). ⇒ **intervertir.** 2. Renverser le sens de (un courant électrique, un mouvement). ▶ ① *inversion* n. f. 1. Déplacement (d'un mot ou d'un groupe de mots) par rapport à l'ordre habituel de la construction. *Les cas d'inversion du sujet.* 2. Changement de sens (d'un courant électrique).

② *inversion* n. f. ■ *Inversion sexuelle,* homosexualité. ▶ *inverti, ie* [ɛ̃vɛʀti] n. ■ Personne homosexuelle.

invertébré, ée [ɛ̃vɛʀtebʀe] adj. ■ Qui n'a pas de vertèbres, de squelette. — N. LES INVERTÉBRÉS : tous les animaux qui ne possèdent pas de colonne vertébrale. *La mouche, l'escargot sont des invertébrés.* / contr. **vertébrés** /

investigation [ɛ̃vɛstigasjɔ̃] n. f. ■ Recherche suivie, systématique. ⇒ **enquête.** *Les investigations de l'historien.*

① *investir* [ɛ̃vɛstiʀ] v. tr. ▪ conjug. 2. ■ Entourer avec des troupes (un objectif militaire). ⇒ **cerner.** *Investir une ville.* ▶ ① *investissement* n. m. ■ Action d'investir ; son résultat. *L'investissement d'une place forte.*

② *investir* v. tr. ▪ conjug. 2. 1. Employer, placer (des capitaux) dans une entreprise. *Il a investi son argent dans l'immobilier.* 2. Intransitivement. Mettre son énergie psychique dans une activité, un objet. *Elle a beaucoup investi dans ses enfants.* ▶ ② *investissement* n. m. ■ Action d'investir dans une entreprise des capitaux destinés à son équipement, à l'acquisition de moyens de production ; ces capitaux. *Un investissement de longue durée.* ▶ *investisseur, euse* n. ■ Personne ou collectivité qui investit des capitaux.

③ *investir* v. tr. ▪ conjug. 2. 1. Mettre (qqn) en possession (d'un pouvoir, d'un droit, d'une fonction). *Investir un ambassadeur de pouvoirs extraordinaires.* 2. Désigner officiellement (un candidat aux élections). ▶ *investiture* n. f. 1. Acte solennel qui accompagnait la mise en possession (d'un fief, d'un évêché...). 2. Acte par lequel un parti investit un candidat à une élection. *Recevoir l'investiture.*

invétéré, ée [ɛ̃vetere] adj. ■ Péj. Qui est tel depuis longtemps, ne peut ou ne veut pas changer. *Un alcoolique invétéré.*

invincible [ɛ̃vɛ̃sibl] adj. 1. (Personnes) Qui ne peut être vaincu. — (Choses) Qui ne se laisse pas abattre. *Un courage invincible.* 2. (Choses) Dont on ne peut triompher. *Un obstacle invincible.* — À quoi l'on ne peut résister. *Cette idée m'inspirait une répugnance invincible.* ▶ *invinciblement* adv. ■ *Le sommeil le gagnait invinciblement.*

inviolable [ɛ̃vjɔlabl] adj. ■ Qu'il n'est pas permis de violer, d'enfreindre. ⇒ **sacré.** *Un asile inviolable. Des droits inviolables.*

invisible [ɛ̃vizibl] adj. 1. Qui n'est pas visible, qui échappe à la vue. *Les nuages rendent la lune invisible. Un microbe, une étoile invisible à l'œil nu.* 2. (Personnes) Qui se dérobe aux regards et qu'on ne peut rencontrer. *Le directeur restait invisible.* ▶ *invisibilité* n. f. ■ Caractère de ce qui n'est pas visible. *L'invisibilité d'un gaz.*

inviter [ɛ̃vite] v. tr. ▪ conjug. 2. 1. Prier (qqn) de se rendre, de se trouver à un endroit, d'assister à qqch. ⇒ **convier.** *Invitons-les à dîner. Ils ont été invités au mariage.* — Pronominalement (réfl.). *Il s'est invité, il est venu sans en être prié.* — Au p. p. adj. *Les amis invités ce soir.* N. *Les invités.* 2. Engager (qqn) de façon courtoise (à faire qqch.). *Je vous invite à me suivre.* — Inciter avec autorité. *Je vous invite à vous taire.* — (Suj. chose) Inciter, porter. *Le temps invitait à se promener, à la flânerie.* ▶ *invitation* n. f. 1. Action d'inviter ; son résultat. *Accepter, refuser une invitation à dîner. Des formules d'invitation.* 2. Action d'inciter, d'engager à. *Sur l'invitation de,* sur la prière, le conseil de. ▶ *invite* n. f. ■ Invitation indirecte plus ou moins déguisée (à faire qqch.). *C'était une invite discrète à le laisser tranquille.*

invivable [ɛ̃vivabl] adj. 1. Qu'il est très difficile de vivre, de supporter. *Une situation invivable.* 2. (Personnes) Insupportable. *Il est devenu invivable.*

involontaire [ɛ̃vɔlɔ̃tɛʀ] adj. 1. Qui ne résulte pas d'un acte volontaire. *Un geste involontaire.* 2. (Personnes) Qui agit ou se trouve dans une situation, sans le vouloir. *Il a été le témoin involontaire d'un drame.* ▶ *involontairement* adv. ■ Sans le vouloir. *Si je vous ai peiné, c'est bien involontairement.*

invoquer [ɛ̃vɔke] v. tr. ▪ conjug. 1. 1. Appeler à l'aide par des prières. *Invoquer Dieu, les dieux.* 2. Faire appel, avoir recours à (qqch. qui peut aider). *Nous invoquerons son témoignage, cet argument... Invoquer des prétextes.* ≠ **évoquer.** ▶ *invocation* n. f. ■ Action d'invoquer ; son résultat.

invraisemblable [ɛ̃vʀesɑ̃blabl] adj. 1. Qui n'est pas vraisemblable. ⇒ **incroyable.** *C'est une histoire invraisemblable.* 2. (Choses concrètes) Très étonnant (et souvent comique). ⇒ **extravagant, inimaginable.** *Il portait un invraisemblable chapeau.* 3. Fam. Excessif. *Il a un toupet invraisemblable.* ⇒ **inouï.**

invraisemblance [ɛ̃vʀesɑ̃blɑ̃s] n. f. ■ Défaut de vraisemblance. *L'invraisemblance d'une nouvelle.* — Chose invraisemblable. *Un récit plein d'invraisemblances.*

invulnérable [ɛ̃vylneʀabl] adj. 1. Qui ne peut pas être blessé. / contr. **vulnérable** / — (Choses) *Ville invulnérable.* ⇒ **imprenable.** 2. Abstrait. Qui ne peut être atteint. *Une foi invulnérable.* ▶ *invulnérabilité* n. f. ■ Caractère de ce qui est invulnérable.

iode [jɔd] n. m. ■ Corps (métalloïde) très volatil, présent dans l'eau de mer, qui donne naissance à des vapeurs violettes quand on le chauffe. *Phares à iode. Teinture d'iode* (désinfectant). ▶ *iodé, ée* adj. ■ Qui contient de l'iode. *L'air iodé du bord de mer.* ▶ *iodoforme* n. m. ■ Composé à base d'iode, antiseptique. ▶ *iodure* n. m. ■ Nom de composés de l'iode. *Iodure d'argent,* utilisé en photographie.

ion [jɔ̃] n. m. ■ Atome ou groupement d'atomes portant une charge électrique. *Des ions* [dezjɔ̃]. — Atome modifié qui possède plus ou moins d'électrons. ▶ *ionisé, ée* adj. ■ Chargé d'ions. *Gaz ionisé.* ▶ *ionisation* n. f. ■ Formation, présence d'ions positifs et négatifs (dans un gaz). ▶ *ionosphère* n. f. ■ Couche supérieure ionisée de l'atmosphère. ⟨ ▶ **électron** ⟩

ionique [jɔnik] adj. ■ *Ordre ionique,* un des trois styles d'architecture grecque, caractérisé par un chapiteau orné de deux volutes latérales. *Colonne ionique.* ≠ *corinthien, dorique.*

iota [jɔta] n. m. invar. ■ Neuvième lettre de l'alphabet grec (ι), qui correspond à *i.* — Loc. *Sans changer un iota,* sans rien changer.

ipéca [ipeka] n. m. ■ Racine à propriétés vomitives. *Sirop, pastille d'ipéca.*

ipso facto [ipsofakto] adj. ■ Par le fait même (sans mesure ou disposition spéciale).

irakien, ienne ou *iraqien, ienne* [iʀakjɛ̃, jɛn] adj. et n. ■ D'Irak (ou Iraq). *Le pétrole irakien.* — *Les Irakiens.*

iranien, ienne [iʀanjɛ̃, jɛn] adj. et n. ■ D'Iran. ⇒ **persan**. *Population iranienne.* — *Les Iraniens.*

irascible [iʀasibl] adj. ■ Littér. Qui s'irrite, s'emporte facilement. ⇒ **coléreux ; irritable.** *Une humeur irascible.*

ire [iʀ] n. f. ■ Vx. Colère (⇒ **irriter**). ⟨ ▶ irascible ⟩

iridium [iʀidjɔm] n. m. ■ Métal blanc très dur, cassant, qu'on extrait de minerais de platine.

① *iris* [iʀis] n. m. invar. ■ Plante à haute tige portant de grandes fleurs ornementales bleues, violettes, blanches.

② *iris* n. m. invar. ■ Membrane de l'œil, située derrière la cornée et présentant un orifice (pupille) en son centre. *Iris bleu, brun.*

irisé, ée [iʀize] adj. ■ Qui prend les couleurs du prisme, de l'arc-en-ciel. *Reflets irisés.* ▶ *irisation* n. f. ■ Production des couleurs de l'arc-en-ciel par décomposition du prisme.

irlandais, aise [iʀlɑ̃dɛ, ɛz] adj. et n. ■ D'Irlande. N. *Les Irlandais.* — N. M. *L'irlandais,* les dialectes celtiques parlés en Irlande.

ironie [iʀɔni] n. f. **1.** Manière de se moquer (de qqn ou de qqch.) en disant le contraire de ce qu'on veut exprimer. ⇒ **moquerie, raillerie.** *Une ironie amère. Savoir manier l'ironie.* **2.** Disposition moqueuse. *Une lueur d'ironie dans le regard.* **3.** IRONIE DU SORT : intention de moquerie méchante qu'on prête au sort. ▶ *ironique* adj. ■ Qui use de l'ironie ; où il entre de l'ironie. ⇒ **moqueur, railleur, sarcastique.** *Il est ironique à notre égard. Un sourire, un ton ironique.* ▶ *ironiquement* adv. ■ *Il répondit ironiquement.* / contr. **sérieusement** / ▶ *ironiser* v. intr. · conjug. 1. ■ Employer l'ironie. ⇒ se **moquer, railler.** *Ironiser sur, à propos de qqn, qqch.* ▶ *ironiste* n. ■ Personne, écrivain qui pratique l'ironie. ⇒ **humoriste.**

irradier [i(ʀ)ʀadje] v. · conjug. 7. **1.** V. intr. (Lumière, douleur) Se propager en rayonnant à partir d'un centre. *La douleur irradiait dans tout le côté droit.* **2.** V. tr. Exposer (des organismes ou des substances d'origine animale ou végétale) à l'action de certaines radiations (notamment à la radioactivité). — Au p. p. adj. *Personnel d'une centrale nucléaire accidentellement irradié.* ▶ *irradiation* n. f. **1.** Émission de radiations. *L'irradiation du soleil.* **2.** Action d'irradier (2). *Irradiation d'une tumeur. Danger d'irradiation.*

irraisonné, ée [i(ʀ)ʀezɔne] adj. ■ Qui n'est pas raisonné, qui n'a pas de raison précise. *Une peur irraisonnée.*

irrationnel, elle [i(ʀ)ʀasjɔnɛl] adj. **1.** Qui n'est pas rationnel, n'est pas du domaine de la raison. *Des croyances irrationnelles.* / contr. **rationnel** / **2.** Nombre irrationnel, qui ne peut être mis sous la forme d'un rapport entre deux nombres entiers (ex. : π (pi) = 3,141 592, etc.)

irréalisable [i(ʀ)ʀealizabl] adj. ■ Qui ne peut se réaliser. ⇒ **chimérique.** *Un rêve, un projet irréalisable.*

irréalisme [i(ʀ)ʀealism] n. m. ■ Manque de réalisme, de sens des réalités.

irréalité [i(ʀ)ʀealite] n. f. ■ Caractère irréel. *Une impression d'irréalité, de rêve.*

irrecevable [i(ʀ)ʀəs(ə)vabl] adj. ■ Qui n'est pas recevable, qui ne peut être admis. ⇒ **inacceptable.** *Votre demande est irrecevable.*

irréconciliable [i(ʀ)ʀekɔ̃siljabl] adj. ■ Avec lequel, entre lesquels il n'y a pas de réconciliation possible. *Des ennemis irréconciliables.*

irrécupérable [i(ʀ)ʀekypeʀabl] adj. **1.** Qui ne peut être récupéré. *Des ferrailles irrécupérables.* **2.** (Personnes) Qui ne peut être admis à nouveau dans un groupe, un parti. — N. *Des irrécupérables.*

irrécusable [i(ʀ)ʀekyzabl] adj. **1.** Qui ne peut être récusé en justice. *Un témoignage irrécusable.* **2.** Qu'on ne peut contester, mettre en doute. *Une preuve irrécusable.* ⇒ **irréfragable, irréfutable.**

irréductible [i(ʀ)ʀedyktibl] adj. ■ Qui ne peut être réduit ; dont on ne peut venir à bout. *Une opposition irréductible. Un ennemi irréductible.* — N. *Des irréductibles.*

irréel, elle [i(ʀ)ʀeɛl] adj. ■ Qui n'est pas réel, qui est en dehors de la réalité. ⇒ **abstrait, fantastique ; irréalité.** *Vos craintes sont irréelles.* ⟨ ▶ irréalité ⟩

irréfléchi, ie [i(ʀ)ʀefleʃi] adj. ■ Qui agit ou se fait sans réflexion. *Un homme irréfléchi. Des propos irréfléchis.*

irréflexion [i(ʀ)ʀeflɛksjɔ̃] n. f. ■ Manque de réflexion. ⇒ **étourderie.**

irréfragable [i(ʀ)ʀefʀagabl] adj. ■ Littér. (Preuve, témoignage...) Qu'on ne peut contredire, récuser. ⇒ **irrécusable.**

irréfutable [i(ʀ)ʀefytabl] adj. ■ Qui ne peut être réfuté. *Un argument irréfutable.* ⇒ **irrécusable.** ▶ *irréfutablement* adv.

irrégularité [i(ʀ)ʀegylaʀite] n. f. **1.** Caractère, aspect irrégulier (d'un objet, un phénomène, une situation...). / contr. **régularité** / *L'irrégularité du pouls.* **2.** (Une, des irrégularités) Chose ou action irrégulière. *Les irrégularités observées dans une conjugaison.* — Chose contraire à la loi, à un règlement. *Des irrégularités ont été commises au cours de l'élection.*

irrégulier, ière [i(ʀ)ʀegylje, jɛʀ] adj. **I. 1.** Qui n'est pas régulier dans sa forme, ses dimensions, sa disposition... *Un visage aux traits irréguliers. Un mouvement, un pouls irrégulier.* ⇒ **intermittent.** *Des résultats irréguliers.* **2.** Abstrait. Qui n'est pas conforme à la règle établie, à l'usage commun. *Une situation irrégulière. C'est tout à fait irrégulier.* — Qui n'est pas conforme à un type grammatical considéré comme normal. *Verbes irréguliers.* **II.** (Personnes) **1.** Troupes irrégulières, qui n'appartiennent pas à l'armée régulière. **2.** Qui n'est pas constamment égal à soi-même. ⇒ **inégal.** *Un élève, un athlète irrégulier,* qui n'est pas régulier dans son travail, ses résultats. ▶ *irrégulièrement* adv. ■ *Il vient très irrégulièrement nous voir.* ⟨ ▶ irrégularité ⟩

irréligieux, euse [i(ʀ)ʀeliʒjø, øz] adj. ■ Qui n'a pas de croyance religieuse, s'oppose à la religion. *Des opinions irréligieuses.* ▶ *irréligion* n. f. ■ Littér. Manque de religion, d'esprit religieux. ⇒ **athéisme, impiété, incroyance.**

irrémédiable [i(ʀ)ʀemedjabl] adj. ■ À quoi on ne peut remédier. ⇒ **irréparable.** *Des pertes irrémédiables.* ▶ *irrémédiablement* adv. ■ Littér. Irréparablement. *Ils sont irrémédiablement fâchés,* à tout jamais.

irrémissible [i(ʀ)ʀemisibl] adj. ■ Littér. (Crime, faute) Impardonnable.

irremplaçable [i(ʀ)ʀɑ̃plasabl] adj. ■ Qui ne peut être remplacé (par qqch. ou qqn de même valeur). *Un collaborateur irremplaçable.*

irréparable [i(ʀ)ʀepaʀabl] adj. **1.** Qui ne peut être réparé. *La voiture est irréparable.* **2.** Fig. ⇒ **irrémédiable.** *C'est une perte irréparable.* — N. m. *L'irréparable est accompli.*

irrépressible [i(ʀ)ʀepʀesibl] adj. ■ Littér. Qu'on ne peut réprimer, contenir. ⇒ **irrésistible.** / contr. **maîtrisable** / *Un tic, un rire irrépressible.*

irréprochable [i(ʀ)ʀepʀɔʃabl] adj. ■ À qui, à quoi on ne peut faire aucun reproche. ⇒ **parfait.** / contr. **condamnable** / *Dans toute cette affaire, il a été irréprochable. Une conduite irréprochable.* ⇒ **impeccable.** *Une argumentation irréprochable.*

irrésistible [i(ʀ)ʀezistibl] adj. **1.** À quoi on ne peut résister. *Une tentation irrésistible. C'est irrésistible.* **2.** (Personnes) À qui on ne peut résister (du fait de son charme). *Elle était irrésistible.* **3.** Qui fait rire. *Un spectacle irrésistible.* ▶ *irrésistiblement* adv. ■ *Le coureur prenait irrésistiblement de l'avance.*

irrésolu, ue [i(ʀ)ʀezɔly] adj. ■ Littér. Qui a peine à se résoudre, à se déterminer. ⇒ **hésitant, indécis.** *Il restait irrésolu.* ▶ *irrésolution* n. f. ■ État ou caractère d'une personne irrésolue. ⇒ **hésitation, indécision.**

irrespect [i(ʀ)ʀɛspɛ] n. m. ■ Littér. Manque de respect. ⇒ **insolence.** *Montrer son irrespect envers qqn, qqch.* ▶ *irrespectueux, euse* [i(ʀ)ʀɛspɛktɥø, øz] adj. ■ Qui n'est pas respectueux. ⇒ **impertinent, insolent.** *Être irrespectueux envers ses parents.*

irrespirable [i(ʀ)ʀɛspiʀabl] adj. ■ Qui est pénible ou dangereux à respirer. *Une atmosphère irrespirable.*

irresponsable [i(ʀ)ʀɛspɔ̃sabl] adj. et n. **1.** En droit. Qui, devant la loi, n'est pas responsable, n'a pas à répondre de ses actes. *Les aliénés sont irresponsables.* **2.** Dont la responsabilité morale ne peut pas être retenue. *Désavouer les initiatives d'éléments irresponsables.* — Qui agit à la légère. *Des jeunes gens irresponsables.* — *Une attitude irresponsable.* — N. *C'est un(e) irresponsable.* ▶ *irresponsabilité* n. f. ■ Caractère d'une personne irresponsable ou qui agit à la légère. *L'irresponsabilité de la jeunesse.*

irrévérence [i(ʀ)ʀeveʀɑ̃s] n. f. ■ Littér. Manque de respect. ⇒ **impertinence, irrespect.** *Agir avec irrévérence.* ▶ *irrévérencieux, euse* adj. ■ Littér. Qui fait preuve d'irrévérence. *Propos irrévérencieux.*

irréversible [i(ʀ)ʀevɛʀsibl] adj. ■ Qui ne peut se produire que dans un seul sens, sans pouvoir être arrêté ni renversé. *C'est un phénomène, une évolution irréversible.*

irrévocable [i(ʀ)ʀevɔkabl] adj. ■ Qui ne peut être révoqué, repris. *Un jugement irrévocable. Ma décision est irrévocable.* ⇒ **définitif.** ▶ *irrévocablement* adv. ■ Littér. *Décision irrévocablement prise.*

irriguer [i(ʀ)ʀige] v. tr. ■ conjug. 1. ■ Arroser par irrigation. *Irriguer des champs.* / contr. **drainer** / ▶ *irrigation* n. f. ■ Arrosement artificiel et méthodique des terres. / contr. **drainage** / *Ce barrage a permis l'irrigation de régions arides.*

irriter [iʀite] v. tr. ■ conjug. 1. **1.** Mettre en colère. ⇒ **agacer, énerver, exaspérer.** *Ce genre de propos a le don de m'irriter.* — S'IRRITER v. pron. réfl. : se mettre en colère. *Elle s'est irrité contre lui, de son retard.* — Au p. p. adj. *Il avait l'air très irrité. Un air irrité.* **2.** Littér. Rendre plus vif, plus fort. ⇒ **aviver.** *Tout ce mystère irritait sa curiosité.*

3. Rendre douloureux, sensible en déterminant une légère inflammation. ⇒ **enflammer.** *Piqûre qui irrite la peau.* — Au p. p. *Il avait les yeux irrités par la fumée.* ▶ *irritable* adj. ■ Qui se met facilement en colère. ⇒ **emporté, irascible.** ▶ *irritabilité* n. f. ■ Disposition à s'irriter. *Elle est d'une extrême irritabilité.* ▶ *irritant, ante* adj. **1.** Qui irrite, met en colère. ⇒ **agaçant, énervant. 2.** Qui détermine de l'irritation, de l'inflammation. ▶ *irritation* n. f. **1.** État d'une personne irritée. ⇒ **colère, exaspération.** *Il était au comble de l'irritation.* ⇒ **agacement. 2.** État douloureux résultant d'une inflammation légère. *Une irritation de la gorge.*

irruption [iʀypsjɔ̃] n. f. **1.** Vx. Invasion soudaine et violente (d'éléments hostiles, dans un pays). **2.** Entrée de force et en masse (dans un lieu). *L'irruption des troupes ennemies dans le pays. Les manifestants ont fait irruption dans la salle.* — Entrée brusque et inattendue. *Il a fait irruption dans mon bureau.* ≠ **éruption.**

isard [izaʀ] n. m. ■ Chamois des Pyrénées.

isba [isba] n. f. ■ Petite maison de bois des paysans russes. *Des isbas.*

islam [islam] n. m. **1.** Religion prêchée par Mahomet et fondée sur le Coran (*islamisme* aussi en ce sens). **2.** (Avec une majuscule) L'ensemble des peuples musulmans et leur civilisation. *Les pays d'Islam. L'Islam africain, indonésien.* ▶ *islamique* adj. ■ Qui a rapport à l'islam. *École islamique.*

islandais, aise [islɑ̃dɛ, ɛz] adj. et n. ■ D'Islande. ■ N. *Les Islandais.* — *L'islandais,* la langue germanique parlée en Islande.

iso- ■ Élément de mots savants signifiant « égal ». ⟨ ▶ isocèle, isomère, isomorphe, isotope ⟩

isocèle [izɔsɛl] adj. ■ *Triangle, trapèze isocèle,* qui a deux côtés égaux.

isolant, ante [izɔlɑ̃, ɑ̃t] adj. et n. m. ■ Qui isole, empêche la propagation des vibrations, ou n'est pas conducteur d'électricité. *Matériaux isolants.* — N. m. *Un isolant électrique, phonique, thermique.*

isolation [izɔlasjɔ̃] n. f. ■ Action de protéger une pièce contre la chaleur, le froid, le bruit ; son résultat. *Isolation acoustique, phonique.* ⇒ **insonorisation.** *Ce pavillon a une bonne isolation thermique.*

isolationnisme [izɔlasjɔnism] n. m. ■ Politique d'isolement. *Ce pays pratique l'isolationnisme.* ▶ *isolationniste* adj. et n. ■ Partisan de l'isolationnisme.

isolé, ée [izɔle] adj. **1.** Qui est séparé des choses de même nature ou de l'ensemble auquel il (elle) appartient ⇒ **isoler.** *Un arbre isolé au milieu d'un champ. Table isolée, dans un restaurant.* **2.** Éloigné de toute habitation. ⇒ **perdu, reculé.** *Un endroit isolé et tranquille.* **3.** (Personnes) Séparé des autres hommes. ⇒ **seul, solitaire.** *Il vit trop isolé.* **4.** Abstrait. Seul de sa sorte, non représentatif. *Ce n'est qu'un cas isolé.* ▶ *isolément* adv. ■ *Quand on les reçoit isolément, ils sont charmants.* ⇒ **séparément.** / contr. **ensemble** /

isolement [izɔlmɑ̃] n. m. **1.** État d'une chose isolée. *L'isolement d'une maison.* **2.** État, situation d'une personne isolée ⇒ **solitude** ou qu'on isole. *L'isolement des contagieux.* ⇒ **quarantaine. 3.** Absence d'engagement avec les autres nations. *Le « splendide isolement » de l'Angleterre au XIXᵉ siècle.* ⇒ **isolationnisme.**

isoler [izɔle] v. tr. ■ conjug. 1. **1.** Séparer (qqch.) des objets environnants ; empêcher d'être en contact. *La tempête a isolé le village.* — Protéger avec un isolant. — *Isoler un corps,* le séparer d'une combinaison chimique. *Isoler un microbe, un virus,* le séparer du milieu où on le rencontre. **2.** Éloigner (qqn) de la société des autres hommes. *Isoler un malade contagieux.* — S'ISOLER v. pron. réfl. : se retirer de façon à être seul. *S'isoler dans un coin.* **3.** Abstrait. Considérer à part, hors d'un contexte. *C'est un fait que vous n'avez pas le droit d'isoler.* ⟨ ▶ isolant, isolation, isolationnisme, isolé, isolement, isoloir ⟩

isoloir [izɔlwaʀ] n. m. ■ Cabine où l'électeur s'isole pour préparer son bulletin de vote.

isomère [izɔmɛʀ] adj. et n. m. ■ Chimie. Se dit de composés ayant la même formule d'ensemble, mais des propriétés différentes dues à un agencement différent des atomes dans la molécule. — N. m. *Un, des isomères.* ▶ *isomérie* n. f. ■ Caractère des corps isomères.

isomorphe [izɔmɔʀf] adj. ■ Se dit de corps de constitution chimique analogue qui ont la propriété (*isomorphisme,* n. m.) d'avoir des formes cristallines voisines.

isotope [izɔtɔp] n. m. ■ Nom des corps simples de même numéro atomique, mais de masses différentes (ex. : *hydrogène* et *hydrogène lourd*).

israélien, ienne [israeljɛ̃, jɛn] adj. ■ De l'État moderne d'Israël. *L'économie israélienne.* — N. *Les Israéliens.*

israélite [israelit] n. et adj. ■ Personne qui appartient à la communauté, à la religion juive. ⇒ **hébreu, juif.** — Adj. *Culte israélite.*

issu, ue [isy] p. p. ■ Qui est né (de qqn). *Il est issu d'une famille modeste.* — Qui provient (de qqch.). *Les progrès issus des travaux scientifiques.* ⟨ ▶ issue ⟩

issue [isy] n. f. **1.** Ouverture, passage offrant la possibilité de sortir. ⇒ **sortie.** *Issue de secours. Rue sans issue,* en cul-de-sac. ⇒ **impasse. 2.** Abstrait. Possibilité, moyen de se dégager d'une situation difficile. ⇒ **échappatoire, solution.** *Je ne vois pas d'autre issue.* — Manière dont on sort d'une affaire, dont une chose arrive à son terme. ⇒ **fin.** *L'issue des pourparlers. Une heureuse issue ; une issue fatale* (spécialt, la mort). — À L'ISSUE DE : à la fin de. *À l'issue du spectacle.*

isthme [ism] n. m. **1.** Bande de terre resserrée entre deux mers ou deux golfes et réunissant deux terres. *L'isthme de Corinthe.* **2.** Partie rétrécie (d'un organe). *L'isthme du gosier.*

italien, ienne [italjɛ̃, jɛn] adj. et n. ■ De l'Italie. — N. *Les Italiens.* — N. m. *L'italien,* groupe de langues romanes parlées en Italie ; la langue issue du dialecte toscan. ▶ *italianisme* n. m. ■ Manière de parler propre à l'italien et empruntée par une autre langue. ▶ ① *italique* adj. ■ Qui a rapport à l'Italie ancienne. *Les peuples italiques.*

② *italique* [italik] adj. et n. m. ■ Se dit de caractères d'imprimerie légèrement inclinés vers la droite. — N. m. *Mettre un mot en italique.*

-ite ■ Suffixe désignant les maladies de nature inflammatoire (ex. : *bronchite*).

itératif, ive [iteʀatif, iv] adj. ■ Qui est répété plusieurs fois.

itinéraire [itineʀɛʀ] n. m. ■ Chemin à suivre ou suivi pour aller d'un lieu à un autre. *Vous avez pris un itinéraire bien compliqué.*

itinérant, ante [itineʀɑ̃, ɑ̃t] adj. ■ Qui se déplace dans l'exercice de sa charge, de ses fonctions, sans avoir de résidence fixe. / contr. **sédentaire** / *Un ambassadeur itinérant.*

itou [itu] adv. ■ Fam. ou région. Aussi, de même. *Et moi itou.*

I.V.G. [iveʒe] n. f. invar. ■ Interruption volontaire de grossesse, avortement volontaire et légal.

ivoire [ivwaʀ] n. m. **1.** Matière résistante, d'un blanc laiteux, qui constitue les défenses de l'éléphant. *Des billes d'ivoire, en ivoire.* — Objets d'art en ivoire. *Des ivoires chinois.* **2.** Partie dure des dents, revêtue d'émail à la couronne et de cément à la racine. *L'ivoire des dents* (appelé aussi *dentine* [dɑ̃tin], n. f.).

ivraie [ivʀɛ] n. f. ■ Herbe nuisible aux céréales. — Loc. (d'après la Bible). *L'ivraie et le bon grain,* les méchants et les bons, le mal et le bien.

ivre [ivʀ] adj. **1.** Qui est sous l'effet de l'alcool. ⇒ **soûl.** *Il était complètement ivre, ivre mort.* **2.** Qui est transporté hors de soi (sous l'effet d'une émotion violente). *Ivre d'amour, d'orgueil...* ▶ *ivresse* n. f. **1.** État d'une personne ivre (intoxication produite par l'alcool et causant des perturbations dans l'adaptation nerveuse et la coordination motrice). ⇒ **ébriété.** *Les effets de l'ivresse. Conduite en état d'ivresse.* **2.** État d'euphorie ou d'exaltation. *Dans l'ivresse du succès.* ⇒ **enivrement, extase.** ▶ *ivrogne* adj. et n. ■ Qui a l'habitude de s'enivrer. — *C'est un vieil ivrogne* (fém. fam. *une ivrognesse*). ⇒ **poivrot, soûlot.** *Serment d'ivrogne,* qui ne sera pas tenu. ▶ *ivrognerie* n. f. ■ Vice de l'ivrogne, habitude de s'enivrer. ⇒ **alcoolisme.** ⟨ ▶ enivrer ⟩

j-k

j [ʒi] n. m. invar. ■ Dixième lettre, septième consonne de l'alphabet.

jabot [ʒabo] n. m. **1.** Poche de l'œsophage de certains animaux, dans laquelle les aliments séjournent. *Jabot des oiseaux.* **2.** Ornement (de dentelle, de mousseline) attaché à la base du col d'une chemise. *Jabot de corsage.*

jacasser [ʒakase] v. intr. . conjug. 1. **1.** (Pie) Pousser un cri. **2.** (Personnes) Parler avec volubilité et d'une voix criarde. *Arrêtez-vous de jacasser !* ▶ *jacassement* n. m. ■ Cri de la pie. ▶ *jacasserie* n. f. ■ Bavardage de personnes qui jacassent. ▶ *jacasseur, euse* adj. et n. ■ Qui jacasse. ⇒ **bavard.**

jachère [ʒaʃɛʀ] n. f. ■ État d'une terre labourable qu'on laisse reposer. *Laisser une terre en jachère.* / contr. **culture** / — Cette terre. *Labourer des jachères.*

jacinthe [ʒasɛ̃t] n. f. ■ Plante à feuilles allongées, à tige unique portant une grappe simple de fleurs colorées et parfumées ; ces fleurs. *Jacinthes en pots. Jacinthe bleue, blanche.*

jacket [ʒakɛt] n. f. ■ Revêtement d'une couronne dentaire. (On écrit aussi *jaquette.*) ≠ *jaquette* (I).

jacobin, ine [ʒakɔbɛ̃, in] n. et adj. ■ Républicain ardent et intransigeant. — Adj. *Idées jacobines.* ▶ *jacobinisme* n. m. ■ Attitude politique des jacobins.

jacquard [ʒakaʀ] n. m. et adj. m. invar. **1.** Métier à tisser. **2.** *Tricot jacquard,* qui se fait avec des laines de plusieurs couleurs formant des dessins. *Des chandails jacquard.* — N. m. *Porter un jacquard.*

jacquerie [ʒakʀi] n. f. ■ Autrefois. Révolte paysanne.

jacquet [ʒakɛ] n. m. ■ Jeu, variété de trictrac. *Faire une partie de jacquet.*

① *jactance* [ʒaktɑ̃s] n. f. ■ Littér. Attitude d'une personne qui manifeste avec arrogance ou emphase la haute opinion qu'elle a d'elle-même. ⇒ **vanité.** / contr. **modestie** /

jacter [ʒakte] v. intr. . conjug. 1. ■ Fam. Parler, bavarder. *Arrêtez-vous de jacter !* ▶ ② *jactance* n. f. ■ Fam. Bavardage.

jade [ʒad] n. m. **1.** Pierre fine très dure, dont la couleur varie du blanc olivâtre au vert sombre. *Statuette de jade.* **2.** *(Un, des jades)* Objet en jade. *Collection de jades chinois.*

jadis [ʒa(ɑ)dis] adv. ■ Dans le temps passé, il y a longtemps. ⇒ **autrefois.** *Jadis on ne pensait pas ainsi.* — Adj. *Au temps jadis.*

jaguar [ʒagwaʀ] n. m. ■ Grand mammifère carnivore d'Amérique du Sud, voisin de la panthère. *Des jaguars.*

jaillir [ʒajiʀ] v. intr. . conjug. 2. **1.** (Liquide, fluide) Sortir, s'élancer en un jet subit et puissant. *Fontaine où l'eau jaillit à profusion. Le pétrole jaillissait d'un puits de forage.* **2.** Apparaître brusquement, se produire avec force. *Des cris jaillirent. Faire jaillir des étincelles.* — Abstrait. Se manifester soudainement. ⇒ **surgir.** *La vérité jaillira.* — Loc. prov. *De la discussion jaillit la lumière.* ▶ *jaillissant, ante* adj. ■ Qui jaillit. *Source jaillissante.* ▶ *jaillissement* n. m. ■ Action de jaillir, mouvement de ce qui jaillit. *Jaillissements d'eau, de vapeur.* — Abstrait. *Le jaillissement de la vie.* ⟨ ▶ rejaillir ⟩

jais [ʒɛ] n. m. invar. ■ Variété de lignite d'un noir luisant, qu'on peut tailler, polir. *Bijoux en jais.* — Loc. *Noir comme (du) jais. Des yeux de jais.* ≠ **geai.**

jalon [ʒalɔ̃] n. m. **1.** Tige de bois ou de métal qu'on plante en terre pour marquer un alignement, déterminer une direction. *Planter, aligner des jalons.* **2.** Ce qui sert à situer, diriger. ⇒ **marque, repère.** *Les jalons d'un programme.* — Loc. *Poser des jalons,* préparer (une opération). ▶ *jalonner* v. . conjug. 1. **I.** V. intr. Planter des jalons. **II.** V. tr. **1.** Déterminer, marquer la direction, l'alignement, les limites de (qqch.) au moyen de jalons, de repères. *Jalonner une ligne téléphonique.* **2.** (Choses) Marquer, délimiter (à la manière de jalons). — Abstrait. Se présenter tout au long de... *Les succès qui jalonnent sa carrière.* ▶ *jalonnement* n. m. ■ Action de jalonner. *Jalonnement d'un terrain.*

① *jalousie* n. f. ■ Treillis de bois ou de métal au travers duquel on peut voir sans être vu. ⇒ **contrevent, persienne, store.** *Baisser, lever une jalousie.*

jaloux, ouse [ʒalu, uz] adj. et n. **1.** Qui éprouve de la jalousie (1), de l'envie. ⇒ **envieux.** *Être jaloux de qqn, du succès de qqn.* — *Son succès fait des jaloux.* **2.** Qui éprouve de la jalousie en amour. *Mari jaloux. Jalouse comme une tigresse. Caractère jaloux.* — N. *Un jaloux, une jalouse.* **3.** Littér. JALOUX DE qqch. : particulièrement attaché à (qqch. qui tient à cœur). *Être jaloux de son indépendance.* ▶ *jalousement* adv. **1.** Avec jalousie (1). *Observer jalousement les progrès d'un rival.* **2.** Avec un soin inquiet. *Garder* *jalousement un secret.* ▶ *jalouser* v. tr. ▪ conjug. 1. ▪ Être jaloux (1) de, considérer avec jalousie. ⇒ **envier.** *Jalouser le sort du voisin.* — Pronominalement (récipr.). *Petits clans qui se jalousent.* — Au p. p. adj. *Une femme jalousée.* ▶ ② *jalousie* n. f. **1.** Sentiment mauvais qu'on éprouve en voyant un autre jouir d'un avantage qu'on ne possède pas ou qu'on désirerait posséder seul. ⇒ **dépit, envie.** *Exciter la jalousie. Une pointe de jalousie.* **2.** Sentiment douloureux que fait naître, chez celui qui l'éprouve, le désir de possession exclusive de la personne aimée. *Les chagrins, les tortures de la jalousie. Causer, donner de la jalousie.*

jamais [ʒamɛ] adv. de temps. **I.** Avec un sens positif. En un temps quelconque, un jour. *Ils désespéraient d'en sortir jamais. A-t-on jamais vu cela ?* ⇒ **déjà.** *Si jamais je l'attrape, gare à lui !* — À (TOUT) JAMAIS ; POUR JAMAIS loc. adv. : pour toujours. ⇒ **éternellement.** *C'est fini à jamais.* **II.** Avec un sens négatif. **1.** JAMAIS (avec NE) : en nul temps, à aucun moment. *Il ne l'a jamais vue. Jamais je n'accepterai.* — Loc. *On ne sait jamais,* on ne sait pas ce qui peut arriver. *Prenez votre parapluie, on ne sait jamais.* — *Ne ... jamais que...,* en aucun temps... autre chose que... *Il n'a jamais fait que s'amuser.* — *Ne ... jamais plus, ne plus jamais.* ⇒ **désormais.** *On n'emploie plus jamais ce mot. Nous ne l'avons jamais plus revu.* — SANS JAMAIS (+ infinitif). *Poursuivre un idéal sans jamais l'atteindre.* SANS JAMAIS QUE (+ subjonctif). *Il a écouté sans jamais qu'il s'impatiente.* **2.** Sans NE lorsque le verbe est absent. À aucun moment. ⇒ **pas.** / contr. **toujours** / JAMAIS DE LA VIE : certainement pas. *Un amour jamais satisfait.* — *C'est le moment ou jamais (de...),* l'occasion (de...) ne se représentera pas.

jambe [ʒɑ̃b] n. f. **I. 1.** Partie de chacun des membres inférieurs de l'homme, qui s'étend du genou au pied, ou le membre inférieur tout entier (y compris la cuisse). ⇒ fam. **guibolle, patte.** *Il a de grandes jambes. Avoir la jambe bien faite. Croiser les jambes. Tomber les jambes en l'air. Ne plus pouvoir se tenir sur ses jambes.* — Loc. *Jouer des jambes,* partir en courant. *Courir, s'enfuir à* TOUTES JAMBES : le plus vite possible. — *Être dans les jambes de qqn,* être trop près de lui, le gêner. — Fam. *Tenir la jambe à qqn,* le retenir en lui parlant. *Traiter qqn par-dessous* (abusivt *par-dessus*) *la jambe,* avec mépris, de façon désinvolte. — Iron. *Cela me fait une belle jambe,* c'est un avantage que je n'apprécie pas, cela ne me sert à rien. **2.** *Jambe de bois,* pièce en bois adaptée au moignon d'un amputé. *Jambe artificielle, articulée,* appareil de prothèse articulé. **3.** Patte des animaux supérieurs. — Partie des membres postérieurs du cheval. ⇒ **gigot. 4.** *Jambe d'une culotte, d'un pantalon,* chacune des deux parties qui couvrent les jambes (comme les manches couvrent les bras). **II.** Objet, partie qui soutient ; étai. ▶ *jambage* n. m. ▪ Trait vertical d'une lettre. *Le « m » a trois jambages.* ▶ *jambière* n. f. **1.** Pièce de l'ancienne armure recouvrant la jambe. **2.** Pièce d'un équipement, qui enveloppe et protège la jambe. *Jambières renforcées des joueurs de hockey.* ▶ *jambon* n. m. **1.** Cuisse ou épaule de porc préparée pour être conservée. *Jambons crus, fumés, cuits. Tranches de jambon. Acheter un jambon, du jambon.* **2.** Fam. Cuisse. *Il, elle a de gros jambons.* ▶ *jambonneau* n. m. ▪ Petit jambon fait avec la partie de la jambe du porc située au-dessous du genou. ⟨ ▶ croc-en-jambe, enjamber, entre-jambes, unijambiste ⟩

jamboree [ʒɑ̃bɔʀe ; ʒɑ̃bɔʀi] n. m. ▪ Réunion internationale de scouts.

janissaire [ʒaniseʀ] n. m. ▪ Autrefois. Soldat d'élite de l'infanterie turque, qui appartenait à la garde du sultan.

jansénisme [ʒɑ̃senism] n. m. ▪ Doctrine chrétienne de Jansénius sur la grâce et la prédestination ; mouvement religieux et intellectuel austère qui en découle. *Port-Royal, berceau du jansénisme.* ▶ *janséniste* n. et adj. **1.** N. Partisan du jansénisme. **2.** Adj. *Éducation, morale janséniste,* austère.

jante [ʒɑ̃t] n. f. ▪ Cercle de bois ou de métal qui forme la périphérie d'une roue. *Pneu monté sur jante métallique.*

janvier [ʒɑ̃vje] n. m. ▪ Premier mois de l'année dans le calendrier actuel. *Le 1er janvier, Jour de l'An.* — Loc. *Du 1er janvier à la Saint-Sylvestre,* toute l'année.

japon [ʒapɔ̃] n. m. ▪ Papier de couleur ivoire. *Exemplaire de luxe sur japon impérial.*

japonais, aise [ʒaponɛ, ɛz] adj. et n. ▪ Du Japon. ⇒ **nippon.** *Estampes japonaises. Jardin japonais.* — N. *Les Japonais.* — N. m. *Le japonais,* langue parlée au Japon.

japper [ʒape] v. intr. ▪ conjug. 1. ▪ Pousser des aboiements aigus et clairs. ⇒ **aboyer.** *Jeune chien qui jappe.* ▶ *jappement* [ʒapmɑ̃] n. m. ▪ Action de japper ; cri d'un animal qui jappe. *Les jappements du chacal, du renard.* ⇒ **glapissement.**

jaquette [ʒakɛt] n. f. **I. 1.** Vêtement masculin de cérémonie à pans ouverts descendant jusqu'aux genoux. **2.** Veste de femme, boutonnée par-devant, ajustée à la taille et à basques. *La jaquette d'un tailleur.* **II. 1.** Chemise à caractère publicitaire protégeant la couverture d'un livre. *Une jaquette en couleurs. Jaquette d'un disque.* **2.** ⇒ **jacket.**

jardin [ʒaʀdɛ̃] n. m. **1.** Terrain, généralement clos, où l'on cultive des végétaux utiles ou d'agrément. *Maison entourée d'un jardin. Faire son jardin,* l'entretenir. *Jardins suspendus,* étagés, en terrasses. — *Jardin public,* espace vert ménagé dans une ville. ⇒ **parc, square.** *Jardin zoologique.* ⇒ **zoo.** — Loc. *C'est une pierre dans son (votre...) jardin,* une allusion désobligeante, une critique. **2.** JARDIN D'HIVER : pièce vitrée où les plantes sont à l'abri du froid. ⇒ **serre. 3.** JARDIN JAPONAIS : jardin en miniature, dans un récipient. **4.** JARDIN D'ENFANTS : établissement d'éducation pour les enfants qui sont trop jeunes pour suivre les classes du premier degré. ⇒ **garderie, maternelle.** ▶ *jardiner* v. intr. ▪ conjug. 1. ▪ Cultiver, entretenir un jardin en amateur. *Il jardine pour se détendre.* ▶ *jardinage* n. m. ▪ Elle aime le jardinage. ▶ *jardinet* n. m. ▪ Petit jardin. *Les jardinets des pavillons de banlieue.* ▶ *jardinier, ière* n. ▪ Personne dont le métier est de cultiver les jardins. ⇒ **arboriculteur, fleuriste, horticulteur, maraîcher, pépiniériste.** — Personne qui entretient, moyennant rétribution, un ou plusieurs jardins d'agrément. ▶ *jardinière* n. f. **1.** Caisse à fleurs, dans un appartement, sur un balcon. **2.** Mets composé d'un mélange de légumes cuits (essentiellement carottes et petits pois). *Servir une jardinière.*

jargon [ʒaʀgɔ̃] n. m. **1.** Langage déformé, peu compréhensible. ⇒ **baragouin, charabia.** *Le jargon d'un très jeune enfant.* **2.** Langage particulier à un groupe et caractérisé, pour les autres, par sa complication. *Jargon du sport, de la publicité.* **3.** Littér. Argot. *Les ballades en jargon attribuées à Villon.* ▶ *jargonner* v. intr. ▪ conjug. 1. ▪ Parler en jargon ou d'une façon peu claire.

jarre [ʒaʀ] n. f. ▪ Grand récipient de forme ovoïde, en grès, en terre cuite... *Une jarre d'huile.*

jarret [ʒaʀɛ] n. m. **1.** Région postérieure du genou, chez l'homme. *Pli du jarret.* **2.** Endroit où se plie la jambe de derrière, chez certains animaux. *Les jarrets* *d'un bœuf.* — *Jarret de veau*, en boucherie, partie inférieure de la noix et de l'épaule. ▶ *jarretelle* n. f. ■ Bande élastique adaptée à la gaine ou au porte-jarretelles, servant à maintenir le bas tendu par une pince. ▶ *jarretière* n. f. ■ Cordon, bande élastique destinée à fixer les bas en les entourant au-dessus du genou. ⟨ ▶ porte-jarretelles ⟩

jars [ʒaʀ] n. m. invar. ■ Mâle de l'oie domestique.

jaser [ʒaze] v. intr. ▪ conjug. 1. **1.** ■ Babiller sans arrêt pour le plaisir de parler. ⇒ **bavarder, causer. 2.** ■ Parler avec indiscrétion de ce qu'on devrait taire. *Interroger qqn habilement pour le faire jaser.* **3.** ■ Faire des commentaires plus ou moins désobligeants et médisants. ⇒ **cancaner, médire.** *Cela fait jaser.* ▶ *jaseur, euse* adj. ■ Qui jase, a l'habitude de jaser. ⇒ **babillard, bavard.**

jasmin [ʒasmɛ̃] n. m. **1.** Arbuste à grandes fleurs jaunes ou blanches souvent très odorantes ; cette fleur. **2.** Parfum extrait de cette fleur.

jaspe [ʒasp] n. m. ■ Roche présentant des taches très allongées et colorée en vert, rouge, brun ou noir. *Vase, coupe de jaspe.* ▶ *jaspé, ée* adj. ■ Dont la bigarrure évoque le jaspe. *Marbre jaspé. Reliure en veau jaspé.* ▶ *jaspure* n. f. ■ Bigarrure de ce qui est jaspé. ⇒ **marbrure.**

jaspiner [ʒaspine] v. intr. ▪ conjug. 1. ■ Fam. Bavarder. *Il est toujours en train de jaspiner.*

jatte [ʒat] n. f. ■ Vase de forme arrondie, très évasé, sans rebord ni anse. ⇒ ① **bol**, ① **coupe.** *Une jatte de lait.* ⟨ ▶ cul-de-jatte ⟩

jauge [ʒoʒ] **1.** ■ Capacité que doit avoir un récipient déterminé. — Capacité cubique intérieure (d'un navire) exprimée en tonneaux. ⇒ **tonnage. 2.** ■ Instrument ou objet étalonné qui sert à mesurer la contenance d'un récipient ou le niveau de son contenu (baguette, règle graduée). *Jauge d'essence, de niveau d'huile.* ▶ *jauger* v. ▪ conjug. 3. **I.** V. tr. **1.** ■ Prendre la jauge d'un récipient ; mesurer ou contrôler avec une jauge. *Jauger un réservoir, un navire.* **2.** ■ Littér. Apprécier (qqn, qqch.) par un jugement de valeur. ⇒ **juger.** *Jauger qqn d'un coup d'œil, le jauger à sa juste valeur.* **II.** V. intr. **1.** ■ Avoir un tirant d'eau de. *Péniche jaugeant un mètre.* **2.** ■ Avoir une capacité de. ⇒ **tenir.** *Ce navire jauge mille tonneaux.* ▶ *jaugeage* n. m. ■ Action de jauger. *Jaugeage d'un réservoir.*

jaune [ʒon] adj., n. et adv. **I.** Adj. **1.** ■ Qui est d'une couleur placée dans le spectre entre le vert et l'orangé et dont la nature offre de nombreux exemples (or, miel, citron). *Fleurs jaunes.* **2.** ■ Qui est jaune (1) ou tire sur le jaune. *Cuivre jaune. Feuilles jaunes* (opposé à *vert*). — *Race jaune*, race humaine, en majeure partie asiatique, caractérisée par des yeux bridés et une peau d'un brun clair. — Loc. *Le métal jaune*, l'or. **II.** N. **1.** N. m. ■ Une des sept couleurs fondamentales du spectre solaire. *Un jaune vif. Être habillé de jaune.* — Adj. invar. *Fleurs jaune d'or. Étoffes jaune citron.* **2.** N. m. ■ Matière colorante jaune. *Un tube de jaune.* **3.** N. m. *Le jaune (de l'œuf), un jaune (d'œuf)*, la partie jaune. **4.** N. ■ Individu de race jaune. *Une Jaune. Les Jaunes.* **5.** N. ■ Ouvrier qui refuse de prendre part à une grève. **III.** Adv. *Rire jaune*, d'un rire forcé. ▶ *jaunâtre* adj. ■ D'un jaune terne. *Un blanc jaunâtre.* ▶ *jaunir* v. ▪ conjug. 2. **I.** V. tr. ■ Rendre jaune, colorer en jaune. *Le soleil jaunit les blés.* — Au p. p. adj. *Dents jaunies* (par la nicotine). **II.** V. intr. Devenir jaune. *Dentelle, papier qui a jauni.* ▶ *jaunissant, ante* adj. ■ Qui jaunit, est en train de jaunir. *Les feuillages jaunissants.* ▶ *jaunissement* n. m. ■ Action de jaunir ; fait de rendre jaune.

jaunisse [ʒonis] n. f. ■ Symptôme de nombreuses maladies de foie, coloration jaune de la peau.

— Loc. fam. *En faire une jaunisse*, éprouver un violent dépit de (qqch.) (→ En faire une maladie).

java [ʒava] n. f. ■ Danse de bal musette à trois temps, assez saccadée. *Danser la java.* — Air, musique qui l'accompagne.

① *javanais, aise* [ʒavanɛ, ɛz] adj. ■ De l'île de Java. — N. *Les Javanais sont des Indonésiens.*

② *javanais* n. m. ■ Argot conventionnel consistant à intercaler dans les mots les syllabes *va* ou *av.* « *Chaussure* » *en javanais se dit* chavaussavurave [ʃavosavyʀav].

eau de Javel [(od)ʒavɛl] n. f. ■ Mélange de sels (chlorure, hypochlorite) de potassium et d'eau, utilisé comme détersif et décolorant. *Laver un carrelage à l'eau de Javel.* Fam. *De la javel.* ≠ *javelle.* ▶ *javelliser* v. tr. ▪ conjug. 1. ■ Stériliser (l'eau) à l'eau de Javel. *Eau potable javellisée.*

javelle [ʒavɛl] n. f. ■ Brassée de céréales, etc., coupées et non liées, qu'on laisse sur le sillon avant de les mettre en gerbe.

javelot [ʒavlo] n. m. **1.** ■ Arme de trait assez longue et lourde. ⇒ **lance. 2.** ■ Instrument de lancer en forme de lance employé en athlétisme. *Le lancer du javelot.* — Ellipt. *Épreuve de javelot.*

jazz [dʒaz] n. m. invar. ■ Genre, style musical issu de la musique profane des Noirs des États-Unis. ⇒ **blues, negro-spiritual.** *La musique de jazz. Écouter du jazz.*

je, j' [ʒ(ə)] pronom pers. **1.** ■ Pronom personnel de la première personne du singulier des deux genres, au cas sujet (⇒ **me, moi**). *Je parle. J'entends.* — Inversion. *Où suis-je ?* [sɥiʒ]. *Ai-je bien fermé la porte ?* — (Renforcé par la forme tonique *moi*) *Moi, je ne dirai rien.* **2.** N. m. *Employer le « je » dans un récit*, parler à la première personne.

jean [dʒin] n. m. **1.** ■ Toile solide servant à confectionner des vêtements. *Blouson en jean vert.* **2.** ■ Pantalon en jean bleu ⇒ **blue-jean**, ou de n'importe quelle autre couleur. *Porter un jean marron.* ≠ *gin.* — REM. S'emploie au sing. ou au plur. pour désigner un seul objet. *Il met un jean, des jeans* [dʒins].

jean-foutre [ʒafutʀ] n. m. invar. ■ Fam. Individu incapable, sur lequel on ne peut compter. ⇒ **je-m'en-foutiste.**

jeannette [ʒanɛt] n. f. ■ Planchette à repasser le linge, montée sur pied.

jeep [(d)ʒip] n. f. ■ Automobile tout terrain. *Rouler en jeep. Des jeeps.*

je-m'en-fichisme [ʒmɑ̃fiʃism] ou *je-m'en-foutisme* [ʒmɑ̃futism] n. m. ■ Fam. Attitude d'indifférence envers ce qui devrait intéresser ou préoccuper. ⇒ **désinvolture, insouciance.** / contr. **ardeur, zèle** / ▶ *je-m'en-fichiste* ou *je-m'en-foutiste* adj. et n. ■ Fam. *Ce sont tous des je-m'en-fichistes. Une je-m'en-foutiste.*

je-ne-sais-quoi [ʒənsɛkwa] n. m. invar. ■ Chose qu'on ne peut définir ou exprimer, bien qu'on en sente nettement l'existence ou les effets. *Un je-ne-sais-quoi de déplaisant.*

jérémiades [ʒeʀemjad] n. f. pl. ■ Fam. Plaintes sans fin qui importunent. ⇒ **lamentation.** *Je suis fatigué de ses jérémiades.*

jerez n. m. invar. ⇒ **xérès.**

jerk [dʒɛʀk] n. m. ■ Anglic. Danse dans laquelle le corps est agité de secousses rythmées.

jéroboam [ʒeʀɔbɔam] n. m. ■ Grosse bouteille d'une contenance de 3 litres. *Un jéroboam de champagne équivaut à quatre bouteilles.*

jerrycan [(d)ʒɛʀikan] n. m. ■ Bidon quadrangulaire à poignée, d'environ 20 litres. ⇒ ② **nourrice**. *Des jerrycans d'essence.*

jersey [ʒɛʀzɛ] n. m. ■ Tissu très souple tricoté à l'aide d'un seul fil formant des mailles toujours semblables sur une même face. *Jersey de laine, de soie. Des jerseys.*

jésuite [ʒezɥit] n. m. **1.** Membre de la Compagnie de Jésus. *Collège de jésuites.* — Adj. *Style jésuite,* style d'architecture baroque (XVIIᵉ s.). **2.** Péj. Personne qui recourt à des astuces hypocrites. *Quel jésuite !* — Adj. *Un air jésuite.* ⇒ **hypocrite**.

jésus [ʒezy] n. m. invar. **I. 1.** Représentation de Jésus-Christ enfant. *Un jésus en plâtre.* **2.** *Mon jésus,* terme d'affection à l'adresse d'un enfant. **II.** Gros saucisson court. *Un jésus de Lyon.*

① **jet** [ʒɛ] n. m. **I. 1.** Action de jeter ; mouvement d'une chose lancée parcourant une certaine trajectoire. ⇒ ② **lancer**. *Armes de jet.* **2.** Distance parcourue par une chose jetée. *Un jet de 70 mètres au javelot.* **3.** Abstrait. Loc. *D'un seul jet, d'un jet,* d'un coup, d'une seule venue. *Histoire racontée d'un seul jet.* — *Premier jet,* première expression de l'œuvre d'un créateur. ⇒ **ébauche, esquisse. II. 1.** Mouvement par lequel une chose jaillit avec plus ou moins de force. ⇒ **jaillissement.** *Jet de vapeur. Jet de salive.* — Fam. *À jet continu,* sans interrompre le débit. *Il ment à jet continu.* **2.** JET D'EAU : gerbe d'eau jaillissant verticalement et retombant dans un bassin. ⟨ ▶ brise-jet ⟩

② **jet** [dʒɛt] n. m. ■ Anglic. Avion à réaction. *Des jets.*

jetée [ʒ(ə)te] n. f. ■ Construction de bois, de pierre, de béton, etc., formant une chaussée qui s'avance dans l'eau. ⇒ **digue, estacade, môle**. *Se promener, pêcher sur la jetée.*

jeter [ʒ(ə)te] v. tr. ▪ conjug. 4. **I.** Envoyer (qqch.) à une certaine distance de soi. **1.** Lancer. *Jeter une balle, une pierre. Jeter qqch. à qqn* (comme projectile ou pour qu'il l'attrape). ⇒ **envoyer, lancer.** *Jeter l'ancre.* — Loc. *Jeter l'argent par les fenêtres,* dilapider. — Loc. fam. *N'en jetez plus,* cela suffit, assez. **2.** Disposer, établir dans l'espace, d'un point à un autre. *Jeter une passerelle sur un ruisseau.* ⇒ **construire.** — Établir, poser. *Jeter les bases d'une société.* **3.** Abandonner, rejeter comme encombrant ou inutile. ⇒ se **débarrasser**, se **défaire**. *Vieux papiers bons à jeter. Des vêtements usagés. Jetez cela au panier, à la poubelle !* ⇒ **mettre. 4.** Déposer, mettre (qqch. quelque part) avec vivacité ou sans soin. *Jeter ses affaires autour de soi. Jeter une lettre à la boîte.* — Fam. *S'en jeter un* (verre), *s'en jeter un derrière la cravate,* boire qqch. — *Jeter un châle sur ses épaules,* le mettre promptement pour se couvrir. — Au p. p. adj. *Une idée jetée sur le papier,* notée rapidement. **II. 1.** Diriger (une partie du corps). *Jeter sa tête en avant. Elle lui jeta ses bras autour du cou.* **2.** Émettre (une lumière, un son) avec force, rapidité. *Diamants qui jettent mille feux.* ⇒ **flamboyer.** *Jeter des cris.* — Abstrait. ⇒ **répandre.** *Jeter l'effroi, le trouble. Cela a jeté un froid.* — *Jeter un sort contre qqn,* lui envoyer le mauvais sort. **III.** Pousser, diriger (qqn, qqch.) avec force. *Jeter qqn dehors,* le mettre à la porte. *Jeter en prison.* JETER BAS, À BAS, À TERRE : faire tomber brutalement. **IV.** SE JETER v. pron. réfl. **1.** Sauter, se laisser choir. *Se jeter à l'eau.* ⇒ **plonger.** *Se jeter par la fenêtre.* **2.** Aller d'un mouvement précipité. ⇒ **s'élancer**, se **précipiter**. — *Il s'est jeté sur elle.* ⇒ **assaillir, sauter** sur. — *Se jeter aux pieds de qqn.* **3.** S'engager avec fougue, sans mesurer les risques. *Se jeter à corps perdu dans une entreprise.*

⇒ se **lancer. 4.** (Cours d'eau) Déverser ses eaux. *Les rivières qui se jettent dans la Seine.* ▶ *jetable* adj. ■ Qui est jeté après un ou plusieurs usages. *Briquet jetable.* / contr. **rechargeable** / ▶ *jeté* n. m. **1.** Danse. Saut lancé par une seule jambe et reçu par l'autre. *Jeté battu,* avec un croisement de jambes pendant le saut. **2.** Mouvement consistant à amener la barre des haltères au bout des bras tendus verticalement. *Épaulé et jeté.* ⇒ **épaulé-jeté. 3.** Bande d'étoffe que l'on étend sur un meuble en guise d'ornement. *Un jeté de lit.* ⟨ ▶ déjeté, épaulé-jeté, ① **jet**, ① et ② projeter, rejeter, surjet ⟩

jeton [ʒ(ə)tɔ̃] n. m. **1.** Pièce plate représentant une certaine valeur ou un numéro d'ordre. *Jetons et plaques servant de mise à la roulette. Jeton de téléphone.* **2.** JETON DE PRÉSENCE : honoraires des membres présents d'un conseil, d'une assemblée. **3.** Fam. *Faux comme un jeton* (les jetons imitant parfois les pièces de monnaie), dissimulé, hypocrite. — Fam. *C'est un* FAUX JETON [foʃtɔ̃] : un hypocrite. — *Vieux jeton !,* vieil imbécile. **4.** Fam. Coup. *Il a reçu un sacré jeton.* **5.** Fam. *Les jetons,* peur. *Avoir les jetons,* avoir peur. *Ton histoire m'a filé les jetons.*

① **jeu** [ʒø] n. m. **I. 1.** Activité physique ou mentale qui n'a pas d'autre but que le plaisir qu'elle procure. ⇒ **amusement, divertissement, récréation ; jouer.** — Au sing. LE JEU. *Le besoin du jeu chez l'enfant.* — Loc. adv. PAR JEU : pour s'amuser. *Faire qqch. par jeu.* — UN JEU. *Prendre part à un jeu. S'adonner à son jeu favori.* ⇒ **passe-temps.** *Ce n'est qu'un jeu,* cela ne tire pas à conséquence. — (Un, des jeux) *Jeux éducatifs. Jeux de main,* où l'on s'échange des coups légers par plaisanterie. **2.** Activité qui présente un ou plusieurs caractères du jeu (gratuité, futilité, bénignité, facilité). *Les jeux de l'imagination, de l'esprit.* — JEU DE MOTS : allusion plaisante fondée sur l'équivoque de mots qui ont une ressemblance phonétique. ⇒ **calembour.** *Un mauvais jeu de mots.* **3.** JEU D'ÉCRITURES : opération comptable purement formelle. **4.** Au Moyen Âge. Pièce de théâtre en vers. **II. 1.** Cette activité organisée par un système de règles. *Le jeu d'échecs. Les jeux d'adresse. Jeux télévisés. La règle du jeu.* **2.** Au plur. Dans l'Antiquité. *Compétitions sportives. Jeux du cirque, du stade.* — JEUX OLYMPIQUES : grande réunion sportive internationale qui a lieu tous les quatre ans. **3.** Partie qui se joue. *Suivre le jeu, être au jeu. Tricher au jeu.* **4.** LE JEU : les jeux où l'on risque de l'argent. *Se ruiner au jeu.* — PROV. *Heureux au jeu, malheureux en amour.* **5.** Argent joué, mise (dans quelques expressions). *Jouer petit jeu, gros jeu,* risquer peu, beaucoup d'argent au jeu. — *Faites vos jeux,* misez. *Les jeux sont faits, rien ne va plus,* on ne peut plus miser, ni changer sa mise ; fig., tout est décidé. **III.** Ce qui sert à jouer. **1.** Instruments du jeu. *Un jeu d'échecs en ivoire. Jeu de 32, de 52 cartes.* **2.** Assemblage de cartes plus ou moins favorable qu'un joueur a en main. *Avoir du jeu, un beau jeu.* **3.** Série complète d'objets de même nature et d'emploi analogue. *Un jeu de clefs. Jeu d'orgue(s),* dans un orgue, rangée de tuyaux de même espèce. **IV. 1.** La manière dont on joue. *Un jeu habile, prudent.* **2.** Façon de jouer d'un instrument, d'une arme. *Le jeu d'un violoniste.* **3.** Manière de jouer un rôle. ⇒ **interprétation.** *Le jeu d'un acteur.* — *Jeu de scène,* ensemble d'attitudes qui concourent à un effet scénique. **4.** Rôle, comédie qu'on joue (dans la vie). Loc. *Être pris à son propre jeu.* — *Jouer le grand jeu,* utiliser tous ses talents pour séduire, convaincre. — VIEUX JEU loc. adj. invar. : qui n'est plus à la mode. ⇒ **démodé.** *Elles sont très vieux jeu.* **4.** Manière de mettre en œuvre. JEU DE (suivi du nom d'une partie du corps). *Le jeu de mains d'un pianiste. Ce boxeur a un mauvais jeu de jambes.*

— *Jeu de physionomie,* mouvement des traits qui rend le visage expressif. — *Jeu de lumière,* combinaison de reflets mobiles et changeants. **V.** Loc. (dans lesquelles *jeu* s'applique à des actions, des activités, des affaires). *C'est un jeu d'enfant,* la chose est très facile. — *Jouer le jeu,* faire les choses selon les règles, prendre l'attitude convenable. — *Ce n'est pas de jeu,* vous agissez de façon déloyale, vous trichez. — *Entrer en jeu,* intervenir pour la première fois dans une affaire. *D'entrée de jeu,* dès le début. — *Entrer dans le jeu de qqn,* participer à ce qu'il veut faire, adopter sa tactique. *Faire le jeu de qqn,* servir involontairement ses intérêts. — *Être en jeu,* (choses) être en cause, en question. *Sa vie est en jeu. Des sommes importantes sont en jeu.* — *Se prendre, se piquer au jeu,* prendre goût à une expérience, la perpétuer ; s'obstiner dans son attitude. — *Avoir beau jeu (de, pour +*infinitif), être en situation de triompher aisément. — *Cacher son jeu,* cacher ses intentions, agir à l'insu d'autrui. — *Un jeu dangereux,* un comportement qui peut avoir des conséquences néfastes. — *Jouer double jeu,* agir de deux façons différentes pour tromper. — *Jouer franc jeu.* ⇒ **franc jeu.** ⟨ ▶ enjeu, franc jeu, hors-jeu ⟩

② *jeu* n. m. **1.** Mouvement aisé, régulier (d'un objet, d'un organe, d'un mécanisme). ⇒ **fonctionnement.** *Le jeu d'un ressort, d'un verrou.* **2.** Action. *Par le jeu d'alliances secrètes, de causes diverses.* **3.** Espace ménagé pour le mouvement aisé d'un objet. *Donner du jeu à un tiroir.* — Défaut de serrage entre deux pièces d'un mécanisme. *Cette pièce a du jeu, il faut la resserrer.*

jeudi [ʒødi] n. m. ■ Quatrième jour de la semaine*, qui succède au mercredi. *Tous les jeudis soir.* — Loc. *La semaine des quatre jeudis,* jamais. — *Ils sont venus jeudi,* le jeudi qui vient de passer.

à jeun [aʒœ̃] loc. adv. ■ Sans avoir rien mangé. *Ils sont à jeun.*

jeune [ʒœn] adj. et n. **I.** Adj. Peu avancé en âge. / contr. **vieux** / **1.** (Personnes) Qui est dans la première partie de la vie (⇒ **jeunesse**). *N'être plus très jeune. Mourir jeune. Ils paraissent jeunes.* — *Jeune femme, jeune fille, jeune homme.* ⇒ **femme, fille, homme.** — *Une clientèle jeune,* de jeunes gens. — *Être jeune de caractère,* savoir rester jeune, avoir les qualités de la jeunesse. — (Animaux) *Jeune chat, jeune chien.* **2.** Valeur comparative. *Son jeune frère, sa jeune sœur.* ⇒ **benjamin, cadet.** *Plus, moins jeune que, moins âgé que. Elle est plus jeune que son frère.* ⇒ **vieux. 3.** (Choses) Nouveau, récent. / contr. **ancien, vieux** / *Une industrie jeune. Cette eau-de-vie est trop jeune.* **4.** (Avec un nom désignant une période) Qui appartient aux personnes peu avancées en âge. *Dans mon jeune temps.* ⇒ **jeunesse.** Poét. *Nos jeunes années.* **5.** Qui convient, sied à la jeunesse. *Une coiffure jeune.* — Adv. *S'habiller jeune. Ils font très jeune.* **6.** Qui est nouveau (dans un état, une occupation). *Jeunes mariés,* personnes récemment mariées. *Un jeune médecin.* ⇒ **débutant.** — Fam. *Être jeune dans le métier,* l'exercer depuis peu de temps. ⇒ **novice. 7.** Fam. *C'est un peu jeune !,* insuffisant. *C'est un peu jeune, comme argument.* **II.** N. Personne jeune. *Les jeunes,* la jeunesse. *Maison de jeunes. Place aux jeunes ! Nous serons entre jeunes.* — *Faire le (la) jeune,* vouloir paraître jeune. ▶ *jeunesse* n. f. **I. 1.** Temps de la vie entre l'enfance et la maturité. *L'adolescence, première partie de la jeunesse. Dans ma jeunesse. N'être plus de la première jeunesse,* n'être plus jeune. — Loc. *Erreur, péché de jeunesse,* écart que rend excusable le manque de maturité. **2.** Le fait d'être jeune ; état d'une personne jeune. *Avoir la santé et la jeunesse. La fraîcheur, l'éclat de la jeunesse.* — Ensemble de caractères propres à la jeunesse, mais qui peuvent se conserver jusque dans la vieillesse. *Des parents pleins de jeunesse. Jeunesse de visage, de cœur.* **II. 1.** Les personnes jeunes ; les jeunes. *Aimer fréquenter la jeunesse.* Loc. *Si jeunesse savait,* si les jeunes avaient l'expérience. *La jeunesse d'un pays, d'une époque.* — Les enfants et les adolescents. *Instruire la jeunesse. Spectacles pour la jeunesse.* **2.** Région. Jeune fille. *Il a épousé une jeunesse.* **3.** au plur. Groupes organisés de jeunes gens. *Les jeunesses hitlériennes.* ▶ *jeunot* n. m. ■ Fam. Jeune homme. *Un petit jeunot.* ⟨ ▶ rajeunir ⟩

jeûne [ʒøn] n. m. ■ Privation volontaire de toute nourriture. ⇒ **abstinence.** *Jeûne religieux. Jeûne médical.* ⇒ **diète.** ▶ *jeûner* v. intr. ■ conjug. 1. **1.** Se priver volontairement de nourriture ou en être privé ; rester à jeun. *Faire jeûner un malade.* **2.** Observer un jeûne rituel. ⟨ ▶ ① déjeuner, à jeun ⟩

jiu-jitsu [ʒjyʒitsy] n. m. ■ Technique japonaise de combat sans armes. *Le jiu-jitsu, art militaire et sport populaire des Japonais.* ⇒ **judo.**

joaillier, ière [ʒɔaje, jɛʀ] n. ■ Personne qui fabrique des joyaux, qui en fait commerce. ⇒ **bijoutier.** *Joaillier-orfèvre.* ▶ *joaillerie* [ʒɔajʀi] n. f. **1.** Art de monter des pierres précieuses pour en faire des joyaux. **2.** Métier, commerce du joaillier. ⇒ **bijouterie. 3.** Atelier, magasin de joaillier. *Une grande joaillerie parisienne.*

job [dʒɔb] n. m. ■ Fam. Travail rémunéré, qu'on ne considère ni comme un métier ni comme une situation. *Étudiant qui cherche un job.* — Fam. Tout emploi rémunéré. ⇒ fam. ② **boulot.** *Il a trouvé un bon job. Des petits jobs.* — REM. Fém. au Québec : *une job.*

jobard, arde [ʒɔbaʀ, aʀd] adj. et n. ■ Crédule jusqu'à la bêtise. ⇒ **naïf, niais.** *Il a l'air jobard.* — *C'est un jobard.* ▶ *jobarderie* ou *jobardise* n. f. ■ Crédulité, niaiserie.

jockey [ʒɔkɛ] n. m. ■ Personne dont le métier est de monter les chevaux dans les courses. ⇒ **cavalier.** *Des jockeys.* — En appos. *Une femme jockey.* — Loc. fam. *Régime jockey,* régime alimentaire amaigrissant.

jocrisse [ʒɔkʀis] n. m. ■ Vx. Benêt, nigaud.

jogging [dʒɔgiŋ] n. m. ■ Anglic. Course à pied, à allure modérée, faite par exercice. ⇒ **footing.**

joie [ʒwa] n. f. **1.** Émotion agréable et profonde, sentiment exaltant. ⇒ **bonheur, gaieté, plaisir.** / contr. **chagrin, douleur, peine, tristesse** / *Joie extrême.* ⇒ **jubilation, ravissement.** *Être au comble de la joie. Être fou de joie. Mettre en joie.* ⇒ **réjouir.** *Cris de joie. Pleurer de joie.* **2.** Cette émotion liée à une cause particulière. *C'est une joie de vous revoir. Se faire une joie de, se réjouir de. Accepter avec joie.* — Au plur. *Les joies de la vie. Une vie sans joies.* ⇒ **agrément, douceur, plaisir.** — Iron. Ennuis, désagréments. *Encore une panne, ce sont les joies de la voiture !* ⟨ ▶ joyeux, rabat-joie ⟩

joindre [ʒwɛ̃dʀ] v. ■ conjug. 49. **I.** V. tr. **1.** Mettre (des choses) ensemble, de façon qu'elles se touchent ou tiennent ensemble. ⇒ **attacher, assembler ; jonction.** / contr. **disjoindre** / *Joindre les mains. Joindre bout à bout.* — Loc. *Joindre les deux bouts* (du mois), équilibrer son budget. **2.** (Suj. chose) Mettre en communication (deux ou plusieurs choses). *Isthme qui joint deux continents.* ⇒ **relier, réunir. 3.** Mettre ensemble. ⇒ **rassembler, réunir.** / contr. **séparer** / *nous faut joindre nos efforts.* ⇒ **unir. 4.** JOINDRE À : mettre avec. ⇒ **ajouter.** *Joignez cette pièce au dossier. Joindre le geste à la parole.* — Avoir à la fois (un caractère et un autre). ⇒ **allier, associer.** *Il joint la force à la beauté.* **5.** Entrer en communication avec (qqn). *Je n'arrive pas à le joindre.* ⇒ **rencontrer,**

toucher. *On peut le joindre par téléphone.* **6.** SE
JOINDRE À : se mettre avec (qqn). ⇒ **réunir, s'unir.**
*Mon mari se joint à moi pour vous envoyer tous nos
vœux.* — Participer à. *Se joindre à la conversation,
à la discussion.* **II.** V. intr. Se toucher sans laisser
d'interstice. *Planches qui joignent bien.* ▶ ① *joint,
jointe* adj. **1.** Qui est, qui a été joint. *Sauter à pieds
joints. Pièces solidement jointes.* **2.** JOINT À. ⇒ **ajouté.**
Lettre jointe à un paquet. **3.** CI-JOINT : joint ici même,
joint à ceci (ci-inclus). *La copie ci-jointe.* — Adv. invar.
Ci-joint la copie. ▶ ② *joint* n. m. **1.** Espace qui
subsiste entre des éléments joints. *Les joints d'une
fenêtre.* **2.** Articulation entre deux pièces. *Joint de
cardan.* **3.** Garniture assurant l'étanchéité d'un
assemblage. *Joint de robinet en caoutchouc.* **4.** Abstrait. Loc. *Chercher, trouver le joint,* le moyen pour
résoudre une difficulté. ▶ *jointure* n. f. **1.** Endroit
où ils os se joignent. ⇒ **articulation, attache.** *Faire
craquer ses jointures.* **2.** Endroit où deux parties se
joignent. ⇒ ② **joint.** — Façon dont elles sont jointes.
⇒ **assemblage.** *Jointure étanche.* ‹ ▶ adjoindre,
conjoint, disjoindre, rejoindre ›

③ *joint* n. m. ■ Fam. Drogue roulée en cigarette.
Fumer un joint.

joker [ʒɔkɛʀ] n. m. ■ Carte à jouer à laquelle le
détenteur est libre d'attribuer la valeur qu'il veut, dans
certains jeux. *Deux jokers.*

joli, ie [ʒɔli] adj. — REM. Avant le nom ou en attribut.
1. Qui est très agréable à voir. ⇒ **gracieux, mignon.**
/ contr. **laid** / *Jolie fille. Elle est jolie comme un cœur,*
très jolie. *Joli garçon. Avoir de jolies jambes. Une jolie
maison.* ⇒ **ravissant.** *Aimer les jolies choses.* **2.** Très
agréable à entendre. *Jolie voix.* **3.** Fam. Digne de
retenir l'attention, qui mérite d'être considéré. *Une
jolie somme. De jolis bénéfices.* ⇒ **considérable,
coquet, important.** *Avoir une jolie situation.* ⇒ **intéressant.** — *C'est bien joli, mais...,* ce n'est pas sans intérêt,
mais. **4.** Iron. *Un joli monsieur, un joli coco,* un
individu peu recommandable. — Impers. *C'est joli de
dire du mal des absents !* — N. m. *C'est du joli !,* c'est
mal ⇒ *c'est du beau, c'est du propre.* ▶ *joliesse*
n. f. ■ Littér. Caractère de ce qui est joli, délicat.
▶ *joliment* adv. **1.** D'une manière jolie, agréable.
⇒ **bien.** *Être joliment habillé.* **2.** D'une façon considérable. ⇒ **beaucoup, bien.** *On est joliment bien ici.*
⇒ **drôlement.**

jonc [ʒɔ̃] n. m. **1.** Plante à hautes tiges droites et
flexibles, qui croît dans l'eau, les marécages. — Sa
tige (employée dans la vannerie). *Corbeille, panier de
jonc.* **2.** *Un jonc,* une canne, une badine. **3.** Bague,
bracelet dont le cercle est partout de même grosseur.

joncher [ʒɔ̃ʃe] v. tr. · conjug. 1. **1.** Parsemer (de
branchages, de feuillages, de fleurs). **2.** Couvrir
(d'objets jetés ou répandus). — Au p. p. adj. *Sol jonché
de débris. Champ de bataille jonché de cadavres.*
▶ *jonchée* n. f. ■ Littér. Amas (de branchages, fleurs,
etc.) dont on a jonché le sol.

jonction [ʒɔ̃ksjɔ̃] n. f. **1.** Action de joindre une
chose à une autre ; le fait d'être joint. ⇒ **assemblage,
réunion.** *Point de jonction.* **2.** Mise en contact de deux
choses. ⇒ **rencontre.** *Jonction de deux routes.*
3. (Troupes, groupes) Action de se joindre. *Les deux
armées ont fait, ont opéré leur jonction.*

jongler [ʒɔ̃gle] v. intr. · conjug. 1. **1.** Lancer en l'air
plusieurs boules ou autres objets qu'on reçoit et
relance alternativement en entrecroisant leurs trajectoires. *Jongler avec des torches.* **2.** Abstrait. *Jongler
avec,* manier de façon adroite et désinvolte. ⇒ **jouer.**
Jongler avec les chiffres. Jongler avec les difficultés,
s'en jouer. ▶ *jonglerie* n. f. ■ Action de jongler.
— Souvent péj. Exercice de virtuosité pure. ▶ *jon-*

gleur, euse n. **1.** Autrefois. Ménestrel nomade qui
récitait ou chantait des vers, en s'accompagnant d'un
instrument. **2.** Personne dont le métier est de jongler.
Des tours de jongleur.

jonque [ʒɔ̃k] n. f. ■ Voilier d'Extrême-Orient, dont
les voiles de nattes ou de toile sont cousues sur de
nombreuses lattes horizontales en bambou.

jonquille [ʒɔ̃kij] n. f. ■ Variété de narcisse à fleurs
jaunes et odorantes ; cette fleur. *Un bouquet de
jonquilles.* — Adj. invar. *Des rubans jonquille,* jaunes
comme les jonquilles.

jota [xɔta] n. f. **I.** Danse populaire d'Aragon
(Espagne), à trois temps. **II.** Le j espagnol, qui se
prononce [x] guttural (comme le *ch* final allemand).

joue [ʒu] n. f. **1.** Partie latérale de la face s'étendant
entre le nez et l'oreille, du dessous de l'œil au menton.
Joues creuses. Joue pendante. ⇒ **bajoue.** *Avoir de
grosses joues.* ⇒ **joufflu.** *Embrasser qqn sur la joue,
sur les deux joues. Danser joue contre joue.* — Abstrait.
Présenter, tendre l'autre joue, s'exposer volontairement à un redoublement d'outrages. — Loc. *Mettre
EN JOUE un fusil, une carabine* : contre la joue, pour
tirer. ⇒ **épauler.** *Mettre en joue qqch., qqn,* viser.
— Ellipt. *En joue !,* commandement militaire pour la
position de tir. **2.** *Joue d'un fauteuil,* panneau latéral
entre le siège et les bras.

jouer [ʒwe] v. · conjug. 1. **I.** V. intr. **1.** Se livrer au
jeu. ⇒ **s'amuser.** *Écoliers qui jouent pendant la
récréation. Allez jouer dehors !* — Pratiquer un jeu
déterminé. *Il joue trop bien pour moi.* **2.** Pratiquer
les jeux d'argent. *Il boit et il joue.* — Faire un coup,
dans le jeu. *À vous de jouer !* — Abstrait. *Maintenant,
c'est à vous de jouer,* d'agir. — Au p. p. adj. *Bien joué !,*
c'est très bien, bravo ! **3.** Exercer l'activité d'acteur.
4. (Choses) Se mouvoir avec aisance (dans un espace
déterminé). *Meuble, panneau de bois qui joue,* dont
l'assemblage ne joint plus exactement. ⇒ avoir du **jeu.**
— Fonctionner à l'aise, sans frotter ni accrocher.
Faire jouer la clef dans la serrure. **5.** (Lumière, reflets)
Produire des effets changeants. *Le soleil jouait à
travers les feuillages.* **6.** Intervenir, entrer, être en jeu.
La question d'intérêt ne joue pas entre eux. **II.** Suivi
d'une prép. **1.** JOUER AVEC qqch. *Petite fille qui joue
avec sa poupée.* ⇒ **s'amuser.** — Exposer avec légèreté,
imprudence. *Jouer avec sa vie, sa santé,* risquer de
la perdre, de la compromettre. **2.** JOUER À (un jeu
déterminé). *Jouer aux cartes, au tennis. Jouer à la
roulette, aux courses.* — Abstrait. *Jouer au héros,*
affecter d'être un héros. **3.** JOUER SUR. *Jouer sur le
cours des devises.* ⇒ **spéculer.** *Jouer sur un mot, sur
les mots,* tirer parti des diverses acceptions et des
équivoques (⇒ **jeu** de mots). **4.** JOUER DE qqch. : se
servir de (une chose, un instrument) avec plus ou
moins d'adresse. *Jouer du couteau. Jouer des coudes.*
— *Jouer d'un instrument. Savoir jouer du piano.*
— *Jouer de bonheur, de malchance,* avoir du bonheur,
etc., d'une manière continue. **III.** V. tr. **1.** Faire (une
partie). — Au p. p. adj. *Partie bien jouée.* — Mettre
en jeu. *Jouer un pion* (dames, échecs), *une carte.*
— *Jouer un cheval,* miser sur lui. — Abstrait. *Jouer
le jeu*. Jouer double jeu*.* **2.** Hasarder, risquer au
jeu. *Jouer ses derniers sous.* — Risquer. *Jouer sa
fortune, sa réputation.* ⇒ **exposer.** **3.** Tromper (qqn)
en ridiculisant. ⇒ **berner, rouler.** *Il vous a joué.*
4. Interpréter avec un instrument. *Jouer un air, un
morceau. Jouer du Mozart.* **5.** Représenter ou interpréter sur scène. *Il joue en ce moment une comédie,
du Molière.* — *Jouer un film,* le projeter. — Pronominalement. *Ce film se joue depuis trois mois.* — *Jouer
un tour,* tromper, décevoir ; être néfaste. *Votre
insouciance vous jouera un vilain tour.* — *Jouer la
comédie,* affecter des sentiments qu'on n'a pas.

6. Imiter (un personnage type). *Jouer les héros, les victimes.* — Simuler (un sentiment). *Jouer l'étonnement, le désespoir.* ⇒ **feindre. IV.** SE JOUER v. pron. **1.** *Faire qqch. (comme) en se jouant,* très facilement. **2.** SE JOUER DE *qqn, qqch.* : se moquer de. *Il se joue de vous. Se jouer des difficultés,* les résoudre facilement. ▶ **jouable** adj. ■ Qui peut être joué (III). / contr. **injouable** / *Cette pièce n'est pas jouable.* ▶ **jouet** n. m. **1.** Objet dont les enfants se servent pour jouer. ⇒ **jeu, joujou.** *Jouets éducatifs, mécaniques. Marchand de jouets.* **2.** *Être le* JOUET DE... : être victime de... *Il est le jouet d'une illusion.* ▶ **joueur, euse** n. **1.** Personne qui joue (actuellement ou habituellement) à un jeu. — JOUEUR DE... *Joueur de football, de tennis. Joueur de cartes.* — Adj. *Un enfant joueur,* qui aime le jeu. **2.** Personne qui joue à des jeux d'argent, qui a la passion du jeu. *Les joueurs du casino.* **3.** BEAU JOUEUR : celui qui s'incline loyalement devant la victoire, la supériorité de l'adversaire. MAUVAIS JOUEUR : celui qui refuse d'accepter sa défaite. **4.** Personne qui joue d'un instrument (lorsque le nom qui désigne le musicien n'est pas très courant : on ne dit pas *joueur de piano, de violon*). *Joueur de cornemuse.* ⟨ ▶ **déjouer, joujou** ⟩

joufflu, ue [ʒufly] adj. ■ Qui a de grosses joues. *Un enfant joufflu.*

joug [ʒu] n. m. **1.** Pièce de bois qu'on met sur la tête des bœufs pour les atteler. **2.** Littér. Contrainte matérielle ou morale. *Le joug de la loi. Le joug du mariage.* ⇒ **chaîne.** *Mettre sous le joug,* asservir. *Secouer le joug,* se révolter.

jouir [ʒwiʀ] v. tr. ind. ■ conjug. 2. **I.** Avoir du plaisir. / contr. **souffrir** / **1.** JOUIR DE : tirer plaisir, agrément, profit (de qqch.). ⇒ **apprécier, goûter, savourer ; profiter.** *Jouir de la vie.* **2.** Éprouver le plaisir sexuel. — Fam. Éprouver un vif plaisir. *Il jouit quand son adversaire est ridiculisé.* — Iron. Éprouver une vive douleur physique. *On lui a arraché sa dent : ça l'a fait jouir.* **II.** JOUIR DE : avoir la possession de (qqch.). ⇒ **avoir, posséder.** / contr. **manquer** / *Jouir d'une santé solide, de toutes ses facultés. Jouir d'un droit.* ▶ **jouissance** n. f. **1.** Plaisir que l'on goûte pleinement. ⇒ **semaine).** **délice, plaisir, satisfaction.** *Les jouissances de l'esprit.* ⇒ **joie.** *Jouissance des sens.* ⇒ **volupté.** **2.** Action de se servir d'une chose, d'en tirer les satisfactions qu'elle est capable de procurer. *La jouissance d'un jardin.* ⇒ **usage.** ▶ **jouisseur, euse** n. ■ Personne qui ne songe qu'aux jouissances matérielles, profite avidement de tous les plaisirs. — Adj. *Elle est jouisseuse.* ⟨ ▶ **réjouir** ⟩

joujou [ʒuʒu] n. m. ■ Lang. enfantin. **1.** FAIRE JOUJOU *avec une poupée.* ⇒ **jouer. 2.** Jouet. *Offrir des joujoux.*

joule [ʒul] n. m. ■ En physique. Unité de travail, énergie d'un courant d'un ampère passant pendant une seconde à travers une résistance d'un ohm.

① *jour* [ʒuʀ] n. m. **1.** Clarté que le Soleil répand sur la Terre. / contr. **nuit** / *Lumière du jour. Le jour se lève. Le petit jour,* la faible clarté de l'aube. *Le grand, le plein jour,* la lumière du milieu de la journée. *En plein jour,* au milieu de la journée ; abstrait, devant tout le monde. *Le jour tombe* (⇒ **crépuscule**). *Il fait jour, tout à fait jour. Laisser entrer le jour dans une pièce.* — Loc. *Demain il fera jour,* il faut attendre pour agir. *Beau (belle) comme le jour,* très beau. *Être comme le jour et la nuit,* opposés. **2.** Littér. DONNER LE JOUR *à un enfant* : le mettre au monde. — Abstrait. SE FAIRE JOUR : apparaître, se montrer. *La vérité commence à se faire jour.* **3.** SOUS UN JOUR : sous un éclairage, un aspect particulier. *Présenter qqn sous un jour favorable, flatteur.* **4.** FAUX JOUR : mauvais éclairage. ⟨ ▶ **abat-jour, contre-jour, demi-jour** ⟩

② *jour* n. m. ■ Espace de temps déterminé par la rotation de la Terre sur elle-même. **1.** Espace de temps entre le lever et le coucher du soleil. ⇒ **journée.** *Le début (matin), le milieu (midi), la fin (soir) du jour. Les jours raccourcissent. Le jour et la nuit.* — Loc. *Nuit et jour* [nɥiteʒuʀ], *jour et nuit,* sans arrêt. **2.** Espace de temps qui s'écoule pendant une rotation de la Terre sur elle-même et qui sert d'unité de temps (24 heures). *Les sept jours du calendrier grégorien* (⇒ **semaine**). — PROV. *Les jours se suivent et ne se ressemblent pas.* **3.** Employé pour situer un événement dans le temps. ⇒ **date.** *Le jour d'avant* ⇒ **veille,** *d'après* ⇒ **lendemain.** *Ce jour-là.* ⇒ **fois.** *Il vient dans trois jours. Il viendra un autre jour. Tous les quinze jours,* toutes les deux semaines. — Loc. UN JOUR : un certain jour dans le passé *(un jour, il vint me voir)* ; dans l'avenir *(un jour, un de ces jours, un jour ou l'autre, il viendra). Un beau jour,* un certain jour. *Un beau jour, tu comprendras tout cela.* — CHAQUE JOUR. *La tâche, la pratique de chaque jour.* ⇒ **journalier, quotidien.** — TOUS LES JOURS : couramment. *Ces choses-là arrivent tous les jours.* — DE TOUS LES JOURS : habituel. *Son manteau de tous les jours.* — JOUR APRÈS JOUR, DE JOUR EN JOUR : graduellement, peu à peu. — D'UN JOUR À L'AUTRE : d'un moment, d'un instant à l'autre. *Il doit me prévenir d'un jour à l'autre.* — DU JOUR : du jour même. *Nouvelles du jour.* DU JOUR AU LENDEMAIN : d'un moment à l'autre, sans transition. *Il a changé du jour au lendemain.* — À JOUR : en tenant compte des données du jour. *Mettre, mise à jour. Avoir ses comptes à jour.* **4.** Durée d'un jour. ⇒ **journée.** *Tout le jour. Ce jour a passé vite.* — Loc. (où *journée* ne se dit pas) PAR JOUR : dans une journée, quotidiennement. *Une, plusieurs fois par jour.* — AU JOUR LE JOUR. *Vivre au jour le jour,* sans projets, sans se préoccuper de l'avenir. — DE JOUR : se dit d'un service de vingt-quatre heures. *Il est de jour.* ⇒ **de service.** **5.** Considéré d'après les caractères ou les événements qui le remplissent. ⇒ **journée.** *Les beaux jours,* le printemps, l'été. *Le jour de Pâques. Jour férié. Jours ouvrables. Jour de travail, de repos, de sortie.* — *On lui doit quinze jours (de travail, de salaire). Le jour J,* fixé pour une attaque, une opération militaire. — *Il est dans un, dans son bon (mauvais) jour,* il est de bonne (mauvaise) humeur. **6.** Espace de temps, époque. — DU JOUR : de notre époque. ⇒ **actuellement, aujourd'hui.** *Le goût du jour, la mode du jour. C'est le héros du jour.* **7.** Au plur. LES JOURS. ⇒ **vie.** *Abréger, finir ses jours. Vieux jours,* la vieillesse. ⟨ ▶ **belle-de-jour, bonjour, journal, journalier, journée, journellement, toujours** ⟩

③ *jour* n. m. **1.** Interstice qui laisse passer le jour. *Clôture à jours.* **2.** Ouverture décorative dans un tissu. *Faire des jours à un mouchoir. Drap à jours.* ⇒ **ajouré.** ⟨ ▶ **ajouré** ⟩

journal, aux [ʒuʀnal, o] n. m. **1.** Relation quotidienne des événements ; écrit portant cette relation. *Tenir un journal. Écrire son journal.* ⇒ **③ mémoires. 2.** Publication quotidienne consacrée à l'actualité. ⇒ **quotidien** ; fam. **canard.** *Les titres, les colonnes, les photos d'un journal. Kiosque à journaux.* — En appos. *Papier journal,* journal servant d'emballage. — *Un exemplaire de journal. Lire le, son journal. Lire qqch. dans le journal,* fam. *sur le journal.* **3.** Se dit de quelques périodiques non quotidiens à l'exception des revues. *Un journal de modes. Des journaux d'enfant.* **4.** L'administration, la direction, les bureaux d'un journal. *Écrire au journal. Son journal l'a envoyé à l'étranger.* **5.** Bulletin quotidien d'information. *Journal parlé* (radiodiffusé), *télévisé. Le présentateur du journal.* ▶ **journalisme** n. m. **1.** Métier de journaliste. *Faire du journalisme.*

2. Le genre, le style propre aux journaux. *C'est du bon journalisme.* ▶ *journaliste* n. ■ Personne qui collabore à la rédaction d'un journal. ⇒ **rédacteur ; chroniqueur, correspondant, critique, éditorialiste, envoyé** spécial, **reporter.** *Journaliste politique, parlementaire. Journaliste de radio, de télévision.* ▶ *journalistique* adj. ■ Propre aux journaux, aux journalistes. *Genre, style journalistique.*

journalier, ière [ʒuRnalje, jɛR] adj. et n. **I.** Adj. Qui se fait chaque jour. ⇒ **quotidien.** *Travail journalier.* **II.** N. *Un journalier, une journalière,* ouvrier, ouvrière agricole payé(e) à la journée.

journée [ʒuRne] n. f. **1.** Espace de temps qui s'écoule du lever au coucher du soleil. ⇒ ② **jour** (1). *Il passe ses journées à dormir. Dans la journée d'hier. À longueur de journée ; toute la journée,* continuellement. **2.** *Journée de travail* et, absolt, *journée,* le travail effectué et le gain obtenu pendant la journée. *Faire la journée continue,* ne pas s'arrêter de travailler (ou s'arrêter peu de temps) pour déjeuner.

journellement [ʒuRnɛlmɑ̃] adv. **1.** Tous les jours, chaque jour. ⇒ **quotidiennement.** *Être tenu journellement au courant des nouvelles.* **2.** Souvent. *Cela se voit, se rencontre journellement.*

joute [ʒut] n. f. **1.** Combat singulier à la lance et à cheval, au Moyen Âge. **2.** Littér. Combat verbal. *Joutes oratoires, joutes d'esprit.*

jouvenceau, elle [ʒuvɑ̃so, ɛl] n. ■ Vx ou plaisant. Jeune homme, jeune fille. *Des jouvenceaux.*

jovial, ale, als ou *aux* [ʒɔvjal, o] adj. ■ Qui est plein de gaieté franche, simple et communicative. ⇒ **enjoué, gai, joyeux.** *Des hommes joviaux,* moins cour. *jovials. — Air jovial. Humeur joviale.* / contr. **chagrin, maussade** / ▶ *jovialement* adv. ■ *Il nous a accueillis jovialement.* ▶ *jovialité* n. f. ■ Caractère jovial ; humeur joviale. ⇒ **gaieté.** *Il est plein de jovialité.*

joyau [ʒwajo] n. m. **1.** Objet de matière précieuse (or, argent, pierreries), de grande valeur, qui est destiné à orner ou à parer. ⇒ **bijou.** *Fabricant de joyaux.* ⇒ **joaillier. 2.** Chose rare et belle, de grande valeur. *Le mont Saint-Michel, joyau de l'art médiéval.*

joyeux, euse [ʒwajø, øz] adj. **1.** Qui éprouve, ressent de la joie, ou aime à la manifester. ⇒ **gai, heureux.** / contr. **sombre, triste** / *Ils sont partis joyeux. C'est un joyeux luron.* ⇒ **agréable, amusant, boute-en-train.** *Être en joyeuse compagnie. Être de joyeuse humeur.* **2.** Qui exprime la joie. *Cris joyeux. Une mine joyeuse.* ⇒ **radieux. 3.** Qui apporte la joie. / contr. **pénible** / *Une joyeuse nouvelle. Joyeux Noël !* ▶ *joyeusement* adv. ■ *Accepter joyeusement une offre.* / contr. **tristement** /

jubé [ʒybe] n. m. ■ Tribune transversale élevée entre la nef et le chœur, dans certaines églises.

jubilé [ʒybile] n. m. ■ Fête célébrée à l'occasion du cinquantenaire de l'entrée dans une fonction, dans une profession.

jubiler [ʒybile] v. intr. ■ conjug. 1. ■ Se réjouir vivement de (qqch.). *Il n'avait pas tant espéré ; vous pensez s'il jubile !* / contr. s'**affliger** / ▶ *jubilation* n. f. ■ Joie vive, expansive, exubérante. ⇒ **gaieté, joie.**

jucher [ʒyʃe] v. tr. ■ conjug. 1. ■ Placer très haut. *Jucher un enfant sur ses épaules. —* Pronominalement. *Se jucher sur une branche. —* Au p. p. *Être juché sur un escabeau.* ▶ *juchoir* n. m. ■ Perchoir des oiseaux de basse-cour.

judaïque [ʒydaik] adj. ■ Qui appartient aux anciens Juifs ; à la religion juive. ⇒ **juif.** *Religion, loi judaïque.* ▶ *judaïsme* n. m. ■ Religion des juifs,

descendants des Hébreux et héritiers de leurs livres sacrés. — Communauté des juifs. *Le judaïsme français.*

judas [ʒyda] n. m. invar. **I.** Personne qui trahit. ⇒ **fourbe, hypocrite, traître.** *C'est un judas.* **II.** Petite ouverture pratiquée dans un plancher, un mur, une porte, pour épier sans être vu. *Regarder par le judas.*

judéo- ■ Préfixe savant signifiant « juif ».

judiciaire [ʒydisjɛR] adj. **1.** Relatif à la justice et à son administration. *Pouvoirs législatif, exécutif et judiciaire. Police judiciaire.* **2.** Qui se fait en justice ; par autorité de justice. *Acte judiciaire.* ⇒ **juridique.** *Casier judiciaire. Poursuites judiciaires. Une erreur judiciaire.*

judicieux, euse [ʒydisjø, øz] adj. ■ Qui résulte d'un bon jugement. ⇒ **intelligent, pertinent.** *Remarque, critique judicieuse. Il serait plus judicieux de renoncer.* / contr. **absurde, stupide** / ▶ *judicieusement* adv. ■ *Il a judicieusement fait remarquer ceci,* avec à-propos, à bon escient.

judo [ʒydo] n. m. ■ Sorte de lutte japonaise pratiquée à titre de sport. ⇒ **jiu-jitsu.** *Prise de judo. Ceinture noire de judo.* ▶ *judoka* [ʒydɔka] n. ■ Personne qui pratique le judo. *Elle est judoka. Des judokas.*

juge [ʒyʒ] n. m. **1.** Magistrat chargé de rendre la justice. *Les juges siègent, délibèrent, se prononcent. Nous irons devant le juge,* devant la justice, le tribunal. *Juge d'instruction,* magistrat spécialement chargé d'informer en matière criminelle ou correctionnelle. *Juge de paix,* magistrat qui statue comme juge unique sur des affaires généralement peu importantes. **2.** Personne appelée à faire partie d'un jury, à se prononcer comme arbitre. *Les juges d'un concours. Juge-arbitre d'un tournoi de tennis.* **3.** Personne qui juge, qui a le droit et le pouvoir de juger. *Dans les choses de théâtre, le public est le juge absolu.* **4.** Personne qui est appelée à donner une opinion, à porter un jugement. *Je vous en fais juge. Être bon, mauvais juge,* plus ou moins capable de porter un jugement. ⇒ **expert.**

au jugé n. m. ⇒ **juger** (II).

jugement [ʒyʒmɑ̃] n. m. **1.** Action de juger ; décision en justice. *Le jugement d'un procès. Le jugement d'un accusé. Prononcer, rendre un jugement.* ⇒ **décision ; arrêt, sentence, verdict. —** JUGEMENT DERNIER : celui que Dieu prononcera à la fin du monde, sur le sort de tous les vivants et des morts ressuscités (religion chrétienne). **2.** Opinion favorable ou défavorable. *Émettre, exprimer, porter un jugement. Revenir sur ses jugements. Jugement préconçu, hâtif. —* Façon de voir (les choses) particulière à qqn. ⇒ **opinion, point de vue ; avis, sentiment.** *Je livre, je soumets cela à votre jugement. Se contenter d'un jugement sommaire.* **3.** Faculté de l'esprit permettant de bien juger de choses qui ne font pas l'objet d'une connaissance immédiate certaine, ni d'une démonstration rigoureuse. ⇒ **discernement, perspicacité, raison,** bon **sens.** *Avoir du jugement, manquer de jugement. Erreur de jugement.*

jugeote [ʒyʒɔt] n. f. ■ Fam. Jugement (3), bon sens. *Il n'a pas pour deux sous de jugeote !*

juger [ʒyʒe] v. tr. ■ conjug. 3. **I. 1.** Soumettre (une cause, une personne) à la décision de sa juridiction. *Juger une affaire, un crime. Juger un accusé. —* Sans compl. Rendre la justice. *Le tribunal jugera.* ⇒ **conclure, décider, statuer. 2.** Décider, prendre nettement position sur (une question). *C'est à vous de juger ce qu'il faut faire, si nous devons répondre, comment il faut faire.* **3.** Soumettre au jugement de

la raison, de la conscience ⇒ **apprécier, considérer,
examiner**, pour se faire une opinion ; émettre une
opinion sur. *Juger un livre, un film. Être jugé à sa
juste valeur.* ⇒ **évaluer.** — V. tr. indir. JUGER DE. *Si
j'en juge par mes propres sentiments. Il est bien difficile
d'en juger,* d'en dire, d'en penser qqch. **4.** (Avec un
adj. ou une complétive) Considérer comme. ⇒ **estimer,
trouver.** *Elle le juge insignifiant. Partons, si vous le
jugez bon. Il jugeait qu'il était trop tard.* ⇒ **penser.**
— Pronominalement. *Se juger perdu.* **5.** V. tr. indir.
(Surtout à l'impératif) ⇒ **imaginer,** se **représenter.** *Jugez
de ma surprise.* **II.** N. m. AU JUGER ou AU JUGÉ :
en devinant, en présumant. *Tirer au juger.* — Abstrait.
D'une manière approximative, à première vue.
‹ ▶ adjuger, se déjuger, juge, jugement, jugeote,
méjuger, préjuger ›

① *jugulaire* [ʒygylɛʀ] n. f. ■ Attache qui
maintient une coiffure d'uniforme en passant sous le
menton. ⇒ **bride.** *Baisser, serrer la jugulaire.*

② *jugulaire* adj. ■ Anatomie. De la gorge. *Veines
jugulaires* (sur les côtés du cou).

juguler [ʒygyle] v. tr. ▪ conjug. 1. ■ Arrêter,
interrompre le développement de (qqch.). ⇒ **enrayer,
étouffer, stopper.** *Juguler une maladie. Juguler une
révolte.*

juif, juive [ʒɥif, ʒɥiv] n. et adj. **1.** N. Nom donné
depuis l'Exil (IVᵉ s. av. J.-C.) aux descendants
d'Abraham ⇒ **Hébreu, Israélite,** peuple sémite
monothéiste qui vivait en Palestine. — Personne
descendant de ce peuple. *Un juif allemand, polonais.
Persécutions subies par les juifs.* ⇒ **pogrom.** *Racisme
envers les juifs.* ⇒ **antisémitisme. 2.** Adj. Relatif à la
communauté des juifs. *Le peuple juif,* ou peuple élu.
Religion juive. ⇒ **judaïsme.** *Quartier juif.* ⇒ **ghetto.**
3. Adj. Avare, âpre au gain (emploi injurieux pour
les juifs, basé sur une tradition chrétienne hostile, lié
au racisme antisémite*).

juillet [ʒɥijɛ] n. m. ■ Septième mois de l'année, de
trente et un jours. *Le soleil de juillet. Le 14 Juillet,
anniversaire de la prise de la Bastille et fête nationale
française. Il viendra en juillet, au mois de juillet.*

juin [ʒɥɛ̃] n. m. ■ Sixième mois de l'année, de trente
jours. *Prendre ses vacances en juin. Le mois de juin.*

jujube [ʒyʒyb] n. m. **1.** Fruit comestible d'un
arbuste épineux (le *jujubier*). **2.** Pâte extraite de ce fruit
(remède contre la toux).

juke-box [(d)ʒykbɔks] n. m. ■ Anglic. Machine
faisant passer le disque demandé.
Des juke-boxes.

jules [ʒyl] n. m. invar. ■ Fam. Homme, amoureux,
mari. *C'est son jules.*

julienne [ʒyljɛn] n. f. ■ Préparation de légumes
variés coupés en petits morceaux, utilisée en garniture
ou pour des potages. — Potage contenant cette
préparation.

jumeau, elle [ʒymo, ɛl] adj. et n. **1.** Se dit
d'enfants nés d'un même accouchement. *Frères
jumeaux, sœurs jumelles.* — N. *Deux jumeaux. C'est
sa jumelle. Vrais jumeaux,* provenant d'un seul œuf
fragmenté en deux. **2.** Se dit de deux choses ou de
deux personnes semblables. *Lits jumeaux.* ▶ *jumeler*
[ʒymle] v. tr. ▪ conjug. 4. ■ Ajuster ensemble (deux
éléments, deux choses semblables). *Jumeler les pneus
d'un camion.* — Au p. p. adj. *Colonnes, fenêtres, roues
jumelées.* ▶ *jumelage* n. m. ■ Action de jumeler ;
son résultat. — *Jumelage de villes,* coutume consistant
à déclarer jumelles deux villes situées dans deux pays
différents. ▶ *jumelle(s)* n. f. sing. ou plur. ■ Instrument portatif à deux lunettes ; double lorgnette. *Une*

jumelle marine. Des jumelles de spectacle. — Abusivt.
Une paire de jumelles.

jument [ʒymɑ̃] n. f. ■ Femelle du cheval. *Jeune
jument.* ⇒ **pouliche.**

jumping [dʒœmpiŋ] n. m. ■ Anglic. Saut d'obstacles à cheval.

jungle [ʒɔ̃gl] ; cour. [ʒœ̃gl] n. f. **1.** Dans les pays de
mousson. Forme de savane couverte de hautes herbes,
de broussailles et d'arbres, où vivent les grands fauves.
2. Milieu humain où règne la loi de la sélection
naturelle. *La loi de la jungle,* la loi du plus fort. *La
jungle des affaires.*

junior [ʒynjɔʀ] adj. et n. **1.** Se dit quelquefois (dans
le commerce ou plaisamment) du frère plus jeune.
⇒ **cadet. 2.** Adj. et n. Se dit d'une catégorie sportive
intermédiaire entre celle des *seniors* et celle des *cadets*
(16-21 ans). *Équipe junior de football.* — N. *Les
juniors.*

junte [ʒœ̃t] n. f. ■ Conseil, assemblée administrative,
politique en Espagne, au Portugal ou en Amérique
latine. *Junte militaire.*

jupe [ʒyp] n. f. **1.** Partie de l'habillement féminin
qui descend de la ceinture à une hauteur variable de
la jambe. *Jupe longue traînant par terre. Jupe
au-dessus du genou, très courte* ⇒ **mini-jupe.** *Jupe
droite, plissée.* — *Être dans les jupes de sa mère,* ne
jamais la quitter. **2.** Surface latérale d'un piston.
3. Partie souple d'un aéroglisseur qui enferme le
coussin d'air. ▶ *jupe-culotte* n. f. ■ Culotte ample
qui présente l'aspect d'une jupe, portée par les
femmes. *Des jupes-culottes.* ▶ *jupette* n. f. ■ Jupe très
courte. ▶ *jupon* n. m. **1.** Jupe de dessous. *Jupon de
dentelle.* **2.** Collectif. Les femmes, les filles. *Courir le
jupon.* ‹ ▶ mini-jupe ›

jurassien, ienne [ʒyʀasjɛ̃, jɛn] adj. ■ Du Jura.
Le relief jurassien. ▶ *jurassique* adj. et n. m. ■ En
géologie. Relatif aux terrains secondaires dont le Jura
est constitué en majeure partie.

① *juré, ée* adj. ■ ENNEMI JURÉ : ennemi déclaré
et acharné. *Elle est mon ennemie jurée.*

② *juré, ée* n. (rare au fém.) ■ Membre d'un jury (1).
*Serment des jurés. Les jurés ont déclaré l'accusé
coupable.*

jurer [ʒyʀe] v. ▪ conjug. 1. **I.** V. tr. **1.** Promettre
(qqch.) par un serment plus ou moins solennel. *Jurer
fidélité, obéissance à qqn. Jurer de faire qqch.*
⇒ s'**engager.** *Jure-moi que ce n'est pas vrai.* — Pronominalement. *Ils se sont juré de ne pas se séparer. Elle
s'est juré de ne rien dévoiler.* **2.** Affirmer solennellement, fortement. ⇒ **assurer, déclarer.** *Je vous jure que
ce n'est pas facile. Il a juré de ne pas recommencer.*
— Fam. *Je te (vous) jure !* (exprimant l'indignation). *Il
ne se gêne pas, je vous jure !* **3.** JURER DE qqch. :
affirmer de façon catégorique (qu'une chose est ou
n'est pas, se produira ou ne se produira pas). *Il ne
faut jurer de rien. J'en jurerais, je le crois ; je n'en
jurerais pas, je ne le crois pas.* **II.** V. intr. (ou sans
compl.) **1.** Faire un serment. *Faites-le jurer sur la
Bible.* — Loc. *On ne jure plus que par lui,* on l'admire,
on l'imite en tout. **2.** Dire des jurons, des imprécations. ⇒ **blasphémer.** *Il jurait comme un charretier.
Jurer contre qqn, après qqn.* ⇒ **crier. 3.** (Choses) Aller
mal avec, ensemble. ⇒ **détonner.** *Ces couleurs jurent.*
‹ ▶ abjurer, adjurer, conjurer, injurier, ① et
② juré, juron, jury, se parjurer ›

juridiction [ʒyʀidiksjɔ̃] n. f. **1.** Pouvoir de juger,
de rendre la justice ; étendue et limite de ce pouvoir.
⇒ **compétence, ressort.** *Juge, magistrat, tribunal qui
exerce sa juridiction. Dans la juridiction.* **2.** Tribunal,

ensemble de tribunaux. ⇒ **chambre, conseil, cour.** *Juridictions administratives, civiles.*

juridique [ʒyʀidik] adj. **1.** Qui se fait, s'exerce en justice, devant la justice. ⇒ **judiciaire.** *Action juridique.* **2.** Qui a rapport au droit. *Actes juridiques.* ⇒ **légal.** *Études juridiques,* de droit. ▶ ***juridiquement*** adv. **1.** Devant la justice. *Accuser juridiquement qqn.* **2.** Du point de vue du droit. *Être juridiquement dans son tort.*

jurisconsulte [ʒyʀiskɔ̃sylt] n. m. ■ Juriste qui donne des avis sur des questions de droit.

jurisprudence [ʒyʀispʀydɑ̃s] n. f. ■ Ensemble des décisions des juridictions sur une matière ou dans un pays, en tant qu'elles constituent une source de droit ; principes juridiques qui s'en dégagent (coutume). *Législation, jurisprudence et doctrine.* — Manière de juger sur un point particulier. *La jurisprudence du tribunal n'a pas varié sur ce point.*

juriste [ʒyʀist] n. ■ Personne qui a de grandes connaissances juridiques ; auteur d'études juridiques. ⇒ **jurisconsulte.** *Une bonne juriste.*

juron [ʒyʀɔ̃] n. m. ■ Terme grossier ou familier dont on se sert pour blasphémer, insulter, injurier.

jury [ʒyʀi] n. m. **1.** Ensemble des jurés ② ; groupe de jurés désignés pour une affaire judiciaire. **2.** Assemblée, commission chargée de l'examen d'une question ou d'examiner des candidats. *Jury de concours, de thèse. Le jury d'un prix littéraire.*

jus [ʒy] n. m. invar. **I. 1.** Liquide contenu dans une substance végétale. ⇒ **suc.** *Le jus des fruits. Boire un jus de tomate.* **2.** Liquide rendu par une viande qui cuit. *Jus de viande.* ⇒ **sauce.** *Carottes au jus. Tu veux plus de jus ?* — Loc. fam. *Cuire dans son jus,* rester dans une situation désagréable. **3.** Fam. Café. *Un bon jus.* **4.** *Au, dans le jus,* dans l'eau. *Il est tombé au jus.* **II. 1.** Fam. Dissertation scolaire ; exposé, discours ⇒ **laïus, topo.** *Ton jus était un peu long.* **2.** Fam. Courant électrique. *Il n'y a plus de jus. Un court-jus,* court-circuit. *Des courts-jus.* **3.** Loc. fam. *Ça vaut le jus,* la peine. ⟨ ▶ juteux, verjus ⟩

jusant [ʒyzɑ̃] n. m. ■ Marée descendante. ⇒ **reflux.**

jusqu'au-boutisme [ʒyskobutism] n. m. ■ Politique, conduite extrémiste. ▶ ***jusqu'au-boutiste*** n. ■ Extrémiste. *Des jusqu'au-boutistes.* / contr. **modéré** /

jusque [ʒysk] prép. (et adv., conj.) marquant le terme final, la limite que l'on ne dépasse pas. **I.** Prép. (Suivie le plus souvent de *à,* d'une autre préposition ou d'un adverbe) **1.** JUSQU'À. — (Lieu) *Aller jusqu'à Paris. Rempli jusqu'au bord. Rougir jusqu'aux oreilles. Avoir de l'eau jusqu'aux genoux.* — (Suivie d'un nom abstrait, pour marquer l'excès) *Poli jusqu'à l'obséquiosité.* — (Devant un infinitif, après les v. *aller, pousser,* etc.) *Il est allé jusqu'à prétendre qu'on ne l'avait pas averti.* — (Temps) *Du matin jusqu'au soir. Jusqu'à nouvel ordre. Jusqu'au 17 décembre inclus.* — Y compris. *Tous, jusqu'à sa femme, l'ont abandonné.* **2.** (Suivie d'une autre préposition que *à*) JUSQUE CHEZ. *Il l'accompagne jusque chez lui.* — JUSQU'APRÈS. *Il attendra jusqu'après les vacances.* — JUSQUE VERS. *Il a patienté jusque vers midi.* **3.** (Suivie d'un adv.) *Jusqu'alors, jusqu'à présent, jusqu'ici.* — Fam. *En avoir jusque-là,* être excédé. *S'en mettre jusque-là,* trop manger. *Jusqu'où, jusqu'à quand* (relatif ou interrogatif). **II.** Adv. JUSQU'À. ⇒ **même.** *Il y a des noms et jusqu'à des personnes que j'ai complètement oubliés. Il n'est pas jusqu'à son regard qui n'ait changé,* même son regard a changé. **III.** Conj. JUSQU'À CE QUE (+ subjonctif) : jusqu'au moment où. *Jusqu'à ce que je revienne.* — JUSQU'À TANT QUE (même sens).

jusquiame [ʒyskjam] n. f. ■ Plante à fleurs jaunes rayées de pourpre, à propriétés narcotiques et toxiques.

justaucorps [ʒystokɔʀ] n. m. invar. **1.** Ancien vêtement masculin serré à la taille et muni de basques. ⇒ **pourpoint. 2.** Maillot collant d'une seule pièce qui couvre le buste, utilisé pour la danse et la gymnastique.

① ***juste*** [ʒyst] adj. et n. m. **1.** Qui se comporte, agit conformément à la justice, à l'équité. ⇒ **équitable.** / contr. **injuste** / *Être juste pour, envers, à l'égard de qqn. Il faut être juste,* sans parti pris. ⇒ **honnête.** — N. m. *Un, les juste(s).* — Loc. *Dormir du sommeil du juste,* d'un sommeil paisible et profond. **2.** (Choses) Qui est conforme à la justice, au droit, à l'équité. *Un juste partage. Une loi juste.* **3.** (Devant le nom) ⇒ **fondé, légitime.** *De justes revendications. À juste titre,* à bon droit. ▶ ① ***justement*** adv. ■ Rare. À bon droit, avec raison. *Craindre justement pour son sort.* ▶ ***justice*** n. f. **1.** Appréciation, reconnaissance et respect des droits et du mérite de chacun. ⇒ **droiture, équité, impartialité, intégrité.** *Agir avec justice.* **2.** Principe moral de conformité au droit. *Faire régner la justice.* — Loc. *Il n'y a pas de justice,* ce n'est pas juste. **3.** Pouvoir de faire régner le droit ; exercice de ce pouvoir. *La justice punit et récompense. Rendre la justice.* ⇒ **juger.** *Cour de justice. Obtenir justice,* reconnaissance de son droit. — FAIRE JUSTICE DE qqch. : récuser, réfuter. *Le temps a fait justice de cette renommée usurpée.* — FAIRE, RENDRE JUSTICE À qqn : lui reconnaître son droit ; rendre hommage, récompenser. *L'avenir lui rendra justice.* — SE FAIRE JUSTICE : se venger. *Le coupable s'est fait justice,* s'est tué. **4.** Organisation du pouvoir judiciaire ; ensemble des organes chargés d'administrer la justice. *Exercer un droit en justice. Décisions de la justice* (⇒ **judiciaire, juridique**). — *Police judiciaire. La justice le recherche.* **5.** L'ensemble des juridictions de même catégorie. *Justice administrative, civile, commerciale.* ▶ ***justiciable*** adj. et n. **1.** Qui relève de certains juges, de leur juridiction. *Criminel justiciable des tribunaux français.* **2.** Qui relève (d'une mesure, d'un traitement). *Il est justiciable de révocation. Malade justiciable d'une cure thermale.* ▶ ***justicier, ière*** n. **1.** Personne qui rend justice, qui fait régner la justice. **2.** Celui qui agit en redresseur de torts, venge les innocents et punit les coupables. *Les justiciers des films d'aventures.* ⟨ ▶ injuste, injustifié, ① justifier ⟩

② ***juste*** adj. et adv. **I.** Adj. **1.** Qui a de la justesse, qui convient bien. / contr. **faux, inexact** / *Chercher le mot juste.* ⇒ **adéquat, propre.** *Estimer les choses à leur juste prix.* ⇒ **réel.** *L'addition est juste. L'heure juste.* ⇒ **exact. 2.** (Son) Conforme à ce qu'il devrait être (opposé à *faux*). *Note juste. Voix juste.* **3.** Abstrait. Conforme à la vérité, à la raison, au bon sens. ⇒ **authentique, exact, logique, vrai.** *Dire des choses justes.* / contr. **erroné** / *C'est juste,* vous avez raison. *Très juste !* **4.** Qui apprécie bien, avec exactitude. *Avoir le coup d'œil juste, l'oreille juste.* **II.** Adj. ⇒ **ajusté. 1.** (Vêtements, chaussures) Qui est trop ajusté. ⇒ **étroit, petit.** *Ce pantalon est juste.* **2.** Qui suffit à peine. *C'est un peu juste pour dix personnes. Je suis un peu juste en ce moment,* je manque d'argent. **III.** Adv. **1.** Avec justesse, exactitude, comme il faut, comme il convient. *Voir juste. Deviner, tomber juste. Chanter juste.* — Avec précision. *Viser juste. Frapper, toucher juste,* atteindre exactement le but visé. **2.** Exactement, précisément. *L'avion passe juste au-dessus de la maison. Cela s'est passé juste comme il le voulait. Il vient (tout) juste de m'appeler.* **3.** Loc. adv. AU JUSTE. ⇒ **exactement.** *On ne savait pas au juste ce que c'était.* — COMME DE JUSTE : comme il se doit, comme il est habituel. *Comme de juste, il* *est en retard.* **4.** En quantité à peine suffisante. Compter, prévoir un peu juste. / contr. **largement /** *Cela lui coûte juste la peine de se baisser.* ⇒ **seulement.** *Il s'est vendu tout juste cinq cents exemplaires,* à peine. ▶ ② *justement* adv. **I.** Avec justesse. *On dira plus justement que...* ⇒ **pertinemment. II.** Adv. de phrase. **1.** (Pour marquer l'exacte concordance de deux faits, d'une idée et d'un fait) *C'est justement ce qu'il ne fallait pas faire.* ⇒ **exactement.** *Il va venir ; justement le voici.* **2.** Précisément, à plus forte raison (en tête de phrase). *Il sera peiné de l'apprendre. — Justement, ne lui dites rien !* ▶ *justesse* n. f. **1.** Qualité qui rend une chose parfaitement adaptée ou appropriée à sa destination. *Justesse et précision d'une balance.* — Abstrait. ⇒ **correction, exactitude.** *Cette comparaison manque de justesse.* **2.** Qualité qui permet d'exécuter très exactement une chose, manière dont on exécute sans erreur. ⇒ **précision.** *Justesse du tir. Apprécier avec justesse.* **3.** Loc. adv. DE JUSTESSE : sans rien de trop. *Gagner de justesse. Éviter de justesse une collision.*

① *justifier* [ʒystifje] v. tr. ▪ conjug. 7. **1.** Innocenter (qqn) en expliquant sa conduite, en démontrant que l'accusation n'est pas fondée. ⇒ **décharger, disculper.** *Justifier qqn d'une erreur.* — Pronominalement (réfl.). *Se justifier,* prouver son innocence. *Se justifier d'une accusation. Il faut dire quelque chose pour vous justifier.* **2.** Rendre (qqch.) légitime. *Théorie qui justifie tous les excès.* ⇒ **autoriser, légitimer.** — PROV. *La fin justifie les moyens.* **3.** Faire admettre ou s'efforcer de faire reconnaître (qqch.) comme juste, légitime. ⇒ **expliquer, motiver.** *Justifiez vos critiques. Ses craintes ne sont pas justifiées.* ⇒ **fonder. 4.** Montrer (qqch.) comme vrai, juste, réel, par des arguments, des preuves. ⇒ **démontrer, prouver.** *Justifier ce qu'on affirme. Justifier l'emploi des sommes reçues.* — Confirmer après coup. *Les faits ont justifié ses craintes.* — Au p. p. adj. *Une demande justifiée.* **5.** V. tr. indir. *Justifier de son identité,* la prouver. ▶ *justifiable* adj. **1.** Qui peut être justifié. ⇒ **défendable, excusable.** *Un comportement peu justifiable.* **2.** Qui peut être expliqué, motivé. *Un choix justifiable.* / contr. **injustifiable /** ▶ *justificateur, trice* adj. ▪ Qui justifie. ▶ *justificatif, ive* adj. et n. m. **1.** Qui sert à justifier qqn. — Qui légitime (qqch.). **2.** Qui sert à prouver ce qu'on allègue. *Documents justificatifs.* — N. m. Pièce justificative. *Produire des justificatifs.* ▶ ① *justification* n. f. **1.** Action de justifier (qqn, qqch.), de se justifier. *Qu'avez-vous à dire pour votre justification ?* ⇒ **décharge, défense.** *Demander des justifications.* ⇒ **compte, explication. 2.** Action d'établir (une chose) comme réelle ; résultat de cette action. ⇒ **preuve.** *Justification d'un fait, d'un paiement.*

② *justifier* v. tr. ▪ conjug. 7. ▪ En imprimerie. Mettre (une ligne) à la longueur voulue. ▶ ② *justification* n. f. ▪ Action de fixer la longueur d'une ligne ; cette longueur.

jute [ʒyt] n. m. **1.** Plante cultivée pour les fibres textiles longues et soyeuses de ses tiges. **2.** Fibre qu'on en tire. *Toile de jute.*

juteux, euse [ʒytø, øz] adj. **1.** Qui a beaucoup de jus. *Poire juteuse.* ⇒ **fondant. 2.** Fam. Qui rapporte beaucoup. *Une place juteuse.*

juvénile [ʒyvenil] adj. ▪ Se dit des qualités propres à la jeunesse. ⇒ **jeune.** *Grâce juvénile.* / contr. **sénile, vieux /** ▶ *juvénilité* n. f. ▪ Littér. *La juvénilité de ses réactions.*

juxta- ▪ Préfixe savant signifiant « près de ». ▶ *juxtaposer* [ʒykstapoze] v. tr. ▪ conjug. 1. ▪ Mettre (plusieurs choses) l'une contre l'autre sans les relier. ⇒ **accoler.** *Juxtaposer deux mots par une*

apposition. — Au p. p. adj. *Couleurs juxtaposées. Phrases juxtaposées.* ▶ *juxtaposition* n. f. ▪ *Juxtaposition de couleurs.*

k [ka] n. m. ▪ Onzième lettre, huitième consonne de l'alphabet *(k, K)* servant à noter une consonne occlusive sourde [k]. — Abrév. pour *kilo.*

kabbale ⇒ ② **cabale.**

kabyle [kabil] adj. et n. ▪ De la Kabylie, région montagneuse d'Algérie. — N. *Les Kabyles.*

kafkaïen, ïenne [kafkajɛ̃, jɛn] adj. ▪ Qui rappelle l'atmosphère oppressante des romans de Kafka.

kaiser [kajzœr ; kɛzɛr] n. m. ▪ L'empereur d'Allemagne, de 1870 à 1918.

kakémono [kakemɔno] n. m. ▪ Peinture japonaise sur soie ou sur papier, étroite et haute.

① *kaki* [kaki] adj. invar. ▪ D'une couleur jaunâtre tirant sur le brun. *Chemise kaki.* — N. m. *Militaire en kaki.*

② *kaki* n. m. ▪ Arbre dont les fruits d'un jaune orangé ont la forme de tomates. — Ce fruit. *Des kakis.*

kaléidoscope [kaleidɔskɔp] n. m. **1.** Petit instrument cylindrique, dont le fond est occupé par des fragments mobiles de verre colorié qui, en se réfléchissant sur un jeu de miroirs, y produisent des combinaisons d'images aux multiples couleurs. **2.** Succession rapide et changeante (d'impressions, de sensations).

kamikaze [kamikaz] n. m. ▪ Avion-suicide, piloté par un volontaire, au Japon (1944-1945) ; ce volontaire. — Personne d'une grande témérité.

kanak, e [kanak] adj. et n. ▪ Relatif aux populations autochtones du Pacifique Sud (Nouvelle-Calédonie, etc.). — N. *Une Kanake.* — REM. On écrit aussi *canaque.*

kangourou [kɑ̃guru] n. m. ▪ Grand mammifère australien herbivore, à pattes postérieures très développées, dont la femelle possède une poche ventrale qui abrite les petits. *Des kangourous.*

kaolin [kaɔlɛ̃] n. m. ▪ Argile blanche, réfractaire et friable qui entre dans la composition de la céramique, de la porcelaine.

kapok [kapɔk] n. m. ▪ Fibre végétale faite des poils fins et soyeux qui recouvrent les graines d'un arbre exotique (le *kapokier*). *Coussins rembourrés de kapok.*

karaté [karate] n. m. ▪ Exercice et sport de combat, en usage au Japon. *Pratiquer le karaté.*

karst [karst] n. m. ▪ Ensemble des phénomènes de corrosion du calcaire.

karting [kartiŋ] n. m. ▪ Anglic. Sport pratiqué avec de petits véhicules automobiles (*kart* [kart]) sans carrosserie, ni boîte de vitesses, ni suspension.

kascher ou *cascher, cawcher* [kaʃɛr] adj. invar. ▪ Se dit de la viande des animaux permis, abattus rituellement, dans la religion judaïque ; des commerces où l'on trouve cette viande. *Boucherie kascher.*

kayac ou *kayak* [kajak] n. m. ▪ Petite embarcation de sport en toile, à une ou deux places, qui se manœuvre à la pagaie. *Descendre une rivière en kayac. Des kayaks.*

képi [kepi] n. m. ▪ Coiffure militaire rigide, à fond plat et surélevé, munie d'une visière, portée (en France) par les officiers et sous-officiers de l'armée de terre, et autrefois les agents de police, etc. *Des képis.*

kérat-, kérato- ■ Préfixes savants signifiant « corne (matière), cornée ». ▶ *kératine* [keʀatin] n. f. ■ Substance qui constitue la majeure partie des productions épidermiques chez l'homme (cheveux, ongles) et les animaux (cornes, laine, plumes).

kermesse [kɛʀmɛs] n. f. **1.** En Hollande, Belgique, et dans le Nord de la France. Fête patronale villageoise, foire annuelle. ⇒ **ducasse. 2.** Grande fête de bienfaisance en plein air. *La kermesse de l'école.*

kérosène [keʀozɛn] n. m. ■ Pétrole lampant obtenu par distillation des huiles brutes de pétrole. *Le kérosène est utilisé par les avions à réaction.*

ketchup [kɛtʃœp] n. m. ■ Sauce à base de tomates, légèrement sucrée et épicée.

khâgne ou *cagne* [kaɲ] n. f. ■ Classe des lycées qui prépare à l'École normale supérieure, qui fait suite à l'hypokhâgne. ▶ *khâgneux, euse* ou *cagneux, euse* n. ■ Élève d'une classe de khâgne. ‹ ▶ hypokhâgne ›

khalife, khalifat ⇒ **calife, califat.**

khan [kɑ̃] n. m. ■ Titre des souverains mongols, des chefs tartares, et encore porté de nos jours par des chefs religieux islamiques.

khôl [kol] ou *kohol* [kɔɔl] n. m. ■ Fard de couleur sombre que les Orientaux, les habitants de l'Afrique du Nord, s'appliquent sur les paupières, les cils, les sourcils.

kibboutz [kibuts] n. m. invar. ■ Ferme collective, en Israël. *Des kibboutz.*

kidnapper [kidnape] v. tr. ▪ conjug. 1. ■ Enlever (une personne), en général pour en tirer une rançon. *Kidnapper un enfant.* ▶ *kidnappage* n. m. ■ Enlèvement. — On dit aussi *kidnapping* [kidnapiŋ] n. m. ▶ *kidnappeur, euse* n. ■ *Le kidnappeur a demandé une rançon.*

kif [kif] n. m. ■ Mélange de tabac et de chanvre indien ⇒ **haschisch.**

kif-kif [kifkif] adj. invar. ■ Fam. Pareil, la même chose. *Celui-ci ou celui-là, c'est kif-kif !*

kiki [kiki] n. m. ■ Fam. Gorge, gosier. *Serrer le kiki,* étrangler.

kil [kil] n. m. ■ Fam. *Un kil de rouge,* un litre de vin rouge.

kilo- ■ Préfixe savant signifiant « mille, mille fois ». ▶ *kilogramme* [kilɔgʀam] ou *kilo* n. m. ■ Unité de masse valant mille grammes (abrév. cour. *kilo* et *kg*). *Il pèse soixante-dix kilos. Dix francs le kilo.* ▶ *kilomètre* n. m. ■ Unité pratique de distance qui vaut mille mètres (abrév. *km*). *Faire des kilomètres. Voiture qui fait 130 kilomètres à l'heure* ou *130 kilomètres-heure.* — Ellipt. *Faire du 130.* ▶ *kilométrage* n. m. **1.** Mesure en kilomètres. **2.** Nombre de kilomètres parcourus. *Quel est le kilométrage de cette voiture ?* ▶ *kilométrique* adj. ■ Qui a rapport au kilomètre. *Distance kilométrique. Bornes kilométriques.* ▶ *kilopascal, als* [kilɔpaskal] n. m. ■ Unité de mesure de pression valant 1000 pascals. *100 kilopascals correspondent à 1000 millibars.* ▶ *kilowatt* [kilɔwat] n. m. ■ Unité légale de puissance du système M.T.S. valant 1 000 watts (abrév. *kW*). ▶ *kilowatt-heure* n. m. ■ Unité pratique de travail ; travail accompli en une heure par un moteur d'une puissance de 1 000 watts (abrév. *kWh*).

kilt [kilt] n. m. ■ Jupe courte et plissée portée par les hommes (pièce du costume national des Écossais). *Un Écossais en kilt.* — Cette jupe portée par les femmes.

kimono [kimɔnɔ] n. m. **1.** Au Japon. Longue tunique à manches, croisée devant. *Des kimonos.* **2.** En appos. Invar. *Manches kimono,* manches qui font corps avec le vêtement. *Robe kimono,* à manches kimono.

kin(ési)- ■ Préfixe savant signifiant « mouvement ». ▶ *kinésithérapeute* [kineziteʀapøt] n. ■ Praticien de la kinésithérapie. *Masseur kinésithérapeute.* — Abrév. *Aller chez le kinési.* ▶ *kinésithérapie* n. f. ■ Traitement des maladies des os, des articulations, par des mouvements imposés combinés à des massages. ▶ *kinesthésique* [kinɛstezik] ou *kinésique* [kinezik] adj. ■ Qui concerne la sensation de mouvement des parties du corps. *Le sens musculaire* ou *kinesthésique.*

kiosque [kjɔsk] n. m. **1.** Pavillon de jardin ouvert. *Kiosque à musique.* **2.** Édicule où l'on vend des journaux, des fleurs, etc. *Kiosque à journaux.* **3.** Abri vitré sur le pont d'un navire. — Superstructure du sous-marin.

kir [kiʀ] n. m. ■ Boisson composée d'un mélange de vin blanc et de liqueur de cassis.

kirsch [kiʀʃ] n. m. invar. ■ Eau-de-vie de cerise. *Un verre de kirsch.*

kit [kit] n. m. ■ Anglic. Objet vendu en pièces détachées, avec ses éléments d'assemblage, que le client doit monter lui-même. *Il achète tous ses meubles en kit(s).*

kitchenette [kitʃenɛt] n. f. ■ Anglic. Petite cuisine.

kitsch [kitʃ] adj. invar. ■ (Style) Caractérisé par l'usage volontaire d'éléments démodés, de mauvais goût. *Décoration kitsch.* — N. *Le kitsch.*

kiwi [kiwi] n. m. ■ Fruit d'Extrême-Orient, à pulpe verte. *Des kiwis.*

klaxon [klaksɔn] n. m. ■ Avertisseur très sonore (marque déposée). *Un coup de klaxon.* ▶ *klaxonner* v. intr. ▪ conjug. 1. ■ Actionner un avertisseur. *Interdiction de klaxonner.*

kleptomane ou *cleptomane* [klɛptɔman] n. et adj. ■ Personne qui a une impulsion obsédante à voler. ▶ *kleptomanie* ou *cleptomanie* n. f. ■ Obsession du kleptomane.

knock-out [nɔkawt ; nɔkut] ou *K.-O.* [kao] n. m. invar. Anglic. **1.** Mise hors de combat du boxeur resté à terre plus de dix secondes. *Battu par knock-out à la cinquième reprise. Des knock-out.* **2.** Adj. Fam. Assommé. *Il est complètement K.-O.* ⇒ **groggy.**

knout [knut] n. m. ■ Fouet à lanières de cuir terminées par des crochets ou des boules de métal, instrument de supplice dans l'ancienne Russie. *Des knouts.* — Ce supplice. *Condamner qqn au knout.*

K.-O. ⇒ **knock-out.**

koala [kɔala] n. m. ■ Mammifère australien, animal grimpeur, recouvert d'un pelage gris très fourni. *Des koalas.*

kola ⇒ **cola.**

kolkhoze [kɔlkoz] n. m. ■ Exploitation agricole collective, en U.R.S.S. *Des kolkhozes.* ▶ *kolkhozien, ienne* adj. ■ Relatif à un kolkhoze. — N. Membre d'un kolkhoze.

kopeck [kɔpɛk] n. m. ■ Monnaie russe, centième du rouble. — Loc. *Il n'a plus un kopeck,* plus un sou. *Des kopecks.*

korrigan, ane [kɔʀigɑ̃, an] n. ■ Nom donné à des esprits malfaisants, dans les traditions populaires bretonnes.

kouglof ou *kugelhof* [kuglɔf] n. m. ■ Gâteau alsacien très léger. *Kouglof garni de raisins de Corinthe.*

koulak [kulak] n. m. ■ Autrefois. Riche paysan propriétaire, en Russie.

krach [kʀak] n. m. ▪ Effondrement des cours de la Bourse. ⇒ **banqueroute**. *Des krachs.*

kraft [kʀaft] n. m. ▪ En appos. ou n. Variété de papier très résistant, à fibres croisées. *Du papier kraft ; du kraft.*

krill [kʀil] n. m. ▪ Masse de crustacés microscopiques, comestible, abondant dans les mers froides.

krypton [kʀiptɔ̃] n. m. ▪ Gaz rare de l'atmosphère (abrév. *Kr*). *Lampe au krypton.*

kummel [kymɛl] n. m. ▪ Alcool parfumé au cumin.

kumquat [kɔmkwat] n. m. ▪ Très petite orange amère qui se mange souvent confite. *Des kumquats.*

kung-fu [kuŋfu] n. m. ▪ Art martial chinois, proche du karaté japonais. *Des films de kung-fu.*

kurde [kyʀd] adj. et n. ▪ Du Kurdistan, territoire partagé entre la Syrie, l'Irak, l'Iran, l'U.R.S.S. et la Turquie. *Les tribus kurdes.* — N. *Les Kurdes.*

kyrie [kiʀje] ou *kyrie eleison* [kiʀje eleisɔn] n. m. invar. ▪ Invocation par laquelle commencent les litanies, au cours de la messe. *Des kyrie.*

kyrielle [kiʀjɛl] n. f. ▪ Longue suite (de paroles). *Une kyrielle de reproches, d'injures.* — Fam. *Une kyrielle d'enfants.*

kyste [kist] n. m. **1.** Production pathologique, cavité contenant une substance généralement liquide ou molle. *Kyste de l'ovaire.* **2.** Forme que peuvent prendre certains organismes (protozoaires), certaines parties végétales. *Kyste de reproduction,* germe renfermant les spores. ▶ *kystique* adj. ▪ *Tumeur kystique.*

l

l [εl] n. m. ou f. ■ Douzième lettre, neuvième consonne de l'alphabet. *L'l* ou *le l.* — *l,* abrév. du *litre* et de la *livre* (demi-kilo). — L (majuscule), chiffre romain valant 50.

① *la* art. déf. fém. ■ ⇒ ① le. *La pendule de la cuisine.*

② *la* pronom pers. fém. ■ ⇒ ② le. *Je te la prête si tu me la rends.*

③ *la* [la] n. m. invar. 1. Sixième note de la gamme. *Donner le la avec un diapason.* — Abstrait. *Donner le la,* donner le ton. 2. Ton correspondant. *Concerto en la bémol.*

là [la] adv. et interj. I. Adv. désignant le lieu et, plus rarement, le moment. 1. Dans un lieu autre que celui où l'on est (opposé à *ici*). *Ne restez pas ici, allez là.* — ÊTRE LÀ : être présent. *Les faits sont là.* — Fam. *Être un peu là,* être important. 2. À ce moment. *Là, il interrompit son récit.* 3. Dans cela, en cela. *Ne voyez là aucune malveillance. Tout est là,* c'est la chose importante. — (Avec *en*) À ce point. *Restons-en là. Nous n'en sommes pas là.* 4. (Suivi d'une proposition relative) C'EST LÀ QUE... : dans ce lieu ; alors. *C'est là que nous irons. C'est là que vous jugerez.* — LÀ OÙ : à l'endroit où. *Je suis allé là où vous avez été. Il ne réussit plus là où il était le meilleur.* 5. (Accompagnant un pronom ou un adjectif démonstratif, qu'il renforce) *Ce ne sont pas là mes affaires. C'est là ce qui m'étonne.* — *Ce jour-là. En ce temps-là.* 6. (Précédé d'une prép.) DE LÀ : en partant de, en se plaçant à cet endroit. *De là au village.* — Abstrait. *De là à prétendre qu'il est infaillible... — Il n'a pas assez travaillé ; de là son échec.* ⇒ d'où. — D'ICI LÀ..., entre le moment présent et un moment postérieur. *Venez me voir à Noël, mais écrivez-moi d'ici là.* — De-ci de-là, en divers endroits ; en diverses occasions. — PAR LÀ : par cet endroit. *Passons par là. Par-ci par-là,* en différents endroits, au hasard. — ÇA ET LÀ : de côté et d'autre. *Des guêpes volent çà et là.* 7. LÀ-BAS : à une distance assez grande (opposé à *ici*). *Ils l'ont fait venir de là-bas.* — LÀ-DEDANS : à l'intérieur de ce lieu. *Rangez-les-dedans.* — Dans cela. *Je ne vois rien d'étonnant là-dedans !* — LÀ-HAUT : dans ce lieu au-dessus. *Il demeure là-haut.* II. Interj. LÀ ! (parfois *là ! là !*) : s'emploie pour exhorter, apaiser, rassurer. *Hé là ! doucement.* ‹ ► au-delà, celui-là, delà, holà, voilà ›

label [label] n. m. ■ Anglic. Étiquette ou marque sur un produit (pour en garantir l'origine, la qualité). *Label de garantie d'un vêtement.*

labeur [labœr] n. m. ■ Littér. Travail pénible et soutenu. ⇒ besogne. *Dur, pénible labeur.* ‹ ► laborieux ›

labial, ale, aux [labjal, o] adj. ■ Relatif aux lèvres. *Muscle labial.* — N. f. *Une labiale,* en phonétique, consonne qui s'articule avec les lèvres (ex. : *b, p, m*).

labié, ée [labje] adj. et n. f. pl. ■ En botanique. Se dit des fleurs, des plantes dont la corolle présente deux lobes en forme de lèvres. — *Les labiées* ou *labiacées,* famille de plantes (ex. : *menthe, romarin, verveine*).

laboratoire [labɔratwar] n. m. ■ Local aménagé pour faire des expériences, des recherches scientifiques. Fam. LABO [labo]. *Laboratoire d'analyses. Chef de laboratoire ; garçon de laboratoire.* ⇒ laborantin, préparateur. *Laboratoire de langue,* salle équipée de magnétophones où les élèves pratiquent oralement une langue en comparant leur enregistrement à celui du professeur. ► *laborantin, ine* n. ■ Personne qui remplit dans un laboratoire des fonctions d'aide, d'auxiliaire. ⇒ préparateur.

laborieux, euse [labɔrjø, øz] adj. 1. Littér. Qui coûte beaucoup de peine, de travail (labeur). ⇒ fatigant, pénible. *Une laborieuse entreprise.* — Fam. *Il n'a pas encore terminé ? C'est laborieux !,* c'est long. 2. (Personnes) Qui travaille beaucoup. ⇒ actif, travailleur. / contr. oisif, paresseux / *Les classes laborieuses,* qui n'ont pour vivre que leur travail. 3. Péj. Dans lequel on sent l'effort. *Un exposé laborieux.* ► *laborieusement* adv. ■ Avec peine. *Il a terminé laborieusement.*

labourer [labure] v. tr. ⋅ conjug. 1. 1. Ouvrir et retourner (la terre) avec un instrument aratoire (bêche, binette, houe, charrue). ⇒ bêcher, biner, défoncer. *Labourer un champ.* — Au p. p. adj. *Terre labourée.* 2. (Surtout au passif) Creuser, ouvrir (comme le soc de la charrue laboure la terre). *Piste labourée par le galop des chevaux.* — Au p. p. *Visage labouré de rides.* ⇒ sillonné. ► *labour* n. m. 1. Travail de labourage, action de retourner et d'ameublir la terre. *Labour à la bêche, à la charrue.* 2. Au plur. Terre labourée. ⇒ guéret. *Semeur dans ses labours.* ► *labourable* adj. ■ Qu'on peut labourer (1). ► *labourage* n. m. ■ Action de labourer la terre. *Le labourage d'un champ.* ► *laboureur* n. m. ■ Celui qui laboure un champ.

labyrinthe [labirɛ̃t] n. m. I. 1. Réseau compliqué de chemins, de galeries dont on a peine à sortir.

⇒ **dédale**. *Un labyrinthe d'escaliers.* **2.** Complication inextricable. ⇒ **enchevêtrement.** *Le labyrinthe des démarches à suivre.* **II.** En anatomie. Ensemble des cavités sinueuses de l'oreille interne.

lac [lak] n. m. **1.** Grande nappe naturelle d'eau à l'intérieur des terres. ⇒ **étang, mer** intérieure. *Le lac Léman* ou *de Genève. Lac artificiel,* (destiné à l'agrément ou à l'utilité). — Loc. fam. TOMBER DANS LE LAC : échouer. *Son projet est dans le lac.* **2.** Littér. Quantité considérable de liquide répandu. ⇒ **mare.** *Un lac de sang.* ⟨ ► **lacustre** ⟩

lacer v. tr. ▪ conjug. 3. ■ Attacher avec un lacet. ⇒ **attacher, lier.** *Lacer ses souliers.* ► **laçage** [lasaʒ] n. m. ■ Action de lacer. *Le laçage d'une bottine.* ► **lacet** n. m. **1.** Cordon étroit, qu'on passe dans des œillets pour serrer un vêtement, attacher une chaussure. *Une paire de lacets. Serrer, nouer un lacet de soulier.* **2.** Succession d'angles aigus de part et d'autre d'un axe. ⇒ **zigzag.** *Les lacets d'un chemin de montagne.* **3.** Nœud coulant pour capturer le gibier. ⇒ **lacs, piège.** *Poser, tendre des lacets. Prendre des lièvres au lacet.* ⇒ **collet.**

lacérer [laseʀe] v. tr. ▪ conjug. 6. ■ Mettre en lambeaux, en pièces. ⇒ **déchirer.** *Lacérer une affiche.* — Au p. p. adj. *Des vêtements lacérés.*

① *lâche* [lɑʃ] adj. **1.** (Personnes) Qui manque de vigueur morale, de courage, recule devant le danger. ⇒ **pusillanime ; peureux, poltron.** / contr. **courageux** / — N. *Les dérobades d'un lâche.* ⇒ fam. **dégonflé. 2.** Qui est cruel sans risque. *Son lâche agresseur.* **3.** Qui porte la marque de la lâcheté. ⇒ **bas, méprisable, vil.** *Un lâche repentir.* ► **lâchement** adv. ■ *Fuir lâchement. Ils l'ont lâchement assassiné.* ► **lâcheté** n. f. **1.** Manque de bravoure, de courage devant le danger. ⇒ **couardise, poltronnerie.** / contr. **courage** / *Fuir avec lâcheté.* — Passivité excessive. *Céder par lâcheté.* **2.** Manque de courage moral qui porte à profiter de l'impunité. *La lâcheté d'un tyran.* ⇒ **bassesse.** / contr. **générosité** / **3.** (Une, des lâchetés) Action, manière d'agir d'un lâche. ⇒ **bassesse, indignité.** *Être capable des pires lâchetés.*

① *lâcher* [lɑʃe] v. ▪ conjug. 1. **I.** V. tr. **1.** Cesser de tenir (qqch.). *Il lâcha son stylo, la main de son enfant. Lâche-moi, tu me fais mal.* — Fam. Donner. *Il ne lâchera pas un sou. Il ne les lâche pas facilement,* il n'est pas généreux. **2.** Cesser de retenir, laisser aller (qqch., un animal). *Lâcher des pigeons, un ballon.* — *Lâcher du lest*.* **3.** Loc. *Lâcher la bride à un cheval,* la rendre plus lâche, moins tendue. ⇒ **relâcher.** — Fig. *Lâcher la bride à qqn,* le laisser plus libre. — Fam. *Lâcher le morceau,* tout avouer. **4.** Émettre brusquement et avec incongruité (des paroles, etc.). ⇒ **lancer.** *Il vient de lâcher une gaffe, une bêtise, une énormité.* **5.** Lancer (un animal) à la poursuite (de qqn, du gibier). *Lâcher les chiens après, sur le cerf.* **II.** V. tr. (Compl. personne) **1.** Laisser aller, partir (qqn). ⇒ **quitter.** *Il ne le lâche pas une minute, pas d'une semelle,* il reste avec lui. **2.** Distancer (un concurrent) dans une course. *Il vient de lâcher le peloton.* **3.** Fam. Abandonner brusquement. ⇒ **plaquer.** *Tu ne vas pas nous lâcher en plein travail !* **III.** V. intr. (Suj. chose) Se rompre, se détacher brusquement. ⇒ **casser, céder.** *Le nœud a lâché. Attention ! Ça va lâcher !* ► **lâchage** n. m. **1.** Action de lâcher (qqch.). **2.** Fam. Action d'abandonner (qqn). ⇒ **abandon.** ► ② *lâche* adj. **1.** Qui n'est pas tendu. ⇒ **flasque, mou.** *Fil, ressort lâche.* — Qui n'est pas serré. *Vêtement lâche.* ⇒ **flottant, flou, vague. 2.** Qui manque d'énergie et de concision. *Style lâche et inexpressif.* / contr. **concis, vigoureux** / ► ② *lâcher* n. m. ■ Action de lâcher (I, 2), seulement dans : *un lâcher de pigeons, de ballons.* ► **lâcheur, euse** n. ■ Fam. Personne qui abandonne

sans scrupule ses amis, son parti, etc. *Ne comptez pas sur lui, c'est un lâcheur.* ⟨ ► ① relâche, ① relâcher, ② relâcher ⟩

lacis [lasi] n. m. invar. **1.** Réseau de fils entrelacés. *Un lacis de soie.* **2.** Littér. Réseau. *Un lacis de ruelles.* ⇒ **labyrinthe.**

laconique [lakɔnik] adj. ■ Qui s'exprime en peu de mots. ⇒ **bref, concis.** / contr. **prolixe** / *Langage, réponse laconique. Style laconique.* ⇒ **lapidaire.** ► **laconiquement** adv. ■ *Répondre laconiquement.* ► **laconisme** n. m. ■ Littér. Manière de s'exprimer en peu de mots. ⇒ **brièveté, concision.** *Le laconisme d'un communiqué, de qqn.*

lacrymal, ale, aux [lakʀimal, o] adj. ■ Qui a rapport aux larmes. *Glande lacrymale,* qui sécrète les larmes. ► **lacrymogène** adj. ■ Qui fait pleurer (dans quelques expressions : *gaz lacrymogène, grenades lacrymogènes*).

lacs [lɑ] n. m. invar. ■ Littér. Nœud coulant, lacet (3). ≠ *lac.* ⟨ ► délacer, enlacer, entrelacer, lacer, lacis ⟩

lact(o)- ■ Élément savant signifiant « lait ». ► **lactation** [laktɑsjɔ̃] n. f. ■ Sécrétion et écoulement du lait, chez la femme et les femelles des mammifères. ► **lacté, ée** adj. **I. 1.** Qui a rapport au lait. *Sécrétion lactée.* **2.** Qui consiste en lait, qui est à base de lait. *Farine lactée. Régime lacté,* où l'on ne prend que du lait. **II.** VOIE LACTÉE : bande blanchâtre et floue, constituée par un groupement d'étoiles et d'autres corps célestes, qu'on aperçoit dans le ciel pendant les nuits claires ; apparence de la galaxie où est le Soleil. ► **lactique** adj. ■ *Acide lactique,* acide-alcool qui existe dans le lait aigri.

lacune [lakyn] n. f. ■ Interruption involontaire et fâcheuse dans un texte, un enchaînement de faits ou d'idées. ⇒ **manque, omission.** *Remplir, combler une lacune. Des lacunes de mémoire.* ⇒ **trou.** *Il y a de graves lacunes dans ses connaissances.* ⇒ **ignorance, insuffisance.** ► **lacunaire** adj. ■ Didact. Qui a des lacunes, incomplet. *Documentation lacunaire.*

lacustre [lakystʀ] adj. ■ Qui se trouve, vit auprès d'un lac, dans un lac. *Plantes lacustres.* — *Cités, villages lacustres,* bâtis sur pilotis.

lad [lad] n. m. ■ Jeune garçon d'écurie chargé de garder, de soigner les chevaux de course. *Des lads.*

ladre [lɑdʀ] n. et adj. ■ Littér. ⇒ **avare, grigou.** — Adj. *Elle est un peu ladre.* / contr. **généreux** / ► **ladrerie** n f. ■ Littér. Avarice sordide. *Il est d'une ladrerie sans nom.* / contr. **générosité** /

lagon [lagɔ̃] n. m. ■ Petit lac d'eau salée entre la terre et un récif corallien.

lagune [lagyn] n. f. ■ Étendue d'eau de mer, comprise entre la terre ferme et un cordon littoral (appelé *lido,* n. m.). *Venise est construite sur une lagune.*

lai [lɛ] n. m. ■ Poème narratif ou lyrique, au Moyen Âge. *« Le Lai du chèvrefeuille » de Marie de France.*

laïc n. m., *laïque* [laik] adj. et n. f. **1.** (Chrétien) Qui ne fait pas partie du clergé. *Il est laïque. Juridiction laïque.* ⇒ **séculier.** — N. *Les laïcs.* **2.** Qui indépendant de toute confession religieuse. *L'enseignement laïque* (opposé à *confessionnel*). *École laïque.* — N. f. Fam. *La laïque.* ► **laïciser** [laisize] v. tr. **1.** Rendre laïque. **2.** Organiser suivant les principes de la laïcité. *La Révolution française a laïcisé l'état civil.* ► **laïcisation** n. f. ■ *Laïcisation de l'enseignement.* ► **laïcité** n. f. **1.** Caractère laïque. **2.** Principe de séparation de la société civile et de la société religieuse, les Églises n'ayant aucun pouvoir politique. *La laïcité de l'État.*

laid, laide [lɛ, lɛd] adj. **1.** Qui produit une impression désagréable en heurtant le sens esthétique. ⇒ **affreux, disgracieux, hideux, horrible, moche, repoussant, vilain.** / contr. **beau** / *Personne laide,* qui déplaît par ses imperfections physiques, surtout celles du visage. *Être laid comme un pou ; laid à faire peur,* très laid. — (Choses) *Cette ville est laide et triste.* **2.** Qui inspire le dégoût, le mépris moral. ⇒ **honteux, ignoble.** *Une action laide.* — Lang. enfantin. *C'est laid de fourrer ses doigts dans son nez !* ⇒ **vilain.** — N. *Hou ! le laid !,* le vilain. **3.** N. m. LE LAID. ⇒ **laideur.** *Le laid et le beau.* ▶ **laidement** adv. ■ *Maison laidement décorée.* ▶ **laideron, onne** n. m. et adj. ■ Jeune fille ou jeune femme laide. *Cette fille est un laideron.* — Adj. *Une jeune fille laideronne.* ▶ **laideur** n. f. **1.** (Au physique) Caractère, état de ce qui est laid. / contr. **beauté** / *Être d'une laideur repoussante.* ⇒ **hideur.** — (Choses) *Laideur d'un spectacle, d'un monument.* **2.** (Au moral) ⇒ **bassesse, turpitude.** *La laideur d'une action.* **3.** (*Une, des laideurs*) Chose ou action laide. *Les laideurs de la vie.* ⇒ **misère.** ⟨ ▶ enlaidir ⟩

laie [lɛ] n. f. ■ Femelle du sanglier. *La laie et ses marcassins.*

laine [lɛn] n. f. **1.** Matière souple provenant du poil de l'épiderme des moutons (et de quelques autres mammifères). *Laine brute ; cardée, peignée. Filer la laine. Tissage de la laine.* — *Laine des Pyrénées,* se dit d'un tissu de laine moelleux, duveté. *Laine à tricoter. Pelote de laine.* — *Vêtements en laine,* en tissu de laine, ou en laine tricotée. — Fam. *Une (petite) laine,* un vêtement de laine. ⇒ **lainage. 2.** Produits fibreux fabriqués pour être utilisés comme la laine (en isolants, textiles). *Laine de verre.* ▶ **lainage** n. m. **1.** Étoffe de laine. *Robe de lainage. Gros lainage.* **2.** Vêtement de laine (tricoté, en général). *Prends un lainage pour sortir.* ▶ **laineux, euse.** adj. **1.** Qui est garni de laine, qui a beaucoup de laine. *Drap laineux, étoffe très laineuse.* — *Plante, tige laineuse,* couverte de duvet. **2.** Qui a l'apparence de la laine. *Cheveux laineux.* ▶ **lainier, ière** adj. ■ Relatif à la laine, matière première ou marchandise. *L'industrie lainière.*

laïque ⇒ **laïc.**

laisse [lɛs] n. f. ■ Lien avec lequel on attache un chien (ou un autre animal) pour le mener. *Laisse de cuir.* — EN LAISSE : *Tenir, mener un chien en laisse.*

laissé(e)-pour-compte [lesepurkɔ̃t] adj. et n. ■ (Chose ou personne) Dont personne ne veut. *Marchandise laissée-pour-compte,* que le destinataire a refusée. — N. *Des laissés-pour-compte.*

laisser [lese] v. tr. — conjug. 1. **I.** Ne pas intervenir. **1.** (+ infinitif) Ne pas empêcher de. ⇒ **consentir, permettre.** *Laisser partir qqn. Laisser faire qqn, le laisser agir. Laissez-moi faire.* — *Laisser voir son trouble,* le montrer. **2.** SE LAISSER (+ infinitif) : ne pas s'empêcher de, ne pas se priver de. — REM. Accord du p. p. *Elle s'est laissée tomber.* ⇒ s'**abandonner,** se **détendre.** *Se laisser aller à faire qqch. Se laisser aller.* — Ne pas empêcher qqn ou qqch. de faire qqch. sur soi. REM. Jamais d'accord du p. p. *Elle s'est laissé injurier. Se laisser mener par le bout du nez. Se laisser impressionner.* — *Se laisser faire,* n'opposer aucune résistance. Fam. (Choses) *Un vin qui se laisse boire, un film qui se laisse voir,* qu'on boit, voit sans déplaisir. **3.** (Avec un compl. déterminé) Maintenir (qqn, qqch.) dans un état, un lieu, une situation. ⇒ **garder.** *Laisser qqn debout. Laisser tranquille, laisser en paix,* ne pas importuner. *Cela me laisse indifférent.* **4.** Ne pas s'occuper de. *Laissez donc cela.* — Sans compl. *Laissez, c'est moi qui paie.* **5.** *Laisser... à,* maintenir avec ; ne pas priver de. *Laisser les enfants*

à leur mère. *Laissez-lui le temps d'agir.* **6.** Ne pas supprimer. *Laisser des fautes dans un texte.* **II. 1.** Ne pas prendre (ce qui se présente). *Manger les raisins et laisser les pépins.* Loc. *C'est à prendre ou à laisser,* il faut prendre la chose telle quelle ou pas du tout. **2.** LAISSER À : ne pas prendre pour soi (afin qu'un autre prenne). ⇒ **réserver.** *Laissez-nous de la place. Il lui a laissé le plus gros morceau.* — Ne pas faire soi-même. *Laisser un travail à qqn.* — Loc. LAISSER À PENSER, À JUGER : laisser (à qqn) le soin de penser, de juger par soi-même, ne pas expliquer. *Je vous laisse à penser ce que j'en pense.* **III.** Ne pas garder avec soi, pour soi. ⇒ **abandonner. 1.** Se séparer de (qqn, qqch.). ⇒ **quitter.** *Adieu, je vous laisse.* — Quitter volontairement et définitivement. *Elle a laissé son mari.* ⇒ **lâcher. 2.** Abandonner (qqch. de soi). ⇒ **perdre.** / contr. **conserver, garder** / *Laisser sa vie au combat. Y laisser sa (la) peau.* — (Choses) *Liquide qui laisse un dépôt. Cet accident lui a laissé une cicatrice. Document qui ne doit pas laisser de trace.* **3.** Remettre (qqch. à qqn) en partant. ⇒ **confier.** *Laisser sa clé à la concierge. Laisser ses bagages à la consigne.* **4.** Vendre à un prix avantageux. ⇒ **céder.** *Je vous laisse ce tapis pour mille francs, à mille francs.* **5.** Donner (un bien, une somme) par voie de succession. *Laisser une maison à ses enfants.* ⇒ **léguer. IV.** Littér. NE PAS LAISSER DE : ne pas cesser de (⇒ **manquer**). *Malgré leurs disputes, elles ne laissaient pas d'être amies,* elles n'en étaient pas moins amies. ▶ **laisser-aller** n. m. invar. **1.** Absence de contrainte. ⇒ **abandon, désinvolture. 2.** Péj. Absence de soin. *Le laisser-aller de sa tenue.* ⇒ **débraillé.** *Le laisser-aller dans le travail.* ⇒ **négligence.** ▶ **laissez-passer** n. m. invar. ■ Pièce autorisant une personne à circuler librement. ■ *Montrez vos laissez-passer.* ⟨ ▶ délaisser, laissé-pour-compte ⟩

lait [lɛ] n. m. **I. 1.** Liquide blanc, opaque, très nutritif, sécrété par les glandes mammaires des femelles des mammifères. — *Cochon* DE LAIT : qui tète encore. — *Frères, sœurs de lait,* enfants qui ont eu la même nourrice. **2.** Lait de quelques mammifères domestiques destiné à l'alimentation humaine. *Vache à lait,* vache laitière. *Lait de chèvre. Lait écrémé.* — PETIT-LAIT : ce qui reste du lait caillé en fromage ; liquide (sérum) qui s'écoule du fromage frais. Loc. *Boire du petit-lait,* éprouver une vive satisfaction d'amour-propre. — *Lait stérilisé, pasteurisé.* — Cet aliment traité pour la conservation. *Lait condensé* ou *concentré. Lait en poudre.* — *Café, chocolat* AU LAIT. — Loc. *Monter comme une soupe au lait,* se mettre en colère. *Être soupe au lait,* se dit d'une personne qui se met facilement en colère. **II. 1.** Suc blanchâtre (de végétaux). *Lait de coco.* **2.** Préparation d'apparence laiteuse. *Lait d'amande.* — *Lait de beauté, lait démaquillant.* ▶ **laitage** n. m. ■ Le lait ou les substances alimentaires tirées du lait. *Aimer les laitages.* ▶ **laitance** ou **laite** n. f. ■ Glandes mâles des poissons ; liquide laiteux qu'elles contiennent. ▶ **laiterie** n. f. **1.** Lieu où s'effectuent la collecte et le traitement du lait, la fabrication du beurre. — Industrie laitière. **2.** Vieilli. Magasin où l'on vend du lait, des produits laitiers (beurre, fromage) et des œufs. ⇒ **crémerie.** ▶ **laiteux, euse** adj. ■ Qui a l'aspect, la couleur blanchâtre du lait. *Lumière laiteuse.* ▶ ① **laitier, ière** n. et adj. **1.** Personne qui vend du lait. ⇒ **crémier.** — Personne qui livre le lait (à domicile, chez les détaillants). **2.** Adj. *Vache laitière,* élevée pour son lait. — N. f. *Une bonne laitière,* une vache qui produit beaucoup de lait. **3.** Adj. Relatif au lait, matière première alimentaire. *Industrie, coopérative laitière. Produits laitiers.* ⟨ ▶ allaiter, tire-lait ⟩

② **laitier** n. m. ■ Masse d'impuretés qui se forme à la surface des métaux en fusion.

laiton [lɛtɔ̃] n. m. ■ Alliage de cuivre et de zinc. *Fil de laiton.*

laitue [lety] n. f. ■ Salade à feuilles tendres. *Assaisonner une laitue. Cœurs de laitues.*

laïus [lajys] n. m. invar. **1.** Fam. Allocution, discours. *Faire un laïus à la fin d'un banquet.* **2.** Manière de parler, d'écrire, vague et emphatique. *Ce n'est que du laïus.* ► *laïusser* [lajyse] v. intr. ▪ conjug. 1. ■ Fam. Faire des laïus.

① *lama* [lama] n. m. ■ Mammifère plus petit que le chameau et sans bosse, qui vit dans les régions montagneuses d'Amérique du Sud. ⇒ *vigogne. Tissu en poil, en laine de lama. Des lamas.*

② *lama* n. m. ■ Prêtre, moine bouddhiste au Tibet et chez les Mongols. *Grand lama ou dalaï-lama,* souverain spirituel et temporel du Tibet. ► *lamaïsme* [lamaism] n. m. ■ Forme de bouddhisme (Tibet, Mongolie). ► *lamaïste* adj. et n.

lambeau [lɑ̃bo] n. m. — REM. Souvent au plur. **1.** Morceau d'une étoffe déchirée. *Vêtements en lambeaux.* ⇒ *haillon.* **2.** Morceau (de chair, de papier) arraché. *Une affiche en lambeaux.* **3.** Abstrait. Fragment, partie détachée. *Des lambeaux de conversation parvenaient à mes oreilles.* ⇒ *bribe.*

lambin, ine [lɑ̃bɛ̃, in] n. et adj. ■ Fam. Personne qui agit habituellement avec lenteur et mollesse. ⇒ *traînard. Quel lambin, toujours le dernier !* — Adj. Lent. *Elle est un peu lambine.* / contr. *vif* / ► *lambiner* v. intr. ▪ conjug. 1. ■ Fam. Agir avec lenteur, mollesse. ⇒ *lanterner, traînasser. Revenez sans lambiner !*

lambourde [lɑ̃buʀd] n. f. ■ Poutrelle supportant un parquet.

lambrequin [lɑ̃bʀəkɛ̃] n. m. ■ Bordure à festons, garnie de franges, dans l'ameublement.

lambris [lɑ̃bʀi] n. m. invar. ■ Revêtement décoratif de murs ou de plafond. *Lambris de bois, de marbre. Lambris dorés.* ► *lambrisser* v. tr. ▪ conjug. 1. ■ Revêtir (les murs) de lambris. — Au p. p. adj. *Salon lambrissé.*

① *lame* [lam] n. f. **1.** Bande plate et mince d'une matière dure (métal, verre, bois). *Lames de parquet.* **2.** Fer (d'un instrument tranchant, d'un outil servant à couper, gratter, tailler). *Lame de ciseau, de poignard, de scie. Couteau de poche à lame rentrante.* — Loc. *Visage en lame de couteau,* maigre et très allongé. — *Lame d'épée.* Loc. *Une fine lame,* un bon escrimeur. **3.** *Lame (de rasoir),* petit rectangle d'acier mince tranchant qui s'adapte à un rasoir mécanique. ► *lamé, ée* adj. et n. m. ■ Se dit d'un tissu où entre un fil entouré de métal. *Tissu lamé or.* — N. m. *Une robe de lamé.* ► *lamelle* n. f. ■ Petite lame très mince. *Lamelle de verre pour examen microscopique.* ► *lamellibranches* n. m. pl. ■ En zoologie. Classe de mollusques aux branchies en forme de lamelles (ex. : *moule, pétoncle*).

② *lame* n. f. ■ Ondulation de la mer sous l'action du vent. ⇒ *vague. Crête, creux d'une lame. Lame de fond,* provenant d'un phénomène sous-marin. ‹ ► *brise-lames* ›

lamentable [lamɑ̃tabl] adj. **1.** Mauvais au point d'attrister. ⇒ *pitoyable. Résultats lamentables. Un film lamentable.* **2.** Littér. Qui exprime une lamentation, une plainte. *Voix, ton lamentable.* / contr. *réjouissant ; joyeux* / ► *lamentablement* adv. ■ *Échouer lamentablement.*

se lamenter [lamɑ̃te] v. pron. ▪ conjug. 1. ■ Se plaindre longuement. ⇒ *gémir. Se lamenter sur son sort.* / contr. *se réjouir* / ► *lamentation* n. f. ■ Sou-vent au plur. Suite de paroles exprimant le regret douloureux, la récrimination. *Se répandre en lamentations continuelles.* ⇒ *jérémiade.*

lamento [lamɛnto] n. m. ■ Air triste et plaintif, chant de douleur. *Des lamentos.*

laminer [lamine] v. tr. ▪ conjug. 1. **1.** Comprimer fortement (une masse métallique) en feuilles, lames ou en barres minces. — Au p. p. adj. *Acier, fer laminé.* **2.** Diminuer (qqch.) jusqu'à l'anéantissement. *Laminer les bénéfices.* ► *laminage* n. m. ■ Opération consistant à laminer un métal. *Laminage à chaud, à froid.* ► *laminoir* n. m. ■ Machine composée de deux cylindres d'acier tournant en sens inverse entre lesquels on fait passer le métal à laminer. *Trains de laminoirs.* — Fig. Loc. *Passer au laminoir,* être soumis à de rudes épreuves.

lampadaire [lɑ̃padɛʀ] n. m. ■ Appareil d'éclairage électrique monté sur un haut support. *Abat-jour de lampadaire.*

lampant, ante [lɑ̃pɑ̃, ɑ̃t] adj. ■ *Pétrole lampant,* raffiné pour l'éclairage.

lampe [lɑ̃p] n. f. **1.** Récipient contenant un liquide ou un gaz combustible destiné à produire de la lumière. *Lampes à huile.* ⇒ *quinquet. Lampe à pétrole, à gaz.* — *Lampe-tempête,* dont la flamme est protégée du vent. **2.** Appareil d'éclairage par l'électricité. *Ampoule, douille d'une lampe. Lampe au néon. Lampe témoin,* qui signale la mise en marche, le fonctionnement d'un appareil. — Ensemble constitué par la source lumineuse et l'appareillage. *Lampe de bureau, de chevet. Lampe de poche,* à pile. **3.** LAMPE À SOUDER : dont le combustible est destiné à produire de la chaleur, pour le soudage. **4.** Tube électronique ne servant pas à l'éclairage. *Lampe de radio.* **5.** Fam. *S'en mettre* PLEIN LA LAMPE : manger et boire abondamment. ‹ ► *cul-de-lampe, lampadaire, lampant, lampion, lampiste* ›

lamper [lɑ̃pe] v. tr. ▪ conjug. 1. ■ Boire d'un trait ou à grandes gorgées. ► *lampée* n. f. ■ Fam. Grande gorgée de liquide avalée d'un trait. *Boire à grandes lampées.*

lampion [lɑ̃pjɔ̃] n. m. **1.** Autrefois. Godet contenant une matière combustible et une mèche. **2.** Lanterne vénitienne. *Les lampions du 14 Juillet.*

lampiste [lɑ̃pist] n. m. **1.** Personne chargée de l'entretien des lampes, de l'éclairage. *Lampiste d'un théâtre, d'une gare.* **2.** Subalterne au poste le plus modeste, et à qui on fait souvent endosser injustement les responsabilités.

lamproie [lɑ̃pʀwa(ɑ)] n. f. ■ Poisson au corps cylindrique, ayant l'apparence d'une anguille.

lance [lɑ̃s] n. f. **I.** Arme à longue hampe terminée par un fer pointu. ⇒ *javelot, pique. Coup de lance.* — Loc. *Rompre une lance, des lances avec* ou *contre qqn,* soutenir une discussion. — Loc. *En FER DE LANCE :* en forme de feuille allongée et pointue. **II.** *Lance à eau,* pièce métallique à l'extrémité d'un tuyau de pompe ou d'arrosage, servant à diriger le jet. *Lances d'incendie.* ► *lancette* n. f. ■ Petit instrument de chirurgie utilisé pour les petites incisions. ► *lancier* n. m. ■ Autrefois. Soldat armé d'une lance. — Loc. *Quadrille des lanciers,* ancienne danse à quatre. ‹ ► *lancer* ›

① *lancer* [lɑ̃se] v. tr. ▪ conjug. 3. **I.** **1.** Envoyer loin de soi (généralement dans une direction déterminée). ⇒ *jeter, projeter. Lancer des pierres. Lancer le disque, le javelot. Lancer une balle à qqn.* — (À l'aide d'un dispositif, d'un engin) *Lancer des flèches, une fusée.* **2.** Faire sortir de soi, avec force, avec vivacité. ⇒ *émettre. Volcan qui lance des cendres. Ses yeux* *lancent des éclairs.* — Faire mouvoir avec rapidité dans une certaine direction. *Lancer les bras en avant, lancer un coup de pied.* — Envoyer dans la direction de qqn. *Lancer un clin d'œil.* **3.** Envoyer sans ménagement à l'adresse de qqn. *Lancer des injures. Lancer un ultimatum.* **4.** Faire partir impétueusement. *Lancer son cheval. Lancer des soldats à l'assaut.* **5.** Mettre en mouvement. *Lancer un moteur.* **6.** Fam. Engager (qqn) dans un sujet de conversation. — Au p. p. adj. *Le voilà lancé, il ne s'arrêtera plus.* **7.** Pousser (qqn, qqch.) en faisant connaître, en mettant en valeur, en crédit. *Lancer un artiste, une idée.* — *Être lancé,* en vogue. **8.** Employer tous les moyens publicitaires propres à mettre en train (une affaire), à mettre en circulation et à faire connaître (un produit). *Lancer une marque. Lancer la mode,* en être le promoteur. **II.** SE LANCER v. pron. **1.** Se jeter, s'élancer. ⇒ se **précipiter.** *Elle se lança dans le vide.* **2.** S'engager hardiment. *Se lancer dans de grosses dépenses.* **3.** Se faire connaître dans le monde. ▶ *lancée* n. f. ■ Élan de ce qui est lancé, vitesse acquise. *Courir sur sa lancée.* — Abstrait. *Continuer sur sa lancée,* poursuivre une action en utilisant l'élan initial. ▶ *lance-flammes* n. m. invar. ■ Engin de combat servant à projeter des liquides enflammés. ▶ *lance-fusées* ou *lance-roquettes* n. m. invar. ■ Dispositif de guidage et de lancement de projectiles autopropulsés. ⇒ **bazooka.** ▶ *lance-grenades* n. m. invar. ■ Engin servant à lancer des grenades. ▶ *lancement* n. m. **1.** Action de lancer, de projeter. *Lancement du javelot.* — Projection d'un corps au moyen d'un dispositif de propulsion. *Lancement d'une fusée. Rampe de lancement.* **2.** *Lancement d'un navire,* mise à l'eau. **3.** Action de lancer (8). *Le lancement d'une vedette, d'une entreprise, d'un produit. Le lancement d'un roman. Le lancement d'un emprunt.* ▶ *lance-missiles* n. m. invar. ■ Engin servant à lancer des missiles. ⇒ **lanceur.** ▶ *lance-pierres* n. m. invar. ■ Petite fronde d'enfant. *Des lance-pierres.* — Loc. fam. *Manger avec un lance-pierres,* vite et peu. ▶ *lance-satellites* n. m. invar. ■ Lanceur de satellites artificiels. ▶ *lance-torpilles* n. m. invar. ■ Dispositif aménagé à bord d'un sous-marin ou d'un navire de guerre pour le lancement des torpilles. ▶ *lanceur, euse* n. **1.** Personne qui lance (qqch.). — Athlète spécialisé dans les lancers. *Lanceur de javelot.* **2.** N. m. Fusée chargée d'envoyer un véhicule spatial, de le faire échapper à l'attraction terrestre. — *Lanceur de missiles, de satellites.* ⇒ **lance-missiles, lance-satellites.** ‹ ▶ élancer, relancer ›

② *lancer* n. m. **1.** *Lancer* ou *pêche au lancer,* pêche à la ligne, qui consiste à lancer au loin un leurre qu'on ramène à soi au moyen d'un moulinet. *Prendre une truite au lancer.* **2.** Épreuve d'athlétisme consistant à lancer le plus loin possible un poids, un disque, un javelot ou un marteau.

lanciner [lɑ̃sine] v. ■ conjug. 1. Littér. **1.** V. intr. (Douleur) Donner des élancements douloureux. **2.** V. tr. Tourmenter de façon lancinante. *Une idée le lancine depuis des jours.* ▶ *lancinant, ante* adj. **1.** Qui se fait sentir par des élancements aigus. *Douleur lancinante.* **2.** Qui obsède. *Regrets lancinants. Une musique lancinante.*

land [lɑ̃d], plur. *länder* [lɛndœʀ] n. m. ■ État fédéré de l'Allemagne fédérale. *Le land de Bavière.*

landau [lɑ̃do] n. m **1.** Ancienne voiture à cheval à quatre roues, à capote formée de deux soufflets pliants. **2.** Voiture d'enfant à caisse suspendue. *Des landaus.*

lande [lɑ̃d] n. f. ■ Étendue de terre où ne croissent que certaines plantes sauvages (ajonc, bruyère, genêt, etc.). ⇒ **garrigue, maquis.** *Lande bretonne.*

langage [lɑ̃gaʒ] n. m. **I. 1.** Fonction d'expression de la pensée et de communication entre les hommes, mise en œuvre par la parole ou par l'écriture. *Étude du langage.* ⇒ **linguistique.** *Le langage et les langues* ②. **2.** Tout système de signes permettant la communication. *Langage chiffré. Langage des animaux.* — Informatique. Ensemble codé de signes utilisé pour la programmation. *Langage machine,* avec lequel on donne des instructions à un ordinateur. **II.** Façon de s'exprimer propre à un groupe ou à un individu. ⇒ ② **langue.** *Langage courant, parlé, littéraire. Langage administratif, technique. Son langage ne me plaît pas,* ce qu'il dit, sa façon de le dire. ▶ *langagier, ière* adj. ■ Relatif à l'usage du langage. *Habitudes langagières.*

lange [lɑ̃ʒ] n. m. ■ Carré de laine ou de coton dont on emmaillote un bébé. — Loc. *Dans les langes,* dans l'enfance. ▶ *langer* v. tr. ■ conjug. 3. ■ Envelopper d'un lange, de langes.

langoureux, euse [lɑ̃guʀø, øz] adj. ■ ■ Qui manifeste une mélancolie sentimentale, de la langueur (2). ⇒ **alangui, languide.** *Prendre une pose langoureuse. Air, regard langoureux.* ▶ *langoureusement* adv. ■ *Les amoureux se regardaient langoureusement.*

langouste [lɑ̃gust] n. f. ■ Grand crustacé marin comestible, sans pinces aux pattes antérieures. ≠ *homard. Pêcher la langouste. Langouste à l'américaine.* ▶ *langoustier* n. m. ■ Bateau équipé pour la pêche à la langouste. ▶ *langoustine* n. f. ■ Nom commercial du homard de Norvège, petit crustacé marin aux longues pinces.

① *langue* [lɑ̃g] n. f. **I. 1.** Organe charnu, musculeux, allongé et mobile, placé dans la bouche. *Avoir la langue blanche, chargée, sèche. Se brûler la langue.* — *Tirer la langue à qqn,* pour le narguer. — Abstrait. *Tirer la langue,* avoir soif, être dans le besoin. — Langue comestible de certains animaux. *Langue de bœuf à la tomate.* **2.** L'organe de la parole. — Loc. *Avoir la langue bien pendue,* être bavard. *Avoir la langue trop longue ; ne pas savoir tenir sa langue,* être indiscret. *Se mordre la langue,* se retenir de parler, ou se repentir d'avoir parlé. *Donner sa langue au chat,* renoncer à deviner. *Tourner sept fois sa langue dans sa bouche avant de parler,* réfléchir avant de parler. — *Une mauvaise langue, une langue de vipère,* une personne médisante. *Elle est très mauvaise langue.* **II. 1.** Chose en forme de langue. *Langue de feu,* flamme allongée. *Langue de terre,* bande de terre allongée et étroite. **2.** LANGUE-DE-CHAT : petit gâteau sec. *Des langues-de-chat.* ▶ *languette* n. f. ■ Objet plat et allongé. *Languette d'une chaussure.*

② *langue* n. f. **1.** Système d'expression et de communication, commun à un groupe social (communauté linguistique). ⇒ **idiome ; dialecte, parler, patois.** *Lexique et syntaxe d'une langue. Étude des langues.* ⇒ **linguistique.** *Langues romanes, germaniques, slaves (indo-européennes). Langues mortes, vivantes.* — *Pratique d'une langue. Parler, savoir plusieurs langues.* ⇒ **bilingue, trilingue. 2.** Langage parlé ou écrit spécial à certaines matières ou certains milieux. *Langue familière, littéraire. Langue verte.* ⇒ **argot. 3.** Façon de s'exprimer par le langage. *La langue de cet écrivain est riche en images.* ‹ ▶ langage ›

langueur [lɑ̃gœʀ] n. f. **1.** Vieilli. État d'un malade dont les forces diminuent lentement. ⇒ **abattement, affaiblissement, dépérissement ; languir.** *Maladie de langueur.* **2.** Mélancolie douce et rêveuse. *Langueur amoureuse.* ⇒ **langoureux /** contr. **ardeur, chaleur / 3.** Manque d'activité ou d'énergie. ⇒ **apathie, indolence. /** contr. **vivacité /** ‹ ▶ langoureux › *languide* [lɑ̃gid] adj. ■ Littér. Languissant, langoureux. *Elle a des yeux languides.*

languir [lɑ̃giʀ] v. intr. . conjug. 2. **1.** (Personnes) Manquer d'activité, d'énergie (⇒ **langueur**). *Languir dans l'inaction.* — (Choses) Manquer d'animation, d'entrain. *La conversation languit.* **2.** Attendre qqch. avec impatience. *Je languis après ta prochaine visite.* ⇒ **soupirer.** *Dépêche-toi, tu nous fais languir !* ▶ *languissant, ante* adj. **1.** Littér. ou plaisant. Qui exprime la langueur amoureuse. *Un regard languissant.* **2.** Qui manque d'énergie, d'entrain. *Un récit ennuyeux et languissant.* ⇒ **morne.** ⟨ ▶ alanguir ⟩

lanière [lanjɛʀ] n. f. ■ Longue et étroite bande (de cuir, etc.). ⇒ **courroie.** *Lanière de fouet.* — *Découper en lanières.*

lanoline [lanɔlin] n. f. ■ Substance onctueuse utilisée dans la préparation des pommades, crèmes. *Savon à la lanoline.*

① *lanterne* [lɑ̃tɛʀn] n. f. **1.** Boîte à parois ajourées, translucides ou transparentes, où l'on place une source de lumière ⇒ **falot, fanal.** *Lanternes vénitiennes*, en papier de couleur, servant aux illuminations. ⇒ **lampion** (2). — *Lanterne rouge*, à l'arrière du dernier véhicule d'un convoi. Fig. *La lanterne rouge*, le dernier (d'un classement, d'une file). — *Lanternes d'automobiles*, lampes de phare donnant le plus faible éclairage. ⇒ **veilleuse. 2.** Loc. *Prendre des vessies pour des lanternes*, commettre une grossière méprise. **3.** Appareil de projection. — LANTERNE MAGIQUE : qui projetait des images peintes. Loc. *Éclairer la lanterne de qqn*, lui fournir les explications nécessaires pour qu'il comprenne.

② *lanterne* n. f. ■ En architecture. Dôme vitré éclairant par en haut un édifice. — Tourelle ajourée surmontant un dôme. ▶ *lanternon* ou *lanterneau* n. m. ■ Petite lanterne au sommet d'une coupole ; cage vitrée au-dessus d'un escalier, d'un atelier.

lanterner [lɑ̃tɛʀne] v. intr. . conjug. 1. **1.** Perdre son temps en s'amusant à des riens. ⇒ **lambiner, musarder, traîner. 2.** *Faire lanterner qqn*, le faire attendre.

lapalissade [lapalisad] n. f. ■ Affirmation évidente qui prête à rire (par ex. : *s'il est malade, c'est qu'il n'est pas en bonne santé*). *Dire des lapalissades.*

laper [lape] v. tr. . conjug. 1. ■ (Animal) Boire à coups de langue. *Chat qui lape du lait.* — Intransitivement. *Le chien lapait bruyamment.* ▶ *lapement* n. m. ■ Action de laper ; bruit ainsi produit.

lapereau [lapʀo] n. m. ■ Jeune lapin. *Des lapereaux.* ≠ **levraut.**

① *lapidaire* [lapidɛʀ] n. m. ■ Artisan qui taille, grave les pierres précieuses. — Commerçant en pierres précieuses autres que le diamant.

② *lapidaire* adj. ■ Littér. Qui évoque par sa concision et sa vigueur le style des inscriptions sur pierre. ⇒ **concis, laconique.** *Formules lapidaires.* / contr. **verbeux** /

lapider [lapide] v. tr. . conjug. 1. ■ Attaquer, poursuivre ou tuer à coups de pierres. *Se faire lapider.* ▶ *lapidation* n. f. ■ Action de lapider. *La lapidation de saint Étienne.*

lapilli [lapi(l)li] n. m. pl. ■ Petites pierres poreuses projetées par les volcans en éruption.

① *lapin* [lapɛ̃] n. m. **1.** Petit mammifère rongeur à grandes oreilles. *Femelle* ⇒ **lapine,** *petit* ⇒ **lapereau** *du lapin. Lapin de garenne*, vivant en liberté. *Lapin domestique.* — Loc. *Courir comme un lapin*, courir très vite. — *Sa chair comestible. Lapin en civet. Pâté de lapin.* **2.** Fourrure de cet animal. *Manteau de lapin.*

3. Loc. fam. *Un chaud, un sacré lapin*, un homme qui a beaucoup de tempérament. **4.** Terme d'affection (pour les deux sexes). *Sois gentil, mon petit lapin.* ▶ *lapine* n. f. ■ Femelle du lapin. — Loc. fig. *Une mère lapine*, une femme très féconde.

② *lapin* n. m. ■ *Poser un lapin*, ne pas venir au rendez-vous qu'on a donné.

lapis-lazuli [lapislazyli] n. m. ■ Pierre d'un beau bleu d'azur ou d'outremer. *Des lapis-lazulis.*

laps [laps] n. m. invar. ■ LAPS DE TEMPS : espace de temps. *Il a attendu un laps de temps assez long.*

lapsus [lapsys] n. m. invar. ■ Emploi involontaire d'un mot pour un autre, en langage parlé ou écrit. *Faire un lapsus, des lapsus.*

laquais [lakɛ] n. m. invar. ■ Autrefois. Valet portant la livrée. *Les laquais d'un grand seigneur.*

laque [lak] n. **I.** N. f. **1.** Matière résineuse d'un rouge brun extraite d'arbres d'Extrême-Orient. **2.** Vernis chimique, transparent, coloré. **3.** Produit que l'on vaporise sur les cheveux pour les fixer. *Une bombe de laque.* **II.** **1.** N. m. ou f. Vernis préparé avec la résine d'arbre à laque. *Meuble de laque.* **2.** N. m. Objet d'art en laque. *Un beau laque.* ▶ *laquer* v. tr. . conjug. 1. **1.** Enduire de laque. *Laquer un meuble de bois blanc.* **2.** Vaporiser de la laque (I, 3). ▶ *laqué, ée* adj. **1.** Enduit de laque. *Bibelot laqué.* **2.** Fixé par de la laque. *Cheveux laqués.* **3.** *Canard laqué*, badigeonné pendant la cuisson d'une sauce composée des quatre-épices, de sauce de soja et de miel. ▶ *laquage* n. m. ■ *Laquage d'un meuble.*

larbin [laʀbɛ̃] n. m. **1.** Fam. et péj. Domestique. **2.** Individu servile.

larcin [laʀsɛ̃] n. m. ■ Littér. Petit vol commis furtivement et sans violence. *Commettre un larcin.*

lard [laʀ] n. m. **1.** Graisse ferme formant une couche épaisse dans le tissu sous-cutané du porc. — Cette graisse employée dans l'alimentation. *Lard gras, maigre. Lard fumé.* **2.** Fam. Graisse de l'homme. *Se faire du lard*, engraisser ; fainéanter. — Fam. *Un gros lard*, un homme gros et gras. **3.** TÊTE DE LARD : qui a la tête dure, ne veut pas obéir. ▶ ① *larder* v. tr. . conjug. 1. ■ Garnir (une pièce de viande) de lardons. ▶ *lardon* n. m. **1.** Morceau de lard (pour la cuisine). **2.** Fam. Petit enfant. *Elle est venue avec ses deux lardons.* ⟨ ▶ entrelarder ⟩

② *larder* v. tr. . conjug. 1. **1.** Piquer à plusieurs reprises. *Larder qqn de coups de couteau.* **2.** Entremêler. *Larder un texte de citations.* ⇒ **truffer.**

lare [laʀ] n. m. ■ Chez les Romains. Esprit tutélaire chargé de protéger la maison, la cité.

largable [laʀgabl] adj. ■ Qui peut être largué (d'un avion, d'un véhicule spatial). *Cabine largable.*

largage [laʀgaʒ] n. m. ■ Action de larguer. *Largage d'une cabine, de bombes.*

large [laʀʒ] adj., n. m. et adv. **I.** Adj. **1.** Qui a une étendue supérieure à la moyenne dans le sens de la largeur. *Large avenue. Un homme large de carrure.* / contr. **étroit** / **2.** LARGE DE : qui a une largeur de. *Ici, le fleuve est large de cent mètres.* **3.** (Vêtement) Qui n'est pas serré. ⇒ **ample, lâche.** / contr. **étroit** / *Jupe large.* **4.** Étendu, vaste. *Décrire un large cercle.* **5.** Qui a une grande importance. ⇒ **considérable, important.** *Faire une large part à qqch.* **6.** (Personnes ; idées) Qui n'est pas borné. *Esprit, idées larges. Large d'idées*, libéral. / contr. **mesquin** / *Conscience large*, sans rigueur morale. / contr. **strict** / **7.** Qui ne se restreint pas dans ses dépenses. *Vie large.* ⇒ **aisé.** — *Vous n'avez pas été très large*, très généreux. **II.** N. m. **1.** DE LARGE : de largeur. *Deux mètres de* *large*. **2.** Loc. *Il m'a tout expliqué* EN LONG ET EN LARGE : dans tous les sens (fam. de toutes les façons). *Se promener de long en large*, dans les deux sens en faisant le même trajet. **3.** *Être* AU LARGE : avoir beaucoup de place ; abstrait, être dans l'aisance. **4.** La haute mer. *Gagner le large, aller au large. Vers le large.* — Loc. fam. *Prendre le large*, s'en aller, s'enfuir. **III.** Adv. **1.** D'une manière ample. *Habiller large*, de vêtements larges. **2.** D'une manière peu rigoureuse. *Calculer large. Voir large*, voir grand. **3.** Loc. *Il n'en mène pas large*, il a peur. ▶ *largement* adv. n. **1.** Sur une grande largeur, un large espace. *Col largement ouvert. — Idée largement répandue*, abondamment. / contr. **peu** / **2.** Sans compter, sans se restreindre. *Donner largement.* **3.** En calculant large. *Il est parti il y a largement une heure*, au moins une heure. *Un billet largement périmé*, depuis longtemps. ▶ *largesse* n. f. ■ Souvent au plur. Don généreux (⇒ **large,** I, 7). *Faire des largesses.* ▶ *largeur* n. f. **1.** La plus petite dimension d'une surface (opposé à *longueur*), la dimension moyenne d'un volume (opposé à *longueur* et *hauteur*) ou dimension horizontale parallèle à la ligne des épaules (opposé à *hauteur*, et à *profondeur* ou *épaisseur*) ; son étendue. *Largeur d'un tronc d'arbre.* ⇒ **diamètre, grosseur.** *Largeur des épaules.* ⇒ **carrure.** *Sur toute la largeur de la rue.* — Loc. fam. *Il se trompe dans les grandes largeurs*, grandement, complètement. **2.** Caractère de ce qui n'est pas borné, restreint. *Largeur d'esprit, de vues.* ⟨ ▶ élargir ⟩

largo [laʀɡo] adv. et n. m. invar. ■ Terme de musique. Avec un mouvement lent et ample, majestueux. — N. m. invar. Mouvement joué largo. *Des largo.*

larguer [laʀɡe] v. tr. ▪ conjug. 1. **1.** Lâcher ou détacher (un cordage). *Larguer les amarres.* **2.** Lâcher, laisser tomber (d'un avion). *Larguer des parachutistes.* **3.** Fam. Abstrait Se débarrasser de (qqch., qqn). *Elle a largué ses amis.* ⇒ **abandonner.** ⟨ ▶ largable, largage ⟩

larme [laʀm] n. f. **1.** Goutte d'eau salée qui coule des yeux sous l'effet d'une douleur, d'une émotion. ⇒ **pleur.** *Pleurer à chaudes larmes*, abondamment. *Fondre en larmes. Avoir les larmes aux yeux. Des yeux pleins de larmes. Être au bord des larmes*, prêt à pleurer. — Loc. *Avoir toujours la larme à l'œil*, montrer une sensibilité excessive. *Avec des larmes dans la voix*, une voix émue. — Fam. *Larmes de crocodile*, hypocrites. **2.** Au plur. Littér. Affliction, chagrin. *Cette vallée de larmes*, le monde terrestre. **3.** Fam. Très petite quantité (de liquide). *Une larme de cognac.* ⇒ **goutte.** ▶ *larmoyer* [laʀmwaje] v. intr. ▪ conjug. 8. **1.** Laisser couler ses larmes. *Ses yeux larmoient.* **2.** Pleurnicher, se lamenter. *Arrêtez donc de larmoyer.* ▶ *larmoiement* [laʀmwamɑ̃] n. m. **1.** Écoulement continuel de larmes. **2.** Pleurnicherie. ▶ *larmoyant, ante* adj. **1.** Qui larmoie. *Des yeux larmoyants.* **2.** D'une sensiblerie extrême. *Un mélo larmoyant.*

larron [laʀɔ̃] n. m. **1.** Vx. Voleur. *Le bon, le mauvais larron*, crucifiés en même temps que le Christ. **2.** Loc. *Ils s'entendent comme larrons en foire*, à merveille (comme des voleurs de connivence). — PROV. *L'occasion fait le larron.*

larve [laʀv] n. f. **1.** Forme embryonnaire des insectes, caractérisée par une vie libre menée hors de l'œuf. *Larves d'insectes.* ⇒ **asticot, chenille, ver.** *Métamorphose d'une larve en chrysalide.* **2.** Péj. et fam. Personne molle, sans énergie. *C'est une larve, ce gros paresseux !* ▶ *larvaire* adj. **1.** Propre aux larves. *Forme, état larvaire.* **2.** Abstrait. À l'état d'ébauche. ⇒ **embryonnaire.** *Des idées, à peine ébauchées, à l'état larvaire.* ▶ *larvé, ée* adj. **1.** Se dit d'une maladie qui

se manifeste par des symptômes atténués. **2.** Qui n'éclate pas, n'« éclot » pas. *Révolution, guerre larvée.*

laryng(o)- ■ Élément savant signifiant « larynx ». ▶ *laryngologie* [laʀɛ̃ɡɔlɔʒi] n. f. ■ Anatomie et pathologie du larynx. ▶ *laryngologue* ou *laryngologiste* n. ■ Spécialiste en laryngologie. *Oto-rhino-laryngologiste.* ▶ *laryngite* n. f. ■ Inflammation du larynx (cour. *mal de gorge*). ⟨ ▶ oto-rhino-laryngologie ⟩

larynx [laʀɛ̃ks] n. m. invar. ■ Organe essentiel de la phonation occupant la partie moyenne et antérieure du cou. ⇒ **glotte.** *Affections du larynx.* ≠ *pharynx.* ⟨ ▶ laryng(o)- ⟩

① *las, lasse* [lɑ, lɑs] adj. **1.** Qui éprouve une sensation de fatigue générale et vague. ⇒ **faible, fatigué ; lassitude.** *Se sentir las. Être très las. Avoir les jambes lasses.* **2.** Littér. LAS DE : fatigué et dégoûté de. *Las de tout.* — (+ infinitif) *Il est las d'attendre.* ⟨ ▶ délasser, inlassable, lasser ⟩

② *las* [lɑs] interj. ■ Vx. Hélas.

lasagne [lazaɲ] n. f. ■ Pâte en forme de large ruban ondulé. *Des lasagnes au four.*

lascar [laskaʀ] n. m. Fam. **1.** Homme brave, décidé. ⇒ **gaillard. 2.** Homme malin, ou qui fait le malin. *C'est un drôle de lascar.*

lascif, ive [lasif, iv] adj. **1.** Littér. Fortement enclin aux plaisirs amoureux. ⇒ **sensuel, voluptueux. 2.** Empreint d'une grande sensualité. ⇒ **impur, lubrique.** *Danse lascive. Regards lascifs.* ▶ *lascivement* adv. ■ *Danser lascivement.*

laser [lazɛʀ] n. m. ■ En physique. Amplificateur de radiations lumineuses permettant d'obtenir des faisceaux de grande puissance. *Emploi du laser dans le traitement du cancer.* — En appos. *Rayon laser. Une platine laser.*

lasser [lase] v. tr. ▪ conjug. 1. (⇒ **las**) **1.** Fatiguer en ennuyant. *Lasser son auditoire.* **2.** Décourager, rebuter. *Lasser la patience de qqn.* **3.** Pronominalement (réfl.). SE LASSER DE : devenir las de. *On se lasse de tout.* — (+ infinitif) *On ne se lasse pas de l'écouter. Sans se lasser*, inlassablement. ▶ *lassant, ante* adj. ■ Qui lasse. *Répétitions lassantes. Vous commencez à devenir lassant.* ▶ *lassitude* n. f. **1.** État d'une personne lasse. ⇒ **fatigue.** *Se traîner avec lassitude.* **2.** Abattement mêlé d'ennui, de découragement. *Il accepta par lassitude.*

lasso [laso] n. m. ■ Longue corde à nœud coulant servant à attraper les chevaux sauvages, le bétail. *Des lassos.*

lastex [lastɛks] n. m. invar. ■ Fil de caoutchouc (*latex*) recouvert de fibres textiles.

latent, ente [latɑ̃, ɑ̃t] adj. ■ Qui demeure caché, ne se manifeste pas. ⇒ **secret.** *Demeurer à l'état latent.* — *Maladie latente*, qui ne s'est pas encore déclarée.

latéral, ale, aux [lateʀal, o] adj. ■ Qui appartient au côté ; situé sur le côté de qqch. *Partie latérale. Chapelle, nef latérale.* ⇒ **collatéral.** ▶ *latéralement* adv. ■ De côté, sur le côté. ⟨ ▶ bilatéral, collatéral, unilatéral ⟩

latérite [lateʀit] n. f. ■ Roche jaspée rouge.

latex [latɛks] n. m. invar. ■ Liquide visqueux, d'aspect laiteux, qui circule dans le corps de certains végétaux (surtout l'hévéa). ⇒ **caoutchouc.**

latin, ine [latɛ̃, in] adj. et n. **I.** Adj. **1.** Des provinces ou des peuples soumis à la domination de Rome. ⇒ **romain.** *Les peuples latins* et, n., *les Latins.*

— De la langue latine. *Déclinaisons latines. Version latine.* — QUARTIER LATIN : quartier de Paris où se trouvent des facultés. **2.** D'origine latine. ⇒ **roman.** *Les langues latines* (italien, français, etc.). *Amérique latine.* — N. *Les Latins,* les peuples de langue romane. **II.** N. m. La langue latine. *Latin classique ; bas latin. Mot qui vient du latin.* — *Latin de cuisine,* mauvais latin. — Loc. *Y perdre son latin,* n'y rien comprendre. ▶ **latinisme** n. m. ■ Construction ou emploi propre à la langue latine ; emprunt au latin. ▶ **latiniste** n. ■ Spécialiste de philologie ou de littérature latine. — Étudiant de latin. ▶ **latinité** n. f. ■ La civilisation latine. ⟨ ▶ gréco-latin, prélatin ⟩

① **latitude** [latityd] n. f. ■ Faculté, pouvoir d'agir en toute liberté. *Avoir toute latitude (de, pour faire qqch.). Vous avez toute latitude de refuser. Donner, laisser toute latitude à qqn (pour faire qqch.).* ⇒ **facilité, liberté.**

② **latitude** n. f. **1.** (Opposé à *longitude*) Coordonnée d'un point de la Terre déterminée par sa distance (angulaire) à l'équateur (au nord ou au sud). *Déterminer la latitude d'un lieu.* **2.** Région, climat, *Cette espèce animale ne peut pas vivre sous toutes les latitudes.*

-lâtre, -lâtrie ■ Éléments savants, signifiant « adorateur, adoration ».

latrines [latʀin] n. f. pl. ■ Lieux d'aisances sommaires (sans installation sanitaire). ⇒ **cabinet, fosse** d'aisances.

latte [lat] n. f. ■ Longue pièce de charpente, mince, étroite et plate. ⇒ **planche.** *Lattes d'un plancher.* ▶ *latter* v. tr. ■ conjug. 1. ■ Garnir de lattes. *Latter un plafond.* ▶ **lattis** [lati] n. m. invar. ■ Ouvrage en lattes. *Un lattis de plancher.*

laudanum [lodanɔm] n. m. ■ Teinture alcoolique d'opium, soporifique et calmante.

laudateur, trice [lodatœʀ, tʀis] n. ■ Littér. Personne qui fait un éloge. ▶ *laudatif, ive* adj. **1.** Qui contient un éloge. ⇒ **élogieux, louangeur.** *Terme laudatif.* **2.** (Personnes) Qui fait un éloge. *Il a été plutôt laudatif.*

lauréat, ate [lɔʀea, at] n. ■ Personne qui a remporté un prix dans un concours. ⇒ **vainqueur.** *Les lauréats du prix Nobel.* — Adj. *L'étudiante lauréate.*

laurier [lɔʀje] n. m. **I. 1.** Arbre à feuilles allongées, luisantes et persistantes. *Bois de lauriers. Feuilles de laurier utilisées en assaisonnement* — *Le, du laurier,* feuilles de cet arbre. *Un bouquet de laurier et de thym.* **2.** Feuillage du laurier qui servait à couronner des vainqueurs (⇒ **lauréat**). *Couronne de laurier.* — Loc. *Être chargé, couvert de lauriers.* ⇒ **gloire.** — Loc. *Se reposer, s'endormir sur ses lauriers,* ne plus rien faire, après un premier succès. **II.** LAURIER-ROSE : arbrisseau à grandes fleurs roses ou blanches. ⇒ **rhododendron.** *Des lauriers-roses.*

lavable [lavabl] adj. ■ Qui peut être lavé, supporte le lavage. *Peinture lavable.*

① **lavabo** [lavabo] n. m. **1.** Dispositif de toilette fixe, à hauteur de table, avec cuvette, robinets d'eau courante et système de vidange. *Lavabo d'une salle de bains.* **2.** Pièce réservée à ce dispositif. — Au plur. Cabinets d'aisances. ⇒ **toilette(s).** *Les lavabos sont au sous-sol.*

② **lavabo** n. m. ■ Moment de la messe où le prêtre se lave les mains avant la consécration.

lavage [lavaʒ] n. m. **1.** Action de laver. ⇒ **nettoyage.** *Le lavage du linge. Elle fait son lavage et son repassage.* **2.** Loc. fam. *Lavage de tête,* verte répri-

mande. ⇒ **savon.** — *Lavage de cerveau,* moyen par lequel on essaie de modifier de force les idées de qqn.

lavallière [lavaljɛʀ] n. f. ■ Cravate large et souple, qui se noue en formant deux coques.

lavande [lavɑ̃d] n. f. **1.** Arbrisseau vivace aux fleurs bleues, d'un parfum délicat (en France, Provence et Alpes). **2.** Eau, essence parfumée de lavande. *Un flacon de lavande.* **3.** En appos. Invar. *Bleu lavande,* bleu mauve, assez clair.

lavandière [lavɑ̃djɛʀ] n. f. ■ Littér. Femme qui lave le linge à la main. ⇒ **blanchisseuse, laveuse.**

lavasse [lavas] n. f. ■ Fam. Boisson, sauce trop étendue d'eau. *Ce café est imbuvable, c'est de la lavasse.*

lave [lav] n. f. **1.** Matière pâteuse, noirâtre, qui se répand en fusion hors du volcan. *Coulée de lave. Lave refroidie.* **2.** Lave pétrifiée utilisée comme pierre de construction. *Toit de lave.*

lave-glace n. m. ■ Appareil qui envoie un jet d'eau sur le pare-brise d'une automobile. *Des lave-glaces.*

lavement [lavmɑ̃] n. m. ■ Injection d'un liquide dans le gros intestin, par l'anus. Loc. *Poire à lavement.*

laver [lave] v. tr. ■ conjug. 1. **I. 1.** Nettoyer avec de l'eau, avec un liquide. ⇒ **décrasser, dégraisser, nettoyer.** / contr. **salir** / *Laver du linge. Laver la vaisselle.* — MACHINE À LAVER : appareil ménager qui brasse le linge dans un liquide détersif. — Au p. p. adj. *Du linge bien, mal lavé.* — Loc. *Il faut laver son linge sale en famille,* c'est entre soi qu'il faut régler les fâcheuses affaires domestiques. **2.** Nettoyer (le corps, une partie du corps) avec de l'eau. *Laver la figure d'un enfant.* ⇒ **débarbouiller.** **3.** SE LAVER (suivi d'un compl. d'objet). *Se laver les mains, les dents,* laver ses mains, ses dents. *Elle s'est lavé les mains.* — Loc. *Se laver les mains de qqch.,* décliner toute responsabilité. **4.** SE LAVER v. pron. : laver son corps. ⇒ **se nettoyer.** *Elle s'est lavée. Se laver à grande eau.* **5.** Abstrait. *Laver qqn, se laver d'un soupçon, d'une imputation.* ⇒ **disculper, justifier.** / contr. **accuser, imputer** / **II. 1.** Enlever, faire disparaître au moyen d'un liquide. *Laver une tache.* **2.** Abstrait. *Laver un affront, une injure,* s'en venger. ▶ *lave-linge* n. m. invar. ■ Machine à laver le linge. *Des lave-linge.* ▶ *laverie* n. f. ■ *Laverie automatique,* blanchisserie équipée de machines à laver, où les clients surveillent eux-mêmes le lavage. ▶ *lavette* n. f. **1.** Morceau de linge ou gros pinceau en fil avec lequel on lave la vaisselle. **2.** Fam. Homme mou, veule, sans énergie. *Une vraie lavette.* ▶ *laveur, euse* n. ■ Professionnel(le) qui lave qqch. *Laveur de vaisselle.* ⇒ **plongeur.** — *Laveuse (de linge).* ⇒ **blanchisseuse.** *Laveur de vitres.* ▶ *lave-vaisselle* n. m. invar. ■ Machine à laver la vaisselle. *Des lave-vaisselle.* ▶ *lavis* [lavi] n. m. invar. ■ Mise en couleur d'un dessin, au moyen d'encres ou de couleurs étendues d'eau ; dessin de ce genre. *Un lavis d'encre de Chine.* ▶ *lavoir* n. m. **1.** Lieu public où l'on lave le linge ; construction destinée au lavage du linge. *Lavoir public.* **2.** Bac en ciment pour laver le linge. ▶ *lavure* n. f. ■ Liquide qui a servi à laver qqch. ou qqn. *Lavure de vaisselle.* ⇒ **eau** de vaisselle. ⟨ ▶ délavé, lavable, lavage, lavandière, lavasse, lave-glace, lavement ⟩

laxatif, ive [laksatif, iv] adj. et n. ■ Qui relâche l'intestin, purge légèrement. ⇒ **purgatif.** *Tisane laxative.* — N. m. *Un laxatif.*

laxisme [laksism] n. m. ■ Tendance à la conciliation, à la tolérance (excessive). / contr. **purisme, rigorisme** / *Le laxisme en matière de morale.* ▶ *laxiste* adj. et n. ■ Qui professe ou concerne le laxisme. / contr. **rigoriste** /

layette [lɛjɛt] n. f. ■ Habillement d'un enfant nouveau-né. *Tricoter de la layette.*

layon [lɛjɔ̃] n. m. ■ Sentier en forêt. *Suivre un layon.*

lazaret [lazaʀɛ] n. m. ■ Établissement où s'effectue le contrôle sanitaire, l'isolement des malades contagieux (dans un port, une station frontière...). *Subir une quarantaine au lazaret.*

lazzi [la(d)zi] n. m. ■ Plaisanterie, moquerie bouffonne. *Un lazzi, des lazzi ou des lazzis.*

① **le** [l(ə)] (m.), **la** [la] (f.), **les** [le] (pl.) art. déf. — REM. LE, LA se réduisent à L' devant une voyelle ou un *h* muet : *l'école, l'habit.* DE + LE, LES devient DU, DES ; À + LE, LES devient AU, AUX. **I.** Devant un nom. **1.** Au sens général, désignant tous les individus, les objets d'une même sorte. Au sing. *Le rossignol est un oiseau. Sciences de l'homme. L'invention de l'outil, du paratonnerre.* — Au plur. (Même sens) *Les rossignols sont des oiseaux. Il aime les enfants. Les bijoux sont chers.* **2.** Désignant un ou plusieurs individus ou objets déterminés (par la situation). *Fermez la fenêtre, les fenêtres.* ⇒ **ce, cette, ces.** REM. S'oppose à *un, une, des* désignant des objets indéterminés. *Il a perdu la clé. C'est dans le journal. Les enfants sont sortis. Il part dans la semaine. Trois heures moins le quart. L'ensemble des problèmes* (mais *un ensemble de problèmes*). — Désignant ce qui est déterminé par la suite de la phrase. *Il habite la maison rouge en face de chez nous. L'homme dont je vous ai parlé sera là.* **3.** S'emploie au lieu du possessif pour les parties du corps de qqn. *Il secoue la tête. Ouvrez la bouche ! Je me lave les mains. Il lui a pris la main. Elle a mal aux dents.* **4.** Devant un nom propre. — (Avec les noms de pays, de mers, de fleuves) *La Sicile est une île. Nous partons pour l'Allemagne, aux États-Unis. La Seine traverse Paris.* — Exceptionnellement avec les autres noms propres lorsqu'ils sont déterminés dans la phrase. *Le Paris de ma jeunesse. Le Napoléon d'avant Waterloo. Le vieux Dupont.* — (Méprisant ou campagnard) *La Marie. Le Dupont.* — Au plur., désignant une famille. *Nous allons chez les Dupont.* **5.** Pour transformer toute partie du discours en substantif. *Le manger. Le moi. L'aujourd'hui. Les mais et les si. Les moins de vingt ans.* **6.** Avec une valeur distributive. ⇒ **chaque, par.** *Des pommes à deux francs le kilo. Il vient trois fois la semaine.* — Devant un adjectif lorsque le nom n'est pas répété. *La grande et la petite industrie. Les affaires politiques et les militaires. Préférez-vous la chemise jaune ou la rouge ? J'ai acheté des chaussures neuves et j'ai jeté les vieilles.* **III.** Avec le superlatif (⇒ **plus, moins ; mieux, pire, pis**). *J'ai pris le plus beau. C'est elle qui chante le mieux.* — ACCORD DE L'ARTICLE ET DU SUPERLATIF. — a) L'article s'accorde avec le nom ou pronom auquel se rapporte le superlatif quand on compare plusieurs êtres ou objets. *Ce jour-là, elle fut la plus heureuse.* — b) L'article reste invariable *(le)* quand on veut marquer qu'un être ou un objet atteint, au moment indiqué par le contexte, le plus haut degré d'une certaine qualité *(C'est ce jour-là qu'elle a été le plus heureuse)* ou quand le superlatif modifie un verbe ou un adverbe *(C'est la femme que j'ai le plus aimée).* **IV.** L'UN... L'AUTRE, L'UN OU (ET) L'AUTRE. ⇒ **autre, un.** — LE (LA) MÊME, LES MÊMES. ⇒ **même.** — L'ON. ⇒ **on.** — TOUT LE, TOUTE LA, TOUS LES. ⇒ **tout.** — LE MIEN, LE TIEN, etc. ⇒ **mien.** — LA PLUPART. ⇒ **la plupart.** ⇒ À LA... *(légère, etc.).* ⇒ **à.** ‹ ▶ lendemain, lequel, surlendemain ›

② **le** [l(ə)], **la** [la], **les** [le] pronom pers. ■ Pronom personnel objet ou attribut de la 3ᵉ personne. — REM. Élision de LE, LA en L' devant une voyelle ou un *h* muet *(je l'entends ; ils l'hébergent ; elle l'y a mis ; je le remercie),* sauf après l'impératif *(faites-le entrer ;*

faites-le apporter). **I. 1.** (Personnes et choses). Objet direct, représentant un nom, un pronom qui vient d'être exprimé ou qui va être exprimé. *C'est Françoise, je la connais bien. Il faut le voir à l'ouvrage, ce peintre. Prenez-les. Il l'en a convaincu(e). Il l'y a poussé(e).* **2.** LE, de valeur neutre. ⇒ **cela.** *Je vais vous le dire. Elle le lui a dit. Elle nous l'a dit.* **3.** Formant avec certains verbes des gallicismes. *Je vous le donne en mille. L'échapper belle. Il l'a trouvée mauvaise...* **II.** (LE avec ÊTRE) Attribut représentant un mot qui vient d'être exprimé ou, plus rarement, qui va être exprimé. « *Est-il content ?* — *Il l'est.* » *J'étais naïve, maintenant je ne le suis plus. Cette femme est mon amie et le sera toujours.*

lé [le] n. m. **1.** Largeur d'une étoffe. — Chaque partie verticale (panneau) d'une jupe. **2.** Largeur d'une bande de papier peint. *Des lés.*

leader [lidœʀ] n. m. Anglic. **1.** Chef, porte-parole (d'un parti, d'un mouvement politique). *Le leader de l'opposition. Des leaders.* **2.** Concurrent qui est en tête (course, compétition sportive).

leasing [lizing] n. m. ■ Anglic. Système de financement du matériel industriel par location. *Une société de leasing.* — REM. Pour éviter cet anglicisme, on utilise *crédit-bail* ou *location-vente.*

lèchefrite [lɛʃfʀit] n. f. ■ Ustensile de cuisine placé sous la broche pour recevoir la graisse et le jus. *Nettoyer la lèchefrite.*

lécher [leʃe] v. tr. ■ conjug. 6. **1.** Passer la langue sur (qqch.). *Chien qui lèche un plat.* — Fig. et fam. *Se, s'en lécher les doigts, les babines,* se délecter (d'un plat). — *Les flammes lèchent la plaque de la cheminée.* ⇒ **effleurer. 2.** Loc. *Lécher les bottes* (ou vulg. *le cul) de qqn, à qqn,* le flatter bassement. ⇒ **lèche, lèche-bottes.** — UN OURS MAL LÉCHÉ : un individu d'aspect rébarbatif, aux manières grossières. **3.** Finir, polir (une œuvre littéraire ou artistique) avec un soin trop minutieux. ⇒ **fignoler.** — Au p. p. adj. *Ce tableau est trop léché.* ▶ **léchage** n. m. ■ Action de lécher. — Loc. *Léchage de bottes.* ▶ **lèche** n. f. ■ Fam. (Avec le v. *faire)* Action de flatter servilement. *Faire de la lèche au patron* (→ Lécher les bottes, le cul). ▶ **lèche-bottes** ou, vulg. **lèche-cul** n. invar. ■ Flatteur servile. *C'est une vraie lèche-bottes. Des lèche-cul.* ▶ **lécheur, euse** adj. et n. ■ Qui lèche. — Péj. Flatteur. *Quel lécheur !* ▶ **lèche-vitrines** n. m. invar. ■ Action de « lécher les vitrines », de flâner en regardant les étalages. *Faire du lèche-vitrines.* ‹ ▶ se pourlécher ›

leçon [l(ə)sɔ̃] n. f. **1.** Ce qu'un écolier doit apprendre. *Apprendre, revoir, réciter ses leçons.* **2.** Enseignement donné par un professeur à une classe, un auditoire. ⇒ **conférence, cours.** *Écouter la leçon d'un professeur.* — *Leçons particulières. Prendre des leçons de dessin.* — Loc. LEÇONS DE CHOSES : enseignement qui consiste à familiariser les enfants avec des objets usuels, des productions naturelles (sciences physiques, naturelles). — REM. On dit aujourd'hui *observation.* **3.** Conseils, règles de conduite donnés à qqn. *On se passera de vos leçons de morale.* — Loc. *Faire la leçon à qqn,* lui dicter sa conduite, le chapitrer ; ⇒ **réprimander. 4.** Enseignement profitable, morale qu'on peut tirer de qqch. *Il a su tirer une leçon de cette mésaventure. — Cela lui donnera une leçon, une bonne leçon ; cela lui servira de leçon* (→ fam. *Ça lui fera les pieds).*

lecteur, trice [lɛktœʀ, tʀis] n. **1.** Personne qui lit. ⇒ **liseur.** *C'est un grand lecteur de romans. Avis au lecteur.* — Personne dont la fonction est de lire et de juger des œuvres (proposées à un directeur de théâtre, à un éditeur). **2.** Personne qui lit à haute voix.

— Assistant étranger, dans l'enseignement supérieur des langues vivantes. *Lectrice d'allemand.* **3.** Dispositif servant à reproduire des sons enregistrés. *Lecteur de cassettes, de disques audionumériques.*

lecture [lɛktyʀ] n. f. **I. 1.** Action matérielle de lire, de déchiffrer (ce qui est écrit). *Une faute de lecture. Lecture d'une partition.* ⇒ **déchiffrage.** *Lecture d'une carte.* **2.** Action de prendre connaissance du contenu (d'un écrit). *La lecture d'un livre, d'un auteur.* — Absolt. *Aimer la lecture.* — *Les lectures de qqn,* les livres qu'il lit habituellement. *Il a de bonnes lectures. Avez-vous de la lecture ?,* des livres et des journaux. **3.** Action de lire à haute voix (à d'autres personnes). *Donner lecture d'une proclamation. Faire la lecture à qqn.* **4.** Délibération d'une assemblée législative sur un projet, une proposition de loi. Loc. *Loi adoptée en première, en seconde lecture.* **II. 1.** Première phase de la reproduction des sons enregistrés. *Tête de lecture d'un électrophone.* **2.** Passage d'informations enregistrées en machine, pour les lire.

ledit, ladite ⇒ **dit.**

légal, ale, aux [legal, o] adj. **1.** Qui a valeur de loi, résulte de la loi, est conforme à la loi. ⇒ **juridique, réglementaire.** *Formalités légales,* imposées par la loi. *Monnaie légale.* **2.** Défini ou fourni par la loi. *Âge légal,* requis par la loi. *Moyens légaux.* / contr. **illégal, clandestin** / **3.** *Pays légal,* la partie de la population qui a des droits politiques. ▶ **légalement** adv. ■ *Assemblée légalement élue.* ▶ **légaliser** v. tr. • conjug. 1. **1.** Certifier authentique en vertu d'une autorité officielle. *Faire légaliser sa signature.* **2.** Rendre légal. *Légaliser une situation.* ▶ **légalisation** n. f. ■ *La légalisation de l'avortement.* ▶ **légalité** n. f. **1.** Caractère de ce qui est légal, conforme au droit, à la loi. *Légalité d'un acte.* **2.** *(La légalité)* Ce qui est légal ; état, situation, pouvoir conforme au droit. *Respecter la légalité.* ⟨ ▶ **illégal** ⟩

légat [lega] n. m. ■ Ambassadeur du Saint-Siège. ⇒ **nonce.** ▶ ① **légation** n. f. ■ Charge, fonction de légat.

légataire [legatɛʀ] n. ■ Bénéficiaire d'un legs. ⇒ **héritier.** *Légataire universel.*

② *légation* [legasjɔ̃] n. f. ■ Représentation diplomatique entretenue à défaut d'ambassade. *Secrétaire de légation.* — Résidence d'une légation. *Aller chercher son visa à la légation.*

legato [legato] adv. ■ En musique. D'une manière liée, sans détacher les notes. *Jouer legato.*

① *légende* [leʒɑ̃d] n. f. **1.** Récit populaire traditionnel, plus ou moins fabuleux. ⇒ **fable, mythe.** *La légende de Faust.* **2.** Représentation traditionnelle de faits ou de personnages réels, déformée ou amplifiée. *Un héros de légende. Napoléon est entré dans la légende.* ▶ **légendaire** adj. **1.** Qui n'a d'existence que dans les légendes. ⇒ **fabuleux, imaginaire, mythique.** *Personnages légendaires.* **2.** Qui a rapport aux légendes. *L'atmosphère légendaire d'un récit.* — Qui est entré dans la légende par sa célébrité. ⇒ **célèbre.** *Un acteur devenu légendaire.*

② *légende* n. f. **1.** Inscription (d'une médaille, d'une monnaie). **2.** Texte qui accompagne une image et l'explique. *Légende d'un dessin, d'une photo.* **3.** Liste explicative de signes conventionnels. *La légende d'un plan de ville.*

léger, ère [leʒe, ɛʀ] adj. **I. 1.** Qui a peu de poids, se soulève facilement. / contr. **lourd** / *Léger comme une plume. Léger bagage. Vêtement léger à porter.* — *Poids léger,* boxeur pesant de 59 à 61 kilos. — Qui a une faible densité. *L'aluminium est un métal léger.* — Qui

ne pèse pas sur l'estomac. *Prendre un repas léger.* **2.** Qui est ou donne l'impression d'être peu chargé. *Avoir l'estomac léger.* ⇒ **creux, vide.** — *Avoir la tête légère,* être écervelé. *Le cœur léger,* sans inquiétude ni remords. **3.** (Personnes) Qui se meut avec aisance et rapidité. ⇒ **agile, leste, vif.** *Être, se sentir léger, alerte.* — *Démarche souple et légère.* — Loc. *Avoir la main légère,* ne pas faire sentir l'autorité qu'on exerce. **4.** Qui n'appuie pas. *Tableau peint par touches légères.* ⇒ **délicat. 5.** *Soprano léger, ténor léger,* à voix aiguë. **6.** *Sommeil léger,* où l'on est facilement réveillé. / contr. **profond** / **II.** Qui a peu de substance (opposé à *épais*). *Légère couche de neige.* ⇒ **mince.** *Étoffe légère.* ⇒ **fin.** *Robe légère.* — (Opposé à *fort, concentré*) *Café, thé léger.* ⇒ **faible. III.** Peu sensible ; peu important. ⇒ **faible, petit.** *Un léger mouvement. Bruit léger.* ⇒ **imperceptible.** *Un léger goût. Blessés légers et blessés graves.* — *Il est condamné à une peine légère. Une différence très légère.* ⇒ **insensible. IV. 1.** (Personnes ; caractères) Qui a peu de profondeur, de sérieux. ⇒ **frivole, superficiel.** / contr. **posé, sérieux** / *Caractère, esprit léger. Être, se montrer léger dans sa conduite.* ⇒ **déraisonnable, irréfléchi. 2.** (Propos, mœurs) Qui est trop libre. *Conversation un peu légère. Femme légère,* de mœurs libres, faciles. **3.** (Choses) Qui manque de sérieux. *Un exposé très léger.* — Qui a de la grâce, de la délicatesse, de la désinvolture. ⇒ **désinvolte.** *Ironie légère.* **4.** *Musique légère,* gaie et facile (opposé à *classique*). **5.** À LA LÉGÈRE loc. adv. : sans avoir pesé les choses, sans réfléchir. ⇒ **inconsidérément, légèrement** (3). *Parler à la légère,* à tort et à travers. *Prendre les choses à la légère,* avec insouciance. ▶ **légèrement** adv. **1.** (Au sens propre) *Être vêtu légèrement.* — Sans appuyer, sans violence. ⇒ **délicatement, doucement.** *Toucher légèrement qqn.* **2.** Un peu, à peine. *Légèrement blessé. Il est légèrement plus petit.* / contr. **beaucoup** / **3.** À la légère, inconsidérément. *Agir légèrement.* — Avec désinvolture. *Il parle de tout légèrement.* / contr. **sérieusement** / ▶ **légèreté** n. f. **I. 1.** Caractère d'un objet peu pesant, de faible densité. / contr. **lourdeur** / **2.** Aisance dans les mouvements. ⇒ **souplesse.** *Marcher avec légèreté.* **3.** Caractère de ce qui est peu épais. ⇒ **finesse.** *Légèreté d'une étoffe.* **4.** ⇒ **délicatesse, grâce.** *Ce monument est d'une grande légèreté.* **II. 1.** Défaut d'une personne qui manque de profondeur, de sérieux. *Il a fait preuve de légèreté dans sa conduite.* ⇒ **irréflexion.** — Caractère d'une personne qui ne prend pas les choses au sérieux. ⇒ **désinvolture, insouciance. 2.** Délicatesse et agrément (de la conversation, du ton, du style). *La légèreté de son style.* ⟨ ▶ **alléger** ⟩

légiférer [leʒifeʀe] v. intr. • conjug. 6. ■ Faire des lois. *Pouvoir de légiférer.*

① *légion* [leʒjɔ̃] n. f. **I. 1.** À Rome, dans l'Antiquité. Corps d'armée composé d'infanterie et de cavalerie. **2.** LÉGION (ÉTRANGÈRE) : en France, corps composé de volontaires généralement étrangers. **II.** LÉGION D'HONNEUR : ordre national français créé en 1802 ; décoration de cet ordre. *Avoir la Légion d'honneur. Ruban de la Légion d'honneur.* ▶ **légionnaire** n. m. ■ Soldat qui sert dans la Légion étrangère.

② *légion* n. f. ■ Littér. Grande quantité. *Une légion d'amis et de parents.*

législateur, trice [leʒislatœʀ, tʀis] n. ■ Personne ou groupe qui fait les lois. *L'autorité, la sagesse du législateur.* — Adj. *La nation, la législatrice et souveraine.* ▶ **législatif, ive** adj. **1.** Qui fait les lois, légifère. *Pouvoir législatif. Assemblée législative.* — N. m. *Le Parlement. Le législatif et l'exécutif.* **2.** Qui concerne l'Assemblée législative. *Élections législatives,* des députés. — N. f. pl. *Les législatives.*

3. Qui a le caractère d'une loi. *Acte législatif.*
▶ *législation* n. f. **1.** Ensemble des lois, des textes qui ont force de loi (dans un pays, un domaine déterminé). ⇒ **droit.** *La législation française, anglaise.* **2.** Science, connaissance des lois. *Cours de législation commerciale.* ▶ *législature* n. f. ■ Période durant laquelle une assemblée législative exerce ses pouvoirs.

légiste [leʒist] n. et adj. **1.** Spécialiste des lois. ⇒ **jurisconsulte, juriste. 2.** Adj. *Médecin légiste,* chargé d'expertises en matière légale (accidents, crimes, etc.).

légitime [leʒitim] adj. **1.** Qui est juridiquement fondé, consacré par la loi ou qui est reconnu conforme au droit. ⇒ **légal.** *Union légitime* (opposé à *union libre*), le mariage. — (Opposé à *naturel*) *Père légitime. Enfant légitime,* né dans le mariage. / contr. **illégitime** / **2.** Conforme à la justice, au droit naturel. ⇒ **équitable.** / contr. **arbitraire** / *Récompense légitime, méritée.* **3.** Justifié (par le bon droit, la raison, le bon sens). ⇒ **juste.** *Excuse, légitime.* ⇒ **admissible, fondé.** / contr. **déraisonnable** / *Une légitime colère. C'est tout à fait légitime,* normal. ▶ *légitimement* adv. ■ *Des biens légitimement acquis.* ▶ *légitimer* v. tr. ■ conjug. 1. **1.** Rendre légitime juridiquement. *Légitimer un enfant naturel.* — LÉGITIMÉ, ÉE adj. *Enfant légitimé.* **2.** Littér. Faire admettre comme juste, raisonnable, excusable. ⇒ **excuser, justifier.** *Il essaie de légitimer sa conduite.* ▶ *légitimation* n. f. **1.** Fait de rendre (un enfant) légitime. **2.** Littér. Action de justifier. *La légitimation de sa conduite.* ▶ *légitimité* n. f. **1.** État de ce qui est légitime ou considéré comme tel. *Légitimité d'un enfant.* — *Légitimité du pouvoir.* **2.** Qualité de ce qui est juste, équitable. *Légitimité d'une conviction.*

léguer [lege] v. tr. ■ conjug. 6. **1.** Donner par disposition testamentaire. *Léguer tous ses biens à un légataire universel.* **2.** ⇒ **donner, transmettre.** *Léguer une œuvre à la postérité.* — Pronominalement. *Le goût de la musique qu'on se lègue de père en fils dans la famille.* ▶ *legs* [lɛ ; cour. lɛg] n. m. invar. **1.** Action de léguer ; ce qui est légué. *Bénéficiaire d'un legs.* ⇒ **légataire. 2.** Littér. *Le legs du passé.* ⇒ **héritage.**

légume [legym] n. **1.** N. m. Plante potagère dont certaines parties peuvent entrer dans l'alimentation humaine. *Légumes verts. Légumes secs. Soupe aux légumes. Bouillon de légumes.* — Fam. Ce qui accompagne la viande dans le plat principal. *On a eu des pâtes comme légumes.* **2.** N. f. Fam. *Une GROSSE LÉGUME* : un personnage important, influent. ⇒ **fam. bonnet, huile.** ▶ *légumier* n. m. ■ Plat à légumes. ▶ *légumineux, euse* adj. et n. f. ■ (Plante) Dont le fruit est une gousse. *Le haricot, plante légumineuse.* — N. f. *La lentille, le pois sont des légumineuses.*

leitmotiv [lajtmɔtif], plus cour. [lɛtmɔtif] n. m. **1.** Motif musical répété dans une œuvre. *Des leitmotive* (plur. allemand). **2.** Phrase, formule qui revient à plusieurs reprises. *Revenir comme un leitmotiv.*

lémuriens [lemyʀjɛ̃] n. m. pl. ■ Singes des régions tropicales.

lendemain [lɑ̃dmɛ̃] n. m. **1.** Jour qui suit immédiatement celui dont il est question (→ le jour d'après, suivant). *Le lendemain de ce jour. Il est parti le lendemain soir.* — Loc. *Du jour au lendemain,* en très peu de temps. **2.** L'avenir. *Avoir le souci du lendemain. Des lendemains heureux.* **3.** Temps qui suit de très près un événement. *Au lendemain de la guerre. Un projet sans lendemain.* ⇒ **suite.**

lénifier [lenifje] v. tr. ■ conjug. 7. ■ Littér. Calmer, apaiser. *Lénifier des tourments.* ▶ *lénifiant, ante* adj. ■ Apaisant. *Propos lénifiants.* ▶ *lénitif, ive* adj.

■ Qui apaise. ⇒ **apaisant, lénifiant.** *Un remède lénitif.* — N. m. *Un lénitif.* — Littér. *Des moments lénitifs.*

léninisme [leninism] n. m. ■ Doctrine marxiste de Lénine. — En appos. *Le marxisme-léninisme.* — (Adj. *léniniste.*)

lent, lente [lɑ̃, lɑ̃t] adj. **1.** Qui manque de rapidité, met plus, trop de temps. *Il est lent dans tout ce qu'il fait.* ⇒ **lambin, traînard.** *Être lent à comprendre, à agir.* — **long.** *Avoir l'esprit lent,* ne pas comprendre vite. — (Choses) *Une musique lente. Mouvements lents.* **2.** (Choses) Qui met du temps à agir, à opérer, à s'accomplir. *Des transformations lentes. Mort lente. Combustion lente.* ▶ *lentement* adv. ■ *Marcher lentement.* / contr. **rapidement, vite** / *Parler lentement.* — *Le temps passe lentement,* paraît durer longtemps. ▶ *lenteur* n. f. **1.** Manque de rapidité, de vivacité. *Agir avec une sage lenteur. La désespérante lenteur des travaux.* — (Suivi de *à* + infinitif) *Sa lenteur à agir est agaçante.* **2.** Au plur. Actions, décisions lentes. *Les lenteurs de la procédure.* ⟨ ▶ *lento, ralentir* ⟩

lente [lɑ̃t] n. f. ■ Œuf de pou.

lentigo [lɑ̃tigo] n. m. ■ Affection de la peau (taches de rousseur, grains de beauté aux mains, au visage).

① *lentille* [lɑ̃tij] n. f. **1.** Plante aux gousses plates contenant deux graines arrondies. **2.** Surtout au plur. Graine comestible de la lentille, en forme de disque. *Lentille blonde, verte. Un plat de lentilles.* **3.** LENTILLE D'EAU : plante flottante à petites feuilles rondes.

② *lentille* n. f. ■ Dispositif faisant converger ou diverger un faisceau de rayons qui la traverse. *Les lentilles convexes sont convergentes, les lentilles concaves divergentes.* — *Lentilles de contact,* pour corriger la vision. *Préférer les lentilles (de contact) aux lunettes.*

lentisque [lɑ̃tisk] n. m. ■ Pistachier (arbuste) des régions méditerranéennes.

lento [lɛnto] adv. ■ En musique. Avec lenteur (plus lentement qu'*adagio*). — N. m. *Un lento. Des lentos.*

léonin, ine [leɔnɛ̃, in] adj. **1.** Littér. Du lion, qui rappelle le lion. *Une tête léonine.* **2.** CONTRAT LÉONIN : qui attribue tous les avantages, qui fait la part du lion* à qqn. ⇒ **abusif, injuste.**

léopard [leɔpaʀ] n. m. ■ Panthère d'Afrique. — Sa fourrure. *Manteau de léopard.*

L.E.P. [ɛləpe ; lɛp] n. m. invar. ■ Abréviation de *lycée d'enseignement professionnel.*

lépidoptères [lepidɔptɛʀ] n. m. pl. ■ Nom savant des papillons. — Au sing. *Un lépidoptère.*

lèpre [lɛpʀ] n. f. **1.** Maladie infectieuse et contagieuse due à un bacille. *Vaccin contre la lèpre.* **2.** Ce qui ronge. *La façade de cette maison est rongée de lèpre.* ⇒ **lépreux** (2). **3.** Littér. Mal qui s'étend et gagne de proche en proche. *Le racisme est une lèpre.* ⇒ **cancer.** ▶ *lépreux, euse* adj. **1.** Atteint de la lèpre. *Femme lépreuse.* — N. *Hôpital pour les lépreux.* — Loc. *Traiter qqn comme un lépreux,* refuser de fréquenter qqn, de lui parler. ⇒ **pestiféré. 2.** Qui présente une surface pelée, abîmée, sale. ⇒ **galeux.** *Murs lépreux.* ▶ *léproserie* [lepʀozʀi] n. f. ■ Hôpital où l'on soigne les lépreux.

lequel [ləkɛl], *laquelle* [lakɛl], *lesquels, lesquelles* [lekɛl] pronom relatif et interrogatif. — REM. Avec les prép. *à* et *de*, LEQUEL se contracte en AUQUEL *(auxquels)*, DUQUEL *(desquels).* **1.** Pronom relatif. **1.** (Sujet) ⇒ **qui.** — Littér. (Pour éviter une équivoque) *Un de ses parents, lequel l'a aidé.* **2.** (Compl. indir.) *La personne à laquelle vous venez de parler,* à qui. *Il rencontra plusieurs parents, parmi lesquels son cousin*

Jean. ⇒ **dont. 3.** Littér. Adjectif relatif. *Vous serez peut-être absent, auquel cas vous me préviendrez.* **II.** Pronom interrogatif (représentant des personnes ou des choses qui viennent d'être ou vont être nommées). *Demandez à un passant, n'importe lequel. Lequel des deux préférez-vous ?*

① *les* art. ⇒ ① **le.**

② *les* pronom pers. ⇒ ② **le.**

lesbienne [lɛsbjɛn] adj. et n. f. ■ (Femme) Homosexuelle. *Des lesbiennes.* — Adj. *Elle est lesbienne.*

lèse-majesté [lɛzmaʒɛste] n. f. ■ *Crime de lèse-majesté,* atteinte à la majesté du souverain, attentat.

léser [leze] v. tr. ■ conjug. 6. **1.** Blesser (qqn) dans ses intérêts, ses droits ; causer du tort à. ⇒ **désavantager.** *Être lésé dans un partage.* — *Léser les intérêts de qqn.* ⇒ **nuire** à. **2.** Concret. Blesser (un organe). *La balle a lésé le poumon.* ⇒ **lésion.** — Au p. p. adj. *Organe lésé.* ⟨ ▶ **lèse-majesté, lésion** ⟩

lésine [lezin] n. f. ■ Littér. Épargne sordide. ⇒ **avarice, ladrerie.** / contr. **prodigalité** / ▶ *lésiner* v. intr. ■ conjug. 1. ■ Épargner avec avarice. *Il lésine sur tout.* — (Plus courant en emploi négatif) *Il ne lésine pas sur l'éducation de ses enfants.*

lésion [lezjɔ̃] n. f. ■ Changement grave dans un organe sous l'influence d'une maladie, d'un accident. ⇒ **blessure, contusion ; brûlure.** *Lésion ulcéreuse, tuberculeuse, infectieuse.*

lessive [lesiv] n. f. **1.** Liquide alcalin qui sert à nettoyer le linge. — Substance alcaline en poudre, destinée à être dissoute dans l'eau pour le lavage du linge. *Acheter un paquet de lessive.* ⇒ **détersif. 2.** Action de lessiver, de laver le linge. ⇒ **blanchissage, lavage.** *Faire la lessive dans une lessiveuse, une machine à laver.* **3.** Le linge qui doit être lavé, ou qui vient d'être lavé. *Laver, rincer la lessive.* ▶ *lessiver* v. tr. ■ conjug. 1. **1.** Nettoyer avec une solution détersive. *Lessiver les murs, les boiseries d'un appartement.* **2.** Fam. Dépouiller (son adversaire au jeu) ; éliminer d'une compétition, d'un poste. *Il s'est fait lessiver en moins de deux. Être* LESSIVÉ : épuisé, très fatigué. ⇒ fam. **vidé.** ▶ *lessivage* n. m. ■ *Lessivage des murs.* ▶ *lessiveuse* n. f. ■ Récipient en métal muni d'un tube central dans lequel la vapeur chasse la solution alcaline, qu'un capuchon percé de trous (champignon) répand en nappe sur le linge. *La machine à laver a remplacé la lessiveuse.*

lest [lɛst] n. m. **1.** Poids dont on charge un navire pour assurer la stabilité. **2.** Corps pesant (sacs de sable, etc.) pour régler le mouvement d'un aérostat. — Loc. *Jeter, lâcher du lest,* faire des concessions nécessaires pour éviter une catastrophe, un échec. ▶ *lester* [lɛste] v. tr. ■ conjug. 1. **1.** Garnir, charger de lest. *Lester une montgolfière.* **2.** Fam. Charger, munir, remplir. *Lester son estomac, ses poches.* ⟨ ▶ **délester** ⟩

leste [lɛst] adj. **1.** Qui a de la souplesse, de la légèreté dans les mouvements. ⇒ **agile, alerte, vif.** / contr. **lourd, maladroit** / *Vieillard encore leste. Marcher d'un pas leste,* rapide. — Loc. *Avoir la main leste,* être prompt à frapper. **2.** (Langage) Qui manque de réserve, de sérieux. ⇒ **libre, licencieux.** *Plaisanteries un peu lestes.* ▶ *lestement* adv. ■ *Sauter lestement.*

létal, ale, aux [letal, o] adj. ■ Mortel (terme savant). *Dose létale d'un produit toxique.*

léthargie [letarʒi] n. f. **1.** Sommeil profond et prolongé dans lequel les fonctions de la vie semblent suspendues. ⇒ **catalepsie, torpeur.** *Tomber en léthargie. Sortir de sa léthargie.* **2.** Abattement complet.

⇒ **apathie, torpeur.** *Arracher qqn à sa léthargie.* ▶ *léthargique* adj. **1.** Qui tient de la léthargie. *Sommeil léthargique.* **2.** (Personnes) *Il est un peu léthargique.* ⇒ **endormi, engourdi.**

① *lettre* [lɛtʀ] n. f. **1.** Signe de l'écriture. ⇒ **caractère.** *Les lettres représentent les sons de la parole. Les 26 lettres de l'alphabet français. Lettre qui commence un mot.* ⇒ **initiale.** *Double lettre* (ex. : *tt, mm*). — Loc. fam. *Les cinq lettres,* le mot « merde ». — *Lettre majuscule, minuscule.* — Loc. EN TOUTES LETTRES : sans abréviation. *Écrire une date en toutes lettres,* avec des mots et non avec des chiffres. **2.** Caractère d'imprimerie représentant une des lettres de l'alphabet. *Corps d'une lettre.* **II. 1.** Littér. LA LETTRE *d'un texte :* ce texte. — Loc. *Ce qu'on lui a dit est resté* LETTRE MORTE : inutile. **2.** Le sens strict des mots, la forme. *La lettre et l'esprit.* — À LA LETTRE, AU PIED DE LA LETTRE : au sens propre, exact du terme. *Prendre une expression à la lettre, au pied de la lettre,* dans son sens littéral, strict. *Suivre le règlement à la lettre,* s'y conformer rigoureusement. ▶ *lettrine* n. f. **1.** Lettre (ornée, etc.) qui commence un chapitre, un paragraphe. **2.** Groupe de lettres en haut de page, dans un dictionnaire. ⟨ ▶ **lettres** ⟩

② *lettre* n. f. **1.** Écrit que l'on adresse à qqn pour lui communiquer qqch. ⇒ **épître, message, missive ; correspondance.** *Écrire une lettre. Accuser réception d'une lettre. Papier à lettres. Lettre anonyme . Envoyer, recevoir une lettre. Lettre recommandée, exprès. Boîte à (aux) lettres. Jeter des lettres à la boîte.* — Loc. *Passer comme une lettre à la poste,* facilement et sans incident ; être facilement admis. *Son excuse a passé comme une lettre à la poste.* — LETTRE OUVERTE : article de journal, rédigé en forme de lettre. **2.** Loc. (Écrits officiels) *Lettres de créance,* dans la diplomatie. — *Lettre de crédit,* mettant de l'argent à la disposition de qqn. *Lettre de change,* effet de commerce. ⟨ ▶ **mandat-lettre, pèse-lettre** ⟩

lettres [lɛtʀ] n. f. pl. **1.** Littér. La culture littéraire. *Il a des lettres. Les belles-lettres,* la littérature. — *Homme, femme de lettres,* écrivain professionnel. *Société des Gens de lettres.* **2.** (Opposé à *science*) Enseignement de la littérature, de la philosophie, de l'histoire, des langues. *Baccalauréat, licence ès lettres. Faculté des lettres. Lettres classiques,* comprenant le grec et le latin. *Lettres modernes,* comprenant des langues modernes. ▶ *lettré, ée* adj. ■ Qui a des lettres, de la culture humaniste. ⇒ **cultivé, érudit.** — N. *Un lettré, des lettrés.* ⟨ ▶ **illettré** ⟩

leuc(o)- ■ Élément savant signifiant « blanc ». ▶ *leucémie* [løsemi] n. f. ■ Affection générale caractérisée par l'augmentation considérable des globules blancs dans le sang (« cancer du sang »). ▶ *leucémique* adj. ■ De la leucémie. *État leucémique.* — Atteint de leucémie. *Malade leucémique.* — N. *Un, une leucémique.* ▶ *leucocyte* [løkɔsit] n. m. ■ Globule blanc. *Leucocytes mononucléaires et polynucléaires.*

① *leur* [lœʀ] pronom pers. invar. ■ Pronom personnel complément d'objet indirect de la troisième personne du pluriel : à eux, à elles (au sing. ⇒ **lui,** ② *le*). *Les services que nous leur rendons. Je le leur dirai. Donnez-la-leur.*

② *leur,* plur. *leurs* adj. et pronom poss. **1.** Adj. Qui est (sont) à eux, à elles. *Les parents et leurs enfants. Elles ont mis leur chapeau, leurs chapeaux. Ils partent chacun de leur côté* (ou *chacun de son côté*). **2.** LE LEUR, LA LEUR, LES LEURS pronom poss. Celui, celle (ceux ou celles) qui est (sont) à eux, à elles. *Ma fille et la leur vont à l'école ensemble. J'étais un des leurs,* un familier. *J'étais des leurs la semaine dernière,* parmi eux.

leurre [lœʀ] n. m. **1.** Ce qui abuse, trompe. ⇒ **illusion, tromperie.** *Cet espoir n'est qu'un leurre.* **2.** Appât pour le poisson, imitant un appât naturel. ▶ **leurrer** v. tr. - conjug. 1. ■ Attirer par des apparences séduisantes, des espérances vaines. ⇒ **abuser, duper, tromper.** *Leurrer qqn par de belles promesses.* ▶ SE LEURRER v. pron. réfl. : se faire des illusions. ⇒ s'**illusionner.** *Il ne faut pas se leurrer, ce sera difficile.*

levain [ləvɛ̃] n. m. **1.** Pâte de farine qu'on a laissée fermenter ou qu'on a mélangée à de la levure. *Pain sans levain.* ⇒ **azyme. 2.** Littér. Abstrait. *Un levain de...,* ce qui est capable d'exciter, d'aviver (les sentiments, les idées). ⇒ **ferment, germe.** *Levain de vengeance.*

levant [ləvɑ̃] adj. et n. m. **1.** Adj. *Soleil levant,* qui se lève. / contr. **couchant** / **2.** N. m. Côté de l'horizon où le soleil se lève. ⇒ **est, orient.** *Du levant au couchant.* **3.** Vieilli. *Le Levant,* les régions de la Méditerranée orientale (on dit aujourd'hui *Proche-Orient, Moyen-Orient*). ▶ **levantin, ine** adj. ■ Vieilli. Qui est originaire du Levant. *Les peuples levantins.* — N. *Un Levantin.*

① *lever* [l(ə)ve] v. - conjug. 5. **I.** V. tr. **1.** Faire mouvoir de bas en haut. ⇒ **élever, hausser, soulever** / contr. **baisser, descendre, poser** / *Lever un fardeau, un poids. Lever les glaces d'une voiture,* les fermer. *Lever l'ancre,* appareiller. **2.** Mettre plus haut, soulever (une partie du corps). *Lever la main pour prêter serment. Lever les bras au ciel* (en signe d'indignation ou d'impuissance). — *Ne pas lever le petit doigt,* ne rien faire. *Lever le coude,* boire trop (d'alcool). *Le conducteur lève le pied,* cesse d'accélérer. — Au p. p. adj. *Voter à mains levées.* — *Au pied levé,* sans préparation. ⇒ **impromptu.** — Diriger vers le haut. *Lever la tête, le nez, les yeux.* Loc. *Travailler sans lever le nez,* sans se laisser distraire. **3.** Relever de façon à découvrir ce qui est derrière ou dessous. ⇒ **soulever.** *Lever le voile.* ⇒ **découvrir, dévoiler. 4.** *Lever un lièvre, une perdrix,* à la chasse, les faire sortir de leur gîte, les faire partir. — Fam. Entraîner (qqn) avec soi. *Lever une femme.* **5.** Rendre (qqch.) vertical. *Lever une échelle, un pont-levis.* **6.** *Lever une carte, un plan,* l'établir. ⇒ **dresser. 7.** LEVER LE CAMP : replier les tentes ; s'en aller, fuir. ⇒ **décamper. 8.** Faire cesser. *Lever le blocus, le siège. Lever la séance, l'audience.* ⇒ **clôturer ; clore.** — *Lever une punition.* ⇒ **supprimer.** / contr. **laisser, maintenir / 9.** Prendre. *Lever un filet de poisson.* — *Lever (les cartes),* ramasser les cartes du coup qu'on a gagné. — *Lever des impôts.* ⇒ **percevoir.** — *Lever une armée, des troupes.* ⇒ **mobiliser, recruter. II.** V. intr. Se mouvoir vers le haut. ⇒ se **dresser, monter. 1.** (Plantes) Commencer à sortir de terre. ⇒ **pousser.** *Le blé lève.* **2.** (Pâte) Se gonfler sous l'effet de la fermentation. ⇒ **fermenter.** *La levure fait lever la pâte.* **III.** SE LEVER v. pron. réfl. **1.** Se mettre debout, se dresser sur ses pieds. *S'asseoir et se lever. Se lever pour saluer.* — *Se lever de table,* quitter la table. **2.** Sortir de son lit. / contr. **se coucher** / *Se lever tôt, de bonne heure.* **3.** (Astre) Apparaître à l'horizon (astre). *Le soleil se lève.* ⇒ **levant.** *Le jour se lève.* **4.** (Vent) Commencer à souffler. *La brise, le vent se lève.* ⇒ **fraîchir. 5.** (Temps) Devenir plus clair. *Le brouillard s'est levé.* **6.** Se déplacer vers le haut. *Toutes les mains se lèvent.* ▶ **levage** n. m. ■ Action de lever, de soulever. *Levage et manutention des fardeaux.* ⇒ **chargement.** *Appareils de levage.* ▶ **levé** n. m. ■ Action d'établir (une carte, un plan). *Faire un levé de terrains.* ▶ **levée** n. f. **1.** Remblai (de terre, de pierres...). ⇒ **chaussée, digue.** *Levée pour retenir les eaux d'un lac.* **2.** Action d'enlever, de retirer. *La levée du corps* (avant l'enterrement). — Action de mettre fin à. *Levée d'un*

siège. *Levée de séance.* — Fait de supprimer. *Levée d'une punition.* **3.** Action de retirer les lettres de la boîte où elles ont été jetées. *La levée du matin est faite.* **4.** Action de ramasser les cartes lorsqu'on gagne un coup ; ces cartes. *Ne faire aucune levée.* **5.** Action d'enrôler des troupes. ⇒ **enrôlement.** *Levée en masse.* ▶ ② *lever* n. m. **1.** Le moment où un astre se lève. *Lever de soleil. Le lever du jour.* **2.** Action de se lever, de sortir du lit. *Au lever, à son lever* (→ Au saut du lit). **3.** *Le lever du rideau,* début d'un spectacle. ▶ **levier** n. m. **1.** Corps solide, mobile autour d'un point d'appui, permettant de multiplier une force. *Se servir d'un bâton comme d'un levier.* **2.** Organe de commande (d'une machine, d'un mécanisme). ⇒ **commande, manette.** *Levier de changement de vitesse d'une voiture.* — Loc. *Être aux leviers de commande,* occuper un poste de direction. **3.** Abstrait. Ce qui sert à vaincre une résistance ; moyen d'action. *L'argent lui a servi de levier.* ‹ ▶ **élève, élever, enlever, levain, levant, levure, mainlevée, pont-levis, prélever, relever, soulever, surélever** ›

lévitation [levitasjɔ̃] n. f. ■ Élévation (de qqn) au-dessus du sol, sans aucune aide.

levraut [ləvʀo] n. m. ■ Jeune lièvre. ≠ *lapereau.*

lèvre [lɛvʀ] n. f. **I. 1.** Chacune des deux parties charnues, roses, qui bordent extérieurement la bouche et s'amincissent pour se joindre aux commissures. *Lèvres charnues, épaisses ; minces. Se mettre du rouge à lèvres.* — Loc. *Avoir le sourire aux lèvres. Se mordre les lèvres de rage.* — *Tremper ses lèvres* (dans une boisson). *Manger du bout des lèvres,* sans appétit. — (Servant à parler) *Ne pas desserrer les lèvres,* garder le silence. *Être suspendu aux lèvres de qqn,* l'écouter avec une grande attention. *Rire, parler, répondre, approuver* DU BOUT DES LÈVRES : de façon peu convaincue. **2.** En anatomie. Partie qui borde la bouche entre les lèvres et le nez *(lèvre supérieure),* et le menton *(lèvre inférieure).* **II. 1.** Au plur. Bords saillants (d'une plaie, d'un organe). *Les grandes lèvres* (de la vulve). **2.** *Lèvres d'un coquillage,* les deux bords de son ouverture.

lévrier [levʀije] n. m. ■ Chien à jambes hautes, au corps allongé, agile et rapide. *Course de lévriers. Lévrier afghan.* ▶ **levrette** [ləvʀɛt] n. f. **1.** Femelle du lévrier. **2.** Petit lévrier d'Italie.

levure [l(ə)vyʀ] n. f. ■ Ferments végétaux, champignons unicellulaires. *Ferments solubles produits par les levures.* ⇒ **diastase, enzyme.** *Levure de bière.* — Levure utilisée en cuisine (pour faire lever la pâte). *Acheter un sachet de levure.*

lexical, ale, aux [lɛksikal, o] adj. ■ Qui concerne le lexique, le vocabulaire.

lexicographe [lɛksikɔgʀaf] n. ■ Personne qui fait un dictionnaire de la langue. ▶ **lexicographie** n. f. ■ Recensement et étude des mots d'une langue. ▶ **lexicographique** adj. ■ *Travaux lexicographiques.* ▶ **lexicologie** [lɛksikɔlɔʒi] n. f. ■ Science des mots, de leurs fonctions, de leurs relations dans la langue (⇒ **lexique**). ▶ **lexicologique** adj. ■ *Recherches lexicologiques.* ▶ **lexicologue** n. ■ Spécialiste de l'étude du lexique.

lexique [lɛksik] n. m. **1.** Dictionnaire succinct (d'une science, d'un art ; bilingue). ⇒ **vocabulaire.** *Lexique de l'informatique. Lexique français-anglais pour les touristes.* **2.** Ensemble des mots d'une langue. *Le lexique du français.* — Ensemble des mots employés par une personne, un groupe. *Le lexique d'un écrivain.* ⇒ **vocabulaire.** ‹ ▶ **lexical, lexicographe** ›

lézard [lezaʀ] n. m. **1.** Petit reptile à longue queue effilée, au corps allongé et recouvert d'écailles. *Lézard* gris, *lézard vert.* — Loc. fam. *Faire le lézard,* se chauffer paresseusement au soleil. **2.** Peau de cet animal. *Sac à main en lézard.* ▶ ① **lézarder** v. intr. ◼ conjug. 1. ◼ Fam. Se chauffer au soleil ; rester sans rien faire.

lézarde [lezard] n. f. ◼ Crevasse plus ou moins profonde, étroite et irrégulière, dans un ouvrage de maçonnerie. ⇒ **fente, fissure.** ▶ **lézardé, ée** adj. ◼ Fendu par une ou plusieurs lézardes. ⇒ **crevassé.** *Un mur lézardé.* ▶ ② **lézarder** v. tr. ◼ conjug. 1. ◼ *Les intempéries ont lézardé le mur.* ⇒ **crevasser, disjoindre.** — Pronominalement. *Le mur s'est lézardé.*

liaison [ljɛzɔ̃] n. f. **I.** (Choses) **1.** Ce qui lie, relie logiquement les éléments du discours : parties d'un texte, éléments d'un raisonnement. ⇒ **association, enchaînement.** *Manque de liaison dans les idées.* ⇒ **cohérence, suite.** — *Mot, terme de liaison,* conjonctions et prépositions. **2.** Action de prononcer deux mots consécutifs en unissant la dernière consonne du premier mot (non prononcée devant une consonne) à la première voyelle du mot suivant (ex. : *les petits enfants* [leptizɑ̃fɑ̃]). **II.** (Personnes) **1.** Fait d'être lié avec qqn ; relations que deux personnes entretiennent entre elles. *Liaison d'amitié, d'affaires.* ⇒ **relation.** *Il a rompu toute liaison avec ce milieu.* ⇒ **attache, lien.** — *Liaison amoureuse. Avoir une liaison.* **2.** Communication (des ordres), transmission (des nouvelles). *Liaisons téléphoniques.* — EN, DE LIAISON. *Entrer, rester en liaison étroite (avec qqn). Officier, agent de liaison.* **3.** Communication régulière entre deux lieux. *Liaison aérienne, routière.*

liane [ljan] n. f. ◼ Plante grimpante des forêts tropicales, de la jungle. *Un fouillis de lianes.*

liant, liante [ljã, ljãt] adj. et n. **1.** Adj. (Personnes) Qui se lie facilement avec autrui. ⇒ **affable, sociable.** *Il est peu liant. Un caractère liant.* **2.** N. m. Littér. Disposition favorable aux relations sociales. *Avoir du liant.*

liard [ljaʀ] n. m. ◼ Ancienne monnaie française (le quart d'un sou).

liasse [ljas] n. f. ◼ Amas de papiers liés ou en tas. *Liasse de lettres, de billets.*

libanais, aise [libanɛ, ɛz] adj. et n. ◼ Du Liban. *Les communautés libanaises.* — N. *Une Libanaise. Les Libanais.*

libation [libasjɔ̃] n. f. **1.** Dans l'Antiquité. Action de répandre un liquide en offrande à une divinité. *Les Grecs et les Romains faisaient des libations lors des sacrifices.* **2.** Au plur. *Faire des libations,* boire abondamment (du vin, de l'alcool).

libelle [libɛl] n. m. ◼ Court écrit satirique, diffamatoire. ⇒ **pamphlet.** *Faire, répandre des libelles contre qqn.*

libeller [libe(ɛl)le] v. tr. ◼ conjug. 1. **1.** Rédiger dans les formes. *Libeller un acte, un contrat.* **2.** Exposer, formuler par écrit. — Au p. p. adj. *Réclamation libellée en termes violents.* ▶ **libellé** n. m. ◼ Termes dans lesquels un texte est rédigé. *Le libellé d'une lettre.*

libellule [libe(ɛl)lyl] n. f. ◼ Insecte à tête ronde, à corps allongé, aux quatre ailes transparentes et nervurées.

liber [libɛʀ] n. m. ◼ Partie d'un arbre entre l'écorce et le bois. *Des libers.*

libérable [liberabl] adj. et n. m. **1.** Qui peut être libéré (notamment, du service militaire). *Contingent libérable.* **2.** *Congé, permission libérable,* qui anticipe sur la libération d'un soldat.

① **libéral, ale, aux** [liberal, o] adj. et n. **1.** PROFESSIONS LIBÉRALES : de caractère intellectuel (architecte, avocat, médecin, etc.) et que l'on exerce librement. **2.** Favorable aux libertés individuelles, en politique. / contr. **dictatorial, totalitaire** / *Doctrines, idées libérales.* — (Personnes) Partisan du libéralisme (2). *Bourgeois libéral. Parti libéral.* — N. *Un libéral.* / contr. **communiste, socialiste** / — Favorable à la libre circulation des biens. **3.** Qui respecte les opinions, l'indépendance d'autrui. *Des parents libéraux.* ⇒ **tolérant.** ▶ **libéraliser** v. tr. ◼ conjug. 1. ◼ Rendre plus libéral (un régime politique, une activité économique). ▶ **libéralisation** n. f. ◼ *Libéralisation des échanges internationaux, du régime de la presse.* ▶ **libéralisme** n. m. **1.** Attitude, doctrine des libéraux, partisans de la liberté politique, de la liberté de conscience. **2.** (Opposé à *étatisme, socialisme*) Doctrine selon laquelle la liberté économique, le libre jeu de l'entreprise ne doivent pas être entravés. *Le libéralisme préconise la libre concurrence.* **3.** Respect à l'égard de l'indépendance, des opinions d'autrui. ⇒ **tolérance.**

② **libéral, ale, aux** adj. ◼ Littér. Qui donne facilement, largement. ⇒ **généreux.** *Il est plus libéral de promesses que d'argent.* ▶ **libéralement** adv. ◼ Avec générosité. *Distribuer libéralement.* ▶ **libéralité** n. f. Littér. **1.** Disposition à donner généreusement. ⇒ **générosité, largesse.** **2.** (Une, des libéralités) Don fait avec générosité. *Faire une libéralité à qqn.*

libérateur, trice [liberatœr, tris] n. et adj. **1.** N. Personne qui libère, délivre. *Les libérateurs du pays.* **2.** Adj. Qui libère. *Guerre libératrice,* de libération. — Abstrait. *L'humour a quelque chose de libérateur. Rôle libérateur de l'éducation.*

libération [liberasjɔ̃] n. f. **1.** Action de rendre libre. ⇒ **délivrance.** / contr. **asservissement** / *Libération d'une personne séquestrée.* — Mise en liberté (d'un détenu) après l'expiration de sa peine. *Libération conditionnelle,* qui intervient avant la date prévue. — Renvoi d'un militaire dans ses foyers à l'expiration de son temps de service. **2.** Abstrait. Délivrance (d'une sujétion, d'un lien). ⇒ **affranchissement.** / contr. **contrainte** / *Mouvement de libération de la femme. La libération des mœurs.* **3.** Délivrance (d'un pays occupé, d'un peuple). / contr. **occupation** / *La Libération,* la libération des territoires français occupés par les troupes allemandes durant la Seconde Guerre mondiale. **4.** Mise en liberté (de matière, d'énergie). *Libération d'énergie.*

libérer [libere] v. tr. ◼ conjug. 6. **1.** Mettre (un prisonnier) en liberté. ⇒ **relâcher.** / contr. **arrêter** / Renvoyer (un soldat) dans ses foyers. **2.** Délivrer, dégager de ce qui lie, de ce qui gêne, retient. *Libérer le passage.* — Pronominalement (réfl.). *Se libérer d'une entrave.* ⇒ **se dégager.** Se rendre libre de toute occupation. *Je n'ai pas pu me libérer plus tôt.* **3.** Rendre libre, affranchi (d'une servitude, d'une obligation). ⇒ **dégager, exempter.** *Je vous libère de vos engagements.* — Pronominalement. *Se libérer d'une dette par un paiement.* **4.** Délivrer (un pays, un peuple) de l'occupation de l'étranger, d'un asservissement. ⇒ **libération.** / contr. **asservir, envahir, occuper** / **5.** *Libérer sa conscience,* la délivrer du « poids » du remords (en avouant). — Laisser se manifester. *Libérer ses instincts.* **6.** En chimie, en physique. Dégager (une substance, une énergie). *Réaction chimique qui libère un gaz.* ▶ **libéré, ée** adj. **1.** Mis en liberté. *Prisonniers, soldats libérés.* — N. *Les libérés.* **2.** Délivré d'une occupation militaire. *Pays libéré.* **3.** Affranchi d'une servitude. *Femme libérée,* émancipée par rapport aux préjugés masculins. ◂ ▶ **libérable, libérateur, libération** ▸

liberté [libɛrte] n. f. (⇒ **libre**) **I. 1.** Situation de la personne qui n'est pas sous la dépendance absolue de qqn (opposé à *esclavage, servitude*), ou qui n'est pas captive, enfermée (opposé à *captivité*). *Rendre la liberté à un prisonnier.* ⇒ **délivrer.** — *Élever des animaux en liberté,* sans les enfermer. **2.** Possibilité, pouvoir d'agir sans contrainte. *Agir en toute liberté, en pleine liberté. Il a toute liberté pour agir.* ⇒ **facilité, faculté.** *J'ai pris la liberté de refuser. La liberté d'agir.* — *Liberté d'action, de mouvement.* — *Pendant ses heures, ses moments de liberté.* ⇒ **loisir.** — *Liberté d'esprit,* indépendance d'esprit. *Liberté de langage, de mœurs.* — État d'une personne qui n'a aucun engagement. *Garder, sacrifier sa liberté.* ⇒ **autonomie. 3.** Au plur. *Prendre des libertés,* être trop familier. **II.** Dans le domaine politique. **1.** Pouvoir d'agir, au sein d'une société organisée, selon sa propre détermination, dans la limite de règles définies. *Liberté politique.* — LA LIBERTÉ : absence de contrainte considérée comme illégitime. *Défenseur de la liberté. Vive la liberté !* **2.** Pouvoir que la loi reconnaît aux individus dans un domaine. ⇒ **droit.** *Liberté d'opinion. Liberté de la presse. Liberté religieuse,* droit de choisir sa religion, ou de n'en pas avoir *(liberté de conscience).* **3.** Indépendance d'un pays. *Combattre pour la liberté de sa patrie.* ⇒ **libération.** / contr. **oppression** / **III.** En philosophie. Caractère indéterminé de la volonté humaine ; libre arbitre. *La liberté, fondement du devoir, de la responsabilité, de la morale.* ▶ *libertaire* adj. ■ Qui n'admet aucune limitation de la liberté politique. ⇒ **anarchiste.** *Les traditions libertaires.* — N. *Un, une libertaire.*

libertin, ine [libɛʁtɛ̃, in] n. et adj. ■ Littér. Qui est déréglé dans ses mœurs, dans sa conduite, s'adonne sans retenue aux plaisirs charnels. ⇒ **dissolu.** *C'est un libertin.* — *Propos, livres, vers libertins.* ⇒ **grivois, leste.** ▶ *libertinage* n. m. ■ Licence des mœurs. ⇒ **débauche.** *Vivre dans le libertinage.*

libidineux, euse [libidinø, øz] adj. ■ Littér. ou plaisant. Qui recherche constamment et sans pudeur des satisfactions sexuelles. *Un vieillard libidineux. Regards libidineux.* ⇒ **vicieux.**

libido [libido] n. f. **1.** Recherche instinctive du plaisir et, spécialt, du plaisir sexuel. **2.** En psychanalyse. Énergie qui sous-tend les instincts de vie et, en particulier, les instincts sexuels.

libraire [libʁɛʁ] n. ■ Commerçant dont la profession est de vendre des livres. *Acheter un roman chez sa libraire.* ▶ *librairie* n. f. **1.** Commerce des livres. *On ne trouve plus ce livre en librairie.* **2.** Magasin où l'on vend des livres. *Librairie d'occasion,* qui vend des livres d'occasion. *Une librairie-papeterie.*

libre [libʁ] adj. **I.** **1.** (Opposé à *esclave, serf,* ou à *captif, prisonnier*) Qui n'est pas privé de sa liberté. *Rendre libre un esclave.* ⇒ **affranchir. 2.** Qui a le pouvoir de décider, d'agir par soi-même. ⇒ **indépendant.** Fam. *Être libre comme l'air,* tout à fait libre. — *Garder l'esprit libre, la tête libre,* exempt de préoccupations ou de préjugés. **3.** Littér. LIBRE DE (+ nom) : libéré, affranchi de. / contr. **soumis** à / *Esprit libre de préoccupations.* ⇒ **exempt.** — LIBRE DE (+ infinitif) : qui a la possibilité, le droit de. *Libre de décider, d'agir.* **4.** Qui n'est pas soumis à un engagement, une obligation, à une occupation. *Se rendre libre. Êtes-vous libre ce soir ? Il, elle est libre,* non engagé(e) par un contrat (de travail, de mariage). **5.** (Choses) Qui s'accomplit librement, sans contrainte extérieure. / contr. **contraint, imposé** / *Mouvements libres. Union libre.* ⇒ **concubinage.** — *Elle a donné libre cours à sa colère.* **6.** Qui ne se contraint pas. *Être libre, très libre avec qqn,* ne pas se gêner avec lui. *Il a des manières, des airs libres.* ⇒ **aisé, spontané. 7.** Qui est indifférent aux convenances et tend à la

licence. *Propos libres, un peu libres.* ⇒ **cru, licencieux, osé. II. 1.** Qui n'est pas soumis à une autorité arbitraire, tyrannique ; qui jouit de l'indépendance, de libertés reconnues et garanties (⇒ **liberté**). *Peuple, société, nation libre.* — *Le monde libre,* les pays non communistes (pour leurs adversaires). **2.** Dont le libre exercice est reconnu par la loi. *Enseignement libre. Écoles libres,* écoles privées, religieuses ou non. — *Produit en vente libre.* **III.** Qui jouit de liberté (II). **IV.** (Choses) **1.** Autorisé, permis. / contr. **défendu, interdit** / *Accès libre. Entrée libre,* qui n'est soumise à aucune formalité, gratuite. — Impers. *Libre à vous (de),* vous êtes libre (de). *Libre à vous d'accepter ou de refuser.* **2.** Qui n'est pas attaché, retenu ou serré. *Vêtement qui laisse la taille libre. Cheveux libres.* **3.** Qui n'est pas occupé, ne présente pas d'obstacle empêchant le passage. / contr. **occupé** / *Place libre.* ⇒ **vacant, vide.** *La voie est libre. Il n'y a pas une chambre de libre dans cet hôtel. La ligne (téléphonique) n'est pas libre.* — *Temps libre,* que l'on peut employer à sa guise. **4.** Dont la forme n'est pas imposée. *Improvisation libre. Vers libres.* — *Papier libre* (opposé à *papier timbré*). ▶ *libre arbitre* n. m. ■ Volonté libre, non contrainte. *Il n'avait pas son libre arbitre, il a agi sous la menace. Des libres arbitres.* / contr. **contrainte** / ▶ *libre-échange* n. m. sing. ■ Système dans lequel les échanges commerciaux entre États sont libres. *Une zone de libre-échange.* / contr. **protectionnisme** / ▶ *librement* adv. **1.** Sans restriction d'ordre juridique ou sans obstacle. *Circuler librement.* **2.** En toute liberté de choix. *Discipline librement consentie.* **3.** Avec franchise. *Je vous parlerai très librement.* **4.** Avec une certaine fantaisie dans l'interprétation. *Traduire librement.* ▶ *libre penseur, euse* n. ■ Personne qui pense librement, ne se fiant qu'à sa raison. *Des libres penseurs.* ▶ *libre-service* n. m. **1.** (*Le libre-service*) Service assuré par le client lui-même, dans un magasin, un restaurant. **2.** (*Un, des libres-services*) Magasin où l'on se sert soi-même. *Déjeuner dans un libre-service.* ⇒ anglic. **self-service.**

librettiste [libʁe(ɛt)tist] n. ■ Auteur d'un livret d'opéra, d'opérette.

lice [lis] n. f. ■ Autrefois. Champ clos où se déroulaient des joutes, des tournois. — Loc. *Entrer en lice,* s'engager dans une compétition ou intervenir dans un débat. ≠ *lis, lisse.*

① *licence* [lisɑ̃s] n. f. **I.** Grade de l'enseignement supérieur intermédiaire entre le baccalauréat et le doctorat. *Licence en droit, licence ès lettres.* **II.** Autorisation administrative permettant d'exercer une activité réglementée (commerce, sport, etc.). *Licence d'importation, d'exportation. Licence de ski. Licence de pêche.* ⇒ **permis.** ▶ *licencié, ée* n. **1.** Personne qui a passé avec succès les épreuves de la licence (I). *Une licenciée de sciences, ès sciences.* — Adj. *Professeur licencié.* **2.** Titulaire d'une licence (II). *Footballeur licencié.*

② *licence* n. f. **I.** **1.** Littér. (Avec une prép. + infinitif) ⇒ **liberté** (I, 2). *Vous avez toute licence de rester ici.* **2.** Liberté que prend un écrivain avec les règles de la versification, de la grammaire. *Licence poétique. Licence orthographique* (ex. : *encor* pour *encore*). **II.** **1.** Vieilli. Désordre moral, anarchie qu'entraîne une liberté sans contrôle. **2.** Littér. Absence de décence. *Licence des mœurs.* ▶ *licencieux, euse* adj. ■ Littér. Qui manque de pudeur, de décence. ⇒ **immoral, libertin.** *Propos licencieux. Histoires, plaisanteries licencieuses.* ⇒ **grivois, scabreux.**

licencier [lisɑ̃sje] v. tr. ■ conjug. 7. ■ Priver (qqn) de son emploi, de sa fonction. ⇒ **congédier, renvoyer.**

/ contr. **embaucher, recruter** / *Elle s'est fait licencier.*
▶ *licenciement* n. m. ■ *Licenciement d'ouvriers.*
⇒ renvoi. *Licenciement pour raisons économiques.*
⇒ **chômage.**

lichen [likɛn] n. m. ■ Végétal formé de l'association
d'un champignon et d'une algue, qui ressemble à la
mousse. *Lichens qui poussent sur la pierre, les toits.*

lichette [liʃɛt] n. f. ■ Fam. Petite tranche, petit
morceau d'un aliment. *Une lichette de pain, de beurre.*

licite [lisit] adj. ■ Qui n'est défendu par aucune loi,
aucune autorité établie. ⇒ **permis.** *Profits licites et
illicites.* / contr. **défendu, illicite** /

licol [likɔl] vx, ou *licou* [liku] n. m. ■ Pièce de
harnais qu'on met autour du cou des animaux attelés
(elle lie* le cou). *Retenir un cheval par son licou.*

licorne [likɔʀn] n. f. ■ Animal fabuleux à corps
et tête de cheval (ou de cerf), avec une corne unique
au milieu du front.

lie [li] n. f. **1.** Dépôt qui se forme au fond des
récipients contenant des boissons fermentées. *Il y a
de la lie au fond du tonneau. Lie de vin.* — Adj. invar.
LIE DE VIN : rouge violacé. **2.** Littér. *La lie de la
société,* sa partie la plus méprisable.

lied [lid] n. m. ■ Chanson ou mélodie populaire
allemande. *Les lieds, les lieder* (plur. allemand) *de
Schubert.*

liège [ljɛʒ] n. m. ■ Matériau léger, imperméable et
élastique, formé par la couche externe de l'écorce de
certains arbres, en particulier du *chêne-liège. Bouchon, flotteur en liège.* ‹ ▶ chêne-liège ›

liégeois, oise [ljeʒwa, waz] adj. et n. ■ De Liège
(ville de Belgique). — Loc. *Café, chocolat liégeois,*
glace au café, au chocolat, avec de la crème Chantilly.

lien [ljɛ̃] n. m. **1.** Chose flexible et allongée servant
à lier, à attacher qqch. ⇒ **attache, bande, corde,
courroie, ficelle, sangle ; lier.** *Lien de cuir, de coton,
d'osier.* **2.** Abstrait. *Ce qui relie, unit. Ces faits n'ont
aucun lien entre eux. Le lien des idées.* ⇒ **enchaînement, suite. 3.** Ce qui unit des personnes. ⇒ **liaison,
relation.** *Lien de parenté, de famille. Les liens de
l'amitié.* **4.** Littér. Élément (affectif, intellectuel) qui
attache qqn à qqch. ⇒ **affinité.** *Un lien puissant
l'attache à cette terre.*

lier [lje] v. tr. ■ conjug. 7. **I.** (Compl. chose) Mettre
ensemble. **1.** Entourer, serrer avec un lien (plusieurs
choses ou les parties d'une même chose). ⇒ **attacher.**
/ contr. **délier** / *Lier de la paille en bottes, en gerbes.*
2. Assembler, joindre. *Lier les mots,* prononcer en
faisant une liaison. — Au p. p. adj. *Écriture liée. Notes
liées.* ⇒ **legato. 3.** Joindre à l'aide d'une substance
qui opère la réunion ou le mélange. *Lier des pierres
avec du mortier.* — *Lier une sauce,* l'épaissir.
— Au p. p. adj. *Sauce liée.* **4.** Abstrait. Unir par un
rapport logique, fonctionnel. *Lier ses idées.* ⇒ **coordonner, relier.** *Rapport qui lie la cause à l'effet.* — Au
passif et p. p. adj. *Dans cette affaire, tout est lié,* tout
se tient. — *Événements liés à la guerre.* **5.** Loc. (Compl.
sans article) Faire naître (un lien). *Lier amitié* (avec
qqn), contracter un lien d'amitié. *Lier conversation.*
⇒ **nouer.** — Au p. p. adj. Loc. *Avoir partie liée* (avec
qqn), se mettre ou être entièrement d'accord (avec
lui) pour une affaire commune. **II.** (Compl. personne)
1. Attacher, enchaîner. / contr. **délivrer, détacher** /
On l'avait lié sur une chaise. ⇒ **ligoter.** — Loc. *Être
fou à lier,* complètement fou. *Pieds et poings liés,* à
la merci (de qqn). — *Avoir les mains liées,* être réduit
à l'impuissance, à l'inaction. — LIER À : attacher.
Lier qqn à un arbre. **2.** Imposer une obligation
juridique, morale à. ⇒ **astreindre, obliger.** *Cette
promesse me lie.* ⇒ **engager.** *Être lié par un serment.*

3. Unir par des relations d'affection, de goût,
d'intérêt. *Leurs goûts communs les ont rapprochés et
liés.* — Pronominalement. SE LIER *(avec qqn)* : avoir
des relations d'amitié. *Il ne se lie pas facilement.*
— Au p. p. adj. *Ils sont très liés* (ensemble). *Des amis
très liés.* ‹ ▶ allier, délier, liaison, liant, liane, liasse,
licol, lien, lieuse, se mésallier, rallier, ① relier,
② relier ›

lierre [ljɛʀ] n. m. ■ Arbrisseau rampant et grimpant,
à feuilles luisantes toujours vertes. *Le lierre grimpe
autour du tronc des arbres.*

liesse [ljɛs] n. f. ■ Littér. EN LIESSE : se dit des foules
qui manifestent leur joie. *Peuple, assemblée en liesse.*

① *lieu* [ljø] n. m. **I. 1.** Portion déterminée de
l'espace, considérée de façon générale et abstraite.
⇒ **endroit, place.** *Être, se trouver dans un lieu. Dans
ce lieu.* ⇒ **ici, là.** *La date et le lieu d'un événement.
Les coutumes varient avec les lieux.* ⇒ **pays, région.**
— *Lieu sûr,* où l'on est en sûreté. *Mettre qqn, qqch.
en lieu sûr.* — *Lieu de promenade, de passage. Lieu
de travail. L'unité de lieu est une des règles du théâtre
classique.* — *Mauvais lieu,* endroit mal fréquenté, où
l'on fait des choses immorales. — Loc. *N'avoir ni feu
ni lieu ; être sans feu ni lieu,* sans domicile fixe.
— *Adverbe, complément de lieu,* qui indiquent le lieu.
2. Loc. HAUT LIEU : endroit où se sont passées des
choses mémorables. *Le chemin des Dames est un des
hauts lieux de la guerre de 1914-1918.* — EN HAUT
LIEU : auprès des personnes haut placées. *Il s'est plaint
en haut lieu.* — LIEU SAINT : temple, sanctuaire.
Au plur. *Les Lieux saints,* les lieux de la Passion de
Jésus ; la Terre sainte. **3.** LIEU PUBLIC : lieu qui par
destination admet le public (rue, jardin, mairie), ou
lieu privé auquel le public peut accéder (café, cinéma).
II. LES LIEUX (plur. à valeur de sing.) **1.** Endroit précis
où un fait s'est passé. *Être sur les lieux,* sur place.
*Les gendarmes se sont rendus sur les lieux de
l'accident.* **2.** Appartement, maison, propriété. *État
des lieux. Quitter, vider les lieux.* **3.** *Lieux
(d'aisances).* ⇒ **cabinet(s). III. 1.** Place déterminée
dans un ensemble, une succession (espace ou temps).
En son lieu, à son tour. — Loc. adv. *En temps et lieu,*
au moment et à la place convenables. *Nous vous ferons
connaître notre décision en temps et lieu.* **2.** Point
successif d'un discours, d'un écrit. *En premier lieu,*
d'abord. *En dernier lieu.* **3.** AVOIR LIEU : se passer,
exister (à un endroit, à un moment). *La fête aura lieu
sur la grand-place.* ⇒ **se tenir.** — Être, se faire,
s'accomplir. *La réunion n'aura pas lieu.* **4.** AU LIEU
DE loc. prép. : à la place de. *Employer un mot au lieu
d'un autre.* ⇒ **pour.** — (+ infinitif, exprime l'opposition)
Vous rêvez au lieu de réfléchir. **5.** TENIR LIEU DE.
⇒ **remplacer, servir.** *Cette pièce me tient lieu de
chambre et de salon à la fois.* — AVOIR LIEU DE (+
infinitif) : des raisons de. *Elle n'a pas lieu de se
plaindre.* — *Il y a lieu de,* il convient de. *Il y a lieu
de s'inquiéter.* — *S'il y a lieu* (de faire qqch.), le cas
échéant. *Nous vous rappellerons, s'il y a lieu.*
— DONNER LIEU : fournir l'occasion. ⇒ **produire,
provoquer.** *Avec lui, tout donne lieu à des plaisanteries.*
IV. LIEU COMMUN : idée, sujet de conversation ou
façon de s'exprimer que tout le monde utilise.
⇒ **banalité, cliché.** *Lieux communs rebattus. Éviter
les lieux communs.* ▶ *lieu-dit* ou *lieudit* [ljødi] n. m.
■ Lieu de la campagne qui porte un nom traditionnel.
*L'autocar s'arrête au lieudit des Trois-Chênes. Des
lieux-dits, les lieudits.* ‹ ▶ chef-lieu, lieutenant,
① milieu, ② milieu, non-lieu, sous-lieutenant ›

② *lieu* [ljø] n. m. ■ Nom régional du *colin,* du
merlu (poisson). *Des lieus.*

lieue [ljø] n. f. **1.** Ancienne mesure de distance
(environ 4 km). **2.** Loc. À CENT LIEUES *à la ronde* :

loin autour (d'un endroit). — Abstrait. *À cent, à mille lieues de* (+ infinitif), très loin de. *J'étais à cent lieues de supposer cela.*

lieuse [ljøz] n. f. ■ Machine servant à lier les gerbes. En appos. *Moissonneuse-lieuse.*

lieutenant [ljøtnɑ̃] n. m. **1.** Officier dont le grade est immédiatement inférieur à celui de capitaine, et qui commande une section. *On dit « Mon lieutenant » aux lieutenants, sous-lieutenants et aspirants.* **2.** *Lieutenant de vaisseau*, officier de marine dont le grade correspond à celui de capitaine dans l'armée de terre. **3.** Adjoint (d'un chef). *Les lieutenants d'un chef de gang.* ▶ **lieutenant-colonel** n. m. ■ Officier dont le grade est immédiatement inférieur à celui de colonel. *Des lieutenants-colonels.*

lièvre [ljɛvʀ] n. m. **1.** Mammifère rongeur, voisin du lapin, et qui vit en liberté. ⇒ **hase** (femelle), **levraut** (petit). *Chasser le lièvre.* — Chair comestible de cet animal. *Civet de lièvre.* **2.** Loc. *Il ne faut pas courir deux lièvres à la fois*, mener de front plusieurs activités. — *C'est là que gît le lièvre*, là est le nœud de l'affaire. — *Lever, soulever un lièvre*, soulever à l'improviste une question embarrassante. ⟨ ▶ **bec-de-lièvre** ⟩

lifter [lifte] v. tr. ▪ conjug. 1. ■ Anglic. Sports. Donner à (une balle) un effet particulier qui lui fait décrire une courbe assez haute et qui s'accélère quand elle rebondit. — Au p. p. adj. *Balle liftée. Un revers lifté.* ▶ **lift** n. m. ■ Effet d'une balle liftée.

liftier, ière [liftje, jɛʀ] n. ■ Personne qui conduit un ascenseur.

lifting [liftiŋ] n. m. ■ Anglic. Opération de chirurgie esthétique, visant à remonter et tendre la peau du visage. *Elle s'est fait faire un lifting. Des liftings.*

ligament [ligamɑ̃] n. m. ■ Faisceau de tissu fibreux blanchâtre, très résistant, unissant les éléments (cartilages, os) d'une articulation. *Déchirure des ligaments.*

ligature [ligatyʀ] n. f. **1.** Opération consistant à réunir, à fixer avec un lien. *Faire une ligature. Ligatures des greffes.* **2.** Lien permettant cette opération. ▶ **ligaturer** v. tr. ▪ conjug. 1. ■ Serrer, fixer avec une ligature. *Ligaturer une artère.*

lige [liʒ] adj. ■ HOMME LIGE *(de qqn)* : homme entièrement dévoué (à une personne, un groupe). *Être l'homme lige d'un parti.*

ligne [liɲ] n. f. **I. 1.** Trait continu allongé, sans épaisseur. *Tracer, tirer des lignes. Ligne horizontale. Ligne droite, courbe.* **2.** Trait réel ou imaginaire qui sépare deux choses. ⇒ **frontière, limite.** *Lignes délimitant un terrain de sport. Ligne de démarcation* — *Ligne de flottaison*, qui correspond au niveau normal de l'eau sur la coque du navire. *Passage de la ligne*, de l'équateur. — *Ligne blanche* (autrefois *jaune*), marquant la division d'une route en plusieurs bandes. **3.** Chacun des traits qui sillonnent la paume de la main. *Ligne de vie, de cœur.* **4.** Contour, tracé. ⇒ **dessin, forme.** *Harmonie des lignes. La ligne bleue de l'horizon.* **5.** *La ligne*, effet produit par une combinaison de lignes (silhouette, dessin). *La ligne du style Louis XVI, de la mode actuelle.* — Loc. *Garder la ligne*, rester mince. **6.** Abstrait. Élément, point. *Les lignes essentielles d'un programme. Avez-vous compris les grandes lignes ? Dans ses grandes lignes*, en gros. **II. 1.** Direction. *En ligne droite.* — Abstrait. *Ligne de conduite.* — *Être dans la ligne (du parti)*, suivre l'orthodoxie qu'il a définie. **2.** Tracé idéal dans une direction déterminée. *Ligne de tir.* **3.** Trajet emprunté par un service de transport ; ce service. *Lignes de chemin de fer, de métro, d'autobus.*

Ligne maritime, aérienne. Pilote de ligne. **III. 1.** Fil (soie, crin, nylon) portant à l'une de ses extrémités un hameçon pour la pêche. *Pêche à la ligne. Ligne de fond*, ligne sans flotteur qui repose au fond de l'eau. **2.** Fils ou câbles conduisant et transportant l'énergie électrique. *Ligne électrique.* — *Ligne téléphonique. La ligne est occupée, en dérangement. Parlez, vous êtes en ligne.* **IV. 1.** Suite alignée (de choses, de personnes). *Être placé* EN LIGNE, SUR UNE LIGNE. *En ligne pour le départ !* — HORS LIGNE : hors de pair, supérieur. *Il est d'une intelligence hors ligne.* **2.** Série alignée d'ouvrages ou de positions (militaires). *Lignes de fortifications. Première, seconde ligne.* — *Avoir raison, être battu sur toute la ligne*, tout à fait. **3.** Suite de caractères disposés dans la page sur une ligne horizontale. *Point, à la ligne. Aller, revenir à la ligne*, pour entamer un autre alinéa. *De la première à la dernière ligne.* — Loc. *Lire entre les lignes*, deviner ce qui est sous-entendu. **4.** Loc. *Entrer* EN LIGNE DE COMPTE : compter, avoir de l'importance. *Vos sentiments ne doivent pas entrer en ligne de compte.* **5.** Suite des degrés de parenté. ⇒ **filiation, lignée.** *Descendre en droite ligne d'un homme célèbre.* **6.** Informatique. *Calculateur en ligne*, connecté à un ordinateur central. ▶ **ligné, ée** adj. ■ Marqué de lignes. *Papier ligné ou quadrillé.* ▶ **lignée** n. f. **1.** Ensemble des descendants d'une personne. ⇒ **descendance, postérité.** *Avoir une lignée.* **2.** Filiation spirituelle. *La lignée d'un écrivain.* ⟨ ▶ **aligner, curviligne, interligne, longiligne, rectiligne, souligner, tire-ligne** ⟩

ligneux, euse [liɲø, øz] adj. ■ De la nature du bois. ▶ **se lignifier** v. pron. réfl. ▪ conjug. 7. ■ Se convertir en bois.

lignite [liɲit] n. m. ■ Charbon naturel fossile, noir ou brun, compact.

ligoter [ligɔte] v. tr. ▪ conjug. 1. **1.** Attacher, lier (qqn) solidement en privant de l'usage des bras et des jambes. *Les voleurs ont ligoté le gardien.* **2.** Abstrait. Priver (qqn) de sa liberté. *Ce contrat le ligote complètement.*

ligue [lig] n. f. **1.** Alliance entre États, pour défendre des intérêts communs, poursuivre une politique concertée. ⇒ **alliance, coalition, union.** **2.** Association pour défendre des intérêts politiques, religieux, moraux. *Ligue des droits de l'homme.* ▶ **liguer** v. tr. ▪ conjug. 1. **1.** Unir dans une ligue. ⇒ **allier, coaliser.** — Pronominalement (réfl.). Former une ligue. **2.** Associer dans un mouvement, dans une action. — Pronominalement (réfl.). *Ils se sont tous ligués contre leur camarade.* ▶ **ligueur** n. m. ■ Membre d'une ligue (2).

lilas [lila] n. m. invar. **1.** Arbuste ornemental aux fleurs en grappes très parfumées, violettes ou blanches. — Ces fleurs. *Lilas blanc, violet.* **2.** Adj. invar. De couleur violette tirant sur le rose, ou mauve. *Une étoffe lilas.* — N. m. invar. *Un lilas foncé.*

liliacées [liliase] n. f. pl. ■ En botanique. Famille de plantes comprenant le lis, la tulipe, l'ail, etc.

lilliputien, ienne [lilipysjɛ̃, jɛn] adj. et n. ■ Très petit, minuscule. *Taille lilliputienne.*

limace [limas] n. f. ■ Mollusque gastéropode terrestre, sans coquille. ⇒ **loche** (2). *Limace rouge, noire.* — Fam. *Quelle limace !*, se dit d'une personne lente et molle. ⇒ **escargot.** ▶ **limaçon** [limasɔ̃] n. m. **1.** Escargot. ⇒ **colimaçon.** **2.** Conduit enroulé en spirale, constituant une partie de l'oreille interne. ⟨ ▶ **colimaçon** ⟩

limaille [limaj] n. f. ■ Parcelles de métal. *Limaille de fer.*

limande [limɑ̃d] n. f. ■ Poisson de mer ovale et plat, comestible. — Loc. *Elle est plate comme une limande,* sans poitrine.

limbes [lɛ̃b] n. m. pl. **1.** Dans la théologie catholique. Séjour des âmes des justes avant la Rédemption, ou des enfants morts sans baptême. **2.** Région, situation mal définie. *Cet ouvrage est resté dans les limbes,* jamais fini.

lime [lim] n. f. ■ Outil de métal garni d'aspérités servant à entamer et user par frottement. *Lime d'ajusteur. Cette lime ne mord plus,* ses dents sont usées. *Lime à ongles.* ► **limer** v. tr. ■ conjug. 1. ■ Travailler à la lime, pour dégrossir, polir, réduire, etc. *Limer une pièce de fer. Limer ses ongles.* ‹ ► élimé, limaille ›

limier [limje] n. m. **1.** Grand chien de chasse employé à chercher et détourner l'animal. **2.** Celui qui suit une piste, à la recherche de qqch. ou de qqn. ⇒ **détective, policier.** Loc. *C'est un fin limier.*

liminaire [liminɛʀ] adj. ■ Didact. Placé en tête d'un ouvrage, d'un discours. *Page, déclaration liminaire.* ⇒ **préliminaire.**

limitation [limitasjɔ̃] n. f. ■ Action de fixer des limites ; son résultat. ⇒ **restriction.** *Limitation d'un pouvoir. Limitation des naissances.* ⇒ **contrôle.** — *Sans limitation de temps,* sans que la durée, le délai soient limités. ► **limitatif, ive** adj. ■ Qui limite, fixe ou précise des limites. *Énumération limitative.*

limite [limit] n. f. **1.** Ligne qui sépare deux terrains ou territoires contigus. ⇒ **bord, confins, frontière.** *Établir, tracer des limites. Borne marquant une limite.* **2.** Partie extrême où se termine une surface, une étendue. *La mer s'étendait alors au-delà de ses limites actuelles.* **3.** Terme extrême dans le temps (commencement ou fin). *N'attendez pas la dernière limite pour vous inscrire. Limite d'âge,* âge au-delà duquel on ne peut plus se présenter à un examen, exercer une fonction. **4.** Ce qu'on ne peut dépasser (activité, influence). ⇒ **barrière, borne.** *Les limites du possible. La patience a des limites ! — Dans une certaine limite.* ⇒ **mesure.** *Nous vous aiderons dans les limites de nos moyens.* **5.** À LA LIMITE : en sciences, si on se place en pensée au point vers lequel tend une progression sans l'atteindre jamais ; cour., dans les circonstances extrêmes. *À la limite, il risque la saisie mais pas la prison.* — Adj. *Cas limite.* ⇒ **extrême.** *Vitesse limite.* **6.** Au plur. Point que ne peuvent dépasser les possibilités physiques ou intellectuelles. *Connaître ses limites.* ⇒ **moyen. 7.** SANS LIMITES : illimité. *Une ambition sans limites.* ► **limiter** v. tr. ■ conjug. 1. **1.** Constituer la limite de. ⇒ **borner, délimiter.** *Mers qui limitent la France à l'ouest et au sud.* **2.** Renfermer dans des limites, restreindre en assignant des limites. *Limiter le pouvoir de qqn. — Fam. Limiter les dégâts,* les restreindre. **3.** SE LIMITER v. pron. : (Réfl.) s'imposer des limites. *Savoir se limiter.* — (Passif) Avoir pour limites. *Le monde pour lui se limite à sa famille.* ► **limité, ée** adj. ■ Qui a des limites (naturelles ou fixées), des limites étroites. ⇒ **fini.** *Surface limitée. Édition à tirage limité.* — Abstrait. *N'avoir qu'une confiance limitée.* — Fam. *Il est un peu limité* (dans ses moyens, physiques ou intellectuels). ‹ ► délimiter, illimité, limitation ›

limitrophe [limitʀɔf] adj. **1.** Qui est aux frontières. ⇒ **frontalier. 2.** Qui est voisin, qui a des frontières communes. *Départements limitrophes.*

limoger [limɔʒe] v. tr. ■ conjug. 3. ■ Frapper (une personne haut placée) d'une mesure de disgrâce. ⇒ **destituer, révoquer.** *Limoger un préfet.* ► **limogeage** n. m. ■ Action de limoger ; son résultat.

limon [limɔ̃] n. m. ■ Terre ou fines particules, entraînées par les eaux et déposées sur le lit et les rives des fleuves. ⇒ **alluvion, dépôt.** *Limon employé comme engrais.* ► **limoneux, euse** adj. ■ Qui contient du limon. *Fleuve limoneux.*

limonade [limɔnad] n. f. ■ Boisson gazeuse d'eau légèrement sucrée et acidulée. *Limonade à la bière* ⇒ **panaché,** *à la menthe* ⇒ **diabolo.** ► **limonadier, ière** n. **1.** Fabricant de limonade, de boissons gazéifiées. **2.** Cafetier. *Restaurateurs et limonadiers.*

limpide [lɛ̃pid] adj. **1.** (Liquide) Dont rien ne trouble la transparence. ⇒ **clair, pur, transparent.** / contr. **opaque, trouble** / *Eau, source limpide.* — *Regard limpide,* clair et pur. **2.** Parfaitement clair, intelligible. / contr. **obscur** / *Explication limpide.* ► **limpidité** n. f. **1.** Clarté, transparence. *Limpidité de l'eau, de l'air.* **2.** Clarté (de la pensée, de l'expression). / contr. **obscurité** / *Ce texte est d'une limpidité parfaite.*

lin [lɛ̃] n. m. **1.** Herbe à fleurs bleues, à graines oléagineuses, cultivée surtout pour les fibres textiles de sa tige. *Filature du lin. Tissus de lin. Huile de lin.* **2.** Tissu, toile de lin. *Chemises de lin.* ‹ ► linceul, linoléum, linon ›

linceul [lɛ̃sœl] n. m. ■ Pièce de toile dans laquelle on ensevelit un mort. *Le linceul du Christ.* ⇒ **suaire.**

linéaire [lineɛʀ] adj. **1.** Qui a rapport aux lignes, se traduit par des lignes. *Mesure linéaire* (opposé à *mesure de superficie* ou *de volume*). *Perspective linéaire. Dessin linéaire.* **2.** Abstrait. Qui est sans épaisseur, sans prolongements. *Un récit très linéaire, un peu ennuyeux.* ► **linéarité** n. f. ■ Littér. Caractère de ce qui est linéaire.

linéament [lineamɑ̃] n. m. Littér. **1.** Ligne élémentaire, caractéristique d'une forme, d'un aspect général. *Les linéaments d'un paysage.* **2.** Abstrait. Ébauche partielle. *Les linéaments d'un projet, d'une doctrine.*

linge [lɛ̃ʒ] n. m. **1.** (Collectif) Ensemble des pièces de tissu employées aux besoins du ménage. *Linge de maison* (pour le lit, la toilette, la table, la cuisine). *Coffre, sac à linge (sale). Laver, repasser le linge. Étendre le linge* (sur un séchoir, une *corde à linge,* avec des *pinces à linge*). **2.** Ensemble des sous-vêtements et pièces détachables de l'habillement en tissu léger. *Linge fin. Changer de linge.* **3.** Pièce de linge (1). *Nettoyer une glace avec un linge humide.* — Loc. *Blanc comme un linge,* très pâle. ► **lingère** n. f. ■ Femme chargée de l'entretien et de la distribution du linge (dans une communauté, une grande maison). ► **lingerie** n. f. **1.** Local réservé à l'entretien et au repassage du linge. **2.** Linge de corps (surtout pour les femmes). *Rayon (de la) lingerie, dans un grand magasin.*

lingot [lɛ̃go] n. m. ■ Masse de métal ou d'alliage coulé. *Lingot de plomb, de fonte. Lingot d'or.*

linguiste [lɛ̃gɥist] n. ■ Spécialiste en linguistique. ► **linguistique** n. f. et adj. **I.** N. f. Science qui a la langue (2) pour objet. *Linguistique générale,* étude des conditions générales de fonctionnement et d'évolution des langues. *Linguistique structurale. Linguistique appliquée* (traduction ; pédagogie). **II.** Adj. **1.** Relatif à la linguistique. *Études linguistiques.* **2.** Propre à la langue ; envisagé du point de vue de la langue. *Géographie linguistique.* ► **linguistiquement** adv. ■ Du point de vue linguistique. ‹ ► bilingue, monolingue, trilingue, unilingue ›

liniment [linimɑ̃] n. m. ■ Liquide gras qui contient un médicament, pour frictionner la peau. ⇒ **baume, onguent.**

linoleum ou **linoléum** [linɔleɔm] n. m. ■ Toile enduite d'un revêtement imperméable. — Tapis, revêtement de sol en linoléum. *Sol recouvert de linoléum.* — Abrév. LINO [lino]. *Des linos.*

linon [linɔ̃] n. m. ■ Tissu fin et transparent, de lin ou de coton. *Mouchoir de linon.*

linotte [linɔt] n. f. **1.** Petit passereau au plumage brun et rouge. **2.** Loc. TÊTE DE LINOTTE : personne écervelée, agissant étourdiment.

linotype [linɔtip] n. f. ■ En imprimerie. Machine à composer, fondant d'un seul bloc la ligne. — Abrév. *Composer à la lino.* ▶ **linotypie** n. f. ■ Composition à la linotype. ▶ **linotypiste** n. ■ Ouvrier, ouvrière composant à la linotype. — Abrév. UN, UNE LINO.

linteau [lɛ̃to] n. m. ■ Pièce horizontale (de bois, pierre, métal) qui forme la partie supérieure d'une ouverture et soutient la maçonnerie. *Linteau de porte, de fenêtre. Des linteaux.*

lion, lionne [ljɔ̃, ljɔn] n. **I. 1.** Grand mammifère carnivore, à pelage fauve, à crinière (chez le mâle), à queue terminée par une grosse touffe de poils, vivant en Afrique et en Asie. *Rugissement du lion. Chasse au lion.* — Fort, courageux comme un lion. *Se battre comme un lion.* **2.** Loc. *La part du lion*, la plus grosse part que s'adjuge le plus fort. ⇒ **léonin.** — Fam. *Il a mangé, bouffé du lion*, se dit d'un homme qui fait preuve d'une énergie inhabituelle. **3.** Homme courageux. *C'est un lion !* **II.** (Avec une majuscule) Cinquième signe du zodiaque (23 juillet-22 août). *Être du signe du Lion, être du Lion.* — Ellipt. Invar. *Elles sont Lion.* ▶ **lionceau** n. m. ■ Petit du lion et de la lionne. ⟨ ▶ fourmi-lion ⟩

lipide [lipid] n. m. ■ Nom savant des corps gras. ▶ **lipo-** ■ Élément savant signifiant « graisse ».

lippe [lip] n. f. ■ Littér. Lèvre inférieure épaisse et proéminente. — Loc. *Faire la lippe*, faire la moue. ⇒ **bouder.** ▶ **lippu, ue** adj. ■ Qui a une grosse lèvre inférieure.

liquéfier [likefje] v. tr. ■ conjug. 7. **1.** Vieilli. Faire passer à l'état liquide (un corps solide). ⇒ **fondre.** **2.** Faire passer à l'état liquide (un corps gazeux). — Pronominalement. *L'hélium se liquéfie difficilement.* — (Vapeur) Condenser. — Au p. p. adj. *Gaz liquéfié.* **3.** (Personnes) SE LIQUÉFIER v. pron. réfl. — perdre toute énergie, toute résistance morale. ▶ **liquéfaction** [likefaksjɔ̃] n. f. ■ Passage d'un corps gazeux à l'état liquide. *Point de liquéfaction.* / contr. **solidification** / ▶ **liquéfiable** adj. ■ Qui peut être liquéfié. *Gaz liquéfiables.*

liquette [likɛt] n. f. ■ Fam. Chemise.

liqueur [likœʀ] n. f. ■ Boisson sucrée et aromatisée, à base d'alcool ou d'eau-de-vie. ⇒ **spiritueux.** *Verres à liqueur. Bonbons à la liqueur.* — Loc. *Vin de liqueur,* liquoreux. ⟨ ▶ liquoreux ⟩

① **liquide** [likid] adj. et n. m. **I.** Adj. **1.** Qui coule ou tend à couler. ⇒ **fluide.** *Un corps liquide prend la forme du récipient qui le contient. Rendre liquide.* ⇒ **liquéfier.** *Passage de l'état liquide à l'état gazeux.* — *Air liquide,* conservé à l'état liquide par le froid. — (Corps pâteux) Qui n'a pas de consistance. *Lier une sauce trop liquide.* **2.** En phonétique. Se dit des consonnes *l, m, n, r,* de prononciation aisée. **II.** N. m. **1.** Tout corps qui s'écoule. ⇒ **fluide.** *Verser un liquide dans une bouteille.* — *Malade qui ne peut prendre que des liquides,* des aliments liquides. **2.** *Liquides organiques,* lymphe, sang, sérosité...

② **liquide** adj. et n. m. ■ Qui est librement et immédiatement disponible. *Avoir de l'argent liquide, mille francs liquides,* en espèces. — *Ne pas avoir assez de liquide.* ▶ **liquidité** n. f. ■ État d'un bien liquide. — Au plur. Sommes disponibles. *Avoir des liquidités suffisantes.*

liquider [likide] v. tr. ■ conjug. 1. **1.** Soumettre à une liquidation. *Liquider un compte, une succession.* **2.** Vendre (des marchandises) au rabais. *Liquider le stock.* **3.** Fam. En finir avec (qqch.). ⇒ se **débarrasser.** *Liquider une affaire.* — Se débarrasser de (qqn), notamment en tuant. *Liquider un témoin gênant.* — Au p. p. adj. *Une affaire liquidée.* — Fam. *C'est liquidé, on n'en parle plus.* ▶ **liquidation** n. f. **1.** Action de liquider (1) ; règlement d'une somme. *Liquidation d'une succession.* ⇒ **partage. 2.** Vente au rabais en vue d'un écoulement rapide des marchandises. *Liquidation du stock après inventaire.* ⇒ **solde.**

liquoreux, euse [likɔʀø, øz] adj. ■ Qui rappelle la liqueur par la saveur douce, le degré élevé d'alcool. *Vins liquoreux.*

① **lire** [liʀ] v. tr. ■ conjug. 43. **I. 1.** Suivre des yeux en identifiant (des caractères, une écriture). *Lire des lettres, des numéros.* — Sans compl. Être capable de lire une écriture. *Savoir lire et écrire. Lire couramment.* **2.** Déchiffrer. *Lire un graphique. Lire une partition de musique.* **3.** Prendre connaissance du contenu de (un texte) par la lecture. *Lire une lettre, un roman. J'ai lu dans le journal qu'il était mort. Avoir qqch. à lire en voyage.* — Au p. p. adj. *Tous les livres lus sont à rendre à la bibliothèque.* — Sans compl. *Aimer lire.* ⇒ **bouquiner. 4.** Énoncer à haute voix (un texte écrit). *Lire un discours devant l'Assemblée.* ⇒ **prononcer.** *Lire un jugement.* — Faire la lecture. *Je vais vous lire cet article.* **II. 1.** Déchiffrer, comprendre (ce qui est caché) par un signe extérieur. *Lire l'avenir dans les lignes de la main, les astres. Lire les lignes de la main.* **2.** Discerner, reconnaître comme par un signe. *Lire un sentiment sur le visage de qqn. On lisait la peur dans ses yeux.* ⟨ ▶ liseur, liseuse, lisible, illisible, relire ⟩

② **lire** [liʀ] n. f. ■ Unité monétaire italienne. *Un billet de mille lires.*

lis ou **lys** [lis] n. m. invar. **1.** Plante vivace, à feuilles allongées et pointues, à grandes fleurs blanches. **2.** La fleur blanche du lis. *Un bouquet de lis. Blanc comme un lis.* — Très blanc. *Un teint de lis.* **3.** FLEUR DE LYS, DE LIS : figure héraldique formée de trois fleurs de lis schématisées et unies, emblème de la royauté. ≠ **lice, lisse.** ⟨ ▶ fleurdeliser, liseron ⟩

liséré [lizeʀe] n. m. ■ Ruban étroit dont on borde un vêtement. ⇒ **passepoil.** *Liséré de soie.*

liseron [lizʀɔ̃] n. m. ■ Plante à tige grimpante. *Liseron des champs, des haies.* ⇒ **volubilis.**

liseur, euse [lizœʀ, øz] n. ■ Personne qui a l'habitude de lire beaucoup. ⇒ **lecteur.** *C'est un grand liseur de romans.*

liseuse n. f. **I.** Couvre-livre interchangeable. *Liseuse en cuir.* **II.** Veste de femme, chaude et légère (pour lire au lit, etc.). **III.** Petite lampe destinée à la lecture (dans un train, une voiture).

lisible [lizibl] adj. **1.** Qui est aisé à lire, à déchiffrer. / contr. **illisible** / *Sa signature est tout juste lisible.* ⇒ **déchiffrable. 2.** Digne d'être lu. *Ce roman est à peine lisible.* ▶ **lisibilité** n. f. ■ Caractère de ce qui est lisible. *Texte d'une lisibilité parfaite.* ▶ **lisiblement** adv. ■ Écrire lisiblement.

lisière [lizjɛʀ] n. f. **1.** Bordure limitant de chaque côté une pièce d'étoffe. **2.** Partie extrême (d'un terrain, d'une région). ⇒ **bord, bordure, limite.** *La lisière d'un champ, d'une forêt.* ⇒ **orée.** *À la lisière du bois.*

① **lisse** [lis] adj. ■ Qui n'offre pas d'aspérités au toucher. *Surface lisse.* ⇒ **égal, uni.** / contr. **inégal, rugueux** / *Une peau lisse,* douce, unie. *Cheveux lisses.* ≠ **lice, lis.** ▶ **lisser** v. tr. ■ conjug. 1. ■ Rendre lisse.

Lisser sa moustache. Oiseau qui lisse ses plumes avec son bec. — Lisser les peaux, les cuirs, les apprêter en leur donnant le dernier lustre. ▶ **lissage** n. m. ▪ Le lissage des cheveux.

② **lisse** n. f. **1.** Membrure de la coque d'un navire. **2.** Garde-fou.

liste [list] n. f. **1.** Suite de mots, de signes, généralement inscrits les uns au-dessous des autres. Dresser une liste. En tête de liste. Liste alphabétique. Liste méthodique d'objets. ⇒ **catalogue, inventaire.** — LISTE NOIRE : liste de gens à surveiller, à abattre. — Liste électorale. Scrutin de liste. — Grossir la liste des mécontents, s'ajouter au nombre de. **2.** LISTE CIVILE : somme allouée au chef de l'État pour subvenir aux dépenses et charges de sa fonction. ▶ **lister** v. tr. ▪ conjug. 1. **1.** Mettre en liste. Lister des noms. **2.** Informatique. Sortir en continu sur une imprimante. ▶ **listage** [listaʒ] n. m., ou, anglic., **listing** [listiŋ] n. m. ▪ Document, contenu produit par une imprimante d'ordinateur. Des listings.

lit [li] n. m. **I. 1.** Meuble destiné au coucher. ⇒ fam. **pageot, pieu, plumard.** Lit d'une personne, de deux personnes. Ciel de lit (baldaquin, dais). Lit d'enfant, de bébé. ⇒ **berceau.** — Lits jumeaux, deux lits semblables, à une place. La ruelle d'un lit. — Lit clos ou lit breton, à battants de bois qui se ferment. Lit pliant. Lit-cage. Lit de camp. — Lit d'hôpital, d'hôtel. Lit de fer. **2.** Literie sur laquelle on s'étend. Lit moelleux, dur. **3.** Loc. Aller AU LIT, se mettre au lit. ⇒ se **coucher.** Allons, les enfants, au lit ! Dormir DANS son lit. — Sortir DU LIT : se lever. Sauter du lit. Au saut du lit, au réveil. Arracher, tirer qqn du lit. — Faire un lit, disposer la literie pour qu'on puisse s'y coucher confortablement. Border un lit. Un lit défait. — Malade contraint de garder le lit, de rester couché*. — Sur son lit de mort, sur le point d'expirer. Mourir dans son lit, d'une mort naturelle. **4.** Enfants du premier lit, d'un premier mariage. **5.** LIT DE REPOS : siège sur lequel on peut s'allonger pour se reposer. ⇒ **canapé, divan, sofa. 6.** Couche d'une matière quelconque sur le sol, où s'étend, où l'on dort. ⇒ **litière, natte.** Se coucher sur un lit de feuillage, de paille. **II.** Matière répandue en couche. Un lit de cendres, de braises. — Couche de matériaux déposés par les eaux, l'érosion. ⇒ **dépôt.** Lit d'argile. **III.** Creux naturel du sol, canal (dans lequel coule un cours d'eau). Fleuve qui sort de son lit, qui déborde. Lit à sec. Détourner une rivière de son lit. ⇒ **cours.** ▶ **literie** [litri] n. f. ▪ Ensemble des objets qui recouvrent le sommier : matelas, traversin, oreiller, couverture, édredon, couvre-lit (parfois aussi le linge : draps et taies) ; matériel de couchage. ‹ ▶ aliter, chienlit, couvre-lit, dessus-de-lit, litière, pissenlit, wagon-lit ›

litanie [litani] n. f. **1.** Au plur. Prières liturgiques où toutes les invocations sont suivies d'une formule brève récitée ou chantée par les assistants. Litanies des saints. Réciter, chanter des litanies. **2.** Sing. ou plur. Répétition ennuyeuse et monotone (de plaintes, de reproches, de demandes). Encore les mêmes litanies !

litchi [litʃi] n. m. ▪ Petit fruit, à peau marron et dure, à chair blanche, parfumé, d'un arbuste originaire d'Extrême-Orient. Des litchis frais, en conserve.

-lithe, -lithique, litho- ▪ Éléments savants signifiant « pierre ». ▶ **lithographie** [litɔgrafi] ou **litho** [lito] n. f. **1.** Reproduction par impression sur une pierre calcaire. ⇒ **gravure. 2.** Une lithographie, feuille, estampe obtenue par ce procédé. Les lithographies de Daumier. Des lithos. ▶ **lithographe** n. ▪ Personne qui imprime par la lithographie. ⇒ **graveur.** ▶ **lithographier** v. tr. ▪ conjug. 7. ▪ Reproduire par la lithographie. ⇒ **graver, imprimer.** — Au p. p.

adj. Album lithographié. ▶ **lithographique** adj. ▪ Qui a rapport, sert à la lithographie. Encre lithographique. ‹ ▶ aérolithe, mégalithe, mésolithique, monolithe, néolithique, paléolithique ›

lithuanien, ienne n. ⇒ **lituanien.**

litière [litjɛr] n. f. **1.** Autrefois. Lit ambulant porté sur un double brancard. ⇒ **palanquin. 2.** Paille, fourrage répandus sur le sol d'une écurie, d'une étable pour que les animaux puissent s'y coucher. Les litières souillées forment le fumier. **3.** Loc. littér. FAIRE LITIÈRE d'une chose : n'en tenir aucun compte, la mépriser, la négliger.

litige [litiʒ] n. m. **1.** Contestation donnant matière à procès. Arbitrer, trancher un litige. **2.** Contestation. ⇒ **dispute.** Question en litige, controversée. ▶ **litigieux, ieuse** adj. ▪ Qui est ou qui peut être en litige. Point litigieux. ⇒ **douteux.**

litote [litɔt] n. f. ▪ Figure de rhétorique qui consiste à atténuer l'expression de sa pensée (ex. : Ce n'est pas mauvais pour C'est très bon).

litre [litr] n. m. **1.** Unité usuelle des mesures de capacité du système métrique (volume d'un kilogramme d'eau pure sous la pression atmosphérique normale). **2.** Récipient ayant la contenance d'un litre. Litre en bois pour les grains, les moules. — Un litre, une bouteille d'un litre. **3.** Contenu d'un litre. Boire un litre de bière. Un litre de (vin) rouge. ⇒ fam. **kil.** ▶ **litron** n. m. ▪ Fam. Litre de vin. ‹ ▶ centilitre, décalitre, décilitre, hectolitre ›

littéraire [literɛr] adj. et n. **1.** Qui a rapport à la littérature. Œuvres littéraires. Citation littéraire. Milieux littéraires. — Qui étudie les œuvres, qui traite de littérature. La critique, l'histoire littéraire. — Qui répond aux exigences esthétiques de la littérature. Langue littéraire et langue parlée. Mot littéraire (opposé à courant, familier). **2.** (Personnes, esprits) Doué pour les lettres. Un esprit plus littéraire que scientifique. — N. Un, une littéraire. ▶ **littérairement** adv. ▪ Du point de vue littéraire.

littéral, ale, aux [literal, o] adj. **1.** Qui utilise les lettres. Notation littérale. — Arabe littéral, écrit. **2.** Qui suit un texte lettre à lettre. Copie littérale, conforme à l'original. ⇒ **textuel.** Traduction littérale, qui se fait, qui est faite mot à mot. **3.** Qui s'en tient, est pris strictement à la lettre. Le sens littéral d'un mot (opposé à figuré). ⇒ **propre.** ▶ **littéralement** adv. **1.** D'une manière littérale (2). Traduire littéralement, à la lettre*. **2.** En prenant le mot, l'expression au sens plein, réel. Il était littéralement fou.

littérateur [literatœr] n. m. ▪ Souvent péj. Homme de lettres, écrivain de métier. ⇒ **auteur.**

littérature [literatyr] n. f. **I.** Les œuvres écrites, dans la mesure où elles portent la marque de préoccupations esthétiques ; les connaissances, les activités qui s'y rapportent. **1.** Œuvres littéraires. La littérature française, latine. Littérature classique, romantique, surréaliste. **2.** Le travail, le métier de l'écrivain. Faire carrière dans la littérature. **3.** Ce qu'on ne trouve guère que dans les œuvres littéraires (opposé à la réalité). Tout ça, c'est de la littérature. **4.** Ensemble de connaissances concernant les œuvres littéraires, leurs auteurs. Manuel de littérature. Devoir de littérature. **II.** Bibliographie (d'une question). Il existe sur ce sujet une abondante littérature. ‹ ▶ littérateur ›

littoral, ale, aux [litɔral, o] adj. et n. m. **1.** Adj. Relatif à la zone de contact entre la terre et la mer. Cordons littoraux. — Côtier. Pêche littorale. Faune littorale. **2.** N. m. Le littoral, la zone littorale. ⇒ **bord, côte, rivage.** Le littoral méditerranéen.

lituanien, ienne ou **lithuanien, ienne** [lituanjɛ̃, jɛn] adj. et n. ■ De Lituanie. — N. *Les Lituaniens.* — N. m. *Le lituanien,* langue du groupe balte parlée en Lituanie.

liturgie [lityrʒi] n. f. ■ Dans la religion chrétienne. Culte public et officiel institué par une Église. ⇒ **cérémonial, culte, service** divin. *Liturgie catholique. Liturgie presbytérienne.* ▶ **liturgique** adj. ■ Relatif ou conforme à la liturgie. *Chants, prières liturgiques. Calendrier, fête liturgique. Vêtements, livres, vases liturgiques.* ⇒ ① **sacré.**

livarot [livaro] n. m. ■ Fromage rond, fermenté, à pâte molle, à très forte odeur, fabriqué dans la région de Livarot (Normandie). *Des livarots.*

livide [livid] adj. **1.** Littér. Qui est de couleur plombée, bleuâtre. *La brume couvrait la ville d'un reflet livide.* **2.** (Peau) D'une pâleur terne. ⇒ **blafard, blême, hâve, pâle.** *Un teint livide.* ▶ **lividité** n. f. ■ État de ce qui est livide. — Coloration violacée de la peau. *Lividité cadavérique.*

living-room [liviŋʀum] ou **living** [liviŋ] n. m. ■ Anglic. Pièce de séjour, disposée pour servir à la fois de salle à manger, de salon, et parfois de chambre. ⇒ **séjour, studio.** *Des living-rooms ; des livings.*

livrable [livʀabl] adj. ■ Qui peut, doit être livré à l'acheteur. *Marchandise livrable à domicile.*

livraison [livʀɛzɔ̃] n. f. ■ Remise matérielle (d'un objet) à celui auquel l'objet est dû. *Payable à la livraison. Voiture de livraison. Livraison à domicile.*

① **livre** [livʀ] n. m. **I. 1.** Volume imprimé d'un nombre assez grand de pages, à l'exclusion des périodiques (opposé à *revue*). ⇒ ① **écrit, ouvrage ;** fam. **bouquin.** *Livre broché, cartonné, relié. Couverture, jaquette d'un livre. Livre de poche*.* — *Livre d'images.* ⇒ **album.** *Livres rares, anciens. Amateur de livres.* ⇒ **bibliophile.** — Loc. *Livre blanc, bleu, jaune,* recueil de pièces officielles, diplomatiques, publié après un événement important (guerre, etc.). — LE LIVRE : l'imprimerie et ses produits. *L'industrie, les industries du livre.* **2.** Ensemble des signes contenus dans un livre, texte imprimé reproduit dans un certain nombre d'exemplaires. *Livre de classe. Livre d'arithmétique, de grammaire* (une arithmétique, une grammaire, etc.). — *Livres religieux ; livre de messe. Les grands livres de la littérature française. Un beau livre. Écrire un livre. Lire, feuilleter, parcourir un livre.* Loc. *Livre de chevet,* qu'on relit avec plaisir. — LES LIVRES : la lecture, l'étude, l'érudition, la science, la théorie. *Les livres et la vie. Ne connaître une chose que par les livres,* en avoir une connaissance livresque. — Loc. *Parler comme un livre,* savamment. — *À livre ouvert,* couramment. *Traduire une langue à livre ouvert.* **II. 1.** Grande division (d'un long ouvrage). *Le second livre de l'Énéide. Les livres historiques de la Bible.* **2.** Cahier, registre. *Le livre de comptes. Livre des factures, des recettes.* — LIVRE D'OR : registre destiné à l'inscription de noms célèbres, à la réunion de commentaires élogieux. ◁ ▶ couvre-livre, livresque, livret ▷

② **livre** n. f. ■ Un demi-kilogramme ou cinq cents grammes. *Une demi-livre, 250 g.*

③ **livre** n. f. **1.** Ancienne monnaie française. **2.** Unité monétaire du Royaume-Uni. *Livre sterling* (symb. £). *Des livres sterling.* — *Livre égyptienne, turque.*

livrée [livʀe] n. f. **1.** Vêtements aux couleurs des armes d'un roi, d'un seigneur, que portaient les hommes de leur suite. **2.** Uniforme de certains serviteurs d'une même maison. *Valet en livrée.*

livrer [livʀe] v. tr. ■ conjug. 1. **I. V. tr. 1.** Mettre (qqn) au pouvoir de (qqn). *Livrer un coupable à la justice.* ⇒ ① **déférer, remettre. 2.** Soumettre à l'action de

qqch. *Livrer qqn à la mort.* — Au p. p. adj. *Pays livré à l'anarchie.* **3.** Remettre par une trahison entre les mains de qqn. *Livrer son complice à la police.* ⇒ **dénoncer, donner. 4.** Confier à qqn (une partie de soi, une chose à soi). ⇒ **donner.** *Il a livré son secret.* **5.** Remettre à l'acheteur (ce qui a été commandé, payé). ⇒ **livraison, livreur.** *Livrer une commande, une marchandise. Livrer qqch. à domicile, en gare.* **II. 1.** Engager, commencer (un combat, une bataille). *Livrer bataille.* **2.** LIVRER PASSAGE À : laisser passer, permettre de passer. **III.** SE LIVRER v. pron. réfl. **1.** Se mettre au pouvoir, entre les mains de qqn. ⇒ se **rendre,** se **soumettre.** *Se livrer après une longue résistance.* **2.** Se confier ; parler de soi. *Il ne se livre pas facilement.* **3.** SE LIVRER À : se laisser aller (à un sentiment, une idée, une activité). ⇒ **s'adonner.** *Se livrer aux pires excès.* — Effectuer (un travail, une tâche), exercer (une activité). *Se livrer à un travail, à une étude.* ⇒ se **consacrer.** *Se livrer à un sport.* ⇒ **pratiquer.** ◁ ▶ délivrer, livrable, livraison, livrée, livreur ▷

livresque [livʀɛsk] adj. ■ Péj. Qui vient des livres, qui est purement littéraire, théorique (opposé à *pratique, réel, vécu, vrai*). *Connaissances livresques.*

livret [livʀɛ] n. m. **I. 1.** Vieilli. Catalogue explicatif. *Le livret d'une exposition.* **2.** Petit registre. ⇒ **carnet.** *Livret militaire individuel. Livret de famille,* contenant des informations sur l'état civil des membres de la famille. *Livret scolaire,* carnet de notes scolaires. *Livret de caisse d'épargne.* **II.** Texte sur lequel est écrite la musique d'une œuvre lyrique. *Le livret d'un opéra. Auteur de livrets.* ⇒ **librettiste.**

livreur, euse [livʀœʀ, øz] n. ■ Personne qui livre (I, 5), transporte des marchandises volumineuses. ≠ ② **coursier.** *Les livreurs d'un grand magasin.* — *Garçon, employé livreur.*

lob [lɔb] n. m. ■ Anglic. Tennis. Coup qui consiste à envoyer la balle assez haut pour qu'elle passe par-dessus la tête du joueur opposé. *Des lobs.* ▶ **lober** v. tr. ■ conjug. 1. **1.** Envoyer (la balle) par un lob. — Au p. p. adj. *Balle lobée.* **2.** Passer (l'adversaire) grâce à un lob. — Football. *Lober le gardien de but.*

lobby [lɔbi] n. m. ■ Anglic. Groupe de pression. *Des lobbies.*

lobe [lɔb] n. m. **1.** Partie arrondie et saillante (d'un organe). *Lobes du poumon, du cerveau.* **2.** *Lobe de l'oreille,* prolongement arrondi et charnu du pavillon. **3.** Partie arrondie entre deux échancrures (des feuilles, des pétales). ▶ **lobé, ée** adj. ■ Divisé en lobes. *Feuilles lobées du chêne, du figuier,* à découpures arrondies. ▶ **lobectomie** [lɔbɛktɔmi] n. f. ■ Opération par laquelle on enlève un lobe (du poumon, du cerveau). ▶ **lobotomie** n. f. ■ Section de fibres nerveuses à l'intérieur du cerveau.

① **local, ale, aux** [lɔkal, o] adj. **1.** Qui concerne un lieu, une région, lui est particulier. *Averses, éclaircies locales,* qui se produisent en certains points seulement. *Coutumes, traditions locales* (opposé à *national*). *Journal local. Produits locaux,* du cru. *Administration locale* (opposé à *central*). **2.** *Couleur locale.* ⇒ **couleur. 3.** Qui n'affecte qu'une partie du corps. *Anesthésie locale. Traitement local.* ▶ **localement** adv. ■ D'une manière locale. *Douleurs qui se font sentir localement.* ▶ ② **local, aux** n. m. ■ Pièce, partie d'un bâtiment à destination déterminée. *Locaux commerciaux* (boutique, magasin), *administratifs, professionnels* (atelier, cabinet, laboratoire). ▶ **localiser** v. tr. ■ conjug. 1. **1.** Placer par la pensée en un lieu déterminé de l'espace (un phénomène, l'origine d'un phénomène). *Localiser un bruit. Localiser la cause d'un mal.* — Repérer, par des mesures précises, l'emplacement exact de (qqch.). *Localiser par radar* *un satellite.* **2.** Circonscrire, renfermer dans des limites. ⇒ **limiter.** *Localiser une épidémie, un conflit,* l'empêcher de s'étendre. — Pronominalement (réfl.). *Le conflit s'est localisé.* ▶ *localisable* adj. ■ Qu'on peut localiser. ▶ *localisation* n. f. **1.** Action de localiser (1) ; fait d'être localisé. *Localisation d'un corpuscule en un point. Localisation d'un avion.* **2.** Action de limiter dans l'espace. *La localisation d'un conflit.* ▶ *localité* n. f. **1.** Lieu déterminé. **2.** Petite ville, village. ⇒ **agglomération, bourg.**

locataire [lɔkatɛʀ] n. ■ Personne qui prend à bail une maison, un logement (⇒ **louer**). *Avoir des locataires. Hôtel meublé qui prend des locataires au mois.*

① *locatif, ive* [lɔkatif, iv] adj. ■ *Valeur locative,* revenu que peut rapporter un immeuble donné en location (⇒ **louer**). *Charges locatives,* payées par le locataire.

② *locatif, ive* adj. ■ Qui marque le lieu. *Prépositions locatives* (ex. : *à, en, dans*).

location [lɔkasjɔ̃] n. f. **1.** Action de donner ou de prendre à loyer (un logement). *Donner, prendre en location* (⇒ **locataire, locatif**). *Location-vente,* contrat qui permet au locataire, en payant des loyers plus élevés, de devenir propriétaire de la chose louée. ⇒ **leasing.** — *Location d'un piano, d'une voiture.* **2.** Action de retenir à l'avance une place (dans un théâtre, un moyen de transport). *Bureau de location. Location d'une place d'avion.* ⇒ **réservation.**

① *loch* [lɔk] n. m. ■ Appareil pour mesurer la vitesse d'un navire. *Des lochs.*

② *loch* [lɔk] n. m. ■ En Écosse. Lac qui occupe le fond d'une vallée. *Le loch Ness. Des lochs.*

loche [lɔʃ] n. f. **1.** Petit poisson d'eau douce à chair comestible. *Loche de rivière.* **2.** Limace grise.

lock-out [lɔkawt] n. m. invar. ■ Fermeture d'ateliers, d'usines décidée par les patrons qui refusent le travail à leurs ouvriers, pour briser un mouvement de grève ou riposter à des revendications. *Des lock-out.* ▶ *lock-outer* [lɔkawte] v. tr. ■ Fermer par un lock-out. — Priver de travail par un lock-out. — Au p. p. adj. *Le personnel lock-outé.*

loco- ■ Élément savant signifiant « lieu ».

locomotion [lɔkɔmosjɔ̃] n. f. **1.** Action de se mouvoir, de se déplacer d'un lieu vers un autre ; fonction qui assure ce mouvement. *Muscles de la locomotion.* **2.** Action de se déplacer ; ce qui permet de se déplacer. ⇒ **déplacement, transport, voyage.** *Moyens de locomotion.* ▶ *locomoteur, trice* adj. ■ Qui permet de se déplacer, qui sert à la locomotion. *Muscles, organes locomoteurs.* ‹ ▶ locomotive ›

locomotive [lɔkɔmɔtiv] n. f. ■ Engin, véhicule de traction servant à remorquer les trains. ⇒ **machine, motrice.** *Locomotive électrique, à moteur Diesel. Conducteur de locomotive.* — Abrév. fam. *La loco. Des locos.* — Loc. fam. *C'est une vraie locomotive,* en parlant d'un cheval de course, d'un coureur infatigable, etc. — Loc. *Fumer comme une locomotive,* beaucoup. *Souffler comme une locomotive,* bruyamment.

locuteur [lɔkytœʀ] n. m. ■ Didact. Personne qui emploie effectivement le langage, qui parle (opposé à *auditeur*).

locution [lɔkysjɔ̃] n. f. ■ Groupe de mots fixé par la tradition, ou ayant la même fonction qu'un mot. ⇒ **expression, formule, tour.** *Locution figée. Locution verbale,* équivalant à un verbe (ex. : *avoir l'air, prendre garde*) ; *locution adverbiale,* à valeur d'adverbe (ex. : *en vain, tout de suite*) ; *locution conjonctive,* à valeur

de conjonction (ex. : *à moins que, dès que, pour que*) ; *locution prépositive,* à valeur de préposition (ex. : *auprès de, jusqu'à*).

loden [lɔdɛn] n. m. ■ Tissu de laine épais et imperméable dont on fait des manteaux, des pardessus. — Manteau de loden. *Des lodens.*

lœss [løs] n. m. invar. ■ Limon (terre) calcaire, très fin, déposé par le vent. *Plaine de lœss.*

loft [lɔft] n. m. ■ Anglic. Local à usage commercial ou industriel aménagé en local d'habitation. *Aménager un loft dans un ancien hangar. Des lofts.*

logarithme [lɔgaʀitm] n. m. ■ Exposant qu'on affecte à un nombre (*la base*) pour en obtenir un autre. *Table de logarithmes.* ▶ *logarithmique* adj. ■ Qui a rapport aux logarithmes. *Calculs logarithmiques.*

loge [lɔʒ] n. f. **I. 1.** Logement situé généralement près de la porte d'entrée, qui est habité par un concierge, un portier. **2.** Petite pièce où les acteurs changent de costumes, se griment, se reposent, dans les coulisses d'une salle de spectacle. **3.** Compartiment cloisonné. *Loges d'une écurie, d'une étable.* ⇒ **box, stalle. 4.** Dans une salle de spectacle. Compartiment contenant plusieurs sièges. ⇒ **avant-scène, baignoire.** *Loges de balcon, de corbeille.* — Loc. fig. *Être aux* PREMIÈRES LOGES : à la meilleure place pour être témoin d'une chose. **II.** Association de francs-maçons. ▶ *loger* v. ■ conjug. 3. **I.** V. intr. Avoir sa demeure (le plus souvent temporaire) en un endroit. ⇒ **demeurer, habiter, vivre** ; fam. **crécher, percher.** *Loger dans une pension. À quel hôtel logerez-vous ?* ⇒ **descendre. II.** V. tr. **1.** Établir dans une maison, de manière temporaire ou durable. ⇒ **installer.** *Où logerez-vous vos amis ?* ⇒ **mettre.** *Je peux vous loger pour la nuit.* — Au passif et p. p. adj. *Être bien logé. Une domestique logée et nourrie.* — Pronominalement (réfl.). *On ne trouve pas à se loger dans cette ville.* — (Suj. chose) Être susceptible d'abriter, d'héberger. *Le collège peut loger trois cents élèves.* ⇒ **recevoir. 2.** Faire entrer, faire pénétrer. *Loger une balle dans la cible. La jeune femme s'est logé une balle dans la tête.* ▶ *logeable* adj. ■ Où l'on peut habiter, être logé. *Un réduit à peine logeable.* — Où l'on peut ranger des objets. *Un coffre très logeable.* ▶ *logement* n. m. **1.** Action de loger ou de se loger. *Assurer, donner le logement à qqn* (→ *le gîte, le couvert*). — Au sing. collectif. Action de loger les habitants d'un pays. *Crise, problème du logement.* **2.** Local à usage d'habitation. ⇒ **appartement, domicile, résidence.** *Un logement de deux pièces. Logement occupé, inhabité. Être locataire, propriétaire de son logement.* ▶ *logeur, euse* n. ■ Personne qui loue des chambres meublées. ‹ ▶ déloger, logis, reloger ›

loggia [lɔdʒja] n. f. ■ Balcon couvert et fermé sur les côtés. *Des loggias.*

logiciel [lɔʒisjɛl] n. m. ■ Informatique. Ensemble des programmes, procédés et règles relatifs au traitement de l'information ; l'un de ces programmes (opposé à *matériel* ②).

logicien, ienne [lɔʒisjɛ̃, jɛn] n. **1.** Spécialiste de la logique. **2.** Personne qui raisonne avec méthode, rigueur, en suivant les règles de la logique. *Raisonner en logicien.*

-logie ■ Élément signifiant « science ». ⇒ **-logue.**

① *logique* [lɔʒik] n. f. **I. 1.** Étude scientifique, surtout formelle, des normes de la vérité. *Logique formelle, logique pure.* — *Logique symbolique, mathématique* (ou *logistique*). *Logique générale,* épistémologie, méthodologie. **2.** Livre, traité de logique. **II. 1.** Manière de raisonner. ⇒ **raisonnement.** *La logique de l'enfant, du primitif.* **2.** Enchaînement cohérent d'idées, manière de raisonner juste. ⇒ **cohérence, méthode.** *La logique d'une démonstration. Vous manquez de logique !* < ► illogique, logiciel, logicien, ② logique >

② *logique* adj. **1.** Conforme aux règles, aux lois de la logique. *Déduction, conclusion logique.* **2.** Conforme au bon sens. *Raisonnement logique.* ⇒ **cohérent, conséquent.** / contr. **contradictoire** / — Conforme à la nécessité. *C'est la conséquence logique de ses erreurs.* ⇒ **inévitable. 3.** Fam. Surtout impers. Qui est dans l'ordre des choses, normal, explicable. *Il est furieux et c'est logique.* **4.** Qui raisonne bien, avec cohérence, justesse. *Vous n'êtes pas logique !* **5.** Qui se rapporte à l'intelligence et à l'entendement. *Esprits logiques et esprits intuitifs.* ► *logiquement* adv. **1.** Conformément à la logique. *Raisonner logiquement, raisonnablement.* **2.** (En tête de phrase, en incise) D'une façon nécessaire, logique (3). *Logiquement, les choses devraient s'arranger, si tout se passait normalement.*

logis [lɔʒi] n. m. invar. **1.** Littér. Endroit où on loge, où on habite. ⇒ **demeure, habitation, logement, maison.** *Quitter le logis familial.* **2.** CORPS DE LOGIS : partie principale d'un bâtiment d'habitation (opposé à *ailes*). < ► maréchal des logis, sans-logis >

-logue ■ Élément signifiant « savant, spécialiste (d'une science) ». ⇒ **-logie.**

loi [lwa] n. f. **I.** Règle impérative. **1.** Règle ou ensemble de règles obligatoires établies par l'autorité souveraine d'une société et sanctionnées par la force publique. *Les lois d'un État, d'un pays.* ⇒ **législation ; droit.** *Recueil de lois.* ⇒ **code.** *Lois et institutions. Loi en vigueur. Obéir aux lois.* — Disposition prise par le pouvoir législatif (Chambre, Parlement). *Projet de loi, émanant du gouvernement ; proposition de loi, d'initiative parlementaire. Amender une proposition de loi.* — LOI-CADRE : servant de cadre à des textes d'application. *Des lois-cadres.* **2.** LA LOI : l'ensemble des règles juridiques. ⇒ **droit, législation.** *Conforme à la loi.* ⇒ **légal.** *Au nom de la loi, je vous arrête ! Être en règle avec la loi.* — *Homme de loi,* juriste, magistrat. **3.** (Après un v. exprimant l'ordre) Commandement que l'on donne. *Dicter, faire la loi à qqn.* — FAIRE LA LOI : commander. *Vous ne ferez pas la loi chez moi !* **4.** Règle, condition imposée par les choses, les circonstances. *La loi de la jungle. La loi du milieu.* **5.** Règle exprimant la volonté de Dieu. ⇒ **commandement.** *La loi de Moïse, de l'Ancien Testament. Les tables de la Loi.* **6.** Au plur. Règles ou conventions établies dans les rapports sociaux, dans la pratique d'un art, d'un jeu, etc. *Les lois de l'honneur, de la politesse.* ⇒ **règle. II.** Règle exprimant un idéal, une norme. **1.** Règle dictée à l'homme par sa conscience, sa raison. *Loi morale.* ⇒ **devoir, précepte, principe. 2.** *Les lois du beau, de l'art,* les conditions de la perfection esthétique. ⇒ **canon, norme. III.** Formule générale, non impérative, énonçant un rapport constant entre des phénomènes. — En sciences. *Lois physiques. Découvrir, trouver une loi. C'est un défi aux lois de l'équilibre.* — *Lois biologiques. Lois économiques.* < ► hors-la-loi, loyal >

loin [lwɛ̃] adv. et n. m. **I.** Adv. **1.** À une grande distance (d'un observateur ou d'un point d'origine). *Être loin, très loin* (→ aux antipodes, au bout du monde, au diable). *Aller trop loin.* ⇒ **dépasser.** *Les fuyards sont loin* (→ hors d'atteinte, de portée, de vue). *Il ne peut pas être bien loin. N'allez pas chercher si loin !* — Loc. *Aller loin* (au futur), réussir. *Elle ira loin, je vous le dis.* — *J'irai même plus loin,* j'irai jusqu'à dire que. — *Aller trop loin,* exagérer. — *Une affaire qui peut aller loin,* avoir de graves conséquences. **2.** Dans un temps jugé éloigné (du moment

présent ou de celui dont on parle). *L'été n'est plus bien loin.* — *Comme c'est loin !* ⇒ **vieux.** — *Sans remonter si loin,* il n'y a pas si longtemps. — *Voir loin,* avoir une grande prévoyance. ⇒ **prévoir. II.** N. m. (Dans des loc.) **1.** IL Y A LOIN : il y a une grande distance. *Il y a loin de l'hôtel à la plage. Il y a loin, il y a une grande différence. De là à prétendre que c'est un incapable, il n'y a pas loin* (→ Il n'y a qu'un pas*). **2.** AU LOIN loc. adv. : dans un lieu éloigné. *Aller, partir au loin,* s'éloigner. *Voir, apercevoir au loin.* ⇒ dans le **lointain. 3.** DE LOIN loc. adv. : d'un lieu éloigné. *Voir, apercevoir de loin une personne. Surveiller de loin.* — *Suivre de loin les événements,* sans y être mêlé. — *Revenir de loin,* guérir d'une grave maladie. — De beaucoup, par une grande différence. *C'est de loin son meilleur roman.* — (Dans le temps) *Dater de loin, de très loin,* d'un temps très ancien. **4.** DE LOIN EN LOIN loc. adv. : par intervalles. *Bornes placées de loin en loin.* — *Ils ne se voient plus que de loin en loin,* de temps en temps. **III.** LOIN DE loc. prép. **1.** À une grande distance. *Loin de tout.* — *Non loin de,* assez près de. PROV. *Loin des yeux, loin du cœur,* les absents sont vite oubliés. — Loc. *Loin de moi, de nous* (telle chose), je l'écarte, nous l'écartons avec dégoût. ⇒ **arrière.** *Loin de moi la pensée de blâmer ce procédé.* LOIN DE LÀ : bien au contraire. *Il n'est pas désintéressé, loin de là !* **2.** Dans un temps éloigné, à une époque lointaine (future ou passée). *Tous ces souvenirs sont déjà bien loin de nous.* **3.** PAS LOIN DE : **presque.** *Il n'est pas loin de minuit. Cela m'a coûté pas loin de mille francs.* **4.** ÊTRE LOIN DE (+ infinitif) : négation emphatique. *Il était loin de s'attendre à cela,* il ne s'y attendait pas du tout. **IV.** D'AUSSI LOIN QUE, DU PLUS LOIN QUE loc. conj. : dès que. *D'aussi loin, du plus loin qu'il me vit.* < ► éloigner, lointain >

lointain, aine [lwɛ̃tɛ̃, ɛn] adj. et n. m. **I.** Adj. **1.** Qui est à une grande distance dans l'espace. ⇒ **distant, éloigné ; loin.** / contr. **proche, voisin** / *Partir dans un pays lointain. Un lointain exil* [lwɛ̃tɛ̃nɛgzil]. *Rumeur lointaine.* **2.** Abstrait. Qui n'est pas proche, direct. *Un parent lointain.* ⇒ **éloigné.** *Une ressemblance lointaine.* ⇒ **vague. 3.** Très éloigné dans le temps. *Passé, avenir lointain.* / contr. **récent** / **II.** N. m. **1.** Partie d'un tableau représentant des lieux, des objets éloignés du premier plan. *Les lointains de Vinci.* **2.** Plan situé dans l'éloignement. *Dans le lointain, au lointain.* ⇒ **arrière-plan, fond.**

loir [lwaʀ] n. m. ■ Petit mammifère rongeur, à poil gris et à queue touffue. *Le loir est un animal hibernant. Des loirs.* — Loc. fam. *Dormir comme un loir,* beaucoup et profondément. *Être paresseux comme un loir.*

loisible [lwazibl] adj. ■ *Il lui est, il m'est loisible de refuser,* il lui est (il m'est) permis, il a (j'ai) la possibilité de.

loisir [lwaziʀ] n. m. **I. 1.** Temps dont on dispose pour faire commodément qqch. *Mes occupations ne me laissent pas le loisir de vous écrire. Des heures de loisir.* **2.** Surtout au plur. Temps dont on peut librement disposer en dehors de ses occupations habituelles et des contraintes qu'elles imposent. ⇒ **liberté** (I, 2). *Avoir beaucoup de loisirs. Prendre des loisirs.* **3.** Au plur. Occupations, distractions, pendant le temps de liberté. *Loisirs coûteux.* **II.** À LOISIR, TOUT À LOISIR loc. adv. : en prenant tout son temps, à son aise. — Autant qu'on le désire, avec plaisir et à satiété. *En vacances, je lis à loisir.*

lombes [lɔ̃b] n. m. pl. ■ Régions postérieures de l'abdomen, situées symétriquement à droite et à gauche de la colonne vertébrale. ⇒ **rein.** ► *lombaire* adj. ■ Qui appartient aux lombes, se situe dans les lombes. *Région lombaire. Les cinq vertèbres lombaires.*

lombric [lɔ̃bʀik] n. m. ■ Ver de terre. *Des lombrics.*

long, longue [lɔ̃, lɔ̃g] adj., n. m. et adv. **I.** Adj. **1.** (Avant le nom) Qui a une étendue supérieure à la moyenne dans le sens de la longueur. ⇒ **grand.** *Une longue tige. Long nez.* — Qui couvre une grande étendue, qui s'étend sur une grande distance. *Il faisait de longues enjambées.* **2.** (Après le nom) Dont la grande dimension *(longueur)* est importante par rapport aux autres dimensions. / contr. **court** / *Porter les cheveux longs. Robe longue. Os longs. Muscles longs. Une belle fille longue et svelte.* ⇒ **élancé.** **3.** LONG DE (telle grandeur). *Description trop longue d'un tiers.* **II.** Adj. (Dans le temps) **1.** Qui a une durée très étendue. *Un long hiver* [lɔ̃kivɛʀ ; lɔ̃givɛʀ]. *Il resta un long moment dans cet état.* ⇒ **longtemps.** *Disque microsillon de longue durée. Longue maladie. Il guérira mais ce sera long.* — *Trouver le temps long.* / contr. **court** / — (Opposé à *brève*) *Syllabe, voyelle, note longue* (ou *une longue*). — Qui dure longtemps et ne se répète pas souvent. *À de longs intervalles,* de loin en loin. **2.** Qui remonte loin dans le temps. ⇒ **ancien, vieux.** *Une longue habitude.* DE LONGUE DATE : depuis longtemps. **3.** Éloigné dans l'avenir. *À plus ou moins longue échéance.* — À LA LONGUE loc. adv. : avec le temps. *Il s'y fera à la longue.* ⇒ **finalement.** **4.** *Long (à),* lent. *Le feu a été long à s'éteindre.* — Fam. *C'est long à venir, cette réponse.* **5.** PLUS, MOINS LONG DE : qui est de telle ou telle durée. *Dans un mois, les jours seront plus longs, moins longs de 30 minutes.* **III.** N. m. **1.** (Précédé de AU, DE, EN) *Table de 1,20 m de long.* ⇒ **longueur.** *Tomber* DE TOUT SON LONG : en s'allongeant par terre. — DE LONG EN LARGE, EN LONG ET EN LARGE. ⇒ **large.** — TOUT DU LONG : en suivant sur toute la longueur. — AU LONG, TOUT AU LONG : complètement. *Racontez-moi cela tout au long,* en détail. **2.** AU LONG DE, LE LONG DE, TOUT LE LONG, TOUT DU LONG DE loc. prép. : en suivant sur toute la longueur (de). *Il marchait le long des rues.* ⇒ **longer, suivre.** — (Dans le temps) *Durant. Tout le long du jour, pendant tout le jour.* **IV.** Adv. **1.** Beaucoup. *En savoir long.* **2.** Avec un vêtement long. *Elle est habillée trop long.* ▸ *long-courrier* [lɔ̃kuʀje] adj. m. ■ Se dit d'un bâtiment qui navigue au long cours ; des avions de transport sur les longs parcours. *Avions long-courriers.* — N. m. *Des long-courriers.* ‹ ▸ allonger, au long ④ cours, élongation, longanimité, ② longe, longer, longeron, longi-, longitude, ② longtemps, longuement, longuet, longueur, longue-vue, oblong, prolonger, rallonger ›

longanimité [lɔ̃ganimite] n. f. ■ Littér. Patience à supporter (les souffrances, ce qu'on aurait le pouvoir de réprimer). ⇒ **indulgence.**

① *longe* [lɔ̃ʒ] n. f. ■ *Longe (de veau),* morceau dans la moitié de l'échine.

② *longe* n. f. ■ Corde, courroie qui sert à attacher un cheval, un animal domestique. *Mener un cheval par la longe.*

longer [lɔ̃ʒe] v. tr. ▪ conjug. 3. **1.** Aller le long de (qqch.), en en suivant le bord, en marchant auprès. ⇒ **côtoyer.** *Longer les murs pour se cacher.* ⇒ **raser.** **2.** (Choses) Être, s'étendre le long de. ⇒ **border, côtoyer.** *La route longe la mer.*

longeron [lɔ̃ʒʀɔ̃] n. m. ■ Poutre, pièce transversale, en long (d'une charpente, d'un châssis).

longévité [lɔ̃ʒevite] n. f. ■ Longue durée de la vie (d'un individu, d'un groupe, d'une espèce).

longi- ■ Élément savant signifiant « long ».

longitude [lɔ̃ʒityd] n. f. ■ Distance angulaire à un méridien d'origine, vers l'est ou l'ouest. *Île située par 60° de latitude sud et 40° 20' de longitude ouest.*

▸ *longitudinal, ale, aux* adj. ■ Qui est dans le sens de la longueur. *Raie longitudinale.* / contr. **transversal** /

longtemps [lɔ̃tɑ̃] adv. et n. m. invar. **I.** Adv. Pendant un long espace de temps. *Parler longtemps.* ⇒ **longuement.** / contr. **peu** / *Il n'y a plus longtemps à attendre.* ⇒ **beaucoup.** *Restez aussi longtemps que vous voudrez. On se souviendra de lui longtemps après sa mort.* **II.** N. m. invar. **1.** (Compl. de prép.) *Depuis, pendant, pour longtemps. Des coutumes depuis longtemps disparues. Je n'en ai pas pour longtemps.* Fam. *Est-ce qu'il partira dans longtemps ?* — DE LONGTEMPS, AVANT LONGTEMPS. *Je n'y retournerai pas de longtemps,* pas de sitôt. **2.** *Il y a, voici, voilà longtemps. Il est déjà venu ici, il y a longtemps.* ⇒ **autrefois, jadis.** / contr. **récemment** /

à la longue loc. adv. ⇒ **long** (II, 3).

longuement [lɔ̃gmɑ̃] adv. ■ Pendant un long temps, avec longueur et continuité (d'une action). *Raconter longuement une histoire.* / contr. **brièvement** / *Rédigez moins longuement.*

longuet, ette [lɔ̃gɛ, ɛt] adj. ■ Fam. Un peu long (en dimension ou en durée). *Son histoire est un peu longuette.*

longueur [lɔ̃gœʀ] n. f. **I.** (Dans l'espace) **1.** Dimension d'une chose dans le sens de sa plus grande étendue (opposé à *largeur, hauteur, profondeur*). *La longueur d'une route. Dans le sens de la longueur.* ⇒ **en long, longitudinal.** *Longueur et largeur d'un rectangle. Saut en longueur.* **2.** Grandeur qui mesure cette dimension. *Une longueur de 10 m ; 10 m de longueur.* **3.** Unité définie par la longueur de la bête, du véhicule, et servant à évaluer la distance qui sépare les concurrents dans une course. *Cheval qui gagne d'une longueur.* ⇒ **tête.** — *Avoir* UNE LONGUEUR D'AVANCE : un avantage (sur un adversaire). **4.** Grandeur linéaire fondamentale ; grandeur mesurant ce qui n'a qu'une dimension. *Les longueurs, les surfaces et les volumes. Les unités de longueur* (du système métrique). — *Longueur d'onde**. **II. 1.** Espace de temps. ⇒ **durée.** — À LONGUEUR DE loc. prép. : pendant toute la durée de. *Il travaille à longueur de journée, d'année.* **2.** Longue durée ; durée trop longue. *La longueur des heures d'attente. Tirer les choses en longueur,* les faire durer. **III. 1.** Durée (assez grande) nécessaire à la lecture, à l'expression (d'une œuvre). *Excusez la longueur de ma lettre.* **2.** Au plur. *Passages trop longs. Il y a trop de longueurs dans ce film. Éviter les longueurs, les redites.*

longue-vue [lɔ̃gvy] n. f. ■ Lunette d'approche à fort grossissement. *Des longues-vues.*

looping [lupiŋ] n. m. ■ Acrobatie aérienne consistant en une boucle dans le plan vertical. *Faire des loopings.*

lopin [lɔpɛ̃] n. m. ■ Petit morceau (de terrain), petit champ. *Un lopin de terre.*

loquace [lɔkas] ou [lɔkwas] adj. ■ Qui parle volontiers. ⇒ **bavard.** *Vous n'êtes pas très loquace aujourd'hui.* / contr. **silencieux, taciturne** / ▸ *loquacité* [lɔkasite] ou [lɔkwasite] n. f. ■ Littér. Disposition à parler beaucoup. *Loquacité fatigante.* ⇒ **bagou, bavardage.**

loque [lɔk] n. f. **1.** Surtout au plur. Vêtement usé et déchiré. ⇒ **guenille, haillon.** — *Être en loques. Un clochard vêtu de loques.* ⇒ **loqueteux.** **2.** Personne effondrée, sans énergie. *C'est une loque humaine.* ▸ *loqueteux, euse* [lɔktø, øz] adj. **1.** (Personnes) Vêtu de loques, de haillons. ⇒ **déguenillé.** — N. *Un loqueteux.* **2.** Littér. En loques. *Habit loqueteux.*

loquet [lɔkɛ] n. m. ■ Fermeture de porte se composant d'une tige mobile dont l'extrémité se bloque dans une pièce fixée. *Abaisser, soulever le loquet de la porte.* ≠ **targette, verrou.**

lord [lɔʀ] n. m. ■ Titre de noblesse en Angleterre. *La Chambre des lords.* — Titre attribué à certains hauts fonctionnaires ou ministres anglais.

lorgner [lɔʀɲe] v. tr. ▪ conjug. 1. **1.** Observer de façon particulière (de côté, avec insistance, à l'aide d'un instrument). *Lorgner une jolie fille du coin de l'œil.* ⇒ **reluquer. 2.** Avoir des vues sur (qqch. que l'on convoite). ⇒ **guigner.** *Lorgner une place.* ▶ **lorgnette** n. f. ■ Petite lunette grossissante, au spectacle. ⇒ **jumelle.** — Loc. *Regarder, voir par le* PETIT BOUT DE LA LORGNETTE : ne voir des choses qu'un petit côté, dont on exagère l'importance ; avoir un esprit étroit. ▶ **lorgnon** n. m. ■ Ensemble de deux lentilles et de leur monture sans branches ⇒ **binocle,** tenu à la main par une sorte de manche ⇒ **face-à-main,** ou maintenu sur le nez par un ressort ⇒ **pince-nez.**

loriot [lɔʀjo] n. m. ■ Oiseau plus petit que le merle, au plumage jaune vif sauf les ailes et la base du cou qui sont noires.

lorrain, aine [lɔʀɛ̃, ɛn] adj. ■ De Lorraine. *Le bassin lorrain.* — N. *Les Lorrains.*

lors [lɔʀ] adv. **1.** LORS DE loc. prép. : au moment de, à l'époque de. *Lors de son mariage.* **2.** Loc. conj. DÈS LORS QUE : du moment que ; étant donné que, puisque. — Littér. LORS MÊME QUE (+ indicatif ou conditionnel) : même si, en dépit du fait que. *Lors même que vous insisteriez, il ne céderait pas.* ‹ ▶ **alors,** lorsque ›

lorsque [lɔʀsk(ə)] conj. de temps. — REM. Le *e* de *lorsque* s'élide en général devant toutes les voyelles. **1.** Marque la simultanéité. Au moment où, quand. *Lorsqu'il est arrivé, nous finissions de déjeuner.* — *Lorsqu'une fois,* une fois que, à partir du moment où. **2.** Marque la simultanéité et l'opposition. *On fait des discours lorsqu'il faut agir,* alors qu'il faut agir.

losange [lɔzɑ̃ʒ] n. m. ■ Parallélogramme dont les côtés sont égaux, en particulier lorsqu'il ne s'agit pas d'un carré. *Le losange est un quadrilatère. Losange de tissu, de papier.*

lot [lo] n. m. **1.** Partie (d'un tout que l'on partage entre plusieurs personnes). *Diviser un terrain en lots.* ⇒ **lotissement, part, portion. 2.** Quantité (de marchandises). ⇒ **stock.** *Elle sortit tout un lot de vêtements.* **3.** Ce qu'on gagne dans une loterie. *Le* GROS LOT : le plus important. *Lots de consolation.* **4.** Ce que le hasard, la nature réserve à qqn. ⇒ **apanage, destin, sort.** *La souffrance est son lot.* ▶ **loterie** [lɔtʀi] n. f. **1.** Jeu de hasard où l'on distribue des billets numérotés et où des lots sont attribués à ceux qui sont désignés par le sort. ⇒ **loto, tombola.** *Billet de loterie. Acheter un billet, un dixième de la Loterie nationale.* **2.** Ce qui est gouverné, réglé par le hasard. *La vie est une loterie.* ‹ ▶ **lotir, loto** ›

lotion [losjɔ̃] n. f. ■ Liquide utilisé pour rafraîchir le corps, le soigner. *Lotion calmante. Lotion capillaire,* pour empêcher la chute des cheveux. — Application de ce liquide. ⇒ **friction.** *Faire des lotions.* ▶ **lotionner** v. tr. ▪ conjug. 1. ■ Soumettre à une lotion. *Lotionner une plaie.*

lotir [lɔtiʀ] v. tr. ▪ conjug. 2. **1.** Partager, répartir par lots. *Lotir les immeubles d'une succession. Terrains à lotir,* à mettre en vente par lots. **2.** Mettre (qqn) en possession d'un lot. *Après le partage, chacun a été loti d'une maison.* ▶ **loti, ie** adj. ■ *Être* BIEN, MAL LOTI : favorisé, défavorisé par le sort. ▶ **lotissement** n. m. **1.** Division par lots. *Le lotissement des immeubles d'une succession.* — Vente ou location de

parcelles de terrain. **2.** *Un lotissement,* ensemble des parcelles d'un terrain vendu pour la construction d'habitations. ▶ **lotisseur, euse** n. ■ Personne qui partage des terrains en lots, les vend par lots.

loto [loto] n. m. **1.** Jeu de hasard où l'on distribue aux joueurs des cartes portant plusieurs numéros, auxquels correspondent de petits cylindres de bois *(boules de loto)* ou des cartons numérotés et mêlés dans un sac, le gagnant étant le premier à pouvoir remplir sa carte avec des numéros tirés au hasard. — Loc. fam. *Des yeux en* BOULES DE LOTO : tout ronds, surpris. **2.** En France. Jeu consistant à choisir des numéros dans les cases d'une carte et où les numéros gagnants sont tirés au sort. ⇒ **loterie.**

lotte [lɔt] n. f. ■ Poisson comestible, à peau épaisse, gluante, couverte d'écailles. *Lotte à l'américaine.*

lotus [lɔtys] n. m. invar. ■ Nénuphar blanc (de l'Inde). *Le lotus sacré est un des principaux symboles de l'hindouisme.* — Nénuphar du Nil. *Lotus bleu.*

① **louable** [lwabl] adj. ■ Qui est digne de louange, qui mérite d'être loué. ⇒ **bien, bon, estimable.** *Sentiments louables.* ⇒ **honnête.** *De louables efforts.* ⇒ **méritoire.** / contr. **blâmable, condamnable, répréhensible** /

② **louable** adj. ■ Qu'on peut louer ②. *Cet appartement est difficilement louable.*

louage [lwaʒ] n. m. ■ (Terme de droit) Location ; action de louer ②. *Contrat de louage. Louage de services,* contrat de travail. — *Voiture de louage.*

louange [lwɑ̃ʒ] n. f. **1.** Littér. Action de louer ① (qqn ou qqch.) ; le fait d'être loué. ⇒ **éloge.** / contr. **blâme, critique** / *Rechercher la louange. Un beau discours à la louange de qqn.* **2.** Au plur. Témoignage verbal ou écrit d'admiration ou de grande estime. ⇒ **compliment, félicitation.** *Couvrir qqn de louanges. Son attitude mérite de grandes louanges.* — *Chanter les louanges de qqch.,* ses mérites. ▶ **louanger** v. tr. ▪ conjug. 3. ■ Littér. Couvrir de louanges ; faire l'éloge de. ⇒ **louer, glorifier.** / contr. **blâmer, critiquer** / ▶ **louangeur, euse** n. et adj. ■ Littér. Qui contient ou exprime une louange. ⇒ **élogieux, laudatif.** *Paroles louangeuses.*

loubard [lubaʀ] n. m. ■ Fam. Jeune vivant dans une banlieue pauvre, appartenant à une bande dont le comportement est asocial. ⇒ **loulou** (II, 2).

① **louche** [luʃ] adj. ■ Qui n'est pas clair, pas honnête. ⇒ **suspect, trouble.** *Affaires, manœuvres louches. C'est louche,* bizarre et suspect. *Un individu louche.* / contr. **clair, franc, net** /

② **louche** n. f. ■ Grande cuiller à long manche pour servir le potage, les mets liquides.

loucher [luʃe] v. intr. ▪ conjug. 1. **1.** Être atteint de strabisme convergent ; avoir les axes visuels des deux yeux non parallèles. ⇒ fam. **bigler.** (→ fam. Avoir un œil qui dit merde à l'autre ; avoir les yeux qui se croisent les bras.) **2.** Fam. *Faire loucher qqn,* provoquer sa curiosité, son envie. — LOUCHER SUR, VERS : jeter des regards pleins de convoitise sur (qqn ou qqch.). ⇒ **guigner, lorgner.** *Elle louchait sur le dessert.*

① **louer** [lwe] v. tr. ▪ conjug. 1. **1.** Déclarer (qqn ou qqch.) digne d'admiration ou de très grande estime. ⇒ **exalter, louanger.** / contr. **blâmer, critiquer** / *Louer qqn sans mesure.* ⇒ **encenser, flatter. 2.** LOUER *qqn* DE ou POUR *qqch.* ⇒ **féliciter.** *On ne peut que le louer d'avoir agi ainsi. On le loua, on l'a beaucoup loué pour son courage.* **3.** *Louer Dieu, le Seigneur.* ⇒ **bénir, glorifier.** Loc. *Dieu soit loué !,* exclamation de joie, de soulagement. **4.** SE LOUER DE *qqch.* v. pron. réfl. : témoigner ou s'avouer la vive satisfaction qu'on en éprouve. ⇒ s'**applaudir**, se **féliciter**. *Je me loue d'avoir accepté son offre.* — *Se louer de qqn*, être pleinement satisfait de lui. *Il ne peut que se louer de ses enfants, que s'en louer.* ⟨ ▶ ① louable, louange ⟩

② *louer* v. tr. ▪ conjug. 1. **I.** Donner (qqch.) en location. *Louer une chambre meublée à un étudiant. Maison à louer.* — SE LOUER v. pron. passif : être à louer. *Cet appartement doit se louer cher.* **II. 1.** Prendre en location, à bail. *Louer un appartement,* en être locataire. *Louer une voiture, un poste de télévision.* ⇒ **location, louage. 2.** Réserver, retenir en payant. *Louer sa place dans un train, un avion.* ▶ *loueur, euse* n. ▪ Personne qui fait métier de donner (des voitures, des sièges, etc.) en location. ⟨ ▶ ② louable, louage, loyer, sous-louer ⟩

loufoque [lufɔk] adj. ▪ Fam. Fou. ⇒ **dingue, farfelu.** *Il a l'air un peu loufoque* (variantes : LOUF, LOUFTINGUE). — *Une histoire loufoque,* absurde et comique. ▶ *loufoquerie* n. f. ▪ Caractère d'une personne loufoque, de ce qui est loufoque. — *(Une, des loufoqueries) Acte absurde et drôle. J'en ai assez de tes loufoqueries.*

louis [lwi] n. m. invar. **1.** Ancienne monnaie d'or, à l'effigie du roi de France. **2.** Pièce d'or française de vingt francs. ⇒ **napoléon.** *Des louis d'or.*

loukoum [lukum], ou *lokoum* [lɔkum] n. m. ▪ Confiserie orientale, faite d'une pâte aromatisée enrobée de sucre en fine poudre. *Des loukoums.*

loulou [lulu] n. m. **I.** Petit chien d'appartement à museau pointu, à long poil, à grosse queue touffue. *Loulou de Poméranie.* **II.** Fam. **1.** LOULOU, LOULOUTE [lulut]. Terme d'affection. *Mon gros loulou.* ⇒ **loup** (I, 2). **2.** Mauvais garçon. ⇒ **loubard, voyou.**

loup [lu] n. m. **I. 1.** Mammifère carnivore sauvage, qui ressemble beaucoup à un grand chien *(chien-loup). Bande de loups. Le loup, la louve et leurs louveteaux. Hurlement de loup.* — Loc. *Une faim de loup,* une faim vorace. *Un froid de loup,* un froid très rigoureux. *Être connu comme le loup blanc,* très connu. — Loc. prov. *Quand on parle du loup, on en voit la queue,* se dit lorsqu'une personne survient au moment où l'on parle d'elle. — *Un jeune loup,* un homme d'affaires, un politicien jeune et ambitieux. **2.** Fam. Terme d'affection à l'égard d'un enfant, d'un être cher. *Mon loup, mon petit loup.* ⇒ fam. **loulou. 3.** Fam. LOUP DE MER : vieux marin qui a beaucoup navigué. **4.** Poisson comestible de la Méditerranée. ⇒ **bar.** *Loup au fenouil.* **II.** Masque de velours noir qu'on porte dans les bals masqués. ▶ *loup-cervier* [lusɛʀvje] n. m. ▪ Lynx du nord de l'Europe. *Des loups-cerviers.* ⟨ ▶ chien-loup, gueule-de-loup, loulou, loup-garou, loupiot, louve, tête-de-loup ⟩

① *loupe* [lup] n. f. **1.** Excroissance du bois d'un arbre. ⇒ **nœud. 2.** Tumeur, excroissance de la peau.

② *loupe* n. f. ▪ Instrument d'optique, lentille convexe et grossissante. *Travailler, lire avec une loupe.* — *Regarder une chose à la loupe,* l'examiner avec une grande minutie.

louper [lupe] v. tr. ▪ conjug. 1. **1.** Fam. Ne pas réussir (un travail, une action). ⇒ **manquer, rater.** *Il a loupé sa composition, son examen.* — Au p. p. adj. Raté, manqué. **2.** Fam. Ne pouvoir prendre, laisser échapper. *Tu vas louper ton train.* **3.** Intransitivement. *Tout a loupé. Ça n'a pas loupé,* ça devait arriver.

loup-garou [lugaʀu] n. m. ▪ Personnage malfaisant des légendes populaires, homme à forme de loup qui passait pour errer la nuit dans les campagnes. *Des loups-garous.*

loupiot, iotte [lupjo, jɔt] n. ▪ ⇒ **enfant.**

loupiote [lupjɔt] n. f. ▪ Fam. Petite lampe, lumière. *Allumer une loupiote.*

lourd, lourde [luʀ, luʀd] adj. **I. 1.** Difficile à déplacer, en raison de son poids. ⇒ **pesant.** / contr. **léger** / *Une lourde charge. Une valise très lourde.* — Qui gêne par une impression de pesanteur. *Tête lourde, estomac lourd. Se sentir les jambes lourdes,* avoir de la peine à les mouvoir. — *Terrain lourd,* compact, difficile à labourer ; en sports, détrempé, bourbeux, où l'on s'enfonce. — *Sommeil lourd,* pesant. **2.** Dont le poids est élevé ou supérieur à la moyenne. *Artillerie lourde,* de gros calibre. *Industrie lourde,* grosse industrie. — Dont la densité est élevée. *Un gaz, un corps plus lourd que l'air.* — POIDS LOURD : camion ; boxeur pesant de 79 à 85 kilos. *Les mi-lourds et les poids lourds.* **3.** Loc. *Avoir* LA MAIN LOURDE : frapper fort ; punir sévèrement. *Il a la main lourde avec son fils.* — Peser, verser en trop grande abondance. *Tu as eu la main lourde en te parfumant.* **4.** Difficile à supporter. *Avoir de lourdes charges.* ⇒ **écrasant.** *Lourde responsabilité. Lourde hérédité,* chargée. — Loc. *En avoir lourd* (ou gros) *sur le cœur,* avoir de la peine, de la rancune, etc. **5.** Qui accable, oppresse, pèse. *Le temps est lourd.* Fam. *Il fait lourd.* — *Aliments lourds.* ⇒ **indigeste. 6.** LOURD (DE) : chargé (de). *Phrase lourde de sous-entendus, de menaces.* ⇒ **plein, rempli. 7.** Qui donne une impression de lourdeur, de pesanteur, sur les sens. — (Sur la vue, par son aspect) ⇒ **massif ; épais.** *Tentures lourdes. Monument lourd.* ⇒ **mastoc.** / contr. **élégant, gracieux** / — (Sur l'odorat) *Parfum lourd.* ⇒ **fort.** / contr. **délicat** / — (Sur le goût) *Un vin lourd et râpeux.* **8.** Adv. PESER LOURD. ⇒ **beaucoup.** *Cette malle pèse lourd.* — Loc. Abstrait. *Cela ne pèsera pas lourd dans la balance,* n'aura pas grande importance. — Fam. *Il n'en sait* PAS LOURD, *il n'en fait pas lourd,* pas beaucoup. **II.** Maladroit. **1.** (Personnes) Qui manque de finesse, de subtilité. ⇒ **balourd, épais, grossier, lourdaud.** / contr. **fin, subtil, vif** / **2.** Qui manifeste de la maladresse intellectuelle. *Lourdes plaisanteries.* ⇒ **gros.** *Style lourd.* ⇒ **embarrassé. 3.** Qui se déplace, se meut avec maladresse, gaucherie, lenteur. ⇒ **empâté.** *Son équipement le rend lourd et maladroit. Une démarche lourde.* ▶ *lourdaud, aude* n. et adj. **1.** N. Personne lourde, maladroite (au moral et au physique). *C'est un lourdaud.* **2.** Adj. ⇒ **balourd.** *Elle est un peu lourdaude.* ▶ *lourdement* adv. **1.** De tout son poids, de toute sa force. *Tomber lourdement.* — *Peser lourdement sur,* avoir des conséquences importantes pour. *Sa décision pèsera lourdement sur son avenir.* **2.** Avec une charge, un matériel pesants. ⇒ **pesamment.** *Camions lourdement chargés.* **3.** Maladroitement. *Marcher lourdement. Appuyer, insister lourdement.* — Abstrait. *Se tromper lourdement.* ⇒ **grossièrement.** ▶ *lourdeur* n. f. **I. 1.** Caractère de ce qui est difficile à supporter. *La lourdeur de l'impôt.* — *(Une, des lourdeurs)* Impression de pesanteur pénible. *Des lourdeurs d'estomac.* **2.** Caractère massif, pesant. *Lourdeur des formes.* **II.** Gaucherie, maladresse. *Lourdeur de la démarche.* — Manque de finesse, de vivacité, de délicatesse. *Lourdeur d'esprit.* ⇒ **épaisseur, lenteur, pesanteur.** — *La lourdeur d'une phrase, du style.* ⟨ ▶ alourdir, balourd, lourde, poids lourd ⟩

lourde [luʀd] n. f. ▪ Fam. Porte. *Il a bouclé la lourde.* ▶ *lourder* v. tr. ▪ conjug. 1. ▪ Arg. fam. Mettre à la porte. *Il s'est fait lourder.* ⇒ **licencier.** — Se débarrasser de (qqn, qqch.).

loustic [lustik] n. m. ▪ Individu facétieux. ⇒ **farceur, plaisantin.** *Faire le loustic.* — Fam. et péj. Homme, type. *C'est un drôle de loustic. Des loustics.*

loutre [lutʀ] n. f. **1.** Petit mammifère carnivore, à pelage brun épais et court, à pattes palmées, se nourrissant de poissons et de gibier d'eau. **2.** Fourrure de cet animal. *Un manteau de loutre.*

louve [luv] n. f. ■ Femelle du loup. *La louve et ses louveteaux.* ▶ *louveteau* [luvto] n. m. **1.** Petit du loup et de la louve. **2.** Scout de moins de douze ans. *Des louveteaux.*

louvoyer [luvwaje] v. intr. ■ conjug. 8. **1.** Naviguer en zigzag pour utiliser un vent contraire. **2.** Prendre des détours pour atteindre un but. ⇒ **biaiser, tergiverser.** *Il louvoyait pour éviter de répondre.* ▶ *louvoiement* [luvwamɑ̃] n. m. ■ Action de louvoyer. ⇒ **détour.**

lover [lɔve] v. tr. ■ conjug. 1. **1.** Terme de marine. Ramasser en rond (un câble, un cordage). **2.** SE LOVER v. pron. réfl. : s'enrouler sur soi-même. *Le serpent se love pour dormir.*

loyal, ale, aux [lwajal, o] adj. ■ Qui obéit aux lois de l'honneur et de la probité. ⇒ **honnête.** *Un ami loyal.* ⇒ **sincère.** *Adversaire, ennemi loyal.* ⇒ **droit ;** fam. **régulier.** / contr. **faux, hypocrite** / — *Remercier qqn pour ses bons et loyaux services.* ▶ *loyalement* adv. ■ *Combattre, discuter loyalement.* ▶ *loyalisme* n. m. ■ Attachement dévoué à une cause. ⇒ **dévouement.** *Le loyalisme d'un militant envers son parti.* ▶ *loyauté* [lwajote] n. f. ■ Caractère loyal, fidélité à tenir ses engagements. ⇒ **droiture, honnêteté.** *Reconnaître avec loyauté les mérites de l'adversaire. La loyauté de sa conduite.* ‹ ▶ *déloyal* ›

loyer [lwaje] n. m. (⇒ ② **louer**) **1.** Prix de la location d'un local d'habitation, professionnel. *Loyer élevé, petit loyer. Échéance du loyer.* ⇒ **terme. 2.** *Le loyer de l'argent,* le taux de l'intérêt. **3.** En droit. Bail, location d'une chose quelconque.

L.S.D. [ɛlɛsde] n. m. invar. ■ Substance hallucinogène. *Prendre du L.S.D.* ⇒ **acide.**

lu, lue ⇒ ① **lire.**

lubie [lybi] n. f. ■ Idée, envie capricieuse, parfois déraisonnable. ⇒ **caprice, fantaisie, folie.** *Il a des lubies, il lui prend des lubies. C'est sa dernière lubie.*

lubricité n. f. ⇒ **lubrique.**

lubrifier [lybrifje] v. tr. ■ conjug. 7. ■ Enduire d'une matière onctueuse qui atténue les frottements, facilite le fonctionnement. ⇒ **graisser, huiler, oindre.** *Lubrifier un moteur.* ▶ *lubrifiant, ante* adj. et n. m. **1.** Adj. Qui lubrifie. *Liquide lubrifiant.* **2.** N. m. Matière onctueuse, ayant la propriété de lubrifier. ▶ *lubrification* n. f. ■ *La lubrification des rouages d'une machine.*

lubrique [lybrik] adj. ■ Qui manifeste un fort penchant pour la luxure. — Plaisant. *Un œil lubrique,* concupiscent ; envieux. ▶ *lubricité* n. f. ■ Penchant effréné ou irrésistible pour la luxure, la sensualité brutale. ⇒ **impudicité.** *Se livrer à la lubricité.* ⇒ **débauche.**

lucarne [lykarn] n. f. **1.** Petite fenêtre, pratiquée dans le toit d'un bâtiment. *Les lucarnes d'un grenier.* **2.** Petite ouverture (dans un mur, une paroi). *La lucarne d'un cachot.*

lucide [lysid] adj. **1.** Qui perçoit, comprend, exprime les choses avec clarté, perspicacité. *Esprit, intelligence lucide.* ⇒ **clair, clairvoyant, pénétrant, perspicace.** *Il est revenu de son évanouissement, mais il n'est pas encore lucide.* ⇒ **conscient. 2.** Clairvoyant sur son propre comportement. / contr. **aveugle** / *Il est très lucide et a bien compris ses erreurs.* ▶ *lucidement* adv. ■ Littér. D'une manière lucide, avec clarté. ▶ *lucidité* n. f. **1.** Qualité d'une personne, d'un esprit lucide. ⇒ **acuité, clairvoyance, pénétration.** *Analyse d'une grande lucidité.* **2.** Fonctionne-

ment normal des facultés intellectuelles. ⇒ **conscience.** *Moments, intervalles de lucidité d'un aliéné.* ⇒ **raison.** / contr. **démence, égarement** /

luciole [lysjɔl] n. f. ■ Insecte dont l'adulte est ailé et lumineux (parfois confondu avec le ver luisant).

lucre [lykr] n. m. ■ Littér. et péj. *Le goût, l'amour, la passion du lucre, le goût du gain, du profit.* ▶ *lucratif, ive* adj. ■ Qui procure un gain, des profits, des bénéfices. — REM. N'est pas péjoratif. *Travail lucratif. Une bonne place lucrative.*

ludique [lydik] adj. ■ Didact. Relatif au jeu. *Activité ludique des enfants.*

luette [lɥɛt] n. f. ■ Prolongement vertical du bord postérieur du voile du palais, formant un petit appendice charnu, à l'entrée du gosier.

lueur [lɥœr] n. f. **1.** Lumière faible, diffuse, ou encore brusque, éphémère. *Les premières lueurs de l'aube. À la lueur d'une bougie, d'un feu. La lueur des éclairs.* **2.** Expression vive et momentanée (du regard). *Avoir une lueur de colère dans les yeux.* ⇒ **éclair, éclat, flamme. 3.** Abstrait. Illumination soudaine, faible ou passagère ; légère apparence ou trace. *Lueur de raison.* ⇒ **éclair, étincelle.** — Littér. *Des lueurs,* des connaissances superficielles. *Avoir des lueurs sur un sujet.*

luge [lyʒ] n. f. ■ Petit traîneau à patins relevés à l'avant. *Faire une descente sur une luge, en luge.*

lugubre [lygybr] adj. **1.** Littér. Qui est signe de deuil, de mort. ⇒ **funèbre, macabre.** *Glas lugubre.* **2.** D'une profonde tristesse. ⇒ **funèbre, sinistre.** *Air, ton lugubre ; mine lugubre. Une atmosphère lugubre.* — *Il est lugubre,* d'une tristesse accablante. / contr. **gai** / ▶ *lugubrement* adv. ■ *Le chien hurlait lugubrement.*

lui [lɥi] pronom pers. ■ Pronom personnel de la troisième personne du singulier. **I.** Pronom personnel des deux genres. Représentant un nom de personne ou d'animal (plur. *leur*). **1.** À lui (→ ci-dessous III, 1), à elle. *Il lui dit. Il le lui a dit. Nous lui en avons parlé. On lui voit beaucoup d'ennemis,* on voit qu'il (ou elle) a beaucoup d'ennemis. — Renforçant le nom. *Et à Virginie, que lui répondrez-vous ?* — Complément d'un adjectif attribut. *Il lui est très facile de venir,* c'est très facile *pour lui (pour elle)* de venir. — Devant un nom désignant une partie du corps, un élément de la vie mentale ou affective (affection, émotion). *Je lui ai serré la main,* j'ai serré *sa* main. *La jambe lui fait mal. Elle lui sauta au cou.* **2.** Compl. d'un verbe principal et sujet d'un infinitif ayant lui-même un complément d'objet. *Faites-lui recommencer ce travail. Je lui ai laissé lire cette lettre, je la lui ai laissé lire.* **II.** Pronom masculin (⇒ fém. **elle,** plur. **eux**). **1.** Sujet. *Lui aussi voudrait la connaître.* — (Sujet d'un v. au p. p. ou d'une propos. elliptique) *Lui arrivé, elle ne sut que dire. Elle est moins raisonnable que lui* (n'est raisonnable). — (En apposition au sujet) *Il travaillait avec elle, lui vite, elle plus lentement.* — Pour renforcer le sujet. *Lui, il a refusé.* **2.** (Après *c'est*) *C'est, c'était lui qui...* *C'est lui qui sera content de vous voir !* **3.** (Compl. direct) *Je ne veux voir que lui.* **III.** Avec une préposition, pronom masculin (⇒ fém. **elle,** plur. **eux**). **1.** À LUI : compl. indirect des verbes énonçant le mouvement (*aller, arriver, courir*), la pensée (*penser, rêver, songer*), et de quelques transitifs indirects. *Elle renonce à lui* (mais : elle *lui* parle). — Compl. d'un verbe ayant un autre pronom personnel pour complément d'objet. *Voulez-vous me présenter à lui ?* — (Après *c'est*) *C'est à lui de commencer.* — Après un nom (possession, appartenance). *Il a une allure bien à lui.* — Loc. À LUI SEUL, À LUI TOUT SEUL. *Il n'y arrivera jamais à lui tout seul,* sans se faire aider. **2.** DE LUI,

EN LUI, PAR LUI, etc. *J'ai confiance en lui. Je le fais pour lui. Allez-vous avec lui, chez lui ?* **IV.** LUI, employé comme réfléchi au lieu de *soi*, pour représenter un sujet masculin. *Un homme content de lui. Il regarda autour de lui.* **V.** (Masculin) LUI-MÊME. *Lui-même n'en sait rien.* — (Réfléchi) ⇒ **soi-même.** *La bonne opinion qu'il a de lui-même.* — Loc. *De lui-même,* par sa propre décision.

luire [lɥiʀ] v. intr. ▪ conjug. 38. — REM. Le p. p. est *lui* et est invar. **1.** Émettre ou refléter de la lumière. ⇒ **briller, éclairer.** *Le soleil luit.* — *Regards qui luisent de colère, d'envie.* — *Luire au soleil,* refléter sa lumière. ⇒ **luisant. 2.** Littér. Se manifester. *L'espoir luisait encore.* ▶ **luisant, ante** [lɥizɑ̃, ɑ̃t] adj. **1.** Qui réfléchit la lumière, qui a des reflets. ⇒ **brillant, clair.** / contr. **mat, terne** / *Métal luisant.* ⇒ **étincelant, poli. 2.** VER LUISANT : insecte qui brille la nuit. *Des vers luisants.* ⟨ ▶ **lueur, reluire** ⟩

lumbago [lɔ̃bago ; lœbago] n. m. ▪ Douleur des lombes (fam. *tour de reins*). *Souffrir d'un lumbago. Des lumbagos.*

lumière [lymjɛʀ] n. f. **I. 1.** Ce par quoi les choses sont éclairées. ⇒ **clarté.** *Qui produit de la lumière.* ⇒ **lumineux ; luminescent.** *Source de lumière.* ⇒ **éclairage.** *Lumière éblouissante, forte, intense, vive.* ⇒ **éclat.** *Lumière diffuse, indécise.* ⇒ **lueur, reflet.** — *La lumière du soleil, du jour. Travailler à la lumière artificielle, électrique.* **2.** Lumière du jour. *Il y a beaucoup de lumière dans cet appartement.* — Lumière artificielle. *La lumière d'une lampe, d'un luminaire, d'un lustre* ③. *Donner de la lumière,* allumer. *Éteindre la lumière.* **3.** *(Une, des lumières)* Source de lumière, point lumineux. *Les lumières de la ville.* **4.** Radiations visibles ou invisibles émises par les corps incandescents ou luminescents. — *Vitesse de la lumière* (environ 300 000 km/s). *Année de lumière.* ⇒ **année-lumière. II.** Abstrait. **1.** Ce qui éclaire, illumine l'esprit, fournit une explication. ⇒ **clarté, éclaircissement.** *L'auteur jette une lumière nouvelle sur la question. Faire la lumière,* donner toutes les explications nécessaires. ⇒ **élucider. 2.** Loc. EN LUMIÈRE : évident pour tous. *Mettre en pleine lumière,* éclairer, signaler. **3.** LES LUMIÈRES de qqn : l'intelligence ou le savoir. *Aidez-moi de vos lumières.* — *Le siècle des lumières,* le XVIIIᵉ siècle (en Europe occidentale). **4.** UNE LUMIÈRE : homme de grande intelligence, de grande valeur. *C'est une des lumières de son temps.* — Fam. *Ce n'est pas une lumière,* il n'est pas très intelligent. ⟨ ▶ **année-lumière** ⟩

lumignon [lymiɲɔ̃] n. m. ▪ Lampe qui éclaire faiblement.

luminaire [lyminɛʀ] n. m. **1.** Ensemble des appareils d'éclairage (d'une église, etc.). *Le luminaire d'une cérémonie.* **2.** *(Un, des luminaires)* Appareil d'éclairage. *Des luminaires de style moderne.* ⇒ ③ **lustre.**

luminescent, ente [lyminesɑ̃, ɑ̃t] adj. ▪ Qui émet de la lumière (après avoir reçu un rayonnement, etc.). *Tube luminescent.* ⇒ **fluorescent.**

lumineux, euse [lyminø, øz] adj. **I. 1.** Qui émet ou réfléchit la lumière. *Corps, point lumineux.* ⇒ **brillant, éclatant, étincelant.** *Source lumineuse. Montre à cadran lumineux.* **2.** Clair, radieux. *Teint, regard lumineux.* **3.** De la nature de la lumière (visible). *Rayon lumineux.* **II.** Qui a beaucoup de clarté, de lucidité. *Intelligence lumineuse.* ⇒ **lucide.** *Un raisonnement lumineux,* aisé à comprendre. — Fam. *C'est une idée lumineuse,* une idée excellente, de génie. ▶ **lumineusement** adv. ▪ *Expliquer lumineusement un problème.* ⇒ **clairement.** ▶ **luminosité** n. f. **1.** Qualité de ce qui est lumineux, brillant. *La luminosité du ciel méditerranéen.* **2.** Puissance lumineuse. *Masse et luminosité des étoiles.*

lump [lœp] n. m. ▪ Poisson nordique. *Œufs de lump,* petits œufs de ce poisson présentés comme du caviar.

lunaire [lynɛʀ] adj. **1.** Qui appartient ou a rapport à la lune. *Le sol lunaire. Expédition lunaire.* **2.** Qui évoque la lune. *Paysage lunaire.* — *Face lunaire,* blafarde et ronde. ▶ **lunaison** n. f. ▪ Mois lunaire, intervalle de temps compris entre deux nouvelles lunes consécutives.

lunatique [lynatik] adj. et n. ▪ Qui a l'humeur changeante, déconcertante (comme ceux qui, croyait-on, étaient sous l'influence de la *lune*). ⇒ **capricieux, fantasque.** *Il est lunatique.* — *Une conduite un peu lunatique.*

lunch [lœnʃ ; lœʃ] n. m. ▪ Repas léger. *Être invité à un lunch.* ⇒ **buffet, cocktail.** *Des lunches* ou des *lunchs.*

lundi [lœdi] n. m. ▪ Premier jour de la semaine*, qui succède au dimanche. *Magasin fermé le lundi, tous les lundis. Le lundi de Pâques, de Pentecôte,* le lendemain de ces fêtes. — *Il viendra lundi,* le lundi qui vient.

lune [lyn] n. f. **1.** Satellite de la Terre, recevant sa lumière du Soleil ; son aspect. *La face cachée de la lune. Pleine lune, nouvelle lune. Croissant de lune. Clair de lune. Nuit sans lune,* sans clair de lune. — (Avec une majuscule, en parlant de l'astre) *Atterrir sur la Lune.* ⇒ **alunir. 2.** Loc. fig. *Être* DANS LA LUNE : très distrait, hors de la réalité. — *Demander, promettre la lune,* l'impossible. — LUNE DE MIEL : les premiers temps du mariage, d'amour heureux. **3.** Fam. Gros visage joufflu. — Derrière. ▶ **luné, ée** adj. ▪ BIEN, MAL LUNÉ : dans une disposition d'esprit bonne, mauvaise. *Il est mal luné aujourd'hui.* ⟨ ▶ **alunir, lunaire, lunatique, lundi, lunule** ⟩

① **lunette** [lynɛt] n. f. **1.** Ouverture, objet circulaire. — Ouverture arrondie. *La lunette arrière d'une voiture.* **2.** Ouverture du siège d'aisances ; ce siège. *La lunette des cabinets.*

② **lunettes** n. f. pl. et *lunette* n. f. **1.** Au plur. Paire de verres (lentilles) enchâssés dans une monture munie de deux branches, posée devant les yeux et servant à corriger ou à protéger la vue. *Porter, mettre des lunettes. Un monsieur à lunettes,* qui porte des lunettes. *Lunettes d'écaille. Lunettes noires,* à verres teintés. *Lunettes de soleil.* — *Lunettes de plongée, de ski.* — Fam. *Vous devriez mettre des lunettes,* regarder mieux. **2.** LUNETTE : instrument d'optique grossissant, en forme de tube. *Lunette d'approche.* ⇒ **longue-vue, lorgnette.** *Lunette astronomique.* ≠ *télescope.* ▶ **lunetier, ière** [lyntje, jɛʀ] n. ▪ Fabricant, marchand de lunettes (1). ⇒ **opticien.** — Adj. *Industrie lunetière.* ▶ **lunetterie** [lynɛtʀi] n. f. ▪ Métier, commerce du lunetier.

lunule [lynyl] n. f. ▪ Tache blanche en demi-cercle, comme un croissant de *lune* (à la base de l'ongle).

lupanar [lypanaʀ] n. m. ▪ Littér. Maison de prostitution. ⇒ **bordel.**

lupus [lypys] n. m. invar. ▪ Maladie de la peau due au bacille tuberculeux, qui laisse des cicatrices.

belle lurette [lyʀɛt] loc. ▪ *Il y a, depuis, cela (ça) fait* BELLE LURETTE : il y a bien longtemps. *Ils sont partis il y a belle lurette. Ça fait belle lurette qu'on ne les a pas vus.*

luron, onne [lyʀɔ̃, ɔn] n. ▪ Vieilli. Personne décidée et énergique. — Au masc. *C'est un joyeux, un gai luron,* un bon vivant.

lusitanien, ienne [lyzitanjɛ̃, jɛn] adj. et n. ▪ Relatif au Portugal, au portugais. *Études lusitaniennes.*

lyre

lustrage [lystraʒ] n. m. ■ Action ou manière de lustrer. *Lustrage des étoffes,* opération d'apprêt (glaçage). *Lustrage des fourrures.*

lustral, ale, aux [lystral, o] adj. ■ Littér. Qui sert à purifier. *L'eau lustrale du baptême.*

① **lustre** [lystr] n. m. ■ Littér. Cinq années. — Au plur. *Il y a des lustres,* il y a longtemps.

② **lustre** n. m. **1.** Éclat (d'un objet brillant ou poli). *Vernis donnant du lustre.* **2.** Éclat qui rehausse, met en valeur. ⇒ **éclat, relief.** ▶ **lustrer** v. tr. ▪ conjug. 1. **1.** Rendre brillant, luisant (⇒ **lustrage**). *Le chat lustre son poil en se léchant.* — Au p. p. adj. *Des cheveux lustrés.* **2.** Rendre brillant par le frottement, l'usure. — Au p. p. adj. *Veste lustrée aux coudes.* ▶ **lustrine** n. f. ■ Tissu de coton glacé sur une face. *Doublure de lustrine.*

③ **lustre** n. m. ■ Appareil d'éclairage comportant plusieurs lampes, qu'on suspend au plafond. ⇒ **suspension.** *Les lustres d'un salon.*

luth [lyt] n. m. ■ Instrument de musique à cordes pincées, plus ancien que la guitare. *Des luths.* ▶ **lutherie** [lytri] n. f. ■ Fabrication des instruments à cordes et à caisse de résonance (violons, guitares, etc.). ▶ **luthier** [lytje] n. m. ■ Artisan en lutherie ; fabricant de violons, altos, violoncelles, contrebasses, guitares, luths, etc.

luthérien, ienne [lyterjɛ̃, jɛn] adj. ■ De Luther, conforme à sa doctrine. *Église luthérienne.* — N. *Les luthériens,* protestants qui professent la religion luthérienne.

lutin [lytɛ̃] n. m. ■ Petit démon espiègle et malicieux. ⇒ **farfadet, gnome.**

lutiner [lytine] v. tr. ▪ conjug. 1. ■ Harceler (une femme) de petites privautés par manière de plaisanterie. ⇒ **peloter.**

lutrin [lytrɛ̃] n. m. ■ Pupitre sur lequel on met les livres de chant, à l'église.

lutte [lyt] n. f. **1.** Combat corps à corps de deux adversaires qui s'efforcent de se terrasser. *Lutte gréco-romaine. Lutte libre.* **2.** Opposition violente entre deux adversaires (individus, groupes), où chacun s'efforce de faire triompher sa cause. *Engager, abandonner la lutte. Luttes politiques, religieuses.* — *Lutte des classes* (sociales). **3.** *Lutte contre, pour...,* action soutenue et énergique (pour résister à une force hostile, atteindre un certain but). ⇒ **effort.** *Lutte contre l'alcoolisme. Lutte d'un peuple pour sa libération, son indépendance.* — LUTTE POUR LA VIE : sélection naturelle des espèces. — Efforts pour survivre. **4.** Antagonisme entre forces contraires. ⇒ **duel.** *La lutte entre le bien et le mal.* **5.** DE HAUTE LUTTE loc. adv. : en mettant dans la lutte toute la force ou l'autorité dont on dispose. *Il a emporté la victoire de haute lutte.* ▶ **lutter** v. intr. ▪ conjug. 1. **1.** Combattre à la lutte (1). *Lutter avec, contre qqn.* **2.** S'opposer dans une lutte, un conflit. ⇒ se **battre, combattre.** — LUTTER DE : rivaliser par, au moyen de, dans (une activité). *Lutter de vitesse avec qqn.* **3.** Mener une action énergique (contre ou pour qqch.). *Lutter contre la maladie. Lutter pour l'indépendance. Lutter contre sa timidité.* — Sans compl. *Pour vivre, il faut lutter.* ▶ **lutteur, euse** n. **1.** Athlète qui pratique la lutte. *Des épaules de lutteur.* **2.** Fig. Personne qui aime la lutte, l'action. *Tempérament de lutteur.* ⇒ **combatif.**

luxation [lyksasjɔ̃] n. f. ■ Déplacement accidentel de deux surfaces d'une articulation. ⇒ **luxer.** *Luxation de l'épaule, de la hanche.*

luxe [lyks] n. m. **1.** Mode de vie caractérisé par de grandes dépenses consacrées à l'acquisition de biens superflus. *Aimer le luxe, vivre dans le luxe.* — Fam.

Ce n'est PAS DU LUXE : c'est utile, indispensable. *Il s'est fait couper les cheveux, ce n'était pas du luxe.* **2.** Caractère coûteux, somptueux (d'un bien ou d'un service). ⇒ **somptuosité.** *Le luxe de sa chambre à coucher.* — DE LUXE : qui présente ce caractère. *Produits, articles de luxe.* **3.** *Un luxe,* bien ou plaisir (relativement) coûteux. *Le cinéma est mon seul luxe.* — *Se donner,* SE PAYER LE LUXE de dire, de faire : se permettre, comme chose inhabituelle et particulièrement agréable. *Je me suis payé le luxe de dire ce que je pensais.* **4.** Abstrait. *Un luxe de,* abondance ou profusion. *Avec un grand luxe de détails.* ▶ **luxueux, euse** [lyksɥø, øz] adj. ■ Qui se signale par son luxe. ⇒ **fastueux, magnifique, somptueux.** *Installation luxueuse. Un hôtel luxueux, un palace.* / contr. **pauvre, simple** / ▶ **luxueusement** adv. ■ *Un appartement luxueusement meublé.*

luxer [lykse] v. tr. ▪ conjug. 1. ■ Provoquer la luxation de (certains os, une articulation). ⇒ **déboîter.** *Elle s'est luxé la rotule.* ⇒ se **démettre.** ‹ ▶ **luxation** ›

luxure [lyksyr] n. f. ■ Littér. Goût immodéré, recherche et pratique des plaisirs sexuels. ⇒ **impureté, lasciveté, lubricité.** ▶ **luxurieux, euse** adj. ■ Littér. Adonné ou porté à la luxure. ⇒ **débauché, lascif, sensuel.** / contr. **chaste, pur** /

luxuriant, ante [lyksyrjɑ̃, ɑ̃t] adj. ■ Qui pousse, se développe avec une remarquable abondance. ⇒ **abondant, riche, surabondant.** *Une végétation luxuriante.* ▶ **luxuriance** n. f. ■ *La luxuriance de la végétation.* — Abstrait. *Luxuriance des images dans un poème.* / contr. **pauvreté, sécheresse** /

luzerne [lyzɛrn] n. f. ■ Plante fourragère, à petites fleurs violettes. *Champ de luzerne.*

lycée [lise] n. m. **1.** Établissement public d'enseignement secondaire (classique, moderne ou technique). *Les professeurs d'un lycée.* ⇒ **gymnase** (Suisse). ≠ *collège.* **2.** Époque des études secondaires. *Il ne l'a pas revu depuis le lycée.* ▶ **lycéen, enne** [liseɛ̃, ɛn] n. ■ Élève d'un lycée. *Écoliers et lycéens.*

lymphatique [lɛ̃fatik] adj. **I.** Relatif à la lymphe. *Vaisseaux lymphatiques. Ganglions lymphatiques.* **II.** Apathique, lent. *Un adolescent lymphatique.* — N. *Un, une lymphatique.* / contr. **actif, nerveux** / ▶ **lymphatisme** n. m. ■ Littér. État d'une personne lymphatique.

lymphe [lɛ̃f] n. f. ■ Liquide organique incolore ou ambré, d'une composition comparable à celle du plasma sanguin. *La lymphe nourrit les cellules.* ‹ ▶ **lymphatique, lymphocyte** ›

lymphocyte [lɛ̃fɔsit] n. m. ■ Petit leucocyte immobile qui prend naissance dans les ganglions lymphatiques, la rate.

lyncher [lɛ̃ʃe] v. tr. ▪ conjug. 1. **1.** Exécuter sommairement, sans jugement régulier et par une décision collective (un criminel ou supposé tel). **2.** (Foule) Exercer de graves violences sur (qqn). ▶ **lynchage** n. m. ■ Action de lyncher.

lynx [lɛ̃ks] n. m. invar. ■ Mammifère carnivore, fort et agile, aux oreilles pointues garnies d'un pinceau de poils. ⇒ **loup-cervier.** — Loc. *Avoir des yeux de lynx,* une vue perçante.

lyophiliser [ljofilize] v. tr. ▪ conjug. 1. ■ Réduire (du lait, du café, du thé, etc.) en poudre ou en paillettes par congélation suivie de la sublimation de l'eau cristallisée. — Au p. p. adj. *Café lyophilisé.*

lyre [lir] n. f. **1.** Instrument de musique antique à cordes pincées, fixées sur une caisse de résonance. *Jouer de la lyre.* **2.** Littér. Symbole de la poésie, de l'expression poétique. ‹ ▶ **lyrique, oiseau-lyre** › *lyrique* [liʀik] adj. et n. **I. 1.** (Poésie) Qui exprime des sentiments intimes au moyen de rythmes et d'images propres à communiquer au lecteur l'émotion du poète. *Poésie lyrique. La nature, l'amour, thèmes lyriques.* **2.** Plein d'un enthousiasme, d'une exaltation de poète. ⇒ **passionné.** *Quand il parle de sa jeunesse, il est lyrique.* / contr. **prosaïque** / **II.** Destiné à être mis en musique et chanté, joué sur une scène. *Drame lyrique,* opéra, oratorio. *Comédie lyrique,* opéra-comique, opérette. — *Théâtre lyrique,* réservé à la musique dramatique. *Artiste lyrique,* chanteur, chanteuse d'opéra, d'opérette. ▸ **lyriquement** adv. ■ Littér. Avec lyrisme. / contr. **prosaïquement** / ▸ **lyrisme** n. m. **1.** Poésie, genre lyrique. *Le lyrisme romantique.* — *Le lyrisme de Chopin.* **2.** Manière passionnée, poétique, de sentir, de vivre. *Ils sont dénués de lyrisme.* / contr. **prosaïsme** /

lys ⇒ **lis**

-lyse ■ Élément savant, signifiant « dissolution ».

m

m [ɛm] n. m. ou f. invar. **1.** Treizième lettre, dixième consonne de l'alphabet. **2.** *M.,* abrév. de *Monsieur*; *MM.,* de *Messieurs.* **3.** *m,* symb. de *mètre.* **4.** *M,* chiffre romain (1 000).

ma ⇒ **mon.**

maboul, e [mabul] n. et adj. ■ Fam. Fou.

macabre [makabʀ] adj. ■ Qui évoque des images de mort. ⇒ **funèbre.** *Danse macabre.* — Qui concerne les cadavres, les squelettes. *Scène, plaisanterie macabre.*

macadam [makadam] n. m. ■ Revêtement de routes, de chemins, fait de pierre concassée et de sable agglomérés. *Des macadams.*

macaque [makak] n. m. **1.** Singe d'Asie. **2.** Fam. Personne très laide. *Elle ne va pas épouser ce vieux macaque ?*

macareux [makaʀø] n. m. invar. ■ Oiseau palmipède des mers septentrionales, variété de pingouin.

macaron [makaʀɔ̃] n. m. **1.** Gâteau sec, rond, à la pâte d'amandes. **2.** Natte de cheveux roulée sur l'oreille. **3.** Fam. Insigne rond (peut remplacer *badge*). **4.** Fam. Coup. ⇒ fam. ② **marron.**

macaroni [makaʀɔni] n. m. ■ Pâte alimentaire en tube creux. *Manger des macaronis,* ou (au sing. collectif) *du macaroni.*

macaronique [makaʀɔnik] adj. ■ *Poésie macaronique,* poésie burlesque entremêlée de mots latins.

macchabée [makabe] n. m. ■ Fam. Cadavre.

macédoine [masedwan] n. f. ■ Mets composé d'un mélange de légumes ⇒ **jardinière** ou de fruits ⇒ **salade.**

① *macérer* [maseʀe] v. tr. ▪ conjug. 6. ■ En terme de religion. Mortifier (son corps). ▶ ① *macération* n. f. ■ Pratique d'ascétisme qu'on s'impose pour racheter ses fautes. ⇒ **mortification.**

② *macérer* v. ▪ conjug. 6. **1.** V. tr. Mettre à tremper. — Au p. p. adj. *Cerises macérées dans l'eau-de-vie.* **2.** V. intr. Tremper longtemps. *Viande qui macère dans une marinade.* ⇒ **mariner.** ▶ ② *macération* n. f.

Mach [mak] n. propre ■ *Nombre de Mach,* rapport d'une vitesse à celle du son. Ellipt. *Voler à Mach 2, à Mach 3,* à 2, 3 fois la vitesse du son.

mâche [maʃ] n. f. ■ Plante à petites feuilles allongées qui se mangent en salade. — Cette salade.

mâchefer [maʃfɛʀ] n. m. ■ Scories, déchets solides provenant de la combustion de la houille.

mâcher [maʃe] v. tr. ▪ conjug. 1. **1.** Broyer avec les dents, par le mouvement des mâchoires, avant d'avaler. *Mâcher du pain, de la viande.* ⇒ **mastiquer.** *Action de mâcher.* ⇒ **mastication.** — Loc. fig. *Mâcher le travail à qqn,* le lui préparer, le lui faciliter. *Il faut tout lui mâcher.* — *Ne pas mâcher ses mots,* s'exprimer avec une franchise brutale. **2.** Triturer longuement dans sa bouche, avant de rejeter. *Mâcher du chewing-gum, du tabac* ⇒ **chiquer,** *du bétel.* ▶ *mâcheur, euse* n. ◀ **▷** mâchoire, mâchonner, mâchouiller, remâcher **▷**

machette [maʃɛt] n. f. ■ Grand coutelas utilisé en Amérique du Sud pour abattre les arbres, se frayer un chemin, etc.

machiavélisme [makjavelism] n. m. ■ Attitude d'une personne qui emploie la ruse et la mauvaise foi pour parvenir à ses fins. ⇒ **artifice, perfidie.** — REM. D'après le nom de l'homme politique italien *Machiavel,* habile et cynique. ▶ *machiavélique* adj. ■ Rusé et perfide. *Une manœuvre, un procédé machiavélique.*

mâchicoulis [maʃikuli] n. m. invar. ■ Balcon au sommet des murailles ou des tours des châteaux forts, percé d'ouvertures à sa partie inférieure (pour observer l'ennemi ou laisser tomber sur lui des projectiles).

machin [maʃɛ̃] n. m. ■ Fam. Désigne un objet dont on ignore le nom. ⇒ **bidule, chose, fourbi, truc.** *Qu'est-ce que c'est que ce machin-là ?* — Remplace (de manière impolie) un nom propre de personne. *Tu as vu Machin ?* (Parfois aussi au féminin) *J'ai rencontré Machine dans la rue.*

machinal, ale, aux [maʃinal, o] adj. ■ Qui est fait sans intervention de la volonté, de l'intelligence, comme par une machine. ⇒ **automatique, inconscient, instinctif, involontaire.** *Un geste machinal. Réactions machinales.* / contr. **réfléchi, volontaire** / ▶ *machinalement* adj. ■ *Agir machinalement*

machination [maʃinasjɔ̃] n. f. ■ Ensemble de manœuvres secrètes déloyales. ⇒ **complot, intrigue, manœuvre.** *C'est une machination pour le faire condamner.*

machine [maʃin] n. f. **I. 1.** Objet fabriqué, généralement complexe ⇒ **mécanisme,** qui transforme l'énergie ⇒ **moteur** pour produire un travail (se distingue, en principe, de *appareil* et de *outil,* qui ne font qu'utiliser l'énergie). *Mettre une machine en marche. La machine fonctionne, marche, tourne. — Machine à vapeur, machine électrique,* qui utilise la vapeur, l'électricité. *— Machine électronique.* ⇒ **ordinateur.** *— Machine à laver.* ⇒ **lave-linge ; lave-vaisselle.** *Machine à coudre. Machine à calculer.* ⇒ **calculette.** — MACHINE (À ÉCRIRE). *Elle tape à la machine comme une vraie dactylo. Clavier, touches d'une machine.* — MACHINE À SOUS : appareil où l'on mise et où l'on peut gagner des pièces de monnaie. — MACHINE-OUTIL : machine portant un outil amovible. *Des machines-outils* [maʃinuti]. **2.** *Les machines* (assurant la propulsion d'un navire). *La salle, la chambre des machines.* ⇒ **machinerie.** *Stopper les machines.* — Loc. *Faire machine arrière,* reculer ; fig., revenir sur ses pas, sur ses dires. **3.** *Machines de guerre,* engins de guerre. — *Machine infernale,* engin terroriste à base d'explosifs. ⇒ **bombe. 4.** Véhicule comportant un mécanisme. — Vieilli. Locomotive. *La machine et les wagons.* **5.** En sciences. *Machines simples* (levier, plan incliné, poulie, treuil, vis). **II. 1.** Personne qui agit comme un automate. ⇒ **robot.** — MACHINE À... : ce qui est considéré comme ne servant qu'à (faire ou produire qqch.). *Il considère sa femme comme une machine à faire des enfants.* **2.** Abstrait. Ensemble complexe qui fonctionne de façon implacable. *La machine administrative, économique.* ▶ **machinerie** n. f. **1.** Ensemble des machines réunies en un même lieu et concourant à un but commun. *Entretien de la machinerie d'une filature.* **2.** Salle des machines d'un navire. ▶ **machinisme** n. m. ▪ Emploi des machines dans l'industrie. ▶ **machiniste** n. **1.** Ouvrier (ère) qui s'occupe des machines, des changements de décor, des truquages, au théâtre, dans les studios de cinéma. **2.** Vieilli. Conducteur, mécanicien. *Défense de parler au machiniste.* ‹ ▶ machin, machinal, machination ›

macho [matʃo] n. m. ▪ Homme qui prétend faire sentir aux femmes sa supériorité de mâle. ▶ *machisme* [maʃism ; matʃism] n. m. ▪ Comportement de macho. ⇒ **phallocratie.** ▶ *machiste* n. et adj. ▪ Qui fait preuve de machisme. ⇒ **phallocrate.**

mâchoire [mɑʃwaʀ] n. f. **1.** Chacune des deux parties osseuses, en arc, en haut et en bas de la bouche, dans lesquelles sont implantées les dents. *Mâchoire supérieure* (fixe), *inférieure* (mobile). ⇒ **maxillaire.** — Loc. *Bâiller à se décrocher la mâchoire.* **2.** Chacune des pièces jumelées qui, dans un outil, un mécanisme, s'éloignent et se rapprochent à volonté pour serrer, tenir. *Les mâchoires d'un étau, d'une clef anglaise. Mâchoires de frein.*

mâchonner [mɑʃɔne] v. tr. ▪ conjug. 1. **1.** Mâcher lentement, longuement. **2.** Parler en articulant mal. ⇒ **marmonner, marmotter.** *Il mâchonnait des bouts de phrases.* ▶ *mâchonnement* n. m.

mâchouiller [mɑʃuje] v. tr. ▪ conjug. 1. ▪ Fam. Mâchonner ; mâcher sans avaler.

macle [makl] n. f. ▪ Cristal complexe.

① **maçon, onne** [masɔ̃, ɔn] n. ▪ Personne qui bâtit les maisons, fait des travaux de maçonnerie. ▶ *maçonner* v. tr. ▪ conjug. 1. **1.** Construire ou réparer en maçonnerie. *Maçonner un mur.* **2.** Revêtir de maçonnerie. ▶ ① *maçonnerie* n. f. **1.** Partie des travaux de construction comprenant l'édification du gros œuvre et certains travaux de revêtement. *Grosse maçonnerie. Entrepreneur de maçonnerie.* **2.** Construction, partie de construction faite d'éléments assemblés et joints. *Une maçonnerie de briques, de béton.*

② **maçon** n. m. ▪ Franc-maçon. ▶ ② *maçonnerie* n. f. ▪ Franc-maçonnerie. ▶ *maçonnique* adj. ▪ Relatif à la franc-maçonnerie. ⇒ **franc-maçon.** *Assemblée maçonnique.*

① **macreuse** [makʀøz] n. f. ▪ Oiseau palmipède, voisin du canard.

② **macreuse** n. f. ▪ Viande maigre sur l'os de l'épaule du bœuf.

macr(o)- ▪ Préfixe savant signifiant « long, grand ». ⇒ **méga-.** / contr. **micro-** / ▶ *macrocéphale* [makʀɔsefal] adj. ▪ Qui a une grosse tête. ▶ *macrocosme* [makʀɔkɔsm] n. m. ▪ Littér. Le cosmos, l'univers. ▶ *macrocosmique* adj. **1.** Relatif au macrocosme. **2.** Synthétique, global. ▶ *macroscopique* adj. ▪ En sciences. Qui se voit à l'œil nu (opposé à *microscopique*) ou qui est à l'échelle du macrocosme.

macule [makyl] n. f. ▪ Didact. Tache. ▶ *maculer* v. tr. ▪ conjug. 1. ▪ Littér. Couvrir, souiller de taches. ⇒ **salir, souiller, tacher.** *Ses bottes sont maculées de boue.* / contr. **immaculé** /

madame [madam] n. f., **mesdames** [medam] n. f. pl. (Abrév. *Mme, Mmes*) **1.** Titre donné à une femme qui est ou a été mariée. *Bonjour, madame. Madame votre mère. Chère madame.* **2.** Titre donné par respect à certaines femmes, mariées ou non. *Madame la Directrice.* — À la cour de France. Titre donné à la femme du frère du roi. **3.** La maîtresse de maison. *Madame est servie. Veuillez m'annoncer à Madame.*

made in [mɛdin] loc. adj. invar. ▪ Anglic. Fabriqué en (tel pays). *Un tee-shirt made in Taiwan.*

madeleine [madlɛn] n. f. **I.** Loc. fam. *Pleurer comme une Madeleine,* pleurer abondamment (comme sainte Madeleine, dans l'Évangile). **II.** Petit gâteau sucré à pâte molle, de forme arrondie.

mademoiselle [madmwazɛl] n. f., **mesdemoiselles** [me(ɛ)dmwazɛl] n. f. pl. (Abrév. *Mlle, Mlles*) **1.** Titre donné aux jeunes filles et aux femmes célibataires (abrév. pop. *Mam'selle*). *Mademoiselle Une telle et ses parents.* **2.** *La Grande Mademoiselle,* la fille aînée du frère du roi Louis XIII.

madère [madɛʀ] n. m. ▪ Vin de Madère.

madone [madɔn] n. f. **1.** Représentation de la Vierge. **2.** (Avec une majuscule) La Vierge elle-même. *Par la Madone !*

madras [madʀɑ(s)] n. m. invar. **1.** Étoffe de soie et coton, de couleurs vives. **2.** Mouchoir noué sur la tête et servant de coiffure.

madré, ée [ma(ɑ)dʀe] adj. ▪ Malin, rusé. *Un paysan madré.*

madrépore [madʀepɔʀ] n. m. ▪ Animal (*Cnidaires*), variété de corail des mers chaudes.

madrier [madʀije] n. m. ▪ Planche très épaisse. ⇒ **poutre.**

madrigal, aux [madʀigal, o] n. m. ▪ Courte pièce de vers galants. *De jolis madrigaux.*

maelstrom, maelström ou **malstrom** [malstʀɔm ; -tʀøm ; -tʀom] n. m. ▪ Courant marin formant un tourbillon. *Des maelstroms.*

maestria [maɛstʀija] n. f. ▪ Maîtrise, facilité et perfection dans l'exécution (d'une œuvre d'art, d'un exercice). ⇒ **brio.**

maestro [maɛstʀo] n. m. ▪ Compositeur de musique ou chef d'orchestre célèbre. *Des maestros.*

maffia ou **mafia** [mafja] n. f. ■ Groupe secret servant des intérêts privés par des moyens illicites. *Des maffias.*

① **magasin** [magazɛ̃] n. m. ■ Local où l'on conserve, expose des marchandises pour les vendre. ⇒ **boutique, commerce, fonds, libre-service, supermarché, grande surface.** *Tenir un magasin* (⇒ **commerçant, marchand**). *Magasin d'alimentation. La vitrine d'un magasin. Faire des achats dans un magasin.* ⇒ **course.** — GRAND MAGASIN : grand établissement de vente comportant de nombreux rayons spécialisés.

② **magasin** n. m. **1.** Endroit où l'on conserve des marchandises. ⇒ **entrepôt.** *Mettre des caisses en magasin.* ⇒ **emmagasiner.** *Magasin d'armes, d'explosifs.* ⇒ **arsenal, poudrière. 2.** Partie creuse d'un appareil. *Mettre un chargeur dans le magasin d'une arme.* ▶ **magasinier, ière** n. ■ Personne qui garde les marchandises déposées dans un magasin. ⟨ ▶ emmagasiner, garde-magasin ⟩

magazine [magazin] n. m. **1.** Publication périodique, généralement illustrée. ⇒ **revue. 2.** Émission périodique de radio, de télévision, sur des sujets d'actualité.

magdalénien, ienne [magdalenjɛ̃, jɛn] adj. ■ Didact. D'une période de la préhistoire (paléolithique supérieur) avec une culture propre (civilisation du renne).

mage [maʒ] n. **1.** N. m. Prêtre, astrologue, dans la Babylone antique, en Assyrie. **2.** *Les Rois mages,* les personnages qui, selon l'Évangile, vinrent rendre hommage à l'enfant Jésus. **3.** N. Personne qui pratique les sciences occultes, la magie. ⇒ **astrologue, magicien, sorcier.** ⟨ ▶ magicien, magie ⟩

maghrébin, ine [magrebɛ̃, in] adj. et n. ■ Du Maghreb, région du Nord-Ouest de l'Afrique (Maroc, Algérie, Tunisie, Mauritanie, Libye). *Les parlers maghrébins.* — N. *Des Maghrébins.*

magicien, ienne [maʒisjɛ̃, jɛn] n. **1.** Personne qui pratique la magie. ⇒ **alchimiste, astrologue, devin, mage. 2.** Personne qui produit, comme par magie, des effets extraordinaires. *Cet écrivain, ce conteur est un magicien.* ⇒ **enchanteur.**

magie [maʒi] n. f. **1.** Art de produire, par des procédés occultes, des phénomènes inexplicables ou qui semblent tels. ⇒ **alchimie, astrologie, sorcellerie ; suff. -mancie.** — *Magie noire,* magie qui ferait intervenir les démons pour produire des effets maléfiques. — *Comme par magie,* d'une manière incompréhensible. **2.** Impression forte, inexplicable (que produisent l'art, la nature, les passions). ⇒ **charme, prestige, puissance, séduction.** *La magie de l'art, de la couleur, des mots.* ▶ **magique** adj. **1.** Qui tient de la magie ; utilisé, produit par la magie. ⇒ **ésotérique, occulte, surnaturel.** *Pouvoir magique. Formules magiques. Baguette magique.* **2.** Qui produit des effets extraordinaires. ⇒ **étonnant, merveilleux, surprenant.** ▶ **magiquement** adv.

magistral, ale, aux [maʒistral, o] adj. **1.** D'un maître. *Cours magistral. Ton magistral.* ⇒ **doctoral. 2.** Digne d'un maître, qui fait preuve de maîtrise. *Réussir un coup magistral,* un beau, un joli coup. ▶ **magistralement** adv. ■ *Elle a magistralement interprété cet air d'opéra.* ⇒ **génialement.**

magistrat [maʒistra] n. m. ■ Fonctionnaire public de l'ordre judiciaire, ayant pour fonction de rendre la justice (juge) ou de réclamer, au nom de l'État, l'application de la loi (procureur général, substitut, en France). ▶ **magistrature** n. f. **1.** Fonction, charge de magistrat. *Faire carrière dans la*

magistrature. **2.** Corps des magistrats. *Conseil supérieur de la magistrature.* — En France. *Magistrature debout,* les procureurs, substituts, avocats généraux (le ministère public). *Magistrature assise,* les juges.

magma [magma] n. m. **1.** Masse épaisse, de consistance pâteuse. — En géologie. Masse minérale profonde, située dans une zone de température très élevée et de très fortes pressions, où s'opère la fusion des roches. **2.** Abstrait. Mélange confus.

magnanerie [maɲanʀi] n. f. ■ Local où se pratique l'élevage des vers à soie.

magnanime [maɲanim] adj. ■ Qui pardonne les injures, est bienveillant envers les faibles. ⇒ **bon, généreux.** *Se montrer magnanime envers qqn. Sentiment magnanime.* ▶ **magnanimité** n. f. ■ Clémence, générosité. *Faire appel à la magnanimité du vainqueur.*

magnat [magna] n. m. ■ Puissant capitaliste. *Les magnats de l'industrie.*

se **magner** [maɲe] v. pron. ■ conjug. 1. ⇒ ② se **manier.**

magnésium [maɲezjɔm] n. m. ■ Métal léger, blanc argenté et malléable, qui brûle à l'air avec une flamme blanche éblouissante. *L'éclair de magnésium d'un flash.*

magnétique [maɲetik] adj. **1.** Qui a rapport à l'aimant, en possède les propriétés ; du magnétisme. *Effets, phénomènes magnétiques. Bande, ruban magnétique d'un magnétophone.* **2.** Qui a rapport au magnétisme animal. *Influx, fluide magnétique.* ⟨ ▶ magnétiser, magnétisme, magnéto- ⟩

magnétiser [maɲetize] v. tr. ■ conjug. 1. **1.** Rendre (une substance) magnétique, donner les propriétés de l'aimant à. ⇒ **aimanter. 2.** Soumettre (un être vivant) à l'action du magnétisme animal. ⇒ **fasciner, hypnotiser.** ▶ **magnétisation** n. f. ▶ **magnétiseur, euse** n. ■ Personne qui pratique le magnétisme animal. ⇒ **hypnotiseur.**

magnétisme n. m. **1.** Partie de la physique qui étudie les propriétés des aimants (naturels ou artificiels) et les phénomènes qui s'y rattachent. *Le magnétisme s'est développé parallèlement à la théorie de l'électricité.* ⇒ **électromagnétisme.** — *Magnétisme terrestre,* champ magnétique de la Terre (orienté dans la direction sud-nord). **2.** *Magnétisme animal,* force occulte dont disposeraient les êtres ⇒ **fluide** ; phénomènes (hypnose, suggestion) produits par l'action de cette force. **3.** Charme, fascination. *Subir le magnétisme de qqn.* ⟨ ▶ électromagnétisme ⟩

magnéto [maɲeto] n. f. ■ Génératrice de courant électrique continu utilisant un aimant. *Des magnétos.*

magnéto- ■ Préfixe savant signifiant « aimant », « magnétisme (1) ». ▶ **magnétophone** [maɲeto fɔn] n. m. ■ Appareil d'enregistrement et de reproduction des sons par aimantation durable d'un ruban d'acier ou d'un film (bande magnétique). *Chanson enregistrée au magnétophone.* ▶ **magnétoscope** n. m. ■ Appareil permettant l'enregistrement des images et du son sur bande magnétique. ⇒ **vidéo.**

magnificence [maɲifisɑ̃s] n. f. **1.** Beauté magnifique, pleine de grandeur. ⇒ **apparat, éclat, luxe, richesse.** *Château meublé avec magnificence.* **2.** Littér. Disposition à dépenser sans compter. ⇒ **magnifique (II).** *Il nous a reçus avec magnificence.* ⇒ **prodigalité.** ≠ *munificence.*

magnifier [maɲifje] v. tr. ■ conjug. 7. ■ Littér. Idéaliser. *La légende magnifie les héros.*

magnifique [maɲifik] adj. **I. 1.** Qui est d'une beauté luxueuse, éclatante. ⇒ **somptueux.** *De magnifi-*

ques palais. **2.** Très beau. ⇒ **splendide, superbe.** *Un magnifique paysage* (ou *un paysage magnifique*). *Il fait un temps magnifique.* — Remarquable, admirable en son genre. *Il a une situation magnifique.* **II.** Vx. (Personnes) Qui est très riche, dépense avec générosité et ostentation. ⇒ **magnificence** (2). ▶ *magnifiquement* adv. ■ D'une manière magnifique, somptueuse. ⇒ **somptueusement, superbement.** — Très bien. *Elle s'en est magnifiquement tirée.*

magnitude [maɲityd] n. f. ■ Astronomie. Grandeur apparente (d'un astre), caractérisée par un nombre. ⇒ **grandeur.**

magnolia [maɲ(gn)ɔlja] n. m. ■ Arbre à feuilles luisantes, à grandes fleurs blanches, très odorantes. *Des magnolias.*

magnum [magnɔm] n. m. ■ Grosse bouteille contenant environ un litre et demi. *Des magnums de champagne.*

① **magot** [mago] n. m. **1.** Singe du genre macaque. **2.** Figurine trapue de l'Extrême-Orient. *Un magot chinois en porcelaine.*

② **magot** n. m. ■ Somme d'argent amassée et mise en réserve, cachée. ⇒ **économie(s), trésor.**

magouille [maguj] n. f. ■ Fam. Manœuvre politique malhonnête. ▶ *magouiller* v. intr. ■ conjug. 1. ■ Se livrer à des magouilles. ▶ *magouillage* n. m. ■ Fait de magouiller. ▶ *magouilleur, euse* n. ■ Personne qui magouille.

magret [magrɛ] n. m. ■ Filet (maigre) d'un gros canard.

magyar, are [magjaR] adj. et n. ■ Du peuple hongrois, dans son origine ethnique. ⇒ **hongrois.**

maharajah ou **maharadjah** [maaRa(d)ʒa] n. m. ■ Titre des princes hindous. ⇒ **rajah.** *La maharané* [maaRane] ou *maharani* [maaRani], *épouse du maharajah.*

mahatma [maatma] n. m. ■ Nom donné, en Inde, à des chefs spirituels. *Le mahatma Gandhi.*

mah-jong [maʒɔ̃g] n. m. ■ Jeu chinois voisin des dominos. *Des mah-jongs.*

mahométan, ane [maɔmetɑ̃, an] n. et adj. ■ Vieilli. Musulman.

mai [mɛ] n. m. ■ Nom du cinquième mois de l'année. *Muguet du premier mai. Arbre de mai. Des mais* (plus cour. *des mois de mai*) *pluvieux.*

maie [mɛ] n. f. ■ Coffre à pain. ⇒ **huche.**

maïeutique [majøtik] n. f. ■ Philosophie, pédagogie. Méthode suscitant la réflexion intellectuelle.

maigre [mɛgR] adj. **1.** Dont le corps a peu de graisse ; qui pèse relativement peu. ⇒ **efflanqué, étique, sec, squelettique.** / contr. **gras, gros** / *Il est maigre.* — N. *Les gros et les maigres.* — Loc. *Une fausse maigre,* qui donne l'impression d'être plus maigre qu'elle ne l'est vraiment. **2.** Qui n'a, qui ne contient pas de graisse. / contr. **gras** / *Viande maigre.* — N. m. *Un morceau de maigre.* — *Fromages maigres,* faits avec du lait écrémé. — *Repas maigre, bouillon maigre,* sans viande ni graisses. — *Jours maigres,* où l'Église prescrit de faire maigre. — N. m. dans la loc. FAIRE MAIGRE : ne manger ni viande ni aliment gras. **3.** Peu épais. *Imprimé en caractères maigres.* **4.** (Végétation) Peu abondant. **5.** De peu d'importance. ⇒ **insuffisant, médiocre, piètre.** *Il n'a obtenu que de biens maigres résultats. Maigre salaire.* ⇒ **petit.** *C'est maigre, c'est un peu maigre,* c'est peu, bien peu. ▶ *maigrelet, ette ; maigrichon, onne* ou *maigriot, otte* adj. ■ Un peu maigre. *Enfant maigrelet, fillette maigrichonne. Gamin maigriot.* ▶ *maigre-*

ment adv. ■ Chichement, petitement. *Être maigrement payé.* ⇒ **peu.** ▶ *maigreur* n. f. **1.** État d'une personne ou d'un animal maigre ; absence de graisse. / contr. **embonpoint** / **2.** Caractère de ce qui est peu abondant. *La maigreur d'une végétation, d'une forêt. La maigreur de ses revenus.* ⇒ **pauvreté.** ▶ *maigrir* v. ■ conjug. 2. **I.** V. intr. Devenir maigre. ⇒ **décoller, se dessécher, fondre.** / contr. **grossir** / *Il a maigri pendant sa maladie. Régime pour maigrir.* ⇒ **amaigrissant.** — Au p. p. adj. *Je vous trouve maigrie.* **II.** V. tr. Faire paraître maigre. *Cette robe la maigrit.* ⟨ ▶ amaigrir ⟩

mail, plur. **mails** [maj] n. m. ■ Allée, promenade bordée d'arbres, dans certaines villes.

mailing [mɛliŋ] n. m. ■ Anglic. Prospection auprès d'une clientèle au moyen de documents expédiés par la poste. ⇒ **publipostage.**

① **maille** [maj] n. f. **1.** Chacune des petites boucles de matière textile dont l'entrelacement forme un tissu. *Les mailles du tricot, du crochet. Maille à l'endroit, à l'envers.* ⇒ **point.** *Maille qui file.* — *Les mailles d'un filet.* **2.** Trou formé par chaque maille. *Le poisson est passé à travers les mailles.* **3.** *Cotte de mailles,* faite d'anneaux de métal reliés les uns aux autres. — Anneau d'une chaîne. ⇒ **chaînon, maillon.** ⟨ ▶ camail, se démailler, indémaillable, maillon, maillot, remailler, remmailler ⟩

② **maille** n. f. ■ Vx. Au Moyen Âge. Un demi-denier. — Loc. N'AVOIR NI SOU NI MAILLE : être sans aucun argent. — AVOIR MAILLE À PARTIR *avec qqn* : avoir un différend, une dispute (*partir* voulait dire « partager »). *Il a eu maille à partir avec son voisin.*

maillechort [majʃɔR] n. m. ■ Alliage inaltérable de cuivre, de zinc et de nickel qui imite l'argent.

maillet [majɛ] n. m. ■ Outil fait d'une masse dure emmanchée en son milieu et qui sert à frapper, à enfoncer. *Maillet de bois. Gros maillet.* ⇒ **mailloche, masse.** — *Maillet de croquet,* qui sert à frapper la boule. ▶ *mailloche* n. f. **1.** Gros maillet de bois. **2.** Baguette terminée par une boule recouverte de peau, pour frapper la grosse caisse.

maillon [majɔ̃] n. m. ■ Anneau d'une chaîne. ⇒ **chaînon, maille** (3). *Les maillons d'une gourmette.*

maillot [majo] n. m. **I.** **1.** Vêtement souple porté à même la peau et qui moule le corps. *Maillot de danseur.* **2.** Vêtement collant qui couvre le haut du corps. *Maillot et culotte de sportif. Le maillot jaune,* maillot que porte le coureur cycliste qui est en tête du classement du Tour de France ; ce coureur. — *Maillot de corps,* sous-vêtement d'homme. ⇒ **tee-shirt, tricot. 3.** MAILLOT DE BAIN et, sans compl., MAILLOT : costume de bain collant. *Maillot de bain de femme d'une pièce, de deux pièces.* ⇒ **bikini, deux-pièces, monokini. II.** Lange qui enferme les jambes et le corps du nouveau-né jusqu'aux aisselles. ⇒ **emmailloter.** *Enfant au maillot,* dans les langes. ⟨ ▶ démailloter, emmailloter ⟩

① **main** [mɛ̃] n. f. **I. 1.** Partie du corps humain, servant à toucher et à prendre, située à l'extrémité du bras et munie de cinq doigts. *Main droite, gauche. Creux, paume, dos, plat, revers de la main. Les lignes de la main. Il a de grosses mains* ⇒ **patte,** *de petites mains* ⇒ **menotte.** *Elle s'est lavé les mains. Se frotter les mains* (en signe de satisfaction). *Se tordre les mains* (de désespoir). — *À main droite, gauche,* à droite, gauche. — *En un tour de main,* rapidement. — SOUS MAIN : en secret. ⇒ **sous-main. 2.** La main qui prend, qui possède. *Prendre qqch. d'une main, des deux mains.* — À LA MAIN. *Tenir un sac à la main. Il est mort les armes à la main,* en combattant. — À MAIN. *Sac à main. Frein à main.* — *Faire main basse sur* *qqch.*, emporter, voler. Loc. *Il a été pris la main dans le sac*, en train de voler, en flagrant délit. — *Se serrer la main* (pour se saluer ou en signe de réconciliation). *Tendre la main à qqn*, avancer la main pour qu'il, elle la serre ; fig. lui offrir son amitié, son aide, son pardon. — *Demander*, obtenir la main d'une jeune fille*, la permission de l'épouser. — EN MAIN. *Démontrer qqch. preuve en main*, en montrant une preuve (⇒ **appui**). *Être en bonnes mains*, dans la possession, sous la garde d'une personne sérieuse. *Avoir (une affaire) en main*, la mener comme on veut. *Prendre en main*, en charge, s'occuper de. — *Mettre la main sur qqn, qqch.*, trouver. **3.** La main liée à l'idée de pouvoir. *Tomber aux mains des ennemis*, en leur pouvoir. — Loc. *Une main de fer dans un gant de velours*, une autorité très forte sous une apparence de douceur. **4.** La main qui frappe. *Lever la main sur qqn* (pour le frapper). *En venir aux mains*, aux coups. — Loc. fam. *Ne pas y aller de main morte*, frapper violemment. — *Homme de main*, celui qui commet des actions criminelles pour le compte d'un autre. *Faire le coup de main*, une attaque rapide. **5.** La main qui donne, reçoit. *Remettre en main propre*, au destinataire en personne. *De la main à la main*, sans intermédiaire ni formalités. — *Recevoir, tenir de première main*, directement, de la source. *Une voiture d'occasion de première main*, qui n'a eu qu'un propriétaire. **6.** La main qui travaille, agit. *Travailler de ses mains*. ⇒ **manuellement**. *Travail fait à la main*, sans machines. — Loc. *Mettre la main à qqch.*, travailler à. *Mettre la main à la pâte*, travailler. *Mettre la dernière main à*, finir (un travail). — *Il est adroit de ses mains*. Loc. *Avoir des mains en or*, être très habile. *Avoir les mains vertes*, réussir à faire pousser les plantes. *Prêter la main à*, aider à. Loc. *Donner un coup de main à qqn*, l'aider. — *Forcer la main à qqn*, le forcer d'agir. *Avoir les mains libres*, être libre d'agir. *Faire des pieds et des mains*, multiplier les efforts (pour aboutir à un résultat). Fam. *Avoir un poil dans la main*. ⇒ **paresseux**. **7.** Manière de peindre. *Reconnaître la main de qqn, d'un artiste*. ⇒ **griffe, patte, touche**. **8.** Habileté professionnelle. *Se faire la main*, apprendre. ⇒ s'**exercer**. *Perdre la main. Avoir le coup de main. De main de maître*. ⇒ **maître** (II, 6). **9.** Jeux de cartes. L'initiative (au jeu). *Avoir, céder, donner, passer la main*. — Abstrait. *Passer la main*, abandonner. **II.** (Choses) **1.** *Main de justice*, sceptre terminé par une main d'ivoire ou de métal précieux. **2.** *Main de Fatma*, amulette arabe en forme de main à deux pouces. **III.** (Personnes) PETITE MAIN : apprentie couturière ; ouvrière débutante. *Elle a été engagée comme petite main*. — PREMIÈRE MAIN : première couturière d'un atelier. ⟨ ▶ **baisemain**, essuie-main, face-à-main, main-d'œuvre, mainforte, mainmise, maintenance, maintenir, maintien, manette, manier, manière, manipuler, manivelle, manœuvre, manuel, manufacture, manuscrit, manutention, menotte, ① en sous-main, ② sous-main, en un tournemain ⟩

② **main** n. f. ■ Assemblage de vingt-cinq feuilles de papier. *Une rame se compose de vingt mains.*

main-d'œuvre [mɛ̃dœvʀ] n. f. **1.** Travail engagé dans la réalisation d'un produit ou d'un service. *C'est 2 000 francs*, pièces et main-d'œuvre. ⇒ **façon**. **2.** Ensemble des salariés, des ouvriers. *La main-d'œuvre étrangère, féminine. Les mains-d'œuvre.*

main-forte n. f. ■ DONNER, PRÊTER MAIN-FORTE : assistance pour exécuter qqch.

mainmise [mɛ̃miz] n. f. ■ Action de s'emparer. ⇒ **prise**. *La mainmise d'un État sur les territoires étrangers.*

maint, mainte [mɛ̃, mɛ̃t] adj. ■ En loc. Nombreux. *A maintes reprises*, de nombreuses fois. *Maintes fois*, souvent. *Maintes et maintes fois.*

maintenance [mɛ̃tnɑ̃s] n. f. ■ Service d'entretien ou entretien d'un matériel technique. *Les frais de maintenance.*

maintenant [mɛ̃tnɑ̃] adv. **1.** Dans le temps actuel, au moment présent. ⇒ **actuellement, aujourd'hui**, à **présent**. *Maintenant il faut partir. Et maintenant ? C'est maintenant ou jamais.* — À partir du moment présent (+ futur). *Maintenant, tout ira bien. Dès maintenant.* ⇒ **désormais**. *À partir de maintenant.* — MAINTENANT QUE loc. conj. : à présent que, en ce moment où. **2.** (En tête de phrase, marque une pause où l'on considère une possibilité nouvelle) *Voilà ce que je vous conseille ; maintenant, vous ferez ce que vous voudrez.*

maintenir [mɛ̃tniʀ] v. tr. ■ conjug. 22. **1.** Conserver dans le même état ; faire ou laisser durer. ⇒ **entretenir, garder**. / contr. **changer, supprimer** / *Maintenir l'ordre, la paix.* **2.** Affirmer avec constance, fermeté. ⇒ **certifier, soutenir**. / contr. **retirer** / *Je l'ai dit et je le maintiens.* **3.** Tenir dans une même position, empêcher de bouger. ⇒ **fixer, retenir, soutenir**. *La clef de voûte maintient l'édifice.* **4.** SE MAINTENIR v. pron. : rester dans le même état ; ne pas aller plus mal. *Malade, vieillard qui se maintient.* — Impers. et fam. *Alors, ça va ? ça se maintient ?* ⟨ ▶ maintenance, maintien ⟩

maintien [mɛ̃tjɛ̃] n. m. **1.** Action de maintenir, de faire durer. / contr. **abandon, changement** / *Assurer le maintien de l'ordre.* **2.** Manière (qu'a une personne) de se tenir en société. ⇒ **attitude, contenance**. *Avoir un maintien désinvolte ; étudié* (⇒ **pose**).

maire [mɛʀ] n. m. ■ En France. Premier officier municipal élu par le conseil municipal, parmi ses membres (⇒ **échevin**). *Le maire, premier magistrat de la commune. Le maire de cette ville est une femme (madame le maire). Adjoint au maire.* ▶ **mairie** n. f. **1.** Administration municipale. *Secrétaire de mairie.* **2.** Bâtiment où sont les bureaux du maire et de l'administration municipale. ⇒ **hôtel** de ville.

mais [mɛ] conj. et adv. **I.** Conj. **1.** Introduit une idée contraire à celle qui a été exprimée. *Ce n'est pas ma faute, mais la tienne ! Je n'en veux pas un, mais deux.* **2.** Introduit une restriction, une correction, une précision. ⇒ en **revanche**. *C'est beau, mais c'est cher. Non seulement..., mais, mais encore, mais aussi, mais même, mais en outre.* **3.** Introduit une objection. *Mais pourtant vous connaissez cet homme ? Oui, mais...* — N. m. invar. *Il y a toujours avec lui des si et des mais.* **II.** Adv. **1.** Loc. N'EN POUVOIR MAIS : n'y pouvoir rien. **2.** (Renforçant un mot exprimé) « *Tu viens avec moi ? — Mais bien sûr !* » **III.** MAIS exclamatif. *Je vais lui fermer le bec, ah mais !* — Fam. *Non, mais ! pour qui tu te prends !* ⟨ ▶ désormais, jamais ⟩

maïs [mais] n. m. invar. ■ Plante (céréale de la famille des graminées) cultivée pour ses grains comestibles. *Champ de maïs.* — Les grains de cette plante. *Farine de maïs. Grains de maïs soufflés.* ⇒ **pop-corn**.

maison [mɛzɔ̃] n. f. **I. 1.** Bâtiment d'habitation. ⇒ **bâtisse, construction, édifice, immeuble, logement** ; fam. **baraque, bicoque**. *Façade, murs, toit d'une maison. Maison de bois, de briques. Maison préfabriquée. Maison individuelle* ⇒ **pavillon, villa**, *à plusieurs appartements* ⇒ **immeuble**. *Maison de paysans, de cultivateurs.* ⇒ **ferme**. *Maison de campagne*, résidence secondaire d'un citadin. — Loc. *C'est gros comme une maison*, énorme, évident. — Loc. LA MAISON BLANCHE : résidence du président des États-Unis d'Amérique. **2.** Habitation, logement (qu'il s'agisse ou non d'un bâtiment entier). ⇒ **chez-soi, demeure, domicile, foyer, logis**. *Quitter la maison.* — À LA MAISON : chez soi. *Il aime rester à la maison.* **3.** Place (d'un domestique). *Elle a fait de nombreuses maisons.* — Loc. *Les gens de maison,* les domestiques. **II.** Bâtiment, édifice destiné à un usage spécial. *Maison centrale, de correction, d'arrêt.* ⇒ **prison.** — *Maison de santé* ⇒ **clinique, hôpital,** *de repos.* — *Maison de retraite,* où l'on reçoit les vieillards. — *Maison de la culture,* établissement public chargé de diffuser la culture. — *Maison de jeux.* ⇒ **tripot.** *Maison de rendez-vous. Maison close, maison de tolérance.* ⇒ **bordel. III.** Entreprise commerciale. ⇒ **établissement, firme.** *Maison de détail, de gros. La maison mère et les succursales. La maison ne fait pas de crédit.* — L'établissement où l'on travaille. *Les traditions de la maison. J'en ai assez de cette maison !* ⇒ **boîte, boutique. IV. 1.** Vx. Famille. *Une maison princière.* Loc. *Il fait la jeune fille de la maison,* le service au cours d'une réunion. **2.** Autrefois. Ensemble des personnes employées au service des grands personnages. *La maison du roi.* **3.** Descendance, lignée (des familles nobles). *La maison d'Autriche, de Lorraine.* **V.** En appos. Invar. **1.** Qui a été fait à la maison, sur place (et non pas acheté au-dehors). *Un pâté maison ; des tartes maison.* **2.** Fam. Particulièrement réussi, soigné. *Une bagarre maison !* ▸ **maisonnée** n. f. ■ L'ensemble de ceux qui habitent la même maison. — Famille. *Toute la maisonnée était réunie.* ▸ **maisonnette** n. f. ■ Petite maison.

maître, maîtresse [mɛtr, mɛtrɛs] n. **I.** Personne qui exerce une domination. **1.** Personne qui a pouvoir et autorité (sur qqn) pour se faire servir, obéir. *Le maître et l'esclave, et le vassal.* ⇒ **seigneur.** *Le maître d'un pays.* ⇒ **dirigeant.** *Les maîtres du monde,* ceux qui ont le pouvoir. PROV. *On ne peut servir deux maîtres à la fois.* — Loc. *L'œil du maître,* la vigilance du maître à qui rien n'échappe. — *Parler, agir en maître.* — *Trouver son maître,* celui, celle à qui l'on doit obéir. **2.** Possesseur (d'un animal domestique). *Ce chien reconnaît son maître et sa maîtresse.* **3.** MAÎTRE, MAÎTRESSE DE MAISON : personne qui dirige la maison. *Maître de maison qui reçoit.* ⇒ **hôte. 4.** ÊTRE (LE) MAÎTRE *quelque part* : diriger, commander. *Je suis le maître chez moi. Le capitaine d'un bateau est seul maître à bord, est maître après Dieu.* — Aux cartes. *Je suis maître,* j'ai la carte maîtresse. **5.** ÊTRE SON MAÎTRE : être libre et indépendant. — ÊTRE MAÎTRE DE SOI : se dominer, se maîtriser. *Elle est restée maîtresse d'elle-même,* elle est restée calme. — *Être maître de faire qqch.* ⇒ **libre. 6.** Personne qui possède une chose, en dispose. ⇒ **possesseur, propriétaire.** *Voiture, maison* DE MAÎTRE : dont l'usager est le propriétaire (opposé à *de louage*). — *Se rendre maître de qqch.* (se l'approprier), *de qqn* (le capturer, le maîtriser). — (Choses abstraites) *Se trouver maître d'un secret. Elle reste maîtresse de la situation.* ⇒ **arbitre. II. 1.** Dans des loc. Personne qui exerce une fonction de direction, de surveillance. ⇒ **chef.** *Maître d'œuvre,* celui qui dirige un travail collectif. *Maître de ballet,* personne qui dirige un ballet dans un théâtre (fém. *maître* ou *maîtresse*). *Maître de chapelle*. Maître d'hôtel*.* — Nom donné aux marins officiers. *Premier maître, quartier-maître. Maître d'équipage. Grand maître de l'ordre,* chef d'un ordre militaire. *Le grand maître des Templiers.* **2.** Personne qui enseigne aux enfants dans une école, ou dans le particulier. ⇒ **enseignant, instituteur, professeur.** *Digne d'un maître.* ⇒ **magistral.** *Maître, maîtresse d'école. Ils aiment bien leur maîtresse.* **3.** N. m. Artisan qui dirige le travail et enseigne aux apprentis. *Les maîtres, les compagnons et les apprentis d'une corporation.* **4.** N. m. Peintre, sculpteur qui dirigeait un atelier. *Attribuer au maître l'œuvre d'un élève.* **5.** N. m. Personne dont on est le disciple, que l'on prend pour modèle. *Un maître à penser.* **6.** N.

m. Artiste, écrivain ou savant (homme ou femme) qui excelle dans son art, qui a fait école. *Les maîtres de la littérature française. Un tableau de maître.* — Loc. *Elle est passée maître dans l'art de mentir. De main de maître,* avec l'habileté d'un maître. ⇒ **magistralement.** *Un coup de maître,* un coup remarquable. *Trouver son maître,* qqn de supérieur à soi. **III.** (Suivi d'un nom propre) N. m. Titre qui remplace Monsieur, Madame, en parlant des gens de loi ou en s'adressant à eux (avocat, huissier, notaire). *Maître X, avocat, avocate à la cour* (abrév. *Mᵉ*). — Titre que l'on donne en s'adressant à un professeur éminent, à un artiste ou un écrivain célèbre. *Monsieur (Madame) et cher Maître.* **IV.** MAÎTRE, MAÎTRESSE en appos. ou adj. **1.** Qui a les qualités d'un maître, d'une maîtresse. *Une maîtresse femme,* qui sait organiser et commander. ⇒ **énergique. 2.** Qui est le premier, le chef de ceux qui exercent la même profession dans un corps de métier. *Un maître queux* (cuisinier). *Maître teinturier.* — Pour renforcer une qualification injurieuse. ⇒ **fieffé.** *Maître filou.* **3.** (Choses) Le plus important, le plus important (en loc.). ⇒ **principal.** / contr. **accessoire, secondaire** / *La maîtresse branche d'un arbre,* la plus grosse. *La maîtresse poutre. Maître-autel,* autel principal d'une église. — *Jeux de cartes. Atout maître. Carte maîtresse.* — Essentiel. *La pièce maîtresse d'une collection, d'un dossier.* ‹ ▸ **contremaître, maître chanteur, maîtresse, maîtrise, quartier-maître** ›

maître chanteur n. m. ■ Personne qui fait chanter qqn, exerce un chantage*. *Des maîtres chanteurs.*

maîtresse n. f. **I.** Féminin de *maître* dans certains emplois. ⇒ **maître. II. 1.** Vx. (langue classique) *La maîtresse de qqn,* la jeune fille ou la femme qu'il aime, fiancée. **2.** *La maîtresse de qqn,* la femme qui s'est donnée à lui (sans être son épouse). *Ils sont amant et maîtresse. Avoir une maîtresse.* ⇒ **liaison.**

maîtrise [mɛtriz] n. f. **I. 1.** MAÎTRISE DE SOI : qualité de celui, de celle qui est maître de soi, qui se domine. ⇒ **contrôle, empire. 2.** Contrôle militaire (d'un lieu). *L'Angleterre avait la maîtrise des mers.* ⇒ **suprématie. II. 1.** Qualité, grade, fonction de maître, dans certains corps de métiers. *Maîtrise,* nom d'un diplôme universitaire français. — Ensemble des maîtres d'une corporation. — Loc. AGENTS DE MAÎTRISE : nom donné à certains techniciens qui forment les cadres inférieurs d'une entreprise. **3.** Perfection digne d'un maître, dans la technique. ⇒ **habileté, maestria, métier.** *Exécuté avec maîtrise.* ⇒ **magistral.** ▸ **maîtriser** v. tr. · conjug. 1. **1.** Se rendre maître de, par la contrainte physique. *Maîtriser un cheval.* — *Maîtriser un incendie,* l'arrêter. **2.** Dominer (une passion, une émotion, un réflexe). ⇒ **contenir, réprimer, vaincre.** *Maîtriser sa colère, son émotion.* — Pronominalement. *Se maîtriser* (→ prendre sur soi). *Allons, du calme, maîtrisez-vous !* **3.** Dominer (ce que l'on fait, ce dont on se sert). *Il maîtrise parfaitement la langue française.* ▸ **maîtrisable** adj. ■ Qui peut être maîtrisé. / contr. **insurmontable** /

majesté [maʒɛste] n. f. **I. 1.** Grandeur suprême. ⇒ **gloire.** *La majesté impériale.* **2.** Titre donné aux souverains héréditaires. *Votre Majesté, Vos Majestés* (par abrév. *V. M., VV. MM.*). *Sa Majesté le roi.* **II.** Caractère de grandeur, de noblesse dans l'apparence, l'allure, les attitudes. *Un air de majesté.* ⇒ **majestueux.** — (Choses) ⇒ **beauté, grandeur.** *La majesté de la nature, des ruines.* ▸ **majestueux, euse** adj. **1.** Qui a de la majesté. ⇒ **imposant.** *Une femme majestueuse et intimidante. Air majestueux.* ⇒ **fier, grave. 2.** D'une beauté pleine de grandeur, de noblesse. ⇒ **grandiose.** *Un fleuve majestueux.* ▸ **majestueusement** adv. ‹ ▸ **lèse-majesté** › *malade*

① **majeur, eure** [maʒœʀ] adj. et n. m. **I.** Adj. compar. **1.** Plus grand, plus important. *La majeure partie*, le plus grand nombre. **2.** *Intervalle majeur,* plus grand d'un demi-ton chromatique que l'intervalle mineur. — N. m. *Morceau en majeur.* **3.** Très grand, très important. ⇒ **considérable, exceptionnel.** *Intérêt majeur. Préoccupation majeure.* / contr. **mineur** / **II.** N. m. Le plus grand doigt de la main (ou *médius*).

② **majeur, eure** adj. ■ Qui a atteint l'âge de la majorité légale. *Héritier majeur. Il est majeur, il sait ce qu'il fait.*

ma-jong ⇒ **mah-jong.**

major [maʒɔʀ] adj. et n. m. **I.** Adj. m. Supérieur par le rang (dans quelques composés). *Sergent-major. Chirurgien-major. Des états-majors.* **II.** N. m. **1.** Officier supérieur chargé de l'administration, du service. **2.** Chef de bataillon (⇒ **commandant**), dans certaines armées étrangères. **3.** Appellation des médecins militaires. *Monsieur le major.* **4.** Candidat reçu premier au concours d'une grande école. *Elle est le major de sa promotion.* ▶ **majorette** n. f. ■ Anglic. Jeune fille qui défile en uniforme militaire de fantaisie, et en maniant une canne de tambour-major. ▶ **majordome** n. m. ■ Maître d'hôtel de grande maison. ▶ **majorer** v. tr. ■ conjug. 1. ■ Porter (une évaluation, un compte, un prix) à un chiffre plus élevé. *Majorer une facture. Majorer les prix, les salaires.* ⇒ **augmenter.** / contr. **baisser, diminuer** / ▶ **majoration** n. f. ■ Action de majorer. *Majoration de prix.* / contr. **diminution** / ‹ ▶ état-major, ① majorité, ② majorité, tambour-major ›

① **majorité** [maʒɔʀite] n. f. **1.** Groupement de voix qui l'emporte par le nombre, dans un vote. *La majorité des suffrages, des membres présents. Majorité absolue,* réunissant la moitié plus un des suffrages exprimés. *Majorité relative,* groupement de voix le plus important en nombre mais inférieur à la majorité absolue. *Elle a été élue à la majorité relative avec quarante pour cent des suffrages exprimés.* **2.** Parti, fraction qui réunit la majorité des suffrages. *La majorité et l'opposition.* **3.** Le plus grand nombre. *Assemblée composée en majorité d'avocats. La majorité des Français, les Français dans leur immense majorité pensent que...* ⇒ **généralité.** / contr. **minorité** / ▶ **majoritaire** adj. **1.** Se dit du système électoral dans lequel la majorité l'emporte. *Système, vote majoritaire.* **2.** Qui fait partie d'une majorité ou détient la majorité. — N. *Les majoritaires d'un parti.*

② **majorité** n. f. ■ Âge légal à partir duquel une personne devient pleinement responsable. ⇒ **majeur.** — *Majorité civile,* âge de dix-huit ans. *Jusqu'à la majorité de l'enfant.*

majuscule [maʒyskyl] adj. et n. f. ■ *Lettre majuscule,* lettre plus grande, d'une forme particulière, qui se met au commencement des phrases, des vers, des noms propres. — N. f. *Une majuscule.* ⇒ **capitale.** / contr. **minuscule** /

① **mal** [mal] adj. invar. / contr. **bon** / **1.** (Dans quelques expressions) Mauvais. *Bon gré, mal gré. Bon an, mal an.* **II.** (En attribut) **1.** Contraire à un principe moral, à une obligation. *C'est mal, ce que tu as fait là. Faire, dire qqch. de mal. Je n'ai rien fait de mal.* / contr. ① **bien** (II) / **2.** PAL MAL : plutôt bien (adj.). *Elle n'est pas mal,* assez jolie. ‹ ▶ **maladresse, malaise, malchance, maldonne, malfaçon, malformation, malgré, malheur, malnutrition, malversation** ›

② **mal** adv. / contr. ① **bien** (I) / **I. 1.** D'une manière contraire à l'intérêt ou au plaisir de qqn. *Ça commence mal ! L'affaire va mal. Ça a failli mal tourner,* se gâter. *Ça tombe mal.* **2.** Avec malaise, douleur. *Se sentir mal,* avoir un malaise ou être mal

à l'aise. *Elle se sent mal dans sa peau.* SE TROUVER MAL : s'évanouir. *Il va mal, il se porte mal,* il est malade. — Substantivement. *Elle est* AU PLUS MAL. **3.** D'une façon défavorable, avec malveillance. *Il est mal vu des autres. Traiter qqn. Mal parler de qqn.* **II. 1.** Autrement qu'il ne convient. *Travail mal fait. Il parle assez mal le français. Mal connaître une personne. Je comprends mal votre raisonnement. Il est mal habillé. Enfant mal élevé.* **2.** Insuffisamment (en qualité ou quantité). ⇒ **médiocrement.** *Travailleur mal payé. J'ai mal dormi.* **3.** Contrairement à la loi morale. *Il s'est mal conduit, il a mal agi. Il a mal tourné.* PROV. *Bien mal acquis ne profite jamais.* **II. 1.** PAS MAL (+ négation) loc. adv. : assez bien, bien. *Ce tableau ne fera pas mal sur ce mur. Il ne s'en est pas mal tiré.* — *Ça n'est pas si mal que cela,* c'est bien. **2.** PAS MAL (sans négation) loc. adv. : assez, beaucoup (opposé à *peu*). *Il est pas mal froussard.* ⇒ **passablement.** *Il a pas mal voyagé. Je m'en fiche pas mal.* **3.** PAS MAL DE (sans négation) : un assez grand nombre de. *J'avais appris pas mal de choses.* ‹ ▶ **maladroit, mal-aimé, malaisé, malappris, maldonne, malencontreux, malentendant, malentendu, malfaisant, mal formé, malhabile, malhonnête, malintentionné, malmener, malodorant, malpoli, malpropre, malsain, malséant, maltraiter, malveillant, malvenu** ›

③ **mal,** plur. **maux** n. m. **I. 1.** Ce qui cause de la douleur, de la peine, du malheur ; ce qui est mauvais, pénible (pour qqn). ⇒ **dommage, perte, préjudice, tort.** / contr. ② **bien** / *Faire du mal à qqn. Cela n'a jamais fait de mal à personne. Loc. Il ne ferait pas de mal à une mouche,* c'est un homme doux. — UN MAL, DES MAUX. ⇒ **malheur, peine.** Loc. *De deux maux, il faut choisir le moindre.* **2.** Souffrance, malaise physique. ⇒ **douleur.** *J'ai mal aux pieds. Mal de dents, de gorge. Maux de tête.* ⇒ **migraine.** *Mal de mer, mal de l'air,* malaises dus au mouvement d'un bateau, d'un avion (nausées, vomissements). FAIRE MAL : faire souffrir. *Une blessure qui fait mal.* — Fam. *Ça me fait mal (au ventre, au cœur) de voir, d'entendre cela,* cela m'inspire de la pitié, du regret, du dégoût. **3.** Fam. *Il n'y a pas de mal,* ce n'est rien, ne vous excusez pas. **4.** Maladie. *Prendre mal, du mal,* tomber malade. *Le mal s'aggrave. Le remède est pire que le mal.* **5.** Souffrance morale. *Des mots qui font du mal.* ⇒ **blesser.** *Le mal du siècle,* mélancolie profonde de la jeunesse romantique. *Le mal du pays.* ⇒ **nostalgie.** *Le mal d'amour.* — Être EN MAL DE : souffrir de l'absence, du défaut de qqch. *Il, elle est en mal d'affection.* **6.** Difficulté, peine. *Avoir du mal à faire qqch. Se donner du mal, beaucoup de mal,* (loc.) *un mal de chien, pour faire qqch. On n'a rien sans mal.* **7.** *Dire, penser du mal de qqn,* des choses défavorables. **II.** (Sans plur.) **1.** Ce qui est contraire à la loi morale, à la vertu, au bien. *Faire le mal pour le mal. L'esprit du mal* ⇒ ① **malin** (1) ; **malignité.** — À MAL. *Penser, songer à mal,* avoir des intentions mauvaises. *Sans penser à mal.* **2.** LE MAL : tout ce qui est l'objet de désapprobation ou de blâme dans une société. *Le monde partagé entre le bien et le mal* (⇒ **péché**). ‹ ▶ **malédiction, maléfice, malfaiteur, malus** ›

mal- ■ Premier élément de mots (ex. : *maladresse, malaise,* etc.), de même sens que *mé-* (ex. : *médire*) et *mau-* (ex. : *maudire*).

malabar [malabaʀ] adj. et n. ■ Fam. (Personnes) Très fort. ⇒ **costaud.** *Elle est plutôt malabar.*

malachite [malakit] n. f. ■ Carbonate de cuivre, pierre d'un beau vert diapré.

malade [malad] adj. et n. **I.** Adj. **1.** Qui souffre de troubles organiques ou fonctionnels, est en mauvaise santé. *Il est gravement, sérieusement malade.* / contr. bien ① **portant** / *Tu as l'air malade.* ⇒ **indisposé, souffrant ;** fam. mal ② **fichu.** *Tomber malade.*

— MALADE MENTAL : personne qui souffre d'une maladie mentale. — Par exagér. *Malade d'amour.* — Fam. *J'en suis malade, cela me rend malade rien que d'y penser.* — (Plantes) *La vigne est malade cette année.* **2.** Fam. (Objets) Détérioré, en mauvais état, très usé. *La reliure de ce bouquin est bien malade.* **II.** N. Personne malade. *Le malade garde la chambre. Demander des nouvelles d'un malade. Guérir, opérer une malade.* ⇒ **patient.** — MALADE IMAGINAIRE : personnage qui se croit malade, mais ne l'est pas. ‹ ▶ garde-malade, maladie, maladif ›

maladie [maladi] n. f. **I.** Trouble de l'organisme. *Maladie bénigne, grave, incurable.* ⇒ **affection,** ③ **mal** ; suff. -pathie. *Maladie de cœur, de peau. Maladie infectieuse, contagieuse, épidémique. Maladie mentale,* psychose. *Les symptômes d'une maladie. La maladie s'est déclarée, a évolué, s'est aggravée. Attraper, avoir une maladie. Il, elle s'est bien remis(e) de sa maladie.* — Loc. fam. *En faire une maladie,* être très contrarié de qqch. — LA MALADIE : l'état des organismes malades ; les maladies en général. *Être miné, rongé par la maladie.* **II.** Habitude, comportement anormal, excessif. ⇒ **manie.** *Avoir la maladie de la propreté, de la nouveauté.*

maladif, ive [maladif, iv] adj. **1.** Qui est de constitution fragile, souvent malade, ou sujet à l'être. ⇒ **chétif, malingre, souffreteux.** *Un enfant maladif.* / contr. **robuste, sain** / **2.** Qui présente le caractère de la maladie. *Pâleur maladive.* **3.** Anormal, excessif et irrépressible. *Une peur maladive de l'obscurité.* ⇒ **morbide.** ▶ *maladivement* adv.

maladresse [maladʀɛs] n. f. **1.** Manque d'adresse. *La maladresse d'un tireur.* ⇒ **inhabileté.** / contr. **adresse, habileté** / **2.** Manque d'habileté ou de tact. *Sa maladresse à dire ce qu'il ressent.* ⇒ **gaucherie.** **3.** Action maladroite. ⇒ **bêtise, bévue, erreur, étourderie, faute, gaffe, imprudence.** *Une série de maladresses.*

maladroit, oite [maladʀwa, wat] adj. et n. **1.** Qui manque d'adresse, n'est pas adroit. ⇒ **inhabile, malhabile ;** ② **gauche.** / contr. **adroit, habile** / *Elle n'est pas maladroite de ses mains.* — N. *C'est un maladroit, il casse tout ce qu'il touche.* **2.** (Dans le comportement, les relations sociales) *Un amoureux maladroit.* — N. *Maladroit, c'était ce qu'il ne fallait pas dire !* ⇒ **balourd, gaffeur.** **3.** Qui dénote de la maladresse. *Gestes maladroits. Remarque maladroite.* / contr. **aisé, facile** / ▶ *maladroitement* adv. ■ ⇒ **gauchement,** ② **mal** (II). *Il s'y prend maladroitement.*

malaga [malaga] n. m. ■ Vin liquoreux de la région de Malaga.

mal-aimé, ée [maleme] adj. et n. ■ Qui n'est pas assez aimé. *Une enfant mal-aimée.* — N. *Ce sont des mal-aimés.*

malaise [malɛz] n. m. **1.** Sensation pénible et vague d'un trouble dans les fonctions physiologiques. ⇒ **dérangement, indisposition.** *Il a eu un léger malaise.* **2.** Sentiment pénible et irraisonné dont on ne peut se défendre. ⇒ **angoisse, inquiétude.** *Provoquer un malaise chez qqn,* troubler. **3.** Mécontentement social inexprimé. *Le malaise paysan. Le malaise politique.*

malaisé, ée [maleze] adj. ■ Littér. Qui ne se fait pas facilement. ⇒ **difficile.** *Tâche malaisée. Malaisé à faire.* / contr. **aisé, commode, facile** / ▶ *malaisément* adv. ■ *Accepter, supporter malaisément une réflexion.*

malandrin [malɑ̃dʀɛ̃] n. m. ■ Vieilli ou littér. Voleur ou vagabond dangereux. ⇒ **bandit, brigand.**

malappris, ise [malapʀi, iz] adj. — REM. Le fém. est rare. ■ Vieilli. Mal élevé. ⇒ **grossier, impoli, malotru.** — N. *Espèce de malappris !*

malaria [malaʀja] n. f. ■ Paludisme.

malaxer [malakse] v. tr. ▪ conjug. 1. **1.** Pétrir (une substance) pour la rendre plus molle, plus homogène. *Malaxer le beurre.* **2.** Remuer ensemble de manière à mêler. ▶ *malaxage* n. m. ▶ *malaxeur* n. m. ■ Appareil, machine servant à malaxer. *Malaxeur-broyeur.* ⇒ **mixer.**

malchance [malʃɑ̃s] n. f. ■ Mauvaise chance (1). ⇒ **adversité, déveine ;** fam. **guigne, poisse.** *Avoir de la malchance. Il joue de malchance. Une série de malchances.* / contr. **chance** / ▶ *malchanceux, euse* adj. ■ Qui a de la malchance. *Un joueur malchanceux.* — N. *C'est un malchanceux.*

maldonne [maldɔn] n. f. **1.** Mauvaise donne, erreur dans la distribution des cartes. **2.** Fam. Erreur, malentendu. *(Il) y a maldonne !*

mâle [mɑl] n. m. et adj. **I.** N. m. **1.** Individu appartenant au sexe doué du pouvoir de fécondation. *Le mâle et la femelle.* **2.** Homme viril. *Un beau mâle.* **II.** Adj. **1.** Masculin. *Enfant mâle. Grenouille mâle.* **2.** Qui est caractéristique du sexe masculin (force, énergie...). ⇒ **viril.** *Voix grave et mâle.* / contr. **efféminé, féminin** / *Une mâle résolution.* ⇒ **courageux, énergique.** **3.** Se dit d'une pièce de mécanisme qui s'insère dans une autre, dite *femelle. Pièce mâle d'une charnière. La prise mâle et la prise femelle.*

malédiction [malediksjɔ̃] n. f. **1.** Littér. Paroles par lesquelles on souhaite du mal à qqn en appelant sur lui la colère de Dieu, etc. — Condamnation au malheur prononcée par Dieu. / contr. **bénédiction** / **2.** Malheur auquel on semble voué par la destinée, par le sort. ⇒ **fatalité, malchance.** *Malédiction qui pèse sur qqn.* / contr. **bonheur, chance** / — Exclam. *Malédiction !* ⇒ **enfer.**

maléfice [malefis] n. m. ■ Opération magique visant à nuire. ⇒ **ensorcellement, envoûtement, sortilège.** *Il prétend être victime d'un maléfice.* ▶ *maléfique* adj. ■ Doué d'une action néfaste et occulte. *Charme, signes maléfiques.* / contr. **bénéfique, bienfaisant** /

malencontreux, euse [malɑ̃kɔ̃tʀø, øz] adj. ■ Qui se produit à un mauvais moment. ⇒ **ennuyeux, fâcheux.** *Un retard malencontreux.* ▶ *malencontreusement* adj.

mal-en-point ⇒ ② **point.**

malentendant, ante [malɑ̃tɑ̃dɑ̃, ɑ̃t] adj. et n. ■ Qui souffre de troubles de l'audition. *Les sourds et les malentendants.*

malentendu [malɑ̃tɑ̃dy] n. m. **1.** Divergence d'interprétation entre personnes qui croyaient se comprendre. ⇒ **méprise, quiproquo.** *Il faut dissiper ce malentendu.* **2.** Mésentente sentimentale entre deux êtres. *De graves, de douloureux malentendus.*

malfaçon [malfasɔ̃] n. f. ■ Défaut dans un ouvrage mal exécuté.

malfaisant, ante [malfəzɑ̃, ɑ̃t] adj. **1.** Qui fait ou cherche à faire du mal à autrui. ⇒ **mauvais, méchant, nuisible.** *Un être malfaisant.* **2.** Dont les effets sont néfastes. *Idées malfaisantes.* ⇒ **pernicieux.** / contr. **bienfaisant** /

malfaiteur [malfɛtœʀ] n. m. ■ Personne qui commet des méfaits, des actes criminels. ⇒ **bandit, brigand, criminel, gangster ;** fam. **malfrat.** *Un dangereux malfaiteur.*

mal famé, ée adj. ⇒ **mal famé.**

malformation [malfɔrmasjɔ̃] n. f. ■ Anomalie, vice de conformation congénitale. — Difformité. *Il est né avec une malformation du bras.*

malfrat [malfra] n. m. ■ Fam. Malfaiteur. *Un petit malfrat.* ⇒ **truand.**

malgache [malgaʃ] adj. ■ De Madagascar. — N. *Les Malgaches.*

malgré [malgre] prép. **I. 1.** Contre le gré de (qqn), en dépit de son opposition, de sa résistance. *Il a fait cela malgré son père. Malgré soi,* de mauvais gré ou involontairement. **2.** En dépit de (qqch.). *Malgré cela.* ⇒ **cependant.** *Malgré les ordres reçus, il a refusé.* — MALGRÉ TOUT : quoi qu'il arrive. *Nous réussirons malgré tout.* — *C'était un grand homme, malgré tout,* quoi qu'on en dise ou pense. **II.** Emploi critiqué. MALGRÉ QUE loc. conj. (+ subjonctif) : bien que.

malhabile [malabil] adj. ■ Qui manque d'habileté, de savoir-faire. ⇒ ② **gauche, inhabile, maladroit.** *Des mains malhabiles.*

malheur [malœr] n. m. **1.** Événement qui affecte péniblement, cruellement (qqn). ⇒ **calamité, catastrophe, désastre, épreuve, infortune, malchance.** *Un grand, un affreux malheur.* — Loc. *Un malheur est si vite arrivé ! Il a eu bien des malheurs.* — PROV. *À quelque chose malheur est bon,* tout événement pénible comporte quelque compensation. **2.** Désagrément, ennui, inconvénient. *C'est un petit malheur.* — Fam. *Faire un malheur,* un éclat. *Retenez-moi ou je fais un malheur !* — Remporter un grand succès. *Ce film a fait un malheur.* **3.** Le malheur, situation durable psychologiquement pénible ; état d'une personne malheureuse (2). ⇒ **désespoir, tristesse.** / contr. **bonheur** / *Être dans le malheur. Faire le malheur de qqn.* — PROV. *Le malheur des uns fait le bonheur des autres.* **4.** Malchance. *Le malheur a voulu qu'il tombe malade. Jouer de malheur.* — *Porter malheur (à qqn),* avoir une influence néfaste. — *Avoir le malheur de* (+ infinitif), avoir la malchance ou la maladresse de. *Si tu as le malheur d'en parler, gare à toi !* — *Par malheur,* malheureusement. — *De malheur,* qui porte malheur. ⇒ **funeste.** Fam. *Encore cette pluie de malheur !* ⇒ **maudit. 5.** MALHEUR À. ⇒ **malédiction.** *Malheur aux vaincus !* — MALHEUR : interjection de surprise, de désappointement. ▸ *malheureux, euse* adj. et n. **I. 1.** Qui est accablé de malheurs. ⇒ **infortuné, misérable.** *Les malheureux enfants des victimes de la guerre.* — *Une vie malheureuse.* — N. UN MALHEUREUX, UNE MALHEUREUSE : personne qui est dans le malheur, spécialt dépourvue de ressources. *Secourir les malheureux.* ⇒ **indigent, miséreux.** — Personne qu'on méprise ou que l'on plaint. *Malheureux ! que faites-vous ? Le malheureux n'a rien compris du tout.* **2.** Qui n'est pas heureux. ⇒ **désespéré, triste.** *Un garçon malheureux. Rendre ses enfants malheureux. Ce chien est malheureux dans un appartement.* — Loc. *Être malheureux comme les pierres,* être très malheureux. — *Il a un air, un regard malheureux.* **3.** (Choses) Qui cause du malheur, a de fâcheuses conséquences. ⇒ **affligeant, déplorable.** / contr. **bon** / *Cette affaire a eu des suites malheureuses. Il a eu un mot malheureux. C'est (bien) malheureux.* ⇒ **regrettable.** Fam. Marquant l'indignation. *Si c'est pas malheureux de voir une chose pareille !* ⇒ **lamentable. II. 1.** Qui a de la malchance ; qui ne réussit pas. ⇒ **malchanceux.** PROV. *Heureux au jeu, malheureux en amour. Candidat malheureux,* qui a échoué. **2.** (Actions) Qui ne réussit pas. *Initiative, tentative malheureuse.* **III.** (Avant le nom) Qui mérite peu d'attention, qui est sans importance, sans valeur. ⇒ **insignifiant, pauvre.** *En voilà des histoires pour un malheureux billet de cent francs !* ▸ *malheureusement* adv. ■ Par malheur. *C'est malheureusement impossible.* ‹ ▸ porte-malheur ›

malhonnête [malɔnɛt] adj. **I.** Qui manque de probité ; qui n'est pas honnête. ⇒ **déloyal, voleur.** / contr. **honnête, intègre** / *Un commerçant malhonnête. Recourir à des procédés malhonnêtes.* **II.** Vieilli. Inconvenant ou indécent. *Une proposition malhonnête.* ▸ *malhonnêtement* adv. ■ *Il a agi malhonnêtement avec ses clients, ses associés.* ▸ *malhonnêteté* n. f. ■ Caractère d'une personne malhonnête. *La malhonnêteté d'un agent d'affaires, de ses procédés.* — *Malhonnêteté intellectuelle,* emploi de procédés déloyaux ; mauvaise foi.

malice [malis] n. f. **1.** Tournure d'esprit de celui qui prend plaisir à s'amuser aux dépens d'autrui (⇒ ② **malin**). *Avec une pointe de malice et de moquerie.* — *Un garçon sans malice,* naïf et simple. **2.** Loc. SAC À MALICE : sac des prestidigitateurs ; fig. ensemble des ressources, des tours dont qqn dispose. ▸ *malicieux, euse* adj. ■ Qui s'amuse, rit volontiers aux dépens d'autrui. ⇒ **espiègle, malin, spirituel.** *Avoir un esprit vif et malicieux.* — *Sourire malicieux.* ⇒ **narquois.** ▸ *malicieusement* adv.

① *malin, maligne* [malɛ̃, maliɲ] adj. **1.** Dans des expressions. Méchant, mauvais, seulement dans l'*Esprit malin,* Satan. — *Éprouver un malin plaisir à faire souffrir qqn.* **2.** Se dit d'une maladie ou d'une tumeur très nocive, pouvant se généraliser, entraîner la mort. *Fièvre maligne. Le cancer est une tumeur maligne.* / contr. **bénin** / ▸ *malignité* n. f. **1.** Caractère d'une personne qui cherche à nuire de façon dissimulée. ⇒ **bassesse, malveillance, méchanceté, perfidie. 2.** Tendance d'une maladie à s'aggraver. *La malignité d'une tumeur.* / contr. **bénignité** /

② *malin, maligne* adj. **1.** Qui a de la ruse et de la finesse, pour se divertir aux dépens d'autrui, se tirer d'embarras, réussir. ⇒ **astucieux, débrouillard, futé, rusé ; malice.** / contr. **naïf, nigaud** / *Jouer au plus malin.* — Intelligent. *Vous vous croyez malin ! Elle n'est pas bien maligne* (fam. **maline**). — N. *Regardez ce gros malin. Faire le malin.* **2.** Impers. Fam. *Ce n'est pas malin d'avoir fait cela !* ⇒ **fin, intelligent.** — *Ce n'est pas malin,* pas difficile. ⇒ **compliqué.**

malingre [malɛ̃gr] adj. ■ Qui est d'une constitution faible. ⇒ **chétif, délicat, frêle, maladif.** / contr. **fort, robuste** / *Un enfant malingre.*

malintentionné, ée [malɛ̃tɑ̃sjɔne] adj. ■ Qui a de mauvaises intentions, l'intention de nuire. ⇒ **méchant.** *Il y aura toujours des gens malintentionnés pour donner cette interprétation.* / contr. **bienveillant** /

malle [mal] n. f. **1.** Bagage de grande dimension. ⇒ **cantine, coffre.** ≠ *valise. Faire sa malle, ses malles,* se préparer à partir. **2.** Coffre d'une automobile. *La malle arrière.* ▸ *mallette* n. f. ■ Petite valise contenant souvent un nécessaire de voyage ou de travail. ⇒ **attaché-case.**

malléable [maleabl] adj. **1.** Qui a la propriété de s'aplatir et de s'étendre en lames, en feuilles. ⇒ **ductile.** / contr. **cassant** / *L'or est le plus malléable des métaux.* **2.** (Personnes) Qui se laisse manier, influencer. ⇒ **docile, maniable, souple.** *Un enfant malléable.* ▸ *malléabilité* n. f. ■ Caractère de ce qui est malléable.

malmener [malməne] v. tr. • conjug. 5. **1.** Traiter (qqn) rudement. ⇒ **maltraiter ; brutaliser.** *La critique l'a rudement malmené.* ⇒ **éreinter. 2.** Mettre (l'adversaire) en danger, par une action vive.

malnutrition [malnytrisjɔ̃] n. f. ■ Alimentation mal équilibrée ou mal adaptée à un individu ou à une population. *Souffrir, mourir de malnutrition.*

malodorant, ante [malɔdɔrɑ̃, ɑ̃t] adj. ■ Qui a une mauvaise odeur. ⇒ **puant.**

malotru, ue [malɔtRy] n. ■ Personne sans éducation, de manières grossières. ⇒ **goujat, mufle, rustre.** *En voilà des malotrus !*

malpoli, ie [malpɔli] adj. et n. ■ Synonyme familier de *impoli* (seul terme correct).

malpropre [malpRɔpR] adj. **1.** Qui manque de propreté, de netteté. ⇒ **sale.** *Un enfant malpropre. Vêtements malpropres.* **2.** Qui manque de probité, de délicatesse. ⇒ **malhonnête.** — N. *Je ne me laisserai pas insulter par ce malpropre.* ⇒ fam. **saligaud.** ▶ **malproprement** adv. ■ Salement. *Cet enfant mange malproprement.* ▶ **malpropreté** n. f. ■ Caractère, état d'une personne, d'une chose malpropre. ⇒ **saleté.**

malsain, aine [malsɛ̃, ɛn] adj. **1.** Qui a une mauvaise santé, évoque la maladie. ⇒ **maladif.** *Des enfants chétifs et malsains. Apparence malsaine.* — Qui engendre la maladie, est contraire à la santé. ⇒ **nuisible.** *Humidité malsaine. Logement malsain.* ⇒ **insalubre.** — Fam. *Filons d'ici, le coin est malsain !,* il y a du danger. **2.** Qui n'est pas normal, manifeste de la perversité. *Un esprit malsain. Curiosité malsaine.* ⇒ **morbide.** — Qui corrompt l'esprit. *Littérature malsaine.* ⇒ **immoral.**

malséant, ante [malseã, ãt] adj. ■ Littér. Contraire à la bienséance. ⇒ **choquant, déplacé, inconvenant.** *Gaieté malséante en un lieu solennel.* / contr. **bienséant, convenable** /

malt [malt] n. m. ■ Céréales (surtout orge) germées artificiellement et séchées, puis séparées de leurs germes. *Le malt est utilisé dans la fabrication de la bière. Whisky pur malt* ou, ellipt, *du pur malt.* ▶ **malté, ée** adj. ■ Mêlé de malt.

malthusianisme [maltyzjanism] n. m. **1.** Doctrine de Malthus, qui préconisait la limitation des naissances dans un but social. **2.** *Malthusianisme économique,* restriction volontaire de la production.

maltraiter [maltRete] v. tr. ■ conjug. 1. **1.** Traiter avec brutalité. ⇒ **brutaliser, malmener.** *Il maltraite son chien.* **2.** Traiter sévèrement en paroles (une personne, une chose dont on parle). ⇒ **critiquer, éreinter.** *Cet auteur a été maltraité par la critique.* — *Maltraiter un ouvrage, un film dans un journal.*

malus [malys] n. m. ■ Pénalité imposée par un assureur à un conducteur qui a causé un ou des accidents. *Il a eu un malus de 25 %, sa prime a augmenté de 25 %.* / contr. **bonus** /

malveillant, ante [malvejã, ãt] adj. **1.** Qui a tendance à blâmer, à vouloir du mal. ⇒ **hostile, malintentionné.** — N. *Un malveillant.* **2.** Qui exprime de la malveillance, s'en inspire. ⇒ **aigre, méchant.** *Des propos malveillants.* / contr. **bienveillant ; amical.** ▶ **malveillance** n. f. **1.** Trait de caractère ou comportement d'une personne malveillante. ⇒ **hostilité.** *Malveillance manifeste.* ⇒ **animosité.** / contr. **bienveillance** / **2.** Intention de nuire, visée criminelle. *Incendie dû à la malveillance.* ⇒ **sabotage.**

malvenu, ue [malvəny] adj. ■ ÊTRE MALVENU À, DE (+ infinitif) : n'avoir pas le droit de faire qqch. *Il est malvenu à (de) présenter cette demande.* — ÊTRE MALVENU DE (+ infinitif) : n'être pas en situation de faire qqch. *Vous seriez malvenu de vous plaindre.* — Impers. *Il serait malvenu d'en parler.* ⇒ **déplacé.**

malversation [malvɛRsasjɔ̃] n. f. ■ Faute grave, commise dans l'exercice d'une charge. *Fonctionnaire coupable de malversations.* ⇒ **corruption, détournement, exaction, prévarication.**

maman [mamã] n. f. **1.** Terme affectueux par lequel les enfants, même devenus adultes, désignent leur mère. *Oui, maman. Où est ta maman ?* **2.** La maman, la mère de famille. *Jouer au papa et à la maman.* ⟨ ▶ bonne-maman ⟩

mamelle [mamɛl] n. f. ■ Organe des animaux mammifères, sécrétant le lait. — Vx ou péj. Sein de femme. ▶ ① **mamelon** [mamlɔ̃] n. m. ■ Bout de sein, chez la femme. ▶ ② **mamelon** n. m. ■ Sommet arrondi d'une colline, d'une montagne. ⇒ **colline, hauteur.** *Le village est construit sur un mamelon.* ⟨ ▶ mammaire, mammifère ⟩

mamelouk ou **mameluk** [mamluk] n. m. ■ Cavalier des anciennes milices égyptiennes. *Des mamelouks ; des mameluks.*

mamie [mami] n. f. ■ Nom donné par les enfants à leur grand-mère. ⇒ **mémé.** *Je vais chez mamie.* — Vieille femme. *Il y avait beaucoup de mamies.*

mammaire [mamɛR] adj. ■ Relatif aux mamelles. *Glandes mammaires.*

mammifère [mamifɛR] n. m. ■ Animal vertébré, à température constante, respirant par des poumons, à système nerveux central développé, dont les femelles portent des mamelles. *Mammifères terrestres ; mammifères aquatiques* (baleine, dauphin). *L'homme est un mammifère.*

mammouth [mamut] n. m. ■ Gigantesque éléphant fossile de l'ère quaternaire. *Des mammouths.*

mamours [mamuR] n. m. pl. ■ Fam. Démonstrations de tendresse. ⇒ **cajolerie.** *Faire des mamours à qqn.*

mam'selle ou **mam'zelle** [mamzɛl] vieilli. ⇒ **mademoiselle.**

manager [manadʒɛR] n. m. **1.** Personne qui veille à l'organisation matérielle de spectacles, concerts, matches, ou qui s'occupe particulièrement de la vie professionnelle et des intérêts d'un artiste ⇒ **imprésario,** d'un champion ⇒ **entraîneur.** *Manager d'un boxeur.* **2.** Dirigeant (d'une entreprise). *Réunion des managers.*

manant [manã] n. m. **1.** Au Moyen Âge. Roturier assujetti à la justice seigneuriale. **2.** Littér. Homme grossier, sans éducation. ⇒ **rustre.**

① **manche** [mãʃ] n. f. **I.** Partie du vêtement qui entoure le bras. *Manches longues, qui s'arrêtent au poignet ; manches courtes. Relever, retrousser ses manches,* pour être plus à l'aise, pour travailler. — Loc. *Avoir qqn dans sa manche,* en disposer à son gré. *Garder dans sa manche,* garder en réserve (un moyen d'action). — Fam. *C'est une autre paire de manches,* c'est tout à fait différent, c'est plus difficile. **II.** Chacune des deux parties liées d'un jeu. *La première manche, la seconde manche* ⇒ **revanche. III.** Large tuyau ou tube qui sert à conduire un fluide. *Manche à air,* tube en toile placé en haut d'un mât pour indiquer la direction du vent. *Manche à air au bord d'une autoroute.* ⟨ ▶ emmanchure, ① manchette, manchon, manchot ⟩

② **manche** n. m. **1.** Partie allongée (d'un outil, d'un instrument) par laquelle on le tient. *Le manche d'une pelle. Manche de couteau, de cuiller.* — Fam. *Être, se mettre du côté du manche,* du côté du plus fort. — (Situation, affaire) *Branler dans le manche,* marcher mal. **2.** *Manche (à balai),* commande manuelle des gouvernails d'un avion. **3.** Partie par laquelle on tient un gigot, une épaule, pour les découper ; os (de gigot, de côtelette). **4.** Partie (d'un instrument de musique), le long de laquelle sont tendues les cordes. *Manche de violon, de guitare.* ⟨ ▶ démancher, emmancher ⟩

③ **manche** adj. et n. m. ■ Maladroit, incapable. *Il se débrouille comme un manche. Ce qu'elle est manche !*

④ *faire la* **manche** loc. verb. ■ Faire la quête, mendier. *Il fait la manche dans le métro.*

① **manchette** [mɑ̃ʃɛt] n. f. **1.** Poignet de chemise. *Boutons de manchettes.* **2.** Fausse manche. *Des manchettes de lustrine.*

② **manchette** n. f. ■ Titre très large et en gros caractères, à la première page d'un journal.

manchon [mɑ̃ʃɔ̃] n. m. **1.** Fourreau cylindrique où l'on met les mains pour les protéger du froid. *Manchon de fourrure.* **2.** Pièce cylindrique. *Manchon d'assemblage,* anneau, bague.

manchot, ote [mɑ̃ʃo, ɔt] adj. et n. m. **I. 1.** Qui est privé d'une main ou des deux mains ; d'un bras ou des deux bras. — N. *Le moignon d'un manchot, d'une manchote.* **2.** Fam. Maladroit. ⇒ ③ **manche.** *Il n'est pas manchot, il est adroit, habile.* **II.** N. m. Oiseau palmipède des régions antarctiques. ≠ *pingouin* (Arctique).

-mancie, -mancien, ienne ■ Suffixes savants signifiant « divination » (ex. : *cartomancie*).

mandarin [mɑ̃daʀɛ̃] n. m. **1.** Haut fonctionnaire de l'ancien Empire chinois, coréen. ⇒ **intellectuel.** *Les mandarins de l'Université.* ⇒ **manitou.** ▶ **mandarinat** n. m. **1.** Charge de mandarin. — Corps de mandarins. **2.** Corps social prétendant former une classe à part privilégiée, exerçant une autorité intellectuelle. ⇒ **élite.**

mandarine [mɑ̃daʀin] n. f. et adj. invar. **1.** Fruit plus petit que l'orange, doux et parfumé. ⇒ **clémentine. 2.** Adj. invar. De la couleur du fruit, orange. *Des bas mandarine.* ▶ **mandarinier** n. m. ■ Arbre dont le fruit est la mandarine.

mandat [mɑ̃da] n. m. **1.** Acte par lequel une personne donne à une autre (⇒ **mandataire**) le pouvoir de faire qqch. en son nom. ⇒ **pouvoir, procuration.** *Donner mandat à qqn pour effectuer une vente.* **2.** *Mandat législatif, parlementaire,* fonction de membre élu d'un parlement. ⇒ **députation. 3.** *Mandat postal, mandat-poste, mandat,* titre constatant la remise d'une somme à l'administration des Postes par un expéditeur avec mandat de la verser à une personne désignée *(destinataire). Toucher un mandat.* **4.** Ordre de faire comparaître devant la justice, d'arrêter qqn. *Mandat d'arrêt, d'amener.* **5.** Pouvoirs confiés à un État pour assister ou administrer un autre État. ▶ **mandataire** n. ■ Personne à qui est conféré un mandat. ⇒ **agent, délégué, fondé** de pouvoir, **représentant.** ▶ **mandat-carte, mandat-lettre** n. m. ■ Mandat (3) postal transmis sous forme de carte, de lettre. *Des mandats-cartes.* ▶ **mandater** v. tr. ▪ conjug. 1. ■ Investir d'un mandat. *Mandater qqn pour la gestion d'une affaire.* ⇒ **confier** à. *Les électeurs ont mandaté ce député.*

mander [mɑ̃de] v. tr. ▪ conjug. 1. ■ Vx ou littér. Faire venir (qqn) par un ordre ou un avis. ⇒ **appeler.** *Mander qqn d'urgence.* — *Mander qqch. à qqn,* le lui faire savoir par lettre.

mandibule [mɑ̃dibyl] n. f. **1.** Fam. Mâchoire. *Jouer des mandibules,* manger. **2.** Une des deux parties du bec des oiseaux, des pièces buccales des insectes.

mandoline [mɑ̃dɔlin] n. f. ■ Instrument de musique à caisse de résonance bombée (≠ *guitare*) et à cordes pincées.

mandragore [mɑ̃dʀagɔʀ] n. f. ■ Plante dont la racine fourchue présente une forme humaine ; cette racine.

mandrin [mɑ̃dʀɛ̃] n. m. ■ Outil cylindrique (pour percer, forer).

① **-mane** ■ Suffixe savant signifiant « main » (ex. : *quadrumane*).

② **-mane, -manie** ■ Suffixes savants signifiant « folie, manie ». ⟨ ▶ cocaïnomane, décalcomanie, kleptomane, mégalomane, mélomane, morphinomane, mythomane, nymphomane, opiomane, pyromane, toxicomane ⟩

manécanterie [manekɑ̃tʀi] n. f. ■ École qui forme les enfants de chœur d'une paroisse, leur enseigne à chanter.

① **manège** [manɛʒ] n. m. **1.** Exercice que l'on fait faire à un cheval pour le dresser, le dompter. ⇒ **équitation. 2.** Lieu où l'on dresse, monte les chevaux. **3.** *Manège (de chevaux de bois),* attraction foraine où des animaux, des petits véhicules servant de montures, sont disposés autour d'un axe et entraînés par lui. *J'aimerais faire un tour de manège.*

② **manège** n. m. ■ Comportement habile et caché, souvent trompeur, pour arriver à ses fins. ⇒ **agissement(s), intrigue, magouille.** *Je comprends son petit manège.* ⇒ **jeu.**

mânes [mɑn] n. m. pl. ■ Dans la religion romaine. Âmes des morts. ⇒ **esprit, lare.**

manette [manɛt] n. f. ■ Clé, levier, poignée commandant un mécanisme et que l'on manœuvre à la main. *Manette de réglage.*

manganèse [mɑ̃ganɛz] n. m. ■ Métal d'un blanc grisâtre, dur et cassant.

① **manger** [mɑ̃ʒe] v. tr. ▪ conjug. 3. **1.** Avaler pour se nourrir (un aliment solide ou consistant) après avoir mâché. ⇒ **absorber, ingurgiter, prendre ;** fam. becqueter, bouffer, boulotter. *Manger un bifteck, du pain. Manger un morceau. Bon à manger.* ⇒ **comestible, mangeable.** — Sans compl. S'alimenter. *Manger peu, beaucoup.* — Prendre un repas. ⇒ **déjeuner, dîner, souper.** *Nous mangeons souvent au restaurant.* Loc. *Salle à manger.* **2.** Dévorer (un être vivant, une proie). — Loc. *Manger qqn des yeux,* le dévorer des yeux. *Il ne vous mangera pas,* il ne vous fera pas de mal, il n'est pas si terrible. **3.** Ronger. — Au p. p. *Étoffe mangée par les mites, aux mites.* — *Un visage mangé de barbe,* caché par la barbe. **4.** *Manger ses mots,* les prononcer indistinctement, bredouiller. **5.** Consommer, dépenser. *Manger son capital.* ⇒ **dilapider.** ▶ ② **manger** n. m. ■ Fam. Nourriture, repas. *Ici on peut apporter son manger.* ▶ **mangeable** [mɑ̃ʒabl] adj. **1.** Qui peut se manger. ⇒ **comestible.** / contr. **immangeable / 2.** Tout juste bon à manger, sans rien d'appétissant. *C'est à peine mangeable !* ▶ **mangeaille** n. f. ■ Nourriture abondante et médiocre. ▶ **mangeoire** [mɑ̃ʒwaʀ] n. f. ■ Récipient destiné à contenir les aliments de certains animaux domestiques (chevaux, bestiaux, volaille). ▶ **mangetout** n. m. invar. ■ Variété de pois, de haricots dont on mange la cosse avec la graine. *Des mange-tout.* — Adj. invar. *Haricots mange-tout.* ▶ **mangeur, euse** n. **1.** Qui mange (beaucoup, peu). *Un grand, un gros mangeur.* **2.** *Mangeur de...,* personne qui mange (telle ou telle chose). *Un mangeur de viande. Mangeurs d'hommes.* ⇒ **anthropophage.** ⟨ ▶ garde-manger, immangeable ⟩

mangouste [mɑ̃gust] n. f. ■ Petit mammifère carnivore de l'Afrique et de l'Asie tropicales, rappelant la belette, et utilisé pour la destruction des reptiles et des rats.

mangrove [mɑ̃gʀɔv] n. f. ■ Dans les pays tropicaux. Forêt de palétuviers poussant dans la vase.

mangue [mɑ̃g] n. f. ■ Fruit d'un arbre tropical (le *manguier*) de la taille d'une grosse pêche, à chair jaune, très parfumé.

maniable [manjabl] adj. **1.** Qu'on manie et utilise facilement. ⇒ **pratique**. *Outil maniable.* **2.** Qu'on manœuvre facilement. *Une voiture, un voilier maniable.* ⇒ **manœuvrable**. **3.** (Personnes) Qui se laisse aisément diriger ; docile, souple. ⇒ **malléable**. ▸ *maniabilité* n. f. ■ *La maniabilité d'une voiture.*

maniaque [manjak] adj. **1.** Qui a une idée fixe ou la maladie mentale appelée manie (1)*. — N. *Un maniaque.* ⇒ **obsédé**. **2.** Exagérément attaché à ses petites manies (3), à des habitudes. *Un célibataire maniaque.* — N. *Quel vieux maniaque !* — Propre à un maniaque. *Soin maniaque.* ▸ *maniaquerie* n. f. ■ Caractère d'une personne maniaque (2).

manichéisme [manikeism] n. m. ■ Conception dualiste du bien et du mal comme deux forces opposées. ⇒ **dualisme**. ▸ *manichéen, enne* [manikeɛ̃, ɛn] adj. et n. ■ Relatif au manichéisme. — Partisan du manichéisme. *Il est très manichéen ; pour lui, c'est très bien ou très mal.*

manie [mani] n. f. **1.** Maladie mentale caractérisée par divers troubles de l'humeur (exaltation euphorique, versatilité). — Trouble de l'esprit possédé par une idée fixe. ⇒ **obsession**. *Manie de la persécution.* **2.** *Manie de...,* goût excessif, déraisonnable (pour un objet ou une activité). ⇒ **marotte, passion**. *Il a la manie des vieilles pierres, de collectionner les autographes.* **3.** Habitude bizarre et tyrannique, souvent agaçante ou ridicule. *Des manies de petit vieux.* **4.** Action répétée. *Tu as encore cassé un verre, ça devient une manie.* ‹ ▸ maniaque, ② -mane ›

① *manier* [manje] v. tr. ▪ conjug. 7. **1.** Avoir en main, entre les mains tout en déplaçant, en remuant. *Manie ce paquet avec précaution !* — *Caissier qui manie de grosses sommes d'argent.* ⇒ **manipuler**. **2.** Utiliser en ayant en main. *Il sait manier l'épée.* **3.** Mener à son gré. ⇒ **manipuler** (3). *Manier les foules.* ⇒ **diriger, gouverner**. **4.** Fig. Employer de façon plus ou moins habile. *Savoir manier l'ironie.* ▸ *maniement* n. m. **1.** Action ou façon de manier, d'utiliser avec les mains. ⇒ **manipulation, usage**. *Le maniement de la fourchette. Maniement d'armes,* suite de mouvements exécutés au commandement des soldats. **2.** Action, manière d'employer, de diriger, d'administrer. ⇒ **emploi**. *Le maniement d'une langue.* ▸ *manieur* n. m. ■ Loc. *Un manieur d'argent,* un financier. ⇒ **brasseur** d'affaires. ‹ ▸ maniable ›

② *se manier* v. pron. ▪ conjug. 7. ■ Fam. SE MANIER (seult à l'infinitif), SE MAGNER (aux autres formes) : se remuer, se dépêcher. *Magne-toi !* ⇒ fam. se **grouiller**.

manière [manjɛʀ] n. f. **1.** Forme particulière que revêt l'accomplissement d'une action, le déroulement d'un fait, l'être ou l'existence. ⇒ **façon, mode**. *Manière d'agir, de vivre.* ⇒ **conduite**. *Il y a la manière, il faut savoir s'y prendre.* — Loc. adv. *De cette manière,* ainsi. *De toute manière,* en tout cas. *D'une manière générale,* dans la plupart des cas. *En aucune manière,* aucunement. — Loc. prép. *À la manière de,* comme. *De manière à* (+ infinitif), afin de (produire telle conséquence). *Il travaille de manière à gagner sa vie.* — Loc. conj. *De (telle) manière que, de manière (à ce) que* (+ subjonctif). *De manière que tout aille bien.* **2.** La manière de qqn, forme de comportement personnelle et habituelle. *Avec sa manière de faire, il échouera.* **3.** Mode d'expression caractéristique (d'un artiste, d'une école). ⇒ **genre, style**. *Sonate dans la manière classique.* **4.** Compléments, adverbes de manière, qui marquent de quelle manière est qqn, qqch., se fait qqch. « *Gentiment* » est un adverbe de manière. ‹ ▸ manières ›

manières n. f. pl. **1.** Comportement (d'une personne) considéré surtout dans son effet sur autrui. *Il a de mauvaises manières. En voilà des manières ! En voilà des manières !* **2.** Faire des manières, être affecté, se faire prier. ⇒ **chichi, embarras**. ▸ *maniéré, ée* adj. **1.** Qui montre de l'affectation, manque de naturel ou de simplicité. ⇒ **affecté, poseur**. *Politesse maniérée.* / contr. **naturel, simple** / **2.** Art. Qui manque de spontanéité, est trop recherché. ▸ *maniérisme* n. m. **1.** Cour. Tendance ou genre maniéré en art. **2.** Art. Tendance de l'art italien au XVIe siècle, caractérisé par un raffinement technique et la recherche d'un effet. *Le maniérisme précède et prépare le baroque*.*

① *manifestation* [manifɛstasjɔ̃] n. f. ■ Action ou manière de manifester, de se manifester. ⇒ **expression**. *Manifestation de joie, de mécontentement.* ⇒ **démonstration, marque**.

② *manifestation* n. f. ■ Réunion publique et organisée pour manifester une opinion ou une volonté. *Aller à une manifestation. La police a interdit la manifestation.* — Abrév. fam. MANIF [manif]. *Des manifs.* ▸ *manifestant, ante* ■ Personne qui participe à une manifestation. *Les manifestants se sont dispersés.* ‹ ▸ contre-manifestation ›

① *manifeste* [manifɛst] adj. ■ Dont l'existence ou la nature est évidente. ⇒ **certain, flagrant, indiscutable**. *Différences manifestes.* / contr. **douteux** / ▸ *manifestement* adv. **1.** Sans aucun doute. *Cette addition est manifestement fausse.* **2.** Visiblement. *C'est manifestement lui le coupable.*

② *manifeste* n. m. ■ Déclaration écrite, publique et solennelle, par laquelle un gouvernement, un groupe ou une personnalité politique expose son programme, justifie sa position. ⇒ **proclamation**. — Exposé théorique lançant un mouvement littéraire. *Le Manifeste du surréalisme.*

① *manifester* [manifɛste] v. ▪ conjug. 1. **I.** V. tr. **1.** Faire connaître de façon manifeste. ⇒ **exprimer, révéler**. *Manifester sa volonté, ses intentions (à qqn).* **2.** Faire ou laisser apparaître clairement. *Il a manifesté de l'étonnement.* — Révéler, trahir. *Ses gestes manifestent sa timidité.* **II.** SE MANIFESTER v. pron. : apparaître, se montrer. *Des divergences peuvent se manifester.* ‹ ▸ ① manifestation ›

② *manifester* v. intr. ▪ conjug. 1. ■ Participer à une manifestation ② politique, syndicale. ‹ ▸ ② manifestation ›

manigance [manigɑ̃s] n. f. ■ Manœuvre secrète et suspecte, sans grande portée ni gravité. ⇒ **intrigue** ; fam. **magouille, micmac**. ▸ *manigancer* v. tr. ▪ conjug. 1. ■ Combiner par des manigances. ⇒ **comploter**. *Ils manigancent une escroquerie.*

manille [manij] n. f. ■ Jeu de cartes où les plus fortes cartes sont le dix *(manille),* puis l'as *(manillon).* *Joueurs de manille.*

manioc [manjɔk] n. m. ■ Arbrisseau des régions tropicales dont la racine fournit une fécule alimentaire, le tapioca.

manipuler [manipyle] v. tr. ▪ conjug. 1. **1.** Manier avec soin en vue d'expériences, d'opérations scientifiques ou techniques. *Manipuler des tubes, des fioles.* **2.** Manier et transporter. *Manipuler des colis.* **3.** Amener (qqn), par des voies détournées, à faire ce qu'on veut. ⇒ ① **manier** (3). *Il essaye de manipuler ses administrés. Tu te fais manipuler.* ▸ *manipulation* n. f. **1.** Action, manière de manipuler (des substances, des produits, des appareils). *Manipulations chimiques.* **2.** Massage visant à remettre des os déplacés. *Manipulations vertébrales faites par un kinésithérapeute.* **3.** Branche de la prestidigitation reposant sur la seule habileté des mains. ⇒ **tour de passe-passe**. **4.** Fam. Action de manipuler (3). *Mani-*

pulations électorales. ⇒ **manœuvre** (II). ▶ *manipulateur, trice* n. **1.** Personne qui procède à des manipulations. ⇒ **opérateur.** *Manipulateur de laboratoire.* — Prestidigitateur spécialisé dans la manipulation. **2.** Appareil servant à la transmission des signaux télégraphiques. **3.** Personne, entité qui manipule (3) qqn, un groupe.

manitou [manitu] n. m. ■ Fam. Personnage important et puissant. ⇒ **mandarin.** *Les (grands) manitous de l'Université.*

manivelle [manivɛl] n. f. **1.** Levier coudé, manœuvré à la main, servant à produire un mouvement de rotation. *Manivelle d'un cric. Tourner la manivelle.* — *Premier tour de manivelle (de la caméra),* commencement du tournage d'un film. **2.** *Manivelle de moteur.* ⇒ **vilebrequin.**

manne [man] n. f. **1.** Nourriture miraculeuse envoyée aux Hébreux dans le désert. **2.** Nourriture providentielle, don ou avantage inespéré.

mannequin [mankɛ̃] n. m. **1.** Moulage ou armature à forme humaine servant de modèle pour la confection des vêtements, pour les essayages ou pour la présentation des divers modèles de vêtements. *Déplacer un mannequin dans une vitrine.* — *Taille mannequin,* conforme aux proportions types. **2.** Personne employée par un grand couturier pour la présentation des modèles de collection ou de prêt-à-porter. *Elle est mannequin et pose pour des photos.* ⇒ anglic. **cover-girl.**

manœuvrer [manœvʀe] v. ■ conjug. 1. **I.** V. intr. **1.** Effectuer une manœuvre sur un bateau, un véhicule. *Manœuvrer pour garer sa voiture.* **2.** (Militaires) Faire l'exercice. *Les soldats manœuvrent dans la cour.* **3.** Employer des moyens adroits pour arriver à ses fins. *Il a bien manœuvré.* **II.** V. tr. **1.** Manier de façon à faire fonctionner. *Manœuvrer des cordages.* ⇒ ② **manœuvre(s).** *Manœuvrer le volant d'une voiture.* **2.** Faire agir (qqn) comme on le veut, par une tactique habile. ⇒ **gouverner, manier.** *Elle s'est laissé manœuvrer par ses associés.* ▶ *manœuvrable* adj. ■ (Bateau, véhicule) Apte à être manœuvré, maniable. ▶ *manœuvrabilité* n. f. ■ Maniabilité. ▶ ① *manœuvre* n. f. **I. 1.** Action sur les cordages, les voiles, le gouvernail, etc., destinée à régler le mouvement d'un bateau. — Action, manière de régler le mouvement d'un véhicule. *Faire une manœuvre pour se garer.* — FAUSSE MANŒUVRE : erreur de manœuvre ; fig. décision, démarche maladroite et sans résultat. **2.** Exercice militaire. *Champ de manœuvre. Grandes manœuvres,* simulant des opérations militaires. **3.** Opérations manuelles (permettant le fonctionnement d'un appareil, d'une machine). *Manœuvres pour accrocher une locomotive à un train.* **II.** Moyen, ensemble de moyens mis en œuvre pour atteindre un but. ⇒ **combinaison, intrigue, machination.** *Manœuvre subtile, perfide,* malhonnête. ⇒ **magouille.** *Nous avons toute liberté de manœuvre.* ▶ ② *manœuvre* n. f. ■ Surtout au plur. Cordage du gréement d'un navire. *Manœuvres dormantes,* fixes. *Manœuvres courantes,* mobiles. ▶ ③ *manœuvre* n. m. ■ Ouvrier exécutant des travaux qui n'exigent pas de connaissances professionnelles spéciales. *Les manœuvres du chantier.* ▶ *manœuvrier, ière* adj. et n. **1.** Adj. Qui concerne l'habileté à manœuvrer. *Qualités manœuvrières.* **2.** N. Personne qui manœuvre habilement.

manoir [manwaʀ] n. m. ■ Petit château ancien à la campagne. ⇒ **gentilhommière.**

manomètre [manɔmɛtʀ] n. m. ■ Appareil servant à mesurer la tension d'un gaz, d'une vapeur, la pression d'un fluide dans un espace fermé.

manouche [manuʃ] n. ■ Gitan nomade. ⇒ **bohémien, romanichel.** *Une roulotte de manouches. Une manouche.*

manquer [mɑ̃ke] v. ■ conjug. 1. **I.** V. intr. Être absent, faire défaut. **1.** (Suj. chose) Ne pas être, lorsqu'il le faudrait ; faire défaut. *Rien ne manque, tout est là. Si l'eau venait à manquer.* — Impers. *Il manque un bonbon dans la boîte. Il en manque un.* — Iron. Loc. *Il ne manquait plus que cela !,* c'est le comble. *Il ne manquerait plus que* (+ subjonctif), ce serait le comble si. *Il ne manquerait plus qu'elle ne vienne pas.* **2.** MANQUER À qqn : faire défaut, être insuffisant. — (Suj. chose) *Le temps me manque,* je n'ai pas le temps. *Les mots me manquent.* Impers. *Il me manque dix francs.* — (Suj. personne) *Sa mère lui manquait.* Impers. *Il te manque un ami.* **3.** (Suj. personne) Être absent d'un lieu où l'on devrait être. *Cet élève manque trop souvent. Manquer à l'appel.* **4.** (Suj. chose) Échouer. / contr. **réussir** / *Dix fois de suite l'expérience manqua.* **II.** V. tr. ind. Ne pas avoir, ne pas faire. **1.** MANQUER DE : ne pas avoir (qqch., qqn) lorsqu'il le faudrait, ne pas avoir en quantité suffisante. / contr. **avoir** / *Il ne manque de rien,* il a tout ce qu'il lui faut. *Elle manque d'amis.* — Fam. *Il ne manque pas d'air, de culot,* il est sans-gêne, culotté, gonflé. — Être dépourvu d'une qualité. *Tu manques d'imagination.* — *Manquer de respect à qqn, envers qqn.* **2.** MANQUER À qqch. : ne pas se conformer à (qqch.) qu'on doit observer. *Il a manqué à sa parole. Manquer à son, à ses devoirs.* — contr. **respecter, satisfaire à / 3.** NE PAS MANQUER DE (+ infinitif) : faire de manière certaine. *Je ne manquerai pas de vous informer.* Ellipt. *Ça n'a pas manqué.* — Loc. *Je n'y manquerai pas.* **4.** Semi-auxil. Être tout près de, sur le point de. ⇒ **faillir.** *Elle avait manqué mourir, de mourir.* **III.** V. tr. dir. **1.** Ne pas réussir. ⇒ fam. **louper, rater.** *Il a manqué son coup.* — Au p. p. adj. *Une photo manquée. Un acte manqué,* qui a échoué parce qu'on n'avait pas envie de le faire. — Loc. *Un garçon manqué,* une fille qui a des manières de garçon. **2.** Ne pas atteindre, ne pas toucher. *Manquer la cible.* — Au p. p. adj. *Manqué !,* à côté ! — *La prochaine fois, je ne te manquerai pas,* je me vengerai de toi. **3.** Ne pas rencontrer (qqn) qu'on voulait voir. *Je vous ai manqué de peu.* — Pronominalement. *Il m'attendait, mais nous sommes manqués.* **4.** Ne pouvoir prendre (un moyen de transport) parce qu'on est en retard. *Il a manqué son train.* **5.** Laisser échapper (qqch.) de profitable. *Manquer une bonne occasion.* — Fam. *Il n'en manque pas une,* il ne manque pas une occasion de commettre une maladresse. **6.** S'abstenir d'assister, d'être présent à. *Manquer un cours, la classe.* ⇒ fam. **sécher.** ▶ *manquant, ante* adj. ■ Qui manque, est en moins. *Les numéros manquants d'une série.* — N. *Les manquants,* les absents, les objets qui manquent. ▶ ① *manque* n. m. **1.** Fait de manquer, absence ou grave insuffisance d'une chose nécessaire. ⇒ **défaut.** *Manque de vivres, d'argent, de main-d'œuvre.* ⇒ **carence, pénurie, rareté.** *Quel manque d'imagination !* / contr. **abondance, excès / 2.** État d'un toxicomane privé de drogue ou d'alcool. *État de manque.* — Loc. *Être en manque.* **3.** Au plur. Lacunes. *Avoir des manques.* **4.** PAR MANQUE DE, MANQUE DE loc. prép. : par défaut de, faute de. *Il n'est pas venu par manque de temps. Manque de chance,* fam. *de pot.* **5.** *Manque à gagner,* somme que l'on aurait pu gagner. ▶ ② *à la manque* [alamɑ̃k] loc. adj. ■ Fam. Raté, défectueux, mauvais. ⇒ fam. **à la gomme, à la noix.** *Des histoires à la manque.* ▶ *manquement* n. m. ■ Le fait de manquer (à un devoir). ⇒ **faute.** *Un manquement à la discipline.* ⟨ ▶ **immanquable** ⟩

mansarde [mɑ̃saʀd] n. f. **1.** Toit brisé à quatre pans (du nom du grand architecte *Mansart*). **2.** Chambre aménagée dans ce toit et dont un mur est en pente. *J'habite une mansarde au sixième.* ▶ *mansardé, ée* adj. ■ *Chambre mansardée.*

mansuétude [mɑ̃sɥetyd] n. f. ■ Littér. Disposition à pardonner généreusement. ⇒ **bonté, indulgence.** / contr. **sévérité /**

① *mante* [mɑ̃t] n. f. ■ Insecte carnassier (on dit surtout *mante religieuse*). *La mante femelle dévore souvent le mâle après l'accouplement.* ≠ *menthe.*

② *mante* n. f. ■ Autrefois. Manteau de femme, ample et sans manches. ▶ *manteau* n. m. **I. 1.** Vêtement à manches qui se porte par-dessus les autres vêtements. ⇒ **capote, pardessus.** *Manteau de fourrure.* ⇒ **pelisse.** *Manteau de pluie.* ⇒ **ciré, imperméable. 2.** Loc. *Livre publié, vendu sous le manteau,* clandestinement. **II.** *Manteau de cheminée,* partie de la cheminée en saillie au-dessus du foyer. ⟨ ▶ porte-manteau ⟩

mantille [mɑ̃tij] n. f. ■ Dentelle drapée sur la tête, comme coiffure féminine. *Une mantille espagnole.*

manucure [manykyʀ] n. ■ Personne chargée des soins esthétiques des mains, des ongles. *Les manucures d'un institut de beauté. Les manucures et les pédicures.* ▶ *manucurer* v. tr. ■ conjug. 1. ■ Fam. Faire les mains de (qqn).

① *manuel, elle* [manɥɛl] adj. **1.** Qui se fait avec la main, qui nécessite une activité physique. *Travail manuel. Métiers manuels.* **2.** Qui fait appel à l'intervention humaine (opposé à *automatique*). *Commande manuelle. Téléphone manuel.* **3.** (Personnes) *Travailleur manuel.* — N. *Un manuel, une manuelle,* personne plus apte, plus disposée à l'activité manuelle qu'à l'activité intellectuelle. / contr. **intellectuel /** ▶ *manuellement* adv. ■ En se servant de la main ; par une opération manuelle.

② *manuel* n. m. ■ Ouvrage didactique, livre présentant les notions essentielles d'une science, d'une technique. ⇒ **abrégé, cours.** *Un manuel de physique, de littérature.*

manufacture [manyfaktyʀ] n. f. **1.** Établissement industriel où la qualité de la main-d'œuvre est primordiale. *Manufacture de porcelaine de Sèvres.* **2.** Autrefois. Fabrique, usine. *Les manufactures royales sous Louis XIV.*

manufacturer [manyfaktyʀe] v. tr. ■ conjug. 1. ■ Faire subir à (une matière première) une transformation industrielle. — Au p. p. adj. *Produits manufacturés.*

manu militari [manymilitaʀi] loc. adv. ■ En employant la force armée, la force publique. *Les grévistes ont été expulsés manu militari.*

manuscrit, ite [manyskʀi, it] adj. et n. m. **I.** Adj. Écrit à la main. *Notes manuscrites.* **II.** N. m. **1.** Texte, ouvrage écrit ou copié à la main. ⇒ **écrit.** *Manuscrit enluminé.* **2.** Œuvre originale écrite de la main de l'auteur ou dactylographiée (on dit parfois *tapuscrit*). *Il apporta un manuscrit à son éditeur.* / contr. **imprimé /** *L'étude des manuscrits d'écrivains.*

manutention [manytɑ̃sjɔ̃] n. f. **1.** Manipulation, déplacement manuel ou mécanique de marchandises, en vue de l'emmagasinage, de l'expédition et de la vente. *Appareils de manutention.* **2.** Local réservé à ces opérations. ⇒ **entrepôt,** ② **magasin** (1). ▶ *manutentionnaire* n. ■ Personne employée aux travaux de manutention.

maoïsme [maɔism] n. m. ■ Mouvement et doctrine prochinois suivant la pensée marxiste, communiste de Mao Zedong. ▶ *maoïste* adj. et n. **1.** Partisan du maoïsme. ⇒ **gauchisme.** *Étudiant maoïste.* — Abrév.

MAO [mao] adj. et n. *Les maos.* **2.** COL MAO : col droit semblable à celui des vestes chinoises.

maous, ousse [maus] adj. ■ Fam. Gros, énorme.

mappemonde [mapmɔ̃d] n. f. **1.** Carte plane représentant le globe terrestre divisé en deux hémisphères projetés côte à côte. ⇒ **planisphère.** *Regarder une mappemonde dans un atlas.* **2.** Abusivt. Sphère représentant le globe terrestre. ⇒ **globe.**

① *maquereau* [makʀo] n. m. ■ Poisson comestible au dos vert et bleu, au ventre nacré, vivant en bancs. *Filets de maquereau au vin blanc. Des maquereaux.*

② *maquereau, elle* [makʀo, ɛl] n. ■ Fam. Personne qui vit de la prostitution des femmes. ⇒ **entremetteur, proxénète, souteneur ;** fam. **marlou.**

maquette [makɛt] n. f. **1.** Ébauche, modèle en réduction (d'une sculpture). — Original que doit reproduire une page illustrée, une affiche. *La maquette d'une publicité, d'un journal.* **2.** Modèle réduit (de décor, d'un bâtiment, d'un véhicule). *Maquette d'avion.* ▶ *maquettiste* n. ■ Spécialiste chargé d'exécuter des maquettes (typographie, construction, mécanique). — Spécialt. Personne qui, dans un journal, est chargée de l'agencement des textes et illustrations d'une page.

maquignon [makiɲɔ̃] n. m. **1.** Marchand de chevaux. **2.** Marchand de bestiaux peu scrupuleux et truqueur. **3.** Homme d'affaires aux procédés grossiers et malhonnêtes. ▶ *maquignonnage* n. m. **1.** Métier de maquignon. **2.** Manœuvres frauduleuses ou indélicates.

maquiller [makije] v. tr. ■ conjug. 1. **1.** Modifier ou embellir (le visage) par des procédés et produits appropriés. *Elle s'est maquillé les yeux.* — SE MAQUILLER v. pron. réfl. : au théâtre, se grimer ; se farder. *Elle s'est maquillée.* — Au p. p. adj. *Un visage bien maquillé.* **2.** Modifier de façon trompeuse l'apparence de (une chose). ⇒ **camoufler, falsifier, truquer.** *Maquiller un passeport, une voiture.* **3.** Dénaturer, fausser. *Maquiller la vérité.* ▶ *maquillage* n. m. **1.** Action ou manière de maquiller, se maquiller. — Ensemble des éléments (fond de teint, fards, poudres, rouge, ombres) servant à se maquiller. *Maquillage du jour, du soir.* **2.** Modification frauduleuse de l'aspect (d'une chose). *Le maquillage d'une voiture volée.* ▶ *maquilleur, euse* n. ■ Spécialiste en maquillage. ⟨ ▶ démaquiller ⟩

maquis [maki] n. m. invar. **I. 1.** Végétation d'arbustes, de buissons touffus dans les régions méditerranéennes. **2.** Complication inextricable. *Le maquis de la procédure.* **II.** Sous l'occupation allemande. Lieu peu accessible où se regroupaient les résistants. *Prendre le maquis ; être dans le maquis.* — *Un maquis,* organisation de résistance armée. ▶ *maquisard* [makizaʀ] n. m. ■ Résistant appartenant à un maquis.

① *marabout* [maʀabu] n. m. **1.** Pieux ermite, saint de l'islam, dont le tombeau est un lieu de pèlerinage. **2.** Ce tombeau. **3.** Musulman sage et respecté. — Musulman réputé pour ses pouvoirs magiques (d'où *marabouter* v. tr. ■ conjug. 1., *maraboutage* n. m. « envoûter », « sort jeté sur qqn », en français d'Afrique). ⇒ **sorcier.**

② *marabout* n. m. ■ Grand oiseau (échassier) au plumage gris et blanc, à gros jabot.

maraîcher, ère [maʀeʃe, ɛʀ] n. et adj. **1.** N. Jardinier(ière) qui cultive des légumes. **2.** Adj. Propre au maraîcher, relatif à son activité. *Culture maraîchère.*

marais [maʀɛ] n. m. invar. **1.** Nappe d'eau stagnante recouvrant un terrain partiellement envahi par la végétation. ⇒ **étang, marécage, marigot, tourbière.** **2.** MARAIS SALANT : bassin creusé à proximité des côtes pour extraire le sel de l'eau de mer par évaporation. ⇒ **saline.**

marasme [maʀasm] n. m. **1.** Accablement, apathie profonde. **2.** Stagnation. *Le marasme économique.*

marasquin [maʀaskɛ̃] n. m. ■ Liqueur sucrée parfumée avec une cerise acide (la *marasque*). *Glace au marasquin.*

marathon [maʀatɔ̃] n. m. **1.** Course à pied de grand fond (42,195 km) sur route. **2.** Épreuve ou séance prolongée qui exige une grande résistance. *Marathon de danse. Le marathon budgétaire.* — En appos. *Une séance marathon.*

marâtre [maʀɑtʀ] n. f. **1.** Vx. Femme du père, par rapport aux enfants qu'il a eus d'un premier mariage. ⇒ **belle-mère. 2.** Mère dénaturée, mauvaise mère.

maraud, aude [maʀo, od] n. ■ Vx. Coquin(e). ▶ *marauder* v. intr. ■ conjug. 1. ■ Voler des fruits, légumes, volailles dans les jardins et les fermes. ⇒ fam. **chaparder.** — *Taxi qui maraude,* qui circule à vide, lentement à la recherche de clients. ▶ *maraudage* n. m. ■ Action de marauder. ▶ *maraudeur, euse* n. et adj. ■ Personne ou animal qui maraude. ⇒ **pillard, voleur.** — Adj. *Oiseau maraudeur.*

marbre [maʀbʀ] n. m. **I.** **1.** Roche calcaire, souvent veinée de couleurs variées et susceptible de prendre un beau poli. *Colonnes, escalier, cheminée de marbre, en marbre. La blancheur du marbre.* ⇒ **marmoréen. 2.** Plateau de marbre d'une table, d'une commode. *Le marbre est fêlé.* — *Statue de marbre. Les marbres grecs d'un musée.* **3.** Loc. *Blanc, froid comme le marbre, comme un marbre. Être, rester de marbre,* impassible. **II.** Surface, table (à l'origine en marbre), utilisée pour diverses opérations techniques. — Plateau de fonte polie sur lequel on fait les impositions ou la correction des textes, à l'imprimerie d'un journal. ▶ *marbrer* v. tr. ■ conjug. 1. **1.** Marquer (une surface) de veines, de taches pour donner l'apparence du marbre. *Marbrer la tranche d'un livre.* **2.** Marquer (la peau) de marbrures. *Le froid lui marbrait le visage.* ▶ *marbrerie* n. f. **1.** Art, métier du marbrier ; son atelier. **2.** Industrie de transformation et de mise en œuvre des marbres. *Marbrerie funéraire.* ▶ *marbrier* n. m. **1.** Ouvrier spécialisé dans le sciage, la taille, le polissage des blocs ou objets en marbre ou en pierre à tailler. **2.** Fabricant, marchand (homme ou femme) d'ouvrages de marbrerie. *Marbrier funéraire.* ▶ *marbrière* n. f. ■ Carrière de marbre. *Les marbrières de Carrare.* ▶ *marbrure* n. f. **1.** Imitation des veines et taches du marbre. **2.** Marques sur la peau, comparables aux taches et veines du marbre. *Avoir des marbrures aux pommettes.*

marc [maʀ] n. m. **1.** Résidu des fruits que l'on a pressés. *Marc de raisin, de pommes.* **2.** Eau-de-vie de marc de raisin distillé. *Du marc de Bourgogne. Marc égrappé.* **3.** Résidu (d'une substance que l'on a fait infuser, bouillir). *Marc de café. Lire dans le marc de café* (pour prédire l'avenir).

marcassin [maʀkasɛ̃] n. m. ■ Petit sanglier qui suit encore sa mère.

marchand, ande [maʀʃɑ̃, ɑ̃d] n. et adj. **I.** N. Commerçant chez qui l'on achète des marchandises qu'il, elle fait profession de vendre. ⇒ **fournisseur, vendeur.** *Marchand en gros* ⇒ **grossiste,** *au détail* ⇒ **détaillant.** *Marchand de chaussures. Marchande de journaux.* — Loc. *Marchand de couleurs,* qui vend des produits d'entretien pour la maison, droguiste. *Marchand, marchande des quatre-saisons,* qui vend des fruits, des légumes dans une petite voiture (pendant toute l'année). — Loc. péj. N. m. *Marchand de canons,* fabricant d'armes de guerre. — *Marchand de soupe,* directeur affairiste d'une institution d'enseignement privé. **II.** Adj. **1.** *Prix marchand,* prix de facture. *Valeur marchande,* valeur commerciale. **2.** *Galerie marchande,* où se trouvent de nombreux commerces. ⇒ **commerçant. 3.** *Marine marchande,* qui effectue les transports commerciaux. < ▶ marchander, marchandise >

marchander [maʀʃɑ̃de] v. tr. ■ conjug. 1. ■ Essayer d'acheter (une chose) à meilleur marché, en discutant avec le vendeur. *Marchander un bibelot ancien.* — Sans compl. *Je n'aime pas marchander.* — Fig. *Il ne lui a pas marchandé les éloges,* il l'a beaucoup loué. ▶ *marchandage* n. m. **1.** Discussion pour obtenir ou vendre (qqch.) au meilleur prix. *Faire du marchandage.* **2.** Tractation effectuée sans scrupule en vue d'obtenir des avantages. *Marchandage électoral.*

marchandise [maʀʃɑ̃diz] n. f. **1.** Objet destiné à la vente. ⇒ **article, denrée.** *Train, gare de marchandises* (opposé à *de voyageurs*). **2.** Loc. *Faire valoir sa marchandise,* présenter les choses sous un jour favorable.

① *marche* [maʀʃ] n. f. ■ Surface plane sur laquelle on pose le pied pour passer d'un plan horizontal à un autre. *Les marches d'un escalier.* ⇒ **degré.** *Attention à la marche !* < ▶ contremarche >

② *marche* n. f. **1.** Action de marcher, suite de pas ; déplacement fait en marchant. *Aimer la marche.* ⇒ **promenade.** *Marche lente, rapide. Faire une longue marche, dix kilomètres à la marche. En avant, marche !,* commandement, signal de départ. — Loc. MARCHE À SUIVRE : série d'opérations, de démarches pour obtenir ce qu'on veut. *Indiquez-moi la marche à suivre.* **2.** Mouvement d'un certain nombre de personnes marchant dans un ordre déterminé. *Nous avons pris part à une marche de protestation.* — Loc. *Ouvrir la marche,* marcher en tête. *Fermer la marche.* **3.** Morceau de musique dont le rythme règle la marche. *Une marche militaire, nuptiale.* **4.** (Choses) Déplacement continu dans une direction déterminée. *Le sens de la marche d'un train. Auto qui fait marche arrière,* qui recule. — Mouvement. *Régler la marche d'une horloge.* **5.** Cours. *La marche du temps.* **6.** Fonctionnement. *Assurer la (bonne) marche d'un service.* — *En état de marche,* capable de marcher. **7.** Loc. adv. EN MARCHE : en train d'avancer. — En fonctionnement. *Mettre un moteur en marche.* ⇒ **démarrer.**

③ *marche* n. f. ■ Surtout au plur. Autrefois. Région frontière d'un État.

① *marché* [maʀʃe] n. m. **I.** Accord portant sur la fourniture de marchandises, de valeurs ou de services. ⇒ **affaire, contrat.** *Conclure, passer un marché.* — Loc. *Mettre (à qqn) le marché en main,* le sommer d'accepter ou de rejeter sans autre délai certaines conditions. — Loc. *Par-dessus le marché,* en plus de ce qui a été convenu, en supplément. Fig. Fam. En plus. *Et il rouspète, par-dessus le marché !* **II.** À BON MARCHÉ : à bas prix. *Habitations à bon marché. Fabriquer à meilleur marché,* moins cher. ⇒ **bon marché! / contr. cher /**

② *marché* n. m. ■ Lieu où se tient une réunion périodique des marchands de denrées alimentaires et de marchandises d'usage courant. ⇒ **halle.** *Marché couvert. Place du marché. Marché aux fleurs. Jours de marché. Faire le marché,* aller acheter au marché les denrées nécessaires à la vie quotidienne (→ faire les commissions, les courses). **2.** Ensemble des opérations commerciales, financières, concernant une catégorie de biens dans une zone géographique ; cette zone. *L'offre et la demande sur un marché. Le marché du travail.* — MARCHÉ COMMUN : forme spéciale d'union économique entre douze pays d'Europe. — MARCHÉ NOIR : marché clandestin résultant de l'insuffisance de l'offre (en période de rationnement, de taxation). *Faire du marché noir.* **3.** Débouché pour un produit. *Conquérir un marché.* ⇒ **clientèle.** *Étude de marché.* ⇒ **marketing.** ‹ ▶ supermarché ›

marchepied [maʁʃəpje] n. m. ■ Degré ou série de degrés fixes ou pliants qui servent à monter dans une voiture ou à en descendre. *Voyager sur le marchepied d'un train bondé.*

marcher [maʁʃe] v. intr. ▪ conjug. 1. **I. 1.** Se déplacer par mouvements et appuis successifs des jambes et des pieds sans interrompre le contact avec le sol (par opposition à *courir*). ⇒ **marche, pas.** *Enfant qui commence à marcher. Marcher à petits pas rapides.* ⇒ **trotter, trottiner.** *Marcher à quatre pattes. Marcher sur les mains.* **2.** Aller à pied. ⇒ **déambuler,** se **promener.** *Marcher dans une forêt, vers la ville. Marcher sans but, à l'aventure.* ⇒ **errer, flâner.** — *Marcher sur* (qqn, l'ennemi), se diriger avec décision et violence. *L'armée marchait sur Paris.* **3.** (Choses) Se mouvoir de manière continue. *Le bateau marchait droit contre le vent.* ⇒ **naviguer.** **4.** (Mécanisme) Fonctionner. *Montre, pendule qui marche mal. Ma radio ne marche plus.* **5.** Produire l'effet souhaité. *Ses affaires, ses études marchent bien. Ce procédé, cette ruse a marché.* ⇒ **réussir. II.** Poser le pied (quelque part). **1.** Mettre le pied (sur qqch.) tout en avançant. *Défense de marcher sur les pelouses.* — Loc. *Marcher sur les traces de qqn,* l'imiter. **2.** Poser le pied (dans, sur qqch.), sans idée d'autre mouvement. *Marcher dans une flaque d'eau. Marcher sur les pieds de qqn.* ⇒ **accepter, consentir.** *Non, je ne marche pas ! Ça marche !,* c'est d'accord. — Croire naïvement quelque histoire. *Il a marché dans mon histoire.* — *Faire marcher qqn,* obtenir de lui ce qu'on veut en le trompant. ⇒ **berner.** *Arrête de me faire marcher !* ▶ *marcheur, euse* n. et adj. **1.** N. Personne qui peut marcher longtemps, sans fatigue. *Elle est bonne, mauvaise marcheuse.* **2.** Adj. *Oiseaux marcheurs,* qui marchent (et volent difficilement). *L'autruche est un oiseau marcheur.* ‹ ▶ ① et ② démarche, ① et ② marche, marchepied ›

mardi [maʁdi] n. m. **1.** Deuxième jour de la semaine*, qui succède au lundi. *Il vient tous les mardis.* — *Nous partirons mardi, le mardi qui vient.* **2.** *Mardi gras,* dernier jour du carnaval, qui précède le carême.

mare [maʁ] n. f. **1.** Petite nappe d'eau peu profonde qui stagne. ⇒ **flaque.** ≠ *étang.* **2.** Grande quantité de liquide répandu. *Une mare de sang.*

marécage [maʁekaʒ] n. m. ■ Lieu inculte et humide où s'étendent des marais. ▶ *marécageux, euse* adj. ■ Qui est de la nature du marécage. ⇒ **bourbeux.** *Terrain marécageux.*

maréchal, aux [maʁeʃal, o] n. m. ■ Officier général qui a la dignité la plus élevée dans la hiérarchie militaire (on lui dit : *Monsieur le Maréchal*). — Au fém. *Madame la Maréchale,* la femme du maréchal. ▶ *maréchal des logis* n. m. ■ Sous-officier de cavalerie ou d'artillerie (grade qui correspond à celui de sergent, dans l'infanterie). *Des maréchaux des logis.* ▶ *maréchal-ferrant* n. m. ■ Artisan qui ferre les animaux de trait, les chevaux. *Des maréchaux-ferrants.* ▶ *maréchaussée* n. f. ■ Plaisant. Gendarmerie.

marée [maʁe] n. f. **1.** Mouvement journalier d'oscillation de la mer dont le niveau monte et descend alternativement. *Marée montante* ⇒ **flux,** *descendante* ⇒ **jusant, reflux.** *Marée haute, basse. Grandes marées,* à fortes amplitudes lorsque l'attraction du Soleil se conjugue avec celle de la Lune. — Loc. fig. *Contre vents et marées,* malgré tous les obstacles. **2.** MARÉE NOIRE : marée qui apporte du mazout échappé des soutes d'un pétrolier. — Pollution des rivages due à ce mazout. *Lutter contre la marée noire.* **3.** *Une marée humaine,* une grande masse de personnes qui se déplace. **4.** Poissons, crustacés, fruits de mer frais. *Train de marée.* ▶ *marémotrice* adj. f. ■ *Usine marémotrice,* produisant de l'énergie électrique avec la force motrice des marées. ▶ *mareyeur, euse* [maʁɛjœʁ, øz] n. ■ Grossiste qui achète sur place les produits de la pêche et les expédie aux marchands de poisson. ‹ ▶ raz de marée ›

marelle [maʁɛl] n. f. ■ Jeu d'enfants qui consiste à pousser à cloche-pied un palet dans les cases numérotées d'une figure tracée sur le sol. *Jouer à la marelle.* — La figure tracée.

marengo [maʁɛ̃go] n. invar. ■ *Poulet, veau marengo,* qu'on a fait revenir dans l'huile avec des tomates, des champignons et du vin blanc.

margarine [maʁgaʁin] n. f. ■ Substance grasse végétale ou animale ressemblant au beurre et ayant les mêmes usages. *Faire la cuisine à la margarine.*

marge [maʁʒ] n. f. **1.** Espace blanc (autour d'un texte écrit ou imprimé). ⇒ **bord.** *Laissez de grandes marges.* — Espace laissé à gauche (d'une page manuscrite ou dactylographiée). *Les corrections sont dans la marge.* **2.** Intervalle d'espace ou de temps dont on dispose entre certaines limites ; possibilité d'action. *Avoir une marge de liberté, de réflexion.* ⇒ **délai.** *Marge de sécurité,* disponibilités dont on est assuré au-delà des dépenses prévues. **3.** EN MARGE DE : en dehors de, mais qui se rapporte à. *Émission en marge de l'actualité.* — *Vivre en marge,* sans se mêler à la société. ▶ *marginal, ale, aux* adj. **1.** Didact. Qui est mis dans la marge. *Note marginale.* **2.** Qui n'est pas central, principal. *Occupations, préoccupations marginales.* ⇒ **secondaire. 3.** Cour. Qui vit en marge de la société. ⇒ **asocial.** — N. *Les marginaux.* ≠ *marginaliste.* ‹ ▶ émarger, margelle, marginalisme ›

margelle [maʁʒɛl] n. f. ■ Assise de pierre qui forme le rebord (d'un puits, du bassin d'une fontaine).

marginalisme [maʁʒinalism] n. m. ■ Économie. Théorie selon laquelle la valeur d'échange est déterminée par celle de la dernière unité disponible d'un produit. ▶ *marginaliste* adj. et n. ■ ≠ *marginal.*

margoulette [maʁgulɛt] n. f. ■ Fam. Figure (d'une personne). — Loc. *Se casser la margoulette,* tomber. *Elle s'est cassé la margoulette en descendant.*

margoulin [maʁgulɛ̃] n. m. ■ Individu peu scrupuleux qui fait de petites affaires.

margrave [maʁgʁav] n. ■ Ancien titre de certains princes souverains d'Allemagne.

marguerite [maʁgəʁit] n. f. **I.** Fleur blanche à cœur jaune, commune dans les prés. ⇒ **pâquerette. II.** Cercle amovible portant sur sa circonférence des caractères, et utilisé par certaines machines à écrire et imprimantes. ‹ ▶ reine-marguerite ›

mari [maʁi] n. m. ■ Homme marié, par rapport à sa femme. ⇒ **conjoint, époux.** *Le mari de Mme C. Le second mari d'une divorcée. Chercher un mari.* ‹ ▶ marital ›

marier [maʀje] v. tr. ▪ conjug. 7. **I.** **1.** Unir (un homme et une femme) en célébrant le mariage. *C'est notre maire qui les a mariés.* **2.** Donner en mariage. *Ils marient leur fils.* **II.** SE MARIER v. pron. **1.** (Récipr.) S'unir par le mariage. *Ils se sont mariés à l'église.* **2.** (Réfl.) Contracter mariage. *Il va se marier avec elle.* ⇒ **épouser.** **III.** Unir. ⇒ **assortir, combiner.** *Marier des couleurs qui s'harmonisent.* ▶ **marié, ée** adj. et n. **1.** Qui est uni, qui sont unis par le mariage. *Homme marié, femme mariée.* — N. JEUNE MARIÉ(E) : celui, celle qui est marié(e) depuis peu. **2.** N. Personne dont on célèbre le mariage. *Robe de mariée.* — Loc. prov. *Se plaindre que la mariée est trop belle,* se plaindre d'une chose dont on devrait se réjouir. ▶ **mariage** n. m. **I.** **1.** Union légitime d'un homme et d'une femme. *Du mariage.* ⇒ **matrimonial.** *Mariage civil,* contracté devant l'autorité civile. *Contrat de mariage,* qui règle le régime des biens des époux. — Action, fait de se marier. *Il l'a demandée en mariage.* ⇒ demander la **main.** **2.** La cérémonie du mariage. ⇒ **noce.** *Aller, assister à un mariage.* **3.** État, situation d'une personne mariée, d'un couple marié. *Il préfère le mariage au célibat.* **II.** Alliance, union. *Mariage de deux couleurs, de deux parfums.* ⟨ ▶ se remarier ⟩

marigot [maʀigo] n. m. ▪ Bras mort d'un fleuve, marais*, eau morte, dans une région tropicale.

marijuana [maʀiʀwana ; maʀixwana] n. f. ▪ Stupéfiant tiré du chanvre indien. *Il fume de la marijuana.*

① **marin, ine** [maʀɛ̃, in] adj. **1.** De la mer. *Air marin. Sel marin. Animaux marins.* **2.** Relatif à la navigation sur la mer. *Carte, lunette marine. Mille marin.* — Loc. *Avoir le pied marin,* garder son équilibre sur un bateau. ▶ ② **marin** n. m. **1.** Celui qui est habile dans l'art de la navigation sur mer. ⇒ **navigateur.** *Les Phéniciens étaient un peuple de marins.* **2.** Personne (surtout homme) dont la profession est de naviguer sur la mer. ⇒ **matelot.** — Loc. fam. *Marin d'eau douce,* médiocre marin. **3.** Adj. *Costume marin,* costume bleu de petit garçon qui rappelle celui des marins. ▶ ① **marine** n. f. **I.** **1.** Tout ce qui concerne l'art de la navigation sur mer. *Musée de la marine.* **2.** Ensemble des navires appartenant à une même nation ou entrant dans une même catégorie. *La marine française, anglaise. Marine militaire, marine de guerre. Officiers de marine.* **II.** Adj. invar. BLEU MARINE, ou MARINE : bleu foncé semblable au bleu des uniformes de la marine. *Des chaussettes bleu marine, marine.* **III.** Peinture ayant la mer pour sujet. ▶ ② **marine** n. m. ▪ Soldat de l'infanterie de marine américaine ou anglaise. ⟨ ▶ marinière ⟩

mariner [maʀine] v. intr. ▪ conjug. 1. **1.** Être, tremper dans une marinade. *Cette viande doit mariner plusieurs heures. Faites mariner le morceau de bœuf pendant 24 h.* ⇒ **macérer.** **2.** Fam. (Suj. personne) Rester longtemps dans un lieu ou une situation désagréable. *Ils l'ont laissé mariner trois jours avant de l'interroger.* ▶ **marinade** n. f. ▪ Liquide (vin, etc.) salé et épicé dans lequel on met du poisson, de la viande avant la cuisson. — Aliment mariné. *Nous avons mangé une marinade de veau.* ▶ **mariné, ée** adj. ▪ Trempé, conservé dans une marinade. *Harengs marinés.*

marinier [maʀinje] n. m. ▪ Personne (surtout homme) dont la profession est de naviguer sur les fleuves, les canaux. ⇒ **batelier.**

marinière [maʀinjɛʀ] n. f. **1.** À LA MARINIÈRE : à la manière des pêcheurs, des marins. *Moules à la marinière* ou *moules marinière,* préparées dans leur jus, avec des oignons. **2.** Blouse sans ouverture sur le devant et qui descend un peu plus bas que la taille.

mariol ou **mariolle** [maʀjɔl] adj. et n. ▪ Fam. Malin. *C'est un sacré mariolle. Faire le mariolle,* se vanter, faire l'intéressant.

marionnette [maʀjɔnɛt] n. f. **1.** Figurine représentant un être humain ou un animal, actionnée à la main par une personne cachée. *Marionnettes à fils, à tige, à gaine.* ⇒ **guignol.** *Théâtre de marionnettes.* **2.** Personne qu'on manœuvre à son gré, à laquelle on fait faire ce qu'on veut. ⇒ **pantin.** ▶ **marionnettiste** n. ▪ Montreur de marionnettes.

marital, ale, aux [maʀital, o] adj. ▪ Qui appartient au mari. *Autorisation maritale.* ▶ **maritalement** adv. ▪ Comme mari et femme. *Ils vivent maritalement.* ⇒ en **concubinage.**

maritime [maʀitim] adj. **1.** Qui est au bord de la mer, subit l'influence de la mer. *Ville maritime. Ports maritimes et ports fluviaux.* **2.** Qui se fait sur mer, par mer. *Navigation maritime.* **3.** Qui concerne la marine, la navigation. ⇒ **naval.** *Forces maritimes. Droit maritime.*

marivauder [maʀivode] v. intr. ▪ conjug. 1. ▪ Tenir, échanger des propos d'une galanterie délicate et recherchée. ⇒ **badiner.** *Ils marivaudaient à l'écart des invités.* ▶ **marivaudage** n. m. ▪ Action de marivauder ; propos galants.

marjolaine [maʀʒɔlɛn] n. f. ▪ Plante sauvage utilisée comme aromate. ⇒ **origan.** *Le thym et la marjolaine.*

mark [maʀk] n. m. ▪ Unité monétaire allemande. *Cent marks.*

marketing [maʀkətiŋ] n. m. ▪ Anglic. Ensemble des techniques qui ont pour objet la stratégie commerciale et notamment l'étude de marché. *Il fait du marketing.* — REM. Il vaut mieux dire : *marchéage,* n. m., et *mercatique,* n. f., *marchandisage,* n. m.

marlou [maʀlu] n. m. ▪ Fam. Souteneur. ⇒ fam. ② **maquereau.** *Des marlous.*

marmaille [maʀmaj] n. f. ▪ Fam. Groupe nombreux de jeunes enfants bruyants.

marmelade [maʀmǝlad] n. f. **1.** Préparation de fruits écrasés et cuits avec du sucre, du sirop. ≠ **compote, confiture.** *Marmelade d'oranges.* **2.** EN MARMELADE : réduit en bouillie. ⇒ **capilotade.** *Le boxeur avait le nez en marmelade.*

marmite [maʀmit] n. f. ▪ Récipient muni d'un couvercle et généralement d'anses (ou *oreilles*), dans lequel on fait bouillir l'eau, cuire des aliments. ⇒ **cocotte, fait-tout.** — Loc. *Faire bouillir la marmite,* assurer la subsistance de sa famille. ▶ **marmiton** n. m. ▪ Jeune aide-cuisinier.

marmonner [maʀmɔne] v. tr. ▪ conjug. 1. ▪ Dire, murmurer entre ses dents, d'une façon confuse. ⇒ **bredouiller, marmotter.** *Marmonner des injures.* ▶ **marmonnement** n. m.

marmoréen, éenne [maʀmɔʀeɛ̃, ɛn] adj. ▪ Littér. Qui a l'apparence (blancheur, éclat, froideur) du marbre.

marmot [maʀmo] n. m. **1.** Fam. Jeune enfant. **2.** Loc. *Croquer le marmot,* attendre. ⟨ ▶ marmaille ⟩

marmotte [maʀmɔt] n. f. **1.** Mammifère rongeur au corps ramassé, au pelage fourni. *La marmotte s'engourdit par le froid.* — Loc. *Dormir comme une marmotte,* profondément (→ comme un loir). **2.** Sa fourrure. *Manteau de marmotte.*

marmotter [maʀmɔte] v. tr. ▪ conjug. 1. ▪ Dire confusément, en parlant entre ses dents. ⇒ **bredouiller, marmonner.** *Marmotter des prières.* ▶ **marmottement** n. m.

marne [maʀn] n. f. ■ Mélange naturel d'argile et de calcaire. ▶ **marneux, euse** adj. ■ Qui contient de la marne. *Terrain, sol marneux.*

marner [maʀne] v. intr. ▪ conjug. 1. ■ Fam. Travailler dur. ⇒ fam. **trimer.**

marocain, aine [maʀɔkɛ̃, ɛn] adj. ■ Du Maroc. — N. *Les Marocains.*

maroquin [maʀɔkɛ̃] n. m. ■ Peau de chèvre, de mouton, tannée et teinte. *Sac en maroquin.* ▶ **maroquinerie** n. f. ■ Ensemble des industries utilisant les cuirs fins pour la fabrication de certains articles (portefeuilles, porte-monnaie, sacs à main, sous-main, etc.). *Il travaille dans la maroquinerie.* — Commerce de ces articles ; les articles eux-mêmes. — Magasin où l'on vend des articles de maroquinerie. *Il travaille dans une maroquinerie.* ▶ **maroquinier** n. m. ■ Personne qui fabrique ou qui vend des articles de maroquinerie. *J'ai acheté ce sac chez le maroquinier.*

marotte [maʀɔt] n. f. ■ Idée fixe, manie. ⇒ **dada, folie.** *Il a la marotte des mots croisés. Encore une nouvelle marotte !* ⇒ **caprice.**

maroufler [maʀufle] v. tr. ▪ conjug. 1. ■ Appliquer (une toile peinte) sur une surface (mur, toile) avec de la colle forte (appelée *maroufle,* n. f.).

marque [maʀk] n. f. (⇒ **marquer**) **I. 1.** Signe matériel, empreinte mis(e), fait(e) sur une chose pour la distinguer, la reconnaître ou pour servir de repère. *Coudre une marque à son linge. Marques sur des papiers, des dossiers.* **2.** En sport. Trait, repère fait sur le sol ou dispositif, pour régler certains mouvements. ⇒ **starting-block.** *À vos marques !* **3.** Signe attestant un contrôle, le paiement de droits. ⇒ **cachet, estampille, poinçon.** *La marque de la douane.* **4.** *Marque de fabrique, commerce,* signe servant à distinguer les produits d'un fabricant, les marchandises d'un commerçant, d'une collectivité. ⇒ **étiquette, label, poinçon.** *Produits de marque,* qui portent une marque connue, appréciée. — L'entreprise qui fabrique des produits de marque ; ces produits. *Les grandes marques d'automobiles.* — IMAGE* DE MARQUE. **II.** Trace naturelle dont l'origine est reconnaissable. ⇒ **impression, trace.** *Des marques de pas, de roues de voiture dans un chemin. Marques de coups sur la peau.* **III. 1.** Tout ce qui sert à faire reconnaître, à retrouver une chose. *Mettre une marque dans un livre pour retrouver un passage.* ⇒ **signet.** **2.** Décompte des points au cours d'un match. *À la mi-temps, la marque était nulle.* ⇒ **score.** **3.** Insigne, signe. *Les marques de sa fonction, de son grade.* — DE MARQUE : distingué. ⇒ **qualité.** *Hôtes de marque.* **IV.** Abstrait. Caractère, signe particulier qui permet de reconnaître, d'identifier (qqch.). ⇒ **critère, indice, symptôme, témoignage.** *Être la marque de qqch.* ⇒ **révéler.** *Réflexion qui porte la marque du bon sens. Donner des marques d'estime, de franchise.* ▶ **preuve.**

marquer [maʀke] v. ▪ conjug. 1. **I.** V. tr. Concret. **1.** Distinguer, rendre reconnaissable (une personne, une chose parmi d'autres) au moyen d'une marque (I), d'un repère. ⇒ **indiquer, repérer, signaler.** *Marquer un objet d'un signe, par un repère.* **2.** Fam. Écrire, noter. *J'ai marqué son numéro de téléphone sur mon carnet.* **3.** Former, laisser une trace, une marque (II) sur (qqch.). *Des traces de doigts marquaient les glaces.* — Fig. *Ces événements l'ont marqué.* **4.** Indiquer, signaler par une marque, un jalon. *Marquer une limite.* ⇒ **délimiter, jalonner.** *Le ruisseau marque la limite de la propriété.* **5.** (Instrument) Indiquer. *Cette montre ne marque pas les secondes.* **6.** *Marquer les points,* au cours d'une partie, d'un jeu, les enregistrer. *Marquer les coups.* — Loc. MARQUER LE COUP : souligner, par une réaction, l'importance que l'on

attache à qqch. ; manifester que l'on a été atteint, touché, offensé par qqch. *Il vient d'avoir son diplôme et a voulu marquer le coup en invitant ses amis. On a fait des allusions sur son compte, mais il n'a pas marqué le coup.* — *Marquer un point,* obtenir un avantage sur ses adversaires. — *Marquer un but* (football), *un essai* (rugby), réussir un but, un essai. Ellipt. *Son équipe vient de marquer.* **7.** Rendre sensible ou plus sensible ; accentuer, souligner. *Marquer la mesure. Marquer le pas,* piétiner sur place en cadence. *Il a marqué une pause,* il s'est arrêté. **II.** Fig. **1.** Faire connaître, extérioriser (un sentiment, une pensée). ⇒ **exprimer, manifester, montrer.** *Marquer son assentiment, son refus. Il marque de l'intérêt pour elle.* **2.** (Choses) Faire connaître, révéler par un signe, un caractère. ⇒ **annoncer, attester, dénoter, indiquer, révéler, témoigner.** *Ses moindres paroles marquent sa bonté.* **III.** V. intr. **1.** Faire une impression assez forte pour laisser un souvenir durable. *Événements qui marquent.* ⇒ **dater ; marquant. 2.** Laisser une trace, une marque. *Ce tampon ne marque plus.* **IV.** (ÊTRE) MARQUÉ, (ÉE) p. p. et adj. **1.** Pourvu d'une marque. *Linge marqué.* — (Personnes) (Être) engagé, compromis. *Il est marqué à droite.* — *Visage marqué,* ridé. **2.** Écrit, noté. *Il n'y a rien de marqué sur cet écriteau.* **3.** Indiqué, signalé. *Cette ville n'est pas marquée sur la carte.* **4.** Qui se reconnaît facilement. *Une différence marquée.* ▶ **marquant, ante** adj. ■ Qui marque, laisse une trace, un souvenir. ⇒ **mémorable, remarquable.** *Événement marquant.* / contr. **insignifiant** / ▶ **marquage** n. m. ■ Opération par laquelle on marque des animaux, des arbres, des marchandises. ▶ **marqueur, euse** n. **1.** Personne qui appose des marques. *Un marqueur de bétail.* — N. f. MARQUEUSE : machine qui imprime la marque sur les produits. **2.** N. m. MARQUEUR : celui qui compte les points, les inscrit. **3.** N. m. Crayon feutre traçant de larges traits. *Écris ce titre au marqueur.* ‹ ▶ **contremarque, démarquer, marque, remarquer** ›

marqueterie [maʀkə(ɛ)tʀi] n. f. **1.** Assemblage décoratif de pièces de bois précieux (ou d'écaille, d'ivoire) appliquées sur un fond de menuiserie. *Coffret en marqueterie.* **2.** Branche de l'ébénisterie relative à ces ouvrages.

marquis, ise [maʀki, iz] n. ■ Noble qui prend rang après le duc et avant le comte. *Monsieur le Marquis. La marquise de Sévigné.*

marquise [maʀkiz] n. f. ■ Auvent généralement vitré au-dessus d'une porte d'entrée, d'un perron. *Marquises d'une gare,* vitrages qui abritent les quais.

marraine [maʀɛn] n. f. **1.** Celle qui tient (ou a tenu) un enfant (son *filleul*) à son baptême. *Le parrain et la marraine.* — Appellatif. *Bonjour marraine.* **2.** Celle qui préside au baptême d'une cloche, au lancement d'un navire, etc. (⇒ **parrain**).

marre [maʀ] adv. ■ Fam. EN AVOIR MARRE : en avoir assez, être dégoûté. *J'en ai marre de ses histoires.* — Impers. *(Il) y en a marre,* en voilà assez. — *C'est marre,* ça suffit, c'est tout.

se marrer [maʀe] v. pron. ▪ conjug. 1. ■ Fam. S'amuser, rire. *Ils se sont bien marrés.* ⇒ **rigoler.** — *Faire marrer qqn,* le faire rire. *Tu me fais marrer.* ▶ **marrant, ante** adj. Fam. **1.** Amusant, drôle. *Un film marrant. Il n'est pas marrant, ton copain,* il n'est pas gai. **2.** Bizarre, curieux, étonnant. *C'est marrant qu'il ait accepté.* **3.** (Personnes) Dont le comportement, les paroles sont étranges. *T'es marrant, toi, je n'ai pas le temps de venir.*

marri, ie [maʀi] adj. ■ Vx ou littér. Triste, fâché.

① **marron** [maʀɔ̃] n. m. et adj. invar. **I. 1.** N. m. Fruit comestible (cuit) du châtaignier cultivé. ⇒ **châ-**

taigne. *Dinde aux marrons.* — *Marrons glacés,* châtaignes confites dans du sucre. — Loc. *Tirer les marrons du feu,* se donner de la peine pour le seul profit d'autrui. **2.** N. m. *Marron d'Inde* ou *marron,* graine non comestible du marronnier d'Inde (qui ressemble à la châtaigne). **3.** Adj. invar. D'une couleur brune et foncée. *Des robes marron.* — N. m. *Elle porte du marron.* ▶ **marronnier** n. m. **1.** Nom d'une variété de châtaignier cultivé. **2.** Grand arbre d'ornement à fleurs blanches ou rouges disposées en pyramides, dont la graine est appelée *marron d'Inde* (2).

② **marron** n. m. ■ Fam. Coup de poing. ⇒ fam. **châtaigne, macaron** (4). *Il a reçu un marron.*

③ **marron, onne** [maʀɔ̃, ɔn] adj. **1.** ESCLAVE MARRON : se disait des esclaves qui s'étaient enfuis pour vivre en liberté. **2.** Qui se livre à l'exercice illégal d'une profession, ou à des pratiques illicites (surtout *médecin marron*). ⇒ **clandestin.** *Avocate marronne.* **3.** Adj. masc. invar. Fam. *Être (fait) marron,* pris, attrapé, trompé, dupé. *Elles sont marron.*

mars [maʀs] n. m. invar. ■ Troisième mois de l'année dans le calendrier actuel. *Les giboulées de mars.*

marseillais, aise [maʀsɛjɛ, ɛz] adj. et n. f. **1.** Adj. De Marseille. *Histoires marseillaises* (histoires comiques). — N. *Les Marseillais.* **2.** N. f. *La Marseillaise,* l'hymne national français.

marsouin [maʀswɛ̃] n. m. ■ Mammifère cétacé des mers froides et tempérées, plus petit que le dauphin.

marsupiaux [maʀsypjo] n. m. pl. **1.** Ordre de mammifères vivipares, dont le développement embryonnaire s'achève dans la cavité ventrale de la mère, qui renferme les mamelles. — Au sing. *Un marsupial. Le kangourou et le koala sont des marsupiaux.* **2.** Fam. (Personnes) *Tas de marsupiaux !* ⇒ fam. **zigoto.**

marte ⇒ **martre.**

① **marteau** [maʀto] n. m. **1.** Outil pour frapper, composé d'une masse métallique fixée à un manche. *Enfoncer un clou avec un marteau.* **2.** Dans des noms composés. Machine-outil agissant par percussion. MARTEAU PNEUMATIQUE : dans lequel un piston fonctionnant à l'air comprimé frappe avec force sur un outil. MARTEAU-PIQUEUR. ⇒ **perforatrice.** *Des marteaux-piqueurs.* — MARTEAU-PILON : masse pesante agissant verticalement. *Des marteaux-pilons.* **3.** *Marteau de commissaire-priseur,* petit maillet pour adjuger (en frappant sur la table). **4.** Pièce de bois, dont l'extrémité supérieure feutrée frappe une corde de piano quand on abaisse la touche correspondante du clavier. **5.** Heurtoir fixé au vantail d'une porte. *J'ai actionné le marteau et il m'a ouvert.* **6.** En appos. REQUIN MARTEAU : dont la tête présente deux prolongements latéraux symétriques portant les yeux. **7.** Un des quatre osselets de l'oreille moyenne. **8.** Sphère métallique, reliée par un fil d'acier à une poignée en forme de boucle, et que les athlètes lancent en pivotant sur eux-mêmes. *Le lancement, le lancer du marteau. Être champion au (de) marteau.* ⟨ ▶ **martel, marteler** ⟩

② **marteau** adj. ■ Fam. *Être marteau,* fou, cinglé. *Elle est marteau.*

martel [maʀtɛl] n. m. ■ Vx. Marteau. — Loc. SE METTRE MARTEL EN TÊTE : se faire du souci. *N'allez pas vous mettre martel en tête.* ▶ **marteler** [maʀtəle] v. tr. ■ conjug. 5. **1.** Battre, frapper à coups de marteau. *Marteler un métal sur l'enclume.* — Au p. p. adj. *Cuivre martelé,* travaillé au marteau. **2.** Frap-

per fort et à coups répétés sur (qqch.). *Il martelait la table à coups de poing.* — *Cette idée lui martèle la cervelle.* **3.** Prononcer en articulant avec force, en détachant les syllabes. *Elle martèle ses mots.* ▶ **martelage** n. m. ■ Opération par laquelle on martèle (1). ▶ **martèlement** ou **martellement** n. m. **1.** Bruit, choc du marteau. **2.** Action de marteler (2).

martial, ale, aux [maʀsjal, o] adj. **1.** Relatif à la guerre, à la force armée (le dieu romain *Mars* était le dieu de la guerre). *Loi martiale,* autorisant le recours à la force armée. — *Cour martiale,* tribunal militaire exceptionnel. **2.** Souvent iron. Qui dénote ou rappelle les habitudes militaires. *Allure, voix martiale.* **3.** *Arts martiaux,* sports de combat d'origine japonaise. ⇒ **jiu-jitsu, judo, karaté.**

martien, ienne [maʀsjɛ̃, jɛn] adj. et n. **1.** De la planète Mars. *L'observation martienne.* **2.** N. Habitant supposé de la planète Mars ; extra-terrestre (il n'y a pas de vie évoluée sur Mars).

① **martinet** [maʀtinɛ] n. m. ■ Oiseau passereau, à longues ailes, qui ressemble à l'hirondelle.

② **martinet** n. m. ■ Petit fouet à plusieurs lanières.

① **martingale** [maʀtɛ̃gal] n. f. ■ Bande de tissu, de cuir, etc., placée horizontalement dans le dos d'un vêtement, à hauteur de la taille. *Veste à martingale.*

② **martingale** n. f. ■ Combinaison basée sur le calcul des probabilités au jeu. *Inventer, suivre une martingale.*

martin-pêcheur [maʀtɛ̃pɛʃœʀ] n. m. ■ Petit oiseau à long bec, à plumage bleu et roux, qui se nourrit de poissons. *Des martins-pêcheurs.*

martre [maʀtʀ] ou **marte** [maʀt] n. f. ■ Mammifère carnivore au corps allongé, au museau pointu, au pelage brun. — Sa fourrure.

martyr, yre [maʀtiʀ] n. **1.** Personne qui a souffert pour avoir refusé d'abjurer sa foi, sa religion. *Saint martyr ; vierge et martyre* (christianisme). — Loc. *Prendre, se donner des airs de martyr, jouer les martyrs,* affecter une grande souffrance. **2.** Personne qui meurt, qui souffre pour une cause. *Être le martyr d'un idéal, de la liberté.* **3.** Personne que les autres maltraitent, martyrisent. ⇒ **souffre-douleur.** — En appos. *Enfant martyr,* maltraité par ses parents (appelés *bourreaux d'enfants*). ▶ **martyre** n. m. **1.** La mort, les tourments qu'un martyr endure pour sa religion, pour une cause. **2.** Peine cruelle, grande souffrance (physique ou morale). ⇒ **calvaire, supplice, torture.** *Sa maladie fut un martyre, lui fit souffrir le martyre.* ▶ **martyriser** v. tr. ■ conjug. 1. ■ Faire souffrir beaucoup, physiquement ou moralement. ⇒ **torturer, tourmenter.**

marxisme [maʀksism] n. m. ■ Doctrine philosophique sociale et économique élaborée par Karl Marx, Friedrich Engels et leurs continuateurs. ⇒ **communisme, socialisme.** *Marxisme-léninisme.* ▶ **marxiste** adj. et n. ■ Relatif au marxisme — N. *Un, une marxiste,* partisan du marxisme.

mas [mɑ(s)] n. m. invar. ■ En Provence. Ferme ou maison de campagne de style traditionnel.

mascara [maskaʀa] n. m. ■ Fard pour les cils. ⇒ **rimmel.** *Elle s'est mis du mascara.*

mascarade [maskaʀad] n. f. **1.** Divertissement où les participants sont déguisés et masqués. — Ensemble de personnes déguisées. **2.** Déguisement, accoutrement ridicule ou bizarre. *Qu'est-ce que c'est que cette mascarade ?* **3.** Actions, manifestations hypocrites ; mise en scène trompeuse. *Ce procès n'est qu'une mascarade.*

mascaret [maskaʀɛ] n. m. ■ Longue vague déferlante produite dans certains estuaires par la rencontre du flux et du reflux. *Le mascaret de la Seine.* ⇒ **barre** (5).

mascotte [maskɔt] n. f. ■ Animal, personne ou objet considérés comme portant bonheur. ⇒ **fétiche.** *Ce chien était la mascotte du groupe.*

masculin, ine [maskylɛ̃, in] adj. **I. 1.** Qui a les caractères de l'homme (mâle), tient de l'homme. *Goûts masculins.* ⇒ **viril.** / contr. **féminin** / **2.** Qui a rapport à l'homme, est réservé aux hommes. *Métier masculin.* **3.** Qui est composé d'hommes. *La population masculine.* **II.** Grammaire et poétique. **1.** Qui s'applique aux êtres mâles (opposé à *féminin*), mais le plus souvent (en français) à des êtres et à des choses sans rapport avec l'un ou l'autre sexe. *Genre masculin. Substantif masculin.* — N. m. *Le masculin,* le genre masculin. **2.** *Rime masculine,* qui ne se termine pas par un e muet (opposé à *féminine*). ‹ ▶ **émasculer** ›

masochisme [mazɔʃism] n. m. ■ Comportement d'une personne qui trouve du plaisir à souffrir, qui recherche la douleur et l'humiliation (opposé à *sadisme*). ▶ **masochiste** adj. et n. ■ Qui est atteint de masochisme. — Abrév. fam. MASO [mazo] adj. et n. *Ils sont un peu masos.* ‹ ▶ **sadomasochisme** ›

masque [mask] n. m. **I. 1.** Objet dont on couvre le visage humain pour transformer son aspect naturel. *Masques nègres,* masques portés par les Africains dans leurs danses et cérémonies. *Masques de carnaval.* ⇒ **loup. 2.** Dehors trompeur. ⇒ **apparence, extérieur.** *Sa douceur n'est qu'un masque.* — Loc. *Lever, jeter le masque,* se montrer tel qu'on est. **3.** Aspect, modelé du visage. ⇒ **physionomie.** *Avoir un masque impénétrable.* ⇒ **air, expression. II. 1.** Empreinte prise sur le visage d'une personne, spécialt d'un mort. **2.** Appareil qui sert à protéger le visage. *Masque d'escrime, de plongée (sous-marine).* **3.** MASQUE À GAZ : appareil protégeant des fumées et gaz asphyxiant les voies respiratoires et le visage. **4.** Dispositif placé sur le visage d'une personne pour lui faire respirer des vapeurs anesthésiques. *On l'a endormi au masque.* **5.** Couche de crème, etc., appliquée sur le visage pour resserrer, tonifier, adoucir l'épiderme. **III.** Abri, masse de terre ou obstacle naturel formant écran. *Installer une pièce de mortier derrière un masque.* ▶ **masqué, ée** adj. **1.** Couvert d'un masque. *Visage masqué. Être attaqué par des gangsters masqués.* **2.** BAL MASQUÉ : où l'on porte des masques. ▶ **masquer** v. tr. ▪ conjug. 1. **1.** Déguiser sous une fausse apparence. ⇒ **dissimuler.** *Masquer la vérité.* / contr. **montrer** / **2.** Cacher à la vue. *Cette maison masque le paysage.* ‹ ▶ démasquer, mascarade ›

massacrer [masakʀe] v. tr. ▪ conjug. 1. **1.** Tuer avec sauvagerie et en masse (des êtres qui ne peuvent pas se défendre). ⇒ **exterminer.** *Ils ont massacré les prisonniers.* **2.** Mettre à mal (un adversaire en état d'infériorité). *Le catcheur a massacré son adversaire.* ⇒ fam. **démolir, esquinter.** — Fam. Mettre (une chose) en très mauvais état. ⇒ **abîmer, saccager.** — Endommager involontairement par un travail maladroit et brutal. ⇒ fam. **bousiller.** *Massacrer un texte en le récitant, en le traduisant.* ▶ **massacre** n. m. **1.** Action de massacrer ; résultat de cette action. ⇒ **carnage, hécatombe, tuerie.** *Le massacre d'un peuple, d'une minorité ethnique.* ⇒ **extermination ; génocide, holocauste.** — *Envoyer des soldats au massacre,* les exposer à une mort certaine. — JEU DE MASSACRE : qui consiste à abattre des poupées à bascule, en lançant des balles de son. **2.** Combat dans lequel la personne qui a le dessus met à mal son adversaire. *Ce match de boxe a tourné au massacre.* **3.** Le fait d'endommager par brutalité ou maladresse ; travail très mal

exécuté. *Le découpage de ce poulet est un vrai massacre.* — Exécution ou interprétation artistique exécrable, qui défigure une œuvre. ▶ **massacrant, ante** adj. ■ Loc. HUMEUR MASSACRANTE : très mauvaise. *Il est d'une humeur massacrante.* ▶ **massacreur, euse** n. **1.** Personne qui massacre. ⇒ **assassin, tueur.** *Les massacreurs de la Saint-Barthélemy.* **2.** Personne qui, par maladresse, gâte (qqch.), exécute mal (un travail). *Ce pianiste est un massacreur.*

massage [masaʒ] n. m. ■ Action de masser ② ; technique du masseur.

① **masse** [mas] n. f. **I. 1.** *Une masse,* quantité relativement grande (de substance solide ou pâteuse) qui n'a pas de forme définie, ou dont on ne considère pas la forme. *Une masse de pâte, de chair.* — Loc. *Tomber, s'affaisser, s'écrouler comme une masse,* pesamment. — Quantité relativement grande (d'une matière fluide). *Masse d'air froid.* **2.** *La masse de qqch.,* la masse qu'elle constitue. *La masse d'un édifice.* — Sans compl. *Pris, taillé dans la masse,* dans un seul bloc de matière. **3.** MASSE DE (suivi d'un mot au plur.) : réunion de nombreux éléments distincts. ⇒ **amas.** *Une masse de cailloux.* ⇒ **tas.** — *Réunir une masse de documents,* une grande quantité. *La grande masse des...,* la majorité. Fam. *Il n'y en a pas des masses,* pas beaucoup. **II. 1.** Multitude de personnes constituant un ensemble. *Civilisation de masse, culture de masse. Les médias de masse.* ⇒ **mass media.** *Les masses laborieuses.* — Absolt. LES MASSES : les couches populaires. ⇒ **peuple. 2.** *La masse,* la majorité, opposée aux individus qui font exception. *Ce spectacle plaît à la masse,* au grand public. **III.** EN MASSE loc. adv. **1.** Tous ensemble en un groupe nombreux. ⇒ **en bloc, en foule.** *Ils sont arrivés en masse.* **2.** Fam. En grande quantité. **IV.** Sciences. **1.** Quantité de matière (d'un corps) ; rapport constant qui existe entre les forces qui sont appliquées à un corps et les accélérations correspondantes. *Le poids est proportionnel à la masse. Masse spécifique d'une substance,* masse de l'unité de volume. ⇒ **densité.** — *Masses atomiques, moléculaires.* **2.** Conducteur électrique commun auquel sont reliés les points de même potentiel d'un circuit. ‹ ▶ amasser, ① masser, ① massif, ② massif, mass media, ramasser ›

② **masse** n. f. **1.** Gros maillet utilisé pour enfoncer, frapper. *Une masse de sculpteur, de mineur.* **2.** Fam. COUP DE MASSE : choc violent, accablant ; prix excessif. *N'allez pas dans ce restaurant, c'est le coup de masse !* ⇒ fam. coup de **barre,** coup de **fusil.** ‹ ▶ massue ›

massepain [maspɛ̃] n. m. ■ Pâtisserie faite d'amandes pilées, de sucre et de blancs d'œufs.

① **masser** [mase] v. tr. ▪ conjug. 1. ■ Disposer, rassembler en une masse, en masses. ⇒ **amasser, assembler.** *Masser des hommes sur une place.* ⇒ **réunir.** — Pronominalement (réfl.). *La foule s'était massée pour protester.* / contr. se **disperser** /

② **masser** v. tr. ▪ conjug. 1. ■ Frotter, presser, pétrir (différentes parties du corps) avec les mains ou à l'aide d'appareils spéciaux, dans une intention thérapeutique ou hygiénique. *Masser qqn ; se faire masser* (⇒ **massage**). ▶ **masseur, euse** n. **1.** Personne qui pratique professionnellement le massage. *Le masseur d'un sportif.* ⇒ **soigneur.** *Masseur qui pratique la kinésithérapie.* ⇒ **kinésithérapeute. 2.** Instrument, appareil servant à masser. *Masseur à rouleau.* ‹ ▶ massage, vibromasseur ›

massicot [masiko] n. m. ■ Machine à rogner le papier. ▶ **massicoter** v. tr. ▪ conjug. 1. ■ Rogner (le papier) au massicot.

① **massif, ive** [masif, iv] adj. **1.** Dont la masse occupe tout le volume apparent ; qui n'est pas creux

(⇒ **plein**). *Bijou d'or massif. Porte en chêne massif.* / contr. **plaqué** / **2.** Qui présente l'apparence d'une masse épaisse ou compacte. ⇒ **épais, gros, lourd, pesant ;** péj. **mastoc.** *Une colonne massive. Un homme massif.* ⇒ **trapu.** / contr. **élancé, svelte** / **3.** Qui est fait, donné, qui se produit en masse. *Dose massive.* ▶ *massivement* adv. ▪ D'une manière massive. — En masse. *Ils ont répondu massivement à cet appel.*

② *massif* n. m. **1.** Ouvrage de maçonnerie formant une masse pleine. **2.** Groupe compact (d'arbres, d'arbrisseaux, de fleurs). *Massif de roses. Les massifs et les parterres d'un parc.* **3.** Ensemble montagneux de forme massive (opposé à *chaîne*). *Le Massif central.*

mass media ou *mass-médias* [masmedja] n. m. pl. ▪ Ensemble des supports de diffusion massive de l'information (radio, presse, télévision, cinéma, publicité, etc.). *L'influence des mass media sur les opinions et les goûts.* ⇒ **média.**

massue [masy] n. f. **1.** Bâton à grosse tête noueuse, servant d'arme. ⇒ **casse-tête, masse. 2.** En appos. Invar. *Des* ARGUMENTS MASSUE : qui font sur l'interlocuteur l'effet d'un coup de massue, le laissent sans réplique.

① *mastic* [mastik] n. m. **1.** Mélange pâteux et adhésif durcissant à l'air. *Mastic pour fixer les vitres aux fenêtres.* **2.** Adj. invar. D'une couleur gris-beige clair. *Des imperméables mastic.* ▶ ① *mastiquer* v. tr. ▪ conjug. 1. ▪ Joindre ou boucher avec du mastic. *Mastiquer des vitres.*

② *mastic* n. m. ▪ Imprimerie. Erreur d'impression, mélange de caractères ou interversion de deux lignes, de deux passages.

② *mastiquer* v. tr. ▪ conjug. 1. ▪ Broyer, triturer avec les dents (un aliment avant de l'avaler ou une substance non comestible qu'on rejette). ⇒ **mâcher.** *Il mastique du chewing-gum.* — Sans compl. *Mastiquez bien en mangeant !* ▶ *mastication* n. f. ▪ Action de mâcher, de mastiquer. ▶ *masticateur, trice* adj. ▪ Qui sert à mâcher. *Muscles masticateurs.*

mastoc [mastɔk] adj. invar. ▪ Péj. Massif et sans grâce. *Des formes mastoc.*

mastodonte [mastodɔ̃t] n. m. **1.** Énorme animal fossile proche de l'éléphant (⇒ **mammouth**). **2.** Personne d'une énorme corpulence. **3.** Machine, véhicule gigantesque.

mastoïdite [mastoidit] n. f. ▪ Inflammation de l'os temporal, en arrière et au-dessous de l'oreille (maladie grave).

masturbation [mastyʁbasjɔ̃] n. f. ▪ Pratique qui consiste à provoquer (sur soi-même ou sur son partenaire) le plaisir sexuel par des contacts. ▶ *masturber* v. tr. ▪ conjug. 1. ▪ Procurer à (qqn) le plaisir par la masturbation. — SE MASTURBER v. pron. réfl. : se livrer à la masturbation.

m'as-tu-vu [matyvy] n. invar. — REM. On ne prononce pas le *s*. ▪ Personne vaniteuse. *De jeunes m'as-tu-vu.* — Adj. invar. *Ce qu'elle est m'as-tu-vu !*

masure [mazyʁ] n. f. ▪ Petite habitation misérable, maison vétuste et délabrée. ⇒ **baraque, cabane.**

① *mat* [mat] adj. invar. et n. m. ▪ Se dit, aux échecs, du roi qui est mis en échec et ne peut plus quitter sa place sans être pris. *Le roi est mat. Échec et mat !* ⟨ ▶ ① mater ⟩

② *mat, mate* [mat] adj. **1.** Qui n'est pas brillant ou poli. *Le côté mat et le côté brillant d'un tissu.* **2.** Teint mat, assez foncé et peu coloré. *Il a la peau mate.* / contr. **clair** / **3.** (Sons, bruits) Qui a peu de résonance. ⇒ **sourd.** *Bruit, son mat.* / contr. **sonore** /

mât [mɑ] n. m. **1.** Long poteau dressé sur le pont d'un navire pour porter, à bord des voiliers, les voiles et leur gréement (⇒ **mâture**), et, à bord des autres bâtiments, les installations radioélectriques, etc. *Les trois mâts d'une caravelle.* ⇒ **trois-mâts.** — *Mât de charge* (pour transporter les marchandises, soit à bord, soit du quai). **2.** Long poteau de bois. — Longue perche lisse. *Il a grimpé au mât. Mât de cocagne*.* ⟨ ▶ **mâture, trois-mâts** ⟩

matador [matadɔʁ] n. m. ▪ Torero chargé de la mise à mort du taureau. *Des matadors.*

matamore [matamɔʁ] n. m. ▪ Faux brave, vantard. ⇒ **fanfaron.** *Il n'arrête pas de faire le matamore.*

match [matʃ] n. m. ▪ Compétition entre deux ou plusieurs concurrents, deux ou plusieurs équipes. *Des matchs* ou *des matches. Match de boxe.* ⇒ **combat, rencontre.** *Disputer un match (avec qqn). Ils ont fait match nul,* ils ont terminé le match à égalité.

matelas [matla] n. m. invar. **1.** Pièce de literie, long et large coussin rembourré qu'on étend d'ordinaire sur le sommier d'un lit. *Matelas de laine, à ressorts.* — *Matelas pneumatique,* enveloppe qu'on gonfle d'air pour s'y allonger. **2.** Fam. *Un matelas de billets de banque,* une grosse liasse. ▶ *matelasser* v. tr. ▪ conjug. 1. **1.** Rembourrer à la manière d'un matelas. *Matelasser un fauteuil.* **2.** Doubler de tissu ouaté. — Au p. p. adj. *Manteau matelassé.*

matelot [matlo] n. m. ▪ Homme d'équipage du navire. ⇒ **marin** (arg. *mataf*). *Apprenti matelot.* ⇒ ③ **mousse.**

matelote [matlɔt] n. f. ▪ Mets composé de poissons coupés en morceaux et accommodés avec du vin rouge et des oignons. *Matelote d'anguille.*

① *mater* [mate] v. tr. ▪ conjug. 1. **1.** Rendre définitivement docile (un être, une collectivité). ⇒ **dompter, dresser.** *Ils ont maté les prisonniers.* **2.** Réprimer ; abattre (qqch.). *Mater une révolte. Mater ses passions,* les maîtriser.

② *mater* v. tr. ▪ conjug. 1. ▪ Fam. Regarder. *Il aime bien mater les filles. Mate un peu !* ⇒ **reluquer ;** fam. **viser.** ⟨ ▶ maton ⟩

matérialiser [materjalize] v. tr. ▪ conjug. 1. **1.** Représenter (une idée, une action abstraite) sous forme matérielle. *Gargouilles d'une cathédrale matérialisant les vices.* ⇒ **symboliser.** *L'art matérialise les idées.* ⇒ **concrétiser. 2.** SE MATÉRIALISER v. pron. : devenir sensible, réel, matériel. *Si nos projets se matérialisent.* ⇒ se **concrétiser,** se **réaliser. 3.** Transformer (l'énergie) en matière. ▶ *matérialisation* n. f. ▪ Action de matérialiser, de se matérialiser ; son résultat. *La matérialisation de l'énergie, d'une idée.*

matérialisme [materjalism] n. m. **I.** Philosophie. **1.** Doctrine d'après laquelle il n'existe d'autre substance que la matière. / contr. **idéalisme, spiritualisme** / **2.** *Matérialisme historique, matérialisme dialectique,* le marxisme. **II.** État d'esprit caractérisé par la recherche des jouissances et des biens matériels. ▶ *matérialiste* n. et adj. **1.** Personne qui adopte ou professe le matérialisme. — Adj. *Philosophie matérialiste.* **2.** Personne qui recherche des jouissances et des biens matériels. *Vivre en matérialiste.* — Adj. *Esprit matérialiste. Il est bassement matérialiste.* ▶ *matérialité* n. f. ▪ Surtout en droit. Caractère matériel (①, 2) et vérifiable. *La matérialité du fait.*

matériau [materjo] n. m. ▪ Toute matière servant à construire, à fabriquer. *La brique, matériau artificiel. Ce tissu est un bon matériau.* ▶ *matériaux* n. m. pl. **1.** Les diverses matières nécessaires à la construction (d'un bâtiment, d'un ouvrage, d'un

navire, d'une machine). *Matériaux de construction.*
2. Éléments constitutifs d'un tout, d'une œuvre. *Il a rassemblé des matériaux pour sa rédaction.* ⇒ **document.**

① **matériel, elle** [mateʀjɛl] adj. **1.** Qui est de la nature de la matière, constitué par de la matière. *Substance matérielle.* / contr. **spirituel** / *Le monde, l'univers matériel.* ⇒ **physique. 2.** Concret. *Impossibilités matérielles. J'ai la preuve matérielle de son erreur.* ⇒ **tangible.** *Commettre une erreur matérielle,* qui ne concerne que la forme (⇒ **matérialité**). — *Temps matériel,* nécessaire pour l'accomplissement d'une action. *Je n'ai pas le temps matériel d'y aller.* **3.** Qui concerne les aspects extérieurs, visibles ou concrets (des êtres ou des choses). *Organisation matérielle d'un spectacle.* **4.** Qui est constitué par des biens tangibles (spécialt de l'argent), ou lié à leur possession. *Avantages, biens matériels.* ⇒ **concret.** / contr. **moral** / *Gêne, difficultés matérielles,* financières. **5.** Qui est attaché exclusivement aux biens terrestres, aux réalités positives. *Une personne trop matérielle.* ⇒ **matérialiste** (2), **positif, prosaïque.** ▶ **matériellement** adv. **1.** Dans le domaine de la matière. *S'accomplir matériellement et spirituellement.* **2.** En ce qui concerne les biens matériels, l'argent. *Les gens favorisés matériellement.* **3.** En fait, effectivement. ⇒ **positivement, pratiquement.** *C'est matériellement impossible.* ⟨ ▶ **matérialiser, matérialisme, immatériel** ⟩

② **matériel** n. m. **1.** Ensemble des objets, instruments, machines utilisés dans un service, une exploitation (opposé à *personnel*). ⇒ **équipement, outillage.** *Matériel d'exploitation. Matériel roulant,* locomotives, machines, wagons. *Matériel de guerre,* les armes, équipements militaires. **2.** Informatique. LE MATÉRIEL : ensemble des éléments employés pour le traitement automatique de l'information (opposé à *logiciel*). — REM. On employait anciennement l'anglic. *hardware.* **3.** Ensemble des objets nécessaires à un exercice (sport, etc.). *Matériel de camping, de pêche.*

maternel, elle [matɛʀnɛl] adj. et n. f. **1.** Qui appartient à la mère. *Le lait maternel. Amour, instinct maternel.* — De la mère. *Il craignait les réprimandes maternelles.* **2.** Qui a le comportement, joue le rôle d'une mère. *Une femme maternelle avec son mari.* — ÉCOLE MATERNELLE ou, n. f., MATERNELLE : établissement d'enseignement primaire pour les enfants âgés de deux à six ans. ⇒ **jardin** d'enfants. **3.** Qui a rapport à la mère, quant à la filiation. *Un oncle du côté maternel. Grand-mère maternelle* (opposé à *paternel*). **4.** *Langue maternelle,* la première langue qu'a apprise un enfant. ▶ **maternellement** adv. ■ Comme une mère. ⟨ ▶ **maternité** ⟩

maternité [matɛʀnite] n. f. **I. 1.** État, qualité de mère. *Les joies et les peines de la maternité.* **2.** Le fait de porter et de mettre au monde un enfant. *Elle est fatiguée par des maternités trop rapprochées.* ⇒ **accouchement, grossesse. II.** Établissement ou service hospitalier réservé aux femmes qui accouchent. *Il est allé voir sa femme à la maternité.*

mathématique [matematik] adj. et n. f. **I.** Adj. **1.** Relatif aux mathématiques ; qui utilise les mathématiques (→ ci-dessous). *Raisonnement mathématique.* **2.** Qui présente les caractères de la pensée mathématique. ⇒ **précis, rigoureux.** *Une précision mathématique.* — Fam. Absolument certain, nécessaire. *Il doit réussir, c'est mathématique.* ⇒ **automatique, logique. II.** N. f. pl. LES MATHÉMATIQUES : ensemble des sciences qui ont pour objet la quantité et l'ordre. ⇒ **algèbre, analyse, arithmétique, calcul** différentiel, intégral, **géométrie, mécanique,** etc. **2.** Classe spécialisée dans l'enseignement des mathé-

matiques. ⇒ **math.** *À cinq heures, j'ai mathématiques,* j'ai un cours de mathématiques. *Mathématiques élémentaires* (fam. *math élém.* [matelɛm]). *Mathématiques supérieures* (fam. *math sup.* [matsyp]), classe de préparation aux grandes écoles scientifiques. ⇒ ② **taupe.** — *Mathématiques modernes,* théorie des ensembles. ▶ **math** ou **maths** [mat] n. f. pl. ■ Fam. Mathématiques. *Elle a horreur des maths.* ▶ **mathématicien, ienne** n. ■ Spécialiste, chercheur en mathématiques. ▶ **mathématiquement** adv. **1.** Selon les méthodes des mathématiques. **2.** Exactement, rigoureusement. *C'est mathématiquement exact.* / contr. **approximativement** / ▶ **matheux, euse** adj. et n. ■ Fam. Qui étudie les maths ; fort en maths. — N. *Une matheuse et un littéraire.* ⇒ **scientifique.**

matière [matjɛʀ] n. f. **I. 1.** Philosophie. Substance qui constitue le monde sensible, les corps. *Les trois états de la matière,* solide, liquide, gazeux. *La matière est faite de corpuscules.* ⇒ **atome, molécule.** *La matière et l'énergie.* **2.** *Une, des matière(s),* substance que l'on peut connaître par les sens, qu'elle prenne ou non une forme déterminée. *Matières organiques et inorganiques. Matière précieuse. Les matières utilisées pour construire, fabriquer qqch.* ⇒ **matériau, matériaux. 3.** (Dans le corps humain) *Matières fécales* et, ellipt, *matières.* ⇒ **excrément.** — Fam. MATIÈRE GRISE : le cerveau ; l'intelligence, la réflexion. *Fais un peu travailler ta matière grise.* **4.** MATIÈRE PREMIÈRE : produit ou substance non encore transformé(e) par le travail, par la machine. *Notre pays importe des matières premières.* **5.** MATIÈRES GRASSES : substances alimentaires (beurre, crème, huile, margarine) contenant des corps gras. ⇒ **graisse. II.** Fig. Ce qui constitue l'objet, le point de départ ou d'application de la pensée. **1.** Contenu, sujet (d'un ouvrage). *Anecdote, fait réel qui fournit la matière d'un livre.* — Loc. ENTRÉE EN MATIÈRE *d'un discours* : commencement. **2.** Ce qui est objet d'études scolaires, d'enseignement. ⇒ **discipline.** *Il est bon dans toutes les matières.* **3.** (Après EN, SUR) Ce sur quoi s'exerce ou peut s'exercer l'activité humaine. ⇒ **sujet ; point, question.** *Je suis incompétent en la matière, sur cette matière.* ⇒ **article, chapitre.** — EN MATIÈRE (suivi d'un adj.). *En matière poétique,* en ce qui concerne la poésie. — EN MATIÈRE DE loc. prép. : dans le domaine, sous le rapport de (tel objet). *En matière d'art.* **4.** *Avoir, donner* MATIÈRE À... : motif, raison. *Sa conduite donne matière à (la) critique.* ⇒ **lieu.** ⟨ ▶ **antimatière, matérialiser, matérialisme, matériau,** ① **matériel,** ② **matériel** ⟩

matin [matɛ̃] n. m. **1.** Début du jour. ⇒ **aube, aurore, lever, point** du jour. / contr. **soir** / *La rosée du matin. L'étoile du matin,* Vénus. *Le petit matin,* moment où se lève le jour. — *De bon matin,* très tôt. — *Du matin au soir,* toute la journée, continuellement. — *(Le) matin et (le) soir. Médicament à prendre matin et soir.* — Loc. *Être du matin,* être actif le matin. *Elle est du matin, alors que, moi, je suis du soir.* **2.** La première partie de la journée qui se termine à midi. ⇒ **matinée.** *Le docteur reçoit le matin. Tous les matins. Ce matin,* aujourd'hui, avant midi. *Hier matin.* — *Tous les dimanches matin.* **3.** (Dans le décompte des heures) L'espace de temps qui va de minuit à midi, divisé en douze heures. *Une heure du matin* (opposé à *de l'après-midi*). *Sept heures du matin* (opposé à *du soir*). ▶ **matinal, ale, aux** adj. **1.** Du matin. *Gymnastique matinale.* **2.** Qui s'éveille, se lève tôt. *Vous êtes bien matinal aujourd'hui !* ▶ **matinée** n. f. **1.** La partie de la journée qui va du lever du soleil à midi, considérée dans sa durée. *Début, fin de matinée.* — Loc. *Faire la grasse matinée,* se lever tard, paresser au lit. **2.** Réunion, spectacle qui a lieu avant le dîner, l'après-midi. *Concert en matinée.* ▶ **matines**

[matin] n. f. pl. ■ Relig. catholique. Office nocturne. *Les matines se chantent entre minuit et le lever du jour. Sonnez les matines !* ‹ ▶ réveille-matin ›

① *mâtin* [matɛ̃] n. m. ■ Grand et gros chien de garde ou de chasse. ▶ *mâtiner* v. tr. ■ conjug. 1. 1. ■ Couvrir (une chienne de race), en parlant d'un chien de race différente, généralement croisée ou commune. — Au p. p. adj. *Chien mâtiné*, de race mêlée. 2. MÂTINÉ DE : mêlé de. *Un français mâtiné d'anglicismes.*

② *mâtin, ine* n. ■ Fam. et vx. Personne malicieuse, turbulente. ⇒ **coquin.** *Ah ! la mâtine !*

matois, oise [matwa, waz] adj. ■ Littér. Qui a de la ruse sous des dehors de bonhomie. ⇒ **finaud.** *Un vieux paysan matois.*

maton, onne [matɔ̃, ɔn] n. m. ■ Fam. Gardien(ne) de prison (qui *mate*, surveille les détenus).

matou [matu] n. m. ■ Chat domestique mâle et non châtré. *Un gros matou. Des matous.*

matraque [matrak] n. f. ■ Arme contondante (pour frapper, assommer) assez courte. ⇒ **gourdin, trique.** *Les matraques des policiers.* ▶ *matraquer* v. tr. ■ conjug. 1. 1. ■ Frapper à coups de matraque sur (qqn). 2. ■ Donner le « coup de masse » ; présenter une addition excessive, etc. *Ce restaurant matraque les clients.* 3. ■ Infliger d'une manière répétée un message (publicité, thème, musique). *Matraquer une chanson à la radio.* ▶ *matraquage* n. m. ■ Action de matraquer (1 et 3). *Le matraquage des manifestants.* — *Matraquage publicitaire.*

matriarcat [matrijarka] n. m. ■ Didact. Régime juridique ou social où la mère est le chef de la famille (opposé à *patriarcat*). ▶ *matriarcal, ale, aux* adj. ■ Didact. Relatif au matriarcat. *Société matriarcale.*

matrice [matris] n. f. I. ■ Moule qui, après avoir reçu une empreinte particulière en creux et en relief, permet de la reproduire. *La matrice d'un disque, d'une médaille.* II. ■ En mathématiques. Tableau rectangulaire de nombres, sur lesquels on définit certaines opérations. ▶ *matriciel, ielle* adj. ■ Où interviennent les matrices (II). *Calcul matriciel.*

matricule [matrikyl] n. 1. N. f. Registre, liste où sont inscrits des noms avec un numéro. *Inscription sur la matricule.* ⇒ **immatriculation.** — Adj. *Livret matricule d'un soldat. Numéro matricule.* 2. N. m. Numéro d'inscription sur un registre matricule. *Effets d'un soldat marqués à son matricule. Le (prisonnier) matricule 85.* ‹ ▶ immatriculer ›

matrimonial, ale, aux [matrimɔnjal, o] adj. ■ Qui a rapport au mariage. *Lien matrimonial.* ⇒ **conjugal.** *Régimes matrimoniaux*, régimes juridiques régissant les patrimoines des époux. — *Agence matrimoniale*, qui met en rapport des personnes désirant contracter mariage.

matrone [matrɔn] n. f. ■ Fam. Femme d'un certain âge, corpulente et vulgaire. *Une grosse matrone.*

maturation [matyrasjɔ̃] n. f. ■ Le fait de mûrir. *Hâter la maturation des fruits.* ▶ *maturité* n. f. 1. ■ État d'un fruit mûr. *On cueille les bananes avant leur complète maturité.* — État de ce qui est mûr. 2. ■ État de ce qui a atteint son plein développement. *Idée qui vient à maturité. Maturité d'esprit.* 3. ■ L'âge mûr, celui qui suit la jeunesse. *Il est en pleine maturité.* ⇒ **force** de l'âge. 4. ■ Sûreté de jugement. *Tu manques de maturité.* ⇒ **circonspection, sagesse.** *Maturité précoce.* ‹ ▶ immature, prématuré ›

mâture [matyr] n. f. ■ Marine. Ensemble des mâts (d'un navire à voiles).

maudire [modir] v. tr. — REM. Conjug. 2, sauf pour l'infinitif et le p. p. *maudit, ite.* 1. ■ Vouer au malheur ; appeler sur (qqn) la malédiction, la colère divine. *Maudire un ennemi, la guerre.* ⇒ **abominer, exécrer.** *Combien de fois t'ai-je maudit !* / contr. **bénir** / 2. ■ Vouer (qqn) à la damnation éternelle. ⇒ **condamner.** ▶ *maudit, ite* adj. 1. ■ Qui est rejeté par Dieu ou condamné, repoussé par la société. ⇒ **réprouvé.** *Les poètes maudits.* — N. *Les maudits*, ceux qui sont damnés ou condamnés. 2. ■ (Avant le nom) Dont on a sujet de se plaindre. ⇒ **détestable, exécrable ;** fam. **damné, fichu, sacré.** *Cette maudite histoire le tracasse beaucoup.*

maugréer [mogree] v. intr. ■ conjug. 1. ■ Manifester son mécontentement, sa mauvaise humeur, en protestant à mi-voix. ⇒ **grogner, pester, ronchonner.**

maure, mauresque ou *more, moresque* [mɔr, mɔresk] n. et adj. 1. ■ Autrefois. Habitant du nord de l'Afrique (Berbères, Arabes). 2. ■ De la Mauritanie, région d'Afrique occidentale. *Les Maures du Soudan, du Sénégal.*

mausolée [mozɔle] n. m. ■ Somptueux monument funéraire de très grandes dimensions. ⇒ **tombeau.** *Le mausolée de Lénine, à Moscou.*

maussade [mosad] adj. 1. ■ Qui n'est ni gai ni aimable. ⇒ **grognon, revêche.** *Humeur maussade.* / contr. **avenant, plaisant** / 2. ■ Qui inspire de l'ennui. ⇒ **ennuyeux, terne, triste.** *Ciel, temps maussade.* ▶ *maussaderie* n. f. ■ Caractère de ce qui est maussade (surtout, sens 1).

mauvais, aise [mɔ(o)vɛ, ɛz] adj., adv. et n. — REM. En épithète, *mauvais* est le plus souvent avant le nom. I. (Opposé à *bon*) 1. ■ Qui présente un défaut, une imperfection essentielle ; qui a une valeur faible ou nulle (dans le domaine utilitaire, esthétique ou logique). ⇒ **défectueux, imparfait.** *Assez mauvais* ⇒ **médiocre, très mauvais** ⇒ **exécrable, horrible, infect.** *Les bons et les mauvais morceaux. Mauvaise affaire*, qui rapporte peu. *Produit de mauvaise qualité. Mauvais livre. Ce film est mauvais*, ne vaut rien. ⇒ **nul.** *Mauvais calcul. Mauvais raisonnement.* ⇒ **faux, inexact.** — Qui ne fonctionne pas correctement. *Il a de mauvais yeux*, il ne voit pas bien. *Être en mauvaise santé. Il a mauvaise mine.* 2. ■ N. m. Ce qui est mauvais. *Il y a du bon et du mauvais.* 3. ■ (Personnes) Qui ne remplit pas correctement son rôle. ⇒ **lamentable, pauvre.** *Un mauvais acteur. Mauvais élève. Il est mauvais* ⇒ **faible, très mauvais** ⇒ **nul** *en latin.* 4. ■ Qui est mal choisi, ne convient pas. *Mauvaise méthode. Prendre la mauvaise route. Pour de mauvaises raisons.* — Impers. *Il est mauvais de fumer. Il n'est pas mauvais qu'il en fasse l'expérience*, ce serait indiqué. II. (Opposé à *bon, beau, heureux*) Qui cause ou peut causer du mal. ⇒ **néfaste, nuisible.** 1. ■ Qui annonce du malheur. ⇒ **funeste, sinistre.** *De mauvais augure. C'est mauvais signe.* 2. ■ Qui est cause de malheur, d'ennuis, de désagrément. ⇒ **dangereux, nuisible.** *L'affaire prend une mauvaise tournure. Être en mauvaise posture. Il a reçu un mauvais coup. La mer est mauvaise*, très agitée. — (Sur le plan moral) *Mauvais conseils. Donner le mauvais exemple.* 3. ■ Désagréable aux sens. *Mauvaise odeur, mauvais goût.* — *Mauvais temps* (opposé à *beau*). ⇒ **sale.** *Il fait mauvais.* — Désagréable au goût. *Cette viande est mauvaise. Du mauvais vin. Pas mauvais*, assez bon. 4. ■ Pénible. *Mauvaise nouvelle. Faire mauvais effet.* Fam. *La trouver, l'avoir mauvaise* (sous-entendu : la chose, l'affaire). *Il l'a eue mauvaise de ne pas être invité.* 5. ■ Peu accommodant. *Mauvaise humeur. Mauvais caractère. Mauvaise tête, mauvaise volonté.* III. (Opposé à *bon, honnête*) 1. ■ Qui est contraire à la loi morale. *C'est une mauvaise action. Mauvaise* conduite. **2.** (Personnes) Qui fait ou aime à faire du mal à autrui. ⇒ **méchant.** *Il est mauvais comme une teigne.* — *L'esprit mauvais,* du mal (le démon). ⇒ ① **malin.** *Une mauvaise langue* (qui calomnie). *Il a de mauvaises fréquentations.* — MAUVAIS GARÇON : se dit d'un homme prompt à en venir aux coups. **3.** (Peut s'employer après le nom) Qui dénote de la méchanceté, de la malveillance. *Il a eu un rire mauvais. Une joie mauvaise.* ⇒ **cruel. IV.** Adv. *Sentir mauvais* ⇒ **puer,** avoir une odeur désagréable. — Fig. *Ça sent mauvais,* les choses prennent une mauvaise tournure.

mauve [mov] adj. ■ D'une couleur violet pâle. *Des robes mauves.* — N. m. Couleur mauve.

mauviette [movjɛt] n. f. ■ Personne chétive, au tempérament délicat, maladif. *Quelle mauviette !*

maxi- ■ Préfixe signifiant « grand, long » (ex. : *une maxibouteille, un maximanteau.* / contr. **mini-** /

maxillaire [maksilɛʀ] n. m. ■ Os des mâchoires. *Le maxillaire supérieur.*

maxime [maksim] n. f. ■ Formule énonçant une règle de conduite, une règle morale. ⇒ **aphorisme, sentence ; dicton, proverbe.** *Les maximes de La Rochefoucauld. Suivre une maxime.* ⇒ **précepte, principe.**

maximum, ale, aux [maksimɔm] n. m. et adj. **1.** N. m. Valeur la plus grande atteinte par une quantité variable ; limite supérieure. ⇒ **plafond.** *Maximum de vitesse, de force. Les maximums* ou *les maxima.* — (Avec un nom au plur.) *Le maximum de chances,* le plus grand nombre. — *Au maximum,* tout au plus, au plus. *Mille francs au maximum.* **2.** Adj. Qui constitue un maximum. ⇒ **maximal.** *Rendement maximum.* — Au fém. *Tension, amplitude maximum* ou *maxima.* Au plur. *Des prix maximums* ou *maxima.* / contr. **minimum** / ▸ *maxima* n. m. plur. ou adj. fém. invar. ⇒ **maximum.** ▸ *maximal, ale, aux* adj. ■ Qui constitue un maximum. / contr. **minimal** /

maya [maja] n. et adj. ■ Qui appartient à une civilisation indienne précolombienne d'Amérique centrale. *Des temples mayas.*

mayonnaise [majɔnɛz] adj. et n. f. ■ Se dit d'une sauce froide composée d'huile, d'œufs et d'assaisonnements battus jusqu'à prendre de la consistance. *Sauce mayonnaise.* — N. f. *La mayonnaise prend;* au fig. la chose prend tournure, l'action se déclenche. — En appos. Invar. *Des œufs mayonnaise,* à la mayonnaise.

mazagran [mazagʀɑ̃] n. m. ■ Verre à pied en porcelaine épaisse pour consommer le café.

mazdéisme [mazdeism] n. m. ■ Religion de l'Iran antique, dualiste, opposant un principe du Bien et un principe du Mal. ⇒ **manichéisme.**

mazette [mazɛt] interj. ■ Région. ou vx. Exclamation d'étonnement, d'admiration. *Un million ? Mazette !*

mazout [mazut] n. m. ■ Résidu de la distillation du pétrole, liquide épais, visqueux, brun, utilisé comme combustible. ⇒ **fuel, huile** lourde. *Chauffage au mazout.*

mazurka [mazyʀka] n. f. ■ Danse à trois temps d'origine polonaise. — Air sur lequel on la danse. — Composition musicale de même rythme. *Les mazurkas de Chopin.*

me [m(ə)] pronom pers. — REM. *Me* s'élide en *m'* devant une voyelle ou un h muet : *il m'envoie,* il m'honore.* ■ Pronom personnel complément de la première personne du singulier pour les deux genres (⇒ **je, moi**). **1.** Compl. d'obj. direct (représente la personne qui parle, qui écrit). *On m'a vu. Tu me présenteras à lui.* — (Dans un verbe pron.) *Je me suis rasé.* — (Avec *voici, voilà*) *Me voici de retour.* **2.** Compl. d'obj. ind. À moi. *Il me fait pitié. Il veut me parler. On m'a laissé finir mon repas.* — (Renforce un ordre, etc.) *Va me fermer cette porte !* — (Marquant un rapport de possession) *Je me lave les mains* : je lave *mes* mains. ‹ ▸ je-m'en-fichisme, m'as-tu-vu ›

mé- ou *més-* (devant voyelle) ■ Préfixe signifiant « mauvais » (ex. : *mésalliance, mésaventure*).

mea-culpa [meakylpa] n. m. invar. ■ *Faire son mea-culpa,* avouer sa faute. *Des mea-culpa.*

méandre [meɑ̃dʀ] n. m. **1.** Sinuosité (d'un fleuve). **2.** Fig. *Les méandres de la pensée, d'un exposé.* ⇒ **détour.**

méat [mea] n. m. ■ Canal, conduit ou orifice d'un canal anatomique. *Méat urinaire.*

mec [mɛk] n. m. ■ Fam. Homme, individu. ⇒ fam. **gars, type.** *Les deux mecs discutaient. Elle vient avec son mec.* — *Les mecs et les nanas.*

mécanique [mekanik] adj. et n. f. **I.** Adj. **1.** Qui est exécuté par un mécanisme ; qui utilise des mécanismes, des machines. *Tissage mécanique.* — Qui est mû par un mécanisme. *Escalier mécanique.* **2.** Qui concerne les machines. *Avoir des ennuis mécaniques, des problèmes de moteur* (de voiture, etc.). **3.** Qui évoque le fonctionnement d'une machine (opposé à *réfléchi, intelligent*). ⇒ **automatique, machinal.** *Un geste mécanique.* **4.** Qui consiste en mouvements, est produit par un mouvement. *Énergie mécanique.* **II.** N. f. **1.** Partie des mathématiques et de la physique qui a pour objet l'étude du mouvement et de l'équilibre des corps, ainsi que la théorie des machines. *La mécanique des fluides.* ⇒ **hydraulique,** n. f. — Théorie relative aux phénomènes étudiés en mécanique. *Mécanique classique. Mécanique quantique, ondulatoire.* **2.** Science de la construction et du fonctionnement des machines. **3.** *Une mécanique.* ⇒ **mécanisme.** — Loc. fam. *Rouler les (des) mécaniques,* les muscles des épaules pour montrer sa force. ▸ *mécaniquement* adv. ■ D'une manière mécanique. ⇒ **automatiquement, machinalement.** ▸ *mécanicien, ienne* n. **1.** Personne qui a pour métier de monter ⇒ **monteur,** d'entretenir ou de réparer ⇒ **dépanneur** les machines. *Les mécaniciens d'un garage.* ⇒ fam. **mécano.** *Mécanicien d'avion.* **2.** Personne qui conduit une locomotive. **3.** Didact. Physicien(enne) spécialiste de la mécanique (II, 1). **4.** Personne qui invente des machines, qui en dirige la construction. *Jacquard est un célèbre mécanicien français.* ▸ *mécaniser* v. tr. ▪ conjug. 1. ■ Réduire à un travail mécanique (par l'utilisation de machines). *Mécaniser une production artisanale.* ▸ *mécanisation* n. f. ■ Action de mécaniser ; son résultat. *La mécanisation de l'agriculture.* ⇒ **industrialisation.** ▸ *mécanisme* n. m. **1.** Combinaison, agencement de pièces, d'organes, montés en vue d'un fonctionnement. ⇒ **mécanique** (II, 3). *Le mécanisme d'une machine.* **2.** Mode de fonctionnement de ce qu'on assimile à une machine. *Mécanismes biologiques.* ⇒ **processus.** *Les mécanismes économiques.* ▸ *mécano* [mekano] n. m. ■ Fam. Mécanicien. *Des mécanos.* ≠ *meccano.* ▸ *mécano-* ■ Élément signifiant « machine ». ▸ *mécanographie* n. f. ■ Emploi de machines pour les opérations logiques (calculs, tris, classements) effectuées sur des documents. *Remplacer la mécanographie par l'informatique.* ▸ *mécanographique* adj. ■ Fiche mécanographique.

meccano [mekano] n. m. ■ Jeu de construction métallique (marque déposée). ≠ *mécano.* *Une boîte de meccano.*

mécène [mesɛn] n. m. ■ Personne riche et généreuse qui aide les écrivains, les artistes. *Cette riche héritière est le mécène d'un groupe de peintres.* ▶ **mécénat** n. m. ■ Qualité, comportement d'un mécène.

méchant, ante [meʃɑ̃, ɑ̃t] adj. ■ I. ■ 1. Qui fait délibérément du mal ou cherche à en faire, le plus souvent de façon ouverte et agressive. ⇒ **cruel, dur, malfaisant,** ① **malin, malveillant, mauvais** (III, 2) ; fam. **rosse, vache.** / contr. **bon, doux, humain** / *Un homme méchant, un méchant homme. Plus bête que méchant,* plus nuisible par bêtise que par intention. — *Air, sourire méchant.* ⇒ **mauvais ; haineux.** 2. ■ (Enfants) Qui se conduit mal, qui est turbulent. ⇒ **insupportable, vilain.** *Si tu es méchant, tu seras privé de dessert.* 3. ■ (Animaux) Qui cherche à mordre, à griffer. *Chien méchant,* dangereux. 4. ■ Loc. fam. *Ce n'est pas bien méchant,* ni grave ni important. II. ■ (Avant le nom) 1. Littér. Mauvais, médiocre. *Un méchant livre de rien du tout. Du méchant vin.* 2. ■ Dangereux ou désagréable. *Elle s'est attiré une méchante affaire.* III. ■ N. 1. Littér. Personne méchante. *Les méchants et les bons. Faire le méchant,* s'emporter, menacer. — Lang. enfant. *Oh, la méchante !* 2. ■ Personne qui tourmente (qqn). *Tu es une méchante.* ▶ **méchamment** [meʃamɑ̃] adv. ■ Avec méchanceté. ⇒ **cruellement, durement.** *Agir, parler méchamment.* / contr. **gentiment** / ▶ **méchanceté** n. f. 1. ■ Caractère, comportement d'une personne méchante. ⇒ **cruauté, dureté, malveillance.** / contr. **bienveillance, bonté** / *C'est de la pure méchanceté. La méchanceté d'une remarque.* 2. ■ Une méchanceté, parole ou action par laquelle s'exerce la méchanceté. *Cesse de dire des méchancetés.* ⇒ fam. **vacherie.**

① **mèche** [mɛʃ] n. f. I. ■ 1. Cordon, tresse de fils de coton, de chanvre, imprégné(e) de combustible et qu'on fait brûler. *La mèche d'une lampe à huile.* 2. ■ Cordon fait d'une matière qui prend feu aisément. *La mèche d'une mine.* 3. ■ Loc. fig. *Éventer, découvrir la mèche,* découvrir le secret d'un complot. ⇒ **pot aux roses.** *Vendre la mèche,* trahir le secret. II. ■ Tige d'acier servant à percer le bois, le métal. *La mèche d'un vilebrequin, d'une perceuse.* ⇒ **vrille.**

② **mèche** n. f. ■ Cheveux distincts dans l'ensemble de la chevelure par leur position, leur forme, leur couleur. *Mèches bouclées.* ⇒ **boucle.** *Elle s'est fait faire des mèches chez le coiffeur,* elle s'est fait éclaircir, teindre certaines mèches.

③ **de mèche** loc. invar. ■ Loc. fam. *Être de mèche avec qqn,* être d'accord en secret. ⇒ **complicité, connivence.**

méchoui [meʃwi] n. m. ■ Mouton rôti à la broche. *Dimanche, nous ferons un méchoui. Des méchouis.*

mécompte [mekɔ̃t] n. m. ■ Erreur de prévision ; espoir fondé à tort. ⇒ **déception.** *De graves mécomptes.*

méconnaître [mekɔnɛtʀ] v. tr. ■ conjug. 57. 1. ■ Littér. Ne pas reconnaître (une chose) pour ce qu'elle est, refuser d'en tenir compte. ⇒ **ignorer, négliger.** *Méconnaître les lois.* 2. ■ Ne pas apprécier (qqn ou qqch.) à sa juste valeur. ⇒ **méjuger, mésestimer.** *La critique méconnaît souvent les auteurs de son temps.* / contr. **apprécier** / ▶ **méconnaissable** adj. ■ Qui est si changé (en bien ou en mal) qu'on ne peut le reconnaître. *Je ne l'avais pas revu depuis sa maladie ; il est méconnaissable. Sa boutique est méconnaissable depuis qu'il l'a repeinte.* ▶ **méconnaissance** n. f. ■ Littér. Action de méconnaître ; ignorance, incompréhension. ▶ **méconnu, ue** adj. ■ Qui n'est pas reconnu, estimé à sa juste valeur. *Un génie méconnu.* / contr. **reconnu** /

mécontent, ente [mekɔ̃tɑ̃, ɑ̃t] adj. et n. 1. ■ Qui n'est pas content, pas satisfait. *Il est rentré déçu et très mécontent.* ⇒ **contrarié, fâché.** *Être mécontent de son sort. Je suis mécontent que vous ne soyez pas venu.* / contr. **enchanté, ravi** / 2. ■ N. *Un perpétuel mécontent.* ⇒ **grognon, insatisfait.** ▶ **mécontentement** n. m. ■ État d'esprit d'une personne mécontente ; sentiment pénible d'être frustré dans ses espérances, ses droits. ⇒ **déplaisir, insatisfaction.** *Sujet de mécontentement,* contrariété, ennui. *Une cause de mécontentement populaire.* / contr. **contentement, satisfaction** / ▶ **mécontenter** v. tr. ■ conjug. 1. ■ Rendre mécontent. ⇒ **contrarier, fâcher.** *Cette mesure a mécontenté tout le monde.*

mécréant, ante [mekreɑ̃, ɑ̃t] adj. et n. ■ Littér. ou plais. Qui n'a aucune religion. ⇒ **athée, irréligieux.** — N. *Un mécréant.* / contr. **croyant** /

médaille [medaj] n. f. 1. ■ Pièce de métal, généralement circulaire, frappée en l'honneur d'un personnage illustre ou en souvenir d'un événement (⇒ **monnaie**). *Science des médailles.* ⇒ **numismatique.** 2. ■ Pièce de métal constituant le prix (dans un concours, une exposition). *Médaille d'or, d'argent, de bronze.* — Décoration (médaille, ruban, etc.). *Médaille militaire,* décoration française décernée aux sous-officiers et soldats les plus méritants. 3. ■ Petite pièce de métal portée sur soi en breloque. *Médaille pieuse.* ▶ **médaillé, ée** adj. et n. ■ Qui a reçu une médaille (2). — N. *Les médaillés militaires.* ▶ **médaillon** n. m. 1. ■ Portrait ou sujet sculpté, dessiné ou gravé dans un cadre circulaire ou ovale. ⇒ **camée.** 2. ■ Bijou de forme ronde ou ovale. 3. ■ Tranche mince et ronde (de viande). *Un médaillon de foie gras.*

médecin [mɛdsɛ̃] n. m. ■ Personne qui exerce la médecine, est titulaire du diplôme de docteur en médecine. ⇒ **docteur, praticien ;** fam. **toubib.** *Je vais chez le médecin. Elle est médecin. Médecin consultant. Médecin traitant,* qui suit le malade. *Médecin généraliste, spécialiste.* ▶ **médecine** n. f. I. ■ Vx ou région. Médicament, remède. *Prendre médecine.* II. 1. ■ Science qui a pour objet la conservation et le rétablissement de la santé ; art de prévenir et de soigner les maladies de l'homme (⇒ **médical**). *Étudiant en médecine.* ⇒ fam. **carabin.** *Docteur en médecine.* ⇒ **médecin.** *Médecine préventive. Médecine mentale.* ⇒ **psychiatrie.** *Médecine générale,* qui s'occupe de l'ensemble de l'organisme, en dehors de toute spécialisation. — *Médecine légale,* exercée pour aider la justice, en cas de crime, etc. ⇒ **médico-légal.** 2. ■ Profession du médecin. *Guérisseur qui exerce illégalement la médecine.* ▶ **médical, ale, aux** adj. ■ Qui concerne la médecine. *Soins médicaux. Visite médicale.* ▶ **médicalement** adv. ■ Du point de vue de la médecine. ▶ **médicament** n. m. ■ Substance spécialement préparée pour servir de remède. ⇒ **médication, remède ;** fam. **drogue.** *Ordonner, prescrire un médicament à un malade.* ▶ **médicamenteux, euse** adj. ■ Qui a des propriétés thérapeutiques. ▶ **médication** n. f. ■ Emploi systématique d'agents médicaux dans une intention précise. ⇒ **thérapeutique.** ▶ **médicinal, ale, aux** adj. ■ Qui a des propriétés curatives. *Les plantes médicinales.* ▶ **médico-** ■ Élément signifiant « médical ». ▶ **médico-légal, ale, aux** adj. ■ Relatif à la médecine légale. *Institut médico-légal,* la morgue. ▶ **médico-social, ale, aux** adj. ■ Relatif à la médecine sociale, à la médecine du travail. *Centre médico-social.* ‹ ▶ **paramédical** ›

média [medja] n. m. ■ Technique, support de diffusion massive de l'information (presse, radio, télévision, cinéma). ⇒ **mass media.** *Un événement* couvert par les médias. Un nouveau média. ▶ **médiatique** adj. ■ Qui concerne les médias, est transmis par les médias. L'information médiatique.

médian, ane [medjɑ̃, an] adj. ■ Qui est situé, placé au milieu. Ligne médiane. ▶ **médiane** n. f. ■ Segment de droite joignant un sommet d'un triangle au milieu du côté opposé. ≠ **médiatrice.** — Statistique. Valeur centrale qui sépare en deux parties égales un ensemble. ≠ moyenne.

médiateur, trice [medjatœR, tRis] n. ■ Personne qui s'entremet pour faciliter un accord. ⇒ **arbitre, conciliateur.** — Adj. Puissance médiatrice.

médiation [medjɑsjɔ̃] n. f. ■ Entremise destinée à mettre d'accord, à concilier ou à réconcilier des personnes, des partis. ⇒ **arbitrage, conciliation.**

médiatrice [medjatRis] n. f. ■ Lieu géométrique des points équidistants de deux points donnés. ≠ médiane.

médical, médicament... ⇒ **médecin.**

médiéval, ale, aux [medjeval, o] adj. ■ Relatif au Moyen Âge. ⇒ **moyenâgeux.** Art médiéval. ▶ **médiéviste** n. ■ Didact. Spécialiste du Moyen Âge.

médina [medina] n. f. ■ Partie musulmane (souvent ancienne) d'une ville, en Afrique du Nord (spécialt au Maroc).

médio- ■ Élément signifiant « moyen ».

médiocre [medjɔkR] adj. 1. Qui est au-dessous de la moyenne, qui est insuffisant. / contr. **grand** / Salaire médiocre. ⇒ **modeste, modique, petit.** — Assez mauvais. ⇒ **faible, pauvre, piètre, quelconque.** Travail médiocre, réussite médiocre. / contr. **excellent, supérieur** / Vie médiocre. ⇒ **étriqué, mesquin.** 2. (Personnes) Qui ne dépasse pas ou même n'atteint pas la moyenne. ⇒ **inférieur.** Esprit médiocre. Élève médiocre en français. ⇒ **faible.** — N. C'est un médiocre. ▶ **médiocrement** adv. ■ Assez peu, assez mal. Il joue, il travaille médiocrement. ▶ **médiocrité** n. f. ■ État de ce qui est médiocre. — Insuffisance de qualité, de valeur. ⇒ **imperfection, pauvreté, petitesse.** La médiocrité d'une œuvre. ⇒ **faiblesse.** / contr. **excellence** /

médire [mediR] v. intr. — REM. ■ conjug. 37, sauf (vous) médisez. ■ Dire (de qqn) le mal qu'on sait ou croit savoir sur son compte. Médire de, sur qqn. ⇒ **attaquer, critiquer, dénigrer.** / contr. **louer** / ≠ calomnier. ▶ **médisance** n. f. 1. Action de médire. ⇒ **dénigrement, diffamation.** ≠ calomnie. 2. Une médisance, propos de celui qui médit. ⇒ **bavardage, potin, ragot.** ▶ **médisant, ante** adj. et n. 1. Qui médit. Bavardages médisants. 2. N. Il ne craint pas les médisants.

méditer [medite] v. ■ conjug. 1. 1. V. tr. Soumettre (qqch.) à une longue et profonde réflexion. ⇒ **approfondir.** Méditez ce que je vous ai dit. — Préparer par une longue réflexion (une œuvre, une entreprise). Méditer un projet. ⇒ **combiner.** Méditer de faire qqch., projeter de faire qqch. 2. V. intr. Penser longuement (sur un sujet). ⇒ **réfléchir.** Méditer sur la condition humaine. ▶ **méditatif, ive** adj. et n. 1. Qui est porté à la méditation. Esprit méditatif. Avoir un air méditatif. ⇒ **pensif, préoccupé.** 2. N. C'est un méditatif. ▶ **méditation** n. f. 1. Réflexion qui approfondit longuement un sujet. S'absorber dans la méditation. 2. Pensée profonde, attentive, portant sur un sujet particulier. Les mystiques se livrent à de longues méditations. ⟨ ▶ préméditer ⟩

méditerranéen, enne [mediteRaneɛ̃, ɛn] adj. ■ Qui appartient, se rapporte à la Méditerranée, à ses rivages. Le bassin méditerranéen. Un climat

méditerranéen. — N. Les Méditerranéens et les Nordiques.

① **médium** [medjɔm] n. m. ■ Étendue de la voix, registre des sons entre le grave et l'aigu. Elle a un beau médium. Des médiums.

② **médium** n. m. ■ Personne réputée douée du pouvoir de communiquer avec les esprits. ⇒ **télépathe.** Des médiums.

médius [medjys] n. m. invar. ■ Doigt du milieu de la main. ⇒ **majeur.**

médullaire [medylɛR] adj. ■ Qui a rapport à la moelle épinière ou à la moelle des os.

méduse [medyz] n. f. ■ Animal marin formé de tissus transparents d'apparence gélatineuse, ayant la forme d'une cloche (appelée ombrelle, n. f.) sous laquelle se trouvent la bouche et les tentacules. Piqûre de méduse.

méduser [medyze] v. tr. ■ conjug. 1. ■ Frapper de stupeur. ⇒ **pétrifier, stupéfier.** — Au p. p. Il en est resté médusé.

meeting [mitiŋ] n. m. ■ Réunion publique politique. Mot d'ordre répété dans les meetings. — Meeting d'aviation, où l'on présente des modèles d'appareils, etc.

méfait [mefɛ] n. m. 1. Action mauvaise, nuisible à autrui. Il a commis de graves méfaits. 2. Résultat pernicieux. Les méfaits du tabac. / contr. **bienfait** /

se **méfier** [mefje] v. pron. ■ conjug. 7. ■ SE MÉFIER DE : ne pas se fier (à qqn) ; se tenir en garde (contre les intentions de qqn). ⇒ se **défier.** Se méfier d'un concurrent, d'un flatteur. Je me méfie de ses bonnes paroles. ⇒ **douter.** — Être sur ses gardes. Méfiez-vous ! Il y a une marche. ▶ **méfiance** n. f. ■ Disposition à se méfier ; état de celui qui se méfie. ⇒ **défiance, doute.** Éveiller la méfiance de qqn. / contr. **confiance** / ▶ **méfiant, ante** adj. ■ Qui se méfie, est enclin à la méfiance. ⇒ **défiant, soupçonneux.** Un air méfiant. / contr. **confiant** /

méga-, mégalo-; -mégalie ■ Éléments signifiant « grand » (méga- signifie « un million de » dans les noms d'unités physiques). ▶ **mégahertz** [megaɛRts] n. m. invar. ■ Unité de fréquence valant 1 million de hertz (symb. MHz). Station de radio émettant sur 103 MHz. ▶ **mégalithe** [megalit] n. m. ■ Monument de pierre brute de grandes dimensions. ▶ **mégalomane** adj. ■ Atteint de mégalomanie. — Qui a la folie des grandeurs, est d'un orgueil excessif. — N. C'est un, une mégalomane. — Abrév. fam. MÉGALO. Elles sont complètement mégalos. ▶ **mégalomanie** n. f. 1. Comportement pathologique caractérisé par le désir excessif de gloire, de puissance (folie des grandeurs). 2. Ambition, orgueil démesurés. ▶ **mégaphone** n. m. ■ Appareil servant à amplifier les sons. ⇒ **porte-voix.** Crier des slogans dans un mégaphone. ▶ **mégatonne** n. f. ■ Unité de puissance destructrice (1 million de tonnes de T.N.T.). Une bombe atomique de deux mégatonnes. ▶ **mégawatt** [megawat] n. m. ■ Unité de puissance électrique valant 1 million de watts (symb. MW).

par **mégarde** [paRmegaRd] loc. adv. ■ Par inattention, sans le vouloir. ⇒ par **inadvertance.** J'ai pris votre livre par mégarde. / contr. **exprès, volontairement** /

mégère [meʒɛR] n. f. ■ Femme méchante et criarde. ⇒ **chipie, furie.**

mégisserie [meʒisRi] n. f. 1. Préparation des cuirs utilisés par la ganterie et la pelleterie. ⇒ **tannerie.** 2. Industrie, commerce de ces cuirs.

mégot [mego] n. m. ■ Fam. Bout de cigarette ou de cigare qu'on a fumé. ⇒ fam. **clope.** Ne laisse pas

traîner tes mégots dans le cendrier. ▶ **mégoter** v. tr.
▪ conjug. 1. ■ Fam. Lésiner. *Il mégote sur les cadeaux.*

méhari [meaʀi] n. m. ■ Dromadaire d'Arabie,
dressé pour les courses rapides. *Des méharis,* ou *des
méhara* (plur. arabe).

meilleur, eure [mɛjœʀ] adj. **I.** Comparatif de
supériorité de *bon.* / contr. **pire** / **1.** Qui l'emporte (en
bonté, qualité, agrément). *Le pain frais est meilleur
que le pain rassis. Il a trouvé une meilleure place que
nous. Être de meilleure humeur. Meilleur marché*
(compar. de *bon marché*). **2.** Adv. *Il fait meilleur
aujourd'hui qu'hier,* le temps est meilleur. *Ce parfum
sent meilleur que l'autre.* **II.** LE MEILLEUR, LA
MEILLEURE (superlatif de *bon*). **1.** (Avec un nom et *de*
ou avec un adj. poss.) *C'est la meilleure de la classe.
Je vous envoie mes meilleurs vœux.* — (Avec un nom
+ *que* + subjonctif) *C'est le meilleur film que j'aie
jamais vu.* **2.** (Avec le nom seul, et placé après lui) *Ils
choisissent les vins les meilleurs.* **3.** (Sans nom, avec
de) *Le meilleur des vins. Le meilleur d'entre nous.*
— Loc. *J'en passe et des meilleures,* je ne dis pas ce
qu'il y a de plus intéressant, de plus amusant, parmi
ce que je pourrais dire. **4.** (Sans nom et sans *de*) *Je
suis le meilleur.* — Loc. *Les plaisanteries les plus
courtes sont les meilleures.* — LA MEILLEURE :
l'histoire la plus étonnante. *Tu connais la meilleure ?*
— LE MEILLEUR, LES MEILLEURS : personne
supérieure ou plus forte que les autres. *Que le meilleur
gagne !* — LE MEILLEUR : la partie la meilleure. *Il
mange le meilleur et laisse le reste.* — Loc. *Être unis
pour le meilleur et pour le pire,* pour les circonstances
les plus heureuses comme pour les plus difficiles de
la vie. **III.** MEILLEUR (seul, suivi d'un nom) : superlatif
de *bon* dans les formules de souhaits. *Meilleurs
vœux !,* acceptez mes vœux les meilleurs. *Meilleure
santé !*

méjuger [meʒyʒe] v. tr. ▪ conjug. 3. Littér.
1. V. tr. ind. MÉJUGER DE : estimer trop peu. *Méjuger
de qqn.* **2.** V. tr. dir. Juger mal. ⇒ **méconnaître,
mésestimer.** *On l'a méjugé.*

mélancolie [melɑ̃kɔli] n. f. Littér. **1.** État de
tristesse accompagné de rêverie. *Accès, crises de
mélancolie.* ⇒ **cafard, vague** à l'âme. — Loc. *Ne pas
engendrer la mélancolie,* être très gai. **2.** Caractère
de ce qui inspire un tel état. *La mélancolie d'un
paysage.* ▶ **mélancolique** adj. **1.** Qui manifeste de
la mélancolie. *Une jeune femme mélancolique.*
⇒ **triste.** / contr. **gai** / **2.** Qui engendre la mélancolie.
Une chanson mélancolique. ▶ **mélancoliquement**
adv.

mélange [melɑ̃ʒ] n. m. **1.** Action de mêler, de se
mêler. *Opérer le mélange de divers éléments.* ⇒ **association, combinaison, fusion, union.** **2.** SANS MÉ-
LANGE : pur. *Substance à l'état isolé et sans mélange.
Bonheur sans mélange.* **3.** Ensemble résultant de
l'union de choses différentes, d'éléments divers.
⇒ **amalgame.** *Un mélange de farine et d'œufs.*
— *Mélange de races, mélange ethnique,* produit
d'êtres différents (⇒ **hybride, métis**). — Fig. ⇒ **assemblage, composé, réunion.** *Un curieux mélange de
courage et de faiblesse.* ▶ **mélanger** v. tr. ▪ conjug.
3. **1.** Unir (des choses différentes) de manière à former
un tout. ⇒ **associer, combiner, mêler, réunir.** / contr.
séparer / *Mélanger une chose à une autre, avec une
autre.* SE MÉLANGER v. pron. : s'amalgamer. *Les deux
liquides se mélangent bien.* — Au p. p. adj. Hétéroclite.
Une société assez mélangée. ⇒ **composite, mêlé.** *Des
sentiments mélangés,* complexes, contradictoires.
2. Fam. Mettre ensemble (des choses) sans chercher
ou sans parvenir à (les) ordonner. ⇒ **brouiller.** / contr.
classer, trier / *Il a mélangé tous les dossiers, toutes
les fiches.* — Fig. *Vous mélangez tout !,* vous confon-

dez. — Loc. fam. *Se mélanger les pédales, les pinceaux,*
s'embrouiller. ▶ **mélangeur, euse** n. **1.** Appareil
servant à mélanger diverses substances. ⇒ ② **mixer.**
— En appos. *Robinet mélangeur.* **2.** Dispositif mêlant
et dosant les courants reçus de différents micros.

mélan(o)- ■ Élément signifiant « noir ».

mélasse [melas] n. f. **1.** Résidu sirupeux de la
cristallisation du sucre. **2.** Fam. Brouillard épais,
boue. **3.** Fam. Situation pénible et inextricable. *Être
dans la mélasse.* ⇒ fam. **panade, pétrin.**

Melba [mɛlba] adj. invar. ■ *Pêches, fraises Melba,*
dressées dans une coupe sur une couche de glace et
nappées de crème Chantilly.

mêlécasse [melekas] n. m. **1.** Mélange d'eau-de-
vie et de cassis. *Garçon ! Un mêlécasse !* **2.** Fam. *Voix
de mêlécasse,* rauque, cassée.

mêler [mele] v. tr. ▪ conjug. 1. **I.** **1.** Rare en emploi
concret. Unir, mettre ensemble (plusieurs choses
différentes) de manière à former un tout. ⇒ **amalgamer, combiner.** / contr. **isoler, séparer** / *Mêler des
substances.* — Réunir (des choses abstraites) réellement ou par la pensée. *Mêler plusieurs thèmes dans
une œuvre.* ⇒ **entremêler.** **2.** Mettre en un désordre
inextricable. ⇒ **brouiller, embrouiller, mélanger.**
/ contr. **trier** / *Il a mêlé tous mes papiers, toutes les
notes que j'avais prises. Mêler les cartes.* ⇒ **battre.**
3. Ajouter (une chose) à une autre, mettre (une chose)
avec une autre, et les confondre. MÊLER AVEC...,
MÊLER À... *Mêler des détails pittoresques à un récit.*
— Manifester à la fois des choses différentes. ⇒ **allier,
joindre.** *Il mêle la bêtise à l'ignorance.* **4.** Faire
participer (qqn) à... *On l'a mêlé à une affaire
dangereuse.* **II.** SE MÊLER v. pron. réfl. **1.** (Choses) Être
mêlé, mis ensemble. *Peuples, races qui se mêlent.*
⇒ **fusionner.** — SE MÊLER À, AVEC : se joindre, s'unir
pour former un tout. **2.** (Personnes) Se joindre à (un
ensemble de gens), aller avec eux. *Ils se mêlèrent à
la foule.* **3.** SE MÊLER DE : s'occuper de (qqch.),
notamment lorsqu'on ne le devrait pas. *Mêlez-vous
de vos affaires, de ce qui vous regarde !* — S'aviser
de. *Lorsqu'il se mêle de travailler, il réussit mieux
qu'un autre.* ▶ **mêlé, ée** adj. **1.** Qui forme un
mélange. *Couleurs harmonieusement mêlées.* **2.** MÊLÉ
DE : qui est mélangé à (qqch.). *Noir mêlé de rouge.
Plaisir mêlé de peine.* ▶ **mêlée** n. f. **1.** Combattants
mêlés dans le corps à corps. ⇒ **bataille, cohue,
combat.** — Lutte, conflit. *Se jeter dans la mêlée.*
⇒ **arène.** — Loc. *Rester au-dessus de la mêlée,* ne pas
prendre parti d'un conflit, le considérer de haut. **2.** Phase
du jeu de rugby, dans laquelle plusieurs joueurs de
chaque équipe sont groupés autour du ballon.
⟨ ▶ **démêler, emmêler, entremêler, mélange, mêlécasse, méli-mélo, pêle-mêle, sang-mêlé** ⟩

mélèze [melɛz] n. m. ■ Arbre (conifère) à cônes
dressés.

méli-mélo [melimelo] n. m. ■ Fam. Mélange très
confus et désordonné. ⇒ **embrouillamini, fouillis.** *Des
mélis-mélos.*

mélisse [melis] n. f. **1.** Plante herbacée et aromatique. ⇒ **citronnelle.** **2.** EAU DE MÉLISSE : médicament
à base d'essence de mélisse.

mélo [melo] n. m. ■ Fam. Mélodrame. *Des mélos
larmoyants.*

mélodie [melɔdi] n. f. **1.** En musique. Ensemble de
sons successifs formant une suite reconnaissable et
agréable. ⇒ **air.** *La mélodie et le rythme d'un
morceau.* **2.** Pièce vocale composée sur le texte d'un
poème, avec accompagnement. ⇒ **chant ; chanson,
lied.** ▶ **mélodieux, euse** adj. ■ (Son, musique)
Agréable à l'oreille. ⇒ **harmonieux.** *Une voix mélo-*

dieuse. ▶ **mélodique** adj. ■ Qui a rapport à la mélodie. *Période, phrase mélodique.* — Qui a les caractères de la mélodie. *Ce morceau n'est pas très mélodique.* ⟨ ▶ mélomane ⟩

mélodrame [melɔdʀam] n. m. **1.** Drame populaire que caractérisent l'invraisemblance de l'intrigue et des situations, l'outrance des caractères et du ton. ⇒ fam. **mélo.** *Film qui tourne au mélodrame.* **2.** Situation réelle analogue. *Nous voilà en plein mélodrame.* ▶ **mélodramatique** adj. ■ *Il roulait des yeux d'un air mélodramatique.*

mélomane [melɔman] n. ■ Personne qui connaît et aime la musique. — Adj. *Peuple mélomane.*

melon [m(ə)lɔ̃] n. m. **1.** Gros fruit rond à chair juteuse et sucrée, d'une plante herbacée (*cucurbitacée*). *Cultiver des melons sous cloches.* — *Melon d'eau.* ⇒ **pastèque.** *Melon vert ou melon d'Espagne,* à peau et à chair jaune. **2.** *Chapeau melon* ou *melon,* chapeau d'homme en feutre rigide, de forme ronde et bombée. *Des chapeaux melon ; des melons.*

mélopée [melɔpe] n. f. ■ Chant, mélodie monotone et mélancolique.

membrane [mɑ̃bʀan] n. f. **1.** Tissu organique animal, mince et souple, qui forme ou enveloppe un organe, tapisse une cavité. — Tissu végétal formant enveloppe, cloison. **2.** *Membrane cellulaire,* couche cellulosique entourant les cellules vivantes. **3.** Mince cloison. *Membrane semi-perméable.* ▶ **membraneux, euse** adj. ■ Qui est de la nature d'une membrane (1).

membre [mɑ̃bʀ] n. m. **I. 1.** Chacune des quatre parties appariées du corps humain qui s'attachent au tronc. *Les membres supérieurs* ⇒ **bras,** *inférieurs* ⇒ **jambe.** — Chacune des quatre parties articulées qui s'attachent au corps des vertébrés tétrapodes. ⇒ **aile, patte. 2.** *Membre viril,* ou absolt *membre* ⇒ **pénis. II. 1.** Personne qui fait nommément partie (d'un corps). *Il n'est plus membre du parti.* — Personne (qui appartient à une communauté). *Tous les membres de la famille.* **2.** Groupe, pays qui fait librement partie d'une union. *Les membres d'une fédération. Les membres de l'O.N.U.* **III. 1.** Fragment (d'énoncé). *Un membre de phrase.* **2.** Chacune des deux parties d'une équation ou d'une inégalité. ▶ **membrure** n. f. **1.** (Avec un adj.) Ensemble des membres d'une personne. *Membrure puissante, délicate.* **2.** Ensemble des poutres transversales attachées à la quille et soutenant le pont d'un navire. ⟨ ▶ démembrer, remembrement ⟩

même [mɛm] adj., pronom et adv. **I.** Adj. indéf. **1.** (Devant le nom) Identique ou semblable. / contr. **autre, différent** / *Relire les mêmes livres. Il est dans la même classe que moi. En même temps,* simultanément. *Vous êtes tous du même avis. De même valeur.* ⇒ **égal. 2.** (Après le nom ou le pronom) *Même* marque qu'il s'agit exactement de l'être ou de la chose en question. *Ce sont les paroles mêmes qu'il a prononcées.* ⇒ **propre.** *Il est la bonté, l'exactitude même,* il est parfaitement bon, exact. — (Joint au pronom personnel) *Elle(s)-même(s), eux-mêmes,* etc. *Nous le ferons nous-mêmes. Il est toujours égal à lui-même,* le même. — Loc. *De lui-même, d'elle-même,* de sa propre décision. ⇒ **spontanément, volontairement.** *Par lui-même, par elle-même,* par ses propres moyens. *Il a tout fait par lui-même.* **II.** Pronom indéf. **1.** (Précédé de *le, la, les*) *Ce n'est pas le même,* c'en est un autre. **2.** Loc. *Cela revient au même,* c'est exactement pareil. ⇒ fam. **kif-kif. III.** Adv. **1.** Marquant un renchérissement, une gradation. *Tout le monde s'est trompé, même le professeur. Ça ne coûte même pas, pas même dix francs. Je ne m'en souviens même plus.* **2.** Exacte-

ment, précisément. *Je l'ai rencontré ici même. Aujourd'hui même.* — À MÊME : directement sur (qqch). *Il dort à même le sol.* **3.** Loc. adv. DE MÊME : de la même façon. ⇒ **ainsi, pareillement.** *Vous y allez ? Moi de même.* ⇒ **aussi.** — *Tout de même,* néanmoins, pourtant. *Quand même,* malgré tout. *Il est malade, mais travaille quand même.* — *Quand bien même* (+ conditionnel). *Quand bien même il serait venu, serait-il venu,* même s'il était venu. — Interj. fam. *Il aurait pu le dire quand même ! ou tout de même !* **4.** Loc. conj. DE MÊME QUE : introduisant une proposition comparative. ⇒ **ainsi** que, **comme.** *Jean, de même que sa sœur, sait prendre le train seul.* — DE MÊME QUE..., (DE MÊME). *De même qu'il n'a pas voulu y aller hier, (de même) il n'ira pas demain.* — MÊME SI (introduisant une propos. concessive). *Même si je lui dis, cela ne changera rien.* **5.** À MÊME DE loc. prép. : en état, en mesure de. *Il est à même de répondre.* ⇒ **capable.**

mémé [meme] n. f. Fam. **1.** Grand-mère, pour les enfants. ⇒ **mamie, mémère.** *Oui, mémé. Ta mémé va venir. Des mémés.* **2.** Femme qui n'est ni jeune ni élégante. *Tu parles d'une mémé !* — Adj. *Elle fait mémé, coiffée comme ça.*

mémento [memɛ̃to] n. m. ■ Agenda. *Des mémentos.*

mémère [memɛʀ] n. f. Fam. **1.** Grand-mère, pour les enfants. ⇒ fam. **mamie, mémé. 2.** Fam. Grosse femme d'un certain âge.

① **mémoire** [memwaʀ] n. f. **I. 1.** Faculté de conserver et de rappeler des choses passées et ce qui s'y trouve associé ; l'esprit, en tant qu'il garde le souvenir du passé. *Événement encore présent à la mémoire, vivant dans les mémoires. Elle a beaucoup de mémoire. Je n'ai pas la mémoire des chiffres. J'ai eu un trou de mémoire. Il a perdu la mémoire.* ⇒ **amnésique.** — DE MÉMOIRE loc. adv. : sans avoir la chose sous les yeux. *Réciter, jouer de mémoire.* ⇒ par **cœur. 2.** Informatique. Dispositif permettant de recueillir et de conserver les informations qui seront traitées ultérieurement ; le support de telles informations. *Mise en mémoire. Mémoire centrale, mémoires auxiliaires.* **II. 1.** *La mémoire de,* le souvenir (de qqch., de qqn). / contr. **oubli** / *Garder la mémoire d'un événement* ⇒ **mémorable. 2.** Souvenir qu'une personne laisse d'elle à la postérité. ⇒ **renommée.** *Réhabiliter la mémoire d'un savant. À la mémoire de,* pour perpétuer, glorifier la mémoire de. **3.** (En phrase négative) *De mémoire d'homme,* d'aussi loin qu'on s'en souvienne. *De mémoire de sportif, on n'avait assisté à un match pareil.* **4.** POUR MÉMOIRE : à titre de rappel, d'indication. *Signalons, pour mémoire...* ⟨ ▶ aide-mémoire, commémorer, mémorial, mémoriser ⟩

② **mémoire** n. m. **1.** État des sommes dues. ⇒ **facture. 2.** Exposé ou requête. *Adresser un mémoire au préfet.* **3.** Dissertation adressée à une société savante. **4.** *Mémoire de maîtrise,* travail personnel présenté par les étudiants après la licence (en France).

mémoires [memwaʀ] n. m. pl. ■ Récit écrit qu'une personne fait des événements auxquels elle a participé ou dont elle a été témoin. ⇒ **annales, chroniques.** *Les mémoires de Saint-Simon. Écrire ses mémoires.* ⇒ **autobiographie, journal, souvenir(s) ; mémorialiste.**

mémorable [memɔʀabl] adj. ■ Digne d'être conservé dans la mémoire des hommes. ⇒ **fameux, historique, ineffaçable, inoubliable.** *Jour mémorable.*

mémorandum [memɔʀɑ̃dɔm] n. m. **1.** Note écrite d'un diplomate pour exposer le point de vue de son gouvernement sur une question. *Des mémorandums.* **2.** Note qu'on prend d'une chose qu'on ne veut pas oublier.

mémorial, iaux [memɔrjal, jo] n. m. ■ Monument commémoratif. *Mémorial élevé en l'honneur des victimes de la guerre.* ⟨ ▶ immémorial ⟩

mémorialiste [memɔrjalist] n. ■ Auteur de mémoires historiques ⇒ **chroniqueur, historien,** ou d'un témoignage sur son temps.

mémoriser [memɔrize] v. tr. ▪ conjug. 1. ■ Didact. Fixer dans la mémoire. ▶ *mémorisation* n. f. ■ Didact. Acquisition volontaire par la mémoire. *Procédés de mémorisation.* ⇒ **mnémotechnique.**

menacer [m(ə)nase] v. tr. ▪ conjug. 3. **1.** Chercher à intimider par des menaces. *Menacer un enfant d'une punition. Le patron l'a menacé de le renvoyer.* **2.** Mettre en danger, constituer une menace pour (qqn). *Une guerre nous menace.* **3.** Présager, laisser craindre (quelque mal). *Son discours menace d'être long.* ⇒ **risquer.** — *L'orage menace.* ▶ *menaçant, ante* adj. **1.** Qui menace, exprime une menace. *Air menaçant.* **2.** (Choses) Qui constitue une menace, un danger. ⇒ **dangereux, inquiétant.** *Geste menaçant.* ▶ *menace* n. f. **1.** Manifestation par laquelle on marque (à qqn) sa colère, avec l'intention de lui faire craindre le mal qu'on lui prépare. ⇒ **avertissement.** *Obtenir qqch. par la menace. Menace de mort. Gestes, paroles de menace. Sous la menace,* en cédant à la menace. *Mettre ses menaces à exécution.* **2.** Signe par lequel se manifeste ce qu'on doit craindre (de qqch.) ; danger. *Menaces de guerre, d'inflation.*

ménage [menaʒ] n. m. **I. 1.** Ensemble des choses domestiques, spécialt des soins matériels et des travaux d'entretien et de propreté dans un intérieur. *Faire le ménage. Faire des ménages,* faire le ménage chez d'autres moyennant rétribution (⇒ **femme** de ménage). **2.** *Tenir son ménage,* son intérieur. — DE MÉNAGE : fait à la maison. *Jambon de ménage.* **II. 1.** (Dans des expressions) Vie en commun d'un couple. *Se mettre en ménage,* vivre ensemble, se marier. — Loc. *Faire bon, mauvais ménage avec qqn,* s'entendre bien, mal avec qqn. **2.** Couple constituant une communauté domestique. *Un jeune, un vieux ménage.* ▶ ① *ménager, ère* adj. **1.** (Choses) Qui a rapport aux soins du ménage, à la tenue de l'intérieur domestique. *Travaux ménagers.* — *Appareils* ménagers.* **2.** Qui provient du ménage, de la maison. *Eaux, ordures ménagères.* ▶ *ménagère* n. f. **1.** Femme qui tient une maison, s'occupe du ménage. *Ménagère qui s'en va au marché.* — Loc. *Le panier de la ménagère,* les provisions pour la maison ; les produits alimentaires achetés quotidiennement. **2.** Service de couverts de table dans un coffret. *Une ménagère en inox.* ⟨ ▶ aménager, déménager, électroménager, emménager, remue-ménage ⟩

② *ménager* [menaʒe] v. tr. ▪ conjug. 3. **I. 1.** Disposer, régler avec soin, adresse. ⇒ **arranger.** *Ménager une entrevue à, avec qqn.* — Au p. p. *Effet, dénouement bien ménagé.* Iron. *Je lui ai ménagé une petite surprise.* **2.** S'arranger pour réserver, laisser. *Ménager du temps pour faire qqch.* — Installer ou pratiquer après divers arrangements et transformations. *Ménager un escalier dans l'épaisseur du mur.* **II. 1.** Employer (un bien) avec mesure, avec économie. ⇒ **économiser, épargner. /** contr. **dépenser, gaspiller /** *Ménager ses vêtements. Ménager ses forces.* **2.** Dire avec mesure. *Ménagez vos expressions !* **3.** Employer ou traiter (un être vivant) avec le souci d'épargner ses forces ou sa vie. — Prov. *Qui veut voyager loin ménage sa monture.* **4.** Traiter (qqn) avec prudence, égard ou avec modération, indulgence. *Il était plus fort, mais il ménageait visiblement son adversaire. Il cherche à*

ménager tout le monde. **III.** SE MÉNAGER v. pron. réfl. : avoir soin de sa santé, ne pas abuser de ses forces. *Vous devriez vous ménager. Elle ne s'est pas ménagée, ces derniers temps.* ▶ *ménagement* n. m. **1.** Mesure, réserve dont on use envers qqn (par respect, par intérêt). *Traiter qqn sans ménagement,* brutalement. **2.** Procédé dont on use envers qqn que l'on veut ménager (II, 4). ⇒ **attention, égard.**

ménagerie [menaʒri] n. f. ■ Lieu où sont rassemblés des animaux rares, soit pour l'étude, soit pour la présentation au public ; ces animaux. *La ménagerie d'un cirque.* ≠ zoo.

mendier [mɑ̃dje] v. ▪ conjug. 7. **1.** V. intr. Demander l'aumône, la charité. ⇒ **quêter ;** fam. faire la **manche.** *Clochard qui mendie dans le métro.* **2.** V. tr. Solliciter humblement (qqch.), ou péj., demander de façon servile et humiliante. ⇒ **quémander.** *Mendier des voix, des compliments.* ▶ *mendiant, ante* n. ■ Personne qui mendie pour vivre. ⇒ fam. **mendigot.** *Faire la charité à un mendiant.* — Adj. *Ordres* (religieux) *mendiants,* qui faisaient profession de ne vivre que d'aumônes. ▶ *mendicité* [mɑ̃disite] n. f. **1.** Condition de la personne qui mendie. *Être réduit à la mendicité.* **2.** Action de mendier. ▶ *mendigot, ote* [mɑ̃digo, ɔt] n. ■ Fam. et péj. Mendiant. ▶ *mendigoter* v. intr. et tr. ▪ conjug. 1. ■ Fam. et péj. Mendier.

menées [məne] n. f. pl. ■ Agissements secrets dans un dessein nuisible. ⇒ **intrigue, machination.** *Menées subversives.*

mener [məne] v. tr. **I.** Faire aller (qqn) avec soi. **1.** MENER À, EN, DANS ; MENER (+ infinitif) : conduire en accompagnant ou en commandant. ⇒ **amener, emmener.** *Mener un enfant à l'école. Il mène promener son chien.* **2.** Être en tête de (un cortège, une file). — (Sans compl.) *Mener* (le peloton) *pendant un tour. Cette équipe mène deux (à) zéro.* **3.** Diriger. *Se laisser mener. L'intérêt mène le monde.* **II.** Faire aller une chose en la contrôlant. ⇒ **piloter.** — Faire marcher, évoluer sous sa direction. *Mener rondement une affaire.* — MENER À... *Mener qqch. à bien. Mener une chose à bonne fin, à terme.* **III.** (Choses) **1.** Transporter. *Voilà l'autobus qui vous mènera chez moi.* ⇒ **amener, conduire. 2.** Permettre d'aller à un lieu à un autre. *Où mène cette route ?* — Abstrait. *Une profession qui mène à tout. Cela peut vous mener loin,* avoir pour vous de graves conséquences. **IV.** Géométrie. Tracer. *Mener une parallèle à une droite.* ⟨ ▶ amener, se démener, emmener, malmener, menées, meneur, promener, surmener ⟩

ménestrel [menɛstrɛl] n. m. ■ Au Moyen Âge. Musicien et chanteur ambulant. ⇒ **jongleur.** ≠ **troubadour, trouvère.**

ménétrier [menetrije] n. m. ■ Violoniste de village, qui escorte les noces, fait danser les invités. ⇒ **violoneux.**

meneur, euse [mənœr, øz] n. **1.** *Meneur de jeu,* animateur d'un spectacle ou d'une émission. **2.** Souvent péj. Personne qui, par son autorité, prend la tête d'un mouvement populaire. ⇒ **chef, dirigeant, leader.** *On a arrêté les meneurs.* **3.** *Un meneur d'hommes,* personne qui sait mener, manier les hommes.

menhir [menir] n. m. ■ Monument mégalithique, pierre allongée dressée verticalement. *Les dolmens et les menhirs.*

méninge [menɛ̃ʒ] n. f. **1.** Chacune des membranes qui entourent le cerveau et la moelle épinière. **2.** Fam. Au plur. Le cerveau, l'esprit. *Elle ne s'est pas fatigué les méninges.* ▶ *méningé, ée* adj. ■ Relatif aux méninges (1). ▶ *méningite* n. f. ■ Inflammation aiguë ou chronique des méninges. *Méningite cérébro-*

spinale épidémique. — Fam. *Il ne risque pas d'attraper une méningite, il ne fait aucun effort intellectuel.*

ménisque [menisk] n. m. ■ Cloison fibro-cartilagineuse disposée entre deux surfaces articulaires mobiles. *Les ménisques du genou.*

ménopause [menɔpoz] n. f. ■ Cessation des menstrues et de la fonction de reproduction ; époque où elle se produit. ⇒ **retour** d'âge.

menotte [mənɔt] n. f. 1. Au plur. Bracelets métalliques réunis par une chaîne, qui se fixent aux poignets d'un prisonnier. *Passer les menottes à un suspect.* 2. Main d'enfant ; petite main. *Une menotte potelée.*

mensonge [mɑ̃sɔ̃ʒ] n. m. 1. Assertion sciemment contraire à la vérité, faite dans l'intention de tromper. ⇒ **contre-vérité, tromperie** ; fam. **bobard.** *Un grossier mensonge. Mensonge pour rire.* ⇒ **blague.** *Pieux mensonge,* inspiré par la piété ou la pitié. — *Mensonge par omission,* qui consiste à taire la vérité. 2. *Le mensonge,* l'acte de mentir, la pratique de la fausseté. *Elle vit dans le mensonge.* 3. Ce qui est trompeur, illusoire. *Le bonheur est un mensonge.* ▶ **mensonger, ère** adj. ■ Qui repose sur des mensonges ; qui trompe. ⇒ **fallacieux, faux.** *Récits mensongers. Déclaration mensongère.* / contr. **sincère, véritable** /

menstrues [mɑ̃stry] n. f. pl. ■ Didact. Écoulement sanguin périodique, d'une durée de quelques jours, qui se produit chez la femme nubile non enceinte chaque mois. ⇒ **règles.** ▶ **menstruation** n. f. ■ Fonction physiologique caractérisée par la production de menstrues, de la puberté à la ménopause*. *Troubles de la menstruation.* ▶ **menstruel, elle** adj. ■ Qui a rapport aux menstrues.

mensuel, elle [mɑ̃sɥɛl] adj. 1. Qui a lieu, se fait tous les mois. *Revue mensuelle.* 2. Calculé pour un mois et payé chaque mois. *Salaire mensuel.* ▶ **mensualité** n. f. ■ Somme payée mensuellement ou perçue chaque mois. *Il a remboursé son emprunt en vingt mensualités.* ▶ **mensuellement** adv. ■ Tous les mois. ⟨ ▶ **bimensuel** ⟩

mensuration [mɑ̃syrasjɔ̃] n. f. ■ Détermination et mesure des dimensions caractéristiques ou importantes du corps humain ; ces mesures. *Prendre ses mensurations.*

mental, ale, aux [mɑ̃tal, o] adj. 1. Qui se fait dans l'esprit seulement, sans expression orale ou écrite. *Calcul mental.* 2. Qui a rapport aux fonctions intellectuelles de l'esprit. *Maladie mentale.* ⇒ **psychique.** *Débiles mentaux. Âge mental,* âge qui correspond au degré de développement intellectuel. ▶ **mentalement** adv. 1. En esprit seulement. 2. Du point de vue mental (2). *Il est mentalement atteint.*

mentalité n. f. 1. Ensemble des croyances et habitudes propres d'une collectivité. *La mentalité primitive.* 2. Dispositions psychologiques ou morales ; état d'esprit. *Sa mentalité me déplaît.* — Fam. Morale qui indigne. *Jolie mentalité ! Quelle mentalité !*

menteur, euse [mɑ̃tœr, øz] n. et adj. 1. N. Personne qui ment, a l'habitude de mentir. *C'est un grand menteur.* — Appellatif. *Sale menteuse !* 2. Adj. Qui ment. ⇒ **faux, hypocrite.** *Je ne la croyais pas si menteuse.* / contr. **franc, sincère** / — (Choses, actes) *Son sourire est menteur.* ⇒ **trompeur.**

menthe [mɑ̃t] n. f. 1. Plante très aromatique, qui croît dans les lieux humides. — *Alcool de menthe.* 2. Sirop de menthe. *Prendre une menthe à l'eau.* — Essence de menthe. *Bonbons à la menthe.* ≠ **mante.** ▶ **menthol** [mɑ̃tɔl] n. m. ■ Alcoolphénol extrait de l'essence de menthe poivrée. ▶ **mentholé, ée** adj. ■ Additionné de menthol. *Cigarettes mentholées.*

mention [mɑ̃sjɔ̃] n. f. 1. Action de nommer, de citer, de signaler. *Il n'en est pas fait mention dans cet ouvrage.* 2. Brève note donnant une précision, un renseignement. *Rayer les mentions inutiles* (sur un questionnaire). 3. Indication d'une appréciation favorable de la part d'un jury d'examen. *Mention bien, très bien ; très honorable* (au doctorat). ▶ **mentionner** v. tr. • conjug. 1. ■ Faire mention de. ⇒ **citer, nommer, signaler.** *Ne faire que mentionner une chose,* la signaler seulement, sans en parler. — Impers. *Il est bien mentionné de* (+ infinitif), *que.*

mentir [mɑ̃tir] v. intr. • conjug. 16. 1. Faire un mensonge, affirmer ce qu'on sait être faux, ou nier, taire ce qu'on devrait dire (⇒ **mensonge**). *Il ment comme il respire,* continuellement. *Mentir à qqn,* le tromper par un mensonge. 2. (Choses) Exprimer une chose fausse. *Son sourire ment.* — Loc. *Vous faites mentir le proverbe,* ce que vous faites contredit le proverbe. ⟨ ▶ **démentir, menteur** ⟩

menton [mɑ̃tɔ̃] n. m. ■ Partie saillante du visage, constituée par l'avancée du maxillaire inférieur. *Menton en galoche, pointu.* — *Double, triple menton,* plis sous le menton. ▶ **mentonnière** n. f. 1. Jugulaire. *La mentonnière d'un casque.* 2. Plaquette fixée à la base d'un violon, sur laquelle s'appuie le menton.

mentor [mɛ̃tɔr] n. m. ■ Littér. Guide, conseiller sage et expérimenté. *Des mentors.*

① **menu, ue** [məny] adj. Littér. 1. Qui a peu de volume. ⇒ **fin, mince, petit.** / contr. **gros** / *Couper en menus morceaux.* — (Personnes) Petit et mince. *Elle est toute menue.* 2. Qui a peu d'importance, peu de valeur. *Menus détails. Menue monnaie.* — N. m. PAR LE MENU : en détail. *Il nous a raconté cela par le menu.* 3. Adv. En menus morceaux. *Viande, oignons hachés menu.* ⟨ ▶ **amenuiser, minutie** ⟩

② **menu** [məny] n. m. 1. Liste détaillée des mets dont se compose un repas (pour les vins, on dit *carte*). *Il faut que je fasse mon menu pour demain soir.* — *Menu de restaurant* (à prix fixe). *Prendre le menu* (opposé à *manger à la carte*). 2. Liste d'opérations proposées sur l'écran d'un ordinateur à l'utilisateur.

menuet [mənɥɛ] n. m. 1. Ancienne danse à trois temps. 2. Forme instrumentale, dans la suite, la sonate, rappelant cette danse.

menuiserie [mənɥizri] n. f. 1. Travail (assemblage) du bois pour la fabrication des meubles, la décoration des maisons. *Atelier de menuiserie.* 2. Ouvrages ainsi fabriqués. *Plafond en menuiserie,* en bois travaillé. 3. *Menuiserie métallique,* fabrication d'éléments de fermeture en métal. ▶ **menuisier** n. m. ■ Artisan, ouvrier qui travaille le bois équarri en planches. ≠ **charpentier.** *Menuisier de bâtiment. Menuisier d'art.* ⇒ **ébéniste.** *Elle est menuisier.*

méphitique [mefitik] adj. ■ (Vapeur, exhalaison) Qui sent mauvais et est toxique.

méplat [mepla] n. m. ■ Partie plate, plane (du visage, d'une forme représentée).

se **méprendre** [meprɑ̃dr] v. pron. • conjug. 58. ■ Littér. Se tromper (en particulier, en prenant une personne, une chose pour une autre). *Ils se ressemblent à s'y méprendre. Elle s'est méprise sur son compte.* ▶ **méprise** n. f. ■ Erreur d'une personne qui se méprend. *Commettre une méprise.* ⇒ **confusion, malentendu, quiproquo.** *Une méprise comique, ridicule, gênante.*

mépris [mepri] n. m. invar. 1. *Mépris de,* fait de considérer comme indigne d'attention. ⇒ **indifférence.** *Le mépris du danger, des richesses.* — AU MÉPRIS DE loc. prép. : sans tenir compte de, en dépit de. 2. *Mépris pour,* sentiment par lequel on considère (qqn) comme indigne d'estime, comme moralement condamnable. ⇒ **dédain, dégoût.** / contr. **estime** / *Il n'a que du mépris pour eux.* — (Sans compl.) *Il est digne de mépris. Un air plein de mépris.* — *Avoir du mépris pour qqch.*

mépriser [meprize] v. tr. ▪ conjug. 1. **1.** Estimer indigne d'attention ou d'intérêt. ⇒ **dédaigner, négliger.** / contr. **considérer** / *Mépriser le danger.* ⇒ **braver.** *Cet avis n'est pas à mépriser. Mépriser l'argent.* / contr. **désirer** / **2.** Considérer (qqn) comme indigne d'estime, comme moralement condamnable. / contr. **estimer** / *Je le méprise pour l'attitude qu'il a eue.* ▶ **méprisable** adj. ▪ Qui mérite le mépris (2). ⇒ **honteux, indigne.** *Un homme, un procédé méprisable.* / contr. **respectable** / ▶ **méprisant, ante** adj. ▪ Qui montre du mépris (2). ⇒ **arrogant, dédaigneux.** ⟨ ▶ **mépris** ⟩

mer [mɛʀ] n. f. **1.** Vaste étendue d'eau salée qui couvre une grande partie de la surface du globe. ⇒ **océan.** *De la mer.* ⇒ ① **marin, maritime.** *Poissons de mer et poissons de rivière. Haute, pleine mer,* partie éloignée des rivages. ⇒ **large** (II, 4). *Eau de mer* (opposé à *eau douce*). *Je passe mes vacances au bord de la mer, à la mer. La mer est basse,* a atteint son niveau le plus bas. *Gens de mer,* marins. *Prendre la mer,* partir sur mer. — Loc. *Un homme à la mer,* tombé dans la mer. — *Ce n'est pas la mer à boire,* ce n'est pas tellement difficile. **2.** *Une mer,* partie de la mer, délimitée (moins grande qu'un océan). *La mer du Nord.* **3.** Vaste étendue. *La mer de Glace,* grand glacier des Alpes. ⟨ ▶ **amerrir, marée, marin, marine, maritime, outremer** ⟩

mercanti [mɛʀkɑ̃ti] n. m. ▪ Commerçant malhonnête ; profiteur. *Des mercantis.* ▶ **mercantile** adj. ▪ Digne d'un commerçant cupide, d'un profiteur. ▶ **mercantilisme** n. m. **1.** Esprit mercantile. **2.** Ancienne doctrine économique (des XVIᵉ et XVIIᵉ s.) fondée sur le profit monétaire de l'État.

mercenaire [mɛʀsənɛʀ] adj. et n. m. **I.** Adj. Littér. Qui n'agit que pour un salaire. *Troupes mercenaires.* ⇒ **vénal. II.** N. m. Soldat mercenaire à la solde d'un gouvernement étranger.

mercerie [mɛʀsəʀi] n. f. **1.** Ensemble des marchandises servant aux travaux de couture. **2.** Commerce, boutique de mercier.

① **merci** [mɛʀsi] n. f. **1.** À LA MERCI DE loc. prép. : dans une situation où l'on dépend entièrement de (qqn, qqch.). *Tenir qqn à sa merci. Il est à la merci d'une erreur.* **2.** DIEU MERCI loc. adv. : grâce à Dieu. *Il n'est pas au courant, Dieu merci !* **3.** SANS MERCI : (lutte, combat) impitoyable. *Une lutte sans merci.*

② **merci** n. m. et interj. **1.** N. m. Remerciement. *Un grand merci pour ton aide. Mille mercis pour ta gentillesse.* **2.** Interj. Terme de politesse dont on use pour remercier. *Merci beaucoup. Merci pour, de votre lettre.* **3.** Formule de politesse accompagnant un refus. *Non, merci.* ⟨ ▶ **remercier** ⟩

mercier, ière [mɛʀsje, jɛʀ] n. ▪ Marchand(e) d'articles de mercerie. ⟨ ▶ **mercerie** ⟩

mercredi [mɛʀkʀədi] n. m. ▪ Troisième jour de la semaine*, qui succède au mardi. *Tous les mercredis matin. Le mercredi, en France, les enfants ne vont pas à l'école. Le mercredi des Cendres*.* — *Je suis arrivé mercredi, le mercredi qui vient de passer.*

mercure [mɛʀkyʀ] n. m. ▪ Métal d'un blanc argenté, liquide à la température ordinaire (symb. *Hg*). *Baromètre à mercure.* ▶ **mercurochrome** [mɛʀkyʀɔkʀɔm] n. m. ▪ (Nom déposé) Composé chimique rouge vif utilisé comme antiseptique externe. *Badigeonner une plaie avec du, au mercurochrome.*

merde [mɛʀd] n. f. et interj. Fam. **I.** N. f. **1.** Matière fécale. ⇒ **excrément.** *Une merde de chien.* ⇒ **crotte.** — Loc. *Traîner qqn dans la merde,* le ridiculiser. *Couvrir qqn de merde,* le dénigrer. *Avoir de la merde dans les yeux,* ne pas voir une chose évidente. **2.** Être ou chose méprisable, sans valeur. *Son livre, c'est de la merde. Il ne se prend pas pour une merde,* il se croit un grand personnage. **3.** Situation mauvaise et confuse. *Ils sont dans une sacrée merde.* — *Foutre la merde (quelque part),* mettre la pagaïe ; semer la zizanie. **4.** DE MERDE loc. adj. *Un temps de merde.* ⇒ fam. **dégueulasse. II.** Interj. **1.** Exclamation de colère, d'impatience, de mépris. ⇒ fam. **crotte, mince, zut.** *Je vous dis merde. Merde pour lui.* **2.** Exclamation d'étonnement, d'admiration. *Merde alors !* ▶ **merder** v. intr. ▪ conjug. 1. ▪ Fam. Mal réussir. *J'ai merdé à mon examen. L'essai a merdé.* ⇒ fam. **foirer.** ▶ **merdeux, euse** adj. et n. Fam. **1.** Sali d'excréments. **2.** Mauvais. ⇒ fam. **foireux.** *Une affaire merdeuse.* — N. Gamin(e), blanc-bec. *Petit merdeux !* ▶ **merdier** n. m. ▪ Fam. Grand désordre, confusion inextricable. *Comment sortir de ce merdier ?* ▶ **merdique** adj. ▪ Fam. Mauvais, sans valeur, sans intérêt. *Film, soirée merdique.* ▶ **merdoyer** [mɛʀdwaje] v. intr. ▪ conjug. 8. ▪ Fam. S'embrouiller dans une explication, dans des démarches maladroites. ⇒ fam. **vasouiller.** *Elle a merdoyé lamentablement.* ⟨ ▶ se démerder, emmerder ⟩

mère [mɛʀ] n. f. **I. 1.** Femme qui a mis au monde un ou plusieurs enfants. ⇒ **maman.** *De la mère.* ⇒ **maternel.** *Qualité, état de mère.* ⇒ **maternité.** *Mère de famille. C'est sa mère. Mère porteuse*.* **2.** Femelle qui a un ou plusieurs petits. *Une mère lionne et ses lionceaux.* **3.** Femme qui est comme une mère. *Mère adoptive.* ⇒ **nourrice.** *Leur grande sœur est une mère pour eux.* **4.** Titre de vénération donné à une religieuse (supérieure d'un couvent, etc.). — Appellatif. *Oui, ma mère.* **5.** Appellation familière pour une femme d'un certain âge. *La mère Mathieu. « C'est la mère Michel qui a perdu son chat »* (chanson). **II. 1.** *La mère patrie,* la patrie d'origine (d'émigrés, etc.). **2.** Origine, source. PROV. *L'oisiveté est mère de tous les vices.* — En appos. *Branche mère. Des maisons mères.* ▶ **mère-grand** n. f. ▪ Vx (ou dans les contes de fées). Grand-mère. *Des mères-grand.* ⟨ ▶ belle-mère, commère, grand-mère, mémère ⟩

merguez [mɛʀgɛz] n. f. invar. ▪ Petite saucisse fortement pimentée. *Il nous a servi le couscous avec des merguez.*

méridien, ienne [meʀidjɛ̃, jɛn] adj. et n. m. **I.** Adj. *Plan méridien* (que le soleil coupe à midi), plan défini par l'axe de rotation de la Terre et la verticale du lieu. — Relatif au plan méridien. *Hauteur méridienne d'un astre.* **II.** N. m. Cercle imaginaire passant par les deux pôles terrestres. *Heure du méridien de Greenwich* (G.M.T.). — Demi-cercle joignant les pôles. *Méridiens et parallèles sur les cartes.*

méridional, ale, aux [meʀidjɔnal, o] adj. **1.** Qui est au sud. / contr. **septentrional / 2.** Qui est du Midi, propre aux régions et aux gens du Midi (d'un pays, et notamment en français de France, de la France). *Climat méridional.* — N. Personne du Midi.

meringue [məʀɛ̃g] n. f. ▪ Gâteau très léger fait de blancs d'œufs battus et de sucre. ▶ **meringué, ée** adj. ▪ Enrobé, garni de pâte à meringue. *Glace meringuée.* ⇒ **vacherin.**

mérinos [meʀinos] n. m. invar. **1.** Mouton de race espagnole (originaire d'Afrique du Nord) à toison épaisse ; sa laine. **2.** Loc. fam. *Laisser pisser le mérinos,* attendre, laisser aller les choses.

merise [məʀiz] n. f. ▪ Petite cerise sauvage, rose ou noire. ▶ **merisier** n. m. ▪ Cerisier sauvage. — Bois de cet arbre. *Une armoire en merisier.*

mérite [merit] n. m. **I. 1.** Ce qui rend (une personne) digne d'estime, de récompense. ⇒ **vertu**. *Le mérite de qqn, son mérite. Avoir du mérite à... Il n'en a que plus de mérite. Il a au moins le mérite d'avoir protesté.* — SE FAIRE UN MÉRITE DE : se glorifier de. *Elle s'est fait un mérite de nous avoir aidés.* **2.** Ce qui rend (une conduite) digne d'éloges. *Sa persévérance n'est pas sans mérite.* **II. 1.** LE MÉRITE : ensemble de qualités intellectuelles et morales, particulièrement estimables. ⇒ **valeur**. *Un homme de mérite. Ce travail a certains mérites. Vanter les mérites de qqn, de qqch.* **2.** Avantage (de qqch.). *Cela a au moins le mérite d'exister.* **III.** Nom de certains ordres et décorations (récompenses). *Chevalier du Mérite agricole.* ▶ *mériter* v. tr. ▪ conjug. 1. **1.** (Personnes) Être par sa conduite, en droit d'obtenir (un avantage) ou exposé à subir (un inconvénient). ⇒ **encourir**. *Mériter l'estime, la reconnaissance de qqn. Tu mérites une fessée. Il l'a bien mérité* (→ *C'est bien fait, il ne l'a pas volé*). — Au p. p. adj. *Un repos bien mérité.* — *Il méritait de réussir. Il mériterait qu'on lui en fasse autant !* — (Choses) *Cet effort mérite un encouragement. Ceci mérite réflexion.* — Loc. prov. *Tout travail mérite salaire.* **2.** Être digne d'avoir (qqn) à ses côtés, dans sa vie. *Il ne méritait pas de tels amis.* ▶ *méritant, ante* adj. ▪ Souvent iron. Qui a du mérite (I, 1). ▶ *méritoire* adj. ▪ (Choses) Où le mérite est grand ; qui est digne d'éloge. ⇒ **louable**. *Œuvre, effort méritoire.* / contr. **blâmable** / ⟨ ▶ **démériter**, **émérite**, **immérité** ⟩

merlan [mɛrlɑ̃] n. m. ▪ Poisson de mer à chair légère. — Fam. *Faire des yeux de merlan frit*, lever les yeux au ciel de façon ridicule.

merle [mɛrl] n. m. ▪ Oiseau passereau au plumage généralement noir chez le mâle. *Siffler comme un merle.*

merlin [mɛrlɛ̃] n. m. ▪ Masse pour assommer les bœufs. *Un coup de merlin.*

merlu n. m., ou *merlus* [mɛrly] n. m. invar. ▪ Région. Colin (poisson). ▶ *merluche* n. f. ▪ Morue séchée.

mérou [meru] n. m. ▪ Grand poisson sphérique des côtes de la Méditerranée, à la chair très délicate. *Pêche au mérou. Des mérous.*

mérovingien, ienne [merɔvɛ̃ʒjɛ̃, jɛn] adj. et n. ▪ Relatif à la famille qui régna sur la Gaule franque, de Clovis à l'élection de Pépin le Bref ; de cette époque. *Les rois mérovingiens.* — N. *Les Mérovingiens.*

merveille [mɛrvɛj] n. f. ▪ Chose qui cause une intense admiration. *Les merveilles de la nature, de l'art. Les sept merveilles du monde. Ce livre est une merveille d'intelligence.* — Loc. *Faire merveille*, obtenir ou produire des résultats remarquables. — À MERVEILLE loc. adv. : parfaitement, remarquablement. *Il se porte à merveille.* ▶ *merveilleux, euse* [mɛrvɛjø, øz] adj. et n. **I.** Adj. **1.** Qui étonne par son caractère inexplicable, surnaturel. ⇒ **magique, miraculeux.** / contr. **naturel** / *Aladin, ou la lampe merveilleuse.* ⇒ **enchanté.** **2.** Qui est admirable au plus haut point, exceptionnel. ⇒ **divin, extraordinaire, mirifique, prodigieux.** *Un merveilleux chant. Elle est merveilleuse dans ce rôle.* ⇒ **remarquable.** **II.** N. m. Ce qui, dans une œuvre littéraire, se réfère à l'inexplicable, au surnaturel. ▶ *merveilleusement* adv. ▪ Admirablement, parfaitement. ⟨ ▶ **émerveiller** ⟩

mes adj. poss. ⇒ **mon.**

mésalliance [mezaljɑ̃s] n. f. ▪ Mariage avec une personne considérée comme socialement inférieure.

mésange [mezɑ̃ʒ] n. f. ▪ Petit oiseau (passereaux), qui se nourrit d'insectes, de graines et de fruits.

mésaventure [mezavɑ̃tyr] n. f. ▪ Aventure fâcheuse, événement désagréable. ⇒ **accident, malchance.** *Il m'est arrivé une mésaventure.*

mescaline [mɛskalin] n. f. ▪ Substance (alcaloïde) qui provoque des hallucinations (hallucinogène).

mesclun [mɛsklœ̃] n. m. ▪ Mélange de salades (laitue, mâche, trévise...).

mesdames, mesdemoiselles n. f. ▪ Pluriel de *madame, mademoiselle.*

mésentente [mezɑ̃tɑ̃t] n. f. ▪ Défaut d'entente ou mauvaise entente. ⇒ **brouille, désaccord, mésintelligence.** *Il y a une légère mésentente entre eux.* ≠ *malentendu.*

mésentère [mezɑ̃tɛr] n. m. ▪ Repli de la membrane du péritoine qui enveloppe l'intestin.

mésestimer v. tr. ▪ conjug. 1. ▪ Littér. Ne pas apprécier (une personne, une chose) à sa juste valeur. ⇒ **méconnaître, sous-estimer.** *Ne mésestimez pas les difficultés.* / contr. **estimer, surestimer** /

mésintelligence [mezɛ̃teliʒɑ̃s] n. f. ▪ Littér. Défaut d'accord, d'entente entre les personnes. ⇒ **discorde, dissentiment, mésentente.**

més(o)- ▪ Élément signifiant « milieu, moyens ». Ex. : *mésoderme ; mésolithique* (période moyenne de l'âge de pierre). ⟨ ▶ **mésentère** ⟩

mesquin, ine [mɛskɛ̃, in] adj. **1.** (Personnes) Qui est attaché à ce qui est petit, médiocre ; qui manque de générosité. *Un esprit mesquin.* ⇒ **étriqué, étroit, petit.** *Des idées mesquines.* **2.** Qui témoigne d'avarice. *N'offrez pas si peu, ce serait mesquin.* / contr. **généreux** / *Cela fait mesquin.* ⇒ **pauvre.** ▶ *mesquinerie* n. f. **1.** Caractère d'une personne, d'une action mesquine. ⇒ **bassesse, médiocrité.** / contr. **générosité, grandeur** / *La mesquinerie d'une vengeance.* **2.** Une mesquinerie, attitude, action mesquine.

mess [mɛs] n. m. invar. ▪ Lieu où se réunissent les officiers ou les sous-officiers d'une même unité, pour prendre leur repas en commun. ⇒ **cantine** ; fam. **popote.**

message [mesaʒ] n. m. **1.** Charge de dire, de transmettre (qqch.). ⇒ **ambassade, commission.** *S'acquitter d'un message. Je suis chargé d'un message.* **2.** Information, paroles transmises. ⇒ **annonce, avis, communication.** *Message écrit.* ⇒ **dépêche, lettre.** *Recevoir, transmettre un message. Message publicitaire*, information transmise par annonce publicitaire, afin de vendre. **3.** Contenu de ce qui est révélé, transmis aux hommes. *Le message d'un écrivain. Chanson à message.* **4.** Transmission d'une information. *Le code* d'un message.* ▶ *messager, ère* n. **1.** Personne chargée de transmettre une nouvelle, un objet. **2.** Littér. Ce qui annonce (qqch.). ⇒ **avant-coureur.** *Les oiseaux migrateurs, messagers de l'hiver.* ▶ *messagerie* n. f. ▪ Service de transports de colis et de voyageurs. *Messageries maritimes, aériennes. Messageries de presse*, organismes chargés de la distribution de la presse dans les points de vente.

messe [mɛs] n. f. **1.** Dans la religion catholique. Sacrifice du corps et du sang de Jésus-Christ sous la forme du pain et du vin, par le ministère du prêtre. *Le prêtre dit la messe. Les enfants de chœur servent la messe. Aller à la messe. Messe de minuit. Messe de Noël.* **2.** MESSE NOIRE : parodie sacrilège du saint sacrifice. **3.** Ensemble de compositions musicales sur les paroles des chants liturgiques de la messe. **4.** Loc. *Faire des* MESSES BASSES : parler à voix basse, en aparté.

Messie [mesi] n. m. ▪ Libérateur désigné et envoyé par Dieu, spécialt Jésus-Christ. — Fam. *Attendre qqn comme le Messie*, avec grande impatience.

messieurs n. m. ■ Pluriel de *monsieur*.

messire [mesiʀ] n. m. ■ Ancienne dénomination honorifique réservée aux personnes de qualité. *Messire Jehan. Oui, messire* (⇒ **seigneur, sire**).

mesure [m(ə)zyʀ] n. f. **I. 1.** Action de déterminer la valeur (de certaines grandeurs) par comparaison avec une grandeur constante de même espèce. ⇒ **évaluation ; -métrie.** *La mesure d'une grandeur. Système de mesure.* **2.** Grandeur (dimension) déterminée par la mesure. *Les mesures d'un meuble. Les mesures d'une personne.* ⇒ **mensuration.** — *(Fait)* SUR MESURE : adapté à une personne ou à un but. *Costume (fait) sur mesure.* Fig. *Rôle sur mesure,* spécialement bien adapté à la personnalité d'un comédien. **3.** Valeur, capacité appréciée ou estimée. *La mesure de ses forces. Donner la mesure,* montrer ce dont on est capable. *Prendre la mesure, la juste mesure de qqn, de ses capacités.* **4.** Loc. À LA MESURE DE : qui correspond, est proportionné à. ⇒ **échelle.** *Un adversaire à sa mesure, digne* de lui, *d'elle.* — DANS LA MESURE DE..., OÙ... : dans la proportion de, où ; pour autant que. *Dans la mesure du possible. Dans la mesure où nous le pourrons. Dans une certaine mesure,* jusqu'à un certain point. *Il a raison, dans une certaine mesure.* — À MESURE QUE... : à proportion que ; en même temps que (marque la progression dans la durée). ⇒ **au fur et à mesure** que. *On s'aime à mesure qu'on se connaît mieux.* **II. 1.** Quantité représentable par un étalon concret. *Mesures de longueur, de capacité.* **2.** Récipient de capacité connue ; ce qu'il contient. *Donner deux mesures d'avoine à un cheval.* **3.** COMMUNE MESURE (en phrase négative) : quantité prise pour unité ; rapport. *Il n'y a pas de commune mesure entre ces quantités, elles sont incommensurables. Il n'y a aucune commune mesure entre Shakespeare et ses contemporains,* sa valeur est incomparablement plus grande. *C'est sans commune mesure.* **III. 1.** Quantité, dimension normale, souhaitable. *La juste, la bonne mesure. Dépasser, excéder la mesure,* exagérer. — Loc. OUTRE MESURE : excessivement. **2.** Modération dans le comportement. ⇒ **précaution, retenue.** / contr. **démesure, excès** / *Avoir de la mesure,* être mesuré (2). *Dépenser avec mesure.* **3.** *Une mesure,* manière d'agir proportionnée à un but à atteindre ; acte officiel. ⇒ **disposition, moyen ; demi-mesure.** *Prendre des mesures d'urgence.* **4.** Division de la durée musicale en parties égales. ⇒ **cadence, mouvement, rythme.** *Mesure à quatre temps.* — EN MESURE loc. adv. : en suivant la mesure, en cadence. **5.** *Être en mesure de,* avoir la possibilité de ; être en état. *Je ne suis pas en mesure de te répondre.* ▸ **mesurer** v. ■ conjug. 1. **I.** V. tr. **1.** Évaluer (une longueur, une surface, un volume) par une comparaison avec un étalon de même espèce. *Mesurer une pièce, un couloir au mètre* (métrer). *Mesurer qqn,* sa taille. **2.** Déterminer la valeur de (une grandeur mesurable). *Mesurer (qqch.) par l'observation directe, par le calcul.* **3.** Fig. Juger par comparaison. ⇒ **estimer, évaluer.** *Mesurer la portée, l'efficacité d'un acte.* **II.** V. intr. Avoir pour mesure. *Cette planche mesure deux mètres. Il mesure un mètre quatre-vingts.* **III.** V. tr. Régler par une mesure. **1.** Donner, régler avec mesure. ⇒ **compter.** *Il lui mesure l'aide qu'il lui donne. Le temps nous est mesuré.* **2.** Faire, employer avec mesure, pondération. *Mesurez vos expressions !* **IV.** SE MESURER v. pron. **1.** (Passif) Être mesurable. *Cette distance se mesure en kilomètres.* **2.** (Réfl.) (Personnes) *Se mesurer avec, à qqn,* se comparer à lui par une épreuve de force. ⇒ se **battre, lutter.** ▸ **mesuré, ée** adj. **1.** Évalué par la mesure. **2.** Qui montre de la mesure (III, 2). ⇒ **circonspect, modéré.** *Il est mesuré en tout.* — *Des éloges mesurés.* / contr. **démesuré** / ▸ **mesu-**

-rable adj. ■ Qui peut être mesuré. *Une grandeur mesurable.* ⟨▸ **démesure, demi-mesure** ⟩

mét(a)- ■ Élément exprimant la succession, le changement ou encore « ce qui dépasse, englobe » (un objet de pensée ; une science). Ex. : *métalangage, métamathématiques.* → Voir ci-dessous les composés les plus courants.

métabolisme [metabɔlism] n. m. ■ Ensemble des transformations chimiques et biologiques qui s'accomplissent dans l'organisme.

métacarpe [metakaʀp] n. m. ■ Anatomie. Ensemble des os (dits *métacarpiens,* adj.) de la main entre le poignet et les phalanges.

métairie [meteʀi] n. f. ■ Domaine agricole exploité selon le système du métayage* ; ses bâtiments.

métal, aux [metal, o] n. m. **1.** Nom générique désignant tout corps simple, doué d'un éclat particulier (éclat métallique), bon conducteur de la chaleur et de l'électricité et formant, par combinaison avec l'oxygène, des oxydes basiques (opposé à *métalloïde*). *Métaux précieux,* argent, or, platine. *Métaux radioactifs. Le minerai d'un métal.* **2.** Substance métallique (métal ou alliage). *Industrie des métaux,* métallurgie. *Lame, plaque de métal.* ▸ **métallique** adj. **1.** Fait de métal. *Fil, charpente métallique. Monnaie métallique,* les pièces de monnaie. **2.** Qui appartient au métal, a l'apparence du métal. *Éclat, reflet métallique.* **3.** (Son) Qui semble venir d'un corps fait de métal. *Bruit, son métallique.* ▸ **métallisé, ée** adj. ■ Qui a reçu un éclat métallique. *Peinture métallisée. Voiture gris métallisé.* ▸ **métallo** n. m. ■ Fam. Ouvrier métallurgiste. *Des métallos.* ▸ **métallographie** n. f. ■ Étude de la structure des métaux. ▸ **métalloïde** [metalɔid] n. m. ■ Corps simple, généralement dépourvu d'éclat, mauvais conducteur de la chaleur et de l'électricité et qui forme avec l'oxygène des composés acides ou neutres (opposé à *métal*). ▸ **métallurgie** n. f. ■ Ensemble des industries et des techniques qui assurent la fabrication des métaux et leur mise en œuvre. *La métallurgie du fer.* ⇒ **sidérurgie.** ▸ **métallurgique** adj. ■ *Les industries métallurgiques.* ▸ **métallurgiste** n. m. **1.** Ouvrier qui travaille dans la métallurgie. ⇒ fam. **métallo.** *Les métallurgistes de l'automobile* (ajusteur, chaudronnier, fondeur, riveur). **2.** Industriel de la métallurgie.

métamorphique [metamɔʀfik] adj. ■ Se dit de toute roche qui a été modifiée dans sa structure par l'action de la chaleur et de la pression. ▸ **métamorphisme** n. m. ■ Ensemble des phénomènes qui donnent lieu à la formation des roches métamorphiques.

métamorphose [metamɔʀfoz] n. f. **1.** Changement de forme, de nature ou de structure telle que l'objet n'est plus reconnaissable. *La métamorphose d'un homme en animal.* **2.** Chez certaines espèces animales. Changement brusque survenant dans l'organisme en voie de développement. *Métamorphose du têtard en grenouille. Les métamorphoses des insectes* (larve, insecte adulte). **3.** Changement complet (d'une personne ou d'une chose) dans son état, ses caractères. ⇒ **transformation.** ▸ **métamorphoser** v. tr. ■ conjug. 1. **1.** Faire passer (un être) de sa forme primitive à une autre forme. ⇒ **changer, transformer.** **2.** Changer complètement (qqn, qqch.). *L'amour l'a métamorphosé.* — Pronominalement (réfl.). *Le petit garçon s'est métamorphosé en homme.* ⟨▸ **métamorphique** ⟩

métaphore [metafɔʀ] n. f. ■ Procédé de langage qui consiste dans une modification de sens (terme concret dans un contexte abstrait) par substitution analogique. ⇒ **comparaison, image.** *Métaphore et métonymie. « Donner dans le panneau » est une* *métaphore.* ▶ *métaphorique* adj. **1.** Qui tient de la métaphore. **2.** Qui abonde en métaphores. *Style métaphorique.* ⇒ **imagé.** ▶ *métaphoriquement* adv.

métaphysique [metafizik] n. f. et adj. **I.** N. f. Recherche rationnelle ayant pour objet la connaissance de l'être absolu (l'esprit, la nature, Dieu, la matière...), des causes de l'univers et des principes premiers de la connaissance. ⇒ **ontologie, philosophie. II.** Adj. **1.** Qui relève de la métaphysique. *Le problème métaphysique de la liberté humaine.* **2.** Qui présente l'incertitude, l'obscurité attribuées à la métaphysique. *Cette discussion est bien métaphysique.* ⇒ **abstrait.** ▶ *métaphysicien, ienne* n. ■ Personne qui s'occupe de métaphysique. ⇒ **philosophe.**

métatarse [metataʀs] n. m. ■ Anatomie. Ensemble des os du pied entre le talon et les phalanges des orteils.

métayage [meteja3] n. m. ■ Mode d'exploitation agricole, louage d'un domaine rural ⇒ **métairie** à un métayer qui le cultive pour une partie du produit. ≠ *fermage.* ▶ *métayer, yère* [meteje, jɛʀ] n. ■ Personne qui prend à bail et fait valoir un domaine sous le régime du métayage. ≠ *fermier.* ⟨ ▶ métairie ⟩

méteil [metɛj] n. m. ■ Mélange de seigle et de blé.

métempsychose [metɑ̃psikoz] n. f. ■ Doctrine selon laquelle une même âme peut animer successivement plusieurs corps (humains ou animaux).

météo [meteo] n. f. et adj. invar. **1.** N. f. Abréviation de *météorologie.* — *Les prévisions de la météo.* **2.** Adj. invar. Abréviation de *météorologique. Bulletins météo.*

météore [meteɔʀ] n. m. ■ Corps céleste qui traverse l'atmosphère terrestre (visible la nuit par une traînée lumineuse). ⇒ **astéroïde, étoile filante.** — Loc. *Passer comme un météore,* si vite qu'on s'en aperçoit à peine. — REM. *Météore* signifiait d'abord « phénomène dans l'atmosphère » (pluie, vent, grêle, tonnerre, éclair...) → météorologie. ▶ *météorique* adj. ■ Relatif aux météores. ▶ *météorite* n. m. ou f. ■ Fragment de corps céleste qui traverse l'atmosphère. ⇒ **aérolithe.** *Chute d'un météorite.*

météorologie [meteɔʀɔlɔ3i] n. f. **1.** Étude scientifique des phénomènes atmosphériques (ou *météores* → REM.). *Prévision du temps par la météorologie.* **2.** Service qui s'occupe de météorologie. ⇒ **météo.** *Bulletin de la météorologie nationale.* ▶ *météorologique* adj. ■ *Observations météorologiques.* ▶ *météorologiste* n.

métèque [metɛk] n. m. ■ Péj. Étranger (surtout méditerranéen) résidant en France et dont l'aspect physique, les allures sont jugés déplaisants (terme xénophobe ou raciste).

méthane [metan] n. m. ■ Carbure d'hydrogène (appelé aussi *gaz des marais*) ; gaz incolore, inflammable. ⟨ ▶ méthylène ⟩

méthode [metɔd] n. f. **1.** Sciences. Ensemble de démarches que suit l'esprit pour découvrir et démontrer la vérité. ⇒ **logique.** *Méthode analytique* (analyse), *synthétique* (synthèse). **2.** Ensemble de démarches raisonnées, suivies pour parvenir à un but. ⇒ **système.** *Méthode de travail. Agissez avec méthode. Méthodes de culture.* ⇒ **procédé. 3.** Règles, principes sur lesquels reposent l'enseignement, la pratique d'un art, d'une technique. *Méthode de violon, de comptabilité.* — Livre qui contient ces règles. **4.** Fam. Moyen. *Indiquer à qqn la méthode à suivre, la bonne méthode.* ⇒ **formule, marche** à suivre. ▶ *méthodique* adj. **1.** Fait selon une méthode. / contr. **empirique** / *Dé-*

monstration, vérifications méthodiques. Classement méthodique. ⇒ **rationnel. 2.** Qui agit, raisonne avec méthode. *Esprit méthodique.* / contr. **brouillon, désordonné** / ▶ *méthodiquement* adv. ■ *Travailler méthodiquement.* ▶ *méthodologie* n. f. ■ Étude des méthodes scientifiques, techniques (subdivision de la logique).

méthylène [metilɛn] n. m. **1.** Nom commercial de l'alcool méthylique dérivé du méthane (esprit de bois). **2.** Radical bivalent dérivé du méthane. — Loc. cour. *Bleu de méthylène,* colorant aux propriétés antiseptiques utilisé en teinture et en médecine. *Badigeonner qqch. au bleu de méthylène.*

méticuleux, euse [metikylø, øz] adj. ■ Très attentif aux détails. ⇒ **minutieux, pointilleux.** *Il est extrêmement méticuleux dans son travail.* ⇒ **perfectionniste.** / contr. **négligent** / — *Propreté méticuleuse. Trop méticuleux.* ⇒ **tatillon.** ▶ *méticuleusement* adv.

métier [metje] n. m. **I. 1.** Genre de travail déterminé, reconnu ou toléré par la société et dont on peut tirer ses moyens d'existence. ⇒ **emploi, fonction, gagne-pain, profession** ; fam. **boulot, job.** *Métier manuel, intellectuel. Petits métiers,* artisanaux. *Choisir un métier.* ⇒ **carrière.** *Il est garagiste de son métier.* ⇒ **état.** *Être du métier,* être spécialiste. *Il connaît son métier,* il y est compétent. PROV. *Il n'est point, il n'y a pas de sot métier.* **2.** Occupation permanente. *Le métier de roi.* ⇒ **fonction, rôle. 3.** Habileté technique (manuelle ou intellectuelle) que confère l'expérience d'un métier. ⇒ **technique.** *Il a du métier. Il manque de métier.* **II. 1.** Machine servant à travailler les textiles. *Métier à tisser.* **2.** Loc. *Mettre (un travail, une œuvre) sur le métier.* ⇒ **entreprendre.**

métis, isse [metis] adj. **I. 1.** Qui est issu du croisement de races, de variétés différentes dans la même espèce. *Enfant métis.* — N. *Les mulâtres sont des métis. Une belle métisse.* **2.** Hybride. *Œillet métis.* **II.** *Toile métisse* ou, n. m., *métis,* toile de coton et lin. ▶ *métisser* v. tr. ■ conjug. 1. ■ Croiser des individus de races différentes. — Au p. p. adj. *Chien métissé,* bâtard. ▶ *métissage* n. m. ■ Mélange, croisement de races.

métonymie [metɔnimi] n. f. ■ Didact. Procédé de langage par lequel on exprime un concept au moyen d'un terme désignant un autre concept qui lui est uni par une relation nécessaire (cause et effet, inclusion, ressemblance, etc.). « *Boire un verre* » (boire le contenu) *est une métonymie. Métonymie et métaphore.* ▶ *métonymique* adj.

① *mètre* [mɛtʀ] n. m. **1.** Élément de mesure des vers grecs et latins. **2.** Structure du vers ⇒ **mesure** ; type de vers d'après le nombre de syllabes et la coupe. *Le choix d'un mètre.* ▶ ① *métrique* n. f. ■ Étude de la versification fondée sur l'emploi des mètres ; système de versification. ⇒ **prosodie.**

② *mètre* n. m. **1.** Unité principale de longueur, base du système métrique (symb. *m*), dix millionième partie du quart du méridien terrestre. — *Un cent mètres,* une course de cent mètres. — *Mètre carré,* cour. [mɛtkaʀe], unité de superficie (symb. *m²*). *Mètre cube,* cour. [mɛtkyb], unité de volume (symb. *m³*). **2.** Objet concret, étalon du mètre. *Le mètre international en platine.* — Règle ou ruban gradué en centimètres. *Passe-moi le mètre pliant.* ▶ *métrer* v. tr. ■ conjug. 6. ■ Mesurer au mètre. *Métrer un terrain.* ▶ *métrage* n. m. **1.** Action de mesurer au mètre. **2.** Longueur de tissu vendu au mètre (la largeur étant connue). **3.** *Le métrage d'un film,* la longueur de la pellicule. *Long, moyen, court métrage,* film de

longueur déterminée. *Un court métrage documentaire.*
▶ **métreur, euse** n. ■ Personne qui mètre (spécialt les constructions). ▶② **métrique** adj. ■ Qui a rapport au mètre, unité de mesure. *Système métrique,* système décimal qui a le mètre pour base. ‹ ▶ centimètre, décamètre, décimètre, hectomètre, kilomètre, millimètre ›

-mètre, -métrie ■ Second élément signifiant « mesure ».

métrite [metʀit] n. f. ■ Maladie inflammatoire de l'utérus.

métro [metʀo] ou vx, admin. **métropolitain** [metʀɔpɔlitɛ̃] n. m. ■ Chemin de fer électrique, en général souterrain, qui dessert une grande ville. *Station, bouche de métro. Prendre le métro. Une rame de métro. Le métro de Montréal.* — *Des métros.*

métronome [metʀɔnɔm] n. m. ■ Petit instrument à pendule, servant à marquer la mesure pour l'exécution d'un morceau de musique.

métropole [metʀɔpɔl] n. f. **1.** Ville principale. ⇒ **capitale.** *Les grandes métropoles économiques.* **2.** État considéré par rapport à ses colonies, aux territoires extérieurs. *Aller en métropole.* ▶ **métropolitain, aine** adj. **1.** *Chemin de fer métropolitain.* ⇒ **métro. 2.** Qui appartient à la métropole (opposé à *colonial*).

métropolite [metʀɔpɔlit] n. m. ■ Archevêque de l'Église orthodoxe.

mets [mɛ] n. m. invar. ■ Littér. Chacun des aliments qui entrent dans un repas. ⇒ **plat.** *Un mets délicieux. Ces mets sont exquis.*

mettable [metabl] adj. ■ (Vêtements) Qu'on peut mettre. / contr. **immettable** / *Ce manteau n'est plus mettable.* ‹ ▶ immettable ›

metteur, euse [metœʀ, øz] n. — REM. Ne s'emploie guère au fém. **1.** METTEUR EN SCÈNE : personne qui assure la représentation sur scène d'une œuvre, la réalisation d'un film, d'une émission de télévision ⇒ **réalisateur.** *Elle est metteur en scène.* **2.** METTEUR EN ŒUVRE : ouvrier, technicien qui met en œuvre. **3.** METTEUR EN PAGES : typographe qui effectue la mise en pages.

mettre [metʀ] v. tr. ■ conjug. 56. **I.** Faire changer de lieu. **1.** Faire passer (une chose) dans un lieu, dans un endroit, à une place (où elle n'était pas). ⇒ **placer ;** fam. **ficher, flanquer, foutre.** *Mettez cela ici, là, autre part. Mettre sur..., poser. Mettre dans..., enfoncer, insérer, introduire.* — METTRE EN. *Mettre du vin en bouteilles. Mettre en terre,* planter ; enterrer. — METTRE À *un endroit.* ⇒ **placer.** — *Mettre près, auprès de,* approcher. — (Compl. partie du corps) *Mettre ses mains derrière le dos.* **2.** Placer (un être vivant) à un endroit. *Mettre un enfant sur sa chaise,* asseoir ; *dans son lit,* coucher. *Mettre ses amis dans les meilleures chambres.* ⇒ **installer.** *Mettre qqn sur la route,* le diriger. — Fig. *Mettre qqn sur la voie,* l'aider à comprendre, à trouver qqch.* **3.** Faire passer dans un lieu en faisant changer de situation. *Il a mis son fils en pension. Mettre en place,* installer, ranger. *Mettre qqn à la porte,* le renvoyer. — *Mettre du café à chauffer.* — Loc. *Mettre au monde, au jour,* donner naissance à. **4.** Placer (un vêtement, un ornement, etc.) sur qqn, sur soi, en le disposant comme il doit l'être. *Mettre son manteau, des gants.* **5.** Ajouter en adaptant, en assujettissant. *Mettre un ingrédient dans un plat. Elle s'est mis une barrette dans les cheveux.* **6.** Disposer. *Mettre le couvert, la table.* ⇒ **dresser.** — Installer. *Il a fait mettre l'électricité dans la grange.* **7.** METTRE... À : ajouter, apporter (un élément moral, affectif) à une action. ⇒ **user** de. *Mettre du soin à*

se cacher, de l'énergie à faire qqch.* — Loc. *Il y a mis du sien,* il a donné, payé de sa personne. **8.** METTRE... DANS, EN, À : placer dans, faire consister en. *Mettre de grands espoirs en qqn.* ⇒ **fonder. 9.** METTRE (un certain temps, de l'argent) À : dépenser, employer, utiliser. *Mettre plusieurs jours à faire qqch. Y mettre le prix.* **10.** Provoquer, faire naître. *Il a mis le désordre, le trouble partout.* ⇒ **causer, créer, semer. 11.** Écrire, coucher par écrit. *Mettre son nom sur un album.* — Fam. METTONS QUE : admettons que. *Mettons que je n'ai (ou que je n'aie) rien dit.* **12.** Loc. fam. *Mettre les bouts, les voiles,* s'en aller. ⇒ fam. **filer.** *On les met* (même sens). **II. 1.** (Avec un adv.) Placer dans une position nouvelle (sans qu'il y ait déplacement ni modification d'état, pour le complément). *Mettre qqn debout. Mettre bas, à bas,* abattre. — Sans compl. *Mettre bas,* accoucher (animaux). *La chienne a mis bas.* **2.** Placer, disposer dans une position particulière. *Voulez-vous mettre le loquet* (le baisser)*, le verrou* (le pousser) *? III.* Faire passer dans un état nouveau ; modifier en faisant passer dans une situation nouvelle. **1.** (Sens concret) METTRE EN : transformer en. *Mettre du blé en gerbe. Mettre un texte en français,* le traduire. — METTRE À. *Mettre un bassin à sec.* **2.** (Emplois abstraits) METTRE qqch. ou qqn DANS, EN, À : changer, modifier en faisant passer dans, à un état nouveau (Voir les substantifs). *Mettre en état, préparer. Mettre en contact, en présence. Mettre en lumière, en cause. Mettre au point un appareil de photo. Mettre qqn à mort,* exécuter. — Faire avancer, marcher, agir ou préparer pour l'action. *Mettre en mouvement, en service, en vente. Mettre en œuvre.* **3.** Faire fonctionner. *Il met la radio à partir de six heures du matin.* **IV.** SE METTRE v. pron. **1.** Réfl. Venir occuper un lieu, une situation. ⇒ se **placer.** *Mets-toi dans ce fauteuil, sur ce canapé. Se mettre à la fenêtre. Elle s'est mise au lit. Se mettre à l'abri.* — Loc. *Ne plus savoir où se mettre,* être embarrassé, gêné. **2.** Passif. (Suj. chose) Avoir pour place habituelle. *Je ne sais pas où se mettent les assiettes.* ⇒ se **ranger. 3.** Devenir. — Réfl. *Elle s'est mise en colère.* — Récipr. *Elles se sont mises d'accord.* **4.** Réfl. Prendre une position, un état, une apparence. *Se mettre à genoux. Se mettre en civil.* **5.** SE METTRE À : commencer à faire. *Se mettre au travail. Se mettre aux mathématiques,* commencer à les étudier. — Commencer. *Se mettre à faire qqch.* **6.** Loc. *N'avoir rien à se mettre* (pour s'habiller décemment, à son goût). **7.** Fam. Récipr. Se donner des coups. *Qu'est-ce qu'ils se mettent !* ‹ ▶ admettre, commettre, compromettre, démettre, émettre, hormis, mainmise, mettable, metteur, mise, missile, mission, prémisse, promettre, remettre, soumettre, transmettre ›

① **meuble** [mœbl] adj. et n. m. **1.** Adj. (Terre) Qui se remue, se laboure facilement. *Un sol meuble.* **2.** Adj. et n. m. Droit. Biens qui peuvent être déplacés : meubles ②, animaux, véhicules, navires, marchandises. / contr. **immeuble** / *Des biens meubles et immeubles.* ‹ ▶ ameublir ›

② **meuble** n. m. ■ Tout objet mobile de formes rigides servant à l'aménagement de l'habitation, des locaux. ⇒ **ameublement, mobilier.** *Marchand de meubles anciens,* antiquaire. *Meubles rustiques.* ▶ **meubler** v. tr. ■ conjug. 1. **1.** Garnir de meubles. *Meubler sa maison.* **2.** Au p. p. adj. CHAMBRE MEUBLÉE : louée avec des meubles. — N. m. *Habiter un meublé,* un appartement meublé. **3.** Remplir ou orner. *Meubler ses loisirs avec quelques bons livres.* ⇒ **occuper. 4.** V. pron. SE MEUBLER : acquérir des meubles. *Ils n'ont pas d'argent pour se meubler.* ‹ ▶ ameublement, garde-meuble, immeuble ›

meugler [møgle] v. intr. ■ conjug. 1. ■ Beugler. ▶ **meuglement** n. m. ■ *Les meuglements des bœufs, des vaches.*

① **meule** [mœl] n. f. **1.** Cylindre plat et massif, servant à broyer, à moudre. *Meules de moulin.* **2.** Disque en matière abrasive, à grains très fins, servant à user, à aiguiser, à polir. *Affûter un couteau sur la meule.* ⇒ **meuler.** ▶ *meuler* v. tr. . conjug. 1. ■ Passer, dégrossir, affûter à la meule.

② **meule** n. f. ■ Gros tas de foin, de gerbes.

meulière [mœljɛʀ] adj. f. et n. f. ■ *Pierre meulière* ou, n. f., *meulière*, pierre à surface rugueuse employée en maçonnerie.

meunier, ière [mønje, jɛʀ] n. et adj. **1.** Personne qui possède, exploite un moulin à céréales, ou qui fabrique de la farine. ⇒ **minotier. 2.** En appos. Invar. *Sole, poisson meunière*, frit(e) dans la farine. *Des soles meunière.* **3.** Adj. Qui a rapport à la meunerie. *Industrie meunière.* ▶ *meunerie* [mønʀi] n. f. **1.** Industrie de la fabrication des farines. **2.** Ensemble des meuniers. *Chambre syndicale de la meunerie.*

meurtre [mœʀtʀ] n. m. ■ Action de tuer volontairement un être humain. ⇒ **assassinat, crime, homicide.** ▶ *meurtrier, ière* n. et adj. **I.** Personne qui a commis un ou des meurtres. ⇒ **assassin, criminel. II.** Adj. (Choses) Qui cause, entraîne la mort de nombreuses personnes. ⇒ **destructeur, funeste, sanglant.** *Combats meurtriers. Arme meurtrière.* — Où de nombreuses personnes trouvent la mort. ⇒ **dangereux.** *Une route meurtrière.* — Qui pousse à tuer. *Fureur meurtrière.*

meurtrière [mœʀtʀijɛʀ] n. f. ■ Fente verticale pratiquée dans un mur de fortification pour jeter des projectiles ou tirer sur les assaillants.

meurtrir [mœʀtʀiʀ] v. tr. . conjug. 2. **1.** Serrer, heurter au point de laisser une marque sur la peau. ⇒ **contusionner.** *Il lui serrait le poignet à le meurtrir.* — Au p. p. adj. *Il a les pieds tout meurtris.* **2.** Fig. Blesser. — Au p. p. adj. *Avoir le cœur meurtri.* ▶ *meurtrissure* n. f. **1.** Marque sur la peau meurtrie. ⇒ **bleu, contusion, coup, noir.** — Tache sur des fruits, des végétaux endommagés. **2.** Marque, trace laissée par la fatigue, la maladie, la vieillesse. — *Les meurtrissures du cœur.*

meute [møt] n. f. **1.** Troupe de chiens dressés pour la chasse à courre. **2.** Bande, troupe de gens acharnés à la poursuite, à la perte de qqn. 〈 ▶ ameuter 〉

mévente [mevɑ̃t] n. f. ■ Insuffisance des ventes.

mexicain, aine [mɛksikɛ̃, ɛn] adj. ■ Du Mexique. — N. *Les Mexicains.*

mezzanine [mɛdzanin] n. f. **1.** Petit étage entre l'orchestre et le premier balcon. *Mezzanine d'une salle de spectacle.* ⇒ **corbeille** (II, 2). **2.** Petite plate-forme aménagée entre deux grands étages. *Il a construit une mezzanine dans sa salle à manger.*

mezzo [mɛdzo] n. ■ N. m. Voix de femme, entre le soprano et le contralto. — N. f. Chanteuse qui a cette voix.

mi [mi] n. m. ■ Troisième note de la gamme d'ut.

mi- [mi] adj. invar. et adv. employé comme préf. **1.** Suivi d'un nom et formant un nom composé ; le milieu de. *La mi-janvier.* **2.** Loc. adv. À MI- (suivi d'un nom) : au milieu, à la moitié de. *À mi-hauteur. À mi-côte.* ⇒ **à mi-corps, à mi-jambe. 3.** (Formant un adjectif composé) *Mi-long. Étoffe mi-fil, mi-coton. Yeux mi-clos.*

miam-miam [mja(m)mjam] interj. ■ Fam. Exclamation qui exprime le plaisir de manger.

miaou [mjau] n. m. ■ Fam. et lang. enfantin. Cri du chat. ⇒ **miaulement.** *Le chat fait miaou. Des miaous.*

miasme [mjasm] n. m. ■ Émanation à laquelle on attribuait les maladies infectieuses.

miauler [mjole] v. intr. . conjug. 1. ■ (Chat, certains félins) Pousser un cri (le cri propre à leur espèce). ▶ *miaulement* n. m. ■ Cri du chat. ⇒ fam. **miaou.** — Léger grincement, sifflement.

mica [mika] n. m. **1.** Minerai constituant des roches volcaniques et métamorphiques. *Roche à mica.* **2.** Plaque de mica blanc transparent servant de vitre, etc.

Mi-Carême [mikaʀɛm] n. f. ■ Jeudi de la troisième semaine de carême, fête pour laquelle les enfants se déguisent.

micelle [misɛl] n. f. ■ Très grosse molécule.

miche [miʃ] n. f. ■ Pain rond assez gros.

micheline [miʃlin] n. f. ■ Automotrice montée sur pneumatiques. ⇒ **autorail.**

à mi-chemin [amiʃmɛ̃] loc. adv. ■ Au milieu du chemin, du trajet. ⇒ **à mi-course.** — Fig. Sans avoir atteint son but. *S'arrêter à mi-chemin.*

micmac [mikmak] n. m. ■ Fam. Agissements compliqués, suspects. ⇒ **manigance.** *Des micmacs.*

micocoulier [mikɔkulje] n. m. ■ Arbre du genre orme, des régions chaudes et tempérées.

à mi-corps [amikɔʀ] loc. adv. ■ Au milieu du corps, jusqu'au niveau de la taille.

à mi-course [amikuʀs] loc. adv. ■ Au milieu du parcours, de la course. ⇒ **à mi-chemin.**

micro [mikʀo] n. **1.** N. m. Microphone. *Parler, chanter au micro, devant, dans un micro.* **2.** N. m. Micro-ordinateur. *Des micros.* — REM. On dit aussi (anglic.) *P. C. (personal computer)* : ordinateur personnel. **3.** N. f. *La micro.* ⇒ **micro-informatique.**

micr(o)- ■ Élément signifiant « petit ». ⇒ **mini-.** Ex. : *microseconde* [mikʀos(ə)gɔ̃d] n. f., un millionième de seconde.

microbe [mikʀɔb] n. m. **1.** Organisme microscopique *(micro-organisme)* qui donne des maladies. ⇒ **bacille, bactérie, virus. 2.** Fam. Personne chétive, petite. ⇒ **avorton.** ▶ *microbien, ienne* adj. ■ Relatif aux microbes. — Causé par les microbes. *Maladie microbienne.* ▶ *microbiologie* n. f. ■ Science traitant des microbes.

microclimat [mikʀoklima] n. m. ■ Conditions climatiques concernant une petite zone. *Ici, nous bénéficions d'un microclimat.*

microcosme [mikʀokɔsm] n. m. ■ Littér. Abrégé, image réduite du monde, de la société.

microfilm [mikʀɔfilm] n. m. ■ Photographie (de document, etc.) de très petit format sur film.

micro-informatique [mikʀoɛ̃fɔʀmatik] n. f. ■ Informatique des micro-ordinateurs.

micron [mikʀɔ̃] n. m. ■ Unité de longueur (μ) égale à un millionième de mètre.

micro-ordinateur [mikʀoɔʀdinatœʀ] n. m. ■ Ordinateur de format réduit, surtout destiné à l'usage individuel. ⇒ **micro** (2). *Des micro-ordinateurs.*

micro-organisme [mikʀoɔʀganism] n. m. ■ Didact. Organisme microscopique. ⇒ **microbe.** *Des micro-organismes.*

microphone [mikʀofɔn] n. m. ■ Appareil électrique qui amplifie les ondes sonores. ⇒ **micro** (1).

microphysique [mikʀofizik] n. f. ■ Partie de la physique qui étudie spécialement l'atome et les phénomènes atomiques, nucléaires.

microprocesseur [mikʀɔpʀɔsɛsœʀ] n. m. ■ Circuits intégrés de très petite dimension *(microcircuits)* formant une unité de traitement de l'information (ordinateurs). ⇒ **puce.**

microscope [mikʀɔskɔp] n. m. ■ Instrument d'optique qui permet de voir des objets invisibles à l'œil nu. *Ce microscope grossit mille fois.* — *Microscope électronique,* dans lequel un faisceau d'électrons remplace le rayon lumineux. — *Examiner qqch. au microscope,* avec la plus grande minutie. ▸ *microscopique* adj. **1.** Visible seulement au microscope. Qui se fait à l'aide du microscope. *Examen, opération microscopique.* **2.** Très petit, minuscule. ‹ ▸ ultramicroscope ›

microsillon [mikʀɔsijɔ̃] n. m. ■ Disque (33 et 45 tours/minute) à sillons très petits.

miction [miksjɔ̃] n. f. ■ En médecine. Action d'uriner. *Miction douloureuse.*

midi [midi] n. m. **I. 1.** Milieu du jour entre le matin et l'après-midi. *Le repas de midi.* **2.** Heure du milieu du jour, douzième heure. *On mangera à midi juste. Il est midi. Midi un quart* (12 h 15), *et demi ; midi dix* (minutes). — Loc. *Chercher midi à quatorze heures,* chercher des difficultés où il n'y en a pas, compliquer les choses. **II. 1.** Sud, exposition d'un lieu au sud. *Coteau exposé au midi.* **2.** *Le Midi,* la région qui est au sud d'un pays. — La région du sud de la France. *Avoir l'accent du Midi.* ⇒ **méridional.** ‹ ▸ après-midi, midinette ›

midinette [midinɛt] n. f. ■ Jeune fille de la ville, simple, sentimentale ou frivole. *Conversations de midinette.*

mie [mi] n. f. **1.** Partie molle à l'intérieur du pain. *Manger la mie et laisser la croûte. Pain de mie,* pain sans croûte. **2.** Fam. Adj. À LA MIE DE PAIN : sans valeur. ⇒ fam. à la **gomme,** à la **noix.** ‹ ▸ miette ›

miel [mjɛl] n. m. **1.** Substance sirupeuse et sucrée que les abeilles élaborent. **2.** Loc. *Être* TOUT SUCRE TOUT MIEL : se faire très doux. ▸ *mielleux, euse* adj. ■ Qui a une douceur affectée. ⇒ **doucereux.** *Paroles, phrases mielleuses. Air mielleux.* ⇒ **hypocrite.**

mien, mienne [mjɛ̃, mjɛn] adj. et pronom possessifs représentant la première personne du singulier *(je).* **I.** Adj. possessif **1.** Littér. Épithète. *Un mien cousin.* **2.** Attribut. *Ses idées que j'ai faites miennes,* que j'ai prises à mon compte. **II.** Pronom possessif. LE MIEN, LA MIENNE *(les miens, les miennes)* : l'objet ou l'être lié à la première personne par un rapport de parenté, de possession, etc. *Votre fils et le mien. Leurs enfants et les deux miens. Je ne discute pas, votre prix sera le mien.* **III.** N. m. **1.** Loc. *J'y ai mis du mien,* j'ai fait un effort (⇒ **sien**). LES MIENS : mes parents, mes amis, mes partisans.

miette [mjɛt] n. f. **1.** Petit morceau de pain, de gâteau qui tombe quand on le coupe. **2.** *Les miettes* (d'une fortune, d'un partage), le peu qu'il en reste. *Dans cette affaire, nous n'aurons que des miettes.* **3.** Petit fragment. *Mettre un verre en miettes.* ⇒ **morceau, pièce.** *Donnez-moi une miette de ce gâteau.* **4.** Fam. PAS UNE MIETTE : rien du tout. *Ne pas perdre une miette d'un spectacle.* ‹ ▸ émietter, ramasse-miettes ›

mieux [mjø] adv. ■ Comparatif irrégulier de BIEN (au lieu de *plus bien*). **I.** MIEUX. **1.** D'une manière plus accomplie, meilleure. / contr. plus **mal** / *Cette lampe éclaire mieux. Je le connais mieux.* — ALLER MIEUX : être en meilleure santé ; être dans un état plus prospère. *Le malade va mieux.* — (Au conditionnel) FAIRE MIEUX DE : avoir intérêt, avantage à. *Vous feriez mieux de vous taire.* — *Aimer mieux,* préférer. **2.** MIEUX QUE... *Il travaille mieux que son frère. Mieux que jamais.* / contr. plus **mal** / **3.** (Avec *plus, moins*) *Moins il mange, mieux il se porte.* **4.** Loc. adv. *On ne peut mieux,* parfaitement. *Il va on ne peut mieux.* — *De mieux en mieux,* en progressant dans la qualité. — *À qui mieux mieux,* à qui fera mieux (ou plus) que l'autre. **II.** LE MIEUX. **1.** De la meilleure façon. / contr. plus **mal** / *Les situations le mieux payées,* payées plus que les autres. **2.** Loc. AU MIEUX : dans le meilleur des cas. *Au mieux, il réunira deux mille suffrages.* — ÊTRE AU MIEUX *(avec une personne)* : en excellents termes. **3.** POUR LE MIEUX : le mieux possible. *Tout est, tout va pour le mieux* (dans le meilleur des mondes). **4.** DES MIEUX. *Cet appartement est des mieux meublés.* **III.** Adj. attribut. **1.** (Personnes) En meilleure santé. *Se sentir mieux. Je vous trouve mieux.* — Plus beau ; plus intéressant. *Il est mieux que son frère.* — Plus à l'aise. *Mettez-vous dans ce fauteuil, vous serez mieux.* **2.** (Choses) Préférable, d'une plus grande qualité, d'un plus grand intérêt. / contr. **pire** / *Parler est bien, se taire est mieux. Si vous n'avez rien de mieux à faire ce soir, je vous emmène au cinéma.* **3.** Loc. QUI MIEUX EST : ce qui est mieux encore. / contr. **pis** / **IV.** Emploi nominal. **1.** (Sans article) Quelque chose de mieux, une chose meilleure. *En attendant mieux. Il y a mieux, mais c'est plus cher. Faute de mieux. Il a changé en mieux,* à son avantage. **2.** N. m. invar. LE MIEUX : ce qui est meilleur. PROV. *Le mieux est l'ennemi du bien,* on risque de gâter une bonne chose en cherchant à mieux faire. — *Le médecin a constaté un léger mieux,* une amélioration. — *De mon (ton, son) mieux,* aussi bien qu'il est en mon (ton, son) pouvoir. *J'essaie de faire de mon mieux.* ▸ *mieux-être* [mjøzɛtʀ] n. m. invar. ■ État plus heureux, amélioration du bien-être.

mièvre [mjɛvʀ] adj. ■ D'une grâce enfantine et fade. *Poésie mièvre.* ▸ *mièvrerie* n. f. ■ Grâce puérile, fade et recherchée.

mignardise n. f. ■ Délicatesse, grâce affectée. *Des mignardises.* ⇒ **chichi, manière, minauderie.**

mignon, onne [miɲɔ̃, ɔn] adj. et n. **I.** Adj. **1.** (Personnes jeunes, objets sans grande valeur) Qui a de la grâce et de l'agrément. ⇒ **charmant, gracieux, joli.** *Une fille jeune et mignonne. Il est mignon, votre vase.* **2.** Aimable, gentil. *Sois mignonne !* **3.** FILET MIGNON : bifteck coupé dans la pointe du filet. **II.** N. Personne mignonne. *Une jolie petite mignonne. Mon mignon.*

migraine [migʀɛn] n. f. ■ Mal de tête. *J'ai une légère migraine. Il a la migraine.*

migration [migʀɑsjɔ̃] n. f. **1.** Déplacement de populations qui passent d'un pays dans un autre pour s'y établir. ⇒ **émigration, immigration.** — Déplacement massif de personnes d'un endroit à un autre. *Les grandes migrations estivales, des vacances.* **2.** Déplacement, d'ordinaire périodique, qu'accomplissent certaines espèces animales (oiseaux, poissons...). ▸ *migrateur, trice* adj. et n. ■ (Animaux) Qui émigre. *Passage d'oiseaux migrateurs.* — N. m. *Les migrateurs.* ▸ *migratoire* adj. ■ Relatif aux migrations. *Les mouvements migratoires.* ‹ ▸ émigrer, immigrer ›

à mi-jambe [amiʒɑ̃b] loc. adv. ■ Au niveau du milieu de la jambe. *Avoir de l'eau jusqu'à mi-jambe* (aussi *à mi-jambes*).

mijaurée [miʒɔʀe] n. f. ■ Femme, jeune fille aux manières affectées, prétentieuses et ridicules. ⇒ **pimbêche.** *Elle fait sa mijaurée.*

mijoter [miʒɔte] v. tr. ■ conjug. 1. **I. 1.** Faire cuire ou bouillir lentement ; préparer un mets avec soin.

⇒ **mitonner**. *Il nous mijote de bons petits plats.*
2. Fam. Mûrir, préparer avec réflexion et discrétion
(une affaire, un mauvais coup, une plaisanterie).
⇒ **fricoter**. *Qu'est-ce qu'il mijote ?* **II.** Intransitivement. *Potage qui mijote.*

① *mil* [mil] ⇒ ① **mille.**

② *mil* [mij ; mil] n. m. ■ Vx. ⇒ **millet.** *Grain de
mil.*

milan [milɑ̃] n. m. ■ Oiseau rapace, variété d'aigle.

mildiou [mildju] n. m. ■ Maladie causée par des
champignons minuscules, et qui attaque diverses
plantes. — Maladie de la vigne (rouille des feuilles).

mile [majl] n. m. ■ Mesure anglo-saxonne de
longueur (1 609 m). ⇒ ② **mille.** *Dix miles* [dimajl ;
dimajlz].

milice [milis] n. f. ■ Troupe de police supplétive
qui remplace ou renforce une armée régulière. *Milices
populaires.* — Police, dans certains pays. ▶ *milicien,
ienne* n. ■ Membre d'une milice. — Policier, dans
certains pays. *Les miliciens soviétiques.*

① *milieu* [miljø] n. m. **I. 1.** Partie d'une chose
qui est à égale distance de ses bords, de ses extrémités.
Scier une planche par le milieu. Le milieu d'une pièce.
⇒ **centre. 2.** Ce qui est placé entre d'autres choses.
Le doigt du milieu. **3.** Période également éloignée du
commencement et de la fin. *Le milieu du jour.* ⇒ **midi.**
4. AU MILIEU : à mi-distance des extrémités. — AU
MILIEU DE. *Au milieu de la route. Au milieu du repas.
Il est arrivé* EN PLEIN MILIEU, AU BEAU MILIEU *de
la séance.* — Fig. *Au milieu de..., parmi. Il vit au milieu
des siens. Au milieu du danger.* **II. 1.** Ce qui est
éloigné des extrêmes, des excès ; position, état
intermédiaire. ⇒ **intermédiaire.** *Il y a un milieu, il
n'y a pas de milieu entre...* **2.** LE JUSTE MILIEU : la
moyenne, la position non extrême.

② *milieu* n. m. **1.** Ce qui entoure, ce dans quoi
une chose ou un être se trouve. *Placer un malade en
milieu stérile.* **2.** Ensemble des objets matériels, des
circonstances physiques qui entourent et influencent
un organisme vivant. ⇒ **environnement.** *Adaptation
au milieu.* **3.** L'entourage matériel et moral (d'une
personne). ⇒ **ambiance, atmosphère, cadre, décor.**
— Le groupe social où qqn vit. *Sortir du milieu
familial.* — Au plur. *Les milieux militaires, littéraires,
scientifiques.* **4.** *Le Milieu,* groupe social formé en
majorité d'individus vivant de la prostitution et du
vol.

militaire [militɛʀ] adj. et n. m. **I.** Adj. **1.** Relatif
à la force armée, à son organisation, à ses activités.
⇒ **guerrier.** *École militaire. Service militaire. Opération militaire.* **2.** Qui est fondé sur la force armée.
Gouvernement militaire. Coup d'État militaire. **II.** N.
m. UN MILITAIRE : celui qui fait partie des forces
armées. ⇒ **soldat,** homme de **troupe ; officier.** ▶ *militairement* adv. **1.** D'une manière militaire. *Saluer
militairement.* **2.** Par l'emploi de la force armée.
Occuper militairement un territoire. ▶ *militariser* v.
tr. • conjug. 1. ■ Organiser d'une façon militaire ;
pourvoir d'une force armée. — Au p. p. adj. *Zone
militarisée.* ▶ *militarisation* n. f. ■ Action de
militariser. ▶ *militarisme* n. m. **1.** Péj. Prépondérance de l'armée, de l'élément militaire. ⇒ **bellicisme.**
/ contr. **pacifisme** / **2.** Système politique qui s'appuie
sur l'armée. ▶ *militariste* adj. et n. ■ *Nationalisme
militariste.* ▶ *militer* v. intr. • conjug. 1. **1.** (Choses)
MILITER POUR, CONTRE... : constituer une raison, un
argument pour ou contre. *Les arguments, les raisons
qui militent en faveur de cette décision.* **2.** (Personnes)
Agir, lutter sans violence pour ou contre (une cause).
— Sans compl. Être un militant. ▶ *militant, ante*

adj. et n. **1.** Qui combat activement dans les luttes
idéologiques. ⇒ **actif.** *Doctrine, politique militante.*
2. N. UN MILITANT, UNE MILITANTE. *Militant
communiste, chrétien. Militant de base.* ▶ *militan-
tisme* n. m. ■ Attitude de ceux, de celles qui militent
activement au sein d'une organisation, d'un parti.
⟨ ▶ antimilitarisme, démilitariser, manu militari,
paramilitaire, prémilitaire, remilitariser ⟩

① *mille* [mil] adj. invar. et n. m. invar. **I.** Adj.
1. Numéral cardinal (1 000) ; dix fois cent. *Mille deux
cents. Cinq mille. Deux mille trois cents. Courir le dix
mille mètres.* **2.** Un grand nombre, une grande
quantité (→ trente-six, cent). *Dire mille fois. Faire
mille amitiés.* — Loc. *Je vous le donne en mille,* vous
n'avez pas une chance sur mille de deviner. — (Dans
une date) *L'an deux mille. Mille neuf cent quatre-
vingt-huit.* REM. Dans les dates, on peut écrire aussi *mil.*
3. Adj. numéral ordinal. ⇒ **millième.** *Page mille.* **II.** N.
m. invar. **1.** Le nombre mille. *Mille plus deux mille
cinq cents.* — POUR MILLE (précédé d'un numéral) :
proportion par rapport à mille. *Natalité de 15 pour
mille (15 ‰).* **2.** Partie centrale d'une cible, marquée
du chiffre 1 000. *Mettre dans le mille,* dans le but.
3. ⇒ **millier.** *Objets vendus à tant le mille.* — Fam.
Des mille et des cents, beaucoup d'argent. ⟨ ▶ millefeuille, millénaire, mille-pattes, millésime, milliard, millième, millier, million ⟩

② *mille* [mil] n. m. **1.** Nom d'anciennes mesures
de longueur. **2.** *Mille anglais.* ⇒ **mile.** — *Mille marin*
(1 852 m).

millefeuille [milfœj] n. m. ■ Gâteau à pâte
feuilletée.

millénaire [mi(l)lenɛʀ] adj. et n. m. **1.** Adj. Qui
a mille ans (ou plus). *Une tradition plusieurs fois
millénaire.* **2.** N. m. Période de mille ans.

mille-pattes [milpat] n. m. invar. ■ Insecte du
groupe des scolopendres (vingt et un segments,
quarante-deux pattes).

millésime [mi(l)lezim] n. m. **1.** Chiffre exprimant
le nombre mille, dans l'énoncé d'une date. **2.** Les
chiffres qui indiquent la date d'une monnaie, d'un
timbre-poste, d'un vin. *Les grands millésimes.* ⇒ **cru.**
▶ *millésimé, ée* adj. ■ Qui porte un millésime.
Bouteille millésimée.

millet [mijɛ] n. m. ■ Nom courant de plusieurs
céréales (maïs, sarrasin, etc.). ⇒ **mil.** *Farine de millet.*

milli- ■ Élément signifiant « un millième » (ex. :
millimètre).

milliard [miljaʀ] n. m. ■ Nombre de mille
millions. *Dix milliards de francs.* — *Des milliards,*
une quantité immense. ▶ *milliardaire* adj. et n.
■ Qui possède un milliard (ou plus) d'une unité
monétaire. *Compagnie pétrolière plusieurs fois milliardaire en dollars.* — N. *Un, une milliardaire,* personne
extrêmement riche.

millibar [milibaʀ] n. m. ■ Unité de pression
atmosphérique d'un millième de bar.

millième [miljɛm] adj. numéral et n. m. **1.** Adj. numéral
ordinal. Qui occupe le rang indiqué par le nombre
mille. **2.** Se dit d'une des parties d'un tout divisé en
mille parties égales. *La millième partie.* — N. m. *Un
millième.*

millier [milje] n. m. ■ Nombre, quantité de mille
ou d'environ mille. *Des centaines de milliers de
personnes.* — Loc. adv. PAR MILLIERS : en très grand
nombre.

milligramme [mi(l)ligʀam] n. m. ■ Millième
partie du gramme (symb. *mg*). ▶ *millimètre* n. m.
■ Millième partie du mètre (symb. *mm*). *Millième de*

millimètre. ⇒ **micron**. ▶ *millimétré, ée* adj. ■ Gradué, divisé en millimètres. *Papier millimétré (ou millimétrique).*

million [miljɔ̃] n. m. ■ Mille fois mille. *Un million, dix millions d'hommes.* — Un million de francs, d'unités monétaires. *Posséder des millions. Être riche à millions.* ▶ **millionième** adj. et n. m. **1.** Adj. num. ordinal. Qui occupe le rang marqué par le nombre d'un million. *Le dix millionième visiteur.* **2.** Se dit de chaque partie d'un tout divisé en un million de parties égales. — N. *Un millionième de millimètre.* ▶ **millionnaire** adj. et n. ■ Qui possède un ou plusieurs millions (d'unités monétaires), qui est très riche. *Il est plusieurs fois millionnaire.* ⇒ **multimillionnaire**. *Être millionnaire en marks, en dollars.* — N. *Un, une millionnaire.* ⟨ ▶ multimillionnaire ⟩

mi-lourd [milur] adj. et n. m. ■ Se dit d'un boxeur pesant de 72 à 79 kilos.

mime [mim] n. ■ Acteur qui s'exprime par les attitudes et les gestes, sans paroles. *Le grand mime Deburau.* — Imitateur. ▶ **mimer** v. tr. ■ conjug. 1. ■ Exprimer ou reproduire par des gestes, des jeux de physionomie, sans le secours de la parole. *Mimer qqn par dérision.* ⇒ **imiter, singer**. — Au p. p. adj. *Monologue mimé.* ▶ **mimétisme** n. m. **1.** Propriété que possèdent certaines espèces animales, pour assurer leur protection, de se rendre semblables par l'apparence au milieu environnant. *Le mimétisme du caméléon.* **2.** Imitation qu'une personne fait involontairement d'une autre. ▶ **mimique** n. f. ■ Ensemble des gestes expressifs et des jeux de physionomie qui accompagnent ou remplacent le langage oral. *La mimique des sourds-muets.* — Expression du visage. *Cesse de faire des mimiques.* ⇒ **grimace**. ⟨ ▶ pantomime ⟩

mimolette [mimɔlɛt] n. f. ■ Fromage de Hollande à pâte demi-tendre.

mimosa [mimoza] n. m. ■ Arbre ou arbrisseau des régions chaudes, variété d'acacia portant des fleurs jaunes en petites boules ; ces fleurs. *Un bouquet de mimosa.* — En appos. Invar. *Œufs mimosa*, œufs durs à la mayonnaise, dont le jaune est écrasé.

minable [minabl] adj. et n. ■ Fam. Très médiocre. ⇒ **lamentable, piteux**. *Résultats minables.* — *Vous avez entendu sa conférence ? Il a été minable.* — N. (Personnes) *Une bande de minables.*

minaret [minarɛ] n. m. ■ Tour d'une mosquée du haut de laquelle le muezzin invite les fidèles musulmans à la prière.

minauder [minode] v. intr. ■ conjug. 1. ■ Prendre des manières affectées pour attirer l'attention, plaire, séduire. ▶ **minauderie** n. f. **1.** Action de minauder ; caractère d'une personne qui manque de naturel en voulant plaire. ⇒ **affectation**. **2.** DES MINAUDERIES : airs, attitudes, manières, gestes affectés d'une personne qui minaude. ⇒ **chichi, façon, grimace, manière, simagrée**. *Les minauderies d'une coquette.* ▶ **minaudier, ière** adj. et n. ■ Qui minaude. *Elle est trop minaudière.*

① **mince** [mɛ̃s] adj. **1.** (Opposé à *épais*) Qui a peu d'épaisseur. ⇒ **fin**. *Métal réduit en bandes, en plaques minces.* **2.** (Opposé à *large*) Étroit, filiforme. **3.** (Personnes ; parties du corps) Qui a des formes relativement étroites pour leur longueur, et donne une impression de finesse. *Il, elle voudrait être plus mince.* ⇒ **élancé, gracile, svelte**. / contr. **gros ; fort** / *Jambes minces.* **4.** Qui a peu d'importance, peu de valeur. ⇒ **insignifiant, médiocre**. *Pour un mince profit. Un prétexte bien mince.* ▶ **minceur** n. f. **1.** *La minceur d'une feuille de papier.* / contr. **épaisseur** / **2.** (Personnes) *Elle est d'une minceur et d'une élégance*

remarquables. ▶ **mincir** v. intr. ■ conjug. 2. ■ Devenir plus mince. *Elle a beaucoup minci.* ⇒ **amincir**. ⟨ ▶ amincir, émincer ⟩

② **mince** interj. ■ Fam. Exclamation de surprise, de dépit. ⇒ **zut**. *Mince alors, j'ai perdu mon portefeuille !* ⇒ fam. **merde**.

① **mine** [min] n. f. **I.** (Aspect physique) Aspect extérieur, apparence (opposé à *la nature profonde*, aux *sentiments*). ⇒ **extérieur**. *C'est un passionné, sous sa mine tranquille. Juger des gens sur (d'après) la mine.* — Loc. *Ça ne paie pas de mine*, ça a mauvaise apparence. — FAIRE MINE DE (+ infinitif) : paraître disposé à faire qqch. ⇒ faire **semblant** de. *Elle a fait mine de partir, mais elle est finalement restée.* — MINE DE RIEN : sans en avoir l'air. *Tâche de le faire parler, mine de rien.* **II. 1.** Aspect du visage selon l'état de santé. *D'après sa mine, il va mieux. Avoir bonne, mauvaise mine.* **2.** Aspect du visage, expression du caractère ou de l'humeur. ⇒ **figure, physionomie**. *Mine renfrognée, soucieuse.* — Loc. *Faire* GRISE MINE *à qqn* : l'accueillir avec froideur, déplaisir. **III.** DES MINES affectées. ⇒ jeux de physionomie, attitudes, gestes. *Mines affectées.* ⇒ **façon, minauderie**. ⟨ ▶ minauder, minois ⟩

② **mine** n. f. ■ Petit bâton d'une matière laissant une trace, qui constitue la partie centrale d'un crayon. *Mine de plomb. Crayon à mine dure, tendre.* ⟨ ▶ porte-mine, stylomine ⟩

③ **mine** n. f. **1.** Terrain d'où l'on peut extraire un métal, du charbon, etc., en grande quantité. ⇒ **gisement**. *Mine de fer, mine de houille. Mine souterraine, à ciel ouvert.* ≠ **carrière**. **2.** Fig. Source inépuisable. *Une mine de renseignements.* **3.** Cavité pratiquée dans le sous-sol et ensemble d'ouvrages souterrains aménagés pour l'extraction d'un minerai. *Galerie, puits de mine. Une mine de cuivre.* — Spécialt. *Il travaille à la mine* (de charbon). ⇒ **charbonnages, houillère**. — LES MINES : administration spécialisée dans l'étude des terrains et l'exploitation du sous-sol. *L'École des mines. Il est ingénieur des Mines.* ⟨ ▶ minerai, minéral, ③ mineur, minier ⟩

④ **mine** n. f. ■ Engin explosif (sur terre ou dans l'eau). *Mines antichars. Champ de mines. Détecteur de mines. Poser une mine. Le camion a sauté sur une mine. Dragueur de mines* (démineur). ▶ ① **miner** v. tr. ■ conjug. 1. ■ Garnir de mines. *Miner un pont.* / contr. **déminer** / ⟨ ▶ déminer ⟩

② **miner** [mine] v. tr. ■ conjug. 1. **1.** Creuser, attaquer la base ou l'intérieur de (une chose). ⇒ **creuser, saper**. *La mer mine les falaises.* **2.** Fig. Attaquer, affaiblir par une action progressive et sournoise. ⇒ **consumer, user**. *Le chagrin le mine.* — Pronominalement. *Il se mine.* — Au passif. *Il miné par le souci.*

minerai [minrɛ] n. m. ■ Minéral qui contient des substances chimiques qu'on peut isoler, extraire. *Minerai en filon, en gisement.* ⇒ ③ **mine**. *Extraire un métal d'un minerai.* ▶ **minéral, ale, aux** adj. et n. m. **I.** Adj. **1.** Constitué de matière inorganique (opposé à *végétal*). *Huiles minérales. Sels minéraux.* **2.** Relatif aux corps minéraux. *Chimie minérale.* / contr. **organique** / **3.** EAU MINÉRALE : contenant des matières minérales. *Boire de l'eau minérale gazeuse, non gazeuse* (plate). **II.** N. m. Élément ou composé naturel inorganique, constituant de l'écorce terrestre. ⇒ **minerai, pierre, roche**. *Étude des minéraux.* ⇒ **géologie, minéralogie**. ▶ **minéralogie** n. f. ■ Science des minéraux constituant les matériaux de l'écorce terrestre. ▶ ① **minéralogique** adj. ■ Relatif à la minéralogie. *Collection minéralogique.* ▶ **minéralogiste** n. ■ Personne qui s'occupe de minéralogie.

② **minéralogique** adj. ■ En France. *Numéro minéralogique*, numéro d'immatriculation d'un véhicule à moteur (d'abord affecté par le service des Mines). *Plaque minéralogique.*

minerve [minɛʀv] n. f. ■ Appareil orthopédique servant à maintenir la tête en bonne position.

minet, ette [minɛ, ɛt] n. 1. Petit chat. ⇒ fam. **minou.** 2. (Personnes) Terme d'affection. *Mon minet, ma petite minette.* 3. N. m. Jeune homme élégant, un peu efféminé. — N. f. Jeune fille à la mode.

① **mineur, eure** [minœʀ] adj. 1. D'importance, d'intérêt secondaire. / contr. **capital, essentiel** / *Problème, soucis mineurs. Arts mineurs. Genres mineurs. Peintre, poète mineur.* 2. En musique. *Intervalle mineur*, plus réduit que le majeur. *Tierce mineure.* — *Sonate en fa mineur.*

② **mineur, eure** adj. et n. ■ (Personnes) Qui n'a pas atteint l'âge de la majorité (18 ans). ⇒ ② **minorité.** / contr. **majeur** / — N. *Un mineur, une mineure. Détournement de mineur.*

③ **mineur** [minœʀ] n. m. ■ Ouvrier qui travaille dans une mine, spécialt de houille. *Mineur de fond. Village de mineurs.* ⇒ **coron.**

mini- ■ Élément signifiant « (plus) petit » (ex. : *minijupe*). ⇒ **micro-.** / contr. **maxi-** /

miniature [minjatyʀ] n. f. I. 1. Peinture fine de petits sujets servant d'illustration aux manuscrits, aux missels. ⇒ **enluminure.** — REM. Le mot, désignant d'abord des ornements rouges, vient de *minium.* 2. Genre de peinture délicate de très petit format ; cette peinture. *Une miniature du XVIIIᵉ siècle.* II. Chose, personne très petite. Loc. EN MINIATURE : en très petit, en réduction. *Maquette représentant un avion en miniature.* — En appos. *Train miniature. Des golfs miniatures.* ▶ **miniaturé, ée** adj. ■ Orné de miniatures. ▶ **miniaturiser** v. tr. ■ conjug. 1. ■ Donner à (un objet, un mécanisme) les plus petites dimensions possibles. ▶ **miniaturisation** n. f. ■ Action de miniaturiser. ▶ **miniaturiste** n. ■ Peintre de miniatures.

minibus [minibys] n. m. invar. ■ Petit autobus. *Des minibus.*

minicassette [minikasɛt] n. f. ■ Petit magnétophone portatif.

minier, ière [minje, jɛʀ] adj. ■ Qui a rapport aux mines ③. *Gisement minier.* — Où il y a des mines. *Pays minier.*

minijupe [miniʒyp] n. f. ■ Jupe très courte. *Des minijupes.*

minima ⇒ **minimum.**

minimal, ale, aux [minimal, o] adj. ■ Qui constitue un minimum. *Températures minimales.* / contr. **maximal** /

minime [minim] adj. et n. 1. (Choses abstraites) Très petit, peu important. ⇒ **infime.** *Des faits minimes. Salaires minimes.* 2. N. Dans les sports. Enfant de 13 à 15 ans. *Match de minimes.* ▶ **minimiser** v. tr. ■ conjug. 1. ■ Réduire l'importance de (qqch.). *Minimiser les résultats, des incidents ; le rôle de qqn.* / contr. **amplifier, grossir** / ⟨ ▶ **minimal, minimum** ⟩

minimum [minimɔm] n. m. et adj. 1. Valeur la plus petite atteinte par une quantité variable ; limite inférieure. *Un minimum de frais. Les minimums* ou *les minima atteints.* — Fam. *S'il avait un minimum de savoir-vivre.* ⇒ **le moindre.** — Loc. AU MINIMUM : au moins, pour le moins. *Les travaux dureront au minimum trois jours.* — MINIMUM VITAL : somme

permettant de satisfaire le minimum des besoins qui correspondent au niveau de vie dans une société donnée. 2. Adj. Minimal. *Âge minimum. Pertes, gains minimums* (ou *minima*).

mini-ordinateur [miniɔʀdinatœʀ] n. m. ■ Ordinateur de petite taille, d'une capacité moyenne de mémoire (plus que le micro-ordinateur).

ministère [ministɛʀ] n. m. I. 1. Corps des ministres et secrétaires d'État. ⇒ **cabinet, gouvernement.** *Former, modifier un ministère.* — (Suivi du nom du Premier ministre) *Le ministère Chirac.* 2. Département ministériel ; partie des affaires de l'administration centrale dépendant d'un ministre. *Le ministère des Affaires étrangères.* — Bâtiment, services d'un ministère. 3. Fonction de ministre. ⇒ **portefeuille.** II. MINISTÈRE PUBLIC : magistrats qui défendent les intérêts de la société, l'exécution des décisions (avocat général, procureur, etc.). ⇒ **parquet.** III. Charge remplie par le prêtre, le pasteur (⇒ **ministre,** II). ⇒ **sacerdoce.** *Il exerce son ministère dans une petite paroisse.* ▶ **ministériel, elle** adj. ■ Relatif au ministère (I), au gouvernement. *Crise ministérielle.* — Partisan du ministère. *Député ministériel.* ⇒ **gouvernemental.** — Relatif à un ministre ; qui émane d'un ministre. *Arrêté ministériel.* ▶ **ministre** n. m. I. 1. Agent supérieur du pouvoir exécutif ; homme ou femme d'État placé(e) à la tête d'un ministère. *Nomination d'un ministre. Le Conseil des ministres.* ⇒ **cabinet, gouvernement, ministère.** *Il a des chances de devenir ministre,* il est ministrable. *Le ministre de l'Éducation nationale. Madame X, le ministre de la Santé publique. Elle est ministre. Le Premier ministre,* le chef du gouvernement. — En appos. *Bureau ministre,* bureau de grande taille. *Des bureaux ministres.* 2. Agent diplomatique de rang immédiatement inférieur à celui d'ambassadeur, à la tête d'une légation. *Ministre plénipotentiaire.* II. Ministre du culte, prêtre. — Ministre, pasteur protestant. ⟨ ▶ **administrer, interministériel** ⟩

minitel [minitɛl] n. m. ■ Petit terminal de consultation de banques de données commercialisé par les P.T.T. *Des minitels.*

minium [minjɔm] n. m. ■ Peinture rouge, à l'oxyde de plomb, préservant le fer de la rouille. ⟨ ▶ **miniature** ⟩

minois [minwa] n. m. invar. ■ Jeune visage délicat, éveillé, plein de charme. *Un petit minois d'enfant.* ⇒ **frimousse.**

① **minorité** [minɔʀite] n. f. 1. Groupement (de voix) qui est inférieur en nombre dans un vote, une réunion de votants. / contr. ① **majorité** / *Une petite minorité d'électeurs. Ils sont en minorité.* — Parti, groupe qui n'a pas la majorité des suffrages. *Gouvernement mis en minorité,* qui ne recueille pas la majorité des voix. 2. *La, une minorité de,* le plus petit nombre de, le très petit nombre. *Dans la minorité des cas.* 3. Groupe englobé dans une collectivité plus importante. *Minorités ethniques. Droits des minorités.* ▶ **minoritaire** adj. ■ De la minorité. *Groupe, tendance minoritaire.*

② **minorité** n. f. ■ (Opposé à ② **majorité**) État d'une personne qui n'a pas encore atteint l'âge où elle sera légalement considérée comme pleinement capable et responsable de ses actes (⇒ ② **mineur**). — Temps pendant lequel un individu est mineur.

minoterie [minɔtʀi] n. f. 1. Grand établissement industriel pour la transformation des grains en farine. ⇒ **moulin.** 2. Meunerie. ▶ **minotier** n. m. ■ Industriel qui exploite une minoterie. ⇒ **meunier.**

minou [minu] n. m. ■ Fam. Lang. enfantin. Petit chat. ⇒ **minet.** *Des petits minous.*

minuit [minɥi] n. m. **1.** Milieu de la nuit. *Soleil de minuit. Bain de minuit.* **2.** Heure du milieu de la nuit, la douzième après midi (24 heures ou 0 heure). *À minuit précis. Messe de minuit,* à Noël.

minus [minys] n. m. invar. ■ Fam. Individu incapable ou peu intelligent. *C'est un minus. Bande de minus !* ⇒ **crétin, débile.** (On disait *minus habens.*)

minuscule [minyskyl] adj. **1.** *Lettre minuscule* (opposé à *majuscule*), lettre courante, plus petite et d'une forme particulière. — N. f. *Une minuscule.* **2.** Très petit. ⇒ **exigu, infime.** *Une minuscule boîte.* / contr. **énorme, immense** /

① **minute** [minyt] n. f. **1.** Division du temps, soixantième partie de l'heure (abrév. *mn*). *La minute se divise en soixante secondes.* **2.** Court espace de temps. ⇒ **instant, moment.** *Jusqu'à la dernière minute. Je reviens dans une minute.* — Loc. D'UNE MINUTE À L'AUTRE : dans un futur imminent. À LA MINUTE : à l'instant même, tout de suite. — En appos. Invar. Fam. Préparé, réparé rapidement. *Des entrecôtes minute. Talon minute.* — Interj. Fam. *Minute !,* attendez une minute. **3.** Unité de mesure des angles ; soixantième partie d'un degré de cercle (symb. ′). *Angle de deux degrés et cinq minutes* (2° 5′). ▶ **minuter** v. tr. ▪ conjug. 1. ▪ Organiser (une cérémonie, un spectacle, une opération, un travail) selon un horaire précis. — Au p. p. *Emploi du temps strictement minuté* (ou *minutage,* n. m.). ▶ **minuterie** n. f. ▪ Appareil électrique (spécial éclairage) destiné à assurer, à l'aide d'un mouvement d'horlogerie, un contact pendant un nombre déterminé de minutes. *La minuterie d'un escalier.* ▶ **minuteur** n. m. ▪ Minuterie d'un appareil ménager. *Le minuteur d'un four.*

② **minute** n. f. ▪ En droit. Original d'un acte. *La minute d'un jugement. Consulter les minutes d'un procès.*

minutie [minysi] n. f. ▪ Application attentive aux menus détails. ⇒ **méticulosité, soin.** *Faire un travail avec minutie.* ▶ **minutieux, euse** [minysjø, øz] adj. **1.** (Personnes) Qui s'attache, s'arrête avec minutie aux détails. ⇒ **méticuleux, tatillon.** / contr. **désordonné, négligent** / **2.** (Choses) Qui marque ou suppose de la minutie. ⇒ **attentif, soigneux.** *Inspection minutieuse. Exposé minutieux.* ⇒ **détaillé.** ▶ **minutieusement** adv.

mioche [mjɔʃ] n. ▪ Fam. Enfant. ⇒ fam. **gamin, gosse, marmot, môme, moutard.** *Une bande de mioches.*

mirabelle [miʀabɛl] n. f. **1.** Petite prune ronde et jaune. *Confiture de mirabelles.* **2.** Eau-de-vie de ce fruit. ▶ **mirabellier** n. m. ▪ Prunier à mirabelles.

miracle [miʀakl] n. m. **1.** Fait extraordinaire où l'on croit reconnaître une intervention divine. ⇒ **mystère, prodige.** *Les miracles de Lourdes. Cela tient du miracle,* c'est miraculeux. **2.** Drame médiéval sacré, au sujet emprunté à la vie des saints. *Les miracles et les mystères.* **3.** Chose étonnante et admirable qui se produit contre toute attente. *Tout semblait perdu, et le miracle se produisit. Faire, accomplir des miracles. Crier miracle, au miracle.* — En appos. *Solution miracle* — PAR MIRACLE loc. adv. : d'une façon inattendue et heureuse. *Il en a réchappé par miracle.* ▶ **miraculé, ée** adj. ▪ (Personnes) Sur qui s'est opéré un miracle (1). *Malade miraculé.* — N. *Un(e) miraculé(e).* ▶ **miraculeux, euse** adj. **1.** Qui est le résultat d'un miracle. ⇒ **surnaturel.** *Apparition miraculeuse.* / contr. **naturel** / **2.** Qui produit comme par miracle l'effet souhaité. ⇒ **merveilleux.** *Un remède miraculeux.* ▶ **miraculeusement** adv. ■ Comme par miracle. ⇒ **extraordinairement.**

mirador [miʀadɔʀ] n. m. **1.** Belvédère. **2.** Poste d'observation, de surveillance (dans un camp de prisonniers). *Des miradors.*

mirage [miʀaʒ] n. m. **1.** Phénomène optique pouvant produire l'illusion d'une nappe d'eau s'étendant à l'horizon. **2.** Apparence séduisante et trompeuse. ⇒ **chimère, illusion.** *Les mirages de la gloire, du succès.*

mire [miʀ] n. f. **1.** DE MIRE : pour viser. *Ligne de mire,* ligne droite imaginaire déterminée par l'œil du tireur. — Fig. POINT DE MIRE : point de visée. — Être *le point de mire,* le centre d'intérêt, d'attention. **2.** Signal fixe servant à déterminer une direction par une visée. *Ajuster la mire avant de tirer.* **3.** Image fixe servant à vérifier la qualité de la transmission à la télévision. *La mire apparaît sur l'écran avant le début des émissions.*

mirer [miʀe] v. tr. ▪ conjug. 1. **I.** Examiner à contre-jour pour vérifier la fraîcheur de (un œuf). **II.** Littér. SE MIRER v. pron. réfl. : se regarder, se refléter. *La montagne se mire dans le lac.*

mirifique [miʀifik] adj. ■ Plaisant. Merveilleux. ⇒ **mirobolant.** *Des promesses mirifiques.*

mirliton [miʀlitɔ̃] n. m. ■ Tube creux (de roseau, de carton, etc.) garni à ses deux extrémités d'une membrane, dans laquelle on chantonne un air. — *Vers de mirliton,* mauvaise poésie.

mirobolant, ante [miʀɔbɔlɑ̃, ɑ̃t] adj. ■ Fam. Incroyablement magnifique, trop beau, pour être vrai. ⇒ **mirifique.** *Des gains mirobolants.*

miroir [miʀwaʀ] n. m. **1.** Objet constitué d'une surface polie qui sert à réfléchir la lumière, à refléter les images. ⇒ **glace.** *Se regarder dans le miroir.* — Loc. MIROIR AUX ALOUETTES : ce qui trompe en attirant, en fascinant. **2.** Surface unie (eau, marbre...) qui réfléchit la lumière ou les objets. *Le miroir des lacs.* **3.** Fig. Ce qui offre à l'esprit l'image des personnes, des choses, du monde. *Les yeux sont le miroir de l'âme.* ▶ **miroiterie** [miʀwatʀi] n. f. ■ Commerce, industrie (du *miroitier*) des miroirs et des glaces.

miroiter [miʀwate] v. intr. ▪ conjug. 1. **1.** Réfléchir la lumière en produisant des reflets scintillants. ⇒ **briller, chatoyer, scintiller.** *Vitre, eau qui miroite.* **2.** Loc. FAIRE MIROITER : proposer (qqch.) comme avantageux (afin d'appâter qqn). *Il lui a fait miroiter les avantages qu'il pourrait en tirer.* ▶ **miroitant, ante** adj. ■ Brillant, chatoyant. *La surface miroitante de la mer.* ▶ **miroitement** n. m. ■ Éclat, reflet de ce qui miroite. ⇒ **chatoiement, reflet, scintillement.** *Le miroitement des vitres au soleil.*

miroton [miʀɔtɔ̃], fam. **mironton** [miʀɔ̃tɔ̃] n. m. ■ Bœuf bouilli aux oignons. — En appos. *Du bœuf miroton.*

mis, mise [mi, miz] Part. passé de *mettre.*

misaine [mizɛn] n. f. ■ Voile basse du mât de l'avant du navire. *Le mât de misaine.*

misanthrope [mizɑ̃tʀɔp] n. et adj. **1.** Personne qui manifeste de l'aversion pour le genre humain, qui aime la solitude. ⇒ **ours, sauvage, solitaire.** / contr. **philanthrope** / *Un vieux misanthrope.* **2.** Adj. Qui évite de fréquenter ses semblables. ⇒ **farouche.** *Elle est devenue bien misanthrope.* ▶ **misanthropie** n. f. ■ Haine du genre humain ; caractère du misanthrope. / contr. **philanthropie** / ▶ **misanthropique** adj. ■ Littér. *Réflexions, idées misanthropiques.* / contr. **philanthropique** /

mise [miz] n. f. **I.** Avec un compl. **1.** (Avec EN) Action de mettre (quelque part). *Mise en place. Mise en* *bouteilles.* Fam. *Mise en boîte,* moquerie. — MISE EN SCÈNE : organisation matérielle de la représentation ; choix des décors, places, mouvements et jeu des acteurs, etc. (théâtre, cinéma, télévision). **2.** Action de mettre (dans une position nouvelle). *La mise sur pied d'un programme. Mise à pied,* sanction pouvant aboutir à un renvoi. **3.** Loc. (Avec EN, À) Action de mettre (dans un état nouveau, une situation nouvelle). *Mise en plis. Mise au net. Mise en état, en ordre. Mise à prix* (avant des enchères). **II. 1.** Action de mettre de l'argent au jeu ou dans une affaire ; cet argent. ⇒ **enjeu ; miser.** *Déposer une mise. Doubler la mise.* — MISE DE FONDS : investissement, placement. **2.** DE MISE : qui a cours, est reçu, accepté (souvent au négatif). *Ces manières ne sont plus de mise.* **3.** Manière d'être habillé. ⇒ **habillement, tenue, toilette.** *Soigner sa mise.* ⟨ ▶ mainmise, remise, miser ⟩

miser [mize] v. tr. ▪ conjug. 1. **1.** Déposer, mettre (un enjeu). ⇒ **mise** (II, 1). *Miser dix francs.* **2.** Sans compl. *Miser sur un cheval, aux courses.* — Fam. *Miser sur,* compter, faire fond sur. *On ne peut pas miser là-dessus.*

misère [mizɛʀ] n. f. **1.** Littér. Sort digne de pitié ; malheur extrême. ⇒ **adversité, détresse, infortune.** / contr. **bonheur** / *La misère des temps. Quelle misère !* — Interj. *Misère !* **2.** Une misère, événement malheureux, douloureux. ⇒ **calamité, chagrin, malheur, peine.** *Compassion aux misères d'autrui. Petites misères.* ⇒ **ennui.** — *Faire des misères à qqn,* le tracasser. ⇒ **méchanceté, taquinerie. 3.** Extrême pauvreté, pouvant aller jusqu'à la privation des choses nécessaires. ⇒ **besoin, indigence.** / contr. **fortune, richesse** / *Être, tomber dans la misère. Misère noire.* — Loc. *Crier, pleurer misère,* se plaindre. *Salaire de misère,* très insuffisant. **4.** Une misère, chose, somme de peu d'importance. ⇒ **babiole, bagatelle, broutille.** *Ils se sont fâchés pour une misère.* ▶ *misérable* adj. et n. **1.** Qui inspire ou mérite d'inspirer la pitié ; qui est dans le malheur, la misère. ⇒ **lamentable, malheureux, pitoyable.** / contr. **heureux** / — (Choses) Triste, pénible. *Une misérable existence.* **2.** Qui est dans une extrême pauvreté ; qui indique la misère. ⇒ **pauvre ; indigent.** / contr. **riche** / *Région misérable,* très pauvre. — N. UN, UNE MISÉRABLE. ⇒ **gueux, miséreux. 3.** Sans valeur, sans mérite. ⇒ **insignifiant, méprisable, piètre.** *Une argumentation misérable.* — (Avant le nom) ⇒ **malheureux, méchant, pauvre.** *Tant d'histoires pour un misérable billet de cinquante francs !* **4.** N. Personne méprisable. ⇒ **malheureux.** *C'est un misérable.* — Plaisant. *Ah, petit misérable !* ▶ *misérablement* adv. **1.** Pitoyablement, tristement. *Décliner misérablement.* **2.** Dans la pauvreté. *Vivre misérablement.* / contr. **richement** / ▶ *miséreux, euse* adj. et n. ▪ Qui donne l'impression de la misère (3). ⇒ **famélique, misérable, pauvre.** *Un mendiant miséreux. Quartiers miséreux.* / contr. **aisé, riche** / — N. *Un miséreux.* ⟨ ▶ commisération, miséricorde ⟩

miséricorde [mizeʀikɔʀd] n. f. **1.** Pitié par laquelle on pardonne au coupable. ⇒ **clémence, indulgence.** / contr. **dureté** / *Demander, obtenir miséricorde.* **2.** Interj. Exclamation qui marque une grande surprise accompagnée de douleur, de regret. ▶ *miséricordieux, ieuse* adj. ▪ Qui a de la miséricorde, de la compassion ⇒ **bon** ; qui pardonne facilement ⇒ **clément.**

mis(o)- ▪ Élément signifiant « qui déteste ». ⇒ **misanthrope.** ▶ *misogyne* [mizɔʒin] adj. et n. ▪ Qui hait ou méprise les femmes. *Les phallocrates sont misogynes.* — N. *Un, une misogyne.* ▶ *misogynie* n. f. ⟨ ▶ misanthrope ⟩

miss [mis] n. f. **1.** Mademoiselle, en parlant d'une Anglaise, d'une Américaine. **2.** Nom donné aux jeunes reines de beauté élues dans les concours. *Miss France.*

missel [misɛl] n. m. ▪ Livre liturgique qui contient les prières et les lectures nécessaires pour suivre la messe. ⇒ **paroissien.**

missile [misil] n. m. ▪ Engin de destruction autopropulsé et guidé par autoguidage ou téléguidage. ⇒ **fusée.** *Des missiles sol-air.* ⟨ ▶ lance-missiles ⟩

mission [misjɔ̃] n. f. **1.** Charge donnée à qqn d'aller accomplir qqch., de faire qqch. ⇒ **mandat.** *On l'a chargé d'une mission. Envoyer qqn en mission. Mission accomplie.* — *Mission scientifique.* ⇒ **expédition.** — *Mission diplomatique.* **2.** Charge de propager une religion ; prédications et œuvres accomplies à cet effet. *Pays de mission.* **3.** Groupe de personnes ayant une mission. *Elle fait partie de la mission. Mission diplomatique.* — *Les Missions* (religieuses). **4.** Action, but auquel un être semble destiné. ⇒ **fonction, vocation.** *La mission de l'artiste. La mission civilisatrice d'un pays.* ▶ *missionnaire* n. m. et adj. **1.** Prêtre des Missions. *Un missionnaire catholique.* **2.** Adj. Qui a la mission de propager sa religion, son idéal. *L'esprit missionnaire.*

missive [misiv] n. f. ▪ Littér. Lettre. *Recevoir une missive.*

mistral, als [mistʀal] n. m. ▪ Vent violent qui souffle du nord ou du nord-ouest vers la mer, dans la vallée du Rhône et sur la Méditerranée.

mitaine [mitɛn] n. f. ▪ Gant qui laisse à nu les deux dernières phalanges des doigts.

mite [mit] n. f. ▪ Petit papillon blanchâtre de la famille des teignes, dont les larves rongent les étoffes et les fourrures. *Habit mangé par les mites, troué aux mites.* ▶ *mité, ée* adj. ▪ Mangé, rongé des mites. *Fourrure mitée.* ▶ *se miter* v. pron. ▪ conjug. 1. ▪ Devenir mité. ▶ *miteux, euse* adj. et n. ▪ En piteux état ; d'apparence misérable. ⇒ **minable, pauvre, piètre.** *Des vêtements miteux. Un hôtel miteux.* — N. Fam. Personne pauvre, pitoyable. *Cet hôtel est trop chic pour des miteux comme nous.* ⇒ fam. **fauché.** ⟨ ▶ antimite(s) ⟩

mi-temps [mitɑ̃] n. f. invar. **1.** Temps de repos au milieu d'un match (dans les sports d'équipes : football, rugby, hockey, etc.). ⇒ **pause.** — Chacune des deux moitiés du temps réglementaire (dans un match). *La seconde mi-temps.* **2.** À MI-TEMPS loc. adv. *Travailler, être employé à mi-temps,* pendant la moitié de la durée normale du travail (opposé à *à plein temps*). — N. m. invar. *Un mi-temps,* travail à mi-temps.

mithridatiser [mitʀidatize] v. tr. ▪ conjug. 1. ▪ Didact. Immuniser en accoutumant à un poison.

mitigé, ée [mitiʒe] adj. **1.** Adouci, moins strict. *Sévérité mitigée.* **2.** Fam. Mêlé, mélangé. *Des compliments mitigés. Des réactions mitigées.*

mitonner [mitɔne] v. ▪ conjug. 1. **I.** V. intr. Cuire longtemps à petit feu. ⇒ **bouillir, mijoter.** *La soupe mitonnait. Faire mitonner un plat.* **II.** V. tr. **1.** Préparer soigneusement en faisant cuire longtemps. *Il nous a mitonné un bon petit dîner.* **2.** Préparer tout doucement (une chose, une personne) pour un résultat. *Mitonner une affaire.* — *Mitonner qqn.* ⇒ **dorloter.** — Pronominalement. *Se mitonner,* bien se soigner.

mitoyen, enne [mitwajɛ̃, ɛn] adj. ▪ Qui est entre deux choses, commun à l'une et à l'autre. *Mur mitoyen.* ▶ *mitoyenneté* [mitwajɛnte] n. f. ▪ Caractère de ce qui est mitoyen, contigu.

mitraille [mitʀaj] n. f. **1.** Autrefois. Ferraille, balles de fonte qu'on utilisait dans les canons comme projectiles. *Canons chargés à mitraille.* **2.** Décharge d'artillerie, de balles. *Fuir sous la mitraille.* **3.** Fam.

Petite monnaie de métal. ⇒ **ferraille.** ▶ *mitrailler* [mitʀaje] v. tr. ▪ conjug. 1. **1.** Prendre pour objectif d'un tir de mitrailleuse. *Mitrailler un avion.* — Fam. Lancer sur. *Mitrailler qqn de noyaux de cerise.* ⇒ **bombarder. 2.** Fam. Photographier ou filmer sans arrêt. *Le président fut mitraillé par les reporters.* ▶ *mitraillage* n. m. ▪ Action de mitrailler. ▶ *mitraillette* n. f. ▪ Arme à tir automatique portative (officiellement nommée *pistolet mitrailleur* ; abrév. P.M.). ▶ *mitrailleur* n. m. et adj. m. **1. N. m.** Servant d'une mitrailleuse. *Il est mitrailleur à bord d'un avion.* **2. Adj. m.** (Arme automatique) Qui peut tirer par rafales. *Pistolet (mitraillette), fusil mitrailleur.* ⇒ **fusil-mitrailleur.** ▶ *mitrailleuse* n. f. ▪ Arme automatique à tir rapide. ⟨ ▶ automitrailleuse ⟩

mitre [mitʀ] n. f. ▪ Haute coiffure triangulaire de cérémonie portée par les évêques. *La mitre et la crosse épiscopales.*

mitron [mitʀɔ̃] n. m. ▪ Garçon boulanger ou pâtissier.

à mi-voix [amivwa] loc. adv. ▪ D'une voix faible. *Parler à mi-voix.*

mixage [miksaʒ] n. m. ▪ Cinéma, musique. Regroupement sur une même bande de tous les éléments sonores d'un film, d'une chanson. ▶ ① *mixer* [mikse] v. tr. ▪ conjug. 1. ▪ Procéder au mixage de (un film, une chanson).

② *mixer* ou *mixeur* [miksœʀ] n. m. ▪ Anglic. Appareil électrique servant à mélanger, à battre des aliments. ⇒ **batteur** (II), **mélangeur.**

mixte [mikst] adj. **1.** Didact. Qui est formé de plusieurs éléments de nature différente. ⇒ **combiné, mélangé.** *Mariage mixte,* entre deux personnes de religions différentes. **2.** Qui comprend des personnes des deux sexes. *École, cours, classe mixte. Double mixte* (au tennis, au ping-pong).

mixture [mikstyʀ] n. f. **1.** Mélange de plusieurs substances chimiques, pharmaceutiques. **2.** Mélange comestible (boisson ou aliment) dont on reconnaît mal les composants. *Ne buvez pas cette affreuse mixture.*

Mlle : MADEMOISELLE. — *MM.* : MESSIEURS. — *Mme* : MADAME.

mnémo-, -mnèse, -mnésie ▪ Éléments signifiant « mémoire ; se souvenir ». ▶ *mnémotechnique* [mnemotɛknik] adj. ▪ Capable d'aider la mémoire par des procédés d'association mentale. *Procédés, formules mnémotechniques.* ⟨ ▶ amnésie ⟩

mobile [mɔbil] adj. et n. m. **I. Adj. 1.** Qui peut être mû, dont on peut changer la place ou la position. *Les pièces mobiles d'une machine. Calendrier à feuillets mobiles.* ⇒ **amovible.** / contr. **fixe, immobile** / **2.** Dont la date, la valeur peut être modifiée, est variable. *Fêtes mobiles.* **3.** (Personnes) Qui se déplace ou peut se déplacer. *Garde mobile. Population mobile.* ⇒ **nomade.** / contr. **sédentaire** / **4.** Dont l'apparence change sans cesse. ⇒ **mouvant.** *Reflets mobiles.* ⇒ **changeant.** *Visage, regard mobile,* plein de vivacité. **II. N. m. 1.** Sciences. Corps qui se déplace, considéré dans son mouvement. *Calculer la vitesse d'un mobile.* **2.** Ce qui porte, incite à agir. ⇒ **impulsion.** *Les mobiles d'une action.* ⇒ **cause, motif.** *Chercher le mobile d'un crime.* **3.** Œuvre d'art, ensemble d'éléments construits en matériaux légers et pouvant prendre des dispositions variées.

mobil(e)- ▪ Élément signifiant « qui se déplace ». ▶ *mobilier, ière* [mɔbilje, jɛʀ] adj. et n. m. **I. Adj. 1.** Qui consiste en meubles ; qui se rapporte aux biens meubles ①. *Fortune mobilière.* **2.** En droit. Qui est de la nature des biens meubles. *Valeurs mobilières.* **II. N. m.** Plus cour. Ensemble des meubles ② destinés à l'usage et à l'aménagement d'une habitation. ⇒ **ameublement.** *Le mobilier d'une maison. Mobilier de bureau.* — *Mobilier urbain,* ensemble des objets, installations, appareils, placés sur la voie ou dans les lieux publics et destinés à assurer la propreté, la commodité ou la décoration de l'espace urbain (ex. : *abribus, cabines téléphoniques,* etc.). ▶ *mobilité* n. f. **1.** Caractère de ce qui peut se mouvoir, changer de place, de position. / contr. **immobilité** / *Accroître la mobilité d'une armée par la motorisation.* **2.** Caractère de ce qui change rapidement d'aspect ou d'expression. / contr. **fixité** / *La mobilité d'un visage.* **3.** *Mobilité des sentiments, de l'humeur.* ⇒ **fluctuation, instabilité.** / contr. **constance, immuabilité** / ▶ *mobiliser* v. tr. ▪ conjug. 1. **1.** Mettre sur le pied de guerre (une armée) ; affecter (des citoyens) à des postes militaires. — Au passif et p. p. *Être mobilisé dans les services auxiliaires.* — N. *Un mobilisé.* ⇒ **appelé, requis.** / contr. **démobiliser** / — Faire appel à un groupe pour une œuvre collective. *Le syndicat a mobilisé ses militants.* **2.** Faire appel à, mettre en jeu (des facultés intellectuelles ou morales). *Mobiliser les enthousiasmes.* ▶ *mobilisable* adj. ▶ *mobilisation* n. f. **1.** Opération qui a pour but de mettre une armée, une troupe sur le pied de guerre. *Décréter la mobilisation générale.* / contr. **démobilisation** / **2.** Mise en jeu. *La mobilisation des ressources, des énergies.* ⟨ ▶ automobile, démobiliser, hippomobile, immobile, immobiliser ⟩

mobylette [mɔbilɛt] n. f. ▪ Cyclomoteur d'une marque répandue (en France).

mocassin [mɔkasɛ̃] n. m. **1.** Chaussure des Indiens d'Amérique du Nord, en peau non tannée. **2.** Chaussure basse (de marche, de sport), placés sans attaches.

moche [mɔʃ] adj. **1.** Fam. Laid. *Il, elle est vraiment moche.* **2.** Moralement critiquable. *C'est moche ce qu'il a fait là !* ⇒ **méprisable.** / contr. **bien, chic** / ▶ *mocheté* n. f. ▪ Fam. Personne laide. ⟨ ▶ amocher ⟩

modal, ale, aux [mɔdal, o] adj. **1.** Qui a rapport aux modes des verbes. *Valeur modale.* — *Auxiliaires modaux,* qui expriment le nécessaire, le probable, le contingent. « *Pouvoir* », « *devoir* » *sont des auxiliaires modaux.* **2.** *Musique modale,* où l'organisation en modes est primordiale (opposé à *tonal*).

modalité [mɔdalite] n. f. **1.** Forme particulière (d'un acte, d'un fait, d'une pensée, d'un objet). ⇒ **circonstance, manière.** *Modalités de paiement.* **2.** *Adverbe de modalité,* qui modifie le sens d'une phrase entière (ex. : *probablement*). **3.** Caractère d'un morceau de musique dépendant du mode auquel il appartient (opposé à *tonalité*). ⇒ ② **mode.**

① *mode* [mɔd] n. f. **1.** Goûts collectifs, manières passagères de vivre, de sentir qui paraissent de bon ton dans une société déterminée. *Les engouements de la mode.* ⇒ **vogue.** — Loc. À LA MODE : conforme au goût du jour (⇒ dans le **vent**). *Chanson à la mode. Ce n'est plus à la mode, c'est passé de mode.* ⇒ **démodé. 2.** *La mode,* habitudes collectives et passagères en matière d'habillement. *Suivre la mode.* — En appos. Invar. *Teintes, tissus mode.* — *Journal de mode,* concernant la toilette. ⇒ **couture.** *Elle travaille dans la mode.* **3.** À LA MODE DE... : selon les coutumes de... *Tripes à la mode de Caen.* ⟨ ▶ démodé, modiste ⟩

② *mode* n. m. **1.** En musique. Chacune des dispositions particulières de la gamme caractérisée par la disposition des intervalles (tons et demi-tons). *Mode majeur, mineur.* **2.** En linguistique. Caractère d'une forme verbale susceptible d'exprimer l'attitude du sujet parlant vis-à-vis des événements exprimés par le verbe (indicatif, subjonctif, conditionnel, impératif, infinitif, participe). *Les temps de chaque mode.* **3.** *Mode de...,* forme particulière sous laquelle se présente un fait, s'accomplit une action. ⇒ **forme.** *Mode de vie, d'existence.* ⇒ **genre.** *Mode d'emploi,* manière de se servir de qqch. ⇒ **indication.** *Mode de paiement.* ⇒ **modalité.** ‹ ▶ modal, modalité ›

modèle [mɔdɛl] n. m. **I.** Ce qu'on doit imiter. **1.** Ce qui sert ou doit servir d'objet d'imitation pour faire ou reproduire qqch. ⇒ **étalon, exemple.** *Texte qui est donné comme modèle à des élèves.* ⇒ **corrigé, plan.** *Sa conduite doit être un modèle pour nous.* *Prendre qqn pour modèle.* *Sur le modèle de,* à l'imitation de... — Adj. *Des employés modèles.* ⇒ **exemplaire, parfait.** **2.** Personne ou objet dont l'artiste reproduit l'image. ⇒ **sujet.** *Dessin, dessiner d'après le modèle.* — Homme ou femme dont la profession est de poser pour des peintres, des photographes. ⇒ **mannequin.** **3.** MODÈLE DE : personne, fait, objet possédant au plus haut point des qualités, des caractéristiques qui en font le représentant d'une catégorie. *Elle est un modèle de fidélité, de générosité.* **II.** Type. **1.** Catégorie, classe définie par un ensemble de caractères. ⇒ **type.** *Les différents modèles d'organisation industrielle.* **2.** Type déterminé selon lequel des objets semblables peuvent être reproduits. ⇒ **prototype.** *Modèle reproduit en grande série.* *Un nouveau modèle de voiture.* *Les modèles* (de robe, etc.) *de la haute couture.* **3.** Objet de même forme qu'un objet plus grand. ⇒ **maquette.** — MODÈLE RÉDUIT. *Des modèles réduits de bateaux.* — En appos. *Faire voler un avion modèle réduit.* ▶ *modéliste* n. **1.** Personne qui fait ou dessine les modèles, dans la couture. — En appos. *Ouvrier modéliste.* ≠ **modiste.** **2.** Personne qui fabrique des modèles réduits (de véhicules, avions, trains). ⇒ **aéromodéliste.** ▶ *modeler* [mɔdle] v. tr. ▪ conjug. 5. **1.** Façonner (un objet) en donnant une forme déterminée à une substance molle. *Modeler une poterie, une statuette.* ⇒ **modelage.** **2.** Pétrir (une substance plastique) pour lui imposer une certaine forme. *Modeler de la terre glaise.* *Pâte à modeler.* **3.** Conférer une certaine forme à (qqch.). *L'érosion modèle le relief.* **4.** Modeler son goût sur, d'après celui de qqn. ⇒ **former, régler.** — Pronominalement (réfl.). SE MODELER *sur qqn, qqch.* : se façonner en empruntant les caractères. ⇒ se **conformer.** ▶ *modelé* n. m. ▪ Relief des formes dans une sculpture, un dessin, un objet. *Le modelé du corps.* ▶ *modelage* n. m. ▪ Action de modeler (une substance plastique). *Le modelage d'une statue en terre glaise.* ‹ ▶ remodeler ›

modem [mɔdɛm] n. m. ▪ En informatique. Appareil (*mo*dulateur-*dém*odulateur) utilisé dans le traitement à distance de l'information.

modérer [mɔdere] v. tr. ▪ conjug. 6. ▪ Diminuer l'intensité de (un phénomène, un sentiment), réduire à une juste mesure (ce qui est excessif). ⇒ **adoucir, tempérer.** *Modérer sa colère.* ⇒ **apaiser, calmer.** *Modérez vos expressions.* *Modérer l'allure, la vitesse,* ralentir. — Pronominalement (réfl.). *Modérez-vous !* ⇒ se **calmer,** se **contenir.** ▶ *modéré, ée* adj. et n. **1.** Qui fait preuve de mesure, qui se tient éloigné de tout excès. *Il est toujours modéré dans ses prétentions, ses désirs.* ⇒ **mesuré.** / contr. **excessif** / **2.** Qui professe des opinions politiques éloignées des extrêmes et conservatrices. / contr. **extrémiste** / *Un parti modéré.* N. *Les modérés.* **3.** Peu intense, assez faible. ⇒ **moyen.** *Prix modéré.* ⇒ **bas.** ▶ *modérément* adv. ▪ Avec modération. *Boire, manger modérément.* ▶ *modérateur, trice* n. et adj. **1.** Personne, chose qui tend à modérer ce qui est excessif,

à concilier les partis opposés. — Adj. *Une influence modératrice. Ticket modérateur,* quote-part de frais laissée à la charge du malade par la Sécurité sociale (en France). **2.** N. m. Mécanisme régulateur. **3.** N. m. Corps qui, dans une pile atomique, permet de régler une réaction en chaîne. ▶ *modération* n. f. **1.** Comportement d'une personne qui est éloignée de tout excès. *Il fait preuve de modération dans sa conduite.* ⇒ **mesure, réserve, retenue.** / contr. **abus, excès** / **2.** Action de modérer, de diminuer (qqch.). ▶ *moderato* [mɔderato] adv. ▪ Musique. Mouvement modéré. *Allegro moderato.* ‹ ▶ immodéré ›

moderne [mɔdɛrn] adj. et n. **I. 1.** Actuel, contemporain ou récent. *La musique moderne.* **2.** Qui bénéficie des progrès récents, correspond au goût actuel. ⇒ **neuf, nouveau.** *Les techniques modernes.* ⇒ de **pointe.** *Immeuble, usine moderne.* — N. m. *Aimer le moderne.* / contr. **ancien** / **3.** (Personnes) Qui tient compte de l'évolution récente, dans son domaine. *Il n'est pas moderne, il est vieux jeu.* — *Des goûts, des idées modernes.* / contr. **archaïque, démodé** / **II. 1.** Didact. Qui appartient à une époque postérieure à l'Antiquité (*Les Temps modernes,* le Moyen Âge et l'époque contemporaine). — N. m. *Querelle des anciens et des modernes,* des partisans des écrivains de l'Antiquité et des Temps modernes (aux XVIIᵉ et XVIIIᵉ s.). **2.** En histoire. *Époque moderne, les Temps modernes,* de la fin du Moyen Âge à la Révolution française, début de l'époque « contemporaine ». **3.** (Opposé à *classique*) *Enseignement moderne* (sciences et langues vivantes). *Licence de lettres modernes.* ▶ *moderniser* v. tr. ▪ conjug. 1. **1.** Rendre moderne. **2.** Organiser d'une manière conforme aux besoins, aux moyens modernes. *Moderniser la technique.* ⇒ **transformer.** ▶ *modernisation* n. f. ▶ *modernisme* n. m. ▪ Goût de ce qui est moderne ; recherche de la modernité. *Modernisme en peinture.* / contr. **archaïsme, traditionalisme** / ▶ *modernité* n. f. ▪ Caractère de ce qui est moderne, en art, etc. ‹ ▶ ultramoderne ›

modern style [mɔdɛrnstil] n. m. et adj. invar. ▪ Tendance artistique (début du XXᵉ siècle) caractérisée par l'utilisation presque exclusive de courbes naturelles stylisées, inspirées le plus souvent de la flore.

modeste [mɔdɛst] adj. **1.** Qui est simple, sans faste ou sans éclat. *Mise, tenue modeste. Il est d'une origine très modeste.* ⇒ **humble.** **2.** Peu important. *Salaire très modeste.* ⇒ **médiocre, modique.** — (Personnes) Qui a une opinion modérée, réservée, de son propre mérite, se comporte avec modestie. ⇒ **effacé, humble.** *Un homme simple et modeste. Vous êtes trop modeste. Air, mine modeste.* ⇒ **discret, réservé.** / contr. **orgueilleux, prétentieux, vaniteux** / ▶ *modestement* adv. ▪ *Ils sont logés très modestement.* — *Parler, comporter modestement.* ⇒ **simplement.** ▶ *modestie* n. f. ▪ Modération, retenue dans l'appréciation de soi-même. ⇒ **humilité, réserve.** *Fausse modestie, modestie affectée.* / contr. **orgueil, prétention, vanité** / ‹ ▶ immodeste ›

modicité [mɔdisite] n. f. **1.** Caractère de ce qui est modique (pécuniairement). ⇒ **petitesse.** *La modicité de son revenu.* **2.** Médiocrité, petitesse. *La modicité de ses espoirs.*

modifier [mɔdifje] v. tr. ▪ conjug. 7. **1.** Changer (une chose) sans en altérer la nature. *Modifier ses plans.* / contr. **maintenir** / **2.** SE MODIFIER v. pron. *Une impression qui se modifie sans cesse.* ⇒ **changer, varier.** ▶ *modifiable* adj. ▪ Qui peut être modifié. / contr. **immuable** / ▶ *modification* n. f. **1.** Changement (qui n'affecte pas l'essence de ce qui change). ⇒ **altération, variation.** *Modification quantitative*

⇒ **agrandissement, diminution,** *qualitative.* ⇒ **amélio-ration, aggravation. 2.** Changement apporté à qqch. *Il faudra faire quelques modifications à ce projet.* ⇒ **correction, rectification, remaniement.** ▶ *modifi-cateur, trice* adj. ■ Qui a la propriété de modifier. *Action modificatrice.* ▶ *modificatif, ive* adj. ■ Qui modifie. *Texte modificatif. Termes modificatifs.*

modique [mɔdik] adj. ■ (Somme d'argent) Qui est peu considérable. ⇒ **faible, médiocre, minime, modeste, petit.** / contr. **gros, important** / *Un salaire modique. Pour la modique somme de 100 francs.* ▶ *modiquement* adv. ■ *Être modiquement payé, rétribué.* ⟨ ▶ **modicité** ⟩

modiste [mɔdist] n. f. ■ Fabricante et marchande de coiffures féminines. *Atelier, boutique de modiste.* ≠ *modéliste.*

module [mɔdyl] n. m. **1.** Arts. Unité déterminant les proportions. — Dimension. *Cigarette, cigare de gros module.* **2.** Coefficient de résistance des maté-riaux. *Module de rigidité.* **3.** Unité constitutive d'un ensemble. — Élément d'un véhicule spatial. *Module lunaire.* ▶ *moduler* v. tr. · conjug. 1. **1.** Articuler, émettre (une mélodie, un son varié) par une suite de modulations. *Moduler un air en le sifflant.* **2.** Effec-tuer une ou plusieurs modulations (2). **3.** Radio. Faire varier les caractéristiques de (un courant électrique ou une onde). **4.** Adapter (qqch.) à des cas parti-culiers. *Moduler des tarifs.* ▶ *modulation* n. f. **1.** Chacun des changements de ton, d'accent, d'inten-sité, de hauteur dans l'émission d'un son ; action ou façon de moduler. **2.** Passage d'une tonalité (mode) à une autre. **3.** Variation (d'amplitude, d'intensité, de fréquence) d'une onde. *Émission en modulation de fréquence.* ▶ *modulateur* n. m. ■ Appareil qui module un courant, une onde. *Modulateur-démodula-teur.* ⇒ **modem.**

modus vivendi [mɔdysvivɛ̃di] n. m. invar. ■ Transaction mettant d'accord deux parties en litige.

moelle [mwal] n. f. **I. 1.** Substance molle et grasse de l'intérieur des os. *Os à moelle,* contenant de la moelle. **2.** *Frissonner, être glacé jusqu'à la moelle des os,* l'intérieur du corps. **II.** MOELLE ÉPINIÈRE : cordon nerveux qui, parti de l'encéphale, est abrité dans le canal rachidien, l'épine* dorsale, les vertèbres. ▶ *moelleux, euse* [mwalø, øz] adj. **1.** Qui a de la douceur et de la mollesse au toucher. ⇒ **doux, mou.** *Étoffe moelleuse. Siège, lit moelleux,* où l'on enfonce confortablement. / contr. **dur** / **2.** Agréable au palais, au goût. ⇒ **onctueux, savoureux.** *Vin moelleux.* **3.** Qui a une sonorité pleine et douce. *Son moelleux.* **4.** (Formes naturelles ou artistiques) Qui a de la mollesse et de la grâce. ⇒ **gracieux, souple.** *Ligne, touche moelleuse.* ▶ *moelleusement* adv.

moellon [mwalɔ̃] n. m. ■ Pierre de construction maniable. *Moellons naturels ou bruts.*

mœurs [mœr], mieux que [mœrs] n. f. pl. **I.** Habi-tudes (d'une société, d'un individu) relatives à la pratique du bien et du mal. ⇒ **conduite, morale.** *Bonnes, mauvaises mœurs. Il a des mœurs dissolues.* — En droit. *Outrage aux bonnes mœurs.* — *Police des mœurs,* ou ellipt, *les mœurs,* police chargée de la réglementation de la prostitution. *Les mœurs et la mondaine*.* **II. 1.** Habitudes de vie, coutumes (d'un peuple, d'une société, d'un groupe). ⇒ **usage(s).** *Étudier les mœurs d'une ethnie, d'une tribu ; d'une époque. Cette habitude est entrée dans les mœurs (dans nos mœurs).* — *Comédie* DE MŒURS, *peinture de mœurs* : qui décrivent les habitudes d'une société. **2.** Habitudes de vie individuelle, comportement (d'une personne). *Avoir des mœurs simples, des mœurs bohèmes.* **3.** Habitudes de vie (d'une espèce animale). *Les mœurs des abeilles.* ⟨ ▶ **moral** ⟩

mohair [mɔɛr] n. m. ■ Poil de la chèvre angora. *Laine mohair.* — Étoffe de mohair.

moi [mwa] pronom pers. et n. m. invar. **I.** Pronom personnel (forme tonique ; la forme atone est *me*) de la première personne du singulier et des deux genres, représentant la personne qui parle ou qui écrit. ⇒ **je** ; fam. **bibi, ma pomme. 1.** (Complément d'objet après un impératif positif) *Regarde-moi.* — (Après un autre pronom pers.) *Donnez-la-moi.* **2.** (Emphatique, à l'impé-ratif) *Regardez-moi ça !* **3.** (Renforçant le pronom *je*) *Moi, je le trouve sympathique.* **4.** (Sujet) *Moi, faire cela ? « Qui est là ? – Moi. »* **5.** (Coordonné à un nom, un pronom) *Mon avocat et moi sommes de cet avis. Il a invité ma femme et moi. Il nous a invités, ma femme et moi.* **6.** (Dans une phrase comparative) *Plus, moins que moi. Ne faites pas comme moi.* **7.** MOI QUI. *Moi qui vous parle.* **8.** (Attribut) C'EST MOI... (+ propos. relative) *C'est moi qui vous le dis.* **9.** (Précédé d'une préposition) *Avec moi, chez moi. L'idée n'est pas de moi. Un ami de moi et de mon frère* (→ **un mien** ami). — *Pour moi,* à mon égard ; pour ma part. *Elle est tout pour moi. Pour moi (selon moi, d'après moi), il est fou.* — *Quant à moi,* pour moi. — *De vous à moi,* entre nous. **10.** Loc. MOI-MÊME : forme renforcée de *moi. Je ferai le travail moi-même.* — MOI SEUL. *C'est moi seul qui suis responsable.* — MOI AUSSI. *« J'aime-rais bien y aller. – Moi aussi. »* — MOI NON PLUS. *« Je n'aimerais y pas aller. – Moi non plus. »* Par plaisant. *« Je t'aime. – Moi non plus »* (moi, je ne t'aime pas). **II.** N. m. invar. **1.** LE MOI : ce qui constitue l'individualité, la personnalité d'un être humain. ⇒ **esprit, individu. 2.** Forme que prend une personna-lité à un moment particulier. *Notre vrai moi.* ⟨ ▶ **chez-moi** ⟩

moignon [mwaɲɔ̃] n. m. **1.** Extrémité d'un mem-bre amputé. *Le moignon d'un manchot.* **2.** Ce qui reste d'une grosse branche cassée ou coupée. **3.** Mem-bre rudimentaire. *Les moignons d'ailes des oiseaux marcheurs, des pingouins.*

moindre [mwɛ̃dr] adj. compar. **I.** Compar. Plus petit (en quantité, en importance), plus faible. ⇒ **inférieur.** *Un moindre mal.* **II.** Superl. LE MOIN-DRE : le plus petit, le moins important. *Les moindres détails. Je n'en ai pas la moindre idée. C'est le moindre de mes soucis.* ⇒ **cadet, dernier.** — (Précédé d'une négation) ⇒ **aucun, nul.** *Il n'y a pas le moindre doute ; sans le moindre doute.* ⟨ ▶ **amoindrir** ⟩

moine [mwan] n. m. ■ Religieux chrétien vivant à l'écart du monde, en général en communauté, après s'être engagé par des vœux à suivre la règle d'un ordre. ⇒ **religieux ; monacal ; monastère.**

moineau [mwano] n. m. **1.** Oiseau passereau à livrée brune, striée de noir (on l'a comparée à une robe de *moine*). ⇒ **pierrot** ; fam. **piaf.** *Épouvantail à moineaux.* **2.** *Vilain, sale moineau,* individu désagréa-ble ou méprisable. ⇒ **oiseau.**

moins [mwɛ̃] adv. **I.** (Comparatif de PEU) Plus faiblement, d'une manière moins importante. / contr. **plus** / *Il travaille moins. Il est moins grand que son frère. Un peu plus ou un peu moins. Trois fois moins cher.* — (Précédé d'une négation, exprimant une égalité) *Non moins que.* ⇒ **ainsi** que, **comme.** *Pas moins, autant.* — Loc. *Plus ou moins,* à peu près. *Ni plus ni moins.* **II. 1.** LE MOINS (Superlatif de PEU) *Le sentiment le moins généreux. Pas le moins du monde, pas du tout. C'est la robe la moins chère que j'aie trouvée.* **2.** AU MOINS : appliqué à une condition qui atténuerait ou corrigerait ce que l'on déplore. *Si, au moins, il était arrivé à temps !* ⇒ **seulement.** *Il y a au moins une heure,* au minimum. ⇒ **bien.** — DU MOINS (loc. restrictive) : néanmoins, pourtant. *Il a été reçu premier, du moins il le prétend,* ou plutôt, il le

prétend. — TOUT AU MOINS ; POUR LE MOINS (formes renforcées de *au moins*). **III.** Nominal. **1.** Une quantité moindre ; une chose moindre. *Cela coûte moins. Ni plus ni moins,* exactement autant. — MOINS DE. *Moins de vingt kilos. Les moins de vingt ans,* ceux qui ont moins de vingt ans. — DE MOINS, EN MOINS. *Il y a un élève en moins.* **2.** Loc. À MOINS DE, QUE : sauf si. *Il n'accepterait pas à moins d'une augmentation, à moins de recevoir une augmentation. J'irai chez vous à moins que vous ne sortiez.* **IV.** N. m. **1.** LE MOINS : la plus petite quantité, la moindre chose. — Loc. *Qui peut le plus peut le moins.* **2.** *Le signe moins* (–), le signe de la soustraction. **V.** Adj. Attribut. *C'est moins qu'on ne dit.* **VI.** Prép. **1.** En enlevant, en ôtant, en soustrayant. *Six moins quatre font deux.* — Ellipt. (En sous-entendant l'heure) *Dépêchez-vous, il est presque moins dix.* **2.** (Introduisant un nombre négatif) *Il fait moins dix (degrés).* — *Dix puissance moins deux* (10^{-2}).

moire [mwaʀ] n. f. **1.** Apprêt (de tissus) par écrasement irrégulier du grain. — Tissu qui présente des parties mates et brillantes. *Ruban de moire.* **2.** Littér. Aspect changeant, chatoyant (d'une surface). ▸ *moiré, ée* adj. **1.** Qui a reçu l'apprêt, qui présente l'aspect de la moire. **2.** ⇒ **chatoyant, ondé.** *Les ailes moirées des corbeaux.* ▸ *moirure* n. f. ■ Effet de ce qui est moiré ; reflet, chatoiement.

mois [mwa] n. m. invar. **1.** Chacune des douze divisions de l'année : janvier, février, mars, avril, mai, juin, juillet, août, septembre, octobre, novembre, décembre. *Une fin de mois. Période de trois* ⇒ **trimestre,** *de six mois* ⇒ **semestre. 2.** Espace de temps égal à trente jours. *Dans un mois et un jour.* **3.** Salaire, rétribution correspondant à un mois de travail. ⇒ **mensualité.** *Il touche le treizième mois.* — Somme payable chaque mois. *Tu dois trois mois de loyer.*

moïse [mɔiz] n. m. ■ Petite corbeille capitonnée qui sert de berceau (parce que Moïse est retrouvé dans une petite nacelle flottant sur le Nil). *Des moïses.*

moisir [mwaziʀ] v. conjug. 2. **I.** V. intr. **1.** Se détériorer, se gâter sous l'effet de l'humidité, de la température. *Ce pain moisit,* se couvre de moisissures. **2.** Fam. (Personnes) Attendre, rester longtemps au même lieu, dans la même situation, y perdre son temps. ⇒ **croupir, languir.** *Nous n'allons pas moisir ici toute la journée.* **II.** V. tr. Gâter, détériorer en couvrant de moisissure. *L'humidité moisit les raisins.* ▸ *moisi, ie* adj. et n. m. ■ Gâté par la moisissure. *Confiture moisie.* — N. m. *Goût de moisi.* ▸ *moisissure* n. f. ■ Altération, corruption d'une substance organique, attaquée et couverte par de petits champignons ; ces champignons qui forment une mousse étalée en taches veloutées. *Moisissure du fromage, du vin.*

moisson [mwasɔ̃] n. f. **1.** Travail agricole qui consiste à récolter les céréales (surtout le blé), lorsqu'elles sont parvenues à maturité. *Faire la moisson.* **2.** Les céréales qui sont ou seront l'objet de la moisson. ⇒ **récolte.** *Rentrer, engranger la moisson.* **3.** Action de recueillir, d'amasser en grande quantité (des récompenses, des gains, des renseignements) ; ce qu'on recueille. *Une moisson de souvenirs.* ▸ *moissonner* v. tr. conjug. 1. ■ Couper et récolter (des céréales). ⇒ **faucher.** ▸ *moissonneur, euse* n. **1.** Personne qui fait la moisson. *Les moissonneurs sont souvent des ouvriers agricoles saisonniers.* **2.** N. f. Machine agricole qui sert à moissonner. ⇒ **faucheuse.** *Moissonneuse-batteuse-lieuse.*

moite [mwat] adj. ■ Légèrement humide. *Peau moite de sueur. Atmosphère, chaleur moite.* / contr. **sec** / ▸ *moiteur* n. f. ■ Légère humidité. *La moiteur de l'air.* — État de ce qui est moite.

moitié [mwatje] n. f. **I. 1.** L'une des deux parties égales d'un tout. ⇒ **demi-, mi-, semi-.** / contr. **double** / *Le diamètre partage le cercle en deux moitiés. Cinq est la moitié de dix. Une bonne, une grosse moitié, un peu plus de la moitié. Une petite moitié,* un peu moins de la moitié. **2.** Milieu. *Parvenu à la moitié de son existence.* **3.** À MOITIÉ : à demi ; partiellement. *Ne rien faire à moitié. Verre à moitié plein.* — Loc. prép. *À moitié chemin.* ⇒ à **mi-chemin.** — MOITIÉ... MOITIÉ... *Moitié farine et moitié son.* — Fam. « *Êtes-vous content de votre voyage ?* — *Moitié-moitié.* » ⇒ fam. **couci-couça.** Loc. *Faire moitié-moitié,* partager (qqch.) avec qqn. **II.** (Après un possessif) Iron. et fam. *Sa moitié,* sa femme.

moka [mɔka] n. m. **1.** Café d'Arabie. *Une tasse de moka.* **2.** Gâteau fourré d'une crème au beurre parfumée au café (ou au chocolat). *Des mokas.*

mol ⇒ **mou.**

molaire [mɔlɛʀ] n. f. ■ Dent de la partie postérieure de la mâchoire, dont la fonction est de broyer. ‹ ▸ **prémolaire** ›

mole [mɔl] n. f. ■ En chimie. Quantité de matière servant d'unité de mesure (représentée par les molécules* correspondant au nombre d'atomes contenus dans 12 grammes de carbone).

môle [mol] n. m. ■ Construction en maçonnerie, destinée à protéger l'entrée d'un port. ⇒ **brise-lames, digue, jetée.** — Quai d'embarquement.

molécule [mɔlekyl] n. f. ■ La plus petite partie d'un corps simple ou composé susceptible d'exister à l'état isolé en gardant les caractères de ce corps. *La molécule d'un corps est formée d'atomes.* ▸ *moléculaire* adj. ■ Des molécules. *Formule moléculaire d'un corps. Poids, masse moléculaire,* d'une molécule d'un corps (somme des masses atomiques). ‹ ▸ **mole** ›

moleskine [mɔlɛskin] n. f. ■ Toile de coton revêtue d'un enduit mat ou verni imitant le cuir. *Cartable de moleskine.*

molester [mɔlɛste] v. tr. conjug. 1. ■ Maltraiter physiquement. ⇒ **bousculer, brutaliser, malmener.** *Il a été pris à partie et s'est fait molester par la foule.*

molette [mɔlɛt] n. f. **1.** Petite roue étoilée en acier, à l'extrémité de l'éperon. **2.** Outil fait d'une roulette mobile au bout d'un manche. **3.** Roulette à surface striée ou quadrillée qui sert à manœuvrer certains dispositifs mobiles. *Molette de mise au point* (jumelles). *Clé à molette.* ▸ *moleté, ée* [mɔlte] adj. ■ Qui porte un quadrillage (fait à la molette). *Vis moletée.*

mollah [mɔ(l)la] n. m. ■ Chef religieux islamique (surtout chez les chiites d'Iran). *Des mollahs.*

mollard [mɔlaʀ] n. m. ■ Fam. et vulg. Crachat.

mollasse [mɔlas] adj. **1.** Concret. Mou et flasque. / contr. **ferme** / **2.** (Personnes) Qui est trop mou, qui manque d'énergie. ⇒ **apathique, endormi, indolent, nonchalant.** / contr. **actif** / *Il est un peu mollasse. Une grande fille mollasse.* ▸ *mollasson, onne* n. ■ Fam. Personne mollasse. *Allons, dépêche-toi, gros mollasson !*

mollement [mɔlmɑ̃] adv. **1.** Sans vigueur, sans énergie. *Il travaille mollement.* **2.** Avec douceur et lenteur, avec abandon. ⇒ **doucement, indolemment, nonchalamment.** *Le fleuve coule mollement.* ⇒ **paresseusement.**

mollesse [mɔlɛs] n. f. **1.** Caractère de ce qui est mou. / contr. **dureté, fermeté** / *La mollesse d'un lit.* **2.** (Personnes) Paresse physique, intellectuelle ; manque de volonté. ⇒ **apathie, indolence, nonchalance.** / contr. **énergie, vivacité** / *La mollesse d'un paresseux.*

① *mollet, ette* [mɔlɛ, ɛt] adj. ■ Agréablement mou au toucher. *Lit mollet.* ⇒ **douillet.** — ŒUF MOLLET : à peine cuit dans sa coquille.

② *mollet* n. m. ■ Partie charnue à la face postérieure de la jambe, entre le jarret et la cheville. *Des mollets musclés.* ▶ *molletière* [mɔltjɛʀ] n. f. ■ Jambière de cuir, d'étoffe qui s'arrête en haut du mollet. — Adj. BANDE MOLLETIÈRE : qu'on enroule autour du mollet.

molleton [mɔltɔ̃] n. m. ■ Tissu de laine ou de coton gratté sur une ou deux faces. ▶ *molletonné, ée* adj. ■ Doublé, garni de molleton. *Gants molletonnés.* ⇒ **fourré.**

mollir [mɔliʀ] v. intr. ■ conjug. 2. **1.** Perdre sa force. *Sentir ses jambes mollir de fatigue.* — Marine. *Le vent mollit, perd de sa violence.* **2.** Devenir mou. ⇒ se **ramollir. 3.** (Comportements, attitudes) Commencer à céder. ⇒ **faiblir.** / contr. **tenir** / *Courage qui mollit.* ⇒ **diminuer.** *Sa résolution a molli.* — Fam. (Personnes) Hésiter, flancher. ⇒ fam. se **dégonfler.** ‹ ▶ amollir ›

mollo [mɔlo] adv. ■ Fam. Doucement. *Vas-y mollo !* ⇒ fam. ① **mou** (II).

mollusque [mɔlysk] n. m. **1.** Animal invertébré au corps mou. — *Les mollusques*, embranchement du règne animal (céphalopodes, gastéropodes). *Mollusques comestibles.* ⇒ **coquillage. 2.** Personne molle. ⇒ fam. **mollasson.**

molosse [mɔlɔs] n. m. ■ Littér. Gros chien.

molybdène [mɔlibdɛn] n. m. ■ Métal blanc, dur, fusible à 2 620 °C. *Aciers spéciaux au molybdène.*

môme [mom] n. Fam. **1.** Enfant. ⇒ fam. **gosse, mioche, moutard.** — Adj. *Elle est encore toute môme, toute petite.* **2.** *Une môme*, une jeune fille, une jeune femme. *Jolie môme.*

① *moment* [mɔmɑ̃] n. m. **1.** Espace de temps limité (relativement à une durée totale). ⇒ **instant.** *Les moments de la vie, de l'existence. Un petit, un long moment.* — Célébrité, succès du moment. ⇒ **actuel. 2.** Court instant. *Un éclat d'un moment, passager, fugitif. En un moment,* rapidement. *Dans un moment,* bientôt. Ellipt. *Un moment ! j'arrive.* **3.** Circonstance, temps caractérisé par son contenu. *Bons moments. C'est un mauvais moment à passer. N'avoir pas un moment à soi,* avoir un emploi du temps très chargé. **4.** Point de la durée (qui correspond ou doit correspondre à un événement). *Profiter du moment. Ce n'est pas le moment. C'est le moment ou jamais.* ⇒ **occasion. 5.** Loc. AU MOMENT. *Au moment de* (loc. prép.). ⇒ **lors.** *Au moment de partir,* sur le point de. *Au moment où* (loc. conj.). *À un moment donné.* — Loc. adv. À TOUT MOMENT, À TOUS MOMENTS : sans cesse, continuellement. *À aucun moment,* jamais. — EN CE MOMENT : à présent, maintenant. — SUR LE MOMENT : au moment précis où une chose a eu lieu. — PAR MOMENTS : de temps à autre. — D'UN MOMENT À L'AUTRE : bientôt. **6.** DU MOMENT OÙ, QUE loc. conj. : puisque, dès lors que. *Du moment que tu es d'accord.* ▶ *momentané, ée* adj. ■ Qui ne dure qu'un moment. ⇒ **bref, court, provisoire, temporaire.** *Gêne momentanée. Arrêts, efforts momentanés.* / contr. **continuel, durable** / ▶ *momentanément* adv. ■ Provisoirement. *Le trafic est momentanément interrompu.* ⇒ **temporairement.**

② *moment* n. m. ■ En mécanique. *Moment d'un vecteur par rapport à un point,* produit de son intensité par sa distance au point (même sens dans *moment d'un couple, moment magnétique...*).

momie [mɔmi] n. f. ■ Cadavre desséché et embaumé (par les procédés des anciens Égyptiens, notamment). *La momie de Ramsès II.* ▶ *momifier* [mɔmifje] v. tr. ■ conjug. 7. **1.** Transformer en momie. ⇒ **embaumer.** — Au p. p. adj. *Cadavre momifié.* **2.** Rendre inerte. — Pronominalement. *Esprit qui se momifie.* ▶ *momification* n. f. **1.** Transformation (d'un cadavre) en momie. — État d'un cadavre momifié. *Momification naturelle.* **2.** État de ce qui est momifié (2).

mon [mɔ̃], *ma* [ma] *mes* [me] adj. poss. **I.** Sens subjectif. **1.** Qui est à moi, qui m'appartient. *C'est mon opinion. À mon avis. Mon livre.* — Qui m'est habituel. *Je prends mon apéritif.* — Auquel j'appartiens. *De mon temps.* **2.** (Devant un nom de personne) Exprime la parenté ou des relations variées. *Mon père. Ma fiancée. Mon patron. Mes voisins.* **3.** (Marquant l'intérêt personnel) *Alors, mon bonhomme s'est mis à hurler comme un fou.* **4.** (En s'adressant à qqn) *Viens, mon enfant. Mon cher ami. Mon vieux.* — Fam. (Marquant la camaraderie, l'ironie) *Ah ! bien, mon salaud, mon cochon.* **II.** Sens objectif. (Personnes) De moi, relatif à moi. *Mon persécuteur, mon juge,* celui qui me persécute, me juge. — (Choses) *Elle est restée dix ans à mon service.* ⇒ ▶ **madame, mademoiselle, mamours, monseigneur, monsieur** ›

monacal, ale, aux [mɔnakal, o] adj. ■ Relatif aux moines. ⇒ **monastique.** *La vie monacale.*

monarchie [mɔnaʀʃi] n. f. **1.** Régime politique dans lequel le chef de l'État est un monarque, un roi héréditaire. ⇒ **royauté.** *Monarchie absolue, constitutionnelle, parlementaire.* **2.** État gouverné par un seul chef. *La monarchie d'Angleterre, des Pays-Bas.* ⇒ **couronne, royaume.** ▶ *monarchique* [mɔnaʀʃik] adj. ■ État, gouvernement monarchique. ▶ *monarchisme* [mɔnaʀʃism] n. m. ■ Doctrine des partisans de la monarchie. ▶ *monarchiste* [mɔnaʀʃist] n. et adj. ■ Partisan de la monarchie, d'un roi. ⇒ **royaliste.** / contr. **démocrate, républicain** / ▶ *monarque* n. m. ■ Chef de l'État dans une monarchie. ⇒ **empereur, prince, roi, souverain.** *Monarque absolu.* ⇒ **autocrate, despote.**

monastère [mɔnastɛʀ] n. m. ■ Établissement où vivent des religieux appartenant à un ordre (abbaye, prieuré, chartreuse, couvent, ermitage). ⇒ **cloître.** ▶ *monastique* adj. ■ Qui concerne les moines. ⇒ **monacal.** *Discipline, vie monastique.*

monceau [mɔ̃so] n. m. ■ Élévation formée par une grande quantité d'objets entassés. ⇒ **amas, amoncellement, tas.** *Des monceaux d'ordures.* — Fig. *Un monceau d'erreurs.*

① *monde* [mɔ̃d] n. m. ■ La vie en société considérée surtout dans ses aspects de luxe et de divertissement. *Aller dans le (grand) monde.* — *Homme, femme du monde.* ▶ *mondain, aine* adj. **1.** Relatif à la société des gens en vue, aux divertissements, aux réunions de la haute société. *Vie mondaine et brillante.* — *Romancier, écrivain mondain,* qui écrit sur la vie de la haute société. **2.** Qui aime les mondanités, sort beaucoup dans le monde. *Il est très mondain.* **3.** *Police mondaine,* ou ellipt. LA MONDAINE : police spécialisée notamment dans la répression du trafic de la drogue. ▶ *mondanités* n. f. pl. **1.** Les événements, les particularités de la vie mondaine. *Aimer, fuir les mondanités.* **2.** Comportements, paroles en usage dans la vie mondaine. *Allons ! Pas de mondanités entre nous !* ‹ ▶ demi-mondaine, demi-monde ›

② *monde* n. m. **1.** LE MONDE, DU MONDE : les gens, des gens ; un certain nombre de personnes. *Il y a beaucoup de monde. J'entends du monde dans* *l'escalier.* — Beaucoup de personnes. *Tu as vu le monde qu'il y a ? — Avoir du monde chez soi,* des invités. **2.** TOUT LE MONDE : chacun. *Il ne peut jamais faire comme tout le monde.* / contr. **personne** /

③ **monde** n. m. **I. 1.** L'ensemble formé par la Terre et les astres visibles, conçu comme un système organisé. ⇒ **cosmos.** — Tout corps céleste comparé à la Terre. *La guerre des mondes.* **2.** L'ensemble de tout ce qui existe. ⇒ **univers.** *Conception du monde.* Loc. *Tout est pour le mieux dans le meilleur des mondes* (maxime des optimistes). *L'homme et le monde.* ⇒ **nature.** *Création du monde.* **3.** (Qualifié) La totalité des choses, des concepts d'un même ordre. *Le monde extérieur, visible ; le monde des apparences.* **4.** Ensemble de choses considéré comme formant un domaine à part. *Le monde poétique, de l'art.* — *Le monde des abeilles, le monde végétal.* — Loc. *Faire tout un monde de qqch.,* toute une affaire. — Fam. *C'est un monde !,* c'est exagéré (marque l'indignation). **II.** La Terre, habitat de l'homme ; l'humanité. **1.** La planète Terre, sa surface. *Les cinq parties du monde.* ⇒ **continent.** *Courir, parcourir le monde. Tour du monde.* — Loc. fam. *Le monde est petit,* se dit lorsqu'on rencontre qqn à l'improviste. — *Champion, championnat du monde.* — *Le Nouveau Monde,* l'Amérique. *L'Ancien Monde,* l'Europe, l'Afrique et l'Asie. — *Le tiers* monde.* **2.** *Le monde, ce bas monde* (opposé à *l'autre monde,* que les âmes sont censées habiter après la mort ⇒ **au-delà**). — Loc. *Mépriser les biens de ce monde. De l'autre monde,* de l'au-delà. *Il n'est plus de ce monde,* il est mort. **3.** AU MONDE. *Venir au monde,* naître. *Être seul au monde,* dans la vie. **4.** La société, la communauté humaine. ⇒ **humanité.** *Ainsi va le monde.* Loc. *À la face du monde,* ouvertement, devant le public. *L'avènement d'un monde meilleur. Le monde antique. Le monde capitaliste et le monde communiste.* — Loc. *Il faut de tout pour faire un monde,* se dit pour excuser l'état ou les goûts des gens. **5.** DU MONDE : renforçant un superlatif. *C'est le meilleur homme du monde.* — AU MONDE : renforçant *tout, rien, aucun. Pour rien au monde.* **6.** Milieu ou groupement social particulier. *Il n'est pas de notre monde.* ▶ **mondial, ale, aux** adj. ■ Relatif à la terre entière. *Population, production mondiale. L'actualité mondiale.* ⇒ **international.** ▶ **mondialement** adv. ■ Partout dans le monde. *Mondialement connu.* ⇒ **universellement.** ▶ **mondovision** n. f. ■ Transmission d'images de télévision en des lieux éloignés du globe grâce à des relais satellites de la Terre. ⇒ **eurovision.** — REM. On dit aussi *mondiovision,* n. f.

monégasque [mɔnegask] adj. et n. ■ De la ville ou de la principauté de Monaco. — N. *Les Monégasques.*

monétaire [monetɛʀ] adj. ■ Relatif à la monnaie. *Unité monétaire.*

mongol, ole [mɔ̃gɔl] adj. et n. ■ De Mongolie. — N. *Les Mongols.* — *Le mongol* (langue).

mongolien, ienne [mɔ̃gɔljɛ̃, jɛn] adj. ■ Relatif à une maladie congénitale (appelée *mongolisme,* n. m.) qui entraîne un retard du développement, l'arriération mentale et un faciès spécial. — N. Malade atteint de mongolisme.

moniteur, trice [monitœʀ, tʀis] n. ■ Personne qui enseigne certains sports, certaines activités. ⇒ **entraîneur.** *Moniteur de ski, d'auto-école.* — *Moniteur de colonie de vacances,* chargé d'encadrer les enfants. — Abrév. fam. *Le, la mono. Des monos.* ▶ **monitorat** n. m. ■ Apprentissage, formation pour la fonction de moniteur ; la fonction elle-même. *Monitorat de vol à voile.*

monnaie [mɔnɛ] n. f. **1.** Pièce de métal ou ensemble des pièces dont le poids et le titre sont garantis par l'autorité ; moyen d'échange et unité de valeur. ⇒ **pièce.** *Monnaies d'or et d'argent.* **2.** Tout instrument de mesure et de conservation de la valeur, de moyen d'échange des biens. ⇒ **argent.** *Monnaie métallique, fiduciaire. Pièce de monnaie,* monnaie (1) ayant une valeur d'échange. — *Monnaie de papier* (billets). — FAUSSE MONNAIE : contrefaçon frauduleuse des pièces de monnaie. *Fabricant de fausse monnaie.* ⇒ **faussaire, faux-monnayeur. 3.** Unité de valeur admise et utilisée dans un pays. *Le cours d'une monnaie. Valeurs relatives de plusieurs monnaies.* ⇒ **change, cours, parité.** — Loc. *Servir de monnaie d'échange.* *C'est monnaie courante,* c'est chose très fréquente. **4.** Ensemble de pièces, de billets de faible valeur que l'on porte sur soi. *Petite, menue monnaie.* ⇒ fam. **ferraille, mitraille.** *Passez la monnaie !* — Somme constituée par les pièces ou billets représentant la valeur d'une seule pièce, d'un seul billet ou la différence entre un billet, une pièce et une somme moindre. ⇒ **appoint.** *Rendre la monnaie sur cent francs. Je n'ai pas de monnaie ; avez-vous de la monnaie ?* — Loc. *Rendre à qqn la monnaie de sa pièce,* lui rendre le mal qu'il vous a fait. ▶ **monnayer** [mɔneje] v. tr. · conjug. 8. **1.** Convertir en argent liquide. *Monnayer un billet, un bien.* **2.** Se faire payer (un bien moral) ; tirer de l'argent de (qqch.). *Monnayer son talent, son silence.* ▶ **monnayable** adj. ■ Qu'on peut monnayer. ‹ ▶ **démonétiser, faux-monnayeur, monétaire, porte-monnaie** ›

mon(o)- ■ Élément savant signifiant « seul, unique ». ⇒ **monarchie,** et composés ci-dessous. / contr. **multi-, pluri-, poly-** /

monocellulaire [mɔnoselylɛʀ] adj. ■ Composé d'une seule cellule.

monochrome [mɔnokʀom] adj. ■ Qui est d'une seule couleur.

monocle [mɔnɔkl] n. m. ■ Petit verre optique que l'on fait tenir dans une des arcades sourcilières. ⇒ **lorgnon.** *Il portait le monocle.*

monocoque [mɔnɔkɔk] N. m. ■ Bateau à une seule coque (opposé à *multicoque*). — Adj. *Un bateau monocoque.*

monocorde [mɔnɔkɔʀd] adj. ■ Qui est sur une seule note, n'a qu'un son. ⇒ **monotone.** *Une voix monocorde.*

monocotylédone [mɔnokɔtiledon] adj. et n. f. pl. ■ Dont la graine n'a qu'un cotylédon. — Nom d'une classe de végétaux. *Les monocotylédones et les dicotylédones.*

monoculture [mɔnokyltyʀ] n. f. ■ Culture d'un seul produit.

monogame [mɔnɔgam] adj. **1.** Qui n'a qu'une seule femme, qu'un seul mari à la fois (opposé à *bigame, polygame*). — N. *Un, une monogame.* **2.** Qui a des fleurs unisexuées. ▶ **monogamie** n. f. ■ Régime juridique en vertu duquel un homme ou une femme ne peut avoir plusieurs conjoints en même temps. / contr. **bigamie, polygamie** /

monogramme [mɔnɔgʀam] n. m. ■ Chiffre composé de la lettre initiale ou de la réunion de plusieurs lettres d'un nom entrelacées.

monographie [mɔnɔgʀafi] n. f. ■ Étude complète et détaillée sur un sujet précis.

monokini [mɔnokini] n. m. ■ Maillot de bain féminin qui ne comporte qu'une culotte (le *bikini* comportant culotte et soutien-gorge). *Des monokinis.*

monolingue [mɔnolɛ̃g] adj. et n. **1.** Qui ne parle qu'une langue (opposé à *bilingue, trilingue, polyglotte*).

2. En une seule langue (opposé à *bilingue*). *Dictionnaire monolingue.* ⇒ **unilingue.**

monolithe [mɔnɔlit] adj. et n. m. **1.** Qui est d'un seul bloc de pierre. *Colonne monolithe.* **2.** N. m. *Un monolithe,* un monument monolithe. ▶ **monolithique** adj. **1.** D'un seul bloc de pierre ; monolithe. **2.** Fig. Qui forme bloc ; dont les éléments forment un ensemble rigide, homogène. *Parti monolithique.*

monologue [mɔnɔlɔg] n. m. **1.** Scène à un personnage qui parle seul. **2.** Long discours d'une personne qui ne laisse pas parler ses interlocuteurs. / contr. **dialogue, entretien** / **3.** Discours d'une personne seule qui parle, pense tout haut. ⇒ **soliloque.** *Monologue intérieur,* longue suite de pensées transcrites à la première personne (dans un roman, etc.). ▶ *monologuer* v. intr. **.** conjug. 1. ■ Parler seul, ou en présence de qqn comme si l'on était seul. / contr. **dialoguer** /

monôme [mɔnom] n. m. **I.** Expression algébrique entre les parties de laquelle il n'y a pas de signe d'addition ou de soustraction. **II.** File d'étudiants se tenant par les épaules, qui se promènent sur la voie publique. *Formez le monôme !*

monomoteur, trice [mɔnomɔtœʀ, tʀis] adj. et n. m. ■ Qui n'a qu'un seul moteur. *Avion monomoteur.*

mononucléaire [mɔnonykleɛʀ] adj. ■ (Cellule) Qui n'a qu'un seul noyau.

monoplace [mɔnɔplas] adj. et n. ■ (Véhicule) Qui n'a qu'une place. *Voiture, avion monoplace.* — N. *Un, une monoplace.*

monoplan [mɔnɔplɑ̃] n. m. ■ Avion qui n'a qu'un seul plan de sustentation (opposé à *biplan*).

monopole [mɔnɔpɔl] n. m. **1.** Situation où une entreprise (un groupe) est maître de l'offre sur le marché ; cette entreprise. *Capitalisme de monopole. Les grands monopoles.* **2.** Privilège exclusif. ⇒ **exclusivité.** *Ce parti s'attribue le monopole du patriotisme.* ▶ *monopoliser* v. tr. **.** conjug. 1. **1.** Exploiter, vendre par monopole. *L'État a monopolisé la vente des tabacs.* **2.** S'attribuer (un objet ou un privilège exclusif). ⇒ **accaparer.** *Monopoliser qqn, son attention.* ▶ *monopolisation* n. f. ■ Action de monopoliser.

monoski [mɔnoski] n. m. ■ Ski unique sur lequel reposent les deux pieds. — Sport pratiqué sur ce ski. *Faire du monoski.*

monosyllabe [mɔnɔsi(l)lab] adj. et n. m. ■ Qui n'a qu'une syllabe. — N. m. *Un monosyllabe,* un mot d'une syllabe. ▶ *monosyllabique* adj. ■ Qui n'a qu'une syllabe. — Qui ne contient que des monosyllabes. *Le chinois est monosyllabique.*

monothéisme [mɔnɔteism] n. m. ■ Croyance en un dieu unique. / contr. **polythéisme** / ▶ *monothéiste* n. et adj. ■ Qui croit en un dieu unique.

monotone [mɔnɔtɔn] adj. **1.** Qui est toujours sur le même ton ou dont le ton est peu varié. ⇒ **monocorde.** *Une plainte monotone.* **2.** Qui lasse par son uniformité, par la répétition des mêmes choses. ⇒ **uniforme.** *Paysage monotone. Une vie monotone.* / contr. **varié** / ▶ *monotonie* n. f. ■ Uniformité lassante. *La monotonie d'un paysage, d'un travail.* ⇒ **ennui.** / contr. **diversité, variété** /

① **monseigneur** [mɔ̃sɛɲœʀ] n. m. — REM. S'emploie sans article. ■ Titre honorifique donné à certains personnages éminents (archevêques, évêques, princes des familles souveraines). Abrév. *Mgr.* — Au plur. *Messeigneurs* (princes), *Nosseigneurs* (archevêques, évêques ; abrév. *NN. SS.*).

② **monseigneur** n. m. ■ En appos. *Pince monseigneur.* ⇒ **pince.** *Des pinces monseigneur(s).*

monsieur [məsjø], plur. **messieurs** [mesjø] n. m. (Abrév. M., MM.) **I. 1.** Titre donné aux hommes de toute condition. *Bonjour, monsieur. Cher monsieur. Mesdames et Messieurs. Monsieur le Ministre.* **2.** Titre qui précède le nom ou la fonction d'un homme dont on parle. *Monsieur Durand est arrivé. Adressez-vous à monsieur le directeur.* **3.** Titre autrefois donné aux princes (notamment l'aîné des frères du roi). **II.** Homme. **1.** Vieilli. Un homme de la bourgeoisie (opposé à *travailleur manuel*, à *paysan*) **2.** Homme quelconque. *Un vieux monsieur. Le monsieur que nous avons rencontré hier.* — (Avec certains adj.) *Un joli, un vilain monsieur,* un individu méprisable. **3.** Lang. enfantin. *Un monsieur,* un homme. *Dis merci au monsieur.* 〈 ▶ croque-monsieur 〉

monstre [mɔ̃stʀ] n. m. et adj. **I. N. m. 1.** Être, animal fantastique et terrible (des légendes, mythologies). — Animal réel gigantesque ou effrayant. *Monstres marins.* **2.** Être vivant ou organisme de conformation anormale (par excès, défaut ou position anormale des parties du corps). **3.** Personne d'une laideur effrayante. **4.** Fig. Personne effrayante par son caractère, son comportement (surtout sa méchanceté). *C'est un monstre de cruauté.* — Fam. *Petit monstre !,* se dit à un enfant turbulent. **5.** Loc. LES MONSTRES SACRÉS : les grands comédiens. **II.** Adj. Fam. Très important, immense. ⇒ **colossal, prodigieux.** *Un meeting monstre. Des repas monstres. Un travail monstre.* ▶ **monstrueux, euse** [mɔ̃stʀyø, øz] adj. **1.** Qui a la conformation d'un monstre, rappelle les monstres. ⇒ **difforme.** *Laideur monstrueuse.* **2.** Qui est d'une taille, d'une intensité prodigieuse et insolite. *Une ville monstrueuse.* ⇒ **colossal, énorme, gigantesque.** *Un bruit monstrueux.* **3.** Qui choque extrêmement la raison, la morale. ⇒ **abominable, affreux, effroyable, épouvantable, horrible.** *Idée monstrueuse. C'est monstrueux !* ▶ *monstrueusement* adv. ■ *Il était monstrueusement gros, laid.* ▶ *monstruosité* n. f. **1.** Anomalie congénitale. ⇒ **difformité, malformation.** **2.** Caractère de ce qui est monstrueux (3). *La monstruosité d'un crime.* ⇒ **atrocité, horreur.** — *Une monstruosité,* chose monstrueuse.

mont [mɔ̃] n. m. ■ Vx ou en loc. Importante élévation de terrain. ⇒ **montagne.** *Du haut des monts. Le mont Blanc.* — Loc. PAR MONTS ET PAR VAUX : à travers tout le pays, de tous côtés, partout. — *Promettre* MONTS ET MERVEILLES : des avantages considérables. ▶ *montagne* [mɔ̃taɲ] n. f. **1.** Importante élévation de terrain. ⇒ **éminence, hauteur, mont.** *Flanc, pente, versant d'une montagne. Chaîne, massif de montagnes.* — Loc. *(Se)* faire une montagne de qqch., (s')en exagérer les difficultés, l'importance. — *Soulever les montagnes,* se jouer de grandes difficultés. **2.** LES MONTAGNES, LA MONTAGNE : ensemble de montagnes (chaîne, massif) ; zone, région de forte altitude (opposé à *plaine*). *Pays de montagne.* ⇒ **montagnards.** *Passer ses vacances à la montagne.* — *La* MONTAGNE À VACHES : les zones d'alpages, où paissent les troupeaux (péj. dans le langage des alpinistes). **3.** Amas, amoncellement. *Une montagne de livres.* **4.** MONTAGNES RUSSES : suite de montées et de descentes rapides parcourues par un véhicule dans les foires. ▶ *montagnard, arde* adj. et n. **1.** Qui habite les montagnes, vit dans les montagnes. *Peuples montagnards.* **2.** Relatif à la montagne. *La vie montagnarde.* ▶ *montagneux, euse* adj. ■ Où il y a des montagnes ; formé de montagnes. *Région montagneuse.* 〈 ▶ amont, amonceler, monceau, mont-de-piété, monticule, montueux, passe-montagne, promontoire, tramontane, ultramontain 〉

montage [mɔ̃taʒ] n. m. **1.** Opération par laquelle on assemble les pièces (d'un mécanisme, d'un objet complexe) pour le mettre en état de fonctionner (⇒ ② **monter**). *Le montage des chaussures. Le montage d'un moteur au banc d'essai. Chaîne de montage. — Le montage d'un circuit électrique.* **2.** Assemblage d'images. *Montage photographique.* **3.** Choix et assemblage des plans d'un film dans certaines conditions d'ordre et de temps (⇒ **monteur,** 2). — *Un montage,* film documentaire ou d'actualités constitué d'éléments préexistants assemblés.

montant, ante [mɔ̃tɑ̃, ɑ̃t] adj. et n. **I. Adj.** Qui monte (①, I). **1.** Qui se meut de bas en haut. / contr. **descendant** / *Mouvement montant. Marée montante.* ⇒ **flux.** *Gamme montante.* **2.** Qui va, s'étend vers le haut. *Chemin montant.* **II. N. m. 1.** Pièce verticale dans un dispositif, une construction (opposé à *traverse*). *Les montants d'une fenêtre.* **2.** Chiffre auquel monte, s'élève un compte. ⇒ **somme, total.** *Le montant des frais.*

mont-de-piété [mɔ̃dpjete] n. m. ■ Établissement de prêt sur gage. *Il a engagé sa montre au mont-de-piété. Des monts-de-piété.*

① *monter* [mɔ̃te] v. ■ conjug. 1. **I.** V. intr. (Auxil. *être* ou *avoir*) **1.** (Êtres vivants) Se déplacer dans un mouvement de bas en haut ; se transporter vers un lieu plus haut. ⇒ **grimper.** / contr. **descendre** / *Monter en haut d'une tour. Monter au grenier. Monter à une échelle. Elle est montée se coucher. — Monter à cheval.* Absolt. *Il monte bien. — Monter dans une voiture, en voiture. Monter à bicyclette.* **2.** Fam. Se déplacer du sud vers le nord (en raison de l'orientation des cartes géographiques où le nord est en haut). *Ils sont montés (de Marseille) à Paris.* **3.** Progresser dans l'échelle sociale, s'élever dans l'ordre moral, intellectuel. *Monter en grade.* ⇒ **avancer.** — Fam. *La vedette qui monte.* **4.** (Choses) S'élever dans l'air, dans l'espace. / contr. **baisser, descendre** / *Le soleil monte au-dessus de l'horizon.* — (Sons, odeurs, impressions qui émanent des choses) *Bruits montant de la rue.* — (Phénomènes physiologiques, émotions) *La colère fait monter le sang au visage. Les larmes lui montaient aux yeux.* — Loc. *Monter à la tête,* exalter, griser, troubler. **5.** S'élever en pente. *Là où la route monte.* ⇒ **montée.** — S'étendre jusqu'à une certaine hauteur. *Bottes qui montent à, jusqu'à mi-cuisse.* **6.** Gagner en hauteur. *Le tas, le niveau monte.* **7.** (Fluides) Progresser, s'étendre vers le haut. *La rivière, la mer a monté.* — *Le lait monte,* commence à bouillir. **8.** (Sons) Aller du grave à l'aigu. — *Le ton monte,* la discussion tourne à la dispute. **9.** (Prix) Aller en augmentant ; (biens, marchandises, services) hausser ses prix. *Les prix, les loyers ne cessent de monter.* ⇒ **augmenter.** — Atteindre un total. ⇒ **montant.** *À combien montera la dépense ?* (Voir ci-dessous, III, 2) ⇒ **s'élever. II.** V. tr. (Auxil. *avoir*) **1.** Parcourir en s'élevant, en se dirigeant vers le haut. ⇒ **gravir.** *Monter une côte.* ⇒ **grimper. 2.** Être sur (un animal). ⇒ ① **monture.** *Ce cheval n'a jamais été monté.* — Mettre (qqn) à cheval. — Au p. p. adj. *POLICE MONTÉE* : à cheval (spécialt police fédérale canadienne). **3.** (Cheval, quadrupèdes) Couvrir (la femelle). ⇒ **saillir ; monte.** *L'étalon monte la jument.* **4.** Porter, mettre (qqch.) en haut. *Monter une malle au grenier. La concierge monte le courrier* (aux occupants des étages). **5.** Porter, mettre plus haut, à un niveau plus élevé. ⇒ **élever, remonter.** *Monter l'étagère d'un cran.* — Loc. *MONTER LA TÊTE à qqn,* MONTER *qqn* : l'animer, l'exciter contre qqn. *Se monter la tête,* s'exalter. **III.** SE MONTER v. pron. **1.** (Passif) Être monté. *Cette côte se monte facilement.* **2.** (Réfl.) S'élever à un certain total. ⇒ **atteindre.** *Les dépenses se sont montées à mille francs.* ▶ *monte* n. f. **1.** Pratique de l'accouplement chez les équidés et les bovidés. ⇒ **saillie. 2.** Fait de monter un cheval en course. — Manière de monter.

Sa monte est excellente. ▶ *monte-charge* [mɔ̃tʃaʀʒ] n. m. invar. ■ Appareil servant à monter des marchandises, des fardeaux, d'un étage à l'autre. ⇒ **élévateur.** ≠ **ascenseur.** *Des monte-charge.* ▶ *montée* n. f. **1.** Action de monter, de grimper, de se hisser. ⇒ **escalade, grimpée.** *Être essoufflé par une pénible montée.* — (Choses) Action de s'élever. ⇒ **ascension.** / contr. **descente** / *La montée des eaux.* ⇒ **crue. 2.** Pente que l'on gravit. ⇒ **côte, grimpée, rampe.** *Maison en haut d'une montée.* ⟨ ▶ montant, ① monture, ② remonter, surmonter ⟩

② *monter* v. tr. ■ conjug. 1. **1.** Mettre en état de fonctionner, de servir, en assemblant les différentes parties. ⇒ **ajuster ; assembler ; montage, monteur.** / contr. **démonter** / *Monter une armoire livrée en éléments. Monter la tente.* ⇒ **dresser.** — *Monter un film.* ⇒ **montage** ③. **2.** *Monter une pièce de théâtre,* en préparer la représentation, mettre en scène. — *Monter une affaire, une société,* constituer, organiser. *Monter un coup.* — Au p. p. adj. *Coup monté,* affaire préparée contre qqn. **3.** Fournir, pourvoir de tout ce qui est nécessaire. *Monter son ménage.* — Pronominalement (réfl.). *Se monter,* se fournir, se pourvoir (en...). — Au p. p. *Je suis mal monté en vaisselle.* **4.** Fixer définitivement. *Monter un diamant sur une bague.* ⇒ **enchâsser, sertir ; monture.** ▶ *monteur, euse* n. **1.** Personne qui monte certains ouvrages, appareils, machines ; ouvrier, technicien qui effectue des opérations de montage. *Monteur électricien.* **2.** Spécialiste chargé du montage des films. *Chef monteur.* ⟨ ▶ démonter, montage, ② monter, ① remonter ⟩

montgolfière [mɔ̃gɔlfjɛʀ] n. f. ■ (Du nom des frères *Montgolfier*) Ancien aérostat formé d'une enveloppe remplie d'air chauffé. ⇒ **ballon.**

monticule [mɔ̃tikyl] n. m. ■ Petite bosse de terrain. — Tas. *Monticule de pierres.*

① *montre* [mɔ̃tʀ] n. f. **1.** Vx. Démonstration, exhibition. *Pour la montre,* pour l'apparence extérieure, la parade. **2.** Loc. FAIRE MONTRE DE : montrer avec affectation. — Montrer au grand jour, révéler. *Il a fait montre de compréhension.* ⇒ faire **preuve** de. **3.** Commerce. EN MONTRE : en vitrine.

② *montre* n. f. **1.** Petite boîte à cadran contenant un mouvement d'horlogerie, qu'on porte sur soi pour savoir l'heure. *Montre de précision.* ⇒ **chronomètre.** *Montre-bracelet* ou *bracelet-montre. Montre à quartz. Montre de plongée. Ta montre avance, retarde. Mettre sa montre à l'heure.* ≠ *horloge, pendule.* **2.** Loc. *Montre en main,* en mesurant le temps avec précision. — *Course contre la montre,* où chaque coureur part seul, le classement s'effectuant d'après le temps. ⟨ ▶ bracelet-montre ⟩

montrer [mɔ̃tʀe] v. tr. ■ conjug. 1. **I. 1.** Faire voir, mettre devant les yeux. / contr. **cacher** / *Montrer un objet à qqn. Montrer ses richesses.* ⇒ **déployer, étaler, exhiber.** — Faire voir de loin, par un signe, un geste. ⇒ **désigner, indiquer.** *Montrer du doigt les étoiles. Montrer le chemin, la voie.* — (Suj. chose) *Film qui montre des scènes de violence.* **2.** (Suj. chose) Laisser voir. *Robe qui montre les bras, le cou.* ⇒ **découvrir.** *Ce tapis montre la corde.* **II.** Faire connaître. **1.** Faire imaginer. ⇒ **représenter.** *L'auteur montre dans ses livres un pays, une société.* ⇒ **décrire, dépeindre, évoquer. 2.** Faire constater, mettre en évidence. ⇒ **démontrer, établir, prouver.** *Montrer à qqn ses torts, lui montrer qu'il a tort. Signes qui montrent la présence, l'imminence de qqch.* ⇒ **annoncer, déceler, dénoter. 3.** Faire paraître, faire connaître volontairement par sa conduite. *Je vais lui montrer qui je suis. Montrer ce qu'on sait faire. Montre l'exemple !* **4.** Laisser paraître ; révéler. ⇒ **exprimer, extériori-**

ser, **manifester, témoigner.** *Montrer son étonnement, son émotion. Montrer de l'humeur.* **5.** Faire comprendre ; apprendre (qqch. à qqn) par l'explication. ⇒ **expliquer.** *Montre-moi comment ça marche.* **III.** SE MONTRER v. pron. réfl. **1.** Se faire voir. *Il n'a qu'à se montrer pour être applaudi.* ⇒ **paraître.** *Il n'ose plus se montrer. Se montrer sous un jour favorable, tel qu'on est.* **2.** Se montrer (et attribut), être effectivement, pour un observateur. ⇒ **être.** *Se montrer courageux, habile. Il s'est montré d'une avarice sordide.* ▶ **montreur, euse** n. ■ Personne qui fait métier de montrer en public (une curiosité). *Montreur d'ours, d'animaux.* ⟨ ▶ démontrer, indémontrable, ① montre, remontrer ⟩

montueux, euse [mɔ̃tɥø, øz] adj. ■ Vieilli. Qui présente des monts, des hauteurs. *Pays montueux.*

① **monture** [mɔ̃tyR] n. f. ■ Bête sur laquelle on monte pour se faire transporter (cheval, âne, mulet, dromadaire, éléphant...). *Un cavalier et sa monture.* ⇒ **cheval.**

② **monture** n. f. ■ Partie (d'un objet) qui sert à assembler, fixer la pièce, l'élément principal. *Monture de chevalet. Monture de lunettes,* qui maintient les verres en place.

monument [mɔnymɑ̃] n. m. **1.** Ouvrage d'architecture, de sculpture, etc., destiné à perpétuer le souvenir de qqn, qqch. *Monument funéraire,* élevé sur une sépulture. ⇒ **sépulture.** *Monument aux morts,* élevé à la mémoire des morts d'une même communauté. **2.** Édifice remarquable par son intérêt. ⇒ **bâtiment, palais.** *Monument historique. Monument public.* — Fam. Objet énorme. *Cette armoire est un véritable monument.* **3.** Œuvre imposante, vaste, digne de durer. — Fam. *Un monument d'absurdité,* une chose très absurde. ▶ **monumental, ale, aux** adj. **1.** Qui a un caractère de grandeur majestueuse. ⇒ **grand, imposant,** *L'œuvre monumentale de Victor Hugo.* **2.** Fam. Énorme. ⇒ **colossal, gigantesque, immense.** *Une horloge monumentale.* — *Erreur monumentale.*

se moquer [mɔke] v. pron. réfl. ■ conjug. 1. SE MOQUER DE *qqn, qqch.* **1.** — Tourner en ridicule. ⇒ **blaguer, railler, ridiculiser, rire** de ; fam. se **ficher** de (→ Mettre en boîte). *Les enfants se moquent de lui, de son allure.* **2.** Ne pas se soucier de (qqn, qqch.). ⇒ **dédaigner, mépriser.** *Je m'en moque* (→ Je m'en balance, je m'en fiche, ça m'est égal). / contr. s'**intéresser** / *Se moquer du qu'en-dira-t-on. Je me moque d'avoir raison. Il se moque que j'aie raison.* **3.** Tromper ou essayer de tromper (qqn) avec désinvolture. ⇒ **avoir, berner,** se **jouer** de, **mystifier, rouler.** *Elle s'est bien moquée de vous. Vous vous moquez du monde.* **4.** Absolt. Littér. Plaisanter. *Vous vous moquez !* ▶ **moquerie** [mɔkRi] n. f. ■ *La moquerie,* action, habitude de se moquer (1). ⇒ **ironie, raillerie.** — *(Une, des moqueries)* Action, parole par laquelle on se moque. ⇒ **plaisanterie.** *Être sensible aux moqueries.* ▶ **moqueur, euse** adj. et n. **1.** Qui a l'habitude de se moquer (1), qui est enclin à la moquerie. ⇒ **blagueur, goguenard, gouailleur.** — N. *C'est un moqueur.* **2.** Inspiré par la moquerie. ⇒ **ironique, narquois, railleur.** *Regard, rire moqueur.*

moquette [mɔkɛt] n. f. ■ Tapis uni, ras, (cloué, collé...) couvrant généralement toute la surface d'une pièce. *Demain, on pose la moquette. Il préfère le parquet à la moquette.*

moraine [mɔRɛn] n. f. ■ Débris de roche entraînés par un glacier et formant un grand amas.

① **moral, ale, aux** [mɔRal, o] adj. ■ Relatif à l'esprit, à la pensée (opposé à *matériel*). ⇒ **intellectuel, spirituel.** *Force morale.* — *Certitude morale,*

intuitive. ▶ ① **moralement** adv. **1.** Sur le plan spirituel, intellectuel. *J'en suis moralement convaincu.* **2.** Du point de vue moral. ⇒ **mentalement, psychologiquement.** *Il a été moralement très secoué.* ▶ ② **moral** n. m. ■ Disposition temporaire à supporter plus ou moins bien les dangers, les difficultés, à être plus ou moins heureux. *Le moral des troupes est bon.* — Fam. *Avoir le moral à zéro,* ne pas avoir le moral, avoir mauvais moral. *Il m'a cassé, sapé le moral.* ⇒ **démoraliser.** ⟨ ▶ démoraliser ⟩

③ **moral, ale, aux** adj. et n. m. **I.** Adj. **1.** Qui concerne les mœurs*, les règles de conduite admises et pratiquées dans une société. *Attitude, expérience morale. Les valeurs morales. Principes moraux.* **2.** Qui concerne l'étude philosophique de la morale (I, 1). ⇒ **éthique.** *Théorie morale.* **3.** Qui est conforme aux mœurs, à la morale (I, 2). ⇒ **honnête, juste.** / contr. **amoral, immoral** / *Une histoire morale,* édifiante. ▶ **morale** n. f. **I. 1.** Science du bien et du mal ; théorie de l'action humaine en tant qu'elle est soumise au devoir et a pour but le bien. ⇒ **éthique.** *Morale stoïcienne, chrétienne.* **2.** Ensemble de règles de conduite considérées comme bonnes. ⇒ **bien, valeur.** *Conforme à la morale,* bien, bon. *Morale sévère, rigoureuse.* ⇒ **rigorisme.** **II. 1.** Loc. FAIRE LA MORALE : de la morale à qqn : lui faire une leçon concernant son devoir. ⇒ **morigéner.** **2.** Ce qui constitue une leçon de morale. ⇒ **apologue, maxime, moralité.** *La morale d'une fable. La morale de cette histoire, c'est...* ⇒ **moralité.** ▶ ② **moralement** adv. ■ Conformément à une règle de conduite. *Acte moralement condamnable.* ▶ **moralisateur, trice** adj. et n. ■ Qui fait la morale. ⇒ **édifiant,** *Influence moralisatrice.* ▶ **moralisation** n. f. ■ Édification. — Fait de devenir moral. ▶ **moraliste** n. **1.** Auteur de réflexions sur les mœurs, sur la nature et la condition humaines. **2.** Personne qui, par ses paroles, son exemple, donne des leçons, des préceptes de morale. ⇒ **moralisateur.** — Adj. *Elle a toujours été moraliste.* ▶ **moralité** n. f. **1.** Caractère moral, valeur au point de vue moral, éthique. ⇒ **mérite.** *La moralité d'une action, d'une attitude.* **2.** Attitude, conduite ou valeur morale. *Faire une enquête sur la moralité de qqn.* — Sens moral. ⇒ **conscience, honnêteté.** *Témoins, certificat de moralité.* **3.** Enseignement moral (d'un événement, d'un récit). *La moralité d'une fable.* ⇒ **morale** (II, 2). ⟨ ▶ amoral, immoral ⟩

moratoire [mɔRatwaR] n. m. ou **moratorium** [mɔRatɔRjɔm] n. m. ■ Suspension des actions en justice, des obligations de paiement. *Des moratoriums.*

morbide [mɔRbid] adj. **1.** Relatif à la maladie. *État morbide.* ⇒ **pathologique.** **2.** Anormal, dépravé. *Curiosité, imagination morbide.* ⇒ **maladif, malsain.** *Une littérature morbide.*

morbleu [mɔRblø] interj. ■ Ancien juron (pour *mort Dieu*).

morceau [mɔRso] n. m. **1.** Partie séparée ou distincte (d'un corps ou d'une substance solide). ⇒ **bout, fraction, fragment, partie, portion.** *Un petit morceau de ficelle. Couper, déchirer, mettre en morceaux. Morceau de terre.* ⇒ **coin, lopin.** *Un bon, un gros morceau. Se casser en mille morceaux.* ⇒ **miette.** — (D'un aliment) ⇒ **bouchée, part.** *Un morceau de pain, de sucre. Les bons morceaux.* — Fig. et fam. *Manger un morceau,* faire un repas. — Fam. *Manger, casser, lâcher le morceau,* avouer, parler. **2.** Fragment, partie (d'une œuvre littéraire). ⇒ **extrait, passage.** MORCEAUX CHOISIS : recueil de passages d'auteurs ou d'ouvrages divers. ⇒ **anthologie.** **3.** Œuvre musicale. *Un morceau de piano. Exécuter un morceau.* ▶ **morceler** [mɔRsəle] v. tr.

. conjug. 4. ■ Partager (une étendue de terrain) en plusieurs parties. ⇒ **démembrer, partager.** *Morceler un terrain en lots.* / contr. **regrouper, remembrer /** ► **morcellement** n. m. ■ Action de morceler ; état de ce qui est morcelé. ⇒ **division, fractionnement, partage.** *Le morcellement de la propriété, de la terre.* / contr. **remembrement /**

mordoré, ée [mɔʀdɔʀe] adj. et n. m. ■ Qui est d'un brun chaud aux reflets dorés.

mordre [mɔʀdʀ] v. . conjug. 41. **I.** V. tr. **1.** Saisir et serrer avec les dents de manière à blesser, à entamer, à retenir. ⇒ **morsure.** *Mon chien l'a mordu. Elle s'est fait mordre.* — Pronominalement (réfl.). *Elle s'est mordue.* **2.** Avoir l'habitude d'attaquer, de blesser avec les dents. Sans compl. *Mettre une muselière à un chien pour l'empêcher de mordre.* **3.** Blesser au moyen d'un bec, d'un crochet, d'un suçoir. (Souvent sans compl.) *Insecte, oiseau qui mord.* — Au passif. *Être mordu par un serpent.* ⇒ **piquer. 4.** *La lime, l'acide mord le métal.* ⇒ **entamer, ronger. II. 1.** V. tr. ind. MORDRE À : saisir avec les dents une partie d'une chose. *Poisson qui mord à l'appât* et, sans compl., *qui mord,* qui se laisse prendre. — Impers. *Ça mord,* on attrape des poissons. **2.** V. intr. MORDRE DANS : enfoncer les dents. *Il mordait à belles dents dans le gâteau.* **3.** MORDRE SUR (une chose, une personne) : agir, avoir prise sur elle, l'attaquer. / contr. **glisser sur /** — Empiéter. *Concurrent disqualifié pour avoir mordu sur la ligne de départ.* ► **mordant, ante** adj. et n. m. **I.** Adj. Qui attaque, raille avec une violence qui blesse. ⇒ **acerbe, acide, aigre, incisif, vif.** *Répondre à qqn d'une manière mordante. Ironie mordante.* **II.** N. m. *Armée, troupe, équipe sportive qui a du mordant,* de l'énergie, de la vivacité dans l'attaque. *Œuvre qui a du mordant,* un ton vif et original. ► **mordicus** [mɔʀdikys] adv. ■ Fam. *Affirmer, soutenir qqch. mordicus,* obstinément, sans démordre. ► **mordiller** v. tr. et intr. . conjug. 1. ■ Mordre légèrement et à plusieurs reprises. ► **mordu, ue** adj. **1.** Qui a subi une morsure. **2.** Amoureux. *Il est mordu, bien mordu.* — N. Fam. MORDU(E) DE : personne qui a un goût extrême pour (qqch.). *C'est un mordu du football, du jazz.* ⇒ fam. ② **enragé, fou.** ‹ ► **démordre, mors, morsure, remords** ›

more, moresque ⇒ **maure, mauresque.**

morfal, ale, als [mɔʀfal] adj. et n. ■ Fam. Qui dévore, qui a un appétit insatiable. ⇒ **goinfre.** *Quelle bande de morfals !*

morfil [mɔʀfil] n. m. ■ Petites parties d'acier, barbes métalliques qui restent au tranchant d'une lame affûtée.

se morfondre [mɔʀfɔ̃dʀ] v. pron. réfl. . conjug. 41. ■ S'ennuyer, être triste lorsqu'on attend. ⇒ **languir.** *Nous nous sommes morfondus sous la pluie pendant une heure.* — Au p. p. adj. Ennuyé, déçu. *Un amoureux morfondu.*

morganatique [mɔʀganatik] adj. ■ Se dit de l'union contractée par un prince et une femme de condition inférieure (qui n'a pas les privilèges d'une épouse). *Mariage morganatique.* — *Épouse morganatique.*

① *morgue* [mɔʀg] n. f. ■ Contenance hautaine et méprisante ; affectation exagérée de dignité. ⇒ **arrogance, hauteur, insolence.**

② *morgue* n. f. ■ Lieu où les cadavres non identifiés sont exposés pour les faire reconnaître. ⇒ **institut médico-légal.** — Salle où reposent momentanément les personnes décédées.

moribond, onde [mɔʀibɔ̃, ɔ̃d] adj. ■ Qui est près de mourir. ⇒ **agonisant, mourant.** — N. *Être au chevet d'un moribond.*

moricaud, aude [mɔʀiko, od] adj. et n. ■ Fam. Qui a le teint très basané. ⇒ **noiraud.**

morigéner [mɔʀiʒene] v. tr. . conjug. 6. ■ Littér. Réprimander, sermonner (qqn) en se donnant des airs de moraliste.

morille [mɔʀij] n. f. ■ Champignon comestible, dont le chapeau, assez étroit et haut, est criblé d'alvéoles. *Poulet aux morilles.*

morion [mɔʀjɔ̃] n. m. ■ Ancien casque léger, à bords relevés en pointe.

mormon, one [mɔʀmɔ̃, ɔn] n. et adj. ■ Membre d'une secte d'origine américaine dont la doctrine admet les principes essentiels du christianisme et présente des analogies avec l'islam. — Adj. *La secte mormone.*

① *morne* [mɔʀn] adj. **1.** Qui est d'une tristesse morose et ennuyeuse. ⇒ **abattu, sombre, triste.** *Un air morne et buté.* / contr. **gai, rieur / 2.** (Choses) Triste et maussade. *Un temps morne. La conversation resta morne.* / contr. **animé, gai /**

② *morne* n. m. ■ Aux Antilles. Petite montagne isolée, de forme arrondie.

morose [mɔʀoz] adj. ■ Qui est d'une humeur triste, que rien ne peut égayer. ⇒ **chagrin,** ① **morne, renfrogné, sombre.** / contr. **gai, joyeux /** ► **morosité** n. f. ■ Humeur, atmosphère morose. ⇒ **mélancolie.** / contr. **enthousiasme, entrain /**

morph(o)-, -morphe, -morphique, -morphisme ■ Éléments savants signifiant « forme ». ‹ ► **amorphe, anthropomorphique, isomorphe, métamorphique, morphème, morphologie, polymorphe, zoomorphe** ›

morphème [mɔʀfɛm] n. m. ■ En linguistique. Forme minimum douée de sens (mot simple ou élément de mot).

morphine [mɔʀfin] n. f. ■ Substance tirée de l'opium, douée de propriétés soporifiques et calmantes. *La morphine est un stupéfiant.* ► **morphinomane** adj. et n. ■ Qui s'intoxique à la morphine. — N. *Un, une morphinomane.* ⇒ **toxicomane.**

morphologie [mɔʀfɔlɔʒi] n. f. **1.** Étude de la configuration et de la structure externe (d'un organe ou d'un être vivant, d'un objet naturel). *Morphologie végétale, animale.* **2.** Forme, apparence extérieure. **3.** Étude de la formation des mots et de leurs variations de forme. ► **morphologique** adj. ■ Relatif à la morphologie, aux formes. *Types morphologiques.*

morpion [mɔʀpjɔ̃] n. m. **1.** Fam. Pou du pubis. **2.** Fam. Gamin, garçon très jeune. **3.** Jeu consistant à placer alternativement un signe sur le quadrillé d'un papier, jusqu'à ce que l'un des deux joueurs parvienne à former une file de cinq signes.

mors [mɔʀ] n. m. invar. **1.** Pièce du harnais, levier qui passe dans la bouche du cheval et sert à le diriger. **2.** Loc. *Prendre LE MORS AUX DENTS :* s'emballer, s'emporter.

① *morse* [mɔʀs] n. m. ■ Grand mammifère marin des régions arctiques, amphibie, que l'on chasse pour son cuir, sa graisse et l'ivoire de ses défenses.

② *morse* n. m. ■ Système de télégraphie électromagnétique et de code de signaux (utilisant des combinaisons de points et de traits). *Signaux en morse.* — En appos. *Alphabet morse.*

morsure [mɔʀsyʀ] n. f. **1.** Action de mordre. *La morsure d'un chien.* **2.** Blessure, marque faite en mordant. *La morsure était profonde.*

① *mort* [mɔʀ] n. f. **I. 1.** Cessation de la vie (humains et animaux). ⇒ **trépas ; mourir.** — (Personni-

fiée) *Voir la mort de près. La mort n'épargne personne.*
— En sciences. Arrêt des fonctions de la vie (circulation sanguine, respiration, activité cérébrale...). *Mort clinique suivie de réanimation.* 2. Fin d'une vie humaine, circonstances de cette fin. *Mort naturelle, accidentelle, subite.* Loc. *Mourir de sa belle mort,* de vieillesse et sans souffrance. — *Être à l'article de la mort,* tout près de mourir. ⇒ à l'**agonie, moribond, mourant.** — *C'est une question de vie ou de mort,* une affaire où qqn peut mourir si on n'intervient pas. — À MORT : d'une façon qui entraîne la mort. ⇒ **mortellement.** *Être frappé, blessé à mort.* — *Depuis sa mort.* ⇒ **décès, disparition.** — Loc. *À la vie (et) à la mort,* pour toujours. 3. Cette fin provoquée. ⇒ **crime, meurtre, suicide ; euthanasie.** *Donner la mort.* ⇒ **abattre, assassiner, tuer.** *Engin de mort. Peine de mort. Mettre qqn à mort. À mort !,* cri par lequel on réclame la mort de qqn. II. Fig. 1. Destruction (d'une chose). *C'est la mort du petit commerce.* ⇒ **fin, ruine.** 2. En loc. Douleur mortelle. ⇒ **agonie.** *Souffrir mille morts. Avoir la mort dans l'âme,* être désespéré. ‹ ▶ mort-aux-rats, mortel, mortifier, mortuaire ›

② **mort, morte** adj. 1. Qui a cessé de vivre. / contr. **vif, vivant** / *Il est mort depuis longtemps.* ⇒ **décédé.** *Il est mort et enterré. Elle est tombée raide morte.* — *Arbre mort. Feuilles mortes.* 2. Qui semble avoir perdu la vie. *Ivre mort. Mort de fatigue,* épuisé. — *Mort de peur,* paralysé par la peur. 3. (Choses) Sans activité, sans vie. *Eau morte.* ⇒ **stagnant.** — Loc. *Poids mort. Temps mort,* inutilisé. 4. Qui appartient à un passé révolu. *Langue morte.* / contr. **vivante** / 5. Fam. Hors d'usage. ⇒ **cassé, usé** ; fam. **bousillé, fichu, foutu, nase.** *La bagnole est morte. Les piles sont mortes.* ▶ ③ **mort, morte** n. 1. Dépouille mortelle d'un être humain. ⇒ **cadavre, corps.** *Ensevelir, incinérer les morts.* — *Être pâle comme un mort.* 2. Être humain qui ne vit plus (mais considéré comme existant dans la mémoire des hommes ou dans l'au-delà). ⇒ **défunt.** *Culte, religion des morts.* ⇒ **ancêtre.** 3. Personne tuée. *L'accident a fait un mort et trois blessés. Les morts de la guerre.* ⇒ **victime.** — *La place du mort,* dans une voiture, la place avant, à côté du conducteur. — Loc. *Faire le mort,* faire semblant d'être mort. 4. N. m. Joueur qui étale ses cartes et ne participe pas au jeu. *L'as est au mort.* ‹ ▶ croque-mort, morte-saison, mort-né, nature morte ›

mortadelle [mɔʀtadɛl] n. f. ■ Gros saucisson de porc et de bœuf.

mortaise [mɔʀtɛz] n. f. ■ Entaille faite dans une pièce de bois ou de métal pour recevoir une autre pièce (ou sa partie saillante ⇒ **tenon**).

mortalité [mɔʀtalite] n. f. 1. Mort d'un certain nombre d'hommes ou d'animaux, succombant pour une même raison (épidémie, fléau). 2. *Taux de mortalité* ou, ellipt, *la mortalité,* rapport entre le nombre des décès et le chiffre de la population dans un lieu et un espace de temps déterminés. *Mortalité infantile.* ‹ ▶ immortalité ›

mort-aux-rats [mɔʀɔʀa] n. f. sing. ■ Préparation empoisonnée destinée à la destruction des rongeurs.

mortel, elle [mɔʀtɛl] adj. 1. Qui doit mourir. *Tous les hommes sont mortels.* / contr. **éternel, immortel** / — (Choses) Sujet à disparaître. ⇒ **éphémère, périssable.** 2. N. Être humain. ⇒ **homme, personne.** *Les mortels. Un heureux mortel,* un homme qui a de la chance. 3. Qui cause la mort, entraîne la mort. ⇒ **fatal.** *Maladie mortelle. Poison mortel.* — *Ennemi mortel,* qui cherche la mort de son ennemi. — Relig. catholique. *Péché mortel,* qui entraîne la mort de l'âme, la damnation (opposé à *véniel*). 4. D'une intensité

dangereuse et pénible. *Un froid mortel. Un ennui, un silence mortel.* — Fam. Extrêmement ennuyeux, sinistre. ⇒ **lugubre,** à **mourir.** *Une soirée mortelle.* ▶ **mortellement** adv. 1. Par un coup mortel. ⇒ à **mort.** *Mortellement blessé.* 2. D'une façon intense, extrême. *Il était mortellement pâle.* — *Réunion mortellement ennuyeuse.* ‹ ▶ immortel, mortalité ›

morte-saison [mɔʀt(ə)sɛzɔ̃] n. f. ■ Époque de l'année où l'activité est réduite dans un secteur de l'économie. *Les mortes-saisons.*

① **mortier** [mɔʀtje] n. m. ■ Récipient servant à broyer certaines substances. *Mortier de pharmacien, de cuisine.*

② **mortier** n. m. ■ Pièce d'artillerie portative à tir courbe utilisée par l'infanterie.

③ **mortier** n. m. ■ Mélange de chaux éteinte (ou de ciment) et de sable délayé dans l'eau et utilisé en construction pour lier ou recouvrir les pierres. *Crépi de mortier.*

mortifier [mɔʀtifje] v. tr. ■ conjug. 7. 1. Faire cruellement souffrir (qqn) dans son amour-propre. ⇒ **blesser, froisser, humilier.** *Votre mépris l'a mortifié.* 2. SE MORTIFIER v. pron. réfl. : s'imposer des souffrances dans l'intention de racheter ses fautes (religion). ▶ **mortifiant, ante** adj. ■ Humiliant, vexant. ▶ **mortification** n. f. 1. Humiliation. 2. Relig. Souffrance que s'imposent les croyants pour faire pénitence.

mort-né, mort-née [mɔʀne] adj. et n. 1. Mort(e) en venant au monde. *Enfants mort-nés. Un mort-né.* 2. (Choses) Qui échoue dès le début. *Une entreprise mort-née.*

mortuaire [mɔʀtɥɛʀ] adj. ■ Relatif aux morts, aux cérémonies en leur honneur. ⇒ **funèbre, funéraire.** *Cérémonie mortuaire. Couronne mortuaire.*

morue [mɔʀy] n. f. 1. Grand poisson (du même genre que le colin, le merlan...), qui vit dans les mers froides. *Morue fraîche* (cabillaud), *séchée* (merluche, stockfish). *Huile de foie de morue.* 2. Injurieux. Prostituée. — Terme d'injure pour une femme. *Elle s'est fait traiter de morue.* ▶ **morutier** n. m. ■ Homme ou bateau faisant la pêche à la morue.

morve [mɔʀv] n. f. 1. Terme de vétérinaire. Grave maladie contagieuse des chevaux. 2. Liquide visqueux qui s'écoule du nez de l'homme. ▶ **morveux, euse** adj. et n. 1. Qui a de la morve au nez. *Enfant malpropre et morveux.* — Loc. *Qui se sent morveux (qu'il) se mouche,* que celui qui se sent visé par une critique en fasse son profit. 2. N. Fam. Terme d'injure. Gamin, gamine. *Tu n'es qu'un morveux. Sale morveuse.*

mosaïque [mɔzaik] n. f. 1. Assemblage décoratif de petites pièces rapportées (pierre, marbre) dont la combinaison figure un dessin et les couleurs animent la surface (comme en peinture*). *Les mosaïques de Ravenne.* — *Parquet mosaïque,* fait de petites lames de bois collées. 2. Ensemble d'éléments divers juxtaposés. ⇒ **patchwork.** ▶ **mosaïqué, ée** adj. ■ Qui ressemble à une mosaïque. *Reliure mosaïquée.* ▶ **mosaïste** n. ■ Artiste qui fait des mosaïques. *Les grands mosaïstes byzantins.*

mosquée [mɔske] n. f. ■ Sanctuaire consacré au culte musulman. *Le minaret d'une mosquée.*

mot [mo] n. m. 1. Chacun des sons ou groupe de sons (de lettres ou groupes de lettres) correspondant à un sens isolable spontanément, dans le langage ; (par écrit) suite ininterrompue de lettres, entre deux blancs. *Phrase de six, dix mots. Articuler, manger ses mots. Chercher ses mots. Ne pas dire un seul mot. Mot* *nouveau, courant, rare.* ⇒ **terme, vocable.** *Mot mal écrit, illisible.* Loc. *Les grands mots,* les mots emphatiques qui ne disent pas simplement les choses. *Gros mot,* grossier. *Le mot de Cambronne, de cinq lettres,* le mot *merde. Se donner le mot* (de passe), se mettre d'accord. *Rapporter un propos mot pour mot,* textuellement. *Mot à mot* [motamo], un mot après l'autre, littéralement. **2.** (En tant que signes, opposé à *pensées, réalités...*) *Ce ne sont que des mots. Les mots et les actes.* **3.** Dans des expressions. Phrase, parole. *Je lui en dirai, toucherai un mot,* je lui en parlerai brièvement. *En un mot,* en une courte phrase. *Avoir son mot à dire,* être en droit d'exprimer son avis. *Je m'en vais lui dire deux mots,* lui exprimer mon mécontentement. *C'est mon dernier mot,* je ne ferai pas une concession de plus. *Avoir le dernier mot,* ne plus trouver de contradicteur. *Prendre qqn au mot,* se saisir aussitôt d'une proposition qu'il (elle) a faite sans penser qu'elle serait retenue. **4.** Court message. *Je lui ai glissé un mot sous sa porte. Écrire un mot à qqn,* une courte lettre. **5.** Parole exprimant une pensée de façon concise et frappante. *Mots célèbres, historiques. Mot d'enfant. Mot d'auteur,* où l'on reconnaît l'esprit de l'auteur. Loc. *Le mot de la fin,* l'expression qui résume la situation. *Bon mot, mot d'esprit,* parole drôle et spirituelle. *Il a toujours le mot pour rire.* ⟨ ▶ à demi-mot, mots-croisés, motus ⟩

motard [mɔtaʀ] n. m. ■ Motocycliste. *Les motards de la police routière.*

motel [mɔtɛl] n. m. ■ Anglic. Hôtel destiné aux automobilistes.

motet [mɔtɛ] n. m. ■ Chant d'église à plusieurs voix.

① **moteur, trice** [mɔtœʀ, tʀis] adj. et n. m. **I.** Adj. Qui donne le mouvement. *Nerfs sensitifs et nerfs moteurs. Force motrice. Voiture à quatre roues motrices.* **II.** N. m. Cause d'une action. ▶ **mobile.** *Le moteur de la guerre.* ⇒ **nerf.** — (Personnes) Agent, instigateur. *Elle est le moteur de l'entreprise.* ⟨ ▶ automoteur, locomoteur, motricité, psychomoteur, vasomoteur ⟩

② **moteur** n. m. **1.** Appareil servant à transformer une énergie quelconque en énergie mécanique. *Moteurs hydrauliques, thermiques. Moteurs à combustion interne* (dits *à explosion*). *Moteurs électriques. Véhicules à moteur* (automobile, cyclomoteur, locomotrice, motrice, tracteur, etc.). **2.** Spécialt. Moteur ① à explosion et à carburation. *Moteur à 4, 6 cylindres. Moteur de 750 cm³* (de cylindrée). — En appos. BLOC-MOTEUR : moteur et organes annexes. *Des blocs-moteurs.* ⟨ ▶ bimoteur, cyclomoteur, monomoteur, motoriser, motrice, quadrimoteur, trimoteur, vélomoteur ⟩

motif [mɔtif] n. m. **1.** Mobile d'ordre intellectuel, raison d'agir. *Quel est le motif de votre visite ? Je cherche les motifs de sa conduite.* ⇒ **cause, explication.** *Un motif valable.* — Fam. *Pour le bon motif,* en vue du mariage. **2.** Sujet d'une peinture. *Travailler sur le motif.* — Ornement servant de thème décoratif. *Tissu imprimé à grands motifs de fleurs.* ⟨ ▶ motiver ⟩

motion [mosjɔ̃] n. f. ■ Proposition faite dans une assemblée délibérante par un de ses membres. *Faire, rédiger une motion.* — *Motion de censure,* par laquelle l'Assemblée nationale met en cause la responsabilité du gouvernement.

motiver [mɔtive] v. tr. ▪ conjug. 1. **1.** (Personnes) Justifier des motifs. *Pouvez-vous motiver votre action, cette démarche ?* **2.** (Choses) Être, fournir le motif de (qqch.). ⇒ **causer, expliquer.** *Voilà ce qui a motivé notre décision.* **3.** Faire en sorte que qqch. incite (qqn) à agir. *Ce professeur sait comment motiver ses élèves.* ▶ **motivé, ée** adj. **1.** Dont on donne les motifs. *Un refus motivé.* — Qui a un motif. *Des plaintes motivées.* ⇒ **fondé, justifié. 2.** (Personnes) Qui a des motivations pour faire qqch. *Elle est très motivée dans son travail.* ▶ **motivation** n. f. ■ Ce qui motive un acte, un comportement ; ce qui pousse qqn à agir. *Il faudrait connaître ses motivations profondes.*

moto [moto] n. f. ■ (Abréviation de *motocyclette*) Véhicule à deux roues, à moteur à essence de plus de 125 cm³. *Être à, en moto. Course de motos.*

moto- ■ Élément qui signifie « ② moteur ». ▶ **moto-cross** [motokʀɔs] n. m. invar. ■ Course de motos sur parcours accidenté. ▶ **motoculteur** n. m. ■ Petit engin motorisé à deux roues, dirigé à la main, servant à labourer. ▶ **motocyclette** n. f. ■ Littér. Moto. ▶ **motocycliste** n. ■ Personne qui conduit une motocyclette. ⇒ **motard.** *Casque de motocycliste.* ⟨ ▶ moto ⟩

motoriser [motoʀize] v. tr. ▪ conjug. 1. ■ Munir de véhicules à moteur, de machines automobiles. *Motoriser l'agriculture.* ⇒ **mécaniser.** — Au p. p. adj. *Troupes motorisées,* transportées par camions, motocyclettes. — Fam. *Être motorisé,* se déplacer avec un véhicule à moteur. ▶ **motorisation** n. f.

motrice [mɔtʀis] n. f. ■ Voiture à moteur qui en entraîne d'autres. *Motrice de tramway.*

motricité [mɔtʀisite] n. f. ■ Ensemble des fonctions qui assurent les mouvements. *Motricité volontaire, involontaire.*

mots croisés [mokʀwaze] n. m. pl. ■ Mots qui se recoupent sur un quadrilatère quadrillé de telle façon que chacune des lettres d'un mot disposé horizontalement entre dans la composition d'un mot disposé verticalement. — Exercice consistant à reconstituer cette grille, en s'aidant de courtes suggestions (« définitions »). *Amateur de mots croisés.* ⇒ **cruciverbiste, mots-croisiste.** ▶ **mots-croisiste** n. ■ Amateur de mots croisés. ⇒ **cruciverbiste.** *Des mots-croisistes.*

motte [mɔt] n. f. **1.** Morceau de terre compacte, comme on en détache en labourant. **2.** *Motte de beurre,* masse de beurre des crémiers, pour la vente au détail. *Beurre en motte ou en paquet.* ⟨ ▶ rase-mottes ⟩

motus [mɔtys] interj. ■ Interjection pour inviter qqn à garder le silence. *Motus et bouche cousue !*

① **mou** [mu] ou **mol** [mɔl] devant voyelle ou *h* muet ; **molle** [mɔl] adj., adv. et n. **I.** Adj. **1.** / contr. **dur** / Qui cède facilement à la pression, au toucher ; qui se laisse entamer sans effort. *Substance molle. Beurre que la chaleur rend mou.* ⇒ **amollir, ramollir.** — Qui s'enfonce (trop) au contact. *Matelas mou.* Loc. *Un mol oreiller.* ⇒ **moelleux. 2.** / contr. **raide, rigide** / Qui plie, se déforme facilement. ⇒ **souple.** *Tige molle.* ⇒ **flexible.** Loc. *Chapeau mou.* — *Avoir les jambes molles,* faibles. — *De molles ondulations de terrain,* arrondies, douces ou imprécises. **3.** (Personnes) Qui manque d'énergie, de vitalité. ⇒ **amorphe, apathique, avachi, mollasse, nonchalant.** / contr. **actif, énergique** / *Élève mou,* qui traîne sur ses devoirs. *Air, gestes mous.* — Faible, lâche. *Il est mou avec ses enfants.* **4.** (Style, exécution d'une œuvre) Qui manque de fermeté, de vigueur. *Le jeu de ce pianiste est un peu mou. Dessin mou.* **II.** Adv. Fam. Doucement, sans violence. *Vas-y mou.* ⇒ fam. **mollo. III.** N. m. **1.** Fam. Homme faible de caractère. *C'est un mou.* **2.** (Corde, fil...) *Avoir du mou,* n'être pas assez tendu. *Donner du mou.* ⟨ ▶ amollir, bémol, mollasse, mollement, mollesse, ① mollet, molleton, mollir, mollo, mollusque, ramollir, ramollo ⟩

② **mou** [mu] n. m. **1.** Poumon des animaux de boucherie (abats). *Chat qui mange son mou.* **2.** Loc. fam. *Bourrer le mou à qqn,* lui en faire accroire, lui mentir.

mouchard, arde [muʃar, ard] n. **1.** Fam. Dénonciateur. ⇒ **indicateur ;** fam. **mouton. 2.** Se dit de certains appareils de contrôle. ▶ **moucharder** v. tr. ▪ conjug. 1. ▪ Fam. Surveiller en vue de dénoncer ; dénoncer. ▶ **mouchardage** n. m. ▪ Action de moucharder.

mouche [muʃ] n. f. **I.** Insecte ailé (diptère), aux formes ramassées, très commun. *Mouche domestique* (absolt. *mouche*). *Mouche bleue. Mouche tsé-tsé*.* — Loc. *Pattes de mouches,* écriture très petite, difficile à lire. — *On aurait entendu une mouche voler,* le plus profond silence régnait. — Fam. *Mourir, tomber comme des mouches,* en masse. — *Faire la mouche du coche,* s'agiter sans aider personne. — *Prendre la mouche,* s'emporter. *Quelle mouche le pique ?,* pourquoi se met-il en colère brusquement ? *Il ne ferait pas de mal à une mouche,* il est très doux. **II. 1.** Petit morceau de taffetas noir que les femmes mettaient sur la peau pour en faire ressortir la blancheur. **2.** *Pêche à la mouche* (artificielle), avec un appât imitant l'insecte. **3.** FAIRE MOUCHE : toucher le centre de la cible (→ Mettre dans le mille). **4.** Touffe de poils au-dessous de la lèvre inférieure. **III.** Loc. FINE MOUCHE : personne habile et rusée. **IV.** En appos. **1.** BATEAU-MOUCHE : bateau de passagers (touristes) sur la Seine, à Paris. *Des bateaux-mouches.* **2.** Invar. POIDS MOUCHE : le plus léger des boxeurs (48-51 kilos). *Des poids mouche.* ▶ **moucheron** [muʃrɔ̃] n. m. **1.** Insecte volant de petite taille. **2.** Fam. Petit garçon. ⇒ **moustique.** ▶ **moucheter** [muʃte] v. tr. ▪ conjug. 4. ▪ Parsemer de petites marques, de petites taches rondes. — Au p. p. adj. *Laine mouchetée.* ⇒ **chiné.** ▶ **moucheture** n. f. **1.** Petite marque, tache d'une autre couleur que le fond. **2.** Tache naturelle sur le corps, le pelage, le plumage de certains animaux. ⟨▶ chasse-mouches, oiseau-mouche, tue-mouches ⟩

moucher [muʃe] v. tr. et pron. réfl. ▪ conjug. 1. **I. 1.** Débarrasser (le nez) de ses mucosités en pressant les narines et en soufflant. *Mouche ton nez !* **2.** Rejeter par le nez. *Moucher du sang* (→ Saigner du nez). **3.** SE MOUCHER v. pron. réfl. Moucher son nez. — Iron. *Ne pas se moucher du coude,* se prendre pour qqn d'important. **II.** Réprimander (qqn) durement. *Elle s'est fait moucher.* ▶ **mouchoir** n. m. **1.** Petite pièce de linge qui sert à se moucher, à s'essuyer le visage. *Mouchoir brodé.* ⇒ **pochette.** — *Mouchoir de, en papier,* qu'on jette après usage. — Loc. *Grand comme un mouchoir de poche,* très petit. **2.** *Mouchoir (de cou, de tête),* pièce d'étoffe dont les femmes se couvrent la tête, les épaules. ⇒ **fichu, foulard.**

moudjahid [mudʒaid], plur. **moudjahiddin** [mudʒaidin] n. m. ▪ Combattant de certains mouvements de libération nationale du monde musulman (Afghanistan, Algérie). *Des moudjahiddin.*

moudre [mudr] v. tr. ▪ conjug. 47. ▪ Broyer (des grains) avec une meule. ⇒ **écraser, pulvériser.** *Appareil pour moudre.* ⇒ **moulin.** — *Je mouds, nous moulons du poivre. Il a dit qu'il moudrait du café.* ⟨▶ émoulu, moulin, moulu, mouture, rémouleur, vermoulu ⟩

moue [mu] n. f. **1.** Grimace que l'on fait en avançant, en resserrant les lèvres. *Une moue boudeuse.* **2.** Air de mécontentement. *Il a fait la moue à notre proposition.* ⇒ **grimace.**

mouette [mwɛt] n. f. ▪ Oiseau de mer, palmipède voisin du goéland. — REM. On appelle souvent *mouettes* les goélands (sauf en Bretagne).

① **moufle** [mufl] n. f. ▪ Sorte de gant fourré sans séparation pour les doigts sauf pour le pouce. *Moufles de skieur.*

② **moufle** n. m. ou f. ▪ En technique. Assemblage de poulies.

mouflet, ette [muflɛ, ɛt] n. ▪ Fam. Petit enfant. ⇒ **mioche, moutard.**

mouflon [muflɔ̃] n. m. ▪ Mammifère ruminant ongulé, très proche du bouquetin.

moufter ou **moufeter** [mufte] v. intr. ▪ (Surtout au négatif, à l'infinitif et aux temps composés) Fam. Broncher, protester. *Elle n'a pas moufté.*

mouiller [muje] v. tr. ▪ conjug. 1. **I. 1.** Imbiber, mettre en contact avec de l'eau, avec un liquide très fluide. ⇒ **arroser, asperger, humecter, inonder, tremper.** / contr. **sécher** / *Mouiller son doigt de salive. Mouiller un linge, une serviette.* — Au p. p. adj. *Linge mouillé.* — *Se faire mouiller par la pluie, par l'orage.* ⇒ **doucher ;** fam. **saucer.** — Loc. *Mouiller sa chemise,* mettre du cœur à l'ouvrage. **2.** Étendre d'eau (un liquide). ⇒ **couper, diluer.** *Mouiller une sauce.* **3.** En marine. Mettre à l'eau. *Mouiller l'ancre.* ⇒ **ancrer.** / contr. **lever** l'ancre / — Sans compl. *Ce paquebot mouille en grande rade.* **4.** *Mouiller une consonne,* l'articuler en rapprochant la langue du palais comme pour émettre un [j]. — Au p. p. adj. *Consonne mouillée.* **II.** SE MOUILLER v. pron. réfl. **1.** S'imbiber d'eau (ou d'un liquide très fluide), entrer en contact avec l'eau, entrer dans l'eau. *Se mouiller en sortant sous la pluie.* **2.** Fam. Se compromettre, prendre des risques. ⇒ **tremper** dans une affaire. *Il ne veut pas se mouiller.* ▶ **mouillé, ée** adj. ▪ Humide, trempé. / contr. **sec** / *Évitez de sortir les cheveux mouillés. Être mouillé jusqu'aux os. Des yeux mouillés de larmes.* ▶ **mouillette** n. f. ▪ Petit morceau de pain long et mince qu'on trempe dans un liquide. *Fais-toi des mouillettes pour manger ton œuf à la coque.* ▶ **mouillage** n. m. **I. 1.** Action de mettre à l'eau. *Mouillage des ancres, d'une mine.* **2.** (Navire) Emplacement favorable pour mouiller (I, 3). ⇒ **abri. II. 1.** Action de mouiller (qqch.). **2.** Addition d'eau dans un liquide. ⇒ **coupage.** *Le mouillage frauduleux du lait.* ▶ **mouilleur** n. m. **1.** Appareil employé pour mouiller, humecter (les étiquettes, les timbres). **2.** *Mouilleur de mines,* navire aménagé pour le mouillage des mines. ▶ **mouillure** n. f. **1.** Action de mouiller. ⇒ **mouillage.** — État de ce qui est mouillé. **2.** *Une mouillure,* trace laissée par l'humidité. **3.** Caractère d'une consonne mouillée. *La mouillure du « n » dans « agneau ».*

mouise [mwiz] n. f. ▪ Fam. Misère, pauvreté. ⇒ fam. **débine, dèche, panade.** *Il est dans une sacrée mouise !*

moujik [muʒik] n. m. ▪ Paysan russe. *Des moujiks.*

moukère ou **mouquère** [mukɛr] n. f. ▪ Fam. et sexiste. Femme, maîtresse. *Une belle moukère.*

① **moule** [mul] n. f. **1.** Mollusque comestible, aux valves oblongues d'un bleu ardoise. *Parc à moules. Moules de bouchot* (piquet d'élevage). *Manger des moules marinière.* **2.** Fam. Personne molle ; imbécile. *Quelle moule !* ⇒ fam. **nouille.**

② **moule** n. m. **1.** Corps solide creusé et façonné, dans lequel on verse une substance liquide ou pâteuse qui, solidifiée, conserve la forme. — Objet plein sur lequel on applique une substance plastique pour qu'elle en prenne la forme. ⇒ **forme, matrice ; mouler.** *Moule de sculpteur. Moule à tarte.* — Loc. *Le moule est cassé,* c'est une personne, une chose unique en son genre, « comme on n'en fait plus ». **2.** Loc. *Être fait au moule,* bien fait. **3.** Fig. Forme

imposée de l'extérieur (à la personnalité, au caractère, à une œuvre). *Il refuse d'entrer dans le moule officiel.*
► *mouler* v. tr. . conjug. 1. **1.** Obtenir (un objet) en versant dans un moule creux une substance liquide qui en conserve la forme après solidification. *Mouler des briques.* — REM. On dit pour les métaux *couler, fondre.* — Au p. p. adj. *Ornements moulés en plâtre.* — *Pain moulé.* **2.** Reproduire (un objet, un modèle plein) en y appliquant une substance plastique qui en prend les contours. *Mouler un buste.* **3.** (Suj. chose) Épouser étroitement les contours de. ⇒ s'**ajuster.** *Sa robe de soie collante moule sa taille.* **4.** Mouler une lettre, un mot, l'écrire d'une écriture soignée, parfaitement formée. — Au p. p. adj. *Lettres moulées.*
► *moulage* n. m. **1.** Action de mouler, de fabriquer avec un moule. **2.** Objet, ouvrage obtenu au moyen d'un moule. *Prendre un moulage d'un objet* (l'objet servant de moule). ⇒ **empreinte.** ► *moulant, ante* adj. ■ Qui moule (3) le corps. ⇒ **ajusté, collant.** / contr. **ample, flottant** / *Une jupe moulante.* ⟨ ► démouler, mouler ⟩

moulin [mulɛ̃] n. m. **1.** Appareil servant à broyer, à moudre* le grain des céréales ; établissement qui utilise ces appareils. *Moulin à vent, à eau.* — *Se battre contre des moulins à vent,* contre des ennemis imaginaires (comme don Quichotte). — *Apporter, faire venir de l'eau au moulin* (de qqn), lui procurer des ressources ; lui donner des arguments dans un débat. **2.** Le bâtiment où les machines sont installées. *Habiter un vieux moulin.* — L'entreprise (atelier ou grande usine) qui les met en œuvre. *L'exploitant d'un moulin.* ⇒ **meunier, minotier.** — Loc. fig. *On entre dans cette maison comme dans un moulin,* comme on veut. **3.** MOULIN À : installation, appareil servant à battre, à pulvériser, à extraire le suc par pression ⇒ **pressoir.** *Moulin à huile, à sucre.* — Appareil ménager pour écraser, moudre. *Moulin à café, à poivre. Moulin à légumes.* ⇒ **moulinette. 4.** MOULIN À PRIÈRES : dans la religion bouddhiste (Tibet), cylindre renfermant des bandes de papier recouvertes d'une formule sacrée et qu'on fait tourner pour acquérir les mérites attachés à la répétition de cette formule. **5.** Fam. Moteur d'automobile. **6.** Fam. *Moulin à paroles,* personne trop bavarde. ► *mouliner* v. tr. . conjug. 1. ■ Fam. Écraser ; passer au moulin à légumes. *Mouliner des pommes de terre* (⇒ **moulinette**). ► *moulinet* n. m. **I.** Objet ou appareil qui fonctionne selon un mouvement de rotation. *Le moulinet d'un treuil, d'une canne à pêche.* **II.** Mouvement de rotation rapide (qu'on fait avec un bâton, une épée, un sabre) pour écarter l'adversaire. *Faire de grands moulinets des deux bras.* ► *moulinette* n. f. ■ Moulin (3) à légumes, à viande. *Passer des patates à la moulinette.* — Fig. Fam. *Passer qqn à la moulinette,* le critiquer impitoyablement.

moult [mult] adv. ■ Vx (mot d'ancien français) ou iron. Beaucoup, très. *Raconter une histoire avec moult détails.*

moulu, ue [muly] adj. **1.** Réduit en poudre. *Café moulu.* **2.** (Personnes) Accablé de coups, brisé de fatigue. ⇒ **courbatu, fourbu, rompu.** *Être moulu de fatigue.*

moulure [mulyʀ] n. f. ■ Ornement allongé à profil constant, en relief ou en creux. *Les moulures d'un plafond.*

moumoute [mumut] n. f. **1.** Fam. Cheveux postiches, perruque. *Il porte une moumoute.* **2.** Veste en peau de mouton. *Elle s'est acheté une moumoute pour l'hiver.*

mourir [muʀiʀ] v. intr. . conjug. 19. **I. 1.** Cesser de vivre, d'exister, d'être. ⇒ ① **mort ; décéder, disparaître, s'éteindre, expirer, périr, succomber, trépas-**

ser ; fam. **casser** sa pipe, **clamecer, claquer.** *Homme qui va mourir, qui est sur le point de mourir.* ⇒ **moribond, mourant.** — *Faire mourir,* tuer. *Mourir de faim, d'inanition, de maladie. Mourir assassiné. Mourir subitement. Mourir à la guerre. Mourir jeune.* — Impers. *Il meurt beaucoup d'enfants dans le tiers monde.* **2.** (Végétaux) Cesser de vivre (plantes annuelles) ; perdre sa partie aérienne sans cesser de vivre (plantes vivaces). — (Fleurs) Se faner. **3.** Souffrir, dépérir. — À MOURIR : au point d'éprouver une grande souffrance. *Je suis lasse à mourir. S'ennuyer à mourir* (→ à périr). — MOURIR DE : être très affecté par (qqch.) ; souffrir de (qqch.). *Mourir de chagrin, de tristesse, de peur. Mourir de faim, de soif,* avoir très faim, soif. *Je meurs de faim ; à table !* ⇒ fam. **crever. 4.** (Choses) Cesser d'exister, d'être (par une évolution lente, progressive). *Civilisation, pays qui meurt.* ⇒ **disparaître.** *Le feu, la flamme meurt.* ⇒ s'**éteindre.** *Bruit, son, voix qui meurt.* ⇒ s'**affaiblir, diminuer ; mourant.** **II.** Littér. SE MOURIR v. pron. réfl. : être sur le point de mourir. ⇒ **languir.** *Elle se meurt. Il se meurt d'amour pour elle.* ► *mourant, ante* adj. et n. **1.** Qui se meurt ; qui va mourir. ⇒ **agonisant, expirant.** — N. UN MOURANT, UNE MOURANTE. ⇒ **moribond. 2.** Littér. Qui cesse, s'arrête, finit. ⇒ **affaibli, éteint.** *Une musique, une lumière mourante.* ⟨ ► amortir, mainmorte, mort ⟩

mouron [muʀɔ̃] n. m. **1.** Plante des régions tempérées, à fleurs rouges ou bleues. *Mouron blanc ou mouron des oiseaux.* **2.** Fam. *Se faire du mouron,* du souci.

mousquet [muskɛ] n. m. ■ Ancienne arme à feu portative. ► *mousqueterie* [muskɛtʀi] n. f. ■ Vx. Décharge (de mousquets, de fusils). ► *mousquetaire* n. m. ■ Histoire. Cavalier armé d'un mousquet faisant partie des troupes de la Maison du Roi. « *Les Trois Mousquetaires* », roman d'A. Dumas. ► *mousqueton* [muskətɔ̃] n. m. **1.** Fusil à canon court. **2.** Boucle à ressort se refermant seule.

① *mousse* [mus] n. f. ■ Plante généralement verte, rase et douce, formant touffe ou tapis sur la terre, les pierres, les écorces (*la mousse, de la mousse*). ⇒ **moussu.** *Mousses et lichens. S'étendre sur la mousse.* — PROV. *Pierre qui roule n'amasse pas mousse,* on ne s'enrichit guère à courir le monde, à changer constamment de situation, d'activités. ► *moussu, ue* adj. ■ Couvert de mousse. *Pierres moussues.*

② *mousse* n. f. **1.** Amas serré de bulles, qui se forme à la surface des eaux agitées. ⇒ **écume. 2.** Bulles de gaz accumulées à la surface d'un liquide sous pression. *Mousse de bière.* **3.** Entremets ou dessert à base de crème. *Mousse au chocolat.* — Pâté léger et mousseux. *De la mousse de foie gras.* **4.** Mousse carbonique, produit ignifuge, formant une écume très abondante. **5.** Caoutchouc mousse, caoutchouc spongieux. *Balle en (caoutchouc) mousse.* **6.** *Mousse de nylon,* tricot de nylon très extensible. — Ellipt. Invar. *Des bas mousse.* **7.** *Point mousse,* point de tricot obtenu en tricotant toutes les mailles à l'endroit. ► *mousser* v. intr. . conjug. 1. **1.** Produire de la mousse. *Savon qui mousse.* ⇒ **moussant. 2.** Fam. FAIRE MOUSSER *qqn, qqch.* : vanter, mettre exagérément en valeur. *Se faire mousser.* ► *moussant, ante* adj. ■ Qui produit de la mousse. *Crème à raser moussante.* ► *mousseux, euse* adj. et n. m. **1.** Qui mousse, produit de la mousse. *Eau trouble et mousseuse.* ⇒ **écumeux.** *Vins mousseux,* rendus mousseux par fermentation naturelle. ⇒ **pétillant.** — N. M. *Du mousseux,* tout vin mousseux, à l'exclusion du champagne*. ⟨ ► émoustiller ⟩

③ *mousse* n. m. ■ Jeune garçon qui fait, sur un navire de commerce, l'apprentissage du métier de marin (fam. *moussaillon* [musajɔ̃] n. m.).

mousseline [muslin] n. f. **1.** Tissu léger et fin (coton, soie...). *Robe, voile de mousseline.* **2.** En appos. Invar. *Pommes mousseline*, purée de pommes de terre fouettée.

mousseron [musʀɔ̃] n. m. ■ Champignon comestible à chapeau et à lamelles, qui pousse en cercle dans les prés, les clairières.

mousson [musɔ̃] n. f. **1.** Vent tropical régulier qui souffle alternativement pendant six mois de la mer vers la terre *(mousson d'été)* et de la terre vers la mer *(mousson d'hiver).* **2.** Époque du renversement de la mousson, en zone tropicale (saison des pluies). *Les orages, les cyclones de la mousson.*

moussu, ue adj. ⇒ ① **mousse.**

moustache [mustaʃ] n. f. **1.** Poils qui garnissent la lèvre supérieure de l'homme. ⇒ fam. **bacchante.** *Porter la moustache, des moustaches.* **2.** Fam. Trace laissée autour des lèvres par un liquide. *Elle s'est fait des moustaches en buvant son chocolat.* **3.** Longs poils tactiles à la lèvre supérieure (de carnivores et rongeurs). *Les moustaches du chat, du phoque.* ▸ **moustachu, ue** adj. ■ Qui porte la moustache. — N. *Un moustachu.*

moustique [mustik] n. m. **1.** Insecte diptère dont la piqûre est douloureuse. ⇒ **cousin.** *Elle s'est fait piquer par un moustique.* **2.** Fam. Enfant, personne minuscule. ⇒ **moucheron.** ▸ **moustiquaire** n. f. **1.** Rideau très fin dont on entoure les lits pour se préserver des moustiques. **2.** Grillage métallique très fin placé aux fenêtres et aux portes pour empêcher les insectes d'entrer.

moût [mu] n. m. ■ Jus (de raisin, de pomme...) qui vient d'être extrait et n'a pas encore subi la fermentation alcoolique. ≠ *mou.*

moutard [mutaʀ] n. m. ■ Fam. Petit garçon. — Au plur. Enfants. ⇒ fam. **môme, mioche.**

moutarde [mutaʀd] n. f. **1.** *Moutarde blanche,* plante à fleurs jaunes cultivée comme fourrage. — *Moutarde noire,* plante dont les graines noires fournissent un condiment. **2.** Condiment préparé avec des graines de moutarde noire, du vinaigre, etc. *Un pot de moutarde. Moutarde forte.* — Loc. *La moutarde lui monte au nez,* l'impatience, la colère le gagnent. **3.** En appos. Invar. De la couleur de la moutarde. *Des robes moutarde.* ▸ **moutardier** n. m. ■ Récipient dans lequel on met la moutarde.

mouton [mutɔ̃] n. m. **I. 1.** Mammifère domestique ruminant à toison laineuse et frisée. ⇒ **ovidés.** *Mouton mâle* (bélier), *femelle* (brebis). *Jeune mouton* (agneau). *Troupeau de moutons. Les moutons bêlent.* — (Opposé à *bélier, brebis, agneau*) Bélier châtré, élevé pour la boucherie. *Élever, vendre des moutons.* — Loc. *Revenons à nos moutons,* à notre sujet. *Des moutons de Panurge* (d'un épisode de Rabelais), des personnes moutonnières*.* ⇒ **mouton** (II, 1). **2.** Fourrure de mouton. *Manteau en mouton doré.* ⇒ **moumoute.** **3.** Chair, viande de mouton. *Gigot, côtelette de mouton.* **II.** Fig. **1.** *C'est un mouton,* une personne crédule et passive ou influençable (⇒ **moutonnier**). **2.** Compagnon de cellule que la police donne à un détenu, avec mission de rapporter. ⇒ **délateur, espion, mouchard. 3.** Petite vague surmontée d'écume. — Petit nuage blanc et floconneux. — Flocon de poussière. *J'ai balayé les moutons.* **4.** Lourde masse de fer ou de fonte servant à enfoncer, etc. ⇒ **bélier.** ▸ **moutonner** v. intr. . conjug. 1. **1.** Devenir semblable à une toison de mouton. *Mer qui moutonne,* se couvre de moutons (II, 3). ⇒ **écumer. 2.** Évoquer par son aspect une toison. *les buissons qui moutonnent sur les pentes.* ▸ **moutonné,**

ée adj. **1.** Frisé. **2.** *Ciel moutonné,* couvert de petits nuages. ⇒ **pommelé.** ▸ **moutonnement** n. m. ■ *Le moutonnement des vagues.* ▸ **moutonnier, ière** adj. ■ Qui suit aveuglément les autres, les imite « comme un mouton », sans discernement. ⇒ **imitateur.** *Une foule moutonnière.* ⟨ ▸ **saute-mouton** ⟩

mouture [mutyʀ] n. f. (⇒ **moudre**) **1.** Opération de meunerie qui consiste à réduire en farine des grains de céréales. — Produit résultant de cette opération. **2.** Reprise sous une forme plus ou moins différente (d'un sujet déjà traité). *C'est au moins la troisième mouture de son article.*

mouvant, ante [muvɑ̃, ɑ̃t] adj. **1.** Qui change sans cesse de place, de forme, d'aspect. / contr. **fixe, immobile** / *La nappe mouvante des blés.* ⇒ **ondoyant.** — *Une pensée mouvante.* ⇒ **changeant, instable. 2.** Qui n'est pas stable, qui s'écroule, s'enfonce. / contr. **stable** / *Terrain mouvant. Sables mouvants.*

mouvement [muvmɑ̃] n. m. **I. 1.** Changement de position dans l'espace, en fonction du temps, par rapport à un système de référence. / contr. **arrêt, immobilité** / *Le mouvement d'un corps.* ⇒ **course, déplacement, trajectoire.** *Direction d'un mouvement. Force, intensité d'un mouvement.* ⇒ **vitesse.** *Mouvement rapide, lent.* **2.** (D'un être vivant) UN MOUVE-MENT : changement de position ou de place effectué par le corps ou une de ses parties. *Attitudes, positions, postures et mouvements* (⇒ **geste**). *Mouvements vifs, lents, aisés, maladroits. Un mouvement du bras, du cou, de la jambe.* — Loc. *Faire un faux mouvement,* un mouvement dans une mauvaise position (douloureux). — *Mouvements de gymnastique, de nage. Mouvement inconscient, automatique.* ⇒ **automatisme, réflexe.** — Loc. *En deux temps, trois mouvements,* très rapidement. — LE MOUVEMENT : la capacité ou le fait de se mouvoir. *Aimer le mouvement,* être actif, remuant. **3.** Déplacement (d'une masse d'hommes agissant, se déplaçant en même temps, de véhicules, de choses transportées, mues par l'homme). *Le mouvement d'une foule. Le mouvement des avions sur un aérodrome. Mouvements de marchandises.* ⇒ **circulation, trafic.** — Sans compl. *Il y a du mouvement dans cette ville.* ⇒ **activité.** — *Mouvements de troupes.* ⇒ **évolution, manœuvre. 4.** EN MOUVEMENT : qui se déplace, bouge. *Mettre un mécanisme en mouvement,* faire marcher. *Toute la maison est en mouvement.* **II. 1.** Ce qui traduit le mouvement, donne l'impression du mouvement, de la vie (dans un récit, une œuvre d'art). *Il y a du mouvement dans ce film.* **2.** Degré de rapidité que l'on donne à la mesure, en musique. ⇒ **rythme, tempo.** *Indication de mouvement. L'allégro est un mouvement rapide.* — Partie d'une œuvre musicale devant être exécutée dans un mouvement précis. *Les trois mouvements d'une sonate, d'une symphonie.* **3.** Ligne, courbe. *Mouvement de terrain.* **III.** Mécanisme qui produit, entretient un mouvement régulier. *Mouvement d'horlogerie.* **IV.** Changement, modification. **1.** Littér. *Les mouvements de l'âme, du cœur,* les différents états de la vie psychique. ⇒ **émotion, impulsion, sentiment, tendance.** *Mouvements intérieurs.* — Loc. Plus cour. *Un bon mouvement,* incitant à une action généreuse, désintéressée, ou simplement amicale. *Mouvement d'humeur.* — *Mouvements divers,* réactions vives dans un auditoire. **2.** Changement dans l'ordre social. / contr. **continuité** / *Le parti du mouvement* (opposé à *conservateur*). ⇒ **progrès.** Fam. *Être dans le mouvement,* suivre les idées en vogue (→ dans le vent). **3.** UN MOUVEMENT : action collective (spontanée ou dirigée) tendant à produire un changement d'idées, d'opinions ou d'organisation sociale ; organisation qui mène cette action. *Mouve-*

ment révolutionnaire, syndical. *Mouvement littéraire, artistique.* **4.** Changement quantitatif. ⇒ **variation.** *Mouvements de la population. Mouvements des prix.* ▶ *mouvementé, ée* adj. **1.** *Terrain mouvementé,* qui présente des mouvements (II, 3). ⇒ **accidenté.** **2.** (Composition littéraire) Qui a du mouvement (II, 1), de l'action. *Récit mouvementé.* ⇒ **vivant.** — Qui présente des péripéties variées. *Poursuite, arrestation mouvementée.* / contr. **calme** /

mouvoir [muvwaʀ] v. tr. ▪ conjug. 27. — REM. Rare sauf à l'infinitif, au présent de l'indicatif et aux participes. **I.** V. tr. **1.** Mettre en mouvement. ⇒ **animer, remuer.** / contr. **arrêter, immobiliser** / *Mouvoir ses membres avec difficulté. Machine mue par l'électricité.* **2.** Littér. Mettre en activité, en action. ⇒ **émouvoir, exciter, pousser.** *Les raisons, les forces qui le meuvent.* **II.** Littér. SE MOUVOIR v. pron. réfl. : être en mouvement. ⇒ **bouger, se** ▪ **déplacer.** *Il peut à peine se mouvoir. Se mouvoir dans un univers factice ; dans le mensonge, y vivre.* ⟨ ▶ émouvoir, émeute, mouvant, mouvement, promouvoir ⟩

① *moyen, enne* [mwajɛ̃, ɛn] adj. **I. 1.** Qui se trouve entre deux choses. ⇒ **médian ; intermédiaire.** *Le cours moyen d'un fleuve* (opposé à *supérieur* et à *inférieur*). — MOYEN TERME : parti intermédiaire entre deux solutions extrêmes, deux prétentions opposées. *Il n'y a pas de moyen terme.* ⇒ **milieu.** — COURS MOYEN *première, deuxième année* (abrév. *C.M.1, C.M.2*): classes de l'enseignement primaire situées entre les cours élémentaires et la classe de sixième. **2.** Qui, par ses dimensions ou sa nature, tient le milieu entre deux extrêmes. *Être de taille moyenne. Poids moyen. Âge moyen. Classes moyennes,* petite et moyenne bourgeoisies. **3.** Qui est du type le plus courant. ⇒ **courant, ordinaire.** *Le Français moyen,* personne représentative du commun des Français. *Le lecteur moyen.* **4.** Qui n'est ni bon ni mauvais. *Qualité moyenne.* ⇒ **correct.** *Intelligence moyenne. Résultats moyens.* ⇒ **honnête, passable.** *Il est très moyen en français.* **II.** Que l'on établit, calcule en faisant une moyenne. ⇒ **moyenne.** *Température moyenne annuelle d'un lieu.* ▶ *Moyen Âge* [mwajɛnaʒ] n. m. ▪ Période comprise entre l'Antiquité et les Temps modernes (VIIIᵉ-XVᵉ siècle). *Les hommes, les villes du Moyen Âge.* ⇒ **médiéval.** ▶ *moyenâgeux, euse* [mwajɛnaʒø, øz] adj. **1.** Qui a les caractères, le pittoresque du Moyen Âge ; qui évoque le Moyen Âge. *Costume moyenâgeux.* **2.** Péj. Archaïque. ⇒ **médiéval.** *Des procédés moyenâgeux.* ▶ *moyen-courrier* n. m. ▪ Avion de transport spécialisé sur les moyennes distances. *Des moyen-courriers et des long-courriers.* ▶ *moyenne* n. f. **1.** *La moyenne arithmétique de plusieurs nombres,* le quotient de la somme de ces quantités par leur nombre. ≠ *médiane. Calculer la moyenne des températures à Paris au mois d'août. Rouler à une moyenne de 70 km/h. Faire 70, du 70 de moyenne.* — La moitié des points qu'on peut obtenir. *Avoir la moyenne à un examen.* — Fam. (En parlant de ce qui n'est pas mesurable) *Cela fait une moyenne,* cela compense. — EN MOYENNE : en évaluant la moyenne. *Il travaille en moyenne 8 heures par jour.* **2.** Type également éloigné des extrêmes (généralement, type le plus courant). *La moyenne des Français. Une intelligence, une habileté au-dessus de la moyenne.* ▶ *moyennement* adv. ▪ D'une manière moyenne, à demi, ni peu ni beaucoup. *Être moyennement beau, riche. Aller moyennement vite.*

② *moyen* [mwajɛ̃] n. m. **1.** Ce qui sert pour arriver à un résultat, à une fin. ⇒ **procédé, voie.** *La fin et les moyens. Les moyens de faire qqch. Par quel moyen ?* ⇒ **comment.** — *Trouver moyen de,* parvenir

à. — *S'il en avait le moyen, les moyens,* s'il le pouvait. *Avoir, laisser le choix des moyens. Il a essayé tous les moyens* (→ Remuer ciel et terre). *Moyen efficace ; un bon moyen. Moyen provisoire, insuffisant.* ⇒ **demi-mesure, expédient.** Loc. *Se débrouiller avec les moyens du bord,* les seuls moyens disponibles. *Employer les grands moyens,* ceux dont l'effet doit être décisif. — *Il y a moyen ; il n'y a pas moyen de,* il est possible, il est impossible de. *Il n'y a pas moyen de le faire obéir, qu'il soit à l'heure. Pas moyen !,* c'est impossible (→ fam. pas mèche). — *Moyen d'action, de défense, de contrôle. Moyens de transport.* — PAR LE MOYEN DE : par l'intermédiaire, grâce à. — AU MOYEN DE : à l'aide de (le moyen exprimé étant généralement concret). ⇒ **avec, grâce** à. *Se diriger au moyen d'une boussole.* **2.** LES MOYENS : pouvoirs naturels et permanents (d'une personne). ⇒ **capacité, faculté, force.** *Les moyens physiques d'un sportif. Il a de grands moyens.* ⇒ **don, facilité.** *Être en possession de tous ses moyens. Perdre ses moyens à un examen.* — *Par ses propres moyens,* sans aide étrangère. **3.** Ressources pécuniaires. *Ses parents n'avaient pas les moyens de lui faire faire des études. C'est trop cher, c'est au-dessus de mes moyens.* — Fam. *Il a les moyens,* il a de l'argent. ▶ *moyennant* [mwajɛnɑ̃] prép. ▪ Au moyen de, par le moyen de, à la condition de. ⇒ **avec, grâce** à. *Acquérir une chose moyennant un prix convenu.* ⇒ **pour.** *Donnez-moi de l'argent, moyennant quoi je ferai le travail.*

moyeu [mwajø] n. m. ▪ Partie centrale (d'une roue, d'une pièce qui tourne) que traverse l'axe. *Moyeu de volant, d'hélice. Des moyeux.*

M.S.T. [ɛmɛste] n. f. invar. ▪ Abréviation de *maladie sexuellement transmissible.* ⇒ maladie **vénérienne.**

M.T.S. [ɛmtees] n. m. invar. — REM. Toujours en apposition. ▪ *Système M.T.S.,* système à trois unités fondamentales : *mètre, tonne, seconde.*

mû, mue Part. passé du v. *mouvoir.*

mucosité [mykozite] n. f. ▪ Amas de substance épaisse et filante qui tapisse certaines muqueuses. ⇒ **glaire, morve.** ▶ *mucus* [mykys] n. m. invar. ▪ Liquide visqueux qui tapisse certaines muqueuses. ⟨ ▶ muqueux ⟩

mue [my] n. f. **1.** Changement qui affecte la carapace, les cornes, la peau, le plumage, le poil, etc., de certains animaux à des époques déterminées ; cette époque. **2.** Dépouille (d'un animal qui a mué). *Trouver la mue d'un serpent.* **3.** Changement dans le timbre de la voix humaine au moment de la puberté. ▶ *muer* [mɥe] v. ▪ conjug. 1. **I.** V. intr. **1.** (Animal) Changer de peau, de plumage, de poil. ⇒ se **dépouiller.** *Insecte qui mue.* **2.** (Voix humaine) Subir la mue (3). *Sa voix mue. Les enfants muent entre onze et quatorze ans.* **II.** V. pron. réfl. Littér. SE MUER EN : se changer, se transformer en. *Ses désirs se sont mués en réalités.*

muet, ette [mɥɛ, ɛt] adj. et n. **1.** Qui est privé de l'usage de la parole. *Il est muet de naissance. Sourd et muet.* ⇒ **sourd-muet.** — N. *Un muet, une muette.* **2.** Silencieux (volontairement ou non). ⇒ **coi.** *Être, rester muet d'étonnement, de peur,* momentanément incapable de parler, de répondre. *Être muet comme une carpe. Rôle muet,* sans texte à dire. **3.** Qui ne contient aucune précision concernant une question. *Le règlement est muet sur ce point.* **4.** (Sentiments) Qui ne s'exprime pas par la parole. *Muette protestation. De muets reproches.* — *Joie muette.* **5.** (Choses) Qui, par nature, ne produit aucun son. *Clavier muet. Cinéma, film muet.* — N. m. *Le muet,* le cinéma muet. **6.** Qui ne se fait pas entendre dans la prononciation.

E, H muet. **5.** Qui ne contient ou n'utilise aucun signe écrit. *Une carte muette.* ‹ ► sourd-muet ›

muezzin [mɥɛdzin] ou [mɥɛzɛ̃] n. m. ■ Fonctionnaire religieux musulman attaché à une mosquée, qui appelle du minaret les fidèles à la prière. *Des muezzins.*

① *mufle* [myfl] n. m. ■ Extrémité du museau (de certains mammifères). *Mufle de bœuf.*

② *mufle* n. m. et adj. ■ Individu mal élevé, grossier et indélicat. ⇒ **goujat, malotru.** *Se conduire comme un mufle.* — Adj. (Rare au fém.) *Ce qu'il peut être mufle !* / contr. **galant** / ► **muflerie** n. f. ■ Caractère, action, parole d'un mufle. ⇒ **goujaterie, grossièreté.**

mufti ou *muphti* [myfti] n. m. ■ Théoricien et interprète du droit canonique musulman. *Des muftis.*

mugir [myʒiʀ] v. intr. ▪ conjug. 2. **1.** (Bovidés) Pousser le cri sourd et prolongé propre à leur espèce. ⇒ **beugler, meugler. 2.** (Suj. chose) Faire entendre un bruit semblable. *Le vent mugissait.* ► *mugissement* n. m. ■ Son produit par un animal ou une chose qui mugit. ⇒ **beuglement, meuglement.**

muguet [mygɛ] n. m. ■ Plante aux fleurs petites et blanches en clochettes, groupées en grappes. *Offrir un brin de muguet le 1ᵉʳ mai.* — Parfum qui en est extrait. *Savonnette au muguet.*

mulâtre, mulâtresse [mylɑtʀ, mylɑtʀɛs] n. et adj. ■ Homme, femme de couleur, né de l'union d'un Blanc avec une Noire ou d'un Noir avec une Blanche. ⇒ **métis.** — Adj. (MULÂTRE aux deux genres) *Fillette mulâtre.*

① *mule* [myl] n. f. ■ Pantoufle de femme à talon assez haut ou à semelle compensée.

② *mule* n. f. ■ Animal femelle né de l'âne et de la jument (ou du cheval et de l'ânesse), généralement stérile. *Monter une mule.* — Loc. fam. *Chargé comme une mule. Capricieux, têtu comme une mule.* ► ① *mulet* [mylɛ] n. m. ■ Hybride mâle de l'âne et de la jument *(grand mulet)* ou du cheval et de l'ânesse, toujours infécond. — Loc. fam. *Être chargé comme un mulet. Têtu comme un mulet.* ⇒ **mule.** ► *muletier, ière* [myltje, jɛʀ] n. m. et adj. **1.** Conducteur de mulets, de mules. **2.** Adj. *Chemin, sentier muletier,* étroit et escarpé. *Piste muletière.*

② *mulet* n. m. ■ Poisson comestible (appelé aussi *muge* [myʒ] n. m.).

mulot [mylo] n. m. ■ Petit mammifère rongeur, appelé aussi *rat des champs.*

multi- Élément signifiant « qui a beaucoup de... » (ex. : *multicellulaire, multiplace*). ⇒ **pluri-, poly-.** / contr. **mono-, uni-** /

multicolore [myltikɔlɔʀ] adj. ■ Qui présente des couleurs variées. ⇒ **polychrome.** *Oiseaux multicolores.*

multicoque [myltikɔk] n. m. ■ Bateau composé de plusieurs coques ou flotteurs, assemblés côte à côte (opposé à *monocoque*). *Les catamarans et les trimarans sont des multicoques.*

multiforme [myltifɔʀm] adj. ■ Qui se présente sous des formes variées, des aspects nombreux. *Une menace multiforme et imprécise.*

multilatéral, ale, aux [myltilateʀal, o] adj. ■ Qui concerne plusieurs parties contractantes, en général des États. *Accords multilatéraux.*

multimillionnaire [myltimiljɔnɛʀ] adj. et n. ■ Qui possède beaucoup de millions. *Il est multimillionnaire en dollars.* — N. *Un(e) multimillionnaire.* — On dit aussi *multimilliardaire.*

multinational, ale, aux [myltinasjɔnal, o] adj. ■ Qui concerne plusieurs pays. — Qui a des

activités dans plusieurs pays. — N. f. *Une multinationale,* une firme multinationale.

multiple [myltipl] adj. **1.** Qui est composé de plusieurs éléments de nature différente, ou qui se manifeste sous des formes différentes. ⇒ **divers.** *Une réalité multiple et complexe.* / contr. **simple / 2.** Qui contient plusieurs fois exactement un nombre donné. *21 est multiple de 7.* — N. m. *Tout multiple de deux est pair. Le plus petit commun multiple de deux nombres* (abrév. P.P.C.M.). **3.** (Avec un nom au pluriel) Qui se présentent sous des formes variées. ⇒ **nombreux.** *Activités, aspects, causes multiples.* / contr. **unique / 4.** *Prise multiple,* adaptateur permettant de brancher plusieurs appareils sur la même prise de courant. ► *multiplier* [myltiplije] v. tr. ▪ conjug. 7. **I. 1.** Augmenter le nombre, la quantité de (personnes, êtres, choses de la même espèce). ⇒ **accroître.** *Multiplier les exemplaires d'un texte.* ⇒ **reproduire.** *Multiplier les essais.* ⇒ **répéter. 2.** Faire la multiplication de. / contr. **diviser /** — Au p. p. *Sept multiplié par neuf* (7×9), sept fois neuf. **II.** SE MULTIPLIER v. pron. **1.** Être augmenté, se produire en grand nombre. ⇒ **s'accroître, croître,** se **développer. 2.** (Êtres vivants) Se reproduire. *Les souris se multiplient très vite.* ► *multiplicité* n. f. ■ Caractère de ce qui est multiple ; grand nombre. ⇒ **abondance, quantité.** *La multiplicité des inventions.* ► *multiplicande* n. m. ■ Dans une multiplication (3). Celui des facteurs qui est énoncé le premier. ► *multiplicateur, trice* adj. et n. m. ■ Qui multiplie, sert à multiplier. — N. m. Dans une multiplication (3). Celui des deux facteurs qui est énoncé le second. / contr. **diviseur /** ► *multiplicatif, ive* adj. ■ Qui multiplie, qui aide à multiplier. *Signe multiplicatif* (×). ► *multiplication* n. f. **1.** Augmentation en nombre. / contr. **diminution / 2.** Reproduction asexuée. *La multiplication des bactéries. Multiplication végétative, des végétaux.* **3.** Opération qui a pour but d'obtenir à partir de deux nombres *a* et *b* *(multiplicande et multiplicateur)* un troisième nombre *(produit)* égal à la somme de *b* termes égaux à *a* (ex. : *6 x 3 = 6 + 6 + 6 = 18*). *Table de multiplication.* / contr. **division /** ‹ ► démultiplier, démultiplication, sous-multiple ›

multipropriété [myltipʀɔpʀijete] n. f. ■ Régime de propriété collective où chaque propriétaire jouit de son bien pendant une période déterminée de l'année. *Il a acheté un appartement à la montagne en multipropriété.*

multirisque [myltiʀisk] adj. ■ Qui couvre plusieurs risques. *Assurance multirisque.*

multitude [myltityd] n. f. **1.** Grande quantité (d'êtres, d'objets). *Une multitude de visiteurs entra* (ou *entrèrent*). ⇒ **armée, flot, nuée.** — *Pour une multitude de raisons.* ⇒ **quantité. 2.** Rassemblement d'un grand nombre de personnes. ⇒ **foule.** *La multitude qui accourait pour voir la vedette.*

muni, ie [myni] Part. passé du v. *munir.*

municipal, ale, aux [mynisipal, o] adj. ■ Relatif à l'administration d'une commune. ⇒ **communal.** *Conseil municipal. Élections municipales. Piscine municipale.* ► *municipalité* n. f. ■ Le corps municipal ; l'ensemble des personnes qui administrent une commune. *La municipalité d'une commune comprend le maire, ses adjoints et les conseillers municipaux.* — Siège de l'administration municipale. ⇒ **hôtel** de ville, **mairie.** — La circonscription administrée par une municipalité. ⇒ **commune.**

munificence [mynifisɑ̃s] n. f. ■ Grandeur dans la générosité. *Donner avec munificence.* ≠ *magnifi-*

cence. ▶ *munificent, ente* adj. ■ Littér. Généreux avec somptuosité.

munir [myniʀ] v. tr. ■ conjug. 2. **1.** Garnir (qqch.), pourvoir (qqn) de ce qui est nécessaire, utile pour une fin déterminée. ⇒ **équiper, pourvoir.** *Munir un voyageur d'un peu d'argent.* — Au p. p. *Caméra munie de deux objectifs.* **2.** V. pron. réfl. SE MUNIR DE. ⇒ **prendre.** *Se munir d'un imperméable.* — *Se munir de patience.* ⇒ s'**armer.** ▶ *munitions* [mynisjɔ̃] n. f. pl. ■ Explosifs et projectiles nécessaires au chargement des armes à feu (balle, cartouche, fusée, obus) ou lâchés par un avion (bombe). *Entrepôt d'armes et de munitions.* ⟨ ▶ démunir, prémunir ⟩

muphti ⇒ mufti.

muqueux, euse [mykø, øz] adj. **1.** Qui a le caractère du mucus, des mucosités. **2.** Qui sécrète, produit du mucus. *Membrane muqueuse.* ▶ *muqueuse* n. f. ■ Membrane formant l'enveloppe des organes creux, qui se raccorde avec la peau au niveau des orifices naturels (bronche, anus, vagin...) et qui est lubrifiée par des sécrétions liquides.

mur [myʀ] n. m. **1.** Ouvrage (de pierre, béton, etc.) qui s'élève sur une certaine longueur et qui sert à enclore, à séparer ou à supporter une poussée. ⇒ **muraille, muret.** *Bâtir, élever, abattre un mur. Mur de pierres sèches. Fermer de murs,* murer. *Un vieux mur croulant.* — *Il est arrivé dans nos murs,* dans notre ville. **2.** Face intérieure des murs, des cloisons, d'une habitation. *Mettre des tableaux aux murs. Horaire affiché au mur.* ⇒ **mural.** — Loc. *Entre quatre murs,* en restant enfermé dans une maison. **3.** Loc. *Raser les murs,* pour se cacher, se protéger. — *Sauter, faire le mur,* sortir sans permission (de la caserne, d'un internat, etc.). — *Se cogner, se taper la tête contre les murs,* se **désespérer.** — *Mettre qqn au pied du mur,* acculer à, enlever toute échappatoire. **4.** Fig. Ce qui sépare, forme obstacle. *Un mur d'incompréhension. Se heurter à un mur.* **5.** LE MUR DU SON : l'instant, ponctué d'une explosion, où un avion, une fusée dépasse la vitesse du son. ⇒ **Mach.** *Franchir le mur du son.* **6.** Football. Ligne des joueurs placés entre le tireur et le gardien de but lors d'un coup franc*. *L'arbitre a fait reculer le mur à distance réglementaire.* ⟨ ▶ se claquemurer, emmurer, muraille, mural, murer, muret ⟩

mûr, mûre [myʀ] adj. **1.** (Fruit, graine) Qui a atteint son plein développement (⇒ **maturation, maturité**). *Un fruit trop mûr.* ⇒ **blet.** / contr. **vert** / *Couleur de blé mûr.* **2.** (Abcès, furoncle) Qui est près de percer. **3.** Fig. Qui a atteint le développement nécessaire à sa réalisation, à sa manifestation. *Un projet mûr. La révolution est mûre.* — (Personnes) *Être mûr pour,* être préparé, prêt à. **4.** *L'âge mûr,* adulte. *L'homme mûr.* ⇒ **fait.** *Esprit mûr,* qui a atteint tout son développement. ⇒ **maturité.** *Il est très mûr pour son âge.* ⇒ **raisonnable.** / contr. **immature** / — *Après mûre réflexion,* après avoir longuement réfléchi. **5.** Fam. ⇒ **ivre, soûl.** *Il est complètement mûr.* ⟨ ▶ mûrement, mûrir ⟩

muraille [myʀɑj] n. f. **1.** Étendue de murs épais et assez élevés. *Une haute muraille. Les murailles du château fort.* — Loc. *Couleur de muraille,* se confondant avec celle des murs. — Fortification. ⇒ **rempart.** *Enceinte de murailles. La grande muraille de Chine.* **2.** Ce qui s'élève comme un mur ; surface verticale abrupte, escarpée. ⇒ **paroi.**

mural, ale, aux [myʀal, o] adj. ■ Qui est appliqué sur un mur, une cloison, comme ornement. *Peintures, fresques murales.* — Qui est fixé au mur et ne repose pas par terre. *Pendule murale.*

mûre [myʀ] n. f. **1.** Fruit du mûrier, (qui n'est pas consommé dans nos pays). **2.** Fruit noir de la ronce

des haies, comestible, qui ressemble au fruit du mûrier. *Gelée de mûres.* ⟨ ▶ mûrier ⟩

mûrement [myʀmɑ̃] adv. (⇒ **mûr,** 4) ■ Avec beaucoup de réflexion. *J'y ai mûrement réfléchi.*

murène [myʀɛn] n. f. ■ Poisson long et mince, plus gros que l'anguille, très vorace.

murer [myʀe] v. tr. ■ conjug. 1. **1.** Entourer de murs. — Fermer, enclore par un mur, une maçonnerie. *Murer une porte, une issue.* — Au p. p. adj. *Une fenêtre murée.* **2.** Enfermer (qqn) en supprimant les issues. — Au p. p. adj. *Mineurs murés au fond,* enfermés par un éboulement. **3.** V. pron. réfl. SE MURER : s'enfermer (en un lieu), s'isoler. ⇒ se **cacher,** se **cloîtrer.** *Il s'est muré chez lui.* — *Se murer dans son silence.*

muret [myʀɛ] n. m. ou **murette** [myʀɛt] n. f. ■ Petit mur. — Mur bas de pierres sèches.

mûrier [myʀje] n. m. ■ Arbre originaire d'Orient et acclimaté dans le bassin méditerranéen, dont le fruit est la mûre (1). *Mûrier noir. Mûrier blanc,* utilisé en ébénisterie.

mûrir [myʀiʀ] v. **I.** V. tr. **1.** Rendre mûr. *Le soleil mûrit les fruits.* **2.** Mener (une chose) à point en y appliquant sa réflexion. ⇒ **approfondir.** *Mûrir une pensée, un projet.* ⇒ **méditer.** **3.** Donner de la maturité d'esprit à (qqn). *Le malheur l'a mûri.* **II.** V. intr. **1.** Devenir mûr, venir à maturité. *Les blés mûrissent.* **2.** Se développer, atteindre son plein développement. *Laisser mûrir une idée, un projet.* — Acquérir de la maturité d'esprit. ▶ *mûrissant, ante* adj. **1.** En train de mûrir. **2.** (Personnes) Qui atteint l'âge mûr.

murmure [myʀmyʀ] n. m. **I. 1.** Bruit sourd, léger et continu de voix humaines. ⇒ **chuchotement.** *Rires et murmures d'élèves.* **2.** Commentaire fait à mi-voix par plusieurs personnes. *Murmures d'approbation, de protestation.* — Loc. *Accepter une chose sans hésitation ni murmure,* sans protester. **II.** Bruit continu léger, doux et harmonieux. *Le murmure d'une fontaine.* ⇒ **bruissement.** ▶ *murmurer* v. **I.** V. intr. (Personnes) **1.** Faire entendre un murmure. **2.** Émettre une plainte, une protestation sourde. ⇒ **bougonner, grogner.** *Accepter, obéir sans murmurer.* **II.** V. tr. Dire, prononcer à mi-voix ou à voix basse. ⇒ **chuchoter ; marmonner, marmotter.**

musaraigne [myzaʀɛɲ] n. f. ■ Petit mammifère insectivore, voisin de la souris.

musarder [myzaʀde] v. intr. ■ conjug. 1. ■ Perdre son temps à des riens. ⇒ **flâner, muser ;** fam. **glander.**

musc [mysk] n. m. ■ Substance brune très odorante, sécrétée par les glandes abdominales d'un animal de la famille des cervidés (cerf, etc.). *Grains de musc séché.* — Parfum préparé à partir du musc. ▶ *muscade* adj. et n. ■ *Noix muscade* ou, ellipt, *muscade,* graine du fruit d'un arbre exotique (le *muscadier*), d'odeur aromatique, employée comme épice. ⟨ ▶ muscat, musqué ⟩

muscadet [myskadɛ] n. m. ■ Vin blanc sec de la région de Nantes. *Un verre de muscadet.*

muscadin [myskadɛ̃] n. m. ■ Autrefois. Élégant ridicule, (notamment à l'époque de la Révolution, du Directoire).

muscat [myska] adj. et n. m. **1.** *Raisin muscat,* très sucré et à odeur de musc. — N. m. *Une grappe de muscat.* **2.** *Vin muscat,* vin de liqueur, produit avec des raisins muscats (ex. : *malaga*). — N. m. *Un verre de muscat.*

muscle [myskl] n. m. ■ Organe ou élément d'organe formé de tissus irritables et contractiles qui assurent les fonctions du mouvement. *Muscles striés, volontaires. Muscles lisses.* — (Muscles apparents, sous la peau) *Contracter, gonfler un muscle. Développer ses muscles.* ⇒ **musculation ; musculature.** *Elle s'est froissé un muscle.* — Sans compl. *Avoir des muscles, du muscle,* être fort. ▶ *musclé, ée* adj. **1.** Qui est pourvu de muscles bien visibles et puissants. ⇒ **fort.** *Jambes musclées.* **2.** Fam. Énergique, fort. *Une politique musclée.* ▶ *muscler* v. tr. . conjug. 1. ■ Pourvoir de muscles développés, puissants. — V. pron. réfl. SE MUSCLER. *Il fait de la gymnastique pour se muscler.* ▶ *musculaire* adj. ■ Relatif aux muscles. *Système musculaire. Force musculaire.* ▶ *musculation* n. f. ■ Développement d'un muscle, d'une partie du corps grâce à des exercices appropriés. — Ensemble de ces exercices. *Il fait de la musculation.* ⇒ **culturisme.** ▶ *musculature* n. f. ■ Ensemble et disposition des muscles (d'un organisme ou d'un organe). *La musculature du dos. La musculature d'un athlète.* ▶ *musculeux, euse* adj. ■ Qui a des muscles développés, forts. ⇒ **musclé.** ‹ ▶ intramusculaire ›

muse [myz] n. f. **1.** (Avec une majuscule) Chacune des neuf déesses qui, dans la mythologie antique, présidaient aux arts libéraux. **2.** Littér. L'inspiration poétique, souvent évoquée sous les traits d'une femme.

museau [myzo] n. m. **1.** Partie antérieure de la face (de certains animaux : mammifères ; poissons) lorsqu'elle fait saillie en avant. — REM. Ne se dit pas du cheval. *Museau de chien* ⇒ **truffe,** *de porc* ⇒ **groin.** *Museau de brochet.* — *Museau de porc* (hure), *de bœuf,* charcuterie à la vinaigrette. **2.** Fam. Visage, figure. ⇒ **minois.** ‹ ▶ museler ›

musée [myze] n. m. **1.** Établissement dans lequel sont rassemblées et classées des collections d'objets présentant un intérêt historique, technique, scientifique, artistique, en vue de leur conservation et de leur présentation au public. ⇒ **collection.** *Musée de peinture. Musée d'histoire naturelle.* ⇒ **muséum.** *Expositions d'un musée* (d'art). *Objet, pièce de musée,* digne d'un musée. **2.** Lieu rempli d'objets rares, précieux. *Son appartement est un véritable musée. Ville-musée.* — Loc. fam. *Musée des horreurs,* réunion de choses très laides. ▶ *muséologie* n. f. ; *muséographie* n. f. ■ Science, technique de la conception des musées, de leur réalisation (classement, présentation des collections...). ‹ ▶ muséum ›

museler [myzle] v. tr. . conjug. 4. **1.** Empêcher (un animal) d'ouvrir la gueule, de mordre en lui emprisonnant le museau. ⇒ **muselière.** *Museler un chien.* **2.** Fig. Empêcher de parler, de s'exprimer. ⇒ **bâillonner.** *Museler l'opposition.* ▶ *muselière* [myzəljɛʀ] n. f. ■ Appareil servant à museler certains animaux en leur entourant le museau. *Mettre une muselière à un chien.* ▶ *musellement* n. m. ■ Action de museler (1, 2).

muser [myze] v. intr. . conjug. 1. ■ Littér. Perdre son temps à des bagatelles, à des riens. ⇒ s'**attarder, flâner, musarder.** ‹ ▶ musarder ›

① *musette* [myzɛt] n. f. **1.** Autrefois. Cornemuse alimentée par un soufflet. **2.** En appos. BAL MUSETTE : bal populaire où l'on danse, généralement au son de l'accordéon, la java, la valse, le fox-trot, dans un style particulier (appelé *le musette,* n. m.). *Des bals musettes.* — *Valse musette. Un disque d'accordéon musette* (de musette, n. m.).

② *musette* n. f. ■ Sac de toile, qui se porte souvent en bandoulière. *Mettre sa gamelle dans sa musette.*

muséum [myzeɔm] n. m. ■ Musée consacré aux sciences naturelles. *Des muséums.*

musical, ale, aux [myzikal, o] adj. **1.** Qui est propre, appartient à la musique, concerne la musique. *Son musical. Notation musicale. Critique musical.* — Où il y a de la musique. *Soirée musicale.* ⇒ **concert, récital.** *Comédie musicale,* en partie chantée (surtout, film de ce genre). **2.** Qui a les caractères de la musique. *Une voix très musicale.* ⇒ **harmonieux, mélodieux.** ▶ *musicalement* adv. **1.** Conformément aux règles de la musique. **2.** D'une manière harmonieuse. ▶ *musicalité* n. f. ■ Qualité de ce qui est musical. *La musicalité d'une chaîne stéréo.*

music-hall [myzikol] n. m. ■ Établissement qui présente un spectacle de variétés. *Chanteuse de music-hall. Des music-halls.* — Spectacles présentés par cet établissement. *Aimer le music-hall.*

musicien, ienne [myzisjɛ̃, jɛn] n. et adj. **1.** Personne qui connaît l'art de la musique ; en connaît la technique, ou est capable d'apprécier la musique. — Adj. *Elle était assez musicienne.* **2.** Personne dont la profession est de faire (composer, jouer) de la musique (compositeur, interprète, chef d'orchestre...). — Compositeur. *Les grands musiciens. Musicien de jazz* (anglic. jazzman). *Excellent musicien.* ⇒ **virtuose.**

musico- ■ Élément de mots savants relatifs à la musique. ▶ *musicologie* [myzikɔlɔʒi] n. f. ■ Science de la théorie, de l'esthétique et de l'histoire de la musique. ▶ *musicologue* n. ■ Spécialiste de musicologie.

musique [myzik] n. f. **I. 1.** Art de combiner des sons d'après des règles (variables selon les lieux et les époques), d'organiser une durée avec des éléments sonores ; production de cet art (sons ou œuvres). *Aimer la musique. Musique vocale.* ⇒ **chant, voix.** *Musique instrumentale. Musique concrète,* à base de sons naturels, musicaux ou non (bruits). *Musique de chambre,* musique pour un petit nombre de musiciens. *Musique de danse, de ballet. Musique de film. Musique de cirque. Musique de jazz. Musique de variétés. Musique classique* (ou *grande musique*)*. Musique sérielle.* ⇒ **dodécaphonisme.** *Musique électronique* (⇒ **synthétiseur**)*. École, conservatoire de musique.* — *Dîner, travailler en musique,* en écoutant de la musique. **2.** Musique écrite, œuvre musicale écrite. *Marchand de musique. Jouer sans musique.* ⇒ **partition. 3.** *Musique militaire,* musique d'un régiment, les musiciens du régiment. ⇒ **clique, fanfare.** *Régiment qui marche musique en tête.* **4.** Fam. (En parlant des discours) *C'est toujours la même musique.* ⇒ **chanson, histoire.** — Fam. *Connaître la musique,* savoir de quoi il retourne, savoir comment s'y prendre. **II. 1.** Suite, ensemble de sons qui se rappellent la musique. ⇒ **bruit, harmonie, mélodie.** *La musique des oiseaux, des cigales.* **2.** Harmonie. *La musique d'un poème.* ‹ ▶ musical, musicien, musico- ›

musqué, ée [myske] adj. **1.** Parfumé au musc. **2.** Dans les loc. désignant des animaux. Dont l'odeur rappelle celle du musc. *Rat musqué. Bœuf musqué.*

mustang [mystɑ̃g] n. m. ■ Cheval à demi sauvage des prairies d'Amérique. *Des mustangs.*

musulman, ane [myzylmɑ̃, an] adj. et n. **1.** Qui professe la religion de Mahomet, l'islam*. *Arabes, Indiens musulmans.* **2.** Qui est propre à l'islam, relatif ou conforme à sa loi, à ses rites. ⇒ **islamique.** — N. *Les musulmans.*

① *mutation* [mytasjɔ̃] n. f. ■ En biologie. Variation brusque d'un caractère héréditaire (propre à l'espèce ou à la lignée) par changement dans le nombre ou dans la qualité des gènes. ▶ *mutant, ante* adj. et n. ■ En biologie. *Gènes mutants,* qui ont subi une mutation. — N. *Un mutant,* descendant d'une lignée chez lequel apparaît une mutation ① .

muter [myte] v. tr. ▪ conjug. 1. ▪ Affecter à un autre poste, à un autre emploi. *Muter un fonctionnaire par mesure de sanction.* ⇒ **déplacer.** *Il a été muté en province.* ② **mutation** n. f. 1. Changement, évolution. *Il est en pleine mutation.* 2. Affectation d'un fonctionnaire à un autre poste ou à un autre emploi, d'un athlète à un autre club, etc. 3. Transmission d'un droit de propriété ou d'usufruit. *Droits de mutation.* ⟨ ▶ commuter, permuter ⟩

mutiler [mytile] v. tr. ▪ conjug. 1. 1. Altérer (un être humain, un animal) dans son intégrité physique par une grave blessure (surtout au passif et au p. p. adj. ⇒ **mutilé**). *Il a été mutilé du bras droit.* 2. Détériorer, endommager. ⇒ **dégrader.** *Mutiler un arbre.* 3. Altérer (un texte, un ouvrage littéraire) en retranchant une partie essentielle. ⇒ **diminuer, tronquer.** ▶ **mutilation** n. f. 1. Ablation ou détérioration (d'un membre, d'une partie externe du corps). 2. Dégradation. *Mutilation de statues, de tableaux.* 3. Coupure, perte (d'un fragment de texte). ▶ **mutilé, ée** n. ▪ Personne qui a subi une mutilation, généralement par fait de guerre ou par accident. ⇒ **amputé.** *Mutilé de guerre.* ⇒ **blessé, invalide.** *Les mutilés de la face.* ⇒ fam. **gueules** cassées.

① **mutin, ine** [mytɛ̃, in] adj. ▪ Littér. Qui est d'humeur taquine, qui aime à plaisanter. ⇒ **badin, gai.** *Fillette mutine.* — *Un petit air mutin.*

② **mutin** n. m. ▪ Personne qui se révolte avec violence. ⇒ **rebelle.** ▶ **se mutiner** [mytine] v. pron. réfl. ▪ conjug. 1. 1. Se dresser contre une autorité, avec violence. ⇒ **se rebeller, se révolter.** *Prisonniers qui se mutinent contre leurs gardiens.* ▶ **mutiné, ée** adj. et n. ▪ *Des marins mutinés.* ▶ **mutinerie** n. f. ▪ Action de se mutiner ; son résultat. ⇒ **insurrection, révolte, sédition.** *Mutinerie de troupes.*

mutisme [mytism] n. m. 1. Refus de parler déterminé par des facteurs affectifs, des troubles mentaux (⇒ **muet**). 2. Attitude, état d'une personne qui refuse de parler. *S'enfermer dans un mutisme opiniâtre.* ▶ **mutité** n. f. ▪ Impossibilité réelle de parler. ⇒ **aphasie.** ⟨ ▶ surdi-mutité ⟩

mutuel, elle [mytɥɛl] adj. et n. f. 1. Qui implique un rapport double et simultané, un échange d'actes, de sentiments. ⇒ **réciproque.** *Complaisance, responsabilité mutuelle. Se faire des concessions mutuelles.* 2. Qui suppose un échange d'actions et de réactions entre deux ou plusieurs choses. *Établissement, société d'assurance mutuelle.* — N. f. *Une mutuelle*, société de mutualité. *Une mutuelle de fonctionnaires.* ▶ **mutualisme** n. m. ▪ Doctrine économique basée sur la mutualité. ▶ **mutualiste** adj. et n. ▪ *Assurances mutualistes.* ▶ **mutualité** n. f. ▪ Forme de prévoyance volontaire par laquelle les membres d'un groupe s'assurent réciproquement contre certains risques. ⇒ **association, mutuelle.** *Il faut cotiser pour bénéficier de la mutualité.* ▶ **mutuellement** adv. ▪ D'une manière qui implique un échange. ⇒ **réciproquement.** *Aidons-nous mutuellement.*

mycénien, ienne [misenjɛ̃, jɛn] adj. ▪ De Mycènes, de sa civilisation (en Grèce, avant les Hellènes).

myco-, -myce ▪ Éléments savants signifiant « champignon » (ex. : *auréomycine, streptomycine*).

myél(o)-, -myélite ▪ Éléments savants signifiant « moelle ». ⟨ ▶ poliomyélite ⟩

mygale [migal] n. f. ▪ Grande araignée fouisseuse, très velue.

my(o)- ▪ Élément savant signifiant « muscle ». ▶ **myocarde** [mjɔkaʀd], n. m. ▪ Muscle qui constitue la moyenne partie de la paroi du cœur. *Infarctus du myocarde.*

myope [mjɔp] n. et adj. 1. N. Personne qui a la vue courte ; qui ne voit distinctement que les objets rapprochés. / contr. **presbyte** / 2. Adj. Atteint de myopie. — Fam. *Il, elle est myope comme une taupe.* — Fig. Qui manque de perspicacité, de largeur de vue. ▶ **myopie** n. f. ▪ Anomalie visuelle du myope. — Fig. *Myopie intellectuelle.*

myosotis [mjozɔtis] n. m. invar. ▪ Plante à petites fleurs bleues qui croît dans les lieux humides. *Le myosotis est aussi appelé « oreille de souris » ou « ne m'oubliez pas ».*

myriade [miʀjad] n. f. ▪ Très grand nombre ; quantité immense.

myriapodes [miʀjapɔd] n. m. pl. ▪ Classe d'animaux arthropodes à nombreuses pattes (millepattes). — Au sing. *Un myriapode.*

myrrhe [miʀ] n. f. ▪ Gomme résine aromatique fournie par un arbre ou arbuste originaire d'Arabie. *L'or, l'encens et la myrrhe offerts à Jésus par les Rois mages.*

myrte [miʀt] n. m. 1. Arbre ou arbrisseau à feuilles persistantes. 2. Feuille de myrte. *Couronne de myrte.*

myrtille [miʀtij] n. f. ▪ Baie noire comestible produite par un arbrisseau des montagnes. *Tarte aux myrtilles.* — Cet arbrisseau (variété d'airelle).

① **mystère** [mistɛʀ] n. m. I. Dogme révélé, inaccessible à la raison, dans la religion chrétienne. *Le mystère de la Trinité.* II. Chose cachée, secrète. 1. Ce qui est (ou est cru) inaccessible à la raison humaine. *Le mystère de la nature.* — Caractère mystérieux (d'un lieu). *Maison pleine de mystère.* 2. Ce qui est inconnu, caché (mais qui peut être connu de quelques personnes) ou difficile à comprendre. ⇒ **secret.** *Cela cache, couvre un mystère. Voilà la solution du mystère.* ⇒ **énigme.** 3. Ce qui a un caractère incompréhensible, très obscur. *Cela n'a plus de mystère pour lui.* — Ensemble des précautions que l'on prend pour rendre incompréhensible. *S'envelopper, s'entourer de mystère. Chut ! Mystère.* ⇒ **discrétion, silence.** III. Pâtisserie glacée, faite de meringue et de glace. IV. (Avec une majuscule) Invar. Avion de combat supersonique français. *Quatre Mystère 20.* ▶ **mystérieux, euse** [misteʀjø, øz] adj. 1. Qui est incompréhensible ou évoque la présence de forces cachées. ⇒ **énigmatique, impénétrable, secret.** / contr. **clair, évident** / *Le hasard est mystérieux. Sentiments mystérieux. Lieu, monde mystérieux.* 2. Qui est difficile à comprendre, à expliquer. ⇒ **difficile.** *Cette histoire est bien mystérieuse.* 3. Dont la nature, le contenu sont tenus cachés. ⇒ **secret.** *Dossier mystérieux. Un mystérieux personnage.* 4. Qui cache, tient secret qqch. ⇒ **secret.** *Un homme mystérieux.* — N. *Tu fais le mystérieux.* ▶ **mystérieusement** adv. ▪ D'une manière mystérieuse, cachée, secrète.

② **mystère** n. m. ▪ Littér. Au Moyen Âge. Genre théâtral qui mettait en scène des sujets religieux. ⇒ **miracle** (2).

mysticisme [mistisism] n. m. 1. Ensemble des croyances et des pratiques se donnant pour objet une union intime de l'homme et du principe de l'être (divinité) ; dispositions psychiques. ⇒ **contemplation, extase ; mystique.** *Mysticisme chrétien, islamique.* 2. Croyance, doctrine philosophique faisant une part excessive au sentiment, à l'intuition.

mystifier [mistifje] v. tr. ▪ conjug. 7. 1. Tromper (qqn) en abusant de sa crédulité et pour s'amuser à ses dépens. ⇒ **abuser, duper, leurrer.** *Les naïfs qu'on mystifie.* 2. Tromper collectivement sur le plan intellectuel, moral, social. *Mystifier un peuple par la propagande.* / contr. **démystifier** / ≠ **mythifier.**

▶ *mystifiant, ante* adj. ■ Qui mystifie (2). *Propagande mystifiante.* ▶ *mystificateur, trice* n. ■ Personne qui aime à mystifier, à s'amuser des gens en les trompant. ⇒ **farceur, fumiste.** *Mystificateur littéraire.* — Adj. *Intentions mystificatrices.* ▶ *mystification* n. f. **1.** Acte ou propos destiné à mystifier qqn, à abuser de sa crédulité. ⇒ **blague, canular.** *Elle a été le jouet d'une mystification.* **2.** Tromperie collective. *Considérer la religion, le communisme comme une mystification.* ⟨ ▶ démystifier ⟩

mystique [mistik] adj. et n. **I.** Adj. **1.** Qui concerne les pratiques, les croyances visant à une union entre l'homme et la divinité. *Extase, expérience mystique.* **2.** (Personnes) Prédisposé au mysticisme. **3.** Qui a un caractère exalté, absolu, intuitif. *Amour, patriotisme mystique.* **II.** N. **1.** Personne qui s'adonne aux pratiques du mysticisme, qui a une foi religieuse intense et intuitive. *Les grands mystiques chrétiens.* **2.** N. f. LA MYSTIQUE : ensemble des pratiques du mysticisme. — Système d'affirmations absolues à propos de ce à quoi on attribue une vertu suprême. *La mystique de la force, de la paix.* ⟨ ▶ mysticisme ⟩

mythe [mit] n. m. **1.** Récit fabuleux, souvent d'origine populaire, qui met en scène des êtres incarnant sous une forme symbolique des forces de la nature, des aspects de la condition humaine. ⇒ **fable, légende, mythologie.** *Les grands mythes grecs* (Orphée, Prométhée...). — Représentation de faits ou de personnages réels déformés ou amplifiés par la tradition. ⇒ **légende.** *Le mythe de Faust, de don Juan, de Napoléon.* **2.** Chose imaginaire. / contr. **réalité** /

— *Fam. Son oncle à héritage ? C'est un mythe !,* il n'existe pas. **3.** Représentation idéalisée de l'état de l'humanité. *Le mythe de l'Âge d'or, du Paradis perdu.* ⇒ **utopie.** — Image simplifiée que des groupes humains élaborent ou acceptent au sujet d'un individu ou d'un fait et qui joue un rôle déterminant dans leur comportement ou leur appréciation. *Le mythe du flegme britannique, de la galanterie française.* ▶ *mythifier* v. tr. ■ conjug. 7. ■ Instaurer en tant que mythe. *Mythifier le rôle du professeur.* / contr. **démythifier** / ≠ *mystifier.* ▶ *mythique* adj. ■ Du mythe. *Inspiration, tradition mythique. Héros mythique.* ⇒ **fabuleux, imaginaire, légendaire.** / contr. **historique, réel** / ⟨ ▶ démythifier, -mythie, mythologie ⟩

-mythie, mytho- ■ Éléments de mots savants signifiant « fable, légende ».

mythologie [mitɔlɔʒi] n. f. **1.** Ensemble des mythes (1), des légendes (propres à un peuple, à une civilisation, à une religion). *Mythologie hindoue, grecque.* **2.** Ensemble de mythes (3). *La mythologie de la vedette.* ▶ *mythologique* adj. ■ Qui a rapport ou appartient à la mythologie. ⇒ **fabuleux.** *Divinités mythologiques.*

mythomanie [mitɔmani] n. f. ■ Forme de déséquilibre psychique caractérisé par des propos mensongers auxquels l'auteur croit lui-même. ▶ *mythomane* adj. et n. ■ Qui est atteint de mythomanie. — N. *Un, une mythomane.*

myxomatose [miksɔmatoz] n. f. ■ Grave maladie infectieuse et contagieuse du lapin.

n

n [ɛn] n. m. invar. **1.** Quatorzième lettre, onzième consonne de l'alphabet. — REM. *Gn* note le *n* mouillé [ɲ] sauf dans des mots savants *(gnome)*. **2.** *N°* ou *n°*, abréviation de *numéro*. **3.** Lettre servant à noter, en mathématiques, un nombre indéterminé. ⇒ **nième**. *Nombre à la puissance n.*

n' adv. de négation. ⇒ **ne**.

na [na] interj. ■ Fam. (renforçant une affirmation ou une négation). *C'est bien fait, na !*

nabab [nabab] n. m. **1.** Autrefois. Gouverneur de province, en Inde. **2.** Personnage très riche qui vit luxueusement. *Des nababs.*

nabi [nabi] n. m. ■ Arts. Nom (adopté en 1888) par de jeunes peintres indépendants voulant s'affranchir de l'enseignement officiel. *Des nabis.*

nabot, ote [nabo, ɔt] n. et adj. ■ Péj. Personne de très petite taille. ⇒ **nain**.

nacelle [nasɛl] n. f. ■ Partie d'un ballon, d'un aérostat, où se trouvent les passagers.

nacre [nakʀ] n. f. ■ Substance à reflets irisés qui tapisse intérieurement la coquille de certains mollusques (coquillages). *Boutons de nacre.* ▶ **nacré, ée** adj. ■ Qui a l'aspect irisé de la nacre. *Vernis à ongles nacré.*

nage [naʒ] n. f. **1.** Action, manière de nager. ⇒ **natation**. *Sa nage favorite, c'est la brasse, le crawl. Nage sous-marine.* **2.** À LA NAGE : en nageant. — *Homard à la nage*, cuit au court-bouillon. **3.** *Être* EN NAGE : inondé de sueur.

nageoire [naʒwaʀ] n. f. ■ Organe formé d'une membrane soutenue par des rayons osseux, qui sert d'appareil propulseur aux poissons et à certains animaux marins. *Nageoires dorsales, ventrales.*

nager [naʒe] v. intr. . conjug. 3. **1.** Se soutenir et avancer à la surface de l'eau ; se mouvoir sur ou dans l'eau par des mouvements appropriés. *Il nage comme un poisson*, très bien. — Loc. fam. *Savoir nager*, se débrouiller, manœuvrer. *Nager entre deux eaux*, ménager deux partis, ne pas s'engager à fond. **2.** Transitivement. Pratiquer (un genre de nage) ; parcourir (à la nage), disputer (une épreuve de nage). *Nager la brasse, le crawl. Nager un cent mètres.* **3.** NAGER DANS : être dans la plénitude d'un sentiment, d'un état. ⇒ **baigner**. *Nager dans le bonheur.* **4.** Fam. Être au large (dans ses vêtements). *Il nage dans son costume.* **5.** Être dans l'embarras.

Je ne comprends pas, je nage complètement. ⇒ **patauger**. ▶ **nageur, euse** n. ■ Personne qui nage, qui sait nager (1). *C'est un bon nageur.* ‹ ▶ **nage**, nageoire ›

naguère [nagɛʀ] adv. ■ Littér. Il y a peu de temps. ⇒ **récemment**. — Abusivt. Autrefois.

naïade [najad] n. f. ■ Divinité mythologique des rivières et des sources. ⇒ **nymphe**.

naïf, naïve [naif, naiv] adj. **1.** Qui est plein de confiance et de simplicité par ignorance, par inexpérience. ⇒ **ingénu, simple**. / contr. **malicieux, retors** / *Un garçon naïf et charmant.* — (Paroles, écrits) Qui exprime des choses simples que tout le monde sait. *Une question naïve.* **2.** Qui est d'une crédulité, d'une confiance excessive, irraisonnée. ⇒ **crédule, niais**. — N. *Vous me prenez pour un naïf !* ⇒ **benêt ;** fam. **poire**. **3.** Naturel, spontané. *Une joie naïve.* — *Art naïf*, art populaire, folklorique. *Peintres naïfs* ou, n., *les naïfs.* ‹ ▶ **naïvement, naïveté** ›

nain, naine [nɛ̃, nɛn] n. et adj. **I.** N. **1.** Personne d'une taille anormalement petite ou atteinte de nanisme*. ⇒ **nabot**. / contr. **géant** / **2.** Personnage légendaire de taille minuscule (gnome, farfadet, lutin). *Blanche-Neige et les sept nains.* **II.** Adj. **1.** (Personnes) *Elle est presque naine. Il est petit mais il n'est pas nain.* **2.** (Espèces végétales, animales) Qui est inférieur à la normale. *Arbre nain, rosier nain, poule naine.* / contr. **géant**

naissance [nɛsɑ̃s] n. f. **1.** Commencement de la vie hors de l'organisme maternel ou de l'œuf. / contr. **mort** / *Donner naissance à*, enfanter. *Date et lieu de naissance. La naissance de Jésus.* ⇒ **nativité**. — DE NAISSANCE : d'une manière congénitale, non acquise. *Aveugle de naissance.* **2.** Enfantement. *Le nombre des naissances a augmenté.* ⇒ **natalité**. *Contrôle des naissances.* **3.** Commencement, apparition. *C'est dans ce quartier que s'émeute a pris naissance*, a commencé. *La naissance d'une science.* **4.** Point, endroit où commence qqch. *La naissance de la gorge. Naissance d'un fleuve.* ⇒ **source**. ‹ ▶ **renaissance** ›

naissant, ante [nɛsɑ̃, ɑ̃t] adj. ■ Qui commence à apparaître, à se développer. *Barbe naissante. Jour naissant.* ‹ ▶ **renaissant** ›

naître [nɛtʀ] v. intr. . conjug. 59. **I. 1.** Venir au monde, sortir de l'organisme maternel. *Un enfant vient de naître*, un nouveau-né. *Il est né à Paris en 1972. Le pays où qqn est né.* ⇒ **natal, natif**. — (Suivi d'un attribut) *Il est né aveugle.* / contr. **mourir** / — Impersonnel. *Il naît plus de filles que de garçons.* ÊTRE NÉ DE : être issu. *Il est né d'un père français et d'une mère anglaise.* — *Être né pour,* être naturellement fait pour, destiné à. *Elle est née pour commander.* **2.** NAÎTRE À : littér. s'éveiller à. *Naître à l'amour.* **II. 1.** Commencer à exister. *De nouvelles industries sont nées. Ce problème fait naître d'autres questions,* les suscite. **2.** NAÎTRE DE : être causé par, résulter. *Le bien parfois naît de l'excès du mal.* ‹ ▶ mort-né, naissance, naissant, né, nouveau-né ›

naïvement [naivmɑ̃] adv. ■ D'une manière naïve. ⇒ **ingénument.**

naïveté [naivte] n. f. **1.** Littér. Simplicité, grâce naturelle empreinte de confiance et de sincérité. ⇒ **candeur, ingénuité. 2.** Caractère d'une parole, d'un texte naïf. — Parole, écrit naïf. *La naïveté d'une réponse.* **3.** Excès de confiance, de crédulité. *Une incroyable naïveté.* / contr. **méfiance** /

naja [naʒa] n. m. ■ Nom scientifique du *cobra. Des najas.*

nana [nana] n. f. ■ Fam. Jeune fille, jeune femme. ⇒ fam. **nénette, souris.** *Les mecs et les nanas. Ma nana.*

nanan [nanɑ̃] n. m. ■ Loc. *C'est du nanan,* c'est exquis, très agréable, très facile.

nanisme [nanism] n. m. ■ Anomalie physique caractérisée par la petitesse de la taille, la grosseur de la tête, etc. ⇒ **nain.** / contr. **gigantisme** /

nantir [nɑ̃tiʀ] v. tr. conjug. 2. **1.** Péj. et plaisant. Mettre (qqn) en possession (de qqch.). ⇒ **munir, pourvoir.** *On l'a nanti d'un titre.* **2.** *Des gens bien nantis,* riches. — N. *Les nantis.* ▶ *nantissement* n. m. ■ Garantie en nature que le débiteur remet à un créancier. ⇒ **gage.**

napalm [napalm] n. m. ■ Essence solidifiée. *Bombes au napalm.*

naphtaline [naftalin] n. f. ■ Substance blanche extraite du goudron de houille, vendue dans le commerce comme antimite.

naphte [naft] n. m. ■ Pétrole brut. *Nappe de naphte.*

napoléon [napɔleɔ̃] n. m. ■ Ancienne pièce d'or de vingt francs à l'effigie de Napoléon Ier ou de Napoléon III. *Des napoléons.*

napoléonien, ienne [napɔleɔnjɛ̃, jɛn] adj. ■ Qui a rapport à Napoléon Ier ou à Napoléon III.

napolitain, aine [napɔlitɛ̃, ɛn] adj. et n. **1.** De Naples. **2.** *Tranche napolitaine,* glace disposée en couches diversement parfumées.

① *nappe* [nap] n. f. ■ Linge qui sert à couvrir la table du repas. *La nappe et les serviettes. Nappe à thé.* ▶ *napperon* n. m. ■ Petit linge qui sert à isoler un objet (vase, assiette) du meuble qui le supporte.

② *nappe* n. f. ■ Vaste couche ou étendue plane (de fluide). *Une nappe de brouillard. Nappe d'eau, de pétrole, de gaz.*

napper [nape] v. tr. conjug. 1. ■ Recouvrir (un mets, un gâteau) d'une couche de sauce, de gelée, etc.

narcisse [naʀsis] n. m. ■ Plante à fleurs blanches à cœur jaune vif, très odorantes ; sa fleur.

narcissisme [naʀsisism] n. m. ■ Contemplation de soi (comme celle de *Narcisse* dans la mythologie) ; plaisir qu'on prend à s'occuper de soi. ▶ *narcissique* adj. et n. ■ Qui relève du narcissisme. *Un comportement narcissique.*

narco- ■ Élément signifiant « engourdissement, sommeil ». ▶ *narcotique* [naʀkɔtik] n. m. ■ Subs-

tance qui produit l'assoupissement et un engourdissement de la sensibilité. *Le haschisch, la morphine, l'opium sont des narcotiques.*

narguer [naʀge] v. tr. ■ conjug. 1. ■ Braver avec un mépris moqueur. *Il nargue ses professeurs. Narguer le danger.*

narguilé [naʀgile] ou *narghileh* [naʀgilɛ] n. m. ■ Pipe orientale, à long tuyau souple communiquant avec un flacon d'eau aromatisée.

narine [naʀin] n. f. ■ Chacun des deux orifices extérieurs du nez. *Pincer, dilater ses narines.*

narquois, oise [naʀkwa, waz] adj. ■ Moqueur et malicieux. ⇒ **ironique, railleur.** *Un sourire narquois.* ▶ *narquoisement* adv.

narrer [naʀe] v. tr. ■ conjug. 1. ■ Littér. Raconter. ▶ *narration* n. f. **1.** Exposé écrit et détaillé d'une suite de faits. ⇒ **récit, relation.** — *Présent de narration.* **2.** Exercice scolaire qui consiste à développer un sujet. ⇒ **rédaction.** ▶ *narrateur, trice* n. ■ Personne qui raconte (certains événements). ⇒ **conteur, historien.** ▶ *narratif, ive* adj. ■ Composé de récits ; propre à la narration. *Style narratif. Élément narratif d'un poème.* ‹ ▶ inénarrable ›

narthex [naʀtɛks] n. m. invar. ■ Vestibule (d'une église). *Des narthex.*

narval, als [naʀval] n. m. ■ Grand mammifère cétacé, à forme de poisson, muni d'une longue défense horizontale. *Des narvals.*

nasal, ale, aux [nazal, o] adj. **1.** Du nez. *Fosses nasales,* les deux cavités par lesquelles l'air pénètre. **2.** Dont la prononciation comporte une résonance de la cavité nasale. *Voyelles nasales* (AN, EN [ɑ̃], IN [ɛ̃], ON [ɔ̃], UN [œ̃]). — N. *Une nasale.*

nase ou *naze* [naz] adj. **1.** Fam. Fou, cinglé. *Elle est complètement naze.* **2.** Fam. Usé, en mauvais état. *La télé est nase.* ⇒ ③ **mort(e).**

naseau [nazo] n. m. ■ Narine (de certains grands mammifères : cheval, etc.). *Les naseaux.*

nasiller [nazije] v. intr. ■ conjug. 1. **1.** Parler du nez. **2.** (Suj. chose) Faire entendre des sons qui rappellent la voix d'une personne parlant du nez. *Micro qui nasille.* ▶ *nasillard, arde* adj. ■ Qui nasille, vient du nez. *Voix nasillarde.*

nasse [nas] n. f. ■ Engin de pêche, panier oblong en filet, en treillage, etc. ⇒ **casier.**

natal, ale, als [natal] adj. ■ Où l'on est né. *Le pays natal. Maison natale.* — *Langue natale,* maternelle. ▶ *natalité* [natalite] n. f. ■ Rapport entre le nombre des naissances et le chiffre de la population. *Pays à forte, à faible natalité.* ‹ ▶ nativité, prénatal ›

natation [natɑsjɔ̃] n. f. ■ Exercice, sport de la nage. *Pratiquer la natation. Épreuves de natation.*

natif, ive [natif, iv] adj. **1.** NATIF DE (tel lieu) : originaire (du lieu où l'on est né). *Elle est native de Marseille,* Marseille est sa ville natale. — N. *Un natif.* **2.** Qu'on a de naissance. ⇒ **inné, naturel.** *Noblesse native.*

nation [nɑsjɔ̃] n. f. **1.** Groupe humain assez vaste, qui se caractérise par la conscience de son unité et la volonté de vivre en commun. ⇒ **peuple. 2.** Communauté politique établie sur un territoire défini, et personnifiée par une autorité souveraine. ⇒ **État, pays, puissance.** *Organisation des Nations unies* (O.N.U.). — *Les vœux de la nation.* ▶ *national, ale, aux* [nasjɔnal, o] adj. et n. **1.** Qui appartient à une nation. / contr. **étranger, international** / *Territoire national. Fête nationale.* **2.** Qui intéresse la nation entière, qui appartient à l'État.

/ contr. **local, régional, privé** / *Défense nationale. Assemblée nationale. Bibliothèque nationale* ou, n. f., *la Nationale.* — *Route nationale* ou, n. f., *une nationale. La nationale 7.* **3.** Qui est issu de la nation, la représente. *Victor Hugo, notre grand poète national.* **4.** N. En droit. Personne qui possède telle nationalité déterminée. *Les nationaux et ressortissants français.* ▶ **nationalisation** n. f. ■ Action de transférer à la collectivité la propriété de certains biens ou moyens de production privés. ⇒ **étatisation, socialisme.** / contr. **dénationalisation, privatisation** / ≠ *naturalisation.* ▶ **nationaliser** v. tr. ■ conjug. 1. ■ Transférer à l'État la propriété d'un bien. — Au p. p. adj. *Entreprises nationalisées.* / contr. **dénationaliser, privatiser** / ▶ **nationalisme** n. m. ■ Exaltation du sentiment national ; attachement passionné à la nation ⇒ **patriotisme** allant parfois jusqu'à la xénophobie et la volonté d'isolement. ▶ **nationaliste** adj. et n. ■ *Une politique nationaliste.* — N. *Les nationalistes.* ▶ **nationalité** n. f. **1.** Groupe d'hommes unis par une communauté de territoire, de langue, de traditions, d'aspirations. **2.** État d'une personne qui est membre d'une nation. *Nationalité d'origine. Nationalité acquise.* ⇒ **naturalisation.** *Il est de nationalité allemande.* ▶ **national-socialisme** n. m. ■ Doctrine du « parti ouvrier allemand » de Hitler. ⇒ **nazisme.** ▶ **national-socialiste** adj. et n., invar. en genre. ■ *La doctrine national-socialiste.* — N. *Les nationaux-socialistes.* ⟨ ▶ **dénationaliser, international, multinational, supranational** ⟩

nativité [nativite] n. f. ■ Naissance (de Jésus, de la Vierge, de saint Jean-Baptiste) et fête qui la commémore.

natte [nat] n. f. **1.** Pièce d'un tissu fait de brins végétaux entrelacés à plat, servant de tapis, de couchette. *Natte de paille.* **2.** Tresse plate. — Tresse de cheveux. *Elle s'est fait une natte.* ▶ **natter** v. tr. ■ conjug. 1. ■ Entrelacer, tresser. *Natter ses cheveux.*

① **naturaliser** [natyʀalize] v. tr. ■ conjug. 1. ■ Assimiler (qqn) aux nationaux d'un État. — N. *Les naturalisés et les nationaux.* ▶ ① **naturalisation** n. f. ■ Action de conférer la nationalité du pays où il réside à un individu d'une autre nationalité ou à un apatride. *Demande de naturalisation.* ≠ *nationalisation.*

② **naturaliser** v. tr. ■ conjug. 1. ■ Conserver (un animal, une plante) par naturalisation. ⇒ **empailler.** — Au p. p. adj. *Antilope naturalisée.* ▶ ② **naturalisation** n. f. ■ Opération par laquelle on conserve un animal mort, une plante coupée, en lui donnant l'apparence de la nature vivante. ⇒ **empaillage, taxidermie.**

naturalisme [natyʀalism] n. m. ■ Représentation réaliste de la nature en peinture. — Doctrine, école qui proscrit toute idéalisation du réel en littérature. ⇒ **réalisme.** ▶ ① **naturaliste** adj. ■ *Écrivain, école naturaliste.* ▶ ② **naturaliste** n. ■ Savant qui s'occupe spécialement de sciences naturelles. ⇒ **botaniste, minéralogiste, zoologiste.**

nature [natyʀ] n. f. **I. 1.** Ensemble des caractères, des propriétés qui définissent un être, une chose concrète ou abstraite, généralement considérés comme constituant un genre. ⇒ **essence ; entité.** *La nature d'une substance, d'un bien, d'un sentiment...* — Loc. DE NATURE À : propre à. *Une découverte de nature à bouleverser la science.* **2.** *La nature de qqn, une nature,* ensemble des éléments innés d'un individu. ⇒ **caractère,** ② **naturel.** *Elle est d'une nature douce. Il est travailleur par nature.* — Loc. *L'habitude est une seconde nature,* remplace les tendances naturelles. **3.** Personne, du point de vue du caractère. *Une nature violente. C'est une heureuse*

nature, il est toujours satisfait. C'est une nature, il a une forte personnalité. **II. 1.** Principe qui anime, organise l'ensemble de ce qui existe selon un ordre (qu'il faut respecter). *Les lois, les secrets de la nature. Les liens de la nature,* du sang, de la parenté. — *Vices contre nature,* perversions sexuelles. **2.** Tout ce qui existe sur la Terre hors de l'homme et des œuvres de l'homme. *Les forces de la nature. Les sciences de la nature,* les sciences naturelles. *Protection de la nature.* ⇒ **écologie.** — Les paysages, source d'émotion esthétique. *Il adore la nature. La nature est belle, dans ces montagnes.* **3.** *La nature. Il a disparu dans la nature,* on ne sait pas où il est. **4.** En art. D'APRÈS NATURE : d'après un modèle naturel. *Dessiner, peindre d'après nature.* — Loc. adj. invar. *Grandeur nature,* grandeur réelle. *Des reproductions grandeur nature.* **5.** Loc. EN NATURE : en objets réels, dans un échange, une transaction, et non en argent. *Je l'ai payé en nature.* **III.** Adj. invar. **1.** Préparé simplement. *Vous voulez votre entrecôte nature ou avec une sauce au vin ? Des yaourts nature.* **2.** Fam. (Personnes ; actes) Naturel. *Ils sont nature,* francs et directs. ▶ ① **naturel, elle** adj. **I. 1.** Qui appartient à la nature d'un être, d'une chose. *Caractères naturels.* **2.** Relatif à la nature (II). *Phénomènes naturels. Sciences naturelles,* la botanique, la zoologie, la minéralogie, la géologie... ⇒ **naturaliste.** *Frontières naturelles,* fleuves, montagnes... **3.** Qui n'a pas été fabriqué, modifié, traité par l'homme ou altéré. ⇒ **brut, pur.** *Eau minérale naturelle. Soie naturelle.* / contr. **artificiel** / **4.** Qui est considéré comme conforme à l'ordre de la nature (II, 1). ⇒ **normal.** *Votre étonnement est naturel. Un sentiment naturel.* « *Je vous remercie.* — *Mais non, c'est (tout) naturel* », cela va de soi. **5.** *Enfant naturel,* bâtard. / contr. **légitime** / **II. 1.** Relatif à la nature humaine, aux fonctions de la vie. *Besoins naturels.* **2.** Qui est inné en l'homme (opposé à *acquis, appris*). *Penchant, goût naturel.* — *Naturel à (qqn). Ce comportement lui est naturel.* **3.** Qui appartient réellement à (qqn), n'a pas été modifié. *C'est son teint naturel.* — *Mort naturelle* (opposé à *accidentel, provoqué*). **4.** Qui traduit la nature d'un individu en excluant toute affectation. ⇒ **franc, sincère, spontané.** *Une attitude naturelle.* — (Personnes) Spontané. *Elle est tout à fait naturelle.* / contr. **affecté, maniéré** / ▶ ② **naturel** n. m. **1.** Ensemble des caractères physiques et moraux qu'un individu possède en naissant. ⇒ **caractère, humeur, nature** (I, 2), **tempérament.** *Il est d'un naturel méfiant.* — PROV. *Chassez le naturel, il revient au galop.* **2.** Aisance avec laquelle on se comporte. ⇒ **simplicité, spontanéité.** *Il a beaucoup de naturel.* **3.** Loc. AU NATUREL : sans assaisonnement, non préparé. *Thon au naturel.* — En réalité. *Elle est mieux au naturel qu'en photo.* ▶ **naturellement** adv. **I. 1.** Conformément aux lois naturelles. *Elle est naturellement blonde.* / contr. **artificiellement** / **2.** Par un enchaînement logique ou naturel. ⇒ **inévitablement, nécessairement.** *On doit naturellement en conclure que...* **3.** Avec naturel. *Il joue très naturellement.* **II.** Fam. Forcément, bien sûr. *Naturellement, il a oublié son livre.* ⇒ **évidemment.** ▶ **nature morte** n. f. ■ Peinture qui représente des objets ou des êtres inanimés. *Un peintre de nature(s) morte(s).* ▶ **naturisme** n. m. ■ Doctrine prônant le retour à la nature dans la manière de vivre (vie en plein air, aliments naturels, nudisme). ▶ **naturiste** n. et adj. ■ Du naturisme ; personne qui pratique le naturisme. ⟨ ▶ **dénaturer,** ① **naturaliser,** ② **naturaliser, naturalisme, surnaturel** ⟩

naufrage [nofʀaʒ] n. m. **1.** (Navire) Le fait de couler. *Il y a eu vingt noyés dans le naufrage.* — FAIRE NAUFRAGE. *Le bateau a fait naufrage,* a coulé. ⇒ **sombrer.** **2.** Ruine totale. *Le naufrage de sa fortune.* ▶ **naufragé, ée** adj. et n. ■ Qui a fait naufrage (et a survécu). *Marin naufragé.* — N. *Naufragés réfugiés sur un radeau.* ▶ *naufrageur* n. m. ■ Personne qui cause volontairement un naufrage.

nausée [noze] n. f. **1.** Envie de vomir. ⇒ haut-le-cœur. *Avoir la nausée, des nausées,* avoir mal au cœur. **2.** Sensation de dégoût insurmontable. *J'en ai la nausée,* j'en suis dégoûté. ▶ *nauséeux, euse* adj. ■ Qui provoque des nausées. ▶ *nauséabond, onde* [nozeabɔ̃, ɔ̃d] adj. ■ *Odeur nauséabonde.* ⇒ fétide. — Dont l'odeur dégoûte, écœure. *Une rue nauséabonde.*

-naute, -nautique ■ Éléments savants signifiant « navigateur », « relatif à la navigation ». ▶ *nautique* [notik] adj. ■ Relatif à la navigation. *Carte nautique. Sports nautiques. Ski nautique.*

navaja [navaxʒa] n. f. ■ Long couteau espagnol. *Des navajas.*

naval, ale, als [naval] adj. **1.** Qui concerne les navires, la navigation. *Constructions navales. Chantiers navals.* **2.** Relatif à la marine militaire. *Forces navales.* ⇒ flotte, marine. *Combat naval. École navale.*

navarin [navarɛ̃] n. m. ■ Mouton en ragoût.

navet [navɛ] n. m. **1.** Racine comestible, blanche ou mauve, d'une plante cultivée. *Canard aux navets.* **2.** Fam. Œuvre d'art sans valeur (tableau, film...). *Ce film est un navet.*

navette [navɛt] n. f. **1.** *Faire la navette,* faire régulièrement l'aller-retour entre deux lieux déterminés. *Il fait la navette entre Paris et Lyon.* **2.** Service de transport ou véhicule assurant régulièrement une correspondance. *J'ai pris la navette pour venir.* **3.** *Navette spatiale,* vaisseau spatial capable d'assurer une liaison entre la Terre et une station orbitale.

naviguer [navige] v. intr. ▪ conjug. 1. **1.** (Bateaux et passagers) Se déplacer sur l'eau. **2.** Voyager comme marin sur un bateau. *Ce mousse n'a pas encore navigué.* **3.** Conduire, diriger la marche d'un bateau, d'un avion. *Apprendre à naviguer.* **4.** Fam. Voyager, se déplacer beaucoup, souvent. *Il passe son temps à naviguer.* ▶ *navigable* adj. ■ Où l'on peut naviguer. *Cours d'eau navigable.* ▶ *navigant, ante* adj. ■ Qui navigue par avion (opposé à *au sol*). *Le personnel navigant.* ▶ *navigateur, trice* n. **1.** Littér. Marin qui fait des voyages au long cours sur mer. *Un hardi navigateur.* **2.** Membre de l'équipage d'un avion chargé de la direction à suivre. ▶ *navigation* n. f. **1.** Le fait de naviguer, de se déplacer en mer (ou sur les cours d'eau) à bord d'un bateau. *Navigation au long cours, maritime, fluviale, de plaisance.* — Manœuvre, pilotage des navires. **2.** Ensemble des déplacements de bateaux sur un itinéraire déterminé. *Lignes, compagnies de navigation.* **3.** Circulation aérienne. *Les couloirs de navigation.*

navire [navir] n. m. ■ Grand bateau de fort tonnage, ponté, destiné aux transports sur mer. ⇒ bateau, bâtiment, embarcation. *Navire de guerre. Navire de commerce, de transport* ⇒ paquebot.

navrer [navʀe] v. tr. ▪ conjug. 1. **1.** Littér. Affliger profondément. ⇒ attrister, désoler. *Ses confidences m'ont navré.* **2.** ÊTRE NAVRÉ DE : être désolé, contrarié par. *Il était navré de cet oubli. Je suis navré de devoir vous refuser ce service.* ▶ *navrant, ante* adj. **1.** Affligeant, désolant, pénible. *C'est une histoire navrante.* **2.** Tout à fait fâcheux. *Il n'écoute personne, c'est navrant.* ⇒ consternant.

nazi, ie [nazi] adj. et n. ■ Du parti national-socialiste de Hitler ; des actes de ce parti. *Les victimes de la barbarie nazie.* — N. *Les nazis.* ▶ *nazisme* n.

m. ■ Mouvement, régime nazi. ⇒ national-socialisme.

N.B. [ɛnbe] ⇒ nota.

ne [n(ə)] (ou *n'* [n] devant une voyelle ou un *h* muet) adv. de négation (⇒ non) — REM. *Ne* précède immédiatement le verbe conjugué ; seuls les pronoms pers. compl. et les adv. *y* et *en* peuvent s'intercaler entre *ne* et le verbe. **I.** Exprimant une négation. **1.** NE... PAS, NE... POINT vx, NE... PLUS, NE... GUÈRE, NE... JAMAIS, NE... QUE. — REM. Les deux mots précèdent le verbe à l'infinitif (*il ne marche pas,* mais *il ne veut pas marcher*). — *Il n'ira pas. Ne dites pas cela. N'y allez pas. Je souhaite ne pas y aller. Je n'y suis pas allé. Ne partirez-vous pas demain ? Pourquoi ne viendriez-vous pas ? J'ai menti pour ne pas lui faire de la peine. N'est-ce pas ?* ⇒ n'est-ce pas. *Il n'est plus malade. Il ne voudra jamais. Il n'est guère aimable. Je n'en mange plus guère. Elle n'a que vingt ans. Je ne l'ai vue qu'une fois.* **2.** NE employé avec un adj., un pronom indéfini négatif. *Je n'ai aucune nouvelle. Je n'en ai aucune. Il ne veut voir personne. Vous ne direz rien. Rien n'est encore fait. Nul ne l'ignore.* **3.** NE employé avec NI. *Il n'est ni beau ni laid.* **4.** NE employé seul avec certains verbes et avec SI (style plus élégant). *Je n'ose avouer mon erreur* (pour *je n'ose pas*). *Nous ne savons s'il viendra. Nous ne savons que faire* (dans cette phrase, on ne peut employer *pas*). *Je ne peux l'affirmer.* — Loc. *C'est lui, si je ne me trompe. Je ne sais qui, quoi, comment, où, pourquoi.* **5.** Toujours employé seul, dans quelques expressions. *N'ayez crainte ! N'empêche qu'il est furieux. On ne peut mieux.* — Littér. *Que n'est-il venu !,* dommage qu'il ne soit pas venu. **II.** NE explétif, n'exprimant pas une négation (facultatif). **1.** Dans une phrase affirmative, et après des verbes exprimant la crainte, l'impossibilité. *Je crains qu'il (ne) se fâche. Pour empêcher qu'il (ne) se blesse.* **2.** Dans une phrase négative, après des verbes exprimant le doute ou la négation. *Je ne doute pas qu'il ne soit intelligent.* **3.** Avec un comparatif d'inégalité. *Il est plus malin qu'on ne croit. Je suis moins riche qu'on ne le dit.* **4.** (Avec *avant que, à moins que*) *Décidez-vous avant qu'il ne soit trop tard.* ⟨ ▶ je-ne-sais-quoi, naguère, n'est-ce pas, sainte-nitouche ⟩

né, née [ne] adj. **1.** Venu au monde. *M. Martin, né à Paris.* — (Servant à introduire le nom de jeune fille d'une femme mariée) *Mme Dupont née Durand.* — Littér. *Bien né,* qui a une origine noble ou une bonne éducation. — *Né pour,* qui a des aptitudes pour. *Garçon né pour être comédien.* **2.** (Comme second élément d'un mot composé) De naissance, par un don naturel. *Des orateurs-nés.* ⟨ ▶ mort-né, nouveau-né ⟩

néanmoins [neɑ̃mwɛ̃] adv. et conj. ■ Malgré ce qui vient d'être dit. ⇒ cependant, pourtant. *Malgré tous ces malheurs, il reste néanmoins heureux. Néanmoins, rien n'est encore décidé.*

néant [neɑ̃] n. m. **I. 1.** Littér. Chose, être de valeur nulle. *Le néant de qqch.,* valeur, importance nulle. ⇒ faiblesse, misère. *Il avait le sentiment de son néant.* **2.** Ce qui n'est pas encore ou n'existe plus. *Retourner au néant.* — Non-être. *L'être et le néant.* **II. 1.** *Réduire* À NÉANT : à rien. **2.** NÉANT : rien à signaler. *Signes particuliers : néant.* ⟨ ▶ anéantir, fainéant ⟩

nébuleuse [nebyløz] n. f. **1.** Corps céleste dont les contours ne sont pas nets. ⇒ nébuleux. — Amas de gaz. **2.** Immense amas d'étoiles. ⇒ galaxie. *La nébuleuse à laquelle appartient le Soleil est appelée la Voie lactée.*

nébuleux, euse [nebylø, øz] adj. **1.** Obscurci par les nuages ou le brouillard. ⇒ brumeux, nuageux. *Ciel nébuleux.* / contr. clair / **2.** Qui manque de clarté, de netteté. ⇒ **confus, fumeux.** *Idées nébuleuses.* / contr. **net, précis** / ▶ **nébulosité** n. f. ▪ État, caractère de ce qui est nébuleux. *Nébulosité du ciel.* — *La nébulosité d'une théorie.*

① **nécessaire** [nesesɛʀ] adj. et n. m. **I.** Adj. **1.** Se dit d'une condition, d'un moyen dont la présence ou l'action rend seul(e) possible un but ou un effet. *Condition nécessaire et suffisante. L'argent nécessaire pour le voyage.* **2.** NÉCESSAIRE À : dont l'existence, la présence est requise pour répondre au besoin (de qqn). ⇒ **indispensable, utile.** *Les outils nécessaires à l'électricien.* **3.** Dont on ne peut se passer ; qui est très utile, qui s'impose. ⇒ **essentiel, primordial.** / contr. **superflu** / *Ils manquent de tout ce qui est nécessaire. Elle se sent nécessaire.* — Impersonnel. (Avec *de* + infinitif) *Il devient nécessaire d'en parler.* (Avec *que* + subjonctif) *Il est nécessaire que nous y allions.* **4.** Qui est l'effet d'un lien logique, causal. *Effet, produit, résultat nécessaire.* ⇒ **inéluctable, inévitable.** / contr. **accidentel, fortuit** / **II.** N. m. **1.** Biens dont on ne peut se passer (opposé à *luxe, superflu*). *Le strict nécessaire.* **2.** Ce qu'il faut faire ou dire, et qui suffit. *Nous ferons le nécessaire.* ▶ **nécessairement** adv. ▪ Par une obligation imposée, par voie de conséquence. ⇒ **fatalement, inévitablement.** ▶ ② **nécessaire** n. m. ▪ Boîte, étui renfermant les ustensiles indispensables (à la toilette, à un ouvrage). *Nécessaire de toilette, de voyage, à couture.* ▶ **nécessité** n. f. **1.** Caractère nécessaire d'une chose, d'une action. ⇒ **obligation.** *La nécessité de gagner sa vie.* **2.** Besoin impérieux. *Les nécessités de la vie. Dépenses de première nécessité.* ⇒ **indispensable. 3.** État d'une personne qui se trouve obligée de faire qqch. *Ils se trouvaient dans la nécessité d'accepter.* ▶ **nécessiter** v. tr. • conjug. 1. ▪ (Suj. chose) Rendre indispensable, nécessaire. ⇒ **exiger, réclamer.** *Cette lecture nécessite beaucoup d'attention.* ▶ **nécessiteux, euse** adj. et n. ▪ Qui est dans le dénuement, manque du nécessaire. ⇒ **indigent, pauvre.** *Aider les familles nécessiteuses.* / contr. **aisé, riche** / — N. *Les nécessiteux.*

nec plus ultra [nɛkplysyltʀa] n. m. invar. ▪ Ce qu'il y a de mieux. *C'est le nec plus ultra.*

nécr(o)- ▪ Élément savant signifiant « mort ». ▶ **nécrologie** [nekʀɔlɔʒi] n. f. **1.** Notice biographique consacrée à une personne morte récemment. **2.** Liste ou avis des décès publié par un journal. ▶ **nécrologique** adj. ▪ *Rubrique nécrologique.* ▶ **nécromancie** n. f. ▪ Évocation des morts par l'occultisme. ▶ **nécropole** n. f. ▪ Dans l'Antiquité. Grand cimetière. — Littér. Cimetière. ▶ **nécrose** n. f. ▪ Mort (des tissus vivants), gangrène.

nectar [nɛktaʀ] n. m. **1.** Breuvage des dieux, dans la mythologie. — Littér. Boisson exquise. **2.** Substance sucrée que sécrètent les fleurs, les feuilles. *Abeilles qui butinent le nectar.* ▶ **nectarine** n. f. ▪ Variété de pêche à peau lisse, à chair jaune. ⇒ **brugnon.**

néerlandais, aise [neɛʀlɑ̃dɛ, ɛz] adj. et n. ▪ Des Pays-Bas. ⇒ **hollandais.** — N. *Les Néerlandaises.*

① **nef** [nɛf] n. f. ▪ Vx. Ancien navire à voiles. — *La nef de Paris* (dans les armes de la ville).

② **nef** n. f. ▪ Partie comprise entre le portail et le chœur d'une église dans le sens de la longueur. *Nef centrale, principale. Les nefs latérales.* ⇒ **bas-côté.**

néfaste [nefast] adj. **1.** Littér. Marqué par des événements malheureux. *Jour, année néfaste.* / contr. **faste, propice** / **2.** Qui cause du mal. ⇒ **funeste, mauvais.** *Influence néfaste. Ce climat lui est néfaste. Cette démarche peut vous être néfaste. Une personne néfaste.* ⇒ **dangereux.**

nèfle [nɛfl] n. f. ▪ Fruit comestible caractérisé par sa forme globuleuse et ses cinq noyaux. — Fam. *Des nèfles !*, rien du tout. ▶ **néflier** n. m. ▪ Arbre des régions tempérées qui produit les nèfles.

négatif, ive [negatif, iv] adj. **I.** (Opposé à *affirmatif*) **1.** Qui exprime un refus. *Réponse négative.* — Loc. *Dans la négative*, dans le cas où la réponse serait non. **2.** Qui exprime la négation. *Phrase négative. Particule négative* (ne, non). **II.** (Opposé à *positif*) **1.** Qui est dépourvu d'éléments constructifs, se définit par le refus. *Une attitude négative.* — (Personnes) Qui ne fait que des critiques. *Il s'est montré très négatif.* **2.** Qui ne se définit que par l'absence de son contraire. *Qualités négatives.* **3.** *Réaction négative de l'organisme* (à un antigène donné), qui ne se produit pas. *Cuti négative.* **4.** *Nombre algébrique négatif*, nombre relatif affecté du signe moins. *Le nombre − 2 est négatif. Températures négatives*, au-dessous de zéro. **5.** Se dit de tout ce qui peut être considéré comme inverse. *Pôle négatif.* ⇒ **cathode.** — *Image, épreuve négative* ou, n. m., *un négatif*, image sur laquelle les parties lumineuses des objets correspondent à des taches sombres et inversement. ▶ **négativement** adv. ▶ **négation** n. f. **1.** Acte de l'esprit qui consiste à nier, à rejeter un rapport, une proposition, une existence. *Négation des valeurs.* **2.** Action, attitude qui s'oppose à (qqch.). *Cette méthode est la négation de la science.* **3.** Manière de nier, de refuser ; mot ou groupe de mots qui sert à nier : *Adverbes de négation.* ⇒ **ne, non.** / contr. **affirmation** / ⟨ ▶ **abnégation, renégat** ⟩

négliger [negliʒe] v. tr. • conjug. 3. **1.** Laisser (une chose) manquer du soin, de l'application, de l'attention qu'on lui devrait ; ne pas accorder d'importance à. ⇒ fam. **se ficher.** *Négliger ses intérêts, ses affaires, sa santé.* ⇒ **se désintéresser.** — Pronominalement. *Se négliger*, être mal habillé, mal tenu. *Elle se néglige, elle est trop négligée.* — NÉGLIGER DE : ne pas prendre soin de. *Vous ne négligerez pas de vous vêtir chaudement.* ⇒ **manquer, oublier. 2.** Porter à (qqn) moins d'attention, d'affection qu'on le devrait. *Il commence à négliger sa femme.* ⇒ **délaisser. 3.** Ne pas tenir compte, ne faire aucun cas de. ⇒ **mépriser.** *Négliger un avis salutaire. Cet avantage n'est pas à négliger.* — Laisser passer. *Il ne néglige rien pour m'être agréable.* ▶ **négligé** n. m. **1.** État d'une personne négligée. ⇒ **débraillé. 2.** Tenue légère que les femmes portent dans l'intimité. ⇒ **déshabillé.** *Elle était en négligé. Un négligé de soie.* ▶ **négligeable** adj. ▪ Qui peut être négligé, qui ne vaut pas la peine qu'on en tienne compte. ⇒ **dérisoire, insignifiant.** / contr. **important** / *Considérer un danger comme négligeable. Considérer, traiter qqn comme quantité négligeable.* ▶ **négligence** n. f. **1.** Attitude d'une personne dont l'esprit ne s'applique pas à ce qu'elle fait ou devrait faire. ⇒ **désinvolture.** / contr. **application** / *Il a exécuté ce travail avec négligence.* / contr. **minutie** / — Manque de précautions. *Négligence coupable, criminelle.* **2.** (Une, des négligences) Faute ou défaut dus au manque de soin. *Négligences de style.* ▶ **négligent, ente** adj. et n. **1.** (Personnes) Qui fait preuve de négligence. ⇒ **inattentif.** *Cette employée est négligente, toujours en retard dans son travail.* / contr. **appliqué, consciencieux** / **2.** (Choses) Qui trahit la négligence. *Un geste négligent.* ▶ **négligemment** [negliʒamɑ̃] adv. **1.** D'une manière négligente, sans soin. *Il travaillait négligemment.* **2.** Avec indifférence ; d'un air indifférent, distrait. *Répondre négligemment.* **3.** Avec une fausse négligence élégante. *Écharpe négligemment nouée de côté.*

négoce [negɔs] n. m. ▪ Vieilli. Commerce. ▶ **négociant, ante** n. ▪ Personne qui se livre au commerce en gros. ⇒ **commerçant, marchand.** ▶ **négocier** v. • conjug. 7. **I. 1.** V. intr. Discuter, agir pour arriver à un accord, à une décision commune. *Gouvernement*

qui négocie avec une puissance étrangère. ⇒ **traiter.**
2. V. tr. Établir, régler (un accord) entre deux parties.
Négocier une affaire, un traité. **3.** V. tr. Transmettre
à un tiers (un effet de commerce). **II.** V. tr. *Négocier
un virage,* manœuvrer une voiture de manière à bien
prendre son virage à grande vitesse. ▶ *négociable*
adj. ■ Qui peut être négocié (effet de commerce).
⇒ **cessible.** *Titre négociable.* ▶ *négociateur, trice*
n. ■ Personne qui a la charge de négocier. *Il a été
le négociateur de cet accord. Les négociateurs du traité
de paix.* ▶ *négociation* n. f. ■ Série d'entretiens, de
démarches qu'on entreprend pour parvenir à un
accord, pour conclure une affaire. ⇒ **tractation.**
*Négociations pour l'achat d'une usine. Ouverture de
négociations internationales.* ⇒ **pourparlers.**

nègre, négresse [nɛgʀ ; negʀɛs] n. et adj.
1. Vieilli ou péj. (On dit plutôt : NOIR.) Homme, femme
de race noire. *Une vieille négresse.* — Loc. *Travailler
comme un nègre,* très durement. **2.** N. m. Fam. Auteur
payé par une personne pour écrire les ouvrages qu'elle
signe. *Il a payé un nègre pour écrire ses mémoires.*
3. PETIT NÈGRE : français incorrect, parlé avec une
syntaxe simplifiée. *C'est du petit nègre !* **4.** Adj. (fém.
NÈGRE) Qui appartient, est relatif à la race noire. *Art
nègre. La poésie nègre.* ▶ *négrier* [negʀije] n. m.
■ Celui qui se livrait à la traite des Noirs, marchand
d'esclaves. — Personne qui traite ses subordonnés
comme des esclaves. ▶ *négrillon, onne* n. ■ Vieilli
ou péj. Enfant nègre. ▶ *négritude* n. f. ■ Ensemble
des caractères propres à la race noire ; appartenance
à la race noire. ▶ *negro-spiritual* [negʀospiʀitɥɔl]
ou *spiritual* n. m. ■ Chant chrétien des Noirs des
États-Unis. *Des negro-spirituals.* ⟨ ▶ tête-de-nègre ⟩

négus [negys] n. m. invar. ■ Titre porté par les
souverains éthiopiens.

neige [nɛʒ] n. f. **1.** Eau congelée dans les hautes
régions de l'atmosphère, et qui tombe en flocons
blancs et légers. *Il tombe de la neige. Tempêtes de
neige. Neige fondue. Boule, bonhomme de neige.*
— *Classes de neige,* écoles installées en montagne et
où les élèves étudient et pratiquent des sports d'hiver.
2. *Neige artificielle,* substance chimique qui simule
la neige (au cinéma). *Neige carbonique.* **3.** *Œufs à la
neige, en neige.* ⇒ **œuf.** **4.** *Barbe, cheveux* DE NEIGE :
tout blancs. — *Blanc comme neige,* (choses) immaculé ; (personnes) innocent. ▶ *neiger* v. impers.
. conjug. 3. ■ (Neige) Tomber. *Il a neigé très tôt cette
année.* ▶ *neigeux, euse* adj. ■ Couvert de neige,
constitué par de la neige. *Cimes neigeuses.* ⟨ ▶ boule-
de-neige, chasse-neige, déneiger, enneiger, perce-
neige ⟩

néné [nene] n. m. ■ Fam. Sein de femme. ⇒ fam.
nichon.

① *nénette* [nenɛt] n. f. ■ Fam. Tête. *Se casser la
nénette,* se casser la tête. *Je me suis cassé la nénette
pour trouver la solution.*

② *nénette* n. f. ■ Fam. Fille, jeune femme. *Deux
mecs et trois nénettes.* ⇒ fam. **nana.**

nénuphar [nenyfaʀ] n. m. ■ Plante aquatique à
grandes feuilles rondes étalées sur l'eau.

néo- ■ Élément savant signifiant « nouveau » (ex. :
néo-capitalisme, n. m. ; *néo-classicisme,* n. m.). ▶ *néo-
calédonien, ienne* [neokaledɔnjɛ̃, jɛn] adj. et n.
■ De la Nouvelle-Calédonie. — N. *Les Néo-Calédoniens caldoches (Européens) et kanaks.* ▶ *néo-classique* adj. ■ Qui ressemble à l'art classique, cherche
à l'imiter. ▶ *néo-colonialisme* n. m. ■ Nouvelle
forme de colonialisme qui impose la domination
économique à un pays. ⇒ **impérialisme.** ▶ *néo-
gothique* adj. ■ Architecture. Qui imite le gothique.
▶ *néo-libéral, ale, aux* adj. ■ Qui prône une forme

de libéralisme qui admet une intervention limitée de
l'État. ⟨ ▶ néologisme, néophyte, néoplasme, néo-
réalisme ⟩

néolithique [neɔlitik] adj. ■ Se dit de la période
la plus récente de l'âge de pierre et de ce qui
appartient à cette période. *Âge, époque néolithique.
Le néolithique.*

néologisme [neɔlɔʒism] n. m. ■ Mot nouveau ou
sens nouveau. / contr. **archaïsme** /

néon [neɔ̃] n. m. ■ Gaz rare de l'air, employé dans
l'éclairage. *Enseigne lumineuse au néon.* — *Tube au
néon,* fluorescent. — Abusivement. *Un néon,* un tube
au néon.

néophyte [neɔfit] n. et adj. ■ Personne qui a
récemment adopté une doctrine, un système, ou qui
vient d'entrer dans un parti, une association.
⇒ **adepte, novice.** *Le zèle d'un néophyte.*

néoplasme [neɔplasm] n. m. ■ Didact. Cancer.

néo-réalisme [neɔʀealism] n. m. ■ École cinématographique italienne caractérisée par le réalisme, la
vérité des situations et des décors, les préoccupations
sociales. ▶ *néo-réaliste* adj. et n.

néphr(o)- ■ Élément savant signifiant « rein ».
▶ *néphrétique* [nefʀetik] adj. ■ Relatif au rein.
Colique néphrétique. ▶ *néphrite* n. f. ■ Maladie
inflammatoire et douloureuse du rein. *Néphrite aiguë.*

népotisme [nepɔtism] n. m. ■ Favoritisme d'une
personne puissante à l'égard de ses parents, de ses
amis.

néréide [neʀeid] n. f. ■ Nymphe de la mer.

① *nerf* [nɛʀ] n. m. **1.** Ligament, tendon des
muscles. *Elle s'est froissé un nerf.* **2.** NERF DE BŒUF :
dont on se sert notamment pour frapper. **3.** Force
active, vigueur physique. *Avoir du nerf, manquer de
nerf.* — Fam. Énergie. *Allons, du nerf, un peu de nerf !
Un style qui a du nerf.* ▶ ① *nerveux, euse* [nɛʀvø,
øz] adj et n. **1.** Qui a des tendons vigoureux,
apparents. *Mains nerveuses.* — *Viande nerveuse,* trop
dure. **2.** Qui a du nerf, de l'énergie. ⇒ **vigoureux.** *Un
cheval, un coureur nerveux. Voiture nerveuse,* qui a
une grande vitesse d'accélération, de bonnes reprises.
— *Style nerveux.* ⇒ **énergique, vigoureux.** ⟨ ▶ nervure ⟩

② *nerf* n. m. **1.** Chacun des filaments qui mettent
les diverses parties du corps en communication avec
le cerveau et la moelle épinière (centres nerveux). *Le
nerf sciatique.* **2.** LES NERFS : ce qui supporte les
excitations physiques ou extérieures et les tensions
intérieures de la personnalité. *Avoir les nerfs fragiles,
irritables.* — *C'est un paquet de nerfs,* une personne
très nerveuse. *Porter, taper sur les nerfs.* ⇒ **agacer,
énerver, irriter.** *Tu me tapes sur les nerfs. Avoir les
nerfs à vif, en boule,* être très énervé. *Être, vivre sur
les nerfs,* n'agir que par des efforts de volonté. *Passer
ses nerfs sur qqn,* reporter son énervement sur qqn
qui n'en est pas la cause. *Être à bout de nerfs,*
surexcité. — *Crise de nerfs,* cris, pleurs, gestes
désordonnés ⇒ **hystérie.** *Il a fait une crise de nerfs.
Maladie de nerfs.* ▶ ② *nerveux, euse* adj. **1.** Relatif
au nerf, aux nerfs. *Cellule nerveuse, neurone. Système
nerveux,* ensemble des organes, des éléments de tissu
nerveux qui commandent les fonctions de sensibilité,
motilité, nutrition et, chez les vertébrés supérieurs, les
facultés intellectuelles et affectives. **2.** Qui concerne
les nerfs, supports de l'émotivité, des tensions
psychologiques. *Des rires nerveux.* — *Maladies,
affections nerveuses.* ⇒ **angoisse, dépression, hystérie,
névrose.** *Dépression nerveuse.* **3.** (Personnes) Émotif et
agité, qui ne peut garder son calme, au physique et
au moral. ⇒ **émotif.** *Un tempérament nerveux.*

L'attente me rend nerveux. ⇒ **énervé, fébrile, impatient.** — N. Personne de tempérament nerveux. *C'est un grand nerveux.* ▶ **nerveusement** adv. ■ D'une manière nerveuse, excitée. *Marcher nerveusement de long en large.* / contr. **calmement** / ‹ ▶ énerver, hypernerveux, nervosité, neur(o)-, névr(o)- ›

nervi [nɛʀvi] n. m. ■ Homme de main, tueur. *Des nervis.*

nervosité [nɛʀvozite] n. f. ■ État d'excitation nerveuse passagère. ⇒ **énervement, irritation, surexcitation.** *Être dans un état de grande nervosité.* / contr. **calme** /

nervure [nɛʀvyʀ] n. f. 1. Fine saillie traversant la feuille d'une plante. 2. (Insectes) Filet corné qui se ramifie et soutient la membrane de l'aile. *Les fines nervures des ailes de la libellule.* 3. Moulure arrondie, arête saillante (d'une voûte). *Les nervures d'une voûte gothique.*

n'est-ce pas [nɛspɑ] adv. interrog. ■ Formule par laquelle on requiert l'adhésion d'un auditeur. *Vous êtes de mon avis, n'est-ce pas ? N'est-ce pas que j'ai raison ?*

net, nette [nɛt] adj. et adv. I. Adj. 1. Que rien ne ternit ou ne salit. ⇒ **propre.** / contr. **sale, souillé** / *Linge net.* ⇒ **immaculé.** — Loc. *Avoir les mains nettes,* n'avoir rien à se reprocher. 2. Qui est débarrassé (de ce qui encombre). *Faire place nette,* vider les lieux. — *Je veux en avoir le cœur net,* en être assuré. 3. Dont on a déduit tout élément étranger (opposé à *brut*). *Bénéfice, produit net. Poids net.* — Invar. *Il reste net 140 francs.* — NET DE : exempt de. *Gain net d'impôt.* 4. Abstrait. Clair et précis ; qui n'est ni douteux ni ambigu. *Avoir des idées nettes. Explication claire et nette.* ⇒ **lumineux.** / contr. **confus, équivoque, flou** / — *Nette amélioration,* très sensible. *Une différence très nette.* ⇒ **marqué.** — Qui ne laisse pas de place au doute, à l'hésitation. *Je veux une réponse nette, sans équivoque.* ⇒ **catégorique.** *Aimer les situations nettes.* 5. Qui frappe par des contours fortement marqués. ⇒ **distinct, précis.** *Dessin, caractères parfaitement nets. Cassure nette.* ⇒ **régulier.** II. Adv. 1. D'une manière précise, tout d'un coup. *S'arrêter net. La balle l'a tué net.* 2. *Je lui ai dit* TOUT NET *ce que j'en pensais,* franchement. ⇒ **carrément, crûment.** ▶ **nettement** adv. I. Abstrait. Avec clarté. / contr. **obscurément** / *Expliquer nettement qqch.* — *C'est nettement mieux maintenant,* incontestablement. 2. Concret. D'une manière claire, très visible. *Les feuillages se découpent nettement sur le ciel. Je le vois très nettement avec ces jumelles.* ⇒ **distinctement.** / contr. **confusément, vaguement** / ▶ **netteté** [nɛtte] n. f. 1. Propreté. *Il était toujours d'une grande netteté.* 2. Clarté et précision. *Netteté des idées.* 3. Caractère de ce qui est clairement visible, bien marqué. *La netteté de l'image* (photo, cinéma, télévision).

nettoyer [netwaje] v. tr. ■ conjug. 8. 1. Rendre propre. *Nettoyer des vêtements. Nettoyer la maison,* faire le ménage. — *Elle s'est nettoyé les ongles.* 2. Débarrasser (un lieu) de gens dangereux, d'ennemis. *L'armée a nettoyé la région.* — Fam. Vider en prenant, en volant. *Les voleurs ont nettoyé la maison.* 3. Fam. *Se faire nettoyer,* se faire prendre tout son argent. ▶ **nettoiement** n. m. ■ Ensemble des opérations ayant pour but de nettoyer. *Service de nettoiement* (enlèvement des ordures). ▶ **nettoyage** n. m. 1. Action de nettoyer ; son résultat. *Nettoyage d'une façade.* ⇒ **ravalement.** *Nettoyage du linge.* ⇒ **blanchissage, lavage.** *Nettoyage à sec, à la vapeur,* en teinturerie. 2. Action de débarrasser un lieu d'ennemis. *Nettoyage d'une position.* ▶ **nettoyeur,**

euse n. ■ Personne qui nettoie. *Nettoyeur de vitres* ⇒ **laveur,** *de parquets.*

① **neuf** [nœf] adj. invar. et n. m. invar. — REM. On prononce aussi [nœf] devant une voyelle : ex. *neuf années* [nœfane], sauf pour *neuf ans* [nœvɑ̃] et *neuf heures* [nœvœʀ]. 1. Adj. numéral cardinal. Huit plus un (9). *Le chiffre neuf, vingt-neuf. Neuf fois dix.* ⇒ **quatre-vingt-dix.** 2. Ordinal. Neuvième. *Le chapitre neuf.* 3. N. m. invar. Le nombre neuf. *Preuve par neuf.* — Le chiffre, le numéro neuf. *Neuf arabe* (9), *romain* (IX). 4. Carte à jouer marquée de neuf points. *Le neuf de carreau. J'ai deux neuf.* ‹ ▶ neuvaine, neuvième, dix-neuf ›

② **neuf, neuve** [nœf, nœv] adj. et n. I. Adj. 1. Qui vient d'être fait et n'a pas encore servi. / contr. **vieux ; usé** / *Étrenner un costume neuf, une robe (toute) neuve. Acheter des livres neufs et des livres d'occasion. Ma nouvelle voiture n'est pas neuve.* — À l'état neuf, tout neuf, flambant neuf, en très bon état, qui semble n'avoir jamais servi. *Des chaussures flambant neuves.* 2. Abstrait. Qui est nouveau, n'a jamais servi. *Un amour tout neuf. Des idées, des images neuves.* ⇒ **nouveau, original.** / contr. **ancien, éculé** / 3. Fam. *Qqch.* DE NEUF : des faits récents pouvant amener un changement. *Rien de neuf dans cette affaire. Alors, quoi de neuf aujourd'hui ?* II. N. m. sing. 1. *Le neuf,* ce qui est neuf. *Il n'achète que du neuf.* 2. DE NEUF : avec qqch. de neuf. *Être habillé de neuf.* 3. À NEUF : de manière à rendre l'état ou l'apparence du neuf. *Il a remis son appartement à neuf.* ⇒ **rénover.**

neur(o)- ou **névr(o)-** ■ Élément savant signifiant « nerf » (ex : *neurochirurgie,* n. f. ; *neurophysiologie,* n. f. ; *neuropsychiatrie,* n. f. ; *neurovégétatif,* adj.). ▶ **neurasthénie** [nøʀasteni] n. f. ■ État durable d'abattement accompagné de tristesse. *Faire de la neurasthénie.* ▶ **neurasthénique** adj. ■ Abattu, triste, sans motifs précis. *Devenir, être neurasthénique.* — N. *Un, une neurasthénique.* ▶ **neurologie** n. f. ■ Branche de la médecine qui traite des maladies du système nerveux. ▶ **neurologique** adj. ▶ **neurologue** n. ■ Médecin spécialiste en neurologie. ▶ **neurone** n. m. ■ Sciences. Cellule nerveuse.

neutre [nøtʀ] adj. et n. 1. Qui ne participe pas à un conflit. *État, pays neutre.* — N. LES NEUTRES : les nations neutres. 2. Qui s'abstient de prendre parti. *Information neutre et objective. Rester neutre.* 3. Qui appartient à une catégorie grammaticale différente du masculin et du féminin, dans laquelle se rangent en principe les noms d'objets. *Le genre neutre, le neutre,* en anglais, en allemand. 4. Qui n'est ni acide, ni alcalin, en chimie. *Combinaison, milieu, sel neutre.* — Qui n'a pas de charge électrique. 5. *Couleur neutre,* indécise, sans éclat. / contr. **vif** / 6. Dépourvu de passion, qui reste froid, objectif. *Style neutre, inexpressif.* ▶ **neutraliser** v. tr. ■ conjug. 1. 1. Rendre neutre (un État, un territoire, une ville). 2. Empêcher d'agir, par une action contraire qui tend à annuler les efforts ou les effets ; rendre inoffensif. *Neutraliser les effets d'une substance chimique ; les efforts de l'opposition. Neutraliser l'adversaire. Neutraliser un projet de loi par des amendements.* ▶ **neutralisation** n. f. 1. Action de neutraliser, d'équilibrer. 2. Action de déclarer la neutralité (d'un pays) envers tout belligérant. ▶ **neutraliste** adj. et n. ■ Favorable à la neutralité. *Attitude neutraliste. Les pays neutralistes. Les neutralistes.* ▶ **neutralisme** n. m. ■ Doctrine qui tend à maintenir un pays dans la neutralité (2). ▶ **neutralité** n. f. 1. Caractère, état d'une personne qui reste neutre (2). *Rester dans la neutralité.* 2. État d'une nation qui ne participe pas à une guerre. ▶ **neutron** n. m. ■ Particule élémentaire, électriquement neutre, du noyau atomique (sauf du noyau d'hydrogène normal). *Les neutrons et les protons.*

neuvaine [nœvɛn] n. f. ■ Série d'exercices de piété et de prières, que les catholiques font pendant neuf jours.

neuvième [nœvjɛm] adj. et n. **1.** Adj. numéral ordinal. Qui succède au huitième. *La Neuvième Symphonie de Beethoven.* — N. *Il est le neuvième.* — N. f. *La neuvième,* la classe de neuvième dans le système scolaire. *Il entre en neuvième.* **2.** (Fraction) *La neuvième partie de son volume.* ▶ *neuvièmement* adv. ■ En neuvième lieu.

névé [neve] n. m. ■ Masse de neige durcie qui alimente parfois un glacier, en haute montagne. *Des névés.*

neveu [n(ə)vø] n. m. ■ Fils du frère, de la sœur et, par alliance, du beau-frère ou de la belle-sœur. *Ses neveux et nièces. Neveu à la mode de Bretagne,* fils de cousin germain. ⟨ ▶ petit-neveu ⟩

névr(o)- ⟹ **neur(o)-.** ▶ *névralgie* [nevralʒi] n. f. **1.** Douleur ressentie sur le trajet des nerfs ②. *Névralgie faciale.* **2.** Mal de tête. ⟹ **migraine.** ▶ *névralgique* adj. **1.** Relatif à la névralgie. *Douleur, point névralgique.* **2.** Loc. *Le point névralgique d'une situation.* ⟹ **sensible.** ▶ *névrite* n. f. ■ Lésion des nerfs. ▶ *névropathe* adj. et n. ■ Qui souffre de névrose. ⟹ **névrosé.** ▶ *névrose* n. f. ■ Affection nerveuse, sans base anatomique connue, intimement liée à la vie psychique du malade mais n'altérant pas autant la personnalité que les psychoses. *L'hystérie, la neurasthénie, l'obsession sont des névroses.* ▶ *névrosé, ée* adj. et n. ■ Qui a une névrose. *C'est un névrosé.* ▶ *névrotique* adj. ■ Relatif à une névrose. *Troubles névrotiques.* ⟨ ▶ polynévrite ⟩

nez [ne] n. m. invar. **1.** Partie saillante du visage, entre le front et la lèvre supérieure, et qui abrite l'organe de l'odorat (fosses nasales) ; fam. **pif, tarin.** *Le bout du nez.* — Fam. *Trous de nez,* les narines. — *Long nez. Nez droit, grec. Nez aquilin, en bec d'aigle. Nez pointu, retroussé, en trompette.* — *Se boucher le nez,* pour ne pas sentir une odeur désagréable. — *Parler du nez* ⟹ **nasiller.** — *Ça sent le gaz à plein nez,* très fort. — *Saigner du nez. Avoir le nez bouché. Nez qui coule. Mouche ton nez, mouche-toi.* **2.** Loc. *Mener qqn par le bout du nez,* le mener à sa guise. — *Ne pas voir plus loin que le bout de son nez,* être borné. — *À vue de nez,* à première estimation. — Fam. *Les doigts dans le nez,* sans aucune difficulté. *Il a eu son examen les doigts dans le nez.* — *Cela lui pend au nez,* cela va lui arriver. — Fam. *Se bouffer le nez,* se disputer violemment, se battre. *Avoir un verre dans le nez,* être éméché. — *Cela se voit comme le nez au milieu de la figure,* c'est très apparent. *Montrer le bout de son nez,* se montrer à peine. *Mettre le nez, son nez à la fenêtre.* Fam. *Nous n'avons pas mis le nez dehors depuis deux jours,* nous ne sommes pas sortis. — *Piquer du nez,* laisser tomber sa tête en avant (en s'endormant). — *Il fourre son nez partout,* il est curieux, indiscret. *Il n'a pas levé le nez de son travail,* il y est resté plongé. — *Avoir le nez sur qqch.,* être tout près. — *Se casser le nez à la porte de qqn,* trouver porte close. *Fermer la porte au nez de qqn,* le congédier. — *Se trouver nez à nez* [neane] *avec qqn,* le rencontrer brusquement, à l'improviste. — *Au nez de qqn,* devant lui, sans se cacher, avec une idée de bravade, d'impudence.) *Il lui avait ri au nez.* — *Passer sous le nez,* échapper à (qqn) après avoir semblé être à sa portée. — Fam. *Avoir qqn dans le nez,* le détester. — Fam. *Faire un pied de nez.* ⟹ **pied de nez. 3.** Flair, perspicacité. *Ils se sont bien débrouillés, ils ont eu du nez.* **4.** (Animaux)

⟹ **mufle, museau ; groin. 5.** Partie saillante située à l'avant de (qqch.). ⟹ **avant.** *L'avion pique du nez.* ⟨ ▶ cache-nez, nasal, naseau, nasiller, pince-nez ⟩

ni [ni] conj. ■ Conjonction servant à nier ET et OU. **I.** NI accompagné de NE. **1.** Joignant deux (ou plusieurs) mots ou groupes de mots à l'intérieur d'une proposition négative (avec *ne... pas, point, rien*). *Je n'ai pas de cigarettes ni de feu. Elle n'a rien de doux ni d'agréable.* — (Avec *ne* seul ; *ni* est répété devant chaque terme) *Je n'ai ni cigarette ni feu. Il ne dit ni oui ni non. Ce n'est ni bon ni mauvais. Il ne veut ni manger ni boire.* — REM. Le verbe est au pluriel *(Ni l'un ni l'autre ne me plaisent)* ou au singulier pour exprimer l'exclusion *(Ni l'un ni l'autre n'acceptera). Ni elle ni moi n'irons. Ni Martine ni toi ne partirez.* — NI MÊME *(même* renforce *ni). Je ne veux pas le voir ni même l'entendre. Je ne crois pas qu'elle parte en vacances, ni même qu'elle en ait.* **2.** Littér. NI joignant plusieurs propositions négatives. *Ni l'intelligence n'est preuve de talent, ni le talent n'est preuve de génie.* **II.** NI, sans NE. **1.** Dans des propositions sans verbe. *Viendrez-vous ? Ni ce matin ni ce soir. Rien de si mal écrit ni de si ennuyeux que ce livre.* **2.** Loc. (Après *sans, sans que* + subjonctif) *Du thé sans sucre ni lait. Il est parti sans que son père ni sa mère le sachent.*

niable [njabl] adj. ■ Qui peut être nié (rare, sauf au négatif). *Cela n'est pas niable.* / contr. **indéniable** /

niais, niaise [njɛ, njɛz] adj. ■ Dont la simplicité, l'inexpérience va jusqu'à la bêtise. ⟹ **simplet ;** fam. **bébête, godiche.** *Elle est un peu niaise.* — N. *C'est une niaise.* — Air, sourire niais. ⟹ **béat.** / contr. **malin /** ▶ *niaisement* adv. ▶ *niaiserie* n. f. **1.** Caractère d'une personne ou d'une chose niaise. ⟹ **bêtise, sottise. 2.** UNE NIAISERIE : action, parole de niais. ⟹ **ânerie, bêtise.** — Futilité, sottise. *Il ne s'occupe que de niaiseries.* ⟨ ▶ déniaiser ⟩

① *niche* [niʃ] n. f. **1.** Enfoncement pratiqué dans l'épaisseur d'une paroi pour abriter un objet décoratif. **2.** Abri en forme de petite maison où couche un chien. *Chien de garde à la niche.*

② *niche* n. f. ■ Tour malicieux destiné à attraper qqn. ⟹ **farce, tour.** *Faire des niches à qqn.* ≠ **nique.**

nicher [niʃe] v. ■ conjug. 1. **1.** V. intr. (Oiseaux) Se tenir dans son nid, y couver. **2.** Fam. Demeurer. *Où niche-t-il ?* ⟹ **loger. 3.** SE NICHER v. pron. : faire son nid. — Se blottir, se cacher. *Où est-il allé se nicher ?* — Au p. p. adj. *Un village niché dans la forêt.* ▶ *nichée* n. f. **1.** Les oiseaux d'une même couvée qui sont encore au nid. *Une nichée de poussins.* **2.** Troupe (d'enfants). ⟨ ▶ dénicher, ① niche ⟩

nichon [niʃɔ̃] n. m. ■ Fam. Sein (de femme). ⟹ fam. **néné.**

nickel [nikɛl] n. m. **1.** Métal d'un blanc argenté, malléable et ductile. **2.** Adj. invar. Fam. D'une propreté parfaite. *C'est drôlement nickel chez eux.* ▶ *nickeler* [nikle] v. tr. ■ conjug. 4. ■ Couvrir d'une mince couche de nickel. — Au p. p. adj. *Poignée nickelée.*

nicotine [nikɔtin] n. f. ■ Alcaloïde du tabac. *Doigts jaunis par la nicotine.*

nid [ni] n. m. **1.** Abri que les oiseaux se construisent pour y pondre, couver leurs œufs et élever leurs petits (⟹ **nicher).** *Nid d'hirondelle.* — Loc. NID D'AIGLE : construction en un lieu élevé, escarpé. — NID DE POULES : petite dépression dans une chaussée. — PROV. *Petit à petit, l'oiseau fait son nid,* les choses se font progressivement. **2.** Abri de certains animaux. *Nid de fourmis* (fourmilière), *de guêpes* (guêpier). **3.** NIDS D'ABEILLES : garniture, broderie en forme d'alvéoles de ruche. **4.** Logis intime. *Un nid douillet.* **5.** NID DE : endroit où sont rassemblées des personnes dangereuses. ⇒ **repaire**. *Un nid de brigands.* **6.** NID À : endroit où peuvent se trouver des animaux, des choses désagréables. *C'est un nid à moustiques. Ce bibelot est un nid à poussière.*

nièce [njɛs] n. f. ■ Fille du frère ou de la sœur ou, par alliance, du beau-frère ou de la belle-sœur. *Ses neveux et nièces.* ⟨ ▸ petite-nièce ⟩

① *nielle* [njɛl] n. m. ■ Incrustation décorative d'émail noir. ▸ *nieller* v. tr. ▪ conjug. 1. ■ Orner, incruster de nielles.

② *nielle* n. f. ■ Maladie du blé.

nième ou *énième* [ɛnjɛm] adj. et n. ■ D'ordre indéterminé (ordinal du nombre n). *Je vous le répète pour la nième, la énième fois.*

nier [nje] v. tr. ▪ conjug. 7. ■ Rejeter (un rapport, une proposition) ; penser, se représenter (qqch.) comme inexistant. ⇒ **refuser**. / contr. **affirmer**, **reconnaître** / *Nier l'évidence. Nier un fait, un événement. L'accusé persiste à nier* (ce dont on l'accuse). *Action de nier.* ⇒ **dénégation, négation**. *Mots servant à nier.* ⇒ **ne, ni, non, pas.** — (+ infinitif passé) *Il nia avoir vu l'accident.* — NIER QUE (+ indicatif) *Il nie qu'il est venu à quatre heures.* — REM. Si le verbe est à l'interrogatif ou au négatif, le verbe complément est au subjonctif. *Il ne nie pas que tu l'aies appelé.* ⟨ ▸ **dénier, indéniable, niable, renier** ⟩

nigaud, aude [nigo, od] adj. ■ Qui se conduit d'une manière niaise. ⇒ **bêbête, sot.** / contr. **fin, malin** / — N. ⇒ **benêt, niais.** ■ Avec une nuance affectueuse, en parlant d'un enfant. ⇒ **bêta.** *Allons, gros nigaud, ne pleure pas !* ⟨ ▸ **attrape-nigaud** ⟩

nihilisme [niilism] n. m. ■ Idéologie d'un parti libertaire, niant les valeurs imposées (par la société...). ▸ *nihiliste* adj. et n. ■ Adepte du nihilisme. ⟨ ▸ **annihiler** ⟩

nimbe [nɛ̃b] n. m. ■ Zone lumineuse qui entoure la tête des représentations de Dieu, des anges, des saints. ⇒ **auréole.** ▸ *nimbé, ée* adj. ■ Littér. Entouré d'un nimbe. *Apparition nimbée de lumière,* auréolée.

nimbus [nɛ̃bys] n. m. invar. ■ Gros nuage de pluie. *Des nimbus et des cumulus.*

n'importe (qui, quel...) ⇒ ② **importer.**

nippes [nip] n. f. pl. ■ Vêtements pauvres et usés. ⇒ **hardes.** *Vendre ses vieilles nippes.* — Fam. Tout vêtement. ⇒ fam. **fringues.** ▸ *nipper* v. tr. ▪ conjug. 1. ■ Fam. Habiller. ⇒ fam. **fringuer.** — Pronominalement. *Se nipper. Elle s'était nippée comme une princesse.*

nippon, one [nipɔ̃, ɔn] adj. et n. ■ Japonais.

nique [nik] n. f. ■ FAIRE LA NIQUE *à qqn,* faire un signe de mépris, de bravade. ⇒ se **moquer.** ≠ ② *niche.*

nirvâna [nirvana] n. m. ■ Dans le bouddhisme. Extinction du désir humain, entraînant la fin du cycle des naissances et des morts. — Fam. Bonheur absolu.

sainte nitouche n. f. ⇒ **sainte nitouche.**

nitrate [nitrat] n. m. ■ Sel de l'acide nitrique (ou azotique). *Nitrates naturels de soude.* — *Nitrate d'argent,* utilisé comme caustique, cicatrisant. — *Nitrates utilisés comme engrais.* ▸ *nitrique* adj. m. ■ *Acide nitrique.* ▸ *nitrobenzène* n. m. ■ Dérivé du benzène utilisé dans la fabrication d'explosifs. ▸ *nitroglycérine* n. f. ■ Explosif violent que contient la dynamite (nitrate triple de glycérine).

niveau [nivo] n. m. **I.** Instrument qui sert à donner l'horizontale, à vérifier l'horizontalité. *Niveau de maçon. Niveau à bulle,* tube contenant de l'eau et une bulle qui se place au centre lorsque le tube est bien

horizontal. *Vérifier avec un niveau.* **II. 1.** Degré d'élévation, par rapport à un plan horizontal (d'une ligne ou d'un plan). ⇒ **hauteur.** *Niveau d'un liquide dans un vase. Jauge indiquant le niveau d'essence. Inégalité de niveau.* ⇒ **dénivellation.** *Être au même niveau que...,* à fleur, à ras de. *Mettre de niveau,* niveler. — *Passage à niveau.* — *Niveau de la mer,* niveau zéro à partir duquel on évalue les altitudes. — AU NIVEAU DE : à la même hauteur. *L'eau lui arrivait au niveau de la taille.* À côté de. *Arrivé au niveau du groupe, il ralentit le pas.* **2.** Étage d'un bâtiment. *Centre commercial sur deux niveaux.* **3.** Fig. Élévation comparative, degré comparatif. *Mettre au même niveau,* sur le même plan. — *Niveau intellectuel,* degré des connaissances ou de l'intelligence. *Des élèves de même niveau.* — *Niveau de langue.* ⇒ **style.** — *Au niveau de,* à l'échelon, au plan, sur le plan. *Au niveau de la commune.* **4.** Degré hiérarchique. *Rencontre internationale à un niveau élevé.* **5.** Valeur (intellectuelle, artistique). *Le niveau des études.* **6.** NIVEAU DE VIE : façon de vivre selon le revenu moyen, dans un pays. *Haut niveau de vie des pays riches.* ⟨ ▸ niveler ⟩

niveler [nivle] v. tr. ▪ conjug. 4. **1.** Mettre de niveau, rendre horizontal, uni. ⇒ **aplanir, égaliser.** *L'érosion tend à niveler les reliefs.* — Faire un nivellement. *Les terrassiers nivellent le terrain.* **2.** Mettre au même niveau, rendre égal. ⇒ **égaliser.** *Niveler les fortunes.* ▸ *nivelage* n. m. ▸ *niveleur, euse* adj. ▸ *niveleuse* n. f. ■ Engin de terrassement utilisé pour niveler les terres. ⇒ **bulldozer.** ▸ *nivellement* n. m. **1.** Mesure des hauteurs relatives de différents points d'un terrain. **2.** Action d'égaliser (une surface). *Nivellement d'un terrain par des travaux de terrassement.* **3.** *Le nivellement des classes sociales.* ⟨ ▸ **dénivellation** ⟩

niv(o)- ■ Élément savant signifiant « neige ».

nô [no] n. m. ■ Genre traditionnel de théâtre japonais, dramatique et musical. — Pièce de théâtre de ce genre. *Des nôs.*

nobiliaire [nɔbiljɛr] adj. ■ Qui appartient ou qui est propre à la noblesse. *Titres nobiliaires. Particule nobiliaire.*

noble [nɔbl] adj. et n. **I.** Adj. **1.** Littér. Dont les qualités morales sont grandes. ⇒ **beau, élevé, généreux.** / contr. **mesquin, vil** / *Un noble désintéressement. Son geste est très noble.* **2.** LE NOBLE ART : la boxe. **3.** Qui commande le respect, l'admiration, par sa distinction, son autorité naturelle. ⇒ **imposant.** *Une beauté noble et imposante. Ton noble.* **4.** (Opposé à *commun, familier*) *Genre, style noble,* qui rejette les mots et expressions jugés vulgaires par le goût du temps. ⇒ **élevé, soutenu.** **5.** *Matières nobles,* précieuses. *Métaux nobles* (argent, or, platine). **II.** Adj. et n. **1.** Qui appartient à une classe privilégiée (sociétés hiérarchisées, féodales, etc.) ou qui descend d'un membre de cette classe. / contr. **roturier** / **2.** N. *Un noble.* ⇒ **aristocrate.** *Les nobles.* ⇒ **noblesse.** **3.** Qui appartient, qui est propre aux nobles. *Être de naissance, de sang noble.* ▸ *noblaillon, onne* n. ; *nobliau* n. m. ■ Péj. Noble de petite noblesse. *Des nobliaux.* ▸ *noblement* adv. ■ D'une manière noble (I), avec noblesse. *Il lui avait pardonné noblement.* ▸ *noblesse* n. f. **I. 1.** Grandeur des qualités morales, de la valeur humaine. *Noblesse d'âme, de caractère, d'esprit.* **2.** Caractère noble (du comportement, de l'expression ou de l'aspect physique). ⇒ **dignité, distinction.** *La noblesse de son visage, de ses traits.* **II. 1.** Condition du noble. *Titre de noblesse. Noblesse d'épée, de robe.* — Loc. prov. *Noblesse oblige,* la noblesse crée le devoir de faire honneur à son nom. **2.** Classe de nobles. ⇒ **aristocratie.** *Noblesse* d'Empire, celle qui tient ses titres de Napoléon Ier. *Petite noblesse ; haute noblesse.* ‹ ▶ anoblir, ennoblir, ignoble, nobiliaire ›

noce [nɔs] n. f. **I. 1.** LES NOCES (dans des loc.) : mariage. *Épouser qqn en secondes noces,* contracter un second mariage. *Justes noces,* le mariage légitime. *Nuit de noces. Relatif aux noces.* ⇒ **nuptial.** **2.** Ensemble des réjouissances qui accompagnent un mariage. *Aller, être invité à la noce de qqn. Repas de noce.* — Loc. *N'être pas à la noce,* être dans une mauvaise situation. — *Noces d'or, d'argent* (anniversaires de mariage). **II. Fam.** Vie dissipée. *Faire la noce.* ⇒ **fam. bombe,** ② **bringue, foire.** ▶ *noceur, euse* n. et adj. ■ Fam. Personne qui aime faire la noce. ⇒ **fêtard.** — Adj. *Il est un peu trop noceur.*

nocif, ive [nɔsif, iv] adj. ■ (Choses) Qui peut nuire. ⇒ **dangereux, nuisible.** / contr. **inoffensif** / *Gaz nocif.* ⇒ **délétère.** — Abstrait. *Théories, influences nocives.* ⇒ **pernicieux.** ▶ *nocivité* n. f. ■ Caractère de ce qui est nuisible.

noctambule [nɔktɑ̃byl] n. et adj. ■ Personne qui se promène ou se divertit la nuit.

nocturne [nɔktyrn] adj. et n. **1.** Adj. Qui est propre à la nuit. — Qui a lieu pendant la nuit. / contr. **diurne** / *Tapage nocturne.* **2.** (Animaux) Qui veille, se déplace, chasse pendant la nuit. *Papillons nocturnes* ou *de nuit.* — N. m. *Les grands nocturnes* (oiseaux de nuit). **3.** N. m. Morceau de piano mélancolique, de forme libre. *Les nocturnes de Chopin.* **4.** N. m. Course, match qui se dispute de nuit (on dit aussi : match *en nocturne*). — Ouverture en soirée de magasins, expositions. *Magasins ouverts en nocturne.*

nodosité [nɔdozite] n. f. ■ État d'un végétal noueux. — Nœud (①, IV).

noël [nɔɛl] n. m. **1.** (Avec une majuscule) Fête que les chrétiens célèbrent le 25 décembre, en commémoration de la naissance du Christ. ⇒ **nativité.** *Messes de Noël* (spécialt, messe de minuit). *Arbre, réveillon de Noël. Joyeux Noël !* Au fém. *La Noël,* la fête de Noël. — PÈRE NOËL : personnage imaginaire qui est censé déposer des cadeaux dans les souliers des enfants. — Loc. *Croire au père Noël,* être très naïf. **2.** Cantique de Noël. **3.** Fam. *Le noël,* le petit noël, cadeau de Noël.

① *nœud* [nø] n. m. **I. 1.** Enlacement d'une chose flexible (fil, corde, cordage) ou entrelacement de deux objets flexibles qui se resserre si l'on tire sur les extrémités. *Faire un nœud.* ⇒ **nouer.** *Nœud simple, double nœud. Nœud coulant,* pour serrer, étrangler. *Corde à nœuds,* utilisée pour le grimper. — *Nœud de cravate,* qui assujettit la cravate autour du cou. — Loc. NŒUD GORDIEN : difficulté, problème quasi insoluble. — Loc. *Avoir un nœud dans la gorge,* avoir la gorge nouée. **2.** Ruban noué ; ornement en forme de nœud. *Mettre des nœuds dans les cheveux. Des nœuds papillon.* **3.** Enroulement d'un reptile. ⇒ **anneau.** — *Nœud de vipères,* emmêlement de vipères dans le nid. **II.** Abstrait. **1.** Littér. Attachement très étroit entre des personnes. ⇒ **chaîne, lien.** *Les nœuds solides de leur amitié.* **2.** Point essentiel (d'une affaire difficile). *Voilà le nœud de l'affaire.* **3.** LE NŒUD DE L'ACTION : péripétie qui amène l'action dramatique à son point culminant. **III.** Endroit où se croisent plusieurs grandes lignes, d'où partent plusieurs embranchements. *Nœud ferroviaire, routier.* **IV.** Protubérance à la partie externe d'un arbre. ⇒ **nodosité.** *Nœuds d'un tronc, d'un bâton. Cet arbre a des nœuds.* ⇒ **noueux.** — Partie très dense et dure, à l'intérieur de l'arbre. *Les nœuds déprécient le bois.*

② *nœud* n. m. ■ En marine. Unité de vitesse des bateaux correspondant à un mille (1 852 m) à l'heure. *Navire qui file vingt nœuds,* vingt milles à l'heure.

noir, noire [nwar] adj. et n. **I.** Adj. **1.** Se dit de l'aspect d'un corps dont la surface ne réfléchit aucune radiation visible ; de la couleur la plus foncée qui existe. / contr. **blanc** / *Noir comme (du) jais, de l'encre, du charbon. Yeux, cheveux noirs. Chat noir. Mettre un costume noir.* — *Épaisse fumée noire. Un café noir, bien noir.* ⇒ **fort. 2.** Qui est plus sombre (dans son genre). *Du pain noir ou du pain blanc. Savon noir. Lunettes noires.* **3.** Qui, pouvant être blanc, se trouve sali. ⇒ **sale.** *Des ongles noirs.* — NOIR DE... *Mur noir de suie.* **4.** Privé de lumière. ⇒ **obscur, sombre.** *Cabinet noir, chambre noire. Il fait noir comme dans un four. Nuit noire,* sans lune, sans étoiles. **5.** Fam. Ivre. ⇒ **soûl.** *Il est complètement noir.* **6.** Abstrait. Assombri par la mélancolie. *Il était d'une humeur noire.* ⇒ **triste.** *Avoir, se faire des idées noires.* / contr. **gai, optimiste** / *Regarder qqn d'un œil noir,* avec irritation. **7.** Marqué par le mal, par une atmosphère macabre, horrible. ⇒ **mauvais, méchant.** *Magie noire. Messe noire. Roman, film noir. Humour noir.* **8.** Non déclaré, non légal. *Marché noir,* clandestin. — Loc. *Au noir,* sans que cela soit déclaré, sans payer de taxes. *Travail au noir. Il travaille au noir.* **II.** N. m. **1.** Couleur noire. *Habillé, vêtu de noir. Elle était tout en noir.* — *C'est écrit noir sur blanc,* de façon incontestable. *Film en noir et blanc* (opposé à *en couleurs*). **2.** L'obscurité, la nuit. *Enfant qui a peur dans le noir, du noir.* **3.** Matière colorante noire. *Noir animal. Noir de fumée.* — *Avoir du noir sur la joue,* être sali de noir. — *Se mettre du noir aux yeux* (maquillage). **4.** *Voir tout en noir,* être pessimiste. **III.** Adj. et n. **1.** Adj. Qui appartient à la race des Africains et des Mélanésiens à peau très pigmentée. ⇒ péj. **nègre.** *Une femme noire. Race noire, peuples noirs.* — Propre aux personnes de cette race. *Le problème noir aux États-Unis.* **2.** N. Homme, femme de race noire. *Les Noirs d'Afrique. Noirs et métis. Une Noire américaine.* ▶ *noire* n. f. **1.** ⇒ **noir** (III). **2.** En musique. Note à corps noir, à queue simple dont la valeur est de deux croches, d'une demi-blanche. ▶ *noirâtre* adj. ■ D'une couleur tirant sur le noir. *Teinte noirâtre.* ▶ *noiraud, aude* adj. et n. ■ Qui est noir de teint, de type très brun. ⇒ péj. **moricaud.** ▶ *noirceur* n. f. **1.** Littér. Couleur de ce qui est noir. *Noirceur de l'encre.* **2.** Méchanceté odieuse. *La noirceur d'un tel crime, d'une trahison.* ⇒ **horreur. 3.** Littér. (Une, des noirceurs) Acte, parole témoignant de cette méchanceté. *Il méditait quelque noirceur.* ▶ *noircir* v. ■ conjug. 2. **I.** V. intr. Devenir noir ou plus foncé. *Sa peau noircit facilement au soleil.* ⇒ **bronzer, brunir. II.** V. tr. **1.** Colorer ou enduire de noir. *La fumée a noirci les murs.* ⇒ **salir.** — Fam. *Noircir du papier,* écrire. **2.** Littér. Calomnier, dire du mal de (qqn). / contr. **blanchir, innocenter** / ▶ *noircissement* n. m. ■ Concret. Action de noircir. ‹ ▶ pied-noir ›

noise [nwaz] n. f. ■ Loc. CHERCHER NOISE ou DES NOISES à qqn : lui chercher querelle. *Tu me cherches des noises,* tu veux qu'on se querelle.

noisette [nwazɛt] n. f. **1.** Fruit constitué par une coque ronde contenant une amande comestible, petite et ronde. *Chocolat aux noisettes. Casser des noisettes.* **2.** Adj. invar. Brun clair. *Elle a de beaux yeux noisette.* ▶ *noisetier* [nwaztje] n. m. ■ Arbrisseau des bois et des haies, qui produit la noisette. ⇒ **coudrier.** *Baguette, tige souple de noisetier.* ‹ ▶ casse-noisettes ›

noix [nwa] n. f. invar. **1.** Fruit du noyer, constitué d'une écale verte, d'une coque et d'une amande comestible, formée de quatre quartiers. *Noix fraîche, sèche. Coquille de noix.* **2.** *Une noix de beurre,* un morceau de la grosseur d'une noix. **3.** Se dit d'autres fruits comestibles à coque. *Noix de coco,* fruit du cocotier, grosse noix dont l'intérieur est blanc. *Noix* *de cajou. Noix muscade.* **4.** *Noix de veau,* partie arrière du cuisseau. *La noix d'une côtelette,* la partie centrale. **5.** Fam. Imbécile. *Quelle noix ! Une vieille noix.* — Adj. *Elle n'est pas plus noix qu'une autre.* — À LA NOIX (DE COCO) : sans valeur. *C'est une histoire à la noix.* ‹ ▶ noisette ›

noliser [nɔlize] v. tr. ■ Affréter (un bateau, un avion). — Au p. p. adj. *Avion nolisé* (anglic. *charter*).

nom [nɔ̃] n. m. **I.** Mot ou groupe de mots servant à désigner un individu. **1.** Mot servant à nommer (une personne). *Avoir, porter tel nom.* ⇒ **s'appeler,** se **nommer.** *Connaître qqn de nom,* ne le connaître que de réputation. — *Nom de famille. Nom de baptême* ou *petit nom.* ⇒ **prénom.** *Se cacher sous un faux nom. Prendre un nom d'emprunt.* ⇒ **pseudonyme, surnom.** — *Agir* AU NOM *de qqn,* en son nom, comme son représentant, son interprète. **2.** Prénom. *Nom de garçon, de fille.* **3.** Nom de famille (transmis de père à enfants). *Nom, prénom et domicile. Nom de jeune fille d'une femme mariée.* **4.** (Dans quelques expressions) Nom célèbre, renommée. *Se faire un nom. Laisser un nom.* **5.** Interj. *Nom de Dieu !* — Fam. *Nom de nom ! Nom d'une pipe ! Nom d'un chien !* **6.** Désignation individuelle d'un animal, d'un lieu, d'un objet. *Noms de rues, de bateaux.* — *Noms de produits, de marques. Nom déposé,* qui désigne un produit déposé. **II. 1.** Forme du langage, mot ou expression servant à désigner les êtres, les choses d'une même catégorie. ⇒ **appellation, dénomination, désignation.** *Quel est le nom de cet arbre ?* — Loc. *Appeler les choses par leur nom,* avec franchise, précision, d'une manière crue. *Une laideur sans nom,* qu'on ne peut qualifier. ⇒ **innommable.** *Le nom et la chose.* — Loc. *Traiter qqn de tous les noms,* l'accabler d'injures. **2.** AU NOM DE... : en considération de..., en invoquant... *Au nom de la loi. Au nom de notre amitié.* **III.** Mot (partie du discours) qui peut être le sujet d'un verbe, être précédé d'un déterminatif (article, etc.). ⇒ **substantif.** *Noms propres. Noms communs. Complément de nom.* ‹ ▶ dénommer, innommable, nomenclature, nominal, nommer, prénom, prête-nom, pronom, renom, surnom ›

nomade [nɔmad] adj. et n. **1.** (Groupe humain) Qui n'a pas d'habitation fixe. *Peuple nomade.* / contr. **sédentaire** / (Animaux) Qui change de région avec les saisons. **2.** *Vie nomade,* d'une personne en déplacements continuels. ⇒ **errant, vagabond. 3.** N. *Peuple de nomades. Les nomades du désert.* ▶ **nomadisme** n. m. ■ Genre de vie des nomades. *Le nomadisme au Sahara.*

no man's land [nɔmanslɑ̃d] n. m. ■ Zone comprise entre les premières lignes de deux armées ennemies. — Abstrait. Terrain neutre.

nombre [nɔ̃bʀ] n. m. **1.** Symbole caractérisant une unité ou une collection d'unités considérée comme une somme. *Les chiffres servent à représenter les nombres. Le nombre 3, 427. Nombres entiers (pairs, impairs), décimaux. Nombre premier,* qui ne peut être divisé que par lui-même et par 1. *Élever un nombre au carré. Nombre cardinal* (ex. : **sept**) ; *ordinal* (ex. : *septième*). **2.** Concept de base des mathématiques, notion fondamentale que l'on peut rapporter aux idées (de pluralité, d'ensemble, de correspondance). *Nombres algébriques, imaginaires, irrationnels.* **3.** Nombre concret. *Le nombre des habitants d'un pays. Nombre de fois* (⇒ **fréquence**). *Un certain nombre de...,* plusieurs. *Un petit nombre. Un grand nombre,* beaucoup. — Loc. prép. *Être* AU NOMBRE DE *dix* : être dix. — AU NOMBRE DE..., DU NOMBRE DE... ⇒ **parmi ; entre.** *Serez-vous au, du nombre des invités ?* — Ellipt. *Serez-vous du nombre ?* — SANS NOMBRE : sans possibilité d'être dénombré. ⇒ **innom-**

brable. *Il a eu des occasions sans nombre de se faire connaître.* **4.** *Le nombre,* pluralité, grand nombre. ⇒ **quantité.** *Ils succombèrent sous le nombre. Faire nombre,* faire un ensemble nombreux. — EN NOMBRE : en grande quantité. *Les candidats se sont présentés en nombre.* — NOMBRE DE : beaucoup, maint. *Depuis nombre d'années.* **5.** Catégorie grammaticale du singulier et du pluriel. *L'adjectif s'accorde en genre et en nombre.* ▶ **nombreux, euse** adj. **1.** Qui est formé d'un grand nombre d'éléments. ⇒ **abondant, considérable.** *Foule nombreuse. Famille nombreuse.* ⇒ **grand.** / contr. **petit** / **2.** En grand nombre. *Ils ne sont pas nombreux. Ils vinrent nombreux à notre appel.* — (Épithète : avant le nom) *Dans de nombreux cas.* ⇒ **beaucoup.** ‹ ▶ dénombrer, innombrable, en surnombre ›

nombril [nɔ̃bʀil] n. m. **1.** Cicatrice arrondie sur la ligne médiane du ventre des mammifères, à l'endroit où le cordon ombilical a été sectionné. **2.** Loc. fam. *Se prendre pour le nombril du monde,* pour une personne des plus importantes. ▶ **nombrilisme** n. m. ■ Fam. Attitude égocentrique. *Il fait du nombrilisme.*

nomenclature [nɔmɑ̃klatyʀ] n. f. **1.** Termes employés dans une science, une technique, un art ; classement de ces termes. ⇒ **terminologie.** *La nomenclature chimique.* **2.** Ensemble des termes répertoriés dans un dictionnaire. *Ce terme figure à la nomenclature* (⇒ **article, entrée**).

nominal, ale, aux [nɔminal, o] adj. **I.** Relatif au nom de personnes ou d'objets individuels. *Liste nominale.* ⇒ ② **nominatif. II. 1.** Relatif aux mots, aux noms (II) et non aux choses. *Définition nominale.* **2.** Qui existe seulement en nom et pas en réalité. *Autorité nominale.* **3.** *Valeur nominale d'une action,* sa valeur d'émission (par oppos. à *son cours actuel). Salaire nominal* (en unités monétaires) *et salaire réel* (pouvoir d'achat). **III.** En grammaire. Qui a la fonction d'un nom. *Emploi nominal d'un verbe à l'infinitif. Phrase nominale.* — N. m. *Un nominal,* mot qui n'est pas un nom mais qui est employé comme un nom. *Le pronom est un nominal.* ▶ ① **nominatif** n. m. ■ Cas d'un substantif, adjectif ou pronom qui est sujet ou attribut (dans les langues à déclinaisons : latin, grec, allemand, russe, etc.). ▶ ② **nominatif, ive** adj. **.** Qui contient le nom, les noms (I). *État nominatif, liste nominative.* ⇒ **nominal.** *Titre nominatif,* qui porte le nom du propriétaire (opposé à *au porteur*). ▶ **nomination** n. f. **1.** Action de nommer (qqn) à un emploi, une fonction, une dignité. ⇒ **désignation.** *Nomination à un grade, à un poste supérieur.* **2.** L'acte portant nomination, le fait d'être ainsi nommé. *Il vient d'obtenir sa nomination.* **3.** Le fait d'être nommé dans une distribution de prix. ‹ ▶ dénomination, ignominie, pronominal ›

nommer [nɔme] v. tr. ■ conjug. 1. **I.** Désigner par un nom. ⇒ **appeler. 1.** Distinguer (une personne) par un nom ; donner un nom à (qqn). ⇒ **dénommer.** *Ses parents l'ont nommé Paul.* ⇒ **prénommer. 2.** Distinguer (une chose, un concept) par un vocable particulier. *Nommer un corps chimique nouvellement découvert.* — *Ce que les hommes ont nommé amitié.* **3.** Mentionner (une personne, une chose) en disant ou en écrivant son nom. ⇒ **citer, désigner, indiquer.** *Cet individu, Dupont, pour ne pas le nommer.* **4.** Pronominalement. SE NOMMER : avoir pour nom. ⇒ **s'appeler. II. 1.** Désigner, choisir (une personne) pour remplir une fonction, élever à une dignité (opposé à *élire*). *On l'a nommé directeur.* ⇒ **bombarder.** — *Nommer qqn son héritier,* le désigner. **2.** Établir par nomination. *Nommer des fonctionnaires, des magistrats.* ▶ **nommé, ée** adj. **1.** (Suivi du *non*   680

nom propre) Qui a pour nom. *Un homme nommé Dubois.* **2.** Désigné par son nom. *Les personnes nommées plus haut.* ⇒ **susdit.** **3.** Loc. À POINT NOMMÉ : au moment voulu, à propos. *Il est arrivé à point nommé.* **4.** Désigné, choisi par nomination. *Magistrats nommés et magistrats élus.* ▶ **nommément** adv. ■ En nommant, en désignant par son nom. *Accuser, désigner nommément qqn.* ⟨ ▶ **dénommer, innommable** ⟩

non [nɔ̃] adv. de négation et n. m. invar. **I.** Adv. **1.** Réponse négative, refus. *Non, n'insistez pas. Mais non ! Non merci.* — Fam. (Interrogatif) N'est-ce pas ? *C'est effrayant, non, de penser à cela ?* **2.** Compl. dir. d'un verbe déclaratif. *Il répond toujours non.* Fam. *Je ne dis pas non, je veux bien.* — *Je vous dis que non.* **3.** Fam. Exclamatif, marquant l'indignation, la protestation. *Non, par exemple ! Non, mais !* — Marquant l'étonnement. *« Il va se marier. — Non ! Sans blague ! »* **II.** (En phrase coordonnée ou juxtaposée) ET NON, MAIS NON. *C'est pour moi et non pour vous.* — OU NON : marquant une alternative. *Que vous le vouliez ou non. Êtes-vous décidé ou non ? Content ou non, il acceptera.* — (En fin de phrase) ⇒ ② **pas.** *On excuse les caprices des enfants, ceux des adultes, non, on ne les excuse pas.* — NON PLUS (remplace *aussi* dans une proposition négative). *Je ne sais pas, et lui non plus.* — NON, NON PAS (POINT), NON SEULEMENT... MAIS... *Une voix non pas servile, mais soumise. Non seulement il a tort, mais en plus il s'obstine.* — NON SANS... (Affirmation atténuée) *Non sans hésitation,* avec une certaine hésitation. — NON QUE (+ subjonctif) loc. conj. : sert à écarter une explication possible. *Il parut le croire, non qu'il lui fît entièrement confiance, mais...* **III.** NON (en emploi adverbial) : qui n'est pas, est le contraire. *Un personnage non négligeable.* ⇒ **non-. IV.** N. m. invar. *Un, des non. Un non catégorique.* ⇒ **refus.** *Pour un oui ou pour un non, pour un rien.* / contr. **oui, si** / ⟨ ▶ **non-** ⟩

non- ■ Élément indiquant l'absence, le défaut ou le refus (ex. : *non-activité,* n. f. ; *non-exécution,* n. f.).

nonagénaire [nɔnaʒenɛʀ] adj. et n. ■ Qui est parvenu à l'âge de quatre-vingt-dix ans. *Vieillard nonagénaire.* — *Un(e) nonagénaire.*

non-agression [nɔnagʀesjɔ̃] n. f. ■ Le fait, pour un État, de ne pas recourir à l'agression contre un autre État. *Pacte de non-agression.*

non-alignement [nɔnaliɲmɑ̃] n. m. ■ Le fait, pour un pays, de ne pas conformer sa politique extérieure à une ligne arrêtée en commun avec d'autres pays. ▶ **non(-)aligné, ée** adj. et n. ■ *Les pays non alignés.* — N. *Les non-alignés.* ⇒ **neutre.**

nonante [nɔnɑ̃t] adj. num. card. invar. ■ Vx ou région. Quatre-vingt-dix. ▶ **nonantième** adj. num. ord. Vx ou région.

non-assistance [nɔnasistɑ̃s] n. f. ■ Délit qui consiste à ne pas secourir volontairement. *Non-assistance à personne en danger.*

nonce [nɔ̃s] n. m. ■ Archevêque accrédité comme ambassadeur du Vatican auprès d'un gouvernement. ⇒ **légat.** *Nonce apostolique.* ▶ **nonciature** n. f. ■ Charge de nonce.

nonchalant, ante [nɔ̃ʃalɑ̃, ɑ̃t] adj. ■ Qui manque d'activité, d'ardeur, par insouciance, indifférence. ⇒ **indolent, mou.** *Écolier nonchalant.* ⇒ **fainéant, paresseux.** *Pas, geste nonchalant.* ⇒ **lent, alangui.** / contr. **actif, vif** / ▶ **nonchalamment** adv. ■ Avec nonchalance. ▶ **nonchalance** n. f. **1.** Caractère, manière d'agir nonchalante ; manque d'ardeur, de soin. ⇒ **apathie, indolence, langueur, mollesse, paresse.** / contr. **ardeur, entrain, vivacité** / *Faire un travail avec nonchalance.* **2.** Grâce alanguie. *Nonchalance d'un geste, d'une pose.* ⇒ **abandon.**

non(-)conformiste [nɔ̃kɔ̃fɔʀmist] n. et adj. ■ Personne qui ne se conforme pas aux usages habituels. ⇒ ② **original.** — *Une attitude non conformiste.* ▶ **non-conformisme** n. m.

non euclidien, ienne [nɔnøklidjɛ̃, jɛn] adj. ■ Qui n'obéit pas au postulat d'Euclide sur les parallèles. *Les géométries non euclidiennes. Espace non euclidien.*

non-fumeur [nɔ̃fymœʀ] n. m. ■ Personne qui ne fume pas. — En appos. *Compartiment non-fumeurs,* où il est défendu de fumer.

non-intervention [nɔnɛ̃tɛʀvɑ̃sjɔ̃] n. f. ■ Attitude d'un pays qui s'abstient d'intervenir dans les affaires d'un autre pays. / contr. **interventionnisme** /

non-lieu [nɔ̃ljø] n. m. ■ Décision par laquelle le juge d'instruction déclare qu'il n'y a pas lieu de poursuivre un inculpé. *Arrêt, ordonnance de non-lieu. Des non-lieux.*

nonne [nɔn] n. f. ■ Vx ou plaisant. Religieuse.

nonobstant [nɔnɔpstɑ̃] prép. et adv. Vx ou terme administratif. **1.** Prép. Sans être empêché par qqch., sans s'y arrêter. — En **dépit de, malgré.** *Nonobstant cela, il le crut.* **2.** Adv. ⇒ **cependant, néanmoins.**

non-sens [nɔ̃sɑ̃s] n. m. invar. **1.** Défi au bon sens, à la raison. ⇒ **absurdité.** *C'est un non-sens.* **2.** Ce qui ne signifie rien, est dépourvu de sens (phrase, raisonnement). *Faire un non-sens.* ⇒ **contresens.**

non-violence n. f. ■ Doctrine qui exclut toute action violente en politique. ▶ **non(-)violent, ente** adj. et n. ■ *Manifestation non violente.* — N. *Les non-violents.*

nord [nɔʀ] n. m. et adj. invar. **I.** N. m. **1.** Celui des quatre points cardinaux (abrév. *N*) correspondant à la direction du pôle de l'hémisphère où est située l'Europe. / contr. **sud** / *Vents du nord. Pièce exposée au nord, en plein nord.* — AU NORD DE (un lieu). *Au nord de la Loire.* **2.** Ensemble géographique proche ou, relativement, le plus proche du nord. *Peuples du Nord.* ⇒ **nordique.** *Afrique, Amérique du Nord.* — *Le Grand Nord,* la partie du globe terrestre très froide, située près du pôle Nord. ⇒ **arctique.** — (En parlant de la France, opposé à *Midi*) *Les gens du Nord.* **II.** Adj. invar. Qui se trouve au nord. ⇒ **septentrional.** *L'hémisphère Nord.* ⇒ **boréal.** *Le pôle Nord.* — Dans des adjectifs et noms composés : *nord-africain* ⇒ **maghrébin,** *nord-coréen ; des Nord-Vietnamiennes.* ▶ **nord-est** [nɔʀɛst] n. m. et adj. invar. **1.** Point de l'horizon situé à égale distance entre le nord et l'est. **2.** Région située dans cette direction. *Le nord-est de la France.* — Adj. invar. *La région nord-est.* ▶ **nord-ouest** [nɔʀwɛst] n. m. et adj. invar. **1.** Point de l'horizon situé à égale distance entre le nord et l'ouest. *Vent du nord-ouest* ⇒ **noroît. 2.** Région située dans cette direction. *Le nord-ouest du Canada (territoires du Nord-Ouest).* — Adj. invar. *La partie nord-ouest de l'île.* ▶ **nordique** adj. et n. ■ Des pays du nord de l'Europe. *Langues nordiques. Race, type nordique.* — N. *Un, une Nordique,* Scandinave ou Finlandais. ▶ **nordiste** n. m. et adj. ■ Partisan des États du Nord et de l'abolition de l'esclavage, pendant la guerre de Sécession (États-Unis). ⇒ **yankee.** / contr. **sudiste** / ⟨ ▶ **noroît** ⟩

noria [nɔʀja] n. f. ■ Machine hydraulique à godets, pour monter l'eau, irriguer, etc. *Des norias.*

normal, ale, aux [nɔʀmal, o] adj. et n. **1.** Qui est conforme au type le plus fréquent (⇒ **norme**) ; qui se produit selon l'habitude. ⇒ **habituel.** / contr. **anormal, extraordinaire, spécial** / *Tout est normal ; les circonstances sont très normales. En temps normal, quand les circonstances sont normales.* — (Êtres vivants) Conforme aux normes de son espèce. / contr. **anormal** / *Un enfant normal.* **2.** Se dit des conséquences qui correspondent à leurs causes, des moyens qui correspondent à leurs fins. ⇒ **logique.** *La fatigue est normale après un tel effort. Il est inquiet, c'est assez normal.* — (+ infinitif) *Ce n'est pas normal de dormir autant.* — Impers. (Avec *que* + subjonctif) *Il est normal qu'elle soit fatiguée.* / contr. **bizarre, étrange** / **3.** N. f. LA NORMALE. *Intelligence au-dessus de la normale.* ⇒ **norme.** *S'écarter de la normale ; revenir à la normale.* ▶ ***normalement*** adv. ■ D'une manière normale, en temps normal. ⇒ **habituellement.** ▶ ***normalité*** n. f. ■ Didact. Caractère de ce qui est normal. ▶ ***normaliser*** v. tr. - conjug. 1. **1.** Soumettre (une production) à des normes (3) tendant à réduire le nombre des types d'un même article, afin d'abaisser les prix de revient et de rendre les produits uniformes. ⇒ **standardiser.** **2.** Faire devenir ou redevenir normal. *Normaliser les relations diplomatiques avec un pays étranger.* ▶ ***normalisation*** n. f. ⟨ ▶ anormal, normale ⟩

normale adj. ■ ÉCOLE NORMALE : école destinée à la formation des instituteurs. — *L'École normale supérieure.* — N. f. *Entrer à Normale.* ▶ ***normalien, ienne*** n. ■ Élève de l'École normale supérieure. — Élève d'une école normale.

normand, ande [nɔʀmɑ̃, ɑ̃d] adj. ■ De Normandie. — Loc. *Les Normands. Une réponse de Normand*, qui ne dit ni oui ni non.

normatif, ive [nɔʀmatif, iv] adj. ■ Qui constitue une norme (1), est relatif aux règles, impose des règles. *Grammaire normative.* / contr. **descriptif** /

norme [nɔʀm] n. f. **1.** En sciences, philosophie, etc. Type concret ou formule abstraite de ce qui doit être. ⇒ **idéal, loi, modèle, principe, règle.** *Norme juridique, sociale.* **2.** État habituel, conforme à la majorité des cas. ⇒ **normal** (3). *S'écarter de la norme.* **3.** Formule qui définit un type d'objet, un produit, un procédé technique en vue de simplifier, de rendre plus efficace et plus rationnelle la production. *Objet conforme aux normes* (standard, type). ⟨ ▶ normal, normatif ⟩

noroît [nɔʀwa] n. m. ■ Vent du nord-ouest. (Correspond à *suroît.*)

norvégien, ienne [nɔʀveʒjɛ̃, jɛn] adj. et n. ■ De Norvège. — N. *Les Norvégiens.*

nostalgie [nɔstalʒi] n. f. ■ Regret mélancolique (d'une chose révolue ou de ce qu'on n'a pas connu) ; désir insatisfait. ⇒ **mélancolie.** *Il avait la nostalgie de cette époque. Il était envahi d'une grande nostalgie.* ▶ ***nostalgique*** adj. ■ Mélancolique, triste.

nota [nɔta] ou ***nota bene*** [nɔtabene] loc. latine et n. m. invar. ■ Mots latins signifiant « notez », « notez bien » (abrév. *N.B.*). — N. m. invar. *Des nota bene.*

notable [nɔtabl] adj. et n. m. **I.** Adj. **1.** Qui est digne d'être noté, remarqué. *Un fait notable. Il a fait de notables progrès.* ⇒ **appréciable, important, sensible.** **2.** (Personnes) Qui occupe une situation sociale importante. ⇒ **considérable.** *C'était quelqu'un de très notable.* **II.** N. m. Personne à laquelle sa situation sociale confère une certaine autorité dans les affaires publiques. *Les notables d'une ville.* ⇒ **notabilité, personnalité.** ▶ ***notablement*** adv. ▶ ***notabilité*** n. f. ■ Personne notable, qui occupe un rang supérieur dans une hiérarchie. ⇒ **personnalité.**

notaire [nɔtɛʀ] n. m. ■ Officier public établi pour recevoir tous les actes et contrats auxquels il faut (ou auxquels on veut) donner le caractère authentique (1) attaché aux actes de l'autorité publique. *Cabinet, étude de notaire. Clercs de notaire. Comparaître par-devant notaire. Maître Suzanne X, notaire. Elle*

est notaire. ▶ ***notarié, ée*** adj. ■ Fait par un notaire, devant notaire. *Actes notariés.* ⇒ **authentique.**

notamment [nɔtamɑ̃] adv. ■ En remarquant parmi d'autres. ⇒ **particulièrement, spécialement.** *Les mammifères, et notamment l'homme.*

notation [nɔtasjɔ̃] n. f. **1.** Action, manière de noter, de représenter par des symboles ; système de symboles. *Notation des nombres, notation numérique ; notation par lettres.* — *Notation musicale.* — *Notation sténographique, phonétique.* **2.** Une notation, ce qui est noté (par écrit) ; courte remarque. ⇒ ② **note** (I). **3.** Action de donner une note (②, II). *La notation des devoirs par le professeur.*

① ***note*** [nɔt] n. f. **I. 1.** Signe qui sert à caractériser un son. *Savoir lire ses notes.* **2.** Son figuré par une note. *Les notes de la gamme* (do, ré, mi, fa, sol, la, si). *Fausse note.* ⇒ fam. **canard, couac.** — Son musical. *Note cristalline.* **3.** Touche d'un clavier. *Taper sur deux notes à la fois.* **II.** Loc. *Note juste,* détail vrai, approprié. *Fausse note,* élément qui ne convient pas à un ensemble. — *Forcer la note,* exagérer. — *Les rideaux blancs mettaient une note gaie dans la chambre.* ⇒ ② **touche.** *Donner la note,* donner le ton. — *Être dans la note,* dans le style, en accord avec. ⇒ ② **ton.** *Cet objet, cette remarque étaient bien dans la note.*

② ***note*** n. f. **I. 1.** Mot, phrase se rapportant à un texte et qui figure à côté de ce texte pour l'éclaircir. ⇒ **annotation, notation.** *Note marginale. Commentaire et notes. Notes et variantes.* **2.** Brève communication écrite. ⇒ **avis, communiqué, notice.** *Faire passer une note. Note officielle. Note de service.* **3.** Brève indication recueillie par écrit (en écoutant, en étudiant, en observant). *Voici quelques notes sur la question.* ⇒ **aperçu, observation, réflexion.** *Cahier, carnet de notes.* ⇒ **bloc-notes.** — *Prendre en note une référence. Prendre note d'une adresse.* ⇒ **noter.** *J'en prends note. As-tu pris des notes pendant le cours ?* — *Papiers où sont écrites ces notes. Prête-moi tes notes.* **4.** Détail d'un compte ; papier sur lequel il est écrit. ⇒ **compte, facture.** *Note d'électricité. Note d'hôtel* (au restaurant, on dit *addition*). *Demander, payer sa note.* **II.** Appréciation chiffrée donnée selon un barème préalablement choisi. *Note sur 10, sur 20. J'ai mis une mauvaise note à ton devoir. Carnet de notes d'un écolier.* ▶ ***noter*** v. tr. - conjug. 1. **1.** Marquer ou écrire (ce dont on veut garder l'indication, se souvenir). *Noter les passages intéressants d'un livre. Note mon adresse.* ⇒ **inscrire, marquer.** — *Notez que nous serons absents jusqu'à la fin du mois.* **2.** Prêter attention à (qqch.). ⇒ **constater.** *Ceci mérite d'être noté. Il faut bien noter ceci* (→ faire attention, prendre garde, se rendre compte). **3.** Apprécier par une observation, une note chiffrée. *Noter un élève, un employé.* ⟨ ▶ annoter, bloc-notes, notamment, notation, notice, notifier ⟩

notice [nɔtis] n. f. **1.** Préface d'un livre. **2.** Bref exposé écrit, ensemble d'indications. ⇒ **abrégé.** *Notice explicative.*

notifier [nɔtifje] v. tr. - conjug. 7. ■ Faire connaître expressément. *On lui notifia son renvoi.* ⇒ **signifier.** ▶ ***notification*** n. f.

notion [nosjɔ̃] n. f. **1.** Surtout au plur. Connaissance élémentaire. ⇒ **élément, rudiment.** *Il avait des notions d'anglais.* **2.** Connaissance intuitive, assez imprécise (d'une chose). *Notions du bien et du mal. Il a perdu la notion du temps.* **3.** Objet abstrait de connaissance. ⇒ **concept, idée, pensée.** *Le mot et la notion.*

notoire [nɔtwaʀ] adj. **1.** Qui est connu d'une manière sûre par un grand nombre de personnes. ⇒ **connu, évident.** *Il est d'une bêtise notoire.*

— Impers. *Il est notoire que...* **2.** (Personnes) Reconnu comme tel. *Un criminel notoire.* ▶ **notoirement** adv. ▶ **notoriété** n. f. **1.** Le fait d'être connu d'une manière certaine et générale. *Notoriété d'un fait.* — Loc. *Il est de notoriété publique que..., tout le monde sait que...* **2.** Fait d'être connu avantageusement. ⇒ **célébrité, renom, réputation.** *Son livre lui a donné de la notoriété. La notoriété d'un lieu, d'une œuvre.*

notre [nɔtʀ], plur. **nos** [no] adj. ■ Adjectif possessif de la première personne du pluriel et des deux genres, correspondant au pronom personnel *nous.* **I.** Qui est à nous, qui nous appartient. **1.** Se référant à deux ou plusieurs personnes, dont celui qui parle. *Nous devrions donner chacun notre avis, nos avis.* **2.** Se référant à un groupe de personnes ou à tous les humains. *Notre bonne ville. Notre civilisation.* **II.** Emplois stylistiques. **1.** Marquant la sympathie personnelle, l'intérêt. *Comment va notre malade ? Notre héros arriva à s'échapper.* **2.** Pour *mon (ma, mes)*, représentant une seule personne. *Tel est notre bon plaisir.* ‹ ▶ Notre-Dame, Notre-Père ›

nôtre [notʀ] adj. poss., pronom poss. et n. ■ Qui est à nous, nous appartient. **1.** Adj. poss. Littér. À nous, de nous. *Nous avons fait nôtres ces opinions.* **2.** LE NÔTRE, LA NÔTRE, LES NÔTRES pronom poss. : l'être ou l'objet qui est en rapport de possession, de parenté, d'intérêt, etc., avec le groupe formé par celui qui parle (*je, moi*) et une ou plusieurs autres personnes (*nous*). *Ils ont leurs soucis, et nous (avons) les nôtres.* **3.** N. *Nous y mettons chacun du nôtre.* — *Les nôtres,* nos parents, amis. *Soyez des nôtres,* venez avec nous, chez nous.

Notre-Dame [nɔtʀədam] n. f. invar. — REM. Ce mot s'emploie sans article. ■ Désignation traditionnelle de la Vierge Marie, parmi les catholiques. — Nom d'églises dédiées à la Vierge. *Notre-Dame de Paris.*

Notre-Père [nɔtʀəpɛʀ] n. m. invar. ■ Prière chrétienne, adressée à Dieu, et commençant par « Notre Père qui es (êtes) aux cieux... ». *Réciter son Notre-Père. Des Notre-Père et des Ave.* ⇒ **Pater.**

nouba [nuba] n. f. ■ fam. Bombance, fête. *On a fait la nouba toute la nuit. Des noubas.* ⇒ Fam. ② **bringue, foire.**

nouer [nwe] v. tr. • conjug. 1. **I. 1.** Arrêter (une corde, un fil, un lien) ou unir (les deux bouts d'une corde, d'un lien) en faisant un nœud. ⇒ **attacher.** *Nouer ses lacets.* / contr. **dénouer** / **2.** Envelopper (qqch.), réunir (un ensemble de choses) en faisant un ou plusieurs nœuds. ⇒ **lier.** *Nouer un bouquet avec un ruban.* **II.** Fig. **1.** Serrer comme par un nœud. *Un sanglot lui noua la gorge.* — Au p. p. adj. *Avoir la gorge nouée.* **2.** Établir, former (un lien moral). *Nouer une alliance.* **3.** Établir le nœud (II, 3) d'une action au théâtre pour l'amener à son point culminant. — Pronominalement (réfl.). *L'intrigue se noue au IIe acte.* ▶ **noueux, euse** adj. **1.** Bois, arbre noueux, qui a beaucoup de nœuds, de nodosités. *Racines noueuses.* **2.** Qui présente des nœuds, a des articulations saillantes. *Mains noueuses.* — Maigre et sec. *Un vieillard noueux.* ‹ ▶ dénouer, renouer ›

nougat [nuga] n. m. **1.** Confiserie fabriquée avec des amandes (ou des noix, des noisettes) et du sucre caramélisé, du miel. *Nougat dur, mou.* **2.** Loc. fam. *C'est du nougat !* ⇒ fam. **gâteau. 3.** Fam. *Les nougats,* les pieds. ▶ **nougatine** n. f. ■ Sorte de nougat brun, dur, utilisé en confiserie et en pâtisserie.

nouille [nuj] n. f. **1.** Au plur. Pâtes alimentaires, plates ou rondes, coupées en morceaux de longueur moyenne. *Nouilles au gratin, au fromage.* **2.** Fam. Personne molle et niaise. *C'est une vraie nouille !* — Adj. *Ce qu'il peut être nouille !* **3.** Style nouille (à

cause des ornements fins et contournés), style décoratif 1900, dit aussi *art nouveau.*

nounou [nunu] n. f. ■ Lang. enfantin. Nourrice. *Sa vieille nounou. Les nounous.*

nounours [nunuʀs] n. m. invar. ■ Lang. enfantin. Ours en peluche. *Des nounours.*

nourrir [nuʀiʀ] v. tr. • conjug. 2. **I. 1.** Entretenir, faire vivre (une personne, un animal) en lui donnant à manger. ⇒ **alimenter, sustenter.** *Nourrir un enfant à la cuiller. Nourrir un malade,* qui ne peut se nourrir lui-même. ⇒ **Procurer, fournir les aliments.** ⇒ **ravitailler.** *La pension loge et nourrit dix personnes. Être logé, blanchi, nourri.* **2.** Élever, alimenter un nouveau-né en l'allaitant. *Mère qui nourrit ses enfants.* ⇒ **nourrice. 3.** Pourvoir (qqn) de moyens de subsistance. ⇒ **entretenir.** *Il a trois personnes à nourrir,* à sa charge. **4.** Donner de quoi vivre à. *Ce métier ne nourrit pas son homme.* **5.** Constituer une subsistance pour l'organisme. — Sans compl. *Le pain nourrit.* **6.** Entretenir (une chose) en augmentant l'importance, ou en faisant durer plus longtemps. *Il faut nourrir le feu.* ⇒ **alimenter.** — Au p. p. adj. *Tir nourri,* dense. **II.** Abstrait. **1.** Remplir de substance, de matière. ⇒ **étoffer.** *Nourrir un exposé.* — Au p. p. adj. *Un devoir très nourri.* **2.** Pourvoir (l'esprit) d'une nourriture spirituelle. *La lecture nourrit l'esprit.* **3.** Entretenir en soi (un sentiment, une pensée). *Nourrir un désir. Nourrir l'illusion que...,* espérer. **4.** Être nourri dans les bons principes, élevé. **III.** SE NOURRIR v. pron. réfl. **1.** Absorber (des aliments). *Se nourrir de légumes, de viande.* — *Se nourrir, bien se nourrir,* manger. **2.** Fig. ⇒ **s'abreuver, se repaître.** *Se nourrir d'illusions, de rêves.* ▶ **nourrissant, ante** adj. ■ (Choses) Qui nourrit (I) plus ou moins bien. ⇒ **nutritif.** *Aliments peu, très nourrissants.* — Qui nourrit beaucoup. ⇒ **substantiel.** *C'est nourrissant mais indigeste.* ▶ ① **nourrice** n. f. **1.** Mère qui allaite un enfant en bas âge *(un nourrisson).* **2.** Femme qui, par profession, garde et élève des enfants en bas âge. *Confier un enfant à une nourrice à la campagne.* — *Mettre un enfant* EN NOURRICE : le confier à une nourrice. **3.** ÉPINGLE DE NOURRICE : de sûreté. ▶ ② **nourrice** n. f. ■ Réservoir mobile. ⇒ **bidon, jerrycan.** *Une nourrice d'eau, d'essence.* ▶ **nourricier, ière** adj. **I.** PÈRE NOURRICIER : père adoptif. **II. 1.** Qui nourrit, procure la nourriture. *La terre nourricière.* **2.** Qui contribue à la nutrition. ⇒ **nutritif.** *Suc nourricier.* ▶ **nourrisson** n. m. ■ Enfant nourri au lait, qui n'a pas atteint l'âge du sevrage. ⇒ **bébé, nouveau-né.** ▶ **nourriture** n. f. **1.** Tout ce qui entretient la vie d'un organisme en lui procurant des substances à assimiler ⇒ **alimentation, subsistance** ; ces substances ⇒ **aliment.** *Absorber, prendre de la nourriture,* manger, se nourrir. *Nourriture pauvre, riche.* **2.** Ce qu'on mange habituellement aux repas. *Il dépensait beaucoup pour la nourriture* ⇒ fam. **bouffe, boustifaille. 3.** Littér. Ce qui nourrit (II). *La nourriture de l'esprit.*

nous [nu] pronom pers. ■ Pronom personnel de la première personne du pluriel (représente la personne qui parle et une ou plusieurs autres, ou un groupe auquel celui qui parle appartient. ⇒ **on**). **I.** Pronom pers. plur. **1.** Employé seul (sujet). *Vous et moi, nous sommes de vieux amis.* — (Attribut) *C'est nous qui l'avons appelé.* — (Compl.) *Il nous regarde.* — (Compl. indir.) *Vous nous le donnerez. Il nous a écrit* (= à nous). *Il est venu à nous, vers nous. Chez nous, pour nous. C'est à nous.* ⇒ **nôtre.** — Pronom réfléchi (ou réciproque). *Nous nous sommes regardés sans rien dire.* **2.** NOUS, renforcé. *Nous, nous n'irons pas.* Fam. *Nous, on n'ira pas.* — NOUS-MÊME(S). *Nous ne le savons pas nous-mêmes.* — NOUS AUTRES [nuzotʀ] : marque une distinction très forte ou s'emploie avec un terme en apposition. *Nous autres, étudiants, nous pensons cela.* — (Précisé par un numéral cardinal) *C'est pour nous deux. À nous trois, nous y arriverons.* 3. D'ENTRE NOUS. *La plupart d'entre nous étaient au courant.* II. Emplois stylistiques. 1. (1re pers. du sing.) Employé pour *je* (plur. de modestie ou de majesté). *Le Roi dit : nous voulons. Comme nous le montrerons dans ce livre* (écrit l'auteur). 2. Fam. (2e pers.). ⇒ **toi, vous.** *Eh bien, petit, nous avons bien travaillé ?*

nouveau [nuvo], *nouvel* [nuvɛl] (devant un nom commençant par une voyelle ou un *h* muet), *nouvelle* [nuvɛl] adj. et n. I. 1. (Après le nom) Qui apparaît pour la première fois ; qui vient d'apparaître. ⇒ **neuf, récent.** *Une chose nouvelle, un produit nouveau. Pommes de terre nouvelles. Vin nouveau. Un mot nouveau.* ⇒ **emprunt, néologisme.** PROV. *Tout nouveau, tout beau,* ce qui est nouveau est apprécié (et puis délaissé ensuite). *Quoi de nouveau ?* ⇒ **neuf.** — Fam. *Ça alors, c'est nouveau !,* on ne s'y attendait pas. — N. m. *Il y a du nouveau dans l'affaire X.* — *Un homme nouveau,* connu ou arrivé depuis peu de temps. 2. (Devant le nom) Qui est depuis peu de temps ce qu'il est. *Les nouveaux riches. Les nouvelles recrues, les soldats nouvellement incorporés.* ⇒ **bleu.** — (Devant un participe) *Les nouveaux mariés.* ⇒ **jeune.** *Des nouveaux venus.* 3. N. LE NOUVEAU, LA NOUVELLE : celui, celle qui vient d'arriver (dans un collège, un bureau, une collectivité). *Il y avait deux nouveaux dans la classe.* 4. (Après le nom et souvent qualifié) Qui tire de son caractère récent une valeur d'invention. ⇒ **hardi, insolite, original.** *Un art tout à fait nouveau.* 5. NOUVEAU POUR *qqn* : qui était jusqu'ici inconnu de qqn ; dont il (elle) n'a pas l'habitude. ⇒ **inaccoutumé, inhabituel, inusité.** *C'est pour moi une chose nouvelle.* II. (Devant le nom en épithète) 1. Qui apparaît après un autre qu'il remplace, au moins provisoirement, dans notre vision, dans nos préoccupations (opposé à *ancien, vieux*). — *Le Nouvel An. La nouvelle lune,* le croissant, quand il commence à grandir. *Le Nouveau Monde. Le Nouveau Testament.* 2. Qui a succédé, s'est substitué à un autre. ≠ *neuf. Il a une nouvelle voiture, mais elle n'est pas neuve. Son nouveau mari. Une nouvelle édition.* III. Loc. adv. 1. DE NOUVEAU : pour la seconde fois, une fois de plus. ⇒ **encore.** *Faire de nouveau qqch.,* recommencer. 2. À NOUVEAU : une nouvelle fois. *Le voilà à nouveau sans travail.* — D'une manière différente, sur de nouvelles bases. *Examiner à nouveau une question.* ▶ *nouveau-né, nouveau-née* [nuvone] adj. et n. 1. Qui est né depuis peu de temps. *Un enfant nouveau-né. Une fille nouveau-née. Des chiots nouveau-nés.* 2. N. m. Enfant, petit d'un animal qui vient de naître. ⇒ **bébé.** ▶ *nouveauté* n. f. 1. Caractère de ce qui est nouveau. *Objet qui plaît par sa nouveauté.* ⇒ **originalité.** 2. Ce qui est nouveau. *Le charme, l'attrait de la nouveauté.* 3. Une *nouveauté,* chose nouvelle. *Tiens, vous ne fumez pas ? C'est une nouveauté !* ⇒ **nouveau (I, 1)** 4. Ouvrage nouveau qui vient de sortir. *On a présenté plusieurs nouveautés.* 5. Production nouvelle de l'industrie de la mode. *Magasin de nouveautés,* d'articles de mode. ▶ ① *nouvelle* n. f. 1. Premier avis qu'on donne ou qu'on reçoit (d'un événement récent) ; cet événement porté pour la première fois à la connaissance de la personne intéressée, ou du public. *Annoncer une nouvelle. Répandre, divulguer une nouvelle. Connaissez-vous la nouvelle ? — Bonne, mauvaise nouvelle,* annonce d'un événement heureux, malheureux. — Loc. *Première nouvelle !,* en parlant d'une chose qui surprend. 2. *Les nouvelles,* tout ce que l'on apprend par la rumeur publique, par la presse, les médias. ⇒ **information.** *Aller aux nouvelles. Dernières nouvelles, nouvelles de dernière heure,* les plus

récentes. 3. Au plur. Renseignements concernant l'état ou la situation (d'une personne qu'on n'a pas vue depuis quelque temps). *Avoir des nouvelles de qqn. Ne plus donner de ses nouvelles.* ⇒ **signe** de vie. — Loc. prov. *Pas de nouvelles, bonnes nouvelles,* quand on ne reçoit pas de nouvelles de qqn, on peut supposer qu'elles sont bonnes. — *Vous aurez de mes nouvelles !,* avertissement menaçant. *Vous m'en direz des nouvelles,* vous m'en ferez des compliments. ▶ ② *nouvelle* n. f. ■ Récit généralement bref, de construction dramatique, et présentant des personnages peu nombreux. ⇒ **conte.** *Romans et nouvelles.* ▶ *nouvelliste* n. ■ Auteur de nouvelles ②. ▶ *nouvellement* adv. — REM. S'emploie seulement devant un p. p., un passif. ■ Depuis peu de temps. ⇒ **récemment.** *Il est nouvellement arrivé.* ⟨ ▶ renouveau, renouveler ⟩

novateur, trice [nɔvatœʀ, tʀis] n. ■ Personne qui innove. ⇒ **créateur, innovateur.** — Adj. *Esprit novateur.* ⇒ **audacieux, révolutionnaire.** / contr. **conservateur, rétrograde** /

novembre [nɔvɑ̃bʀ] n. m. ■ Onzième mois de l'année, de trente jours. *Les pluies, les brouillards de novembre. Le 1er novembre, fête de la Toussaint. Le 11 Novembre, anniversaire de l'armistice de 1918.*

novice [nɔvis] n. et adj. 1. N. Personne qui a pris récemment l'habit religieux, et passe un temps d'épreuve dans un couvent, avant de prononcer des vœux définitifs. 2. Personne qui aborde une chose dont elle n'a aucune habitude. *Pour un novice, il se débrouillait bien.* ⇒ **apprenti, débutant ;** fam. **bleu.** 3. Adj. Qui manque d'expérience (dans la vie ou dans l'exercice d'une activité). ⇒ **ignorant, inexpérimenté.** *Il est encore bien novice dans le métier.* / contr. **habile** / ▶ *noviciat* n. m. ■ Temps d'épreuve imposé aux novices (1).

noyade [nwajad] n. f. ■ Le fait de se noyer ; mort accidentelle par immersion dans l'eau. *Sauver qqn de la noyade.*

① *noyau* [nwajo] n. m. I. Partie dure dans un fruit, renfermant l'amande ⇒ **graine** de certains fruits. *Fruits à noyau et fruits à pépins. Noyaux d'abricots, de cerises, d'olives. Retirer le noyau.* ⇒ **dénoyauter.** II. Partie centrale, fondamentale (d'un objet). — En géologie. Partie centrale du globe terrestre. — En biologie. Partie différenciée de la cellule. *Cellule à un seul noyau* (mononucléaire), *à plusieurs noyaux* (polynucléaire). *Acide du noyau.* ⇒ **nucléique.** — En physique. Partie centrale de l'atome. ⇒ **nucléaire (I, 2).** III. Abstrait. Ce vers quoi tout converge ou d'où tout émane. ⇒ **centre.** *Le verbe est le noyau de la phrase.* ⟨ ▶ dénoyauter ⟩

② *noyau* n. m. 1. Groupe humain, considéré quant à sa permanence, à la fidélité de ses membres. *Il faisait partie d'un petit noyau d'aristocrates.* 2. Très petit groupe considéré par rapport à sa cohésion, à l'action qu'il mène (au sein d'un milieu hostile). *Noyaux de résistance.* ▶ *noyautage* n. m. ■ Système qui consiste à introduire dans un milieu neutre ou hostile des propagandistes isolés chargés de le désorganiser et, le cas échéant, d'en prendre la direction. ▶ *noyauter* v. tr. ▪ conjug. 1. ■ Soumettre au noyautage. *Leur parti a été noyauté.*

① *noyer* [nwaje] v. tr. et pron. réfl. ▪ conjug. 8. I. V. tr. 1. Tuer par asphyxie en immergeant dans un liquide. *Noyer des chatons.* — Loc. *Noyer le poisson,* embrouiller volontairement une affaire. 2. Recouvrir de liquide. ⇒ **engloutir, inonder, submerger.** *L'inondation a noyé toute la région. Noyer le carburateur* (par excès d'essence). — *Noyer son chagrin dans l'alcool,* s'enivrer pour oublier son chagrin. 3. Faire disparaître dans un ensemble vaste ou confus. *Noyer les contours, les couleurs. Ses cris étaient noyés dans le tumulte.* ⇒ **étouffer. II. 1.** SE NOYER v. pron. réfl. : mourir asphyxié par l'effet de l'immersion dans un liquide. ⇒ **noyade.** *Baigneur qui se noie.* — Loc. *Se noyer dans un verre d'eau,* être incapable de surmonter les moindres obstacles. **2.** Se perdre. *L'orateur se noyait dans un flot de paroles.* ▶ *noyé, ée* adj. et n. **I.** adj. **1.** Mort par noyade. *Marins noyés en mer.* ⇒ **disparu. 2.** Fig. *Être noyé,* dépassé par la difficulté d'un travail. ⇒ **perdu. 3.** *Des yeux noyés de pleurs. Regard noyé,* vague, hagard. **II.** N. Personne morte noyée ou qui est en train de se noyer. *Repêcher un noyé. Ils n'ont pu ranimer la noyée.* ⟨ ▶ noyade ⟩

② *noyer* [nwaje] n. m. **1.** Arbre de grande taille, dont le fruit est la noix. **2.** Bois de cet arbre. *Meubles en noyer.*

nu, nue [ny] adj. et n. **I.** Adj. **1.** Qui n'est couvert d'aucun vêtement. *Femme nue. Complètement nu, tout nu. Être nu comme un ver,* complètement. *Vivre nu.* ⇒ **nudisme.** *À demi-nu. Bras nus. Torse nu. Être nu-pieds, nu-tête.* — REM. *Nu* reste invariable quand il précède le nom d'une partie du corps et se lie à ce nom par un trait d'union. / contr. **couvert, habillé, vêtu / 2.** Dans des loc. Dépourvu de son complément habituel. *Épée nue,* hors du fourreau. — Loc. *À l'œil nu,* sans instrument d'optique. *Ça se voit à l'œil nu,* tout de suite. *Se battre à mains nues,* sans arme. **3.** Dépourvu d'ornement. *Un arbre nu,* sans feuilles. *Une chambre nue,* sans meubles. *C'est un peu nu, ici, ça manque de tableaux au mur.* ⇒ **vide. 4.** Sans apprêt. *La vérité toute nue.* / contr. **déguisé / 5.** À NU loc. adv. : à découvert. *Mettre à nu.* ⇒ **dénuder, dévoiler.** *Mettre à nu un fil électrique.* **II.** N. m. Corps humain ou partie du corps humain dépouillé(e) de tout vêtement. — Genre qui consiste à dessiner, à peindre, à sculpter ou à photographier le corps humain nu ; œuvre de ce genre. *Album de nus.* ⟨ ▶ dénuder, nudisme, nudité, nu-pieds, nue-propriété, pied-nu, va-nu-pieds ⟩

nuage [nɥaʒ] n. m. **1.** Amas de vapeur d'eau condensée en fines gouttelettes qui se forme et se maintient en suspension dans l'atmosphère (ex. : cumulus, nimbus, stratus). *Nuages de grêle, de pluie,* qui portent la grêle, la pluie. *Les nuages obscurcissent le ciel.* ⇒ littér. **nue, nuée.** *Ciel sans nuages.* — Loc. *Être dans les nuages,* être distrait. ⇒ **dans la lune. 2.** *Nuage de fumée, de poussière.* — *Nuage de mousseline, de tulle* (tissu léger). *Nuage de lait,* petite quantité de lait qu'on met dans le café, le thé. — *Nuage de sauterelles.* ⇒ **nuée. 3.** Ce qui trouble la sérénité. *Bonheur sans nuages,* qui n'est pas troublé. ▶ *nuageux, euse* adj. ■ Couvert de nuages. ⇒ **nébuleux.** *Ciel, temps nuageux.* / contr. **pur, serein /**

nuance [nɥɑ̃s] n. f. **I.** Chacun des degrés par lesquels peut passer une même couleur. ⇒ **tonalité.** *Toutes les nuances de bleu.* **II. 1.** État intermédiaire (par lequel peut passer une chose, un sentiment, une personne) ; faible différence. *Nuances imperceptibles. Esprit tout en nuances.* — Ce qui s'ajoute à l'essentiel pour le modifier légèrement. *Il y avait dans son regard une nuance de complicité.* **2.** Degré divers de douceur ou de force à donner aux sons. *Indications et nuances en musique.* ▶ *nuancer* v. tr. · conjug. 3. ■ Exprimer en tenant compte des différences les plus délicates. *Nuancer sa pensée.* ▶ *nuancé, ée* adj. ■ Qui tient compte de différences ; qui n'est pas net, tranché. *Ses opinions sont très nuancées.* / contr. **arrêté /**

nubile [nybil] adj. ■ Didact. (Personnes) Qui est en âge d'être marié, est apte à la reproduction. ⇒ **pubère.** *Âge nubile,* fin de la puberté. / contr. **impubère /** ▶ *nubilité* n. f. ■ Âge nubile.

nuclé(o)- ■ Élément savant signifiant « noyau ». ▶ *nucléaire* [nykleɛʀ] adj. et n. **I.** Adj. **1.** Relatif au noyau de la cellule. **2.** Relatif au noyau de l'atome. *Particules nucléaires.* — *Énergie nucléaire,* fournie par la fission nucléaire. *Physique nucléaire,* partie de la physique atomique qui étudie le noyau. **3.** Qui utilise l'énergie nucléaire. ⇒ **atomique.** *Centrale nucléaire. Puissances nucléaires,* pays possédant des bombes atomiques. **II.** N. m. *Le nucléaire,* l'énergie nucléaire. *Être pour, contre le nucléaire.* ▶ *nucléique* [nykleik] adj. ■ (Sciences) Relatif aux acides contenus dans le noyau des cellules vivantes. *Les acides nucléiques, constituants de la cellule vivante, sont porteurs de l'information génétique.* ⇒ **A.D.N., A.R.N.** ⟨ ▶ mononucléaire, thermo-nucléaire ⟩

nudisme [nydism] n. m. ■ Doctrine prônant la vie au grand air dans un état de complète nudité. ⇒ **naturisme.** — Pratique de cette doctrine. *Faire du nudisme.* ▶ *nudiste* adj. et n. ■ *Camp de nudistes.*

nudité [nydite] n. f. **1.** État d'une personne nue. **2.** (Choses) État de ce qui n'est pas recouvert, pas orné. *Nudité d'un mur.* — Fig. *Vices qui s'étalent dans toute leur nudité,* avec impudence.

nue [ny] n. f. **1.** Vx. Nuage. **2.** Loc. METTRE, PORTER *qqn, qqch.* AUX NUES : louer avec enthousiasme. *La pianiste qu'ils ont portée aux nues.* — TOMBER DES NUES : être extrêmement surpris, décontenancé par un événement inopiné. *En apprenant la nouvelle, il est tombé des nues.* ▶ *nuée* [nɥe] n. f. **1.** Littér. Nuage. *Nuées d'orage.* **2.** Multitude formant un groupe compact (comparé à un nuage). *Des nuées de sauterelles s'étaient abattues sur les récoltes.* — Très grand nombre (de choses, de personnes). *Des nuées de photographes l'environnaient.* ⟨ ▶ nuage ⟩

nue-propriété [nypʀɔpʀijete] n. f. ■ Propriété d'un bien sur lequel une autre personne a un droit d'usufruit, d'usage ou d'habitation. *Des nues-propriétés.*

nui [nɥi] ⇒ **nuire.**

nuire [nɥiʀ] v. tr. ind. · conjug. 38. — NUIRE À. **1.** Faire du tort, du mal (à qqn). *Nuire à qqn auprès de ses amis.* ⇒ **desservir.** *Nuire à la réputation de qqn. Cela a été dit avec l'intention de nuire.* / contr. **aider, servir / 2.** (Choses) Constituer un danger ; causer du tort. *Cette accusation lui a beaucoup nui.* **3.** SE NUIRE v. pron. : se faire du mal. — (Réfl.) *Il se nuisait en disant sans cesse du mal des autres.* — (Récipr.) *Ils se sont nui.* ▶ *nuisance* n. f. ■ Ensemble de facteurs d'origine technique (bruit, pollution*, etc.) ou sociale (encombrement, promiscuité) qui compromettent l'environnement* et rendent la vie malsaine ou pénible. *Les nuisances des grandes villes.* ▶ *nuisible* adj. ■ Qui nuit (à qqn, à qqch.). *Cela pourrait être nuisible à votre santé.* ⇒ **néfaste, nocif.** / contr. **bienfaisant /** — *Animaux nuisibles,* animaux parasites, venimeux et destructeurs (d'animaux ou de végétaux utiles), ou qui transmettent des maladies. — N. m. *Les nuisibles.*

nuit [nɥi] n. f. **I.** Obscurité résultant de la rotation de la Terre sur la moitié qui n'est pas exposée aux rayons solaires. *Le jour et la nuit. Il fait nuit. La nuit tombe. À la nuit tombante.* ⇒ **crépuscule, soir.** *Nuit noire,* très obscure. *Nuit étoilée.* — Loc. *C'est le jour et la nuit,* deux choses, deux personnes entièrement opposées. — Loc. *La nuit des temps,* se dit d'une époque très reculée, dont on ne sait rien. **II.** Temps où il fait noir. **1.** Espace de temps qui s'écoule depuis le coucher jusqu'au lever du soleil. *Jour et nuit ; nuit et jour* [nɥitezuʀ], continuellement. *En pleine nuit. Toute la nuit.* — *Nuit sans sommeil* ou *nuit blanche.* ⇒ **veille, veillée.** *Il en rêve la nuit. J'ai passé la nuit* dehors. — *Je vous souhaite une bonne nuit. Bonne nuit !* ⇒ **bonsoir.** — *Nuit de noces,* la première nuit après les noces, que les époux passent ensemble. **2.** DE NUIT : qui a lieu, se produit la nuit. ⇒ **nocturne.** *Travail, service de nuit. Vol de nuit.* — *Qui travaille la nuit. Veilleur de nuit, gardien de nuit.* — *Qui sert pendant la nuit. Chemise de nuit.* — *Qui est ouvert la nuit, qui fonctionne la nuit. Sonnette de nuit d'une pharmacie. Boîte de nuit.* — *Qui vit, reste éveillé la nuit. Oiseaux de nuit.* ▶ *nuitamment* [nɥitamɑ̃] adv. ■ Littér. Pendant la nuit, à la faveur de la nuit. ⟨ ▶ belle-de-nuit, minuit ⟩

① *nul, nulle* [nyl] adj. et pron. **1.** Littér. (Adjectif indéfini placé devant le nom) Pas un. ⇒ **aucun.** — (Avec NE) *Nul homme n'en sera exempté.* ⇒ **personne.** *Je n'en ai nul besoin.* ⇒ **pas.** — (Sans négation exprimée) *Des choses de nulle importance.* — (Sans verbe exprimé) *Nul doute qu'il viendra.* — (Avec SANS) *Sans nul doute.* ⇒ **sûrement.** — NULLE PART. ⇒ **part. 2.** (Pronom indéfini sing. employé comme sujet) Pas une personne. ⇒ **aucun, personne.** *Nul n'est censé ignorer la loi.* — Loc. *À l'impossible nul n'est tenu.* ▶ *nullement* adv. ■ Pas du tout, en aucune façon. ⇒ **aucunement.** *Cela ne me gêne nullement.* (→ Pas le moins du monde.)

② *nul, nulle* adj. — REM. *Nul* se place après le nom. **1.** Qui est sans existence, se réduit à rien, à zéro. / contr. **important** / *Différence nulle. Les risques sont nuls. Résultats nuls.* ⇒ **négatif.** *Match nul,* où il n'y a ni gagnant ni perdant. **2.** (Ouvrage, travail, etc.) Qui ne vaut rien, pour la qualité. *Un devoir nul, qui mérite zéro.* — (Personnes) Sans mérite intellectuel, sans valeur. *Elle est nulle.* ▶ *nullité.* — *Être nul, en, dans...,* très mauvais dans (un domaine particulier). *Il est nul en français.* / contr. **fort** / ▶ *nullard, arde* adj. ■ Fam. Tout à fait nul, qui n'y connaît rien. — N. *C'est un vrai nullard.* ▶ *nullité* n. f. **1.** Inefficacité (d'un acte juridique). *Nullité d'un acte, d'un legs.* **2.** Caractère de ce qui est nul, sans valeur. *La nullité d'un raisonnement.* — Défaut de talent, de connaissances, de compétence (d'une personne). *La nullité d'un élève.* ⇒ **faiblesse. 3.** *(Une, des nullités)* Personne nulle. *C'est une vraie nullité.* ⟨ ▶ annuler ⟩

numéraire [nymerɛr] n. m. ■ Monnaie ayant cours légal. ⇒ **espèce(s).** *Payer en numéraire,* en argent liquide (opposé à *en nature*).

numéral, ale, aux [nymeral, o] adj. ■ Qui désigne, représente un nombre, des nombres arithmétiques. *Système numéral.* — *Adjectifs numéraux,* indiquant le nombre (« *Trois* » est un adjectif numéral cardinal) ou le rang (« *Troisième* » est un adjectif numéral ordinal). — N. m. *Un numéral, les numéraux.* ≠ **numéro.**

numérateur [nymeratœr] n. m. ■ Nombre supérieur (d'une fraction). *Numérateur et dénominateur d'une fraction.*

numération [nymerɑsjɔ̃] n. f. ■ Système permettant d'écrire et de nommer les divers nombres. *Numération décimale.*

numérique [nymerik] adj. **1.** Qui est représenté par un nombre, des nombres arithmétiques (chiffres). *Partie numérique et partie littérale d'une formule.* **2.** Qui concerne les nombres arithmétiques. *Calcul numérique.* **3.** Évalué en nombre. *La supériorité numérique de l'ennemi.* ⇒ **quantitatif.** ▶ *numériquement* adv. ■ Relativement au nombre. *L'ennemi était numériquement inférieur,* inférieur en nombre.

numéro [nymero] n. m. **1.** Nombre attribué à une chose pour la caractériser parmi des choses sembla-

bles, ou la classer (abrév. *N°, n°* devant un nombre). *Numéro d'une maison. Numéro d'immatriculation d'une automobile.* — *Numéro de téléphone. Faire, demander un numéro.* — *Tirer le bon, le mauvais numéro,* dans un tirage au sort. **2.** Ce qui porte un numéro. *Je suis entré au numéro 10* (maison). **3.** Adj. NUMÉRO UN : principal. *L'ennemi public numéro un.* **4.** Fam. *Un numéro,* une personne bizarre, originale. *Quels numéros !* ⇒ **phénomène. 5.** Partie d'un ouvrage périodique qui paraît en une seule fois et porte un numéro. *Numéro d'une revue, d'un journal. Ce numéro est épuisé. La suite au prochain numéro,* la suite de l'article paraîtra dans le numéro suivant ; fam., la suite à une autre fois. **6.** Petit spectacle faisant partie d'un programme de variétés, de cirque, de music-hall. *Numéro de chant.* — Fam. Spectacle donné par une personne qui se fait remarquer. *Il nous a fait son numéro habituel.* ▶ *numéroter* v. tr. ■ conjug. 1. ■ Marquer, affecter d'un numéro. *Numéroter les pages d'un manuscrit.* — Au p.p. adj. *Siège numéroté.* ▶ *numérotage* n. m. ■ Action de numéroter. ▶ *numérotation* n. f. ■ Ordre des numéros. *Changer la numérotation d'une collection.*

numismate [nymismat] n. ■ Spécialiste, connaisseur des médailles et monnaies anciennes. ▶ *numismatique* n. f. et adj. ■ Connaissance des médailles et des monnaies anciennes. — Adj. *Recherches numismatiques.*

nu-pieds [nypje] n. m. pl. — REM. *Nu,* adv., ne s'accorde pas. ■ Sandalettes légères attachées aux orteils. *J'ai perdu un de mes nu-pieds dans le sable.*

nuptial, ale, aux [nypsjal, o] adj. ■ Relatif aux noces, à la célébration du mariage. *Bénédiction nuptiale. Chambre nuptiale.* ▶ *nuptialité* n. f. ■ Nombre relatif ou statistique des mariages. ⟨ ▶ prénuptial ⟩

nuque [nyk] n. f. ■ Partie postérieure du cou, au-dessous de l'occiput. *Coiffure dégageant la nuque.*

nurse [nœrs] n. f. ■ Femme salariée qui s'occupe exclusivement des enfants. ⇒ **bonne** d'enfants, **gouvernante.**

nutritif, ive [nytritif, iv] adj. **1.** Qui a la propriété de nourrir. *Principes nutritifs d'un aliment.* — Qui nourrit beaucoup. *Aliments, mets nutritifs.* ⇒ **nourrissant, riche. 2.** Relatif à la nutrition. *Les besoins nutritifs de l'homme.* ▶ *nutrition* n. f. **1.** Transformation et utilisation des aliments dans l'organisme. *Mauvaise nutrition.* ⇒ **malnutrition. 2.** En physiologie. Ensemble des phénomènes d'échange entre un organisme et le milieu, permettant la production d'énergie vitale. *La respiration est une fonction de nutrition.* ⟨ ▶ malnutrition ⟩

nyctalope [niktalɔp] adj. ■ Didact. Qui voit la nuit. *Les hiboux sont nyctalopes.*

nylon [nilɔ̃] n. m. ■ Fibre synthétique (polyamide). *Étoffe de nylon.* — *Du nylon. Bas de nylon* ou, en appos. invar., *des bas nylon.*

nymphe [nɛ̃f] n. f. **I. 1.** Déesse mythologique d'un rang inférieur. ⇒ **naïade, néréide.** — Son image sous la forme d'une jeune femme nue. **2.** Plaisant. Jeune fille ou jeune femme, au corps gracieux. **II.** Deuxième stade de la métamorphose des insectes. *Nymphe de papillon.* ⇒ **chrysalide.** ▶ *nymphomanie* n. f. ■ Exagération pathologique des désirs sexuels chez la femme ou chez certaines femelles. ▶ *nymphomane* adj. et n. f. ■ Femme atteinte de nymphomanie. — Abrév. fam. *Nympho.*

nymphéa [nɛ̃fea] n. m. ■ Nénuphar blanc.

O

O [o] n. m. invar. **1.** Quinzième lettre, quatrième voyelle de l'alphabet. *O accent circonflexe (ô).* — REM. *O* est ouvert [ɔ] dans *sole,* fermé [o] dans *rose,* nasalisé [ɔ̃] dans *bon.* **2.** Abrév. de *Ouest.*

Ô [o] interj. **1.** Interjection servant à invoquer. *Ô ciel !* **2.** Interjection traduisant un vif sentiment. *Ô non !* ≠ *ho, oh.*

oasis [ɔazis] n. f. invar. **1.** Endroit d'un désert qui présente de la végétation, un point d'eau. *Une belle oasis. Les oasis sahariennes.* **2.** Lieu ou moment reposant, chose agréable (dans un milieu hostile, une situation pénible).

obédience [ɔbedjɑ̃s] n. f. **1.** Littér. Obéissance ou soumission. / contr. **indépendance** / **2.** D'OBÉDIENCE, DANS L'OBÉDIENCE : sous la domination (politique) ou l'influence. *Les pays d'obédience communiste.*

obéir [ɔbeiʀ] v. tr. ind. ▪ conjug. 2. — OBÉIR À. **1.** Se soumettre (à qqn) en se conformant à ce qu'il ordonne ou défend. *Enfant qui obéit à ses parents. Elle sait se faire obéir.* ⇒ **écouter.** — (Sans compl.) *Il faut obéir.* ⇒ se **soumettre.** *Je commande, obéissez !* / contr. **désobéir, résister** / **2.** Se conformer, se plier (à ce qui est imposé par autrui ou par soi-même). *Obéir à un ordre,* l'exécuter. *Obéir à sa conscience. Il obéissait à un mouvement de pitié.* ⇒ **céder** à. **3.** (Choses) Être soumis (à une volonté). *L'outil obéit à la main.* — Être soumis (à une nécessité, une force, une loi naturelle). *Les corps matériels obéissent à la loi de la gravitation.* ▶ *obéissance* [ɔbeisɑ̃s] n. f. ▪ Le fait d'obéir ; action, état de celui qui obéit. ⇒ **soumission.** / contr. **désobéissance, insoumission** / *Vous lui devez l'obéissance. Jurer obéissance à qqn.* ▶ *obéissant, ante* adj. ▪ Qui obéit volontiers. ⇒ **discipliné, docile, soumis.** *Enfant obéissant.* ⇒ **sage.** / contr. **désobéissant** / ⟨ ▶ désobéir ⟩

obélisque [ɔbelisk] n. m. **1.** Dans l'art égyptien. Colonne en forme d'aiguille quadrangulaire surmontée d'une pointe pyramidale. *L'obélisque de Louksor.* **2.** Monument ayant cette forme.

obéré, ée [ɔbeʀe] adj. ▪ Chargé (de dettes).

obèse [ɔbɛz] adj. et n. ▪ (Personnes) Qui est anormalement gros. ⇒ **énorme.** *Il est devenu obèse.* — N. *Un, une obèse.* / contr. **maigre** / ▶ *obésité* n. f. ▪ État d'une personne obèse./ contr. **maigreur** /

objecter [ɔbʒɛkte] v. tr. ▪ conjug. 1. **1.** Opposer (une objection) pour réfuter (une opinion, une affirmation). *Objecter de bonnes raisons à, contre un argument. Objecter que* (+ indicatif). ⇒ **répondre, rétorquer.** *Vous ne pouvez rien m'objecter.* **2.** Opposer (un fait, un argument) à un projet, une demande, pour les repousser. *Objecter la fatigue pour ne pas sortir.* ⇒ **prétexter.** *Il nous a objecté qu'il n'avait pas le temps.* — Alléguer comme un obstacle ou un défaut, pour rejeter la demande de qqn. *On lui objecta son jeune âge ; qu'il était trop jeune.* ▶ *objecteur de conscience* n. m. ▪ Celui qui refuse d'accomplir ses obligations militaires, en alléguant que ses convictions lui enjoignent le respect absolu de la vie humaine. *Des objecteurs de conscience.* ⟨ ▶ objection ⟩

① *objectif, ive* [ɔbʒɛktif, iv] adj. **1.** En philosophie. Qui existe hors de l'esprit, comme un objet indépendant de l'esprit. *L'espace et le temps n'ont pour Kant aucune réalité objective.* / contr. **subjectif** / **2.** Se dit d'une description de la réalité (ou d'un jugement sur elle) indépendante des intérêts, des goûts, des préjugés de celui qui la fait. / contr. **subjectif** / *Faire un rapport objectif des faits. Il a écrit un article objectif sur les conflits sociaux.* **3.** (Personnes) Dont les jugements ne sont altérés par aucune préférence d'ordre personnel. ⇒ **impartial.** *Historien objectif. Soyez plus objectif.* / contr. **partial** / ▶ *objectivement* adv. ▪ D'une manière objective. ▶ *objectivité* n. f. **1.** En philosophie. Caractère de ce qui existe indépendamment de l'esprit. / contr. **subjectivité** / **2.** Caractère de ce qui représente fidèlement un objet. *L'objectivité d'une œuvre d'art.* **3.** Qualité de ce ou de celui qui est impartial. *Vous manquez d'objectivité.* ⇒ **impartialité.**

② *objectif* n. m. ▪ Système optique formé de lentilles qui donne une image photographique des objets. *Objectif d'un appareil photographique, d'une caméra. Obturateur, diaphragme d'un objectif.* — *Braquer son objectif sur qqn,* pour le photographier. ⟨ ▶ téléobjectif ⟩

③ *objectif* n. m. **1.** But à atteindre. — Point contre lequel est dirigée une opération stratégique ou tactique. *Nos troupes ont atteint leur objectif.* **2.** But précis que se propose l'action. ⇒ **objet** (II, 3). *Ce sera notre premier objectif. Il met tout en œuvre pour atteindre son objectif. Il a pour objectif la réussite.*

objection [ɔbʒɛksjɔ̃] n. f. **1.** Argument que l'on oppose à une opinion, à une affirmation pour la réfuter. *Faire, formuler une objection.* ⇒ **objecter.** **2.** Ce que l'on oppose à une suggestion, une proposition pour la repousser. *Si vous n'y voyez pas* *d'objection.* ⇒ **inconvénient, obstacle.** *J'ai une objection.*

objectivité ⇒ ① **objectif.**

objet [ɔbʒɛ] n. m. **I.** Concret. Chose solide ayant unité et indépendance et répondant à une certaine destination. ⇒ **chose** ; fam. **machin, truc.** *Forme, matière, grandeur d'un objet. Manier un objet avec précaution.* — *Bureau des objets trouvés,* où leurs propriétaires peuvent les réclamer. OBJETS D'ART : ayant une valeur artistique (à l'exception de ce qu'on appelle *œuvre d'art* et des meubles). *Magasin d'antiquités et d'objets d'art.* **II.** Abstrait. **1.** Tout ce qui se présente à la pensée, qui est occasion ou matière pour l'activité de l'esprit. *L'objet de ses réflexions.* ⇒ **matière, sujet. 2.** Ce qui est donné par l'expérience, existe indépendamment de l'esprit (opposé au *sujet qui pense*). *Le sujet et l'objet.* ⇒ ① **objectif. 3.** Ce vers quoi tendent les désirs, la volonté, l'effort et l'action. ⇒ **but, fin,** ③ **objectif.** *L'objet de nos vœux.* — *Cette plainte est dès lors* SANS OBJET : n'a plus de raison d'être. — *Cette circulaire* A POUR OBJET *la salubrité publique* : elle concerne la salubrité. — FAIRE, ÊTRE L'OBJET DE : subir. *Ce malade fait l'objet, est l'objet d'une surveillance constante.* **4.** COMPLÉMENT D'OBJET *d'un verbe* : désignant la chose, la personne, l'idée sur lesquelles porte l'action marquée par le verbe. *Complément d'objet direct,* directement rattaché au verbe sans l'intermédiaire d'une préposition (ex. : je prends *un crayon*). *Complément d'objet indirect,* rattaché au verbe par l'intermédiaire d'une préposition (ex. : j'obéis *à vos ordres*).

objurgation [ɔbʒyʁɡɑsjɔ̃] n. f. Surtout au plur. **1.** Parole vive par laquelle on critique qqn et on essaie de l'empêcher d'agir comme il se propose de le faire. ⇒ **admonestation, remontrance.** / contr. **encouragement** / *Céder aux objurgations de qqn.* **2.** Prière instante. *Il s'épuise en objurgations inutiles.*

oblat, ate [ɔbla, at] n. ■ Personne qui est entrée dans une communauté religieuse, mais sans prononcer les vœux.

① *obliger* [ɔbliʒe] v. tr. ▪ conjug. 3. **1.** Contraindre ou lier (qqn) par une obligation d'ordre juridique ou moral. / contr. **dispenser de** / *La loi, l'honneur nous oblige à faire cela.* — Pronominalement (réfl.). *S'obliger à,* se lier par une obligation, promettre. *Je m'oblige à vous rembourser.* **2.** Mettre (qqn) dans la nécessité de (faire qqch.). ⇒ **astreindre, contraindre, forcer.** *Rien ne vous oblige à venir.* ▶ ① *obligé, ée* adj. ■ (Choses) Qui résulte d'une obligation ou d'une nécessité. ⇒ **indispensable, obligatoire.** — Fam. *C'est obligé !,* c'est forcé. ▶ ① *obligation* [ɔbliɡɑsjɔ̃] n. f. **1.** Ce qui contraint une personne à donner, à faire ou à ne pas faire qqch. *Contracter une obligation juridique.* — Titre négociable. *Actions et obligations.* **2.** Lien moral qui assujettit l'individu à une loi religieuse, morale ou sociale. ⇒ **devoir.** *Il doit remplir ses obligations militaires.* **3.** *Obligation de* (+ infinitif). ⇒ **nécessité.** *Il est dans l'obligation d'emprunter de l'argent.* — (+ nom) *Essai sans obligation d'achat.* ⇒ **engagement.** ▶ *obligatoire* adj. **1.** Qui a la force d'obliger, qui a un caractère d'obligation (①, 2). / contr. **facultatif** / *Instruction gratuite et obligatoire.* **2.** Fam. Inévitable, nécessaire. ⇒ **forcé,** ① **obligé.** *Il a raté son examen, c'était obligatoire !* ▶ *obligatoirement* adv. ■ D'une manière obligatoire. — Fam. Forcément.

② *obliger* v. tr. ▪ conjug. 3. ■ Rendre service, faire plaisir à (qqn) de sorte qu'il ait de la reconnaissance, des obligations. ⇒ **aider.** *Vous m'obligeriez en faisant ceci, si vous faisiez ceci.* ▶ ② *obligé, ée* adj. ■ Attaché, lié par un service rendu. ⇒ **redevable.** *Je vous suis très obligé. Je vous serais obligé de* (+ infinitif), reconnaissant. — N. *Je suis votre obligé.* ▶ *obligeant, ante* [ɔbliʒɑ̃, ɑ̃t] adj. ■ Qui aime à obliger, à faire plaisir en rendant service. ⇒ **complaisant, serviable.** *C'est un garçon très obligeant.* ▶ *obligeamment* [ɔbliʒamɑ̃] adv. ■ *Il nous a aidés très obligeamment.* ▶ *obligeance* n. f. ■ Disposition à rendre service, à se montrer obligeant. *Nous vous remercions de votre obligeance.* ▶ ② *obligation* n. f. ■ Surtout au plur. Lien moral envers qqn en qui on a de la reconnaissance. *J'ai (bien) des obligations envers lui.* ⟨ ▶ **désobligeant** ⟩

oblique [ɔblik] adj. et n. **1.** Qui n'est pas perpendiculaire (à une ligne, à un plan réels ou imaginaires) et notamment, qui n'est ni vertical ni horizontal. *Ligne oblique. Position oblique d'un store, d'un dossier de chaise longue.* ⇒ **incliné.** *Rayons obliques du soleil couchant.* — *Regard oblique,* peu franc. — N. f. *Une oblique, ligne oblique.* **2.** EN OBLIQUE loc. adv. : dans une direction oblique, en diagonale. ▶ *obliquement* adv. ■ Dans une direction ou une position oblique. ⇒ **de biais, de côté.** ▶ *obliquer* v. intr. ▪ conjug. 1. ■ Aller, marcher en ligne oblique. ⇒ **dévier.** *La voiture a obliqué vers la gauche.* ▶ *obliquité* [ɔblikite] n. f. ■ Caractère ou position de ce qui est oblique. ⇒ **inclinaison.** *L'obliquité des rayons du soleil.*

① *oblitérer* [ɔblitere] v. tr. ▪ conjug. 6. ■ *Oblitérer un timbre,* l'annuler par l'apposition d'un cachet qui le rend impropre à servir une seconde fois. — Au p. p. adj. *Timbre oblitéré.* ▶ *oblitération* n. f. ■ *L'oblitération de ce timbre est très nette.*

② *oblitérer* v. tr. ▪ conjug. 6. ■ Médecine. Obstruer, boucher (un canal, une artère...).

oblong, ongue [ɔblɔ̃, ɔ̃ɡ] adj. **1.** Qui est plus long que large. ⇒ **allongé.** *Un visage oblong.* **2.** (Livres, albums) Qui est moins haut que large. *Format oblong.*

obnubiler [ɔbnybile] v. tr. ▪ conjug. 1. ■ ÊTRE OBNUBILÉ PAR : être fasciné, obsédé par (qqn, qqch.) et en oublier tout le reste. *Il est complètement obnubilé par cette idée, par l'examen qu'il doit passer.*

obole [ɔbɔl] n. f. ■ Modeste offrande, petite contribution en argent. *Apporter son obole à une souscription.*

obscène [ɔpsɛn] adj. ■ Qui blesse délibérément la pudeur par des représentations d'ordre sexuel. ⇒ **licencieux, pornographique.** *Gestes, remarques obscènes.* ⇒ **impudique, indécent.** ▶ *obscénité* [ɔpsenite] n. f. **1.** Caractère de ce qui est obscène. ⇒ **immoralité, indécence. 2.** Parole, action obscène. *Dire des obscénités.* ⇒ **grossièreté.**

obscur, ure [ɔpskyʁ] adj. **I. 1.** Qui est privé (momentanément ou habituellement) de lumière. ⇒ **noir, sombre.** *Des ruelles obscures.* / contr. **clair, lumineux** / — *Salles obscures,* salles de cinéma. **2.** Qui est foncé, peu lumineux. ⇒ **sombre.** *Teinte obscure.* **II.** Abstrait. **1.** Qui est difficile à comprendre, à expliquer (par sa nature ou par la faute de celui qui expose). ⇒ **incompréhensible.** *Des phrases embrouillées et obscures. Déchiffrer, éclaircir un texte obscur.* **2.** Qui n'est pas net ; que l'on sent, perçoit ou conçoit confusément. ⇒ **vague.** *Un sentiment obscur, un obscur sentiment d'envie.* **3.** Qui n'est pas clair, douteux. *Une obscure affaire de mœurs.* **4.** (Personnes) Qui n'a aucun renom. ⇒ **ignoré, inconnu.** / contr. **célèbre, illustre** / *Un poète obscur.* **5.** Littér. Simple, humble. *Vie obscure. Besognes obscures.* ▶ *obscurantisme* n. m. ■ Le fait d'empêcher la diffusion de l'instruction, de la culture. ▶ *obscurcir* [ɔpskyʁsiʁ] v. tr. ▪ conjug. 2. **I. 1.** Priver de lumière, de clarté. ⇒ **assombrir.** *Ce gros arbre obscurcit la pièce.* — Pronominalement (réfl.). *Le ciel*

s'obscurcit, il va pleuvoir. **2.** Troubler, affaiblir (la vue). — Au p. p. *Ses yeux obscurcis par la fumée.* ⇒ **voilé.** **II.** Abstrait. Rendre peu intelligible. *Il obscurcissait tout ce qu'il voulait expliquer.* ▸ **obscurcissement** n. m. **1.** Action d'obscurcir ; perte de lumière, d'éclat. *Obscurcissement du ciel.* **2.** Le fait de rendre peu intelligible ou peu clairvoyant. ▸ **obscurément** adv. **1.** D'une manière vague, insensible. *Il sentait obscurément qu'il allait mourir.* ⇒ **confusément.** **2.** De manière à rester ignoré. *Il a choisi de vivre obscurément.* ▸ **obscurité** n. f. **I.** Absence de lumière ; état de ce qui est obscur. ⇒ **noir, nuit, ténèbres.** *Obscurité complète. Il a peur dans l'obscurité.* **II.** Abstrait. **1.** Défaut de clarté, d'intelligibilité. *L'obscurité d'un poème.* — État de ce qui est mal connu. *L'obscurité des origines de l'Homme.* **2.** (*Une, des obscurités*) Passage, point obscur. *Il fallait expliquer les obscurités de ce texte.* **3.** Situation sans éclat, où l'on reste obscur. ⇒ **médiocrité.** *Il vit dans l'obscurité après avoir eu un moment de célébrité.*
⟨ ▸ clair-obscur ⟩

obséder [ɔpsede] v. tr. ▪ conjug. 6. ▪ Tourmenter de manière incessante ; s'imposer sans répit à la conscience. ⇒ **hanter, poursuivre.** *Le remords l'obsède. Il est obsédé par la peur d'échouer.* ▸ **obsédant, ante** adj. ▸ **obsédé, ée** n. ▪ Personne qui est en proie à une idée fixe, à une obsession. ⇒ **maniaque.** *Un obsédé sexuel.* ⟨ ▸ obsession ⟩

obsèques [ɔpsɛk] n. f. pl. ▪ Dans le langage officiel. Cérémonie et convoi funèbre. ⇒ **enterrement, funérailles.** *Obsèques nationales.*

obséquieux, euse [ɔpsekjø, øz] adj. ▪ Qui exagère les marques de politesse, par servilité ou hypocrisie. ⇒ **plat, rampant.** *Je déteste les gens obséquieux.* — *Une politesse obséquieuse.* ▸ **obséquieusement** adv. ▸ **obséquiosité** n. f. ▪ Attitude, comportement d'une personne obséquieuse. ⇒ **platitude, servilité.**

observable [ɔpsɛRvabl] adj. ▪ Qui peut être observé (II).

observance [ɔpsɛRvɑ̃s] n. f. **1.** Action de pratiquer (une règle religieuse). ⇒ **observation** (I), **pratique.** *L'observance de la règle.* **2.** Manière dont la règle est observée (I) dans une communauté religieuse. *Un monastère d'une sévère observance.*

observer [ɔpsɛRve] v. tr. ▪ conjug. 1. **I.** Se conformer de façon régulière à (une prescription). *C'est une loi qu'il faut observer.* / contr. **enfreindre, violer** / — *Observer le silence.* ⇒ **garder.** **II.** **1.** Considérer avec attention, afin de connaître, d'étudier. ⇒ **contempler, examiner, regarder.** *Il observe tout.* — Soumettre à l'observation scientifique. *Observer un phénomène, une réaction.* **2.** Examiner en contrôlant, en surveillant. *Il observait tous nos gestes.* **3.** Épier. *Attention, on nous observe.* — *Observer les mouvements de l'ennemi.* **4.** Constater, remarquer par l'observation. ⇒ **noter.** *Je n'ai rien observé. Je vous fais observer que* (+ indicatif). **5.** Pronominalement (réfl.). Se prendre pour sujet d'observation. *Il s'observe et se décrit dans ses livres.* — Pronominalement (récipr.). *Ils s'observent sans arrêt.* ⇒ se **surveiller.** ▸ **observateur, trice** n. et adj. **1.** Personne qui observe un événement ou une catégorie d'événements. ⇒ **témoin.** *Il a été un observateur attentif.* **2.** Personne chargée d'observer (notamment dans l'armée, la diplomatie). *Envoyer des observateurs à des négociations.* **3.** Adj. Qui sait observer. *Il est très observateur.* ▸ **observation** n. f. **I.** Action d'observer (I) ce que prescrit une loi, une règle. ⇒ **obéissance, observance, respect** de. *L'observation d'un règlement.* **II.** **1.** Action de considérer avec une attention suivie la nature, l'homme, la société afin de mieux connaître. ⇒ **examen.** *Avoir*

l'esprit d'observation. **2.** Une observation, remarque, écrit exprimant le résultat de cette considération attentive. ⇒ **note, réflexion.** *Une observation très juste.* **3.** Parole, déclaration par laquelle on fait remarquer qqch. à qqn. *Elle lui en a fait l'observation.* ⇒ **objection.** — Remarque par laquelle on reproche à qqn son attitude, ses actes. ⇒ **avertissement, critique, réprimande, reproche.** *Son père lui fait sans cesse des observations.* **4.** Action d'observer scientifiquement (un phénomène) ; compte rendu des phénomènes constatés, décrits, mesurés. *Appareils, instruments d'observation. Observations météorologiques, astronomiques. L'observation et l'expérience*. *Induire qqch. de ses observations.* **5.** Surveillance attentive à laquelle on soumet un être vivant, un organe. *Il est à l'hôpital, en observation.* **6.** Surveillance systématique des activités d'un suspect, d'un ennemi. *Observation aérienne.* ▸ **observatoire** n. m. **1.** Établissement scientifique destiné aux observations astronomiques et météorologiques. *Coupole, télescope d'un observatoire.* **2.** Lieu élevé, favorable à l'observation ou aménagé en poste d'observation. *Observatoire d'artillerie.* ⟨ ▸ observable (dérivé de *observer,* II), observance (dérivé de *observer,* I) ⟩

obsession [ɔpsesjɔ̃] n. f. **1.** Idée, image, mot qui obsède, s'impose à l'esprit de façon répétée et impossible à chasser. ⇒ **hantise, idée** fixe. *Cette idée devenait une obsession.* **2.** En psychologie. Représentation, accompagnée d'états émotifs pénibles, qui tend à accaparer tout le champ de la conscience. ⇒ **manie, phobie.** ▸ **obsessionnel, elle** adj. ▪ Propre à l'obsession. *Des idées obsessionnelles. Névrose obsessionnelle.*

obsidienne [ɔpsidjɛn] n. f. ▪ Pierre, lave ressemblant au verre, de couleur foncée. *Bracelet en obsidienne.*

obsolète [ɔpsɔlɛt] adj. ▪ *Une technologie obsolète,* dépassée, qui ne répond plus aux exigences ou aux normes modernes.

obstacle [ɔpstakl] n. m. **1.** Ce qui s'oppose au passage, gêne le mouvement. *Heurter un obstacle.* — FAIRE OBSTACLE À : former un obstacle. *La police fait obstacle aux manifestants.* — Chacune des difficultés (haies, murs, rivières, etc.) semées sur le parcours des chevaux. *Course d'obstacles.* **2.** Abstrait. Ce qui s'oppose à l'action, à l'obtention d'un résultat. *Il a rencontré beaucoup d'obstacles avant de réussir.* ⇒ **difficulté, empêchement.** — *Faire obstacle à,* empêcher, gêner. *Sans rencontrer d'obstacle,* sans encombre. *Mes parents ont fait obstacle à ce voyage.* ⇒ **opposition.**

obstétrique [ɔpstetʀik] n. f. ▪ Partie de la médecine relative à la grossesse et aux accouchements.

s'obstiner [ɔpstine] v. pron. ▪ conjug. 1. ▪ Persister dans une idée, une décision sans vouloir changer. ⇒ **s'entêter.** *Il s'obstine dans son idée.* ⇒ se **buter.** / contr. **céder** / *S'obstiner à mentir.* ▸ **obstination** n. f. ▪ Caractère, comportement d'une personne qui s'obstine. ⇒ **entêtement, opiniâtreté, ténacité.** ▸ **obstiné, ée** adj. **1.** Qui s'attache avec énergie et de manière durable à une manière d'agir, à une idée. ⇒ **opiniâtre** ; entêté, têtu. **2.** (Choses) Qui marque de l'obstination. ⇒ **assidu.** *Travail obstiné.* ▸ **obstinément** adv. ▪ Avec obstination. *Refuser obstinément.*

obstruer [ɔpstʀye] v. tr. ▪ conjug. 1. ▪ Faire obstacle (à qqch.), en entravant ou en arrêtant la circulation. ⇒ **barrer, boucher, encombrer.** *Des branches obstruaient le passage. Tuyaux obstrués.* ▸ **obstruction** [ɔpstʀyksjɔ̃] n. f. **1.** Gêne ou obstacle à la circulation (dans un conduit de l'organisme). ⇒ **engorgement, occlusion.** *Obstruction de l'artère* *pulmonaire*. **2.** Tactique qui consiste à entraver les débats (dans une assemblée, un parlement). *Faire de l'obstruction pour empêcher le vote d'une loi.*

obtempérer [ɔptɑ̃peʀe] v. tr. ind. ▪ conjug. 6. ■ Style administratif. Obéir, se soumettre (à une injonction, un ordre). *Il finit par obtempérer.*

obtenir [ɔptəniʀ] v. tr. ▪ conjug. 22. **1.** Parvenir à se faire accorder, à se faire donner (ce qu'on veut avoir). ⇒ **acquérir, avoir, conquérir, recevoir** ; fam. **décrocher.** *Il a obtenu une augmentation. J'ai obtenu de partir tout de suite, que ma sœur parte avec moi.* — OBTENIR qqch., À, POUR qqn. *Il lui a obtenu une promotion.* — S'OBTENIR v. pron. passif. *Cette autorisation ne s'obtient pas facilement.* **2.** Réussir à atteindre (un résultat), à produire (qqch.). ▶ **parvenir à.** *Nous n'avons obtenu aucune amélioration. Cette opération permet d'obtenir le métal à l'état pur.* ▶ *obtention* [ɔptɑ̃sjɔ̃] n. f. ■ Didact. Le fait d'obtenir. *Formalités à remplir pour l'obtention d'un visa.*

obturer [ɔptyʀe] v. tr. ▪ conjug. 1. ■ Boucher (une ouverture, un trou). *Obturer une fuite avec du mastic.* ▶ *obturateur, trice* adj. et n. m. **1.** Adj. Qui sert à obturer. *Plaque obturatrice.* **2.** N. m. Appareil utilisé pour fermer une ouverture. — Dans un appareil photographique. Dispositif grâce auquel la lumière traversant l'objectif impressionne la surface sensible au moment voulu. *L'obturateur sert à régler la durée d'exposition.* ▶ *obturation* n. f. ■ Action d'obturer. *Obturation dentaire.*

① *obtus, use* [ɔpty, yz] adj. ■ Qui manque de finesse, de pénétration. ⇒ **borné** ; fam. **bouché.** *Esprit obtus. Elle est un peu obtuse.* / contr. **ouvert, pénétrant** /

② *obtus* adj. m. invar.■ ANGLE OBTUS : plus grand qu'un angle droit. / contr. **aigu** /

obus [ɔby] n. m. invar. ■ Projectile d'artillerie, le plus souvent creux et rempli d'explosif. *Obus incendiaires, fumigènes. Éclat d'obus. Trou d'obus.* ▶ *obusier* [ɔbyzje] n. m. ■ Canon court pouvant exécuter un tir courbe. ⇒ **mortier.**

obvier [ɔbvje] v. tr. ind. ▪ conjug. 7. ■ Littér. OBVIER À : mettre obstacle, parer (à un mal, un inconvénient). ⇒ **remédier.**

langue d'oc [lɑ̃gdok] loc. nominale fém. ■ Ensemble des dialectes des régions où *oui* se disait *oc* au Moyen Âge (opposé à *langue d'oïl*). ⇒ **occitan, provençal.**

ocarina [ɔkaʀina] n. m. ■ Petit instrument à vent, en terre cuite ou en métal, de forme ovoïde. *Des ocarinas.*

occasion [ɔka(a)zjɔ̃] n. f. **1.** Circonstance qui vient à propos, qui convient. *Je n'ai jamais eu l'occasion de la rencontrer.* — Fam. *Il a sauté sur l'occasion.* — *Il ne manquait jamais une occasion d'en parler. Profitons de cette occasion pour en parler. Occasion inespérée.* ⇒ **aubaine, chance.** — PROV. *L'occasion fait le larron*, dans certaines circonstances, la tentation incite à mal agir. — À L'OCCASION loc. adv. : quand l'occasion se présente. ▶ **éventuellement.** *J'irai vous voir, à l'occasion.* — *Il reviendra à la première occasion,* dès que l'occasion se présentera. **2.** Marché avantageux pour l'acheteur ; objet de ce marché. *J'ai trouvé une belle occasion* (fam. *occase*). — D'OCCASION : qui n'est pas neuf. *Livres, voitures d'occasion,* de seconde main. **3.** *Occasion de*, circonstance qui détermine (une action), provoque (un événement). ⇒ **cause.** *C'était l'occasion de grandes discussions. Je n'ai jamais eu l'occasion de venir.* — À L'OCCASION DE loc. prép. *À l'occasion de son anniversaire, nous avons donné une réception.* ⇒ **pour. 4.** Circonstance. *Je l'ai rencontré en plusieurs, en maintes occasions.* D'OCCASION :

accidentel, occasionnel. *Les amitiés d'occasion.* — *Dans, pour les* GRANDES OCCASIONS : les circonstances importantes de la vie sociale. *Elle ne porte ce collier que dans les grandes occasions.* ▶ *occasionnel, elle* adj. ■ Qui résulte d'une occasion (4), se produit, se rencontre par hasard. ⇒ **fortuit.** *Un congé occasionnel.* ▶ *occasionnellement* adv. ▶ *occasionner* v. tr. ▪ conjug. 1. ■ Être l'occasion (3) de (qqch. de fâcheux). ⇒ **causer, déterminer.** *Cela nous occasionnait bien des soucis, bien des dépenses.*

occident [ɔksidɑ̃] n. m. **1.** Un des quatre points cardinaux ; côté où le soleil se couche. ⇒ **couchant, ouest.** / contr. **orient** / **2.** (Avec une majuscule) Région située vers l'ouest, par rapport à un lieu donné. — Partie de l'ancien monde située à l'ouest. *L'Empire romain d'Occident.* **3.** (Avec une majuscule) En politique. L'Europe de l'Ouest et les États-Unis. *L'Occident et les pays de l'Est.* ▶ *occidental, ale, aux* adj. et n. **1.** Qui est à l'ouest. *L'Europe occidentale.* **2.** Qui se rapporte à l'Occident. *La culture occidentale.* — N. Habitant de l'Occident. *Les Occidentaux.* ▶ *occidentaliser* v. tr. ▪ conjug. 1. ■ Modifier conformément aux habitudes de l'Occident. *Occidentaliser les coutumes.* — Pronominalement (réfl.). *Les Japonais se sont occidentalisés.*

occiput [ɔksipyt] n. m. ■ Partie postérieure et inférieure de la tête. ▶ *occipital, ale, aux* adj. et n. m. ■ Qui appartient à l'occiput. *Os occipital.* — N. m. *L'occipital.*

occire [ɔksiʀ] v. tr. — REM. Seulement infinitif et p. p. *occis, ise.* ■ Vx ou plaisant. Tuer.

occitan, ane [ɔksitɑ̃, an] adj. et n. ■ Relatif aux parlers français de langue d'oc (provençal, gascon, etc.). *Littérature occitane.* — N. *Un Occitan, une Occitane.*

occlusion [ɔklyzjɔ̃] n. f. ■ Fermeture complète (d'un conduit du corps). *Occlusion intestinale. Occlusion du canal buccal dans la prononciation des occlusives.* ▶ *occlusive* n. f. ■ Consonne dont l'articulation comporte une occlusion du canal buccal, suivie d'une ouverture brusque ([p], [t], [k], [b], [d], [g]).

occulte [ɔkylt] adj. **1.** SCIENCES OCCULTES : doctrines et pratiques secrètes faisant intervenir des forces qui ne sont reconnues ni par la science, ni par la religion. *La magie est une science occulte.* **2.** Qui se rapporte aux sciences occultes. *Forces, puissances occultes.* ⇒ **secret. 3.** Qui se cache, garde le secret ou l'incognito. ⇒ **clandestin.** *Un conseiller occulte. Comptabilité occulte.* ▶ *occultisme* n. m. ■ Ensemble des sciences occultes et des pratiques qui s'y rattachent. ⇒ **ésotérisme, spiritisme.**

occulter [ɔkylte] v. tr. ▪ conjug. 1. **1.** Littér. Cacher ou rendre peu visible une source lumineuse. **2.** Abstrait. Cacher, dissimuler. *Occulter un souvenir, un problème.* ▶ *occultation* n. f. ■ Action d'occulter. *L'occultation d'un fait historique.*

① *occuper* [ɔkype] v. tr. ▪ conjug. 1. **1.** Prendre possession de (un lieu). *Occuper le terrain,* le tenir en s'y installant solidement. *Occuper un pays vaincu,* le soumettre à une occupation militaire. *Occuper une usine.* **2.** Remplir, couvrir un certain espace. *Il occupe deux sièges. L'armoire occupe trop de place.* ▶ **prendre. 3.** Habiter. *Ils occupent le rez-de-chaussée.* — Au p. p. adj. *Appartement occupé.* / contr. **libre** / **4.** Remplir une fonction. *Il occupe le poste de secrétaire général depuis peu.* **5.** Employer, meubler (du temps). *Occuper ses loisirs à jouer au tennis.* ▶ *occupant, ante* n. et adj. **1.** N. Personne qui occupe un lieu. *Le premier occupant,* celui qui a pris le premier possession d'un lieu. — Personne qui est dans un véhicule. *Les deux occupants ont été tués dans l'accident.* **2.** Adj. Qui occupe militairement un pays, un territoire. *L'armée, l'autorité occupante.* — N. *Les occupants.* ▶ ① *occupation* n. f. **1.** Action d'occuper, de s'installer par la force. *Armée d'occupation.* — Période pendant laquelle la France fut occupée par les Allemands. *Pendant l'Occupation.* **2.** Prise de possession (d'un lieu). *L'occupation des locaux.* ▶ ① *occupé, ée* adj. ■ (Choses) Dont on a pris possession ; où qqn se trouve. *Siège occupé, place occupée.* / contr. **vide** / *Ce taxi est occupé.* / contr. **libre** / *J'ai voulu téléphoner, mais la ligne était occupée (mais c'était occupé).* ⟨ ▶ inoccupé (1), réoccuper ⟩

② *occuper* v. tr. et pron. ▪ conjug. 1. **I.** V. tr. Employer (qqn à un travail). *Je l'ai occupé à classer mes livres.* — Sans compl. ind. *Ça t'occupera.* **II.** S'OCCUPER v. pron. réfl. *S'occuper d'une affaire,* y employer son temps, ses soins. *S'occuper de politique. Ne vous occupez pas de ça,* n'en tenez pas compte ; ne vous en mêlez pas. *Occupe-toi de tes affaires (de tes oignons),* mêle-toi de ce qui te regarde. — *S'occuper de qqn,* veiller sur lui ou le surveiller. *Il s'occupe,* il trouve qqch. à faire. ▶ ② *occupation* n. f. ■ Ce à quoi on consacre son activité, son temps. *Nous avons de multiples occupations.* — Travail susceptible d'occuper. *Elle voudrait avoir une occupation.* ▶ ② *occupé, ée* adj. ■ (Personnes) Qui se consacre (à un travail). *Il est occupé à la rédaction de ses Mémoires, à repeindre sa maison.* — Qui est très pris. *Il est très occupé.* / contr. **désœuvré, inactif** / ⟨ ▶ inoccupé (2), préoccuper ⟩

occurrence [ɔkyrɑ̃s] n. f. **1.** Littér. Cas, circonstance. **2.** Loc. EN L'OCCURRENCE : dans le cas présent. *La personne responsable, en l'occurrence M. Dupont.*

océan [ɔseɑ̃] n. m. **1.** Vaste étendue d'eau salée qui couvre une grande partie de la surface du globe terrestre. ⇒ **mer.** *L'océan Atlantique, Indien, Pacifique.* — *Les plages de l'Océan* (atlantique). **2.** Abstrait. Vaste étendue (de qqch.). *Océan de verdure.* ▶ *océanique* [ɔseanik] adj. **1.** Qui appartient, est relatif à l'océan. **2.** Qui est au bord de la mer, qui subit l'influence de l'océan. *Climat océanique.* ▶ *océanographie* [ɔseanɔgrafi] n. f. ■ Étude scientifique des mers et océans. ▶ *océanographe* n. ■ Spécialiste d'océanographie. ▶ *océanographique* adj. ■ De l'océanographie.

océanien, ienne [ɔseanjɛ̃, jɛn] adj. et n. ■ Relatif à l'Océanie. — N. *Les Océaniens.*

ocelle [ɔsɛl] n. m. ■ Tache arrondie dont le centre et le tour sont de deux couleurs différentes (ailes de papillons, plumes d'oiseaux). ▶ *ocellé, ée* adj. ■ Parsemé d'ocelles. *Paon ocellé.*

ocelot [ɔslo] n. m. ■ Grand chat sauvage à pelage roux tacheté de brun. ⇒ **chat-tigre.** — Fourrure de cet animal. *Manteau d'ocelot.*

ocre [ɔkr] n. f. **1.** Colorant minéral naturel, jaune-brun ou rouge. **2.** Couleur d'un brun-jaune ou orange. — Adj. invar. *Poudre ocre pour fard.* ▶ *ocré, ée* adj. ■ Teint en ocre.

oct(a)-, octi-, octo- ■ Éléments savants signifiant « huit ». ▶ *octaèdre* [ɔktaɛdr] n. m. ■ Polyèdre à huit faces.

octane [ɔktan] n. m. ■ INDICE D'OCTANE : pourcentage d'un élément des carburants (essence) qui caractérise leur pouvoir antidétonant.

octave [ɔktav] n. f. ■ En musique. Intervalle parfait de huit degrés de l'échelle diatonique (par ex., de *do* à *do*).

octobre [ɔktɔbr] n. m. ■ Dixième mois de l'année. *Octobre a 31 jours.*

octogénaire [ɔktɔʒenɛr] adj. et n. ■ Âgé de quatre-vingts ans.

octogone [ɔktɔgɔn] n. m. ■ Polygone à huit côtés. ▶ *octogonal, ale, aux* adj. ■ Qui a huit angles et huit côtés.

octosyllabe [ɔktɔsi(l)lab] adj. et n. m. ■ Qui a huit syllabes. — N. m. Vers de huit syllabes.

① *octroi* [ɔktrwa] n. m. ■ Contribution indirecte que certaines municipalités étaient autorisées à percevoir sur les marchandises de consommation locale (droits d'entrée). ⇒ **douane.** — Administration qui était chargée de cette contribution. *Le bureau, la barrière de l'octroi.*

octroyer [ɔktrwaje] v. tr. ▪ conjug. 8. ■ Accorder à titre de faveur, de grâce. ⇒ **concéder.** — Pronominalement (réfl.). *Il s'octroie encore quelques jours.* ▶ ② *octroi* n. m. ■ Littér. Action d'octroyer. *L'octroi de cette faveur.*

oculaire [ɔkylɛr] adj. et n. m. **I.** Adj. **1.** De l'œil, relatif à l'œil. *Globe oculaire.* **2.** *Témoin oculaire,* qui a vu de ses propres yeux. **II.** N. m. Dans un instrument d'optique. Lentille ou système de lentilles près duquel on applique l'œil. ▶ *oculiste* n. ■ Médecin spécialiste des troubles de la vision. ⇒ **ophtalmologiste.**

odalisque [ɔdalisk] n. f. ■ Femme vivant dans un harem.

ode [ɔd] n. f. **1.** Dans la littérature grecque. Poème lyrique destiné à être chanté ou dit avec accompagnement de musique. *Les odes de Pindare.* **2.** Poème lyrique d'inspiration élevée. *Les Odes de Ronsard.*

odeur [ɔdœr] n. f. **1.** Sensation que produisent sur l'odorat certaines émanations. *Avoir une bonne, une mauvaise odeur.* ⇒ **parfum, puanteur ; sentir** (bon, mauvais). *Odeur de brûlé, de moisi, de renfermé. Chasser les mauvaises odeurs avec un désodorisant.* **2.** Loc. *Ne pas être en odeur de sainteté auprès de qqn,* être mal vu par qqn. ⟨ ▶ odorant, odorat, odoriférant ⟩

odieux, euse [ɔdjø, øz] adj. **1.** Qui excite la haine, le dégoût, l'indignation. ⇒ **antipathique, détestable, exécrable.** *C'est un homme odieux.* — *Un crime particulièrement odieux.* **2.** Très désagréable, insupportable. *Le gosse a été odieux aujourd'hui.* / contr. **adorable, aimable, charmant** / ▶ *odieusement* adv. ■ *Il a été odieusement traité.*

-odonte, odonto- ■ Éléments savants signifiant « dent ». ▶ *odontologie* [ɔdɔ̃tɔlɔʒi] n. f. ■ Étude et traitement des dents.

odorant, ante [ɔdɔrɑ̃, ɑ̃t] adj. ■ Qui exhale une odeur. *Des fleurs très odorantes.* ⇒ **odoriférant.**

odorat [ɔdɔra] n. m. ■ Sens par lequel on perçoit les odeurs, situé dans les fosses nasales. *Une odeur qui chatouille agréablement l'odorat. De l'odorat.* ⇒ **olfactif.**

odoriférant, ante [ɔdɔriferɑ̃, ɑ̃t] adj. ■ Qui répand une odeur agréable. *Plantes odoriférantes.*

odyssée [ɔdise] n. f. ■ Voyage particulièrement riche en événements (à cause des aventures d'Ulysse contées dans l'Odyssée). — Vie agitée à l'image d'un tel voyage.

œcuménique [ekymenik] adj. ■ En religion. Universel. *Congrès œcuménique.* ▶ *œcuménisme* n. m. ■ Mouvement favorable à la réunion de toutes les Églises chrétiennes en une seule.

œdème [edɛm] n. m. ■ Gonflement indolore et sans rougeur au niveau de la peau, causé par une infiltration de sérosités.

① **œil** [œj], plur. **yeux** [jø] n. m. **I. 1.** Organe de la vue (globe oculaire et ses annexes, nerf optique). *Le globe de l'œil est logé dans l'orbite. Avoir de bons yeux, qui voient bien. S'user les yeux à lire. Perdre un œil, les deux yeux, devenir borgne, aveugle. Maladie, médecine des yeux.* ⇒ **ophtalm(o)-.** — Ce que l'on voit de l'œil. *De grands, de petits yeux. Yeux globuleux, enfoncés, bridés. Ses yeux brillent.* — Loc. *Ce n'est pas pour ses beaux yeux qu'elle a fait cela,* ce n'est pas par amour pour lui, mais dans son intérêt à elle. — *Lever, baisser les yeux.* ⇒ **regard.** *Faire les* GROS YEUX *à qqn* : le regarder d'un air mécontent, sévère. — *Ouvrir, fermer les yeux. Des yeux ronds,* agrandis par l'étonnement. *Écarquiller les yeux* (même sens). — *Ouvrir, l'œil,* fam. *l'œil et le bon,* être très attentif, vigilant. *Il m'a ouvert les yeux,* il m'a fait comprendre ce que je ne savais pas. — *Ne pas fermer l'œil de la nuit,* ne pas dormir. *Fermer les yeux de qqn* (qui vient de mourir). — *Fermer les yeux,* faire, par tolérance, lâcheté, etc., comme si on n'avait pas vu. *Je ferme les yeux sur ses mensonges. J'irais là-bas les yeux fermés,* sans avoir besoin de la vue (tant le chemin m'est familier). *Accepter qqch. les yeux fermés,* en toute confiance. — (Dans l'action de la vue) *Voir une chose de ses yeux, de ses propres yeux.* Objet visible À L'ŒIL NU : sans l'aide d'aucun instrument d'optique. À VUE D'ŒIL : d'une manière très visible ; approximativement. *À vue d'œil, cette rue mesure cent mètres.* — *Regarder qqn dans les yeux. Lorgner, surveiller* DU COIN DE L'ŒIL : d'un regard en coin. — Fam. *Ne pas avoir les yeux en face des trous,* ne pas y voir clair. — *Personne, travail qui me (te, lui) sort par les yeux,* qu'on a trop vu et qu'on ne peut plus supporter. **2.** Regard. *Chercher, suivre qqn des yeux. Sous mes yeux,* à ma vue, devant moi. *Aux yeux de tous. Je lui ai mis sous les yeux tous les documents,* je les lui ai montrés. — MAUVAIS ŒIL : regard auquel on attribue la propriété de porter malheur. *Croire au mauvais œil.* — COUP D'ŒIL : regard rapide, prompt. *Remarquer qqch. au premier coup d'œil. Jeter un coup d'œil sur le journal,* le parcourir rapidement. — L'art d'observer promptement et exactement ; discernement. *La justesse et la sûreté du coup d'œil.* — Vue qu'on a d'un point sur un paysage. *D'ici, le coup d'œil est très beau.* **4.** Dans des expressions. Attention portée par le regard. *Cela attire l'œil du touriste.* — *Être tout yeux, tout oreilles,* regarder, écouter très attentivement. *N'avoir pas les yeux dans sa poche,* tout observer. — *Elle n'a d'yeux que pour son fiancé,* elle ne voit que lui. — Fam. *Avoir, tenir qqn à l'œil,* sous une surveillance qui ne se relâche pas. — *Avoir l'œil à tout,* veiller à tout. *L'œil du maître.* **5.** Abstrait. Disposition, état d'esprit, jugement. *Voir qqch. d'un bon œil, d'un mauvais œil,* d'une manière favorable ou défavorable. *Il considère tout avec un œil critique. Tout cela n'avait aucun intérêt à ses yeux,* selon son appréciation. **6.** Loc. *Faire de l'œil à qqn,* des œillades amoureuses. — *Tourner de l'œil,* s'évanouir. — *Je m'en bats l'œil,* je m'en moque. — *Entre quatre yeux* (fam. *entre quatre-z-yeux* [ɑ̃trəkatzjø]), en tête à tête. — *Œil pour œil, dent pour dent,* expression de la loi du talion. — À L'ŒIL loc. adv. fam. : gratuitement. *J'ai pu entrer à l'œil au cinéma.* — Fam. MON ŒIL ! : se dit pour marquer l'incrédulité, le refus. **II. 1.** *Œil de verre,* œil artificiel. **2.** *Œil électrique,* cellule photo-électrique. ▶ **œil-de-bœuf** n. m. ■ Fenêtre, lucarne ronde ou ovale. *Des œils-de-bœuf.* ▶ **œil-de-perdrix** n. m. ■ Cor entre les doigts de pied. *Des œils-de-perdrix.* ▶ **œillade** [œjad] n. f. ■ Regard, clin d'œil plus ou moins furtif, de connivence ou de coquetterie. *Lancer, faire une œillade.* ▶ **œillère** [œjɛʀ] n. f. **1.** Plaque de cuir attachée au montant de la bride et empêchant le cheval de voir sur le côté. **2.** Loc. AVOIR DES ŒILLÈRES : ne pas voir certaines

choses par étroitesse d'esprit ou par parti pris. ⟨ ▶ clin d'œil, tape-à-l'œil, trompe-l'œil ⟩

② **œil,** plur. **yeux** n. m. **1.** Se dit d'ouvertures, de trous ronds. *Œil d'une aiguille.* ⇒ **chas. 2.** Au plur. *Yeux du fromage de gruyère,* trous qui se forment dans la pâte. — *Les yeux du bouillon,* les petits ronds de graisse qui surnagent. **3.** Bourgeon naissant. ▶ ① **œillet** [œjɛ] n. m. ■ Petit trou pratiqué dans une étoffe, du cuir, etc., souvent cerclé, servant à passer un lacet, à attacher un bouton. *Œillets d'une chaussure, d'une ceinture.* — Par ext. Bordure rigide qui entoure un œillet. *Renforcer une feuille perforée par, avec des œillets.* ▶ **œilleton** [œjtɔ̃] n. m. ■ Petit viseur circulaire.

② **œillet** n. m. **1.** Plante cultivée pour ses fleurs rouges, roses, blanches, très odorantes ; ces fleurs. **2.** *Œillet d'Inde,* plante ornementale à fleurs orangées ou jaunes.

œillette [œjɛt] n. f. ■ Variété de pavot cultivée pour ses graines dont on extrait une huile comestible. — Cette huile.

œn-, œno- ■ Éléments savants signifiant « vin ». ▶ **œnologie** [enɔlɔʒi] n. f. ■ Étude des techniques de fabrication et de conservation des vins.

œsophage [ezɔfaʒ] n. m. ■ Partie de l'appareil digestif, canal qui va du pharynx à l'estomac.

œuf, plur. **œufs** [œf, ø] n. m. **I. 1.** Corps plus ou moins gros, dur et arrondi que produisent les femelles des oiseaux et qui contient le germe de l'embryon et les substances destinées à le nourrir pendant l'incubation. *Oiseau qui pond un œuf dans son nid.* — Coquille d'œuf ; blanc, jaune de l'œuf. Œuf de poule, de pigeon. — Œuf de poule, spécialement destiné à l'alimentation. *Marchand de beurre, œufs et fromages. Œufs frais, du jour. Œuf dur,* cuit dans sa coquille jusqu'à ce que le blanc et le jaune soient durs. *Œufs brouillés,* mêlés sans être battus. *Œufs au plat, frits. Œufs en, à la neige,* blancs d'œufs battus et pochés servis avec une crème. **2.** Produit des femelles ovipares (autres que les oiseaux). *Œufs de serpent, de grenouille. Œufs d'esturgeon* ⇒ **caviar,** *de saumon.* **3.** Loc. *Tête d'œuf* (terme d'injure). — *Plein comme un œuf,* rempli. — *Marcher sur des œufs,* en touchant le sol avec précaution ; abstrait, d'un air mal assuré, gauchement. — Loc. prov. *Mettre tous ses œufs dans le même panier,* mettre tous ses moyens dans une même entreprise (et s'exposer ainsi à tout perdre). — DANS L'ŒUF : dans le principe, avant la naissance, l'apparition de qqch. *Il faut étouffer cette affaire dans l'œuf.* — Fam. *Quel œuf !, quel imbécile !* — Fam. *Va te faire cuire un œuf !,* formule pour se débarrasser d'un importun. **4.** Confiserie en forme d'œuf. ŒUF DE PÂQUES : en chocolat ou en sucre. **II.** (Animal ou végétal) Première cellule d'un être vivant à reproduction sexuée, née de la fusion des noyaux de deux cellules reproductrices. *Les vrais jumeaux proviennent du même œuf.*

œuvre [œvʀ] n. f. et m. **I.** N. f. **1.** Activité, travail (dans certaines locutions). — À L'ŒUVRE. *Être à l'œuvre,* au travail. *Se mettre à l'œuvre.* — D'ŒUVRE. *Maître d'œuvre,* personne qui organise, qui dirige un travail. — METTRE EN ŒUVRE : employer de façon ordonnée. *Il mettait tout en œuvre pour que son projet réussisse.* **2.** Au plur. Action humaine, jugée au regard de la loi religieuse ou morale. *Chaque homme sera jugé selon ses œuvres. Bonnes œuvres,* charités que l'on fait. — *Une œuvre,* organisation ayant pour but de faire du bien à titre non lucratif. *Collecte au profit d'une œuvre de bienfaisance.* **3.** Ensemble d'actions effectuées par qqn ou qqch. *Quand le médecin arriva, la mort avait déjà fait son œuvre.* ⇒ **effet.** *La satisfaction de l'œuvre accomplie.* **4.** Ensemble organisé de signes et de matériaux propres à un art, mis en forme par l'esprit créateur ; production littéraire, artistique, etc. ⇒ **ouvrage**. *L'œuvre d'un savant. Composer une œuvre musicale, picturale. Une œuvre capitale, maîtresse.* ⇒ **chef-d'œuvre.** *Œuvres choisies.* — *L'œuvre d'un écrivain, d'un artiste,* l'ensemble de ses œuvres. — ŒUVRE D'ART : œuvre qui manifeste la volonté esthétique d'un artiste. **II.** N. m. **1.** LE GROS ŒUVRE : en architecture, les fondations, les murs et la toiture d'un bâtiment. **2.** Littér. Ensemble des œuvres d'un artiste. *Tout l'œuvre gravé de Rembrandt.* ▶ **œuvrer** v. intr. . conjug. 1. ∎ Littér. Travailler, agir. ⟨ ▶ chef-d'œuvre, désœuvrer, maind'œuvre, manœuvre ⟩

off [ɔf] adj. invar. ∎ Anglic. Qui n'est pas dans la scène filmée, qui n'est pas sur l'écran, hors champ. *Une voix off commente la scène.*

offense [ɔfɑ̃s] n. f. **1.** Parole ou action qui offense, qui blesse qqn dans son honneur, dans sa dignité. ⇒ **affront, injure, insulte, outrage.** *Faire offense à qqn.* — Péché (qui offense Dieu). *« Pardonne-nous nos offenses »* (prière du Pater). **2.** Outrage envers un chef d'État. ▶ *offenser* v. tr. . conjug. 1. **1.** Blesser (qqn) dans sa dignité ou dans son honneur. ⇒ **froisser, humilier, injurier, outrager, vexer.** *Il l'a offensé volontairement. Je ne voulais pas vous offenser. Soit dit sans vous offenser.* **2.** Offenser Dieu, lui déplaire par le péché. **3.** Manquer gravement à (une règle, une vertu). ⇒ **braver.** *Sa conduite offense le bon sens, le bon goût.* **4.** Littér. Blesser (les sens) par une sensation pénible. *Sa voix criarde offensait nos oreilles.* ⇒ **écorcher. 5.** S'OFFENSER v. pron. réfl. : réagir par un sentiment d'amour-propre, d'honneur blessé (à ce que l'on considère comme une offense). ⇒ se **fâcher, formaliser, se froisser, se vexer.** *Elle s'est offensée à mes paroles.* ▶ *offensé, ée* adj. et n. ∎ Qui a subi, qui ressent une offense. *Il prend toujours l'air offensé.* — N. La personne qui a subi une offense. *Dans un duel, l'offensé a le choix des armes.* ▶ *offensant, ante* adj. ∎ Qui offense. ⇒ **blessant, injurieux.** *Une remarque offensante.* ▶ *offenseur* n. m. ∎ Celui qui fait une offense. ⇒ **agresseur.** ▶ *offensif, ive* adj. **1.** Qui attaque, sert à attaquer. *Armes offensives. Guerre offensive,* où l'on attaque l'ennemi. **2.** Qui constitue une attaque. *Le retour offensif de l'hiver, d'une épidémie.* ▶ *offensive* n. f. **1.** Action d'attaquer l'adversaire, en prenant l'initiative des opérations. ⇒ **attaque.** *Reprendre l'offensive. Préparer, déclencher une offensive.* **2.** Attaque, campagne d'une certaine ampleur. *Offensive diplomatique, publicitaire.*

offertoire [ɔfɛrtwar] n. m. ∎ Partie de la messe, rites et prières qui accompagnent la bénédiction du pain et du vin.

① *office* [ɔfis] n. m. **I. 1.** Fonction que qqn doit remplir. — Loc. (Choses) *Remplir son office,* jouer pleinement son rôle. *Faire office de,* tenir lieu de. **2.** Fonction publique conférée à vie. ⇒ **charge.** *Office public, ministériel. Office d'huissier, de notaire.* **3.** Loc. D'OFFICE : par le devoir général de sa charge ; sans l'avoir demandé soi-même. *Avocat, expert commis, nommé d'office.* — Par l'effet d'une mesure générale. *Être mis à la retraite d'office.* **4.** Lieu où l'on remplit les devoirs d'une charge ; agence, bureau. *Office commercial, de publicité.* — Service doté de la personnalité morale, de l'autonomie financière et confié à un organisme spécial. *Office national, départemental.* **II.** N. m. ou f. Pièce ordinairement attenante à la cuisine où l'on met les provisions, etc. *Les domestiques prenaient leurs repas à l'office.* **III.** BONS OFFICES : démarches d'un État, pour amener d'autres États en litige à négocier. ⇒ **conciliation, médiation.** *La France a proposé ses bons offices.*

— Loc. *Je vous remercie de vos bons offices,* de vos services. ▶ *officiel, elle* adj. et n. **I.** (Choses) **1.** Qui émane d'une autorité reconnue, constituée (gouvernement, administration). *Actes, documents officiels.* — Certifié par l'autorité. *La nouvelle est officielle depuis hier.* / contr. **officieux** / **2.** Péj. Donné pour vrai par l'autorité. *La version officielle de l'incident.* **3.** Organisé par les autorités compétentes. *La visite officielle d'un souverain.* **4.** Annoncé, déclaré publiquement. *Leurs fiançailles sont maintenant officielles.* **5.** Conventionnel. *Un style froid et officiel.* **II.** (Personnes) **1.** Qui a une fonction officielle. *Porte-parole officiel du gouvernement.* ⇒ **autorisé.** — Réservé aux personnages officiels. *Voitures officielles.* **2.** N. m. Personnage officiel, autorité. *La tribune des officiels.* — Celui qui a une fonction dans l'organisation, la surveillance des épreuves sportives. ▶ *officiellement* adv. ∎ À titre officiel, de source officielle. *Il en a été officiellement avisé.* ▶ *officialiser* v. tr. . conjug. 1. ∎ Rendre officiel. *Officialiser une nomination.* ▶ ① *officier* n. m. **1.** Militaire ou marin titulaire d'un grade égal ou supérieur à celui de sous-lieutenant ou d'enseigne de seconde classe, et susceptible d'exercer un commandement. *Officiers et soldats. Élève-officier. Officiers subalternes, supérieurs et généraux. Officiers de marine,* du corps de la marine militaire. **2.** Titulaire d'un grade dans un ordre honorifique. *Officier d'académie. Officier de la Légion d'honneur.* **3.** *Officier public, ministériel,* celui qui a un office (I, 2) : huissier, notaire... — Qui a une fonction officielle. *Officier de police* (judiciaire). ▶ *officieux, euse* adj. ∎ Communiqué à titre de complaisance par une source autorisée mais sans garantie officielle / contr. **officiel** / *Une nouvelle officieuse.* ▶ *officieusement* adv. ∎ D'une manière officieuse. ⟨ ▶ officine, sous-officier ⟩

② *office* n. m. **1.** *Office (divin),* ensemble des prières de l'Église réparties aux heures de la journée. — Une de ces prières. *Office des morts.* **2.** Cérémonie du culte. *Célébrer un office. L'office du dimanche.* ▶ ② *officier* v. intr. . conjug. 7. ∎ Célébrer l'office divin, présider une cérémonie sacrée. ▶ *officiant, ante* n. ∎ Personne qui officie. ⇒ **célébrant, prêtre.**

officine [ɔfisin] n. f. ∎ Lieu où un pharmacien vend, entrepose et prépare les médicaments. ▶ *officinal, ale, aux* adj. ∎ Qui est utilisé en pharmacie. *Plantes, herbes officinales.*

offrir [ɔfrir] v. tr. . conjug. 18. **1.** Donner en cadeau. *Je lui ai offert des fleurs pour sa fête.* — Pronominalement (réfl.). *Je voudrais pouvoir m'offrir des vacances.* ⇒ se **payer.** — Pronominalement (récipr.). *Elles se sont offert des fleurs.* **2.** Proposer ou présenter (une chose) à qqn ; mettre à la disposition. *Offrir des rafraîchissements. Offrir ses services.* Loc. *Offrir ses vœux.* ⇒ **présenter.** — Pronominalement (réfl.). Se proposer. *Il s'offrit comme guide.* **3.** Mettre à la portée de qqn. / contr. **refuser** / *On ne lui a pas offert l'occasion de se racheter. Je vous offre de venir chez moi pour les vacances.* ⇒ **proposer.** — (Suj. chose) *Cette situation offre bien des avantages.* — Pronominalement (réfl.). *Tout ce qui s'offre à notre esprit.* ⇒ se **présenter. 4.** Proposer en contrepartie de qqch. *Je vous offre cent francs, pas un sou de plus.* **5.** Exposer à la vue. ⇒ **montrer.** *Son visage n'offrait rien d'accueillant.* — Pronominalement (réfl.). *Une vue superbe s'offrait à nos yeux.* — Abstrait. Présenter à l'esprit. *Les aventures dont ce livre nous offre le récit.* **6.** Exposer (à qqch. de pénible, de dangereux). *Il allait offrir sa vie pour elle.* — Pronominalement (réfl.). *S'offrir aux coups.* ▶ *offrande* n. f. **1.** Don que l'on offre à la divinité ou aux représentants de la religion. *Recueillir les offrandes des fidèles.* **2.** Don, présent. *Apporter son offrande.* ⇒ **obole.** ▶ *offrant* n. m.

■ Loc. *Le* PLUS OFFRANT : l'acheteur qui offre le plus haut prix. *Vendre, adjuger au plus offrant.* ▶ **offre** n. f. **1.** Action d'offrir ; ce que l'on offre. *Une offre avantageuse. Offres de service. Une offre d'emploi.* ⇒ **proposition.** / contr. **demande** / **2.** Quantité de produits ou de services offerts sur le marché. *L'offre dépasse la demande. En économie libérale, les prix et les salaires dépendent de la loi de l'offre et de la demande.* ⟨ ▶ offertoire ⟩

offset [ɔfsɛt] n. m. invar. ■ Impression par report (opposé à *typographie*). ⇒ **imprimerie.**

offusquer [ɔfyske] v. tr. ▪ conjug. 1. ■ Porter ombrage, indisposer, choquer. *Vos idées l'offusquent. Il est offusqué.* — Pronominalement (réfl.). Se froisser, se formaliser. ⇒ s'**offenser.** *Elle s'est offusquée de vos plaisanteries.*

ogive [ɔʒiv] n. f. **1.** Arc diagonal sous une voûte, qui en marque l'arête. *Arc d'ogives.* **2.** Arc brisé (opposé à *arc en plein cintre*). **3.** Partie supérieure de projectiles, de fusées, en forme d'ogive. *Ogive nucléaire.* ▶ *ogival, ale, aux* adj. ■ De l'ogive (1), fait avec des ogives. — Vx. Gothique.

ogre [ɔgʀ], fém. *ogresse* [ɔgʀɛs] n. ■ Géant des contes de fées, à l'aspect effrayant ; ce boulba. ▪ nourrissant de chair humaine. — Loc. *Manger comme un ogre.*

oh [o] interj. et n. m. invar. **1.** Interjection marquant la surprise, l'admiration, l'emphase. *Oh ! que c'est beau !* **2.** Interjection renforçant l'expression d'un sentiment. *Oh ! quelle chance !* ≠ *ô.* **3.** N. m. invar. *Pousser des oh ! et des ah !* [deoedea]

ohé [ɔe] interj. ■ Interjection servant à appeler. ⇒ **hé, hep.** *Ohé ! là-bas ! Venez ici.*

ohm [om] n. m. ■ Unité de résistance électrique. *Des ohms.*

-oïde, -oïdal ■ Éléments savants signifiant « qui a telle forme ».

oie [wa] n. f. **1.** Oiseau palmipède, au long cou, dont une espèce est depuis très longtemps domestiquée. — La femelle de cette espèce. ⇒ **jars** (mâle), **oison** (petit). *Gardeuse d'oies. Engraisser des oies. Confit d'oie. Pâté de foie d'oie.* — *Plume d'oie,* utilisée autrefois pour écrire. **2.** JEU DE L'OIE : jeu où chaque joueur fait avancer un pion, selon le coup de dés, sur un tableau formé de cases numérotées. **3.** Loc. *Couleur caca d'oie.* — *Bête comme une oie,* très bête. **4.** Personne très sotte, niaise. *C'est une vraie oie.* — *Une oie blanche,* une jeune fille très innocente, niaise. ⟨ ▶ patte-d'oie ⟩

oignon [ɔɲɔ̃] n. m. **I. 1.** Plante potagère voisine de l'ail, vivace, à bulbe comestible ; ce bulbe. *Éplucher, hacher des oignons. Veau aux oignons. Soupe à l'oignon. Petits oignons.* — Loc. *En rang d'oignons,* sur une ligne. — Fam. *Occupe-toi de tes oignons,* mêle-toi de ce qui te regarde. **2.** Partie renflée de la racine de certaines plantes ; cette racine. *Oignon de tulipe, de lis.* **II.** Grosseur recouverte de derme et d'épiderme épaissis, qui se développe au niveau des articulations du pied (surtout du gros orteil). ⇒ **cor, durillon.**

langue d'oïl [lɑ̃gdɔjl] loc. nominale fém. ■ Langue des régions où *oui* se disait *oïl* au Moyen Âge (opposé à *langue d'oc*).

oindre [wɛ̃dʀ] v. tr. ▪ conjug. 49. — REM. Ne s'emploie plus qu'à l'infinitif et au p. p. oint, ointe. **1.** Vx. Frotter d'huile ou d'une matière grasse (le corps ou une partie du corps). *Oindre d'une pommade.* **2.** Toucher une partie du corps (le front, les mains) avec les saintes huiles pour bénir ou sacrer. ⇒ **onction ; extrême-onction.** ▶ *oint, ointe* [wɛ̃, wɛ̃t] adj.

et n. m. ■ Frotté d'huile ou d'une matière grasse. — N. m. Consacré par une huile sainte.

oiseau [wazo] n. m. **1.** Animal (vertébré à sang chaud) au corps recouvert de plumes, dont les membres antérieurs sont des ailes, les membres postérieurs des pattes, dont la tête est munie d'un bec. *Étude des oiseaux.* ⇒ **ornithologie.** *Oiseaux à longues pattes* ⇒ **échassiers,** *à pattes palmées* ⇒ **palmipèdes.** *Oiseaux percheurs, sauteurs, coureurs. Oiseaux diurnes, nocturnes. Jeune oiseau.* ⇒ **oisillon.** — *Être léger comme un oiseau. Être gai, libre comme un oiseau.* — Loc. prov. *Petit à petit l'oiseau fait son nid,* les choses se font progressivement. *Oiseau de malheur,* personne qui fait des prédictions funestes. — À VOL D'OISEAU loc. adv. : en ligne droite d'un point à un autre (distance théorique la plus courte). *Distance à vol d'oiseau.* **2.** Fam. et péj. Individu. *C'est un drôle d'oiseau ! Un oiseau rare,* une personne étonnante (surtout iron.). ▶ *oiseau-lyre* [wazoliʀ] n. m. ■ Bel oiseau d'Australie à queue en forme de lyre. ⇒ *menure. Des oiseaux-lyres.* ▶ *oiseau-mouche* [wazomuʃ] n. m. ■ Nom courant du *colibri. Des oiseaux-mouches.* ▶ *oiseleur* [wazlœʀ] n. m. ■ Celui qui fait métier de prendre les oiseaux. ▶ *oiselier, ière* [wazəlje, jɛʀ] n. ■ Personne dont le métier est d'élever et de vendre des oiseaux. ⟨ ▶ oisillon ⟩

oiseux, euse [wazø, øz] adj. ■ (Paroles, discours) Qui ne sert à rien, ne mène à rien. ⇒ **futile, inutile, vain.** *Dispute, question oiseuse.* / contr. **important, utile** /

oisif, ive [wazif, iv] adj. et n. **1.** Adj. Qui est dépourvu d'occupation, n'exerce pas de profession. ⇒ **désœuvré, inactif, inoccupé.** *Ne restez pas oisif.* — *Mener une vie oisive.* **2.** N. Personne qui dispose de beaucoup de loisir. *De riches oisifs.* / contr. **laborieux, travailleur** / ▶ *oisivement* adv. ▶ *oisiveté* n. f. ■ État d'une personne oisive. ⇒ **désœuvrement, inaction.** *Vivre dans l'oisiveté.* — PROV. *L'oisiveté est la mère de tous les vices.*

oisillon [wazijɔ̃] n. m. ■ Petit oiseau ; jeune oiseau.

oison [wazɔ̃] n. m. **1.** Petit de l'oie. **2.** Vieilli. Personne très crédule, facile à mener.

O.K. [okɛ] adv. et adj. invar. ■ Anglic. Fam. D'accord. *« À demain ? – O.K. »* — Adj. invar. *C'est O.K.,* ça va, c'est bien.

okapi [ɔkapi] n. m. ■ Mammifère ruminant de la famille des girafes, vivant en Afrique équatoriale. *Des okapis.*

olé ou *ollé* [ɔle] interj. et adj. invar. **1.** Interj. Exclamation espagnole qui sert à encourager. **2.** Adj. invar. Fam. *Olé olé* ou *ollé ollé,* (personnes) un peu libre dans son langage, ses manières. *Elles sont un peu olé olé.*

olé(i)-, olé(o)- ■ Éléments savants signifiant « huile » ou « pétrole ». ▶ *oléagineux, euse* [ɔleaʒinø, øz] adj. et n. m. ■ Qui contient de l'huile. *Graines, plantes oléagineuses.* — N. m. Plante susceptible de fournir de l'huile. *L'arachide, le colza sont des oléagineux.* ▶ *oléoduc* n. m. ■ Conduite de pétrole. ⇒ anglic. **pipe-line.** ⟨ ▶ ailloli, lanoline, linoleum, olive, pétrole ⟩

olfactif, ive [ɔlfaktif, iv] adj. ■ Relatif à l'odorat, à la perception des odeurs. *Sens olfactif* (ou, n. f., *olfaction*). ⇒ **odorat.**

olibrius [ɔlibʀijys] n. m. invar. ■ Fam. et vx. Homme qui se fait fâcheusement remarquer par sa conduite, ses propos bizarres. ⇒ **original, phénomène.**

olifant ou *oliphant* [ɔlifɑ̃] n. m. ■ Cor d'ivoire, taillé dans une défense d'éléphant, dont les chevaliers se servaient à la guerre ou à la chasse. *L'olifant de Roland.*

olig(o)- ■ Élément savant signifiant « petit, peu nombreux ». ▶ *oligarchie* [ɔligaʀʃi] n. f. ■ Régime politique dans lequel la souveraineté appartient à une classe restreinte et privilégiée. — Ce groupe. ▶ *oligarchique* adj.

olive [ɔliv] n. f. **1.** Petit fruit oblong, verdâtre puis noirâtre à maturité, à peau lisse, dont on extrait de l'huile. *Huile d'olive.* **2.** Adj. invar. *Vert olive, olive,* d'une couleur verte tirant sur le brun. *Des étoffes olive.* ▶ *olivâtre* adj. ■ Qui tire sur le vert olive. *Grive à dos gris olivâtre.* — Se dit d'un teint bistre, généralement mat et foncé. ▶ *oliveraie* n. f. ■ Plantation d'oliviers. ▶ *olivier* n. m. **1.** Arbre ou arbrisseau à tronc noueux, à feuilles vert pâle et dont le fruit est l'olive. *Culture de l'olivier.* ⇒ *oliveraie. Le rameau d'olivier,* symbole de la paix. — *Le jardin des Oliviers, le mont des Oliviers* (Gethsémani), où Jésus pria, délaissé par ses disciples, avant d'être arrêté. **2.** Bois de cet arbre, utilisé en ébénisterie.

olympiade [ɔlɛ̃pjad] n. f. ■ Souvent au plur. Jeux Olympiques. *Athlète qui se prépare pour les prochaines olympiades.*

olympien, ienne [ɔlɛ̃pjɛ̃, jɛn] adj. **1.** Relatif à l'Olympe, à ses dieux. *Le temple de Jupiter olympien.* **2.** Noble, majestueux avec calme et hauteur. *Air, calme olympien.*

olympique [ɔlɛ̃pik] adj. ■ Se dit de rencontres sportives internationales réservées aux meilleurs athlètes amateurs et ayant lieu tous les quatre ans. *Les Jeux Olympiques d'hiver* (ski, patinage, etc.). ⇒ *olympiade.* — *Record, champion olympique.* — Conforme aux règlements des Jeux Olympiques. *Piscine olympique.*

ombelle [ɔ̃bɛl] n. f. ■ Ensemble de petites fleurs groupées formant coupole, sphère. ▶ *ombellifères* n. f. pl. ■ Famille de plantes à fleurs en ombelles (ex. : *carotte, cerfeuil, persil*).

ombilic [ɔ̃bilik] n. m. **1.** Cicatrice arrondie, consécutive à la chute du cordon ombilical. ⇒ *nombril.* **2.** Littér. Point central. ⇒ *centre. L'ombilic de la Terre.* ▶ *ombilical, ale, aux* adj. ■ Relatif à l'ombilic, au nombril. *Cordon ombilical.*

omble [ɔ̃bl] n. m. ■ Poisson de rivière, de lac, voisin du saumon. *Omble chevalier.* — (On dit aussi abusivt *ombre,* n. m. ou f.).

ombre [ɔ̃bʀ] n. f. **I. 1.** Zone sombre créée par un corps opaque qui intercepte les rayons d'une source lumineuse ; obscurité, absence de lumière (surtout celle du Soleil) dans une telle zone. / contr. **clarté, éclairage, lumière** / *Faire de l'ombre. L'ombre des arbres. Ruelle pleine d'ombre.* **2.** Loc. À L'OMBRE. / contr. au **soleil** / *Il fait 30 degrés à l'ombre. Rue à l'ombre.* — Fam. *Mettre qqn à l'ombre,* l'enfermer, l'emprisonner. — *À l'ombre de,* tout près de, sous la protection de. *Il grandit à l'ombre de sa mère.* — DANS L'OMBRE. *Vivre dans l'ombre de qqn,* constamment près de lui, dans l'effacement de soi. — *Vivre dans l'ombre,* dans une situation obscure, ignorée. ⇒ **caché, inconnu.** *Sortir de l'ombre.* ⇒ **oubli.** — *Laisser une chose dans l'ombre,* dans l'incertitude, l'obscurité. **3.** Représentation d'une zone sombre, en peinture. *Les ombres et les clairs.* ⇒ **clair-obscur.** **4.** Tache sombre sur une surface claire. *Un duvet faisait une ombre sur sa lèvre.* — *Ombre à paupières,* fard pour les paupières. — Loc. *Il y a une ombre au tableau,* la situation comporte un élément d'inquiétude. **II. 1.** Zone sombre limitée par le contour plus ou moins déformé (d'un corps qui intercepte la lumière). ⇒ **image.** *Les ombres bleues des peupliers.*

— Loc. *Avoir peur de son ombre,* être très craintif. *Suivre qqn comme son ombre.* — *Être l'ombre de qqn,* s'attacher à ses pas, le suivre fidèlement. **2.** Au plur. Ombres projetées sur un écran pour constituer un spectacle. *Théâtre d'ombres.* — OMBRES CHINOISES : projection sur un écran de silhouettes découpées. **3.** Apparence, forme imprécise dont on ne discerne que les contours. *Entrevoir deux ombres qui s'avancent.* **4.** Apparence changeante et trompeuse d'une réalité. — Loc. *Abandonner, lâcher, laisser* LA PROIE POUR L'OMBRE : un avantage pour une espérance vaine. — L'OMBRE DE : la plus petite quantité de (souvent en tournure négative). ⇒ **soupçon, trace.** *Il n'y a pas l'ombre d'un doute.* **5.** Dans certaines croyances. Apparence d'une personne qui survit après sa mort. ⇒ **âme, fantôme.** / contr. **vivant** / *Le royaume des ombres.* **6.** Reflet affaibli (de ce qui a été). *Un vieillard qui n'est plus que l'ombre de lui-même.* ▶ *ombrage* n. m. **I. 1.** Littér. Ensemble de branches et de feuilles qui donnent de l'ombre. *Se reposer sous l'ombrage.* **2.** L'ombre que donnent les feuillages. *L'ombrage que fait ce marronnier est agréable.* **II.** Loc. **1.** PRENDRE OMBRAGE DE *qqch.* : en concevoir du dépit, de la jalousie. **2.** PORTER, FAIRE OMBRAGE À *qqn* : l'éclipser, lui donner du dépit (en réussissant mieux que lui, etc.). *Son frère lui a porté ombrage.* ▶ *ombrager* v. tr. ■ conjug. 3. ■ (Feuillages) Faire, donner de l'ombre. *Arbres qui ombragent une allée, une terrasse.* — Au p. p. adj. *Jardin ombragé.* ▶ *ombrageux, euse* adj. ■ Qui est porté à prendre ombrage (II), s'inquiète ⇒ **défiant,** ou se froisse aisément ⇒ **susceptible.** *Caractère ombrageux.* ▶ *ombreux, euse* adj. **1.** Littér. Qui donne de l'ombre. *Les hêtres ombreux.* **2.** Qui est à l'ombre ; où il y a beaucoup d'ombre. *Bois ombreux.* ⇒ **sombre, ténébreux.** / contr. **ensoleillé** / ▶ *ombrelle* n. f. ■ Petit parasol portatif de femme. *S'abriter du soleil sous une ombrelle.* ⟨ ▶ *pénombre* ⟩

oméga [ɔmega] n. m. invar. ■ Dernière lettre de l'alphabet grec (ω, Ω).

omelette [ɔmlɛt] n. f. ■ Œufs battus et cuits à la poêle auxquels on peut ajouter divers éléments. *Omelette aux champignons, au jambon.* — Loc. *On ne fait pas d'omelette sans casser des œufs,* pour obtenir certains résultats, des moyens brutaux sont parfois nécessaires. — *Omelette norvégienne,* dessert composé de glace, de meringue et de génoise, chaud à l'extérieur et glacé dedans.

omettre [ɔmɛtʀ] v. tr. ■ conjug. 56. ■ S'abstenir ou négliger de considérer, de mentionner ou de faire (ce qu'on pourrait, qu'on devrait considérer, mentionner, faire). ⇒ **oublier, taire.** *N'omettez aucun détail. Il a omis de nous prévenir.* ▶ *omission* [ɔmisjɔ̃] n. f. ■ Le fait, l'action d'omettre qqch. ; la chose omise. *Omission volontaire ; involontaire.* ⇒ **absence, lacune, manque, négligence, oubli.** — Loc. *Sauf erreur ou omission,* si l'on n'a rien oublié, si l'on ne s'est pas trompé. *Mensonge par omission.*

omn(i)- ■ Élément savant signifiant « tout ». ▶ *omnibus* [ɔmnibys] n. m. invar. et adj. invar. ■ Train qui dessert toutes les stations. *Prendre un omnibus* (opposé à *express*). — *Train omnibus.* ▶ *omnipotence* [ɔmnipɔtɑ̃s] n. f. ■ Puissance absolue, sans limitation ; toute-puissance. ⇒ *omnipotent, ente* adj. ■ Tout-puissant. ▶ *omniprésence* n. f. ■ Littér. Présence en tout lieu. ⇒ **ubiquité.** *L'omniprésence de Dieu.* ▶ *omniprésent, ente* adj. ■ Littér. Qui est partout, ou toujours. *Une préoccupation omniprésente.* ▶ *omniscient, ente* adj. ■ Littér. Qui sait tout. *Nul n'est omniscient.* ⇒ **universel.** ▶ *omnisport* ou *omnisports* adj. invar. ■ Où l'on peut pratiquer tous les sports. *Stade, salle omni-*

sport(s). ▶ *omnium* [ɔmnjɔm] n. m. ■ Compétition cycliste sur piste, combinant plusieurs courses. *Des omniums.* ▶ *omnivore* adj. ■ Qui se nourrit indifféremment d'aliments d'origine animale ou végétale. *L'homme, le chien sont omnivores.* / contr. **carnivore, herbivore** /

omoplate [ɔmɔplat] n. f. **1.** Os plat triangulaire de l'épaule, en haut du dos. **2.** Le plat de l'épaule. *Il a reçu un coup sur l'omoplate.*

on [5] pronom indéf. invar. ■ Pronom personnel indéfini de la 3ᵉ personne faisant toujours fonction de sujet. **I. 1.** Les hommes en général, les gens, l'opinion. *On dit que,* le bruit court que. *C'est, comme on dit, un beau brin de fille. On a souvent besoin d'un plus petit que soi.* **2.** Une personne quelconque, quelqu'un. *On apporta le dessert,* le dessert fut apporté. — Un groupe, une catégorie de personnes. ⇒ **ils.** *On a encore augmenté le prix de l'essence.* **3.** Loc. ON DIRAIT QUE (+ indicatif) : il semble que... *On dirait qu'il va pleuvoir.* **II.** (Représentant la 1ʳᵉ ou la 2ᵉ personne ; emplois stylistiques) **1.** Fam. Tu, toi, vous. *Eh bien ! on ne s'en fait pas !* **2.** Je, moi. *Oui, oui ! on y va.* — (Dans un écrit) *On montrera dans ce livre que...* **3.** Fam. Nous. *Nous, vous savez, on ne fait pas toujours ce qu'on veut. On ira au cinéma. On est toujours les derniers.* ⟨ ▶ on-dit, qu'en-dira-t-on ⟩

onagre [ɔnagʀ] n. m. ■ Âne sauvage de grande taille.

once [5s] n. f. **1.** Mesure de poids anglaise qui vaut la seizième partie de la livre, soit 28,349 g (abrév. *oz*). **2.** UNE ONCE DE : une très petite quantité de. *Il n'a pas une once de bon sens.* ⇒ **grain.**

oncle [5kl] n. m. ■ Le frère du père ou de la mère et aussi le mari de la tante. *Relatif à un oncle.* ⇒ **avunculaire.** *Oncle paternel, maternel. Oncle par alliance. L'oncle et ses neveux.* ⟨ ▶ grand-oncle ⟩

onction [5ksjɔ̃] n. f. **1.** Rite qui consiste à oindre* une personne ou une chose (avec de l'huile sainte) en vue de lui conférer un caractère sacré. **2.** Littér. Douceur dans les gestes, les paroles, qui dénote la piété, la dévotion. *Des gestes pleins d'onction.* ▶ *onctueux, euse* [5ktɥø, øz] adj. ■ Qui fait au toucher, au palais, l'impression douce et moelleuse de l'huile. *Savon onctueux.* ▶ *onctuosité* n. f. ■ *Onctuosité d'une pommade.* ⟨ ▶ extrême-onction ⟩

① *onde* [5d] n. f. ■ Littér. et vieilli. L'eau de la mer, les eaux (souvent, eaux courantes). *Onde limpide, transparente.* ▶ *ondée* n. f. ■ Pluie soudaine et de peu de durée. *Être surpris par une ondée.* ⇒ **averse.** ⟨ ▶ inonder, ondine ⟩

② *onde* n. f. **1.** En sciences. Ligne ou surface atteinte à un instant donné par un ébranlement ou une vibration qui se propage dans l'espace. *Crête, creux d'une onde.* — *Ondes liquides,* ondes concentriques qui se propagent dans l'eau quand on y jette une pierre. ⇒ **rond.** — *Ondes sonores.* ⇒ **son ; résonance.** — ONDES ÉLECTROMAGNÉTIQUES : famille d'ondes qui ne nécessitent aucun milieu matériel connu pour leur propagation. *Les ultraviolets sont des ondes électromagnétiques.* — ONDES HERTZIENNES ou *radio-électriques* : ondes électromagnétiques utilisées pour la propagation de messages et de sons. *Ondes courtes, petites ondes, grandes ondes. Écouter une émission sur ondes courtes. Sur quelle longueur d'onde émet cette station ?* — Fam. *Être sur la même longueur d'onde,* se comprendre. **2.** LES ONDES : la radiodiffusion. *Sur les ondes ou dans la presse. Il passe sur les ondes mardi à 14 h.* ⟨ ▶ ondoyer, onduler ⟩

ondine [5din] n. f. ■ Déesse des eaux (des « ondes »), dans la mythologie nordique. ⇒ **naïade.**

on-dit [5di] n. m. invar. ■ Bruit qui court. ⇒ **racontar, rumeur.** *Ce ne sont que des on-dit.*

ondoyer [5dwaje] v. ■ conjug. 8. ■ V. intr. Remuer, se mouvoir en s'élevant et s'abaissant alternativement. *Drapeau qui ondoie dans le vent.* ⇒ **flotter, onduler.** ▶ *ondoiement* [5dwamɑ̃] n. m. ■ Mouvement de ce qui ondoie. *L'ondoiement des herbes dans le vent.* ▶ *ondoyant, ante* [5dwajɑ̃, ɑ̃t] adj. ■ Qui ondoie, a le mouvement de l'onde. *Les blés ondoyants. Une démarche ondoyante.* ⇒ **ondulant.**

onduler [5dyle] v. ■ conjug. 1. **1.** V. intr. Avoir un mouvement sinueux d'ondulation. ⇒ **ondoyer.** *Images qui ondulent dans l'eau.* **2.** V. intr. Présenter des ondulations (2). *Ses cheveux ondulent naturellement.* **3.** V. tr. *Onduler des cheveux au fer.* ⇒ **boucler, friser.** — ONDULÉ, ÉE p. p. adj. : qui fait des ondulations. ▶ *ondulant, ante* adj. ■ Qui ondule. *Démarche ondulante.* ⇒ **ondoyant.** ▶ *ondulation* n. f. **1.** Mouvement alternatif de ce qui s'élève et s'abaisse en donnant l'impression d'un déplacement ; mouvement sinueux. *Ondulation des vagues, des blés.* ⇒ **ondoiement. 2.** Ligne, forme sinueuse, faite de courbes alternativement concaves et convexes. *Les ondulations des cheveux.* ⇒ **cran.** — *Ondulation du sol, du terrain,* suite de dépressions et de saillies dues à un plissement. ⇒ **pli. 3.** Action d'onduler, de friser les cheveux. ⇒ **permanente.** ▶ *onduleux, euse* adj. **1.** Qui présente de larges ondulations. ⇒ **courbe, ondulé, sinueux.** *Plaine onduleuse.* / contr. **plat** / **2.** Qui ondule. ⇒ **ondoyant, ondulant.** *Un mouvement onduleux.* ▶ *ondulatoire* adj. **1.** Qui a les caractères d'une onde ②. *Mouvement ondulatoire du son.* **2.** Qui se rapporte aux ondes. MÉCANIQUE ONDULATOIRE : théorie physique selon laquelle toute particule est considérée comme associée à une onde périodique.

onéreux, euse [ɔnerø, øz] adj. **1.** Qui impose des frais, des dépenses. ⇒ **cher, coûteux, dispendieux.** *C'est trop onéreux pour nous.* / contr. **gratuit ; avantageux, économique** / **2.** À TITRE ONÉREUX : sous la condition d'acquitter une charge, une obligation (terme de droit). / contr. **gracieux** / ⟨ ▶ exonérer ⟩

ongle [5gl] n. m. **1.** Partie cornée à l'extrémité des doigts. *Ongle des mains, des pieds. Ronger ses ongles. Se curer, se brosser les ongles. Brosse à ongles. Vernis, rouge à ongles. Donner un coup d'ongle,* griffer. — Loc. *Être qqch.* JUSQU'AU BOUT DES ONGLES : l'être tout à fait. *Connaître, savoir qqch. sur le bout des ongles,* à fond. **2.** Griffe des carnassiers. — Serre des rapaces. ▶ *onglée* n. f. ■ Engourdissement douloureux de l'extrémité des doigts, provoqué par le froid (surtout dans *avoir l'onglée*). ⟨ ▶ ongulé ⟩

① *onglet* [5glɛ] n. m. **1.** Petite bande de papier (permettant d'insérer une feuille dans un livre). **2.** Entaille, échancrure (sur un instrument, sur la lame d'un canif, d'un couteau, pour permettre de tirer la lame) avec l'ongle.

② *onglet* n. m. ■ Morceau de bœuf très apprécié pour faire des biftecks. *Un onglet aux échalotes.*

onguent [5gɑ̃] n. m. ■ Médicament de consistance pâteuse, composé de substances grasses ou résineuses, et que l'on applique sur la peau. ⇒ **crème, liniment, pommade.** *Appliquer un onguent sur une brûlure.*

ongulé, ée [5gyle] adj. et n. m. pl. ■ (Animaux) Dont les pieds sont terminés par des productions cornées (comme les ongles).

onir(o)- ■ Élément savant signifiant « rêve ». ▶ *onirique* [ɔnirik] adj. **1.** Relatif aux rêves. *Visions de l'état onirique.* **2.** Qui évoque un rêve, semble sorti d'un rêve. *Atmosphère, décor onirique.*

onomastique [ɔnɔmastik] adj. ■ Relatif aux noms propres, à leur étude.

onomatopée [ɔnɔmatɔpe] n. f. ■ Mot qui imite par le son la chose dénommée (son ou cause d'un son). *Gazouillis, boum, crac, snif, vrombir... sont des onomatopées.*

onto- ■ Élément savant signifiant « l'être, ce qui est ». ▶ **ontologie** [ɔ̃tɔlɔʒi] n. f. ■ Partie de la métaphysique qui traite de l'être indépendamment de ses déterminations particulières. ▶ **ontologique** adj. ■ *Preuve ontologique de l'existence de Dieu.*

-onyme, -onymie, -onymique ■ Éléments savants signifiant « nom ».

onyx [ɔniks] n. m. invar. ■ Variété d'agate présentant des zones concentriques régulières de diverses couleurs. *Coupe en onyx.*

onze [ɔ̃z] adj. et n. m. — REM. L'article ou la préposition qui précède ce mot et ses dérivés ne s'élide pas. **I. 1.** Adj. numéral cardinal invar. Nombre correspondant à dix plus un (11). *Un enfant de onze ans. Il n'y a que onze pages. Onze cents* (ou *mille cent*). **2.** Adj. ordinal. ⇒ **onzième.** *Louis XI* (*onze*). *Chapitre onze.* **II.** N. m. *Onze plus deux. Le onze. Le onze octobre,* le onzième jour. *Il a eu onze en anglais.* — Équipe de onze joueurs, au football. *Les joueurs sélectionnés pour le onze de France.* ▶ **onzième** adj. et n. **1.** Adj. Qui vient immédiatement après le dixième. *Le onzième jour.* — N. *Il est le onzième.* — N. f. *Il est une onzième,* en classe de onzième. ⇒ cours **préparatoire. 2.** N. m. La onzième partie. *Un onzième de l'héritage.* ▶ **onzièmement** adv.

opacifier, opacité ⇒ **opaque.**

opale [ɔpal] n. f. ■ Pierre précieuse opaque ou translucide, blanche à reflets irisés. *Opale noble, opale de feu, opale miellée.* ▶ **opalin, ine** adj. ■ Qui a l'aspect de l'opale. ⇒ **blanchâtre, laiteux.** ▶ **opaline** n. f. ■ Substance vitreuse dont on fait des vases, des ornements. — Objet en opaline.

opaque [ɔpak] adj. **1.** Qui s'oppose au passage de la lumière. *Verre opaque.* / contr. **translucide, transparent** / **2.** OPAQUE À : qui s'oppose au passage de (certaines radiations). *Corps opaque aux rayons ultraviolets, aux rayons X.* **3.** Impénétrable, très sombre. / contr. **clair** / *Nuit opaque.* ▶ **opacifier** v. tr. ■ conjug. 7. ■ Rendre opaque. ▶ **opacité** n. f. ■ Propriété d'un corps qui ne se laisse pas traverser par la lumière. / contr. **limpidité, transparence** /

open [ɔpɛn] adj. invar. Anglic. **1.** En sport. Se dit d'une compétition ouverte aux professionnels et aux amateurs. — N. m. *Un open de tennis.* **2.** Billet open, non daté à l'achat et utilisable à la date choisie par l'acheteur. *Des billets open.*

opéra [ɔpera] n. m. **1.** Ouvrage dramatique mis en musique, composé de récitatifs, d'airs, de chœurs et parfois de danses avec accompagnement d'orchestre. *Grand opéra. Opéra bouffe,* dont les personnages et le sujet sont empruntés à la comédie. ⇒ **opéra-comique, opérette.** *Le livret, la musique d'un opéra.* — *Opéra rock,* spectacle musical fondé sur la musique rock. — Genre musical constitué par ces ouvrages. *Aimer l'opéra.* **2.** Théâtre où l'on joue ces sortes d'ouvrages. *La Scala de Milan, célèbre opéra italien.* ▶ **opéra-comique** n. m. ■ Drame lyrique composé d'airs chantés avec accompagnement orchestral, alternant parfois avec des dialogues parlés. ⇒ **opérette.** *Des opéras-comiques.* ⟨ ▶ **opérette** ⟩

opercule [ɔpɛrkyl] n. m. ■ Ce qui forme couvercle (pièce du corps d'animaux, etc.)

opérer [ɔpere] v. tr. ■ conjug. 6. **1.** Faire effet. ⇒ **agir.** *Le remède commence à opérer.* **2.** Accomplir (une action), effectuer (une transformation) par une suite ordonnée d'actes. ⇒ **exécuter, faire, réaliser.** *Il*

faut opérer un choix. Il faut opérer de cette manière. ⇒ **procéder. 3.** Soumettre à une opération chirurgicale (une personne, un organe). *On l'a opéré, il a été opéré de l'appendicite.* — *Opérer un œil de la cataracte.* — Au p. p. adj. *Malade opéré ; tumeur opérée.* — N. *Les opérés en convalescence.* **4.** S'OPÉRER v. pron. ⇒ se **produire.** *L'expropriation publique s'opère par autorité de justice.* ▶ **opérable** adj. ■ Qui peut être opéré (3), est en état de l'être. *Malade opérable. Cancer opérable.* ▶ **opération** n. f. **1.** Action d'un pouvoir, d'une fonction, d'un organe qui produit un effet. *Les opérations de la digestion.* — Loc. *Par l'opération du Saint-Esprit,* par un moyen mystérieux et efficace. *Il s'est enrichi très vite, comme par l'opération du Saint-Esprit.* **2.** Acte ou série d'actes (matériels ou intellectuels) en vue d'obtenir un résultat déterminé. ⇒ **entreprise, exécution, travail.** *Opérations industrielles, chimiques.* **3.** En mathématiques. Processus de nature déterminée qui, à partir d'éléments connus, permet d'en engendrer un nouveau. ⇒ **calcul.** *Opérations fondamentales,* addition, soustraction, multiplication, division (les *quatre opérations*), élévation à une puissance, extraction d'une racine. **4.** *Opération (chirurgicale),* toute action mécanique sur une partie du corps vivant en vue de la modifier. ⇒ **intervention.** *Subir une opération. Opération sous anesthésie. Table d'opération.* ⇒ fam. **billard. 5.** Ensemble de mouvements, de manœuvres militaires, de combats (⇒ **bataille, campagne**). *Avoir, prendre l'initiative des opérations.* — *Opération de police.* — Fam. Série de mesures coordonnées en vue d'atteindre un résultat. *Opération « baisse des prix ».* **6.** Affaire commerciale, spéculation. *Opération commerciale, financière. Opérations de bourse. Une bonne opération.* ⇒ **affaire.** ▶ **opérationnel, elle** adj. **1.** Relatif aux opérations militaires. *Base opérationnelle.* **2.** RECHERCHE OPÉRATIONNELLE : technique d'analyse scientifique (mathématique) des phénomènes d'organisation. **3.** Qui peut fonctionner ; qui peut être mis en service. *Ni les appareils, ni les hommes ne sont encore opérationnels.* ▶ **opérateur, trice** n. ■ Personne qui exécute des opérations techniques déterminées, fait fonctionner un appareil. *Demander un numéro de téléphone à l'opératrice.* — *Opérateur de prise de vues,* ou absolt, *opérateur,* cameraman, cadreur. *Chef opérateur.* ▶ **opératoire** adj. ■ Relatif aux opérations chirurgicales. *Bloc opératoire,* locaux et installations d'un centre chirurgical. — *Choc opératoire,* phénomènes morbides observés à la suite d'opérations.

opérette [ɔperɛt] n. f. ■ Petit opéra-comique dont le sujet et le style, légers et faciles, sont empruntés à la comédie. *Chanteuse d'opérette.* — Par plaisant. *Héros, armée d'opérette,* qu'on ne peut prendre au sérieux.

ophicléide [ɔfikleid] n. m. ■ Gros instrument de musique à vent, en cuivre.

ophidiens [ɔfidjɛ̃] n. m. pl. ■ En zoologie. Serpents.

ophtalm(o)-, -ophtalmie ■ Éléments savants signifiant « œil ». ▶ **ophtalmie** [ɔftalmi] n. f. ■ Maladie des yeux. ▶ **ophtalmologie** n. f. ■ Étude de l'œil ; médecine de l'œil. ▶ **ophtalmologique** adj. ■ Relatif à l'ophtalmologie. — *Clinique ophtalmologique.* ▶ **ophtalmologiste** ou **ophtalmologue** n. ■ Anatomiste, physiologiste, médecin spécialiste de l'œil. *Consulter un ophtalmologiste.* — Fam. *Un, une ophtalmo. Des ophtalmos.*

opiner [ɔpine] v. ■ conjug. 1. **1.** V. tr. ind. Littér. *Opiner à,* donner son assentiment). ⇒ **adhérer, approuver.** *Il opinait à tout ce qu'elle disait.* **2.** V. intr. Loc. *Opiner du bonnet, de la tête,* manifester qu'on est d'accord.

opiniâtre [ɔpinjɑtʀ] adj. **1.** Littér. Tenace dans ses idées, ses résolutions. ⇒ **acharné, obstiné, persévérant.** / contr. **changeant, versatile** / *Esprit, caractère opiniâtre.* **2.** (Choses) Qui ne cède pas, que rien n'arrête. *Opposition opiniâtre.* ⇒ **irréductible, obstiné.** *Travail opiniâtre. Toux opiniâtre.* ⇒ **persistant, tenace.** ▶ *opiniâtrement* adv. ■ Obstinément. ▶ *opiniâtreté* n. f. ■ Persévérance tenace. ⇒ **détermination, fermeté, ténacité.** *Travailler, lutter, résister avec opiniâtreté.* ⇒ **acharnement.**

opinion [ɔpinjɔ̃] n. f. **I. 1.** Manière de penser, de juger. ⇒ **appréciation, avis ; conviction, croyance, idée, jugement, pensée, point de vue.** *Avoir une opinion, l'opinion que...* ⇒ **considérer, croire, estimer, juger, penser** (verbes d'*opinion*). *Adopter, suivre une opinion. Je n'ai pas la même opinion que lui. Il partage les opinions de son frère. Être de l'opinion du dernier qui a parlé. Divergences d'opinions.* — *Donner, exprimer son opinion.* — *Défendre, soutenir une opinion. Avoir le courage de ses opinions, les soutenir avec franchise.* — *Opinions toutes faites.* ⇒ **préjugé.** — *C'est une affaire d'opinion,* où intervient le jugement subjectif de chacun. **2.** Au plur. ou collectif. Idée ou ensemble des idées que l'on a, dans un domaine déterminé. ⇒ **doctrine, système, théorie.** *Opinions philosophiques, politiques. Opinions avancées, subversives.* — *Liberté d'opinion.* **3.** *Avoir (une) haute, bonne, mauvaise opinion de qqn,* le juger bien ou mal. — *Avoir bonne opinion de soi,* être content de soi. **II. 1.** Jugement collectif, ensemble de jugements de valeur (sur qqch. ou qqn). *L'opinion des autres, du monde.* — *L'opinion,* les jugements portés par la majorité d'un groupe social. *Braver l'opinion.* **2.** Ensemble des opinions d'un groupe social. *L'opinion ouvrière. L'opinion française.* — Ensemble des attitudes d'esprit dominantes dans une société, de ceux qui partagent ces attitudes. *L'opinion publique. Il faut alerter l'opinion. Sondages d'opinion. L'opinion est unanime, divisée.*

opium [ɔpjɔm] n. m. ■ Suc du fruit d'un pavot, utilisé comme stupéfiant. *Fumer de l'opium.* — Loc. *La religion est l'opium du peuple* (Karl Marx), elle l'endort, l'éloigne des problèmes réels.

opossum [ɔpɔsɔm] n. m. ■ Espèce de sarigue à beau pelage noir, blanc et gris. *Des opossums.* — Sa fourrure. *Manteau d'opossum.*

opportun, une [ɔpɔʀtœ̃, yn] adj. ■ Qui vient à propos. ⇒ **convenable.** *Au moment opportun.* ⇒ **bon, favorable, propice.** *Il lui parut opportun de céder.* ▶ *opportunément* adv. ■ À propos. ▶ *opportunité* n. f. ■ Caractère de ce qui est opportun. ⇒ **à-propos.** *Discuter de l'opportunité d'une mesure.* ▶ *opportunisme* n. m. ■ Comportement ou politique qui consiste à tirer parti des circonstances, en transigeant, au besoin, avec les principes. ▶ *opportuniste* n. et adj.

opposer [ɔpoze] v. tr. ■ conjug. 1. **I.** V. tr. **1.** Alléguer (une raison qui fait obstacle à ce qu'une personne a dit, pensé). ⇒ **objecter, prétexter.** *Il n'y a rien à opposer à cela.* ⇒ **répondre.** / contr. **acquiescer** / **2.** Mettre en face, face à face pour le combat. *Opposer une armée puissante à l'ennemi.* — *Opposer une personne à une autre.* ⇒ **dresser, exciter** contre. *Match qui oppose deux équipes. Des questions d'intérêt les opposent.* ⇒ **diviser. 3.** Placer (qqch.) en face pour faire obstacle. *Opposer une digue aux crues d'un fleuve.* — Abstrait. *À ses reproches, j'ai préféré opposer le silence.* — (Suj. chose) Présenter (un obstacle). *La résistance qu'oppose le mur.* **4.** Placer en face de ; mettre vis-à-vis. *Opposer deux objets, un objet à un autre.* — Juxtaposer (des éléments opposés). *Opposer deux couleurs, le noir au blanc.* **5.** Montrer ensemble,

comparer (deux choses totalement différentes) ; présenter comme contraire. ⇒ **confronter.** *Opposer l'ordre à (et) la liberté.* — Mettre en comparaison, en parallèle avec. *Quels orateurs pouvait-on opposer à Cicéron, à Sénèque ?* **II.** S'OPPOSER v. pron. **1.** Réfl. (Personnes) Faire obstacle ou mettre obstacle. ⇒ **contrarier, contrecarrer, empêcher, interdire.** *Ses parents s'opposent à son mariage. Je m'oppose à ce que vous y alliez. Je m'y oppose formellement.* — Agir contre, résister (à qqn) ; agir à l'inverse de (qqn). ⇒ **braver, résister.** *Pour toutes les choses importantes, je m'oppose à lui.* **2.** Réfl. (Choses) Faire obstacle. ⇒ **empêcher, entraver.** *Leur religion s'y oppose.* ⇒ **défendre, interdire. 3.** Faire contraste. — (Récipr.) *Couleurs qui s'opposent.* — (Réfl.) Être totalement différent. ⇒ **opposé.** — Être le contraire. « *Haut* » *s'oppose à* « *bas* ». ▶ *opposable* adj. ■ Qui peut être opposé. *Le pouce est opposable aux autres doigts de la main.* ▶ *opposant, ante* adj. et n. **1.** Qui s'oppose (à un acte juridique, un jugement, une mesure, une autorité). *La minorité opposante.* **2.** N. Personne opposante. ⇒ **adversaire.** *Les opposants au régime.* ⇒ **détracteur.** *Une opposante.* / contr. **défenseur, soutien** / ▶ *opposé, ée* adj. et n. m. **I.** Adj. **1.** Se dit (au plur.) de choses situées de part et d'autre et qui sont orientées face à face, dos à dos ⇒ **symétrique** ; se dit (au sing.) d'une de ces choses par rapport à l'autre. *Les pôles sont diamétralement opposés. Le mur opposé à la fenêtre. Du côté opposé.* — *Sens opposé.* ⇒ **contraire, inverse. 2.** Qui fait contraste. *Couleurs opposées.* **3.** Qui est aussi différent que possible (dans le même ordre d'idées). ⇒ **contraire.** *Ils ont des goûts opposés, des opinions opposées. Concilier des intérêts opposés.* / contr. **analogue, identique, semblable** / — *Nombres opposés,* de même valeur absolue et de signe contraire (+ 5 et − 5). **4.** Qui s'oppose (à), se dresse contre. ⇒ **adversaire, ennemi** de, **hostile.** *Je suis opposé à tous les excès.* **II.** N. m. **1.** Côté opposé, sens opposé. *L'opposé du nord est le sud.* **2.** Abstrait. Ce qui est opposé. ⇒ **contraire.** *Soutenir l'opposé d'une opinion.* ⇒ **contrepartie, contre-pied.** — Fam. *Cet enfant est tout l'opposé de son frère* (→ C'est le jour et la nuit). **3.** À L'OPPOSÉ loc. adv. : du côté opposé. *La gare est à l'opposé.* — À L'OPPOSÉ DE loc. prép. : du côté opposé à. — D'une manière opposée à. — *À l'opposé de X, Y pense que rien n'est perdu.* ⇒ **contrairement.** ▶ *à l'opposite* [alɔpozit] loc. ■ À L'OPPOSITE (DE) : dans une direction opposée. *Leurs maisons sont situées à l'opposite l'une de l'autre.* ⇒ **en face, vis-à-vis.** — Abstrait. *Des points de vue à l'opposite l'un de l'autre.* ▶ *opposition* n. f. **I. 1.** Rapport de personnes que leurs opinions, leurs intérêts dressent l'une contre l'autre. ⇒ **désaccord, heurt, lutte.** / contr. **accord, alliance** / *Opposition de deux adversaires.* ⇒ **hostilité, rivalité.** — EN OPPOSITION. *Entrer en opposition avec qqn.* ⇒ **conflit, dispute. 2.** Effet produit par des objets, des éléments très différents juxtaposés. ⇒ **contraste.** *Opposition de couleurs, de sons.* / contr. **harmonie** / **3.** Rapport de deux choses opposées, qu'on oppose ou qui s'opposent. ⇒ **différence.** *Opposition des contraires. Opposition de deux principes.* ⇒ **antithèse.** / contr. **conformité, correspondance** / — EN OPPOSITION. *Sa conduite est en opposition avec ses idées.* — PAR OPPOSITION loc. adv. ; PAR OPPOSITION À loc. prép. : par contraste avec, d'une manière opposée à. *Employer ce mot par opposition à tel autre.* **II. 1.** Action, fait de s'opposer en mettant obstacle et résistant. *L'opposition de qqn à une action.* / contr. **adhésion, consentement** / *Faire, mettre opposition à qqch. Faire de l'opposition.* **2.** Manifestation de volonté destinée à empêcher l'accomplissement d'un acte juridique. FAIRE OPPOSITION à *un chèque perdu* : empêcher que le chèque, s'il est émis, soit débité de son compte. **3.** Les personnes qui luttent contre, s'opposent à un gouvernement, un régime politique. ⇒ **opposant.** *Les partis de l'opposition. Rallier l'opposition.*

oppresser [ɔpʀese] v. tr. ▪ conjug. 1. **1.** Gêner (qqn) dans ses fonctions respiratoires, comme en lui pressant fortement la poitrine. ⇒ **accabler, opprimer** (3). *L'effort, la chaleur l'oppressaient.* — OPPRESSÉ, ÉE p. p. adj. *Se sentir oppressé. Respiration oppressée.* **2.** Accabler, étreindre. *Sa douleur l'oppresse et l'empêche d'agir.* ⇒ **étouffer.** ► ***oppressant, ante*** adj. ▪ Qui oppresse. *Il fait une chaleur oppressante. Crainte oppressante.* ► ***oppresseur*** n. m. ▪ Celui qui opprime. ⇒ **tyran.** *L'oppresseur et les opprimés.* — Adj. *Un régime oppresseur.* ⇒ **oppressif.** ► ***oppressif, ive*** adj. ▪ Qui tend ou sert à opprimer. *Autorité oppressive.* ⇒ **tyrannique.** ► ***oppression*** n. f. **1.** Action, fait d'opprimer. *L'oppression du faible par le fort.* ⇒ **domination.** *Vivre sous l'oppression d'un régime policier.* **2.** Gêne respiratoire, sensation d'un poids qui oppresse la poitrine. ⇒ **suffocation.**

opprimer [ɔpʀime] v. tr. ▪ conjug. 1. **1.** Soumettre à une autorité excessive et injuste, persécuter par des mesures de violence. ⇒ **asservir, écraser, tyranniser.** *Opprimer un peuple, les faibles. Action d'opprimer.* ⇒ **oppression.** / contr. **libérer** / **2.** Empêcher de s'exprimer, de se manifester. ⇒ **étouffer.** *Opprimer les consciences.* **3.** Oppresser (se dit d'une sensation pénible). ► ***opprimé, ée*** adj. et n. ▪ Qui subit une oppression. *Populations opprimées.* — N. *Défendre, libérer les opprimés.* / contr. **oppresseur** /

opprobre [ɔpʀɔbʀ] n. m. Littér. — REM. Il faut écrire et prononcer le second *r.* **1.** Ce qui humilie à l'extrême, publiquement. ⇒ **honte.** *Accabler, couvrir qqn d'opprobre. Jeter l'opprobre sur qqn.* **2.** Sujet de honte, cause de déshonneur. *Elle est l'opprobre de sa famille.*

optatif, ive [ɔptatif, iv] adj. ▪ Terme de linguistique. Qui exprime le souhait. *« Qu'il parte ! » est une proposition optative.* — N. m. *L'optatif,* mode du verbe qui exprime le souhait.

opter [ɔpte] v. intr. ▪ conjug. 1. ▪ Faire un choix, prendre parti (entre deux ou plusieurs choses qu'on ne peut avoir ou faire ensemble). ⇒ **adopter, choisir,** se **décider.** *À sa majorité, il a opté pour la nationalité française.* ‹ ► adopter, coopter, optatif, option ›

opticien, ienne [ɔptisjɛ̃, jɛn] n. ▪ Personne qui fabrique, vend des instruments d'optique. *J'ai fait faire, chez l'opticien, les lunettes que m'a prescrites l'oculiste.*

optimisme [ɔptimism] n. m. **1.** Tournure d'esprit qui dispose à prendre les choses du bon côté, en négligeant leurs aspects fâcheux. **2.** Sentiment de confiance heureuse, dans l'issue d'une situation particulière. *Il faut envisager la situation avec optimisme.* / contr. **pessimisme** / ► ***optimiste*** adj. ▪ Qui est naturellement disposé à voir tout en beau, qui envisage l'avenir favorablement. *Il est optimiste.* — N. *C'est un optimiste, il est toujours content de son sort.* — *Le docteur n'est pas très optimiste* (pour le cas en question). (Choses) *Des paroles qui se veulent optimistes.*

optimum [ɔptimɔm] n. m. et adj. **1.** N. m. État considéré comme le plus favorable pour atteindre un but déterminé ou par rapport à une situation donnée. *Optimum de production. Des optimums* ou *des optima.* **2.** Adj. Qui est le plus favorable, le meilleur possible. *Température optimum* ou *optima.* (On emploie aussi l'adj. *optimal, ale, aux.*)

option [ɔpsjɔ̃] n. f. **1.** Possibilité de choisir, d'opter. ⇒ **choix.** *Une option difficile à prendre.* — À OPTION. ⇒ **optionnel.** *Matières, textes à option dans le*

programme d'un examen. **2.** Action de choisir ; son résultat. *Ses options politiques ont changé.* **3.** Chose qui peut être acquise facultativement en plus d'une autre. *Accessoires d'automobile vendus en option. Je n'ai pas pris toutes les options sur ce modèle.* **4.** Promesse unilatérale de vente à un prix déterminé sans engagement de la part du futur acheteur. *Prendre une option sur une place d'avion.* ► ***optionnel, elle*** adj. ▪ Qui donne lieu à un choix. — Qu'on peut acquérir facultativement avec autre chose.

optique [ɔptik] adj. et n. **I.** Adj. et n. f. **1.** Relatif à l'œil, à la vision. *Nerf optique. Angle optique* ou *angle de vision.* **2.** Relatif à l'**optique** (II). *Verres optiques. Fibre optique.* **II.** N. f. **1.** Science qui a pour objet l'étude de la lumière et des lois de la vision. *Appareils, instruments d'optique,* lunettes, jumelles, télescopes, microscopes... — Commerce, fabrication, industrie des appareils d'optique. *Optique médicale, astronomique, photographique.* — Partie optique d'un appareil (les lentilles, objectifs, oculaires..., opposés à *monture, accessoires*). **2.** Aspect particulier que prend un objet vu à distance d'un point déterminé. ⇒ **perspective.** *L'optique du théâtre, du cinéma.* — Abstrait. Manière de voir. *Dans cette optique, il faut faire d'autres projets.* ‹ ► opticien ›

opulence [ɔpylɑ̃s] n. f. ▪ Grande abondance de biens. ⇒ **abondance, fortune, richesse.** *Vivre dans le luxe et l'opulence.* / contr. **pauvreté** / ► ***opulent, ente*** adj. **1.** Qui est très riche, qui est dans l'opulence. *Une région opulente,* qui produit beaucoup. *Vie opulente.* **2.** Qui a de l'ampleur dans les formes. *Poitrine opulente.* ⇒ **fort, gros.**

opus [ɔpys] n. m. invar. ▪ Indication utilisée pour désigner un morceau de musique avec son numéro dans l'œuvre complète d'un compositeur (abrév. *op.*).

opuscule [ɔpyskyl] n. m. ▪ Petit ouvrage, petit livre. ⇒ **brochure.**

① ***or*** [ɔʀ] n. m. **I. 1.** Métal précieux jaune brillant. *L'or est inaltérable, inoxydable et malléable. Pépites, poudre d'or. Chercheur d'or. Or pur,* ou *fin. Or jaune, or blanc.* — *Lingot d'or. Bijoux en or massif. Pièce, louis d'or. Plaqué or.* **2.** Monnaie métallique faite avec ce métal. *Payer en or.* **3.** (Symbole de richesse, de fortune) *Le pouvoir de l'or.* — Loc. *Acheter, vendre, payer* À PRIX D'OR : très cher. — *Valoir son pesant d'or,* valoir très cher et être très précieux. — *J'ai fait une affaire* EN OR. ⇒ **avantageux.** — ROULER SUR L'OR : être dans la richesse. *Être* COUSU D'OR : être très riche. *Je ne ferais pas cela pour tout l'or du monde,* à aucun prix. ⇒ **jamais. 4.** (Symbole d'une grande valeur, de qualités exceptionnelles) Loc. *Parler d'or,* dire des choses très sages. — *Le silence est d'or,* il est encore meilleur que la parole (qui est d'argent). — Fam. EN OR : excellent. *Elle a un mari en or.* — D'OR. *Cœur d'or,* bon, généreux. *Règle d'or,* qui doit être suivie si l'on veut réussir. — ÂGE D'OR : temps heureux d'une civilisation (ancien ou à venir) ; période où une chose atteint son meilleur développement. *L'âge d'or du cinéma.* — *Siècle d'or,* se dit d'une époque brillante de prospérité et de culture. **5.** Substance ayant l'apparence de l'or. ⇒ **doré.** *L'or d'un cadre.* **6.** L'OR NOIR : le pétrole. **II.** (En parlant de ce qui a une couleur jaune, un éclat comparable à celui de l'or) *L'or des blés.* — Adj. invar. *Des rideaux or.* ‹ ► bouton-d'or, dorer, mordoré, orfèvre, oriflamme, orpailleur, redorer ›

② ***or*** [ɔʀ] conj. ▪ Marque un moment particulier d'une durée ou d'un raisonnement, plus ou moins en opposition avec ce qui précède. *Il se dit innocent, or toutes les preuves sont contre lui.* ≠ *ores.*

oracle [ɔʀakl] n. m. **1.** Dans l'Antiquité. Réponse qu'une divinité donnait à ceux qui la consultaient en certains lieux sacrés ; ce sanctuaire. ⇒ **divination.** *Les oracles de la pythie, de la sibylle. L'oracle de Delphes.* **2.** Littér. Opinion exprimée avec autorité et qui jouit d'un grand crédit. **3.** Personne qui parle avec autorité ou compétence. *C'est l'oracle de sa génération.*

orage [ɔʀaʒ] n. m. **1.** Perturbation atmosphérique violente, caractérisée par des phénomènes électriques (éclairs, foudre, tonnerre), souvent accompagnée de pluie, de vent. ⇒ **bourrasque, ouragan, tempête.** *Il va faire de l'orage. L'orage menace, éclate.* **2.** Trouble qui éclate ou menace d'éclater. — Littér. *Les orages des passions.* — Loc. *Il y a de l'orage dans l'air,* une nervosité qui laisse présager une dispute. / contr. **calme /** ▶ *orageux, euse* adj. **1.** Qui annonce l'orage ; qui a les caractères de l'orage. *Le temps est orageux. Chaleur, pluie orageuse. Beau temps, mais orageux en fin de journée.* **2.** Tumultueux. *Discussion orageuse.* ⇒ **agité, mouvementé.** / contr. **calme, paisible /**

oraison [ɔʀezõ] n. f. **1.** Prière. *L'oraison dominicale.* **2.** ORAISON FUNÈBRE : discours religieux prononcé à l'occasion des obsèques d'un personnage illustre.

oral, ale, aux [ɔʀal, o] adj. **1.** (Opposé à *écrit*) Qui se fait, se transmet par la parole. ⇒ **verbal.** *Tradition orale.* — *Épreuves orales d'un examen.* — N. m. *Il a réussi à l'écrit, mais échoué à l'oral. Les résultats des oraux.* **2.** De la bouche. ⇒ **buccal.** *Cavité orale.* — En phonétique. *Voyelle orale* (opposé à *nasale*). ▶ *oralement* adv. ■ D'une manière orale. *Interroger un élève oralement.*

-orama ■ Second élément savant de mots signifiant « vue » (parfois simplifié en *-rama*).

orange [ɔʀɑ̃ʒ] n. f. et adj. invar. **1.** Fruit comestible de l'oranger (agrume), d'un jaune tirant sur le rouge. *Quartier d'orange. Écorce d'orange.* ⇒ **zeste.** *Orange sanguine. Jus d'orange.* **2.** Adj. invar. D'une couleur semblable à celle de l'orange. *Des rubans orange.* — N. m. *Un orange clair.* ▶ *orangeade* n. f. ■ Boisson préparée avec du jus d'orange, du sucre et de l'eau. ▶ *oranger* n. m. ■ Arbre fruitier qui produit les oranges. — *Eau de fleur d'oranger,* liqueur obtenue par la distillation des fleurs de l'oranger. ▶ *orangeraie* n. f. ■ Plantation d'orangers cultivés en pleine terre. ▶ *orangerie* n. f. **1.** Serre où l'on met à l'abri, pendant la saison froide, les orangers cultivés dans des caisses. **2.** Partie d'un jardin où les orangers sont placés pendant la belle saison. ▶ *orangé, ée* adj. et n. m. **1.** D'une couleur formée par la combinaison du jaune et du rouge. ⇒ **orange.** *Soie orangée.* **2.** N. m. Cette couleur.

orang-outan ou *orang-outang* [ɔʀɑ̃utɑ̃] n. m. ■ Grand singe d'Asie, à longs poils, aux membres antérieurs très longs. *Des orangs-outans.*

orateur, trice [ɔʀatœʀ, tʀis] n. **1.** Personne qui compose et prononce des discours. ⇒ **conférencier.** *Orateur éloquent.* — Personne qui est amenée occasionnellement à prendre la parole. *À la fin du banquet, l'orateur a été très applaudi.* **2.** Personne éloquente, qui sait parler en public. *Cette conférencière n'est pas bonne oratrice.* ▶ ① *oratoire* adj. ■ Qui appartient ou convient à l'orateur, à l'art de parler en public ; qui a le caractère des ouvrages d'éloquence. *Art oratoire. Joute oratoire.*

② *oratoire* [ɔʀatwaʀ] n. m. **1.** Petite chapelle. **2.** Nom de congrégations religieuses. ▶ *oratorien* n. m. ■ Membre de la congrégation religieuse de l'Oratoire. *Malebranche, Massillon, oratoriens célèbres.*

oratorio [ɔʀatɔʀjo] n. m. ■ Drame lyrique sur un sujet en général religieux. *L'oratorio de Noël* (de Bach). *Des oratorios et des cantates.*

① **orbite** [ɔʀbit] n. f. ■ Cavité osseuse dans laquelle se trouvent placés l'œil et ses annexes. *Avoir les yeux qui sortent des orbites.* ⇒ **exorbité.** ⟨ ▶ exorbitant, exorbité ⟩

② **orbite** n. f. **1.** Trajectoire courbe d'un corps céleste ayant pour foyer un autre corps céleste. *La Terre parcourt son orbite autour du Soleil en 365 jours 6 h 9 mn.* — *Mettre, placer un engin spatial sur orbite,* lui faire décrire l'orbite calculée (⇒ **lancer). 2.** Milieu où s'exerce une activité, l'influence de qqn. ⇒ **sphère.** *Attirer, entraîner qqn dans son orbite.* ▶ *orbital, ale, aux* adj. ■ De l'orbite (1). *Vitesse orbitale.* — *Station orbitale,* station aérospatiale mise sur orbite.

① **orchestre** [ɔʀkɛstʀ] n. m. ■ Groupe d'instrumentistes qui exécute ou qui est constitué en vue d'exécuter de la musique polyphonique. *Grands et petits orchestres.* ⇒ **ensemble, formation.** *Orchestre symphonique. Concerto pour violon et orchestre. Orchestre (de musique) de chambre. Orchestre de jazz, de danse.* — *La fosse d'orchestre,* où est l'orchestre, dans un théâtre. — *Diriger un orchestre.* ▶ *orchestral, ale, aux* adj. ■ Propre à l'orchestre symphonique. *Musique orchestrale.* — Qui a les qualités de l'orchestre. *Style orchestral.* ▶ *orchestrer* v. tr. ■ conjug. 1. **1.** Composer (une partition) en combinant les parties instrumentales. — Adapter pour l'orchestre. ⇒ **arranger.** *Ravel a orchestré les « Tableaux d'une exposition » de Moussorgsky.* **2.** Organiser en cherchant à donner le maximum d'ampleur. *Orchestrer une campagne de presse.* ▶ *orchestration* n. f. **1.** Action, manière d'orchestrer. ⇒ **instrumentation. 2.** Adaptation (d'une œuvre musicale) pour l'orchestre. ⇒ **arrangement.** ⟨ ▶ homme-orchestre ⟩

② **orchestre** n. m. ■ Dans une salle de spectacle. Ensemble des places du rez-de-chaussée les plus proches de la scène ou de l'écran. *Fauteuil d'orchestre.* — *Place à l'orchestre. Donnez-moi deux orchestres.*

orchidée [ɔʀkide] n. f. ■ Plante dont les fleurs groupées en grappes parfumées sont recherchées pour leur beauté. *Offrir des orchidées.*

ordinaire [ɔʀdinɛʀ] adj. et n. m. **I.** Adj. **1.** Conforme à l'ordre normal, habituel des choses. ⇒ **courant, usuel.** / contr. **anormal, exceptionnel, extraordinaire /** *Trajet, usage ordinaire.* — Fam. *Une histoire pas ordinaire* [pɑʀdinɛʀ], incroyable. — Coutumier (à qqn). *Sa maladresse ordinaire.* **2.** Dont la qualité est courante, qui n'a aucun caractère spécial. *De l'eau ordinaire ou de l'eau minérale. De l'essence ordinaire* (ou, n. m., *de l'ordinaire*) *ou du super ? Du papier ordinaire. Le modèle ordinaire.* ⇒ **standard. 3.** Péj. Dont la qualité ne dépasse pas le niveau moyen. ⇒ **banal, commun.** *Les génies et les hommes ordinaires.* — *Des gens très ordinaires,* de condition sociale très modeste, ou peu distingués. / contr. **remarquable / II.** N. m. **1.** Le degré habituel, moyen (d'une chose). *Il est d'une intelligence très au-dessus de l'ordinaire. Elle sort de l'ordinaire.* **2.** Ce que l'on mange, ce que l'on sert habituellement aux repas dans une communauté, dans l'armée, etc. ⇒ **alimentation.** *Un bon ordinaire.* **3.** *Ordinaire de la messe,* ensemble des prières invariables. **III.** D'ORDINAIRE, À L'ORDINAIRE loc. adv. : de façon habituelle, le plus souvent. ⇒ **d'habitude.** — *Comme à son ordinaire,* comme il le fait d'habitude. ▶ *ordinairement* adv. ■ D'une manière ordinaire (1), habituelle. ⇒ **généralement, habituellement.** *Il vient ordinairement le matin.*

ordinal, ale, aux [ɔʀdinal, o] adj. et n. m. ■ Qui marque l'ordre, le rang. *Nombre ordinal et nombre cardinal.* — En grammaire. Se dit d'un adjectif numéral qui exprime le rang d'un élément dans un ensemble.

« *Troisième* » *est un adjectif numéral ordinal.* — N. m. *Les ordinaux.*

ordinateur [ɔʀdinatœʀ] n. m. ■ Calculateur électronique doté de mémoires à grande capacité et de moyens de calcul ultra-rapides, pouvant adapter son programme aux circonstances et prendre des décisions complexes. *Programme d'un ordinateur. Le matériel et le logiciel d'un ordinateur. Ordinateur personnel* (anglic. P.C.) ou *micro-ordinateur. Le clavier, l'écran, le terminal (les terminaux), la mémoire centrale d'un ordinateur.*

ordination [ɔʀdinasjɔ̃] n. f. ■ Acte par lequel est administré le sacrement de l'ordre et surtout la prêtrise (⇒ ① **ordonner**).

① **ordonnance** [ɔʀdɔnɑ̃s] n. f. ■ Autrefois. Domestique militaire, soldat attaché à un officier.

① **ordonner** [ɔʀdɔne] v. tr. ■ conjug. 1. ■ Élever qqn à l'un des ordres de l'église. ⇒ **consacrer.** *Ordonner un diacre, un prêtre* (⇒ **ordination**).

② **ordonner** v. tr. ■ conjug. 1. ■ Disposer, mettre dans un certain ordre. ⇒ **agencer, arranger, classer, organiser, ranger.** *Il faut ordonner ses idées.* — V. pron. réfl. *Souvenirs qui s'ordonnent et se précisent.* ▶ *ordonné, ée* adj. **1.** En bon ordre. *Maison bien ordonnée.* **2.** (Personnes) Qui a de l'ordre et de la méthode. *Un enfant ordonné.* / contr. **désordonné ; brouillon** / ② *ordonnance* n. f. ■ Disposition selon un ordre. ⇒ **agencement, arrangement, disposition, organisation.** *Ordonnance des mots dans la phrase. L'ordonnance d'un repas, la suite des plats.* — Groupement et équilibre des parties, en peinture, en architecture. *Ordonnance d'un appartement,* disposition des pièces. ▶ *ordonnateur, trice* n. ■ Personne qui dispose, met en ordre. *L'ordonnateur d'une fête.* — *Ordonnateur des pompes funèbres,* qui accompagne et dirige les convois mortuaires. ⟨ ▶ **désordonné** ⟩

③ **ordonner** v. tr. ■ conjug. 1. ■ Prescrire par un ordre. ⇒ **commander, enjoindre, prescrire.** *Ordonner qqch. à qqn. Je vous ordonne de vous taire.* ⇒ **sommer.** *J'ordonne que vous soyez à l'heure.* ▶ ③ *ordonnance* n. f. **I. 1.** Textes législatifs émanant du pouvoir exécutif (roi, gouvernement). ⇒ **constitution, loi.** *Gouverner par ordonnances.* **2.** Décision émanant d'un juge unique. *Ordonnance de justice.* **II.** Prescriptions d'un médecin ; écrit qui les contient. *Médicament délivré seulement sur ordonnance.*

① **ordre** [ɔʀdʀ] n. m. **I.** Relation organisée entre plusieurs termes. ⇒ **structure. 1.** Disposition, succession régulière (de caractère spatial, temporel, logique, esthétique, moral). ⇒ **distribution.** *L'ordre des mots dans la phrase. Ordre chronologique, logique. Ordre alphabétique. Procédons par ordre. Dans l'ordre d'entrée en scène. Mettre des choses dans le bon ordre,* EN ORDRE. ⇒ ② **ordonner.** — Disposition d'une troupe sur le terrain. *Ordre de marche, de bataille.* — ORDRE DU JOUR : sujets dont une assemblée doit s'occuper, dans un certain ordre. *Voter l'ordre du jour.* — Loc. adj. *À l'ordre du jour,* d'actualité. **2.** Disposition qui satisfait l'esprit, semble la meilleure possible. / contr. **chaos, confusion, désordre** / *Mettre sa chambre, ses idées en ordre.* — *Mettre bon ordre à* (une situation), faire cesser le désordre. **3.** Qualité d'une personne qui a une bonne organisation, de la méthode, qui range les choses à leur place. *Cet élève a beaucoup d'ordre* ⇒ **ordonné,** *manque d'ordre* ⇒ **désordonné. 4.** Principe de causalité ou de finalité du monde. *C'est dans l'ordre (des choses),* c'est normal, inévitable. **5.** Organisation sociale. *Ébranler, renverser l'ordre établi.* / contr. **anarchie** / Stabilité sociale ; respect de la société établie. *Les partisans de l'ordre.* — *Le service*

d'ordre, qui maintient l'ordre dans une réunion. *Les forces de l'ordre,* chargées de réprimer une émeute. ⇒ **armée, police. 6.** Norme, conformité à une règle. *Tout est rentré dans l'ordre,* redevenu normal. *Rappeler qqn à l'ordre,* à ce qu'il convient de faire. ⇒ **réprimander. II.** Catégorie, classe d'êtres ou de choses. ⇒ **groupe. 1.** (Choses abstraites) Espèce. ⇒ **nature, sorte.** *Choses de même ordre.* — *Dans le même ordre, dans un autre ordre d'idées.* — *Ordre de grandeur.* **2.** En loc. Qualité, valeur. ⇒ **plan.** *C'est un écrivain de premier ordre. Une œuvre de second, de troisième ordre,* mineure. **3.** En sciences naturelles. Division intermédiaire entre la classe et la famille. **4.** Division de la société sous l'Ancien Régime. *Les trois ordres,* noblesse, clergé, tiers état. **5.** Groupe de personnes soumises à certaines règles professionnelles, morales. ⇒ **corporation, corps.** *L'ordre des médecins, des avocats.* **6.** Association de personnes vivant dans l'état religieux après avoir fait des vœux solennels. *Ordres monastiques. Règle d'un ordre. L'ordre des bénédictins, des carmélites. L'ordre des* **7.** L'un des degrés de la hiérarchie cléricale catholique. *Ordres mineurs. Ordres majeurs.* ⇒ **prêtrise.** *Entrer dans les ordres,* être ordonné* ①. ⇒ **ordination.** ⟨ ▶ **désordre, sous-ordre** ⟩

② **ordre** n. m. **1.** Acte par lequel une autorité manifeste sa volonté, disposition impérative. ⇒ **commandement, prescription.** *Ordre formel. Donner un ordre.* ⇒ **commander,** ③ **ordonner ; imposer.** *Exécuter, transgresser un ordre.* — *Être* AUX ORDRES *de qqn* : être, se mettre à sa disposition ; agir servilement pour son compte. — *Être* SOUS LES ORDRES *de qqn* : être son inférieur, dans la hiérarchie. — (Sans article) *Par ordre du ministre... Elle lui a donné ordre de ne pas sortir.* — JUSQU'À NOUVEL ORDRE : jusqu'à ce qu'un ordre, un fait nouveau vienne modifier la situation. **2.** Décision entraînant une opération commerciale. *Ordre d'achat, de vente. Billet à ordre.* — Endossement d'un billet, d'un chèque, d'une lettre de change pour les passer au profit d'une autre personne. *Faire un chèque à l'ordre de X.* **3.** MOT D'ORDRE : consigne, résolution commune aux membres d'un parti. ⟨ ▶ **contrordre** ⟩

ordure [ɔʀdyʀ] n. f. **1.** Matière, chose qui salit et répugne. *De l'ordure, des ordures.* ⇒ **immondice, saleté. 2.** Au plur. Choses de rebut dont on se débarrasse. ⇒ **détritus.** *Ordures ménagères. Pelle à ordures. Tas d'ordures. Boîte à ordures.* ⇒ **poubelle.** — Loc. *Jeter, mettre qqch. aux ordures,* se débarrasser de... **3.** Propos, écrit, action vile, sale ou obscène. ⇒ **cochonnerie, grossièreté, saleté.** *Dire, écrire des ordures.* **4.** Fam. Personne ignoble (terme d'injure). ⇒ fam. **fumier, salaud, salope.** *Quelle ordure, ce type !* ▶ *ordurier, ière* adj. ■ Qui dit ou écrit des choses sales, obscènes. ⇒ **grossier.** — *Plaisanteries ordurières.* ⇒ **obscène, sale.** ⟨ ▶ **vide-ordures** ⟩

orée [ɔʀe] n. f. ■ *L'orée du bois, de la forêt,* la bordure. ⇒ **lisière.**

oreille [ɔʀɛj] n. f. **I. 1.** Chacun des deux organes constituant l'appareil auditif. ⇒ fam. **esgourdes, portugaises.** *Tintement, sifflement d'oreilles.* — Par plaisant. *Les oreilles ont dû vous tinter, vous siffler* (tellement nous avons parlé de vous). — Loc. *Écoutez de toutes vos oreilles. N'écouter que d'une oreille, d'une oreille distraite. Prêter l'oreille,* écouter. *Faire la sourde oreille (à qqch.),* feindre de ne pas entendre, d'ignorer une demande. — *Casser les oreilles à qqn,* en faisant trop de bruit. *Parler, dire qqch. à l'oreille de qqn, dans le creux de l'oreille,* de sorte qu'il soit seul à entendre. *Si cela venait à ses oreilles,* à sa connaissance. *Cela lui entre par une oreille et lui sort par l'autre,* il ne fait pas attention à ce qu'on lui dit, ne le retient pas. *Ce n'est pas tombé dans l'oreille d'un sourd*, il tirera profit de ces paroles. — PROV. *Ventre affamé n'a pas d'oreilles*, celui qui a faim n'écoute plus rien. — *Avoir l'oreille de qqn*, en être écouté. ⇒ **confiance, faveur. 2.** Ouïe. *Avoir l'oreille fine*, exercée, délicate. — *Avoir de l'oreille*, distinguer les sons avec précision. *Il chante faux, il n'a pas d'oreille.* **3.** Pavillon (partie extérieure) de l'oreille. *Oreilles pointues, décollées. Boucles, pendants d'oreilles. Rougir jusqu'aux oreilles*, beaucoup. *Tirer l'oreille, les oreilles à un enfant* (pour le punir). *Se faire tirer l'oreille*, se faire prier. — *Dormir sur ses deux oreilles*, sans inquiétude. — *Montrer le bout de l'oreille*, se trahir. **II. 1.** Chacun des deux appendices symétriques de récipients et ustensiles par lesquels on les prend. ⇒ **anse.** *Les oreilles d'une marmite, d'un bol.* **2.** Partie latérale du dossier de certains fauteuils, sur laquelle on peut appuyer sa tête. **3.** Oreillette (I). ▶ **oreillette** n. f. **I.** Partie d'un chapeau qui protège les oreilles. *Toque à oreillettes.* ⇒ **chapka. II.** Chacune des deux cavités supérieures du cœur. *Oreillettes et ventricules du cœur.* ▶ **oreiller** n. m. ■ Pièce de literie qui sert à soutenir la tête, coussin rembourré, généralement carré. *Taie d'oreiller.* ▶ **oreillons** n. m. pl. ■ Maladie infectieuse, épidémique et contagieuse, caractérisée par une inflammation et des douleurs dans l'oreille. *Elle vient d'avoir les oreillons.* ⟨ ▶ cure-oreille, perce-oreille ⟩

ores [ɔʀ] adv. ■ Vx. Maintenant. ≠ ② *or.* — Loc. littér. D'ORES ET DÉJÀ [dɔʀzedeʒa] : dès maintenant, dès à présent. *Les ordres sont d'ores et déjà donnés.* ⟨ ▶ désormais, dorénavant ⟩

orfèvre [ɔʀfɛvʀ] n. m. ■ Fabricant d'objets en métaux précieux, en alliage ; marchand de pièces d'orfèvrerie. *Orfèvre-joaillier, orfèvre-bijoutier.* ⇒ **bijoutier.** — Loc. *Être orfèvre en la matière*, s'y connaître parfaitement. ▶ **orfèvrerie** n. f. **1.** Art, métier, commerce de l'orfèvre. **2.** Ouvrages de l'orfèvre. *Orfèvrerie d'argent massif.*

orfraie [ɔʀfʀɛ] n. f. ■ Oiseau de proie diurne. — Loc. *Pousser des* CRIS D'ORFRAIE : crier, hurler.

organdi [ɔʀgɑ̃di] n. m. ■ Toile de coton, très légère et empesée. *Robe d'été en organdi.*

organe [ɔʀgan] n. m. **I. 1.** Voix (surtout d'un chanteur, d'un orateur). *Organe bien timbré.* **2.** Voix autorisée d'un porte-parole, d'un interprète. *Le ministère public est l'organe de l'accusation.* — Publication périodique. *L'organe d'un parti, d'une société savante.* ⇒ **journal, revue. II. 1.** Partie d'un être vivant ⇒ **organisme** remplissant une fonction particulière. *Lésion d'un organe. Organe de la digestion, de la respiration. Organes sexuels, les organes.* ⇒ **partie(s), sexe.** — *L'œil, organe de la vue.* **2.** Institution chargée de faire fonctionner une catégorie déterminée de services. *Les organes directeurs de l'État*, le gouvernement. **3.** Mécanisme. *Organes de commande d'une machine.* ▶ **organique** adj. **1.** Qui a rapport ou qui est propre aux organes, aux organismes vivants. *Trouble organique* (opposé à *trouble fonctionnel*). **2.** Qui provient de tissus vivants. *Engrais organiques* (opposé à *chimiques*). — CHIMIE ORGANIQUE : qui a pour objet l'étude des composés du carbone, corps contenu dans tous les êtres vivants (opposé à *chimie minérale*). **3.** Relatif à l'organisation d'ensemble d'une institution, d'un État. *Loi organique.* ⟨ ▶ organiser, organisme ⟩

organigramme [ɔʀganigʀam] n. m. ■ Tableau schématique des divers services d'une administration, d'une entreprise, et de leurs rapports mutuels.

organiser [ɔʀganize] v. tr. ▪ conjug. 1. **1.** Doter d'une structure, d'une constitution déterminée, d'un mode de fonctionnement. *Organiser les parties d'un ensemble.* ⇒ **agencer, disposer,** ② **ordonner.** *Organiser la résistance.* **2.** Soumettre à une façon déterminée de vivre ou de penser. *Organiser son temps, sa vie, ses loisirs.* — S'ORGANISER v. pron. réfl. : (personnes) organiser ses activités. *Il ne sait pas s'organiser.* **3.** Préparer (une action) selon un plan. *Organiser un voyage, une fête.* — S'ORGANISER v. pron. réfl. (Choses) *Un voyage qui s'organise difficilement.* ▶ ① **organisé, ée** adj. **1.** Qui est disposé ou se déroule suivant un ordre, des méthodes ou des principes déterminés. *Voyage organisé.* ⇒ **méthodique.** — *Personne bien organisée*, qui organise bien sa vie, son emploi du temps. **2.** Qui appartient à une organisation. *Citoyens organisés en partis.* ⇒ **organisation** n. f. **1.** Action d'organiser (qqch.) ; son résultat. ⇒ **agencement, arrangement.** *Manque d'organisation. Avoir l'esprit d'organisation.* **2.** Façon dont un ensemble est constitué en vue de son fonctionnement. ⇒ **ordre, structure.** *L'organisation judiciaire.* **3.** Association qui se propose des buts déterminés. ⇒ **assemblée, groupement, organisme, société.** *Organisation politique. Organisation de tourisme, de voyage. Organisation des Nations unies (O.N.U.).* ▶ **organisateur, trice** n. ■ Personne qui organise, sait organiser. *L'organisatrice de cette fête.* — Adj. *Puissance organisatrice.* ▶ ① **organisme** n. m. **1.** Ensemble organisé. *Une nation est un organisme.* **2.** Ensemble des services, des bureaux affectés à une tâche. ⇒ **organisation.** *Organisme international.* ⟨ ▶ désorganiser, inorganisé, réorganiser ⟩

② **organisme** n. m. **1.** Ensemble des organes qui constituent un être vivant. — Le corps humain. *Les besoins, les fonctions de l'organisme.* **2.** Tout être vivant. ▶ ② **organisé, ée** adj. ■ Pourvu d'organes. *Les êtres vivants organisés.*

organiste [ɔʀganist] n. ■ Musicien qui joue de l'orgue. *J.-S. Bach fut un remarquable organiste.*

orgasme [ɔʀgasm] n. m. ■ Le plus haut point du plaisir sexuel.

orge [ɔʀʒ] n. f. **1.** Plante à épis simples, cultivée comme céréale. *Champ d'orge.* **2.** Grain de cette céréale, utilisé surtout en brasserie. — Au masc. *Orge perlé.* **3.** *Sucre d'orge.* ⇒ **sucre.** ▶ **orgeat** [ɔʀʒa] n. m. ■ *Sirop d'orgeat* ou *orgeat*, sirop préparé autrefois avec une décoction d'orge et actuellement avec une émulsion d'amandes douces.

orgelet [ɔʀʒəlɛ] n. m. ■ Petite tumeur sur le bord de la paupière. ⇒ **compère-loriot.**

orgie [ɔʀʒi] n. f. **1.** Partie de débauche. — Repas long et bruyant, copieux et arrosé à l'excès. ⇒ fam. **beuverie, ripaille. 2.** ORGIE DE : usage excessif de qqch. qui plaît. ⇒ **excès.** *Des orgies de couleurs.* ▶ **orgiaque** adj. ■ Littér. Qui tient de l'orgie, évoque l'orgie.

orgue [ɔʀg] n. (masc. au sing. et plus souvent fém. au plur.) **1.** Grand instrument à vent composé de nombreux tuyaux que l'on fait résonner par l'intermédiaire de claviers, en y introduisant de l'air au moyen d'une soufflerie. *Jouer de l'orgue.* ⇒ **organiste.** *Pédale d'orgue.* — (Dans une église) *Les grandes orgues. Monter aux orgues, à l'orgue*, à la tribune où est l'orgue. — *Orgue de Barbarie*, instrument portatif, dont on joue au moyen d'une manivelle. — *Orgue électrique* (sans tuyau), muni d'amplificateurs et de haut-parleurs, et produisant les sons au moyen de circuits électriques. *Orgue électronique.* **2.** POINT D'ORGUE : temps d'arrêt qui suspend la mesure sur une note dont la durée peut être prolongée à volonté. ⟨ ▶ organiste ⟩

orgueil [ɔʀgœj] n. m. **1.** Opinion très avantageuse, le plus souvent exagérée, qu'on a de sa valeur personnelle aux dépens de la considération due à autrui. ⇒ **arrogance, présomption, suffisance.** / contr. **humilité, modestie** / *Être gonflé d'orgueil. Il est d'un orgueil ridicule, insupportable.* **2.** L'ORGUEIL DE : la satisfaction d'amour-propre (que donne qqch.). ⇒ **fierté.** *Avoir l'orgueil de ses enfants. Il tire grand orgueil de sa réussite.* ⇒ **gloire, vanité.** / contr. **honte** / — Ce qui motive ce sentiment. *Il est l'orgueil de sa famille*, sa famille a de l'orgueil à cause de lui. ▶ *orgueilleux, euse* adj. ■ Qui a, montre de l'orgueil. *Nature orgueilleuse.* ⇒ **arrogant, fier, hautain, prétentieux, vaniteux.** *Orgueilleux comme un paon, comme un pou.* / contr. **humble, modeste** / — N. *C'est une orgueilleuse.* — Qui dénote de l'orgueil, inspiré par l'orgueil. *Il ressentait une joie orgueilleuse.* ▶ *orgueilleusement* adv. ■ Avec orgueil, d'une manière orgueilleuse. ⟨ ▶ enorgueillir ⟩

① *orient* [ɔʀjɑ̃] n. m. **1.** Poét. Un des quatre points cardinaux, côté de l'horizon où le Soleil se lève. ⇒ **levant ; est.** *L'orient et l'occident.* **2.** Région située vers l'est par rapport à un lieu donné. — (Avec une majuscule) En prenant l'Europe comme référence. *L'Asie et parfois certains pays du bassin méditerranéen ou de l'Europe centrale. L'Extrême-Orient, le Moyen-Orient, le Proche-Orient.* ▶ *oriental, ale, aux* adj. et n. **1.** Qui est situé à l'est d'un lieu. *Pyrénées orientales.* **2.** Originaire de l'Orient. *Peuples orientaux. Langues orientales.* — N. *Les Orientaux et les Occidentaux.* **3.** Qui est propre à l'Orient ou le rappelle. *Style oriental, musique orientale.* ▶ *orientaliste* n. ■ Spécialiste de l'étude de l'Orient, de l'Asie. ⟨ ▶ orienter ⟩

② *orient* n. m. ■ Reflet nacré. *Des perles d'un bel orient.*

orienter [ɔʀjɑ̃te] v. tr. ▪ conjug. 1. **I. 1.** Disposer une chose par rapport aux points cardinaux, à une direction, un objet déterminé. *Orienter une maison au sud.* — Au p. p. adj. *Appartement bien orienté, orienté au sud.* **2.** Indiquer à (qqn) la direction à prendre. ⇒ **conduire, diriger, guider.** *Orienter un voyageur égaré.* — Abstrait. *Orienter un élève vers les sciences.* **II.** S'ORIENTER v. pron. réfl. **1.** Déterminer la position que l'on occupe par rapport aux points cardinaux, à des repères. *Elle ne sait pas s'orienter dans cette ville.* ⇒ **se repérer. 2.** Diriger son activité (vers qqch.). *S'orienter vers la recherche.* — Le parti s'oriente à gauche. ⇒ **tendre, virer.** — Au p. p. adj. *Un ouvrage très orienté*, qui a une tendance doctrinale déterminée. ▶ *orientable* adj. ■ Qui peut être orienté. *Store à lames orientables.* ▶ *orientation* n. f. **1.** Détermination des points cardinaux d'un lieu (pour se repérer, se diriger). *Elle n'a pas le sens de l'orientation.* **2.** Action de donner une direction déterminée. *L'orientation des études. L'orientation professionnelle. Une conseillère d'orientation.* **3.** Fait d'être orienté de telle ou telle façon. ⇒ **situation.** *Orientation d'une maison.* ⇒ **exposition.**

orifice [ɔʀifis] n. m. **1.** Ouverture qui fait communiquer une cavité avec l'extérieur. *Orifice d'un puits, d'un tuyau.* — Boucher, agrandir un orifice. **2.** Ouverture servant d'entrée ou d'issue à certains organes. *La bouche est un orifice de l'appareil digestif.*

oriflamme [ɔʀiflam] n. f. ■ Bannière d'apparat ou utilisée comme ornement.

origan [ɔʀigɑ̃] n. m. ■ Marjolaine (plante aromatique).

originaire [ɔʀiʒinɛʀ] adj. **1.** Qui tire son origine (d'un pays, d'un lieu). ⇒ **natif.** *Elle est originaire de Tunisie. La bouillabaisse est originaire de Marseille.* **2.** Qui est à l'origine (d'une chose). ⇒ **premier.** — Qui apparaît à l'origine, date de l'origine.

⇒ ② **original** (I), **originel, primitif.** *Vice originaire.* ▶ *originairement* adv. ■ Primitivement, à l'origine. ⇒ **originellement.**

① *original, aux* [ɔʀiʒinal, o] n. m. **1.** Ouvrage (texte, œuvre d'art...) de la main de l'homme, dont il est fait des reproductions. *Copie conforme à l'original.* — Texte qui donne lieu à traduction, à adaptation. *La traduction est fidèle à l'original.* **2.** Personne réelle, objet naturel représentés ou décrits par l'art. ⇒ **modèle.** *La ressemblance du portrait et de l'original est frappante.*

② *original, ale, aux* adj. **I. 1.** Littér. Primitif. ⇒ **originaire, originel.** *Le sens original d'un mot.* **2.** Qui émane directement de l'auteur, est l'origine des reproductions. *Documents originaux. Édition originale*, première édition en librairie d'un texte inédit. — N. f. *L'originale des « Misérables ».* **II. 1.** Qui paraît ne dériver de rien d'antérieur, qui est unique. ⇒ **inédit, neuf, nouveau, personnel.** *Avoir des vues, des idées originales.* — (Personnes) *Esprits très originaux. Artiste original.* / contr. **banal, commun ; conformiste** / **2.** Bizarre, peu normal. ⇒ **étrange, singulier, spécial.** *Elle est très originale.* — N. *C'est un original.* ⇒ **numéro, phénomène.** ▶ *originalité* n. f. **1.** Caractère de ce qui est original (II), de celui qui est original. *L'originalité d'un écrivain, d'une œuvre.* ⇒ **nouveauté.** / contr. **banalité, conformisme** / — Étrangeté, excentricité, singularité. *Il se fait remarquer par son originalité.* **2.** Élément original. *Les originalités de ce modèle.*

origine [ɔʀiʒin] n. f. **I. 1.** Ancêtres ou milieu humain primitif auquel remonte la généalogie (d'un individu, d'un groupe). ⇒ **ascendance, extraction, souche.** *Être d'origine modeste. Il est d'origine française. Pays d'origine.* — Milieu social d'où est issu qqn. *Elle est d'origine bourgeoise, modeste.* **2.** Temps, milieu d'où vient (qqch.). *Une coutume d'origine ancienne.* — Origine d'un mot. ⇒ **étymologie. 3.** Point de départ (de ce qui est envoyé). ⇒ **provenance.** *L'origine d'un appel téléphonique.* **II. 1.** Commencement, première apparition ou manifestation. ⇒ **création, naissance.** À l'origine du monde, des temps. — À L'ORIGINE loc. adv. : dès l'origine, au début. — Au plur. Commencements d'une réalité qui se modifie. *Les origines de la vie.* **2.** Ce qui explique l'apparition ou la formation d'un fait nouveau. ⇒ **cause, source.** *Origine d'une révolution.* ⟨ ▶ originaire, ① original, ② original, originel ⟩

originel, elle [ɔʀiʒinɛl] adj. ■ Qui date de l'origine, qui vient de l'origine. ⇒ **originaire, ② original** (I) ; **premier, primitif.** *Sens originel d'un mot.* — Dans la religion chrétienne. Du premier homme créé par Dieu. *Le péché originel.* ▶ *originellement* adv. ■ Dès l'origine, à l'origine. ⇒ **primitivement.**

orignal, aux [ɔʀiɲal, o] n. m. ■ Élan* du Canada.

oripeaux [ɔʀipo] n. m. pl. ■ Vêtements voyants et excentriques, vieux habits.

orme [ɔʀm] n. m. **1.** Grand arbre à feuilles dentelées. *Allée d'ormes.* **2.** Bois de cet arbre. ▶ ① *ormeau* [ɔʀmo] n. m. ■ Petit orme, jeune orme. *Des ormeaux.*

② *ormeau* n. m. ■ Mollusque comestible, à large coquille arrondie et plate. *Des ormeaux.*

ornement [ɔʀnəmɑ̃] n. m. **1.** Action d'orner ; résultat de cette action. ⇒ **décoration.** — REM. Sens rare sauf dans *arbres, plantes d'ornement.* ⇒ **décoratif, ornemental. 2.** Ce qui orne, s'ajoute à un ensemble pour l'embellir. *Ornements de tapisserie. Une chambre qui manque d'ornements. Une toilette sans aucun ornement.* **3.** Motif accessoire (d'une composition artistique). *Les ornements d'un édifice.* ▶ *ornemen-*

tal, ale, aux adj. ■ Qui a rapport à l'ornement, qui utilise des ornements. *Style ornemental.* — Qui sert à orner. ⇒ **décoratif.** *Motif ornemental. Cheminée ornementale.* ▶ *ornementer* v. tr. ■ conjug. 1. ■ Garnir d'ornements ; embellir par des ornements. ⇒ **décorer, orner.** ▶ *ornementation* n. f. ■ Action d'ornementer. *Un sens inné de l'ornementation.* — Ensemble d'éléments qui ornent. *L'ornementation d'un salon.*

orner [ɔʀne] v. tr. ■ conjug. 1. **1.** (Personnes) Mettre en valeur, embellir (une chose). ⇒ **agrémenter, décorer.** *Orner un livre d'enluminures.* ⇒ **illustrer.** — (Choses) *Une broche orne sa robe.* **2.** ORNÉ DE : qui a pour ornement. *Un chemisier orné de dentelles.* — LETTRES ORNÉES : enluminées. *Un discours trop orné,* où il y a trop d'effets de style. ⟨ ▶ ornement ⟩

ornière [ɔʀnjɛʀ] n. f. **1.** Trace, plus ou moins profonde que les roues de voitures creusent dans les chemins. **2.** Abstrait. Chemin tout tracé, habituel, où l'on s'enlise. *Il reste dans l'ornière.* ⇒ **routine.** — *Sortir de l'ornière,* d'une situation pénible, difficile.

ornitho- ■ Élément savant signifiant « oiseau ». ▶ *ornithologie* [ɔʀnitɔlɔʒi] n. f. ■ Partie de la zoologie qui étudie les oiseaux. ▶ *ornithologique* adj. ▶ *ornithologiste* ou *ornithologue* n. ■ Spécialiste de l'ornithologie. ▶ *ornithorynque* [ɔʀnitɔʀɛ̃k] n. m. ■ Mammifère australien, amphibie et ovipare, à bec corné, à longue queue plate, aux doigts palmés et armés de griffes.

oro- ■ Élément savant signifiant « montagne » (ex. : *orographie,* n. f. « géographie des reliefs montagneux »).

oronge [ɔʀɔ̃ʒ] n. f. ■ Champignon (appelé aussi *amanite*). *Oronge vineuse, oronge vraie,* espèces comestibles. *Fausse oronge,* à chapeau rouge taché de blanc, vénéneuse.

orpailleur [ɔʀpajœʀ] n. m. ■ Ouvrier qui recueille par lavage les paillettes d'or dans les fleuves ou les terres aurifères. — Chercheur d'or. ▶ *orpaillage* n. m. ■ Travail des orpailleurs.

orphelin, ine [ɔʀfəlɛ̃, in] n. ■ Enfant qui a perdu son père et sa mère, ou l'un des deux. *Un orphelin de père et de mère.* — Loc. fam. *Il défend la veuve et l'orphelin,* se dit de tout protecteur des opprimés. — Adj. *Un enfant orphelin.* ▶ *orphelinat* n. m. ■ Établissement destiné à élever des orphelins.

orphéon [ɔʀfeɔ̃] n. m. ■ Fanfare.

orphisme [ɔʀfism] n. m. ■ Doctrine ou secte religieuse de l'Antiquité qui s'inspire de la pensée d'Orphée. ▶ *orphique* adj. ■ De l'orphisme.

orque [ɔʀk] n. f. ■ Mammifère marin, sorte de dauphin. *L'orque est carnivore.*

orteil [ɔʀtɛj] n. m. ■ Doigt de pied. *Les cinq orteils. Le gros orteil,* le pouce du pied.

orth(o)- ■ Élément savant signifiant « droit, correct ». ⟨ ▶ orthodoxe, orthogonal, orthographe, orthopédie, orthophonie ⟩

orthodoxe [ɔʀtɔdɔks] adj. et n. **1.** Conforme au dogme, à la doctrine d'une religion. *Théologien orthodoxe.* N. *Les orthodoxes et les hérétiques.* — Conforme au dogme d'un parti. *Communiste orthodoxe.* N. *Les orthodoxes et les dissidents du parti.* **2.** Conforme à une doctrine, aux opinions et usages établis. ⇒ **conformiste, traditionnel.** *Morale orthodoxe. Cette manière de procéder n'est pas très orthodoxe.* **3.** Se dit des Églises chrétiennes issues d'Orient (séparées de Rome au XIᵉ s.). *Église orthodoxe russe, grecque.* — Qui appartient à ces Églises. *Rite orthodoxe.* — N. *Les orthodoxes grecs.* ▶ *orthodoxie* n. f. **1.** Ensemble des doctrines, des

opinions considérées comme vraies par la fraction dominante d'une Église et enseignées officiellement. ⇒ **dogme.** *L'orthodoxie catholique.* **2.** Caractère orthodoxe (d'une proposition, d'une personne). *L'orthodoxie d'une déclaration.*

orthogonal, ale, aux [ɔʀtɔgɔnal, o] adj. ■ En géométrie. Qui forme un angle droit, se fait à angle droit. ⇒ **perpendiculaire.** *Droites orthogonales.* — *Projection orthogonale,* projection d'une figure obtenue au moyen de perpendiculaires abaissées sur une surface. ▶ *orthogonalement* adv. ■ À angle droit.

orthographe [ɔʀtɔgʀaf] n. f. **1.** Manière d'écrire un mot qui est considérée comme la seule correcte. *Chercher l'orthographe d'un mot dans le dictionnaire. Faute d'orthographe.* — Connaissance, application de ces règles. *Être bon, mauvais, nul en orthographe. Avoir une bonne, une mauvaise orthographe.* **2.** Manière particulière dont on écrit les mots. ⇒ **graphie.** *Orthographe fautive.* **3.** Système de notation des sons par des signes écrits, propre à une langue, une époque, un écrivain. *L'orthographe russe. L'orthographe du XVIᵉ s.* ▶ *orthographier* v. tr. ■ conjug. 7. ■ Écrire du point de vue de l'orthographe. *Il orthographie ce mot correctement.* — Au p. p. adj. *Mot mal orthographié.* ▶ *orthographique* adj. ■ Relatif à l'orthographe. *Réforme orthographique.*

orthopédie [ɔʀtɔpedi] n. f. **1.** Partie de la médecine qui étudie et traite les affections du squelette, des muscles et des tendons. **2.** Abusivt. Orthopédie des membres inférieurs. ▶ *orthopédique* adj. ■ D'orthopédie. *Appareil orthopédique.* ▶ *orthopédiste* n. et adj. ■ Médecin qui pratique l'orthopédie. — Adj. *Médecin orthopédiste.* — Personne qui fabrique ou vend des appareils orthopédiques.

orthophonie [ɔʀtɔfɔni] n. f. ■ Traitement qui vise à la correction des défauts d'élocution. ▶ *orthophoniste* n. ■ Spécialiste de l'orthophonie. *Cette orthophoniste rééduque les dyslexiques et les bègues.*

ortie [ɔʀti] n. f. ■ Plante dont les feuilles sont couvertes de poils fins qui renferment un liquide irritant (acide formique). *Des piqûres d'ortie.*

ortolan [ɔʀtɔlɑ̃] n. m. ■ Petit oiseau à chair très estimée. — Loc. *Manger des ortolans,* une nourriture délicate et recherchée.

orvet [ɔʀvɛ] n. m. ■ Reptile saurien (proche des lézards), dépourvu de membres. *On confond souvent l'orvet avec les serpents.*

os [ɔs] ; plur. [o] n. m. **1.** Chacune des pièces rigides du squelette de l'homme et de la plupart des animaux vertébrés. — (Personnes) *Avoir de gros os, de petits os* (⇒ **ossature**). *Avoir les os saillants,* être maigre, osseux. — Loc. *N'avoir que la peau sur les os. C'est un sac d'os, un paquet d'os* [ɔs], une personne très maigre. *Se rompre les os* [o], faire une chute dangereuse. — Loc. *En chair et en os* [ɔs], en personne. — *Il ne fera pas de vieux os,* il ne vivra pas longtemps. *Ne pas faire de vieux os quelque part,* ne pas y rester longtemps. — *Être mouillé, trempé jusqu'aux os,* complètement trempé. — Loc. fam. *L'avoir dans l'os,* être trompé, volé. — (Animaux) *Viande vendue avec os, sans os* ⇒ **désossé.** *Os à moelle. Des os à moelle* [ɔsamwal]. *Ronger un os.* — Loc. fam. *Tomber sur un os ; il y a un os !,* une difficulté. **2.** LES OS : restes d'un être vivant, après sa mort. ⇒ **carcasse, ossements. 3.** Matière d'objets faits avec des os. *Couteaux à manches en os.* **4.** OS DE SEICHE : lame calcaire qui soutient le dos de la seiche. ⟨ ▶ désosser, ossature, osselet, ossements, osseux, ossifier, ossuaire ⟩

O.S. [ɔɛs] n. invar. ■ Ouvrier dit « spécialisé ».

oscar [ɔskaʀ] n. m. ■ Récompense décernée par un jury dans des domaines divers (cinéma, etc.). *Oscar de la chanson, de la publicité. Il a reçu plusieurs oscars.* ⇒ **césar.**

osciller [ɔsile] v. intr. ■ conjug. 1. **1.** Aller de part et d'autre d'une position moyenne par un mouvement alternatif ; se mouvoir par va-et-vient. *Le pendule oscille.* ⇒ se **balancer.** *Le courant d'air fit osciller la flamme.* ⇒ **vaciller. 2.** Abstrait. Varier en passant par des alternatives. *Osciller entre deux positions, deux partis.* ⇒ **hésiter.** ▶ *oscillant, ante* [ɔsilɑ̃, ɑ̃t] adj. **1.** Qui oscille, qui a un rythme alterné. **2.** Qui passe par des alternatives. ⇒ **incertain.** ▶ *oscillation* [ɔsilasjɔ̃] n. f. **1.** Mouvement d'un corps qui oscille. ⇒ **balancement.** *Oscillation d'un pendule.* ⇒ **battement. 2.** Mouvement de va-et-vient. — Fluctuation, variation. *Les oscillations de l'opinion.*

oseille [ozɛj] n. f. **1.** Plante cultivée pour ses feuilles comestibles au goût acide. *Soupe à l'oseille.* **2.** Fam. Argent. *Avoir de l'oseille,* être riche. *Ils nous ont piqué l'oseille.* ⇒ fam. **blé, fric, pèze, pognon.**

oser [oze] v. tr. ■ conjug. 1. **1.** Littér. OSER qqch. : entreprendre avec assurance (une chose considérée comme difficile, insolite ou périlleuse). ⇒ **risquer.** *Si j'osais une plaisanterie...* OSER FAIRE qqch. : avoir l'audace, le courage, la hardiesse de. *Je n'ose plus rien dire. Allez-y ! Je n'ose pas.* — (Négatif, sans *pas,* avec un sens plus faible) *Il n'osait faire un mouvement.* — Avoir l'impudence de. *Il a osé me faire des reproches.* — (Précaution oratoire) ⇒ se **permettre.** *Si j'ose dire. Si j'ose m'exprimer ainsi.* — (Comme souhait) *J'ose l'espérer.* **3.** (Sans compl.) Se montrer audacieux, téméraire, prendre des risques. (→ fam. Prendre son courage à deux mains.) *Il faut oser ! /* contr. **craindre, hésiter /** ▶ *osé, ée* adj. **1.** Qui est fait avec audace. *Démarche, tentative osée.* ⇒ **hardi, risqué.** *C'est bien osé de votre part.* ⇒ **audacieux, téméraire.** — Qui risque de choquer les bienséances. ⇒ **cru.** *Plaisanteries osées. Une scène osée.* **2.** (Personnes) Qui montre de la hardiesse ou de l'effronterie. ⇒ **audacieux.** *Il a l'air très osé.*

osier [ozje] n. m. **1.** Saule de petite taille, aux rameaux flexibles. *Branches d'osier.* **2.** Rameau d'osier, employé pour la confection de liens et d'ouvrages de vannerie. *Panier d'osier. Fauteuil en osier.* ▶ *oseraie* [ozʀɛ] n. f. ■ Endroit, terrain planté d'osiers.

osmose [ɔsmoz] n. f. **1.** Phénomène de diffusion entre deux liquides ou deux solutions séparés par une membrane semi-perméable laissant passer le solvant mais non la substance dissoute. *Phénomène d'osmose.* **2.** Abstrait. Interpénétration, influence réciproque. *Il y a eu une sorte d'osmose entre ces deux courants de pensée.* ▶ *osmotique* adj. ■ Didact. De l'osmose (1). *Pression osmotique.*

ossature [ɔsatyʀ] n. f. **1.** Ensemble des os, tels qu'ils sont disposés dans le corps. ⇒ **squelette.** *Une ossature robuste. L'ossature de la main.* **2.** Ensemble de parties essentielles et résistantes qui soutient un tout. ⇒ **charpente.** *L'ossature en béton d'un immeuble.* — *Ce discours n'est pas construit, il n'a pas d'ossature.* ⇒ **structure.**

osselet [ɔslɛ] n. m. **1.** *Les osselets de l'oreille,* les petits os de la caisse du tympan. **2.** LES OSSELETS : jeu d'adresse consistant à lancer puis à rattraper sur le dos de la main des petits os (parfois en plastique ou en métal). *Tu veux jouer aux osselets ?*

ossements [ɔsmɑ̃] n. m. pl. ■ Os décharnés et desséchés de cadavres d'hommes ou d'animaux. *Des ossements blanchis par le temps.*

osseux, euse [ɔsø, øz] adj. **1.** Qui est propre aux os. *Tissu osseux,* formé de *cellules osseuses.* **2.** *Poisson osseux* (opposé à *cartilagineux*), qui possède des arêtes dures. **3.** Qui est constitué par des os. *Carapace osseuse.* **4.** Dont les os sont saillants, très apparents. ⇒ **maigre.** *Un visage émacié, osseux. /* contr. **dodu, gras /**

ossifier [ɔsifje] v. tr. ■ conjug. 7. ■ Transformer en tissu osseux. — Pronominalement (réfl.). *S'ossifier.* ⇒ se **calcifier.**

osso buco [ɔsɔbuko] n. m. invar. ■ Jarret de veau servi avec l'os à moelle et accompagné de riz à la tomate (plat italien).

ossuaire [ɔsɥɛʀ] n. m. **1.** Amas d'ossements. **2.** Excavation ⇒ **catacombes,** bâtiment où sont conservés des ossements humains. *Ossuaires des cloîtres romans.*

-oste, osté(o)- ■ Éléments savants signifiant « os ».

ostensible [ɔstɑ̃sibl] adj. ■ Littér. Qui est fait sans se cacher ou avec l'intention d'être remarqué. ⇒ **apparent, ouvert, visible.** *Attitude, démarche ostensible. /* contr. **caché, discret, secret /** ▶ *ostensiblement* adv. ■ D'une manière ostensible. *Il haussa ostensiblement les épaules. /* contr. **furtivement, subrepticement /**

ostensoir [ɔstɑ̃swaʀ] n. m. ■ Pièce d'orfèvrerie destinée à contenir l'hostie consacrée et à l'exposer.

ostentation [ɔstɑ̃tasjɔ̃] n. f. ■ Mise en valeur excessive et indiscrète (ostensible) d'un avantage. ⇒ **étalage.** *Agir par ostentation, avec ostentation.* ⇒ **orgueil, vanité.** *Il nous montra son bulletin de notes avec ostentation. /* contr. **discrétion, modestie /** ▶ *ostentatoire* adj. ■ Littér. Qui est fait, montré avec ostentation. *Charité ostentatoire. /* contr. **discret /**

ostracisme [ɔstʀasism] n. m. ■ Hostilité d'une collectivité qui rejette un de ses membres. *L'ostracisme d'un parti contre qqn. Être victime de l'ostracisme de...*

ostréi- ■ Élément savant signifiant « huître ». ▶ *ostréiculture* [ɔstʀeikyltyʀ] n. f. ■ Élevage des huîtres. ▶ *ostréiculteur, trice* n. ■ Personne qui pratique l'ostréiculture.

ostrogoth, -gothe ou *ostrogot, -gote* [ɔstʀɔgo, gɔt] n. et adj. **1.** Habitant de la partie est des territoires occupés par les Goths. **2.** Abstrait. Homme malappris, ignorant et bourru. *Quel ostrogoth !* — Personnage extravagant. ⇒ **olibrius.**

otage [ɔtaʒ] n. m. ■ Personne livrée ou arrêtée comme garantie de l'exécution d'une promesse, d'un traité (militaire ou politique), ou qu'on détient pour obtenir ce qu'on exige. ⇒ **gage, garant.** *Servir d'otage. Les armées d'occupation fusillent des otages pour empêcher la population de se révolter. Ils se sont emparés d'otages. Les terroristes ont revendiqué cette prise d'otages.*

otarie [ɔtaʀi] n. f. ■ Mammifère marin du Pacifique et des mers du Sud, au cou plus allongé que le phoque. — Sa peau, sa fourrure.

ôter [ote] v. tr. ■ conjug. 1. ■ Synonyme moins courant de ENLEVER. **1.** Enlever (un objet) de la place qu'il occupait. ⇒ **déplacer, retirer.** *Ôter les assiettes en desservant.* — *Cela m'ôte un poids (de la poitrine).* ⇒ **soulager.** *On ne m'ôtera pas de l'idée que c'est un mensonge,* j'en suis convaincu. — Vx. (Compl. personne) *Ôte-moi d'un doute.* **2.** Enlever (ce qui habille, couvre, protège). *Ôter son chapeau, ses gants.* **3.** Faire disparaître (ce qui gêne, salit). *Ôter une tache.* **4.** Enlever (une partie d'un ensemble) en séparant.

Ôter un passage d'un ouvrage. ⇒ **retrancher, soustraire.** 6 ôté de 10 égale 4. ⇒ **moins. 5.** Mettre hors de la portée, du pouvoir ou de la possession (de qqn). ⇒ **enlever, retirer.** Ôter un enfant à sa mère. — Ôter à qqn ses forces, son courage. **6.** S'ÔTER v. pron. réfl. Ôtez-vous de là. — Loc. fam. Ôte-toi de là que je m'y mette, se dit lorsqu'une personne prend une place avec sans-gêne.

ot(i)-, ot(o)- ■ Éléments savants signifiant « oreille ». ▶ *otite* [ɔtit] n. f. ■ Inflammation aiguë ou chronique de l'oreille. ▶ *oto-rhino-laryngologie* [ɔtɔʀinɔlaʀɛ̃gɔlɔʒi] n. f. ■ Partie de la médecine qui s'occupe des maladies de l'oreille, du nez et de la gorge. ▶ *oto-rhino-laryngologiste*, fam. *oto-rhino*, abrév. *O.R.L.* [ɔɛʀɛl] n. ■ Médecin spécialisé en oto-rhino-laryngologie. Des oto-rhinos. Je vais chez l'O.R.L.

① *ottoman* [ɔtɔmɑ̃] n. m. ■ Étoffe de soie à trame de coton formant de grosses côtes.

② *ottoman, ane* adj. et n. ■ Vx ou terme d'histoire. Turc. L'Empire ottoman.

ou [u] conj. Conjonction qui joint des termes, membres de phrases ou propositions ayant même rôle ou même fonction, en séparant les idées exprimées. **1.** (Équivalence de formes désignant une même chose) Autrement dit. La coccinelle, ou bête à bon Dieu. **2.** (Indifférence entre deux éventualités opposées) Donnez-moi le rouge ou (bien) le noir, peu importe. Son père ou sa mère pourra (ou pourront) l'accompagner. **3.** (Évaluation approximative par deux numéraux) Un groupe de quatre ou cinq hommes. ⇒ **à. 4.** (Alternative) ⇒ **soit.** C'est l'un ou l'autre, si c'est l'un, ce n'est pas l'autre. « Elle est anglaise ou américaine ? — Ni l'un ni l'autre. » Il faut qu'une porte soit ouverte ou fermée. C'est tout ou rien. Acceptez-vous, oui ou non ? — OU (après un impératif ou un subjonctif introduisant la conséquence qui doit résulter si l'ordre n'est pas observé). ⇒ **sans** ça, **sinon.** Donnez-moi ça ou je me fâche, ou alors je me fâche. — OU... OU... (pour souligner l'exclusion de l'un des deux termes). Ou bien c'est lui ou bien c'est moi, il faut choisir. **5.** Ou plutôt (pour corriger ce qu'on vient de dire). « Je vais y aller. Ou plutôt non. Vas-y, toi. » — Ou même. On partira dimanche ou même lundi.

où pronom, adv. relat. et interrog. **I.** Pronom, adv. relatif. **1.** Dans le lieu indiqué ou suggéré par l'antécédent. ⇒ **dans** lequel, **sur** lequel. Le pays où il est né. Elle le retrouva là où elle l'avait laissé. — REM. Avec c'est là..., c'est à..., on emploie QUE et non OÙ. De là où vous êtes. — (+ infinitif) Je cherche une villa où passer mes vacances, où je passerai... **2.** (Indiquant l'état, la situation de qqn, de qqch.) On ne peut le transporter dans l'état où il est. (Où représentant d'autres prépositions : à, pour). Au prix où est le beurre. Du train, au train où vont les choses. **3.** (Indiquant le temps) Au cas où il viendrait. Au moment où il arriva. **II.** Adv. **1.** Là où, à l'endroit où. ⇒ **là.** J'irai où vous voudrez. On est puni par où l'on a péché. — OÙ QUE... (indéfini ; + subjonctif) Où que vous alliez, en quelque lieu que vous alliez. **2.** (Sens temporel) Mais où ma colère éclata, ce fut quand il nia tout. **3.** D'OÙ, marquant la conséquence. D'où vient, d'où il suit que, d'où il résulte que (+ indicatif). — (Sans verbe exprimé) Il ne m'avait pas prévenu de sa visite : d'où mon étonnement. ⇒ **de là. III.** Adv. interrog. **1.** (Interrogation directe) En quel lieu ?, en quel endroit ? Où est votre frère ? Où trouver cet argent ? D'où vient-il ? Par où est-il passé ? **2.** (Interrogation indirecte) Dis-moi où tu vas. Je ne sais où aller. Je vois où il veut en venir. — N'importe où, dans n'importe quel endroit. — Dieu sait où ; je ne sais où, dans un endroit inconnu.

ouailles [waj] n. f. pl. ■ Les chrétiens, par rapport au prêtre, au « pasteur ». Le curé et ses ouailles.

ouais [wɛ] interj. ■ Fam. Se dit pour *oui* (ironique ou sceptique). « Tu viens ? — Ouais, j'arrive. »

ouate [wat] n. f. **1.** Laine, soie ou coton préparés pour garnir les doublures (de vêtements), pour rembourrer. De l'ouate ou de la ouate. **2.** Coton spécialement préparé pour servir aux soins d'hygiène. ⇒ **coton.** Tampon d'ouate. ▶ *ouater* v. tr. . conjug. 1. ■ Doubler, garnir d'ouate. Il faut l'ouater, le ouater. ▶ *ouaté, ée* adj. ■ Garni d'ouate. — Fig. Un pas ouaté, étouffé. ⇒ **feutré.** ▶ *ouatine* n. f. ■ Étoffe molletonnée utilisée pour doubler certains vêtements. Manteau doublé de ouatine. ▶ *ouatiner* v. tr. . conjug. 1. ■ Doubler de ouatine. — Au p. p. adj. Doublure ouatinée.

oublier [ublije] v. tr. . conjug. 7. **I. 1.** Ne pas avoir, ne pas retrouver le souvenir de (une chose, un événement, une personne). J'ai oublié le titre de cet ouvrage, je ne m'en souviens plus. J'ai oublié qui doit venir, pourquoi et comment ils ont pris cette décision. Il oublie tout. / contr. se **rappeler,** se **souvenir** / **2.** Ne plus savoir pratiquer (un ensemble de connaissances, une technique). Oublier la pratique d'un métier. J'ai tout oublié en physique. — (Sans compl.) Il apprend vite et oublie de même. **3.** Être oublié, ne plus être connu (→ Tomber dans l'oubli). Mourir complètement oublié. — Se faire oublier, faire en sorte qu'on ne parle plus de vous (en mal). Je serais à ta place, je me ferais oublier. **4.** Cesser de penser à (ce qui est désagréable). Oubliez vos soucis. — (Sans compl.) Boire pour oublier. **5.** Ne pas avoir à l'esprit (ce qui devrait tenir l'attention en éveil). ⇒ **négliger, omettre.** Oublier l'heure, ne pas s'apercevoir de l'heure qu'il est, se mettre en retard. — (+ infinitif) Il a oublié de nous prévenir. — (avec que + indicatif) Vous oubliez que c'est interdit. — Négliger de mettre. ⇒ **omettre.** Oublier le vinaigre dans la salade. — Négliger de prendre. ⇒ **laisser.** J'ai oublié mon parapluie au cinéma. **6.** Négliger (qqn) ne s'occupant pas de lui. Oublier ses amis. ⇒ **délaisser,** se **désintéresser,** se **détacher, laisser.** / contr. **penser** à, **songer** à / — Ne pas donner qqch. à (qqn). N'oubliez pas le guide, s'il vous plaît ! (donnez-lui un pourboire). **8.** Refuser sciemment de faire cas de (une personne), de tenir compte de (une chose). Vous oubliez vos promesses. Vous oubliez qui je suis, vous manquez aux égards qui me sont dus. — Pardonner. N'en parlons plus, j'ai tout oublié. **II.** S'OUBLIER v. pron. **1.** (Passif) Être oublié. Tout s'oublie. **2.** (Réfl.) Ne pas penser à soi, à ses propres intérêts. Je me suis oubliée en comptant les invités. — Iron. Il ne s'est pas oublié, il a su se réserver sa part d'avantages, de bénéfices. **3.** Manquer aux égards dus à (autrui ou soi-même). Vous vous oubliez !, vous oubliez à qui vous parlez. **4.** Faire ses besoins là où il ne faut pas. Le chat s'est oublié dans la maison. ▶ *oubli* n. m. **1.** Défaillance de la mémoire, portant soit sur des connaissances ou aptitudes acquises, soit sur les souvenirs ; le fait d'oublier. ⇒ **absence, lacune, trou** de mémoire. L'oubli d'un nom, d'une date, d'un événement. — Absence de souvenirs dans la mémoire collective. Tomber dans l'oubli. Sauver, tirer une œuvre de l'oubli. **2.** UN OUBLI : fait de ne pas effectuer ce qu'on devait faire ou dire par manque de mémoire. ⇒ **distraction, étourderie.** Excusez-le de ne pas vous avoir prévenu : c'est un oubli. Commettre, réparer un oubli. **3.** Fait de ne pas prendre en considération, par indifférence ou mépris. Oubli de soi-même, par altruisme, désintéressement. ⇒ **abnégation.** — Pardon. Pratiquer l'oubli des injures. ▶ *oublieux, euse* adj. ■ Qui oublie (I, 5 et 8), néglige de se souvenir de. OUBLIEUX DE... Oublieuse de ses devoirs. ⇒ **négligent.** ▶ *oubliette* n. f. ■ Souvent au plur. Cachot où l'on enfermait autrefois les personnes condamnées à la prison perpétuelle ou celles dont on voulait se débarrasser. *Les oubliettes d'un château.* — Fam. *Jeter, mettre aux oubliettes, laisser de côté* (qqn, qqch.). *Un acteur tombé dans les oubliettes, que tout le monde a oublié.* ‹ ► inoubliable ›

oued [wɛd] n. m. ■ Cours d'eau temporaire dans les régions arides (Afrique du Nord, etc.). *Des oueds.*

ouest [wɛst] n. m. et adj. **I.** N. m. **1.** Celui des quatre points cardinaux (abrév. *O*) qui est situé au soleil couchant. ⇒ **couchant, occident.** / contr. **est** / *Chambre exposée, orientée à l'ouest.* — À L'OUEST DE : dans la direction de l'ouest par rapport à. *Dreux est à l'ouest de Paris.* **2.** Partie d'un ensemble géographique qui est la plus proche de l'Ouest. *La France de l'Ouest.* — (Politique internationale) L'Europe occidentale et l'Amérique du Nord. ⇒ **Occident.** *Les rapports entre l'Est et l'Ouest.* — *L'Allemagne de l'Ouest* (→ l'adj. *ouest-allemand*). **II.** Adj. invar. Qui se trouve à l'ouest, en direction de l'ouest. *La côte ouest de la Corse.* ⇒ **occidental.** ‹ ► nord-ouest, sud-ouest ›

ouf [uf] interj. ■ Interjection exprimant le soulagement. *Ouf ! bon débarras.* — Loc. *Il n'a pas eu le temps de dire ouf,* de prononcer un seul mot.

oui [wi] Particule d'affirmation invar. **I.** Adverbe équivalant à une proposition affirmative qui répond à une interrogation non accompagnée de négation. S'il y a négation ⇒ **si.** **1.** (Dans une réponse positive à une question) *« Venez-vous avec moi ? — Oui, oui, Monsieur. »* ⇒ **certainement, certes ;** fam. **ouais.** (→ Comment donc, bien sûr, sans aucun doute, d'accord, entendu, volontiers, si vous voulez...) / contr. **non** / *« Êtes-vous satisfait ? — Oui et non »,* à demi. — (Renforcé par un adverbe, une loc. adv., une exclamation) *Mais oui. Mon Dieu oui. Oui, bien sûr. Ma foi, oui. Eh ! oui. Ah oui, alors ! Eh bien oui.* **2.** (Comme interrogatif) *Ah oui ?,* vraiment ? Fam. *Tu viens, oui ? Tu viens, oui ou merde ?* — *Est-ce lui, oui ou non ?* — S'emploie pour insister, pour renchérir. *C'était, je crois, une nouvelle de Mérimée, oui, c'est cela, de Mérimée.* **3.** (Complément direct) *Il dit toujours oui.* ⇒ **accepter.** — *Ne dire ni oui, ni non. Répondez-moi par oui ou par non.* — *Il semblerait que oui. En voulez-vous ? Si oui, prenez-le.* — *« Sont-ils Français ? — Lui, non, mais elle, oui. »* **II.** N. m. invar. *Les millions de oui d'un référendum.* / contr. **non** / — Loc. *Pour un oui pour un non,* à tout propos.

ouï-dire [widiʀ] n. m. invar. ■ Ce qu'on ne connaît que pour l'avoir entendu dire. ⇒ **on-dit, rumeur.** — Loc. *Par ouï-dire,* par la rumeur publique.

ouïe [wi] n. f. **I.** Celui des cinq sens qui permet la perception des sons. ⇒ **audition.** *Organes de l'ouïe.* ⇒ **oreille.** *Son perceptible à l'ouïe,* audible. *Avoir l'ouïe fine.* — Fam. Plaisant. *Je suis tout ouïe* [tutwi], j'écoute attentivement (→ tout oreilles). **II.** Au plur. OUÏES : orifices externes de l'appareil branchial des poissons, sur les côtés de la tête. *Attraper un poisson par les ouïes.*

ouïe ou **ouille** [uj] exclam. ■ Interjection exprimant la douleur. ⇒ **aïe.**

ouïr [wiʀ] v. tr. ■ conjug. 10. (Seulement infinitif et part. passé) ■ Vx. Entendre, écouter. *J'ai ouï dire que...* ‹ ► inouï, ouï-dire, ouïe ›

ouistiti [wistiti] n. m. ■ Singe de petite taille, à longue queue. *Le ouistiti. Des ouistitis.* — Fam. *Un drôle de ouistiti,* un drôle de type.

ouragan [uʀagɑ̃] n. m. **1.** Forte tempête caractérisée par un vent très violent. ⇒ **cyclone, tornade, typhon.** *La mer des Antilles est souvent agitée par des ouragans.* — Vent violent accompagné de pluie, d'orage. ⇒ **bourrasque, tourmente.** *Arbres arrachés par l'ouragan.* **2.** Mouvement violent, impétueux. *Un ouragan d'injures.*

ourdir [uʀdiʀ] v. tr. ■ conjug. 2. **1.** Technique. Réunir les fils de chaîne en nappe et les tendre, avant le tissage ; tisser, croiser ces fils avec les fils de trame. ⇒ **tramer.** **2.** Littér. Disposer les premiers éléments d'une intrigue. *Ourdir un complot. C'est son habitude d'ourdir ces sortes d'affaires.* ⇒ **tramer.**

ourler [uʀle] v. tr. ■ conjug. 1. ■ Border d'un ourlet. *Ourler un mouchoir.* ► **ourlé, ée** adj. ■ Bordé d'un ourlet. *Mouchoirs ourlés.* ► **ourlet** [uʀlɛ] n. m. ■ Repli d'étoffe cousu, terminant un bord. *Faire un ourlet à un pantalon.* — *Faux ourlet,* bande de tissu rapporté.

ours [uʀs] n. m. invar. **1.** Mammifère carnivore de grande taille, au pelage épais, aux membres armés de griffes, au museau allongé ; le mâle adulte. *Femelle* ⇒ **ourse,** petit ⇒ **ourson** de l'ours. — *Ours brun, d'Europe et d'Asie. Ours gris. Ours polaire, ours blanc* (carnivore). **2.** Loc. *Vendre la peau de l'ours,* disposer d'une chose que l'on ne possède pas encore. — *Tourner comme un ours en cage,* aller et venir par inaction, énervement. **3.** Jouet d'enfant ayant l'apparence d'un ourson. ⇒ **nounours.** *Un ours en peluche. Il dort encore avec son ours.* **4.** Homme insociable, hargneux, qui fuit la société. ⇒ **misanthrope, sauvage.** *C'est un vieil ours.* — Adj. *Il devient de plus en plus ours.* ► **ourse** n. f. **1.** Femelle de l'ours. *Une ourse et ses petits.* **2.** *La Petite, la Grande Ourse* (ou *Grand Chariot*), constellations. *L'étoile polaire appartient à la Petite Ourse.* ► **ourson** n. m. ■ Jeune ours. ‹ ► nounours ›

oursin [uʀsɛ̃] n. m. ■ Animal marin, échinoderme, sphérique, muni de piquants. *Manger des huîtres et des oursins.*

oust, ouste [ust] interj. ■ Fam. Interjection pour chasser ou presser qqn. *Allez, ouste, dépêche-toi !*

out [awt] adv. et adj. invar. ■ Anglic. Tennis. Hors des limites du court. — Adj. invar. *La balle est out.*

outarde [utaʀd] n. f. ■ Oiseau échassier au corps massif, à pattes fortes et à long cou.

outil [uti] n. m. **1.** Objet fabriqué qui sert à agir sur la matière, à faire un travail. ⇒ **engin, instrument.** *Outils à travailler le bois. Outils de jardinage.* ⇒ **ustensile.** *Boîte, trousse à outils.* — Abstrait. *Cet homme n'est plus qu'un outil entre ses mains,* un instrument. **2.** Ce qui permet de faire un travail. *Sa voiture est son outil de travail. Ce dictionnaire est un outil indispensable pour un élève.* ► **outiller** [utije] v. tr. ■ conjug. 1. **1.** Munir des outils nécessaires à un travail, à une production. ⇒ **équiper.** *Outiller un atelier, une usine.* — Pronominalement (réfl.). *Il faudra vous outiller pour ce travail.* — Au p. p. adj. *Ouvrier bien, mal outillé. Vous n'êtes pas outillé pour cela !* **2.** Pronominalement (réfl.). Se donner les moyens matériels de faire qqch. ; s'équiper en vue d'une destination particulière. *Il s'est outillé pour la pêche.* **3.** (Même sens, mais du point de vue du résultat) Forme passive. *L'hôpital n'est pas outillé pour recevoir des grands brûlés.* ► **outillage** n. m. ■ Assortiment d'outils nécessaires à l'exercice d'un métier, d'une activité, à la marche d'une entreprise. ⇒ **équipement, matériel.** *L'outillage perfectionné d'une usine moderne.*

outrage [utʀaʒ] n. m. **1.** Offense ou injure extrêmement grave (de parole ou de fait). ⇒ **affront, insulte.** *Les outrages qu'on leur a fait subir.* — Littér. Ce qui atteint, endommage. *Les outrages du temps.* **2.** Délit par lequel on met en cause l'honneur d'un personnage officiel (magistrat, etc.) dans l'exercice de ses fonctions. *Outrage à magistrat, à agent de la force* *publique. Outrage envers un chef d'État.* ⇒ **offense** (2). **3.** Acte gravement contraire (à une règle, à un principe). ⇒ **violation.** *Outrage à la raison, au bon sens. Outrage aux bonnes mœurs,* délit de nature sexuelle. ▶ *outrager* v. tr. ▪ conjug. 3. **1.** Offenser gravement par un outrage (actes ou paroles). ⇒ **bafouer, injurier, insulter, offenser.** *Il l'a outragée.* — Au p. p. adj. *Elle a pris un air outragé.* **2.** Contrevenir gravement à (qqch.). *Outrager les bonnes mœurs, la morale.* ▶ *outrageant, ante* adj. ▪ Qui outrage. ⇒ **injurieux, insultant.** *Critique, propos outrageants.*

outrageusement [utraʒøzmɑ̃] adv. ▪ Excessivement. *Femme outrageusement fardée.*

outrance [utrɑ̃s] n. f. **1.** Chose ou action outrée, excessive. ⇒ **excès.** *Une outrance de langage.* — Démesure, exagération. *L'outrance de son langage.* / contr. **mesure, pondération** / **2.** À OUTRANCE loc. adv. : avec exagération, avec excès. ▶ *outrancier, ière* adj. ▪ Qui pousse les choses à l'excès. ⇒ **excessif, outré.** *Caractère outrancier.* / contr. **mesuré, nuancé, pondéré** /

① *outre* [utr] n. f. ▪ Peau de bouc cousue en forme de sac et servant de récipient. *Outre de vin.* — Loc. *Être gonflé, plein comme une outre,* avoir trop bu, mangé.

② *outre* prép. et adv. **1.** (Dans des expressions adv.) Au-delà de (par rapport à la France, à l'Europe ou à celui qui parle). *Outre-Atlantique,* en Amérique (du Nord). *Outre-Manche,* en Grande-Bretagne. — N. *L'outre-Manche. Les peuples d'outre-mer* (Afrique, Orient, Amérique). **2.** Adv. de lieu. PASSER OUTRE : aller au-delà, plus loin. — PASSER OUTRE À qqch. : ne pas tenir compte d'une opposition, d'une objection. ⇒ **braver, mépriser.** *Je passai outre à son interdiction.* **3.** Prép. En plus de. *Outre les bagages, nous avions les chiens avec nous.* — OUTRE QUE (+ indicatif) loc. conj. : *Outre qu'il est innocent.* (→ Non seulement... mais encore.) *Outre le fait que,* sans parler du fait que. **4.** OUTRE MESURE loc. adv. : excessivement, au-delà de la normale. ⇒ à l'**excès, trop.** *Ce travail ne l'a pas fatigué outre mesure.* **5.** EN OUTRE loc. adv. : en plus de cela. ⇒ **aussi, également.** *Il est tombé malade (et) en outre, il a perdu sa place.* ‹ ▶ outrageusement, outrecuidance, outremer, outrer, outrepasser ›

outré, ée [utre] adj. **1.** Poussé au-delà de la mesure. ⇒ **exagéré, excessif, outrancier.** *Flatterie outrée.* **2.** (Personnes) ⇒ **indigné, révolté, scandalisé.** *Je suis outré de, par son ingratitude.* ⇒ **outrer** (2).

outrecuidance [utrəkɥidɑ̃s] n. f. Littér. **1.** Confiance excessive en soi. ⇒ **fatuité, orgueil, présomption.** *Parler de soi avec outrecuidance.* / contr. **modestie, réserve** / **2.** Désinvolture impertinente envers autrui. ⇒ **audace, effronterie.** *Il me répondit avec outrecuidance.* ▶ *outrecuidant, ante* adj. ▪ Littér. Qui montre de l'outrecuidance. ⇒ **fat, impertinent, prétentieux.** — N. *C'est un outrecuidant.*

outremer [utrəmɛr] n. m. ▪ Couleur d'un bleu intense. *De beaux outremers.* — Adj. invar. *Bleu outremer. Des yeux outremer.*

outrepasser [utrəpase] v. tr. ▪ conjug. 1. ▪ Aller au-delà de ce qui est permis. ⇒ **dépasser, transgresser.** *Outrepasser ses droits.*

outrer [utre] v. tr. ▪ conjug. 1. **1.** Littér. Exagérer, pousser (qqch.) au-delà des limites raisonnables. *Outrer une pensée, une attitude.* ⇒ **forcer. 2.** Aux temps composés. Indigner, mettre (qqn) hors de soi. ⇒ **scandaliser.** *Votre façon de parler de sa mort m'a outré.* ⇒ **outré.** ‹ ▶ outrance, outré ›

outsider [awtsajdœr] n. m. ▪ Anglic. Cheval de course ou concurrent qui ne figure pas parmi les favoris. *Le prix a été remporté par un outsider. Des outsiders.* / contr. **favori** /

ouvert, erte [uvɛr, ɛrt] adj. **I.** (⇒ **ouvrir**) **1.** Disposé de manière à laisser le passage. *Porte, fenêtre ouverte. Grand ouvert,* ouvert le plus possible. **2.** (Local) Où l'on peut entrer. *Magasin ouvert. Le musée est ouvert.* — (Récipient) Qui n'est pas fermé. *Coffre ouvert.* **3.** Disposé de manière à laisser communiquer avec l'extérieur. *Bouche ouverte, yeux ouverts.* — *Sons ouverts,* prononcés avec la bouche assez ouverte. *O ouvert* [ɔ]. — *Robinet ouvert,* qui laisse passer l'eau. *Le gaz est ouvert,* le robinet du gaz... **4.** Dont les parties sont écartées, séparées. *Main ouverte* (opposé à *poing fermé*). *Fleur ouverte,* épanouie. *À bras ouverts* [abrazuvɛr]. — *Lire le latin à livre ouvert,* couramment. — *Chemise ouverte.* **5.** Percé, troué, incisé. *Avoir le crâne ouvert. Opération à cœur ouvert,* intervention à l'intérieur du muscle du cœur. **6.** Accessible (à qqn, qqch.), que l'on peut utiliser (moyen, voie). ⇒ **libre.** *Canal ouvert à la navigation.* — *Bibliothèque ouverte à tous.* — Qui n'est pas protégé, abrité. *Des espaces ouverts.* ⇒ **découvert.** *Ville ouverte,* qui n'est pas défendue militairement. **7.** Commencé. *La chasse, la pêche est ouverte,* permise. *Les paris sont ouverts,* autorisés. **II.** (Personne ; actions) **1.** Communicatif et franc. *Il est d'un naturel ouvert.* ⇒ **confiant, expansif.** — (Air, mine...) *Un visage très ouvert.* / contr. **froid, renfermé** / — Loc. *Il nous a parlé à cœur ouvert,* en toute franchise. **2.** (Sentiments, etc.) Qui se manifeste, se déclare publiquement. ⇒ **déclaré, manifeste, public.** *Il faut éviter un conflit ouvert.* **3.** Qui s'ouvre facilement aux idées nouvelles. *Un garçon ouvert et intelligent.* / contr. **buté, étroit** / *Un esprit ouvert,* éveillé. ⇒ **vif.** ▶ *ouvertement* [uvɛrtəmɑ̃] adv. ▪ D'une manière ouverte, sans dissimulation. ⇒ à **découvert.** / contr. en **cachette, secrètement** / *Il agit toujours ouvertement. Je lui ai dit ouvertement ce que j'avais sur le cœur.* ⇒ **franchement.** ▶ *ouverture* n. f. **I.** *L'ouverture (de)...* **1.** Action d'ouvrir ; état de ce qui est ouvert. / contr. **fermeture** / *L'ouverture des portes du magasin se fait à telle heure. Heures, jours d'ouverture.* — Caractère de ce qui est plus ou moins ouvert (dispositifs réglables). *Ouverture d'un objectif ; régler l'ouverture.* — *Ouverture d'un angle,* écartement de ses côtés. **2.** Le fait de rendre praticable, utilisable. *Ouverture d'une autoroute.* ⇒ **inauguration. 3.** Abstrait. *Ouverture d'esprit,* qualité de l'esprit ouvert. **4.** Le fait d'être commencé, mis en train. / contr. **clôture** / *Ouverture de la session, d'un débat.* ⇒ **commencement, début.** *Ouverture d'une exposition, d'une école.* ⇒ **inauguration.** — *Ouverture de la chasse, de la pêche,* le premier des jours où il est permis de chasser, de pêcher. *Faire l'ouverture (de la chasse),* aller chasser ce jour-là. — Au rugby. *Le demi d'ouverture,* joueur chargé d'ouvrir le jeu. **5.** Au plur. Premier essai en vue d'entrer en pourparlers. *Faire des ouvertures de paix, de négociation.* **II.** Morceau de musique, d'orchestre par lequel débute un ouvrage lyrique (opposé au *finale*). **III.** (Une, des ouvertures) Ce qui fait qu'une chose est ouverte. **1.** Espace libre, vide par lequel s'établit la communication ou le contact entre l'extérieur et l'intérieur. ⇒ **accès, entrée, issue, passage, trou.** *Les ouvertures d'un bâtiment.* ⇒ **fenêtre, porte.** — *Ouverture d'une grotte, d'un puits* (orifice). **2.** Abstrait. Voie d'accès ; moyen de comprendre. *C'est une ouverture sur un monde inconnu.* ‹ ▶ réouverture ›

ouvrable [uvrabl] adj. m. ▪ Se dit des jours de la semaine qui ne sont pas des jours fériés. *Il y a six jours ouvrables dans une semaine et cinq jours ouvrés.*

ouvrage [uvraʒ] n. m. **1.** Ensemble d'actions coordonnées par lesquelles on met qqch. en œuvre, on effectue un travail. ⇒ **besogne ; tâche, travail.** *Avoir de l'ouvrage.* ⇒ **occupation.** *Se mettre à l'ouvrage. Qui résulte d'un ouvrage.* ⇒ **ouvré.** *Ouvrages manuels. Ouvrages de dames,* travaux de couture, broderie, tricot, tapisserie. *Boîte, corbeille à ouvrage,* où l'on met les travaux de couture, etc. **2.** Objet produit par le travail d'un ouvrier*, d'un artisan, d'un artiste. *Ouvrage d'orfèvrerie.* — Construction. *Le gros de l'ouvrage.* ⇒ **œuvre** (II). — OUVRAGES D'ART : constructions (ponts, tranchées, tunnels) nécessaires à l'établissement d'une voie. **3.** Texte scientifique, technique ou littéraire. ⇒ **écrit, œuvre.** — *La publication d'un ouvrage. Je voudrais consulter cet ouvrage. Ouvrages de philosophie.* — Livre. *Ouvrages à la vitrine d'un libraire.* ► *ouvragé, ée* adj. ■ Très orné (par le travail, l'ouvrage [1]). *Pièce d'orfèvrerie ouvragée,* travaillée. *Bijou finement ouvragé.*

ouvrant, ante [uvrɑ̃, ɑ̃t] adj. ■ Qui s'ouvre, qui peut s'ouvrir. *Toit ouvrant d'une voiture.*

ouvré, ée [uvre] adj. **1.** Lang. technique ou littéraire. Qui résulte d'un ouvrage. ⇒ **ouvrage** (1) ; **travaillé.** *Produits ouvrés,* manufacturés. **2.** *Jour ouvré,* où l'on travaille. ⇒ **ouvrable.**

ouvre-boîtes [uvrəbwat] n. m. invar. ■ Instrument coupant, servant à ouvrir les boîtes de conserves. *Un, des ouvre-boîtes.*

ouvre-bouteilles [uvrəbutɛj] n. m. invar. ■ Instrument servant à ouvrir les bouteilles capsulées. ⇒ **décapsuleur.** *Un, des ouvre-bouteilles.*

ouvreur, euse [uvrœr, øz] n. (surtout fém.) ■ Personne chargée de placer les spectateurs dans une salle de spectacle. *Des ouvreuses de cinéma.*

ouvrier, ière [uvrije, jɛr] n. et adj. **I.** N. **1.** Personne qui exécute un travail manuel, exerce un métier manuel ou mécanique moyennant un salaire (en particulier : travailleur manuel de la grande industrie). ⇒ **prolétaire.** *Travail de l'ouvrier.* ⇒ **ouvrage.** *Ouvrier agricole, ouvrier d'usine. Ouvriers travaillant en équipe, à la chaîne. Ouvrier « spécialisé ».* ⇒ **O.S.** — *Embaucher, employer des ouvriers.* ⇒ **main-d'œuvre, personnel.** *Salaire, paye d'un ouvrier. Ouvriers syndiqués. Ouvriers qui font grève,* grévistes. **2.** Littér. Artisan, artiste. *À l'œuvre on reconnaît l'ouvrier.* **II.** Adj. **1.** Qui a rapport aux ouvriers, qui est constitué par des ouvriers ou est destiné au prolétariat industriel. *La classe ouvrière.* — *Force ouvrière* (F.O.), nom d'une centrale syndicale. **2.** *Cheville ouvrière.* ⇒ **cheville.** ► *ouvrière* adj. et n. f. ■ Chez certains insectes vivant en société. Individu stérile qui assure la construction ou la défense. *La reine des abeilles et les ouvrières.*

ouvrir [uvrir] v. ■ conjug. 18. **I.** V. tr. **1.** Disposer (une ouverture) en déplaçant, en écartant ses éléments mobiles, de manière à mettre en communication l'extérieur et l'intérieur. / contr. **fermer** / *Ouvrir une porte à deux battants. Ouvre la fenêtre. Clef qui ouvre une porte,* qui permet de l'ouvrir. — (Avec ellipse du complément *la porte*) *Va ouvrir. Ouvrez, au nom de la loi !* **2.** Mettre en communication (l'intérieur d'un contenant, d'un local) avec l'extérieur par le déplacement ou le dégagement de l'élément mobile. *Ouvrir une armoire, une boîte. Ouvrir une bouteille.* ⇒ **déboucher, décapsuler.** — Rendre accessible (un local au public). *Nous ouvrons le magasin à 9 heures.* (Sans compl. dir.) *Nous ouvrirons toute la matinée de dimanche.* **3.** Atteindre l'intérieur de (quelque chose de vivant) en écartant, coupant, brisant. *Ouvrir des huîtres, une noix de coco, un homard.* **4.** Mettre (un objet) dans une position qui assure la communication ou le contact avec l'extérieur. *Ouvrir les lèvres, la*

bouche. — Fam. *L'ouvrir,* parler. *Il n'y a pas moyen de l'ouvrir avec lui.* — *Ouvrir l'œil,* être attentif. — *Ouvrir un sac, un portefeuille.* — *Ouvrir un robinet.* — *Ouvrir le gaz,* le faire fonctionner. — *Ouvrir l'appétit à qqn,* lui donner faim. **5.** Écarter, séparer (des éléments mobiles). *Ouvrir les rideaux. Ouvrir les bras. Ouvrir un parapluie. Ouvrez vos livres.* **6.** Former (une ouverture) en creusant, en trouant. *Ouvrir une fenêtre dans un mur.* ⇒ **percer.** / contr. **boucher** / — S'OUVRIR *les veines* : se suicider. *S'ouvrir le crâne en tombant.* **7.** Créer ou permettre d'utiliser (un moyen d'accès), d'avancer. *Ouvrir, s'ouvrir un chemin, une voie.* ⇒ **frayer.** / contr. **barrer** / **8.** Découvrir, présenter. *Il nous a ouvert le fond de son cœur.* (→ Parler à cœur ouvert.) *Cela ouvre des horizons,* fait entrevoir des perspectives nouvelles. **9.** Ouvrir l'esprit (à qqn), lui rendre l'esprit ouvert, large. **10.** Commencer. *Ouvrir les hostilités. Ouvrir le feu,* se mettre à tirer. *Ouvrir une discussion.* — Être le premier à faire, à exercer (une activité, etc.). *Ouvrir la danse, le bal.* **11.** Créer, fonder (un établissement ouvert au public). *Ouvrir un magasin, des écoles.* **12.** *Ouvrir un compte, un crédit à qqn,* l'accorder. **II.** V. intr. **1.** Être ouvert. *Cette porte n'ouvre jamais. Magasin qui ouvre à 10 heures.* — *Ouvrir sur,* donner accès. **2.** Commencer, débuter. *Les cours ouvriront la semaine prochaine.* / contr. ⇒ **finir, terminer** / **III.** S'OUVRIR v. pron. **1.** Devenir ouvert. *La porte s'ouvre. Le toit de cette voiture s'ouvre.* ⇒ **ouvrant.** — *Sa bouche s'ouvre. La fleur s'ouvre.* ⇒ **éclore,** s'épanouir. **2.** S'OUVRIR SUR : être percé, de manière à donner accès ou vue sur. ⇒ **donner.** *La porte s'ouvre directement sur le jardin.* **3.** S'offrir comme une voie d'accès, un chemin. *Le chemin, la route qui s'ouvre devant nous.* — Fig. Apparaître comme accessible. *Une vie nouvelle s'ouvrait devant (à) lui.* **4.** (Personnes, sentiments) S'OUVRIR À qqch. : devenir accessible à, se laisser pénétrer par (un sentiment, une idée). *Son esprit s'ouvre peu à peu à cette idée.* S'OUVRIR À qqn : lui ouvrir son cœur, sa pensée. *Je m'en suis ouvert à lui.* ⇒ se **confier. 5.** (Choses) Commencer. *L'exposition qui allait s'ouvrir.* — S'ouvrir par, commencer par. ‹ ► **entrouvrir, ouvert, ouverture, ouvrant, ouvre-boîtes, ouvre-bouteilles, ouvreur, rouvrir** ›

ouvroir [uvrwar] n. m. ■ Lieu réservé aux ouvrages de couture, de broderie..., dans une communauté.

ovaire [ɔvɛr] n. m. **1.** Partie de l'organisme femelle ou féminin, où se forme l'ovule qui, après fécondation, peut devenir un œuf (II). **2.** (Plantes) Partie inférieure du pistil qui contient les ovules destinés à devenir des graines après la fécondation. ⇒ **fleur, fruit.** ► *ovarien, ienne* adj. ■ De l'ovaire. *Glande, sécrétion ovarienne. Cycle ovarien.*

ovale [ɔval] adj. et n. m. **1.** Adj. Qui a la forme d'une courbe fermée et allongée analogue à celle d'un œuf de poule. *Visage ovale.* ⇒ **ellipsoïde.** — *Le ballon ovale,* du rugby (opposé au *ballon rond* du football). **2.** N. m. Forme ovale. *Figure d'un ovale parfait.*

ovation [ɔvasjɔ̃] n. f. ■ Acclamations publiques rendant honneur à un personnage, à un orateur. ⇒ **acclamation, cri.** *Faire une ovation à qqn.* / contr. **huée** / ► *ovationner* v. tr. ■ conjug. 1. ■ Acclamer, accueillir (qqn) par des ovations. *Elle s'est fait ovationner.* / contr. **conspuer, huer** /

overdose [ɔvœrdoz] n. f. ■ Anglic. Absorption excessive (d'une drogue) pouvant entraîner la mort. *Mort par overdose.*

ovidés [ɔvide] n. m. pl. ■ Groupe de mammifères ongulés ruminants du type du mouton. ► *ovin, ine* adj. ■ Relatif au mouton, au bélier, à la brebis. *La race ovine.* — N. m. *Les ovins.*

ovipare [ɔvipaʀ] adj. ■ Se dit des animaux qui pondent des œufs (I). *Les oiseaux, les crustacés, la plupart des insectes, des poissons, des reptiles sont ovipares.* — N. *Les ovipares et les vivipares.*

ovni [ɔvni] n. m. ■ Sigle de *objet volant non identifié.* ⇒ fam. **soucoupe** volante. *Des ovnis.*

ovo-, ov-, ovi- ■ Éléments savants signifiant « œuf ». ▶ *ovoïde* [ɔvɔid] adj. ■ Qui a la forme d'un œuf. ⇒ **ovale.** *Crâne ovoïde.* ‹ ▶ ovaire, ovale, ovipare, ovule ›

ovule [ɔvyl] n. m. **1.** Cellule reproductrice femelle (gamète) élaborée par l'ovaire. *La rencontre de l'ovule et du spermatozoïde produit l'œuf.* **2.** (Plantes) Cellule reproductrice femelle qui se transforme en graine. ▶ *ovulaire* adj. ■ Relatif à l'ovule. ▶ *ovulation* n. f. ■ (Mammifères) Libération de l'ovule. *L'ovulation, fonction essentielle de l'ovaire.*

ox-, oxy-, oxyd- ■ Éléments savants signifiant « acide » ou « oxygène ».

oxford [ɔksfɔʀd] n. m. ■ Tissu de coton à fils de deux couleurs. *Chemise en oxford.*

oxhydrique [ɔksidʀik] adj. ■ Se dit d'un mélange d'oxygène et d'hydrogène dont la combustion dégage une chaleur considérable. *Gaz oxhydrique d'un chalumeau.*

oxyde [ɔksid] n. m. ■ Composé résultant de la combinaison d'un corps avec l'oxygène. *Oxyde de carbone. Oxyde de cuivre.* ▶ *oxyder* v. tr. ■ conjug. 1. ■ Altérer un métal par l'action de l'air. *L'air oxyde certains métaux.* — Pronominalement (réfl.). *Le fer s'oxyde rapidement.* ⇒ **rouiller.** ▶ *oxydable* adj. ■ Susceptible d'être oxydé. / contr. **inoxydable** / ▶ *oxydation* n. f. ■ Combinaison (d'un corps) avec l'oxygène pour donner un oxyde. ‹ ▶ inoxydable ›

oxygène [ɔksiʒɛn] n. m. ■ Gaz invisible, inodore qui constitue approximativement 1/5 de l'air atmosphérique. *L'oxygène est indispensable à la plupart des êtres vivants. Étouffer par manque d'oxygène* (asphyxie). *Ballon d'oxygène.* — Fam. Air pur. *Aller prendre un bol d'oxygène.* ▶ *oxygéner* v. tr. ■ conjug. 6. **1.** Ajouter de l'oxygène à (une substance), par dissolution. *Oxygéner de l'eau.* — Fam. *S'oxygéner (les poumons),* respirer de l'air pur. — Au p. p. adj. EAU OXYGÉNÉE : solution chimique. *L'eau oxygénée est un antiseptique, un hémostatique et un décolorant puissant.* **2.** *Oxygéner les cheveux,* les passer à l'eau oxygénée. — Au p. p. adj. *Cheveux blonds oxygénés. Une blonde oxygénée,* décolorée. ▶ *oxygénation* n. f. ■ Action d'oxygéner.

ozone [ozɔn] n. m. ■ Gaz bleu et odorant qui se forme dans l'air (ou l'oxygène) soumis à une décharge électrique. *L'ozone a des propriétés antiseptiques.*

p

p [pe] n. m. invar. ■ Seizième lettre, douzième consonne de l'alphabet.

pacage [pakaʒ] n. m. **1.** Action de faire paître le bétail. *Le pacage s'oppose à la stabulation.* **2.** Terrain où l'on fait paître les bestiaux. ⇒ **pâturage.**

pacha [paʃa] n. m. **1.** Gouverneur d'une province ; titre honorifique d'un haut fonctionnaire dans l'ancien Empire ottoman. **2.** Fam. Commandant d'un navire de guerre. **3.** Fam. *Mener une vie de pacha,* mener une vie fastueuse. *Faire le pacha,* se faire servir.

pachyderme [paʃidɛʀm] n. m. ■ Éléphant. *Une démarche de pachyderme,* lourde.

pacifier [pasifje] v. tr. ▪ conjug. 7. **1.** Ramener à l'état de paix (un pays en proie à la guerre civile, un peuple en rébellion). — Euphémisme pour *réprimer*. **2.** Abstrait. Rendre calme. *Pacifier les esprits.* ⇒ **apaiser.** ▶ *pacificateur, trice* n. et adj. ■ Personne qui pacifie, ramène le calme. — Adj. (Choses) *Mesures pacificatrices.* ▶ *pacification* n. f. ■ *La pacification d'une zone dangereuse* (souvent euphémisme pour *répression*). ▶ *pacifique* adj. **1.** (Personnes) Qui ne recherche pas l'épreuve de force, n'aime pas les conflits ; qui aspire à la paix. *C'était un chef d'État pacifique.* / contr. **belliqueux** / — *Un esprit pacifique.* **2.** (Choses) Qui n'est pas militaire, n'a pas la guerre pour objectif. *Utilisation pacifique de l'énergie nucléaire.* **3.** Qui se passe dans le calme, la paix. ⇒ **paisible.** *La coexistence pacifique entre l'Est et l'Ouest.* ▶ *pacifiquement* adv. ▶ *pacifisme* n. m. ■ Doctrine des personnes hostiles à toute idée de guerre. ▶ *pacifiste* n. et adj. ■ Partisan de la paix entre les nations. *Les pacifistes et les non-violents.* — Adj. *Un idéal pacifiste.*

pacotille [pakɔtij] n. f. ■ Produits manufacturés de mauvaise qualité, de peu de valeur. ⇒ **camelote, verroterie.** — DE PACOTILLE : sans valeur. *Un bijou de pacotille.*

pacte [pakt] n. m. **1.** Accord solennel entre deux ou plusieurs personnes. ⇒ **marché.** *Conclure, sceller, signer un pacte.* **2.** Convention entre États. — Document qui constate la convention. ▶ *pactiser* v. intr. ▪ conjug. 1. **1.** Conclure un pacte, un accord (avec qqn). **2.** Agir de connivence (avec qqn) ; composer (avec qqch.). ⇒ **transiger.** *Pactiser avec le crime.*

pactole [paktɔl] n. m. ■ Littér. Source de richesse, de profit. *C'est un vrai pactole.*

paddock [padɔk] n. m. **1.** Enceinte d'un hippodrome dans laquelle les chevaux sont promenés avant l'épreuve. **2.** Fam. Lit. ⇒ fam. **pageot,** ② **pieu.**

paella [pael(ej)a] n. f. ■ Plat espagnol composé de riz avec des moules, des crustacés, des viandes, etc. *Des paellas.*

① *paf* [paf] interj. ■ Onomatopée qui exprime un bruit de chute, de coup. *Paf ! Il est tombé par terre.*

② *paf* adj. invar. ■ Fam. Ivre. *Elles sont complètement paf.*

pagaie [pagɛ] n. f. ■ Aviron de pirogue, de canoë, de kayak, sans appui sur l'embarcation. ‹ ▶ pagayer ›

pagaïe, pagaille ou *pagaye* [pagaj] n. f. **1.** Fam. EN PAGAÏE : en grande quantité. *Des livres, il en a en pagaïe, en pagaille.* **2.** Fam. Grand désordre. *Quelle pagaïe ! C'est la pagaille.* — EN PAGAÏE : en désordre. *La chambre est en pagaye.*

paganisme [paganism] n. m. ■ Nom donné par les chrétiens aux cultes qui ignorent l'Ancien Testament (⇒ **païen**). ⇒ **animisme, polythéisme.**

pagayer [pageje] v. intr. ▪ conjug. 8. ■ Ramer à l'aide d'une pagaie. ▶ *pagayeur, euse* n.

① *page* [paʒ] n. f. **1.** Chacun des deux côtés d'une feuille de papier, utilisé ou non, généralement numéroté. ⇒ **recto, verso.** *Les pages d'un livre. Page blanche. Une double page.* — MISE EN PAGES : opération par laquelle on dispose définitivement le texte, les illustrations d'un livre (avant de l'imprimer). ⇒ **maquette.** — Loc. *Être À LA PAGE* : être au courant de l'actualité ; suivre la dernière mode. **2.** Le texte inscrit sur une page. *Laisse-moi finir la page !* **3.** Feuille. *Feuilleter les pages d'un livre.* — Loc. *Tourner la page,* passer à autre chose. **4.** Passage d'une œuvre littéraire ou musicale. *Les plus belles pages d'un roman, d'un écrivain.* ⇒ **anthologie, morceaux** choisis. **5.** Épisode de la vie d'une personne ou de l'histoire d'une nation. ⇒ **fait.** *Une page glorieuse de l'histoire de France.* ‹ ▶ paginer ›

② *page* [paʒ] n. m. ■ Jeune garçon noble qui était placé auprès d'un seigneur, d'une grande dame, pour apprendre le métier des armes, faire le service d'honneur. ⇒ **écuyer.**

pageot ou *pajot* [paʒo], *page* [paʒ] n. m. ■ Fam. Lit. ⇒ fam. **paddock,** ② **pieu.** ▶ *se pageoter* v. pron. ▪ conjug. 1. ■ Fam. *C'est l'heure de se pageoter,* de se mettre au lit. ⇒ fam. se **pieuter.**

paginer [paʒine] v. tr. ▪ conjug. 1. ▪ Organiser en pages, numéroter les pages de. ▶ *pagination* n. f. ▪ *Absence de pagination*, de numéros de pages.

pagne [paɲ] n. m. ▪ Vêtement d'étoffe ou de feuilles, attaché à la ceinture. *Des pagnes tahitiens.* ⇒ **paréo.**

pagode [pagɔd] n. f. **1.** Temple des pays d'Extrême-Orient. **2.** En appos. Invar. *Manches pagode*, très larges du bas (comme un toit de pagode).

paie n. f. ⇒ **paye.**

paiement [pɛmɑ̃] ou *payement* [pɛjmɑ̃] n. m. ▪ Action de payer. *Accepter, refuser un paiement par chèque. Facilités de paiement*, crédit.

païen, ïenne [pajɛ̃, jɛn] adj. et n. **1.** D'une religion qui n'est pas fondée sur l'Ancien Testament. ≠ **chrétien, juif, musulman.** ⇒ **infidèle.** *La Rome païenne. Dieux, rites païens.* — N. *Les païens.* ⇒ **paganisme. 2.** Sans religion. ⇒ **impie.** *Mener une vie païenne, de païen.*

paillard, arde [pajaʀ, aʀd] adj. et n. **1.** (Personnes) Plaisant. Qui est porté sur le sexe avec gaieté. *Un moine paillard.* **2.** (Choses) Qui évoque le sexe avec vulgarité. ⇒ **grivois, obscène.** *Des chansons paillardes.* ▶ *paillardise* n. f. ▪ Action ou parole paillarde. *Débiter des paillardises.*

① *paillasse* [p(ɑ)ajas] n. f. **1.** Enveloppe garnie de paille, de feuilles sèches, qui sert de matelas. *Coucher sur une paillasse.* **2.** Loc. fam. *Crever la paillasse à qqn*, le tuer en l'éventrant.

② *paillasse* n. f. ▪ Partie d'un évier à côté de la cuve, où l'on pose la vaisselle.

③ *paillasse* n. m. ▪ Littér. Clown.

paillasson [pɑ(ɑ)jasɔ̃] n. m. **1.** Natte de paille, destinée à protéger certaines cultures des intempéries. **2.** Natte épaisse et rugueuse servant à s'essuyer les pieds. ⇒ **tapis-brosse.**

paille [pɑj] n. f. **1.** Ensemble des tiges des céréales quand le grain en a été séparé. ⇒ **chaume.** *Brin de paille.* — Loc. *Coucher, être sur la paille*, dans la misère. *Mettre qqn sur la paille*, le ruiner. **2.** Fibres végétales ou synthétiques, tressées, utilisées pour la confection d'objets légers. *Chapeau de paille.* **3.** UNE PAILLE : petite tige pleine ou creuse. *Tirer à la courte paille*, tirer au sort au moyen de brins de longueur inégale. — Petit cylindre servant à boire. *Garçon ! Deux jus d'orange avec une paille.* — Fam. et iron. *Une paille*, peu de chose. *Il en demande dix mille francs : une paille !* **4.** HOMME DE PAILLE : celui qui sert de prête-nom dans une affaire peu honnête. **5.** PAILLE DE FER : fins copeaux de fer réunis en paquet. *Nettoyer un parquet à la paille de fer.* **6.** Défaut dans une pierre fine, une pièce de métal, de verre. ▶ *paillé, ée* adj. ▪ Garni de paille. *Chaise paillée.* ▶ *pailler* v. tr. ▪ conjug. 1. **1.** Garnir de paille tressée. *Pailler des chaises* (⇒ **rempailler**). **2.** Couvrir ou envelopper de paille, de paillassons (1). ▶ *paillon* n. m. **1.** Enveloppe de paille pour les bouteilles. **2.** Panier de boulanger. **3.** Fond de métal avivant l'éclat d'une pierre fine, d'un émail, d'un tissu. ▶ *paillette* [pajɛt] n. f. **1.** Lamelle brillante (de métal, de nacre, de plastique). *Un voile semé de paillettes.* — Petit éclat de ces matières, employé en maquillage, en décoration, etc. **2.** Parcelle d'or qui se trouve dans des sables aurifères. **3.** Lamelle (de différentes matières). *Lessive en paillettes.* ▶ *pailleter* [pajte] v. tr. ▪ conjug. 4. ▪ Orner, parsemer de paillettes (1). ▶ *pailleté, ée* adj. ▪ *Robe pailletée.* ▶ *paillote* [pajɔt] n. f. ▪ Cabane, hutte de paille ou d'une matière analogue. ⇒ **case.** ⟨ ▶ empailler, ① paillasse, paillasson, rempailler ⟩

pain [pɛ̃] n. m. **1.** Aliment fait de farine, d'eau, de sel et de levain ou de levure, pétri, levé et cuit au four. *Manger du pain. Un pain*, masse déterminée de cet aliment ayant une forme donnée. ⇒ **baguette, bâtard, ficelle** (III), ① **flûte** (2). *Croûte, mie de pain. Miettes de pain. Pain de seigle. Pain de campagne. Pain brioché. Pain de mie*, pour faire des toasts. *Gros pain*, vendu au poids. *Pain frais ; pain rassis. Pain grillé.* ⇒ **rôtie, toast.** *Pain sec*, sans aucun accompagnement. *Pain azyme*, sans levain. *Pain au levain*, sans levure chimique. — Loc. *Je ne mange pas de ce pain-là*, je refuse ce genre de procédés. *Avoir du pain sur la planche*, avoir beaucoup de travail devant soi. *Pour une bouchée de pain*, pour un prix dérisoire. *Objets qui se vendent comme des petits pains*, très facilement. *Ôter, retirer à qqn le pain de la bouche*, le priver de sa subsistance. *Long comme un jour sans pain*, interminable. **2.** (Un, des pains) Pâtisserie légère, faite avec une pâte levée. *Petit pain (au lait). Pain au chocolat. Pain aux raisins.* **3.** PAIN D'ÉPICE, D'ÉPICES : gâteau fait avec de la farine de seigle, du miel, du sucre et de l'anis. **4.** Masse (d'une substance) comparée à un pain. *Pain de savon.* — EN PAIN DE SUCRE : en forme de cône. *Montagne en pain de sucre.* **5.** Fam. Coup, gifle. *Il lui a collé un pain.* ⟨ ▶ gagne-pain, grille-pain, panade, paner, panifier, panure ⟩

① *pair* [pɛʀ] n. m. **I. 1.** Personne semblable, quant à la fonction, la situation sociale. *Il ne peut attendre aucune aide de ses pairs.* **2.** Au Royaume-Uni. Membre de la *Chambre des pairs* ou Chambre des lords. **3.** En France, jusqu'en 1831. Membre de la *Chambre des pairs* et conseiller du roi. **II.** (*Pair* signifie « égalité » ⇒ **parité**) **1.** Loc. HORS DE PAIR, HORS PAIR : sans égal. ALLER DE PAIR : ensemble, sur le même rang. **2.** AU PAIR : en échangeant un travail contre le logement et la nourriture (sans salaire). *Cette étudiante travaille au pair.* ▶ *pairesse* n. f. ▪ Épouse d'un pair (I, 3) ou titulaire d'une pairie. ▶ *pairie* n. f. ▪ Titre et dignité de pair (I, 3).

② *pair, paire* adj. ▪ Se dit d'un nombre entier naturel divisible exactement par deux. *Numéro pair. Jours pairs.* / contr. **impair** / ⟨ ▶ ① impair ⟩

paire [pɛʀ] n. f. **1.** Réunion (de deux choses, de deux personnes semblables qui vont ensemble). *Une paire de chaussures, de chaussettes, de bas, de skis. Une paire de jambes.* — *Une paire d'amis. Les deux font la paire*, ils s'entendent très bien. **2.** Objet unique composé de deux parties semblables et symétriques. *Une paire de lunettes, de ciseaux.* **3.** Fam. *Se faire la paire*, s'enfuir (→ se faire la belle).

paisible [pezibl] adj. **1.** Qui demeure en paix, ne s'agite pas, n'est pas agressif. ⇒ **calme, tranquille ;** en **paix.** *Un homme paisible.* **2.** (Choses) Qui ne trouble pas la paix. ⇒ **pacifique.** *Un fleuve paisible. Des mœurs paisibles.* — Dont rien ne vient troubler la paix. *Sommeil, vie paisible.* ⇒ **tranquille.** ▶ *paisiblement* adv. ▪ *Il dort paisiblement.*

paître [pɛtʀ] v. intr. ▪ conjug. 57. — REM. Pas de passé simple ni de subj. imparf. ; pas de p. p. **1.** (Animaux) Manger l'herbe sur pied, les fruits tombés. *Le troupeau paissait dans la prairie.* ⇒ **brouter ; pâturage, pâture. 2.** Loc. fam. ENVOYER PAÎTRE *qqn* : le rejeter, l'éloigner. ⟨ ▶ repaître ⟩

paix [pɛ] n. f. invar. **I. 1.** Rapports entre personnes qui ne sont pas en conflit. ⇒ **accord, concorde.** / contr. **dispute, querelle** / *Avoir la paix chez soi. Faire la paix*, se réconcilier. *Vivre en paix avec tout le monde.* **2.** Rapports calmes entre citoyens ; absence de troubles, de violences. *La justice doit faire régner la paix.* / contr. **trouble, violence** / GARDIEN DE LA PAIX : agent de la police urbaine. **II. 1.** Situation d'une nation, d'un État qui n'est pas en guerre ;

rapports entre États qui jouissent de cette situation. / contr. **guerre** / *En temps de paix. Aimer la paix.* ⇒ **pacifique. 2.** Traité qui fait cesser l'état de guerre. ⇒ **armistice, cessez-le-feu, trêve.** *Faire la paix.* **III. 1.** État d'une personne que rien ne vient troubler. ⇒ **repos, tranquillité.** *Il a débranché le téléphone pour avoir la paix. Laisser la paix à qqn, le laisser en paix.* Fam. *Fichez-moi la paix !* — Interj. *La paix !,* laissez-moi tranquille ! **2.** État de l'âme qui n'est troublée par aucun conflit, aucune inquiétude. ⇒ **calme, quiétude.** *Goûter une paix profonde. Avoir la conscience en paix,* ne rien avoir à se reprocher. **3.** État d'un lieu, d'un moment où il n'y a ni agitation ni bruit. ⇒ **calme, tranquillité.** *La paix des champs.* ⟨ ► apaiser, paisible ⟩

pal, plur. **pals** [pal] n. m. ■ Longue pièce de bois ou de métal aiguisée par un bout. ⇒ **pieu.** *Le pal, ancien instrument de supplice.* ≠ *pale.* ⟨ ► empaler, palissade ⟩

palabre [palabʀ] n. f. ou m. **1.** Discussion interminable et oiseuse. *Assez de palabres !* ⇒ **discours. 2.** En Afrique. Discussion (sérieuse). *L'arbre à palabres,* sous lequel on s'installe au village pour discuter. ► **palabrer** v. intr. • conjug. 1. ■ *Il fallut palabrer pendant des heures avant qu'on nous laisse entrer.*

palace [palas] n. m. ■ Hôtel de grand luxe.

paladin [paladɛ̃] n. m. ■ Chevalier, compagnon de Charlemagne, généreux et vaillant.

① **palais** [palɛ] n. m. invar. **1.** Vaste et somptueuse résidence. ⇒ **château.** *Le palais du Luxembourg.* — Grand édifice public. ⇒ **monument.** *Le palais des Sports.* **2.** *Palais (de justice),* édifice où siègent les cours et tribunaux. **3.** Histoire. Résidence des rois. *Les maires du palais* (des rois francs).

② **palais** n. m. invar. **1.** Partie supérieure interne de la bouche. *Elle s'est brûlé le palais.* **2.** Organe du goût. *C'est un gourmet qui a le palais fin.* ≠ *palet.*

palan [palɑ̃] n. m. ■ Appareil permettant de soulever et déplacer de très lourdes charges (jusqu'à 60 t) au bout d'un câble ou d'une chaîne.

palanquin [palɑ̃kɛ̃] n. m. ■ Sorte de chaise ou de litière traditionnelle portée à bras d'hommes (parfois à dos de chameau ou d'éléphant).

pale [pal] n. f. ■ Partie d'une hélice qui agit sur l'air ou sur l'eau. *Les pales d'un hélicoptère.* ≠ *pal.* ⟨ ► palet, palette, paluche ⟩

pâle [pɑl] adj. **1.** (Teint, peau, visage) Blanc, très peu coloré. *Un peu pâle.* ⇒ **pâlichon, pâlot.** *Très pâle.* ⇒ **blafard, blême.** — (Personnes) Qui a le teint pâle. *Elle est devenue pâle comme un linge.* **2.** Qui a peu d'éclat. *De pâles lueurs.* — Peu vif ou mêlé de blanc. ⇒ **clair.** / contr. **foncé** / *Bleu pâle.* **3.** Abstrait. Sans éclat. ⇒ **fade, terne.** *Une pâle imitation.* ⟨ ► pâleur, pâlichon, pâlir, pâlot ⟩

palefroi [palfʀwa] n. m. ■ Autrefois. Cheval de promenade, de parade, de cérémonie (opposé à *destrier*). ≠ *haquenée.* ► **palefrenier** [palfʀənje] n. m. ■ Valet, employé chargé du soin des chevaux. ⇒ **lad.**

palé(o)- ■ Élément savant signifiant « ancien ». ⇒ **archéo(o)-.**

paléographie [paleɔgʀafi] n. f. ■ Connaissance, science des écritures anciennes. ► **paléographe** n. ■ Personne qui s'occupe de paléographie.

paléolithique [paleɔlitik] adj. et n. m. ■ Relatif à l'âge de la pierre taillée (opposé à *néolithique*). — N. m. *Le paléolithique,* période où apparurent les premières civilisations humaines.

paléontologie [paleɔ̃tɔlɔʒi] n. f. ■ Science des êtres vivants ayant existé sur la terre aux temps géologiques, fondée sur l'étude des fossiles*. ► **paléontologique** adj. ► **paléontologiste** ou **paléontologue** n. ■ Spécialiste de la paléontologie.

palet [palɛ] n. m. ■ Pierre plate et ronde, avec laquelle on vise un but (dans un jeu). *Palet de marelle. Palet de hockey sur glace* (en caoutchouc dur). ≠ *palais.*

paletot [palto] n. m. **1.** Vêtement de dessus, généralement assez court, boutonné par-devant. ⇒ **gilet. 2.** Fam. *Tomber sur le paletot de qqn,* se jeter sur lui (pour le prendre à partie).

① **palette** [palɛt] n. f. ■ Plaque mince percée d'un trou pour passer le pouce et sur laquelle le peintre étend et mélange ses couleurs. — L'ensemble des couleurs et nuances (propres à un peintre). *La palette de Rubens.*

② **palette** n. f. ■ Pièce de viande de mouton, de porc, provenant de l'omoplate.

③ **palette** n. f. ■ Plateau de chargement servant à la manutention de caisses, de marchandises. — Le chargement de ce plateau.

palétuvier [paletyvje] n. m. ■ Grand arbre des régions tropicales, à racines aériennes (⇒ **mangrove**).

pâleur [pɑlœʀ] n. f. ■ Couleur, aspect d'une personne, d'une chose pâle. *Une pâleur mortelle. La pâleur du visage.*

pâlichon, onne [pɑliʃɔ̃, ɔn] adj. ■ Fam. Un peu pâle. ⇒ **pâlot.**

palier [palje] n. m. **1.** Plate-forme entre deux volées d'un escalier. *Portes donnant sur le palier. Mes voisins de palier.* ⇒ **étage. 2.** PAR PALIERS : en s'arrêtant de temps en temps. / contr. **continûment** / *Progresser par paliers.* ≠ *pallier.* ► **palière** adj. f. ■ *Porte palière,* qui s'ouvre sur le palier.

palimpseste [palɛ̃psɛst] n. m. ■ Didact. Parchemin dont on a effacé la première écriture pour pouvoir écrire un nouveau texte.

palingénésie [palɛ̃ʒenezi] n. f. ■ Didact. Renaissance des êtres ou des sociétés conçue comme source d'évolution.

palinodie [palinɔdi] n. f. ■ Surtout au plur. Littér. Fait de rétracter ses opinions. ⇒ **rétractation.**

pâlir [pɑliʀ] v. • conjug. 2. **I.** V. intr. **1.** (Personnes) Devenir pâle. *Il pâlit de colère.* ⇒ **blêmir.** — Loc. *Pâlir sur les livres, sur un travail,* y consacrer de longues heures. **2.** (Choses) Perdre son éclat. *Les couleurs ont pâli.* ⇒ **faner, passer, ternir. II.** V. tr. Rendre pâle, plus pâle. — Au p. p. *Ses joues pâlies par la fatigue.* ► **pâlissant, ante** adj. ■ *Le jour pâlissant.*

palissade [palisad] n. f. ■ Clôture faite d'une rangée serrée de perches ou de planches. *La palissade d'un jardin.*

palissandre [palisɑ̃dʀ] n. m. ■ Bois tropical, d'une couleur violacée, nuancée de noir et de jaune. *Une armoire en palissandre.*

palladium [paladjɔm] n. m. ■ Métal rare, blanc, dur, voisin du platine.

pallier [palje] v. tr. • conjug. 7. ■ Compenser (un manque), apporter une solution provisoire à. — REM. *Pallier à est fautif. Pour pallier l'absence de moyens...* ► **palliatif** n. m. ■ Mesure qui n'a qu'un effet passager. *Avoir recours à des palliatifs.* ⇒ **expédient.**

palmarès [palmaʀɛs] n. m. invar. ■ Liste des lauréats (d'une distribution de prix), liste de récompenses. *Son nom figure au palmarès.*

① *palme* [palm] n. f. **1.** Feuille de palmier. **2.** *Vin de palme, huile de palme,* de palmier. **3.** *La palme,* symbole de victoire. *Ce film a remporté la palme d'or au Festival de Cannes.* ‹ ▶ palmarès ›

② *palme* n. f. ■ Pièce de caoutchouc palmée, portée au pied pour accélérer la vitesse de la nage sous-marine. ▶ **palmé, ée** adj. ■ Dont les doigts sont réunis par une membrane. *Les pattes palmées du canard* (⇒ **palmipède**).

palmer [palmɛʀ] n. m. ■ Instrument de précision, mesurant les épaisseurs (au dixième ou au centième de millimètre). *Des palmers.*

① *palmier* [palmje] n. m. ■ Grand arbre des régions chaudes, à tige simple, nue et rugueuse, à grandes feuilles en éventail. *Palmier dattier.* Loc. *Cœur de palmier,* bourgeon terminal très tendre de certains palmiers, comestible. ▶ **palmeraie** n. f. ■ Plantation de palmiers. ▶ **palmiste** n. m. et adj. **1.** Fruit du palmier à huile. **2.** *Palmiste* ou *chou palmiste,* bourgeon du palmier.

② *palmier* n. m. ■ Pâtisserie. Gâteau sec, de pâte feuilletée sucrée, doré au four (en forme de palme ①).

palmipède [palmipɛd] adj. et n. m. ■ Dont les pieds sont palmés. *Oiseaux palmipèdes.* — N. m. *Le canard, l'oie sont des palmipèdes.*

palombe [palɔ̃b] n. f. ■ Nom du pigeon ramier, dans le sud-ouest de la France. *Chasse à la palombe.*

palonnier [palɔnje] n. m. ■ Dispositif de commande du gouvernail de direction d'un avion, manœuvré avec les pieds.

pâlot, otte [pɑlo, ɔt] adj. ■ Un peu pâle (surtout en parlant des enfants). ⇒ **pâlichon.** *Je la trouve bien pâlotte.*

palourde [paluʀd] n. f. ■ Clovisse, mollusque comestible bivalve. ⇒ **praire.**

palper [palpe] v. tr. ■ conjug. 1. **1.** Examiner en touchant, en tâtant avec la main, les doigts. *L'aveugle palpe les objets pour les reconnaître.* **2.** Fam. Toucher, recevoir (de l'argent). *Il a déjà assez palpé de fric dans cette affaire.* ▶ **palpable** adj. **1.** Dont on peut s'assurer par le toucher. ⇒ **concret, tangible.** / contr. **impalpable** / **2.** Que l'on peut vérifier avec certitude. / contr. **douteux** / *Donnez-moi des preuves palpables !* ▶ **palpeur** n. m. ■ Dispositif effectuant des opérations de contact. ‹ ▶ impalpable ›

palpiter [palpite] v. intr. ■ conjug. 1. **1.** Être agité de frémissements. *Son œil palpite sans arrêt.* **2.** (Cœur) Battre très fort. — (Personnes) Trahir son émotion par des palpitations. *Il palpitait de convoitise.* ▶ **palpitant, ante** adj. **1.** Qui palpite. *Palpitant d'émotion,* violemment ému. **2.** (Choses) Qui excite l'émotion, un vif intérêt. *Un film palpitant.* ▶ **palpitation** n. f. **1.** Frémissement convulsif. *La palpitation des paupières.* **2.** Battement de cœur plus fort et plus rapide que dans l'état normal. *Le café me donne des palpitations.*

palsambleu [palsɑ̃blø] interj. ■ Vx. Ancien juron, forme atténuée de : *Par le sang de Dieu !*

paltoquet [paltɔkɛ] n. m. ■ Homme insignifiant et prétentieux ou insolent.

paluche [palyʃ] n. f. ■ Fam. Main. *Retire tes paluches !,* ôte tes mains !

paludisme [palydism] n. m. ■ Maladie infectieuse tropicale, caractérisée par des accès de fièvre, due à un parasite transmis par la piqûre d'un certain moustiques (anophèles). ⇒ **malaria.** *Accès de paludisme.* ▶ **paludéen, éenne** [palydeɛ̃, ɛɛn] adj. ■ Atteint de paludisme. — N. *Un(e) paludéen(ne).*

se pâmer [pame] v. pron. ■ conjug. 1. **1.** Vx. Perdre connaissance. ⇒ **défaillir, s'évanouir ;** fam. **tomber** dans les pommes. *Elle s'est pâmée de plaisir.* **2.** Être comme paralysé sous le coup d'une sensation, d'une émotion très agréable. *Se pâmer d'aise.* ▶ **pâmoison** n. f. ■ Vx, littér. ou plaisant. Fait de se pâmer. *Tomber en pâmoison.* ⇒ **extase.**

pampa [pɑ̃pa] n. f. ■ Vaste plaine d'Amérique du Sud. *Les gauchos des pampas argentines.*

pamphlet [pɑ̃flɛ] n. m. ■ Texte court et violent contre les institutions, un personnage connu. ▶ **pamphlétaire** n. ■ Auteur de pamphlets.

pamplemousse [pɑ̃pləmus] n. m. ■ Grand agrume jaune et acide. ⇒ **grape-fruit.** *Jus de pamplemousse.* ▶ **pamplemoussier** n. m. ■ Arbre à pamplemousses.

pampre [pɑ̃pʀ] n. m. ■ Branche de vigne avec ses feuilles et ses grappes. ⇒ **sarment.**

① *pan* [pɑ̃] n. m. **1.** Grand morceau d'étoffe ; partie flottante ou tombante d'un vêtement. *Se promener en pan de chemise,* avec une chemise à pans flottants. **2.** *Pan de mur,* partie plus ou moins grande d'un mur. ‹ ▶ panneau ›

② *pan* [pɑ̃] interj. ■ Onomatopée qui exprime un bruit sec, un coup de fusil.

pan- ■ Élément signifiant « tout » (ex. : *panafricain, panarabe, panaméricain,* qui concerne toute l'Afrique, etc.). — PAN... ISME : désigne une doctrine tendant à unifier tout (un pays, un peuple, une religion). Ex. : *pangermanisme, panislamisme.* ‹ ▶ pandémonium, panorama, panoplie, panthéisme, panthéon, pantomime ›

panacée [panase] n. f. ■ Remède universel ; formule par laquelle on prétend tout régler. *L'aspirine n'est pas une panacée.* — REM. Il ne faut pas dire *panacée universelle* (pléonasme).

panache [panaʃ] n. m. **1.** Faisceau de plumes flottantes, qui servait à orner une coiffure, un dais, un casque. *Ralliez-vous à mon panache blanc !* — *La queue en panache d'un écureuil.* **2.** Loc. *Avoir du panache,* avoir fière allure. *L'amour du panache,* pour la gloire militaire. ‹ ▶ empanaché ›

panacher [panaʃe] v. tr. ■ conjug. 1. **1.** Bigarrer, orner de couleurs variées. **2.** Composer d'éléments divers. *Panacher une liste électorale.* ▶ **panachage** n. m. **1.** Action de panacher. *Un panachage de couleurs.* **2.** Dans une élection. Mélange sur une même liste de candidats qui appartiennent à des partis différents. ▶ **panaché, ée** adj. **1.** Qui présente des couleurs variées. *Œillet panaché.* **2.** Composé d'éléments différents. — *Un demi panaché* ou, n. m., *un panaché,* mélange de bière et de limonade.

panade [panad] n. f. **1.** Soupe faite de pain, d'eau et de beurre. **2.** Fam. *Être, tomber dans la panade,* dans la misère.

panard [panaʀ] n. m. ■ Fam. Pied.

panaris [panaʀi] n. m. invar. ■ Infection aiguë d'un doigt ou d'un orteil. *Il soigne son panaris.* ⇒ **mal** blanc.

pancarte [pɑ̃kaʀt] n. f. ■ Carton qu'on applique contre un mur, un panneau, etc., pour donner un avis au public. ⇒ **écriteau, panonceau.** *Porter une pancarte dans un défilé.* ≠ **banderole.**

pancrace [pɑ̃kʀas] n. m. ■ Ancien sport qui combinait la lutte et le pugilat.

pancréas [pɑ̃kʀeas] n. m. invar. ■ Glande de la digestion située entre l'estomac et les reins. ▶ **pancréatique** adj. ■ Du pancréas. *Suc pancréatique.*

panda [pɑ̄da] n. m. ■ Mammifère des forêts d'Inde et de Chine. *Petit panda,* de la taille d'un gros chat. *Grand panda,* de la taille d'un ours (espèce très rare). *Des pandas.*

pandémonium [pɑ̄demɔnjɔm] n. m. ■ Littér. Lieu où règne un désordre infernal.

pandit [pɑ̄di(t)] n. m. ■ Titre honorifique donné en Inde à un fondateur de secte, à un savant et religieux (brahmane). *Le pandit Nehru.*

pandore [pɑ̄dɔʀ] n. m. ■ Vx et iron. Gendarme.

panégyrique [paneʒiʀik] n. m. ■ Parole, écrit à la louange de qqn. ⇒ **apologie.** *Faire le panégyrique de qqn.* ▶ *panégyriste.* ■ Personne qui loue, qui vante qqn ou qqch. (souvent iron.).

panel [panɛl] n. m. ■ Anglic. Échantillon* de personnes auprès desquelles est faite une enquête d'opinion.

paner [pane] v. tr. ■ conjug. 1. ■ Couvrir de panure, de chapelure. ▶ *pané, ée* adj. ■ *Escalopes panées.*

panier [panje] n. m. **1.** Réceptacle de vannerie (osier, etc.) servant à contenir, à transporter des marchandises. *Panier à provisions.* ⇒ *cabas. Panier à ouvrage.* ⇒ *boîte, corbeille.* — *Mettre au panier,* jeter dans la corbeille à papier, aux ordures. **2.** PANIER À SALADE : récipient métallique à claire-voie pour égoutter la salade. — Fam. Camionnette de police, grillagée, pour le transport des prévenus ou des personnes appréhendées. **3.** Loc. PANIER PERCÉ : dépensier incorrigible. *C'est un vrai panier percé, elle a déjà tout dépensé.* **4.** Contenu d'un panier. *J'ai cueilli un panier de poires.* — Loc. *Panier-repas,* repas froid distribué à des voyageurs. **5.** Armature de jupon qui servait à faire gonfler les jupes. *Robe à paniers.* ⇒ *crinoline, vertugadin.* — Loc. fam. *Mettre la main au panier (à qqn),* caresser rapidement les fesses. **6.** Au basket-ball. Filet ouvert en bas, fixé à un panneau de bois. *Mettre un panier,* marquer un point. ▶ *panière* n. f. ■ Malle en osier.

panifier [panifje] v. tr. ■ conjug. 7. ■ Transformer en pain. *Panifier de la farine de blé.* ▶ *panifiable* adj. ■ Qui peut servir de matière première dans la fabrication du pain. *Céréales panifiables.* ▶ *panification* n. f.

panique [panik] adj. et n. f. **1.** Adj. Qui trouble subitement et violemment l'esprit (le mot vient du nom du dieu grec Pan). *Peur, terreur panique.* **2.** N. f. Terreur extrême et soudaine, généralement irraisonnée, et souvent collective. ⇒ **effroi, épouvante; affolement.** *Ils furent pris de panique. Semer la panique dans la population. La panique a fait plus de victimes que l'incendie lui-même.* ▶ *paniquer* v. tr. ■ conjug. 1. ■ Fam. Affoler, angoisser. *Ne te laisse pas paniquer par l'examinateur.* — Au p. p. *Elle est complètement paniquée.*

① *panne* [pan] n. f. **1.** Arrêt de fonctionnement dans un mécanisme, un moteur ; impossibilité accidentelle de fonctionner. *Panne d'automobile.* Loc. *Tomber en panne. Panne d'essence* (ou *panne sèche*). — *Panne d'électricité.* **2.** En marine. *Vaisseau en panne,* immobile en travers du vent. Loc. *Être EN PANNE* : momentanément arrêté. *Les travaux sont en panne.* — *Être en panne de qqch.,* en être dépourvu. ⟨ ▶ dépanner ⟩

② *panne* n. f. ■ Graisse qui se trouve sous la peau du cochon.

③ *panne* n. f. ■ Étoffe semblable au velours.

④ *panne* n. f. **I.** **1.** Pièce de charpente. **2.** Tuile à bourrelet d'emboîtement. **II.** Partie effilée ou allongée (d'un piolet, d'un marteau).

panneau [pano] n. m. **1.** Partie d'une construction, constituant une surface délimitée. *Panneau mobile. Panneaux préfabriqués.* **2.** Surface plane (de bois, de métal, de toile tendue) destinée à servir de support à des inscriptions. ⇒ **pancarte, panonceau.** *Panneaux électoraux. Panneaux de signalisation.* **3.** Élément d'une jupe faite de plusieurs morceaux. ⇒ lé. **4.** Loc. *Tomber, donner dans le panneau,* dans le piège ; se laisser tromper.

panonceau [panɔso] n. m. **1.** Écusson, plaque métallique placée à la porte d'un officier ministériel. *Le panonceau d'un notaire.* **2.** Enseigne, panneau (2) d'un magasin, etc. ⇒ *pancarte. Des panonceaux.*

panoplie [panɔpli] n. f. **1.** Ensemble d'armes présenté sur un panneau et servant de trophée, d'ornement. **2.** Jouet d'enfant ; déguisement et instruments présentés sur un carton. *Panoplie de pompier.* **3.** Ensemble de moyens matériels. *La panoplie du parfait bricoleur. Le gouvernement a décidé une panoplie de mesures contre le chômage.*

panorama [panɔrama] n. m. **1.** Vaste paysage que l'on peut contempler de tous côtés ; vue circulaire. **2.** Abstrait. Étude successive et complète d'une catégorie de questions. *Un panorama de la littérature contemporaine.* ▶ *panoramique* adj. et n. m. **1.** Qui offre les caractères d'un panorama, permet d'embrasser l'ensemble d'un paysage. *Vue panoramique.* **2.** Qui permet une grande visibilité. *Carrosserie panoramique. Écran panoramique,* grand écran de cinéma. **3.** N. m. Mouvement circulaire de caméra. — Le plan filmé réalisé grâce à ce mouvement. *Ce western présente de fabuleux panoramiques.*

panse [pɑ̄s] n. f. **1.** Premier compartiment de l'estomac des ruminants, où les végétaux broutés sont stockés avant mastication. **2.** Partie renflée. *La panse d'une cruche.* **3.** Fam. Gros ventre. *Elles s'en sont mis plein la panse,* elles ont beaucoup mangé. ⟨ ▶ pansu ⟩

① *panser* [pɑ̄se] v. tr. ■ conjug. 1. ■ Mettre des linges et des médicaments sur (une plaie). *Panser la main de qqn.* ⇒ **bander.** — *L'infirmière est en train de panser les blessés.* ≠ *penser.* ▶ *pansement* n. m. ■ Linges, gazes, bandes, compresses servant à assujettir les produits placés sur une plaie et à protéger la plaie. *Blessé couvert de pansements. Petit pansement au doigt.* ⇒ **poupée (3).** *Pansement adhésif.* ⇒ **spara-drap.**

② *panser* v. tr. ■ conjug. 1. ■ Soigner (un cheval) en lui donnant les soins de propreté. ⇒ **étriller.** ▶ *pansage* n. m.

pansu, ue [pɑ̄sy] adj. ■ Renflé comme une panse. ⇒ **ventru.** *Un vase pansu.*

pantagruélique [pɑ̄tagʀyelik] adj. ■ Digne de Pantagruel (personnage de Rabelais, géant qui est un gros mangeur). *Un repas pantagruélique.* ⇒ **gargantuesque.**

pantalon [pɑ̄talɔ̄] n. m. ■ Culotte longue descendant jusqu'aux pieds. ⇒ **falzar, froc.** *Mettre, enfiler son pantalon. Jambes d'un pantalon. Elle préfère le pantalon à la jupe.*

pantalonnade [pɑ̄talɔnad] n. f. ■ Manifestation hypocrite (de dévouement, de loyauté, de regret).

pantelant, ante [pɑ̄tlɑ̄, ɑ̄t] adj. **1.** Qui respire avec peine, convulsivement. ⇒ **haletant.** **2.** Suffoqué d'émotion. *Cette mauvaise nouvelle l'a laissée toute pantelante.*

panthéisme [pɑ̄teism] n. m. ■ Attitude d'esprit qui tend à diviniser la nature. ▶ *panthéiste* adj. et n.

panthéon [pɑ̄teɔ̄] n. m. **1.** Ensemble des dieux d'une religion polythéiste. *Le panthéon des anciens*

Grecs. **2.** Monument consacré à la mémoire des grands hommes d'une nation.

panthère [pɑ̃tɛʀ] n. f. **1.** Grand mammifère carnassier d'Afrique et d'Asie, au pelage noir ou jaune moucheté de taches noires. ⇒ **jaguar, léopard. 2.** Fourrure de cet animal. *Manteau de panthère.*

pantin [pɑ̃tɛ̃] n. m. **1.** Jouet d'enfant, figurine en carton dont on agite les membres en tirant sur un fil. **2.** Personne qui change d'opinions, d'attitudes sous l'influence d'autrui. ⇒ **girouette.** *Elle a fait de lui un pantin.*

pantois [pɑ̃twa] adj. m. invar. ■ Dont le souffle est coupé par l'émotion, la surprise. ⇒ **ahuri, déconcerté, interdit, stupéfait.** *Il est resté pantois.* — REM. Féminin très rare : *pantoise.*

pantomime [pɑ̃tɔmim] n. f. ■ Jeu, spectacle de mime ; art de s'exprimer par la danse, le geste, la mimique, sans recourir à la parole.

pantoufle [pɑ̃tufl] n. f. **1.** Chaussure d'intérieur, en matière souple. ⇒ **chausson, savate.** *Mettre ses pantoufles, se mettre en pantoufles.* **2.** Loc. *Passer sa vie dans ses pantoufles,* mener une existence casanière, retirée. ▶ **pantouflard, arde** adj. et n. ■ Fam. Qui aime à rester chez soi, qui tient à ses habitudes, à ses aises. ⇒ **casanier.**

panure [panyʀ] n. f. ⇒ **chapelure.**

paon [pɑ̃], fém. rare *paonne* [pan] n. **1.** Oiseau originaire d'Asie, de la taille d'un faisan, dont le mâle porte une longue queue ocellée que l'animal redresse et déploie en éventail dans la parade sexuelle. *Paon qui fait la roue.* **2.** Loc. *Pousser des cris de paon,* très aigus. *Être vaniteux, fier comme un paon.* ⇒ se **pavaner.** — *Se parer des plumes du paon,* se prévaloir de mérites qui appartiennent à autrui.

papa [papa] n. m. **1.** Terme par lequel les enfants désignent leur père. *Oui, papa. Où est ton papa ? Son papa.* — *Grand-papa, bon-papa,* grand-père. **2.** Loc. fam. À LA PAPA : sans hâte, sans peine, sans risques. ⇒ **tranquillement ;** fam. **pépère** (3). — Fam. DE PAPA : désuet, périmé. *Le cinéma de papa.* — À PAPA. Péj. *Fils à papa :* jeune homme dont les parents sont riches et qui profite de cette situation. ⟨ ▶ barbe à papa, bon-papa ⟩

papaye [papaj] n. f. ■ Fruit de la taille d'un gros melon allongé, à la chair rouge orangé. ▶ *papayer* [papaje] n. m. ■ Plante tropicale annuelle au tronc élancé, cultivée pour ses fruits, les papayes.

pape [pap] n. m. ■ Chef suprême de l'Église catholique romaine. ⇒ souverain **pontife.** *Sa Sainteté le pape. Bulle, encyclique du pape.* ▶ *papable* adj. ■ Cardinaux papables, qui peuvent devenir pape. ▶ *papal, ale, aux* adj. ■ Du pape. ⇒ **pontifical.** ▶ *papauté* n. f. ■ Gouvernement ecclésiastique dans lequel l'autorité suprême est exercée par le pape. *Histoire de la papauté.* ⟨ ▶ papiste ⟩

① *papelard, arde* [paplaʀ, aʀd] adj. ■ Littér. Faux, doucereux, mielleux. *Il était retors et papelard.* ▶ *papelardise* n. f. ■ Hypocrisie.

② *papelard* n. m. ■ Fam. Morceau de papier ; écrit ; document administratif.

paperasse [papʀas] n. f. ■ Plur. ou collectif. Papiers écrits, considérés comme inutiles ou encombrants. *Chercher dans ses paperasses.* — *La paperasse administrative.* ▶ *paperasserie* n. f. ■ Accumulation de paperasses. ▶ *paperassier, ière* adj. ■ Qui conserve, écrit des paperasses. *Administration paperassière.*

papeterie [papɛtʀi ; paptʀi] n. f. **1.** Fabrication du papier. — Fabrique de papier. **2.** Magasin où l'on

vend du papier, des fournitures de bureau, d'école. *Librairie-papeterie.* ▶ *papetier, ière* [paptje, jɛʀ] n. ■ Personne qui fabrique, vend du papier.

papier [papje] n. m. **I. 1.** Matière fabriquée avec des fibres végétales réduites en pâte, étendue et séchée pour former une feuille mince. *Du papier, une feuille de papier. Pâte à papier. Papier à lettres. Papier à dessin. Papier-calque. Papier à cigarettes. Papier de soie. Papier buvard. Papier d'emballage.* — *Papier hygiénique,* utilisé dans les W.-C. ; fam. *papier de chiottes, papier cul.* — PAPIER TIMBRÉ : feuille de papier portant la marque du sceau de l'État et le prix de la feuille en filigrane (opposé à *papier libre*). — PAPIER-MONNAIE : billet de banque. — (Qualifié, le papier servant de support à un produit quelconque) *Papier à musique,* à portées régulières. *Papier carbone. Papier collant.* ⇒ **kraft.** *Papier-émeri. Papier de verre. Papier peint.* — PAPIER MÂCHÉ : pâte de papier fluide ou soluble formant une substance malléable, puis durcie. Loc. *Une mine de papier mâché,* un teint blafard. **2.** *Le papier,* support de ce qu'on écrit. *Jeter une phrase sur le papier.* **3.** Feuille très mince servant à envelopper. *Papier d'aluminium, papier cellophane.* **4.** EN PAPIER. Serviette en papier. *Faire des cocottes en papier.* **II.** UN, DES PAPIER(S). **1.** Feuille, morceau de papier. *Notez cela sur un papier.* **2.** Article de journal, de revue. *Envoyer un papier à son journal.* **3.** Écrit officiel. *Signer un papier.* — PAPIERS (D'IDENTITÉ) : ensemble des papiers (cartes, livrets, passeports...) qui prouvent l'identité (d'une personne). *Vos papiers ! Avoir ses papiers en règle.* — Loc. *Être dans les petits papiers de qqn,* jouir de sa faveur. ⟨ ▶ coupe-papier, gratte-papier, ② papelard, paperasse, papeterie, presse-papiers ⟩

papille [papij ; -il] n. f. ■ Petite éminence à la surface de la peau ou d'une muqueuse, qui correspond à une terminaison vasculaire ou nerveuse. *Papilles gustatives.*

papillon [papijɔ̃] n. m. **1.** Insecte ayant quatre ailes, après métamorphose de la chenille. ⇒ **lépidoptère.** *Papillons de nuit. Chasse aux papillons. Collection de papillons.* — Loc. fam. *Minute papillon !* ou *minute ;* attendez ! **2.** *Nœud papillon,* nœud plat servant de cravate, en forme de papillon. — Fam. *Nœud pap.* **3.** Feuille de papier jointe à un livre, un texte. — Avis de contravention. *J'ai trouvé un papillon sur le pare-brise de ma voiture.* **4.** Écrou à ailettes. *Papillons d'une roue de bicyclette.* **5.** Style de nage (on dit aussi *brasse-papillon*). ▶ *papillonner* v. intr. . conjug. 1. ■ Aller d'une personne, d'une chose à une autre sans s'y arrêter. ⇒ **folâtrer.** *Elle papillonnait en chantant.* — Passer d'un sujet à l'autre, sans rien approfondir. ▶ *papillonnant, ante* adj. ■ *Esprit papillonnant.* ▶ *papillonnement* n. m.

papillote [papijɔt] n. f. **1.** Bigoudi en papier. — Loc. *Tu peux en faire des papillotes* (d'un papier, d'un écrit), cela ne vaut rien. **2.** Papier beurré ou huilé, feuille d'aluminium enveloppant certaines chairs cuites au four. *Cailles, truites en papillotes.*

papilloter [papijɔte] v. intr. . conjug. 1. **1.** Avoir des reflets, scintiller comme des paillettes. **2.** Se dit des yeux, entraînés dans un mouvement qui les empêche de se fixer sur un objet particulier. — (Suj. personne) Cligner des paupières. ⇒ **ciller.** ▶ *papillotant, ante* adj. **1.** Qui éblouit par un grand nombre de lumières. **2.** (Yeux, regard) Qui papillote. ▶ *papillotement* n. m. ■ Éparpillement de points lumineux qui papillotent ; effet produit par cet éparpillement.

papiste [papist] n. ■ Histoire. Partisan inconditionnel de la papauté (généralement opposé à *protestant, réformé, calviniste...*).

papoter [papɔte] v. intr. . conjug. 1. ■ Parler beaucoup en disant des choses insignifiantes. ⇒ **bavarder.** ▶ *papotage* n. m. ■ ⇒ **bavardage.** *Ils perdent leur temps en papotages.*

papouille [papuj] n. f. ■ Fam. Petite caresse, chatouille. *Il lui fait des papouilles dans le cou.* ▶ *papouiller* v. tr. . conjug. 1. ■ Fam. Caresser. ⇒ **peloter.**

paprika [paprika] n. m. ■ Variété de piment utilisé en poudre. *Bœuf au paprika.*

papyrus [papiʀys] n. m. invar. **1.** Plante des bords du Nil dont la tige servait à fabriquer des feuilles pour écrire. **2.** *Un papyrus,* un manuscrit sur papyrus.

pâque [pak] n. f. ■ Fête juive qui commémore le départ d'Égypte des Hébreux, où l'on mange le pain azyme. ≠ *Pâques.*

paquebot [pakbo] n. m. ■ Grand bateau (navire de commerce) principalement affecté au transport de passagers. ⇒ ① **transatlantique.** *Paquebot de croisière.*

pâquerette [pakʀɛt] n. f. ■ Petite marguerite blanche ou rosée des prairies. *Une pelouse émaillée de pâquerettes.*

Pâques [pak] n. f. pl. et n. m. sing. **1.** N. f. pl. Fête chrétienne célébrée le premier dimanche suivant la pleine lune de l'équinoxe de printemps, pour commémorer la résurrection du Christ. *Souhaiter de joyeuses Pâques à qqn.* ≠ *pâque.* **2.** N. m. sing. (sans article) Le jour, la fête de Pâques. *Pâques précède la Pentecôte. Vacances de Pâques.* — Loc. *À Pâques ou à la Trinité,* très tard, jamais.

paquet [pakɛ] n. m. **1.** Assemblage de plusieurs choses attachées ou enveloppées ensemble ; objet enveloppé pour être transporté plus commodément ou pour être protégé. *Un paquet de linge. Envoyer un paquet par la poste.* ⇒ **colis.** — *Paquet de cigarettes. Il fume un paquet par jour,* le contenu d'un paquet de cigarettes (souvent vingt cigarettes). **2.** PAQUET DE : grande quantité de. *Il a touché un paquet de billets.* — Masse informe. *Des paquets de neige.* — Fam. *Un paquet de nerfs,* personne nerveuse. **3.** Loc. fam. *Mettre le paquet,* employer les grands moyens ; donner son maximum. — *Risquer le paquet,* le tout pour le tout, son va-tout. ▶ *paquetage* [paktaʒ] n. m. ■ Effets d'un soldat pliés et placés de manière réglementaire. *Faire son paquetage.* ⇒ **barda.** ‹ ▶ dépaqueter, empaqueter ›

par [paʀ] prép. **I. 1.** (Lieu) À travers. *Regarder par la fenêtre. Il est passé par la fenêtre.* — (En parcourant un lieu) ⇒ **dans.** *Voyager par le monde, de par le monde.* — (Sans mouvement) *Être assis par terre* (⇒ **à**). — (Avec ou sans mouvement) *Voitures qui se heurtent par l'avant. Par en bas. Par ici, par là.* — Loc. PAR-CI, PAR-LÀ : un peu partout. (Exprimant la répétition) *Il m'agace avec ses « cher Monsieur » par-ci, « cher Monsieur » par-là.* **2.** (Temps) Durant, pendant. *Par une belle matinée.* **3.** (Emploi distributif) *Plusieurs fois par jour. Marcher deux par deux.* **II. 1.** (Introduisant le compl. d'agent) Grâce à l'action de. *Faire faire qqch. par qqn. Il a été gêné par les arbres. J'ai appris la nouvelle par mes voisins. L'exploitation de l'homme par l'homme.* (Moyen ou manière) *Obtenir qqch. par la force.* ⇒ au **moyen** de. *Répondre par oui ou par non. Envoyer une lettre par la poste. Elle est venue par avion.* — (+ infinitif) *Il a fini par rire,* il a enfin ri. — *Fidèle par devoir.* — *Nettoyage par le vide.* — Loc. *Par exemple*. Par conséquent*. Par suite*. Par ailleurs*. Par contre*.* **III.** DE PAR *le roi, de par la loi,* de la part, au nom du roi, de la loi. **IV.** Adv. PAR TROP : vraiment trop, *Il est par trop égoïste.* ‹ ▶ auparavant, parce que, pardessus, pardieu,

parfois, parmi, parsemer, ② partant, ① parterre, ② parterre, partout, passe-partout ›

① *para-* ■ Élément savant signifiant « à côté de » (ex. : *paraphrase*).

② *para-* ■ Élément signifiant « protection contre » (ex. : *parachute*).

parabellum [paʀabelɔm] n. m. invar. ■ Pistolet automatique de guerre (*bellum* veut dire « guerre » en latin).

① *parabole* [paʀabɔl] n. f. ■ Récit allégorique des livres saints sous lequel se cache un enseignement. *Les paraboles de l'Évangile.* — *Parler par paraboles,* d'une manière détournée, obscure.

② *parabole* n. f. ■ Ligne courbe dont chacun des points est situé à égale distance d'un point fixe (*foyer*) et d'une droite fixe (*directrice*). ▶ *parabolique* adj. et n. m. **1.** Relatif à la parabole. *Miroir parabolique.* **3.** *Capteur solaire parabolique,* à miroir parabolique. — N. m. *Un parabolique* (spécialt un radiateur à miroir parabolique).

parachever [paʀaʃve] v. tr. . conjug. 5. ■ Conduire au point le plus proche de la perfection. ⇒ **parfaire.** *Parachever une œuvre.*

parachute [paʀaʃyt] n. m. ■ Équipement permettant de ralentir la chute d'une personne ou d'un objet qui tombe d'un avion. *Parachute dorsal, ventral. Un saut en parachute.* ▶ *parachuter* v. tr. . conjug. 1. **1.** Lâcher d'un avion avec un parachute. *Parachuter des soldats.* **2.** Fam. Nommer (une personne) à l'improviste dans un emploi pour lequel elle n'est pas spécialement apte. ▶ *parachutage* n. m. ■ Action de parachuter (qqn, qqch.). ▶ *parachutisme* n. m. ■ Technique du saut en parachute. ▶ *parachutiste* n. et adj. ■ Personne qui pratique le saut en parachute. — Soldat qui fait partie d'unités spéciales dont les éléments sont destinés à combattre après avoir été parachutés. (Abrév. PARA. *S'engager dans les paras.*)

① *parade* [paʀad] n. f. ■ Action, manière de parer, d'éviter un coup. ⇒ **défense, riposte ;** ② **parer.** *Il a trouvé la parade.*

② *parade* n. f. **1.** Étalage que l'on fait d'une chose, afin de se faire valoir. *Il aime trop la parade.* — Loc. FAIRE PARADE DE *qqch.* ⇒ **étaler, exhiber.** *Il fait parade de ses connaissances.* — DE PARADE : destiné à être utilisé comme ornement. *Habit de parade.* — Abstrait. *Amabilité de parade,* purement extérieure. **2.** Cérémonie militaire où les troupes en grande tenue défilent. ⇒ **revue. 3.** Exhibition avant une représentation, pour attirer les spectateurs. *Les comédiens firent une parade dans les rues. Parade foraine.* **4.** Biologie. Comportement des animaux préludant au rapprochement sexuel. *La parade du paon qui fait la roue.* ▶ *parader* v. intr. . conjug. 1. ■ Se montrer en se donnant un air avantageux. *Il parade au milieu des jolies femmes.*

paradis [paʀadi] n. m. invar. **1.** Lieu où les âmes des justes jouissent de la béatitude éternelle, selon certaines religions. ⇒ **ciel.** / contr. **enfer** / *Aller au paradis.* **2.** Séjour enchanteur. *Cette île est un vrai paradis.* **3.** *Le* PARADIS TERRESTRE : jardin où, dans la Genèse, Dieu place Adam et Ève. ⇒ **éden. 4.** Loc. *Paradis fiscal,* lieu, pays où on paye peu d'impôts. ▶ *paradisiaque* adj. ■ Qui appartient au paradis. — Délicieux. *Un endroit paradisiaque.* ‹ ▶ paradisier ›

paradisier [paʀadizje] n. m. ■ Oiseau de la Nouvelle-Guinée, aux jolies couleurs. *Le paradisier ou oiseau de paradis.*

paradoxe [paʀadɔks] n. m. ■ Opinion qui va à l'encontre de l'opinion communément admise. *Il*

soutient que deux et deux font cinq ; *quel paradoxe !*
▶ *paradoxal, ale, aux* adj. **1.** Qui tient du paradoxe. *Des raisonnements paradoxaux.* **2.** (Personnes)
Qui aime, qui recherche le paradoxe. *Esprit paradoxal.* ▶ *paradoxalement* adv. ■ Contrairement à
ce qu'on attendrait.

parafe ou *paraphe* [paraf] n. m. **1.** Trait,
marque ajouté(e) à une signature. **2.** Signature
abrégée. ▶ *parafer* ou *parapher* v. tr. ■ conjug. 1.
■ Marquer, signer d'un paraphe (2). *Parapher toutes
les pages d'un contrat.*

paraffine [parafin] n. f. ■ Substance solide
blanche, tirée du pétrole, utilisée dans la fabrication
de bougies et pour imperméabiliser le papier. — *Huile
de paraffine,* utilisée comme lubrifiant. ▶ *paraffiné,
ée* adj. ■ Imprégné de paraffine. *Papier paraffiné.*

parages [paraʒ] n. m. pl. **1.** Espace maritime défini
par la proximité d'une terre. *Les parages du cap Horn.*
2. DANS LES PARAGES (DE) : aux environs de ; dans
les environs.

paragraphe [paragraf] n. m. **1.** Division d'un
écrit en prose, où l'on passe à la ligne. *Les paragraphes
d'un chapitre.* ⇒ **alinéa.** **2.** Signe typographique (§)
présentant le numéro d'un paragraphe.

paragrêle [paragrɛl] adj. ■ Qui protège les
cultures en transformant la grêle en pluie. *Canon,
fusée paragrêle.*

paraître [parɛtr] v. intr. ■ conjug. 57. **I.** Devenir
visible. **1.** Se présenter à la vue. ⇒ **apparaître.** / contr.
disparaître / *Le soleil paraît à l'horizon. Il parut sur
le seuil.* **2.** (Imprimé) Être mis à la disposition du public
(mis en vente, distribué,...). *Faire paraître un ouvrage,*
l'éditer, le publier. *Son livre est paru, vient de paraître*
(⇒ **parution**). **II.** Être visible, être vu. **1.** (Avec un adv.
ou à la forme négative) *Il en paraîtra toujours quelque
chose. Dans quelques jours il n'y paraîtra plus.*
— FAIRE, LAISSER PARAÎTRE : manifester, montrer.
Laisser paraître ses sentiments. ⇒ **percer.** **2.** (Personnes) *Se montrer dans des circonstances où l'on doit
remplir une obligation. Il n'a pas paru à son travail
depuis deux jours.* **3.** (Personnes) *Se donner en
spectacle.* ⇒ **briller.** *Elle aime un peu trop paraître.*
III. (Verbe d'état suivi d'un attribut) **1.** Sembler, avoir
l'air. *Il paraît satisfait. Ces hauts talons la font paraître
plus grande. Cela me paraît louche. Il me paraît douter
de lui-même.* **2.** (Opposé à *être effectivement*) Se faire
passer pour. *Ils veulent paraître ce qu'ils ne sont pas.*
3. Impers. *Il me paraît préférable que vous sortiez.*
— IL PARAÎT, IL PARAÎTRAIT QUE (+ indicatif) : le
bruit court que. *Il paraît qu'on va diminuer les impôts.
C'est trop tard, paraît-il ; à ce qu'il paraît.* **IV.** N. m.
Littér. Apparence. *L'être et le paraître.* ⇒ **apparence.**
⟨▶ apparaître, comparaître, disparaître, parution,
réapparaître, reparaître, transparaître ⟩

parallèle [paralɛl] adj. et n. **I. 1.** Se dit de lignes,
de surfaces qui, en géométrie euclidienne, ne se
rencontrent pas. *Deux droites parallèles* et, n. fém.,
deux parallèles. / contr. **convergent, divergent** / **2.** N.
m. Petit cercle imaginaire de la sphère terrestre,
parallèle au plan de l'équateur, servant à mesurer la
latitude. *Naples et New York sont sur le même
parallèle. Les parallèles et les méridiens.* **II. 1.** Qui
a lieu en même temps, porte sur le même objet.
Marché, cours parallèle (au marché officiel). *Police
parallèle,* police secrète qui double la police officielle.
2. Se dit de choses qui peuvent être comparées.
⇒ **semblable.** / contr. **divergent** / *Ils menaient des
expériences parallèles. Les « Vies parallèles » de
Plutarque.* **3.** N. m. UN PARALLÈLE : comparaison
suivie entre deux ou plusieurs sujets. *Établir un
parallèle entre deux questions.* — Loc. *Mettre deux*

choses en parallèle, les comparer. ▶ *parallèlement*
adv. ▶ *parallélisme* n. m. **1.** État de lignes, de plans
parallèles. *Vérifier le parallélisme des roues d'une
automobile.* **2.** Progression semblable ou ressemblance suivie entre choses comparables. ▶ *parallélépipède* n. m. ■ Solide géométrique dont les bases sont
des parallélogrammes. *Le cube est un parallélépipède
rectangle.* ▶ *parallélogramme* n. m. ■ Quadrilatère
dont les côtés opposés sont parallèles deux à deux.
Le losange, le rectangle sont des parallélogrammes.

paralyser [paralize] v. tr. ■ conjug. 1. **1.** Frapper
de paralysie. *L'attaque qui l'a paralysé.* — Immobiliser. *Le froid paralyse les membres.* **2.** Frapper
d'inertie ; rendre incapable d'agir ou de s'exprimer.
J'étais paralysé par la terreur. — *Grève qui paralyse
les transports en commun.* ▶ *paralysant, ante* adj.
■ *Le curare est une substance paralysante.* ▶ *paralysé, ée* adj. et n. ■ Atteint de paralysie. *Bras, jambes
paralysés.* — N. *Les paralysés.* ⇒ **paralytique.**
▶ *paralysie* n. f. **1.** Diminution ou arrêt de la
motricité (capacité de mouvement), de la sensibilité.
Paralysie complète, partielle (⇒ **hémiplégie, paraplégie**). **2.** Impossibilité d'agir, de s'extérioriser, de
fonctionner. *La paralysie des transports.* ▶ *paralytique* adj. et n. ■ Qui est atteint de paralysie. *Un
vieillard paralytique.* ⇒ **impotent, paralysé.** — N. *Un,
une paralytique.*

paramédical, ale, aux [paramedikal, o] adj.
■ Qui concerne les activités annexes de la médecine.
Professions paramédicales (kinésithérapeutes, infir-
miers, etc.).

paramètre [paramɛtr] n. m. **1.** En sciences.
Quantité fixée, maintenue constante, dont dépend une
fonction de variables indépendantes. ⇒ ③ **fac-
teur** (2), **variable.** **2.** Élément variable pris en compte
pour expliquer un phénomène quelconque. *La pluie
est un paramètre important dans les accidents de la
route.*

paramilitaire [paramiliter] adj. ■ Qui est
organisé selon la discipline et la structure d'une
armée. *Des formations paramilitaires.* ⇒ **milice.**

parangon [parãgɔ̃] n. m. ■ Littér. Modèle. *Des
parangons de vertu.*

paranoïa [paranɔja] n. f. ■ Troubles caractériels
(délire de persécution, orgueil démesuré, impossibilité
de ne pas tout ramener à soi) pouvant déboucher sur
la maladie mentale. ▶ *paranoïaque* adj. et n.
■ Relatif à la paranoïa. *Psychose paranoïaque.* — N.
Un, une paranoïaque. — Abrév. fam. PARANO. *Il est
parano, ce mec !*

parapet [parapɛ] n. m. ■ Mur à hauteur d'appui
destiné à empêcher les chutes. ⇒ **garde-fou.** *S'accouder au parapet d'un pont.*

paraphe, parapher ⇒ parafe, parafer.

paraphrase [parafraz] n. f. ■ Reprise d'un texte
sous une autre forme (en général plus développée, et
plus ou moins explicative). ⇒ **glose.** ≠ *périphrase.*
▶ *paraphraser* v. tr. ■ conjug. 1. ■ Faire une
paraphrase de (un texte).

paraplégie [parapleʒi] n. f. ■ Paralysie des
membres, et particulièrement des membres inférieurs.
▶ *paraplégique* adj. et n. ■ *La rééducation des
paraplégiques.*

parapluie [paraplɥi] n. m. ■ Objet portatif
constitué par une étoffe tendue sur une armature
pliante à manche, et qui sert d'abri contre la pluie.
⇒ fam. ③ **pépin.** *Parapluie télescopique, pliant.
S'abriter sous un parapluie. Il utilisait son parapluie
en guise d'ombrelle.* ⟨▶ porte-parapluies ⟩

parascolaire [paʀaskɔlɛʀ] adj. ■ Qui se rapporte aux activités éducatives n'entrant pas strictement dans le programme scolaire. *Cette année, comme activité parascolaire, nous avons le choix entre le tissage et le reportage vidéo.*

① *parasite* [paʀazit] n. et adj. **I.** N. Péj. Personne qui vit dans l'oisiveté, aux dépens d'une communauté, alors qu'elle pourrait subvenir à ses besoins. **II.** N. m. et adj. Être vivant en association durable avec un autre dont il se nourrit, sans le détruire ni lui apporter aucun avantage. *Le gui est une plante parasite.* ⇒ **saprophyte.** *Le ténia, ver parasite des mammifères.* ▶ *parasitaire* adj. ■ Causé par les parasites (II). *Maladie parasitaire.* ▶ ① *parasiter* v. tr. ▪ conjug. 1. ■ Habiter (un être vivant) en parasite (II). ▶ *parasitisme* n. m. **1.** Mode de vie du parasite (I). **2.** État d'un être vivant qui vit sur un autre en parasite (II).

② *parasite* adj. et n. m. ■ *Bruits parasites* et, n. m., *parasites*, perturbations dans la réception des signaux radioélectriques. *Les parasites nuisent à la bonne écoute d'une émission.* ≠ *interférences.* ▶ ② *parasiter* v. tr. ▪ conjug. 1. ■ Perturber par des parasites. ⟨ ▶ antiparasite ⟩

parasol [paʀasɔl] n. m. **1.** Objet pliant semblable à une grande ombrelle, fixé à un support ou planté dans le sol et destiné à protéger du soleil. *Parasol de plage.* **2.** *Pin parasol,* dont les branches s'étalent en forme de parasol.

paratonnerre [paʀatɔnɛʀ] n. m. ■ Appareil destiné à préserver les bâtiments des effets de la foudre, tige(s) métallique(s) fixée(s) au toit et reliée(s) au sol.

paravent [paʀavɑ̃] n. m. ■ Meuble fait de panneaux liés par des charnières, qu'on dispose en ligne brisée, destiné à protéger contre les courants d'air, à isoler. *Elle s'est déshabillée derrière un paravent.*

parbleu [paʀblø] interj. ■ Vx. Exclamation pour exprimer l'assentiment, l'évidence. ⇒ **pardieu** ; fam. **pardi.**

① *parc* [paʀk] n. m. **1.** Étendue de terrain boisé entièrement clos, dépendant généralement d'un château, d'une grande habitation. *Les allées d'un parc. Parc public.* ⇒ **jardin** public. *Parc zoologique.* ⇒ **zoo.** *Parc de loisirs.* **2.** PARC NATIONAL, RÉGIONAL : zone rurale étendue, soumise à des réglementations particulières visant à la sauvegarde de la faune et de la flore. *Le parc régional des Cévennes. Les grands parcs nationaux d'Amérique du Nord.*

② *parc* n. m. **1.** Enclos où est enfermé le bétail. *Un parc à bestiaux.* — Bassin où sont engraissés ou affinés des coquillages. *Parc à huîtres.* **2.** *Parc de stationnement pour les voitures.* ⇒ anglic. **parking.** **3.** Petite clôture légère formant une enceinte dans laquelle les enfants en bas âge apprennent à marcher. ⟨ ▶ parcmètre, parquer ⟩

parcelle [paʀsɛl] n. f. **1.** Très petit morceau. *Des parcelles d'or.* ⇒ **paillette.** **2.** Portion de terrain de même culture, constituant l'unité cadastrale. ▶ *parcellaire* adj. ■ Fait par parcelles. *Plan parcellaire.*

parce que [paʀskə] loc. conj. ■ Exprime la cause. ⇒ **attendu** que, **car, puisque.** *Nous partons parce qu'on nous attend. Plus fragile parce que plus petit.* — Absolt. Marque le refus d'une explication. « *Pourquoi dites-vous cela ?* — *Parce que,* répondit-elle. »

parchemin [paʀʃəmɛ̃] n. m. **1.** Peau d'animal (mouton, agneau, chèvre, chevreau) préparée spécialement pour l'écriture, la reliure. **2.** UN, DES PARCHEMIN(S) : écrit rédigé sur cette matière. *Consulter de vieux parchemins ornés d'enluminures.* — Fam.

Diplôme (sur papier). ▶ *parcheminé, ée* adj. ■ Qui a la consistance ou l'aspect du parchemin. *Cuir, papier parcheminé. Le visage parcheminé d'un vieillard.*

parcimonie [paʀsimɔni] n. f. ■ *Donner, distribuer* AVEC PARCIMONIE : en petites quantités, en économisant. ▶ *parcimonieux, euse* adj. ■ *Distribution parcimonieuse.* ⇒ **mesquin.** ▶ *parcimonieusement* adv. ■ Avec parcimonie.

par-ci, par-là loc. ⇒ **par.**

parcmètre [paʀkmɛtʀ] n. m. ■ Compteur de stationnement payant, sur la voie publique, pour les automobiles.

parcourir [paʀkuʀiʀ] v. tr. ▪ conjug. 11. **1.** Aller dans toutes les parties de (un lieu, un espace). ⇒ **traverser, visiter.** *J'ai parcouru toute la région.* **2.** Accomplir (un trajet déterminé). *Distance à parcourir.* **3.** Lire rapidement. *Parcourir un journal.* ▶ *parcours* n. m. invar. **1.** Chemin pour aller d'un point à un autre. ⇒ **itinéraire, trajet.** *Le parcours d'un autobus. Parcours du combattant,* parcours semé d'obstacles que doit accomplir un soldat en armes dans un temps donné. *Suivre un parcours.* **2.** Distance déterminée à suivre (dans une épreuve). — Loc. *Il y a eu un incident de parcours,* une difficulté imprévue.

par-derrière, par-dessous, par-dessus ⇒ par-**derrière,** par-**dessous,** par-**dessus.**

pardessus [paʀdəsy] n. m. invar. ■ Vêtement chaud que les hommes portent par-dessus les autres vêtements pour se garantir des intempéries. ⇒ **manteau.**

par-devant, par-devers ⇒ par-**devant,** par-**devers.**

pardi [paʀdi] interj. ■ Fam. Exclamation par laquelle on renforce une déclaration. ⇒ **parbleu, pardieu.** *Tiens, pardi ! ce n'est pas étonnant.*

pardieu [paʀdjø] interj. ■ Vx. Exclamation qui renforce. *Pardieu oui !* ⇒ **parbleu** ; fam. **pardi.**

pardon [paʀdɔ̃] n. m. **1.** Action de pardonner. ⇒ **absolution, grâce, indulgence.** *Demander pardon à qqn. Accorder son pardon à qqn.* **2.** *Je vous demande pardon* ou, ellipt, *pardon,* formule de politesse par laquelle on s'excuse. — *Pardon ?,* pouvez-vous répéter ? ⇒ **comment** ; fam. **hein.** **3.** Fam. Sorte d'exclamation superlative. *Le père était déjà costaud, mais alors le fils, pardon !* ▶ *pardonner* v. tr. ▪ conjug. 1. **1.** Tenir (une offense, une faute) pour nulle, renoncer à tirer vengeance de. ⇒ **oublier.** *Pardonner les péchés.* ⇒ **remettre.** PROV. *Faute avouée est à moitié pardonnée.* — PARDONNER qqch. À qqn : supporter qqch. de qqn. *Je lui pardonne tout.* ⇒ **passer.** *Ils se sont pardonné leurs fautes. Je ne me le pardonnerai jamais.* — PARDONNER À qqn : oublier ses fautes, ses torts. ⇒ **absoudre.** / contr. **accuser, condamner** / *Il cherche à se faire pardonner. Vous êtes tout pardonnés !* — Pronominalement (récipr.). *Elles se sont pardonné.* **2.** Juger avec indulgence, en minimisant la faute de. ⇒ **excuser.** *Pardonnez(-moi) mon indiscrétion.* — (Dans une formule de politesse) *Pardonnez-moi, mais je ne suis pas d'accord.* **3.** (Sans compl.) Au négatif. (Choses) Épargner. *C'est une maladie qui ne pardonne pas,* mortelle. — *Une erreur qui ne pardonne pas,* irréparable. ▶ *pardonnable* adj. **1.** (Choses) Que l'on peut pardonner. *Une méprise bien pardonnable.* **2.** (Personnes) Rare. Qui mérite le pardon. ⇒ **excusable.** / contr. **impardonnable, inexcusable** / *Cet enfant est pardonnable.* ⟨ ▶ impardonnable ⟩

-pare, -parité ■ Éléments savants signifiant « engendrer » (ex. : *ovipare*).

pare- ■ Élément signifiant « éviter, protéger contre ». ▶ *pare-balles* [paʀbal] n. m. invar. et adj.

invar. ■ N. m. invar. Plaque de protection contre les balles. — Adj. invar. Qui protège des balles. *Un gilet pare-balles.* ▶ **pare-boue** n. m. invar. ■ Dispositif qui empêche les projections de boue (bande de caoutchouc derrière la roue d'un véhicule). ≠ *garde-boue.* ▶ **pare-brise** n. m. invar. ■ Vitre avant d'un véhicule. *Des pare-brise.* ▶ **pare-chocs** n. m. invar. ■ Garniture placée à l'avant et à l'arrière d'un véhicule (spécialt d'une automobile) et destinée à amortir les chocs. ▶ **pare-feu** n. m. invar. ■ Dispositif de protection contre la propagation du feu. ≠ *coupe-feu. Des pare-feu.* ⟨ ▶ pare-soleil ⟩

parégorique [paʀegɔʀik] adj. et n. m. ■ *Élixir parégorique*, médicament à base d'opium utilisé contre les douleurs d'intestin.

pareil, eille [paʀɛj] adj. et n. **I.** Adj. **1.** Semblable par l'aspect, la grandeur, la nature. / contr. **différent** / *Elle est, elle n'est pas pareille à lui. Ils ne sont pas pareils. C'est, ce n'est pas pareil,* la même chose. — Loc. *À nul autre pareil,* sans égal. — Employé comme adverbe. Fam. *Ils sont habillés pareil.* **2.** De cette nature, de cette sorte. ⇒ **tel.** *En pareil cas. À une heure pareille !,* si tard. **II.** N. **1.** N. m. et f. Personne de même sorte. ⇒ **pair, semblable.** — *Ne pas avoir son pareil, sa pareille,* être extraordinaire, unique. *Il n'a pas son pareil pour raconter des histoires.* — SANS PAREIL(LE) : qui n'a pas son égal. *Des brillants sans pareil ou sans pareils.* **3.** N. f. RENDRE LA PAREILLE : faire subir (à qqn) un traitement analogue à celui qu'on a reçu. **3.** N. m. Loc. fam. *C'est du pareil au même,* c'est la même chose. ⇒ fam. **kif-kif.** ▶ **pareillement** adv. ■ De la même manière. *La santé est bonne et l'appétit pareillement.* ⇒ **aussi, également.** ⟨ ▶ appareiller, dépareiller ⟩

parement [paʀmɑ̃] n. m. **1.** Face extérieure d'un mur revêtue de pierres de taille. **2.** Revers sur le col, les manches d'un vêtement. *Une veste à parements.*

parenchyme [paʀɑ̃ʃim] n. m. ■ Botanique. Tissu cellulaire spongieux et mou des végétaux.

parent, parente [paʀɑ̃, paʀɑ̃t] n. et adj. **1.** Au plur. LES PARENTS : le père et la mère. *Un enfant qui obéit à ses parents.* **2.** Au sing. ou au plur. Personne avec laquelle on a un lien de parenté. ⇒ **famille.** *Ils sont parents. C'est un proche parent, un parent éloigné.* — Loc. *Traiter qqn en parent pauvre,* moins bien que les autres. **3.** Adj. Sciences. Se dit d'une unité ou d'un ensemble d'éléments liés entre eux par l'origine ou l'évolution. *Les langues romanes sont parentes. L'uranium est parent du plutonium. Espèces biologiques parentes.* **4.** Adj. Analogue, semblable. *Des intelligences parentes.* ▶ **parental, ale, aux** adj. ■ *Autorité parentale,* des parents. ▶ **parenté** n. f. **1.** Rapport entre personnes descendant les unes des autres, ou d'un ancêtre commun. *Liens de parenté.* ⇒ **lignée, sang. 2.** Rapport équivalent établi par la société. *Parenté par alliance. Parenté adoptive.* **3.** L'ensemble des parents et des alliés de qqn, considéré abstraitement. *Toute sa parenté.* **4.** Rapport d'affinité, d'analogie. *La parenté d'inspiration, de forme de deux poèmes.* ⟨ ▶ s'apparenter, arrière-grands-parents, beaux-parents, grands-parents ⟩

parenthèse [paʀɑ̃tɛz] n. f. **1.** Insertion, dans une phrase, d'un élément accessoire qui interrompt la construction syntaxique : cet élément. ⇒ **digression.** *Je fais une parenthèse.* **2.** Chacun des deux signes typographiques entre lesquels on place l'élément qui constitue une parenthèse : ( ). *Mettre un mot entre parenthèses. Ouvrir, fermer la parenthèse.* — Fig. ENTRE PARENTHÈSES : en passant. *Entre parenthèses, il ne m'a pas rendu mon argent.*

paréo [paʀeo] n. m. **1.** Pagne tahitien en tissu imprimé. **2.** Vêtement de plage imitant le paréo tahitien. *Des paréos.*

① **parer** [paʀe] v. tr. ▪ conjug. 1. **I. 1.** PARER *qqch.* : apprêter, arranger de manière à rendre plus propre à tel usage, à tel effet. ⇒ **préparer.** *Parer un rosbif. Parer une étoffe.* **2.** Marine. PARE, PAREZ À (+ infinitif) : commandement préparatoire à la manœuvre. *Parez à virer !* — REM. La réponse est le p. p. *paré, parés,* employé ellipt : *paré !* **II. 1.** Vêtir (qqn) avec recherche (⇒ **parure**). *Parer qqn de ses plus beaux atours.* — Au p. p. adj. *Une femme très parée.* **2.** Attribuer (une qualité). *Parer qqn de toutes les vertus.* ⇒ **orner. III.** V. pron. réfl. SE PARER : se vêtir avec recherche. ⇒ se **pomponner.** ⟨ ▶ apparat, appareil, déparer, ① parade, parement, parure, préparer, réparer ⟩

② **parer** v. tr. ▪ conjug. 1. **1.** *Parer un (le) coup,* l'éviter ou le détourner (⇒ ① **parade**). **2.** V. tr. ind. PARER À : faire face à. *Parer à toute éventualité,* prendre toutes les dispositions nécessaires. Loc. *Il faut parer au plus pressé.* — PARÉ CONTRE : protégé de. *Nous sommes parés contre le froid.* ⟨ ▶ imparable, parachute, ① parade, paragrêle, parapluie, parasol, paratonnerre, paravent, pare-, pare-soleil ⟩

pare-soleil [paʀsɔlɛj] n. m. invar. ■ Écran protégeant le conducteur des rayons du soleil, dans une automobile. *Des pare-soleil.*

paresse [paʀɛs] n. f. **1.** Goût pour l'oisiveté ; comportement d'une personne qui évite l'effort. ⇒ **fainéantise, flemme.** PROV. *La paresse est la mère de tous les vices. Il était d'une paresse incurable. Solution de paresse,* celle qui exige le moins d'effort. *Paresse d'esprit.* **2.** Lenteur anormale à fonctionner, à réagir. *Paresse intestinale.* ▶ **paresser** v. intr. ▪ conjug. 1. ■ Se laisser aller à la paresse ; ne rien faire. ⇒ **fainéanter.** ▶ **paresseux, euse** adj. et n. **1.** Qui montre habituellement de la paresse ; qui évite l'effort. ⇒ **fainéant ;** fam. **flemmard.** / contr. **travailleur** / *Être paresseux comme une couleuvre. Il est paresseux pour se lever.* **2.** (Organes) Qui fonctionne, réagit avec une lenteur anormale. *Avoir un estomac paresseux.* **3.** N. Personne paresseuse. ⇒ fam. **tire-au-flanc.** *Cet élève est un paresseux.* **4.** Mammifère à mouvements très lents, qui vit dans les arbres. ⇒ **aï.** ▶ **paresseusement** adv. **1.** Avec paresse. **2.** Avec lenteur. *Fleuve qui coule paresseusement.*

parfaire [paʀfɛʀ] v. tr. ▪ conjug. 60. — REM. Ce verbe ne s'emploie qu'à l'infinitif et aux temps composés. ■ Achever, de manière à conduire à la perfection. *Parfaire son ouvrage.* ⇒ **parachever, polir.** *Parfaire sa culture.* ⟨ ▶ parfait ⟩

parfait, aite [paʀfɛ, ɛt] adj. et n. m. **I.** Adj. **1.** (Choses) Qui est au plus haut, dans l'échelle des valeurs ; qui est tel qu'on ne puisse rien concevoir de meilleur. / contr. **imparfait** / *Qualité de ce qui est parfait.* ⇒ **perfection.** *Beauté parfaite. Filer le parfait amour.* ⇒ **idéal.** *Vivre en parfait accord. Une ressemblance parfaite.* ⇒ **total.** *La parfaite exécution d'une sonate.* — PARFAIT ! : très bien ! **2.** (Personnes) Sans défaut, sans reproche. *Il est loin d'être parfait.* **3.** (Avant le nom) Qui correspond exactement à ce que désigne le nom). ⇒ **accompli, complet.** *Un parfait gentleman. Un parfait imbécile.* ⇒ **fieffé. II.** N. m. **1.** En grammaire. Le passé simple ou composé (opposé à l'*imparfait*). **2.** Entremets glacé à la crème. ≠ **glace** (lait) ; *sorbet* (eau). *Des parfaits au café.* ▶ **parfaitement** adv. **1.** D'une manière parfaite, très bien. ⇒ **admirablement.** *Il sait parfaitement son rôle.* **2.** Absolument. *Être parfaitement heureux.* ⇒ **très. 3.** Oui, certainement, bien sûr. *Parfaitement, c'est comme ça.* ⟨ ▶ imparfait, plus-que-parfait ⟩

parfois [paʀfwa] adv. ■ À certains moments, dans certains cas, de temps en temps. ⇒ **quelquefois.** / contr. **jamais ; souvent, toujours** / *Il a parfois des*

malaises. *Parfois, il rentre tard. Il y va parfois.*
— Répété. *Il est parfois gai, parfois triste.* ⇒ **tantôt.**

parfum [paʀfœ̃] n. m. **1.** Odeur agréable et pénétrante. ⇒ **arôme, senteur.** *Le parfum de la rose.* **2.** Goût de ce qui est aromatisé. *Des glaces à tous les parfums.* **3.** Substance aromatique très peu diluée. ⇒ **essence.** *Un flacon de parfum.* **4.** Fam. Être AU PARFUM *de qqch.* : être informé. ▶ *parfumer* v. tr. ▪ conjug. 1. **1.** Remplir, imprégner d'une odeur agréable. ⇒ **embaumer.** *La lavande qui parfume le linge.* **2.** Imprégner de parfum (3). *Parfumer son mouchoir.* — Pronominalement (réfl.). *Il se parfume.* — Au p. p. adj. *Une femme parfumée.* **3.** Aromatiser. — Au p. p. adj. *Une glace parfumée au café.* ▶ *parfumerie* n. f. **1.** Industrie de la fabrication des parfums et des produits de beauté. — Les produits de cette industrie. *Vente de parfumerie en gros.* **2.** Usine où l'on fabrique des produits de parfumerie. **3.** Boutique de parfumeur. ▶ *parfumeur, euse* n. ▪ Fabricant(e) ou marchand(e) de parfums.

pari [paʀi] n. m. **1.** Convention par laquelle deux ou plusieurs personnes s'engagent à donner qqch., à verser une certaine somme à celle qui aura eu raison. *Faire un pari.* ⇒ **parier.** *Tenir un pari,* l'accepter. **2.** Forme de jeu où le gain dépend de l'issue d'une épreuve sportive, d'une course de chevaux ; action de parier. En France. *Pari mutuel (urbain).* ⇒ **P.M.U.** ⟨ ▶ parier ⟩

paria [paʀja] n. m. **1.** En Inde. Individu hors caste, dont le contact est considéré comme une souillure. ⇒ **intouchable. 2.** Personne méprisée, écartée d'un groupe. *Vivre en paria.*

parier [paʀje] v. tr. ▪ conjug. 7. **1.** Engager (un enjeu) dans un pari. *Je parie une bouteille de champagne avec toi qu'il l'acceptera. Je te le parie. Il avait parié cent francs sur le favori.* ⇒ **jouer.** — Sans compl. *Parier aux courses.* **2.** Affirmer avec vigueur ; être sûr. *Je parie que c'est lui. Je l'aurais parié. Vous avez soif, je parie ?* je suppose, j'imagine. ▶ *parieur* n. m. ▪ Personne qui parie (1). ⇒ **turfiste.** ⟨ ▶ pari ⟩

pariétal, ale, aux [paʀjetal, o] adj. ▪ Didact. PEINTURES PARIÉTALES : faites sur une paroi de roche. ⇒ **rupestre.**

parigot, ote [paʀigo, ɔt] adj. et n. ▪ Fam. Parisien (et populaire, souvent faubourien). *Accent parigot.* — N. *Les Parigots. Une petite Parigote.*

parisien, ienne [paʀizjɛ̃, jɛn] n. et adj. **1.** N. Natif ou habitant de Paris. ⇒ fam. **parigot.** / contr. **provincial** / *Les Parisiens.* **2.** Adj. De Paris. *Banlieue parisienne.*

parité [paʀite] n. f. **1.** Le fait d'être pareil (en parlant de deux choses). *La parité entre les salaires des hommes et des femmes.* **2.** Égalité de la valeur d'échange des monnaies de deux pays dans chacun de ces pays. *Parité de change.* ▶ *paritaire* adj. ▪ COMMISSION PARITAIRE : où employeurs et salariés ont un nombre égal de représentants élus.

parjure [paʀʒyʀ] n. **1.** N. m. Littér. Faux serment, violation de serment. **2.** Littér. Personne qui commet un parjure. ⇒ **traître.** — Adj. *Un témoin parjure.* ▶ *se parjurer* v. pron. ▪ conjug. 1. ▪ Faire un parjure, violer son serment. *Elle s'est parjurée.*

parka [paʀka] n. m. ▪ Court manteau imperméable muni d'un capuchon. *Des parkas molletonnés.*

parking [paʀkiŋ] n. m. Anglic. **1.** Action de parquer (une voiture). ⇒ **stationnement.** *Parking autorisé.* **2.** Parc de stationnement pour les automobiles. *Des parkings souterrains. Mettre sa voiture au parking.*

parlant, ante [paʀlɑ̃, ɑ̃t] adj. **1.** Qui reproduit, après enregistrement, la parole humaine. *Horloge parlante.* — *Cinéma parlant* (opposé à *muet*). **2.** (Choses) Éloquent, qui se passe de commentaires. *Les chiffres sont parlants.*

parlé, ée [paʀle] adj. ▪ Qui se réalise par la parole. ⇒ **oral.** *Langue parlée. Connaissance de l'anglais parlé.* / contr. ② **écrit** /

parlement [paʀləmɑ̃] n. m. **1.** Histoire. Cour provinciale de justice et administrative du Moyen Âge et de l'Ancien Régime, institution associée au pouvoir du roi. **2.** Nom donné à l'assemblée ou aux chambres qui détiennent le pouvoir législatif et contrôlent le gouvernement. En France, le Parlement est composé de l'Assemblée nationale et du Sénat. ▶ ① *parlementaire* adj. et n. **1.** Relatif au Parlement. *Démocratie parlementaire.* **2.** N. Membre du Parlement. ⇒ **député, sénateur.** *Un honorable parlementaire britannique.* ≠ ② *parlementaire.* ▶ *parlementarisme* n. m. ▪ Régime parlementaire. ⟨ ▶ antiparlementarisme ⟩

parlementer [paʀləmɑ̃te] v. intr. ▪ conjug. 1. **1.** Entrer en pourparlers avec l'ennemi en vue d'une convention. ⇒ **négocier, traiter. 2.** Discuter en vue d'un accommodement. *Les deux associés parlementèrent longuement.* **3.** Parler longuement (pour vaincre une résistance). *Il fallut parlementer avec le gardien pour pouvoir entrer.* ⇒ **palabrer.** ▶ ② *parlementaire* n. ▪ Personne chargée de parlementer avec l'ennemi. ⇒ **délégué,** ① **émissaire.** ≠ ① *parlementaire.*

① **parler** [paʀle] v. ▪ conjug. 1. **I.** V. intr. **1.** Communiquer par la parole. / contr. **gesticuler, mimer** ; se **taire** / *Cet enfant commence à parler. Parler distinctement. Parler bas, haut. Parler en français. Parler à la radio. Ils sont en train de parler.* — Loc. *C'est une façon, une manière de parler,* il ne faut pas prendre à la lettre, exactement, ce qui vient d'être dit. *Il parle d'or,* très bien, sagement. **2.** Sans compl. Révéler ce qu'on tenait caché. *Son complice a parlé.* **3.** PARLANT (précédé d'un adv.) : en s'exprimant de telle manière. *Généralement parlant.* **4.** S'exprimer. *Les muets parlent par gestes.* **5.** (Suj. chose) Être éloquent. *Les chiffres parlent d'eux-mêmes.* ⇒ **parlant. II.** V. tr. ind. **1.** PARLER DE *qqch.,* DE *qqn. Parlez-nous de vos projets. Tout le monde en parle.* Loc. *Sans parler de...* ⇒ **outre.** *N'en parlons plus !,* que ce soit fini. *Il fait beaucoup parler de lui.* — (Suj. chose) *De quoi parle ce livre ?* **2.** PARLER DE (+ infinitif) : annoncer l'intention de. *Il parlait d'émigrer aux États-Unis.* **3.** PARLER À *qqn* : lui adresser la parole. *Laissez-moi lui parler. Il lui parle brutalement. Trouver à qui parler,* avoir affaire à un adversaire difficile. — Pronominalement (récipr.). *Nous ne nous parlons plus,* nous sommes brouillés. *Elles ne se sont pas parlé pendant des années.* **4.** Fam. TU PARLES !, VOUS PARLEZ ! (dubitatif ou méprisant). *Tu parles d'un idiot !,* quel idiot ! *Sa reconnaissance, tu parles ! Tu parles si je m'en fiche !* **III.** V. tr. dir. **1.** Pouvoir s'exprimer au moyen de (telle ou telle langue). *Parler (le) français. Parlez-vous anglais ? Elle parle un peu japonais, mais elle ne l'écrit pas.* **2.** (Sans art.) Aborder un sujet. *Parler politique.* ⇒ **discuter.** ▶ ② *parler* n. m. **1.** Manière de parler. *Les mots du parler de tous les jours.* **2.** Ensemble des moyens d'expression particuliers à une région, à un milieu social, etc. ⇒ **dialecte, patois.** ▶ *parleur* n. m. ▪ Péj. BEAU PARLEUR : celui qui aime à faire de belles phrases. ⇒ **phraseur.** ▶ *parloir* n. m. ▪ Local où sont admis les visiteurs qui veulent s'entretenir avec un pensionnaire ou un détenu. *Le parloir du couvent, de la prison. Élève appelé au parloir.* ▶ *parlote* n. f.

■ Échange de paroles insignifiantes. *Faire la parlote avec une voisine.* ⇒ **causette.** ❬ ► franc-parler, haut-parleur, parlant, parlé, parlement, parlementer, pourparlers, reparler ❭

parmesan [paʀməzɑ̃] n. m. ■ Fromage dur, fabriqué dans les environs de *Parme* (Italie), consommé surtout râpé.

parmi [paʀmi] prép. **1.** Au milieu de. ⇒ **entre.** *Des maisons disséminées parmi les arbres. Nous souhaitons vous avoir bientôt parmi nous.* ⇒ **avec, près** de. **2.** Dans, au milieu des éléments d'un ensemble. *C'est une solution parmi d'autres.* **3.** Dans un ensemble d'êtres vivants. ⇒ **chez.** *L'inégalité parmi les hommes.*

parodie [paʀɔdi] n. f. **1.** Imitation burlesque (d'une œuvre sérieuse). *Une parodie de Victor Hugo en bandes dessinées. « Don Quichotte » est une parodie du roman de chevalerie.* **2.** Contrefaçon grotesque. ⇒ **caricature.** *Une parodie de réconciliation.* ► **parodier** v. tr. ■ conjug. 7. ■ Imiter (une œuvre, un auteur) en faisant une parodie. ► **parodique** adj. ■ Qui a le caractère de la parodie.

paroi [paʀwa] n. f. **1.** Séparation intérieure d'une maison ⇒ **cloison,** ou face intérieure d'un mur. *Appuyer son lit contre la paroi.* **2.** Terrain à pic, comparable à une muraille. *Paroi rocheuse.* **3.** Surface interne d'une cavité destinée à contenir qqch. *Les parois d'un vase.*

paroisse [paʀwas] n. f. ■ Communauté chrétienne, subdivision du diocèse, dont un curé, un pasteur a la charge. *Les pauvres de la paroisse.* ► **paroissial, iale, iaux** adj. ■ De la paroisse. *Église paroissiale.* ► **paroissien, ienne** n. **1.** Personne qui dépend d'une paroisse. *Le curé et ses paroissiens.* ⇒ **ouailles.** **2.** N. m. Livre de messe. ⇒ **missel.**

parole [paʀɔl] n. f. **I.** UNE, DES PAROLE(S) : élément de langage parlé. **1.** Élément simple du langage articulé. ⇒ **mot ; expression.** *Des paroles aimables. Voilà une bonne parole !* ⇒ **discours, propos.** *Peser ses paroles.* — Loc. *En paroles,* d'une manière purement verbale. *Il est courageux en paroles.* — *De belles paroles,* des promesses. **2.** Au plur. Texte (d'un morceau de musique vocale). *L'air et les paroles d'une chanson.* — Loc. *Histoire sans paroles,* dessins qui se passent de légende ; petit film muet. **3.** Pensée exprimée à haute voix, en quelques mots. *Une parole historique.* **4.** Au sing. Engagement, promesse sur l'honneur. *Donner sa parole. Tenir parole.* — *Sur parole,* sans autre garantie que la parole donnée. — Interj. *(Ma) parole d'honneur ! Ma parole ! Parole !,* je le jure. **II.** LA PAROLE : expression verbale de la pensée. **1.** Faculté de communiquer la pensée par un système de sons articulés (une langue) émis par la voix. *Perdre la parole,* devenir muet. Loc. *Il ne lui manque que la parole* (d'un animal considéré comme intelligent). **2.** Exercice de cette faculté, le fait de parler. *Avoir la parole facile,* être éloquent. *Adresser la parole à qqn. Prendre la parole. Couper la parole à qqn.* ⇒ **interrompre.** **3.** Le discours réellement produit (oral ou écrit), opposé en linguistique au système de la langue. ⇒ **discours** (en linguistique). ► **parolier, ière** n. ■ Auteur des paroles (I, 2) d'une chanson, d'un livret d'opéra. ⇒ **librettiste.** ❬ ► porte-parole ❭

paronyme [paʀɔnim] adj. et n. m. ■ Didact. Se dit de mots presque homonymes qui se ressemblent (ex. : *éminent* et *imminent*).

paroxysme [paʀɔksism] n. m. ■ Le plus haut degré (d'une sensation, d'un sentiment). ⇒ **exacerbation.** *La douleur, la jalousie atteint son paroxysme.*

parpaillot, ote [paʀpajo, ɔt] n. ■ Vx et péj. Protestant.

parpaing [paʀpɛ̃] n. m. ■ Bloc (de pierre, de béton creux) formant l'épaisseur d'une paroi. *Un mur en parpaings.*

parquer [paʀke] v. tr. ■ conjug. 1. **1.** Mettre (des bestiaux, des animaux) dans un parc. **2.** Placer, enfermer (des personnes) dans un espace étroit et délimité. ⇒ **entasser.** **3.** Ranger (une voiture) dans un parc de stationnement. ⇒ **garer.**

① **parquet** [paʀkɛ] n. m. ■ Assemblage d'éléments de bois (lames, lattes) qui garnissent le sol d'une pièce. ⇒ **plancher.** *Un parquet de chêne ciré.* ► **parqueter** [paʀkəte] v. tr. ■ conjug. 4. ■ Garnir d'un parquet.

② **parquet** n. m. ■ Ministère public, groupe des magistrats (procureur de la République et substituts) chargés de l'ouverture et de l'accompagnement d'une instruction judiciaire. *Le parquet a fait appel.*

parrain [pa(ɑ)ʀɛ̃] n. m. **1.** Celui qui tient (ou a tenu) un enfant sur les fonts du baptême. *Le parrain et la marraine. Mon parrain.* **2.** Celui qui préside au lancement d'un navire. **3.** Celui qui présente qqn dans un cercle, un club, pour l'y faire inscrire. ► **parrainage** n. m. **1.** Fonction, qualité de parrain (1, 3) ou de marraine. **2.** Appui moral qu'une personnalité ou un groupe accorde à une œuvre. ⇒ **patronage.** *Comité de parrainage.* ► **parrainer** v. tr. ■ conjug. 1. ■ Accorder son parrainage à. *Parrainer une entreprise. Il m'a parrainé dans cette soirée.*

parricide [paʀisid] n. m. **1.** Meurtre du père ou de la mère. **2.** Personne qui a commis un parricide. — Adj. *Fils parricide.*

parsemer [paʀsəme] v. tr. ■ conjug. 5. **1.** Couvrir par endroits. ⇒ **consteller, émailler.** **2.** (Choses) Être répandu çà et là sur (qqch.). *Les fautes qui parsèment un devoir.*

part [paʀ] n. f. **I.** Ce qui, après un partage*, revient à qqn. **1.** Ce qu'une personne possède ou acquiert en propre. *Recevoir la meilleure part. À chacun sa part.* ⇒ **lot.** — AVOIR PART À : participer. *Un acte où la volonté a peu de part.* — PRENDRE PART À : jouer un rôle dans (une affaire). *Prendre part à un travail.* ⇒ **contribuer.** — S'associer aux sentiments d'une autre personne. *Je prends part à votre douleur.* ⇒ **compatir.** — POUR MA PART : en ce qui me concerne. **2.** FAIRE PART À DEUX : partager. Ellipt. *Part à deux !* — FAIRE PART DE *qqch.* à *qqn* : faire connaître. *Faire part d'une naissance, d'un mariage* (⇒ **faire-part**). **3.** Partie attribuée à qqn ou consacrée à tel ou tel emploi. ⇒ **portion, morceau.** *Diviser en parts,* partager. — *Assigner à qqn une part dans un legs.* — Partie du capital d'une société, qui appartient à l'un des associés. *Acheter des parts dans une entreprise.* ⇒ ② **action.** — Ce que chacun doit donner. *Il faut que chacun paye sa part.* ⇒ **écot, quote-part.** **4.** FAIRE LA PART DE : tenir compte de. *Faire la part des choses, la part du feu.* **II.** Partie. *Il a perdu une grande part de sa fortune.* Loc. *Pour une large part,* en grande partie. **III.** Côté. **1.** Dans des loc. DE LA PART DE : indique la personne de qui émane un ordre, une démarche. ⇒ au **nom** de. *Je viens de la part de mon mari.* — DE TOUTES PARTS ou DE TOUTE PART : de tous les côtés. — D'UNE PART... D'AUTRE PART (ou, ellipt, *de l'autre*) : pour mettre en parallèle, pour opposer deux idées ou deux faits. ⇒ **côté.** — D'AUTRE PART (en début de phrase). ⇒ d'**ailleurs,** par **ailleurs,** en outre. — DE PART ET D'AUTRE : des deux côtés. *On se disait, de part et d'autre, des injures grossières.* — DE PART EN PART : d'un côté à l'autre. ⇒ à **travers.** *Traverser de part en part.* — PRENDRE EN BONNE, EN MAUVAISE PART : interpréter en bien, en mal. **2.** (Avec un adj. indéf.) NULLE PART : en aucun lieu (s'oppose à *quelque part*). — AUTRE PART : dans un autre lieu. — QUELQUE

PART : en un lieu indéterminé. *Elle l'avait déjà vu quelque part.* **3.** Loc. adv. À PART : à l'écart. *Mettre qqn, qqch. à part,* écarter. *Prendre qqn à part pour lui parler.* ⇒ en **particulier, séparément.** — Loc. prép. ⇒ **excepté.** *À part lui, nous ne connaissons personne.* — Adjectivement. À PART : qui est séparé d'un ensemble. *Occuper une place à part.* — Au théâtre. *À part,* pour soi-même, et, en fait, à l'intention du public. ⇒ en **aparté.** ▶ *partage* [paʀtaʒ] n. m. **I.** L'action de partager ou de diviser ; son résultat. **1.** Division (d'un tout) en plusieurs parts pour une distribution. *Le partage d'un domaine. Ligne de partage des eaux.* **2.** Le fait de partager (qqch. avec qqn). *Un partage équitable.* **3.** SANS PARTAGE : sans réserve. *Une amitié sans partage.* **II.** La part qui revient à qqn (dans des loc.) ; le lot, le sort de qqn. *La chance n'est pas mon partage.* — EN PARTAGE. *Donner, recevoir en partage.* ▶ *partager* v. tr. **.** conjug. 3. **I.** **1.** Diviser (un ensemble) en éléments qu'on peut distribuer, employer à des usages différents. *Partager un domaine entre des héritiers.* ⇒ **morceler ; partage.** *Partager son temps entre plusieurs occupations.* **2.** *Partager qqch. avec qqn,* lui en donner une partie. **3.** Avoir part à (qqch.) en même temps que d'autres personnes. *Partager le repas de qqn.* — Abstrait. *Prendre part à. Partager une responsabilité avec qqn. Les torts sont partagés.* — Au p. p. adj. *Un amour partagé,* mutuel. **4.** (Suj. chose) Diviser (un ensemble) de manière à former plusieurs parties distinctes, effectivement séparées ou non. ⇒ **couper.** *Cloison qui partage une pièce en deux.* **5.** (Suj. personne) ÊTRE PARTAGÉ (ÉE) : être divisé entre plusieurs sentiments contradictoires. *Il était partagé entre l'amitié et la rancune.* — (Suj. chose) Loc. *Les avis sont partagés,* sont très divers. **II.** SE PARTAGER. v. pron. **1.** (Passif) Être partagé. *Ce gâteau ne se partage pas facilement.* **2.** (Réfl.) *Se partager entre diverses tendances. Partagez-vous en deux groupes !* **3.** (Récipr.) *Ils se sont partagé l'héritage.* ▶ *partageur, euse* adj. ■ Qui partage volontiers ce qu'il (elle) possède. *Cette gamine n'est pas partageuse.* ⟨ ▶ aparté, compartiment, ② départ, départager, département, ① départir, ② se départir, faire-part, impartir, parcelle, ① parti, ② parti, ③ parti, participer, particule, particulier, ① partie, ② partie, ③ partie, ② partir, partition, la plupart, quote-part, répartir, séparer ⟩

partance [paʀtɑ̃s] n. f. ■ EN PARTANCE : qui va partir (bateaux, grands véhicules). *Avion en partance pour,* à destination de.

① *partant, ante* [paʀtɑ̃, ɑ̃t] n. et adj. **1.** N. m. Personne qui part (⇒ ① **partir**). / contr. **arrivant** / **2.** N. Personne, cheval au départ d'une course. *Les partants d'une course cycliste.* **3.** Adj. D'accord (pour), disposé (à). *Je ne suis pas partante pour une aventure aussi risquée.*

② *partant* conj. ■ Littér. Marque la conséquence. ⇒ **ainsi, donc.** *Plus d'emplois, partant moins de chômage.*

partenaire [paʀtənɛʀ] n. **1.** Personne avec qui l'on est allié contre d'autres joueurs. *Mon partenaire à la belote.* / contr. **adversaire** / **2.** Personne avec qui on est lié dans une compétition. *La partenaire d'un patineur.* — Fam. Conjoint, concubin. *Voici ma partenaire.* **3.** Pays associé, allié commercial. *Nos partenaires du Marché commun.*

① *parterre* [paʀtɛʀ] n. m. ■ Partie d'un parc, d'un jardin d'agrément où l'on a planté des fleurs de façon régulière. *Un parterre de bégonias.*

② *parterre* n. m. ■ Partie du rez-de-chaussée d'une salle de théâtre, derrière les fauteuils d'orchestre.

parthénogénèse [paʀtenɔʒenɛz] n. f. ■ En biologie. Reproduction sans mâle dans une espèce sexuée. *Les abeilles et les pucerons se reproduisent par parthénogénèse.*

① *parti* [paʀti] n. m. **I.** **1.** Littér. Solution proposée ou choisie pour résoudre une situation. *Il hésitait entre deux partis.* **2.** PRENDRE LE PARTI DE : se décider à. ⇒ **décision, résolution.** *Hésiter sur le parti à prendre.* — PRENDRE PARTI : choisir, prendre position. *Il ne veut pas prendre parti.* — PRENDRE SON PARTI : se déterminer. *Prendre son parti de qqch., en prendre son parti,* s'y résigner, s'en accommoder. — PARTI PRIS : opinion préconçue, choix arbitraire. ⇒ **préjugé, prévention.** *Des partis pris. Juger sans parti pris. Être de parti pris,* partial. **II.** Loc. TIRER PARTI DE : exploiter, utiliser. *Il a su tirer parti de cette situation difficile.* ⟨ ▶ partial ⟩

② *parti* n. m. **1.** Groupe de personnes défendant la même opinion. ⇒ **camp.** *Avoir le même parti que qqn, se ranger du parti de qqn,* défendre la même opinion. ⇒ **partisan.** **2.** Plus cour. Organisation dont les membres mènent une action commune à des fins politiques. ⇒ **formation, mouvement, rassemblement, union.** *Être inscrit à un parti. Militant d'un parti. Le Parti communiste.* ⟨ ▶ bipartite, partisan, tripartite ⟩

③ *parti* n. m. ■ Personne à marier, considérée du point de vue de la situation sociale. *Elle a trouvé, épousé un beau parti.*

④ *parti, ie* adj. (p. p. de *partir* , I, 7). ■ Fam. Ivre. ⇒ **éméché, gai, soûl** ; fam. **beurré, paf.** *Après l'apéritif, elle était déjà un peu partie.*

partial, ale, aux [paʀsjal, o] adj. ■ Qui prend parti pour ou contre qqn ou qqch., sans souci de justice ni de vérité, avec parti pris. / contr. **impartial** / *Un juge ne doit pas être partial.* ▶ *partialement* adv. ▶ *partialité* [paʀsjalite] n. f. ■ Attitude partiale. / contr. **impartialité** / *Partialité en faveur de qqn* (favoritisme), *contre qqn* (parti pris). ⟨ ▶ impartial, impartialité ⟩

participe [paʀtisip] n. m. ■ Forme dérivée du verbe, qui « participe » à la fois de l'adjectif et du verbe. *Participe présent à valeur verbale* (ex. : *étant* de *être*), *à valeur d'adjectif* (*brillantes* de *briller*). *Participe passé à valeur verbale* (ex. : *fait* de *faire*), *à valeur d'adjectif* (ex. : *fardées* de *farder*). ▶ *participial, iale, iaux* adj. ■ En grammaire. *Proposition participiale,* proposition ayant son sujet propre, et son verbe au participe présent ou passé (ex. : *Une fois le patron arrivé...*).

participer [paʀtisipe] v. tr. ind. **.** conjug. 1. **I.** PARTICIPER À. **1.** Prendre part à (qqch.). *Participer à un jeu.* ⇒ **participant.** *Participer à un travail.* ⇒ **collaborer, coopérer.** *Participer au chagrin d'un ami,* s'y associer par amitié. ⇒ **partager.** **2.** Payer une part de. *Tous les convives participent aux frais.* **3.** Avoir part à qqch. *Associés qui participent aux bénéfices.* **II.** Littér. (Suj. chose) PARTICIPER DE... : tenir de la nature de. *Cette fête participe des plus anciennes traditions populaires.* ▶ *participant, ante* adj. et n. ■ Qui participe à (qqch.). — N. *Liste des participants à une association.* ⇒ **concurrent.** *Les participants d'une association.* ⇒ **adhérent.** ▶ *participatif, ive* adj. ■ Qui concerne la participation à la vie ou aux bénéfices d'une entreprise. ▶ *participation* n. f. **1.** Action de participer à qqch. ; son résultat. / contr. **abstention** / *Cet acteur promet sa participation au gala.* ⇒ **collaboration.** *Participation aux frais.* ⇒ **contribution.** **2.** Action de participer à un profit ; son résultat. *Participation aux bénéfices.* **3.** Droit de regard et de libre discussion dans une communauté. *La participation des élèves à la vie du collège.*

particulariser [partikylarize] v. tr. ■ conjug. 1. ■ Différencier par des traits particuliers. / contr. **généraliser** / — SE PARTICULARISER v. pron. réfl. : se singulariser. ▶ *particularisme* n. m. ■ Attitude d'une communauté qui veut conserver, à l'intérieur d'un État ou d'une fédération, ses usages particuliers, son autonomie. ▶ **particulariste** n. ■ ⇒ **autonomiste.** ▶ *particularité* n. f. ■ Caractère particulier à qqn, qqch. ⇒ **caractéristique.** *Le requin offre, a, présente la particularité d'être vivipare.*

particule [partikyl] n. f. 1. ■ Très petite partie, infime quantité (d'un corps). — Les constituants de l'atome. *Le neutron, le photon sont des particules élémentaires (de la matière). Particules radioactives.* 2. ■ *Particule nobiliaire* ou *particule,* préposition « de » précédant un nom de famille (⇒ **de**). *Un nom à particule ne signifie pas qu'on soit nécessairement d'origine noble.*

particulier, ière [partikylje, jɛr] adj. et n. **I.** Adj. **1.** Qui appartient en propre (à qqn, qqch. ou à une catégorie de personnes, de choses). ⇒ **personnel.** / contr. **courant** / — PARTICULIER À. ⇒ **propre** à. *L'insouciance qui lui est particulière.* **2.** Qui ne concerne qu'un individu (ou un petit groupe) et lui appartient. ⇒ **individuel.** / contr. **collectif, commun** / *Des leçons particulières. Une voiture particulière* (opposé à *de fonction, officielle,* à *véhicule collectif*). *C'est un cas particulier. Loc. À titre particulier.* — EN PARTICULIER loc. adv. : sans être entendu d'autres personnes. *Je voudrais vous parler en particulier, seul à seul.* **3.** Qui présente des caractères hors du commun. *Un être doué de qualités particulières.* ⇒ **remarquable, spécial.** *J'ai pour vous une affection toute particulière. Des amitiés particulières* (homosexuelles). — EN PARTICULIER : spécialement, surtout. *Une élève très douée, en particulier pour les mathématiques.* **4.** Qui concerne un cas précis (opposé à *général*). *Sur ce point particulier. Je ne veux rien de particulier.* ⇒ **spécial.** — N. m. *Aller du général au particulier.* — EN PARTICULIER : d'un point de vue particulier. *Je ne veux rien en particulier.* / contr. en **général** / **II.** N. Personne privée, simple citoyen. *De simples particuliers.* — Fam. et péj. Individu. *Tu le connais toi, ce particulier ?* ▶ *particulièrement* adv. **1.** D'une manière particulière (3). ⇒ **surtout.** *Il aime tous les arts, particulièrement la peinture.* **2.** D'une façon spéciale, différente. ⇒ **spécialement.** *J'attire tout particulièrement votre attention sur ce point. « Vous aimez cela ? — Pas particulièrement. »* ⟨ ▶ particulariser ⟩

① *partie* [parti] n. f. **1.** ■ Élément d'un tout, unité séparée ou abstraite (d'un ensemble). ⇒ **morceau, parcelle, part.** / contr. **ensemble, tout** / *Un objet fait de plusieurs parties. Voilà une partie de la somme. Roman en deux parties.* ⇒ **épisode.** — Loc. *Une petite, une grande partie de,* un peu, beaucoup. *La majeure partie.* ⇒ **la plupart.** *Il passe la plus grande partie de son temps à la campagne.* — Loc. EN PARTIE. ⇒ **partiellement.** *Une ville en partie détruite. Il a en partie raison.* **2.** FAIRE PARTIE DE : être du nombre de, compter parmi. ⇒ **appartenir.** *Tu fais partie de ma famille. Cela ne fait pas partie de mes attributions.* **3.** ■ Élément constitutif (d'un être vivant). *Les parties du corps.* — Fam. *Les parties,* ellipt pour *parties sexuelles masculines. J'ai reçu le ballon dans les parties.* **4.** ■ Avec un possessif. Domaine d'activités. *Elle est très forte dans sa partie.* ⇒ **branche, métier, spécialité.** ▶ *partiel, elle* [parsjɛl] adj. et n. ■ Qui n'existe qu'en partie, ne concerne qu'une partie. / contr. **complet, général** / *Examen partiel* ou, n. m., *un partiel. Élections partielles* ou, n. f., *des partielles* (opposé à *élections générales*), qui ne portent que sur un ou quelques sièges. ▶ *partiellement* adv. ■ *Il n'a*

été que partiellement remboursé. / contr. **entièrement** / ⟨ ▶ contrepartie ⟩

② *partie* n. f. **1.** ■ Personne qui participe à un acte juridique, est engagée dans un procès. ⇒ **plaideur.** *La partie adverse.* — Loc. *Être juge et partie,* avoir à juger une affaire où l'on est personnellement intéressé (⇒ **partial**). **2.** Loc. PRENDRE qqn À PARTIE : s'en prendre à qqn, l'attaquer. *Cessez de me prendre à partie !* **3.** Adversaire. — Loc. *Avoir affaire à forte partie,* à un adversaire redoutable.

③ *partie* n. f. **1.** ■ Durée (d'un jeu) à l'issue de laquelle sont désignés gagnants et perdants. *La partie, la revanche et la belle. Faire une partie de cartes. Gagner, perdre la partie.* — Lutte, combat. *La partie a été rude. J'abandonne la partie.* **2.** ■ Divertissement organisé à plusieurs. *Une partie de chasse. Partie de plaisir.* — Sans compl. Anglic. *J'organise une partie demain soir.* ⇒ **surboum, surprise-partie.** — Loc. *Se mettre, être de la partie. Ce n'est que partie remise, nous nous retrouverons.* ⟨ ▶ surprise-partie ⟩

① *partir* [partir] v. intr. ■ conjug. 16. **I.** **1.** ■ Se mettre en mouvement pour quitter un lieu ; s'éloigner. ⇒ **s'en aller, se retirer.** / contr. **arriver** / *Partir de chez soi. Partir en hâte.* ⇒ **s'enfuir, se sauver.** *Partir sans laisser d'adresse. Partir à pied.* — PARTIR POUR. *Partir pour la chasse. Partir pour Londres.* — PARTIR À. *Partir à la guerre. Partir à Paris.* — PARTIR EN. *Ils sont partis en Chine, en week-end, en vacances à la campagne.* — PARTIR (+ infinitif). *Il est parti déjeuner.* ⇒ **sortir.** — (Choses) Être dirigé vers le destinataire. *Ma lettre est partie hier.* **2.** ■ Passer de l'immobilité à un mouvement rapide. / contr. **rester** / « *À vos marques ! Prêts ? Partez ! ». La voiture ne peut pas partir.* ⇒ **démarrer.** **3.** ■ (Choses) Se mettre à progresser, à marcher. *L'affaire est bien, mal partie.* ⇒ **commencer, démarrer.** *C'est assez mal parti.* ⇒ **engagé.** **4.** ■ (Projectiles) Être lancé, commencer sa trajectoire. *Le coup n'est pas parti.* **5.** ■ Fam. Commencer (à faire qqch.). ⇒ **se mettre.** *Il est parti pour parler au moins un quart d'heure.* **6.** ■ (Choses) Disparaître. *La tache est partie.* — Se désagréger. *Ce meuble part par tous les bouts.* — S'épuiser. *Tout son argent part dans les dîners, en disques.* **7.** ■ Mourir. *Il y a un an que mon père est parti.* — Perdre conscience (⇒ ④ **parti**). **II.** PARTIR DE. **1.** ■ Venir, provenir (d'une origine). *L'avion est parti de Londres.* **2.** ■ Avoir son principe dans. *Mot qui part du cœur.* **3.** ■ Commencer un raisonnement, une opération. *En partant de ce principe* (⇒ ② **partant**). **4.** À PARTIR DE : en prenant pour point de départ dans le temps. ⇒ **de, depuis, dès.** *À partir d'aujourd'hui,* désormais. ⟨ ▶ départ, partance, ① partant, ④ parti, repartir ⟩

② *partir* ■ Ancien verbe signifiant « partager ». AVOIR MAILLE À PARTIR. ⇒ ② **maille.** ⟨ ▶ partage, répartir ⟩

partisan, ane [partizɑ̃, an] n. et adj. **1.** N. Rare au fém. Personne qui prend parti pour une doctrine. ⇒ **adepte, défenseur.** / contr. **adversaire, détracteur** / *Les partisans du féminisme.* — Adj. *Ils, elles sont partisans d'accepter. Elle n'en est pas partisan,* (rare) *partisane.* REM. Il existe un féminin fam., *partisane.* **2.** N. m. Soldat de troupes irrégulières, qui se battent en territoire occupé. ⇒ **franc-tireur.** *Guerre de partisans.* ⇒ **guérilla.** **3.** Adj. Qui témoigne d'un parti pris, d'une opinion préconçue. *Les haines partisanes.*

partitif [partitif] adj. ■ En grammaire. ARTICLE PARTITIF : qui détermine une partie non mesurable (ex. : *manger du pain, boire de l'eau*).

partition [partisjɔ̃] n. f. ■ Notation d'une composition musicale. *Partition de piano. Jouer sans partition,* de mémoire.

partout [paʀtu] adv. ■ En tous lieux ; en de nombreux endroits. *On ne peut être partout à la fois. Il souffre de partout.* / contr. nulle part /

parturition [paʀtyʀisjɔ̃] n. f. ■ Médecine. Accouchement. ⇒ **enfantement.** ▶*parturiente* n. f. ■ Vieilli. Femme qui accouche, qui est en couches.

paru, ue [paʀy] p. p. ⇒ **paraître.**

parure [paʀyʀ] n. f. (⇒ **parer**) 1. L'ensemble des vêtements, des ornements, des bijoux d'une personne en grande toilette. 2. Ensemble de bijoux assortis (boucles, collier, broche...). *Une parure de diamants.* 3. Ensemble assorti de pièces de linge.

parution [paʀysjɔ̃] n. f. ■ Moment de la publication. *Dès sa parution, ce roman a eu beaucoup de succès* (⇒ **paraître, sortir).**

parvenir [paʀvǝniʀ] v. tr. ind. ■ conjug. 22. — PARVENIR À. 1. Arriver (en un point déterminé), dans un déplacement. ⇒ **atteindre.** *Après deux heures de marche, nous sommes parvenus à la ferme.* 2. (Choses) Arriver à destination. *Ma lettre vous est-elle parvenue ?* — Se propager à travers l'espace (jusqu'à un lieu donné, jusqu'à quelqu'un). *Le bruit de la rue lui parvenait à peine.* 3. (Personnes) Réussir à obtenir, en s'efforçant (un résultat qu'on se proposait). ⇒ **accéder** à. *Il est enfin parvenu à ses fins, à ce qu'il voulait. Parvenir à* (+ infinitif). *Je ne parviens pas à le voir. Je ne parviens pas à le convaincre.* 4. Atteindre naturellement. *Parvenir à un âge avancé.* ▶*parvenu, ue* n. ■ Péj. Personne qui s'est élevée à une condition supérieure sans en acquérir les manières. ⇒ **nouveau riche.**

parvis [paʀvi] n. m. invar. ■ Place située devant la façade (d'une église, d'une cathédrale). *Le parvis de Notre-Dame.* — Esplanade, dans certains ensembles architecturaux modernes.

① *pas* [pa] n. m. invar. I. UN, DES PAS. 1. Action de faire passer l'appui du corps d'un pied à l'autre, dans la marche. *Faire un pas, un pas en avant. Un enfant qui fait ses premiers pas. Avancer à grands pas.* ⇒ **enjambée.** — Loc. *Approcher à pas de loup,* silencieusement. — *A chaque pas,* à chaque instant. — PAS À PAS [pɑzapɑ] : lentement, avec précaution. — *Faire les* CENT PAS : attendre en marchant de long en large. — *Salle des pas perdus.* — Loc. *Revenir* SUR SES PAS : en arrière. 2. FAUX PAS : pas où l'appui du pied manque ; fait de trébucher. — Fig. Écart de conduite. ⇒ **faute.** 3. Trace laissée par un pied humain. *Des pas dans la neige.* 4. Longueur d'un pas. *C'est à deux pas d'ici,* tout près. ⇒ **proximité.** 5. Fig. Chaque élément, chaque temps d'une progression, d'une marche. ⇒ **étape.** *Les discussions ont fait un pas en avant.* Loc. *Faire les premiers pas,* prendre l'initiative. ⇒ **avance(s).** — PROV. *Il n'y a que le premier pas qui coûte,* tout sera facile après. II. 1. LE PAS : façon de marcher. ⇒ **allure, démarche.** *Allonger, ralentir le pas.* — Loc. *J'y vais de ce pas,* sans plus attendre. AU PAS. *Aller, avancer au pas,* à l'allure du pas normal. *Au pas de gymnastique, au pas de course,* rapidement. ⇒ au **galop,** au **trot.** — Façon réglementaire de marcher dans l'armée. *Marcher au pas.* — Loc. *Mettre qqn au pas,* le forcer à obéir. 2. LE pas, un pas, ensemble des pas d'une danse. *Esquisser un pas de tango.* — PAS DE DEUX : partie d'un ballet dansée par deux danseurs. 3. Allure, marche (d'un animal). III. (Au sens de *passage*) 1. Loc. *Prendre le pas sur qqn,* le précéder. *Céder le pas à qqn,* le laisser passer devant. 2. Lieu que l'on doit passer, passage. ⇒ ③ **col.** *Franchir le pas.* — Dans des noms géographiques. Détroit. *Le pas de Calais.* 3. Loc. *Se tirer, sortir d'un* MAUVAIS PAS : d'une situation périlleuse, grave. 4. LE PAS DE LA PORTE : le seuil. — Loc. PAS

DE PORTE : somme payée au détenteur d'un bail pour avoir accès à un fonds de commerce. 5. Tours d'une rainure en spirale. *Un pas de vis.* ⇒ **filet.**

② *pas* adv. de nég. I. NE... PAS, NE PAS (négation du verbe). ⇒ **point.** *Je ne parle pas. Je ne vous ai pas vu.* — (+ infinitif) *Il espère ne pas le rencontrer.* — (Avec d'autres adv.) *Il n'est pas encore arrivé. Ce n'est pas tellement difficile.* — Loc. *Ce n'est pas que* (+ subjonctif ; pour introduire une restriction). *Ce n'est pas qu'il ait peur, mais...* II. PAS (phrases non verbales). 1. Ellipt. (Réponses, exclamations) *Non pas. Pas de chance ! Pourquoi pas ? Ils viennent ou pas ?* ⇒ **non.** — PAS UN (⇒ **aucun, nul**). *Il est paresseux comme pas un,* plus que tout autre. 2. (Devant un adj. ou un participe) *Une femme pas sérieuse.* III. PAS (employé sans NE). Fam. (parlé) *Pleure pas ! On sait bien. On ose pas. Je veux pas !*

① *pascal, ale, als* ou *aux* [paskal, o] adj. ■ Relatif à la fête de Pâques des chrétiens. *Communion pascale.*

② *pascal, als* n. m. ■ En informatique. Langage de programmation pour applications scientifiques. *Des pascals.*

③ *pascal, als* n. m. ■ Unité de pression (symb. *Pa*) correspondant à une force de 1 newton exercée sur 1 m². *1 000 pascals font un kilopascal.*

paso doble [pasodɔbl] n. m. invar. ■ Danse sur une musique de caractère espagnol du type de la fanfare. *Des paso doble.*

passable [pasabl] adj. ■ Qui peut passer, est d'une qualité suffisante sans être très bon, très beau (un peu au-dessous de *médiocre*). ⇒ **acceptable, moyen.** *Un travail à peine passable.* ≠ **nul, mauvais ; bon, excellent.** ▶*passablement* adv. 1. Pas trop mal. *Il sait passablement ses règles.* ⇒ **correctement.** 2. Plus qu'un peu, assez. *Il a passablement voyagé.*

passade [pasad] n. f. ■ Goût passager, qui passe vite. ⇒ **caprice.** *C'est une simple passade,* ça lui passera.

passage [pasaʒ] n. m. I. Action, fait de passer. 1. (En traversant un lieu, en passant par un endroit) *Passage interdit. Les heures de passage des autobus.* — AU PASSAGE : au moment où qqn ou qqch. passe à un endroit. — Fig. *Il faut saisir les occasions au passage.* — DE PASSAGE : qui ne fait que passer, ne reste pas longtemps. *Un étranger de passage à Paris.* 2. Traversée sur un navire. *Payer le passage.* 3. EXAMEN DE PASSAGE : examen que subissent les élèves, pour monter d'une classe dans une autre. 4. Le fait de passer d'un état à un autre. *Le passage de la joie à l'abattement.* — En psychologie. PASSAGE À L'ACTE : déclenchement d'une action (généralement violente). II. 1. Endroit par où l'on passe. *Il se frayait un passage parmi les broussailles. Je vais te montrer le passage.* — SUR LE PASSAGE DE : sur le chemin de qqn. *L'ennemi semait la terreur sur son passage.* 2. Petite voie, généralement couverte, permettant de passer d'une rue à l'autre. *On peut prendre le passage (couvert) pour rejoindre cette rue* (à Lyon, on dit une *traboule*). 3. PASSAGE À NIVEAU : croisement sur le même plan d'une voie ferrée et d'une route. — PASSAGE SOUTERRAIN : tunnel sous une voie de communication. PASSAGE CLOUTÉ : passage limité sur la chaussée (autrefois, en France, par des clous, puis par des bandes blanches), où doivent traverser les piétons. III. Fragment d'une œuvre. ⇒ **extrait, morceau.** *Elle relisait ses passages préférés.* ‹ ▶ ① passager, ② passager ›

① *passager, ère* [pɑ(ɑ)saʒe, ɛʀ] n. ■ Personne transportée à bord d'un navire ou d'un avion et qui ne fait pas partie de l'équipage. (Pour un train, on dit *voyageur, euse*.) *Les passagers d'une voiture.*

② *passager, ère* adj. ■ Dont la durée est brève. ⇒ **court**, éphémère. / contr. **durable** / *Un bonheur passager.* ⇒ **fugace**. ▶ **passagèrement** adv. ■ Pour peu de temps seulement.

① *passant, ante* [pasɑ̃, ɑ̃t] adj. ■ Où il passe beaucoup de gens, de véhicules. ⇒ **fréquenté**. *Une rue passante.*

② *passant, ante* n. ■ Personne qui passe dans un lieu, dans une rue. ⇒ **promeneur**. *Le camelot interpellait les passants.*

③ *passant* n. m. ■ Anneau de tissu ou de cuir cousu à un vêtement ou à une boucle et qui sert à tenir une courroie en place. *Les passants d'une ceinture.*

passation [pɑ(a)sasjɔ̃] n. f. **1.** En droit. Action de passer (un acte). ⇒ ② **passer** (II, 9). *La passation d'un contrat.* **2.** *Passation de pouvoirs, des pouvoirs*, action de passer les pouvoirs à un autre, à d'autres. ⇒ **transmission**.

passe [pas] n. f. **I.** Action de passer (dans quelques sens). **1.** Action d'avancer sur l'adversaire, en escrime. **2.** Fig. PASSE D'ARMES : échange d'arguments, de répliques vives. **3.** MOT DE PASSE : formule convenue qui permet de passer librement. **4.** MAISON DE PASSE : de prostitution. **5.** *Passes magnétiques*, mouvements des mains de l'hypnotiseur pour endormir son sujet. **6.** Action de passer la balle à un partenaire. *Une passe de basket.* **II.** Endroit où l'on passe. ⇒ **passage** (II). Passage étroit. ⇒ **canal**, **chenal**. — En montagne. ⇒ ③ **col**. **III.** Loc. **1.** ÊTRE EN PASSE DE : en position, sur le point de. *Nous ne sommes pas encore riches, mais nous sommes en passe de l'être.* **2.** ÊTRE DANS UNE BONNE, UNE MAUVAISE PASSE : dans une période de chance, de bonheur ; dans une période d'ennuis.

① *passé* [pase] n. m. **I. 1.** Ce qui a été, précédant un moment donné, ce qui s'est passé. / contr. **avenir**, **futur** / *Avoir le culte du passé*, être conservateur, traditionaliste. *Oublions le passé. Fam. Tout ça, c'est du passé.* **2.** Vie passée, considérée comme un ensemble de souvenirs. *Elle revenait sans cesse sur son passé.* **II. 1.** Partie du temps, cadre où chaque chose passée aurait sa place. *Le passé, le présent et l'avenir. Le passé le plus reculé.* — PAR LE PASSÉ : autrefois. **2.** Temps révolu où se situe l'action ou l'état exprimé par le verbe ; formes de ce verbe (⇒ **imparfait**). *Le passé simple* (ex. : *je vins*), *composé* (ex. : *je suis venu*), *récent* (ex. : *je viens d'arriver*). *Le futur du passé* (ex. : *je viendrais*). ⇒ **conditionnel**.

② *passé* prép. ■ Après, au-delà, dans l'espace ou le temps. / contr. **avant** / *Passé huit heures du soir, les rues sont désertes.*

③ *passé, ée* adj. **1.** Qui n'est plus, est écoulé. *Le temps passé. Il est huit heures passées*, plus de huit heures. **2.** Éteint, fané. *Des couleurs passées.*

passe-droit [pasdrwa] n. m. ■ Faveur accordée contre le règlement. *Profiter de nombreux passe-droits.*

passe-lacet [paslasɛ] n. m. **1.** Grosse aiguille servant à introduire un lacet dans un œillet, une coulisse. *Des passe-lacets.* **2.** Loc. fam. *Être raide comme un passe-lacet*, sans un sou.

passementerie [pɑ(a)smɑ̃tri] n. f. **1.** Ensemble des ouvrages de fil destinés à l'ornement, en couture ou en décoration. **2.** Commerce, industrie des ouvrages de passementerie. *Passementerie militaire.*

passe-montagne [pasmɔ̃taɲ] n. m. ■ Chaude coiffure de tricot ne laissant qu'une partie du visage à découvert. *Des passe-montagnes.*

passe-partout [paspartu] n. m. invar. ■ Clé servant à ouvrir plusieurs serrures. ⇒ **crochet**. *Des passe-partout.* — Abrév. *Un passe ; des passes.* — En appos. Invar. Qui convient partout. *Une tenue passe-partout.*

passe-passe [paspas] n. m. invar. ■ TOUR DE PASSE-PASSE : tour d'adresse des prestidigitateurs. — Fig. Tromperie habile. *Des tours de passe-passe.*

passe-plat [paspla] n. m. ■ Guichet pour passer les plats, les assiettes. *Des passe-plats.*

passepoil [paspwal] n. m. ■ Liséré, bordure de tissu formant un bourrelet entre deux pièces cousues.

passeport [paspɔr] n. m. ■ Pièce certifiant l'identité et la nationalité, délivrée à une personne pour lui permettre de se rendre à l'étranger. *Faire renouveler son passeport, faire mettre un visa sur son passeport.*

① *passer* [pase] v. intr. ■ conjug. 1. — REM. Avec l'auxiliaire *avoir* ou plus cour. *être*. **I.** Se déplacer de manière continue dans l'espace. / contr. **s'arrêter**, **rester** / **1.** Sans compl. (Suj. chose) Progresser, continuer d'avancer (dans un endroit interdit, dangereux). ⇒ **franchir**. *Halte, on ne passe pas ! Ils ne laissent passer personne. Laissez passer !* ⇒ faire **place** ; **laissez-passer**. *Il a réussi à passer.* (Suj. chose) Traverser. *Les volets laissent passer le jour. Le café est en train de passer.* — (Aliments) Être digéré. *Mon déjeuner ne passe pas, passe de travers.* — Loc. fam. *Le, la* SENTIR PASSER : subir qqch. de pénible. *On lui a ouvert son abcès, il l'a senti passer !*,il a beaucoup souffert. **2.** Sans prép. de lieu. Être en mouvement. ⇒ ① **repasser**. *Je passe ici souvent. Il passera dans une heure. Le train va passer. Il passe à cent à l'heure. Il vient de passer, il est passé.* — PROV. *Les chiens aboient, la caravane passe.* — *Je ne fais que passer.* ⇒ **faire**. — EN PASSANT : au passage. *Je viendrai vous voir en passant. Au passage, entre parenthèses. Vous remarquerez en passant la beauté de ce tableau. Soit dit en passant, par parenthèse.* **3.** Transitivement. *Passer son chemin.* ⇒ **chemin**. **4.** Avec prép. de lieu. PASSER À : atteindre un lieu en passant. *Elle est passée à la maison. La Loire passe à Blois.* — PASSER DANS. *Passer dans la rue, dans le couloir.* — PASSER À CÔTÉ DE, PRÈS DE, LE LONG DE. *Passer à côté (près) d'un ami. Passer à côté (tout près) de la fortune.* ⇒ **frôler**. *La route passe le long du canal.* ⇒ **longer**. — PASSER À TRAVERS..., AU TRAVERS (DE) : traverser. *Le jour passe à travers les volets. Passer à travers bois.* ⇒ **couper**, **prendre**. *Il est passé au travers des pires difficultés*, les a évitées, y a échappé. ⇒ se **tirer** de. — PASSER AVANT, APRÈS : précéder, suivre (dans le temps). *Passer avant qqn. « Passez donc ! — Après vous ! »* — Abstrait. *Passer avant, après qqch., qqn*, être plus, moins important. *Sa mère passe avant sa femme. Pour lui, le sport passe avant tout.* ⇒ **surpasser**. *Les études passent après le sport.* — PASSER DEVANT, DERRIÈRE qqch. *Je suis passé devant, derrière la fenêtre.* — PASSER DEVANT, DERRIÈRE qqn : précéder, suivre (dans l'espace). *Je passe devant pour vous montrer le chemin. Il est passé devant tout le monde.* ⇒ **dépasser**. — PASSER ENTRE (deux personnes, deux choses) : se **faufiler**. — PASSER OUTRE. ⇒ **outre** ; **outrepasser**. — PASSER PAR : traverser (un lieu) au cours d'un trajet. *Il est passé par là. Il s'est blessé en passant par la fenêtre. Il est passé par Calais en rentrant de Londres.* ⇒ **via**. — Effectuer une étape. *Elle est passée par une grande école*, elle y a fait des études. — Loc. *Une idée m'est passée par la tête*, m'a traversé l'esprit. — Utiliser comme intermédiaire. *Pour le voir, il faut passer par son secrétaire.* — Subir qqch. *Je suis passé par là, moi aussi*, j'ai eu les mêmes difficultés. — Y PASSER :

passer par là, subir nécessairement. *La grippe est terrible, cette année, toute la famille y est passée,* l'a attrapée. Fam. Mourir. *Nous allons tous y passer.* — PASSER SOUS, DESSOUS. *Passer sous un porche.* Par ext. *Passer sous une voiture,* être écrasé. Loc. fam. *L'affaire lui est passée sous le nez,* il l'a manquée. — PASSER SUR, DESSUS. *Passer sur un pont.* Impers. *Il passe peu de voitures sur cette route.* ⇒ **circuler, rouler.** Loc. *Passer sur le corps, sur le ventre de qqn,* lui nuire sans aucun scrupule pour parvenir à ses fins. — Ne pas s'attarder (sur un sujet), s'abstenir d'en parler. ⇒ **effleurer, glisser.** *Passons rapidement sur les détails !* Ellipt. *Passons !* — Pardonner, tolérer. *Je passe sur cette incartade.* — Variante transitive. ⇒ ② **passer** (I, 6). 5. Loc. *Passer inaperçu,* être, rester inaperçu. 6. Enregistrement. Être diffusé. *Ce film passe ce soir à la télévision. As-tu entendu la publicité qui passe à la radio ?* 7. (Suj. personne) Être accepté, admis. *Elle passe en cinquième à la rentrée. Trois candidats sur dix ont passé,* ont réussi. — (Choses) *Le message est bien passé dans le public. Comment faire passer cela ?* 8. Être acceptable. *Cela passe difficilement.* — Loc. PASSE (ENCORE) : c'est tolérable. — (+ infinitif) « *Passe encore de planter, mais bâtir à cet âge !* » (La Fontaine). — (+ subjonctif) *Passe encore qu'il le dise, mais qu'il le croie !* — Être accepté et ressenti par le public. *Cette réplique, cette publicité passe bien, ne passera pas* (→ ci-dessous passer la rampe). II. Exprimant un changement de place, un mouvement irrégulier dans l'espace. 1. PASSER DE... À, DANS, EN... : quitter (un lieu) pour se rendre (dans un autre lieu). *En passant de la cuisine au salon. Passer d'une chose à une autre, à l'autre. L'argent passe de main en main.* ⇒ **circuler, courir.** — *Il est passé de vie à trépas, il est mort.* Ellipt. région. *Il est passé,* il est mort. ⇒ **trépasser.** 2. (Sans *de*) Aller. *Passons à table. Passons dans mon bureau.* ⇒ **entrer.** *Je passerai chez vous.* — Aller définitivement. *Il est passé à l'ennemi. La pilule est passée dans les mœurs.* 3. (+ infinitif) Aller (faire qqch.). *Je passerai vous voir demain. Il passe à la banque prendre de l'argent.* ⇒ faire un **saut.** 4. Y PASSER : (choses) être consacré à. *Il est fou de cinéma, tout son argent y passe.* 5. PASSER À : en venir à. *Passer à l'acte. Passons à la suite !* 6. (+ attribut) Devenir. *Il est passé lieutenant.* III. Exprimant le passage du temps. 1. S'écouler. *Les jours passaient. Déjà huit heures, comme le temps passe !* — *Le temps passé.* ⇒ ① **passé.** 2. Cesser d'être ou avoir une durée limitée. ⇒ **disparaître, finir, partir.** *La douleur est passée. Faire passer le mal.* — Loc. *Passer de mode,* cesser d'être à la mode. Loc. fam. *Le plus dur est passé.* — *Il leur a fait passer le goût du pain, l'envie de rire,* il leur a fait la vie dure, les a punis. 3. (Couleurs) Perdre son intensité, son éclat. ⇒ **pâlir** ; se **faner.** *Le bleu passe au soleil.* IV. (Verbe d'état, conjug. avec *avoir*) 1. PASSER POUR : être considéré comme. *Elle passait pour coquette. Il a longtemps passé pour l'auteur de ce roman.* — (+ infinitif) *Il passe pour être l'auteur de ce roman.* — (Choses) Être pris pour. *Cela peut passer pour vrai.* FAIRE PASSER POUR. *Elle le fait passer pour un génie. Elle se faisait passer pour sa femme.* ▶ ② *passer* v. tr. ∎ conjug. 1. — REM. Avec l'auxil. *avoir,* passif avec *être.* I. Traverser ou dépasser. 1. Franchir (qqch.) dans l'espace. *Passer une rivière. Elle a passé la frontière.* 2. *Passer un examen,* en subir les épreuves. *Il a dû passer trois fois le baccalauréat pour l'obtenir.* 3. Théâtre, cinéma. Loc. PASSER LA RAMPE. *Cette scène ne passe pas, passe très mal la rampe,* elle est mauvaise pour les spectateurs. 4. Consacrer (du temps à qqch.). *Passe de bonnes vacances ! Vous passerez la soirée avec nous. J'ai passé une heure à (pour faire, sur) ce travail.* — Loc. fam. *Passer un mauvais, un sale quart d'heure,* traverser un moment pénible. — *Passer le temps à* (+ infinitif) *Il passe son*

temps à manger. ⇒ **employer.** — *Pour passer le temps,* s'occuper. ⇒ **passe-temps.** 5. Oublier, omettre (un élément d'une série). *Passer une ligne* (en copiant, en lisant). ⇒ **sauter.** — *Passez, passons les détails* (ils sont inconvenants). — *Passer son tour* (dans un jeu de société). *Je passe ! — J'en passe, et des meilleures,* je ne dis pas tout ! 6. PASSER qqch. À qqn : permettre, pardonner. *Ses parents lui passent tout. Passez-moi l'expression, mais c'est un emmerdeur.* ⇒ **excuser.** 7. Dépasser. *Passer un col, une montagne.* Loc. *Passer le cap* (d'un âge, d'une difficulté). — *Passer les limites, les bornes,* aller trop loin. ⇒ **outrepasser.** *Il a passé la limite d'âge,* il est trop âgé pour cet emploi. ⇒ **dépasser.** II. Faire aller d'un lieu à un autre. 1. Faire traverser. *Passer des marchandises en fraude* (⇒ **contrebandier,** ② **passeur**). — Faire sortir. *Il passa la tête à la portière.* — Faire fonctionner sur, dans un lieu. *Passer l'aspirateur dans le salon.* 2. *Passer* (une matière) *sur* qqch., étendre. *Passer* qqch. *à* (une matière), couvrir, traiter. *Tu passeras une couche de mortier sur le mur avant de le passer à la chaux. Elle s'est passé de la crème sur les mains après se les être passées à l'eau.* 3. *Passer* qqn *par, à,* soumettre à l'action de. *Il a été passé par les armes,* fusillé. 4. Faire traverser un filtre (par un liquide). *Passer le café. Instrument pour passer le thé.* ⇒ **passoire.** 5. Donner à voir ou à entendre (un enregistrement). *Passer un film. Il m'a passé des diapositives. Tu passes toujours le même disque.* 6. Enfiler, mettre. *Passer une veste. Le temps de passer une veste, j'arrive.* 7. Enclencher (une vitesse). *Passe le petit braquet ! Passe en troisième !* 8. PASSER qqch. À qqn : donner, remettre. *Passe-moi le café, le sel, la salière. Passe-le-moi.* — REM. *Passe-moi-le* est fautif. — Loc. *Ils se sont passé le mot,* se sont mis d'accord. — *Passer la parole à qqn,* la lui donner après qu'on a parlé. — *Passer un coup de fil* (de téléphone) *à qqn,* l'appeler au téléphone. *Passez-moi monsieur le directeur,* mettez-moi en communication avec lui. *Passer une maladie à qqn,* la lui donner par contagion. ⇒ **communiquer, transmettre** ; fam. **refiler.** — *Passer le pouvoir à qqn.* ⇒ **transmettre ; passation.** 9. Faire, établir. *Passer un contrat, un accord* (avec qqn). ⇒ **conclure.** *Passer (la, une) commande,* commander. ▶ ③ *se passer* v. pron. I. (Choses) S'écouler (le temps). 1. Durer. *La visite s'est passée en un quart d'heure.* ⇒ **se dérouler.** — Prendre fin. *Ça va se passer.* ⇒ **cesser,** ① **passer** (III, 2). — Impers. *Il ne se passe pas du jour sans qu'il téléphone.* 2. Être (dans une durée). *L'action du film se passe au XVIe siècle. Tout se passe bien ? Ça s'est mal passé.* — Loc. *Ça ne se passera pas comme ça,* c'est scandaleux. — Impers. *Que se passe-t-il ?* (→ qu'est-ce qu'il y a ?). II. SE PASSER DE. 1. Ne pas avoir besoin. *Cette déclaration se passe de commentaires.* 2. (Suj. personne) Vivre dépourvu de (sans trop en souffrir). ⇒ se **dispenser.** *Se passer d'argent, de cinéma. Je me passerais bien de cette corvée ! Nous nous en passerons bien ! On ne peut se passer de lui,* il est indispensable. ‹ ▶ **dépasser, impasse, laissez-passer, outrepasser,** ① **pas, passable, passade, passage,** ① **passant,** ② **passant,** ③ **passant, passation,** ② **passe,** ① **passé,** ② **passé,** ③ **passé, passe-droit, passe-lacet, passementerie, passe-montagne, passe-partout, passe-passe, passe-plat, passepoil, passeport, passerelle, passe-temps, passeur, passoire, repasser, surpasser, trépasser** ›

passereau [pɑsʁo] n. m. ∎ Oiseau du genre alouette, hirondelle, moineau, etc. — *Les passereaux,* les oiseaux de ce genre.

passerelle [pɑsʁɛl] n. f. 1. Pont étroit, réservé aux piétons (pour passer). *Les rambardes d'une passerelle.* 2. Plan incliné mobile par lequel on peut accéder à un navire, un avion. 3. Salle de navigation, la plus élevée d'un navire. *Le commandant est sur la passerelle.*

passe-temps [pɑstɑ̃] n. m. invar. ■ Ce qui fait passer agréablement le temps. ⇒ **amusement, divertissement.**

passeur, euse [pɑsœʀ, øz] n. **1.** Personne qui conduit un bac, fait passer une rivière. ⇒ **batelier.** **2.** Personne qui fait passer clandestinement une frontière à qqn ou qqch. (capitaux, objets de valeur...).

passible [pasibl] adj. ■ PASSIBLE DE : qui doit subir (une peine). *Être passible d'une amende.* ⇒ **encourir.**

① **passif** [pasif] n. m. ■ Ensemble de dettes et charges financières. / contr. **actif** / *Son passif est trop élevé, il risque de faire faillite.*

② **passif, ive** adj. **1.** Qui se contente de subir, ne fait preuve d'aucune activité, d'aucune initiative. / contr. **actif** / *Il reste passif devant le danger,* il ne réagit pas. *Une femme passive.* — *Résistance passive,* sans action. **2.** *Défense passive.* ⇒ **défense.** ‹ ▶ passivement, passivité ›

③ **passif, ive** adj. et n. m. ■ Se dit des énoncés et des formes verbales présentant l'action comme subie par le sujet et exercée par l'agent. / contr. **actif** / — N. m. *Le passif se forme avec l'auxiliaire « être » et le participe passé* (ex. : Juliette *est aimée* de, par, Roméo).

passiflore [pasiflɔʀ] n. f. ■ Plante tropicale à larges fleurs étoilées qui évoquent les clous, les instruments de la Passion (II). ⇒ fleur de la **passion.**

passim [pasim] adv. ■ Çà et là (dans tel ouvrage), en différents endroits (d'un livre). *Page neuf et passim.*

passion [pɑ(a)sjɔ̃] n. f. **I. 1.** Surtout au plur. État affectif et intellectuel assez puissant pour dominer la vie mentale. *Obéir, résister à ses passions, vaincre ses passions.* ⇒ **désir. 2.** L'amour, quand il apparaît comme une inclination puissante et durable. *Déclarer sa passion.* ⇒ **①** **flamme.** *L'amour-passion. Passion subite.* ⇒ coup de **foudre. 3.** *La passion de...,* vive inclination vers un objet que l'on poursuit, auquel on s'attache de toutes ses forces. *La passion du jeu, des voyages. La peinture, les musées, c'est une passion chez lui.* **4.** Affectivité violente, qui nuit au jugement. / contr. **lucidité, raison** / *Il faut résoudre ces problèmes sans passion.* — Opinion irraisonnée affective et violente. ⇒ **fanatisme.** *Céder aux passions politiques.* **5.** *La passion,* ce qui, de la sensibilité, de l'enthousiasme de l'artiste, passe dans l'œuvre. ⇒ **émotion, vie.** *Œuvre pleine de passion.* **II. 1.** Religion. *La Passion.* Souffrance et supplice du Christ. **2.** *Fleur, fruit de la passion,* de la passiflore*. ▶ **passionnel, elle** adj. **1.** Relatif aux passions (I, 1), qui évoque la passion. *Des états passionnels.* **2.** Inspiré par la passion (I, 2) amoureuse. *Un crime, un drame passionnel.* ▶ **passionner** v. tr. ■ conjug. 1. **I. 1.** Éveiller un très vif intérêt. *Ce film m'a passionné.* ⇒ **passionnant. 2.** Empreindre de passion (I, 4). *Passionner un débat.* **II.** SE PASSIONNER v. pron. réfl. *Se passionner pour,* prendre un intérêt très vif. *Se passionner pour une science.* ▶ **passionnant, ante** adj. ■ Qui passionne. *Des romans passionnants. Des films passionnants.* — (Personnes) *Des gens passionnants.* ▶ **passionné, ée** adj. **1.** (Personnes) Animé, rempli de passion. *Un amoureux passionné.* N. *C'est un passionné.* — *Passionné de, pour...,* qui a une vive inclination pour (qqch.). ⇒ **fanatique.** — N. *C'est un passionné de moto.* **2.** (Choses) *Le récit passionné d'une aventure.* ▶ **passionnément** adv. ■ Avec passion. *Il l'aime passionnément.* ‹ ▶ dépassionner ›

passivement [pasivmɑ̃] adv. ■ D'une manière passive **②**. / contr. **activement** / *Il supporte passivement les humiliations.*

passivité [pasivite] n. f. ■ État ou caractère de celui, de celle ou de ce qui est passif. ⇒ **inertie.** / contr. **activité, dynamisme** / *La passivité d'un élève.*

passoire [paswaʀ] n. f. ■ Récipient percé de trous, utilisé pour écraser ou égoutter des aliments, pour passer des liquides. ⇒ **②** **chinois.** — Abstrait. *Sa mémoire est une passoire,* il (elle) ne retient rien.

pastel [pastɛl] n. m. **1.** Bâtons de couleur utilisés dans les arts plastiques. *Pastel gras, maigre.* ⇒ **crayon.** *Des portraits au pastel.* **2.** En appos. Invar. *Bleu pastel. Des tons pastel,* doux et clairs comme ceux du pastel. **3.** Œuvre faite au pastel. *Des pastels et des aquarelles.* ▶ **pastelliste** n. ■ Peintre de pastels.

pastèque [pastɛk] n. f. ■ Gros fruit comestible à peau verte et luisante, à chair rouge et juteuse. (Synonyme *melon d'eau*.) ≠ *melon vert. Une tranche de pastèque.*

pasteur [pastœʀ] n. m. **1.** Littér. Celui qui garde, qui fait paître le bétail. ⇒ **berger, pâtre. 2.** Chef spirituel. LE BON PASTEUR : le Christ. **3.** Ministre d'un culte protestant. ⇒ **prêtre.** ‹ ▶ pastoral, pastoureau ›

pasteuriser [pastœʀize] v. tr. ■ conjug. 1. ■ Stériliser un liquide en le chauffant fortement (environ 100 °C) et en le refroidissant brusquement. ⇒ **upériser.** — *Lait pasteurisé.* ⇒ **U.H.T.** ▶ **pasteurisation** n. f. — REM. Ces mots viennent du nom de *Louis Pasteur.*

pastiche [pastiʃ] n. m. ■ Imitation ou évocation du style, de la manière (d'un écrivain, d'un artiste, d'une école), pour amuser. ≠ *plagiat. Faire, écrire des pastiches des classiques.* ≠ *postiche.* ▶ **pasticher** v. tr. ■ conjug. 1. ■ Imiter la manière, le style de. *Il s'amusait à pasticher Hugo.* ▶ **pasticheur, euse** n. ■ Auteur de pastiches ; imitateur.

pastille [pastij] n. f. **1.** Petit morceau d'une pâte pharmaceutique ou d'une préparation de confiserie. *Pastille de menthe.* ⇒ **bonbon. 2.** Dessin en forme de petit disque. ⇒ **pois.**

pastis [pastis] n. m. invar. **1.** Boisson alcoolisée à l'anis, qui se consomme avec de l'eau. **2.** Fam. Situation délicate ou difficile. *Il s'est fourré dans un de ces pastis !*

pastoral, ale, aux [pastɔʀal, o] adj. et n. f. **1.** Littér. Relatif aux pasteurs (1), aux bergers. *Une vie pastorale.* — *La Symphonie pastorale (Beethoven)* évoque la nature champêtre. **2.** N. f. PASTORALE : ouvrage littéraire ou pictural dont les personnages sont des bergers. ⇒ **bergerie.**

pastoureau, elle [pastuʀo, ɛl] n. ■ Littér. Petit berger, petite bergère.

patache [pataʃ] n. f. ■ Autrefois. Diligence à bon marché.

patachon [pataʃɔ̃] n. m. ■ Fam. *Mener une VIE DE PATACHON* : agitée, consacrée aux plaisirs.

patapouf [patapuf] n. m. ■ Fam. Personne, enfant gros et gras. *Regardez-moi ce gros patapouf !*

pataquès [patakɛs] n. m. invar. ■ Faute grossière de langage (ex. : *ce n'est pas-t-à moi*). ⇒ **barbarisme, ②** **cuir.**

patate [patat] n. f. **1.** PATATE DOUCE : plante tropicale, cultivée pour ses gros tubercules comestibles ; le tubercule. **2.** Fam. Pomme de terre. *Éplucher les patates.* **3.** Fam. Personne niaise, stupide. *Quelle patate, ce type ! 4.* Loc. fam. *En avoir GROS SUR LA PATATE : sur le cœur.*

patati, patata [patati, patata] onomat. ■ Fam. Évoque un long bavardage. *Et patati ! et patata ! ils n'arrêtent pas.*

patatras [patatʀa] interj. ■ Onomatopée exprimant le bruit d'un corps qui tombe avec fracas. *Patatras ! Voilà le vase cassé !* ⇒ **badaboum.**

pataud, aude [pato, od] n. et adj. **1.** N. Enfant, individu à la démarche pesante et aux manières embarrassées. *Un gros pataud. Quelle pataude !* **2.** Adj. Qui est lent et lourd dans ses mouvements. ⇒ **gauche, maladroit.** *Il a une allure pataude.*

patauger [patoʒe] v. intr. ■ conjug. 3. **1.** Marcher sur un sol détrempé, dans une eau boueuse. ⇒ **barboter.** *Enfants qui pataugent dans les flaques.* **2.** Abstrait. S'embarrasser, se perdre dans des difficultés. ▶ ***pataugas*** [patogas] n. ■ (Marque déposée) Chaussure de marche montante en toile légère, à semelle souple présentant des crans. ▶ ***pataugeoire*** [patoʒwaʀ] n. f. ■ Petit bassin de natation pour tout jeunes enfants. *Une pataugeoire en plastique.*

patchouli [patʃuli] n. m. ■ Parfum entêtant extrait d'une plante tropicale.

patchwork [patʃwœʀk] n. m. Anglic. **1.** Ouvrage de couture rassemblant des carrés de couleurs et de matières différentes. **2.** Abstrait. Ensemble composite, hétéroclite. *Des patchworks.*

pâte [pɑt] n. f. **I. 1.** Préparation plus ou moins consistante, à base de farine délayée, que l'on consomme après cuisson. *Pétrir une pâte. Pâte à pain.* **2.** PÂTES, PÂTES ALIMENTAIRES : préparation culinaire à base de blé dur, vendue sous diverses formes : en feuilles ⇒ **lasagne,** en tubes ⇒ **macaroni,** en fines baguettes ⇒ **spaghetti,** etc. ⇒ **nouille.** *Des pâtes à l'italienne, à l'alsacienne. Un paquet de pâtes. Manger des pâtes.* **3.** Loc. *Mettre la* MAIN À LA PÂTE : travailler soi-même à qqch. — *Être comme un* COQ EN PÂTE : mener une vie très confortable, très heureuse. **II. 1.** Préparation, mélange plus ou moins mou. *Pâte à papier* (pour fabriquer le papier). *La pâte d'un fromage. Pâte de fruits,* friandise faite de fruits. — *Pâte dentifrice. Pâte à modeler.* **2.** Employé seul. Matière molle, collante. ⇒ **bouillie.** *Du riz trop cuit, une vraie pâte.* **3.** Matière formée par les couleurs travaillées. *Ce peintre a une pâte extraordinaire.* ≠ **patte. 4.** Loc. *Une bonne pâte,* personne accommodante, très bonne. — *Une pâte molle,* personne sans caractère. ‹▶ **empâter,** ① **pâté, pâtée, pâteux, pâtisserie** ›

① ***pâté*** [pate] n. m. **1.** Préparation (de viande, etc.) dans une pâte. **2.** Préparation de charcuterie, hachis de viandes épicées cuit dans une terrine et consommé froid. *Pâté de campagne. Pâté de foie, de lapin. Chair à pâté.* — *Pâté en croûte* (enveloppé dans une croûte).

② ***pâté*** n. m. **1.** PÂTÉ DE MAISONS : ensemble de maisons formant bloc. **2.** *Pâté de sable* ou, absolt, *pâté,* sable moulé à l'aide d'un seau, d'un moule (jeu d'enfant). **3.** Grosse tache d'encre. *Je n'arrive pas à lire, il y a un pâté.*

pâtée [pate] n. f. **1.** Mélange de pâte, de farine, de son, d'herbes, etc., dont on engraisse la volaille, les porcs (⇒ **gaver**). **2.** Soupe très épaisse dont on nourrit les chiens, les chats.

① ***patelin, ine*** [patlɛ̃, in] adj. ■ Littér. Doucereux, flatteur. *Elle était toute pateline. Un ton patelin.* ⇒ **hypocrite, mielleux.**

② ***patelin*** n. m. ■ Fam. Village, localité, pays. *Il est allé passer ses vacances dans un patelin perdu.* ⇒ **bled, trou.**

patelle [patɛl] n. f. **1.** Mollusque à coquille conique qui vit fixé aux rochers. ⇒ **bernicle. 2.** Religion. Vase sacré. ⇒ **patène, patère.**

patène [patɛn] n. f. ■ Vase sacré, petite assiette servant à présenter l'hostie avant de la consacrer.

patenôtre [patnotʀ] n. f. ■ Iron. Prière. *Les vieilles marmottaient leurs patenôtres.* ⇒ **Notre-Père, Pater.**

patent, ente [patɑ̃, ɑ̃t] adj. ■ Littér. Évident, manifeste. / contr. **douteux** / *Une injustice patente.* ⇒ **flagrant.** ≠ **latent.**

patente [patɑ̃t] n. f. **1.** Écrit public émanant du roi qui établissait un droit ou un privilège. — Adj. LETTRE PATENTE. **2.** Impôt direct annuel, auquel sont assujettis les commerçants, artisans, etc. ⇒ **contribution.** *Payer sa patente.* ▶ ***patenté, ée*** adj. **1.** Soumis à la patente ; qui paye patente. **2.** Fam. Attitré, reconnu. *Des imbéciles patentés.*

Pater [patɛʀ] n. m. invar. ■ Vx. Prière qui commence (en latin) par les mots *Pater noster* (Notre Père). *Dire deux Pater et trois Ave.*

patère [patɛʀ] n. f. **1.** Pièce de bois ou de métal fixée à un mur, qui sert à suspendre les vêtements. *Accrocher son pardessus à une patère.* ≠ **portemanteau.** **2.** Vase sacré. ⇒ **patelle.**

paternalisme [patɛʀnalism] n. m. ■ Tendance à imposer un contrôle, une domination politique, sur le modèle du père à l'égard de ses enfants. ▶ ***paternaliste*** adj. ■ *Il, elle est paternaliste. La politique paternaliste de certains pays à l'égard de l'Afrique noire.* ⇒ **néo-colonialiste.**

paterne [patɛʀn] adj. ■ Littér. Qui montre ou affecte une bonhomie doucereuse. *Un air paterne.*

paternel, elle [patɛʀnɛl] adj. et n. m. **1.** Qui est propre au père ; du père. *Amour paternel. Autorité paternelle.* **2.** N. m. Fam. Père. *Attention ! voilà mon paternel !* ▶ ***paternellement*** adv. ■ Avec bienveillance, comme un bon père. *Il l'accueillit paternellement.* ▶ ***paternité*** n. f. **1.** État, qualité de père ; sentiment paternel. *Les soucis de la paternité.* **2.** Lien qui unit le père à son enfant. *Paternité légitime. Paternité civile* (de l'adoption). **3.** (Se dit aussi des femmes) Fait d'être l'auteur de qqch.). *Revendiquer la paternité d'un ouvrage ; d'une idée.* ‹▶ **paternalisme** ›

pâteux, euse [pɑtø, øz] adj. **1.** Qui a une consistance semblable à celle de la pâte. **2.** Abstrait. *Style pâteux, lourd.* **3.** Loc. *Avoir la bouche, la langue pâteuse,* une salive épaisse, la langue embarrassée.

pathétique [patetik] adj. et n. m. **1.** Adj. Qui suscite une émotion intense, souvent pénible (douleur, pitié, horreur, terreur, tristesse). ⇒ **touchant.** *Un film pathétique.* **2.** N. m. Littér. Caractère pathétique ; expression de ce qui est propre à émouvoir fortement. *Il donne dans le pathétique et le mélodrame.* ⇒ **pathos.** ▶ ***pathétiquement*** adv. ■ *Sangloter pathétiquement.*

-pathie, -pathique, -pathe ■ Éléments signifiant « ce qu'on éprouve » (ex. : *antipathie, apathique, névropathe*). ‹▶ **allopathie, antipathie, apathie, homéopathie, névropathe, psychopathe, sympathie, télépathie** ›

patho- ■ Élément signifiant « maladie ». ▶ ***pathogène*** [patoʒɛn] adj. ■ Qui peut causer une maladie. *Microbe pathogène.* ▶ ***pathologie*** n. f. ■ Science qui a pour objet l'étude et la connaissance des causes et des symptômes des maladies. *Pathologie et thérapeutique.* ⇒ **médecine.** ▶ ***pathologique*** adj. **1.** Relatif à la maladie ; dû à la maladie. *Anatomie pathologique. État pathologique.* ⇒ **morbide. 2.** Fam. (Comportement) Anormal, irrépressible. *Je ne peux m'en empêcher, c'est pathologique.* ⇒ **maladif.**

pathos [patos] n. m. invar. ■ Littér. et péj. Ton pathétique excessif, dans un discours, un écrit. *Tomber dans le pathos.* ‹▶ **pathétique** › *patibulaire* [patibylɛʀ] adj. ■ Relatif à un homme qui semble digne de la potence, d'être pendu. ⇒ **inquiétant, sinistre.** *Une mine patibulaire,* de bandit. — *Fourche patibulaire,* dans l'Antiquité, gibet.

patience [pasjɑ̃s] n. f. **I. 1.** Vertu qui consiste à supporter les désagréments, les malheurs, les défauts d'autrui. ⇒ **résignation ; courage.** REM. Vx, sauf dans des loc. *S'armer de patience. Prendre patience. Souffrir avec patience.* ⇒ **endurer. 2.** Qualité qui fait qu'on persévère dans une activité, un travail de longue haleine, sans se décourager. ⇒ **constance.** / contr. **impatience** / — *Ouvrage de patience,* qui demande de la minutie et de la persévérance. **3.** Qualité d'une personne qui sait attendre, en gardant son calme. / contr. **impatience** / *Il n'a aucune patience. Après une heure d'attente, il a perdu patience. Ma patience a des limites !* **4.** PATIENCE ! : interjection pour exhorter à la patience. **5.** JEU DE PATIENCE : qui consiste à remettre en ordre des pièces irrégulièrement découpées. ⇒ **puzzle, solitaire** (III). **II.** UNE PATIENCE : jeu solitaire consistant à remettre en ordre un jeu de cartes selon certaines règles. ⇒ **réussite.** *Je fais des patiences.* ▶ *patient, ente* adj. et n. **I.** Adj. **1.** Qui a de la patience, fait preuve de patience. *Soyez patient, je reviens tout de suite. Un chercheur patient.* ⇒ **persévérant.** / contr. **impatient** / **2.** (Choses) Qui manifeste de la patience. *Un patient labeur.* **II.** N. Personne qui subit ou va subir une opération chirurgicale ; malade qui est l'objet d'un traitement, d'un examen médical. *Le médecin et ses patients.* ⇒ **client.** ▶ *patiemment* [pasjamã] adv. ■ Avec patience, d'une manière patiente. / contr. **impatiemment** / *Elle l'attendit patiemment.* ▶ *patienter* [pasjɑ̃te] v. intr. . conjug. 1. ■ Attendre (avec patience). *Faites-le patienter un instant.* ⟨ ▶ impatience, impatient ⟩

patin [patɛ̃] n. m. **1.** Pièce de tissu sur laquelle on pose le pied pour avancer sans salir le parquet. **2.** PATINS (À GLACE) : dispositif formé d'une lame verticale fixée à la chaussure et destiné à glisser sur la glace. — *Le patin,* le patinage. *Faire du patin.* — PATINS (À ROULETTES) : dispositif pouvant se fixer à la chaussure et monté sur quatre roulettes. — *Le patin à roulettes. Il préfère le patin à la planche à roulettes.* **3.** *Patin de frein,* organe mobile dont le serrage, contre la jante d'une roue de bicyclette, de cyclomoteur, permet de freiner. ⇒ ① *patiner* [patine] v. intr. . conjug. 1. **1.** Glisser avec des patins (2). *Apprendre à patiner.* — *Patiner à roulettes.* **2.** (Roue de véhicule) Glisser sans tourner ; tourner sans avancer. ⇒ **chasser, déraper.** *Les roues du camion patinent dans la boue.* ▶ *patinage* n. m. ■ Technique du patin (2). *Patinage artistique. Piste de patinage.* ⇒ **patinoire.** — *Patinage à roulettes.* ▶ *patinette* n. f. ■ Jouet composé d'une plate-forme allongée montée sur deux roues et d'un guidon fixe. ⇒ **trottinette.** ▶ *patineur, euse* n. ■ Personne qui fait du patin à glace ou à roulettes. ▶ *patinoire* n. f. ■ Piste de patinage sur glace. — Espace très glissant.

patine [patin] n. f. ■ Dépôt qui se forme sur certains objets anciens ; couleur qu'ils prennent avec le temps. *La patine d'un meuble.* ▶ ② *patiner* v. tr. . conjug. 1. ■ Couvrir de patine. — Pronominalement. *Des sculptures qui commencent à se patiner.*

patio [patjo] n. m. — REM. Mot espagnol, prononcé avec [t]. ■ Cour intérieure d'une maison de style espagnol.

pâtir [pɑtiʀ] v. intr. . conjug. 2. ■ PÂTIR DE : souffrir à cause de ; subir les conséquences fâcheuses, pénibles de. *Pâtir de l'injustice.* ⇒ **endurer.** *Sa santé pâtira de ses excès. Il en pâtira.* ⟨ ▶ passif, passion ⟩

pâtisserie [pɑ(a)tisʀi] n. f. **1.** Préparation de la pâte pour la confection de gâteaux ; préparation des gâteaux, en général. *Four, moule, rouleau à pâtisserie.* **2.** UNE PÂTISSERIE : préparation sucrée de pâte travaillée. ⇒ **gâteau.** *Aimer les pâtisseries* ou (collectif) *la pâtisserie.* **3.** Commerce, industrie de la pâtisserie ; fabrication et vente de gâteaux frais. — Magasin où l'on fabrique et où l'on vend des gâteaux. *Boulangerie-pâtisserie.* ▶ *pâtissier, ière* n. et adj. **1.** Personne qui fait, qui vend de la pâtisserie, des gâteaux. *Boulanger-pâtissier. Pâtissier-confiseur.* **2.** Adj. *Crème pâtissière,* utilisée pour garnir certaines pâtisseries (choux, éclairs).

patois, oise [patwa, waz] n. m. invar. et adj. ■ Parler local employé par une population généralement peu nombreuse, souvent rurale et dont le niveau culturel est plus traditionnel que celui du milieu environnant (qui emploie la langue commune). ⇒ **dialecte.** *Son grand-père parle patois* (en patois, le patois). — Adj. *Mot patois. La variante patoise d'un mot.* ▶ *patoisant, ante* adj. ■ Qui parle patois.

patraque [patʀak] adj. ■ Fam. Un peu malade, en mauvaise forme. ⇒ mal **fichu, souffrant.** *Il est un peu patraque. Je me sens patraque.*

pâtre [pɑtʀ] n. m. ■ Littér. Celui qui garde, fait paître le bétail. ⇒ **berger, pasteur.**

patr(i)- ■ Élément signifiant « père ». ▶ *patriarche* [patʀijaʀʃ] n. m. **1.** Dans la Bible. Nom donné aux pères de l'humanité. *Adam, Noé, Abraham sont des patriarches.* **2.** Vieillard qui mène une vie simple et paisible, entouré d'une nombreuse famille. ▶ *patriarcat.* *Mener une vie de patriarche.* **3.** Chef d'une Église séparée de l'Église romaine. — Archevêque des Églises orientales. ▶ *patriarcal, ale, aux* [patʀijaʀkal, o] adj. **1.** Relatif aux patriarches ou qui en rappelle la simplicité, les mœurs paisibles. **2.** Qui est organisé selon les principes du patriarcat. *Une société patriarcale.* ▶ *patriarcat* n. m. **1.** Dignité de patriarche. — Circonscription d'un patriarche (3). **2.** Forme de famille fondée sur la puissance paternelle et la suprématie des hommes par rapport aux femmes. — Structure, organisation sociale fondée sur la famille patriarcale (opposé à *matriarcat*).

patricien, enne [patʀisjɛ̃, ɛn] adj. et n. **1.** Personne qui appartenait, de par sa naissance, à la classe supérieure des citoyens romains (appelés *patrices,* n. m.). / contr. **plébéien** / **2.** Littér. Aristocrate.

patrie [patʀi] n. f. **1.** Nation, communauté à la fois sociale et politique à laquelle on appartient ou à laquelle on a le sentiment d'appartenir ; pays habité par cette communauté. *L'amour de la patrie.* ⇒ **patriotisme.** *Ils ont la même patrie.* ⇒ **compatriote.** *Sans patrie.* ⇒ **apatride.** *Quitter sa patrie.* ⇒ s'**expatrier.** — *L'art n'a pas de patrie,* concerne tous les hommes. *C'est ma seconde patrie,* le pays qui m'est le plus cher après le mien. **2.** Lieu (ville) où l'on est né. *Clermont-Ferrand est la patrie de Pascal. La petite patrie,* la région où l'on est né. ▶ *patriote* [patʀijɔt] n. et adj. ■ Personne qui aime sa patrie et sa sert avec dévouement. — Adj. *Être très patriote.* ▶ *patriotard, arde* n. et adj. ■ Péj. Qui affecte un patriotisme exagéré. ⇒ **chauvin.** ▶ *patriotique* adj. ■ Qui exprime l'amour de la patrie ou est inspiré par lui. *Avoir le sentiment patriotique. Des chants patriotiques.* ▶ *patriotiquement* adv. ▶ *patriotisme* n. m. ■ Amour de la patrie ; désir, volonté de se dévouer, de se sacrifier pour la défendre. *Les résistants luttèrent avec patriotisme.* ⟨ ▶ apatride, compatriote, expatrier, rapatrier ⟩

patrimoine [patʀimwan] n. m. **1.** Biens de famille, biens que l'on a hérités de ses père et mère. ⇒ **fortune.** *Dilapider son patrimoine.* **2.** Ce qui est considéré comme une propriété transmise par les ancêtres. *Le patrimoine culturel d'un pays. Le patrimoine génétique d'un individu.* ▶ *patrimonial, ale, aux* adj. ■ En droit. Du patrimoine (1).

① *patron, onne* [patʀɔ̃, ɔn] n. **I.** Se dit du saint ou de la sainte dont on a reçu le nom au baptême, qu'un pays, une corporation reconnaît pour protecteur ; du saint à qui est dédiée une église. *Le patron des orfèvres est saint Éloi. Sainte Geneviève, patronne de Paris.* **II.** Personne qui commande à des employés. **1.** Maître, maîtresse de maison, par rapport à ses domestiques. *La femme de ménage a la confiance de ses patrons.* **2.** Personne qui dirige une maison de commerce ; chef d'une entreprise industrielle ou commerciale privée. *Le patron, la patronne d'un restaurant. Le patron d'une usine. Patron pêcheur. Le grand patron,* le président-directeur général. **3.** Tout employeur, par rapport à ses subordonnés. / contr. **ouvrier /** *Rapports entre patrons et employés* (⇒ **patronat**). **4.** Professeur de médecine, chef de clinique. *Les grands patrons.* **5.** Personne qui dirige des travaux intellectuels, artistiques. *Patron de thèse.* **6.** Fam. Supérieur hiérarchique. *Il se prend pour le patron.* — REM. Les sens 3 à 6 ne s'emploient en France qu'au masculin, qu'il s'agisse de femmes ou d'hommes. ▶ *patronal, ale, aux* adj. **1.** Qui a rapport au saint patron (I) d'une paroisse. *Fête patronale.* **2.** Qui a rapport ou qui appartient aux chefs d'entreprise, aux patrons (II, 3). *Intérêts patronaux. Cotisation patronale.* / contr. **ouvrier /** ▶ *patronat* n. m. ■ Ensemble des chefs d'entreprise. *Confédération nationale du patronat français* (C.N.P.F.). 〈 ▶ patronner, patronnesse 〉

② *patron* n. m. ■ Modèle de papier ou de toile préparé pour tailler un vêtement. *Le patron d'un manteau.*

patronage [patʀɔnaʒ] n. m. **1.** Appui donné par un personnage puissant ou un organisme. ⇒ **protection.** *Gala placé sous le haut patronage du président de la République.* ⇒ **parrainage. 2.** Œuvre, société de bienfaisance visant à assurer une formation morale à des enfants, des adolescents. ⇒ **foyer.** *Patronage laïque, paroissial.* — *Un spectacle de patronage,* naïf et enfantin.

patronner [patʀɔne] v. tr. ▪ conjug. 1. ■ Donner sa protection à (⇒ **patronage**). *Être patronné par un personnage influent.* ⇒ **protéger.** *Patronner une candidature.* ⇒ **appuyer.** 〈 ▶ patronage 〉

patronnesse [patʀɔnɛs] adj. f. ■ Iron. DAME PATRONNESSE : qui se consacre à des œuvres de bienfaisance.

patronyme [patʀɔnim] n. m. ■ Littér. Nom de famille (nom du père).

patrouille [patʀuj] n. f. **1.** Ronde de surveillance faite par un détachement de police ; ce détachement. **2.** Au combat. Déplacement d'un groupe de soldats chargé de remplir une mission ; ce groupe. *Patrouille de reconnaissance.* — *Avions envoyés en patrouille. Patrouille de chasse.* ▶ *patrouiller* v. intr. ▪ conjug. 1. ■ Aller en patrouille, faire une patrouille. *Les gardes-côtes patrouillent dans les eaux territoriales.* ▶ *patrouilleur* n. m. **1.** Soldat qui fait partie d'une patrouille. **2.** Avion de chasse, navire de guerre d'escorte ou de surveillance.

patte [pat] n. f. **1.** (Animaux) Membre qui supporte le corps, sert à la marche (⇒ **jambe**). *Les quatre pattes des quadrupèdes. Les deux pattes d'une poule.* Loc. *Chien qui donne la patte.* — Loc. (Personnes) *Marcher À QUATRE PATTES :* en posant les mains et les pieds (ou les genoux) par terre. — Par ext. Appendice servant à la marche (insectes, arthropodes, crustacés). *Les mille-pattes ont quarante-deux pattes.* **2.** Fam.

Jambe. *Être bas, court sur pattes.* — *Avoir une patte folle,* boiter légèrement. *Il traînait la patte.* **3.** Fam. Main. BAS LES PATTES ! : n'y touchez pas, ne me touchez pas. — Loc. fam. COUP DE PATTE : coup de main habile. *Ce peintre a le coup de patte, a de la patte,* est habile. ≠ *pâte.* **4.** Loc. fam. *Coup de patte,* trait malveillant qu'on décoche à qqn en passant. ⇒ **critique.** — *Retomber sur ses pattes,* se tirer sans dommage d'une affaire fâcheuse. — *Montrer patte blanche,* montrer un signe de reconnaissance convenu, dire le mot de passe nécessaire pour entrer quelque part. — *Tirer dans les pattes de qqn,* lui susciter des difficultés, s'opposer sournoisement à lui (elle). **5.** Cheveux qui poussent devant l'oreille. *Ne coupez pas les pattes.* ⇒ **favori. 6.** Languette d'étoffe, de cuir (servant à fixer, à fermer). *La patte d'une poche, d'un portefeuille.* **7.** Attache de fer scellée, chevillée ou clouée. 〈 ▶ empattement, mille-pattes, patte-d'oie 〉

patte-d'oie [patdwa] n. f. **1.** Carrefour d'où partent plusieurs routes. **2.** Petites rides qui partent du coin externe de l'œil. *Des pattes-d'oie.*

pattemouille [patmuj] n. f. ■ Linge humide dont on se sert pour repasser les vêtements.

pâturage [pɑtyʀaʒ] n. m. ■ Lieu couvert d'une herbe qui doit être consommée sur place par le bétail. ⇒ **pacage, prairie, pré ; herbage.** *Mener les vaches au pâturage* (⇒ **paître**). ▶ *pâture* n. f. **1.** Ce qui sert à la nourriture des animaux. *L'oiseau apporte leur pâture à ses petits.* **2.** Abstrait. Ce qui sert d'aliment (à une faculté, à un besoin, à une passion) ; ce sur quoi une activité s'exerce. *La bibliothèque municipale lui fournit sa pâture.* Loc. *Donner, livrer sa vie privée en pâture aux journalistes.*

paturon [patyʀɔ̃] n. m. ■ Partie du bas de la jambe du cheval. — Fam. Jambe.

① *paume* [pom] n. f. ■ Le dedans, l'intérieur de la main. ⇒ **creux.** *Il avait les paumes couvertes d'ampoules.*

② *paume* n. f. ■ Sport, ancêtre du tennis, pratiqué en salle et qui consistait à se renvoyer une balle de part et d'autre d'un filet, au moyen d'une raquette et selon certaines règles. *Jouer à la paume.* — *Jeu de paume,* salle de jeu de paume. *Les députés du tiers état prêtèrent serment dans un jeu de paume* (Serment du jeu de paume, 1789).

paumelle [pomɛl] n. f. ■ Technique. Charnière de métal réunissant le gond (d'un volet, d'une fenêtre, d'une porte) à la pièce où il s'articule *(œil).*

paumer [pome] v. tr. ▪ conjug. 1. **1.** Vx. Fam. Arrêter, prendre qqn. *Il s'est fait paumer juste à la frontière.* ⇒ **pincer. 2.** Fam. Perdre. *J'ai paumé le fric.* — Pronominalement (réfl.). Se perdre. *Elle s'est paumée en route.* ▶ *paumé, ée* adj. ■ Fam. Perdu, égaré. *Il est complètement paumé,* il ne sait plus où il en est. — N. Personne perdue pour la société. *C'est un paumé.* — Injure. *Va donc, eh, paumé !*

paupérisation [popeʀizasjɔ̃] n. f. ■ Économie. Croissance de la pauvreté. *La paupérisation de certains pays du tiers monde.* ⇒ **appauvrissement.** *La paupérisation des chômeurs* (⇒ nouveau **pauvre**).

paupière [popjɛʀ] n. f. ■ Chacune des deux parties mobiles qui recouvrent et protègent l'œil. *Battre des paupières.* ⇒ **ciller.** *Fermer les paupières,* s'endormir, dormir. — *Fermer les paupières d'un mort.*

paupiette [popjɛt] n. f. ■ Tranche de viande roulée et farcie. *Paupiettes de veau.*

pause [poz] n. f. **1.** Interruption momentanée (d'une activité, d'un travail, d'une marche, etc.). ⇒ **arrêt, halte.** ≠ *pose. La pause de midi.* Fam. *La*

PAUSE CAFÉ (pour prendre le café). *Faire une pause, la pause. Cinq minutes de pause.* 2. Temps d'arrêt dans les paroles. ⇒ **silence.** *« Non ! (Une pause.) Jamais ! »* 3. En musique. Silence correspondant à la durée d'une ronde ; figure, signe qui sert à le noter. *Une pause vaut quatre soupirs.* ⟨ ▶ andropause, ménopause ⟩

pauvre [povʀ] adj. et n. **I.** Adj. **1.** Épithète (après le nom) ou attribut d'un nom de personne. Qui n'a pas (assez) d'argent. ⇒ **indigent, nécessiteux ;** fam. **fauché.** / contr. **riche** / *Il est très pauvre, pauvre comme Job.* ⇒ **misérable, miséreux.** — (Lieux) *Les pays pauvres.* ⇒ **sous-développé.** **2.** (Choses) Qui a l'apparence de la pauvreté. *Une pauvre maison.* **3.** PAUVRE DE : qui n'a guère de. ⇒ **dénué, dépourvu, privé.** *Il est un peu pauvre d'esprit.* — PAUVRE EN. *Une ville pauvre en distractions. Une rédaction pauvre en idées.* **4.** Qui est insuffisant, fournit ou produit trop peu. *Terre pauvre.* ⇒ **maigre, stérile. 5.** Épithète, avant le nom. Qui inspire la pitié. ⇒ **malheureux.** *Un pauvre malheureux. La pauvre bête reste attachée toute la journée ! Un pauvre sourire,* triste, forcé. — (En s'adressant à qqn) *Ma pauvre chérie ! Mon pauvre ami !* (affectueux ou méprisant). — Loc. *Pauvre de moi !* — N. *Le pauvre, il (la pauvre, elle) n'a vraiment pas de chance ! Mon pauvre, ma pauvre,* exprime la commisération. **6.** Pitoyable, lamentable. *C'est un pauvre type.* **II.** N. **1.** Vx. UN PAUVRE, UNE PAUVRESSE : personne qui vit de la charité publique. ⇒ **indigent, mendiant. 2.** LES PAUVRES (opposé à *riches*) : les personnes sans ressources, qui ne possèdent rien. *Nouveaux pauvres,* classe sociale née de la crise économique, caractérisée par le chômage et la dépendance à l'égard de toutes les formes d'assistance. ▶ *pauvrement* [povʀəmɑ̃] adv. ■ D'une manière pauvre, indigente. *Vivre pauvrement.* ⇒ **misérablement.** — *Être pauvrement vêtu,* d'une manière qui trahit la pauvreté. ▶ *pauvresse* n. f. ⇒ **pauvre** (II). ▶ *pauvret, ette* n. et adj. ■ Pauvre petit, pauvre petite (dimin. de commisération et d'affection). ▶ *pauvreté* [povʀəte] n. f. **1.** État d'une personne qui manque de moyens matériels, d'argent ; insuffisance de ressources. ⇒ **indigence, misère, nécessité ;** fam. **dèche, mouise.** / contr. **fortune, richesse** / *La société moderne n'a pas éliminé la pauvreté. La pauvreté augmente dans certains pays.* ⇒ **paupérisation.** Loc. prov. *Pauvreté n'est pas vice.* — Aspect pauvre, misérable. *La pauvreté d'un quartier.* **2.** Insuffisance matérielle ou morale. *Pauvreté du sol.* ⇒ **stérilité.** *Pauvreté intellectuelle.* ⟨ ▶ appauvrir ⟩

se pavaner [pavane] v. pron. ■ conjug. 1. ■ Marcher avec orgueil, avoir un maintien fier et superbe (comme un *paon* qui fait la roue). ⇒ **parader.** ▶ *pavane* n. f. ■ Ancienne danse, de caractère lent et solennel (XVIe et XVIIe s.) ; musique de cette danse.

paver [pave] v. tr. ■ conjug. 1. ■ Couvrir (un sol) d'un revêtement formé d'éléments, de blocs assemblés (pavés, pierres, mosaïque). *Paver un chemin.* — Au p. p. adj. *Une route pavée.* ▶ *pavage* n. m. **1.** Travail qui consiste à paver. *Travailler au pavage d'une rue.* **2.** Revêtement d'un sol (pavés, mosaïque, etc.). ⇒ **carrelage, dallage. 3.** Sciences. Couverture d'une surface par un réseau régulier de lignes. ▶ *pavé* n. m. **1.** LE PAVÉ : ensemble des blocs qui forment le revêtement du sol. ⇒ **pavage, pavement.** *Le pavé de marbre d'une église.* **2.** La partie d'une voie publique ainsi revêtue, la rue. ⇒ **chaussée, trottoir.** *Pavé humide, glissant.* — Loc. *Tenir le haut du pavé,* occuper le premier rang. — *Être sur le pavé,* sans domicile, sans emploi. *Mettre, jeter qqn sur le pavé. Battre le pavé,* marcher au hasard ou longtemps (dans une ville). — *Le pavé de l'ours,* une aide qui dégénère en catastrophe. **3.** UN PAVÉ : chacun des blocs de

pierre, de bois, spécialement taillés et préparés pour revêtir un sol. *Arracher les pavés pour faire une barricade.* — Fam. *C'est un pavé dans la mare,* un événement inattendu qui dérange les habitudes, fait scandale. **4.** Fromage de forme cubique. **5.** Pièce de viande rouge, épaisse. *Pavé au poivre.* **6.** Gros livre indigeste. *Un pavé de cinq cents pages.* **7.** Publicité, article de presse encadré dans la page. ▶ *pavement* n. m. ■ Pavage, pavés, artistiquement disposés. *Un pavement de mosaïque.* ⟨ ▶ dépaver ⟩

① *pavillon* [pavijɔ̃] n. m. **1.** Petit bâtiment isolé ; petite maison dans un jardin, un parc. ⇒ **villa.** *Pavillon de chasse. Les pavillons d'un hôpital. Habiter un pavillon* (opposé à *immeuble*). **2.** Corps de bâtiment à plan sensiblement carré. *Le pavillon d'angle d'un château.* ▶ *pavillonnaire* adj. ■ Formé par des pavillons (1). *Une zone, un lotissement pavillonnaire.*

② *pavillon* n. m. **1.** Extrémité évasée (de certains instruments à vent). *Le pavillon d'une trompette.* **2.** Partie extérieure, cartilage de l'oreille (de l'homme et des mammifères).

③ *pavillon* n. m. ■ Pièce d'étoffe que l'on hisse sur un navire pour indiquer sa nationalité, la compagnie de navigation à laquelle il appartient ou pour faire des signaux. ⇒ **drapeau.** *Pavillon de guerre. Amener le pavillon,* se rendre. *Ensemble de pavillons.* ⇒ grand **pavois.** — Loc. *Baisser pavillon devant qqn,* céder.

pavois [pavwa] n. m. invar. **1.** Histoire. Grand bouclier des Francs. — Loc. *Élever, hisser qqn* SUR LE PAVOIS : lui donner le pouvoir, le glorifier. **2.** Marine. Partie de la coque qui dépasse le niveau du pont. — GRAND PAVOIS : ensemble des pavillons hissés sur un navire comme signal de réjouissance. *Hisser le grand pavois.* ▶ *pavoiser* v. tr. ■ conjug. 1. ■ Orner de drapeaux (un édifice public, une maison, une ville, etc.), à l'occasion d'une fête, d'une cérémonie. — Sans compl. *Pavoiser pour la fête nationale.* Loc. fam. *Il n'y a pas de quoi pavoiser,* se réjouir.

pavot [pavo] n. m. ■ Plante cultivée pour ses fleurs ornementales, ses graines et la sève de ses capsules, qui fournit l'opium.

payer [peje] v. tr. ■ conjug. 8. **1.** PAYER qqn : remettre à qqn ce qui lui est dû. *Payer un employé.* ⇒ **rémunérer.** *Être payé à l'heure, cent francs de l'heure pour un travail. Être payé en espèces.* Fam. *Je suis payé pour savoir que,* j'ai appris à mes dépens que. — *Payer qqn de retour,* reconnaître ses procédés, ses sentiments par des procédés et des sentiments semblables. **2.** PAYER qqch. : s'acquitter par un versement de (ce qu'on doit). *Payer ses dettes.* ⇒ **rembourser.** *Payer ses impôts.* — PROV. *Qui paie ses dettes s'enrichit.* **3.** Verser de l'argent en contrepartie de (qqch. : objet, travail). *« Combien avez-vous payé cette voiture ? — Je l'ai payée deux cent mille francs. » Payer qqch. cher, bon marché.* — Au p. p. adj. *Travail bien, mal payé. Congés payés.* **4.** Fam. *Payer qqch. à qqn,* offrir. *Viens, je te paie un verre.* **5.** Entraîner en contrepartie des sacrifices, une punition. *Il faudra payer.* ⇒ **expier.** *Il m'a joué un vilain tour, mais il me le paiera,* je l'en punirai. — Pronominalement (passif). *Tout se paie.* **6.** Sans compl. Verser de l'argent. *Payer comptant. Avoir de quoi payer, pouvoir payer.* ⇒ **solvable.** — PAYER DE : payer avec. *Payer de sa poche,* avec son propre argent. Loc. *Payer de sa personne,* faire un effort, se dépenser ou subir qqch. — PAYER POUR qqn : à la place de qqn. *Payer pour qqn, pour qqch.,* subir les conséquences fâcheuses de, expier. **7.** (Choses) Compenser exactement. *Ce qu'il gagne ne le paie pas de sa peine.* — Sans compl. Rapporter, être profitable. *Le crime* ne paie pas. ⇒ **payant. II.** SE PAYER **1.** v. pron. (Passif) *Les commandes se paient à la livraison.* **2.** (Réfl.) *Voilà cent francs, payez-vous et rendez-moi la monnaie.* **3.** (Réfl. indir.) S'offrir. *On va se payer un bon repas.* — Fam. *S'en payer une tranche,* s'offrir du bon temps. — Iron. *Elle s'est payé un zéro.* Fam. *Se payer la tête de qqn,* se moquer de lui. ▶ **payable** [pɛjabl] adj. ■ Qui doit être payé (dans certaines conditions de temps, de lieu, etc.). *Des marchandises payables en espèces.* ▶ **payant, ante** adj. **1.** Qui paie. *Spectateurs payants.* **2.** Qu'il faut payer. *Billet payant.* / contr. **gratuit** / **3.** Fam. Qui profite, rapporte. *Le coup n'est pas payant. C'est payant.* ⇒ **rentable.** ▶ **paye** [pɛj] ou *paie* [pɛ] n. f. **1.** Action de payer un salaire, une solde. *Le jour de paye, de la paie.* **2.** Loc. fam. (Temps écoulé entre deux payes) *Il y a une paye qu'on ne l'a pas vu,* il y a longtemps. **3.** Ce qu'on paie aux militaires ⇒ **solde,** aux employés et ouvriers ⇒ **salaire.** *Toucher sa paye. Une feuille de paye. Voilà toute ma paie.* ▶ **payement** ⇒ **paiement.** ▶ **payeur, euse** n. **1.** Personne qui paie ce qu'elle doit. *Mauvais payeur.* **2.** Personne chargée de payer pour une administration. *Trésorier-payeur général.* ‹ ▶ im-payable, impayé, paiement, paierie, sous-payer ›

① **pays** [pei] n. m. invar. **1.** Territoire d'une nation, délimité par des frontières terrestres, maritimes. ⇒ **État.** *Pays étrangers. Pays amis. Pays voisins. Les pays du tiers monde.* **2.** Région, province. *Il n'est pas du pays. Vin de pays.* ⇒ **cru.** *Produits du pays.* ⇒ **terroir.** *Le pays de Caux,* en Normandie. **3.** Les gens, les habitants du pays (nation ou région). ⇒ **région.** *Tout le pays en a parlé.* **4.** (Au sens 1) LE PAYS DE *qqn,* SON PAYS : sa patrie. *Mourir pour son pays. Avoir le mal du pays.* ⇒ **nostalgie. 5.** LE PAYS DE *qqch.* : milieu particulièrement riche en. *La France est le pays des fromages.* **6.** Région géographique, considérée surtout dans son aspect physique. ⇒ **contrée.** *Les pays tempérés. Le plat pays,* la plaine. *Voir du pays,* voyager. — Loc. *Pays de cocagne,* pays fabuleux où tous les biens sont en abondance. **7.** Petite ville ; village. *Il habite un petit pays.* ⇒ fam. **bled, patelin.** ▶ ② **pays, payse** n. ■ Fam. Personne du même pays (surtout à la campagne). ⇒ **compatriote.** *C'est ma payse, nous sommes nés dans le même village.* ‹ ▶ arrière-pays, dépayser, paysage, paysan ›

paysage [peizaʒ] n. m. **1.** Partie d'un pays que peut voir un observateur. *Le paysage est beau.* ⇒ **site, vue.** — Par ext. *Un paysage de toits et de cheminées.* **2.** Espace géographique d'un certain type. *Paysage urbain. Paysage méditerranéen.* **3.** Un paysage, tableau représentant la nature. *Peintre de paysages.* ⇒ **paysagiste.** — Image de la nature. *Dans ce film, il y a de beaux paysages.* **4.** Abstrait. *Le paysage politique actuel.* ⇒ **scène.** *Le paysage audiovisuel français.* — Loc. fam. *Cela fait bien dans le paysage,* produit un bon effet. ▶ **paysagiste** n. **1.** Peintre de paysages. *Les paysagistes hollandais. Une excellente paysagiste.* **2.** En appos. *Jardinier, architecte paysagiste,* qui dessine des jardins.

paysan, anne [peizɑ̃, an] n. et adj. — REM. Les mots péjoratifs (*péquenot, plouc...*) désignant les paysans sont insultants. **1.** N. Homme, femme vivant à la campagne et s'occupant des travaux des champs. ⇒ **agriculteur, cultivateur, exploitant** agricole, **fermier, métayer, ouvrier** agricole. — Spécialt. Prolétaire ou petit propriétaire travaillant dans l'agriculture, l'élevage. *Ouvriers et paysans.* **2.** Adj. Propre aux paysans, relatif aux paysans. ⇒ **rural, rustique, terrien.** / contr. **citadin** / *Vie paysanne. Revendications paysannes et ouvrières.* **3.** Péj. Adj. et n. (Personne) Qui a des manières grossières. ⇒ **rustre.** ▶ **paysannat** n. m. ■ Situation de paysan. ▶ **paysannerie** n. f. ■ Ensemble des paysans. *La paysannerie chinoise.*

P.-D.G. [pedeʒe] n. m. invar. ■ Abréviation de *président-directeur général.* — Par ext. Homme d'affaires ; riche bourgeois. *C'est un restaurant pour P.-D.G.,* très cher.

péage [peaʒ] n. m. ■ Droit que l'on paye pour emprunter une voie de communication. *Autoroute, pont à péage.* — L'endroit où se perçoit le péage. *Les embouteillages au péage de Fleury.*

peau [po] n. f. **I. 1.** Enveloppe extérieure du corps (des animaux vertébrés), constituée par une partie profonde ⇒ **derme** et par une couche superficielle ⇒ **épiderme.** *Relatif à la peau.* ⇒ **cutané.** *Enlever, détacher la peau d'un animal.* ⇒ **dépiauter, écorcher. 2.** L'épiderme humain. *Peau claire, foncée, noire. Peau mate. Peau bronzée. Une coupure de la peau.* — Loc. fam. *N'avoir que la peau et les os. Se faire crever la peau,* se faire tuer. *Attraper qqn par la peau du cou, du dos,* le retenir au dernier moment. *Avoir qqn dans la peau,* l'aimer passionnément. — Loc. *Se sentir bien (mal) dans sa peau,* satisfait ou non de ce qu'on est. *Je ne voudrais pas être dans sa peau,* à sa place. *Faire peau neuve,* changer complètement. *Jouer, risquer sa peau,* sa vie. *Sauver sa peau. On lui fera la peau,* on le tuera. **3.** Péj. *Vieille peau,* injure adressée à une femme. **4.** Filet, morceau de peau. *Couper les peaux autour d'un ongle.* ⇒ **envies. 5.** Dépouille d'animal destinée à fournir la fourrure, le cuir. ⇒ **peausserie, pelleterie (2).** *Ouvriers des cuirs et peaux. Traiter les peaux* (⇒ **corroyer, mégir, tanner**)*. Peau de chamois. Veste en peau de mouton* (veste en mouton). — Absolt. *Cuir fin et souple. Des gants de peau.* — Fam. *Une peau d'âne,* un diplôme. *Une peau de vache,* une personne dure, méchante. *Peau d'hareng* (même sens). **II. 1.** Enveloppe extérieure (des fruits). *Enlever la peau d'un fruit.* ⇒ **peler.** — *La peau du lait,* pellicule qui se forme sur le lait bouilli au repos. **III.** Loc. fam. PEAU DE BALLE : rien du tout. — *La peau !* exclamation de refus, de mépris. ▶ **peaufiner** v. tr. ■ conjug. 1. **1.** Nettoyer, faire briller à la peau de chamois. **2.** Soigner les moindres détails (d'un travail). *Elle a peaufiné son rapport de stage.* ▶ **peau-rouge** [poruʒ] n. ■ Vx. Indien des États-Unis, du Canada. ⇒ **Indien.** *Les Peaux-Rouges se teignaient le visage en ocre.* — Adj. invar. *Des attaques peau-rouge.* ▶ **peausserie** [posri] n. f. **1.** Commerce, métier, travail des peaux, des cuirs. **2.** (Une, des peausseries) Peau travaillée. ‹ ▶ dépiauter, oripeau, peler, pelisse, pelleterie, pellicule, peluche, pelure ›

pécari [pekari] n. m. **1.** Sorte de sanglier, cochon sauvage d'Amérique. *Des pécaris.* **2.** Cuir de cet animal. *Des gants de pécari.*

peccadille [pekadij] n. f. ■ Littér. Péché sans gravité, faute bénigne. *Il se fâche pour des peccadilles.*

① **pêche** [pɛʃ] n. f. **1.** Fruit du pêcher, à noyau très dur et à chair fine. ⇒ **brugnon, nectarine.** *Pêche-abricot.* — Loc. *Peau, teint de pêche,* rose et velouté. **2.** Loc. fam. *Avoir la pêche,* se sentir en forme (→ la **frite**)*.* **3.** Fam. Coup, gifle. *Il va te flanquer une pêche.* ‹ ▶ ① pêcher ›

② **pêche** n. f. **1.** Action ou manière de prendre les poissons, de pêcher ②. *Ouverture, fermeture de la pêche,* de la période où la pêche est autorisée. *Pêche à la ligne, au filet. Pêche à la truite. Pêche à pied. Aller à la pêche* (à la ligne). *Pêche au lancer. Pêche sous-marine.* **2.** Poissons, fruits de mer, pêchés. *Rapporter une belle pêche.* ‹ ▶ garde-pêche ›

pécher [peʃe] v. intr. ■ conjug. 6. **1.** Commettre un péché, des péchés. *Pécher par orgueil.* **2.** PÉCHER CONTRE *qqch.* ⇒ **manquer** à. *Pécher contre la bienséance.* **3.** (Suj. chose) PÉCHER PAR : tomber dans le défaut de. *Ce devoir pèche par une grande confusion d'idées.* ▶ **péché** n. m. **1.** Religion. Acte conscient par lequel on fait ce qui est interdit par la loi divine, par l'Église. *Commettre, faire un péché. Confesser ses péchés. L'absolution des péchés.* — *La gourmandise est* SON PÉCHÉ MIGNON : son faible. — *Péché mortel* (opposé à *péché véniel*). *Les sept péchés capitaux,* avarice, colère, envie, gourmandise, luxure, orgueil, paresse. *Le, un péché d'orgueil.* — *Le péché originel,* commis par Adam et Ève et dont tout être humain est coupable en naissant. **2.** LE PÉCHÉ : l'état où se trouve la personne qui a commis un péché mortel (opposé à *état de grâce*). *Tomber, vivre dans le péché.* ⇒ **impureté, mal.** ▶ **pécheur, pécheresse** n. et adj. ■ Personne qui est dans l'état de péché. *Un pécheur endurci.* — Adj. *Une âme pécheresse.*

① **pêcher** [peʃe] n. m. ■ Arbre d'origine tropicale cultivé pour ses fruits, les pêches ①. *Un pêcher en fleur.*

② **pêcher** v. tr. ▪ conjug. 1. **1.** Prendre ou chercher à prendre (du poisson). *Pêcher la truite.* — Sans compl. dir. *Pêcher en mer.* — Loc. *Pêcher en eau trouble,* profiter d'un état de désordre, de confusion. **2.** Fam. Chercher, prendre, trouver (une chose inattendue) d'une manière incompréhensible. *Je me demande où il va pêcher ces histoires.* ▶ **pêcherie** n. f. ■ Lieu, entreprise de pêche. ▶ **pêcheur, pêcheuse** n. ■ Personne qui s'adonne à la pêche, par métier ou par plaisir. *Marin pêcheur. Pêcheur du dimanche. Pêcheur de corail. Pêcheuse de perles.* ‹ ▶ ② pêche, martin-pêcheur, repêcher ›

pécore [pekɔʀ] n. f. ■ Vx. Femme sotte et prétentieuse. ⇒ **pimbêche.**

pectine [pɛktin] n. f. ■ Substance naturelle, gélatine des tissus végétaux. *De la pectine de pomme.*

pectoral, ale, aux [pɛktɔʀal, o] adj. et n. m. **1.** De la poitrine. *Muscles pectoraux* ou, n. m. pl., *les pectoraux.* **2.** De la face ventrale des animaux. *Nageoires pectorales.* **3.** Qui combat les affections pulmonaires, celles des bronches. *Sirop pectoral.* ‹ ▶ expectorer ›

pécule [pekyl] n. m. **1.** Somme d'argent (⇒ **pécuniaire**) économisée peu à peu. *Amasser un pécule.* **2.** Argent qu'on acquiert par son travail, mais dont on ne peut disposer que dans certaines conditions. *Le pécule d'un détenu.*

pécuniaire [pekynjɛʀ] adj. — REM. [pekynje] n'existe pas. **1.** Qui a rapport à l'argent. *Des embarras pécuniaires.* ⇒ **financier.** **2.** Qui consiste en argent. *Une aide pécuniaire.* ▶ **pécuniairement** adv. ■ *Aider qqn pécuniairement.*

péd- ■ Élément savant qui signifie « enfant ». ⇒ **puér(i)-.** ‹ ▶ pédagogie, pédiatre, ① pédo- ›

pédagogie [pedagɔʒi] n. f. **1.** Science de l'éducation des enfants ; méthode d'enseignement. **2.** Qualité du bon pédagogue. *Il manque de pédagogie.* ▶ **pédagogique** adj. **1.** Qui a rapport à la pédagogie. ⇒ **éducatif.** *Méthodes pédagogiques nouvelles.* **2.** Qui répond à des normes de pédagogie. *Cet instituteur a un grand sens pédagogique.* ▶ **pédagogiquement** adv. ▶ **pédagogue** n. et adj. **1.** Personne qui a le sens de l'enseignement. *Une excellente pédagogue.* — Adj. *Un professeur peu pédagogue.* **2.** Dans l'Antiquité. Esclave chargé de suivre les études d'un enfant. **3.** Spécialiste de la pédagogie, de l'éducation.

pédale [pedal] n. f. **I. 1.** Dispositif de commande ou de transmission qui s'actionne avec le pied. ≠ *bouton, manette. La pédale d'une machine à coudre. La pédale d'embrayage d'une voiture. Les pédales d'une bicyclette. Lâcher les pédales.* — Loc. fam. *Perdre les pédales,* perdre ses moyens, se tromper dans une explication. **2.** Touche d'un instrument de musique actionnée au pied. *Les pédales d'un piano.* **II.** Fam. (De *pédéraste*) *Une pédale,* un homosexuel. ▶ **pédaler** v. intr. ▪ conjug. 1. **1.** Actionner les pédales d'une bicyclette ; rouler à bicyclette. **2.** Fam. Aller vite. — Loc. *Pédaler (dans la choucroute, la semoule...),* s'efforcer en vain. ▶ **pédalier** n. m. **1.** Ensemble formé par les pédales, le pignon et le(s) plateau(x) d'une bicyclette. **2.** Clavier inférieur de l'orgue, actionné au pied. ▶ **pédalo** n. m. ■ Petite embarcation à flotteurs mue par une roue à pales qu'on actionne au moyen de pédales. *Faire du pédalo. Sortir en pédalo. On loue des pédalos.*

pédant, ante [pedã, ãt] n. et adj. ■ Personne qui fait étalage d'une érudition forcée et livresque. ⇒ **cuistre.** *Quelle pédante !* ⇒ **bas-bleu.** — Adj. *Il est un peu pédant.* — (Choses) *Un ton pédant.* ▶ **pédanterie** n. f. ■ Littér. ⇒ **pédantisme.** ▶ **pédantesque** adj. ■ Littér. Propre au pédant. ⇒ **emphatique.** *Un langage pédantesque.* ▶ **pédantisme** n. m. ■ Prétention propre au pédant ; caractère de ce qui est pédant. *Il est d'un pédantisme ridicule.*

-pède ■ Élément savant signifiant « pied ». ‹ ▶ bipède, palmipède, quadrupède, vélocipède ›

pédéraste [pederast] n. m. **1.** Qui s'adonne à la pédérastie. **2.** Homosexuel. — Cour. et péj. PÉDÉ (souvent injurieux). ▶ **pédérastie** n. f. **1.** Pratique homosexuelle entre un homme et un jeune garçon ou un adolescent. **2.** Abusivt. Homosexualité masculine.

péd(i)- ■ Élément savant signifiant « pied » (ex. : *pédicure*). ▶ **pédestre** [pedɛstʀ] adj. ■ Qui se fait à pied. *Randonnée pédestre.* ‹ ▶ pédale, pédicule, pédicure, pédoncule ›

pédiatre [pedjatʀ] n. ■ Médecin qui soigne les enfants. — Spécialiste des maladies infantiles. — REM. Pas d'accent sur le *a*. ▶ **pédiatrie** [pedjatʀi] n. f. ■ Médecine des enfants.

pédicule [pedikyl] n. m. **1.** Support allongé et grêle (d'une plante). ⇒ **queue, tige.** *Le pédicule d'un champignon.* ⇒ **pied.** **2.** Ensemble de conduits aboutissant à un organe. *Pédicules pulmonaires.*

pédicure [pedikyʀ] n. ■ Auxiliaire médical spécialiste des soins des pieds.

pedigree [pedigʀe] n. m. ■ Origine généalogique (d'un animal de race pure). *Établir le pedigree d'un chien. Des pedigrees.*

① **pédo-** ■ Élément savant signifiant « enfant ». ▶ ① **pédologie** [pedɔlɔʒi] n. f. ■ Étude physiologique et psychologique de l'enfant. *Pédologie, pédiatrie et pédagogie.*

② **pédo-** ■ Élément savant signifiant « sol ». ▶ ② **pédologie** n. f. ■ Branche de la géologie appliquée qui étudie les caractères chimiques et physiques des sols.

pédoncule [pedɔ̃kyl] n. m. **1.** Cordon de substance nerveuse unissant deux organes ou deux parties d'organes. *Pédoncules cérébraux.* **2.** Gros pédicule ; queue d'une fleur ; axe supportant les ramifications qui portent les fleurs. ▶ **pédonculé, ée** adj. ■ Qui porte un, des pédoncule(s).

pègre [pɛgʀ] n. f. ■ Voleurs, escrocs considérés comme formant une sorte de classe sociale. ⇒ **canaille, racaille.** *La pègre d'un port. La pègre et le milieu.*

peigner [peɲe] v. tr. ▪ conjug. 1. **I. 1.** Démêler, lisser (les cheveux) avec un peigne. ⇒ **coiffer.** *Peigner ses cheveux. Peigner qqn.* **2.** Démêler (des fibres textiles). *Peigner la laine, le chanvre.* ⇒ **peignage.** — Au p. p. adj. *Laine peignée.* **II.** SE PEIGNER v. pron. réfl. *Elle s'habille, se peigne.* ▶ **peignage** n. m. ■ Action de peigner les fibres textiles. ▶ **peigne**

[pɛɲ] n. m. **I. 1.** Instrument à dents fines et serrées qui sert à démêler et à lisser la chevelure. *Peigne de corne, d'écaille. Gros peigne.* ⇒ **démêloir.** *Se donner un coup de peigne.* Loc. *Passer qqch. au peigne fin,* examiner qqch. sans en omettre un détail. — Instrument analogue servant à retenir les cheveux (surtout des femmes). *Coiffure maintenue par des peignes et des barrettes.* **2.** Instrument pour peigner les fibres textiles (lin, chanvre, laine) dans le filage à la main. ▶ ② *peigne* n. m. ■ Mollusque (qui présente des dentelures, comme un peigne ①). — Mollusque dont certaines variétés, comme la coquille Saint-Jacques, sont comestibles. ▶ *peigne-cul* n. m. invar. ■ Vulg. Homme mesquin, ennuyeux ; ou grossier, inculte. *Des peigne-cul.* ‹ ▶ dépeigner, peignoir ›

peignoir [pɛɲwaʀ] n. m. — REM. Il servait à l'origine quand on se peignait. **1.** Vêtement en tissu éponge, long, à manches, que l'on met en sortant du bain. *Se sécher dans son peignoir.* — *Un peignoir de plage.* **2.** Vêtement léger d'intérieur que les femmes portent lorsqu'elles ne sont pas habillées. ⇒ **déshabillé.** *Un peignoir en (de) soie.*

peinard, arde [pɛnaʀ, aʀd] ou *pénard, arde* n. et adj. ■ Fam. Paisible, qui se tient à l'écart des ennuis. ⇒ **tranquille.** *Je me tiens peinard.* — *Un boulot peinard.* ▶ *peinardement* ou *pénardement* adv. ■ Fam. Tranquillement.

peindre [pɛ̃dʀ] v. tr. ■ conjug. 52. **I.** Couvrir, colorer avec de la peinture. *Peindre un mur en bleu. Peindre qqch. de plusieurs couleurs.* ⇒ **barioler, peinturlurer.** — Au p. p. adj. *Une statue en bois peint. Papier peint,* papier imprimé, de couleurs, pour couvrir les murs. **II. 1.** Figurer au moyen de peinture, de couleurs. *Peindre un numéro sur une plaque.* **2.** Représenter, reproduire par l'art de la peinture. *Peindre des paysages.* — Sans compl. *Il peint et il sculpte.* **III. 1.** Représenter par le discours, en s'adressant à l'imagination. ⇒ **décrire, dépeindre, montrer.** *Un roman qui peint la société.* **2.** SE PEINDRE v. pron. : revêtir une forme sensible ; se manifester à la vue. ⇒ **apparaître.** *La consternation se peignit sur les visages.* ‹ ▶ dépeindre, peintre, peinture, repeindre ›

① *peine* [pɛn] n. f. **1.** Sanction appliquée à titre de punition ou de réparation pour une action jugée répréhensible. ⇒ **châtiment, condamnation, pénalité ; pénal.** *Peine sévère, juste.* **2.** Sanction prévue par la loi et applicable aux personnes ayant commis une infraction. ⇒ **droit pénal.** *Être passible d'une peine. Infliger une peine,* condamner. *Peine pécuniaire.* ⇒ **amende.** *Peine privative de liberté,* emprisonnement. ⇒ **prison.** *Peine capitale, peine de mort.* **3.** SOUS PEINE DE loc. prép. : *Défense d'afficher sous peine d'amende.* ▶ ② *peine* n. f. **I.** Sens psychologique. **1.** Souffrance morale. ⇒ **chagrin, douleur, mal, malheur, souci, tourment.** / contr. **joie, plaisir** / *Peine de cœur,* chagrin d'amour. **2.** LA PEINE : état fait d'un sentiment de tristesse et de dépression. ⇒ **douleur.** *Avoir de la peine. Je partage votre peine.* — *Faire de la peine à qqn.* ⇒ **affliger, peiner. 3.** Loc. *Être comme une* ÂME EN PEINE : très triste, inconsolable. *Il errait comme une âme en peine,* seul et tristement. **II.** Sens physique. Dur travail ; difficulté. **1.** Activité qui coûte, qui fatigue. ⇒ **effort.** *Ce travail demande de la peine.* — (Formule de politesse) *Prenez donc la peine d'entrer.* **2.** Loc. *N'être pas au bout de ses peines,* avoir encore des difficultés à surmonter. *Pour votre peine, pour la peine,* en compensation. *Homme de peine,* qui effectue des travaux de force. ⇒ **manœuvre.** *Valoir la peine.* ⇒ **valoir.** *C'était bien la peine de tant travailler,* le résultat ne valait pas tant de travail. *C'est peine perdue,* c'est inutile, vain. **3.** Difficulté qui gêne (pour faire qqch.). ⇒ **embarras, mal.** *Avoir de la peine à parler, à marcher. J'ai (de la) peine à le croire.* **4.** Loc.

Avec peine. À grand-peine. ⇒ **difficilement.** SANS PEINE. ⇒ **aisément, facilement.** *Je le crois sans peine.* — *Il n'est pas en peine pour,* il n'est pas gêné pour. **III.** À PEINE loc. adv. **1.** Presque pas, très peu. *Il y avait à peine de quoi manger.* — (Avec un numéral) *Tout au plus. Il y a à peine huit jours.* **2.** Depuis très peu de temps. ⇒ **juste.** *J'ai à peine commencé, je commence à peine.* — (Dans une propos. subordonnée, coordonnée ou juxtaposée) *Elle était à peine remise qu'elle retomba malade. À peine endormi, il se mit à ronfler.* (Avec ellipse du sujet et du verbe) *À peine dans la voiture, il s'endormit.* ▶ *peiner* [pene] v. ■ conjug. 1. **1.** V. intr. Se donner de la peine, du mal. *Il peinait pour s'exprimer.* — *La voiture peine dans les montées.* ⇒ **faiblir. 2.** V. tr. Donner de la peine à (qqn). ⇒ **affliger, attrister, fâcher.** / contr. **consoler** / *Cette nouvelle nous a beaucoup peinés.* — Au passif, p. p. adj. *Nous en sommes très peinés.* ‹ ▶ pénal, penaud, pénible ›

peintre [pɛ̃tʀ] n. m. **1.** Ouvrier ou artisan qui applique de la peinture sur une surface, un objet. *Peintre en bâtiment* ou, absolt, *peintre,* qui fait les peintures d'une maison, colle les papiers. **2.** Artiste qui fait de la peinture. *Ce peintre est un bon paysagiste, un portraitiste. Suzanne Valadon était un grand peintre. Les tableaux, les toiles d'un peintre. Peintre figuratif ; peintre abstrait.* **3.** Littér. (Avec un compl.) Écrivain, orateur qui peint par le discours. *Le poète romantique est un peintre du cœur humain.*

peinture [pɛ̃tyʀ] n. f. **I.** Action, art de peindre. **1.** Opération qui consiste à couvrir de couleur une surface. *Peinture d'art. Peinture en bâtiment. Peinture au rouleau, au pistolet, à la brosse, au pinceau.* **2.** EN PEINTURE : en portrait peint, en effigie. Loc. *Je ne peux pas le voir en peinture,* je ne peux absolument pas le supporter. **3.** Description qui parle à l'imagination. *Ce roman est une peinture de la société.* **II. 1.** LA PEINTURE : représentation, suggestion du monde visible ou imaginaire sur une surface plane au moyen de couleurs ; organisation d'une surface par la couleur ; œuvres qui en résultent (⇒ **pictural**). *Peinture à l'huile, à l'eau, à l'acrylique...* ⇒ **aquarelle, fresque, gouache, lavis.** *Peinture et dessin, et gravure, et mosaïque, et vitrail.* — (Genres, styles) *Peinture figurative, abstraite. La peinture flamande, italienne.* — *Exposition, galerie de peinture.* ⇒ **musée. 2.** UNE PEINTURE : ouvrage de peinture. ⇒ **tableau, toile.** *Peintures rupestres, sur les parois d'une grotte. Une mauvaise peinture.* ⇒ **croûte. III. 1.** Couche de couleur dont une chose est peinte. *Faire un raccord de peinture. La peinture commence à s'écailler.* **2.** Couleur préparée avec un liquide pour pouvoir être étendue. *Acheter un pot de peinture mate. Appliquer plusieurs couches de peinture. Peinture fraîche,* qui vient d'être posée. ▶ *peinturlurer* v. tr. ■ conjug. 1. ■ Peindre avec des couleurs criardes. ⇒ **barbouiller.** — Pronominalement (réfl.). *Se peinturlurer* (le visage), se maquiller à l'excès et mal.

péjoratif, ive [peʒɔʀatif, iv] adj. ■ (Mot, expression) Qui déprécie la chose ou la personne désignée. *Mot péjoratif. Les suffixes -ard (chauffard), -aud (salaud), -asse (bêtasse) sont péjoratifs.* ▶ *péjorativement* adv. ■ *Employer un mot péjorativement.*

pékin ou *péquin* [pekɛ̃] n. m. ■ Fam. Péj. et vx. Civil (opposé à *militaire*). *Deux militaires et un pékin.*

pékinois [pekinwa] n. m. invar. ■ Petit chien de compagnie à tête ronde, face aplatie, oreilles pendantes et à poil long.

pelade [pəlad] n. f. ■ Maladie qui fait tomber par places les poils et les cheveux. ⇒ **teigne.**

pelage [pəlaʒ] n. m. ■ Ensemble des poils (d'un mammifère), considéré du point de vue de son aspect. ⇒ **fourrure, poil, robe, toison.** *Le pelage du léopard.*

pélagique [pelaʒik] adj. ■ Didact. Relatif à la pleine mer, à la haute mer. ≠ *benthique.*

pêle-mêle [pɛlmɛl] adv. et n. m. invar. **I.** Adv. Dans un désordre complet. *Jeter des objets pêle-mêle. Des marchandises présentées pêle-mêle.* ⇒ en **vrac. II.** N. m. invar. Cadre destiné à recevoir plusieurs photos. *Des pêle-mêle.*

peler [pəle] v. ■ conjug. 5. **1.** V. tr. Dépouiller (un fruit) de sa peau. *Peler une pomme.* ⇒ **éplucher ; pelure.** **2.** V. intr. (Suj. personne ou partie du corps) Perdre son épiderme par parcelles. *Cet enfant a pris un coup de soleil, il pèle.* ▶ **pelé, ée** adj. et n. **1.** Qui a perdu ses poils, ses cheveux. — *« Ce pelé, ce galeux... »* (La Fontaine). **2.** Loc. fam. *Il n'y a que* QUATRE PELÉS ET UN TONDU : un très petit nombre de personnes. ‹ ▶ **pelade** ›

pèlerin [pɛlRɛ̃] n. m. ■ Personne qui fait un pèlerinage. *Les pèlerins de Lourdes. Les pèlerins étaient des femmes.* ▶ **pèlerinage** n. m. **1.** Voyage qu'on fait à un lieu saint pour des motifs religieux et dans un esprit de dévotion. *Aller en pèlerinage. Faire un pèlerinage à Jérusalem. Le pèlerinage de La Mecque* (des musulmans). **2.** Voyage fait pour rendre hommage à un lieu, à un grand homme.

pèlerine [pɛlRin] n. f. **1.** Vêtement de femme en forme de grand collet rabattu sur les épaules et la poitrine. **2.** Manteau (souvent, d'uniforme) sans manches, ample, souvent muni d'un capuchon. ⇒ **cape.**

pélican [pelikɑ̃] n. m. ■ Oiseau palmipède au bec très long, crochu, et muni d'une poche où il emmagasine de la nourriture pour ses petits.

pelisse [pəlis] n. f. ■ Manteau orné ou doublé d'une peau garnie de ses poils. ⇒ **fourrure.**

pelle [pɛl] n. f. **I. 1.** Outil composé d'une plaque mince ajustée à un manche. *Pelle à charbon, pelle à ordures.* — *Pelle à tarte.* **2.** *Pelle (mécanique de chantier),* machine qui sert à exécuter les gros travaux de terrassement. ⇒ **excavateur, pelleteuse. 3.** À LA PELLE loc. fam. *Remuer l'argent à la pelle,* être très riche. *On en ramasse à la pelle,* on en trouve en abondance. **II.** Fam. **1.** *Rouler une pelle (à qqn),* embrasser à pleine bouche sur la bouche. **2.** *Ramasser une pelle,* tomber ; échouer. ▶ **pelletée** n. f. ■ La quantité de matière qu'on peut prendre d'un seul coup de pelle. *Une pelletée de sable.* ▶ **pelleter** [pɛlte] v. tr. ■ conjug. 4. ■ Déplacer, remuer avec la pelle (I, 1, 2). ▶ **pelletage** n. m. ■ Action de pelleter. ▶ **pelleteuse** n. f. ■ Pelle mécanique pour charger, déplacer des matériaux.

pelleterie [pɛltRi] n. f. **1.** Préparation et commerce des fourrures, des peaux et pelages. **2.** Ces peaux. *Des pelleteries précieuses.* ▶ **pelletier, ière** n. ■ Personne qui s'occupe de pelleterie.

pellicule [pe(ɛl)likyl] n. f. **1.** Petite écaille qui se détache du cuir chevelu. *Tes cheveux sont pleins de pellicules.* **II. 1.** Couche fine à la surface d'un liquide, d'un solide. *Une mince pellicule de boue séchée.* **2.** Feuille mince formant un support souple à une couche sensible (en photo et cinéma). ⇒ **film ; bande.** *Acheter un rouleau de pellicule.*

pelote [p(ə)lɔt] n. f. **I. 1.** Boule formée de ficelle, cordelette ou fil enroulé sur lui-même. ⇒ ① **peloton.** *Le chat joue avec une pelote de laine.* — Loc. *Avoir les nerfs* EN PELOTE : être très énervé. **2.** Coussinet sur lequel on peut planter des épingles, des aiguilles. Loc. *C'est une vraie pelote d'épingles,* une personne désagréable. **3.** Balle du jeu de paume et de pelote basque. **II.** PELOTE ou PELOTE BASQUE: jeu, sport où les joueurs divisés en deux équipes envoient alternativement la balle rebondir contre un mur (fronton), à main nue ou à l'aide de la chistera.

▶ *pelotari* [plɔtaRi] n. m. ■ Joueur de pelote basque. *Des pelotaris.* ▶ ① *peloton* n. m. ■ Petite pelote de fils roulés. *Dévider un peloton de ficelle.* ▶ se *pelotonner* [p(ə)lɔtɔne] v. pron. ■ conjug. 1. ■ Se ramasser en boule, en tas (en pelote ou en peloton). ⇒ se **blottir.** *Il se pelotonnait contre sa mère.* — Au p. p. *Les enfants pelotonnés sous les draps.*

peloter [plɔte] v. tr. ■ conjug. 1. ■ Fam. Caresser, palper, toucher indiscrètement (le corps de qqn ; qqn). ▶ *pelotage* n. m. ■ Fam. Caresses indiscrètes. ⇒ fam. **papouille.** ▶ *peloteur, euse* n. ■ Fam. Personne qui aime le pelotage.

② *peloton* n. m. **1.** Groupe de soldats, troupe en opérations. ⇒ **section.** — *Pelotons de sapeurs-pompiers. Peloton d'instruction. Suivre le peloton* (formation des gradés). — *Peloton d'exécution,* groupe chargé de fusiller un condamné. **2.** Groupe compact (de concurrents dans une compétition). *Le gros du peloton. Être dans le peloton de tête,* dans les premiers.

pelouse [p(ə)luz] n. f. **1.** Terrain couvert d'une herbe serrée, fréquemment coupée. ⇒ **gazon.** *Les pelouses d'un jardin. Tondre la pelouse.* **2.** Partie d'un champ de courses, généralement gazonnée, ouverte au public. *La pelouse, le pesage et les tribunes.*

peluche [plyʃ] n. f. **1.** Tissu à poils moins serrés et plus longs que ceux du velours. *Peluche de laine.* — *Animaux, chien, ours en peluche* (jouets d'enfant). **2.** Peluche ou, fam., PLUCHE : flocon de poussière ; poil détaché d'une étoffe. **3.** Fam. Épluchure. ▶ *pelucher* ou *plucher* v. intr. ■ conjug. 1. ■ Devenir poilu comme la peluche. *Une vieille robe de chambre qui commence à pelucher.* ▶ *pelucheux, euse* ou *plucheux, euse* adj. ■ Qui donne au toucher la sensation de la peluche ; qui peluche. *Étoffe pelucheuse.*

pelure [p(ə)lyR] n. f. **1.** Peau (d'un fruit, d'un légume pelé). ⇒ **épluchure.** *Une pelure de fruit, d'orange.* **2.** Fam. Habit, vêtement ; manteau. *Je vais enlever ma pelure.* **3.** *Papier pelure,* papier à écrire, fin et translucide.

pelvien, enne [pɛlvjɛ̃, ɛn] adj. ■ En anatomie. Relatif au petit bassin (appelé aussi *pelvis* [pɛlvis], n. m.).

pénal, ale, aux [penal, o] adj. ■ Relatif aux peines*, aux délits qui entraînent des peines. *Les lois pénales. Code pénal.* ▶ *pénalement* adv. ■ En matière pénale, en droit pénal. ▶ *pénaliser* v. tr. ■ conjug. 1. ■ Infliger une peine, une punition, une pénalisation à (qqn, une action, un délit). — Au p. p. adj. *Une infraction au code de la route sévèrement pénalisée,* frappée d'une pénalité fiscale. ▶ *pénalisation* n. f. ■ Dans un match. Désavantage infligé à un concurrent qui a contrevenu à une règle. *Au football, le coup franc, le penalty sont des pénalisations.* ▶ *pénalité* n. f. **1.** Peine ; sanctions applicables à un délit fiscal. **2.** Pénalisation. — Au rugby. *Coup de pied de pénalité.* ▶ *penalty* [penalti] n. m. ■ Anglic. Au football. Sanction d'une faute commise en défense dans la surface de réparation ; coup de pied tiré directement au but, en face du seul gardien. ≠ *coup franc. Des penaltys* ou *des penalties.*

pénard ⇒ peinard. — *pénardement* ⇒ peinardement.

pénates [penat] n. m. pl. **1.** Dieux domestiques chez les anciens Romains. — Loc. *Porter, emporter ses pénates quelque part,* s'y installer. **2.** Demeure. ⇒ **foyer, maison.** *Regagner ses pénates.*

penaud, aude [pəno, od] adj. ■ Honteux à la suite d'une maladresse ; déconcerté à la suite d'une déception. ⇒ **confus, déconfit.**

pence Plur. de *penny.* ⇒ **penny.**

penchant [pɑ̃ʃɑ̃] n. m. **1.** Inclination naturelle (vers un objet ou une fin). ⇒ **faible, goût, propension, tendance.** *Mauvais penchants.* ⇒ **défaut, vice.** *Avoir un penchant à la paresse, pour la paresse,* y être enclin. **2.** Littér. Mouvement de sympathie (pour qqn). *Le penchant qu'ils ont l'un pour l'autre.*

pencher [pɑ̃ʃe] v. ▪ conjug. 1. **I.** V. intr. **1.** (Par rapport à la verticale) Être ou devenir oblique en prenant un équilibre instable ou une position anormale. *Ce mur penche.* — **2.** (Par rapport à l'horizontale) S'abaisser. *Ce tableau penche à droite.* — Loc. *Faire pencher la balance* (en appuyant sur un plateau, en le chargeant) ; emporter la décision. **3.** (Suj. personne) PENCHER VERS (vx), POUR : être porté, avoir une tendance à choisir, à préférer qqch., qqn. ⇒ **penchant.** *Il penche pour la deuxième hypothèse.* ⇒ **préférer.** **II.** V. tr. Rendre oblique, par rapport à la verticale ou à l'horizontale ; faire aller vers le bas. ⇒ **incliner.** *Pencher une carafe pour verser de l'eau. Pencher la tête.* ⇒ **courber.** — Au p. p. adj. PENCHÉ, ÉE *La tour penchée de Pise. Une écriture penchée.* — Loc. iron. *Avoir, prendre des airs penchés,* avoir l'air rêveur, pensif. **III.** SE PENCHER v. pron. **1.** S'incliner. *Défense de se pencher par la portière.* **2.** Fig. SE PENCHER SUR : s'occuper de qqn avec sollicitude ; s'intéresser (à qqn ou à qqch.) avec curiosité. *Se pencher sur un problème.* ⇒ **étudier, examiner.** ⟨ ▶ penchant ⟩

pendable [pɑ̃dabl] adj. ▪ Loc. *C'est un cas pendable,* une action coupable (qui mériterait qu'on pende le coupable). — *Jouer un* TOUR PENDABLE *à qqn* : un méchant tour.

pendaison [pɑ̃dɛzɔ̃] n. f. **1.** Action de pendre qqn. *Le supplice de la pendaison.* — Ce supplice. *Être condamné à la pendaison.* ⇒ **gibet, potence. 2.** Action de se pendre (suicide). **3.** *Pendaison de crémaillère,* action de pendre la crémaillère*.

① *pendant, ante* [pɑ̃dɑ̃, ɑ̃t] adj. **1.** Qui pend. *Les bras pendants. Les chiens haletaient, (la) langue pendante.* **2.** *Affaire, question pendante,* qui n'a pas reçu de solution. ▶ ② *pendant* n. m. **1.** *Pendants d'oreilles,* bijoux suspendus aux oreilles. ⇒ **boucle** d'oreille. **2.** LE PENDANT DE..., DES PENDANTS : chacun des deux objets d'art formant la paire. *Cette estampe est le pendant de l'autre.* **3.** FAIRE PENDANT À, *se faire pendant* : être symétrique. *Les deux tours du château se font pendant.*

③ *pendant* prép. **I. 1.** En même temps que, dans le temps de. *Il a été malade pendant le voyage. Il est arrivé pendant la nuit.* ⇒ au **cours** de. **2.** Tout le temps qu'a duré (le complément). — REM. Dans ce cas, *pendant* peut être omis. ⇒ **durant.** *J'ai attendu (pendant) deux heures. Il s'est tu (pendant) un long moment. Elle a dansé (pendant) toute la soirée.* **3.** (Sans omission possible) *Pendant ce temps. Avant, pendant et après la guerre.* **II.** Loc. conj. PENDANT QUE : dans le même temps que ; dans tout le temps que. *Amusons-nous pendant que nous sommes jeunes. Pendant que j'y pense, je dois vous dire..., puisque j'y pense.* Iron. *C'est ça, pendant que vous y êtes, prenez aussi mon portefeuille !* — Alors que, tandis que. *Les uns s'amusent pendant que d'autres souffrent.*

pendard, arde [pɑ̃daʀ, aʀd] n. ▪ Vx. Dans le théâtre classique. Coquin, fripon, vaurien (qui mérite d'être pendu).

pendeloque [pɑ̃dlɔk] n. f. **1.** Bijou suspendu à une boucle d'oreille. **2.** Ornement suspendu à un lustre. *Des pendeloques de cristal.*

pendentif [pɑ̃dɑ̃tif] n. m. ▪ Bijou qu'on porte suspendu au cou par une chaînette, un collier. ⇒ **sautoir.**

penderie [pɑ̃dʀi] n. f. ▪ Petite pièce, placard où l'on suspend des vêtements. ⇒ **garde-robe.**

pendiller [pɑ̃dije] v. intr. ▪ conjug. 1. ▪ Être suspendu en se balançant, en s'agitant en l'air. *Le linge pendillait sur une corde.* ▶ *pendouiller* v. intr. ▪ conjug. 1. ▪ Fam. Pendre d'une manière ridicule, mollement.

pendre [pɑ̃dʀ] v. ▪ conjug. 41. **I.** V. intr. (Choses) **1.** Être fixé par le haut, la partie inférieure restant libre. ⇒ **tomber.** *Des jambons pendaient au plafond de la ferme,* étaient suspendus. *Laisser pendre ses bras, ses jambes.* **2.** Descendre plus bas qu'il ne faudrait, s'affaisser. *Une jupe qui pend par-derrière. Il a les joues qui pendent.* **3.** Loc. fam. *Ça lui* PEND AU NEZ : se dit d'un désagrément, d'un malheur dont qqn est menacé (par sa faute). **II.** V. tr. **1.** Fixer (qqch.) par le haut de manière que la partie inférieure reste libre. ⇒ **suspendre.** *Pendre un jambon au plafond.* — Au p. p. adj. *Du linge pendu aux fenêtres.* **2.** Mettre à mort (qqn) en suspendant par le cou au moyen d'une corde. ⇒ **pendaison.** — (Dans des expressions) *Dire* PIS QUE PENDRE *de qqn* : plus qu'il n'en faudrait pour le faire pendre. ⇒ **médire.** — Fam. *Qu'il aille se faire pendre ailleurs,* se dit de qqn dont on a à se plaindre, mais qu'on ne veut pas punir soi-même. — *Je veux être pendu si...,* se dit pour appuyer énergiquement une déclaration. **3.** Loc. (Au p. p. adj.) *Avoir la langue* BIEN PENDUE : être très bavard. **III.** SE PENDRE v. pron. **1.** Se tenir en laissant pendre (I) son corps. *Se pendre par les mains à une barre fixe.* ⇒ se **suspendre. 2.** Au p. p. ÊTRE PENDU, UE À : ne pas quitter, ne pas laisser. *Il est tout le temps pendu au téléphone.* **3.** Sans compl. Se suicider par pendaison. *Il s'est pendu par désespoir.* ▶ *pendu, ue* n. ▪ Personne qui a été mise à mort par pendaison, ou qui s'est pendue. Loc. *Parler de corde dans la maison d'un pendu,* évoquer une chose gênante, qu'il fallait taire. ⟨ ▶ dépendre, pendable, pendaison, ① pendant, pendard, pendeloque, pendentif, penderie, pendiller, suspendre ⟩

① *pendule* [pɑ̃dyl] n. m. **1.** Masse suspendue à un point fixe par un fil tendu, qui oscille dans un plan fixe. *Oscillations, fréquence, période d'un pendule. Le pendule d'une horloge,* balancier. **2.** *Pendule de sourcier, de radiesthésiste,* servant, comme la baguette du sourcier, à déceler les « ondes ». ▶ *pendulaire* adj. ▪ *Mouvement pendulaire.*

② *pendule* n. f. ▪ Petite horloge, souvent munie d'un carillon qu'on pose ou qu'on applique (parce que son balancier est un pendule). *La pendule sonne midi. Pendule-réveil.* ⇒ **réveil.** *Pendule électrique.* ▶ *pendulette* n. f. ▪ Petite pendule portative. *Pendulette de voyage.*

pêne [pɛn] n. m. ▪ Pièce mobile d'une serrure, qui s'engage dans une cavité (gâche) et tient fermé l'élément (porte, fenêtre) auquel la serrure est adaptée. *Le pêne est coincé.*

pénéplaine [peneplɛn] n. f. ▪ Terme de géographie. Région faiblement onduleuse.

pénétrer [penetʀe] v. ▪ conjug. 6. **I.** V. intr. **1.** (Choses) Entrer profondément en, en passant à travers ce qui fait obstacle. ⇒ **s'enfoncer, s'insinuer.** / contr. **effleurer** / *La balle a pénétré dans les chairs. Le soleil pénètre dans la chambre. Faire pénétrer qqch. dans...,* enfoncer, introduire. **2.** (Êtres vivants) Entrer. *Pénétrer dans une maison. Les envahisseurs qui pénètrent dans un pays.* **3.** Abstrait. *Une habitude qui pénètre dans les mœurs.* **II.** V. tr. **1.** (Suj. chose) Passer à travers, entrer profondément dans. *Liquide qui pénètre une substance.* ⇒ **imbiber, imprégner.** — Procurer une sensation forte, intense (froid, humidité, etc.) à (qqn). ⇒ **transpercer.** *Le froid vous pénètre jusqu'aux os.* — Abstrait. *Votre bonté me pénètre d'admiration.* ⇒ **remplir. 2.** (Suj. personne) Parvenir à connaître, à comprendre d'une manière poussée. ⇒ **approfondir, percevoir, saisir.** *Pénétrer un mystère.*

⇒ **découvrir**. *Pénétrer les intentions de qqn.* ⇒ **sonder**. *Connaissances ésotériques, impossibles à pénétrer.* ⇒ **impénétrable**. III. SE PÉNÉTRER v. pron. *Se pénétrer de, s'imprégner (d'une idée). Il n'arrive pas à se pénétrer de l'utilité de ce travail.* ⇒ **pénétré**. ▶ *pénétrable* adj. 1. Où il est possible de pénétrer. *Pénétrable à l'eau.* ⇒ **perméable**. 2. Qu'on peut comprendre. *Secret difficilement pénétrable.* / contr. **impénétrable** / ▶ *pénétrant, ante* adj. 1. Qui transperce les vêtements, contre quoi on ne peut se protéger. *Une petite pluie pénétrante et fine.* 2. Qui procure une sensation, une impression puissante. *Une odeur pénétrante. Des regards pénétrants.* ⇒ **perçant**. 3. Qui pénètre dans la compréhension des choses. ⇒ **clair, clairvoyant, perspicace.** / contr. **obtus** / *Vue pénétrante. Un esprit très pénétrant.* — (Personnes) *Un critique fin et pénétrant.* ▶ *pénétration* n. f. 1. Mouvement par lequel un corps pénètre dans un autre. *La force de pénétration d'un projectile.* — Abstrait. *Favoriser la pénétration d'idées nouvelles.* 2. Facilité à comprendre, à connaître. ⇒ **clairvoyance, perspicacité.** *Un esprit doué de beaucoup de pénétration.* ▶ *pénétré, ée* adj. ■ Rempli, imprégné profondément (d'un sentiment, d'une conviction). ⇒ **imbu, plein**. *Une mère pénétrée de ses devoirs. Être pénétré de son importance, de soi-même.* ⇒ **vaniteux**. — Souvent iron. *Un air, un ton pénétré, convaincu.* ⟨ ▶ **impénétrable** ⟩

pénible [penibl] adj. 1. Qui se fait avec peine, fatigue. ⇒ **ardu, difficile**. *Travail pénible. Respiration pénible.* 2. Qui cause de la peine, de la douleur ou de l'ennui ; qui est moralement difficile. ⇒ **désagréable ; cruel, déplorable, dur, triste**. *Vivre des moments pénibles. Être pénible à qqn. Il m'est pénible de vous voir dans cet état. C'est pénible pour moi.* 3. (Personnes) Fam. Difficile à supporter. *Il a un caractère pénible, il est pénible.* ▶ *péniblement* adv. 1. Avec peine, fatigue ou difficulté. / contr. **aisément, facilement** / *Il y est arrivé péniblement.* 2. Avec douleur, souffrance. *Il en a été péniblement affecté.* ⇒ **cruellement.** 3. À peine, tout juste. *Un journal qui tire péniblement à trente-cinq mille exemplaires.*

péniche [penif] n. f. ■ Bateau de transport fluvial, à fond plat. ⇒ **barge, chaland**. *Train de péniches remorquées* (par un remorqueur), *poussées* (par un pousseur).

pénicilline [penisilin] n. f. ■ Antibiotique de synthèse ou provenant d'une moisissure, très actif contre les microbes.

péninsule [penɛ̃syl] n. f. ■ Grande presqu'île ; région ou pays qu'entoure la mer de tous côtés sauf un. ⇒ **cap, presqu'île**. *La péninsule Ibérique,* l'Espagne et le Portugal. ≠ *île.* ▶ *péninsulaire* adj. ■ Relatif à une péninsule, à ses habitants.

pénis [penis] n. m. invar. ■ Organe sexuel de l'homme, permettant le coït. ⇒ **phallus, sexe, verge**.

pénitence [penitɑ̃s] n. f. 1. La pénitence, profond regret, remords d'avoir offensé Dieu, accompagné de l'intention de réparer ses fautes. ⇒ **contrition ; se repentir**. *Faire pénitence, se repentir.* — Rite par lequel le prêtre donne l'absolution. ⇒ **confession**. 2. (Une, des pénitences) Peine que le confesseur impose au pénitent ; pratique pénible que l'on s'impose pour expier ses péchés. — Châtiment. ⇒ **punition**. 3. Loc. *Par pénitence, pour se punir. Pour ta pénitence, tu n'iras pas au cinéma. Mettre un enfant en pénitence.* ▶ *pénitent, ente* n. 1. Personne qui confesse ses péchés. 2. Membre d'une confrérie s'imposant volontairement des pratiques de pénitence. ⟨ ▶ **pénitencier** ⟩

pénitencier [penitɑ̃sje] n. m. ■ Prison ; maison de correction. *Le pénitencier de l'île de Ré.* ▶ *pénitentiaire* adj. ■ Qui a rapport aux détenus. *Régime,*

système *pénitentiaire, établissement pénitentiaire* (⇒ **prison**). *Colonie pénitentiaire.*

penne [pɛn] n. f. ■ Grande plume des ailes et de la queue (des oiseaux). ⟨ ▶ **empennage** ⟩

penny [peni], plur. *pence* [pɛns] n. m. ■ Monnaie anglaise valant le centième de la livre sterling. *Dix pence* (noté *10 p.*). — REM. Avant 1971, le *penny* était le douzième du *shilling* et était abrégé *d.*

pénombre [penɔ̃br] n. f. ■ Lumière très faible, tamisée (presque de l'*ombre*). ⇒ **demi-jour ; clair-obscur**. *Apercevoir une forme dans la pénombre.*

pensable [pɑ̃sabl] adj. ■ (Surtout en tournure négative) Qu'on peut envisager, croire. *Ce n'est pas pensable, c'est à peine pensable.* ⇒ **impensable**. ⟨ ▶ **impensable** ⟩

pensant, ante [pɑ̃sɑ̃, ɑ̃t] adj. 1. Qui a la faculté de penser. ⇒ **intelligent**. *L'homme est un être pensant.* 2. Vx. ou iron. BIEN PENSANT : qui pense conformément à l'ordre établi. MAL PENSANT (moins cour.) : qui a des idées subversives. *Les gens riches et bien pensants. Une revue bien pensante.*

pense-bête [pɑ̃sbɛt] n. m. ■ Chose, marque, courte note manuscrite destinée à rappeler ce que l'on a projeté de faire. *Des pense-bêtes.*

① *pensée* [pɑ̃se] n. f. I. LA PENSÉE. 1. Ce qui affecte la conscience ; ce que qqn pense, sent, veut. *Laisse-moi deviner ta pensée. Ses mots ont dépassé sa pensée.* — L'esprit qui pense, désire, veut. *Il a agi dans la pensée de bien faire,* dans l'intention, le dessein de. ⇒ **idée**. 2. Activité de l'esprit, faculté ayant pour objet la connaissance. ⇒ **esprit, intelligence, raison ; entendement**. *La pensée abstraite. L'expression de la pensée par le langage.* 3. LA PENSÉE DE *qqn* : sa réflexion, sa façon de penser ; sa capacité intellectuelle ; sa position intellectuelle. *La pensée de Marx, de Gandhi* ⇒ **philosophie**, *d'Einstein* ⇒ **théorie**. *Je partage votre pensée là-dessus.* ⇒ **point de vue ; opinion**. Loc. *Aller jusqu'au bout de sa pensée,* ne pas craindre de surprendre, de choquer, en disant tout ce qu'on pense, en tirant toutes les conclusions d'une idée. 4. *En pensée, par la pensée,* en esprit, et non réellement). *Se transporter quelque part par la pensée,* par l'imagination. 5. Manière de penser. *Pensée claire.* 6. Ensemble d'idées, de doctrines, communes à plusieurs. *La pensée marxiste.* II. UNE, DES PENSÉES. 1. (Sens courant) Ensemble de représentations, d'images, dans la conscience d'une personne. ⇒ **idée, sentiment**. *J'ai découvert le fond de ses pensées. Avoir une pensée émue pour qqn. Une pensée profonde, originale, superficielle, banale.* ⇒ ② **cliché**. — *Recevez nos plus affectueuses pensées.* 2. Au plur. Résultat, produit de l'activité de la conscience. *Mettre de l'ordre dans ses pensées. Perdre le fil de ses pensées. Lire dans les pensées de qqn.* ⇒ **idée**. *Des pensées profondes. Il reste absorbé dans ses pensées.* ⇒ **méditation, réflexion**. 3. Expression brève d'une idée (orale ou, plus souvent, écrite). ⇒ **maxime, sentence**. *Les « Pensées » de Pascal.* III. LA PENSÉE DE *qqn, qqch.* : le fait de penser à. *La pensée de l'être aimé l'a réconfortée. Il s'effraie à la seule pensée de prendre l'avion.* — LA PENSÉE QUE : le fait de penser, de savoir que. *La pensée que Pierre l'aimait l'a réconfortée.* ⟨ ▶ **arrière-pensée, libre pensée** ⟩

② *pensée* n. f. ■ Plante cultivée dans les jardins pour ses grandes fleurs veloutées. *Pensées violettes, jaunes. Pensées sauvages.*

① *penser* [pɑ̃se] v. ■ conjug. 1. I. V. intr. 1. Appliquer son esprit à concevoir, à juger qqch. *Tu ne peux donc pas penser par toi-même ?* ⇒ **comprendre, imaginer, juger, raisonner, réfléchir**. *La faculté de penser,* la raison. *Penser sur un sujet.* ⇒ **méditer, réfléchir**. *Penser juste. La façon de penser de qqn,* sa pensée. — Loc. *Je vais lui dire ma façon de penser,* ce que je pense de lui. — *Une chose qui donne, qui laisse à penser, qui fait réfléchir.* 2. Avoir des pensées. *Tu penses ou tu rêves ? Penser tout haut,* dire ce qu'on a en tête. *Penser en français, en anglais* (preuve que l'on maîtrise bien ces langues). *Les animaux pensent-ils ?* II. PENSER À : 1. Appliquer sa réflexion, son attention à. ⇒ **réfléchir, songer** à. *Pensez à ce que vous dites. N'y pensons plus,* oublions cela. *Faire une chose* SANS Y PENSER : machinalement. 2. Évoquer par la mémoire, l'imagination. ⇒ **imaginer, rappeler,** se **souvenir.** *Il s'efforçait de ne plus penser à elle.* — FAIRE PENSER À. ⇒ **évoquer.** *Sa tête fait penser aux bandes dessinées.* 3. S'intéresser à. ⇒ **s'occuper** de. *Penser aux autres. Il faut penser à l'avenir. Elle ne pense qu'à s'amuser.* 4. Avoir en tête, en mémoire ; considérer en vue d'une action. *J'essaierai d'y penser.* ⇒ se **souvenir.** *J'ai pensé à tout.* ⇒ **prévoir.** *Je n'avais pas pensé à cela, je n'y avais pas pensé.* ⇒ faire **attention,** prendre **garde.** — *Sans penser à mal,* innocemment. III. V. tr. 1. Avoir pour opinion, pour conviction. ⇒ **estimer.** *Penser du bien, du mal (beaucoup de bien, de mal) de qqn, de qqch. Penser qqch. de, à propos de, sur qqch. Qu'en pensez-vous ?* — Loc. *Il ne dit rien mais il n'en pense pas moins,* il ne dit pas ce qu'il sait. 2. Avoir l'idée de. ⇒ **croire, imaginer, soupçonner, supposer.** *Jamais je n'aurais pu penser cela !,* m'en douter. *Il n'est pas si désintéressé qu'on le pense.* — Exclam. fam. (Sans compl.) *Tu penses !,* tu parles ! *Penses-tu ! Pensez-vous !,* mais non, pas du tout. — PENSER QUE : croire, avoir l'idée, la conviction que. *Vous pensez bien, tu penses bien que je n'aurais jamais accepté ! Je pense qu'il peut ; je ne pense pas qu'il puisse.* — *Nous pensons avoir résolu ces problèmes.* ⇒ **espérer.** 3. Avoir dans l'esprit (comme idée, pensée, image, sentiment, volonté, etc.). *Dire ce que l'on pense.* — Euphémisme. *Il lui a flanqué un coup de pied où je pense, où vous pensez,* au derrière. — PENSER QUE : imaginer. *Pensez qu'elle n'a que seize ans !* 4. (+ infinitif) Avoir l'intention, avoir en vue de. ⇒ **compter.** *Que pensez-vous faire à présent ? Je pense m'en aller, renoncer, recommencer.* 5. Littér. Considérer clairement, embrasser par la pensée. ⇒ **concevoir.** *Penser l'histoire, penser un problème.* — Au p. p. *L'affaire est bien pensée.* ▶ ② *penser* n. m. ■ Littér. Vx. Pensée. *Des pensers chagrins le minaient.* ▶ *penseur* n. m. 1. Personne qui s'occupe, s'applique à penser. Personne qui a des pensées neuves et personnelles sur les problèmes généraux. ⇒ **philosophe.** *Les penseurs du* XVIIIe *siècle. Mme de Staël est un penseur important.* 2. LIBRE PENSEUR. ⇒ **libre.** ▶ *pensif, ive* adv. ■ Qui est absorbé dans ses pensées. ⇒ **songeur.** *Un homme pensif. Elle était un peu pensive.* — *Un air pensif.* ⇒ **préoccupé, soucieux.** ▶ *pensivement* adv. ■ D'une manière pensive, d'un air pensif. ‹ ▶ **pensable, pensant, pense-bête,** ① **pensée, repenser** ›

① *pension* [pɑ̃sjɔ̃] n. f. ■ Allocation périodique (versée à une personne). ⇒ **dotation, retraite.** *Verser, recevoir une pension alimentaire. Avoir droit à une pension.* ▶ *pensionner* v. tr. • conjug. 1. ■ Pourvoir (qqn) d'une pension. *Pensionner un invalide.* ▶ *pensionné, ée* n. et adj. ■ Qui bénéficie d'une pension.

② *pension* n. f. 1. (Dans des expressions) Le fait d'être nourri et logé chez qqn. *Prendre pension dans un hôtel.* — EN PENSION. *Prendre qqn chez soi en pension. Mettre un enfant en pension dans un collège.* — *Payer la pension,* les frais de pension. 2. UNE PENSION : établissement scolaire privé où l'on prend pension. *Une pension de jeunes filles.* ⇒ **internat, pensionnat.** — Ensemble des élèves d'une pension. ⇒ **pensionnaire.** *Toute la pension était en promenade.* 3. PENSION DE FAMILLE : établissement hôtelier où les conditions d'hébergement, de nourriture ont un aspect familial. ▶ *pensionnaire* n. 1. Personne qui

prend pension chez un particulier, dans un hôtel. 2. Élève logé et nourri dans l'établissement scolaire qu'il fréquente. ⇒ **interne.** *Une pensionnaire. Les pensionnaires, les demi-pensionnaires et les externes.* ▶ *pensionnat* n. m. 1. École, maison d'éducation privée où les élèves sont logés et nourris. ⇒ **internat.** *Le dortoir d'un pensionnat.* 2. Les élèves de cet établissement. ‹ ▶ **demi-pension** ›

pensum [pɛ̃sɔm] n. m. 1. Travail supplémentaire imposé à un élève par punition. *Des pensums ennuyeux.* 2. Travail pénible, ennuyeux. *Quel pensum !*

penta- ■ Élément savant signifiant « cinq ». ▶ *pentagone* [pɛ̃tagɔn] n. m. ■ Polygone qui a cinq côtés. *L'état-major des armées des États-Unis occupe un bâtiment en forme de pentagone (et on l'appelle le Pentagone).*

pentathlon [pɛ̃tatlɔ̃] n. m. ■ Ensemble de cinq épreuves sportives. *Pentathlons antique et moderne. Pentathlon féminin.* ▶ *pentathlonien, ienne* n. ■ Athlète spécialiste du pentathlon.

pente [pɑ̃t] n. f. I. Disposition oblique, penchée. 1. Inclinaison (d'une surface) par rapport à l'horizontale. ⇒ **déclivité.** *Pente douce, raide, rapide d'un chemin, d'un terrain. Une pente de quinze pour cent,* dont la déclivité est de quinze mètres sur une longueur de cent mètres. 2. Direction de l'inclinaison selon laquelle une chose est entraînée ; descente. *Suivre la pente du terrain.* Loc. fig. *Suivre sa pente,* ses inclinations, ses penchants, son goût. 3. EN PENTE : qui n'est pas horizontal. *Terrain en pente. Chemin en pente douce, raide.* II. UNE PENTE : surface oblique. 1. Surface inclinée. *Descendre, monter une pente.* ⇒ **côte.** *En haut, au bas de la pente. La pente d'une colline.* ⇒ **côté, versant.** *La pente d'un toit.* 2. Abstrait. Ce qui incline la vie vers la facilité, le mal. Loc. *Être sur une mauvaise pente. Remonter la pente,* cesser de s'abandonner à une facilité. ▶ *pentu, ue* adj. ■ En pente, fortement incliné. *Des toits pentus.* ‹ ▶ **appentis, contre-pente, remonte-pente, soupente** ›

pentecôte [pɑ̃tkot] n. f. 1. Fête juive célébrée sept semaines après le deuxième jour de la pâque. 2. (Avec une majuscule) Fête chrétienne célébrée le septième dimanche après Pâques pour commémorer la descente du Saint-Esprit sur les apôtres. *Le lundi de (la) Pentecôte.*

penthotal [pɛ̃tɔtal] n. m. ■ Substance (barbiturique) qui produit un état de sommeil artificiel et supprime certaines défenses (communément appelé *sérum de vérité*).

penture [pɑ̃tyʁ] n. f. ■ Bande de fer, souvent décorative, à embout fixé sur un battant pour le soutenir sur le gond. ⇒ **ferrure.** *Les pentures en équerre d'une fenêtre.*

pénultième [penyltjɛm] adj. et n. f. ■ Avant-dernier. — N. f. Avant-dernière syllabe. ⇒ **antépénultième.** ‹ ▶ **antépénultième** ›

pénurie [penyʁi] n. f. ■ Manque de ce qui est nécessaire. *Pénurie de blé.* ⇒ **défaut, manque, rareté.** / contr. **abondance** / *Pénurie de main-d'œuvre.*

péon [peɔ̃] n. m. ■ Gardien de bétail, ouvrier agricole, paysan pauvre, en Amérique latine.

pépé [pepe] n. m. 1. Fam. et lang. enfantin. Grand-père. *Le pépé et la mémé.* 2. Fam. Homme âgé. *Un vieux pépé.* ⇒ fam. **pépère.**

pépée [pepe] n. f. ■ Fam. Terme d'admiration. Femme, jeune fille. *Une jolie pépée.*

pépère [pepeʁ] n. m. et adj. 1. Fam. Grand-père. « *Bonjour, pépère !* ». — Vieillard. ⇒ fam. **pépé.**

2. Fam. Gros homme, gros enfant paisible, tranquille. *Un gros pépère.* **3.** Adj. Fam. Agréable, tranquille. *Un petit coin pépère. Vous serez pépères ici.*

pépètes [pepɛt] n. f. pl. ■ Fam. *Les pépètes, des pépètes,* de l'argent. *J'ai plus de pépètes.*

pépie [pepi] n. f. ■ Fam. *Avoir la pépie,* avoir très soif.

pépier [pepje] v. intr. ▪ conjug. 7. ■ (Jeunes oiseaux) Pousser de petits cris. ▶ *pépiement* n. m. ■ *Les pépiements des moineaux, des poussins.*

① *pépin* [pepɛ̃] n. m. ■ Graine de certains fruits (raisins, baies, agrumes, pommes, poires, etc.). *Fruits à pépins.* ≠ *noyau. Enlever les pépins d'un fruit.*

② *pépin* n. m. ■ Fam. Ennui, complication, difficulté. *Pourvu qu'il n'ait pas de pépin !*

③ *pépin* n. m. ■ Fam. Parapluie. *Ouvre ton pépin, il pleut.*

pépinière [pepinjɛʀ] n. f. **1.** Terrain où l'on fait pousser de jeunes arbres destinés à être replantés ou à recevoir des greffes. **2.** Ce qui fournit un grand nombre de personnes qualifiées. *Ce pays est une pépinière de savants.* ⇒ *vivier.* ▶ *pépiniériste* n. et adj. ■ Jardinier(ière) qui cultive une pépinière (1). ⇒ *arboriculteur.*

pépite [pepit] n. f. ■ Morceau d'or natif (naturel) et pur. *Les orpailleurs, les chercheurs d'or ont trouvé des pépites dans ce ruisseau.*

péplum [peplɔm] n. m. **1.** Dans l'Antiquité. Vêtement de femme, sans manches, qui s'agrafait sur l'épaule. **2.** Film à grand spectacle, sur l'Antiquité classique. *Des péplums hollywoodiens, italiens.*

pepsine [pɛpsin] n. f. ■ Enzyme du suc gastrique.

péquenaud, aude [pɛkno, od] n. ou *péquenot* [pɛkno] n. m. ■ Fam. et péj. (injurieux) Paysan. — Adj. *Ce qu'il est péquenaud !*

① *per-* ■ Élément signifiant « à travers » (ex. : *perforer, perméable, perspective*).

② *per-* ■ Élément signifiant « complètement » (ex. : *perdurer, perfection, persister*).

percale [pɛʀkal] n. f. ■ Tissu de coton, fin et serré.

perçant, ante [pɛʀsɑ̃, ɑ̃t] adj. **1.** Qui voit au loin. *Vue perçante ; regard perçant.* — *Des yeux perçants,* vifs et brillants. **2.** (Son) Aigu et fort, qui perce les oreilles. *Pousser des cris perçants.* ⇒ *strident. Voix perçante.* ⇒ *criard.*

percée [pɛʀse] n. f. **1.** Ouverture qui ménage un passage ou une perspective. *Ouvrir une percée dans une forêt.* ⇒ *chemin, trouée.* **2.** Action de percer, de rompre les défenses. *Tenter une percée.* **3.** Progrès spectaculaire. *Une percée technologique.* ⇒ *avancée.*

percement [pɛʀsəmɑ̃] n. m. ■ Action de percer, de pratiquer (une ouverture, un passage). *Le percement d'un tunnel.*

perce-neige [pɛʀsənɛʒ] n. m. ou f. invar. ■ Plante à fleurs blanches qui s'épanouissent à la fin de l'hiver. *Des perce-neige.*

perce-oreille [pɛʀsɔʀɛj] n. m. ■ Insecte inoffensif dont l'abdomen porte une sorte de pince. *Des perce-oreilles.*

percepteur [pɛʀsɛptœʀ] n. m. ■ Fonctionnaire chargé de la perception ② des impôts, des amendes. ⇒ ② *perception. Recevoir un avertissement de son percepteur.*

① *perception* [pɛʀsɛpsjɔ̃] n. f. ■ Réunion de sensations en images mentales. *Perception visuelle, auditive, tactile, olfactive.* — Action de percevoir ①. *Troubles de la perception. Troubles dans la perception*

des couleurs. — *Verbes de perception* (regarder, voir, écouter, entendre, sentir, etc.). ▶ *perceptible* adj. **1.** Qui peut être perçu par les sens. ⇒ *visible ; audible ; appréciable, sensible.* / contr. *imperceptible / Des détails perceptibles à l'œil nu. Des différences peu perceptibles.* **2.** Qui peut être compris, saisi par l'esprit. *Un avantage difficilement perceptible.* ◄ ▶ *imperceptible ›*

② *perception* n. f. **1.** Opération par laquelle l'État, le percepteur* perçoit ② les impôts directs. ⇒ *recouvrement.* — Impôt, taxe, redevance. **2.** Emploi, bureau du percepteur. ⇒ (les) *impôts, recette.*

percer [pɛʀse] v. ▪ conjug. 3. **I.** V. tr. **1.** Faire un trou dans (un objet). ⇒ *perforer, trouer. Percer un mur. Un clou a percé le pneu.* — Au p. p. adj. *Souliers percés.* — Traverser, trouer (une partie du corps). *Elle s'est fait percer les oreilles pour porter des boucles. Percer un abcès.* ⇒ *ouvrir.* **2.** Blesser (qqn) à l'aide d'une arme pointue. ⇒ *blesser, tuer. Percer qqn de coups.* ⇒ *cribler.* — Au p. p. *Cœur percé d'une flèche,* symbole de l'amour. — Loc. *Percer le cœur de qqn,* affliger, faire souffrir. **3.** Pratiquer dans (qqch.) une ouverture pouvant servir de passage, d'accès. *Percer un rocher pour ouvrir un tunnel. Percer un coffre-fort.* **4.** Traverser (une protection, un milieu intermédiaire). ⇒ *transpercer. Le soleil perçait les nuages.* **5.** (Suj. personne) Se frayer un passage dans. *Percer le front des armées ennemies. Percer la foule.* **6.** Littér. Parvenir à découvrir (un secret, un mystère). ⇒ *déceler, pénétrer. Percer un complot.* — Loc. *Percer qqn, qqch. à jour,* parvenir à connaître (ce qui était tenu caché, secret). **7.** Faire (une ouverture) en enlevant des matériaux. *Percer un trou. Percer une avenue. Percer une fenêtre dans un mur.* ⇒ *ouvrir.* **II.** V. intr. **1.** Se frayer un passage en faisant une ouverture, un trou. — (Choses) *Les premières dents de bébé ont percé. Abcès qui perce.* ⇒ *crever.* — (Personnes) *Les ennemis n'ont pas pu percer.* ⇒ *percée.* **2.** Littér. Se déceler, se manifester, se montrer. *Rien n'a percé de leur entretien.* ⇒ *filtrer, transpirer.* **3.** (Personnes) Acquérir la notoriété. ⇒ *réussir. Un jeune chanteur qui commence à percer.* ▶ *perceur, euse* n. ■ Personne qui perce (I, 1, 3). *Perceur de coffre-fort.* ▶ *perceuse* n. f. ■ Machine-outil utilisée pour percer des pièces métalliques, pour la finition des pièces. ⇒ *aléseuse, foreuse, fraiseuse, vilebrequin.* ◄ ▶ perçant, percée, percement, perce-neige, perce-oreille, transpercer ›

① *percevoir* [pɛʀsəvwaʀ] v. tr. ▪ conjug. 28. **1.** Comprendre, parvenir à connaître. ⇒ *apercevoir, concevoir, discerner, distinguer, saisir, sentir. Percevoir une intention, une nuance.* **2.** Avoir conscience de (une sensation). ⇒ *éprouver, sentir ;* ① *perception. Il percevait les battements de son cœur.* — Réunir des sensations en perception ①. *Les daltoniens ne perçoivent pas certaines couleurs.* ◄ ▶ apercevoir, ① perception ›

② *percevoir* v. tr. ▪ conjug. 28. **1.** Recevoir (une somme d'argent). ⇒ *encaisser ;* fam. *empocher. Percevoir un loyer.* ⇒ *toucher.* / contr. *payer* / **2.** Recueillir (le montant d'un impôt, d'une taxe). ⇒ *lever ;* percepteur, ② perception. — Au p. p. adj. *Droits perçus.* ◄ ▶ percepteur, ② perception ›

① *perche* [pɛʀʃ] n. f. ■ Poisson d'eau douce, à chair estimée.

② *perche* n. f. **1.** Grande tige de bois. *Perche utilisée pour propulser une barque.* ≠ *pagaie.* — SAUT À LA PERCHE : saut en hauteur en prenant appui sur une perche. *Perche de saut en fibres de carbone.* **2.** Loc. TENDRE LA PERCHE à qqn : lui fournir une occasion de se tirer d'embarras (comme pour éviter qu'il, elle se noie). **3.** Fam. Personne grande et maigre. ⇒ *échalas. Quelle grande perche !* ▶ *perchiste* n. ■ Sauteur à la perche.

percher [pɛrʃe] v. ▪ conjug. 1. **I.** V. intr. **1.** (Oiseaux) Se mettre, se tenir sur une branche, un perchoir. **2.** Fam. (Personnes) Loger, habiter. ⇒ **demeurer** ; fam. **crécher**. *Où est-ce que tu perches ?* — (Choses) Être situé, placé. **II.** V. tr. Fam. Placer à un endroit élevé. *Quelle idée d'avoir perché ce vase sur l'armoire !* **III.** SE PERCHER v. pron. : se mettre, se tenir sur un endroit élevé. ⇒ se **jucher, grimper.** — Au p. p. adj. PERCHÉ, ÉE. *Les pigeons perchés sur le balcon.* ▶ *percheur, euse* adj. ▪ *Oiseau percheur,* qui a l'habitude de se percher. ▶ *perchoir* n. m. **1.** Endroit où viennent se percher les oiseaux domestiques, les volailles. *Perchoir de perroquet.* **2.** Fam. Endroit où qqn est perché, juché. *Descends de ton perchoir !*

percheron [pɛrʃərɔ̃] n. m. ▪ Grand et fort cheval de trait, de labour (provenant de la région du *Perche*).

perclus, use [pɛrkly, yz] adj. ▪ Qui a de la peine à se mouvoir. ⇒ **impotent.** *Elle est toute percluse de rhumatismes. Être perclus de douleurs.* — Littér. *Un vieillard perclus.*

percolateur [pɛrkɔlatœr] n. m. ▪ Appareil à vapeur sous pression qui sert à faire du café en grande quantité. *Installer un percolateur dans un bar.* — Abrév. fam. PERCO n. m.

percussion [pɛrkysjɔ̃] n. f. **1.** Action de frapper, de heurter. ⇒ **choc.** *Perceuse à percussion.* **2.** *Instrument à percussion* ou *de percussion,* dont on joue en le frappant et dont le rôle est surtout rythmique (ex. : *cymbales, grosse caisse, caisse claire, tambour, tam-tam*). ⇒ **batterie.** ▶ *percussionniste* n. ▪ Musicien(ienne), qui joue d'un instrument à percussion.

percuter [pɛrkyte] v. ▪ conjug. 1. **I.** V. tr. Frapper, heurter (qqch.). *La voiture a percuté un arbre.* **II.** V. intr. **1.** Heurter en explosant. *Obus qui vient percuter contre le sol.* **2.** Heurter violemment un obstacle, un véhicule. *La voiture est allée percuter contre un camion.* ▶ *percutant, ante* adj. **1.** Qui donne un choc. — *Un obus percutant,* qui éclate à la percussion. **2.** Fig. Qui frappe par sa netteté brutale, qui produit un choc psychologique. *Un article percutant. Une formule percutante.* ▶ *percuteur* n. m. ▪ Pièce métallique qui, dans une arme à feu, est destinée à frapper l'amorce et à la faire détoner. ‹ ▶ percussion ›

perdant, ante [pɛrdã, ãt] n. et adj. **1.** Personne qui perd au jeu, dans une affaire, une compétition. ⇒ **battu.** / contr. **gagnant** / *Match nul, où il n'y a ni perdant ni gagnant.* — *Vous serez perdant.* **2.** (Choses) Qui perd. *Les numéros perdants.*

perdition [pɛrdisjɔ̃] n. f. **1.** Le fait de se perdre (III, 5), d'être damné. — Éloignement de l'Église et des voies du salut. ⇒ **péché** mortel. / contr. **salut** / — Iron. *Lieu de perdition,* de débauche. **2.** *Navire EN PERDITION* : en danger de faire naufrage. ⇒ **détresse.**

perdre [pɛrdr] v. tr. ▪ conjug. 41. **I.** Être privé de la possession ou de la disposition de (qqch.). **1.** Ne plus avoir (un bien). *Il perd, il a perdu tout son argent au jeu, dans une faillite.* / contr. **gagner ; acquérir** / — *Perdre son emploi.* Loc. *N'avoir plus rien à perdre. Vous ne perdez rien pour attendre,* vous finirez par obtenir ce que vous méritez (formule de menace). Fam. *Tu ne me connais pas ? tu n'y perds rien, tu ne perds rien !,* il ne mérite pas d'être connu. **2.** Être séparé de (qqn) par la mort. *Elle avait perdu son père à douze ans.* — Ne plus avoir (un compagnon, un ami, etc.). *Depuis qu'il boit, il a perdu tous ses amis.* / contr. **retrouver** / **3.** Cesser d'avoir (une partie de soi ; une qualité). *Perdre ses cheveux.* — *Perdre du poids,* maigrir. *Perdre ses forces,* s'affaiblir. *Perdre la vie,* mourir. — *Perdre la raison,* devenir fou. *Perdre la mémoire.* — (Compl. sans art.) *Perdre connaissance,*

s'évanouir. *Perdre courage. Perdre patience.* / contr. **prendre, reprendre** / — (Choses) *Ce procédé a perdu son intérêt. Certains mots perdent leur sens.* **4.** Ne plus avoir en sa possession (ce qui n'est ni détruit ni pris). ⇒ **égarer.** *J'ai perdu mon stylo. Nous avons perdu notre guide.* ⇒ **perdu** (I). **5.** Laisser s'échapper. *Il perd son pantalon,* son pantalon tombe. — *Le blessé perd beaucoup de sang.* **6.** (En parlant de ce qui échappe à la portée des sens) *Ne pas perdre une bouchée, une miette d'une conversation,* n'en rien perdre. — Loc. PERDRE qqn, qqch. DE VUE : ne plus voir ; ne plus fréquenter qqn. *Nous nous sommes perdus de vue.* **7.** Ne plus pouvoir suivre, contrôler. *Perdre son chemin.* — Loc. *Perdre pied,* être dans l'embarras. *Perdre le nord,* s'affoler. **8.** Ne pas profiter de (qqch.), en faire mauvais usage. ⇒ **dissiper ; gâcher, gaspiller.** *Perdre du temps. Perdre son temps.* ≠ *passer. Vous n'avez pas un instant à perdre.* — *Il a perdu une bonne occasion de se taire,* il aurait mieux fait de se taire. **9.** Ne pas obtenir ou ne pas garder (un avantage). *Perdre l'avantage.* — Ne pas obtenir l'avantage dans. *Perdre la partie. Perdre une bataille. Perdre un procès.* Sans compl. *Il a perdu,* il s'est fait battre. *Il a horreur de perdre,* il est mauvais joueur. — *Perdre du terrain,* aller moins vite que son adversaire. *Cette maladie perd du terrain,* recule. **II.** (Compl. personne) Priver (qqn) de la possession ou de la disposition de biens, d'avantages. ⇒ **perdu** (II). **1.** (Suj. personne) Causer la ruine totale, ou même la mort de (qqn). *Il cherche à nous perdre.* **2.** (Suj. chose) Priver de sa réputation, de son crédit (auprès de qqn) ; priver de sa situation. *Son excès d'ambition le perdra. Perdre qqn auprès de qqn.* ⇒ **discréditer.** — Faire condamner. *C'est le témoignage de son complice qui l'a perdu.* **3.** Littér. Pervertir. *Ses mauvaises fréquentations l'ont perdu.* — Religion. Damner. ⇒ **perdition. 4.** Mettre (qqn) hors du bon chemin. ⇒ **égarer, fourvoyer.** *J'ai l'impression que notre guide nous a perdus.* ⇒ **perdu** (III). **III.** SE PERDRE V. pron. **1.** Être réduit à rien ; cesser d'exister ou de se manifester. *Les traditions se perdent.* **2.** Être mal utilisé, ne servir à rien. *Laisser (se) perdre une occasion.* **3.** (Réfl.) Cesser d'être perceptible. ⇒ **disparaître.** *Des silhouettes qui se perdent dans la nuit.* **4.** (Personnes) S'égarer ; ne plus retrouver son chemin. *Nous allons nous perdre. C'était la nuit et je me suis perdu.* ⇒ **perdu** (III). — Abstrait. Être incapable de se débrouiller, d'expliquer, ne plus voir clair dans. *Plus je pense à ce problème, plus je m'y perds.* — SE PERDRE DANS, EN : appliquer entièrement son esprit au point de n'avoir conscience de rien d'autre. ⇒ **s'absorber,** se **plonger.** *Se perdre dans ses pensées.* **5.** Relig. (Personnes) Être damné. ⇒ **perdition.** ‹ ▶ déperdition, imperdable, perdant, perdition, perdu ›

perdrix [pɛrdri] n. f. invar. ▪ Oiseau de taille moyenne, au plumage roux ou gris cendré, très apprécié comme gibier. ▶ *perdreau* n. m. ▪ Jeune perdrix de l'année. *Un vol de perdreaux.*

perdu, ue [pɛrdy] adj. **I.** Qui a été perdu (⇒ **perdre,** I). **1.** Dont on n'a plus la possession, la disposition, la jouissance. *Argent perdu au jeu. Tout est perdu,* il n'y a plus d'espoir, plus de remède. — Loc. prov. *Un(e) de perdu(e), dix de retrouvé(e)s,* se dit d'une personne ou d'une chose dont on pense que la perte sera facilement réparable. **2.** Égaré. *Objets perdus.* — (Lieu) Écarté ; éloigné, isolé. *Pays perdu. Un coin perdu.* **3.** Mal contrôlé, abandonné au hasard. *Il a été blessé par une balle perdue,* qui a manqué son but et l'a atteint par hasard. **4.** Qui a été mal utilisé ou ne peut plus être utilisé. *Verre, emballage perdu* (opposé à *consigné*). *Une occasion perdue.* ⇒ **manqué.** *Ce n'est pas perdu pour tout le monde,* il y a des gens qui en ont profité. — (À propos du temps) *C'est du temps perdu,* inutilement employé. *Je joue du piano à mes moments perdus,* à mes moments de loisir. *À temps perdu,* dans les moments où l'on a du temps à perdre. **5.** Où on a eu le dessous. *Bataille, guerre perdue.* **II.** Qui a été perdu (II), atteint sans remède (par le fait d'une personne ou d'une chose). **1.** (Personnes) Atteint dans sa santé. *Le malade est perdu.* ⇒ **condamné, incurable ;** fam. **fichu, foutu.** — Atteint dans sa fortune, sa situation, son avenir... *C'est un homme perdu.* ⇒ **fini.** — Loc. *Fille perdue,* prostituée. **2.** (Choses) Abîmé, endommagé. *Récoltes perdues à cause de la grêle.* **III. 1.** Qui se perd (III), qui s'est perdu. *Ça y est, on est encore perdu !* ⇒ **égaré ;** fam. **paumé.** *J'étais perdu. Se sentir perdu dans la foule. Je suis perdu, je ne m'y retrouve plus.* — N. *Courir comme un perdu,* un fou. **2.** Absorbé. *Perdu dans ses pensées, dans sa douleur,* plongé. ‹ ▶ éperdu ›

perdurer [pɛʀdyʀe] v. intr. ▪ conjug. 1. ■ Littér. Continuer, durer* malgré les obstacles. *La douleur perdure.*

père [pɛʀ] n. m. **1.** Homme qui a engendré, donné naissance à un ou plusieurs enfants. *Être, devenir père. Être (le) père de deux enfants. Le père de qqn. Le père et la mère.* ⇒ **parents.** *Du père.* ⇒ **paternel.** Loc. prov. *Tel père, tel fils.* — Appellatif. ⇒ **papa.** *Oui, père !* **2.** PÈRE DE FAMILLE : qui a un ou plusieurs enfants qu'il élève. ⇒ **chef** de famille. *Les responsabilités du père de famille.* Loc. *Vivre en bon père de famille,* sans bruit ni scandale. **3.** Le parent mâle (de tout être vivant sexué). *Le père de ce poulain était un pur-sang.* — *Père biologique,* dont le rôle s'est limité à la fécondation de l'ovule ou dont le sperme a servi pour cette opération. **4.** Au plur. Littér. Ancêtre. ⇒ **aïeul. 5.** *Dieu le Père,* la première personne de la Sainte-Trinité. ⇒ **Notre-Père. 6.** Fig. *Le père de qqch.* ⇒ **créateur, fondateur, inventeur. 7.** Celui qui se comporte comme un père, est considéré comme un père. *Père légal, adoptif. Il a été un père pour moi.* **8.** (Titre de respect) Nom donné à certains religieux. *Les Pères Blancs.* — *Le Saint-Père, notre saint-père le pape.* — *Les Pères de l'Église,* les docteurs de l'Église (du Iᵉʳ au VIᵉ siècle). — *Mon Père,* se dit en s'adressant à certains religieux. — (Avant le prénom) *Le père Jean.* **9.** Fam. (Avant le nom de famille) Désignant un homme mûr de condition modeste. *Le père Goriot.* — Loc. *Le coup du père François,* un coup sur la nuque. — *Le père Noël.* — Loc. *Un gros père,* un gros homme placide. ⇒ fam. **pépère.** Fam. *Alors, mon petit père, comment ça va ? Un père tranquille,* un homme paisible. ‹ ▶ beau-père, compère, grand-père, pépère, saint-père, patern- ›

pérégrination [peʀegʀinɑsjɔ̃] n. f. ■ Surtout au plur. Déplacements incessants sur de longues distances et en de nombreux endroits.

péremption [peʀɑ̃psjɔ̃] n. f. ■ Terme de droit. Anéantissement (des actes de procédure) après un certain délai. ≠ *prescription.*

péremptoire [peʀɑ̃ptwaʀ] adj. ■ Qui détruit d'avance toute objection ; contre quoi on ne peut rien répliquer. ⇒ **décisif, tranchant.** *Argument péremptoire. Elle a adopté un ton péremptoire.* — *Il a été péremptoire.* ▶ *péremptoirement* adv.

pérennité [peʀenite] n. f. ■ Littér. État, caractère de ce qui dure toujours ⇒ **continuité, immortalité,** ou très longtemps. *Assurer la pérennité des institutions.*

péréquation [peʀekwɑsjɔ̃] n. f. ■ Répartition égalitaire de charges ou de moyens.

perfectible [pɛʀfɛktibl] adj. ■ Susceptible d'être amélioré. / contr. **imperfectible** / *La science est perfectible.*

perfection [pɛʀfɛksjɔ̃] n. f. **1.** État, qualité de ce qui est parfait. / contr. **imperfection** / *Atteindre un haut degré de perfection. La perfection de son travail est étonnante.* **2.** À LA PERFECTION loc. adv. : d'une manière parfaite, excellente. ⇒ **parfaitement.** *Elle danse à la perfection.* **3.** Au plur. Littér. Qualités remarquables. *On ne voit que des perfections chez la personne qu'on aime.* **4.** UNE PERFECTION : personne parfaite qui a toutes les qualités requises. *Cette jeune fille est une perfection.* ⇒ **perle.** ▶ *perfectionner* v. tr. ▪ conjug. 1. **I.** Rendre meilleur, plus proche de la perfection. ⇒ **améliorer, parfaire.** *Perfectionner un procédé, une technique.* **II.** SE PERFECTIONNER v. pron. : acquérir plus de qualités, de valeur. *Les techniques se perfectionnent.* — (Personnes) *Se perfectionner en anglais.* ⇒ **progresser.** ▶ *perfectionné, ée* adj. ■ Muni des dispositifs les plus modernes. *Une machine perfectionnée.* ⇒ **sophistiqué.** ▶ *perfectionnement* n. m. ■ Action de perfectionner, de rendre meilleur ; amélioration. ⇒ **progrès.** *Le perfectionnement des moyens de production. Stage de perfectionnement. Un perfectionnement de détail.* ▶ *perfectionniste* n. et adj. ■ Personne qui cherche la perfection dans son travail. *C'est une perfectionniste.* — Adj. *Tu es trop perfectionniste.* ‹ ▶ imperfection ›

perfide [pɛʀfid] adj. et n. Littér. **1.** Qui manque à sa parole, trahit la personne qui lui faisait confiance. ⇒ **déloyal.** *Femme perfide,* infidèle. **2.** (Choses) Dangereux, nuisible sans qu'il y paraisse. *De perfides promesses.* ⇒ **fallacieux.** *Une insinuation perfide.* ⇒ **sournois.** ▶ *perfidement* adv. ■ Littér. *Il nous a perfidement induits en erreur.* ▶ *perfidie* n. f. Littér. **1.** Action, parole perfide. **2.** Caractère perfide. ⇒ **déloyauté, fourberie.** *Un hypocrite d'une étonnante perfidie.*

perforer [pɛʀfɔʀe] v. tr. ▪ conjug. 1. ■ Traverser en faisant un ou plusieurs petits trous. ⇒ **percer, trouer.** *La balle lui a perforé l'intestin.* — *Machine à perforer,* composteur, poinçonneuse ; perforatrice. ▶ *perforé, ée* adj. **1.** Percé. **2.** Informatique. *Cartes, bandes perforées,* commandant le travail ou le calcul d'une machine selon le programme ainsi transmis. ⇒ **bande.** ▶ *perforateur, trice* adj. et n. m. **I.** Adj. Qui perfore. *Pince perforatrice.* **II.** N. m. **1.** Outil de bureau servant à perforer. **2.** Personne travaillant à la perforatrice (1, 2). ▶ *perforatrice* n. f. **1.** Machine-outil destinée à percer profondément les roches, le sol. *Perforatrice à air comprimé.* **2.** Machine destinée à établir des cartes, des bandes perforées. — REM. On dit aussi *perforeuse.* ▶ *perforation* n. f. **1.** Action de perforer. **2.** Ouverture accidentelle dans un organe. *Perforation intestinale.* **3.** Petit trou (d'une carte, d'une bande perforée).

performance [pɛʀfɔʀmɑ̃s] n. f. **1.** Résultat obtenu par un cheval de course, un athlète, dans une compétition. *Les performances d'un champion. Sa performance sera peut-être homologuée comme record*.* **2.** Exploit, succès. *C'est une belle performance !* **3.** Résultat obtenu dans un domaine précis. *Élève, voiture qui améliore ses performances.* **4.** Production réelle (notamment du discours), opposé à *compétence.* ▶ *performant, ante* adj. ■ Anglic. Dont le niveau de performances est, peut être élevé ; *Un ordinateur très performant.* — (Personnes) *Un directeur des ventes très performant.*

perfusion [pɛʀfyzjɔ̃] n. f. ■ Injection lente et continue de sérum. *Le blessé est placé sous perfusion.*

pergola [pɛʀɡɔla] n. f. ■ Petite construction de jardin qui sert de support à des plantes grimpantes. ⇒ **tonnelle.** ≠ *treille.*

péri- ■ Élément signifiant « autour » (ex. : *périmètre, périphérie, périscope*).

péricarde [peʀikaʀd] n. m. ■ Anatomie. Membrane qui enveloppe le cœur et l'origine des gros vaisseaux.

péricarpe [peʀikaʀp] n. m. ■ Botanique. Partie du fruit qui enveloppe la graine (ou les graines).

péricliter [peʀiklite] v. intr. . conjug. 1. ■ Aller à sa ruine, à sa fin. *Son affaire, son commerce périclite.* ⇒ **décliner, dépérir.** / contr. **prospérer** /

péril [peʀil] n. m. 1. Littér. Situation où l'on court de grands risques ; ce qui menace l'existence. ⇒ (plus cour.) **danger.** *S'exposer au péril. Affronter les périls avec audace. Navire en péril.* ⇒ **détresse.** 2. (*Un, des périls*) Risque qu'une chose fait courir. *Les périls d'une situation.* 3. Loc. AU PÉRIL DE *sa vie* : en risquant sa vie. — *Faire qqch. à ses risques et périls*, en acceptant d'en subir toutes les conséquences. — *Il y a* PÉRIL EN LA DEMEURE : il y a du danger à rester, à demeurer dans la situation. ▶ *périlleux, euse* [peʀijø, øz] adj. 1. Littér. Où il y a des risques, du danger. ⇒ **dangereux, difficile, risqué.** / contr. **sûr** / *Une entreprise périlleuse. Vous abordez là un sujet périlleux.* ⇒ **délicat.** 2. Loc. SAUT PÉRILLEUX : où le corps fait un tour complet sur lui-même, dans un plan vertical. *Deux sauts périlleux arrière*, en arrière.

périmé, ée [peʀime] adj. 1. Qui n'a plus cours. ⇒ **ancien, caduc, démodé, obsolète, vieillot.** / contr. **actuel** / *Des conceptions périmées.* 2. Dont le délai de validité est expiré. / contr. **valide** / *Passeport, billet périmé.* ▶ *se périmer* v. pron. . conjug. 1. ■ Être annulé après l'expiration du délai fixé. — (Avec ellipse de *se*) *Laisser périmer un billet de chemin de fer.*

périmètre [peʀimɛtʀ] n. m. 1. Ligne qui délimite le contour d'une figure plane. *π 2 R, le périmètre du cercle.* 2. L'intérieur de ce périmètre. *Mise en culture des périmètres irrigués.*

périnée [peʀine] n. m. ■ Partie du corps (humain) située entre l'anus et les parties génitales.

① *période* [peʀjɔd] n. f. 1. Espace de temps. ⇒ **durée.** *La période des vacances. En période de crise.* ⇒ **temps.** 2. *Période électorale*, qui précède le jour du scrutin. 3. Tranche chronologique marquée par des événements importants. ⇒ **époque.** *La période révolutionnaire.* 4. Espace de temps, de durée déterminée, caractérisé par un certain phénomène. ⇒ **phase, stade.** *Les périodes d'une évolution, d'un cycle.* 5. En sciences. Temps qui s'écoule entre deux états (même position, même vitesse) d'une onde. ⇒ **périodique** (3). ⟨ ▶ *périodique* ⟩

② *période* n. f. — Didact. *Période oratoire*, phrase longue, fortement cadencée, destinée à impressionner, à émouvoir les auditeurs.

périodique [peʀjɔdik] adj. 1. Qui se reproduit à des intervalles réguliers. *Alternance périodique de prospérité et de crise.* 2. Qui paraît chaque semaine, chaque mois, etc. ≠ *quotidien. Un journal périodique. Presse périodique.* — N. UN PÉRIODIQUE. ⇒ **hebdomadaire, magazine, mensuel, revue.** 3. En sciences. *Mouvement, fonction périodique*, qui reprend la même valeur à intervalles réguliers. ⇒ **période** (5) ; **onde.** ▶ *périodicité* n. f. ■ Caractère de ce qui est périodique, retour d'un fait à des intervalles plus ou moins réguliers. ▶ *périodiquement* adv. ■ Régulièrement, par périodes.

péripatéticienne [peʀipatetisjɛn] n. f. ■ Plaisant. Prostituée qui fait le trottoir.

péripétie [peʀipesi] n. f. 1. Changement subit de situation dans une action dramatique, un récit. ⇒ **rebondissement.** *Péripétie centrale.* ⇒ **nœud.** 2. Événement imprévu. ⇒ **incident.** *Une vie pleine de péripéties.*

périphérie [peʀifeʀi] n. f. 1. Ligne (surface) qui délimite une surface (un volume). ⇒ **bord, contour, périmètre, pourtour.** / contr. **centre** / 2. Les quartiers extérieurs à une ville. *Les usines, les grands ensembles de la périphérie.* ⇒ **banlieue, faubourg.** ▶ *périphérique* adj. ■ Qui est situé à la périphérie. *Quartiers périphériques.* — *Le boulevard périphérique* ou, n. m., *le périphérique* (fam. *le périf*), voie rapide qui fait le tour de Paris. ⇒ **circulaire.**

périphrase [peʀifʀɑz] n. f. ■ Expression par plusieurs mots d'une notion qu'un seul mot pourrait exprimer. ⇒ **circonlocution, détour.** « *La capitale de la France* » *est une périphrase pour* « *Paris* ». *User de périphrases pour toucher à un sujet délicat.* ≠ **paraphrase.**

périple [peʀipl] n. m. 1. Voyage d'exploration maritime autour d'une mer, d'un continent. *Le périple de Magellan* (autour du monde). 2. Voyage, randonnée (où l'on revient à son point de départ). *Faire un périple en Grèce pendant les vacances.*

périr [peʀiʀ] v. intr. . conjug. 2. Littér. 1. Mourir. *Périr noyé.* — *Il périt d'ennui, il s'ennuie à périr.* ⇒ **dépérir.** 2. (Choses) Disparaître. ⇒ **s'anéantir, finir.** *Les civilisations périssent.* — REM. *Mourir est toujours plus courant.* ⟨ ▶ **dépérir, périssable, périssoire** ⟩

périscope [peʀiskɔp] n. m. ■ Instrument d'optique permettant de voir autour de soi par-dessus un obstacle. *Le périscope d'un sous-marin.*

périssable [peʀisabl] adj. 1. Littér. Qui est sujet à périr ; qui n'est pas durable. ⇒ **court, éphémère, fugace.** / contr. **impérissable** / *Les sentiments les plus sincères sont périssables.* 2. Cour. DENRÉE PÉRISSABLE : qui se conserve difficilement (opposé à *non périssable*). ⟨ ▶ **impérissable** ⟩

périssoire [peʀiswaʀ] n. f. ■ Embarcation plate, longue et étroite qui se manœuvre à la pagaie double ou à la perche. *Aller en périssoire dans les marais.* ≠ **kayak.**

péristaltique [peʀistaltik] adj. ■ Se dit des mouvements, des contractions qui font progresser les aliments dans le tube digestif.

péristyle [peʀistil] n. m. ■ Colonnade entourant la cour intérieure d'un édifice ou disposée autour d'un édifice. — Colonnade qui décore la façade d'un édifice.

péritoine [peʀitwan] n. m. ■ Membrane qui tapisse les parois intérieures de l'abdomen et les surfaces extérieures des organes qui y sont contenus. ▶ *péritonite* n. f. ■ Inflammation du péritoine. *La péritonite peut résulter d'une appendicite.*

perle [pɛʀl] n. f. 1. Petite bille de nacre, de forme et de couleur variables, formée autour d'un parasite par certaines huîtres des mers chaudes. *Perle fine*, utilisée en bijouterie. *Perle baroque*, aux formes irrégulières. *Perle de culture*, obtenue en plaçant un grain de nacre dans une huître vivante d'élevage. *Pêcheurs de perles, d'huîtres perlières. Collier de perles.* — Loc. *Jeter des perles aux cochons*, accorder à qqn une chose dont il (elle) est incapable d'apprécier la valeur. 2. Petite boule percée d'un trou. *Les perles d'un chapelet.* ⇒ **grain.** *Perle de verre.* 3. Personne de grand mérite. *Ce collaborateur est une perle.* ⇒ **perfection** (4). 4. Jeu de mot involontaire et naïf, absurdité due à un contresens ou à une faute d'orthographe. *Perles relevées dans des devoirs scolaires.* ▶ *perlier, ière* adj. ■ *Industrie perlière.* — *Huître perlière*, d'une variété qui donne des perles ; cultivée et traitée pour provoquer le développement d'une perle. ⟨ ▶ **emperler, perler** ⟩

perlé, ée [pɛʀle] adj. ■ GRÈVE PERLÉE : qui interrompt l'activité d'une entreprise par une succession de petits arrêts de travail.

perler [pɛʀle] v. ■ conjug. 1. **I.** V. tr. Exécuter avec un soin minutieux. *Perler un travail.* — Au p. p. adj. *Travail perlé.* **II.** V. intr. Se présenter sous forme de petites gouttes. ⇒ **suinter.** *Quelques gouttes de sueur perlaient sur son front.* ‹ ▶ perlé ›

permanence [pɛʀmanɑ̃s] n. f. **1.** Caractère de ce qui est durable ; longue durée (de qqch.). ⇒ **continuité, stabilité.** *La permanence des institutions.* ⇒ **pérennité. 2.** Service chargé d'assurer le fonctionnement ininterrompu (d'un organisme). *Assurer, tenir une permanence. La permanence d'un commissariat de police.* ⇒ ① **garde. 3.** Dans un collège, un lycée. Salle d'études où les élèves se regroupent lorsqu'ils n'ont pas de cours. *Il fait ses devoirs en, à la permanence.* **4.** EN PERMANENCE loc. adv. : sans interruption. ⇒ **constamment, toujours.** *Assemblée qui siège en permanence.* ▶ **permanent, ente** adj. **1.** Qui dure ou se reproduit de façon identique ; qui ne cesse pas, ne change pas. ⇒ **constant, continu.** / contr. **éphémère, provisoire** / *Il prend la vie pour une aventure permanente.* — *Cinéma permanent,* où le même film est projeté plusieurs fois de suite. **2.** Qui exerce une activité permanente. *Un comité permanent.* — (Opposé à *spécial, extraordinaire*) *Le représentant permanent de la France à l'O.N.U.* — N. *Les permanents d'un syndicat, d'un parti,* membres rémunérés pour se consacrer à l'administration. ▶ **permanente** n. f. ■ Traitement qui permet d'onduler les cheveux de façon durable. ⇒ **indéfrisable.**

permanganate [pɛʀmɑ̃ganat] n. m. ■ Sel violet d'un acide (dit *permanganique,* adj.) et du potassium, pour désinfecter l'eau.

perme [pɛʀm] n. f. ⇒ **permission.**

perméable [pɛʀmeabl] adj. **1.** Qui se laisse traverser ou pénétrer par un liquide, un gaz. ⇒ **poreux.** / contr. **étanche, imperméable** / *Roches, terrains perméables.* **2.** Qui reçoit facilement (des impressions, etc.). *Un homme perméable à toutes les influences.* ▶ **perméabilité** n. f. ■ Propriété des corps perméables. / contr. **imperméabilité** / *La perméabilité du sol.* ‹ ▶ imperméable ›

permettre [pɛʀmɛtʀ] v. tr. ■ conjug. 56. **I. 1.** Laisser faire (qqch.), ne pas empêcher. ⇒ **autoriser, tolérer.** / contr. **défendre, empêcher, interdire** / *Permettre les sorties* (à un pensionnaire). — (Suj. chose) *Si les circonstances le permettent.* — PERMETTRE QUE (+ subjonctif). ⇒ **admettre, consentir.** *Ma mère ne permet pas que je sorte avec toi.* — PERMETTRE qqch. À qqn. ⇒ **accorder, autoriser.** *Son médecin lui permet un peu de vin.* — Au passif. *Il se croit tout permis.* — PERMETTRE DE (+ infinitif) : donner le droit, le pouvoir de. *Je ne vous permets pas de me parler sur ce ton.* **2.** (Suj. chose) ⇒ **autoriser.** *Sa santé ne lui permet aucun excès.* — PERMETTRE à qqn DE (+ infinitif). *Mes moyens ne me permettent pas d'acheter une voiture.* — Impers. *Autant qu'il est permis d'en juger.* ⇒ **possible. 3.** *Permettez ! Vous permettez ?,* formules faussement polies pour contredire qqn, protester ou agir à sa place. — *Permettez-moi de vous présenter M. X,* acceptez que je vous le présente. **II.** SE PERMETTRE v. pron. **1.** S'accorder (qqch.). *Se permettre quelques petites douceurs.* **2.** SE PERMETTRE DE (+ infinitif) : prendre la liberté de. ⇒ **s'aviser, oser.** *Elle s'était permis de répliquer.* — (Par politesse) *Puis-je me permettre de vous offrir une cigarette ?* ▶ **permis** n. m. invar. **1.** Autorisation officielle écrite. *Permis de construire. Permis de chasse.* **2.** PERMIS DE CONDUIRE : certificat de capacité, nécessaire pour la conduite des automobiles, motocyclettes... — Épreuves (théorie et pratique) qui donnent le permis. *Passer son permis.* ▶ **permissif, ive** adj. ■ Qui permet trop facilement, qui tolère beaucoup. *Les sociétés occidentales sont devenues plus, très, trop permissives.* ▶ **permission** n. f. **1.** Action de permettre ; autorisation. *Obtenir la permission de faire qqch. Il est sorti sans permission. Avec votre permission* (formule de politesse), si vous le permettez. **2.** Congé accordé à un militaire (abrév. fam. : PERME). ▶ **permissionnaire** n. m. ■ Soldat en permission.

permuter [pɛʀmyte] v. ■ conjug. 1. **1.** V. tr. Mettre une chose à la place d'une autre (et réciproquement). *Permuter deux mots dans la phrase.* ⇒ **intervertir. 2.** V. intr. Échanger sa place. *Ces deux officiers veulent permuter.* ▶ **permutation** n. f. **1.** Interversion complète de deux choses (ou de plusieurs paires). *Permutations de lettres ou de syllabes.* ⇒ **contrepèterie. 2.** Échange d'un emploi, d'un poste contre un autre. *Procéder à la permutation de deux fonctionnaires.*

pernicieux, euse [pɛʀnisjø, øz] adj. **1.** (Choses) Dangereux pour la santé. *Une habitude pernicieuse. La drogue est pernicieuse.* **2.** Littér. Nuisible moralement. ⇒ **mauvais, nocif.** *Erreur pernicieuse. Doctrines, théories pernicieuses.*

péroné [peʀone] n. m. ■ Os long et mince qui forme avec le tibia l'ossature de la jambe. *Fracture du péroné.*

péronnelle [peʀɔnɛl] n. f. ■ Fam. Jeune femme, jeune fille sotte et bavarde.

péroraison [peʀɔʀɛzɔ̃] n. f. ■ Conclusion (d'un discours). / contr. **exorde** /

pérorer [peʀɔʀe] v. intr. ■ conjug. 1. ■ Discourir, parler d'une manière prétentieuse, avec emphase.

peroxyde [peʀɔksid] n. m. ■ Chimie. Oxyde contenant le maximum d'oxygène. *L'eau oxygénée est un peroxyde d'hydrogène.*

perpendiculaire [pɛʀpɑ̃dikylɛʀ] adj. ■ *Perpendiculaire à,* qui fait un angle droit avec (une droite ou un plan). ⇒ **orthogonal.** *Plans perpendiculaires* (entre eux). — N. f. *Tirer une perpendiculaire.* ▶ **perpendiculairement** adv. ■ À angle droit.

à perpète, perpette [apɛʀpɛt] loc. adv. ■ Fam. À perpétuité, pour toujours. *Je ne vais pas l'attendre jusqu'à perpète.*

perpétrer [pɛʀpetʀe] v. tr. ■ conjug. 6. ■ En droit ou iron. Faire, exécuter (un acte criminel). ⇒ **commettre, consommer.** *Le crime fut perpétré à minuit.*

perpétuel, elle [pɛʀpetɥɛl] adj. **1.** Qui dure toujours, indéfiniment. ⇒ **éternel.** / contr. **éphémère** / — *Mouvement perpétuel,* qui, une fois déclenché, continuerait éternellement sans apport extérieur d'énergie (ce qui est impossible). **2.** Qui dure, doit durer toute la vie. *Une perpétuelle jeunesse. Secrétaire perpétuel,* à vie. **3.** Qui ne s'arrête, ne s'interrompt pas. ⇒ **incessant, permanent.** / contr. **passager** / *C'était une obsession, une angoisse perpétuelle.* **4.** Au plur. Qui se renouvellent souvent. ⇒ **continuel, habituel.** *Des jérémiades perpétuelles.* ▶ **perpétuellement** adv. **1.** Toujours, sans cesse. **2.** Très fréquemment, très souvent. *Il arrive perpétuellement en retard.* ▶ **perpétuer** v. tr. ■ conjug. 1. **I.** Faire durer constamment, toujours ou très longtemps. ⇒ **continuer, éterniser.** *Il veut un fils pour perpétuer son nom.* ⇒ **transmettre.** *Perpétuer une tradition.* **II.** SE PERPÉTUER v. pron. : se continuer. ⇒ **durer.** *Les espèces se perpétuent.* ⇒ se **reproduire.** ▶ **perpétuité** n. f. **1.** Littér. Durée infinie ou très longue. **2.** À PERPÉTUITÉ loc. adv. : pour toujours. *Les travaux forcés à* *perpétuité. Être condamné à perpétuité*, à vie. ‹ ▸ à perpète ›

perplexe [pɛʀplɛks] adj. ■ (Personnes) Qui hésite, ne sait pas comment se comporter dans une situation embarrassante. ⇒ **inquiet ; hésitant, indécis.** *Cette demande la rend perplexe, l'a laissée perplexe. — Un air perplexe.* ▸ *perplexité* n. f. ■ Embarras, incertitude. *Être dans la plus complète perplexité.*

perquisition [pɛʀkizisjɔ̃] n. f. ■ Fouille policière d'un domicile sur ordre judiciaire *(mandat de perquisition).* ▸ *perquisitionner* v. intr. ▪ conjug. 1. ■ Faire une perquisition. *La police a perquisitionné chez lui pour retrouver le pistolet.*

perron [pɛʀɔ̃] n. m. ■ Petit escalier extérieur se terminant par une plate-forme et donnant accès à la porte principale d'une maison. *Il nous a accueillis sur le perron.*

① *perroquet* [pɛʀɔkɛ] n. m. ■ Oiseau grimpeur au plumage vivement coloré, à gros bec très recourbé, capable d'imiter la parole humaine. *Perroquet d'Amérique* ⇒ **ara,** *d'Afrique. — Répéter qqch.* COMME UN PERROQUET : sans comprendre.

② *perroquet* n. m. ■ Mât gréé sur une hune. Voile carrée supérieure au hunier. *Le grand, le petit perroquet.*

perruche [pe(ɛ)ʀyʃ] n. f. 1. ■ Oiseau grimpeur, de petite taille, au plumage vivement coloré, à longue queue. *Un couple de perruches en cage.* 2. ■ Femme bavarde.

perruque [pe(ɛ)ʀyk] n. f. ■ Coiffure de faux cheveux, chevelure postiche. *Aux XVIIᵉ et XVIIIᵉ siècles, les hommes portaient des perruques. Porter une perruque. Porter perruque (habituellement).* ▸ *perruquier* n. m. ■ Fabricant de perruques et de postiches.

pers [pɛʀ] adj. m. invar. ■ Littér. Se dit de diverses couleurs où le bleu domine (surtout en parlant des yeux). *Avoir des yeux pers.*

persan, ane [pɛʀsɑ̃, an] adj. et n. 1. ■ De Perse. ⇒ **iranien.** — N. *Un Persan, des Persanes.* 2. ■ Le persan, langue iranienne principale, notée en caractères arabes.

persécuter [pɛʀsekyte] v. tr. ▪ conjug. 1. 1. ■ Tourmenter (qqn) sans relâche par des traitements injustes et cruels. ⇒ **martyriser, opprimer.** *Louis XIV a persécuté les protestants.* — Au p. p. adj. *Un peuple persécuté.* — N. *Les persécutés et les opprimés.* ⇒ **victime.** 2. ■ Poursuivre en importunant. ⇒ **harceler.** *Des journalistes qui persécutent une vedette.* ▸ *persécuteur, trice* n. ■ Personne qui persécute. *Il s'est vengé de ses persécuteurs.* ⇒ **bourreau, tyran.** ▸ *persécution* n. f. 1. ■ *(Une, des persécutions)* Traitement injuste et cruel infligé avec acharnement. *Les persécutions subies par les juifs.* — Mauvais traitement. *Il se croit victime de persécutions. Être en butte à des persécutions.* 2. ■ Loc. *Manie, folie de la persécution, délire de la persécution,* d'une personne qui se croit persécutée. ⇒ **paranoïa.**

persévérer [pɛʀsevere] v. intr. ▪ conjug. 6. ■ Continuer de faire ce qu'on a résolu, par un acte de volonté renouvelé. ⇒ **insister, persister, poursuivre.** / contr. **abandonner, renoncer** / *Persévérer dans l'effort, dans l'erreur.* ⇒ **s'acharner.** ▸ *persévérance* n. f. ■ Action de persévérer, qualité, conduite de qqn qui persévère. ⇒ **obstination, opiniâtreté.** *Il travaille avec persévérance.* ▸ *persévérant, ante* adj. ■ Qui persévère ; qui a de la persévérance. *Un homme persévérant.* ⇒ **obstiné, opiniâtre, patient.** *Tu n'es pas assez persévérant.* / contr. **changeant, versatile /**

persienne [pɛʀsjɛn] n. f. ■ Volet à double battant ou plus, en bois ou en fer, dont les vantaux sont

constitués de lamelles fixes ou orientables. *Des persiennes.* ⇒ ② **jalousie, volet.**

persifler [pɛʀsifle] v. tr. ▪ conjug. 1. ■ Littér. Tourner (qqn) en ridicule en employant un ton de plaisanterie ironique. ⇒ **se moquer, railler.** *Persifler les gens avec mépris.* ▸ *persiflage* n. m. ■ ⇒ **moquerie, raillerie.** *Des persiflages insolents.* ▸ *persifleur, euse* n. et adj. ■ Personne qui a l'habitude de persifler. — Adj. (plus cour.) *Un ton persifleur.* ⇒ **moqueur.**

persil [pɛʀsi] n. m. — REM. On ne doit pas prononcer le *l.* ■ Plante potagère aromatique, utilisée en assaisonnement. *Un bouquet de persil.* ▸ *persillade* [pɛʀsijad] n. f. ■ Assaisonnement à base de persil haché, d'huile, de vinaigre. ▸ ① *persillé, ée* adj. ■ Accompagné de persil haché. *Carottes persillées.*

② *persillé, ée* adj. ■ VIANDE PERSILLÉE : parsemée d'infiltrations de graisse.

persister [pɛʀsiste] v. intr. ▪ conjug. 1. 1. ■ Demeurer inébranlable (dans ses résolutions, ses sentiments, ses opinions). ⇒ **s'obstiner, persévérer.** *Je persiste dans mon opinion. Je persiste à croire que tout va s'arranger.* 2. ■ (Choses) Durer, rester malgré tout. ⇒ **continuer, subsister.** *Si la fièvre persiste, consultez le médecin.* ▸ *persistance* n. f. 1. ■ Action, fait de persister. ⇒ **constance, fermeté.** *C'est ce qu'il affirmait avec persistance.* ⇒ **entêtement, obstination.** 2. ■ Caractère de ce qui est durable, de ce qui persiste. *La persistance du mauvais temps.* ▸ *persistant, ante* adj. ■ Qui persiste, continue sans faiblir. ⇒ **constant, durable.** *Une odeur persistante.* ⇒ **tenace.** *Neige persistante.* ⇒ **éternel.** *Feuilles persistantes* (opposé à *caduques*), qui ne tombent pas en hiver.

persona grata [pɛʀsɔnagʀata] toujours en attribut. Invar. ■ Représentant d'un État, lorsqu'il est agréé par un autre État. — (Dans le sens opposé) PERSONA NON GRATA [-nɔ̃ngʀata]. *Ce diplomate, soupçonné d'espionnage, a été déclaré persona non grata.*

personnage [pɛʀsɔnaʒ] n. m. 1. ■ Personne qui joue un rôle social important et en vue. ⇒ **personnalité ;** fam. gros **bonnet, manitou, ponte.** *C'est un personnage influent. Un personnage connu.* ⇒ **célébrité.** 2. ■ Personne qui figure dans une œuvre théâtrale et qui doit être incarnée par un acteur, une actrice. ⇒ **rôle.** *Le personnage principal de la pièce, du film.* ⇒ **héros, protagoniste.** *L'arlequin est un personnage de la comédie italienne.* — Fam. *Se mettre, entrer dans la peau d'un personnage,* l'incarner avec conviction, vérité. 3. ■ Personne considérée quant à son comportement. *Un drôle de personnage.* ⇒ **type.** — Rôle que l'on joue dans la vie. *Il n'est pas naturel, il joue un personnage.* 4. ■ Être humain représenté dans une œuvre d'art. *Les personnages d'un tableau. Un personnage de légende, de roman,* qui semble irréel.

personnaliser [pɛʀsɔnalize] v. tr. ▪ conjug. 1. ■ Rendre personnel. *Personnaliser un contrat,* l'adapter aux besoins du client. — *Personnaliser une voiture, un appartement,* leur donner une note personnelle. — Au p. p. adj. *Crédit personnalisé.* ≠ **personnifier.**

personnalisme [pɛʀsɔnalism] n. m. ■ Système philosophique pour lequel la personne est la valeur suprême. ▸ *personnaliste* adj. et n. ■ *Un philosophe personnaliste.* — N. *Les personnalistes chrétiens.*

personnalité [pɛʀsɔnalite] n. f. I. *La personnalité.* 1. ■ Ce qui différencie (une personne) de toutes les autres. ⇒ **identité.** *La personnalité de qqn. Affirmer, développer sa personnalité. Avoir une forte personnalité. Un être banal, sans personnalité, sans caractère, sans originalité.* 2. ■ Ce qui fait l'individualité (d'une personne). *Troubles de la personnalité et du comportement. Test de personnalité.* 3. ■ Personnalité juridique, aptitude à être sujet de droit. ⇒ ① **personne** (II). **II.** *(Une, des personnalités)* Personne en vue, remarquable par sa situation sociale, son activité. ⇒ **notabilité, personnage.**

① *personne* [pɛʀsɔn] n. f. **I. 1.** Individu de l'espèce humaine (lorsqu'on ne peut ou ne veut préciser ni l'apparence, ni l'âge, ni le sexe). ⇒ **être.** *Une personne, une femme, un homme ou un enfant.* ⇒ **quelqu'un ; on.** *Des personnes, certaines personnes.* ⇒ **gens.** *Une ville où habitent dix mille personnes.* ⇒ **âme.** *Distribuer une part, une portion* PAR PERSONNE. ⇒ **tête.** *Une personne intelligente. Une personne de connaissance. Une personne âgée.* **2.** *Femme ou jeune fille. Il vit avec une jolie personne.* **3.** GRANDE PERSONNE : *adulte. Les enfants et les grandes personnes.* **4.** *La personne de qqn,* la personnalité, le moi. *Faire grand cas de sa personne. La personne et l'œuvre d'un écrivain.* **5.** *Il est bien* DE SA PERSONNE : il a une belle apparence physique. **6.** *L'individu comme être vivant. Exposer sa personne,* sa vie. *Payer de sa personne.* **7.** EN PERSONNE : soi-même, lui-même. *Le ministre en personne. — C'est vraiment le calme en personne,* le calme incarné, personnifié. **8.** *Individu qui a une conscience claire de lui-même et qui agit en conséquence.* ⇒ **moi, sujet.** *Le respect de la personne humaine.* **II.** Être auquel est reconnue la capacité d'être sujet de droit. *Personne civile.* — PERSONNE MORALE : association ou entreprise possédant la personnalité morale (opposé à *personne physique, individu*). ▶ ② *personne* n. f. ▪ Catégorie grammaticale classant les pronoms, les noms et les verbes, en fonction des rapports qui unit le locuteur, l'interlocuteur, et le reste du monde. *Première personne* (locuteur) : je, me, moi, mon, le mien ; nous, notre, le nôtre. *Deuxième personne* (interlocuteur) : tu, te toi, ton, le tien ; vous, votre, le vôtre. *Troisième personne* (le reste du monde) : il, le, lui, son, le sien ; ils, les, ses, leur, le leur ; elle, se, la, lui ; elles, se, les, leur. ‹ ▶ **personnage,** ③ **personne,** ① **personnel,** ② **personnel,** ③ **personnel, personnifier, pèse-personne** ›

③ *personne* pronom indéf. — REM. Attention à l'accord : *je n'ai jamais vu personne d'aussi intelligent.* **1.** Quelqu'un (dans une subordonnée dépendant d'une principale négative). *Il n'est pas question que personne sorte.* — (En phrase comparative) *Vous le savez mieux que personne.* ⇒ **quiconque. 2.** (Avec *ne*) Aucun être humain. *Que personne ne sorte !* ⇒ **nul.** *Il n'y avait personne. Je ne vois plus jamais personne.* — (Sans *ne*) « *Qui m'appelle ? — Personne.* » — *Personne de* (suivi d'un adj. ou participe au masc.). *Personne d'autre que lui. Je ne trouve personne de plus sérieux qu'elle.*

① *personnel, elle* [pɛʀsɔnɛl] adj. **1.** Qui concerne une personne à, lui appartient en propre. ⇒ **individuel, particulier.** / contr. **commun, général** / *L'intérêt personnel de chacun. Il, elle a une fortune personnelle.* **2.** Qui s'adresse à qqn en particulier. *Lettre personnelle. C'est personnel, ne lisez pas.* **3.** Qui concerne les personnes. *Libertés personnelles. Morale personnelle.* ▶ *personnellement* adv. ▪ *Je vais m'en occuper personnellement,* moi-même. *Personnellement, je ne suis pas d'accord.* ▶ ② *personnel, elle* adj. Terme de grammaire. **1.** Se dit des formes du verbe exprimant la personne ②. / contr. **impersonnel** / « *Il chante* » est personnel, « *il neige* » est impersonnel. — *Modes personnels du verbe* (opposé à *infinitifs* et *participes*). **2.** PRONOM PERSONNEL : qui désigne un être en marquant la personne grammaticale. ‹ ▶ **impersonnel, personnaliser, personnalisme, personnalité** ›

③ *personnel* n. m. ▪ Ensemble des personnes qui sont employées dans une maison, une entreprise... *Le*

personnel d'une usine. ⇒ **main-d'œuvre.** *Chef, directeur, service du personnel.* — Aviation. *Le personnel navigant* (opposé à *personnel au sol*). ‹ ▶ **antipersonnel** ›

personnifier [pɛʀsɔnifje] v. tr. ▪ conjug. 7. **1.** Évoquer, représenter (une chose abstraite ou inanimée) sous les traits d'une personne. *Harpagon personnifie l'avarice.* **2.** Réaliser dans sa personne (un caractère), d'une manière exemplaire. — Au p. p. adj. *C'est l'honnêteté personnifiée, il est l'honnêteté même.* ≠ **personnaliser.** ▶ *personnification* n. f. **1.** Action de personnifier, de représenter sous les traits d'un personnage ; ce personnage. *La personnification de Dieu.* **2.** (Personne réelle) *Néron fut la personnification de la cruauté.* ⇒ **incarnation, type.**

perspective [pɛʀspɛktiv] n. f. **I.** Concret. **1.** Peinture, dessin. Technique de représentation de l'espace et de ce qu'il contient en fonction de lignes de fuite (généralement convergentes). *Les lois de la perspective.* — *Perspective cavalière,* dont les lignes de fuite ne convergent pas, sont parallèles (employée en géométrie, dans certains plans...). **2.** Aspect esthétique que présente un ensemble, un paysage vu à distance. *Une belle perspective.* ⇒ **panorama. II.** Abstrait. **1.** Événement, ou succession d'événements, qui se présente comme probable ou possible. ⇒ **expectative ; éventualité.** *La perspective de partir en voyage l'enchantait. Des perspectives d'avenir.* **2.** EN PERSPECTIVE : dans l'avenir ; en projet. *Il a un bel avenir en perspective.* **3.** Aspect sous lequel une chose se présente ; manière de considérer qqch. ⇒ **optique, point de vue.** *Dans une perspective à long terme.*

perspicace [pɛʀspikas] adj. ▪ Doué d'un esprit pénétrant, subtil. ⇒ **intelligent ; clairvoyant.** *Un enquêteur perspicace.* ▶ *perspicacité* n. f. ▪ Qualité d'une personne perspicace.

persuader [pɛʀsɥade] v. tr. ▪ conjug. 1. **1.** *Persuader qqn de qqch.,* amener (qqn) à croire, à penser, à vouloir, à faire qqch. par une adhésion complète. ⇒ **convaincre.** / contr. **dissuader** / *Il m'a persuadé de sa sincérité. Il faut le persuader de venir.* ⇒ **décider, déterminer.** *Il a fini par persuader beaucoup de gens qu'il était compétent.* — Au p. p. *J'en suis persuadé.* ⇒ **certain, convaincu, sûr. 2.** SE PERSUADER v. pron. : se rendre certain de (même à tort). *Elle s'est persuadée ou persuadé que son devoir était de se sacrifier.* ▶ *persuasif, ive* adj. ▪ Qui a le pouvoir de persuader. *Un ton persuasif.* ⇒ **éloquent.** *Vous êtes si persuasif que je finis par vous croire.* ⇒ **convaincant.** ▶ *persuasion* [pɛʀsɥazjɔ̃] n. f. ▪ Action de persuader ; fait d'être persuadé. / contr. **dissuasion** / *Son pouvoir de persuasion a fait des miracles.*

perte [pɛʀt] n. f. **I. 1.** Le fait de perdre (une personne), d'être séparé par la mort. *La perte d'un enfant. La perte cruelle qu'il vient d'éprouver.* — Au plur. *Personnes tuées. Infliger des pertes sévères à l'ennemi,* mettre hors de combat (tuer, blesser, faire prisonniers) de nombreux ennemis. **2.** Le fait d'être privé (d'une chose dont on avait la propriété ou la jouissance), de subir un dommage. *Faire subir une perte à qqn. Perte d'argent.* — *Pertes comptables, financières.* ⇒ **déficit.** — Loc. *Passer une chose aux,* PAR PROFITS ET PERTES : la considérer comme perdue. — *Perte sèche,* qui n'est compensée par aucun bénéfice. **3.** Le fait d'égarer, de perdre (qqch.). *La perte d'un passeport.* **4.** À PERTE DE VUE : si loin que la vue ne peut plus distinguer les objets. **5.** Le fait de gaspiller ; ce qui est perdu, gaspillé. ⇒ **gaspillage.** *Une perte de temps et d'argent.* — EN PURE PERTE : inutilement, sans aucun profit. **6.** Quantité (d'énergie, de chaleur) qui se dissipe inutilement. ⇒ **déperdition.** Loc. *Avion en perte de vitesse.* **II.** Rare. Le fait de perdre, d'être vaincu. *La perte d'une bataille.* **III.** Le fait de périr, de se perdre. ⇒ **ruine.** *Courir à sa perte. Jurer la perte de qqn.*

pertinent, ente [pɛʁtinɑ̃, ɑ̃t] adj. **1.** Qui convient exactement à l'objet dont il s'agit, qui dénote du bon sens. *Une remarque pertinente.* ⇒ **judicieux ; approprié.** *Une étude pertinente.* **2.** En sciences. Qui est propre à rendre compte de la structure d'un élément, ou d'un ensemble. *Oppositions pertinentes.* ▸ **pertinemment** [pɛʁtinamɑ̃] adv. ■ *Savoir pertinemment qqch.,* en être informé exactement. ▸ **pertinence** n. f. **1.** Caractère de ce qui est pertinent. *Il a répondu avec pertinence.* **2.** Caractère d'un élément pertinent. ⟨ ▸ **impertinent** ⟩

pertuis [pɛʁtɥi] n. m. invar. **1.** Vx. Passage étroit. **2.** Géographie. Détroit. **3.** Région. Passage de haute montagne, col.

pertuisane [pɛʁtɥizan] n. f. ■ Ancienne arme, lance munie d'un long fer triangulaire. ⇒ **hallebarde.**

perturber [pɛʁtyʁbe] v. tr. ■ conjug. 1. ■ Empêcher de fonctionner normalement. ⇒ **déranger.** *La grève va perturber les transports.* — Au p. p. adj. Fam. (Personnes) *Il avait l'air perturbé,* troublé. ▸ **perturbateur, trice** n. et adj. ■ Personne qui trouble, crée le désordre. *Expulser les perturbateurs.* — Adj. *Éléments perturbateurs.* ▸ **perturbation** n. f. **1.** Irrégularité dans le fonctionnement d'un système. — *Perturbation atmosphérique,* vent accompagné de pluie, neige, etc. **2.** Bouleversement, agitation sociale.

pervenche [pɛʁvɑ̃ʃ] n. f. et adj. invar. ■ Plante à fleurs bleu-mauve, qui croît dans les lieux ombragés. — Adj. invar. *Des yeux pervenche.*

pervers, erse [pɛʁvɛʁ, ɛʁs] adj. et n. **1.** Littér. Qui se plaît à faire le mal ou à l'encourager. ⇒ **corrompu, méchant.** *Une âme perverse.* **2.** Qui témoigne de perversité ou de perversion. *Il a des tendances perverses. Il est un peu pervers.* **3.** N. Personne qui accomplit systématiquement des actes immoraux, antisociaux. ⇒ **perversion** (2), **sadisme.** ▸ **perversité** n. f. **1.** Goût pour le mal, recherche du mal. *Perversité de mœurs.* ⇒ **corruption, dépravation. 2.** Tendance maladive à accomplir des actes immoraux, agressifs ; malveillance systématique. ▸ **perversion** n. f. **1.** Littér. Action de pervertir ; changement en mal. ⇒ **dépravation.** *La perversion des mœurs.* ⇒ **corruption, dérèglement. 2.** Déviation des tendances, des instincts, due à des troubles psychologiques. ⇒ **anomalie.** *Les perversions sexuelles.* ▸ **pervertir** v. tr. ■ conjug. 2. **1.** *Pervertir qqn,* faire changer en mal, rendre mauvais. ⇒ **corrompre, débaucher, dépraver, dévoyer.** *Tout cet argent l'a perverti.* **2.** *Pervertir qqch.,* perturber, détourner (de son sens ou de ses buts). ⇒ **altérer, dénaturer.** *Il interprète et pervertit la loi.* — Pronominalement. *Se pervertir.* ▸ **pervertissement** n. m. ■ Littér. Perversion (1).

peser [pəze] v. ■ conjug. 5. **I.** V. tr. **1.** Déterminer le poids de (qqch.), en le comparant à un poids connu. ⇒ **pesage, pesée.** *Peser un objet avec une balance. Peser qqch. dans sa main.* ⇒ **soupeser.** *Les trois kilos de pommes que le marchand a pesés* (voir II, 1, REM.). — Pronominalement. *Il se pèse tous les matins.* **2.** (Dans quelques expressions) Apprécier, examiner avec attention. ⇒ **considérer, estimer.** *Peser le pour et le contre.* ⇒ **comparer.** *Peser ses mots,* faire attention à ce qu'on dit. — Au p. p. adj. *Tout bien pesé,* après mûre réflexion. **II.** V. intr. Concret. **1.** Avoir tel ou tel poids. ⇒ **faire.** *Cela pèse plus lourd, pèse plus, moins. Peser peu* (être léger), *beaucoup* (être lourd, pesant). *Les cent kilos qu'il a pesé autrefois.* — REM. Pas d'accord, *cent kilos* étant ici complément de poids et non objet direct de *peser.* **2.** PESER SUR, CONTRE. ⇒ **appuyer.**

Il pesa de toutes ses forces contre la porte. — *Aliment indigeste, qui pèse sur l'estomac.* **III.** V. intr. Abstrait. **1.** PESER À : être pénible, difficile à supporter. ⇒ **ennuyer, fatiguer, importuner.** *Ses enfants lui pèsent.* **2.** PESER SUR : constituer une charge pénible. ⇒ **accabler.** *Le remords pèse sur sa conscience, lui pèse sur la conscience.* **3.** Avoir de l'importance. *Cet élément a pesé dans notre décision.* ▸ **pesage** n. m. **1.** Détermination, mesure des poids. ⇒ **pesée.** *Appareils de pesage.* ⇒ **balance, bascule, pèse-bébé, pèse-lettre, pèse-personne. 2.** Action de peser les jockeys avant une course. — Endroit où s'effectue ce pesage. *Il y avait foule au pesage.* ▸ **pesant, ante** [pəzɑ̃, ɑ̃t] adj. **1.** Qui pèse lourd. / contr. **léger** / *Un fardeau pesant.* **2.** Fig. Pénible à supporter. ⇒ **lourd.** *Dormir d'un sommeil pesant. Un chagrin pesant.* **3.** Qui donne une impression de lourdeur. *Une architecture pesante. Une marche pesante.* **4.** Qui manque de vivacité. *Un esprit pesant. Il est assez pesant quand il veut plaisanter.* / contr. **agile, vif** / ▸ **pesamment** adv. ■ Lourdement. *Retomber pesamment.* ▸ **pesanteur** n. f. **1.** Physique. Caractère de ce qui a un poids. *La pesanteur de l'air.* — Absolt. LA PESANTEUR : la force qui entraîne les corps vers le centre de la Terre. ⇒ **attraction, gravitation, gravité. 2.** Caractère de ce qui paraît lourd, pesant. *Il a la pesanteur d'un bœuf.* / contr. **légèreté** / — Manque de vivacité. *Pesanteur d'esprit.* ▸ **pèse-bébé** [pɛzbebe] n. m. ■ Balance dont le plateau est disposé de manière qu'on puisse y placer un nourrisson. *Des pèse-bébés.* ▸ **pesée** n. f. **1.** Quantité pesée en une fois. **2.** Opération par laquelle on détermine le poids de qqch. *Effectuer une pesée à l'aide d'une balance.* **3.** Action de peser sur qqch. ou qqn. *De toute la pesée de son corps, il s'efforçait d'ouvrir la porte.* ⇒ **poids.** ▸ **pèse-lettre** [pɛzlɛtʁ] n. m. ■ Balance à lettres. *Des pèse-lettres.* ▸ **pèse-personne** n. m. ■ Balance, bascule pour se peser. *Des pèse-personnes.* ⟨ ▸ **apesanteur, s'appesantir, soupeser** ⟩

peseta [pez(s)eta] n. f. ■ Unité monétaire de l'Espagne. *Des pesetas.*

peso [pez(s)o] n. m. ■ Unité monétaire de plusieurs pays d'Amérique latine. *Des pesos.*

pessimisme [pesimism] n. m. ■ Disposition d'esprit qui porte à prendre les choses du mauvais côté, à être persuadé qu'elles tourneront mal. / contr. **optimisme** / ▸ **pessimiste** adj. et n. ■ Qui est porté à être mécontent du présent et inquiet pour l'avenir. ⇒ **défaitiste.** / contr. **optimiste** / *Ses malheurs l'ont rendue pessimiste. Une vue pessimiste du monde.* — N. *Un, une pessimiste invétéré(e).*

peste [pɛst] n. f. **1.** Très grave maladie infectieuse, épidémique et contagieuse causée par le bacille de Yersin. *Être atteint de la peste.* ⇒ **pestiféré.** *La peste de Londres.* **2.** En agriculture. Très grave maladie virale, contagieuse, frappant les animaux d'élevage. *Peste aviaire* (basse-cour), *bovine, porcine.* **3.** Loc. fam. *Fuir, craindre qqch. ou qqn* COMME LA PESTE. **4.** Vx. Interjection marquant l'étonnement. *Peste ! Ça c'est un homme !* **5.** Femme, fillette insupportable, méchante. ⇒ **gale.** *Quelle petite peste !* ▸ **pestiféré, ée** adj. et n. ■ Infecté ou atteint de la peste (1). — N. *On le fuit comme un pestiféré.* ⟨ ▸ **empester, pestilence** ⟩

pester [pɛste] v. intr. ■ conjug. 1. ■ Manifester son mécontentement, sa colère, par des paroles. ⇒ **fulminer, jurer, maugréer.** *Nous pestions contre le mauvais temps.*

pesticide [pɛstisid] adj. et n. m. Anglic. **1.** Adj. Se dit de produits chimiques destinés à la protection des cultures et des récoltes contre les parasites, champignons (fongicide), mauvaises herbes (herbicide), insectes (insecticide). **2.** N. m. Produit pesticide. *Épandage de pesticides par hélicoptère.*

pestilence [pɛstilɑ̃s] n. f. ■ Odeur infecte. ⇒ **infection, puanteur.** *Pestilence qui se dégage d'un tas d'ordures.* ▶ **pestilentiel, ielle** adj. ■ *Des miasmes pestilentiels.*

pet [pɛ] n. m. ■ Fam. Gaz intestinal qui s'échappe de l'anus avec bruit. ⇒ **gaz, vent.** *Lâcher un pet.* ⇒ **péter.** — Loc. fam. *Ça ne vaut pas un pet, un* PET DE LAPIN : cela n'a aucune valeur. — *Filer comme un pet,* rapidement. ⟨ ▶ pétarade, pétard, pet-de-nonne, péter ⟩

pétale [petal] n. m. ■ Chacune des pièces florales, blanche ou colorée, qui composent la corolle d'une fleur. *Les pétales blancs d'une marguerite.*

pétanque [petɑ̃k] n. f. ■ Variante provençale du jeu de boules. ⇒ **boules.**

pétant, ante [petɑ̃, ɑ̃t] adj. ■ Fam. (Après *heure*) Exact. *À neuf heures pétantes.* ⇒ **sonnant, tapant.**

pétarade [petaʀad] n. f. ■ Suite de détonations. *Les pétarades d'une motocyclette.* ▶ **pétarader** v. intr. ■ conjug. 1. ■ Faire entendre une pétarade. *Le camion démarre en pétaradant.* ▶ **pétaradant, ante** adj. ■ *Des motos pétaradantes.*

pétard [petaʀ] n. m. **1.** Petite charge d'explosif placée dans une enveloppe de papier fort (elle « pète »). *Les enfants font claquer des pétards.* **2.** Fam. Bruit, tapage. *Qu'est-ce qu'ils font comme pétard ! Il va y avoir du pétard !,* de la bagarre. *Être en pétard,* en colère. **3.** Fam. Revolver. *Il avait sorti son pétard.* **4.** Fam. Fesses, derrière. ⇒ fam. **cul.**

pétaudière [petodjɛʀ] n. f. ■ Vx ou plaisant. Assemblée où, faute de discipline, règnent la confusion et le désordre. *Cette réunion est une vraie pétaudière.*

pet-de-nonne [pɛdnɔn] n. m. ■ Beignet soufflé fait avec de la pâte à choux. *Des pets-de-nonne.*

péter [pete] v. ■ conjug. 6. **1.** V. intr. Fam. Faire un pet, lâcher des vents. — Loc. *Péter plus haut que son derrière,* que son cul, être prétentieux. **2.** V. tr. Fam. *Péter le feu, péter du feu,* des flammes, déborder d'entrain, de vitalité. *Ça va péter des flammes,* ça va barder. **3.** Fam. (Suj. chose) Éclater avec bruit. ⇒ **exploser ; pétarader.** *Des obus pétaient dans tous les coins.* — Se rompre brusquement, se casser. *Tous les boutons de ma veste ont pété.* — *L'affaire va vous péter dans la main,* échouer, rater. **4.** V. tr. Vulg. Casser. *Il lui a pété la gueule,* cassé la figure. ▶ **pète-sec** [pɛtsɛk] n. invar. et adj. invar. ■ Fam. Personne autoritaire au ton hargneux et cassant. *Une directrice pète-sec.* ▶ **péteux, euse** n. **1.** Fam. Peureux. **2.** Humilié. *Il se sent tout péteux.* ⟨ ▶ pétant, pétoire ⟩

pétiller [petije] v. intr. ■ conjug. 1. **1.** Éclater avec de petits bruits secs et répétés. *Le feu pétille.* ⇒ **crépiter. 2.** (Liquide) Produire de nombreuses bulles en bruissant. *Le champagne pétille dans les coupes.* **3.** Littér. Briller d'un éclat très vif. *La joie pétille dans ses yeux.* — Abstrait. *Il pétille d'esprit,* il a un esprit plein de vivacité et d'agrément. ▶ **pétillant, ante** adj. **1.** *Une eau minérale pétillante.* **2.** *Avoir le regard pétillant de malice. Un esprit pétillant.* ▶ **pétillement** n. m.

pétiole [pesjɔl] n. m. ■ Partie rétrécie de certaines feuilles vers la tige. ⇒ **queue.**

petiot, ote [pətjo, ɔt] adj. et n. ■ Fam. Petit, tout petit. — N. Petit enfant.

① petit, ite [p(ə)ti, it] adj. **I.** Au sens physique, matériel. **1.** (Êtres vivants) Dont la taille est inférieure à la moyenne. / contr. **grand** / *Un homme très petit, mais qui n'est pas nain*.* ⇒ **minuscule.** *Rendre qqn plus petit.* ⇒ **rapetisser.** — Loc. *Se faire tout petit,* éviter de se faire remarquer. — Qui n'a pas encore atteint toute sa taille. ⇒ **jeune.** *Quand j'étais petit.* ⇒ **enfant.** *Le petit frère, la petite sœur de qqn,* frère, sœur plus jeune. **2.** (Choses) Dont les dimensions sont inférieures à la moyenne. *Une petite maison. On a fait un petit tour. Il a fait un petit somme.* — (Désignant, avant le nom, une catégorie particulière de la chose) *Des petits pots. Le petit doigt. Du petit-lait.* **3.** Dont la grandeur, l'importance, l'intensité est faible. ⇒ **faible, infime.** *Je vous demande une petite minute. Une petite somme.* ⇒ **maigre.** *Les petites et moyennes entreprises* (P.M.E.). **4.** (Qualifiant ce qu'on trouve aimable, charmant, attendrissant) Fam. *Comment va cette petite santé ? Un petit coup de rouge. Des bons petits plats.* — (Condescendant : méprisant ou exprimant la familiarité) *Qu'est-ce qu'elle veut, la petite dame ? Quel petit crétin !* — (Affectueux, avec un possessif) *Ma petite maman.* — Loc. fam. *Son* PETIT AMI, *sa petite amie* : son amant, sa maîtresse. ⇒ **amoureux, flirt. II.** PETIT, PETITE n. **1.** Enfant ou être humain jeune. *Le petit, ce petit. Les tout-petits.* ⇒ **bébé.** *La cour des petits et celle des grands. Hé, petit !* va porter ça à ta mère. **2.** Jeune animal. *La chatte a fait ses petits.* — Loc. fam. *Son argent a* FAIT DES PETITS : a rapporté. **3.** Enfant (d'une personne). *Les petites Durand,* les filles Durand. **III.** Au sens psychologique, ou moral, social. **1.** De peu d'importance. ⇒ **minime.** *De petits inconvénients. Encore un petit effort ! Le petit nom.* ⇒ **prénom. 2.** (Personnes) Qui a une condition, une situation peu importante. *Les petites gens. Les petits commerçants.* — N. *Ce sont toujours les petits qui trinquent.* / contr. **gros** / **3.** Qui a peu de valeur (quant au mérite, aux qualités intellectuelles ou morales). *Les petits poètes.* ⇒ **mineur. 4.** *Petits soins.* ⇒ ② *petit* adv. **1.** PETIT À PETIT [p(ə)titapti], [p(ə)titapati] : peu à peu. ⇒ **progressivement.** *Petit à petit il aménageait sa maison.* — PROV. *Petit à petit, l'oiseau fait son nid.* **2.** EN PETIT : d'une manière analogue, mais sans grandeur. *Il voit tout en petit. Je voudrais la même chose, mais en plus petit.* ⇒ **réduit.** ▶ **petitement** adv. **1.** Être logé petitement, à l'étroit. **2.** Fig. Chichement. *Il vivait petitement de son salaire.* **3.** Se venger petitement,* mesquinement. ▶ **petitesse** n. f. **1.** Caractère de ce qui est de petite dimension. / contr. **grandeur, hauteur** / *La petitesse de ses mains, de sa taille. La petitesse de ses revenus.* ⇒ **modicité. 2.** Caractère mesquin, sans grandeur. *Petitesse d'esprit.* ⇒ **étroitesse, mesquinerie. 3.** (Une, des petitesses) Trait, action dénotant un esprit mesquin. *Les petitesses d'un grand homme.* ⟨ ▶ gagne-petit, petiot, petit-, rapetisser, tout-petit ⟩

petit- ■ Élément de mots composés. ▶ **petit-beurre** [p(ə)tibœʀ] n. m. ■ Gâteau sec de forme rectangulaire fait au beurre. *Des petits-beurre.* ▶ **petit-bourgeois, petite-bourgeoise** [p(ə)tibuʀʒwa, p(ə)titbuʀʒwaz] n. et adj. ■ Personne qui appartient à la partie la moins aisée de la bourgeoisie (la *petite bourgeoisie*) réputée conformiste et mesquine. *Des petits-bourgeois.* — Adj. Péj. *Des réactions petites-bourgeoises.* ▶ **petit-fils** [p(ə)tifis], **petite-fille** [p(ə)titfij] n. ■ Fils, fille d'un fils ou d'une fille par rapport à un grand-père ou à une grand-mère. *Ils ont quatre petites-filles et trois petits-fils.* ▶ **petit four** [p(ə)tifuʀ] n. m. ■ Petit gâteau très délicat fait par le pâtissier. *Offrir des petits fours.* ▶ **petit-gris** [p(ə)tigʀi] n. m. **1.** Fourrure d'un écureuil de Russie d'un gris ardoise. *Un manteau en petit-gris.* **2.** Variété d'escargot à petite coquille brunâtre. *Des petits-gris.* ▶ **petit-lait** n. m. ⇒ **lait.** ▶ **petit-nègre** n. m. ⇒ **nègre.** ▶ **petit-neveu** [p(ə)tinvø], **petite-nièce** [p(ə)titnjɛs] n.

■ Fils, fille d'un neveu ou d'une nièce par rapport à un grand-oncle ou à une grand-tante. *Leurs petits-neveux et petites-nièces.* ▶*petits-enfants* [p(ə)tizɑ̃fɑ̃] n. m. pl. ■ Les enfants d'un fils ou d'une fille. *Les grands-parents et leurs petits-enfants.* ▶*petit-pois* n. m. ⇒ pois. ▶*petit-suisse* [p(ə)ti sɥis] n. m. ■ Fromage frais à la crème, en forme de petit cylindre. *Des petits-suisses.*

pétition [petisjɔ̃] n. f. ■ Demande adressée, par écrit ou oralement, aux pouvoirs publics. *Faire signer une pétition contre un pollueur.* ▶*pétition de principe* n. f. ■ Faute logique par laquelle on considère comme admis ce qui doit être démontré. ▶*pétitionnaire* n. ■ Personne qui fait, signe une pétition.

pétoche [petɔʃ] n. f. ■ Fam. Peur. *Avoir la pétoche.* ▶*pétochard, arde* adj. et n. ■ Fam. Peureux.

pétoire [petwaʀ] n. f. ■ Fam. Mauvais fusil.

peton [pətɔ̃] n. m. ■ Fam. Petit pied. *L'enfant joue avec ses petons.*

pétoncle [petɔ̃kl] n. m. ■ Coquillage comestible, ressemblant à une petite coquille Saint-Jacques, brun et strié. *De gros pétoncles.* — Au Québec. Coquille Saint-Jacques.

pétrel [petʀɛl] n. m. ■ Oiseau palmipède très vorace, qui vit en haute mer.

pétrifier [petʀifje] v. tr. ■ conjug. 7. 1. Changer en pierre. — Rendre minérale (une matière organique). *La silice pétrifie le bois.* — Au p. p. adj. *Crâne pétrifié.* ⇒ fossilisé. 2. Recouvrir d'une couche de pierre. — Au p. p. adj. *Concrétions pétrifiées* (stalactites, stalagmites...). 3. Abstrait. Immobiliser (qqn) par une émotion violente. ⇒ glacer, méduser. *Cette nouvelle la pétrifia.* — Au passif. *Être pétrifié de terreur.* 4. SE PÉTRIFIER v. pron. : devenir minéral. ▶*pétrifiant, ante* adj. ■ (Eaux) Qui a la faculté de pétrifier. *Une fontaine pétrifiante.* ▶*pétrification* n. f. 1. Action de pétrifier (1, 2) ; son résultat. 2. Une pétrification, objet entouré d'une couche pierreuse.

pétrin [petʀɛ̃] n. m. 1. Coffre, dispositif dans lequel on pétrit le pain. *Pétrin mécanique.* 2. Fam. Situation embarrassante d'où il semble impossible de sortir. *Se fourrer dans le pétrin. Quel pétrin !*

pétrir [petʀiʀ] v. tr. ■ conjug. 2. 1. Presser, remuer fortement et en tous sens (une pâte consistante). *Le boulanger pétrit la pâte en l'aérant* (⇒ pétrin). — *Pétrir de l'argile.* ⇒ façonner, modeler. 2. Palper fortement en tous sens. *Il pétrissait son chapeau entre ses doigts. Le masseur lui pétrit les mollets.* 3. Abstrait. Littér. Donner une forme à, façonner. *Notre éducation nous a pétris ; nous avons été pétris par notre éducation.* 4. Au passif et p. p. adj. ÊTRE PÉTRI, IE DE : formé(e), fait(e) avec. *Être pétri d'orgueil,* très orgueilleux. *Il est pétri de bonne volonté.* ▶*pétrissage* n. m. ■ *Pétrissage à main, mécanique.*

① *pétr(o)-* ■ Élément qui signifie « pétrole » (mieux : *pétrolo-*). ▶*pétrochimie* [petʀɔʃimi] n. f. ■ Branche de la chimie qui étudie les dérivés du pétrole ; industrie des dérivés du pétrole. — REM. *Pétrolochimie* serait préférable. ▶*pétrochimique* adj. ■ Qui concerne les dérivés du pétrole ; qui en produit. *Usine, installation pétrochimique.*

② *pétro-* ■ Élément qui signifie « roche ». ▶*pétrographie* [petʀɔgʀafi] n. f. ■ Science qui décrit les roches. ⇒ minéralogie.

pétrole [petʀɔl] n. m. 1. Huile minérale naturelle combustible, hydrocarbure liquide accumulé dans les roches, en gisements, et utilisée comme source d'énergie, notamment sous forme d'essence. *Les gisements de pétrole du Moyen-Orient. Puits de pétrole. Pétrole brut.* 2. Un des produits obtenus par la distillation du pétrole. *Une lampe à pétrole.* 3. En appos. *Bleu pétrole,* nuance où entrent du bleu, du gris et du vert. — Adj. invar. *Des vestes bleu pétrole.* ▶*pétrolette* n. f. ■ Vieilli. Petite moto, vélomoteur. ▶*pétrolier, ière* n. m. et adj. I. N. m. 1. Navire-citerne conçu pour le transport en vrac du pétrole. *Un pétrolier géant.* ⇒ anglic. tanker. 2. Industriel, financier des sociétés pétrolières. II. Adj. 1. Relatif au pétrole. *L'industrie pétrolière.* — *Port pétrolier, terminal pétrolier,* doté d'installations pour charger et décharger les pétroliers (I, 1). 2. (Personnes) Spécialisé dans la prospection pétrolière. *Géologue pétrolier.* ▶*pétrolifère* adj. ■ Qui contient naturellement, fournit du pétrole. *Région, gisement, champ pétrolifère.* ⟨ ▶ ① pétro- ⟩

pétulant, ante [petylɑ̃, ɑ̃t] adj. ■ Qui manifeste une ardeur exubérante. ⇒ fougueux, impétueux, turbulent, vif. *Une bande de petits garçons pétulants.* — *Une joie pétulante.* ▶*pétulance* n. f. ■ *La pétulance des jeunes gens.* ⇒ fougue, turbulence.

pétunia [petynja] n. m. ■ Plante ornementale des jardins, à fleurs violettes, roses, blanches. *De beaux pétunias.*

peu [pø] adv. I. (En fonction de nom ou de nominal) Faible quantité. 1. LE PEU QUE, DE... *Le peu que je sais, je le dois à mon père. Son peu de fortune. Le peu de cheveux qui me reste* (insiste sur le manque). *Le peu de cheveux qui me restent* (insiste sur ce qui existe). 2. UN PEU DE. ⇒ brin, grain, miette. *Un peu de sel. Un peu de vin.* ⇒ un doigt. *Un tout petit peu de vin.* ⇒ une goutte, une larme. — « *Vous en voulez ? — Un petit peu.* » — POUR UN PEU (+ conditionnel) loc. adv. : il aurait suffi de peu de chose pour que. *Pour un peu il se serait mis en colère.* 3. (Employé seul, sans complément) Loc. *Ce n'est pas peu dire,* c'est dire beaucoup, sans exagération. *Éviter un ennui de peu.* ⇒ de justesse. *À peu près.* ⇒ près. Fam. *Très peu pour moi,* formule assez brusque de refus. — (Attribut) *C'est peu, trop peu.* / contr. assez ; trop / — PEU À PEU : en progressant par petites quantités, par petites étapes. ⇒ doucement, petit à petit, progressivement. *Peu à peu le feu gagnait les étages.* 4. PEU DE (suivi d'un compl.). *En peu de temps. Cela a peu d'importance.* — PEU DE CHOSE : une petite chose, qqch. d'insignifiant. ⇒ bagatelle, rien. *C'est très peu de chose. À peu de chose près,* presque. — (Compl. au plur.) *Il dit beaucoup en peu de mots.* 5. Ellipt. Peu de temps. *Dans peu, d'ici peu, sous peu, avant peu.* ⇒ bientôt. *Depuis peu, il y a peu.* ⇒ récemment. — *Un petit nombre* (des choses ou des gens dont il est question). *Bien peu pourraient travailler comme ils le fait. Je ne vais pas me décourager pour si peu !* II. Adv. 1. (Avec un verbe) En petite quantité, dans une faible mesure seulement. ⇒ modérément, à peine. / contr. beaucoup, fort / *Cette lampe éclaire peu, très peu.* ⇒ mal. *Peu importe.* — (Avec un adj.) Pas très. *Ils sont peu nombreux. Il n'était pas peu fier,* il était très fier. (Avec un adv.) *Peu souvent.* — SI PEU QUE (+ subjonctif) *Si peu que ce soit,* en quelque petite quantité que ce soit. — UN TANT SOIT PEU : assez. ⇒ un tantinet. *Tu me parais un tant soit peu susceptible.* — POUR PEU QUE (+ subjonctif) loc. conj. : si peu que ce soit. *Pour peu qu'on le contrarie, il devient agressif.* 2. UN PEU : dans une mesure faible, mais non négligeable. *Elle l'aime un peu.* UN PETIT PEU : un peu. *Il va un petit peu mieux.* — Littér. QUELQUE PEU : assez. *Il se sentait quelque peu malade.* — Fam. UN PEU (pour atténuer un ordre ou souligner une remarque). *Je vous demande un peu ! Sors donc un peu que je te corrige !* — Poli ou iron. Bien trop. *C'est un peu fort ! Un peu beaucoup,* vraiment beaucoup trop. — (Pour accentuer une affirmation) « *Tu ferais ça ? — Un peu ! Un peu que je le ferai !* » ▶ *peu ou prou* loc. adv. ⇒ **prou.** ⟨ ▶ à-peu-près ⟩

peuchère [pøʃɛʀ] interj. ■ Région. (Sud-est de la France) Exclamation exprimant une commisération affectueuse ou ironique.

peuh [pø] interj. ■ Interjection exprimant le mépris, le dédain ou l'indifférence. *Peuh ! Ça m'est égal.*

peuple [pœpl] n. m. **I.** Ensemble humain réuni par l'appartenance à une société, une culture, une patrie communes, parlant en général la même langue, habitant (ou ayant habité) le même territoire. ⇒ **nation, pays, population, société ; ethno-.** *Le droit des peuples à disposer d'eux-mêmes, à constituer un* État. *Le peuple français. — Le peuple élu,* le peuple juif. **II. 1.** LE PEUPLE, UN PEUPLE : l'ensemble des personnes soumises aux mêmes lois et qui forment une communauté. *Relatif au peuple.* ⇒ **populaire.** *Gouvernement du peuple.* ⇒ **démocratie.** *Le peuple* (la nation) *en armes,* en guerre. **2.** LE PEUPLE : le plus grand nombre (opposé aux *classes supérieures, dirigeantes,* ou aux *éléments les plus cultivés de la société*). ⇒ **masse, multitude.** *Le peuple en armes, en guerre civile. Le peuple et la bourgeoisie.* ⇒ **prolétariat** ; vx ou péj. **plèbe.** *Homme, femme, gens du peuple.* **3.** Adj. invar. Péj. Populaire. *Elle est jolie, mais elle fait peuple.* **III. 1.** Foule, multitude de personnes assemblées. *Une place encombrée de peuple.* — Fam. *Il y a du peuple,* du monde. **2.** Loc. fam. *Se fiche du peuple,* du monde, des gens. *Tu te fous du peuple,* de nous. ⇒ **exagérer. 3.** Littér. *Un peuple de,* un grand nombre de. *S'entourer de tout un peuple d'admirateurs.* ▶ *peuplade* n. f. ■ Groupement humain parfois nomade, petit peuple ne constituant pas une société complexe. ⇒ **tribu.** *Une peuplade d'Amazonie.* ▶ *peuplé, ée* adj. ■ Où il y a une population, des habitants. ⇒ **habité, populeux, surpeuplé.** / contr. **dépeuplé** / ▶ *peuplement* n. m. **1.** Action de peupler. *Le peuplement des terres vierges par des colons.* — (Animaux) *Le peuplement d'un étang.* ⇒ **repeuplement ; aleviner. 2.** État d'un territoire peuplé. *Évolution du peuplement.* ⇒ **démographie.** / contr. **dépeuplement** / ▶ *peupler* v. tr. ▪ conjug. 1. **I.** Pourvoir (un pays, une contrée) d'une population. / contr. **dépeupler** / *Peupler une région de colons.* — *Peupler un étang en gardons, de gardons.* **II. 1.** Habiter, occuper (une contrée, un pays). *Les hommes qui peuplent la terre.* **2.** Être présent en grand nombre dans, prendre toute la place dans. *Les étudiants qui peuplent les universités.* — Littér. *Les cauchemars qui peuplaient ses nuits.* ⇒ **hanter. 3.** SE PEUPLER v. pron. : se remplir d'habitants. ⟨ ▶ dépeupler, populace, populaire, population, populeux, populisme, repeupler, surpeupler ⟩

peuplier [pøplije] n. m. **1.** Arbre élancé, de haute taille, à petites feuilles. *Peupliers blancs. Route bordée de peupliers. Peuplier tremble.* ⇒ **tremble. 2.** Bois de peuplier (bois blanc). ▶ *peupleraie* [pøpləʀɛ] n. f. ■ Plantation de peupliers.

peur [pœʀ] n. f. **1.** LA PEUR : émotion qui accompagne la prise de conscience d'un danger, d'une menace. ⇒ **crainte** (sens plus faible) ; **effroi, épouvante, frayeur, terreur** (sens plus fort) ; fam. **frousse, pétoche, trouille.** *Inspirer de la peur. Être transi, vert, mort de peur,* à cause de la peur. — Loc. *Avoir plus de peur que de mal, en être quitte pour la peur,* ne pas souffrir de ce qui la provoquait. — LA PEUR DE... (suivi du nom de la personne ou de l'animal qui éprouve la peur). *La peur du gibier devant le chasseur. Il cherche à cacher sa peur.* — (Suivi du nom de l'être ou de l'objet qui inspire la peur, ou d'un verbe) *La peur du chasseur fait fuir le gibier. La peur de la mort.* ⇒ **appréhension, hantise.** *La peur de mourir.* **2.** UNE

PEUR : l'émotion de peur qui saisit qqn dans une occasion précise. *Une peur bleue, intense.* ⇒ **panique.** *J'ai eu, il m'a fait une de ces peurs !,* j'ai eu peur de lui ou pour lui. **3.** Loc. Sans article. *Prendre peur.* — AVOIR PEUR. ⇒ **craindre.** *N'ayez pas peur, n'aie pas peur,* formule pour rassurer. *Avoir peur pour qqn,* craindre ce qui va lui arriver. *Avoir peur de qqch. ; de faire qqch.* ⇒ **redouter.** *N'avoir peur de rien. Avoir très peur.* (Sens faible) *N'ayez pas peur d'insister sur ce point,* n'hésitez pas à. — FAIRE PEUR : donner de la peur. *Être laid à faire peur,* horrible. *Faire plus de peur que de mal,* être effrayant, mais inoffensif. *Faire peur à qqn.* ⇒ **effrayer, intimider.** *Tout lui fait peur.* **4.** PAR PEUR DE, DE PEUR DE loc. prép. : par crainte de. *Il a menti par peur d'une punition.* (+ infinitif) *Il a menti de peur d'être puni.* — DE PEUR QUE, PAR PEUR QUE (+ subjonctif) loc. conj. *Il a menti de peur qu'on (ne) le punisse.* ▶ *peureux, euse* adj. **1.** Qui a facilement peur. ⇒ **couard, craintif, lâche, poltron ;** fam. **dégonflé, froussard, trouillard.** / contr. **brave, courageux** / *Un enfant peureux.* — N. *C'est un peureux.* **2.** Qui est sous l'empire de la peur. ⇒ **apeuré.** *Il alla se cacher dans un coin, tout peureux.* ▶ *peureusement* adv. ■ En ayant peur. ⇒ **craintivement.** ⟨ ▶ apeuré ⟩

peut-être [pøtɛtʀ] adv. **1.** Adverbe indiquant une simple possibilité. / contr. **sûrement** / *Ils ne viendront peut-être pas. Je vais peut-être partir. Vous partez, peut-être ?* — « *Il a dit ça ? — Peut-être ; peut-être bien.* » *Peut-être..., mais...* ⇒ sans **doute.** — (En tête d'énoncé, avec inversion du sujet) *Qui sait ? Peut-être aurons-nous la chance de réussir.* **2.** PEUT-ÊTRE QUE. *Peut-être bien que oui, peut-être bien que non* [ptɛtbjɛ̃kwi, ptɛtbjɛ̃kn ̃ɔ]. *Peut-être que je ne pourrai pas venir.* — (+ conditionnel) *Peut-être qu'il viendrait si on lui demandait.*

pèze [pɛz] n. m. sing. ■ Fam. Argent. ⇒ fam. **fric.**

pfennig [pfenig] n. m. ■ Le centième du mark*. *50 pfennigs* ou *Pfennige* (plur. allemand).

pff(t) [pf(t)], *pfut* [pfyt] onomat. ■ Interjection exprimant l'indifférence, le mépris. *Pfft... ! il en est bien incapable.*

pH [peaʃ] ■ Unité de mesure d'acidité, sur une échelle allant de 1 à 14. pH 7, neutre ; $pH < 7$, acide ; $pH > 7$, basique, alcalin.

phacochère [fakɔʃɛʀ] n. m. ■ Mammifère ongulé d'Afrique, voisin du sanglier.

-phage, -phagie, -phagique, phag(o)- ■ Éléments savants signifiant « manger » (ex. : *aérophagie, anthropophage*). ⇒ **-vore.**

phagocyte [fagɔsit] n. m. ■ Cellule possédant la propriété d'englober et de détruire les microbes en les digérant. *Phagocytes mobiles.* ▶ *phagocyter* v. tr. ▪ conjug. 1. **1.** Détruire par phagocytose. **2.** Fig. Absorber et détruire. *Ce groupe a été phagocyté par un grand parti.* ≠ *noyauter.* ▶ *phagocytose* n. f. ■ Processus de défense cellulaire, fonction destructrice des phagocytes.

① *phalange* [falɑ̃ʒ] n. f. **1.** Dans l'Antiquité. Formation de combat dans l'armée grecque. — Littér. Armée, corps de troupes. **2.** Groupement politique et paramilitaire d'extrême droite.

② *phalange* n. f. **1.** Chacun des longs qui soutiennent les doigts et les orteils. **2.** Partie (d'un doigt) soutenue par une phalange. *La deuxième phalange de l'index.*

phalanstère [falɑ̃stɛʀ] n. m. ■ Didact. Groupe qui vit en communauté. — Endroit où vit ce groupe.

phalène [falɛn] n. f. ou m. ■ Grand papillon nocturne ou crépusculaire.

phallus [falys] n. m. invar. **1.** Membre viril en érection ⇒ **pénis** ; son image symbolique. **2.** *Phallus impudicus*, variété de champignon. ▶ *phallique* adj. ■ Du phallus (1). *Symbole phallique.* ▶ *phallocrate* n. ■ Personne (surtout homme) qui considère les femmes comme inférieures aux hommes. *Un phallocrate.* ⇒ **machiste.** — Abrév. fam. : UN PHALLO. — Adj. *Un comportement phallocrate.*

phanérogame [fanerɔgam] adj. et n. f. pl. ■ (Plantes) Qui a des fleurs apparentes. — N. f. pl. LES PHANÉROGAMES.

phantasme ⇒ **fantasme.**

pharamineux ⇒ **faramineux.**

pharaon [faraɔ̃] n. m. ■ Ancien souverain égyptien. *Les momies des pharaons.* ▶ *pharaonique* adj. ■ Des pharaons.

phare [faʀ] n. m. **1.** Tour élevée sur une côte ou un îlot, munie à son sommet d'un feu qui guide les navires. *Phare tournant. Gardien de phare.* **2.** Projecteur placé à l'avant d'un véhicule, d'une voiture automobile. *Phares antibrouillard. Faire des appels de phares*, pour signaler. — Position où le phare éclaire le plus (opposé à *code* et à *lanterne*).

pharisien, ienne [farizjɛ̃, jɛn] n. **1.** Antiquité. Membre d'une secte puritaine d'Israël ; chef religieux juif de cette secte. *Les Évangiles présentent les pharisiens comme responsables de la mort de Jésus.* **2.** Littér., péj. Personne hypocrite et sûre d'elle-même.

pharmacie [faʀmasi] n. f. **1.** Science des remèdes et des médicaments, art de les préparer et de les contrôler (⇒ **allopathie, homéopathie**). *Préparateur en pharmacie.* **2.** Magasin où l'on vend les médicaments, des produits, objets et instruments destinés aux soins du corps et où l'on fait certaines préparations. ⇒ **officine.** *Médicament vendu en pharmacie.* **3.** Assortiment de produits pharmaceutiques usuels. *Pharmacie portative.* ⇒ **trousse.** *Armoire à pharmacie.* **4.** Local d'un hôpital où l'on range les produits. ▶ *pharmaceutique* adj. ■ Relatif à la pharmacie. *Produit pharmaceutique. Formules pharmaceutiques.* ▶ *pharmacien, enne* n. ■ Personne qui exerce la pharmacie, est responsable d'une pharmacie (2, 4). ▶ *pharmaco-* ■ Élément de mots savants signifiant « remède ». ▶ *pharmacologie* [faʀmakɔlɔʒi] n. f. ■ Étude des médicaments, de leur action (propriétés thérapeutiques, etc.) et de leur emploi. ▶ *pharmacopée* n. f. ■ Liste de médicaments.

pharynx [faʀɛ̃ks] n. m. invar. ■ Cavité où aboutissent les conduits digestifs et respiratoires (⇒ **bouche, larynx, nez**). ▶ *pharyngien, ienne* adj. ■ Du pharynx. ▶ *pharyngite* n. f. ■ Inflammation, angine du pharynx. ▶ *pharyngo-* ■ Élément de mots de médecine signifiant « pharynx ». ⟨ ▶ rhinopharynx ⟩

phase [faz] n. f. **1.** Chacun des états successifs (d'une chose en évolution). ⇒ **période.** *Les phases d'une maladie.* ⇒ **stade.** *Il énuméra les différentes phases de l'opération.* **2.** Chacun des aspects que présentent la Lune et les planètes à un observateur terrestre, selon leur éclairement par le Soleil. *Les phases de la Lune.* ⇒ **lunaison.** **3.** EN PHASE : en variant de la même façon. **3.** En chimie. État d'un élément. *Les phases solide, liquide et gazeuse.* **5.** Fam. État passager (d'une personne). *Il est entré dans une phase d'activité, de travail intense.* ⟨ ▶ déphasé, monophasé, triphasé ⟩

phénicien, enne [fenisjɛ̃, ɛn] adj. et n. ■ De la Phénicie antique (Méditerranée orientale).

① *phénix* [feniks] n. m. invar. **1.** Oiseau unique de son espèce, qui, selon la mythologie, vivait plusieurs siècles et, se brûlant lui-même sur un bûcher, renaissait de ses cendres. **2.** Personne unique en son genre, supérieure par ses dons. *Ce n'est pas un phénix !*

② *phénix* ou *phœnix* [feniks] n. m. invar. ■ Palmier ornemental cultivé dans le midi de la France.

phénol [fenɔl] n. m. **1.** Solide cristallisé blanc, soluble dans l'eau, corrosif et toxique, à odeur forte. *Le phénol est un antiseptique.* **2.** *Phénols*, série de composés organiques analogues au phénol. ▶ *phéniqué, ée* adj. ■ Qui contient du phénol. *Eau phéniquée.*

phénomène [fenɔmɛn] n. m. **1.** Didact., surtout au plur. Fait naturel complexe pouvant faire l'objet d'expériences et d'études scientifiques. *Étudier le phénomène des éclipses. Phénomènes physiques et psychologiques.* **2.** Fait observé, événement anormal ou surprenant. *La diminution du nombre des suicides est un phénomène courant en temps de guerre.* **3.** Sujet exceptionnel d'étude. *Un article sur le phénomène de la violence.* **4.** Fam. Individu, personne bizarre. ⇒ **excentrique, original.** *Quel phénomène tu fais !* ▶ *phénoménal, ale, aux* adj. ■ Qui sort de l'ordinaire. ⇒ **étonnant, surprenant.** *Un acrobate phénoménal.* ▶ *phénoménologie* n. f. ■ Didact. Philosophie qui écarte toute interprétation abstraite pour se limiter à la description et à l'analyse des seuls phénomènes perçus. *La phénoménologie de Husserl.*

phil-, philo-, -phile, -philie ■ Éléments savants signifiant « ami », ou « aimer ». / contr. **-phobe, -phobie** / ▶ *philanthrope* [filɑ̃tʀɔp] n. **1.** Personne qui aime l'humanité. / contr. **misanthrope** / **2.** Personne qui a une conduite désintéressée. *Je suis un commerçant, je ne suis pas un philanthrope !* ▶ *philanthropie* n. f. **1.** Amour de l'humanité. **2.** Désintéressement. ▶ *philanthropique* adj. ■ Organisation philanthropique. ▶ *philhellène* adj. et n. ■ Partisan de l'indépendance de la Grèce, au XIXᵉ siècle. ▶ *philatélie* [filateli] n. f. ■ Connaissance, « amour » des timbres-poste ; art de les collectionner. ▶ *philatélique* adj. ■ *Association philatélique.* ▶ *philatéliste* n. ■ Collectionneur de timbres-poste. ▶ *philharmonique* [filaʀmɔnik] adj. ■ Se dit de sociétés d'amateurs de musique, d'orchestres. *Orchestre philharmonique.* ⟨ ▶ anglophile, bibliophile, cinéphile, discophile, francophile, haltérophile, hémophile, et les mots en philo- ⟩

philistin [filistɛ̃] n. m. et adj. m. ■ Littér. Personne de goût vulgaire, fermée aux arts et aux lettres, aux nouveautés. ⇒ **béotien.** — Adj. m. *Il est un peu philistin.*

philo [filo] n. f. ■ Fam. Philosophie.

philologie [filɔlɔʒi] n. f. ■ Étude historique d'une langue par l'analyse critique des textes. ⇒ **linguistique.** ▶ *philologique* adj. ▶ *philologue* n. ■ Spécialiste de l'étude historique (grammaticale, linguistique, etc.) des textes.

philosophale [filɔzɔfal] adj. f. ■ PIERRE PHILOSOPHALE : substance recherchée par les alchimistes, et qui devait posséder des propriétés merveilleuses (transmuer les métaux en or, etc.).

philosophie [filɔzɔfi] n. f. **I.** LA PHILOSOPHIE. **1.** Ensemble des questions que l'être humain peut se poser sur lui-même et examen des réponses qu'il peut y apporter ; vision systématique et générale du monde (⇒ **esthétique, éthique, logique, métaphysique, morale, ontologie, théologie**). *La philosophie et la science.* **2.** Système d'idées qui cherche à établir les fondements d'une science. *La philosophie de l'histoire.* **3.** Matière des classes terminales des lycées où est enseignée la philosophie (abrév. *philo*). **II. UNE PHILOSOPHIE. 1.** Se dit d'un ensemble de conceptions (ou d'attitudes) philosophiques. ⇒ **doctrine, système, théorie.** Ex. : existentialisme, marxisme, matérialisme, phénoménologie, spiritualisme, théisme, etc. *La philosophie critique de Kant.* **2.** Ensemble des conceptions philosophiques (communes à un groupe social). *La philosophie orientale.* ▶ **pensée. 3.** Conception générale, vision du monde et de la vie. *La philosophie de Hugo.* ⇒ **idée(s). 4.** Absolt. Élévation d'esprit, détachement. ⇒ **sagesse.** *Supporter les revers de fortune avec philosophie.* ▶ **résignation.** ▶ *philosophe* n. et adj. **I. N. 1.** Personne qui élabore une doctrine philosophique. ⇒ **penseur.** — Spécialiste de philosophie. **2.** Au XVIIIᵉ siècle. Partisan des Lumières, du libre examen, de la liberté de pensée. **3.** Personne qui pratique la sagesse. ⇒ **sage.** *Il vit en philosophe.* — Personne détachée et optimiste. **II.** Adj. Qui montre de la sagesse, du détachement et un certain optimisme. *Pourquoi se lamenter ? Il faut être un peu plus philosophe que cela !* ▶ *philosopher* v. intr. ▪ conjug. 1. ▪ Penser, raisonner (sur des problèmes philosophiques, abstraits). ▶ *philosophique* adj. **1.** Relatif à la philosophie. *Doctrine philosophique.* — Qui touche à des problèmes de philosophie. *Roman philosophique.* **2.** Qui dénote de la sagesse, de la résignation. *Un mépris philosophique de l'argent.* ▶ *philosophiquement* adv. **1.** D'une manière philosophique, en philosophe. **2.** En philosophe (I, 3). *Accepter philosophiquement son sort.* ⟨ ▶ philo ⟩

philtre [filtʀ] n. m. ▪ Breuvage magique destiné à inspirer l'amour. *Le philtre que Tristan et Iseut ont bu.* ⇒ **charme.** ≠ *filtre.*

phlébite [flebit] n. f. ▪ Inflammation d'une veine.

phlegmon [flɛgmɔ̃] n. m. ▪ Inflammation du tissu (conjonctif) qui sépare les organes. ⇒ **abcès, anthrax, furoncle, tumeur.** *Phlegmon des doigts.* ⇒ **panaris.**

-phobe, -phobie ▪ Éléments savants signifiant « qui déteste ; crainte, haine » (ex. : *anglophobe, xénophobe, xénophobie*). / contr. *-phile, -philie* / ▶ *phobie* [fɔbi] n. f. **1.** Peur morbide, angoisse éprouvée devant certains objets, actions, situations ou idées (*agoraphobie, claustrophobie*, etc.). *Obsessions et phobies.* **2.** Peur ou aversion instinctive. ⇒ **haine, horreur.** *Il a la phobie des réunions familiales.* ▶ *phobique* adj. et n. ▪ Médecine. Relatif à la phobie. — N. *Les phobiques et les obsédés.* ⟨ ▶ agoraphobie, claustrophobie, hydrophobie, xénophobie ⟩

phon-, phono-, -phone, -phonie ▪ Éléments savants signifiant « voix, son » (ex. : *aphone, orthophoniste, phonographe, radiophonie, saxophone*). — *-PHONE* signifie aussi « langue » (ex. : *francophone, arabophone*). ▶ *phonème* [fɔnɛm] n. m. ▪ Élément sonore du langage parlé, considéré comme une unité distinctive. *Le phonème* [ʃ] *de « chat ».* *Phonèmes et graphèmes.* ▶ *phonétique* [fɔnetik] adj. et n. f. **1.** Adj. Qui a rapport aux sons du langage. *Alphabet phonétique international. Transcription phonétique.* **2.** N. f. Partie de la linguistique qui étudie les sons de la parole. *Phonétique descriptive.* — *Phonétique fonctionnelle.* ⇒ **phonologie.** ▶ *phonéticien, ienne* n. ▪ Spécialiste de phonétique. ▶ *phonétiquement* adv. ▪ *Texte transcrit phonétiquement.* ▶ *phonologie* [fɔnɔlɔʒi] n. f. ▪ Science qui étudie les phonèmes quant à leur fonction dans la langue. ▶ *phonologique* adj. ▪ Qui concerne les oppositions de phonèmes (structurant le système oral d'une langue). ⟨ ▶ anglophone, aphone, cacophonie, dictaphone, dodécaphonisme, électrophone, euphonie, francophone, magnétophone, microphone, polyphonie, orthophonie, radiophonie, saxophonie, stéréophonie, symphonie, téléphone, vibraphone, xylophone ⟩

phono [fɔno] ou *phonographe* [fɔnɔgraf] n. m. ▪ Autrefois. Appareil acoustique qui reproduit les sons enregistrés (remplacé par les appareils électriques ⇒ **électrophone, tourne-disque ; chaîne...**). *Des vieux phonos à pavillon.*

phoque [fɔk] n. m. **1.** Mammifère marin des eaux froides, carnassier, aux membres antérieurs courts et palmés, au cou très court, au pelage ras. — Loc. *Souffler comme un phoque*, respirer avec effort, avec bruit. — En appos. *Des bébés-phoques.* **2.** Fourrure de phoque ou d'otarie. *Manteau de phoque.* ≠ *foc.*

-phore ▪ Élément de mots savants signifiant « porter ». ⟨ ▶ amphore, doryphore, euphorie, métaphore, périphérie, phosphore, sémaphore, téléphérique ⟩

phosphate [fɔsfat] n. m. ▪ *Phosphate de calcium* ou, ellipt, *phosphate*, engrais naturel ou enrichi, souvent appliqué en mélange avec l'azote et la potasse (formule NPK). ⟨ ▶ superphosphate ⟩

phosphore [fɔsfɔʀ] n. m. ▪ Élément chimique (*phosphore blanc*) très toxique et inflammable, qui brûle doucement en permanence, dégageant une lueur pâle. *Bombe (incendiaire) au phosphore.* ▶ *phosphorique* adj. ▪ Qui contient du phosphore. *Acide phosphorique.* ▶ *phosphorescence* [fɔsfɔʀesɑ̃s] n. f. **1.** Luminescence du phosphore. **2.** Propriété qu'ont certains corps d'émettre de la lumière après en avoir reçu. ≠ *fluorescence, incandescence.* ▶ *phosphorescent, ente* adj. ▪ Doué de phosphorescence. *Cadran phosphorescent d'une montre.* ≠ *fluorescent.* ⟨ ▶ phosphorer ⟩

phosphorer [fɔsfɔʀe] v. intr. ▪ conjug. 1. ▪ Fam. Réfléchir, travailler intellectuellement.

photo [foto] n. f. ▪ Abréviation de *photographie**. ⟨ ▶ roman-photo ⟩

① *photo-, -phote* ▪ Éléments savants signifiant « lumière » (ex. : *photochimie*, n. f. ; *photon*, n. m.). — Voir ci-dessous à l'ordre alphabétique et ⟨ ▶ cataphote ⟩

② *photo-* ▪ Élément signifiant « photographie » (ex. : *photogénique*).

photocomposer [fotokɔ̃poze] v. tr. ▪ conjug. 1. ▪ Composer (un texte à imprimer) par photographie des caractères. — Au p. p. adj. *Livre photocomposé.* ▶ *photocomposition* n. f. ▪ *Atelier de photocomposition. Photocomposition programmée par ordinateur.* ≠ *typographie.*

photocopie [fotokɔpi] n. f. ▪ Reproduction photographique (d'un document). ≠ *télécopie.* ▶ *photocopier* v. tr. ▪ conjug. 7. ▪ *Faire photocopier un diplôme.* ▶ *photocopieur* n. m. ou *photocopieuse* n. f. ▪ Machine à photocopier.

photo-électrique [fotoelɛktʀik] adj. **1.** *Effet photo-électrique*, phénomène d'émission d'électrons sous l'influence de la lumière. **2.** *Cellule photo-électrique*, instrument utilisant l'effet photo-électrique pour mesurer l'intensité lumineuse qu'il reçoit ou déclencher un signal (alarme, ouverture de porte, etc.).

photogénique [fotoʒenik] adj. ▪ Qui produit, au cinéma, en photographie, un effet supérieur à l'effet produit au naturel. *Un visage photogénique.*

photographe [fotɔgraf] n. **1.** Personne qui prend des photographies. *Le photographe d'un journal.* — *Les grands photographes sont des artistes.* **2.** Professionnel, commerçant qui se charge du développement, du tirage des clichés (et généralement de la vente d'appareils, d'accessoires). *Studio de photographe.* ▶ *photographie* ou *photo* [foto] n. f. **1.** Procédé, technique permettant d'obtenir l'image durable des objets, par l'action de la lumière sur une surface sensible. **2.** (Surtout PHOTO) La technique, l'art de prendre des images photographiques. *Aimer la photo, faire de la photo. Appareil (de) photo.* — L'art de la photographie ; les images photographiques considérées comme de l'art. *Histoire de la photo(graphie).* **3.** UNE PHOTO : image obtenue par le procédé de la photographie (le cliché positif). ⇒ **épreuve ; diapositive.** *Faire, prendre une photo. Photo d'identité.* — EN PHOTO. *Prendre en photo,* photographier. *Il est mieux en photo qu'au naturel.* ⇒ **photogénique.** ► *photographier* v. tr. ■ conjug. 7. ■ Obtenir l'image de (qqn. qqch.) par la photographie. *Se faire photographier.* ► *photographique* adj. ■ Relatif à la photographie ; obtenu par la photographie. *Technique photographique. Épreuve photographique.* — Qui donne l'impression d'une photo. *Un tableau d'un réalisme photographique.* ► *photographiquement* adv. ‹ ► photocomposer, photocopie, photogénique, photogravure ›

photogravure [fɔtɔgʀavyʀ] n. f. ■ Procédé d'impression d'illustrations, dans lequel un négatif est projeté sur une plaque qui sera ensuite gravée par un acide. ► *photograveur, euse* n. ■ Spécialiste de la photogravure.

photométrie [fɔtɔmetʀi] n. f. ■ Mesure de l'intensité des rayonnements.

photon [fɔtɔ̃] n. m. ■ Corpuscule, quantum d'énergie dont le flux constitue le rayonnement électromagnétique, la lumière.

photopile [fɔtɔpil] n. f. ■ Dispositif convertissant les rayons du soleil en courant électrique. (On dit aussi, fam., *pile solaire,* et didact., *cellule photo-voltaïque.*)

photosynthèse [fɔtɔsɛ̃tɛz] n. f. ■ Synthèse des matières organiques (et dégagement d'oxygène) par les plantes vertes sous l'effet de la lumière.

phrase [fʀaz] n. f. **1.** Tout assemblage oral ou écrit capable de représenter l'énoncé complet d'une idée. *La phrase peut consister en un mot unique* (ex. : *Oui !* ou *Viens !*), *mais contient habituellement un second terme qui est le sujet de l'énoncé* (ex. : *Tu viens ?*). *Phrase simple ; complexe* (formée de propositions*). *Mélodie, intonation, ponctuation de la phrase. Ordre et construction de la phrase.* ⇒ **syntaxe.** *Dire, prononcer une phrase. Échanger quelques phrases.* ⇒ **propos. 2.** Au plur. *Faire des phrases,* avoir recours à des façons de parler recherchées ou prétentieuses. — *Sans phrases,* sans commentaire, sans détour. **3.** Succession ordonnée de périodes musicales. *Phrase mélodique.* ► *phraséologie* n. f. Didact. **1.** Façon de s'exprimer propre à un milieu, une époque. *La phraséologie administrative.* **2.** Ensemble des locutions et expressions figées (d'une langue). ► *phraser* v. tr. ■ conjug. 1. ■ Délimiter ou ponctuer par l'exécution (les périodes successives d'une partition musicale). *Le pianiste a bien phrasé ce passage.* ► *phrasé* n. m. ■ Manière de phraser, en musique. ► *phraseur, euse* n. ■ Faiseur de phrases, de vains discours. ⇒ **bavard.** — Adj. *Il est un peu phraseur.* ‹ ► antiphrase, paraphrase, périphrase ›

phrygien, enne [fʀiʒjɛ̃, ɛn] adj. ■ De Phrygie [province de l'Asie mineure antique (grecque)]. — Histoire. BONNET PHRYGIEN : porté par les révolutionnaires de 1789 et par Marianne (personnification de la République française).

phtisie [ftizi] n. f. **1.** Vx. Tuberculose pulmonaire. **2.** PHTISIE GALOPANTE : forme rapide, très grave, de la tuberculose ulcéreuse. ► *phtisique* adj. et n. ■ Vx. Tuberculeux. ► *phtisiologue* n. ■ Médecin spécialiste de la tuberculose pulmonaire.

phyll-, phyllo-, -phylle ■ Éléments savants signifiant « feuille » (ex. : *chlorophylle*).

phylloxéra [filɔkseʀa] n. m. ■ Puceron parasite des racines de la vigne. — Maladie de la vigne due à cet insecte.

physicien, ienne [fizisjɛ̃, jɛn] n. ■ Savant qui s'occupe de physique. *Les physiciens et les chimistes. Une physicienne du noyau atomique.*

physicochimique [fizikoʃimik] adj. ■ À la fois physique et chimique. *Les conditions physicochimiques de la vie, des phénomènes biologiques.*

physio- ■ Élément savant signifiant « nature ». (Voir les suivants.)

physiologie [fizjɔlɔʒi] n. f. ■ Science qui étudie les fonctions et les propriétés des organes et des tissus des êtres vivants ; ces fonctions. *Physiologie végétale, animale, humaine.* ► *physiologiste* n. ■ Savant qui fait des recherches de physiologie. *Une physiologiste renommée.* ► *physiologique* adj. **1.** Relatif à la physiologie. **2.** (Opposé à *psychique*) *L'état physiologique du malade.* ⇒ **physique, somatique.** ► *physiologiquement* adv. ■ D'une manière, d'un point de vue physiologique.

physionomie [fizjɔnɔmi] n. f. **1.** Ensemble des traits, aspect du visage (surtout d'après leur expression). ⇒ **face, faciès, physique.** *Sa physionomie s'anima. Jeux de physionomie,* mimique. **2.** Aspect particulier (d'une chose, d'un objet). ⇒ **apparence.** *La physionomie de ce pays a changé.* ► *physionomiste* adj. ■ Qui est capable de reconnaître au premier coup d'œil une personne déjà rencontrée. *Vous ne le reconnaissez pas ? Vous n'êtes pas physionomiste.*

① *physique* [fizik] adj. et n. m. **I.** Adj. **1.** Qui se rapporte à la nature. ⇒ **matériel.** *Le monde physique.* / contr. **abstrait, mental** / *Géographie physique et humaine.* **2.** Qui concerne le corps humain. *Je suis fatigué, c'est purement physique.* / contr. **moral, psychique, psychologique** / Loc. *Éducation, culture physique,* gymnastique, sport. — *État physique,* de santé. *Troubles physiques.* ⇒ **organique, physiologique.** *Souffrance physique.* — *Dégoût, horreur physique,* que la volonté ne contrôle pas. Fam. *C'est physique, je ne peux m'empêcher d'éprouver ce sentiment.* **3.** Charnel, sexuel. *Amour physique.* **4.** Qui se rapporte à la nature, à l'exclusion des êtres vivants. *Les sciences physiques,* la physique et la chimie. **5.** Qui concerne la physique ②. *Propriétés physiques et chimiques d'un corps.* **II.** N. m. **1.** Ce qui est physique dans l'être humain. — AU PHYSIQUE : en ce qui concerne le physique, le corps. *Il est brutal, au physique comme au moral.* **2.** Aspect général (de qqn). ⇒ **physionomie.** *Il, elle a un physique agréable.* — Loc. AVOIR LE PHYSIQUE DE L'EMPLOI : un physique adapté à la situation, à la fonction. ► *physiquement* adv. **1.** D'une manière physique, d'un point de vue physique. *Une souffrance physiquement supportable.* **2.** En ce qui concerne l'aspect physique d'une personne. *Il est plutôt bien physiquement.* / contr. **moralement** / ‹ ► métaphysique ›

② *physique* n. f. **1.** Science qui étudie les propriétés générales de la matière et établit des lois qui rendent compte des phénomènes matériels (distinguée de *la physiologie,* des *sciences naturelles*). *Physique expérimentale. Physique atomique, nucléaire,* microphysique, science qui étudie la constitution intime de la matière, l'atome, le noyau. *Domaines de la physique,* acoustique, électricité, électronique, magnétisme, mécanique, optique, thermodynamique, etc. **2.** Étude physique d'un problème. *Physique du globe* (géophysique), *des astres* (astrophysique), *de la vie* (biophysique). ‹ ▶ astrophysique, biophysique, microphysique, physicien, physicochimique ›

-phyte, phyto- ■ Éléments savants signifiant « plante » (ex. : *phytoplancton*, n. m., plancton végétal ; *phytothérapie*, n. f., médecine par les plantes). ‹ ▶ saprophyte, thallophyte ›

pi [pi] n. m. ■ Symbole (π) qui représente le rapport de la circonférence d'un cercle à son diamètre (nombre irrationnel [3,1415926...]). ≠ *pie, pis*.

piaf [pjaf] n. m. ■ Fam. Moineau ; petit oiseau.

piaffer [pjafe] v. intr. ▪ conjug. 1. ■ Se dit d'un cheval qui, sans avancer, frappe la terre des pieds de devant. ≠ *ruer*. 2. (Personnes) Frapper du pied, piétiner. *Piaffer d'impatience.* ⇒ **trépigner**. ▶ *piaffant, ante* adj. ■ *Ils sont piaffants d'impatience.* ▶ *piaffement* n. m. ■ Mouvement, bruit du cheval qui piaffe.

piailler [pjaje] v. intr. ▪ conjug. 1. 1. Fam. (Oiseaux) Pousser de petits cris aigus. ⇒ **piauler**. 2. (Personnes) Fam. *Enfant, marmot qui piaille.* ⇒ **crier, pleurer**. ▶ *piaillement* n. m. 1. Fam. Action, fait de piailler. 2. Cri poussé en piaillant. *Les piaillements d'une bande d'enfants.* ▶ *piailleur, euse* n. et adj. ■ Fam. *Quel piailleur !* — Adj. *Des mioches piailleurs.*

pian [pjɑ̃] n. m. ■ Grave maladie tropicale, contagieuse et endémique (ulcérations de la peau, lésions osseuses aux jambes et aux pieds). *Le pian frappe de nombreux enfants d'Afrique noire.*

① *piano* [pjano] n. m. ■ Instrument de musique à clavier, dont les cordes sont frappées par des marteaux non pincées comme au clavecin*). *Des pianos. Les touches, les pédales d'un piano.* — *Piano droit*, à table d'harmonie verticale. *Piano à queue*, à table d'harmonie horizontale. — *Ce vieux piano est désaccordé.* ⇒ fam. **casserole**. *Accorder un piano. Jouer du piano.* — PIANO MÉCANIQUE : dont les marteaux sont actionnés par un mécanisme (bande perforée, etc.). — *Piano à bretelles.* ⇒ **accordéon**. *Piano électrique, électronique.* ⇒ **synthétiseur**. ▶ *pianiste* n. ■ Personne dont la profession est de jouer du piano ; personne qui joue du piano avec talent. *Un, une pianiste. Elle est très bonne pianiste.* ▶ *pianoter* v. intr. ▪ conjug. 1. 1. Jouer du piano maladroitement, sans talent. 2. Tapoter (sur qqch.) avec les doigts. *Pianoter sur une table.* ▶ *pianotage* n. m. ■ Action de pianoter (1, 2).

② *piano* adv. 1. En musique. Doucement, faiblement. / contr. **forte** / *Il faut jouer ce passage piano.* 2. Fam. ⇒ **doucement**. *Vas-y piano !* ▶ *pianissimo* adv. ■ En musique. Très doucement. / contr. **fortissimo** /

piastre [pjastʀ] n. f. 1. Aux XVIIe et XVIIIe s. Monnaie d'or. 2. Aujourd'hui. Centième partie de la livre (Égypte, Liban, Soudan, Syrie). 3. Au Canada français. Fam. Dollar (canadien).

piaule [pjol] n. f. ■ Fam. Chambre, logement. *Rentrer dans sa piaule.*

piauler [pjole] v. intr. ▪ conjug. 1. 1. (Petits oiseaux) Crier. ⇒ **piailler**. 2. Fam. *Les enfants piaulaient et pleurnichaient.* ⇒ **piailler**. ▶ *piaulement* n. m. ■ Piaillement.

P.I.B. [peibe] n. m. invar. ■ Produit intérieur brut (d'un pays). ⇒ **produit**.

① *pic* [pik] n. m. ■ Pivert.

② *pic* n. m. ■ Outil de mineur, pioche à fer(s) pointu(s).

③ *pic* n. m. ■ Montagne dont le sommet dessine une pointe aiguë ; cette cime. *L'ascension d'un pic.*

Des pics enneigés. ▶ *à pic* [apik] loc. adv. 1. Verticalement. *Rochers qui s'élèvent à pic au-dessus de la mer* (⇒ **à-pic**, n. m.). — Adj. *Montagne à pic.* ⇒ **escarpé**. — *Un bateau qui coule à pic*, droit au fond de l'eau. 2. Loc. fam. À point nommé, à propos. *Vous arrivez à pic. Ça tombe à pic.* ‹ ▶ à-pic ›

picador [pikadɔʀ] n. m. ■ Cavalier qui, dans les corridas, fatigue le taureau avec une pique. *Des picadors.*

picaillons [pikajɔ̃] n. m. pl. ■ Fam. Argent. ⇒ fam. **pépètes**. *Donne-moi les picaillons.*

picaresque [pikaʀɛsk] adj. ■ *Roman picaresque*, qui met en scène des « picaros » ou aventuriers espagnols.

piccolo ou *picolo* [pikɔlo] n. m. ■ Petite flûte en ré. *Des piccolos.*

pichenette [piʃnɛt] n. f. ■ Chiquenaude*, petit coup donné avec un doigt.

pichet [piʃɛ] n. m. ■ Petite cruche à bec ; son contenu. *Boire un pichet de vin.*

pickles [pikœls] n. m. pl. ■ Petits légumes macérés dans du vinaigre aromatisé, servis comme condiment. *Un bocal de pickles.*

pickpocket [pikpɔkɛt] n. m. ■ Voleur à la tire. *Méfiez-vous des pickpockets.*

pick-up [pikœp] n. m. invar. ■ Anglic. Vieilli Tourne-disque ; électrophone. *Il a vendu ses deux vieux pick-up pour acheter une chaîne.*

picoler [pikɔle] v. intr. ▪ conjug. 1. ■ Fam. Boire du vin, de l'alcool avec excès. *Il s'est mis à picoler.* ▶ *picoleur, euse* n. ■ Fam. Buveur(euse).

picolo ⇒ **piccolo**.

picorer [pikɔʀe] v. ▪ conjug. 1. 1. V. intr. (Oiseaux) Chercher sa nourriture avec le bec. *Les poules qui picorent sur le fumier.* 2. V. intr. (Personnes) Manger très peu, sans appétit. ⇒ **pignocher**. 3. V. tr. Piquer, prendre de-ci, de-là avec le bec. ⇒ **becqueter**. *Des poussins qui picorent des miettes de pain.*

picot [piko] n. m. ■ Technique. Pièce mécanique en relief destinée à transmettre un mouvement en s'emboîtant dans une perforation. *Roue à picots.*

picoter [pikɔte] v. tr. ▪ conjug. 1. 1. Piquer légèrement et à petits coups répétés. — (Oiseaux) ⇒ **becqueter, picorer**. 2. Irriter comme par de légères piqûres répétées. *La fumée picote les yeux.* ▶ *picotement* n. m. ■ Sensation de légères piqûres répétées. *Éprouver des picotements dans la gorge.*

picotin [pikɔtɛ̃] n. m. ■ Ration d'avoine donnée à un cheval.

picrate [pikʀat] n. m. ■ Fam. Vin rouge de mauvaise qualité. *Il buvait ses deux litres de picrate par jour.*

picrique [pikʀik] adj. ■ ACIDE PICRIQUE : dérivé nitré du phénol, solide cristallisé jaune, toxique.

pict(o)- ■ Élément qui signifie « peindre, colorer ». ▶ *pictogramme* [piktɔgʀam] n. m. ■ Signe, dessin représentant un être, un objet. ≠ *idéogramme*. ▶ *pictographique* adj. ■ *Écriture pictographique*, utilisant des pictogrammes. ‹ ▶ pictural, pigment ›

pictural, ale, aux [piktyʀal, o] adj. ■ Qui a rapport ou appartient à la peinture. *Techniques picturales.*

① *pie* [pi] n. f. 1. Passereau au plumage noir et blanc, à longue queue. *La pie jacasse, jase.* 2. Personne bavarde. *Ta voisine, quelle pie !* ▶ ② *pie* adj. invar. ■ *Cheval, jument pie*, à robe noire et blanche

(comme la pie) ou fauve et blanche. *Des chevaux pie.*
⟨ ▶ pie-grièche ⟩

③ *pie* adj. f. ■ Loc. *Œuvre pie.* ⇒ **pieux.** ≠ *pi, pis.*
⟨ ▶ expier, impie, pietà, piété, pieux ⟩

① *pièce* [pjɛs] n. f. **I. 1.** (Seulement dans quelques
emplois) Chaque objet, chaque élément ou unité (d'un
ensemble). *Marchandises vendues au poids ou à la
pièce. Travail* AUX PIÈCES : rémunéré selon le nombre
de pièces exécutées par l'ouvrier. Fam. *On n'est pas
aux pièces,* nous avons tout notre temps. — *Les pièces
d'une collection.* Loc. *C'est une pièce de musée,* un
objet de grande valeur. — *Un costume trois-pièces*
(veston, pantalon, gilet). *Un maillot de bains deux-
pièces.* ⇒ **bikini, deux-pièces. 2.** Quantité déterminée
(d'une substance formant un tout). *Une pièce de soie.*
3. Loc. *Une pièce de bétail.* ⇒ **tête. II.** (Emplois
spéciaux) **1.** PIÈCE DE TERRE : espace de terre
cultivable. ⇒ **champ.** — PIÈCE D'EAU : grand bassin
ou petit étang. **2.** PIÈCE DE VIN. ⇒ **barrique, tonneau.**
3. PIÈCE MONTÉE : grand ouvrage de pâtisserie et de
confiserie, aux formes architecturales. **4.** PIÈCE
(D'ARTILLERIE). ⇒ **canon. III.** Écrit servant à établir
un droit, à faire la preuve d'un fait. ⇒ **acte, document.**
Pièces d'identité. ⇒ **papier(s).** — PIÈCE À CONVIC-
TION : tout écrit ou objet permettant d'établir une
preuve. — Loc. *Juger, décider sur pièces, avec pièces
à l'appui.* **IV. 1.** Chacun des éléments (dont l'agencement, l'assemblage forme un tout organisé). *Les pièces
d'une machine. Pièces de rechange.* — *Pièces détachées.* ⇒ **kit. 2.** Élément destiné à réparer une
déchirure, une coupure. *Mettre une pièce à un
vêtement.* ⇒ **rapiécer. 3.** Loc. *Être fait d'une seule
pièce,* TOUT D'UNE PIÈCE : d'un seul tenant.
(Personnes) *Être tout d'une pièce,* franc et direct, ou
sans souplesse. ⇒ **entier.** — *Fait de pièces et de
morceaux,* se dit de tout ce qui manque d'unité,
d'homogénéité. ⇒ **disparate.** — *Créer, forger, inventer
DE TOUTES PIÈCES :* entièrement, sans rien emprunter
à la réalité. **V.** Loc. Littér. FAIRE PIÈCE *à qqn :* lui
faire échec, s'opposer à lui. ▶ ② *pièce* n. f. ■ Architecture. Chaque unité d'habitation, délimitée par ses
murs, ses cloisons (sont exclus les couloirs, les W.-C.,
la salle de bains et la cuisine). *Un appartement de
quatre pièces, avec une chambre, une salle à manger,
un salon et un bureau.* — Ellipt. *Un deux-pièces cuisine.*
⇒ **F.** ▶ ③ *pièce* n. f. ■ *Pièce (de monnaie),* petit
disque de métal revêtu d'une empreinte distinctive
et servant de valeur d'échange. *Des pièces d'or. Une
pièce de cinq francs.* — Fam. *Donner la pièce à qqn,*
lui donner un pourboire. ▶ *piécette* n. f. ■ Petite pièce
de monnaie. ⇒ **ferraille, mitraille.** ▶ ④ *pièce* n. f.
1. Ouvrage littéraire ou musical. *Une pièce de vers.*
— *Une pièce instrumentale.* **2.** PIÈCE (DE THÉÂTRE) :
ouvrage dramatique. *Pièce en cinq actes. Cette jeune
troupe monte une pièce de Molière.* ▶ *en pièces* loc.
adv. ■ En morceaux. *Mettre en pièces,* casser,
déchirer. *Tailler en pièces l'ennemi,* le détruire.
⟨ ▶ deux-pièces, empiècement, emporte-pièce, rapiécer ⟩

① *pied* [pje] n. m. **I. 1.** Partie inférieure articulée
à l'extrémité de la jambe humaine, pouvant reposer
à plat sur le sol et permettant la station verticale et
la marche. ⇒ **cou-de-pied, plante, talon.** *Doigts de
pied.* ⇒ **orteil.** *Pied plat* (malformation). *Se fouler le
pied.* ⇒ **entorse.** Loc. *Être pieds nus, nu-pieds. Passer
une rivière à pied sec,* sans se mouiller les pieds. DE
PIED EN CAP *(des pieds à la tête). Mettre pied à terre.*
— *Avoir un pied dans la tombe,* être très vieux ou
moribond. — COUP DE PIED : coup donné avec le
pied. *Recevoir un coup de pied.* ≠ *cou-de-pied.*
— Loc. fam. *Tu es bête comme tes pieds,* très bête.
J'ai joué comme un pied, très mal. — *Marcher sur
les pieds de qqn,* lui manquer d'égards, chercher à

l'évincer. — *Casser les pieds (de, à qqn).* ⇒ **casse-
pieds.** — *Ça te fera les pieds,* ce sera pour toi une
bonne leçon. — *Mettre les pieds dans le plat,* aborder
une question délicate avec une franchise brutale. — *Je
n'y ai jamais mis les pieds,* je n'y suis jamais allé. — *Il
s'est levé du pied gauche,* il est de mauvaise humeur.
— *Pieds et poings liés,* réduit à l'impuissance, à
l'inaction totale. — *Faire des pieds et des mains pour*
(+ infinitif), ne rien épargner, se démener pour.
— *Attendre qqn de pied ferme,* avec détermination.
— *Au pied levé,* sans préparation. — ⇒ aussi ② **pied.**
2. Loc. (Avec *sur, à, en*) *Sur ses pieds, sur un pied.*
⇒ **debout.** — *Retomber sur ses pieds,* se tirer à son
avantage d'une situation difficile. — SUR PIED. *Dès
cinq heures, il est sur pied,* debout, levé. — *Mettre
sur pied une entreprise,* la créer. ⇒ **organiser.** — À
PIED : en marchant. *Allons-y à pied. Course à pied*
(opposé à *course cycliste, automobile...*). — *Il a été mis
à pied,* licencié ; suspendu dans ses fonctions (⇒ **mise
à pied**). — À PIEDS JOINTS : en gardant les pieds
rapprochés (pour sauter). — EN PIED : représenté
debout, des pieds à la tête. *Un portrait en pied.* — AUX
PIEDS *de qqn :* devant lui (en étant baissé, prosterné).
Se jeter, tomber aux pieds de qqn, pour le supplier.
3. Loc. Sans article. *Avoir pied,* pouvoir, en touchant
du pied le fond, avoir la tête hors de l'eau. *Perdre
pied,* ne plus avoir pied ; abstrait, se troubler, être
emporté par qqch. qu'on ne contrôle plus. — *Lâcher
pied,* céder, reculer. **4.** *Avoir bon pied, bon œil,* être
encore solide, agile, et avoir bonne vue. — *Pied à
pied,* pas à pas. **5.** Emplacement des pieds. *Le pied
et la tête d'un lit.* **6.** (Chez l'animal) Extrémité
inférieure de la jambe (des chevaux), de la patte (des
mammifères et oiseaux). ⇒ suff. **-pède, -pode.** — *Pieds
de veau, de mouton, de porc* (vendus en boucherie).
⇒ pied de **grue. II. 1.** Partie par laquelle un objet
touche le sol. ⇒ **bas, base.** *Caler le pied d'une échelle.
Le pied d'un mur. La maison est au pied de la colline.*
— En typographie. *Le pied d'une lettre* (opposé à *l'œil*),
sa base. — Loc. *Être au pied du mur,* dans l'obligation
d'agir. *Être à pied d'œuvre,* en situation d'agir, devant
un travail. — (Végétaux) *Fruits vendus sur pied,* avant
la récolte. **2.** Chaque individu, chaque plant (de
certains végétaux cultivés). *Pied de vigne.* ⇒ **cep.** *Des
pieds de salade.* **3.** Partie d'un objet servant de
support. *Un verre à pied. Pied de table.* **III.** Fig.
Prendre son pied. ⇒ ② **pied.** ▶ *pied-à-terre* [pje-
tatɛʀ] n. m. invar. ■ Logement qu'on occupe en
passant, occasionnellement. *Il a plusieurs pied-à-terre
en province.* ⇒ **garçonnière.** ▶ *pied bot* ⇒ **bot.**
▶ *pied-de-biche* [pjedbiʃ] n. m. ■ Levier à tête
fendue. ⇒ **pince-monseigneur.** — En couture. Pièce
d'une machine qui maintient l'étoffe et entre les
branches de laquelle passe l'aiguille. *Des pieds-de-
biche.* ▶ *pied-de-poule* [pjedpul] n. m. ■ Tissu à
chaîne et trame croisées formant une sorte de damier.
Des pied-de-poule. — Adj. invar. *Des manteaux
pied-de-poule.* ▶ *pied-noir* [pjenwaʀ] n. ■ Fam.
Français d'Algérie. *Les pieds-noirs rapatriés en 1962.*
▶ *pied-plat* [pjepla] n. m. ■ Vx. Personne grossière,
inculte ou servile. *Des pieds-plats.* ⟨ ▶ d'arrache-pied,
cale-pied, casse-pieds, chausse-pied, à cloche-pied,
contre-pied, cou-de-pied, couvre-pieds, croche-pied,
marchepied, nu-pieds, piédestal, piétaille, piétiner,
piéton, de plain-pied, va-nu-pieds, trépied ⟩

② *pied* n. m. **I. 1.** Ancienne unité de mesure de
longueur (0,324 m). ⇒ **lieue, pouce, toise.** — Loc. fig.
Il aurait voulu être (à) cent pieds sous terre, il avait
envie de se cacher (par honte). Vieilli. *Il tirait un nez
d'un pied de long,* il était déçu et honteux (⇒ **pied
de nez**). **2.** Mesure de longueur anglo-saxonne
(0,3048 m) ; unité internationale d'altitude en aéronautique. *L'avion vole à 10 000 pieds.* ⇒ **mile,**
② **mille,** ③ **nœud. II.** Dans des loc. abstraites. Base

de mesure. **1.** *Au pied de la lettre.* ⇒ **lettre.** — PREN-
DRE SON PIED (sa part de butin) : jouir. *Quel pied !,*
quel plaisir ! C'est le pied. **2.** SUR *(le, un)* PIED. *Être*
traité, reçu sur le pied de..., comme..., au rang de...
Sur un pied d'égalité, comme égal. *Mettre sur le même*
pied, sur le même plan. — *Armée sur le pied de guerre,*
équipée et préparée pour la guerre. — *Vivre sur un*
grand pied, dans le luxe. **3.** AU PETIT PIED : en
réduction, en imitation faible. **III.** PIED À COULISSE :
instrument pour mesurer les épaisseurs et les diamè-
tres. ▶ *pied de nez* [pjedne] n. m. ▪ Geste de
dérision qui consiste à étendre la main, doigts écartés,
en appuyant le pouce sur son nez (le nez a un *pied*
de long). *Faire un pied de nez à qqn. Des pieds de*
nez.

③ **pied** n. m. ▪ Poésie. Unité rythmique constituée
par un groupement de syllabes d'une valeur déterminée (quantité, accentuation). *Les pieds d'un vers latin.*
Un alexandrin ne compte pas six pieds, mais douze
syllabes.

piédestal, aux [pjedɛstal, o] n. m. **1.** Support
isolé, assez élevé (d'une colonne, d'un objet d'art).
⇒ **socle.** **2.** Loc. fig. *Mettre qqn sur un piédestal,* lui
vouer une grande admiration. *Tomber de son piédes-*
tal, perdre tout son prestige.

piège [pjɛʒ] n. m. **1.** Fosse ⇒ **trappe,** cage, collet,
mâchoires de fer, engin destiné à prendre les animaux
terrestres ou les oiseaux. *Dresser, tendre un piège. Un*
renard pris au piège. **2.** Artifice pour mettre qqn dans
une situation périlleuse ou désavantageuse ; danger
caché où l'on risque de tomber par ignorance ou par
imprudence. ⇒ **feinte, ruse, traquenard.** *On lui a*
tendu un piège. Il a été pris au piège. Il est tombé
dans le piège. ▶ *piéger* v. tr. ▪ conjug. 3. **1.** Chasser,
prendre (un animal) au moyen de pièges. **2.** Fam.
Piéger qqn, le faire tomber dans un piège. *Ils se sont*
fait piéger. — Au p. p. adj. *Voiture piégée,* où une
bombe a été placée, qui explose lorsque le contact
est mis. — *La situation est piégée,* elle comporte un,
des piège(s).

pie-grièche [pigʀijɛʃ] n. f. **1.** Passereau carnassier,
au plumage barré de noir. **2.** Personne acariâtre.
Quelles pies-grièches !

pierre [pjɛʀ] n. f. **I. 1.** Toute matière minérale
solide, dure, qui forme l'écorce terrestre. ⇒ **lith(o)-.**
Une collection de pierres. Un bloc de pierre. ⇒ **rocher.**
Pierre de taille, apte à être taillée. *Escalier, cheminée*
de pierre, en pierre. — Loc. *Un cœur de pierre,* dur
et impitoyable. — *L'âge de pierre,* la préhistoire.
⇒ **néolithique, paléolithique.** **2.** *Une pierre,* bloc ou
fragment rocheux. ⇒ **roc, rocher ;** caillou, galet. *Un*
tas de pierres. Casseur de pierres. — Loc. *Malheureux comme les*
pierres, très malheureux et seul. *Faire d'une pierre*
deux coups, obtenir deux résultats par la même action.
Jeter la pierre à qqn, l'accuser, le blâmer. **3.** Fragment
de pierre servant à un usage particulier. *Une pierre*
à aiguiser. Pierre ponce. ⇒ **ponce.** — PIERRE DE
TOUCHE : fragment de céramique utilisé pour évaluer
la teneur en or d'un alliage de ce métal (autrefois,
du jaspe noir) ; fig. ce qui sert à mesurer la valeur
d'une personne ou d'une chose. — *Pierre,* bloc de
roche pour la construction. *Une carrière de pierres.*
Tailleur de pierres. Une maison en pierre de taille.
Construction en pierres sèches, non liées par un
mortier. **4.** Bloc constituant un monument. ⇒ **méga-**
lithe, monolithe. *Pierres levées.* ⇒ **menhir ;** dolmen.
Inscription gravée sur une pierre tombale. ⇒ **épitaphe.**
II. PIERRE (PRÉCIEUSE) : cristal limpide et rare, dont
la pureté fait la valeur, employé en joaillerie. *Pierre*
brute. ⇒ **gangue.** *Pierre taillée.* ⇒ **gemme, pierreries ;**
diamant, émeraude, rubis, saphir. PIERRES FINES (ex. :

améthyste, opale, topaze, turquoise, etc.) : employées
en bijouterie. **III.** Concrétion, plus grosse que le
calcul, qui se forme dans les reins, la vessie ou la
vésicule biliaire. *Maladie de la pierre.* ⇒ **colique** (1).
▶ *pierraille* n. f. Collectif. **1.** Petites pierres ; éclats
de pierre. ⇒ **gravier.** **2.** Étendue de pierres. ⇒ **cail-**
lasse. ▶ **pierreries** n. f. pl. ▪ Pierres précieuses
taillées, employées comme ornement. ⇒ **joyau.** *Une*
couronne sertie de pierreries. ▶ *pierreux, euse* adj.
1. Couvert de pierres. ⇒ **rocailleux.** *Chemin pier-*
reux. Le lit pierreux du ruisseau. ⇒ **caillouteux.**
2. Qui ressemble à de la pierre. *Concrétion pierreuse.*
⇒ **pétrifier** (1). ⟨ ▶ empierrer, lance-pierres ⟩

pierrot [pjɛʀo] n. m. **1.** Moineau. ⇒ fam. **piaf.**
2. Homme travesti en Pierrot, personnage de pantomime, vêtu de blanc et le visage enfariné. *Des pierrots.*

pietà [pjeta] n. f. invar. ▪ Statue ou tableau
représentant la Vierge tenant sur ses genoux le corps
du Christ mort. *Des pietà.*

piétaille [pjetaj] n. f. Collectif (ceux qui vont à *pied*).
▪ Plaisant. L'infanterie ; les subalternes.

piété [pjete] n. f. **1.** Attachement fervent aux devoirs
et aux pratiques de la religion. ⇒ **dévotion, ferveur.**
/ contr. bigoterie, impiété, tiédeur / *Des livres, des*
actes de piété. ⇒ **pieux ;** ③ **pie. 2.** Littér. *Piété filiale,*
attachement, fait de tendresse et de respect, des
enfants pour leurs parents. ⇒ **affection, amour.**

piétiner [pjetine] v. ▪ conjug. 1. **I.** V. intr. **1.** S'agiter sur place en frappant les pieds contre le sol. *Un*
enfant qui piétine de colère. ⇒ **trépigner.** — Remuer
les pieds sans avancer ou en avançant péniblement.
La foule piétinait sur les trottoirs. **2.** Abstrait. Avancer
peu ; ne faire aucun progrès. *Il a l'impression de*
piétiner, de perdre son temps. L'enquête piétine.
3. (Foule, troupeau) Marcher ou courir en martelant
le sol avec un bruit sourd. **II.** V. tr. **1.** Fouler, écraser
(qqch.) en piétinant. *Il jeta la lettre et la piétina. Ils*
piétinent l'herbe. **2.** Ne pas respecter, malmener. *Dans*
son article, il piétine les traditions. ▶ *piétinement*
n. m. **1.** Action de piétiner (1). **2.** Absence de progrès,
stagnation. **3.** Bruit d'une multitude qui piétine.

piéton, onne [pjetɔ̃, ɔn] n. et adj. **1.** N. m.
Personne (homme ou femme) qui circule à pied* dans
une ville (opposé à *automobiliste, cycliste...*). *Les piétons*
marchent sur les trottoirs. **2.** Adj. Pour les piétons. *Une*
rue piétonne. ⇒ **piétonnier.** ▶ *piétonnier, ière* adj.
▪ (Passage, voie...) Réservé aux piétons. *Des rues*
piétonnières.

piètre [pjɛtʀ] adj. ▪ Littér. (Toujours devant le nom)
Très médiocre, minable. ⇒ **dérisoire, minable.** *C'est un piètre*
réconfort. Il ferait piètre figure. ▶ *piètrement* adv.
▪ *Nous avons été piètrement récompensés.*

① **pieu** [pjø] n. m. ▪ Pièce de bois droite et rigide,
dont l'un des bouts est pointu et destiné à être enfoncé
en terre. ⇒ **épieu, piquet.** *Les pieux d'une clôture.*
⇒ **pal.**

② **pieu** n. m. ▪ Fam. Lit. *Au pieu ! il est temps de*
dormir. ▶ *se pieuter* v. pron. ▪ conjug. 1. ▪ Fam. Se
mettre au lit.

pieuvre [pjœvʀ] n. f. **1.** Poulpe. ⇒ **polype.** *Les*
bras, les tentacules d'une pieuvre. — Spécialt. Poulpe
de grande taille (considéré comme dangereux).
2. Personne insatiable qui ne lâche jamais sa proie.
⇒ **hydre.**

pieux, pieuse [pjø, pjøz] adj. **1.** Qui est animé
ou inspiré par des sentiments de piété. ⇒ **dévot.** *C'est*
une femme très pieuse. / contr. impie / **2.** Littér. Plein
d'une respectueuse affection. *Des soins pieux.* ▶ *pieu-*
sement adv. **1.** Avec piété. **2.** Avec un pieux respect.
Elle conserve pieusement des souvenirs de sa mère.

① *pif* [pif] interj. ■ Onomatopée (presque toujours redoublée ou suivie de *paf*) exprimant un bruit sec.

② *pif* n. m. ■ Fam. Nez. ▶ *pifer* ou *piffer* v. tr. — REM. Seulement à l'infinitif négatif. ■ Fam. Supporter ⇒ **sentir**. *Je ne peux pas le pifer, le piffer, ce type-là.* ▶ *au pifomètre* loc. adv. ■ Fam. Par le simple flair (sans calcul). *J'ai choisi au pifomètre.* ⟨ ▶ s'empiffrer ⟩

① *pige* [piʒ] n. f. 1. Ancien procédé de mesure des distances ; baguette servant à comparer de courtes distances. 2. Fam. Année. *Il a bien quarante-cinq piges.* ⇒ fam. **balai**, **berge**.

② *pige* n. f. ■ Mode de rémunération d'une personne rétribuée à la quantité de texte rédigé. *Une journaliste payée à la pige.* ▶ *pigiste* n. et adj. ■ Personne payée à la pige. *Traducteur pigiste.*

③ *pige* n. f. ■ FAIRE LA PIGE À *qqn* : faire mieux que lui, le dépasser, le surpasser. *Pour le travail, il leur faisait la pige à tous.* ⟨ ▶ piger ⟩

① *pigeon* [piʒɔ̃] n. m. ■ Oiseau au bec grêle, aux ailes courtes, au plumage blanc ⇒ **colombe**, gris ou brun ; le mâle adulte (opposé à *pigeonne, pigeonneau*). *Des pigeons roucoulaient. Paris est envahi de pigeons. Pigeon ramier.* ⇒ **palombe**. — PIGEON VOYAGEUR : élevé pour porter des messages entre deux lieux éloignés. ▶ *pigeonnant, ante* adj. ■ Se dit d'une poitrine féminine haute et généreuse, projetée en avant, et du soutien-gorge qui donne cet aspect aux seins. *Des seins pigeonnants.* ▶ *pigeonne* n. f. ■ Femelle du pigeon. ▶ *pigeonneau* n. m. ■ Jeune pigeon. *Des pigeonneaux rôtis.* ▶ *pigeonnier* n. m. 1. Petit bâtiment où l'on élève des pigeons. ⇒ **colombier**. 2. Plaisant. Petit logement situé aux étages supérieurs. ⟨ ▶ gorge-de-pigeon, ② pigeon ⟩

② *pigeon* n. m. ■ Fam. Personne qu'on attire dans une affaire pour la dépouiller. ⇒ **dupe**. *Il, elle a été le pigeon dans l'affaire.* ▶ *pigeonner* v. tr. ⏵ conjug. 1. ■ Fam. Duper, rouler. *Elle s'est fait pigeonner.*

piger [piʒe] v. tr. ⏵ conjug. 3. ■ Fam. Saisir, comprendre. *Je n'ai rien pigé à ce livre. Sans compl. Tu as pigé ? Pigé !*

pigment [pigmɑ̃] n. m. 1. Substance chimique donnant aux tissus et liquides organiques leur coloration (ex. : *chlorophylle, hémoglobine*). 2. Substance colorante insoluble qui ne pénètre pas dans les matières sur lesquelles on l'applique (au contraire des teintures). *Peinture composée d'un diluant, d'une charge et de pigments.* ▶ *pigmentation* n. f. ■ *La pigmentation de la peau*, sa couleur naturelle. ▶ *pigmenté, ée* adj. ■ *Peau foncée, fortement pigmentée.* ⇒ **coloré**.

pignocher [piɲɔʃe] v. intr. ⏵ conjug. 1. ■ Fam. Manger sans appétit, du bout des dents. *Elle pignoche dans les plats.* ⇒ **grignoter**, **picorer**.

① *pignon* [piɲɔ̃] n. m. ■ Partie haute et triangulaire d'un mur, entre les deux versants d'un toit (en façade ou sur le côté). ⇒ **fronton**. *Des maisons flamandes à pignons.* — Loc. *Avoir* PIGNON SUR RUE : être honorablement connu et solvable (parce qu'on est propriétaire).

② *pignon* n. m. ■ Roue dentée (d'un engrenage). *Les pignons de la boîte de vitesse.*

③ *pignon* n. m. 1. Graine comestible de la pomme de pin. (On dit aussi *pigne*, n. f.) 2. En appos. *Pin pignon*, pin parasol.

pignouf [piɲuf] n. m. ■ Fam., péj. Individu mal élevé, grossier. ⇒ **goujat**, **rustre**.

pilaf [pilaf] n. m. ■ Riz au gras, servi fortement épicé, avec des morceaux de mouton, de volaille, de poisson, etc. — En appos. *Riz pilaf.*

pilastre [pilastʀ] n. m. ■ Pilier engagé dans un mur, un support, colonne plate formant une légère saillie. *Cheminée à pilastres.*

① *pile* [pil] n. f. 1. Pilier de maçonnerie soutenant les arches (d'un pont). *Les piles du pont.* 2. Tas plus haut que large (d'objets mis les uns sur les autres). *Une pile d'assiettes, de bois, de livres, de torchons. Mettre en pile*, empiler. ⟨ ▶ empiler, pilastre, pilier, pilotis ⟩

② *pile* n. f. 1. Appareil transformant de l'énergie chimique en énergie électrique. ≠ *accumulateur, batterie.* ⇒ **photopile**. *La pile d'une lampe de poche.* 2. Vx. *Pile atomique*, réacteur nucléaire. ⟨ ▶ photopile ⟩

③ *pile* n. f. ■ Fam. Volée de coups. ⇒ **rossée**. *Il lui a fichu une pile.* — Défaite écrasante. *Son équipe a reçu une de ces piles !* (On trouve aussi *pilée.*)

④ *pile* n. f. ■ PILE OU FACE : revers ou face (d'une monnaie qu'on jette en l'air) pour remettre une décision au hasard. *Pile*, le coup où la pièce tombe en montrant son revers. *Tirer, choisir, jouer à pile ou face.* — En appos. *Le côté pile.*

⑤ *pile* adv. ■ *Il s'est arrêté pile*, net, brusquement. *Ça tombe pile*, juste comme il faut. ⇒ à **pic**. *On est arrivé pile pour le train de onze heures*, juste. ▶ ① *piler* v. intr. ⏵ conjug. 1. ■ S'arrêter pile. *Il a pilé sur place.*

② *piler* v. tr. ⏵ conjug. 1. 1. Réduire en menus fragments, en poudre, en pâte, par des coups répétés. ⇒ **broyer**, **écraser** ; **pilon**. *Elle pilait du maïs, de l'ail.* — Fig. *Je le pilerais ! J'ai envie de le piler tellement il m'exaspère.* 2. Fam. Flanquer une pile à (qqn). ⇒ **battre**. *Notre équipe s'est fait piler*, écraser. ▶ *pilage* n. m. ■ *Le pilage du mil.* ⟨ ▶ pile, pilon ⟩

pileux, euse [pilø, øz] adj. ■ Qui a rapport aux poils. *Le système pileux*, l'ensemble des poils et des cheveux. ⟨ ▶ épiler, pilosité ⟩

pilier [pilje] n. m. 1. Élément de maçonnerie, support vertical isolé dans une construction. ⇒ **colonne**, **pilastre**. *Les tambours de pierre d'un pilier. Les piliers d'un temple.* — Poteau servant de support. *Piliers de fer.* 2. Personne ou chose qui assure la solidité, la stabilité. *Les piliers du régime.* 3. Péj. ou plaisant. Habitué qui fréquente assidûment un lieu. *Un pilier de bistrot.* 4. Au rugby. Dans la mêlée. Chacun des deux avants de première ligne.

piller [pije] v. tr. ⏵ conjug. 1. 1. Dépouiller (une ville, un local) des biens qu'on trouve, d'une façon violente et destructive. ⇒ **dévaster**, **ravager**, **saccager**. *Ils prirent, pillèrent et rasèrent la ville.* — Au p. p. adj. *Des magasins pillés au cours d'une émeute.* 2. Voler (un bien) dans un pillage. *Des objets pillés dans une église.* 3. Emprunter à un auteur qu'on plagie. *Les passages qu'il a pillés dans des travaux japonais pas encore traduits.* ▶ *pillage* n. m. ■ ⇒ **razzia**, **sac**. *Une ville livrée au pillage.* ▶ *pillard, arde* n. et adj. 1. N. Personne qui pille. ⇒ **brigand**, **maraudeur**, **pirate**, **voleur**. *Une bande de pillards affamés.* 2. Adj. Qui pille, a l'habitude de piller. *Des soldats pillards.* ▶ *pilleur, euse* n. ■ Personne qui pille (2, 3). *Un pilleur d'églises.*

pilon [pilɔ̃] n. m. 1. Instrument cylindrique de bois, de pierre ou de métal arrondi sur une face, servant à piler (généralement dans un mortier). *Broyer de l'ail avec un pilon.* ⇒ ② **piler**. — *Marteau-pilon.* — Loc. *Mettre un livre au pilon*, en détruire l'édition. 2. Extrémité d'une jambe de bois. 3. Partie inférieure d'une cuisse (de poulet). ▶ *pilonner* v. tr. ⏵ conjug. 1. 1. Écraser avec un pilon (1). 2. Écraser sous les obus, les bombes. *L'artillerie pilonnait les lignes ennemies.*

▶ *pilonnage* n. m. ▪ *Le pilonnage d'une ville par l'aviation.*

pilori [pilɔʀi] n. m. 1▪ Poteau auquel on attachait le condamné à l'exposition publique. ⇒ **carcan.** *Daniel de Foë fut condamné au pilori,* à cette peine. 2▪ Loc. *Mettre, clouer qqn* AU PILORI : le signaler à l'indignation, au mépris publics.

pilosité [pilozite] n. f. ▪ Présence de poils sur une région du corps. ⇒ **duvet ; pileux.**

pilote [pilɔt] n. m. 1▪ Marin autorisé à assister les capitaines dans la manœuvre et la conduite des navires, à l'intérieur des ports ou dans des parages difficiles. *Bateau-pilote,* petit bateau du pilote. 2▪ Personne qui conduit (un avion, un hélicoptère, etc.). *Le pilote et le copilote* (⇒ **copilote**) *d'un avion. Pilote de ligne. Pilote d'essai.* 3▪ Conducteur d'une voiture de course. 4▪ Personne qui se charge d'en guider d'autres dans un lieu qu'elle connaît. ⇒ **guide.** *Servir de pilote à qqn.* 5▪ Fig. En appos. Qui indique l'exemple ; qui sert de démonstration. *Usine pilote. Des boucheries pilotes. Classe pilote.* ⇒ **expérimental.** ▶ *piloter* v. tr. ▪ conjug. 1▪ 1▪ Conduire en qualité de pilote (un navire, un avion). 2▪ Servir de guide à (qqn). *Je l'ai piloté dans Paris.* ⇒ **guider.** ▶ *pilotage* n. m. 1▪ Manœuvre, art du pilote (1). *Le pilotage des navires dans un canal, un port.* 2▪ Action de diriger un avion, un planeur, un hélicoptère, etc. *Poste de pilotage. Pilotage automatique.* ⟨ ▶ copilote ⟩

pilotis [pilɔti] n. m. invar. ▪ Ensemble de pieux (① piles) enfoncés en terre pour asseoir les fondations d'une construction sur l'eau ou en terrain meuble. *Immeuble (construit) sur pilotis.*

pilou [pilu] n. m. ▪ Tissu de coton pelucheux.

pilule [pilyl] n. f. 1▪ Médicament façonné en petite boule et destiné à être avalé. ≠ *cachet, comprimé. Un tube de pilules.* — Loc. fam. *Avaler la pilule,* supporter une parole, une chose désagréable. *Dorer la pilule à qqn.* ⇒ **dorer.** 2▪ LA PILULE : contraceptif pris par la bouche. *Elle prend la pilule.* 3▪ Fam. *Il a pris la pilule,* il a été sévèrement battu. ⇒ ③ **pile.**

pilum [pilɔm] n. m. ▪ Lourd javelot, arme des légionnaires romains. *Des pilums.*

pimbêche [pɛ̃bɛʃ] n. f. ▪ Femme, petite fille déplaisante, qui prend de grands airs. ⇒ **mijaurée.** *C'est une petite pimbêche.* — Adj. *Elle est un peu pimbêche.*

piment [pimɑ̃] n. m. 1▪ Fruit d'une plante des régions chaudes, servant de condiment et de légume. *Piment rouge,* à saveur très forte, brûlante. ⇒ **paprika, poivre** de Cayenne. *Piment doux.* ⇒ **poivron.** *Sauce au piment.* 2▪ Ce qui relève, donne du piquant. ⇒ **sel.** *Ses plaisanteries, ses allusions ont mis du piment dans la conversation.* ▶ *pimenter* v. tr. ▪ conjug. 1▪ 1▪ Assaisonner de piment rouge, épicer fortement. — Au p. p. adj. *Une cuisine très pimentée.* 2▪ Relever, rendre piquant.

pimpant, ante [pɛ̃pɑ̃, ɑ̃t] adj. ▪ Qui a un air de fraîcheur et d'élégance. ⇒ **fringant, gracieux.** *Une jeune fille pimpante.* — *Une pimpante petite ville.*

pin [pɛ̃] n. m. ▪ Arbre résineux (conifère) à aiguilles persistantes. *Pin sylvestre, pin maritime, pin parasol. Pommes de pin.* ⇒ **pignon.** ⟨ ▶ pinasse, pinède ⟩

pinacle [pinakl] n. m. 1▪ Sommet d'un édifice. 2▪ Haut degré d'honneurs. *Porter qqn* AU PINACLE : le porter aux nues. ⇒ **louer.**

pinacothèque [pinakɔtɛk] n. f. ▪ Nom de certains musées de peinture (en Italie, en Allemagne).

pinailler [pinaje] v. intr. ▪ conjug. 1▪ ▪ Fam. Insister sur des détails sans importance. ⇒ **ergoter.** ▶ *pinailleur, euse* n.

pinard [pinaʀ] n. m. ▪ Fam. Vin.

pinasse [pinas] n. f. ▪ Région. Longue embarcation (autrefois en *pin,* à fond plat).

pince [pɛ̃s] n. f. 1▪ Outil, instrument composé de deux leviers articulés, servant à saisir et à serrer. ⇒ **pincette, tenaille.** *Les branches, les mâchoires d'une pince. Pince coupante.* — *Pince à épiler. Pince à sucre. Pince à cheveux. Pince à linge. Pince à feu.* ⇒ **pincettes.** 2▪ Levier, pied de biche. ⇒ **pince-monseigneur.** 3▪ Partie antérieure des grosses pattes de certains crustacés. *Les pinces d'un homard, d'un crabe.* 4▪ Fam. *Serrer la pince à qqn,* la main. — *Aller à pinces,* à pied. ⇒ fam. **pinceau** (3). 5▪ Pli cousu sur l'envers de l'étoffe destiné à diminuer l'ampleur. *Faire des pinces à la taille.* ▶ *pince-monseigneur* n. f. ▪ Levier pour ouvrir de force une porte, utilisé par les voleurs. *Des pinces-monseigneur.* ⟨ ▶ pincette ⟩

pinceau [pɛ̃so] n. m. 1▪ Objet composé d'un faisceau de poils ou de fibres, fixé à l'extrémité d'un manche, dont on se sert pour appliquer des couleurs, du vernis, de la colle, etc. ⇒ **brosse.** *Pinceau de peintre. Coup de pinceau.* 2▪ *Pinceau lumineux,* faisceau passant par une ouverture étroite. ⇒ **rai, rayon.** 3▪ Fam. Pied.

pincer [pɛ̃se] v. tr. ▪ conjug. 3▪ 1▪ Serrer (surtout une partie de la peau, du corps) entre les extrémités des doigts, entre les branches d'une pince ou d'un objet analogue. *Sa sœur l'a pincé jusqu'au sang.* — Pronominalement. *Elle s'est pincée en fermant la porte.* — *Pincer les cordes d'une guitare,* les faire vibrer. Intransitivement. *Pincer de la guitare,* en jouer. 2▪ (En parlant du froid) Affecter désagréablement. ⇒ **mordre.** — Sans compl. Fam. *Ça pince dur, ce matin !* 3▪ Serrer fortement de manière à rapprocher, à rendre plus étroit, plus mince. *Pincer les lèvres.* ⇒ **pincé** (2). 4▪ Fam. Arrêter, prendre (un malfaiteur) ; prendre en faute. ⇒ ① **piquer** (III). *Il s'est fait pincer cette nuit.* — Au p. p. *Être pincé,* être amoureux. 5▪ EN PINCER POUR *qqn* : être amoureux de. *Il en pince pour sa jolie voisine.* ▶ *pincé, ée* adj. 1▪ Qui a qqch. de contraint, de prétentieux, ou de mécontent. *Elle est antipathique avec son air pincé. Un sourire pincé.* 2▪ Concret. Mince, serré. *Son petit nez pincé. Bouche pincée.* 3▪ Instrument de musique à cordes pincées (ex. : *clavecin, guitare*). ⇒ **pincer** (1). ▶ *pincée* n. f. ▪ Quantité (d'une substance en poudre, en grains) que l'on peut prendre entre les doigts. *Une pincée de sel.* — Fig. Petite quantité. ⇒ **zeste.** *Une pincée d'humour.* ▶ *pince-fesse(s)* n. m. invar. ▪ Fam. Bal, surprise-partie, réception où les invités se comportent de façon vulgaire ou relâchée (*pincer les fesses,* caresser). ▶ *pincement* n. m. 1▪ Action de pincer. 2▪ *Pincement au cœur,* sensation brève de douleur et d'angoisse. 3▪ Action de pincer (les cordes d'un instrument). ⇒ **pizzicato.** ▶ *pince-nez* [pɛ̃sne] n. m. invar. ▪ Lorgnon qu'un ressort pince sur le nez. *Des pince-nez.* ▶ *pince-sans-rire* [pɛ̃ssɑ̃ʀiʀ] n. invar. ▪ Personne qui pratique l'ironie à froid. — Adj. invar. *Ils, elles sont très pince-sans-rire.* ⟨ ▶ pince, pincette, pinçon ⟩

pincette n. f. ou *pincettes* [pɛ̃sɛt] n. f. pl. 1▪ Petite pince. *Pincette d'horloger.* 2▪ Au plur. Longue pince à deux branches pour attiser le feu, déplacer les bûches, les braises. — Loc. *Il n'est pas à prendre avec des pincettes,* il est très sale ; ou de très mauvaise humeur et inabordable.

pinçon [pɛ̃sɔ̃] n. m. ▪ Marque qui apparaît sur la peau qui a été pincée. ≠ *pinson.*

pineau [pino] n. m. 1▪ Cépage du Val de Loire. *Pineau rouge, blanc.* 2▪ Vin de liqueur des Charentes, mélange de cognac et de jus de raisin frais. ⇒ **ratafia.** ≠ *pinot.*

pinède [pinɛd] n. f. ■ Plantation de pins. *L'odeur de résine des pinèdes.*

pingouin [pɛ̃gwɛ̃] n. m. ■ Gros oiseau marin palmipède, à plumage blanc et noir, habitant les régions arctiques. ≠ *manchot.*

ping-pong [piɲpɔ̃g] n. m. ■ Tennis de table. *Joueur de ping-pong.* ⇒ **pongiste.**

pingre [pɛ̃gʀ] n. et adj. ■ Avare particulièrement mesquin. *C'est un vieux pingre.* — Adj. *Elle est très pingre.* ⇒ **ladre.** ▶ *pingrerie* n. f. ■ Avarice mesquine. *Il est d'une pingrerie révoltante.*

pinot [pino] n. m. ■ Cépage entrant (notamment) dans la confection des vins de Champagne et de Bourgogne. *Pinot noir, blanc.* ≠ *pineau.*

pin-pon [pɛ̃pɔ̃] interj. ■ Onomatopée (souvent répétée) qui exprime le bruit des avertisseurs à deux tons des voitures de pompiers.

pinson [pɛ̃sɔ̃] n. m. ■ Petit passereau à plumage bleu verdâtre et noir, à bec conique, bon chanteur. — Loc. *Être gai comme un pinson.* ≠ *pinçon.*

pintade [pɛ̃tad] n. f. ■ Oiseau gallinacé de la taille de la poule, au plumage sombre semé de taches claires. *Chasser la pintade. Des pintades rôties.* ▶ *pintadeau* n. m. ■ Petit de la pintade. *Des pintadeaux.*

pinte [pɛ̃t] n. f. **1.** Ancienne mesure de capacité pour les liquides (0,93 l). **2.** Loc. *Se payer une pinte de bon sang,* bien s'amuser. **3.** Mesure de capacité anglo-saxonne (0,568 l). ▶ *pinter* v. ■ conjug. 1. Fam. **1.** V. intr. Boire beaucoup. **2.** V. tr. *Pinter qqn,* le forcer à boire, l'enivrer. **3.** V. pron. SE PINTER : s'enivrer. — Au passif. *Il est complètement pinté.*

pin-up [pinœp] n. f. invar. Anglic. **1.** Jolie fille sexuellement attirante. *Des pin-up.* **2.** Photo de jolie fille peu vêtue épinglée dans un local.

pioche [pjɔʃ] n. f. **I. 1.** Outil composé d'un fer à deux pointes opposées, dont une aplatie, et d'un manche de bois assez court, pour creuser un sol dur. *Pioche de terrassier.* **2.** Fam. *Une tête de pioche,* une personne entêtée, qui a la tête dure. **II.** Reste de cartes, de dominos ou de pièces d'un jeu, lot où l'on pioche en cours de partie. ⇒ **pot.** ▶ *piocher* v. ■ conjug. 1. **I.** V. tr. **1.** Creuser, remuer avec une pioche. *Il piochait la terre.* **2.** Fam. Étudier avec ardeur. ⇒ fam. **bûcher.** *Je me mettais à piocher mon histoire.* **II.** V. intr. **1.** Fouiller (dans un tas) pour saisir qqch. **2.** Jeux. Prendre une carte, un domino, une pièce d'un lot jusqu'à trouver ce qui convient. *J'ai perdu parce que j'ai dû piocher.* ▶ *piocheur, euse* n. ■ Fam. Travailleur assidu. ⇒ **bûcheur.**

piolet [pjɔlɛ] n. m. ■ Bâton d'alpiniste à bout ferré, garni à l'autre extrémité d'un petit fer de pioche.

① *pion, pionne* [pjɔ̃, pjɔn] n. ■ Fam. Terme d'écolier. Surveillant(e) ; maître d'internat. *Elle est sympa, la pionne !*

② *pion* n. m. **1.** Échecs. Chacune des huit pièces que chaque joueur place au début devant les figures. *La ligne des pions.* — Chacune des pièces au jeu de dames, et à divers autres jeux. ⇒ **jeton. 2.** Loc. *N'être qu'un pion sur l'échiquier,* être manœuvré. *Damer le pion à qqn.* ⇒ **damer.**

pioncer [pjɔ̃se] v. intr. ■ conjug. 3. ■ Fam. Dormir (surtout : dormir profondément).

① *pionnier* [pjɔnje] n. m. ■ Colon qui s'installe sur des terres inhabitées pour les défricher.

② *pionnier, ière* n. **1.** Personne qui est la première à se lancer dans une entreprise, qui fraye le chemin. ⇒ **créateur.** *Hélène Boucher, pionnière de*

l'aviation. **2.** Enfant membre d'une organisation de jeunesse communiste (U.R.S.S., etc.).

pioupiou [pjupju] n. m. ■ Fam. et vx. Simple soldat. *Des pioupious.*

pipe [pip] n. f. **1.** Tuyau terminé par un petit fourneau qu'on bourre de tabac (ou d'une autre substance à fumer). ⇒ **bouffarde, brûle-gueule, calumet, narguilé.** *Bourrer une pipe. Une pipe culottée. Un fumeur de pipe. Fumer la, sa pipe.* **2.** Loc. fam. *Par* TÊTE DE PIPE : par personne. — *Casser sa pipe,* mourir. — *Se fendre la pipe,* rire. — *Nom d'une pipe !,* juron familier. **3.** Fam. Cigarette ⇒ **clope.** ⟨ ▶ casse-pipes, cure-pipe, pipette ⟩

pipeau [pipo] n. m. ■ Petite flûte à bec d'un seul tenant. *Des pipeaux.* — Fam. *Du pipeau,* des informations peu sérieuses.

pipelet, ette [piplɛ, ɛt] n. ■ Fam. Concierge. *Il est bavard comme une pipelette.*

pipe-line [pajplajn ; piplin] n. m. ■ Anglic. Tuyau servant au transport à grande distance et en grande quantité de produits liquides (pétrole) ou liquéfiés (gaz naturel). ⇒ **gazoduc, oléoduc.** *Des pipe-lines.*

piper [pipe] v. ■ conjug. 1. **1.** V. intr. *Ne pas piper,* ne pas souffler mot. **2.** V. tr. *Piper des dés, des cartes,* les truquer. — Loc. Au p.p. *Les dés sont pipés,* les chances sont inégales, il y a de la triche.

piperade [pipeʀad] n. f. ■ Plat de cuisine basque, œufs battus assaisonnés de tomates et de poivrons doux. ⇒ **œufs** brouillés.

pipette [pipɛt] n. f. ■ Petit tube (gradué) dont on se sert en laboratoire pour prélever un échantillon de liquide.

pipi [pipi] n. m. ■ Fam., usuel et lang. enfantin. Urine. — FAIRE PIPI : uriner. *Je vais faire pipi* (→ Aller aux cabinets, aux toilettes). ⇒ vulg. **pisser.** — PIPI-ROOM [pipiʀum], n. m. : les toilettes. — *Du pipi de chat,* une mauvaise boisson ; une chose sans intérêt.

pipistrelle [pipistʀɛl] n. f. ■ Petite chauve-souris commune, à oreilles courtes.

piquage [pikaʒ] n. m. ■ Opération consistant à piquer (①, I, 7). *Le piquage d'une veste, en cousant.*

① *piquant, ante* [pikã, ãt] adj. **1.** Qui présente une ou plusieurs pointes acérées capables de piquer. ⇒ **pointu. 2.** Qui donne une sensation de piqûre. *L'air était vif et piquant.* — *Sauce piquante,* sauce cuite, à la moutarde, au vinaigre et aux cornichons. **3.** Littér. Qui stimule agréablement l'intérêt, l'attention. ⇒ ① **piquer** (II). *Une petite brune piquante. La rencontre est piquante !* ⇒ **amusant, plaisant.** — N. m. *Le piquant de l'aventure.* ⇒ **sel.**

② *piquant* n. m. ■ Excroissance dure et acérée (des végétaux et animaux) qui peut piquer. ⇒ **épine.** *Les piquants des cactus, des oursins.*

① *pique* [pik] n. f. **I.** Arme formée d'un long manche droit et d'un fer plat et pointu. ⇒ **hallebarde.** *Les piques des révolutionnaires.* **II.** Parole, allusion qui blesse, « pique ». *Envoyer des piques à qqn.*

② *pique* n. m. ■ Aux cartes. Une des couleurs, représentée par un fer de pique (①, I) stylisé. *La dame de pique. Il est encore du pique et du trèfle.* — Loc. *Habillé, vêtu comme l'as de pique,* sans soin.

① *piqué, ée* [pike] adj. ⇒ ① **piquer.** ▶ ② *piqué* n. m. ■ Tissu à piqûres formant des côtes ou des dessins en relief. *Une robe en piqué de coton.*

③ *piqué* n. m. ■ Mouvement d'un avion qui se laisse tomber presque à la verticale. / contr. **chandelle** / — EN PIQUÉ. *Bombardement en piqué.*

④ **piqué, ée** adj. ■ (Personnes) Fam. Un peu fou. ⇒ fam. **cinglé, dingue, toqué.** *Il est un peu piqué, complètement piqué.*

pique-assiette [pikasjɛt] n. invar. ■ Personne qui se fait inviter partout à dîner. *Une bande de pique-assiette.*

pique-feu [pikfø] n. m. invar. ■ Tisonnier. *Des pique-feu.*

pique-nique [piknik] n. m. ■ Repas en plein air dans la nature. *Des pique-niques.* ▸ **pique-niquer** v. intr. ▪ conjug. ■ Faire un pique-nique. *On a pique-niqué en forêt.* ▸ **pique-niqueur, euse** n.

① **piquer** [pike] v. tr. ▪ conjug. 1. **I.** Faire pénétrer une pointe dans (qqch.). **1.** Entamer, percer avec une pointe (un corps vivant). *Piquer la peau, le doigt de qqn. Il m'a piqué le doigt avec une épingle. — Elle s'est piqué le doigt. — Piquer son cheval avec l'éperon.* Loc. Sans compl. PIQUER DES DEUX (éperons) : partir à cheval à vive allure. **2.** Faire une piqûre (4) à (qqn). — Fam. Vacciner. *On l'a piqué contre la variole.* **3.** (Insectes, serpents) Percer la peau de (qqn) en enfonçant un aiguillon, un crochet à venin. *Un scorpion l'a piqué. Il a été piqué, il s'est fait piquer par une guêpe.* **4.** Percer (qqch.) avec un objet pointu, pour attraper. *Piquer sa viande avec sa fourchette.* **5.** Fixer (qqch.) en traversant par une pointe. *Piquer une photo au mur. — Au p. p. adj. Des articles de journaux piqués au mur.* ⇒ **épingler. 6.** Enfoncer par la pointe. *Piquer une fleur dans sa boutonnière.* — Fig. PIQUER UNE TÊTE : se jeter, plonger la tête la première. **7.** Coudre à la machine (⇒ **piqûre, 2, point).** *Bâtir une robe avant de la piquer.* — Au p. p. adj. *Un couvre-lit piqué, décoré par des piqûres.* **8.** Parsemer de petits trous. *Les vers ont piqué ce livre.* ⇒ **ronger.** — Au p. p. PIQUÉ, ÉE. *Meuble ancien piqué des vers.* ⇒ **vermoulu.** Loc. fam. *Ce n'est pas piqué des hannetons ou des vers,* c'est très fort, remarquable en son genre. — Semé de points, de petites taches. *Un visage piqué de taches de rousseur. Glace, miroir piqué.* ⇒ **taché. 9.** SE PIQUER v. pron. (Personnes) : se blesser avec une pointe. *Elle s'est piquée en cousant.* — Se faire une piqûre (spécialt, médicale ou toxique). *Il se pique, il est morphinomane.* **10.** SE PIQUER v. pron. (choses) : avoir des petits trous, des taches. *Les livres se piquent.* — Fig. *Vin qui se pique,* s'aigrit. **II.** Par ext. **1.** Donner une sensation analogue à une piqûre à (une partie du corps, qqn). *La fumée piquait les yeux, lui piquait les yeux.* — *Ça me pique.* — Fam. (Enfants) Sans compl. *De l'eau qui pique,* gazeuse. **2.** Abstrait. Faire une vive impression sur. ⇒ **exciter ;** ① **piquant.** *Son attitude a piqué ma curiosité,* littér. *m'a piqué.* Loc. PIQUER qqn AU VIF : irriter l'amour-propre de (qqn). *Cette remarque, cette critique m'a piqué au vif.* **3.** SE PIQUER DE v. pron. : prétendre avoir, faire des efforts pour avoir (une qualité, une aptitude). *Elle se pique de poésie, d'être poète.* **III.** Fig. Attraper, prendre. — (Compl. personne) *Il s'est fait piquer par la police.* ⇒ **pincer.** — (Compl. chose) Voler rapidement, furtivement. *On lui a piqué son portefeuille.* ⇒ **chiper ; pickpocket. IV.** V. intr. à emploi absolu. Tomber, descendre brusquement. *Un avion qui pique,* qui descend en piqué ⇒ ③ **piqué.** — *Il piqua du nez, il tomba le nez en avant.* — S'enfoncer. *Le navire piquait de l'avant.* ▸ ② **piquer** v. tr. ▪ conjug. 1. ■ Fam. Déclencher subitement (une action). *Piquer un cent mètres,* se mettre à courir vite. — *Piquer un roupillon. Piquer un fard,* se mettre à rougir. *Piquer une crise.* ⟨ ▸ ①, ②, ③ pic, picador, picorer, picoter, piquage, ① piquant, ② piquant, ① pique, ③ pique, piqué, pique-assiette, pique-feu, ① piquet, piqueter, ① piquette, piqueur, piqûre, repiquer, surpiquer ⟩

① **piquet** [pikɛ] n. m. **1.** Petit pieu destiné à être fiché (« piqué ») en terre. *Piquets de tente.* ⇒ **piton.** *Attacher un cheval à un piquet.* ⇒ **poteau.** — *Droit, raide, planté comme un piquet,* immobile. **2.** Loc. *Mettre un élève au piquet,* le punir en le faisant rester debout et immobile. ⇒ **coin.**

② **piquet** n. m. ■ *Piquet d'incendie,* soldats désignés pour le service de protection contre les incendies. — *Piquet de grève,* grévistes veillant sur place à l'exécution des ordres de grève.

③ **piquet** n. m. ■ Autrefois. Nom d'un jeu de cartes. *Jouer au piquet.*

piqueter [pikte] v. tr. ▪ conjug. 4. ■ Parsemer de points, de petites taches. *Miroir piqueté.* ⇒ **piquer (I, 8).**

① **piquette** [pikɛt] n. f. ■ Vin ou cidre acide (qui pique), médiocre.

② **piquette** n. f. ■ Fam. Raclée, défaite écrasante. ⇒ fam. **pile, pilule.** *On leur a flanqué une de ces piquettes !*

piqueur, euse [pikœr, øz] n. et adj. **I.** N. **1.** Chasse à courre. Valet qui poursuit la bête à cheval. **2.** Ouvrier, ouvrière qui pique à la machine. **3.** N. m. Ouvrier travaillant au pic, au marteau-piqueur. **II.** Adj. **1.** *Insectes piqueurs,* qui piquent pour se défendre. **2.** MARTEAU-PIQUEUR : machine pneumatique perforatrice.

piqûre [pikyr] n. f. **1.** Petite blessure faite par ce qui pique. *Une piqûre d'épingle. Des piqûres de moustiques.* — Sensation produite par ce qui brûle et démange. *Sentir une piqûre d'ortie.* **2.** Piqûre ou point de piqûre, point servant de couture ou d'ornement. ⇒ ② **piqué.** *Piqûres à la machine.* **3.** Petit trou. *Piqûre de ver.* — Petite tache. ⇒ **rousseur. 4.** Introduction d'une aiguille creuse dans une partie du corps pour en retirer un liquide organique ⇒ **ponction, prise** de sang, ou pour y injecter un liquide médicamenteux ⇒ **injection.** *Je viens de lui faire sa piqûre. Seringue, aiguille à piqûre.*

piranha [pirana] n. m. ■ Petit poisson carnassier des fleuves de l'Amérique du Sud, réputé pour son extrême voracité. *Des piranhas.*

pirate [pirat] n. m. **1.** Aventurier qui courait les mers pour piller les navires de commerce sans autorisation royale ⇒ **boucanier, flibustier, forban.** ≠ *corsaire.* — *Bateau pirate,* navire monté par des pirates. **2.** Individu sans scrupules, qui s'enrichit aux dépens d'autrui, dans la spéculation. ⇒ **escroc, requin, voleur. 3.** Personne qui copie sans autorisation des produits sous copyright (cassettes, logiciels). **4.** En appos. Qui fonctionne sans autorisation légale. *Radio pirate, télévision pirate.* **5.** *Pirate de l'air,* personne qui détourne un avion ou menace sa sécurité pour exercer un chantage. ▸ **pirater** v. tr. ▪ conjug. 1. ■ Copier illégalement (un enregistrement magnétique). — Au p. p. adj. *Un logiciel piraté.* ▸ **piratage** n. m. ■ Action de pirater. ▸ **piraterie** n. f. **1.** Acte de pirate ; activité d'un pirate. **2.** Escroquerie.

pire [pir] adj. **I.** Comparatif. Plus mauvais, plus nuisible, plus pénible. / contr. **meilleur, mieux** / *Devenir pire.* ⇒ **empirer.** *Le remède est pire que le mal.* — *Je ne connais pas de pire désagrément.* — Pis (2). *Il n'y a rien de pire.* **II.** Superlatif. LE PIRE, LA PIRE, LES PIRES. **1.** Adj. Le plus mauvais. *Les pires voyous. La meilleure et la pire des choses.* **2.** N. m. Ce qu'il y a de plus mauvais. ⇒ **pis.** *Le pire de tout, c'est l'ennui.* — Absolt. Loc. *Époux unis pour le meilleur et pour le pire. Je m'attends au pire. La politique du pire,* celle qui consiste à rechercher le pire pour en tirer parti. ⟨ ▸ empirer ⟩

pirogue [piʀɔg] n. f. ■ Longue barque étroite et plate, qui avance à la pagaie ou à la voile, utilisée en Afrique et en Océanie. *Pirogue à balancier(s).* ▶ *piroguier* n. m. ■ Conducteur d'une pirogue.

pirouette [piʀwɛt] n. f. ■ **1.** Tour ou demi-tour qu'on fait sur soi-même, sans changer de place. *Pirouettes de danseur.* **2.** Fig. et fam. Esquive, tour d'adresse intellectuel. — Loc. fam. *Répondre par des pirouettes,* éluder une question sérieuse par des plaisanteries. ▶ *pirouetter* v. intr. ■ conjug. 1. ■ Faire une, plusieurs pirouettes (1). ⇒ **virevolter.**

① *pis* [pi] n. m. invar. ■ Mamelle (d'une bête laitière). *Le pis, les pis de la vache, de la chèvre.*

② *pis* [pi] adv. et adj. **I.** Comparatif littér. ou loc. **1.** Adv. Plus mal. / contr. **mieux** / TANT PIS : cela ne fait rien. Loc. *Aller de mal en pis,* empirer. **2.** Adj. neutre. Littér. Plus mauvais, plus fâcheux. *C'est bien pis.* ⇒ cour. **pire.** — Loc. QUI PIS EST [kipize] : ce qui est plus grave. *Il est paresseux ou, qui pis est, très bête.* **3.** N. m. Une chose pire. Loc. *Dire* PIS QUE PENDRE *de qqn* : répandre sur lui les pires médisances ou calomnies. **II.** Superlatif. **1.** Littér. LE PIS : la pire chose, ce qu'il y a de plus mauvais. ⇒ **pire** (II.) *Le pis qui puisse vous arriver. Mettre les choses au pis,* les envisager sous l'aspect le plus mauvais. — REM. On emploie le plus souvent *pire,* là où *pis* conviendrait. **2.** Loc. adv. AU PIS ALLER : en supposant que les choses aillent le plus mal possible. ▶ *pis-aller* [pizale] n. m. invar. ■ Personne, solution, moyen à quoi on a recours faute de mieux. *Des pis-aller.* ⇒ **palliatif.**

pisci- ■ Élément de mots savants signifiant « poisson ». ▶ *pisciculture* [pisikyltyʀ] n. f. ■ Ensemble des techniques de production et d'élevage des poissons. *Truites de pisciculture* (opposé à *sauvage* ou *de rivière*). ▶ *pisciculteur, trice* n. ■ Éleveur(euse) de poissons. 〈 ▶ pissaladière 〉

piscine [pisin] n. f. **1.** Bassin de natation, et ensemble des installations qui l'entourent. *Une piscine couverte. Piscine olympique,* conforme aux règlements des épreuves olympiques. *Aller à la piscine.* **2.** Bassin pour les rites de purification.

pisé [pize] n. m. ■ Maçonnerie faite de terre argileuse mélangée de paille hachée, qu'on coule entre des planches de bois. *Des maisons en pisé.*

pissaladière [pisaladjɛʀ] n. f. ■ Plat de cuisine provençale fait de pâte salée sur laquelle on place des tomates, des anchois, etc. ≠ *pizza.*

pissenlit [pisɑ̃li] n. m. ■ Plante vivace à feuilles longues et dentées, dont les fleurs jaunes donnent naissance à de grosses boules de duvet blanc. *Salade de pissenlit.* — Loc. fam. *Manger les pissenlits par la racine,* être mort.

pisser [pise] v. ■ conjug. 1. **1.** V. intr. Vulg. Uriner. ⇒ faire **pipi.** — Loc. fam. *Il pleut comme vache qui pisse,* à verse. *Ça l'a pris comme une envie de pisser,* brusquement. *Laisser pisser le mérinos.* ⇒ **mérinos.** *C'est comme si on pissait dans un violon,* comme si on faisait une action absurde et inutile. **2.** V. tr. fam. Évacuer avec l'urine. *Pisser du sang.* — Laisser s'écouler (un liquide). *Ce réservoir pisse l'eau de tous les côtés,* fuit. ▶ *pisse* [pis] n. f. ■ Vulg. Urine. ⇒ cour. **pipi.** ▶ *pisse-froid* [pisfʀwa] n. m. invar. ■ Fam. Homme froid et morose, ennuyeux. ▶ *pissement* n. m. ■ *Pissement de sang.* ▶ *pisseur, euse* n. ■ Vulg. Personne qui pisse souvent. — PISSEUSE n. f. Terme d'injure sexiste. Petite fille. ▶ *pisseux, euse* adj. **1.** Fam. Imprégné d'urine, qui sent l'urine. *Du linge pisseux.* **2.** D'une couleur passée, jaunie. *Des rideaux d'un blanc pisseux.* ▶ *pissotière* [pisɔtjɛʀ] n. f.

■ Fam. Urinoir public. ⇒ **vespasienne.** (Région. *pissoir,* n. m.) 〈 ▶ pipi, pissenlit 〉

pistache [pistaʃ] n. f. ■ Fruit du pistachier. — Graine de ce fruit, amande verdâtre qu'on mange salée ou qu'on utilise en confiserie. *Glace à la pistache.* — Adj. invar. *Vert pistache. Des vestes pistache.* ▶ *pistachier* n. m. ■ Arbre résineux des régions chaudes dont le fruit contient la pistache. ⇒ **lentisque.**

piste [pist] n. f. **1.** Trace que laisse un animal sur le sol où il a marché. ⇒ **foulée, voie.** — Chemin qui conduit à qqn ou à qqch. ; ce qui guide dans une recherche. *Brouiller les pistes,* rendre les recherches difficiles, faire perdre sa trace. *La police est sur sa piste.* ⇒ **trousses. 2.** Partie d'un terrain de sport aménagée pour les courses de chevaux, les épreuves d'athlétisme, les courses cyclistes, etc. *La piste d'un vélodrome.* **3.** Emplacement souvent circulaire, disposé pour certaines activités (spectacles, sports). *La piste d'un cirque. Piste de danse.* **4.** Route non stabilisée, non revêtue. *Après ce village, il n'y a plus de macadam, c'est seulement la piste.* **5.** Parcours aménagé. *Piste cyclable. Piste cavalière. Piste de ski.* **6.** Partie d'un terrain d'aviation aménagée pour le décollage et l'atterrissage des avions. **7.** Ligne tracée sur une surface magnétique par l'enregistrement d'informations ; cette surface. *Magnétophone à quatre pistes. La piste sonore d'un film.* ⇒ **bande.** *Disquette de quarante pistes.* ▶ *pister* v. tr. ■ conjug. 1. ■ Suivre la piste ; épier. *Attention, on nous piste !* ⇒ **filer.** 〈 ▶ dépister 〉

pistil [pistil] n. m. ■ Organe femelle des plantes à fleurs, renfermant l'ovaire.

pistole [pistɔl] n. f. ■ Ancienne monnaie d'or d'Espagne, d'Italie, ayant même poids que le louis (6,75 g).

① *pistolet* [pistɔlɛ] n. m. **1.** Arme à feu courte et portative. ≠ **revolver.** *Une paire de pistolets de duel. Le chargeur d'un pistolet automatique. Le parabellum est un pistolet.* — Jouet analogue. *Pistolet à bouchon,* à air comprimé. **2.** Pulvérisateur de peinture, de vernis. *Peinture au pistolet.* ▶ *pistolet-mitrailleur* n. m. ■ Arme automatique individuelle pour le combat rapproché. ⇒ **mitraillette.** *Des pistolets-mitrailleurs.* — Abrév. P.M. [peɛm].

② *pistolet* n. m. ■ Fam. UN DRÔLE DE PISTOLET : un individu bizarre. ⇒ **olibrius.**

① *piston* [pistɔ̃] n. m. **1.** Pièce qui se déplace dans un tube et transmet une pression. *Les pistons et les cylindres d'un moteur à explosion. Le piston d'une seringue.* **2.** Pièce mobile réglant le passage de l'air dans certains instruments à vent (cuivres). *Cornet à pistons.*

② *piston* n. m. ■ Fam. Appui, recommandation qui décide d'une nomination, d'un avancement. ⇒ **protection.** *Pour réussir, il faut avoir du piston.* ▶ *pistonner* v. tr. ■ conjug. 1. ■ Appuyer, protéger (un candidat à une place). *Il s'est fait pistonner par le ministre.*

pistou [pistu] n. m. ■ Crème de basilic et d'ail écrasés dans l'huile d'olive (assaisonnement provençal). *Une soupe au pistou.*

pitance [pitɑ̃s] n. f. ■ Péj. Nourriture (pauvre, insuffisante). *On leur servit une maigre pitance. Pour toute pitance, des pommes de terre bouillies.*

pitchoun [pitʃun] adj. et n. ■ (Terme provençal d'affection) Petit, petit enfant. — On dit aussi *pitchounet, ette.*

pitchpin [pitʃpɛ̃] n. m. ■ Bois de plusieurs espèces de pins d'Amérique du Nord, de couleur orangée, utilisé en menuiserie. *Une armoire en pitchpin.*

piteux, euse [pitø, øz] adj. ■ Iron. Qui excite une pitié mêlée de mépris par son caractère misérable, dérisoire. ⇒ **pitoyable**. *Les résultats sont piteux.* — *En piteux état*, en mauvais état. ▶ *piteusement* adv. ■ *Il a échoué piteusement.*

pithéc(o)-, -pithèque ■ Éléments savants signifiant « singe ». ▶ *pithécanthrope* [pitekɑ̃tʀɔp] n. m. ■ Fossile humain (homo erectus), vieux d'environ un million d'années. ⇒ **anthropopithèque**.

pithiviers [pitivje] n. m. invar. ■ Gâteau feuilleté fourré de crème d'amande (nom de ville). *Un pithiviers.*

pitié [pitje] n. f. ≠ **piété**. **1.** Sympathie qui naît au spectacle des souffrances d'autrui et fait souhaiter qu'elles soient soulagées. ⇒ **commisération, compassion**. *Éprouver de la pitié.* ⇒ s' **apitoyer**. *Inspirer, exciter la pitié ; faire pitié. Il me fait pitié. J'ai pitié de lui. Prenez-le en pitié.* — *Par pitié, laissez-moi tranquille, je vous en prie. Pitié !, grâce ! Sans pitié.* ⇒ **impitoyable**, sans **merci**. *Pas de pitié !* ⇒ **quartier**. **2.** Sentiment de commisération méprisante. *Un sourire de pitié*, condescendant. — *Quelle pitié !*, quelle chose pitoyable, dérisoire ! ‹ ▶ **pitoyable** ›

piton [pitɔ̃] n. m. **I.** Clou, vis dont la tête forme un anneau ou un crochet. *Cadenas passant dans deux pitons. Planter une tente avec des pitons.* ⇒ **piquet**. **II.** Éminence isolée en forme de pointe. ⇒ ③ **pic**. *Piton rocheux.*

pitoyable [pitwajabl] adj. **I.** **1.** Digne de pitié. ⇒ **déplorable**. *Après son accident, il était dans un état pitoyable.* ⇒ **triste**. **2.** Qui inspire, mérite une pitié méprisante. ⇒ **piteux ; lamentable**. *Sa réponse a été pitoyable.* **II.** Vx. Qui éprouve de la pitié, qui s'apitoie*. ⇒ **humain**. / contr. **impitoyable** / ▶ *pitoyablement* adv. ■ D'une manière pitoyable (I). *C'est pitoyablement rédigé.* ‹ ▶ **impitoyable** ›

pitre [pitʀ] n. m. ■ Personne qui fait rire par des facéties (parfois forcées). ⇒ **clown**. *Quel pitre ! Arrête de faire le pitre !* ▶ *pitrerie* n. f. ■ Plaisanterie, facétie de pitre. ⇒ **clownerie**. *Faire des pitreries.*

pittoresque [pitɔʀɛsk] adj. **1.** Digne d'être mis en peinture ; qui attire l'attention, charme ou amuse par un aspect original. *Un quartier pittoresque. Un personnage pittoresque.* **2.** Qui dépeint bien, exprime les choses d'une manière imagée. *Des expressions, des détails pittoresques.* **3.** N. m. Caractère pittoresque, expressif. ⇒ **couleur**. ▶ *pittoresquement* adv.

pivert [pivɛʀ] n. m. ■ Oiseau au plumage jaune et vert, qui se niche dans les trous d'arbres et qui frappe les troncs avec son bec pour en faire sortir les larves dont il se nourrit.

pivoine [pivwan] n. f. ■ Plante à bulbe, cultivée pour ses larges fleurs rouges, roses, blanches ; sa fleur. — Loc. *Elle devint rouge comme une pivoine*, très rouge.

pivot [pivo] n. m. **1.** Cône ou pointe terminant un axe vertical fixe (sur lequel tourne librement une charge). *Le pivot de la boussole.* **2.** Abstrait. Ce sur quoi repose et tourne tout le reste. ⇒ **base, centre**. *Il est le pivot de cette entreprise.* **3.** Support d'une dent artificielle, enfoncé dans la racine. *Dent montée sur pivot.* ▶ *pivoter* v. intr. ■ conjug. 1. ■ Tourner sur un pivot, comme sur un pivot. *Il pivota sur ses talons.* ▶ *pivotant, ante* adj. ■ *Fauteuil pivotant.*

pixel [piksɛl] n. m. ■ Chaque point d'une image électronique. *La qualité d'une image est proportionnelle au nombre de pixels par centimètre carré* (⇒ **définition, résolution**). *Matrice de caractère de 30 pixels sur 30.* ⇒ **point**.

pizza [pidza] n. f. ■ Tarte salée de pâte à pain garnie de tomates, anchois, olives, etc. (plat napolitain). *Une*

pizza « quatre saisons ». *Des pizzas.* ≠ **pissaladière**. ▶ *pizzeria* [pidzeʀja] n. f. ■ Restaurant où l'on sert des pizzas. *Des pizzerias.*

pizzicato [pidzikato] n. m. ■ Manière de jouer d'un instrument à archet en pinçant les cordes. *Les pizzicati* (ou *pizzicatos*) *des violons.*

P.J. [peʒi] n. f. invar. ■ Fam. Police judiciaire. *Les inspecteurs de la P.J.*

placage [plakaʒ] n. m. ■ Application sur une matière d'une plaque de matière plus précieuse ; cette plaque. *Bois de placage. Placage de marbre.* ⇒ **revêtement**. ≠ **plaquage**.

① **placard** [plakaʀ] n. m. **1.** Vx. Écrit qu'on affiche sur un mur, un panneau, pour donner un avis au public. ⇒ **écriteau, pancarte**. *Un placard injurieux.* **2.** Insertion d'un texte ou d'illustrations séparé(es), dans un périodique. *Placard publicitaire.* ▶ *placarder* v. tr. ■ conjug. 1. ■ *Placarder un avis, une affiche sur un mur.*

② **placard** n. m. ■ Enfoncement, recoin de mur ou assemblage de menuiserie fermé par une porte et constituant une armoire fixe. *Mettre des vêtements dans un placard. Un placard-penderie.*

place [plas] n. f. **I.** **1.** Lieu public, espace découvert, généralement entouré de constructions. ⇒ **esplanade, rond-point**. *Une place rectangulaire.* — Loc. *Sur la place publique*, en public. **2.** PLACE FORTE ou, ellipt, PLACE. ⇒ **forteresse**. *Le commandant d'armes d'une place.* — Loc. littér. *Être maître de la place*, agir en maître, faire ce qu'on veut. *Avoir des complicités dans la place.* **3.** Ensemble des banquiers, des commerçants, des négociants qui exercent leur activité dans une ville. *Sur la place de Paris.* **II.** **1.** Partie d'un espace ou d'un lieu (surtout avec une prép. de lieu). ⇒ **emplacement, endroit, lieu**. *À la même place. De place en place, par places.* — EN PLACE. *Ne pas tenir en place*, bouger sans cesse. — SUR PLACE. *Rester sur place*, immobile. — N. m. *Du sur place. Cycliste qui fait du sur place.* — *À l'endroit où un événement a eu lieu. Faire une enquête sur place. Manger sur place*, où on se trouve. **2.** Endroit, position qu'une personne occupe, qu'elle peut ou doit occuper. *Faites-moi une petite place près de vous. Aller s'asseoir à sa place, à la place d'un absent. À vos places ! En place !* — Loc. *Sans article. Prendre place*, se placer. *Faire place à qqn*, se ranger pour lui permettre de passer. *Place !*, laissez passer ! — **3.** Sports. Rôle joué au sein d'une équipe. « *À quelle place joue-t-il ? — Ailier gauche.* » **4.** (Emplacement assigné à une personne) Siège qu'occupe ou que peut occuper une personne (dans une salle de spectacle, un véhicule, etc.). *Louer, retenir, réserver sa place dans un train. Payer demi-place, place entière.* — Loc. *Les places sont chères*, la concurrence est dure. — *La place du mort*, à côté du chauffeur de la voiture. — *Tente à deux places.* — Espace public qu'occupe ou peut occuper qqn. *Places assises et debout.* — (Stationnement) *Chercher une place pour se garer.* **5.** Espace libre où l'on peut mettre qqch. (*de la place*) ; portion d'espace qu'une chose occupe (*une place, la place de...*). *Gain de place. Un meuble encombrant qui tient trop de place.* **6.** Endroit, position qu'une chose occupe, peut ou doit occuper dans un lieu, un ensemble. ⇒ **emplacement, position**. *Changer la place des meubles. La place des mots dans la phrase.* ⇒ **disposition, ordre**. — EN PLACE : à la place qui convient. *Il faut tout remettre en place.* (→ À SA PLACE.) — MISE EN PLACE : arrangement, installation. **III.** **1.** Le fait d'être admis dans un ensemble, d'être classé dans une catégorie ; situation dans laquelle on se trouve. *Avoir sa place au soleil*, profiter des mêmes avantages que les autres. — Ellipt. *Place aux jeunes !*, il faut donner aux jeunes la place (qu'occupent les vieux). — *Il ne donnerait pas sa place pour un empire, pour tout l'or du monde.* — *Se mettre* À LA PLACE *de qqn* : supposer qu'on est soi-même dans la situation où il est. *À votre place, je refuserais*, si j'étais vous. **2.** Position, rang dans une hiérarchie, un classement. *Être reçu dans les premières places.* **3.** Emploi (généralement modeste). *Une place d'employé de bureau. Perdre sa place.* — *Être* EN PLACE : jouir d'un emploi, d'une charge qui confère à son titulaire de l'autorité, de la considération. *Les gens en place.* **4.** (Exprime l'idée de remplacement) *Prendre la place de qqn.* ⇒ se **substituer.** *Laisser la place à qqn. Faire place à qqn, qqch.*, être remplacé par. — Loc. À LA PLACE DE : au lieu de. ⇒ **pour.** *Employer un mot à la place d'un autre.* **5.** *La place de qqn*, celle qui lui convient. *Être à sa place*, être fait pour la fonction qu'on occupe ; être adapté à son milieu, aux circonstances. Loc. *Remettre qqn à sa place*, le rappeler à l'ordre. ⇒ **reprendre, réprimander.** ‹ ▶ demi-place, monoplace, ① placer, placette ›

placenta [plasɛ̃ta] n. m. ■ Organe temporaire qui se développe dans l'utérus pendant la grossesse et qui sert aux échanges sanguins entre la mère et l'enfant (⇒ **amniotique**). *Expulsion du placenta en fin d'accouchement.* ▶ *placentaire* [plasɛ̃tɛʀ] adj. ■ Du placenta. — Zoologie. Dont le fœtus vit grâce à un placenta. *Mammifères placentaires.* N. m. *Les placentaires.*

① *placer* [plase] v. tr. . conjug. 1. **I.** **1.** Mettre (qqn) à une certaine place, en un certain lieu ; conduire à sa place. ⇒ **installer ;** fam. **caser.** *L'ouvreuse de cinéma place les spectateurs.* **2.** Mettre (qqch.) à une certaine place, en un certain lieu ; disposer. ⇒ plus cour. **mettre.** *Placer une pendule sur une cheminée. Placer les choses bien en ordre.* ⇒ **classer, ordonner, ranger.** / contr. **déplacer, déranger** / *Placer sa voix.* **II.** **1.** Mettre (qqn) dans une situation déterminée. — Au p. p. adj. *L'équipe placée sous mes ordres.* **2.** *Placer qqn*, lui procurer une place, un emploi. *Placer un apprenti chez un boucher.* **3.** Abstrait. Mettre (qqch.) dans une situation, à une place ; faire consister en. *Placer le bonheur dans la sagesse.* **4.** Faire se passer (l'objet d'un récit en un lieu, à une époque). ⇒ **localiser, situer.** *Les lieux où le metteur en scène a placé l'action de son film...* **5.** Introduire, dans un récit, une conversation. *Placer une réflexion. Il n'a pas pu placer un seul mot*, il n'a rien pu dire. **6.** S'occuper de vendre. *Un représentant qui place des marchandises.* ⇒ **placier, V.R.P. 7.** Employer (un capital) afin d'en tirer un revenu ou d'en conserver la valeur. ⇒ **investir ; placement.** *Placer son argent en fonds d'État.* **III.** SE PLACER v. pron. **1.** Se mettre à une place. — (Personnes) ⇒ s'**installer.** *Placez-vous de face.* — (Choses) Être placé. **2.** Abstrait. *Se placer à un certain point de vue.* **3.** Prendre une place, un emploi (notamment comme personnel de maison). ▶ *placé, ée* adj. **1.** Mis à une place. **2.** Avec un adv. Qui est dans telle situation. *Personnage haut placé.* — *Je suis bien placé pour le savoir. C'est de la fierté mal placée*, hors de propos. **3.** Courses hippiques. *Cheval placé*, qui se classe dans les deux premiers s'il y a de quatre à sept partants et dans les trois premiers s'il y a plus de sept partants. ▶ *placement* n. m. **1.** L'action, le fait de placer de l'argent ; l'argent ainsi placé (II, 7). ⇒ **investissement.** *Vous avez fait un bon placement.* **2.** *Agence,* BUREAU DE PLACEMENT : qui se charge de répartir les offres et les demandes d'emploi. ▶ *placeur, euse* n. ■ Personne qui place (des spectateurs), qui tient un bureau de placement. ‹ ▶ déplacer, emplacement, irremplaçable, placier, remplacer, replacer ›

② *placer* [plasɛʀ] n. m. ■ Anglic. Gisement d'or, de pierres précieuses. *Un placer de diamants. Les placers de Californie.*

placet [plasɛ] n. m. ■ Vx. Écrit adressé à un roi, à un ministre pour se faire accorder une grâce, une faveur.

placette [plasɛt] n. f. ■ Petite place (I, 1), surtout dans les villes nouvelles, les grands ensembles.

placide [plasid] adj. ■ Qui est doux et calme. ⇒ **paisible.** *Il restait placide sous les injures.* ⇒ **flegmatique, imperturbable.** / contr. **agité, nerveux** / ▶ *placidement* adv. ■ *Il répondit placidement à toutes les attaques.* ▶ *placidité* n. f. ■ Caractère placide. ⇒ **calme, flegme, sérénité.**

placier, ière [plasje, jɛʀ] n. ■ Agent qui vend qqch. pour une maison de commerce. ⇒ **courtier, représentant, V.R.P.** *Placier en librairie.*

plafond [plafɔ̃] n. m. **I.** Surface solide (plâtre, béton, bois) et horizontale qui clôt en haut une pièce d'habitation parallèlement au sol, au plancher. *Plafond à poutres apparentes. Faux plafond*, cloison horizontale légère suspendue au plafond. *Chambre basse de plafond.* — Loc. fam. *Avoir une araignée au plafond*, être fou. **II.** **1.** Limite supérieure d'altitude à laquelle peut voler un avion. **2.** (Opposé à *plancher*) Maximum qu'on ne peut dépasser, limite supérieure d'une fourchette (II, 2). — En appos. *Prix plafond.* ▶ *plafonner* [plafɔne] v. . conjug. 1. **I.** V. tr. Garnir (une pièce) d'un plafond en plâtre. *Aucune pièce n'est encore plafonnée.* **II.** V. intr. **1.** (Avions) Atteindre son altitude maximale. **2.** Atteindre un plafond (II, 2). *Salaires qui plafonnent.* ▶ *plafonnier* n. m. ■ Appareil d'éclairage fixé au plafond sans être suspendu. *Plafonnier encastré. Le plafonnier de la voiture.*

① *plage* [plaʒ] n. f. **1.** Endroit plat et bas d'un rivage où les vagues déferlent. ⇒ **grève.** *Plage de sable, de galets.* — Cet endroit, destiné à la baignade. *Plage publique, privée. Nous sommes allés à la plage nous baigner.* — Rive sableuse (d'un lac, d'une rivière). **2.** Lieu, ville où une plage est fréquentée par les baigneurs. *Les casinos des plages à la mode.* ▶ *plagiste* n. ■ Personne qui exploite une plage payante.

② *plage* n. f. **1.** *Plage lumineuse*, surface éclairée également. **2.** Chacun des espaces utiles (d'un disque) séparés par un intervalle. *La première plage fait trois minutes.* **3.** Dans une voiture. Espace plat situé entre le tableau de bord et le pare-brise (*plage avant*) ou entre les sièges et la vitre arrière (*plage arrière*). *Les haut-parleurs de l'autoradio sont encastrés dans la plage arrière.*

plagier [plaʒje] v. tr. . conjug. 7. ■ Copier (un auteur) en s'attribuant indûment des passages de son œuvre. ⇒ **imiter, piller.** *Plagier une œuvre.* ▶ *plagiaire* n. ■ Personne qui pille ou démarque les ouvrages des auteurs. ⇒ **imitateur.** ▶ *plagiat* n. m. ■ Action de plagier, vol littéraire. ⇒ **copie, imitation.** *Ce chapitre est un plagiat.* ≠ *pastiche.*

① *plaid* [plɛd] n. m. ■ Couverture de voyage en lainage écossais. *S'envelopper les jambes dans un plaid.*

② *plaid* [plɛ] n. m. ■ Tribunal féodal, assemblée judiciaire du haut Moyen Âge. ‹ ▶ plaider ›

plaider [plede] v. . conjug. 1. **I.** V. intr. **1.** Soutenir ou contester qqch. en justice. *Plaider contre qqn*, lui intenter un procès. **2.** Défendre une cause devant les juges. *L'avocat plaide pour son client.* **3.** PLAIDER POUR, EN FAVEUR DE : défendre par des arguments justificatifs ou des excuses. *Il a plaidé en ta faveur auprès de tes parents.* — (Suj. chose) *Sa sincérité plaide* *pour lui, plaide en sa faveur,* joue en sa faveur. **II.** V. tr. **1.** Défendre (une cause) en justice. *L'avocat plaide la cause de l'accusé.* — *Plaider la cause de qqn,* en sa faveur. **2.** Soutenir, faire valoir (qqch.) dans une plaidoirie. *L'avocat a plaidé la légitime défense.* Ellipt. *Plaider coupable, non coupable.* — Loc. *Plaider le faux pour savoir le vrai,* déguiser sa pensée pour amener qqn à dire la vérité, à se découvrir. ▶ *plaideur, euse* n. ■ Personne qui plaide en justice. ⇒ ② **partie.** *Les plaideurs d'un procès.* ⇒ **plaignant.** ▶ *plaidoirie* n. f. ■ Action de plaider, exposition orale des faits d'un procès et des prétentions du plaideur (faite en général par son avocat). ⇒ **défense, plaidoyer.** / contr. **accusation, réquisitoire** / *Une longue plaidoirie.* ▶ *plaidoyer* [plɛdwaje] n. m. **1.** Plaidoirie pour défendre les droits de qqn. **2.** Défense passionnée. *Ce roman est un plaidoyer pour les opprimés. Un plaidoyer en faveur des droits de l'homme.*

plaie [plɛ] n. f. **1.** Ouverture dans les chairs. ⇒ **blessure, lésion.** *Plaie profonde. Plaie mortelle. Les lèvres de la plaie. Désinfecter, panser une plaie. La plaie se cicatrise.* **2.** Abstrait. Blessure, déchirement. *Les plaies du cœur.* — Loc. *Retourner le fer, le couteau dans la plaie,* faire souffrir en attisant une cause de douleur morale. — *Porter le fer sur, dans la plaie,* régler un problème de façon violente (comme en lui appliquant un fer rougi au feu). **3.** *Les sept plaies d'Égypte,* fléaux dévastateurs. **4.** Fam. *C'est une vraie plaie, quelle plaie !,* c'est une chose, une personne insupportable.

plaignant, ante [plɛɲɑ̃, ɑ̃t] adj. et n. ■ Qui dépose une plainte en justice. *La partie plaignante, le plaignant, dans un procès.*

plain, plaine [plɛ̃, plɛn] adj. ≠ *plein.* ■ Vx. Dont la surface est unie. ⇒ **plan, plat.** — En composés. ⇒ **plain-chant,** de **plain-pied.** *Terre-plain.* ⇒ **terre-plein.** ⟨ ▶ plaine, de plain-pied ⟩

plain-chant [plɛ̃ʃɑ̃] n. m. ■ Musique vocale rituelle de la liturgie catholique romaine. ⇒ **grégorien.** *Des plains-chants.*

plaindre [plɛ̃dʀ] v. tr. et pron. ■ conjug. 52. **I.** V. tr. **1.** Considérer (qqn) avec un sentiment de pitié, de compassion ; témoigner de la compassion à. *Je te plains d'avoir tant de malheurs. Être À PLAINDRE :* mériter d'être plaint. *Il est plus à plaindre qu'à blâmer. Elle aime se faire plaindre,* qu'on la plaigne. **2.** Loc. *Ne le plaint pas sa peine,* il travaille avec zèle, sans se ménager. **II.** SE PLAINDRE v. pron. **1.** Exprimer sa peine ou sa souffrance par des pleurs, des gémissements, des paroles... ⇒ se **lamenter ; plainte.** *Il ne se plaignait jamais. Elle se plaint de maux de tête.* **2.** Exprimer son mécontentement (au sujet de qqn, qqch.). ⇒ **protester, râler ;** fam. **rouspéter.** *Se plaindre de qqn,* lui reprocher son attitude. *Se plaindre de son sort. Sans compl. Il se plaint sans cesse.* — *Se plaindre à qqn,* protester, récriminer auprès de lui, au sujet d'une personne ou d'une chose. *J'irai me plaindre de cet employé (me plaindre de lui) à son chef de service. J'irai me plaindre de ce vol (m'en plaindre).* — *Se plaindre de* (+ infinitif). *Elle se plaignit d'avoir trop à faire.* — *Se plaindre que* (+ subjonctif ou indicatif). *Il se plaint qu'on ne lui donnait pas assez à manger.* — *Le professeur se plaint de ce que vous n'obéissez pas.* — *Ne te plains pas s'il te punit* (tu le mérites, tu ne l'auras pas volé). *Je ne m'en plains pas,* j'en suis assez content. ⟨ ▶ plaignant, plainte ⟩

plaine [plɛn] n. f. ■ Vaste étendue de pays plat ou faiblement ondulé ⇒ **pénéplaine** et moins élevée que les pays environnants. *Un pays de plaines. Une immense plaine. Dans les plaines. Plaines et plateaux.* — (Collectif) *La plaine et la montagne.* ⟨ ▶ pénéplaine ⟩

de plain-pied [d(ə)plɛ̃pje] loc. adv. ■ Au même niveau. *Des pièces ouvertes de plain-pied sur une terrasse.* — Loc. *Être de plain-pied avec qqn,* être sur le même plan, en relations aisées et naturelles avec lui.

plainte [plɛ̃t] n. f. **I. 1.** Expression vocale de la douleur. ⇒ **gémissement, hurlement, lamentation, pleur ;** se **plaindre.** *Les blessés poussaient des plaintes déchirantes.* — *Une plainte muette,* exprimée par le regard, le visage, les gestes. — *Son qui évoque la plainte. La plainte du vent.* **2.** Expression d'un mécontentement. ⇒ **blâme, doléance, grief.** *Les plaintes et les revendications des ouvriers.* **II.** Dénonciation en justice d'une infraction par la personne qui affirme en être la victime. *Elle a déposé une plainte contre son agresseur. Retirer sa plainte.* — Loc. PORTER PLAINTE *pour vol, contre inconnu.* ≠ **plinthe.** ▶ *plaintif, ive* adj. ■ Qui a l'accent, la sonorité d'une plainte (1) généralement douce, faible. *Une voix plaintive.* ▶ *plaintivement* adv. ■ *Elle réclama plaintivement à boire.* ⟨ ▶ complainte ⟩

plaire [plɛʀ] v. tr. ind. ■ conjug. 54. **I.** (Personnes) **1.** PLAIRE À : être une fréquentation agréable à (qqn), lui procurer une satisfaction. ⇒ **captiver, charmer, séduire.** / contr. **déplaire** / *Chercher à plaire à qqn. Cet individu ne me plaît pas du tout.* **2.** Éveiller l'amour, le désir de qqn. *Elle lui plut, il l'épousa.* **3.** (Sans objet précisé) Plaire aux autres, aux gens à qui on a affaire. *Il plaît,* il est aimable, charmant. **II.** (Choses) **1.** Être agréable à. ⇒ **convenir.** *Cette situation lui plaît. Ce film m'a beaucoup plu.* ⇒ **enchanter, ravir, réjouir.** *Si ça vous plaît* (→ Si ça vous chante). ⇒ **plaisir.** — Loc. *Cela vous plaît à dire* (mais je n'en crois rien). **2.** Sans compl. *Le film a plu.* ⇒ **réussir.** *Un modèle qui plaît.* **III.** Impers. **1.** IL... PLAÎT. *Il me plaît de commander.* ⇒ **aimer, vouloir.** *Tant qu'il vous plaira,* tant que vous voudrez. *Faites ce qui vous plaît,* ce que vous voudrez, distinct de *faites ce qu'il vous plaît,* ce que vous aimez. **2.** S'IL TE PLAÎT, S'IL VOUS PLAÎT : formule de politesse, dans une demande, un conseil, un ordre. *Comment dites-vous cela, s'il vous plaît ?* (Abrév. *S.V.P.* [ɛsvepe].) **3.** Vieilli. PLAÎT-IL ? (employé pour faire répéter ce qu'on a mal entendu ou compris). ⇒ **comment, pardon.** **4.** Littér. Au subjonctif. PLAISE..., PLÛT... (en tête de phrase). *Plaise, plût à Dieu, au ciel que...,* pour marquer qu'on souhaite qqch. **IV.** SE PLAIRE v. pron. REM. Le part. passé est toujours invar. **1.** (Réfl.) Plaire à soi-même, être content de soi. *Je me plais bien avec les cheveux longs.* **2.** (Récipr.) Se plaire l'un à l'autre. *Ils se sont plu.* **3.** SE PLAIRE À : prendre plaisir à. ⇒ **aimer, s'intéresser.** *Il se plaît au travail, à travailler. Elle s'est plu à le dénigrer.* ⇒ se **complaire. 4.** Trouver du plaisir, de l'agrément à être dans (un lieu, une compagnie, un milieu). *Il se plaît beaucoup à la campagne. Je me plais avec (auprès de) toi.* ⟨ ▶ complaire, déplaire, de plaisance, plaisant, plaisir ⟩

de plaisance [plɛzɑ̃s] loc. adj. invar. ■ *Un bateau de plaisance ; navigation de plaisance,* pour l'agrément ou le sport. — *La plaisance,* la navigation de plaisance. ▶ *plaisancier* n. m. ■ Personne qui pratique la navigation de plaisance.

plaisant, ante [plɛzɑ̃, ɑ̃t] adj. et n. m. **I.** Adj. **1.** Qui plaît, procure du plaisir. ⇒ **agréable, attrayant.** / contr. **déplaisant** / *Une maison plaisante.* ⇒ **aimable, gai.** *Ce n'est guère plaisant.* ⇒ **engageant.** — (Personnes) *Qui plaît par son agrément.* *C'est une femme plaisante.* ⇒ **aimable. 2.** Qui plaît en amusant, en faisant rire. ⇒ **comique, drôle ;** fam. **rigolo.** *Je vais vous raconter une anecdote assez plaisante.* **3.** Iron et littér. Bizarre, risible. *Je vous trouve plaisant d'oser* *me dire cela à moi.* **II.** N. m. **1.** Littér. *Le plaisant de qqch.,* ce qui plaît, ce qui amuse. **2.** MAUVAIS PLAISANT : personne qui fait des plaisanteries de mauvais goût. ⇒ **plaisantin.** *Un mauvais plaisant a remplacé la farine par de la colle.* ▶ *plaisamment* adv. **1.** De façon agréable. *Causer plaisamment.* **2.** D'une manière comique. *Une colère plaisamment simulée.* ⟨ ▶ plaisanter ⟩

plaisanter [plɛzɑ̃te] v. **.** conjug. 1. **I.** V. intr. **1.** Faire ou (plus souvent) dire des choses destinées à faire rire ou à amuser. ⇒ **blaguer.** *Je ne suis pas d'humeur à plaisanter. Ils ont plaisanté à propos de tout et sur tout le monde.* **2.** Dire ou faire qqch. par jeu, sans penser être pris au sérieux. *C'est un homme qui ne plaisante pas,* qui prend tout au sérieux. *Ne plaisantez pas avec cela,* n'en riez pas. **II.** V. tr. (Compl. personne) Railler légèrement, sans méchanceté. ⇒ **taquiner.** *Il aime bien plaisanter sa sœur sur ses robes.* ▶ *plaisanterie* n. f. **1.** Propos destinés à faire rire, à amuser. *Il ne fait que des plaisanteries de mauvais goût. Savoir manier la plaisanterie* (⇒ **humour**). — Loc. *Trève de plaisanterie,* revenons aux choses sérieuses. **2.** Propos ou actes visant à se moquer. ⇒ **quolibet, taquinerie.** *C'était une plaisanterie à l'adresse de ta famille. Être victime d'une mauvaise plaisanterie.* ⇒ **farce.** *Il ne comprend pas la plaisanterie.* **3.** Chose peu sérieuse, dérisoire, très facile. ⇒ **bêtise.** *Faire des réformes ? La bonne plaisanterie !* ⇒ **blague.** *Ce sera pour lui une plaisanterie de battre ce record.* ⇒ **bagatelle.** ▶ *plaisantin* n. et adj. m. ■ Personne qui plaisante trop, qui fait des plaisanteries d'un goût douteux. ⇒ **mauvais plaisant.** *C'est un plaisantin, mais il n'est pas méchant.* — *Vous êtes un petit plaisantin !*

plaisir [pleziʀ] n. m. **I.** Sensation ou émotion agréable, liée à la satisfaction d'un désir, d'un besoin matériel ou mental. ⇒ LE PLAISIR. ▶ **bien-être, contentement.** / contr. **déplaisir, douleur** / *Le plaisir esthétique. La recherche du plaisir. Éprouver du plaisir à... Je vous souhaite bien du plaisir,* formule de politesse ironique. — FAIRE PLAISIR : être agréable (à qqn) en rendant service, etc. *Il aime faire plaisir (à...). Voulez-vous me faire le plaisir de dîner avec moi ?* (Par menace) *Fais-moi le plaisir de te taire !* **2.** Absolt. *Le plaisir,* le plaisir dans l'acte sexuel. ⇒ **volupté.** **3.** UN PLAISIR, LES PLAISIRS : émotion, sentiment agréable (correspondant à des circonstances particulières). *Les plaisirs de l'alpinisme.* ⇒ **joie.** — *Il prend un malin plaisir à nous embêter.* **4.** LE PLAISIR DE *qqch.* : le plaisir causé par (une chose, un objet, ou une espèce d'objets). *Le plaisir du devoir accompli.* ⇒ **satisfaction. 5.** Loc. *Prendre plaisir à* (+ infinitif), aimer. *Il prend plaisir à travailler. Avoir du plaisir à* (+ infinitif), être charmé, ravi de. *J'espère que nous aurons bientôt le plaisir de vous voir.* ⇒ **avantage.** — *Ce sera un plaisir de les voir.* — *Au plaisir de vous revoir,* formule aimable d'adieu. Ellipt. Fam. *Au plaisir !* **6.** POUR LE PLAISIR, POUR SON PLAISIR, PAR PLAISIR : sans autre raison que le plaisir qu'on y trouve. *Il ment pour le plaisir, par plaisir. Il navigue pour le plaisir,* pas pour gagner de l'argent. **7.** AVEC PLAISIR. *Travailler avec plaisir. « Viendrez-vous ? — Avec grand plaisir. »* **II.** LES PLAISIRS : ce qui peut donner une émotion ou une sensation agréable (objets ou actions). ⇒ **agrément, amusement, distraction, divertissement.** — Au sing. *C'est un plaisir coûteux.* — *Il court après les plaisirs de la vie. Réserver une part de son budget pour ses MENUS PLAISIRS.* — Au plur. *Mener une vie de plaisirs,* rechercher les boissons, les bons repas, les rapports amoureux. — (Sing. collectif) *Fréquenter les lieux de plaisir.* **III.** (Dans des expressions) **1.** *Si c'est votre plaisir, si c'est votre bon plaisir,* si c'est ce qu'il vous plaît de

faire, d'ordonner. *Le* BON PLAISIR *du roi* : sa volonté, acceptée sans discussion. **2.** À PLAISIR : en obéissant à un caprice, sans justification raisonnable. *Il se lamente à plaisir,* sans raison. ⟨ ▶ déplaisir ⟩

① *plan, plane* [plɑ̃, plan] adj. **1.** Sans aspérité, inégalité, ni courbure (d'une surface). ⇒ **plain, plat, uni.** / contr. **courbe** / *Surface, figure plane.* **2.** *Géométrie plane,* qui étudie les figures planes (opposé à *dans l'espace*). ▶ ② *plan* n. m. **1.** Surface plane (dans quelques emplois). PLAN INCLINÉ. *Toit en plan incliné.* — PLAN D'EAU : surface d'eau calme et unie. **2.** En géométrie. Surface infinie contenant trois points non alignés ou deux droites parallèles. *Plans sécants perpendiculaires.* **3.** Chacune des surfaces perpendiculaires à la direction du regard, représentant les profondeurs, les éloignements (dessin, peinture, photo). *Au premier plan,* à peu de distance. — Loc. *Mettre qqch. au premier plan,* lui accorder une importance primordiale, essentielle. *Je les mets tous sur le même plan. En arrière-plan,* derrière. — SUR LE PLAN de (suivi d'un nom), *sur le plan* (suivi d'un adj. abstrait) : au point de vue (de). *Sur le plan logique, moral.* — AU PLAN (même sens). ⇒ au **niveau, quant à** (en ce qui concerne). — REM. Cet emploi est critiqué. **4.** Image (photo), succession d'images (cinéma) définie par l'éloignement de l'objectif et de la scène à photographier, et par le contenu de cette image (dimension des objets). *Gros plan de visage. Plan américain,* à mi-corps. *Plan général, plan panoramique.* — Prise de vue effectuée sans interruption : les images qui en résultent. *Scène, séquence tournée en dix-huit plans. Plan séquence,* plan qui dure pendant une séquence entière. ⟨ ▶ aéroplane, aplanir, arrière-plan, biplan, deltaplane, monoplan, planer, planeur ⟩

③ *plan* n. m. **I. 1.** Représentation (d'une construction, d'un jardin, etc.) en projection horizontale. *Dessiner le plan d'un bâtiment. Tracer un plan.* ⇒ **schéma. 2.** Carte à grande échelle (d'une ville, d'un réseau de communications). *Plan de Paris.* **3.** Reproduction en projection orthogonale (d'une machine). *Plans et notice technique d'un avion.* **II. 1.** Projet élaboré, comportant une suite ordonnée d'opérations destinée à atteindre un but. *Plan d'action. Plan d'épargne. Avoir, exécuter un plan. Un bon plan.* — Fam. Occupation ; bonne trouvaille. *J'ai un bon plan pour bien se marrer samedi soir.* **2.** *Plan d'une œuvre, d'un ouvrage,* disposition, organisation de ses parties. ⇒ **canevas.** *Plan en trois parties.* **3.** Ensemble des dispositions arrêtées en vue de l'exécution d'un projet. ⇒ **planification, planning.** *Plan économique. Les services du Plan,* de l'administration qui prépare les grands plans d'équipement, en France (⇒ **planifier**). **4.** Fam. EN PLAN : sur place, sans s'en occuper. ⇒ **abandonner, planter** là. *Tous les projets sont restés en plan.* ⇒ **en suspens.** ⟨ ▶ planifier ⟩

① *planche* [plɑ̃ʃ] n. f. **1.** Pièce de bois plane, plus longue que large. ⇒ **latte, planchette.** *Débiter en planches un tronc d'arbre. Scier une planche.* — Loc. *Planche à dessin,* panneau de bois parfaitement plan sur lequel on fixe une feuille de papier à dessin. *Planche à laver, à repasser. Planche à pain,* sur laquelle on pose le pain pour le couper. Fam. *Femme plate et maigre.* — Loc. *Être cloué entre quatre planches,* mort et enfermé dans le cercueil. — Loc. *Planche de salut,* suprême appui ; ultime ressource, dernier moyen. — *Faire la planche,* flotter sur le dos. **2.** LES PLANCHES : le plancher de la scène, au théâtre. *Monter sur les planches,* en scène ; faire du théâtre. **3.** Pièce de bois plate et mince ; plaque, feuille de métal poli, destinée à la gravure. *Planche à billets,* servant à imprimer les billets de banque. **4.** Estampe tirée sur une planche gravée. *Une planche de Dürer.* — Feuille ornée d'une gravure. *Les planches en* *couleurs d'un livre.* **5.** Fam. Ski. **6.** PLANCHE À ROULETTES : munie de roulettes comme un patin ou une patinette. — PLANCHE À VOILE : munie d'une dérive, d'un mât et d'une voile (⇒ **véliplanchiste**). ▶ *planchette* n. f. ■ Petite planche. ⇒ **tablette.** ‹ ▶ ① plancher ›

② **planche** n. f. ■ Bande de terre cultivée dans un jardin. *Les planches d'un carré de légumes.*

① **plancher** [plɑ̃ʃe] n. m. **1.** Partie d'une construction qui constitue une plate-forme horizontale au rez-de-chaussée, ou une séparation entre deux étages. *Le plancher (bas) et le plafond (haut) d'une pièce.* **2.** Sol de la pièce constitué d'un assemblage de bois (plus grossier que le parquet). *Les lattes, lames d'un plancher. Plancher de sapin.* — Sol (d'un véhicule, etc.). *Le plancher d'un ascenseur.* — Loc. fam. *Débarrasser le plancher,* sortir, être chassé. — *Le plancher des vaches,* la terre ferme. **3.** Abstrait. Limite inférieure (opposé à *plafond*). — En appos. *Prix plancher,* minimum. ▶ *planchéier* [plɑ̃ʃeje] v. tr. ■ conjug. 7. ■ Garnir (le sol, les parois intérieures) d'une construction) d'un assemblage de planches.

② **plancher** v. intr. ■ conjug. 1. ■ Terme d'écolier. Subir une interrogation, faire un travail au tableau. *Il nous a fait plancher pendant une heure.*

plancton [plɑ̃ktɔ̃] n. m. ■ Collectif. Animaux (crevettes...) et végétaux (algues...) microscopiques vivant en suspension dans l'eau de mer. ⇒ **krill.** *Le plancton est la nourriture de certains oiseaux, de poissons et des baleines.* ‹ ▶ phyto-, zooplancton ›

planer [plane] v. intr. ■ conjug. 1. **1.** (Oiseaux) Se soutenir en l'air sans remuer ou sans paraître remuer les ailes. ⇒ **voler.** *Des faucons planaient.* — (Avions) Voler, le moteur coupé ou à puissance réduite. — (Planeurs) Voler. **2.** Littér. Considérer de haut, dominer du regard. *L'œil plane sur la ville entière.* **3.** Dominer par la pensée. *Planer au-dessus des querelles.* **4.** Rêver, être perdu dans l'abstraction. *Il a toujours l'air de planer.* — Fam. Être dans une rêverie agréable (⇒ **planant**). **5.** (Choses) Flotter en l'air. *Une vapeur épaisse planait.* **6.** Abstrait. Constituer une présence menaçante. *Un danger planait sur nous.* ▶ **plané, ée** adj. ■ VOL PLANÉ (d'un oiseau qui plane ; d'un avion dont les moteurs sont arrêtés). — Fam. *Faire un vol plané,* une chute. ▶ *planant, ante* adj. ■ Fam. Qui fait planer (4). *Musique planante.* ‹ ▶ aéroplane, planeur ›

planète [planɛt] n. f. ■ Corps céleste qui tourne autour du Soleil (ou d'une étoile) et n'émet pas de lumière propre. *Les principales planètes (du Soleil) sont Mercure, Vénus, la Terre, Mars, Jupiter, Saturne, Uranus, Neptune et Pluton. La Lune n'est pas une planète, mais un satellite (de la Terre). La trajectoire d'une planète. Les planètes empruntent leur lumière au Soleil.* ▶ *planétaire* adj. **1.** Relatif aux planètes. *Le système planétaire.* **2.** Relatif à toute la planète Terre. ⇒ **mondial.** *L'expansion planétaire de la technique moderne.* ▶ *planétarium* [planetaʀjɔm] n. m. ■ Représentation, à des fins pédagogiques, des corps célestes sur la voûte d'un bâtiment. *Des planétariums.* ‹ ▶ interplanétaire ›

planeur [planœʀ] n. m. ■ Appareil semblable à un avion léger, mais sans moteur, et destiné à planer. *Pilotage des planeurs,* vol à voile. ⇒ **deltaplane.**

planeuse [planøz] n. f. ■ Techniques. Machine à aplanir, à dresser les tôles.

plani- ■ Élément signifiant « ② plan » (ex. : *planisphère*) et « ③ plan » (ex. : *planifier*).

planifier [planifje] v. tr. ■ conjug. 7. ■ Organiser suivant un plan ③. *Planifier l'économie d'une région.*

— Au p. p. adj. *Économie planifiée.* ▶ *planificateur, trice* n. ■ Personne qui organise selon un plan. — Adj. *Mesures planificatrices.* ▶ *planification* n. f. ■ Organisation selon un plan. *La planification de l'économie. Planification des naissances.* ⇒ **planning** (2).

planisphère [planisfɛʀ] n. m. ■ Carte où l'ensemble du monde est représenté en projection plane. *Des beaux planisphères.* ≠ *mappemonde, globe terrestre.*

planning [planiŋ] n. m. Anglic. **1.** Plan de travail détaillé, programme chiffré de l'activité d'une entreprise. *Planning industriel. Des plannings.* **2.** *Planning familial,* planification des naissances dans un foyer. ⇒ **contraception.**

planque [plɑ̃k] n. f. **1.** Fam. Lieu où l'on cache qqch. ou qqn. ⇒ **cachette.** **2.** Place abritée, peu exposée ; place où le travail est facile. ⇒ **combine, filon.** *Il a trouvé une bonne planque.* ▶ *planquer* v. tr. ■ conjug. 1. **1.** Cacher, mettre à l'abri. *Il a planqué le fric.* **2.** SE PLANQUER v. pron. : se mettre à l'abri du danger (surtout en temps de guerre). ⇒ **s'embusquer.** — Au p. p. adj. *Planqué, ée.* — N. *Il ne risque rien, c'est un planqué.*

plant [plɑ̃] n. m. **1.** Ensemble de végétaux de même espèce plantés dans un même terrain ; ce terrain. ⇒ **pépinière.** *Un plant de carottes.* **2.** Végétal au début de sa croissance, destiné à être repiqué ou qui vient de l'être. *Il faut repiquer les plants de salades.* ≠ *plan.*

① **plantain** [plɑ̃tɛ̃] n. m. ■ Herbe très commune, dont la semence sert à nourrir les oiseaux.

② **plantain** n. ■ N. m. Variété de bananier dont le fruit se mange cuit. — En appos. *Banane plantain,* servie en légume. N. f. *Une, des plantains,* cette, ces bananes.

plantation [plɑ̃tasjɔ̃] n. f. **I.** Action, manière de planter. *Plantation à la bêche. C'est la saison des plantations.* **II. 1.** Ensemble de végétaux plantés (généralement au plur.). *L'orage a saccagé les plantations.* ⇒ **culture.** **2.** Terrain, champ planté. *Une plantation de légumes* (potager), *d'arbres fruitiers* (verger). **3.** Exploitation agricole de produits tropicaux. ⇒ **planteur.** *Le régisseur de la plantation.* **III.** *La plantation des cheveux,* la manière dont ils sont plantés (I, 4), la ligne qui délimite la chevelure. ⇒ **implantation.**

① **plante** [plɑ̃t] n. f. ■ Végétal (surtout végétal à racine, tige, feuilles [opposé à *mousse,* etc.], de petite taille [opposé à *arbre*]). *Les animaux et les plantes. Étude des plantes.* ⇒ **botanique.** *Les plantes d'un lieu, d'un pays.* ⇒ **flore, végétation.** *Plante grimpante, naine, rampante. Plantes grasses,* les cactus. *Plantes ornementales.* ⇒ **fleur.** *Plantes d'appartement, plantes vertes,* sans fleurs, à feuilles toujours vertes.

② **plante** n. f. ■ Face inférieure (du pied) ; la partie comprise entre le talon et la base des orteils. ⇒ **plantaire.** *La plante des pieds.* ▶ *plantaire* adj. ■ De la plante des pieds. *Douleurs plantaires.* ‹ ▶ plantigrade ›

planter [plɑ̃te] v. tr. ■ conjug. 1. **I. 1.** Mettre, fixer (un plant, une plante) en terre. / contr. **arracher, déraciner** / *Planter des salades.* ⇒ **repiquer. 2.** Mettre en terre (des graines, bulbes, tubercules). ⇒ **semer.** *Planter des haricots.* **3.** *Planter un lieu,* garnir de végétaux qu'on plante par plants ou semences. ⇒ **ensemencer.** — Au p. p. adj. *Avenue plantée d'arbres.* **4.** Enfoncer, faire entrer en terre (un objet). ⇒ **ficher.** *Planter un pieu. Planter des clous.* — Pronominalement (réfl.). *Une écharde s'est plantée dans son pied.* — Au passif. *Être planté* (cheveux, poils de barbe,

■ *Consulter les électeurs par voie plébiscitaire.*
▶ *plébisciter* v. tr. ■ conjug. 1. **1.** Voter (qqch.),
désigner (qqn) par plébiscite. *Les Français ont
plébiscité la fin de la guerre d'Algérie.* **2.** Élire (qqn)
ou approuver (qqch.) à une majorité écrasante. *Ce
modèle a été plébiscité par notre clientèle.*

-plégie ■ Élément signifiant « paralyser ».
〈 ▶ hémiplégie, paraplégie 〉

pléiade [plejad] n. f. ■ Groupe de personnes
remarquables. *Une pléiade de savants, d'écrivains.*
— On écrit *Pléiade(s)* pour le nom propre : groupe
d'étoiles ; écrivains du XVIᵉ siècle.

① *plein, pleine* [plɛ̃, plɛn] adj. **I.** **1.** Sens fort.
Qui contient toute la quantité possible. ⇒ **rempli.**
/ contr. **vide** / *Un verre plein, plein à ras bords.* Loc.
Une valise pleine à craquer. — *Parler la bouche pleine.*
Avoir l'estomac plein. **2.** (Personnes) *Un convive plein
comme une barrique.* ⇒ **soûl.** Fam. *Un gros plein de
soupe,* un homme gros, vulgaire. **3.** Se dit d'une
femelle animale en gestation. ⇒ **gros.** *La jument est
pleine.* **4.** Avant le nom. *Un plein panier de légumes,*
le contenu d'un panier. — Loc. *Saisir qqch. à pleines
mains,* sans hésiter, fermement. — *Sentir à plein nez,*
très fort. **5.** Qui contient autant de personnes qu'il
est possible. ⇒ **bondé.** *Les autobus sont pleins.*
⇒ **complet.** **6.** (Temps) *Une journée pleine,* complète
ou bien occupée. **7.** Qui éprouve entièrement (un
sentiment), est rempli (de connaissances, d'idées).
Avoir le cœur plein, avoir du chagrin. — (Personnes)
PLEIN DE : pénétré de. *Être plein de son sujet, d'une
préoccupation.* — PLEIN DE SOI-MÊME : occupé et
content de sa propre personne. ⇒ **imbu, infatué.** *Il
est plein de lui-même.* **8.** Fam. PLEIN AUX AS : très
riche. **II.** **1.** Dont la matière occupe tout le volume.
/ contr. **creux** / *Une sphère pleine.* — (Formes
humaines) Rond. ⇒ **dodu, potelé.** *Des joues pleines.*
2. Qui est entier, à son maximum. *La pleine lune.
Reliure pleine peau,* entièrement en peau. — *Un jour
plein,* de 24 heures. *Travailler à plein temps, à temps
plein.* / contr. **partiel** / **3.** Qui a sa plus grande force.
⇒ **total.** *Plein succès. Donner pleine satisfaction.* **4.** à
PLEIN, EN PLEIN loc. adv. ⇒ **pleinement, totalement.**
Argument qui porte à plein. **5.** EN PLEIN(E), suivi d'un
nom : au milieu de. *Vivre en plein air.* ⇒ **dehors.** *En
pleine mer,* au large. *Se réveiller en pleine nuit.* —
Exactement (dans, sur). *Visez en plein milieu.*
6. Fam. EN PLEIN SUR, EN PLEIN DANS loc. adv. : juste,
exactement. *En plein dans le mille. En plein dedans.*
7. *La pleine mer,* le large. *Le plein air,* l'extérieur.
III. Sens faible. PLEIN DE : qui contient, qui a
beaucoup de. *Un pré plein de fleurs,* qui abonde,
regorge de fleurs. *Des yeux pleins de larmes. Les rues
sont pleines de monde.* — (Personnes) *Être plein de
santé.* — Fam. TOUT PLEIN DE. *Expression toute pleine
de candeur.* 〈 ② *plein* n. m. **I.** LE PLEIN (DE).
1. État de ce qui est plein. *La lune était dans son
plein.* **2.** BATTRE SON PLEIN : être à son point
culminant. *Les fêtes battaient leur plein.* **3.** Plénitude,
maximum. *C'était le plein de la bousculade.* **4.** *Faire
le plein de,* emplir totalement un réservoir. *Faire le
plein (d'essence). Donnez moi le plein en, de super.*
II. UN PLEIN. **1.** Endroit plein (d'une chose). *Les
pleins et les vides.* **2.** Trait épais, dans l'écriture
calligraphiée. *Un écolier qui fait des pleins et des
déliés.* ▶ ③ *plein* prép. et adv. **1.** Prép. En grande
quantité dans. *Avoir de l'argent plein les poches,*
beaucoup. — Loc. *En avoir plein la bouche* (de qqn,
qqch.), en parler fréquemment. Fam. *En avoir plein
les bottes,* être fatigué d'avoir marché. *En avoir plein
le dos,* en avoir assez. *En mettre plein les yeux, la
vue à qqn.* — Fam. Partout sur. *Il avait du poil plein
la figure.* **2.** Fam. PLEIN DE loc. prép. ⇒ **beaucoup.**
Il y avait plein de monde. **3.** Adv. Fam. TOUT PLEIN.

⇒ **très.** *C'est mignon tout plein. Elle est tout plein
gentille.* ▶ *pleinement* adv. ■ Entièrement, totalement. *Profiter pleinement de ses vacances. Il est
pleinement responsable.* ⇒ **complètement.** ▶ *plein-
emploi* ou *plein emploi* [plɛnɑ̃plwa] n. m. sing.
■ Emploi de la totalité des travailleurs. / contr.
chômage, sous-emploi / *Des politiques de plein-emploi.*
▶ *de plein fouet* [d(ə)plɛ̃fwɛ] adv. ■ En plein et avec
violence. *Les deux voitures se sont heurtées de plein
fouet.* ▶ *plénière* [plenjɛʀ] adj. f. ■ *Assemblée
plénière,* où siègent tous les membres. — *Indulgence
plénière,* complète, totale. 〈 ▶ plénipotentiaire, plénitude, terre-plein, trop-plein 〉

plénipotentiaire [plenipɔtɑ̃sjɛʀ] n. m. et adj.
■ Agent diplomatique qui a pleins pouvoirs pour
l'accomplissement d'une mission. ⇒ **envoyé.** — Adj.
Ministre plénipotentiaire, titre immédiatement inférieur à celui d'ambassadeur.

plénitude [plenityd] n. f. **1.** Littér. Ampleur,
épanouissement. *La plénitude des formes.* **2.** État de
ce qui est complet, dans toute sa force. *Un homme,
une femme dans la plénitude de ses facultés.*
⇒ **intégrité, totalité ; maturité.**

pléonasme [pleɔnasm] n. m. ■ Terme ou expression qui répète ce qui vient d'être énoncé. ⇒ **redondance.** *Pléonasme fautif* (ex. : *monter en haut ; prévoir
d'avance*). ▶ *pléonastique* adj. ■ Didact. Du pléonasme. *Tour pléonastique.*

pléthore [pletɔʀ] n. f. ■ Littér. Abondance, excès.
/ contr. **pénurie** / *La pléthore d'un produit sur le
marché engendre la mévente.* ▶ *pléthorique* adj.
■ Abondant, surchargé. *Classes pléthoriques,* trop
pleines.

pleur [plœʀ] n. m. **I.** Vx. Fait de pleurer. — Larmes.
Verser un pleur. **II.** Au plur. LES PLEURS. Le fait de
pleurer, les larmes ; plaintes dues à une vive douleur.
Répandre, verser des pleurs. [EN PLEURS. *Elle était
tout en pleurs.*

pleural, ale, aux [plœʀal, o] adj. ■ Qui
concerne la plèvre. *Épanchement pleural.*

pleurer [plœʀe] v. intr. ■ conjug. 1. **I.** **1.** Répandre
des larmes, sous l'effet d'une émotion. ⇒ **pleurnicher,
sangloter** ; **fam. chialer.** / contr. **rire** / *J'ai envie de
pleurer. Il pleurait à chaudes larmes, comme un veau,*
beaucoup. — *Elle pleurait de rage. Un bébé qui pleure
parce qu'il a faim.* ⇒ **crier.** — Loc. *C'est Jean qui
pleure et Jean qui rit,* il passe facilement de la tristesse
à la gaieté. **2.** À PLEURER, *à faire pleurer* : au point
de pleurer, de faire pleurer. ⇒ **déplorable.** *C'est triste
à pleurer,* extrêmement. **3.** (En parlant d'un réflexe de
protection de l'œil) *Le vent me fait pleurer. À force
d'éplucher les oignons, on a les yeux qui pleurent.*
II. **1.** Être dans un état d'affliction. *Consoler ceux
qui pleurent,* les affligés. — PLEURER SUR : s'affliger
à propos de (qqn, qqch.). *Pleurer sur son sort.*
⇒ **gémir,** se **lamenter. 2.** Présenter une demande
d'une manière plaintive et pressante. *Il va pleurer
auprès de son patron pour obtenir une augmentation.*
— Fam. *Pleurer après qqch.,* réclamer avec insistance.
III. Transitivement. **1.** Regretter, se lamenter sur.
Pleurer sa jeunesse enfuie, la regretter. *Pleurer un
enfant* (mort). — Fam. *Pleurer misère,* se plaindre.
2. Fam. Accorder, dépenser à regret (seulement en
locutions). *Pleurer le pain qu'on mange,* être avare.
3. Laisser couler (des larmes, des pleurs). *Elle pleura
des larmes de joie.* ⇒ **répandre, verser.** ▶ *pleurard,
arde* adj. et n. **1.** Qui pleure à tout propos.
⇒ **pleurnicheur.** — N. *Un(e) pleurard(e) insupportable.* **2.** *Air, ton pleurard.* ⇒ **plaintif.** ▶ *pleureur* adj.
■ SAULE PLEUREUR : dont les branches retombent
vers le sol. ▶ *pleureuse* n. f. ■ Femme payée pour

pleurer aux funérailles. *Des pleureuses corses.*
▶ *pleurnicher* v. intr. ■ conjug. 1. ■ Fam. Pleurer sans raison, d'une manière affectée ; se plaindre sur un ton geignard. ⇒ **larmoyer.** ▶ *pleurnichement* n. m. ou *pleurnicherie* n. f. ■ Fam. Le fait de pleurnicher. ⇒ **larmoiement.** ▶ *pleurnicheur, euse* ou *pleurnichard, arde* n. et adj. ■ Fam. Personne qui pleurniche. — Adj. *Gamin pleurnicheur.* ⇒ **geignard, pleurard.** ⟨ ▶ pleur ⟩

pleurésie [plœʀezi] n. f. ■ Inflammation de la plèvre. *Pleurésie sèche,* sans épanchement (ou *pleurite,* n. f.). ▶ *pleurétique* adj. 1. ■ Relatif à la pleurésie. 2. ■ Qui souffre de pleurésie. — N. *Un, une pleurétique.*

pleurote [plœʀɔt] n. m. ■ Champignon comestible apprécié, cultivé ou croissant naturellement sur les débris végétaux.

pleutre [pløtʀ] n. m. et adj. ■ Littér. Homme sans courage. ⇒ **couard, lâche, poltron.** / contr. **coura-geux /** — Adj. *Il est très pleutre.* ▶ *pleutrerie* n. f. ■ Rare. Lâcheté.

pleuvoir [pløvwaʀ] v. impers. et intr. ■ conjug. 23. **I.** V. impers. 1. (Eau de pluie) Tomber. *Il pleut légèrement.* ⇒ **bruiner, pleuviner.** *Il pleuvait à verse, à flots, à seaux, à torrents.* — Fam. *Il pleut comme vache qui pisse,* très fort. *Ça pleut,* il pleut. 2. Tomber. *Il pleut de grosses gouttes.* — Loc. fam. *Il ramasse de l'argent comme s'il en pleuvait.* ⇒ **beaucoup.** **II.** V. intr. (surtout 3ᵉ pers. du plur.) 1. S'abattre, en parlant de ce que l'on compare à la pluie. *Les coups pleuvaient sur son dos.* 2. Affluer, arriver en abondance. *Les contraventions pleuvent.* ▶ *pleuvasser, pleuvioter, pleuvoter* v. impers. ■ conjug. 1. ■ Pleuvoir légèrement, par petites averses. ⇒ **crachiner.** ▶ *pleuviner* ou *pluviner* v. impers. ■ conjug. 1. ■ Bruiner, faire du crachin. ⟨ ▶ repleuvoir ⟩

plèvre [plɛvʀ] n. f. ■ Chacune des deux membranes séreuses qui enveloppent les poumons (⇒ **pleural**). *Inflammation de la plèvre.* ⇒ **pleurésie.**

plexiglas [plɛksiɡlas] n. m. invar. ■ Nom déposé. Plastique dur transparent imitant le verre.

plexus [plɛksys] n. m. invar. ■ Réseau de nerfs ou de vaisseaux. *Plexus solaire,* au creux de l'estomac.

pli [pli] n. m. 1. Partie d'une matière souple rabattue sur elle-même et formant une double ou une triple épaisseur. *Les plis d'un éventail. Jupe à plis.* ⇒ **plissé.** 2. Ondulation (d'un tissu flottant). *Les plis des drapeaux déployés dans le vent.* — Mouvement (de terrain) qui forme une ondulation. *Un pli de terrain.* ⇒ **plissement, repli.** 3. Marque qui reste à ce qui a été plié. ⇒ **pliure.** *Faire le pli d'un pantalon,* le repasser. — FAUX PLI ou, absolt, PLI : endroit froissé ou mal ajusté ; pliure qui ne devrait pas exister. — Loc. fam. *Cela ne fait (ne fera) pas un pli,* c'est une affaire faite. 4. MISE EN PLIS : opération qui consiste à donner aux cheveux mouillés la forme, la frisure qu'ils garderont une fois secs. ⇒ **perma-nente.** *Elle s'est fait une mise en plis.* 5. Loc. PRENDRE UN (LE) PLI : acquérir une habitude. *Elle a pris un mauvais pli.* 6. Endroit de la peau qui forme une sorte de repli ou qui porte une marque semblable ; cette marque. *Les plis et les rides du visage.* 7. Papier replié servant d'enveloppe. *Envoyer un message sous pli cacheté.* 8. Levée aux cartes. *Gagner le pli. Faire dix plis.* ⟨ ▶ repli ⟩

plie [pli] n. f. ■ Poisson plat comestible. ⇒ **carrelet.** *Pêcher une plie, des plies.*

plier [plije] v. ■ conjug. 7. **I.** V. tr. 1. Rabattre (une chose souple) sur elle-même, mettre en double une ou plusieurs fois. / contr. **déplier /** *Plie ta serviette. Chose pliée en deux.* — Fam. *Plier ses affaires,* les

ranger. *Plier bagage,* faire ses bagages, s'apprêter à partir, à fuir. 2. Courber une chose flexible. ⇒ **ployer, recourber.** *Plier une branche.* — Au p. p. *Être plié en deux par l'âge.* ⇒ **courbé.** — Fam. *Être plié en deux* (de rire). 3. Rabattre l'une sur l'autre (les parties d'un ensemble articulé) ; fermer (cet ensemble). ⇒ **replier.** *Plier une chaise longue. Plier les genoux.* 4. (Compl. personne) Forcer à s'adapter. *Il plie ses élèves à une discipline sévère.* 5. SE PLIER v. pron. : s'adapter, s'adapter par force. *Elle se plie à tous ses caprices.* ⇒ **obéir.** / contr. **résister /** *Il faut se plier aux circonstances.* **II.** V. intr. 1. Se courber, fléchir. ⇒ **céder.** *L'arbre plie sous le poids des fruits.* ⇒ **s'affaisser.** 2. (Personnes) Céder, faiblir. *Rien ne le fit plier.* ⇒ **mollir.** ▶ *pliable* adj. ■ Qui peut être plié sans casser. *Un carton pliable.* ▶ *pliage* n. m. ■ Le pliage du linge. / contr. **dépliage** ⟩ ▶ *pliant, ante* adj. et n. m. 1. Articulé de manière à pouvoir se plier. *Un lit pliant.* 2. N. m. Siège de toile sans dossier ni bras, à pieds articulés en X. ▶ *plioir* n. m. ■ Instrument, lame d'os ou d'ivoire, servant à travailler le papier. ⟨ ▶ déplier, pli, plisser, pliure, replier ⟩

plinthe [plɛ̃t] n. f. ■ Bande plate de menuiserie au bas d'une cloison, d'un lambris. ≠ *plainte.*

plisser [plise] v. tr. ■ conjug. 1. ■ Couvrir de plis. 1. Modifier (une surface souple) en y faisant un arrangement de plis. *Plisser une jupe.* — Déformer par de faux plis. *Plisser ses vêtements en dormant tout habillé.* ⇒ **chiffonner, froisser.** 2. Contracter les muscles de... en formant un pli. ⇒ **froncer.** *Plisser les yeux,* fermer à demi les yeux. ▶ *plissage* n. m. ■ Action de former des plis sur (une étoffe). ▶ *plissé, ée* adj. et n. m. 1. Adj. À plis. *Jupe plissée.* 2. Qui forme des plis. *Il a la peau toute plissée.* 3. N. m. Ensemble, aspect des plis. *Le plissé d'une jupe.* ▶ *plissement* n. m. 1. Action de plisser (la peau de). ⇒ **froncement.** *Le plissement de son front. Un plissement d'yeux.* 2. Déformation des couches géo-logiques par pression latérale produisant un ensemble de plis. *Le plissement alpin.*

pliure [plijyʀ] n. f. ■ Endroit où se forme un pli, où une partie se replie sur elle-même. *À la pliure du bras.* — Marque formée par un pli. *La pliure d'un ourlet.*

ploc [plɔk] interj. et n. m. ■ Onomatopée traduisant la chute d'un objet qui s'écrase au sol ou s'enfonce dans l'eau. ⇒ **floc, plouf.** — N. m. *Avec un ploc sourd.*

ploiement [plwamɑ̃] n. m. ■ Littér. L'action de ployer, de plier (qqch.) ; le fait de se ployer, d'être ployé. / contr. **déploiement /**

plomb [plɔ̃] n. m. **I.** DU PLOMB. 1. Métal lourd d'un gris bleuâtre, mou, se laissant bien travailler. *Toiture en plomb, tuyau de plomb.* ⇒ **plomberie.** — SOLDATS DE PLOMB : figurines représentant des soldats (à l'origine, en plomb). — *Mine de plomb,* utilisée pour dessiner. 2. (Symbole de pesanteur, opposé à *plume*) *Lourd comme du plomb.* Loc. *Avoir du plomb dans l'estomac,* un poids sur l'estomac. *N'avoir pas de plomb dans la tête,* être léger, étourdi. *Ça lui mettra du plomb dans la tête,* ça le rendra plus réfléchi. — DE PLOMB, EN PLOMB : lourd. *Avoir, se sentir des jambes en plomb. Sommeil de plomb,* très profond. *Un soleil de plomb.* **II.** UN PLOMB. 1. *Plomb (de sonde),* masse de plomb attachée à l'extrémité d'une corde (pour sonder). 2. Chacun des grains sphériques qui garnis-sent une cartouche de chasse. *Des plombs de chasse.* ⇒ **chevrotine.** 3. Grains de plomb lestant un bas de ligne, un filet. *Le plomb et le flotteur.* — Petit disque de plomb portant une marque, qui sert à sceller un colis, etc. ⇒ **sceau.** 4. Baguette de plomb qui maintient les verres d'un vitrail. 5. *Plomb fusible* ou, ellipt, *plomb*, fusible. *Les plombs ont sauté.* **6.** Vx. *Les plombs*, les lieux d'aisance (sans eau courante). **III.** À PLOMB loc. adv. : verticalement (terme technique). *Mettre un mur à plomb.* ⇒ **aplomb.** *Fil à plomb.* ⇒ **fil.** ⟨ ▸ aplomb, plomber, plomberie, surplomber ⟩

plomber [plɔ̃be] v. tr. ⸱ conjug. 1. **1.** Garnir de plomb (pour lester, etc.) — Au p. p. adj. *Une ligne plombée.* **2.** V. pron. Devenir livide. *Sa peau se plombait.* — Au p. p. adj. *Teint plombé.* **3.** Sceller avec un sceau de plomb. *Plomber un colis.* — Au p. p. *Camion plombé par les douanes.* **4.** Obturer (une dent) avec un alliage argent-étain (amalgame). — Au p. p. adj. *Une dent plombée.* ▸ *plombage* n. m. ⸱ Action de plomber (une dent). ⇒ **obturation.** — Fam. Amalgame* qui bouche le trou d'une dent. *Mon plombage est parti.*

plomberie [plɔ̃bʀi] n. f. **1.** Industrie de la fabrication des objets de plomb. **2.** Pose des couvertures en plomb, en zinc. — Pose des conduites et des appareils de distribution d'eau, de gaz, d'un édifice. *Entreprise de couverture, plomberie, chauffage.* **3.** Installations, canalisations. *La plomberie est en mauvais état.* ▸ *plombier* n. m. ⸱ Ouvrier, entrepreneur qui exécute des travaux de plomberie (2). *Plombier-zingueur. Le plombier a réparé les robinets. Elle est plombier.*

plombières [plɔ̃bjɛʀ] n. f. invar. ⸱ Glace à la vanille garnie de fruits confits. *Une plombières.*

plonger [plɔ̃ʒe] v. ⸱ conjug. 3. **I.** V. tr. **1.** Faire entrer dans un liquide, entièrement ⇒ **immerger, noyer** ou en partie ⇒ **baigner, tremper.** *Il plongea sa tête dans la cuvette.* — Pronominalement. *Se plonger dans l'eau,* y entrer tout entier. **2.** Enfoncer (une arme). *Il lui plongea son poignard dans le cœur.* **3.** Mettre, enfoncer (une partie du corps, dans une chose creuse ou molle) ⇒ **enfouir.** *Plante qui plonge ses racines dans le sol. Plonger la main dans une boîte.* — Mettre (qqn) brusquement dans. *Nous avons été brusquement plongés dans l'obscurité.* **4.** Loc. *Plonger ses yeux, son regard dans,* regarder au fond de. **5.** Mettre (qqn) d'une manière brusque et complète (dans une situation). ⇒ **précipiter.** *Vous me plongez dans l'embarras !* — Pronominalement. *Se plonger dans une lecture, dans un livre.* ⇒ **s'absorber.** — Au p. p. adj. Entièrement absorbé par. *Il était plongé dans sa douleur.* **II.** V. intr. **1.** S'enfoncer tout entier dans l'eau, descendre au fond de l'eau. ⇒ **plongeur** (II). *Un scaphandrier qui plonge.* **2.** Se jeter à l'eau la tête et les bras en avant ; faire un plongeon. *Plonger du grand plongeoir.* **3.** Abstrait. *Plonger dans ses pensées.* **4.** (Regard) S'enfoncer au loin, vers le bas. — Voir aisément (d'un lieu plus élevé). *De cette fenêtre, on plonge chez nos voisins.* ▸ *plonge* n. f. ⸱ Travail des plongeurs (II), dans un restaurant, etc. *Faire la plonge.* ⇒ **vaisselle.** ▸ *plongeant, ante* adj. ⸱ Qui est dirigé vers le bas (dans quelques expressions). *Vue plongeante.* — *Décolleté plongeant,* très profond. ▸ *plongée* n. f. **1.** Action de plonger et de séjourner sous l'eau (plongeur, sous-marin). *Sous-marin en plongée.* **2.** En photographie et cinéma. *Vue plongeante. Scène filmée en plongée.* / contr. **contre-plongée** / ▸ *plongeoir* n. m. ⸱ Tremplin, dispositif au-dessus de l'eau, permettant de plonger. *Il a sauté du deuxième plongeoir.* ▸ *plongeon* n. m. **1.** Action de plonger. *Faire un plongeon. Plongeon acrobatique.* **2.** Loc. *Faire le plongeon,* perdre beaucoup d'argent et être en difficulté. *Faire le grand plongeon,* mourir. **3.** Détente du gardien de but pour saisir ou détourner le ballon, au football. ▸ *plongeur, euse* n. **I.** Personne qui plonge sous l'eau. *Un plongeur qui pêche des perles.* ⇒ **pêcheur.** — Personne qui plonge, se jette dans l'eau les bras et la tête en avant. **II.** Personne

chargée de laver la vaisselle, de la « plonger » dans l'eau (dans un restaurant). ⇒ **plonge.** ⟨ ▸ contre-plongée, replonger ⟩

plot [plo] n. m. ⸱ Pièce de cuivre, de plomb permettant d'établir un contact, une connexion électrique. *Les plots et les cosses d'une batterie.*

plouc [pluk] n. et adj. Terme d'injure. **1.** Paysan(ne). **2.** Personne prétentieuse et grossière. *Quels ploucs !* — Adj. *Il, elle est un peu plouc.*

plouf [pluf] interj. et n. m. ⸱ Onomatopée évoquant le bruit d'une chute dans l'eau. ⇒ **ploc.** *On entendit trois énormes ploufs.*

plouto- ⸱ Élément signifiant « richesse ». ▸ *ploutocrate* [plutɔkʀat] n. m. ⸱ Personnage très riche qui exerce par son argent une influence politique. ▸ *ploutocratie* n. f. ⸱ Gouvernement par les plus fortunés.

ployer [plwaje] v. ⸱ conjug. 8. **I.** V. tr. Littér. Plier, tordre en abaissant. ⇒ **courber.** / contr. **déployer** / — *Ployer les genoux,* les plier, étant debout. ⇒ **fléchir.** — Pronominalement. *Les herbes se ployaient à chaque rafale de vent.* **II.** V. intr. **1.** Se courber, se déformer sous une force. ⇒ **céder, fléchir.** / contr. **résister** / *Le vent faisait ployer les arbres. Ses jambes ployèrent sous lui.* ⇒ **faiblir.** **2.** Littér. Céder à une force. ⇒ **fléchir.** *Ployer sous le joug.* ⟨ ▸ déployer, ploiement ⟩

① *plu* Part. passé. du v. **plaire.**

② *plu* Part. passé du v. **pleuvoir.**

plucher, pluches, plucheux ⇒ **pelucher, peluches, pelucheux.**

pluie [plɥi] n. f. **1.** Eau qui tombe en gouttes des nuages sur la terre. ⇒ **pleuvoir, pluvi(o)-** ; fam. **flotte.** *La pluie tombe à verse. Gouttes de pluie. Pluie fine.* ⇒ **bruine, crachin.** *Pluie diluvienne, battante, torrentielle. Rafales, bourrasque accompagnée(s) de pluie.* ⇒ **corde(s), trombe.** *Recevoir la pluie,* en être mouillé. *Se protéger de la pluie avec un parapluie. Le temps est à la pluie,* il va pleuvoir. *Jour de pluie.* ⇒ **pluvieux.** *Eau de pluie.* ⇒ **pluvial. 2.** Loc. *Ennuyeux comme la pluie,* très ennuyeux. *Après la pluie, le beau temps,* après la tristesse, vient la joie. *Faire la pluie et le beau temps,* être très influent. *Parler de la pluie et du beau temps,* dire des banalités. **3.** UNE PLUIE : chute d'eau sous forme de pluie. ⇒ **averse, déluge, giboulée, grain, ondée** ; fam. **saucée.** *Une petite, une grosse pluie. Des pluies continuelles et torrentielles. La saison sèche et la saison des pluies.* ⇒ **hivernage** (en Afrique). **4.** EN PLUIE : en gouttes dispersées. — *Sable qui retombe en pluie.* **5.** Ce qui tombe d'en haut, comme une pluie. *S'enfuir sous une pluie de pierres.* **6.** Ce qui est dispensé en grande quantité. ⇒ **avalanche, déluge, grêle.** *Une pluie de coups, d'injures.* ⇒ **bordée.** ⟨ ▸ parapluie ⟩

plume [plym] n. f. **I. 1.** Chacun des appendices qui recouvrent la peau des oiseaux, formé d'un axe (tube) et de barbes (7) latérales, fines et serrées. ⇒ **duvet, rémiges.** *Gibier à plume et gibier à poil. L'oiseau lisse ses plumes.* ⇒ **plumage. 2.** Loc. fam. *Voler dans les plumes de qqn,* se jeter sur qqn, l'attaquer. — Fam. *Perdre ses plumes,* ses cheveux. ⇒ fam. **se déplumer.** *Y laisser, perdre des plumes,* essuyer une perte. — (Symbole de légèreté, opposé à *plomb*) *Léger comme une plume. Se sentir léger comme une plume,* allègre. — En appos. Invar. POIDS PLUME : se dit d'un boxeur pesant de 53,5 à 57 kilos. *Des poids plume.* **3.** Plume d'oiseau utilisée comme ornement, etc. *Chapeau à plumes.* ⇒ **aigrette, panache, plumet.** — *Lit de plume.* Fam. *Se mettre dans les plumes,* dans son lit. ⇒ fam. **plumard. II. 1.** Grande plume de certains oiseaux, dont le tube taillé en pointe servait à écrire. *Plume* *d'oie.* **2.** Petite lame de métal, terminée en pointe, adaptée à un *porte-plume* ou à un stylo, et qui, enduite d'encre, sert à écrire. *Un stylo à plume* ou *un stylo-plume.* ≠ *stylo-bille, feutre, marqueur.* **3.** Instrument de la personne qui s'exprime par écrit, de l'écrivain. — *Vivre de sa plume,* faire métier d'écrire. ▶ **plumage** n. m. ■ L'ensemble des plumes recouvrant le corps d'un oiseau. ⇒ **livrée.** ▶ **plumard** ou **plume** n. m. ■ Fam. Lit. *Aller au plumard. Au plume !,* au lit ! ‹ ▶ se déplumer, emplumé, plumeau, plumer, plumet, plumier, plumitif, porte-plume, se remplumer ›

plumeau [plymo] n. m. ■ Ustensile de ménage formé d'un manche court auquel sont fixées des plumes, et qui sert à épousseter. *Donner un coup de plumeau à une étagère.*

plumer [plyme] v. tr. ■ conjug. 1. **1.** Dépouiller (un oiseau) de ses plumes en les arrachant. — Au p. p. adj. *Volaille plumée.* **2.** Fam. Dépouiller, voler. *Il s'est laissé plumer.*

plumet [plymɛ] n. m. ■ Touffe (de plumes) garnissant une coiffure.

plumier [plymje] n. m. ■ Vx. Boîte oblongue dans laquelle on met plumes (II, 2), porte-plume, crayons, gommes. *Plumier d'écolier.* ≠ **trousse.**

plumitif [plymitif] n. m. **1.** Péj. Greffier, commis aux écritures (à cause de la *plume,* II) ; bureaucrate. ⇒ **gratte-papier. 2.** Fam. Mauvais écrivain.

la plupart [laplypaʀ] n. f. **1.** LA PLUPART DE (avec un sing.) : la plus grande part de. *La plupart du temps.* ⇒ **ordinairement.** *Je passais la plupart de mon temps dehors.* LA PLUPART DE (avec un plur.) : le plus grand nombre de. ⇒ **majorité.** *La plupart des hommes. Dans la plupart des cas,* presque toujours. — Loc. adv. *Pour la plupart,* en majorité. *Les convives étaient, pour la plupart, des marchands.* **2.** Pronom indéf. LA PLUPART : le plus grand nombre. *La plupart s'en vont,* littér. *s'en va.* / contr. **peu** /

pluralisme [plyralism] n. m. ■ Système politique qui repose sur la reconnaissance de plusieurs façons de penser, de plusieurs partis. / contr. **totalitarisme** / ▶ **pluraliste** adj. ■ *Démocratie pluraliste,* où il y a plusieurs partis (⇒ **libéral**). ▶ **pluralité** n. f. ■ Le fait d'exister en grand nombre, de n'être pas unique. ⇒ **multiplicité.** *La pluralité des opinions.*

plur(i)- ■ Élément signifiant « plusieurs » (ex. : *pluricellulaire,* adj., qui a plusieurs cellules ; *pluridisciplinaire,* adj., qui concerne plusieurs disciplines ou sciences). ⇒ **multi-, poly-.** / contr. **mono-, uni-** /

pluriel [plyʀjɛl] n. m. **1.** Catégorie grammaticale ⇒ **nombre** (opposé à *singulier*) concernant les mots variables (articles ou déterminants, adjectifs, noms communs, verbes, participes et pronoms) accordés entre eux, qui désignent en principe plusieurs êtres, plusieurs objets, plusieurs notions ou y renvoient. ≠ ② *duel. Les marques du pluriel sont généralement « s » (noms et adj.) et « -nt » (verbes).* **2.** Catégorie de la conjugaison des verbes ayant pour sujet « nous », « vous », « ils (elles) ». *Première personne du pluriel.*

① **plus** [ply, plys, plyz] Adv. et conj. — REM. Dans les cas ambigus, on prononce fam. [plys]. **I.** Adv. Comparatif de supériorité. / contr. **moins** / **1.** PLUS (en principe [ply] devant consonne, [plyz] devant voyelle, [plys] à la finale), modifiant un verbe, un adjectif, un adverbe. *Je t'aime plus* [plys], *maintenant.* ⇒ **davantage.** *Plus* [ply] *grand. Plus souvent. De plus près.* — EN PLUS (suivi d'un adj.). *C'est comme chez lui en plus grand.* **2.** PLUS... QUE. *Il est plus bête que méchant.* ⇒ **plutôt.** *Aimer qqch. plus* [ply, plys] *que*

tout. ⇒ **surtout.** *Plus que jamais. Plus qu'il ne faudrait.* ⇒ **trop.** *Un résultat plus qu'honorable.* — PLUS (avec un adv. ou un numéral). *Beaucoup plus* [plys]. *Encore plus. Deux ans plus* [ply] *tôt, plus tard.* — Avec un verbe et NE explétif. *Il est plus tard que tu ne penses.* **3.** (En corrélation avec *plus* ou *moins*) *Plus on* [plyzɔ̃] *est de fous, plus on rit. C'est d'autant plus cher qu'on en produit moins* (⇒ **autant**). **4.** Loc. PLUS OU MOINS [plyzumwɛ̃]. *Réussir plus ou moins bien,* avec des résultats incertains, ou moyennement. — NI PLUS NI MOINS [niplynimwɛ̃] : exactement. *C'est du vol, ni plus ni moins.* **5.** DE PLUS EN PLUS [dəplyzɑ̃ply] : toujours plus, toujours davantage. *Aller de plus en plus vite.* — ON NE PEUT PLUS (devant l'adj. ou l'adv.) : au plus haut point. ⇒ **extrêmement.** *Je suis on ne peut plus heureux* [plyzœrø]. **II.** Nominal. **1.** Une chose plus grande, plus importante. Absolt. *Demander plus* [plys]. *Il était plus* [ply] *de minuit.* ⇒ **passé.** *Plus d'une fois.* ⇒ **plusieurs.** *Pour plus d'une raison.* ⇒ **beaucoup, bien. 2.** PLUS DE (avec un complément partitif) : davantage. *Elle avait plus de charme que de beauté.* **3.** DE PLUS [d(ə)plys] : encore. *Une fois de plus. Une minute de plus.* — DE PLUS, QUI PLUS EST [kiplyzɛ] : en outre. **4.** EN PLUS [ɑ̃plys] ou [ɑ̃ply]. ⇒ **avec, aussi, également.** — Loc. prép. EN plus de. ⇒ **outre.** *En plus de son travail, il suit des cours.* — SANS PLUS : sans rien de plus. *Elle est mignonne, sans plus,* elle n'est pas vraiment belle. **5.** N. m. [plys] PROV. *Qui peut le plus peut le moins.* **III. 1.** Conj. de coordination [plys]. En ajoutant. ⇒ **et.** *Deux plus trois font, égalent cinq* (2+3=5). **2.** S'emploie pour désigner une quantité positive, ou certaines grandeurs au-dessus du point zéro. *Le signe plus* (+). **IV.** Adv. Superlatif. LE, LA, LES PLUS (même prononciation que I et II). **1.** Adverbial. *Ce qui frappe le plus. La plus grande partie.* ⇒ **majeur.** *C'est le plus important. Le plus qu'il peut.* — CE QUE... DE PLUS. *Ce que j'ai de plus précieux.* — DES PLUS : parmi les plus, très. *Une situation des plus embarrassantes.* **2.** Nominal. LE PLUS DE : la plus grande quantité. *Les gens qui ont rendu le plus de services.* — AU PLUS, TOUT AU PLUS [tutoply]. ⇒ **au maximum.** *Cent francs au plus.* **V.** N. m. invar. Anglic. UN, DES PLUS [plys]. Commerce, publicité. Avantage. *Apporter, comporter un plus. Cette version présente de nombreux plus par rapport à la précédente.* ⇒ **perfectionnement.** ‹ ▶ plusieurs, plus-que-parfait, plus-value, plutôt, surplus ›

② **plus** [ply, plyz devant voyelle] adv. de négation. **1.** PAS PLUS QUE. *On ne doit pas mentir, pas plus qu'on ne doit dissimuler. Il n'était pas plus ému* [paplyzemy] *que ça.* **2.** NON PLUS : pas plus que (telle autre personne ou chose dont il est question ; remplace *aussi,* en proposition négative). « *Tu n'attends pas ? Moi non plus.* » **3.** NE... PLUS : désormais... ne pas. *On ne comprend plus. Il n'y a plus un mot. Elle n'est plus,* elle est morte. *Il n'y a plus personne. Il n'y a plus personne que vous pour y croire. Je ne le ferai jamais plus, plus jamais.* — REM. L'absence de *ne* et la prononciation [py] : *y en a plus !,* sont très familières. — SANS PLUS... *Sans plus se soucier de rien.* — NON PLUS. *Compter non plus par syllabes, mais par mots.* — (Sans NE ni verbe) *Plus un mot ! Plus jamais !*

plusieurs [plyzjœr] adj. et pronom indéf. plur. **1.** Adj. Plus d'un, un certain nombre. ⇒ **quelques.** *Plusieurs personnes sont venues. Plusieurs fois. En plusieurs endroits.* ⇒ **différent, divers. 2.** Pronom m. *Nous en avons plusieurs.* — Indéterminé. *Plusieurs personnes.* ⇒ **certains, quelques-uns.** *Plusieurs sont venus. Ils s'y sont mis à plusieurs.*

plus-que-parfait [plyskəparfɛ] n. m. ■ *Plus-que-parfait de l'indicatif,* temps composé à base d'imparfait exprimant généralement une circonstance antérieure à une autre action passée (ex. : quand il *avait dîné*, il nous quittait ; si j'*avais pu*, je vous aurais aidé). *Le plus-que-parfait du subjonctif* (ex. : *bien qu'il eût compris, il ne fit rien transparaître*).

plus-value [plyvaly] n. f. **1.** Augmentation de la valeur d'une chose (bien ou revenu), qui n'a subi aucune transformation matérielle. **2.** Terme marxiste. Différence entre la valeur des biens produits et le prix des salaires, dont bénéficient les capitalistes. *Des plus-values.*

plutonium [plytɔnjɔm] n. m. ■ Élément radioactif inexistant dans la nature. *Production de plutonium à partir d'uranium* (⇒ **surgénérateur**).

plutôt [plyto] adv. **1.** De préférence. — (Appliqué à une action) *Les grandes misères frappent plutôt les faibles. Plutôt que de se plaindre, il ferait mieux de se soigner. Plutôt mourir !* — (Pour affiner une appréciation) ⇒ **plus.** *Plutôt moins que trop.* — OU PLUTÔT : pour être plus précis. *Elle a l'air méchant, ou plutôt revêche.* MAIS PLUTÔT. *Ce n'est pas lui, mais (bien) plutôt elle qui en porte la responsabilité.* **2.** Passablement, assez. *La vie est plutôt monotone.* — Fam. Très. *Il est plutôt barbant, celui-là !*

pluvial, ale, aux [plyvjal, o] adj. ■ Qui a rapport à la pluie. — *Eaux pluviales*, eaux de pluie.

pluvier [plyvje] n. m. ■ Oiseau échassier migrateur, vivant au bord de l'eau.

pluvieux, euse [plyvjø, øz] adj. ■ Caractérisé par la pluie. / contr. **sec** / *Temps pluvieux. Les jours pluvieux.* — *Pays pluvieux.*

pluvi(o)- ■ Élément qui signifie « pluie ». ▶ *pluviomètre* [plyvjɔmɛtr] n. m. ■ Instrument qui sert à mesurer la quantité de pluie tombée dans un lieu, en un temps donné. ▶ *pluviosité* n. f. ■ Caractère pluvieux. Régime des pluies. ⟨▶ pluvial, pluvier, pluvieux⟩

p.m. [piɛm] adj. invar. ■ Anglic. Abréviation de *post meridiem* (après midi), dans le compte des heures en anglais.

P.M. [peɛm] n. invar. **1.** N. m. invar. Pistolet mitrailleur. **2.** N. f. invar. Police militaire. — Préparation militaire.

P.M.E. [peɛmə] n. f. invar. ■ Abréviation de *petite et moyenne entreprise* (de cinq à cinq cents salariés). *Les P.M.E. et les P.M.I.* (petites et moyennes industries).

P.M.U. [peɛmy] n. m. invar. ■ Abréviation de *pari mutuel urbain* (sur les courses de chevaux). ⇒ **tiercé.**

P.N.B. [peɛnbe] n. m. invar. ■ Abréviation de *produit national brut* (d'un pays).

① ***pneu*** [pnø] n. m. ■ Bandage en caoutchouc armé de tissu ou d'acier, tube circulaire tenu par une jante et contenant de l'air. *Les pneus d'un vélo, d'une voiture. Pneu radial. Pneu sans chambre à air.* ⇒ **boyau** (III). *Gonfler un pneu.*

② ***pneu*** ou ***pneumatique*** n. m. ■ En France, jusqu'en 1985. Lettre rapide, envoyée dans un réseau de tubes à air comprimé par les P.T.T. de Paris. *Des pneus.*

pneumatique [pnømatik] adj. **1.** Qui fonctionne à l'air comprimé. *Marteau pneumatique.* **2.** Qui se gonfle à l'air comprimé. *Canot pneumatique.* ⟨▶ ① pneu, ② pneu⟩

pneumo- ■ Élément savant signifiant « poumon ». ▶ *pneumocoque* [pnømɔkɔk] n. m. ■ Microbe des voies respiratoires. ▶ *pneumonie* n. f. ■ Inflammation aiguë du poumon, maladie infectieuse due au pneumocoque. ⇒ **fluxion** de poitrine. *Pneumonie double, compliquée.* ⇒ **broncho-pneumonie.** ▶ *pneumothorax* [pnømɔtɔraks] n. m. invar. ■ Vx. *Pneumothorax (artificiel)*, insufflation de gaz dans la cavité pleurale d'un tuberculeux (pour la cicatrisation des cavernes du poumon). ⟨▶ broncho-pneumonie⟩

pochade [pɔʃad] n. f. **1.** Littér. Croquis en couleur exécuté en quelques coups de pinceau. **2.** Œuvre littéraire écrite rapidement (souvent sur un ton burlesque).

pochard, arde [pɔʃar, ard] n. ■ Fam. Ivrogne misérable.

poche [pɔʃ] n. f. **1.** Petit sac, pièce cousu(e) dans ou sur un vêtement et où l'on met les objets qu'on porte sur soi. *Les poches d'un veston. La poche-revolver d'un pantalon*, placée derrière. *Mettre qqch. dans ses poches.* ⇒ **empocher.** *Mettre, avoir, garder les mains dans les poches.* — Fam. *Faire les poches à qqn*, lui prendre ce qui s'y trouve ou ce qu'il a fait l'inventaire. — Loc. *Les mains dans les poches*, sans rien faire (ou sans effort). — DE POCHE : de dimensions restreintes, pouvant tenir dans une poche. *Livre de poche* et, abrév. fam., UN POCHE, n. m. — *Argent de poche*, destiné aux petites dépenses des enfants, des adolescents. — Loc. *Se remplir les poches*, s'enrichir (souvent malhonnêtement). *Payer DE SA POCHE* : avec son propre argent. Fam. *En être de sa poche*, perdre de l'argent quand on aurait dû en gagner. — *Connaître qqch., qqn comme sa poche*, à fond. — (Avec *dans*) Fam. *N'avoir pas les yeux dans sa poche*, être observateur, curieux. *Mettre qqn dans sa poche*, l'utiliser à son profit. Fam. *C'est dans la poche*, c'est une affaire faite, c'est facile. **2.** Déformation de ce qui est détendu, mal tendu. *Ce pantalon fait des poches aux genoux.* — *Poches sous les yeux*, formées par la peau distendue. **3.** Petit sac en papier, en matière plastique. ⇒ **pochette, pochon. 4.** Partie, compartiment (d'un cartable, d'un portefeuille...). *Les poches d'un sac à dos. Cette valise a une poche extérieure.* **5.** Organe creux, cavité de l'organisme. *Poche ventrale du kangourou femelle.* **6.** Cavité remplie (d'une substance). *Une poche d'eau, de pétrole.* ▶ *pochette* n. f. **1.** Petite enveloppe (d'étoffe, de papier...). *Pochette d'allumettes.* POCHETTE-SURPRISE : qu'on achète ou qu'on gagne sans en connaître le contenu. **2.** Petite pièce d'étoffe qu'on dispose dans la poche de poitrine pour l'orner. ▶ *pochon* n. m. **1.** Petite poche. **2.** Sac en papier, en plastique, sans anses, utilisé dans le commerce d'alimentation pour servir les clients en fruit, poisson, etc. ⟨▶ empocher, vide-poches⟩

pocher [pɔʃe] v. tr. ■ conjug. 1. **1.** *Pocher un œil* à qqn, meurtrir par un coup violent. **2.** Cuire sans faire bouillir. *Pocher un poisson dans un court-bouillon.* — Au p. p. adj. *Des œufs pochés.*

pochoir [pɔʃwar] n. m. ■ Feuille à motif découpé sur laquelle on passe une brosse ou qu'on arrose de peinture avec un vaporisateur pour répéter des dessins, des inscriptions. *Un tissu imprimé au pochoir. Des graffiti peints au pochoir.*

podo-, -pode ■ Éléments savants signifiant « pied, organe de locomotion (patte, membre, etc.) » (ex. : *pseudopode*). ⇒ **-pède.** ▶ *podologue* n. ■ Médecin qui soigne les pieds. ⟨▶ antipode, arthropode, céphalopode, gastéropode, myriapode, tétrapode⟩

podium [pɔdjɔm] n. m. **1.** Plate-forme, estrade sur laquelle on fait monter les vainqueurs après une épreuve sportive. *La première place sur le podium. Les trois marches du podium.* **2.** Estrade aménagée dans une unité mobile (camion) et sur laquelle se présentent les animateurs et les artistes d'un spectacle en plein air, d'une émission télévisée... *Des podiums ambulants.*

① *poêle* [pwal] n. m. ■ Appareil de chauffage clos, où brûle un combustible. ⇒ **fourneau**. *Poêle de faïence.*

② *poêle* n. f. ■ Ustensile de cuisine en métal, plat, à bords bas, et muni d'une longue queue. *Une poêle à frire. Faire revenir des légumes à la poêle.* — Loc. *Tenir la queue de la poêle*, avoir la direction d'une affaire. ▶ *poêler* [pwale] v. tr. ▪ conjug. 1. ■ Cuire dans une casserole fermée, avec un corps gras. *Poêler un morceau de viande.* — Au p. p. adj. *Viande poêlée.* ▶ *poêlon* n. m. ■ Casserole de métal ou de terre à manche creux, dans laquelle on fait revenir (IV) et mijoter. *Poêlon à fondue.*

③ *poêle* n. m. ■ Drap recouvrant le cercueil, pendant les funérailles (seulement dans *tenir les cordons du poêle*, avoir l'honneur, du fait de son intimité avec le défunt, de tenir l'un des quatre cordons du drap recouvrant son cercueil).

poème [pɔɛm] n. m. **1.** Ouvrage de poésie, en vers ou en prose rythmée (ballade, élégie, épopée, fable, sonnet, etc.). ⇒ **poésie** (2). *Les strophes, les quatrains d'un poème. Un recueil de poèmes. Des poèmes en prose de Baudelaire.* — Loc. fam. Iron. *C'est tout un poème*, cela semble extraordinaire. **3.** *Poème symphonique*, œuvre musicale à programme, sans forme fixe, pour orchestre.

poésie [pɔezi] n. f. **1.** Art du langage, visant à exprimer ou à suggérer qqch. par le rythme (surtout le vers), l'harmonie et l'image (opposé à *prose*). *Poésie orale, écrite.* — REM. On parlera de *poésie dramatique* (vieilli) ou de *théâtre en vers*. *Le vers, la rime* ⇒ **prosodie, versification**, *le rythme en poésie. Poésie lyrique (Lamartine), épique (« La Chanson de Roland »).* — Manière propre à un poète, à une école, de pratiquer cet art. *La poésie symboliste.* **2.** Poème. *Réciter une poésie. Un choix de poésies.* ⇒ **anthologie**. **3.** Caractère de ce qui éveille l'émotion poétique. ⇒ **beauté**. *La poésie des ruines.* **4.** Aptitude d'une personne à éprouver l'émotion poétique. *Il manque de poésie*, il est terre à terre, prosaïque. ‹ ▶ ① poétique, ② poétique, poétiser ›

poète [pɔɛt] n. m. **1.** Écrivain qui fait de la poésie. ⇒ **aède, barde, chantre, rapsode, troubadour, trouvère**. *L'inspiration du poète. Les poètes romantiques.* — *Cette femme est un grand poète.* REM. *Poétesse* étant quelquefois un peu péjoratif, on dit aussi *une grande poète.* **2.** Adj. *Il, elle est poète.* **2.** Auteur dont l'œuvre est pénétrée de poésie. *Ce romancier est un poète.* **3.** Personne douée de poésie (4). *Elle est poète.* ⇒ **rêveur**. ▶ *poétesse* n. f. ■ Femme poète.

① *poétique* [pɔetik] adj. **1.** Relatif, propre à la poésie. *Style, image poétique. L'inspiration poétique.* ⇒ **muse**. *Art poétique.* ⇒ ② **poétique**. **2.** Empreint de poésie. ⇒ **lyrique**. *Une prose poétique.* **3.** Émotion, état poétique, analogue à ceux que suscite la poésie chez les personnes qui y sont sensibles. — Qui émeut par la beauté, le charme, la délicatesse. *Un paysage très poétique.* / contr. **banal, prosaïque** / ▶ *poétiquement* adv. ■ *Cet ouvrage n'a poétiquement aucun intérêt.* ▶ ② *poétique* n. f. ■ Traité de poésie. Théorie, science de la littérature en général. *La poétique d'Aristote.*

poétiser [pɔetize] v. tr. ▪ conjug. 1. ■ Rendre poétique (2, 3). ⇒ **embellir, idéaliser**. — Au p. p. adj. *Des souvenirs poétisés.* ‹ ▶ dépoétiser ›

pognon [pɔɲɔ̃] n. m. ■ Fam. Argent. *Il a du pognon plein les poches.*

pogrom [pɔgʀɔm] n. m. ■ Histoire (d'abord en Russie tsariste). Massacre et pillage des juifs par le reste de la population (souvent encouragée par le pouvoir). *Les survivants des pogroms.*

poids [pwa(ɑ)] n. m. invar. **I.** Force physique ; sa mesure. **1.** Force exercée par un corps matériel, proportionnelle à sa masse et à l'intensité de la pesanteur au point où se trouve le corps. *D'un poids faible* ⇒ **léger**, *d'un grand poids* ⇒ **lourd, pesant**. — *Poids spécifique*, poids de l'unité de volume. ⇒ **densité**. **2.** Caractère, effet de ce qui pèse. ⇒ **lourdeur, pesanteur**. *Le poids d'un fardeau.* — Loc. *Peser de tout son poids*, le plus possible. **3.** Mesure du poids (de la masse). *Denrée qui se vend au poids ou à la pièce.* — *Poids utile*, que peut transporter un véhicule. — (D'une personne) *Prendre, perdre du poids*, grossir, maigrir. **4.** Catégorie d'athlètes (haltérophiles, de boxeurs, d'après leur poids. *Poids plume, poids légers, poids moyens, lourds.* — Loc. *Il ne fait pas le poids*, il n'a pas les capacités requises (contre un adversaire, dans un rôle). **II. 1.** Corps matériel pesant. ⇒ **masse ; charge, fardeau**. *Une horloge à poids.* **2.** Objet de masse déterminée servant à peser (⇒ **gramme, livre, kilo**). *La balance et les poids.* — Loc. *Faire deux poids, deux mesures*, juger deux choses, deux personnes de façon différente sous l'influence d'un intérêt, d'une circonstance. **3.** Masse de métal d'un poids déterminé, en sports. *Poids et haltères.* — *Le lancement du poids.* **4.** Sensation d'un corps pesant. *Avoir un poids sur l'estomac.* **III.** Fig. **1.** Charge pénible. *Un vieillard courbé sous le poids des années.* — Souci, remords. *Cela m'ôte un poids de la conscience.* — POIDS MORT : chose, personne inutile, inactive et qui gêne. **2.** Force, influence (de qqch.). *Le poids d'un argument. Un homme de poids*, influent. ▶ *poids lourd* n. m. ■ Véhicule industriel de fort tonnage. ⇒ **camion**. — En appos. *Passer son permis poids lourds.* ‹ ▶ contrepoids ›

poignant, ante [pwaɲɑ̃, ɑ̃t] adj. (⇒ **poindre**, 2) ■ Qui cause une impression très vive et très pénible ; qui serre, déchire le cœur. ⇒ **déchirant**. *Un souvenir poignant.*

poignard [pwaɲaʀ] n. m. ■ Arme blanche (couteau*) à lame courte et aiguë. ⇒ **dague**. *Manche de poignard. Il le frappa d'un coup de poignard, à coups de poignard.* ▶ *poignarder* v. tr. ▪ conjug. 1. ■ Frapper, blesser ou tuer avec un poignard, un couteau. ‹ ▶ empoigner, poignard, poignée, poignet ›

poigne [pwaɲ] n. f. **1.** La force du poing, de la main, pour empoigner, tenir. *Avoir de la poigne.* **2.** Abstrait. Énergie, fermeté. *Un homme, un gouvernement à poigne.*

poignée [pwaɲe] n. f. **1.** Quantité (d'une chose) que peut contenir une main fermée. *Une poignée de sel.* — *À poignées, par poignées*, à pleines mains. **2.** Petit nombre (de personnes). *Une poignée de mécontents.* **3.** Partie (d'un objet : arme, ustensile) spécialement disposée pour être tenue avec la main serrée. *Poignée d'épée.* ⇒ **manche**. *Une poignée de porte, la poignée d'une porte.* ⇒ **bec-de-cane**. **4.** POIGNÉE DE MAIN : geste par lequel on serre la main de qqn, pour saluer amicalement.

poignet [pwaɲɛ] n. m. **1.** Articulation qui réunit l'avant-bras à la main. *Poignets et chevilles.* ⇒ **attache**. — Loc. *À la force du poignet, des poignets*, en se hissant à la force des bras, et par ses seuls moyens, et en faisant de grands efforts. *Fortune acquise à la force du poignet.* **2.** Extrémité de la manche, couvrant le poignet. *Des poignets de chemise.* — *Poignet de force*, bracelet de cuir large et serré.

poil [pwal] n. m. **I. 1.** Chacune des productions filiformes qui poussent sur la peau de certains animaux (surtout mammifères). *Un chat qui perd ses poils. Les poils d'un pelage, d'une fourrure.* — Poils d'animaux utilisés dans la confection d'objets. *Les* *poils d'une brosse.* **2.** LE POIL : l'ensemble des poils. ⇒ **pelage.** *Gibier à poil.* — Loc. fam. *Caresser qqn dans le sens du poil,* chercher à lui plaire. — Peau d'animal garnie de ses poils et ne méritant pas le nom de fourrure. *Bonnet à poil.* **3.** Cette production chez l'être humain lorsqu'elle n'est ni un cheveu, ni un cil. *Les poils du visage.* ⇒ **barbe, moustache, sourcil ; duvet.** Fam. *Ne pas avoir un poil sur le caillou,* être chauve. *Ne plus avoir un poil de sec,* être trempé (par la pluie, la sueur). — LE POIL, DU POIL : l'ensemble des poils. *Avoir du poil sur le corps.* ⇒ **poilu, velu. 4.** Loc. fam. *Avoir un poil dans la main,* être très paresseux. *Tomber sur le poil de qqn,* se jeter brutalement sur lui. — *Reprendre du poil de la bête,* se ressaisir. — *De tout poil* (ou *de tous poils*), de toute espèce (personnes). *Ils reçoivent des gens de tout poil.* — Fam. À POIL : tout nu. *Se mettre à poil,* se déshabiller. — *Être de bon, de mauvais poil,* être de bonne, de mauvaise humeur. **5.** POIL À GRATTER : bourre piquante des fruits du rosier (parfois appelés *gratte-cul,* fam.). **6.** Partie velue d'un tissu. *Les poils d'un tapis.* **II.** Fig. **1.** Fam. Une très petite quantité. *Il n'a pas un poil de bon sens.* ⇒ **once.** — *À un poil près,* à très peu de chose près. ⇒ **cheveu. 2.** Loc. adv. fam. AU POIL : exactement. *Ça marche au poil ! Au quart de poil,* sans erreur. — Adj. fam. *Elle est au poil, ta copine,* très bien. — Exclam. *Au poil !,* parfait. ► ① *poilu, ue* adj. ■ Qui a des poils très apparents. ⇒ **velu.** *Il est poilu comme un singe.* / contr. **glabre** / ‹ ► se **poiler,** ② **poilu,** à rebrousse-poil ›

se poiler [pwale] v. tr. ■ conjug. 1. ■ Fam. Rire aux éclats. ► *poilant, ante* adj. ■ Fam. Très drôle. *C'était poilant.*

② *poilu* n. m. ■ Soldat combattant de la guerre de 1914-1918.

poinçon [pwɛ̃sɔ̃] n. m. **1.** Instrument métallique terminé en pointe, pour percer, entamer les matières dures. *Poinçon de sellier.* ⇒ **alène. 2.** Tige d'acier trempé terminée par une face gravée, pour imprimer une marque. — La marque gravée. ⇒ **estampille.** *Le poinçon d'un bijou contrôlé.* ► *poinçonner* [pwɛ̃-sɔne] v. tr. ■ conjug. 1. ■ **1.** Marquer d'un poinçon (une marchandise, un poids, une pièce d'orfèvrerie). — Au p. p. adj. *Gourmette en or poinçonnée d'une tête d'aigle.* **2.** Perforer avec une pince (un billet de chemin de fer). — Au p. p. adj. *Billet poinçonné.* ► *poinçonnage* n. m. **1.** *Le poinçonnage de l'or.* **2.** *Le poinçonnage des tickets.* ► *poinçonneur, euse* n. ■ Anciennement. Employé(e) qui poinçonne les billets de chemin de fer, de métro, à l'accès des quais (remplacé(e) par les composteurs). ⇒ **contrôleur.** ► *poinçonneuse* n. f. ■ Machine-outil pour perforer ou découper, munie d'un emporte-pièce.

poindre [pwɛ̃dʀ] v. ■ conjug. 49. **I.** V. tr. Littér. **1.** Vx. Piquer. — PROV. *Poignez vilain, il vous oindra, oignez vilain, il vous poindra,* il est dangereux d'être trop conciliant. **2.** Blesser, faire souffrir. *L'angoisse le point, le poignait.* ⇒ **poignant. II.** V. intr. Littér. Apparaître. ⇒ **pointer.** *Vous verrez bientôt poindre les jacinthes.* ⇒ **sortir.** *L'aube commence à poindre* (⇒ ① **point** du jour). / contr. **disparaître** / ‹ ► poignant, ④ point, pointe, pointu ›

poing [pwɛ̃] n. m. **1.** Main fermée. *Revolver au poing,* dans la main serrée. *Serrer le poing. Donner des coups de poing à qqn.* ⇒ **boxer.** — *Dormir à poings fermés,* très profondément. *Montrer le poing,* le tendre en signe de menace. *Faire le coup de poing,* se battre en groupe avec les poings. **2.** COUP DE POING (*américain*) : arme qui s'ajuste sur le poing, pour frapper. ‹ ► poigne, poignée, poignet ›

① *point* [pwɛ̃] n. m. **I.** Dans l'espace. (⇒ ② **ponctuel**) **1.** Rarement sans compl. Endroit, lieu. *Aller d'un*

point à un autre. *Point de chute. Point de mire. Point de repère. Point de départ. Point d'impact. Point de non-retour,* qui ne peut plus être franchi en arrière. *Les quatre points cardinaux.* — POINT D'ATTACHE d'un bateau. *C'est son point d'attache,* l'endroit où il demeure. ⇒ **port** d'attache. — POINT D'EAU : endroit où l'on trouve de l'eau (source, puits). — *Point culminant,* crête, sommet. — *Point de vue* (où l'on voit). ⇒ **point de vue.** — *Point chaud,* endroit où ont lieu des combats, des événements graves. — *C'est son point faible,* sa faiblesse. — POINT DE CÔTÉ : douleur poignante au creux de l'abdomen. **2.** En géométrie. Intersection de deux droites, n'ayant aucune surface propre et généralement désignée par une lettre. *Les points A, B, C.* **3.** *Le point,* la position d'un navire en mer. ⇒ **latitude, longitude.** *Faire, relever le point avec le sextant.* — Loc. FAIRE LE POINT : préciser la situation où l'on se trouve. **4.** POINT MORT. ⇒ **point mort. 5.** METTRE AU POINT : régler (un mécanisme), élaborer (un procédé, une technique) de façon complète. *J'ai mis au point une nouvelle recette.* — Au p. p. adj. *Machine bien, mal mise au point.* — Loc. N. f. MISE AU POINT : réglage précis. *As-tu bien réglé la mise au point ?,* le système optique de l'appareil photo. *Ce projet demande une mise au point, des remaniements, des éclaircissements. Nous avons eu une mise au point,* une explication. — *Être au point,* réglé pour donner toute satisfaction. *Cette machine n'est pas au point.* **II.** Durée. **1.** À POINT, À POINT NOMMÉ : au moment opportun. ⇒ à **propos.** *Vous arrivez à point.* **2.** SUR LE POINT DE : au moment de. *Il était sur le point de partir.* ⇒ **prêt** à. **3.** LE POINT DU JOUR : le moment où le jour commence à poindre (II). **III.** Marque, signe ; unité de compte. **1.** Tache, image petite et aux contours imperceptibles. *Un point lumineux à l'horizon. Un point de rouille.* **2.** Chaque unité attribuée à un joueur (aux jeux, en sports). *Jouer une partie en 500 points. Compter les points,* juger qui est vainqueur dans une lutte. *Marquer des points contre, sur qqn,* prendre un avantage. *Victoire aux points,* accordée à un boxeur après décompte des points. **3.** Chaque unité d'une note attribuée à un élève. *Compter un point par bonne réponse. Douze points sur vingt* (noté 12/20). — BON POINT : image ou petit carton servant de récompense. — Fig. *C'est un bon point en sa faveur,* il a bien agi. **IV.** Typographie, calligraphie. **1.** Signe (.) servant à marquer la fin d'un énoncé (⇒ **ponctuation**). *Les points et les virgules. Point final. Point suivi d'un alinéa.* ⇒ **paragraphe.** *Points de suspension* (...). *Les points d'un pointillé. Le(s) deux-points(:). Point-virgule* (;). *Point d'exclamation* (!) ; *point d'interrogation* (?). **2.** Petit signe qui surmonte les lettres i et j minuscules. Loc. *Mettre les points sur les i,* préciser ou insister. **3.** *Point voyelle,* signe qui, en arabe et en hébreu, est placé au-dessus ou au-dessous d'une consonne, pour noter la voyelle qui suit. **4.** Unité de dimension des caractères d'imprimerie. ⇒ **pixel.** ‹ ► contrepoint, point de vente, point de vue, pointer, pointillé, point mort, rond-point ›

② *point* n. m. ■ (Exprimant un état) **1.** À POINT, AU POINT : dans tel état, situation. *Au point où nous en sommes.* — Loc. adv. À POINT : dans l'état convenable. *Un steak à point,* entre saignant et bien cuit. — Loc. adj. invar. MAL EN POINT : en mauvais état, malade. *Elle est très mal en point.* Vx. *Être en bon point.* ⇒ **embonpoint. 2.** Dans des expressions et locutions superlatives. *Le plus haut point.* ⇒ **apogée, comble, sommet, summum.** — Après À, AU. *Au plus haut point.* ⇒ **éminemment, extrêmement.** *Ils se détestent au plus haut point.* *À ce point,* aussi, tellement. *Je n'ai jamais souffert à ce point.* *À quel point,* combien. *Vous voyez à quel point ça va mal.* *À tel point,* tellement, autant. *À un certain point,* *jusqu'à un certain point,* dans une certaine mesure. *Au point de. Ce n'est pas grave au point de se désespérer. À ce point, au point, à tel point que, si bien que,* tellement que. **3.** *Point d'ébullition de l'eau,* température et pression nécessaires pour changer l'eau en vapeur.

③ *point* n. m. ▪ Partie, élément. **1.** Chaque partie (d'un discours, d'un texte). *Les différents points d'une énumération, d'une loi.* ⇒ **article. 2.** Question. *Un point litigieux. Il y a un point noir dans cette affaire,* une question dangereuse, obscure. — *C'est un point commun entre eux,* un caractère commun. — *Sur ce point, je ne suis pas d'accord.* — *En tout point,* absolument. — *De point en point,* à la lettre. *Exécuter des ordres de point en point.*

④ *point* n. m. ▪ Action de piquer, de « poindre ». **1.** Chaque longueur de fil entre deux piqûres de l'aiguille. *Bâtir à grands points. Points d'un tricot* (⇒ ① **maille**). — *Faire un point à un vêtement,* le réparer sommairement. **2.** Manière d'exécuter une suite de points. *Le point mousse est un point de tricot.*

⑤ *point* adv. ▪ Vx ou littér., ou plaisant, ou région. *Ne... point..., ne... pas.... Je n'irai point. Point du tout.* ⇒ **nullement.**

pointage [pwɛtaʒ] n. m. **1.** Action de pointer (①, I). *Le pointage du personnel à l'entrée d'une usine.* **2.** Le fait de pointer (①, II), de diriger. ⇒ **tir.** *Le pointage d'un canon.*

point de vente [pwɛdvɑ̃t] n. m. ▪ Succursale d'une chaîne de magasins ; boutique, commerce où un article est vendu. *Voici la liste de nos points de vente en France et à l'étranger.* ⇒ **concessionnaire.**

point de vue [pwɛdvy] n. m. **1.** Endroit où l'on doit se placer pour voir un objet le mieux possible. **2.** Endroit d'où l'on jouit d'une vue pittoresque. *De beaux points de vue.* **3.** Manière particulière dont une question peut être considérée. ⇒ **aspect, optique, perspective.** *Adopter, choisir un point de vue.* **4.** Opinion particulière. *Je partage votre point de vue,* je suis d'accord. — Loc. prép. AU (DU) POINT DE VUE DE. *Du point de vue de la politique. Au point de vue social.* ⇒ **sur le plan, quant à** (en ce qui concerne, pour ce qui est de). — Fam. (Suivi d'un nom, sans *de*) *Au point de vue santé.*

pointe [pwɛ̃t] n. f. ▪ **I. 1.** Extrémité allongée (d'un objet qui se termine par un angle très aigu) servant à piquer, percer. *La pointe d'une aiguille. Aiguiser la pointe d'un outil.* ⇒ **tranchant. 2.** Extrémité aiguë ou plus fine. *La pointe d'un paratonnerre. Les pointes d'un col de chemise. En pointe,* pointu. **3.** Partie extrême qui s'avance. *La pointe d'une armée,* son extrémité. — Loc. *Être à la pointe du combat, du progrès.* ⇒ **avant-garde. 4.** LA POINTE DES PIEDS : l'extrémité. *Marchez sans bruit, sur la pointe des pieds.* **5.** *Les pointes,* chaussons de danse ; chaussures de sport dont la semelle est munie de pointes. **6.** *Pointes,* figure de ballet où la danseuse (le danseur) est en équilibre sur la pointe des pieds. *Faire des pointes.* **II.** Objet pointu. **1.** Objet en forme d'aiguille, de lame. *Casque à pointe. Les pointes de fer d'une grille.* **2.** Clou. *Une livre de pointes à tête plate.* **3.** Outil servant à gratter, percer, tracer, etc. ⇒ **poinçon, pointeau.** — POINTE SÈCHE ou, absolt, POINTE : outil qui sert à graver sur le cuivre. ⇒ **burin.** *Gravure à la pointe sèche.* ≠ *eau-forte. Une pointe sèche,* l'estampe ainsi obtenue. **4.** POINTES DE FEU : petites brûlures faites avec un cautère (traitement médical). **III. 1.** Après quelques verbes. Opération qui consiste à avancer en territoire ennemi. *Pousser une pointe jusqu'à,* prolonger son chemin jusqu'à. **2.** Allusion ironique, parole blessante. ⇒ **pique.** *Ils se disputent,*

se lancent des pointes. **IV.** Petite quantité (d'une chose piquante ou forte). ⇒ **soupçon.** *Une pointe d'ail.* — Abstrait. *Une pointe d'ironie. Il parlait avec une pointe d'accent parisien.* **V.** Moment où une activité, un phénomène atteint un maximum d'intensité. *La vitesse de pointe d'une automobile.* — HEURES DE POINTE : période d'utilisation intense et connue d'un service (énergie, transports). *Le métro est insupportable aux heures de pointe.* ⟨ ▶ ② pointer ⟩

① *pointer* [pwɛte] v. tr. ▪ conjug. 1. **1.** Marquer d'un point, d'un signe (qqch.) pour faire un contrôle. ⇒ **cocher ; pointage** (1). *Il lisait la liste des élèves en pointant les noms.* **2.** Contrôler les entrées et les sorties (des employés d'un bureau, d'une usine). ⇒ **pointage. 3.** Intransitivement. *Un chômeur qui pointe à l'Agence pour l'emploi.* ▶ *pointé, ée* adj. **1.** Marqué d'un point, d'un signe. **2.** En musique. *Note pointée,* dont la valeur est augmentée de moitié. **3.** *Zéro pointé,* éliminatoire. ▶ ① *pointeur, euse* n. et adj. **1.** N. Personne qui fait une opération de pointage, enregistre des noms, des résultats. **2.** Adj. *Horloge pointeuse* ou, ellipt, n. f., *pointeuse,* machine disposée à l'entrée d'un lieu de travail dans laquelle les employés glissent une carte personnelle sur laquelle s'inscrivent leurs heures d'entrée et de sortie. **3.** N. En informatique. Repère vidéo ou logiciel affecté à un champ de saisie et délimitant une variable. ⇒ **curseur.** ⟨ ▶ pointage ⟩

② *pointer* v. tr. ▪ conjug. 1. **I. 1.** Dresser en pointe. *Cheval qui pointe les oreilles.* **2.** Intransitivement. *Des cyprès qui pointent vers le ciel.* **II.** Apparaître, sortir. *Les asperges pointent la tête hors de terre. La souris pointe le, son nez hors de son trou.* — REM. En parlant de l'aube, du jour *(le point du jour),* il y a confusion du verbe *poindre* et du verbe *pointer.* **III.** Pronominalement. Fam. SE POINTER : arriver. *Elle s'est pointée à trois heures.* **IV. 1.** Diriger. *Il pointait son index vers moi.* **2.** Braquer, viser. *Pointer un canon vers un objectif.* **3.** Aux boules, à la pétanque. Placer ses boules le plus près possible du but (cochonnet). ▶ ② *pointeur, euse* n. **1.** Personne qui procède au pointage (2) d'une bouche à feu. ⇒ **artilleur. 2.** Joueur chargé de pointer (IV, 3), opposé à *tireur.*

③ *pointer* [pwɛtœʀ, pwɛtɛʀ] n. m. ▪ Chien d'arrêt, à poil ras, excellent chasseur. *Des pointers.*

pointillé [pwɛtije] n. m. **1.** Dessin, gravure au moyen de points. *Gravure au pointillé.* **2.** Groupe de petits points. *Frontières représentées en pointillé.* — *Il faut savoir lire en pointillé,* comprendre les allusions. **3.** Trait formé de petites perforations. *Détachez suivant le pointillé.*

pointilleux, euse [pwɛtijø, øz] adj. ▪ Qui est d'une minutie excessive, dans ses exigences. ⇒ **chatouilleux, tatillon.** *Il est très pointilleux sur le protocole.* ⇒ **formaliste.**

pointillisme [pwɛtijism] n. m. ▪ Peinture par petites touches, par points juxtaposés de couleurs pures (on dit aussi *néo-impressionnisme*). ▶ *pointilliste* n. et adj. ▪ *Seurat, peintre pointilliste.*

point mort [pwɛmɔʀ] n. m. ▪ Position de l'embrayage d'un véhicule automobile lorsque aucune vitesse n'est enclenchée. *Au point mort.* — Loc. *L'affaire est au point mort,* elle n'évolue plus.

pointu, ue [pwɛty] adj. **1.** Qui se termine en pointe(s). ⇒ **aigu.** *Clocher, clou pointu. Menton pointu.* **2.** *Un caractère pointu,* agressif. *Un air pointu,* désagréable et sec. **3.** (Son, voix) Qui a un timbre aigu, désagréable. *Parler sur un ton pointu.* — *Accent pointu,* accents du Nord, d'Île-de-France, pour les habitants du midi de la France. **4.** Qui est à la pointe du progrès (scientifique, technique). *Une expérience très pointue, délicate à élaborer et à conduire.*

pointure [pwɛ̃tyʀ] n. f. ■ Nombre qui indique la dimension des chaussures, des coiffures, des gants, des vêtements. ⇒ **taille.** *« Quelle pointure chaussez-vous ? » — La pointure 42* (ou, ellipt, *du 42*). »

poire [pwaʀ] n. f. **1.** Fruit du poirier, charnu, à pépins, allongé et ventru. *Poires guyot, williams, passe-crassane, des comices... Une tarte aux poires.* — *Un verre de poire, d'alcool de poire.* — Loc. *Garder une poire pour la soif,* économiser pour les besoins à venir ; se réserver un moyen d'action. — Loc. *Couper la poire en deux,* faire un compromis, partager également les risques et les profits. **2.** Objet de forme analogue. *Une poire à lavement.* — *Poire électrique,* interrupteur à bouton pendant au bout du fil. **3.** Fam. Face, figure. *Il a pris un coup en pleine poire.* **4.** Fam. Personne qui se laisse tromper facilement. ⇒ **naïf.** *Quelle poire, ce type !* ⇒ fam. ① **pomme.** — Adj. *Tu es aussi poire que moi.* ▶ *poiré* n. m. ■ Cidre de poire.
▶ *poirier* n. m. **1.** Arbre de taille moyenne, cultivé pour ses fruits *(les poires). Des poiriers en espaliers.* **2.** Bois de poirier, rougeâtre, utilisé en ébénisterie. *Meubles en poirier.* **3.** Loc. *Faire le poirier,* se tenir en équilibre sur les mains, la tête touchant le sol.

poireau [pwaʀo] n. m. **1.** Plante, variété d'ail à bulbe peu développé, cultivée pour son pied ; ce pied comestible. *Le poireau est appelé « l'asperge du pauvre ». Botte de poireaux. Soupe aux poireaux.* **2.** Loc. fam. *Rester planté comme un poireau, faire le poireau,* attendre. ▶ *poireauter* ou *poiroter* v. intr. . conjug. 1. ■ Fam. Attendre debout sans se déplacer (⇒ fam. **poireau,** 2). *Ça fait deux heures que je poirote (poireaute) devant sa porte.*

pois [pwa(ɑ)] n. m. invar. **I. 1.** Plante dont certaines variétés potagères sont cultivées pour leurs graines. **2.** Le fruit (gousse, cosse) d'une de ces plantes ; chacune des graines farineuses enfermées dans cette gousse. *Écosser des pois. Pois verts, pois à écosser* ou, plus cour., PETITS POIS. *Petits pois frais, de conserve. Un petit pois.* — *Pois cassés,* pois secs divisés en deux. *Purée de pois cassés.* — Loc. *Purée de pois,* brouillard très épais (surtout en parlant de l'Angleterre). **3.** POIS CHICHE : plante à fleurs blanches, à gousses contenant chacune deux graines ; graine jaunâtre, à peau épaisse, de cette plante. **4.** POIS DE SENTEUR (cultivé pour ses fleurs) : nom courant de la gesse odorante. **II.** Petit disque, pastille (sur une étoffe). *Une robe à pois.*

poison [pwazɔ̃] n. m. **1.** Substance capable d'incommoder fortement ou de tuer. *Injecter, faire boire à qqn un poison mortel, violent. Les effets des poisons.* ⇒ **empoisonnement, intoxication.** *Remède, antidote contre les poisons.* ⇒ **contrepoison.** *Assassiner qqn par le poison.* ⇒ **empoisonner.** — Substance dangereuse pour l'organisme (toxines, venins, polluants). **2.** Littér. Ce qui est pernicieux, dangereux. *Le poison de la calomnie.* ⇒ **venin. 3.** Fam. UN, UNE POISON : personne acariâtre ou insupportable. *Cet enfant est un poison.* — Chose très ennuyeuse. *Quel poison de retourner là-bas !* ⟨ ▶ contrepoison, empoisonner ⟩

poissard, arde [pwasaʀ, aʀd] adj. et n. f. Littér. **1.** Adj. Qui emploie des mots vulgaires, orduriers. *Un argot poissard.* ⇒ **grossier, obscène. 2.** Vx. POISSARDE n. f. : femme ordurière.

poisse [pwas] n. f. ■ Fam. Malchance. *Quelle poisse !* ⇒ **guigne.** *Porter la poisse.*

poisser [pwase] v. tr. . conjug. 1. **1.** Salir avec une matière gluante. *Se poisser les mains de confiture.* — *Avoir les cheveux tout poissés.* **2.** Fam. Arrêter, attraper, prendre (qqn). *On risque de se faire poisser.*

▶ *poisseux, euse* adj. ■ Gluant, collant (comme de la poix). *Des papiers de bonbons poisseux.* — Sali par une matière poisseuse. *Mains poisseuses.* ⟨ ▶ poissard, poisse ⟩

poisson [pwasɔ̃] n. m. **1.** Animal vertébré vivant dans l'eau, muni de nageoires et de branchies. *Les ouïes d'un poisson. Arêtes, écailles, filets, tranches, darnes de poisson. Poissons de rivière ; de mer. Jeunes poissons.* ⇒ **alevin.** — PROV. *Petit poisson deviendra grand,* cette personne, cette chose se développera. — *L'élevage des poissons.* ⇒ **pisciculture.** *Prendre, attraper des poissons.* ⇒ **pêcher.** *Poissons et fruits de mer.* — DU, LE POISSON, collectif. *Prendre du poisson. Marchand de poisson.* — POISSON-CHAT : poisson à longs barbillons. POISSON VOLANT : se dit de certains poissons des mers chaudes, capables de bondir hors de l'eau. POISSON ROUGE : le cyprin doré. **2.** Loc. *Être heureux comme un poisson dans l'eau,* se trouver dans son élément. — Fam. *Engueuler qqn comme du poisson pourri,* l'invectiver. — *Finir en* QUEUE DE POISSON : sans conclusion satisfaisante. ⇒ en eau de **boudin.** — *Automobiliste qui fait une queue de poisson en doublant un véhicule,* qui se rabat brusquement devant lui. ▶ *poissonnerie* n. f. ■ Commerce du poisson et des produits animaux de la mer et des rivières, dits fruits de mer (mollusques, crustacés, etc.). ▶ *poissonneux, euse* adj. ■ Qui contient de nombreux poissons. *Une rivière poissonneuse.* ▶ *poissonnier, ière* n. ■ Personne qui fait le commerce de détail des poissons, des fruits de mer. ⟨ ▶ empoissonner, Poissons ⟩

Poissons [pwasɔ̃] n. m. pl. ■ (Avec une majuscule) Douzième signe du zodiaque (du 19 février au 20 mars). — *Être du signe des Poissons.* — Ellipt. Invar. *Elle est Poissons.*

poitrail, ails [pwatʀaj] n. m. **1.** Devant du corps (du cheval et de quelques animaux domestiques), entre l'encolure et les pattes de devant. **2.** Plaisant. Poitrine humaine. ⟨ ▶ dépoitrailler ⟩

poitrine [pwatʀin] n. f. **1.** Partie du corps humain qui s'étend des épaules à l'abdomen et qui contient le cœur et les poumons. ⇒ **thorax ; buste, torse.** *Tour de poitrine,* mesure de la poitrine à l'endroit le plus large. — *Respirer à pleine poitrine,* inspirer fortement. *Il gonflait sa poitrine. Fluxion de poitrine,* pneumonie. **2.** Partie antérieure du thorax. *Bomber la poitrine.* **3.** Partie inférieure du thorax (du bœuf, du veau, du mouton, du porc). *La poitrine de bœuf sert à faire le pot-au-feu.* **4.** Les deux seins (d'une femme). ⇒ **gorge.** *Elle a une jolie poitrine. Elles ont beaucoup de poitrine, la poitrine forte.* ▶ *poitrinaire* adj. ■ Vx. Atteint de tuberculose pulmonaire (de la poitrine). — N. *Un, une poitrinaire.*

poivre [pwavʀ] n. m. **1.** Épice à saveur très forte, piquante, faite des fruits séchés du poivrier. *Poivre en grains. Moulin à poivre. Steak au poivre,* couvert de poivre concassé. **2.** Loc. *Cheveux* POIVRE ET SEL : bruns mêlés de blancs. ⇒ **grisonnant. 3.** *Poivre de Cayenne,* condiment fort et piquant tiré d'une espèce de piment. ▶ *poivrade* n. f. ■ Sauce, préparation au poivre. — En appos. *Sauce poivrade.* ▶ *poivré, ée* adj. **1.** Assaisonné de poivre. *Un mets très poivré.* **2.** Abstrait. Grossier ou licencieux. *Une plaisanterie poivrée.* ⇒ **salé.** ▶ *poivrer* v. tr. . conjug. 1. **1.** Assaisonner de poivre. **2.** Pronominalement. Fam. SE POIVRER : s'enivrer (⇒ **poivrot).** ▶ *poivrier* n. m. **1.** Arbrisseau grimpant des régions tropicales, produisant le poivre. **2.** Moulin à poivre. **3.** Petit flacon de table pour servir le poivre (on dit aussi *poivrière,* n. f.).

poivrière [pwavʀijeʀ] n. f. ■ Guérite de forme conique (comme certaines boîtes à poivre), à l'angle d'un bastion. — *Toit* EN POIVRIÈRE : conique.

poivron [pwavʀɔ̃] n. m. ■ Fruit du piment doux. *Une salade de poivrons verts et rouges.* ≠ *piment.*

poivrot, ote [pwavʀo, ɔt] n. ■ Fam. Ivrogne.

poix [pwa(ɑ)] n. f. invar. ■ Vx. Colle à base de résine ou de goudron de bois. ‹ ▶ poisser ›

poker [pɔkɛʀ] n. m. **I. 1.** Jeu de cartes basé sur des combinaisons (cinq cartes par joueur) et où l'on mise de l'argent. *Jouer au poker.* — *Partie de poker. Faire un poker.* — Loc. *Un coup de poker,* où l'on risque tout. **2.** Carré, ou quatre cartes de même valeur. *Avoir un poker d'as.* **II.** POKER D'AS : jeu de dés comportant des figures (neuf, dix, valet, dame, roi, as). *Le poker d'as se joue avec cinq dés.*

polaire [pɔlɛʀ] adj. et n. f. **1.** Relatif aux pôles (terrestres, célestes) ; situé près d'un pôle. *Étoile Polaire,* indiquant le nord. *Cercle polaire.* **2.** Propre aux régions arctiques et antarctiques, froides et désertes. *Climat polaire. Ours polaire,* blanc. *Expédition polaire,* au pôle. **3.** Didact. *Coordonnées polaires,* d'un point par rapport à un point d'origine. **4.** En sciences. Relatif aux pôles magnétiques, électriques. ‹ ▶ bipolaire, polariser ›

polaque [pɔlak] n. ■ Fam. et péj. (terme xénophobe à éviter). Polonais.

polar [pɔlaʀ] n. m. ■ Fam. Roman ou film policier. *Des polars.*

polariser [pɔlaʀize] v. tr. ▪ conjug. 1. **1.** Soumettre au phénomène de la polarisation. — Au p. p. adj. *Lumière polarisée.* **2.** Fig. Attirer, réunir en un point. *Ces problèmes polarisent toutes leurs activités.* — Fam. *Être polarisé,* obsédé. ▶ *polarisation* n. f. Didact. **1.** En sciences. Réorganisation simplifiée (d'un corps ou d'une lumière) sous l'effet d'un champ électromagnétique (ou d'un filtre) ; polarité. **2.** Fig. Action de concentrer en un point (des forces, des influences). ▶ *polarité* n. f. ■ Qualité d'un système qui présente deux pôles. *La polarité d'un aimant.* ▶ *polaroïd* [pɔlaʀɔid] n. m. ■ Marque déposée. Procédé de photographie permettant le tirage des photos dans l'appareil de prise de vues ; cet appareil. — Parfois au fém. Image obtenue grâce à ce procédé.

polder [pɔldɛʀ] n. m. ■ Marais littoral endigué et asséché. *Les polders du Zuiderzee.*

-pole, -polite ■ Éléments savants venant du mot grec « polis (la cité) » (ex. : *métropole, nécropole, cosmopolite*), présent aussi dans *police, politique.*

pôle [pol] n. m. **1.** Un des deux points de la surface terrestre formant les extrémités de l'axe de rotation de la Terre. *Pôle arctique* (pôle Nord) ; *antarctique, austral* (pôle Sud). **2.** Région géographique située près d'un pôle, entre le cercle polaire et le pôle. *L'aplatissement de la Terre aux pôles.* **3.** *Pôle céleste,* extrémité de l'axe autour duquel la sphère céleste semble tourner. **4.** Chacun des deux points de l'aimant qui correspondent aux pôles Nord et Sud. *Les pôles de l'aiguille aimantée d'une boussole.* ⇒ **polarité.** **5.** Chacune des deux extrémités d'un circuit électrique ⇒ **électrode,** chargée l'une d'électricité positive (*pôle positif, pôle +* ; ⇒ **anode**), l'autre d'électricité négative (*pôle négatif, pôle –* ; ⇒ **cathode**). ⇒ **polarisation.** **6.** Abstrait. Se dit de deux points principaux et opposés. *Les deux pôles de l'opinion.* ‹ ▶ polaire ›

polémique [pɔlemik] adj. et n. f. **1.** Adj. Qui manifeste une attitude critique ou agressive. *Un style polémique.* **2.** N. f. Débat par écrit, vif ou agressif. ⇒ **controverse, débat, discussion.** *Une polémique avec les journalistes.* ▶ *polémiquer* v. intr. ▪ conjug. 1. ■ Faire de la polémique. *Polémiquer contre qqn.*

▶ *polémiste* n. ■ Personne qui pratique, aime la polémique. ⇒ **pamphlétaire.**

polenta [pɔlenta] n. f. ■ Galette de farine de maïs (Italie) ; mets à base de farine de châtaignes (Corse).

① *poli, ie* [pɔli] adj. **1.** Dont le comportement, le langage sont conformes aux règles de la politesse. ⇒ **civil, courtois.** / contr. **impoli, malappris** / *Un enfant poli, bien élevé. Il a été tout juste poli avec moi.* ⇒ **correct.** — Loc. prov. *Il est trop poli pour être honnête,* ses manières trop affables font supposer des intentions malhonnêtes. **2.** (Choses) *Un refus poli,* qui s'accompagne des formes de la politesse. *Il leur a opposé un refus poli, mais ferme.* ‹ ▶ impoli, malpoli, poliment, politesse ›

② *poli, ie* adj. et n. m. **1.** Adj. Lisse et brillant. *Un caillou poli.* / contr. **rugueux** / **2.** N. m. Aspect d'une chose lisse et brillante. *Donner un beau poli à du marbre.* ⇒ **polir.**

① *police* [pɔlis] n. f. **1.** Ensemble d'organes et d'institutions assurant le maintien de l'ordre public et la répression des infractions. *Police judiciaire.* ⇒ fam. **P.J.** *Police secrète, polices parallèles. Inspecteurs de police ; agents de police.* — En France. *Police secours,* chargée de porter secours dans les cas d'urgence. — *Commissariat de police. Dénoncer qqn à la police. Se faire arrêter par la police.* **2.** Organisation rationnelle de l'ordre public. *La police de la circulation. La police intérieure d'un groupe, d'un lycée.* ⇒ **discipline.** ‹ ▶ policier ›

② *police* n. f. **I.** Contrat signé avec une compagnie d'assurances. *Souscrire à une police d'assurances. Primes, conditions et restrictions d'une police.* **II.** Technique. Liste de caractères (lettres et signes) d'imprimerie ; ensemble de caractères d'un certain type permettant l'impression d'un texte. *Le times, le gothique sont des polices courantes.*

policer [pɔlise] v. tr. ▪ conjug. 3. ■ Littér. Civiliser, adoucir les mœurs par des institutions, par la culture. ⇒ **civiliser.** — Au p. p. adj. *Les sociétés les plus policées.*

polichinelle [pɔliʃinɛl] n. m. **1.** Personnage à double bosse de la comédie italienne. *Un polichinelle.* — Loc. *C'est un secret de polichinelle,* un faux secret bien vite connu de tous. **2.** Personne irréfléchie et ridicule. ⇒ **guignol.**

policier, ière [pɔlisje, jɛʀ] adj. et n. **I.** Adj. **1.** Relatif à la police ; appartenant à la police. *Mesures policières.* — *Chien policier.* — *Régime policier,* où la police a une grande importance. **2.** Se dit des formes de littérature, de spectacle qui concernent des activités criminelles plus ou moins mystérieuses, et leur découverte. *Un film policier. Un roman policier ;* n. m. *lire des policiers.* ⇒ fam. **polar.** **II.** N. m. Personne qui appartient à un service de police (agent de police, inspecteur, détective privé, etc.). *Un policier en civil.* ⇒ fam. **flic.**

policlinique [pɔliklinik] n. f. ■ Clinique municipale. ≠ *polyclinique.*

poliment [pɔlimɑ̃] adv. ■ D'une manière polie, avec courtoisie. / contr. **impoliment** / *Refuser poliment.* ‹ ▶ impoliment ›

poliomyélite [pɔljɔmjelit] ou *polio* n. f. ■ Maladie causée par une lésion de l'axe gris de la moelle épinière. *La poliomyélite s'accompagne ordinairement de paralysie.* ▶ *poliomyélitique* adj. et n. ■ Qui est relatif à la poliomyélite. — Qui est atteint de poliomyélite. — N. *Un(e) poliomyélitique* ou *polio.*

polir [pɔliʀ] v. tr. ▪ conjug. 2. **1.** Rendre poli ② par frottement (une substance dure). ⇒ **limer, poncer.**

/ contr. **dépolir** / *Polir qqch. avec un abrasif. Se polir les ongles.* — Au p. p. adj. *Des ongles soigneusement polis.* ⇒ ② **poli. 2.** Parachever (un ouvrage) avec soin. ⇒ **parfaire, perfectionner.** *Polir son style.* ▸ **polissage** n. m. ■ Opération qui consiste à donner une apparence lisse et brillante (à une surface). *Le polissage du bois.* ⇒ **ponçage.** ▸ **polissoir** n. m. ■ Ustensile de toilette, garni de peau de chamois, servant à polir les ongles. ⟨ ▸ **dépoli,** ② **poli** ⟩

polisson, onne [pɔlisɔ̃, ɔn] n. et adj. **1.** Enfant espiègle, désobéissant. *Cet écolier est un polisson.* — Adj. *Elle est polissonne, cette mioche !* **2.** Adj. (Choses) Un peu grivois, licencieux. ⇒ **canaille, égrillard.** *Une chanson polissonne.* — *Des yeux polissons.* ⇒ **fripon.** ▸ **polissonnerie** n. f. **1.** Action d'un enfant espiègle, turbulent. **2.** Acte ou propos licencieux.

politesse [pɔlitɛs] n. f. **1.** Ensemble de règles qui régissent le comportement, le langage considérés comme les meilleurs dans une société ; le fait et la manière d'observer ces usages. ⇒ **civilité, courtoisie, éducation, savoir-vivre.** / contr. **impolitesse** / *Formules de politesse,* employées dans la conversation, dans une lettre (ex. : *s'il vous plaît, je vous en prie...*). — Loc. *Brûler la politesse à qqn,* partir brusquement. **2.** UNE POLITESSE : action, parole exigée par les bons usages. *Rendre une politesse à qqn.* — Au plur. Souvent iron. *Se faire des politesses. Échange de politesses.* ⟨ ▸ **impolitesse** ⟩

politicien, ienne [pɔlitisjɛ̃, jɛn] n. et adj. **1.** N. Personne qui exerce une action politique dans le gouvernement ou dans l'opposition. ⇒ **homme (femme)** d'**État, politique.** — Souvent péj. et opposé aux précédents. *Un politicien véreux* (ou *politicard,* n. m.). **2.** Adj. Péj. Purement politique ; qui se borne aux aspects techniques de la politique. *La politique politicienne.*

politico- ■ Élément signifiant « politique », formant des adjectifs (ex. : *politico-économique, -social,* etc.).

① **politique** [pɔlitik] adj. et n. m. **I.** Adj. **1.** Relatif à l'organisation et à l'exercice du pouvoir dans une société organisée. *Pouvoir politique, pouvoir de gouverner. Les institutions politiques d'un État.* ⇒ **constitution.** *Un homme politique, une femme politique* (plutôt laudatif ; ≠ *politicien*). **2.** Relatif à la théorie du gouvernement. *La pensée politique d'un chef d'État. Les grandes doctrines politiques.* — Relatif à la connaissance scientifique des faits politiques. *Institut d'études politiques.* **3.** Relatif aux rapports du gouvernement et de son opposition ; au pouvoir et à la lutte autour du pouvoir. *La vie politique française. Les procès politiques. Les partis politiques.* **4.** Relatif à un État, aux États et à leurs rapports. *Unité politique. Géographie politique,* partie de la géographie humaine. **5.** Littér. Habile. *Ce n'est pas très politique.* ⇒ **diplomatique. 6.** ÉCONOMIE POLITIQUE. ⇒ **économie. II.** N. m. **1.** Littér. Homme ou femme de gouvernement. *Un fin politique. Les grands politiques.* — Personne qui sait gouverner autrui. *Il était trop mauvais politique.* **2.** Ce qui est politique. *Le politique et le social.* ▸ **politiquement** adv. **1.** En ce qui concerne le pouvoir politique. *Pays unifié politiquement.* **2.** Littér. Avec habileté. *Agir politiquement.* ⟨ ▸ **apolitique, politiser** ⟩

② **politique** n. f. **1.** Manière de gouverner un État *(politique intérieure)* ou de mener les relations avec les autres États *(politique extérieure). Politique conservatrice, libérale, de droite, de gauche. La politique d'un parti.* **2.** Ensemble des affaires publiques. *S'occuper, se mêler de politique. Faire de la politique.* — *La carrière politique. Il se destine à la politique.*

3. Manière concertée de conduire une affaire. ⇒ **tactique.** *Pratiquer la politique du moindre effort.* ⟨ ▸ **politicien** ⟩

politiser [pɔlitize] v. tr. · conjug. 1. ■ Donner un caractère, un rôle politique à. / contr. **dépolitiser** / *Politiser des élections syndicales.* ▸ **politisation** n. f. ■ *La politisation des syndicats ouvriers, des grèves.* ⟨ ▸ **dépolitiser** ⟩

polka [pɔlka] n. f. ■ Ancienne danse (et air de danse) d'origine tchèque, à l'allure vive et très rythmée. *Jouer des polkas.*

pollen [pɔlɛn] n. m. ■ Poussière faite de grains minuscules produits par les étamines des fleurs et qui féconde les fleurs femelles. *Les abeilles butinent le pollen. Allergie due aux pollens.* ▸ **polliniser** v. tr. · conjug. 1. ■ Féconder par du pollen. ▸ **pollinisation** n. f. ■ Fécondation du pistil des fleurs par le pollen (généralement d'autres fleurs). *Pollinisation artificielle.* ▸ **pollinisateur, trice** adj. **1.** Qui produit du pollen. *Variété pollinisatrice,* capable d'en féconder une autre. **2.** Qui transporte du pollen. *Insectes pollinisateurs.*

polluer [pɔlɥe] v. tr. · conjug. 1. ■ Salir en rendant malsain, dangereux. *Les gaz qui polluent l'atmosphère des villes.* — Au p. p. adj. *Eaux polluées. Air pollué,* vicié. ▸ **polluant** n. m. ■ Produit provoquant une pollution. *Les polluants domestiques et industriels.* ▸ **pollueur, euse** adj. et n. ■ Qui pollue. — N. *Personne, groupe, industrie qui pollue.* ▸ **pollution** n. f. **1.** Action de polluer, le fait d'être pollué. *La pollution d'un fleuve par les industries riveraines. Lutter contre la pollution.* **2.** POLLUTION NOCTURNE : émission involontaire de sperme pendant le sommeil. ⟨ ▸ **antipollution** ⟩

① **polo** [pɔlo] n. m. ■ Sport dans lequel des cavaliers, divisés en deux équipes, essaient de pousser une boule de bois dans le camp adverse avec un maillet à long manche.

② **polo** n. m. ■ Chemise de sport en tricot, à col ouvert. *Des polos en piqué de coton.*

polochon [pɔlɔʃɔ̃] n. m. ■ Fam. Traversin. *Les enfants se battaient à coups de polochon.*

polonais, aise [pɔlɔnɛ, ɛz] adj. et n. **1.** Adj. De Pologne. — N. *Les Polonais.* ⇒ fam. et péj. **polaque.** — N. m. *Le polonais,* langue slave. **2.** Loc. fam. *Être soûl comme un Polonais,* au dernier point. ▸ **polonaise** n. f. **1.** Danse nationale des Polonais ; sa musique. *Les polonaises de Chopin.* **2.** Gâteau meringué, dont l'intérieur contient des fruits confits.

poltron, onne [pɔltrɔ̃, ɔn] adj. et n. ■ Qui manque de courage physique. ⇒ **couard, lâche, peureux ;** fam. **froussard, trouillard.** / contr. **courageux** / — N. *Un poltron, une poltronne.* ▸ **poltronnerie** n. f.

poly- ■ Préfixe savant signifiant « nombreux ; abondant » (ex. : *polygame, polygone, polyphonie*). Voir les suivants.

polyamide [pɔliamid] n. m. ■ Corps chimique, constituant de nombreuses matières plastiques (ex. : *nylon*).

polyandre [pɔliɑ̃dʀ ; pɔliɑ̃dʀ] adj. ■ Didact. Qui a plusieurs maris. ≠ *polygame. Une femme polyandre.* ▸ **polyandrie** n. f.

polychrome [pɔlikʀom] adj. ■ Qui est de plusieurs couleurs ; décoré de plusieurs couleurs. / contr. **monochrome** / *Une statue polychrome.* ▸ **polychromie** n. f. ■ Application de la couleur à la statuaire, à l'architecture.

polyclinique [pɔliklinik] n. f. ■ Clinique où se donnent toutes sortes de soins. ≠ *policlinique.*

polycopie [pɔlikɔpi] n. f. ■ Procédé de reproduction graphique par report (décalque), encrage et tirage. ≠ *photocopie*. ▶ *polycopier* v. tr. ‑ conjug. 7. ■ Reproduire en polycopie. ▶ *polycopié, ée* adj. et n. m. ■ *Cours polycopié*. ▶ *polycopieur* n. m. ■ Appareil à polycopier. *Polycopieur à alcool*.

polyculture [pɔlikyltyʀ] n. f. ■ Culture simultanée de différents produits sur un même domaine, dans une même région. / contr. **monoculture** /

polyèdre [pɔljɛdʀ ; pɔliɛdʀ] n. m. ■ Géométrie. Solide limité de toutes parts par des polygones plans. *Le cube et la pyramide sont des polyèdres*. ▶ *polyédrique* adj.

polyester [pɔliɛstɛʀ] n. m. ■ Composé chimique (ester) à poids moléculaire élevé (enchaînement de nombreuses molécules d'esters). *Certains polyesters sont les constituants de matières plastiques*.

polygame [pɔligam] n. et adj. ■ Homme uni à plusieurs femmes, femme unie à plusieurs hommes à la fois, en vertu de liens légitimes. / contr. **monogame** / — Adj. *Un musulman polygame*. ▶ *polygamie* n. f. 1. Situation d'une personne polygame. 2. Système social dans lequel un homme peut avoir plusieurs épouses (polygynie) ou une femme plusieurs maris (polyandrie).

polyglotte [pɔliglɔt] adj. et n. ■ Qui parle plusieurs langues. *Interprète polyglotte*. — *Un(e) polyglotte*.

polygone [pɔligɔn] n. m. 1. Figure fermée par des segments de droite. *Polygone régulier*, à côtés et angles égaux. 2. Polygone formant le tracé d'une place de guerre, d'une fortification. — *Polygone de tir*, champ de tir pour l'artillerie. ▶ *polygonal, ale, aux* adj. ■ Qui a plusieurs angles et plusieurs côtés.

polymérisation [pɔlimeʀizasjɔ̃] n. f. ■ Union de plusieurs molécules d'un composé pour former une grosse molécule (appelée *polymère*, n. m.). *Le séchage d'une peinture par polymérisation ou évaporation*. *Résines de polymérisation*, matières plastiques. (On emploie aussi *polymériser*, v. tr. ‑ conjug. 1.)

polymorphe [pɔlimɔʀf] adj. ■ Didact. Qui peut se présenter sous des formes différentes. *Roches polymorphes*. ▶ *polymorphisme* n. m. ■ *Le polymorphisme des virus, d'une maladie*.

polynévrite [pɔlinevʀit] n. f. ■ Névrite qui atteint plusieurs nerfs.

polynôme [pɔlinom] n. m. ■ Expression algébrique constituée par une somme de monômes (séparés par les signes + et –). *Le binôme, le trinôme sont des polynômes*.

① *polype* [pɔlip] n. m. ■ Animal *(Cœlentérés)* formé d'un tube dont une extrémité porte une bouche entourée de tentacules. *Une colonie de polypes. La méduse est un polype*. ▶ *polypier* n. m. ■ Squelette calcaire des polypes (ex. : *le corail*).

② *polype* n. m. ■ Tumeur, excroissance fibreuse ou muqueuse, implantée par un pédicule. *Polype de l'œsophage*.

polyphonie [pɔlifɔni] n. f. ■ Combinaison de plusieurs voix ou parties mélodiques, dans une composition musicale. ⇒ **contrepoint**. ▶ *polyphonique* adj. ■ *Pièce polyphonique vocale*.

polystyrène [pɔlistiʀɛn] n. m. ■ Mousse de polystyrène, matière plastique généralement blanche, tendre et cassante, très légère, utilisée en emballage industriel et comme isolant thermique. *Déchets de polystyrène sur une plage. Panneau en polystyrène expansé*.

polytechnique [pɔliteknik] adj. et n. f. 1. Vx. Qui embrasse plusieurs sciences et techniques. 2. *École*

polytechnique ou, n. f., *Polytechnique* (fam. *L'X* [liks]), grande école scientifique française. ▶ *polytechnicien, ienne* n. ■ Élève, ancien(ne) élève de Polytechnique.

polythéisme [pɔliteism] n. m. ■ Doctrine qui admet l'existence de plusieurs dieux. *Le polythéisme grec*. ⇒ **panthéon**. / contr. **monothéisme** / ▶ *polythéiste* n. et adj. ■ *Religion polythéiste*.

polyvalent, ente [pɔlivalɑ̃, ɑ̃t] adj. et n. m. 1. Adj. Qui a plusieurs fonctions, plusieurs activités différentes. *Salle polyvalente. Un professeur polyvalent*. 2. N. Fonctionnaire chargé de vérifier la comptabilité des entreprises. *Les polyvalents*.

poméelo [pɔmelo] n. m. ■ Fruit (agrume) appelé couramment *pamplemousse*. *Les pomélos sont parfois acides*.

pommade [pɔmad] n. f. ■ Substance grasse à mettre sur la peau (médicament, etc.). ⇒ **crème**. *Un tube de pommade*. — Loc. *Passer de la pommade à qqn*, le flatter grossièrement. ▶ *pommader* v. tr. ‑ conjug. 1. ■ Plaisant. et péj. Enduire de pommade (les cheveux ; les cheveux de qqn). — Pronominalement. *Se pommader*. — Au p. p. adj. *Il était tout pommadé, gominé*.

① *pomme* [pɔm] n. f. I. 1. Fruit du pommier, rond, à pulpe ferme et juteuse. *Pomme de reinette, pomme « reine des reinettes ». Pommes à cidre* (opposé à *pommes à couteau*). *Pommes canada, golden, granny(-)smith, belle de Boskoop. Eau-de-vie de pomme*. ⇒ **calvados**. *Pommes cuites. Compote de pommes*. 2. En appos. Invar. VERT POMME : assez vif et clair. *Des jupes vert pomme*. 3. Loc. fam. *Aux pommes*, très bien, très beau. — *Tomber dans les pommes*, s'évanouir. — Fam. *Ma, sa pomme*, moi, lui. *Les ennuis, c'est toujours pour ma pomme !* Fam. Idiot, naïf. *Cette pauvre pomme croit tout ce qu'on lui dit*. ⇒ fam. **poire**. 4. POMME D'ADAM : saillie à la partie antérieure du cou (des hommes). 5. POMME DE PIN : organe reproducteur du pin, formé d'écailles dures qui protègent les graines. *Pomme de chou, de laitue*, le cœur tendre de ces légumes. II. *Pomme d'arrosoir, pomme de douche*, partie arrondie percée de petits trous, qui permet de distribuer l'eau en pluie. ‹ ▶ pommé, pommeau, pomme de terre, pommelé, pommette, pommier ›

② *pomme* n. f. ■ Pomme de terre. *Des pommes frites*. ⇒ **frite**. *Des pommes vapeur*.

pommé, ée [pɔme] adj. ■ (Plantes) Qui a une forme arrondie. *Un chou pommé*.

pommeau [pɔmo] n. m. ■ Tête arrondie de la poignée (d'un sabre, d'une épée). — Boule à l'extrémité d'une canne, d'un parapluie. *Des pommeaux*.

pomme de terre [pɔmdətɛʀ] n. f. 1. Tubercule comestible, riche en féculents, d'une plante potagère cultivée en plein champ dans les climats tempérés et tropicaux. ⇒ **patate**, ② **pomme**. *La rosa, la belle de Fontenay sont des variétés communes de pommes de terre. Elle épluche des pommes de terre. Pommes de terre à l'eau, sautées. Pommes de terre en robe de chambre ou en robe des champs. Purée de pommes de terre. Pommes de terre frites*. ⇒ **frite**. — Plaisant. *Nez en pomme de terre*, gros et rond. 2. La plante cultivée pour ses tubercules. *Champ de pommes de terre. Des fanes de pommes de terre*.

pommelé, ée [pɔmle] adj. 1. Couvert ou formé de petits nuages ronds. *Un ciel pommelé*. 2. (Robe du cheval) Couvert de taches rondes grises ou blanches. *Cheval pommelé, gris pommelé*. ▶ *se pommeler* v. pron. ‑ conjug. 4. ■ (Ciel) Se couvrir de petits nuages ronds. ⇒ **moutonner**.

pommette [pɔmɛt] n. f. ■ Partie haute de la joue. *Un visage aux pommettes saillantes.*

pommier [pɔmje] n. m. **1.** Arbre à frondaison arrondie dont le fruit est la pomme. *Pommier commun ; pommier à cidre.* **2.** *Pommier du Japon, de Chine,* variété exotique cultivée pour ses fleurs roses.

① *pompe* [pɔ̃p] n. f. **1.** Littér. Déploiement de faste dans un cérémonial. ⇒ **apparat, magnificence.** *Sous Louis XIV, la pompe de Versailles contrastait avec la misère du peuple.* — Loc. *En grande pompe,* avec tout le faste possible. **2.** POMPES FUNÈBRES : service assurant le transport et l'enterrement (ou la crémation) des morts. *Entreprise de pompes funèbres.* **3.** Loc. religieuse. *Renoncer à Satan, à ses pompes et à ses œuvres,* aux péchés et à la tentation. ⟨ ▶ **pompeux** ⟩

② *pompe* n. f. **1.** Appareil destiné à déplacer un liquide, de l'eau. *Pompe aspirante ; foulante. Amorcer une pompe. Aller chercher de l'eau à la pompe. Pompe à incendie. Bateau-pompe,* muni de lances à incendie. *La pompe à essence d'un moteur.* **2.** POMPE (À ESSENCE) : distributeur d'essence. ⇒ **poste** d'essence, **station-service ; pompiste.** *La jauge est à zéro, il faut trouver une pompe. Les pompes d'un garage.* **3.** Appareil déplaçant de l'air. *Pompe de bicyclette.* **4.** Fam. *Avoir le,* un COUP DE POMPE : se sentir brusquement épuisé. ⇒ **pomper** (6). **5.** Fam. À TOUTE POMPE : à toute vitesse. *Je me tire à toute pompe.* **6.** Fam. Chaussure. *Une paire de pompes.* — Loc. *J'en ai plein les pompes.* ⇒ **bottes. 7.** Fam. *Soldat de* DEUXIÈME POMPE ou, ellipt, *un deuxième pompe,* un simple soldat, un deuxième classe. ⟨ ▶ **autopompe, moto-pompe, pompiste** ⟩

pomper [pɔ̃pe] v. tr. ▪ conjug. 1. **1.** Déplacer (un liquide, de l'air) à l'aide d'une pompe. *Pomper de l'eau,* en tirer à la pompe. ⇒ **puiser.** — Sans compl. *Pompez !* **2.** Aspirer (un liquide). *Les moustiques pompent le sang.* **3.** Intransitivement. Fam. Boire. *Il pompe bien.* **4.** Absorber (un liquide). *Pompe la tache avec un buvard !* **5.** Fam. Copier. *Il ^ encore pompé sur son voisin.* **6.** Fam. Épuiser. *Cet effort l'a pompé.* — Au p. p. adj. POMPÉ, ÉE : épuisé. ▶ *pompage* n. m. ▪ (⇒ **pomper,** 1) *Les stations de pompage d'un pipe-line.* ⟨ ▶ ② **pompe** ⟩

pompette [pɔ̃pɛt] adj. ■ Fam. Un peu ivre, éméché. *Il était rentré pompette.*

pompeux, euse [pɔ̃pø, øz] adj. ■ Qui affecte une solennité plus ou moins ridicule (⇒ ① **pompe**). *Un ton pompeux.* ⇒ **déclamatoire, sentencieux.** / contr. **simple** / ▶ *pompeusement* adv.

① *pompier* [pɔ̃pje] n. m. ■ Homme appartenant au corps des *sapeurs-pompiers,* chargé de combattre incendies et sinistres. *Avertisseur des voitures de pompiers.* ⇒ **pin-pon.** *Casques, grande échelle de pompiers.* — N. f. Rare. *Une pompière.* ⟨ ▶ **sapeur-pompier** ⟩

② *pompier, ière* adj. ■ Emphatique et prétentieux (à cause des peintures militaires avec des casques, comparés à ceux des pompiers ①). *Un peintre pompier. Ça fait terriblement pompier.*

pompiste [pɔ̃pist] n. ■ Personne préposée à la distribution de l'essence (par les *pompes* ② , 2, à essence).

pompon [pɔ̃pɔ̃] n. m. **1.** Touffe de laine, de soie, servant d'ornement. ⇒ **houppe.** *Bonnet à pompon rouge des marins.* **2.** *Rose pompon,* variété de petite rose, à fleur sphérique. **3.** *Avoir le pompon,* l'emporter (souvent iron.). *C'est le pompon !,* c'est le comble ! ▶ *pomponner* v. tr. ▪ conjug. 1. ■ Parer, orner avec soin. ⇒ **bichonner.** — Au p. p. *Elle était pomponnée pour sortir.*

ponant [pɔnɑ̃] n. m. ■ Vx ou littér. LE PONANT : le couchant (opposé au *levant*). ⇒ **occident, ouest.**

ponce [pɔ̃s] adj. f. ■ PIERRE PONCE : roche volcanique poreuse, très légère et très dure. *Des pierres ponces.* ⟨ ▶ **poncer** ⟩

ponceau [pɔ̃so] adj. invar. ■ D'un rouge vif et foncé. *Des rubans ponceau.*

poncer [pɔ̃se] v. tr. ▪ conjug. 3. ■ Nettoyer, polir (une surface) en frottant à la pierre ponce, à la toile émeri, au papier de verre. *Poncer un plafond avant de le repeindre.* — Au p. p. adj. *Un meuble bien poncé et reverni.* ▶ *ponçage* n. m. ■ ⇒ **polissage, rabotage.** *Le ponçage du bois.*

poncho [pɔ̃tʃo] n. m. ■ Manteau d'homme formé d'une pièce d'étoffe percée d'un trou pour passer la tête (en usage en Amérique du Sud). *Des ponchos indiens.*

poncif [pɔ̃sif] n. m. ■ Thème, expression littéraire ou artistique dénué(e) d'originalité. ⇒ **banalité, cliché, lieu** commun. *Ce film policier enchaîne tous les poncifs du genre.*

ponction [pɔ̃ksjɔ̃] n. f. **1.** Opération chirurgicale qui consiste à piquer les tissus vivants enveloppant une cavité pour en retirer le liquide qu'elle contient. *Ponction lombaire,* qui permet de retirer du liquide céphalorachidien. **2.** Prélèvement (d'argent, etc.). ▶ *ponctionner* v. tr. ▪ conjug. 1. ■ *Ponctionner un épanchement pleural.*

ponctuation n. f. ⇒ **ponctuer.**

① *ponctuel, elle* [pɔ̃ktɥɛl] adj. **1.** Vieilli. Qui met beaucoup de soin, d'attention à un travail, à une fonction. ⇒ **assidu, régulier. 2.** Qui arrive à l'heure, respecte les horaires. *Un employé ponctuel.* / contr. **inexact** / ▶ *ponctualité* n. f. **1.** Soin, précision dans l'accomplissement de ses devoirs. *La ponctualité d'un employé.* ⇒ **assiduité. 2.** Plus cour. Qualité de celui qui est ponctuel (2). ▶ *ponctuellement* adv. ■ *Il va déjeuner toujours à midi et demi, ponctuellement.* ⇒ **exactement.**

② *ponctuel, elle* adj. ■ Sciences. Qui peut être assimilé à un point*. *Source lumineuse ponctuelle.* — Qui ne concerne qu'un point, qu'un élément d'un ensemble (opposé à *global*). *Des remarques ponctuelles.*

ponctuer [pɔ̃ktɥe] v. tr. ▪ conjug. 1. **1.** Diviser (un texte) au moyen de la ponctuation. — Au p. p. *Un devoir mal ponctué.* **2.** PONCTUER... DE : marquer (ses phrases) d'une exclamation, d'un geste. *Elle ponctuait ses phrases de soupirs.* ▶ *ponctuation* [pɔ̃ktɥasjɔ̃] n. f. ■ Système de signes servant à indiquer les divisions d'un texte, à noter certains rapports syntaxiques. *Signes de ponctuation,* crochet(s), deux-points, guillemet(s), parenthèse(s), point, point-virgule, tiret, virgule... — Manière d'utiliser ces signes. *Mettre, oublier la ponctuation. Bonne ponctuation. Orthographe* et ponctuation.*

pondérable [pɔ̃derabl] adj. ■ Qui peut être pesé ; qui a un poids mesurable. / contr. **impondérable** / ⟨ ▶ **impondérable** ⟩

pondération [pɔ̃derasjɔ̃] n. f. ■ Calme, équilibre et mesure dans les jugements. *Faire preuve de pondération.* ▶ *pondéré, ée* adj. ■ Calme, équilibré. *Un esprit pondéré. Elle est énergique, mais pas assez pondérée.* / contr. **déraisonnable, extrémiste** /

pondérer [pɔ̃dere] v. tr. ▪ conjug. 6. ■ Littér. Équilibrer (les forces). *Pondérer le pouvoir exécutif par un contrôle du Parlement.* — Au p. p. adj. *Forces pondérées.* ≠ *pondéré.* ⟨ ▶ **pondérable, pondération** ⟩

pondre [pɔ̃dʀ] v. tr. ▪ conjug. 41. **1.** (Femelles ovipares) Déposer, faire (ses œufs). ⇒ ① **ponte.** *Les* *oiseaux pondent des œufs.* — Au p. p. adj. *Un œuf frais pondu.* **2.** Fam. et péj. Écrire, produire (une œuvre). *Il nous pond trois romans par an.* ▶ **pondeur, euse** adj. et n. **1.** Qui pond (1) des œufs. *Poule pondeuse,* élevée pour ses œufs. — N. f. *Une bonne pondeuse.* **2.** Péj. Qui écrit, produit (une, des œuvres). ‹ ▶ ① ponte ›

poney [pɔnɛ] n. m. ■ Équidé (cheval) d'une race de petite taille. *Des poneys.* — On dit couramment une *ponnette* pour parler de la femelle. ≠ *poulain.*

pongé [pɔ̃ʒe] n. m. ■ Taffetas de soie léger et souple. *Une doublure de veste en pongé.*

pongiste [pɔ̃ʒist] n. ■ Joueur, joueuse de ping-pong, de tennis de table.

① **pont** [pɔ̃] n. m. **1.** Construction, ouvrage reliant deux points séparés par une dépression ou par un obstacle. ⇒ **viaduc.** *Les ponts de Paris, sur la Seine. Pont franchissant un fleuve, une rivière, un canal, une voie ferrée, une autoroute. Levée, parapet et tablier d'un pont. Des clochards qui couchent sous les ponts. Pont suspendu. Pont pour les piétons.* ⇒ **passerelle.** *Franchir, passer, traverser un pont. Pont mobile, tournant, levant ou basculant.* ⇒ **pont-levis.** — *Pont de graissage,* sur lequel on soulève les automobiles pour les graisser. — Loc. *Il est solide comme le Pont-Neuf. Il coulera (passera) de l'eau sous les ponts,* il se passera un long temps. — *Couper, brûler les ponts,* s'interdire tout retour en arrière. **2.** PONTS ET CHAUSSÉES [pɔ̃zeʃose] : en France, service public chargé principalement de la construction et de l'entretien des voies publiques. *Ingénieur des Ponts et Chaussées* ou, ellipt, *des Ponts.* **3.** PONT AUX ÂNES [pɔ̃tozɑn] : démonstration mathématique que tout le monde devrait connaître ; fausse difficulté d'un programme scolaire. **4.** *Faire un* PONT D'OR *à qqn* : lui offrir une forte somme, pour le décider à occuper un poste. **5.** Ensemble des organes (d'une automobile) qui transmettent le mouvement aux roues. *Pont arrière.* **6.** Pièce d'étoffe qui se rabat (dans : À PONT). *Culotte à pont.* **7.** FAIRE LE PONT : chômer entre deux jours fériés. *Le pont du Nouvel An, de l'Ascension.* **8.** PONT AÉRIEN : liaison aérienne d'urgence quasi ininterrompue (pour acheminer des vivres, des secours, des troupes, ou évacuer des réfugiés). **9.** TÊTE DE PONT : point où une armée prend possession d'un territoire à conquérir. ‹ ▶ pont-levis, ponton, pontonnier ›

② **pont** n. m. ■ Ensemble des bordages recouvrant entièrement la coque d'un navire. *Navire à trois ponts.* — *Pont d'envol,* sur un porte-avions. — Absolt. *Pont supérieur. Tout le monde sur le pont !* (appel). ▶ ① **ponter** v. tr. - conjug. 1. ■ Munir d'un pont (un navire en construction). — Au p. p. adj. *Une barque pontée, non pontée.*

① **ponte** [pɔ̃t] n. f. ■ Action de pondre. *La ponte des poules. La ponte des œufs.* — Les œufs pondus en une fois. *Deux pontes par jour.*

② **ponte** n. m. ■ Au baccara, à la roulette, etc. Chacun des joueurs qui jouent contre le banquier. ▶ ② **ponter** v. - conjug. 1. **1.** V. intr. Jouer contre la personne qui tient la banque ; être ponte, au baccara, à la roulette. **2.** V. tr. Miser. *Ponter cinq mille francs.*

③ **ponte** n. m. ■ Fam. Personnage important. *C'est un gros ponte.* ⇒ ② **pontife.**

① **pontife** [pɔ̃tif] n. m. **1.** Dans l'Antiquité. L'un des cinq à seize grands prêtres responsables du culte public de Rome. **2.** Se dit des hauts dignitaires catholiques, évêques ou prélats. *Le souverain pontife,* le pape. ▶ **pontifical, ale, aux** adj. ■ Relatif au souverain pontife, au pape. ⇒ **papal.** *Le trône pontifical. Messe pontificale.* ▶ **pontificat** n. m.

■ Dignité de souverain pontife ; règne (d'un pape). *Cardinal élevé au pontificat.* ⇒ **papauté.**

② **pontife** n. m. ■ Fam., iron. Personnage plein d'autorité, gonflé de son importance. ⇒ **mandarin,** ③ **ponte.** *Les grands pontifes de la Faculté.* ▶ **pontifier** [pɔ̃tifje] v. intr. - conjug. 7. ■ Faire le pontife, dispenser sa science, ses conseils avec prétention et emphase. *Il pontifiait, entouré de ses disciples.* ▶ **pontifiant, ante** adj. ■ Qui pontifie. *Un ton pontifiant.* ⇒ **doctoral.** ‹ ▶ ③ ponte ›

pont-l'évêque [pɔ̃levɛk] n. m. invar. ■ Fromage fermenté à pâte molle, de la région de Pont-l'Évêque (Calvados). *Des pont-l'évêque.*

pont-levis [pɔ̃lvi] n. m. ■ Au Moyen Âge. Pont mobile basculant qui se lève ou s'abaisse à volonté au-dessus du fossé d'un bâtiment fortifié. *Les ponts-levis d'un château fort.*

ponton [pɔ̃tɔ̃] n. m. **1.** Construction flottante formant plate-forme. *Ponton d'accostage.* **2.** Chaland ponté servant aux gros travaux des ports. *Ponton d'abattage. Ponton-grue.* **3.** Vieux vaisseau désarmé servant de prison (XIXᵉ s.).

pontonnier [pɔ̃tɔnje] n. m. ■ Soldat du génie chargé de la pose, du démontage, de l'entretien, etc., des ponts militaires.

pool [pul] n. m. ■ Anglic. Groupe de personnes associées ou effectuant le même travail dans une entreprise. *Des pools de traducteurs.*

pop [pɔp] adj. invar. et n. Anglic. **1.** *Musique pop,* se dit de la musique rock (1960-1970), puis de musiques analogues, à base d'instruments électriques et de mélodies simples et rythmées. *Musicien pop.* **2.** N. m. POP-ART : école anglo-saxonne de peinture moderne qui tire son inspiration de produits industriels de masse. — Adj. *De l'art pop.*

pop-corn [pɔpkɔrn] n. m. invar. ■ Anglic. Grains de maïs soufflés et sucrés (friandise). *Du pop-corn, des pop-corn.*

pope [pɔp] n. m. ■ Prêtre de l'Église orthodoxe slave.

popeline [pɔplin] n. f. ■ Tissu de coton ou de laine et soie, en taffetas. *Chemise en popeline.*

popote [pɔpɔt] n. f. et adj. **I.** N. f. **1.** Table commune d'officiers. ⇒ **mess ; cantine. 2.** Fam. Soupe, cuisine. *Faire la popote.* **II.** Adj. invar. Fam. Qui est trop exclusivement occupé par les travaux, les devoirs du foyer. ⇒ **casanier, pot-au-feu.** *Elles sont très popote.*

popotin [pɔpɔtɛ̃] n. m. ■ Fam. Les fesses, le derrière. — Loc. fam. *Se manier le popotin,* se dépêcher.

populace [pɔpylas] n. f. ■ Péj. Bas peuple. ▶ **populacier, ière** adj. ■ Péj. Propre à la populace. ⇒ **commun, vulgaire.** *Langage populacier.* ⇒ **poissard.** *Une allure populacière.* ⇒ **canaille.**

populaire [pɔpylɛr] adj. **1.** Qui émane du peuple. *La volonté populaire.* — En *soulèvement populaire.* — En politique et d'après Karl Marx. Qui émane du prolétariat, s'oppose à la bourgeoisie. *Démocraties populaires.* — *Front populaire,* union des forces de gauche (en France, en 1936). **2.** Propre au peuple. *Les traditions populaires.* — Langage. Qui est employé surtout par le peuple, n'est guère en usage dans la bourgeoisie. *Mot, expression populaire.* ≠ *familier ; argot.* **3.** À l'usage du peuple (et qui en émane ou non). *Un spectacle populaire. Art populaire.* ⇒ **folklore.** — (Personnes) Qui s'adresse au peuple. *Un romancier populaire.* **4.** Qui se recrute dans le peuple, que fréquente le peuple. *Les milieux populaires. Bals populaires.* **5.** Qui plaît au peuple, au plus grand nombre. ⇒ **popularité**. *Ce chanteur est plus populaire en Amérique qu'en France. Henri IV était un roi populaire.* / contr. **impopulaire** / — Anglic. (à éviter). Qui plaît, est aimé (par ses voisins, ses collègues). ▶ *populairement* adv. ■ D'une manière populaire, dans le langage populaire. *S'exprimer populairement.* ▶ *populariser* v. tr. ■ conjug. 1. ■ Faire connaître parmi le peuple, le grand nombre. *Les mots « enliser », « pieuvre » ont été popularisés par Victor Hugo.* ⇒ **répandre.** ▶ *popularité* n. f. ■ Le fait d'être connu et aimé du peuple, du plus grand nombre. *La popularité d'un chef d'État.* ⇒ **célébrité, gloire, renommée.** / contr. **impopularité** / — Faveur. *Il jouit d'une certaine popularité dans la maison.* ⟨ ▶ impopulaire ⟩

population [pɔpylasjɔ̃] n. f. **1.** Ensemble des personnes qui habitent un espace, une terre (⇒ **habitant**). *La population de la France. Recensement de la population. Région à population dense.* ⇒ **démographie. 2.** Ensemble des personnes d'une catégorie particulière. *La population active, les travailleurs. La population immigrée.* **3.** Ensemble d'animaux vivant en société ou recensés sur un territoire. *La population d'une ruche. Une population de chevreuils.* **4.** En sciences. Ensemble statistique. ⟨ ▶ surpopulation ⟩

populeux, euse [pɔpylø, øz] adj. ■ Très peuplé. / contr. **désert** / *Les villes populeuses. Des rues populeuses.* ≠ *populaire.*

populisme [pɔpylism] n. m. ■ École littéraire qui cherche, dans les romans, à dépeindre avec réalisme la vie des gens du peuple. *Un populisme révolutionnaire.* ▶ *populiste* n. et adj. ■ *Un écrivain populiste.*

populo [pɔpylo] n. m. Fam. **1.** Peuple. *C'est encore le populo qui trinque.* **2.** Grand nombre de gens. ⇒ **foule.** *C'est plein de populo !*

porc [pɔʀ] n. m. **1.** Animal (mammifère) au corps épais, dont la tête est terminée par un groin, qui est domestiqué et élevé pour sa chair ; se dit surtout du mâle adulte (par oppos. à *truie*, à *goret*, à *porcelet*). ⇒ **cochon.** *Porc non châtré.* ⇒ **verrat.** *Gardien de porcs.* ⇒ **porcher.** *Relatif au porc.* ⇒ **porcin.** *Les soies du porc.* — Loc. *Il est gras, sale comme un porc. Manger comme un porc,* salement. — *C'est un vrai porc,* un homme débauché, grossier. **2.** Viande de cet animal. *Un rôti de porc. Graisse de porc.* ⇒ **lard, saindoux ; charcuterie, jambon. 3.** Peau tannée de cet animal. *Une valise en porc.* **4.** Par ext. *Porc sauvage.* ⇒ **sanglier.** ▶ *porcelet* n. m. ■ Jeune porc. ⇒ **goret.** *Manger du porcelet rôti,* du cochon de lait. ▶ *porc-épic* [pɔʀkepik] n. m. ■ Mammifère rongeur d'Afrique et d'Asie, pouvant peser jusqu'à 30 kilos, au corps recouvert de longs piquants. *Dans le danger, le porc-épic se hérisse. Des porcs-épics* [pɔʀkepik]. — *C'est un véritable porc-épic,* une personne irritable. ⟨ ▶ porcher, porcin ⟩

porcelaine [pɔʀsəlɛn] n. f. **1.** Substance translucide, imperméable, résultant de la cuisson du kaolin (à plus de 1300 °C). *Vaisselle en porcelaine, de porcelaine.* ≠ *céramique, faïence.* **2.** Objet en porcelaine. *Casser une porcelaine.* **3.** Mollusque, coquillage univalve luisant et poli, aux couleurs vives. ▶ *porcelainier, ière* n. et adj. **1.** Marchand(e), fabricant(e) de porcelaine. **2.** Adj. *L'industrie porcelainière de Limoges.*

porche [pɔʀʃ] n. m. ■ Construction en saillie qui abrite la porte d'entrée (d'un édifice). *Le porche principal d'une cathédrale.* ⇒ porte **cochère, portail.**

porcher, ère [pɔʀʃe, ɛʀ] n. ■ Gardien(ienne) de porcs ; ouvrier agricole qui s'occupe des porcs. ▶ *porcherie* n. f. **1.** Bâtiment où l'on élève, où l'on

engraisse les porcs. **2.** Local très sale. *C'est une vraie porcherie, ici !*

porcin, ine [pɔʀsɛ̃, in] adj. et n. m. **1.** Relatif au porc. *Élevage porcin. Race porcine.* — N. m. *Un porcin, les porcins.* **2.** Péj. Dont l'aspect rappelle celui du porc ou d'une partie du corps du porc. *Des yeux porcins.*

pore [pɔʀ] n. m. **1.** Chacun des minuscules orifices de la peau par où sortent la sueur, le sébum. *Pore obstrué.* — Loc. *Par tous les pores,* de toute sa personne. *Il respire la joie par tous les pores.* **2.** Les pores d'une plante. **3.** Interstice d'une matière poreuse. ▶ *poreux, euse* adj. ■ Qui présente une multitude de pores, de petits trous (roche, matière minérale, terre cuite, etc.).

porion [pɔʀjɔ̃] n. m. ■ Agent de maîtrise, contremaître dans les mines de charbon.

pornographie [pɔʀnɔgʀafi] n. f. ■ Représentation (par écrits, dessins, peintures, photos) de choses obscènes destinées à être communiquées au public. — Obscénité en littérature, dans les spectacles. ▶ *pornographique* adj. ■ *Des romans, des films pornographiques.* ▶ *porno* adj. et n. m. **1.** Adj. Pornographique. *Des films pornos.* **2.** N. m. Pornographie. *Il déteste le porno.*

porphyre [pɔʀfiʀ] n. m. ■ Roche volcanique à grands cristaux de feldspath, d'une couleur soutenue, rouge, verte, bleue ou noire. *Des colonnes de porphyre.*

porridge [pɔʀidʒ] n. m. ■ Anglic. Bouillie sucrée de flocons d'avoine (courant pour le breakfast anglais). *On lui donnait du porridge le matin.*

① *port* [pɔʀ] n. m. **1.** Abri naturel ou artificiel aménagé pour recevoir les navires, pour l'embarquement et le débarquement de leur chargement. *Un port maritime, fluvial. La jetée, les quais et les bassins d'un port. Port pétrolier.* ⇒ **terminal.** *Port de commerce, de pêche, de guerre. Port de plaisance. Le port de Montréal. Port d'attache d'un bateau,* où il est immatriculé. *Port franc,* non soumis au service des douanes. *Port autonome.* — Loc. *Arriver à BON PORT :* arriver au but d'un voyage sans accident ; et (choses) arriver à destination en bon état. **2.** Littér. Lieu de repos ; abri. ⇒ **havre, refuge.** *Chercher un port après une vie agitée.* **3.** Ville qui possède un port. *Marseille, port de la Méditerranée.* ⟨ ▶ aéroport, avant-port, héliport, passeport, portuaire ⟩

② *port* n. m. ■ Col, dans les Pyrénées. ⇒ **passe.**

③ *port* n. m. **I.** Action de porter (dans quelques expressions). **1.** Le fait de porter sur soi. *Le port illégal de décorations. Port d'armes,* le fait d'être armé. *Autorisation de port d'armes.* **2.** PORT D'ARMES : position du soldat qui présente son arme. *Soldat qui se met au port d'armes.* **3.** PORT DE VOIX : passage effectué insensiblement d'un son à un autre. **II.** Prix du transport (d'une lettre, d'un colis). *Un colis expédié franc de port, franco de port. Port dû* (opposé à *payé*). **III.** Manière naturelle de se tenir. ⇒ **allure, maintien.** *Elle avait un port de déesse, de reine.* — *Un gracieux port de tête.*

portable [pɔʀtabl] adj. **1.** (Vêtement) Qu'on peut porter. ⇒ **mettable.** *Ce manteau est encore portable.* **2.** Transportable (opposé à *de bureau* ou *de salon*). ⇒ **portatif.** ▶ *portabilité* n. f. ■ Qualité d'un logiciel lui permettant de fonctionner sur plusieurs ordinateurs de types différents.

portage [pɔʀtaʒ] n. m. ■ Transport à dos d'hommes (qui *portent*). ⇒ **porteur.**

portail, ails [pɔʀtaj] n. m. ■ Grande porte, parfois de caractère monumental. *Le porche et le portail d'une cathédrale. Le portail principal et les portails latéraux.* — *Le portail du parc d'un château.* ⇒ **grille.**

① **portant, ante** [pɔʀtɑ̃, ɑ̃t] adj. **I.** Dont la fonction est de porter, de soutenir. *Les murs portants d'un édifice.* ⇒ **porteur ; soutènement. II.** ÊTRE BIEN, MAL PORTANT : en bonne, en mauvaise santé. ⇒ se **porter.** — N. *Les bien portants.* ▶ ② *portant* n. m. **1.** Montant qui soutient un élément de décor, un appareil d'éclairage, au théâtre. — Cette partie de décor. **2.** Montant (d'une ouverture).

portatif, ive [pɔʀtatif, iv] adj. ■ Qui peut être utilisé n'importe où, transporté facilement. *Poste de télévision portatif.* ⇒ **portable.**

① **porte** [pɔʀt] n. f. **I.** (D'une ville) **1.** Vx. Ouverture spécialement aménagée dans l'enceinte d'une ville pour permettre le passage. *Les portes furent fermées à cause de la peste.* ⇒ **poterne.** *Octroi payé aux portes.* — *L'ennemi est à nos portes,* à nos frontières, tout près. **2.** Lieu où se trouvait autrefois une porte de l'enceinte d'une ville. *La porte des Lilas* (à Paris). **II. 1.** Ouverture plus haute que large spécialement aménagée dans un mur, une clôture, etc., pour permettre le passage ; l'encadrement de cette ouverture. *Les portes d'une maison. La grande porte du château.* ⇒ **porche, portail.** *Porte palière. Porte d'entrée. Porte de secours.* ⇒ **issue.** *Le seuil d'une porte. Entrer par la porte. Franchir, passer la porte. Sur le pas de sa porte.* Fig. PAS DE PORTE : bail commercial. — Loc. *De porte en porte,* de maison en maison, d'appartement en appartement. *Faire du* PORTE À PORTE : se dit d'un agent commercial, d'un quêteur, etc., qui passe de logement en logement. *Le gardien interdit le porte à porte.* — *Ils habitent porte à porte,* dans des immeubles, des appartements contigus. — *Cela s'est passé à ma porte,* tout près de chez moi. — *Parler à qqn, recevoir qqn entre deux portes,* lui parler rapidement sans le faire entrer. *Mettre, jeter,* fam. *flanquer, fiche qqn à la porte.* ⇒ **chasser, congédier, renvoyer.** Ellipt. *À la porte !* — *Être à la porte,* ne pas pouvoir entrer. *Prendre la porte.* ⇒ **partir, sortir.** *Entrer, passer par la grande porte,* accéder directement à un haut poste. *Entrer par la petite porte.* — *Se ménager, se réserver une porte de sortie.* ⇒ **échappatoire, issue. 2.** Panneau mobile permettant d'obturer l'ouverture d'une porte (II, 1). *Porte à double battant. Porte battante. Porte coulissante en verre.* ⇒ **baie.** *Porte vitrée. Poignée de porte. Les gonds et la serrure d'une porte.* ⇒ **huisserie.** *Porte grande ouverte, entrebâillée. Petite porte.* ⇒ **portillon.** *Trouver porte close. Écouter aux portes, derrière les portes.* — Loc. *Frapper à la bonne, à la mauvaise porte,* s'adresser au bon, au mauvais endroit, à la bonne, à la mauvaise personne. *Ouvrir, fermer sa porte à qqn,* accepter, refuser de l'admettre chez soi. *C'est la porte ouverte à tous les abus,* l'accès libre. **3.** (D'un véhicule) ⇒ **portière.** — (D'un meuble) *La porte d'une armoire, d'un four.* **III. 1.** Passage étroit dans une région montagneuse. ⇒ **défilé, gorge. 2.** Espace compris entre deux piquets où le skieur doit passer, dans un slalom. ▶ *porte à porte* n. m. ⇒ ① **porte** (II, 1). ▶ *porte-fenêtre* n. f. ■ Porte vitrée, au moins dans sa partie supérieure. *Des portes-fenêtres.* ‹ ▶ portail, portier, portière, portillon, portique ›

② *porte* adj. f. ■ VEINE PORTE : qui ramène au foie le sang des organes digestifs abdominaux.

porte- ■ Élément signifiant « qui porte ». ⇒ **-fère, -phore** (ex. : *porte-avions*). — REM. La série des composés de *porte-* a été divisée en trois parties pour conserver l'ordre alphabétique. Voir également après ③ *portée* et après ② *porter.* ▶ *porte(-)à(-)faux* [pɔʀtafo] n. m. invar. **1.** (Sans traits d'union) Disposi-

tion d'une chose (construction, assemblage) hors d'aplomb. *Un mur en porte à faux.* ⇒ **déséquilibre.** — Abstrait. *En porte à faux,* dans une situation instable. **2.** (Avec traits d'union) Construction, objet en porte à faux. *Des porte-à-faux.* ▶ *porte-avions* n. m. invar. ■ Grand bateau de guerre dont le pont supérieur constitue une plate-forme d'envol et d'atterrissage pour les avions. *Des porte-avions.* ▶ *porte-bagages* [pɔʀtbagaʒ] n. m. invar. ■ Dispositif, accessoire (d'un véhicule), destiné à recevoir des bagages. *Le porte-bagages d'une bicyclette.* — Filet métallique où l'on place les bagages, dans un train, un car. ⇒ **galerie.** ▶ *porte-bonheur* n. m. invar. ■ Objet que l'on considère comme porteur de chance. ⇒ **amulette, fétiche.** / contr. **porte-malheur** / *Le trèfle à quatre feuilles, le fer à cheval sont des porte-bonheur.* ▶ *porte-bouteilles* n. m. invar. ■ Casier ou égouttoir à bouteilles. *Un, des porte-bouteilles.* ▶ *porte-cartes* [pɔʀtəkart] n. m. invar. ■ Portefeuille à divisions transparentes où l'on range carte d'identité, d'abonnement, permis de conduire, etc. *Un porte-cartes en skaï.* ▶ *porte-cigarettes* [pɔʀtsigaʀɛt] n. m. invar. ■ Étui à cigarettes. *Un porte-cigarettes en or.* ▶ *porte-clefs* ou *porte-clés* [pɔʀtəkle] n. m. invar. ■ Anneau ou étui pour porter des clés. — Anneau pour clés, orné d'une breloque. *Un porte-clefs. Collectionner les porte-clés.* ▶ *porte-couteau* [pɔʀtkuto] n. m. invar. ■ Ustensile de table sur lequel on pose la lame du couteau pour ne pas salir la nappe. *Des porte-couteau en cristal taillé.* ▶ *porte-documents* [pɔʀtdɔkymɑ̃] n. m. invar. ■ Serviette très plate, sans soufflet. *Des porte-documents à fermeture à glissière.* ▶ *porte-drapeau* [pɔʀtdʀapo] n. m. invar. **1.** Celui qui porte le drapeau d'un régiment (vx *porte-enseigne,* n. m. invar.). *Des porte-drapeau.* **2.** Chef reconnu et actif. *Le porte-drapeau de l'insurrection était un tout jeune homme.*

① *portée* [pɔʀte] n. f. ■ Ensemble des petits qu'une femelle de mammifère porte et met bas en une fois. *Une portée de chatons. Les lapins d'une même portée.*

② *portée* n. f. ■ Les cinq lignes horizontales et parallèles qui portent la notation musicale. *Les portées d'une partition musicale. Notes au-dessus de la portée.*

③ *portée* n. f. **1.** Distance à laquelle peut être lancé un projectile ; amplitude du jet. *La portée d'une carabine. Un canon à longue portée.* — *La portée d'une voix.* **2.** Loc. À (LA) PORTÉE (DE) : à la distance convenable pour que ce dont il est question puisse porter. *Il n'y avait personne à portée de voix. À portée de sa vue,* visible pour lui. *À portée de la main,* accessible sans se déplacer. *À la portée de qqn. Mettre un verre à la portée d'un malade.* — HORS DE (LA) PORTÉE. *Être hors de portée de voix. Tenez ce produit hors de la portée des enfants.* ⇒ **atteinte. 3.** Abstrait. À (LA) PORTÉE, HORS DE (LA) PORTÉE DE : accessible ou non. *Ce plaisir est hors de ma portée.* — *Spectacle à la portée de toutes les bourses,* bon marché. **4.** Capacités intellectuelles. *Cela passe la portée de son esprit.* ⇒ **étendue, force.** — À LA PORTÉE de... *La vulgarisation met la science à la portée de tous.* ⇒ **niveau. 5.** Capacité à convaincre, à toucher ; impact (en parlant d'une idée, de la pensée). *La portée d'un argument, d'une réflexion. Il n'a pas mesuré la portée de ses paroles.* ⇒ **force.** — (D'une action, d'un événement) *Une décision sans portée pratique.* ⇒ **effet.** *Il a toujours ignoré la portée incalculable de sa découverte.* ⇒ **importance.**

porte- ■ (Suite des composés) ▶ *portefaix* [pɔʀtəfɛ] n. m. invar. ■ Autrefois. Celui qui faisait métier de porter des fardeaux sur son dos. ▶ *porte-feuille* [pɔʀtəfœj] n. m. **1.** Objet qu'on porte sur soi, qui se plie et qui est muni de poches où l'on range billets de banque, papiers, etc. ⇒ **porte-cartes**. *Un portefeuille de cuir. Avoir un portefeuille bien garni, être riche.* ⇒ **porte-monnaie**. Loc. *Il a le cœur à gauche et le portefeuille à droite.* **2.** Faire un lit en *portefeuille*, avec un seul drap plié par le travers du lit (pour faire une farce). **3.** Titre, fonctions de ministre. *Le portefeuille des Affaires étrangères a été attribué à M. Dupuy.* ⇒ **maroquin**. **4.** Ensemble des valeurs mobilières et des créances détenues par une personne, une entreprise ou une banque. ▶ *porte-greffe* [pɔʀtəɡʀɛf] n. m. invar. ■ Jeune pied de vigne ou arbrisseau sur lequel on fixe le greffon. *Des pommiers utilisés comme porte-greffe.* ▶ *porte-jarretelles* [pɔʀtʒaʀ tɛl] n. m. invar. ■ Sous-vêtement féminin qui s'ajuste autour des hanches et qui est muni de quatre jarretelles pour attacher les bas. *Des porte-jarretelles en soie.* ▶ *porte-malheur* [pɔʀt malœʀ] n. m. invar. ■ Rare. Chose ou personne que l'on considère comme portant malheur. / contr. **porte-bonheur** (plus cour.) / *Des porte-malheur.* ▶ *portemanteau* [pɔʀtmɑ̃to] n. m. ■ Patère ; ensemble de patères pour suspendre les vêtements. *Mettez votre pardessus au portemanteau. Les portemanteaux et les cintres.* — Fam. *Épaules en portemanteau*, très carrées. ▶ *porte-mine* [pɔʀtəmin] n. m. invar. ■ Instrument servant à écrire, à dessiner, dans lequel on place des mines de crayon très fines. *Le porte-mine d'un compas.* ⇒ **tire-ligne**. *Des porte-mine.* ▶ *porte-monnaie* [pɔʀtmɔnɛ] n. m. invar. ■ Petit sac à fermoir rigide ou à glissière, de forme variable, où l'on met l'argent de poche. *Faire appel au porte-monnaie de qqn, à sa générosité. Avoir le porte-monnaie bien garni*, être riche. ⇒ **portefeuille**. ▶ *porte-parapluies* [pɔʀt paʀaplɥi] n. m. invar. ■ Ustensile disposé pour recevoir les parapluies, les cannes. ▶ *porte-parole* [pɔʀtpaʀɔl] n. m. invar. ■ Personne qui prend la parole au nom de qqn d'autre, d'une assemblée, d'un groupe. *Les porte-parole officiels du ministre.* — *Cette revue s'est faite le porte-parole de l'opposition.* ⇒ **interprète**. ▶ *porte-plume* [pɔʀtəplym] n. m. invar. ■ Tige au bout de laquelle on assujettit une plume à écrire. *Des porte-plume et un encrier.*

① *porter* [pɔʀte] v. tr. ▪ conjug. 1. **I.** Supporter le poids de. **1.** Soutenir, tenir (ce qui pèse). *La mère portait son enfant dans ses bras. Porter une valise à la main* (⇒ **porteur**). **2.** Abstrait. Supporter. *Nous portons la responsabilité de nos fautes.* **3.** (Suj. chose) Soutenir. *Ses jambes ne le portaient plus.* **4.** Produire en soi (un petit, un rejeton). ⇒ ① **portée**. *Cet arbre porte les plus beaux fruits.* — Sans compl. *Les juments portent onze mois.* **5.** Avoir en soi, dans l'esprit, le cœur. Loc. *Je ne le porte pas dans mon cœur*, je ne l'aime pas, je lui en veux. **6.** Avoir sur soi. *Porter la barbe.* — *Porter des lunettes. Porter un costume bleu.* **II.** V. tr. Dénommer, indiquer. **1.** (Personnes) *Le nom, le prénom que l'on porte.* **2.** (Choses) *Quel nom porte ce village, cette rivière ?* — Être revêtu d'une inscription, d'une marque. *La lettre porte la date du 20 mai.* **III.** V. tr. Mettre **1.** Prendre pour emporter, déposer. *Ils la portèrent sur le lit.* ⇒ **mettre, transporter.** *Va lui porter ce paquet.* ⇒ **apporter.** **2.** Orienter, diriger (le corps, une partie du corps). *Porter le corps en avant. Porter la main sur qqn*, le toucher ou le frapper. ⇒ **lever. 3.** Loc. (Avec un nom sans article) *Porter atteinte à l'honneur, à la réputation de qqn. Porter témoignage. Porter plainte contre qqn.* **4.** Mettre par écrit. ⇒ **inscrire.** *Porter une somme sur un registre.* — *Se faire porter malade*, se faire inscrire comme malade. **5.** PORTER À : amener, faire arriver (à un état élevé, extrême). *Porter un homme au pouvoir. Porter qqn aux nues*, le louer beaucoup. **6.** Donner, apporter (un sentiment, une aide,... à qqn). *L'amitié que je lui porte. Cet événement lui porte*

ombrage. PROV. *La nuit porte conseil.* — *Porter un jugement sur qqn, qqch.*, le formuler, l'émettre. **7.** PORTER qqn À qqch. : pousser, inciter, entraîner qqn à. *Ce climat nous porte à l'apathie.* — PORTER qqn À (+ infinitif). *Tout (me) porte à croire que c'est faux.* — ÊTRE PORTÉ À (+ infinitif) : être naturellement poussé à. *Nous sommes portés à croire qu'il a raison.* — ÊTRE PORTÉ SUR qqch. : avoir un goût marqué, un faible pour. ⇒ **aimer.** *Être porté sur la boisson.* **IV.** V. intr. Appuyer, toucher. **1.** PORTER SUR : peser, appuyer sur (qqch.). *Tout l'édifice porte sur ces colonnes. L'accent porte sur la dernière syllabe*, est placé sur elle. — Fam. *Cela me porte sur les nerfs*, m'agace. — Avoir pour objet. *Une discussion qui porte sur des problèmes politiques.* **2.** Sans compl. (Tir) Avoir une portée (⇒ ③ **portée**). *Un canon qui porte loin.* **3.** Toucher le but. *Le coup a porté juste. Une voix qui porte*, qui s'entend loin. **4.** Avoir de l'effet. *Vos observations ont porté*, on a eu tenu compte. **V.** SE PORTER v. pron. **1.** *Se porter (bien, mal)*, être en bonne, en mauvaise santé. ⇒ **aller.** « *Comment vous portez-vous ? – Je me porte beaucoup mieux.* » **2.** (Vêtement, parure) Être porté. *Les jupes se porteront plus courtes, plus longues cette année.* — *Cela se porte encore*, c'est encore à la mode. **3.** Littér. Se diriger (vers). *Se porter à la rencontre de qqn.* ⇒ **aller. 4.** SE PORTER À : se laisser aller à. *Empêchez-le de se porter à cette extrémité.* **5.** Dans quelques expressions. Se présenter (à, comme). *Se porter acquéreur. Il se porte garant* (⇒ **répondre**). ‹ ▶ aéroporté, apporter, colporter, se comporter, déporter, emporter, exporter, héliporté, importer, ③ port, portable, portage, ① portant, ② portant, portatif, porte-, portée, porteur, prêt-à-porter, rapporter, remporter, reporter, support, supporter, transporter ›

② *porter* [pɔʀtɛʀ] n. m. ■ Bière brune amère voisine du stout (mot anglais).

porte- ■ (Suite et fin des composés) ▶ *porte-savon* [pɔʀtsavɔ̃] n. m. invar. ■ Support ou emplacement destiné à recevoir (porter) un savon. *Les porte-savon d'un lavabo.* ▶ *porte-serviettes* [pɔʀtsɛʀvjɛt] n. m. invar. ■ Support pour les serviettes de toilette. ▶ *porte-voix* n. m. invar. ■ Tube, cornet à pavillon évasé, pour *porter* plus loin et amplifier la voix. *Appeler avec un porte-voix.* — *Mettre ses mains en porte-voix*, en cornet autour de la bouche.

porteur, euse [pɔʀtœʀ, øz] n. et adj. **1.** Personne chargée de remettre des lettres, des messages, des colis à leurs destinataires. ⇒ **facteur, messager.** *Un porteur de télégrammes, de journaux.* **2.** Absolt. PORTEUR : homme d'équipe chargé de porter les bagages des voyageurs, dans une gare, etc. *Appeler un porteur sur le quai d'une gare.* — Homme qui porte les bagages, les équipements. ⇒ **coolie, sherpa ; portage. 3.** Personne qui porte effectivement (un objet). *Le porteur du ballon.* **4.** Personne qui détient (certains papiers, titres). ⇒ **détenteur.** *Il était porteur, elle était porteuse de faux papiers.* — N. m. *Chèque au porteur, payable au porteur*, à la personne qui le détient, sans autre indication de bénéficiaire. **5.** Personne ou chose qui apporte, transmet. *Le porteur d'une maladie contagieuse.* — Adj. Rare au fém. *Être porteur de microbes.* **6.** Adj. Qui porte. *Mur porteur. Fusée porteuse* (d'un appareil). *Onde porteuse*, qui porte l'information. — Abstrait. *Secteur porteur de l'économie*, qui entraîne les autres par son développement. **7.** MÈRE PORTEUSE : qui, ayant reçu un embryon, mène la grossesse à terme pour le compte de la mère légale de l'enfant. ‹ ▶ gros-porteur, triporteur ›

portier [pɔʀtje] n. m. ■ Concierge qui surveille les entrées et les sorties à la porte principale d'un établissement ouvert au public. *Le portier de l'hôtel.* ⇒ **gardien.**

portière [pɔrtjɛr] n. f. **1.** Tenture qui ferme l'ouverture d'une porte, ou en couvre le panneau. *Une portière en velours.* **2.** Porte (d'une voiture, d'un train). *Ne gênez pas la fermeture automatique des portières. Une portière verrouillée.*

portillon [pɔrtijɔ̃] n. m. ■ Porte à battant plus ou moins bas. *Des portillons automatiques.* — Loc. fam. *Ça se bouscule au portillon*, il parle trop vite et s'embrouille.

portion [pɔrsjɔ̃] n. f. **1.** Part qui revient à qqn. *Partager une gâteau en portions égales.* — Partie (d'un mets) destinée à une personne. ⇒ **ration.** *Une portion de gâteau.* ⇒ **morceau, tranche.** — Part (d'argent, de biens) attribuée à qqn. *Sa portion de l'héritage.* ⇒ **lot.** **2.** Partie. *Portion de terrain cultivé.* ⇒ **parcelle.** ‹ ▶ proportion ›

portique [pɔrtik] n. m. **1.** Galerie unique et ouverte soutenue par deux rangées de colonnes, ou par un mur et une rangée de colonnes. ⇒ **péristyle.** *Un portique d'église.* **2.** ⇒ **narthex.** **2.** Poutre horizontale soutenue à ses extrémités par deux poteaux verticaux, et à laquelle on accroche des agrès. *Balançoire et corde à nœuds suspendues à un portique.*

porto [pɔrto] n. m. ■ Vin de liqueur portugais très estimé. *Du porto rouge, blanc. Boire un (verre de) porto à l'apéritif. De vieux portos.*

portrait [pɔrtrɛ] n. m. **I. 1.** Représentation (d'une personne réelle) par le dessin, la peinture, la gravure. *Faire le portrait de qqn. Un portrait en pied*, de tout le corps, debout. *Un portrait de face.* — *Le portrait*, le genre du portrait. *Il est meilleur en paysage qu'en portrait.* **2.** Photographie (d'une personne). **3.** Loc. *C'est (tout) le portrait de son père*, il lui ressemble beaucoup. **2.** Fam. Figure. *Se faire abîmer le portrait*, se faire défigurer. **II.** Description orale, écrite (d'une personne). *Il m'a fait le portrait de ses voisins.* ▶ *portraitiste* n. ■ Peintre, dessinateur de portraits. *Van Eyck, ce grand portraitiste flamand.* ▶ *portraiturer* v. tr. · conjug. 1. ■ Iron. Faire le portrait de. *Se faire portraiturer.*

port-salut [pɔrsaly] n. m. invar. ■ Nom déposé. Fromage affiné de lait de vache, à pâte ferme et de saveur douce. *Des port-salut.*

portuaire [pɔrtɥɛr] adj. ■ Qui appartient à un port. *Équipement portuaire.*

portugais, aise [pɔrtygɛ, ɛz] adj. et n. **1.** Du Portugal. *Les côtes portugaises.* — N. *Un Portugais, une Portugaise.* **2.** *Le portugais*, langue romane parlée au Portugal, au Brésil. ▶ *portugaise* n. f. ■ Variété d'huître commune. — Loc. fam. *Avoir les portugaises ensablées*, être dur d'oreille.

portulan [pɔrtylɑ̃] n. m. ■ Ouvrage manuscrit (XVᵉ, XVIᵉ s.) décrivant un rivage maritime de port en port. — Carte illustrant un tel manuscrit.

① *pose* [poz] n. f. ≠ *pause*. ■ Action de poser, mise en place. *Cérémonie de la pose de la première pierre d'un édifice. Dépose et pose (d'une pièce de rechange).*

② *pose* n. f. **I. 1.** Attitude que prend le modèle qui pose (② , II). ⇒ **position.** *Une pose académique. Garder la pose.* — Attitude du corps. *Prendre une pose, essayer des poses.* ⇒ **posture. 2.** *La pose*, affectation dans le maintien, le comportement. ⇒ **prétention, recherche, snobisme ; poseur.** / contr. **simplicité** / **II.** En photographie. Exposition de la surface sensible à l'action des rayons. *Temps de pose*, nécessaire à la formation d'une image correcte. — Pose longue (opposé à *instantané*). *Appareil faisant la pose et l'instantané.*

posé, ée [poze] adj. **1.** Calme, pondéré. *Un homme posé.* ⇒ **réfléchi. 2.** (Voix) *Bien posé, mal posé*, capable ou non d'émettre des sons fermes dans toute son étendue. ▶ *posément* adv. ■ Calmement. *Parler posément.* ⇒ **doucement.**

① *poser* [poze] v. tr. · conjug. 1. **I. 1.** Mettre (une chose) en un endroit qui peut naturellement la recevoir et la porter. / contr. **enlever** / *Posez cela par terre. Il posa sa tête sur l'oreiller.* — *Elle posa son regard sur lui.* ⇒ **arrêter. 2.** Mettre en place à l'endroit approprié. ⇒ **installer ;** ① **pose.** *Poser des rideaux.* — Écrire (un chiffre dans une opération). *Quatorze, je pose quatre et je retiens un.* **3.** Abstrait. Établir. *Poser un principe*, en faire le fondement de qqch. ⇒ **affirmer, énoncer.** — Au p. p. adj. *Ceci posé*, ceci étant admis. ⇒ **supposer. 4.** Formuler (une question, un problème). POSER UNE QUESTION À *qqn* : l'interroger, le questionner. *Se poser une question.* ⇒ **s'interroger.** — (Suj. chose) *Cela pose un problème.* ⇒ **soulever. 5.** *Poser sa candidature*, se porter, se déclarer officiellement candidat. **6.** (Suj. chose) Mettre en crédit, en vue ; donner de l'importance à (qqn). *Une maison comme ça, ça vous pose !* **II.** SE POSER v. pron. **1.** (Réfl.) Se mettre doucement (quelque part). *L'oiseau se pose sur une branche.* / contr. **s'envoler** / Absolt. *Un avion qui se pose.* ⇒ **atterrir.** — S'arrêter. *Son regard se posa sur nous.* **2.** *Se poser comme*, en tant que..., prétendre qu'on est... *Se poser en..., prétendre jouer le rôle de...* ⇒ **s'ériger.** *Il se pose en chef.* ⇒ ② **poser** à. **3.** Passif. (Choses) Être, devoir être posé. *Les disques se posent verticalement.* — (Question, problème) Exister pour qqn. *La question ne s'est pas encore posée.* ‹ ▶ **apposer, déposer, disposer, entreposer, exposer, imposer, interposer, juxtaposer, opposer,** ① **pose, posé,** ② **poser, position, postposer, préposer, proposer, reposer, superposer, supposer, transposer** ›

② *poser* v. intr. · conjug. 1. **I.** Être posé (sur qqch.). ⇒ **porter, reposer.** *Les poutres posent sur une traverse.* **II.** Fig. (Personnes) **1.** Se tenir et rester dans une attitude, pour être peint, dessiné, photographié. ⇒ ② **pose.** *Le peintre la faisait poser pendant des heures.* **2.** Prendre des attitudes étudiées pour se faire remarquer ⇒ ② **pose** (I, 2). *Il pose pour la galerie, il veut se rendre intéressant.* **3.** POSER À... : vouloir se faire passer pour... *Il veut poser au justicier.* ⇒ **jouer.** ▶ *poseur, euse* n. ■ Personne qui prend une attitude affectée pour se faire valoir. ⇒ **poser** (II, 3) ; **fat, pédant.** — Adj. *Elle est un peu poseuse.* ⇒ **maniéré, prétentieux.** / contr. **naturel, simple** / ‹ ▶ ② **pose** ›

positif, ive [pozitif, iv] adj. et n. m. **I. 1.** Qui affirme qqch. / contr. **négatif** / *Une réponse positive. Proposition positive.* ⇒ **constructif.** — Qui affirme du bien de qqn, de qqch. *La critique de ce film a été positive.* — (Personnes) *Il n'est pas assez positif, il critique tout.* ⇒ **effectif. 2.** Qui se produit. *Cuti-réaction positive*, signe d'infection. **3.** Qui prouve la présence de qqch. (alcool, drogue...). *Contrôle, test positif.* — Par ext. (Personnes) *Elle a été déclarée positive au contrôle antidopage.* **4.** *Nombres positifs*, plus grands que zéro. *Le signe* + (plus), symbole des nombres positifs. **5.** *Électricité positive. Charge positive* (⇒ **positon**). *Pôle positif.* **6.** *Épreuve positive*, image photographique finale, directement lisible, dont les valeurs (ombres et lumières) ne sont pas inversées par rapport au sujet. ⇒ **diapositive. II. 1.** Qui a un caractère de certitude. ⇒ **évident, sûr.** *Un fait positif*, attesté, assuré. / contr. **imprécis, vague** / *Il n'y a rien de positif dans son rapport.* **2.** Qui a un caractère d'utilité pratique. *Ceci présente des avantages positifs.* ⇒ **concret, effectif. 3.** (Personnes) Qui donne la préférence aux faits, aux réalités. *C'est un esprit positif.*

Soyez plus positif, sinon votre projet n'aboutira pas. **4.** N. m. LE POSITIF : ce qui est rationnel. *Il lui faut du positif.* / contr. **abstrait, imaginaire** / **III.** En philosophie. Qui est imposé à l'esprit par les faits. *Connaissance positive,* fondée sur l'observation et l'expérience (et non sur l'intuition ou la déduction ; s'oppose à la fois à *métaphysique* et à *formel*). — Qui est fondée sur cette connaissance. ⇒ **positivisme.** ▶ *positivement* adv. **1.** D'une manière positive (II, 1). *Je ne le sais pas positivement. C'est positivement insupportable.* ⇒ **réellement. 2.** Avec de l'électricité positive. *Particules chargées positivement.* ▶ *positivisme* n. m. ■ Doctrine d'Auguste Comte selon laquelle les sciences positives (III) sont appelées à fonder la philosophie. ▶ *positiviste* adj. et n. ■ Partisan du positivisme. ‹ ▶ diapositive, positon ›

position [pozisjɔ̃] n. f. **I. 1.** Manière dont une chose, une personne est posée, placée, située ; lieu où elle est placée. ⇒ **disposition, emplacement, place.** *Position horizontale, verticale. Position stable, instable ; forte, faible.* — FEU DE POSITION : signalant la position d'un navire, d'un avion, d'une automobile. *Allumez vos feux de position.* **2.** Emplacement de troupes, d'installations ou de constructions militaires. *Position stratégique.* Loc. *Guerre de positions* (opposé à *de mouvement*). ⇒ **tranchée. 3.** Maintien du corps ou d'une partie du corps. ⇒ **attitude, pose, posture, station.** *Prendre une position, changer de position. La position assise, couchée. Rester dans une position inconfortable. La position réglementaire du soldat.* — EN POSITION : dans telle ou telle position. *On se mit en position de combat.* — Absolt. *En position !* **4.** Abstrait. Ensemble des circonstances où l'on se trouve. *Une position critique, délicate, fausse.* — Loc. *Être en position de* (+ infinitif), pouvoir. **5.** Situation dans la société. ⇒ **condition.** *Occuper une position sociale assez importante. Un homme dans sa position ne peut pas se compromettre,* dans sa haute situation. **6.** Ensemble des idées qu'une personne soutient et qui la situe par rapport à d'autres personnes. *Quelle est sa position politique ? Prendre position,* exprimer sa position. *Il prit position pour, contre le ministre de façon violente.* — *Rester sur ses positions,* refuser toute concession. — Le fait de poser comme une chose admise ou à débattre. *La position d'un problème.* ‹ ▶ préposition ›

positon [pozitɔ̃] n. m. ■ Physique. Particule élémentaire à charge positive, de même masse que l'électron (négatif).

posologie [pozɔlɔʒi] n. f. ■ Dosage et fréquence de prise des médicaments. — Étude de ce dosage.

posséder [pɔsede] v. tr. ▪ conjug. 6. **1.** Avoir (qqch.) à sa disposition ; avoir parmi ses biens. ⇒ **détenir.** *Il possède une fortune, une maison. Ce pays possède des richesses naturelles qu'il laisse exploiter par d'autres.* **2.** Avoir en propre (une chose abstraite). *Il croit posséder la vérité.* ⇒ **détenir.** — Avoir (une qualité). *Il possède une mémoire excellente.* **3.** Avoir une connaissance sûre de (qqch.). ⇒ **connaître.** *Cet auteur possède parfaitement sa langue.* **4.** Posséder *une femme,* s'unir sexuellement à elle. **5.** Fam. Tromper, duper. *Il nous a bien possédés !* ⇒ fam. **avoir, feinter, rouler.** *Se faire posséder.* **6.** (Suj. chose abstraite) Dominer moralement. *La jalousie le possède,* le tient, le subjugue. **7.** Littér. Maîtriser (ses propres états). — Pronominalement. *Se posséder.* ⇒ se **dominer,** se **maîtriser,** se **tenir.** *Il ne se possède plus de joie,* il ne peut contenir sa joie. **8.** (Force occulte) S'emparer du corps et de l'esprit (de qqn). *Un démon le possédait.* ⇒ **possédé.** ▶ *possédant, ante* adj. et n. ■ Qui possède des biens, des richesses, des capitaux. ⇒ **capitaliste.** *La classe possédante* (opposé à *la classe*

laborieuse). — N. *Les possédants.* ▶ *possédé, ée* adj. et n. ■ (Personnes) Qui est dominé par une puissance occulte. *On croyait les épileptiques possédés du démon.* — N. *Exorciser un possédé.* — Loc. *Se démener, jurer comme un possédé,* avec une violence incontrôlée. ▶ *possesseur* [pɔsesœr] n. m. **1.** Personne qui possède (un bien). *L'heureux possesseur de cette maison.* **2.** Personne qui peut jouir (de qqch.). *Les possesseurs d'un secret.* ⇒ **dépositaire.** ▶ *possessif, ive* adj. et n. m. **1.** Qui cherche à garder pour soi seul (qqn, qqch.). *Il est jaloux, très possessif.* — *C'est un possessif.* **2.** En grammaire. Qui marque une relation d'appartenance, un rapport (de possession, de dépendance, etc.). *Adjectifs possessifs.* ⇒ **mon** (ma, mes), **ton** (ta, tes), **son** (sa, ses), **notre** (nos), **votre** (vos), **leur.** *Pronoms possessifs.* ⇒ **mien, tien, sien, nôtre, vôtre, leur.** — N. m. *Un possessif. L'emploi du possessif.* ▶ *possession* n. f. **I. 1.** Le fait, l'action de posséder. *La possession d'une fortune.* — *Possession* (opposé à *usufruit*). ⇒ **jouissance.** *S'assurer la possession de,* se procurer. EN (LA, SA...) POSSESSION (sens actif). *Avoir des biens en sa possession.* ⇒ **détenir.** *Gardez-le en votre possession.* — (Sens passif) *Être en la possession de qqn.* ⇒ **appartenir,** être à. *Cette somme est-elle en votre possession ?* — PRENDRE POSSESSION DE (un lieu) : s'installer comme chez soi dans. *Prendre possession d'une chambre.* **2.** Abstrait. Le fait de connaître, de maîtriser. *La possession d'un métier, d'un instrument, d'une langue.* ⇒ **connaissance, maîtrise. 3.** Le fait de posséder l'amour, l'affection (de qqn). — Le fait de posséder (une femme). **4.** Maîtrise (des facultés, des possibilités humaines). *Il reprit lentement possession de lui-même* (après une émotion violente). *Être* EN POSSESSION *de toutes ses facultés* : sain de corps et d'esprit. *Être en pleine possession de ses moyens,* dans sa meilleure forme. **5.** Forme de délire dans lequel le malade se croit habité par un démon (⇒ **possédé,** avec sentiment de dédoublement et hallucinations). **6.** En grammaire. Mode de relation exprimé par les *possessifs* (ex. : *mon* livre, *sa* mère) ou les prépositions *à* et *de* (ex : c'est *à* moi, la mère *de* cet enfant). **II. 1.** (Une, des *possessions*) Chose possédée par qqn. ⇒ ② **avoir, bien. 2.** Vx. Territoire colonial dépendant d'un État. *Les possessions de la couronne britannique* (⇒ **dominion**). ‹ ▶ déposséder ›

possibilité [pɔsibilite] n. f. **1.** Caractère de ce qui peut se réaliser (⇒ **possible**). *La possibilité d'une guerre.* ⇒ **éventualité.** / contr. **impossibilité** / *Il n'y a entre eux aucune possibilité d'échanges.* **2.** Chose possible. *Envisager toutes les possibilités.* ⇒ **cas.** *Les deux possibilités d'une alternative.* ⇒ **option. 3.** Capacité (de faire). ⇒ **faculté, moyen, occasion.** *Je viendrai, si j'en ai la possibilité. Il ne m'a pas laissé la possibilité de refuser.* **4.** au plur. Moyens dont on peut disposer ; ce qu'on peut tirer d'une personne ou d'une chose. *Chacun doit payer selon ses possibilités. Un enfant plein de possibilités.* ⇒ **capacité.**

possible [pɔsibl] adj. et n. m. **I.** Adj. **1.** Qui peut être réalisé, qu'on peut faire. ⇒ **faisable, réalisable ; effectif, potentiel, virtuel.** / contr. **impossible ; invraisemblable** / *C'est tout à fait possible.* ⇒ **envisageable, facile, pensable.** *Votre plan est à peine possible. Ce n'est pas possible autrement, il n'y a pas d'autre moyen. Venez demain si c'est possible,* ellipt *si possible. Il est possible d'y parvenir, qu'on y parvienne.* — (Pour marquer l'étonnement) ⇒ **croyable.** *Est-ce possible ? Ce n'est pas possible !* ; ellipt et fam. *Pas possible !* **2.** Qui constitue une limite extrême. *Il a fait toutes les sottises possibles et imaginables. Je suis heureux autant qu'il est possible de l'être.* Ellipt *Il a arrangé cela aussi bien que possible.* — LE PLUS, LE MOINS POSSIBLE. *Parlez le moins possible. Le moins souvent possible.* (Avec un nom au plur., *possible* est adv. et reste invar.) *Le plus, le moins de... possible. Prendre le moins de risques possible.* 3. Qui peut se réaliser, être vrai ; qui peut être ou ne pas être. *Une aggravation possible de la maladie.* — (Dans une réponse) « *Irez-vous à la mer cet été ? – Possible.* » ⇒ **possiblement.** — *Il est possible que* (+ subjonctif), il se peut que. *Il est possible qu'il fasse froid cette nuit.* 4. Qui est peut-être ou peut devenir (tel). *Un ami possible. C'est un concurrent possible.* ⇒ **éventuel.** 5. Fam. (Choses ou personnes) Acceptable, convenable, supportable (emploi restrictif ou négatif). *Ces conditions de travail ne sont vraiment plus possibles.* II. N. m. LE POSSIBLE. 1. (Dans quelques emplois) Ce qui est possible. *Dans la mesure du possible, autant qu'on le peut. Faire tout son possible* (*pour...*). — AU POSSIBLE loc. adv. ⇒ **beaucoup, extrêmement.** *Il est gentil au possible.* 2. Ce qui est réalisable. *Les limites du possible.* 3. Au plur. Les choses qu'on peut faire, qui peuvent arriver. *Envisager tous les possibles.* ▶ **possiblement** adv. ■ Rare, sauf au Canada. Peut-être ; vraisemblablement. ‹ ▶ **impossible, possibilité** ›

post- ■ Élément signifiant « après », dans le temps (ex. : *postérieur* ; *postérité*) et dans l'espace (ex. : *postdater*). ▶ **postdater** [pɔstdate] v. tr. ■ conjug. 1. ■ Dater par une date postérieure à la date réelle (par ex., le 25 mai au lieu du 4 mai). / contr. **antidater** / — Au p. p. adj. *Lettre postdatée de trois semaines.* ‹ ▶ postface, postopératoire, postposer, post-scriptum, post-synchroniser ›

① **poste** [pɔst] n. f. 1. Administration (en France, *Postes, Télécommunications, Télédiffusion,* ou plus cour., *P.T.T.*) chargée du service de la correspondance et d'opérations bancaires. *Bureau de poste. Employé des postes.* ⇒ **postier.** *Un colis expédié par la poste.* 2. Bureau de poste. *Aller à la poste. Mettre une lettre à la poste,* dans la boîte du bureau, ou dans une boîte à lettres publique. ⇒ ① **poster.** — POSTE RESTANTE : mention indiquant que la correspondance est adressée au bureau de poste où le destinataire doit venir la chercher. 3. Autrefois. Relais de chevaux, étape pour le transport des voyageurs et du courrier. *Chevaux de poste. Courir la poste ;* fig. et vx, aller très vite. ▶ **postal, ale, aux** adj. ■ Qui concerne la poste, l'administration des postes. *Service postal. Colis postal. Compte de chèques postaux, compte-chèque postal, compte courant postal.* ⇒ **C.C.P., chèque.** ‹ ▶ ① poster, postier, postillon, publipostage ›

② **poste** n. m. I. 1. Lieu où un soldat, un corps de troupes se trouve placé par ordre supérieur, en vue d'une opération militaire. *Un poste avancé.* ⇒ **avant-poste.** *Poste de commandement* (P.C.), où se tient le chef. — Loc. *Être, rester à SON POSTE :* là où le devoir l'exige, là où il faut être. — Fam. *Être* SOLIDE AU POSTE : rester à son poste, à son travail sans faiblir ; être d'une santé robuste. 2. Groupe de soldats, corps de troupes placé en ce lieu. *Relever un poste. Poste de police, poste de garde,* corps de garde à l'entrée d'une caserne, d'un camp, etc. 3. (Dans une ville) POSTE DE POLICE ou POSTE : corps de garde d'un commissariat de police. *Conduire un manifestant au poste.* 4. Emploi auquel on est nommé ; lieu où on l'exerce. ⇒ **charge, fonction.** *Poste de travail. Professeur titulaire d'un poste. Poste vacant. — Les postes de travail,* dans une usine. II. (Dans des expressions) Emplacement aménagé pour recevoir des appareils, des dispositifs destinés à un usage particulier. *Le poste de pilotage d'un avion. Des postes d'essence.* ⇒ **distributeur, pompe.** *Poste d'incendie.* — Ensemble de ces appareils. *Réparer un poste d'incendie.* ‹ ▶ avant-poste, ② poster ›

③ **poste** n. m. ■ Appareil récepteur (de radio, de télévision). *Ouvrir le poste,* la radio, la télévision.

① **poster** [pɔste] v. tr. ■ conjug. 1. ■ Remettre à la poste. *Il a posté le courrier.* ▶ **postage** n. m. ■ *Le postage du courrier.*

② **poster** [pɔste] v. tr. ■ conjug. 1. 1. Placer (des soldats) à un poste déterminé. ⇒ **établir.** *Poster des sentinelles.* 2. SE POSTER v. pron. : se placer (quelque part) pour une action déterminée, pour observer, guetter. *Il était posté à l'entrée du village.* ▶ **posté, ée** adj. ■ *Travail posté,* par équipes qui se relaient sur les mêmes postes de travail, généralement de huit heures en huit heures.

③ **poster** [pɔstɛʁ] n. m. ■ Anglic. Grande photo à afficher. *Des posters de son chanteur préféré.*

① **postérieur, eure** [pɔsteʁjœʁ] adj. 1. Comparatif. Qui vient après, dans le temps (opposé à *antérieur*). *Le document est très postérieur à l'année 1800. Nous verrons cela à une date postérieure.* ⇒ **futur, ultérieur.** 2. Qui est derrière, dans l'espace. *Membres postérieurs et antérieurs.* ▶ **postérieurement** adv. ■ À une date postérieure. ⇒ **après.** *Un acte établi postérieurement à un autre.* / contr. **antérieurement** / ▶ **postériorité** n. f. ■ Caractère de ce qui est postérieur à qqch. / contr. **antériorité** /

② **postérieur** n. m. ■ Fam. Derrière, fesses (d'une personne). ⇒ **derrière ;** fam. **cul.** *Tomber sur son postérieur.*

a posteriori ⇒ **a posteriori.**

postérité [pɔsteʁite] n. f. 1. Littér. Suite de personnes du même sang. ⇒ **descendant, enfant, fils ; lignée.** *Mourir sans postérité.* — *La postérité d'un artiste,* ceux qui s'inspirent de lui, après lui. 2. Générations à venir. *Travailler pour la postérité. Œuvre qui passe à la postérité,* qui vit dans la mémoire des hommes. ⇒ **immortalité.**

postface [pɔstfas] n. f. ■ Commentaire placé à la fin d'un livre (opposé à *préface*).

posthume [pɔstym] adj. 1. Qui est né après la mort de son père. *Enfant posthume.* 2. *Œuvres posthumes,* publiées après la mort de l'écrivain, du musicien. — Qui a lieu après la mort de qqn. *Décoration posthume,* donnée à un mort.

postiche [pɔstiʃ] adj. et n. I. 1. Adj. Se dit d'un objet que l'on porte pour remplacer artificiellement qqch. de naturel (ne se dit pas des prothèses). ⇒ **factice, faux.** *Des cheveux postiches.* ⇒ **perruque.** 2. N. m. Mèche que l'on adapte à volonté à sa frange, à ses cheveux. ⇒ **moumoute.** II. Adj. Faux, inventé. *Des talents postiches.*

postier, ière [pɔstje, jɛʁ] n. ■ Employé(e) du service des postes.

① **postillon** [pɔstijɔ̃] n. m. ■ Autrefois. Conducteur d'une voiture de poste. ⇒ **cocher.** *Le postillon de la diligence.*

② **postillon** n. m. ■ Gouttelette de salive projetée en parlant. *Arrête de m'envoyer des postillons !* ▶ **postillonner** v. intr. ■ conjug. 1. ■ Envoyer des postillons. *Il me postillonnait dans la figure.*

postopératoire [pɔstɔpeʁatwaʁ] adj. ■ Médecine. Qui se produit ou se fait après une opération.

postposer [pɔstpoze] v. tr. ■ conjug. 1. ■ Didact. Placer après un autre mot. ▶ **postposition** n. f. 1. Position d'un mot après un autre. *La postposition du sujet dans les phrases interrogatives.* ⇒ **inversion.** 2. Mot placé après le mot qu'il régit. *En anglais,* « *up* » *dans* « *to get up* » *est une postposition.*

post-scriptum [pɔstskʁiptɔm] n. m. invar. ■ Complément ajouté au bas d'une lettre, après la signature (abrév. *P.-S.*). *P.-S. : Voici ma nouvelle adresse... Sa lettre se terminait par trois post-scriptum.*

postsynchroniser [pɔstsɛ̃kʀɔnize] v. tr. ▪ con-jug. 1. ■ Enregistrer (les dialogues d'un film) après son tournage. ⇒ **doublage.** ▶ *postsynchronisation* n. f.

postulant, ante [pɔstylɑ̃, ɑ̃t] n. ■ Candidat (à une place, un emploi...).

postulat [pɔstyla] n. m. ■ Point de départ indémontrable mais tenu pour incontestable (d'un raisonnement logique).

postuler [pɔstyle] v. tr. ▪ conjug. 1. **1.** Demander, solliciter (un emploi). **2.** Didact. Poser une proposition comme postulat. ⟨ ▶ postulant, postulat ⟩

posture [pɔstyʀ] n. f. **1.** Attitude particulière du corps (surtout lorsqu'elle est peu naturelle). ⇒ **posi-tion.** *Essayer une posture pour dormir. La posture du scribe accroupi. Dans une posture comique.* **2.** Abstrait. Loc. *Être, se trouver en bonne, en mauvaise posture,* dans une situation favorable ou défavorable.

pot [po] n. m. **I. 1.** Récipient de ménage, destiné surtout à contenir liquides et aliments. *Un pot de terre, de grès.* ⇒ **poterie.** *Des pots en étain.* — POT À : destiné à contenir (qqch.). *Pot à lait. Pot à eau* [pɔtao]. *Des pots à eau* [pɔtao]. — POT DE... : contenant effectivement (qqch.). *Un pot de yaourt.* — POT (DE FLEURS) : récipient de terre dans lequel on fait pousser les plantes ornementales. ⇒ **jardi-nière ; dépoter, empoter.** *Des fleurs en pots.* — Loc. fig. *C'est le pot de terre contre le pot de fer,* une lutte inégale. — *Découvrir le* POT AUX ROSES [pɔtoʀoz] : découvrir le secret d'une affaire. — *Payer les pots cassés,* réparer les dommages qui ont été faits. — *Être sourd comme un pot,* très sourd. **2.** Vx. Marmite servant à faire cuire les aliments. ⇒ POT À. *Poule au pot,* poule bouillie. — Vx. *Cuiller à pot,* pour écumer la marmite. Loc. fam. *En deux coups de cuiller à pot,* en un tour de main. — *Tourner autour du pot,* parler avec des circonlocutions, ne pas se décider à dire ce que l'on veut dire. **3.** POT (DE CHAMBRE) : où l'on fait ses besoins. ⇒ **vase** de nuit. *Mettre un enfant sur le, sur son pot.* **4.** Contenu d'un pot. Absolt et fam. *Boire, prendre un pot,* une consommation. ⇒ **verre. 5.** POT D'ÉCHAPPEMENT : tuyau muni de chicanes qui, à l'arrière d'une voiture, d'une moto, laisse échapper les gaz brûlés. ⇒ **silencieux.** — Loc. fam. *Plein pot,* à toute vitesse. **6.** Dans les jeux de société. Lot de pièces non distribuées où chaque joueur peut piocher. ⇒ **pioche** (II). — Dans les jeux d'argent. Ensemble des mises, des enjeux. **II.** Fam. Postérieur, derrière. *Magne-toi le pot,* dépêche-toi. ⇒ fam. **popotin. III.** Fam. Chance, veine. *Un coup de pot. Manque de pot !,* pas de chance. *J'ai eu du pot* (→ du bol). ⟨ ▶ cache-pot, dépoter, empoter, popo-tin, potard, pot-au-feu, pot-de-vin, potée, poterie, potiche, potier, pot-pourri ⟩

potable [pɔtabl] adj. **1.** Qui peut être bu sans danger pour la santé. ⇒ **buvable.** *Eau non potable.* **2.** Fam. Qui passe à la rigueur ; assez bon. ⇒ **accepta-ble, passable.** *Un travail potable.*

potache [pɔtaʃ] n. m. ■ Collégien, lycéen.

potage [pɔtaʒ] n. m. ■ Bouillon dans lequel on a fait cuire des aliments solides, le plus souvent coupés fin ou passés. ⇒ **potée, soupe.** *Prendre du potage, un potage au cresson, aux légumes.*

potager, ère [pɔtaʒe, ɛʀ] adj. et n. m. **I.** Adj. **1.** (Plantes) Dont certaines parties peuvent être utili-sées dans l'alimentation humaine (à l'exclusion des céréales). ⇒ **légume.** *Plantes potagères.* **2.** Où l'on cultive des plantes potagères pour la consommation. *Un jardin potager.* — Relatif aux légumes. *Culture potagère.* ⇒ **maraîcher. II.** N. m. Jardin destiné à la culture des légumes (et de certains fruits) pour la consommation. ≠ *jardin d'agrément.*

potamo-, -potame ■ Élément savant, signifiant « fleuve » (ex. : *hippopotame*).

potard [pɔtaʀ] n. m. ■ Fam. et vx. Pharmacien (à cause des pots des anciennes pharmacies).

potasse [pɔtas] n. f. ■ Sel de potassium naturel ou produit par l'industrie, employé dans la fabrication de détergents et d'engrais. ▶ *potassique* adj. ■ Se dit des composés du potassium. *Engrais potassiques.* ▶ *potassium* n. m. ■ Métal alcalin comparable au sodium, très commun sous forme de sels (symb. chimique K). *Cyanure de potassium.*

potasser [pɔtase] v. tr. ▪ conjug. 1. ■ Fam. S'enfermer pour étudier avec acharnement. *Il potasse un examen.*

pot-au-feu [pɔtofø] n. m. invar. **1.** Plat composé de viande de bœuf bouillie avec des carottes, des poireaux, des navets, des oignons, et dont le bouillon est consommé séparément. *Des pot-au-feu.* **2.** Le morceau de bœuf qui sert à faire le pot-au-feu. **3.** Adj. invar. Fam. *Une personne pot-au-feu,* qui aime avant tout le calme et le confort du foyer. ⇒ **popote** (II).

pot-de-vin [podvɛ̃] n. m. ■ Somme d'argent qui se donne en dehors du prix convenu, dans un marché, ou pour obtenir qqch. (d'une façon souvent illégale). *Une affaire de pots-de-vin,* un scandale.

pote [pɔt] n. m. ■ Fam. Ami, copain fidèle. *Touche pas à mon pote,* ne cherche pas à lui nuire.

poteau [pɔto] n. m. **I. 1.** Pièce de charpente dressée verticalement pour servir de support. *Des poteaux de bois, de béton.* ⇒ **pilier. 2.** Pièce de bois, de métal, etc., dressée verticalement. *Poteau indicateur,* portant la direction des routes. *Poteau télégraphique,* portant les fils et leurs isolateurs. — Dans une course. *Poteau de départ, d'arrivée.* **3.** *Poteau (d'exécution),* où l'on attache ceux que l'on va fusiller. — AU POTEAU. *Mettre, envoyer au poteau,* condamner à la fusillade. *Au poteau !,* à mort ! **II.** Fam. ⇒ **pote.**

potée [pɔte] n. f. ■ Variété de pot-au-feu* composé de viande de porc ou de bœuf et de légumes variés. *Potée auvergnate, aux choux.*

potelé, ée [pɔtle] adj. ■ Qui a des formes rondes et pleines. ⇒ **dodu, grassouillet.** *Un bébé potelé. Main potelée.*

potence [pɔtɑ̃s] n. f. **1.** En technique. Pièce de charpente constituée par un montant vertical et une traverse placée en équerre. **2.** Instrument de supplice (pour l'estrapade, la pendaison), formé d'une potence) soutenant une corde. ⇒ **gibet.** — Le supplice lui-même. *Mériter la potence.* ⇒ **corde.** — Loc. *Gibier de potence,* individu qui mérite la potence. ⇒ **patibulaire.**

potentat [pɔtɑ̃ta] n. m. **1.** Celui qui a la souverai-neté absolue dans un grand État. ⇒ **monarque, tyran. 2.** Homme qui possède un pouvoir excessif, absolu. ⇒ **despote.**

potentiel, elle [pɔtɑ̃sjɛl] adj. et n. m. **I.** Adj. **1.** Qui existe en puissance ou exprime la possibilité (opposé à *actuel*). ⇒ **virtuel.** *Établir, révéler les risques poten-tiels d'une entreprise. Miser sur, solliciter les qualités potentielles de qqn.* ⇒ **intrinsèque. 2.** *Énergie poten-tielle,* celle d'un corps capable de fournir un travail. **II.** POTENTIEL n. m. **1.** *Potentiel électrique,* énergie potentielle des forces électriques. *L'unité pratique de potentiel est le volt.* ⇒ **voltage.** *Différence de potentiel* (charge, tension) *entre les bornes d'un générateur.* **2.** Capacité d'action, de production. ⇒ **puissance.** *Le potentiel économique et militaire d'un pays.* ▶ *poten-*

tialité n. f. Didact. ou littér. **1.** Caractère de ce qui est potentiel. *Le subjonctif peut exprimer la potentialité.* **2.** *(Une, des potentialités)* Qualité, chose potentielle. ⇒ **possibilité, virtualité.** *Développer les potentialités des élèves,* leurs capacités réelles mais cachées.

poterie [pɔtʀi] n. f. ■ Fabrication des objets utilitaires (pots, etc.) en terre cuite (à 1000°C environ). ⇒ **céramique, faïence, porcelaine.** — Objet ainsi fabriqué ; matière dont il est fait. *Façonner une poterie au tour.*

poterne [pɔtɛʀn] n. f. ■ Porte dans la muraille de sortie, secrète ou camouflée (d'un château, de fortifications).

potiche [pɔtiʃ] n. f. **1.** Grand vase de porcelaine. *Des potiches chinoises.* **2.** Fam. Personnage à qui l'on donne une place honorifique, sans aucun rôle actif. *Jouer les potiches.*

potier, ière [pɔtje, jɛʀ] n. ■ Personne qui fabrique et vend des objets en céramique, des poteries. ⇒ **céramiste.** *Tour, four de potier.*

potin [pɔtɛ̃] n. m. **1.** Surtout au plur. Bavardage, commérage. ⇒ **cancan.** *Faire des potins sur qqn,* de petites médisances. *Les potins des commères.* **2.** Au sing. Bruit, tapage, vacarme. *Faire du potin, un potin du diable.* ⇒ **boucan.** ▶ **potiner** v. intr. ▪ conjug. 1. ■ Faire des potins (1), des commérages. ⇒ **médire.**

potion [posjɔ̃] n. f. ■ Médicament liquide destiné à être bu. *Une potion calmante. Quelle potion !* ⇒ **drogue, purge.** *La potion magique d'Astérix.*

potiron [pɔtiʀɔ̃] n. m. ■ Grosse courge (variété plus grosse que la citrouille). *Soupe au potiron.*

pot-pourri [popuʀi] n. m. ■ Pièce de musique légère faite de thèmes empruntés à diverses sources. *Des pots-pourris.*

pou [pu] n. m. **1.** Insecte qui vit en parasite sur l'homme. *Être couvert de poux.* ⇒ **pouilleux.** *Chercher les poux.* ⇒ **épouiller.** — Loc. fam. *Être laid comme un pou,* très laid. *Chercher des poux dans (sur) la tête de qqn, à qqn,* le chicaner, lui chercher querelle. — *Être orgueilleux comme un pou,* (pour *comme un pouil,* un coq) très orgueilleux. **2.** Insecte parasite des animaux. *Pou du mouton.* ⟨ ▶ **épouiller, pouilleux** ⟩

pouah [pwa] interj. ■ Fam. Exclamation qui exprime le dégoût, le mépris.

poubelle [pubɛl] n. f. ■ Récipient destiné aux ordures ménagères (d'un immeuble, d'un appartement). *Les poubelles sont vidées par les éboueurs. J'ai jeté les restes à la poubelle.* — REM. Ce mot vient du nom du préfet de police de Paris qui imposa ce récipient, par hygiène, en 1884.

pouce [pus] n. m. **1.** Le plus gros et le plus court des doigts de la main, opposable aux autres doigts. *Il suçait son pouce.* — Loc. *Mettre les pouces,* cesser de résister. ⇒ **céder.** — Fam. *Manger un morceau* SUR LE POUCE : sans assiette et debout. — *Tourner ses pouces, se tourner les pouces,* rester sans rien faire. *Donner le* COUP DE POUCE : la dernière main à un ouvrage. *Il a donné un coup de pouce à l'histoire,* il a déformé légèrement la réalité. — *Pouce !,* interjection (employée par les enfants) servant à se mettre momentanément hors du jeu. *Pouce cassé !,* le jeu reprend. **2.** Le gros orteil. **3.** Mesure de longueur anglo-saxonne valant 2,54 cm. — Ancienne mesure de longueur, douzième partie du pied, valant 2,707 cm. *Mesurer cinq pieds six pouces* (1,78 m). — Loc. *Ne pas reculer, bouger, avancer d'un pouce,* rester immobile.

pouding ⇒ **pudding.**

① **poudre** [pudʀ] n. f. **1.** Substance solide divisée en très petites particules, pulvérisée. *Poudre fine.* — *Sucre en poudre. Lait en poudre.* ⇒ **lyophilisé.** — Loc. *Poudre de perlimpinpin,* que les charlatans vendaient comme une panacée. — Loc. *Jeter de la poudre aux yeux à qqn,* chercher à éblouir. **2.** Substance pulvérulente utilisée sur la peau comme fard (et autrefois sur les cheveux). *Poudre de riz. Se mettre de la poudre.* ⇒ se **poudrer. 3.** Vx. Poussière. Loc. *Réduire qqch. en poudre.* ⇒ **pulvériser.** ▶ **poudrer** v. tr. ▪ conjug. 1. **1.** Couvrir légèrement de poudre. ⇒ **saupoudrer. 2.** Couvrir (ses cheveux, sa peau) d'une fine couche de poudre (2). — Pronominalement (réfl.). *Se poudrer.* — Au p. p. adj. POUDRÉ, ÉE : au visage poudré. *Une femme fardée, poudrée.* ▶ **poudrage** n. m. ■ Action de poudrer. *Traitement chimique des cultures par poudrage.* ▶ **poudreuse** n. f. **1.** Neige poudreuse. *La poudreuse produit des avalanches.* **2.** Instrument servant à répandre une poudre (1). ▶ **poudreux, euse** adj. ■ Qui a la consistance d'une poudre. *Neige poudreuse,* neige fraîche, profonde et molle, dans laquelle on s'enfonce. ▶ **poudrier** n. m. ■ Récipient à poudre (2). *Elle tira un poudrier de son sac.* ⟨ ▶ **poudroyer** ⟩

② **poudre** n. f. ■ Mélange explosif pulvérulent. *Poudre à canon.* Loc. *Faire parler la poudre,* faire feu. — *Mettre le* FEU AUX POUDRES : déclencher un événement violent. — *Il n'a pas inventé la poudre,* il n'est pas très intelligent. ▶ **poudrière** n. f. ■ Magasin à poudre, à explosifs. — Abstrait. *Cette région est une poudrière,* la révolte peut y éclater.

poudroyer [pudʀwaje] v. intr. ▪ conjug. 8. **1.** Produire de la poussière (on disait : de la *poudre*) ; s'élever en poussière. *Le chemin poudroie au passage d'une voiture.* **2.** Avoir une apparence de poudre brillante, sous l'effet d'un éclairage vif. *Le sable poudroie.* **3.** Faire briller les grains de poussière en suspension. *Le soleil poudroie à travers les volets.* ▶ **poudroiement** n. m. ■ Effet produit par la poussière soulevée et éclairée ou par la lumière éclairant les grains d'une poudre.

① **pouf** [puf] interj. ■ Exclamation exprimant un bruit sourd de chute. *Et pouf ! le voilà qui s'étale par terre.* — N. m. *Faire pouf,* tomber. ⟨ ▶ **patapouf** ⟩

② **pouf** n. m. ■ Siège bas, gros coussin capitonné, posé à même le sol. *Des poufs et des banquettes.*

pouffer [pufe] v. intr. ▪ conjug. 1. ■ POUFFER DE RIRE : éclater de rire malgré soi. ⇒ s'**esclaffer.**

pouffiasse ou **poufiasse** [pufjas] n. f. ■ Vulg. Terme d'injure. Femme, fille épaisse, vulgaire. *Une grosse pouffiasse.*

pouilles [puj] n. f. pl. ■ Littér., vx. CHANTER POUILLES à qqn : l'accabler d'injures, de reproches.

pouilleux, euse [pujø, øz] adj. et n. **1.** Couvert de poux, de vermine. *Un mendiant pouilleux.* **2.** Qui est dans une extrême misère. — N. *Un pouilleux, une pouilleuse.* ⇒ **gueux. 3.** (Choses) Misérable, sordide. *Un quartier pouilleux.* **4.** (Après un nom géographique) *La Champagne pouilleuse,* calcaire, la moins fertile (opposée à la *Champagne humide*). ▶ **pouillerie** [pujʀi] n. f. ■ Pauvreté sordide ; lieu, chose misérable.

poulailler [pulaje] n. m. **1.** Abri où on élève des poules ou d'autres volailles. — Ensemble des poules qui logent dans cet abri. *Le renard a égorgé tout le poulailler.* **2.** Fam. Galerie supérieure d'un théâtre, où sont les places les moins chères. *Prendre une place au poulailler.* — Ensemble des spectateurs assis dans cette galerie. *Le poulailler a sifflé la pièce.*

poulain [pulɛ̃] n. m. **1.** Petit du cheval, mâle ou femelle (jusqu'à trente mois). ⇒ **pouliche ; pouliner.** *La jument et son poulain.* ≠ *poney.* **2.** Sportif, étudiant, écrivain débutant (par rapport à son entraîneur, son professeur, son éditeur). ‹ ▶ poulinière ›

à la **poulaine** [alapulɛn] loc. adj. ■ *Souliers à la poulaine*, chaussures « à la Polonaise », à l'extrémité allongée en pointe (fin du Moyen Âge).

poularde [pulaʀd] n. f. ■ Jeune poule engraissée.

poulbot [pulbo] n. m. ■ Enfant de Montmartre, gavroche (du nom d'un dessinateur). *Les petits poulbots.*

① **poule** [pul] n. f. **I. 1.** La femelle du coq, volatile, volaille, oiseau de basse-cour, à ailes courtes et arrondies, à queue courte, à crête dentelée et petite. *Une poule qui picore. Le gloussement des poules. Poule pondeuse. Œuf de poule. Les poules couvent dans le poulailler. Ce soir nous mangerons de la poule au riz.* ⇒ **poularde. 2.** Loc. *Quand les poules auront des dents,* jamais. *Tuer la poule aux œufs d'or,* détruire par avidité ou impatience la source d'un profit important. *Se coucher, se lever comme (avec) les poules,* très tôt. — MÈRE POULE : mère affairée et timorée ; mère qui aime à être entourée de ses enfants. — POULE MOUILLÉE : personne poltronne, timorée. Adj. *Il est un peu trop poule mouillée.* — *Bouche en cul-de-poule.* ⇒ **cul-de-poule. 3.** Femelle de certains gallinacés. *Poule faisane,* faisan femelle. — POULE D'EAU : oiseau de la taille d'un pigeon. **II.** Fam. *Poule,* terme d'affection (pour les filles, les femmes). ≠ ① *poulet* (II). *Viens, ma poule.* ⇒ fam. **cocotte, poulet, poulette. III.** Fam. Fille de mœurs légères. *C'est une poule.* ⇒ **grue.** (Avec un possessif) Vx et péj. Maîtresse (d'un homme). *Il est avec sa poule.* ▶ ① *poulet* n. m. **I. 1.** Petit de la poule, plus âgé que le poussin (de trois à dix mois). *Une poule et ses poulets.* **2.** Jeune poule ou jeune coq (coquelet) destiné à l'alimentation, et souvent châtré. ⇒ **chapon.** *Poulet de grain, poulet fermier. Poulet aux hormones,* produit par un élevage forcé, accéléré. *Poulet rôti.* — *Manger du poulet.* **II.** Fam. *Mon (petit) poulet,* terme d'affection (pour les deux sexes). ≠ ① **poule** (II). ▶ *poulette* n. f. **I.** Jeune poule **II.** Fam. Jeune fille, jeune femme. *Ma poulette,* terme d'affection. ⇒ ① **poule** (II). ‹ ▶ en cul-de-poule, pied-de-poule, poulailler, poularde ›

② **poule** n. f. **1.** Enjeu déposé au début de la partie ; somme constituée par le total des mises qui revient au gagnant. *Gagner la poule.* ⇒ **pot. 2.** Au rugby. Groupe d'équipes destinées à se rencontrer, dans la première phase du championnat. *Poule A, poule B.*

② **poulet** n. m. ■ Vx. Billet doux. — Fam. Lettre. *J'ai reçu un poulet.*

③ **poulet** n. m. ■ Fam. Policier. *Il s'est fait pincer par les poulets.*

pouliche [puliʃ] n. f. ■ Jument qui n'est pas encore adulte (mais qui n'est plus un poulain).

poulie [puli] n. f. **1.** Dispositif mécanique de bois, de métal, muni d'un anneau et d'une roue (appelée *réa* [ʀea], n. m.) tenus ensemble par deux joues et un axe, pour soulever des fardeaux au moyen d'une corde ou d'une chaîne. ⇒ **palan. 2.** Roue à gorge ou à crans servant à transmettre un mouvement. *Poulie et courroie de ventilateur* (dans un moteur d'automobile).

poulinière [pulinjɛʀ] adj. f. ■ *Jument poulinière,* destinée à la reproduction (⇒ **poulain**). — N. f. *Une poulinière.*

poulpe [pulp] n. m. ■ Mollusque (appelé aussi *pieuvre*) à longs bras armés de ventouses (⇒ **polype**). *Les tentacules du poulpe.*

pouls [pu] n. m. invar. ■ Battement des artères produit par les vagues successives du sang projeté du

cœur (perceptible au toucher, notamment sur la face interne du poignet). *Prendre le pouls (de qqn, à qqn),* en compter les pulsations. — L'endroit où l'on sent le pouls. *Tâter le pouls.*

poumon [pumɔ̃] n. m. **1.** Chacun des deux viscères placés dans la cage thoracique, organes de la respiration où se font les échanges gazeux (⇒ **pulmonaire**). *Poumon droit et gauche. Cancer du poumon. Maladies du poumon,* pneumonie, tuberculose. *Les poumons et la plèvre.* — *Aspirer* À PLEINS POUMONS : profondément. *Chanter, crier à pleins poumons.* ⇒ s'**époumoner. 2.** POUMON ARTIFICIEL, POUMON D'ACIER : appareil qui permet d'entretenir la ventilation pulmonaire d'un malade. ‹ ▶ s'époumoner ›

poupard [pupaʀ] n. m. et adj. **1.** N. m. Bébé gros et joufflu. ⇒ **poupon. 2.** Adj. *Une physionomie pouparde.* ⇒ **poupin.**

poupe [pup] n. f. ■ Arrière (d'un navire). / contr. **proue** / ▶ **gaillard** d'arrière. — Loc. fig. *Avoir le vent en poupe,* être poussé vers le succès.

poupée [pupe] n. f. **1.** Figurine humaine servant de jouet d'enfant, d'ornement. *La petite fille joue à la poupée. Poupée de collection. Avoir un visage de poupée.* ⇒ **poupin.** — *Jardin, maison de poupée,* en miniature, très petit. **2.** Fam. Jeune femme, jeune fille. ⇒ **pépée.** *Une chouette poupée.* **3.** Doigt malade, entouré d'un pansement ; le pansement. ▶ *poupin, ine* adj. ■ Qui a les traits d'une poupée. *Un visage poupin.* ⇒ **poupard.** ▶ *poupon* n. m. ■ Bébé, très jeune enfant. ⇒ **poupard.** *Un joli poupon rose.* ▶ *pouponner* v. intr. ■ conjug. 1. ■ Dorloter maternellement des bébés. *Elle adore pouponner.* ▶ *pouponnière* n. f. ■ Établissement où l'on garde les nouveau-nés, les enfants jusqu'à trois ans. ⇒ **crèche.** ‹ ▶ poupard ›

pour [puʀ] prép. et n. m. **I.** (Exprimant l'idée d'échange, d'équivalence, de correspondance, de réciprocité) **1.** En échange de ; à la place de. *Vendre qqch. pour telle somme.* ⇒ **contre, moyennant.** *Je l'ai eu pour presque rien, pour une bouchée de pain.* Fam. *Pour pas un rond,* gratuitement. — Loc. *Il en a été pour son argent, pour ses frais,* il n'a rien eu en échange. — *Dix... pour cent* (%), *pour mille* (‰). ⇒ **pourcentage.** — *Prendre, dire un mot pour un autre,* au lieu de. *Elle l'a pris pour son frère,* confondu avec son frère. — *Risquer le tout pour le tout.* — (Avec le même nom avant et après) *Dans un an, jour pour jour,* exactement. *Elle lui ressemble trait pour trait.* **2.** (Avec un nom ou un infinitif redoublé marquant la possibilité d'un choix entre deux choses) *Mourir pour mourir, autant que ce soit de mort subite.* **3.** (Exprimant un rapport d'équivalence entre deux termes accordés s'il le faut en nombre, en genre). ⇒ **comme.** *Avoir la liberté pour principe.* — *Pour tout avantage, pour tous avantages, il avait..., en fait d'avantage(s). Prendre pour époux. Avoir M. Durand pour professeur. Il les a pour élèves. Elle passe pour folle. Pour le moins,* au moins, au minimum. — Loc. fam. *Pour de bon,* d'une façon authentique. Fam. *Pour de vrai,* vraiment (opposé à *pour (de) rire, pour du beurre).* **4.** En prenant la place de. *Payer pour qqn,* à sa place. **5.** En ce qui concerne (qqch.). Loc. *En tout et pour tout,* seulement, uniquement. — Par rapport à. *Il fait froid pour la saison.* **6.** (Servant à mettre en valeur le sujet, l'attribut ou un compl. d'objet) *Pour moi, je pense que...* ⇒ **quant** à. *Pour ma part. Pour ce qui est de,* en ce qui concerne. — *Pour un artiste, c'est un artiste ! Pour m'aider, il m'a aidé !, pour ce qui est de m'aider.* **7.** En ce qui concerne (qqn). *Elle est tout pour moi. Ce n'est un secret pour personne.* **II.** (Exprimant la direction, la destination, le résultat, l'intention) **1.** (Dans la direction de, en allant vers) *Partir pour le Japon. Les* voyageurs pour Lyon. **2.** (Marquant le terme dans le temps) *C'est pour ce soir.* — *Pour six mois,* pendant six mois à partir de maintenant. *Pour le moment,* momentanément. *Pour quand ? Pour dans huit jours.* — Fam. *Alors, c'est pour aujourd'hui ou pour demain ? Pour une fois, pour cette fois, je te pardonne. Pour le coup,* cette fois-ci. **3.** (Marquant la destination figurée, le but...) Destiné à (qqn, qqch.). *C'est pour vous. Film pour adultes.* — Ellipt et fam. *C'est fait pour.* ⇒ **exprès.** — Destiné à combattre. ⇒ **contre.** *Médicament pour la grippe.* — En vue de. *C'est pour son bien.* — *Pour le cas où,* dans le cas où. — À l'égard de. ⇒ **envers.** *Sa haine pour lui. Par égard pour mes parents.* — *Tant mieux, tant pis pour lui. C'est bien fait pour elle !* — En faveur de, pour l'intérêt, le bien de... *Prier pour qqn. Chacun pour soi.* — ÊTRE POUR... : être partisan de (qqn, qqch.). / contr. **contre** / *Je suis pour cette décision ;* ellipt, *je suis pour.* **4.** POUR (+ infinitif) : afin de pouvoir. *Faire l'impossible pour réussir. Travailler pour vivre. Pour quoi faire ?* ≠ *pourquoi.* — Loc. fam. *Ce n'est pas pour dire, mais il a du culot,* il a vraiment du culot. *C'est pour rire.* **5.** POUR QUE (+ subjonctif dans la subordonnée de but) : afin que. *Il faudra du temps pour que cela réussisse.* Iron. *C'est ça, laisse ton porte-monnaie sur la table, pour qu'on te le vole !* — POUR QUE... NE PAS. *Il ferma les fenêtres pour que la chaleur ne sorte pas.* **III.** (Exprimant la conséquence) **1.** En ayant pour résultat (qqch.). *Pour son malheur, il a cédé.* — (+ infinitif) Afin de. *Pour réussir, il a besoin d'être plus sûr de lui.* — (Forme négative) *Ce projet n'est pas pour me déplaire,* ne me déplaît pas. **2.** POUR QUE (+ subjonctif dans la subordonnée de conséquence). *Assez, trop... pour que... J'ai assez insisté pour qu'il vienne. Il faut, il suffit... pour que... Il suffit que j'en parle pour que ça n'arrive pas.* **IV.** (Exprimant la cause) **1.** À cause de. *On l'admire pour ses qualités. Il a été puni pour ses mensonges. Pour un oui, pour un non,* à toute occasion. *Pour sa peine,* en considération de sa peine. *Pour quoi ? Pour quelle raison ?* ⇒ **pourquoi.** *Le magasin est fermé pour cause de maladie.* Absolt. *Et pour cause !,* pour une raison trop évidente. **2.** (+ infinitif passé ou passif) *Il a été puni pour avoir menti,* parce qu'il avait menti. **V.** (Exprimant l'opposition, la concession) **1.** Littér. POUR... QUE (+ indicatif ou subjonctif). ⇒ **aussi, si, tout** ; avoir **beau.** *Pour intelligent qu'il soit, il ne réussira pas sans travail.* — Loc. *Pour peu que.* ⇒ **peu.** *Pour autant que,* dans la mesure où. *Ils ne sont pas plus heureux pour autant.* **2.** *Pour être riches, ils n'en sont pas plus heureux* (en sont-ils plus heureux ?), bien qu'ils soient riches. **VI.** N. m. *Peser, considérer* LE POUR ET LE CONTRE : les bons et les mauvais aspects. ⟨ ▶ pourboire, pourcentage, pourquoi, pourtant ⟩

pourboire [puʀbwaʀ] n. m. ■ Somme d'argent remise, à titre de gratification, de récompense, par le client à un travailleur salarié. ⇒ fam. **pourliche.** *Le pourboire est compris. Donner deux francs de pourboire à l'ouvreuse.* ⇒ **pièce, service.**

pourceau [puʀso] n. m. ■ Vx ou littér. Cochon, porc, porcelet.

pourcentage [puʀsɑ̃taʒ] n. m. **1.** Taux (d'un intérêt, d'une commission) calculé sur un capital de cent unités. *Il touche un pourcentage sur la recette, dix pour cent je crois.* ⇒ pour **cent. 2.** Proportion pour cent. *Un faible pourcentage d'électeurs.*

pourchasser [puʀʃase] v. tr. ■ conjug. 1. **1.** Poursuivre, rechercher (qqn) avec obstination. ⇒ **chasser, poursuivre.** *Être pourchassé par des créanciers, par la police.* — Pronominalement (récipr.). *Ils se sont pourchassés les uns les autres.* **2.** Poursuivre (qqch.). *Il pourchasse les honneurs.*

pourfendre [puʀfɑ̃dʀ] v. tr. ■ conjug. 41. **1.** Vx. Fendre complètement, couper. — Au p. p. adj. *Une statuette pourfendue.* **2.** Littér. ou plaisant. Attaquer violemment. *Pourfendre ses adversaires.*

se pourlécher [puʀleʃe] v. pron. ■ conjug. 6. ■ Se passer la langue sur les lèvres (en signe de contentement avant ou après un bon repas). *On s'en pourlèche* (→ se lécher les babines).

pourliche n. m. ■ Fam. Pourboire.

pourparlers [puʀpaʀle] n. m. plur. ■ Conversation entre plusieurs États, groupes, etc., pour arriver à un accord. ⇒ **tractation.** *De longs pourparlers. Être en pourparlers.*

pourpoint [puʀpwɛ̃] n. m. ■ Au Moyen Âge. Partie du vêtement d'homme qui couvrait le torse jusqu'au-dessous de la ceinture (⇒ **justaucorps**). *En chausses et en pourpoint.* ⟨ ▶ à brûle-pourpoint ⟩

pourpre [puʀpʀ] n. et adj. **I.** N. f. **1.** Matière colorante d'un rouge vif, extraite d'un mollusque (le *pourpre,* n. m.) et utilisée dans l'Antiquité méditerranéenne. *La toge prétexte, bordée de pourpre.* **2.** Littér. Étoffe teinte de pourpre (chez les Anciens), d'un rouge vif, symbole de richesse ou d'une haute dignité sociale. *La pourpre royale.* — La dignité de cardinal. **3.** Littér. Couleur rouge vif. *La pourpre de ses lèvres* (⇒ **purpurin**). **II.** N. m. Couleur rouge foncé, tirant sur le violet. ⇒ **amarante. III.** Adj. D'une couleur rouge foncé. *Velours pourpre.* ▶ *pourpré, ée* adj. ■ Littér. Coloré de pourpre.

① *pourquoi* [puʀkwa] adv. et conj. — REM. Ne pas confondre avec *pour quoi.* ⇒ **pour** (II et IV). **1.** (+ point d'interrogation, question directe) Pour quelle raison, dans quelle intention ? *Pourquoi fais-tu des histoires ? Pourquoi partez-vous ? Pourquoi veux-tu donc que j'y aille ?* — (Sans inversion sujet verbe) *Pourquoi est-ce que vous la saluez ?* Fam. *Pourquoi tu cries ?* — (+ infinitif) À quoi bon ? *Mais pourquoi crier ?* — (Sans verbe) *Pourquoi ? Pourquoi non ? Pourquoi pas ?* **2.** (Sans point d'interrogation, question rapportée) Pour quelle cause, dans quelle intention. — REM. L'emploi de *est-ce que* est fautif après *pourquoi. Je ne comprenais pas pourquoi je devais me taire. Je vous demande pourquoi vous riez. Explique-moi pourquoi. ***3.** *Voilà, voici pourquoi.* — *C'est pourquoi..., c'est pour cela que.* ▶ ② *pourquoi* n. m. invar. **1.** Cause, motif, raison. *Il demandait le pourquoi de toute cette agitation.* **2.** Question par laquelle on demande la raison d'une chose. *Les pourquoi des enfants.*

pourrir [puʀiʀ] v. ■ conjug. 1. **I.** V. intr. **1.** (Matière organique) Se décomposer. ⇒ se **corrompre,** se **putréfier.** *Ce bois pourrit à l'humidité.* **2.** (Personnes) Rester dans une situation où l'on se dégrade. *Pourrir dans l'ignorance.* ⇒ **croupir.** *On l'a laissé pourrir en prison.* ⇒ **moisir.** — (Situation politique, etc.) Se dégrader. *Laisser pourrir une grève.* **II.** V. tr. **1.** Attaquer, corrompre en faisant pourrir. ⇒ **gâter.** *La pluie a pourri le foin.* — Pronominalement (réfl.). *Se pourrir,* devenir pourri. **2.** Gâter extrêmement (un enfant). *Sa mère finira par le pourrir.* ▶ *pourri, ie* adj. et n. m. **I.** Adj. **1.** Corrompu ou altéré par la décomposition. *Une planche pourrie.* — (Aliments) *Des fruits pourris.* ⇒ **blet.** *De la viande pourrie.* ⇒ **avarié. 2.** Désagrégé. *Pierre pourrie,* humide et effritée. **3.** Humide et mou. *Un climat pourri.* ⇒ **malsain.** *Un été pourri,* très pluvieux. **4.** (Personnes) Moralement corrompu. *Une société pourrie.* — N. m. Fam. Terme d'injure. *Bande de pourris !* **5.** Fam. POURRI DE : rempli de, qui a beaucoup de. *Il est pourri de fric.* **II.** N. m. Ce qui est pourri. *Enlever le pourri. Une odeur de pourri.* ⇒ **putride.** ▶ *pourrissant, ante* adj. ■ Qui est en train de pourrir. ▶ *pourrissement* n. m. ■ Dégradation progressive (d'une situation). ▶ *pourriture* n. f. **1.** Altération profonde, décomposition des tissus organiques ⇒ **putréfaction** ; état de ce qui est pourri. *Une odeur de pourriture. La pourriture et la mort.* **2.** Ce qui est complètement pourri. *Une répugnante pourriture.* **3.** Abstrait. État de grande corruption morale. *La pourriture de la société.* **4.** Terme d'injure. Personne corrompue, ignoble. ⇒ **pourri.** *Quelle pourriture, ce type !* ⟨ ▶ pot-pourri ⟩

poursuite [puʀsɥit] n. f. **I.** Action de poursuivre (I). **1.** Action de suivre (qqn, un animal) pour le rattraper, l'atteindre, s'en saisir. *Scènes de poursuite d'un film d'aventures. La police s'est lancée à la poursuite du malfaiteur.* **2.** Effort pour atteindre (une chose qui semble inaccessible). ⇒ **recherche.** *La poursuite de l'argent, de la vérité.* **3.** Acte juridique dirigé contre qqn qui a enfreint une loi, n'a pas respecté une obligation. *Défense de* (+ infinitif) *sous peine de poursuite(s). Poursuites (judiciaires) contre qqn.* ⇒ **accusation.** *Engager des poursuites.* **II.** LA POURSUITE DE *qqch.* : action de poursuivre (II). *La poursuite d'un travail.* / contr. **arrêt** /

poursuivre [puʀsɥivʀ] v. tr. ■ conjug. 40. **I.** Suivre pour atteindre. **1.** Suivre de près pour atteindre (ce qui fuit). *La police poursuivait les terroristes.* ⇒ **courir** après, **pourchasser** ; **poursuite.** *Poursuivre les fugitifs.* ⇒ **traquer. 2.** Tenter de rejoindre (qqn qui se dérobe). ⇒ **presser, relancer.** *Il est poursuivi par ses créanciers.* **3.** Tenter d'obtenir les faveurs amoureuses de (qqn). Loc. *Il la poursuit de ses assiduités.* **4.** *Poursuivre qqn de,* s'acharner contre lui par... ⇒ **harceler.** *Elle le poursuivait de sa colère.* **5.** (Suj. chose) Hanter, obséder. *Ces images lugubres me poursuivirent longtemps.* **6.** Agir en justice contre (qqn). ⇒ **accuser.** *Je vous poursuivrai devant les tribunaux !* **II.** (Compl. chose) Chercher à obtenir (qqch.). ⇒ **briguer, rechercher.** *Poursuivre un intérêt particulier.* **III.** Continuer sans relâche. / contr. **abandonner, arrêter** / *Poursuivre son voyage, son chemin. Il poursuit ses études. Poursuivre un récit.* — Sans compl. *Poursuivez, cela m'intéresse.* — Pronominalement (réfl.). Se continuer. *La réunion se poursuivit jusqu'à l'aube.* ▶ *poursuivant, ante* n. ■ Personne qui poursuit qqn. *Le voleur a échappé à ses poursuivants.* ⟨ ▶ poursuite ⟩

pourtant [puʀtɑ̃] adv. ■ (Opposant deux notions pour mieux les relier) ⇒ **cependant, mais, néanmoins, toutefois.** *Tout a l'air de bien se passer, pourtant je suis inquiet. C'est pourtant bien simple. Elle est laide et pourtant quel charme !*

pourtour [puʀtuʀ] n. m. **1.** Ligne formant le tour, le contour d'un objet, d'une surface. ⇒ **circonférence. 2.** Partie qui forme les bords (d'un bien). *Le pourtour de la place était planté d'arbres.* / contr. **centre** /

pourvoi [puʀvwa] n. m. ■ *Pourvoi en cassation,* demande de révision d'un procès par un tribunal de cassation. ⇒ **recours** en grâce.

pourvoir [puʀvwaʀ] v. tr. ■ conjug. 25. **I.** V. tr. ind. POURVOIR À : faire ou fournir le nécessaire pour. *Pourvoir à l'entretien de la famille.* ⇒ **assurer.** *Pourvoir aux besoins de qqn.* ⇒ **subvenir.** *Pourvoir à un emploi,* y mettre qqn. — Impers. passif. *Il a été pourvu à tout,* on a pourvu à tout. **II.** V. tr. dir. **1.** Mettre (qqn) en possession (de ce qui est nécessaire). ⇒ **donner à, munir, nantir.** *Son père l'a pourvu d'une recommandation.* **2.** SE POURVOIR DE v. pron. : faire en sorte de posséder, d'avoir (une chose nécessaire). *Il faut se pourvoir de provisions pour le voyage.* **3.** Munir (une chose). *Pourvoir un atelier de matériel, en matériel.* ⇒ **approvisionner, fournir.** **4.** (Suj. chose) Littér. *La nature l'a pourvu de grandes qualités.* ⇒ **doter, douer. 5.** Au passif et p. p. adj. ÊTRE

POURVU, UE : avoir, posséder. / contr. **dépourvu** / *Le voilà bien pourvu,* il a tout ce qu'il faut. **6.** SE POURVOIR v. pron. : en droit, recourir à une juridiction supérieure ; former un pourvoi. *Elle s'est pourvue en appel, puis en cassation.* ▶ *pourvoyeur, euse* n. **1.** *Pourvoyeur de...,* personne qui fournit (qqch.) ou munit (une chose). *Pourvoyeur de drogue.* ⇒ **dealer. 2.** Soldat, artilleur chargé de l'approvisionnement d'un canon, d'une mitrailleuse. ⇒ **servant.** ▶ ① *pourvu, ue* ⇒ **pourvoir** (II, 5). ⟨ ▶ ① dépourvu, ② au dépourvu ⟩

② *pourvu que* [puʀvyk(ə)] loc. conj. ■ (+ subjonctif) Du moment que, à condition de, si. *Pourvu qu'il ait le nécessaire, il est content. Moi, pourvu que je mange à ma faim...* (sous-entendu : *cela me suffit*). **2.** Espérons que... *Pourvu qu'on arrive à temps !*

poussah [pusa] n. m. **1.** Buste de magot* porté par une boule lestée qui le ramène à la position verticale lorsqu'on le penche. **2.** Gros homme mal bâti. *Des poussahs.*

① *pousser* [puse] v. tr. ■ conjug. 1. **I.** **1.** Soumettre (qqch., qqn) à une pression ou à un choc pour la (le) mettre en mouvement dans une certaine direction. / contr. **tirer** / *Pousser un meuble dans un coin, contre un mur. Poussez la porte. On nous a poussés dehors. Pousser qqn au coude, du coude, du genou,* pour le mettre en garde. — Intransitivement. *Ne poussez pas !* Loc. fam. *Faut pas pousser,* il ne faut pas exagérer. — Loc. adv. Fam. À LA VA COMME JE TE POUSSE : n'importe comment. *Ce travail a été fait à la va comme je te pousse.* **2.** Faire aller (un être vivant) devant soi, dans une direction déterminée, par une action continue. *Le berger pousse son troupeau devant lui.* — (D'une chose) Entraîner. *C'est l'intérêt qui le pousse.* — Au p. p. *Poussé par l'intérêt.* **3.** POUSSER *qqn,* POUSSER *qqn* À : inciter. ⇒ **conduire, entraîner.** / contr. **détourner, retenir** / *Pousser qqn à faire qqch. Le patron pousse à la consommation.* — Aider (qqn) ; faciliter la réussite de (qqn). ⇒ **favoriser.** *Pousser un élève,* le faire travailler. — POUSSER À BOUT : acculer, exaspérer (qqn). *La contrariété le poussait à bout.* **4.** Faire avancer (qqch.). *Pousser un landau, un chariot.* — *Pousser l'aiguille,* coudre. **5.** Abstrait. Faire aller jusqu'à un certain point, un certain degré, une limite (une activité, un travail, etc.). *Il poussa ses recherches jusqu'au bout.* ⇒ **terminer.** *Il pousse la plaisanterie un peu trop loin.* ⇒ **exagérer.** — Au p. p. adj. *Un amour poussé jusqu'à la passion,* qui n'est plus de l'amour, mais de la passion. **6.** Sans compl. ind. Faire parvenir à un degré supérieur de développement, d'intensité. *Pousser son travail.* ⇒ faire **avancer, poursuivre.** — Au p. p. adj. *C'est un travail très poussé.* — *Pousser un moteur,* chercher à lui faire rendre le maximum. **7.** SE POUSSER v. pron. : s'écarter pour laisser passer. *Pousse-toi !* — Avancer en poussant. **II.** **1.** (Suj. nom d'être animé) Produire avec force ou laisser échapper avec effort par la bouche (un son). *Il poussa de grands cris.* ⇒ **crier.** Loc. *Pousser les hauts cris*. Elle poussa un soupir.* ⇒ **exhaler.** — Fam. *Un convive poussa la chansonnette.* ⇒ **chanter. 2.** Intransitivement. Faire un effort pour expulser de son organisme un excrément. ▶ *pousse-café* n. m. invar. ■ Petit verre d'alcool que l'on prend après le café. *Deux cafés, deux pousse-café et un cigare.* ▶ *poussée* n. f. **1.** Action de pousser. *Sous la poussée, la porte s'ouvrit. La fusée s'élève grâce à la poussée de ses réacteurs.* ⇒ **pression.** *Résister aux poussées de l'ennemi.* ⇒ **attaque. 2.** Force exercée par un élément pesant (arc, voûte, etc.) sur ses supports et qui tend à les renverser. *La poussée d'une voûte sur les murs.* **3.** Manifestation brutale (d'une force). ⇒ **impulsion.** *La poussée des circonstances.* **4.** Manifestation subite (d'un mal). *Une poussée de fièvre.* ⇒ **accès, crise.**

▶ **pousse-pousse** ou *pousse* n. m. invar. ■ Voiture légère à deux roues, à une place, tirée par un homme ⇒ **coolie** et en usage en Extrême-Orient. *Des pousse-pousse. Des pousse.* ▶ **poussette** n. f. **1.** Petite voiture d'enfant très basse, généralement pliante. — Châssis à roulette pour transporter les provisions. **2.** Fam. Aide d'un cycliste à un autre cycliste, qui consiste à le pousser de la main dans le dos ou par la selle. **3.** Fam. Le fait d'avancer très lentement (véhicules qui se suivent). ⟨ ▶ **poussif, poussoir, repousser** ⟩

② **pousser** v. intr. ■ conjug. 1. **1.** (Végétation) Croître, se développer. *Un bon champ où tout pousse.* ⇒ **repousser, venir.** *Faire pousser des légumes.* ⇒ **cultiver.** *L'herbe commence à pousser.* ⇒ ② **pousse. Ses premières dents ont toutes poussé. 2.** (Villes, constructions) S'accroître, se développer. *Des villes qui poussent comme des champignons.* **3.** (Enfants) Grandir. *Il pousse, ce petit.* ▶ ① **pousse** n. f. ■ Action de pousser, développement de ce qui pousse. *Une lotion pour la pousse des cheveux.* ▶ ② **pousse** n. f. ■ Bourgeon naissant, germe de la graine. *Les jeunes pousses des arbres.*

poussier [pusje] n. m. **1.** Poussière de charbon. **2.** Débris poudreux, poussière. *Le poussier de blé a fait explosion.*

poussière [pusjɛʀ] n. f. **1.** Terre desséchée réduite en particules très fines, très légères. *La poussière des routes. Un tourbillon de poussière.* **2.** Fins débris en suspension dans l'air qui se déposent sur les objets. *Couche de poussière sur un meuble. Ôter la poussière.* ⇒ **dépoussiérer, épousseter.** *Tomber en poussière,* se désagréger. **3.** Littér. Les restes matériels de l'être humain, après la mort. ⇒ **cendre(s), débris. 4.** UNE POUSSIÈRE : un rien. Fam. *Cela m'a coûté deux cents francs* ET *DES POUSSIÈRES* : et un peu plus. **5.** (Collectif) *Une poussière de,* un grand nombre, une multiplicité (d'éléments). *La Voie lactée est une poussière d'étoiles.* **6.** Matière réduite en fines particules. ⇒ **poudre.** *Poussière de charbon.* ⇒ **poussier.** *Réduire en poussière.* ⇒ **pulvériser ;** fig. anéantir, détruire. ▶ **poussiéreux, euse** adj. **1.** Couvert, rempli de poussière (2). *Une chambre poussiéreuse.* **2.** Qui semble couvert, gris de poussière. *Un teint poussiéreux.* **3.** Abstrait. Vieux, à l'abandon. *Cette administration poussiéreuse devrait être rénovée.* ⟨ ▶ **poussier** ⟩

poussif, ive [pusif, iv] adj. **1.** Qui respire difficilement, manque de souffle. *Un homme poussif.* **2.** *Une voiture poussive,* qui marche par à-coups.

poussin [pusɛ̃] n. m. **1.** Petit de la poule, nouvellement sorti de l'œuf, encore couvert de duvet. *Une poule entourée de poussins qui piaillent.* ≠ **poulet.** **2.** Fam. Terme d'affection. *Mon poussin.*

poussoir [puswaʀ] n. m. ■ Bouton sur lequel on appuie (on *pousse*) pour déclencher ou régler un mécanisme. *Les poussoirs d'une montre.*

poutre [putʀ] n. f. **1.** Grosse pièce de bois équarrie servant de support (dans une construction, une charpente). ⇒ **madrier.** *Un plafond aux poutres apparentes.* ⇒ **solive.** *Poutre faîtière. La maîtresse poutre,* la poutre principale. — Loc. prov. *Il voit la paille dans l'œil du voisin et ne voit pas la poutre dans le sien,* il voit et critique les moindres défauts d'autrui et ne se rend pas compte qu'il en a de plus graves. **2.** Élément de construction allongé (en métal, en béton armé, etc.). ▶ **poutrelle** n. f. **1.** Petite poutre. **2.** Barre de fer allongée au profil en I, entrant dans la construction d'une charpente métallique.

① **pouvoir** [puvwaʀ] v. auxiliaire et tr. ■ conjug. 33. — REM. Le p. p. *pu* est invariable. **I.** (Devant un infinitif) **1.** Avoir la possibilité de (faire qqch.).

Puis-je (est-ce que je peux) vous être utile ? Il ne peut pas parler. Je ne pourrai plus le faire. Qui peut savoir ? Dire qu'il a pu faire une chose pareille !, qu'il a pu le faire ! Si vous pouvez ; dès que vous pourrez, vous pourriez. Comme ils peuvent. — Loc. adv. et adj. *On ne peut mieux,* le mieux possible. *On ne peut plus* [ply], le plus possible. *Il est on ne peut plus serviable.* — (Suj. chose) *Qu'est-ce que ça pourra bien lui faire ?* **2.** Avoir le droit, la permission de (faire qqch.). *Les élèves peuvent sortir. On ne peut quand même pas l'abandonner.* — Avoir raisonnablement la possibilité de. *On peut tout supposer. Si l'on peut dire* (pour atténuer ce qu'on vient de dire). **3.** (En parlant de ce qui risque de se produire) *Les malheurs qui peuvent nous arriver.* **4.** Au subjonctif. PUISSE : exprime un souhait. *Puisse le ciel nous être favorable ! Puissiez-vous venir demain !,* si seulement vous... **5.** Impers. IL PEUT, IL POURRA. ⇒ **peut-être.** *Il peut y avoir, il ne peut pas y avoir la guerre,* c'est possible, à la rigueur. — (Plus dubitatif) *Il peut ne pas y avoir la guerre.* — *Il peut arriver, se faire que...* — Loc. *Autant que faire se peut,* autant que cela est possible. *Il, cela se peut,* c'est possible. *Il se peut que* (+ subjonctif). *Il se peut qu'il pleuve. Cela ne se peut pas,* c'est impossible. Fam. *Ça se peut ; je ne dis pas le contraire. Ça se pourrait bien.* **II.** V. tr. **1.** (Le pronom neutre *le* remplaçant l'infinitif complément) *Résistez, si vous le pouvez, si vous pouvez résister. Dès qu'il le put.* **2.** Être capable, être en mesure de faire (qqch.). *Je fais ce que je peux, j'ai fait ce que j'ai pu. Qu'y puis-je ? On n'y peut rien.* — PROV. *Qui peut le plus peut le moins.* — *Pouvoir* (qqch.) *sur...,* avoir de l'autorité sur. **3.** Loc. *N'en pouvoir plus,* être dans un état d'extrême fatigue, de souffrance ou de nervosité. *Je n'en peux plus, je m'en vais.* — Littér. *N'en pouvoir mais,* n'y pouvoir rien. ▶ ② **pouvoir** n. m. **1.** Le fait de pouvoir (I, 1 et 2), de disposer de moyens qui permettent une action. ⇒ **faculté, possibilité.** / contr. **impossibilité** / *Si j'avais le pouvoir de connaître l'avenir !* ⇒ **don.** *Cet élève possède un grand pouvoir de concentration.* — POUVOIR D'ACHAT : valeur réelle (surtout d'un salaire) mesurée par ce qu'il est possible d'acheter avec. *Cela n'est pas en mon pouvoir. Cela dépasse son pouvoir,* ses possibilités. — Au plur. *Des pouvoirs extraordinaires.* **2.** Capacité légale (de faire une chose). ⇒ **droit ; mandat, mission.** *Avoir plein pouvoir, donner plein pouvoir* (ou *pleins pouvoirs*). ⇒ **carte blanche.** *Fondé de pouvoir* (d'une société). ⇒ **fondé de pouvoir.** — Procuration. *Avoir un pouvoir par-devant notaire. Vérification des pouvoirs avant un vote.* **3.** (Avec un adj.) Propriété physique d'une substance placée dans des conditions déterminées. *Pouvoir calorifique d'une tonne de pétrole,* quantité de chaleur produite par sa combustion complète. **4.** Possibilité d'agir sur qqn, qqch. ⇒ **autorité, puissance.** *Le pouvoir moral qu'il a sur nous.* ⇒ **ascendant.** *Le pouvoir irrésistible.* — (Avec *en, à*) *Vous êtes en notre pouvoir. Être, tomber au pouvoir de qqn,* sous sa domination. **5.** Situation de la personne, de ceux qui dirigent ; puissance politique. *Le pouvoir suprême, souverain.* ⇒ **souveraineté.** *Pouvoir supérieur.* ⇒ **hégémonie.** *Pouvoir absolu.* ⇒ **toute-puissance.** *Prendre, avoir, détenir, perdre le pouvoir. Être, se maintenir au pouvoir.* — *Pouvoir législatif,* chargé d'élaborer la loi. *Pouvoir exécutif,* chargé du gouvernement et de l'administration. *Pouvoir judiciaire,* chargé de la fonction de juger.* ⇒ **justice.** *Division, séparation des pouvoirs* (en régime démocratique). **6.** Organes, hommes qui exercent le pouvoir. Au plur. *Les pouvoirs publics,* les autorités pouvant imposer des règles aux citoyens. Absolt. *L'opinion et le pouvoir.* ⟨ ▶ **fondé de pouvoir, peut-être, puissant, sauve-qui-peut** ⟩

pouzzolane [pudzɔlan] n. f. ■ Roche volcanique légère et poreuse ou substance analogue, isolant ou composant de bétons légers.

P.P.C.M. [pepeseɛm] n. m. invar. ■ Abréviation de *plus petit commun multiple.*

① **p.p.m.** [pepeem] ■ Abréviation de *partie par million* (mesure d'une pollution chimique).

② **p.p.m.** ■ Abréviation de *page par minute* (vitesse de tirage d'un copieur, d'une imprimante).

practice [pʀaktis] n. m. ■ Anglic. Au golf. Terrain d'entraînement.

præsidium [pʀezidjɔm] n. m. ■ En U.R.S.S. Organisme directeur du Conseil suprême des Soviets (ou Soviet suprême).

pragmatique [pʀagmatik] adj. ■ Qui est adapté à l'action concrète, qui concerne la pratique. ⇒ **pratique.** ▸ *pragmatisme* n. m. **1.** En philosophie. Doctrine selon laquelle n'est vrai que ce qui fonctionne réellement. **2.** Attitude d'une personne qui ne se soucie que d'efficacité. ⇒ **réalisme.** ▸ *pragmatiste* adj. et n.

praire [pʀɛʀ] n. f. ■ Mollusque comestible, coquillage arrondi, voisin des palourdes.

prairie [pʀeʀi] n. f. **1.** Terrain couvert d'herbe qui fournit du fourrage au bétail. ⇒ ② **pré ; herbage, pâturage. 2.** En géographie. Région, type de paysage caractérisé par l'étendue des herbages. ⇒ **pampa, steppe.** — Absolt. *La prairie* (partie plate de l'ouest des États-Unis, du Canada).

praline [pʀalin] n. f. **1.** Bonbon fait d'une amande rissolée dans du sucre bouillant. **2.** En Belgique. Bonbon au chocolat. ▸ *praliné, ée* adj. ■ Rissolé dans du sucre. — Au p. p. adj. *Amandes pralinées.* — Mélangé de pralines. *Du chocolat praliné.* — Parfumé à la praline. *Une glace pralinée.*

① *praticable* [pʀatikabl] adj. **1.** Où l'on peut passer sans danger, sans difficulté. *Un chemin praticable pour les voitures.* ⇒ **carrossable.** / contr. **impraticable / 2.** Que l'on peut mettre à exécution. ⇒ **possible, réalisable.** *Un plan difficilement praticable.* ⟨ ▸ impraticable ⟩

② *praticable* n. m. ■ Décor où l'on peut se mouvoir, au théâtre. — Plate-forme supportant des projecteurs, des caméras et le personnel qui s'en occupe (cinéma, télévision).

praticien, ienne [pʀatisjɛ̃, jɛn] n. **1.** Personne qui connaît la pratique d'un art, d'une technique. *Les théoriciens et les praticiens.* **2.** Rare au fém. Médecin qui exerce, qui soigne les malades (opposé à *chercheur, théoricien*). *Praticien généraliste* ou *omnipraticien.*

pratiquant, ante [pʀatikɑ̃, ɑ̃t] adj. ■ Qui observe exactement les pratiques (d'une religion). *Il est croyant mais peu pratiquant.* — N. *Un pratiquant, une pratiquante.*

① *pratique* [pʀatik] n. f. **1.** Activités volontaires visant des résultats concrets. / contr. **théorie** / *Après dix ans de pratique sur le terrain... Dans la pratique,* dans la vie, en réalité. **2.** Manière concrète d'exercer une activité. / contr. **principe, règle** / *La pratique d'un sport, d'une langue, d'un art, d'une technique. Je n'en ai pas la pratique. Il a été condamné pour pratique illégale de la médecine.* ⇒ **exercice.** — EN PRATIQUE : en fait, dans l'exécution. *Des décisions qu'il faut mettre en pratique,* exécuter, réaliser, concrétiser. **3.** Littér. Le fait de suivre une règle d'action (sur le plan moral ou social). *La pratique religieuse.* — Les *pratiques,* les exercices extérieurs de la piété. **4.** *(Une, des pratiques)* Manière habituelle d'agir (propre à une personne, un groupe). *La vente à crédit est devenue une pratique courante.* ⇒ **mode, usage. 5.** Vx. Clientèle. ⟨ ▸ praticien ⟩

② *pratique* adj. **1.** Épithète seulement. Qui s'applique aux réalités, aux situations concrètes, aux intérêts matériels. *Ce garçon n'a aucun sens pratique.* — (Personnes) Qui a le sens pratique. *Une femme pratique.* ⇒ **pragmatique, réaliste. 2.** Épithète ou attribut. Qui concerne l'action. / contr. **théorique ; spéculatif, utopique** / *La connaissance pratique d'une langue. Sa réflexion est plus pratique que théorique. Exercices, travaux pratiques* (abrév. *T.P.*), les exercices d'applications dans l'enseignement d'une matière. **3.** Qui concerne la réalité matérielle, banale, utilitaire. *La vie pratique,* quotidienne. *Des considérations pratiques.* **4.** (Choses, actions) Ingénieux et efficace, bien adapté à son but. *Un outil pratique. C'est, ce n'est pas pratique. Approchez-vous, ce sera plus pratique.* ⇒ **commode.** ▸ *pratiquement* adv. **1.** Dans la pratique. / contr. **théoriquement / 2.** En fait. **3.** Quasiment, pour ainsi dire. *Il est pratiquement incapable de se déplacer.*

pratiquer [pʀatike] v. tr. ■ conjug. 1. **1.** Mettre en application (une prescription, une règle). ⇒ **observer.** *Pratiquer le pardon des injures.* — Sans compl. *Observer les pratiques religieuses.* ⇒ **pratiquant.** *Il ne pratiquait plus.* **2.** Mettre en action, appliquer (une théorie, une méthode). — Exercer (un métier, une activité, un sport...). **3.** Employer (un moyen, un procédé) d'une manière habituelle. *Il pratique le chantage, le bluff.* — Pronominalement (passif). *Comme cela se pratique en général.* **4.** Exécuter (une opération manuelle) selon les règles prescrites. ⇒ **opérer.** *Pratiquer une opération chirurgicale.* **5.** Ménager (une ouverture, un abri, etc.). — Au p. p. *De nombreuses fenêtres étaient pratiquées dans les murs.* **6.** Vx. Fréquenter. — Littér. *C'est un auteur, un ouvrage que je pratique,* que je consulte, que j'utilise volontiers. ⟨ ▸ ① praticable, pratiquant, ① pratique ⟩

pré [pʀe] n. m. **1.** Terrain produisant de l'herbe qui sert à la nourriture du bétail. ⇒ **prairie.** *Acheter, vendre un pré. Mener les vaches au pré.* ⇒ **pâturage.** — Étendue d'herbe à la campagne. *À travers les prés et les champs.* **2.** Vx. *Sur le pré,* sur le terrain (du duel).

pré- ■ Élément signifiant « devant, en avant » et marquant l'antériorité (ex. : *préavis, préhistoire, prénom*). / contr. **post-** /

préalable [pʀealabl] adj. et n. m. **1.** Qui a lieu, se fait ou se dit avant autre chose, dans une suite de faits liés entre eux. ⇒ **préliminaire.** *Cette décision demande une réflexion préalable.* — PRÉALABLE À... *L'enquête préalable à une opération publicitaire.* **2.** Qui doit précéder (qqch.). *Question préalable.* **3.** N. m. Condition ou ensemble de conditions auxquelles est subordonnée l'ouverture de négociations. *Être prêt à discuter sans préalable.* **4.** AU PRÉALABLE loc. adv. ⇒ **d'abord, auparavant.** *Il faudrait l'en avertir au préalable.* ▸ *préalablement* adv. ■ Au préalable. *Vous ne ferez rien sans m'avoir préalablement averti.*

préambule [pʀeɑ̃byl] n. m. **1.** Introduction, exposé des motifs et des buts (d'une constitution, d'un traité, d'une loi). — Exposé d'intentions par quoi commence un discours, un écrit. / contr. **conclusion, péroraison** / *Un interminable préambule.* **2.** Paroles, démarches qui ne sont qu'une entrée en matière. *Assez de préambules ! Il m'a demandé sans préambule ce que je venais faire ici.*

préau [pʀeo] n. m. ■ Partie couverte d'une cour d'école. *Un préau où l'on faisait de la gymnastique. Des préaux.*

préavis [pʀeavi] n. m. invar. ■ Avertissement préalable que la loi impose de donner dans un délai et des conditions déterminés. *Préavis de congé, de licenciement. Le syndicat a déposé un préavis de grève.*

prébende [pʀebɑ̃d] n. f. ■ Revenu fixe qui était accordé à un ecclésiastique. — Revenu facilement acquis.

précaire [pʀekɛʀ] adj. **1.** Dont l'avenir, la durée, la stabilité ne sont pas assurés. ⇒ **éphémère, incertain.** *Nous jouissons d'un bonheur précaire. Sa santé est précaire.* ⇒ **fragile.** / contr. **solide** / *Être dans une situation précaire. Emploi, travail précaire,* sans garantie de durée. ⇒ **intérimaire. 2.** Révocable selon la loi. *Possession précaire, à titre précaire.* ▶ *précarité* n. f. ■ Littér. Caractère ou état de ce qui est précaire. ⇒ **fragilité, instabilité.**

précambrien [pʀekɑ̃bʀijɛ̃] adj. ■ Géologie. Se dit des terrains les plus anciens, sans fossiles (avant l'ère primaire).

précaution [pʀekosjɔ̃] n. f. **1.** Disposition prise pour éviter un mal ou en atténuer l'effet. ⇒ **garantie.** *Prendre des précautions, ses précautions. Avec de grandes précautions. Par précaution contre un accident possible.* **2.** *Agir avec précaution,* prudemment. *Sans précaution,* de façon brutale ou dangereuse. *Il s'exprime sans aucune précaution.* ⇒ **circonspection, ménagement.** ▶ *se précautionner* v. pron. ■ conjug. 1. ■ Littér. *Se précautionner contre,* prendre ses précautions. ⇒ s'**assurer, se prémunir.** ▶ *précautionneux, euse* adj. ■ Qui a l'habitude de prendre des précautions. ⇒ **prudent, soigneux ; tatillon.** ▶ *précautionneusement* adv. ■ Avec précaution.

précéder [pʀesede] v. tr. ■ conjug. 6. **I.** (Choses) **1.** Exister, se produire avant, dans le temps. / contr. **suivre** / *Dans la semaine précédant mon arrivée, qui a précédé mon arrivée.* **2.** Être avant, selon l'ordre logique, la place occupée. *L'avant-propos qui précède cet ouvrage.* — Sans compl. *Dans tout ce qui précède.* **3.** Être connu ou perçu avant. *Sa mauvaise réputation l'avait précédé* (⇒ **antécédent**). — Au p. p. *La voiture arrivait, précédée d'un bruit de ferraille.* **II.** (Personnes) **1.** Exister avant. *Ceux qui nous ont précédés.* ⇒ **prédécesseur. 2.** Être, marcher devant (qqn, qqch.). *Je vais vous précéder pour vous montrer le chemin.* **3.** Arriver à un endroit avant (qqn, qqch.). *Il ne m'a précédé que de cinq minutes.* **4.** Abstrait. Devancer (qqn). *Il l'a précédé dans cette voie.* ⇒ **précurseur.** ▶ *précédent, ente* adj. et n. m. — REM. Ne pas confondre avec le part. prés. *précédant.* **I.** Adj. Qui précède, s'est produit antérieurement, qui vient avant. / contr. **suivant** / *Le présent ouvrage s'oppose au précédent.* ⇒ **antérieur.** *Le jour précédent,* la veille. *Relisez cette page et la précédente.* **II.** N. m. **1.** Fait antérieur qui permet de comprendre un fait analogue ; décision, manière d'agir dont on peut s'autoriser ensuite dans un cas semblable. *Cette décision va créer un précédent.* ⇒ **jurisprudence.** *C'est un précédent dangereux.* **2.** SANS PRÉCÉDENT : inouï, jamais vu. *C'est un événement sans précédent.* ▶ *précédemment* [pʀesedamɑ̃] adv. ■ Antérieurement, auparavant. *Comme nous l'avons dit précédemment.*

précepte [pʀesɛpt] n. m. **1.** Formule qui exprime un enseignement, une règle (art, science, morale, religion). ⇒ **commandement, leçon, principe.** *Les préceptes de la morale, de l'Évangile. Il suit les préceptes de son maître.* **2.** Recommandation pratique. *Les préceptes de la bonne cuisine.*

précepteur, trice [pʀesɛptœʀ, tʀis] n. ■ Personne chargée de l'éducation, de l'instruction d'un enfant (de famille noble, riche...) qui ne fréquente pas un établissement scolaire. *Le précepteur d'un jeune prince.*

précession [pʀesesjɔ̃] n. f. ■ PRÉCESSION DES ÉQUINOXES : avance du moment de l'équinoxe, due à la rotation de la ligne des équinoxes.

prêcher [pʀeʃe] v. ■ conjug. 1. **I.** V. tr. **1.** Enseigner (la révélation religieuse). *Prêcher l'Évangile.* — Prê-

cher le carême, prononcer une série de sermons à l'occasion du carême. **2.** Conseiller, vanter (qqch.) par des paroles, des écrits. ⇒ **préconiser, prôner.** *Prêcher la haine. Ils prêchaient l'union des travailleurs.* **II.** V. intr. Prononcer un sermon ou une série de sermons. *Le curé a bien prêché* (⇒ **prédicateur**). **III.** V. tr. PRÊCHER qqn : lui enseigner la parole de Dieu. ⇒ **évangéliser.** *Prêcher les infidèles.* — Fam. Essayer de convaincre, faire la morale à (qqn). ⇒ **sermonner.** ▶ *prêche* n. m. **1.** Discours religieux prononcé par un pasteur protestant. — Sermon. **2.** Fam. Discours moralisateur et ennuyeux. ▶ *prêcheur, euse* n. et adj. **1.** *Les Frères prêcheurs,* les dominicains. **2.** Péj. Personne qui aime à faire la morale aux autres. *Une vieille prêcheuse.* ▶ *prêchi-prêcha* [pʀeʃipʀeʃa] n. m. invar. ■ Fam. Radotage d'un sermonneur. *Il nous ennuie avec ses prêchi-prêcha !*

① **précieux, euse** [pʀesjø, øz] adj. **1.** (Après le nom) De grand prix, d'une grande valeur. *Des bijoux précieux.* **2.** Auquel on attache une grande valeur (pour des raisons sentimentales, intellectuelles, morales). *Les droits les plus précieux de l'homme.* — Particulièrement cher ou utile (à qqn). *Mes amis sont ce que j'ai de plus précieux. Perdre un temps précieux. Un précieux collaborateur.* ▶ *précieusement* adv. ■ Avec le plus grand soin, comme pour un objet précieux. *Conserver précieusement une lettre.*

② **précieux, euse** n. f. et adj. **I.** N. f. *Les précieuses,* femmes qui, au XVIIe s. en France, adoptèrent une attitude nouvelle et raffinée envers les sentiments, et un langage recherché. **II.** Adj. Relatif aux précieuses et à leur idéal. *La littérature précieuse.* ▶ *préciosité* n. f. **1.** Ensemble des traits qui caractérisent les précieuses et le mouvement précieux du XVIIe s., en France. — Caractères esthétiques, moraux de mouvements analogues. **2.** Caractère affecté, recherché du langage, du style. ⇒ **affectation.** / contr. **simplicité** /

précipice [pʀesipis] n. m. ■ Vallée ou anfractuosité du sol très profonde, aux flancs abrupts. ⇒ **abîme, à-pic, gouffre.** *Une route en corniche au bord d'un précipice.*

① **précipité, ée** [pʀesipite] adj. **1.** Très rapide dans son allure, son rythme (⇒ ① **précipiter,** II). *Il s'éloigna à pas précipités.* / contr. **lent** / **2.** Qui a un caractère de précipitation. *Tout cela est bien précipité.* ⇒ **hâtif.** ▶ ① *précipitation* n. f. **1.** Grande hâte, hâte excessive. *Il faut décider sans précipitation. Ne confondez pas vitesse et précipitation.* **2.** Caractère hâtif et improvisé. *Dans la précipitation du départ, il a oublié son passeport.* ▶ *précipitamment* adv. ■ En grande hâte ; avec précipitation. *Il est parti précipitamment.* ⇒ **brusquement.** / contr. **lentement** /

② **précipité** n. m. ■ Dépôt obtenu par précipitation et décantation d'un sel en suspension dans un liquide. ⇒ ② **précipiter.** ▶ ② *précipitation* n. f. **1.** Phénomène à la suite duquel un précipité se forme dans une solution saturée sous l'effet d'un réactif. **2.** *Précipitations atmosphériques,* chute de pluie, de neige, de grêle ; bruine.

① **précipiter** [pʀesipite] v. tr. ■ conjug. 1. **I.** Littér. Jeter ou faire tomber d'un lieu élevé dans un lieu bas ou profond. *Il fut précipité dans le vide.* — Fig. Faire tomber d'une situation élevée ou avantageuse ; entraîner la décadence de... **2.** Pousser, entraîner avec violence. *Ils ont été précipités contre la paroi.* **3.** Faire aller plus vite. ⇒ **accélérer, hâter.** *Précipiter ses pas, sa marche.* / contr. **ralentir** / *Précipiter son départ.* ⇒ **avancer, brusquer.** / contr. **différer, retarder** / *Ne précipitez pas le mouvement, les choses. Il ne faut rien précipiter,* il faut avoir de la patience. **II.** SE PRÉCIPITER v. pron. **1.** (Personnes ou choses) Se jeter de haut dans un lieu bas ou profond. ⇒ **tomber.** *Le torrent se précipite du haut de la falaise.* **2.** (Personnes) S'élancer brusquement, impétueusement. ⇒ **foncer,** se **lancer,** se **ruer.** *Elle se leva et se précipita au-devant de sa mère.* ⇒ **accourir, courir.** — Sans compl. ⇒ se **dépêcher,** se **hâter.** *Inutile de se précipiter !* **3.** (Choses) Prendre un rythme accéléré. *Les battements du cœur se précipitaient.* ‹ ▶ ① précipité ›

② *précipiter* v. ▪ conjug. 1. **I.** V. tr. Faire tomber, faire se déposer (un corps en solution dans son liquide). **II.** V. intr. Tomber dans son solvant, par précipitation ②. ‹ ▶ ② précipité ›

① *précis, ise* [pʁesi, iz] adj. **1.** Qui ne laisse place à aucune indécision dans l'esprit. ⇒ **clair.** / contr. **imprécis** / *Des idées, des indications précises. Renseignez-moi de façon précise. « Que ferez-vous demain ? — Rien de précis. » Sans raison précise.* ⇒ **particulier.** *Des faits précis.* **2.** Perçu nettement. *Des contours précis.* — Déterminé avec exactitude. *Un point précis sur la carte.* **3.** Qui est exécuté ou qui opère d'une façon sûre. *Un geste précis. Un homme précis, qui agit avec précision.* **4.** (Grandeurs, mesures) Qui, à la limite, est exact ; qui est exactement calculé. ⇒ **exact.** *À quatre heures et demie précises.* ⇒ **juste ;** fam. **pile, sonnant, tapant.** ▶ *précisément* adv. **1.** D'une façon précise. *Répondre précisément.* — (Pour corriger une erreur) *Les blessés, les malades plus précisément,* plus exactement, plutôt. **2.** Ellipt. (Dans une réponse) Oui, c'est cela même. *« C'est lui qui vous en a parlé ? — Précisément. »* — (En loc. négative) *Ma vie n'est pas précisément distrayante,* n'est guère, n'est pas distrayante. **3.** (Sens affaibli) S'emploie pour souligner une concordance entre deux séries de faits ou d'idées distinctes. ⇒ **justement.** *C'est précisément pour cela que je viens vous voir.* ▶ ② *précis* n. m. invar. **1.** Exposé précis et succinct. ⇒ **abrégé.** *Composer un précis des événements,* un bref historique. **2.** Petit manuel. *Acheter un précis de géographie générale.* ▶ *préciser* v. tr. ▪ conjug. 1. **1.** Exprimer, présenter de façon précise, plus précise. *Précisez votre idée. Il précisa certains points.* ⇒ **établir.** — Sans compl. *Précisez !* — Dire de façon plus précise pour clarifier. ⇒ **souligner.** *Le témoin de l'accident a précisé qu'il n'avait pas tout vu.* **2.** Pronominalement (réfl.). Devenir plus précis, plus net. *Le danger se précise.* ▶ *précision* n. f. **I. 1.** Caractère, netteté de ce qui est précis. ⇒ **clarté.** / contr. **imprécision ; confusion** / *Des renseignements d'une grande précision. Il revoyait toute la scène avec précision.* **2.** Façon précise d'agir, d'opérer. ⇒ **sûreté.** *Une précision mathématique. La précision d'un tir.* ⇒ **justesse.** **3.** Qualité de ce qui est calculé, mesuré d'une manière précise. ⇒ **exactitude.** *La précision d'un calcul. Une balance de précision.* **II.** Au plur. Détails, faits précis, explications précises permettant une information sûre. *Demander des précisions sur tel ou tel point.* ‹ ▶ imprécis ›

précoce [pʁekɔs] adj. **1.** (Végétaux) Qui est mûr avant le temps normal ; qui produit des fruits, des fleurs, avant la pleine saison. *Un pêcher précoce.* — (Animaux) Dont la croissance est très rapide. *Races précoces.* **2.** Qui survient, se développe plus tôt que d'habitude. / contr. **tardif** / *Un automne précoce. Des rides précoces. Sénilité précoce.* **3.** Qui se produit, se fait plus tôt qu'il n'est d'usage. *Un mariage précoce.* **4.** (Personnes) Dont le développement est très rapide. *Un enfant très précoce.* ⇒ **avancé.** / contr. **arriéré, attardé** / ▶ *précocement* adv. ▪ Littér. D'une manière précoce, de bonne heure. / contr. **tardivement** / ▶ *précocité* n. f. ▪ Caractère de ce qui est précoce.

précolombien, ienne [pʁekɔlɔ̃bjɛ̃, jɛn] adj. ■ Relatif à l'Amérique, à son histoire, à ses civilisations avant la venue de Christophe Colomb. *Arts précolombiens* (surtout Amérique centrale et du Sud). ⇒ **aztèque, inca, maya.**

préconçu, ue [pʁekɔ̃sy] adj. ■ Péj. (Opinion, idée, jugement...) Formé avant toute expérience, sans jugement critique. ⇒ **préjugé.** *Il a trop d'idées préconçues.*

préconiser [pʁekɔnize] v. tr. ▪ conjug. 1. ■ Recommander vivement (une méthode, un remède, etc.). ⇒ **prôner.** *Il préconise l'abandon, d'abandonner, qu'on abandonne.*

précontraint, ainte [pʁekɔ̃tʁɛ̃, ɛ̃t] adj. ■ BÉTON PRÉCONTRAINT : soumis à la pression permanente d'une âme d'acier fortement tendue (pour en augmenter la souplesse, la résistance).

précurseur [pʁekyʁsœʁ] n. m. et adj. m. **1.** Personne dont la doctrine, les œuvres ont frayé la voie à un grand homme, à un mouvement. *Les précurseurs de Freud, d'Einstein. Les précurseurs de la science moderne.* ⇒ **pionnier.** **2.** Adj. m. Annonciateur. ⇒ **avant-coureur.** *Les signes précurseurs de l'orage.*

prédateur [pʁedatœʁ] n. m. ■ (Animaux) Qui se nourrit de proies. *La belette, la fouine, les rapaces sont des prédateurs.*

prédécesseur [pʁedesesœʁ] n. m. **1.** Personne qui a précédé (qqn) dans une fonction, une charge. / contr. **successeur** / **2.** Au plur. Ceux qui ont vécu avant nous. ⇒ **ancêtres.**

prédestiner [pʁedɛstine] v. tr. ▪ conjug. 1. **1.** (Suj. Dieu) Fixer à l'avance le salut ou la perte de (Sa créature). **2.** (Sens affaibli ; suj. chose) Vouer à un destin, à une activité particulière. *Rien ne le prédestinait à devenir médecin.* ⇒ **prédéterminer.** ▶ *prédestiné, ée* adj. **1.** Qui est soumis à la prédestination divine. **2.** PRÉDESTINÉ À... : voué à (un destin particulier). *Il était prédestiné à devenir artiste.* — *Un nom prédestiné,* qui semble indiquer à l'avance un destin accompli. — Absolt. Voué à un destin exceptionnel. *Le poète romantique se considère comme prédestiné.* ▶ *prédestination* n. f. **1.** Doctrine religieuse selon laquelle Dieu destine certaines créatures au salut par la seule force de sa grâce et voue les autres (quoi qu'ils fassent) à la damnation. **2.** Littér. Détermination préalable d'événements ayant un caractère de fatalité.

prédéterminer [pʁedetɛʁmine] v. tr. ▪ conjug. 1. ■ Didact. (Cause, raison) Déterminer d'avance (une décision, un acte). ▶ *prédétermination* n. f.

prédicat [pʁedika] n. m. ■ Didact. Ce qui, dans un énoncé, est affirmé à propos d'un autre terme (thème). Ex. : *Le cheval* (thème) *galope* (prédicat). *Le prédicat correspond en général au verbe.*

prédicateur [pʁedikatœʁ] n. m. ■ Celui qui prêche. ⇒ **prêcheur.** *Le prédicateur monte en chaire.* ▶ *prédication* n. f. **1.** Action de prêcher. **2.** Littér. Sermon.

prédiction [pʁediksjɔ̃] n. f. **1.** Action de prédire ; paroles par lesquelles on prédit. *Faire des prédictions.* ⇒ **prophétie.** **2.** Ce qui est prédit. *Vos prédictions se sont réalisées.*

prédilection [pʁedilɛksjɔ̃] n. f. ■ Préférence marquée (pour qqn, qqch.). / contr. **aversion** / *La prédilection d'une mère pour un de ses enfants.* — DE PRÉDILECTION : préféré. *C'est mon sport de prédilection.*

prédire [pʁediʁ] v. tr. — REM. ▪ conjug. 37, sauf 2ᵉ pers. du plur. du présent de l'indicatif et de l'impératif :

prédisez. **1.** Annoncer (un événement) comme devant se produire, sans preuves ni indices rationnels. *Elle se flattait de prédire l'avenir. La voyante m'a prédit que je mourrais à trente-deux ans.* **2.** Annoncer (une chose probable) comme devant se produire, en se fondant sur le raisonnement, l'intuition, etc. *On lui prédisait le plus brillant avenir. Je vous l'avais prédit !,* je l'avais prévu. ⟨ ▸ **prédiction** ⟩

prédisposer [pʀedispoze] v. tr. ▪ conjug. 1. ▪ Disposer d'avance (qqn à qqch.), mettre dans une disposition favorable. ⇒ **incliner.** *L'attitude de l'accusé ne prédisposait pas le tribunal à l'indulgence.* — Au p. p. adj. *Prédisposé à la paresse.* ⇒ **enclin.** ▸ **prédisposition** n. f. ▪ Tendance, état d'une personne, prédisposée (à qqch.). ⇒ **penchant.**

prédominer [pʀedɔmine] v. intr. ▪ conjug. 1. ▪ (Choses) Être le plus important, avoir le plus d'action. ⇒ l'**emporter, prévaloir.** *Ce qui prédomine en lui, c'est l'imagination.* ▸ **prédominance** n. f. ▪ Caractère prédominant. *La prédominance d'un groupe social.* ⇒ **prépondérance.** ▸ **prédominant, ante** adj. ▪ Qui prédomine. ⇒ **principal.** *La théorie prédominante, de nos jours...*

prééminence [pʀeeminɑ̃s] n. f. ▪ Supériorité absolue de ce qui est au premier rang. ⇒ **primauté ; suprématie.** / contr. **infériorité** / *Donner la prééminence à qqch.,* placer au-dessus. ≠ *proéminence.* ▸ **prééminent, ente** adj. ▪ Littér. Qui a la prééminence. ⇒ **supérieur.** ≠ *proéminent.*

préemption [pʀeɑ̃psjɔ̃] n. f. ▪ En droit. Action d'acheter avant un autre. *Le locataire bénéficie d'un droit de préemption sur le logement mis en vente.* ≠ *péremption.*

préétabli, ie [pʀeetabli] adj. ▪ Établi à l'avance, une fois pour toutes. *Réaliser un plan préétabli.*

préexister [pʀeɛgziste] v. intr. ▪ conjug. 1. ▪ Exister antérieurement (à qqch.). ▸ **préexistant, ante** adj. ▪ Qui préexiste (à qqch.).

préfabriqué, ée [pʀefabʀike] adj. **1.** Se dit d'éléments de construction fabriqués en série et assemblés ultérieurement sur place. — *Maison préfabriquée,* construite avec des éléments préfabriqués. / contr. en **dur** / — N. m. *C'est du préfabriqué.* **2.** Péj. Composé à l'avance, peu naturel. *Une décision préfabriquée.* ⇒ **artificiel, factice.**

préface [pʀefas] n. f. ▪ Texte placé en tête d'un livre et qui sert à le présenter au lecteur. ⇒ **avant-propos, avertissement, introduction.** / contr. **postface** / *Préface de l'auteur à une nouvelle édition. Préface de la nouvelle édition par l'auteur.* ▸ **préfacer** v. tr. ▪ conjug. 3. ▪ Présenter par une préface. *Écrivain qui préface le roman d'un jeune auteur.* ▸ **préfacier, ière** n. ▪ Auteur d'une préface (distinct de l'auteur du livre).

préfecture [pʀefɛktyʀ] n. f. En France. **1.** Charge de préfet. — Ensemble des services du préfet ; local où ils sont installés. *Manifestation devant la préfecture.* **2.** Ville où siège cette administration. *Liste des préfectures et sous-préfectures.* ⇒ **chef-lieu.** — Circonscription administrée par le préfet (⇒ **département**). **3.** PRÉFECTURE DE POLICE : à Paris, services de direction de la police. ▸ **préfectoral, ale, aux** adj. ▪ Relatif au préfet, à l'administration par les préfets (en France). *Un arrêté préfectoral.* ⟨ ▸ **sous-préfecture** ⟩

préférer [pʀefeʀe] v. tr. ▪ conjug. 6. ▪ Considérer comme meilleure, supérieure, plus importante (une chose, une personne parmi plusieurs) ; se déterminer en sa faveur. ⇒ **aimer** mieux. *Préférer une personne, une chose à une autre. Si tu préfères, si vous préférez,*

si vous aimez mieux. — **PRÉFÉRER** (+ infinitif). *Préférer faire qqch.,* aimer mieux. *Je préfère me taire ! Faites comme vous préférez,* comme vous voudrez. *Il préférait souffrir que d'être seul.* — SE PRÉFÉRER v. pron. réfl. *Je me préfère avec les cheveux longs.* ▸ **préférable** adj. ▪ Qui mérite d'être préféré, choisi. ⇒ **meilleur.** *Cette solution me paraît préférable, bien préférable à la première. Partez dès maintenant, c'est préférable.* ⇒ **mieux.** — Impers. *Il est préférable que...* (+ subjonctif), *de* (+ infinitif), il vaut mieux. *Il est préférable qu'il n'ait rien su. Il est préférable de rester.* ▸ **préféré, ée** adj. et n. **1.** Le plus aimé, jugé le meilleur (par qqn). *C'est son disque préféré.* **2.** N. Personne qui est préférée, mieux aimée. ⇒ **favori.** *Cet élève est son préféré.* ⇒ **chouchou.** ▸ **préférence** n. f. **1.** Jugement ou sentiment par lequel on place une personne, une chose au-dessus des autres. *Les préférences de chacun. Il a une préférence nette, marquée pour son fils cadet.* ⇒ **prédilection.** — *Je n'ai pas de préférence, cela m'est égal.* — *Accorder, donner la préférence à,* donner l'avantage dans une comparaison, un choix. ⇒ **préférer.** — *Par ordre de préférence,* en classant chaque chose selon ses préférences. — DE PRÉFÉRENCE loc. adv. : ⇒ **plutôt.** *Je sors le matin, de préférence.* — DE PRÉFÉRENCE À, PAR PRÉFÉRENCE À qqch. loc. prép. ⇒ **plutôt** que. **2.** Le fait d'être préféré. *Avoir, obtenir la préférence sur qqn.* ⇒ l'**emporter.** ▸ **préférentiel, ielle** [pʀefeʀɑ̃sjɛl] adj. **1.** Qui établit une préférence. *Tarif préférentiel.* ⇒ de **faveur ; privilège. 2.** *Vote préférentiel,* qui permet à l'électeur de changer l'ordre des candidats sur une liste. ▸ **préférentiellement** adv. ▪ (Construit avec *à*) ⇒ de **préférence.**

préfet [pʀefɛ] n. m. **1.** En France. Fonctionnaire représentant le pouvoir exécutif central à la tête d'un département (⇒ **préfecture**). ⇒ **commissaire** de la République. *Le préfet et les sous-préfets. Madame le préfet.* — *Préfet de région,* le préfet du département dans lequel se trouve le chef-lieu de région. — *Préfet de police,* placé à la tête de la Préfecture de police (à Paris). **2.** Prêtre chargé de la discipline dans certains collèges religieux. *Préfet des études.* ▸ **préfète** n. f. ▪ Femme d'un préfet. *Madame la préfète.* — Femme préfet. ⟨ ▸ **préfecture, sous-préfet** ⟩

préfigurer [pʀefigyʀe] v. tr. ▪ conjug. 1. ▪ Littér. Présenter par avance tous les caractères de (une chose à venir). *Ces troubles préfiguraient les journées révolutionnaires.* ▸ **préfiguration** n. f. ▪ Littér. Ce qui préfigure qqch.

préfixe [pʀefiks] n. m. ▪ Élément de formation (affixe) placé devant un radical (opposé à *suffixe*). *Le préfixe de « préhistoire » est « pré- » qui signifie « avant ». Plusieurs préfixes peuvent se succéder (ex. : in-, sur-, dans insurmontable). Certains préfixes sont reliés au radical par un trait d'union (ex. : sous-).* ▸ **préfixer** v. tr. ▪ conjug. 1. ▪ Joindre (un élément) comme préfixe ; composer avec un préfixe. ▸ **préfixation** n. f. ▪ Formation d'un mot grâce à un préfixe. *La préfixation de « lire » avec « re- » donne « relire ».*

préhension [pʀeɑ̃sjɔ̃] n. f. ▪ Didact. Faculté de saisir avec un organe approprié. ▸ **préhenseur** adj. m. ▪ Didact. Qui sert à prendre, à saisir. *Organe préhenseur.* ▸ **préhensile** adj. ▪ Didact. Qui peut servir à prendre, saisir (alors que la fonction première n'est pas la préhension). *La trompe de l'éléphant est préhensile.*

préhistoire [pʀeistwaʀ] n. f. **1.** Ensemble des événements concernant l'humanité avant l'apparition de l'écriture ; étude de ces événements. ⇒ **protohistoire. 2.** Première période de développement (d'une technique). *La préhistoire de l'aviation, du cinéma.*

⇒ **balbutiement**. ▸ *préhistorien, ienne* n. ■ Spécialiste de la préhistoire. ▸ **préhistorique** adj. **1.** Qui appartient à la préhistoire. *Les temps préhistoriques.* ⇒ **néolithique, paléolithique.** — De la préhistoire. *Animaux préhistoriques.* **2.** Très ancien, suranné. ⇒ **antédiluvien.** *Une voiture préhistorique.* ⇒ **antique.**

préjudice [pʀeʒydis] n. m. **1.** Perte d'un bien, d'un avantage par le fait d'autrui (agissant le plus souvent contre le droit, la justice) ; acte ou événement nuisible aux intérêts de qqn. / contr. **bénéfice, profit** / *Causer un préjudice à qqn. Porter préjudice, causer du tort. Subir un préjudice.* ⇒ **dommage.** AU PRÉJUDICE *de qqn* : contre son intérêt. ⇒ **détriment. 2.** Ce qui est nuisible pour, ce qui va contre (qqch.). *Un grave préjudice causé à la justice.* — *Au préjudice de la vérité.* ⇒ **contre.** — Littér. SANS PRÉJUDICE DE : sans porter atteinte, sans renoncer à. *Sans préjudice des questions qui pourront être soulevées plus tard.* ▸ *préjudiciable* adj. ■ Qui porte, peut porter préjudice (à qqn, à qqch.). ⇒ **nuisible.** *Un travail préjudiciable à la santé de qqn.*

préjuger [pʀeʒyʒe] v. tr. ind. ■ conjug. 3. ■ Littér. ou terme de droit. PRÉJUGER DE : porter un jugement prématuré sur (qqch.) ; considérer comme résolue une question qui ne l'est pas. *Je ne peux pas préjuger de la décision.* ▸ *préjugé* n. m. **1.** Croyance, opinion préconçue souvent imposée par le milieu, l'époque ; parti pris. *Les préjugés bourgeois. Il est sans préjugés.* ⇒ **a priori, prévention. 2.** Indice qui permet de se faire une opinion provisoire. *C'est un préjugé en sa faveur.*

se prélasser [pʀelɑ(a)se] v. pron. ■ conjug. 1. ■ Se détendre, se reposer nonchalamment et béatement. *Se prélasser dans un doux farniente.*

prélat [pʀela] n. m. ■ Haut dignitaire ecclésiastique (cardinal, achevêque, etc.), dans l'Église catholique.

prélatin, ine [pʀelatɛ̃, in] n. m. et adj. ■ Didact. Antérieur à la civilisation latine, au latin (langue). *Mot latin, italien, d'origine prélatine.*

prèle, prêle ou *presle* [pʀɛl] n. f. ■ Plante à tige creuse et à épis, qui pousse dans des endroits humides.

prélever [pʀelve] v. tr. ■ conjug. 5. ■ Prendre (une partie d'un ensemble, d'un total). ⇒ **enlever, retenir, retrancher.** *Prélever un échantillon. Prélevez cette somme sur mon compte.* ▸ *prélèvement* n. m. ■ L'action de prélever ; la quantité qu'on prélève. *Payer ses impôts par prélèvement automatique sur son compte en banque. Un prélèvement de sang.* — Absolt. *Faire un prélèvement* (d'organe, de tissu, etc.).

préliminaire [pʀeliminɛʀ] adj. ■ Qui précède, prépare (une autre chose considérée comme essentielle, plus importante). ⇒ **préparatoire.** *Discours préliminaire (à un livre, un exposé),* introduction, préambule. ⇒ **liminaire.** ▸ *préliminaires* n. m. plur. **1.** Ensemble des négociations qui précèdent et préparent un armistice, un traité de paix. *Les préliminaires de la paix.* **2.** Ce qui prépare un acte, un événement plus important. ⇒ **commencement.** *Abréger les préliminaires.*

prélude [pʀelyd] n. m. **1.** Suite de notes qu'on chante ou qu'on joue pour se mettre dans le ton. **2.** Pièce instrumentale ou orchestrale de forme libre. *Les préludes de Chopin.* **3.** Ce qui précède, annonce (qqch.) ; ce qui constitue le début (d'une œuvre, d'une série d'événements...). ⇒ **amorce, commencement, prologue.** *Le prélude des hostilités. Ce n'est qu'un prélude (à...).* ⇒ **début.** ▸ *préluder* v. ■ conjug. 1. **1.** V. intr. *Préluder par,* chanter, jouer (un morceau) pour commencer. **2.** V. tr. ind. (Suj. chose) PRÉLUDER À : se produire avant (une autre chose) en la laissant

prévoir. ⇒ **annoncer.** *Les incidents qui ont prélude aux hostilités.*

prématuré, ée [pʀematyʀe] adj. **1.** Qu'il n'est pas encore temps d'entreprendre. *Je crains que ce ne soit une démarche prématurée.* — Qui a été fait trop tôt. *Une nouvelle prématurée,* annoncée avant que les événements se soient produits. **2.** Qui arrive avant le temps normal. ⇒ **précoce.** / contr. **tardif** / *Une mort prématurée.* **3.** *Un enfant prématuré,* né avant terme. — N. *Un prématuré en couveuse.* ▸ *prématurément* adv. ■ Avant le temps habituel ou convenable.

préméditer [pʀemedite] v. tr. ■ conjug. 1. ■ Décider, préparer avec calcul. ⇒ **projeter.** *Il avait prémédité sa fuite, de s'enfuir.* — Au p. p. adj. *Un crime prémédité.* ▸ *préméditation* n. f. ■ Dessein réfléchi d'accomplir une action (surtout une action mauvaise, délit ou crime). *Meurtre avec préméditation* (circonstance aggravante). ⇒ **assassinat.**

prémices [pʀemis] n. f. pl. ≠ *prémisses.* **1.** Histoire. (Chez les Anciens) Premiers fruits de la terre, premiers animaux nés du troupeau, qu'on offrait à la divinité. ⇒ **rogations. 2.** Littér. Commencement, début. *Les prémices de l'hiver.*

premier, ière [pʀəmje, jɛʀ] adj., n. et adv. **I.** Adj. (Épithète le plus souvent avant le nom) Qui vient avant les autres, dans un ordre (*premier,* second ou deuxième, troisième, quatrième, etc.). / contr. **dernier** / **1.** Qui est le plus ancien ou parmi les plus anciens dans le temps ; qui s'est produit, apparaît avant. ⇒ **initial.** *Le premier jour du mois.* — N. *Premier jour. Le premier janvier, le 1ᵉʳ janvier, le Premier de l'An.* — *Les premiers pas. Son premier amour. La première fois. À sa première venue, il n'a rien dit.* Loc. *Au premier, du premier coup,* au premier essai. *À première vue, au premier abord,* de prime abord. *La première jeunesse,* le commencement de la jeunesse. *Première nouvelle !,* je ne le savais pas ! — (Attribut) *Arriver premier, bon premier,* avant les autres. ⇒ **en tête.** — N. *Parler le premier, la première. Il, elle est parmi les premiers. Le premier à venir* (dans le futur). *À la première occasion.* **3.** Qui se présente avant (dans une série, un ordre conventionnel). *La première personne du singulier, du pluriel. Première partie.* ⇒ **commencement, début.** *De la première à la dernière ligne* (→ de A à Z). **4.** (Après le nom) Littér. Qui est dans l'état de son origine, de son début. ⇒ **originel, primitif.** *Il ne retrouvait plus sa ferveur première.* **5.** Qui se présente d'abord (dans l'espace) par rapport à un observateur, à un point de repère. *La première (rue) à droite. Au premier rang. Montez au premier (étage).* **6.** Qui vient en tête pour l'importance, la valeur, est plus remarquable que les autres. ⇒ **meilleur, principal.** *Première qualité, premier choix. De (tout) premier ordre. Jouer le premier rôle. Voyager en première (classe).* — (Personnes) *Le Premier ministre. Premier violon.* (Attribut) Qui vient avant les autres, dans un classement. *Sortir premier d'une école.* **7.** (Après le nom) Qui n'est pas déduit, qui n'est pas défini au moyen d'autre chose. *Les vérités premières.* — *Nombre premier,* divisible uniquement par 1. *3, 7, sont des nombres premiers.* **8.** (Après le nom) Qui contient en soi la raison d'être des autres réalités. *Les causes premières.* **II.** N. **1.** (Personnes) *Le premier. Le premier venu,* le premier qui est venu ou viendra ; n'importe qui. *La première venue.* — LE PREMIER, LA PREMIÈRE *de sa classe.* **2.** JEUNE PREMIER (fém. JEUNE PREMIÈRE) : comédien(ienne) qui joue les premiers rôles d'amoureux. **3.** N. m. *Premier ministre* (en Grande-Bretagne). *Le Premier britannique, Mme Thatcher.* **4.** N. m. Premier terme d'une charade. *Mon premier..., mon second..., mon tout.* **III.** EN PREMIER loc. adv. : d'abord. *C'est ce* *qui doit passer en premier,* au premier rang. ▶ *pre-mière* n. f. **1.** Première représentation d'une pièce ou projection d'un film. *La générale et la première.* ⇒ **avant-première.** — Première fois qu'un événement important se produit. *Une première dans l'histoire de l'alpinisme.* **2.** Loc. fam. *De première !,* de première qualité ; remarquable, exceptionnel. **3.** Classe qui précède les classes terminales des études secondaires. *Entrer en première.* **4.** Première vitesse d'une automobile. *Passer la (en) première.* ▶ *premièrement* adv. ■ D'abord, en premier lieu (dans une énumération). ⇒ **primo.** ▶ *premier-né* [prəmjene], *première-née* [prəmjerne] adj. et n. ■ Le premier enfant. ⇒ **aîné** (opposé à *dernier-né*). *Les premiers-nés.* ⟨ ▶ avant-première ⟩

prémilitaire [premiliter] adj. ■ Qui précède le service militaire légal. *Formation prémilitaire.*

prémisse [premis] n. f. ≠ *prémices.* **1.** Chacune des deux propositions initiales d'un syllogisme, dont on tire la conclusion. **2.** Affirmation dont on tire une conclusion ; commencement d'une démonstration.

prémolaire [premɔler] n. f. ■ Chacune des dents situées entre la canine et les grosses molaires.

prémonition [premɔnisjɔ̃] n. f. ■ Avertissement inexplicable qui fait connaître un événement à l'avance ou à distance. ⇒ **pressentiment.** *Je me méfie de ses prémonitions.* ▶ *prémonitoire* adj. ■ Qui a rapport à la prémonition, constitue une prémonition. *Un rêve prémonitoire. Signe prémonitoire,* annonciateur.

prémunir [premynir] v. tr. ■ conjug. 2. ■ Littér. Protéger (qqn), mettre en garde (contre qqch.). *Je voudrais vous prémunir contre ce danger.* — Pronominalement (réfl.). *Comment se prémunir contre le froid ?*

prenant, ante [prənɑ̃, ɑ̃t] adj. **1.** PARTIE PRENANTE : en droit, partie qui reçoit de l'argent ou une fourniture. — Plus cour. Protagoniste. *Les parties prenantes d'un conflit.* **2.** Qui captive en émouvant, en intéressant profondément. *Un film prenant.* ⇒ **passionnant.** *Une voix prenante.*

prénatal, ale, als [prenatal] adj. ■ Qui précède la naissance. *Allocations prénatales,* perçues pendant la grossesse.

① *prendre* [prɑ̃dr] v. tr. ■ conjug. 58. **I.** Mettre avec soi ou faire sien. **1.** Mettre dans sa main (pour avoir avec soi, pour faire passer d'un lieu dans un autre, pour utiliser...). *Prendre un objet à pleine main.* ⇒ **empoigner, saisir.** — Pronominalement (passif). *Cela se prend par le milieu.* — *Je te défends de prendre ce livre.* ⇒ **toucher** à. *Prendre qqch. des mains de qqn.* ⇒ **arracher, enlever, ôter, retirer.** — Loc. *Prendre une affaire en main,* décider de s'en occuper. *Prendre qqn par la taille.* ⇒ **enlacer.** *Prendre dans ses bras.* ⇒ **embrasser. 2.** Mettre avec soi, amener à soi. / contr. **laisser** / *N'oublie pas de prendre ton parapluie.* ⇒ **emporter.** *Il prit son chapeau et ses gants.* ⇒ **mettre.** Loc. *Prendre des gants avec qqn,* agir avec délicatesse. *Prendre du pain,* en acheter. — (Compl. personne) ⇒ **accueillir.** *Le coiffeur m'a pris à 5 heures.* — *Je passerai vous prendre chez vous.* ⇒ **chercher. 3.** PRENDRE qqch. SUR SOI, *sous sa responsabilité :* en accepter la responsabilité. ⇒ **assumer.** — PRENDRE SUR SOI DE : s'imposer de. *Il a pris sur lui de venir malgré sa fatigue.* **4.** Aborder, se mettre à considérer (qqch., qqn) de telle façon. *Prendre la vie du bon côté,* par ce qu'elle a d'agréable. *On ne sait par où le prendre, il est susceptible. Il n'est pas à prendre avec des pincettes.* — *Prendre une expression à la lettre.* — (Sans compl. de manière) ⇒ **considérer.** *Prenons cet exemple.* — À TOUT PRENDRE loc. adv. : somme toute. — PRENDRE BIEN, MAL *qqch. :*

l'accepter ou en souffrir ⇒ **accueillir.** — *Prendre les choses comme elles viennent. Prendre qqn, qqch. au sérieux, à la légère, à cœur. Le prendre de haut. Si vous le prenez ainsi,* si c'est là votre attitude, votre manière de voir. — PRENDRE EN... : avoir en. *Prendre qqn en amitié. Prendre qqn, qqch. en horreur, en grippe.* **5.** Faire sien (une chose abstraite). *Il a pris un surnom.* ⇒ **PRENDRE** (un) *rendez-vous. Prendre une habitude.* **6.** Évaluer, définir (pour connaître). *Prendre des mesures. Prenez votre température.* **7.** Inscrire ou reproduire. *Prendre des notes, une photo.* **8.** S'adjoindre (une personne). *On ne prend plus personne à l'usine.* ⇒ **embaucher, engager.** — *Prendre pour, comme, à, en,* s'adjoindre, se servir de (qqn) en tant que... *Il l'a prise comme assistante. Prendre à témoin, prendre pour juge.* **9.** PRENDRE POUR : croire qu'une personne, une chose est (autre ou autrement). *Prendre une personne pour une autre.* ⇒ **confondre.** *On le prenait pour un savant. Pour qui me prenez-vous ? Prendre ses désirs pour des réalités.* **10.** Absorber, manger ou boire. *Prendre son café. Prendre un verre. Que prenez-vous ?* ⇒ **boire.** *Vous prenez, vous prendrez de la viande ou du poisson ?* ⇒ **choisir.** — *Prendre un cachet.* — Pronominalement (passif). *Médicament qui se prend avant les repas.* — *Prendre le frais. Prendre un bain.* **II.** Agir de façon à avoir, à posséder (qqch., qqn). **1.** Se mettre en possession de ; se rendre maître de. ⇒ **s'approprier.** *Prendre qqch. par force, par ruse.* — Loc. *C'est à prendre ou à laisser.* ⇒ **laisser. 2.** Demander, exiger. *Combien prend-il ?,* quel est son prix ? — Exiger, employer (du temps). *Ce travail me prendra une heure.* **3.** Fam. Recevoir, supporter. *Il a pris un coup de pied, des gifles.* ⇒ **attraper.** *Qu'est-ce qu'il a pris !* **4.** Se rendre maître par force ; conquérir. / contr. **perdre** / *Prendre d'assaut,* en attaquant de vive force. ⇒ **enlever.** *Prendre le pouvoir.* — Loc. fam., au p. p. *C'est autant de pris (sur l'ennemi),* se dit d'un petit avantage dont on est assuré. **5.** PRENDRE qqch. à qqn : s'emparer de (ce qui appartient à qqn). ⇒ **voler.** *Il lui a pris son argent. Prendre la place de qqn.* **6.** Se saisir de (ce qui fuit, se dérobe : animal, personne). *Prenez-le vivant !* ⇒ **attraper, capturer.** *Il s'est fait prendre par la police.* ⇒ **arrêter.** — (Passif) Être attrapé. *Être pris dans l'engrenage.* (Choses) *Le navire est pris par (dans) les glaces.* **7.** Amener (qqn) à ses vues, à faire ce qu'on veut. *Prendre qqn par la douceur,* en le traitant doucement. *Il m'a pris en traître, par traîtrise.* ⇒ **avoir.** *On ne m'y prendra plus !,* je ne serai plus dupe. — Sans compl. *Savoir prendre qqn,* agir envers lui avec diplomatie pour obtenir de lui ce qu'on veut. **8.** PRENDRE qqn (de telle ou telle manière). ⇒ **surprendre.** *Prendre qqn en faute, en flagrant délit. Il les a pris au dépourvu. Je vous y prends ! 9.** (Sensation, sentiment...) Saisir (qqn), faire sentir à (qqn). *Les douleurs la prirent brusquement. Être pris de vertiges.* — Fam. *Qu'est-ce qui vous (te) prend ? Ça vous prend souvent ?,* se dit à une personne dont l'attitude est inattendue ou déplacée. — Impers. *Il me prend l'envie d'aller le voir.* **10.** BIEN, MAL *(lui, vous,* etc.) PREND DE : cela a de bonnes, de fâcheuses conséquences. *Mal lui a pris de mentir,* il a eu tort, il en subit les conséquences. **III.** exprimant le commencement ou la progression d'une action. **1.** Se mettre à utiliser, à avoir, à être (sans idée d'appropriation). *Prendre le deuil,* mettre des vêtements de deuil. *Prendre la plume,* écrire. *Prendre le lit,* s'aliter. — Faire usage de (un véhicule). *Prendre l'avion, le train, sa voiture.* — S'engager dans. *Prendre un virage. Prendre la porte,* sortir. *Prendre la mer.* ⇒ **s'embarquer.** — Emprunter (une voie de communication). *Prendre la route, un raccourci.* — Sans compl. direct. *Prenez à droite, sur votre gauche, par là.* **2.** User à son gré de. *Prendre le temps de, prendre son temps.*

Prendre congé. **3.** Se mettre à avoir, se donner. *Prendre une attitude, une décision. Prendre la fuite. Prendre du repos. Prendre la parole,* commencer à parler. *Prendre l'avantage sur qqn. Prendre possession.* — Compl. sans article. Loc. *Prendre position,* choisir. *Prendre soin de... Prendre garde.* — Formule de politesse. *Prenez la peine d'entrer, veuillez entrer.* **4.** Commencer à avoir (une façon d'être). *Prendre une bonne, une mauvaise tournure. Loc. Prendre forme.* — (Personnes ; désignant une action involontaire) *Prendre de l'âge,* vieillir. *Prendre des couleurs, du poids. Prendre du retard, de l'avance. Prendre de l'assurance. Il y prend goût.* Loc. *Prendre peur.* **5.** Subir l'effet de. *Prendre feu,* s'enflammer. *Prendre froid ; prendre du mal.* **IV.** SE PRENDRE v. pron. **1.** Se laisser attraper. *Moucheron qui se prend dans une toile d'araignée. Il se prenait à son propre jeu.* **2.** S'EN PRENDRE À : s'attaquer à, en rendant responsable. ⇒ **incriminer.** *Il ne pourra s'en prendre qu'à lui-même,* il est responsable de ses propres malheurs. **3.** SE PRENDRE DE : se mettre à avoir. *Se prendre d'amitié pour qqn.* ⇒ **éprouver.** **4.** S'Y PRENDRE : agir d'une certaine manière en vue d'obtenir un résultat. *Il s'y est mal pris.* ⇒ **procéder.** *S'y prendre à deux fois,* tâtonner. *Savoir s'y prendre.* — (Avec une précision de temps) *Se mettre à s'occuper de. Il faudra s'y prendre à l'avance.* **5.** Se considérer. *Se prendre au sérieux.* — SE PRENDRE POUR : estimer qu'on est. ⇒ se **croire.** *Se prendre pour un génie. Se prendre pour qqn.* — Péj. *Pour qui se prend-il ?* [pʀɑ̃til] **6.** (Récipr.) Se tenir l'un l'autre. *Elles se sont prises par la main.* **7.** (Récipr.) S'ôter l'un à l'autre. *Elles se sont pris leurs affaires.* ⇒ **échanger.** ▶ ② *prendre* v. intr. ▪ conjug. 58. **1.** (Substances) Durcir, épaissir. *La mayonnaise commence à prendre ; elle a pris.* — Attacher, coller. *Aliment qui prend au fond de la casserole.* **2.** (Végétaux) Pousser des racines, continuer sa croissance après transplantation. *La bouture a pris.* **3.** (Feu) Se mettre à consumer une substance. *Le feu prendra si tu ajoutes du papier.* **4.** Produire son effet, l'effet recherché. ⇒ **réussir.** *Vaccin qui prend. C'est une mode qui ne prendra pas.* — Être cru, accepté. *À d'autres, ça ne prend pas !* ‹ ▶ apprendre, comprendre, emprise, entreprendre, s'éprendre, malappris, se méprendre, prenant, preneur, pris, ① prise, ② prise, reprendre, surprendre, surprise ›

preneur, euse [pʀənœʀ, øz] n. **1.** Personne qui achète qqch. ⇒ **acheteur, acquéreur.** *Je suis preneur.* **2.** Loc. *Preneur de son* (⇒ **prise** de son).

prénom [pʀenɔ̃] n. m. ▪ Chacun des noms personnels qui précèdent le nom de famille. *Elle n'aime pas le prénom que lui ont donné ses parents. Prénom usuel,* donné à une personne dans la vie courante. ⇒ petit **nom, nom** de baptême. ▶ *prénommer* v. tr. ▪ conjug. 1. ▪ Appeler d'un prénom. *On l'a prénommé, il est prénommé Jean.* — Pronominalement. *Comment vous prénommez-vous ?* — Au p. p. adj. *Un prénommé Jean.*

prénuptial, ale, aux [pʀenypsjal, o] adj. ▪ Qui précède le mariage. *Des examens (médicaux) prénuptiaux.*

préoccuper [pʀeɔkype] v. tr. ▪ conjug. 1 **1.** Inquiéter fortement. ⇒ **tourmenter, tracasser.** *Ces problèmes me préoccupent depuis longtemps.* **2.** Occuper exclusivement (l'esprit, l'attention). ⇒ **absorber, obséder.** *Cette idée le préoccupe.* **3.** V. pron. SE PRÉOCCUPER : s'occuper (de qqch.) en y attachant un vif intérêt mêlé d'inquiétude. ⇒ se **soucier.** / contr. se **désintéresser** / *Il ne s'en préoccupait guère.* ▶ *préoccupant, ante* adj. ▪ Qui préoccupe, inquiète. *La situation est préoccupante.* ▶ *préoccupé, ée* adj. ▪ Qui est sous l'effet d'une préoccupation.

⇒ **absorbé, anxieux, inquiet.** *Il a l'air préoccupé en ce moment.* / contr. **indifférent, insouciant** / *Préoccupé de..., soucieux de.* ▶ *préoccupation* n. f. ▪ Souci, inquiétude qui occupe l'esprit. *C'est leur préoccupation majeure.*

préparer [pʀepare] v. tr. ▪ conjug. 1. **I. 1.** Mettre en état de fonctionner, de servir. ⇒ **apprêter, arranger, disposer.** *Je vais préparer votre chambre. Préparer la table.* ⇒ **mettre.** *Préparer la voie, le terrain. Elle prépare le repas* (⇒ **préparation**). **2.** Faire tout ce qu'il faut pour (une opération, une œuvre, etc.). ⇒ **organiser.** *Il a préparé soigneusement son départ* (⇒ **préparatifs**). *Un coup préparé de longue main.* ⇒ **machiner, monter.** — Travailler (à). *Le professeur a préparé son cours. Préparer un examen auquel on veut se présenter.* — *Préparer une grande école,* le concours d'entrée à cette école. **3.** Rendre possible, par son action. *Préparer l'avenir. Préparer qqch. à qqn,* faire que la chose lui arrive. ⇒ **réserver.** *On lui a préparé une surprise.* — (Suj. chose) Rendre possible ou probable. *Cela ne nous prépare rien de bon.* **4.** Théâtre, roman, film... Rendre possible ou naturel en enlevant le caractère arbitraire. ⇒ **amener, ménager.** *Préparer un dénouement.* — *Préparer ses effets.* **II.** *Préparer qqn À* : rendre (qqn) capable de, prêt à, par une action préalable et concertée. *Préparer un élève à l'examen.* — Mettre dans les dispositions d'esprit requises. *On a voulu le préparer à cette terrible nouvelle.* **III.** SE PRÉPARER v. pron. **1.** (Réfl.) Se mettre en état, en mesure de faire (qqch.). *Se préparer au combat, à combattre. Se préparait pour le bal.* **2.** (Passif) Être préparé. *La cuisine où se prépare le repas.* **3.** Être près de se produire. *Je crois qu'un orage se prépare.* ⇒ **couver ; imminent.** — Impers. *Il se prépare quelque chose de grave.* ▶ *préparateur, trice* n. **1.** Personne attachée à un laboratoire, chargée de préparer des expériences scientifiques. ⇒ **laborantin. 2.** PRÉPARATEUR EN PHARMACIE : employé d'une pharmacie. ▶ *préparatifs* n. m. pl. ▪ Dispositions prises pour préparer qqch. ⇒ **arrangement, disposition.** *Les préparatifs du départ. Ses préparatifs de départ.* ▶ *préparation* n. f. **I.** Action de préparer (qqch.). *La préparation du repas, des plats.* — Chose préparée. ⇒ **composition.** *Des préparations pharmaceutiques.* **2.** Arrangement, organisation ayant pour effet de préparer. *La préparation d'une fête. Roman en préparation.* — Spécialt. Devoir qui prépare à l'étude d'un texte en classe. **3.** Littér. Manière de préparer (I, 4). *La préparation d'un dénouement.* **II.** Action de préparer (qqn) ou de se préparer. ⇒ **formation.** *La préparation des candidats au baccalauréat.* — *Préparation militaire,* enseignement militaire donné avant le service. ▶ *préparatoire* adj. ▪ Qui prépare (qqch., qqn). *Travail préparatoire.* — *Cours préparatoire* (abrév. : *C.P.*), premier cours de l'enseignement primaire élémentaire. *Classes préparatoires aux grandes écoles* (fam. : *prépa,* n. f.).

prépondérant, ante [pʀepɔ̃deʀɑ̃, ɑ̃t] adj. ▪ Qui a plus de poids, qui l'emporte en autorité, en influence. ⇒ **dominant, prédominant.** *Jouer un rôle prépondérant. La voix du président est prépondérante,* décisive en cas de partage des voix. ▶ *prépondérance* n. f. ▪ Le fait d'être plus important.

préposer [pʀepoze] v. tr. ▪ conjug. 1. ▪ *Préposer à... charger* (qqn) d'assurer (un service, une fonction). ⇒ **employer.** — Au passif. *Ils étaient préposés au nettoyage de l'immeuble.* ▶ *préposé, ée* n. **1.** Personne qui accomplit une fonction déterminée (généralement subalterne). ⇒ **agent, commis, employé.** *La préposée au vestiaire.* **2.** Nom administratif du facteur des postes (cour. : *facteur*).

préposition [pʀepozisjɔ̃] n. f. ▪ Mot invariable, indiquant une relation grammaticale et le passage *prépuce* d'un nom, d'un verbe, d'un adjectif, d'un adverbe à son complément (ex. : *à, de*). ▶ *prépositif, ive* adj. ■ *Locution prépositive*, fonctionnant comme une préposition (ex. : *à cause de, à côté de, en dehors de*).

prépuce [pʀepys] n. m. ■ Repli de peau qui entoure le gland de la verge. *Excision du prépuce.* ⇒ **circoncision.**

préraphaélite [pʀeʀafaelit] n. et adj. ■ Se dit de peintres anglais (fin XIXᵉ s.) qui s'inspiraient de la peinture italienne d'avant Raphaël.

prérogative [pʀeʀɔgativ] n. f. ■ Avantage ou droit attaché à une fonction, un état. ⇒ **privilège.** *Les prérogatives dont jouissaient les nobles. Les prérogatives de l'artiste.*

préromantique [pʀeʀɔmɑ̃tik] adj. ■ Qui précède et annonce l'époque romantique. ▶ *préromantisme* n. m.

près [pʀɛ] adv. ■ Adverbe marquant la proximité, indiquant une petite distance. — REM. Rarement employé seul. Ne pas confondre *près (de)* et *prêt (à)*. I. 1. À une distance (d'un observateur ou d'un point d'origine) considérée comme petite. / contr. **loin** / *Il habite assez près, tout près. Venez plus près. Pas si près !* 2. DE PRÈS loc. adv. (Dans l'espace) *Regarder de près, de trop près. Se raser de près, au ras des poils.* — *Connaître qqn de près*, très bien. *Examiner de près*, attentivement. Loc. *Ne pas y regarder de si près, de trop près*, se contenter de ce qu'on a. — (Dans le temps) *Deux événements qui se suivent de près.* II. PRÈS DE loc. prép. ⇒ **proche** de. 1. (Dans l'espace) À petite distance de. *Près d'ici. Tout près de Paris*, aux abords de. *S'asseoir près de qqn*, auprès de, aux côtés de. *Ils étaient l'un près de l'autre, tout près l'un de l'autre.* — Loc. fam. *Être près de son argent, de ses intérêts*, être intéressé. — (Pour indiquer une mesure approximative) *Un peu moins de. Il en manque près de la moitié.* 2. (Dans le temps) *Il était près de mourir.* — Impers. *Il est près de midi.* ⇒ **presque.** III. (Exprimant l'idée d'une différence, dans des loc.) 1. À PEU PRÈS : indiquant l'approximation. *L'hôtel était à peu près vide.* ⇒ **presque.** *À peu près six mille hommes. Il y a à peu près vingt minutes.* 2. À PEU DE CHOSE(S) PRÈS. ⇒ **presque.** *Il y en a mille, à peu de choses près.* — À BEAUCOUP PRÈS : avec de grandes différences. — À CELA PRÈS : cela étant mis à part. ⇒ **excepté, sauf.** *Il se sentait heureux, à cela près qu'il n'avait pas un sou.* 3. À qqch. PRÈS : indiquant le degré de précision d'une évaluation. *Mesure au millimètre près. Calculer au centime près.* — *Il n'en est pas à cent francs près*, une différence de cent francs ne le gêne pas. *Je ne suis pas à ça près !* ⟨ ▶ à-peu-près, auprès de ⟩

présage [pʀezaʒ] n. m. 1. Signe d'après lequel on pense prévoir l'avenir. ⇒ **augure.** *Croire aux présages.* 2. Ce qui annonce (un événement à venir). *Les présages d'une catastrophe.* ▶ *présager* v. tr. ▪ conjug. 3. 1. Littér. Être le présage de. ⇒ **annoncer.** — Faire présumer, supposer. *Cela ne présage rien de bon.* 2. Littér. (Personnes) Prévoir. *Cela me laisse présager le pire.*

pré-salé [pʀesale] n. m. ■ Mouton, agneau engraissés dans des pâturages côtiers soumis au vent et aux embruns salés de la mer ; viande (très estimée) de cet animal. *Des prés-salés.*

presbyte [pʀɛsbit] n. et adj. ■ Personne atteinte de presbytie, qui voit mal de près. ⇒ **hypermétrope.** *On devient presbyte avec l'âge.* / contr. **myope** / ▶ *presbytie* [pʀɛsbisi] n. f. ■ Vision trouble des objets rapprochés. / contr. **myopie** /

presbytère [pʀɛsbitɛʀ] n. m. ■ Habitation du curé, du pasteur dans une paroisse. ⇒ **cure.**

presbytérien, ienne [pʀɛsbiteʀjɛ̃, jɛn] n. et adj. ■ Adepte d'une secte protestante issue du calvinisme où des laïcs sont associés à la direction de l'Église.

prescience [pʀesjɑ̃s] n. f. ■ Littér. Connaissance des événements à venir. ⇒ **prémonition, pressentiment, prévision.**

① *prescription* [pʀɛskʀipsjɔ̃] n. f. ■ En droit. *Délai de prescription*, délai prévu par la loi, passé lequel la justice ne peut plus être saisie. — Absolt. *On ne peut plus le poursuivre, il y a prescription. Droits qui échappent à la prescription.* ⇒ **imprescriptible.**

prescrire [pʀɛskʀiʀ] v. tr. ▪ conjug. 39. 1. Ordonner ou recommander expressément ; indiquer avec précision (ce qu'on exige, ce qu'on impose). *Les formes que la loi a prescrites.* ⇒ **fixer.** — Recommander, conseiller formellement. ≠ **proscrire.** *Le médecin a prescrit des remèdes, un traitement* (⇒ **ordonnance**). 2. (Choses) Demander impérieusement. *L'honneur, les circonstances nous prescrivent de continuer notre action.* ⇒ **obliger.** ▶ ② *prescription* n. f. ■ Ordre expressément formulé, avec toutes les précisions utiles. *Les prescriptions d'un médecin*, recommandations consignées sur l'ordonnance. ▶ *prescrit, ite* adj. ■ Qui est imposé, fixé. *Au jour prescrit.* — *Ne pas dépasser la dose prescrite.*

préséance [pʀeseɑ̃s] n. f. ■ Droit de précéder (qqn) dans une hiérarchie protocolaire. *Respecter les préséances.*

présence [pʀezɑ̃s] n. f. I. 1. (Personnes) Le fait d'être physiquement quelque part, auprès de qqn. / contr. **absence** / *La présence de son ami le réconfortait. La présence de chez, auprès de qqn. Fuir, éviter la présence de qqn. Faire* ACTE DE PRÉSENCE : être présent, sans plus. *Signer la feuille de présence*, la feuille qui atteste la présence effective (à une réunion, etc.). — (Nation) Fait de manifester son influence dans un pays. *La présence française en Océanie.* 2. (Personnes, animaux) Compagnie. *Son vieux chat est la seule présence qu'il supporte.* 3. (Acteurs) Qualité qui consiste à manifester avec force sa personnalité. *Cette comédienne a de la présence.* 4. PRÉSENCE D'ESPRIT : qualité d'esprit qui fait qu'on est toujours prêt à répondre et réagir avec à-propos. 5. (Choses) Le fait qu'une chose soit dans le lieu où l'on est ou dont on parle. *Les sondages ont révélé la présence de pétrole.* 6. Fig. Caractère actuel, influent dans le monde culturel (de qqn, de qqch.). *Présence du baroque, de Monteverdi.* II. 1. EN PRÉSENCE DE loc. prép. : en face de ; devant. *Dresser un acte en présence de témoins. En ma (ta, sa...) présence.* — *Mettre qqn en présence de qqn, qqch.* 2. EN PRÉSENCE loc. adv. : dans le même lieu, face à face. *Laisser deux personnes en présence.* — Adj. *Les deux adversaires, les parties en présence*, confrontées. ⟨ ▶ omniprésence ⟩

① *présent, ente* [pʀezɑ̃, ɑ̃t] adj. I. / contr. **absent** / 1. Qui est dans le lieu, le groupe où se trouve la personne qui parle ou de laquelle on parle. *Les personnes ici présentes* ou, n., *les présents. Être présent à une réunion.* ⇒ **assister.** *Les élèves présents à l'appel* (qui répondent : *présent !*). — *Être présent en pensée.* 2. (Choses) *Métal présent dans un minerai.* 3. Abstrait. *Présent à l'esprit, à la mémoire*, à quoi l'on pense, dont on se souvient. II. (Opposé à *futur* ou à *passé*) 1. Qui existe, se produit au moment, à l'époque où l'on parle ou dont on parle. *Les circonstances présentes.* ⇒ **actuel.** *L'instant présent, la minute présente.* 2. (Avant le nom) Dont il est actuellement question, qu'on fait en ce moment même. ⇒ **ce, cette, ces.** *Au moment où s'ouvre le présent récit. La présente lettre.* — N. f. *Par la présente*, par cette lettre. 3. Qui est au présent ②. *Participe présent.* ▶ *présentement*

adv. ■ Littér. Au moment, à l'époque où l'on est.
⇒ **actuellement.** *Madame est présentement sortie.*
< ▶ omniprésent, présence, ② présent, présenter ›

② *présent* n. m. **I. 1.** Partie du temps qui
correspond à l'expérience immédiate, durée opposable
au passé et au futur. *Vivre dans le présent, sans se*
préoccuper du passé ni de l'avenir. — *Ce qui existe*
ou se produit dans cette partie du temps. Le présent
me suffit, me satisfait. **2.** En grammaire. Cette durée
prise comme registre d'expression, par opposition au
passé. *Le futur et le passé composé sont des temps du*
présent. — Temps conjugué du verbe opposé aux
autres temps grammaticaux ; série des formes conjuguées sous cette étiquette. *Conjuguer un verbe au*
présent. Le présent de l'indicatif, du subjonctif, du
conditionnel. Présent actif et passif. Tu ne sais pas le
présent de « vaincre » ? **II.** À PRÉSENT loc. adv. : au
moment où l'on parle ; au moment dont on parle.
⇒ **maintenant.** *À présent, allons-nous-en ! Jusqu'à*
présent, il n'a pas fait ses preuves. Dès à présent. — À
PRÉSENT QUE loc. conj. : maintenant que. — Littér. D'À
PRÉSENT loc. adj. : actuel. *La jeunesse d'à présent.*

③ *présent* n. m. ■ Littér. Cadeau.

présenter [pʀezɑ̃te] v. ▪ conjug. 1. **I.** V. tr.
1. *Présenter une personne à une autre,* l'amener en
sa présence et la faire connaître en énonçant son nom,
ses titres, etc., selon les usages de la politesse. ⇒ faire
les **présentations.** *Permettez-moi de vous présenter mon*
ami. Cette personne ne m'a pas été présentée. **2.** Faire
inscrire (à un examen, à un concours, à une élection).
Le parti présente des candidats dans la plupart des
circonscriptions. Son professeur l'a présentée au
concours général. **3.** Mettre (qqch.) à la portée,
sous les yeux de qqn. *Présenter son billet au contrôleur.*
⇒ **montrer.** — *Présenter les armes,* rendre les
honneurs en restant au garde-à-vous et en tenant les
armes d'une certaine manière. — (Suj. chose) *La baie*
de Naples présente un spectacle splendide. **4.** Faire
connaître au public par une manifestation spécialement organisée. *Présenter une émission, un spectacle,*
prononcer quelques mots pour annoncer au public
le titre, le nom des acteurs, etc. (⇒ **présentateur**).
5. Disposer (ce qu'on expose à la vue du public).
Présenter un étalage. **6.** Remettre (qqch.) à qqn en
vue d'un examen, d'une vérification, d'un jugement,
etc. *Présenter une note, un devis.* — *Présenter sa*
candidature à un poste. **7.** Exprimer, faire l'exposé
de... *Savoir présenter ses idées. Permettez-moi de vous*
présenter mes condoléances, mes félicitations. **8.** Montrer, définir comme... *Mieux vaut présenter les choses*
telles qu'elles sont. **9.** Avoir telle apparence, tel
caractère (par rapport à un observateur, un utilisateur). *Le malade présentait des symptômes inquiétants.*
Ceci présente des inconvénients. **II.** V. intr. Fam. (Suj.
personne) PRÉSENTER BIEN (MAL) : faire bonne
(mauvaise) impression par son physique, sa tenue.
III. SE PRÉSENTER v. pron. **1.** Arriver en un lieu,
paraître (devant qqn). *Vous êtes prié de vous présenter*
d'urgence à la direction. **2.** Se faire connaître à qqn,
en énonçant son nom selon les usages de la politesse.
« Je me présente : Pierre Dupuy. » **3.** Venir se proposer
au choix, à l'appréciation de qqn. *Un candidat s'était*
présenté. — Subir les épreuves (d'un examen, d'un
concours). ⇒ **passer.** *Se présenter au baccalauréat.*
— *Être candidat. Il se présente aux prochaines*
élections. **4.** (Suj. chose) Apparaître, venir. *Deux noms*
se présentent aussitôt à l'esprit. Profiter des occasions
qui se présentent. ⇒ **s'offrir.** **5.** Apparaître sous un
certain aspect ; être disposé d'une certaine manière.
Se présenter bien (mal), faire bonne (mauvaise)
impression dès le début. *Cette affaire se présente plutôt*
mal. ▶ *présentable* adj. **1.** (Choses) Qui est digne

d'être présenté, donné. *Ce plat n'est pas présentable.*
2. (Personnes) Qui peut paraître en public. ⇒ **sortable.**
▶ *présentateur, trice* n. **1.** Personne qui présente
qqch. au public, pour la vente. **2.** Radio, télévision.
Personne qui présente (et souvent anime ⇒ **anima-**
teur) une émission, un spectacle. *Les présentatrices*
de la télévision. ▶ *présentation* n. f. **1.** *Faire les*
présentations, présenter une personne à une autre.
2. Fam. Apparence (d'une personne selon son habillement, ses manières). *Avoir une bonne, une mauvaise*
présentation. **3.** Action de présenter (qqch.) à qqn.
La présentation d'une pièce d'identité est obligatoire.
4. Manifestation au cours de laquelle on présente
qqch. au public. *Assister à une présentation de modèles*
chez un grand couturier. **5.** Manière dont une chose
est présentée. *La présentation des marchandises dans*
un magasin (⇒ **présentoir**). **6.** Manière de présenter
(une thèse, ses idées, etc.). **7.** En médecine. Manière
particulière dont le fœtus se présente pour l'accouchement. ▶ *présentoir* n. m. ■ Dispositif pour présenter
des marchandises, dans un lieu de vente. *Les*
présentoirs d'un stand, d'une grande surface.
< ▶ représenter ›

préserver [pʀezɛʀve] v. tr. ▪ conjug. 1. ■ Garantir,
mettre à l'abri ou sauver (d'un danger, d'un mal).
Un auvent qui nous préservait de la pluie. ⇒ **abriter.**
Ce produit préserve les lainages des (contre les) mites.
— Pronominalement (réfl.). *Comment se préserver de*
la contagion. ⇒ se **prémunir.** ▶ *préservatif* n. m.
■ Enveloppe protectrice employée par l'homme
contre les maladies vénériennes, le sida, et comme
moyen anticonceptionnel (contraceptif masculin).
⇒ fam. **capote** anglaise. ▶ *préservation* n. f.
■ Action ou moyen de préserver.

préside [pʀezid] n. m. ■ Histoire. Poste fortifié des
Espagnols, dans leurs anciennes possessions. — Territoire protégé par l'armée.

président, ente [pʀezidɑ̃, ɑ̃t] n. **1.** Personne qui
préside (une assemblée, une réunion, un groupement
organisé) pour diriger les travaux. *Le président d'un*
jury d'examen. La présidente de l'association. Prési-
dent-directeur général d'une société. ⇒ **P.-D.G. 2.** Le
chef de l'État (dans une république). *Le président de*
la République française, des États-Unis. — En France.
Être président de l'Assemblée nationale, du Sénat.
— PRÉSIDENT DU CONSEIL : sous les IIIe et
IVe Républiques, le Premier ministre. *Le président, la*
présidente X. Elle est président de..., présidente de...
Mme Legrand, présidente (ou président) de la société
X. ▶ *présidentiel, ielle* adj. ■ Relatif au président.
Élections présidentielles, n. f., *les présidentielles.*
— *Régime présidentiel,* dans lequel le pouvoir exécutif
est entre les mains du président de la République.
▶ *présidence* n. f. **1.** Fonction de président. *La*
présidence de la République (française). — Durée de
ces fonctions. *Pendant la présidence de Charles de*
Gaulle. **2.** Action de présider. *La présidence de la*
France vous revient. < ▶ vice-président ›

présider [pʀezide] v. tr. ▪ conjug. 1. **I.** V. tr. dir.
1. Diriger à titre de président. *Il a été désigné pour*
présider la séance. **2.** Occuper la place d'honneur dans
(une manifestation). **II.** V. tr. ind. (Choses) PRÉSIDER
À... : être présent en tant qu'élément actif dans... *La*
volonté d'aboutir qui a présidé à nos entretiens.
< ▶ président ›

présidium ⇒ **præsidium.**

presle ⇒ **prèle.**

① *présomption* [pʀezɔ̃psjɔ̃] n. f. ■ Action de
présumer ; opinion fondée sur la vraisemblance.
⇒ **hypothèse, supposition.** *Vous n'avez que des pré-*
somptions, aucune preuve. ▶ *présomptif, ive*

[pʀezɔ̃ptif, iv] adj. ■ En droit. *Héritier présomptif,* qu'on pense devoir succéder à qqn qui est encore en vie.

② *présomption* n. f. ■ Littér. Opinion trop avantageuse que l'on a de soi-même. ⇒ **prétention, suffisance.** / contr. **modestie** / ▶ *présomptueux, euse* [pʀezɔ̃ptɥø, øz] adj. ■ Qui fait preuve ou témoigne de présomption. *Jeune homme présomptueux.* ⇒ **prétentieux.** / contr. **modeste** / ▶ *présomptueusement* adv.

presque [pʀɛsk] adv. — REM. Le *e* final se conserve devant voyelle : *presque autant,* sauf dans *presqu'île.* **1.** À peu près ; pas exactement ou pas tout à fait. *C'est presque sûr.* ⇒ **quasiment.** *Elle pleurait presque.* ⇒ à **moitié.** *Cela fait presque dix kilomètres,* un peu moins de. *Presque toujours. Presque personne, presque rien. Presque pas,* très peu, à peine. — Ellipt. *Tout le monde ou presque. Presque à chaque pas.* **2.** Littér. (Modifiant un substantif abstrait) ⇒ **quasi.** *La presque totalité des êtres.*

presqu'île [pʀɛskil] n. f. ■ Partie saillante d'une côte, rattachée à la terre par un isthme, une langue de terre. *La presqu'île de Quiberon.* ⇒ **cap, péninsule.** *Des presqu'îles.*

pressage [pʀɛsaʒ] n. m. ■ Opération par laquelle on presse, on fabrique des disques.

pressant, ante [pʀɛsɑ̃, ɑ̃t] adj. **1.** Qui sollicite avec insistance. *Une demande pressante.* — (Personnes) *Il a beaucoup insisté : il a été pressant.* **2.** Qui oblige ou incite à agir sans délai. ⇒ **urgent.** *Un pressant besoin d'argent.* — Fam. *Un besoin pressant, une envie pressante,* un besoin naturel urgent.

① *presse* [pʀɛs] n. f. **1.** Mécanisme destiné à exercer une pression sur un solide pour le comprimer ou y laisser une impression. *Presse hydraulique. Presse à emboutir. Presse à balancier.* ⇒ **pressoir.** **2.** Machine destinée à l'impression typographique. *Presse de graveur.* ⇒ **rotative.** — Loc. *Mettre SOUS PRESSE :* donner, commencer à imprimer.

② *presse* n. f. **1.** Le fait d'imprimer ; impression de textes. *Liberté de la presse,* liberté d'imprimer et de diffuser. *Délits de presse,* fausses nouvelles, diffamation, etc. **2.** *La presse,* l'ensemble des publications périodiques et des organismes qui s'y rattachent. *La grande presse, la presse à grand tirage. La presse du cœur,* les magazines sentimentaux. *Campagne de presse.* — Loc. *Avoir bonne, mauvaise presse,* avoir des commentaires flatteurs ou défavorables dans la presse ; abstrait, avoir bonne, mauvaise réputation. **3.** L'ensemble des moyens de diffusion de l'information journalistique. *Presse orale et presse écrite.* — Loc. *Conférence de presse. Agence de presse,* qui recueille l'information pour les rédactions abonnées (journaux, radios, chaînes de télévision). *Attaché(e) de presse.*

③ *presse* n. f. **1.** Littér. Foule très dense. **2.** Se dit, dans le commerce et l'industrie, des activités plus intenses dans certaines périodes. *Les moments de presse.* ⇒ coup de **feu, pointe ; pressé.**

pressé, ée [pʀɛse] adj. **1.** Qui montre de la hâte, qui se presse. *Il, elle est bien pressé(e).* — (+ infinitif) *Il n'a pas l'air pressé de partir.* — (+ subjonctif) *Elle ne semble pas pressée que je parte.* **2.** Urgent, pressant. *Une lettre pressée.* — N. m. *Aller au plus pressé,* à ce qui est le plus urgent, le plus important.

presse- ■ Élément formé avec le verbe *presser.* ▶ *presse-citron* [pʀɛsitʀɔ̃] n. m. invar. ■ Ustensile servant à presser les citrons, les oranges pour en extraire le jus. *Des presse-citron.* ▶ *presse-papiers* n. m. invar. ■ Ustensile de bureau, objet lourd qu'on pose sur les papiers pour les maintenir. *Des presse-*

papiers en cristal. ▶ *presse-purée* n. m. invar. ■ Ustensile de cuisine servant à réduire les légumes en purée ; moulin à légumes. *Des presse-purée.*

pressentir [pʀesɑ̃tiʀ] v. tr. ■ conjug. 16. **1.** Prévoir vaguement. ⇒ **deviner, sentir, soupçonner, subodorer.** *Il pressentait un malheur.* — Entrevoir (une intention cachée, une intrigue). *Laisser pressentir ses intentions.* **2.** Sonder (qqn) sur ses intentions, sur ses dispositions, avant de lui confier certaines responsabilités. *Nous l'avons pressenti comme sous-directeur. Il a été pressenti pour ce poste.* ▶ *pressentiment* n. m. ■ Connaissance intuitive et vague d'un événement qui ne peut être connu par le raisonnement. ⇒ **intuition, prémonition.** *Le pressentiment d'un danger. J'ai le pressentiment qu'il ne viendra pas.*

presser [pʀese] v. tr. ■ conjug. 1. **I.** **1.** Serrer (qqch.) de manière à extraire un liquide. *Presser des citrons.* — Loc. *On presse l'orange et on jette l'écorce,* on rejette qqn après s'en être servi au maximum. **2.** Serrer pour comprimer, marquer une empreinte. *Presser un disque,* l'éditer à partir d'une matrice. **3.** Serrer ou appuyer fortement. *Il la pressait dans ses bras, contre sur sa poitrine.* ⇒ **étreindre.** — Au p. p. adj. *Pressés les uns contre les autres.* **4.** Exercer une poussée sur. ⇒ **appuyer.** *Pressez le bouton, la sonnette.* **II.** Fig. **1.** (Suj. personne) Pousser vivement (qqn) à faire qqch. *Il presse ses amis d'agir.* **2.** (Suj. chose) Faire que (qqn) se dépêche, se hâte. ⇒ **bousculer.** *Le programme de travail nous presse. Rien ne vous presse.* **3.** PRESSER *qqn* DE *questions :* le questionner avec insistance. ⇒ **harceler.** **4.** (Compl. chose) Mener plus activement. *Il faut presser les choses.* ⇒ **accélérer, activer.** *Presser le pas,* marcher plus vite. **III.** SE PRESSER v. pron. **1.** S'appuyer fortement. *L'enfant se pressait contre sa mère.* ⇒ se **blottir.** **2.** Être ou se disposer en foule compacte. ⇒ s'**entasser,** se **masser.** *Les gens se pressaient à l'entrée.* **3.** Se hâter. ⇒ **pressé.** *Sans se presser, en prenant son temps.* — *Presse-toi de finir ton travail. Pressez-vous un peu !* — Fam. (Ellipse de *nous*) *Allons, pressons !* **IV.** Intransitivement. Être urgent ; ne laisser aucun délai. *Le temps presse. Rien ne presse.* ⇒ **urger.** ◁ ▸compresser, empressé, oppresser, pressage, pressant, ① presse, ① pressé, presse-, ② pression, pression, ② presse, pressoir, pressurer, pressuriser ▸

pressing [pʀesiŋ] n. m. ■ Anglic. Repassage à la vapeur ; établissement où l'on repasse les vêtements à la vapeur. ⇒ **teinturerie.** *Des pressings.*

① *pression* [pʀesjɔ̃] n. f. **I.** **1.** Force qui agit sur une surface donnée ; mesure de la force qui agit par unité de surface. *La pression des gaz, de la vapeur. Le manomètre mesure la pression.* — SOUS PRESSION. *Locomotive sous pression,* dont la vapeur est à une pression suffisante pour un départ immédiat. Loc. *Il est toujours sous pression,* pressé d'agir. — *Pression atmosphérique,* exercée par l'atmosphère terrestre en un point. *Hautes, basses pressions.* ⇒ **anticyclone, cyclone, dépression ; baromètre, millibar, pascal.** — *Pression artérielle du sang.* ⇒ **tension.** **2.** Action de presser ; force (de ce qui presse). *Une légère pression de la main.* **3.** *Bière (à la) pression,* mise sous pression et tirée directement dans les verres, au café. *Un demi pression.* **II.** Fig. Influence, action insistante qui tend à contraindre. *La pression des événements. Sa famille exerce une très forte pression sur lui. Faire pression sur qqn. Groupe de pression.* ⇒ **lobby.**

② *pression* n. f. ou m. ■ Petit bouton métallique en deux parties qui se referme par pression de l'une sur l'autre. ⇒ **bouton-pression.**

pressoir [pʀeswaʀ] n. m. **1.** Machine servant à presser (certains fruits ou graines). *Pressoir à huile, à olives.* — Absolt. Machine à presser les raisins pour la fabrication du vin. **2.** Bâtiment abritant cette machine.

pressurer [presyre] v. tr. ■ conjug. 1. **1.** Presser (des fruits, des graines) pour en extraire un liquide. (Cette opération est appelée *pressurage*, n. m.) **2.** Tirer de (qqn, qqch.) tout ce qu'on peut tirer. ⇒ **exploiter.** *L'occupant pressurait la population.* **3.** Fam. *Se pressurer le cerveau,* se torturer.

pressuriser [presyrize] v. tr. ■ conjug. 1. ■ Maintenir à une pression normale (un avion, un véhicule spatial). — Au p. p. adj. *Cabine pressurisée.* ▶ **pressurisation** n. f. ■ Mise sous pression normale. *Chute de pressurisation à l'atterrissage.*

prestance [prestɑ̃s] n. f. ■ Aspect imposant (d'une personne). *Il a de la prestance.*

prestation [prestasjɔ̃] n. f. **I. 1.** Ce qui doit être fourni ou accompli en vertu d'une obligation. ⇒ **impôt, tribut.** — *Prestation de service,* vente d'un service. **2.** Allocation en espèces que l'État verse aux assurés dans certaines circonstances. *Les prestations de la Sécurité sociale.* **3.** (Emploi critiqué) Performance publique (d'un athlète, d'un artiste, d'un homme politique). *La dernière prestation télévisée du ministre.* **II.** Action de prêter (serment). *La prestation de serment d'un avocat.* ▶ **prestataire** n. m. ■ Terme de droit. Contribuable assujetti à la prestation en nature. — Personne qui bénéficie d'une prestation. **2.** *Prestataire de services,* personne, entreprise qui vend ses services.

preste [prest] adj. ■ Littér. Prompt et agile. *Avoir la main preste.* ⇒ **leste.** ▶ **prestement** adv. ▶ **prestesse** n. f. ■ Littér. Agilité. ▶ **prestidigitateur, trice** n. ■ Artiste de variétés qui, par l'adresse de ses mains, de ses doigts (*digit-*) prestes, et divers truquages, produit des illusions en faisant disparaître, apparaître, changer de place ou d'aspect des objets. ⇒ **escamoteur, illusionniste.** *Un tour de prestidigitateur.* ▶ **prestidigitation** n. f. ■ Technique, art du prestidigitateur. *Un numéro de prestidigitation.* ⇒ **passe-passe.**

prestige [presti3] n. m. ■ Attrait particulier de ce qui frappe l'imagination, impose le respect ou l'admiration. *Ce chef d'État a un grand prestige, jouit d'un grand prestige. Perdre (tout) son prestige.* ⇒ **gloire.** *Le prestige de l'uniforme.* — Loc. *Politique de prestige,* qui vise à acquérir du prestige par des opérations ou réalisations spectaculaires. ▶ **prestigieux, euse** adj. ■ Qui a du prestige.

presto [presto] adv. **1.** Vite (indication de mouvement musical). **2.** Fam. Rapidement. *Il faut le payer presto.* ⇒ **subito.** ▶ **prestissimo** adv. ■ En musique. Très vite.

① présumer [prezyme] v. tr. ■ conjug. 1. ■ Supposer comme probable. *Action de présumer.* ⇒ ① **présomption, supposition.** *On ne le voit plus, je présume qu'il est vexé.* — (Au passif + attribut) *Tout homme est présumé innocent tant qu'il n'a pas été déclaré coupable.*

② présumer v. tr. ind. ■ conjug. 1. — PRÉSUMER DE. ■ (Trop) présumer de..., avoir trop bonne opinion de, compter trop sur. *Il a trop présumé de ses forces, de son habileté.* ⇒ **présomptueux ;** ② **présomption.**

présupposer [presypoze] v. tr. ■ conjug. 1. ■ Littér. (Choses) Supposer préalablement. *L'adjectif présuppose le nom.* ⇒ **impliquer.** ▶ **présupposition** n. f. ■ Littér. Supposition préalable, non formulée (on dit aussi *un présupposé*).

présure [prezyr] n. f. ■ Substance qui fait cailler le lait.

① prêt, prête [prɛ, prɛt] adj. — REM. Ne pas confondre *prêt (à)* et *près (de).* **1.** Qui est en état, est devenu capable (de faire qqch.) grâce à une préparation matérielle ou morale. *Ils sont prêts, fin prêts.* — « *À vos marques. Prêts ? Partez !* » (formule de départ des courses à pied). — Habillé, paré (pour sortir, paraître en société). *Elle est prête, on peut partir.* — PRÊT(E) À (+ infinitif) : disposé(e) à. *Il est prêt à partir, prêt à la suivre. Prêt à tout,* disposé à n'importe quel acte pour arriver à ses fins ou décidé à tout supporter. **2.** (Choses) Mis en état (pour telle ou telle utilisation). *Tout est prêt pour les recevoir. Le café est prêt.* ▶ **prêt-à-porter** [prɛtaporte] n. m. ■ Collectif. Vêtements de confection (opposé à *sur mesure*). *Des prêts-à-porter.* ⟨ ▶ **apprêter** ⟩

② prêt n. m. **1.** Action de prêter qqch. ; ce qui est prêté. *Prêt à intérêt. Solliciter un prêt à court, à long terme.* ⇒ **emprunt.** *Prêt d'honneur,* sans intérêt, qu'on s'engage sur l'honneur à rembourser. *Les prêts à la construction.* **2.** Solde du militaire qui fait son service.

prêté [prete] n. m. ■ Loc. *C'est un prêté pour un rendu,* s'emploie pour constater un échange de bons ou de mauvais procédés.

prétendre [pretɑ̃dr] v. tr. ■ conjug. 41. **1.** Avoir la ferme intention de (avec la conscience d'en avoir le droit, le pouvoir). ⇒ **vouloir ; prétention** (I, 1). *Je prétends être obéi. Que prétendez-vous faire ? Je ne prétends pas faire fortune, je n'ai pas la prétention de...* **2.** Affirmer ; oser donner pour certain (sans nécessairement convaincre autrui). ⇒ **déclarer, soutenir.** *Il prétend m'avoir prévenu, qu'il m'a prévenu. À ce qu'il prétend...,* à ce qu'il dit (mais je n'en crois rien). — Pronominalement (réfl.). *Il se prétend persécuté,* il prétend qu'il est persécuté. **3.** V. tr. ind. Littér. PRÉTENDRE À : aspirer ouvertement à (ce que l'on considère comme un droit, une dû). *Prétendre à un titre, à une responsabilité,* les revendiquer. ▶ **prétendant, ante** n. **1.** Prince, princesse qui prétend à un trône. **2.** N. m. Littér. ou plaisant. Homme qui prétend épouser une femme. ▶ **prétendu, ue** adj. ■ (Placé avant le nom) Que l'on prétend à tort être tel ; qui passe à tort pour. / contr. **authentique, vrai** / *La prétendue justice, les prétendues libertés.* ≠ **soi-disant.** ▶ **prétendument** adv. ■ Faussement. / contr. **vraiment** / ⟨ ▶ **prétention** ⟩

prête-nom [prɛtnɔ̃] n. m. ■ Personne qui assume personnellement les responsabilités d'une affaire, d'un contrat, où le principal intéressé ne veut ou ne peut pas apparaître. ⇒ **mandataire ;** péj. homme de **paille.** *Des prête-noms.*

prétentaine [pretɑ̃tɛn] ou **pretantaine** [prətɑ̃tɛn] n. f. ■ Loc. Vx ou plaisant. COURIR LA PRÉTENTAINE : faire sans cesse des escapades, avoir de nombreuses aventures galantes.

prétention [pretɑ̃sjɔ̃] n. f. **I. 1.** Souvent au plur. Revendication de qqch., exigence fondée sur un droit ou un privilège. *Il a des prétentions sur cet héritage. Quelles sont vos prétentions ?,* quel salaire prétendez-vous recevoir ? *Il veut dix mille francs, mais il devra rabattre de ses prétentions.* **2.** Idée que l'on se fait de ses propres capacités. *Sa prétention à l'élégance.* — *Avoir la prétention de,* prétendre. ⇒ **ambition.** *Je n'ai pas la prétention d'être savant. Sans prétention(s), sans aucune prétention.* — (Choses) *Un style sans prétention,* simple. **II.** Sans compl. Estime trop grande de soi-même qui pousse à des ambitions excessives. ⇒ **fatuité, présomption, suffisance, vanité ; prétentieux.** / contr. **modestie, simplicité** / *Il est d'une prétention insupportable.* ▶ **prétentieux, euse** adj. ■ Qui affiche de la prétention (II), est trop satisfait de ses mérites. ⇒ **présomptueux, suffisant, vaniteux.** / contr. **modeste** / — N. *C'est un petit prétentieux.*

— Qui dénote de la prétention. *Il parlait sur un ton prétentieux.* ⇒ **affecté, maniéré.** *Une villa prétentieuse.* ▶ **prétentieusement** adv.

① *prêter* [pʀete] v. tr. ▪ conjug. 1. **I. ▪ V. tr. dir. 1.** Fournir (une chose) à la condition qu'elle sera rendue. ⇒ ② **prêt.** / contr. **emprunter** / *Prêter de l'argent à qqn.* ⇒ **avancer.** — Sans compl. ind. *Il ne prête pas ses livres. Prêter sur gage.* **2.** Mettre (qqch.) à la disposition de qqn pour un temps déterminé. ⇒ **donner, fournir.** *Prêter son concours à une entreprise.* Loc. *Prêter attention, prêter l'oreille à qqch. Prêter serment.* ⇒ **prestation** (II). — SE PRÊTER À v. pron. : consentir à, supporter. *Je ne me prêterai pas à cette manœuvre.* (Choses) Pouvoir s'adapter à. *Une terre qui se prête à certaines cultures.* **3.** Attribuer ou proposer d'attribuer (un caractère, un acte) à qqn. ⇒ **donner.** *On me prête des propos que je n'ai jamais tenus. Prêter de l'importance à qqch.* PROV. *On ne prête qu'aux riches,* si on prête aux gens certains propos, certaines actions, c'est qu'ils ont souvent fait la preuve qu'ils en étaient capables. **II. ▪ V. tr. ind.** PRÊTER À : donner matière à. *Prêter aux commentaires, à discussion. Prêter à rire.* ▶ *prêteur, euse* n. et adj. ≠ **prêteur. 1.** Personne qui prête de l'argent, consent un prêt. / contr. **emprunteur** / — Personne qui fait métier de prêter à intérêt. *Un prêteur sur gages.* **2.** Adj. Qui prête. *Elle n'est pas prêteuse.* 〈 ▶ prestation, ② prêt, prêté, prête-nom 〉

② *prêter* v. intr. ▪ conjug. 1. ▪ (Matière non élastique) Pouvoir s'étirer, s'étendre. *Tissu qui prête à l'usage.*

prétérit [pʀeterit] n. m. ▪ Forme temporelle du passé, en anglais, en allemand correspondant à l'imparfait ou au passé simple français.

préteur [pʀetœʀ] n. m. ▪ Magistrat romain chargé de la justice ; gouverneur de province (⇒ **prétoire**). ≠ *prêteur.* 〈 ▶ préture, prétorien 〉

① *prétexte* [pʀetɛkst] n. m. **1.** Raison donnée pour dissimuler le véritable motif d'une action. *Il trouvait toujours des prétextes. Ce n'est qu'un prétexte, un mauvais prétexte. Saisir, prendre un prétexte. Donner, fournir des prétextes à qqn. Notre petit retard leur a servi de prétexte pour refuser.* — SOUS... PRÉTEXTE. *Sous un prétexte quelconque. Ne sortez sous aucun prétexte. Il ne sort plus, sous prétexte qu'il fait trop froid.* **2.** Ce qui permet de faire qqch. ; occasion. *Cet événement fut le prétexte de son roman.* ▶ *prétexter* v. tr. ▪ conjug. 1. ▪ Alléguer, prendre pour prétexte. ⇒ **objecter.** *Elle prétexta un malaise, et se retira. Il a prétexté qu'il n'était pas assez riche.* ⇒ **prétendre.**

② *prétexte* adj. ▪ TOGE PRÉTEXTE : toge blanche bordée de pourpre des jeunes patriciens romains.

prétoire [pʀetwaʀ] n. m. **I.** Habitation du préteur. **II.** Littér. Salle d'audience d'un tribunal.

prétorien, ienne [pʀetɔʀjɛ̃, jɛn] adj. ▪ *Garde prétorienne,* garde personnelle d'un empereur romain. — N. m. Membre de la haute police d'un régime.

prêtre [pʀɛtʀ] n. m. **1.** Membre du clergé catholique. ⇒ **abbé, ecclésiastique** ; fam. **curé.** *Un prêtre qui célèbre la messe. Être ordonné prêtre.* — Loc. PRÊTRE-OUVRIER : qui partage la condition des travailleurs dans une entreprise. — *Prêtre de paroisse.* ⇒ **curé, vicaire. 2.** Ministre d'une religion, dans une société quelconque (ne se dit pas quand il existe un mot spécial : *pasteur, rabbin,* etc.). *Des prêtres bouddhiques.* ▶ *prêtresse* n. f. ▪ Femme ou jeune fille attachée au culte d'une ancienne divinité païenne. ▶ *prêtrise* n. f. ▪ La fonction, la dignité de prêtre catholique.

preuve [pʀœv] n. f. **1.** Ce qui sert à établir qu'une chose est vraie. *Donner comme preuve,* alléguer. *Si*

vous ne me croyez pas, je vous fournirai des preuves.* ⇒ **prouver.** Loc. *Démontrer preuve en main,* par une preuve matérielle. *Croire une chose jusqu'à preuve du contraire,* jusqu'à ce qu'on ait la preuve qu'il faut croire le contraire. *Preuve par l'absurde,* qui résulte d'une démonstration par l'absurde*. **2.** Acte qui atteste un sentiment, une intention. *Recevoir une preuve d'amour.* ⇒ **marque.** — *À preuve...,* la preuve..., en voici la preuve. *Tu te sens coupable, la preuve, tu as rougi. C'est la preuve que,* cela prouve que. *La preuve en est que,* cela est prouvé par le fait que... — FAIRE PREUVE DE : donner des preuves, des marques de... ⇒ **montrer.** *Faire preuve de tolérance.* — *Faire ses preuves,* montrer sa valeur, ses capacités. **3.** Chose, personne qui sert de preuve, d'exemple. *Vous en êtes la preuve, la preuve vivante,* votre cas, votre personne illustre parfaitement cela. **4.** Démonstration de l'existence d'un fait matériel ou d'un acte juridique dans les formes admises par la loi. *Des preuves matérielles. On n'a pu recueillir aucune preuve contre lui.* **5.** PREUVE PAR NEUF : opération par laquelle on vérifie l'exactitude du résultat d'un calcul. 〈 ▶ épreuve 〉

preux [pʀø] adj. m. invar. et n. m. invar. ▪ Vx. Brave, vaillant. — N. m. invar. *Un preux,* un chevalier. 〈 ▶ prouesse 〉

prévaloir [pʀevalwaʀ] v. intr. — REM. Conjug. 29, sauf subjonctif prés. : *que je prévale, que tu prévales, qu'ils prévalent.* **1.** Littér. (Choses) L'emporter. *L'éducation ne prévaut pas contre les instincts.* — Sans compl. *Les vieux préjugés prévalaient encore.* **2.** SE PRÉVALOIR DE v. pron. : faire valoir (qqch.) pour en tirer avantage ou parti. *Elles se sont prévalues de leurs droits.* — Tirer vanité (de qqch.). ⇒ **s'enorgueillir.** *C'est un homme modeste qui ne se prévaut jamais de ses titres.*

prévarication [pʀevaʀikasjɔ̃] n. f. ▪ Didact. Crime ou délit commis par un fonctionnaire dans l'exercice de sa charge (abus d'autorité, détournement de fonds publics, concussion). ⇒ **forfaiture.** ▶ *prévaricateur, trice* adj. et n. ▪ Qui se rend coupable de prévarication.

prévenant, ante [pʀevnɑ̃, ɑ̃t] adj. ▪ Qui prévient (III, 1) les désirs d'autrui, est plein d'attentions délicates. ⇒ **attentionné.** ▶ *prévenance* n. f. **1.** Disposition à se montrer prévenant. *Sa prévenance est charmante.* **2.** Action, parole qui témoigne de cette disposition. *Elle l'entourait de prévenances.* ⇒ **attention, gentillesse, soin.**

prévenir [pʀevniʀ] v. tr. ▪ conjug. 22. — REM. Se conjugue avec l'auxiliaire *avoir.* **I. 1.** Mettre (qqn) au courant d'une chose, d'un fait à venir. ⇒ **avertir.** *Tu as été prévenu. Ne fais rien sans me prévenir.* — Au p. p. *Te voilà prévenu, à toi de faire attention.* — Sans compl. *Il est parti sans prévenir,* il n'a prévenu personne. **2.** Informer (qqn) d'une chose fâcheuse ou illégale pour qu'il y remédie. *Prévenez vite le médecin ! On a prévenu la police.* **II.** Littér. *Prévenir contre, en faveur de,* mettre par avance dans une disposition d'esprit hostile ou favorable à. *Des mauvaises langues vous ont prévenu contre lui.* — (Suj. chose) *Son air sérieux nous prévenait en sa faveur.* ⇒ **prévention,** ② **prévenu. III. 1.** Aller au-devant de (un besoin, un désir) pour mieux le satisfaire. *Il essaie de prévenir tous nos désirs.* ⇒ **prévenance, prévenant. 2.** Empêcher par ses précautions (un mal, un abus). *Limiter la vitesse pour prévenir les accidents.* ⇒ **prévention** (3). Sans compl. *Mieux vaut prévenir que guérir.* — Éviter (une chose considérée comme gênante) en prenant les devants. *Prévenir une objection,* la réfuter avant qu'elle ait été formulée. 〈 ▶ prévenant, préventif, prévention, préventorium, ① prévenu, ② prévenu 〉

préventif, ive [pʀevɑ̃tif, iv] adj. **1.** Qui tend à empêcher (une chose fâcheuse) de se produire. ⇒ **prévenir** (III, 2). *Prendre des mesures préventives.* — *Médecine préventive,* moyens mis en œuvre pour prévenir le développement des maladies, la propagation des épidémies. **2.** Qui est appliqué aux prévenus ①. *Détention préventive.* ⇒ **prévention** (2). ▶ *préventivement* adv. ■ *Se soigner préventivement.*

prévention [pʀevɑ̃sjɔ̃] n. f. **1.** Opinion, sentiment irraisonné d'attirance ou de répulsion. ⇒ **parti** pris, **préjugé.** *Examiner les choses sans prévention. Avoir des préventions contre qqn.* **2.** Situation d'une personne prévenue d'une infraction. — Temps passé en prison entre l'arrestation et le jugement (détention préventive). **3.** Ensemble de mesures préventives contre certains risques ; organisation chargée de les appliquer. *La prévention routière.*

préventorium [pʀevɑ̃tɔʀjɔm] n. m. ■ Établissement de cure, où sont admis des sujets menacés de tuberculose (pour prévenir l'aggravation de la maladie). ⇒ **sanatorium.** *Des préventoriums.*

① **prévenu, ue** [pʀevny] adj. et n. ■ Qui est considéré comme coupable de... *Être prévenu d'un délit.* — N. Inculpé. *Citer un prévenu devant le tribunal.*

② **prévenu, ue** adj. ■ Qui a de la prévention (1), des préventions (contre ou pour qqn, qqch.). *J'étais prévenu en ta faveur ; contre toi.*

prévision [pʀevizjɔ̃] n. f. **1.** Action de prévoir. *La prévision des recettes et des dépenses dans l'établissement d'un budget. La prévision économique.* ⇒ **prospective. 2.** EN PRÉVISION DE loc. prép. : pensant que telle chose sera, arrivera. *Elle fit ses valises en prévision de son départ.* **3.** Opinion formée par le raisonnement sur les choses futures (rare au sing.). ⇒ **pronostic.** *Se tromper dans ses prévisions. Prévisions météorologiques,* indications données sur l'état probable de l'atmosphère pour le ou les jours à venir. ▶ *prévisible* adj. ■ Qui peut être prévu. *La chose était prévisible,* elle. / contr. **imprévisible** / ▶ *prévisionnel, elle* adj. ■ Qui est du domaine de la prévision. *Le ministre a demandé une étude prévisionnelle.* ≠ *provisionnel.* ⟨ ▶ imprévision ⟩

prévoir [pʀevwaʀ] v. tr. · conjug. 24. **1.** Imaginer à l'avance comme probable (un événement futur). *Il faut prévoir le pire. On ne peut pas tout prévoir. Il était facile de prévoir qu'il échouerait.* **2.** Envisager (des possibilités). *Les cas prévus par la loi.* **3.** Organiser d'avance, décider pour l'avenir. *L'État a prévu la construction de logements.* — Au passif et p. p. *Tout était prévu.* Ellipt. *L'opération s'est déroulée comme prévu.* — *Être prévu pour,* être fait pour, destiné à. ▶ *prévoyant, ante* [pʀevwajɑ̃, ɑ̃t] adj. ■ Qui prévoit avec perspicacité ; qui prend des dispositions en vue de ce qui doit ou peut arriver. ⇒ **prudent.** *Une ménagère organisée, prévoyante.* / contr. **imprévoyant, insouciant** / ▶ *prévoyance* n. f. ■ Qualité d'une personne prévoyante. / contr. **imprévoyance** / *Société de prévoyance,* société privée de secours mutuel. *Caisse de prévoyance.* ⟨ ▶ prévision, imprévoyant, imprévoyance ⟩

prévôt [pʀevo] n. m. **1.** Nom d'officiers, de magistrats, sous l'Ancien Régime. *Étienne Marcel, le prévôt des marchands de Paris.* **2.** Officier du service de gendarmerie aux armées. **3.** Escrime. Second d'un maître d'armes. **4.** Autrefois. Détenu faisant office de surveillant. ▶ *prévôté* n. f. ■ Service de gendarmerie aux armées (police militaire).

prier [pʀije] v. ■ conjug. 7. **I. 1.** V. intr. Élever son âme à Dieu par la prière. *Il priait avec ferveur. Priez pour les morts.* **2.** V. tr. S'adresser à (Dieu, un être

surnaturel) par une prière. *Prions le ciel qu'il nous aide.* **II.** V. tr. **1.** S'adresser à (qqn) en lui demandant avec humilité ou déférence. ⇒ **supplier.** *Il le priait de passer chez lui.* — SE FAIRE PRIER : n'accorder qqch. qu'après avoir opposé résistance aux prières. *Elle ne se fait pas prier, elle le fait volontiers. Sans se faire prier,* sans difficulté, de plein gré. **2.** (Sens faible) Demander à (qqn). *Je te prie, je vous prie, je vous en prie* (formules de politesse ; → s'il vous plaît). *Vous êtes prié d'assister à...,* invité à — Ellipt. (Après une interrogation) *Dites-moi, je vous prie, où est la mairie. « Je peux entrer ? — Je vous en prie. »* (→ Faites donc.) **3.** Demander avec fermeté à (qqn). *Elle me pria de me taire.* — Iron. *Ah non, je t'en prie, ça suffit !* **4.** Littér. Inviter. *Il fut prié à déjeuner.* ▶ *prie-Dieu* [pʀidjø] n. m. invar. ■ Siège bas, au dossier terminé en accoudoir, sur lequel on s'agenouille pour prier. *Des prie-Dieu.* ▶ *prière* [pʀijɛʀ] n. f. **1.** Mouvement de l'âme tendant à une communication spirituelle avec Dieu. *Une prière d'action de grâces. Être en prière,* prier. **2.** Suite de formules, parfois d'attitudes, exprimant ce mouvement de l'âme et consacrées par une église, un culte (dans différentes religions). *Faire, dire sa prière, des prières. Les prières musulmanes.* **3.** Action de prier qqn ; demande instante. *Il finit par céder à sa prière. C'est une prière que j'ai à vous faire.* — À LA PRIÈRE DE *qqn* : sur sa demande. — Ellipt. PRIÈRE DE : vous êtes prié de. *Prière de répondre par retour du courrier.*

prieur, eure [pʀijœʀ] n. ■ Supérieur(e) de certains couvents. ▶ *prieuré* n. m. ■ Couvent dirigé par un(e) prieur(e) ; église de ce couvent ; maison du prieur.

prima donna [pʀimadɔ(n)na] n. f. invar. ■ Première chanteuse d'un opéra. ⇒ **cantatrice, diva.** *Des prima donna.*

① **primaire** [pʀimɛʀ] adj. **1.** Qui est du premier degré, en commençant. *Élections primaires.* — *Enseignement primaire* et, n. m., *le primaire,* enseignement du premier degré, des classes qui (en France) précèdent la 6ᵉ (opposé à *secondaire, supérieur*). *L'école primaire* ou, n. f., *la primaire.* **2.** Qui est, qui vient en premier dans le temps, dans une série. *Couleurs primaires,* non mélangées (bleu, jaune, rouge), opposées aux *secondaires* (vert, orange, violet). ⇒ **complémentaire.** — *Ère primaire* et, n. m., *le primaire,* ère géologique, période de formation des terrains (dits *primaires*) où se rencontrent les plus anciens fossiles (opposé à *secondaire, tertiaire* et *quaternaire*). **3.** Se dit des activités économiques productrices de matières non transformées (agriculture, pêche, mines...), opposé à *secondaire* et *tertiaire. Le secteur primaire.*

② **primaire** adj. ■ (Esprit, idées...) Simpliste et peu ouvert. *Un raisonnement un peu primaire.* — N. *C'est un primaire.*

① **primat** [pʀima] n. m. ■ Prélat ayant la prééminence sur plusieurs archevêchés et évêchés. *L'archevêque de Lyon est primat des Gaules lyonnaises.* ▶ *primatial, ale, aux* [pʀimasjal, o] adj. ■ *Église primatiale* et, n. f., *une primatiale.*

② **primat** n. m. ■ Littér. Primauté. *Le primat de la pensée.*

primate [pʀimat] n. m. **1.** Didact. Animal (mammifère) à dentition complète et à main préhensile. *Les grands singes et l'homme sont des primates.* **2.** Fam. Homme grossier, inintelligent (comparé à un singe).

primauté [pʀimote] n. f. ■ Caractère, situation de ce qu'on met au premier rang. *La primauté de l'intelligence sur les sentiments.* ⇒ **prééminence,** ② **primat, suprématie.** *Avoir la primauté sur.* ⇒ **primer.**

① *prime* [pʀim] adj. **1.** En loc. Premier (⇒ **abord, jeunesse**). **2.** Se dit en mathématique d'un symbole (lettre) qui est affecté d'un seul signe (en forme d'accent). *Les points A et A prime (A'). A' et A"* (A prime et A seconde).

② *prime* n. f. **1.** Somme que l'assuré doit payer à l'assureur. *Elle vient de payer la prime d'assurance de sa moto.* **2.** Somme d'argent allouée à titre d'encouragement, d'aide ou de récompense. *Prime de transport,* destinée à couvrir les frais de transport. *Prime de fin d'année.* — *Prime à l'exportation.* — Iron. *Ce qui encourage (à faire qqch.). C'est une prime à l'agression.* **3.** Objet remis à titre gratuit à un acheteur. *Un paquet de lessive avec un porte-clés en prime.* — Plaisant. EN PRIME : en plus, par-dessus le marché. **4.** *Faire prime,* être le plus recherché, être considéré comme le plus avantageux. ▶ ① *primer* v. tr. ▪ conjug. 1. ▪ Récompenser par un prix. *Le jury du Festival de Cannes a primé son film.* — Au p. p. adj. *Film primé à Venise.*

② *primer* v. intr. ▪ conjug. 1. ▪ (Choses) L'emporter (⇒ **primauté**). *Chez lui, c'est l'intelligence qui prime.* ⇒ **dominer.** — Transitivement. *Il estime que la force prime le droit.*

primerose [pʀimʀoz] n. f. ▪ Rose trémière.

primesautier, ière [pʀimsotje, jɛʀ] adj. ▪ Qui obéit au premier mouvement, agit, parle spontanément. ⇒ **spontané.** ≠ *versatile. Elle était gaie, primesautière.*

primeur [pʀimœʀ] n. f. ▪ Littér. Caractère de ce qui est tout nouveau. *Vous en aurez la primeur, je vous en réserve la primeur,* vous serez le premier à l'avoir, à en bénéficier.

primeurs [pʀimœʀ] n. f. pl. ▪ Premiers fruits, premiers légumes récoltés dans leur saison. *Marchand de primeurs.*

primevère [pʀimvɛʀ] n. f. ▪ Plante herbacée à fleurs jaunes qui fleurit au printemps. ⇒ **coucou.**

primitif, ive [pʀimitif, iv] adj. et n. **I.** Adj. **1.** Qui est à son origine ou près de son origine. *L'homme primitif,* tel qu'il était à l'apparition de l'espèce. **2.** Qui est le premier, le plus ancien. *Dans sa forme primitive.* ⇒ **initial, originaire, originel.** / contr. *actuel* / *Cette étoffe a perdu sa couleur primitive.* **3.** Qui est la source, l'origine (d'une autre chose de même nature). *Le sens primitif d'un mot* (opposé à *extension,* à *sens figuré*). ⇒ **étymologique, original, premier.** *Temps primitifs d'un verbe,* à partir desquels sont formés les autres. **4.** Se dit (à tort) des groupes humains sans écriture (à tradition orale), et dont les formes sociales et les techniques sont différentes de celles des sociétés plus complexes, dont l'histoire est connue. *Les sociétés primitives, les peuples primitifs.* — Relatif à ces peuples. *L'art primitif.* **5.** Qui a les caractères de simplicité, de grossièreté qu'on attribue aux hommes des sociétés dites primitives. ⇒ **fruste, inculte.** *Il est un peu primitif.* **II.** N. m. **1.** Personne appartenant à un groupe social dit primitif. *Les primitifs d'Australie.* ⇒ **aborigène.** **2.** Artiste (surtout peintre) antérieur à la Renaissance, en Europe occidentale. *Les primitifs flamands, italiens.* ▶ *primitivement* adv. ▪ À l'origine, initialement.

primo [pʀimo] adv. ▪ D'abord, en premier lieu (opposé à *secundo* et *tertio*). ⇒ **premièrement.**

primo-infection [pʀimoɛ̃fɛksjɔ̃] n. f. ▪ Infection qui se produit pour la première fois. (Se dit surtout pour la *tuberculose.*) *Des primo-infections.*

primordial, ale, aux [pʀimɔʀdjal, o] adj. ▪ Qui est de première importance. ⇒ **capital, essentiel, fondamental.** *Son rôle a été primordial.*

prince [pʀɛ̃s] n. m. **1.** Littér. Celui qui possède une souveraineté (à titre personnel et héréditaire) ; celui qui règne. ⇒ **monarque, roi, souverain.** *Les courtisans d'un prince.* — Loc. *Le fait du prince,* acte du gouvernement, du pouvoir (surtout considéré comme astreignant et arbitraire). — *Être* BON PRINCE : faire preuve de générosité, de bienveillance, de tolérance. **2.** Celui qui appartient à une famille souveraine, sans régner lui-même ; titre porté par les membres de la famille royale, en France. *Le prince héritier.* ⇒ **dauphin.** *Les princes du sang,* les proches parents du souverain. *Le prince de Galles,* le fils aîné du souverain d'Angleterre. — *Le Prince Charmant* (des contes de fées). Loc. *Être vêtu, habillé comme un prince,* richement. **3.** Celui qui possède un titre conféré par un souverain ; en France, titulaire du plus haut titre de noblesse. **4.** Souverain régnant sur un État portant le nom de principauté. *Le prince de Monaco.* ▶ *prince de Galles* [pʀɛ̃sdəgal] adj. invar. et n. m. invar. ▪ (En hommage au prince de Galles) Tissu de laine, à lignes fines croisées de teinte uniforme sur fond clair. ▶ *princesse* n. f. **1.** Fille ou femme d'un prince, fille d'un souverain. *La princesse Palatine.* **2.** Souveraine d'une principauté. **3.** Loc. fam. *Aux frais de la princesse,* de l'État, d'une collectivité. *Il fait un voyage aux frais de la princesse.* ▶ *princier, ière* adj. **1.** Littér. De prince, de princesse. *Titre princier.* **2.** Digne d'un prince. ⇒ **luxueux, somptueux.** *Un train de vie princier.* ▶ *princièrement* adv. ▪ *Il nous a reçus princièrement.*

① *principal, ale, aux* [pʀɛ̃sipal, o] adj. **1.** Qui est le plus important, le premier parmi plusieurs. ⇒ **capital, essentiel.** *Les principales puissances du monde.* ⇒ **premier.** *Il joue le rôle principal. Résidence principale* (opposé à *secondaire*). — En grammaire. *Proposition principale* ou, n. f., *principale,* qui ne dépend syntaxiquement d'aucune autre, et dont dépendent une ou plusieurs autres (subordonnées). *Dans « Je veux qu'il vienne », « Je veux » est la principale.* ⇒ **indépendant.** **2.** N. m. (neutre) *C'est le principal,* la chose essentielle. *Le principal est de réussir.* ⇒ **l'important.** **3.** (Personnes) *Elle est la principale intéressée dans cette affaire.* — *Commissaire principal.* ▶ *principalement* adv. ▪ Avant les autres choses, par-dessus tout. ⇒ **surtout.** *Elle en voulait principalement à son père.*

② *principal, aux* n. m. **1.** Fonctionnaire de l'administration scolaire qui dirige un collège. *Le principal et le sous-directeur. Madame le principal.* ⇒ **proviseur.** **2.** Premier clerc *(clerc principal)* d'un notaire.

principauté [pʀɛ̃sipote] n. f. ▪ Petit État indépendant dont le souverain porte le titre de prince ou de princesse. *La principauté d'Andorre.*

principe [pʀɛ̃sip] n. m. **I.** **1.** Cause première originelle. *Dieu considéré comme le principe de l'univers.* **2.** Source, origine (considérée comme naturelle) d'un phénomène observé ; mobile ou moteur d'une conduite humaine. / contr. **conséquence, effet** / *Nos actions ont pour principe notre liberté. Remonter jusqu'au principe.* — *Deux qualités qui procèdent du même principe.* **3.** *Principe (actif),* ingrédient principal (dans un mélange, un médicament). **II.** **1.** Proposition première, posée et non déduite (dans un raisonnement, un syllogisme). ⇒ **hypothèse, postulat, prémisse.** *Principe posé a priori.* **2.** Notion fondamentale, base (d'une science). *Les principes de la physique.* — Au plur. Connaissances de base. ⇒ **rudiment.** *Apprendre les premiers principes d'une science.* **III.** **1.** Règle d'action s'appuyant sur un jugement de valeur et constituant un modèle ou un but. ⇒ **loi.** *Ériger, poser en principe que... Partir d'un principe.*

Loc. *Une déclaration de principe. J'ai toujours eu pour principe de...* — Loc. *Faire, demander qqch.* POUR LE PRINCIPE : pour une raison théorique (et non par intérêt), sans trop y croire. 2. Au plur. Les règles morales auxquelles une personne, un groupe est attaché. *Manquer à ses principes. Il n'est pas dans mes principes de...* — Absolt. *Avoir des principes. Une personne sans principes,* sans moralité. IV. Loc. PAR PRINCIPE : par une décision, une détermination a priori. *Il critique tout par principe.* — DE PRINCIPE. *Une hostilité de principe. Faire de qqch. une question de principe,* une affaire morale. — EN PRINCIPE : théoriquement, d'après les principes. *Il avait raison en principe. En principe, il est d'accord, mais il peut changer d'avis.* ⟨ ▶ pétition de principe ⟩

printemps [pʀɛ̃tɑ̃] n. m. invar. 1. Saison qui succède à l'hiver et précède l'été, et qui, dans l'hémisphère Nord, commence à *l'équinoxe de printemps* (20 ou 21 mars) et s'achève au solstice d'été (21 ou 22 juin). *Au printemps la végétation renaît. Un printemps précoce, tardif.* 2. Littér. Jeune âge. *Le printemps de la vie.* 3. Littér. Année. *Une jeune fille de seize printemps,* de seize ans. 4. Fig. Période où des progrès sociaux semblent réalisables. *Le printemps de Prague.* ▶ **printanier, ière** adj. ▪ Du printemps. *Une tenue printanière,* légère, claire, fleurie.

a *priori* ⇒ a priori.

priorité [pʀijɔʀite] n. f. 1. Qualité de ce qui vient, passe en premier, dans le temps. *Il faut en discuter en priorité,* en premier lieu. 2. Droit de passer le premier. *Laisser la priorité à une voiture.* — *Carte de priorité,* accordée à certaines personnes, dans les files d'attente. ▶ **prioritaire** adj. ▪ Qui a la priorité, bénéficie de la priorité. *Les véhicules prioritaires,* police, pompiers, ambulances...

pris, prise [pʀi, pʀiz] adj. (⇒ **prendre**) 1. Occupé. / contr. **libre** / *Cette place est-elle prise ? Il a toute sa semaine prise.* — (Personnes) Qui a des occupations. *Je suis pris toute la semaine.* 2. Littér. *Pris de vin,* ivre. *Un individu pris de boisson* (même sens). 3. Atteint d'une affection. *Avoir la gorge prise,* enflammée. 4. BIEN PRIS : bien fait, mince. *Elle a la taille bien prise.* 5. Durci, coagulé. *La crème est prise.* ⇒ ② **prendre**.

① **prise** [pʀiz] n. f. ▪ Action de prendre (dans quelques emplois). I. 1. Manière de saisir et d'immobiliser l'adversaire. *Faire une prise de judo.* — Loc. ÊTRE AUX PRISES : se battre avec, être en lutte contre. *Être aux prises avec qqn. Se trouver aux prises avec des difficultés. Mettre aux prises,* faire s'affronter. — LÂCHER PRISE : cesser de tenir, de serrer ; abandonner. *Ce n'est pas le moment de lâcher prise !* 2. Endroit, moyen par lequel une chose peut être prise, tenue. — Endroit d'une paroi où l'on peut se tenir, prendre un point d'appui. *L'alpiniste cherchait une bonne prise.* — Loc. DONNER PRISE : s'exposer, être exposé (à un danger, un inconvénient). *Son silence donne prise aux soupçons.* — AVOIR PRISE SUR : avoir un moyen d'agir sur. *Ils sont si différents qu'on n'a pas prise sur eux.* 3. Action de s'emparer. *La prise de la Bastille.* — *Prise de corps,* le fait pour la justice d'emprisonner un inculpé. 4. Capture ; personne, animal (en particulier poisson), chose dont on s'est emparé. *Une belle prise.* II. Dans des loc. ne correspondant pas à des loc. du verbe *prendre* (sauf 4). PRISE DE... (action d'utiliser, de prendre). 1. PRISE D'ARMES : parade militaire en présence de soldats en armes pour une revue, une cérémonie. (*Prendre les armes* a un autre sens.) 2. PRISE DE VUES : tournage d'un plan, entre le déclenchement de la caméra et son arrêt (cinéma, télévision). — PRISE DE SON : réglage d'un enregistrement sonore par le preneur de son.

3. PRISE DE SANG : prélèvement de sang pour l'analyse, la transfusion. 4. PRISE DE MÉDICAMENT : dose, quantité de médicament administrée en une seule fois (⇒ ② prise). 5. PRISE DIRECTE : position du changement de vitesse d'une automobile dans laquelle la transmission du mouvement moteur est directe (opposé à *point mort*). Loc. *Être en prise directe sur...,* avoir une action directe sur... III. PRISE DE... (dispositif qui prend). 1. PRISE D'EAU : robinet, tuyau, vanne où l'on peut prendre de l'eau. 2. PRISE DE COURANT ; PRISE (électrique) : dispositif de contact permettant de brancher une lampe, un appareil électrique. *Prise mâle ; prise femelle.* 3. PRISE DE TÉLÉPHONE : dispositif de contact permettant de brancher un appareil sur le réseau téléphonique. IV. (Locutions nominales dérivées de *prendre,* sans article) Action de prendre, de se mettre à avoir ; le résultat de cette action. *Prise de contact.* ⇒ **prendre** contact. *Prise de conscience, prise de position.* — *Prise en charge, prise en considération.*

② **prise** n. f. ▪ Dose, pincée (de tabac râpé) que l'on aspire par le nez. ⇒ ① **priser** v. tr. ▪ conjug. 1. ▪ Prendre, aspirer (du tabac) par le nez. *On mettait le tabac à priser dans des tabatières.*

② **priser** v. tr. ▪ conjug. 1. ▪ Littér. Apprécier, estimer. — Au p. p. adj. *Une qualité fort prisée,* à laquelle on accorde du prix*, de la valeur.

prisme [pʀism] n. m. 1. Solide à deux bases parallèles et à faces rectangulaires. *Prisme triangulaire,* dont les bases sont des triangles. 2. Prisme (optique), prisme triangulaire de verre destiné à renvoyer une image ou à décomposer une lumière. *Le prisme d'un appareil photo reflex.* — Abstrait. *Voir à travers un prisme,* voir la réalité déformée. ▶ **prismatique** adj. 1. Du prisme ; qui a la forme d'un prisme. 2. Qui est muni de prismes optiques. *Jumelles prismatiques.* 3. *Couleurs prismatiques,* résultant de la décomposition de la lumière solaire par un prisme (effet d'arc-en-ciel).

prison [pʀizɔ̃] n. f. I. 1. Établissement fermé aménagé pour recevoir des délinquants (condamnés à une peine privative de liberté) ou des prévenus en instance de jugement. *Être en prison.* ⇒ fam. **cabane, taule.** *Mettre qqn en prison,* emprisonner, incarcérer. *Gardien de prison.* ⇒ geôlier, maton. — *Aimable comme une* PORTE DE PRISON loc. fam. : se dit d'une personne très peu aimable. 2. Local où qqn est ou se sent séquestré, enfermé. *L'otage est resté un an dans sa prison.* II. Peine privative de liberté subie dans ce local. ⇒ **emprisonnement, réclusion.** *Risquer la prison. Condamné à cinq ans de prison.* III. Fig. *Être en prison.* 1. Jeux (de l'oie...). *Devoir passer son tour un certain nombre de fois.* 2. Sports (hockey sur glace). *Être exclu du jeu pour avoir commis une faute corporelle.* ▶ **prisonnier, ière** n. et adj. 1. Personne tombée aux mains de l'ennemi et maintenue en captivité. *Un camp de prisonniers. Il a été fait prisonnier. Échanger des prisonniers.* Loc. *Prisonniers de guerre* (pour distinguer du sens 2). 2. Personne qui est détenue dans une prison. ⇒ **détenu.** — Personne que prend, qu'arrête la police. *Se constituer prisonnier,* se livrer à la police. 3. Adj. Qui est séquestré ou maintenu dans une position où il (elle) perd toute liberté d'action. — Abstrait. *Il était prisonnier de ses préjugés.* ⇒ **esclave.** ⟨ ▶ emprisonner ⟩

privation [pʀivasjɔ̃] n. f. 1. Action de priver (d'une chose dont l'absence entraîne un dommage) ; le fait d'être privé ou de se priver. ⇒ **défaut, manque.** *La privation d'un bien. Être condamné à la privation des droits civils.* 2. Souvent au plur. Le fait d'être privé de choses nécessaires ou de s'en priver volontairement. *Enduror les pires privations. Elle menait une vie de privations.* ▶ ① *privatif, ive* adj. **1.** En grammaire. Se dit d'un élément qui marque la privation, l'absence d'un caractère donné. *Préfixes privatifs* (⇒ **a-** ; **in-, non-, sans-**). **2.** Qui entraîne la privation (de qqch.). *Peine privative de liberté*, la prison.

privautés [pʀivote] n. f. pl. ■ Trop grandes familiarités, libertés excessives (en particulier à l'égard d'une femme). *Prendre des privautés avec qqn.*

privé, ée [pʀive] adj. **1.** Où le public n'a pas accès, n'est pas admis. / contr. **public** / *Voie privée. Propriété privée, entrée interdite.* — EN PRIVÉ loc. adv. : seul à seul. *Puis-je vous parler en privé ?* **2.** Individuel, particulier (opposé à *collectif, commun, public*). *Des intérêts privés.* **3.** Personnel. ⇒ **intime.** *Sa vie privée ne regarde que lui.* **4.** Qui n'a aucune part aux affaires publiques. *En tant que personne privée*, en tant que simple citoyen. ⇒ **particulier.** — (Opposé à *officiel*) *C'est à titre privé qu'il participait à la cérémonie. De source privée, on apprend que...* ⇒ **officieux.** **5.** (Opposé à *public*) Qui n'est pas d'État, ne dépend pas de l'État. *Enseignement privé. Les entreprises privées, le secteur privé* (opposé à *secteur public, nationalisé*). — N. m. Fam. *Dans le privé*, dans le secteur privé. **6.** *Détective* * *privé.* — N. m. *Un privé.* ▶ ② *privatif, ive* adj. ■ Dont on a la jouissance exclusive (sans être propriétaire). *Appartement à louer, avec jardin privatif.* ▶ *privatiser* v. tr. ■ conjug. 1. ■ (État) Transférer au secteur privé (une entreprise publique). ⇒ **dénationaliser.** — Au p. p. *Banque privatisée par un gouvernement prônant le libéralisme.* ▶ *privatisation* n. f. ■ Fait de privatiser, de faire gérer par une entreprise privée. *La privatisation d'une chaîne de télévision publique.* / contr. **nationalisation** /

priver [pʀive] v. tr. ■ conjug. 1. ■ **1.** Empêcher (qqn) de jouir, de profiter (d'un bien, d'un avantage présent ou futur). *Il a été privé de dessert. On l'a privé de ses droits.* — (Suj. chose) *La peur le prive de tous ses moyens.* **2.** SE PRIVER v. pron. réfl. : renoncer à qqch. volontairement. ⇒ se **refuser.** *Il se prive de tout.* — *Elle ne se priva pas de vous dénigrer*, elle vous dénigre souvent. ⇒ s'**abstenir.** — Sans compl. S'imposer des privations. *Il n'aime pas se priver.* ⟨ ▶ privation ⟩

privilège [pʀivilɛʒ] n. m. **1.** Droit, avantage particulier accordé à un individu ou à une collectivité, en dehors de la loi commune. *Les privilèges des nobles et du clergé sous l'Ancien Régime.* ⇒ **prérogative.** *Un privilège exorbitant.* **2.** Avantage (qui confère qqch.). *Les privilèges de la fortune.* **3.** Apanage exclusif (d'un être, une chose). *La pensée est le privilège de l'espèce humaine. J'ai eu le privilège de la rencontrer.* ▶ *privilégié, ée* adj. **1.** Qui bénéficie d'un ou de divers privilèges. *Créancier privilégié*, prioritaire. **2.** Qui jouit d'avantages matériels et sociaux considérables. / contr. **défavorisé** / *Les classes privilégiées.* N. *Les privilégiés.* — C'est de la chance. *Nous avons été privilégiés, nous avons eu un temps splendide.* **3.** Littér. (Choses) Qui convient mieux que tout autre (à telle personne, à telle chose). *Un lieu privilégié.* ▶ *privilégier* v. tr. ■ conjug. 7. **1.** Avantager. *Le fisc privilégie les ménages qui ont trois enfants.* **2.** Considérer (qqch.) comme privilégié, comme particulièrement favorable. *On a tort de privilégier les mathématiques (aux dépens des autres disciplines).*

prix [pʀi] n. m. invar. I. **1.** Ce qu'il faut payer pour acquérir un bien, un service. ⇒ **coût, valeur.** *Le prix d'une marchandise. À quel prix est ce manteau ?*, combien coûte-t-il, vaut-il ? *Payer le prix de qqch.*, y mettre le prix. *Prix fixe, prix unique* (pour un même produit). *Vendre à bas, à vil prix. Casser les prix.*

⇒ **dumping.** *À prix cassés.* ⇒ **solde.** *Le dernier prix*, celui qui n'est plus modifié, dans un marchandage. *Un prix exorbitant. Au prix fort*, sans remise ; avant la baisse. *Ça coûte un prix fou*, excessif. *Prix d'ami*, consenti par faveur (plus bas). PRIX DE REVIENT : comprenant tout ce qui constitue la valeur du bien avant sa mise en vente au détail. ≠ **bénéfice, plus-value.** — *Prix T.T.C.*, toutes taxes comprises (opposé à *hors taxes*). *Hausse des prix.* ⇒ **inflation.** *N'avoir pas de prix, être* HORS DE PRIX : être de très grande valeur. ⇒ **inestimable.** — *Mettre à prix*, proposer en vente. *Mise à prix*, prix initial dans une vente aux enchères. *Mettre à prix la tête de qqn*, promettre une récompense en argent à qui le capturera, le tuera. — *À prix d'or*, contre une forte somme. **2.** Étiquette, marque indiquant le prix d'un objet. *Enlevez le prix, s'il vous plaît, c'est pour un cadeau.* **3.** Vx. *Le prix du sang*, la peine qu'il faut subir pour avoir causé la mort d'une personne. **4.** Ce qu'il en coûte pour obtenir qqch. *Le prix du succès, de la réussite.* ⇒ **rançon.** — Loc. *J'apprécie votre geste à son juste prix. Donner du prix à*, de la valeur. — *Ils ne céderont à aucun prix*, quelles que puissent être les compensations. *À tout prix*, quoi qu'il puisse en coûter. *Au prix de*, en échange de (tel ou tel sacrifice). II. **1.** Récompense destinée à honorer la personne qui l'emporte dans une compétition. *Prix littéraires. Le prix Goncourt. Les prix Nobel.* — Récompenses décernées aux premiers, dans chaque discipline, dans un établissement scolaire. *Prix d'excellence. Distribution des prix. Livre de prix*, donné en prix. **2.** Le lauréat. *C'est un premier prix du Conservatoire.* **3.** (En parlant de l'œuvre qui a été récompensée) *Avez-vous lu le prix Goncourt ?* **4.** Épreuve à l'issue de laquelle est décernée cette récompense. *Grand Prix automobile.* ⟨ ▶ commissaire-priseur, mépris, ② priser ⟩

pro [pʀo] n. ■ Abréviation familière de *professionnel(le)*, n. *Une pro. Des pros de la course automobile.*

pro- ■ Élément signifiant « en avant » (ex. : *propulsion*), « plus loin » (ex. : *prolonger*), « publiquement » (ex. : *proclamer*), ou « en faveur de » (ex. : *profrançais, procommuniste*, etc. ⇒ **phil-**). / contr. **anti-, -phobe** /

probable [pʀɔbabl] adj. **1.** Qui peut être ; qui est plutôt vrai que faux. *Une hypothèse probable.* **2.** Qui peut être prévu raisonnablement. *La réussite probable de ses efforts.* ⇒ **vraisemblable.** / contr. **improbable** / — Impers. *Il est probable qu'il viendra, peu probable qu'il vienne.* — Ellipt. Fam. *Probable, c'est probable. Probable que c'est la première fois.* ▶ *probablement* adv. ■ Vraisemblablement. *C'est probablement ce qui va se produire. Probablement que...*, il est probable que. ▶ *probabilisme* n. m. ■ Position philosophique qui renonce à la certitude et se fonde sur la probabilité la plus grande. ▶ *probabilité* n. f. **1.** Caractère de ce qui est probable. *Selon toute probabilité.* ⇒ **vraisemblance.** **2.** Probabilité forte, faible, nulle, chance calculée qu'un événement donné se produise ou n'ait pas lieu (parmi d'autres). — *Calcul des probabilités*, partie des mathématiques qui évalue les chances statistiques qu'un phénomène se produise ou non. **3.** Apparence, indice qui laisse à penser qu'une chose est probable. *Opinion fondée sur de simples probabilités.* ⟨ ▶ improbable ⟩

probant, ante [pʀɔbɑ̃, ɑ̃t] adj. ■ Qui prouve sérieusement. *Un argument probant.* ⇒ **concluant, convaincant, décisif.** *Ce n'est pas très probant.*

probatoire [pʀɔbatwaʀ] adj. ■ Didact. Qui permet de vérifier le niveau d'un candidat. *Examen, test, stage probatoire.*

probe [pʀɔb] adj. ■ Littér. (Personnes) Honnête, intègre. ▶ *probité* n. f. ■ Vertu qui consiste à observer scrupuleusement les règles de la morale sociale, les devoirs imposés par la justice. ⇒ **honnêteté, intégrité**. *Doutez-vous de ma probité ?*

problème [prɔblɛm] n. m. **1.** Question à résoudre qui prête à discussion, dans une science. *Poser, soulever un problème, un faux problème. Résoudre un problème. C'est la clef du problème.* — Question à résoudre, portant soit sur un résultat inconnu à trouver à partir de données, soit sur la méthode à suivre pour obtenir un résultat supposé connu. *Énoncé, solution d'un problème. Faire un problème d'algèbre.* **2.** Difficulté qu'il faut résoudre pour obtenir un résultat ; situation instable ou dangereuse exigeant une décision. ⇒ **question**. *Les problèmes de la circulation. Les problèmes du Moyen-Orient. Le problème palestinien.* — Loc. *Faire, poser problème,* présenter des difficultés. — (Sens affaibli) *Un problème, des problèmes d'argent.* ⇒ **ennui**. — Fam. *Il n'y a pas de problème,* c'est une chose simple, évidente. — *Problèmes psychologiques* ou, absolt, *problèmes,* conflit affectif. *Il est à l'âge où l'on a des problèmes.* — Fam. *Y a pas de problème(s),* c'est facile, tout va bien. *Sans problème* (en réponse), facilement. ▶ **problématique** adj. et n. f. **1.** Dont l'existence, la vérité, la réussite est douteuse. *La victoire est problématique.* **2.** N. f. Ensemble de questions posées dans un domaine de la science, de la philosophie, de la politique.

procédé [prɔsede] n. m. **1.** Façon d'agir à l'égard d'autrui. ⇒ **comportement, conduite**. *Je n'ai pas apprécié ses procédés.* — Loc. *Échange de bons procédés,* services rendus réciproquement. **2.** Méthode employée pour parvenir à un certain résultat. *Un procédé technique.* — Péj. *Cela sent le procédé,* la recette, l'artifice.

① procéder [prɔsede] v. intr. ▪ conjug. 6. ▪ Littér. PROCÉDER DE : tirer son origine de. ⇒ **découler, dépendre**. *Ces œuvres procèdent du même courant d'idées, de la même veine.*

② procéder v. tr. ind. ▪ conjug. 6. **1.** PROCÉDER À : faire, exécuter (un travail complexe, une opération). *Les constructeurs ont d'abord fait procéder à une étude géologique. On a procédé à une enquête.* **2.** Intransitivement. Agir d'une certaine manière. *Procédons par ordre.* ⟨ ▶ procédé, procédure ⟩

procédure [prɔsedyr] n. f. **1.** Manière de procéder juridiquement ; série de formalités qui doivent être remplies. *Quelle est la procédure à suivre ? Procédure de divorce. Engager, intenter, introduire une procédure.* **2.** Branche du droit qui détermine ou étudie les règles d'organisation judiciaire (compétence, instruction des procès, exécution des décisions de justice...). *Code de procédure civile.* ▶ **procédurier, ière** adj. ▪ Péj. Qui est enclin à la procédure, à la chicane.

① procès [prɔsɛ] n. m. invar. **1.** Litige soumis à un tribunal. ⇒ **① instance**. *Faire, intenter un procès à qqn. Être en procès avec qqn. Gagner, perdre un procès.* **2.** Fig. *Faire le procès de,* faire la critique systématique de (une personne, une chose). ⇒ **accuser, attaquer, condamner**. **3.** Loc. *Sans autre forme de procès,* sans autre formalité, purement et simplement. *On l'a renvoyé sans autre forme de procès.* ⟨ ▶ procès-verbal ⟩

② procès n. m. invar. ▪ Didact. Processus ; action, état qu'exprime un verbe.

procession [prɔsesjɔ̃] n. f. **1.** Défilé religieux qui s'effectue en chantant et en priant. *La procession de la Fête-Dieu.* **2.** Longue suite de personnes qui marchent à la file ou qui se succèdent à brefs intervalles. *Que de visites ! une vraie procession.*

processus [prɔsesys] n. m. invar. ▪ Ensemble des phénomènes convergents et successifs, qui correspondent à un changement, ont une unité, un but. ⇒ **évolution**, ② **procès**. *Un processus biologique, industriel, économique* (⇒ **procédé**, 2).

procès-verbal, aux [prɔsɛvɛrbal, o] n. m. **1.** Acte dressé par une autorité compétente et qui constate un fait entraînant des conséquences juridiques. ⇒ **constat**. *Rédiger, dresser un procès-verbal.* ⇒ **verbaliser**. *L'huissier est venu faire le procès-verbal de la saisie. Avoir un procès-verbal pour excès de vitesse* ⇒ **contravention** ; fam. ② **contredanse**, p.-v. *Des procès-verbaux.* **2.** Relation officielle écrite de ce qui a été dit ou fait dans une réunion, une assemblée, etc.

① prochain, aine [prɔʃɛ̃, ɛn] adj. **1.** Vx. (Dans l'espace) Qui est proche. *Dans la forêt prochaine.* ⇒ **voisin**. **2.** (Dans le temps) Qui est près de se produire. *J'irai à la prochaine occasion. Un jour prochain, un prochain jour.* ⇒ **proche**. **3.** Qui suit immédiatement (le moment présent). *La semaine prochaine. L'été prochain. La prochaine fois,* la première fois que la chose se reproduira. *À la prochaine fois* ; fam. *à la prochaine !* (formule de départ, de séparation). *Le prochain train part dans une heure et le suivant demain seulement. Je descends à la prochaine station.* Fam. *Vous descendez à la prochaine ?* ▶ **prochainement** adv. ▪ ⇒ **bientôt**. *Je reviendrai prochainement.*

② prochain n. m. sing. ▪ Personne, être humain considéré comme un semblable. *L'amour du prochain. Dire du mal de son prochain,* des autres. ≠ *proche* (4)

proche [prɔʃ] adj. ▪ Qui est à peu de distance (⇒ **proximité, rapprochement**) / contr. **lointain, éloigné** / **1.** (Dans l'espace) Voisin. *La gare est proche, tout proche, toute proche de la ville.* **2.** (Dans le temps) Littér. Qui va bientôt arriver, qui est arrivé il y a peu de temps. *La fin est proche.* ⇒ **approcher**. *Des événements tout proches de nous.* **3.** Abstrait. Qui est peu différent. *Mon opinion est proche de la vôtre.* — Qui a des affinités avec, de la sympathie pour. *Un ami très proche.* **4.** Dont les liens de parenté sont étroits. *Un proche parent.* — N. LES PROCHES : les parents. *Tous ses proches l'ont abandonné.* ≠ ② *prochain.* ▶ **de proche en proche** [dəprɔʃɑ̃prɔʃ] loc. adv. ▪ En avançant par degré, peu à peu. ⟨ ▶ approcher, ① prochain ⟩

proclamer [prɔklame] v. tr. ▪ conjug. 1. **1.** Publier ou reconnaître solennellement (comme une chose positive) par un acte officiel. *Proclamer le résultat d'un scrutin. L'indépendance est proclamée.* **2.** Annoncer ou déclarer hautement auprès d'un vaste public. ⇒ **clamer, crier**. *L'accusé a proclamé son innocence. Ils proclament que la justice triomphera.* ▶ **proclamation** n. f. **1.** Action de proclamer. ⇒ **annonce, déclaration, publication**. *La proclamation de la République.* **2.** Discours ou écrit public contenant ce qu'on proclame. *Afficher une proclamation.*

proconsul [prɔkɔ̃syl] n. m. **1.** Dans l'Antiquité. Titre, nom donné aux gouverneurs des provinces romaines (en principe anciens consuls). **2.** Personnage qui exerce, dans une province ou une colonie, un pouvoir absolu et sans contrôle.

procréer [prɔkree] v. tr. ▪ conjug. 1. ▪ Littér. (Espèce humaine) Engendrer. ▶ **procréateur, trice** n. ▶ **procréation** n. f.

procurateur [prɔkyratœr] n. m. ▪ Dans l'Antiquité romaine. Représentant de l'empereur dans une

province. *Ponce-Pilate, procurateur de Judée.*
≠ *procureur.*

procuration [pʀɔkyʀɑsjɔ̃] n. f. **1.** Document par lequel on autorise autrui à agir à sa place. ⇒ **mandat.** *Je vais vous signer une procuration.* **2.** PAR PROCU-RATION : en remettant à un autre le soin d'agir, de parler à sa place.

procurer [pʀɔkyʀe] v. tr. ▪ conjug. 1. **1.** Obtenir pour qqn (qqch. d'utile ou d'agréable). ⇒ **donner, fournir.** *Il faut lui procurer un emploi.* ⇒ **trouver.** **2.** SE PROCURER v. pron. : obtenir pour soi. ⇒ **acqué-rir.** *Se procurer de l'argent. Elle s'est procuré ce livre.* **3.** (Suj. chose) Être la cause ou l'occasion de (pour qqn qui en retire l'avantage). ⇒ **causer, occasionner.** *Le plaisir que nous procure la lecture.* ⟨ ▶ procura-tion, procureur ⟩

procureur [pʀɔkyʀœʀ] n. m. **1.** Rare. Titulaire d'une procuration juridique. **2.** PROCUREUR DE LA RÉPUBLIQUE : représentant du ministère public près du tribunal de grande instance. *Le procureur de la République reçoit les plaintes.* ⇒ **parquet.** *Procureur général,* représentant du ministère public devant la Cour de cassation, la Cour des comptes et les cours d'appel. ≠ *procurateur.*

prodigalité [pʀɔdigalite] n. f. **1.** Caractère d'une personne prodigue. / contr. **avarice** / **2.** Souvent au plur. Dépense excessive. *Il s'est ruiné par ses prodigalités.*

prodige [pʀɔdiʒ] n. m. **I. 1.** Événement extraordi-naire, de caractère magique ou surnaturel. ⇒ **miracle.** — Loc. *Tenir du prodige,* se dit d'une chose extraordinaire dans son genre, inexplicable. **2.** Action très difficile qui émerveille. *Vous avez fait des prodiges ! Un, des prodiges de,* action, chose extraordi-naire en matière de... *Des prodiges de courage.* **II.** Personne extraordinaire par ses dons, ses talents. *C'est un petit prodige.* — En appos. *Enfant prodige,* exceptionnellement doué pour son âge. ≠ *prodigue.* ▶ **prodigieux, euse** ▪ Extraordinaire. ⇒ **éton-nant, surprenant.** *Une quantité prodigieuse.* ⇒ **consi-dérable.** *Sa force était prodigieuse. Un artiste, un talent prodigieux.* ▶ **prodigieusement** adv. ▪ Extraor-dinairement.

prodigue [pʀɔdig] adj. **1.** Qui fait des dépenses excessives ; qui dilapide son bien. ⇒ **dépenser ; prodigalité.** — *L'enfant prodigue,* qui revient chez son père après avoir dilapidé sa fortune (allusion à l'Évangile selon saint Luc). — PROV. *À père avare, fils prodigue.* ≠ *prodige.* **2.** PRODIGUE DE : qui distri-bue, donne abondamment (qqch.). ⇒ **prodiguer.** *Il est prodigue de compliments.* / contr. **économe** / ▶ **pro-diguer** v. tr. ▪ conjug. 1. **1.** Accorder, distribuer sans compter, en grand nombre. *On lui a pourtant prodigué des recommandations. Les soins que sa mère lui a prodigués.* **2.** SE PRODIGUER v. pron. : se dépenser sans compter. ⟨ ▶ prodigalité ⟩

prodrome [pʀɔdʀom] n. m. **1.** Littér. Ce qui annonce un événement. *Les prodromes d'une guerre.* **2.** Au plur. En médecine. Premiers symptômes d'une maladie.

producteur, trice [pʀɔdyktœʀ, tʀis] adj. et n. **I.** Adj. Qui produit, qui crée (qqch.). *Les forces productrices. Pays producteur d'électricité.* **II.** N. **1.** (Opposé à *consommateur)* Personne ou entreprise qui produit des biens ou assure des services. *Directement du producteur au consommateur, sans intermédiaire.* **2.** Personne ou société qui assure le financement d'un film, d'une émission télévisée. ⟨ ▶ coproducteur, reproducteur ⟩

productif, ive [pʀɔdyktif, iv] adj. ▪ Qui produit, crée ; qui est d'un bon rapport. / contr. **improductif** /

Un travail productif. Capital productif d'intérêts. ▶ **productivité** n. f. **1.** Caractère productif. *La productivité d'un placement.* **2.** Rapport du produit aux coûts de production. *Accroître la productivité en remplaçant les ouvriers par des machines, en formant professionnellemnt les ouvriers. Investissement et pro-ductivité.* ⟨ ▶ improductif ⟩

production [pʀɔdyksjɔ̃] n. f. **1.** Action de provo-quer (un phénomène) ; fait ou manière de se produire. *Il y a eu production de gaz carbonique.* **2.** Ouvrage (de l'art ou de l'esprit) ; ensemble des œuvres (d'un artiste, d'un genre ou d'une époque). *La production dramatique du XVIIe siècle.* **3.** (Terre, entreprise) Le fait de produire (plus ou moins) ; les biens créés par l'agriculture ou l'industrie. *Une production élevée. La production annuelle de cette entreprise. Les produc-tions du sol, du sous-sol.* ⇒ **produit.** *La production d'un nouveau modèle.* ⇒ **fabrication.** — Absolt. (Opposé à *la consommation)* Le fait de produire des biens matériels et d'assurer des services ; l'ensemble des activités, des moyens qui le permettent. *Les moyens de production,* terre, instruments, machines. *Les forces de production,* capital, travail, technique. **4.** Le fait de produire (un film, une émission de télévision). *La société X a assuré la production de ce film.* — Le film lui-même. *Une production à grand spectacle* (dite *superproduction).* ⟨ ▶ coproduction, reproduction, surproduction ⟩

produire [pʀɔdyiʀ] v. tr. ▪ conjug. 38. **I. 1.** Causer, provoquer (un phénomène). *Cette nouvelle produisit sur lui une vive impression.* ⇒ **faire.** — Au p. p. adj. *L'effet produit a été désastreux.* **2.** Composer (une œuvre). ⇒ **écrire.** — Sans compl. *Un romancier qui produit beaucoup.* **3.** Former naturellement, faire naître. *Cet arbre produit de beaux fruits.* ⇒ **donner.** *L'E.N.A. produit la plupart des hauts fonctionnaires.* **4.** Faire exister, par une activité économique. *Ce pays produit dix millions de tonnes d'acier par an.* ⇒ **producteur.** / contr. **consommer** / **5.** Assurer la réalisation matérielle de (un film, une émission), par le financement et l'organisation. ⇒ **producteur** (II, 2), **production** (4). **II.** Présenter (un document). *Produire un certificat.* ⇒ **fournir. III.** SE PRODUIRE v. pron. **1.** Jouer, paraître en public au cours d'une représenta-tion. *C'est la première fois qu'il se produit sur cette scène.* **2.** (Choses) Arriver, survenir. *Cela peut se produire.* Impers. *Il se produisit un incident.* ⟨ ▶ pro-ducteur, productif, production, produit, repro-duire ⟩

produit [pʀɔdyi] n. m. **I.** LE PRODUIT DE. **1.** Ce que rapporte (une propriété, une activité). ⇒ **bénéfice, profit, rapport.** *Vivre du produit de ses terres. Produit brut,* avant déduction des taxes, des frais. — *Produit net,* après déduction des charges et des frais. — *Produit intérieur brut* (abrév. *P.I.B.),* somme des valeurs créées en un an par un pays à l'intérieur de ses frontières. *Produit national brut,* (abrév. *P.N.B.)* somme du P.I.B. et des valeurs créées à l'étranger. **2.** Nombre qui est le résultat d'une multiplication. *Le produit de deux facteurs.* — Résultat (d'opérations mathématiques). **II. 1.** UN, LES PRODUITS DE : chose qui résulte d'un processus naturel, d'une opération humaine. *Les produits de la terre. Les produits de la distillation du pétrole.* — *Le produit de son imagination.* ⇒ **fruit.** **2.** Production de l'agriculture ou de l'industrie. *Produits fabriqués, manufacturés* (opposé à *matières premières). Produits bruts, semi-finis, finis. Produits pharmaceutiques, chimiques. Produits d'entretien,* nécessaires à l'entretien des objets ménagers. *Un nouveau produit pour la vaisselle.* ⟨ ▶ sous-produit ⟩

proéminent, ente [pʀɔeminɑ̃, ɑ̃t] adj. ▪ Qui dépasse en relief ce qui l'entoure, forme une avancée.

⇒ **saillant.** *Nez, front proéminent.* ≠ *prééminent.*
▶ **proéminence** n. f. ■ Littér. Caractère proéminent ; protubérance, saillie. ≠ *prééminence.*

prof [prɔf] n. ■ Fam. ⇒ **professeur.** *Un, une prof. Des profs.*

profane [prɔfan] adj. et n. **1.** Littér. Qui est étranger à la religion (opposé à *religieux, sacré*). *L'art profane.* — N. m. *Le profane et le sacré.* **2.** N. m. et f. Personne qui n'est pas initiée à une religion. **3.** Adj. Qui n'est pas initié à un art, une science, etc. ⇒ **ignorant.** *Expliquez-moi, je suis profane en la matière. Les vandales ont profané plusieurs tombes.* / contr. **connaisseur** / — N. m. (Collectif) *Aux yeux du profane, des gens profanes.* ‹ ▶ profaner ›

profaner [prɔfane] v. tr. ■ conjug. 1. **1.** Traiter sans respect (un objet, un lieu), en violant le caractère sacré. *Les vandales ont profané plusieurs tombes.* **2.** Faire un usage indigne, mauvais de (qqch.), en violant le respect qui est dû. ⇒ **avilir, dégrader.** *C'est profaner les plus beaux sentiments.* ▶ **profanateur, trice** n. et adj. ■ Personne qui profane. ▶ **profanation** n. f. ■ Action de profaner. *Profanation de sépulture.*

proférer [prɔfere] v. tr. ■ conjug. 6. ■ Articuler à voix haute, prononcer avec force. *Il partit en proférant des menaces, des injures.*

professer [prɔfese] v. ■ conjug. 1. **1.** V. tr. Littér. Déclarer hautement avoir (un sentiment, une opinion). *Ils professaient envers leur maître la plus vive admiration.* ⇒ **faire** ① **profession.** **2.** V. intr. Vx. Enseigner en qualité de professeur. *Il professe dans un lycée parisien.* ▶ **professeur** n. m. ■ Personne rémunérée pour enseigner une discipline, un art, une technique ou des connaissances, d'une manière habituelle. ⇒ **enseignant, instituteur, maître ;** fam. **prof.** *Professeur de collège, de lycée, de faculté. Elle est professeur d'anglais.* — Au Québec, n. f., elle est *professeure* (incorrect en France). ▶ **professoral, ale, aux** adj. ■ Propre aux professeurs. *Le corps professoral.* — Péj. *Un ton professoral,* pédant. ▶ **professorat** n. m. ■ État de professeur. ⇒ **enseignement.** ‹ ▶ prof, ① profession ›

① *profession* [prɔfesjɔ̃] n. f. **1.** Littér. Loc. *Faire profession de* (une opinion, une croyance), la déclarer publiquement, ouvertement. ⇒ **professer** (I). **2.** PROFESSION DE FOI : manifeste.

② *profession* n. f. **1.** Occupation déterminée dont on peut tirer ses moyens d'existence. ⇒ **métier.** *Quelle est votre profession ? Ma mère est sans profession. La profession de chef d'entreprise.* **2.** Métier qui a un certain prestige social ou intellectuel. ⇒ **carrière.** *La profession d'avocat. Les professions libérales. Embrasser, exercer une profession.* **3.** DE PROFESSION : professionnel. *Un chanteur de profession.* ▶ **professionnel, elle** adj. et n. **1.** Relatif à la profession, au métier. *L'orientation professionnelle. Enseignement professionnel.* ⇒ **technique.** — (En France) *Certificat d'aptitude professionnelle* (C.A.P.), diplôme qui sanctionne le premier niveau d'apprentissage d'un métier. *Brevet d'études professionnelles* (B.E.P.), diplôme de qualification de l'ouvrier professionnel. **2.** De profession. *Sportif professionnel.* — N. (Football, cyclisme, tennis, etc.) *Les professionnels* (opposé à *amateur*). ⇒ fam. **pro.** — Iron. Se dit d'une habitude invétérée. *Un farceur professionnel.* **3.** N. Personne de métier (opposé à *amateur*). *C'est un vrai professionnel ;* fam. *Un vrai pro.* — Ouvrier spécialisé (appelé *P1, P2,* etc.). ▶ **professionnellement** adv. ■ De façon professionnelle ; du point de vue de la profession. ▶ **professionnalisme** n. m. **1.** Condition des sportifs professionnels (opposé à *amateurisme*). **2.** Qualité de

professionnel. ⇒ **compétence, sérieux.** *Un professionnalisme sans faille.*

profil [prɔfil] n. m. **1.** Aspect du visage vu par un de ses côtés. ⇒ **contour.** *Dessiner le profil de qqn.* ⇒ **silhouette.** *Profil grec,* conforme aux règles de la beauté antique. **2.** DE PROFIL : en étant vu par le côté (en parlant d'un visage, d'un corps). *Un portrait de profil. De face, de dos, de profil.* **3.** Représentation ou aspect (d'une chose dont les traits, le contour se détachent). ⇒ **silhouette.** *Le profil de la cathédrale se découpait sur le ciel.* **4.** Coupe perpendiculaire (d'un bâtiment ou d'une de ses parties). — Coupe géologique. *Le profil d'un lit de rivière.* **5.** Ensemble d'aptitudes, de qualités (requises pour un emploi). *Le profil moyen des candidats. Il n'a pas le bon profil pour ce poste.* **6.** Dessin d'une courbe statistique. Fam. *Un profil bas,* une attitude réservée (en politique). ‹ ▶ profiler ›

profiler [prɔfile] v. tr. ■ conjug. 1. **I.** **1.** (Choses) Présenter (ses contours) avec netteté. **2.** Établir en projet ou en exécution le profil de. *Profiler une carlingue.* **II.** SE PROFILER v. pron. **1.** (Construction) Avoir un profil déterminé. **2.** Se montrer en silhouette, avec des contours précis. ⇒ **découper, dessiner,** ① se **détacher.** *Les tours se profilaient sur le ciel.* ▶ **profilé, ée** adj. et n. m. ■ Auquel on a donné un profil déterminé. — N. m. Pièce fabriquée suivant un profil déterminé. *Profilés métalliques.*

profit [prɔfi] n. m. **1.** Augmentation des biens que l'on possède, ou amélioration de situation qui résulte d'une activité. ⇒ **avantage, bénéfice.** / contr. **dommage, perte** / *Il ne cherche que son profit.* — Loc. *Il y a du profit, il y a profit à* (telle chose, faire telle chose). *Faire qqch. avec (sans) profit. Avoir le profit de qqch.,* en profiter. *Tirer profit de qqch.,* en faire résulter qqch. de bon pour soi. ⇒ **exploiter, utiliser.** *Mettre à profit,* utiliser de manière à tirer tous les avantages possibles. — AU PROFIT DE *qqn, qqch.* : (a) de sorte que la chose en question profite à. / contr. aux **dépens,** au **détriment,** au **préjudice** / *Fête donnée au profit d'œuvres.* ⇒ au **bénéfice.** (b) En agissant pour le bien, l'intérêt de qqn. *Trahir qqn au profit de qqn d'autre.* — Fam. (Choses) *Faire du profit, beaucoup de profit,* être d'un usage économique. ⇒ **durer, servir. 2.** *(Un, des profits)* Gain, avantage financier que l'on retire d'une chose ou d'une activité. *Grand(s), petit(s) profit(s). — Le profit,* ce que rapporte une activité économique. *Salaires et profits.* ⇒ **plus-value.**

profiter [prɔfite] v. tr. ind. ■ conjug. 1. **1.** PROFITER DE : tirer avantage de. / contr. **gâcher, négliger** / *Il faut profiter de l'occasion.* ⇒ **saisir.** — PROFITER DE *qqch.* : y trouver une occasion pour. *Il a profité de l'absence de gardes pour se sauver. Il en a profité. Il profita de ce que je ne le voyais pas.* — PROFITER DE *qqn* : tirer le maximum de lui. **2.** Fam. Se développer, se fortifier. *Cet enfant a bien profité.* **3.** (Choses) PROFITER À *qqn* : apporter du profit ; être utile (à). ⇒ **servir.** *Vos conseils nous ont bien profité.* — Sans compl. Loc. prov. *Bien mal acquis ne profite jamais.* — Fam. Être d'un usage avantageux, économique. *C'est un plat qui profite.* ▶ **profitable** adj. ■ Qui apporte un profit, un avantage. ⇒ **avantageux, bénéfique, utile.** *Cette leçon lui sera peut-être profitable.* / contr. **néfaste** / ▶ **profiteur, euse** n. ■ Péj. Personne qui tire des profits malhonnêtes ou immoraux (de qqch.). *Les profiteurs de guerre.* ‹ ▶ profit ›

profiterole [prɔfitʀɔl] n. f. ■ Petit chou fourré de glace à la vanille et nappé de chocolat chaud. *Elle adore les profiteroles.*

profond, onde [prɔfɔ̃, ɔ̃d] adj. **I. 1.** Dont le fond est très bas par rapport à l'orifice, aux bords. *Un puits profond, peu profond* (il n'y a pas de contraire). *Profond de dix mètres,* qui a une profondeur de dix mètres.

— (Eaux) Dont le fond est très loin de la surface. *Un endroit profond*, un bas-fond, où il y a du fond. **2.** Qui est loin au-dessous de la surface du sol ou de l'eau. ⇒ **bas.** *Une cave profonde. Racines profondes.* / contr. **superficiel** / — Loc. *Au plus profond de*, tout au fond de. **3.** Dont le fond est loin de l'orifice, des bords, dans quelque direction que ce soit. *Un placard profond. La rade est profonde. Un fauteuil profond.* **4.** (Trace, empreinte...) Très marqué. *Des rides profondes.* **5.** Qui évoque la profondeur de l'eau. *Un regard profond. Une nuit profonde.* ⇒ **épais.** *D'un vert profond*, foncé, intense. ⇒ **soutenu. 6.** (Mouvement, opération) Qui descend très bas ou pénètre très avant. *Un forage profond. Un profond salut*, où l'on s'incline très bas. **7.** Qui va au fond ou vient du fond des poumons. *Une aspiration profonde. Une voix profonde.* ⇒ **grave. II.** Abstrait. **1.** Qui va au fond des choses (en parlant de l'esprit, de ses activités). *C'est un esprit profond.* ⇒ **pénétrant.** / contr. **superficiel** / *De profondes réflexions.* **2.** Intérieur, difficile à atteindre. *La signification profonde d'une œuvre. Nos tendances profondes.* **3.** Très grand, extrême en son genre. *Un profond silence. Tomber dans un profond sommeil. Une profonde erreur. Éprouver une joie profonde.* ⇒ **intense. III.** Adv. Profondément ; bas. *Creuser très profond.* ▶ **profondément** adv. ■ D'une manière profonde. *Creuser profondément la terre.* ⇒ **profond** (III). — *Dormir profondément. Respirez profondément*, à fond. *J'en suis profondément convaincu.* ⇒ **intimement.** *Je l'aime profondément.* ⇒ **vivement.** — *C'est profondément différent.* ⇒ **foncièrement.** *Il est profondément vexé.* ⇒ **extrêmement.** ▶ **profondeur** n. f. **I. 1.** Caractère de ce qui a le fond très bas ou éloigné des bords. *La profondeur du fossé.* — Endroit profond, très au-dessous de la surface. *Les profondeurs de l'océan* (⇒ **fonds**), *de la mine.* **2.** Dimension verticale (d'un corps, d'un espace à trois dimensions), mesurée de haut en bas. *Longueur, largeur et profondeur d'une boîte, d'un tiroir.* — Distance au-dessous de la surface (du sol, de l'eau). *À deux mètres de profondeur. La profondeur d'un puits.* — Dimension (horizontale) perpendiculaire à la face extérieure. *Hauteur, largeur et profondeur d'un tiroir.* — PROFONDEUR DE CHAMP *d'un objectif photographique, d'une caméra* : espace dans les limites duquel les images sont nettes. **3.** Suggestion d'un espace à trois dimensions sur une surface. *La profondeur est rendue par la perspective.* **4.** Caractère de ce qui s'enfonce. *La profondeur d'un forage.* **II.** Abstrait. **1.** Qualité de ce qui va au fond des choses, au-delà des apparences. *Un esprit, une œuvre sans profondeur.* **2.** (Vie affective) Caractère de ce qui est durable, intense. *La profondeur d'un sentiment.* **3.** Loc. adv. EN PROFONDEUR : de façon approfondie, jusqu'au fond des choses. *Nous devons agir en profondeur.* **4.** Partie la plus intérieure et la plus difficile à pénétrer. *La psychologie des profondeurs*, de l'inconscient (la psychanalyse).

profus, use [pʀɔfy, yz] adj. ■ Littér. Qui se répand en abondance. ⇒ **abondant.** *Une lumière profuse.* ▶ **profusément** adv. ■ De manière profuse. ▶ **profusion** n. f. **1.** Grande abondance. *Une profusion de cadeaux.* — Abondance excessive. ⇒ **surabondance.** *Une profusion d'ornements, de détails.* ⇒ **débauche. 2.** À PROFUSION loc. adv. : en abondance. *Vous aurez tout à profusion.*

progéniture [pʀɔʒenityʀ] n. f. ■ Littér. Les êtres engendrés (par un homme, un animal). ⇒ **enfant, petit.** — Plaisant. *Le père promenait sa progéniture.*

progiciel [pʀɔʒisjɛl] n. m. ■ Programme informatique, logiciel vendu dans le commerce. *Une progiciel de comptabilité. Des progiciels.*

prognathe [pʀɔɡnat] adj. ■ Didact. (Êtres humains, certains animaux : singes...) Qui a les maxillaires proéminents. *Un visage prognathe.* — Qui a le maxillaire inférieur proéminent. *Elle est prognathe.*

programme [pʀɔɡʀam] n. m. **1.** Écrit annonçant et décrivant les diverses parties d'une cérémonie, d'un spectacle, etc. *Un programme de télévision.* — Ce qui est ainsi annoncé. *Changement de programme.* **2.** Ensemble des matières qui sont enseignées dans un cycle d'études et sur lequel les candidats à un examen ou à un concours peuvent être interrogés. *Le programme de la sixième. Programme de mathématique. Ce point est hors programme. Question de, du programme.* **3.** Suite d'actions que l'on se propose d'accomplir pour arriver à un résultat. ⇒ **projet.** *Elle s'est donné un programme de travail. C'est tout un programme*, se dit d'une annonce qui suffit à faire prévoir la suite. **4.** Exposé général des intentions, des objectifs (d'un homme ou d'un parti politique). *Un programme de réformes.* **5.** Suite ordonnée d'instructions, d'opérations, qu'une machine est chargée d'effectuer. *Machine à laver à programme. Rédiger un programme pour son ordinateur. Copier un programme sur disquette.* ⇒ **logiciel, progiciel.** *Le menu* proposé par un programme.* ▶ **programmer** v. tr. ■ conjug. 1. **1.** Inclure dans un programme de cinéma, de radio. *Cette émission a été programmée à une heure trop tardive.* **2.** Élaborer un programme (5) ; commander une machine grâce à un programme. — Au p. p. adj. *Machine programmée à commande numérique.* ⇒ **robot. 3.** Organiser, planifier selon un ordre strict. *J'ai programmé ma journée.* ▶ **programmation** n. f. **1.** Établissement, organisation des programmes (de cinéma, radio, télévision). **2.** Élaboration et codification de la suite d'opérations formant un programme sur machine. *Langage de programmation* (⇒ **basic, cobol, fortran, pascal**). ▶ **programmateur, trice** n. **1.** Personne chargée de la programmation (d'un spectacle). **2.** N. m. Système qui commande le déroulement d'une série d'opérations simples. *Le programmateur d'une machine à laver.* ▶ **programmeur, euse** n. ■ Spécialiste qui établit le programme d'un ordinateur.

progrès [pʀɔɡʀɛ] n. m. invar. **1.** Changement d'état qui consiste en un passage à un degré supérieur. ⇒ **développement.** / contr. **recul** / *La criminalité est en progrès, fait des progrès.* ⇒ **progresser.** *Les progrès de la maladie.* **2.** Développement en bien. ⇒ **amélioration.** *Cet étudiant a fait de gros (grands) progrès. Le progrès social, scientifique.* — Fam. *Il y a du progrès*, cela va mieux. **3.** Absolt. *Le progrès*, l'évolution de l'humanité, de la civilisation (vers un terme idéal). *Croire au progrès, craindre, nier le progrès.* **4.** Le fait de se répandre, de s'étendre dans l'espace, de gagner du terrain. ⇒ **propagation.** *Les progrès de l'incendie, d'une épidémie.* ▶ **progresser** v. intr. ■ conjug. 1. **1.** Se développer, être en progrès. / contr. **décroître, reculer** / *Le mal progresse.* ⇒ **empirer.** — (Personnes) Faire des progrès, être dans un état meilleur. *Cet élève a beaucoup progressé.* / contr. **régresser** / **2.** Avancer, gagner régulièrement du terrain. *L'ennemi progresse.* ▶ **progressif, ive** adj. **1.** Qui s'effectue d'une manière régulière et continue. ⇒ **graduel.** *Un développement progressif.* / contr. **subit** / **2.** Qui suit une progression. *Impôt progressif.* / contr. **dégressif** / ▶ **progressivement** adv. ■ D'une manière progressive, peu à peu, petit à petit. ⇒ **graduellement.** ▶ **progressivité** n. f. ■ *La progressivité de l'impôt.* ▶ **progression** n. f. **1.** Suite de nombres dans laquelle chaque terme est déduit du précédent par une loi constante. *Progression arithmétique* (2-4-6-8...), *géométrique* (2-6-18-54...). **2.** Mouvement dans une direction déterminée, mouvement en avant. *La lente progression des glaciers.* — *La progression d'une armée.* ⇒ **avance, marche. 3.** Développement par degrés, régulier et continu. ⇒ **progrès.** (S'oppose à *régression*.) ▸ *progressiste* adj. et n. ■ Qui est partisan du progrès politique, économique et d'une plus grande justice sociale, obtenue par des réformes. *Parti progressiste* (mot qui désigne, selon les pays et les époques, des positions politiques diverses). / contr. **conservateur, réactionnaire /**

prohiber [prɔibe] v. tr. ■ conjug. 1. ■ Défendre, interdire par une mesure légale. / contr. **autoriser /** ▸ *prohibé, ée* adj. ■ Interdit par la loi. *Armes prohibées,* dont l'usage, le port sont interdits. ▸ *prohibition* n. f. **1.** Interdiction légale. / contr. **autorisation /** *Prohibition du port d'armes.* **2.** Interdiction d'importer, de fabriquer, de vendre certaines marchandises, certaines denrées. — Absolt. LA PROHIBITION : celle de l'alcool, de 1919 à 1933, aux États-Unis. ▸ *prohibitif, ive* adj. **1.** Littér. Qui défend, interdit légalement. *Des mesures prohibitives.* **2.** *Droits, tarifs douaniers prohibitifs,* si élevés qu'ils équivalent à la prohibition d'une marchandise. ⇒ **protectionnisme.** — Cour. (Prix) Trop élevé, excessif ; trop cher. *Ce magasin vend ses articles à des prix prohibitifs.*

proie [prwa(ɑ)] n. f. **1.** Être vivant dont un animal s'empare pour le dévorer. *Le tigre bondit sur sa proie. Fondre sur une proie.* — DE PROIE : qui se nourrit surtout de proies vivantes. OISEAU DE PROIE : rapace. ⇒ **prédateur.** — Loc. *Lâcher la proie pour l'ombre.* ⇒ **ombre. 2.** Bien dont on s'empare par la force ; personne qu'on dépouille. *La vieille dame était une proie facile pour les escrocs.* ⇒ **victime. 3.** ÊTRE LA PROIE DE : (Personnes) être absorbé, pris par (un sentiment, une force hostile). *Être la proie de, du remords.* — (Choses) Être livré à, détruit par. *La forêt fut en un instant la proie des flammes.* **4.** EN PROIE À : tourmenté par (un mal, un sentiment, une pensée). *Il était en proie au désespoir.*

projecteur [prɔʒɛktœr] n. m. **1.** Appareil d'optique dans lequel les rayons d'une source lumineuse intense sont réfléchis et projetés en un faisceau parallèle. *Des projecteurs de théâtre.* ⇒ **spot. 2.** Appareil servant à projeter des images sur un écran. — Fam. *Projecteur-diapo,* pour projeter des diapositives.

projectile [prɔʒɛktil] n. m. ■ Objet lancé en avant et avec force. *Des projectiles divers, assiettes, casseroles, couverts.* — Spécialt. *Projectiles d'artillerie,* obus, bombes.

projection [prɔʒɛksjɔ̃] n. f. **1.** Action de projeter, de lancer en avant ; lancement (de projectiles). *L'éruption commença par une projection de cendres.* — Au plur. Matières projetées. **2.** Opération par laquelle on fait correspondre à un point (ou à un ensemble de points) de l'espace, un point (ou un ensemble de points) d'une droite ou d'une surface suivant un procédé géométrique défini ; le point ou l'ensemble de points ainsi définis. *Projection orthogonale.* **3.** Action de projeter une image, un film sur un écran. Appareil de projection. ⇒ **projecteur.** *La projection d'un documentaire.* **4.** En psychologie. Action de projeter (①, 3) un sentiment sur qqn. ▸ *projectionniste* n. ■ Technicien (ienne) chargé(e) de la projection des films.

projet [prɔʒɛ] n. m. **1.** Image d'une situation, d'un état que l'on pense atteindre. ⇒ **dessein, intention, plan.** *Projet détaillé, élaboré.* ⇒ **programme.** *Faire des projets au lieu d'agir. Nous allons réaliser nos projets. Quels sont vos projets pour cet été ? Projets de vacances.* **2.** Brouillon, ébauche, premier état. *Ce travail est resté à l'état de projet. Un projet de roman.* — PROJET DE LOI : texte de loi rédigé par un ministre et déposé

sur le bureau d'une assemblée qui décidera de son adoption. ≠ *proposition de loi.* — Dessin, dossier d'architecte présentant un bâtiment à construire, un aménagement urbain. — Dessin, modèle antérieur à la réalisation. *L'étude d'un projet.* — Décision officielle annoncée. *Projet de centrale nucléaire.*

① *projeter* [prɔʒte] v. tr. ■ conjug. 4. **1.** Jeter en avant et avec force. ⇒ **lancer.** *Le volcan projetait une pluie de pierres.* **2.** Envoyer sur une surface (des rayons lumineux, une image). — Au p. p. adj. *Les silhouettes projetées sur le mur.* — *Projeter un film.* **3.** En psychologie. *Projeter un sentiment sur qqn,* lui attribuer un sentiment qu'on a soi-même. — Pronominalement. *Se projeter dans l'avenir,* s'imaginer dans une situation future. ⟨ ▸ **projecteur, projectile, projection, projet** ⟩

② *projeter* v. tr. ■ conjug. 4. ■ Former l'idée de (ce que l'on veut faire et des moyens pour y parvenir). ⇒ **projet.** *Il projetait un voyage. Ils projetèrent de monter une affaire ensemble.*

prolégomènes [prɔlegɔmɛn] n. m. plur. Littér. ou didact. **1.** Ample préface. **2.** Principes préliminaires à l'étude d'une question.

prolétaire [prɔletɛr] n. m. **1.** Dans l'Antiquité. Personne dont la seule fortune est constituée par les enfants qu'elle peut avoir (même radical que *prolifique*). — Aujourd'hui. Ouvrier, paysan, employé qui ne vit que de son salaire (terme marxiste). / contr. **capitaliste ; bourgeois /** **2.** Salarié aux revenus modestes. — Abrév. fam. *Un, une prolo.* ▸ *prolétariat* n. m. ■ Classe sociale des prolétaires. *Le prolétariat urbain.* ▸ *prolétarien, ienne* adj. ■ Relatif au prolétariat ; formé par le prolétariat. *La révolution prolétarienne.* ▸ *prolétariser* v. tr. ■ conjug. 1. ■ Réduire à la condition de prolétaire (d'anciens producteurs indépendants, artisans, paysans, etc.). ▸ *prolétarisation* n. f. ■ Action de prolétariser ; résultat de cette action. *La prolétarisation des petits paysans propriétaires.*

proliférer [prɔlifere] v. intr. ■ conjug. 6. **1.** Se multiplier en abondance, rapidement. *Le gibier prolifère dans cette région.* **2.** Naître en grand nombre, foisonner. *On voit proliférer les agences immobilières.* ▸ *prolifération* n. f. ■ Le fait de proliférer. ▸ *prolifique* adj. **1.** Qui se multiplie rapidement. *Les lapins sont prolifiques.* **2.** Plaisant. *Un romancier prolifique,* particulièrement fécond.

prolixe [prɔliks] adj. ■ Qui est trop long, qui a tendance à délayer dans ses écrits ou ses discours. ⇒ **bavard, verbeux.** *Un orateur prolixe.* — Style *prolixe.* / contr. **concis, sobre /** ▸ *prolixité* n. f. ■ Littér. *Expliquer qqch. avec prolixité.* ⇒ **volubilité.** / contr. **laconisme /**

prologue [prɔlɔg] n. m. **1.** Première partie (d'un roman, d'une pièce) présentant des événements antérieurs à l'action proprement dite. / contr. **épilogue /** *Le prologue d'un film* (avant le générique). **2.** Texte introductif. ⇒ **introduction.** — Préliminaire, prélude. *Cette rencontre fut un prologue à la conférence.*

prolonger [prɔlɔ̃ʒe] v. tr. ■ conjug. 3. **1.** Faire durer plus longtemps (⇒ **prolongation**). / contr. **abréger, interrompre /** *Nous allons prolonger notre séjour.* — Pronominalement (réfl.). Durer plus longtemps que prévu. *La séance s'est prolongée jusqu'à minuit.* **2.** Faire aller plus loin dans le sens de la longueur (⇒ **prolongement**). *Prolonger une autoroute.* — *Les trains de banlieue prolongent le métro.* — Pronominalement. Aller plus loin. ⇒ **continuer.** *Le chemin se prolonge jusqu'à la route.* **3.** (Choses) Être le prolongement de. *Les bâtiments qui prolongent les ailes du château.* ▸ *prolongé, ée* adj. **1.** Qui se prolonge dans le temps. **2.** Fam. *Un adolescent prolongé*, un homme sans maturité. ⇒ **attardé.** ▶ *prolongateur* n. m. ■ Cordon électrique muni de deux prises (mâle et femelle). ⇒ **rallonge.** ▶ *prolongation* n. f. **1.** Action de prolonger dans le temps ; report d'une échéance, d'un délai ; résultat de cette action. *Obtenir une prolongation de congé.* **2.** En sports. Chacune des deux périodes supplémentaires qui prolongent un match de football en vue de départager deux équipes à égalité. *Jouer les prolongations.* ▶ *prolongement* n. m. **1.** Action de prolonger dans l'espace ; augmentation de longueur. ⇒ **allongement.** *Le prolongement de la route jusqu'à la ferme. Demander le prolongement d'une ligne électrique.* / contr. **raccourcissement** / **2.** Ce par quoi on prolonge (une chose) ; ce qui prolonge la partie principale (d'une chose). *Les prolongements de la cellule nerveuse.* **3.** *Dans le prolongement de*, dans la direction qui prolonge... — Abstrait. *Dans le prolongement de cette politique*, comme une suite de cette politique. **4.** Ce par quoi un événement, une situation se prolonge. ⇒ **continuation, suite.** *Les prolongements d'une affaire.*

promener [prɔmne] v. . conjug. 5. **I.** V. tr. **1.** Faire aller dans plusieurs endroits, pour le plaisir, le délassement. *Je dois promener un ami étranger à travers, dans Paris, à Versailles. Promener son chien.* — Fam. *Cela vous promènera*, cela vous fera faire une promenade. **2.** Déplacer, faire aller et venir (qqch.). *Promener un archet sur les cordes. Je promenais mon regard sur le paysage.* **3.** Faire aller avec soi. *Il promène partout son ennui.* **II.** SE PROMENER v. pron. **1.** Aller d'un lieu à un autre pour se détendre, prendre l'air, etc. ⇒ se **balader, marcher.** *Je vais me promener un peu.* ⇒ **sortir.** *Viens te promener avec papa.* **2.** Fam. (Sans pronom) ENVOYER PROMENER qqn : le repousser sans ménagement. — *J'ai tout envoyé promener, j'ai tout abandonné, j'ai complètement renoncé.* ▶ *promenade* n. f. **1.** Action de se promener ; trajet que l'on fait en se promenant. ⇒ **balade, excursion, tour** ; fam. **vadrouille, virée.** *Faire une promenade à pied, en voiture. Les enfants sont partis, allés, sortis en promenade.* **2.** Lieu aménagé dans une ville pour les promeneurs. ⇒ **avenue, cours.** *La promenade des Anglais*, à Nice. ▶ *promeneur, euse* n. ■ Personne qui se promène à pied, dans les rues et les promenades publiques. ⇒ **flâneur, passant.** *Il y avait encore quelques promeneurs attardés.* ▶ *promenoir* n. m. **1.** Lieu destiné à la promenade dans un couvent, un hôpital, une prison. **2.** Partie de certaines salles de spectacle où les spectateurs, à l'origine, se tenaient debout et pouvaient circuler.

promesse [prɔmɛs] n. f. **1.** Action de promettre ; ce que l'on s'engage à faire. *Il m'a fait des promesses qu'il n'a pas tenues. Manquer à sa promesse.* ⇒ **parole.** *J'ai votre promesse*, vous me l'avez promis. **2.** Engagement de contracter une obligation ou d'accomplir un acte. *Promesse d'achat. Promesse de mariage.* **3.** Littér. Espérance que donne qqch. *Un livre plein de promesses*, qui laisse espérer de belles œuvres.

promettre [prɔmɛtr] v. tr. . conjug. 56. **I.** **1.** S'engager envers qqn à... *Il lui a promis de chanter. Il lui a promis son aide. Elle lui a promis qu'elle l'aiderait. L'aide qu'il lui a promise.* **2.** Affirmer, assurer. *Je vous promets qu'il s'en repentira. Je te le promets, je te promets.* ⇒ **jurer. 3.** S'engager envers qqn à donner (qqch.). *On leur promet une récompense.* Loc. *Promettre la lune, monts et merveilles*, des choses impossibles. **4.** Annoncer, prédire. *Je vous promets du beau temps pour demain.* **5.** (Choses) Faire espérer (un développement, des événements). *Ce nuage ne promet rien de bon.* **6.** *Promettre beaucoup* ou, sans compl., *promettre*, donner de grandes espérances. *C'est un enfant qui promet.* — Fam. *De la neige en septembre, ça promet*

pour cet hiver !, ça va être encore pire. **II.** SE PROMETTRE v. pron. **1.** (Réfl. ind.) Espérer, compter sur. *Les joies qu'il s'était promises.* — *Se promettre de* (+ infinitif), faire le projet de. *Il se promit de ne plus recommencer.* **2.** (Récipr.) Se faire des promesses mutuelles. *Elles se sont promis de garder le secret.* ▶ *prometteur, euse* adj. ■ Plein de promesses. *Ce chanteur, ce groupe ont fait des débuts prometteurs*, ils vont vers le succès. ▶ *promis, ise* adj. **I. 1.** Loc. *Chose promise, chose due*, on doit faire, donner ce qu'on a promis. — *La* TERRE PROMISE : la terre de Chanaan que Dieu avait promise au peuple hébreu ; fig. pays, milieu dont on rêve. **2.** *PROMIS À* : destiné à, voué à. *Jeune homme promis à un brillant avenir.* **II.** N. Région. Fiancé(e). *Il est venu avec sa promise.* ⟨ ▶ **promesse** ⟩

promiscuité [prɔmiskɥite] n. f. ■ Situation qui oblige des personnes à vivre côte à côte et à se mêler malgré elles ; voisinage choquant ou désagréable. *Ils dorment tous dans la même chambre, quelle promiscuité !*

promontoire [prɔmɔ̃twar] n. m. ■ Pointe de terre (⇒ **cap, presqu'île**), de relief élevé, s'avançant en saillie dans la mer.

promoteur, trice [prɔmɔtœr, tris] n. **1.** Littér. Personne qui donne la première impulsion (à qqch.). ⇒ **instigateur.** *Il a été le promoteur de cette réforme.* **2.** *Promoteur (immobilier)*, homme d'affaires qui assure et finance la construction d'immeubles. — Adj. *Société promotrice.*

promotion [prɔmosjɔ̃] n. f. **1.** Accession à un grade, un emploi supérieur. ⇒ **avancement.** — *Promotion sociale*, accession à un rang social supérieur. *Obtenir une (sa) promotion. Promotion technique.* ⇒ **qualification. 2.** Ensemble des candidats admis la même année à certaines grandes écoles (abrév. fam. *promo*, n. f.). *Camarades de promotion. La promotion Jean-Moulin.* **3.** PROMOTION DES VENTES : développement des ventes, par la publicité, les efforts de vente exceptionnels ; ensemble des techniques, des services chargés de ce développement. *Produit en promotion.* ⇒ **réclame, solde. 4.** Action de promouvoir (2). *La promotion du travail manuel, de la recherche scientifique.* ▶ *promotionnel, elle* adj. ■ (Mot critiqué) Qui favorise l'expansion des ventes (⇒ **promotion** , 3). *Vente promotionnelle.*

promouvoir [prɔmuvwar] v. tr. . conjug. 27. — REM. Rare, sauf à l'infinitif et au part. passé. **1.** Élever à une dignité, un grade... supérieur. *Il vient d'être promu à la direction des ventes, promu directeur.* **2.** Encourager (qqch.), provoquer la création, l'essor de. *Il est indispensable de promouvoir la recherche scientifique.* ⟨ ▶ promoteur, promotion ⟩

prompt, prompte [prɔ̃, prɔ̃(p)t] adj. **I. 1.** Littér. Qui agit, fait (qqch.) sans tarder. / contr. **lent** / — PROMPT À... : que son tempérament entraîne rapidement à... *Il était prompt à la colère, à riposter.* **2.** (Choses) Qui ne tarde pas à se produire. *Je vous souhaite un prompt rétablissement.* — *Ciment prompt*, à prise rapide. **II. 1.** Littér. (Personnes) Qui met peu de temps à ce qu'il fait, se meut avec rapidité. *Prompt comme l'éclair, comme la foudre*, très rapide, instantané. **2.** (Choses) Qui se produit en peu de temps. ⇒ **brusque, soudain.** *Une prompte riposte.* ▶ *promptement* [prɔ̃tmɑ̃, prɔ̃ptəmɑ̃] adv. ■ Littér. *Obéir promptement.* ▶ *promptitude* [prɔ̃(p) tityd] n. f. Littér. **1.** Manière d'agir, réaction d'une personne prompte. ⇒ **rapidité.** / contr. **lenteur** / **2.** Caractère de ce qui survient vite ou se fait en peu de temps. *La promptitude de leur riposte.* ⟨ ▶ impromptu ⟩

prompteur [prɔ̃ptœr] n. m. ■ Anglic. Appareil qui fait défiler un texte sur un écran au-dessus d'une caméra de télévision, de sorte qu'une personne puisse le lire en regardant la caméra (et semble improviser).

promulguer [pʀɔmylge] v. tr. ▪ conjug. 1. ■ *Promulguer une loi*, la décréter valable. — Au p. p. adj. *La loi promulguée est publiée au Journal officiel et prend alors effet.* ▶ **promulgation** n. f. ■ En France. Décret par lequel le président de la République entérine une loi votée par le Parlement ; action de promulguer (une loi).

prône [pʀon] n. m. ■ Terme de religion. Sermon du dimanche. ▶ **prôner** [pʀone] v. tr. ▪ conjug. 1. ■ Vanter et recommander sans réserve et avec insistance. *Ils prônent la tolérance.* ⇒ **exalter, préconiser.**

pronom [pʀɔnɔ̃] n. m. ■ Grammaire. Mot qui a les fonctions du nom et qui, à la troisième personne ou s'agissant d'un objet, d'un concept, remplace le nom. *Pronoms démonstratifs* (ceci, cela, ça, celui-ci...), *indéfinis* (on, certains, tous...) *interrogatifs* (qui, quoi...), *personnels* (je, tu, il...), *possessifs* (le mien, le tien, le sien...), *relatifs* (que, qui, lequel, auquel, desquels...). — REM. Il y a aussi des adjectifs* démonstratifs, possessifs. ▶ **pronominal, ale, aux** adj. **1.** Relatif au pronom. *L'emploi pronominal de « tout ». Locution pronominale.* **2.** *Verbe pronominal,* verbe qui est précédé d'un pronom personnel réfléchi (ex. : je *me* baigne, tu *te* promènes, etc.) et qui, en français, se conjugue obligatoirement avec l'auxiliaire *être* aux temps composés. *Verbe pronominal réfléchi* (je me baigne), *réciproque* (elles se sont fâchées), à *sens passif* (ce plat se mange froid). *Verbe essentiellement pronominal* (s'évanouir, se souvenir). — *Faux pronominal,* où le pronom représente le complément (*se laver les mains :* laver les mains « de soi », *laver ses mains*). ▶ **pronominalement** adv. ■ En emploi pronominal ; à la forme pronominale.

prononcé, ée [pʀɔnɔ̃se] adj. ■ Très marqué, très visible, ⇒ **accentué.** *Avoir les traits du visage très prononcés. Un goût prononcé pour la musique.*

prononcer [pʀɔnɔ̃se] v. ▪ conjug. 3. **I.** V. tr. **1.** Dire (un mot, une phrase). *Elle ne pouvait prononcer un mot.* **2.** Articuler d'une certaine manière (les sons du langage). ⇒ **prononciation.** *Il prononce les « o » très ouverts. Il prononce correctement l'anglais.* — Articuler (tel mot). *C'est un mot impossible à prononcer,* imprononçable. — Pronominalement (passif). *Ce mot s'écrit comme il se prononce.* **3.** Faire entendre, dire ou lire publiquement (un texte). *Le maire prononça un discours.* **4.** En droit. Rendre, lire (un jugement) ; faire connaître (une décision). *Le président a prononcé la clôture des débats.* — Au p. p. adj. *Jugement prononcé.* **II.** V. intr. Rendre un arrêt, un jugement. *Le tribunal n'a pas encore prononcé.* ⇒ **juger. III.** SE PRONONCER v. pron. : se décider, se déterminer. *Se prononcer en faveur de qqn, pour, contre qqch.* ▶ **prononçable** adj. ■ Qu'on peut prononcer. / contr. **imprononçable /** ▶ **prononciation** n. f. ■ La manière dont les sons du langage sont articulés, dont un mot est prononcé ; les sons qui correspondent dans le langage parlé à une lettre ou à un groupe de lettres (⇒ **phonétique**). *Corriger la prononciation des « u ».* — Manière d'articuler, de prononcer (propre à une personne, un milieu, une région, une époque). *Prononciation régionale.* ⇒ **accent.** *Avoir un défaut de prononciation.* ⇒ **élocution.** ‹ ▶ imprononçable ›

pronostic [pʀɔnɔstik] n. m. **1.** Jugement que porte un médecin (après le diagnostic) sur la durée et l'issue d'une maladie. **2.** Souvent au plur. Conjecture, hypothèse sur ce qui doit arriver, sur l'issue d'une affaire, etc. ⇒ **prédiction, prévision.** *Se tromper dans ses pronostics.* — Spécialt. Hypothèses faites sur l'ordre d'arrivée des chevaux (dans une course). *Lire les*

pronostics du tiercé dans le journal. ▶ **pronostiquer** v. tr. ▪ conjug. 1. **1.** Faire un pronostic, en médecine. **2.** Donner un pronostic sur (ce qui doit arriver). ⇒ **annoncer, prévoir.** *Les journaux avaient pronostiqué la victoire de ce boxeur.* ▶ **pronostiqueur, euse** n. ■ Personne qui fait des pronostics (spécialt qui établit les pronostics sportifs, dans un journal, à la radio, etc.).

propagande [pʀɔpagɑ̃d] n. f. ■ Action exercée sur l'opinion pour l'amener à avoir et à appuyer certaines idées (religieuses, politiques, sociales...). *La propagande électorale. Instruments, moyens de propagande. Faire de la propagande pour qqch., qqn.* — *C'est de la propagande !,* des affirmations ou des nouvelles peu sérieuses, faites pour influencer l'opinion. ⇒ **désinformation.** ▶ **propagandiste** n. ■ Personne, partisan qui fait de la propagande.

propager [pʀɔpaʒe] v. tr. ▪ conjug. 3. **I.** Répandre, faire accepter, faire connaître à de nombreuses personnes, en de nombreux endroits. *Propager une nouvelle.* ⇒ **colporter, diffuser, transmettre.** *C'est la presse féminine qui a propagé cette mode.* **II.** V. pron. **1.** Se multiplier par reproduction. *Cette espèce s'est propagée en France.* **2.** Se répandre. *L'incendie se propage.* ⇒ **s'étendre, gagner.** *La nouvelle s'est propagée rapidement.* **3.** (Phénomène vibratoire, influx, etc.) S'éloigner de son origine. *La vitesse à laquelle le son se propage.* ▶ **propagateur, trice** n. ■ Personne qui propage (une religion, une opinion, une méthode...). ▶ **propagation** n. f. **1.** Le fait de propager. *La propagation de la foi chrétienne par les missionnaires.* **2.** Le fait de se propager ; progression par expansion, communication dans un milieu. *La propagation de l'épidémie. La propagation du son, de la lumière.* ‹ ▶ propagande ›

propane [pʀɔpan] n. m. ■ Gaz naturel ou sous-produit de raffinage d'hydrocarbure, vendu en bouteilles pour le chauffage, le travail des métaux. ≠ **méthane.**

propédeutique [pʀɔpedøtik] adj. ■ Didact. Qui prépare. — N. f. Année préparatoire à la licence de lettres ou de sciences, en France de 1948 à 1966.

propension [pʀɔpɑ̃sjɔ̃] n. f. ■ Tendance naturelle. ⇒ **inclination, penchant.** *Il a une certaine propension à la mélancolie, à douter de lui.*

propergol [pʀɔpɛʀgɔl] n. m. ■ Substance dont la décomposition ou la réaction chimique produit de l'énergie utilisée pour la propulsion des fusées.

prophète, prophétesse [pʀɔfɛt, pʀɔfetɛs] n. **1.** Personne inspirée par la divinité, qui prédit l'avenir et révèle des vérités cachées. ⇒ **augure, devin, oracle.** *Les prophètes hébreux.* — *Le Prophète,* Mahomet, prophète de l'islam. *Le tombeau du Prophète.* — FAUX PROPHÈTES : imposteurs. **2.** (Sens affaibli) Loc. prov. *Nul n'est prophète en son pays,* il est plus difficile d'être écouté, considéré par ses compatriotes ou ses proches que par les étrangers. Fam. *Pas besoin d'être prophète pour prévoir, pour savoir que...,* tout le monde peut prévoir que... — *Prophète de malheur,* celui qui annonce, prédit des événements fâcheux. ▶ **prophétie** [pʀɔfesi] n. f. **1.** Action de prophétiser ; ce qui est prédit par un prophète. *Le don de prophétie. Les prophéties de la Pythie de Delphes.* **2.** Ce qui est annoncé par des personnes qui prétendent connaître l'avenir. ⇒ **divination, vaticination. 3.** Expression d'une conjecture, d'une hypothèse sur des événements à venir. ⇒ **prédiction.** *Tes prophéties se sont réalisées.* ▶ **prophétique** adj. ■ Qui a rapport à un prophète, a le caractère de la prophétie. *Il prononça alors ces paroles prophétiques...,* que l'avenir devait confirmer. ▶ **prophétiser** v. tr. ▪ conjug. 1. **1.** Prédire, en se proclamant inspiré de Dieu. *Ils prophétisaient la venue du Messie.* — Parler au nom de Dieu. *Alors Ézéchiel prophétisa.* **2.** Prédire, annoncer (ce qui va arriver).

prophylaxie [pʁɔfilaksi] n. f. ■ Ensemble des mesures à prendre pour prévenir les maladies. ⇒ **hygiène, prévention, vaccination.** *Les travaux de Pasteur ont permis de découvrir la prophylaxie.* ▶ *prophylactique* adj. ■ *Prendre des mesures d'hygiène prophylactiques.* ⇒ **préventif.**

propice [pʁɔpis] adj. **1.** Littér. (Divinité) Bien disposé, favorable. *Que le sort nous soit propice !* **2.** (Choses) *Propice à...,* qui se prête tout particulièrement à. ⇒ **bon, heureux.** *Un climat propice à sa santé.* — Opportun, favorable. *L'occasion était propice. Choisir le moment propice.* ▶ *propitiatoire* [pʁɔpi sjatwaʁ] adj. ■ Littér. Qui a pour but de rendre la divinité propice. *Une offrande propitiatoire.*

proportion [pʁɔpɔʁsjɔ̃] n. f. **1.** (Qualité) Rapport esthétiquement satisfaisant entre deux éléments d'un ensemble ; équilibre des surfaces, des masses, des dimensions. / contr. **disproportion** / *La proportion entre la hauteur et la largeur d'une façade.* — Au plur. Formes. *Une statue aux proportions harmonieuses.* ⇒ bien **proportionné.** *Mauvaises proportions.* ⇒ **difforme. 2.** (Quantité) Rapport (entre deux ou plusieurs choses). *Il y a une proportion égale de réussites et d'échecs. La proportion des décès avant 50 ans est élevée dans ce pays.* ⇒ **pourcentage, taux.** — *Respectez les proportions données par la recette.* ⇒ **quantité.** — Loc. À PROPORTION DE... : suivant l'importance, la grandeur relative de. ⇒ **proportionnellement.** *Chose qui augmente à proportion de,* en raison directe de. À PROPORTION QUE : à mesure que (et dans la mesure où). À PROPORTION : suivant la même proportion. *La clientèle a augmenté et le travail à proportion.* — EN PROPORTION DE. ⇒ **selon, suivant.** *Le travail était payé en proportion des risques. C'est peu de chose, en proportion du service qu'il vous avait rendu.* ⇒ en **comparaison, relativement.** EN PRO-PORTION : suivant la même proportion. *Il est grand, et gros en proportion.* — HORS DE PROPORTION, hors de toute proportion : qui n'est pas en proportion. ⇒ **disproportionné. 3.** Au plur. Dimensions (par référence implicite à une échelle, une mesure). *Le déficit a pris des proportions considérables.* ▶ *proportionnel, elle* adj. **1.** *Suite proportionnelle,* chacune des fractions (dont aucun terme n'est égal à 0) donnée pour égale à une autre (ex. : $\frac{a}{b} = \frac{c}{d} = \frac{e}{f}$ ...). — *Moyenne, grandeur proportionnelle,* calculée à partir de suites proportionnelles. **2.** Qui est, reste en rapport avec, varie dans le même sens que (qqch.). *Un traitement proportionnel à l'ancienneté.* — Absolt. Déterminé par une proportion. *Impôt proportionnel,* à taux invariable (opposé à *progressif*). **3.** *Représentation proportionnelle* et, n. f., *la proportionnelle,* système électoral où les élus de chaque liste sont en nombre proportionnel à celui des voix obtenues par cette liste. ▶ *proportionnalité* n. f. En droit ou didact. **1.** Caractère des grandeurs qui sont ou restent proportionnelles entre elles. **2.** Le fait de répartir (qqch.) selon une juste proportion. *La proportionnalité de l'impôt.* ▶ *proportionnellement* adv. ■ Suivant une proportion ; d'une manière proportionnelle. *Il calcule ses dépenses proportionnellement à son salaire. Un petit État peut être proportionnellement plus fort qu'un grand.* ⇒ **compa- rativement, relativement.** ▶ *proportionner* v. tr. · conjug. 1. ■ Rendre (une chose) proportionnelle (à une autre) ; établir un rapport convenable, normal entre (plusieurs choses). ▶ *proportionné, ée* adj. **1.** *Proportionné à,* qui a un rapport normal avec. **2.** BIEN PROPORTIONNÉ : qui a de belles proportions (1), bien fait. ⟨ ▶ disproportion ⟩

① *propos* [pʁɔpo] n. m. invar. **I.** Littér. Ce qu'on propose ; ce qu'on se fixe pour but. ⇒ **dessein, intention.** *Son propos est de* (+ infinitif). **II.** UN, DES PROPOS : paroles dites au sujet de qqn, qqch., mots échangés. ⇒ **parole.** *Ce sont des propos en l'air. Il lui tint des propos blessants.* ⟨ ▶ avant-propos ⟩

② *propos* n. m. invar. (Dans des expressions avec *à*) **1.** À PROPOS DE : au sujet de. ⇒ **concernant.** *Je n'ai rien à ajouter à propos de cette affaire, à ce propos. À quel propos ?* — *À propos de tout et de rien,* sans motif. — *Il se met en colère À TOUT PROPOS* : pour un oui ou pour un non (→ à tout bout de champ). — À PROPOS, *à ce propos* : sert à introduire dans la suite du discours une idée qui surgit brusquement à l'esprit (en fait, souvent hors de propos). ≠ *au fait, à ce sujet. Ah ! à propos, je voulais vous demander...* — *Mal à propos,* de manière intempestive, inopportune. **2.** À PROPOS : de la manière, au moment, à l'endroit convenable ; avec discernement. *Voilà qui tombe à propos. Il a jugé à propos de démissionner,* il a jugé convenable, opportun. **3.** HORS DE PROPOS : mal à propos. ⇒ à **contretemps.** *Il est hors de propos de répondre.* ⇒ hors de **question.** ⟨ ▶ à-propos ⟩

proposer [pʁɔpoze] v. tr. · conjug. 1. **I.** PROPOSER qqch. À qqn. **1.** Faire connaître à qqn, soumettre à son choix. *Quel menu nous proposez-vous ? On leur proposa un nouveau projet.* ⇒ **présenter.** — *Proposer une solution.* ⇒ **avancer, suggérer.** — *Proposer de* (+ infinitif). *Proposer de partir.* — (+ subjonctif) *Il a proposé que tu partes.* **2.** Soumettre (un projet) en demandant d'y prendre part. *Il nous a proposé un arrangement, de partager les frais.* **3.** Demander à qqn d'accepter. — *Proposer de l'argent.* ⇒ **offrir.** *Les solutions qu'il m'a proposées.* **4.** Donner (un sujet, un thème). — Au p. p. adj. *Le sujet proposé cette année aux candidats.* **II. 1.** Faire connaître, promettre de donner. *Proposer une prime de mille francs aux employés.* **2.** Désigner (qqn) comme candidat pour un emploi. *On l'a proposé pour ce poste.* **III.** SE PROPOSER v. pron. **1.** Se fixer (un but) ; former le projet de (faire). *Elles se sont proposé un objectif audacieux. Les buts qu'elle s'est proposé d'atteindre.* **2.** Poser sa candidature à un emploi, offrir ses services. *Elle s'est proposée pour garder les enfants.* ▶ *proposition* n. f. **1.** Action de proposer, d'offrir, de suggérer qqch. ; ce qui est proposé. ⇒ **offre.** *Ils ont fait des propositions. Accepter, rejeter une proposition. Faire des propositions (déshonnêtes) à une femme. Sur la proposition de Jean,* conformément à ce qu'a proposé Jean, sur son conseil. *Sur proposition du gouvernement,* à l'initiative du gouvernement. — PROPOSITION DE LOI : en France, texte qu'un ou plusieurs parlementaires déposent sur le bureau de leur assemblée pour qu'il soit transformé en loi après un vote du Parlement. ≠ *projet de loi.* **2.** En logique. Assertion considérée dans son contenu ; signification de cette assertion. *Démontrer qu'une proposition est vraie, fausse, contradictoire.* **3.** En grammaire. Énoncé constituant une phrase simple ou entrant dans la formation d'une phrase complexe. *Sujet, verbe d'une proposition. Proposition principale, subordonnée, indépendante.* ⟨ ▶ contreproposition ⟩

① *propre* [pʁɔpʁ] adj. et n. m. **I. 1.** (Après le nom) Qui appartient d'une manière exclusive ou particulière à une personne, une chose. *Vous lui remettrez ces papiers en mains propres.* — NOM PROPRE (opposé à *nom commun*) : nom qui s'applique à une personne, à un lieu, etc., qu'il désigne. *Jean, Charles de Gaulle, Paris, S.N.C.F. sont des noms propres.* — SENS PROPRE (opposé à *sens figuré*) : sens d'un mot considéré comme antérieur aux autres (logiquement ou historiquement). ⇒ **littéral.** — PROPRE À... *C'est un trait de caractère qui lui est propre. Un défaut propre à la jeunesse.* ⇒ **spécifique. 2.** (Sens affaibli, avec un possessif et avant le nom) *Il rentrera par ses propres moyens. Dans leur intérêt. Il l'a vu de ses propres yeux. — Ce sont ses propres mots,* exactement les mots qu'il a employés. ⇒ **même. 3.** (Après le nom) Qui convient particulièrement. ⇒ **approprié, convenable.** / contr. **impropre** / *Le mot propre.* ⇒ **exact, juste.** *Une atmosphère propre au recueillement.* — (Personnes) Apte, par sa personnalité, ses capacités. *Je le crois propre à remplir cet emploi.* — N. UN, UNE PROPRE-À-RIEN : personne qui ne sait rien faire ou ne veut rien faire, qui ne peut se rendre utile. ⇒ **incapable.** *Quels propres-à-rien !* [prɔprarjɛ̃]. **II.** N. m. **1.** EN PROPRE : possédé à l'exclusion de tout autre. *Avoir un bien en propre,* à soi. ⇒ **propriété. 2.** LE PROPRE DE : la qualité distinctive qui caractérise, qui appartient à (une chose, une personne). *C'est le propre du régime actuel.* ⇒ **particularité. 3.** AU PROPRE : au sens propre, littéral. *Se dit au propre et au figuré.* ▶ ① *proprement* adv. **1.** D'une manière spéciale à qqn ou à qqch. ; en propre. *Le gouvernement affirme que c'est une affaire proprement française.* ⇒ **exclusivement, strictement. 2.** Littér. Au sens propre du mot, à la lettre. ⇒ **exactement, précisément.** — À PROPREMENT PARLER : en nommant les choses exactement par le mot propre. *Ce château est à proprement parler une grande maison.* — PROPREMENT DIT(E) : au sens exact et restreint, au sens propre. *L'histoire proprement dite se résume en dix lignes.* ‹ ▶ amour-propre, approprié, exproprier, impropre, propriété ›

② *propre* adj. **1.** (Choses) Qui n'a aucune trace de saleté, de souillure. ⇒ **impeccable, net.** / contr. **malpropre, sale** / *Un hôtel modeste mais propre. Des draps bien propres.* ⇒ **immaculé.** *Avoir les mains propres.* ⇒ (D'une action, d'une occupation) *Ne mange pas avec les doigts, ce n'est pas propre.* **2.** (Personnes) Qui se lave souvent ; dont le corps et les vêtements sont débarrassés de toute trace de saleté. Loc. *Propre comme un sou neuf,* très propre. — Abstrait. Iron. *Nous voilà propres !,* dans une mauvaise situation (→ dans de beaux draps). ⇒ **frais. 3.** Qui a l'aspect convenable, net. / contr. **négligé** / *Une copie propre.* — N. m. *Recopier au propre* (opposé à *au brouillon*). — Fait convenablement. *Voilà du travail propre,* correct (sans plus). / contr. **bâclé** / **4.** (Personnes) Qui est honnête, dont la réputation est sans tache. Fam. *Je le connais, c'est pas grand-chose de propre,* il est malhonnête, méprisable. — (Choses) *Une affaire pas très propre.* N. m. *C'est du propre !,* se dit ironiquement d'un comportement indécent, immoral (→ c'est du beau, du joli !). ▶ ② *proprement* adv. **1.** D'une manière propre, soigneuse. / contr. **salement** / *Veux-tu manger proprement ! Il était proprement vêtu. L'appartement est tenu très proprement.* **2.** Comme il faut, sans plus. ⇒ **convenablement, correctement.** / contr. **mal** / *Un travail proprement exécuté.* **3.** Avec honnêteté, décence. *Il s'est conduit proprement dans cette affaire.* ⇒ **correctement.** ▶ *propret, ette* adj. ■ Bien propre dans sa simplicité. *Une petite auberge proprette.* ▶ *propreté* n. f. **1.** État, qualité de ce qui n'est pas sale. / contr. **malpropreté, saleté** / *La propreté des maisons hollandaises.* **2.** Qualité d'une personne qui est propre, qui veille à ce que les objets dont elle se sert soient propres. *Manger avec propreté.* ‹ ▶ mal-propre, malpropreté ›

propriété [prɔprijete] n. f. **I. 1.** Fait de posséder en propre (⇒ ① **propre**), complètement et légitimement ; droit de jouir et de disposer des choses de la manière la plus absolue. ⇒ **copropriété.** *Le goût, l'amour de la propriété,* de la possession. — Monopole temporaire d'exploitation d'une œuvre, d'une invention par son auteur*. Propriété littéraire, artistique.* ⇒ **copyright. 2.** Ce qu'on possède en vertu de ce droit. *C'est ma propriété, la propriété de l'État.*

⇒ **appartenir. 3.** Terre, construction ainsi possédée. *Il vit du revenu de ses propriétés.* — (Collectif) *La grande propriété et la petite.* **4.** Riche maison d'habitation avec un jardin, un parc. *Il habite une superbe propriété dans les environs de Paris.* **II.** Abstrait. **1.** Qualité propre d'une chose. *Les propriétés de la matière. Propriétés physiques, chimiques. Posséder, présenter la propriété de* (+ infinitif). **2.** Qualité du mot propre, de l'expression qui convient exactement. / contr. **impropriété** / ▶ *propriétaire* n. **1.** *Le propriétaire de qqch.,* la personne qui possède en propriété. *La propriétaire d'une voiture. Rendez ce chien à son propriétaire.* — Loc. *Faire le tour du propriétaire,* visiter sa maison, son domaine. **2.** *Un, une propriétaire,* personne qui possède en propriété des biens immeubles. *Propriétaire terrien. Les grands, les petits propriétaires.* **3.** Personne qui possède une maison en propriété et la loue. ⇒ fam. **proprio.** ≠ *locataire ; fermier. Le loyer dû au, à la propriétaire.* ▶ *proprio* [prɔprijo] n. m. ■ Fam. Propriétaire. *Il a payé le loyer à sa proprio. Des proprios.* ‹ ▶ copropriété, nue-propriété ›

propulser [prɔpylse] v. tr. ▪ conjug. 1. **1.** Faire avancer par une poussée (⇒ **propulsion**). — Au p. p. *Missile propulsé par une fusée.* **2.** Projeter au loin, avec violence. **3.** Fam. SE PROPULSER v. pron. : se déplacer, se promener. ▶ *propulseur* n. m. **1.** Terme d'histoire. Bâton à encoche servant à lancer une arme de trait. **2.** Engin de propulsion assurant le déplacement d'un bateau, d'un avion. *Propulseur à hélice, à réaction.* ▶ *propulsion* n. f. ■ Action de pousser en avant, de mettre en mouvement. — Production d'une force qui assure le déplacement d'un mobile. *La propulsion par réaction.* — Source d'énergie appliquée aux moteurs. *Sous-marin à propulsion nucléaire.*

au prorata [oprɔrata] loc. prép. ■ En proportion de, proportionnellement à. *Le partage des bénéfices se fait au prorata (des fonds engagés).*

proroger [prɔrɔʒe] v. tr. ▪ conjug. 3. **1.** Renvoyer à une date ultérieure. *Proroger l'échéance d'un crédit.* — Faire durer au-delà de la date d'expiration fixée. ⇒ **prolonger.** *Proroger un passeport. Le traité a été prorogé.* **2.** Proroger une assemblée, en suspendre les séances et en reporter la suite à une date ultérieure. ▶ *prorogation* n. f. ■ Action de proroger. *La prorogation du bail.* ⇒ **renouvellement.**

prosaïque [prozaik] adj. ■ Qui manque d'idéal, de noblesse. ⇒ **commun, plat.** / contr. **poétique** / *Nous menons une vie prosaïque. C'est un homme prosaïque,* terre à terre. ▶ *prosaïquement* adv. ▶ *prosaïsme* n. m. ■ Littér. Caractère prosaïque. *Le prosaïsme de la vie quotidienne.*

prosateur [prozatœr] n. m. ■ Auteur qui écrit en prose. *Les prosateurs et les poètes.*

proscrire [prɔskrir] v. tr. ▪ conjug. 39. **1.** Vx. Bannir, exiler (⇒ **proscription,** 1). **2.** Littér. Interdire formellement (une chose que l'on condamne, l'usage de qqch.). *Il voudrait que l'on proscrive le tabac, l'alcool.* / contr. **autoriser, prescrire** / ▶ *proscription* [prɔskripsjɔ̃] n. f. **1.** Autrefois. Mesure de bannissement, prise à l'encontre de certaines personnes, de certaines choses en période d'agitation civile ou de dictature ⇒ **exil.** ≠ *prescription.* **2.** Littér. Action de proscrire (2) qqch. ; son résultat. ⇒ **condamnation, interdiction.** ▶ *proscrit, ite* adj. ■ **1.** Qui est frappé de proscription. ⇒ **banni, exilé.** *Des lectures proscrites,* interdites. — N. *Une proscrite.*

prose [proz] n. f. **1.** Forme ordinaire du discours oral ou écrit ; manière de s'exprimer qui n'est soumise à aucune des règles de la versification. / contr. **poésie,** vers / *Un drame en prose.* — Style ; texte en prose. *La prose française du XVIIIe siècle.* **2.** Fam. Souvent iron. Manière (propre à une personne ou à certains milieux) d'utiliser le langage écrit ; texte où se reconnaît cette manière. *La prose administrative. Je reconnais sa prose.* ⇒ **style.** *J'ai lu votre prose,* votre lettre, votre texte. ‹ ► **prosaïque, prosateur** ›

prosélyte [pʁozelit] n. **1.** Nouveau converti à une religion. **2.** Personne récemment gagnée à une doctrine, un parti, une nouveauté. ⇒ **adepte, néophyte.** ► *prosélytisme* n. m. ■ Zèle déployé pour faire des prosélytes, recruter des adeptes. ⇒ **apostolat, propagande.**

prosodie [pʁozɔdi] n. f. **1.** Didact. Durée, mélodie et rythme des voyelles d'un poème ; règles poétiques concernant les voyelles. ⇒ **métrique.** *La prosodie latine.* **2.** Règles fixant les rapports entre paroles et musique du chant. **3.** Intonation et débit propres à une langue. *Phonétique et prosodie.* ► *prosodique* adj. ■ Didact. De la prosodie.

prospecter [pʁɔspɛkte] v. tr. ■ conjug. 1. **1.** Examiner, étudier (un terrain) pour rechercher les richesses naturelles. *Prospecter une concession de pétrole.* **2.** Parcourir (une région) pour y découvrir une source de profit. *Nos agents commerciaux ont prospecté cette région.* ► *prospecteur, trice* n. ■ Personne qui prospecte. ► *prospection* [pʁɔspɛksjɔ̃] n. f. ■ Recherche, voyage d'une personne qui prospecte. ‹ ► **prospectif** ›

prospectif, ive [pʁɔspɛktif, iv] adj. ■ Qui concerne l'avenir, sa connaissance. / contr. **rétrospectif** / ► *prospective* n. f. ■ Ensemble de recherches concernant l'évolution future des sociétés modernes et permettant de dégager des éléments de prévision. ≠ *anticipation.*

prospectus [pʁɔspɛktys] n. m. invar. ■ Publication publicitaire (brochure ou simple feuille, dépliant) destinée à vanter un produit, un commerce, une affaire... ⇒ **réclame, tract.** *Les prospectus d'un hôtel.* ⇒ **dépliant.**

prospère [pʁɔspɛʁ] adj. ■ Qui est dans un état heureux, de prospérité. ⇒ **florissant.** *Une santé prospère. Une mine prospère,* resplendissante. *Région prospère.* ⇒ **opulent.** ► *prospérer* v. intr. ■ conjug. 6. **1.** Être, devenir prospère. *Un terrain où prospèrent les mauvaises herbes.* **2.** (Affaire, entreprise...) Réussir, progresser dans la voie du succès. ⇒ **se développer, marcher.** *Une entreprise qui prospère.* / contr. **péricliter** / ► *prospérité* n. f. **1.** Bonne santé, fortune heureuse, situation favorable (d'une personne). *Je vous souhaite bonheur et prospérité.* **2.** Augmentation des richesses d'une collectivité ; heureux développement d'une production, d'une entreprise ; progrès dans le domaine économique. / contr. **marasme** / *Une industrie en pleine prospérité.* ⇒ **essor.** / contr. **déclin, stagnation** /

prostate [pʁɔstat] n. f. ■ Organe glandulaire, chez l'homme, situé sous la vessie. *Opération de la prostate* (appelée *prostatectomie,* n. f.), ablation de la prostate ou de tumeurs de la prostate. ► *prostatique* adj. et n. m. **1.** Adj. De la prostate. **2.** N. m. Homme atteint d'une maladie de la prostate.

se prosterner [pʁɔstɛʁne] v. pron. ■ conjug. 1. **1.** S'incliner en avant et très bas dans une attitude d'adoration, de supplication, d'extrême respect. *Les fidèles se sont prosternés devant l'autel.* **2.** Fig. *Se prosterner devant qqn,* faire preuve d'une humilité excessive, de servilité envers lui (elle). ⇒ **s'humilier.** *Pourquoi se prosterner devant le pouvoir ?* ► *prosternation* n. f. ou *prosternement* n. m.

prostituer [pʁɔstitɥe] v. tr. ■ conjug. 1. **1.** Livrer (une personne) ou l'inciter à se livrer aux désirs sexuels de qqn pour en tirer profit. — Faire de (une personne) un(e) prostitué(e) (⇒ **proxénétisme**). — SE PROSTITUER v. pron. : se livrer à la prostitution. **2.** Littér. Déshonorer, avilir. *Prostituer son talent,* sa plume, l'abaisser à des besognes indignes, déshonorantes. — Pronominalement (réfl.). S'abaisser, se dégrader. ► *prostitué, ée* n. ■ Personne qui se livre à la prostitution, en se donnant à quiconque la paie. ⇒ ② **fille, péripatéticienne ;** fam. et injurieux **putain.** *Une prostituée qui fait le trottoir. Un prostitué* homosexuel, travesti. ► *prostitution* n. f. **1.** Le fait de livrer son corps aux plaisirs sexuels d'autrui pour de l'argent et d'en faire métier ; l'exercice de ce métier et le phénomène social qu'il représente. *La réglementation de la prostitution. Maison de prostitution.* ⇒ **maison** (II). **2.** Littér. Action d'avilir, de s'avilir dans un comportement dégradant.

prostré, ée [pʁɔstʁe] adj. ■ Qui est dans un état de prostration. ⇒ **abattu, accablé, effondré.** *On l'a retrouvé prostré dans un coin de sa chambre.* ► *prostration* n. f. ■ État d'abattement physique et psychologique extrême, de faiblesse et d'inactivité totale.

protagoniste [pʁɔtagɔnist] n. m. ■ Personne qui joue le premier rôle dans une affaire. *Les protagonistes du drame.* ⇒ **héros.**

prote [pʁɔt] n. m. ■ Contremaître dans un atelier d'imprimerie typographique.

protecteur, trice [pʁɔtɛktœʁ, tʁis] n. et adj. **I.** N. **1.** Personne qui protège, qui défend (les faibles, les pauvres, etc.). *L'enfant battu a trouvé un protecteur.* Loc. iron. *Le protecteur de la veuve et de l'orphelin.* ⇒ **défenseur.** / contr. **oppresseur, persécuteur** / **2.** Personne qui protège, qui patronne qqn. *Un protecteur puissant.* — *Le protecteur d'une femme,* l'amant qui l'entretient. **3.** Personne qui favorise la naissance ou le développement de (qqch.). *Il s'est fait le protecteur des arts.* ⇒ **mécène.** **II.** Adj. **1.** Qui remplit son rôle de protection à l'égard de qqn, qqch. *Société protectrice des animaux* (abrév. *S.P.A.*). **2.** Péj. Qui exprime une intention bienveillante et condescendante. *Un ton protecteur.*

protection [pʁɔtɛksjɔ̃] n. f. **1.** Action de protéger, de défendre qqn ou qqch. (contre un agresseur, un danger, etc.) ; le fait de se protéger ou d'être protégé. ⇒ **aide, défense, secours.** *Protection maternelle et infantile* (de la mère et de l'enfant). *Prendre qqn sous sa protection. La protection contre les maladies. La protection de la nature.* ⇒ **préservation, sauvegarde.** — *De protection,* servant à protéger. *Écran de protection,* protecteur. **2.** Personne ou chose qui protège. *C'est une bonne protection contre le froid.* **3.** Action d'aider, de patronner qqn. ⇒ fam. **piston.** *C'est une place qu'il a eue par protection,* grâce aux appuis dont il dispose. **4.** Action de favoriser la naissance ou le développement de qqch. *Une œuvre qui bénéficie de la protection de l'État.* ► *protectionnisme* n. m. ■ Politique douanière qui vise à protéger l'économie nationale contre la concurrence étrangère. / contr. **libre-échange** / ► *protectionniste* adj. et n. ■ Relatif au protectionnisme (opposé à **libre-échangiste**). *Frapper les importations de taxes protectionnistes.* — Partisan du protectionnisme.

protectorat [pʁɔtɛktɔʁa] n. m. ■ Forme de colonisation dans laquelle un pays est soumis à la protection d'un autre (diplomatie, défense) tout en gardant son autonomie politique intérieure ; ce pays. *Jusqu'en 1956, le Maroc était un protectorat français.*

protéger [pʁɔteʒe] v. tr. ■ conjug. 6 et 3. **1.** Aider (une personne) de manière à la mettre à l'abri d'une

attaque, des mauvais traitements, du danger physique
ou moral. ⇒ **défendre, secourir** ; **protecteur, protection.** / contr. **attaquer, menacer** / *Il a protégé des juifs,
il les a protégés des nazis pendant l'Occupation. Que
Dieu vous protège !* (formule de souhait). ⇒ **assister,
garder. 2.** Défendre contre toute atteinte. *La loi doit
protéger les libertés individuelles.* **3.** (Choses) Couvrir
de manière à arrêter ce qui peut nuire, à mettre à
l'abri. ⇒ **abriter, garantir, préserver.** *Une crème qui
protège la peau. Des arbres qui nous protègent du vent,
du soleil, contre le vent, contre le soleil...* **4.** Aider (une
personne), faciliter la carrière, la réussite de (qqn) par
des recommandations, un appui matériel ou moral.
⇒ **patronner, recommander** ; fam. **pistonner. 5.** Favoriser la naissance ou le développement de (une
activité). ⇒ **encourager, favoriser.** *Laurent de Médicis, Louis XIV ont protégé les arts.* **6.** Favoriser la
production, la vente de (produits) par des mesures
protectionnistes. ▶ *protégé, ée* n. ■ La personne
qu'on prend sous sa protection. *C'est mon petit
protégé.* ▶ *protège-cahier* [prɔtɛʒkaje] n. m. ■ Couverture en matière souple qui sert à protéger un cahier
d'écolier. *Des protège-cahiers.* ‹ ▶ protecteur, protectorat, protection ›

protéiforme [prɔteifɔrm] adj. ■ Qui (comme
Protée dans la mythologie) peut prendre de multiples
formes, se présente sous les aspects les plus divers.
Un génie protéiforme. Un écrivain protéiforme.

protéine [prɔtein] n. f. ■ Grosse molécule
complexe d'acides aminés, constituant essentiel des
matières organiques et des êtres vivants (on dit aussi,
en sciences, *protéide*, n. f.). *Le blanc d'œuf est très riche
en protéines.* ≠ *protide.*

protestant, ante [prɔtɛstɑ̃, ɑ̃t] n. et adj.
■ Chrétien appartenant à la religion réformée, qui
s'est détaché du catholicisme et opposée au pape
(Réforme). ⇒ **anglican, calviniste, évangéliste, luthérien, presbytérien, puritain** ; histoire **camisard, huguenot.** — Adj. *Temple, culte protestant. Ministre
protestant.* ⇒ **pasteur.** ▶ *protestantisme* n. m. **1.** La
religion réformée, ses croyances ; l'ensemble des
Églises protestantes. **2.** Les protestants (d'une région),
d'un pays). *Le protestantisme français.*

① *protester* [prɔtɛste] v. ■ conjug. 1. **1.** V. tr. ind.
Littér. PROTESTER DE : donner l'assurance formelle
de. *L'accusé protestait de son innocence.* **2.** V. intr.
Déclarer formellement son opposition, son refus.
/ contr. **approuver** / — Exprimer son opposition à
qqch. *Ils protestèrent avec indignation contre cette
injustice. Vous avez beau protester, cela ne changera
rien.* ⇒ fam. **rouspéter.** *Vous avez été courageux, si,
si, ne protestez pas !,* ne refusez pas ce compliment.
(En incise) *Mais non, protesta-t-il.* ▶ *protestataire*
adj. ■ Littér. Qui proteste. ⇒ **contestataire.** — N. *Les
protestataires.* ▶ *protestation* n. f. **1.** Déclaration par
laquelle on atteste (ses bons sentiments, sa bonne
volonté envers qqn). *Il me faisait des protestations
d'amitié.* ⇒ **démonstration. 2.** Déclaration formelle
par laquelle on s'élève contre ce qu'on déclare
illégitime, injuste. *Rédiger, signer une protestation.*
⇒ **pétition. 3.** Témoignage de désapprobation,
d'opposition, de refus. *Élever une protestation énergique, violente. Il se contenta d'un geste de protestation.*
/ contr. **approbation, assentiment** / ‹ ▶ protestant,
protêt ›

protêt [prɔtɛ] n. m. ■ En finances. Acte par lequel
le (la) bénéficiaire d'un chèque, d'une lettre de change,
fait constater (par un huissier) qu'(elle) n'a pas été
payé(e) à l'échéance. ▶ ② *protester* v. tr. ■ conjug. 1.
■ Faire un protêt contre (un chèque, une lettre) de
change. *Protester un chèque sans provision.*

prothèse [prɔtɛz] n. f. **1.** Remplacement d'organes, de membres (en tout ou en partie) par des

appareils artificiels. *Des appareils de prothèse.*
2. Appareil de ce genre. *Une prothèse dentaire. Sa
jambe gauche est une prothèse.*

protide [prɔtid] n. m. ■ Substance nécessaire à
l'alimentation, du groupe des acides aminés ou des
corps qui les libèrent (peptides, protéines...).

protiste [prɔtist] n. m. ■ Être vivant constitué
d'une seule cellule et d'un noyau (organisme plus
complexe que la bactérie). ⇒ **protozoaire.**

prot(o)- ■ Élément savant signifiant « premier,
primitif » (ex. : *prototype, protozoaire*).

protocole [prɔtɔkɔl] n. m. **1.** Document portant
les résolutions d'une assemblée, d'une conférence
internationale, le texte d'un engagement. *Un protocole
d'accord sur les salaires.* **2.** Recueil de règles à
observer en matière d'étiquette ②, de présances,
dans les cérémonies et les relations officielles. — Service chargé des questions d'étiquette. *Chef du
protocole.* **3.** Sciences, techniques. Ensemble de règles
et d'opérations dont l'ordre strict doit être respecté
dans la conduite d'une expérience ; compte rendu de
cet ensemble. ▶ *protocolaire* adj. **1.** Relatif au
protocole. **2.** Conforme au protocole, respectueux du
protocole et, en général, des usages dans la vie sociale.
*Il a une manière de recevoir qui n'est pas très
protocolaire.*

protohistoire [prɔtoistwar] n. f. ■ Période de
transition entre la préhistoire et l'histoire ; fin du
néolithique. ▶ *protohistorique* adj.

proton [prɔtɔ̃] n. m. ■ Particule élémentaire de
charge positive, constitutive du noyau atomique. *Les
protons et les neutrons ont des masses comparables.*

protoplasme [prɔtɔplasm] n. m. ■ Matière
vivante active, en général.

prototype [prɔtɔtip] n. m. **1.** Premier exemplaire
d'un modèle (de mécanisme, de véhicule) construit
avant la fabrication en série. *Les essais d'un prototype
de voiture.* **2.** Littér. Type, modèle originel ou principal. *Le prototype d'un moulage.* **3.** Exemple parfait.
C'est le prototype même de la bêtise. ⇒ **archétype.**

protozoaire [prɔtɔzɔɛr] n. m. ■ Protiste*
dépourvu de chlorophylle, à reproduction sexuée. *Les
amibes et les infusoires sont des protozoaires.*

protubérant, ante [prɔtyberɑ̃, ɑ̃t] adj. ■ Qui
forme saillie. *Une pomme d'Adam protubérante.*
⇒ **proéminent, saillant.** ▶ *protubérance* n. f. **1.** Saillie à la surface d'un os, d'un organe, d'un tissu.
⇒ **excroissance.** / contr. **cavité** / **2.** *Protubérances
solaires,* jets de gaz enflammés à la surface du Soleil.

peu ou prou [pøupru] loc. adv. ■ Littér. Plus ou
moins. *Il est peu ou prou ruiné.*

proue [pru] n. f. ■ Avant d'un navire (opposé à
poupe). *Une figure de proue, sculptée à la proue.*

prouesse [pruɛs] n. f. **1.** Littér. Acte de courage,
d'héroïsme (des *preux*) ; action d'éclat. ⇒ **exploit.** *Des
prouesses techniques.* **2.** Souvent iron. Action remarquable. *Il raconte partout ses prouesses sportives.*

prouver [pruve] v. tr. ■ conjug. 1. **1.** Faire apparaître ou reconnaître (qqch.) comme vrai, réel, certain,
au moyen de preuves, d'arguments. ⇒ **démontrer,
établir.** *Prouver que deux et deux font quatre. Prouver
son innocence. Prouvez-le ! Cela reste à prouver.*
— Impers. *Il est prouvé que...* ⇒ **avéré.** — Pronomiale-
ment (passif) *C'est une chose qui ne peut se prouver,*
être prouvée. **2.** Exprimer (une chose) par une
attitude, des gestes, des paroles. ⇒ **montrer.**
*Comment vous prouver ma reconnaissance ? Cet enfant
prouve qu'il a le sens de l'humour.* **3.** (Suj. chose) Servir
de preuve, être (le) signe de. ⇒ **montrer, révéler,**

témoigner. *Les derniers événements prouvent que la crise n'est pas terminée. Cela ne prouve rien. Qu'est-ce que cela prouve ?* ⟨ ▶ éprouver, preuve ⟩

provenance [pʀɔvnɑ̃s] n. f. **1.** Endroit d'où vient ou provient une chose. *J'ignore la provenance de cette lettre. Un vol, un avion* EN PROVENANCE DE *Paris* (opposé à *à destination de*). — Origine. *Des éléments de toutes provenances.* **2.** *Pays de provenance,* celui d'où une marchandise est importée (qui peut être distinct du pays d'origine).

provençal, ale, aux [pʀɔvɑ̃sal, o] adj. et n. m. **1.** Qui appartient ou qui a rapport à la Provence. ≠ *provincial.* — N. *Les Provençaux.* **2.** N. m. *Le provençal,* la langue d'oc ⇒ **occitan** ; sa variété parlée en Provence. **3.** À LA PROVENÇALE loc. adv. : revenu dans l'huile d'olive, avec de l'ail, du persil et des épices. *Tomates à la provençale.* — En appos. Invar. *Des escargots provençale.*

provenir [pʀɔvniʀ] v. intr. ■ conjug. 22. **1.** (Choses) Venir (de). *D'où provient cette lettre ?* **2.** (Choses) Avoir son origine dans, tirer son origine de. *Personne ne savait d'où provenait leur fortune. Tableau provenant d'une collection privée. Cette douleur provient du foie. Mot provenant du latin.* ⇒ **dériver.** — (Sentiments, idées) Découler, émaner. *Les habitudes proviennent de l'éducation.* ⇒ **déterminer.** ⟨ ▶ provenance ⟩

proverbe [pʀɔvɛʀb] n. m. ■ Conseil de sagesse exprimé en une formule généralement imagée (ex. : *Qui vole un œuf vole un bœuf*). ⇒ **adage, aphorisme, dicton.** *Comme dit le proverbe. Passer en proverbe,* devenir proverbial. ▶ **proverbial, iale, iaux** adj. **1.** Qui est de la nature du proverbe. *Phrase proverbiale.* — Qui tient du proverbe par la forme, l'emploi. *« La paille et la poutre », « le pot de fer contre le pot de terre » sont des expressions proverbiales. Locution proverbiale.* **2.** Qui est aussi généralement connu et aussi frappant qu'un proverbe ; qui est cité comme type, comme exemplaire. *Sa bonté est proverbiale.*

providence [pʀɔvidɑ̃s] n. f. **1.** Sage gouvernement de Dieu sur la création ; (avec une majuscule) Dieu gouvernant la création. *Les décrets de la Providence.* **2.** Être la providence de qqn, être la cause de son bonheur, combler ses désirs. ▶ **providentiel, elle** adj. **1.** Qui est un effet heureux de la providence. **2.** Qui arrive opportunément, par un heureux hasard (pour secourir, tirer d'embarras). *Il fit alors une rencontre providentielle. — Homme providentiel,* grand homme dont l'action apparaît providentielle. ▶ **providentiellement** adv. ■ *Il nous a providentiellement aidés.*

province [pʀɔvɛ̃s] n. f. **I. 1.** Région avec ses coutumes et ses traditions particulières. — En France. Ancienne subdivision administrative du royaume. *La Bretagne, la Normandie, la Provence... provinces françaises.* **2.** Péj. Partie d'un pays ayant un caractère propre, à l'exclusion de la capitale. *Il arrive de sa province.* ⇒ **campagne.** — LA PROVINCE : en France, l'ensemble du pays, les villes, les bourgs, à l'exclusion de la capitale. *Vivre en province.* **3.** Adj. Fam. et péj. Provincial. *Cela fait province.* **II.** Anglic. État fédéré du Canada. *La province de l'Ontario.* ▶ **provincial, ale, aux** adj. et n. **I. 1.** Adj. Qui appartient, est relatif à la province dans ce qu'on lui trouve de typique. *La vie provinciale.* — Péj. *Avoir des manières provinciales,* qui ne sont pas à la mode de Paris. **2.** N. Personne qui vit en province. *Les provinciaux et les Parisiens.* **II.** Au Canada. D'une province (II). *Les gouvernements provinciaux.* / contr. **fédéral** /

proviseur [pʀɔvizœʀ] n. m. ■ Fonctionnaire de l'administration scolaire qui dirige un lycée. *Madame le proviseur.* ⇒ **directeur,** ② **principal.**

provision [pʀɔvizjɔ̃] n. f. **I. 1.** Réunion de choses utiles ou nécessaires en vue d'un usage ultérieur. ⇒ **approvisionnement, réserve, stock.** *Avoir une provision de fuel pour l'hiver.* FAIRE PROVISION DE *qqch.* : s'en pourvoir en abondance. *Avoir des provisions.* ⇒ **vivres. 2.** Au plur. Achat de choses nécessaires à la vie courante (nourriture, produits d'entretien) ; les choses que l'on achète. *Une ménagère qui fait ses provisions.* ⇒ **course(s).** *Un filet à provisions.* **II. 1.** Somme versée à titre d'acompte (à un avocat, un conseiller juridique...). **2.** Somme déposée chez un banquier pour assurer le paiement d'un titre. — *Chèque sans provision,* tiré sur un compte insuffisamment alimenté (délit). ▶ **provisionnel, elle** adj. ■ Qui constitue une provision (II). *Acompte, tiers provisionnel,* défini par rapport aux impôts de l'année précédente et payé d'avance. ≠ *prévisionnel.* ⟨ ▶ approvisionner ⟩

provisoire [pʀɔvizwaʀ] adj. **1.** Qui existe, qui se fait en attendant autre chose, qui est destiné à être remplacé. / contr. **définitif** / ⇒ **transitoire.** *Une solution provisoire.* ⇒ **expédient, palliatif.** *À titre provisoire,* provisoirement. — *Gouvernement provisoire,* destiné à gouverner pendant un intervalle, avant la constitution d'un régime stable. — (Choses) *Une installation provisoire.* ⇒ de **fortune.** — N. m. *Le provisoire risque de durer !* **2.** En droit. Prononcé ou décidé avant le jugement définitif. *On l'a mis en liberté provisoire.* ▶ **provisoirement** adv. ■ momentanément. *Je me suis installé chez lui provisoirement.*

① **provoquer** [pʀɔvɔke] v. tr. ■ conjug. 1. **I.** PROVOQUER *qqn* À. **1.** Inciter, pousser (qqn) par une sorte de défi ou d'appel, particulièrement à une action violente (meurtre, émeute...). ⇒ **entraîner, inciter.** *Provoquer qqn en duel.* — Sans compl. second. *Provoquer qqn,* l'inciter à la violence. ⇒ **attaquer, défier.** *Arrête, ne le provoque pas.* **2.** Exciter le désir de (qqn) par son attitude. ⇒ **aguicher ; provocant.** ▶ **provocant, ante** adj. **1.** Qui provoque ou tend à provoquer qqn, à le pousser à des sentiments ou à des actes violents. *Attitude provocante.* ⇒ **agressif. 2.** Qui incite au désir, au trouble des sens (rare au masculin). *C'est une femme provocante.* ▶ **provocateur, trice** n. et adj. **1.** Rare au fém. Personne qui provoque, incite à la violence, aux troubles. ⇒ **agitateur. 2.** Personne qui incite qqn ou un groupe à la violence, à l'illégalité, dans l'intérêt du pouvoir ou d'un parti opposé pour lequel il travaille secrètement. — Adj. *Agent provocateur.* ▶ **provocation** n. f. **1.** Action de provoquer. ⇒ **appel, incitation.** *Provocation au meurtre, à la débauche. Une provocation en duel.* — Absolt. Défi. *Elle y mettait de la provocation.* **2.** Action, parole qui provoque, qui émane d'un provocateur (abrév. fam. *provoc,* n. f.). *Les manifestants ont été mis en garde contre toute provocation.*

② **provoquer** v. tr. ■ conjug. 1. ■ (Suj. personne) Être volontairement ou non la cause de (qqch.). *Nous avons eu une franche explication, que j'avais d'ailleurs provoquée.* ⇒ **causer, susciter.** *Provoquer la colère, des troubles.* ⇒ **attirer.** — (Suj. chose) *Les bouleversements que provoque une invention.* ⇒ **apporter, occasionner.**

proxénète [pʀɔksenɛt] n. **1.** Littér. Entremetteur, entremetteuse. **2.** N. Personne qui tire des revenus de la prostitution d'autrui. ⇒ **souteneur ;** fam. **maquereau.** ▶ **proxénétisme** n. m. ■ Le fait de tirer des revenus de la prostitution d'autrui. *La loi interdit le proxénétisme.*

proximité [pʀɔksimite] n. f. **1.** Littér. Situation d'une chose qui est à peu de distance d'une ou plusieurs autres, qui est proche*. ⇒ **contiguïté.** / contr. **éloignement** / *La proximité de la ville.* **2.** À PROXIMITÉ loc. adv. : tout près. — À PROXIMITÉ DE loc. prép. : à faible distance de. ⇒ **auprès**, aux **environs**, **près**. *Il habite à proximité de son bureau, son bureau est proche de chez lui.* **3.** Caractère de ce qui est proche dans le temps, passé ou futur. *Il avait conscience de la proximité du danger.* ⇒ **imminence**. ❬ ▶ approximation ❭

prude [pʀyd] adj. ■ Qui est d'une pudeur affectée et outrée. ⇒ **bégueule, pudibond**. — N. f. *Jouer les prudes.* ⇒ **sainte nitouche**. ▶ *pruderie* n. f. ■ Littér. *Elle est d'une pruderie ridicule.* ⇒ **pudibonderie**.

prudent, ente [pʀydɑ̃, ɑ̃t] adj. **1.** Qui a de la prudence, montre de la prudence. ⇒ **circonspect, prévoyant**. / contr. **imprudent** / *Il était trop prudent pour brusquer les choses. Soyez prudents, ne roulez pas trop vite.* **2.** (Choses) Inspiré par la prudence, empreint de prudence. / contr. **dangereux, imprudent** / *Une démarche prudente. Prenez une assurance tous risques, c'est plus prudent. Ce n'est pas prudent. Il jugea prudent de se retirer.* — Impers. *Il est prudent de* (+ infinitif). ▶ *prudemment* [pʀydamɑ̃] adv. ■ Avec prudence. *Conduire prudemment.* ▶ *prudence* [pʀydɑ̃s] n. f. ■ Attitude d'esprit d'une personne qui, réfléchissant aux conséquences de ses actes, prend ses dispositions pour éviter des erreurs, des malheurs possibles, s'abstient de tout ce qui peut être source de dommage. / contr. **imprudence** / *Annoncez-lui la nouvelle avec beaucoup de prudence.* ⇒ **ménagement, précaution**. *Conseils de prudence aux automobilistes. Je vais me faire vacciner par (mesure de) prudence.* PROV. *Prudence est mère de sûreté.* — (Animaux) *La ruse du renard et la prudence du serpent.* ❬ ▶ imprudent ❭

prud'homme [pʀydɔm] n. m. ■ En droit. Membre élu d'un *conseil des prud'hommes*, qui est chargé de juger les litiges entre salariés et employeurs concernant le contrat de travail. ▶ *prud'homal, ale, aux* adj. — REM. S'écrit avec un seul *m*. ■ *En matière prud'homale.*

prudhommesque adj. ■ Littér. Qui a (comme le Joseph *Prudhomme* du dessinateur H. Monnier) un caractère de banalité emphatique et ridicule.

pruine [pʀɥin] n. f. ■ Fine pellicule cireuse, naturelle, à la surface de certains fruits (prune, raisin).

prune [pʀyn] n. f. et adj. **1.** Fruit du prunier, de forme ronde ou allongée, à peau fine, de couleur variable, à chair juteuse et sucrée. ⇒ **mirabelle, ① prunelle, quetsche, reine-claude**. *Tarte aux prunes. Eau-de-vie de prune. Un petit verre de prune, d'eau-de-vie de prune.* **2.** POUR DES PRUNES loc. fam. : pour rien. *Je me suis dérangé pour des prunes.* **3.** Adj. invar. D'une couleur violet foncé rappelant celle de certaines prunes. *Des robes prune.* ▶ *pruneau* n. m. **1.** Prune séchée. *Pruneaux d'Agen.* — Fam. *Elle est noire comme un pruneau.* **2.** Fam. Projectile, balle de fusil. ▶ ① *prunelle* n. f. ■ Fruit d'un prunier sauvage, arbrisseau épineux (appelé *prunellier*, n. m.), petite prune bleu ardoise, de saveur âcre, dont on tire une eau-de-vie. *Il est allé cueillir des prunelles dans la haie.* ▶ *prunier* n. m. ■ Arbre fruitier qui produit les prunes. — Loc. fam. *Secouer qqn comme un prunier*, très vigoureusement. — *Prunier du Japon*, cultivé pour ses fleurs.

② *prunelle* n. f. ■ La pupille (⇒ ② **pupille**) de l'œil, considérée surtout quant à son aspect. *Avoir les prunelles fixes, dilatées.* — Loc. *Il y tient comme à la prunelle de ses yeux*, tout particulièrement, plus qu'à tout.

prurit [pʀyʀit] n. m. **1.** Sensation irritante à la surface de la peau, entraînant le besoin de se gratter ; démangeaison. *Prurit allergique. Des prurits.* **2.** Abs-

---

trait. Littér. et péj. Désir irrépressible. *Le prurit de la gloire.*

prussique [pʀysik] adj. ■ Vx. *Acide prussique*, cyanhydrique (⇒ **cyanure**).

prytanée [pʀitane] n. m. ■ Établissement d'éducation gratuite (pensionnat) pour fils de militaires.

P.-S. [peɛs] n. m. invar. ■ Post-scriptum.

psalmodier [psalmɔdje] v. ■ conjug. 7. **1.** V. intr. Dire ou chanter les psaumes. — Transitivement. *Psalmodier les offices.* **2.** V. tr. Parler ou dire d'une façon monotone. *Il psalmodiait des vers, une prière...*

psaume [psom] n. m. **1.** L'un des poèmes religieux qui constituent un livre de la Bible et qui servent de prières et de chants religieux dans la liturgie juive et chrétienne. *Chanter, réciter des psaumes. Les psaumes de David.* **2.** Composition musicale (vocale), sur le texte d'un de ces poèmes. ▶ *psautier* [psotje] n. m. ■ Recueil de psaumes. *Psautier et antiphonaire.*

pseud(o)- ■ Élément savant signifiant « faux » et qui sert librement à former des adjectifs et des noms (ex. : *pseudo-malade, pseudo-liberté*).

pseudonyme [psødɔnim] n. m. ■ Nom choisi par une personne pour masquer son identité (dans les arts ou la clandestinité) *Stendhal, George Sand sont des pseudonymes célèbres.*

pseudopode [psødɔpɔd] n. m. ■ Chacun des prolongements rétractiles de certains protozoaires, qui leur permettent de se déplacer, de se nourrir.

psitt [psit] ou *pst* [pst] interj. ■ Fam. Interjection servant à appeler, à attirer l'attention, etc.

psittacisme [psitasism] n. m. ■ Didact. Répétition mécanique de phrases, de notions que la personne qui les dit ne comprend pas (→ répéter comme un perroquet).

psoriasis [psɔʀjazis] n. m. invar. ■ Maladie bénigne de la peau, caractérisée par des plaques rouges à croûtes blanchâtres.

psy [psi] n. et adj. invar. ■ Abréviation familière de *psychiatre, psychiatrie, psychologie, psychanalyste. Il va chez son psy.*

psych(o)- ■ Élément savant signifiant « âme, esprit ». ⇒ **métempsychose**, et dérivés ci-dessous ❭

psychanalyse [psikanaliz] n. f. **1.** Méthode de psychologie clinique, investigation des processus psychiques profonds, de l'inconscient ; ensemble des travaux de Freud et de ses continuateurs (Adler, Jung, Lacan...) concernant le rôle de l'inconscient. *La psychanalyse et la psychiatrie.* **2.** Traitement de troubles psychiques (surtout névroses) et psychosomatiques par cette méthode. ⇒ **analyse, psychothérapie**. **3.** Étude psychanalytique (d'une œuvre d'art, de thèmes...). *La psychanalyse des textes littéraires.* ▶ *psychanalyser* ou *analyser* v. tr. ■ conjug. 1. **1.** Traiter par la psychanalyse. *Se faire psychanalyser.* **2.** Étudier, interpréter par la psychanalyse. ▶ *psychanalyste* ou *analyste* n. ■ Spécialiste de la psychanalyse ; personne qui exerce la thérapeutique par la psychanalyse. ▶ *psychanalytique* ou *analytique* adj. ■ Propre ou relatif à la psychanalyse.

psyché [psiʃe] n. f. ■ Grande glace mobile montée sur un châssis à pivots.

psychiatre [psikjatʀ] n. ■ Médecin spécialiste des maladies mentales. ⇒ **aliéniste, neuropsychiatre**. *Psychiatre expert près les tribunaux.* ▶ *psychiatrie* n. f. ■ Partie de la médecine qui étudie et traite les maladies mentales, les troubles pathologiques de la vie psychique. ⇒ **neurologie, psychopathologie, psychothérapie**. *Psychiatrie physiologique* ou *neuro-*

psychiatrie. Psychiatrie et psychanalyse. ▶**psychiatrique** adj. ■ Relatif à la psychiatrie. *Hôpital psychiatrique.*

psychique [psiʃik] adj. ■ Didact. Qui concerne l'esprit, la pensée, en tant que principe auquel on rattache une catégorie de faits d'expérience. ⇒ **mental, psychologique.** *Phénomènes psychiques et organiques à la fois.* ⇒ **psychosomatique.** ▶**psychisme** [psiʃism] n. m. Didact. **1.** La vie psychique. **2.** Ensemble particulier de faits psychiques. *Le psychisme morbide.*

psychodrame [psikodʀam] n. m. ■ Représentation théâtrale thérapeutique où le patient joue lui-même un rôle approprié à sa situation. — Ambiance qui évoque cette représentation. *La réunion a fini en psychodrame.*

psychologie [psikɔlɔʒi] n. f. **1.** Étude scientifique des phénomènes de l'esprit (au sens le plus large). *Psychologie subjective. Psychologie expérimentale.* — *Psychologie génétique, descriptive. La psychologie des profondeurs,* la psychanalyse. *Licence de psychologie.* (Abrév. fam. PSYCHO.) **2.** Connaissance spontanée des sentiments d'autrui ; aptitude à comprendre, à prévoir les comportements. ⇒ **intuition ; psychologue** (2). *Il manque de psychologie.* **3.** Analyse des états de conscience, des sentiments, dans une œuvre. **4.** Ensemble d'idées, d'états d'esprit caractéristiques d'une collectivité. — Fam. Mentalité (d'une personne). ▶**psychologique** adj. **1.** Qui appartient à la psychologie. *L'analyse psychologique. Un roman psychologique.* **2.** Étudié par la psychologie ; qui concerne les faits psychiques, la pensée. ⇒ **mental, psychique.** / contr. **organique, physiologique, physique, somatique** / ▶**psychologiquement** adv. ■ Du point de vue psychologique. ▶**psychologue** n. **1.** Spécialiste de la psychologie, en particulier de la psychologie appliquée (psychotechnique, psychologie de l'enfant, psychothérapie, etc.). *Une psychologue scolaire.* **2.** Adj. Qui a une connaissance empirique des sentiments, des réactions d'autrui. *Vous n'êtes pas psychologue !,* vous n'avez rien compris à son comportement.

psychomoteur, trice [psikomotœʀ, tʀis] adj. ■ Didact. Qui concerne à la fois les fonctions motrices et psychiques. *Troubles psychomoteurs de la parole.* ⇒ **dyslexie.** ▶**psychomotricien, ienne** n. ■ Personne chargée de la rééducation d'enfants atteints de troubles psychomoteurs.

psychopathe [psikopat] n. ■ Vx. Malade mental.

psychopathologie [psikopatolɔʒi] n. f. ■ Didact. Étude des troubles mentaux, base de la psychiatrie.

psychophysiologie [psikofizjolɔʒi] n. f. ■ Didact. Étude scientifique des rapports entre l'activité physiologique et le psychisme.

psychose [psikoz] n. f. **1.** Maladie mentale ignorée de la personne qui en est atteinte (qui l'interprète autrement, à la différence des névroses) et qui provoque des troubles de la personnalité. *La paranoïa, la schizophrénie sont des psychoses.* ⇒ **folie. 2.** Obsession, idée fixe. *Psychose collective.* ▶**psychotique** [psikotik] adj. et n. ■ Qui a une psychose (1) ; malade mental.

psychosomatique [psikosomatik] adj. ■ Qui concerne les maladies physiques liées à des causes psychiques, à des conflits psychologiques (généralement inconscients).

psychotechnique [psikotɛknik] n. f. et adj. ■ Discipline qui mesure les aptitudes physiques et mentales (orientation professionnelle, recrutement de salariés...). — Adj. *Examens psychotechniques.* ⇒ **test.** ▶**psychotechnicien, ienne** n. ■ Spécialiste de la psychotechnique.

psychothérapie [psikoteʀapi] n. f. ■ Didact. Thérapeutique des troubles psychiques ou somatiques, lorsqu'ils peuvent être psychosomatiques, par des procédés psychiques (psychanalyse et pratiques dérivées). *Psychothérapie de groupe.* — REM. Un psychiatre parlera de *soins,* un psychanalyste de *thérapie.* ▶**psychothérapeute** n. ■ *Il consulte une psychothérapeute.*

ptér(o)- ■ Élément savant signifiant « aile » (ex. : *ptérodactyle,* adj. et n. m.).

P.T.T. [petete] n. f. plur. ⇒ ① **poste.**

pu Part. passé du v. *pouvoir.*

puant, ante [pɥɑ̃, ɑ̃t] adj. **1.** Qui pue. ⇒ **fétide, pestilentiel. 2.** Fig. (Personnes) Qui est odieux de prétention, de vanité. ▶**puanteur** n. f. ■ Odeur infecte. ⇒ **infection.** *Une puanteur d'égouts.*

① **pub** [pœb] n. m. ■ En Grande-Bretagne, etc. Établissement public où l'on sert des boissons alcoolisées. — En France. Bar de luxe imitant un tel établissement. *Des pubs.*

② **pub** [pyb] n. f. ■ Fam. Publicité. *J'ai vu cette pub à la télé. Il travaille dans la pub. Des pubs.*

puberté [pybɛʀte] n. f. ■ Passage de l'enfance à l'adolescence ; ensemble des modifications physiologiques et psychologiques qui se produisent à cette époque. ▶**pubère** adj. ■ Littér. Qui a atteint l'âge de la puberté. / contr. **impubère, nubile** / ‹▶**impubère** ›

pubis [pybis] n. m. invar. ■ Renflement triangulaire à la partie inférieure du bas-ventre. *Les poils du pubis* (ou poils *pubiens*).

① **public, ique** [pyblik] adj. **1.** Qui concerne le peuple pris dans son ensemble ; relatif à la nation, à l'État (⇒ **république**). *L'ordre public et la paix sociale. La vie, les affaires publiques.* ⇒ **politique.** *L'intérêt public.* ⇒ **commun, général.** / contr. *privé,* **particulier** / *L'opinion publique.* — Relatif aux collectivités sociales juridiquement définies, à l'État. *Les pouvoirs publics. L'instruction publique. Les services publics.* ⇒ **fonction** publique. *École publique.* ⇒ **laïque. 2.** Accessible, ouvert à tous. *La voie publique. Jardin public. Les lieux publics. Réunion publique.* — Vx. *Femme, fille publique,* prostituée. **3.** Qui a lieu en présence de témoins, n'est pas secret. *Scrutin public.* **4.** Qui concerne la fonction, plus ou moins officielle, qu'on remplit dans la société. *La vie publique et la vie privée.* — *Un homme public, une femme publique,* investi(e) d'une fonction officielle. **5.** Connu de tous. ⇒ **notoire, officiel.** *Le scandale est devenu public* (⇒ **publicité ; publier**). ▶**publiquement** adv. ■ En public, au grand jour. *Il l'a injurié publiquement.* / contr. **secrètement** / ⟨② *public.* n. m. **1.** Les gens, la masse de la population. *Le public est informé des décisions du gouvernement. Bâtiments interdits au public. Le grand public,* la population en général (opposé aux *experts,* aux *spécialistes,* aux *personnes bien informées*). **2.** L'ensemble des gens qui lisent, voient, entendent (les œuvres littéraires, artistiques, musicales, les spectacles). *Livrer son ouvrage au public. Il a son public,* un public qu'il touche, qui le suit. **3.** Ensemble de personnes qui assistent effectivement (à un spectacle, une réunion...). ⇒ **assistance, auditoire ; spectateur.** *Le public applaudissait. Un bon public.* — Les personnes devant lesquelles on parle ou on se donne en spectacle. ⇒ **galerie.** *Il lui faut toujours un public.* **4.** EN PUBLIC loc. adv. : en présence d'un certain nombre de personnes. *Parler en public.* ‹▶**publication, publiciste, publicité, république** ›

publication [pyblikasjɔ̃] n. f. **1.** Action de publier (un ouvrage, un écrit) ; son résultat. *Dès la publication* *de son dernier roman.* ⇒ **apparition, parution, sortie.** — Écrit publié (brochures, périodiques). *Publications scientifiques.* **2.** Action de publier (2), de porter à la connaissance de tous. *La publication des résultats d'un examen. Les publications de mariage.*

publiciste [pyblisist] n. **1.** Littér. Journaliste. **2.** Abusivt. Agent de publicité. ⇒ **publicitaire.**

publicité [pyblisite] n. f. **I.** **1.** Le fait, l'art d'exercer une action psychologique sur le public à des fins commerciales. ⇒ **réclame.** *Publicité et marketing. Agence de publicité. Une campagne de publicité et de promotion.* **2.** Affiche, texte, etc., à caractère publicitaire. *Il y a dix pages de publicité dans ce journal. J'ai vu cette publicité à la télévision.* ⇒ ② **pub.** **II.** Caractère de ce qui est public, connu de tous. *Donner une regrettable publicité à une affaire privée.* ▶ ***publicitaire*** adj. et n. **1.** Qui sert à la publicité, présente un caractère de publicité. *Un film, un spot publicitaire. Vente publicitaire.* **2.** Qui s'occupe de publicité. *Rédacteur, dessinateur publicitaire.* — N. *Un, une publicitaire.*

publier [pyblije] v. tr. ▪ conjug. 7. **1.** Faire paraître (un texte) dans un livre, un journal. ⇒ **éditer.** *Publier un article dans une revue. Cet éditeur publie des dictionnaires.* — (Compl. personne) *Gallimard a publié Malraux ; Malraux est publié chez (par) Gallimard.* **2.** Faire connaître au public ; annoncer publiquement. ⇒ **divulguer.** *On a publié les bans à la mairie.* ⟨ ▶ impubliable, publication ⟩

publipostage [pyblipɔstaʒ] n. m. ▪ Prospection publicitaire (ou vente) par correspondance (pour remplacer *mailing,* anglic.).

publiquement adv. ⇒ ① **public.**

① ***puce*** [pys] n. f. **1.** Insecte sauteur, de couleur brune, parasite de l'homme et de quelques animaux. *Être piqué, mordu par une puce.* Fam. *Sac à puces,* lit, habits sales ; chien. **2.** Loc. fam. *Mettre la puce à l'oreille à qqn,* l'intriguer, éveiller ses doutes ou ses soupçons. — *Secouer ses puces, secouer les puces,* s'agiter, se dépêcher. *Secouer les puces à qqn,* le réprimander, l'attraper. — *Le marché aux puces* et, ellipt, *les puces,* marché où l'on vend toutes sortes d'objets d'occasion. **3.** Fam. Personne de très petite taille. — Terme d'affection. *Ça va, ma puce ?* **4.** En appos. Invar. D'un brun-rouge assez foncé (rappelant la couleur de la puce). *Des habits puce.* ▶ ***puceron*** [pysʀɔ̃] n. m. ▪ Petit insecte parasite des plantes. *Puceron du rosier.* — Fam. Enfant très petit.

② ***puce*** n. f. ▪ Microprocesseur, circuit intégré de très petite taille, placé au cœur d'une machine informatique (ordinateur, appareil photo, robot industriel...).

pucelle [pysɛl] n. et adj. f. **1.** Vx ou plaisant. Jeune fille. *La pucelle d'Orléans,* Jeanne d'Arc. **2.** Fam. Fille vierge. ▶ ***puceau*** n. m. et adj. m. ▪ Fam. Garçon, homme vierge. *Ils sont puceaux.* ▶ ***pucelage*** n. m. ▪ Fam. Virginité. ⟨ ▶ dépuceler ⟩

pudding [pudiŋ] n. m. **1.** Gâteau à base de farine, d'œufs, de graisse de bœuf et de raisins secs, traditionnel en Angleterre. *Des puddings.* **2.** Gâteau à base de pain, de cannelle, de raisins secs. — REM. On écrit aussi *pouding* [pudiŋ].

pudeur [pydœʀ] n. f. **1.** Sentiment de honte, de gêne qu'une personne éprouve à faire, à envisager des choses de nature sexuelle ; disposition permanente à éprouver un tel sentiment. ⇒ **chasteté, décence, pudicité ; pudique.** / contr. **impudeur** / *Des propos qui blessent la pudeur.* — ATTENTAT À LA PUDEUR (puni par la loi) : exhibitionnisme, viol... **2.** Sentiment de gêne à se montrer nu. — Gêne qu'éprouve une personne délicate devant ce que sa dignité semble lui interdire. ⇒ **discrétion, réserve, retenue.** *Ayez au*

moins la pudeur de vous taire ! Elle cachait son chagrin par pudeur. — *Sans pudeur.* ⇒ **cyniquement.** ⟨ ▶ pudique ⟩

pudibond, onde [pydibɔ̃, ɔ̃d] adj. ▪ Qui a une pudeur exagérée jusqu'au ridicule. ⇒ **prude.** ▶ ***pudibonderie*** n. f. ▪ Littér. Pruderie.

pudique [pydik] adj. **1.** Qui a de la pudeur, montre de la pudeur. ⇒ **chaste, sage.** *Une femme pudique. Un geste pudique.* / contr. **impudique, provocant** / **2.** Plein de discrétion, de réserve. *Il a fait une allusion pudique à leurs querelles.* ▶ ***pudicité*** n. f. ▪ Littér. Pudeur, caractère pudique. / contr. **impudicité** / ▶ ***pudiquement*** adv. **1.** D'une manière pudique. *Elle tourna la tête pudiquement.* **2.** Par euphémisme. *Ce qu'on appelle pudiquement « rétablir l'ordre ».*

puer [pɥe] v. ▪ conjug. 1. — REM. Verbe de sens fort, péjoratif. **1.** V. intr. Sentir très mauvais, exhaler une odeur infecte. ⇒ **empester ; puant.** **2.** V. tr. Répandre une très mauvaise odeur de... *Il a encore bu, il pue l'alcool.* ⟨ ▶ puant ⟩

puér(i)- ▪ Élément qui signifie « enfant ». ⇒ **péd-.** ▶ ***puériculture*** [pɥeʀikyltyʀ] n. f. ▪ Ensemble des méthodes propres à assurer la croissance et le plein épanouissement du nouveau-né et de l'enfant (jusque vers trois ou quatre ans). ▶ ***puériculteur, trice*** n. ▪ Personne diplômée spécialiste de puériculture. ⟨ ▶ puéril, puerpéral ⟩

puéril, ile [pɥeʀil] adj. ▪ Qui ne convient qu'à un enfant, n'est pas digne d'un adulte ; qui manque de sérieux. ⇒ **enfantin, infantile.** / contr. **adulte** / *Des propos, des arguments puérils.* ▶ ***puérilement*** adv. ▪ D'une manière puérile. ▶ ***puérilité*** n. f. **1.** Caractère puéril, peu sérieux. ⇒ **futilité.** **2.** Littér. Action, parole, idée puérile. ⇒ **enfantillage.** *Cessez vos puérilités !*

puerpéral, ale, aux [pɥɛʀperal, o] adj. ▪ En médecine. Relatif à l'accouchement. *Fièvre puerpérale,* due à une infection de l'utérus.

pugilat [pyʒila] n. m. ▪ Bagarre à coups de poing. ⇒ **rixe.** *Un pugilat en règle.* ▶ ***pugiliste*** n. m. ▪ Littér. Boxeur. — Lutteur ou catcheur.

pugnace [pygnas] adj. ▪ Littér. Qui aime le contact, la lutte. ▶ ***pugnacité*** n. f.

puîné, ée [pɥine] adj. et n. ▪ Vieilli. Qui est né après un frère ou une sœur. *Frère puîné.* — N. *Une puînée.*

puis [pɥi] adv. **1.** (Succession dans le temps) Littér. Après cela, dans le temps qui suit. ⇒ **ensuite.** *Ils entraient, puis ils sortaient (et puis ils sortaient). Il convoqua sa secrétaire, puis le chef du personnel.* **2.** Littér. Plus loin, dans l'espace. ⇒ **après.** *On aperçoit la cathédrale, puis les tours du château.* **3.** ET PUIS (introduisant le deuxième, le troisième... terme d'une énumération). ⇒ **et.** *Il y avait ses amis, son frère et puis sa sœur.* **4.** ET PUIS (servant à introduire une nouvelle raison). ⇒ **d'ailleurs.** *Je n'ai pas le temps, et puis ça m'embête.* — *Et puis ?,* s'emploie pour demander quelle importance peut bien avoir la chose en question. Fam. (Dans le même sens) *Et puis quoi ? et puis après ?* ⟨ ▶ depuis, puisque ⟩

puis-je ⇒ **pouvoir.**

puisard [pɥizaʀ] n. m. ▪ Puits en pierres sèches destiné à recevoir et absorber les résidus liquides. ⇒ **égout, fosse.**

puisatier [pɥizatje] n. m. ▪ Ouvrier qui creuse des puits.

puiser [pɥize] v. tr. ▪ conjug. 1. **1.** Prendre dans une masse liquide (une portion de liquide). *Puiser de l'eau à une source.* **2.** Sans compl. dir. *Puiser dans son sac, dans son porte-monnaie,* y prendre de l'argent. **3.** Fig. Emprunter, prendre. *Il a puisé ses exemples dans les* _puisque_

826

auteurs classiques. — Au p. p. adj. *Une documentation puisée à la source, dans une revue.*

puisque [pɥisk(ə)] conj. — REM. *Puisqu'* devant *ainsi, elle(s), il(s), en, on, un(e).* ■ Conjonction de subordination à valeur causale. **1.** (Introduisant une cause, en faisant reconnaître comme logique le rapport de cause à effet) *Dès l'instant où, du moment que... Puisque vous insistez, je cède. Puisque vous êtes ici, restez à dîner !,* étant donné que... **2.** (Servant à justifier une assertion) *Puisque je vous le dis.* — (Reprenant un terme) *Son départ, puisque départ il y a, est fixé à midi.*

puissance [pɥisɑ̃s] n. f. **I. 1.** Situation, état d'une personne, d'un groupe qui peut beaucoup, qui a une grande action sur les personnes, les choses ; domination qui en résulte. *Qui a de la puissance.* ⇒ **puissant.** *Une grande volonté de puissance,* de dominer les gens et les choses. *La puissance temporelle* (opposée à la *puissance spirituelle*) ⇒ **pouvoir. 2.** Grand pouvoir de fait exercé dans la vie politique d'une collectivité. *La puissance d'un parti, d'un courant d'opinion, d'une classe sociale.* **3.** Caractère de ce qui peut beaucoup, de ce qui produit de grands effets. ⇒ **efficacité, force.** *La puissance de l'imagination, de la parole.* — *Puissance sexuelle.* / contr. **impuissance** / **4.** Quantité de travail fourni par unité de temps. *La puissance électrique est mesurée en watts.* **5.** Pouvoir d'action (d'un appareil) ; intensité (d'un phénomène). *La puissance d'un microscope. Augmenter, diminuer la puissance de la radio.* **6.** En mathématiques. Produit de plusieurs facteurs égaux, le nombre de facteurs étant indiqué par l'exposant. $10 \times 10 \times 10 \times 10 \times 10 = 10^5$ (« dix puissance cinq »). *Élever un nombre à la puissance deux* ⇒ **carré,** *trois* ⇒ **cube.** *Fam. Il est bête à la puissance dix,* au plus haut degré. **II.** *(Une, des puissances)* **1.** Littér. Chose qui a un grand pouvoir, produit de grands effets. *L'or est une puissance.* **2.** Catégorie, groupement de personnes qui ont un grand pouvoir de fait dans la société. *Les puissances d'argent.* **3.** État souverain. ⇒ **nation, pays.** *Les grandes puissances.* **III.** EN PUISSANCE loc. adj. : qui existe sans produire d'effet, sans se réaliser. *C'est un talent en puissance. Un criminel en puissance.* ⇒ **graine,** de, en **herbe.** ‹ ▶ impuissance, superpuissance, toute-puissance ›

puissant, ante [pɥisɑ̃, ɑ̃t] adj. **1.** Qui a un grand pouvoir, de la puissance. *Un personnage puissant.* ⇒ **considérable, influent, omnipotent, tout-puissant.** — N. *Les puissants de ce monde.* — Qui a de grands moyens militaires, techniques, économiques. *Ces pays dépendent de leur puissant voisin.* **2.** Qui est très actif, qui produit de grands effets. *Administrer un remède puissant.* ⇒ **énergique.** *Un sentiment puissant.* ⇒ **profond.** *Des efforts puissants.* / contr. **impuissant** / — (Personnes) Qui s'impose par sa force, son action. / contr. **faible** / *Une puissante personnalité.* **3.** Qui a de la force physique (quand cette force semble permanente, en réserve). *Des muscles puissants.* **4.** (Moteur, machine) Qui a de la puissance, de l'énergie. *Une voiture puissante. Attention, freins puissants !* (inscription à l'arrière de camions). **5.** Qui a une grande intensité. ⇒ **fort.** *Il parlait d'une voix puissante.* ⇒ **haut.** ▶ **puissamment** adv. **1.** Avec des moyens puissants, avec une action efficace. / contr. **faiblement** / **2.** Avec force, intensité. Iron. *C'est puissamment raisonné !,* fortement. ‹ ▶ impuissant, puissance, surpuissant, tout-puissant ›

puits [pɥi] n. m. invar. **1.** Cavité circulaire, profonde et étroite, à parois maçonnées, pratiquée dans le sol pour atteindre une nappe d'eau souterraine. *Puiser, tirer de l'eau au puits.* **2.** Excavation pratiquée dans le sol ou le sous-sol pour l'exploitation d'un gisement. *Puits de mine.* — *Le forage d'un puits de pétrole.* **3.** Loc. fig. *Un* PUITS DE SCIENCE : une personne d'un immense savoir. ‹ ▶ puisard, puisatier, puiser ›

pullman [pulman ; pylman] n. m. **1.** Voiture de luxe, dans un train. *Des pullmans.* **2.** *Autocar pullman,* de grand confort.

pull-over [pulɔvœʀ ; pylɔvɛʀ] ou **pull** [pul ; pyl] n. m. ■ Tricot de laine ou de coton avec ou sans manches, qu'on met en le passant par la tête. *Des pull-overs ; des pulls.*

pulluler [pylyle] v. intr. conjug. 1. **1.** Se multiplier ; se reproduire en grand nombre et très vite. *Des égouts où pullulent les rats.* **2.** Se manifester en très grand nombre. ⇒ **grouiller, proliférer.** *Les petits mendiants pullulent dans cette ville.* — (Choses) Abonder, foisonner. ▶ **pullulement** n. m. ■ Fait de pulluler. — Ce qui pullule.

pulmonaire [pylmɔnɛʀ] adj. **1.** Qui affecte, atteint le poumon. *Congestion pulmonaire. Tuberculose pulmonaire.* — N. Personne atteinte de tuberculose pulmonaire. ⇒ **tuberculeux. 2.** Qui appartient au poumon. *Les alvéoles pulmonaires.*

pulpe [pylp] n. f. **1.** *La pulpe des dents,* le noyau tendre (opposé à *ivoire* et à *émail*). *Les nerfs de la pulpe rendent les caries douloureuses.* **2.** Partie juteuse (des fruits charnus). ⇒ **chair.** — Partie charnue et comestible (de certains légumes). *La peau et la pulpe.* ▶ **pulpeux, euse** adj. ■ *Un fruit pulpeux.* — Fig. *Une belle fille pulpeuse,* aux formes rondes et pleines.

pulsation [pylsasjɔ̃] n. f. **1.** Battement (du cœur, des artères). ⇒ **pouls. 2.** Battement régulier.

pulsé [pylse] adj. m. ■ *Air pulsé,* poussé par une soufflerie.

pulsion [pylsjɔ̃] n. f. ■ En psychologie. Tendance instinctive partielle ; élément dynamique de l'activité psychique inconsciente. *Pulsions sexuelles.* ⇒ **libido.** ‹ ▶ compulsion, impulsion ›

pulvériser [pylveʀize] v. tr. conjug. 1. **1.** Réduire (un solide) en poudre, en très petites parcelles ou miettes. ⇒ **broyer, piler.** — Au p. p. adj. *Du charbon pulvérisé.* **2.** Projeter (un liquide sous pression) en fines gouttelettes. ⇒ **vaporiser.** *Il faut pulvériser de l'insecticide sur les arbres.* **3.** Faire éclater en petits morceaux. *Le pare-brise a été pulvérisé.* — Fig. Détruire complètement, réduire à néant. ⇒ **anéantir.** *Il a pulvérisé vos arguments.* — Fam. *Le record a été pulvérisé,* battu de beaucoup. ▶ **pulvérisateur** n. m. ■ Appareil servant à projeter une poudre, un liquide pulvérisé. ⇒ **atomiseur, vaporisateur.** ▶ **pulvérisation** n. f. **1.** Action de pulvériser. **2.** Prise de médicament en aérosol (nez, gorge). *As-tu fait tes pulvérisations ?* ▶ **pulvérulent, ente** adj. ■ Qui a la consistance de la poussière, d'une poudre ou se réduit facilement en poudre. *La chaux vive est pulvérulente.*

puma [pyma] n. m. ■ Mammifère carnassier d'Amérique de la famille des félins, à pelage fauve et sans crinière. ⇒ **couguar.** *Des pumas femelles.*

① **punaise** [pynɛz] n. f. **1.** Petit insecte à corps aplati et d'odeur infecte. *Punaise des bois. Punaise des lits,* parasite de l'homme. *Une chambre sordide, pleine de punaises.* **2.** Région. (sud-est de la France). *Punaise !,* interjection exprimant la surprise ou le dépit.

② **punaise** n. f. ■ Petit clou à large tête ronde, à pointe courte servant à fixer des feuilles de papier sur un mur, une planche... ▶ **punaiser** v. tr. conjug. 1. ■ Fixer à l'aide de punaises.

① **punch** [pɔ̃ʃ] n. m. ■ Boisson alcoolisée à base de rhum, de sirop de canne, de jus de fruits... *Des punchs.* ≠ **grog.**

② **punch** [pœnʃ] n. m. **1.** Aptitude d'un boxeur à porter des coups secs et décisifs. **2.** Efficacité, dynamisme. *Il manque de punch.* ▶ **puncheur** n. m. ■ Boxeur qui a du punch. ▶ **punching-ball** [pœnʃiŋbol] n. m. ■ Ballon fixé par des attaches élastiques, servant à l'entraînement des boxeurs. *Des punching-balls.* — Fam. *Je ne vais pas te servir de punching-ball,* de tête de Turc.

punique [pynik] adj. ■ De Carthage; carthaginois. *Les guerres puniques,* menées par Rome contre Carthage.

punir [pyniʀ] v. tr. ▪ conjug. 2. **1.** Frapper (qqn) d'une peine pour avoir commis un délit ou un crime. ⇒ **châtier, condamner.** *La justice punit les coupables. Être puni de prison.* — Frapper (qqn) d'une sanction pour une faute répréhensible. / contr. **récompenser** / *Sa mère l'a puni d'avoir (pour avoir) menti.* **2.** Sanctionner (une faute) par une peine, une punition. *Punir une infraction.* **3.** Au passif, au p. p. adj. *Il est bien puni de sa curiosité,* il supporte les conséquences fâcheuses de sa curiosité. *Être puni par où l'on a péché,* trouver sa punition dans la faute ou l'erreur même qu'on a commise. ▶ *puni, ie* adj. et n. ■ Qui subit une punition. *Coupables punis. Faute punie.* / contr. **impuni** / — N. Personne punie. *Les punis feront tout pour se racheter.* Spécialt. Soldat puni. ▶ *punissable* adj. ■ Qui entraîne ou peut entraîner une peine. *Un crime punissable de prison. Une action punissable.* ⇒ **répréhensible.** ▶ *punitif, ive* adj. ■ Propre ou destiné à punir, à réprimer (rare, sauf *expédition punitive). Faire une expédition punitive contre des rebelles.* ▶ *punition* n. f. **1.** Action de punir. ⇒ **châtiment.** *En punition de ses péchés.* ⇒ **pénitence. 2.** Ce que l'on fait subir à l'auteur d'une simple faute (non d'un crime ou délit grave). / contr. **récompense** / *Infliger une punition à qqn. Pour ta punition, tu resteras dans ta chambre. Il est en punition dans sa chambre.* **3.** Travail supplémentaire infligé en punition. *As-tu fait ta punition ?* **4.** Conséquence pénible (d'une faute, d'un défaut dont on semble puni). *Son impopularité est la punition de ses mensonges.* ‹ ▶ impunément, impuni ›

punk [pœk, pœnk] adj. invar. et n. Anglic. **1.** Adj. Se dit d'un mouvement musical issu du rock anglais et d'un mode de vie qui affiche des signes provocateurs (coiffures, bijoux...). *Elle se donne des allures punk. La musique punk.* **2.** N. Personne qui se réclame de ce mouvement, de ce mode de vie. *Des punks. Une punk anglaise.*

① **pupille** [pypil ; cour. pypij] n. **1.** Orphelin(e) mineur(e) en tutelle. *Le, la pupille et son tuteur.* **2.** *Pupille de la Nation,* orphelin de guerre pris en tutelle par l'État.

② **pupille** [pypil ; cour. pypij] n. f. ■ Zone centrale de l'iris de l'œil, par où passent les rayons lumineux. ⇒ **prunelle.**

pupitre [pypitʀ] n. m. **1.** Petit meuble à tableau incliné sur un ou plusieurs pieds, où l'on pose, à hauteur de vue, un livre, du papier. *Pupitre d'orchestre. Pupitre de chœur.* ⇒ **lutrin. 2.** Petite table, casier à couvercle incliné servant à écrire. *Des pupitres d'écoliers.* **3.** Console, tableau de commandes. *Le pupitre d'un studio d'enregistrement, d'un ordinateur.*

pur, pure [pyʀ] adj. **I.** Concret **1.** Qui n'est pas mêlé avec autre chose, qui ne contient aucun élément étranger. *Substance, eau chimiquement pure. Du vin pur, sans eau.* — (Devant un nom de produit, formant une loc. adj.) *Confiture pur fruit, pur sucre,* sans additifs ni adjuvants. *Tissu pure laine,* 100 % en laine. ⇒ **cent** pour cent. — *Métal pur,* sans alliage. — *Couleur pure,* franche. *Son pur,* simple. — *Cheval de pur sang.* ⇒ **pur-sang. 2.** Qui ne renferme aucun élément mauvais ou défectueux. *Eau pure,* claire, bonne à boire. *Air pur,* salubre. / contr. **pollué, vicié** / *Ciel pur,* sans nuages ni fumées. ⇒ **limpide.** *L'air, le ciel est pur.* **II.** Abstrait. **1.** Qui est sans mélange,

s'interdit toute préoccupation étrangère à sa nature. ⇒ **absolu.** *Science pure* (opposé à *appliquée). Recherche pure,* fondamentale. *Musique pure* (opposé à *descriptive). Poésie pure.* **2.** (Devant le nom) Qui est seulement et complètement tel. *Ton ami est un pur imbécile.* ⇒ **complet, parfait, simple, véritable.** *Un ouvrage de pure imagination. Un pur hasard.* Loc. *De pure forme. En pure perte.* — (Après le nom) PUR ET SIMPLE : sans restriction. *Je vous demande une acceptation pure et simple.* **3.** N. Personne rigoureusement fidèle à un parti, à une orthodoxie, sans mélange ni concession. *C'est un pur (un pur et dur). Une pure.* **4.** Sans défaut d'ordre moral, sans corruption, sans tache. ⇒ **innocent.** / contr. **impur** / *Un cœur pur. Ses intentions étaient pures,* bonnes et désintéressées. *Il était pur de tout soupçon,* à l'abri de tout soupçon. **5.** Chaste. *Une jeune fille pure.* **6.** Sans défaut d'ordre esthétique. ⇒ **parfait.** *Un profil, des traits purs.* — (Langue, style) D'une correction élégante. ⇒ **châtié, épuré ; purifier, purisme.** ▶ *purement* adv. ■ Intégralement, exclusivement (⇒ **pur,** II, 2). *Une réaction purement instinctive.* — Loc. PUREMENT ET SIMPLEMENT : sans condition ni réserve. *Il a purement et simplement menti,* sans aucun doute possible. ‹ ▶ dépuratif, épurer, impur, pureté, purifier, purisme, puritain, pur-sang ›

purée [pyʀe] n. f. **1.** Légumes cuits et écrasés. *De la, une purée de pommes de terre, de pois cassés...* — En appos. Invar. *Pommes purée.* ⇒ **mousseline.** — PURÉE DE POIS loc. fig. : brouillard très épais. **2.** Fam. *Être dans la purée,* dans la gêne, la misère. ⇒ **mouise, panade.** — Exclam. Fam. *Purée !,* misère ! ‹ ▶ presse-purée ›

pureté [pyʀte] n. f. **I. 1.** État d'une substance chimique pure. — État d'une substance pure (I, 2). *Une eau d'une grande pureté.* **2.** État de ce qui est sans défaut, sans altération. ⇒ **limpidité, netteté.** *Ce diamant est d'une pureté absolue. La pureté de l'air des montagnes. La pureté de sa voix.* **II. 1.** Littér. État de ce qui est pur, sans souillure morale. ⇒ **honnêteté, innocence.** *La pureté d'une sainte.* **2.** État de ce qui est sans mélange. *C'est la foi dans toute sa pureté.* **3.** État de ce qui se conforme avec élégance à des règles, à un type de perfection. ⇒ **correction.** *Veiller à la pureté de la langue* (⇒ **purisme**). ‹ ▶ impureté ›

purgatif, ive [pyʀgatif, iv] adj. et n. m. ■ Qui a la propriété de purger. ⇒ **dépuratif, laxatif.** — N. m. *Un purgatif.*

purgatoire [pyʀgatwaʀ] n. m. **1.** D'après la théologie catholique. Lieu où les âmes qui n'ont pas été condamnées à l'enfer expient, « purgent (2) » leurs péchés avant d'accéder au paradis. **2.** Lieu ou temps d'épreuve, d'expiation. *Faire son purgatoire sur terre.*

purger [pyʀʒe] v. tr. ▪ conjug. 3. **1.** Débarrasser de ce qui gêne. *Purger un radiateur,* en évacuer l'air qui gêne le fonctionnement. *Purger un moteur,* vidanger l'huile avant un démontage, un nettoyage. **2.** Littér. Débarrasser (d'une chose mauvaise ou d'êtres considérés comme dangereux). *Il faut purger la société de tous ces profiteurs.* **3.** Administrer un purgatif à... — Pronominalement (réfl.). *Se purger,* prendre un purgatif. **4.** Faire disparaître en subissant (une condamnation, une peine). *Il est en prison, il purge une peine de cinq ans.* ▶ *purge* n. f. **1.** Action de purger ; remède purgatif. *Prendre une purge.* **2.** Évacuation d'un liquide, d'un gaz dont la présence dans une conduite nuit au bon fonctionnement d'un appareil. ⇒ **vidange.** *Robinet de purge.* **3.** Élimination autoritaire d'éléments politiquement indésirables. ⇒ **épuration.** *Les grandes purges staliniennes.* ▶ *pur-*

geur n. m. ■ Robinet ou dispositif automatique de purge (d'une tuyauterie, d'une machine). ‹ ▶ expurger, purgatif, purgatoire ›

purifier [pyʀifje] v. tr. ▪ conjug. 7. **1.** Débarrasser (une substance) de ses impuretés. ⇒ **clarifier, épurer, filtrer. 2.** Littér. Rendre pur, débarrasser de la corruption, de la souillure morale. *La souffrance l'avait purifié.* — Pronominalement (réfl.). *Se purifier*, se rendre pur par des rites purificatoires. ▶ **purificateur, trice** adj. ■ Qui purifie. ▶ **purification** n. f. ■ Action de purifier, de se purifier. — Relig. *Fête de la Purification de Marie.* ⇒ **chandeleur.** ▶ **purificatoire** adj. ■ Littér. Propre à la purification. ⇒ **lustral.** *Rites purificatoires.*

purin [pyʀɛ̃] n. m. ■ Partie liquide du fumier, constituée par les urines et la décomposition des parties solides. *Une fosse à purin.*

purisme [pyʀism] n. m. **1.** Souci excessif de la pureté du langage, de la correction grammaticale, cherchant à se conformer à un modèle idéal. **2.** Souci de pureté, de conformité totale à un type idéal (art, idées, etc.). / contr. **laxisme** / ▶ **puriste** adj. et n. ■ *Un grammairien puriste. Un dictionnaire puriste.* ⇒ **normatif.**

puritain, aine [pyʀitɛ̃, ɛn] n. et adj. **1.** Membre d'une secte protestante anglaise et hollandaise qui voulait pratiquer un christianisme plus pur. ⇒ **presbytérien.** *Les puritains qui émigrèrent en Amérique.* **2.** Personne qui montre ou affiche une pureté morale scrupuleuse, un respect rigoureux des principes. ⇒ **rigoriste.** — Adj. *Il a reçu une éducation puritaine.* ⇒ **austère, rigide.** ▶ **puritanisme** n. m. ■ Esprit, conduite des puritains.

pur-sang [pyʀsɑ̃] n. m. invar. ■ Cheval de race pure. — Spécialt (en France). Race française, d'origine anglaise, de chevaux de course ; cheval de cette race. *Des pur-sang.*

purulent, ente [pyʀylɑ̃, ɑ̃t] adj. ■ Qui contient ou produit du pus. *Une plaie purulente.* ▶ **purulence** n. f. ■ Didact. État purulent.

pus [py] n. m. invar. ■ Liquide blanchâtre ou jaunâtre, contenant des microbes, qui se forme aux points d'infection de l'organisme. ⇒ **suppuration ; abcès, anthrax, bouton, clou, furoncle, pustule ; pyo-.** *Écoulement de pus.* ⇒ **purulent.** ‹ ▶ purulent, pustule, suppurer ›

pusillanime [pyzi(l)lanim] adj. ■ Littér. Qui manque d'audace, craint le risque, les responsabilités. ⇒ **craintif, timoré.** / contr. **audacieux** / ▶ **pusillanimité** n. f. ■ *Sa pusillanimité l'empêche de prendre une décision.*

pustule [pystyl] n. f. **1.** Petite bulle de pus à la surface de la peau. ⇒ **bouton.** *Les pustules de la variole.* **2.** Chacune des petites vésicules ou saillies qui couvrent le dos du crapaud, les feuilles ou tiges de certaines plantes. ▶ **pustuleux, euse** adj. ■ *Éruption pustuleuse.*

putain [pytɛ̃] n. f. et adj. **1.** Péj. Prostituée. (Synonyme injurieux : **pute.**) **2.** Péj. et vulg. Femme qui a une vie sexuelle très libre. *Enfant, fils de putain* (termes d'injure). **3.** Fam. (Homme ou femme) Qui se prostitue, cherche à plaire à tout le monde. *Il n'est pas sans talent, mais il est très putain.* **4.** (Suivi de *de* et d'un nom) S'emploie pour maudire qqch. qu'on déteste. *Putain de temps !* **5.** Fam. Putain !, exclamation marquant l'étonnement, l'admiration. *Putain de film !*

putatif, ive [pytatif, iv] adj. ■ En droit. *Enfant, père putatif*, personne qui est supposée être l'enfant, le père de qqn.

putois [pytwa] [pytwa] n. m. invar. **1.** Petit mammifère carnivore, à fourrure brune, à odeur nauséabonde. — Loc. *Crier comme un putois*, crier, protester très fort. **2.** Fourrure de cet animal.

putréfaction [pytʀefaksjɔ̃] n. f. ■ Décomposition des matières organiques sous l'action des bactéries. ⇒ **pourriture.** *Un cadavre en état de putréfaction avancée.* ▶ **putréfier** v. tr. ▪ conjug. 7. ■ Faire tomber en putréfaction. — Pronominalement (réfl.). Se décomposer, pourrir. ▶ **putrescible** [pytʀe sibl] adj. ■ Qui peut se putréfier. / contr. **imputrescible** / ▶ **putride** adj. **1.** Qui est en putréfaction. **2.** (Miasme, odeur) Qui résulte de la putréfaction. ‹ ▶ imputrescible ›

putsch [putʃ] n. m. ■ Soulèvement, coup de main d'un groupe politique armé, en vue de prendre le pouvoir. ⇒ **coup d'État.** *Un putsch contre-révolutionnaire. Plusieurs putschs militaires ont eu lieu.* ▶ **putschiste** [putʃist] adj. et n. ■ Qui organise un putsch ou qui y participe. *Les généraux putschistes.*

puy [pɥi] n. m. ■ Montagne, en Auvergne.

puzzle [pœz(ə)l] ou [pyzl] n. m. **1.** Jeu de patience, composé d'éléments à assembler pour reconstituer un dessin, une photographie. **2.** Multiplicité d'éléments sans ordre apparent qu'un raisonnement logique doit assembler pour reconstituer la réalité des faits. *Les pièces du puzzle commençaient à s'ordonner dans sa tête.*

p.-v. [peve] n. m. invar. ■ ▪ Fam. Procès-verbal, contravention. *Attraper un p.-v.*

pygmée [pigme] n. m. **1.** Personnes appartenant à certaines populations de petite taille (autour de 1,50 m) habitant la forêt équatoriale du centre de l'Afrique. **2.** Littér. Homme tout petit, ou tout à fait insignifiant. / contr. **géant** /

pyjama [piʒama] n. m. ■ Vêtement léger de nuit ou d'intérieur. — REM. On dit *un* ou *des pyjamas.* ⇒ **culotte, pantalon.** *Veste, pantalon de pyjama. Être en pyjama(s).*

pylône [pilon] n. m. **1.** Structure élevée, métallique ou en béton armé, servant de support à des cables, des antennes, etc. *Des pylônes électriques.* **2.** Chacun des deux piliers quadrangulaires ornant l'entrée d'une avenue, d'un pont. *Les pylônes du pont Alexandre-III* (à Paris).

pylore [pilɔʀ] n. m. ■ Orifice faisant communiquer l'estomac avec le duodénum.

pyo- ■ Élément savant signifiant « pus ». ▶ **pyorrhée** [pjɔʀe] n. f. ■ Écoulement de pus.

pyramide [piʀamid] n. f. **1.** Grand monument à base carrée et à faces triangulaires (qui servait de tombeau aux pharaons d'Égypte, de base aux temples aztèques, incas du Mexique etc.). ⇒ **ziggourat.** *La pyramide de Chéops.* **2.** Polyèdre qui a pour base un polygone et pour faces des triangles possédant un sommet commun. **3.** Entassement (d'objets) qui repose sur une large base et s'élève en s'amincissant. *Des pyramides de fruits et de légumes.* **4.** Représentation graphique d'une statistique, où les éléments sont de plus en plus rares vers le haut. *La pyramide des âges, des salaires. La pyramide alimentaire.* ▶ **pyramidal, ale, aux** adj. ■ En forme de pyramide.

pyr(o)- ■ Élément savant signifiant « feu ». ▶ **pyrex** [piʀɛks] n. m. invar. ■ (Nom déposé) Verre très résistant pouvant aller au feu. ▶ **pyrogravure** n. f. ■ Procédé de décoration du bois consistant à graver un dessin à l'aide d'une pointe métallique incandescente. ▶ **pyrograver** v. tr. ▪ conjug. 1. ■ Décorer, exécuter à la pyrogravure. ▶ **pyrograveur, euse** n. ■ Artiste en pyrogravure. ▶ **pyro-**

mane n. ■ Personne qu'une impulsion morbide (dite *pyromanie,* n. f.) pousse à allumer des incendies. ⇒ **incendiaire.** ▶ *pyrotechnie* [piʀɔtɛkni] n. f. ■ Technique de la fabrication et de l'utilisation des matières explosives et des pièces d'artifice (⇒ **artificier**). ▶ *pyrotechnique* adj. ■ *Spectacle pyrotechnique,* feu d'artifice.

pyrrhonisme [piʀɔnism] n. m. ■ Scepticisme philosophique (des *Pyrrhoniens,* partisans du philosophe grec *Pyrrhon*).

pythie [piti] n. f. ■ Didact. (Avec une majuscule) Prêtresse de l'oracle d'Apollon à Delphes. *L'oracle de la Pythie.* — Littér. *Une pythie,* une prophétesse. ⇒ **pythonisse.**

python [pitɔ̃] n. m. ■ Serpent des forêts tropicales d'Afrique et d'Asie, de très grande taille (jusqu'à 10 m), qui broie sa proie entre ses anneaux avant de l'avaler. ≠ *piton.*

pythonisse [pitɔnis] n. f. ■ Littér. ou plaisant. Prophétesse, voyante.

q

q [ky] n. m. invar. ■ Dix-septième lettre, treizième consonne de l'alphabet. — REM. Le groupe *qu* se prononce [k] *quarante*; [kw] *équation*; ou [kɥ] *équilatéral*.

Q.G. [kyʒe] n. m. invar. ■ Fam. Quartier général.

Q.I. [kyi] n. m. invar. ■ Fam. Quotient intellectuel.

quadr-, quadri-, quadru- ■ Éléments signifiant « quatre ». ⇒ **tétra-.** ‹ ▶ quadragénaire, quadriennal, quadrilatère, quadrimoteur, quadrumane, quadrupède ›

quadragénaire [kwadraʒenɛr] adj. et n. ■ Dont l'âge est compris entre quarante et cinquante ans. *Elle est quadragénaire.* — N. *Elle épouse un quadragénaire.*

quadrature [kwadratyr] n. f. ■ Opération qui consiste à construire un carré de même surface que celle d'une figure curviligne. — Loc. *La quadrature du cercle*, problème insoluble, chose irréalisable.

quadriennal, ale, aux [kwadrije(ɛn)nal, o] adj. **1.** Qui dure quatre ans. **2.** Qui revient tous les quatre ans.

quadrige [kadriʒ ; kwadriʒ] n. m. ■ Char antique attelé de quatre chevaux de front.

quadrilatère [k(w)adrilatɛr] n. m. ■ Polygone à quatre côtés. ⇒ **carré, losange, parallélogramme, rectangle, trapèze.**

quadrille [kadrij] n. m. ■ Contredanse ① à la mode au XIXᵉ s. *Le quadrille des lanciers.*

quadriller [kadrije] v. tr. ▪ conjug. 1. **1.** Couvrir une surface de lignes entrecroisées en carrés, en rectangles. — Au p. p. adj. *Papier quadrillé.* **2.** Diviser (un territoire) en compartiments où l'on répartit des troupes, pour en garder le contrôle. ▶ *quadrillage* n. m. **1.** Dessin d'une surface quadrillée. **2.** Action de quadriller (2). *Le quadrillage d'une ville en insurrection.*

quadrimoteur, quadriréacteur [k(w)adrimotœr, reaktœr] adj. et n. m. ■ (Avion) Muni de quatre moteurs, réacteurs.

quadrumane [k(w)adryman] adj. et n. ■ Dont les quatre membres sont terminés par une main. — N. *Un quadrumane*, un singe.

quadrupède [k(w)adrypɛd] adj. et n. ■ (Animaux) Qui a quatre pattes. — N. *Un quadrupède*, mammifère terrestre possédant quatre pattes (excluant le quadrumane). ≠ **tétrapode.**

quadruple [k(w)adrypl] adj. et n. m. ■ Qui est répété quatre fois, qui vaut quatre fois (la quantité désignée). *Une quadruple rangée de barbelés.* — N. m. *Huit est le quadruple de deux.* ▶ *quadrupler* v. ▪ conjug. 1. **1.** V. tr. Multiplier par quatre. *Quadrupler la production.* **2.** V. intr. Devenir quatre fois plus élevé. *Les prix ont quadruplé.* ▶ *quadruplés, ées* n. pl. ■ Les quatre enfants (jumeaux) issus d'une même grossesse.

quai [ke] n. m. **1.** Mur où accostent les bateaux, chaussée aménagée au bord de l'eau. *Quai de débarquement, d'embarquement.* ⇒ **débarcadère, embarcadère.** ≠ *ponton. Le navire est à quai*, rangé le long du quai. **2.** Voie publique, rive, passage aménagé sur cette chaussée. *Se promener sur les quais.* **3.** Plate-forme longeant la voie dans une gare. *Le quai nᵒ 4. Ticket de quai.*

quaker, quakeresse [kwɛkœr, kwɛkrɛs] n. ■ Membre d'un mouvement religieux protestant, fondé au XVIIᵉ siècle, qui prêchait le pacifisme, la philanthropie et la simplicité des mœurs. *Des quakers.*

qualifier [kalifje] v. tr. ▪ conjug. 7. **1.** Caractériser par un mot, une expression. ⇒ **appeler, désigner, nommer.** *Comment qualifier sa conduite ? Elle est inqualifiable !* — QUALIFIER DE (+ attribut). *Il m'a qualifiée d'idiote !* **2.** Faire que (qqn, un concurrent) soit admis aux épreuves suivantes d'une compétition. *Ce but a qualifié leur équipe pour le championnat.* / contr. **disqualifier** / — Pronominalement (réfl.). Obtenir sa qualification. *Ils se sont qualifiés pour la finale.* **3.** (Compl. personne) Donner qualité de faire qqch. *Son diplôme ne le qualifie pas pour ce travail.* ▶ *qualificatif, ive* [kalifikatif, iv] adj. et n. m. **1.** Adj. Qui sert à qualifier, à exprimer une qualité. *Adjectif qualificatif.* **2.** N. m. Mot ou groupe de mots servant à qualifier qqn ou qqch. ⇒ **épithète.** ▶ *qualification* n. f. **1.** Action ou manière de qualifier. ⇒ **appellation, épithète, nom, titre. 2.** Fait, pour un concurrent ou une compétition, d'être qualifié (2). / contr. **disqualification, élimination** / **3.** *Qualification professionnelle*, formation, aptitudes qui qualifient (3) pour un emploi. ▶ *qualifié, ée* adj. **1.** *Ouvrier qualifié*, ayant une formation professionnelle poussée. **2.** *Vol qualifié*, en droit, assimilé à un crime ; vol évident, manifeste. ‹ ▶ disqualifier, inqualifiable ›

qualité [kalite] n. f. **I. 1.** (Choses) Manière d'être caractéristique et qui donne une valeur plus ou moins grande. *Marchandise de bonne, de mauvaise qualité ;*

de première qualité. *Améliorer la qualité de qqch.*
— *Sans compl. La qualité* (opposé à *quantité*). **2.** Bonne qualité (1). *Un produit de qualité,* excellent, supérieur. *Tout le monde s'accorde sur la qualité de ses travaux.* **3.** Trait de caractère auquel on attribue une valeur morale. / contr. **défaut** / *La bonté, la prudence sont des qualités.* ⇒ **vertu.** *Elle a toutes les qualités.* **II.** (Personnes) **1.** Condition sociale, civile, juridique. ⇒ **état** (III). *Nom, prénom, qualité.* — EN SA QUALITÉ DE : comme ayant telle qualité. ⇒ **à titre** de. *En sa qualité de chef du gouvernement.* **2.** Vx. *Une personne de qualité,* de la noblesse. ▶ *qualitatif, ive* adj. ■ Relatif à la qualité, qui est du domaine de la qualité. / contr. **quantitatif** / ▶ *qualitativement* adv.

quand [kɑ̃] conj. et adv. **I.** Conj. **1.** À (ce) moment. ⇒ **comme** (II, 2) ; **lorsque, où** (I, 3). **1.** J'attendais depuis dix minutes, quand il [kɑ̃til] est arrivé. — Ellipt. *Quand je pense que son fils a 20 ans !* (je suis étonné). *Quand je vous le disais !* (j'avais raison). — Fam. *Je n'aime pas quand vous criez.* **2.** Chaque fois que, toutes les fois que. *Quand l'un disait oui, l'autre disait non.* **3.** Littér. (+ conditionnel) En admettant que. *Quand il l'aurait voulu, il ne l'aurait pas pu* (même s'il l'avait voulu). — QUAND (BIEN) MÊME... (même sens). — QUAND MÊME loc. adv. : cependant, pourtant. *Il l'aime quand même.* — Fam. Tout de même. *Ce serait quand même plus agréable si vous veniez. Quand même ! il exagère ! Quand même ! c'est pour quand ?* **II.** Adv. (d'interrog. sur le temps). À quel moment ? *Quand partez-vous ? Jusqu'à quand ? C'est pour quand ? Alors, à quand le mariage ? Je ne sais pas quand.*

quant à [kɑ̃ta] loc. prép. ■ Pour ce qui est de, en ce qui concerne. ≠ *quand. Quant à vous, attendez ici.* ▶ *quant-à-soi* [kɑ̃taswa] n. m. sing. ■ Réserve un peu fière de celui qui garde pour soi ses sentiments. *Rester sur son quant-à-soi,* garder ses distances.

quanta [kwɑ̃ta] n. m. plur. ■ *Théorie des quanta,* qui suppose que la lumière, l'énergie se manifestent par petites quantités discontinues (particules). ▶ *quantique* [kwɑ̃tik] adj. ■ Des quanta ; de la théorie des quanta. *Mécanique quantique.*

quantième [kɑ̃tjɛm] n. m. ■ Didact. Désignation du jour du mois par son chiffre.

quantité [kɑ̃tite] n. f. **1.** Nombre plus ou moins grand (de choses, de personnes) ; mesure qui sert à évaluer l'importance (d'une collection, d'un ensemble). *Quelle quantité de farine doit-on mettre ? En grande, en petite quantité.* ⇒ **beaucoup, peu. 2.** *Une, des quantité(s) de,* grand nombre, abondance. ⇒ **foule, masse.** *Une quantité de livres. Quantité de gens le pensent.* ⇒ **beaucoup.** — EN QUANTITÉ : en abondance. **3.** Qualité de ce qui peut être mesuré ; la chose mesurable elle-même. — Loc. *Considérer qqn comme une quantité négligeable,* ne pas en tenir compte. **4.** LA QUANTITÉ : l'ensemble des valeurs mesurables (opposé à *la qualité*). « Beaucoup », « peu », « plus » sont des adverbes de quantité. ▶ *quantitatif, ive* adj. ■ Qui appartient au domaine de la quantité et des valeurs numériques. / contr. **qualitatif** / ▶ *quantitativement* adv.

quarante [karɑ̃t] adj. numér. invar. et n. m. invar. **1.** (Cardinal) Quatre fois dix (40). *Un trajet de quarante minutes.* — (Ordinal) Quarantième. *Page quarante.* **2.** N. m. invar. *J'habite au quarante.* ▶ *quarantième* adj. et n. **1.** Ordinal de quarante. *Dans sa quarantième année.* **2.** Se dit de ce qui est contenu quarante fois dans un tout. *La quarantième partie.* — N. *Deux quarantièmes.* ▶ ① *quarantaine* n. f. **1.** Nombre d'environ quarante. *Une quarantaine de personnes.* **2.** Âge d'environ quarante ans. *Il frise la quarantaine.* ⇒ **quadragénaire.** ▶ ② *quarantaine* n. f. **1.** Isolement de durée variable (de quarante jours à l'origine) qu'on impose aux voyageurs et aux marchandises en

provenance de pays où règnent des maladies contagieuses. — **2.** Loc. *Mettre, laisser qqn* EN QUARANTAINE : mettre à l'écart, refuser d'avoir des relations avec qqn.

quart [kaʀ] n. m. **I.** Fraction d'un tout divisé en quatre parties égales. *Chacun a reçu un quart de la succession.* — *Un quart de beurre,* cent vingt-cinq grammes (le quart d'une livre). — *Un quart de vin,* quart de litre. — QUART D'HEURE : quinze minutes. *Une heure moins le quart, deux heures et quart. Il est moins le quart ; il est le quart.* Loc. *Un mauvais quart d'heure,* un moment pénible, une épreuve. **II. 1.** Période de quatre heures, pendant laquelle une partie de l'équipage est de service. *Officier, matelot de quart,* de service. *Prendre le quart.* **2.** Partie appréciable de (qqch.). *Je n'ai pas fait le quart de ce que j'avais à faire.* — LES TROIS QUARTS : la plus grande partie. *Les trois quarts du temps,* le plus souvent. — *Portrait* DE TROIS QUARTS : où le sujet présente à peu près les trois quarts du visage. *Il l'a photographiée de trois quarts.* ▶ *quarte* [kaʀt] n. f. ■ En musique. Intervalle de quatre degrés dans la gamme diatonique (ex. : *do-fa*). ▶ *quarté* [kaʀte] n. m. ■ Forme de pari mutuel où l'on parie sur quatre chevaux dans une course. *Les résultats du tiercé et du quarté.* ▶ *quartette* [kwaʀtɛt] n. m. ■ Ensemble de jazz à quatre musiciens. ⇒ **quatuor.** ▶ ① *quartier* [kaʀtje] n. m. **1.** Portion d'environ un quart (de fruits, animaux de boucherie). *Un quartier de pomme. Un quartier de bœuf.* **2.** Phase de la Lune où elle apparaît comme un croissant. *Premier, dernier quartier.* ⟨ ▶ in-quarto, quatre-quarts ⟩

② *quartier* n. m. **1.** Partie d'une ville ayant une certaine unité. *Le Quartier latin, à Paris. Les beaux, les vieux quartiers. Cinéma de quartier,* fréquenté par les gens du quartier. **2.** Au plur. Loc. Cantonnement. QUARTIERS D'HIVER : lieu où logent les troupes pendant l'hiver. — QUARTIER GÉNÉRAL : emplacement où sont installés les logements et bureaux du commandant d'une armée et de son état-major. ⇒ **Q.G.** — Loc. *Avoir quartier libre,* être autorisé à sortir de la caserne. *Ne pas faire de quartier,* massacrer tout le monde. ▶ *quartier-maître* [kaʀtjemɛtʀ] n. m. ■ (Du *quartier,* cantonnement) Marin du premier grade au-dessus de celui de matelot, correspondant au grade de caporal de l'armée de terre. *Des quartiers-maîtres.*

quartz [kwaʀts] n. m. invar. ■ Forme la plus courante de la silice naturelle cristallisée. ⇒ **cristal** de roche. *Des montres à quartz.*

quasar [kazaʀ] n. m. ■ Source céleste produisant une émission d'ondes radio, comparable à celle des étoiles (quasi-étoiles).

① *quasi(-)* [kazi] adv. ■ Région. ou littér. (sans trait d'union devant un adj.) Presque, pour ainsi dire. *Le raisin est quasi mûr.* — (Avec un trait d'union devant un nom) *Quasi-certitude, quasi-totalité.* ▶ *quasiment* [kazimɑ̃] adv. ■ Fam. ou région. Presque, à peu près. *Vous pourriez être quasiment mon père.*

② *quasi* [kazi] n. m. ■ Morceau du haut de la cuisse du veau, très apprécié. *Un rôti dans le quasi.*

Quasimodo [kazimɔdo] n. f. ■ Dans la liturgie chrétienne. Dimanche après Pâques.

quaternaire [kwatɛʀnɛʀ] adj. **1.** Formé de quatre éléments. **2.** *Ère quaternaire* ou n. m., *le quaternaire,* ère géologique la plus récente (environ un million d'années) où est apparu l'homme.

quatorze [katɔʀz] adj. numér. invar. et n. m. invar. **1.** (Cardinal) Dix plus quatre (14). — (Ordinal) Quatorzième. *Louis XIV* (quatorze). **2.** N. m. invar. Le nombre, le numéro ainsi désigné. ▶ *quatorzième* adj. et n. **1.** Ordinal de quatorze. *Le quatorzième siècle* (entre 1301 et 1400). **2.** Se dit d'une partie d'un tout également divisé en quatorze. ▶ *quatorzièmement* adv.

quatrain [katʀɛ̃] n. m. ■ Strophe de quatre vers. *Le premier quatrain d'un sonnet.*

quatre [katʀ] adj. numér. ɛt n. m. invar. **I.** Adj. numér. invar. **1.** (Cardinal) Trois plus un (4). ⇒ **quadri-, tétra-.** *Les quatre saisons.* — Loc. *Se mettre en quatre,* se donner beaucoup de mal. ⇒ se **décarcasser.** *Manger comme quatre,* énormément. *Descendre un escalier quatre à quatre,* très vite (quatre marches à la fois). **2.** (Ordinal) Quatrième. *Page quatre.* **II.** N. m. invar. Le nombre, le numéro ainsi désigné. *Habiter au quatre.* — Carte, face de dé, de domino présentant quatre marques. ▶ **quatrième** [katʀijɛm] adj. et n. **1.** Adj. et n. Ordinal de quatre. *Habiter au quatrième* (étage). — Loc. *En quatrième vitesse,* très vite. **2.** N. f. En France. Classe des collèges qui suit la sixième et la cinquième. ▶ **quatrièmement** adv. ▶ **quatre-vingt(s)** [katʀəvɛ̃] adj. numér. et n. m. **1.** (Cardinal) Huit fois dix (80). Synonyme : *octante. Âgé de quatre-vingts ans* ⇒ **octogénaire,** *de quatre-vingt-deux ans.* — QUATRE-VINGT-DIX : neuf fois dix (90). Synonyme : *nonante.* — (Ordinal) Quatre-vingtième. *Page quatre-vingt.* **2.** N. m. Le nombre, le numéro ainsi désigné. ▶ **quatre-vingtième** adj. et n. ▶ **quatre-cent-vingt-et-un** [kat(ʀə)sɑ̃vɛ̃teœ̃] n. m. invar. ■ Jeu de dés où la combinaison la plus forte est composée d'un quatre, d'un deux et d'un as. — Abrév. *Quatre-vingt-et-un* [katvɛ̃teœ̃]. ▶ **quatre-quarts** [katkaʀ] n. m. invar. ■ Gâteau où entrent à poids égal du beurre, de la farine, du sucre et des œufs. *Des quatre-quarts bretons.*

quatuor [kwatyɔʀ] n. m. **1.** Œuvre de musique écrite pour quatre instruments ou quatre voix. *Quatuor à cordes,* pour deux violons, alto et violoncelle. **2.** Les quatre musiciens ou chanteurs qui exécutent un quatuor. ⇒ **quartette.**

① **que** [k(ə)] conj. **1.** Introduisant une subordonnée complétive (à l'ind. ou au subj. selon le sens de la principale, ou la nuance à rendre). *Je crois qu'il est là. Je pense que tout ira bien. C'est dommage qu'il soit malade.* **2.** Servant à former des locutions conjonctives. *À condition, à mesure que...* **3.** Introduisant une proposition circonstancielle. — (Temporelle) *Il avait à peine fini qu'il s'en allait.* — (Finale) *Venez là que nous causions.* — (Causale) *Il reste là, non qu'il soit vraiment malade, mais il le croit.* — (Hypothétique) *Qu'il fasse beau ou non...* — NE... QUE... NE... : sans que, avant que. *Il ne se passe pas une semaine qu'il ne vienne.* **4.** Substitut d'un autre mot grammatical *(quand, si, comme...),* dans une coordonnée. *Quand il la rencontra et qu'elle lui apprit la nouvelle.* **5.** Introduisant le second terme d'une comparaison. *Autant, plus, moins que,* etc. **6.** En corrélation avec *ne,* pour marquer la restriction. NE... QUE... ⇒ **seulement.** *Je n'aime que toi. Cela ne fait que cent francs.* — (Renforcement) *Il n'en est que plus coupable.* **7.** Introduisant une indépendante au subjonctif (ordre, souhait...). *Qu'il entre !* ⟨ ▶ alors que, bien que, est-ce que, lorsque, parce que, plus-que-parfait, puisque, quoique, tandis que ⟩

② **que** [k(ə)] adv. **1.** Interrog. (En loc.). Pourquoi, en quoi ? *Que m'importe son opinion ? Que ne venez-vous ?,* (souhait) si vous pouviez venir ! **2.** Exclam. Comme, combien ! *Que c'est beau ! Que de gens !* Fam. *Ce qu'il est bête !*

③ **que** [k(ə)] pronom **I.** Pronom relatif désignant une personne ou une chose (au masc. ou au fém., au sing. ou au plur.). **1.** (Objet direct) *Celle que j'aime. Les cadeaux que tu lui as faits.* **2.** (Compl. indir. ou circonstanciel). *Depuis dix ans que nous habitons ici. L'été qu'il a fait si chaud, où* il a fait si chaud.* **3.** (Attribut) *L'homme que vous êtes.* **II.** Pronom interrogatif (désignant une chose). **1.** (Objet direct)

Quelle chose ? Que faisiez-vous ? Qu'en dites-vous ? (en concurrence avec *qu'est-ce que...) Que faire ? Que se passe-t-il ? Qu'y a-t-il ?* — (Interrog. indirect) ⇒ **quoi.** *Il ne savait plus que dire.* **2.** (Attribut) *Qu'est-ce que deviens-tu ?* — (Avec EST-CE QUE) *Qu'est-ce que vous dites ? Qu'est-ce que c'est que ça ?* — QU'EST-CE QUI... ? *Qu'est-ce qui te prend ?* ⟨ ▶ quelque, quelque chose, quelquefois, quelqu'un, qu'en-dira-t-on ⟩

quel, quelle [kɛl] adj. **I.** Adjectif interrogatif (servant généralement à questionner sur la nature ou l'identité d'une personne ou d'une chose). **1.** Interrog. dir. (Attribut) *Quelle est donc cette jeune fille ?* ⇒ **qui.** — (Épithète) *Quels amis inviterez-vous ? Quelle heure est-il ? Il a fait des remarques, mais quelles remarques ?* **2.** Interrog. indir. *J'ignore quelles remarques il a faites. Il ne savait pas quelle route prendre.* **3.** Exclam. *Quelle jolie maison ! Quel dommage qu'elle soit partie ! Quelle idée !* (absurde, saugrenue). **II.** Pronom interrogatif (seulement avec un partitif). ⇒ **lequel, qui.** *De nous deux, quel est le plus grand ?* **III.** Adjectif relatif. QUEL... QUE, avec le v. *être* au subjonctif (loc. concessive). *Quelle que soit la route à prendre.* ≠ *quelque.* ⟨ ▶ lequel, quelconque, quelque, quelque chose, quelquefois, quelqu'un ⟩

quelconque [kɛlkɔ̃k] adj. **1.** Adj. indéf. N'importe lequel, quel qu'il soit. *Un point quelconque du cercle. Pour une raison quelconque. Un quelconque individu.* — Qui n'a aucune propriété particulière. *Triangle quelconque.* **2.** Adj. qualif. Tel qu'on peut en trouver partout, sans qualité ou valeur particulière. *Un homme quelconque,* insignifiant. *C'est très quelconque.* ⇒ **banal, médiocre.** / contr. **remarquable** /

quelque [kɛlk(ə)] adj. **I.** Littér. QUELQUE... QUE (concessif). **1.** (Qualifiant un nom) *Quelque doute (quelques doutes) que tu aies, il te faudra une preuve, quel que soit le doute, quels que soient les doutes.* **2.** (Adverbial, qualifiant un adj.) ⇒ **aussi, pour, si.** *Quelque méchants que soient les hommes.* **II.** Adj. indéfini. **1.** QUELQUE : un, certain. *Il sera allé voir quelque ami. Quelque part. Quelque autre chose.* — Un peu de... *Depuis quelque temps.* **2.** QUELQUES : un petit nombre, un certain nombre de... ⇒ **plusieurs.** *J'ai vu quelques amis. Cent et quelques francs.* **3.** Adv. Invar. Environ. *Un livre de quelque cent francs.*

quelque chose ⇒ **chose.**

quelquefois [kɛlkəfwa] adv. ■ Un certain nombre de fois. *Il est venu quelquefois.* — Dans un certain nombre de cas. ⇒ **parfois.** *Il est quelquefois drôle.*

quelqu'un, une [kɛlkœ̃, kɛlkyn] ; **quelques-uns, -unes** [kɛlkəzœ̃, kɛlkəzyn] pronom indéf. **I.** Au sing. **1.** Une personne (absolument indéterminée). *On dirait que quelqu'un joue du piano quelque part. Il y a quelqu'un ?* **2.** (Avec de et un qualificatif) *Il faut trouver quelqu'un de sûr, quelqu'un qui soit sûr.* **3.** Un homme ou une femme de valeur, remarquable. *Ah, c'est quelqu'un !* **II.** Au plur. *Quelques-une(s)...* Un petit nombre indéterminé de... (parmi plusieurs). *Quelques-uns des assistants se mirent à rire. Quelques-unes de ses poésies sont belles.* — Sans compl. *Quelques-uns,* un petit nombre indéterminé de personnes. *C'est l'avis de quelques-uns.* ⇒ **certains.**

quémander [kemɑ̃de] v. tr. ■ conjug. 1. ■ Demander humblement et avec insistance (de l'argent, une faveur). ▶ **quémandeur, euse** n. ■ Personne qui quémande.

qu'en-dira-t-on [kɑ̃diʀatɔ̃] n. m. sing. ■ L'opinion malveillante d'autrui, de la société. *Avoir peur du, se moquer du qu'en-dira-t-on.* ⇒ **on-dit.**

quenelle [kənɛl] n. f. ■ Rouleau de pâte légère où est incorporé du poisson (de la volaille, etc.) haché fin.

quenotte [kənɔt] n. f. ■ Fam. Petite dent (d'enfant).

quenouille [kənuj] n. f. ■ Petit bâton garni en haut d'une matière textile, que les femmes filaient en la dévidant au moyen du fuseau ou du rouet.

querelle [kəʀɛl] n. f. ■ Vif désaccord (en paroles, en actes) entre personnes. ⇒ **dispute, dissension.** *Querelle de famille.* — Loc. *Chercher querelle à qqn,* le provoquer. ⇒ **noise.** ▶ **quereller** v. tr. • conjug. 1. **1.** Littér. Adresser des reproches à (qqn). ⇒ **gronder. 2.** SE QUERELLER v. pron. : (Récipr.). avoir une querelle, une dispute vive. ⇒ se **chamailler,** se **disputer.** *Jamais ils ne se querellent.* — (Réfl.) *Se quereller avec qqn.* ▶ **querelleur, euse** adj. ■ Qui aime les querelles. ⇒ **batailleur.** *D'humeur querelleuse,* agressive.

quérir [keʀiʀ] v. tr. — REM. Ne s'emploie qu'à l'infinitif. ■ Vx. ALLEZ QUÉRIR *qqn, qqch.* : aller chercher. ⟨ ▶ acquérir, conquérir, requérir ⟩

questeur [kɛstœʀ] n. m. ■ Membre du bureau d'une assemblée parlementaire, qui règle les débats.

question [kɛstjɔ̃] n. f. **1.** Demande qu'on adresse à qqn en vue de l'apprendre qqch. de lui. ⇒ **interrogation.** *Poser une question à qqn. Elle s'est posé des questions.* — Ce qu'un examinateur demande au candidat qu'il interroge. — Demande d'explication à un ministre, adressée par un parlementaire. **2.** Sujet qui implique des difficultés, donne lieu à discussion. ⇒ **affaire, matière, point, problème.** *La question est difficile. Les divers aspects d'une question. Les questions économiques, sociales.* Loc. *Mettre, remettre en question,* soumettre à un examen (1), à une discussion. *Elle ne s'est jamais remise en question.* — *C'est toute la question,* c'est là la difficulté essentielle. *Il n'y a pas de question,* c'est sûr, il n'y a pas de problème. *Ce n'est pas la question,* il ne s'agit pas de cela.* Impers. *Il est question de...,* on parle de... — *Il s'agit de... En première page, il était question des élections.* — (Introduisant une éventualité qu'on envisage) *Il est question de lui comme directeur. Il n'est pas question que l'État prenne à sa charge cette dépense,* on ne peut envisager que... — EN QUESTION. *La personne, la chose en question,* dont il s'agit. **3.** Autrefois. Torture infligée aux accusés ou aux condamnés pour leur arracher des aveux. *Infliger la question. Soumettre qqn à la question.* ▶ **questionnaire** n. m. ■ Liste de questions (1) méthodiquement posées en vue d'une enquête, d'un jeu ; formulaire. *Remplissez ce questionnaire.* ▶ **questionner** v. tr. • conjug. 1. ■ Poser des questions (1) à (qqn), d'une manière suivie. ⇒ **interroger.** *Questionner un candidat.*

① **quête** [kɛt] n. f. ■ Action de demander et de recueillir de l'argent pour des œuvres pieuses ou charitables. *Faire la quête pour les handicapés.* ▶ **quêter** [kete] v. ■ conjug. 1. **1.** V. intr. Faire la quête. **2.** V. tr. Demander ou rechercher comme un don, une faveur. ⇒ **mendier, solliciter.** *Son regard quête une approbation.* ▶ **quêteur, euse** n. ■ Personne chargée de faire la quête.

② **quête** n. f. ■ Vx. Recherche. *La quête du Graal.* — LOC. EN QUÊTE DE... : à la recherche de... *Il se met en quête d'un restaurant.*

quetsche [kwɛtʃ] n. f. ■ Grosse prune oblongue de couleur violet sombre. *Tarte aux quetsches.* — Eau-de-vie tirée de cette prune.

queue [kø] n. f. **I. 1.** Appendice plus ou moins long et poilu qui prolonge la colonne vertébrale de nombreux mammifères. *La queue d'un chat, d'un écureuil.* — Loc. *Rentrer la queue basse,* piteusement. — À LA QUEUE LEU LEU loc. adv. : l'un derrière l'autre. ⇒ **en file indienne. 2.** Extrémité postérieure allongée du corps des poissons, reptiles, etc. *La queue du lézard. Queues de langoustines,* l'abdomen (qui est

la meilleure partie). **3.** Ensemble des plumes du croupion (d'un oiseau). **4.** Loc. QUEUE-DE-MORUE, -DE-PIE : longues basques d'une veste d'habit. — QUEUE DE CHEVAL : formée par les cheveux (coiffure féminine). *Des queues de cheval.* — QUEUE DE POISSON. *Finir en queue de poisson,* brusquement, sans conclusion. ⇒ **tourner** court. *Faire une queue de poisson,* se rabattre brusquement (en voiture). **5.** Tige d'une fleur, d'une feuille. — Attache d'un fruit. *Tisane de queues de cerises.* **II. 1.** Partie terminale, prolongement. *La queue d'une comète,* la traînée lumineuse qui la suit. — *La queue d'un avion,* la partie postérieure du fuselage. — PIANO À QUEUE : grand piano dont les cordes disposées horizontalement forment un prolongement au clavier. **2.** *Queue de billard,* long bâton arrondi qui sert à pousser les billes. *La queue d'une poêle.* ⇒ **manche. III. 1.** Derniers rangs, dernières personnes (d'un groupe). *La tête et la queue du cortège. Il est à la queue de sa classe,* parmi les plus mauvais. **2.** File de personnes qui attendent leur tour. *Il y a toujours une queue de vingt mètres devant ce cinéma. Faire la queue.* **3.** Arrière d'une file de véhicules (surtout : *de queue, en queue). Les wagons de queue. Monter en queue.* **4.** Loc. *Commencer par la queue,* par la fin. *Sans queue ni tête,* dénué de sens, incohérent. ⟨ ▶ tête-à-queue ⟩

queux [kø] n. m. invar. ■ Vx. MAÎTRE QUEUX : cuisinier.

qui [ki] pronom **I.** Pronom relatif des deux nombres, masculin ou féminin, désignant une personne ou une chose. **1.** (Sujet ; avec antécédent exprimé) *Prenez la rue qui monte. Ceux qui s'en vont. Toi qui es si malin. La voilà qui arrive.* — (Sans antécédent exprimé) *Quiconque ; celui qui. Qui va lentement va sûrement. Nous sommes attirés par qui nous flatte. C'était à qui des deux serait le plus aimable.* — *Ce qui. Voilà qui doit être très agréable.* **2.** (Compl.) *Celui, celle que... Embrassez qui vous voudrez. Qui vous savez,* la personne (connue) qu'on ne veut pas nommer. — (Compl. indir. ou circonst.) ⇒ **lequel.** *L'homme à qui j'ai parlé, de qui je vous parle* ⇒ **dont,** *pour qui je vote.* **II.** Pronom interrogatif singulier désignant une personne. **1.** (Interrog. dir. ; sujet, attribut) *Qui te l'a dit ? Qui sait ? Qui sont ces gens ? Qui est-ce ?,* quelle personne est-ce ? — (Compl.) *Qui demandez-vous ? De qui parlez-vous ?* **2.** (Interrog. indir.) *Dis-moi qui tu fréquentes, et je te dirai qui tu es.* **3.** QUI QUE (+ subjonctif) *Qui que tu sois, écoute-moi. Qui que tu sois tel ou tel. Qui que ce soit,* n'importe qui. ⟨ ▶ qui-vive, sauve-qui-peut ⟩

quiche [kiʃ] n. f. ■ Sorte de tarte garnie d'une préparation à base de crème, d'œufs et de lard. *Quiche lorraine.*

quiconque [kikɔ̃k] pronom rel. et indéf. **1.** (Relatif) Toute personne qui... ; qui que ce soit qui. *Quiconque m'aime, me suive.* ⇒ **qui** (I, 1). *Donnez-le à quiconque le voudra.* **2.** (Indéfini) N'importe qui, personne. *Je n'en parlerai à quiconque.*

quidam [k(ɥ)idam] n. m. ■ Plaisant. Un certain individu (toujours un homme). *Qui est ce quidam ? Des quidams.*

quiet, quiète [kjɛ, kjɛt] adj. ■ Vx. Paisible, tranquille. ▶ **quiétude** [kjetyd] n. f. ■ Littér. Calme paisible. ⇒ **sérénité.** Loc. *En toute quiétude,* en toute tranquillité. / contr. **agitation, inquiétude** / ⟨ ▶ inquiéter ⟩

quignon [kiɲɔ̃] n. m. ■ QUIGNON (DE PAIN) : morceau de pain contenant beaucoup de croûte. *Un vieux quignon de pain.*

① **quille** [kij] n. f. **1.** Chacun des rouleaux de bois qu'on dispose debout à une certaine distance pour les renverser avec une boule lancée à la main. *Un jeu de quilles.* ⇒ **bowling. 2.** Fam. Jambe. **3.** Fam. Fille.

② *quille* n. f. ■ Pièce située à la partie inférieure d'un bateau, dans l'axe de la longueur, et qui sert à l'équilibrer. *Barque retournée, la quille en l'air.*

③ *quille* n. f. ■ Arg. milit. Libération de la classe, fin du service. ⇒ **classe.** *Vive la quille !*

quincaillerie [kɛ̃kajʀi] n. f. **1.** Ensemble des ustensiles et des petits produits utilitaires en métal. *Quincaillerie d'outillage, d'ameublement.* **2.** Industrie de ces objets ou magasin où ils sont vendus. **3.** Fam. En informatique. Matériel. ▸ *quincaillier, ière* [kɛ̃kaje, jɛʀ] n. ■ Personne qui vend de la quincaillerie.

quinconce [kɛ̃kɔ̃s] n. m. ■ EN QUINCONCE : se dit d'objets disposés par groupes de cinq, dont quatre aux quatre angles d'un quadrilatère et le cinquième au centre. *Plantation d'arbres en quinconce.*

quinine [kinin] n. f. ■ Produit extrait de l'écorce de quinquina, qui sert de remède contre le paludisme.

quinqu(a)- ■ Élément signifiant « cinq ». ⇒ **pent(a)-.** ▸ *quinquagénaire* [kɛ̃kaʒenɛʀ] adj. et n. ■ Âgé de cinquante à soixante ans. ▸ *quinquennal, ale, aux* [kɛ̃kenal, o] adj. **1.** Qui a lieu tous les cinq ans. **2.** Qui dure, qui s'étale sur cinq ans. *Plan quinquennal.*

quinquet [kɛ̃kɛ] n. m. **1.** Ancienne lampe à huile à réservoir. **2.** Fam. Œil (surtout avec *ouvrir, fermer*).

quinquina [kɛ̃kina] n. m. ■ Écorce amère aux propriétés toniques et fébrifuges. — Vin apéritif contenant du quinquina. ⟨▸ quinine ⟩

quintal, aux [kɛ̃tal, o] n. m. ■ Unité de masse valant cent kilogrammes (symb. *q*).

① *quinte* [kɛ̃t] n. f. **1.** Intervalle de cinq degrés dans la gamme diatonique. **2.** Suite de cinq cartes de même couleur.

② *quinte* n. f. ■ QUINTE (DE TOUX) : accès de toux.

quintessence [kɛ̃tesɑ̃s] n. f. ■ Ce en quoi se résument l'essentiel et le plus pur de qqch. ⇒ le **meilleur,** le **principal.**

quintette [k(ɥ)ɛ̃tɛt] n. m. **1.** Œuvre de musique écrite pour cinq instruments ou cinq voix. **2.** Orchestre de jazz composé de cinq musiciens.

quintuple [kɛ̃typl] adj. **1.** Qui est répété cinq fois, qui vaut cinq fois plus. *Nombre quintuple d'un autre.* — N. m. *Le quintuple.* **2.** Constitué de cinq éléments semblables. ▸ *quintupler* v. ■ conjug. 1. **1.** V. tr. Rendre quintuple. **2.** V. intr. Devenir quintuple. *Les prix ont quintuplé.* ▸ *quintuplés, ées* n. pl. ■ Les cinq enfants (jumeaux) issus d'une même grossesse.

quinze [kɛ̃z] adj. numér. invar. et n. m. invar. **I. 1.** (Cardinal) Quatorze plus un (15). *Quinze minutes.* ⇒ **quart** d'heure. *Quinze cents francs* (ou mille cinq cents). — *Quinze jours.* ⇒ **quinzaine. 2.** (Ordinal) Quinzième. *Page quinze.* **II.** N. m. invar. **1.** Le nombre, le numéro ainsi désigné. **2.** Au rugby. Équipe de quinze joueurs. *Les tournois internationaux du Quinze de France.* ▸ *quinzième* adj. et n. **1.** Ordinal de quinze. **2.** Se dit de ce qui est également partagé en quinze. ▸ *quinzièmement* adv. ▸ *quinzaine* [kɛ̃zɛn] n. f. **1.** Nombre de quinze ou environ. **2.** Intervalle d'environ deux semaines. *Dans une quinzaine.*

quiproquo [kipʀoko] n. m. ■ Erreur qui consiste à prendre une personne ou une chose pour une autre ; le malentendu qui en résulte. *Des quiproquos comiques.*

quitte [kit] adj. **1.** (Surtout avec le v. *être*) Libéré d'une obligation juridique, d'une dette (matérielle ou morale). *Me voilà quitte envers lui. Nous sommes quittes.* **2.** (Avec quelques verbes : *tenir, considérer, estimer,* etc.) Libéré d'une obligation morale (par

l'accomplissement de ce qu'on doit). *S'estimer quitte envers qqn.* **3.** ÊTRE QUITTE (DE) : débarrassé (d'une situation désagréable, d'obligations). *J'en suis quitte à bon compte,* je m'en tire à bon compte. — Loc. *En être quitte pour la peur,* n'avoir que la peur (et pas de mal). QUITTE À (+ infinitif) : au risque de. *Il va se baigner par tous les temps, quitte à attraper un rhume.* — Loc. *Jouer à* QUITTE OU DOUBLE : une partie qui peut annuler ou doubler les résultats des précédentes. (→ Le tout pour le tout.) ▸ *quittance* [kitɑ̃s] n. f. ■ Attestation écrite de remboursement d'une somme due (après laquelle on est *quitte*). ⇒ **récépissé.** *Quittance de loyer.* ⟨▸ acquitter ⟩

quitter [kite] v. tr. ■ conjug. 1. **1.** Laisser (qqn) en s'éloignant, en prenant congé. *Je te quitte, à bientôt.* ⇒ **aller,** s'en **aller. 2.** Laisser (qqn) pour très longtemps, rompre avec (qqn). — Pronominalement. *Ils viennent de se quitter.* **3.** (Suj. chose) Cesser d'habiter, d'affecter (qqn). *Cette pensée ne le quitte pas,* l'obsède. **4.** Laisser (un lieu) en s'éloignant, cesser d'y être. ⇒ **partir.** *Quitter son pays.* ⇒ **émigrer.** *Le médecin lui interdit de quitter la chambre,* de sortir de la chambre. **5.** Loc. *Ne pas quitter des yeux,* regarder longuement. — *Ne quittez pas !* (au téléphone). **6.** (Surtout négatif) Cesser d'avoir sur soi, avec soi. ⇒ **enlever, ôter.** *Il ne quittait pas ses gants.* **7.** Abandonner (une activité, un genre de vie). *Il quitta son métier, sa situation.* / contr. **garder** /

qui-vive [kiviv] loc. interj. et n. m. invar. **1.** Interj. Cri par lequel une sentinelle, une patrouille interroge en entendant ou en voyant qqch. de suspect. **2.** N. m. SUR LE QUI-VIVE loc. adv. : sur ses gardes. *Elle est sans arrêt sur le qui-vive.*

quoi [kwa] pronom rel. et interrog. **I.** Relatif désignant une chose. (Toujours précédé d'une préposition) **1.** *Voilà de quoi il s'agit.* — (Se rapportant à l'idée que l'on vient d'exprimer) ⇒ **cela.** *Il fallut d'abord payer l'amende ; après quoi on nous a laissés partir. Réfléchis bien ; sans quoi tu vas te tromper. Faute de quoi.* ⇒ **autrement, sinon.** *Moyennant quoi,* en contrepartie. **2.** (Dans une relative à l'infinitif) *Il n'a pas de quoi vivre,* ce qu'il faut pour vivre. *« Je vous remercie beaucoup.* — *Il n'y a pas de quoi. »* **II.** Interrogatif désignant une chose. **1.** (Interrog. indirecte) *Je ne vois pas en quoi cela te gêne. Je saurai à quoi m'en tenir.* **2.** (Interrog. directe) *Quoi faire ? À quoi penses-tu ?* **3.** Fam. Pour demander un complément d'information. *Quoi, qu'est-ce que tu dis ?* ⇒ **comment.** — Fam. *De quoi ?* expression de menace, de défi. **4.** Interjection. ⇒ **comment.** *Quoi ! Vous osez protester ?* **5.** QUOI QUE (loc. concessive). *Quoi qu'il arrive,* quel que soit ce qui arrive. *Quoi qu'il en soit,* de toute façon. — *Quoi que ce soit,* qqch. de quelque nature que ce soit. *Il n'a jamais pu vendre quoi que ce soit.* ≠ quoique.

quoique [kwak] conj. **1.** Introduisant une proposition circonstancielle d'opposition ou de concession (+ subjonctif). ⇒ **bien** que, **encore** que. *Je lui confierai ce travail quoiqu'il soit bien jeune.* — (Avec ellipse du verbe) *Il était simple, quoique riche.* **2.** Introduisant une objection faite après coup. *Nous passons nos vacances à la montagne, quoique aimant bien la mer (quoique nous aimons bien, nous aimions bien ; quoique nous aimerions autant la mer).* ≠ quoi que. ⟨▸ je-ne-sais-quoi, pourquoi ⟩

quolibet [kɔlibɛ] n. m. ■ Littér. Propos moqueur à l'adresse de qqn. ⇒ **raillerie.**

quorum [k(w)ɔʀɔm] n. m. ■ Politique, administration. Nombre minimum de membres présents pour qu'une assemblée puisse valablement délibérer. *Des quorums.*

quota [k(w)ɔta] n. m. ■ Terme administratif. Contingent ou pourcentage déterminé. *Des quotas d'importation.*

quote-part [kɔtpaʀ] n. f. sing. ■ Part qui revient à chacun dans une répartition. *Payer, toucher sa quote-part.*

quotidien, enne [kɔtidjɛ̃, ɛn] adj. et n. m. **I.** Adj. De chaque jour ; qui se fait, revient tous les jours. *Son travail quotidien.* ⇒ **habituel, journalier. II.** N. m. Journal qui paraît chaque jour. *Vous trouverez la nouvelle dans les quotidiens. Les quotidiens, les hebdomadaires et les mensuels.* ▶ **quotidiennement** adv. ■ Tous les jours.

quotient [kɔsjɑ̃] n. m. **1.** En arithmétique, en algèbre. Résultat d'une division. **2.** *Quotient intellectuel,* rapport statistique de l'âge mental à l'âge réel d'un enfant, mesuré par des tests. ⇒ **Q.I.**

r

r [ɛʀ] n. m. invar. ■ Dix-huitième lettre, quatorzième consonne de l'alphabet. *Rouler les r. R grasseyé* [ʀ]. — Loc. *Les mois en R,* ceux dont le nom contient un *r,* pendant lesquels il est préférable de consommer les huîtres (de septembre à avril).

rab [ʀab] n. m. ■ Fam. ⇒ **rabiot.** *Il y a du rab. Faire du rab.* — Loc. EN RAB : en surplus. *Des légumes en rab.*

rabâcher [ʀabɑʃe] v. ■ conjug. 1. **1.** V. intr. Revenir sans cesse sur ce qu'on a déjà dit. *Ces vieux bonshommes rabâchent.* ⇒ **radoter. 2.** V. tr. Répéter continuellement, d'une manière fastidieuse. *Il rabâche toujours les mêmes choses.* ⇒ **ressasser.** — Apprendre en répétant sans cesse. *Rabâcher ses leçons.* ▶ **rabâchage** n. m. ▶ **rabâcheur, euse** n. ■ Personne qui a l'habitude de rabâcher. ⇒ **radoteur.**

rabais [ʀabɛ] n. m. invar. ■ Diminution faite sur le prix d'une marchandise, le montant d'une facture. ⇒ **réduction.** *Consentir un rabais sur le prix de qqch.* — AU RABAIS. *Vente au rabais.* ⇒ **solde.** Péj. *Tu l'as eue au rabais, ta nouvelle moto, tu n'as pas dû la payer cher.*

rabaisser [ʀabese] v. tr. ■ conjug. 1. **1.** Rabattre, diminuer. *Rabaisser les prétentions, l'orgueil de qqn.* **2.** Ramener à un état ou à un degré inférieur. ⇒ **abaisser, ravaler.** *Rabaisser l'homme au niveau de l'animal.* — Estimer ou mettre très au-dessous de la valeur réelle. ⇒ **déprécier ; dénigrer.** *Rabaisser les mérites de qqn.* — Pronominalement. *Se rabaisser.* ⇒ **s'humilier.** *Elle a tendance à se rabaisser.*

rabane [ʀaban] n. f. ■ Tissu de raphia. *Une natte de plage en rabane.*

① **rabattre** [ʀabatʀ] v. tr. ■ conjug. 41. **1.** Diminuer en retranchant (une partie de la somme). ⇒ **déduire, défalquer.** *Il n'a pas rabattu un centime sur la somme, de la somme demandée.* — EN RABATTRE : abandonner de ses prétentions ou des ses illusions. *Il a dû en rabattre.* **2.** Amener vivement à un niveau plus bas, faire retomber. *Rabattre son chapeau sur ses yeux.* **3.** Mettre à plat, appliquer contre qqch. *Je rabats le col de mon pardessus.* — Refermer. *Rabattre un couvercle, le capot d'une voiture.* — Pronominalement (passif). *Le siège avant se rabat, peut se rabattre.* ▶ **rabat** [ʀaba] n. m. **1.** Large cravate formant plastron, portée par les magistrats, les professeurs en toge. **2.** Partie rabattue ou qui peut se replier. *Poche à rabat. Le rabat d'un sac à main.* ▶ **rabat-joie** [ʀabaʒwa] n. m. invar. et adj. invar.

■ Personne chagrine, ennemie de la joie des autres. ⇒ **trouble-fête.** *Quels rabat-joie !* — Adj. invar. *Elles sont un peu rabat-joie.* ▶ **rabattu, ue** adj. ■ Qui est abaissé, ou replié. *Un chapeau rabattu, aux bords rabattus. Poches rabattues* (⇒ **rabat**).

② **rabattre** v. tr. ■ conjug. 41. **1.** Ramener par force dans une certaine direction. *Rabattre le gibier* (vers les chasseurs). — Pronominalement. Changer de direction en se portant brusquement de côté. *La voiture s'est rabattue après avoir doublé le camion.* **2.** V. pron. SE RABATTRE (SUR) *qqn, qqch.* : en venir à accepter, faute de mieux. *L'aînée l'ayant évincé, il s'est rabattu sur la cadette.* ▶ **rabattage** n. m. ■ Action de rabattre (le gibier). ▶ **rabatteur, euse** n. **1.** Personne chargée de rabattre le gibier. **2.** Péj. Personne qui fournit des clients à un vendeur, des marchandises à un acheteur. ⇒ **racoleur** (1).

rabbin [ʀabɛ̃] ou **rabbi** [ʀabi] n. m. ■ Chef religieux d'une communauté juive, qui préside au culte. *Grand rabbin,* chef d'un consistoire israélite. ▶ **rabbinique** adj. ■ Qui concerne les rabbins. *École rabbinique.*

rabelaisien, ienne [ʀablɛzjɛ̃, jɛn] adj. ■ Qui rappelle la verve truculente de Rabelais. ⇒ **gaulois.** *Style rabelaisien.*

rabibocher [ʀabiboʃe] v. tr. ■ conjug. 1. Fam. **1.** Vx. Rafistoler. **2.** Réconcilier. — Pronominalement. *Ils se sont rabibochés.* ▶ **rabibochage** n. m.

rabiot [ʀabjo] n. m. Fam. **1.** Supplément ou surplus dans une distribution (de vivres). *Un rabiot de vin, de cigarettes. Il y a du rabiot.* ⇒ fam. **rab. 2.** Temps de travail supplémentaire. *Faire du rabiot.* ▶ **rabioter** v. ■ conjug. 1. Fam. **1.** V. intr. Faire des petits profits supplémentaires. *Il cherche toujours à rabioter.* **2.** V. tr. S'approprier à titre de petit profit. *Rabioter un jour de congé.*

râble [ʀɑbl] n. m. **1.** Partie charnue du dos, chez certains quadrupèdes (lapin, lièvre). *Un râble à la moutarde.* **2.** Loc. fam. SUR LE RÂBLE : sur le dos. *Ils nous sont tombés sur le râble,* ils nous ont attaqués. ▶ **râblé, ée** adj. **1.** Qui a le râble épais. *Cheval râblé.* **2.** (Personnes) Trapu et vigoureux. *Un garçon râblé.*

rabot [ʀabo] n. m. ■ Outil de menuisier, servant à enlever les inégalités d'une surface de bois. ⇒ **varlope.** *Le passage du rabot produit des copeaux.* ▶ **raboter** v. tr. ■ conjug. 1. ■ Aplanir au rabot. *Raboter une pièce de bois.* — Au p. p. adj. *Plancher*

raboté. ▸ **rabotage** n. m. ▸ **raboteux, euse** adj.
■ Qui présente des inégalités, des aspérités (surface,
sol). ⇒ **inégal.** *Plancher raboteux. Des terrains raboteux.* — Abstrait. *Un style raboteux.* ⇒ **rugueux.**

se **rabougrir** [ʀabugʀiʀ] v. pron. ■ conjug. 2. ■ Se
recroqueviller sous l'effet de la sécheresse (végétaux),
de l'âge (personnes). ⇒ s'**étioler.** *Cet été, l'herbe s'est
rabougrie.* ▸ **rabougri, ie** adj. 1. (Plantes) Qui s'est
peu développé. *Arbuste rabougri.* 2. (Personnes) Mal
conformé, chétif. ⇒ **ratatiné.** *Enfant rabougri. Des
vieillards tout rabougris.* ▸ **rabougrissement** n. m.

rabrouer [ʀabʀue] v. tr. ■ conjug. 1. ■ Traiter avec
rudesse (qqn qu'on désapprouve, dont on veut se
débarrasser). ⇒ **rembarrer.** *Il s'est fait vertement
rabrouer.* ▸ **rabrouement** n. m. ■ Littér. Action de
rabrouer.

racaille [ʀakaj] n. f. ■ Péj. Ensemble d'individus
louches, craints ou méprisés. ⇒ **canaille, fripouille.**
*La racaille est le milieu favori de certains romanciers
populistes.*

① **raccommoder** [ʀakɔmɔde] v. tr. ■ conjug. 1.
■ Réparer à l'aiguille (du linge, des vêtements).
⇒ **rapiécer, ravauder, repriser.** *Raccommoder un
lainage.* — Au p. p. adj. *Gants raccommodés.* ▸ **rac-
commodable** adj. ■ Qui peut être raccommodé.
▸ **raccommodage** n. m. ■ Action de raccommoder,
manière dont est raccommodé (le linge, un vêtement).
⇒ **rapiéçage, ravaudage, reprise.** *Faire du raccommodage. Un raccommodage hâtif.* ▸ **raccommodeur,
euse** n. 1. Ouvrier, ouvrière qui raccommode (du
linge, des vêtements). *Raccommodeur de filets de
pêche.* 2. Réparateur. *Un raccommodeur de faïence
et de porcelaine.*

② **raccommoder** v. tr. ■ conjug. 1. ■ Fam.
Réconcilier. *Raccommoder deux amis.* — SE RAC-
COMMODER v. pron. (réfl.) *Il s'est raccommodé avec
son frère.* — (Récipr.) *Ils se sont raccommodés.* ⇒ se
réconcilier ; fam. se **rabibocher.** ▸ **raccommodement** n. m. ■ Fam. Le fait de se raccommoder.
⇒ **réconciliation.**

raccompagner [ʀakɔ̃paɲe] v. tr. ■ conjug. 1.
■ Accompagner (qqn qui s'en retourne, rentre chez
lui). ⇒ **reconduire.** *Elle s'est fait raccompagner en
voiture.*

raccorder [ʀakɔʀde] v. tr. ■ conjug. 1. 1. Relier par
un raccord (des choses dissemblables ou disjointes).
Raccorder deux tuyaux. — (Choses) Former raccord.
Le tronçon qui raccorde les deux voies. 2. SE
RACCORDER v. pron. *Ce chemin se raccorde à la route.*
— Abstrait. Se rattacher. *Un discours qui ne se
raccorde à rien.* ▸ **raccord** [ʀakɔʀ] n. m. 1. Le fait
d'établir une liaison, une continuité entre deux choses,
deux parties. *Un raccord de maçonnerie.* — Faire un
raccord, refaire un peu son maquillage. 2. *Raccord
(de plans),* manière dont deux plans d'un film
s'enchaînent. 3. Pièce servant à réunir deux éléments
qui doivent communiquer. ⇒ **assemblage.** *Un raccord
de pompe, de tuyau.* ▸ **raccordement** n. m. ■ Action,
manière de raccorder. *Voie de raccordement,* voie de
chemin de fer qui en relie deux autres.

raccourci [ʀakuʀsi] n. m. 1. Loc. EN RACCOURCI :
en abrégé. *Voici l'histoire en raccourci.* 2. Ce qui est
exprimé de façon ramassée, elliptique. *De saisissants
raccourcis.* 3. Chemin plus court que le chemin
ordinaire pour aller quelque part. *Prendre un
raccourci, (par) le raccourci.*

raccourcir [ʀakuʀsiʀ] v. ■ conjug. 2. 1. V. tr. Rendre plus court. *Raccourcir une robe.* — Au p. p. adj.
Jupe raccourcie. — *Il faut raccourcir ce texte.*
⇒ **abréger.** 2. V. intr. Devenir plus court. *Cette jupe
a raccourci au lavage.* — Fam. *Les robes raccourcissent*

cette année, se portent plus courtes. — (Durée) *Les
jours raccourcissent.* ⇒ **diminuer.** / contr. **rallonger** /
▸ **raccourcissement** n. m. ■ *Le raccourcissement
d'un texte.* ⇒ **abrégement.** ‹ ▸ raccourci ›

par **raccroc** [paʀakʀo] loc. adv. ■ Par un heureux
hasard, sans l'avoir prévu. *Il a réussi par raccroc.*
⇒ **accroc.**

raccrocher [ʀakʀoʃe] v. tr. ■ conjug. 1. 1. Remettre en accrochant (ce qui était décroché). *Raccrocher
un tableau.* — *Raccrocher le combiné* (du téléphone).
— Sans compl. *Il a raccroché,* il a reposé le combiné
sur son support. 2. Rattraper par un coup heureux
(ce qui semblait perdu). *Raccrocher une place, un
emploi.* 3. Arrêter pour retenir (qqn qui passe).
⇒ **racoler.** *Le camelot raccrochait les passants.
Raccrocher les clients.* 4. SE RACCROCHER v. pron. :
se retenir (à un point d'appui). *Se raccrocher à une
branche.* — *Il se raccroche à l'idée de partir.* ⇒ se
cramponner. *Se raccrocher à qqn* (comme à une bouée
de sauvetage). — (Suj. chose) Se rapporter, se rattacher
à. *Cette idée se raccroche bien au sujet.* ▸ **raccro-
chage** n. m. ■ Action de raccrocher (qqn ; qqch).
⇒ **racolage.**

race [ʀas] n. f. **I.** 1. Famille illustre, considérée dans
sa continuité. ⇒ **sang.** *La race des Capétiens.*
— Loc. adj. invar. *Fin de race,* décadent. *Des gens
distingués, qui ont fin de race.* — L'ascendance. *Être
de race noble, de race paysanne.* ⇒ **origine, souche.**
— Vx. Génération. *Les races futures.* 2. Catégorie de
personnes apparentées par des comportements
communs. ⇒ **espèce.** *Être de la race des vainqueurs.
Nous ne sommes pas de la même race. C'est une race
qui s'éteint.* Fam. *Quelle sale race !* ⇒ **engeance.**
II. Subdivision de l'espèce zoologique, constituée par
des individus réunissant des caractères communs
héréditaires. *Les différentes races de chiens, de chats.
Races chevalines. Animal de race pure.* ⇒ **pur-sang.**
/ contr. **bâtard** / — Loc. adj. *De race, de race pure.
Animal, chiens de race.* **III.** 1. Groupe ethnique qui
se différencie des autres par un ensemble de caractères
physiques héréditaires (couleur de la peau, forme du
squelette, etc.). ⇒ **type** (2). *Race blanche, jaune,
noire. Croisement entre races,* métissage. 2. Abusivt.
Groupe naturel d'hommes qui ont des caractères
semblables (physiques, psychiques, culturels, etc.)
provenant d'un passé commun (⇒ **racisme**). *Race
latine, germanique.* 3. Loc. *Avoir de la race,* de la
classe. ⇒ **racé** (2). ▸ **racé, ée** adj. 1. (Animaux) Qui
présente les qualités propres à sa race. *Un cheval racé.*
2. (Personnes) Qui a une distinction, une élégance
naturelles. *Une femme racée.* ‹ ▸ antiraciste, racial,
racisme ›

① **racheter** [ʀaʃte] v. tr. ■ conjug. 5. 1. Acheter
de nouveau. *Il faudra que je rachète du pain.*
— Récupérer par achat (un bien vendu). *Faire
racheter un immeuble.* / contr. **revendre** / 2. Acheter
à qqn qui a acheté. *Vous l'avez payé cent francs, je
vous le rachète cent cinquante.* 3. Obtenir, contre
rançon, la mise en liberté de (qqn). *Racheter des
prisonniers.* ▸ ① **rachat** n. m. ■ Action de racheter
qqn, qqch.

② **racheter** v. tr. ■ conjug. 5. 1. Sauver (l'humanité) par la rédemption (en parlant de Dieu). 2. Réparer, effacer par sa conduite ultérieure (ses fautes, ses
erreurs). *Il a racheté ses erreurs de jeunesse. Ceci
rachète cela,* fait pardonner, oublier cela. ⇒ **compenser.** 3. SE RACHETER v. pron. : se réhabiliter (après
une faute), faire oublier par sa conduite les erreurs
passées. *Se racheter par des gentillesses.* ▸ ② **rachat**
n. m. ■ Fait de se racheter, d'être racheté.

rachidien, ienne [ʀaʃidjɛ̃, jɛn] adj. ■ De la
colonne vertébrale. *Bulbe rachidien. Canal rachidien.*

canal formé par la totalité des trous vertébraux, et qui contient la moelle épinière et ses annexes.

rachitisme [raʃitism] n. m. ■ Maladie de la période de croissance, qui se manifeste par diverses déformations du squelette. *Petit enfant atteint de rachitisme.* — Développement incomplet (d'un végétal). ▶ *rachitique* adj. ■ Atteint de rachitisme, très malingre, chétif.

racial, iale, iaux [rasjal, jo] adj. ■ Relatif à la race, aux races (III). *Caractères raciaux. La question, la politique raciale* (dans certains États). *Discrimination raciale* (ségrégation) *et racisme. Conflits raciaux.*

racine [rasin] n. f. **I. 1.** Partie des végétaux par laquelle ils se fixent au sol et absorbent les éléments dont ils se nourrissent. *Racines comestibles* (carottes, navets...). *Les radicelles* d'une racine.* **2.** Loc. PRENDRE RACINE : rester longtemps debout au même endroit. *Te voilà enfin ! je commençais à prendre racine !* **3.** Littér. Principe profond, origine. *Les racines de l'orgueil. Attaquer, détruire le mal à la racine.* **4.** Littér. Lien, attache. *Un émigré coupé de ses racines.* **II.** Partie par laquelle un organe est implanté. *La racine du nez. — La racine d'une dent,* fixée au maxillaire dans un alvéole. *Dents à une, deux, trois racines. — La racine des cheveux,* partie la plus proche du cuir chevelu. **III. 1.** *Racine carrée, cubique d'un nombre* N., nombre dont le carré, le cube est égal à N. *Racine carrée de 4 ($\sqrt{4}$). Racine cubique de 8 ($\sqrt[3]{8}$). 4 est la racine carrée de 16. Extraire une racine,* la calculer. ⇒ ② **radical** (2). **2.** Élément irréductible d'un mot, obtenu par élimination des désinences, des préfixes ou des suffixes. ⇒ ② **radical** (1). « *Bataille* » *et* « *combat* » *ont la même racine :* « *battre* ». ⟨ ▶ déraciner, enraciner ⟩

racisme [rasism] n. m. **1.** Théorie selon laquelle il existerait une hiérarchie des races donnant le droit à une race, dite supérieure, de dominer les autres. *Le racisme n'a aucune base scientifique.* — Ensemble de réactions qui, consciemment ou non, s'accordent avec cette théorie. *Ligue internationale contre le racisme et l'antisémitisme.* **2.** Hostilité violente contre un groupe social. *Racisme anti-jeunes.* ▶ *raciste* n. et adj. ■ Partisan du racisme. *C'est un, une raciste ; il, elle est raciste. Politique raciste.* / contr. **antiraciste** /

racket [rakɛt] n. m. ■ Anglic. Association de malfaiteurs organisant l'extorsion de fonds, par chantage, intimidation ou terreur ; activité de ce genre de malfaiteurs (dits *racketteurs*). ▶ *racketter* v. tr. ■ conjug. 1. ■ Anglic. Soumettre (qqn) à un racket. *Ces commerçants se font racketter par des truands.*

raclée [rakle] n. f. Fam. **1.** Volée de coups. ⇒ **correction.** *Recevoir, flanquer une raclée.* **2.** Fig. Défaite complète. *Ils ont pris une belle raclée aux élections.*

racler [rakle] v. tr. ■ conjug. 1. **1.** Frotter rudement (une surface) avec qqch. de dur ou de tranchant, de manière à égaliser ou à détacher ce qui adhère. ⇒ **gratter.** *Le chirurgien a dû racler l'os. Racler une casserole, un plat,* en gratter le fond. ⇒ **récurer.** *Racler la semelle de ses souliers.* — Loc. fam. *Racler les fonds de tiroirs.* ⇒ **tiroir.** — *Se racler la gorge,* la débarrasser de ses mucosités par une expiration brutale. **2.** Enlever (qqch.) en frottant de cette façon. *Racler une tache de boue sur son pantalon.* **3.** Frotter en entrant rudement en contact. *Les pneus raclent le bord du trottoir.* ⇒ **râper.** **4.** Jouer en raclant les cordes maladroitement. *Racler un violon, du violon.* ▶ *raclage* n. m. ■ Action de nettoyer en raclant. *Le raclage des peaux.* ▶ *raclement* n. m. ■ Action de racler ; bruit qui en résulte.

Un raclement de gorge. ▶ *raclette* n. f. ■ Plat suisse, savoyard, fait de fromage du pays exposé devant une source de chaleur, et dont on racle au fur et à mesure la partie ramollie pour la manger. *Raclette et fondue.* ▶ *raclure* n. f. ■ Déchet de ce qui a été raclé. ⇒ **rognure.** ⟨ ▶ raclée ⟩

racoler [rakɔle] v. tr. ■ conjug. 1. **1.** Attirer, recruter par des moyens publicitaires ou autres. *Racoler des partisans, des clients.* **2.** (Personnes se livrant à la prostitution) Accoster (qqn) en vue de l'attirer. ⇒ **raccrocher.** ▶ *racolage* n. m. ■ Action de racoler. *Faire du racolage pour un parti.* — Prostituées poursuivies pour racolage. ▶ *racoleur, euse* n. et adj. **1.** N. Recruteur ou propagandiste peu scrupuleux. ■ N. Personne qui racole (2). **3.** Adj. Qui cherche à retenir l'intérêt d'une façon équivoque et grossière. *Affiche racoleuse. Sourire racoleur.*

raconter [rakɔ̃te] v. tr. ■ conjug. 1. **1.** Exposer par un récit (des faits vrais ou présentés comme tels). ⇒ **conter, narrer, relater ; rapporter.** *Raconter une histoire. Raconter ce qui s'est passé. Raconter que...* (+ indicatif). *Il m'a raconté comment il avait eu ce poste.* **2.** Dire, débiter à la légère ou de mauvaise foi. *Je sais ce qu'on raconte.* ⇒ **dire.** *Qu'est-ce que tu me racontes là ?* ⇒ **chanter.** **3.** SE RACONTER v. pron. : (réfl.) se décrire, se dépeindre. *Se raconter avec complaisance, aimer parler de soi.* — (Passif) *Cela ne se raconte pas.* ▶ *racontable* adj. ■ Qui peut être raconté (surtout au négatif). *Cela n'est guère racontable en public.* / contr. **inracontable** / ▶ *racontar* n. m. ■ Surtout au plur. Propos médisant ou sans fondement sur le compte de qqn. ⇒ **bavardage, cancan, commérage, ragot.** *Ce ne sont que des racontars.* ▶ *raconteur, euse* n. ■ (Avec un compl.) *Un intarissable raconteur d'histoires.* ⟨ ▶ inracontable ⟩

racornir [rakɔrnir] v. tr. ■ conjug. 2. ■ Rendre dur comme de la corne ; dessécher. *La chaleur a racorni ce cuir.* — Pronominalement. *La viande s'est racornie à la cuisson.* ▶ *racorni, ie* adj. **1.** Durci comme de la corne. *Un vieux bout de viande tout racorni,* desséché. **2.** (Cœur, esprit...) Rendu insensible, sec. ▶ *racornissement* n. m.

radar [radar] n. m. ■ Système ou appareil de détection, qui émet à intervalles réguliers des signaux (ondes électromagnétiques) très brefs et en reçoit l'écho, permettant ainsi de déterminer la direction et la distance d'un objet (avion, etc.). *Un écran de radar. Des radars.* — En appos. *Station radar.*

rade [rad] n. f. **1.** Grand bassin naturel ou artificiel, ayant une issue vers la mer et où les navires peuvent mouiller. *La flotte est en rade à Toulon.* **2.** Loc. fam. EN RADE : à l'abandon. *Laisser qqn, qqch. en rade. Le projet est resté en rade,* a été abandonné. *Tomber en rade.* ⇒ en **panne.**

radeau [rado] n. m. ■ Plate-forme formée de pièces de bois assemblées, servant au transport de personnes ou de marchandises sur l'eau. *Un radeau de fortune. Des radeaux.*

① *radial, ale, aux* [radjal, o] adj. ■ Relatif au rayon d'un cercle ; disposé selon un rayon. — *Voie radiale* ou, n. f., *radiale,* route qui joint une voie centrale à une voie périphérique.

② *radial, ale, aux* adj. ■ Qui a rapport au radius ou à sa région. *Nerf radial. Veine radiale.*

radiant, ante [radjɑ̃, ɑ̃t] adj. ■ Qui se propage par radiation ; qui émet des radiations. *Chaleur radiante.*

① *radiateur* [radjatœr] n. m. ■ Appareil de chauffage à grande surface de rayonnement. *Radiateur de chauffage central. Radiateur électrique.*

② **radiateur** n. m. ■ Organe de refroidissement des moteurs à explosion (tubes où l'eau circule et se refroidit). *Le radiateur de sa voiture fuit.*

① **radiation** [ʀadjɑsjɔ̃] n. f. ■ Action de radier qqn ou qqch. d'une liste, d'un registre (souvent par une sanction). / contr. **inscription** / *La radiation d'un médecin par le Conseil de l'Ordre.*

② **radiation** n. f. ■ Énergie émise et propagée sous forme d'ondes à travers un milieu matériel. ⇒ **rayonnement.** *Période, fréquence, longueur d'onde d'une radiation.* ‹ ▶ ① radiateur, ② radiateur, irradier ›

① **radical, ale, aux** [ʀadikal, o] adj. et n. **I.** Adj. **1.** Qui tient à l'essence, au principe (d'une chose, d'un être). ⇒ **foncier, fondamental ; essentiel.** *Une impuissance radicale à agir. Changement radical.* ⇒ **total. 2.** Qui vise à agir sur la cause profonde de ce que l'on veut modifier. *Méthode radicale. Prendre des mesures radicales. Moyen radical.* **II.** Adj. Relatif au radicalisme politique. En France. *Parti radical, de nos jours, parti de réformes modérées, laïque et démocrate.* — N. *Les radicaux.* ▶ **radicalement** adv. ■ Dans son principe, d'une manière radicale. ⇒ **absolument, complètement, totalement.** *Des opinions radicalement opposées. Il a été radicalement guéri.* ▶ **radicaliser** v. tr. ▪ conjug. 1. ■ Rendre radical, plus intransigeant. — Pronominalement. *Le mécontentement se radicalise.* ▶ **radicalisation** n. f. ■ Action de radicaliser, fait de se radicaliser. ▶ **radicalisme** n. m. ■ Doctrine politique des radicaux et radicaux-socialistes *(radical-socialisme).* ▶ **radical-socialiste** adj. ■ En France. Qui est propre au *Parti républicain radical et radical-socialiste.* — N. *Les radicaux-socialistes.*

② **radical** n. m. **1.** Toute forme particulière prise par la racine d'un mot. *« Peuple », « popul... » sont deux radicaux de la même racine.* ⇒ **racine. 2.** Symbole (ⁿ√) qui indique, en algèbre, qu'on doit extraire la racine de degré *n* de la quantité qui se trouve sous la barre horizontale du signe.

radicelle [ʀadisɛl] n. f. ■ Petit filament d'une racine.

radier [ʀadje] v. tr. ▪ conjug. 7. ■ Faire disparaître d'une liste, d'un registre, d'un compte. ⇒ **effacer, rayer ;** ① **radiation.** *Il a été radié de l'Ordre des médecins.* / contr. **inscrire** / ‹ ▶ ① radiation ›

radiesthésie [ʀadjɛstezi] n. f. ■ Réceptivité particulière à des radiations qu'émettraient différents corps ; procédé de détection fondé sur cette réceptivité. ▶ **radiesthésiste** n. ■ Personne qui pratique la radiesthésie. ⇒ **sourcier.** *Le pendule du radiesthésiste.*

radieux, euse [ʀadjø, øz] adj. **1.** Qui rayonne, brille d'un grand éclat. ⇒ **brillant.** *Un soleil radieux.* — Très lumineux. *Une journée radieuse.* **2.** (Personnes) Rayonnant de joie, de bonheur. *Une jeune femme radieuse.* — Visage, sourire radieux. ⇒ **lumineux, resplendissant.** ▶ **radieusement** adv.

radin, ine [ʀadɛ̃, in] adj. ■ Fam. Un peu avare. *Ce qu'elle est radine !* (ou invar. *radin*). ▶ **radinerie** n. f. ■ Fam. Avarice.

radiner [ʀadine] v. intr. ou *se* **radiner** v. pron. ▪ conjug. 1. ■ Fam. Arriver, venir.

① **radio** [ʀadjo] n. f. **1.** Abréviation de *radiodiffusion. Écouter la radio. La Maison de la Radio* (à Paris). **2.** Poste récepteur de radio. *Il a deux radios. Radio portative.* ⇒ **transistor.** *Allumer, mettre, éteindre la radio.* ‹ ▶ autoradio, radioreportage, radiotaxi, radiotélévisé, radio-réveil ›

② **radio** n. m. ■ Spécialiste qui assure les liaisons par radio, à bord d'un avion, d'un bateau, ou à terre. *Le pilote et le radio.*

③ **radio** n. f. ■ *Passer à la radio,* à la radioscopie. *Se faire faire une radio,* une radiographie.

radi(o)- ■ Élément signifiant « radiation ② » (⇒ **radiesthésie, radium**), et spécialt « de la radiodiffusion » (⇒ ① **radio**), dans *radio-taxi,* etc. ▶ **radioactif, ive** [ʀadjoaktif, iv] adj. ■ Capable de se désintégrer par radioactivité. *Éléments radioactifs, substances radioactives* (radium, uranium, plutonium, etc.). *Déchets radioactifs. Retombées radioactives.* ▶ **radioactivité** n. f. ■ Propriété qu'ont certains noyaux atomiques de se transformer spontanément en émettant divers rayonnements. — *Radioactivité artificielle,* provoquée sur des noyaux stables à l'état naturel. ▶ **radiodiffusion** n. f. ■ Émission et transmission, par ondes hertziennes, de programmes variés ; organisation qui prépare et effectue cette transmission. *Programmes, chaînes de radiodiffusion.* ▶ **radiodiffuser** v. tr. ▪ conjug. 1. ■ Émettre et transmettre par radiodiffusion. *Radiodiffuser un concert.* — Au p. p. adj. *Conférence radiodiffusée.* ▶ **radioélectrique** [ʀadjoelɛktʀik] adj. ■ *Ondes radioélectriques,* ondes électromagnétiques de longueur supérieure aux radiations visibles et infrarouges. — Qui se rapporte à ces zones, à leur utilisation. ⇒ **hertzien.** ▶ **radiographie** [ʀadjɔgʀafi] n. f. ■ Enregistrement photographique de la structure interne d'un corps traversé par des rayons X. ⇒ ③ **radio.** ▶ **radiographier** v. tr. ▪ conjug. 7. ■ Faire une radiographie de. *Radiographier un malade, un organe. Elle s'est fait radiographier.* ▶ **radioguidage** n. m. **1.** Guidage des navires, des avions à l'aide d'ondes radioélectriques. **2.** Information radiophonique sur la circulation routière, destinée aux automobilistes. ▶ **radiologie** n. f. ■ Science traitant de l'étude et des applications (médicales, industrielles, scientifiques) de diverses radiations (notamment des rayons X et γ [gamma]). ⇒ **radiographie, radioscopie, radiothérapie.** *Le service de radiologie d'un hôpital.* ▶ **radiologue** [ʀadjɔlɔg] n. ■ Spécialiste de la radiologie. — Médecin spécialiste de la radiographie et de la radioscopie. ▶ **radiophonique** [ʀadjɔfɔnik] adj. ■ Qui concerne la radiodiffusion. *Programmes radiophoniques* ou *de radio* ① . ▶ **radioreportage** n. m. ■ Reportage radiodiffusé. ▶ **radioreporter** n. ■ *Un, une radioreporter.* ▶ **radioréveil** n. m. ■ Appareil de radio à déclenchement programmable pouvant de ce fait servir de réveil. *J'ai programmé le radioréveil à 7 heures pour avoir les nouvelles du matin. Des radioréveils.* ▶ **radioscopie** n. f. ■ Examen de l'image que forme, sur un écran fluorescent, un corps traversé par des rayons X. *Passer à la radioscopie.* ⇒ ③ **radio, scopie.** ▶ **radio-taxi** n. m. ■ Taxi muni d'un poste récepteur-émetteur de radio relié à une station centrale qui lui indique l'adresse des clients qu'il doit aller chercher. *Des radio-taxis.* ▶ **radiotélégraphie** n. f. ■ Télégraphie sans fil, transmission par ondes hertziennes de messages en alphabet morse. ▶ **radiotélescope** n. m. ■ Télescope permettant d'obtenir une image des corps célestes très éloignés par réception et analyse des ondes qu'ils émettent. *Étudier les quasars au radiotélescope.* ▶ **radiotélévisé, ée** adj. ■ Qui est à la fois radiodiffusé et télévisé. *Allocution radiotélévisée.* ▶ **radiothérapie** n. f. ■ Didact. Application thérapeutique des rayons X.

radis [ʀadi] n. m. invar. **1.** Plante cultivée pour ses racines comestibles ; cette racine que l'on mange crue. *Une botte de radis. Des radis (roses).* — *Un radis noir.* **2.** Loc. fam. *N'avoir plus un radis,* plus un sou, plus d'argent.

radium [ʀadjɔm] n. m. ■ Élément radioactif (symb. *Ra*), de la famille de l'uranium. *Le radium a été découvert par Pierre et Marie Curie.*

radius [ʀadjys] n. m. invar. ■ En anatomie. Os long, situé à la partie externe de l'avant-bras. *Une fracture du radius et du cubitus.* ⟨ ▶ ② radial ⟩

radja(h) ⟹ **raja(h).**

radoter [ʀadɔte] v. intr. - conjug. 1. ■ Tenir, par sénilité, des propos décousus et peu sensés. *Vieillard qui radote.* — Rabâcher. *Cesse donc de radoter !* ▶ *radotage* n. m. ■ ⟹ **rabâchage.** ▶ *radoteur, euse* n. ■ Personne qui radote. ⟹ **rabâcheur.**

radouber [ʀadube] v. tr. - conjug. 1. ■ Réparer la coque de (un navire) dans un bassin spécial, appelé *bassin de* RADOUB [ʀadu], n. m. ⟹ **calfater, caréner.**

radoucir [ʀadusiʀ] v. tr. - conjug. 2. 1. Rendre plus doux (le temps). *Le vent d'ouest a radouci le temps.* ⟹ **réchauffer.** 2. SE RADOUCIR v. pron. : devenir plus doux. *La température s'est beaucoup radoucie.* — (Personnes) *Sa colère tomba soudain et il se radoucit. Son ton se radoucit, devint plus aimable.* ▶ *radoucissement* n. m. ■ *Un brusque radoucissement* (du temps). ⟹ **redoux.**

rafale [ʀafal] n. f. 1. Coup de vent soudain et brutal. ⟹ **bourrasque.** *Une rafale de pluie, de neige. Le vent souffle par rafales, en rafales.* 2. Succession de coups tirés rapidement (par une batterie, une arme automatique). ⟹ **bordée, salve.** *Une rafale de mitrailleuse. Tirer par courtes rafales.*

raffermir [ʀafɛʀmiʀ] v. tr. - conjug. 1. 1. Rendre plus ferme. ⟹ **affermir, durcir.** *La douche froide raffermit les tissus.* — Pronominalement. *La pâte s'est raffermie. Sa santé se raffermissait de jour en jour.* 2. Remettre dans un état plus stable. ⟹ **fortifier.** — Au p. p. adj. *Le gouvernement est sorti raffermi de la crise.* — Pronominalement. Retrouver son assurance. *Il parut hésiter, puis se raffermit.* ▶ *raffermissement* n. m.

① **raffiner** [ʀafine] v. tr. - conjug. 1. ■ Procéder au raffinage de (une substance, un corps brut). — Au p. p. adj. *Sucre raffiné. Pétrole raffiné.* / contr. **brut** / ▶ *raffinage* n. m. ■ Ensemble des traitements opérés sur un corps brut ou un mélange de substances, de manière à obtenir un corps pur ou un mélange doué de propriétés déterminées. ⟹ **épuration.** *Le raffinage du sucre. Le raffinage du pétrole,* permettant d'en obtenir des produits finis (essences, huiles...). ⟹ **distillation.** ▶ *raffinerie* n. f. ■ Usine où s'effectue le raffinage (du sucre, du pétrole).

② **raffiner** v. intr. - conjug. 1. ■ Rechercher la délicatesse ou la subtilité la plus grande. *Ne cherchons pas à raffiner.* — RAFFINER SUR *qqch. Raffiner sur l'élégance, sur la présentation,* y apporter un excès de recherche. ▶ *raffiné, ée* adj. ■ Qui est d'une extrême délicatesse, témoigne d'une recherche ou d'une subtilité remarquable. *Politesse, élégance raffinée. Une éducation raffinée.* / contr. **grossier** / — (Personnes) *Un homme raffiné.* ⟹ **distingué.** ▶ *raffinement* n. m. 1. Caractère de ce qui est raffiné. *Le raffinement de son langage, de ses manières.* — *(Un, des raffinements)* Acte, chose qui dénote ou exige de la recherche, une grande finesse de goût. 2. *Un raffinement de...,* manifestation extrême (d'un sentiment).

raffoler [ʀafɔle] v. tr. ind. - conjug. 1. ■ RAFFOLER DE : aimer à la folie, avoir un goût très vif pour (qqn, qqch.). ⟹ **adorer.** *Elles raffolent toutes de lui. Cet enfant raffole des sucreries.*

raffut [ʀafy] n. m. ■ Fam. Tapage, vacarme. ⟹ fam. **boucan.** *Tu fais trop de raffut. Quel raffut !*

rafiot [ʀafjo] n. m. ■ Mauvais bateau. *Un vieux rafiot.*

rafistoler [ʀafistɔle] v. tr. - conjug. 1. ■ Fam. Raccommoder, réparer grossièrement avec des moyens de fortune. *Rafistoler une chaise.* ▶ *rafistolage* n. m. ■ *C'est du rafistolage, mais ça ira provisoirement.*

rafle [ʀɑfl] n. f. ■ Arrestation massive opérée à l'improviste par la police. ⟹ **descente** de police. *Être pris dans une rafle.*

rafler [ʀɑfle] v. tr. - conjug. 1. ■ Fam. Prendre et emporter promptement sans rien laisser. *Ils ont raflé tous les bijoux.*

rafraîchir [ʀafʀeʃiʀ] v. - conjug. 2. I. V. tr. 1. Rendre frais, refroidir modérément. *La pluie a rafraîchi l'atmosphère.* / contr. **radoucir, réchauffer** / — Pronominalement. *Le temps s'est bien rafraîchi.* 2. Donner une sensation de fraîcheur à (qqn). *Cette boisson m'a rafraîchi.* — Pronominalement. *Se rafraîchir,* boire un rafraîchissement. II. V. tr. 1. Rendre la fraîcheur, l'éclat du neuf à (qqch.). *Rafraîchir un blouson en le faisant teindre.* — *Rafraîchir les cheveux,* les couper légèrement. 2. Fam. *Je vais te rafraîchir la mémoire, les idées,* te rappeler ce que tu sembles avoir oublié (se dit aussi par menace). III. V. intr. Devenir plus frais. *Mettre du vin, un melon à rafraîchir.* ▶ *rafraîchi, ie* adj. ■ Rendu frais. *Champagne rafraîchi.* ⟹ **frappé.** *Servir des fruits rafraîchis* (et mélangés). ▶ *rafraîchissant, ante* adj. ■ Qui rafraîchit, donne une sensation de fraîcheur. *Une petite brise rafraîchissante.* — Qui désaltère. *Boissons rafraîchissantes* (jus de fruit, limonades, etc.). ⟹ **rafraîchissement** (2). — Abstrait. *Une impression rafraîchissante,* agréable et fraîche. ▶ *rafraîchissement* n. m. 1. Action de rafraîchir ; fait de devenir plus frais. *On assiste à un rafraîchissement de la température.* / contr. **réchauffement** / 2. Boisson fraîche prise en dehors des repas. *Prendre un rafraîchissement dans un café.* — Au plur. Boissons fraîches, glaces, fruits rafraîchis, etc., offerts à des invités. *Servir des rafraîchissements.*

ragaillardir [ʀagajaʀdiʀ] v. tr. - conjug. 2. ■ Rendre de la vitalité, de l'entrain à (une personne fatiguée, déprimée). ⟹ **réconforter, revigorer.** *Cette nouvelle nous a ragaillardis.* — Au p. p. adj. *Se sentir tout ragaillardi.* / contr. **ramolli** /

① **rage** [ʀaʒ] n. f. 1. État, mouvement de colère, de dépit extrêmement violent, qui rend agressif. ⟹ **fureur.** *Être fou de rage, ivre de rage. Cri de rage. Être, se mettre en rage. Il était dans une rage folle.* 2. RAGE DE... : envie violente, besoin passionné de... ⟹ **fureur.** *La rage de détruire.* — Loc. fam. *C'est (n'est) plus de l'amour, c'est de la rage,* c'est une passion déchaînée. 3. *Rage de dents,* mal de dents insupportable. 4. FAIRE RAGE (suj. chose) : se déchaîner, atteindre la plus grande violence. *La tempête faisait rage. L'incendie fait rage.* ▶ *rager* v. intr. - conjug. 3. ■ Fam. Enrager. *Cela me fait rager, cela m'exaspère.* (On dit aussi *c'est* RAGEANT, adj.) ▶ *rageur, euse* adj. 1. Sujet à des accès de colère. *Un enfant rageur.* ⟹ **hargneux.** 2. Qui dénote la colère, la mauvaise humeur. *Ton rageur.* ▶ *rageusement* adv. ⟨ ▶ enrager ⟩

② **rage** n. f. ■ Maladie mortelle transmise à l'homme par la morsure de certains animaux (chiens, surtout), caractérisée par des convulsions ou de la paralysie. *Vaccin contre la rage,* dit *antirabique.* ⟨ ▶ enragé ⟩

raglan [ʀaglɑ̃] n. m. ■ Pardessus assez ample, dont les emmanchures remontent jusqu'au col en couvrant

les épaules. *Des raglans.* — Adj. invar. *Des manches
raglan. Un imperméable raglan,* à manches raglan.

ragondin [ʀagɔ̃dɛ̃] n. m. ∎ Mammifère rongeur
(originaire d'Amérique du Sud), vivant au bord des
étangs, se nourrissant de poissons dont la chair et la
fourrure sont très estimées. *Un pâté de ragondin.*
— Cette fourrure. *Un manteau de ragondin.*

ragot [ʀago] n. m. ∎ Fam. Surtout au plur. Bavardage
malveillant, racontar. ⇒ **cancan.** *Faire des ragots.*

ragoût [ʀagu] n. m. ∎ Plat composé de morceaux
de viande (bœuf, veau, mouton) et de légumes cuits
ensemble, avec une sauce. *Un ragoût de mouton.*

ragoûtant, ante [ʀagutɑ̃, ɑ̃t] adj. ∎ En emploi
négatif. Appétissant, plaisant. *Un mets peu ragoûtant.
Une histoire peu ragoûtante.* / contr. **dégoûtant** /

rai n. m., ou rare **rais** [ʀɛ] n. m. invar. ∎ Littér. Rayon
(de lumière). *Un rai de lumière passe sous la porte.*
≠ **raie.** ⟨▶ ① rayon, ② rayon, enrayer ⟩

raid [ʀɛd] n. m. **1.** Opération très rapide en territoire
ennemi, menée par des éléments très mobiles.
⇒ **incursion.** *Commando qui effectue un raid.*
— Attaque aérienne. *Un raid de bombardiers.*
2. Épreuve de longue distance, destinée à mettre en
valeur la résistance du matériel et l'endurance des
participants. *Raid automobile.* ⇒ **rallye.** ≠ *raide.*

raide [ʀɛd] adj. **I. 1.** Qui ne se laisse pas plier,
manque de souplesse. ⇒ **rigide.** *Tissu raide.* — *Cheveux raides* (opposé à *bouclés, ondulés*). **2.** Qui a perdu
sa souplesse. *Il a le dos raide, le cou raide.* Raidi,
engourdi. *Avoir les jambes raides. Doigts raides de
froid.* **3.** (Personnes) Qui se tient droit et ferme sans
plier. *Il est, il se tient raide comme un échalas, comme
un piquet, comme la justice.* — Qui manque de grâce,
de souplesse. *Danseur trop raide.* — *Maintien raide.*
⇒ **guindé. 4.** Tendu au maximum. *Une corde raide.*
— Loc. *Être sur la corde* raide.* **5.** Très incliné par
rapport au plan horizontal, difficile à gravir ou à
descendre. ⇒ **abrupt.** *Un escalier, une pente très raide.*
II. Abstrait. Fam. (Choses) Difficile à accepter, à croire
ou à supporter. ⇒ **fort.** *Elle est raide celle-là ! C'est
un peu raide !* **III.** Adv. Vx. **1.** Violemment, sèchement. ⇒ **fort.** *Il tape raide.* **2.** En pente raide. *Un
sentier qui grimpe raide.* ⇒ **dur. 3.** RAIDE MORT
(s'accorde comme un adj.) : mort soudainement. *Elles
sont tombées raides mortes.* ≠ *raid.* ▶ **raideur** n.
f. **1.** État de ce qui est raide ou raidi. ⇒ **rigidité.** *La
blessure lui avait laissé une certaine raideur dans le
bras.* **2.** Abstrait. Caractère de ce qui est rigide. *La
raideur de ses principes.* ⇒ **rigueur.** ▶ **raidillon**
[ʀɛdijɔ̃] n. m. ∎ Partie d'un chemin qui est en pente
raide sur une faible longueur. ⇒ **côte.** *Gravir un
raidillon.* ▶ **raidir** v. tr. ∎ conjug. 2. **1.** Faire devenir raide ou tendu, priver de souplesse. *Raidir ses muscles.*
⇒ ③ **contracter. 2.** SE RAIDIR v. pron. : tendre ses
forces pour résister. *Se raidir contre la douleur.* — Se
montrer plus intransigeant. *Des deux côtés on se raidit,
la négociation risque d'échouer.* ▶ **raidissement** n.
∎ Action de raidir, de se raidir. ⟨▶ déraidir ⟩

① **raie** [ʀɛ] n. f. **1.** Ligne droite, bande mince et
longue tracée sur qqch. ⇒ **rayure, trait.** *De fines raies
blanches. Un tissu à raies,* rayé. — Sillon naturel. *La
raie des fesses.* **2.** Ligne de séparation entre les
cheveux, où le cuir chevelu est apparent. *Porter la
raie au milieu.* ≠ *rai.* ⟨▶ rayer ⟩

② **raie** n. f. ∎ Poisson cartilagineux, au corps aplati
en losange, à queue hérissée de piquants, à la chair
délicate. *Raie au beurre noir.*

raifort [ʀɛfɔʀ] n. m. ∎ Plante cultivée pour sa
racine au goût piquant ; condiment à goût de

moutarde extrait de cette racine. *Sauce au raifort.*
— Radis noir d'hiver.

rail [ʀɑj] n. m. **1.** Chacune des barres d'acier
installées en deux lignes parallèles sur des traverses
pour constituer une voie ferrée ; chacune des bandes
continues ainsi formées. ⇒ **voie.** *Remplacer un rail.
L'écartement des rails. Les rails mobiles d'un aiguillage. Le train est sorti des rails.* ⇒ **dérailler.** — Loc.
Remettre sur les rails, sur la bonne voie ; rendre
capable (qqn, une entreprise, etc.) de marcher à
nouveau. **2.** Au sing. Transport par voie ferrée.
⇒ **chemin de fer.** *La concurrence entre le rail et la
route. Les ouvriers du rail.* ⇒ **cheminot.** ⟨▶ autorail,
dérailler ⟩

railler [ʀɑje] v. tr. ∎ conjug. 1. ∎ Littér. Tourner en
ridicule (qqn, qqch.) par des moqueries, des plaisanteries. ⇒ **se moquer.** — Sans compl. *Aimer (à) railler.*
≠ *rallier.* ▶ **raillerie** [ʀɑjʀi] n. f. **1.** Vx. Habitude,
art de railler (les gens, les choses). ⇒ **moquerie,
persiflage.** *Un ton de raillerie.* **2.** *(Une, des railleries)*
Propos ou écrit par lesquels on raille (qqn ou qqch.).
⇒ **quolibet, sarcasme.** ▶ **railleur, euse** adj. ∎ Qui
raille, exprime la raillerie. ⇒ **ironique, narquois,
persifleur.** *Un ton, un air railleur.*

rainette [ʀɛnet] n. f. ∎ Petite grenouille verte
vivant dans les terrains humides. *La rainette peut
grimper sur les arbustes grâce à ses doigts munis de
ventouses.* ≠ **reinette.**

rainure [ʀenyʀ] n. f. ∎ Entaille faite en long (à
la surface d'un objet). *Les rainures du parquet. La
rainure d'une poulie. Panneau qui glisse dans des
rainures.* ⇒ **coulisse.**

rais ⇒ **rai.**

raisin [ʀɛzɛ̃] n. m. ∎ *Le raisin* (collectif), *les raisins,*
fruit de la vigne, ensemble de baies *(grains)* réunies
en grappes. *Du raisin blanc, noir.* — *Cueillir, manger
du raisin, des raisins. Cure de raisins.* ⇒ **uval.**
— Raisins secs (de Corinthe, de Malaga...). *Un petit
pain aux raisins.* — *Jus de raisin. Les raisins servent
à faire du vin* (⇒ **vin**). ▶ **raisiné** n. m. ∎ Confiture
préparée avec du jus de raisin concentré (auquel on
peut ajouter d'autres fruits).

raison [ʀɛzɔ̃] n. f. **I.** (Pensée, jugement) **1.** La
faculté qui permet à l'être humain de connaître, juger
et agir conformément à des principes ⇒ **compréhension, entendement, esprit, intelligence,** et spécialt de
bien juger et d'appliquer ce jugement à l'action
⇒ **discernement, jugement,** bon sens. *Un choix
conforme à la raison.* ⇒ **raisonnable, rationnel.** Contraire à la raison. ⇒ **déraisonnable.** — Loc. *L'âge de
raison,* l'âge auquel on considère que l'enfant possède
l'essentiel de la raison (environ 7 ans). *Ramener qqn
à la raison,* à une attitude raisonnable. *Mettre qqn
à la raison,* le contraindre par la force ou l'autorité
à une attitude raisonnable. — (Opposé à *instinct,
intuition, sentiment*) Pensée logique. *La raison et la
passion. Un mariage de raison* (et non d'amour).
2. Les facultés intellectuelles (d'une personne), dans
leur fonctionnement normal. *La raison de qqn, sa
raison.* ⇒ **lucidité.** *Perdre la raison,* devenir fou. *Il
n'a plus toute sa raison.* **3.** Loc. PLUS QUE DE RAISON :
au-delà de la mesure raisonnable. *Il a bu plus que
de raison.* ⇒ **à l'excès.** — Loc. COMME DE RAISON :
comme la raison le suggère. **4.** Connaissance à
laquelle l'être humain accède sans l'intervention d'une
foi ou d'une révélation. *Mysticisme et raison.*
⇒ **rationalisme.** *Le culte de la Raison, sous la
Révolution française.* **5.** (Dans des loc. où le mot est
opposé à *tort*) Jugement, comportement en accord
avec les faits. AVOIR RAISON : être dans le vrai, ne
pas se tromper. *Je te prouverai que j'ai raison.* — *Vous*

avez raison de dire..., vous êtes dans le vrai en disant...
— DONNER RAISON *à qqn* : reconnaître qu'il a raison.
Je te donne raison sur ce point. II. (Principe, cause)
1. Ce qui permet d'expliquer (l'apparition d'un
événement, d'un fait). *Mon moteur est en panne ; je
n'en comprends pas la raison.* ⇒ **cause.** — Ce qui
permet d'expliquer (un acte, un sentiment). ⇒ **motif.**
*Un mouvement d'humeur dont on s'explique mal la
raison. Il s'est absenté sans donner de raison.* — Loc.
PAR, POUR LA RAISON QUE. ⇒ **parce que.** *Je ne l'ai
pas vu pour la (simple) raison que je me trouvais
absent. Pour quelle raison ?* ⇒ **pourquoi.** *Pour une
raison ou pour une autre, sans raison connue.* — EN
RAISON DE... : en considération de... ⇒ à **cause.** *Le
départ est retardé en raison du mauvais temps.* — SE
FAIRE UNE RAISON : se résigner à admettre ce qu'on
ne peut changer, prendre son parti. *S'il le faut, je me
ferai une raison.* **2.** Motif légitime qui pousse à faire
(qqch.). ⇒ **fondement, sujet.** *Avoir une raison d'agir,
d'espérer. Cet enfant est sa raison de vivre.* ⇒ **but.**
*Avoir de bonnes, de fortes raisons de croire, de penser
que* (+ indicatif). — *Ce n'est pas une raison, ce n'est
pas une bonne excuse. Il n'y a pas de raison. Raison
de plus pour que* (+ subjonctif), c'est une raison de
plus pour. — Loc. (au sing.) AVEC (JUSTE) RAISON :
en ayant une raison valable. ⇒ à juste **titre.** — À PLUS
FORTE RAISON : avec des raisons encore plus fortes,
meilleures. ⇒ a **fortiori.** SANS RAISON : sans motif,
sans justification raisonnable. *Il s'est fâché, non sans
raison, avec raison.* **3.** Au plur. Arguments destinés
à prouver. *Se rendre aux raisons de qqn,* à ses
arguments. **4.** AVOIR RAISON DE *qqn, qqch.* loc. verb. :
vaincre la résistance, venir à bout de (qqn, qqch.).
Les excès ont eu raison de sa santé. III. *La* RAISON
SOCIALE *d'une société* : le nom, la désignation de cette
société. **IV.** Sciences. Proportion*, rapport. *La raison
de la progression est 2 dans 1, 3, 5, 7,* (+2) *et 2, 4,
8, 16* (× 2). — *Augmenter, changer* EN RAISON
DIRECTE, INVERSE *de...* — À RAISON DE loc. prép. :
en comptant, sur la base de. *Dix paquets à raison de
vingt francs le paquet.* ▶ *raisonnable* [ʀɛzɔnabl] adj.
1. Doué de raison (I), de jugement. ⇒ **intelligent,
pensant.** *L'homme, animal raisonnable.* **2.** (Personnes)
Qui pense et agit selon la raison. ⇒ **réfléchi, sensé.**
Un enfant raisonnable. Sois raisonnable ! — (Choses)
Conforme à la raison. *Opinion, conduite raisonnable.*
⇒ **judicieux, sage.** — Attribut ; impersonnel. *Il est
raisonnable de croire que, de dire que* (+ indicatif).
⇒ **naturel, normal. 3.** Qui consent des conditions
modérées, en affaires. *Le vendeur a été très raisonnable. — Prix raisonnable.* ⇒ **acceptable.** ▶ *raisonnablement* adv. ■ D'une manière raisonnable. *Agir
raisonnablement. — C'est ce qu'on peut raisonnablement demander, sans prétention excessive.* ▶ *raisonnement* n. m. **1.** *Le raisonnement,* l'activité de
la raison (I), la manière dont elle s'exerce. *Opinion
fondée sur le raisonnement* ⇒ **théorique** *ou sur
l'expérience.* — *Le raisonnement* (opposé à *la foi, la
passion, l'intuition*). **2.** Le fait de raisonner en vue de
parvenir à une conclusion. *Les prémisses, la conclusion
d'un raisonnement. Un raisonnement juste ; faux.*
— Fam. *Ce n'est pas un raisonnement !,* votre
raisonnement est mauvais. *D'après ce raisonnement...,
à ce compte-là...* ▶ *raisonner* v. ■ conjug. 1. I. V. intr.
1. Faire usage de sa raison pour former des idées,
des jugements. ⇒ **penser.** *Raisonner sur des questions
générales.* ⇒ **philosopher.** *Raisonner sur des détails.*
⇒ **ratiociner.** — Au p. p. *Voilà qui est bien, mal
raisonné,* conforme ou non aux règles du raisonnement. **2.** Employer des arguments pour convaincre,
prouver ou réfuter. *Il a la manie de raisonner.*
⇒ **raisonneur** — Loc. fam. *Raisonner comme un
panier percé, comme une pantoufle,* mal. **3.** Enchaîner
les diverses parties d'un raisonnement pour aboutir

à une conclusion. *Raisonner faux, juste.* II. V. tr.
1. *Raisonner qqn,* chercher à l'amener à une attitude
raisonnable. *On ne peut pas le raisonner.* **2.** V. pron.
SE RAISONNER : écouter la voix de la raison. *Tâche
de te raisonner.* — (Sentiment, impulsion) Pouvoir être
contrôlé par la raison. *L'amour ne se raisonne pas.*
≠ **résonner.** ▶ *raisonnant, ante* adj. ■ *Folie
raisonnante,* délire nourri de raisonnements. ▶ *raisonné, ée* adj. **1.** Soutenu par des raisons (II), des
preuves. *Projet raisonné, étudié, réfléchi.* / contr.
irraisonné / **2.** Qui explique par des raisonnements
(et ne se contente pas d'affirmer). ⇒ **rationnel.**
Méthode raisonnée de grammaire, d'anglais. ▶ *raisonneur, euse* n. et adj. ■ Personne qui discute,
réplique. *Faire la raisonneuse. Un insupportable
raisonneur.* — Adj. *Il est très raisonneur.* ⟨ ▶ **arraisonner, déraison, irraisonné** ⟩

raja(h) [ʀaʒa] ou *radja(h)* [ʀadʒa] n. m.
■ Prince hindou. ⇒ **maharadjah.** *Des rajas, des
rajahs.*

rajeunir [ʀaʒœniʀ] v. ■ conjug. 2. I. V. tr.
1. Rendre une certaine jeunesse à (qqn). *Son séjour
au grand air l'a rajeunie.* **2.** Attribuer un âge moins
avancé à (qqn). *Vous me rajeunissez de cinq ans !*
— Loc. *Cela ne me (te...) rajeunit pas !,* c'est un
événement (anniversaire...) qui souligne mon (ton,...)
âge. **3.** Faire paraître (qqn) plus jeune (aspect
physique). *Cette coiffure la rajeunit.* — SE RAJEUNIR
v. pron. : se faire paraître plus jeune qu'on n'est. *Il
essaie de se rajeunir par tous les moyens.* **4.** (Compl.
chose) Ramener à un état de nouveauté. *Rajeunir une
installation, un équipement.* ⇒ **moderniser. 5.** Abaisser l'âge de recrutement de (un groupe,...). *Rajeunir
les cadres d'une entreprise.* II. V. intr. Reprendre les
apparences de la jeunesse. *Elle a rajeuni, rajeuni de
dix ans.* — Au p. p. adj. *Je le trouve rajeuni.* / contr.
vieillir / ▶ *rajeunissant, ante* adj. ■ Propre à
rajeunir. *Suivre un traitement rajeunissant.* ▶ *rajeunissement* n. m. ■ Action de rajeunir ; résultat de
cette action. *Une cure de rajeunissement. Son rajeunissement est flagrant.*

rajouter [ʀaʒute] v. tr. ■ conjug. 1. **1.** Ajouter de
nouveau. *Rajouter du sel, du poivre.* — *Rajouter
quelques détails.* / contr. **supprimer** / **2.** EN RAJOU-
TER : en dire ou en faire plus qu'il n'en faut. ⇒ en
remettre. *Il faut toujours qu'il en rajoute !* ▶ *rajout*
[ʀaʒu] n. m. ■ Ce qui est rajouté. *Faire des rajouts
en marge d'un texte.*

rajuster [ʀaʒyste] v. tr. ■ conjug. 1. **1.** Remettre
(qqch.) en bonne place, en ordre. *Rajuster ses lunettes
(sur son nez).* — Pronominalement. *Se rajuster,*
remettre en bon ordre la tenue que l'on a sur soi.
2. Remettre en accord, en harmonie. *Rajuster* (ou,
plus cour., RÉAJUSTER [ʀeaʒyste] ■ conjug. 1.) *les
salaires,* les relever pour qu'ils demeurent proportion-
nés au coût de la vie. ▶ *rajustement* ou, plus cour.,
réajustement n. m. ■ Le fait de rajuster (surtout 2).

① *râle* [ʀɑl] n. m. **1.** Bruit rauque de la respiration
chez certains moribonds (⇒ ① **râler**). *Les râles d'un
agonisant.* **2.** Altération du bruit respiratoire, qui
signale une affection pulmonaire.

② *râle* n. m. ■ Petit échassier migrateur. *Râle
d'eau. Râle des genêts.*

ralentir [ʀalɑ̃tiʀ] v. ■ conjug. 2. I. V. tr. **1.** Rendre
plus lent (un mouvement, une progression dans
l'espace). / contr. **accélérer** / *Ralentir le pas, l'allure.*
2. Rendre plus lent (le déroulement, du processus).
*Les difficultés qui ralentissent l'expansion, la produc-
tion.* II. V. pron. SE RALENTIR. *Le rythme se ralentit.
La production s'est ralentie.* III. V. intr. Réduire la
vitesse du véhicule que l'on conduit. ⇒ **freiner.** *Il*

ralentissait à chaque croisement. Ralentir, travaux.
▸ **ralenti, ie** adj. et n. m. **I.** Adj. Dont le rythme est plus lent. *Mouvement ralenti.* / contr. **accéléré** / **II.** N. m. **1.** Régime le plus bas d'un moteur. *Régler le ralenti.* **2.** Cinéma. Procédé qui fait paraître les mouvements beaucoup plus lents à la projection que dans la réalité. **3.** Loc. AU RALENTI : en ralentissant le rythme, l'action. *Il travaille au ralenti, sans se presser.* ▸ **ralentissement** n. m. ■ *Le ralentissement d'un véhicule ; de l'expansion.* / contr. **accélération** /

① **râler** [ʀɑle] v. intr. ◾ conjug. 1. ■ Faire entendre un râle (1) en respirant. *Le moribond râlait.* ⟨ ▸ ① **râle** ⟩

② **râler** v. intr. ◾ conjug. 1. ■ Fam. Manifester sa mauvaise humeur ; protester. ⟹ **grogner, maugréer.** *Ça me fait râler.* ⟹ **enrager.** ▸ **râleur, euse** n. et adj. ■ Fam. Personne qui proteste, râle à tout propos. *Quelle râleuse !* — Adj. *Ce qu'il peut être râleur !*

rallier [ʀalje] v. tr. ◾ conjug. 7. **I. 1.** Regrouper (des gens dispersés). *Le chef rallie ses soldats, ses troupes.* ⟹ **rassembler. 2.** Unir (des personnes) pour une cause commune ; convertir à sa cause. ⟹ **gagner.** *Il a rallié les indécis.* — (Suj. chose) *Cette proposition a rallié tous les suffrages.* **3.** Rejoindre (une troupe, un parti, etc.). *Les opposants ont rallié la majorité.* **II.** V. pron. **1.** Se regrouper. *Les troupes se rallient.* **2.** Se rallier à, adhérer à. *Se rallier à un parti.* — Se rallier à l'avis de qqn. ⟹ **ranger.** ≠ **railler.** ▸ **ralliement** [ʀalimɑ̃] n. m. **1.** Le fait de rallier une troupe, de se rallier. ⟹ **rassemblement.** — Le fait de se rallier (à un parti, une cause, etc.). ⟹ **adhésion. 2.** Point de ralliement, lieu convenu pour se retrouver. *Ce café sera notre point de ralliement.* **3.** *Signe de ralliement, drapeau, enseigne, etc., autour duquel les soldats devaient se rallier dans la bataille ; objet qui sert aux membres d'une association à se reconnaître.*

rallonger [ʀalɔ̃ʒe] v. ◾ conjug. 3. **1.** V. tr. Transformer (qqch.) pour le rendre plus long. ⟹ **allonger.** *Rallonger une robe.* **2.** V. intr. Fam. Allonger. *Les jours rallongeant, on veille plus tard.* / contr. **diminuer, raccourcir** / **3.** V. tr. Fam. Être plus long pour (qqn). *Si vous prenez ce chemin, ça va vous rallonger de 5 km,* votre route sera plus longue de 5 km. ▸ **rallonge** n. f. **1.** Planche qui sert à augmenter la surface d'une table. *Table à rallonges.* **2.** Prolongation électrique. *La prise est trop loin, il faut une rallonge.* **3.** Loc. fam. *Nom à rallonges,* nom noble, à particule, à plusieurs éléments. **4.** Fam. Ce qu'on paye ou qu'on reçoit en plus du prix convenu ou officiel. ⟹ **supplément.** *Les ouvriers ont obtenu une rallonge pour travaux dangereux.* ⟹ **prime.** ▸ **rallongement** n. m.

rallumer [ʀalyme] v. tr. ◾ conjug. 1. **1.** Allumer de nouveau (ce qui s'est éteint, ce qu'on a éteint). *Il ralluma le feu, éteint par le vent. Rallumer sa cigarette.* — Sans compl. *Rallumer,* redonner de la lumière. **2.** Redonner de l'ardeur, de la vivacité à. ⟹ **ranimer.** *Rallumer un conflit.* — Pronominalement. *Les haines se sont rallumées.* ▸ **rallumage** n. m. ■ Action de rallumer.

rallye [ʀali] n. m. ■ Course d'endurance par étapes pour engins motorisés (autos, motos ⟹ **enduro,** avions,...). *Les rallyes sont souvent aussi éprouvants pour les hommes que pour les machines.*

ramadan [ʀamadɑ̃] n. m. ■ Mois pendant lequel les musulmans doivent observer, entre autres prescriptions, un jeûne strict entre le lever et le coucher du soleil. ⟹ **carême.** *Avant, pendant le ramadan.* — *Faire le ramadan,* observer les prescriptions de ce mois. ⟨ ▸ **ramdam** ⟩

ramage [ʀamaʒ] n. m. ■ Littér. Chant des oiseaux. ⟹ **gazouillement.**

ramages [ʀamaʒ] n. m. pl. ■ Dessins décoratifs de rameaux fleuris et feuillus. *Tissu à ramages.*

ramasser [ʀamase] v. tr. ◾ conjug. 1. **I. 1.** Resserrer, tenir serré (surtout au p. p. *ramassé,* et pronominalement). — *Se ramasser,* se mettre en masse, en boule. ⟹ **se pelotonner.** *Le chat se ramassa, puis bondit.* **2.** Réunir (des choses éparses). *Ramasser les ordures.* ⟹ **enlever.** *Le professeur ramasse les copies. Ramasser de l'argent à une quête.* **3.** Fam. RAMASSER *qqn* : l'arrêter (en parlant de la police, des autorités). *Elle s'est fait ramasser par la police.* **II. 1.** Prendre par terre (des choses éparses) pour les réunir. ⟹ **amasser.** *Ramasser du bois, des marrons.* — Au p. p. adj. *Des champignons ramassés dans les bois.* ⟹ **cueillir. 2.** Prendre par terre (une chose qui s'y trouve naturellement ou qui est tombée). *Ramasser un caillou. Ramasser une balle de tennis, un mouchoir.* — (Compl. personne) *On l'a ramassé ivre mort.* — Loc. fam. *Être à ramasser à la petite cuiller,* être en piteux état. **3.** Fam. Prendre (des coups) ; attraper (un mal). *Il a ramassé une volée. J'ai ramassé un de ces rhumes !* ▸ **ramassage** n. m. **1.** Action de ramasser. *Le ramassage du foin, des ordures ménagères.* **2.** Opération par laquelle un service routier transporte les ouvriers, les écoliers résidant dans les endroits éloignés ou isolés vers leur lieu de travail, leur école. *Services de ramassage. En hiver, le car de ramassage scolaire est souvent retardé par la neige ou le verglas.* ▸ **ramassé, ée** adj. ■ Resserré en une masse roulé en boule. ⟹ **pelotonné.** *Un aspect ramassé.* ⟹ **trapu.** — *Style ramassé,* condensé, concis. ▸ **ramasse-miettes** n. m. invar. ■ Ustensile pour nettoyer les miettes sur une table. *Des ramasse-miettes.* ▸ **ramasseur, euse** n. **1.** Personne qui ramasse. *Un ramasseur de balles* (au tennis). **2.** Personne qui va chercher chez les producteurs (les denrées destinées à la vente). *Ramasseur de lait.* ▸ **ramassis** [ʀamasi] n. m. invar. ■ Péj. Réunion (de choses ou de gens de peu de valeur). *Un ramassis d'incapables et de paresseux.* ⟹ **tas.**

rambarde [ʀɑ̃baʀd] n. f. ■ Garde-corps placé autour des gaillards et des passerelles d'un navire. — Rampe métallique, garde-fou. *La rambarde d'une jetée.*

ramdam [ʀamdam] n. m. ■ Fam. Tapage, vacarme. *Ils ont fait un de ces ramdams ! Quel ramdam !*

① **rame** [ʀam] n. f. ■ Longue barre de bois aplatie à une extrémité, qu'on manœuvre pour diriger une embarcation. ⟹ **aviron.** *Une paire de rames.* — Loc. fam. *Ne pas en fiche une rame, une ramée,* ne rien faire. ⟨ ▸ **ramer** ⟩

② **rame** n. f. **1.** Vx. Branche d'arbre. **2.** Treillis fiché en terre pour guider une plante potagère grimpante. *Une rame de haricots.* ⟨ ▸ **ramages, rameau, ramée, ramier, ramifier, ramure** ⟩

③ **rame** n. f. **1.** Ensemble de cinq cents feuilles (de papier). **2.** File de wagons attelés (surtout du métro). *La dernière rame vient de passer.*

rameau [ʀamo] n. m. ■ Petite branche d'arbre. *Des rameaux d'olivier. Branches et rameaux.* ⟹ **ramure.**

ramée [ʀame] n. f. ■ Littér. Ensemble des branches à feuilles d'un arbre. ⟹ **feuillage, ramure.** *S'étendre sous la ramée.*

ramener [ʀamne] v. tr. ◾ conjug. 5. **I. 1.** Amener de nouveau. *Ramenez-moi le malade après-demain.* **2.** Faire revenir (qqn, un animal, un véhicule) au lieu qu'il avait quitté. *Je vais le ramener chez lui.* ⇒ **reconduire, remmener.** *Ramener un cheval à l'écurie. Je te ramènerai la voiture demain.* ≠ *rapporter.* — Provoquer le retour de... *Le mauvais temps le ramena à la maison.* **3.** Faire revenir (à un sujet). *Ceci nous ramène à notre sujet.* — Faire revenir (à un état). *On l'a ramené à la vie, ramené à lui.* ⇒ **ranimer.** *Ramener qqn à de meilleurs sentiments.* — (Compl. chose) *Ramener tout à soi,* faire preuve d'égocentrisme. **4.** Faire renaître, revenir (une chose là où elle s'était manifestée). *Des tentatives pour ramener la paix.* ⇒ **restaurer, rétablir. 5.** Amener (qqn), apporter (qqch.) avec soi, au lieu qu'on avait quitté. *Elle a ramené d'Allemagne un fiancé sympathique.* — Au p. p. adj. *Des souvenirs ramenés du Japon.* **6.** Faire prendre une certaine position à (qqch.) ; remettre en place. *Ramener la couverture sur ses pieds.* — Au p. p. adj. *Cheveux ramenés derrière les oreilles.* **7.** Porter à un certain point de simplification ou d'unification. ⇒ **réduire.** *Ramener une fraction à sa plus simple expression.* **8.** Loc. fam. *Ramener sa fraise, la ramener,* être prétentieux. **II.** SE RAMENER v. pron. **1.** Se réduire, être réductible. *Toutes ces difficultés se ramènent à une seule. Tout ça se ramène à une question d'argent.* **2.** Fam. Venir. *Alors, tu te ramènes ?*

ramequin [ʀam(ə)kɛ̃] n. m. ■ Petit récipient individuel qui supporte la chaleur de cuisson.

ramer [ʀame] v. intr. ▪ conjug. 1. ■ Manœuvrer les rames, avancer à la rame. — Fam. Travailler dur. ▶ *rameur, euse* n. ■ Personne qui rame, qui est chargée de ramer. *Un rang, un banc de rameurs.*

rameuter [ʀamøte] v. tr. ▪ conjug. 1. ■ Regrouper de nouveau. ⇒ **ameuter.** *Rameuter la foule.*

rami [ʀami] n. m. ■ Jeu de cartes consistant à réunir des combinaisons de cartes qu'on étale sur la table. *Faire un rami.*

ramier [ʀamje] n. m. ■ Gros pigeon sauvage qui niche dans les arbres. — Adj. *Pigeon ramier.*

se ramifier [ʀamifje] v. pron. ▪ conjug. 7. **1.** Se diviser en plusieurs branches ou rameaux. *La tige s'est ramifiée.* **2.** Se subdiviser. *Les veines, les nerfs se ramifient.* — Au p. p. adj. *Les prolongements ramifiés de la cellule nerveuse.* **3.** Abstrait. Avoir des prolongements secondaires. *Une secte qui se ramifie.* ▶ *ramification* [ʀamifikasjɔ̃] n. f. **1.** Fait de se ramifier ; son résultat. *La ramification d'un tronc d'arbre.* **2.** Subdivision des artères, des veines, des nerfs... *Ramifications nerveuses.* — *Les ramifications d'un souterrain, d'une voie ferrée.* **3.** Groupement secondaire dépendant d'un organisme central. *Cette société a des ramifications à l'étranger.*

ramollir [ʀamɔliʀ] v. tr. ▪ conjug. 2. ■ Rendre mou ou moins dur. ⇒ **amollir.** *Ramollir du beurre.* — Pronominalement. Devenir plus mou ; devenir ramolli. ▶ *ramolli, ie* adj. **1.** (Choses) Devenu mou. *Des biscuits tout ramollis.* — Fam. *Cerveau ramolli,* faible, sans idées. **2.** Fam. (Personnes) Dont le cerveau est ramolli. ⇒ **gâteux.** — Sans énergie. *Il est un peu ramolli !* ▶ *ramollissement* n. m. ■ Action de se ramollir, état de ce qui est ramolli. — *Ramollissement cérébral,* lésion qui prive une partie du cerveau de l'irrigation sanguine. ▶ *ramollo* adj. et n. ■ Fam. Ramolli (2). *Elles sont un peu ramollos.*

ramoner [ʀamɔne] v. tr. ▪ conjug. 1. ■ Nettoyer en raclant pour débarrasser de la suie (les cheminées, les tuyaux). ▶ *ramonage* n. m. ▶ *ramoneur* n. m. ■ Celui dont le métier est de ramoner les cheminées.

① *rampe* [ʀɑ̃p] n. f. **1.** Plan incliné qui sert de passage entre deux plans horizontaux. *Rampe pour voitures dans un garage.* — Partie en pente d'un terrain, d'une route, d'une voie ferrée. *Gravir, monter une rampe.* ⇒ **montée. 2.** Plan incliné servant au lancement d'avions propulsés, de fusées. *La rampe de lancement d'une fusée.*

② *rampe* n. f. **1.** Balustrade à hauteur d'appui ; barre sur laquelle on peut s'appuyer, le long d'un escalier. *Sa main s'accroche à la rampe.* — Loc. fam. *Tenir bon la rampe,* tenir bon, s'accrocher. **2.** Rangée de lumières disposées au bord d'une scène de théâtre. *Les feux de la rampe.* — Loc. *Ne pas passer la rampe,* ne pas produire son effet, ne pas atteindre son public, lors d'un spectacle. *Acteur, réplique qui ne passe pas la rampe.*

ramper [ʀɑ̃pe] v. intr. ▪ conjug. 1. **1.** (Reptiles, vers, etc.) Progresser en se traînant sur le ventre, par un mouvement de reptation*. — (Animaux, personnes). Progresser lentement le ventre au sol, les membres repliés. *Le tigre rampe en épiant sa proie.* **2.** (Plantes) Dont les rameaux, les tiges se développent au sol, ou qui s'étend sur un support. *Vigne, lierre qui rampe le long d'un mur.* **3.** (Personnes) Péj. S'abaisser, être humblement soumis. *Ils rampent devant leur chef.* ▶ *rampant, ante* adj. **1.** Qui rampe. *Le serpent est un animal rampant.* — *Plantes rampantes.* **2.** (Personnes) Péj. Obséquieux, servile. — *Caractère rampant.*

ramure [ʀamyʀ] n. f. **1.** Littér. Ensemble des branches et rameaux (d'un arbre). ⇒ **branchage, ramée. 2.** Ensemble des bois des cervidés. ⇒ **andouiller.**

rancard [ʀɑ̃kaʀ] n. m. Fam. **1.** Renseignement confidentiel. ⇒ **tuyau.** *Il m'a passé un rancard pour les courses.* **2.** Rendez-vous. *Elle m'a donné rancard à 8 heures devant le cinéma.* ≠ *rancart.* ▶ *rancarder* v. tr. ▪ conjug. 1. Fam. **1.** Renseigner discrètement. *Le banquier m'a rancardé sur une prochaine dévaluation.* **2.** Pronominalement. Se renseigner. *Rancarde-toi à la gare pour connaître l'horaire des trains.* — Se donner rendez-vous. *On s'était rancardé devant les autos tamponneuses.*

rancart [ʀɑ̃kaʀ] n. m. ■ Loc. fam. *Mettre au rancart,* jeter, se débarrasser de (qqn ou qqch. qui est devenu inutilisable). ⇒ **rebut.** — *Un projet mis au rancart,* abandonné. ≠ *rancard.*

rance [ʀɑ̃s] adj. et n. m. ■ Se dit d'un corps gras qui a pris une odeur forte et un goût âcre. *Beurre rance.* — N. m. *Ce beurre sent le rance.* ▶ *rancir* v. intr. ▪ conjug. 2. ■ Devenir rance. *L'huile a ranci.* — Au p. p. adj. *Huile rancie.*

ranch [ʀɑ̃tʃ] n. m. ■ Ferme de la prairie, aux États-Unis ; exploitation d'élevage qui en dépend. *Des ranchs ou ranches.* ▶ *rancho* [ʀɑ̃tʃo] n. m. ■ Grande ferme en Amérique du Sud. *Des ranchos.*

rancœur [ʀɑ̃kœʀ] n. f. ■ Littér. Ressentiment, amertume que l'on garde après une désillusion, une injustice, etc. ⇒ **aigreur, rancune.** *Avoir de la rancœur contre qqn. Oublier sa rancœur. Des propos pleins de rancœur. Des rancœurs tenaces.*

rançon [ʀɑ̃sɔ̃] n. f. **1.** Prix que l'on exige pour délivrer une personne captive, des otages. *Payer une rançon. Les ravisseurs exigent une rançon.* **2.** *La rançon de...,* les inconvénients que comporte un avantage, un plaisir. ⇒ **contrepartie, envers.** *C'est la rançon de la gloire.* ▶ *rançonner* v. tr. ▪ conjug. 1. ■ Exiger de (qqn) une certaine somme d'argent sous la contrainte. *Des brigands rançonnaient les voyageurs.* ▶ *rançonnement* n. m.

rancune [ʀɑ̃kyn] n. f. ■ Souvenir tenace que l'on garde d'une offense, d'un préjudice, avec de l'hostilité et un désir de vengeance. ⇒ **rancœur, ressentiment.** *J'ai de la rancune contre lui. Garder rancune à qqn* *de qqch. Entretenir, nourrir sa rancune.* — Ellipt. *Sans rancune !,* formule de réconciliation. ▸ *rancunier, ière* adj. ■ Porté à la rancune. ⇒ **vindicatif.**

rang [Rɑ̃] n. m. **I. 1.** Suite (de personnes, de choses) disposée sur une même ligne, en largeur (opposé à *file,* disposée en longueur). ⇒ **rangée.** *Collier à trois rangs de perles. Les rangs d'un cortège.* — *Se mettre* EN RANG(S) : *sur un ou plusieurs rangs. Mettez-vous en rang par deux.* — *Ligne de sièges les uns à côté des autres. Elle s'est assise au premier rang ; au dernier rang.* — *Suite de mailles constituant une même ligne d'un ouvrage de tricot, de crochet. Un rang (tricoté) à l'endroit, un rang à l'envers.* **2.** *Suite de soldats placés les uns à côté des autres.* ⇒ **front.** *En ligne sur deux rangs. Sortir des rangs.* **3.** LES RANGS. *Les rangs d'une armée* : les hommes qui y servent. *Servir dans les rangs de tel régiment.* — *Masse, nombre. Ils vont grossir les rangs des mécontents. Nous l'avons admis dans nos rangs,* parmi nous. — Loc. ÊTRE, SE METTRE SUR LES RANGS : entrer en concurrence avec d'autres (pour obtenir qqch., un poste). **4.** LE RANG : l'ensemble des hommes de troupes. *Servir dans le rang.* **II. 1.** Situation dans une série ordonnée. ⇒ **ordre.** *Livres classés par rang de taille.* — Jeux de hasard. Classement selon le nombre de numéros trouvés. *Les gagnants du troisième rang touchent 3 504 F.* — *Place d'un dignitaire, d'un fonctionnaire, dans l'ordre des préséances. Avoir rang avant, après qqn. Se présenter par rang d'ancienneté, d'âge.* **2.** *Place, position dans un ordre, une hiérarchie.* ⇒ **classe, échelon.** *Le rang le plus bas, le plus haut. Un officier d'un certain rang.* ⇒ **grade.** **3.** Place (d'une personne) dans la société, de par sa naissance, sa fonction, sa puissance. ⇒ **condition, niveau, place.** *Le rang social de qqn.* — *Se dit surtout des rangs les plus élevés) Un titre qui confère un haut rang. Garder, tenir son rang.* — Loc. (Se dit de personnes ou de choses) *Être du même rang,* de même valeur. *Mettre sur le même rang,* sur le même plan. **4.** Place dans un groupe, un ensemble (sans idée de hiérarchie). Loc. METTRE AU RANG DE : compter parmi. ⇒ ① **ranger** (2). ▸ *rangée* n. f. ■ Suite (de choses ou de personnes) disposée côte à côte sur la même ligne. ⇒ **alignement, rang** (I). *Une double rangée d'arbres. Les rangées de fauteuils d'un cinéma.* ▸ *ranger* v. tr. ■ conjug. 3. **I. 1.** Disposer à sa place, avec ordre. ⇒ **classer, ordonner** (I). *Ranger ses affaires.* Au p. p. *Tout est bien rangé. Mots rangés par ordre alphabétique.* **2.** Mettre au nombre de, au rang de. *Cet auteur est à ranger parmi les classiques.* **3.** Mettre de côté pour laisser le passage. *Ranger sa voiture sur le bas-côté.* ⇒ **garer. II.** SE RANGER v. pron. (Suj. personne, véhicule) **1.** Se placer, se disposer. *Se ranger autour d'une table.* **2.** Se mettre en rangs (I). *Rangez-vous par trois !* **3.** S'écarter pour laisser le passage. *Le taxi se rangea contre le trottoir.* ⇒ se **garer. 4.** Loc. SE RANGER DU CÔTÉ DE *qqn* : prendre son parti. — SE RANGER À L'AVIS DE *qqn* : se déclarer de son avis. ⇒ **adopter. 5.** Absolt. Adopter un genre de vie plus régulier, une conduite plus raisonnable. *Elle a fini par se ranger.* ▸ *rangé, ée* adj. **1.** *Bataille rangée.* ⇒ **bataille. 2.** Qui a une vie réglée (II, 5). ⇒ **sérieux.** *Un homme rangé.* Fam. *Être rangé des voitures,* être assagi. — *Vie rangée.* ▸ *rangement* n. m. ■ Action de ranger (I, 1), de mettre en ordre ; son résultat. *Faire du rangement, des rangements.* ⟨ ▸ **arranger, déranger** ⟩

ranimer [Ranime] v. tr. ■ conjug. 1. **1.** Rendre la conscience, le mouvement à. *Ranimer une personne évanouie.* ⇒ **réanimer.** — Revigorer. *Cet air vivifiant m'a ranimé.* **2.** Au moral. Redonner de l'énergie à. ⇒ **réconforter.** *Ce discours ranima les troupes.* — *Ranimer l'ardeur de qqn. Ranimer de vieilles rancunes.* ⇒ **réveiller. 3.** Redonner de la force, de l'éclat (au feu). ⇒ **attiser, rallumer.** *Ranimer le feu.* ▸ *ranimation* n. f. ■ ⇒ **réanimation.**

raout [Raut] n. m. ■ Vx. Fête mondaine.

rapace [Rapas] n. m. et adj. **1.** N. m. Oiseau carnivore, aux doigts armés de serres, au bec puissant, arqué et pointu. *Rapaces diurnes,* qui chassent de jour (aigle, vautour...), *nocturnes,* qui chassent de nuit (chouette, hibou...). **2.** Adj. Qui cherche à s'enrichir rapidement et brutalement, au détriment d'autrui. ⇒ **avide, cupide.** *Un homme d'affaires rapace.* ▸ *rapacité* n. f. ■ Avidité brutale.

rapatrier [Rapatrije] v. tr. ■ conjug. 7. ■ Assurer le retour (d'une personne) sur le territoire auquel elle appartient par sa nationalité. *Rapatrier des prisonniers de guerre. Il a dû se faire rapatrier d'urgence.* ▸ *rapatrié, ée* adj. et n. ■ Qu'on a fait rentrer dans son pays. *Un malade rapatrié.* — N. (En parlant des prisonniers de guerre libérés, des coloniaux contraints de revenir en métropole, etc.) *L'aide aux rapatriés.* ▸ *rapatriement* n. m. ■ *Le rapatriement des prisonniers de guerre.*

râpe [Rɑp] n. f. **1.** Lime à grosses entailles. *Une râpe de menuisier.* **2.** Ustensile de cuisine qui sert à râper un aliment, un condiment. *Une râpe à fromage.* ▸ *râper* v. tr. ■ conjug. 1. **1.** Réduire en poudre grossière, en filaments (au moyen d'une râpe). *Râper des carottes.* — Au p. p. adj. *Gruyère râpé* ; n. m. *du râpé.* **2.** Travailler à la râpe (1). *Râper une planche.* — Irriter. *Vin qui râpe la gorge, le gosier.* ⇒ **racler.** ▸ ① *râpé, ée* adj. ■ (Tissu) Usé par le frottement, qui a perdu ses poils, son velouté. *Vêtement râpé.* ⇒ **élimé.** ⟨ ▸ ② râpé, râpeux ⟩

② *râpé* adj. ■ Loc. fam. *C'est râpé !,* se dit à l'occasion d'un contretemps, d'un espoir déçu. *Pour ce qui est de mon voyage, c'est râpé ; je n'ai plus un sou.* ⇒ fam. **cuit, fichu.** ≠ *raté.*

rapetasser [Raptase] v. tr. ■ conjug. 1. ■ Fam. Réparer sommairement, grossièrement (un vêtement, etc.). ⇒ **raccommoder, rapiécer.** *Rapetasser de vieux souliers.* ▸ *rapetassage* n. m. ■ ⇒ **raccommodage.**

rapetisser [Raptise] v. ■ conjug. 1. **I.** V. tr. **1.** Faire paraître plus petit, par un effet d'optique. *La distance rapetisse les objets.* **2.** Diminuer le mérite de (qqn). *On a voulu rapetisser cet homme célèbre.* **II.** V. intr. Devenir plus petit, plus court, dans l'espace ou dans le temps. *On rapetisse avec l'âge. Mon pull a rapetissé au lavage.* ⇒ **rétrécir.** ▸ *rapetissement* n. m.

râpeux, euse [Rɑpø, øz] adj. **1.** Hérissé d'aspérités, rude au toucher comme une râpe. ⇒ **rugueux.** *La langue râpeuse d'un chat. Tissu râpeux.* ⇒ **rêche. 2.** Qui râpe la gorge. ⇒ **âpre.** *Un vin râpeux.*

raphia [Rafja] n. m. ■ Palmier d'Afrique et d'Amérique équatoriale, à très longues feuilles. — La fibre textile qu'on tire de ces feuilles. *Sac en raphia.* ⇒ **rabane.**

rapiat, ate [Rapja, at] adj. et n. ■ Fam. Avare, cupide (de façon mesquine). *Elle est rapiat* ou *rapiate.* — N. *Un vieux rapiat.*

① *rapide* [Rapid] adj. **I. 1.** Qui se déplace, se meut ou peut se mouvoir à une vitesse élevée. / contr. **lent** / *Il est rapide à la course. Rapide comme une flèche. Voiture rapide et nerveuse. Train rapide.* ⇒ ② **rapide.** *Le courant rapide d'une rivière.* **2.** (Sans idée de déplacement) Qui exécute vite. *Il est rapide dans son travail.* ⇒ **expéditif, prompt.** — Qui comprend vite. *Esprit rapide.* ⇒ **vif. 3.** (Allure, mouvement) Qui s'accomplit à une vitesse, une cadence accélérée. *Allure, pas rapide.* — *Pouls rapide,* dont les battements sont très rapprochés. *Respiration rapide.* **4.** (En parlant d'une action, de qqch. qui évolue) Qui atteint son terme en peu de temps, qui a un rythme vif. ⇒ **prompt.** *Un travail rapide mais soigné. Guérison rapide. Nous espérons une réponse rapide. Sa décision a été bien rapide.* — *Qui conduit vite au but désiré. Méthode rapide.* / contr. **lent** / **II.** Fortement incliné par rapport au plan horizontal. *Pente rapide.* ⇒ **abrupt, raide.** *Descente rapide.* ► ② **rapide** n. m. **1.** Partie d'un cours d'eau où le courant est rapide et agité de tourbillons. *Les rapides du Saint-Laurent. La descente d'un rapide en kayak.* **2.** Train qui ne s'arrête qu'aux gares importantes (opposé à *omnibus*). ≠ **express, direct, T.G.V.** *Le rapide part à 12 h 23.* ► *rapidement* adv. ■ D'une manière rapide, à une grande vitesse, en un temps bref. ⇒ **vite.** / contr. **lentement** / ► **rapidité** n. f. ■ Caractère de ce qui est rapide (personnes, choses, actes...). *Agir avec rapidité.* ⇒ **promptitude.** / contr. **lenteur** / *La rapidité des mouvements de qqn. Il n'a aucune rapidité d'esprit. Il a fait des progrès d'une rapidité déconcertante.* ‹ ► ultra-rapide ›

rapiécer [ʁapjese] v. tr. ■ conjug. 3 et 6. ■ Réparer ou raccommoder en mettant une, des pièce(s). *Rapiécer du linge, des chaussures.* ⇒ **rapetasser, ravauder, repriser.** — Au p. p. adj. *Vêtement tout rapiécé. Pneu rapiécé.* ► *rapiéçage* n. m.

rapière [ʁapjɛʁ] n. f. ■ Ancienne épée longue et effilée. *Un coup de rapière.*

rapin [ʁapɛ̃] n. m. ■ Vieilli. Artiste peintre (au XIXᵉ siècle).

rapine [ʁapin] n. f. ■ Littér. Vol, pillage. *Vivre de rapines.*

raplapla [ʁaplapla] adj. invar. ■ Fam. Fatigué, sans force, « à plat ». *Elles se sentaient toutes raplapla.* / contr. en **forme, ragaillardi** /

① **rappeler** [ʁaple] v. tr. ■ conjug. 4. **I. 1.** Appeler pour faire revenir. *Rappeler son chien en le sifflant.* — *On l'a rappelé auprès de sa mère malade.* — Au p. p. adj. *Ambassadeur rappelé d'urgence.* — Loc. *Dieu l'a rappelé à lui* (euphémisme), il est mort. **2.** RAPPELER qqn À : le faire revenir à. *Rappeler qqn à la vie, à lui,* le faire revenir d'un évanouissement. — *Rappeler qqn à la raison. Elle s'est fait rappeler à l'ordre.* **II. 1.** Faire revenir à l'esprit, à la conscience (le passé,...). *Je rappelle à moi tous mes souvenirs. Ne rappelons pas le passé.* **2.** Faire souvenir de. *Je te rappelle ta promesse de venir ; je te rappelle que tu m'as promis de venir. Rappelle-moi à son bon souvenir.* **3.** (Suj. chose) Faire venir à l'esprit par associations d'idées. ⇒ **évoquer.** *Ces lieux me rappellent mon enfance. Cela ne te rappelle rien ?* — Faire penser, ressembler à. *Un paysage qui rappelle les bords de la Loire.* **4.** SE RAPPELER. v. pron. : rappeler (un souvenir) à sa mémoire, avoir présent à l'esprit. ⇒ se **souvenir, se remémorer.** — REM. On dit *se rappeler qqch.,* et *se souvenir de qqch. Je me le rappelle ; l'histoire, que je me rappelle bien ;* mais : *Une histoire dont on se rappelle la fin (se rappeler la fin de...). Je ne me rappelle plus rien,* j'ai oublié. *Rappelle-toi qu'on t'attend.* — SE RAPPELER À : faire souvenir de soi. *Je me rappelle à votre bon souvenir.* ► *rappel* n. m. **I. 1.** Action d'appeler (①, 3) pour faire revenir. *Le rappel d'un exilé. Le rappel des réservistes (sous les drapeaux).* ⇒ **mobilisation.** — Loc. BATTRE LE RAPPEL : essayer de réunir les gens ou les choses nécessaires. *Il a battu le rappel de tous ses amis.*

— Au plur. Applaudissements par lesquels on fait revenir sur scène un comédien, etc., pour l'acclamer. *Son numéro achevé, il eut de nombreux rappels.* **2.** RAPPEL À : action de faire revenir ; action de rappeler (I, 2). *Rappel à l'ordre,* à ce qu'il convient de faire. *Rappel au calme, à la réalité.* **3.** Répétition qui renvoie à une même chose. *Un rappel de couleurs.* — *Injection de rappel* (ou, ellipt, *rappel*), destinée à prolonger l'immunité conférée lors d'une première injection (vaccination). **4.** Paiement d'une portion d'appointements, etc., restée en suspens. *Toucher un rappel.* **5.** Alpinisme. Procédé de descente au moyen d'une corde que l'on ramène à soi en fin de parcours. *Faire du rappel. Descendre en rappel.* **II.** Action de rappeler (qqch.). ⇒ **évocation.** *Il rougit au rappel de cette aventure.* — Action de faire penser de nouveau à. *Signal de rappel de limitation de vitesse.*

② **rappeler** v. tr. ■ conjug. 4. ■ Appeler de nouveau au téléphone. *Je te rappellerai plus tard.* — Pronominalement (récipr.). *On se rappelle ce soir ?*

rappliquer [ʁaplike] v. intr. ■ conjug. 1. ■ Fam. Venir, arriver. *Ils ont rappliqué à l'improviste.*

① **rapporter** [ʁapɔʁte] v. tr. ■ conjug. 1. **I. 1.** Apporter (une chose qui avait été déplacée) à l'endroit initial. ⇒ **remettre** à sa place. *Rapporter ce qu'on a pris.* **2.** Apporter (qqch.) d'un lieu en revenant. *Tu rapporteras du pain. Rapporte-moi la réponse dès que possible.* **3.** Ajouter (une chose) pour compléter qqch. *Rapporter une poche, un morceau de tissu...,* les coudre sur un autre. — Au p. p. adj. *Veste à poches rapportées.* **4.** *Rapporter un angle,* le tracer, après l'avoir mesuré sur un objet (⇒ ① **rapporteur**). **II.** (Suj. chose) Produire un gain, un bénéfice. *Rapporter un revenu. Argent qui rapporte rien.* — *Ce métier me rapporte.* ► ① **rapport** [ʁapɔʁ] n. m. ■ Le fait de rapporter (II) un profit. ⇒ **rendement.** *Il vit du rapport de ses terres. Ce placement est d'un bon rapport.* Loc. *Immeuble, maison* DE RAPPORT : dont le propriétaire tire profit par la location. — Jeux. Gain produit en fonction de la mise. *« Connais-tu le rapport du tiercé de samedi ? — Oui, il est de 5 604,34 F pour 5 F. »* ► ① **rapporteur** n. m. ■ Demi-cercle gradué qui sert à mesurer ou à tracer les angles.

② **rapporter** v. tr. ■ conjug. 1. **1.** Venir dire, répéter (ce qu'on a appris, entendu). *On m'a rapporté que* (+ indicatif). — Citer, rapporter un mot célèbre. **2.** Répéter par indiscrétion ou malice une chose de nature à nuire à qqn. — Fam. Sans compl. Dénoncer (⇒ ② **rapporteur**). ► ② **rapport** n. m. **1.** Action de rapporter (ce qu'on a vu, entendu) ; ce que l'on rapporte. ⇒ **récit, relation, témoignage.** *Des rapports indiscrets.* — Compte rendu plus ou moins officiel. *Faire un rapport écrit, oral sur une question.* ⇒ **exposé.** *Rédiger un rapport. Rapport confidentiel, secret. Un rapport de police. Le rapport du médecin légiste.* **2.** Armée. Communication d'instructions, distribution du courrier, etc. *Au rapport !* ► *rapportage* n. m. ■ Fam. (Lang. des écoliers) Action de rapporter (2). ► ② **rapporteur, euse** adj. et n. ■ (Personnes) Qui rapporte (2). ⇒ **mouchard.** *Elle est rapporteuse et sournoise.* — N. *Oh, le rapporteur !* **2.** N. m. Personne qui rend compte d'un procès au tribunal, d'un projet de loi devant une assemblée. *Désigner un rapporteur.*

③ **rapporter** v. tr. ■ conjug. 1. **I.** RAPPORTER qqch. À : rattacher (une chose à une autre) par une relation logique. *On ne peut comprendre cet événement sans le rapporter à son époque.* ⇒ **situer. II.** SE RAPPORTER v. pron. **1.** Avoir rapport à, être en relation logique avec. ⇒ **concerner.** *La réponse ne se rapporte pas à la question.* **2.** S'EN RAPPORTER À qqn :

lui faire confiance pour décider, juger, agir. ⇒ s'en **remettre** à. *Je m'en rapporte à vous, à votre jugement.* ⇒ se **fier** à. ► ③ *rapport* n. m. **I. 1.** Lien entre plusieurs objets distincts. ⇒ ① **relation.** *Rapports de parenté. Pouvons-nous établir un rapport entre ces deux faits ?* — AVOIR RAPPORT À : se rapporter à. *Ce texte a rapport à ce que vous cherchez,* il répond à. ⇒ **concerner. 2.** Relation de ressemblance ; traits, éléments communs. ⇒ **affinité, analogie, parenté.** *Il n'y a pas beaucoup de rapport entre leurs deux façons de voir. Être sans rapport avec autre chose,* être tout à fait différent. — EN RAPPORT AVEC : qui correspond, convient à. *Il cherche une place en rapport avec ses goûts,* en conformité, en harmonie avec. *Un salaire en rapport avec ses diplômes.* **3.** Relation de cause à effet. ⇒ **corrélation.** *Je ne vois pas le rapport. Ces deux choses n'ont aucun rapport.* **4.** Quotient de deux grandeurs de même espèce. ⇒ **fraction.** *Nombres dans le rapport de un à dix, de cent contre un. Un bon rapport qualité-prix.* **5.** PAR RAPPORT À loc. prép. : en comparant. ⇒ **relativement** à. *Considérons ces deux œuvres l'une par rapport à l'autre. Par rapport à sa sœur, elle est petite.* **6.** Fam. (Emploi fautif) RAPPORT À... : en ce qui concerne, à propos de... *Je t'écris, rapport à ma sœur.* **7.** SOUS LE RAPPORT DE : du point de vue de, en ce qui concerne. *Étudier un projet sous le rapport de sa rentabilité.* ⇒ **aspect.** *Sous tous (les) rapports,* à tous égards. *Une jeune fille très bien sous tous rapports.* **II.** Au plur. **1.** Relation entre des personnes. ⇒ **commerce** (II). *Les rapports sociaux. Entretenir de bons rapports.* — Absolt. *Relations sexuelles. Ils n'ont plus de rapports.* **2.** Relation avec des collectivités. *Les rapports entre les États, entre les peuples.*

④ *rapporter* v. tr. ▪ conjug. 1. ▪ *Rapporter une décision, une mesure...,* annuler, supprimer. ⇒ **abroger.**

rapprendre [ʀapʀɑ̃dʀ] ou *réapprendre* [ʀeapʀɑ̃dʀ] v. tr. ▪ conjug. 58. ▪ Apprendre de nouveau. *Il faudra qu'il réapprenne sa leçon. Le kinésithérapeute a dû lui réapprendre à marcher.*

rapprocher [ʀapʀɔʃe] v. tr. ▪ conjug. 1. **I. 1.** Mettre plus près de (qqn, qqch.), rendre plus proche*. / contr. **éloigner** / *Rapproche ton siège du mien.* — Diminuer l'espace entre. / contr. **écarter** / *Rapprocher les bords d'une plaie.* — Faire paraître plus proche. *Jumelles qui rapprochent les objets.* **2.** Faire approcher (d'un moment, d'un état à venir). *Chaque jour nous rapproche de la mort.* **3.** Disposer (des personnes) à des rapports amicaux. *Le besoin rapproche les hommes.* **4.** Rattacher par les rapports de ressemblance ; comparer. *Ce sens est à rapprocher du précédent.* **II.** SE RAPPROCHER v. pron. **1.** Venir plus près. *Elle s'est rapprochée de lui. Se rapprocher les uns des autres.* **2.** Devenir plus proche. *L'orage se rapproche.* **3.** En venir à des relations meilleures. *Depuis quelque temps ils se sont rapprochés.* **4.** Tendre à être plus près de but, un principe). *Se rapprocher de son idéal.* **5.** SE RAPPROCHER DE : être près de, par la ressemblance. *C'est ce qui se rapproche le plus de la vérité.* ► *rapproché, ée* adj. **1.** Proche (de qqch.) ; au plur. proches l'un de l'autre. *Avoir les yeux très rapprochés.* **2.** Qui se produit à peu d'intervalle. *Il y eut deux coups de feu rapprochés.* ► *rapprochement* n. m. **1.** Action de rapprocher, de se rapprocher. *Le rapprochement de deux objets.* **2.** Plus cour. Établissement ou rétablissement de relations plus cordiales. *Travailler au rapprochement de deux nations.* **3.** Action d'établir un rapport ; ce rapport. *Un rapprochement de mots.* ⇒ **association.** *Je n'avais pas fait le rapprochement entre ces deux événements.* ⇒ **relation.**

rapt [ʀapt] n. m. ▪ Enlèvement illégal (d'une personne). *Le rapt d'un enfant.* ⇒ **kidnappage.**

raquette [ʀakɛt] n. f. **1.** Instrument formé d'un cadre ovale ou arrondi adapté à un manche, et permettant de lancer une balle. *Les cordes d'une raquette de tennis. Raquette de ping-pong.* **2.** Large semelle ovale à claire-voie, pour marcher sur la neige.

rare [ʀɑ(ɑ)ʀ] adj. **1.** (Après le nom) Qui se rencontre peu souvent, dont il existe peu d'exemplaires. / contr. **commun, courant** / *Objet rare. Plantes, animaux rares.* — *Un sentiment rare,* peu commun. — (Dans une situation, des circonstances données) *La main-d'œuvre était rare à cette époque-là.* — Au plur. (Avant le nom) Peu nombreux, en petit nombre. *À de rares exceptions près.* — *Un(e) des rares* (+ nom + *que* + subjonctif). *Un des rares films que j'aie vu trois fois.* **2.** Qui se produit peu souvent. ⇒ **exceptionnel.** / contr. **fréquent** / *Une occasion rare. Vos visites se font rares.* — (Personnes) *Tu deviens rare, tu te fais rare,* on te voit peu, moins qu'avant. — *Cela arrive, mais c'est rare. Il est rare de pouvoir faire exactement ce qu'on veut. Il est rare que nous puissions nous absenter en semaine.* **3.** D'UN RARE, D'UNE RARE (suivi d'un nom) : qui sort de l'ordinaire. ⇒ **remarquable.** *Il est d'une rare énergie. Un peintre d'un rare talent.* **4.** Peu abondant. *Cheveux rares. Herbe rare.* ⇒ **clairsemé.** *Une lumière rare,* parcimonieuse. ► *rarement* adv. ▪ Peu souvent. ► *rareté* n. f. **1.** Qualité de ce qui est rare, peu commun. *Un métal d'une grande rareté.* **2.** Caractère de ce qui arrive peu souvent. *La rareté de ses visites.* ► *rarissime* adj. ▪ Extrêmement rare. *Une pièce rarissime.* ► *raréfier* v. tr. ▪ conjug. 7. **1.** Rendre rare, moins dense. — Au p. p. adj. *Gaz raréfié,* gaz sous une très faible pression. **2.** SE RARÉFIER v. pron. : devenir rare. *En altitude l'oxygène se raréfie. Ces denrées se raréfient sur le marché.* ► *raréfaction* n. f. ▪ Fait de devenir rare. *La raréfaction des denrées en temps de guerre.*

ras, rase [ʀɑ, ʀɑz] adj. **1.** Tondu. *Tête rase.* — *Cheveux ras,* coupés près de la racine. / contr. **long** / — *Animal à poil ras,* dont le poil est naturellement très court. — (Végétation) Qui s'élève peu au-dessus du sol. *Herbe rase.* — Qui ne dépasse pas les bords. *Une cuillerée rase de sucre.* **2.** Loc. EN RASE CAMPAGNE : en terrain découvert (plat, uni). **3.** RAS, À RAS loc. adv. : de très près, très court. *Cheveux coupés ras, à ras. Pelouse tondue ras* (mais : *pelouse rase*). — À RAS BORD(S) : jusqu'au niveau des bords. *Verre rempli à ras bord.* **4.** À RAS, AU RAS DE loc. prép. : au plus près de la surface de, au même niveau. *Au ras de l'eau, du sol. À ras de terre.* **5.** *Pull-over ras du cou,* dont l'encolure s'arrête juste à la naissance du cou. **6.** Loc. fam. *En avoir* RAS LE BOL : en avoir assez (→ plein le dos, par-dessus la tête). — N. m. invar. *Le, un ras-le-bol.* ► *rasade* [ʀazad] n. f. ▪ Quantité de boisson servie à ras bords. *Rasade de vin. Boire une grande rasade.* ‹ ► ④ raser ›

rasage ⇒ ① **raser.**

rasant ⇒ ② **raser,** ④ **raser.**

rascasse [ʀaskas] n. f. ▪ Poisson comestible, à la tête hérissée d'épines qu'on pêche en Méditerranée.

rase-mottes ⇒ ④ **raser.**

① *raser* [ʀaze] v. tr. ▪ conjug. 1. **1.** Couper (le poil) au ras de la peau. ⇒ **tondre.** *Raser la barbe, les cheveux de qqn.* — Couper le poil de. *Raser le menton de qqn. Elle s'est rasé les jambes. Crème à raser,* passée sur la peau avant le rasoir. **2.** Couper à ras les cheveux de (qqn). *Coiffeur qui rase un client.* ⇒ **rasage.** — SE RASER v. pron. : se faire la barbe. — Au p. p. *Tu es mal rasé.* ► *rasage* n. m. ► ① *rasoir* n. m.

■ Instrument servant à raser, à se raser. *Rasoir jetable. Rasoir électrique.* ‹ ►abrasif, ras, ③ raser, ④ raser ›

② *raser* v. tr. ▪ conjug. 1. ■ Fam. Ennuyer, fatiguer. *Il nous rase avec ses histoires interminables.* ⇒ **assommer, barber, embêter.** *Ça me rase d'aller les voir.* — Pronominalement *Se raser,* s'ennuyer. ► ① *rasant, ante* adj. ■ Fam. Ennuyeux. ⇒ **barbant.** ② **rasoir.** *Un discours, un auteur rasant.* ► *raseur, euse* n. et adj. ■ Fam. Personne qui ennuie. ► ② *rasoir* adj. invar. ■ Fam. Ennuyeux, assommant. *Elles sont plutôt rasoir, tes sœurs. Ce que c'est rasoir !*

③ *raser* v. tr. ▪ conjug. 1. ■ Abattre à ras de terre. *Raser une fortification.* ⇒ **démolir, détruire.** *Tout le quartier a été rasé par un bombardement.*

④ *raser* v. tr. ▪ conjug. 1. ■ Passer très près de (qqch.). ⇒ **frôler.** *Raser les murs pour n'être pas vu. L'avion rase le sol* (⇒ **rase-mottes**). ► ② *rasant, ante* adj. ■ Qui rase, passe tout près. *Lumière rasante. Balles rasantes,* à trajectoire horizontale. ► *rase-mottes* n. m. invar. ■ *Vol en rase-mottes,* très près du sol. *Faire du rase-mottes.* ► *rasibus* [ʀazibys] adv. ■ Fam. À ras, tout près. *Passer rasibus.*

rassasier [ʀasazje] v. tr. ▪ conjug. 7. **1.** Satisfaire entièrement la faim de (qqn). *On ne peut pas le rassasier* (⇒ **insatiable**). — *Un plat qui rassasie.* — Pronominalement. *Je me rassasie vite.* **2.** Littér. Satisfaire pleinement les aspirations (de l'âme, du cœur). *Rassasier sa vue d'un beau spectacle.* — *Je n'en suis pas rassasié,* ou pronominalement, *je ne m'en rassasie pas,* j'en tire toujours autant de plaisir, sans me lasser. ► *rassasiement* n. m. ■ Littér. Satisfaction qui va jusqu'à la satiété.

rassembler [ʀasɑ̃ble] v. tr. ▪ conjug. 1. **1.** Faire venir au même endroit (des personnes séparées). *Le général rassemble ses troupes avant l'attaque.* — Au p. p. adj. *Famille rassemblée pour le repas.* ⇒ **réunir.** — Recruter pour une action commune. *Rassembler tous les mécontents.* ⇒ **grouper, unir.** — Pronominalement. ⇒ **s'assembler.** *La foule se rassemble sur la place.* **2.** Mettre ensemble (des choses concrètes). ⇒ **réunir.** *Rassembler des papiers épars, des matériaux.* **3.** Réunir (ses facultés, etc.). *Rassembler ses idées. Rassembler ses esprits,* reprendre son sang-froid. — *Rassembler son courage,* faire appel à son courage. ► *rassemblement* n. m. **1.** Action de rassembler (des choses dispersées). *Le rassemblement des pièces nécessaires.* **2.** Le fait de se rassembler ; le groupe ainsi formé. *Disperser un rassemblement.* **3.** Action de rassembler des troupes ; sonnerie pour les rassembler. *Faites sonner le rassemblement. Rassemblement !* **4.** Union pour une action commune. *Le rassemblement de la gauche.* — Parti politique qui groupe divers éléments.

se rasseoir [ʀaswaʀ] v. pron. ▪ conjug. 26. ■ S'asseoir de nouveau. *Elle s'est levée et s'est rassise aussitôt.* — (Avec ellipse de *se*) *Faire rasseoir qqn.*

rasséréner [ʀaseʀene] v. tr. ▪ conjug. 6. ■ Littér. Ramener au calme, à la sérénité (surtout p. p. et pronominalement). — Au p. p. *Je me sens rasséréné par vos bonnes paroles.* — Pronominalement. Devenir calme. *Son visage s'est rasséréné.*

rassir [ʀasiʀ] v. intr. et pron. ▪ conjug. 2. ■ Devenir rassis. *Ce pain commence à rassir, à se rassir.* ► ① *rassis, ise* [ʀasi, iz] adj. ■ Qui n'est plus frais sans être encore dur. *Du pain rassis. Une brioche rassise,* ou (plus cour., fam.) *rassie.*

② *rassis, ise* adj. ■ Pondéré, réfléchi. *Un homme de sens rassis,* qui a un jugement équilibré. *Un esprit rassis.*

rassurer [ʀasyʀe] v. tr. ▪ conjug. 1. ■ Rendre la confiance, la tranquillité d'esprit à (qqn). ⇒ **tranquilliser.** / contr. **inquiéter** / *Le médecin l'a rassuré. Cela me rassure.* — Au p. p. *Je n'étais pas rassuré,* j'avais peur. — SE RASSURER v. pron. : se libérer de ses craintes. *Rassure-toi, je ne te reproche rien.* ► *rassurant, ante* adj. ■ De nature à rassurer. *Recevoir des nouvelles rassurantes. Un individu peu rassurant, menaçant.*

① *rat* [ʀa] n. m. **1.** Petit mammifère rongeur, à museau pointu et à très longue queue ; le mâle adulte de cette espèce. *Rat d'égout,* d'espèce commune. *Elle a été mordue par un rat. Rat femelle* (RATE n. f.). *Jeune rat.* ⇒ **raton.** — Loc. *Être fait comme un rat,* être pris au piège. — Terme d'affection. *Mon rat, mon petit rat.* — *Face de rat* (terme d'injure). **2.** Nom donné couramment à certains animaux ressemblant au rat. *Rat musqué, rat d'Amérique.* ⇒ **ragondin.** **3.** RAT D'HÔTEL : personne (souvent, jeune femme) qui s'introduit dans les chambres des grands hôtels pour dévaliser les clients. **4.** PETIT RAT *(de l'Opéra)* : jeune danseur(euse) de la classe de danse, employé(e) dans la figuration. ‹ ►dératiser, mort-aux-rats, ratier, ratière, raton ›

② *rat* adj. m. ■ Radin. *Ce qu'il, elle peut être rat !* ⇒ **avare, rapia.**

rata [ʀata] n. m. ■ Vx. Ragoût grossier servi aux soldats, autrefois. ⇒ **ratatouille.**

ratage [ʀataʒ] n. m. ■ Échec.

rataplan [ʀataplɑ̃] interj. ■ Onomatopée exprimant le roulement du tambour (aussi *rantanplan*).

se ratatiner [ʀatatine] v. pron. ▪ conjug. 1. ■ Se réduire, se tasser en se déformant. *Une petite vieille qui se ratatine de plus en plus.* ► *ratatiné, ée* adj. **1.** Rapetissé et déformé. *Une pomme toute ratatinée.* **2.** Fam. Démoli, hors d'usage. *Nous sommes sains et saufs, mais la voiture est complètement ratatinée.*

ratatouille [ʀatatuj] n. f. **1.** Vx et fam. Ragoût grossier. ⇒ *rata.* **2.** *Ratatouille niçoise,* plat fait de légumes (aubergines, courgettes, tomates...) cuits à l'étouffée.

rate [ʀat] n. f. ■ Glande située en arrière de l'estomac, sous la partie gauche du diaphragme. — Loc. fam. : DILATER LA RATE, faire rire. *Je me suis dilaté la rate,* j'ai bien ri. ‹ ►dératé ›

râteau [ʀato] n. m. ■ Outil fait d'une traverse munie de dents séparées, ajustée en son milieu à un long manche. *Ramasser des feuilles, ratisser* une allée *avec un râteau.* ► ① *râtelier* [ʀatəlje] n. m. **1.** Sorte d'échelle, placée horizontalement contre un mur et inclinée, qui sert à recevoir le fourrage du bétail. *Mettre de la paille, du foin dans le râtelier.* **2.** Loc. *Manger à tous les râteliers,* tirer profit de plusieurs situations, sans hésiter à servir des camps opposés. ► ② *râtelier* n. m. ■ Fam. Dentier. ‹ ►ratisser ›

rater [ʀate] v. ▪ conjug. 1. **I.** V. intr. **1.** (Coup de feu, arme) Ne pas partir. *Un coup de fusil qui rate.* **2.** Échouer. *L'affaire a raté.* — Fam. *Ça n'a pas raté !,* c'était inévitable, prévisible. **II.** V. tr. **1.** Ne pas atteindre (ce qu'on vise, ce qu'on cherche à obtenir). *Chasseur qui rate un lièvre. J'ai raté la balle.* — *Rater son train.* ⇒ **louper.** — *Rater qqn,* ne pas le rencontrer. — Pronominalement. *Nous nous sommes ratés à la gare.* — Fam. *Je ne vais pas le rater !,* je vais lui donner la leçon qu'il mérite ! — *Rater une occasion.* Fam. et iron. *Il n'en rate pas une,* il n'arrête pas de faire des gaffes. **2.** Ne pas réussir, ne pas mener à bien. *Rater son affaire, son coup, son effet.* — *Rater sa vie* (⇒ **raté,** II). — Au p. p. adj. *Une photo ratée. C'est complètement raté.* ≠ *râpé.* ► *raté, ée* n. **I.** N.

m. Bruit anormal révélant le mauvais fonctionnement d'un moteur à explosion. *Le moteur a des ratés.* **II.** N. Personne qui a raté sa vie, sa carrière. *Ce n'est qu'un raté. Une ratée.* ‹ ▶ ratage ›

ratiboiser [ʀatibwaze] v. tr. ▪ conjug. 1. **1.** Fam. Rafler au jeu ; prendre, voler. *Ils m'ont ratiboisé mille francs.* **2.** Fam. Ruiner (qqn). — Au p. p. *Il est complètement ratiboisé,* il a perdu tout son argent.

ratier [ʀatje] n. et adj. ▪ Chien qui chasse les rats. — Adj. *Un chien ratier.*

ratière [ʀatjɛʀ] n. f. ▪ Piège à rats. ⇒ **souricière.**

ratifier [ʀatifje] v. tr. ▪ conjug. 7. **1.** Approuver, confirmer dans les formes requises par la loi. **2.** Littér. Confirmer formellement, reconnaître comme vrai. *Je ratifie tout ce qui vous a été promis de ma part.* ▶ **ratification** n. f. ▪ Action de ratifier. *La ratification d'un traité, d'un contrat, d'une alliance.*

ratine [ʀatin] n. f. ▪ Tissu de laine épais, dont le poil est tiré en dehors et frisé. *Un manteau de ratine.*

ratiociner [ʀasjɔsine] v. intr. ▪ conjug. 1. — REM. La prononciation avec *t* [ʀatjɔsine] est fautive. ▪ Littér. Se perdre en raisonnements trop subtils et interminables. ⇒ **ergoter.** ▶ **ratiocination** [ʀasjɔsinɑsjɔ̃] n. f.

ration [ʀɑ(a)sjɔ̃] n. f. **1.** Quantité (d'aliments) qui revient à un homme, à un animal pendant une journée. *Une maigre ration. Rations imposées en temps de guerre* (⇒ **rationner**). **2.** *Ration alimentaire,* quantité et nature des aliments nécessaire à l'organisme pour une durée de vingt-quatre heures. **3.** RATION DE : quantité exigée, normale. *J'ai reçu ma ration (d'épreuves, d'ennuis).* ⇒ **dose, lot.** ‹ ▶ rationner ›

rationnel, elle [ʀa(a)sjɔnɛl] adj. **I. 1.** Qui appartient à la raison, relève de la raison. *L'activité rationnelle,* le raisonnement (1). *La pensée rationnelle.* — Qui provient de la raison et non de l'expérience. *Philosophie rationnelle.* **2.** Conforme au bon sens, organisé avec méthode. ⇒ **logique, raisonnable, sensé.** / contr. **irrationnel** / *Méthode rationnelle. Procédons d'une manière rationnelle.* **II.** Maths. *Nombre rationnel,* qui peut être mis sous la forme d'un rapport entre deux nombres entiers. / contr. **irrationnel** / ▶ **rationaliser** [ʀasjɔnalize] v. tr. ▪ conjug. 1. **1.** Organiser rationnellement, scientifiquement. *Rationaliser le travail, la production.* **2.** Justifier (un comportement, un désir) par des motifs rationnels. — Sans compl. *Tu rationalises trop.* ▶ **rationalisation** n. f. ▪ *La rationalisation de la production.* ▶ **rationalisme** [ʀasjɔnalism] n. m. **1.** Doctrine philosophique selon laquelle la raison est la source de toute connaissance certaine (opposé à *empirisme*). **2.** Croyance et confiance dans la raison (opposé à *mysticisme, révélation religieuse*). *Le rationalisme des philosophes du XVIIIe siècle.* ▶ **rationaliste** adj. et n. ▶ **rationalité** n. f. ▪ Caractère de ce qui est rationnel, en philosophie. ▶ **rationnellement** adv. ▪ *Agir rationnellement,* raisonnablement. *Organiser rationnellement la production.* ‹ ▶ irrationnel, ratiociner ›

rationner [ʀa(a)sjɔne] v. tr. ▪ conjug. 1. **1.** Distribuer des rations limitées de (qqch.). *Rationner les vivres, l'eau potable, l'essence.* **2.** Mesurer à (qqn) la nourriture. *Rationner des pensionnaires.* — Pronominalement. *Se rationner,* s'imposer des restrictions (alimentaires ou autres). ▶ **rationnement** n. m. ▪ Action de rationner ; son résultat. *Cartes, tickets de rationnement.*

ratisser [ʀatise] v. tr. ▪ conjug. 1. **1.** Nettoyer à l'aide d'un râteau, passer le râteau sur. *Ratisser une allée.* — Recueillir en promenant le râteau. *Ratisser les feuilles mortes.* **2.** Fam. *Se faire ratisser au jeu.*

⇒ **ruiner ;** fam. **ratiboiser. 3.** (Armée, police) Fouiller méthodiquement. *La police a ratissé tout le quartier.* ▶ **ratissage** n. m. ▪ Action de ratisser (1, 3).

raton [ʀatɔ̃] n. m. **1.** Jeune rat. **2.** RATON LAVEUR : mammifère carnivore qui lave ses aliments (poissons, mollusques) avant de les absorber. *Des ratons laveurs.*

rattacher [ʀataʃe] v. tr. ▪ conjug. 1. **1.** Attacher de nouveau (un être, une chose). / contr. **détacher** / *Rattacher un chien après l'avoir laissé courir.* — *Rattacher ses lacets, ses cheveux.* **2.** Attacher, lier entre eux (des objets). — Au p. p. *Os rattachés par des ligaments.* — *Rattacher un territoire à un État.* ⇒ **incorporer.** — (Choses) Constituer une attache. *Le dernier lien qui le rattachait à la vie.* **3.** Abstrait. Attacher, relier. *Rattacher une œuvre à une certaine tendance.* — Pronominalement. *Ce mouvement se rattache au romantisme.* ▶ **rattachement** n. m. ▪ *Le rattachement de l'Alsace-Lorraine à la France, de la Sarre à l'Allemagne.*

rattraper [ʀatʀape] v. tr. ▪ conjug. 1. **I. 1.** Attraper de nouveau (qqn ou qqch. qu'on avait laissé échapper). ⇒ **reprendre.** *Rattraper un prisonnier évadé. Rattraper une maille.* **2.** Regagner, récupérer. *On ne peut rattraper le temps perdu. Rattraper un retard.* **3.** *Rattraper une imprudence* (qui a échappé), *une erreur.* ⇒ **réparer. 4.** Rejoindre (qqn ou qqch. qui a de l'avance). ⇒ **atteindre.** *Pars devant, je te rattraperai.* — (Langue scolaire) *Il a rattrapé les meilleurs élèves,* il a rejoint leur niveau. **II.** SE RATTRAPER v. pron. **1.** SE RATTRAPER À *qqch* : se raccrocher à. *Elle s'est rattrapée à la branche.* **2.** Agir pour combler un retard, regagner ce qu'on avait manqué. *J'ai peu dormi hier, mais je compte bien me rattraper.* **3.** Réparer ou éviter in extremis (une bévue, une gaffe). *Se rattraper à temps.* ▶ **rattrapage** n. m. ▪ *Cours de rattrapage,* destinés à des élèves retardés dans leurs études. ‹ ▶ irrattrapable ›

rature [ʀatyʀ] n. f. ▪ Trait que l'on tire sur un ou plusieurs mots pour les annuler. *Devoir couvert de ratures. Faire une rature. Ratures et corrections.* ▶ **raturer** v. tr. ▪ conjug. 1. ▪ Annuler par des ratures. ⇒ **barrer, biffer, rayer.** *Raturer un mot.* — Corriger par des ratures. *Raturer un manuscrit.*

rauque [ʀok] adj. ▪ (Voix) Qui est rude et âpre, qui produit des sons voilés. ⇒ **éraillé.** *Un cri rauque.*

ravage [ʀavaʒ] n. m. — REM. Surtout au plur. **1.** Dégâts importants causés par des hommes avec violence et soudaineté. ⇒ **dévastation.** *Les ravages de la guerre.* ⇒ **ruine. 2.** Destructions causées par les forces de la nature. *Les ravages d'un incendie.* — (Sing. collectif) *La grêle a fait du ravage.* — Littér. *Les ravages du temps,* dus à l'action de la vieillesse. **3.** Fam. *Faire des ravages,* se faire aimer et faire souffrir (→ être le bourreau des cœurs). ▶ **ravager** v. tr. ▪ conjug. 3. **1.** Faire des ravages dans. ⇒ **dévaster.** *Animaux qui ravagent les cultures.* — (Suj. chose) *La guerre a ravagé la contrée. Le feu ravage les forêts.* ⇒ **détruire. 2.** Apporter à (qqn) de graves perturbations physiques ou morales. *Toutes ces épreuves l'ont ravagé.* ▶ **ravagé, ée** adj. **1.** *Visage ravagé,* profondément marqué par les épreuves, les excès. **2.** Fam. (Personnes) Fou, cinglé. ▶ **ravageur, euse** adj. **1.** Qui détruit, ravage. *Les insectes ravageurs du blé.* **2.** Qui ravage (2). *Passion ravageuse,* dévastatrice.

① **ravaler** [ʀavale] v. tr. ▪ conjug. 1. ▪ Nettoyer, refaire le parement de (un immeuble, un ouvrage de maçonnerie). *Ravaler un mur.* ▶ **ravalement** n. m. ▪ *Le ravalement des façades.*

② **ravaler** v. tr. ▪ conjug. 1. ▪ Littér. Abaisser, déprécier. *Ravaler la dignité humaine.* — Au p. p. *Être,* *se sentir ravalé au rang de la bête.* — SE RAVALER v. pron. : s'abaisser, s'avilir moralement.

③ *ravaler* v. tr. ▪ conjug. 1. **1.** Avaler de nouveau, avaler (ce qu'on a dans la bouche). *Ravaler sa salive.* — *Loc. Faire ravaler à qqn ses paroles,* l'obliger à se repentir de ses paroles, à les rétracter. **2.** S'empêcher d'exprimer. *Ravaler sa colère, son dégoût.*

ravauder [Ravode] v. tr. ▪ conjug. 1. ▪ Vx. Raccommoder à l'aiguille. ⇒ **rapiécer, repriser.** *Ravauder des vieilles chaussettes.* ▸ *ravaudage* n. m.

rave [Rav] n. f. ▪ (Nom commun à plusieurs espèces) Plante potagère cultivée pour sa racine comestible. — En appos. *Céleri rave.* ‹ ▸ betterave, chou-rave ›

ravi, ie [Ravi] adj. ▪ Très content. ⇒ **enchanté.** / contr. **navré** / *Je suis ravie de mon séjour, ravie d'avoir fait ce séjour. Nous sommes ravis que vous puissiez venir. Vous m'en voyez ravi.* — *Un air ravi.* ⇒ **radieux.**

ravier [Ravje] n. m. ▪ Petit plat creux et oblong, dans lequel on sert les hors-d'œuvre.

ravigoter [Ravigɔte] v. tr. ▪ conjug. 1. ▪ Fam. Rendre plus vigoureux, redonner de la force à (qqn). ⇒ **revigorer.** *Un air frais qui vous ravigote.* — Au p. p. *Se sentir tout ravigoté.* ▸ *ravigotant, ante* adj. ▪ Fam. Qui ravigote. ▸ *ravigote* n. f. ▪ Sauce vinaigrette très relevée. — En appos. *Sauce ravigote.*

ravin [Ravɛ̃] n. m. ▪ Petite vallée étroite très profonde, à versants raides. *Tomber au fond d'un ravin, dans un ravin.* ‹ ▸ raviner ›

raviner [Ravine] v. tr. ▪ conjug. 1. **1.** (Eaux) Creuser (le sol) de sillons. *Pluies, ruisseaux qui ravinent la pente d'une colline.* **2.** Au p. p. adj. *Visage raviné,* marqué de rides profondes. ▸ *ravinement* n. m.

ravioli [Ravjɔli] n. m. ▪ Petit carré de pâte farci de viande hachée ou de légumes. *Des raviolis à la sauce tomate.*

① *ravir* [Ravir] v. tr. ▪ conjug. 2. ▪ Plaire beaucoup à. *Ce spectacle m'a ravi.* ⇒ **enchanter, enthousiasmer ;** fam. **emballer.** — À RAVIR loc. adv. : admirablement, à merveille. *Sa coiffure lui va à ravir.* ▸ *ravissant, ante* adj. ▪ Qui plaît beaucoup, touche par la beauté, le charme. *Une robe, une aquarelle ravissante.* — (Enfant, femme) Très joli. *Ce bébé est ravissant.* ▸ *ravissement* n. m. ▪ Émotion éprouvée par une personne transportée de joie. ⇒ **enchantement.** *Il l'écoutait chanter avec ravissement.* ‹ ▸ ravi ›

② *ravir* v. tr. ▪ conjug. 2. ▪ Littér. Prendre, enlever de force. *La mort l'a ravi à l'affection des siens.* ▸ *ravisseur, euse* n. ▪ Personne qui a commis un rapt. *Elle a échappé à ses ravisseurs.* — REM. On n'emploie pas *ravir* dans ce sens.

se raviser [Ravize] v. pron. ▪ conjug. 1. ▪ Changer d'avis, revenir sur sa décision. *Elle s'est ravisée au dernier moment.*

ravitailler [Ravitaje] v. tr. ▪ conjug. 1. **1.** Fournir (un groupe, une communauté) en vivres, en denrées diverses. *Ravitailler une ville en viande. Ravitailler une place forte en munitions.* — *Ravitailler un avion en vol,* lui fournir du carburant en vol. **2.** SE RAVITAILLER v. pron. *Avoir du mal à se ravitailler.* ⇒ **s'approvisionner.** ▸ *ravitaillement* n. m. **1.** Action de ravitailler (une armée, etc.). **2.** Approvisionnement (d'une personne, d'une communauté) en vivres, denrées. *Le ravitaillement des grandes villes.* — Fam. *Aller au ravitaillement,* aller faire ses provisions, son marché. ▸ *ravitailleur* n. m. ▪ Soldat, véhicule, navire, avion employés au ravitaillement.

raviver [Ravive] v. tr. ▪ conjug. 1. **1.** Rendre plus vif. *Raviver le feu, la flamme.* ⇒ **ranimer.** *Raviver des couleurs.* ⇒ **aviver. 2.** Littér. Ranimer, faire revivre. *Raviver une douleur, un espoir, un souvenir.* ⇒ **réveiller.**

ravoir [Ravwar] v. tr. — REM. Ne s'emploie qu'à l'infinitif. **1.** Avoir de nouveau (qqch.). ⇒ **récupérer.** *Il voudrait bien ravoir son jouet.* **2.** Fam. Remettre en bon état de propreté. *Je ne peux pas ravoir cette casserole.*

rayer [Reje] v. tr. ▪ conjug. 8. **1.** Marquer de raies* (en entamant la surface, etc.). *Le diamant raye le verre.* **2.** Tracer un trait sur (un mot, un groupe de mots, etc.) pour l'annuler. ⇒ **barrer, raturer.** — Ôter le nom de (qqn) sur une liste ou un registre. ⇒ **radier.** *Rayer qqn d'une liste.* ⇒ **exclure.** ▸ *rayé, ée* adj. **1.** Qui porte des raies, des rayures. *Pantalon rayé. Papier rayé.* **2.** Qui porte des éraflures. *La carrosserie est rayée. Disque rayé.* ‹ ▸ rayure ›

① *rayon* [Rejɔ̃] n. m. **1.** Trace de lumière en ligne ou en bande. ⇒ **rai.** *Un rayon de soleil, de lune. Les rayons du soleil,* la clarté, la lumière. *Émettre, répandre des rayons.* **2.** Ligne, trajectoire, suivant laquelle une radiation lumineuse se propage. *Rayons convergents. Rayons divergents.* ⇒ **faisceau.** *Rayons réfractés, réfléchis.* **3.** Au plur. RAYONS : radiations. ⇒ **radi(o)-.** *Rayons infrarouges, ultraviolets. Rayons X* [Rejɔ̃iks], rayonnement électromagnétique de faible longueur d'onde ⇒ **radiographie, radioscopie. 4.** Abstrait. Ce qui éclaire, répand la connaissance, le bonheur, etc. *Un rayon d'espérance, de joie.* ⇒ **lueur.** — Loc. *Un rayon de soleil,* chose ou personne qui remplit le cœur de joie. ▸ ① *rayonner* [Rejɔne] v. intr. ▪ conjug. 1. **1.** Émettre des rayons lumineux, des radiations. ⇒ **irradier. 2.** Se propager par rayonnement. *La chaleur rayonne.* **3.** Émettre comme une lumière, un rayonnement. ⇒ **rayonnant (2).** *Elle rayonnait de joie, de bonheur.* ▸ *rayonnant, ante* adj. **1.** Qui se propage par rayonnement. *Chaleur rayonnante.* **2.** Qui rayonne (3). *Une beauté rayonnante.* ⇒ **éclatant.** — RAYONNANT DE : qui exprime vivement (qqch. d'heureux ou de bienfaisant). *Visage rayonnant de joie. Un enfant rayonnant de santé.* — *Il était rayonnant,* il avait un air de parfait bonheur. ▸ *rayonnement* [Rejɔnmɑ̃] n. m. **1.** Action de rayonner ⇒ **radiation.** *Le rayonnement solaire.* **2.** Influence heureuse, éclat excitant l'admiration. *Le rayonnement qui émane de sa personne. Le rayonnement d'une œuvre, d'une culture.*

② *rayon* n. m. **1.** Chacune des pièces divergentes qui relient le moyeu (d'une roue) à la jante. *Les rayons métalliques d'une roue de bicyclette.* — Chacun des éléments qui s'écartent à partir d'un centre. *Rues disposées en rayons.* **2.** Segment de valeur constante joignant un point quelconque (d'un cercle ou d'une sphère) à son centre. *Le rayon est égal à la moitié du diamètre.* — Loc. DANS UN RAYON DE : dans un espace circulaire déterminé à partir d'un point d'origine. *Dans un rayon de dix, vingt kilomètres.* — RAYON D'ACTION : distance maximum qu'un navire, un avion peut parcourir sans être ravitaillé en combustible ; zone d'activité. *Cette entreprise a étendu son rayon d'action.* ▸ ② *rayonner* v. intr. ▪ conjug. 1. **1.** Être disposé en rayons, en lignes divergentes autour d'un centre. *Une place d'où rayonnent de grandes avenues.* — Se répandre, se manifester dans toutes les directions. *La douleur rayonne.* ⇒ **irradier. 2.** Se déplacer dans un certain rayon (à partir d'un point d'attache). *Nous rayonnerons dans la région.*

③ *rayon* n. m. **I.** Gâteau de cire fait par les abeilles. *Les rayons d'une ruche.* **II.** Planche, tablette de rangement. ⇒ **étagère, rayonnage.** *Les rayons d'une bibliothèque.* **III. 1.** Partie d'un grand magasin affectée au même type de marchandise. *Le rayon (de la) parfumerie. Chef de rayon.* **2.** Domaine particulier. *Je regrette, ce n'est pas mon rayon,* ce n'est pas de ma compétence (ou cela ne me regarde pas). ▶ *rayonnage* n. m. ■ Ensemble des rayons (II) d'un meuble de rangement ; rayons assemblés. ⇒ **étagère.**

rayonne [rɛjɔn] n. f. ■ Textile artificiel, dit aussi soie artificielle.

rayure [rɛjyʀ] n. f. **1.** Chacune des bandes, des lignes qui se détachent sur un fond de couleur différente. *Étoffe à rayures.* ⇒ **rayé.** *Rayures sur le pelage d'un animal.* ⇒ **zébrure. 2.** Éraflure ou rainure (sur une surface). *Rayures sur un meuble.*

raz de marée [ʀɑdmaʀe] n. m. invar. ■ Vague isolée et très haute, d'origine sismique (tremblement de terre) ou volcanique, qui pénètre profondément dans les terres. *Des raz de marée.* — Fig. Bouleversement social ou politique irrésistible. *Un raz de marée électoral.*

razzia [ʀazja] ou [ʀadzja] n. f. **1.** Attaque de nomades pillards, en pays arabe. *Des razzias.* **2.** Fam. *Faire une razzia sur,* s'abattre sur (des choses qu'on emporte, qu'on prend rapidement). *On a fait une razzia sur le buffet.* ▶ *razzier* v. tr. ▪ conjug. 7. ■ Prendre dans une razzia ; rafler.

re-, ré-, r- ■ Éléments qui expriment « le fait de ramener en arrière » (ex. : *rabattre*), « le retour à un état antérieur » (ex. : *rhabiller*), « la répétition ou la reprise de l'action avec progression » (ex. : *redire, refaire*), « le renforcement, l'achèvement » (ex. : *réunir, ramasser*).

ré [ʀe] n. m. invar. ■ Deuxième note de la gamme d'ut ; ton correspondant. *Sonate en ré mineur.*

réabonner [ʀeabɔne] v. tr. ▪ conjug. 1. ■ Abonner de nouveau. — Pronominalement. *Se réabonner à un journal.* ▶ *réabonnement* n. m. ■ Action de réabonner, de se réabonner.

réaccoutumer [ʀeakutyme] v. tr. ▪ conjug. 1. ■ Littér. Réhabituer.

réacteur [ʀeaktœʀ] n. m. **1.** Moteur, propulseur à réaction ①. **2.** *Réacteur nucléaire,* appareil dans lequel se produisent des réactions nucléaires.

réactif [ʀeaktif] n. m. ■ Substance qui peut entrer en réaction avec une ou plusieurs espèces chimiques.

① *réaction* [ʀeaksjɔ̃] n. f. **I. 1.** Force qu'un corps agissant sur un autre détermine en retour chez celui-ci. *Principe de l'égalité de l'action et de la réaction.* — *Propulsion par réaction,* dans laquelle les gaz chassés vers l'arrière d'un engin le projettent par réaction vers l'avant (⇒ **réacteur**). *Avion à réaction,* à un ou plusieurs réacteurs ⇒ anglic. ② **jet. 2.** Action réciproque de deux ou plusieurs substances, qui entraîne des transformations chimiques. *L'acide entre en réaction avec le calcaire.* — *Réaction nucléaire,* désintégration des noyaux atomiques. — *Réaction en chaîne,* réaction par étapes pouvant se reproduire indéfiniment ; fig., suite de répercussions provoquée par un fait initial. **3.** Modification (d'un organe, d'un organisme), produite par une excitation, une cause morbide, un remède, etc. *Les réactions de défense de l'organisme.* **II. 1.** Réponse à une action par une action contraire tendant à l'annuler. *Agir en réaction contre, par réaction contre qqn, qqch.* **2.** Comportement d'une personne qui répond d'une manière extérieure. *La réaction de qqn à une catastrophe, à une injure. Elle a eu une réaction de peur, de colère. Réaction lente ; vive, soudaine* ⇒ **réflexe, sursaut.** *Être sans réaction,* rester inerte. « *Il a protesté ? – Non,*

aucune réaction. » *Provoquer des réactions.* **3.** Réponse (d'une machine, d'un véhicule) aux commandes. *Cette voiture a de bonnes réactions.*

② *réaction* n. f. ■ Péj. Action politique qui s'oppose aux changements, au progrès social. *Les forces de la réaction.* — La droite politique. *Vive la réaction !* ▶ *réactionnaire* adj. et n. ■ Péj. Qui concerne ou soutient la réaction (abrév. fam. RÉAC). *Opinions réactionnaires. Écrivain réactionnaire.* — N. *Un vieux réactionnaire.*

réadapter [ʀeadapte] v. tr. ▪ conjug. 1. ■ Adapter (qqn, qqch., qui ne l'était plus). — Pronominalement. *Laissez-lui le temps de se réadapter.* ▶ *réadaptation* n. f. ■ Retour à l'adaptation. *La réadaptation d'un soldat à la vie civile.*

réaffirmer [ʀeafiʀme] v. tr. ▪ conjug. 1. ■ Affirmer de nouveau, dans une autre occasion.

réagir [ʀeaʒiʀ] v. tr. ind. ▪ conjug. 2. **I.** RÉAGIR SUR, CONTRE : avoir une réaction, des réactions (mécanique, chimique, biologique). *L'organisme réagit contre les maladies infectieuses.* **II. 1.** RÉAGIR SUR *qqn, qqch.* : agir en retour ou réciproquement sur. *Les chocs psychologiques réagissent sur l'organisme.* ⇒ se **répercuter. 2.** RÉAGIR CONTRE : s'opposer (à une action) par une action contraire. *Réagir contre une mode, un usage.* — Sans compl. *Ils essayèrent de réagir et de rétablir l'ordre.* — Faire effort pour sortir d'une situation pénible. ⇒ se **secouer.** *Réagis ! ne te laisse pas abattre !* **3.** Avoir une réaction. *Réagir brutalement, violemment... Je ne sais pas comment je réagirais,* quelle serait ma réaction.

réajustement ⇒ **rajustement.**

réajuster ⇒ **rajuster** (2).

① *réaliser* [ʀealize] v. tr. ▪ conjug. 1. **I. 1.** Faire passer à l'état de réalité concrète (ce qui n'existait que dans l'esprit). ⇒ **accomplir, exécuter.** *Réaliser un projet,* le rendre effectif. *Réaliser une ambition, un idéal.* ⇒ **atteindre.** — Pronominalement. *Ses prévisions se sont réalisées.* **2.** Réaliser (en soi) le type, le modèle de..., en présenter un exemple réel, concret. ⇒ **personnifier. 3.** SE RÉALISER v. pron. : devenir ce que l'on a rêvé d'être. **II. 1.** Faire. *Réaliser un achat, une vente.* — *Réaliser un film,* en être le réalisateur. **2.** Convertir, transformer en argent. *Réaliser des biens, un capital.* ⇒ **vendre.** ▶ *réalisable* adj. **1.** Susceptible d'être réalisé. ⇒ **possible.** *Plan, projet réalisable.* / contr. **irréalisable** / **2.** Transformable en argent. *Un héritage totalement réalisable.* ▶ *réalisateur, trice* n. **1.** Personne qui réalise, sait réaliser (un projet, une œuvre...). **2.** Personne responsable de la réalisation d'un film ou d'une émission. ⇒ **metteur** en scène. ▶ *réalisation* n. f. **1.** Action de rendre réel, effectif. **2.** Chose réalisée ; création, œuvre. **3.** Transformation (d'un bien) en argent. **4.** Ensemble des opérations nécessaires à la préparation et à l'exécution (d'un film, d'une émission de radio ou de télévision).

② *réaliser* v. tr. ▪ conjug. 1. ■ (Emploi critiqué) Se rendre compte avec précision ; se faire une idée nette de. *Je réalise soudain qu'il est trop tard.* — *Tu réalises ?,* tu saisis, tu te rends compte ?

réalisme [ʀealism] n. m. **1.** Conception selon laquelle l'artiste doit peindre la réalité telle qu'elle est, en évitant de l'idéaliser. *Réalisme et naturalisme, au XIXᵉ siècle.* — Caractère d'une œuvre qui répond à cette conception. *Un portrait d'un réalisme saisissant.* **2.** Attitude d'une personne qui tient compte de la réalité, l'apprécie avec justesse. *Faire preuve de réalisme.* / contr. **irréalisme** / ▶ *réaliste* n. et adj. **1.** Qui représente le réalisme, en art, en littérature ; qui dépeint le réel sans complaisance. *Un écrivain,* *un peintre réaliste. Portrait réaliste.* **2.** Qui a le sens des réalités. *Un homme d'État réaliste.* ⇒ **pragmatique.** N. *Un(e) réaliste.* — *Une analyse réaliste de la situation.*

réalité [realite] n. f. **1.** Caractère de ce qui est réel, de ce qui existe effectivement (et n'est pas seulement une invention ou une apparence). ⇒ **vérité.** / contr. **irréalité** / *Douter de la réalité d'un fait.* **2.** *La réalité,* ce qui est réel. *La science cherche à connaître et à décrire la réalité.* **3.** La vie, l'existence réelle (opposé à *désirs, illusion, rêve*). *Le rêve et la réalité. La réalité quotidienne.* — Ce qui existe (opposé à *l'imagination*). *La réalité dépasse la fiction,* est plus extraordinaire que ce que l'on peut imaginer. *Dans la réalité,* dans la vie réelle. *Dans la réalité, cela se passe autrement.* — EN RÉALITÉ : en fait, réellement. **4.** *(Une, des réalités)* Chose réelle, fait réel. *Les réalités de tous les jours.* Avoir le sens des réalités (⇒ **réaliste**). Loc. *Prendre ses désirs pour des réalités,* se faire des illusions.

réanimer [reanime] v. tr. ▪ conjug. 1. ▪ Procéder à la réanimation de (qqn). ⇒ **ranimer.** ▶ **réanimation** n. f. ▪ Action qui consiste à rendre les mouvements au cœur ou à l'appareil respiratoire venant de s'arrêter. *La réanimation d'un asphyxié par le bouche-à-bouche.*

réapparaître [reaparɛtr] v. intr. ▪ conjug. 57. ▪ Apparaître, paraître de nouveau. *La lune a réapparu, est réapparue.* ▶ **réapparition** n. f.

réapprendre ⇒ **rapprendre.**

réapprovisionner [reaprɔvizjɔne] v. tr. ▪ conjug. 1. ▪ Approvisionner de nouveau.

réarmer [rearme] v. ▪ conjug. 1. **1.** V. tr. Recharger (une arme). *Réarmer un fusil, un pistolet.* **2.** V. intr. (En parlant d'un État) Recommencer à s'équiper pour la guerre. / contr. **désarmer** (2) / ▶ **réarmement** n. m. ▪ *La politique du réarmement.* / contr. **désarmement** /

réassortir [reasɔrtir] v. tr. ▪ conjug. 2. **1.** Reconstituer un assortiment, en remplaçant ce qui manque. *Ils réassortissent leurs couverts.* **2.** Fournir un nouvel assortiment (d'un certain modèle). *Je crains de ne pouvoir vous réassortir.* ▶ **réassort** ou **réassortiment** n. m. ▪ Nouvel assortiment.

rébarbatif, ive [rebarbatif, iv] adj. ▪ Qui rebute par un aspect rude, désagréable. *Mine rébarbative.* — Difficile et ennuyeux. *Études, sujets rébarbatifs.* ⇒ **ingrat.**

rebâtir [rebɑtir] v. tr. ▪ conjug. 2. ▪ Bâtir de nouveau (ce qui était détruit). ⇒ **reconstruire.** *Rebâtir une maison.* — *Il voudrait rebâtir la société.* ⇒ **refaire.**

rebattre [rebatr] v. tr. ▪ conjug. 41. ▪ Loc. REBATTRE LES OREILLES *à qqn de qqch.* : lui en parler continuellement jusqu'à l'excéder. *Il me rebat les oreilles de ses prouesses.* ≠ *rabattre.* ▶ **rebattu, ue** adj. ▪ Dont on a parlé inlassablement. *Sujet, thème rebattu,* ressassé. ⇒ **éculé.**

rebelle [rəbɛl] adj. et n. **1.** REBELLE À : qui ne reconnaît pas l'autorité de, se révolte contre (qqn). *Des sujets rebelles à leur souverain.* — Absolt. *Troupes rebelles.* — N. *Négocier avec les rebelles.* ⇒ **insurgé.** **2.** REBELLE À : qui est réfractaire à (qqch.). *Il est rebelle à toute discipline, à tout effort.* ⇒ **opposé.** *Il est rebelle aux mathématiques.* ⇒ **fermé.** — (Choses) Qui résiste à. *Mon estomac est rebelle à ce remède.* — Absolt. *Fièvre rebelle,* qui ne se laisse pas vaincre. **3.** (Choses concrètes) Sans compl. Qui ne se laisse pas facilement manier. *Mèches de cheveux rebelles.* ⇒ **indiscipliné.** ▶ *se* **rebeller** [rəbele] v. pron. ▪ conjug. 1. ▪ Faire acte de rebelle (1) en se révoltant.

⇒ **s'insurger.** *Se rebeller contre l'autorité paternelle.* ⇒ **braver.** — Protester, regimber. *À la fin je me suis rebellé, je lui ai dit ce que je pensais.* ▶ **rébellion** [rebeljɔ̃] n. f. — REM. Attention à l'accent aigu. ▪ Action de se rebeller ; acte de rebelle (1). ⇒ **insurrection, révolte.** — Tendance à se rebeller. ⇒ **désobéissance, insubordination.** *Quel est cet esprit de rébellion ?*

se **rebiffer** [rəbife] v. pron. ▪ conjug. 1. ▪ Fam. Refuser brusquement, avec vivacité de se laisser mener ou humilier. ⇒ *se* **révolter.** *Le gosse, qu'on envoyait faire toutes les courses, s'est rebiffé.*

rebiquer [rəbike] v. intr. ▪ conjug. 1. ▪ Fam. Se dresser, se retrousser en faisant un angle. *Les pointes de son col rebiquent.*

reblochon [rəblɔʃɔ̃] n. m. ▪ Fromage à pâte grasse, de saveur douce, fabriqué en Savoie.

reboiser [rəbwaze] v. tr. ▪ conjug. 1. ▪ Planter d'arbres (un terrain qui a été déboisé). ▶ **reboisement** n. m.

rebondi, ie [rəbɔ̃di] adj. ▪ De forme arrondie (se dit d'une partie du corps). ⇒ **dodu, gras, rond.** *Joues rebondies.* ⇒ **plein.** — (Personnes) Gros et gras. ⇒ **replet.**

rebondir [rəbɔ̃dir] v. intr. ▪ conjug. 2. **1.** Faire un ou plusieurs bonds après avoir heurté un obstacle. *La balle rebondit sur le sol. Rebondir très haut.* **2.** Prendre un nouveau développement après un arrêt, une pause. ⇒ **repartir.** *Les derniers témoignages pourraient faire rebondir l'affaire. L'action rebondit au troisième acte.* ▶ **rebond** n. m. ▪ Le fait de rebondir (1) ; mouvement d'un corps qui rebondit. *Les rebonds d'une balle.* ▶ **rebondissement** n. m. ▪ Action de rebondir (surtout 2). *Les rebondissements d'une affaire.*

rebord [rəbɔr] n. m. ▪ Bord en saillie. *Le rebord d'une fenêtre.*

reboucher [rəbuʃe] v. tr. ▪ conjug. 1. ▪ Boucher de nouveau. *Rebouchez le flacon après usage. Reboucher un trou.*

à **rebours** [arəbur] loc. adv. **1.** Dans le sens contraire au sens normal, habituel ; à l'envers. *Tourner les pages d'un livre à rebours. Brosser une étoffe à rebours ; caresser un chat à rebours,* à rebrousse-poil. *Prendre l'ennemi à rebours,* l'attaquer par-derrière. — Loc. COMPTE À REBOURS : vérification successive des opérations de mise à feu d'un engin, d'une fusée, aboutissant au zéro du départ (...4, 3, 2, 1, 0). **2.** D'une manière contraire à la nature, à la raison, à l'usage. *Faire tout à rebours.* — Loc. prép. À REBOURS DE, VX AU REBOURS DE : contrairement à, à l'inverse de. *Il agit à rebours du bon sens.*

rebouteux, euse [rəbutø, øz] n. ▪ Fam. Guérisseur(euse) qui fait métier de remettre les membres démis, etc.

reboutonner [rəbutɔne] v. tr. ▪ conjug. 1. ▪ Boutonner de nouveau (un vêtement). — Pronominalement. *Se reboutonner,* reboutonner ses vêtements.

rebrousser [rəbruse] v. tr. ▪ conjug. 1. **1.** Relever (les cheveux, le poil) dans un sens contraire à la direction naturelle. *Rebrousser les poils d'un tapis.* — Pronominalement. *Le poil de sa moustache se rebrousse.* **2.** Loc. REBROUSSER CHEMIN : s'en retourner en sens opposé. *La rue était barrée, il dut rebrousser chemin,* revenir sur ses pas. ▶ *à* **rebrousse-poil** [arəbruspwal] loc. adv. ▪ En rebroussant le poil. *Caresser un chat à rebrousse-poil.* ⇒ *à* **rebours.** — Fam. *Prendre qqn à rebrousse-poil,* de telle sorte qu'il se hérisse, se rebiffe.

rebuffade [R(ə)byfad] n. f. ■ Littér. Refus hargneux, méprisant. *Essuyer une rebuffade.*

rébus [Reby(s)] n. m. invar. **1.** Suite de dessins, de mots, de chiffres, de lettres évoquant par le son ce qu'on veut exprimer (ex. : *nez rond, nez pointu, main = Néron n'est point humain*). *Des rébus.* **2.** Se dit de paroles énigmatiques, d'une écriture difficile à lire. *Ta lettre est un vrai rébus !*

rebut [Rəby] n. m. **1.** Ce qu'il y a de plus (mauvais dans un ensemble). *Le rebut du genre humain.* ⇒ **lie.** *Des objets de rebut.* **2.** Loc. *Mettre qqch.* AU REBUT : s'en débarrasser. ⇒ fam. au **rancart**.

rebuter [Rəbyte] v. tr. ■ conjug. 1. **1.** Dégoûter (qqn) par les difficultés ou le caractère ingrat d'une entreprise. *Ce travail me rebute. Rien ne le rebute.* ⇒ **décourager. 2.** Choquer (qqn), inspirer de la répugnance à. *La vulgarité de ses façons me rebute.* ▶ *rebutant, ante* adj. ■ *Aspect rebutant. Démarches rebutantes.*

récalcitrant, ante [Rekalsitʀɑ̃, ɑ̃t] adj. et n. ■ Qui résiste avec entêtement. *Cheval récalcitrant.* ⇒ **rétif.** *Caractère, esprit récalcitrant.* ⇒ **indocile, rebelle.** — N. *Tenter de convaincre les récalcitrants.*

recaler [R(ə)kale] v. tr. ■ conjug. 1. ■ Fam. Refuser (qqn) à un examen. ⇒ **coller** (I, 5). *Elle s'est fait recaler au bac.* / contr. **recevoir** / — Au p. p. *Il est recalé.* — N. *Les recalés de la session de juillet.*

récapituler [Rekapityle] v. tr. ■ conjug. 1. ■ Répéter en énumérant les points principaux. ⇒ **résumer.** *Récapituler un exposé.* — Redire en examinant de nouveau, point par point. *Récapitulons les faits !* — Sans compl. *Récapitulons !* ▶ *récapitulatif, ive* adj. ■ Qui sert à récapituler. *Liste récapitulative.* ▶ *récapitulation* n. f.

recaser [R(ə)kɑze] v. tr. ■ conjug. 1. ■ Fam. Caser de nouveau (qqn qui a perdu sa place).

receler [Rəs(ə)le] v. tr. ■ conjug. 5. **1.** (Choses) Garder, contenir en soi (qqch. de caché, de secret). ⇒ **renfermer.** *Cet ouvrage recèle de grandes beautés.* **2.** Détenir, garder (des choses volées par autrui). *Receler des objets volés.* ▶ *recel* [Rəsɛl] n. m. ■ Action de receler (2). *Il est accusé de recel de bijoux.* ▶ *receleur, euse* [Rəs(ə)lœR, øz] n. ■ Personne qui se rend coupable de recel.

récemment ⇒ **récent.**

recenser [R(ə)sɑ̃se] v. tr. ■ conjug. 1. ■ Dénombrer en détail, avec précision. *Recenser la population d'une commune.* ▶ *recensement* n. m. ■ Compte ou inventaire détaillé. *Le recensement général des ressources.* — Dénombrement détaillé (des habitants d'un pays). *Recensement par catégories.* ▶ *recension* n. f. ■ Didact. Examen critique (d'un texte).

récent, ente [Resɑ̃, ɑ̃t] adj. ■ Qui s'est produit ou qui existe depuis peu de temps. / contr. **ancien, vieux** / *Les événements récents. Une nouvelle toute récente.* ⇒ **frais.** *Film assez récent.* ⇒ **nouveau.** ▶ *récemment* [Resamɑ̃] adv. ■ À une époque récente. ⇒ **dernièrement.** *Quelqu'un m'a dit récemment... Tout récemment.*

récépissé [Resepise] n. m. ■ Écrit par lequel on reconnaît avoir reçu des objets, de l'argent, etc. ⇒ **reçu.** *Des récépissés.*

réceptacle [Reseptakl] n. m. ■ Contenant qui reçoit son contenu de diverses provenances. *La mer est le réceptacle des eaux fluviales.*

① **récepteur** [ReseptœR] n. m. ■ Appareil qui reçoit et amplifie les ondes. *Un récepteur de radio.* ⇒ **poste.** *Le récepteur du téléphone*, la partie mobile de l'appareil téléphonique où l'on écoute (et parle).

⇒ **combiné.** *Décrocher le récepteur.* ▶ ② *récepteur, trice* adj. ■ Qui reçoit (des ondes). / contr. **émetteur** / *L'organe récepteur de l'oreille interne. Antenne réceptrice.*

réceptif, ive [Reseptif, iv] adj. ■ Susceptible de recevoir des impressions. *Son émotivité la rend très réceptive.* — RÉCEPTIF À *qqch. Les enfants sont particulièrement réceptifs à la suggestion.* ⟨▶ réceptivité⟩

réception [Resepsjɔ̃] n. f. **I. 1.** Action de recevoir (une marchandise transportée). / contr. **envoi, expédition** / *La réception d'une commande. Accuser réception d'un paquet.* **2.** Action de recevoir (des ondes). / contr. **émission** / ⇒ **récepteur. II. 1.** Action de recevoir (une personne). ■ **accueillir.** Être chargé de la réception d'un ambassadeur, d'un chef d'État. — Manière de recevoir, d'accueillir (qqn). *Faire à qqn une cordiale réception.* ⇒ **accueil. 2.** Absolt. Local et employés affectés à la réception des clients. *La réception d'un hôtel. Adressez-vous à la réception.* **3.** Action de recevoir des invités chez soi. — Réunion mondaine (chez qqn). *Donner une grande réception. Salle de réception*, ou ellipt. *réception*, pièce où l'on donne des réceptions. ⇒ **salon. 4.** Le fait de recevoir ou d'être reçu dans une assemblée, un cercle, etc., en tant que membre ; la cérémonie qui a lieu à cette occasion. *La réception d'un écrivain à l'Académie française. Séance, discours de réception.* ▶ *réceptionner* v. tr. ■ conjug. 1. ■ Recevoir, vérifier et enregistrer (une livraison). *Réceptionner des marchandises.* ▶ *réceptionniste* n. ■ Personne affectée à la réception (II, 2). *La réceptionniste va vous renseigner.* ⟨▶ accusé de réception⟩

réceptivité [Reseptivite] n. f. **1.** Caractère de ce qui est réceptif. ⇒ **sensibilité.** *Être en état de réceptivité*, sensibilisé à une influence. **2.** Aptitude à contracter (une maladie). / contr. **résistance** / *La réceptivité de l'organisme (à un germe, une contagion, etc.).*

récession [Resesjɔ̃] n. f. ■ Régression des ventes, de la production, des investissements. ⇒ **crise.**

① **recette** [R(ə)sɛt] n. f. **1.** Total des sommes d'argent reçues. *La recette journalière d'un théâtre. Toucher un pourcentage sur la recette.* ⇒ **bénéfice.** — Loc. (Spectacle, exposition...) *Faire recette*, avoir beaucoup de succès. *Un film qui fait recette.* — Au plur. Rentrées d'argent. *Les recettes couvrent les dépenses.* **2.** Bureau d'un receveur des impôts. *La recette des contributions directes.*

② **recette** n. f. **1.** Procédé pour mener à bien la confection (d'un plat, d'un mets) ; indication détaillée qui s'y rapporte. *Donner la recette d'un gâteau. Un livre de recettes (de cuisine).* **2.** Moyen, procédé. *Une recette infaillible pour réussir.*

recevoir [Rəsvwar], dans certains contextes [Rsəvwar] ou [Rəsəvwar] v. tr. ■ conjug. 28. **I.** (Sens passif) RECEVOIR *qqch.* **1.** Être mis en possession de (qqch.) par un envoi, un don, un paiement, etc. *Recevoir une lettre, un colis.* / contr. **envoyer** / *Recevoir de l'argent, un salaire. Elle a reçu un prix.* ⇒ **obtenir.** — *Nous ne recevons pas la cinquième chaîne.* ⇒ **capter.** — Abstrait. *Recevoir un conseil. Recevez, Monsieur, mes salutations* (formule). ⇒ **agréer. 2.** Être atteint par (qqch. que l'on subit, que l'on éprouve). *Recevoir des coups, des blessures. Qu'est-ce qu'il a reçu !* ⇒ **attraper.** *Recevoir la pluie.* — *Recevoir un affront* ⇒ **essuyer,** *des injures.* — (Suj. chose abstraite) Être l'objet de. *Le projet initial a reçu quelques modifications.* **II.** (Sens actif) RECEVOIR *qqn, qqch.* **1.** Laisser ou faire entrer (qqn qui se présente). ⇒ **accueillir.** *Recevoir qqn à dîner, à sa table. Il s'en* levé *pour recevoir son ami.* — Réserver un accueil (bon ou mauvais). ⇒ **traiter.** *Recevoir qqn avec empressement.* — Au p. p. *Être bien, mal reçu.* — Sans compl. Accueillir habituellement des amis, des invités ; donner une réception. *Ils reçoivent très peu.* — Accueillir les clients, les visiteurs. *Médecin qui reçoit tous les matins sur rendez-vous.* **2.** Laisser entrer (qqn) à certaines conditions, après certaines épreuves. ⇒ **admettre.** — Surtout au passif. *Être reçu à un examen, un concours.* — Au p. p. adj. *Candidats admissibles, reçus.* **3.** Admettre (qqch.) en son esprit (comme vrai, légitime). ⇒ **accepter.** *Recevoir les suggestions de qqn. Recevoir des excuses.* — Au p. p. adj. *Selon les usages reçus. Idée reçue,* que tout le monde admet sans examen. — Accueillir, accepter (plus ou moins bien). *Son initiative a été mal reçue.* **4.** (Suj. chose) RECEVOIR (qqch., des personnes) : laisser entrer. *Pièce qui reçoit le jour. Ce salon peut recevoir plus de cinquante personnes.* ⇒ **contenir.** **III.** SE RECEVOIR v. pron. **1.** Récipr. *Ils se reçoivent beaucoup.* **2.** Réfl. Retomber d'une certaine façon, après un saut. *Elle s'est reçue sur la jambe droite.* ▶ *recevable* adj. ■ Qui peut être reçu (III, 3), accepté. *Cette excuse n'est pas recevable.* ⇒ **acceptable, admissible.** ▶ *receveur, euse* n. **1.** Comptable public chargé d'effectuer les recettes et certaines dépenses publiques. *Receveur des contributions.* (⇒ ① **recette,** 2). *Le receveur des postes.* **2.** Employé qui perçoit le coût du parcours dans les transports publics. ‹ ▶ **irrecevable, réceptif, récepteur, réception, reçu** ›

de rechange [dəʀ(ə)ʃɑ̃ʒ ; dʀəʃɑ̃ʒ] loc. adj. ■ Qui est destiné à remplacer un objet ou un élément identique. *Pièces de rechange. Vêtements de rechange.* — *Roue de rechange,* de secours. — De remplacement. *Une solution de rechange.*

réchapper [ʀeʃape] v. tr. ind. ■ conjug. 1. ■ RÉCHAPPER DE... (surtout EN RÉCHAPPER) : échapper à un péril pressant, menaçant. *Ils en ont tous réchappé,* ils en sont tous sortis vivants. — (Insiste sur l'état) *Pas un n'en est réchappé.* — Vx. Au p. p. adj. ⇒ **rescapé.**

recharger [ʀ(ə)ʃaʀʒe] v. tr. ■ conjug. 3. **1.** Charger de nouveau, ou davantage. *Recharger un camion.* **2.** Remettre une charge dans (une arme). *Il rechargea son fusil.* — Approvisionner de nouveau. *Recharger un appareil photographique, un briquet.* ▶ *recharge* n. f. ■ Deuxième charge que l'on met dans une arme, dans un ustensile. *Une recharge de stylo.* ▶ *rechargeable* adj. ■ Qui peut être rechargé. *Stylo à bille rechargeable.*

réchaud [ʀeʃo] n. m. ■ Ustensile de cuisine portatif, servant à chauffer ou à faire cuire les aliments. *Réchaud à alcool, à gaz.*

réchauffer [ʀeʃofe] v. tr. ■ conjug. 1. **1.** Chauffer (ce qui s'est refroidi). *Réchauffer un potage. Se réchauffer les mains.* — Au p. p. adj. *Dîner réchauffé.* — Sans compl. *La marche, ça réchauffe !* **2.** Ranimer (les esprits, les cœurs, les sentiments). *Cela réchauffe le cœur.* ⇒ **réconforter. 3.** SE RÉCHAUFFER v. pron. : redonner de la chaleur à son corps. *Courir pour se réchauffer.* — Devenir plus chaud. *La température commence à se réchauffer.* / contr. **refroidir** / ▶ *réchauffé* n. m. ■ Fig. *Du réchauffé,* se dit d'une chose vieille, trop connue, qui ne peut plus faire effet (⇒ **éculé).** *Un gag qui sent le réchauffé.* ▶ *réchauffement* n. m. ■ Action de réchauffer, de se réchauffer. *Le réchauffement de la température.*

rêche [ʀɛʃ] adj. ■ Rude au toucher, légèrement râpeux. *Une laine un peu rêche.*

rechercher [ʀ(ə)ʃɛʀʃe] v. tr. ■ conjug. 1. **1.** Chercher à découvrir, à retrouver (qqn ou qqch.). ⇒ **chercher ; recherche.** *On recherche les témoins de l'accident.* — Au passif. *Il est recherché pour meurtre.* — *Rechercher un objet égaré, une lettre.* **2.** Chercher à connaître, à découvrir. *Rechercher la cause d'un phénomène. Rechercher comment, pourquoi.* **3.** Reprendre (qqn ou qqch. qu'on a laissé pour un temps). *Je te confie ma valise, je viendrai la rechercher ce soir.* ⇒ **chercher. 4.** Tenter d'obtenir, d'avoir. *Rechercher l'amour de qqn, une faveur.* ▶ ① *recherche* n. f. **1.** Effort pour trouver (qqch.). *Une recherche de renseignements,* une enquête. — Action de rechercher (qqn). *Il a échappé aux recherches de la police.* — Absolt. *Les sauveteurs ont dû abandonner les recherches.* **2.** Effort de l'esprit vers la connaissance. *La recherche de la vérité.* — (Une, des recherches) Les travaux faits pour trouver des connaissances nouvelles (dans un domaine déterminé). *Recherches scientifiques.* **3.** LA RECHERCHE : l'ensemble des travaux qui tendent à la découverte de connaissances nouvelles. *Goût pour la recherche. Elle fait de la recherche scientifique.* ⇒ **chercheur.** *Le Centre national de la recherche scientifique,* en France (C.N.R.S.). **4.** Action de chercher à obtenir. *La recherche du bonheur, de la gloire.* ⇒ **poursuite. 5.** Loc. ÊTRE À LA RECHERCHE DE. ⇒ **en quête** de. *Il est à la recherche d'un emploi.* ▶ ① *recherché, ée* adj. ■ Que l'on cherche à obtenir ; à quoi l'on attache du prix. *Édition recherchée.* ⇒ **rare.** — (Personnes) Que l'on cherche à voir, à connaître, à employer. *Un acteur très recherché.* ▶ ② *recherche* n. f. ■ Manière étudiée, raffinée, de présenter qqch. ⇒ **raffinement.** *Elle s'habille avec recherche, avec une certaine recherche. Recherche dans le style.* ⇒ **préciosité.** ▶ ② *recherché, ée* adj. ■ Qui témoigne de recherche. ⇒ **raffiné.** *Une mise recherchée.*

rechigner [ʀ(ə)ʃiɲe] v. tr. ind. ■ conjug. 1. ■ RECHIGNER À : témoigner de la mauvaise volonté pour. *Rechigner à la besogne.* ⇒ **renâcler.** *Faire qqch. en rechignant.*

rechute [ʀ(ə)ʃyt] n. f. ■ Nouvel accès d'une maladie qui était en voie de guérison. *Faire, avoir une rechute.* ≠ *récidive.* ▶ *rechuter* v. intr. ■ conjug. 1. ■ Faire une rechute. *Elle est retournée travailler trop tôt, et elle a rechuté.*

récidive [ʀesidiv] n. f. **1.** Le fait de commettre une nouvelle infraction, après une condamnation. *Escroquerie avec récidive.* — Le fait de retomber dans la même faute, la même erreur. *En cas de récidive, vous serez renvoyé.* **2.** Réapparition d'une maladie après sa guérison. ≠ *rechute.* ▶ *récidiver* v. intr. ■ conjug. 1. **1.** Se rendre coupable de récidive. **2.** (Maladie) Réapparaître. ▶ *récidiviste* n. ■ Personne qui est en état de récidive. *Une récidiviste trois fois condamnée.*

récif [ʀesif] n. m. ■ Rocher ou groupe de rochers à fleur d'eau, dans la mer. ⇒ **écueil.** *Faire naufrage sur un récif, sur des récifs. Un récif de corail.*

récipiendaire [ʀesipjɑ̃dɛʀ] n. Littér. **1.** Personne qui vient d'être reçue officiellement dans une assemblée, une compagnie. **2.** Personne qui reçoit un diplôme, une nomination, etc. *La signature du (de la) récipiendaire.*

récipient [ʀesipjɑ̃] n. m. ■ Ustensile creux qui sert à recueillir, à contenir des substances solides, liquides ou gazeuses. *Remplir, vider un récipient. Les bouteilles, les pots, les vases... sont des récipients.*

réciproque [ʀesipʀɔk] adj. et n. f. **I.** Adj. **1.** Qui implique entre deux personnes, deux groupes, deux choses, un échange de même nature. ⇒ **mutuel.** *Confiance réciproque. Époux qui se font des conces-*

sions réciproques. Un amour réciproque. ⇒ **partagé.**
2. En grammaire. *Verbe (pronominal) réciproque,* qui indique une action exercée par plusieurs sujets les uns sur les autres (ex. : *séparer deux enfants qui se battent).* **II.** N. f. *La réciproque,* l'inverse. *Il aime Lise, mais la réciproque n'est pas vraie.* — *Rendre la réciproque à qqn,* la pareille. ▶ *réciprocité* n. f. ■ Caractère de ce qui est réciproque (I, 1). *La réciprocité d'un sentiment. À charge, à titre de réciprocité.* ▶ *réciproquement* adv. **1.** Mutuellement. **2.** ET RÉCIPROQUE-MENT : et la réciproque est vraie. ⇒ **vice versa.** *Il aime tout le monde, et réciproquement* (et il est aimé de tous).

récit [resi] n. m. ■ Relation orale ou écrite (de faits vrais ou imaginaires). ⇒ **exposé, narration.** *Il nous a fait le récit de ses aventures. Un récit véridique des faits.* — REM. On ne *récite* pas un *récit* ; on le *raconte.*

récital, als [resital] n. m. ■ Séance musicale, artistique au cours de laquelle un seul artiste se fait entendre, se produit. *Récital de piano, de chant, de danse. Donner des récitals.*

récitant, ante [resitã, ãt] n. **1.** Personne qui chante un récitatif. **2.** Personne qui récite, déclame un texte narratif ou poétique. *Tenir le rôle du récitant dans une pièce de théâtre.*

récitatif [resitatif] n. m. ■ Dans la musique dramatique. Chant qui se rapproche des inflexions de la voix parlée. *Un récitatif d'opéra.*

réciter [resite] v. tr. ▪ conjug. 1. ■ Dire à haute voix (ce qu'on sait par cœur). *Réciter sa prière. Réciter un poème à qqn. Elle s'est récité tout bas ses leçons.* ▶ *récitation* n. f. **1.** *La récitation de,* action de réciter (qqch.). *La récitation d'une leçon.* **2.** Exercice scolaire qui consiste à réciter un texte littéraire appris par cœur ; ce texte. *Apprendre une, sa récitation.* ⟨ ▶ récit, récital, récitant, récitatif ⟩

réclamation [rekla(ɑ)masjɔ̃] n. f. **1.** Action de réclamer, de s'adresser à une autorité pour faire reconnaître l'existence d'un droit. ⇒ **plainte, revendication.** *Faire, déposer une réclamation.* **2.** Protestation. *Assez de réclamations !* ⇒ **récrimination.**

réclame [rekla(ɑ)m] n. f. **1.** Vx. UNE, DES RÉCLAMES : article publicitaire recommandant qqch. ou qqn, inséré dans un journal. ⇒ **publicité.** *Une réclame pour une marque d'automobiles.* — *Tout moyen particulier de faire de la publicité* (affiches, prospectus...). *Des réclames lumineuses.* **2.** LA RÉCLAME : la publicité. *Faire de la réclame* (pour une marque, un produit). **3.** EN RÉCLAME : en vente à prix réduit. *Articles en réclame.* ⇒ **promotion.** — En appos. *Des ventes réclames.* **4.** Ce qui fait valoir, ce qui assure le succès. *Cela ne lui fait pas de réclame.*

réclamer [rekla(ɑ)me] v. ▪ conjug. 1. **I.** V. tr. **1.** Demander (comme une chose indispensable) en insistant. *On lui a donné ce qu'il réclamait. Réclamer le silence. Réclamer qqn,* sa présence. *L'enfant réclamait sa mère.* **2.** Demander comme dû, comme juste. ⇒ **exiger, revendiquer.** *Réclamer sa part. Il réclame une indemnité à la compagnie d'assurances.* **3.** (Suj. chose) Requérir, exiger, nécessiter. *Ce travail réclame beaucoup de soin.* **II.** V. intr. Faire une réclamation. ⇒ **protester.** — Fam. *J'ai l'estomac qui réclame,* j'ai faim. **III.** SE RÉCLAMER (DE) v. pron. : invoquer en sa faveur le témoignage ou la caution de (qqn). ⇒ se **recommander.** *Vous avez bien fait de vous réclamer de moi.* ⟨ ▶ réclamation, réclame ⟩

reclasser [r(ə)klase] v. tr. ▪ conjug. 1. **1.** Classer de nouveau, selon une nouvelle méthode. *Reclasser des fiches.* **2.** Procéder au reclassement (2) de (qqn). *Reclasser des fonctionnaires.* ▶ *reclassement* n. m. **1.** Nouveau classement. **2.** Classement d'après une nouvelle échelle des salaires (dans la fonction publique). — Nouvelle affectation de personnes qui ne sont plus aptes à exercer leur emploi. *Le reclassement des victimes d'accidents du travail.*

reclus, use [rəkly, yz] n. et adj. ■ Littér. Personne qui vit enfermée, retirée du monde. *Il ne sort plus, il vit en reclus ; il mène une vie de reclus.* — *Existence recluse.* ▶ *réclusion* [reklyzjɔ̃] n. f. ■ Privation de liberté, avec obligation de travailler. ⇒ **détention, prison.** *Réclusion à perpétuité. Il est condamné à dix ans de réclusion criminelle.*

recoiffer [r(ə)kwafe] v. tr. ▪ conjug. 1. ■ Coiffer de nouveau. — Pronominalement. *Elle s'est recoiffée avant de sortir.*

recoin [rəkwɛ̃] n. m. **1.** Coin, endroit caché, retiré. *Les recoins d'un grenier. Explorer les coins et les recoins.* **2.** Abstrait. Partie secrète, intime. ⇒ ① **repli.** *Les recoins de la mémoire.*

récollection [rekɔlɛksjɔ̃] n. f. ■ Littér. Action de se recueillir (1) ; retraite spirituelle. ⇒ ② **retraite** (3).

recoller [r(ə)kɔle] v. tr. ▪ conjug. 1. ■ Coller de nouveau ; raccommoder en collant. *Recoller une assiette cassée.* — Fig. *Il va falloir recoller les morceaux,* arranger les choses (après une rupture).

récolte [rekɔlt] n. f. **1.** Action de recueillir (les produits de la terre). ⇒ **moisson, vendange.** *La récolte des pommes.* **2.** Les produits recueillis. *L'abondance des récoltes. Bonne, mauvaise récolte.* **3.** Ce qu'on recueille à la suite d'une recherche. *Une récolte de documents.* ▶ *récolter* v. tr. ▪ conjug. 1. **1.** Faire la récolte de. ⇒ **cueillir, recueillir.** *Récolter des pommes de terre.* — Pronominalement (passif). *Ces fraises se récoltent en juin.* **2.** Gagner, recueillir. *Récolter des renseignements.* ⇒ **glaner.** *Je n'y ai récolté que des ennuis.* — Fam. Recevoir. *Récolter des coups.*

recommander [r(ə)kɔmɑ̃de] v. tr. ▪ conjug. 1. **I. 1.** Désigner (qqn) à l'attention bienveillante, à la protection d'une personne. *Recommander un ami à un employeur. Il a été chaudement recommandé auprès du ministre.* ⇒ **appuyer, pistonner.** — *Recommander son âme à Dieu,* prier pour son âme avant de mourir ; se préparer à mourir. **2.** Désigner (une chose) à l'attention de qqn ; vanter les avantages de. ⇒ **conseiller, préconiser.** *Recommander un produit, une méthode.* **3.** Demander avec insistance (qqch.) à qqn. *Je te recommande la plus grande prudence. Je vous recommande de bien l'accueillir.* — Impers. *Il est recommandé de ne pas fumer.* — Au p. p. *Ce n'est pas très recommandé,* c'est déconseillé. **4.** Soumettre (un envoi postal) à une taxe spéciale qui garantit son bon acheminement. *Recommander un paquet.* — Au p. p. adj. *Lettre recommandée.* — N. m. *Envoi en recommandé. Un recommandé avec accusé de réception.* **II.** SE RECOMMANDER v. pron. **1.** Se recommander de, invoquer l'appui, le témoignage de. ⇒ se **réclamer.** *Vous pouvez vous recommander de moi.* **2.** Se recommander à, réclamer la protection de. *Se recommander à Dieu.* ▶ *recommandable* adj. ■ Digne d'être recommandé, estimé. *Il, elle est recommandable à tous égards.* — (Plus courant au négatif et avec *peu) Un individu peu recommandable.* ▶ *recommandation* n. f. **1.** Action de recommander qqn. ⇒ **appui, protection ;** fam. **piston.** *Je me suis adressé au directeur sur votre recommandation. Des lettres de recommandation.* **2.** Action de recommander (qqch.) avec insistance. ⇒ **exhortation.** *Faire des recommandations à qqn.*

recommencer [r(ə)kɔmɑ̃se] v. ▪ conjug. 3. **I.** V. tr. **1.** Commencer de nouveau (ce qu'on avait interrompu, abandonné ou rejeté). ⇒ ① **reprendre.** *Recommencer la lutte.* — Sans compl. Reprendre au commencement. *J'ai oublié où j'en étais, je recommence.* — RECOMMENCER À (+ infinitif). ⇒ se **remettre**. *Il recommença à gémir.* — Impers. *Voilà qu'il recommence à pleuvoir !* **2.** Faire de nouveau depuis le début (ce qu'on a déjà fait). ⇒ **refaire**. *Recommencer un travail mal fait. Recommencer dix fois la même chose. Tout est à recommencer ! Si c'était à recommencer...* (j'agirais tout autrement). **II.** V. intr. **1.** Littér. Avoir de nouveau un commencement. *Tout renaît et recommence.* ⇒ se **renouveler**. **2.** Se produire de nouveau (après une interruption). ⇒ **reprendre**. *L'orage recommence.* / contr. **cesser** / ▸ *recommencement* n. m. ■ Action de recommencer. *Un perpétuel recommencement.*

récompense [rekɔ̃pɑ̃s] n. f. ■ Bien matériel ou moral donné ou reçu pour une bonne action, un service rendu, des mérites. *Donner, recevoir une récompense. La récompense de qqn,* celle qu'il reçoit. *Il a reçu un livre en récompense. Mille francs de récompense à qui retrouvera mon chien.* ▸ *récompenser* v. tr. ■ conjug. 1. ■ Gratifier d'une récompense. *Récompenser qqn de* (ou *pour*) *ses efforts ; le récompenser d'avoir fait des efforts.* — Au passif. *Être récompensé de ses efforts.* — (Compl. chose) *Récompenser le travail de qqn.* — *Sa patience est enfin récompensée.*

recompter [rəkɔ̃te] v. tr. ■ conjug. 1. ■ Compter de nouveau. *Il recompta ce qu'il avait en poche.*

réconcilier [rekɔ̃silje] v. tr. ■ conjug. 7. **1.** Remettre en accord, en harmonie (des personnes qui étaient brouillées). ⇒ **raccommoder**. *Réconcilier deux personnes. Je veux réconcilier Pierre et Jean, Pierre avec Jean.* — Pronominalement. *Se réconcilier avec qqn. Ils se sont réconciliés.* **2.** Concilier (des opinions, des doctrines foncièrement différentes). *Réconcilier la politique et la morale.* — Faire revenir (qqn) sur une opinion ou un préjugé défavorables. *Cette exposition me réconcilie avec la peinture moderne.* ▸ *réconciliation* n. f. ■ Action de réconcilier ; fait de se réconcilier. ⇒ **raccommodement**.

① **reconduire** [r(ə)kɔ̃dɥir] v. tr. ■ conjug. 38. — REM. Part. passé *reconduit(e).* **1.** Accompagner (une personne) à son domicile. ⇒ **raccompagner, ramener**. **2.** Accompagner (un visiteur qui s'en va) jusqu'à la porte, par civilité.

② **reconduire** v. tr. ■ conjug. 38. — REM. Part. passé *reconduit(e).* ■ En terme de droit, d'administration. Renouveler ou proroger (un contrat, etc.). *Reconduire des mesures temporaires, un bail, une grève.* ▸ *reconduction* n. f. ■ Acte par lequel on continue, on renouvelle (une location, un bail à terme...). *Tacite reconduction,* qui se fait par accord tacite.

réconfort [rekɔ̃fɔr] n. m. ■ Ce qui redonne du courage, de l'espoir. ⇒ **consolation**. *Avoir besoin de réconfort. Ta visite m'a apporté un grand réconfort.* ▸ *réconforter* v. tr. ■ conjug. 1. **1.** Donner, redonner (à qqn qui en a besoin) du courage, de l'énergie. ⇒ **soutenir**. *Réconforter un ami dans la peine. Ton exemple me réconforte.* **2.** Redonner momentanément des forces physiques à (qqn d'affaibli). ⇒ **remonter, revigorer**. *Ce petit vin m'a réconforté. J'ai besoin de me réconforter, de manger, de boire qqch.* ▸ *réconfortant, ante* adj. ■ Qui réconforte, console. *Nouvelles réconfortantes.* — Qui revigore. — N. m. *Un réconfortant,* une boisson qui ranime. ⇒ **remontant**.

① **reconnaître** [r(ə)kɔnɛtr] v. tr. ■ conjug. 57. **I. 1.** Identifier (qqn, qqch.) à l'aide de la mémoire. ⇒ se **souvenir**. *Je reconnais cet endroit, j'y suis déjà venu. Il avait laissé pousser sa barbe, aussi je ne l'ai pas reconnu tout de suite. Le chien reconnaît son maître.* **2.** Identifier (qqn, qqch.) en tant qu'appartenant à une catégorie. *Reconnaître une plante,* l'espèce à laquelle elle appartient. *Reconnaître une voix,* en identifiant la personne qui parle. *Reconnaître l'injustice là où elle se manifeste.* — Avec un compl. au plur. *Des jumeaux impossibles à reconnaître.* ⇒ **distinguer**. — Retrouver (une chose, une personne) telle qu'on l'a connue. *Je reconnais bien là sa paresse. On ne le reconnaît plus,* il a changé. — RECONNAÎTRE *qqn, qqch.* à : l'identifier grâce à (tel caractère, tel signe). *Reconnaître qqn à sa démarche, un arbre à ses feuilles.* **II.** SE RECONNAÎTRE v. pron. **1.** (Réfl.) Retrouver son image, s'identifier. *Je ne me reconnais pas du tout sur cette photo.* — *Se reconnaître dans qqn,* se trouver des points de ressemblance avec lui. *Les jeunes gens se reconnaissent dans le héros de ce film.* **2.** Reconnaître les lieux où l'on se trouve. ⇒ se **retrouver**. *Comment se reconnaître dans ce dédale de ruelles ? Ne plus s'y reconnaître.* ⇒ s'**embrouiller**. **3.** (Récipr.) *Ils ne se sont pas reconnus, après dix ans de séparation.* **4.** (Passif) Être reconnu ou reconnaissable. *Le rossignol se reconnaît à son chant.* ▸ *reconnaissable* adj. ■ Qui peut être aisément reconnu, distingué. *Son parfum est reconnaissable entre tous. Il est reconnaissable à sa calvitie. Il est à peine reconnaissable, tant il est changé.* ⇒ **méconnaissable**. ▸ ① *reconnaissance* n. f. ■ Action de reconnaître. — *Signe de reconnaissance,* par lequel des personnes se reconnaissent.

② **reconnaître** v. tr. ■ conjug. 57. **1.** Admettre, avouer (un acte blâmable qu'on a commis). ⇒ **confesser**. *Reconnaître ses torts. L'accusé a reconnu les faits. Il reconnaît avoir menti, qu'il a menti.* **2.** Admettre (qqn) pour chef, pour maître. *C'est le chef reconnu de la rébellion.* **3.** Admettre (qqch.). *Reconnaître la valeur, la supériorité de qqn.* — *Reconnaissons qu'il a fait ce qu'il a pu.* ⇒ **convenir** de. — *Reconnaître une qualité à qqn,* considérer qu'il la possède. **4.** Admettre, après une recherche. ⇒ **constater, découvrir**. *Reconnaître peu à peu les difficultés d'un sujet.* **5.** Effectuer une reconnaissance militaire (I, 2) dans (un lieu). *Reconnaître le terrain, les positions.* **6.** Admettre officiellement l'existence juridique de. *Reconnaître un gouvernement, la compétence d'un tribunal.* — *Reconnaître un enfant* (⇒ *reconnaissance,* I, 3). *Reconnaître une dette.* ▸ ② *reconnaissance* n. f. **I.** Action de reconnaître, d'accepter, d'admettre. **1.** Littér. Aveu, confession (d'une faute). *La reconnaissance de ses erreurs.* **2.** Examen (d'un lieu). ⇒ **exploration**. *La reconnaissance d'une contrée inconnue, d'une côte inexplorée.* — Opération militaire dont le but est de recueillir des renseignements. *Mission, patrouille de reconnaissance.* — Loc. EN RECONNAISSANCE. *Envoyer un détachement en reconnaissance. Partir en reconnaissance.* **3.** Action de reconnaître formellement, juridiquement. *La reconnaissance d'un État par un autre État.* — *Reconnaissance d'enfant,* acte par lequel une personne reconnaît être le père ou la mère d'un enfant. — *Signer une reconnaissance de dette.* **II. 1.** Action de reconnaître (un bienfait reçu). *Il l'a faite son héritière en reconnaissance de ses services.* **2.** Gratitude. *Éprouver de la reconnaissance.* — Fam. *La reconnaissance du ventre,* celle que l'on éprouve envers qqn qui nous a nourris. ▸ *reconnaissant, ante* adj. ■ Qui a de la reconnaissance (II, 2). *Je vous suis très reconnaissant de m'avoir aidé.* ▸ *reconnu, ue* adj. ■ Admis pour vrai. *C'est un fait reconnu,* certain, avéré.

reconquérir [r(ə)kɔ̃kerir] v. tr. ■ conjug. 21. **1.** Reprendre par une conquête. — Au p. p. adj. *Un village conquis, perdu et reconquis.* **2.** Conquérir de nouveau par une lutte. *Reconquérir sa liberté.* ▸ *reconquête* n. f. ■ Action de reconquérir.

reconsidérer [ʀ(ə)kɔ̃sideʀe] v. tr. ▪ conjug. 6.
▪ Considérer de nouveau (une question, un projet).
Il faut reconsidérer le problème.

reconstituer [ʀ(ə)kɔ̃stitɥe] v. tr. ▪ conjug. 1.
1. Constituer, former de nouveau. *Reconstituer une armée. Il a reconstitué sa fortune.* — Pronominalement. *Le parti s'est reconstitué.* **2.** Rétablir dans sa forme, dans son état d'origine, en réalité ou par la pensée (une chose disparue). *Reconstituer fidèlement un quartier d'une ville détruite. L'enquête a permis de reconstituer les faits.* **3.** Rétablir dans son état antérieur et normal. *Reconstituer ses forces.* ⇒ **régénérer.** ▸ **reconstituant, ante** adj. et n. m. ▪ Propre à reconstituer, à redonner des forces à l'organisme. *Aliment, régime reconstituant.* — N. m. *Un reconstituant.* ⇒ **tonique.** ▸ **reconstitution** n. f. ▪ Action de reconstituer, de se reconstituer. *Une reconstitution historique* (dans un spectacle, etc.), une évocation historique précise et fidèle. — *La reconstitution d'un crime, d'un accident.*

reconstruire [ʀ(ə)kɔ̃stʀɥiʀ] v. tr. ▪ conjug. 38.
— REM. Part. passé *reconstruit(e).* **1.** Construire de nouveau (ce qui était démoli). *Reconstruire une ville.* ⇒ **rebâtir.** — Au p. p. adj. *Cité reconstruite après une guerre.* **2.** Réédifier, refaire. *Reconstruire sa fortune. Il veut reconstruire la société à son idée.* ▸ **reconstruction** [ʀ(ə)kɔ̃stʀyksjɔ̃] n. f.

reconversion [ʀ(ə)kɔ̃vɛʀsjɔ̃] n. f. **1.** *Reconversion économique, technique,* adaptation à des conditions nouvelles (notamment quand on revient de l'économie de guerre à l'économie de paix). **2.** Affectation (de qqn) à un nouvel emploi. ⇒ **recyclage.** ▸ **reconvertir** v. tr. ▪ conjug. 2. ▪ Procéder à la reconversion de (qqn, qqch.). — SE RECONVERTIR v. pron. : changer de métier. *Déçue par l'enseignement, elle s'est reconvertie dans la recherche.* ⇒ **recycler.**

recopier [ʀ(ə)kɔpje] v. tr. ▪ conjug. 7. ▪ Copier (un texte déjà écrit). ⇒ **transcrire.** *Recopier une adresse dans son nouvel agenda.* — Mettre au propre (un brouillon). *Recopier un devoir.* ▸ **recopiage** n. m.

record [ʀ(ə)kɔʀ] n. m. **1.** Exploit sportif qui dépasse ce qui a été fait avant dans la même spécialité. *Établir, détenir, améliorer, battre un record. Record d'Europe, du monde.* — *Battre tous les records,* l'emporter sur les autres ; *fam.* dépasser tout ce que l'on peut imaginer. *Sa paresse bat tous les records !* **2.** En appos. Jamais atteint. *Production record. Atteindre le chiffre record de... Des ventes records.*

recors [ʀ(ə)kɔʀ] n. m. invar. ▪ Vx. Personne qui aidait l'huissier à faire les saisies.

recoucher [ʀ(ə)kuʃe] v. tr. ▪ conjug. 1. ▪ Coucher de nouveau (qqn qui vient de se lever). — Pronominalement. *Se recoucher.*

recoudre [ʀ(ə)kudʀ] v. tr. ▪ conjug. 48. ▪ Coudre (ce qui est décousu). *Recoudre un bouton.* — Coudre les lèvres d'une plaie, d'une incision. *Recoudre la peau du visage.* — Au p. p. adj. *Son visage est tout recousu.*

① **recouper** [ʀ(ə)kupe] v. tr. ▪ conjug. 1. **1.** Couper de nouveau. — *Recouper un habit,* en modifier la coupe. **2.** Sans compl. Couper une seconde fois les cartes.

② **recouper** v. tr. ▪ conjug. 1. (Suj. chose abstraite, discours) **1.** Coïncider en confirmant. *Votre témoignage recoupe le sien.* **2.** SE RECOUPER v. pron. : coïncider en un ou plusieurs points. *Les déclarations des deux témoins se recoupent.* ▸ **recoupement** n. m. ▪ Rencontre de renseignements de sources différentes qui permettent d'établir un fait ; vérification du fait par ce moyen. *Procéder par recoupement. Faire un recoupement.*

recourber [ʀ(ə)kuʀbe] v. tr. ▪ conjug. 1. ▪ Courber à son extrémité, rendre courbe. *Recourber une branche, une tige de métal.* — Au p. p. adj. *Bec recourbé.* ⇒ **crochu.**

① **recourir** [ʀ(ə)kuʀiʀ] v. tr. ind. ▪ conjug. 11.
— RECOURIR À. **1.** Demander une aide à (qqn). *Recourir à un ami. Nous avons recouru à une agence pour trouver un logement.* ⇒ **s'adresser. 2.** Mettre en œuvre (un moyen). *Recourir à un mensonge. Il a fallu recourir à un expédient.* ▸ **recours** [ʀ(ə)kuʀ] n. m. invar. **1.** Action de recourir à (qqn, qqch.). *Le recours à la violence.* — AVOIR RECOURS À loc. verb. : faire appel à. *Avoir recours à qqn.* ⇒ **s'adresser, recourir.** *Il a eu recours à des moyens extrêmes.* **2.** Ce à quoi on recourt, dernier moyen efficace. ⇒ **ressource.** *C'est notre dernier, notre suprême recours. C'est sans recours,* c'est irrémédiable. **3.** Procédé destiné à obtenir d'une juridiction le nouvel examen d'une question. ⇒ **pourvoi.** *Recours en cassation.* — *Recours en grâce,* adressé au chef de l'État.

② **recourir** v. ▪ conjug. 11. **1.** V. intr. Se remettre à courir. *Il n'a pas recouru depuis son accident.* **2.** V. tr. *Recourir un cent mètres.*

recouvrer [ʀ(ə)kuvʀe] v. tr. ▪ conjug. 1. **1.** Littér. Rentrer en possession de (qqch.). *Il a recouvré son bien.* ⇒ **récupérer.** *Recouvrer ses droits. J'espère que tu recouvreras la santé,* que tu guériras. **2.** Recevoir le paiement de (une somme due). ⇒ **encaisser.** ≠ *recouvrir.* ▸ ① **recouvrement** n. m. ▪ Action de recouvrer (des sommes dues). *Le recouvrement d'une créance.*

recouvrir [ʀ(ə)kuvʀiʀ] v. tr. ▪ conjug. 18. **I.** Couvrir de nouveau (ce qui est découvert). *Il a recouvert la casserole.* — *Recouvrir qqn dans son lit,* remettre une couverture sur lui. **II. 1.** (Suj. chose) Couvrir entièrement. *La neige recouvre le sol.* **2.** (Suj. personne) Couvrir toute la surface de (qqch.) en la touchant. *Recouvrir un mur de papier peint.* ⇒ **tapisser.** *Recouvrir des sièges* (de tissu). ⇒ **garnir.** *As-tu recouvert tes livres de classe ?* **3.** (Suj. chose) Cacher, masquer. *Sa désinvolture recouvre une grande timidité.* **4.** Abstrait. S'appliquer à, correspondre à. *La notion de réalisme recouvre plusieurs aspects.* ⇒ **embrasser.** ≠ *recouvrer.* ▸ ② **recouvrement** n. m. ▪ Action de recouvrir ; (technique) ce qui recouvre.

recracher [ʀ(ə)kʀaʃe] v. tr. ▪ conjug. 1. ▪ Rejeter de la bouche (ce qu'on y a mis). *Recracher un bonbon.*

recréer [ʀ(ə)kʀee] v. tr. ▪ conjug. 1. ▪ Reconstruire, reconstituer, faire revivre (ce qui n'est plus). *Recréer une ambiance.* — Abstrait. Réinventer. *L'imagination recrée le monde.* ≠ *se récréer.* ▸ **recréation** n. f. ▪ Action de recréer. *La recréation d'un personnage historique.* ≠ *récréation.*

se récréer [ʀekʀee] v. pron. ▪ conjug. 1. ▪ Littér. Se délasser par une occupation agréable. ⇒ **amuser, distraire, se divertir.** ≠ *recréer.* ▸ **récréatif, ive** adj. ▪ Qui a pour objet ou pour effet de divertir. *Séance récréative organisée pour des enfants.* ▸ **récréation** n. f. **1.** Temps de liberté accordé aux élèves pour qu'ils puissent jouer, se délasser. *Aller, être en récréation. La cour de récréation.* — Abrév. fam. RÉCRÉ, n. f. **2.** Littér. Délassement, divertissement. *S'octroyer une petite récréation.* ≠ *recréation.*

se récrier [ʀekʀije] v. pron. ▪ conjug. 7. ▪ Littér. S'exclamer sous l'effet d'une vive émotion. *Elles se sont récriées d'admiration.* — Sans compl. *À ces mots, il se récria.* ⇒ **protester.**

récriminer [ʀekʀimine] v. intr. ▪ conjug. 1.
▪ *Récriminer contre qqn, qqch.,* critiquer avec amertume et âpreté. ⇒ **protester.** — Sans compl.

Inutile de récriminer. ▶ *récrimination* n. f. ■ Le fait de récriminer. ⇒ **protestation, réclamation.**

récrire [ʀekʀiʀ] ou *réécrire* [ʀeekʀiʀ] v. tr. ■ conjug. 39. 1. Écrire de nouveau. *Je te récrirai (réécrirai) la semaine prochaine.* 2. Rédiger de nouveau. — Au p. p. adj. *Scénario réécrit de bout en bout.*

se recroqueviller [ʀ(ə)kʀɔkvije] v. pron. ■ conjug. 1. 1. Se rétracter, se recourber en se desséchant. ⇒ se **racornir, se ratatiner.** *Le cuir se recroqueville à la chaleur. Les feuilles mortes se sont recroquevillées.* 2. (Suj. personne) Se replier, se ramasser sur soi-même. — Au p. p. adj. *Un malade recroquevillé dans son lit.* 3. V. tr. *Le froid recroqueville les plantes.*

recru, ue [ʀ(ə)kʀy] adj. ■ Littér. Fatigué jusqu'à l'épuisement. ⇒ **éreinté, fourbu.** *Bête de somme recrue.* — REM. On dit surtout : *Être* RECRU, UE DE FATIGUE. ≠ *recrue* n. f.

recrudescence [ʀ(ə)kʀydesɑ̃s] n. f. 1. Aggravation (d'une maladie) après une amélioration. *Une recrudescence de fièvre. La recrudescence d'une épidémie,* augmentation du nombre des cas. 2. Brusque réapparition, sous une forme plus intense. *La recrudescence des combats, d'un incendie.* ▶ *recrudescent, ente* adj. ■ Littér. Qui est en recrudescence. *Criminalité recrudescente.*

recrue [ʀ(ə)kʀy] n. f. 1. Soldat qui vient d'être recruté. ⇒ **conscrit.** *Les nouvelles recrues.* 2. Personne qui vient s'ajouter à un groupe. *Faire une nouvelle recrue* (dans un cercle, un parti...). ≠ *recru(e)* adj. ▶ *recruter* v. tr. ■ conjug. 1. 1. Engager (des hommes) pour former une troupe ; former (une troupe). *Recruter une armée.* — Au p. p. adj. *Soldat nouvellement recruté.* ⇒ **recrue.** — Amener (qqn) à faire partie d'un groupe. *Recruter des partisans, des collaborateurs.* 2. SE RECRUTER v. pron. : être recruté. *Membres qui se recrutent par élection. Se recruter dans, parmi..., provenir de. Leurs adhérents se recrutent dans tous les milieux.* ▶ *recrutement* n. m. ■ Action de recruter (des soldats, etc.). *Bureau, service de recrutement.* ▶ *recruteur, euse* n. et adj. ■ Personne qui est chargée de recruter. — Adj. *Agent recruteur.*

recta [ʀɛkta] adv. ■ Fam. Ponctuellement, très exactement. *Payer recta.*

rectangle [ʀɛktɑ̃gl] adj. et n. m. 1. Adj. Dont un angle au moins est droit. *Triangle rectangle.* 2. N. m. Figure à quatre angles droits dont les côtés sont égaux seulement deux à deux (s'ils le sont tous, c'est un *carré*). ▶ *rectangulaire* adj. ■ Qui a la forme d'un rectangle. *Pièce rectangulaire.*

recteur [ʀɛktœʀ] n. m. 1. Universitaire qui est à la tête d'une académie. ⇒ **rectorat.** *Elle a été nommée recteur de l'Académie de Paris.* 2. Supérieur d'un collège religieux. — Région. Curé. ‹ ▶ rectorat ›

rect(i)- ■ Élément signifiant « ① droit ».

rectifier [ʀɛktifje] v. tr. ■ conjug. 7. 1. Rendre droit. *Rectifier un alignement.* 2. Modifier (qqch.) pour le rendre conforme à son emploi, à ce qu'il doit être. *Rectifier un tracé. Rectifier la position,* (soldat) reprendre la position réglementaire. — Loc. Abstrait. RECTIFIER LE TIR : changer sa façon d'agir pour mieux réussir. 3. Rendre exact. ⇒ **corriger.** *Rectifier un calcul. Texte à rectifier.* 4. Faire disparaître en corrigeant. ⇒ **redresser.** *Rectifier une erreur.* — Sans compl. *Ce que tu dis là est inexact, permets-moi de rectifier.* ▶ *rectifiable* adj. ■ Qui peut être rectifié. ▶ *rectificatif, ive* adj. et n. m. ■ Qui a pour objet de rectifier (une chose inexacte). *Compte rectificatif.* — N. m. *Communiquer à la presse un rectificatif,* une

note rectificative. ▶ *rectification* n. f. 1. Action de rectifier. 2. Correction. *Veuillez noter cette rectification.*

rectiligne [ʀɛktiliɲ] adj. 1. Qui est ou se fait en ligne droite. *Allées rectilignes. Mouvement rectiligne.* 2. Limité par des droites ou des segments de droite. *Figure géométrique rectiligne.*

rectitude [ʀɛktityd] n. f. ■ Littér. Qualité de ce qui est droit, rigoureux (intellectuellement et moralement). *Faire preuve de rectitude morale.* ⇒ **droiture.** *La rectitude d'un raisonnement.* ⇒ **justesse.**

recto [ʀɛkto] n. m. ■ Première page d'un feuillet (dont l'envers est appelé *verso*). ⇒ ② **endroit.** *Le début est au recto. Des rectos.* — Loc. adv. RECTO VERSO : au recto et au verso.

rectorat [ʀɛktɔʀa] n. m. 1. Charge de recteur (1). — Durée de cette charge. 2. Bureaux du recteur (1).

rectum [ʀɛktɔm] n. m. ■ Anatomie. Portion terminale du gros intestin, qui aboutit à l'anus.

① *reçu, ue* Part. passé de *recevoir.*

② *reçu* [ʀ(ə)sy] n. m. ■ Écrit par lequel une personne reconnaît avoir reçu (qqch.) à titre de paiement, de prêt, etc. ⇒ **quittance, récépissé.** *Donner, remettre un reçu. Signez et datez les reçus.*

① *recueillir* [ʀ(ə)kœjiʀ] v. tr. ■ conjug. 12. I. RECUEILLIR *qqch.* 1. Prendre en cueillant ou en ramassant, pour utiliser ultérieurement. *Les abeilles recueillent le pollen.* ⇒ **Abstrait.** *Quand recueillerons-nous le fruit de nos efforts ?* 2. Rassembler, réunir (des éléments dispersés). ⇒ **collecter.** *Recueillir des matériaux, de l'argent, des souscriptions.* 3. Faire entrer et séjourner dans un récipient. *Recueillir les eaux de pluie dans une citerne.* 4. Recevoir pour conserver (une information). ⇒ **enregistrer.** *Recueillir des renseignements, les dépositions des témoins.* 5. Recevoir (par voie d'héritage, etc.). *Recueillir des biens laissés par un vieil oncle.* — Obtenir. *Recueillir des voix, des suffrages* (dans une élection). II. RECUEILLIR *qqn* : offrir un refuge et une protection (à qqn dans le besoin, le malheur). *Recueillir un enfant de l'Assistance.* — *Il recueille les chiens errants.* ▶ *recueil* [ʀ(ə)kœj] n. m. ■ Ouvrage réunissant des écrits, des documents. *Un recueil de poèmes. Recueil de morceaux choisis.* ⇒ **anthologie.** *Des recueils de chansons.*

② *se recueillir* v. pron. ■ conjug. 12. 1. Concentrer sa pensée sur la vie spirituelle. 2. S'isoler du monde extérieur pour mieux réfléchir, se concentrer. ⇒ **rentrer** en soi-même. *Avoir besoin de se recueillir* (⇒ **récollection**). ▶ *recueillement* n. m. 1. Action de se recueillir. ⇒ **méditation.** 2. État de l'esprit qui s'isole du monde extérieur. *Écouter de la musique avec recueillement.* ▶ *recueilli, ie* adj. ■ Qui a, qui manifeste du recueillement. *Des communiants recueillis. Un air recueilli et méditatif.*

recuire [ʀ(ə)kɥiʀ] v. intr. ■ conjug. 38. — REM. Part. passé *recuit(e).* ■ Subir une nouvelle cuisson. *Faire recuire un gigot trop saignant.*

recul [ʀ(ə)kyl] n. m. 1. (Mécanisme) *Le recul d'un canon, d'une arme à feu,* le mouvement vers l'arrière après le départ du coup. 2. Action de reculer, mouvement vers un pas en arrière. / contr. **progression** / *Le recul d'une armée.* ⇒ ② **repli.** *Avoir un recul, un mouvement de recul.* — Abstrait. Régression. *On constate un certain recul de la tuberculose.* 3. Position éloignée (dans l'espace ou dans le temps) permettant une appréciation meilleure. *Prendre du recul pour apprécier un tableau. Je n'ai compris cela que beaucoup plus tard, avec le recul.* — Le fait de se détacher mentalement d'une situation actuelle pour

mieux l'évaluer. *Prenons du recul. Manquer de recul.*
4. Espace libre, permettant (au tennis, au ping-pong)
de reculer pour reprendre la balle. *Ce court n'a pas
assez de recul.* ▶ **reculer** v. ▪ conjug. 1. **I.** V. intr.
1. Aller, faire mouvement en arrière. / contr. **avancer** / *Reculer d'un pas. Reculer d'horreur.* — *Voiture
qui recule.* **2.** (Choses) Perdre du terrain. *L'épidémie
a reculé.* **3.** Abstrait. Se dérober devant une difficulté ;
revenir à une position plus sûre. ⇒ **renoncer.** *Il s'est
trop avancé pour reculer. Plus moyen de reculer !*
— Loc. *Reculer pour mieux sauter,* éviter sur le
moment une difficulté qu'il faudra affronter de toute
façon. — RECULER DEVANT qqch. : craindre, fuir (un
danger, une difficulté). *Il ne recule devant rien.*
— Hésiter (à faire qqch). *Il y a de quoi faire reculer
les plus audacieux.* **II.** V. tr. **1.** Porter en arrière.
Recule un peu ta chaise. — Pronominalement. *Elle se
recula pour mieux voir.* — Reporter plus loin. *Reculer
les frontières d'un pays.* ⇒ **repousser.** **2.** Reporter à
plus tard. ⇒ **ajourner, différer.** *Reculer une décision,
une échéance.* / contr. **avancer** / ▶ **reculade** n. f.
▪ Péj. et littér. Action de qqn qui recule, cède.
⇒ **dérobade.** *Honteuse, lâche reculade.* ▶ **reculé, ée**
adj. **1.** Lointain et difficile d'accès. ⇒ **isolé.** *Village
reculé.* **2.** Éloigné (dans le temps). ⇒ **ancien.** *À une
époque très reculée.* ▶ **à reculons** [aʀkylɔ̃] loc. adv.
▪ En reculant, en allant en arrière. *S'éloigner à
reculons.* — *Aller, marcher à reculons.* ⇒ **rétrograder** (I).

récupérer [ʀekypeʀe] v. tr. ▪ conjug. 6. **I.** RÉCUPÉ-
RER qqch. **1.** Rentrer en possession de (ce qu'on avait
perdu, dépensé). *Récupérer de l'argent, ses affaires,
un livre prêté.* — *Récupérer ses forces.* — Sans compl.
*Laisse-moi le temps de récupérer. Athlète qui récupère
vite* (après un grand effort). **2.** Recueillir (ce qui serait
perdu ou inutilisé). *Récupérer de la ferraille, du
matériel.* **3.** *Récupérer des heures, des journées de
travail,* les faire en remplacement d'heures, de
journées non effectuées. **4.** Annexer, détourner à son
profit. — Au p. p. *Mouvement de grève récupéré par
un parti.* **II.** RÉCUPÉRER qqn. **1.** Conserver, en
l'employant autrement (qqn qui n'est plus apte à
poursuivre son activité passée). *Récupérer et reclasser
des accidentés.* **2.** Fam. Retrouver et prendre avec soi
(qqn) après une séparation. *C'est elle qui récupérera
les enfants à la gare.* **3.** Fam. Retrouver et employer
de nouveau. *J'ai récupéré ma dactylo de l'an dernier.*
4. S'assimiler (un individu, un groupe) exprimant des
idées opposées ou différentes pour lui faire servir ses
propres desseins. *Les grévistes ne veulent être récupérés
par aucun parti.* ▶ **récupérable** adj. ▪ Qui peut être
récupéré. *Heures (de travail) récupérables.* — (Personnes) Qui est susceptible de reprendre dans un
groupe, dans la société, la place qu'il avait perdue.
/ contr. **irrécupérable** / ▶ ① **récupérateur** n. m.
▪ Appareil destiné à améliorer le rendement d'un
système productif d'énergie (électrique, calorifique,...). *Elle a fait installer une cheminée à récupérateur de chaleur.* ▶ ② **récupérateur, trice** n. ▪ Personne qui collecte des matériaux ou objets usagés
(voitures, électroménager, cartons,...) afin, soit d'en
retirer et de revendre les parties en bon état, soit de
les rendre aptes à être transformés de nouveau en
matières premières. ⇒ **ferrailleur.** ▶ **récupération**
n. f. ▪ Action de récupérer (surtout au sens I, 2).
⟨ ▶ **irrécupérable** ⟩

récurer [ʀekyʀe] v. tr. ▪ conjug. 1. ▪ Nettoyer en
frottant. *Récurer des casseroles, un évier. Poudre à
récurer.* ▶ **récurage** n. m.

récuser [ʀekyze] v. tr. ▪ conjug. 1. **1.** Refuser
d'accepter (qqn) comme juge, arbitre, témoin. *Récuser
un témoin. Récuser la compétence d'un tribunal.*
2. Repousser comme inexact. *Récuser un argument.*

Ce témoignage ne peut être récusé. **3.** SE RÉCUSER v.
pron. : affirmer son incompétence sur une question.
▶ **récusable** adj. ▪ En droit. Qu'on peut récuser. *Juge
récusable.* — Auquel on n'accorde pas confiance.
Témoignage récusable. / contr. **irrécusable** / ▶ **ré-
cusation** n. f. ⟨ ▶ **irrécusable** ⟩

recyclage [ʀ(ə)siklaʒ] n. m. **1.** Changement de
l'orientation scolaire (d'un enfant) vers un autre cycle
d'études. **2.** Formation complémentaire pour adapter
qqn à de nouvelles fonctions ou de nouvelles
connaissances. *Stage de recyclage.* **3.** Action de
récupérer des déchets, de leur faire subir un traitement et de les réintroduire dans le cycle de
production. *Le recyclage du verre.* ▶ **recycler** v. tr.
▪ conjug. 1. **1.** Effectuer le recyclage de (qqn).
— Pronominalement. *Elle cherche à se recycler.*
2. Soumettre à un recyclage (3). *Recycler des
matériaux.*

rédaction [ʀedaksjɔ̃] n. f. **1.** Action ou manière
de rédiger un texte. *La rédaction d'un article.*
2. Ensemble des rédacteurs d'un journal, d'une œuvre
collective ; locaux où ils travaillent. *Salle de rédaction.*
3. Exercice scolaire élémentaire, pour apprendre aux
élèves à rédiger. ⇒ **composition** française. ▶ **rédacteur, trice** n. ▪ Professionnel(le) de la rédaction d'un
texte (publicitaire, littéraire) ou d'articles de journaux. ⇒ **journaliste.** — *Rédacteur en chef,* directeur
de la rédaction d'un journal. ▶ **rédactionnel, elle**
adj. ▪ Relatif à la rédaction.

reddition [ʀedisjɔ̃] n. f. ▪ Le fait de se rendre,
de capituler. ⇒ **capitulation.** ≠ **réédition.** *La reddition d'une armée.*

redemander [ʀədmɑ̃de ; ʀ(ə)dəmɑ̃de] v. tr.
▪ conjug. 1. **1.** Demander de nouveau. *Redemander
d'un plat à table.* **2.** Demander (ce qu'on a laissé, ce
qu'on a prêté à qqn). *Je lui ai redemandé mon stylo.*

rédemption [ʀedɑ̃psjɔ̃] n. f. ▪ Relig. Rachat du
genre humain par le Christ. ⇒ **salut.** *Le mystère de
la Rédemption.* — Le fait de racheter, de se racheter
(au sens religieux ou moral). *La rédemption des
péchés.* ▶ **rédempteur, trice** [ʀedɑ̃ptœʀ, tʀis] n. et
adj. **1.** N. M. *Le Rédempteur,* le Christ (en tant qu'il
a racheté le genre humain par sa mort, selon la
doctrine chrétienne). ⇒ **sauveur.** **2.** Adj. Qui rachète,
au sens moral ou religieux. *Souffrance rédemptrice.*

redescendre [ʀ(ə)desɑ̃dʀ] v. ▪ conjug. 41. **I.** V.
intr. Descendre après être monté. *Nous sommes montés
en ascenseur, et puis nous sommes redescendus à pied.*
II. V. tr. *Redescendre des bagages.* — *Le cortège a
redescendu la rue.* ▶ **redescente** n. f.

redevable [ʀədvabl ; ʀ(ə)dəvabl] adj. **1.** Qui est
ou qui demeure débiteur de qqn. *Être redevable d'une
somme à un créancier.* **2.** Être redevable de qqch. à
qqn, avoir une obligation envers lui. *Je vous suis
redevable de mon succès.*

redevance [ʀədvɑ̃s ; ʀ(ə)dəvɑ̃s] n. f. **1.** Somme
qui doit être payée à échéances déterminées (à titre
de rente, de dette). *Percevoir des redevances.* **2.** Taxe
due en contrepartie de l'utilisation d'un service public.
Redevances téléphoniques. — Fam. *La redevance télé*
(de télévision).

redevenir [ʀ(ə)dvəniʀ ; ʀ(ə)dəvniʀ] v. intr.
▪ conjug. 22. ▪ Devenir de nouveau, recommencer à
être (ce qu'on était et qu'on a cessé d'être). *À soixante
ans, elle est redevenue étudiante.*

rédhibitoire [ʀedibitwaʀ] adj. ▪ Littér. ou didact.
Qui constitue un défaut, un empêchement auquel on
ne peut passer outre. *Annuler une vente pour vice de
fabrication rédhibitoire. Infirmité rédhibitoire.*

rediffuser [ʀ(ə)difyze] v. tr. ▪ conjug. 1. ■ (Radio, télévision) Diffuser de nouveau, une autre fois. ▶ *rediffusion* n. f. ■ Nouvelle diffusion. — Émission rediffusée.

rédiger [ʀediʒe] v. tr. ▪ conjug. 3. ■ Écrire (un texte) sous la forme définitive, selon la formule voulue (⇒ **rédacteur, rédaction**). *Rédiger un article de journal, une ordonnance.* — Au p. p. adj. *Un devoir très bien rédigé.* — Sans compl. *Il rédige bien.* ⇒ **écrire.**

redingote [ʀ(ə)dɛ̃gɔt] n. f. 1. ■ Autrefois. Long vêtement d'homme, à basques. 2. ■ Mod. Manteau ajusté à la taille.

redire [ʀ(ə)diʀ] v. tr. ▪ conjug. 37. I. 1. ■ Dire (qqch.) plusieurs fois. ⇒ **répéter.** *Il redit toujours la même chose.* ⇒ **rabâcher, ressasser. 2.** Dire (ce qu'un autre a déjà dit). ⇒ **répéter.** *Redites-le après moi. Ne va pas le lui redire !* ⇒ **rapporter. II.** V. tr. ind. *Avoir, trouver,...* À REDIRE À : avoir, trouver qqch. à blâmer, à critiquer dans. *Je ne vois rien à redire à cela. Trouver à redire à tout.* — *C'est parfait, il n'y a rien à redire.* ⟨ ▶ redite ⟩

redistribuer [ʀ(ə)distribɥe] v. tr. ▪ conjug. 1. ■ Distribuer une seconde fois et autrement. *Il y a maldonne, redistribue les cartes.* — Répartir une seconde fois et autrement. *Redistribuer des terres.* ▶ *redistribution* n. f. ■ Nouvelle répartition. *La redistribution des tâches.*

redite [ʀ(ə)dit] n. f. ■ Chose répétée inutilement (dans un texte, un discours). *Un texte plein de redites. Évitez les redites !*

redondance [ʀ(ə)dɔ̃dɑ̃s] n. f. ■ Abondance excessive dans le discours (développements, redites). ⇒ **verbiage.** *Ce développements, répétitions. Ce discours est plein de redondances.* ▶ *redondant, ante* adj. ■ Qui présente des redondances. *Style redondant.* — *Terme redondant.* ⇒ **superflu.**

redonner [ʀ(ə)dɔne] v. tr. ▪ conjug. 1. 1. ■ Rendre (à qqn qqch. qu'on lui avait pris). ⇒ **restituer.** *Redonne-lui son stylo.* — Rendre (à qqn qqch. qu'il n'avait plus). *Redonner confiance à qqn.* — *Médicament qui redonne des forces.* 2. ■ Donner de nouveau. *Il redonnera une série de concerts le mois prochain.*

redoubler [ʀ(ə)duble] v. ▪ conjug. 1. I. V. tr. 1. ■ Rendre double. ⇒ **doubler.** *Redoubler une syllabe.* 2. ■ Recommencer. *Redoubler (une classe),* suivre une seconde année de (cette classe). *Elle a redoublé sa seconde.* 3. ■ Renouveler en augmentant sensiblement. *Redoubler ses efforts.* II. V. tr. ind. REDOUBLER DE... : apporter, montrer encore plus de... *Redoubler d'amabilité, d'efforts.* — (Suj. chose) *Le vent redouble de fureur.* III. V. intr. Recommencer de plus belle, augmenter de beaucoup. *La tempête redouble.* ▶ *redoublant, ante* n. ■ Élève qui redouble une classe. ▶ *redoublé, ée* adj. ■ Répété deux fois. *Syllabe redoublée.* — *Marcher à pas redoublés,* deux fois plus vite. *Frapper à coups redoublés,* plus violents et précipités. ▶ *redoublement* n. m. ■ Action de redoubler. *Le redoublement d'une lettre. Un redoublement d'attention, d'efforts.*

redouter [ʀ(ə)dute] v. tr. ▪ conjug. 1. 1. ■ Craindre beaucoup. *Redouter qqn. Redouter le jugement de qqn.* — Au p. p. *C'est un chef très redouté de son personnel.* 2. ■ Appréhender (2). *Redouter l'avenir.* — REDOUTER DE... (+ infinitif), REDOUTER QUE... (+ subjonctif). *Elle redoutait d'être surprise, qu'on la surprenne.* ▶ *redoutable* adj. ■ Qui est à redouter. *Adversaire redoutable.* ⇒ **dangereux.** *Une arme redoutable.*

redoux [ʀədu] n. m. invar. ■ Période brève où le temps se radoucit, dans une saison froide.

redresser [ʀ(ə)dʀese] v. tr. ▪ conjug. 1. 1. ■ Remettre dans une position droite. *Redresser un poteau, redresser la tête,* remettre en position verticale. — Hausser le nez de (un avion) à l'envol et à l'atterrissage. *Redresser l'appareil avant d'atterrir.* — Remettre (les roues d'une voiture) en ligne droite après un virage. *Braquer et redresser les roues.* Ellipt. *Redresse !* 2. ■ Redonner une forme droite à. *Redresser une tôle tordue, déformée.* 3. ■ Remettre droit ou corriger (qqch.). *Redresser la situation,* rattraper une situation compromise. 4. ■ SE REDRESSER v. pron. : se remettre droit, vertical, debout. ⇒ **se relever.** — Fig. *L'économie du pays s'est redressée après la guerre,* a retrouvé son niveau normal. — (Personnes) Se tenir très droit. *Redresse-toi !* ▶ *à la redresse* [alaʀdʀɛs] loc. adj. ■ Fam. Qui se fait respecter par la force. *Un gars à la redresse.* ▶ *redressement* n. m. ■ Action de redresser ou de se redresser. *Le redressement du pays, de l'économie.* — Loc. *Maison de redressement,* où étaient détenus les enfants délinquants. ⇒ maison de **correction.** ▶ *redresseur* n. m. et adj. 1. ■ N. m. Iron. REDRESSEUR DE TORTS : personne qui s'érige en justicier. 2. ■ Adj. Technique. Qui redresse (1). *Mécanisme redresseur.*

réductible [ʀedyktibl] adj. 1. ■ Qui peut être ramené à une forme plus simple (⇒ ① **réduire** I, 2). *Fraction réductible.* 2. ■ Qui peut être diminué. *Quantité, somme réductible.*

réduction n. f. ⇒ ① et ② **réduire.**

① *réduire* [ʀeduiʀ] v. tr. ▪ conjug. 38. — REM. Part. passé *réduit(e).* I. 1. ■ RÉDUIRE qqn À, EN : amener à, dans (un état d'infériorité, de soumission). *Réduire des populations en esclavage, au désespoir. Sa maladie le réduit à l'inaction.* ⇒ **contraindre.** *Réduire qqn au silence.* — Sans compl. second. Anéantir. *Réduire une résistance, l'opposition.* — EN ÊTRE RÉDUIT À : n'avoir plus d'autre ressource que de. *Il en est réduit à mendier.* 2. ■ RÉDUIRE qqch. À : ramener à ses éléments, à un état plus simple ou plus maniable (⇒ **réductible** (1), **réduction**). *Réduire des fractions au même dénominateur.* — Loc. *Réduit à sa plus simple expression,* simplifié à l'extrême. — *Réduire un jus, une sauce,* les faire épaissir par évaporation. ⇒ **concentrer.** 3. ■ RÉDUIRE qqch. EN : mettre (en petites parties). *Réduire un objet en miettes, en morceaux, en pièces ; en bouillie, en poudre,* briser, broyer, pulvériser. II. ■ Diminuer (une quantité). ⇒ **limiter, restreindre.** *Réduire le nombre de trains. J'ai réduit mes frais. Réduire la vitesse.* — Diminuer la dimension de. *Réduire un dessin, une photographie,* les reproduire en un format inférieur. / contr. **agrandir** / — Écourter, abréger. *Réduire un texte.* III. ■ SE RÉDUIRE v. pron. 1. ■ SE RÉDUIRE À : se ramener à. *Ses espoirs se sont réduits à rien.* — Consister seulement en. *Ses économies se réduisent à peu de chose.* 2. ■ SE RÉDUIRE EN : se transformer en (éléments très petits). *Se réduire en poudre, en cendres.* 3. ■ (Personnes) *Se réduire,* restreindre ses dépenses. *Je vais être obligé de me réduire.* ▶ ① *réduction* [ʀedyksjɔ̃] n. f. 1. ■ Le fait de résoudre, de réduire (une chose en une autre plus simple). *Réduction à des éléments simples.* ⇒ **analyse.** *Réduction de fractions au même dénominateur,* recherche du dénominateur commun le plus faible. 2. ■ Action de réduire en quantité. ⇒ **diminution.** *La réduction des dépenses, du personnel.* — Absolt. Diminution accordée sur un prix. ⇒ **rabais, remise, ristourne.** *Faire une réduction. Carte de réduction.* 3. ■ Reproduction selon un format réduit. *La réduction d'une carte, d'une gravure.* — EN RÉDUCTION loc. adv. : en plus petit, en miniature. ▶ ① *réduit, ite* adj. 1. ■ Rendu plus petit. *Format réduit.* — Reproduit à petite échelle. *Un modèle réduit* (d'avion, de voiture...). ⇒ **maquette. 2.** Pour lequel on a consenti une diminution, une réduction (2). *Prix, tarif réduit.* **3.** Restreint (en nombre, en importance). *Capacité réduite. Vitesse réduite.* ⇒ **faible.** ▶ ② *réduit* n. m. **1.** Local exigu, généralement sombre et pauvre. *Ils vivent à dix dans un réduit.* **2.** Recoin, renfoncement dans une pièce. *Un réduit servant de placard.* ⟨ ▶ réductible, irréductible ⟩

② *réduire* v. tr. ▪ conjug. 38. — REM. Part. passé *réduit(e)*. ▪ Médecine. Remettre en place (un os, un organe déplacé). *Réduire une fracture.* ▶ ② *réduction* n. f. ▪ *La réduction d'une fracture.*

réécrire ⇒ **récrire.**

rééditer [Reedite] v. tr. ▪ conjug. 1. **1.** Donner une nouvelle édition de. *Rééditer un ouvrage épuisé.* **2.** Fam. Répéter. *Il a réédité sa crise de nerfs de la veille.* ▶ *réédition* n. f. ▪ Nouvelle édition. — Fam. Répétition (d'une situation). ≠ *reddition.*

rééduquer [Reedyke] v. tr. ▪ conjug. 1. **1.** Refaire l'éducation de (une fonction, un organe lésé). *Rééduquer sa voix, son bras.* — *Rééduquer un mutilé, un paralysé* (en l'entraînant à certains mouvements). **2.** Éduquer (moralement, idéologiquement) une nouvelle fois et différemment. ▶ *rééducation* n. f. ▪ *La rééducation des blessés, des handicapés.* — *La rééducation des délinquants.*

réel, elle [Reɛl] adj. et n. m. **I.** Adj. **1.** Qui existe en fait. *Personnage réel.* / contr. **imaginaire, irréel** / *Des difficultés réelles. Un fait réel et incontestable.* ⇒ **authentique.** *Des avantages bien réels.* *son bras.* ⇒ **tangible. 2.** Qui est bien conforme à sa définition. ⇒ **véritable, vrai.** / contr. **faux** / *La valeur, la signification réelle* (d'un mot, d'une chose...). *Salaire réel* (comprenant les primes, suppléments, etc., et compte tenu des sommes retenues). ⇒ **net. 3.** (Avant le nom) Sensible, notable. *Éprouver un réel bien-être, un réel plaisir.* **4.** En mathématiques. *Nombres réels* (opposé à *imaginaire*). **II.** N. m. Les faits réels, la vie réelle, ce qui est, existe réellement. ⇒ **réalité.** *Le réel et l'imaginaire.* ▶ *réellement* adv. ▪ En fait, en réalité. ⇒ **effectivement, véritablement.** *Voir qqn tel qu'il est réellement. Réellement, je ne pense pas que...* ⇒ **vraiment.** ⟨ ▶ réaliser, réalisme, réalité ⟩

réélire [Reelir] v. tr. ▪ conjug. 43. ▪ Élire de nouveau (qqn) à une fonction à laquelle il(elle) avait déjà été élu(e). *Réélire un député.* — Au p. p. adj. *Président réélu.* ▶ *réélection* [Reelɛksjɔ̃] n. f. ▶ *rééligible* adj. ▪ Légalement apte à être réélu.

réemployer [Reɑ̃plwaje] ou *remployer* [Rɑ̃plwaje] v. tr. ▪ conjug. 8. ▪ Employer de nouveau. ▶ *réemploi* ou *remploi* n. m. ▪ Le fait d'employer de nouveau (notamment de placer à nouveau des capitaux disponibles). — REM. Les formes en *ré-* sont plus courantes.

réentendre [Reɑ̃tɑ̃dr] v. tr. ▪ conjug. 41. ▪ Entendre de nouveau.

réévaluer [Reevalɥe] v. tr. ▪ conjug. 1. ▪ Évaluer sur de nouvelles bases. — Revaloriser (une monnaie). *Réévaluer le franc belge.* ▶ *réévaluation* n. f. ▪ Action de réévaluer (la valeur financière de qqch.). *La réévaluation des loyers.*

réexaminer [Reɛgzamine] v. tr. ▪ conjug. 1. ▪ Procéder à un nouvel examen de. *Réexaminons la question.* ⇒ **reconsidérer.** ▶ *réexamen* n. m. ▪ Nouvel examen.

réexpédier [Reɛkspedje] v. tr. ▪ conjug. 7. ▪ Expédier à une nouvelle destination. — Renvoyer (une chose) d'où elle vient. *Réexpédier du courrier.* ▶ *réexpédition* n. f.

refaire [R(ə)fɛr] v. tr. ▪ conjug. 60. **I. 1.** Faire de nouveau (ce qu'on a déjà fait ou ce qui a déjà été fait). ⇒ **recommencer.** *Cet été, referas-tu un voyage ? Pansement à refaire tous les jours.* **2.** Faire tout autrement. *Ton éducation est à refaire. Refaire sa vie. Si c'était à refaire !,* si je pouvais recommencer. **3.** Remettre en état. ⇒ **réparer, restaurer ; réfection.** *Donner des fauteuils à refaire. Faire refaire une toiture. Refaire son maquillage.* — Au p. p. adj. *Immeuble refait à neuf.* — *Refaire ses forces, sa santé.* ⇒ **rétablir.** *Elle s'est refait une santé.* **4.** Fam. *Refaire qqn.* ⇒ **duper, rouler.** *Je suis refait !* **II.** SE REFAIRE v. pron. **1.** Au jeu. Rétablir sa situation financière. **2.** (Emploi négatif) Se faire autre qu'on est, changer complètement. *Je suis comme ça, je ne peux pas me refaire. On ne se refait pas !*

réfection [Refɛksjɔ̃] n. f. ▪ Action de refaire (3), de réparer, de remettre à neuf. *La réfection d'un mur, d'une route.*

réfectoire [Refɛktwar] n. m. ▪ Salle à manger réservée aux membres d'une communauté. *Le réfectoire d'une école.* ⇒ **cantine.**

référé [Refere] n. m. ▪ Droit. Procédure d'urgence pour régler provisoirement un litige. *Assigner qqn, plaider en référé.* — Arrêt rendu selon cette procédure. *Des référés.*

référence [Referɑ̃s] n. f. **1.** Action de se référer (à un texte, à une opinion, etc.). *Faire référence à un auteur. Ouvrages de référence,* faits pour être consultés (dictionnaires, encyclopédies, etc.). **2.** Indication par laquelle on détermine ce à quoi l'on renvoie. *Fournir la référence d'une citation* (le nom de l'auteur, le titre de l'ouvrage, etc.). *Références au bas des pages, en marge, en note. La référence d'une lettre, d'une facture. Numéro de référence.* **3.** Loc. PAR RÉFÉRENCE : par rapport. *Indemnité calculée par référence au salaire.* — En géométrie. *Système* DE RÉFÉRENCE : système d'axes par rapport auquel on détermine les coordonnées des points considérés. **4.** Au plur. RÉFÉRENCES : attestation servant de garantie, fournie par qqn (qui cherche un emploi, propose une affaire, etc.). *Avoir de sérieuses références. Références exigées.* ⇒ **certificat. 5.** Fait permettant de reconnaître la valeur de qqn. *Être loué par ce critique, ce n'est pas une référence !*

référendum [Referɛ̃dɔm] n. m. ▪ Vote de l'ensemble des citoyens pour approuver ou rejeter une mesure proposée par le pouvoir exécutif. *Des référendums.* ≠ **plébiscite.** ▶ *référendaire* adj. ▪ *Un projet de loi référendaire.*

référer [Refere] v. ▪ conjug. 6. **1.** SE RÉFÉRER À *qqn, qqch.* v. pron. : recourir à, comme à une autorité. *Ton éducation est à refaire.* — (Suj. *Se référer à l'avis de qqn. Se référer à une définition, à un texte,* les prendre comme référence. — (Suj. chose) Se rapporter. *Ce passage se réfère à un événement récent.* **2.** V. tr. ind. EN RÉFÉRER À *qqn* : lui soumettre un cas pour qu'il décide. *Nous en référerons à notre chef.*

refermer [R(ə)fɛrme] v. tr. ▪ conjug. 1. ▪ Fermer (ce qu'on avait ouvert ou ce qui s'était ouvert). *Refermer la porte ; un livre.* — SE REFERMER v. pron. *Sa plaie se referme.*

refiler [R(ə)file] v. tr. ▪ conjug. 1. ▪ Fam. Remettre, donner (qqch. dont on veut se débarrasser). *On m'a refilé un faux billet.* — Donner. *Elle m'a refilé la grippe.*

① *réfléchir* [Reflešir] v. tr. ▪ conjug. 2. ▪ Renvoyer par réflexion ①. *La Lune réfléchit une partie de la lumière qu'elle reçoit du Soleil. Glace qui réfléchit une image.* ⇒ **refléter ; réflecteur.** — Pronominalement. *Le ciel se réfléchissait dans le lac.* — Au

p. p. adj. *Image réfléchie*. ▸ ① *réfléchi, ie* adj. ■ En grammaire. *Verbe pronominal réfléchi*, exprimant que l'action émanant du sujet fait retour à lui-même (ex. : *je me lave*). — *Pronom réfléchi*, pronom personnel représentant, en tant que complément, la personne qui est sujet du verbe (ex. : *je me suis trouvé un appartement ; tu ne penses qu'à toi*). ▸ *réfléchissant, ante* adj. ■ Qui réfléchit (la lumière, une onde). *Surface réfléchissante*.

② *réfléchir* v. intr. ▪ conjug. 2. **1.** Faire usage de la réflexion ②. ⇒ **penser** ; se **concentrer** ; méditer. *Il rêvassait au lieu de réfléchir. Réfléchir avant de parler, d'agir. Il a agi sans réfléchir.* ⇒ **étourdiment.** *Prendre le temps de réfléchir. Cela donne à réfléchir,* cela engage à la prudence. *Je réfléchirai, je demande à réfléchir,* je déciderai plus tard. **2.** V. tr. ind. RÉFLÉCHIR À *qqch.* ⇒ **examiner,** peser. *Réfléchis bien à ma proposition, à ce que je te propose.* ⇒ **songer.** — RÉFLÉCHIR SUR *qqch.* ⇒ **délibérer,** méditer. *Réfléchir sur un sujet. Nous avons à réfléchir là-dessus.* **3.** V. tr. RÉFLÉCHIR QUE : s'aviser, juger après réflexion. *Je réfléchis que ta présence peut nous être utile. Je n'avais pas réfléchi qu'il faudrait prendre la voiture.* ⇒ **penser.** ▸ ② *réfléchi, ie* adj. ■ Qui a l'habitude de la réflexion, marque de la réflexion ②. *Un homme réfléchi.* ⇒ **pondéré, prudent, raisonnable.** *Action, décision réfléchie.* — Loc. *Tout bien réfléchi,* tout bien pesé. *C'est tout réfléchi* (ma décision est prise). ⟨ ▸ irréfléchi ⟩

réflecteur [ʀeflɛktœʀ] n. m. ■ Appareil destiné à réfléchir des ondes au moyen de miroirs, de surfaces prismatiques. *Réflecteur optique.*

reflet [ʀ(ə)flɛ] n. m. **1.** Lumière atténuée réfléchie par un corps. *Reflets métalliques. Cheveux à reflets roux.* — *Des reflets d'incendie.* **2.** Image réfléchie. *Le reflet d'un visage dans la vitre.* **3.** Abstrait. Image, représentation affaiblie. ⇒ **écho.** *L'écriture, reflet de la personnalité. Il n'est plus que le reflet de lui-même.* ⇒ **ombre.** ▸ *refléter* v. tr. ▪ conjug. 6. **1.** Réfléchir (un corps) en produisant des reflets. *Ce miroir reflète les objets.* — Pronominalement. *Les nuages se reflétaient dans l'étang.* **2.** Être, présenter une image de. ⇒ **traduire.** *Mes paroles ne reflètent pas mes sentiments. Son visage ne reflète rien.* ⇒ **exprimer.** — Pronominalement. *La joie se reflétait sur son visage.*

refleurir [ʀ(ə)flœʀiʀ] v. intr. ▪ conjug. 2. ■ Fleurir de nouveau. *Le rosier a refleuri.* — Abstrait. Littér. *Une amitié qui refleurit.*

reflex [ʀeflɛks] adj. invar. et n. m. invar. ■ *Appareil reflex,* appareil photo, caméra, qui fournit dans le viseur l'image exacte qui sera enregistrée sur la pellicule, grâce au jeu d'un miroir. — N. m. *Un reflex,* appareil reflex.

réflexe [ʀeflɛks] n. m. **1.** Réaction automatique et involontaire d'un organisme vivant à une excitation. *Réflexe rotulien.* — *Réflexe conditionné,* réflexe provoqué, en l'absence de l'excitation normale, par une autre excitation qui lui a été associée (chien qui salive quand il entend un son que l'on a associé à la présentation de viande [expérience de Pavlov]). — Adj. *Mouvement réflexe.* **2.** Réaction spontanée à une situation nouvelle. *Avoir de bons réflexes en conduisant. Manquer de réflexe. Avoir le réflexe de* (+ infinitif).

① *réflexion* [ʀeflɛksjɔ̃] n. f. ■ Changement de direction des ondes (lumineuses, sonores, etc.) qui rencontrent un corps interposé (⇒ ① **réfléchir**). *La réflexion de la lumière par un miroir. Réflexion et réfraction. La réflexion des ondes sonores.* ⇒ **écho.**

② *réflexion* n. f. **1.** Retour de la pensée sur elle-même en vue d'examiner plus à fond une idée, une situation, un problème. ⇒ **délibération, méditation** ; ② **réfléchir.** *Accorde-moi une minute de réflexion. Il s'absorba dans ses réflexions. Il y a là matière à réflexion ; cela donne matière à réflexion. J'en étais là de mes réflexions quand le téléphone sonna.* — Loc. RÉFLEXION FAITE : après y avoir réfléchi. *Réflexion faite, je ne partirai pas aujourd'hui.* À LA RÉFLEXION : quand on y réfléchit bien, tout compte fait. *À la réflexion, c'est peut-être mieux ainsi.* **2.** LA RÉFLEXION : la capacité de réfléchir. ⇒ **discernement, intelligence.** *Affaire menée avec réflexion. Il a agi sans réflexion, à l'étourdie.* **3.** UNE, DES RÉFLEXION(S) : pensée, exprimée oralement ou par écrit, d'une personne qui a réfléchi. *Recueil de réflexions.* ⇒ **maxime, pensée.** *Cela m'amène à certaines réflexions.* ⇒ **remarque.** — Remarque adressée à qqn et qui le concerne personnellement. *Une réflexion désobligeante.*

refluer [ʀ(ə)flye] v. intr. ▪ conjug. 1. ■ Se mettre à couler en sens contraire. *L'eau reflue à marée descendante.* ⇒ se **retirer** ; reflux. / contr. **affluer** / *Il lui sembla que son sang refluait vers le cœur.* — (D'un flot de personnes) *La foule refluait lentement. Faire refluer,* faire reculer. ⇒ **refouler.** ▸ *reflux* [ʀəfly] n. m. invar. **1.** Mouvement des eaux qui refluent. *Le flux et le reflux de la mer.* **2.** Mouvement en arrière (de gens, etc.) qui succède à un mouvement en avant. *Le reflux de la foule.* — *Période de reflux,* de recul (pour un mouvement, une action collective...).

refondre [ʀ(ə)fɔ̃dʀ] v. tr. ▪ conjug. 41. ■ Refaire, remanier (un texte, un ouvrage). — Au p. p. adj. *Dictionnaire refondu et mis à jour.* ▸ *refonte* n. f. ■ *La refonte d'un ouvrage.*

① *réforme* [ʀefɔʀm] n. f. **1.** Changement qu'on apporte (dans les mœurs, les lois, les institutions) dans l'espérance d'en obtenir de meilleurs résultats (⇒ ① **réformer**). *Réformes sociales. La réforme de l'orthographe. Prôner des réformes.* ⇒ **amélioration.** — Changement progressif (opposé à *révolution*). **2.** LA RÉFORME : mouvement religieux du XVIᵉ s., qui fonda le protestantisme. ▸ *réformé, ée* adj. ■ Issu de la Réforme (2). *Religion réformée.* ⇒ **protestant.** ⟨ ▸ Contre-Réforme ⟩

② *réforme* ⇒ ② **réformer.**

reformer [ʀ(ə)fɔʀme] v. tr. ▪ conjug. 1. ■ Former de nouveau, refaire (ce qui était défait). ⇒ **reconstituer.** — Pronominalement. *Le groupe se reforma un peu plus loin.*

① *réformer* [ʀefɔʀme] v. tr. ▪ conjug. 1. **1.** *Réformer un culte, un ordre religieux,* le rétablir dans sa forme primitive. **2.** Vx et littér. Corriger, ramener (qqn) à la vertu. **3.** Changer en mieux (une institution). ⇒ **améliorer** ; ① **réforme.** *Réformer la constitution.* **4.** Supprimer pour améliorer. *Réformer les abus.* ▸ *réformable* adj. ■ Qui peut ou doit être réformé. ▸ *réformateur, trice* n. et adj. **1.** N. Personne qui réforme ou veut réformer. *Un réformateur des mœurs, de la société.* — Fondateur d'une Église réformée. *Luther, Calvin et les autres réformateurs.* **2.** Adj. Qui réforme. *Des mesures réformatrices.* ▸ *réformisme* n. m. ■ Doctrine politique de ceux qui préconisent des réformes plutôt qu'une transformation radicale des structures. ▸ *réformiste* n. ■ Partisan du réformisme (opposé à *révolutionnaire*). — Adj. *Socialisme réformiste.* ⟨ ▸ ① réforme ⟩

② *réformer* v. tr. ▪ conjug. 1. ■ Libérer (qqn) des obligations militaires pour inaptitude. *Il s'est fait réformer à cause de son asthme.* — Au p. p. adj. *Soldat réformé* et, n. m., *un réformé.* ▸ ② *réforme* n. f. ■ Position du militaire réformé ; dispense des obligations militaires. *Conseil de réforme. Réforme temporaire, définitive.*

refouler [ʀ(ə)fule] v. tr. ▪ conjug. 1. **1.** Faire reculer, refluer (des personnes). *Refouler des envahisseurs.* ⇒ **chasser, repousser. 2.** Faire rentrer en soi (ce qui veut s'extérioriser). ⇒ **réprimer, retenir.** *Refouler ses larmes.* — Au p. p. adj. *Colère refoulée.* — Soumettre au refoulement (2). — Au p. p. adj. *Tendances refoulées.* ▶ **refoulé, ée** adj. ▪ Fam. (Personnes) Qui a refoulé ses instincts (notamment sexuels). *Un vieux garçon refoulé.* — N. *Un, une refoulé(e).* ▶ **refoulement** n. m. **1.** Action de refouler (des personnes). **2.** Mécanisme inconscient par lequel on refuse l'accès à la conscience (de désirs que l'on ne peut ou ne veut pas satisfaire). / contr. **défoulement /** — Refus des pulsions sexuelles.

réfractaire [ʀefʀaktɛʀ] adj. **I.** (Personnes) **1.** RÉFRACTAIRE À : qui résiste à, refuse de se soumettre à. ⇒ **rebelle.** *Être réfractaire à la loi.* — N. *Un, une réfractaire,* personne qui refuse d'obéir. — Qui est fermé à, insensible à. *Être réfractaire aux mathématiques ; à toute émotion.* **2.** Histoire. *Prêtre réfractaire,* qui avait refusé de prêter serment à la Constitution civile du clergé (en 1790). **II.** (Choses) Qui résiste à de très hautes températures. *Brique réfractaire.*

réfraction [ʀefʀaksjɔ̃] n. f. ▪ Déviation d'une onde électromagnétique (rayon lumineux, etc.) qui franchit la surface de séparation de deux milieux où la vitesse de propagation est différente (⇒ **réfringent**). ≠ ① *réflexion. Angle de réfraction,* que forme le rayon réfracté avec la normale à la surface de séparation. *L'arc-en-ciel est dû à la réfraction de la lumière au travers d'un rideau de pluie.* ▶ **réfracter** v. tr. ▪ conjug. 1. ▪ Faire dévier (un rayon) par réfraction. — Pronominalement. *Lumière qui se réfracte.*

refrain [ʀ(ə)fʀɛ̃] n. m. **1.** Suite de mots ou de phrases répétés à la fin de chaque couplet d'une chanson. *Reprenons le refrain en chœur.* **2.** Paroles, idées qui reviennent sans cesse. ⇒ **rengaine.** *Avec lui, c'est toujours le même refrain.* ⇒ **chanson** (3). *Changez de refrain !,* parlez d'autre chose !

réfréner [ʀefʀene ; ʀefʀene] v. tr. ▪ conjug. 6. — REM. On écrit parfois à tort *réfréner,* la prononciation en ré- [ʀefʀene] étant plus courante. ▪ Réprimer par une contrainte ; mettre un frein à. ⇒ **freiner.** *Refrène ton impatience. Il refréna son envie.* — Pronominalement. *Essaie de te réfréner.*

réfrigérer [ʀefʀiʒeʀe] v. tr. ▪ conjug. 6. **1.** Refroidir artificiellement. ⇒ **congeler, frigorifier.** *Réfrigérer du poisson.* — Au p. p. adj. Fam. Refroidi, gelé. *Tu as l'air réfrigéré.* **2.** Fam. Fig. Refroidir, glacer (qqn). *Ses sarcasmes m'ont réfrigéré.* ▶ **réfrigérant, ante** adj. **1.** Qui sert à produire du froid. *Mélange réfrigérant.* **2.** Fam. (Personnes, comportements) Qui refroidit, glace. ⇒ **glacial.** *Un accueil, un air réfrigérant.* ▶ **réfrigérateur** n. m. ▪ Appareil muni d'un organe producteur de froid et destiné à conserver certaines denrées. ⇒ **frigidaire.** *Dégivrer un réfrigérateur.* ▶ **réfrigération** n. f. ▪ Abaissement de la température par un moyen artificiel. ⇒ **congélation.** *Appareils de réfrigération,* glacières, réfrigérateurs.

réfringent, ente [ʀefʀɛ̃ʒɑ̃, ɑ̃t] adj. ▪ Qui produit la réfraction*. *La cornée est un milieu réfringent.*

refroidir [ʀ(ə)fʀwadiʀ] v. ▪ conjug. 2. **I.** V. tr. **1.** Rendre plus froid ou moins chaud ; faire baisser la température de (qqch.). *Refroidir une substance au-dessous de zéro.* ⇒ **congeler, geler, glacer, réfrigérer.** / contr. **réchauffer /** *Pluies qui refroidissent l'atmosphère.* **2.** SE REFROIDIR v. pron. : devenir plus froid. *Le temps se refroidit.* / contr. se **réchauffer /**

— (Personnes) Prendre froid. *N'attends pas dehors, tu vas te refroidir* (⇒ **refroidissement**). **3.** Fig. *Refroidir qqn,* diminuer son ardeur. *Son accueil nous a refroidis.* ⇒ **glacer, réfrigérer.** *Refroidir l'enthousiasme, le zèle de qqn.* — Pronominalement. *Son zèle s'est bien refroidi.* **II.** V. intr. Devenir plus froid, moins chaud. *Mange, avant que ça (ne) refroidisse. Laisser refroidir une tarte. Ton café refroidit.* ⇒ **tiédir.** ▶ **refroidissement** n. m. **1.** Abaissement de la température. *Refroidissement de l'air.* / contr. **réchauffement /** **2.** Malaise causé par un abaissement de la température (grippe, rhume...). *Prendre un refroidissement.* **3.** Diminution (des sentiments). *Le refroidissement d'une amitié.*

refuge [ʀ(ə)fyʒ] n. m. **1.** Lieu où l'on se retire pour échapper à un danger, se mettre en sûreté. ⇒ **abri, asile.** *Chercher refuge quelque part. Demander refuge à qqn.* — Abstrait. *Son travail lui est un refuge. Un refuge contre la détresse.* **2.** Lieu où se rassemblent des personnes qui ne peuvent ou ne veulent pas aller ailleurs. *Son salon était le refuge de l'aristocratie.* **3.** Emplacement aménagé au milieu de la chaussée, qui permet aux piétons de se mettre à l'abri des voitures. **4.** Abri de haute montagne dans lequel les alpinistes peuvent passer la nuit. ▶ **se réfugier** [ʀefyʒje] v. pron. ▪ conjug. 7. ▪ Se retirer (en un lieu) pour s'y mettre à l'abri (⇒ **refuge**). *Se réfugier à l'étranger. Surprise par la pluie, elle s'est réfugiée sous un arbre. L'enfant courut se réfugier dans les bras de son frère.* ⇒ **blottir.** — Fig. *Se réfugier dans l'indifférence, dans le travail...* (pour oublier, etc.). ▶ **réfugié, ée** adj. et n. ▪ (Personnes) Qui a dû fuir son pays afin d'échapper à un danger (guerre, persécutions, etc.). — N. *Des réfugiés politiques. Aide aux réfugiés.*

refuser [ʀ(ə)fyze] v. tr. ▪ conjug. 1. **I.** V. tr. **1.** Ne pas accorder (ce qui est demandé). / contr. **accorder /** *Refuser une permission à un soldat, une augmentation à un ouvrier.* — Vx. *Refuser à boire à qqn.* — *Il ne se refuse rien !,* il satisfait tous ses caprices. **2.** Ne pas vouloir reconnaître (une qualité) à qqn. ⇒ **contester.** *On ne peut lui refuser une certaine compétence.* **3.** REFUSER DE (+ infinitif) : ne pas consentir à (faire qqch.). *Refuser d'obéir. Elle refuse de reconnaître ses torts.* — Sans compl. *Il refusera sûrement (de faire ce qui est demandé).* ⇒ **s'opposer. 4.** Ne pas accepter (ce qui est offert). *Refuser un cadeau, une invitation.* — *Refuser le combat,* ne pas l'accepter. **5.** Ne pas accepter (ce qui semble défectueux ou insuffisant). *Refuser une marchandise. L'éditeur refuse ce manuscrit.* **6.** (Compl. personne) Ne pas laisser entrer. *La pièce marche bien, on refuse du monde.* — Ne pas recevoir à un examen. *Refuser un candidat.* ⇒ **coller ;** fam. **recaler.** *Il est refusé.* **II.** SE REFUSER v. pron. **1.** (Passif) *Ça ne se refuse pas,* ce n'est pas une chose qu'on refuse. **2.** SE REFUSER À... : ne pas consentir à (faire qqch.), à admettre... *Je me refuse à envisager cette solution.* ▶ **refus** [ʀ(ə)fy] n. m. invar. ▪ L'action, le fait de refuser. / contr. **acceptation /** *Le refus des louanges. Refus d'obéir, d'obéissance.* — *Opposer un refus à qqn. Se heurter à un refus.* — Loc. fam. *Ce n'est, c'est pas de refus,* j'accepte volontiers.

réfuter [ʀefyte] v. tr. ▪ conjug. 1. ▪ Repousser (un raisonnement) en prouvant sa fausseté. / contr. **approuver /** *Réfuter une théorie, des objections.* — *Réfuter un auteur.* ▶ **réfutation** n. f. ▪ Action de réfuter, raisonnement par lequel on réfute. *La réfutation d'un argument.* / contr. **approbation /** ⟨ ▶ irréfutable ⟩

regagner [ʀ(ə)gaɲe] v. tr. ▪ conjug. 1. **I.** Reprendre, retrouver (ce qu'on avait perdu : argent, temps, terrain...). **II.** Revenir, retourner à un endroit. *Regagner sa place.*

① *regain* [ʀ(ə)gɛ̃] n. m. ■ Herbe qui repousse dans une prairie après la première coupe. *Faucher le regain.*

② *regain* n. m. ■ REGAIN DE... : retour (de ce qui était compromis, avait disparu). *Regain de vie, d'activité... Spectacle qui connaît un regain de faveur.*

régal, als [ʀegal] n. m. **1.** Nourriture délicieuse. *Cette glace est un régal.* ⇒ **délice.** *Des régals.* **2.** Fam. Ce qui cause un grand plaisir. *Un régal pour les yeux.* ‹ ▶ régaler ›

à la régalade [alaʀegalad] loc. adv. ■ *Boire À LA RÉGALADE* : en renversant la tête en arrière et en faisant couler le liquide dans la bouche sans que le récipient touche les lèvres.

régaler [ʀegale] v. tr. ▪ conjug. 1. **1.** Offrir un bon repas, un bon plat à (qqn). *Elle les a régalés d'un gâteau.* — Sans compl. *Payer à boire ou à manger. Profites-en, c'est moi qui régale.* **2.** Plus cour. SE RÉGALER v. pron. : prendre du plaisir à manger qqch. *Je me régale !* — Se donner, éprouver un grand plaisir. *Quand j'entends cet air, je me régale.* ‹ ▶ à la régalade ›

regarder [ʀ(ə)gaʀde] v. tr. ▪ conjug. 1. **I.** V. tr. dir. **1.** Faire en sorte de voir, s'appliquer à voir (qqn, qqch.). ⇒ **examiner, observer.** *Regarder sa montre* (pour regarder l'heure). — Sans compl. dir. *Regarder par la fenêtre. Regarder dans, sur qqch. Regarde devant toi ! J'ai regardé partout.* ⇒ **chercher.** — *Regarder qqn avec attention, insistance.* ⇒ **dévisager.** *Regarder qqn, qqch. du coin de l'œil, à la dérobée, par en dessous.* ⇒ **lorgner.** *Regarder qqn de travers,* avec hostilité. — Loc. fam. *Regarde voir ! regarde moi ce travail !,* constate, juge toi-même. — *Tu ne m'as pas regardé !,* ne compte pas sur moi ! **2.** Sans compl. *Observer. Savoir regarder.* — (Choses) *Être orienté. Façade qui regarde vers le sud.* **3.** REGARDER (+ infinitif). *Regarde-moi faire. Il regardait la pluie tomber, tomber la pluie.* **4.** Envisager (qqch. de telle ou telle façon). *Regarder le danger en face,* l'affronter fermement. *Regarder les choses telles qu'elles sont. Regarder la vie par ses bons côtés.* ⇒ **voir.** — Considérer. *Il ne regarde que son intérêt.* ⇒ **rechercher.** — *Regarder qqn, qqch. comme...* ⇒ **juger, tenir** pour. *On l'avait toujours regardée comme une incapable.* **5.** (Suj. chose) REGARDER qqn : avoir rapport à. ⇒ **concerner.** *Cela ne te regarde pas,* ce n'est pas ton affaire. *Mêle-toi de ce qui te regarde !* **II.** V. tr. ind. REGARDER À qqch. : considérer attentivement, tenir compte de... *Ne regardez pas à la dépense. Y regarder de près, y regarder à deux fois,* avant de juger, de se décider. **III.** SE REGARDER v. pron. **1.** (Réfl.) *Se regarder dans la glace.* — Loc. *Il ne s'est pas regardé !,* il a justement les défauts qu'il reproche aux autres. **2.** (Récipr.) *Ils ne peuvent pas se regarder sans rire.* ▶ *regard* n. m. **I. 1.** Action de regarder ; expression des yeux de celui qui regarde. *Parcourir, fouiller, suivre qqn, qqch. du regard,* examiner, explorer. *Dérober, soustraire aux regards,* cacher. *Sa beauté attire tous les regards.* — LE REGARD (DE qqn). *Son regard se posa sur moi.* — L'expression habituelle des yeux. *Regard doux, dur.* — UN REGARD : un coup d'œil. *Ils s'aimèrent au premier regard. Un regard rapide, furtif, en coin.* — *Lancer, jeter un regard sur qqch. Tourner ses regards vers qqch. Échanger un regard avec qqn. Un regard complice.* — *Un regard étonné, inquiet. Un regard noir,* furieux. **2.** Loc. *Avoir (un) droit de regard sur,* avoir le droit de surveiller, de contrôler. *Il a un droit de regard sur la gestion de l'entreprise.* **3.** Loc. prép. AU REGARD DE : en ce qui concerne, par rapport à. *Être en règle au regard de la loi.* — EN REGARD DE : comparativement à.

Les résultats sont faibles en regard du travail fourni. — EN REGARD loc. adv. : en face, vis-à-vis. *Texte latin avec la traduction en regard.* **II.** Ouverture facilitant les visites, les réparations (dans un conduit, une cave...). ▶ *regardable* adj. ■ Surtout négatif. Supportable à regarder. *Ce film, cette émission n'est pas regardable.* ▶ *regardant, ante* adj. ■ Qui regarde (II) à la dépense ; qui est très économe.

régate [ʀegat] n. f. ■ Souvent au plur. Course de bateaux à voiles, à moteur ou à rames, sur mer (le long des côtes), rivières ou plans d'eau, disputée en plusieurs épreuves ou plusieurs étapes. ▶ *régater* v. intr. ▪ conjug. 1. ■ Participer à une régate. ▶ *régatier, ière* n. ■ Personne qui participe à une (des) régate(s).

régence [ʀeʒɑ̃s] n. f. **1.** Gouvernement d'une monarchie par un régent*. *Exercer la régence pendant la minorité du roi.* — La Régence (du duc d'Orléans, 1715-1723). *Les mœurs dissolues de la Régence.* **2.** En appos. Invar. Qui appartient à l'époque de la Régence ou en rappelle le style souple et gracieux. *Style Régence. Des meubles Régence.*

régénérer [ʀeʒeneʀe] v. tr. ▪ conjug. 6. ■ Renouveler en redonnant les qualités perdues. *Régénérer la société.* — Ce séjour au grand air l'a régénéré. ▶ *régénérateur, trice* adj. ■ Qui régénère. *Crème régénératrice.* ▶ *régénération* n. f.

régent, ente [ʀeʒɑ̃, ɑ̃t] n. **1.** Personne qui assume la responsabilité du pouvoir politique (régence) pendant la minorité ou l'absence du souverain. — Adj. *La reine régente. Le prince régent. Le Régent,* le duc d'Orléans (⇒ **régence,** 1). **2.** Personne qui régit, administre. *Le régent de la Banque de France.* ▶ *régenter* v. tr. ▪ conjug. 1. ■ Diriger avec une autorité excessive ou injustifiée. *Il veut tout régenter.* ‹ ▶ régence ›

reggae [ʀege] n. m. ■ Musique des Noirs de la Jamaïque, à rythme marqué. *Des reggaes.* — Adj. *Un groupe reggae.*

régicide [ʀeʒisid] n. et adj. **1.** N. m. et f. Assassin d'un roi. *Le régicide Ravaillac.* — Adj. *Les révolutions régicides.* **2.** N. m. Meurtre (ou condamnation à mort) d'un roi. *Commettre un régicide.*

régie [ʀeʒi] n. f. **1.** Entreprise gérée par les fonctionnaires d'une collectivité publique. *La Régie française des tabacs ; cigarettes de la Régie.* — Nom d'entreprises nationalisées. *La Régie autonome des transports parisiens* (R.A.T.P.). **2.** Administration chargée de l'organisation matérielle d'un spectacle. *Adressez-vous à la régie* (⇒ **régisseur,** 2). **3.** Local où sont groupées les commandes nécessaires à la réalisation d'une émission de radio ou de télévision.

regimber [ʀ(ə)ʒɛ̃be] v. intr. ▪ conjug. 1. ■ Résister en refusant. *Inutile de regimber.*

① *régime* [ʀeʒim] n. m. **1.** Organisation politique, économique, sociale (d'un État). *Les régimes successifs de la France. L'Ancien Régime,* celui de la monarchie avant 1789. *Changement de régime. Régime constitutionnel, parlementaire, présidentiel. Régime libéral ; totalitaire. Régime féodal, capitaliste, socialiste. Les opposants au régime.* **2.** Ensemble de dispositions qui organisent une institution ; cette organisation. *Régime dotal* (du mariage). *Régime fiscal, douanier. Régime pénitentiaire.*

② *régime* n. m. **1.** Conduite à suivre en matière d'hygiène, de nourriture. *Le régime d'entraînement d'un sportif.* — *À ce régime, il ne tiendra pas longtemps.* **2.** Alimentation raisonnée. *Suivre, faire un régime pour maigrir. Se mettre, être au régime. Régime draconien. Régime sans sel.* — *Régime sec,* sans alcool.

③ *régime* n. m. ■ Manière dont se produisent certains mouvements, certains phénomènes physiques (météorologiques, hydrographiques). *Le régime d'écoulement d'un fluide. Le régime d'un moteur,* le nombre de tours en un temps donné ; allure de fonctionnement. ⇒ **marche.** *Régime normal, ralenti. Lancer le moteur à plein régime. Loc. À plein régime,* à pleine force. — *Le régime d'un fleuve,* l'ensemble des variations que subit son débit. — *Le régime des pluies.*

④ *régime* n. m. ■ Ensemble des fruits, réunis en grappe, de certains arbres (bananiers, dattiers). *Faire mûrir un régime de bananes.*

régiment [ʀeʒimɑ̃] n. m. **1.** Corps de troupe placé sous la direction d'un colonel. *Un régiment d'infanterie, de chars.* — Fam. *Le régiment,* l'armée. *Partir pour le régiment. Aller au régiment,* être incorporé. **2.** Grand nombre (de personnes, de choses). ⇒ **quantité** (2) ; fam. **bataillon, ribambelle.** *Un régiment de gamins turbulents.* — *Il y en a pour un régiment,* pour beaucoup de gens. ⟨ ► enrégimenter ⟩

région [ʀeʒjɔ̃] n. f. **1.** Territoire qui se distingue des territoires voisins par des caractères particuliers. ⇒ **contrée, province.** *Région désertique. Région à forte population.* — *Dans nos régions,* nos climats, nos pays. — Unité territoriale administative groupant plusieurs départements (en France). *La région Rhône-Alpes. Régions militaires, économiques.* **2.** Étendue de pays autour d'une ville. *Ils vont en vacances dans la région de Pau.* — *Habitez-vous (dans) la région ?* **3.** Abstrait. Domaine, sphère (de la pensée, la science...). *Les hautes régions de la philosophie.* **4.** Zone déterminée (d'un organisme, d'un organe). *Douleurs dans la région du cœur.* ► *régional, ale, aux* adj. et n. m. **1.** Relatif à une région, une province. *Les parlers régionaux. Coutumes régionales.* ⇒ **folklore.** — *Réseau express régional* (du métro, autour de Paris). Abrév. *R.E.R.* [ɛʀøɛʀ] n. m. invar. *Prendre le R.E.R. pour aller travailler.* **2.** Qui groupe plusieurs nations voisines (opposé à *mondial*). *Les accords régionaux de l'Europe des Douze.* **3.** N. m. Vx. *Le régional,* réseau téléphonique desservant les alentours d'un grand centre. ► *régionalisation* n. f. ■ Réforme administrative allant dans le sens du régionalisme. ⇒ **décentralisation.** ► *régionalisme* n. m. ■ Tendance à favoriser les traits particuliers d'une région ; à donner aux régions, aux provinces, une certaine autonomie. — En linguistique. Fait de langue propre à une région, à une partie seulement des territoires où on parle une langue. ► *régionaliste* adj. et n. ■ Partisan du régionalisme. — *Écrivain régionaliste,* dont les œuvres concernent une région en tant que telle.

régir [ʀeʒiʀ] v. tr. ■ conjug. 2. **1.** Vx. Diriger, gouverner. — Administrer, gérer. **2.** (Lois, règles) Déterminer. *Les lois qui régissent le mouvement des astres.* — Au p. p. *Association régie par la loi de 1901.* ► *régisseur* n. **1.** Personne qui administre, qui gère (une propriété). ⇒ **intendant.** **2.** *Le régisseur d'un théâtre,* personne qui organise matériellement les représentations. *Elle est régisseur du théâtre X.* ⟨ ► régent, régie, ① régime ⟩

① *registre* [ʀəʒistʀ] n. m. ■ Gros cahier sur lequel on note des faits, des noms, des chiffres dont on veut garder le souvenir. ⇒ **livre, répertoire.** *Inscrire sur, dans un registre. Tenir un registre.* — *Le registre du commerce,* où doivent s'inscrire les commerçants. *Registres publics d'état civil* (naissances, mariages). ⟨ ► enregistrer ⟩

② *registre* n. m. **1.** Chacun des étages de la voix d'un chanteur, quant à la hauteur des sons. *Le registre aigu, haut, moyen, grave.* — Étendue de l'échelle musicale (d'une voix, d'un instrument). ⇒ **tessiture.**

2. Caractères particuliers (d'une œuvre, du discours). ⇒ **ton.** *C'est écrit dans un registre plaisant. Le registre familier, didactique, dans une langue.*

réglable, réglage ⇒ ② *régler.*

① *règle* [ʀɛɡl] n. f. ■ Instrument allongé qui sert à tirer des traits, à mesurer une longueur, etc. *Tracer des lignes à la règle, avec une règle. Règle graduée.* — *Règle à calcul,* permettant d'effectuer rapidement certaines opérations. ⟨ ► ① régler ⟩

② *règle* n. f. **I. 1.** Ce qui est imposé ou adopté comme ligne directrice de conduite ; formule qui indique ce qui doit être fait dans un cas déterminé. ⇒ **loi, principe.** *Un ensemble de règles.* ⇒ **règlement, réglementation.** *Adopter une règle de conduite.* ⇒ **ligne.** — *Avoir pour règle de* (+ infinitif), pour principe. *Se faire une règle de,* se faire une obligation de. *Elle s'est fait une règle d'être toujours ponctuelle. Les règles de la politesse, de la bienséance. Les règles de (la) grammaire.* — Loc. *La règle, les règles du jeu,* celles en usage dans une certaine situation, une certaine activité. — *Établir, prescrire une règle. Observer la règle.* **2.** Loc. *Selon les règles, dans les règles, dans les règles de l'art,* comme il se doit. *Plat cuisiné dans les règles de l'art.* — *En règle générale,* dans la majorité des cas. ⇒ **généralement.** *C'est la règle,* c'est ainsi (que les choses se passent). — DE RÈGLE : conforme aux usages. *Il est de règle qu'on fasse cela.* — EN RÈGLE loc. adj. : conforme aux règles, aux usages ; qui est fait d'une manière méthodique. *Une bataille en règle. Faire une cour en règle à une femme. C'est de la provocation en règle.* — Établi, exécuté conformément aux prescriptions légales. *Avoir ses papiers en règle. Être, se mettre en règle avec...,* dans la situation requise par le règlement (⇒ **régulier,** I, 1). **3.** Ensemble des préceptes disciplinaires auxquels est soumis un ordre religieux (⇒ **régulier,** II, 1). **4.** En arithmétique. Procédé, formule qui permet de résoudre certains problèmes. *Faire la règle de trois*.* **II.** Au plur. Écoulement menstruel. ⇒ **menstrues.** *Elle attend, elle a eu ses règles.* ► *réglé, ée* adj. **1.** Soumis à des règles. *Une vie réglée.* ⇒ **organisé.** — Fam. (jeu de mots avec ① *régler*) *C'est réglé comme du papier à musique,* cela arrive avec une régularité mathématique. **2.** Au fém. Qui a ses règles (II). ⇒ **nubile, pubère.** ⟨ ► réglo ⟩

règlement [ʀɛɡləmɑ̃] n. m. **I. 1.** Le fait, l'action de régler ② une affaire, un différend. *Le règlement d'un conflit.* **2.** Action de régler (un compte). *Le règlement d'une dette. Faire un règlement par chèque.* **II. 1.** Décision administrative qui pose une règle générale. ⇒ **arrêté, décret.** *Règlement de police.* **2.** Ensemble de règles, auxquelles sont soumis les membres d'un groupe, d'un organisme. *Le règlement intérieur d'une association.* ⇒ **statut.** *Le règlement, c'est le règlement.* ⇒ **consigne.** *Enfreindre le règlement.* ► *réglementaire* adj. ■ Conforme au règlement ; imposé, fixé par un règlement. *Ce certificat n'est pas réglementaire.* ⇒ **régulier** (I, 1). *La tenue réglementaire d'un soldat.* ► *réglementairement* adv. ► *réglementer* v. tr. ■ conjug. 1. ■ Assujettir à un ensemble de règles, organiser. *Réglementer le droit de grève.* ► *réglementation* n. f. **1.** Action de réglementer. *La réglementation des prix.* ⇒ **taxation.** **2.** Ensemble de règlements qui concernent un domaine particulier. *La réglementation du travail.*

① *régler* [ʀeɡle] v. tr. ■ conjug. 6. ■ Couvrir (du papier...) de lignes droites parallèles (appelées *réglures* [ʀeɡlyʀ], n. f.). — Surtout au p. p. adj. *Papier réglé* ou *quadrillé.*

② *régler* v. tr. ■ conjug. 6. **I. 1.** RÉGLER... SUR. *Régler sa conduite sur qqn.,* le, la prendre pour modèle. *Je règle mon pas sur le vôtre,* je lui imprime la même cadence. — Pronominalement. *Se régler sur qqn.* ⇒ **suivre. 2.** Fixer, définitivement ou exactement. *Régler les modalités d'une entrevue.* ⇒ **établir. 3.** Mettre au point le fonctionnement de (un mouvement, un dispositif, un mécanisme, etc.). ⇒ **réglage.** / contr. **dérégler** / *Régler le débit d'un robinet, le régime d'une machine.* ⇒ **régulariser** (2). *Régler sa montre. Régler le tir.* — Au p. p. adj. *Un carburateur mal réglé.* **II. 1.** Résoudre définitivement, terminer. *Régler une question, un problème* (⇒ **règlement**). *Régler une affaire.* — Pronominalement. *L'affaire s'est réglée à l'amiable.* — Au p. p. adj. *C'est une affaire réglée,* conclue, sur laquelle il n'y a pas à revenir. **2.** *Régler un compte,* l'arrêter et le payer. — Payer (une note). *Régler sa note d'hôtel, ses factures.* ⇒ **acquitter.** *Sans compl. Réglerez-vous par chèque ? Il règle en espèces.* — Payer (un fournisseur). *Régler le boucher, le boulanger.* ▶ *réglable* adj. **1.** Qu'on peut régler (I, 3). *Sièges réglables.* **2.** Qui doit être payé (dans certaines conditions de lieu, de temps...). *Facture réglable à quatre-vingt-dix jours.* ▶ *réglage* n. m. ■ Opération qui consiste à régler (un appareil, un mécanisme). *Le réglage d'une machine. Le réglage du tir.* — Manière dont un appareil, un mécanisme est réglé. *Mauvais réglage du carburateur.* ⟨ ▶ **dérégler,** ② **règle, règlement** ⟩

réglisse [Reglis] n. f. ■ Plante à racine brune, jaune au-dedans, comestible. *Récolter la réglisse. Mâcher un bâton de réglisse.* — *Pâte de réglisse,* tirée de la réglisse. *Bonbons à la réglisse,* faits de cette pâte. *Sucer de la réglisse.*

réglo [Reglo] adj. invar. ■ Fam. Conforme à la règle. *C'est réglo.* — (Personnes) Qui respecte la règle en vigueur. *Des types réglo. Elle a été réglo.* ⇒ **régulier** (II, 4).

règne [Rɛɲ] n. m. **I. 1.** Exercice du pouvoir souverain ; période pendant laquelle s'exerce ce pouvoir. *Le règne de Louis XIV. Sous le règne de Napoléon. Un long règne.* **2.** Pouvoir absolu (d'une personne ou d'une chose). *Le règne de l'argent, des banquiers. Le règne de la corruption, de la facilité.* **II.** *Règne minéral, végétal, animal,* les trois grandes divisions de la nature. ▶ *régner* v. intr. ■ conjug. 6. **I.** Exercer le pouvoir monarchique (⇒ **règne,** I). *Régner (pendant) vingt ans. Les vingt ans qu'il a régné.* — Loc. prov. *Diviser pour régner,* créer des rivalités entre ceux qu'on gouverne, pour mieux les dominer. **II. 1.** Exercer un pouvoir absolu. ⇒ **dominer.** *Il règne en maître dans la maison. Elle règne sur toute la maisonnée.* **2.** (Choses) Avoir une influence prédominante. *Il voudrait faire régner la justice sur le monde.* — (Opinions) Avoir cours. **III.** (Sens affaibli ; suj. chose) Exister, s'être établi (quelque part). *Le bon accord qui règne entre nous. Faire régner l'ordre, le silence.* — Iron. « *Vous vérifiez tous les comptes ? La confiance règne !* » ▶ *régnant, ante* adj. ■ Qui règne (I). *Le prince régnant. Famille régnante,* dont un membre règne. ⟨ ▶ **interrègne** ⟩

regonfler [R(ə)gɔ̃fle] v. tr. ■ conjug. 1. ■ Gonfler (qqch. qui s'est dégonflé). *Regonfler un ballon, des pneus.* — Fam. *Regonfler qqn,* le moral de qqn, lui redonner du courage. — Au p. p. adj. *Me voilà regonflée à bloc !*

regorger [R(ə)gɔRʒe] v. intr. ■ conjug. 3. ■ REGORGER DE : avoir en surabondance. ⇒ **abonder.** *Région qui regorge de richesses.*

régression [Regresjɔ̃] n. f. ■ Évolution qui ramène à un degré moindre. ⇒ **recul.** *La mortalité infantile est en régression, en voie de régression.* ⇒ **diminution.** / contr. **progression** / ▶ *régresser* v. intr. ■ conjug. 1. ■ Subir une régression. / contr. **progresser** / *La douleur régressait enfin.* — *Cet enfant régresse, il*

recommence à mouiller son lit. ▶ *régressif, ive* adj. ■ Qui constitue une régression. *Phénomène régressif.*

regret [R(ə)grɛ] n. m. **I.** État de conscience douloureux causé par la perte d'un bien. *Le regret du pays natal. Le regret du passé.* ⇒ **nostalgie.** *Regrets éternels,* formule d'inscription funéraire. *Quitter qqn avec regret ; le quitter sans regret.* **II. 1.** Mécontentement ou chagrin (d'avoir fait, de n'avoir pas fait, dans le passé). ⇒ **remords, repentir.** *Je n'ai qu'un regret, c'est d'avoir été si long à comprendre.* — *Le regret d'une faute, d'avoir commis une faute.* **2.** Déplaisir causé par une réalité contrariante. *Le regret de n'avoir pas réussi.* — À REGRET loc. adv. : contre son désir. *Accepter à regret. À mon grand regret, j'ai dû partir.* **3.** Déplaisir qu'on exprime d'être dans la nécessité de. *J'ai le regret de ne pouvoir vous recevoir. Tous mes regrets.* ⇒ **excuse.** — (Formule administrative) *Nous sommes au regret de vous informer...* ▶ *regretter* [R(ə)gRete] v. tr. ■ conjug. 1. **I.** Éprouver le désir douloureux de (un bien qu'on a eu et qu'on n'a plus). *Regretter le temps passé, sa jeunesse.* — *Nous le regretterons longtemps,* nous regretterons son absence, sa mort. — Au p. p. adj. *Notre regretté confrère,* notre confrère mort récemment. **II. 1.** Être mécontent (d'avoir fait ou de n'avoir pas fait). ⇒ **se repentir.** *Elle regrette d'être venue. Je ne regrette rien. Il me ferait regretter ma patience.* — (Pour menacer) *Tu le regretteras !* — (Pour inciter à agir) *Viens ! Tu ne le regretteras pas !* — Désavouer (sa conduite passée). *Je regrette mon geste.* **2.** Être mécontent de (ce qui contrarie une attente, un désir). ⇒ **déplorer.** *Je regrette cette décision.* — REGRETTER QUE (+ subjonctif). *Je regrette qu'il ne soit pas venu.* **3.** REGRETTER DE (+ infinitif) : faire savoir qu'on éprouve du regret. / contr. se **féliciter** / *Je regrette de vous avoir fait attendre, je m'en excuse. Je regrette,* formule pour contredire ou s'excuser. ⇒ **pardon.** *Je regrette, je n'ai pas du tout dit cela.* ▶ *regrettable* adj. ■ Qui est à regretter. ⇒ **fâcheux.** *Un incident, une erreur regrettable. Conséquences regrettables.* ⇒ **déplorable.** *Il est regrettable que vous ne puissiez pas venir.* ⇒ **dommage, malheureux.**

regrouper [R(ə)gRupe] v. tr. ■ conjug. 1. **1.** Grouper de nouveau (ce qui s'était dispersé). *Regrouper les membres d'un parti.* — Pronominalement. *Se regrouper autour de qqn, derrière qqn.* **2.** Grouper (des éléments dispersés), réunir. *Regrouper les populations.* — *Parti qui regroupe tous les mécontents.* ⇒ **rassembler, réunir.** ▶ *regroupement* n. m. ■ Action de regrouper, de se regrouper ; son résultat.

régulariser [Regylarize] v. tr. ■ conjug. 1. **1.** Rendre conforme aux lois ; mettre en règle. *Régulariser sa situation* (financière, administrative...). **2.** Rendre régulier (ce qui est inégal, intermittent). *Régulariser le fonctionnement d'un appareil* (② **régler,** I, 3). *Régulariser le régime d'un fleuve.* ▶ *régularisation* n. f. ■ *Statut en voie de régularisation.* ≠ **régulation.**

régularité [Regylarite] n. f. **1.** Caractère régulier (d'un mouvement). *La régularité de son pas, de son allure.* / contr. **irrégularité** / — Caractère égal, uniforme. *Faire preuve de régularité dans son travail. Une régularité d'horloge.* **2.** Le fait de présenter des proportions régulières. *La régularité d'une façade.* (⇒ **symétrie**). **3.** Conformité aux règles. *La régularité d'une élection.*

régulateur, trice [Regylatœr, tRis] adj. et n. m. **I.** Adj. Qui règle (② ,I, 3), qui régularise. *Force régulatrice. Le mécanisme régulateur d'une horloge.* **II.** N. m. Système de commande destiné à maintenir la régularité d'un mécanisme. *Régulateur de vitesse, de température.* ▶ *régulation* [Regylasjɔ̃] n. f. ■ Le fait d'assurer le fonctionnement correct (d'un système complexe). *La régulation du trafic* (chemin de fer, etc.). — *La régulation des naissances.* ⇒ **contrôle ; contraception.** — *Régulation thermique,* processus qui maintient la chaleur à un degré uniforme chez les mammifères et les oiseaux. ≠ *régularisation.*

régulier, ière [ʀegylje, jɛʀ] adj. et n. m. **I.** (Choses) **1.** Qui est conforme aux règles. ⇒ **normal.** / contr. **irrégulier** / *Verbes réguliers,* qui suivent les règles ordinaires de la conjugaison (pour le français, verbes du premier et du deuxième groupe, en *-er* et *-ir*). — Établi ou accompli conformément aux dispositions légales, réglementaires. *Gouvernement régulier. Coup régulier,* permis (au jeu). — Fam. Loyal, correct. *Le coup est dur, mais régulier.* **2.** Qui présente un caractère de symétrie, d'ordre. *Une façade aux formes régulières. Écriture régulière,* bien formée, nette. *Visage régulier.* **3.** (Mouvement, phénomène) Qui se déroule de façon uniforme. *Vitesse régulière,* constante. *Rythme régulier,* égal. *Progrès réguliers,* suivis. **4.** Qui se renouvelle à intervalles égaux. *Frapper des coups réguliers. Visites, inspections régulières.* Loc. *À intervalles réguliers,* régulièrement. **5.** Qui n'est pas occasionnel, mais habituel. *Être en correspondance régulière avec qqn. Un service régulier de cars.* **6.** Qui reste conforme aux mêmes principes, ne change pas. *Habitudes régulières. Vie régulière.* **II.** (Personnes) **1.** Qui appartient à un ordre religieux. *Clergé régulier et clergé séculier* (⇒ ② **règle,** I, 3). **2.** *Armées, troupes régulières,* contrôlées par le pouvoir central (opposé à *troupes improvisées, milices, francs-tireurs,* etc.). **3.** Ponctuel, réglé. *Il est régulier dans ses habitudes, dans son travail.* — Qui obtient des résultats d'un niveau constant. *Élève régulier.* **4.** Fam. Qui respecte les règles en vigueur dans une profession, une activité. *Un homme très régulier en affaires.* ⇒ **correct ;** fam. **réglo.** ▶ **régulièrement** adv. **1.** D'une manière régulière, légale. *Fonctionnaire régulièrement nommé.* / contr. **irrégulièrement /** **2.** Avec régularité. *Couche de terre répartie régulièrement.* ⇒ **uniformément.** *S'approvisionner régulièrement au même endroit. Client qui vient très régulièrement.* **3.** Fam. (En tête de phrase) Normalement. *Régulièrement, c'est toi qui dois gagner.* ‹ ▶ irrégularité, irrégulier, régulariser, régularité, régulateur ›

régurgiter [ʀegyʀʒite] v. tr. ▪ conjug. 1. **1.** Didact. Faire revenir de l'estomac dans la bouche. / contr. **ingurgiter /** *Régurgiter des aliments, un repas.* ⇒ **vomir. 2.** Répéter sans modification (ce qu'on vient d'apprendre).

réhabiliter [ʀeabilite] v. tr. ▪ conjug. 1. **1.** Rendre à (un condamné) ses droits perdus et l'estime publique, en reconnaissant son innocence. *Finalement, on réhabilita Dreyfus.* **2.** Rétablir dans l'estime, dans la considération d'autrui. *Réhabiliter la mémoire d'un ami. Sa conduite l'a réhabilité.* — Pronominalement. *Se réhabiliter.* ⇒ se **racheter. 3.** Remettre en bon état pour l'habitation. ⇒ **rénover.** — Au p. p. adj. *Immeuble ancien, quartier réhabilité.* ▶ **réhabilitation** n. f. ▪ Le fait de réhabiliter.

réhabituer [ʀeabitɥe] v. tr. ▪ conjug. 1. ▪ Faire reprendre à (qqn) une habitude perdue. ⇒ **réaccoutumer.** / contr. **déshabituer /** — Pronominalement. *Elle s'est réhabituée à se lever tôt.*

rehausser [ʀəose] v. tr. ▪ conjug. 1. **1.** Hausser davantage ; élever à un plus haut niveau. *Rehausser un mur.* ⇒ **surélever.** — Faire valoir davantage. *Il nous faut rehausser le prestige de l'équipe.* **2.** (Suj. chose) Faire valoir davantage par sa présence. *Le fard rehausse l'éclat de son teint.* — Au p. p. REHAUSSÉ, ÉE DE : mis(e) en valeur par, orné(e) de. *Habit rehaussé de broderies.* **3.** Donner plus de relief à (un dessin) en accentuant certains éléments. — Au p. p.

Portrait rehaussé de couleurs vives. ▶ **rehaut** [ʀəo] n. m. ▪ Terme technique. Touche claire qui accuse les lumières, en peinture.

réimpression [ʀeɛ̃pʀesjɔ̃] n. f. ▪ Nouvelle impression (d'un livre) sans changements. ≠ *réédition.* ▶ **réimprimer** v. tr. ▪ conjug. 1. ▪ Imprimer de nouveau. — Au p. p. adj. *Un livre souvent réimprimé.*

rein [ʀɛ̃] n. m. **1.** Au plur. LES REINS : la partie inférieure du dos, au niveau des vertèbres lombaires. ⇒ **lombes.** *La cambrure des reins. Une belle chute de reins.* — *Coup de reins,* violent effort des muscles de la région lombaire. — Loc. *Tour de reins,* lumbago. — Fig. *Avoir les reins solides,* être de taille à triompher d'une épreuve. *Casser les reins à qqn,* briser sa carrière. **2.** L'un des deux organes qui élaborent l'urine. ⇒ **néphr(o)-.** *Rein droit, gauche. Rein flottant,* mobile. *Une greffe du rein. Rein artificiel. Reins comestibles d'un animal.* ⇒ **rognon.** ‹ ▶ éreinter, rénal, surrénal ›

se réincarner [ʀeɛ̃kaʀne] v. pron. ▪ conjug. 1. ▪ Religion. S'incarner dans un nouveau corps. *Se réincarner dans un animal.* ▶ **réincarnation** n. f. ▪ Nouvelle incarnation (d'une âme qui avait été unie à un autre corps). ⇒ **métempsychose.** *Le cycle des réincarnations, dans la religion hindoue.*

reine [ʀɛn] n. f. **1.** Épouse d'un roi. *Le roi et la reine.* — *La reine mère,* mère du souverain régnant ; plaisant. la belle-mère (ou la mère de famille). *Pas un mot à la reine mère ! 2.* Femme qui détient l'autorité souveraine dans un royaume. ⇒ **souveraine.** *La reine Victoria.* — Loc. *Avoir un port de reine,* un maintien majestueux, imposant. *Une dignité de reine offensée,* exagéré et pointilleuse. **3.** La deuxième pièce du jeu d'échecs, à l'action la plus étendue. **4.** *La, une reine de...,* femme qui l'emporte sur les autres par une éminente qualité. *La reine du bal, de la fête.* — *Reine de beauté.* ⇒ **miss** (2). (Choses) *Reine des reinettes* (nom d'une pomme ⇒ **reinette**). **5.** Femelle féconde (d'abeille, de guêpe, etc.) unique dans la colonie. ▶ *reine-claude* n. f. ▪ Variété de prune, verte, à chair fondante. *Des reines-claudes.* ▶ **reine-marguerite** n. f. ▪ Plante aux fleurs roses ou mauves ; ces fleurs. *Des reines-marguerites.*

reinette [ʀɛnɛt] n. f. ▪ Variété de pomme très parfumée. *Un kilo de reinettes. Reinette grise. Reinette du Canada,* très grosse et verte. *La reine des reinettes* (jaune et rouge). ≠ *rainette.*

réinstaller [ʀeɛ̃stale] v. tr. ▪ conjug. 1. ▪ Installer de nouveau. *On l'a réinstallé dans ses fonctions.* ▶ **réinstallation** n. f.

réintégrer [ʀeɛ̃tegʀe] v. tr. ▪ conjug. 6. **1.** (Compl. chose) Revenir dans (un lieu qu'on avait quitté). *Réintégrer son logis. Réintégrer le domicile conjugal,* reprendre la vie commune avec son conjoint. **2.** Rétablir (qqn) dans la jouissance d'un bien, d'un droit. *Réintégrer un fonctionnaire après une mise en congé.* ▶ **réintégration** n. f.

réintroduire [ʀeɛ̃tʀɔdɥiʀ] v. tr. ▪ conjug. 38. ▪ Introduire de nouveau. ▶ **réintroduction** n. f.

réitérer [ʀeiteʀe] v. tr. ▪ conjug. 6. ▪ Faire de nouveau, faire plusieurs fois. ⇒ **renouveler.** *Réitérer une promesse. Je vous réitère ma demande.* — Sans compl. ⇒ **recommencer.** *Il avait juré de ne plus boire, mais il a réitéré.* — Au p. p. adj. *Attaques réitérées, efforts réitérés,* répétés. ▶ **réitération** n. f. ▪ Renouvellement (d'une action).

rejaillir [ʀ(ə)ʒajiʀ] v. intr. ▪ conjug. 2. **1.** (Liquide) Jaillir en étant renvoyé par un obstacle ou sous l'effet d'une pression, d'un choc. *La boue rejaillissait sous* *les roues de la voiture.* **2.** Abstrait. REJAILLIR SUR *qqn* : se reporter sur (par un prolongement de l'effet). *Sa honte a rejailli sur nous tous.* ▶ **rejaillissement** n. m.

① **rejet** n. m. ■ Nouvelle pousse (d'un arbre), provenant d'une souche ou d'une tige. *Un rejet de souche. Des rejets de châtaignier. L'ensemble des rejets forme le taillis.* ⇒ **rejeton** (1). ▶ **rejeton** [ʀəʒtɔ̃ ; ʀ(ə)ʒɔtɔ̃] n. m. **1.** Nouvelle pousse sur la souche d'un arbre. ⇒ ① **rejet. 2.** Fam. ou iron. Enfant, fils. *Être fier de ses rejetons.*

rejeter [ʀəʒte ; ʀ(ə)ʒəte] v. tr. ▪ conjug. 4. **I. 1.** Jeter en sens inverse (ce qu'on a reçu, ce qu'on a pris). ⇒ **relancer.** *Rejeter un poisson à la mer. La mer rejette les épaves à la côte.* **2.** Évacuer, expulser. *Le malade rejeta un caillot de sang. Son estomac rejette toute nourriture.* ⇒ **rendre** (II, 1), **vomir.** **3.** Abstrait. Faire retomber (sur un autre). *Rejeter les torts, la responsabilité sur qqn.* **II.** Jeter, porter ou mettre ailleurs. *Rejeter un mot à la fin d'une phrase.* — (En changeant la position) *Rejeter la tête, les épaules en arrière.* — Pronominalement. *Se rejeter en arrière.* **III.** Ne pas admettre. **1.** Écarter (qqch.) en refusant. *Rejeter une offre, une proposition.* ⇒ **décliner.** *L'Assemblée a rejeté ce projet de loi.* ⇒ **repousser. 2.** Écarter (qqn) en repoussant. — Au p. p. *Elle se sent rejetée par ses proches.* ▶ ② **rejet** [ʀ(ə)ʒɛ] n. m. **1.** Action de rejeter, d'évacuer ; son résultat. *Le rejet des matières fécales.* — *Réaction, phénomène de rejet,* d'intolérance de l'organisme à l'assimilation (d'un organe greffé). **2.** Renvoi au début du vers suivant d'un ou plusieurs mots de la proposition, dans un souci d'expressivité (ex. : « *C'est bien à l'escalier/Dérobé...* », Hugo). **3.** Action de rejeter, de refuser ; son résultat. ⇒ **abandon.** *Le rejet d'une requête, d'un recours en grâce.*

rejoindre [ʀ(ə)ʒwɛ̃dʀ] v. tr. ▪ conjug. 49. **1.** Se joindre, aller retrouver (une ou plusieurs personnes). *Rejoindre sa famille. Il a rejoint son régiment.* — Pronominalement. *Nous devons nous rejoindre chez lui.* ⇒ se **retrouver. 2.** Regagner (un lieu). *Il est temps de rejoindre la maison.* — (Choses) Venir en contact avec. *La rue rejoint le boulevard à cet endroit.* — S'ajouter à. *Cette vieille chaise ira rejoindre les meubles cassés à la cave.* **3.** Avoir une grande ressemblance, des points communs avec. *Cela rejoint ce que tu disais au début.* **4.** Atteindre (qqn qui a de l'avance). ⇒ **rattraper.** *Pars devant, je te rejoindrai.*

réjouir [ʀeʒwiʀ] v. tr. ▪ conjug. 2. **I.** V. tr. Rendre joyeux. ⇒ faire **plaisir.** *Choses qui réjouissent le cœur, le regard.* — Mettre en gaieté. ⇒ **amuser, égayer.** *Ses blagues ont réjoui l'assemblée.* **II.** SE RÉJOUIR v. pron. : éprouver de la joie, de la satisfaction. *Se réjouir du malheur des autres.* — *Il n'y a pas lieu de se réjouir.* — SE RÉJOUIR À. ⇒ se **jubiler.** *Je me réjouis à la pensée de vous revoir.* — SE RÉJOUIR DE. *Je me réjouis de ton succès.* ⇒ se **féliciter.** *Il se réjouissait de l'entendre. Je me réjouis que tu sois là.* — Au p. p. adj. *Une mine réjouie.* ⇒ **gai, joyeux.** ▶ **réjouissance** n. f. **1.** Joie collective. *Les occasions de réjouissance ne manquaient pas.* **2.** Au plur. Fêtes. *Réjouissances publiques, officielles. Le programme des réjouissances,* des distractions. ▶ **réjouissant, ante** adj. ■ Qui réjouit, est propre à réjouir. *Une nouvelle qui n'a rien de réjouissant.* — Iron. *Eh bien, c'est réjouissant !* (en parlant d'une chose désagréable). ⇒ **gai.**

① **relâche** [ʀ(ə)lɑʃ] n. m. ou f. **1.** Vx. Répit. *Prendre un peu de relâche.* — Loc. SANS RELÂCHE : sans répit. ⇒ **interruption, trêve.** *Travailler sans relâche.* **2.** Fermeture momentanée d'une salle de spectacle. *Jour de relâche. Faire relâche.*

① **relâcher** [ʀ(ə)laʃe] v. ▪ conjug. 1. **I.** V. tr. **1.** Rendre moins tendu ou moins serré. ⇒ **détendre,**

desserrer. *Relâcher son étreinte.* — *Relâcher ses muscles,* les décontracter. **2.** Reposer et détendre. *Relâcher son attention.* **3.** Remettre (qqn) en liberté. *Relâcher un prisonnier.* ⇒ **libérer,** ② **relaxer. II.** SE RELÂCHER v. pron. **1.** Devenir plus lâche. *Les liens entre nous se sont relâchés avec les années.* **2.** Devenir moins rigoureux. ⇒ **faiblir.** *La discipline s'est relâchée.* — (Personnes) Montrer moins d'ardeur, d'exactitude. *Se relâcher dans son travail.* ▶ **relâché, ée** adj. ■ Qui a perdu de sa vigueur, ou de sa rigueur. *Style relâché. Conduite, morale relâchée.* ⇒ **laxisme.** / contr. **strict** / ▶ **relâchement** n. m. ■ *Le relâchement de l'attention, de la discipline.*

② **relâcher** v. intr. ▪ conjug. 1. ■ Marine. S'arrêter dans un port, faire escale. *Le bateau dut relâcher à Brest.* ▶ ② **relâche** n. f. ■ Action de relâcher (dans un port). *Notre bateau a fait relâche à Madère.*

relais [ʀ(ə)lɛ] n. m. invar. **1.** Autrefois. Lieu où des chevaux étaient postés pour remplacer les chevaux fatigués. *Un relais de poste.* — Mod. Auberge ou hôtel près d'une grande route. *Relais routier.* **2.** *Course de relais,* ou *relais,* épreuve disputée entre équipes de plusieurs coureurs qui se relayent* à des distances déterminées. — *Le relais 4 fois cent mètres.* **3.** Mode d'organisation d'un travail continu où les ouvriers se remplacent par roulement. *Équipes de relais.* — Loc. PRENDRE LE RELAIS DE : remplacer. ⇒ **relayer. 4.** Étape (entre deux points de l'espace). — En appos. *Ville relais.* — Intermédiaire (entre deux personnes). *Servir de relais dans une transaction.* **5.** Dispositif servant à retransmettre un signal radioélectrique en l'amplifiant. *Un relais de télévision.*

relancer [ʀ(ə)lɑ̃se] v. tr. ▪ conjug. 3. **1.** Lancer à son tour (une chose reçue). *Il me relança la balle.* ⇒ **renvoyer. 2.** Remettre en marche, en route, lancer de nouveau. *Relancer un moteur.* — *Relancer un projet. Relancer l'économie du pays.* **3.** Poursuivre (qqn) avec insistance, pour obtenir de lui qqch. *J'ai dû le relancer pour qu'il me rembourse.* **4.** Jeux. Mettre un enjeu supérieur à celui de l'adversaire. ▶ **relance** n. f. **1.** Jeux. Action de relancer (4). *Limiter la relance dans une partie de poker.* **2.** Reprise, nouvelle impulsion. *La relance de l'économie. Mesures de relance.*

relaps, apse [ʀ(ə)laps] adj. ■ Religion. Retombé dans une hérésie, après l'avoir abjurée. *Jeanne d'Arc fut brûlée comme relapse.*

relater [ʀ(ə)late] v. tr. ▪ conjug. 1. ■ Littér. Raconter d'une manière précise et détaillée. ⇒ **rapporter.** *Les historiens relatent le fait, relatent que...* — *Chroniques qui relatent des événements importants.* ⟨ ▶ ② **relation** ⟩

relatif, ive [ʀ(ə)latif, iv] adj. **I. 1.** Qui est défini par rapport à une autre chose, n'est ni absolu, ni indépendant (⇒ ① **relation**). *Toute connaissance est relative. Valeur relative,* évaluée par comparaison. *Tout est relatif, on ne peut juger de rien en soi.* — *Relatif à...,* en relation avec. — Au plur. Qui ont une relation mutuelle. *Positions relatives,* considérées l'une par rapport à l'autre. ⇒ **respectif. 2.** Incomplet, imparfait. ⇒ **partiel.** *Il est d'une honnêteté relative, d'une relative honnêteté. Vivre dans un luxe relatif.* **3.** RELATIF À... (sens faible) : se rapportant à..., concernant. *Documents relatifs à tel sujet, à telle période.* **II.** En grammaire. Se dit des mots servant à établir une relation entre un nom ou un pronom qu'ils représentent et une subordonnée. *Pronoms relatifs* (*qui, que, dont, quoi, où, lequel, quiconque*). *Adjectifs relatifs* (*lequel, quel*). *Proposition relative* ou, n. f., RELATIVE : proposition introduite par un pronom relatif. ▶ **relativement** adv. **1.** D'une manière relative. *C'est relativement rare.* — *Il est relativement*

honnête, jusqu'à un certain point. **2.** RELATIVEMENT
À : par une relation, un rapport de comparaison.
Relativement au prix de l'an dernier, ce n'est pas cher.
⇒ par **rapport.** ▶ *relativité* n. f. **I.** Caractère de ce
qui est relatif (I, 1). *La relativité de la connaissance,*
du jugement humain. **II.** *Théorie de la relativité*
d'Einstein (1905), selon laquelle les mesures de
distance et de temps sont relatives (à la position et
au mouvement de l'observateur) ; seule est constante
et absolue la vitesse de la lumière. *La relativité fait*
du temps la quatrième dimension. On distingue la
relativité et la relativité généralisée.

① *relation* [ʀ(ə)lɑsjɔ̃] n. f. **1.** Rapport de dépendance entre des choses, des phénomènes... *Relation*
de cause à effet. Étroite relation entre les diverses
parties d'un tout. En relation avec... ⇒ **relatif** à. *Ce*
que je dis est sans relation avec ce qui précède.
2. Surtout au plur. Lien de dépendance ou d'influence
réciproque (entre personnes) ; fait de se fréquenter.
⇒ **commerce** (II), **contact, rapport.** *Les relations*
humaines. Relations d'amitié ; relations amoureuses.
Relations professionnelles, mondaines. Nouer, avoir
des relations avec qqn. Bonnes, mauvaises relations
(→ être en bons, en mauvais *termes*). *Cesser,*
interrompre ses relations avec qqn. — *Relations*
épistolaires. ⇒ **correspondance.** — Loc. EN RELATION.
Être, se mettre, rester en relation avec qqn. **3.** Au plur.
Le fait de connaître, de fréquenter des gens influents.
Il cultive ses relations. Obtenir un poste par relations.
4. Personne avec laquelle on est en *relation,* avec qui
on a des *relations* d'habitude, d'intérêt. ⇒ **con-
naissance(s)** (II, 2). *Ce n'est pas un ami, seulement*
une relation. Il ne fait pas partie de mes relations.
5. Lien officiel entre groupes (peuples, nations).
Tension, détente dans les relations internationales.
Relations diplomatiques. Relations culturelles entre
pays. — RELATIONS PUBLIQUES : ensemble des
activités destinées à favoriser les contacts à l'intérieur
de l'entreprise, à informer le public des réalisations
de l'entreprise. ⇒ **propagande, publicité.** *Être dans*
les relations publiques. REM. *Public relation* est de
l'anglais. **6.** En sciences. Tout ce qui implique une
interdépendance, une interaction (entre un être vivant
et un milieu). *L'étude des relations des êtres vivants*
avec leur milieu (⇒ **écologie**).

② *relation* n. f. ■ Le fait de relater* ; récit. *Selon*
la relation d'un témoin. ⇒ **témoignage.** *Faire la*
relation des événements. — Récit fait par un voyageur,
un explorateur. *La relation d'un voyage en Chine.*

relax, relaxe [ʀəlaks] adj. et n. Anglic. **1.** Fam.
Qui favorise la détente. ⇒ **décontracté, détendu.** *Une*
soirée plutôt relax(e). — En appos. *Fauteuil(-)relax* ou,
n. m. invar., RELAX : fauteuil, chaise longue confortable. *Des relax.* **2.** N. f. RELAXE : détente, décontraction. ▶ *relaxation* n. f. ■ Anglic. Méthode thérapeutique destinée à supprimer la tension musculaire ou
nerveuse par des procédés psychologiques actifs.
— Fam. Repos, détente. ▶ ① *se relaxer* v. pron.
■ conjug. 1. ■ Anglic. Fam. Se détendre physiquement
et intellectuellement. ⇒ se **décontracter.** ▶ *relaxant,*
ante adj. ■ Qui procure une détente. *Ambiance*
relaxante.

② *relaxer* v. tr. ■ conjug. 1. ■ En droit. Remettre
en liberté (un détenu), par une décision (appelée
relaxe, n. f.).

relayer [ʀ(ə)leje] v. tr. ■ conjug. 8. **1.** Remplacer
(qqn) dans une activité qui ne peut être interrompue.
Quand tu seras fatigué de ramer, je te relaierai. **2.** SE
RELAYER v. pron. : se remplacer l'un l'autre, alternativement (dans une activité, une course...). *Elles se sont*
relayées toute la nuit auprès du malade. ⟨ ▶ relais ⟩

relecture [ʀ(ə)lɛktyʀ] n. f. ■ Action de relire.
Relecture des épreuves d'imprimerie.

reléguer [ʀ(ə)lege] v. tr. ■ conjug. 6. **1.** Envoyer,
maintenir (qqn dans un endroit écarté ou médiocre).
⇒ **exiler.** *On le relégua dans la chambre du fond.*
— (Choses) *Reléguer un objet au grenier.* **2.** Fig. On
l'a relégué dans une fonction subalterne. — Au p. p.
Se sentir relégué au second plan. ▶ *relégation* n. f.
■ En droit pénal. Peine qui consistait à exiler qqn hors
du territoire métropolitain. *La relégation fut supprimée, en France, en 1970.*

relent [ʀ(ə)lɑ̃] n. m. **1.** Mauvaise odeur qui persiste.
Des relents d'alcool, de friture. **2.** Abstrait. Trace,
soupçon. *Son histoire a des relents de racisme.*

relevé [ʀəlve] n. m. ■ Action de relever (⇒ ① **relever,** III, 3), de noter ; ce qu'on a noté. *Le relevé des*
dépenses. Un relevé d'identité bancaire. — *Faire le*
relevé d'un compteur.

relève [ʀ(ə)lɛv] n. f. **1.** Remplacement (d'une ou
plusieurs personnes) par d'autres, dans un travail
continu. *La relève de la garde. Assurer, prendre la*
relève. — Les personnes qui assurent ce remplacement. — *Enfin ! voilà la relève !* **2.** Remplacement
(dans une action, une tâche collective). *La jeunesse*
prendra la relève.

relèvement [ʀ(ə)lɛvmɑ̃] n. m. **1.** Redressement,
rétablissement. *Le relèvement d'un pays, d'une économie.* **2.** Action de relever (①, II), de hausser. / contr.
abaissement / *Le relèvement d'un sol.* — Action
d'augmenter. *Le relèvement des salaires.* ⇒ **hausse,
majoration.**

① *relever* [ʀəlve ; ʀ(ə)lave] v. tr. ■ conjug. 5.
I. 1. Remettre debout, dans sa position naturelle
(qqn, qqch. qui est tombé). **2.** Remettre en bon état
(ce qui est au plus bas). *Il nous faut relever le pays,*
l'économie. Relever le moral de qqn. **3.** ⇒ **ramasser.**
Professeur qui relève les cahiers, les copies. — Loc.
Relever le défi, y répondre. **II.** Remettre plus haut.
1. Diriger, orienter vers le haut (une partie du corps,
du vêtement). *Relever la tête, le front. Relever son col,*
ses jupes. ⇒ **retrousser.** / contr. **rabattre** / — Au
p. p. adj. *Manches relevées.* *Virage relevé,* dont
l'extérieur est plus haut que l'intérieur. **2.** Donner
plus de hauteur à, porter à un niveau supérieur.
⇒ **élever ; relèvement.** *Relever le niveau de vie, 'les*
salaires. — Au p. p. adj. *Plaisanterie, film d'un niveau*
pas très relevé, médiocre, de mauvais goût. **3.** Littér.
Donner une valeur plus haute à (qqn, qqch.).
⇒ **rehausser.** *Cet exploit le relève à ses propres yeux.*
4. Donner plus de goût à, par des condiments, des
épices. *Relever une sauce.* — Au p. p. adj. *Un plat*
relevé. ⇒ **épicé. 5.** Littér. Donner du relief à..., mettre
en valeur. *Relever un récit de (par des) détails*
piquants. ⇒ **agrémenter, pimenter. III. 1.** Faire
remarquer ; mettre en relief. ⇒ **noter, souligner.**
Relever des erreurs, des fautes dans un texte. On ne
peut relever aucune charge contre lui. **2.** Répondre
vivement à (une parole). *Cette accusation ne mérite*
pas d'être relevée. Je n'ai pas voulu relever l'allusion.
3. Noter par écrit, ou par un croquis (⇒ **relevé**).
Relever une adresse, une recette de cuisine. Relever
le plan d'un appartement. — *Relever un compteur,*
le chiffre d'un compteur (de gaz, d'eau...). Fam.
Relever le gaz, l'électricité. **IV. 1.** Assurer la relève
de (qqn). ⇒ **relayer.** *Relever une sentinelle. Équipe*
qui en relève une autre. **2.** RELEVER qqn DE : le
libérer (d'une obligation). *Relever un religieux de ses*
vœux. ⇒ **délier.** *Relever qqn de ses fonctions.* ⇒ **destituer.** **V.** SE RELEVER v. pron. **1.** Se remettre debout,
reprendre la position verticale. *Aider qqn à se relever.*
— Fig. Se remettre d'une situation difficile, pénible.
Pays qui se relève (de ses ruines, de ses cendres). Je

ne m'en relèverai jamais. **2.** Se diriger vers le haut. *Les coins de sa bouche se relèvent.* — (Passif) Être ou pouvoir être dirigé vers le haut. *Ces accoudoirs se relèvent.* **VI.** Intransitivement. (Suj. personne) RELEVER DE : se rétablir, se remettre de. *Relever de maladie. Relever de couches.* ▶ *releveur, euse* adj. et n. **I.** En anatomie. Qui relève (un organe, etc.). *Le muscle releveur de la paupière.* **II.** N. Professionnel qui relève (III, 3), note. *Le releveur des compteurs.* ⟨ ▶ relevé, relève, relèvement ⟩

② *relever* v. tr. ind. ▪ conjug. 5. — RELEVER DE. **1.** Dépendre (d'une autorité). *Les seigneurs relevaient directement du roi.* **2.** Être du ressort, de la compétence de. *Une affaire qui relève du tribunal correctionnel.* **3.** Être du domaine de. *Cette théorie relève de la pure fantaisie.*

relief [Rəljɛf] n. m. **1.** UN RELIEF : ce qui fait saillie sur une surface. *La paroi ne présentait aucun relief.* — EN RELIEF. *Les caractères en relief du braille.* **2.** Ouvrage comportant des éléments qui se détachent plus ou moins sur un fond plan. *Façade ornée de reliefs* (⟹ **bas-relief**). *Le haut-relief se détache presque complètement du fond.* **3.** Forme de la surface terrestre, comportant des saillies et des creux. *Le relief de la France.* **4.** Caractère (d'une image) donnant l'impression d'une profondeur de plans différents ; perception qui y correspond. *Le relief d'une peinture. Sensation de relief.* — *Photographie, cinéma* EN RELIEF : qui donne l'impression du relief. **5.** Abstrait. Apparence plus nette, plus vive, du fait des oppositions. *Un style qui manque de relief.* — *Mettre en relief*, faire valoir en mettant en évidence. ⟨ ▶ bas-relief ⟩

reliefs [Rəljɛf] n. m. pl. ▪ Vx ou plaisant. Ce qui reste d'un repas. ⟹ **reste(s)**. *Des reliefs de poulet.*

① *relier* [Rəlje] v. tr. ▪ conjug. 7. ▪ Attacher ensemble (les feuillets formant un ouvrage) et les couvrir avec une matière rigide ou souple. *Relier une thèse, une collection de revues. Faire relier un livre en basane, en maroquin.* — Au p. p. adj. *Livre relié*, relié avec une matière rigide (opposé à *broché*), généralement plus riche que le carton (opposé à *cartonné*). ▶ *relieur, euse* n. ▪ Personne dont le métier est de relier des livres. *Relieur d'art.* ⟨ ▶ relier ⟩

② *relier* v. tr. ▪ conjug. 7. **1.** Lier ensemble. ⟹ **attacher**. *Relier deux maillons, un maillon à un autre.* **2.** Mettre en communication avec. ⟹ **joindre, raccorder**. *Route qui relie deux villes.* **3.** Fig. Mettre en rapport avec (autre chose). *Relier des événements.* — Au p. p. *Mots reliés par une conjonction.*

religieuse [R(ə)liʒøz] n. f. ▪ Pâtisserie faite de pâte à choux fourrée de crème pâtissière (au café, au chocolat).

religieux, euse [R(ə)liʒø, øz] adj. et n. **I.** Adj. **1.** Qui concerne la religion, les rapports entre les êtres humains et un pouvoir surnaturel. *Le sentiment religieux. Pratiques religieuses. Édifice religieux* (⟹ **église, mosquée, pagode, temple...**). *Cérémonies religieuses. Mariage religieux* (opposé à *civil*). *École religieuse* ⟹ **libre, privée** (opposé à *laïque*). *Art religieux.* ⟹ **sacré**. / contr. **profane** / — *Conceptions religieuses.* ⟹ **dogme, théologie**. *Le fanatisme religieux.* ⟹ **libre, privée** **2.** (Personnes ou choses) Consacré à la religion, à Dieu, par des vœux. *La vie religieuse.* ⟹ **monastique**. — *Communautés, congrégations religieuses ; ordres religieux.* **3.** (Personnes) Qui pratique une religion, un être religieux. ⟹ **croyant**. *Il est religieux sans être dévot.* **4.** Qui présente les caractères du sentiment ou du comportement religieux. *Avoir pour qqn une vénération religieuse. Un silence religieux,*

respectueux et attentif. **II.** N. Personne qui a prononcé des vœux dans un ordre monastique. ⟹ **moine, nonne, sœur**. *Une communauté de religieux, de religieuses.* ⟹ **congrégation, couvent, monastère, ordre**. *On dit « Ma sœur » aux religieuses.* ▶ *religieusement* adv. **1.** Avec religion ; selon les rites d'une religion. *Être enterré religieusement.* **2.** Avec une exactitude religieuse. ⟹ **scrupuleusement**. *Observer religieusement le règlement.* **3.** Avec une attention recueillie. *Écouter religieusement un concert.* ⟨ ▶ irréligieux, religiosité ⟩

religion [R(ə)liʒjɔ̃] n. f. **1.** LA RELIGION : reconnaissance par l'être humain d'un principe supérieur de qui dépend sa destinée ; attitude intellectuelle et morale qui en résulte. *Être tolérant en matière de religion.* — *Une guerre de religion.* — Croyance, conviction religieuse. ⟹ **foi**. *Sa religion est profonde, sincère.* — *Avoir de la religion*, être croyant, pieux. — Iron. *Ma religion m'interdit de me lever tôt.* **2.** UNE RELIGION : système de croyances et de pratiques propre à un groupe social. ⟹ **culte**. *Pratiquer une religion. Se convertir à une religion. Les adeptes d'une religion. Ministres, prêtres des diverses religions.* — *Religions révélées. Religion animiste, polythéiste, monothéiste.* ⟹ **animisme, polythéisme, monothéisme**. *Religion chrétienne* ⟹ **christianisme, musulman** ⟹ **islamisme, juive** ⟹ **judaïsme**. *La religion catholique. La religion réformée.* ⟹ **protestantisme**. *Les religions orientales.* ⟹ **bouddhisme, hindouisme**. **3.** Culte, attachement mystique (à certaines valeurs). *Une religion de la science, de l'art.* **4.** Loc. *Entrer en religion*, prononcer ses vœux de religieux, entrer dans les ordres. **5.** Fig. Conviction. — *Éclairer la religion de qqn*, éclairer ses idées sur qqch. *Je n'ai rien compris, il faudrait que tu éclaires ma religion.* ▶ *religiosité* n. f. ▪ Inclination sentimentale vers la religion. ⟨ ▶ irréligion, religieux ⟩

reliquat [R(ə)lika] n. m. ▪ Ce qui reste d'une somme (à payer, à percevoir). ⟹ **reste**. *Toucher un reliquat, le reliquat d'une dette.*

relique [R(ə)lik] n. f. **1.** Fragment du corps d'un saint (ou objet associé à la vie du Christ ou d'un saint) auquel on rend un culte. *La vénération des reliques.* — *Garder un objet comme une relique*, soigneusement, précieusement. **2.** Objet témoignant du passé auquel on attache moralement le plus grand prix. ▶ *reliquaire* n. m. ▪ Coffret précieux renfermant des reliques. ⟹ **châsse**.

relire [R(ə)liR] v. tr. ▪ conjug. 43. **1.** Lire de nouveau (ce qu'on a déjà lu). *J'ai relu ce livre avec plaisir.* **2.** Lire en vue de corriger, de vérifier (ce qu'on a écrit ou ce que qqn a écrit). *Il faut que tu relises ton devoir.* — Pronominalement. *Se relire avant de cacheter sa lettre.* ⟨ ▶ relecture ⟩

reliure [R(ə)ljyR] n. f. **1.** Action ou art de relier (les feuillets d'un livre). *Donner un livre à la reliure.* **2.** Manière dont un livre est relié ; couverture d'un livre relié. *Les plats, le dos d'une reliure. Reliure pleine peau. Des reliures anciennes en vélin.*

reloger [R(ə)lɔʒe] v. tr. ▪ conjug. 3. ▪ Procurer un nouveau logement à (qqn qui a perdu le sien). *Le propriétaire devra reloger les locataires expulsés.* ▶ *relogement* n. m. ▪ Action de reloger (qqn).

relu, ue Part. passé du v. *relire*.

reluire [R(ə)lɥiR] v. intr. ▪ conjug. 38. ▪ Luire en réfléchissant la lumière, en produisant des reflets. ⟹ **briller**. — Briller après avoir été soigneusement nettoyé et frotté. *Faire reluire des cuivres, des meubles. Brosse à reluire.* ⟹ **brosse**. ▶ *reluisant, ante* adj. **1.** Qui reluit de propreté. **2.** (En phrase négative) Fig.

⇒ **brillant.** *Un avenir peu reluisant. Une équipe pas très reluisante.*

reluquer [ʀ(ə)lyke] v. tr. ▪ conjug. 1. ▪ Fam. Regarder du coin de l'œil, avec intérêt et curiosité. ⇒ **lorgner.** *Reluquer les filles.* — Considérer avec convoitise. ⇒ **guigner.** *Il reluque votre héritage.*

remâcher [ʀ(ə)maʃe] v. tr. ▪ conjug. 1. ▪ Faire revenir sans cesse sur (qqch. qui inspire de l'amertume). ⇒ **ressasser, ruminer.** *Remâcher ses soucis, sa rancune.*

remailler [ʀəmaje] v. tr. ▪ conjug. 1. ▪ Réparer les mailles de (un tricot, un filet, etc.). ⇒ **remmailler.**

remake [ʀimɛk] n. m. ▪ Anglic. Nouvelle version (d'un film, d'une œuvre littéraire). *Des remakes.*

rémanent, ente [ʀemanɑ̃, ɑ̃t] adj. ▪ En sciences. Qui subsiste après la disparition de la cause. *Magnétisme rémanent, aimantation rémanente.*

remanier [ʀ(ə)manje] v. tr. ▪ conjug. 7. 1. ▪ Modifier (un ouvrage de l'esprit) par un nouveau travail. ⇒ **corriger, retoucher.** *Remanier un texte.* 2. ▪ Modifier la composition de (un groupe). *Remanier le ministère.* — Au passif. *L'équipe de France a été profondément remaniée.* ▸ *remaniement* [ʀ(ə)manimɑ̃] n. m. ▪ *Remaniement ministériel.*

se remarier [ʀ(ə)maʀje] v. pron. réfl. ▪ conjug. 7. ▪ Se marier à nouveau. *Elle ne s'est jamais remariée.* ▸ *remariage* n. m.

remarquer [ʀ(ə)maʀke] v. tr. ▪ conjug. 1. 1. ▪ Avoir la vue, l'attention frappée par (qqch.). ⇒ **apercevoir, découvrir.** *Remarquer qqch. du premier coup d'œil. Remarquer la présence, l'absence de qqn. Avez-vous remarqué comment elle était habillée, si elle était seule ? Je n'ai rien remarqué.* — Pronominalement (passif). *Détails qui se remarquent à peine.* — REMARQUER QUE (+ indicatif). *Il a probablement remarqué que tu étais fatiguée.* — (En tournure négative : + subjonctif ou indicatif) *Je n'ai pas remarqué qu'il ait (qu'il fût) déçu. Je n'ai pas remarqué qu'il vous faisait la cour.* — *Remarquez, remarquez bien que...,* j'attire spécialement votre attention sur ce point. ⇒ **noter.** *Permettez-moi de vous faire remarquer que...,* de vous faire observer... 2. ▪ Distinguer particulièrement (une personne, une chose parmi d'autres). *J'ai remarqué un individu à la mine louche.* — (Suj. chose) FAIRE REMARQUER *qqn. L'excentricité de son caractère le fait remarquer partout.* 3. ▪ Péj. SE FAIRE REMARQUER : attirer sur soi l'attention. *Il cherche à se faire remarquer.* ▸ *remarquable* adj. ▪ 1. ▪ Digne d'être remarqué, d'attirer l'attention. ⇒ **marquant, notable.** *Un événement remarquable. Être remarquable par...* ⇒ se **signaler.** *Un artiste remarquable par son talent. Il est remarquable que* (+ subjonctif). *Il est remarquable que tu aies réussi à les réconcilier. C'est très remarquable.* 2. ▪ Digne d'être remarqué par son mérite, sa qualité. ⇒ **éminent.** *Un des hommes les plus remarquables de ce temps. Exploit remarquable.* ⇒ **extraordinaire.** *Une adresse remarquable.* ▸ *remarquablement* adv. ▪ D'une manière remarquable. *Une fille remarquablement belle.* ⇒ **très.** *Il a remarquablement réussi.* ▸ *remarque* n. f. 1. ▪ Action de remarquer (qqch.). *C'est une remarque que j'ai souvent faite,* une chose que j'ai souvent remarquée. *Digne de remarque,* remarquable. 2. ▪ Mots prononcés pour attirer l'attention de qqn sur qqch. et comportant notamment une critique. *Faire une remarque à qqn.* ⇒ **observation.** *Je l'ai trouvé complètement transformé et je lui en ai fait la remarque. Faire une remarque désobligeante à qqn.* ⇒ **réflexion.** 3. ▪ Notation, réflexion qui attire l'attention du lecteur. *Ce livre est plein de remarques pertinentes. Remarque sur une difficulté grammaticale.* ▸ *remarqué, ée* adj. ▪ Qui est l'objet de l'attention, de la curiosité. / contr. ② **discret** / *Elle a fait une entrée très remarquée.*

remballer [ʀɑ̃bale] v. tr. ▪ conjug. 1. ▪ Remettre dans son emballage (ce qu'on a déballé). *Le représentant a remballé sa marchandise.* — Fig. et fam. *Remballer ses compliments,* les garder pour soi. ▸ *remballage* n. m. ▪ Action de remballer (qqch.).

rembarquer [ʀɑ̃baʀke] v. ▪ conjug. 1. V. tr. Embarquer de nouveau (ce qu'on avait débarqué). 2. ▪ *Se rembarquer* v. pron. réfl. ou *rembarquer* v. intr., s'embarquer de nouveau. ▸ *rembarquement* n. m. ▪ *Le rembarquement des troupes.*

rembarrer [ʀɑ̃ba(ɑ)ʀe] v. tr. ▪ conjug. 1. ▪ Repousser brutalement (qqn) par un refus, une réponse désobligeante. *Il s'est fait rembarrer sèchement.* ⇒ **rabrouer.**

remblai [ʀɑ̃blɛ] n. m. 1. ▪ Opération de terrassement, consistant à rapporter des terres pour faire une levée ou combler une cavité. *Travaux de remblai.* 2. ▪ Terres rapportées à cet effet. *Le mur de soutènement d'un remblai.* ▸ *remblayer* [ʀɑ̃bleje] v. tr. ▪ conjug. 8. ▪ Faire des travaux de remblai sur... *Remblayer une route* (la hausser), *un fossé* (le combler). / contr. **déblayer** /

remboîter [ʀɑ̃bwate] v. tr. ▪ Remettre en place (ce qui était déboîté). *Remboîter une articulation.*

rembourrer [ʀɑ̃buʀe] v. tr. ▪ conjug. 1. ▪ Garnir (qqch.) d'une matière molle (laine, crin, etc.). ⇒ **capitonner, matelasser.** *Rembourrer un siège.* — Au p. p. adj. *Un coussin bien rembourré.* ▸ *rembourrage* n. m. ▪ Action de rembourrer. — Matière servant à rembourrer. *Fauteuil usé qui laisse voir le rembourrage.*

rembourser [ʀɑ̃buʀse] v. tr. ▪ conjug. 1. 1. ▪ REMBOURSER *qqch.* : rendre à qqn (la somme qu'il a déboursée). *Rembourser une dette, à qqn.* — Au p. p. adj. *Billets de loterie remboursés.* — *Remboursez !* (les places), cri de mécontentement, à un mauvais spectacle. 2. ▪ REMBOURSER *qqn* : lui rendre ce qu'il a déboursé. *Rembourser tous ses créanciers.* — *Rembourser qqn de qqch. On l'a remboursé de tous ses frais.* ▸ *remboursable* adj. ▪ Qui peut ou qui doit être remboursé. *Emprunt remboursable en quinze ans.* ▸ *remboursement* n. m. ▪ Action de rembourser. *Le remboursement d'un emprunt.* — *Envoi* CONTRE REMBOURSEMENT : contre paiement à la livraison.

se rembrunir [ʀɑ̃bʀyniʀ] v. pron. réfl. ▪ conjug. 2. ▪ Prendre un air sombre, chagrin. ⇒ se **renfrogner.** / contr. s'**éclairer** / *À ces mots, elle se rembrunit. Son visage s'est rembruni.*

remède [ʀ(ə)mɛd] n. m. 1. ▪ Substance employée au traitement d'une maladie. ⇒ **médicament.** *La préparation, la composition d'un remède. Prescrire, administrer un remède. Prendre un remède. Un remède énergique. Un remède universel.* ⇒ **panacée.** Loc. *Remède de bonne femme,* simple et populaire. *Remède de cheval,* brutal. 2. ▪ Ce qui est employé pour atténuer ou guérir une souffrance morale. Loc. prov. *Aux grands maux, les grands remèdes,* quand le mal est grave, il faut employer un remède énergique. — *Un remède à l'ennui, contre l'ennui,* qui guérit de l'ennui. *Porter remède à...* ⇒ **remédier.** — *C'est un remède contre l'amour,* se dit d'une personne très laide. — *Sans remède,* irrémédiable.

remédier [ʀ(ə)medje] v. tr. ind. ▪ conjug. 7. — REMÉDIER À. ▪ Apporter un remède (2) à. *Remédier à des abus. Pour remédier à cette situation.* ⟨ ▸ **irrémédiable** ⟩

remembrement [ʀ(ə)mɑ̃bʀəmɑ̃] n. m. ▪ Regroupement des parcelles de terre disposées afin de

constituer un domaine d'un seul tenant. / contr.
démembrement, morcellement /

se **remémorer** [ʀ(ə)memɔʀe] v. pron. réfl.
▪ conjug. 1. ■ Reconstituer avec précision dans sa
mémoire. ⇒ se **rappeler.** *J'essaie de me remémorer
toute cette histoire.*

① **remercier** [ʀ(ə)mɛʀsje] v. tr. ▪ conjug. 7.
■ Dire merci, témoigner de la reconnaissance à (qqn).
*Tu le remercieras de ma part. Je ne sais comment vous
remercier. Voilà comment il me remercie !*, se dit de
qqn qui fait preuve d'ingratitude. — REMERCIER qqn
DE, POUR. *Je vous remercie de votre gentillesse, pour
votre cadeau. Il l'a remercié d'être venu.* — *Je vous
remercie,* formule de refus poli : *non, merci.* ▶ **remerciement** n. m. ■ *Avec tous mes remerciements. Lettre
de remerciement.*

② **remercier** v. tr. ▪ conjug. 7. ■ Congédier (qqn).
⇒ **renvoyer.** *Il a remercié sa secrétaire.*

remettre [ʀ(ə)mɛtʀ] v. tr. ▪ conjug. 56. **I.** Mettre
de nouveau. **1.** Mettre à sa place antérieure. *Remettre
une chose en place, à sa place. Remets ce livre où tu
l'as trouvé. Il a remis son mouchoir dans sa poche.*
—*(Compl. personne) Remettre un enfant en pension.*
— Loc. *Remettre qqn en liberté,* libérer. — Abstrait.
*Remettre qqn sur la bonne voie. Remettre qqn à sa
place,* le rabrouer. **2.** *Remettre en esprit, en mémoire,*
rappeler (une chose oubliée). *Je vais vous remettre
cette affaire en esprit. Remettre qqn,* le reconnaître.
Ah, maintenant, je vous remets ! **3.** Replacer (dans
la position antérieure). *Remettre une chose d'aplomb,
debout,* la redresser. **4.** Porter de nouveau sur soi.
Remettre son chapeau, ses gants. **5.** Rétablir. *Remettre
le courant. Remettre de l'ordre.* **6.** Mettre une seconde
fois, mettre encore. ⇒ **ajouter.** *Remettre de l'eau dans
un radiateur.* — Fam. EN REMETTRE : faire ou dire
plus qu'il n'est utile, exagérer. ⇒ en **rajouter.** **7.** Fam.
REMETTRE ÇA : recommencer. *Je croyais que c'était
fini, mais non, il faut remettre ça. On remet ça ?*, on
recommence ? ; spécialt, on boit une autre tournée ?
8. REMETTRE qqch. À..., EN... : passer dans un autre
état, ou à l'état antérieur. *Remettre une pendule à
l'heure, un moteur en marche. Remettre qqch. en état,
en ordre.* — Loc. *Remettre qqch., qqn en cause, en
question.* ⇒ **reconsidérer.** — Au p. p. adj. *Moteur remis
en marche, en état.* **9.** SE REMETTRE v. pron. réfl. :
se mettre de nouveau. *Il s'est remis en route. Le temps
s'est remis au beau.* — SE REMETTRE À (+ nom
d'activité ou infinitif) : reprendre (une activité).
⇒ **recommencer.** *Se remettre au tennis, à l'anglais.
Il s'est remis à fumer. Je m'y suis remis.* — *Se remettre
avec qqn,* vivre de nouveau avec lui (elle). *Ils se sont
remis ensemble.* **II. 1.** Mettre (qqch.) en la possession
ou au pouvoir de qqn qui doit le recevoir. *Remettre
un paquet au destinataire. Remettre un coupable à
la justice.* — *Remettre sa démission.* ⇒ **donner.** *Je
remets mon sort entre vos mains.* **2.** Faire grâce de
(une obligation). *Je vous remets votre dette,* je vous
en tiens quitte. *Dieu remet les péchés.* ⇒ **absoudre,
pardonner ; rémission. III.** Renvoyer (qqch.) à plus
tard. ⇒ **ajourner, différer.** *Remettre une chose, son
départ au lendemain. Il a remis son départ de quelques
jours.* — Au passif. *L'opération est remise.* — Être
renvoyé (à plus tard). *La décision est remise à plus
tard.* — Au passif et au p. p. adj. (ÊTRE) REMIS, ISE.
Décision remise. **IV.** SE REMETTRE v. pron. réfl.
1. (Idée de retour) SE REMETTRE DE : revenir à un
état meilleur après (une maladie, une épreuve). *Se
remettre d'une maladie, de ses fatigues.* ⇒ se **rétablir.**
— Sans compl. *Il se remet très vite.* — Au p. p. adj.
Malade remis. — *Il (s') est remis de son émotion, de
sa frayeur. Il ne s'en est jamais remis.* — Sans compl.
Allons, remettez-vous !, reprenez vos esprits. **2.** (Idée

de remise) S'EN REMETTRE À *qqn, à sa décision, à
son avis* : lui faire confiance, s'y fier. ⇒ se **fier,** s'en
rapporter. *S'en remettre à qqn du soin de...,* lui laisser
le soin. *Je m'en remets à votre jugement.*
⟨ ▶ ① remise, rémission ⟩

rémige [ʀemiʒ] n. f. ■ Grande plume de l'aile (des
oiseaux).

remilitariser [ʀ(ə)militaʀize] v. tr. conjug. 1.
■ Militariser de nouveau (un pays démilitarisé).
⇒ **réarmer.** / contr. **démilitariser /** ▶ **remilitarisa-
tion** n. f.

réminiscence [ʀeminisɑ̃s] n. f. ■ Littér. Souvenir
imprécis, où domine la tonalité affective. *Je n'en ai
que des réminiscences. Une œuvre pleine de réminiscences.*

remis, ise Part. passé du v. *remettre.*

① **remise** [ʀ(ə)miz] n. f. ■ Action de remettre.
1. REMISE EN... : action de mettre à sa place
antérieure, dans son état antérieur. *La remise en place,
en marche, en ordre (de qqch.).* — *Une remise en
question, en jeu.* **2.** Action de mettre en la possession
de (qqn). ⇒ **distribution, livraison.** *La remise d'un
colis à son destinataire. Remise des prix aux lauréats.*
3. Renonciation à (une créance). *Remise de dette.*
4. Diminution de prix. ⇒ **rabais, réduction.** *Faire,
consentir une remise à qqn. Remise de 5 % sur tous
nos articles.* — REMISE DE PEINE : réduction de la
peine infligée à un condamné.

② **remise** n. f. ■ Local où l'on peut abriter des
voitures, des objets, des instruments divers. ⇒ **resserre.** *Les remises d'une ferme.* ▶ **remiser** v. tr.
▪ conjug. 1. ■ Ranger (un véhicule) dans une remise.
⇒ **garer.** — Ranger (une chose dont on ne se sert
pas pendant un certain temps). *Remiser sa valise au
grenier.*

rémission [ʀemisjɔ̃] n. f. **1.** Action de remettre,
de pardonner (les péchés). *La rémission des péchés.*
⇒ **absolution. 2.** Loc. SANS RÉMISSION : sans plus
d'indulgence, de faveur. *Je vous accorde encore
24 heures, sans rémission. C'est sans rémission !*, sans
appel. **3.** Diminution momentanée (d'un mal).

remmailler [ʀɑ̃maje] v. tr. ▪ conjug. 1. ■ Réparer
en reconstituant, en remontant les mailles. ⇒ **remailler.** *Remmailler des bas.* ▶ **remmaillage** n. m.
▶ **remmailleuse** n. f. ■ Ouvrière qui remmaille.

remmener [ʀɑ̃m(ə)ne] v. tr. ▪ conjug. 5. ■ Emmener (qqn) au lieu d'où on l'a amené. ⇒ **ramener.**
Remmener un enfant chez lui.

remodeler [ʀ(ə)mɔdle] v. tr. ▪ conjug. 5. ■ Transformer en améliorant la forme de (qqch.). *Remodeler
une statue ; un visage (par la chirurgie esthétique).*
— Abstrait. Modifier l'organisation de (qqch.).
⇒ **remanier.** *Remodeler l'organisation d'un service
administratif.*

① **remonter** [ʀ(ə)mɔ̃te] v. tr. ▪ conjug. 1.
I. 1. Monter (ce qui était démonté). *J'ai eu du mal
à remonter le carburateur.* **2.** Reconstituer, rendre
complet (ce qui était devenu incomplet, insuffisant).
Il faut que je remonte ma garde-robe. **II. 1.** Tendre
le ressort de (un mécanisme). *Remonter une horloge,
une montre.* **2.** (Personnes) Rendre l'énergie à. *Remonter le moral à qqn.* — Redonner de la force physique
ou morale à. *Ce petit alcool va vous remonter.*
⇒ **ragaillardir.** ▶ **remontage** n. m. ■ Action de
remonter (un mécanisme, un moteur... qu'on avait
démonté). ▶ **remontant, ante** adj. et n. m. ■ Qui
remonte, redonne de la vigueur. ⇒ **fortifiant,
reconstituant.** — N. M. UN REMONTANT : remède,
boisson qui redonne des forces. ⇒ **tonique.** *J'aurais
besoin d'un petit remontant.* ▶ **remontoir** n. m.

■ Dispositif pour remonter (II, 1) un mécanisme. *Montre à remontoir.*

② *remonter* v. ■ conjug. 1. **I.** V. intr. **1.** Monter de nouveau ; regagner l'endroit d'où l'on est descendu. / contr. **redescendre** / *Il est remonté au grenier. Remonter au premier étage. Remonter en voiture. Tu remontes par l'ascenseur ou à pied ?* **2.** (Choses) Aller de nouveau en haut. *Remonter à la surface.* Sans compl. *Le baromètre remonte.* — (En parlant de ce qui ne reste pas à sa place) *Sa jupe remonte.* — S'élever de nouveau. *La route descend, puis remonte.* **3.** Aller vers la source, à contre-courant, en amont (d'un fleuve) ; fig. aller vers l'origine, la cause première (de qqch.). — *Remonter de l'effet à la cause.* **4.** REMONTER À : être aussi ancien que, avoir son origine à (une époque passée). ⇒ **dater.** *Souvenirs qui remontent à l'enfance. Cette légende remonte aux croisades.* — Loc. *Remonter au déluge.* **II.** V. tr. **1.** Parcourir de nouveau vers le haut. *Remonter l'escalier.* — (Dans une course) *Remonter le peloton,* regagner le terrain perdu sur lui. **2.** Aller vers l'amont (d'un cours d'eau). *Remonter le Rhône. Les bateaux remontent le fleuve.* — Loc. *Remonter le courant,* redresser une situation compromise. **3.** Porter de nouveau en haut. *Remonter une malle au grenier.* **4.** Mettre à un niveau plus élevé. *Remonter son pantalon, son col.* ⇒ **relever.** ► **remontée** n. f. **1.** Action de remonter. *La remontée de l'eau dans un siphon.* — Le fait de remonter (une pente, une rivière). **2.** Action de regagner du terrain perdu. *Ce cycliste a fait une belle remontée.* **3.** Dispositif servant à remonter les skieurs. *Les* REMONTÉES MÉCANIQUES : remonte-pentes, télésièges, etc. ► **remonte-pente** n. m. ■ Câble servant à hisser les skieurs en haut d'une pente, au moyen d'amarres. ⇒ **remontée, télésiège, téléski ;** fam. **tire-fesses.** *Des remonte-pentes.*

① *remontrer* [R(ə)mɔ̃tRe] v. tr. ■ conjug. 1. ■ Montrer de nouveau. *Remontrez-moi ce modèle.*

② *remontrer* v. intr. ■ conjug. 1. ■ EN REMONTRER À *qqn* : se montrer supérieur, être capable de donner des leçons à... *Il prétend en remontrer à son maître.* ► **remontrance** n. f. ■ Littér. Observation adressée directement à qqn, comportant une critique raisonnée et une exhortation à se corriger. ⇒ **réprimande.** *Faire des remontrances à un élève.*

remords [R(ə)mɔR] n. m. invar. ■ Sentiment douloureux, accompagné de honte, que cause la conscience d'avoir mal agi. ⇒ **regret, repentir.** *Avoir des remords. Être en proie au remords. Plaisir mêlé de remords. Le remords de son crime le poursuivait.*

remorque [R(ə)mɔRk] n. f. **1.** Véhicule sans moteur, destiné à être tiré par un autre. *Remorque de camion. Remorque de camping.* ⇒ **caravane.** **2.** Loc. *Prendre* EN REMORQUE : remorquer (un bateau, un véhicule). **3.** Loc. *Être, se mettre à la remorque de qqn,* se laisser mener par lui. *Être toujours à la remorque,* en arrière, à la traîne. **4.** Câble de remorquage. *La remorque vient de casser.* ► **remorquer** v. tr. ■ conjug. 1. **1.** Tirer (un bateau) au moyen d'une remorque (4). ⇒ **remorqueur.** **2.** Tirer (un véhicule sans moteur ou en panne). *Camion qui remorque une voiture accidentée.* **3.** Fam. Tirer, traîner derrière soi (qqn). *Il faut toujours le remorquer.* ► **remorquage** n. m. ■ *Le remorquage des péniches.* ⇒ **hâlage.** ► **remorqueur** n. m. ■ Navire de faible tonnage, à machines puissantes, muni de dispositifs de remorquage. *Le pilote du remorqueur.* ‹ ► semi-remorque ›

rémoulade [Remulad] n. f. ■ Sauce piquante, faite d'huile, de moutarde, d'ail, etc. — En appos. Invar. *Céleris rémoulade.*

rémouleur [Remulœr] n. m. ■ Artisan, souvent ambulant, qui aiguise (→ moudre) les instruments tranchants.

remous [R(ə)mu] n. m. invar. **1.** Tourbillon qui se produit à l'arrière d'un navire. — Tourbillon provoqué par le refoulement de l'eau au contact d'un obstacle. *Les remous d'une rivière.* — Tourbillon dans un fluide quelconque. *Les remous de l'atmosphère.* **2.** Mouvement confus et massif (d'une foule). *Son discours a suscité divers remous dans l'auditoire.* **3.** Fig. Agitation. *Les grands remous sociaux.*

rempailler [Rɑ̃paje] v. tr. ■ conjug. 1. ■ Garnir (un siège) d'une nouvelle paille. *Rempailler des chaises.* ► **rempaillage** n. m. ► **rempailleur, euse** n. ■ Personne qui rempaille des sièges.

rempart [Rɑ̃paR] n. m. **1.** Forte muraille qui forme l'enceinte (d'une forteresse, d'une ville fortifiée). *Les remparts d'un château fort.* **2.** Au plur. Zone comprise entre cette enceinte et les habitations les plus proches. *Se promener sur les remparts.* **3.** Littér. Ce qui sert de défense, de protection. ⇒ **bouclier.** *Se faire un rempart du corps de qqn.* — Abstrait. Littér. *Le rempart de la foi.*

rempiler [Rɑ̃pile] v. ■ conjug. 1. **1.** V. tr. Empiler de nouveau. *Elle rempila ses dossiers.* **2.** V. intr. Fam. Se rengager (dans l'armée). *Sous-officier qui rempile pour deux ans.*

remplacer [Rɑ̃plase] v. tr. ■ conjug. 3. **1.** *Remplacer qqch.,* mettre une autre chose à sa place. *Remplacer les rideaux par des stores.* — *Remplacer qqn,* lui donner un remplaçant, un successeur. *Remplacer un employé malade par un intérimaire.* — Mettre à la place de (qqch.) une chose semblable et en bon état. *Remplacer un carreau cassé. Remplacer sa vieille voiture.* ⇒ **changer.** **2.** Être mis, venir à la place de (qqch., qqn). ⇒ **succéder** à. *Les calculettes ont remplacé les bouliers.* **3.** Tenir la place de. ⇒ **suppléer.** *Le miel remplace le sucre,* tient lieu de... **4.** Exercer temporairement les fonctions de (qqn). *Il n'est pas capable de remplacer le comptable. Acteur qui se fait remplacer.* ⇒ **doubler.** ► **remplaçable** adj. ■ Qui peut être remplacé. / contr. **irremplaçable** / *Objet, personne facilement remplaçable.* ► **remplaçant, ante** n. ■ Personne qui en remplace une autre (à un poste, une fonction). ⇒ **suppléant.** *Le docteur a pris un remplaçant pendant les vacances.* — *Être nommé à titre de remplaçant.* ► **remplacement** n. m. ■ L'action, le fait de remplacer (chose ou personne). *Le remplacement d'un carreau cassé, des pneus usés. En remplacement de qqch., qqn,* à la place de. *Produit de remplacement.* ⇒ **ersatz, succédané.** — *Faire un remplacement.* ⇒ **intérim, suppléance.** *Médecin qui fait des remplacements.* ‹ ► irremplaçable ›

① *remplir* [Rɑ̃pliR] v. tr. ■ conjug. 2. **I.** **1.** Rendre (un espace disponible) plein (d'une substance, d'éléments quelconques). ⇒ **emplir.** *Remplir une casserole d'eau. Remplir un récipient à moitié, à ras bord.* — *Remplir une salle* (de spectateurs, d'auditeurs). — Pronominalement (passif). *La salle commence à remplir.* — *Remplir qqn de* (un sentiment), rendre plein de. *Ce succès l'a rempli d'orgueil.* **2.** Faire en sorte qu'une chose contienne beaucoup de. *Remplir un discours de citations.* **3.** Compléter par des indications dans les espaces laissés en blanc. *Remplir un questionnaire.* **II.** **1.** Rendre plein par sa présence (une portion d'espace). *L'eau remplissait les réservoirs.* — *Remplir un vide.* ⇒ **combler.** — Envahir. *Peu à peu la foule remplissait la place.* **2.** Abstrait. Occuper entièrement. *La colère qui remplit son cœur.* — (Temps) *Toutes les occupations qui remplissent sa vie.* **3.** Couvrir entièrement (une feuille, une page, etc.). *Remplir des pages et des pages.* ⇒ **couvrir** d'écriture. ▶ *rempli, ie* adj. **1.** Plein (de qqch.). *Un bol rempli de lait.* — (Temps) Occupé dans toute sa durée. *Journée bien remplie.* — Littér. *Il est tout rempli de son importance.* ⇒ **gonflé. 2.** Qui contient en grande quantité. *Un texte rempli d'erreurs.* ⇒ **bourré.** *Un jardin rempli de fleurs.* ▶ *remplissage* n. m. **1.** Opération qui consiste à remplir (un récipient, etc.) ; le fait de se remplir. *Le remplissage d'une cuve. Cuve en cours de remplissage.* **2.** Péj. Ce qui allonge un texte inutilement. *Faire du remplissage.*

② *remplir* v. tr. ▪ conjug. 2. ▪ (Suj. personne ou chose) Exercer, accomplir effectivement. *Remplir une fonction. Il a rempli ses engagements.* ⇒ **tenir** (I, 16). *La tragédie classique devait remplir certaines conditions.* ⇒ **satisfaire** à.

se remplumer [ʀ̃aplyme] v. pron. réfl. ▪ conjug. 1. Fam. **1.** Rétablir sa situation financière. **2.** Reprendre du poids après un amaigrissement sensible. *Le convalescent commence à se remplumer.*

① *remporter* [ʀ̃apɔʀte] v. tr. ▪ conjug. 1. ▪ Emporter (ce qu'on avait apporté). ⇒ ① **reprendre.** *Le livreur a dû remporter la marchandise.*

② *remporter* v. tr. ▪ conjug. 1. ▪ Obtenir, s'assurer après compétition. ⇒ **gagner.** *Remporter une victoire.* ⇒ **vaincre,** *un prix, un succès. La pièce remporta un grand succès.*

remuer [ʀ̃amɥe] v. ▪ conjug. 1. **I.** V. tr. **1.** Faire changer de position. ⇒ **bouger, déplacer.** *Objet lourd à remuer.* — Mouvoir (une partie du corps). *Remuer les lèvres. Le chien remuait la queue.* — Loc. *Ne pas remuer le petit doigt,* ne pas intervenir. **2.** Déplacer (qqch.) dans ses parties, ses éléments. *Remuer la terre.* ⇒ **retourner.** *Remuer la pâte.* ⇒ **pétrir.** *Remuer la salade.* ⇒ **retourner.** — Loc. *Remuer ciel et terre pour obtenir qqch.,* s'agiter, intervenir de tous côtés. **3.** Agiter moralement, émouvoir. *Le récit de ses malheurs nous a profondément remués.* — Au p. p. *Elle était toute remuée.* **II.** SE REMUER v. pron. réfl. : se mouvoir, faire des mouvements. *Avoir de la peine à se remuer.* — Agir en se donnant de la peine. ⇒ se **démener,** se **dépenser.** *Se remuer pour faire aboutir un projet. Allons, remue-toi !* ⇒ se **grouiller.** **III.** V. intr. **1.** Bouger, changer de position. *Il souffre dès qu'il remue. Il ne peut rester sans remuer.* Fam. *Ton nez remue !,* tu mens. **2.** (D'un groupe d'opposants) S'agiter, menacer de passer à l'action. ⇒ **bouger.** *Les syndicats commencent à remuer.* ▶ *remuant, ante* adj. ▪ (Personnes) Qui remue beaucoup, s'agite. *Un enfant remuant.* — Qui a des activités multiples et un peu brouillonnes. ▶ *remue-ménage* n. m. invar. ▪ Mouvements, déplacements bruyants et désordonnés. *Il fait un de ces remue-ménage !* ⇒ **chahut.** — Agitation (dans un groupe, un parti...). ▶ *remuement* [ʀ̃amymɑ̃] n. m. ▪ Mouvement de ce qui remue.

remugle [ʀ̃amygl] n. m. ▪ Littér. Odeur désagréable de renfermé. *La chambre du malade sentait le remugle.*

rémunérer [ʀemyneʀe] v. tr. ▪ conjug. 6. ▪ Récompenser en argent, payer (un travail, qqn pour un travail). ⇒ **rétribuer.** *Mal rémunérer un travail, un collaborateur.* — Au p. p. adj. *Travail bien, mal rémunéré.* ▶ *rémunérateur, trice* adj. ▪ Qui paie bien, procure des bénéfices. *Un travail rémunérateur.* ⇒ **lucratif.** ▶ *rémunération* n. f. ▪ Rétribution (d'un travail). ⇒ **salaire.**

renâcler [ʀ̃anakle] v. intr. et tr. ind. ▪ conjug. 1. ▪ Témoigner de la répugnance (devant une contrainte, une obligation). ⇒ **rechigner.** *Il a accepté*

la corvée sans renâcler. *Renâcler devant un travail, à un travail.*

renaissance [ʀ̃anɛsɑ̃s] n. f. **I.** Réapparition ou nouvel essor (d'une chose humaine). ⇒ **renouveau.** *La renaissance de la poésie française au XIXᵉ siècle.* **II.** (Avec une majuscule) LA RENAISSANCE : essor intellectuel provoqué, à partir du XVᵉ s. en Italie, puis dans toute l'Europe, par le retour aux idées et à l'art antiques. — Période historique allant du XIVᵉ ou du XVᵉ s. à la fin du XVIᵉ s. *Tableau, édifice de la Renaissance.* — En appos. Invar. *Les châteaux Renaissance des bords de la Loire.* ▶ ① *renaissant, ante* adj. ▪ En arts. De la Renaissance.

renaître [ʀ̃anɛtʀ] v. intr. ▪ conjug. 59. — REM. Le part. passé n'est pas employé. **1.** Littér. RENAÎTRE À : revenir dans (tel ou tel état). *Renaître à la vie,* recouvrer la santé, la joie de vivre. *Renaître à l'espoir.* **2.** Revivre, reprendre des forces (au physique ou au moral). *Se sentir renaître.* — Loc. *Renaître de ses cendres,* revivre, se ranimer, réapparaître. **3.** (Choses) Recommencer à vivre, à se développer. ⇒ **reparaître.** *L'espoir renaît.* — *Faire renaître le passé,* le faire revivre. — Recommencer à croître. ⇒ **repousser.** *Tout renaît au printemps.* ▶ ② *renaissant, ante* adj. ▪ (Choses abstraites) Qui renaît. *Des discussions sans cesse renaissantes.*

rénal, ale, aux [ʀenal, o] adj. ▪ Relatif au rein, à la région du rein. ⇒ **néphrétique.** *Tuberculose rénale.* ⟨ ▶ **surrénal** ⟩

renard [ʀ̃anaʀ] n. m. **1.** Mammifère carnivore à la tête triangulaire et effilée, à la queue touffue ; le mâle adulte. *Renard argenté, bleu.* — Loc. *Rusé comme un renard.* **2.** Fourrure de cet animal. *Manteau à col de renard.* **3.** Personne rusée, subtile. *Un vieux renard.* ▶ *renarde* n. f. ▪ Femelle du renard. ▶ *renardeau* n. m. ▪ Petit du renard. *Une portée de renardeaux.*

rencard ⇒ **rancard.**

① *renchérir* [ʀ̃aʃeʀiʀ] v. intr. ▪ conjug. 2. ▪ Littér. Devenir encore plus cher. *Les prix ont renchéri.* ▶ *renchérissement* n. m. ▪ Hausse de prix. *Le renchérissement du pétrole.* / contr. **baisse** /

② *renchérir* v. intr. ▪ conjug. 2. ▪ Littér. RENCHÉRIR SUR : aller encore plus loin, en action ou en paroles. ⇒ **surenchérir** (2). *Il renchérit sur tout ce que dit son frère.*

rencontrer [ʀ̃akɔ̃tʀe] v. tr. ▪ conjug. 1. **I. 1.** Se trouver en présence de (qqn) par hasard. *Je l'ai rencontré au coin de la rue.* ⇒ **tomber** sur. **2.** Se trouver en contact avec (qqn) après en être convenu, avoir pris rendez-vous. *Rencontrer un envoyé, un client étranger.* — Être opposé en compétition à (un adversaire). **3.** Se trouver pour la première fois avec (qqn). ⇒ faire la **connaissance.** *Je l'ai rencontré chez des amis, dans un bal.* **4.** Trouver (parmi d'autres). *Un ami comme on n'en rencontre plus* (→ comme on n'en fait* plus). **II.** (Compl. chose) Se trouver en présence de, en contact avec (qqch.). *Un des plus beaux sites qu'il m'ait été donné de rencontrer.* ⇒ **voir.** — (D'un obstacle) *Sa tête a rencontré le mur.* ⇒ **heurter.** — Abstrait. *Le projet a rencontré une forte opposition.* **III.** SE RENCONTRER v. pron. réfl. **1.** (Personnes) Se trouver en même temps au même endroit. *Ils se sont rencontrés dans la rue.* — Faire connaissance. *Nous nous sommes déjà rencontrés.* — Avoir une entrevue. *Les ministres européens se rencontrent régulièrement à Bruxelles.* ⇒ se **réunir. 2.** (Personnes) Partager, exprimer les mêmes idées, les mêmes sentiments. Loc. iron. *Les grands esprits se rencontrent,* se dit quand deux personnes émettent le même avis. **3.** (Choses) Entrer en contact. *Leurs regards se* rencontrèrent. **4.** Au passif. Se trouver, être constaté. ⇒ **exister.** *Les petitesses qui se rencontrent dans les grands caractères.* — Impers. *Il se rencontre des gens qui...* ⇒ **trouver.** ▶ *rencontre* n. f. **1.** Le fait, pour deux personnes, de se trouver (par hasard ou non) en contact. *Rencontre inattendue. Mauvaise rencontre,* celle d'une personne dangereuse. *Ménager une rencontre entre deux personnes.* ⇒ **entrevue, rendez-vous.** — À LA RENCONTRE DE *qqn* : au-devant de. *Aller à la rencontre de qqn, à sa rencontre.* **2.** Engagement, combat, match. *Organiser une rencontre de boxe.* **3.** (Choses) Le fait de se trouver en contact. ⇒ **jonction.** *Point de rencontre de deux cours d'eau. Rencontre brutale.* ⇒ **choc, collision. 4.** Loc. adj. Littér. DE RENCONTRE : formé par le hasard, fortuit ; rencontré par hasard. *Des amitiés de rencontre.*

rendement [ʀɑ̃dmɑ̃] n. m. **1.** Production de la terre, évaluée par rapport à l'unité de surface cultivée. *Les progrès techniques ont amélioré le rendement à l'hectare de ces terres à blé.* — Production évaluée par rapport à des données de base (matériel, capital, travail, etc.). ⇒ **productivité.** *Diminuer, augmenter le rendement dans une entreprise. Le rendement augmente lorsque le matériel est utilisé rationnellement.* **2.** Produit effectif d'un travail. ⇒ **efficacité.** *Il s'applique, mais le rendement est faible. La division du travail a entraîné un accroissement du rendement individuel.*

rendez-vous [ʀɑ̃devu] n. m. invar. **1.** Rencontre convenue entre deux ou plusieurs personnes (qui *se rendent* au même endroit). *Avoir (un) rendez-vous avec qqn. Rendez-vous manqué. Je lui ai donné rendez-vous. J'ai pris rendez-vous avec mon médecin. Recevoir sur rendez-vous.* — *Rendez-vous amoureux, galant.* — *Maison de rendez-vous,* qui accueille des couples de rencontre. **2.** Lieu fixé pour cette rencontre. *Être le premier au rendez-vous.* — Lieu où certaines personnes se rencontrent habituellement. *Ce café est le rendez-vous des étudiants.* — *Rendez-vous de chasse,* pavillon où les chasseurs se retrouvent.

se rendormir [ʀɑ̃dɔʀmiʀ] v. pron. réfl. ▪ conjug. 16. ▪ Recommencer à dormir après avoir été réveillé. *J'ai eu du mal à me rendormir. Elle s'est vite rendormie.*

① rendre [ʀɑ̃dʀ] v. ▪ conjug. 41. **I.** V. tr. RENDRE *qqch.* à *qqn.* **1.** Donner en retour (ce qui est dû). *Je vous rends votre argent, votre livre.* **2.** Donner (sans idée de restitution). *Rendre des services à un ami.* — (Sans compl. second) *Rendre un jugement, un arrêt.* ⇒ **prononcer.** — Loc. *Rendre grâce,* remercier. *Le culte qu'on rend à la Sainte Vierge.* **3.** Redonner (ce qui a été pris ou reçu). ⇒ **restituer.** *Rendre ce qu'on a volé. Rendre un cadeau, le renvoyer.* — *Rendre à qqn sa parole, sa liberté,* le délier d'un engagement. **4.** Rapporter au vendeur (ce qu'on a acheté). *Article qui ne peut être ni rendu ni échangé.* **5.** (Suj. chose) Donner à nouveau (à son possesseur ce qu'il a perdu). ⇒ **redonner.** *Ce traitement m'a rendu des forces, m'a rendu le sommeil.* **6.** Donner (une chose semblable, en échange de ce qu'on a reçu). *Recevoir un coup et le rendre.* Loc. *Rendre coup pour coup. Rendre la monnaie* (sur un billet). — *Rendre à qqn la monnaie de sa pièce,* lui rendre le mal qu'il a fait. — *Rendre un salut. Rendre à qqn sa visite.* — *Dieu vous le rendra au centuple.* **II.** V. tr. Laisser échapper (ce qu'on ne peut garder, retenir). **1.** Vomir. *Il a rendu tout son dîner.* — Sans compl. *Avoir envie de rendre.* **2.** Loc. *Rendre l'âme, le dernier soupir,* mourir. **3.** Faire entendre, émettre (un son). *Instrument qui rend des sons grêles.* **4.** Céder, livrer. *Rendre les armes. Le commandant a dû rendre la place.* **III.** V. tr. Présenter après interprétation. **1.** Traduire. *Il est difficile de* rendre en français cette tournure. **2.** Exprimer par le langage. *Le mot qui rend le mieux ma pensée...* **3.** Représenter par un moyen plastique, graphique. *Rendre avec vérité un paysage.* ⇒ **rendement.** **IV.** V. intr. Rapporter. *Ces terres rendent peu.* ⇒ **rendement.** *La pêche a bien rendu.* — Fam. *Ça n'a pas rendu,* ça n'a pas marché, ça n'a rien donné. **V.** SE RENDRE v. pron. réfl. **1.** *Se rendre à,* se soumettre, céder. *Se rendre aux prières, aux ordres de qqn.* ⇒ **obéir. 2.** Sans compl. Se soumettre (en *rendant* ses armes). *Mourir plutôt que de se rendre. Se rendre sans conditions.* ⇒ **capituler.** — (D'un criminel) Se livrer (⇒ **reddition**). ▶ **① rendu** n. m. **1.** Loc. *C'est un prêté pour un rendu.* ⇒ **prêté. 2.** Objet rendu à un commerçant. ⟨▶ compte rendu, rendement, rendez-vous ⟩

② rendre v. ▪ conjug. 41. **I.** V. tr. (+ attribut du complément) Faire devenir. *Il me rendra fou. Rendre une personne heureuse. Cela va rendre le travail difficile.* — Au passif. *Le jugement a été rendu public.* **II.** SE RENDRE v. pron. réfl. : se faire tel, devenir par son propre fait. *Chercher à se rendre utile. Vous allez vous rendre malade. Il se rend insupportable par son mauvais caractère.*

③ se rendre v. pron. réfl. ▪ conjug. 41. ▪ Se transporter, aller. *Se rendre à son travail. Se rendre à l'étranger. Elle s'est rendue chez lui.* ▶ **② rendu, ue** p. p. et adj. **1.** Arrivé. *Nous voilà rendus.* **2.** Très fatigué. *Ils étaient rendus (de fatigue).* ⟨▶ rendez-vous ⟩

rêne [ʀɛn] n. f. ▪ Chacune des courroies fixées aux harnais d'une bête de selle, et servant à la diriger. *Tenir les rênes.* ⇒ **bride, guide.** — Loc. fig. *Prendre les rênes d'une affaire,* la diriger. *Lâcher les rênes,* tout abandonner. ≠ *reine, renne.*

renégat, ate [ʀənega, at] n. ▪ Personne qui a renié sa religion. ⇒ **apostat.** — Personne qui a trahi ses opinions, son parti, sa patrie, etc. ⇒ **déserteur, traître** à.

renfermer [ʀɑ̃fɛʀme] v. tr. ▪ conjug. 1. **1.** (Choses) Tenir contenu dans un espace, en soi. *Les roches renferment des minéraux. Ce tiroir renferme des papiers importants.* — Comprendre, contenir. *Combien cette phrase renferme-t-elle de mots ?* **2.** Tenir caché (un sentiment). ⇒ **dissimuler.** *Il renferme son chagrin.* — Pronominalement (réfl.). *Se renfermer en soi-même,* ne rien livrer de ses sentiments (⇒ **renfermé**). ▶ **① renfermé, ée** adj. ▪ Qui ne montre pas ses sentiments. ⇒ **dissimulé, secret.** *Il est assez renfermé.* ▶ **② renfermé** n. m. ▪ Mauvaise odeur d'un lieu mal aéré. *Cette chambre sent le renfermé.* ⇒ **remugle.**

renfler [ʀɑ̃fle] v. tr. ▪ conjug. 1. ▪ Rendre convexe, bombé. — Pronominalement. *Se renfler.* ▶ **renflé, ée** adj. ▪ Qui présente une partie bombée. ⇒ **pansu.** *La forme renflée d'un vase.* ▶ **renflement** n. m. ▪ État de ce qui est renflé ; partie renflée.

renflouer [ʀɑ̃flue] v. tr. ▪ conjug. 1. **1.** Remettre en état de flotter. *Renflouer un navire échoué.* — Au p. p. adj. *Bateau renfloué.* **2.** Sauver (qqn, une entreprise...) de difficultés financières en fournissant des fonds. ▶ **renflouage** ou **renflouement** n. m. ▪ Action de renflouer (1, 2).

renfoncement [ʀɑ̃fɔ̃smɑ̃] n. m. (⇒ **enfoncer**) ▪ Ce qui forme un creux. *Se cacher dans le renfoncement d'une porte.* — Recoin, partie en retrait.

renforcer [ʀɑ̃fɔʀse] v. tr. ▪ conjug. 3. **1.** Rendre plus fort, plus résistant. ⇒ **consolider.** *Renforcer un mur.* — Au p. p. adj. *Chaussettes à talons renforcés.* **2.** Rendre plus fort, plus efficace. *Renforcer une armée, une équipe.* **3.** Rendre plus intense, plus énergique. *Mot qui sert à renforcer l'expression.*

4. Rendre plus certain, plus solide. ⇒ **fortifier.** *Ceci renforce mes soupçons.* — *Renforcer qqn dans une opinion,* lui fournir de nouvelles raisons de s'y tenir. ▶ *renforcement* n. m. ■ *Le renforcement d'un mur.* — *Le renforcement de la monarchie pendant le règne de Louis XIV.* ⇒ **raffermissement.** ▶ *renfort* n. m. **1.** Effectifs et matériel destinés à renforcer une armée. *Envoyer des renforts. Les renforts arrivent.* — Fam. Aide. *J'aurais besoin de renforts pour ma réception de ce soir.* **2.** À GRAND RENFORT DE : à l'aide d'une grande quantité de. *Il discutait à grand renfort de gestes.*

se **renfrogner** [ʀɑ̃fʀɔɲe] v. pron. réfl. ▪ conjug. 1. ■ Témoigner son mécontentement par une expression contractée du visage. *À cette proposition, il se renfrogna.* ▶ *renfrogné, ée* adj. **1.** Contracté par le mécontentement. **2.** (Personnes) Maussade, revêche. *Visage renfrogné.*

rengager [ʀɑ̃gaʒe] ou **réengager** [ʀeɑ̃gaʒe] v. tr. ▪ conjug. 3. **1.** Engager de nouveau. *Rengager du personnel.* **2.** SE RENGAGER (RÉENGAGER) v. pron. réfl. : reprendre du service volontaire dans l'armée. ⇒ **rempiler.** — Au p. p. adj. *Soldat rengagé.* — N. *Un rengagé.*

rengaine [ʀɑ̃gɛn] n. f. **1.** Formule répétée à tout propos. *C'est toujours la même rengaine.* ⇒ **antienne, refrain.** *Change un peu de rengaine !* ⇒ **disque. 2.** Chanson ressassée. *Une rengaine à la mode.*

rengainer [ʀɑ̃gene] v. tr. ▪ conjug. 1. **1.** Remettre dans la gaine, au fourreau. *Rengainer son épée.* / contr. **dégainer** / **2.** Fam. Rentrer (ce qu'on avait l'intention de manifester). *Rengainer son compliment, son discours.* ⇒ **remballer.**

se **rengorger** [ʀɑ̃gɔʀʒe] v. pron. réfl. ▪ conjug. 3. **1.** (Oiseaux) Avancer la gorge en ramenant la tête en arrière. *Le paon se rengorge.* **2.** (Suj. personne) Prendre une attitude avantageuse, manifester une satisfaction vaniteuse. *Depuis ce succès, il se rengorge.*

renier [ʀənje] v. tr. ▪ conjug. 7. **1.** Déclarer faussement qu'on ne connaît pas ou plus (qqn). *Saint Pierre renia trois fois Jésus. Renier sa famille* (par honte). **2.** Renoncer à (ce à quoi on aurait dû rester fidèle). *Renier sa foi.* ⇒ **abjurer.** *Renier ses opinions, sa signature.* ⇒ **désavouer.** *Renier ses engagements,* s'y dérober. — Pronominalement. *Se renier,* renier ses opinions. ▶ *reniement* n. m. ■ *Un reniement honteux.*

renifler [ʀ(ə)nifle] v. ▪ conjug. 1. **1.** V. intr. Aspirer bruyamment par le nez. *Cesse de renifler et mouche-toi.* **2.** V. tr. Aspirer fort par le nez, sentir (qqch.). *Chien qui renifle une odeur. Renifler un plat.* — Abstrait. *Renifler qqch. de louche. Il a reniflé une bonne affaire.* ⇒ **flairer.** ▶ *reniflement* n. m. ■ Action de renifler ; bruit que l'on fait en reniflant.

renne [ʀɛn] n. m. ■ Mammifère ruminant de grande taille, aux bois aplatis, qui vit dans les régions froides de l'hémisphère Nord. *Les troupeaux de rennes des Lapons.* ≠ *reine, rêne.*

renom [ʀ(ə)nɔ̃] n. m. **1.** Littér. Opinion répandue dans le public (sur qqn ou qqch.). ⇒ **réputation.** *Il a acquis un certain renom ; son renom est grand. Un renom de style mérité.* **2.** Opinion favorable et largement répandue. ⇒ **célébrité, renommée.** *Le renom des grandes écoles.* — Loc. *En renom, de grand renom,* réputé, célèbre. *Une maison en renom.* ▶ *renommé, ée* adj. ■ Qui a du renom. ⇒ **célèbre, réputé.** *La mode française est renommée dans le monde entier. Un restaurant renommé pour sa cave.* ▶ *renommée* n. f. **1.** Le fait (pour une personne, une chose) d'être très favorablement et largement connu. ⇒ **célébrité, gloire, notoriété, renom.** — *Un savant*

de renommée internationale. *La renommée dont jouit la cuisine française.* — PROV. *Bonne renommée vaut mieux que ceinture dorée* (que la richesse). **2.** Littér. Opinion publique répandue. *Si l'on en croit la renommée.*

renoncer [ʀ(ə)nɔ̃se] v. tr. ind. ▪ conjug. 3. — RENONCER À qqch. **1.** Abandonner un droit sur (qqch.). *Renoncer à une succession. Il n'y a pas moyen de le faire renoncer à ses prétentions.* — Abandonner l'idée de. *Renoncer à un voyage, à un projet.* — (+ infinitif) *Je renonce à comprendre ! C'est impossible, j'y renonce !* **2.** Abandonner volontairement (ce qu'on a). ⇒ **se dépouiller.** *Renoncer au pouvoir,* abdiquer. *Il devra renoncer à ses prétentions.* — (+ infinitif) Cesser volontairement de. *Renoncer à fréquenter qqn.* **3.** Cesser de pratiquer, d'exercer. *Renoncer à un métier, à ses habitudes.* **4.** Cesser d'employer. *Renoncer au tabac, au vin.* **5.** En terme de religion. *Renoncer au monde,* cesser d'être attaché aux choses de ce monde. Loc. *Renoncer à Satan, à ses pompes et à ses œuvres,* au péché et aux occasions de pécher. **6.** *Renoncer à qqn,* cesser de rechercher sa compagnie. *Renoncer à celle qu'on aime. Elle avait renoncé à lui depuis longtemps.* **7.** V. intr. Abandonner un projet par impossibilité ou difficulté de réussir. *Savoir renoncer. Avoir le courage de renoncer, d'accepter l'échec.* ▶ *renoncement* n. m. ■ Littér. Le fait de renoncer volontairement aux biens terrestres. *Vivre dans le renoncement. Le renoncement à soi-même,* l'abnégation, le sacrifice. ▶ *renonciation* n. f. **1.** Le fait de renoncer (à un droit, une charge) ; l'acte par lequel on y renonce. ⇒ **abandon.** *Renonciation à une succession.* — *Renonciation au trône.* ⇒ **abdication. 2.** Action de renoncer (à un bien moral). *La renonciation de tout un peuple à la liberté.*

renoncule [ʀ(ə)nɔ̃kyl] n. f. ■ Plante herbacée, à petites fleurs serrées de couleurs vives, en particulier jaunes (⇒ **bouton-d'or**).

renouer [ʀənwe] v. tr. ▪ conjug. 1. **1.** Refaire un nœud à ; nouer (ce qui est dénoué). *Renouer ses lacets de chaussures.* **2.** Abstrait. Rétablir après une interruption. *Renouer la conversation.* **3.** RENOUER AVEC... : reprendre des relations avec... *Renouer avec un ami après une brouille.* — *Cet artiste renoue avec les traditions populaires.*

renouveau [ʀ(ə)nuvo] n. m. **1.** Apparition de formes entièrement nouvelles. ⇒ **renaissance.** *Le théâtre connaît un renouveau.* **2.** Littér. Retour du printemps.

renouveler [ʀ(ə)nuvle] v. tr. ▪ conjug. 4. **I. 1.** Remplacer par une chose nouvelle et semblable (ce qui a servi, est altéré, diminué). ⇒ **changer.** *Renouveler l'air d'une pièce. Il faudrait renouveler le matériel, l'outillage.* — Remplacer une partie des membres de (un groupe). *Renouveler le personnel d'une entreprise. Renouveler le Sénat.* ⇒ **réélire. 2.** Rendre nouveau en transformant. *L'auteur a renouvelé le genre.* ⇒ **rajeunir. 3.** Donner une validité nouvelle à (ce qui expire). *Renouveler un passeport. Renouveler un bail.* **4.** Faire de nouveau. ⇒ **réitérer.** *Je vous renouvelle ma question, ma demande, mes compliments. Il a renouvelé sa promesse.* — Terme de religion. *Renouveler (sa communion),* refaire sa communion solennelle un an après la cérémonie. ⇒ **renouvellement (4). II.** SE RENOUVELER v. pron. réfl. **1.** Être remplacé par des éléments nouveaux et semblables. *Les membres de cette assemblée se renouvellent par tiers chaque année. La nature se renouvelle au printemps.* **2.** Apporter des changements dans son activité créatrice, se montrer inventif. *Dans ce métier, il faut sans cesse se renouveler.* **3.** Recommencer. ⇒ **se reproduire.** *Souhaitons que cet*

incident ne se renouvelle pas. ▶ *renouvelable* adj.
■ Qui peut être renouvelé. *Passeport renouvelable.*
Bail renouvelable. ▶ *renouvellement* n. m. **1.** Action de renouveler. *Le renouvellement d'un stock.*
2. Changement complet des formes qui crée un état nouveau. *Besoin de renouvellement de certaines structures. Le renouvellement d'un genre littéraire.*
3. Remise en vigueur. *Le renouvellement d'un bail.*
4. Confirmation de la communion solennelle (par les jeunes catholiques qui renouvellent [I, 4], appelés *renouvelants,* n.).

rénover [ʀenɔve] v. tr. **1.** Améliorer en donnant une forme nouvelle, moderne. ⇒ **moderniser, transformer.** *Rénover la pédagogie de l'orthographe, l'enseignement des langues vivantes.* **2.** Remettre à neuf. *Rénover un immeuble vétuste.* ⇒ **réhabiliter.** — Au p. p. adj. *Un restaurant entièrement rénové.* ▶ *rénovateur, trice* n. et adj. ■ Personne qui rénove. *Les rénovateurs d'un parti.* ▶ *rénovation* n. f. ■ Remise à neuf. *La rénovation d'un vieux quartier.*

renseigner [ʀɑ̃seɲe] v. tr. ■ conjug. 1. ■ Éclairer sur un point précis, fournir un renseignement à... ⇒ **informer, instruire.** *Je regrette de ne pouvoir vous renseigner. C'est son domaine, il pourra nous renseigner sur ce sujet.* — Au passif et p. p. *Être bien, mal renseigné,* savoir ou ignorer ce dont il est question. — (Choses) Constituer une source d'information. *Ce détail nous renseigne utilement.* — SE RENSEIGNER v. pron. réfl. : prendre, obtenir des renseignements. *Se renseigner auprès de qqn.* ⇒ **s'informer, interroger.** *Renseignez-vous avant de signer le contrat.* ▶ *renseignement* [ʀɑ̃seɲ(ə)mɑ̃] n. m. **1.** Ce par quoi on renseigne (qqn) ; la chose portée à sa connaissance. ⇒ **information ;** fam. **tuyau.** *Donner, fournir un renseignement à qqn. Chercher des renseignements sur qqch. On a trouvé, récolté de nombreux renseignements sur ce sujet, à propos de cette affaire.* ⇒ **documentation.** *Demander à titre de renseignement,* à titre indicatif. *Aller aux renseignements,* à leur recherche. — *Prendre des renseignements sur le compte d'une personne, d'une entreprise,* pour juger de sa valeur. *Fournir de bons renseignements,* des références. — Commerce, administration. *Bureau, guichet des renseignements.* **2.** Information concernant la sécurité du territoire ; recherche de telles informations. *Agent, service de renseignements.* ⇒ **espionnage.**

rentable [ʀɑ̃tabl] adj. **1.** Qui donne un bénéfice suffisant. *Une affaire rentable.* **2.** Fam. Qui donne des résultats. ⇒ **payant.** ▶ *rentabiliser* v. tr. ■ conjug. 1. ■ Rendre rentable (1). *Rentabiliser un investissement.* ▶ *rentabilité* n. f. ■ Caractère de ce qui est rentable. *La rentabilité d'un placement.*

rente [ʀɑ̃t] n. f. **1.** Revenu périodique d'un bien, d'un capital. *Avoir des rentes.* — Loc. *Vivre de ses rentes,* ne pas travailler. **2.** Somme d'argent qu'une personne est tenue de donner périodiquement à une autre personne. — *Rente viagère,* pension payable pendant la vie de celui qui la reçoit. **3.** Emprunt de l'État, représenté par un titre qui donne droit à un intérêt. *Le cours de la rente.* ▶ *rentier, ière* n. ■ Personne qui vit de ses rentes, qui vit de ses rentes. Loc. *Mener une vie de rentier,* ne pas travailler. ⟨ ▶ rentable ⟩

rentrée [ʀɑ̃tʀe] n. f. **I.** (Êtres vivants) **1.** Le fait de rentrer. / contr. **sortie** / *La rentrée des vacanciers à Paris. Heure de rentrée.* **2.** Reprise des activités de certaines institutions après une interruption. *La rentrée parlementaire.* — *La rentrée des classes,* après les grandes vacances. Sans compl. *Le jour de la rentrée.* — LA RENTRÉE : époque de l'année, après les grandes vacances, où l'ensemble des activités reprennent. *Les livres, les spectacles de la rentrée. Nous reparlerons*

de cela à la rentrée. **3.** Retour (d'un acteur) à la scène, après une interruption. *Faire sa rentrée sur une scène parisienne.* — Préparer sa rentrée politique. **II.** (Choses) **1.** Mise à l'abri (de ce qui était dehors). *La rentrée des foins.* **2.** *Rentrée d'argent,* somme d'argent qui entre en caisse. ⇒ **recette.** / contr. **sortie** / — Absolt. *Il attend des rentrées importantes. Les rentrées de l'impôt.*

rentrer [ʀɑ̃tʀe] v. ■ conjug. 1. **I.** V. intr. (Avec l'auxil. *être*) **1.** Entrer de nouveau (dans un lieu où l'on a déjà été). / contr. **ressortir** / *Je l'ai vu sortir, puis rentrer précipitamment dans la maison.* — Abusivt. Entrer (sans idée de répétition ni de retour). *Rentrer dans un magasin.* **2.** Revenir chez soi. *Je vais rentrer chez moi. Il est rentré à Genève. Il vient de rentrer de voyage. Nous rentrerons tard. Rentrer dîner.* **3.** Reprendre ses activités, ses fonctions. *Les tribunaux, les lycées rentrent à telle date.* **4.** Loc. *Rentrer dans ses droits.* ⇒ **recouvrer.** *Rentrer dans ses dépenses, dans ses frais,* les récupérer ou en retrouver l'équivalent. — (Choses) *Tout est rentré dans l'ordre,* l'ordre est revenu. **5.** Littér. *Rentrer en soi-même,* faire retour sur soi-même. ⇒ se **recueillir. 6.** Se jeter avec violence. *Sa voiture est rentrée dans un arbre. Rentrer dedans**. — *Faire rentrer qqch. dans la tête (de qqn),* faire comprendre ou apprendre avec peine, en insistant. **7.** (Choses) S'emboîter, s'enfoncer. *La clé rentre dans la serrure.* — *Le cou lui rentre dans les épaules.* Fig. *Les jambes lui rentraient dans le corps* (de fatigue). **8.** Être compris dans. ⇒ **entrer.** *Cela ne rentre pas dans mes attributions.* **9.** (Argent) Être perçu, gagné. *Faire rentrer l'impôt.* **II.** V. tr. (Avec l'auxil. *avoir*) **1.** Mettre ou remettre à l'intérieur, dedans. *Rentrer les foins. Il a rentré sa voiture* (au garage). — *Rentrer le ventre,* le faire plat. **2.** Dissimuler, faire disparaître sous (ou dans). *Rentrer sa chemise dans son pantalon. Le chat rentre ses griffes.* — Refouler. *Rentrer ses larmes, sa rage.* **III.** RENTRÉ, ÉE adj. **1.** Qui est réprimé, ne peut se manifester. *Colère rentrée.* **2.** *Yeux rentrés,* enfoncés. ▶ *rentrant, ante* adj. **1.** Qui peut être rentré. *Train d'atterrissage rentrant.* ⇒ **escamotable. 2.** ANGLE RENTRANT : de plus de 180° (opposé à *saillant*). ⟨ ▶ rentrée ⟩

renverser [ʀɑ̃vɛʀse] v. tr. ■ conjug. 1. **1.** Mettre de façon que la partie supérieure devienne inférieure. *Renverser un seau.* **2.** Disposer ou faire mouvoir en sens inverse. ⇒ **inverser.** *Renverser l'ordre des mots dans une phrase. Renverser les termes d'une proposition. Renverser le courant, la vapeur.* **3.** Faire tomber à la renverse, jeter à terre (qqn). *C'est une camionnette qui l'a renversé.* — Faire tomber (qqch.). *Renverser une chaise.* — Répandre (un liquide) en faisant tomber le récipient. *Renverser du vin sur la nappe. Il a renversé son bol de soupe.* **4.** Faire tomber, démolir. ⇒ **abattre.** *Renverser tous les obstacles.* — *Renverser un ministre, un cabinet,* le faire démissionner en lui refusant la confiance. **5.** Incliner en arrière. / contr. **courber** / *Renverser la tête, le buste.* **6.** (Compl. personne) Étonner extrêmement. *Cela me renverse* (⇒ **renversant**). **II.** V. pron. réfl. **1.** (Suj. chose) Se retourner. *La barque s'est renversée.* — Basculer, tomber. *La bouteille s'est renversée.* **2.** (Suj. personne) *Il se renversa sur son siège.* ▶ *renversé, ée* adj. **1.** À l'envers ; le haut mis en bas. *Une image renversée. Pyramide renversée.* — CRÈME RENVERSÉE : qui a pris et qu'on retourne sur un plat pour la servir. — Loc. C'EST LE MONDE RENVERSÉ ! : c'est contraire au bon sens. **2.** Qu'on a fait tomber. *Meubles renversés.* **3.** Incliné en arrière. *Ils buvaient la tête renversée.* **4.** Stupéfait. *Je suis renversé !* ▶ *renversant, ante* adj. ■ Qui renverse (6), frappe de stupeur. *Une nouvelle renversante. C'est absolument renversant !* ▶ *à la renverse* loc. adv. ■ *Tomber à la renverse,* sur le dos.

▶ **renversement** n. m. **I.** Action de mettre à l'envers. **1.** Passage en bas de la partie haute. *Le renversement des images.* **2.** Passage à un ordre inverse. **3.** Changement complet en l'inverse. *Le renversement des alliances,* lorsque les alliés deviennent ennemis et inversement. *On assiste au renversement de la situation.* ⇒ **retournement. II. 1.** Le fait de renverser, de jeter bas. *Le renversement du régime.* ⇒ **chute. 2.** Rejet en arrière (d'une partie du corps).

① **renvoi** [ʀɑ̃vwa] n. m. ▪ Envoi par la bouche de gaz de l'estomac. ⇒ littér. **éructation ;** fam. **rot.** *Avoir des renvois. Un renvoi bruyant.*

renvoyer [ʀɑ̃vwaje] v. tr. — REM. Conjug. 8, sauf au futur *je renverrai,* et au conditionnel *je renverrais.* **1.** Faire retourner (qqn) là où il était précédemment. *Il est guéri, vous pouvez le renvoyer en classe.* — Faire repartir (qqn) dont on ne souhaite plus la présence. *Elle désirait se reposer et elle a renvoyé tout le monde.* **2.** Faire partir (en faisant cesser une fonction). ⇒ **chasser, congédier, remercier.** *Renvoyer un employé.* ⇒ **licencier.** — Au passif. *Il a été renvoyé du lycée.* **3.** Faire reporter (qqch. à qqn). *Renvoyer un cadeau. Je vous renvoie vos documents.* ⇒ **rendre. 4.** Relancer (un objet qu'on a reçu). *Renvoyer un ballon. Le mur a renvoyé la balle,* la balle a rebondi sur le mur. — Réfléchir, répercuter (la lumière, le son). *L'écho renvoyait les coups de tonnerre.* **5.** Envoyer, adresser (qqn) à une autorité plus compétente. *On m'a renvoyé à un autre service. Renvoyer un prévenu devant la cour d'assises.* — Faire se reporter. *Je renvoie le lecteur à mon précédent ouvrage.* — (Suj. chose) *Notes qui renvoient à certains passages.* ⇒ **renvoi. 6.** Remettre à une date ultérieure. ⇒ **ajourner, différer.** *Renvoyer une affaire à huitaine.*

▶ ② **renvoi** n. m. ▪ Action de renvoyer. **1.** *Le renvoi de qqn à son lieu de départ.* **2.** Le fait de renvoyer (2) qqn. ⇒ **congédiement, expulsion, licenciement.** *Renvoi collectif. Le renvoi d'un employé.* **3.** Le fait de renvoyer à l'expéditeur. *Le renvoi d'une lettre.* **4.** Fait de relancer. *Le renvoi d'un ballon.* **5.** Le fait d'envoyer à l'autorité compétente. *Renvoi aux assises.* **6.** Ajournement, remise à plus tard. *Le renvoi d'une décision à une date ultérieure.*

réoccuper [ʀeɔkype] v. tr. ▪ conjug. 1. ▪ Occuper de nouveau. *Réoccuper un territoire.* ▶ **réoccupation** n. f. ▪ *La réoccupation d'un territoire par l'armée.*

réorganiser [ʀeɔʀganize] v. tr. ▪ conjug. 1. ▪ Organiser de nouveau, d'une autre manière. *Réorganiser un service.* ▶ **réorganisation** n. f. ▪ *La réorganisation d'une administration.*

réouvrir v. tr. ⇒ **rouvrir.** ▶ **réouverture** [ʀeuvɛʀtyʀ] n. f. ▪ Le fait de rouvrir (un établissement qui a été quelque temps fermé). *La réouverture d'un théâtre.*

repaire [ʀ(ə)pɛʀ] n. m. **1.** Lieu qui sert de refuge aux bêtes sauvages (surtout féroces). ⇒ **antre, tanière. 2.** Lieu qui sert de refuge à des individus dangereux. *Un repaire de brigands.* ≠ *repère.*

repaître [ʀəpɛtʀ] v. tr. ▪ conjug. 57. **I.** Abstrait. Littér. Nourrir, rassasier (ses yeux, son esprit). *Repaître ses yeux d'un spectacle. Repaître qqn de fausses espérances.* **II.** SE REPAÎTRE v. pron. réfl. **1.** (Animaux) Assouvir sa faim. **2.** Littér. *Ce tyran ne se repaît que de sang et de carnage. Se repaître de chimères, d'illusions.* ⟨ ▶ **repu** ⟩

répandre [ʀepɑ̃dʀ] v. tr. ▪ conjug. 41. **I. 1.** Faire tomber (un liquide). *Répandre du vin sur une nappe.* ⇒ **renverser.** *Répandre des larmes,* pleurer. ⇒ **verser. 2.** (Choses) Produire et envoyer autour de soi (de la lumière, de la chaleur, etc.). ⇒ **diffuser, émettre.** *Répandre une odeur.* ⇒ **dégager, exhaler. II. 1.** Littér.

Donner avec profusion (une chose abstraite). ⇒ **dispenser, prodiguer.** *Répandre des bienfaits.* ⇒ Faire régner (un sentiment) autour de soi. *Répandre l'effroi.* ⇒ **jeter, semer.** *Répandre la joie, l'allégresse.* **3.** Diffuser, étendre à un plus grand nombre. *Répandre une doctrine, une mode (dans le public, parmi des gens...).* ⇒ **propager, vulgariser. 4.** Rendre public. *Répandre une nouvelle, un bruit.* ⇒ **colporter. III.** SE RÉPANDRE v. pron. **1.** (Choses) Couler, s'étaler sur un plus grand espace. *Près de la grange, une odeur de paille se répandait. La fumée se répand dans la pièce.* — Fig. *La consternation se répandit sur tous les visages.* **2.** se propager. *L'épidémie risque de se répandre. Cet usage se répand peu à peu.* ⇒ **gagner.** — *Le bruit s'est répandu qu'il avait disparu.* ⇒ **courir. 3.** (Personnes) *Se répandre* (ou *être répandu*) *dans la société,* avoir une vie mondaine très active. **4.** (Personnes) SE RÉPANDRE EN... : extérioriser ses sentiments par une abondance de... *Se répandre en injures, en menaces, en louanges.* ▶ **répandu, ue** adj. **1.** Épars, dispersé. **2.** (Pensées, opinions) Qui est commun à un grand nombre de personnes. ⇒ **courant.** *Un préjugé très répandu.*

reparaître [ʀ(ə)paʀɛtʀ] v. intr. ▪ conjug. 57. **1.** Se montrer de nouveau à la vue. ⇒ **apparaître** de nouveau, **réapparaître.** *Le soleil a reparu, vient de reparaître.* — Paraître de nouveau (devant qqn). *Ne reparais jamais devant moi !* **2.** Redevenir sensible, se manifester de nouveau. *Ce caractère peut reparaître après plusieurs générations.*

réparer [ʀepaʀe] v. tr. ▪ conjug. 1. **1.** Remettre en état (ce qui a été endommagé, ce qui s'est détérioré). *Réparer un poste de radio, une bicyclette. Donner ses chaussures à réparer.* — Au passif et p. p. adj. *(Être) réparé.* **2.** *Réparer ses forces, sa santé,* se rétablir. **3.** Faire disparaître (les dégâts causés à qqch.). *Réparer un accroc.* — Corriger (en supprimant les conséquences). *Réparer une perte, un oubli.* ⇒ **remédier** à. *Réparer sa faute, ses torts.* ▶ **réparable** adj. **1.** Qu'on peut réparer. *Cette montre est réparable.* **2.** Qu'on peut corriger, compenser, etc. *C'est une perte facilement réparable.* ▶ **réparateur, trice** n. et adj. **1.** N. Artisan qui répare des objets. *Un réparateur de tapis, de télévisions.* **2.** Adj. Qui répare les forces. *Sommeil réparateur.* — *Chirurgie réparatrice,* qui reconstitue les formes, après une lésion grave. ▶ **réparation** n. f. **1.** Opération, travail qui consiste à réparer qqch. *La réparation d'une montre.* — *En réparation,* qu'on est en train de réparer. *L'ascenseur est en réparation.* — Au plur. Travaux effectués pour réparer ou entretenir un bâtiment. *Il a fait de grosses réparations dans sa maison.* **2.** L'action de réparer (un accident, etc.). *La réparation d'une avarie, d'une panne.* **3.** Action de réparer (une faute, une offense, etc.). ⇒ **expiation.** Loc. *Demander, obtenir réparation* (d'une offense). ⇒ **satisfaction.** — *Surface de réparation,* partie du terrain de football où une faute donne lieu à un coup de pied de pénalité. **4.** Dédommagement, indemnité. *Réparations imposées à un pays vaincu.* ⟨ ▶ **irréparable** ⟩

reparler [ʀ(ə)paʀle] v. intr. ▪ conjug. 1. ▪ Parler de nouveau (de qqch. ou de qqn). *Nous aurons le temps d'en reparler.* Fam. *On en reparlera,* se dit pour exprimer son scepticisme et marquer que l'avenir risque de donner tort à l'interlocuteur.

① **repartir** [ʀ(ə)paʀtiʀ] v. intr. ▪ conjug. 16. **1.** Partir pour l'endroit d'où l'on vient. *Ils sont repartis le lendemain de leur arrivée.* **2.** Partir de nouveau (après un temps d'arrêt). *Le train va repartir.* **3.** Fig. Recommencer. *Nous avons dû repartir à, de zéro.* — (Choses) Reprendre. *L'affaire repart bien.*

② *repartir* v. intr. ▪ conjug. 16. ■ Littér. Répliquer, répondre. « *C'est impossible* » *repartit Jean.* ≠ *répartir.* ▶ *repartie* [ʀəpaʀti; ʀəparti] n. f. — REM. *Repartie* s'écrit sans accent. ■ Réponse rapide et juste. ⇒ **réplique, riposte.** *Il a de la repartie.* — *Esprit de repartie.*

répartir [ʀepaʀtiʀ] v. tr. ▪ conjug. 2. **I. 1.** Partager selon des conventions précises (une quantité ou un ensemble). *Répartir une somme, un travail entre plusieurs personnes.* **2.** Distribuer dans un espace. ⇒ **disposer.** *Répartir ses troupes.* — Au p. p. adj. *Chargement mal réparti.* **3.** Étaler (dans le temps). *Répartir un programme sur plusieurs années.* ⇒ **échelonner. 4.** Classer, diviser. *On a réparti les élèves en deux groupes de travail.* **II.** SE RÉPARTIR v. pron. réfl. : se diviser. *La société, sous l'Ancien Régime, se répartissait en trois ordres. Les rôles se répartiront ainsi, seront répartis ainsi.* ▶ *répartition* n. f. **1.** Opération qui consiste à répartir qqch.; manière dont une chose est répartie. ⇒ **distribution.** *Procéder à la répartition des emplacements. La répartition de la richesse nationale.* **2.** Distribution dans un espace, à l'intérieur d'un volume. ⇒ **disposition.** *La répartition géographique d'une espèce.*

repas [ʀ(ə)pɑ] n. m. invar. **1.** Nourriture prise en une fois à heures réglées. *Faire un repas copieux, plantureux, pantagruélique.* ⇒ **festin.** *Repas léger.* ⇒ **casse-croûte.** *Repas froid,* fait de plats froids. *Préparer, servir le repas.* — *Repas à la carte, à prix fixe* (dans un restaurant). **2.** Action de se nourrir, répétée quotidiennement à heures réglées. *Prendre ses repas chez soi. Faire trois repas par jour. Repas du matin* (petit déjeuner), *de midi* ⇒ **déjeuner, dîner** (au Québec), *du soir* ⇒ **dîner, souper.** *Le déjeuner ou le dîner. Être chez soi à l'heure des repas.* — *Repas de noces.* ⇒ **banquet.** *Repas champêtre.* ⇒ **pique-nique.**

① *repasser* [ʀ(ə)pɑse] v. ▪ conjug. 1. **I.** V. intr. Passer de nouveau. *Je repasserai à cet endroit demain. Je repasserai vous voir.* ⇒ **revenir.** Fam. *Il peut toujours repasser !,* il n'aura rien, quoi qu'il fasse. *Vous n'êtes pas obligé de repasser par le même chemin. Passer et repasser. Il repasse devant la boutique, hésite, mais ne peut se décider à entrer.* — *Le film repasse,* est projeté à nouveau. — Fig. *Des souvenirs repassaient dans sa mémoire.* **II.** V. tr. **1.** Passer, franchir de nouveau ou en retournant. *Repasser les monts, les mers.* — *Repasser un examen,* en subir de nouveau les épreuves. **2.** Passer de nouveau (qqch. à qqn). *Repasse-moi le plat, le pain.* — Faire passer à nouveau (dans son esprit). ⇒ **évoquer.** *Repasser les événements de sa vie.* **3.** Fam. Passer (ce qu'on a reçu de qqn d'autre). ⇒ fam. **refiler.** *Repasser un travail à qqn.*

② *repasser* v. tr. ▪ conjug. 1. **I.** Affiler, aiguiser (une lame). *Repasser des ciseaux.* **II.** Rendre lisse et net (du linge, du tissu, etc.), au moyen d'un instrument approprié. *Repasser une chemise.* — Sans compl. *Fer à repasser.* ▶ *repassage* n. m. ■ Faire du repassage. *Mon repassage est fini.* ▶ *repasseuse* n. f. ■ Ouvrière qui repasse le linge, les vêtements. ⇒ **blanchisseuse.**

③ *repasser* v. tr. ▪ conjug. 1. ■ Relire, apprendre en revenant plusieurs fois sur le même sujet. ⇒ **potasser.** *Repasser ses leçons.* — *Repasser son rôle, un pas de danse,* le répéter.

repêcher [ʀ(ə)peʃe] v. tr. ▪ conjug. 1. **1.** Repêcher un noyé, le retirer de l'eau. **2.** Fam. *Repêcher un candidat,* le recevoir malgré un total de points inférieur au total exigé. — *Repêcher un concurrent,* le qualifier pour les épreuves suivantes quand il n'a pas été désigné directement par les éliminatoires. ▶ *repêchage* n. m. **1.** Action de repêcher. *Le*

repêchage d'un noyé. **2.** Examen, épreuve de repêchage, organisé pour permettre aux candidats (qui seraient normalement éliminés) d'être admis.

repeindre [ʀ(ə)pɛ̃dʀ] v. tr. ▪ conjug. 52. ■ Peindre de nouveau, peindre à neuf. *Repeindre, faire repeindre son appartement.* — Au p. p. adj. *Appartement entièrement repeint.* ▶ *repeint* n. m. ■ Partie d'un tableau qui a été repeinte. *Les repeints d'une fresque.*

repenser [ʀ(ə)pɑ̃se] v. tr. ▪ conjug. 1. **1.** V. tr. ind. Penser de nouveau, réfléchir encore plus (à qqch.). *J'y repenserai.* **2.** V. tr. dir. Reconsidérer. *Repenser un problème.*

① se *repentir* [ʀ(ə)pɑ̃tiʀ] v. pron. réfl. ▪ conjug. 16. **1.** Ressentir le regret (d'une faute), avec le désir de ne plus la commettre, de réparer. ⇒ **regretter.** *Se repentir d'une faute, d'avoir commis une faute.* — Sans compl. *Elle s'est repentie.* **2.** Regretter vivement, souhaiter n'avoir pas fait ou dit (qqch.). *Se repentir d'un acte. Se repentir amèrement d'avoir trop parlé.* — *Il s'en repentira,* se dit par menace. ▶ *repentant, ante* adj. ■ En religion. Qui se repent de ses fautes, de ses péchés. ⇒ **contrit.** *Un pécheur repentant.* — *Un air repentant.* ▶ *repenti, ie* adj. ■ Qui s'est repenti de ses fautes, qui a commencé à réparer. *Pécheur repenti.* ▶ ② *repenti* n. m. **1.** Vif regret d'une faute, accompagné d'un désir d'expiation, de réparation. ⇒ **remords; contrition.** *Un repentir sincère.* **2.** Regret d'une action quelconque. **3.** Littér. Changement apporté à une œuvre d'art en cours d'exécution. ⇒ **correction.** *Les repentirs d'un peintre.* ≠ *repeint.*

repérage [ʀ(ə)peʀaʒ] n. m. ■ Opération par laquelle on repère. *Le repérage des avions par radar.* — Cinéma. *Le repérage des extérieurs. Partir en repérages.*

répercuter [ʀepɛʀkyte] v. tr. ▪ conjug. 1. **1.** Renvoyer dans une direction nouvelle (un son, une onde). ⇒ **réfléchir.** *Les parois de la caverne répercutent le son. Chant que l'écho répercute.* — Au p. p. adj. *Échos répercutés par les montagnes.* **2.** Abstrait. SE RÉPERCUTER : se transmettre, se propager par une suite de réactions. *Le coût des transports se répercute sur le prix des marchandises.* ▶ *répercussion* n. f. ■ Le fait d'être renvoyé, répercuté. *La répercussion d'un son par l'écho.* — Conséquences indirectes (d'un événement ou d'une décision). ⇒ **incidence.**

repère [ʀ(ə)pɛʀ] n. m. ≠ *repaire.* **1.** Marque, signe… utilisé pour retrouver un endroit dans un travail avec précision. *Tracer des repères sur des pièces de bois. Choisir un repère.* **2.** POINT DE REPÈRE : objet ou endroit précis reconnu et choisi pour s'orienter, se retrouver (dans l'espace ou dans le temps). ▶ *repérer* v. tr. ▪ conjug. 6. **1.** Situer avec précision, en se servant de repères ou par rapport à des points de repère. *Repérer un emplacement, une batterie ennemie.* **2.** Fam. Découvrir (qqch.); reconnaître (qqn). *Repérer un coin tranquille. Repérer qqn dans la foule.* ⇒ **apercevoir, remarquer.** — *Être repéré, se faire repérer,* être découvert (alors qu'on cherche à échapper à une surveillance). **3.** Fam. SE REPÉRER v. pron. : reconnaître où l'on est, grâce à des repères. *Se repérer facilement dans une ville.* — Abstrait. *Je n'arrive pas à me repérer dans cette histoire.* ⟨ ▶ *repérage* ⟩

répertoire [ʀepɛʀtwaʀ] n. m. **1.** Inventaire (liste, recueil…) où les matières sont classées dans un ordre qui permet de les retrouver facilement. *Répertoire alphabétique.* ⇒ **dictionnaire, index, lexique.** — Carnet permettant une consultation rapide. *Répertoire d'adresses.* **2.** Liste des pièces qui forment le fonds d'un théâtre et sont susceptibles d'être reprises. *Le* répertoire de la Comédie-Française. — Le répertoire *d'un artiste*, l'ensemble des œuvres qu'il a l'habitude d'interpréter. — Fam. *Tout un répertoire d'injures.* ▶ *répertorier* v. tr. ▪ conjug. 7. ▪ Inscrire dans un répertoire.

répéter [ʀepete] v. tr. ▪ conjug. 6. **I.** **1.** Dire de nouveau (ce qu'on a déjà dit). ⇒ **redire.** *Répéter toujours la même chose.* ⇒ **rabâcher, ressasser.** — RÉPÉTER DE (+ infinitif). *Je vous ai répété cent fois de ne pas toucher à cet appareil.* — RÉPÉTER QUE (+ indicatif). *Il avait beau nous répéter qu'il ne risquait rien...* **2.** Exprimer, dire (ce qu'un autre a dit). *Je ne fais que répéter ses paroles.* ⇒ **citer.** *Répéter qqch. mot pour mot.* — Dire (ce qu'un autre a dit) en divulguant. ⇒ **rapporter.** *Ceci ne doit pas être répété. Je vous confie un secret, ne le répétez pas.* — Exprimer comme étant de soi (qqch. emprunté à qqn d'autre). *Il répète ce qu'il a entendu dire.* **3.** (Personnes) Recommencer (une action, un geste). *Répéter une expérience.* ⇒ **recommencer.** *Répéter les essais, les tentatives.* **4.** Redire ou refaire pour s'exercer, pour fixer dans sa mémoire. ⇒ **apprendre, repasser.** *Répéter un rôle.* — Sans compl. *Les comédiens sont en train de répéter* (⇒ **répétition**). **II.** SE RÉPÉTER v. pron. **1.** (Personnes) Redire les mêmes choses sans nécessité. *Vous vous répétez !* **2.** Sens passif. (Suj. chose) Être répété ; se reproduire. *Que cet incident ne se répète pas !* ▶ *répété, ée* adj. ▪ Qui se produit en série. *Coups de tonnerre répétés.* — *Il a fait des tentatives répétées, nombreuses et fréquentes.* ▶ *répétiteur, trice* n. ▪ Personne qui explique à des élèves la leçon d'un professeur, les fait travailler. ▶ *répétitif, ive* adj. ▪ Qui se répète d'une manière régulière et monotone. *Un travail répétitif et ennuyeux.* ▶ *répétition* n. f. **1.** Le fait (pour un mot, une idée...) d'être dit, exprimé plusieurs fois. ⇒ **redite.** *La répétition d'un mot. Des répétitions inutiles.* — *La répétition d'un thème.* ⇒ **leitmotiv. 2.** Le fait de recommencer (une action, un processus). *La répétition d'un acte crée l'habitude.* — (D'un mécanisme) Loc. *Armes à répétition*, pouvant tirer plusieurs coups sans être rechargées. **3.** Le fait de répéter pour s'exercer. *La répétition d'un rôle, d'un numéro de cirque.* — Séance de travail pour mettre au point les divers éléments d'un spectacle. *Pièce en répétition. Répétition générale.* ⇒ **générale** (3). **4.** Leçon particulière (⇒ **répétiteur**).

repeupler [ʀəpœple] v. tr. ▪ conjug. 1. ▪ Peupler de nouveau. *Les immigrants qui repeuplèrent ce pays.* — Regarnir (un lieu) d'animaux, de végétation. *Repeupler une forêt. Repeupler un étang* (de poissons). ▶ *repeuplement* n. m.

① *repiquer* [ʀə(ə)pike] v. tr. ▪ conjug. 1. **1.** Mettre en terre (des plants provenant de semis, de pépinière). ⇒ **replanter.** *Repiquer des salades.* **2.** Faire un nouvel enregistrement. *Repiquer un disque, une cassette.* ▶ *repiquage* n. m. ▪ *Le repiquage du riz.* — *Le repiquage d'un enregistrement ancien.*

② *repiquer* v. tr. ind. ▪ conjug. 1. ▪ Fam. REPIQUER À : reprendre de (un plat), revenir à (une occupation).

répit [ʀepi] n. m. ▪ Arrêt d'une chose pénible, temps pendant lequel on cesse d'être menacé ou accablé par elle. ⇒ **repos.** *Je n'ai pas un instant de répit.* — SANS RÉPIT : sans arrêt, sans cesse. *Au-dessus de nos têtes, des avions passaient sans répit. Travailler sans répit.*

replacer [ʀə(ə)plase] v. tr. ▪ conjug. 3. ▪ Remettre en place, à sa place. ⇒ **ranger.** *Replacer un bijou dans un écrin, dans un coffret. Replacer une histoire dans son cadre, dans son époque.*

replanter [ʀə(ə)plɑ̃te] v. tr. ▪ conjug. 1. **1.** Planter de nouveau dans une autre terre. ⇒ **repiquer.**

2. Repeupler de végétaux. *Replanter une forêt en chênes.*

replâtrer [ʀə(ə)plɑtʀe] v. tr. ▪ conjug. 1. **1.** Plâtrer de nouveau ; reboucher avec du plâtre. *Replâtrer un mur, une fissure.* **2.** Fam. Réparer ou remanier d'une manière superficielle, maladroite (une œuvre humaine). *Replâtrer un manuel.* — Au p. p. adj. *Une amitié replâtrée.* ▶ *replâtrage* n. m. ▪ Fam. Arrangement sommaire. — *Replâtrage ministériel*, remaniement sommaire, avec une nouvelle distribution des portefeuilles. — Réconciliation fragile (d'un couple).

replet, ète [ʀeplɛ, ɛt] adj. ▪ Qui est bien en chair, qui a assez d'embonpoint. ⇒ **dodu, grassouillet.** *Une petite vieille replète. Visage replet.*

① *replier* [ʀə(ə)plije] v. tr. ▪ conjug. 7. **1.** Plier de nouveau (ce qui avait été déplié). *Replier un journal.* **2.** Ramener en pliant (ce qui a été étendu, déployé). *L'oiseau replie ses ailes.* — Au p. p. adj. *Il dort les jambes repliées.* ▶ ① *repli* n. m. **1.** Pli qui se répète (d'une étoffe, d'un drapé). *Les replis de rideaux de fenêtres. — Les replis de l'intestin. Plis et replis d'un double menton.* **2.** Abstrait. Partie dissimulée, secrète. *Les replis du cœur, de la conscience.*

② *replier* v. tr. ▪ conjug. 7. **1.** Ramener en arrière, en bon ordre (une troupe en contact avec l'ennemi). *Replier son armée.* **2.** SE REPLIER v. pron. réfl. : reculer en bon ordre. *Ordre aux troupes de se replier.* — Abstrait. *Se replier sur soi-même*, rentrer en soi-même, s'isoler de l'extérieur. ⇒ se **renfermer.** ▶ ② *repli* n. m. ▪ (Troupes) Action de se replier. ⇒ **recul.** *Repli stratégique* (euphémisme pour *retraite*).

① *réplique* [ʀeplik] n. f. **1.** En art. Nouvel exemplaire (d'une œuvre), anciennement exécuté dans la tradition de l'original. *Les répliques romaines des statues grecques.* ⇒ **copie. 2.** Chose ou personne qui semble être le double d'une autre. ⇒ **sosie.** *C'est une vivante réplique de son frère.*

répliquer [ʀeplike] v. ▪ conjug. 1. **1.** V. tr. dir. RÉPLIQUER qqch. à qqn : répondre à qqn par une réplique. *Que pouvais-je lui répliquer ? Je lui ai répliqué qu'il mentait.* **2.** V. tr. ind. RÉPLIQUER À : répondre avec vivacité, en s'opposant à. *Répliquer à une critique.* **3.** V. intr. Répondre avec impertinence. *Je te défends de répliquer !* — Riposter. *Il a répliqué par un direct du gauche.* ▶ ② *réplique* n. f. **1.** Réponse vive, marquant une opposition. ⇒ **riposte.** — Objection. *Des arguments sans réplique. Obéissez sans réplique*, sans protestation ni discussion. **2.** Ce qu'un acteur doit dire en réponse aux paroles qui lui sont adressées ; chaque élément du dialogue. *Oublier une réplique.* **3.** Loc. DONNER LA RÉPLIQUE à qqn : lire, réciter un rôle pour permettre à un acteur de dire le sien. — *Se donner la réplique*, se répondre, discuter.

replonger [ʀə(ə)plɔ̃ʒe] v. tr. ▪ conjug. 3. ▪ Plonger de nouveau (qqch.). *Replonger qqch. dans un liquide ; un pays dans l'anarchie.* — Pronominalement (réfl.). *Il s'est replongé dans sa lecture.*

répondant, ante [ʀepɔ̃dɑ̃, ɑ̃t] n. ▪ Personne qui donne une garantie pour qqn. ⇒ **caution, garant.** *Servir de répondant à qqn.* — Fam. *Avoir du répondant*, de l'argent derrière soi.

répondeur [ʀepɔ̃dœʀ] n. m. ▪ Appareil capable de répondre, au moyen d'un enregistrement sur cassette, à un appel téléphonique en cas de non-réponse du destinataire, et d'enregistrer un message du demandeur *(répondeur enregistreur).*

① *répondre* [ʀepɔ̃dʀ] v. tr. dir. et ind. ▪ conjug. 41. **I.** RÉPONDRE À qqn (verbalement ou par écrit) : faire connaître en retour sa pensée (à celui qui s'adresse au sujet). *Répondez-moi par oui ou par non. Répondez-moi franchement. Répondre sèchement, distraitement. Répondre par un sourire.* — (En s'opposant) ⇒ **répliquer, riposter.** *Il répond à son père.* **II.** RÉPONDRE À qqch. **1.** *Répondre à une question, à une lettre.* — (En se défendant) *Répondre à des objections, à des attaques.* **2.** (Suj. chose) Se faire entendre tout de suite après. *Bruit auquel répond l'écho.* — Pronominalement (récipr.). *Les chants des oiseaux se répondent dans la forêt.* **3.** Réagir (à un appel). *Nous avons sonné, personne n'a répondu. Ça ne répond pas* (au téléphone). *Répondre au nom de Jean,* avoir pour nom Jean. **III.** RÉPONDRE qqch. à qqn : dire ou écrire (à celui qui s'adresse à vous). *Et que lui répondrez-vous ? Il ne savait que répondre. « C'est ta faute » répondit-il. Fam. Bien répondu ! Répondre présent à l'appel* (soldat, élève). — RÉPON-DRE QUE (+ indicatif), DE (+ infinitif). ⇒ **dire, rétorquer.** *Je vais lui répondre que je ne peux pas venir. Il m'a répondu de faire ce que je voulais.* ⟨ ▸ répondeur, répons, répondre ⟩

② *répondre* v. tr. ind. ▪ conjug. 41. **I.** RÉPONDRE À. **1.** (Choses) Être en accord avec, conforme à (une chose). ⇒ **correspondre.** *Sa voix répondait à sa physionomie. Cette politique répond à un besoin.* **2.** (Personnes) Réagir par un certain comportement à... *Répondre à la force par la force.* — *Répondre à un salut.* ⇒ **rendre.** *Répondre aux avances de qqn.* **3.** (Choses) Produire les effets attendus, après une stimulation. *L'organisme répond aux excitations extérieures.* — Sans compl. *Des freins qui répondent bien.* **II.** (Personnes) RÉPONDRE DE. **1.** S'engager en faveur de (qqn), envers un tiers. *Je réponds de lui* (⇒ **répondant). 2.** Se porter garant de (qqch.). *Répondre de l'innocence de qqn. Je ne réponds pas des dettes de ma femme. Je ne réponds pas de pouvoir maintenir l'ordre.* **3.** S'engager en affirmant. ⇒ **assurer, garantir.** *Je ne réponds de rien,* je ne vous garantis rien. *Fam. Je vous en réponds* (renforce une affirmation). — *Je vous réponds que ça ne se passera pas comme cela !* ⟨ ▸ répondant ⟩

répons [ʀepɔ̃] n. m. invar. ▪ Chant liturgique exécuté par un soliste et répété par le chœur (en réponse).

réponse [ʀepɔ̃s] n. f. **I. 1.** Action de répondre (verbalement ou par écrit) ; son résultat. *Vous devez me donner, me faire une réponse avant lundi. Obtenir, recevoir une réponse. Notre demande est restée sans réponse. Réponse affirmative* (oui), *négative* (non). *Réponse de Normand,* équivoque (ni oui ni non). *En réponse à votre lettre du 20 mai.* — Loc. AVOIR RÉPONSE À TOUT : avoir de la repartie ; faire face à toutes les situations. **2.** Solution apportée à une question par le raisonnement. *Noter les réponses d'un élève.* **3.** Réfutation qu'on oppose aux attaques, aux critiques de qqn. — DROIT DE RÉPONSE : droit de faire insérer une réponse dans un journal. **II. 1.** Riposte. *Ce sera ma réponse à ses manœuvres.* **2.** Réaction à un appel. *J'ai sonné, mais pas de réponse.* **3.** En sciences. Réaction à une excitation, à une stimulation. *Réponse musculaire.* ⇒ **réflexe.**

report [ʀ(ə)pɔʀ] n. m. **1.** Le fait de reporter, de renvoyer à plus tard. ⇒ **ajournement, renvoi.** *Le report de la date d'ouverture du congrès.* **2.** Le fait de reporter ailleurs, sur un autre document. *Report d'écritures.* — Opération qui consiste à reporter un total en haut d'une nouvelle colonne. *Faire un report. Report à nouveau.*

reportage [ʀ(ə)pɔʀtaʒ] n. m. **1.** Article ou ensemble d'articles où un(e) journaliste relate de manière vivante ce qu'il (elle) a vu et entendu. *Faire un reportage.* — (Par l'image) *Reportage télévisé.* **2.** Le

métier de reporter ; le genre journalistique qui s'y rapporte. *Il a débuté dans le reportage.* ▸ ① *reporter* [ʀ(ə)pɔʀtɛʀ] n. m. ▪ Journaliste spécialisé(e) dans le reportage. *Des reporters photographes. Elle est reporter pour un magazine. Grand reporter.*

② *reporter* [ʀ(ə)pɔʀte] v. tr. ▪ conjug. 1. **I.** Porter (une chose) à l'endroit où elle se trouvait. ⇒ **rapporter.** *Je vais reporter la malle au grenier.* **II.** Porter plus loin ou ailleurs (espace ou temps). **1.** Faire un report (2). *Reporter le solde d'un compte.* **2.** Renvoyer à plus tard. ⇒ **différer, remettre.** *Il a reporté son voyage. La cérémonie a été reportée.* **3.** REPORTER SUR : appliquer à une chose ou à une personne (ce qui revenait à une autre). *J'ai reporté sur lui l'affection que j'avais pour vous. Reporter ses voix sur un autre candidat.* — Miser (un gain sur un nouveau numéro, un nouveau cheval). **4.** SE REPORTER v. pron. réfl. : revenir en esprit (à une époque antérieure). *Il faut se reporter à l'époque pour bien comprendre cette œuvre.* — Se référer (à qqch.). *Se reporter au texte d'une loi.*

repos [ʀ(ə)po] n. m. invar. **1.** Le fait de se reposer, l'état d'une personne qui se repose ; le temps pendant lequel on se repose. *Prendre du repos, un jour de repos. Maison de repos,* clinique où des gens malades, surmenés se reposent. **2.** L'une des positions militaires réglementaires ; commandement ordonnant cette position. *Garde à vous !... Repos !* **3.** Loc. EN REPOS : dans l'inaction. *Ne pas pouvoir rester en repos,* tranquille. — AU REPOS : immobile. *Animal au repos.* **4.** État d'une personne que rien ne vient troubler, déranger. ⇒ **paix, tranquillité.** *Ne pas pouvoir trouver le repos. Laissez-moi en repos.* — DE TOUT REPOS : sûr, assuré. *C'est une situation, une affaire de tout repos. Ce n'est pas de tout repos.* **5.** Moment de calme (dans les événements, la nature, etc.). ⇒ **accalmie, détente, répit. 6.** Littér. *Le repos de la mort.* — Relig. *Le repos éternel,* l'état de béatitude des âmes qui sont au ciel.

① *reposer* [ʀ(ə)poze] v. ▪ conjug. 1. **I.** V. intr. **1.** Littér. Rester immobile ou allongé de manière à délasser. REM. *Se reposer* (III) est plus courant. *Il ne dort pas, il repose.* — (Suj. chose) *Tout reposait dans la ville.* ⇒ **dormir. 2.** Être étendu mort. — Être enterré (à tel endroit). *Ici repose...* ⇒ **ci-gît.** *Qu'il repose en paix !* **3.** REPOSER SUR : être établi sur (un support), être fondé sur. *Statue qui repose sur un piédestal. La tour Eiffel repose sur quatre piliers.* — Abstrait. *Cette affirmation ne repose sur rien.* **4.** *Laisser reposer un liquide,* le laisser immobile afin qu'il se clarifie. *Laisser reposer la pâte,* cesser de la travailler. **II.** V. tr. **1.** Mettre dans une position qui délasse ; appuyer (sur). *Reposer sa tête sur un oreiller, sur l'épaule de qqn.* **2.** Délasser (le corps, l'esprit). *Cette lumière douce repose la vue.* — Sans compl. *Ça repose.* ⇒ **reposant. III.** SE REPOSER v. pron. réfl. **1.** Cesser de se livrer à une activité fatigante. ⇒ se **délasser, se détendre.** *Laissez-moi un peu me reposer.* ⇒ **souffler. 2.** *Laisser (se) reposer la terre,* la laisser en jachère. **3.** SE REPOSER SUR qqn : faire confiance à (une personne), se décharger sur elle d'un travail. ⇒ **compter** sur. *Il se repose entièrement sur moi.* ▸ *reposant, ante* adj. ▪ Qui repose. ⇒ **délassant.** *Des vacances reposantes.* / contr. **fatigant** / ▸ *reposé, ée* adj. **1.** Qui s'est reposé, qui est frais. — *Visage reposé.* **2.** Qui est dans un état de calme, de repos. — Loc. adv. À TÊTE REPOSÉE : à loisir, en prenant le temps de réfléchir. *Prendre une décision à tête reposée.* ▸ *repose-* ▪ Premier élément de composés désignant des objets où l'on peut poser qqch. *Des repose-pied(s). Des repose-tête.* ⟨ ▸ repos, reposoir ⟩

② *reposer* v. tr. ▪ conjug. 1. **1.** Poser de nouveau (ce qu'on a soulevé). *Il reposa à terre la caisse qu'il portait sur les épaules. Il reposa son verre bruyamment.* — *Reposez arme !,* commandement militaire. **2.** Poser de nouveau (ce qu'on a enlevé) ; remettre en place. **3.** Poser de nouveau (une question). — Pronominalement. *Le problème se repose dans les mêmes termes.*

reposoir [ʀ(ə)pozwaʀ] n. m. ▪ Support en forme d'autel sur lequel le prêtre dépose (fait *reposer*) le saint sacrement au cours d'une procession.

① *repousser* [ʀ(ə)puse] v. tr. ▪ conjug. 1. **I. 1.** Pousser (qqn) en arrière, faire reculer loin de soi. ⇒ **écarter, éloigner.** *Il l'a repoussé d'une bourrade contre le mur. Repousser l'ennemi, les attaques.* **2.** Ne pas accueillir, ou accueillir mal. ⇒ **éconduire, rabrouer.** *Repousser qqn avec dédain.* **3.** Pousser (qqch.) en arrière ou en sens contraire. *Repousser les objets qui encombrent la table.* — Pronominalement (récipr.). *Les corps électrisés s'attirent ou se repoussent.* **4.** Refuser d'accepter (qqch.), de céder à (qqn). ⇒ **rejeter.** *Repousser les offres de qqn.* ⇒ **décliner.** **5.** Faire reculer (par un sentiment de répulsion*). *Cette odeur m'a repoussé* (⇒ **repoussant**). **II.** Remettre à plus tard. ⇒ **différer.** *Voulez-vous que nous repoussions le rendez-vous ?* ▶ *repoussant, ante* adj. ▪ Qui inspire la répulsion. ⇒ **dégoûtant, répugnant.** *Il est d'une laideur repoussante, il est repoussant. Il est repoussant de saleté. Un personnage laid, malpropre et repoussant.* ▶ *repoussé* adj. m. ▪ *Cuir, métal repoussé,* travaillé pour y faire apparaître des reliefs. ⟨ ▶ repoussoir ⟩

② *repousser* v. intr. ▪ conjug. 1. ▪ Pousser de nouveau. *Les feuilles repoussent. Laisser repousser sa barbe.*

repoussoir [ʀ(ə)puswaʀ] n. m. ▪ Chose ou personne qui en fait valoir une autre par contraste. *Servir de repoussoir à qqn.* — Fam. *C'est un vrai repoussoir,* se dit d'une personne laide.

répréhensible [ʀepʀeɑ̃sibl] adj. ▪ (Actions) Qui mérite d'être blâmé, repris ②. ⇒ **blâmable, condamnable ;** ② **reprendre.** *Actes, conduites répréhensibles.*

① *reprendre* [ʀ(ə)pʀɑ̃dʀ] v. ▪ conjug. 58. **I.** V. tr. **1.** Prendre de nouveau (ce qu'on a cessé d'avoir ou d'utiliser). *Reprendre ses instruments de travail après la pause. Reprendre ses études. Reprendre sa (la) route. Reprendre courage, confiance.* — Loc. *Reprendre ses esprits.* ⇒ **revenir** à soi. *Reprendre son souffle. Reprendre haleine,* se reposer un instant. — Prendre (qqn, qqch. qu'on avait laissé temporairement quelque part). *Il a repris son vélo et il a filé.* **2.** Prendre à nouveau (ce qu'on avait donné ou perdu). *Reprenez votre livre, je n'en ai plus besoin. Il a repris sa liberté.* — *Reprendre des forces.* **3.** Prendre et rembourser le prix de (ce qui a été vendu). *Cet article ne peut être ni échangé ni repris.* — Racheter d'occasion. *Le garagiste m'a repris ma vieille voiture.* **4.** REPRENDRE DE qqch. : en prendre une seconde fois. *Reprendre d'un plat. Je reprendrai bien du café.* **5.** Prendre de nouveau (qqn qu'on avait abandonné ou laissé échapper). *Le prisonnier évadé a été repris, la police l'a repris.* — Loc. *On ne m'y reprendra plus,* je ne me laisserai plus prendre, tromper. — *Que je ne vous y reprenne pas !* (menace), ne recommencez pas. — (Suj. chose) *Mon rhumatisme m'a repris. Voilà que ça le reprend !* **6.** Recommencer après une interruption. ⇒ se **remettre** à. *Reprendre un travail, la lutte. Reprendre une pièce,* la jouer de nouveau. — (Suj. chose) *La vie reprend son cours.* **7.** Prendre de nouveau la parole pour dire (qqch.). *Il reprit d'une voix sourde... ; « oui », reprit-il.* — Redire, répéter. *Reprendre un refrain en chœur. Reprenons l'histoire depuis le début.* **8.** Remettre la main à (qqch.) pour améliorer. *Reprendre un article,* le corriger, le refaire. ⇒ **remanier.** **9.** Adopter de nouveau en modernisant. *Reprendre un programme.* **II.** V. intr. **1.** Reprendre vie, vigueur (après un temps d'arrêt, de faiblesse). *Le petit a bien repris. Les affaires reprennent.* **2.** Recommencer. *Les cours reprendront à telle date. La pluie reprit de plus belle.* **III.** SE REPRENDRE v. pron. **1.** Rectifier ce qu'on a dit. *Elle a dit une énormité, mais elle s'est vite reprise.* **2.** S'y reprendre à deux fois, à plusieurs fois, recommencer. *On se reprend à espérer,* on se remet à... ⟨ ▶ reprise ⟩

② *reprendre* v. tr. ▪ conjug. 58. ▪ Littér. *Reprendre qqn,* lui faire une observation sur une erreur ou une faute commise. ⇒ **critiquer, réprimander.** *Il s'est souvent fait reprendre.* — *Reprendre qqch.* ⇒ **blâmer, condamner.** *Il n'y a rien à reprendre à sa conduite. Cela mérite d'être repris.* ⇒ **répréhensible.** ⟨ ▶ repris de justice ⟩

représailles [ʀ(ə)pʀezaj] n. f. pl. **1.** Mesures de violence prises par un État pour répondre à un acte jugé illicite d'un autre État. — Loc. *Par, en représailles,* en guise de représailles. **2.** Se dit de toute riposte individuelle à un mauvais procédé. *Exercer des représailles contre qqn.* ⇒ se **venger.**

représenter [ʀ(ə)pʀezɑ̃te] v. tr. ▪ conjug. 1. **I. 1.** Présenter à l'esprit (un objet absent ou une chose abstraite) au moyen d'un autre objet (signe) qui lui correspond. ⇒ **évoquer, exprimer.** *Le glaive représente la guerre.* ⇒ **symboliser.** — (En parlant du signe lui-même) *La monnaie représente la valeur des biens.* **2.** Évoquer par un procédé graphique, plastique. ⇒ **dessiner, figurer, peindre.** *Représenter un objet, un paysage.* — (En parlant de l'image) *Ce tableau représente des ruines.* **3.** Faire apparaître, à l'esprit, par le moyen du langage. ⇒ **décrire, dépeindre.** *Représenter les faits dans toute leur complexité.* **4.** Rendre présent à l'esprit, à la conscience (un objet qui n'est pas perçu directement). *Ce que représente un mot.* — SE REPRÉSENTER qqch. : former dans son esprit (l'image d'une réalité absente), évoquer (une réalité passée). ⇒ **concevoir, s'imaginer.** *Je me représente mal cette situation. Représentez-vous ma surprise.* **5.** Présenter (une chose) à l'esprit par simple association d'idées, être un bon exemple de. ⇒ **évoquer, symboliser.** *Il représente pour moi la société d'avant-guerre. Ce film représente un tournant dans l'histoire du cinéma.* — (Choses équivalentes) ⇒ **constituer.** *L'épargne représente une privation. Cela représente plus d'un million.* **6.** Montrer (une action) à un public par des moyens scéniques. *Troupe qui représente une pièce.* ⇒ **interpréter, jouer.** **7.** V. intr. Littér. Donner à autrui une impression d'importance par son maintien, son comportement social. ⇒ en **imposer.** *Elle représente bien.* ⇒ **présenter** bien. **II.** V. tr. **1.** Tenir la place de (qqn), agir en son nom, en vertu d'un droit, d'une charge qu'on a reçu(e). *Le ministre s'était fait représenter.* **2.** Être représentant de. *Il représente diverses compagnies d'assurances.* **III. 1.** Présenter (I, 2) de nouveau. *Le parti représente le même candidat.* **2.** SE REPRÉSENTER v. pron. *Se représenter à un examen.* — (Choses) *Si l'occasion se représente.* ▶ *représentant, ante* n. **I. 1.** Personne qui représente qqn et agit en son nom. ⇒ **agent, délégué, mandataire.** *La mission d'un représentant, d'une représentante.* **2.** Personne désignée par un groupe, une société, etc., pour agir en son nom. *Le représentant d'un syndicat.* — Personne élue par le peuple pour le représenter. ⇒ **député.** **3.** Personne désignée pour représenter un État, un gouvernement, auprès d'un autre (⇒ **ambassadeur, consul...**). *Le représentant de la France a fait valoir que...* **4.** Personne qui représente une ou plusieurs maisons de commerce. ⇒ **voyageur** de commerce ; **V.R.P.** *Il est* représentant de commerce. *Une représentante en pharmacie.* **II.** Personne, animal, chose que l'on considère comme type (d'une classe, d'une catégorie). *L'un des meilleurs représentants de l'école expressionniste.* ▶ **représentatif, ive** adj. **1.** Qui représente, rend sensible (qqch. d'autre). *Emblème représentatif d'une idée.* **2.** Qui concerne, assure la représentation du peuple, d'un groupe... par des élus. *Assemblée représentative. Le système représentatif.* ⇒ **parlementaire. 3.** Propre à représenter (une classe, un ensemble de personnes), qui représente bien. ⇒ **typique.** *Un garçon représentatif de la jeune génération.* ▶ **représentativité** n. f. ■ Didact. Caractère représentatif (2, 3). ▶ **représentation** n. f. **I. 1.** Le fait de rendre sensible (un objet absent ou un concept) au moyen d'une image, d'un signe, etc. — Action de représenter (la réalité extérieure) dans les arts plastiques ; l'image, le signe qui représente. *Une représentation réaliste, stylisée...* **2.** En psychologie. Processus par lequel une image est présentée aux sens. ⇒ **perception. 3.** Le fait de représenter une pièce en public. ⇒ **spectacle.** *Donner des représentations. Première représentation après la répétition générale.* ⇒ **première. II.** Train de vie auquel certaines personnes sont tenues, en raison de leur situation. *Allocation pour frais de représentation.* **III. 1.** Le fait de représenter (le peuple, la nation), dans l'exercice du pouvoir. ⇒ **délégation, mandat.** — Ceux qui représentent le peuple. ⇒ **représentant(s).** *La représentation nationale.* **2.** Métier de représentant de commerce. *Faire de la représentation.*

répression [Represjɔ̃] n. f. **1.** Action de réprimer. ⇒ **châtiment, punition.** *La répression d'un crime, des agressions.* **2.** Le fait d'arrêter par la violence un mouvement de révolte collectif. *Police, troupes chargées de la répression.* ▶ **répressif, ive** adj. ■ Qui réprime, sert à réprimer. *Loi répressive.*

réprimande [Reprimɑ̃d] n. f. ■ Blâme adressé avec sévérité (à un inférieur). ⇒ **observation, remontrance, reproche.** *Faire une réprimande à un élève.* ▶ **réprimander** v. tr. ▪ conjug. 1. ■ Faire des réprimandes à (qqn). ⇒ **blâmer.** *Le maître le réprimanda sévèrement.*

réprimer [Reprime] v. tr. ▪ conjug. 1. **1.** Empêcher (un sentiment, une tendance) de se développer, de s'exprimer. ⇒ **contenir, refréner.** *Réprimer sa colère, son envie.* **2.** Empêcher (une chose dangereuse pour la société) de se manifester, de se développer. ⇒ **châtier, punir.** *Réprimer des abus. La révolte a été durement réprimée. Réprimer une insurrection.* ⟨ ▶ irrépressible, répression, réprimande ⟩

repris, ise Part. passé du v. *reprendre.*

repris de justice [R(ə)pridʒystis] n. m. invar. ■ Individu qui a été précédemment l'objet d'une ou de plusieurs condamnations pour infraction à la loi pénale. ⇒ **récidiviste.** *Des repris de justice.*

① **reprise** [R(ə)priz] n. f. **I. 1.** Action de prendre (ce qu'on avait laissé, donné...). **2.** Action de faire de nouveau après une interruption ; résultat de cette action. *La reprise des hostilités. La reprise des coups.* — *Reprise d'une pièce de théâtre,* le fait de la jouer de nouveau. — Loc. *À deux, trois..., plusieurs, maintes* REPRISES. ⇒ **fois. 3.** Chaque partie (d'une action qui se déroule en plusieurs fois : leçon d'équitation, assaut d'escrime, match de boxe...). *Combat en trois reprises.* ⇒ **round. 4.** (Automobile, moteur) Accélération après un ralentissement. *Ta voiture a de bonnes reprises.* **5.** Objets mobiliers rachetés ou somme d'argent équivalente versée pour succéder au locataire d'un appartement. *Payer une grosse reprise.* **II.** Le fait de prendre un nouvel essor après un moment de crise. *La reprise des affaires.*

② **reprise** n. f. ■ Raccommodage d'un tissu dont on cherche à reconstituer le tissage. *Faire des reprises à un pantalon.* ▶ **repriser** v. tr. ▪ conjug. 1. ■ Raccommoder en faisant une ou plusieurs reprises. *Repriser des chaussettes.* — Au p. p. *Des chaussettes toutes reprisées.* — Sans compl. *Aiguille à repriser.*

réprobation [Reprobasjɔ̃] n. f. ■ Désapprobation vive, sévère ; fait d'être réprouvé*. ⇒ **condamnation.** *Encourir la réprobation de ses amis.* ▶ **réprobateur, trice** adj. ■ Qui exprime la réprobation. *Ton, regard réprobateur.*

reprocher [R(ə)prɔʃe] v. tr. ▪ conjug. 1. ■ *Reprocher qqch. à qqn,* blâmer qqn pour une chose dont on le tient pour coupable ou responsable. *On lui reproche sa désinvolture. Je ne vous reproche rien,* se dit pour atténuer une observation qui pourrait passer pour un reproche. — (Avec *de* + infinitif) *Elle lui reproche de s'être laissé impressionner, d'avoir laissé passer l'occasion.* — SE REPROCHER *qqch.* : se considérer comme responsable de qqch. *Il n'a rien à se reprocher. Je me reproche d'avoir manqué de courage.* — (Avec un compl. de chose) *Ce que je reproche à cette théorie, c'est sa banalité.* ▶ **reproche** n. m. **1.** Blâme, formule pour inspirer la honte ou le regret. ⇒ **remontrance, réprimande ; observation, remarque.** *Faire des reproches à qqn. Il nous a adressé de vifs reproches. Accabler (qqn) de reproches.* — SANS REPROCHE : à qui on ne peut adresser de reproches. ⇒ **irréprochable.** *Une vie sans reproche. Le chevalier sans peur et sans reproche,* surnom de Bayard. — Loc. adv. Sans prétendre faire de reproches. *Soit dit sans reproche.* **2.** Littér. *Être un vivant reproche (pour qqn),* se dit d'une chose, d'une personne qui a l'air de reprocher à qqn sa conduite. ⟨ ▶ irréprochable ⟩

reproduire [R(ə)prɔdɥir] v. tr. ▪ conjug. 38. **I. 1.** Répéter, rendre fidèlement (qqch.). ⇒ **imiter, représenter.** *Un récit qui reproduit la réalité. Ce portrait ne reproduit pas l'impression que fait l'original.* **2.** Faire qu'une chose déjà produite paraisse de nouveau ; faire exister, par un procédé technique approprié, des choses semblables à (un modèle). ⇒ **copier.** *Reproduire un dessin, un texte à des milliers d'exemplaires.* **3.** Constituer une image de. *Les objets qui reproduisent un modèle.* **II.** SE REPRODUIRE v. pron. réfl. **1.** Produire des êtres vivants semblables à soi-même, par la génération. ⇒ se **multiplier, proliférer.** *Les insectes se reproduisent très rapidement.* **2.** Se produire de nouveau. ⇒ **recommencer.** *Veillez à ce que cela ne se reproduise plus.* ▶ **reproducteur, trice** adj. ■ Qui sert à la reproduction (animale, végétale). *Organes reproducteurs.* ▶ **reproduction** [R(ə)prɔdyksjɔ̃] n. f. **I.** Fonction par laquelle les êtres vivants se reproduisent ; action de se reproduire. *Reproduction asexuée, sexuée.* **II. 1.** Action de reproduire fidèlement (une chose existante) ; ce qui est ainsi produit. *La reproduction de l'image, du son. La reproduction de documents par la photocopie. Procédés de reproduction.* — Image obtenue à partir d'un original. *Une excellente reproduction.* **2.** Nouvelle publication (d'un texte). *La reproduction d'un article dans un recueil.* — Copie (d'un écrit, d'un objet). *Reproduction interdite.*

réprouver [Repruve] v. tr. ▪ conjug. 1. **1.** Rejeter en condamnant (qqch., qqn). ⇒ **blâmer, désapprouver.** *Action de réprouver.* ⇒ **réprobation.** — / contr. **approuver** / *Ceux que la société réprouve.* — *Réprouver l'attitude de qqn.* **2.** Rejeter et destiner aux peines éternelles. ⇒ **maudire.** ▶ **réprouvé, ée** n. ■ Personne rejetée par la société. *Vivre en réprouvé.* — Personne rejetée par Dieu. ⇒ **damné.**

reps [Reps] n. m. invar. ■ Tissu d'ameublement en grosse toile.

reptation [ʀɛptɑsjɔ̃] n. f. ■ (Animaux, reptiles...) Action de ramper.

reptile [ʀɛptil] n. m. **1.** UN REPTILE : un serpent (qui rampe ⇒ **reptation**). **2.** N. m. pl. LES REPTILES : classe d'animaux vertébrés, à peau couverte d'écailles (serpents, lézards, tortues...). *Les reptiles actuels sont des représentants d'un groupe d'animaux plus important (reptiles fossiles de l'ère secondaire, dinosaures, etc.).*

repu, ue [ʀəpy] adj. (⇒ **repaître**) ■ Qui a mangé à satiété. ⇒ **gavé, rassasié.** *Les fauves repus s'endormirent.*

républicain, aine [ʀepyblikɛ̃, ɛn] adj. et n. **1.** Qui est partisan de la république. *Un journal républicain interdit dans une dictature.* — N. *Des républicains convaincus.* **2.** Relatif à une république ; de la république. *Constitution républicaine.*

république [ʀepyblik] n. f. ■ Forme de gouvernement où le chef de l'État ⇒ **président** n'est pas seul à détenir le pouvoir qui n'est pas héréditaire. *République démocratique, populaire, socialiste.* — Fam. *On est en république !,* se dit pour protester contre une interdiction, une contrainte. — LA RÉPUBLIQUE FRANÇAISE : le régime politique français actuel (*V*ᵉ *République*), la France sous ce régime. — *La république fédérale d'Allemagne (R.F.A.). La République démocratique allemande (R.D.A.). La république populaire de Chine.* — État qui est gouverné par une république. *L'Union des républiques socialistes soviétiques* (U.R.S.S.).

répudier [ʀepydje] v. tr. . conjug. 7. **1.** Dans certaines civilisations. Renvoyer (sa femme) en rompant le mariage selon les formes fixées par la loi et de manière unilatérale. **2.** Littér. Rejeter, renoncer (un sentiment, une idée, etc.). *Répudier ses engagements.* ⇒ **renier.** ▶ **répudiation** n. f. ■ *La répudiation d'une épouse.*

répugner [ʀepyɲe] v. tr. . conjug. 1. **I.** V. tr. ind. RÉPUGNER À. **1.** Littér. Éprouver de la répugnance pour (qqch.). *Il ne répugnait pas à cette perspective, à admettre cette perspective.* **2.** Inspirer de la répugnance à (qqn) ; faire horreur. *Cette nourriture lui répugne.* ⇒ **dégoûter.** *Ce type me répugne !* **II.** V. tr. dir. Rare. Dégoûter, rebuter (qqn). *La puanteur répugnait tout le monde.* ▶ **répugnance** n. f. **1.** Vive sensation d'écœurement que provoque une chose dont on ne peut supporter la vue, l'odeur, le contact. ⇒ **répulsion.** *Il a une véritable répugnance pour le lait.* **2.** Abstrait. Vif sentiment de mépris, de dégoût qui fait qu'on évite (qqn, qqch.). ⇒ **horreur.** *Avoir une grande répugnance pour le mensonge.* — Manque d'enthousiasme ou difficulté psychologique (à faire qqch.). *Éprouver une invincible répugnance à faire, à dire qqch.* ▶ **répugnant, ante** adj. **1.** Qui inspire de la répugnance physique. ⇒ **dégoûtant, écœurant, repoussant.** *Une maison d'une saleté répugnante. Une laideur répugnante. Il fait un travail répugnant.* **2.** (Au moral) Abject, ignoble. *Un individu répugnant.*

répulsion [ʀepylsjɔ̃] n. f. ■ Répugnance* physique ou morale à l'égard d'une chose ou d'un être qu'on repousse. ⇒ **dégoût, écœurement.** *Elle éprouve une répulsion irrésistible à l'égard des, pour les serpents.*

réputer [ʀepyte] v. tr. . conjug. 1. **1.** Littér. (+ attribut) Tenir pour, considérer comme. *On le répute excellent nageur.* **2.** (ÊTRE) RÉPUTÉ, ÉE : avoir la réputation de, passer pour. *Des terres réputées incultes.* — (Avec *pour* et le v. *être*) *Il est réputé pour être intelligent,* on le dit intelligent. ▶ **réputation** n. f. **1.** Le fait d'être honorablement connu du point de vue moral. *Nuire à la réputation de qqn. Perdre*

qqn de réputation, le, la déshonorer. — *La réputation d'une femme,* son honneur. **2.** Le fait d'être connu, célèbre. ⇒ **renommée** (plus fort). *Il doit soutenir sa réputation. La réputation d'une entreprise. Son dernier livre consacra sa réputation.* ⇒ **renom. 3.** Le fait d'être connu (honorablement ou fâcheusement). *Avoir bonne, mauvaise réputation. Connaître qqn de réputation,* pour en avoir entendu parler (et ne pas le connaître personnellement). **4.** RÉPUTATION DE : fait d'être considéré comme..., de passer pour... *Une réputation d'homme d'esprit. On lui fait une réputation de tricheur.* ▶ **réputé, ée** adj. ■ Qui jouit d'une grande réputation. ⇒ **célèbre, connu, fameux.** *Un vin réputé.* — *Réputé pour,* bien connu en raison de. *Une ville réputée pour ses musées.*

requérir [ʀəkeʀiʀ] v. tr. . conjug. 21. **1.** Littér. Demander, solliciter (une chose abstraite). *Requérir l'aide de qqn.* **2.** En droit. Réclamer au nom de la loi (⇒ **réquisitoire**). *Le procureur requiert la peine de mort pour l'accusé.* **3.** Littér. (Suj. chose) Demander, réclamer. *Ce travail requiert toute notre attention. La vendange requiert tous les bras.* ▶ **requête** n. f. **1.** Littér. Demande instante, verbale ou écrite. ⇒ **prière.** *Présenter, adresser une requête à qqn. Requête pour obtenir une faveur.* — *À, sur la requête de,* à la demande de. **2.** En droit. Demande écrite présentée sous certaines formes juridiques. *Requête en cassation, soumise à la Chambre des requêtes. Citations faites à la requête du ministère public.* ▶ **requis, ise** adj. et n. m. **1.** Demandé, exigé comme nécessaire. ⇒ **prescrit.** *Satisfaire aux conditions requises. Avoir tout juste l'âge requis.* **2.** N. m. Civil mobilisé pour un travail, par réquisition. *Les requis du travail obligatoire* (pendant l'Occupation). ‹ ▶ **réquisition, réquisitoire** ›

requiem [ʀekɥijɛm] n. m. invar. **1.** Prière, chant pour les morts, dans la liturgie catholique. *Messe de requiem,* pour le repos de l'âme d'un mort. **2.** Partie de la messe des morts mise en musique. *Les requiem de Mozart, Verdi, Fauré, Brahms.*

requin [ʀ(ə)kɛ̃] n. m. **1.** Poisson du type squale, de grande taille, très fort et très vorace. *Les requins sont dangereux, sur notre côte.* **2.** Personne cupide et impitoyable en affaires. *Les requins de la finance.*

requinquer [ʀ(ə)kɛ̃ke] v. tr. . conjug. 1. ■ Fam. Redonner des forces, de l'entrain. *Ce petit vin me requinque.* ⇒ **remonter.** — SE REQUINQUER v. pron. réfl. : reprendre des forces, retrouver sa forme. *Elle s'est bien requinquée.*

réquisition [ʀekizisjɔ̃] n. f. ■ Opération par laquelle l'Administration exige qu'une personne ou un bien soit mis à sa disposition pour une cause publique. *En temps de guerre, l'État peut faire la réquisition de véhicules.* ▶ **réquisitionner** v. tr. . conjug. 1. **1.** Se procurer (une chose) par voie de réquisition. *Les autorités ont réquisitionné des locaux pour les réfugiés.* **2.** Utiliser par réquisition les services de (une personne). *Le gouvernement a réquisitionné les mineurs en grève.* — Fam. Utiliser d'autorité (une personne). *Je vous réquisitionne tous pour m'aider.*

réquisitoire [ʀekizitwaʀ] n. m. **1.** Le fait, pour le représentant du ministère public, de développer une accusation contre qqn, de requérir*(2). *Le procureur a prononcé un violent réquisitoire.* **2.** Discours, écrit contenant de violentes attaques. *Un réquisitoire contre le racisme, la violence.*

rescapé, ée [ʀɛskape] n. ■ Personne qui est réchappée d'un accident, d'un sinistre. *Les rescapés d'un naufrage.*

à la rescousse [alaʀɛskus] loc. adv. ■ (Avec des verbes comme *appeler, venir...*) Au secours, à l'aide.

Il appela son grand frère à la rescousse. Des renforts sont venus à la rescousse.

réseau [rezo] n. m. **1.** Ensemble de lignes, de bandes, de fils, etc., entrelacés plus ou moins régulièrement. *Le réseau des mailles d'un filet. Réseau de veines apparentes sous la peau.* **2.** Ensemble de voies de communication, conducteurs électriques, etc., qui desservent une même unité géographique, dépendent de la même compagnie. *Un réseau ferroviaire, routier. Le réseau téléphonique.* **3.** Répartition des éléments d'une organisation en différents points ; ces éléments. *Réseau commercial. Réseau de télévision* (stations émettrices et relais). — Organisation clandestine formée par un certain nombre de personnes obéissant aux mêmes directives. *Organiser un réseau d'espionnage, de résistance.* **4.** Littér. Ce qui retient, serre comme un filet. *Un réseau d'habitudes.*

résection [reseksjɔ̃] n. f. ■ Opération chirurgicale qui consiste à couper, enlever (à *réséquer* [reseke] v. tr. ■ conjug. 6.) une partie d'organe ou de tissu. *La résection de portions du côlon.*

réséda [rezeda] n. m. ■ Plante aux fleurs odorantes disposées en grappes. *Des résédas.*

réservation [rezervasjɔ̃] n. f. ■ Le fait de réserver une place, une chambre..., sans faire de location ferme.

① **réserve** [rezerv] n. f. **I.** Le fait de garder pour l'avenir. **1.** *Faire, émettre des réserves* (sur une opinion, un projet...), ne pas donner son approbation pleine et entière. *Les savants ont fait de sérieuses réserves sur cette prétendue découverte.* — Loc. SOUS TOUTES RÉSERVES : sans garantie. *Nouvelle donnée sous toutes réserves.* — SOUS RÉSERVE DE : en réservant (un recours), en mettant à part (une éventualité). *J'accepte sous réserve de vérification.* **2.** SANS RÉSERVE loc. adv. et adj. : sans restriction, sans réticence. *Il lui est dévoué sans réserve. Une admiration sans réserve.* **II.** **1.** Quantité accumulée pour en disposer au moment le plus opportun. ⇒ **provision.** *Avoir des réserves de vivres, d'argent. Les réserves de graisse de l'organisme. Certains oiseaux se constituent des réserves alimentaires en cachant des graines sous terre.* — Quantité non encore exploitée (d'une substance minérale). *Les réserves mondiales de pétrole.* **2.** Loc. *Avoir, mettre, tenir qqch.* EN RÉSERVE. ⇒ de **côté.** — DE RÉSERVE : qui constitue une réserve. *Vivres de réserve.* **3.** *Les* RÉSERVES : troupe qu'on garde disponible pour la faire intervenir au moment voulu. — LA RÉSERVE (opposé à *l'armée active*) : portion des forces militaires d'un pays qui n'est pas maintenue sous les drapeaux mais peut y être rappelée. ⇒ **réserviste.** *Officiers de réserve.* **III.** **1.** Territoire choisi pour la protection de la flore et de la faune. *Réserve zoologique.* **2.** En Amérique du Nord. Territoire réservé aux Indiens et soumis à un régime spécial. *Visiter une réserve indienne.* **3.** Local (d'une bibliothèque, d'un musée...) où l'on garde à part certains objets.

② **réserve** n. f. ■ Qualité qui consiste à se garder de tout excès dans les propos, les jugements. ⇒ **circonspection, discrétion.** *Garder une certaine réserve.* Loc. — *Se tenir sur la réserve,* garder une attitude réservée. — (Conduite) ⇒ **décence, retenue.** *Sa conduite manque de réserve.* ► ① *réservé, ée* adj. ■ (Personnes) Qui fait preuve de réserve. ⇒ **discret, prudent.** *Un homme réservé. Garder une attitude réservée. Il est très réservé dans ses jugements.*

réserver [rezerve] v. tr. ■ conjug. 1. **1.** Destiner exclusivement ou spécialement (à une personne ou un groupe). *On vous a réservé ce bureau.* **2.** S'abstenir d'utiliser immédiatement (qqch.), en vue d'une

occasion plus favorable. ⇒ **garder.** *Réserver le meilleur pour la fin. Réserver son jugement, son pronostic,* le remettre à plus tard. — *Réserver l'avenir,* faire en sorte de garder sa liberté d'action pour l'avenir. — SE RÉSERVER DE (+ infinitif) : conserver pour l'avenir le droit ou la possibilité de (faire qqch.). *Il se réserve de prendre les dispositions qui s'imposent.* (Voir aussi 5.) **3.** Mettre de côté (une marchandise, une place, pour la tenir à la disposition de qqn). *Pouvez-vous me réserver deux mètres de cette étoffe ?* — Faire mettre à part (ce qu'on veut trouver disponible). *Il est prudent de réserver ses places dans le train.* ⇒ **louer.** *Avez-vous pensé à réserver une table au restaurant ?* ⇒ **retenir. 4.** Destiner (qqch. à qqn) ; causer (un effet pour, chez qqn). *Le sort, l'accueil qui nous est réservé. Cette soirée me réservait bien des surprises.* **5.** SE RÉSERVER v. pron. réfl. : s'abstenir d'agir, de s'engager, de manière à conserver toutes possibilités pour plus tard. *Je me réserve le droit d'intervenir dans cette affaire. Je préfère me réserver pour une meilleure occasion.* ⇒ **attendre.** ► ② *réservé, ée* p. p. adj. **1.** Qui a été attribué à qqn exclusivement. *Droits de traduction réservés pour tous pays.* **2.** Dont l'usage, l'accès est destiné exclusivement à qqn. *Rue réservée aux piétons.* **3.** Qui a été retenu. *Avoir une place réservée dans le train, une table réservée au restaurant.* ‹ ► réservation, ① réserve, réservoir ›

réserviste [rezervist] n. m. ■ Militaire de l'armée de réserve. *Rappel de réservistes.*

réservoir [rezervwar] n. m. **1.** Cavité où un liquide peut s'accumuler, être gardé en réserve. *Réservoir d'eau.* ⇒ **citerne.** *Réservoir d'essence* (d'une voiture). **2.** Endroit contenant en réserve (un grand nombre de personnes, de choses). *Ce pays est un inépuisable réservoir d'hommes.*

résider [rezide] v. intr. ■ conjug. 1. **1.** (Personnes) Être établi d'une manière habituelle dans un lieu ; y avoir sa résidence. ⇒ **demeurer.** *Il réside actuellement en province.* **2.** (Choses abstraites) Avoir son siège, son principe. ⇒ **consister.** *La difficulté réside en ceci.* ► *résidence* n. f. **1.** Le fait de demeurer habituellement en un lieu ; ce lieu. ⇒ **demeure, habitation.** *Changer de résidence.* — Lieu où une personne habite effectivement durant un certain temps. *Certificat de résidence. Résidence principale,* le lieu d'habitation. *Résidence secondaire,* maison de campagne, de vacances. **2.** Lieu construit, généralement luxueux, où l'on réside. *Une somptueuse résidence.* — Groupe d'immeubles résidentiels assez luxueux. *La résidence X.* **3.** En droit. Séjour obligatoire. *Être assigné à résidence. Résidence surveillée.* ► *résident, ente* n. **1.** Personne établie dans un autre pays que son pays d'origine. ⇒ **étranger.** *Les résidents espagnols en France. Les travailleurs étrangers permanents sont des résidents.* **2.** Habitant d'une résidence. *Les résidents d'une cité universitaire.* ► *résidentiel, ielle* adj. ■ Propre à l'habitation, à la résidence (en parlant des beaux quartiers). *Immeubles, quartiers résidentiels.*

résidu [rezidy] n. m. **1.** Péj. Reste peu utilisable, sans valeur. ⇒ **déchet, détritus.** *Il y a quelques résidus de bois dans la remise.* **2.** Ce qui reste après une opération physique ou chimique. *Utilisation des résidus par l'industrie.* ► *résiduel, elle* adj. ■ Qui forme un reste, un résidu. *Argiles résiduelles résultant de la décalcification des craies.*

① **se résigner** [rezine] v. pron. réfl. ■ conjug. 1. ■ SE RÉSIGNER (À) : accepter sans protester (une chose pénible mais inévitable). *Je ne peux me résigner à son départ, à la voir partir.* — Sans compl. Adopter une attitude d'acceptation ; se soumettre. ⇒ **s'incliner.** *Il faut se résigner, c'est la vie !* ► *résigné, ée* adj. ■ Qui accepte avec résignation, est empreint d'une soumission sans protestation. *Il est résigné* (à son sort). *Un courage résigné.* — N. *Des résignés.* / contr. révolté / ▶ *résignation* n. f. ■ Le fait d'accepter sans protester (la volonté d'un supérieur, de Dieu, le sort) ; tendance à se soumettre, à subir sans réagir. ⇒ **soumission**. *Tout supporter avec résignation. Une résignation passive, courageuse.* ⟨ ▶ ② résigner ⟩

② ***résigner*** v. tr. ▪ conjug. 1. ■ Littér. Abandonner (une fonction). ⇒ se **démettre**. *Résigner sa place, son emploi.*

résilier [Rezilje] v. tr. ▪ conjug. 7. ■ Dissoudre (un contrat) soit par l'accord des parties, soit par la volonté d'un seul. *Résilier un bail, un marché.* ▶ *résiliation* n. f. ■ *La résiliation d'un contrat.*

résille [Rezij] n. f. ■ Tissu de mailles formant une poche dans laquelle on enserre les cheveux. ⇒ **filet**. — En appos. Invar. *Des bas résille,* dont le dessin forme une sorte de grille (de réseau*) imitant celui de cette poche.

résine [Rezin] n. f. 1. ▪ Produit collant et visqueux qui suinte de certains végétaux, notamment des conifères. *Résine du pin. On obtient les résines par incision de l'écorce des arbres qui les produisent.* 2. ▪ Se dit de nombreuses matières plastiques. *Résines synthétiques. Dent artificielle en résine.* ▶ *résineux, euse* adj. et n. m. 1. ▪ Qui produit de la résine, contient de la résine (1). *Arbres, bois résineux.* — N. m. plur. *Les résineux,* les plantes qui produisent de la résine. ⇒ **conifère**. *Les pins sont des résineux.* 2. ▪ Propre à la résine (1). *Odeur résineuse.*

résister [Reziste] v. tr. ind. ▪ conjug. 1. — RÉSISTER À. I. Valeur passive. 1. ▪ (Choses) Ne pas céder, ne pas s'altérer sous l'effet de. *Quelques arbres ont résisté à la tempête. Des couleurs qui résistent au lavage.* 2. ▪ (Êtres vivants) Ne pas être détruit, altéré (par ce qui menace l'organisme). *Résister à la fatigue, à la maladie.* ⇒ **supporter**. — Supporter sans faiblir (ce qui est moralement pénible). *Elle a résisté à ce malheur.* 3. ▪ (Choses abstraites) Se maintenir, survivre. *L'amour ne résiste pas à l'habitude. L'argument ne résiste pas à l'examen.* II. Valeur active. 1. ▪ Faire effort contre l'usage de la force. *Il résista aux agents qui tentaient de l'empoigner.* ⇒ se **débattre**. — Sans compl. *Ne résistez pas !* — S'opposer (à une attaque armée). ⇒ se **défendre**. *Résister à des assauts répétés.* 2. ▪ S'opposer (à ce qui contrarie les désirs, menace la liberté). ⇒ **lutter** contre. *Résister à l'oppression.* ⇒ se **révolter**. *Personne n'ose lui résister.* 3. ▪ Repousser les sollicitations de (qqn). *Elle n'a pas su lui résister. Personne ne lui résiste.* ⇒ **irrésistible**. 4. ▪ S'opposer (à ce qui plaît, tente...). *Résister à une passion, à une tentation. Je n'ai pas pu résister à l'envie de venir.* ▶ *résistance* n. f. I. ▪ (Phénomène physique) 1. ▪ Fait de résister, d'opposer une force à (une autre) ; cette force. *Résistance d'un corps au choc. La résistance de l'air.* — Capacité d'annuler ou de diminuer l'effet d'une force. *Résistance mécanique.* RÉSISTANCE DES MATÉRIAUX : leur comportement face à des forces, des contraintes ; étude de ce comportement. 2. ▪ *Résistance électrique,* quotient de la puissance perdue dans un circuit sous forme de chaleur par le carré de l'intensité du courant. *La résistance est mesurée en ohms.* — *Une résistance,* un conducteur qui dégage une puissance thermique déterminée. *Les résistances d'un fer à repasser.* 3. ▪ Qualité (d'un être vivant) qui résiste (à des épreuves, des fatigues). ⇒ **force, solidité**. *Manquer de résistance, n'avoir aucune résistance. La résistance au froid, à la chaleur des espèces animales.* 4. ▪ PLAT DE RÉSISTANCE (dont on ne vient pas à bout aisément) : plat principal d'un repas. II. ▪ (Action humaine) 1. ▪ Action par laquelle on essaie de rendre

sans effet (une action dirigée contre soi). *La résistance à l'oppression. Il n'opposa aucune résistance. Résistance passive,* refus d'obéir (sans action). — Ce qui s'oppose à notre volonté. ⇒ **difficulté, obstacle**. *Se heurter à une forte résistance. Venir à bout d'une résistance.* 2. ▪ Action de s'opposer à une attaque par les moyens de la guerre. *Organiser la résistance. Faire de la résistance.* — (Avec une majuscule) *La Résistance,* l'opposition de certains Français à l'action de l'occupant allemand pendant la Seconde Guerre mondiale, l'organisation qui s'ensuivit. *En 1941, le général de Gaulle fut reconnu comme le chef de la Résistance.* ▶ *résistant, ante* adj. et n. 1. ▪ Qui résiste à une force contraire ; qui résiste à l'effort, à l'usure. *Un tissu très résistant.* ⇒ **solide**. / contr. **fragile** / 2. ▪ (Êtres vivants) Endurant, robuste. *Elle est très résistante.* 3. ▪ *Un résistant, une résistante,* patriote qui appartenait à la Résistance (II, 2), à un mouvement de résistance. *Les résistants refusaient la défaite et l'occupation.* ⟨ ▶ irrésistible ⟩

résolu, ue [Rezɔly] adj. ■ Qui sait prendre une résolution ① et s'y tenir. ⇒ **décidé, déterminé**. / contr. **irrésolu** / *Le directeur est un homme résolu.* ▶ *résolument* adv. ■ D'une manière résolue. ⇒ **énergiquement**. *S'opposer résolument à une décision.* ⟨ ▶ irrésolu ⟩

① ***résolution*** [Rezɔlysjɔ̃] n. f. I. 1. ▪ Décision volontaire arrêtée après délibération. *Prendre la résolution de...* ⇒ **décider**. *Bonnes résolutions,* résolutions de bien faire, de se corriger. *Ma résolution est prise.* 2. ▪ Comportement d'une personne résolue. ⇒ **détermination, énergie, fermeté**. *Elle resta inébranlable dans sa résolution.* II. ▪ Solution (d'une difficulté, d'un problème). *La résolution d'une équation.*

② ***résolution*** n. f. ■ Didact. Transformation physique d'une substance qui se résout ② . *Résolution de l'eau en vapeur.*

résonner [Rezɔne] v. intr. ▪ conjug. 1. ≠ raisonner. 1. ▪ Produire un son accompagné de résonances. *Cloche qui résonne. Des pas résonnaient sur la chaussée.* 2. ▪ (Sons, voix) Retentir en s'accompagnant de résonances. 3. ▪ S'emplir d'échos, de résonances. *La rue résonnait de cris d'enfants.* ▶ *résonance* n. f. — REM. S'écrit avec un seul *n.* 1. ▪ Prolongement ou amplification des sons, des vibrations ; augmentation d'amplitude. *Caisse de résonance.* — Propriété d'un lieu où ce phénomène se produit. *La résonance d'une voûte.* 2. ▪ Littér. Effet de ce qui se répercute dans l'esprit. ⇒ **écho**. *Ce thème éveillait en moi des résonances profondes.* ▶ *résonateur* n. m. — REM. S'écrit avec un seul *n.* ■ Appareil où peut se produire un phénomène de résonance.

résorber [Rezɔrbe] v. tr. ▪ conjug. 1. 1. ▪ Faire disparaître (dans la circulation sanguine, lymphatique). — Pronominalement. Disparaître par résorption. *Hématome qui se résorbe lentement.* 2. ▪ Faire disparaître par une action interne. *Résorber un déficit.* — Pronominalement. *Les excédents se sont résorbés.* ▶ *résorption* [Rezɔrpsjɔ̃] n. f. 1. ▪ Disparition (d'un produit pathologique repris par la circulation sanguine ou lymphatique). *Résorption d'un abcès.* 2. ▪ Suppression (d'un phénomène nuisible). *La résorption du chômage.*

① ***résoudre*** [Rezudr] v. tr. ▪ conjug. 51. — REM. Part. passé *résolu, ue.* I. ▪ Découvrir la solution de. *Résoudre un problème, une équation, une énigme, une difficulté.* ⇒ ① **résolution**. *Qu'on ne peut résoudre.* ⇒ **insoluble**. II. 1. ▪ Déterminer (qqn) à prendre une résolution. *Il faut le résoudre à abandonner.* — (Surtout au passif) (ÊTRE) RÉSOLU(E) À : être fermement décidé(e) à. *Il est résolu à partir. Je suis bien résolue à ce qu'on la laisse entrer. Il est résolu* *à tout*, prêt à prendre tous les risques. **2.** Décider (qqch. à exécuter). *Je ferai ce que j'ai résolu. J'ai résolu de voyager.* **3.** Pronominalement (réfl.). SE RÉSOUDRE À (+ infinitif) : se décider à. *Il ne peut pas se résoudre à y renoncer.* ⟨▶ résolu, ① résolution ⟩

② *résoudre* v. tr. ▪ conjug. 51. — REM. Part. passé *résous, oute.* ▪ Transformer en ses éléments. — (Surtout pronominalement) *Brouillard qui se résout en pluie.* ⇒ ② **résolution.**

respect [ʀɛspɛ] n. m. **1.** Sentiment qui porte à accorder à qqn de la considération en raison de sa supériorité, son âge, etc. ⇒ **déférence.** / contr. **irrespect** / *Inspirer le respect* (⇒ **respectable**). *Témoigner du respect à qqn*, être respectueux. *J'ai beaucoup de respect pour lui. Manquer de respect à, envers, à l'égard de qqn*, ne pas le traiter avec le respect qu'on lui doit. *Le respect de soi-même.* ⇒ **dignité, honneur.** *Marques de respect.* ⇒ **politesse.** — Loc. SAUF VOTRE RESPECT, *sauf le respect que je vous dois* : se dit pour s'excuser d'une parole trop libre, un peu choquante. **2.** Sentiment de vénération (dû au sacré, à Dieu...). ⇒ **culte, piété.** *Le respect pour les morts, dû aux morts.* **3.** Au plur. Témoignage de respect (formule de politesse). *Présenter ses respects à qqn.* **4.** Considération que l'on porte à une chose jugée bonne, avec le souci de ne pas l'enfreindre. *Le respect de la parole donnée.* **5.** RESPECT HUMAIN [ʀɛspɛymɛ̃] : crainte du jugement des hommes, qui conduit à se garder de certains actes. **6.** *Tenir qqn en respect*, dans une soumission forcée (en montrant sa force, une arme, en menaçant...). ⟨▶ irrespect, respecter, respectueux ⟩

respecter [ʀɛspɛkte] v. tr. ▪ conjug. 1. **1.** Considérer avec respect. ⇒ **honorer, vénérer.** *Respecter ses parents. Un chef qui sait se faire respecter.* — *Respecter certaines valeurs.* — Au p. p. adj. *Un nom respecté.* **2.** Ne pas porter atteinte à. ⇒ **observer.** *Respecter les convenances. Respecter le sommeil de ses voisins*, ne pas le troubler. **3.** SE RESPECTER v. pron. réfl. : agir de manière à conserver l'estime de soi-même. — Fam. QUI SE RESPECTE : digne de ce nom. *Un ouvrier qui se respecte n'acceptera jamais ces conditions de travail.* ▶ *respectable* adj. **I.** Qui est digne de respect. *Un homme respectable.* ⇒ **estimable, honorable.** *Vos scrupules sont respectables.* **II.** (Quantité) Assez important, digne de considération. *Une somme respectable.* ▶ *respectabilité* n. f. ▪ État d'une personne respectable, socialement respectée. *Il a le souci de sa respectabilité.*

respectif, ive [ʀɛspɛktif, iv] adj. ▪ Qui concerne chaque chose, chaque personne (parmi plusieurs). *Les droits respectifs des époux.* — *La position respective des astres*, de chaque astre par rapport aux autres. ▶ *respectivement* adv. ▪ Chacun en ce qui le concerne. *Deux enfants âgés respectivement de six et (de) quatre ans.*

respectueux, euse [ʀɛspɛktɥø, øz] adj. **1.** Qui éprouve ou témoigne du respect, de la déférence. / contr. **irrespectueux** / *Ils sont respectueux envers leurs parents.* **2.** Qui marque du respect. *Ton respectueux.* — (Formule de politesse) *Veuillez agréer mes sentiments respectueux.* — Loc. *Rester à une distance respectueuse*, à une distance assez grande. **3.** RESPECTUEUX DE : soucieux de ne pas porter atteinte à. *Être respectueux des usages.* ▶ *respectueusement* adv. ▪ Avec respect. *Il s'est adressé respectueusement au vieux maître.*

respirer [ʀɛspiʀe] v. ▪ conjug. 1. **I.** V. intr. **1.** Absorber l'air dans la cage thoracique, puis l'en rejeter. ⇒ **aspirer, inspirer, expirer.** *Respirer par le nez, par la bouche. Respirer avec difficulté.* ⇒ **haleter.** — Exercer la fonction de la respiration (II). *Les*

plantes respirent. **2.** (Personnes) Avoir un moment de calme, de répit, éprouver une sensation de soulagement. ⇒ **souffler.** *Laissez-moi respirer ! Ouf ! on respire !*, on se sent mieux. **II.** V. tr. Aspirer, attirer par les voies respiratoires. *Respirer le grand air. On lui fit respirer de l'éther.* ⇒ **renifler.** — Sans compl. *Respirer profondément.* **III.** V. tr. Avoir un air de, dégager une impression de. *Il respire la santé. Son visage respire l'intelligence.* ▶ *respirable* adj. ▪ Qu'on peut respirer (surtout en emploi négatif : *peu respirable, pas respirable*). / contr. **irrespirable** / ▶ *respiration* n. f. **I.** **1.** Le fait de respirer. *Respiration difficile, haletante, essoufflée. Respiration bruyante. Retenir sa respiration.* **2.** *Respiration artificielle*, ensemble de manœuvres pratiquées pour rétablir les fonctions respiratoires, chez les asphyxiés. **II.** Fonction biologique, absorption d'oxygène, rejet de gaz carbonique et d'eau. *Respiration pulmonaire. Respiration interne* (des cellules vivantes ou des tissus). — Fonction chlorophyllienne des végétaux. ▶ *respiratoire* adj. **1.** Qui permet la respiration. *Appareil respiratoire. Les voies respiratoires* (bronches, larynx, poumons, etc.). **2.** De la respiration. *Les échanges respiratoires des plantes.* ⟨▶ irrespirable ⟩

resplendir [ʀɛsplɑ̃diʀ] v. intr. ▪ conjug. 2. ▪ Littér. Briller d'un vif éclat (⇒ **splendeur**). ▶ *resplendissant, ante* adj. ▪ Qui resplendit. ⇒ **éclatant.** *Un beau soleil, resplendissant. Église resplendissante d'or.* — *Visage resplendissant de bonheur.* ⇒ **rayonnant.** *Vous avez une mine resplendissante* (de santé).

responsable [ʀɛspɔ̃sabl] adj. **1.** Qui a des responsabilités, doit répondre de ses actes. *Les experts jugeront si l'accusé est responsable. Être responsable de qqn*, de sa vie, de sa conduite. *Être tenu pour responsable de qqch. Rendre qqn responsable de qqch.*, le considérer comme responsable. **2.** Qui est la cause volontaire et consciente (de qqch.). — N. Fam. ⇒ **auteur, coupable.** *Qui est le responsable de cette plaisanterie ?* **3.** Qui doit rendre compte de sa politique. *Le gouvernement est responsable devant le Parlement, en France.* **4.** Chargé de, en tant que chef qui prend les décisions. *Le ministre responsable de la Défense nationale.* — N. *Un, une responsable*, dans une organisation, un dirigeant. *Les responsables syndicaux.* **5.** Absolt. Raisonnable, réfléchi, sérieux. *Soyez responsable. Attitude responsable.* ▶ *responsabilité* n. f. **1.** Obligation de réparer le dommage que l'on a causé par sa faute, dans certains cas déterminés par la loi. *La responsabilité de l'employeur dans les accidents du travail.* **2.** Obligation morale de réparer une faute, ou de remplir un devoir, d'assumer les conséquences de ses actes. *Avoir de lourdes responsabilités. Accepter, assumer une responsabilité. Prendre la responsabilité de qqch.*, accepter d'en être tenu pour responsable. *Prendre ses responsabilités*, agir, décider en acceptant toutes les conséquences. *Décliner toute responsabilité.* **3.** Situation d'une autorité politiquement responsable. *Le Premier ministre a engagé la responsabilité du gouvernement.* ⟨▶ irresponsable ⟩

resquiller [ʀɛskije] v. ▪ conjug. 1. **1.** V. intr. Spectacles, transports. Entrer sans payer. — Obtenir une chose sans y avoir droit, sans rien débourser. **2.** V. tr. Obtenir (qqch.) sans y avoir droit. *Il a resquillé sa place.* ▶ *resquille* n. f. ▪ Action de resquiller. *C'est de la resquille.* ▶ *resquilleur, euse* adj. et n. ▪ Qui resquille, a l'habitude de resquiller. *Les resquilleurs du métro.*

ressac [ʀəsak] n. m. ▪ Retour violent des vagues sur elles-mêmes, après un choc, lorsqu'elles ont frappé un obstacle.

se ressaisir [ʀ(ə)seziʀ] v. pron. réfl. ▪ conjug. 2.

■ Rentrer en possession de son calme, redevenir maître de soi. *Un instant affolé, il n'a pas tardé à se ressaisir.* — Se rendre de nouveau maître de la situation par une attitude plus ferme. *Le boxeur s'est ressaisi au quatrième round.*

ressasser [ʀ(ə)sase] v. tr. ▪ conjug. 1. **1.** Revenir sur (les mêmes choses), faire repasser dans son esprit. ⇒ **remâcher.** *Il ressasse ses difficultés, ses mécontentements.* **2.** Répéter de façon lassante. ⇒ **rabâcher.** *Ressasser les mêmes plaisanteries.* — Au p. p. adj. *Des histoires ressassées.*

ressaut [ʀ(ə)so] n. m. ▪ Saillie, petite avancée.

ressayer ⇒ **réessayer.**

ressembler [ʀ(ə)sɑ̃ble] v. tr. ind. ▪ conjug. 1. **I.** (Personnes) **1.** (Au physique) Avoir de la ressemblance, des traits communs (avec qqn). *Un enfant qui ressemble à sa mère.* — Fam. *Dis-moi à quoi il ressemble,* comment il est au physique. — Pronominalement (récipr.). *Ils se ressemblent.* *Ils se ressemblent comme deux gouttes d'eau.* **2.** (Au moral) *Elle ressemble plus à son père qu'à sa mère.* ⇒ **tenir** de. *Il lui ressemble, en plus cinglé !* — V. pron. récipr. PROV. *Qui se ressemble s'assemble,* les personnes qui ont des traits de caractère communs sont attirées les unes vers les autres. **II.** (Choses) **1.** Avoir de la ressemblance, un aspect semblable... *Une roche blanche qui ressemble à du marbre. Votre question ressemble étrangement à un défi. Ressembler vaguement, un peu à...* — Loc. *Cela ne ressemble à rien,* c'est très original. Péj. C'est informe. *Je vous demande un peu à quoi ça ressemble !* (même sens). — V. pron. récipr. *Toutes les maisons de ce quartier se ressemblent.* PROV. *Les jours se suivent et ne se ressemblent pas,* une situation change d'un jour à l'autre (en bien ou en mal). **2.** Être conforme au caractère de (qqn), digne de (qqn). *Cela lui ressemble tout à fait,* c'est bien de lui, d'elle. *Cela ne lui ressemble pas,* il, elle n'a pas l'habitude de se comporter ainsi. ▶ **ressemblance** n. f. **1.** Rapport entre des objets présentant des éléments identiques, semblables, en nombre suffisant. ⇒ **similitude.** / contr. **différence** / *La ressemblance de deux objets, entre deux objets, d'un objet avec un autre.* — Au plur. Traits communs. *Ils ont des ressemblances.* **2.** (Personnes) Similitude de traits physiques (surtout ceux du visage) ou de traits de caractère. *Il y a une ressemblance frappante entre la mère et la fille.* **3.** Rapport entre la chose et son modèle. *Ce portraitiste cherche la ressemblance.* ▶ **ressemblant, ante** adj. ▪ Qui a de la ressemblance avec son modèle. *Un portrait très ressemblant.* — Fam. *Il est très ressemblant* (sur une photo, une caricature...), on le reconnaît bien (→ C'est bien lui).

ressemeler [ʀ(ə)səmle] v. tr. ▪ conjug. 4. ▪ Garnir de semelles neuves. *Faire ressemeler ses chaussures chez le cordonnier.* ▶ **ressemelage** n. m. ▪ Combien coûte le ressemelage ? Un ressemelage solide.

ressentiment [ʀ(ə)sɑ̃timɑ̃] n. m. ▪ Le fait de se souvenir des torts qu'on a subis avec le désir de se venger (comme on les ressentait, ou les « sentait » encore). ⇒ **rancœur, rancune.** *Éprouver, garder du ressentiment de qqch., contre qqn. Il garde un profond ressentiment des torts qu'on lui a faits.*

ressentir [ʀ(ə)sɑ̃tiʀ] v. tr. ▪ conjug. 16. **I. 1.** Littér. Éprouver vivement l'effet de... *Ressentir une injure, une privation.* **2.** Être pleinement conscient de (un état affectif qu'on éprouve). *Ressentir de la sympathie, de la colère pour, à l'égard de qqn.* — Éprouver (une douleur). **II.** SE RESSENTIR DE v. pron. réfl. **1.** Subir l'influence de. *Son travail se ressent de son humeur.* **2.** Continuer à éprouver les effets (d'une maladie,

d'un mal). *Se ressentir d'une chute, d'une opération. Le pays se ressent de la guerre.* ⟨▶ ressentiment⟩

resserre [ʀ(ə)sɛʀ] n. f. ▪ Endroit où l'on range certaines choses. ⇒ **remise.** *Ranger du bois, des outils dans une resserre.*

resserrer [ʀ(ə)seʀe] v. tr. ▪ conjug. 1. **1.** Diminuer le volume, la surface de (qqch.), en rapprochant les éléments. ⇒ **contracter.** *Lotion astringente qui resserre les pores. Les badauds resserraient le cercle autour du camelot.* **2.** Rapprocher de nouveau ou davantage (des parties disjointes, les éléments d'un lien) ; serrer* davantage. / contr. **desserrer** / *Resserrer un nœud, un boulon.* — *Ce malheur a resserré leurs liens,* les a unis davantage. **3.** SE RESSERRER v. pron. réfl. : se rapprocher de plus en plus. *L'étau se resserre. Leurs relations se sont resserrées.* ▶ **resserrement** [ʀ(ə)sɛʀmɑ̃] n. m. ▪ *Le resserrement des liens. Resserrement d'une amitié.*

resservir [ʀ(ə)sɛʀviʀ] v. ▪ conjug. 14. **1.** V. tr. Servir de nouveau (un plat). — Fam. *Ce sont les mêmes boniments qu'il nous ressert depuis dix ans !* **2.** V. intr. Être encore utilisable. *Cela peut resservir.*

① **ressort** [ʀ(ə)sɔʀ] n. m. **1.** Pièce d'un mécanisme qui utilise les propriétés élastiques de certains corps pour produire un mouvement. *Tendre un ressort. Ressort à boudins, à lames. Ressort d'une montre, d'un jouet mécanique. Ressorts de sommier. Matelas à ressorts. Ressorts de suspension d'une voiture.* **2.** Littér. Énergie, force (généralement occulte) qui fait agir. *Les ressorts cachés de nos actes.* **3.** Loc. *Avoir du ressort,* une grande capacité de résistance morale ou de réaction. *Un être sans aucun ressort.*

② **ressort** n. m. **1.** Loc. EN DERNIER RESSORT : sans qu'on puisse faire appel à une juridiction supérieure. — En définitive, finalement. *En dernier ressort, il l'a emporté.* **2.** Loc. DU RESSORT DE : de la compétence, du domaine de... *Cette affaire est du ressort de la cour d'appel.* ⇒ ② **ressortir.** *Cela n'est pas de mon ressort.* ⟨▶ ② ressortir⟩

① **ressortir** [ʀ(ə)sɔʀtiʀ] v. intr. ▪ conjug. 16. **I.** V. tr. (Auxiliaire *avoir*) Mettre de nouveau hors d'un endroit (où qqch. était rangé). *Il a ressorti ses vieux disques.* **II.** V. intr. (Auxiliaire *être*, comme *sortir*) **1.** Sortir à nouveau (d'un lieu) ; sortir peu après être entré. — (Personnes) *Il ressortait de chez lui.* — (Choses) *La balle est ressortie par le cou.* **2.** Paraître avec plus de relief, être saillant. ⇒ se **détacher.** — Paraître nettement, par contraste. *La couleur ressort mieux sur ce fond. Faire ressortir qqch.,* mettre en évidence, en valeur. *Cette coiffure fait ressortir la finesse de ses traits.* **3.** Apparaître comme conséquence. ⇒ **résulter.** *Il ressortait, il est ressorti de nos échanges de vues que nous étions d'accord sur les objectifs.*

② **ressortir** v. tr. ind. ▪ conjug. 2. — RESSORTIR À. **1.** En droit. Être du ressort ②, de la compétence de (une juridiction). *Ce procès ressortissait à une autre juridiction.* **2.** Littér. Être naturellement relatif à. ⇒ **dépendre, relever** de. *Tout ce qui ressortit au théâtre.* ▶ **ressortissant, ante** n. ▪ Personne qui, dans un pays étranger, relève des représentants d'un autre pays.

ressource [ʀ(ə)suʀs] n. f. **I.** UNE RESSOURCE : ce qui peut améliorer une situation fâcheuse. ⇒ **expédient, recours.** *Je n'ai d'autre ressource que de partir.* SANS RESSOURCE : sans remède. *Cette situation apparaît sans ressource.* **II.** DES RESSOURCES. **1.** Moyens matériels d'existence. ⇒ **argent, fortune, richesse(s).** *Ses ressources sont modestes. Être sans ressources.* ⇒ **pauvre.** *Les ressources de l'État.* **2.** Moyens (en hommes, en matériel, en réserves d'énergie...) dont dispose ou peut disposer une collectivité. *Les ressources naturelles d'un pays, ses ressources minières, pétrolières...* **3.** Moyens intellectuels et possibilités d'action qui en découlent. *Il a dû faire appel à toutes les ressources de son talent.* — Loc. *Un homme de ressources,* habile, apte à trouver des expédients en toute circonstance. — Au sing. *Il a de la ressource,* il n'a pas épuisé ses moyens. *Avec lui, il y a de la ressource.* — *Les ressources d'un art, d'une technique,* ses possibilités. *Les ressources d'une langue,* les moyens d'expression qu'elle fournit à l'utilisateur.

se **ressouvenir** [ʀ(ə)suvniʀ] v. pron. réfl. ∎ conjug. 22. ■ Littér. Se souvenir (d'une chose très ancienne ou que l'on a momentanément oubliée). *Elle s'est ressouvenue de cet épisode.*

ressusciter [ʀesysite] v. ∎ conjug. 1. **I.** V. intr. **1.** Être de nouveau vivant. ⇒ **résurrection.** — Au p. p. adj. *Le Christ ressuscité.* **2.** Revenir à la vie normale, après une grave maladie. — Reprendre vie, manifester une vie nouvelle. *Pays qui ressuscite après une catastrophe.* ⇒ se **relever. II.** V. tr. **1.** Ramener de la mort à la vie. *Ressusciter les morts. Le Christ a ressuscité Lazare, selon l'Évangile.* **2.** (Suj. chose) Guérir d'une grave maladie, sortir d'un état de mort apparente. *Ce traitement l'a ressuscité.* **3.** Faire revivre en esprit, par le souvenir. *Ressusciter les héros du passé.* — Faire renaître. *Ressusciter un art, une mode.*

① **restant** [ʀɛstɑ̃] n. m. ■ Reste (d'une somme, d'une quantité). *Je vous paierai le restant dans un mois.*

② **restant, ante** adj. **1.** (Après un nom précédé d'un numéral) Qui reste, qui est encore disponible. *Les cent francs restants. La seule personne restante.* **2.** POSTE RESTANTE. ⇒ **poste.**

restaurant [ʀɛstɔʀɑ̃] n. m. ■ Établissement où l'on sert des repas moyennant paiement. ⇒ **auberge, hôtel.** *Aller au restaurant. Un bon restaurant. Café-restaurant.* ⇒ **bistrot, brasserie ;** anglic. **snack-bar.** *Restaurant libre-service.* ⇒ anglic. **self.** — Abrév. fam. *restau, resto* [ʀɛsto]. ▶ ① **restaurateur, trice** n. ■ Personne qui tient un restaurant. ⇒ **hôtelier.** ▶ ① **restauration** n. f. ■ Métier de restaurateur. — *Restauration rapide.* ⇒ anglic. **fast-food.** ‹ ▶ wagon-restaurant ›

① **restaurer** [ʀɛstɔʀe] v. tr. ∎ conjug. 1. **1.** Littér. Rétablir en son état ancien ou en sa forme première (des choses abstraites). *Restaurer la liberté, la paix.* ⇒ **ramener. 2.** Réparer (des objets d'art ou des monuments anciens) en respectant l'état primitif, le style. *Restaurer une cathédrale, une statue, une fresque. Restaurer un vieux quartier.* ⇒ **réhabiliter.** ▶ ② **restaurateur, trice** n. ■ Spécialiste de la restauration des œuvres d'art. ⇒ ② **restauration** n. f. **1.** Action de restaurer (une dynastie, un régime). — Sans compl. (Avec une majuscule) *La Restauration,* celle des Bourbons, après la chute du premier Empire (1814-1830). **2.** Action de restaurer (une œuvre d'art, un monument). *Restauration d'une mosaïque romaine.*

② **se restaurer** v. pron. ∎ conjug. 1. ■ Reprendre des forces en mangeant. ⇒ se **sustenter.** ‹ ▶ restaurant ›

reste [ʀɛst] n. m. **I.** LE RESTE DE... : ce qui reste de (un tout dont une ou plusieurs parties ont été retranchées). **1.** (D'un objet ou d'une quantité mesurable) *Le reste d'une somme d'argent.* ⇒ **reliquat,** ① **restant, solde.** *Mettez le reste du lait dans un pot.* — Loc. *Partir* SANS DEMANDER SON RESTE : sans insister, comme qqn qui a son compte (de reproches,

d'ennuis, etc.). **2.** (D'un espace de temps) *Le reste de sa vie.* — Loc. adv. LE RESTE DU TEMPS : aux autres moments, dans les autres occasions. **3.** (D'une pluralité d'êtres ou de choses) *Vivre isolé du reste des hommes, du monde.* — REM. Lorsque *le reste de* est suivi d'un nom au pluriel, le verbe s'accorde au sing. ou parfois au plur. *Le reste des figurants se mettra,* ou *se mettront à genoux. Le reste (des gens) se casa où il put.* **4.** (D'une chose non mesurable) *Le reste de l'ouvrage. Laissez-moi faire le reste.* **5.** Absolt. LE RESTE : tout ce qui n'est pas la chose précédemment mentionnée. *Ne t'occupe pas du reste. Pour le reste, quant au reste.* — (En fin d'énumération) *Et le reste, et ce qui s'ensuit.* ⇒ **et cætera. II.** Loc. adv. DE RESTE : plus qu'il n'en faut. *Avoir de l'argent, du temps de reste,* en avoir à perdre et les prodiguer inutilement. — EN RESTE. *Être, demeurer en reste,* être le débiteur, l'obligé (de qqn). — AU RESTE littér., DU RESTE : quant au reste, quant à ce qui n'est pas mentionné (s'emploie quand on ajoute qqch. qui a un rapport avec ce qui a été dit). ⇒ d'**ailleurs,** au **surplus.** *Elle vivait, du reste, très simplement.* **III.** UN, DES RESTES : élément(s) restant (en plus ou moins grand nombre) d'un tout qui a disparu. **1.** Concret. *Les restes d'une vieille cité, d'une fortune, d'un repas...* ⇒ **débris, vestige.** *Un reste de beurre,* un peu de beurre qui reste. Absolt. *Utilisation des restes en cuisine.* **2.** Littér. *Les restes de qqn,* son cadavre. **3.** Abstrait. *C'est un reste de l'ancien langage. Aucun reste d'espoir.* — Loc. *Avoir de beaux restes,* des restes de beauté (en parlant d'une femme). **4.** Péj. *Les restes de qqn, ses restes,* ce qu'il a négligé, méprisé. *Il n'a eu que vos restes !* **5.** Dans un calcul. Élément restant d'une quantité, après soustraction ⇒ **différence** ou après division. *Onze divisé par trois laisse un reste de deux.*

rester [ʀɛste] v. intr. ∎ conjug. 1. **I.** Continuer d'être dans un lieu. ⇒ **demeurer. 1.** (Suj. personne) *Il est resté à Paris. Nous sommes restés là plus d'une heure. Rester au lit, à table. Rester auprès de qqn.* — Loc. fam. *Il a failli y rester,* mourir. *Rester en chemin,* fam. *en plan,* ne pas aller jusqu'au bout. — Sans compl. (Opposé à *partir, s'en aller*) *Je resterai (pour) garder la maison. Restez donc dîner avec nous.* **2.** (Suj. chose) *La voiture est restée au garage. L'arête est restée en travers de sa gorge.* — Loc. *Cela me reste sur l'estomac,* je ne peux le digérer. *Cela m'est resté sur le cœur,* j'en garde du ressentiment. *Cela doit rester entre nous* (d'un secret, d'une chose confiée). **II.** Continuer d'être (dans une position, une situation, un état). *Rester debout, sans bouger. Rester en place, en fonction. Elle resta un moment sans parler. La voiture est restée en panne sur la route. Rester dans l'ignorance.* ⇒ **croupir.** — RESTER À (+ infinitif) : en passant son temps à. *Elle resta seule à attendre. Cela reste à prouver.* — (+ attribut) *Elle est restée coincée dans l'ascenseur. Rester immobile. Le magasin restera ouvert en août.* — Impers. *Il reste entendu que...* **III.** Subsister à travers le temps. *C'est une œuvre qui restera.* ⇒ **durer.** PROV. *Les paroles s'envolent, les écrits restent.* **IV.** RESTER À qqn : continuer d'être, d'appartenir à qqn. *L'avantage est resté à nos troupes. Ce nom lui est resté longtemps.* — Impers. *Il me reste du pain.* **V.** EN RESTER À : s'arrêter, être arrêté à (un moment d'une action, d'une évolution). *Où en es-tu resté de ta lecture ? Dans cette région, les gens en sont restés aux lampes à pétrole.* — EN RESTER LÀ : ne pas aller plus loin, ne pas continuer. ⇒ s'en **tenir** là. *Inutile de poursuivre, restons-en là.* — RESTER SUR : conserver. *Rester sur sa faim.* ⇒ **faim.** — *Rester sur une impression,* avoir encore cette impression. **VI.** Vieilli ou région. Habiter. *Il reste en banlieue.* **VII.** (En parlant d'éléments d'un tout) **1.** Être encore présent (après élimination des autres éléments). ⇒ **subsister.** *Rien ne reste de cette œuvre. Le seul bien* *qui me reste.* — Impers. *Il en reste un fond de bouteille. Il nous reste encore de quoi vivre.* **2.** RESTER À (+ infinitif). *Une trentaine de mille francs restaient à payer,* étaient encore à payer. *Le plus dur reste à faire.* — Impers. *Il reste beaucoup à faire. Le temps qu'il me reste à vivre. Il ne me reste plus qu'à vous remercier,* je dois encore vous remercier (formule de remerciement). *Il reste à savoir si..., reste à savoir si... Reste à trouver la meilleure solution.* **3.** IL RESTE QUE, IL N'EN RESTE PAS MOINS QUE (+ indicatif) : il n'en est pas moins vrai que... ⇒ **toujours** est-il que. *Il n'en reste pas moins que tu as été imprudent.* ⟨▶ ① restant, ② restant, reste ⟩

restituer [ʀɛstitɥe] v. tr. ■ conjug. 1. **1.** Rendre à qqn (une chose dérobée ou retenue indûment). *Le receleur dut restituer les objets volés.* **2.** Reconstituer à l'aide de fragments subsistants, de documents, etc. *Restituer un texte altéré, une inscription.* **3.** Libérer (ce qui a été absorbé, accumulé). *Énergie restituée par un système mécanique.* ▶ **restitution** n. f. ■ *La restitution d'un monument disparu.*

resto ⇒ **restaurant.**

restreindre [ʀɛstʀɛ̃dʀ] v. tr. ■ conjug. 52. **1.** Rendre plus petit, ramener à des limites plus étroites. ⇒ **diminuer, limiter, réduire.** / contr. **accroître, étendre** / *Restreindre ses dépenses, ses ambitions.* **2.** SE RESTREINDRE v. pron. : devenir plus petit, moins étendu. *Le champ de nos recherches se restreint.* — *Se restreindre dans ses dépenses.* — Sans compl. *Il va falloir se restreindre.* ▶ **restreint, einte** adj. **1.** Étroit ; limité. *Auditoire, personnel restreint.* **2.** RESTREINT À : limité à. *Modernisation restreinte à un secteur de l'économie.*

restriction [ʀɛstʀiksjɔ̃] n. f. **1.** Ce qui restreint le développement, la portée de qqch. *Il faut apporter des restrictions à ce principe.* — *Faire des restrictions,* faire des réserves, des critiques. — SANS RESTRICTION loc. adv. : entièrement ; sans réserve. *Je l'admire, sans restriction.* — *Restriction mentale,* acte mental par lequel on donne à sa phrase un sens différent de celui que l'interlocuteur va vraisemblablement lui donner, afin de l'induire en erreur. ⇒ **équivoque. 2.** Action de restreindre ; fait de devenir moindre, moins étendu. ⇒ **limitation.** *Restriction des naissances.* **3.** Au plur. Mesures propres à réduire la consommation en période de pénurie ; privations qui en résultent. ⇒ **rationnement.** *Les restrictions en temps de guerre.* ▶ **restrictif, ive** [ʀɛstʀiktif, iv] adj. ■ Qui restreint, qui apporte une restriction. ⇒ **limitatif.** *Clause, condition restrictive. Expression restrictive* (ex. : *ne... que...*).

resucée [ʀ(ə)syse] n. f. Fam. — REM. Ne prend qu'un seul *s.* **1.** Nouvelle quantité (d'une chose qu'on boit). *Encore une petite resucée ?* **2.** Reprise (d'un sujet déjà traité). *Son livre est une resucée de ses dernières conférences.*

résultat [ʀezylta] n. m. **1.** Tout ce qui arrive et qui est produit par une cause. ⇒ **conséquence, effet.** *Cela a eu un résultat heureux, désastreux. Avoir pour résultat,* produire, causer. Fam. *Elle a sauté par la fenêtre ; résultat, elle s'est foulé la cheville.* **2.** Ce que produit une activité consciente dirigée vers une fin ; cette fin. *Le résultat d'une expérience. Arriver à un bon résultat.* ⇒ **réussite, succès.** — Au plur. Réalisations concrètes. *Exiger, obtenir des résultats.* **3.** Solution (d'un problème). — Ce qui sort d'une opération mathématique. *Le résultat d'une division.* **4.** Au plur. L'admission ou l'échec à un examen ; la liste de ceux qui ont réussi. *Affichage, proclamation des résultats.* — Issue (d'une compétition). *Les résultats d'une élection. Résultats d'un match, des courses.* ▶ **résulter** v. intr. ■ conjug. 1. — REM. Ne s'emploie qu'à

l'infinitif, au part. prés. et aux 3es pers. du sing. et du plur. — RÉSULTER DE. **1.** Être le résultat de. ⇒ **découler, naître, provenir.** *Fatigue qui résulte du surmenage. Je ne sais ce qui en résultera.* **2.** Impers. ; avec *que* + indicatif. *Il résulte de ceci que, il en est résulté que...* ⇒ ① **ressortir.** ▶ **résultante** n. f. ■ Conséquence, résultat de plusieurs facteurs (surtout quand il s'agit de forces, d'actions complexes). *La résultante de deux vecteurs.*

résumer [ʀezyme] v. tr. ■ conjug. 1. **1.** Rendre en moins de mots. ⇒ **abréger.** *Résumer un discours, la pensée d'un auteur.* — Présenter brièvement. *Je vais essayer de résumer la situation.* **2.** SE RÉSUMER v. pron. réfl. : reprendre en peu de mots ou abréger ce qu'on a dit. *Pour nous résumer...* — (Passif) Se manifester par un seul caractère. *Sa vie se résume à son travail. En lui se résume toute une époque.* ▶ **résumé** n. m. **1.** Abrégé, condensé. *Faire le résumé d'un livre. Un résumé succinct. Le résumé des nouvelles.* — Ouvrage succinct, aide-mémoire. **2.** EN RÉSUMÉ loc. adv. : en peu de mots. ⇒ en **bref.** *En résumé, tout le travail est à refaire.* — À tout prendre, somme toute. *En résumé, il est assez satisfait.*

résurgence [ʀezyʀʒɑ̃s] n. f. **1.** Didact. Eaux souterraines qui ressortent à la surface. *Résurgences qui se forment au pied d'un plateau calcaire.* — Fig. Fait de réapparaître, de surgir de nouveau. *La résurgence d'une doctrine.*

resurgir [ʀ(ə)syʀʒiʀ] v. intr. ■ conjug. 2. ■ Surgir, apparaître brusquement, de nouveau.

résurrection [ʀezyʀɛksjɔ̃] n. f. **1.** Retour de la mort à la vie (⇒ **ressusciter**). *La résurrection du Christ.* Absolt. *Le mystère de la Résurrection.* — *La résurrection de la chair, des corps* (au jugement dernier). **2.** Retour quasi miraculeux à la vie, guérison surprenante. — Fait de ressusciter (le passé). *L'histoire conçue comme résurrection du passé.*

retable [ʀətabl] n. m. ■ Partie postérieure et décorée d'un autel, qui surmonte verticalement la table ; la peinture qui la décore. *Un retable du Moyen Âge en bois sculpté.*

rétablir [ʀetabliʀ] v. tr. ■ conjug. 2. **I. 1.** Établir de nouveau (ce qui a été oublié, altéré). *Rétablir un texte dans son intégralité.* ⇒ **restituer.** *Rétablir les faits, la vérité.* **2.** RÉTABLIR qqn, qqch. DANS : remettre en une situation, un état (ce qui n'y était plus). *On l'a rétabli dans son emploi, dans ses droits.* **3.** Faire exister ou fonctionner de nouveau. *Rétablir des communications, le courant. Le contact est rétabli. Rétablir l'ordre.* ⇒ **ramener. II.** Remettre (qqn) en bonne santé. *Ce traitement le rétablira en peu de temps.* **III.** SE RÉTABLIR v. pron. **1.** Se produire de nouveau. ⇒ **revenir.** *Le silence se rétablit.* **2.** Guérir, se remettre. *Malade qui se rétablit.* **3.** Faire un rétablissement (3). *Se rétablir sur la barre.* ▶ **rétabli, ie** adj. ■ *Sa santé est maintenant rétablie.* — (Personnes) *Il est tout à fait rétabli.* ▶ **rétablissement** n. m. **1.** Action de rétablir (ce qui était altéré, interrompu, compromis...). *Le rétablissement des relations diplomatiques entre deux pays.* **2.** Retour à la santé. ⇒ **guérison.** *Je fais des vœux pour votre prompt rétablissement.* **3.** Mouvement de gymnastique qui consiste, pour une personne suspendue par les mains, à se hisser par la force des bras jusqu'à ce qu'elle se retrouve les bras à la verticale, les mains en bas et en appui. — Abstrait. *Opérer un rétablissement,* retrouver l'équilibre après une crise.

① **rétamer** [ʀetame] v. tr. ■ conjug. 1. ■ Étamer de nouveau (un ustensile). *Faire rétamer des casseroles.* — Au p. p. adj. *Une casserole mal rétamée.*

▶ *rétamage* n. m. ▶ *rétameur, euse* n. ■ Artisan qui rétame les ustensiles.

② *rétamer* v. tr. ▪ conjug. 1. **Fam. 1.** Enivrer, épuiser. *Vous m'avez rétamé !* **2.** Démolir, esquinter. — Dépouiller au jeu. *Ils m'ont rétamé !* ▶ *rétamé, ée* adj. **Fam. 1.** Épuisé. *Je me sens complètement rétamé.* — Ivre. *Il était complètement rétamé.* **2.** Démoli, hors d'usage. *Ma voiture est complètement rétamée.*

retape [ʀ(ə)tap] n. f. ■ **Fam.** Racolage.

retaper [ʀ(ə)tape] v. tr. ▪ conjug. 1. **1.** Remettre dans sa forme. *Retaper un lit,* taper, défroisser la literie. **2.** Réparer, arranger sommairement. *Retaper une vieille maison.* **3. Fam.** *Se retaper,* se rétablir, retrouver ses forces. *Il a bien besoin de se retaper !* ⟨ ▶ retape ⟩

retard [ʀ(ə)taʀ] n. m. **1.** Le fait d'arriver trop tard, après le moment fixé, attendu. / contr. **avance** / *Le retard d'un train. Arriver, être* EN RETARD *à un rendez-vous* (⇒ **retardataire**). *Se mettre en retard.* — Temps écoulé entre le moment où une personne, une chose arrive et le moment où elle aurait dû arriver. *Un retard d'une heure, de dix minutes. Avoir du retard, une heure de retard.* **2.** Le fait d'agir trop tard, de n'avoir pas encore fait ce qu'on aurait dû faire. *Retard dans un paiement. J'ai du courrier en retard.* — EN RETARD SUR *qqn, qqch.* : plus lent que. *Je suis en retard sur lui.* **3.** Fait de fonctionner à une allure plus lente que la normale. *Montre qui prend du retard.* — Mécanisme qui permet de ralentir la marche d'une horloge, d'une montre. **4.** Action de retarder, de remettre à plus tard. ⇒ **ajournement, atermoiement.** *Il s'est décidé après bien des retards.* — SANS RETARD : sans délai, sans tarder. *Écrivez-lui sans retard.* **5.** État de celui qui est moins avancé dans un développement, un progrès ; temps qui sépare le moins avancé des autres. *Comment rattraperai-je mon retard ? Ce pays a du retard sur le nôtre. Un pays en retard de cinquante ans.* — Le fait d'être à un niveau de développement inférieur à la normale. *Retard mental, affectif. Un enfant en retard.* ⇒ **retardé ; arriéré.**

retardataire [ʀ(ə)taʀdatɛʀ] adj. et n. **1.** Qui arrive en retard. — N. *Les retardataires seront punis.* **2.** Qui a du retard dans son développement. *Enfants retardataires,* en retard dans leurs études. — *Une pédagogie retardataire.* ⇒ **archaïque.**

retarder [ʀ(ə)taʀde] v. ▪ conjug. 1. **I.** V. tr. **1.** Faire arriver en retard. *Je ne veux pas vous retarder.* ⇒ **attarder.** — Pronominalement (réfl.). Se mettre en retard. — (Suj. chose) *Cet incident m'a retardée.* — *Retarder qqn dans* (une activité), faire aller plus lentement. *Ne le retardez pas dans son travail.* **2.** *Retarder une montre,* la mettre à une heure moins avancée que celle qu'elle indique. / contr. **avancer** / **3.** Faire se produire plus tard. ⇒ **ajourner, différer, remettre.** *Retarder le départ de qqn.* **II.** V. intr. **1.** (Horloge, pendule) Aller trop lentement, marquer une heure moins avancée que l'heure réelle. *Ma montre retarde de cinq minutes.* — Fam. *Je retarde, ma montre retarde.* **2.** *Retarder sur son temps,* ne pas avoir les idées, le goût de son temps. **3. Fam.** *Retarder,* n'être pas au courant, découvrir qqch. longtemps après les autres. *Sa femme ? Vous retardez, il a divorcé l'an dernier.* ▶ *retardé, ée* adj. ■ Qui est en retard dans ses études, son développement. *Un enfant retardé.* ⇒ **arriéré, attardé.** — N. *Un retardé.* ▶ *à retardement* loc. adj. et adv. ■ *Engin à retardement,* dont la déflagration est différée et réglée par un mécanisme spécial. *Bombe à retardement.* — **Fam.** D'une manière tardive, trop tard. *Comprendre à retardement.* ⟨ ▶ retard, retardataire ⟩

retenir [ʀətniʀ ; ʀ(ə)təniʀ] v. tr. ▪ conjug. 22. **I. 1.** Garder (une partie d'une somme) pour un usage particulier. ⇒ **déduire, prélever.** *On lui retient dix pour cent de son salaire.* ⇒ **retenue. 2.** Faire réserver (ce qu'on veut trouver disponible). *Retenir une chambre dans un hôtel.* — Engager d'avance (qqn pour un travail). — **Fam. Iron.** *Celui-là, je le retiens !,* je n'aurai plus recours à ses services. **3.** Conserver dans sa mémoire. ⇒ **se souvenir.** *Retenir sa leçon. Retenez bien ce que je vais vous dire. Je ne retiens pas facilement les dates.* **4.** Prendre comme élément d'appréciation ou objet d'étude. *Nous regrettons de ne pouvoir retenir votre proposition. Retenir une accusation contre qqn.* **5.** Faire une retenue (arithmétique). *Je pose 4 et je retiens 3.* **II. 1.** Faire rester (qqn) avec soi. ⇒ **garder.** *Il m'a retenu plus d'une heure. Retenir qqn à dîner. Je ne vous retiens pas,* vous pouvez partir (formule de congédiement). — *Retenir qqn prisonnier.* — (Choses) ⇒ **immobiliser.** *Le mauvais temps nous a retenus ici.* **2.** Être un objet d'intérêt pour (le regard, l'attention... de qqn). *Votre offre a retenu notre attention.* **3.** Maintenir (qqch.) en place, dans une position fixe. ⇒ **attacher, fixer.** *La corde qui retenait le chargement s'est rompue.* — Au p. p. *Cheveux retenus par un ruban.* **4.** (Suj. chose) Ne pas laisser passer ; contenir. *Une écluse retient l'eau.* **5.** (Suj. personne) S'empêcher d'émettre, de prononcer... *Retenir son souffle. Retenir un cri, une insulte.* — *Retenir sa langue,* s'abstenir de trop parler. **6.** Maintenir, tirer en arrière, afin d'empêcher de tomber, d'aller trop vite. ⇒ **arrêter.** *Retenir qqn par le bras.* — *Retenir un cheval,* modérer son allure. **7.** RETENIR DE : empêcher d'agir (une personne sur le point de faire qqch.). *Retenir qqn de faire une bêtise. Retenez-moi ou je fais un malheur !* — (Suj. chose) Empêcher d'agir, de parler. *Une invincible timidité me retenait. Je ne sais pas ce qui me retient de te flanquer une gifle !* **III.** SE RETENIR v. pron. réfl. **1.** Faire effort pour ne pas tomber. *Se retenir sur une pente. Se retenir à qqch.* ⇒ **s'accrocher. 2.** Différer de céder à un désir, une impulsion. ⇒ **se contenir.** *Elle se retenait pour ne pas pleurer.* — Différer de satisfaire ses besoins naturels. *Il ne sait pas encore se retenir, il fait pipi au lit.* ▶ *retenu, ue* adj. **1.** Qui a été réservé. *Places retenues.* / contr. **libre** / **2.** (Personnes) Qui est dans l'impossibilité de faire qqch. *Madame Dupuy, retenue, vous prie de l'excuser.* ⟨ ▶ rétention, ① retenue, ② retenue ⟩

rétention [ʀetɑ̃sjɔ̃] n. f. **1.** En médecine. Se dit du séjour prolongé dans une cavité ou un conduit de l'organisme d'une substance destinée à être évacuée ou expulsée. *Rétention d'urine. Eau de la rétention d'eau.* **2.** Immobilisation de l'eau des précipitations.

retentir [ʀ(ə)tɑ̃tiʀ] v. intr. ▪ conjug. 2. **1.** (Son) faire entendre avec force. ⇒ **résonner.** *Le timbre de l'entrée retentit.* **2. Littér.** RETENTIR DE : être rempli par (un bruit). *La salle retentissait d'acclamations.* **3. Abstrait.** *Retentir sur...,* avoir un retentissement, une répercussion sur... ▶ *retentissant, ante* adj. **1.** Qui retentit, résonne. ⇒ **bruyant, sonore.** *Des voix retentissantes.* **2.** Qui a un grand retentissement dans l'opinion. *La pièce a eu un succès retentissant.* ⇒ **éclatant.** *Un échec retentissant.* ▶ *retentissement* n. m. **1. Littér.** Bruit, son répercuté. **2.** Effet indirect ou effet en retour ; série de conséquences. ⇒ **contre-coup, répercussion.** *Ces mesures auront un retentissement sur la situation économique. La Révolution française a eu un immense retentissement dans toute l'Europe.* **3.** Le fait de susciter l'intérêt ou les réactions du public. *Ce manifeste a eu un grand retentissement.*

① *retenue* [ʀətny ; ʀtəny] n. f. **I. 1.** Prélèvement sur une rémunération. *Les retenues pour la retraite,* la *Sécurité sociale.* **2.** Chiffre qu'on réserve pour l'ajouter à la colonne suivante, dans une addition, une soustraction, etc. *Ton addition est fausse, tu as oublié la retenue.* **II.** Le fait, l'action de retenir une personne ou une chose. — Punition scolaire qui consiste à faire rester ou revenir un élève en dehors des heures de cours, à le priver de sortie. ⇒ **colle, consigne.** *Deux heures de retenue. Être en retenue.* **III.** Fait de retenir l'eau ; eau ainsi retenue. *Établir une retenue d'eau sur une rivière, par un barrage.*

② *retenue* n. f. ■ Attitude d'une personne qui sait se contenir, se modérer. ⇒ **mesure, réserve.** *Il a beaucoup de retenue.* — *Rire sans retenue,* sans se retenir.

réticent, ente [retisɑ̃, ɑ̃t] adj. **1.** Qui comporte des réticences. *Être réticent,* ne pas dire tout ce qu'on devrait. *Elle s'est montrée assez réticente.* **2.** Qui manifeste de la réticence, des hésitations. *Il a donné son accord, mais je l'ai senti réticent.* ▶ *réticence* n. f. **1.** Omission volontaire d'une chose qu'on devrait dire ; la chose omise. ⇒ **sous-entendu.** *Il y a bien des réticences dans cette matière de ses mémoires. Parler sans réticence.* **2.** Témoignage de réserve, dans les discours, le comportement. ⇒ **hésitation.** *Montrer une certaine réticence.*

① *réticule* [retikyl] n. m. ■ Sciences. Système de fils croisés placé dans le plan focal d'un instrument d'optique. ▶ ② *réticule* n. m. ■ Petit sac à main (de femme).

rétif, ive [retif, iv] adj. **1.** (Monture) Qui s'arrête, refuse d'avancer. / contr. **docile** / *Un cheval rétif.* **2.** (Personnes) Qui est difficile à entraîner, à conduire, à persuader. ⇒ **récalcitrant.** *Enfant rétif.*

rétine [retin] n. f. ■ Tunique interne de l'œil, membrane destinée à recevoir les impressions lumineuses et à les transmettre au nerf optique. *Formation des images sur la rétine.*

retirer [r(ə)tire] v. tr. ■ conjug. 1. **I. 1.** RETIRER *qqch.* à (un être vivant) : enlever. *On lui a retiré son permis. Retirer sa selle à un cheval.* **2.** Enlever ce qui garnit, ce qui couvre. *Retirer l'emballage d'un colis.* Enlever (ses propres vêtements). ⇒ **ôter.** *Retirer ses gants, ses lunettes.* **II.** RETIRER *qqch.* DE. **1.** Faire sortir de. *Retirer un corps des décombres.* ⇒ **dégager.** — *Elle retira son fils du collège.* — (Compl. chose) *Retirer une casserole du feu.* — Fam. *On me retira difficilement de l'idée que..., quoi qu'on fasse, je continuerai à penser que...* **2.** Faire sortir à son profit (un objet qui était déposé, engagé). *Retirer de l'argent de la banque. Retirer une valise de la consigne, un paquet au bureau de poste.* **3.** Éloigner, faire reculer. *Retire tes doigts !* **4.** Cesser de formuler, de présenter. ⇒ **annuler ; retrait.** *Retirer sa candidature, une plainte. Je retire ce que j'ai dit.* ⇒ se **rétracter.** **III.** RETIRER *qqch.* DE : obtenir pour soi qqch. qui provient de... ⇒ **recueillir.** *Retirer un bénéfice d'une affaire. Je n'en ai retiré que des désagréments.* **IV.** SE RETIRER v. pron. réfl. **1.** Partir, s'éloigner. *Il est temps de se retirer. Se retirer discrètement.* **2.** Aller (dans un lieu) pour y trouver un abri, un repos. *Se retirer dans sa chambre.* — Prendre sa retraite. *Il s'est retiré dans sa maison de campagne.* **3.** SE RETIRER DE : quitter (une activité). *Se retirer de la partie, des affaires.* **4.** (Liquide, gaz) Refluer, revenir vers son origine. *Les eaux se retirent. La mer se retire* (⇒ **reflux**). ▶ *retiré, ée* adj. **1.** (Personnes) Qui s'est retiré (du monde, des affaires...). *Vivre retiré, loin des hommes. Vie retirée.* ⇒ **solitaire.** **2.** (Choses) Éloigné, situé dans un lieu isolé. *Elle habite dans un quartier retiré et tranquille.* ⇒ **écarté.**

retombée [r(ə)tɔ̃be] n. f. — REM. Rare au sing. **1.** *Retombées radioactives,* substances radioactives qui retombent après l'explosion d'une bombe atomique ou la fuite accidentelle de vapeurs hors d'une centrale nucléaire. **2.** Conséquences directes ou indirectes, applications possibles (de recherches, d'une affaire). ⇒ **répercussion.** *Les retombées imprévisibles d'une découverte scientifique. Ce scandale a eu pour principale retombée la démission du ministre.*

retomber [r(ə)tɔ̃be] v. intr. ■ conjug. 1. **I.** (Êtres vivants) **1.** Tomber de nouveau. *Il se releva, mais retomba aussitôt.* — Toucher terre après s'être élevé. *La judoka est mal retombée et s'est fait une fracture à un poignet. Le chat est retombé sur ses pattes.* — Fam. RETOMBER SUR SES PIEDS : rétablir une situation, une affaire en difficulté. **2.** Tomber de nouveau dans une situation mauvaise (après en être sorti). *Elle est retombée malade* (⇒ **rechute**). — (Sens moral) *Retomber dans l'erreur.* **II.** (Choses) **1.** Tomber après s'être élevé. ⇒ **redescendre.** *La fusée est retombée.* — Fam. *Ça lui retombera sur le nez,* il en sera puni, il en subira les conséquences. **2.** S'abaisser (après avoir été levé). *Laisser retomber les bras.* **3.** Pendre (en parlant de ce qui est soutenu par le haut). *Ses cheveux retombent sur les épaules.* **4.** Revenir (dans un état, une situation). *Retomber dans l'oubli.* — Cesser de se soutenir, d'agir. *L'intérêt ne doit pas retomber.* **5.** Abstrait. RETOMBER SUR *qqn* : être rejeté sur. ⇒ **incomber** à, **rejaillir** sur. *C'est sur lui que retombent toutes les responsabilités.* ⟨ ▶ retombée ⟩

retordre [r(ə)tɔrdr] v. tr. ■ conjug. 41. **1.** Terme technique. Assembler (des fils) en les tordant. **2.** Donner du fil à retordre. ⇒ **fil.** ⟨ ▶ retors ⟩

rétorquer [retɔrke] v. tr. ■ conjug. 1. **1.** Vx. Retourner contre qqn (un argument). **2.** *Rétorquer que...,* répliquer que... ⇒ **objecter, répondre.** *On m'a rétorqué que je n'avais pas à me mêler de cette affaire.* ⟨ ▶ rétorsion ⟩

retors, orse [rətɔr, ɔrs] adj. ■ Plein de ruse, d'une habileté tortueuse. ⇒ **malin, rusé.** / contr. **droit** / *Un homme de loi retors.* — *Des manières, des manœuvres retorses.*

rétorsion [retɔrsjɔ̃] n. f. ■ Le fait, pour un État, de prendre contre un autre État des mesures coercitives analogues à celles que celui-ci a prises contre lui. *Mesures de rétorsion.* ⇒ **représailles.** *Rétablir des barrières douanières par mesure de rétorsion.*

retoucher [r(ə)tuʃe] v. tr. ■ conjug. 1. **1.** Reprendre (un travail, une œuvre) en faisant des changements partiels. ⇒ **corriger, remanier.** *Il a retouché son tableau, son texte.* — Au p. p. adj. *Photo retouchée.* **2.** Faire des retouches à (un vêtement). ▶ *retouche* n. f. **1.** Action de retoucher, correction. **2.** Modification partielle d'un vêtement de confection, pour l'adapter aux mesures de l'acheteur. *Faire une retouche à une robe.* ▶ *retoucheur, euse* n. ■ Spécialiste qui effectue des retouches. *Retoucheur photographe.*

retour [r(ə)tur] n. m. **I.** (Personnes) **1.** Le fait de repartir pour l'endroit d'où l'on est venu. *Il faut songer au retour. Sans esprit de retour,* sans intention de revenir. *Être sur le chemin du retour.* — *Voyage que l'on fait,* temps qu'on met pour revenir à son point de départ. *Les enfants ont dormi durant tout le retour. L'aller* et le retour. *Prendre un (billet d') aller et retour.* **2.** Le fait de retourner, d'être revenu à son point de départ. *Le retour de qqn. Depuis son retour, je ne l'ai plus vu.* — Loc. À MON, TON... RETOUR ; AU RETOUR DE... : au moment du retour ou après le retour *Je vous verrai à mon retour de vacances. À* *son retour du service militaire.* — ÊTRE DE RETOUR : être revenu. *Quand il fut de retour chez lui...* — RETOUR DE : au retour de (tel endroit). *Retour d'Amérique, j'ai changé de situation.* II. (Choses) Mouvement inverse d'un précédent. 1. RETOUR OFFENSIF (d'une armée) : qui attaque après avoir reculé. *Retour offensif du froid* (après un début d'amélioration). — RETOUR DE FLAMME : mouvement accidentel de gaz enflammés, qui jaillissent hors du foyer d'une chaudière ou qui remontent vers le carburateur ; abstrait, contrecoup d'une action qui se retourne contre son auteur. — RETOUR DE MANIVELLE : (voitures anciennes) mouvement brutal en sens inverse de la manivelle, qui peut se produire quand on met en marche un moteur à explosion ; abstrait, revirement, changement brutal. 2. MATCH RETOUR : match opposant deux équipes qui se sont déjà rencontrées dans la première partie d'un championnat (opposé à *match aller*). 3. *Effet, action, choc* EN RETOUR : qui s'exerce une deuxième fois en sens inverse de la première. ⇒ **contrecoup. 4.** L'action de retourner, le fait d'être réexpédié. ⇒ **réexpédition.** *Retour à l'envoyeur* (d'un objet, d'une lettre, etc.). — PAR RETOUR (DU COURRIER) : par le courrier qui suit immédiatement. *Répondre par retour du courrier,* immédiatement. III. Abstrait. 1. RETOUR À : le fait de retourner ou d'être retourné (à son état habituel, à un état antérieur). *Le retour au calme. Retour aux sources.* 2. ÊTRE SUR LE RETOUR (de l'âge) : commencer à prendre de l'âge, vieillir. — RETOUR D'ÂGE : l'âge de la ménopause. 3. *Retour en arrière,* le fait de remonter à un point antérieur d'une narration. *Faire un retour en arrière dans un récit. Le retour en arrière est une technique romanesque, cinématographique.* ⇒ anglic. **flash-back.** — *Retour sur soi-même,* réflexion sur sa conduite, sur sa vie passée. 4. Loc. *Par un juste retour des choses,* par un juste retournement de la situation. 5. Le fait de revenir, de réapparaître. *Le retour de la belle saison. Le retour de la paix.* — Répétition, reprise. *Retour régulier, périodique.* ⇒ **rythme.** — Loc. L'ÉTERNEL RETOUR des événements, des choses (par lequel tout recommencerait). 6. FAIRE RETOUR À : revenir (à son possesseur de droit). *Ces biens doivent faire retour à la communauté.* 7. EN RETOUR loc. adv. : en échange, en compensation. *Je lui ai rendu de nombreux services, en retour il a promis de m'aider.*

retourner [ʀ(ə)tuʀne] v. ▪ conjug. 1. I. V. tr. 1. Tourner en sens contraire, à l'envers. *Retourner un matelas. Retourner un morceau de viande sur le gril. Retourner une carte* (pour la faire voir, et notamment fixer l'atout). — *Retourner la terre,* la travailler de manière à la mettre sens dessus dessous. ⇒ **labourer.** *Retourner la salade.* — Fam. *Il a retourné toute la maison* (pour trouver ce qu'il cherchait). 2. Mettre la face intérieure à l'extérieur. *Retourner ses poches. Retourner un vêtement,* en mettant l'envers de l'étoffe à l'endroit. — Loc. fig. *Retourner sa veste.* ⇒ **veste.** — Fam. *Retourner qqn,* le faire changer d'avis. *On l'a retourné comme une crêpe.* — Changer complètement. *Il a su retourner la situation en sa faveur.* 3. Modifier (une phrase) par la permutation des éléments. *On peut retourner le proverbe et dire...* 4. Diriger dans le sens opposé à la direction antérieure (une arme, un argument...). *On peut retourner l'argument contre vous.* 5. Renvoyer. *Retourner une marchandise.* ⇒ **réexpédier. 6.** Loc. *Tourner* et retourner une idée, une pensée dans sa tête.* 7. Bouleverser (qqn) ⇒ **émouvoir.** *Cette nouvelle m'a retourné.* — Au p. p. *J'en suis encore toute retournée !* II. V. intr. 1. Aller au lieu d'où l'on est venu, où l'on devrait être normalement (et qu'on a quitté). ⇒ **rentrer ; revenir.** *Retourner chez soi, dans son pays, en France. Retourner à son poste, à sa place,*

dans sa maison. ⇒ **regagner, réintégrer. 2.** Aller de nouveau (là où on est déjà allé). *Je retournerai à Venise cette année.* — (+ infinitif) *Demain, je retourne travailler.* 3. Abstrait. RETOURNER À : retrouver (son état initial), se remettre à (une activité). *Retourner à la vie sauvage. Retourner à son ancien métier, à ses premières amours.* 4. Impers. *Savoir de quoi il retourne,* savoir de quoi il s'agit, quelle est la situation. III. SE RETOURNER v. pron. réfl. 1. S'EN RETOURNER : repartir pour le lieu d'où l'on est venu. ⇒ **revenir.** *S'en retourner quelque part, chez soi.* S'en aller. *S'en retourner comme on est venu,* sans avoir rien obtenu, rien fait. 2. Changer de position en se tournant dans un autre sens, dans le sens inverse. *Se retourner sur le dos. Il se retournait dans son lit sans pouvoir s'endormir. La barque s'est retournée,* renversée. ⇒ **chavirer.** — Abstrait. *Laissez-moi le temps de me retourner,* de m'adapter à cette situation nouvelle. 3. Tourner la tête en arrière (pour regarder). *Il est parti sans se retourner. On se retournait sur son passage. Se retourner vers qqn pour lui parler.* 4. SE RETOURNER CONTRE : combattre (qqn, qqch. dont on avait pris le parti). *Son associé s'est retourné contre lui.* — (Choses) *Ses procédés se retourneront contre elle.*
▶ *retournement* n. m. 1. Changement brusque et complet d'attitude, d'opinion. ⇒ **revirement, volte-face. 2.** (Choses) Transformation soudaine et complète (d'une situation). ⇒ **renversement.** *Retournement de la situation.* ⟨ ▶ retour ⟩

retracer [ʀ(ə)tʀase] v. tr. ▪ conjug. 3. ■ Raconter de manière à faire revivre. *Retracer la vie d'un grand homme.*

① *rétracter* [ʀetʀakte] v. tr. ▪ conjug. 1. 1. Littér. Nier, retirer (ce qu'on avait dit). *Rétracter des propos calomnieux.* 2. SE RÉTRACTER v. pron. réfl. : revenir sur des aveux, des déclarations qu'on ne reconnaît plus pour vrais. ⇒ se **dédire.** *Après ses aveux, il s'est rétracté, il est revenu* sur ses aveux.* ▶ *rétractation* n. f. ■ Littér. ⇒ **désaveu.** *Il avait fait des aveux, mais sa rétractation est complète.*

② *rétracter* v. tr. ▪ conjug. 1. ■ Contracter en tirant en arrière. *L'escargot rétracte ses cornes.* — Pronominalement (réfl.). *Se rétracter,* se contracter. *Le muscle s'est rétracté ;* au passif et p. p. adj. *est rétracté.* ▶ *rétractile* adj. 1. (Ongles, griffes...) Que l'animal peut rentrer. 2. Susceptible de rétraction. *Organes rétractiles.* ▶ *rétraction* n. f. ■ Acte par lequel certains animaux, certains organes se rétractent en présence de situations déterminées. — Raccourcissement et rétrécissement que présentent certains tissus ou organes malades. ⇒ **contraction.** *Rétraction musculaire.* ▶ *rétracteur* adj. ■ *Muscle rétracteur,* qui permet à une partie du corps de se rétracter.

retrait [ʀ(ə)tʀɛ] n. m. I. Le fait de se retirer. 1. (Choses) *Retrait des eaux après une inondation.* 2. (Personnes) *Le retrait des troupes d'occupation.* ⇒ **évacuation.** — *Il annonça son retrait de la compétition.* 3. Loc. EN RETRAIT : en arrière de l'alignement. *Maison construite en retrait* (par rapport à la route). — Abstrait. *Être, rester en retrait,* ne pas se mettre en avant. II. Action de retirer (un objet déposé, confié...). *Retrait des bagages de la consigne. Retrait du permis de conduire. Faire un retrait à la banque* (opposé à *dépôt*). ⟨ ▶ ① retraite, ② retraite ⟩

① *retraite* [ʀ(ə)tʀɛt] n. f. 1. Recul délibéré et méthodique d'une armée qui ne peut se maintenir sur ses positions. ⇒ **repli.** — BATTRE EN RETRAITE : reculer ; céder momentanément devant un adversaire, abandonner provisoirement certaines prétentions. *Il a prudemment battu en retraite.* 2. RETRAITE AUX FLAMBEAUX : défilé militaire avec fanfare, la nuit, ou défilé populaire avec des lampions.

② *retraite* n. f. **1.** Action de se retirer de la vie active. *Une période de retraite forcée.* **2.** État d'une personne qui s'est retirée d'un emploi, et qui a droit à une pension. *Prendre sa retraite. Être à la retraite.* ⇒ **retraité.** *Avoir l'âge de la (mise à) la retraite.* — Pension assurée aux personnes retirées de la retraite. *Toucher une retraite. Les caisses de retraite des cadres. Assurance retraite.* **3.** Période passée dans la prière et le recueillement. ⇒ **récollection.** *Faire, suivre une retraite.* **4.** Littér. Lieu où l'on se retire, pour échapper aux dangers, aux tracas ou aux mondanités. ⇒ **asile, refuge.** ▶ *retraité, ée* adj. et n. ■ Qui est à la retraite (2). *Un officier retraité.* — N. *Un, une retraité(e). Les petits retraités,* ceux qui touchent une petite retraite. ⟨ ▷ préretraite ⟩

retrancher [ʀ(ə)tʀɑ̃ʃe] v. tr. ▪ conjug. 1. **I.** Enlever d'un tout (une partie, un élément). ⇒ **éliminer, enlever, ôter. 1.** Enlever d'un texte. *Retrancher certains détails, certains passages d'un texte.* ⇒ **biffer. 2.** Enlever une quantité. ⇒ **déduire, prélever.** / contr. **ajouter** / *Retrancher mille francs d'une somme.* ⇒ **soustraire. II.** SE RETRANCHER v. pron. réfl. : se fortifier, se protéger par des moyens de défense. *Nos troupes se sont retranchées derrière le fleuve.* — Abstrait. *Se retrancher dans un mutisme farouche, derrière des hochements de tête, des soupirs. Se retrancher derrière l'autorité d'un chef, derrière le secret professionnel.* ▶ *retranchement* n. m. ■ Position utilisée pour protéger les défenseurs (dans une place de guerre) ; obstacle, fortification employés à la défense. *Retranchements creusés.* ⇒ **tranchées.** — Loc. *Attaquer, forcer, poursuivre, pousser qqn dans ses derniers retranchements,* l'attaquer violemment, l'acculer.

retransmettre [ʀ(ə)tʀɑ̃smɛtʀ] v. tr. ▪ conjug. 56. ■ Diffuser plus loin, sur un autre réseau (un message, une émission, etc.). *Retransmettre un discours à la télévision.* ▶ *retransmission* n. f. ■ *La retransmission d'un match en direct, en différé.*

rétrécir [ʀetʀesiʀ] v. ▪ conjug. 2. **I.** V. tr. **1.** Rendre plus étroit, diminuer la largeur de (qqch.). / contr. **élargir** / *Rétrécir une jupe.* **2.** Abstrait. *Son éducation lui a rétréci l'esprit.* **II.** V. intr. Devenir plus étroit, plus court. *Ce tissu rétrécit au lavage.* **III.** SE RÉTRÉCIR v. pron. réfl. : devenir de plus en plus étroit. *Passage qui va en se rétrécissant.* ⇒ se **resserrer.** ▶ *rétréci, ie* adj. **1.** Devenu plus étroit. *Route rétrécie.* **2.** Idées rétrécies, esprit rétréci, borné, étriqué. / contr. **large** / ▶ *rétrécissement* n. m. **1.** Le fait de se rétrécir. *Le rétrécissement d'un vêtement, d'une rue.* **2.** Diminution permanente des dimensions (d'un conduit, d'un orifice naturel). *Souffrir d'un rétrécissement de l'aorte.*

se retremper [ʀ(ə)tʀɑ̃pe] v. pron. ▪ conjug. 1. ■ *Se retremper dans,* reprendre des forces en se replongeant dans. *Se retremper dans le milieu familial.*

rétribuer [ʀetʀibɥe] v. tr. ▪ conjug. 1. **1.** Donner de l'argent en contrepartie de (un service, un travail). ⇒ **payer, rémunérer.** — Au p. p. adj. *Travail bien, mal rétribué.* **2.** *Rétribuer qqn,* le payer pour un travail. ⇒ **appointer.** ▶ *rétribution* n. f. ■ Ce qui est donné en échange d'un service, d'un travail (en général de l'argent). ⇒ **appointement, paiement, rémunération, salaire, traitement.**

rétro [ʀetʀo] adj. invar. et n. m. ■ Qui imite un style passé, démodé (en particulier de la première moitié du XXᵉ siècle). *Des modes rétro. Une coiffure, une robe rétro.* — N. m. *Un amateur de rétro.*

rétro- ■ Élément savant signifiant « en arrière ».

rétroactif, ive [ʀetʀoaktif, iv] adj. ■ (Loi, acte juridique...) Qui exerce une action sur ce qui est antérieur, sur le passé. *Effet rétroactif.* ▶ *rétroactivité* n. f. ■ *La rétroactivité d'une mesure.*

rétrocéder [ʀetʀosede] v. tr. ▪ conjug. 6. ■ Céder à qqn (un bien, un droit qu'on avait reçu de lui). ⇒ **rendre.** *Rétrocéder un don.* ▶ *rétrocession* n. f. ■ *Rétrocession d'un droit* (à celui qui l'avait cédé).

rétrofusée [ʀetʀofyze] n. f. ■ Fusée servant au freinage ou au recul. *Les rétrofusées d'un engin spatial.*

① *rétrograder* [ʀetʀɔgʀade] v. tr. ▪ conjug. 1. ■ Faire reculer (qqn) dans une hiérarchie, un classement. — Au passif et p. p. adj. *Ce haut fonctionnaire a été rétrogradé. Coureur, cheval rétrogradé.* ▶ *rétrogradation* n. f. **1.** Mesure disciplinaire par laquelle qqn doit reculer dans la hiérarchie. **2.** Sanction par laquelle on fait reculer (un cheval, un coureur) dans le classement d'une course.

② *rétrograder* v. intr. ▪ conjug. 1. **1.** Rare. Marcher vers l'arrière, revenir en arrière. ⇒ **reculer.** *Les troupes ont dû rétrograder.* **2.** Aller contre le progrès ; perdre les acquisitions apportées par une évolution. ⇒ **régresser.** *Une civilisation menacée de rétrograder.* **3.** Passer à la vitesse inférieure, en conduisant une voiture. *Rétrograde avant le virage.* ▶ *rétrograde* adj. **1.** Didact. Qui revient vers son point de départ. *Mouvement, marche rétrograde.* **2.** Abstrait. Qui veut rétablir un état passé, précédent, en s'opposant à l'évolution, au progrès. ⇒ **réactionnaire.** *Une politique rétrograde. Un esprit rétrograde. Il est rétrograde dans ses idées.*

rétrospectif, ive [ʀetʀɔspɛktif, iv] adj. **1.** Qui regarde en arrière, dans le temps ; qui concerne le passé. *L'examen rétrospectif des événements.* **2.** Se dit d'un sentiment actuel qui s'applique à des faits passés. *Jalousie, peur rétrospective.* ▶ *rétrospectivement* adv. ■ *Je suis indigné rétrospectivement quand j'y repense.* ▶ *rétrospective* n. f. ■ Exposition présentant l'ensemble des œuvres d'un auteur, d'une école, depuis ses débuts. *Rétrospective consacrée à l'œuvre d'un peintre.* — Présentation des films d'un réalisateur, d'un acteur célèbre.

retrousser [ʀ(ə)tʀuse] v. tr. ▪ conjug. 1. ■ Replier vers le haut et vers l'extérieur. ⇒ **relever.** *Retrousser sa robe pour marcher dans l'eau. Retroussons nos manches !* (pour travailler). — Pronominalement (réfl.). *Se retrousser,* retrousser ses jupes, sa robe. ▶ *retroussé, ée* adj. **1.** Qui est remonté, relevé. *Manches retroussées.* **2.** *Nez retroussé,* court et au bout relevé.

retrouver [ʀ(ə)tʀuve] v. tr. ▪ conjug. 1. **I. 1.** Voir se présenter de nouveau. *C'est une occasion que tu ne retrouveras pas.* — Pronominalement (passif). *La faute se retrouve plusieurs fois dans ce texte.* **2.** Découvrir de nouveau (ce qui a été découvert, puis oublié). *Retrouver un secret de fabrication.* **3.** Trouver (qqn) de nouveau (quelque part, en un état). *Gare à vous si je vous retrouve ici.* **4.** Trouver quelque part (ce qui existe déjà ailleurs). *On retrouve chez le fils l'expression du père.* ⇒ **reconnaître.** — Pronominalement (passif). *Ce mot se retrouve dans plusieurs langues.* **II. 1.** Trouver (une personne qui s'est échappée, qui est partie). *On a retrouvé les fugitifs.* — (Avec un attribut) *On l'a retrouvé à demi mort.* — (Choses) *Retrouver une voiture volée.* — Loc. prov. *Une chienne n'y retrouverait pas ses petits ; une poule n'y retrouverait pas ses poussins,* se dit d'un endroit en désordre. **2.** Recouvrer (une qualité, un état perdu). *Retrouver le sommeil.* **3.** Être de nouveau en présence de (qqn dont on était séparé). *J'irai les retrouver là-bas à la fin du mois.* ⇒ **rejoindre.** — (Avec un attribut) Revoir sous tel aspect. *Elle le retrouva grandi.* **III.** SE RETROUVER v. pron. **1.** (Récipr.) Être de nouveau en présence l'un de l'autre. *Tiens ! comme on se retrouve !* (dans une rencontre inattendue). — *On se retrouvera !,* j'aurai ma revanche (menace). **2.** (Réfl.) Retrouver son chemin après s'être perdu. — Abstrait. *Se retrouver dans ; s'y retrouver,* s'y reconnaître. *Il faut remettre de l'ordre dans cette bibliothèque, on a du mal à s'y retrouver.* **3.** Fam. S'y retrouver, rentrer dans ses débours ; tirer profit, avantage. *Il a des frais, mais il s'y retrouve.* **4.** Être de nouveau (dans un lieu qu'on a quitté, dans une situation qui avait cessé). *Il se retrouva sur le trottoir. Se retrouver seul, se retrouver sans travail, au chômage.* ▶ **retrouvailles** [ʀ(ə)ʀuvɑj] n. f. pl. ■ Le fait, pour des personnes séparées, de se retrouver. *Il nous faut fêter nos retrouvailles.*

rétroviseur [ʀetʀɔvizœʀ] n. m. ■ Petit miroir qui permet au conducteur d'un véhicule de voir derrière lui sans avoir à se retourner. *Rétroviseur intérieur, extérieur.* — Abrév. fam. *Regarder dans le rétro. Des rétros.*

rets [ʀɛ] n. m. invar. ■ Vx. Filet, réseau (pour la chasse).

réunifier [ʀeynifje] v. tr. ▪ conjug. 7. ■ Rétablir l'unité de (un pays, un groupe divisé). *Réunifier un parti.* ▶ **réunification** n. f. ■ *Le problème de la réunification de l'Allemagne.*

réunion [ʀeynjɔ̃] n. f. **I.** (Choses) **1.** Le fait de réunir (une province à un État). ⇒ **annexion, rattachement. 2.** Le fait de réunir (des choses séparées), de rassembler (des choses éparses). ⇒ **assemblage, combinaison.** *La réunion de documents, d'éléments divers.* **II.** (Personnes) **1.** Le fait de se retrouver ensemble. *La réunion des hommes en groupes.* ⇒ **rassemblement. 2.** Fait de réunir des personnes (pour le plaisir ou le travail) ; les personnes ainsi réunies ; temps pendant lequel elles sont ensemble. ⇒ **assemblée.** *Organiser une réunion. Participer à une réunion. Réunion d'athlétisme. La réunion s'est prolongée.* — *Être* EN RÉUNION. *Le président est en réunion, il ne pourra pas vous recevoir.* — Groupement momentané de personnes, hors de la voie publique. *Réunions privées,* sur invitations. *Réunions publiques,* où tout le monde peut se rendre. *Réunion électorale. Réunion politique.* ⇒ **meeting.**

réunir [ʀeyniʀ] v. tr. ▪ conjug. 2. **I. 1.** Mettre ensemble (des choses séparées) ; joindre ou rapprocher suffisamment pour unir (des choses entre elles). ⇒ **assembler, grouper, rassembler.** *Réunir dans une vitrine des pièces de collection. Réunir les fonds nécessaires à une entreprise.* **2.** Rapprocher (des éléments abstraits). ⇒ **rassembler.** *Réunir des renseignements, des faits, des preuves.* **3.** Comporter (plusieurs éléments d'origines diverses et parfois opposés). *Il réunit en lui d'étonnants contrastes.* **II.** Mettre ensemble, faire communiquer (des personnes). *Réunir des amis autour d'une table. Le destin qui les avait séparés les a à nouveau réunis.* **III.** SE RÉUNIR v. pron. **1.** Se rapprocher ou se joindre de façon à être ensemble. *États qui se réunissent en une fédération.* ⇒ **s'associer. 2.** Avoir une réunion. *Nous nous réunissons dans cette salle.* — *Se réunir entre amis, avec des amis.* ⇒ **se retrouver.** Sans compl. *L'assemblée va se réunir,* tenir sa séance. ⟨ ▶ réunion ⟩

réussir [ʀeysiʀ] v. ▪ conjug. 2. **I.** V. intr. **1.** (Choses) Avoir une heureuse issue, un bon résultat, du succès. / contr. **échouer, rater** / *L'affaire, l'entreprise a réussi.* — RÉUSSIR À *qqn :* avoir (pour lui) d'heureux résultats. *Tout lui réussit. Le climat de ce pays vous réussit bien. Ce mode de vie ne vous réussit pas,* ne vous convient pas. **2.** (Personnes) Obtenir un bon résultat. *Réussir dans une entreprise. Il est convaincu qu'il va réussir où les autres ont échoué.* — RÉUSSIR

À (+ infinitif). ⇒ **arriver, parvenir.** *Il n'a pas réussi à me convaincre.* **3.** (Personnes) Avoir du succès (dans un milieu social, une profession). *Ses enfants ont tous réussi.* — Être reçu à un examen. / contr. **échouer** / *Réussir au baccalauréat.* **II.** V. tr. Exécuter, faire avec bonheur, avec succès. *Il réussit tout ce qu'il entreprend.* ⇒ **mener** à bien. *Réussir un plat. Réussir son coup, son effet.* ▶ **réussi, ie** adj. ■ Exécuté avec bonheur, succès. *Une œuvre tout à fait réussie. Une soirée réussie, un spectacle réussi,* excellent, qui a du succès. — Fam. Iron. *Eh bien, c'est réussi !* (le résultat est contraire à celui qu'on cherchait). ▶ **réussite** n. f. **I. 1.** Succès (de qqch.). *La réussite du projet est complète. La réussite d'une expérience.* — *C'est une réussite, une chose réussie.* **2.** Le fait, pour qqn, de réussir ou d'avoir réussi. *Il est fier de sa réussite. Réussite éclatante, un spectacle réussi,* excellent, qui a du succès. — Fam. Iron. *Eh bien, c'est réussi !* (le résultat est contraire à celui qu'on cherchait). ▶ **réussite** n. f. **I. 1.** Succès (de qqch.). *La réussite du projet est complète. La réussite d'une expérience.* — *C'est une réussite, une chose réussie.* **2.** Le fait, pour qqn, de réussir ou d'avoir réussi. *Il est fier de sa réussite. Réussite éclatante, méritée. Une brillante réussite.* / contr. **échec** / **II.** Combinaison de cartes soumise à des règles définies ; jeu qui consiste à réussir (seul) cette combinaison. *Faire une réussite pour se distraire.* ⇒ **patience** (II).

revaloir [ʀ(ə)valwaʀ] v. tr. ▪ conjug. 29. — REM. Rare sauf à l'infinitif, au futur et au conditionnel. ■ Rendre la pareille à qqn, en bien (récompenser, remercier) ou en mal (se venger). *Je vous revaudrai ça un jour. Je te le revaudrai.*

revaloriser [ʀ(ə)valɔʀize] v. tr. ▪ conjug. 1. **1.** Rendre sa valeur à (une monnaie). / contr. **déprécier, dévaloriser** / — Rendre son pouvoir d'achat à (un salaire). **2.** Donner une plus grande importance, accorder un nouvel intérêt à. *Revaloriser une doctrine, une idée.* ▶ **revalorisation** n. f. ■ *La revalorisation du travail manuel.*

revanche [ʀ(ə)vɑ̃ʃ] n. f. **1.** Le fait de reprendre l'avantage (sur qqn) après avoir eu le dessous. ⇒ **vengeance.** *Prendre sa revanche, une éclatante revanche sur qqn. Il n'a pas eu sa juste revanche.* **2.** Jeux, sports. Partie, match qui donne au perdant une nouvelle chance de gagner. *La première manche, la revanche et la belle.* **3.** Loc. À CHARGE DE REVANCHE : à condition qu'on rendra la pareille. *Je t'aiderai, mais à charge de revanche.* **4.** EN REVANCHE loc. adv. : en contrepartie. *Il y fait froid, mais en revanche c'est très vivifiant.* — Inversement. *C'est un homme agréable, en revanche sa femme est assez renfermée.* ⇒ **par contre** (critiqué). ▶ **revanchard, arde** adj. et n. ■ Péj. Qui cherche à prendre une revanche (surtout d'ordre militaire). *Politique revancharde.* — N. *Les revanchards.*

rêvasser [ʀɛvase] v. intr. ▪ conjug. 1. ■ Penser vaguement à des sujets imprécis, s'abandonner à une rêverie. *Aimer à rêvasser.* ▶ **rêvasserie** n. f. ■ Le fait de rêvasser. — Idée imprécise et peu réaliste. ⇒ **rêve** (2).

rêve [ʀɛv] n. m. **1.** Suite de phénomènes psychiques (d'images, en particulier) se produisant pendant le sommeil. *Rêve agréable. Rêve pénible.* ■ **cauchemar.** Loc. *S'évanouir, disparaître comme un rêve,* sans laisser de trace. — LE RÊVE : l'activité psychique pendant le sommeil. *Théorie freudienne du rêve.* Loc. *En rêve,* au cours d'un rêve. ⇒ **songe.** — Construction imaginaire destinée à échapper au réel, à satisfaire un désir, à refuser une réalité pénible. ⇒ **fantasme.** *Caresser, poursuivre un rêve. Rêves irréalisables, fous.* ⇒ **chimère, utopie.** *J'allais enfin réaliser un rêve de jeunesse : visiter l'Amérique. C'était un beau rêve, un projet trop beau pour se réaliser.* ⇒ **illusion.** — Loc. *La femme de ses rêves,* celle qu'il avait rêvée, la femme idéale. — De rêve, qui paraît irréel à force de perfection. *Une voiture de rêve.* — LE RÊVE : l'imagination créatrice, la faculté de former des représentations imaginaires. *Le rêve et la réalité.*

3. Fam. Chose ravissante. *C'est le rêve, ce n'est pas le rêve,* l'idéal.

rêvé, ée adj. ⇒ **rêver.**

revêche [ʀəvɛʃ] adj. ■ Peu accommodant, qui manifeste un mauvais caractère. ⇒ **acariâtre, hargneux.** *À l'entrée de l'immeuble, un gardien revêche nous a interpellés.*

① **réveil** [ʀevɛj] n. m. **1.** Passage du sommeil à l'état de veille. *Un réveil brusque. Elle a des réveils difficiles, pénibles.* — AU RÉVEIL : au moment du réveil. — *Sonner le réveil,* l'heure du lever à la caserne (par une sonnerie de clairon). **2.** Le fait de reprendre une activité. *Le réveil des nationalismes, après la Seconde Guerre mondiale. Le réveil de la nature,* le retour du printemps. *Le réveil d'un volcan éteint.* **3.** Le fait de revenir à la réalité (après un beau rêve). *N'ayez pas trop d'illusions, le réveil serait pénible.* ▶ ② **réveil** n. m. ■ Réveille-matin. *Mettre son réveil à sept heures. Des réveils électroniques.* ⟨ ▶ radio-réveil ⟩

réveiller [ʀeveje] v. tr. ▪ conjug. 1. **I. 1.** Tirer (qqn, un animal) du sommeil. ⇒ **éveiller** (moins cour.). *Vous me réveillerez à six heures. La sonnerie du téléphone m'a réveillé en sursaut.* PROV. *Il ne faut pas réveiller le chat qui dort,* ranimer une affaire désagréable qui est en sommeil. Loc. fam. *Un bruit à réveiller les morts,* très fort. **2.** Ramener à l'activité (une personne). *Réveiller qqn de sa torpeur.* — (Compl. chose) *Réveiller une douleur, de vieux souvenirs.* ⇒ **ranimer. II.** SE RÉVEILLER v. pron. réfl. **1.** Sortir du sommeil. ⇒ **s'éveiller.** *Se réveiller en sursaut.* **2.** Reprendre une activité après une longue inaction. *Allons, réveille-toi, secoue-toi !* — (Choses) Reprendre de la vigueur. *Toute leur animosité s'est réveillée.* ▶ **réveille-matin** n. m. invar. ■ Pendule munie d'une sonnerie qui se déclenche à l'heure munie par une aiguille spéciale. *Des réveille-matin.* ⇒ ② **réveil.** ⟨ ▶ ① réveil, réveillon ⟩

réveillon [ʀevejɔ̃] n. m. ■ Repas de fête que l'on fait la nuit de Noël et la nuit du 31 décembre ; la fête elle-même. ▶ **réveillonner** v. intr. ▪ conjug. 1. ■ Faire (un) réveillon.

révéler [ʀevele] v. tr. ▪ conjug. 6. **I. 1.** Faire connaître (ce qui était inconnu, secret). ⇒ **dévoiler.** *Il n'a pas encore révélé ses véritables intentions. Les difficultés de la vie nous révèlent à nous-mêmes, nous apprennent ce que nous sommes réellement. La presse vient de révéler que l'accusé est (était) innocent.* **2.** Faire connaître d'une manière surnaturelle. *Ce que prétend révéler la magie, l'astrologie.* — Faire connaître par révélation (2) divine. **3.** (Suj. chose) Faire connaître, laisser deviner (par un signe manifeste). ⇒ **indiquer, témoigner.** *Une démarche qui révèle de bons sentiments.* **II.** SE RÉVÉLER v. pron. réfl. **1.** (Divinité) Se manifester par une révélation. **2.** Se manifester par des signes, des résultats. *Son talent s'est révélé cette année.* — (Avec un attribut) *Ce travail s'est révélé plus facile qu'on ne pensait.* **III.** (ÊTRE) RÉVÉLÉ passif et p. p. adj. : (être) connu par une révélation. — Adj. *Vérité révélée. Religion révélée,* fondée par une révélation. ▶ **révélateur, trice** n. m. et adj. **I.** N. m. Solution chimique employée pour le développement photographique et qui rend visible l'image latente. **II.** Adj. Qui révèle qqch. ⇒ **caractéristique, significatif.** *Son attitude est révélatrice de ses intentions. Un silence révélateur.* ⇒ **éloquent.** ▶ **révélation** n. f. **1.** Le fait de révéler (ce qui était secret). ⇒ **divulgation.** *La révélation d'un secret.* — Information qui apporte des éléments nouveaux, permet d'éclaircir une question obscure. *Ouvrage précieux pour les révélations qu'il contient. Faire des révélations à la police.* **2.** Phénomène par lequel des

vérités cachées sont révélées aux hommes d'une manière surnaturelle. — *La Révélation,* les vérités révélées par Dieu. **3.** Ce qui apparaît brusquement comme une connaissance nouvelle, un principe d'explication ; cette prise de conscience. *Il eut soudain la révélation de son erreur, qu'il s'était trompé. Cela a été pour moi une véritable révélation.* **4.** Personne qui révèle de grands talents. *Il a été la révélation de la saison musicale.*

revenant, ante [ʀəvnɑ̃, ɑ̃t] n. **1.** Âme d'un mort qu'on suppose revenir de l'autre monde sous une forme physique. *Il croyait que la maison était hantée par des revenants.* ⇒ **apparition, fantôme. 2.** Personne qui revient (après une longue absence). *Tiens, voilà un revenant !*

revendeur, euse [ʀ(ə)vɑ̃dœʀ, øz] n. ■ Personne qui vend au détail des marchandises achetées à un grossiste, ou des articles d'occasion. *Les revendeurs et brocanteurs des marchés aux puces.*

revendiquer [ʀ(ə)vɑ̃dike] v. tr. ▪ conjug. 1. **1.** Réclamer (une chose sur laquelle on a un droit). *Revendiquer sa part d'héritage. Galilée revendiquait la liberté du savoir.* **2.** (Groupe, collectivité) Demander avec force, comme un dû. ⇒ **exiger.** *Les syndicats revendiquent une augmentation de salaire.* — Assumer pleinement. *Revendiquer une responsabilité.* ▶ **revendicatif, ive** adj. ■ Qui comporte des revendications (sociales). *Mouvement revendicatif.* ▶ **revendication** n. f. ■ Le fait de revendiquer (un bien, un droit, une chose considérée comme due) ; ce qu'on revendique. *Les revendications ouvrières.*

revendre [ʀ(ə)vɑ̃dʀ] v. tr. ▪ conjug. 41. **1.** Vendre ce qu'on a acheté (notamment, sans être commerçant soi-même). *J'ai pu revendre ma voiture.* **2.** Loc. AVOIR qqch. À REVENDRE : en avoir en excès. *Des barrettes, des crayons, j'en ai à revendre.* — *Il a de l'esprit à revendre.* ⟨ ▶ revendeur ⟩

revenez-y [ʀəvnezi ; ʀ(ə)vənezi] n. m. invar. ■ Fam. *Un goût de revenez-y,* un goût agréable, qui incite à en reprendre, à recommencer.

revenir [ʀəvniʀ ; ʀ(ə)vəniʀ] v. intr. ▪ conjug. 22. **I. 1.** Venir de nouveau là où l'on était déjà venu. ⇒ **repasser.** *Le docteur promit de revenir le lendemain. Je reviendrai vous voir.* **2.** (Choses) Apparaître ou se manifester de nouveau. *Un mot qui revient souvent dans la conversation. Voilà le mauvais temps qui revient.* **II. 1.** (Personnes) Retourner dans un lieu. *Revenir chez soi, à la maison.* ⇒ **rentrer, retourner.** *Revenir dans son pays, en France. Revenir à sa place.* — Sans compl. *Je reviens dans une minute.* — Loc. *Revenir sur ses pas,* en arrière. **2.** S'EN REVENIR v. pron. réfl. *Ils s'en revenaient tranquillement.* **III.** REVENIR À. **1.** (Suj. personne) *Revenir à qqn,* retourner avec qqn. *Il est revenu à sa femme.* **2.** Abstrait. Reprendre (ce qu'on avait laissé). *Revenir aux anciennes méthodes. Revenons(-en) à notre sujet. Nous y reviendrons,* nous en parlerons plus tard. **3.** (Chose abstraite) Se présenter de nouveau (après être sorti de l'esprit). *Ça me revient !,* je m'en souviens à l'instant. **4.** (Rumeur, nouvelle) Être rapporté à qqn. *Cela lui revint aux oreilles. Il me revient que,* j'ai appris que. **5.** (Suj. personne) REVENIR À SOI : reprendre conscience. *Elle est revenue à elle après un long évanouissement.* **6.** (Suj. chose) Devoir être donné (à titre de profit, d'héritage). ⇒ **échoir.** *La propriété doit lui revenir à sa majorité. Il me revient tant.* ⇒ **revenu.** — Être à qqn, en vertu d'un droit, d'une prérogative. ⇒ **appartenir.** *Cet honneur vous revient.* Impers. *C'est à lui qu'il revient de.* ⇒ **incomber. 7.** Plaire (surtout négatif ; avec un pronom). *Il a une tête qui ne me revient pas,* il ne m'est pas sympathique. **8.** En loc. Équivaloir. *Cela revient au même,* c'est la même chose. *Cela revient à dire que,* c'est comme si on disait que. **9.** Coûter au total (à qqn). *Le dîner m'est revenu à trois cents francs. Sa maison de campagne lui revient cher en entretien.* **IV.** REVENIR DE. **1.** ⇒ **rentrer.** *Les enfants reviennent de l'école. Les acteurs sont revenus épuisés de leur tournée.* — Loc. *Il revient de loin,* il a failli perdre, mourir. **2.** Sortir (d'un état). *Revenir de son étonnement, de sa surprise.* — N'EN PAS REVENIR : être très étonné. *Il n'en revenait pas. Je n'en reviens pas de son manque de perspicacité, qu'elle se soit laissé manœuvrer.* — Abandonner, cesser d'entretenir en soi (une erreur, une illusion). *Il est revenu de tout,* il est désabusé, blasé. *J'en suis bien revenu !,* j'en suis bien dégoûté, je n'y crois plus. **V.** REVENIR SUR. **1.** Examiner à nouveau, reprendre (une question, une affaire). *À quoi bon revenir là-dessus ? Ne revenons pas sur le passé.* **2.** Annuler (ce qu'on a dit, promis). ⇒ se **dédire.** *Revenir sur sa décision, sur ses déclarations, sur des aveux.* ⇒ ① se **rétracter.** **VI.** FAIRE REVENIR *un aliment* : le passer dans un corps gras chaud pour en dorer et en rendre plus ferme la surface. ⇒ **rissoler.** *Faire revenir des oignons dans une cocotte.* ‹ ▸ revenant, revenez-y, revenu, prix de revient ›

revenu [Rǝvny ; R(ǝ)vǝny] n. m. ■ Ce qui revient à qqn, à titre d'intérêt, de rente, de salaire, etc. *Revenu d'un capital,* ce qu'il rapporte. ⇒ ② **intérêt.** *Impôt sur le revenu,* calculé sur les revenus annuels d'un contribuable. — *Revenu national,* ensemble des biens et des services obtenus par une économie nationale pendant une période donnée. — Au plur. LES REVENUS *de qqn* : l'argent dont une personne dispose. *Avoir de gros, de maigres revenus.*

rêver [Reve] v. ■ conjug. 1. **I.** V. intr. **1.** Faire des rêves. *Je rêve rarement.* Loc. *Je me demande si je rêve* (tant ce que je perçois est incroyable). *On croit rêver,* c'est une chose incroyable (exprime souvent l'indignation). — Transitivement (ind.). RÊVER DE. *Rêver d'une personne, d'une chose,* la voir, l'entendre en rêve. *Il en rêve la nuit,* cela l'obsède. **2.** Laisser aller son imagination. ⇒ **rêvasser.** *Un élève qui rêve au fond de la classe* (⇒ **rêveur**). — Transitivement (ind.). RÊVER À : penser vaguement à, imaginer. *À quoi rêvez-vous ? Je rêve aux vacances.* **3.** S'absorber dans ses désirs, ses souhaits. *On rêve, on fait des châteaux en Espagne.* — Transitivement (ind.). RÊVER DE : songer à, en souhaitant ardemment. *Il rêve d'un sort meilleur. La maison dont je rêve.* (+ infinitif) *Tout enfant, il rêvait déjà de voyager à travers le monde.* **II.** V. tr. Littér. Imaginer, désirer idéalement. *Ce n'est pas la vie que j'avais rêvée.* **2.** (Compl. indéterminé) Former en dormant (telle image, telle représentation). *Nous avons rêvé la même chose.* — RÊVER QUE (+ indicatif). *J'ai rêvé que je mourais.* ▸ **rêvé, ée** adj. **1.** Qui existe en rêve, dans un rêve. *Une image rêvée, mais très nette.* **2.** Qui convient tout à fait. ⇒ **idéal.** *C'est l'endroit rêvé pour passer des vacances tranquilles.* ‹ ▸ rêvasser, rêve, rêverie, rêveur ›

réverbère [Reverber] n. m. ■ Appareil destiné à l'éclairage de la voie publique. ⇒ **lampadaire.** *Réverbères à gaz, électriques.* ⇒ **bec** de gaz.

réverbérer [Reverbere] v. tr. ■ conjug. 6. ■ Renvoyer (la lumière, la chaleur). ⇒ ① **réfléchir.** *Le mur blanc réverbérait la chaleur.* ▸ **réverbération** n. f. ■ Être ébloui par la réverbération du soleil sur la neige. *La réverbération d'un mur blanchi à la chaux.* ‹ ▸ réverbère ›

reverdir [R(ǝ)verdiR] v. intr. ■ conjug. 2. ■ Redevenir vert, retrouver sa verdure. *Les arbres reverdissent au printemps.*

① **révérence** [ReveRɑ̃s] n. f. ■ Salut cérémonieux, conservé pour les femmes en certains cas, et qu'on exécute en inclinant le buste et en pliant les genoux. *Faire une révérence devant la reine d'Angleterre.* — Loc. fam. TIRER SA RÉVÉRENCE *à qqn* : le quitter, s'en aller.

révérend, ende [ReveRɑ̃, ɑ̃d] adj. **1.** Épithète honorifique devant les mots « père », « mère » (en parlant de religieux). *La révérende mère.* — N. *Mon révérend.* **2.** Titre des pasteurs dans l'Église anglicane.

révérer [Revere] v. tr. ■ conjug. 6. ■ Littér. Traiter avec un grand respect, honorer particulièrement. ⇒ **respecter.** *Révérer les saints.* ⇒ **vénérer.** — Au p. p. adj. *Un maître révéré.* ▸ ② **révérence** n. f. ■ Littér. Grand respect. ⇒ **déférence.** *S'adresser à qqn avec révérence.* / contr. **irrévérence** / ▸ **révérencieux, euse** adj. ■ Littér. Qui a, qui manifeste de la révérence. ⇒ **déférent, respectueux.** / contr. **irrévérencieux** / ‹ ▸ irrévérence, ① révérence, révérend ›

rêverie [RevRi] n. f. **1.** Activité de l'esprit qui n'est pas dirigée par l'attention, et qui se complaît dans des pensées vagues, des imaginations. — Manifestation de cette activité. ⇒ **imagination, songerie.** *Se laisser aller à la rêverie.* **2.** Péj. Idée vaine et chimérique. ⇒ **illusion.** *Ces rêveries ne mèneront à rien.*

revers [R(ǝ)veR] n. m. invar. **I. 1.** Le côté opposé à celui qui se présente d'abord ou est considéré comme le principal. ⇒ **envers, verso.** *Le revers de la main,* le dos (opposé à *paume*). **2.** Côté (d'une médaille, d'une monnaie) qui est opposé à la face principale (appelée aussi *avers* [aveR], n. m. invar.). ⇒ ④ **pile.** — Loc. *Le* REVERS DE LA MÉDAILLE : l'aspect déplaisant d'une chose qui paraissait sous son beau jour. **3.** Partie d'un vêtement qui est repliée et montre l'autre face du tissu. *Le revers d'une manche. Pantalon à revers.* — Chacune des deux parties rabattues sur la poitrine, qui prolongent le col. *Les revers d'un veston.* **4.** Loc. *Prendre* À REVERS : de flanc ou par derrière. *Il prit les troupes ennemies à revers.* **5.** REVERS DE MAIN : geste par lequel on écarte, frappe, etc., avec le dos de la main. — Au tennis, ping-pong. Coup de raquette effectué le dos de la main en avant. *Un revers à deux mains.* **II.** Événement inattendu, qui change une situation en mal. ⇒ **défaite, échec.** *Revers militaires. Revers de fortune. Essuyer un revers, des revers.* ‹ ▸ réversible ›

reverser [R(ǝ)verse] v. tr. ■ conjug. 1. **1.** Verser de nouveau (un liquide) ou le remettre dans le même récipient. **2.** Reporter. *Reverser un excédent sur un compte.*

réversible [Reversibl] adj. **1.** Qui peut se reproduire en sens inverse. *Mouvement réversible. L'histoire n'est pas réversible.* / contr. **irréversible** / **2.** Qui peut se porter à l'envers comme à l'endroit ; qui n'a pas d'envers. *Étoffe, veste réversible.* ‹ ▸ irréversible ›

revêtement [R(ǝ)vɛtmɑ̃] n. m. ■ Élément extérieur qui recouvre une surface, pour la protéger, la consolider. *Le revêtement d'une paroi, d'une route, d'un four. Revêtement de sol ; revêtement mural.*

revêtir [R(ǝ)vetiR] v. tr. ■ conjug. 20. **I. 1.** Couvrir (qqn) d'un vêtement particulier. ⇒ **parer.** *La chemise blanche dont on revêtait les pénitents.* — Pronominalement (réfl.). *Elle s'est revêtue de ses plus beaux habits.* **2.** Abstrait. Investir. *Revêtir qqn d'une dignité, d'une autorité.* — Couvrir d'un aspect. *Il revêt sa théorie d'une apparence paradoxale.* **3.** Mettre sur (un acte, un document) les signes matériels de sa validité. *Revêtir un dossier des signatures prévues par la loi.* **II.** Orner ou protéger par un revêtement. ⇒ **couvrir, garnir, recouvrir.** **III. 1.** Mettre sur soi (un habille-

ment spécial). ⇒ **endosser**. *Revêtir l'uniforme.*
2. Avoir, prendre (un aspect). *Le conflit revêtait un caractère dangereux.* **IV.** (ÊTRE) REVÊTU, UE.
1. Vêtu. *Acteur revêtu de son costume de scène.*
— Abstrait. *Être revêtu d'un pouvoir.* **2.** Recouvert. *Canapé revêtu de velours grenat. Coupole revêtue de mosaïques.* ‹ ▶ revêtement ›

rêveur, euse [ʀɛvœʀ, øz] adj. et n. **1.** Qui se laisse aller à la rêverie. *Un enfant rêveur et distrait. Un air rêveur.* ⇒ **songeur.** — N. *C'est un rêveur, un poète.*
— Péj. Penseur chimérique, dépourvu de réalisme.
⇒ **utopiste. 2.** Loc. *Cela me laisse rêveur, rêveuse, perplexe.* ▶ *rêveusement* adv. ■ D'une manière rêveuse ; avec perplexité. *Il regardait rêveusement le paysage.*

prix de revient [pʀidʀəvjɛ̃] n. m. invar. ■ Prix auquel un objet fabriqué revient (III, 9) au fabricant, tous frais compris. *Le prix de vente est égal au prix de revient augmenté du bénéfice.*

revigorer [ʀ(ə)vigɔʀe] v. tr. ▪ conjug. 1. ■ Redonner de la vigueur à (qqn). ⇒ **ragaillardir, ravigoter, remonter.** *Cette bonne douche m'a revigoré.* ▶ *revigorant, ante* adj. ■ Qui revigore. *Un froid sec et revigorant.*

revirement [ʀ(ə)viʀmɑ̃] n. m. ■ Changement brusque et complet dans les dispositions, les opinions.
⇒ **retournement, virevolte** (2), **volte-face.** *Un revirement d'opinion. Les revirements d'un homme politique.*

réviser [ʀevize] v. tr. ▪ conjug. 1. ■ **1.** Procéder à la révision de. ⇒ **modifier.** *Réviser un traité, la constitution.* — *Réviser son jugement,* le modifier d'après ce qu'on a appris. **2.** Revoir (ce qu'on a appris).
⇒ **repasser, revoir.** *Réviser sa leçon. Réviser des matières d'examen.* **3.** Vérifier le fonctionnement de (qqch.). *Réviser un moteur.* ▶ *réviseur, euse* n.
■ Personne qui révise ou qui revoit. *Réviseur de traductions.* ▶ *révision* n. f. **1.** Action d'examiner de nouveau en vue de corriger ou de modifier (un texte).
Préparer une révision de la constitution. — Acte par lequel une juridiction supérieure peut infirmer, après examen, la décision d'une juridiction inférieure. *La révision d'un procès, d'un jugement.* **2.** Mise à jour par un nouvel examen. *Révision des listes électorales,* permettant l'inscription d'électeurs nouveaux. **3.** Examen par lequel on vérifie qu'une chose est bien dans l'état où elle doit être. *Procéder à la révision d'un véhicule.* **4.** Action de revoir (un programme d'études) en vue d'une composition, d'un examen. *Faire des révisions.* ▶ *révisionniste* adj. ■ Qui est partisan d'une révision de la constitution ou d'une doctrine politique (attitude appelée *révisionnisme,* n. m.). *Les marxistes orthodoxes le traitent de révisionniste.*

revivre [ʀəvivʀ] v. ▪ conjug. 46. **I.** V. intr. **1.** Vivre de nouveau (après la mort). ⇒ **ressusciter.** — Littér. Se continuer (en la personne d'un autre). *Il revit dans son fils,* son fils lui ressemble, agit comme lui.
2. Recouvrer ses forces, son énergie. *Je commence à revivre depuis que j'ai reçu de ses nouvelles.*
⇒ **respirer. 3.** FAIRE REVIVRE : redonner vie à (qqch. de passé) dans les institutions ou les œuvres d'art.
Il a fait revivre la Révolution française dans son livre, dans son film. **II.** V. tr. Vivre ou ressentir de nouveau (qqch.). *Je ne veux pas revivre cette épreuve.*

révocable [ʀevɔkabl] adj. ■ Qui peut être révoqué. / contr. **irrévocable** /

révocation [ʀevɔkasjɔ̃] n. f. ■ Action de révoquer (une chose, une personne). *La révocation de l'Édit de Nantes.* ⇒ **abrogation.** *La révocation d'un fonctionnaire.* ⇒ **destitution, licenciement, renvoi.**

revoici [ʀ(ə)vwasi], ***revoilà*** [ʀ(ə)vwala] prép.
■ Fam. Voici, voilà de nouveau. *Me revoici, c'est encore moi ! Nous revoilà dans la même situation.*

revoir [ʀ(ə)vwaʀ] v. tr. ▪ conjug. 30. **I. 1.** Être de nouveau en présence de (qqn). ⇒ **retrouver.** *Je l'ai souvent revu depuis* (cette époque). *Au plaisir de vous revoir !* (en prenant congé de qqn). — Pronominalement (récipr.). *Ils ne se sont jamais revus.* — AU REVOIR [ɔʀvwaʀ] : locution interjective par laquelle on prend congé de qqn que l'on pense revoir. *Au revoir Monsieur.* ⇒ fam. à la **revoyure.** *Dire au revoir.* — N. m. invar. *Ce n'est qu'un au revoir et non un adieu.*
2. Retourner dans (un lieu qu'on avait quitté). *L'exilé n'a jamais revu sa patrie.* **3.** Regarder de nouveau, assister de nouveau à (un spectacle). *Un film qu'on aimerait revoir.* **4.** Voir de nouveau en imagination, par la mémoire. *Je revois les lieux de mon enfance.*
— Pronominalement (réfl.). *Il se revoit errant dans la ville, désespéré.* **II. 1.** Examiner de nouveau pour parachever, corriger. *Revoir un texte de près* (⇒ **réviseur**). — Au p. p. adj. *Édition revue et corrigée.*
2. Apprendre de nouveau pour se remettre en mémoire. ⇒ **repasser, réviser.** *J'ai revu tout le programme.* ‹ ▶ à la revoyure, ① revue, ② revue ›

révolter [ʀevɔlte] v. tr. ▪ conjug. 1. **I.** Soulever (qqn) d'indignation, remplir de réprobation. ⇒ **écœurer ; indigner.** *Ces procédés me révoltent.* **II.** SE RÉVOLTER v. pron. réfl. : se dresser, entrer en lutte contre le pouvoir, l'autorité établie. ⇒ **s'insurger, se soulever.** *Le peuple s'est révolté contre le dictateur. Les minorités opprimées se révoltent.* — Se dresser contre (une autorité). *Enfant qui se révolte contre ses parents.* — *Toute sa nature se révoltait,* rejetait violemment (cette contrainte, cette attitude...). ▶ *révolté, ée* adj. et n. **1.** Qui est en révolte contre (l'autorité, le pouvoir). ⇒ **dissident, insurgé, rebelle.** *Des soldats révoltés.* N. *Les révoltés.* — Qui a une attitude de révolte contre (une autorité, une contrainte). *Adolescent révolté contre la société.* N. *C'est un révolté.* **2.** Rempli d'indignation. ⇒ **outré.**
Vous me voyez révolté ! ▶ *révoltant, ante* adj. ■ Qui révolte. *Une injustice révoltante.* ⇒ **criant.** *Des abus révoltants.* ⇒ **honteux.** ▶ *révolte* n. f. **1.** Action violente par laquelle un groupe se révolte contre l'autorité politique, la règle sociale établie. ⇒ **émeute, guerre civile, insurrection, rébellion, révolution.** *Une révolte de paysans.* ⇒ **jacquerie.** *Inciter, pousser qqn à la révolte.* **2.** Attitude de refus et d'hostilité devant une autorité, une contrainte. *Esprit de révolte. Cri, sursaut de révolte.* ⇒ **indignation.** — *La révolte des sens, de l'instinct* (contre la raison).

révolu, ue [ʀevɔly] adj. ■ (Espace de temps) Écoulé, terminé. *À l'âge de 18 ans révolus. Une époque révolue.* ⇒ **disparu.**

① ***révolution*** [ʀevɔlysjɔ̃] n. f. **1.** Retour périodique d'un astre à un point de son orbite ; mouvement d'un tel astre, temps qu'il met à l'accomplir. *Les révolutions de la Terre.* **2.** Rotation complète d'un corps mobile autour de son axe *(axe de révolution).*

② ***révolution*** n. f. **1.** Changement très important dans les sociétés humaines, dans l'Histoire. ⇒ **bouleversement, transformation ; évolution.** *Une révolution morale, artistique. La révolution industrielle de la fin du XIXᵉ s. La révolution culturelle* (en Chine, de 1965 à 1968). **2.** Ensemble d'événements historiques qui ont lieu lorsqu'un besoin de transformation radicale de la société provoque le renversement du régime en place. *La Révolution française* (de 1789). — Absolt. En France. *Avant la Révolution,* sous l'Ancien Régime. *La Révolution russe* (de 1917). — Les forces révolutionnaires, le pouvoir issu d'une révolution. *La victoire de la révolution sur la réaction.* **3.** Fam. Grande agitation. *Tout le quartier est en révolution.*
⇒ **ébullition, effervescence.** ▶ *révolutionnaire* adj. et n. **1.** Qui vise à une révolution. / contr. **conserva-**

revolver

900

teur/ _Mouvement, parti révolutionnaire._ — Issu de la révolution, propre à la révolution (française en particulier). _Le gouvernement révolutionnaire. Les chants révolutionnaires._ — N. Personne qui fait la révolution. _Les révolutionnaires ont pris le pouvoir._ **2.** Qui apporte des changements radicaux et soudains, dans quelque domaine que ce soit. _Une théorie, une technique révolutionnaire._ ▶ **révolutionner** v. tr. ▪ conjug. 1. **1.** Agiter violemment, mettre en émoi. _Cette nouvelle a révolutionné le quartier._ **2.** Transformer radicalement, profondément. ⇒ **bouleverser.** _L'invention de la machine à vapeur a révolutionné l'industrie._ ⟨ ▶ contre-révolution ⟩

revolver [ʀevɔlvɛʀ] n. m. ▪ Arme à feu courte et portative, à approvisionnement automatique par barillet. — REM. Se dit par erreur pour _pistolet._

révoquer [ʀevɔke] v. tr. ▪ conjug. 1. **1.** Destituer (un fonctionnaire, un magistrat...). ⇒ **casser** (I), **relever** de ses fonctions. **2.** Annuler (un acte juridique) au moyen de formalités déterminées. _Révoquer un testament._ ⟨ ▶ irrévocable, révocable, révocation ⟩

à la revoyure [alaʀvwajʀ] loc. interj. ▪ Fam. Au revoir.

① **revue** [ʀ(ə)vy] n. f. **I.** Examen qu'on fait (d'un ensemble matériel ou abstrait) en considérant successivement chacun des éléments. ⇒ **inventaire.** _Faire la revue de son matériel de camping._ — _La revue de la presse, une revue de presse,_ ensemble d'extraits d'articles qui donne un aperçu des différentes opinions sur l'actualité. **II. 1.** Cérémonie militaire au cours de laquelle les troupes sont présentées à des personnalités civiles ou militaires. ⇒ **défilé, parade.** _La revue du 14 Juillet. En revenant de la revue._ — PASSER EN REVUE : inspecter des militaires qui stationnent ou défilent à cette intention. _Le général passa le régiment en revue._ **2.** Loc. fig. PASSER EN REVUE : examiner successivement. _Nous avons passé en revue les divers problèmes._ — Fam. ÊTRE DE LA REVUE : être frustré, n'avoir rien obtenu. **III.** Loc. ÊTRE DE REVUE : avoir l'occasion de se revoir. _Ce sera pour une autre fois, nous sommes de revue._ **IV.** Pièce satirique passant en revue l'actualité. — Spectacle de variétés ou de music-hall. _Une revue à grand spectacle._

② **revue** n. f. ▪ Publication périodique (mensuelle, trimestrielle, etc.). ⇒ **magazine, périodique.** _Revue littéraire, scientifique. S'abonner à une revue._

révulser [ʀevylse] v. tr. ▪ conjug. 1. **1.** Indigner avec force. _Ça me révulse !_ **2.** SE RÉVULSER v. pron. réfl. : se contracter violemment (sous l'effet d'une émotion). _Visage qui se révulse._ ▶ **révulsé, ée** adj. ▪ (Visage, yeux) Qui a une expression bouleversée. _Yeux révulsés,_ tournés de telle sorte qu'on ne voit presque plus la pupille. ▶ **révulsion** n. f. ▪ Procédé thérapeutique qui consiste à produire un afflux de sang dans une région déterminée afin de dégager un organe atteint de congestion ou d'inflammation. ▶ **révulsif** n. m. ▪ Remède qui produit la révulsion (cataplasme, friction, etc.).

rez-de-chaussée [ʀedʃose] n. m. invar. ▪ Partie d'un édifice dont le plancher est sensiblement au niveau de la rue, du sol. _Il habite au rez-de-chaussée. Des rez-de-chaussée._ — On dit aussi _rez-de-jardin,_ n. m. invar.

rhabiller [ʀabije] v. tr. ▪ conjug. 1. ▪ Habiller de nouveau. _Rhabiller un enfant._ — Pronominalement (réfl.). _Les baigneurs se rhabillaient._ — Fam. _Il peut_ ALLER SE RHABILLER : se dit d'un artiste, d'un athlète qui est mauvais, et qu'on engage à retourner au vestiaire, ou de qqn qui n'a plus qu'à s'en aller, à renoncer. _Va te rhabiller !_

rhapsode [ʀapsɔd] n. m. ▪ Chanteur de la Grèce antique qui allait de ville en ville récitant des poèmes épiques. ⟨ ▶ rhapsodie ⟩

rhapsodie [ʀapsɔdi] n. f. ▪ Pièce musicale instrumentale de composition très libre et d'inspiration nationale et populaire. _Les rhapsodies hongroises de Liszt._

rhénan, ane [ʀenɑ̃, an] adj. ▪ Relatif au Rhin, à la Rhénanie (en République fédérale d'Allemagne). _Le pays rhénan._

rhéostat [ʀeɔsta] n. m. ▪ Appareil qui, intercalé dans un circuit, permet de régler l'intensité du courant électrique.

rhésus [ʀezys] n. m. invar. **I.** Sciences naturelles. Singe du genre macaque, qui vit dans le nord de l'Inde. — En appos. _Des singes rhésus._ **II.** En médecine. FACTEUR RHÉSUS : substance découverte dans le sang du singe rhésus, présente dans 85 % des sangs humains et qui rend incompatibles du sang à _rhésus positif_ et du sang à _rhésus négatif_ (qui n'a pas cette substance).

rhéteur [ʀetœʀ] n. m. **1.** Dans l'Antiquité. Maître de rhétorique. **2.** Péj. Orateur, écrivain sacrifiant à la rhétorique (2). ⇒ **phraseur.** ▶ **rhétorique** n. f. **1.** Art de bien parler ; technique de la mise en œuvre des moyens d'expression (par la composition, les figures). _Les anciens traités de rhétorique._ **2.** Péj. Éloquence creuse, purement formelle. ⇒ **déclamation, emphase.** ▶ **rhétoricien, ienne** n. ▪ Spécialiste de rhétorique.

rhin-, rhino- ▪ Élément savant signifiant « nez ». ▶ **rhinopharynx** [ʀinofaʀɛ̃ks] n. m. invar. ▪ Partie supérieure du pharynx. ▶ **rhinopharyngite** n. f. ▪ Affection du rhinopharynx. ⟨ ▶ oto-rhino-laryngologie, rhinocéros ⟩

rhinocéros [ʀinɔseʀos] n. m. invar. ▪ Mammifère de grande taille au corps couvert d'une peau épaisse et rugueuse, armé d'une ou de deux cornes sur le nez. — Abrév. _Un_ RHINO. _Des rhinos._

rhizome [ʀizom] n. m. ▪ Didact. Tige souterraine (de certaines plantes, comme l'iris).

rhodanien, ienne [ʀɔdanjɛ̃, jɛn] adj. ▪ Du Rhône. _Vallée rhodanienne._

rhododendron [ʀɔdɔdɛ̃dʀɔ̃] n. m. ▪ Arbuste à feuilles persistantes, à fleurs roses ou rouges.

rhombo- ▪ Élément savant signifiant « losange ».

rhubarbe [ʀybaʀb] n. f. ▪ Plante à larges feuilles portées par de gros pétioles comestibles. _Confiture de rhubarbe. Tarte à la rhubarbe._

rhum [ʀɔm] n. m. ▪ Eau-de-vie obtenue par fermentation et distillation du jus de canne à sucre, ou de mélasses. _Boisson au rhum._ ⇒ **grog,** ① **punch.** _D'excellents vieux rhums._ ▶ **rhumerie** [ʀɔmʀi] n. f. **1.** Distillerie de rhum. **2.** Café spécialisé dans les boissons au rhum.

rhumatisme [ʀymatism] n. m. ▪ Affection aiguë ou chronique, caractérisée généralement par des douleurs dans les articulations. ⇒ **arthrite,** ③ **goutte.** ▶ **rhumatisant, ante** adj. et n. ▪ Atteint de rhumatisme, sujet aux rhumatismes. _Vieillard rhumatisant._ — N. _Un rhumatisant._ ▶ **rhumatismal, ale, aux** adj. ▪ Propre au rhumatisme. _Douleurs rhumatismales._ ▶ **rhumatologie** n. f. ▪ Médecine des rhumatismes. ▶ **rhumatologue** n. ▪ Spécialiste des rhumatismes.

rhume [ʀym] n. m. ▪ Inflammation générale des muqueuses des voies respiratoires (nez, gorge, bronches). _Rhume de cerveau,_ inflammation des fosses nasales. ⇒ **coryza**. *Avoir, attraper un rhume, un gros rhume. Son rhume le fait éternuer.* ‹ ▸ **enrhumer** ›

riant, riante [ʀijɑ̃, ʀijɑ̃t] adj. **1.** Qui exprime la gaieté. ⇒ **gai**. / contr. **triste** / *Visage riant.* **2.** Qui semble respirer la gaieté et y inciter. / contr. **morne** / *Une campagne riante.*

ribambelle [ʀibɑ̃bɛl] n. f. ■ Longue suite (de personnes ou de choses en grand nombre). *Une ribambelle d'enfants.*

ricaner [ʀikane] v. intr. ■ conjug. 1. **1.** Rire à demi de façon méprisante ou sarcastique. *L'individu me regarda d'un air féroce et se mit à ricaner.* **2.** Rire de façon stupide, sans motif ou par gêne. *Pour toute réponse, il se contenta de ricaner.* ▸ **ricanement** n. m. ▸ **ricaneur, euse** adj. et n. ■ Qui ricane.

riche [ʀiʃ] adj. et n. m. **1.** Adj. Qui a de la fortune, possède des richesses. ⇒ **fortuné, opulent** ; fam. **rupin**. / contr. **pauvre** / *Il, elle est riche. Il est aisé, mais pas vraiment riche. Ce sont des gens très riches.* ⇒ **richissime**. *Faire un riche mariage*, se marier avec une personne riche. *Les pays riches, industrialisés et les pays pauvres, en voie de développement.* **2.** N. m. LES RICHES. ⇒ **milliardaire, millionnaire, richard**. — NOUVEAU RICHE : personne récemment enrichie, qui étale sa fortune sans modestie et sans goût. ⇒ **parvenu**. Péj. GOSSE DE RICHE(S) : enfant de personnes riches, plus ou moins gâté. **3.** (Choses ; souvent avant le nom) Qui suppose la richesse, a l'apparence de choses coûteuses. ⇒ **somptueux**. *De riches tapis. Fam. Ça fait riche.* **4.** (Choses) RICHE EN : qui possède beaucoup de (choses utiles ou agréables). *Un aliment riche en vitamines.* — RICHE DE (surtout abstrait) : qui a beaucoup de, est plein de. *Un livre riche d'enseignements.* **5.** (Choses) Qui contient de nombreux éléments, ou des éléments importants en abondance. *Un sol, une terre riche.* ⇒ **fertile**. *Langue riche* (en moyens d'expression). — Fam. *C'est une* RICHE NATURE : une personne pleine de possibilités, énergique. *Une riche idée*, excellente. ▸ **richement** adv. **1.** De manière à rendre ou à devenir riche. *Il a marié richement ses filles.* **2.** Avec magnificence. *Richement vêtu.* / contr. **pauvrement** / ▸ **richesse** n. f. **I. 1.** Possession de grands biens (en nature ou en argent). ⇒ **argent, fortune, opulence.** / contr. **pauvreté** / *Vivre dans la richesse.* **2.** Qualité de ce qui est coûteux ou le paraît. *La richesse des tentures, du décor.* **3.** RICHESSE EN : état de ce qui est riche en. *La richesse de ce pays en pétrole.* **4.** Qualité de ce qui a en abondance les éléments requis. *Richesse du sous-sol. La richesse de sa documentation.* ⇒ **abondance, importance. II.** LES RICHESSES. **1.** L'argent, les possessions matérielles. *Accumuler les richesses.* — Objets de grande valeur. *Les richesses d'un musée.* **2.** Ressources d'un pays ; produits de l'activité économique dont profite la collectivité. *La répartition des richesses.* **3.** Abstrait. Biens, ressources (d'ordre intellectuel, esthétique). ⇒ **trésor**. *Les richesses d'un style architectural.* ▸ **richard, arde** n. ■ Fam. et péj. Personne riche. *Un gros richard.* ▸ **richissime** adj. ■ Extrêmement riche. ‹ ▸ **enrichir** ›

ricin [ʀisɛ̃] n. m. ■ Plante dont le fruit renferme des graines oléagineuses. — HUILE DE RICIN : employée comme purgatif.

ricochet [ʀikoʃɛ] n. m. **1.** Rebond d'une pierre lancée obliquement sur la surface de l'eau, ou d'un projectile renvoyé par un obstacle. *Faire des ricochets.* **2.** PAR RICOCHET : par contrecoup, indirectement. ▸ **ricocher** v. intr. ■ conjug. 1. ■ Faire ricochet. ⇒ **rebondir.** *La balle a dû ricocher sur le mur.*

ric-rac [ʀikʀak] loc. adv. ■ Fam. Exactement ; tout juste. *C'est compté ric-rac.*

rictus [ʀiktys] n. m. invar. ■ Contraction de la bouche, qui donne l'aspect de rire forcé, de sourire grimaçant. *Des rictus de colère.*

ride [ʀid] n. f. **1.** Petit pli de la peau du front, de la face et du cou (dû à l'âge, à l'amaigrissement, ou au froncement). ⇒ **ridule**. *Visage sillonné de rides.* **2.** Légère ondulation à la surface de l'eau ; pli, sillon sur une surface. ‹ ▸ **ridicule** ›

rideau [ʀido] n. m. **1.** Pièce d'étoffe (mobile) destinée à tamiser la lumière, à abriter ou décorer qqch. *Rideaux de fenêtres.* ⇒ **voilage**. *Doubles rideaux*, rideaux en tissu épais, par-dessus des rideaux transparents. — *Fermer, ouvrir, écarter, tirer les rideaux.* **2.** Grande draperie (ou toile peinte) qui sépare la scène de la salle. *Lever, baisser le rideau. Rideau !*, exclamation des spectateurs mécontents (pour demander qu'on baisse le rideau). **3.** RIDEAU DE FER : rideau métallique séparant la scène de la salle en cas d'incendie ; fermeture métallique de la devanture d'un magasin. *Baisser le rideau de fer.* — Ligne qui isole en Europe les pays communistes des pays non communistes. *Au-delà du rideau de fer.* **4.** Loc. TIRER LE RIDEAU sur qqch. : cesser de s'en occuper, d'en parler. **5.** RIDEAU DE : chose capable d'intercepter la vue, de mettre à couvert. ⇒ **écran.** *Un rideau de verdure.* — *Rideau de feu*, tirs d'artillerie protégeant la progression des troupes.

ridelle [ʀidɛl] n. f. ■ Châssis à claire-voie disposé de chaque côté d'une charrette, d'un camion, etc., afin de maintenir la charge. *Des wagons à ridelles.*

rider [ʀide] v. tr. ■ conjug. 1. **1.** Marquer, sillonner de rides. ⇒ **flétrir.** — Pronominalement. *Peau qui se ride.* **2.** Marquer d'ondulations, de plis. *La brise ridait l'eau, la surface du lac.* — Pronominalement. *Les pommes commencent à se rider.* ▸ **ridé, ée** adj. ■ Marqué de rides. *Visage ridé et flétri. Une petite vieille toute ridée. Une pomme ridée.* ‹ ▸ **antirides, dérider, ride, rideau** ›

ridicule [ʀidikyl] adj. et n. m. **I.** Adj. **1.** Qui mérite d'exciter le rire et la moquerie, qui fait rire par un caractère de laideur, d'absurdité, de bêtise. ⇒ **dérisoire, risible.** *Une personne ridicule, qui se rend ridicule. Cette mode est ridicule. Un accoutrement ridicule.* — (Comportements) Dénué de bon sens. ⇒ **absurde, déraisonnable.** *Une prétention ridicule.* — (Personnes) *Ils sont ridicules de prétention. Tu es ridicule de dire cela.* — Impers. *Il est, c'est, il serait ridicule de* (+ infinitif), *que* (+ subjonctif). *Il serait ridicule de laisser passer une pareille occasion, qu'il ne saisisse pas l'occasion.* **2.** Insignifiant. *Une somme, une quantité ridicule.* ⇒ **dérisoire. II.** N. m. **1.** Loc. TOURNER qqn EN RIDICULE : le rendre ridicule. ⇒ se **moquer, ridiculiser. 2.** Trait qui rend ridicule, ce qu'il y a de ridicule. *Montrer les ridicules (de qqn).* ⇒ **défaut.** *Sentir tout le ridicule d'une situation. Se donner le ridicule de discuter sans rien savoir*, se rendre ridicule en discutant... — absolt. *Le ridicule*, ce qui excite le rire et la risée. *C'est le comble du ridicule. Avoir la peur, le sens du ridicule.* — PROV. *Le ridicule tue (ne tue pas)*, on ne se relève pas (on supporte très bien) d'avoir été ridicule. ▸ **ridiculement** adv. ■ De manière ridicule. *Être ridiculement accoutré.* — Dans des proportions dérisoires. *Salaire ridiculement bas.* ▸ **ridiculiser** v. tr. ■ conjug. 1. ■ Rendre ridicule. ⇒ **moquer.** — Pronominalement (réfl.). *Il se ridiculise.*

ridule [ʀidyl] n. f. ■ Petite ride.

rien [ʀjɛ̃] pronom indéf., n. m. et adv. **I.** Nominal indéfini. — REM. Dans cet emploi, on fait la liaison, ex. : *rien à dire* [ʀjɛ̃nadiʀ] — *Rien*, objet direct, suit le verbe ou l'auxiliaire ; ex. : *je ne comprends rien, je n'ai rien compris.* Il se place aussi devant l'infinitif : *il est parti* *sans rien dire.* **1.** Quelque chose (dans un contexte négatif). *Il fut incapable de rien dire,* de dire quoi que ce soit. *Je ne crois pas qu'il puisse rien prouver contre moi. Rester sans rien dire. A-t-on jamais rien vu de pareil ?* **2.** (Employé avec *ne*) Aucune chose, nulle chose. *Je n'ai rien vu. Il n'en sait rien. Je n'y comprends rien. Il n'y a rien à craindre.* PROV. *Qui ne risque rien n'a rien. Vous n'aurez rien du tout,* absolument rien. *Il ne comprend rien à rien. Cela ne fait rien,* cela n'a pas d'importance. *Ça ne sert à rien. On n'y peut rien. Ils ne s'entendent sur rien.* RIEN QUE. *Je n'ai rien que mon salaire.* ⇒ **seulement.** RIEN DE (+ adj. ou adv. *moins, plus, mieux, pis,* etc.). *Il n'y a rien de mieux, de tel. Il n'y a rien de plus facile.* — RIEN QUI, QUE (le plus souvent + subjonctif). *Je n'ai rien trouvé qui vaille la peine. Il n'y a rien que tu puisses faire.* — N'AVOIR RIEN DE... : aucun des caractères de... *Elle n'a rien d'une ingénue.* (+ adj.) N'être pas du tout. *Cela n'a rien d'impossible.* — (Comme sujet) *Rien n'est trop beau pour lui. Rien ne motive son absence. Rien ne va plus* (au jeu : « il est trop tard pour miser »). — (En attribut) N'ÊTRE RIEN : n'avoir aucun pouvoir, aucune importance. *N'être rien en comparaison de qqn, qqch. Elle n'est rien pour moi,* elle ne compte pas. *Ce n'est rien,* c'est sans importance, sans gravité. *Ce n'est pas rien,* c'est important. *Il n'en est rien,* ce n'est pas vrai du tout. — Littér. RIEN MOINS (QUE). *Ce n'est rien moins que sûr,* ce n'est pas du tout sûr. — Pas moins. *Il ne s'agissait de rien moins que de...* ou (dans le même sens) *de rien de moins que de...* **3.** Loc. adv. EN RIEN (positif) : en quoi que ce soit. *Sans gêner en rien son action.* — NE... EN RIEN : d'aucune manière, pas du tout. *Cela ne nous touche en rien.* **4.** (Sans particule négative, dans une phrase elliptique, une réponse) Nulle chose. *« À quoi penses-tu ? – À rien. » — Rien à dire. Rien de tel pour se distraire, rien n'est si bien. Rien d'étonnant si l'affaire a raté, que l'affaire ait raté.* RIEN À FAIRE : la chose est impossible. *Rien à faire pour faire démarrer ce moteur. « Je vous remercie. – De rien »,* je vous en prie. *C'est tout ou rien,* il n'y a pas de demi-mesure. *C'est cela ou rien,* il n'y a pas d'autre choix. *Ce que nous faisons ou rien, c'est la même chose,* nous ne faisons rien d'utile. *Rien de plus, rien de moins,* exactement (ceci). *C'est mieux que rien,* c'est quelque chose. *C'est moins que rien,* c'est nul. *En moins de rien,* en très peu de temps, très rapidement. — RIEN QUE... ⇒ **seulement.** *C'est à moi, rien qu'à moi.* ⇒ **uniquement.** *Rien que d'y penser,* à cette seule pensée. **5.** (Après une prép.) Chose ou quantité (quasi) nulle. *Faire qqch. de rien. Se réduire à* ⇒ **zéro.** — POUR RIEN : pour un résultat nul. ⇒ **inutilement.** *Se déranger pour rien. Ce n'est pas pour rien que...,* ce n'est pas sans raison que... — Sans payer. ⇒ **gratuitement.** *Je l'ai eu pour rien. On n'a rien pour rien.* — *C'est pour rien !,* ce n'est pas cher (→ *C'est donné*). — DE RIEN, DE RIEN DU TOUT (compl. de nom) : sans valeur, sans importance. *Un petit bobo de rien du tout.* — Vieilli. *Une fille de rien,* de mauvaise conduite. — *C'est deux, trois fois rien,* une chose insignifiante. — Loc. COMME SI DE RIEN N'ÉTAIT : comme si rien ne s'était passé. II. N. m. — REM. Dans cet emploi, on ne fait pas de liaison : *un rien effraie* [rjɛ̃efrɛ] *cet enfant.* **1.** UN RIEN : peu de chose. *Il se fâche pour un rien. Un rien l'amuse, l'habille.* — Au plur. *Perdre son temps à des riens.* ⇒ **bagatelle, bêtise, niaiserie.** — POUR UN RIEN : pour une raison insignifiante. *Il se fait de la bile pour un rien.* — Fam. COMME UN RIEN : très facilement. *Il saute 1,50 m comme un rien.* **2.** UN RIEN : un petit peu de. *« En reprenez-vous ? – Un rien »,* une goutte, une miette. *Un rien, un petit rien de fantaisie.* — EN UN RIEN DE TEMPS : en très peu de temps. ⇒ **promptement.** — UN RIEN loc. adv. : un petit peu,

légèrement. *C'est un rien trop grand.* **3.** N. invar. UN, UNE RIEN DU TOUT : une personne méprisable (socialement, moralement). *Ce sont des rien du tout.* III. Adv. RIEN. Fam. (Par antiphrase) Très. ⇒ **rudement.** *C'est rien chouette ici !* ‹ ▶ vaurien ›

rieur, rieuse [rjœr, rjøz ; rijœr, rijøz] n. et adj. **1.** N. Personne qui rit, est en train de rire. — Loc. *Avoir, mettre les rieurs de son côté, avec soi,* faire rire aux dépens de son adversaire. **2.** Adj. Qui aime à rire, à s'amuser. ⇒ **gai ; enjoué.** *Un enfant rieur.* — Qui exprime la gaieté. *Yeux rieurs. Expression rieuse.*

rififi [rififi] n. m. ■ Arg. Bagarre. *Il y a du rififi dans la rue.*

riflard [riflar] n. m. ■ Fam. Parapluie. ⇒ fam. ③ **pépin.**

rigide [riʒid] adj. **1.** (Choses) Qui garde sa forme, ne se déforme pas. ⇒ **raide.** / contr. **souple** / *Armature rigide. Livre à couverture rigide.* **2.** (Personnes) Qui se refuse aux concessions, aux compromis. ⇒ **inflexible, rigoureux.** *Un moraliste rigide.* — Qui manque de souplesse. *Ce parti a une organisation très rigide. Une morale rigide.* ▶ **rigidité** n. f. **1.** Raideur. *Rigidité d'un papier. La rigidité cadavérique.* **2.** Rigidité des principes. ⇒ **austérité, rigorisme.** / contr. **souplesse** /

rigole [rigɔl] n. f. **1.** Petit conduit creusé dans une pierre, ou petit fossé aménagé dans la terre pour l'écoulement des eaux. ⇒ **caniveau, ruisseau. 2.** Filet d'eau qui ruisselle par terre. *La pluie forme des rigoles.*

rigoler [rigɔle] v. intr. ▪ conjug. 1. ■ Fam. Rire, s'amuser. *On a bien rigolé.* — Plaisanter. *Il ne faut pas rigoler avec ça* (⇒ **rigolade**). ▶ **rigolade** [rigɔlad] n. f. Fam. Amusement, divertissement. *Prendre qqch. à la rigolade,* comme une plaisanterie. **2.** Chose ridicule, ou sans importance. ⇒ **farce.** *C'est une vraie rigolade.* ⇒ **blague. 3.** *C'est de la rigolade,* c'est facile à réaliser. ▶ **rigolard, arde** adj. ■ Fam. Gai. *Un air rigolard.* ▶ **rigolo, ote** adj. et n. Fam. **1.** Qui amuse, fait rire, rigoler. ⇒ **amusant, drôle ;** fam. **marrant.** *Elle est rigolote.* — N. Personne amusante. Péj. *C'est un petit rigolo,* un farceur. **2.** Curieux, étrange.

rigorisme [rigɔrism] n. m. ■ Respect exagéré des règles de la religion ou des principes moraux. ⇒ **austérité, puritanisme, rigidité.** ▶ **rigoriste** n. et adj. ■ N. *Un rigoriste.* — Adj. ⇒ **intransigeant, sévère.** *Attitude rigoriste.*

rigueur [rigœr] n. f. **1.** Sévérité, dureté extrême. *La rigueur de la répression. La rigueur d'une punition. Punir avec trop de rigueur.* — Loc. TENIR RIGUEUR à qqn : ne pas lui pardonner, lui garder rancune. — Au plur. Littér. *Les rigueurs de l'hiver.* **2.** Exactitude, logique implacable. *La rigueur d'un raisonnement. Son exposé manque de rigueur.* **3.** DE RIGUEUR : imposé par les usages, les règlements. ⇒ **obligatoire.** *Tenue de soirée de rigueur.* **4.** À LA RIGUEUR loc. adv. : en cas de nécessité absolue. *On peut à la rigueur se passer de lui.* ▶ **rigoureux, euse** adj. **1.** Qui fait preuve de rigueur. *Une morale rigoureuse.* ⇒ **rigide ; rigoriste. 2.** Dur à supporter. *Un hiver rigoureux.* ⇒ **rude. 3.** D'une exactitude inflexible. *Observation rigoureuse des consignes.* ⇒ **étroit, strict.** *Une rigoureuse neutralité.* ⇒ **absolu.** — Mené avec précision. *Un raisonnement rigoureux.* — (Personnes) *Être rigoureux dans une démonstration.* ▶ **rigoureusement** adv. **1.** D'une manière rigoureuse, stricte. *Il est rigoureusement interdit de fumer.* ⇒ **formellement, strictement. 2.** Absolument, totalement. *C'est rigoureusement exact.* — Avec exactitude, minutie. *Il a respecté rigoureusement les consignes.* ‹ ▶ rigorisme ›

rillettes [ʀijɛt] n. f. pl. ■ Charcuterie faite de viande de porc ou d'une autre viande, hachée et cuite dans la graisse. *Un pot de rillettes. Rillettes d'oie, de canard. Une tartine de rillettes.*

rime [ʀim] n. f. **1.** Disposition de sons identiques à la finale de mots placés à la fin de deux ou plusieurs vers. *Rime riche,* comprenant au moins une voyelle et sa consonne d'appui (ex. : *image – hommage*). *Rime pauvre* (ex. : *ami – pari*). *Rimes plates,* qui ont la forme a-a-b-b ; *rimes croisées,* qui ont la forme a-b-a-b. — *Rime féminine, masculine,* terminée par e muet ou non. **2.** SANS RIME NI RAISON : d'une manière incompréhensible, absurde. *Ça n'a ni rime ni raison,* aucun sens. ▶ **rimer** v. ■ conjug. 1. **I.** V. intr. **1.** Faire des vers. **2.** Constituer une rime. « *Vent* » *rime avec* « *souvent* ». — Loc. *Cela ne rime à rien,* n'a aucun sens. **II.** V. tr. Mettre en vers rimés. *Rimer une chanson.* ▶ **rimé, ée** adj. ■ Pourvu de rimes. *Poésie rimée.* ▶ **rimeur** n. m. ■ Poète sans inspiration (variante péj. *rimailleur,* n. m.).

rimmel [ʀimɛl] n. m. ■ (Marque déposée) Fard pour les cils. ⇒ **mascara.**

rinceau [ʀɛ̃so] n. m. ■ Ornement architectural en forme d'arabesque. *Des rinceaux.*

rincer [ʀɛ̃se] v. tr. ■ conjug. 3. **1.** Nettoyer à l'eau (un récipient). ⇒ **laver.** *Rincer des verres, des bouteilles.* **2.** Passer à l'eau (ce qui a été lavé) pour enlever les produits de lavage. *Rincer du linge.* — *Elle s'est rincé la bouche après s'être lavé les dents.* **3.** Fam. SE RINCER L'ŒIL : regarder avec plaisir ce qui excite les sens. ▶ **rinçage** n. m. ■ *Le rinçage des verres.* ▶ **rince-doigts** n. m. invar. ■ Petit récipient contenant de l'eau (parfumée de citron, etc.), servant à se rincer les doigts au cours d'un repas. ▶ **rinçure** n. f. ■ Eau sale qui a servi à rincer.

ring [ʀiŋ] n. m. ■ Estrade entourée de trois rangs de cordes, sur laquelle combattent des boxeurs, des catcheurs. *Monter sur le ring. Des rings.* — La boxe. *L'une des plus grandes figures du ring.*

ringard, arde [ʀɛ̃gaʀ, aʀd] n. et adj. Fam. **1.** N. Acteur(trice), chanteur(euse) démodé(e). — Individu incapable. *Une bande de ringards.* **2.** Adj. Démodé, médiocre. *Un roman ringard.* — (Personnes) Médiocre, incapable.

ripaille [ʀipaj] n. f. ■ Fam. Repas où l'on mange beaucoup et bien. ⇒ **festin.** *Faire ripaille.* ⇒ **bombance, bombe.** ▶ **ripailler** v. intr. ■ conjug. 1. ■ Faire ripaille.

riper [ʀipe] v. ■ conjug. 1. **1.** V. tr. Faire glisser une chose lourde. *Riper une caisse.* **2.** V. intr. Glisser, déraper. *L'outil a ripé. Faire riper une pierre.*

ripolin [ʀipolɛ̃] n. m. ■ Marque déposée de peinture laquée. ▶ **ripoliner** v. tr. ■ conjug. 1. ■ Peindre au ripolin. — Au p. p. adj. *Murs ripolinés.*

riposte [ʀipɔst] n. f. **1.** Réponse vive, instantanée, faite à un interlocuteur agressif. *Être prompt à la riposte.* **2.** Vive réaction de défense, contre-attaque vigoureuse. *Une riposte foudroyante.* ▶ **riposter** v. intr. ■ conjug. 1. **1.** Adresser une riposte. ⇒ **répondre.** — Transitivement. *Il riposta qu'il n'en savait rien.* ⇒ **répliquer, rétorquer.** **2.** Répondre par une attaque (à une attaque). ⇒ **contre-attaquer,** se **défendre.** *Riposter à coups de grenade.*

riquiqui [ʀikiki] adj. invar. ■ Fam. Petit, mesquin, pauvre. *Ça fait un peu riquiqui.*

① **rire** [ʀiʀ] v. ■ conjug. 36. **I.** V. intr. **1.** Exprimer la gaieté par un mouvement de la bouche, accompagné d'expirations saccadées plus ou moins bruyantes. ⇒ s'**esclaffer ;** fam. se **marrer, rigoler.** *Se mettre à rire.*

Rire aux éclats, à gorge déployée, aux larmes. ⇒ fam. se **bidonner,** se **gondoler,** se **tordre.** *Rire comme une baleine, comme un bossu. Avoir toujours le mot pour rire,* plaisanter à tout propos. *Il m'a bien fait rire. Avoir envie de rire.* — (Verbe + *de rire*) *Éclater, pouffer, se tordre de rire. C'est à mourir de rire. Pleurer de rire.* RIRE DE : à cause de. *Nous avons bien ri de ces plaisanteries. Il n'y a pas de quoi rire.* **2.** Se réjouir. — Loc. prov. *Rira bien qui rira le dernier,* se dit pour marquer qu'on prendra sa revanche sur la personne qui a l'air de triompher maintenant. — S'amuser. ⇒ se **divertir.** *Elle ne pense qu'à rire.* **3.** Dans des loc. Ne pas parler ou ne pas faire qqch. sérieusement. ⇒ **badiner, plaisanter.** *Vous voulez rire ? C'est pour rire.* — *Histoire de rire,* en manière de plaisanterie. — *Sans rire, est-ce que... ?,* sérieusement... **4.** RIRE DE : se moquer de (qqn). ⇒ **railler, ricaner ; dérision.** *Faire rire de soi.* Loc. *Il vaut mieux en rire qu'en pleurer.* — *Sans compl. Vous me faites rire,* je me moque de ce que vous dites. **5.** Littér. Avoir un aspect joyeux. ⇒ **riant.** *Avoir les yeux qui rient.* **II.** Littér. SE RIRE DE v. pron. : se jouer de. *Elle s'est ri des difficultés.* ▶ ② **rire** n. m. ■ Action de rire. *Un rire bruyant. Un gros rire. Éclater d'un gros rire.* ⇒ **éclater** de ① **rire.** *Un rire bête. Un rire moqueur,* ironique. — *Avoir le fou rire,* ne plus pouvoir s'arrêter de rire. — *Un éclat de rire.* — *Rire nerveux, forcé, méchant.* ⇒ **ricanement.** *Déclencher, attirer les rires.* ‹ ▶ dérision, dérisoire, riant, ridicule, rieur, pince-sans-rire, risée, risette, risible, sourire ›

ris de veau [ʀidvo] n. m. invar. ■ Glande du cou (thymus) du veau, qui donne un plat apprécié. *Du ou des ris de veau. Rognons et ris de veau.* — REM. On emploie aussi (moins courant) *du ris d'agneau.* ≠ *riz.*

risée [ʀize] n. f. ■ Moquerie collective envers une personne (dans quelques expressions). *Être un objet de risée. S'exposer à la risée du public.* — *Être la risée de tous,* être un objet de risée.

risette [ʀizɛt] n. f. ■ *Faire risette, des risettes à qqn,* des sourires (surtout en parlant des enfants). — Surtout au plur. Fam. Sourire de commande, de flatterie. *Faire des risettes et des courbettes aux gens.*

risible [ʀizibl] adj. ■ Propre à exciter une gaieté moqueuse. ⇒ **ridicule.** *Il est risible. Attitude risible.*

risotto [ʀizɔto] n. m. ■ Riz préparé à l'italienne (souvent assaisonné de parmesan). *Des risottos. Risotto aux fruits de mer.*

risque [ʀisk] n. m. **1.** Danger éventuel plus ou moins prévisible. *Une entreprise pleine de risques. Ce sont les risques du métier.* ⇒ **inconvénient.** *C'est un risque à courir,* c'est risqué, mais il faut le tenter. — Loc. *À vos risques et périls**. — RISQUE DE. *Un risque d'aggravation. Courir le risque de se voir trahi,* s'exposer à... — *Au risque de,* en s'exposant à. *Au risque de se tuer, il sauta dans le vide.* **2.** Éventualité d'un événement préjudiciable à la santé, la vie de qqn, la possession de qqch. *Les risques d'incendie. Assurance tous risques.* **3.** Le fait de s'exposer à un danger (dans l'espoir d'obtenir un avantage). *Avoir le goût du risque. Prendre un risque, des risques.* ⇒ **oser.** ▶ **risquer** v. tr. ■ conjug. 1. **I. 1.** Exposer à un risque. ⇒ **aventurer.** *Risquer sa vie,* s'exposer à la mort. Loc. *Risquer le paquet, le tout pour le tout,* tout ce qu'on peut. *Risquer une somme considérable dans une affaire. Risquer de l'argent à la roulette.* PROV. *Qui ne risque rien n'a rien.* — *Sans compl. Risquer gros,* en jouant gros jeu, en prenant des risques. — Fam. *Mettre (une partie du corps) là où il y a risque d'être surpris, vu, etc. Risquer un œil à la fenêtre.* **2.** Tenter (qqch. qui comporte des risques). ⇒ **entreprendre.** *Je ne suis pas d'avis de risquer le coup. Je veux bien* risquer une démarche en ce sens. — Avancer (un mot, une remarque) avec la conscience du risque couru. *Si tu peux risquer cette comparaison.* **3.** S'exposer ou être exposé (à un danger, un inconvénient). *Je risquais la mort, les pires ennuis. Après tout, qu'est-ce qu'on risque ?* — (Choses) *Tes affaires ne risquent rien ici.* **4.** RISQUER DE (+ infinitif). — (Suj. personne) Courir le risque de. *Tu risques de tomber, de t'estropier. Il risque de perdre son emploi.* — (Suj. chose) Pouvoir (en tant que possibilité dangereuse ou fâcheuse). *Le rôti risque de brûler.* — (Sans idée d'inconvénient ; emploi critiqué) Avoir une chance de. *La seule chose qui risque de l'intéresser, c'est de gagner cet argent.* — RISQUER QUE (+ subjonctif). *Tu risques qu'il te voie, d'être vu par lui.* **II.** SE RISQUER v. pron. **1.** S'exposer à un risque. *Je ne me risquerai pas dans cette affaire.* **2.** SE RISQUER À *qqch.* : se hasarder à dire, à faire qqch. *Je ne me risquerai pas à le contredire.* — *Je m'y risquerai pas,* c'est un danger auquel je ne m'exposerai pas. ▶ *risqué, ée* adj. ■ Plein de risques. ⇒ **dangereux, hasardeux.** *Démarche risquée. C'est trop risqué.* — Scabreux, osé. *Plaisanteries risquées.* ▶ *risque-tout* n. invar. ■ Personne qui pousse l'audace jusqu'à l'imprudence. ⇒ **casse-cou.** *C'est une risque-tout.* ⟨ ▶ multirisque ⟩

rissoler [ʀisɔle] v. tr. ■ conjug. 1. ■ Faire cuire (une viande, des légumes, etc.) de manière à en dorer la surface. — Au p. p. adj. *Pommes de terre rissolées.* ▶ *rissole* n. f. ■ Petit pâté frit.

ristourne [ʀisturn] n. f. ■ Commission, remise plus ou moins licite. *Faire une ristourne à qqn.* ▶ *ristourner* v. tr. ■ conjug. 1. ■ Remettre (une somme) à titre de ristourne.

rite [ʀit] n. m. **1.** Ensemble des cérémonies en usage dans une communauté religieuse ; organisation traditionnelle de ces cérémonies. ⇒ **culte.** — REM. On écrit aussi RIT [ʀit], en religion. — *Rites secrets pratiqués chez certains peuples.* **2.** Cérémonie réglée ou geste particulier prescrit par la liturgie d'une religion. ⇒ **rituel.** *Rites funèbres. Les masques des rites funéraires africains. Rites destinés à assurer le succès de la récolte.* **3.** Pratique réglée, invariable. ⇒ **usage.** *Les rites de la politesse. C'est devenu un rite,* une habitude. ▶ *rituel, elle* adj. et n. m. **I.** Adj. Qui constitue un rite ; a rapport aux rites. *Chants rituels.* — Réglé comme par un rite, habituel et précis. *Il faisait sa promenade rituelle.* **II.** N. m. **1.** Livre liturgique, recueil des divers rites du culte (catholique). **2.** Ensemble d'habitudes, de règles immuables. *Selon le rituel.* ▶ *rituellement* adv. ■ Invariablement, régulièrement.

ritournelle [ʀiturnɛl] n. f. ■ Air à couplets répétés. — Loc. *C'est toujours la même ritournelle,* le même refrain.

rivage [ʀivaʒ] n. m. **1.** Partie de la terre qui borde une mer. ⇒ **côte, littoral.** *S'éloigner du rivage.* **2.** Zone soumise à l'action des vagues, des marées. ⇒ **grève, plage.** *Épaves rejetées sur le rivage.*

rival, ale, aux [ʀival, o] n. et adj. **I.** N. **1.** Personne qui dispute à autrui ce qu'un seul peut obtenir. ⇒ **adversaire, concurrent.** *Il a évincé tous ses rivaux.* — Personne qui dispute à une autre l'amour, les faveurs d'une personne. **2.** Personne qui dispute le premier rang ; qui est égale ou comparable. *N'avoir pas de rival en qqch.* — *Sans rival,* inégalable. *Rome, la ville sans rivale du monde antique.* **II.** Adj. Qui est opposé (à qqn ou à qqch.) pour disputer un avantage, sans recourir à la violence. *Nations rivales.* ▶ *rivaliser* v. intr. ■ conjug. 1. ■ Disputer avec qqn à qui sera le meilleur, être le rival de. *Il rivalise avec son frère. Rivaliser (avec qqn) d'élégance, de générosité. Ils rivalisaient d'ingéniosité.* ▶ *rivalité* n. f. ■ Situation

d'une personne rivale d'une ou plusieurs autres (dans un domaine déterminé). ⇒ **compétition, concurrence.** *Rivalité politique, amoureuse.* — *Une rivalité.* ⇒ **opposition.** *Des rivalités d'intérêts.*

rive [ʀiv] n. f. **1.** Bande de terre qui borde un cours d'eau important. ⇒ **berge, bord.** *La rive droite et la rive gauche* (dans le sens du courant) *d'un fleuve, d'une rivière*. Habiter rive gauche,* dans l'un des quartiers de la rive gauche de la Seine, à Paris. **2.** Bord (d'une mer fermée, d'un lac, d'un étang). *La maison est sur la rive du lac, près de la rive.* ⟨ ▶ arriver, ① dériver, ② dériver, rivage, river, rivière ⟩

river [ʀive] v. tr. ■ conjug. 1. **I. 1.** *River un clou, une pointe,* recourber ou aplatir son extrémité et la rabattre sur le bord de la pièce traversée et ainsi fixée. — Loc. *River son clou à qqn,* le réduire au silence par une critique, une réponse. **2.** Fixer, assujettir par des rivets, des clous que l'on rive. ⇒ **riveter.** *River deux plaques de tôle.* — Au p. p. adj. *Tôles rivées.* **II. 1.** Attacher solidement et étroitement, au moyen de pièces de métal. ⇒ **enchaîner.** *On rivait les forçats à des chaînes.* **2.** Abstrait. Attacher fermement, fixer. — Surtout au passif et p. p. adj. *Il est, il reste rivé à son travail.* — *Le regard rivé sur un objet,* fixé. ▶ *rivet* [ʀivɛ] n. m. ■ Tige cylindrique munie d'une tête à une extrémité et dont l'autre extrémité est aplatie *(rivée)* au moment de l'assemblage. *Assemblage, fixation par rivets.* ▶ *riveter* v. tr. ■ conjug. 4. ■ Fixer au moyen de rivets. ⇒ **river.**

riverain, aine [ʀivʀɛ̃, ɛn] n. **1.** Personne qui habite sur la rive d'un cours d'eau, d'un lac. **2.** *Les riverains d'une rue, d'une route,* ceux dont les maisons, les terres bordent cette rue.

rivière [ʀivjɛʀ] n. f. **1.** Cours d'eau naturel de moyenne importance ou qui se jette dans une autre cours d'eau (opposé à *fleuve*). *Cette rivière est l'affluent d'un fleuve. Les bords de la rivière.* ⇒ **berge, rive.** *Rivière navigable. Se baigner dans la rivière. Poissons de rivière.* **2.** Fossé rempli d'eau que doivent sauter les chevaux dans un steeple-chase ou un concours hippique. **3.** Littér. Flots, ruisseau. *Des rivières de sang.* **4.** RIVIÈRE DE DIAMANTS : collier de diamants. ⟨ ▶ riverain ⟩

rixe [ʀiks] n. f. ■ Querelle violente accompagnée de coups, dans un lieu public. ⇒ **bagarre.**

riz [ʀi] n. m. invar. **1.** Céréale *(Graminées)* originaire d'Extrême-Orient, riche en amidon. *Chapeau en paille de riz.* **2.** Le grain de cette plante décortiqué et préparé pour la consommation. *Poule au riz. Riz à l'espagnole* (plat) ⇒ **paella,** *à l'italienne* ⇒ **risotto.** *Riz pilaf*. Riz blanc,* accompagnant la nourriture, en Extrême-Orient. *Riz cantonais* (plat chinois). *Riz au curry.* — *Riz au lait,* sucré et servi comme entremets. *Gâteau de riz.* ▶ *rizière* n. f. ■ Terrain périodiquement inondé où l'on cultive le riz.

robe [ʀɔb] n. f. **I. 1.** Vêtement féminin de dessus, d'un seul tenant, avec ou sans manches, de longueur variable. *Une robe longue, courte. Robe de lainage, de soie. Robe du soir, robe de bal.* — *Robe de mariée.* **2.** Vêtement d'enfant en bas âge. *La robe de baptême d'un bébé.* **3.** Vêtement distinctif de certains états ou professions (hommes ou femmes). *Robe de magistrat, d'avocat.* — LA ROBE : sous l'Ancien Régime, les hommes de loi, la justice. *Les gens de robe* (on disait aussi les *robins,* n. m.). **4.** ROBE DE CHAMBRE : long vêtement d'intérieur, pour homme ou femme, à manches, non ajusté. ⇒ **déshabillé, peignoir.** *Des robes de chambre.* — *Pommes de terre en robe de chambre* (ou *des champs),* cuites avec leur peau.

II. Pelage de certains animaux (cheval, fauves...). *La robe d'une panthère.* ‹ ► enrober, garde-robe ›

robinet [ʀɔbinɛ] n. m. ■ Appareil placé sur un tuyau de canalisation permettant de régler à volonté le passage d'un fluide. *Robinet d'eau froide, d'eau chaude. Robinet à gaz. Le robinet du gaz.* — *Ouvrir, fermer un robinet.* Fam. *C'est un vrai robinet, il, elle est très bavard(e).* ► **robinetterie** n. f. ■ Ensemble des robinets d'un dispositif qui en comporte plusieurs.

robot [ʀɔbo] n. m. **1.** Mécanisme automatique complexe pouvant se substituer à l'homme pour effectuer certaines opérations. *L'utilisation des robots dans l'exploration spatiale, dans l'industrie.* ⇒ **cybernétique, robotique.** *Avion-robot, sans pilote, téléguidé.* — Appareil ménager à utilisations multiples (moulin, batteur, mixer). **2.** PORTRAIT-ROBOT : portrait d'un individu, établi sur la base de témoignages par combinaison de types de physionomie déterminés. **3.** Machine automatique, à aspect humain. *Le personnage du robot dans les films d'anticipation.* **4.** Personne réduite à l'état d'automate. ► **robotique** n. f. ■ Étude et mise au point d'appareils automatiques (robot, 1) capables d'exécuter des opérations selon un programme fixé à l'avance. *Introduire l'informatique et la robotique dans une usine.*

robuste [ʀɔbyst] adj. **1.** Fort et résistant, de par sa solide constitution. *Un homme robuste.* ⇒ **costaud, vigoureux.** / contr. **faible, fragile** / *Avoir une santé robuste. Plante robuste.* ⇒ **vivace. 2.** (Choses) *Un moteur robuste.* ⇒ **solide.** — Abstrait. *Avoir une foi robuste.* ► **robustesse** n. f. ■ Qualité de ce qui est robuste. ⇒ **force, résistance, solidité.** *La robustesse d'une machine.*

roc [ʀɔk] n. m. **1.** Littér. Rocher. — Loc. *Un homme dur, ferme comme un roc. Solide comme un roc. C'est un roc !* **2.** LE ROC : matière rocheuse et dure. *Corniche taillée dans le roc.* ⇒ **roche.** ‹ ► rocaille ›

rocade [ʀɔkad] n. f. ■ Voie de communication (parallèle à une autre) utilisée comme dérivation. *Emprunter une rocade.*

rocaille [ʀɔkaj] n. f. **1.** Pierres qui jonchent le sol ; terrain plein de pierres. ⇒ **pierraille. 2.** Pierres cimentées, utilisées avec des coquillages, etc., pour construire des décorations de jardin (grottes, etc.). *Fontaine en rocaille.* **3.** *Style rocaille,* style ornemental (en vogue sous Louis XV), variété de baroque caractérisée par la fantaisie des lignes contournées. ⇒ **rococo.** ► **rocailleux, euse** adj. **1.** Qui est plein de pierres. ⇒ **pierreux ; cailouteux.** *Chemin rocailleux.* **2.** Dur et heurté. *Un style rocailleux. Une voix rocailleuse,* rauque. ‹ ► rococo ›

rocambolesque [ʀɔkɑ̃bɔlɛsk] adj. ■ Extravagant, plein de péripéties extraordinaires (dignes de Rocambole, héros de roman). *Aventures rocambolesques.*

roche [ʀɔʃ] n. f. **1.** Littér. Rocher. *Des éboulis de roches.* **2.** LA ROCHE : la pierre (surtout dure). *Un morceau, un quartier de roche.* — Loc. EAU DE ROCHE : eau de source très limpide. *C'est clair comme de l'eau de roche,* c'est évident. **3.** Assemblage de minéraux définis par leurs éléments chimiques. *Étude des roches.* ⇒ **géologie, minéralogie, pétrographie.** *Les roches de l'écorce terrestre. Roches sédimentaires* (calcaire, sable...), *volcaniques* (basalte...). ► **rocher** n. m. **1.** Grande masse de roche formant une éminence généralement abrupte. *Les rochers de la forêt de Fontainebleau.* **2.** LE ROCHER : la paroi rocheuse. *À flanc de rocher.* — *Faire du rocher,* de l'escalade de rocher. ⇒ **varappe. 3.** Partie massive (« pierreuse ») de l'os temporal. *Une fracture du rocher.* ► **rocheux, euse** adj. **1.** Couvert, formé de rochers. *Côte rocheuse.*

2. Formé de roche, de matière minérale dure. *Un fond rocheux.* ‹ ► roc ›

rock and roll [ʀɔkɛnʀɔl] ou **rock** [ʀɔk] n. m. ■ Anglic. Danse à deux ou quatre temps sur un rythme très marqué. — Musique populaire nord-américaine issue du jazz. ► **rocker** [ʀɔkœʀ] n. ■ Chanteur de rock. — Adepte du rock. *Il est habillé en rocker. Des rockers.*

rocking-chair [ʀɔkiŋ(t)ʃɛʀ] n. m. ■ Fauteuil à bascule que l'on peut faire osciller d'avant en arrière par un simple mouvement du corps. *Des rocking-chairs.*

rococo [ʀɔkɔko ; ʀɔkoko] n. m. et adj. invar. **1.** N. m. Style rocaille du XVIIIe s. ⇒ **rocaille** (3). *Le rococo a succédé au baroque. Le rococo dans l'ameublement.* — Adj. invar. *L'art rococo.* **2.** Adj. invar. Démodé et un peu ridicule. ⇒ fam. **ringard.**

rodeo ou **rodéo** [ʀɔdeo] n. m. ■ En Amérique du Nord, puis dans d'autres régions. Fête donnée pour le marquage du bétail, et qui comporte des jeux (maîtriser un cheval sauvage, un bœuf, en se tenant d'une main, etc.).

roder [ʀɔde] v. tr. . conjug. 1. ≠ *rôder.* **1.** Faire fonctionner (un moteur neuf, une voiture neuve) avec précaution, de manière que les pièces puissent s'user régulièrement et s'adapter ainsi les unes aux autres. *Il n'a pas fini de roder sa voiture.* **2.** Fam. Mettre au point (une chose nouvelle) par des essais, par la pratique. *Encore quelques jours pour roder le spectacle.* — (Personnes) Au passif et p. p. adj. *Être rodé,* au courant, capable de remplir une fonction. ► **rodage** n. m. ■ Le fait de roder (un moteur, un véhicule). *Voiture en rodage,* dont le moteur n'est pas encore rodé.

rôder [ʀode] v. intr. . conjug. 1. ≠ *roder.* **1.** Errer avec des intentions suspectes. *Voyou qui rôde dans une rue.* **2.** Errer au hasard. ⇒ **vagabonder.** ► **rôdeur, euse** n. ■ Personne qui rôde en quête d'un mauvais coup. *Crime de rôdeur.*

rodomontade [ʀɔdɔmɔ̃tad] n. f. ■ Action, propos de *rodomont* (vx), de fanfaron. ⇒ **vantardise.**

rogations [ʀɔgasjɔ̃] n. f. pl. ■ En religion catholique. Cérémonies dont le but est d'attirer les bénédictions divines sur les travaux des champs.

rogatoire [ʀɔgatwaʀ] adj. ■ Terme de droit. *Commission rogatoire,* adressée à un tribunal par un autre pour un acte de procédure ou d'instruction dont il ne peut se charger.

rogaton [ʀɔgatɔ̃] n. m. ■ Fam. Bribe de nourriture ; reste d'un repas (surtout au plur.).

rogne [ʀɔɲ] n. f. ■ Fam. *En rogne,* en colère, de mauvaise humeur. *Être en rogne. Ça m'a mis en rogne.* ► ① **rogner** v. intr. . conjug. 1. ■ Fam. Être en rogne. ⇒ **rager.**

② **rogner** v. tr. . conjug. 1. **1.** Couper sur les bords, de manière à rectifier les contours ou à prélever une partie. *Le relieur a rogné les feuillets.* ⇒ **massicoter.** — *Rogner les griffes à un chat.* **2.** Diminuer d'une petite quantité (pour un profit mesquin). *L'État va encore rogner leurs maigres bénéfices.* **3.** Sans compl. dir. ROGNER SUR qqch. : retrancher difficilement qqch. de (une somme, une dépense). *Rogner sur un budget.* ► **rognure** n. f. **1.** Surtout au plur. Ce que l'on enlève, ce qui tombe quand on rogne qqch. ⇒ **déchet.** *Des rognures de cuir.* **2.** Chose sans valeur, débris, résidu.

rognon [ʀɔɲɔ̃] n. m. ■ Rein d'un animal destiné à la cuisine. *Des rognons de mouton, de porc. Rognons et ris de veau.*

rogue [ʀɔg] adj. ■ Littér. Qui est plein de morgue, à la fois méprisant, froid et rude. — *Un ton rogue.* ⇒ **arrogant, hargneux.**

roi [ʀwa ; ʀwɑ] n. m. **1.** Chef souverain de certains États ⇒ **royaume**, accédant au pouvoir par voie héréditaire. ⇒ **dynastie.** *Le Roi-Soleil, Louis XIV. Le roi très-chrétien,* autrefois, le roi de France. — *Les Rois mages.* ⇒ **mage.** *La fête des Rois.* ⇒ **Épiphanie.** *Tirer les Rois,* se réunir pour manger la galette traditionnelle *(galette des Rois)* à la fête de l'Épiphanie. — Loc. *Morceau de roi,* de choix. — *Travailler pour le roi de Prusse,* pour un profit nul. **2.** Celui qui règne quelque part, dans un domaine. *L'homme a été appelé le roi de la création.* — Personne riche et puissante, qui s'est assuré la maîtrise (d'un secteur économique). *Les rois du pétrole.* ⇒ **magnat. 3.** Chef, représentant éminent (d'un groupe ou d'une espèce). *Le roi des animaux,* le lion. — Fam. *Le plus grand de. C'est le roi des imbéciles.* **4.** Aux échecs. La pièce la plus importante, qu'il s'agit de mettre échec et mat. *Échec au roi.* — Carte figurant un roi. *Roi de carreau.* **5.** En appos. Invar. *Bleu roi,* bleu très vif, outremer. ▶ ① **roitelet** [ʀwatlɛ] n. m. ■ Roi peu important. ⟨ ▶ ② roitelet, royal, vice-roi ⟩

② **roitelet** n. m. ■ Oiseau passereau plus petit que le moineau.

rôle [ʀol] n. m. **I. 1.** Partie d'un texte que doit dire sur scène un acteur ; le personnage qu'il représente. *Rôle tragique, comique. Jouer, interpréter un rôle. Avoir le premier rôle,* le rôle principal. *Le rôle titre d'une pièce (Macbeth, Phèdre), d'un opéra.* **2.** Conduite sociale de qqn qui joue dans le monde un certain personnage. *Le rôle du médecin de famille.* — Loc. *Avoir* LE BEAU RÔLE : apparaître à son avantage dans telle ou telle situation. **3.** Influence que l'on exerce, fonction que l'on remplit. *Avoir, jouer un rôle important dans une affaire. Un rôle de premier plan. C'est, ce n'est pas mon rôle de* (+ infinitif), *ce n'est pas à moi de...* — (Choses) Fonction. *Le rôle du verbe dans la phrase. Dans la stratégie du XVIIe siècle, les places fortes jouent un rôle essentiel.* **II. 1.** En droit. Registre où sont portées les affaires qui doivent venir devant un tribunal. — Liste des contribuables avec mention de leur impôt. — Liste des jeunes gens appelés au service militaire. *Être inscrit au rôle de la conscription.* **2.** À TOUR DE RÔLE loc. adv. : chacun à son tour. *Vous entrerez à tour de rôle. Ils veillaient le malade à tour de rôle.* ⟨ ▶ enrôler ⟩

romain, aine [ʀɔmɛ̃, ɛn] adj. **1.** Qui appartient à l'ancienne Rome et à son empire. ⇒ **latin.** *L'Empire romain. La sculpture romaine. Chiffre* romain* (opposé à *chiffre arabe*). — N. *Les Romains.* Loc. *Un* TRAVAIL DE ROMAIN : une œuvre longue et difficile, supposant un effort gigantesque. **2.** Qui appartient à la Rome moderne (depuis la chute de l'Empire romain). *La campagne romaine.* — *Caractères romains,* à traits perpendiculaires, les plus courants en typographie. N. m. *Imprimer un texte en romain et en italique.* **3.** Qui a rapport à Rome considérée comme le siège de la papauté. *L'Église catholique, apostolique et romaine.* ⟨ ▶ gallo-romain, gréco-romain, romaine ⟩

romaine [ʀɔmɛn] n. f. ■ Variété de laitue, à feuilles allongées, rigides et croquantes. — Loc. fam. *Être bon comme la romaine,* ne pas échapper à une chose désagréable. (→ On est bons !)

① **roman** [ʀɔmɑ̃] n. m. **1.** Œuvre d'imagination en prose qui présente des personnages donnés comme réels. *Les nouvelles* sont plus brèves que les romans. Roman d'amour, d'aventures. Roman policier.* ⇒ fam. **polar.** *Roman fantastique, d'anticipation.* — ROMAN-FLEUVE : très long, avec de nombreux personnages

de plusieurs générations. — Loc. *Cela n'arrive que dans les romans,* c'est invraisemblable. *C'est tout un roman,* une longue histoire invraisemblable ou très compliquée. **2.** Le genre littéraire que constituent ces œuvres. ⇒ **fiction.** *Balzac, créateur du roman réaliste. Il a réussi au théâtre plus que dans le roman.* — Le NOUVEAU ROMAN : tendance du roman français contemporain, hostile au roman psychologique et narratif. **3.** En histoire littéraire. Poème médiéval contant les aventures de héros. *Les romans de chevalerie.* ▶ **romancer** v. tr. ■ conjug. 3. ■ Présenter sous forme de roman, en déformant plus ou moins les faits. *Romancer l'histoire de la Révolution française.* — Au p. p. adj. *Biographie romancée.* ▶ **romancier, ière** n. ■ Auteur de romans. ▶ **roman-photo** n. m. ■ Récit présenté sous forme d'une série de photos accompagnées de textes succincts. *Des romans-photos.* ⟨ ▶ ciné-roman, romanesque ⟩

② **roman, ane** adj. I. **1.** *La langue romane* ou, n. m., *le roman,* la langue issue du latin qui a précédé l'ancien français. — *Les langues romanes,* issues du latin populaire (français, italien, espagnol, catalan, portugais, roumain, etc.). **II.** *Architecture romane,* architecture médiévale d'Europe occidentale (de la fin de l'État carolingien à la diffusion du style gothique). *L'art roman. Églises romanes.* ▶ **romaniste** n. ■ Linguiste spécialiste des langues romanes.

romance [ʀɔmɑ̃s] n. f. ■ Chanson sentimentale. *Pousser la romance.*

romanche [ʀɔmɑ̃ʃ] n. m. ■ Langue romane en usage notamment dans les Grisons. *Le romanche est la quatrième langue nationale de la Suisse.*

romand, ande [ʀɔmɑ̃, ɑ̃d] adj. ■ Se dit de la partie de la Suisse où l'on parle le français. *La Suisse romande.*

romanesque [ʀɔmanɛsk] adj. **1.** Qui offre les caractères du roman ancien (aventures et sentiments extraordinaires). *Une passion romanesque.* — Qui a des idées, des sentiments dignes des romans. *Une personne romanesque.* ⇒ **sentimental ; romantique** (3). **2.** Littér. Propre au roman en tant que genre littéraire. *Le récit romanesque.*

romanichel, elle [ʀɔmaniʃɛl] n. ■ Péj. Tzigane nomade. ⇒ **bohémien.** *Roulotte de romanichels.* — Abrév. fam. *romano.*

romantique [ʀɔmɑ̃tik] adj. **1.** Qui appartient au romantisme, en a les caractères. *La poésie romantique.* — N. *Les classiques et les romantiques.* **2.** Qui évoque les attitudes et les thèmes chers aux romantiques (sensibilité, exaltation, rêverie, etc.). *Un paysage, une beauté romantique.* **3.** Qui manifeste de l'idéalisme, de la sentimentalité. ⇒ **romanesque.** *Une âme romantique. Une histoire romantique.* ▶ **romantisme** n. m. **1.** Mouvement de libération littéraire et artistique qui s'est développé dans la première moitié du XIXe s., par réaction contre le caractère classique et rationaliste des siècles précédents. *Le romantisme français, allemand.* **2.** Caractère, esprit romantique. *Le romantisme de l'adolescence.* ⟨ ▶ préromantique ⟩

romarin [ʀɔmaʀɛ̃] n. m. ■ Petit arbuste aromatique ; feuilles de cet arbuste.

rombière [ʀɔ̃bjɛʀ] n. f. ■ Péj. Bourgeoise d'âge mûr, ennuyeuse, prétentieuse, un peu ridicule. *Des vieilles rombières.*

rompre [ʀɔ̃pʀ] v. ■ conjug. 41. **I.** V. tr. **1.** Littér. Casser. *Rompre le pain,* le partager à la main. *Les esclaves ont rompu leurs chaînes.* — Loc. *Applaudir à tout rompre.* **2.** Littér. Enfoncer par un effort violent. *La mer a rompu les digues.* **3.** Défaire un arrangement, un ordre (de personnes ou de choses). ROMPRE LES RANGS : les quitter de manière à ne plus former un rang. — Sans compl. *Rompez !*, ordre donné à une troupe ou à un soldat de se disperser, de partir. 4. Arrêter le cours de. ⇒ **interrompre.** *Rompre le jeûne. Rompre le silence,* le faire cesser en parlant. *Rompre l'équilibre,* le faire perdre. *Rompre un charme,* l'empêcher d'agir. Loc. *Le charme* est rompu.* — Interrompre (des relations). *Rompre les relations diplomatiques.* — Cesser de respecter (un engagement, une promesse). ⇒ **rupture.** *Rompre un traité, un marché. Rompre des fiançailles.* ⇒ **annuler.** 5. Littér. *Rompre qqn à un exercice,* l'y accoutumer (en parlant d'amoureux). *Il n'a pas le courage de rompre. Ils ont rompu.* — *Rompre avec qqch.,* cesser de pratiquer. *Rompre avec des traditions.* **III.** V. pron. passif. Littér. Se briser, se casser. *Les attaches se sont rompues.* ⇒ **rompu, ue** adj. (Personnes) 1. Extrêmement fatigué. ⇒ **fourbu.** *Être rompu de fatigue.* 2. Littér. ROMPU À : qui a une grande expérience de (un art, un métier, une discipline...). 3. Loc. *À bâtons* rompus.* ⟨ ▶ **interrompre, rupteur, rupture** ⟩

romsteck [ʀɔmstɛk] n. m. ■ Partie de l'aloyau qui se mange rôtie ou braisée. *Des romstecks.* — REM. On écrit aussi *rumsteck.*

ronce [ʀɔ̃s] n. f. 1. Mûrier sauvage, arbuste épineux aux fruits comestibles (⇒ **mûre**). *Un buisson de ronces* (un *roncier*, n. m.). 2. Branche épineuse. *S'égratigner en passant dans des ronces.* 3. Nœuds, veines de certains bois ; ces bois. *Meuble en ronce de noyer.* ▶ **ronceraie** n. f. ■ Terrain inculte où croissent les ronces (1).

ronchonner [ʀɔ̃ʃɔne] v. intr. . conjug. 1. ■ Fam. Manifester son mécontentement en protestant avec humeur. ⇒ **bougonner, grogner, râler.** *Il est toujours en train de ronchonner.* ▶ **ronchon** [ɔ̃] adj. et n. ■ Fam. Ronchonneur, euse. *C'est une vieille ronchon.* ▶ **ronchonnement** n. m. ▶ **ronchonneur, euse** n. et adj. ■ Qui ronchonne sans cesse. *C'est une sacrée ronchonneuse.* ⇒ **ronchon.**

rond, ronde [ʀɔ̃, ʀɔ̃d] adj. et n. **I.** Adj. **1.** Dont la forme extérieure constitue (à peu près) une circonférence. ⇒ **circulaire, sphérique.** *Caractère de ce qui est rond.* ⇒ **rotondité.** *La Terre est ronde. Une table ronde. Le ballon rond,* ballon de football (opposé à *ovale*). — *Des yeux ronds,* écarquillés (par l'étonnement, etc.). **2.** En arc de cercle. *Tuiles rondes.* — Arrondi, voûté. *Avoir le dos rond.* **3.** (Parties du corps) Charnu, sans angles. *Des joues rondes.* ⇒ **rebondi.** — (Personnes) Gros et court. *Un petit bonhomme tout rond.* ⇒ **rondelet.** **4.** (Quantité) Entier, sans décimales, et se terminant de préférence par un ou plusieurs zéros. *Ça fait sept cents francs en chiffres ronds* (⇒ **arrondir**). **5.** (Personnes) Qui agit sans détours. *Un homme rond en affaires.* **6.** Fam. Ivre, soûl. *Il était complètement rond.* **II.** Loc. adv. TOURNER ROND : d'une manière régulière. *Moteur qui tourne rond.* — *Ça ne tourne pas rond,* il y a qqch. d'anormal. **III.** N. m. **1.** Figure circulaire. ⇒ **cercle, circonférence.** *Tracer un rond. Faire des ronds dans l'eau,* des ondes circulaires et concentriques. — EN ROND loc. adv. : en cercle. *S'asseoir en rond autour d'une table.* Loc. *Tourner en rond,* ne pas progresser. **2.** Objet matériel de forme ronde. *Rond de serviette,* anneau pour enserrer une serviette roulée. — Loc. fam. *En baver des ronds de chapeau,* être au plus haut degré de l'admiration, de l'étonnement. **3.** Tranche ronde. ⇒ **rondelle.** *Manger quelques ronds de saucisson.* **4.** En termes de danse. *Rond de bras, de jambe,*

mouvement circulaire (des bras, des jambes). — Loc. *Faire des* RONDS DE JAMBE : des politesses exagérées. **5.** Fam. *Ils ont des ronds,* de l'argent. *Il n'a pas le rond.* ⇒ **sou.** ▶ **ronde** n. f. **1.** Loc. À LA RONDE : dans un espace circulaire. ⇒ **alentour.** *À dix lieues à la ronde.* — Tour à tour, parmi des personnes installées en rond. *Servir à la ronde.* **2.** Inspection militaire pour s'assurer que tout va bien. *Faire une ronde.* — Visite de surveillance. *La ronde d'un gardien de nuit.* **3.** Danse où plusieurs personnes forment un cercle et tournent. *Entrer dans la ronde.* — Chanson de cette danse. *Ronde enfantine.* **4.** Écriture à jambages courbes, à boucles arrondies. **5.** Figure de note évidée et sans queue. *La ronde vaut deux blanches.* ▶ **rond-de-cuir** [ʀɔ̃dkɥiʀ] n. m. ■ Péj. Employé de bureau (par allusion aux ronds de cuir qui garnissaient les sièges des bureaux). *Des ronds-de-cuir.* ▶ **rond-de-bosse, ronde bosse** [ʀɔ̃dbɔs] n. f. ■ Sculpture en relief qui se détache du fond. *Des rondes-bosses.* ≠ *bas-relief. Sculptures en ronde bosse.* ▶ **rondelet, ette** [ʀɔ̃dlɛ, ɛt] adj. ■ Qui a des formes arrondies. ⇒ **dodu, potelé, rondouillard.** *Une femme rondelette.* — *Une somme rondelette,* assez importante. ⇒ **coquet** (II). ▶ **rondelle** n. f. **1.** Pièce ronde, peu épaisse, généralement évidée. *Rondelle en caoutchouc.* **2.** Petite tranche ronde. *Une rondelle de saucisson. Couper des carottes en rondelles.* ⇒ **rond.** ▶ **rondement** adv. **1.** Avec vivacité et efficacité. *Une affaire rondement menée.* **2.** D'une manière franche et directe. *Parler rondement.* ⇒ **franchement.** ▶ **rondeur** n. f. **1.** Forme ronde (d'une partie du corps). *La rondeur des bras.* — UNE RONDEUR : partie ronde. Fam. *Elle a des rondeurs bien placées.* **2.** Caractère rond (⇒ **bonhomie**). *Il m'a répondu avec rondeur,* sans façon. ▶ **rondin** n. m. **1.** Morceau de bois de chauffage (cylindrique). **2.** Tronc d'arbre employé dans les travaux de construction. *Une cabane en rondins.* ▶ **rondouillard, arde** adj. ■ Fam. et iron. Qui a de l'embonpoint. ⇒ **grassouillet, rond, rondelet.** ▶ **rond-point** n. m. ■ Place circulaire d'où rayonnent plusieurs avenues. ⇒ **carrefour.** *Des ronds-points.* ⟨ ▶ **arrondir, rondeau** ⟩

rondeau [ʀɔ̃do] n. m. ■ Poème à forme fixe, sur deux rimes avec des vers répétés (destiné d'abord à être chanté). *Les rondeaux de Charles d'Orléans.* ≠ *rondo.*

rondo [ʀɔ̃do] n. m. ■ En musique. Pièce brillante servant de finale, dans la sonate et la symphonie classiques. *Des rondos de Mozart.* ≠ *rondeau.*

ronéo [ʀɔneo] n. f. ■ Marque déposée de machine à reproduire un texte dactylographié au moyen de stencils. ▶ **ronéotyper** v. tr. . conjug. 1. ■ Reproduire à la ronéo.

ronflant, ante [ʀɔ̃flɑ̃, ɑ̃t] adj. ■ Fam. Grandiloquent, plein d'emphase. ⇒ **pompeux.** *Phrases ronflantes. Titre ronflant.* ⇒ **prétentieux.**

ronfler [ʀɔ̃fle] v. intr. . conjug. 1. ■ Faire, en respirant pendant le sommeil, un fort bruit du nez. — (Choses) Produire un bruit comparable. ⇒ **ronronner, vrombir.** *Le poêle commence à ronfler.* ▶ **ronflement** n. m. ■ Action de ronfler ; bruit que fait une personne qui ronfle. *Des ronflements sonores. Le ronflement sourd du feu dans la cheminée.* — *Le ronflement du moteur.* ⇒ **ronron.** ▶ **ronfleur, euse** n. ■ Personne qui a l'habitude de ronfler. ⟨ ▶ **ronflant** ⟩

ronger [ʀɔ̃ʒe] v. tr. . conjug. 3. **1.** User en coupant avec les dents (incisives) par petits morceaux. *Souris qui ronge du pain.* ⇒ **grignoter.** *Le chien rongeait un os. Se ronger les ongles.* — (Vers, insectes) Détériorer peu à peu. *Vers qui rongent le bois.* — Au passif et p. p. adj. *(Être) rongé par, de... Meuble rongé par les* *vers.* ⇒ **vermoulu.** *Ongles rongés.* — Mordiller (un corps dur). *Le cheval rongeait son frein, son mors.* Loc. *Ronger son frein.* ⇒ **frein** (3). 2. (Choses) Détruire peu à peu (qqch.). *La rouille ronge le fer.* — *Le mal qui le ronge.* ⇒ **miner.** *Cette pensée me ronge. L'impatience le ronge. Le chagrin, le remords le ronge.* ⇒ **torturer.** Fam. *Se ronger (les sangs),* se faire du souci, se tourmenter. — Au passif. *Être rongé de remords, par le remords, l'inquiétude,* tourmenté, dévoré. ▶ **rongeur, euse** adj. et n. 1. Qui ronge. *Des bêtes rongeuses.* 2. N. m. pl. Ordre de mammifères dépourvus de canines, munis d'incisives tranchantes (lapin, rat,...). — Au sing. *Un rongeur.*

ronron [ʁɔ̃ʁɔ̃] n. m. 1. Fam. Ronflement sourd et continu. ⇒ **ronronnement.** *Le ronron d'un moteur.* 2. Petit grondement continu et régulier du chat lorsqu'il est content. *Faire ronron.* ⇒ **ronronner.** 3. Abstrait. *Le ronron de la vie quotidienne,* sa monotonie assoupissante. ▶ **ronronner** v. intr. conjug. 1. ■ *Le chat ronronne quand on le caresse.* ▶ **ronronnement** n. m. ■ Ronron.

roquefort [ʁɔkfɔʁ] n. m. ■ Fromage fait de lait de brebis et ensemencé d'une moisissure spéciale. *Des roqueforts. Le roquefort, le bleu, le gorgonzola se ressemblent.*

roquer [ʁɔke] v. intr. conjug. 1. ■ Aux échecs. Placer l'une de ses tours à côté du roi et faire passer ce dernier de l'autre côté de la tour, lorsqu'il n'y a aucune pièce entre eux.

roquet [ʁɔkɛ] n. m. 1. Petit chien hargneux qui aboie pour un rien. 2. Fig. Personne hargneuse et peu redoutable.

roquette [ʁɔkɛt] n. f. ■ Projectile autopropulsé. ⇒ **fusée.** *Roquette antichar. Tube lance-roquettes* (ou bazooka). ‹ ▶ **lance-roquettes** ›

rosace [ʁozas] n. f. 1. Figure symétrique faite de courbes inscrites dans un cercle. — Ornement qui a cette forme. *Plafond à rosace.* 2. Grand vitrail d'église, de forme circulaire.

rosacées [ʁozase] n. f. pl. ■ Botanique. Famille de plantes à feuilles découpées (dentées), dont la fleur porte des étamines nombreuses soudées à la base (ex. : aubépine, rosier). — Au sing. *Une rosacée.*

rosaire [ʁozɛʁ] n. m. ■ Grand chapelet composé de quinze dizaines d'Ave Maria précédées chacune d'un Pater. — Les prières elles-mêmes. *Dire, réciter son rosaire.*

rosâtre [ʁozɑtʁ] adj. ■ Qui est d'un rose peu franc.

rosbif [ʁɔsbif] n. m. ■ Morceau de bœuf rôti, généralement coupé dans l'aloyau. *Une tranche de rosbif.*

① **rose** [ʁoz] n. f. 1. Fleur du rosier, décorative et odorante. *Des roses rouges, blanches. Rose pompon, de petite taille. Bouton de rose. Rose sauvage.* ⇒ **églantier.** — EAU DE ROSE : essence de roses diluée dans l'eau. *Un roman à l'eau de rose,* sentimental et mièvre. — Loc. *Être frais, fraîche comme une rose,* avoir un teint éblouissant. *Pas de roses sans épines,* toute joie comporte une peine. Fam. *Envoyer qqn SUR LES ROSES :* l'envoyer au diable. 2. ROSE TRÉMIÈRE : nom courant de la guimauve rose. 3. *Bois de rose,* bois de placage de couleur rougeâtre utilisé en ébénisterie et en marqueterie. 4. ROSE DES VENTS : étoile à 32 divisions représentant les trente-deux aires du vent sur le cadran d'une boussole. 5. ROSE DE SABLE : cristallisation de gypse, en forme de rose, dans le Sahara. ▶ ② **rose** adj. et n. 1. Adj. Qui est d'un rouge très pâle, comme de nombreuses roses. *Des robes roses. Son visage devenait tout rose.* ⇒ **rosir.** 2. Loc. *Ce n'est pas rose,* ce n'est pas gai, pas agréable (difficultés, corvées). *Voir la vie en rose, voir tout en rose,* avec optimisme (opposé à *en noir*). 3. N. m. Couleur rose. *Être habillé de rose.* Traditionnellement, le rose est pour les filles, le bleu pour les garçons. *Une écharpe d'un rose vif, pâle. Rose bonbon,* vif. ▶ **rosé, ée** adj. ■ Légèrement teinté de rose. *Beige rosé.* — *Vin rosé* et, n. m., *du rosé,* vin rouge clair. *Rosé de Provence, d'Anjou.* ‹ ▶ **primerose, rosace, rosacées, rosaire, rosâtre, roséole, rosette, rosier, rosière, rosir** ›

roseau [ʁozo] n. m. ■ Plante aquatique à tige droite et lisse. *Des roseaux au bord d'un étang.* « *Le roseau plie et ne rompt pas* » (La Fontaine).

rosée [ʁoze] n. f. ■ Condensation de la vapeur en fines gouttelettes d'eau, sous l'effet du rayonnement de la terre ; ces gouttelettes. *Herbe humide de rosée.*

roséole [ʁozeɔl] n. f. ■ Éruption de taches rosées qui s'observe dans certaines maladies infectieuses et intoxications.

roseraie [ʁozʁɛ] n. f. ■ Plantation de rosiers.

rosette [ʁozɛt] n. f. ■ Insigne (en forme de rose) du grade d'officier, dans certains ordres. ⇒ **décoration.** — Absolt. (en France). *Avoir la rosette* (de la Légion d'honneur).

rosier [ʁozje] n. m. ■ Arbrisseau épineux portant les roses. *Rosier grimpant. Rosier sauvage.* ⇒ **églantier.** *Les rosiers d'une roseraie.* ‹ ▶ **roseraie** ›

rosière [ʁozjɛʁ] n. f. ■ Jeune fille à laquelle on décernait une couronne de roses en récompense, pour sa réputation de vertu. *Ce n'est pas une rosière,* elle n'est pas très vertueuse.

rosir [ʁoziʁ] v. intr. conjug. 2. ■ Prendre une couleur rose. *Son visage rosit de plaisir.*

① **rosse** [ʁɔs] n. f. ■ Vieilli. Mauvais cheval.

② **rosse** n. f. et adj. ■ Personne dont on subit les méchancetés, la dureté. ⇒ fam. **chameau, vache.** *Sale rosse. Ah ! les rosses !* — Adj. Dur et injuste. *Vous avez été rosse avec lui.* ▶ **rosserie** n. f. ■ Parole ou action rosse. ⇒ **méchanceté.**

rosser [ʁose] v. tr. conjug. 1. ■ Battre violemment. *Se faire rosser.* ⇒ **cogner.** ▶ **rossée** n. f. ■ Fam. Volée. *Flanquer, recevoir une rossée.* ⇒ fam. **raclée, trempe.**

① **rossignol** [ʁosiɲɔl] n. m. ■ Oiseau passereau, au chant varié et très harmonieux.

② **rossignol** n. m. ■ Instrument pour crocheter les portes. ⇒ **crochet.** *Rossignol de cambrioleur.*

③ **rossignol** n. m. ■ Fam. Livre invendu, sans valeur. — Objet démodé. *De vieux rossignols en solde.*

rostre [ʁɔstʁ] n. m. ■ Éperon des navires antiques.

rot [ʁo] n. m. ■ Fam. Expulsion plus ou moins bruyante de gaz de l'estomac par la bouche. ⇒ **éructation,** ① **renvoi.** *Faire faire son rot à un bébé.* ≠ *rôt.* ‹ ▶ **roter** ›

rôt [ʁo] n. m. ■ Littér. Rôti. *La fumée du rôt.* ≠ *rot.*

rotation [ʁotasjɔ̃] n. f. 1. Didact. Mouvement d'un corps autour d'un axe (matériel ou non). *Rotation de la Terre.* — Mouvement circulaire. ⇒ **cercle, tour.** *Exécuter, faire une rotation.* 2. Abstrait. Le fait d'alterner, de remplacer périodiquement. *La rotation des équipes.* — Fréquence des voyages à partir d'un même lieu. *La rotation des avions d'une ligne.* — *Rotation du stock,* succession des renouvellements d'un stock (de marchandises). *Rotation des cultures.* ⇒ **assolement.** ▶ **rotatif, ive** adj. ■ Qui agit en tournant, par une rotation. *Foreuse rotative.* ▶ **rotative** n. f. ■ Presse à imprimer continue, agissant au moyen de cylindres. *Les rotatives qui impriment les* journaux. ▶ *rotatoire* adj. ■ Qui est caractérisé par une rotation. *Mouvement rotatoire.* ⇒ **circulaire.**

roter [ʀɔte] v. intr. ▪ conjug. 1. ■ Fam. Faire un, des rot(s). ⇒ **éructer.**

rôti [ʀo(ɔ)ti] n. m. ■ Morceau de viande de boucherie, cuit à sec et à feu vif. ⇒ **rôt.** *Rôti de bœuf, de veau.*

rôtie [ʀo(ɔ)ti] n. f. ■ Vieilli ou région. Tranche de pain grillé. ⇒ **toast.**

① *rotin* [ʀɔtɛ̃] n. m. ■ Partie de la tige des branches d'une variété de palmier, utilisée pour faire des sièges cannés. *Meubles en rotin.*

② *rotin* n. m. ■ Sou, petite somme d'argent. (en emploi négatif). *Vous n'aurez pas un rotin !*

rôtir [ʀo(ɔ)tiʀ] v. ▪ conjug. 2. **1.** V. tr. Faire cuire (de la viande) à feu vif. *Rôtir un canard.* — Au p. p. adj. *Poulet rôti.* — Fam. Exposer à une forte chaleur. — Pronominalement (réfl.). *Se rôtir au soleil.* ⇒ se **dorer. 2.** V. intr. Cuire à feu vif. *Mettre la viande à rôtir. Le rosbif rôtit depuis un quart d'heure.* — Fam. Supporter une chaleur qui incommode. *On rôtit, ici.* ⇒ **cuire.** ▶ *rôtisserie* n. f. ■ Nom de certains restaurants où l'on mange des viandes rôties. — Magasin où l'on prépare des viandes rôties. ▶ *rôtisseur, euse* ■ Personne qui prépare et vend des viandes rôties. ▶ *rôtissoire* n. f. ■ Ustensile de cuisine qui sert à faire rôtir la viande. ⟨ ▶ rôt, rôti, rôtie ⟩

rotonde [ʀɔtɔ̃d] n. f. ■ Édifice circulaire (à dôme et à colonnes).

rotondité [ʀɔtɔ̃dite] n. f. **1.** Littér. Caractère de ce qui est rond, sphérique. *La rotondité d'un globe.* **2.** Fam. Rondeur d'une personne assez grosse. ⇒ **embonpoint.**

rotor [ʀɔtɔʀ] n. m. ■ Partie rotative d'un moteur, d'une turbine, et spécialt, ensemble moteur d'un hélicoptère, formé de pales tournant autour d'un axe.

rotule [ʀɔtyl] n. f. ■ Os court, plat, situé à la partie antérieure du genou. — Loc. fam. *Être sur les rotules,* très fatigué. ▶ *rotulien, ienne* adj. ■ Relatif à la rotule. *Réflexe rotulien,* mouvement de la jambe obtenu en frappant la rotule.

roture [ʀɔtyʀ] n. f. ■ Littér. Condition, classe des roturiers (opposé à *noblesse*). ▶ *roturier, ière* adj. et n. ■ Qui n'est pas noble, qui est de condition inférieure, dans la société féodale et sous l'Ancien Régime. — N. *Un roturier, une roturière.* ⇒ **bourgeois, manant.**

rouage [ʀwaʒ] n. m. **1.** Chacune des pièces (petites roues) d'un mécanisme (d'horlogerie, etc.). *Les rouages d'une montre.* **2.** Abstrait. Chaque partie essentielle d'une chose qui fonctionne. *Les rouages de la machine sociale. Les rouages de l'économie, du capitalisme.*

roublard, arde [ʀublaʀ, aʀd] adj. et n. ■ Fam. Qui fait preuve d'astuce et de ruse dans la défense de ses intérêts. ⇒ **malin, rusé.** *C'est un vieux roublard.* ▶ *roublardise* n. f. ■ Caractère, conduite de roublard. ⇒ **rouerie.**

rouble [ʀubl] n. m. ■ Unité monétaire de l'U.R.S.S. *Un rouble vaut cent kopecks.*

roucouler [ʀukule] v. intr. ▪ conjug. 1. **1.** (Pigeon, tourterelle) Faire entendre son cri. **2.** Tenir des propos tendres et langoureux. *Des amoureux qui roucoulent.* ▶ *roucoulement* n. m. ■ Le roucoulement des tourterelles. — *Des roucoulements d'amoureux.*

roue [ʀu] n. f. **1.** Disque plein ou évidé tournant sur un axe* et utilisé comme organe de déplacement. *Les roues d'une voiture, d'une bicyclette. Véhicule à deux, quatre roues. Roues avant, arrière. Roue de secours,* de rechange. *Chapeau de roue,* pièce qui protège le moyeu. Fam. *Virage sur les chapeaux de roue,* à toute allure. ROUE LIBRE : dispositif permettant au cycliste de rouler sans pédaler. — Loc. *Pousser à la roue,* aider qqn à réussir. *Être la cinquième roue du carrosse, de la charrette,* être inutile, insignifiant. **2.** Disque tournant sur son axe, servant d'organe de transmission, d'élévation, etc. ⇒ **poulie, rouage.** *Roues dentées.* **3.** *Supplice de la roue,* qui consistait à attacher le criminel sur une roue après lui avoir rompu les membres. ⇒ **rouer. 4.** Disque tournant. *Roue de loterie,* disque vertical portant des numéros, que l'on fait tourner. **5.** FAIRE LA ROUE : tourner latéralement sur soi-même en faisant reposer le corps alternativement sur les mains et sur les pieds. — (Oiseaux) Déployer en rond les plumes de la queue. *Paon qui fait la roue.* — Péj. Déployer ses séductions. ⇒ se **pavaner.** ▶ *rouelle* [ʀwɛl] n. f. ■ Partie de la cuisse de veau au-dessus du jarret, coupée en rond. ▶ *rouer* [ʀwe] v. tr. ▪ conjug. 1. **1.** Autrefois. Supplicier sur la roue (3). **2.** Loc. *Rouer qqn de coups,* le frapper à coups redoublés. ⇒ **battre, rosser.** ▶ *rouet* [ʀwɛ] n. m. ■ Autrefois. Machine à roue servant à filer (chanvre, laine, lin, etc.). *Une fileuse à son rouet.* ⟨ ▶ deux-roues, rouage, rouleau, rouler, roulette ; rotation ⟩

roué, ée [ʀwe] n. et adj. Littér. ■ N. Personne rusée qui ne s'embarrasse d'aucun scrupule pour arriver à ses fins. — Adj. ⇒ **malin, rusé.** ▶ *rouerie* [ʀuʀi] n. f. ■ Finesse et habileté sans scrupule. ⇒ **ruse.**

rouf [ʀuf] n. m. ■ Terme de marine. Petite construction élevée sur le pont d'un navire.

rouflaquettes [ʀuflakɛt] n. f. pl. ■ Fam. Favoris, poils que les hommes laissent pousser sur les côtés du visage.

rouge [ʀuʒ] adj. et n. **I.** Adj. **1.** Qui est de la couleur du sang, du rubis, etc. (extrémité du spectre solaire). ⇒ **carmin, écarlate, pourpre.** *Corriger un texte au crayon rouge. Rose rouge.* — VIN ROUGE : fait avec des raisins ayant leur peau (souvent des raisins noirs), avec macération complète. *Un bordeaux rouge.* — N. m. *Boire un coup de rouge.* **2.** Qui a pour emblème le drapeau rouge ; qui est d'extrême gauche. ⇒ **communiste.** *La banlieue rouge.* — N. Vieilli. *Les rouges,* les communistes. — *L'Armée rouge.* ⇒ **soviétique. 3.** Qui est porté à l'incandescence. *Fer rouge.* ⇒ **fer. 4.** (Personnes) Dont la peau devient de cette couleur, par l'afflux du sang (opposé à *blanc, pâle*). ⇒ **congestionné, rougeaud ; rubicond.** *Être rouge comme un coq, un coquelicot, une pivoine,* rouge d'émotion, de confusion. *Être rouge de colère.* — Adv. *Se fâcher tout rouge,* devenir rouge de colère. *Voir rouge,* avoir un accès de colère qui incite au meurtre (voir du sang). **II.** N. m. LE ROUGE. **1.** La couleur rouge. *Peindre une grille en rouge. Un rouge vif, foncé. Des pétales d'un rouge vif.* **2.** Colorant rouge ; pigment donnant une couleur rouge. *Broyer du rouge sur sa palette.* — Fard rouge. ROUGE À LÈVRES : pour les lèvres. *Tube de rouge.* **3.** Couleur, aspect du métal incandescent. *Barre de fer portée au rouge.* **4.** Teinte rouge que prend la peau sous l'effet d'une émotion. ⇒ **feu.** *Le rouge lui montait aux joues, au front.* ▶ *rougeâtre* [ʀuʒɑtʀ] adj. ■ Légèrement rouge. *Lueur rougeâtre.* ▶ *rougeaud, aude* [ʀuʒo, od] adj. ■ Haut en couleur (teint) ; qui a le teint trop rouge. ⇒ **congestionné, rubicond.** *Une figure rougeaude.* ▶ *rouge-gorge* [ʀuʒgɔʀʒ] n. m. ■ Oiseau de petite taille, dont la gorge et la poitrine sont d'un roux vif. *Des rouges-gorges.* ▶ *rougeole* [ʀuʒɔl] n. f. ■ Maladie infectieuse caractérisée par une éruption de taches rouges sur la peau. ⇒ **rubéole.** ▸ *rougeo-leux, euse* adj. et n. ▪ *Un enfant rougeoleux.* ▸ *rougeoyer* [ʀuʒwaje] v. intr. ▪ conjug. 8. ▪ Prendre une teinte rougeâtre ; produire des reflets rougeâtres. *Incendie qui rougeoie dans la nuit.* ▸ *rougeoiement* [ʀuʒwamã] n. m. ▪ *On apercevait au loin le rougeoiement des torches.* ▸ *rougeoyant, ante* [ʀuʒwajã, ãt] adj. ▪ *Ciel rougeoyant au coucher du soleil.* ▸ *rouget* n. m. ▪ Poisson de mer de couleur rouge, très estimé. *Une friture de rougets.* ▸ *rougeur* n. f. **1.** Coloration du visage causée par la chaleur, l'émotion. *Une brusque rougeur.* **2.** ROUGEURS : taches rouges sur la peau, de nature inflammatoire. ⇒ **érythème.** ▸ *rougir* v. ▪ conjug. 2. **I.** V. intr. **1.** Devenir rouge, plus rouge. *Les écrevisses rougissent à la cuisson.* **2.** (Personnes) Devenir rouge sous l'effet d'une émotion. / contr. **pâlir** / *Elle a rougi jusqu'aux oreilles,* beaucoup. ⇒ piquer un **fard.** *Rougir de colère, de honte,* sous l'effet de... — Au p. p. adj. *Des yeux rougis* (de pleurs). — (Par pudeur) *Ces propos grivois la faisaient rougir.* **3.** Éprouver un sentiment de culpabilité, de confusion. *Je n'ai pas à rougir de cela.* **II.** V. tr. Rendre rouge. — Littér. *Rougir ses mains* (de sang), commettre un crime. — *Rougir une barre de fer,* chauffer au rouge. — *Rougir son eau,* y mettre un peu de vin rouge. ▸ *rougissant, ante* adj. ▪ Qui rougit d'émotion. *Un garçon timide et rougissant.* ⟨ ▸ infrarouge, peau-rouge ⟩

rouille [ʀuj] n. f. **1.** Produit de la corrosion du fer en présence de l'oxygène de l'air, en milieu humide. *Tache de rouille. Couvert, rongé de rouille.* — Adj. invar. D'un rouge-brun. ⇒ **roux. 2.** Nom de certaines maladies des végétaux. ▸ *rouiller* v. ▪ **I.** V. intr. Se couvrir de rouille. *Ces outils ont rouillé sous la pluie.* **II.** V. tr. **1.** Provoquer la formation de la rouille sur (qqch.). *L'humidité rouille le fer.* — Pronominalement. *La grille commence à se rouiller.* **2.** Fig. Rendre moins alerte (le corps, l'esprit) par manque d'exercice. *La paresse rouille l'esprit.* Pronominalement. *Il s'est rouillé faute d'exercice.* **III.** Au passif et p. p. adj. (ÊTRE) ROUILLÉ, ÉE. **1.** Taché, couvert de rouille. *Les gonds de la fenêtre sont tout rouillés. Un clou rouillé.* **2.** Fig. *Avoir les jambes rouillées, la mémoire rouillée. Être rouillé.* ⟨ ▸ ② dérouiller ⟩

rouir [ʀwiʀ] v. tr. ▪ conjug. 2. ▪ En technique. Faire macérer (certains textiles : lin, chanvre).

roulade [ʀulad] n. f. **1.** Succession de notes chantées rapidement et légèrement sur une seule syllabe. *Faire des roulades.* **2.** Mouvement de gymnastique qui consiste à s'enrouler sur soi-même, en avant ou en arrière. ⇒ **galipette.**

roulage [ʀulaʒ] n. m. ▪ Transport de marchandises par voitures automobiles ; camionnage (⇒ **roulier**).

① **roulant, ante** [ʀulã, ãt] adj. ▪ **1.** Qui roule (sur roues, roulettes). *Table roulante,* servant de desserte, de bar, etc. — *Matériel roulant* (opposé à *matériel fixe*), dans les chemins de fer, les mines, etc. — *Le personnel roulant* ou n., fam., *les roulants,* ceux qui se déplacent (agents de conduite, etc.). **2.** Se dit de surfaces animées d'un mouvement continu, servant à transporter d'un point à un autre. *Un pont roulant* (dans une usine ⇒ **portique**). *Trottoir, escalier roulant* ou *mécanique.* **3.** (Route, voie) Où l'on roule avec facilité. **4.** *Feu roulant,* tir continu. — Fig. *Un feu roulant de questions.* ▸ *roulante* n. f. ▪ Fam. Cuisine roulante de l'armée.

② **roulant, ante** adj. ▪ Fam. Très drôle. ⇒ **tordant.** *Il est roulant ; ses histoires sont roulantes.*

rouleau [ʀulo] n. m. **I.** **1.** Bande enroulée de forme cylindrique. *Rouleau de papier peint. Rouleau de pellicules photographiques.* ⇒ **bobine.** — *Être au bout*

de son rouleau, du rouleau, n'avoir plus rien à dire ; plus d'argent, plus d'énergie. **2.** Ensemble d'objets roulés en forme de cylindre. *Rouleau de pièces de monnaie.* — Cheveux enroulés. **3.** Grosse vague qui se brise après s'être recourbée. ⇒ **brisant. 4.** Technique de saut en hauteur au cours duquel le corps roule au-dessus de la barre. *Rouleau dorsal, ventral.* **II.** **1.** Cylindre allongé de bois, de métal, etc., que l'on fait rouler. *Rouleau à pâtisserie.* — *Rouleau compresseur,* servant à aplanir le revêtement d'une route. — *Rouleau de peintre en bâtiment,* servant à appliquer la peinture. **2.** Objet cylindrique destiné à recevoir ce qui s'enroule. *Rouleau à mise en plis, pour les cheveux.* ⇒ **bigoudi.**

① **rouler** [ʀule] v. ▪ conjug. 1. **I.** V. tr. **1.** Déplacer (un corps arrondi) en le faisant tourner sur lui-même (⇒ **roue**). *Rouler un tonneau.* — *Rouler des croquettes dans la farine.* — Loc. *Rouler sa bosse,* voyager beaucoup. ⇒ **bourlinguer. 2.** Déplacer (un objet muni de roues, de roulettes). *Roulez la table jusqu'ici.* — Déplacer (qqn) dans un véhicule, un dispositif à roues. *Rouler un bébé dans son landau.* **3.** Mettre en rouleau. *Rouler des tapis. Rouler une cigarette,* en enroulant le tabac dans la feuille de papier. **4.** Imprimer un mouvement circulaire, rotatoire à. *Rouler les hanches en marchant.* — Fam. *Rouler les mécaniques,* les muscles des épaules pour montrer sa force. — *Se rouler les pouces* (fam. *se les rouler*), se tourner les pouces, ne rien faire. **5.** Littér. Tourner et retourner. *Rouler mille projets dans sa tête.* **6.** *Rouler les r,* les faire vibrer. **II.** SE ROULER v. pron. réfl. **1.** Se tourner de côté et d'autre en position allongée. *Se rouler par terre, dans l'herbe.* — Loc. *C'est à se rouler par terre* (de rire), à se tordre de rire. ⇒ ② *roulant.* **2.** S'envelopper (dans). ⇒ **s'enrouler.** *Se rouler dans une couverture.* **III.** V. intr. **1.** Avancer en tournant sur soi-même. *Faire rouler un cerceau. Larme qui roule sur la joue.* ⇒ **couler.** — Tomber et rouler sur soi-même par l'élan pris dans la chute. ⇒ **dégringoler.** *Rouler du haut d'un talus.* **2.** (Suj. chose) Avancer au moyen de roues, de roulettes, sur un véhicule à roues. *La voiture roulait à 100 à l'heure.* — (Suj. personne) Voyager dans un véhicule à roues. *Nous avons roulé toute la journée. Vous roulez trop vite.* ⇒ **conduire. 3.** (Bateau) Être agité de roulis. *Le bateau tangue et roule.* **4.** (Personnes) Errer de lieu en lieu sans s'arrêter. *Elle a pas mal roulé dans sa vie.* **5.** (Argent) Circuler (⇒ **roulement,** 4). **6.** (Conversation, propos...) ROULER SUR : avoir pour sujet. ⇒ **porter** sur. *L'entretien a roulé sur la politique.* ▸ *roulé, ée* adj. **1.** Enroulé ; mis en rouleau. *Pull à col roulé. Épaule roulée* (viande de boucherie), désossée et enroulée. **2.** Fam. (Personnes) BIEN ROULÉ, bien fait, qui a un beau corps. ▸ *roulé-boulé* n. m. ▪ Culbute par laquelle on tombe en se roulant en boule pour amortir le choc fait. *Des roulés-boulés.* ▸ *roulement* n. m. **1.** Action de rouler (III, 1). — *Roulement à billes.* ⇒ **bille. 2.** Bruit d'un véhicule, etc., qui roule, ou bruit analogue. *On entendait un roulement de chariots, de barriques. Un roulement de tambour.* **3.** Mouvement de ce qui tourne. *Roulement d'yeux.* **4.** (Argent) Action de circuler. *Le roulement des capitaux. Fonds de roulement.* **5.** Alternance de personnes qui se relayent dans un travail. *Ils travaillent par roulement.* ⟨ ▸ dérouler, enrouler, roulade, roulage, ① roulant, ② roulant, ② rouler, roulier, roulis, roulotte ⟩

② **rouler** v. tr. ▪ conjug. 1. ▪ Fam. Duper (qqn). ⇒ **avoir, posséder.** *Il a voulu me rouler. Vous vous êtes fait rouler.*

roulette [ʀulɛt] n. f. **1.** Petite roue permettant le déplacement d'un objet. *Table, patins à roulettes. Marcher, aller comme sur des roulettes,* (affaire) très bien, sans difficultés. **2.** Fraise (de dentiste). — Petit outil à roue dentée. *Roulette de pâtissier.* **3.** Jeu de hasard où une petite boule d'ivoire, lancée dans une cuvette tournante à cases numérotées rouges ou noires, décide du gagnant. *Jouer un numéro à la roulette.*

roulier [ʀulje] n. m. ■ Autrefois. Voiturier (⇒ **roulage**).

roulis [ʀuli] n. m. invar. ■ Mouvement d'un bateau qui penche alternativement à droite et à gauche sous l'effet de la houle. *Roulis et tangage*. Un coup de roulis.*

roulotte [ʀulɔt] n. f. ■ Voiture aménagée en maison, où vivent des nomades (forains, bohémiens). ⇒ **caravane.**

roumain, aine [ʀumɛ̃, ɛn] adj. ■ De Roumanie. — N. *Les Roumains.* — N. m. *Le roumain,* la langue romane parlée en Roumanie.

round [ʀawnd ; ʀund] n. m. ■ Reprise d'un combat de boxe. *Combat en dix rounds.*

① *roupie* [ʀupi] n. f. ■ Vx. Morve. — Loc. fam. *De la roupie de sansonnet,* une chose insignifiante.

② *roupie* n. f. ■ Unité monétaire de l'Inde, du Pakistan, du Sri Lanka, du Népal, etc.

roupiller [ʀupije] v. intr. ▪ conjug. 1. ■ Fam. Dormir. ▶ *roupillon* n. m. ■ Fam. Petit somme. *Faire, piquer un roupillon.*

rouquin, ine [ʀukɛ̃, in] adj. et n. ■ Fam. Qui a les cheveux roux. *Il est rouquin.* — N. *Une belle rouquine.*

rouscailler [ʀuskaje] v. intr. ▪ conjug. 1. ■ Fam. Rouspéter.

rouspéter [ʀuspete] v. intr. ▪ conjug. 6. ■ Fam. Protester, réclamer (contre qqch.). ⇒ **grogner, protester ;** fam. **râler, rouscailler.** *Il rouspète toute la journée.* ▶ *rouspétance* n. f. ■ *Assez de rouspétance !* ▶ *rouspéteur, euse* n. ■ Personne qui aime à rouspéter. ⇒ **râleur.**

roussâtre [ʀusɑtʀ] adj. ■ Qui tire sur le roux.

rousse ⇒ **roux.**

roussette [ʀusɛt] n. f. **1.** Poisson (squale), appelé aussi *chien de mer.* **2.** Grande chauve-souris des régions tropicales.

rousseur [ʀusœʀ] n. f. **1.** Couleur rousse. — TACHE DE ROUSSEUR : tache rousse qui peut apparaître sur la peau (du visage, des mains...). ⇒ **éphélides. 2.** Tache roussâtre qui apparaît avec le temps sur le papier.

roussir [ʀusiʀ] v. ▪ conjug. 2. **1.** V. tr. Rendre roussâtre (surtout en brûlant légèrement). *Roussir du linge en repassant.* **2.** V. intr. Devenir roux. *Faire roussir des oignons dans le beurre.* ⇒ **revenir** (VI). ▶ *roussi* n. m. ■ Odeur d'une chose qui a légèrement brûlé. — Loc. SENTIR LE ROUSSI : se dit d'une affaire qui tourne mal, d'une situation qui se gâte.

routage [ʀutaʒ] n. m. ■ Expédition d'imprimés groupés. ⇒ **publipostage ;** anglic. **mailing.**

route [ʀut] n. f. **1.** Voie de communication terrestre de première importance. *Une bonne, une mauvaise route. Route côtière, route de montagne, route panoramique. Route nationale, départementale. La route de Bruxelles,* qui va à Bruxelles. *La grande* (ou *grand-*) *route,* nom donné à la campagne, à la route principale. — Absolt. *La route,* l'ensemble des routes ; le moyen de communication qu'elles constituent. *Arriver par la route,* par voiture, autocar. *Faire de la route,* rouler beaucoup. *Accidents de la route.* **2.** Chemin à suivre dans une direction déterminée

pour parcourir un espace. ⇒ **itinéraire.** *Changer de route. Perdre sa route. Nous sommes sur la bonne route,* dans la bonne direction. — Ligne que suit un navire, un avion. *La route des Indes, du pôle. Le navire a dû changer de route,* a été dérouté. — FAIRE FAUSSE ROUTE : se tromper dans les moyens à employer pour parvenir à ses fins. **3.** Marche, voyage. *Faire route vers Montréal,* aller, voyager vers Montréal. — EN ROUTE. *Se mettre en route. En route ! En cours de route,* pendant le voyage. — *Bonne route ! — Feuille de route,* délivrée à des militaires se déplaçant isolément. **4.** METTRE EN ROUTE : mettre en marche (un moteur, une machine). *Mettre en route sa voiture ; mettre sa voiture en route.* Absolt. *Au moment de mettre en route.* ⇒ **démarrer.** — Abstrait. *Mise en route,* mise en train (d'une affaire). *Avoir qqch. en route,* être en train d'exécuter qqch. **5.** Abstrait. Chemin. *La route est toute tracée,* on sait ce qu'il faut faire. *Nos routes se croisent,* nos destins... ▶ ① *routier, ière* adj. et n. m. **1.** Adj. Relatif aux routes. *Réseau routier. Carte routière. Gare routière,* pour les services d'autocars. — Qui se fait sur route. *Transports routiers.* **2.** N. m. Conducteur de poids lourds effectuant de longs trajets. ⇒ **camionneur.** *Restaurant de routiers.* ▶ *routard, arde* n. **1.** Personne qui prend la route, voyage et vagabonde librement. **2.** Personne qui pratique la moto sur route. ⟨ ▶ auto-route, dérouter, routage, routine ⟩

② *routier* n. m. ■ *Vieux routier,* homme habile, plein d'expérience. *Un vieux routier de la politique.*

routine [ʀutin] n. f. **1.** Habitude d'agir ou de penser devenue mécanique. ⇒ **train-train.** *Son travail est devenu une espèce de routine. — La routine,* l'ensemble des habitudes et des préjugés, considérés comme faisant obstacle au progrès. *La routine qui règne dans l'administration.* **2.** Anglic. *Examen, opérations de routine,* habituels. ▶ *routinier, ière* adj. ■ Qui agit par routine, se conforme à la routine. *C'est un esprit étroit et routinier.*

rouvrir [ʀuvʀiʀ] v. ▪ conjug. 18. **I.** V. tr. Ouvrir de nouveau (ce qui a été fermé). / contr. **refermer** / *Rouvrir son magasin pour un client attardé. Rouvrir les yeux.* — Pronominalement. *La plaie s'est rouverte.* — *Rouvrir un débat.* **II.** V. intr. Être de nouveau ouvert après une période de fermeture. ⇒ **réouverture.** *La boulangerie rouvre demain.*

roux, rousse [ʀu, ʀus] adj. et n. **1.** D'une couleur entre l'orangé et le rouge. ⇒ **roussâtre.** *Des cheveux roux.* — N. m. invar. *Le roux,* la couleur rousse. **2.** Dont les cheveux sont roux. *Une belle fille rousse.* — N. *Un roux, une rousse.* ⇒ **rouquin. 3.** N. m. invar. *Un roux,* sauce faite de farine roussie dans du beurre. **4.** LUNE ROUSSE : la lune d'avril (qui est censée roussir, geler la végétation). ⟨ ▶ rouquin, roussâtre, roussette, rousseur, roussir ⟩

royal, ale, aux [ʀwajal, o] adj. **1.** Du roi ; qui concerne le roi. *Palais royal. Prince royal,* héritier présomptif. *La famille royale.* **2.** Qui est digne d'un roi. ⇒ **magnifique.** *Un cadeau royal. Un salaire royal,* très élevé. *Une indifférence royale,* parfaite. ▶ *royalement* adv. **1.** Avec magnificence. *Être royalement traité.* **2.** Fam. *S'en moquer royalement,* tout à fait. ▶ *royalisme* n. m. ■ Attachement à la monarchie, à la doctrine monarchiste. ▶ *royaliste* n. et adj. ■ Partisan du roi, du régime monarchique. ⇒ **monarchiste.** — Loc. *Être plus royaliste que le roi,* défendre les intérêts de qqn, d'un parti, avec plus d'ardeur qu'il ne le fait lui-même. ⟨ ▶ royaume, royauté ⟩

royalties [ʀwajalti] n. f. pl. ■ Anglic. Somme que l'utilisateur d'un brevet étranger verse à l'inventeur. — Redevance payée au pays producteur par une compagnie pétrolière étrangère. — Droit proportionnel aux ventes.

royaume [ʀwajom] n. m. **1.** État gouverné par un roi, une reine ; territoire d'une monarchie. — *Le Royaume-Uni,* union de la Grande-Bretagne et de la partie orientale de l'Irlande du Nord (Ulster). **2.** *Le royaume de Dieu, des cieux,* le règne de Dieu dans le ciel.

royauté [ʀwajote] n. f. **1.** Dignité de roi. *Aspirer à la royauté.* ⇒ **couronne, trône. 2.** Pouvoir royal. ⇒ **monarchie.** *Chute de la royauté.*

-rragie ■ Élément savant signifiant « épanchement » (ex. : *hémorragie*).

-rrhée ■ Élément savant signifiant « écoulement, flux » (ex. : *séborrhée*).

ru [ʀy] n. m. ■ Région. Petit ruisseau. *De petits rus.* ⇒ **ruisselet.**

ruade [ʀɥad] n. f. ■ Mouvement par lequel les chevaux, les ânes, etc., lancent vivement en arrière leurs membres postérieurs en soulevant leur train arrière. *Décocher, lancer une ruade.* ⇒ **ruer** (II).

ruban [ʀybɑ̃] n. m. **1.** Étroite bande de tissu, servant d'ornement, d'attache. *Ses cheveux sont retenus par un ruban de velours. Nœud de rubans.* **2.** Bande de tissu servant d'insigne à une décoration. *Le ruban d'une décoration.* — (En France) *Il a le ruban* (de la Légion d'honneur) *et il attend la rosette.* **3.** Bande mince et assez étroite d'une matière flexible. *Le ruban encreur d'une machine à écrire.* ‹ ▶ enrubanner ›

rubéole [ʀybeɔl] n. f. ■ Maladie éruptive contagieuse proche de la rougeole.

rubicond, onde [ʀybikɔ̃, ɔ̃d] adj. ■ (Visage) Très rouge de peau. *Une face rubiconde.*

rubis [ʀybi] n. m. invar. **1.** Pierre précieuse d'un beau rouge ; cette pierre taillée en bijou. **2.** Monture de pivot en pierre dure, dans un rouage d'horlogerie. *Montre trois rubis.* **3.** Loc. *Payer* RUBIS SUR L'ONGLE : payer ce qu'on doit jusqu'au dernier sou et séance tenante. ⇒ **comptant.**

rubrique [ʀybʀik] n. f. **1.** Titre indiquant la matière des articles de presse. *La rubrique des spectacles, des sports.* — Série régulière d'articles sur un sujet déterminé. *Tenir la rubrique littéraire.* **2.** SOUS (TELLE) RUBRIQUE : sous tel titre, telle désignation. *Classer, mettre deux choses différentes sous la même rubrique.*

ruche [ʀyʃ] n. f. **1.** Abri aménagé pour un essaim d'abeilles. *Ruche en paille, en bois.* **2.** La colonie d'abeilles qui l'habite. *Bourdonnement de ruche.* — (Symbole d'activité collective) *Le centre de la ville est une véritable ruche où chacun s'affaire.* ▶ **rucher** [ʀyʃe] n. m. ■ Emplacement où sont disposées des ruches ; ensemble de ruches. ‹ ▶ ruché ›

ruché [ʀyʃe] n. m. ■ Garniture de vêtement faite d'une étoffe plissée, froncée (on dit parfois *ruche,* n. f.).

rude [ʀyd] adj. Littér., sauf dans quelques emplois et sens III. **I.** (Personnes) **1.** Simple et grossier. *Un homme rude.* ⇒ **fruste.** — (Comportement) *Un montagnard aux manières un peu rudes.* / contr. **délicat, raffiné / 2.** Littér. Dur, sévère. — Redoutable. *Un rude adversaire.* **II.** (Choses) **1.** Qui donne du mal, est dur à supporter. ⇒ **pénible.** *Un métier rude. Les travaux des champs sont rudes.* — Loc. *Être à rude épreuve.* — N. f. plur. *En voir de rudes,* en supporter beaucoup, de dures. — Cour. *Un climat particulièrement rude. L'hiver fut rude cette année.* ⇒ **rigoureux. 2.** Dur au toucher (opposé à *doux*). ⇒ **rugueux.** *Toile rude.* ⇒ **rêche.** — Dur ou désagréable à l'oreille. *Une*

voix rude. **III.** Fam. (Avant le nom) Remarquable en son genre. ⇒ **drôle, fameux, sacré.** *Il a eu une rude veine. Un rude appétit.* ⇒ **solide.** ▶ **rudement** adv. **I.** Littér. **1.** De façon brutale. *Heurter rudement.* **2.** Avec dureté, sans ménagement. *Traiter qqn rudement.* ⇒ **rudoyer. II.** Fam. Beaucoup, très. ⇒ **drôlement.** *C'est rudement bon. Il est rudement bien. Elle a rudement changé.* ▶ **rudesse** n. f. **1.** (Personnes) Caractère rude (II, 1 ou 2) ; sévérité. *Rudesse de ton.* ⇒ **brutalité, dureté.** *Traiter qqn avec rudesse.* / contr. **douceur / 2.** (Choses) Caractère de ce qui est rude (1). *La rudesse de leurs mœurs.* / contr. **raffinement /** ▶ **rudoyer** [ʀydwaje] v. tr. ⋅ conjug. 8. ■ Traiter rudement, avec des paroles dures. *Il rudoyait ses domestiques.* ‹ ▶ rudiment ›

rudiment [ʀydimɑ̃] n. m. **I.** Ébauche ou reste (d'un organe). *Un rudiment de queue.* **II.** Au plur. LES RUDIMENTS. **1.** Notions élémentaires (d'une science, d'un art). ⇒ **a b c.** *Rudiments de grammaire.* **2.** Premiers éléments (d'une organisation, d'un système...). ▶ **rudimentaire** adj. **1.** (Organe) Qui est à l'état d'ébauche ou de résidu. **2.** Qui n'a atteint qu'un développement très limité. ⇒ **élémentaire.** *L'architecture rudimentaire de l'homme préhistorique.* — Sommaire, insuffisant. *Connaissances rudimentaires.*

rue [ʀy] n. f. **1.** Voie bordée de maisons, dans une agglomération. ⇒ **artère, avenue, boulevard, impasse.** *Les rues de Paris. La rue de Rivoli. Une rue calme, animée, commerçante. La rue principale d'un village, la grande rue, la grand-rue. Une rue large, étroite. Une petite rue.* ⇒ **ruelle.** *Marcher, se promener dans les rues. Prendre une rue. Traverser la rue. Au coin de deux rues. Au coin de la rue.* — Loc. *À tous les coins de rue,* partout. **2.** *La rue, les rues,* symbole de la vie urbaine, des milieux populaires. *Scènes de la rue. L'homme de la rue.* — *Fille des rues,* prostituée. — *En pleine rue, dans la rue, dans la ville. Descendre, manifester dans la rue.* — Population de la ville. *La rue s'agitait, se soulevait.* **3.** Loc. *Être* À LA RUE : sans domicile, sans abri. *Jeter qqn à la rue,* dehors. ▶ **ruelle** [ʀɥɛl] n. f. **I.** Petite rue étroite et relativement courte. ⇒ **venelle. II.** Espace libre entre un lit et le mur ou entre deux lits. — Au XVIIᵉ s. Chambre, alcôve où certaines femmes de haut rang recevaient.

ruer [ʀɥe] v. ⋅ conjug. 1. **I.** SE RUER v. pron. réfl. S'élancer avec violence, impétuosité. ⇒ **précipiter.** *Fou de colère, il s'est rué sur moi.* — (En masse) *Les gens se ruaient vers la sortie, sur le buffet. Les troupes se ruèrent à l'assaut.* **II.** V. intr. Lancer une, des ruade(s). *Les chevaux ruaient.* — Loc. *Ruer dans les brancards,* regimber, opposer une vive résistance à un ordre, à une discipline. ▶ **ruée** [ʀɥe] n. f. ■ Mouvement rapide d'un grand nombre de personnes dans la même direction. *La ruée vers les gares à l'époque des départs en vacances.* ‹ ▶ ruade ›

ruffian ou **rufian** [ʀyfjɑ̃] n. m. ■ Autrefois. Entremetteur, souteneur.

rugby [ʀygbi] n. m. ■ Sport d'équipe dans lequel il faut poser un ballon ovale derrière la ligne de but de l'adversaire ⇒ **essai,** ou le faire passer entre les poteaux de but. *Terrain de rugby. Le ballon ovale du rugby. Équipe de rugby.* ⇒ **quinze** (II, 2). — *Rugby à treize,* joué avec des équipes de treize joueurs (on dit plus souvent *jeu à treize*). *Rugby* (ou *football*) *américain* (avec d'autres règles). — REM. On dit *football,* au Canada. ▶ **rugbyman** [ʀygbiman] n. m. ■ Joueur de rugby. *Des rugbymen* [ʀygbimɛn].

rugir [ʀyʒiʀ] v. ⋅ conjug. 2. **1.** V. intr. (Lion, fauves) Pousser des rugissements. — (Personnes) Pousser des cris terribles. ⇒ **hurler.** *Rugir de colère, de rage.* — (Choses) Produire un bruit sourd et violent. *Le vent rugissait.* **2.** V. tr. Proférer avec violence (des menaces).

des injures...). ▶ **rugissement** n. m. **1.** Cri du lion et de certains fauves (tigres, panthères, etc.). *Le lion ouvrit la gueule et poussa un formidable rugissement.* **2.** Cri rauque. *Des rugissements de colère.* **3.** (Choses) Grondement sourd et violent. ⇒ **mugissement.** *Le rugissement de la tempête.*

rugueux, euse [ʀygø, øz] adj. ■ Dont la surface présente de petites aspérités, et qui est rude au toucher. ⇒ **raboteux, râpeux, rêche, rude.** / contr. *lisse / Peau rugueuse. Écorce rugueuse. Toile rugueuse.* ▶ **rugosité** n. f. ■ État d'une surface rugueuse ; petite aspérité sur cette surface.

ruine [ʀɥin] n. f. **I.** *(Une, des ruines)* **1.** Débris d'un édifice ancien ou écroulé. ⇒ **décombres, vestige.** *Les ruines gallo-romaines. Les habitants ont été ensevelis sous les ruines. Pays qui se relève de ses ruines,* répare les dommages subis. **2.** Personne qui a perdu la plus grande partie de ses forces, de ses facultés. *C'est une véritable ruine.* ⇒ **loque. II.** *(La ruine)* **1.** Écroulement partiel ou total d'un édifice ; état de ce qui s'écroule (⇒ **délabrement, vétusté**). *Château en ruine. La maison tombe en ruine,* se dégrade et s'écroule par morceaux. — Loc. MENACER RUINE. *Ce mur menace ruine,* menace de s'écrouler. **2.** Destruction, perte. *Le régime a précipité sa ruine. C'est la ruine de ses espérances.* ⇒ **anéantissement. 3.** Perte des biens, de la fortune. ⇒ **faillite.** *Être au bord de la ruine. — Une ruine,* une cause de ruine. ⇒ **ruineux.** *Cette propriété, quelle ruine !* ▶ **ruiner** v. tr. ▪ conjug. 1. **1.** Endommager gravement. *Ruiner sa santé.* ⇒ **altérer. 2.** Causer la ruine, la perte de. ⇒ **anéantir, détruire.** *Cet échec a ruiné tous ses espoirs.* **3.** Faire perdre la fortune à (qqn). *Ruiner un concurrent.* — Au p. p. *Il est complètement ruiné.* — Par exagér. *Tu veux me ruiner !,* tu me fais faire une dépense excessive. *Ce n'est pas ça qui nous ruinera,* ce n'est pas cher. **4.** SE RUINER v. pron. réfl. : causer sa propre ruine (argent). *Il s'est ruiné au jeu.* — Dépenser trop. *Se ruiner en médicaments.* ▶ **ruineux, euse** adj. **1.** Qui amène la ruine (II, 3), la faillite. *Dépenses ruineuses.* **2.** Coûteux. *Ce n'est pas ruineux.*

ruisseau [ʀɥiso] n. m. **1.** Petit cours d'eau. — PROV. *Les petits ruisseaux font les grandes rivières,* plusieurs petites sommes réunies finissent par en faire une grosse. — Par exagér. *Des ruisseaux de sang, de larmes.* ⇒ **torrent. 2.** Eau qui coule le long des trottoirs pour se jeter dans les égouts ; caniveau destiné à recevoir cette eau. — Loc. *Tomber, rouler dans le ruisseau,* dans une situation dégradante. *Sortir qqn du ruisseau.* ⇒ **ru.** ▶ **ruisselet** [ʀɥislɛ] n. m. ■ Petit ruisseau.

ruisseler [ʀɥisle] v. intr. ▪ conjug. 4. **1.** Couler sans arrêt en formant des ruisseaux. *La pluie ruisselle. Les larmes ruisselaient le long de ses joues.* — Se répandre à profusion. *Une place où ruisselle le soleil.* **2.** RUISSELER DE : être couvert d'un liquide qui ruisselle. *La vitre ruisselait de pluie. Il ruisselait de sueur.* ▶ **ruisselant, ante** adj. ■ Qui ruisselle. *Ruisselant d'eau,* trempé. *Ruisselant de sueur.* ⇒ **inondé.** ▶ **ruissellement** [ʀɥislmɑ̃] n. m. ■ *Eaux de ruissellement,* eaux fluviales qui s'écoulent à la surface du sol et alimentent les ruisseaux, les cours d'eau. — *Un ruissellement de lumière.*

rumba [ʀumba] n. f. ■ Danse d'origine cubaine ; musique de cette danse. *Des rumbas endiablées.*

rumeur [ʀymœʀ] n. f. **1.** Bruit confus de voix, de sons assourdis. — Bruit de voix qui protestent. *Des rumeurs s'élevaient dans le public.* **2.** Bruit, nouvelles qui se répandent. *Ce n'est encore qu'une vague rumeur. Apprendre qqch. par la rumeur publique.*

ruminer [ʀymine] v. tr. ▪ conjug. 1. **1.** (Ruminants) Mâcher de nouveau des aliments revenus de l'estomac, avant de les avaler définitivement. *Les vaches ruminent l'herbe* (ou, sans compl., *ruminent*). **2.** (Personnes) Tourner et retourner lentement dans son esprit. ⇒ **remâcher.** *Ruminer son chagrin. Ruminer un projet. Il rumine ses anciens griefs.* ▶ **ruminant** n. m. ■ *Un ruminant,* un animal qui rumine. — LES RUMINANTS : groupe de mammifères dont l'estomac complexe permet aux aliments de remonter dans la bouche pour une seconde mastication.

rumsteck ⇒ **romsteck.**

rupestre [ʀypɛstʀ] adj. **1.** Qui vit dans les rochers. *Plantes rupestres.* **2.** (Œuvre plastique) Qui est exécuté sur une paroi rocheuse. *Les peintures rupestres de la préhistoire. Art rupestre.*

rupin, ine [ʀypɛ̃, in] adj. et n. ■ Fam. et vieilli. Riche.

rupteur [ʀyptœʀ] n. m. ■ Dispositif qui interrompt le courant électrique. ⇒ **interrupteur.**

rupture [ʀyptyʀ] n. f. **1.** Fait de se casser, de se rompre*. *La rupture d'un câble.* **2.** Cessation brusque (de ce qui durait). *La rupture des relations diplomatiques entre deux pays.* — Opposition entre des choses qui se suivent. *Rupture de rythme,* changement brusque. — EN RUPTURE AVEC : en opposition affirmée à. *Être en rupture avec la société.* — EN RUPTURE DE STOCK : situation où le niveau des marchandises en stock est insuffisant pour satisfaire la demande. *Nous sommes en rupture de stock.* — Annulation (d'un engagement). *Rupture de contrat, de fiançailles.* **3.** Séparation plus ou moins brusque entre des personnes qui étaient unies. ⇒ **brouille.** *Scène de rupture.*

rural, ale, aux [ʀyʀal, o] adj. ■ Qui concerne la vie dans les campagnes. ⇒ **rustique** (1). / contr. **urbain** / *Exploitation rurale.* ⇒ **agricole.** *Communes rurales. L'exode rural,* le dépeuplement des milieux ruraux. — N. m. pl. Habitants de la campagne. *Les ruraux.* ⇒ **paysan.**

ruse [ʀyz] n. f. **1.** Procédé habile pour tromper. ⇒ **artifice, feinte, machination, manœuvre, piège, subterfuge.** *Ruses de guerre,* par lesquelles on surprend l'ennemi, un adversaire. Loc. *Des ruses de Sioux,* très habiles. **2.** LA RUSE : art de dissimuler, de tromper. ⇒ **habileté, rouerie.** *Recourir à la ruse. Obtenir qqch. par (la) ruse.* ▶ **rusé, ée** adj. ■ Qui a ou exprime de la ruse. ⇒ **malin, roublard.** *C'est assez rusé, comme manœuvre.* — N. *C'est une rusée. Petit rusé.* ▶ **ruser** v. intr. ▪ conjug. 1. ■ User de ruses, agir avec ruse. *Être obligé de ruser pour obtenir qqch.*

rush [ʀœʃ] n. m. Anglic. **1.** Sports. Accélération d'un concurrent en fin de course. ⇒ **sprint. 2.** Afflux brusque d'un grand nombre de personnes. ⇒ **ruée.** *C'est le grand rush vers les plages.* **3.** Au plur. La totalité des plans d'un tournage avant le choix pour le montage du film. *Visionner des rushes.*

russe [ʀys] adj. et n. ■ De Russie. *La révolution russe.* Loc. *Danse russe,* dans laquelle le danseur accroupi lance une jambe puis l'autre en avant, sur le côté. — *Boire à la russe,* en faisant cul sec et en jetant le verre. — N. *Les Russes. Un Russe blanc,* un émigré russe (opposant au régime soviétique). *Les Russes soviétiques.* — N. m. *Le russe,* la langue slave parlée en Russie.

rustaud, aude [ʀysto, od] adj. et n. ■ Qui a des manières grossières et maladroites. — N. *Une espèce de gros rustaud.* ⇒ **rustre.** *Quelle rustaude !*

rustine [ʀystin] n. f. ■ Petite rondelle de caoutchouc qui sert à réparer une chambre à air de bicyclette.

rustique [ʀystik] adj. et n. **1.** Littér. De la campagne. ⇒ **agreste, champêtre, rural.** *La vie rustique.* — Péj. Très simple et peu raffiné. ⇒ **campagnard. 2.** *Meuble rustique*, fabriqué à la campagne ou dans le style traditionnel de la province. **3.** (Plante) Qui demande peu de soins. ⇒ **résistant.** ▸ **rusticité** n. f. ▪ Littér. Caractère de ce qui est rustique.

rustre [ʀystʀ] n. m. ▪ Homme grossier et brutal. ⇒ **brute, goujat, malotru, rustaud.** *Quel rustre !*

rut [ʀyt] n. m. ▪ Période d'activité sexuelle où les animaux (mammifères) cherchent à s'accoupler. *Femelle en rut*, en chaleur.

rutabaga [ʀytabaga] n. m. ▪ Plante dont la racine comestible (proche du navet) sert surtout à la nourriture du bétail ; cette racine.

rutiler [ʀytile] v. intr. ▪ conjug. 1. ▪ Être rutilant, briller d'un vif éclat. ▸ **rutilant, ante** adj. ▪ Qui brille, reluit. *Une rutilante voiture de sport.*

rythme [ʀitm] n. m. — REM. On a écrit *rythme*. **1.** Retour à intervalles égaux ou calculés d'un repère constant (geste répété, rime). — Alternance de temps forts et de temps faibles. — En poésie. Mouvement du discours réglé par la métrique. Répartition des accents. *Le rythme d'une strophe, d'une phrase. Rythme et style.* — En musique. Répartition des sons dans le temps. ⇒ **mouvement.** ≠ *mesure. Rythme régulier. Avancer au rythme d'une musique militaire. Rythme souple, variable.* — Absolt. *Rythme régulier et marqué. Avoir du rythme, manquer de rythme* (se dit de la musique, d'un musicien). **2.** Mouvement périodique, régulier. *Le rythme des vagues. Le rythme cardiaque.* — *Rythme biologique* (ou *biorythme*, n. m.). **3.** Allure à laquelle s'exécute une action, se déroule un processus. ⇒ **cadence, vitesse.** *Le rythme de la production. Ne pas pouvoir suivre le rythme.* — AU RYTHME DE : à la cadence de. *Il écrit au rythme de 6 à 10 pages par jour.* — *Travailler à un rythme accéléré.* ▸ **rythmer** v. tr. ▪ conjug. 1. **1.** Soumettre à un rythme régulier et marqué. *Rythmer sa marche en chantant.* — Au p. p. adj. *Prose rythmée. La musique très rythmée du jazz.* **2.** Souligner le rythme (d'une phrase, d'un poème, d'un morceau de musique). ⇒ **scander.** *Rythmer un air en claquant des mains.* ▸ **rythmique** adj. **1.** Qui est soumis à un rythme régulier. — *Gymnastique rythmique*, par mouvements rythmés et enchaînés. *Danse rythmique* ou, n. f., *la rythmique*, intermédiaire entre la danse classique et la gymnastique. **2.** Qui est relatif au rythme. *Accent rythmique. Les valeurs rythmiques de la musique chinoise, indienne, occidentale.* **3.** Qui utilise les effets du rythme. *Versification rythmique*, fondée sur l'accent tonique. — N. f. *La rythmique*, l'étude des rythmes dans la langue.

S

s [ɛs] n. m. invar. **1.** Dix-neuvième lettre, quinzième consonne de l'alphabet. *L's* ou *le s.* — REM. Le *s* se prononce [s] ou [z] ; *ss* se prononcent [s]. **2.** *S'.* ⇒ se. **3.** Forme sinueuse du *s. Un virage en S.*

sa ⇒ ① son (adj. poss.).

sabbat [saba] n. m. **1.** Repos que les juifs doivent observer le samedi, jour consacré au culte divin. *Observer le sabbat.* **2.** Assemblée nocturne et bruyante de sorciers et sorcières, dans les légendes anciennes. ▶ **sabbatique** adj. ■ Qui a rapport au sabbat (1). — Loc. *Année sabbatique,* année de congé accordée pour des recherches personnelles, dans certaines universités (États-Unis, notamment), tous les sept ans.

sabir [sabiʀ] n. m. ■ Jargon mêlé d'arabe, de français, d'espagnol, d'italien, parlé en Afrique du Nord et dans le Levant. — Péj. Langue mêlée, remplie d'éléments étrangers.

sable [sabl] n. m. **1.** Ensemble de petits grains minéraux (quartz) séparés, recouvrant le sol. *Du sable. Marcher dans le sable. Une plage de sable fin. Mer de sable,* ensemble de dunes. *Sables mouvants,* sable mouillé qui s'enfonce sous un poids et où on peut s'enliser. — *Bac à sable.* **2.** Loc. BÂTIR SUR LE SABLE : entreprendre sur des bases peu solides. — Fam. ÊTRE SUR LE SABLE : se retrouver sans argent, être sans travail. — *Le marchand de sable est passé,* les enfants ont sommeil (les yeux leur piquent). **3.** Adj. invar. Beige très clair. *Des vestes sable.* ▶ **sablé, ée** n. m. et adj. **1.** N. m. Petit gâteau sec à pâte friable (comme du sable). *Un paquet de sablés.* **2.** Adj. Qui a la texture de ce gâteau. *Pâte sablée et pâte feuilletée.* ▶ ① **sabler** v. tr. ▪ conjug. 1. ■ Couvrir de sable. *Sabler une route.* — Au p. p. adj. *Allée sablée.* ▶ **sablage** n. m. ▶ **sableur, euse** n. **1.** Ouvrier qui fait les moules en sable dans une fonderie. **2.** N. f. Machine servant à décaper, dépolir par projection d'un jet de sable. ▶ **sablier** [sɑ(a)blije] n. m. ■ Instrument fait de deux petits vases de verre superposés communiquant par un étroit conduit, le vase supérieur étant rempli de sable qui coule doucement dans l'autre (pour mesurer le temps). ▶ **sablière** n. f. ■ Carrière de sable. ▶ **sablonneux, euse** adj. ■ Naturellement couvert ou constitué de sable. *Terrains sablonneux.* ⟨ ▶ s'ensabler ⟩

② **sabler** v. tr. ▪ conjug. 1. ■ Loc. SABLER LE CHAMPAGNE : boire du champagne en abondance, lors d'une réjouissance. ≠ *sabrer.*

sabord [sabɔʀ] n. m. ■ Ouverture rectangulaire servant, sur les vaisseaux de guerre, de passage à la bouche des canons. — *Mille sabords !,* juron familier de marins. ▶ **saborder** v. tr. ▪ conjug. 1. **1.** Percer (un navire) au-dessous de la flottaison pour le faire couler. — Pronominalement. *Se saborder,* couler volontairement son navire. **2.** *Saborder son entreprise,* (pronominalement) *se saborder,* mettre fin volontairement aux activités de son entreprise. *Le journal s'est sabordé.* ▶ **sabordage** n. m. ■ Action de saborder, de se saborder.

sabot [sabo] n. m. **1.** Chaussure paysanne faite d'une seule pièce de bois évidée, ou d'une semelle de bois et d'un dessus de cuir ⇒ **galoche** ou de toile. — Loc. *Je le vois* (ou *je l'entends*) *venir* AVEC SES GROS SABOTS : ses allusions sont un peu trop grosses, ses intentions trop claires. **2.** Enveloppe cornée qui entoure l'extrémité des doigts chez les ongulés. *Garnir de fers les sabots d'un cheval.* ⇒ **ferrer. 3.** *Sabot (de frein),* pièce mobile servant à freiner un véhicule. — *Sabot de Denver,* pince que la police ajuste aux roues des véhicules en stationnement interdit. **4.** En appos. *Baignoire sabot,* baignoire courte où l'on se baigne assis. *Des baignoires sabots.* **5.** Vx. Instrument de musique, véhicule de mauvaise qualité. — Loc. TRAVAILLER, JOUER COMME UN SABOT : très mal. ▶ **sabotier, ière** n. ■ Personne qui fabrique, qui vend des sabots. ≠ *savetier.* ⟨ ▶ saboter ⟩

saboter [sabote] v. tr. ▪ conjug. 1. **1.** Faire vite et mal. ⇒ **bâcler.** *L'orchestre a saboté ce morceau,* l'a très mal exécuté. — Au p. p. adj. *Un travail saboté.* **2.** Détériorer ou détruire par un acte visant à empêcher le fonctionnement d'une machine, d'une installation. *Saboter un avion ennemi.* — Chercher à contrarier ou à neutraliser par malveillance. *Saboter un projet, une négociation.* ▶ **sabotage** n. m. ■ Action de saboter. *Sabotage industriel.* ▶ **saboteur, euse** n. ■ Personne qui sabote.

sabre [sabʀ] n. m. ■ Arme blanche, à pointe et à simple tranchant, à lame plus ou moins recourbée. ⇒ **cimeterre, yatagan.** *Sabre de cavalerie.* — *Faire du sabre,* pratiquer l'escrime au sabre. — Loc. péj. *Traîneurs de sabre,* militaires fanfarons et belliqueux. — Loc. LE SABRE ET LE GOUPILLON : l'armée et l'Église. ▶ **sabrer** v. tr. ▪ conjug. 1. **1.** Frapper à coups de sabre. *Sabrer l'ennemi.* **2.** Pratiquer de larges coupures dans. *La rédaction a sabré l'article de son correspondant.* **3.** Fam. Sabrer des candidats, les refuser impitoyablement. ▸ *sabreur* n. m. ■ Celui qui se bat au sabre. — Soldat courageux et brutal.

① *sac* [sak] n. m. **I. 1.** Contenant formé d'une matière souple et ouvert seulement par le haut. ⇒ **poche.** *Un sac de toile, de papier. Un sac en plastique. Un sac de charbon, de blé,* contenant du charbon, du blé. *Sac à provisions.* — Loc. SAC DE COUCHAGE : fait de duvet naturel ou synthétique, pour dormir. **2.** Loc. *Être ficelé, fagoté comme un sac,* être mal habillé. — *Mettre dans le même sac* (des personnes, des choses abstraites), les englober dans la même réprobation. *Prendre qqn la main dans le sac,* le surprendre, le prendre sur le fait. *Il a plus d'un tour dans son sac,* il est malin. *L'affaire est dans le sac,* le succès est assuré. — Fam. VIDER SON SAC : dire le fond de sa pensée ; avouer. — Fam. UN SAC DE NŒUDS : une affaire confuse et embrouillée. — UN SAC À VIN : un ivrogne. **3.** Objet souple, fabriqué pour servir de contenant, où l'on peut ranger, transporter diverses choses. ⇒ **cartable, musette, sacoche.** *Un sac de soldat, d'alpiniste, de campeur, d'écolier,* sacs portés sur le dos à l'aide de bretelles. *Sac à dos.* ⇒ **havresac.** *Sac à ouvrage,* où l'on range le matériel de couture. *Sac de voyage,* bagage à main souple et sans couvercle (à la différence de la valise). — SAC À MAIN et absolt, SAC : sac où les femmes mettent l'argent, les papiers, les petits accessoires de toilette. *Elle porte son sac en bandoulière.* **4.** Contenu d'un sac de dimension déterminée. *Moudre cent sacs de blé.* — Fam. *Le sac,* l'argent, la richesse. — Fam. *Dix sacs, vingt sacs,* cent francs (dix mille anciens francs), deux cents francs. **II.** Cavité ou enveloppe en forme de poche. *Sac lacrymal,* à l'angle interne de l'œil. ‹ ▸ **besace, cul-de-sac, ensacher, havresac, sachet, sacoche, sacquer** ›

② *sac* n. m. ■ Pillage (d'une ville, d'une région). ⇒ **saccage.** *Le sac de Rome en 1527.* — Loc. METTRE UNE VILLE À SAC : piller. ⇒ **saccager.** ‹ ▸ saccager ›

saccade [sakad] n. f. ■ Surtout au plur. Mouvement brusque et irrégulier, en général répété. ⇒ **à-coup, secousse, soubresaut.** *La voiture avançait par saccades.* ▸ *saccadé, ée* adj. ■ Qui procède par saccades. *Des gestes saccadés,* heurtés.

saccager [sakaʒe] v. tr. ▪ conjug. 3. **1.** Littér. Mettre à sac, en détruisant et en volant. ⇒ **piller, ravager.** **2.** Mettre en désordre, abîmer. *Les vandales ! Ils ont tout saccagé !* ▸ *saccage* n. m. ■ Littér. Action de saccager ; son résultat.

sacchar- ■ Élément qui signifie « sucre ». ⇒ **gluc(o)-.** ▸ *saccharine* [sakaʀin] n. f. ■ Substance blanche utilisée comme succédané du sucre. ▸ *saccharose* [sakaʀoz] n. m. ■ Nom scientifique du sucre de canne ou de betterave. *Le saccharose est fusible à partir de 160° C.*

sacerdoce [sasɛʀdɔs] n. m. **1.** Dans la religion chrétienne. Dignité ou fonction du ministre de Dieu. *Ce prêtre exerce son sacerdoce avec ferveur.* **2.** Fonctions auxquelles on peut attacher un caractère quasi religieux. *Pratiquer la médecine est pour lui un sacerdoce.* ▸ *sacerdotal, ale, aux* adj. ■ Propre aux prêtres. *Les habits sacerdotaux.*

sachet [saʃɛ] n. m. ■ Petit sac (1). *Un sachet de bonbons. Levure en sachet.* — Petit emballage poreux utilisé tel quel. *Un sachet de thé.*

sacoche [sakɔʃ] n. f. **1.** Sac de cuir ou de toile forte qu'une courroie permet de porter. *La sacoche du facteur. Sacoche à outils.* **2.** Sac accroché au porte-bagages d'un véhicule à deux roues. *Une paire de sacoches.* **3.** Petit sac à main plat où les hommes rangent leurs papiers d'identité, cartes de crédit, portefeuille, etc.

sacquer ou *saquer* [sake] v. tr. ▪ conjug. 1. ■ Fam. Renvoyer (un employé) ; refuser (un candidat). ⇒ fam. **sabrer.** *Elle s'est fait saquer.*

sacraliser [sakʀalize] v. tr. ▪ conjug. 1. ■ Didact. Attribuer un caractère sacré à. *Certains peuples sacralisent leurs ancêtres.* — *Sacraliser le travail.* ▸ *sacralisation* n. f. ■ Fait de sacraliser.

sacramentel, elle [sakʀamɑ̃tɛl] adj. ■ Qui appartient à un sacrement, aux sacrements. *Les formules sacramentelles.*

sacre [sakʀ] n. m. **1.** Cérémonie par laquelle l'Église consacre un souverain, un évêque. **2.** Consécration solennelle. *Le sacre du printemps.*

sacrement [sakʀəmɑ̃] n. m. ■ Dans la religion chrétienne. Signe et rite sacrés institués par Jésus-Christ, pouvant produire ou augmenter la grâce dans les âmes. *Les sept sacrements. Les derniers sacrements,* les sacrements administrés à un mourant. *Le saint sacrement (de l'autel),* l'eucharistie. — Loc. *Porter, tenir qqch.* COMME LE SAINT SACREMENT : comme une chose très précieuse. ⇒ **sacramentel.** ‹ ▸ sacramentel ›

sacrer [sakʀe] v. tr. ▪ conjug. 1. **1.** Consacrer (qqn) par la cérémonie du sacre. *Il a été sacré roi dans la basilique.* **2.** Déclarer solennellement. *Le jury l'a sacrée meilleure actrice de l'année.* ▸ ① *sacré, ée* adj. **1.** Qui appartient à un domaine interdit et inviolable (au contraire de ce qui est *profane*) et fait l'objet d'une vénération religieuse. ⇒ **saint, tabou.** *Les livres, les vases sacrés.* — Qui appartient à la liturgie. *La musique sacrée.* ⇒ **religieux.** — N. m. *Le sacré et le profane.* **2.** Qui est digne d'un respect absolu, qui a un caractère de valeur absolue. ⇒ **inviolable, sacro-saint.** *Un droit sacré. Les dettes de jeu sont sacrées.* — Fam. *Ma petite sieste, c'est sacré !* ▸ *Sacré-Cœur* n. m. ■ Cœur de Jésus-Christ, auquel l'Église catholique rend un culte. *La fête du Sacré-Cœur. La basilique du Sacré-Cœur.* ▸ ② *sacré, ée* adj. ■ Fam. (Avant le nom) Renforce une qualité, au sens de « grand ». *Tu es un sacré menteur ! Tu as un sacré culot, une sacrée chance.* ⇒ fam. **fichu, foutu.** ▸ *sacrément* adv. ■ Beaucoup, très. *Il est sacrément prétentieux.* ‹ ▸ consacrer, sacraliser, sacre, sacrement, sacrifier, sacrilège, sacristie, sacro-saint, saperlotte, sapristi ›

sacrificateur, trice [sakʀifikatœʀ, tʀis] n. ■ Prêtre(esse) préposé(e) aux sacrifices.

sacrifice [sakʀifis] n. m. **1.** Offrande rituelle à la divinité, caractérisée par la destruction (réelle ou symbolique) ou l'abandon volontaire de la chose offerte. *Sacrifices humains,* d'êtres humains. *Offrir des mets, des animaux en sacrifice.* **2.** Renoncement ou privation volontaire dans une intention religieuse ou morale. *Aller jusqu'au sacrifice de sa vie.* — Dépenses que l'on s'impose. *C'est pour moi un gros sacrifice ! Je ne reculerai devant aucun sacrifice.* **3.** *Le sacrifice,* le fait de se sacrifier. ⇒ **abnégation, dévouement, renoncement.** *Le goût du sacrifice. L'esprit de sacrifice.*

sacrifier [sakʀifje] v. ▪ conjug. 7. **I.** V. tr. **1.** Offrir en sacrifice. ⇒ **immoler.** *Sacrifier un bélier à une divinité.* **2.** Abandonner ou négliger (qqch. ou qqn) en considération de ce qu'on fait passer avant. *Il a sacrifié sa santé à sa carrière, ses proches à son travail. Merci de m'avoir sacrifié un peu de votre temps.* **3.** Fam. Se défaire avec peine, ou à perte, de (qqch.). — Au p. p. adj. *Marchandises sacrifiées,* soldées à très bas prix. **II.** V. intr. SACRIFIER À : offrir des sacrifices à (une divinité). *Sacrifier aux idoles.* — Littér. (Compl. chose) Se montrer soumis à..., obéir fidèlement à. *L'auteur a sacrifié à la mode.* **III.** SE SACRIFIER : se dévouer par le sacrifice de soi, de ses intérêts. *Ceux* qui se sacrifient à de nobles causes. Elle s'est toujours sacrifiée à sa famille, pour sa famille. ‹ ▶ **sacrifice, sacrificateur** ›

sacrilège [sakʀilɛʒ] n. et adj. **1.** N. m. Profanation d'objets, de lieux, de personnes revêtus d'un caractère sacré. ⇒ **blasphème.** Commettre un sacrilège. — Attentat contre ce qui est particulièrement respectable. C'est un sacrilège d'avoir démoli ce château. **2.** N. Un, une sacrilège, personne qui a commis un sacrilège. ⇒ **profanateur.** — Adj. Qui a un caractère de sacrilège. Un attentat sacrilège.

sacripant [sakʀipɑ̃] n. m. ■ Vx et fam. Mauvais sujet, chenapan. ⇒ **vaurien.**

sacristie [sakʀisti] n. f. ■ Annexe d'une église, où sont déposés les vases sacrés, les vêtements sacerdotaux. — Loc. fam. PUNAISE DE SACRISTIE : dévote qui hante les sacristies, les églises. ▶ **sacristain** n. m.; sacristaine ou sacristine n. f. ■ Personne qui est préposée à la sacristie, à l'entretien de l'église. ⇒ **bedeau.**

sacro-saint, sacro-sainte [sakʀosɛ̃, sakʀosɛ̃t] adj. ■ Qui fait l'objet d'un respect exagéré ou même absurde. Toi et tes sacro-saintes manies !

sacrum [sakʀɔm] n. m. ■ Os formé par la réunion de cinq vertèbres (dites sacrées), situé à la partie inférieure de la colonne vertébrale. Le coccyx et le sacrum. Des sacrums.

sadisme [sadism] n. m. **1.** Perversion sexuelle où le plaisir est obtenu par la souffrance infligée à l'objet du désir. Sadisme et masochisme*. **2.** Plaisir moral qu'on prend à la souffrance d'autrui. Punition pleine de sadisme. ⇒ **cruauté.** ▶ **sadique** adj. ■ Il est sadique. Plaisir sadique. — N. Un, une sadique. ▶ **sadomasochisme** [sadomazɔʃism] n. m. ■ Sadisme combiné au masochisme chez le même individu. ▶ **sadomasochiste** adj. et n. ■ À la fois sadique et masochiste.

safari [safaʀi] n. m. ■ Expédition de chasse aux gros animaux sauvages, en Afrique noire. — SAFARI-PHOTO : excursion organisée à la manière d'un safari, au cours de laquelle on photographie les animaux. Des safaris-photos.

① **safran** [safʀɑ̃] n. m. **1.** Poudre aromatique orangée provenant d'une fleur du genre crocus. Riz au safran. ≠ curry. **2.** Matière colorante jaune clair tirée de la même fleur. — Couleur jaune clair. — Adj. invar. Des soieries safran.

② **safran** n. m. ■ Pièce principale d'un gouvernail de navire, qui agit sur l'eau.

saga [saga] n. f. ■ Récit historique ou mythologique de la littérature médiévale scandinave. La saga d'Erik le Rouge. — Histoire, récit plus ou moins légendaire. Écrire la saga d'une famille. Des sagas.

sagace [sagas] adj. ■ Littér. Doué de perspicacité et d'intuition. ⇒ **clairvoyant, subtil.** ▶ **sagacité** n. f. ■ Pénétration, perspicacité. ⇒ **finesse.** Faire preuve de sagacité.

sagaie [sagɛ] n. f. ■ Lance, javelot utilisé par les chasseurs, les guerriers dans certaines civilisations traditionnelles. Lancer des sagaies.

sage [saʒ] adj. **1.** Réfléchi et modéré. ⇒ **prudent, raisonnable, sensé, sérieux.** / contr. **déraisonnable, fou** / De sages conseils. ⇒ **judicieux.** — N. m. C'est un sage. Agir en sage. ⇒ **sagement. 2.** Littér. Qui a un art de vivre supérieur, qui peut être considéré comme un modèle. Le penseur, homme sage. — N. m. Sa vie fut celle d'un sage. **3.** Honnête et réservé dans sa conduite sexuelle. ⇒ **chaste.** Elle est aussi sage que belle. **4.** (Après le nom) Calme et docile. Un enfant sage, sage comme une image. **5.** (Choses) Qui est mesuré, fuit tout excès. Des goûts sages. — Fam. Une petite robe toute sage. / contr. **hardi** / ▶ **sagement** adv. ■ Il a agi très sagement. — Attends-moi bien sagement ici. ▶ **sagesse** n. f. **1.** Modération et prudence dans la conduite. Avoir la sagesse d'attendre. La voix de la sagesse. ⇒ **raison** (I, 1). **2.** Littér. Philosophie de sage (2). — Prudence éclairée. La sagesse du législateur. La sagesse des nations, maximes, conseils de bon sens, résultant d'une longue expérience, que les nations mettent en proverbes. **3.** Tranquillité, docilité (d'un enfant). Il a été d'une sagesse exemplaire, aujourd'hui. **4.** (Choses) Absence d'excès, d'innovation. Un projet d'une trop grande sagesse. ‹ ▶ **assagir, sage-femme** ›

sage-femme [saʒfam] n. f. ■ Personne (femme) qui connaît et pratique les techniques de l'accouchement. ⇒ **accoucheuse.** Les sages-femmes d'un hôpital.

Sagittaire [saʒitɛʀ] n. m. invar. ■ Neuvième signe du zodiaque (22 novembre-20 décembre). Être du signe du Sagittaire. — Ellipt. Invar. Elles sont Sagittaire.

sagouin, ouine [sagwɛ̃, win] n. **1.** Vx. Ouistiti (singe). **2.** Personne, enfant malpropre. — Injure. Tas de sagouins !

saharienne [saaʀjɛn] n. f. ■ Veste de toile à manches courtes.

saigner [seɲe] v. ■ conjug. 1. **I.** V. intr. (Corps, organe) Perdre du sang. Il saignait comme un bœuf, abondamment. Le doigt, la plaie saigne. — Saigner du nez, avoir le nez qui saigne. — Littér. Son cœur saigne, il souffre, il a beaucoup de peine. **II.** V. tr. **1.** Vx. Faire une saignée à (qqn). **2.** Tuer (un animal) en le privant de son sang, par égorgement. ⇒ **égorger.** Saigner un porc. **3.** Épuiser (qqn) en lui retirant ses ressources. Il a saigné ses parents. Elle s'est fait saigner à blanc, vider de toutes ressources. — Pronominalement. Loc. SE SAIGNER AUX QUATRE VEINES : se priver en donnant tout ce qu'on peut. ▶ **saignant, ante** adj. ■ Se dit de la viande rôtie ou grillée, lorsqu'elle est peu cuite et qu'il y reste du sang. ⇒ **rouge.** Les biftecks, saignants ou à point ? Très saignant. ⇒ **bleu** (I, 1). ▶ **saignée** n. f. **I. 1.** Évacuation provoquée d'une certaine quantité de sang. Les anciens médecins faisaient des saignées. **2.** Perte d'hommes que subit un pays (par la guerre, l'émigration, etc.). La saignée subie par la France en 1914. **II.** Pli entre le bras et l'avant-bras. Pincer qqn à la saignée du bras. ▶ **saignement** n. m. ■ Saignement de nez, hémorragie nasale.

① **saillir** [sajiʀ] v. intr. ■ conjug. 13. ■ Avancer en formant un relief. Ses veines saillent. Ses muscles saillaient. ▶ **saillant, ante** adj. **1.** Qui avance, dépasse. ⇒ **proéminent.** Des pommettes saillantes. — Angle saillant, de moins de 180° (opposé à rentrant). **2.** Abstrait. Qui est en évidence, s'impose à l'attention. ⇒ **frappant, remarquable.** Les traits, les événements saillants de cette période. ▶ ① **saillie** [saji] n. f. ■ Partie qui avance, dépasse le plan, l'alignement. ⇒ **avancée, relief.** Les saillies d'un mur. Un balcon formant saillie, faisant saillie, en saillie. ⇒ **saillant** (1).

② **saillir** v. tr. ■ conjug. 2. ■ (Suj. animal mâle) Monter (la femelle). Le bouc saillissait une chèvre. ⇒ **couvrir.** ▶ ② **saillie** n. f. ■ (Animaux) Action du mâle qui monte la femelle. ‹ ▶ **salace** ›

③ **saillir** v. intr. ■ conjug. 2. — REM. Ne s'emploie qu'à l'infinitif et à la 3ᵉ personne. ■ Vx. S'élancer, jaillir. — REM. Même origine que sauter. ▶ ③ **saillie** n. f. ■ Littér. Trait brillant et inattendu (dans la conversation, le style). ⇒ **boutade, trait** d'esprit. Une repartie pleine de saillies. ‹ ▶ **assaillir, tressaillir** ›

sain, saine [sɛ̃, sɛn] adj. **1.** Qui est en bonne santé (opposé à *malade*). *Arbre sain. Être sain de corps et d'esprit*, en bonne santé physique et morale. — Loc. SAIN ET SAUF : en bon état physique, exempt de dommage, après un danger, une épreuve. *Ils sont arrivés sains et saufs* [sɛ̃esof] *Saines et sauves* [sɛn(z)esov]. **2.** Qui jouit d'une bonne santé morale. *Un enfant parfaitement sain et équilibré.* — Considéré comme bon et normal. *Un jugement sain. Des idées saines.* / contr. **malsain** / **3.** (Choses) Qui contribue à la bonne santé physique. *Un climat très sain.* ⇒ **salubre.** *Une nourriture saine et abondante.* **4.** Normal, qui ne présente rien de dangereux ou de suspect. *C'est une affaire saine.* ≠ *saint.* ▶ *sainement* adv. ■ *Vivre sainement.* — *Juger sainement.* ⟨ ▶ assainir, insane, malsain, sainfoin, sanatorium, santé ⟩

saindoux [sɛ̃du] n. m. invar. ■ Graisse de porc fondue. *Du saindoux.*

sainfoin [sɛ̃fwɛ̃] n. m. ■ Plante à fleurs rouges ou jaunâtres, cultivée comme fourrage.

saint, sainte [sɛ̃, sɛ̃t] n. et adj. **I.** N. **1.** Personne qui est après sa mort l'objet, de la part de l'Église catholique, d'un culte public, en raison de la perfection chrétienne qu'elle a atteinte durant sa vie. *Mettre au rang des saints.* ⇒ **canoniser ; élu** (II, 1). ≠ *bienheureux* (2). — Loc. PRÊCHER POUR SON SAINT : avoir en vue son intérêt personnel en vantant qqn ou qqch. *Ne savoir* À QUEL SAINT SE VOUER : ne plus savoir comment se tirer d'affaire. *Ce n'est pas un saint*, il n'est pas parfait. *Ce n'est pas un petit saint*, il n'est ni naïf ni vertueux. — *Il vaut mieux s'adresser à Dieu qu'à ses saints*, il vaut mieux s'adresser au supérieur plutôt qu'aux subordonnés. **2.** (Dans d'autres religions) *Les saints de l'islam, du bouddhisme.* **3.** Personne d'une vertu, d'une patience exemplaires. *Cette femme, c'est une sainte !* **4.** N. m. *Le saint des saints*, l'enceinte du Temple la plus sacrée. — Loc. LE SAINT DES SAINTS : l'organisme le plus secret et le plus important d'une collectivité. **II.** Adj. ≠ *sain.* **1.** S'emploie (avant le prénom) pour désigner un saint, des saints. *L'Évangile selon saint Jean.* — *La sainte Famille*, Jésus, Joseph et Marie. — (Avec une majuscule) *La Saint-Sylvestre*, la veille du Jour de l'An **2.** Qui mène une vie en tous points conforme aux lois de la morale et de la religion. *Un saint homme, une sainte femme.* **3.** (Choses) Qui a un caractère sacré, religieux ; qui appartient à l'Église. *Rendre saint.* ⇒ **sanctifier.** *La sainte table. L'histoire sainte. Les Lieux saints, la Terre sainte*, où le Christ a vécu. — Loc. TOUTE LA SAINTE JOURNÉE : pendant toute la journée, sans arrêt. — *Guerre sainte*, guerre menée au nom de motifs religieux. **4.** Qui est inspiré par la piété. *Une sainte colère*, colère éminemment morale. ▶ *saintement* adv. ■ D'une manière sainte (I, 2). ▶ *sainteté* [sɛ̃te] n. f. **1.** Caractère d'une personne ou d'une chose sainte. **2.** *Sa, Votre Sainteté*, titre de respect qu'on emploie en parlant du pape ou en s'adressant à lui. ⟨ ▶ sacrosaint, sanctifier, sanctuaire, santon, Toussaint, et ci-dessous les mots en saint- ⟩

saint-bernard [sɛ̃bɛrnar] n. m. invar. ■ Race de grands chiens de montagne, dressés à porter secours aux voyageurs qui s'y sont égarés (du nom du col du *Grand-Saint-Bernard*). *Des saint-bernard.* — Fig. *C'est un vrai saint-bernard*, une personne toujours prête à secourir les autres.

saint-cyrien [sɛ̃sirjɛ̃] n. m. ■ Élève de l'École militaire française créée à Saint-Cyr. *Des saint-cyriens.*

sainte nitouche [sɛ̃tnituʃ] n. f. ■ Femme, fillette qui affecte l'innocence (→ *c'est une petite sainte*). *Des saintes nitouches.*

saint-frusquin [sɛ̃fryskɛ̃] n. m. ■ Fam. et vx. Ce qu'on a d'argent, d'effets. — Fam. (À la fin d'une énumération) ...*et tout le saint-frusquin*, et tout le reste.

à la saint-glinglin [alasɛ̃glɛ̃glɛ̃] loc. adv. ■ Fam. À une date indéfiniment reportée. *Il me remboursera à la saint-glinglin. Je ne vais pas l'attendre jusqu'à la saint-glinglin.*

saint-honoré [sɛ̃tɔnɔre] n. m. invar. ■ Gâteau garni de crème Chantilly et de petits choux. *Des saint-honoré.*

saint-nectaire [sɛ̃nɛktɛr] n. m. ■ Fromage d'Auvergne, à base de lait de vache, à pâte pressée. *Des saint-nectaires.*

saint-paulin [sɛ̃polɛ̃] n. m. ■ Fromage affiné à pâte pressée, voisin du port-salut. *Des saint-paulins.*

Saint-Siège [sɛ̃sjɛʒ] n. m. ■ *Le Saint-Siège*, la papauté.

saisir [sezir] v. tr. · conjug. 2. **I. 1.** Mettre en sa main (qqch.) avec force ou rapidité. ⇒ **attraper, empoigner, prendre.** *Le gardien de but a pu saisir le ballon.* — Prendre (qqn, un animal), retenir brusquement ou avec force. *Saisir qqn à bras le corps.* **2.** Se mettre promptement en mesure d'utiliser, de profiter de. *Il faut saisir l'occasion. Occasion à saisir ! Il saisira le moindre prétexte.* **3.** Parvenir à comprendre, connaître (qqch.) par les sens, par la raison. *Je ne saisissais que des bribes de la conversation.* — Fam. *Tu saisis ?*, tu comprends ? **4.** (Sensations, émotions, etc.) S'emparer brusquement des sens, de l'esprit de (qqn). ⇒ **prendre.** *Un frisson de peur la saisit.* — Faire une impression vive et forte sur (qqn). ⇒ **émouvoir, frapper, impressionner ; saisissant, saisissement.** *Sa pâleur m'a saisi.* **5.** Exposer d'emblée à un feu vif (ce qu'on fait cuire). — Au p. p. adj. *Viande bien saisie.* **6.** Procéder à la saisie (II) de (certains biens). *On a saisi ses meubles.* — *Saisir qqn*, saisir ses biens. — *Saisir un numéro de journal.* **7.** En informatique. Effectuer la saisie (I) de (données...). *J'ai saisi ce texte hier soir.* ⇒ **taper.** **II.** SAISIR... DE... : porter devant (une juridiction). — (Souvent au passif) *Le Conseil de sécurité a été saisi de la plainte de tel pays.* **III.** SE SAISIR DE v. pron. : mettre vivement en sa possession. ⇒ **s'emparer.** *Les parachutistes se sont saisis d'un aérodrome. Saisissez-vous de ce traître !* ▶ *saisie* n. f. **I.** En informatique. Enregistrement de données dans la mémoire d'un ordinateur. *Faire la saisie d'un texte au clavier* (⇒ **saisir**, 7). **II. 1.** Procédure par laquelle des biens sont remis à la justice ou à l'autorité administrative, dans un intérêt privé (d'un créancier) ou public. *Être sous le coup d'une saisie. L'huissier a ordonné la saisie des biens du débiteur.* **2.** Prise de possession (d'objets interdits par l'autorité publique). *La saisie d'un journal.* ▶ *saisissant, ante* adj. ■ Qui surprend. ⇒ **étonnant, frappant.** *Un contraste saisissant. Une ressemblance saisissante. Un froid saisissant.* ▶ *saisissement* n. m. ■ Effet soudain d'une sensation (surtout de froid), ou d'une émotion. *Il était muet de saisissement.* ⟨ ▶ dessaisir, insaisissable, se ressaisir ⟩

saison [sɛzɔ̃] n. f. **1.** Chacune des quatre grandes divisions de l'année : printemps, été, automne et hiver (dans les régions tempérées) ; saison sèche et saison des pluies (hivernage), en climat tropical et équatorial. *Le retour des saisons.* EN TOUTE(S) SAISON(S) : toute l'année. **2.** Époque de l'année caractérisée par un certain climat et un certain état de la végétation. *La belle, la mauvaise saison. La saison des pluies en Afrique.* ⇒ **hivernage.** *Marchand(e) des* QUATRE SAISONS : qui vend des fruits et des légumes frais sur les marchés. *La saison des foins. Manger des fruits de saison*, de la saison en cours. *La saison des amours,* la période où les animaux s'accouplent. **3.** Époque de l'année propice à une activité. ⇒ **période**. *La saison des vacances. La saison des soldes.* — Loc. ÊTRE DE SAISON : (suj. chose abstraite) être de circonstance. **4.** Chacune des époques où se renouvelle la mode. *Les nouveautés de la saison.* **5.** Époque où une activité est pratiquée, un lieu fréquenté. *La saison théâtrale. La saison s'annonce bonne pour les hôteliers. Haute, basse saison. Les prix baissent hors saison.* ▸ **saisonnier, ière** adj. **1.** Propre à une saison. *Cultures saisonnières.* **2.** Qui ne dure qu'une saison, qu'une partie de l'année. *Un service saisonnier de cars.* — *Ouvrier saisonnier* ou, n. m., *saisonnier,* qui loue ses services pour une saison, une récolte, les vendanges... — *Les saisonniers,* les vacanciers. ⟨ ▸ arrière-saison, assaisonner, demi-saison, morte-saison ⟩

saké [sake] n. m. ■ Boisson alcoolisée japonaise obtenue par fermentation du riz. *Le saké se boit tiède ou chaud.*

salace [salas] adj. ■ Littér. (Hommes) Porté à l'acte sexuel. ⇒ **lascif, lubrique.** ▸ **salacité** n. f. ■ Littér. ⇒ **lubricité.**

salade [salad] n. f. **1.** *De la salade, une salade,* mets fait de feuilles d'herbes potagères crues, assaisonnées d'huile, de vinaigre, de sel (d'où son nom), etc. *Une salade de laitue, d'endives.* **2.** Plante cultivée dont on fait la salade (surtout laitue, scarole, frisée...). *Repiquer la salade. Des salades braisées.* **3.** Plat froid fait de salade (2), de légumes, de viande (ou d'œufs, de crustacés, etc.) assaisonnés d'une vinaigrette. *Une salade de maïs. Salade niçoise* (olives, tomates, anchois, etc.). SALADE RUSSE : macédoine de légumes à la mayonnaise. — EN SALADE : accommodé comme une salade. *Des tomates en salade.* **4.** *Salade de fruits,* fruits coupés, servis froids avec un sirop, une liqueur. **5.** Fam. Mélange confus. *On ne s'y retrouve plus, quelle salade !* **6.** Fam. *Vendre sa salade,* chercher à convaincre par des boniments. *N'essaie pas de me vendre ta salade !* — Au plur. Fam. Histoires, mensonges. *Assez de salades !* ▸ **saladier** n. m. ■ Récipient, jatte où l'on sert la salade (1), et d'autres mets ; son contenu. *Il a mangé un plein saladier de tomates.*

salaire [salɛʀ] n. m. **1.** Rémunération d'un travail, d'un service. ⇒ **appointements, traitement.** — Somme d'argent payable régulièrement par l'employeur à la personne qu'il emploie (opposé à *émoluments, honoraires, indemnités*). *Toucher un salaire, son salaire. Demander une augmentation de salaire. Salaire brut ; salaire net. Salaire minimum.* ⇒ **S.M.I.C.** *Bulletin de salaire. Un salaire de famine, de misère,* très bas. **2.** Littér. Ce par quoi on est payé (récompensé ou puni) de ce qu'on a fait. *Voilà le salaire de nos erreurs.* ⟨ ▸ salarial, salarié, S.M.I.C. ⟩

salaison [salɛzɔ̃] n. f. **1.** Opération par laquelle on sale (un produit alimentaire) pour le conserver. *La salaison du poisson.* **2.** Denrée alimentaire conservée par le sel. *Des salaisons de porc.*

salamalecs [salamalɛk] n. m. pl. ■ Fam. Saluts, politesses exagérées. *Pas tant de salamalecs !*

salamandre [salamɑ̃dʀ] n. f. **1.** Petit batracien noir taché de jaune, dont la peau sécrète une substance venimeuse. **2.** Poêle à combustion lente qui se place dans une cheminée.

salami [salami] n. m. ■ Gros saucisson sec. *En entrée, du salami.* ≠ *salmis. Des salamis.*

salant [salɑ̃] adj. m. ⇒ **marais** salant.

salarial, ale, aux [salaʀjal, o] adj. ■ Du salaire, relatif aux salaires. *Masse salariale. Conventions salariales.*

salarié, ée [salaʀje] adj. et n. ■ Qui reçoit un salaire. — N. *Un salarié, une salariée.* ⇒ **employé, ouvrier.** ▸ **salariat** n. m. **1.** Condition de salarié. **2.** Ensemble des salariés (opposé à *patronat*). *Les revendications du salariat.*

salaud [salo] n. m. ■ Fam. Se dit d'un homme qui agit de façon méprisable et révoltante ou, simplement, dont on est très mécontent. ⇒ fam. **saligaud, salopard.** *Quel salaud ce chauffard !* — Adj. *Ils ont été salauds avec elle.* — (Sans valeur injurieuse) *Eh bien mon salaud,* tu ne regrettes rien ! — REM. Au féminin, on emploie le mot *salope**.

sale [sal] adj. **I.** Concret. (Après le nom) **1.** Qui n'est pas propre. ⇒ **crasseux, dégoûtant, malpropre ;** fam. **cracra, cradot, dégueulasse.** *Avoir les mains sales. Du linge sale.* — (Personnes) Mal tenu, qui se lave insuffisamment. *Il était sale comme un porc, comme un peigne.* **2.** *Couleur sale,* qui n'est pas franche, qui est ternie. **II.** Abstrait. (Avant le nom) Très désagréable. *Il fait un sale temps.* ⇒ **vilain ;** fam. **moche.** *C'est une sale histoire, un sale coup.* ⇒ **fâcheux, vilain.** Fam. *Il a une sale gueule,* très antipathique. — (Personnes, animaux) Mauvais, désagréable, méprisable. *Quel sale bonhomme ! Les sales gosses ! La sale bête m'a piqué.*

▸ **salement** adv. **1.** D'une manière sale, en salissant. / contr. **proprement** / *Il mange salement.* **2.** (Devant un adjectif) Fam. Très. *Je suis salement embêté.* ⇒ fam. **vachement.** ▸ **saleté** n. f. **1.** Caractère de ce qui est sale. ⇒ **malpropreté.** *Chose, personne d'une saleté repoussante.* **2.** Ce qui est sale, mal tenu ; ce qui salit. ⇒ **crasse, ordure.** *Ils vivent dans la saleté. Tu en as fait des saletés, avec ta peinture !* — (Euphémisme) Excrément. *Le chat a fait ses saletés sur le parquet.* **3.** Fam. Chose immorale, indélicate. ⇒ fam. **crasse, saloperie.** **4.** Fam. Chose sans aucune valeur, qui déplaît. *Pourquoi acheter toutes ces saletés ?* — Chose mauvaise au goût. *Manger des saletés pareilles !* ⟨ ▸ salaud, saligaud, salir, salope ⟩

saler [sale] v. tr. ■ conjug. 1. **1.** Assaisonner avec du sel. *Saler la soupe.* — Imprégner de sel, pour conserver. *Saler des poissons.* / contr. **dessaler** / **2.** Saler la chaussée, pour la rendre moins glissante. **3.** *Saler la note,* demander un prix excessif. ⇒ ① **salé** (II, 2). ▸ ① **salé, ée** adj. **I.** Qui contient naturellement du sel. *Eau salée* (opposé à *eau douce*). — Assaisonné ou conservé avec du sel. *Cacahuètes salées.* **II.** **1.** Qui excite l'esprit par qqch. de licencieux. ⇒ **cru, osé.** *Une histoire assez salée.* **2.** Fam. Exagéré. *L'addition, la note est salée,* trop élevée. ⇒ ② **salé** n. m. ■ Porc salé. — PETIT SALÉ : morceau de poitrine de porc peu salé, que l'on mange bouilli. ⟨ ▸ dessaler, pissaladière, pré-salé, salade, salaison, salant, saloir ⟩

acide salicylique [salisilik] n. m. ■ Acide utilisé pour fabriquer l'aspirine.

① **salière** [saljɛʀ] n. f. ■ Petit récipient dans lequel on met le sel et qu'on place sur la table du repas. *Salière et poivrière.* ⟨ ▸ ② salière ⟩

② **salière** n. f. ■ Creux derrière les clavicules, chez les personnes maigres.

saligaud [saligo] n. m. ■ Fam. Insulte. Salaud. *Petits saligauds !*

salin, ine [salɛ̃, in] adj. ■ Qui contient naturellement du sel, est formé de sel. *Roche saline.* — *Air salin,* près de l'océan. ▸ **salinité** n. f. ■ Proportion de sels dans l'eau.

saline n. f. ■ Entreprise de production du sel. ⟨ ▸ saunier ⟩

salique [salik] adj. ■ Histoire. LOI SALIQUE : loi qui excluait les femmes de la succession à la couronne de France.

salir [saliʀ] v. tr. ▪ conjug. 2. **1.** Rendre sale. ⇒ **souiller, tacher.** *Tu as sali tes gants. Elle s'est sali les mains.* — Pronominalement (réfl.). *Elle s'est salie en tombant. Un tissu clair qui se salit vite.* ⇒ **salissant** (1). **2.** Abstrait. Abaisser, souiller moralement. *Chercher à salir la réputation de qqn, à le salir.* ▸ **salissant, ante** adj. **1.** Qui se salit aisément. **2.** Qui salit, où on se salit. *Un métier salissant.* ▸ **salissure** n. f. ▪ Ce qui salit en surface.

salive [saliv] n. f. ▪ Liquide produit par les glandes dites *salivaires,* dans la bouche. *Jet de salive.* ⇒ ② **postillon.** — Loc. Abstrait. *Avaler sa salive,* se retenir de parler. Fam. DÉPENSER SA SALIVE : parler beaucoup. PERDRE SA SALIVE : parler en vain. ▸ **saliver** v. intr. ▪ conjug. 1. ▪ Sécréter de la salive. *Une odeur de cuisine qui fait saliver* (→ faire venir l'eau à la bouche).

salle [sal] n. f. **1.** Nom de certaines pièces, dans un appartement, une maison. SALLE À MANGER : pièce disposée pour y prendre les repas. SALLE DE BAINS : pièce aménagée pour y prendre des bains. SALLE D'EAU : aménagée pour les lavages et la toilette. *Des salles d'eau.* — SALLE DE SÉJOUR : grande pièce où l'on se tient habituellement. ⇒ **séjour** (2) ; anglic. **living-room.** *Des salles de séjour.* **2.** Vaste local, dans un édifice ouvert au public. *Les salles d'un musée. Salle de classe, d'audience, d'attente... Salle de cinéma. Les salles de spectacle d'une ville.* — *Salle d'armes,* où l'on enseigne et pratique l'escrime. — Loc. LES SALLES OBSCURES : les salles de cinéma. **3.** Le public d'une salle de spectacle. *Une bonne salle. La salle se leva d'un bloc.* ⟨ ▸ **salon** ⟩

salmigondis [salmigɔ̃di] n. m. invar. ▪ Littér. Mélange, assemblage disparate et incohérent. *Quel salmigondis !* ⇒ fam. **salade** (5).

salmis [salmi] n. m. invar. ▪ Plat de gibier rôti servi avec une sauce spéciale. *Un salmis de pintade.* ≠ **salami.**

saloir [salwaʀ] n. m. ▪ Coffre, pot ou local destiné aux salaisons.

salon [salɔ̃] n. m. **I. 1.** Pièce de réception (dans un logement privé). *Le canapé du salon.* — Mobilier de cette pièce. *Un salon Louis XV.* — *Salon d'attente* (d'un médecin, d'un dentiste, etc.). **2.** Lieu de réunion, dans une maison où l'on reçoit régulièrement ; la société qui s'y réunit. *Les salons littéraires du XVIIIᵉ s.* — *Faire salon,* réunir des personnes pour converser. — Loc. LE DERNIER SALON OÙ L'ON CAUSE : un lieu où l'on bavarde (au lieu de travailler). **3.** Salle (d'un établissement ouvert au public). *Salon de coiffure,* boutique de coiffeur. — SALON DE THÉ : pâtisserie où l'on sert des consommations. — *Les salons,* la société mondaine. — ... DE SALON. ⇒ **mondain.** *Une conversation, une gloire de salon.* **II. 1.** Exposition périodique d'œuvres d'artistes vivants. *Exposer au Salon d'automne.* **2.** Exposition annuelle où l'on présente de nouveaux modèles, des productions récentes. *Le Salon de l'auto. Le Salon du livre.* ▸ **salonnard, arde** n. ▪ Péj. Habitué(e) des salons mondains.

saloon [salun] n. m. ▪ Anglic. Bar, tripot (spécialt, en parlant du Far West). *Des saloons.*

salope [salɔp] n. f. ▪ Fam. Insulte. Équivalent, au féminin, de *salaud*.* ▸ **salopard** n. m. ▪ Fam. Insulte. Salaud. ▸ **saloper** v. tr. ▪ conjug. 1. ▪ Fam. Faire très mal (un travail). — Au p. p. adj. *Un travail salopé.* ▸ **saloperie** n. f. ▪ Fam. Saleté (aux sens 2, 3, 4). ⟨ ▸ salopette ⟩

salopette [salɔpɛt] n. f. **1.** Vêtement de travail qu'on met par-dessus ses vêtements (pour ne pas les

salir). ⇒ **bleu** (II, 7), **combinaison.** **2.** Pantalon à bretelles et à plastron sur le devant.

salpêtre [salpɛtʀ] n. m. ▪ Couche de nitrates pulvérulente qui se forme sur les vieux murs humides.

salpingite [salpɛ̃ʒit] n. f. ▪ Médecine. Inflammation d'une trompe de l'utérus.

salsifis [salsifi] n. m. invar. ▪ Plante potagère cultivée pour sa longue racine charnue ; cette racine.

saltimbanque [saltɛ̃bɑ̃k] n. ▪ Personne qui fait des tours d'adresse, des acrobaties en public. ⇒ **bateleur.** *Un, une saltimbanque.*

salubre [salybʀ] adj. ▪ (Air, climat, milieu...) Qui a une action favorable sur l'organisme. ⇒ **sain.** / contr. **insalubre** / ▸ **salubrité** n. f. **1.** Caractère de ce qui est salubre. *La salubrité d'une maison.* **2.** Salubrité publique, état d'une population préservée des maladies endémiques et contagieuses. *Des mesures de salubrité publique.* ⇒ **hygiène.** ⟨ ▸ insalubre ⟩

saluer [salɥe] v. tr. ▪ conjug. 1. **1.** Adresser un salut à (qqn). *Saluer un ami. Saluer qqn d'un geste de la main.* ⇒ ② **salut.** — *J'ai bien l'honneur de vous saluer,* formule assez sèche pour conclure une lettre, un entretien. **2.** Manifester du respect par des pratiques réglées. *Saluer le drapeau.* — Faire le salut militaire à (un autre soldat). **3.** Accueillir par des manifestations extérieures. *Son apparition a été saluée par des* (ou *d'*) *applaudissements, par des* (ou *de*) *sifflets.* **4.** *Saluer qqn comme..., saluer en lui...,* l'honorer comme. *Je salue en lui un précurseur.* ⟨ ▸ salutation ⟩

① **salut** [saly] n. m. **1.** Le fait d'échapper à la mort, au danger ⇒ ① **sauf, sauver**), de garder ou de recouvrer un état heureux, prospère. *Chercher son salut dans la fuite. Elle n'a dû son salut qu'à son courage,* elle n'en a réchappé que grâce à son courage. — Le SALUT PUBLIC : la sauvegarde de la nation. **2.** Religion. Le fait d'être sauvé de l'état naturel de péché et de la damnation qui en résulterait. *Pour le salut de son âme.* — L'ARMÉE DU SALUT : association protestante à but religieux et philanthropique. — Loc. *Hors de l'Église, point de salut.* ▸ **salutaire** adj. ▪ Qui a une action favorable, dans le domaine physique ou moral. ⇒ **bienfaisant, bon, utile.** / contr. **fâcheux, mauvais** / *Un effet salutaire.*

② **salut** n. m. **1.** Littér. Formule exclamative par laquelle on rend hommage à qqch., à qqn ; on le salue. *Salut à toi, ô César !* **2.** Fam. Formule brève d'accueil ou d'adieu. *Salut les gars !* **3.** Démonstration de civilité (par le geste ou par la parole) qu'on fait en rencontrant qqn. ⇒ **courbette, inclination** de tête. *Adresser, faire, rendre un salut à qqn.* **4.** Salut militaire, généralement geste de la main droite, portée à la tempe, à la coiffure. *Salut fasciste,* le bras tendu. **5.** Court office catholique chanté pendant lequel on expose, on « salue » le saint sacrement. *Le salut se termine par une bénédiction.* ⟨ ▸ saluer ⟩

salutation [salytasjɔ̃] n. f. **1.** Manière de saluer exagérée. *Il lui a fait de grandes salutations.* **2.** (Au plur., dans les formules de politesse écrites) *Veuillez agréer mes salutations distinguées.*

salve [salv] n. f. **1.** Décharge simultanée d'armes à feu ou coups de canon successifs. *Une salve d'artillerie.* **2.** *Des salves d'applaudissements,* applaudissements qui éclatent comme des salves.

samba [sɑ̃ba] n. f. ▪ Danse à deux temps d'origine brésilienne ; sa musique. *Des sambas.*

samedi [samdi] n. m. ▪ Sixième jour de la semaine*, qui succède au vendredi. *Ils viennent tous les samedis matin.* — *Nous partons samedi en week-end,* le samedi qui vient.

samouraï [samuʀaj] n. m. ■ Guerrier japonais des siècles passés. *La caste des samouraïs.*

samovar [samɔvaʀ] n. m. ■ Bouilloire russe utilisée surtout pour la confection du thé. *Des samovars en cuivre.*

sampan [sɑ̃pɑ̃] n. m. ■ Petite embarcation chinoise. *Des sampans et des jonques.*

sanatorium [sanatɔʀjɔm] ou, abrév. fam., *sana* n. m. ■ Maison de santé située dans des conditions climatiques déterminées, où l'on traite les tuberculeux pulmonaires. *Des sanatoriums ; fam. des sanas.*

sanctifier [sɑ̃ktifje] v. tr. ▪ conjug. 7. **1.** Rendre saint (II, 3). *Sanctifier un lieu.* **2.** Révérer comme saint. *Sanctifier le dimanche,* le célébrer suivant la loi de l'Église. ▶ *sanctifiant, ante* adj. ■ *Grâce sanctifiante.* ▶ *sanctification* n. f. ■ Action de sanctifier ; son résultat.

① **sanction** [sɑ̃ksjɔ̃] n. f. **1.** Acte par lequel le chef du pouvoir exécutif approuve une mesure législative. **2.** Approbation, ratification. *Locution qui reçoit la sanction de l'usage,* qui est consacrée par l'usage. ▶ ① *sanctionner* v. tr. ▪ conjug. 1. ■ Confirmer par une sanction (①, 1). — Confirmer légalement ou officiellement. ⇒ **entériner, homologuer, ratifier.** *Le bac sanctionne les études secondaires.* ⟨ ▶ ② sanction ⟩

② **sanction** n. f. ■ Peine établie par une autorité pour réprimer un acte. ⇒ **condamnation.** *Le gouvernement a pris des sanctions à l'encontre des* (ou *contre les*) *manifestants.* — *Sanctions scolaires.* ⇒ **punition.** — REM. Se disait autrefois des récompenses aussi bien que des punitions attachées par la loi à un acte. ▶ ② *sanctionner* v. tr. ▪ conjug. 1. ■ Punir par une sanction. *Les actes d'indiscipline seront sanctionnés.*

sanctuaire [sɑ̃ktɥɛʀ] n. m. **1.** Lieu le plus saint d'un temple, d'une église. **2.** Édifice consacré aux cérémonies du culte, lieu saint. *Delphes, sanctuaire d'Apollon.*

sandale [sɑ̃dal] n. f. ■ Chaussure légère faite d'une simple semelle qui s'attache au pied par des cordons ou des lanières. ⇒ **nu-pied.** *Mettre ses sandales.* ▶ *sandalette* n. f. ■ Sandale légère.

sandwich [sɑ̃dwitʃ] n. m. **1.** Mets constitué de deux tranches de pain, entre lesquelles on place des aliments froids (jambon, saucisson, salade, etc.). ⇒ **casse-croûte.** *Des sandwiches* ou *des sandwichs. Un sandwich au jambon. Un sandwich jambon-beurre* (ellipt, *un jambon-beurre, un Paris-beurre*). **2.** Fam. ÊTRE PRIS EN SANDWICH : serré, coincé entre deux choses ou deux personnes (abstrait ou concret). ⟨ ▶ homme-sandwich ⟩

sang [sɑ̃] n. m. **1.** Liquide visqueux, de couleur rouge, qui circule dans les vaisseaux, à travers tout l'organisme, où il joue des rôles essentiels et multiples. ⇒ **hémat(o)- ; -émie ; sanguin.** *La circulation du sang. Animaux à sang chaud,* à température constante ; *à sang froid,* à température variable. *Sang artériel, veineux. Couleur de sang.* — En appos. Invar. *Rouge sang.* — Loc. *Le sang lui monte au visage,* il devient tout rouge. — *Mon sang n'a fait qu'un tour,* j'ai été bouleversé (indignation, peur, etc.). — COUP DE SANG : congestion. — *Avoir le sang chaud,* être irascible, impétueux, ou facilement amoureux. — *Avoir du sang dans les veines,* être courageux, résolu. Fam. *Avoir du sang de navet,* être sans vigueur, être lâche. *Un apport de sang frais,* une arrivée d'éléments nouveaux, jeunes ; un apport de capitaux. — MAUVAIS SANG. *Se faire du mauvais sang,* s'inquiéter, se tourmenter dans l'incertitude et l'attente. — *Se faire un* SANG D'ENCRE : s'inquiéter

énormément. **2.** (Blessure) *Perdre du sang.* ⇒ **saigner.** *Verser, faire couler le sang.* ⇒ **tuer.** — Loc. *Avoir du sang sur les mains,* avoir commis un crime. — EN SANG : ensanglanté. — *Jusqu'au sang,* jusqu'à ce que le sang coule. **3.** Le sang considéré comme porteur des caractères héréditaires. *Un personnage de sang royal. Les liens du sang.* — Loc. *Avoir du* SANG BLEU : être d'origine noble. — IL A ÇA DANS LE SANG : c'est une tendance profonde. *La voix du sang,* instinct affectif familial. **4.** BON SANG ! : juron familier. ⟨ ▶ consanguin, exsangue, pur-sang, saigner, sang-froid, sanglant, sang-mêlé, sangsue, sanguinaire, sanguinolent ⟩

sang-froid [sɑ̃fʀwa(ɑ)] n. m. sing. ■ Maîtrise de soi qui permet de ne pas céder à l'émotion et de garder sa présence d'esprit. ⇒ **calme, froideur, impassibilité.** *Garder, perdre son sang-froid. Il l'a tué de sang-froid,* de façon délibérée et en pleine conscience de son acte.

sanglant, ante [sɑ̃glɑ̃, ɑ̃t] adj. **1.** En sang, couvert de sang. *Glaive sanglant.* ⇒ **ensanglanté.** **2.** Qui fait couler le sang, s'accompagne d'effusion de sang. ⇒ **meurtrier.** *Une bataille sanglante.* **3.** Extrêmement dur et outrageant. *Des reproches sanglants.* ⟨ ▶ ensanglanter ⟩

sangle [sɑ̃gl] n. f. ■ Bande large et plate (de cuir, de toile, etc.) qu'on tend pour maintenir ou serrer qqch. *Livres de classe retenus par une sangle.* — Bande de toile forte formant le fond d'un siège, d'un lit. *Un lit de sangles.* ▶ *sangler* v. tr. ▪ conjug. 1. **1.** *Sangler un cheval,* serrer la sangle qui maintient sa selle. **2.** Serrer fortement comme avec une sangle. — Au p. p. *Il était sanglé dans son uniforme.*

sanglier [sɑ̃glije] n. m. ■ Porc sauvage au corps massif, à peau épaisse garnie de soies dures, vivant dans les forêts (⇒ **laie, marcassin**). ⇒ **solitaire** (II, 2). *La hure du sanglier. Une battue au sanglier.*

sanglot [sɑ̃glo] n. m. ■ Respiration convulsive et bruyante, due à des contractions du diaphragme, qui se manifeste généralement dans les crises de larmes. *Il était secoué de sanglots. Éclater en sanglots. Avoir des sanglots dans la voix,* une voix étranglée par des sanglots retenus. *Voix entrecoupée de sanglots.* ▶ *sangloter* v. intr. ▪ conjug. 1. ■ Pleurer avec des sanglots. *Sangloter désespérément.* — *Sangloter de joie.*

sang-mêlé [sɑ̃mele] n. invar. ■ Personne issue du croisement de races différentes. ⇒ **métis.** *Des sang-mêlé. Un, une sang-mêlé.*

sangsue [sɑ̃sy] n. f. **1.** Genre de ver d'eau. *Sangsue médicinale,* utilisée pour les saignées locales. *Les sangsues sucent le sang.* **2.** Fam. Personne importune, « collante ». *Il est du genre sangsue. Quelle sangsue !*

sanguin, ine [sɑ̃gɛ̃, in] adj. **1.** Du sang, qui a rapport au sang, à sa circulation. *Les vaisseaux sanguins. Groupes sanguins.* **2.** *Tempérament sanguin,* défini par une forte corpulence, une face rouge, et un caractère irascible. — N. m. *C'est un sanguin.* ⟨ ▶ sanguine ⟩

sanguinaire adj. ■ Qui se plaît à répandre le sang, à tuer. ⇒ **cruel.** *Dictateur sanguinaire.*

sanguine [sɑ̃gin] n. f. **I.** Variété d'oxyde de fer, rouge (comme le sang). — Crayon fait de cette matière (d'un rouge ocre ou pourpre). — Dessin exécuté avec ce crayon. *Une sanguine de Watteau.* **II.** Variété d'orange dont la pulpe est rouge sang.

sanguinolent, ente adj. ■ Couvert, teinté de sang. *Des pansements sanguinolents.*

sanie [sani] n. f. ■ Pus mêlé de sang, qui s'écoule des plaies infectées.

sanitaire [sanitɛʀ] adj. **1.** Relatif à la santé publique et à l'hygiène. *Service sanitaire. Action sanitaire et sociale.* **2.** Se dit des appareils et installations d'hygiène destinés à distribuer et à évacuer l'eau dans les habitations. *Appareils, installations sanitaires,* baignoires, bidets, lavabos, éviers, W.-C., etc. — N. m. pl. *Les sanitaires,* ces installations.

sans [sã] prép. **1.** Préposition qui exprime l'absence, le manque, la privation ou l'exclusion. *J'irai sans toi.* / contr. **avec** / *Être sans argent. Un film sans intérêt. Un homme sans scrupule.* — *Sans toi, j'étais mort !,* si tu n'avais pas été là, j'étais mort. *J'étais malade, sans quoi* (ou *sans cela*) *je serais venu.* ⇒ **autrement, sinon.** — (Dans des loc. de valeur négative) *Sans cesse, sans exception. Non sans peine,* péniblement. — (+ infinitif) *Il partit sans dire un mot.* Loc. CELA VA SANS DIRE : c'est évident. *Vous n'êtes pas sans savoir que,* vous n'ignorez pas que. — SANS PLUS (+ infinitif). *Partons sans plus attendre.* **2.** Loc. conj. SANS QUE (+ subjonctif). *Sans qu'on s'en soit aperçu,* de telle manière qu'on ne s'en est pas aperçu. **3.** Fam. (Employé comme adv.) *Il avait son parapluie, il ne sort jamais sans.* ▶ **sans-abri** [sãzabri] n. invar. ■ Personne qui n'a plus aucun logement. ⇒ **sans-logis.** *Reloger les sans-abri.* ▶ **sans-cœur** [sãkœʀ] n. et adj. invar. ■ Fam. Personne qui est insensible à la souffrance d'autrui. *Elles sont sans-cœur.* ▶ **sans-culotte.** ■ Nom que se donnaient les républicains les plus ardents sous la Révolution française (qui ne portaient pas une *culotte,* comme les aristocrates, mais un *pantalon*). *Les sans-culottes.* ▶ **sans-fil** n. m. ■ Message radio (transmis par télégraphie sans fil). *Envoyer des sans-fils.* ▶ **sans-filiste** n. **1.** Opérateur de T.S.F. ⇒ **radio** (2). **2.** Personne qui pratique la T.S.F. (en amateur). *Des sans-filistes.* ▶ **sans-gêne** adj. invar. et n. invar. **1.** Adj. Qui agit avec une liberté, une familiarité excessive. *Elles sont un peu sans-gêne.* — N. *C'est un, une sans-gêne.* **2.** N. m. Attitude d'une personne qui ne se gêne pas pour les autres. ⇒ **désinvolture, impolitesse.** / contr. **discrétion** / *Il est d'un sans-gêne !* ▶ **sans-le-sou** [sãlsu] n. invar. ■ Fam. Personne sans argent. *Des sans-le-sou.* ▶ **sans-logis** n. invar. ■ Personne qui ne dispose pas pour se loger de local à usage d'habitation. ⇒ **sans-abri.** ▶ **sans-souci** adj. invar. ■ Qui est insouciant par nature. *Elles sont sans-souci.* ▶ **sans-travail** n. invar. ■ Personne sans travail. ⇒ **chômeur.** *L'aide aux sans-travail.* ⟨ ▶ **pince-sans-rire** ⟩

sanscrit, ite ou **sanskrit, ite** [sãskri, it] n. m. et adj. **1.** N. m. Langue indo-européenne, langue classique de la civilisation brahmanique de l'Inde. *Les védas sont rédigés en sanscrit.* **2.** Adj. Relatif à cette langue.

sansonnet [sãsɔnɛ] n. m. ■ Autre nom de l'étourneau. — Loc. fam. *De la roupie de sansonnet.* ⇒ ① **roupie.**

santal, als [sãtal] n. m. ■ Arbre exotique, à bois dur et jaunâtre, dont on tire des parfums. *Des santals.* — Son bois. *Faire brûler du santal.* — Parfum qui en est extrait.

santé [sãte] n. f. **1.** Bon état physiologique de ce qui est sain* ; fonctionnement régulier et harmonieux de l'organisme humain pendant une période appréciable. *Être plein de santé. Elle n'a pas de santé.* — Loc. fam. *Le travail c'est la santé. C'est mauvais pour la santé.* — Fam. *Il a la santé ! Boire à la santé de qqn,* en son honneur. ⇒ **trinquer.** *À ta santé !* **2.** Fonctionnement plus ou moins harmonieux de l'organisme, sur une période assez longue. *Être en bonne, excellente, parfaite santé. Jouir d'une bonne santé. Sa santé se rétablit.* ⇒ **convalescence.** *Être en mauvaise santé. Avoir une mauvaise santé. Magasin*

fermé pour raison de santé. Comment va la santé ? **3.** Équilibre psychique. *Santé mentale. Maison de santé.* **4.** État sanitaire d'une société. *Le ministère de la Santé publique.* ⟨ ▶ sanitaire ⟩

santon [sãtɔ̃] n. m. ■ Figurine provençale ornant les crèches de Noël.

saoul ⇒ **soûl.**

sapajou [sapaʒu] n. m. ■ Petit singe de l'Amérique centrale et du Sud, à pelage court et à longue queue. *Des sapajous.*

① **saper** [sape] v. tr. ▪ conjug. 1. **1.** Détruire les assises de (une construction) pour faire écrouler. **2.** Abstrait. Attaquer les bases, les principes pour ruiner. ⇒ **ébranler, miner.** *Saper l'autorité des parents.* — Fam. *Saper le moral de qqn.* ▶ **sape** n. f. **1.** Tranchée ou fosse creusée sous une construction pour la faire écrouler. **2.** Action de saper. *Travaux de sape.* — Abstrait. *Faire, mener un travail de sape.* ⟨ ⇒ ① saper (2). ⟨ ▶ sapeur ⟩

② **se saper** [sape] v. pron. ▪ conjug. 1. ■ Fam. S'habiller. — Au p. p. adj. *Elle est bien sapée.* — S'habiller avec recherche. *Il faut que je me sape pour ce dîner.* ▶ **sapes** n. f. pl. ■ Fam. Vêtements.

saperlotte [sapɛʀlɔt] ou **saperlipopette** [sapɛʀlipɔpɛt] interj. ■ Juron familier et vieilli.

sapeur [sapœʀ] n. m. ■ Soldat du génie employé à la sape et à d'autres travaux. ⟨ ▶ sapeur-pompier ⟩

sapeur-pompier [sapœʀpɔ̃pje] n. m. ■ Nom administratif des pompiers. *Des sapeurs-pompiers.*

saphir [safiʀ] n. m. **1.** Pierre précieuse très dure, transparente et bleue. — *Un saphir,* cette pierre taillée en ornement. **2.** Petite pointe de cette matière qui constitue la tête de lecture d'un électrophone (⇒ **diamant**). *Changer le saphir.*

sapin [sapɛ̃] n. m. **1.** Arbre résineux (conifère) à tronc droit, à écorce épaisse, écailleuse, à branches inclinées et à feuilles persistantes. *Un sapin de Noël, petit sapin qu'on décore pour les fêtes de Noël.* **2.** Bois de cet arbre. *Une planche de sapin.* — Loc. fam. (Par allusion au bois dont sont généralement faits les cercueils) *Ça sent le sapin,* se dit lorsque qqn n'a plus longtemps à vivre. ▶ **sapinière** n. f. ■ Forêt, plantation de sapins.

saponifier [saponifje] v. tr. ▪ conjug. 7. ■ Didact. Transformer en savon (par une réaction chimique, appelée *saponification,* n. f.).

sapristi [sapristi] interj. ■ Juron familier, exprimant l'étonnement, l'exaspération.

saquer ⇒ **sacquer.**

sarabande [saʀabãd] n. f. **1.** Ancienne danse populaire d'origine espagnole, au rythme vif. — En musique. Air de danse ancien, grave et lent. *Une sarabande de Bach.* **2.** *Danser, faire la sarabande,* faire du tapage, du vacarme. — Succession rapide et désordonnée. *Une sarabande d'images défilaient dans sa tête.* ⇒ **ribambelle.**

sarbacane [saʀbakan] n. f. ■ Tube creux servant à lancer de petits projectiles, par la force du souffle.

sarcasme [saʀkasm] n. m. ■ Moquerie, raillerie insultante. ⇒ **dérision.** — Trait d'ironie mordante. *Décocher des sarcasmes.* ▶ **sarcastique** adj. ■ Moqueur et méchant. *Un air, un sourire sarcastique.* ⇒ **sardonique.** ▶ **sarcastiquement** adv.

sarcelle [saʀsɛl] n. f. ■ Oiseau palmipède, plus petit que le canard commun.

sarcler [saʀkle] v. tr. ▪ conjug. 1. **1.** Arracher en extirpant les racines, avec un outil (dit *sarcloir,* n. m.).

Sarcler le chiendent. **2.** Débarrasser (un terrain de culture, des plantes cultivées) des herbes nuisibles avec un outil. *Sarcler un potager.* ▶ **sarclage** n. m. ■ *Sarclage à la houe.*

sarcome [saʀkom] n. m. ■ Médecine. Tumeur maligne, développée aux dépens du tissu conjonctif.

sarcophage [saʀkɔfaʒ] n. m. ■ Cercueil de pierre. *Les sarcophages des pharaons.*

sardine [saʀdin] n. f. ■ Petit poisson de mer, consommé surtout en conserve. *Un banc de sardines. Une boîte de sardines à l'huile.* — Loc. ÊTRE SERRÉS COMME DES SARDINES (EN BOÎTE) : très serrés, dans un endroit comble. ▶ **sardinier, ière** adj. et n. **1.** Relatif à la pêche, à l'industrie de la conserve des sardines. *Bateau sardinier* et, n. m., *sardinier.* **2.** N. Pêcheur, pêcheuse de sardines. — Ouvrier(ière) d'une usine de mise en conserve de sardines.

sardonique [saʀdɔnik] adj. ■ Qui exprime une moquerie amère, froide et méchante. *Rire, rictus sardonique.* ⇒ **sarcastique.**

sari [saʀi] n. m. ■ Longue étoffe drapée que portent les femmes, en Inde. *Des saris.*

sarigue [saʀig] n. f. ■ Petit mammifère de l'ordre des marsupiaux, à queue longue et préhensile. ⇒ **opossum.** *Une sarigue mâle.*

sarment [saʀmɑ̃] n. m. ■ Rameau de vigne lorsqu'il est devenu ligneux. *Faire un feu de sarments.*

① **sarrasin, ine** [saʀazɛ̃, in] n. et adj. ■ N. Au Moyen Âge. Musulman d'Orient, d'Afrique ou d'Espagne. *Un Sarrasin, une Sarrasine.* ⇒ **Arabe, Maure.** — Adj. Des Sarrasins. *Invasions sarrasines.* ⟨ ▶ sarrasin ⟩

② **sarrasin** [saʀazɛ̃] n. m. ■ Céréale, appelée aussi *blé noir.* — Farine de cette céréale. *Galettes de sarrasin* (opposé à *de froment*).

sarrau [saʀo] n. m. ■ Blouse de travail en grosse toile, courte et ample, portée par-dessus les vêtements. *Un sarrau de peintre. Des sarraus.*

sarriette ou **sariette** [saʀjɛt] n. f. ■ Plante dont on cultive une variété pour ses feuilles aromatiques. *Du lapin à la sarriette.*

sas [sɑ] ou [sas] n. m. invar. Terme technique. **1.** Tamis de crin, de soie, etc., cerclé de bois, servant à passer des matières liquides ou pulvérulentes. ⇒ **crible.** *Passer du plâtre au sas.* ⇒ **sasser** (1). **2.** Bassin compris entre les deux portes d'une écluse. *La péniche attend dans le sas.* **3.** Petite pièce étanche entre deux milieux différents, qui permet le passage. *Le sas d'un engin spatial.* ▶ **sasser** v. tr. ■ conjug. 1. **1.** Passer au sas, au sasseur. ⇒ **cribler, tamiser. 2.** Faire passer par le sas d'une écluse. ▶ **sasseur** n. m. ■ Machine qui sépare des produits par l'action d'un courant d'air. ⟨ ▶ ressasser ⟩

satané, ée [satane] adj. ■ (Épithète et avant le nom) Maudit (2). ⇒ ② **sacré.** *Avec ces satanés embouteillages, je suis arrivé en retard.* ≠ *satanique.*

satanique [satanik] adj. **1.** De Satan, inspiré par Satan. ⇒ **démoniaque, diabolique.** *Culte satanique.* **2.** Qui évoque Satan, est digne de Satan. ⇒ **infernal.** *Un rire satanique.* ≠ *satané.*

satellite [sat(ɛl)lit] n. m. **I.** Corps céleste gravitant sur une orbite elliptique autour d'une planète. *La Lune est le satellite de la Terre.* — *Satellite artificiel,* engin lancé en orbite autour de la Terre et porteur d'équipements à destination scientifique, économique ou militaire. *Émission de télévision par satellite.* **II.** Bâtiment annexe d'un autre, auquel il est relié par un couloir. *Les satellites d'une aérogare.* **III.** Personne ou nation qui vit sous l'étroite dépendance d'une autre et gravite autour d'elle. — En appos. *Les pays satellites de l'U.R.S.S.* ▶ **satelliser** v. tr. ■ conjug. 1. ■ Transformer en satellite (I), mettre en orbite autour de la Terre. — Au p. p. adj. *Une fusée porteuse satellisée.*

satiété [sasjete] n. f. ■ État où se trouve une personne dont un besoin, un désir est amplement satisfait (jusqu'à en être indifférente ou dégoûtée). *L'excès amène la satiété.* ⇒ **rassasiement, saturation.** — À SATIÉTÉ : jusqu'à la satiété. *Manger, boire à satiété. Répéter une chose à satiété,* jusqu'à fatiguer, incommoder l'auditoire. ⟨ ▶ insatiable ⟩

satin [satɛ̃] n. m. ■ Étoffe de soie ou de coton, lisse et brillante sur l'endroit, sans trame apparente. *Satin uni, broché, lamé. Une doublure en satin. Du satin de coton.* — Fig. *Une peau de satin,* douce comme du satin. ▶ **satiné, ée** adj. ■ Lisse et doux au toucher. *Peinture satinée. Peau satinée.* ▶ **satiner** v. tr. ■ conjug. 1. ■ Lustrer (une étoffe, un papier) pour donner l'apparence du satin. ▶ **satinette** n. f. ■ Étoffe de coton qui a sur l'endroit l'aspect du satin. *Pyjama en satinette.*

satire [satiʀ] n. f. ≠ *satyre.* **1.** Poème où l'auteur attaque les vices, les ridicules de ses contemporains. *Les satires de Boileau.* **2.** Écrit, discours qui s'attaque à qqch., à qqn, en s'en moquant. ⇒ **pamphlet.** — Critique moqueuse. *Proust a fait la satire de la société mondaine.* ▶ **satirique** adj. ■ Qui appartient à la satire, constitue une satire. *Des chansons satiriques.* ▶ **satiriser** v. tr. ■ conjug. 1. ■ Se moquer de (qqn, qqch.) par la satire.

satisfaction [satisfaksjɔ̃] n. f. **1.** Acte par lequel qqn obtient la réparation d'une offense. — Acte par lequel on accorde à qqn ce qu'il demande. *Avoir, obtenir satisfaction.* ⇒ **gain** de cause. *Les grévistes ont obtenu satisfaction.* **2.** Sentiment de bien-être, plaisir qui résulte de l'accomplissement de ce qu'on juge souhaitable. ⇒ **contentement, joie.** *Tout est résolu à la satisfaction générale. Je constate avec satisfaction que...* — Loc. DONNER SATISFACTION. *Il donne toute satisfaction à son professeur. Est-ce que ce nouveau projet vous donne satisfaction ?* — UNE SATISFACTION : un plaisir, une occasion de plaisir. *Laissons-lui quelques satisfactions d'amour-propre.* **3.** Action de satisfaire (un besoin, un désir). *La satisfaction d'un penchant.* ⇒ **assouvissement.** ⟨ ▶ insatisfaction ⟩

satisfaire [satisfɛʀ] v. tr. ■ conjug. 60. **I.** V. tr. dir. **1.** Faire ou être pour (qqn) ce qu'il demande, ce qui lui convient. *Il a pu satisfaire ses créanciers. Cet état de choses ne nous satisfait pas.* ⇒ **convenir, plaire.** — Pronominalement. *Il se satisfait de peu.* ⇒ se **contenter. 2.** Contenter (un besoin, un désir). *Je vais satisfaire ta curiosité. /* contr. **décevoir** */ Satisfaire ses besoins* (⇒ **rassasier ; satiété**). **II.** V. tr. ind. SATISFAIRE À : s'acquitter de (ce qui est exigé par qqn), remplir (une exigence). *Vous devez satisfaire à vos engagements. /* contr. **manquer** à. */ —* (Suj. chose) *Le bâtiment prévu devra satisfaire à trois conditions.* ⇒ **remplir.** ▶ **satisfaisant, ante** [satisfəzɑ̃, ɑ̃t] adj. ■ Qui satisfait, est conforme à ce qu'on peut attendre. ⇒ **acceptable, bon, honnête.** *Des résultats satisfaisants.* ▶ **satisfait, aite** adj. **1.** Qui a ce qu'il veut. ⇒ **comblé.** *Je m'estime satisfait. /* contr. **insatisfait** */ Il n'est jamais satisfait.* ⇒ **insatiable.** — Qui a du plaisir sexuel. *Une femme satisfaite.* **2.** SATISFAIT DE : content de (qqn, qqch.). *Être satisfait de son sort.* — *Un air satisfait,* content de soi. **3.** Qui est assouvi, réalisé. *Son envie est enfin satisfaite.* ⟨ ▶ insatisfait, satisfaction, satisfecit ⟩

satisfecit [satisfesit] n. m. invar. ■ Littér. Attestation, témoignage de satisfaction. *Donner, recevoir des satisfecit.*

satrape [satʀap] n. m. **1.** Gouverneur d'une province (dite *satrapie*, n. f.) dans l'ancien Empire perse. **2.** Littér. Homme despotique, riche et voluptueux.

saturer [satyʀe] v. tr. ▪ conjug. 1. ■ Remplir complètement ; rendre saturé. *Saturer une éponge d'eau. Saturer le marché.* ▶ *saturé, ée* adj. **1.** (Liquide, solution) Qui, à une température et une pression données, renferme la quantité maximale d'une substance dissoute. **2.** Qui ne peut contenir plus. ⇒ **rempli.** *Une éponge saturée d'eau. Marché saturé* (d'un produit). *Le périphérique est saturé.* **3.** Abstrait. *Être saturé de qqch.*, être dégoûté par son excès (⇒ **satiété**). *Il est saturé de télévision.* ▶ *saturation* n. f. ■ État de ce qui est saturé. *Le point de saturation d'une solution chimique. — Le marché des céréales arrive à saturation. Il a mangé de la glace jusqu'à saturation.*

satyre [satiʀ] n. m. **1.** Mythologie grecque. Divinité rustique à corps humain, à cornes et parfois à pieds de bouc. ⇒ ① **faune. 2.** Homme lubrique, qui entreprend brutalement les femmes ; exhibitionniste, voyeur. ≠ *satire.*

sauce [sos] n. f. ■ Préparation liquide ou onctueuse, qui sert à accommoder certains mets. *Sauce tomate. Sauce blanche*, à base de beurre et de farine. *Viande en sauce*, accommodée avec une sauce. — En appos. *Rognons sauce madère.* — Loc. *À quelle sauce serons-nous mangés ?*, de quelle façon serons-nous vaincus, dupés ? — *Mettre qqn* À TOUTES LES SAUCES : l'employer à toutes sortes d'activités. — ALLONGER LA SAUCE : amplifier un texte, un discours. ▶ *saucer* v. tr. ▪ conjug. 3. **1.** Essuyer en enlevant la sauce (pour la manger). *Saucer son assiette avec un morceau de pain.* **2.** Fam. *Se faire saucer*, être saucé, recevoir la pluie. ▶ *saucée* n. f. ■ Fam. Averse, forte pluie qui trempe. *Nous allons avoir une jolie saucée !* ▶ *saucière* n. f. ■ Récipient dans lequel on sert les sauces, les jus. ⟨ ▶ gâte-sauce ⟩

saucisse [sosis] n. f. **1.** Préparation de viande maigre hachée et de gras de porc (*chair à saucisse*), assaisonnée, et entourée d'un boyau, que l'on fait cuire ou chauffer. *Saucisses de Morteau, de Strasbourg, de Francfort. Saucisse pimentée.* ⇒ **merguez.** — *Saucisse sèche*, genre de saucisson. — Loc. fam. *Il n'attache pas son chien avec des saucisses*, il est avare. **2.** Ballon captif de forme allongée. ⟨ ▶ saucisson ⟩

saucisson [sosisɔ̃] n. m. **1.** Préparation de charcuterie (porc, bœuf haché et cuit dans un boyau ⇒ **saucisse**) destinée à être mangée froide et sans cuisson. *Une tranche, une rondelle de saucisson. Saucisson sec ; saucisson à l'ail. C'est du saucisson pur porc.* — Loc. fam. ÊTRE FICELÉ COMME UN SAUCISSON : mal habillé. ⇒ **saucissonné. 2.** Pain de forme cylindrique. ▶ *saucissonné, ée* adj. ▪ ■ Fam. Serré, ficelé dans ses vêtements. ⇒ **boudiné.** ▶ *saucissonner* v. intr. ▪ conjug. 1. ■ Fam. Manger du saucisson ou un repas froid sur le pouce. *Saucissonner sur l'herbe.* ⇒ **pique-niquer.**

① *sauf, sauve* [sof, sov] adj. ■ Indemne, sauvé (dans quelques expressions). *Sain et sauf. Laisser la vie sauve à qqn*, l'épargner. *L'honneur est sauf. La morale est sauve.* ▶ *sauf-conduit* [sofkɔ̃dɥi] n. m. ■ Document délivré par une autorité et qui permet de se rendre en un lieu, de traverser un territoire, etc. ⇒ **laissez-passer.** *Des sauf-conduits.* ⟨ ▶ sauvegarde, sauver ⟩

② *sauf* prép. **1.** À l'exclusion de. ⇒ **excepté.** *Tous, sauf lui, sauf un.* ⇒ **à** part. — SAUF SI (+ indicatif). *J'irai, sauf s'il pleut*, à moins qu'il ne pleuve. — SAUF QUE (+ indicatif) : avec cette réserve que. *C'est un bon film, sauf qu'il est trop long.* — À moins de, sous

réserve de. *Sauf avis contraire. Sauf erreur de notre part.* **2.** Loc. *Sauf le respect que je vous dois*, sans qu'il soit porté atteinte au respect... **3.** Littér. SAUF À (+ infinitif) : sans que soit exclu le risque ou la possibilité de. ⇒ **quitte** à. *Il acceptera, sauf à s'en repentir plus tard.*

sauge [soʒ] n. f. ■ Plante aromatique aux nombreuses variétés. *Infusion de sauge. Sauge officinale. Sauge des prés.*

saugrenu, ue [sogʀəny] adj. ■ Inattendu et quelque peu ridicule. ⇒ **absurde, bizarre.** *Quelle idée saugrenue !*

saule [sol] n. m. ■ Arbre ou arbrisseau qui croît dans les lieux humides. *Saule pleureur*, à branches tombantes.

saumâtre [somɑtʀ] adj. **1.** *Eau saumâtre*, qui est mélangée d'eau de mer, a un goût salé. **2.** Loc. fam. LA TROUVER SAUMÂTRE : trouver (la situation, la plaisanterie) amère.

saumon [somɔ̃] n. m. **1.** Gros poisson migrateur à chair rose, qui abandonne la mer et remonte les fleuves au moment du frai. *Une tranche de saumon fumé.* **2.** Adj. invar. D'un rose tendre tirant légèrement sur l'orangé. *Des rideaux saumon.* ▶ *saumoné, ée* adj. **1.** *Truite saumonée*, qui a la chair rose comme le saumon. **2.** (Couleur) *Rose saumoné*, rose légèrement orangé.

saumure [somyʀ] n. f. ■ Eau très fortement salée dans laquelle on met des aliments pour en faire des conserves. *Mettre des olives dans la saumure.*

sauna [sona] n. m. ■ Bain de vapeur à la manière finlandaise. *Des saunas finlandais. Prendre un sauna.* — Établissement où l'on prend ces bains. *Aller au sauna.* ⇒ **hammam.**

saunier, ière [sonje, jɛʀ] n. **1.** Exploitant(ante) d'un marais salant (saline). — Ouvrier qui travaille à l'extraction du sel dans une saline. **2.** FAUX SAUNIER n. m. : personne qui faisait la contrebande du sel.

saupoudrer [sopudʀe] v. tr. ▪ conjug. 1. ■ Couvrir d'une légère couche d'une substance pulvérulente. *Saupoudrer qqch. de sucre, de sel.* ▶ *saupoudrage* n. m. ■ Action de saupoudrer ; son résultat.

saur [sɔʀ] adj. m. ■ *Hareng saur*, hareng fumé. *Des harengs saurs.*

saurien [sɔʀjɛ̃] n. m. ■ Animal appartenant à un sous-ordre de reptiles. *Le lézard, l'orvet, l'iguane sont des sauriens.*

saut [so] n. m. **1.** Mouvement ou ensemble de mouvements par lesquels un homme, un animal s'élève au-dessus du sol ou se projette à distance de son appui. ⇒ **bond.** *Faire un saut par-dessus un obstacle. Faire du saut à la corde. Saut périlleux*, où le corps du sauteur effectue un tour complet. *Saut de la mort*, exercice de voltige très dangereux, au trapèze. *Saut en hauteur, à la perche, en longueur ; triple saut*, épreuves athlétiques. *Saut de l'ange*, plongeon avec les bras tendus et écartés comme des ailes. *Saut en parachute.* — Loc. FAIRE LE SAUT : prendre une décision, une résolution hasardeuse. — Fam. LE GRAND SAUT : la mort. *Il a fait le grand saut*, il est mort. **2.** Mouvement, déplacement brusque (pour changer de position). *Il s'est levé d'un saut.* — Loc. AU SAUT DU LIT : au sortir du lit, au lever. **3.** Action d'aller très rapidement et sans rester. *Faire un saut chez qqn.* **4.** Abstrait. Passage d'un point à un autre sans intermédiaire. *Le narrateur fait ici un saut de deux années.* ⟨ ▶ assaut, primesautier, sauter, soubresaut, sursaut ⟩

sauter [sote] v. ■ conjug. 1. **I.** V. intr. **1.** Faire un saut. *Sauter haut. Il sauta à pieds joints sur le banc. Sauter dans l'eau, dans le vide. Sauter à cloche-pied. Affolé, il a sauté par la fenêtre. Il sautait de joie, il était tout joyeux (au point de sauter sur place).* — Loc. SAUTER AU PLAFOND : avoir une réaction très vive, de colère ou de surprise. **2.** Monter, descendre, se lever... vivement. *Il a sauté (à bas) du lit.* — Se jeter, se précipiter. *Elle lui a sauté au cou, pour l'embrasser. Sauter sur qqn, lui sauter dessus.* — (Suj. chose) Loc. SAUTER AUX YEUX : frapper la vue, être ou devenir évident. *La solution saute aux yeux.* **3.** Abstrait. Aller, passer vivement (d'une chose à une autre) sans intermédiaire. *L'auteur saute d'un sujet à un autre.* **4.** (Choses) Être déplacé ou projeté avec soudaineté. *Attention, le bouchon va sauter.* ⇒ **partir.** *La chaîne du vélo sautait tout le temps.* — Fam. *Et que ça saute !,* que cela soit vite fait. **5.** Exploser. *Le navire a sauté sur une mine. On fera sauter les ponts. Les plombs ont sauté, ont fondu (par un court-circuit).* — Fam. *Le directeur risque de sauter,* de perdre son poste. — *Se faire sauter la cervelle,* se tuer d'un coup de revolver. **6.** FAIRE SAUTER (un aliment) : le faire revenir à feu très vif (⇒ **sauté**). **II.** V. tr. **1.** Franchir par un saut. *Le cheval a bien sauté l'obstacle. Sauter un mur. Sauter le mur,* escalader un mur pour s'échapper. — Loc. Abstrait. SAUTER LE PAS : se décider. **2.** Omettre, ne pas faire (qqch. par-dessus quoi on passe). *Tu as sauté un mot, une page. Sauter un repas. Un bon élève qu'on a autorisé à sauter une classe.* ▶ **saute** [sot] n. f. ■ (Dans des expressions) Brusque changement. *Des sautes de vent, de température.* — *Avoir des sautes d'humeur.* ▶ **sauté, ée** adj. et n. m. **1.** Adj. Cuit à la poêle ou à la cocotte, à feu vif et en remuant. *Pommes de terre sautées.* **2.** N. m. Aliment cuit dans un corps gras, à feu vif. *Un sauté de veau.* ▶ **saute-mouton** [sotmut5] n. m. ■ Jeu où l'on saute par-dessus un autre joueur, qui se tient courbé (le « mouton »). *Jouer à saute-mouton.* ‹ ▶ ressaut, saltimbanque, sauterelle, sauterie, sauteur, sauteuse, sautiller, ① sautoir, ② sautoir, tressauter ›

sauterelle [sotʁɛl] n. f. **1.** Insecte sauteur vert ou gris à grandes pattes postérieures repliées et à tarière. **2.** Abusivt. Criquet pèlerin. *Un nuage de sauterelles.* **3.** Personne maigre et sèche.

sauterie [sotʁi] n. f. ■ Vx ou plaisant. Réunion sans prétention où l'on danse entre amis. *Elles ont organisé une petite sauterie.* ⇒ **surprise-partie.**

sauteur, euse [sotœʁ, øz] n. **I.** Spécialiste du saut. *Un sauteur, une sauteuse en longueur.* — En appos. *Les insectes sauteurs,* qui se déplacent en sautant (opposé à *marcheurs*). **II.** N. m. Fam. Homme qui a de nombreuses aventures sexuelles. ⇒ **coureur.** *Quel sauteur !*

sauteuse n. f. **1.** Casserole plate dans laquelle on fait sauter les viandes, les légumes. **2.** *Sauteuse ou scie sauteuse,* scie à bois mue par un moteur, qui effectue des travaux complexes.

sautiller [sotije] v. intr. ■ conjug. 1. ■ Faire des petits sauts successifs. *Boxeur qui sautille.* ▶ **sautillant, ante** adj. ■ Qui sautille. — *Musique sautillante,* au rythme rapide et saccadé. ▶ **sautillement** n. m. ■ *Le sautillement d'un moineau.*

① **sautoir** [sotwaʁ] n. m. ■ Longue chaîne ou long collier qui se porte sur la poitrine. *Un sautoir de perles.* — *En sautoir,* porté en collier sur la poitrine.

② **sautoir** n. m. ■ Emplacement aménagé pour les sauts des athlètes.

sauvage [sovaʒ] adj. et n. **I.** **1.** (Animaux) Qui vit en liberté dans la nature. *On peut apprivoiser certains animaux sauvages.* — Non domestiqué (dans une espèce qui comporte des animaux domestiques). *Canard sauvage.* **2.** Vx ou péj. (Êtres humains) Primitif (opposé à *civilisé*). — N. *La théorie du « bon sauvage »* (de Montaigne à Diderot). — Autrefois. *Les sauvages,* les Indiens (au Canada). **3.** (Végétaux) Qui pousse et se développe naturellement sans être cultivé. *Fleurs sauvages.* **4.** (Lieux) Que la présence humaine n'a pas marqué ; d'un aspect peu hospitalier, parfois effrayant. *Île sauvage. Étendues sauvages.* **II. 1.** Qui fuit toute relation avec les hommes. ⇒ **farouche, insociable.** *Cet enfant est très sauvage,* timide. — N. *C'est un vieux sauvage.* ⇒ **ours. 2.** N. Personne d'une nature rude ou même brutale. *Il s'est conduit comme un sauvage.* ⇒ **brute.** *Faites attention, bande de sauvages !* **3.** Qui a quelque chose d'inhumain, de barbare. *Des cris sauvages.* **4.** Spontané, ni contrôlé ni organisé. *Une grève sauvage. Camping sauvage,* en dehors des lieux surveillés. ▶ **sauvagement** adv. ■ D'une manière sauvage, barbare, cruelle. *Frapper qqn sauvagement.* ▶ **sauvageon, onne** [sovaʒ5, ɔn] n. **1.** N. m. Arbre non greffé, employé comme sujet à greffer. **2.** N. Enfant qui a grandi sans éducation, comme un petit animal. *Va te coiffer, tu as l'air d'une sauvageonne.* ▶ **sauvagerie** n. f. **1.** Caractère sauvage (II, 1), peu sociable. *Sa sauvagerie l'isole de ses semblables.* **2.** Caractère brutal et cruel. *L'agresseur l'a frappé avec sauvagerie.* ⇒ **barbarie, cruauté.** ▶ **sauvagine** n. f. ■ Littér. Nom collectif donné aux chasseurs aux oiseaux sauvages des zones aquatiques. *Chasse à la sauvagine.*

sauvegarde [sovgaʁd] n. f. **1.** Protection et garantie (de la personne, des droits) assurées par l'autorité ou les institutions. ⇒ **tutelle.** *Être, se mettre sous la sauvegarde de la justice.* **2.** Protection, défense. *Travailler à la sauvegarde de la paix.* ▶ **sauvegarder** v. tr. ■ conjug. 1. ■ Assurer la sauvegarde de. ⇒ **défendre, préserver, protéger.** *Sauvegarder les libertés.*

sauver [sove] v. tr. ■ conjug. 1. **I.** V. tr. **1.** Faire échapper (qqn) à quelque grave danger. *Il a pu sauver l'enfant qui se noyait. Il est sauvé, hors de danger.* ⇒ **sain et sauf.** — Relig. chrétienne. Assurer le salut éternel de... *Le Christ est venu sauver les hommes.* — SAUVER qqn DE : soustraire à..., préserver de (un danger). *Sauver qqn de la misère.* ⇒ **tirer de. 2.** Empêcher la destruction, la perte de (qqch.). *Il m'a sauvé la vie.* Fam. *Il a réussi à sauver sa peau.* — Loc. fam. SAUVER LES MEUBLES : sauver l'essentiel, ne pas tout perdre. — *Les acteurs ont du mal à sauver la pièce,* à l'empêcher d'échouer. — *Sauver une entreprise de la faillite.* **II.** SE SAUVER v. pron. **1.** S'enfuir pour échapper au danger. *Il se sauva à toutes jambes.* — Fam. Prendre congé promptement. *Sauve-toi vite, tu vas être en retard.* **2.** (Lait) Déborder du récipient en bouillant. *Zut, le lait s'est sauvé !* ▶ **sauve-qui-peut** [sovkipø] n. m. invar. **1.** Cri de sauve qui peut (que se sauve qui le peut !). *Des « sauve-qui-peut ! » éclatent tout autour.* **2.** Fuite générale et désordonnée où chacun se tire d'affaire comme il le peut. ⇒ **débandade.** *À l'annonce de l'incendie, ça a été le sauve-qui-peut général.* ▶ **sauvetage** n. m. ■ Action de sauver (les occupants d'un navire en détresse, ou toute personne qui se noie). *Le sauvetage des naufragés. Bateau de sauvetage ; bouée, ceinture, gilet de sauvetage.* — Action de sauver d'un sinistre quelconque (incendie, inondation...) des hommes ou du matériel. ▶ **sauveteur** n. m. ■ Personne qui prend part à un sauvetage. *L'équipe de sauveteurs* ‹ ▶ à la sauvette, sauveur ›

à la sauvette [alasovɛt] loc. adv. ■ *Vendre à la sauvette,* vendre en fraude sur la voie publique (des marchandises présentées de telle sorte que les marchands à la sauvette peuvent facilement *se sauver* en les emportant, en cas d'alerte). — *À la sauvette*, à la hâte, pour ne pas attirer l'attention. *Ils l'ont jugé à la sauvette.*

sauveur [sovœʀ] n. m. **1.** Relig. chrétienne. Celui qui a sauvé les hommes. ⇒ **messie, rédempteur.** « *Jésus-Christ, notre Sauveur* ». **2.** Celui qui sauve (une personne, une collectivité). *Vous êtes mon sauveur ! Elle a été notre sauveur. Le sauveur de la patrie.*

savane [savan] n. f. ■ Vaste prairie des régions tropicales, pauvre en arbres et en fleurs, et riche en animaux variés. *Les hautes herbes de la savane.*

savant, ante [savɑ̃, ɑ̃t] adj. et n. **I.** Adj. **1.** Qui sait beaucoup, en matière d'érudition ou de science. ⇒ **docte, érudit, instruit.** ≠ *sage. Un savant professeur. Il est très savant en la matière.* ⇒ **compétent, fort.** / contr. **ignorant** / — Habile. *Chien savant*, dressé à faire des tours d'adresse. **2.** Où il y a de l'érudition. *Une édition savante.* — En linguistique. *Mot savant*, mot emprunté au grec ou au latin et qui n'a pas évolué phonétiquement comme les formes dites *populaires* (ex. : le mot latin *lac, lactis*, a donné *lait* et *laiteux* [mots *populaires*], et *lacté* [mot *savant*]). **3.** Qui, par sa difficulté, n'est pas accessible à tous. ⇒ **compliqué, difficile.** *C'est trop savant pour moi.* / contr. **simple** / **4.** Fait avec science, art ; où il y a une grande habileté. *Un arrangement savant. De savantes précautions.* / contr. **facile, naïf** / **II.** N. m. Personne qui, par ses connaissances et ses recherches, contribue à l'élaboration, au progrès d'une science et, plus spécialement, d'une science expérimentale ou exacte. ⇒ **chercheur.** *Marie Curie fut un grand savant.*
▶ *savamment* adv. **1.** D'une manière savante, avec érudition. ⇒ **doctement.** *Ils discutaient savamment.* — Fam. *J'en parle savamment*, en connaissance de cause. **2.** Avec une grande habileté. *Le gouvernement a savamment manœuvré.*

savarin [savaʀɛ̃] n. m. ■ Gâteau en forme de couronne, fait d'une pâte molle imbibée d'un sirop à la liqueur (cuit au four dans un *moule à savarin*).

savate [savat] n. f. **1.** Vieille chaussure ou vieille pantoufle qui ne tient plus au pied. — Loc. fam. TRAÎNER LA SAVATE : vivre misérablement. **2.** Fam. Personne maladroite. *Il joue comme une savate !* **3.** Sport de combat où l'on peut porter des coups de pied à l'adversaire. *La savate a été supplantée par la boxe* française.* ▶ *savetier* [savtje] n. m. ■ Vx. Cordonnier. ≠ *sabotier.*

saveur [savœʀ] n. f. **1.** Qualité perçue par le sens du goût. ⇒ **goût.** *Une saveur agréable. Une viande sans saveur*, fade. ⇒ **insipide. 2.** Abstrait. Qualité comparable à qqch. d'agréable au goût. *La saveur de la nouveauté.* ⇒ **piment.** ⟨▶ insipide, savourer, savoureux⟩

① *savoir* [savwaʀ] v. tr. ■ conjug. 32. — REM. Part. passé *su, sue.* **I. 1.** Avoir présent à l'esprit (qqch. qu'on identifie et qu'on tient pour réel) ; pouvoir affirmer l'existence de. ⇒ **connaître ; connaissance, science.** *Je ne sais pas son nom. Il n'en sait rien.* — FAIRE SAVOIR. ⇒ **annoncer, communiquer.** *Je te ferai savoir la date de mon retour.* — *Avez-vous su la nouvelle ?* ⇒ **apprendre.** — Pronominalement. *Tout finit par se savoir*, par être su, connu. *Ça se saurait !* (si cela était vrai, on en aurait entendu parler). — (Suivi d'une subordonnée) *Je sais qu'il est en voyage. Je sais bien que c'est dur, mais fais-le. Nous croyons savoir que...*, s'emploie quand l'information n'est pas absolument sûre. *Savez-vous s'il doit venir ?* — (Suivi d'un attribut) *Je le sais honnête.* **2.** Être conscient* de ; connaître la valeur, la portée de (tel acte, tel

sentiment). *Il ne sait plus ce qu'il dit. Il est poète sans le savoir. Je ne veux pas le savoir !*, je ne veux pas connaître ses raisons. — Pronominalement (suivi d'un attribut). *Elle se sait condamnée.* **3.** Avoir dans l'esprit (des connaissances). *On disait qu'il savait tout et ne comprenait rien. Que sais-je ? Qu'en savons-nous ?* **4.** Être en mesure d'utiliser, de pratiquer. *Il sait son métier.* **5.** Avoir présent à l'esprit dans tous ses détails, de manière à pouvoir répéter. *Il sait son rôle, sa leçon. Savoir qqch. par cœur.* **II.** Loc. *Vous n'êtes pas sans savoir que...*, vous n'ignorez pas que... — *Sachez que...*, apprenez que... — (Souligne une affirmation) *Il est gentil, vous savez. Et puis, tu sais, je ne t'aimons plus.* — À SAVOIR ou vx SAVOIR : c'est-à-dire. *Nos cinq sens, à savoir : l'ouïe, la vue, ...* — SAVOIR SI : reste à savoir si. *Savoir si ça va marcher !*, je me demande si ça va marcher. *Qui sait ?*, ce n'est pas impossible. ⇒ **peut-être.** — (Avec NE) *Il est on ne sait où. Il y a je ne sais combien de temps, très longtemps.* — *Ne savoir que faire, quoi faire. Ne savoir que devenir, où se mettre...* — *...QUE JE SACHE :* autant que je puisse savoir, en juger. *Tu n'es pas venu au cours, que je sache.* **III.** SAVOIR (+ infinitif). **1.** Être capable, par un apprentissage, par l'habitude, de (faire qqch.). *Il ne sait pas nager. Il sait s'y prendre ;* fam. *il sait y faire.* **2.** S'appliquer à, par effort de volonté. *C'est qqn qui sait écouter.* **3.** (Au conditionnel et en tour négatif avec *ne* seul) Pouvoir. *On ne saurait penser à tout*, il est impossible de penser à tout. ▶ ② *savoir* n. m. ■ Ensemble de connaissances. ⇒ **culture, instruction, science.** *Le savoir d'une époque. L'étendue de son savoir.* ▶ *savoir-faire* n. m. invar. ■ Habileté à résoudre les problèmes pratiques ; compétence, expérience dans l'exercice d'une activité artistique ou intellectuelle. ⇒ **adresse, art.** *Le savoir-faire d'un artisan.* ▶ *savoir-vivre* n. m. invar. ■ Qualité d'une personne qui connaît et sait appliquer les règles de la politesse. ⇒ **éducation, tact.** *Manquer de savoir-vivre.* ⟨▶ à l'insu de, je-ne-sais-quoi, savant, au su de⟩

savon [savɔ̃] n. m. **1.** Produit utilisé pour le dégraissage et le lavage, obtenu par l'action d'un alcali sur un corps gras. *Du savon de toilette. Un savon à barbe.* **2.** *Un savon*, morceau moulé de ce produit. *Des savons de Marseille.* **3.** Loc. fam. PASSER UN SAVON à *qqn* : l'attraper, le réprimander (→ laver, savonner la tête à qqn). ▶ *savonner* v. tr. ■ conjug. 1. **1.** Laver en frottant avec du savon. *Savonner et rincer.* — Pronominalement. *Savonne-toi bien.* **2.** Loc. Fam. et vx. SAVONNER LA TÊTE DE *qqn* : le réprimander. ⇒ **passer un savon** (3). ▶ *savonnage* n. m. ▶ *savonnerie* n. f. ■ Usine où l'on fabrique du savon. ▶ *savonnette* n. f. ■ Petit savon (2) pour la toilette. ▶ *savonneux, euse* adj. ■ Qui contient du savon. *Une eau savonneuse.* ⟨▶ porte-savon, saponifier⟩

savourer [savuʀe] v. tr. ■ conjug. 1. **1.** Manger, boire avec toute la lenteur et l'attention requises pour apprécier pleinement. ⇒ **déguster.** *Il savourait son cognac.* **2.** Apprécier en prolongeant le plaisir. *J'espère que tu as savouré la scène !*

savoureux, euse [savuʀø, øz] adj. **1.** Qui a une saveur agréable, riche et délicate. ⇒ **appétissant, succulent.** / contr. **insipide** / *Des fruits savoureux.* **2.** Abstrait. Qui a de la saveur, du piquant. *Une anecdote savoureuse.* ▶ *savoureusement* adv. ■ D'une façon savoureuse.

saxophone [saksɔfɔn] n. m. ■ Instrument à vent, à anche simple et à clefs. *Saxophone ténor, alto* (abrév. *saxo ténor, alto*). ▶ *saxophoniste* n. ■ Joueur de saxophone. *Un, une saxophoniste.* — Abrév. fam. SAXO. *Des saxos.*

saynète [sɛnɛt] n. f. ■ Vx. Sketch.

sbire [sbiʀ] n. m. ■ Péj. Policier sans scrupule ; homme de main. ⇒ **nervi.**

scabieuse [skabjøz] n. f. ■ Plante herbacée à fleurs mauves, employée en médecine pour ses propriétés dépuratives.

scabreux, euse [skabʀø, øz] adj. **1.** Littér. Embarrassant, délicat. *C'est un sujet scabreux. — Une affaire scabreuse*, louche. **2.** Qui choque la décence. *Une histoire scabreuse.* ⇒ **indécent, licencieux.**

scalaire [skalɛʀ] adj. ■ Mathématiques. *Grandeur scalaire*, qui se mesure par un nombre (s'oppose à *vectoriel*).

scalène [skalɛn] adj. ■ Géométrie. *Triangle scalène*, dont les trois côtés sont inégaux (opposé à *isocèle, équilatéral*).

scalpel [skalpɛl] n. m. ■ Petit couteau à manche plat destiné aux dissections. *Le bistouri et le scalpel.*

scalper [skalpe] v. tr. . conjug. 1. ■ Dépouiller (qqn) du cuir chevelu par incision de la peau. *Les Indiens scalpaient leurs ennemis.* ▶ **scalp** n. m. **1.** Action de scalper. *Danse du scalp*, danse guerrière exécutée par les Indiens d'Amérique autour de la victime qui allait être scalpée. **2.** Trophée constitué par la peau du crâne avec sa chevelure.

scandale [skɑ̃dal] n. m. **1.** Effet produit par des actes, des propos condamnables, de mauvais exemples. *Sa tenue a provoqué un scandale. Un livre, un film qui fait scandale.* — Émotion indignée qui accompagne cet effet. *Au grand scandale de sa famille.* **2.** Désordre, tapage. *Il a fait du scandale sur la voie publique. Si ça continue, je fais un scandale !* **3.** Grave affaire publique où des personnalités sont compromises. *Un scandale financier, politique.* **4.** Fait immoral, injuste, révoltant. ⇒ **honte.** *Cette condamnation est un scandale !* ▶ **scandaleux, euse** adj. **1.** Qui cause du scandale. *Une conduite scandaleuse.* **2.** Qui constitue un scandale (⇒ **honteux, révoltant**). *Le prix des loyers est scandaleux.* ▶ **scandaliser** v. tr. . conjug. 1. ■ Apparaître scandaleux à... ⇒ **choquer, indigner.** *Son attitude a scandalisé tout le monde.* — Pronominalement. S'indigner comme d'une chose scandaleuse. *Pourquoi se scandaliser d'une chose si naturelle ?*

scander [skɑ̃de] v. tr. . conjug. 1. **1.** Déclamer (un vers) en analysant ses éléments métriques. *Scander des alexandrins.* **2.** Prononcer en détachant les syllabes, les groupes de mots. *Scander un refrain, un slogan politique.* ▶ **scansion** [skɑ̃sjɔ̃] n. f. ■ Didact. Action de scander.

scandinave [skɑ̃dinav] adj. ■ De Scandinavie. *Les pays scandinaves*, Norvège, Suède, Danemark... — N. *Les Scandinaves.*

scanner [skanɛʀ] n. m. ■ Anglic. Appareil de radiographie traitant les résultats obtenus par une calculatrice électronique. *Des scanners.*

scaphandre [skafɑ̃dʀ] n. m. ■ Équipement de plongée individuel à casque étanche. *Scaphandre autonome*, pourvu d'une bouteille à air comprimé. — Appareil semblable pour les voyages spatiaux. *Le scaphandre des cosmonautes.* ▶ **scaphandrier** n. m. ■ Plongeur muni d'un scaphandre. ⇒ **homme-grenouille.**

scapulaire [skapylɛʀ] n. m. ■ Dans la religion catholique. Objet de dévotion composé de deux petits morceaux d'étoffe bénits reliés par des cordons.

scarabée [skaʀabe] n. m. ■ Coléoptère noir à reflets mordorés. ⇒ **bousier.**

scarifier [skaʀifje] v. tr. . conjug. 7. ■ Médecine. Inciser superficiellement (la peau). ▶ **scarification** n. f. ■ *Cuti par scarification.*

scarlatine [skaʀlatin] n. f. ■ Maladie contagieuse, caractérisée par une éruption sur les muqueuses de la bouche et sur la peau, en larges plaques écarlates.

scarole [skaʀɔl] n. f. ■ Salade à larges feuilles peu découpées et croquantes.

scato- ■ Élément savant signifiant « excrément ». ▶ **scatologique** [skatɔlɔʒik] adj. ■ Où il est question d'excréments. *Plaisanterie scatologique.*

sceau [so] n. m. **1.** Cachet officiel dont l'empreinte est apposée sur des actes pour les rendre authentiques ou les fermer de façon inviolable. *Le garde des Sceaux* (en France, le ministre de la Justice). **2.** Empreinte faite par ce cachet ; cire, plomb portant cette empreinte. *Mettre, apposer son sceau sur un document.* ⇒ **sceller. 3.** Littér. Marque qui authentifie, confirme. *Son récit est marqué du, au sceau de la bonne foi.* — Loc. SOUS LE SCEAU DU SECRET : sous la condition d'une discrétion absolue. ≠ *seau.* ‹ ▶ sceller ›

scélérat, ate [seleʀa, at] n. ■ Littér. Bandit, criminel. ⇒ **coquin** (1). — Adj. *Des lois scélérates.* ▶ **scélératesse** n. f. ■ Littér. Caractère, comportement de scélérat. ⇒ **perfidie.** Action scélérate. *Commettre une scélératesse.*

sceller [sele] v. tr. . conjug. 1. **I. 1.** Marquer (un acte) d'un sceau. *Le testament a été scellé.* — Fermer au moyen d'un sceau, d'un scellé. *Sceller un local.* **2.** Abstrait. Confirmer, comme par un sceau. *Sceller un pacte. Poignée de main qui scelle une réconciliation.* **II. 1.** Fermer hermétiquement (un contenant, une ouverture). *Sceller des boîtes de conserve.* **2.** Fixer avec du ciment, du plâtre... *Sceller un anneau dans un mur.* — Au p. p. adj. *Fenêtre à barreaux scellés.* ▶ **scellé** n. m. ■ Surtout au plur. Cachet de cire sur bande de papier ou d'étoffe, au sceau de l'État, apposé par l'autorité de justice sur une fermeture. *Mettre les scellés. Local mis sous scellés. Lever les scellés.* ≠ *seller.* ‹ ▶ desceller ›

scénario [senaʀjo] n. m. **1.** Description de l'action (d'un film), comprenant généralement des indications techniques et les dialogues. ⇒ **script** (2). *Écrire des scénarios.* — Processus qui se déroule selon un plan préétabli. *Leurs disputes suivent toujours le même scénario.* **2.** Texte d'une bande dessinée. ▶ **scénariste** n. ■ Personne qui écrit des scénarios.

scène [sɛn] n. f. **I. 1.** Emplacement d'un théâtre où les acteurs paraissent devant le public. ⇒ **planche(s), plateau.** *L'ordre d'entrée en scène des acteurs. En scène ! Sortir de scène. Elle fait ses débuts sur la scène, sur scène.* METTRE EN SCÈNE : représenter par l'art dramatique. *Metteur en scène ; mise en scène.* ⇒ **scénographie** (2). *Porter une pièce de théâtre à la scène ; adapter un texte pour la scène.* — *Mettre en scène un film*, le réaliser (→ porter à l'écran). — Abstrait. Le monde, considéré comme un théâtre. *Il occupe le* DEVANT DE LA SCÈNE : une position importante, en vue. — *La scène politique.* **2.** Le théâtre, l'art dramatique. *Les vedettes de la scène et de l'écran.* **3.** Décor du théâtre. *La scène représente une forêt. La scène a changé.* Fig. *La scène politique évolue vite.* ⇒ **paysage.** — L'action. *La scène se passe à Londres, au XVIᵉ s.* **II. 1.** Partie, division d'un acte ; l'action qui s'y déroule. *Acte III, scène II. La grande scène du second acte.* — Loc. JOUER LA GRANDE SCÈNE (DU DEUX) : faire une démonstration théâtrale (de colère, de douleur, d'indignation...). **2.** Toute action partielle ayant une unité, à l'intérieur d'un livre, d'un film... *Le roman se termine par une scène tragique. Une scène de film.* ⇒ **séquence. 3.** Composition représentée en peinture, lorsqu'elle suggère une action. *Une scène de genre, une scène d'intérieur, de mœurs.* **4.** Action, événement dont on se trouve spectateur. *J'ai été témoin de la scène. Une scène comique.* 5. Explosion de colère, dispute bruyante. *Il m'a fait une scène à cause de mon retard. Une scène de ménage,* dans un couple. *Enfant qui fait des scènes, des colères, des caprices.* ≠ cène. ▶ **scénique** [senik] adj. ■ Propre à la scène, au théâtre. *Un effet scénique.* ⟨ ▶ avant-scène ⟩

scénographie [senɔgʀafi] n. f. 1. Art de représenter en perspective. 2. Art et technique de l'aménagement des théâtres. (On dit aussi *scénologie*.) ▶ **scénographe** n. ■ Spécialiste de scénographie (1, 2).

sceptique [sɛptik] n. et adj. I. N. 1. Philosophe qui pratique le doute, l'examen critique systématique. 2. Personne qui adopte une attitude de scepticisme (2, 3). *Un, une sceptique.* II. Adj. 1. Qui professe le scepticisme philosophique. 2. Qui doute, est empreint de scepticisme. *Je reste sceptique quant à l'issue du projet. Il a eu un sourire sceptique.* ≠ septique. ▶ **scepticisme** n. m. 1. Doctrine des anciens philosophes sceptiques grecs, selon lesquels l'esprit humain ne peut atteindre aucune vérité générale. / contr. **dogmatisme** / 2. Mise en doute des dogmes religieux. ⇒ **incrédulité.** 3. Attitude critique faite de méfiance, d'incrédulité, de refus de toute illusion. / contr. **conviction** / *Il parle de notre influence avec scepticisme.*

sceptre [sɛptʀ] n. m. 1. Bâton de commandement, signe d'autorité suprême. *Le sceptre du roi.* 2. Abstrait. Littér. L'autorité souveraine, la royauté.

schah ou **shah** [ʃa] n. m. ■ Souverain de la Perse (puis de l'Iran moderne) avant 1979. *Le shah de Perse, le shah d'Iran* (pléonasmes).

schako ⇒ **shako.**

scheik, schelem ⇒ **cheik, chelem.**

schéma [ʃema] n. m. 1. Figure donnant une représentation simplifiée et fonctionnelle (d'un objet, d'un mouvement, d'un processus, d'un organisme). ⇒ **diagramme.** *Schéma de la nutrition chez les plantes. Le schéma d'un moteur.* 2. Description ou représentation mentale réduite aux traits essentiels. ⇒ **esquisse.** *Voici en gros le schéma de l'opération. Des schémas directeurs.* ▶ **schématique** adj. 1. Qui constitue un schéma, est propre aux schémas. *Une coupe schématique.* 2. Trop simplifié, qui manque de nuances. *Un compte rendu schématique de la situation.* ▶ **schématiquement** adv. ■ *Voici schématiquement de quoi il s'agit.* ⇒ **grosso modo.** ▶ **schématiser** v. tr. conjug. 1. ■ 1. Présenter en schéma. 2. Présenter de façon schématique, simplifiée. *En schématisant, on peut dire que...* ▶ **schématisation** n. f. ■ Action de schématiser, de réduire à l'essentiel.

scherzo [skɛʀtso ; -dzo] n. m. ■ Morceau musical vif et gai, au mouvement rapide. *Le scherzo d'une sonate. Des scherzos.*

schilling [ʃiliŋ] n. m. ■ Unité monétaire de l'Autriche. ≠ shilling.

schisme [ʃism] n. m. 1. Séparation des fidèles d'une religion, qui reconnaissent des autorités différentes. *Le schisme d'Orient* (entre les Églises d'Occident et d'Orient). 2. Scission* (d'un groupe organisé). ⇒ **dissidence.** *Un schisme politique.* ▶ **schismatique** [ʃismatik] adj. ■ Qui forme schisme ; qui ne reconnaît pas l'autorité du Saint-Siège.

schiste [ʃist] n. m. ■ Roche qui présente une structure feuilletée. *Des lames de schiste.* ▶ **schisteux, euse** [ʃistø, øz] adj. ■ *L'ardoise est une roche schisteuse.*

schizophrénie [skizɔfʀeni] n. f. ■ Psychose caractérisée par une grave division de la personnalité

et une inadaptation du malade au réel. *Schizophrénie et autisme.* ▶ **schizophrène** adj. et n. ■ Atteint de schizophrénie.

schlass ou **chlass** [ʃla(a)s] adj. invar. ■ Fam. Ivre. *Elle est complètement schlass.*

schlinguer ou **chlinguer** [ʃlɛ̃ge] v. intr. conjug. 1. ■ Fam. Puer. *Ça schlingue, ici !*

schlitte [ʃlit] n. f. ■ Région. Traîneau qui sert (en Forêt-Noire, dans les Vosges) à descendre le bois des montagnes.

schnaps [ʃnaps] n. m. invar. ■ Eau-de-vie de pomme de terre ou de grain, fabriquée dans les pays germaniques.

schnock ou **chnoque** [ʃnɔk] n. ■ Fam. Imbécile. *Quel vieux schnock !*

schuss [ʃus] n. m. invar. ■ Descente directe à skis en suivant la plus grande pente. *Descendre en schuss.* — Adv. *Descendre (tout) schuss.*

sciage [sjaʒ] n. m. ■ Action, manière de scier (le bois, la pierre, les métaux...).

sciatique [sjatik] adj. et n. f. 1. Adj. En anatomie. Du bassin, de la hanche. *Nerf sciatique.* 2. N. f. Douleur violente qui se fait sentir à la hanche et dans la jambe, le long du trajet du nerf sciatique. *Il a une sciatique. Crise de sciatique.*

scie [si] n. f. 1. Outil ou machine servant à couper des matières dures par l'action d'une lame dentée. *Scie à bois, à métaux. Scie circulaire,* scie à moteur formée d'un disque à bord denté qui tourne à grande vitesse. 2. POISSON-SCIE ou SCIE : squale voisin du requin dont le museau s'allonge en lame droite, flexible, portant deux rangées de dents. *Des poissons-scies.* 3. SCIE MUSICALE : instrument de musique fait d'une lame d'acier qu'on fait vibrer en la pliant. 4. Chanson, refrain ressassés et usés. ⇒ **rengaine.** *On entend cette scie sur toutes les ondes.* 5. Personne, chose désagréable ou ennuyeuse. *Quelle scie !* ⟨ ▶ couteau-scie ⟩

sciemment [sjamɑ̃] adv. ■ En connaissance de cause, volontairement. / contr. **involontairement** / *Il n'a pas pu faire cela sciemment.* ⇒ **consciemment.**

science [sjɑ̃s] n. f. I. 1. Vieilli. Ensemble des connaissances générales (de qqn). ⇒ ② **savoir.** *Sa science est étendue.* — Loc. *C'est un* PUITS DE SCIENCE : une personne très savante. 2. Littér. Savoir-faire que donnent les connaissances, l'expérience, l'habileté. ⇒ **art.** *Il a manœuvré avec une science consommée. Sa science des couleurs, de la toilette.* II. 1. Plus cour. UNE SCIENCE, LES SCIENCES : ensemble de connaissances, de travaux d'une valeur universelle, ayant pour objet l'étude de faits et de relations vérifiables, selon des méthodes déterminées (comme l'observation, l'expérience, ou les hypothèses et la déduction). *Sciences exactes* ou *pures,* ensemble des mathématiques. *Sciences appliquées,* au service de la technique. *Sciences expérimentales,* où l'objet d'étude est soumis à l'expérience (physique, chimie...). *Sciences naturelles,* sciences d'observation qui étudient les êtres vivants et les corps dans la nature. *Les sciences humaines,* qui étudient l'homme (psychologie, sociologie, linguistique...). — Absolt. LES SCIENCES : les sciences où le calcul, la déduction et l'observation ont une grande part (mathématiques, astronomie, physique, chimie, biologie...). *Les sciences et les lettres. Faculté des sciences. Des sciences.* ⇒ **scientifique.** 2. LA SCIENCE : ensemble des travaux des sciences ; connaissance exacte, universelle et vérifiable exprimée par des lois. *Dans l'état actuel de la science. Les progrès de la science et de la technique.* ▶ **science-fiction** n. f. ■ Genre littéraire et artistique qui décrit un état futur du monde ⇒ **anticipation,** en faisant appel à l'imagination scientifique. *Un film de science-fiction.* — Abrév. fam. *S.-F.* ▶ *scientifique* adj. et n. **1.** Qui appartient à la science, concerne les sciences (spécialt opposé aux *lettres*). *Revue scientifique. La recherche scientifique.* **2.** Qui est conforme aux exigences d'objectivité, de précision, de méthode de la science. *Ce n'est pas une explication scientifique.* **3.** N. Personne qui étudie les sciences, savant spécialiste d'une science. *Un, une scientifique.* ⇒ **chercheur, savant.** *Les littéraires et les scientifiques.* ▶ *scientifiquement* adv. ■ *Phénomène étudié scientifiquement.* ▶ *scientiste* adj. ■ Qui prétend résoudre tous les problèmes philosophiques par la science. — N. *La philosophie des scientistes* (ou *scientisme,* n. m.). ⟨ ▶ anti-scientifique, conscient, omniscience, préscience, sciemment ⟩

scier [sje] v. tr. ▪ conjug. 7. **1.** Couper avec une scie, une tronçonneuse. *Scier du bois.* **2.** Vx. Ennuyer par qqch. de monotone. — Fam. Stupéfier. *Alors là, tu me scies !* — Au p. p. adj. *Je suis scié !* ▶ *scierie* [siʀi] n. f. ■ Atelier, usine où des scies mécaniques débitent le bois. ▶ *scieur* [sjœʀ] n. m. ■ Celui dont le métier est de scier (le bois). — Loc. SCIEUR DE LONG : scieur de bois de charpente, qui scie les troncs en long. ⟨ ▶ sciage, scie, sciure ⟩

scinder [sɛ̃de] v. tr. ▪ conjug. 1. ■ Couper, diviser (qqch. qui n'est pas d'ordre matériel). *Scinder un parti.* — Pronominalement (emploi le plus courant). *Le parti s'est scindé en deux après le vote.* ⇒ **scission.**

scintiller [sɛ̃tije] v. intr. ▪ conjug. 1. **1.** (Astres) Briller d'un éclat caractérisé par le phénomène de la scintillation. *Les étoiles scintillaient.* **2.** Briller d'un éclat intermittent. *Diamants, paillettes qui scintillent.* ▶ *scintillant, ante* adj. et n. m. **1.** Qui scintille. *Lumière scintillante.* **2.** N. m. Décoration brillante (clinquant, étoile, guirlande...) pour orner les arbres de Noël. ▶ *scintillation* n. f. **1.** Modification rapide et répétée de l'intensité et de la coloration de la lumière des étoiles (à cause des irrégularités de la réfraction dans l'atmosphère terrestre). **2.** Lumière qui scintille (2). ▶ *scintillement* n. m. ■ Éclat de ce qui scintille. *Le scintillement des braises.*

scission [sisjɔ̃] n. f. ■ Action de se scinder. ⇒ **division, schisme, séparation.** *Le groupe qui a fait scission* (les *scissionnistes*).

scissiparité [sisipaʀite] n. f. ■ Didact. Reproduction par simple division de l'organisme, chez les êtres unicellulaires.

sciure [sjyʀ] n. f. ■ Poussière d'une matière qu'on scie, en particulier du bois. *L'odeur de la sciure.*

sclérose [skleʀoz] n. f. **1.** Durcissement pathologique d'un organe ou d'un tissu organique. — *Sclérose en plaques,* grave maladie des centres nerveux, à la surface desquels se forment des plaques de sclérose. **2.** Abstrait. État, défaut de ce qui ne sait plus évoluer ni s'adapter, qui a perdu toute souplesse. ⇒ **vieillissement.** *La sclérose des institutions.* ▶ *se scléroser* v. pron. ▪ conjug. 1. **1.** (Organe, tissu) Se durcir, être atteint de sclérose. **2.** Abstrait. Se figer, ne plus évoluer. *Un parti, une bureaucratie qui se sclérose.* ▶ *sclérosé, ée* adj. **1.** Atteint de sclérose (1). *Des artères sclérosées.* **2.** Abstrait. Qui n'évolue plus. ⇒ **figé.** *Économie sclérosée.* ⟨ ▶ artériosclérose ⟩

sclérotique [skleʀɔtik] n. f. ■ Anatomie. Membrane fibreuse qui entoure le globe oculaire avec une ouverture dans laquelle se trouve la cornée. ⇒ **blanc** de l'œil.

scolaire [skɔlɛʀ] adj. **1.** Relatif ou propre aux écoles, à l'enseignement et aux élèves. *Établissement, groupe scolaire. Programmes scolaires. Année scolaire,* période allant de la rentrée à la fin des classes. *Obligation scolaire,* d'aller à l'école. *Âge scolaire,* âge légal de l'obligation scolaire. **2.** Péj. Qui évoque les exercices de l'école par son côté livresque ; qui traduit un manque de réflexion personnelle. *Cet exposé est trop scolaire.* ▶ *scolariser* v. tr. ▪ conjug. 1. ■ Soumettre à un enseignement scolaire régulier. — Au p. p. *Enfants en âge d'être scolarisés.* ▶ *scolarisation* n. f. ■ *Le problème de la scolarisation des enfants de réfugiés.* ▶ *scolarité* n. f. ■ Le fait de suivre régulièrement les cours d'un établissement d'enseignement. *Certificat de scolarité.* — Temps pendant lequel joue l'obligation scolaire. *Le gouvernement va-t-il prolonger la scolarité ?* ⟨ ▶ parascolaire, préscolaire, scolarité ⟩

scolastique [skɔlastik] n. f. et adj. Didact. **I.** N. f. Philosophie et théologie enseignées au Moyen Âge par l'Université ; enseignement et méthode qui s'y rapportent. **II.** Adj. **1.** Relatif ou propre à la scolastique. **2.** Littér. Qui rappelle la scolastique décadente, par son abus de la dialectique et son formalisme. *Esprit scolastique.*

scoliose [skɔljoz] n. f. ■ Déviation de la colonne vertébrale sur le côté.

① *scolopendre* [skɔlɔpɑ̃dʀ] n. f. ■ Fougère à feuilles entières, très allongées, qui croît dans les lieux humides. *Sous les feuilles de la scolopendre s'alignent des bandes de sporanges.*

② *scolopendre* n. f. ■ Genre de mille-pattes. *Certaines scolopendres ont une morsure dangereuse.*

sconse [skɔ̃s] ou *skunks* [skœ̃ks] n. m. ■ Fourrure d'un petit mammifère d'Amérique (mouffette, proche du putois). — REM. On écrit aussi *scons, sconce.*

scoop [skup] n. m. ■ Anglic. Nouvelle importante donnée en exclusivité par une agence de presse, un journal. *Un journaliste à l'affût des scoops.*

scooter [skutœʀ ; skutɛʀ] n. m. ■ Motocycle léger, caréné, à cadre ouvert et à plancher. *Des scooters.*

-scope, -scopie ■ Éléments de mots savants, servant à désigner des instruments et des techniques d'observation.

scopie n. f. ■ Abréviation de *radioscopie.* ⇒ ③ **radio.**

scorbut [skɔʀbyt] n. m. ■ Maladie provoquée par l'absence ou l'insuffisance dans l'alimentation des vitamines C. *Marin atteint du scorbut.* ▶ *scorbutique* adj. ■ Atteint du scorbut. — N. *Un, une scorbutique.*

score [skɔʀ] n. m. ■ Marque, décompte des points au cours d'un match, d'une compétition ; résultat indiqué par la marque. *Faire un beau score.*

scories [skɔʀi] n. f. pl. **1.** Résidu solide provenant de la fusion de minerais métalliques, de la combustion de la houille ⇒ **mâchefer,** etc. **2.** *Scories volcaniques,* lave légère et fragmentée ressemblant au mâchefer. **3.** Abstrait. Déchets, partie médiocre ou mauvaise. *Débarrasser un texte de ses scories.*

scorpion [skɔʀpjɔ̃] n. m. **1.** Petit animal (famille des araignées) dont la queue est armée d'un aiguillon crochu et venimeux. *Piqûre de scorpion.* **2.** (Avec une majuscule) Huitième signe du zodiaque (23 octobre-21 novembre). *Être du signe du Scorpion, être du Scorpion.* — Ellipt. Invar. *Elles sont Scorpion.*

① *scotch* [skɔtʃ] n. m. ■ Whisky écossais. *Il a bu deux scotches purs.*

② *scotch* n. m. ■ Nom déposé. Ruban adhésif transparent (de cette marque). *Un rouleau de scotch. Du scotch invisible.* ▶ *scotcher* v. tr. ▪ conjug. 1. ■ Coller avec du ruban adhésif (de la marque Scotch). — Au p. p. adj. *Une photo scotchée au mur.*

scoubidou [skubidu] n. m. ■ Colifichet que les enfants confectionnent à l'aide de quatre fils de plastique semi-rigide tressés. *Des scoubidous multicolores.*

scout [skut] n. et adj. ■ Jeune qui fait partie d'une organisation de scoutisme. ⇒ **boy-scout.** *Les louveteaux, les scouts et les routiers. Réunion de scouts.* ⇒ **jamboree.** — Adj. *Un camp scout. La fraternité scoute.* ▶ *scoutisme* n. m. ■ Mouvement éducatif destiné à compléter la formation que l'enfant reçoit dans sa famille et à l'école, en offrant aux jeunes des activités de plein air et des jeux. *Elle a fait du scoutisme, elle était guide.*

scrabble [skRab(œ)l] n. m. ■ Jeu de société qui consiste à placer sur une grille des jetons portant chacun une lettre, de manière à former des mots.

scribe [skRib] n. m. **1.** Celui qui écrivait les textes officiels, copiait les écrits, dans des civilisations sans imprimerie et où les lettrés étaient rares. ⇒ **copiste.** *Les scribes égyptiens de l'Antiquité.* **2.** Clerc de la classe sacerdotale juive qui, vers le temps de Jésus, était docteur de la Loi et maître d'école. ‹ ▶ scribouillard ›

scribouillard, arde [skRibujaR, aRd] n. ■ Péj. Fonctionnaire, commis aux écritures. ⇒ **grattepapier.**

script [skRipt] n. m. **1.** Type d'écriture à la main, proche des caractères d'imprimerie. *Écrire en script.* **2.** Scénario d'un film, d'une émission, comprenant le découpage technique et les dialogues. *Des scripts.* ▶ *scripte* [skRipt] n. ■ Cinéma, télévision. Auxiliaire du metteur en scène, du réalisateur qui note les détails techniques et artistiques de chaque prise de vues (⇒ script, 2), afin d'assurer la continuité du film. *Le scripte travaille sur le plateau. Une scripte* ou, vx, *une* SCRIPT-GIRL. *Des script-girls.*

scrofuleux, euse [skRɔfylø, øz] adj. **1.** Vx. Qui a des écrouelles. **2.** Qui est lymphatique et prédisposé aux affections tuberculeuses de la peau, des muqueuses. *Un enfant scrofuleux.*

scrupule [skRypyl] n. m. **1.** Incertitude d'une conscience exigeante sur la conduite à adopter ; inquiétude sur un point de morale. ⇒ **cas** de conscience. *Un scrupule me retient. Être dénué de scrupules, sans scrupule,* agir sans se poser de problèmes moraux. *Les scrupules ne l'étouffent pas ; il n'a aucun scrupule. Se faire des scrupules.* — Littér. *Se faire (un) scrupule de qqch.,* hésiter (par scrupule) à faire qqch. *Il ne se ferait aucun scrupule de tout nier.* **2.** Exigence morale très poussée ; tendance à juger avec rigueur sa propre conduite. *Exactitude poussée jusqu'au scrupule.* ▶ *scrupuleux, euse* adj. **1.** Qui a fréquemment des scrupules, qui est exigeant sur le plan moral. ⇒ **consciencieux.** *Un homme d'affaires scrupuleux.* ⇒ **honnête.** — (Choses) Qui témoigne d'une grande exigence morale. *Recherches scrupuleuses.* **2.** Qui respecte strictement les règles qu'il s'impose dans son action, son travail. *Un élève, un employé scrupuleux.* ⇒ **méticuleux.** ▶ *scrupuleusement* adv. ■ D'une manière scrupuleuse.

scruter [skRyte] v. tr. ■ conjug. 1. ■ Examiner avec soin, pour découvrir ce qui est caché. *Scruter les intentions de qqn.* ⇒ **sonder.** — Examiner attentivement par la vue ; fouiller du regard. *Scruter l'horizon.* ▶ *scrutateur, trice* **I.** Adj. (⇒ scruter) Qui examine attentivement. *Un regard scrutateur.* ⇒ **inquisiteur.** **II.** N. Personne qui participe au dépouillement d'un scrutin*. ▶ *scrutin* n. m. **1.** Vote au moyen de bulletins déposés dans un récipient fermé (urne) d'où on les retire ensuite pour les compter. **2.** L'ensemble des opérations électorales ; modalités particulières des élections. *L'ouverture, la clôture d'un scrutin. Scrutin uninominal,* où l'électeur choisit un seul candidat. *Scrutin de liste,* où l'on vote pour plusieurs candidats choisis sur une liste. *Scrutin proportionnel. Scrutin majoritaire. Dépouiller le scrutin* (⇒ **scrutateur,** II).

sculpter [skylte] v. tr. ■ conjug. 1. **1.** Produire (une œuvre d'art) par l'un des procédés de la sculpture. *Sculpter un buste.* **2.** Façonner (une matière dure) par une des techniques de la sculpture. *Sculpter de la pierre.* — Au p. p. adj. *Armoire sculptée,* ornée de sculptures. ▶ *sculpteur* n. m. ■ Personne qui pratique l'art de la sculpture. *Il, elle est sculpteur.* — Fém. rare SCULPTRICE [skyltRis]. ▶ *sculpture* [skyltyR] n. f. **1.** Représentation d'un objet dans l'espace, au moyen d'une matière à laquelle on impose une forme esthétique ; ensemble des techniques qui permettent cette représentation. *La sculpture grecque, romane. Faire de la sculpture sur bois.* **2.** Une sculpture, une œuvre sculptée. *C'est une sculpture en bois.* ▶ *sculptural, ale, aux* adj. **1.** Relatif à la sculpture. ⇒ **plastique.** **2.** Dont les formes rappellent la sculpture classique. *Une beauté sculpturale.*

se ou *s'* [s(ə)] pronom pers. ■ Pronom personnel réfléchi de la 3e personne du sing. et du plur. *Il se lave. Il se donne de la peine. Elle s'est fait réprimander. Elle s'est lavé les mains. Ils se sont rencontrés. Elles se sont donné des coups. Les coups qu'elles se sont donnés.* — Impers. *Cela ne se fait pas. Comment se fait-il que...*

séance [seɑ̃s] n. f. **1.** Réunion des membres d'un corps constitué siégeant en vue d'accomplir certains travaux ; durée réglée de cette réunion. *Les séances du Parlement.* ⇒ **débat, session.** — *Être en séance. Ouvrir la séance. La séance est levée,* terminée. **2.** Loc. adv. SÉANCE TENANTE : immédiatement et sans retard. *Il a obéi séance tenante.* **3.** Durée déterminée consacrée à une occupation qui réunit deux ou plusieurs personnes. *Une séance de travail, de pose, de massage, de psychanalyse.* **4.** Temps consacré à certains spectacles. — Le spectacle lui-même. *Une séance de cinéma. La première séance est à midi.* **5.** Spectacle donné par qqn qui se comporte de façon bizarre ou insupportable. *Il nous a fait une de ces séances !*

① *séant* [seɑ̃] n. m. ■ Loc. SE DRESSER, SE METTRE SUR SON SÉANT : s'asseoir brusquement, en parlant d'une personne qui était allongée, couchée. ≠ *céans.*

② *séant, ante* [seɑ̃, ɑ̃t] adj. ■ Littér. Qui sied ⇒ **seoir,** est convenable. *Il n'est pas séant de quitter déjà la réunion.* ‹ ▶ bienséant, malséant, seyant ›

seau [so] n. m. ■ Récipient cylindrique muni d'une anse servant à transporter des liquides ou diverses matières. *Seau en plastique. Seau hygiénique. Seau à charbon. Seau à glace,* servant à contenir des glaçons. — Son contenu. *Un demi-seau d'eau.* — Loc. fam. IL PLEUT À SEAUX : abondamment. ≠ *sceau.*

sébile [sebil] n. f. ■ Petite coupe de bois pour mendier. *La sébile d'un aveugle.*

sébum [sebɔm] n. m. ■ Matière grasse sécrétée en certains endroits du corps par des glandes de la peau, appelées *glandes sébacées.* ▶ *séborrhée* [sebɔRe] n. f. ■ Augmentation excessive de la sécrétion de sébum.

sec, sèche [sɛk, sɛʃ] adj. **I. 1.** Qui n'est pas ou peu imprégné de liquide. / contr. **humide, mouillé** / *Du bois sec. Le linge est déjà sec.* — Sans humidité atmosphérique, sans pluie. *Un froid sec.* — *Avoir la gorge sèche,* avoir soif. — Loc. N'AVOIR PLUS UN POIL DE SEC : transpirer abondamment. **2.** Déshydraté, séché en vue de la conservation. *Raisins secs. Légumes secs* (opposé à *frais*). **3.** Qui n'est pas accompagné du liquide auquel il est généralement associé. *Orage sec,* sans pluie. *Mur de pierres sèches,* sans ciment. *Toux sèche,* sans crachements. — *Panne sèche.* — *Perte sèche.* 4. (Parties du corps) Qui a peu de sécrétions. *Peau sèche, cheveux secs* (opposé à *gras*). *Ses yeux étaient secs,* sans larmes. — Loc. REGARDER D'UN ŒIL SEC : sans être ému. 5. Qui a peu de graisse, qui est peu charnu. *Un petit vieillard tout sec.* Loc. *Être sec comme un coup de trique,* très maigre. 6. Qui manque de moelleux ou de douceur. *Une voix sèche. Coup sec,* rapide et bref. *Tissu sec,* à tissage bien marqué. — *Vin sec,* peu sucré (opposé à *vin doux*). II. Abstrait. 1. Qui manque de sensibilité, de gentillesse. ⇒ **dur.** *Un ton sec. Répondre d'un ton sec,* cassant, désobligeant. ⇒ **tranchant.** / contr. **chaleureux** / 2. Qui manque de grâce, de charme. ⇒ **austère.** *Un style un peu sec.* 3. Fam. *Rester sec,* ne savoir que répondre. ⇒ **sécher** (II, 3). III. N. m. 1. Sécheresse ; endroit sec. *Mettre, tenir qqch. au sec.* 2. À SEC : sans eau. ⇒ **tari.** *La rivière est à sec.* — Fam. Sans argent. *Ils sont à sec.* IV. Adv. 1. *Boire* (*un vin, un alcool*) *sec,* ne pas y mettre d'eau. — Sans compl. *Il boit sec,* beaucoup. 2. Rudement et rapidement. *Boxeur qui frappe sec.* 3. Loc. adv. Fam. AUSSI SEC : immédiatement, sans hésiter ni sans tarder. ‹ ▶ pète-sec, sèche, sèchement, sécher, sécheresse ›

sécant, ante [sekɑ̃, ɑ̃t] adj. et n. f. 1. Adj. Qui coupe (une ligne, un plan, un volume). *Plan sécant. Figures sécantes,* qui ont au moins un point d'intersection. 2. SÉCANTE n. f. : droite sécante.

sécateur [sekatœʀ] n. m. ■ Gros ciseaux à ressort servant au jardinage.

seccotine [sekɔtin] n. f. ■ (Marque déposée) Colle forte.

sécession [sesesjɔ̃] n. f. ■ Action par laquelle une partie de la population d'un État se sépare de l'ensemble de la collectivité en vue de former un État distinct. ⇒ **dissidence.** *Faire sécession.* — *La guerre de Sécession,* entre le nord et le sud des États-Unis (1861-1865). ▶ **sécessionniste** adj. ■ Qui fait sécession, lutte pour la sécession. *Mouvement sécessionniste.* ⇒ **séparatiste.**

séchage [seʃaʒ] n. m. ■ Action de faire sécher, de sécher. *Colle à séchage rapide. Séchage à froid.*

sèche [sɛʃ] n. f. ■ Fam. Cigarette.

sèchement [sɛʃmɑ̃] adv. 1. D'une manière sèche, sans douceur. *Frapper sèchement la balle.* 2. Avec froideur, dureté. *Il a répliqué sèchement.*

sécher [seʃe] v. ■ conjug. 6. I. V. tr. 1. Rendre sec. / contr. **mouiller** / *Le froid sèche la peau.* ⇒ **dessécher.** *Se sécher les cheveux.* — Pronominalement. *Sèche-toi vite !* ⇒ s'**essuyer.** — Au p. p. adj. *Du poisson séché,* déshydraté. ⇒ **saur.** 2. Absorber ou faire s'évaporer (un liquide). *Sécher ses larmes.* 3. Fam. Manquer volontairement et sans être excusé (un cours, la classe...). *Il sèche le cours pour aller au cinéma.* II. V. intr. 1. Devenir sec par une opération ou naturellement. *Mettre du linge à sécher.* 2. Abstrait. Dépérir, languir. *Il sèche d'impatience.* — Loc. SÉCHER SUR PIED (comme une plante) : s'ennuyer, se morfondre. 3. Fam. (Candidat) Rester sec, être embarrassé pour répondre. *Il a séché en histoire.* ⇒ **sec** (II, 3). ▶ **sèche-cheveux** [sɛʃʃəvø] n. m. invar. ■ Appareil électrique manuel qui, en envoyant de l'air chaud, sert à sécher les cheveux mouillés. ⇒ **séchoir.** ≠ **casque.** *Des sèche-cheveux.* ‹ ▶ assécher, dessécher, séchage, séchoir ›

sécheresse [sɛ(e)ʃʀɛs] n. f. 1. État de ce qui est sec, de ce qui manque d'humidité. ⇒ **aridité.** *La sécheresse d'un sol.* — Temps sec, absence ou insuffisance des pluies. *Un pays où sévit la sécheresse.*

2. Littér. Dureté, insensibilité. *Répondre avec sécheresse.* ⇒ **sèchement.** 3. Caractère de ce qui manque de charme, de richesse. *La sécheresse du style.* ⇒ **austérité.**

séchoir [seʃwaʀ] n. m. 1. Lieu aménagé pour le séchage. *Séchoir agricole. Séchoir à linge.* 2. Appareil servant à faire sécher des matières humides par évaporation accélérée. *Séchoir électrique. Séchoir à cheveux* ou *séchoir.* ⇒ **casque, sèche-cheveux.**

second, onde [s(ə)gɔ̃, ɔ̃d] adj. et n. I. Adj. et n. 1. Qui vient après une chose de même nature ; qui suit le premier. ⇒ **deuxième.** *Pour la seconde fois. En second lieu,* après, ensuite, d'autre part. ⇒ **deuxièmement.** *Obtenir qqch.* DE SECONDE MAIN : d'occasion (opposé à *de première main*). *Habiter au second étage* [s(ə)gɔ̃teta ʒ] ou, n. m., *au second. Passer la seconde vitesse* ou, n. f., *la seconde. Enseignement du second degré.* ⇒ **secondaire** (2). 2. Qui n'a pas la primauté, qui vient après le plus important, le meilleur (opposé à *premier*). *Article de second choix. Billet de seconde classe* ou, n. f., *de seconde. Voyager en seconde* (ou *en deuxième*). — EN SECOND loc. adv. : en tant que second dans un ordre, une hiérarchie. *Passer en second,* passer après. 3. Qui constitue une nouvelle forme de qqch. d'unique. ⇒ **autre.** *L'habitude est une seconde nature. Il a été un second père pour moi.* — N. Littér. SANS SECOND, SANS SECONDE : unique, sans pareil, inégalable. *Une beauté sans seconde.* 4. *État second,* état pathologique d'une personne qui se livre à une activité étrangère à sa personnalité manifeste, et généralement oubliée lorsque cet état cesse. *L'état second des somnambules.* — Cour. *Être dans un état second,* anormal. II. SECOND n. m. : celui qui aide qqn. ⇒ **adjoint, assistant, collaborateur.** — Officier de marine qui commande à bord, immédiatement après le commandant. ▶ ① *seconde* n. f. ■ Classe de l'enseignement secondaire qui précède la première. *Il est en seconde.* ▶ *secondaire* [s(ə)gɔ̃dɛʀ] adj. 1. Qui ne vient qu'au second rang, est de moindre importance. / contr. **capital** / *La question est tout à fait secondaire.* / contr. **primordial** / *Personnages secondaires d'un film, d'un roman...* (opposé à *principaux*). 2. Qui constitue un second ordre dans le temps (opposé à *primaire*). *L'enseignement secondaire* ou, n. m., *le secondaire,* de la sixième à la terminale. — *Ère secondaire* ou, n. m., *le secondaire,* ère géologique qui succède au primaire, comprenant le trias, le jurassique et le crétacé. 3. Qui se produit en un deuxième temps, une deuxième phase dérivant de la première. *Les effets secondaires d'un médicament.* — *Secteur secondaire* ou, n. m., *le secondaire,* les activités productrices de matières transformées (opposé à *primaire et tertiaire*). ▶ *secondement* [sə gɔ̃ dmɑ̃] adv. ■ Deuxièmement. ⇒ **secundo.** ▶ *seconder* [s(ə)gɔ̃de] v. tr. ■ conjug. 1. 1. Aider (qqn) en tant que second. ⇒ **assister.** — Au p. p. *Médecin secondé par une bonne équipe.* 2. Favoriser (les actions de qqn). *J'ai secondé ses démarches.*

② *seconde* [s(ə)gɔ̃d] n. f. 1. Soixantième partie de la minute (symb. *s*). — Temps très bref. ⇒ **instant.** *Je reviens dans une seconde. Une seconde !,* attendez un instant. 2. Unité d'angle égale au 1/60 de la minute (symb. ″).

secouer [s(ə)kwe] v. tr. ■ conjug. 1. 1. Remuer avec force, dans un sens puis dans l'autre (et généralement à plusieurs reprises). ⇒ **agiter.** *Secouez le flacon avant usage. Secouer la salade. La voiture nous secouait.* 2. Mouvoir brusquement et à plusieurs reprises (une partie de son corps). *Secouer la tête,* en signe de négation, d'approbation, ou de doute. ⇒ **hocher.** 3. Se débarrasser de (qqch.) par des mouvements vifs et répétés. *Secoue la neige de ton manteau.* — Loc.

SECOUER LE JOUG : se libérer de l'oppression. **4.** Ébranler par une commotion, une vive impression. *Cette opération l'a beaucoup secoué.* — Fam. *Secouer qqn, lui secouer les puces,* le réprimander, l'inciter à l'action. — Pronominalement. *Se secouer,* sortir de son apathie, faire un effort. *Allons, secoue-toi !* ⟨ ▸ se-cousse ⟩

secourir [s(ə)kuʀiʀ] v. tr. ▪ conjug. 11. ▪ Aider (qqn) à se tirer d'un danger pressant ; assister dans le besoin. *Secourir un blessé. Secourir un ami dans la gêne.* ⇒ prêter **main-forte.** ▸ *secourable* adj. ▪ Littér. Qui secourt, aide volontiers les autres. ⇒ **obligeant.** — Loc. *Prêter, tendre une* MAIN SECOU-RABLE *à qqn.* ⟨ ▸ secours ⟩

secouriste [s(ə)kuʀist] n. ▪ Personne qui fait partie d'une organisation de secours aux blessés, ⇒ **sauveteur.** ▸ *secourisme* n. m. ▪ Méthode de sauvetage et d'aide aux victimes d'accidents, aux blessés... *Il a le brevet de secourisme, il sait donner les premiers soins.*

secours [s(ə)kuʀ] n. m. **1.** Tout ce qui sert à qqn pour sortir d'une situation difficile, et qui vient d'un concours extérieur. ⇒ **aide, appui, assistance, soutien.** *Au secours !,* cri d'appel à l'aide. *Porter secours à qqn. Je vais à ton secours.* **2.** Aide matérielle ou financière. *Secours mutuel.* ⇒ **entraide.** *Associations de secours mutuel,* d'assistance et de prévoyance. *Envoyer des secours à des sinistrés,* des dons. **3.** Renfort en hommes, en matériel, pour porter assistance aux personnes en danger. *Secours en mer, en montagne. Attendre les secours. Les secours arrivent.* **4.** Soins qu'on donne à un malade, à un blessé dans un état dangereux. *Premiers secours aux noyés.* ⇒ **sauvetage.** — *Poste de secours,* où l'on peut trouver médicaments, soins, etc. **5.** Aide surnaturelle. *Les secours de la religion,* les sacrements. **6.** (Dans *d'un... secours*) Qui est utile dans une situation délicate. *Tu m'as été d'un grand secours. Sa force ne lui a été d'aucun secours.* ⇒ **utilité.** **7.** (Choses) DE SECOURS : qui est destiné à servir en cas de nécessité, d'urgence, de danger. *Sortie de secours* [sɔʀtidsəkuʀ]. *Roue de secours,* de rechange. ⟨ ▸ secouriste ⟩

secousse [s(ə)kus] n. f. **1.** Mouvement brusque qui ébranle, met en mouvement un corps. ⇒ **choc ; secouer.** *Une violente secousse. Prendre une secousse électrique.* ⇒ ③ **décharge** (2). *Secousse sismique, tellurique,* tremblement de terre (⇒ **séisme**). **2.** Choc psychologique. *Ça a été pour lui une terrible secousse.* **3.** Loc. PAR SECOUSSES : d'une manière irrégulière ; par accès. *Travailler par secousses.* — Fam. *Il n'en fiche pas une secousse,* il ne fait rien.

① *secret, ète* [səkʀɛ, ɛt] adj. **1.** Qui n'est connu que d'un nombre limité de personnes ; qui est ou doit être caché au public. *Garder, tenir une chose secrète. Un rendez-vous secret. Des documents secrets.* ⇒ **confidentiel.** *Documents très secrets* (TOP SECRET, anglic). — POLICE SECRÈTE ou, n. f., LA SECRÈTE : l'ensemble des policiers en civil dépendant de la Sûreté nationale, de la Préfecture de police. ⇒ **parallèle.** *Un agent secret. Les services secrets.* **2.** Qui appartient à un domaine réservé, ésotérique. *Rites secrets. Sciences secrètes.* ⇒ **occulte.** **3.** Qui n'est pas facile à trouver. ⇒ **dérobé, caché.** *Un tiroir secret.* **4.** Qui ne se manifeste pas, qui correspond à une réalité profonde. ⇒ **intérieur.** *Sa vie, ses pensées secrètes.* ⇒ **intime.** **5.** (Personnes) Littér. Qui ne se confie pas, sait se taire. ⇒ **renfermé, réservé.** *Un homme secret et silencieux.* ▸ ② *secret* n. m. **1.** Ensemble de connaissances, d'informations qui doivent être réservées à quelques-uns et que le détenteur ne doit pas révéler. *Confier un secret à qqn. Garder, trahir un secret. Je n'ai pas de secret pour toi, je ne te cache rien. C'est un secret,*

je ne peux vous le dire. Loc. *C'est le* SECRET DE POLICHINELLE : un faux secret, connu de tous. — *Un* SECRET D'ÉTAT : information dont la divulgation, nuisible aux intérêts de l'État, est punie. Loc. fam. *Faire de qqch. un secret d'État,* un grand mystère. **2.** *Être* DANS LE SECRET : dans la confidence. Loc. fam. *Être dans le secret des dieux.* **3.** Ce qui ne peut pas être connu ou compris. ⇒ **mystère.** *Les secrets de la nature. Dans le secret de son cœur.* ⇒ **tréfonds.** **4.** Explication, raison cachée. *Trouver le secret de l'affaire.* ⇒ **clef.** **5.** Moyen pour obtenir un résultat, connu seulement de quelques personnes qui se refusent à le répandre. *Le secret du bonheur.* ⇒ ② **recette** (2). *Un secret de fabrication.* Loc. *Une de ces formules dont il avait le secret,* qu'il était seul à connaître. **6.** EN SECRET : de telle sorte que l'on ne soit pas observé. *Il est venu en secret.* **7.** *Mettre qqn* AU SECRET : l'emprisonner dans un lieu caché, sans communication avec l'extérieur. *L'espion a été mis au secret.* **8.** Discrétion, silence sur une chose qui a été confiée ou que l'on a apprise. *Le ministre a exigé le secret absolu. Promets-moi le secret sur cette affaire. Secret professionnel,* obligation (pour les médecins, avocats...) de ne pas divulguer des faits confidentiels appris dans l'exercice de la profession. **9.** Mécanisme qui ne joue que dans certaines conditions connues de quelques personnes. *Une serrure à secret.* ⟨ ▸ secrète-ment ⟩

① *secrétaire* [s(ə)kʀeteʀ] n. m. et f. **1.** Nom donné à divers personnages qui relevaient directement d'une haute autorité politique. — SECRÉTAIRE D'ÉTAT : titre de celui qui remplit la charge de chef politique d'un département ministériel. *Elle est secrétaire d'État aux Finances.* SECRÉTAIRE D'AM-BASSADE : agent diplomatique d'un grade inférieur à celui d'ambassadeur. *Un, une secrétaire d'ambas-sade. Le premier secrétaire* (de l'ambassade). **2.** Personne qui s'occupe de l'organisation et du fonctionnement (d'une assemblée, d'une société, d'un service administratif). *Le secrétaire perpétuel de l'Académie française. Le secrétaire d'une section, d'une fédération* (politique, syndicale). — SECRÉTAIRE GÉNÉRAL : fonctionnaire, cadre qui assiste un directeur, un président. — SECRÉTAIRE DE RÉDACTION (*d'un journal*) : qui assiste le rédacteur en chef. **3.** Employé(e) capable d'assurer la rédaction du courrier, de répondre aux communications téléphoni-ques, etc., pour le compte d'un patron. *Une secrétaire de direction. Secrétaire médical(e),* qui assiste un médecin, un dentiste. ▸ *secrétariat* n. m. **1.** Fonction de secrétaire ; durée de cette fonction. **2.** Services dirigés par un secrétaire. — Le personnel d'un tel service. *Adressez-vous au secrétariat.* **3.** Métier de secrétaire (3). *École de secrétariat.* — *À la maison, elle assure tout le secrétariat.* ⟨ ▸ ② secrétaire ⟩

② *secrétaire* n. m. ▪ Meuble à tiroirs destiné à ranger des papiers et pourvu d'un panneau qui, rabattu, sert de table à écrire. *Un secrétaire Louis XV.*

secrètement [səkʀɛtmɑ̃] adv. **1.** D'une manière secrète, en secret. ⇒ en **cachette, clandestinement, furtivement.** **2.** Littér. D'une manière non apparente, sans rien exprimer. *Il était secrètement déçu.* ⇒ **intérieurement.**

sécrétion [sekʀesjɔ̃] n. f. **1.** Phénomène physiolo-gique par lequel un tissu produit une substance spécifique. *Glandes à sécrétion interne* (ou *glandes endocrines*), *à sécrétion externe.* **2.** La substance ainsi produite (diastase, hormone, etc.). *Le lait, la sueur sont des sécrétions.* ▸ *sécréter* v. tr. ▪ conjug. 6. — REM. Accent aigu sur les deux *e.* ▪ Produire (une substance) par sécrétion. — Abstrait. *Ce film sécrète l'ennui.* ⇒ **distiller.**

sectateur, trice [sɛktatœʀ, tʀis] n. ■ Vx. Adepte, partisan.

secte [sɛkt] n. f. **1.** Groupe organisé de personnes qui ont une même doctrine au sein d'une religion. *Les membres d'une secte.* **2.** Péj. Coterie, clan (⇒ **sectateur**). ▶ **sectaire** n. et adj. ■ Personne qui professe des opinions étroites, fait preuve d'intolérance (en politique, religion, philosophie comme dans une *secte*). ⇒ **fanatique.** — Adj. *Une attitude sectaire.* ▶ **sectarisme** n. m. ■ Attitude sectaire.

secteur [sɛktœʀ] n. m. **1.** Partie d'un front ou d'un territoire qui constitue le terrain d'opérations d'une unité, en position défensive. *Un secteur agité.* — Fam. Endroit. *Il va falloir changer de secteur.* ⇒ **coin** (2). **2.** Division artificielle d'un territoire (en vue d'organiser une action d'ensemble, de répartir les tâches). ⇒ **zone ; section** (I, 2). *Distribution de prospectus par secteurs.* — Subdivision administrative (d'une ville). *Candidat aux élections dans le 5ᵉ secteur de Paris.* — Subdivision d'un réseau de distribution d'électricité. *Une panne de secteur. Poste de radio branché sur le secteur.* **3.** Ensemble d'activités et d'entreprises qui ont un objet commun ou entrent dans la même catégorie. *Secteur primaire, secondaire, tertiaire. Secteur privé,* ensemble des entreprises privées. *Secteur public, nationalisé,* ensemble des entreprises qui dépendent d'une collectivité publique, de l'État. *Le secteur semi-public.* **4.** SECTEUR DE CERCLE : en géométrie, portion délimitée par deux rayons et l'arc de cercle correspondant. ▶ **sectoriel, elle** adj. ■ Relatif à un secteur (3). *Revendications sectorielles.* ⟨ ▶ **bissectrice** ⟩

section [sɛksjɔ̃] n. f. **I. 1.** Élément, partie (d'un groupe, d'un ensemble). *La section locale d'un parti.* — Subdivision d'une compagnie ou d'une batterie (de trente à quarante hommes). *Une section d'infanterie. Section, halte !* **2.** Partie, division administrative. ⇒ **secteur** (2). *Section de vote,* ensemble des électeurs qui votent dans un même bureau ; ce bureau. — *Sections littéraires, scientifiques...* (dans le secondaire). **3.** Partie (d'une ligne d'autobus) qui constitue une unité pour le calcul du prix. **II. 1.** Figure géométrique qui résulte de la coupe d'un volume par un plan (⇒ **sécant**). *Les diverses sections du cube* (carré, rectangle, hexagone...). **2.** Forme, surface présentée par une chose à l'endroit où elle est coupée selon un plan transversal. *La section circulaire d'un tube. Un tuyau de 6 cm de section.* — Aspect de cette surface. *Une section nette.* — Dessin en coupe. **III.** Rare. Action de couper. *La section d'un tuyau.* ▶ **sectionner** [sɛksjɔne] v. tr. ▪ conjug. 1. **1.** Abstrait. Diviser (un ensemble) en plusieurs sections (I). ⇒ **fractionner. 2.** Couper net. — Au p. p. *Il a eu un doigt sectionné par la machine.* ▶ **sectionnement** n. m. ■ Fait de couper net, d'être coupé net. ⟨ ▶ **intersection, vivisection** ⟩

séculaire [sekylɛʀ] adj. ■ Qui existe depuis un siècle ⇒ **centenaire,** plusieurs siècles. *Chêne séculaire. Traditions séculaires.*

séculier, ière [sekylje, jɛʀ] adj. **1.** Qui appartient au « siècle » (4), à la vie laïque (opposé à *ecclésiastique*). ⇒ **laïque.** *Tribunaux séculiers.* **2.** Qui vit dans le siècle, dans le monde, n'est pas soumis à une règle monastique (opposé à *régulier* II, 1). *Le clergé séculier.* — N. *Un séculier,* un prêtre séculier. ▶ **séculariser** v. tr. ▪ conjug. 1. ■ Relig. Faire passer à l'état séculier ou laïque (qqn, qqch.).

secundo [s(ə)gɔ̃do] adv. ■ En second lieu (s'emploie en corrélation avec *primo*). ⇒ **deuxièmement, secondement.**

sécurité [sekyʀite] n. f. **1.** État d'esprit confiant et tranquille de celui qui se croit à l'abri du danger. ⇒ **assurance, tranquillité ; sûr.** *Sentiment de sécurité.* / contr. **insécurité** / **2.** Situation tranquille qui résulte de l'absence réelle de danger. *Être en sécurité.* ⇒ en **sûreté.** *Rechercher la sécurité matérielle, la sécurité de l'emploi.* — Cette situation dans la mesure où elle dépend de conditions politiques, d'une organisation collective. *La sécurité nationale, internationale. Conseil de sécurité,* un des organes principaux de l'O.N.U. — *Sécurité publique. Mesures de sécurité,* de sécurité publique. **3.** *Sécurité sociale,* organisation destinée à garantir les travailleurs contre les risques (maladies, accidents...). **4.** DE SÉCURITÉ : se dit de choses capables d'assurer la sécurité des intéressés. ⇒ **sûreté.** *Ceinture de sécurité* (pour automobiliste). ▶ **sécuriser** v. tr. ▪ **1.** ■ Donner une impression de sécurité. — Au p. p. adj. *Se sentir sécurisé.* ▶ **sécurisant, ante** adj. ■ *Un milieu sécurisant.* / contr. **angoissant** / ▶ **sécuritaire** adj. ■ Qui concerne la sécurité publique, la défense contre le vol et la violence. ⟨ ▶ **insécurité** ⟩

sédatif, ive [sedatif, iv] adj. et n. m. ■ Calmant. / contr. **excitant** / *Propriétés sédatives.* — N. m. *Un sédatif,* un remède calmant.

sédentaire [sedɑ̃tɛʀ] adj. **1.** Qui se passe, s'exerce dans un même lieu, n'entraîne aucun déplacement. *Une vie, un métier sédentaire.* **2.** (Personnes) Qui ne quitte guère son domicile. ⇒ **casanier.** — Dont l'habitat est fixe (opposé à *itinérant, nomade*). *Une population sédentaire.*

sédiment [sedimɑ̃] n. m. **1.** Dépôt dû à la précipitation de matières en suspension dans un liquide organique. *Sédiment urinaire.* **2.** Surtout au plur. Dépôt naturel dont la formation est due à l'action des agents externes. ⇒ **alluvion.** *Les sédiments fluviaux.* ▶ **sédimentaire** adj. ■ Produit ou constitué par un sédiment. *Roches sédimentaires.* ▶ **sédimentation** n. f. **1.** Formation de sédiment (1). *Vitesse de sédimentation,* vitesse à laquelle s'effectue le dépôt des globules rouges dans un tube, et qui permet de mesurer l'importance d'une maladie infectieuse ou inflammatoire. **2.** Formation des sédiments (2).

sédition [sedisjɔ̃] n. f. ■ Littér. Révolte concertée contre l'autorité publique. ⇒ **insurrection.** ▶ **séditieux, euse** adj. ■ Littér. Qui prend part à une sédition. ⇒ **factieux.** *Troupes séditieuses.* — Qui incite à la sédition. *Attroupements séditieux. Écrits séditieux.*

séduire [seduiʀ] v. tr. ▪ conjug. 38. — REM. Part. passé *séduit, ite.* **1.** Gagner (qqn), en persuadant ou en touchant, en employant tous les moyens de plaire. ⇒ **conquérir.** / contr. **déplaire** / *Elle séduit tous les hommes. Il séduisait même ses adversaires.* **2.** Vx. Amener (une femme) à des rapports sexuels hors mariage. *Elle a été séduite et abandonnée avec un enfant* (⇒ **séducteur,** 2). **3.** (Choses) Attirer de façon puissante, irrésistible. ⇒ **captiver, charmer, fasciner, plaire.** *J'avoue que ses projets m'ont séduit.* ▶ **séduisant, ante** adj. **1.** Qui séduit, ou peut séduire (1) grâce à son charme. ⇒ **charmant.** *Une femme très séduisante.* **2.** (Choses) Qui attire ou tente fortement. *Un visage séduisant.* ⇒ **attrayant.** *Offre séduisante.* ⇒ **tentant.** ▶ **séducteur, trice** [sedyktœʀ, tʀis] n. **1.** Personne qui séduit, qui fait habituellement des conquêtes. *Un séducteur.* ⇒ **charmeur, don Juan.** *Une grande séductrice.* ⇒ femme **fatale.** — Adj. *Sourire séducteur,* qui cherche à ensorceler. ⇒ **enjôleur. 2.** Vx. Homme qui séduisait (2) une jeune fille. ⇒ **suborneur.** ▶ **séduction** [sedyksjɔ̃] n. f. **1.** Action de séduire, d'entraîner. ⇒ **attirance, fascination.** *Exercer une séduction irrésistible.* **2.** Charme ou attrait. *Les séductions de la nouveauté.*

segment [sɛgmã] n. m. **1.** Portion (d'une figure géométrique). *Segment de droite. Les extrémités d'un segment.* **2.** Partie distincte (d'un organe). *Les segments des membres des insectes.* **3.** Nom de diverses pièces mécaniques. *Des segments de piston.* ▶ **segmenter** v. tr. ▪ conjug. 1. ▪ Partager en segments. — Pronominalement. ⇒ se **diviser.** *Œuf fécondé qui se segmente.* ▶ **segmentation** n. f. ▪ Division en segments. ⇒ **fractionnement, fragmentation.**

ségrégation [segʀegasjɔ̃] n. f. ▪ Séparation organisée et réglementée d'un groupe social d'avec les autres groupes (du fait de sa race, de sa religion...). ⇒ **discrimination.** *La ségrégation raciale, en Afrique du Sud.* ⇒ **apartheid.** *Ségrégation sociale, sexuelle.* ▶ **ségrégationniste** adj. et n. ▪ Partisan de la ségrégation.

seiche [sɛʃ] n. f. ▪ Mollusque céphalopode à coquille interne *(os de seiche),* capable, en cas d'attaque, de projeter un liquide noirâtre qui rend l'eau trouble.

séide [seid] n. m. ▪ Didact., littér. Homme fanatiquement dévoué à un chef. ⇒ homme de **main, sbire.**

seigle [sɛgl] n. m. ▪ Céréale dont les grains produisent une farine ; cette farine. *Pain de seigle.*

seigneur [sɛɲœʀ] n. m. **1.** Maître, dans le système des relations féodales. *Le seigneur et ses vassaux.* — Loc. plaisant. *Mon* SEIGNEUR ET MAÎTRE : mon mari. — PROV. *À tout seigneur tout honneur,* à chacun selon son rang, à chacun ce qu'on lui doit. **2.** Titre honorifique donné aux grands personnages de l'Ancien Régime. ⇒ **gentilhomme, noble.** — Ancien terme de civilité (Monsieur). **3.** Loc. fig. GRAND SEIGNEUR. Loc. *Vivre en grand seigneur,* dans le luxe. *Faire le grand seigneur,* être très généreux, ne pas compter. **4.** Religion catholique. Nom donné par les croyants à celui qu'ils considèrent comme le fils de Dieu. *Notre-Seigneur Jésus-Christ.* — Appellation du dieu des chrétiens lui-même. *Le jour du Seigneur,* le dimanche. — *Seigneur Dieu ! Seigneur !,* exclamations (avec ou sans connotation religieuse). ▶ **seigneurial, ale, aux** adj. ▪ Du seigneur. *Terres seigneuriales.* — Littér. Digne d'un seigneur. ⇒ **noble, magnifique.** *Une réception seigneuriale.* ▶ **seigneurie** n. f. **1.** Pouvoir, terre des anciens seigneurs. **2.** (Précédé d'un adj. poss. : *Votre, Sa Seigneurie*) Titres donnés autrefois à certains dignitaires. ⟨ ▶ **monseigneur** ⟩

sein [sɛ̃] n. m. **1.** Littér. La partie antérieure de la poitrine. *Serrer, presser qqn, qqch. sur, contre son sein.* — Abstrait. Cœur. *Le sein de Dieu,* le paradis. *Le sein de l'Église,* communion (2) des fidèles de l'Église catholique. **2.** Chacune des mamelles de la femme. *Sein gauche, sein droit.* — fam. **néné, nichon.** *Les seins.* ⇒ **poitrine.** *Donner le sein à un enfant,* l'allaiter. *Enfant nourri au sein.* **3.** Littér. Partie du corps féminin où l'enfant est conçu, porté. ⇒ **entrailles, flanc.** *Dans le sein de sa mère.* ⇒ **ventre.** **4.** Littér. La partie intérieure, le milieu de. *Le sein de la terre. Au sein des flots.* — Loc. abstr. Cour. AU SEIN DE : dans. *Chaque État garde son autonomie au sein de la fédération. Il y a des dissensions au sein de l'équipe.* ⇒ **cœur, milieu.**

seing [sɛ̃] n. m. ▪ Vx. Signature. — Loc. SEING PRIVÉ : signature d'un acte non enregistré devant notaire. *Des actes sous seing privé.*

séisme [seism] n. m. ▪ Didact. Tremblement de terre. ⇒ **secousse** sismique, tellurique. ⟨ ▶ **sism(o)-** ⟩

seize [sɛz] adj. numér. invar. ▪ Quinze plus un (16). *Elle a seize ans.* — Ordinal. *La page seize.* — N. m. *Le seize du mois. Il habite au seize,* au numéro 16. ▶ **seizième** adj. et n. **1.** Adj. numér. ordinal. Dont le numéro, le rang est seize (16ᵉ). — N. m. *Les seizièmes*

de finale. — *Le seizième,* le seizième siècle ; le seizième arrondissement de Paris. **2.** N. m. Fraction d'un tout divisé également en seize. ▶ **seizièmement** adv.

séjour [seʒuʀ] n. m. **1.** Le fait de séjourner, de demeurer un certain temps en un lieu. ⇒ **résidence.** *On leur a accordé le droit de passage, non de séjour. Carte de séjour* (pour les étrangers). — Temps où l'on séjourne. *Nous avons prolongé notre séjour à la campagne.* **2.** SALLE DE SÉJOUR ou SÉJOUR : pièce principale servant de salon, salle à manger. ⇒ anglic. **living.** *À louer deux pièces, comprenant un séjour et une chambre.* **3.** Littér. Le lieu où l'on séjourne pendant un certain temps. *Passer l'été dans un séjour agréable, charmant, enchanteur.*

séjourner [seʒuʀne] v. tr. ▪ conjug. 1. **1.** Rester assez longtemps dans un lieu pour y avoir sa demeure, sans toutefois y être fixé. ⇒ **habiter.** *Nous avons séjourné chez des amis, à l'hôtel.* **2.** (Choses) Rester longtemps à la même place. *Une cave où l'eau séjourne.* ⟨ ▶ séjour ⟩

sel [sɛl] n. m. **1.** Substance blanche, friable, soluble dans l'eau, d'un goût piquant, et qui sert à l'assaisonnement, à la conservation des aliments (chlorure de sodium). *Sel gemme. Sel marin. Sel de cuisine* ou *gros sel.* — En appos. *Bœuf gros sel.* — *Sel de table* ou *sel fin.* — *Sel de céleri.* **2.** Abstrait. Ce qui donne du piquant, de l'intérêt. *Une plaisanterie pleine de sel.* ⇒ **esprit** (IV). *Cela ne manque pas de sel.* ⇒ **piquant.** **3.** Composé chimique qui se forme par action d'un acide sur une base. *Un sel est constitué d'ions de signes opposés.* — Au plur. *Des sels,* composé volatil qu'on fait respirer à qqn qui se sent mal. — *Sels de bain.* ⟨ ▶ à la croque-au-sel, demi-sel, esprit-de-sel, salade, salaison, salami, saler, ① salière, salin, saline, salpêtre, saumâtre, saumure, saupoudrer ⟩

sélect, ecte [selɛkt] adj. ▪ Fam. Choisi, distingué. *Une clientèle sélecte.* ⇒ **chic, élégant.** *Des bars sélects.*

sélectif, ive [selɛktif, iv] adj. **1.** Qui constitue ou opère une sélection. *Épreuve sélective.* **2.** *Poste récepteur sélectif,* doué de sélectivité. ▶ **sélectivité** n. f. ▪ Qualité d'un récepteur de radio capable d'opérer une bonne discrimination des ondes de fréquences voisines.

sélection [selɛksjɔ̃] n. f. **1.** Action de choisir les objets, les individus qui conviennent le mieux. *Faire, opérer une sélection. Épreuve sportive de sélection.* — *Sélection naturelle,* théorie évolutionniste selon laquelle l'élimination naturelle des individus les moins aptes dans la « lutte pour la vie » permettrait à l'espèce de se perfectionner de génération en génération. — *Sélection artificielle,* opérée par l'homme pour améliorer une espèce animale ou végétale. **2.** Ensemble des choses choisies. ⇒ **choix.** *Une sélection de films.* ▶ **sélectionner** v. tr. ▪ conjug. 1. ▪ Choisir par sélection. ▶ **sélectionné, ée** adj. **1.** Qui a été choisi après une épreuve. *Les joueurs sélectionnés de l'équipe de France.* **2.** (Choses) Qui a été trié, choisi. *Des graines sélectionnées.* ▶ **sélectionneur, euse** n. ▪ Personne dont le métier est de sélectionner (des choses, des gens). *Le sélectionneur d'un équipe de football.*

sélénium [selenjɔm] n. m. ▪ Corps simple, métalloïde qui existe sous diverses formes. *Épreuve photographique virée au sélénium.*

self [sɛlf] n. m. ▪ Abréviation de (restaurant) *self-service. Des selfs.*

self-made-man [sɛlfmɛdman] n. m. ▪ Anglic. Homme qui ne doit sa réussite matérielle et sociale qu'à lui-même. *Des self-made-men* [-mɛn]. ≠ *autodidacte.*

self-service [sɛlfsɛʀvis] n. m. ■ Anglic. Magasin à libre service. *Des self-services.* — En appos. *Un restaurant self-service.* ⇒ **self.** ‹ ▶ self ›

① *selle* [sɛl] n. f. **1.** Pièce de cuir incurvée, placée sur le dos du cheval et qui sert de siège au cavalier. *Cheval de selle,* qui sert de monture. — EN SELLE : sur la selle ; à cheval. *Se mettre en selle,* monter à cheval. — Loc. *Mettre qqn en selle,* l'aider à commencer une entreprise. **2.** Petit siège de cuir muni de ressorts, adapté à une bicyclette, une moto. **3.** Partie de la croupe (du mouton, du chevreuil) entre le gigot et la première côte. *De la selle d'agneau.* ▶ *seller* v. tr. ■ conjug. 1. ≠ *sceller.* ■ Munir (un cheval) d'une selle. *Brider et seller un cheval.* ▶ *sellier* n. m. ≠ *cellier.* ■ Fabricant et marchand de selles, de harnais. ⇒ **bourrelier.** ▶ *sellerie* n. f. **1.** Métier, commerce du sellier. **2.** Ensemble des selles et des harnais ; lieu où on les range. ‹ ▶ desseller, sellette ›

② *selle* n. f. **1.** ALLER À LA SELLE : expulser les matières fécales. ⇒ **déféquer. 2.** *Les selles,* les matières fécales.

sellette [sɛlɛt] n. f. **1.** Vx. Petit siège sur lequel on faisait asseoir les accusés. **2.** Loc. *Être* SUR LA SELLETTE : être la personne dont on parle, qu'on juge.

selon [s(ə)lɔ̃] prép. **1.** En se conformant à ; en prenant pour modèle. ⇒ **conformément à, suivant.** *Faire qqch. selon les règles.* — En prenant (telle forme), en suivant (tel chemin), en obéissant à (telle loi naturelle), en proportion de. *La Terre tourne autour du Soleil selon une orbite elliptique.* — En proportion de. *À chacun selon ses mérites.* **2.** Si l'on se rapporte à. *Selon l'expression consacrée.* — D'après. *Il a fait, selon moi, une bêtise. Évangile selon saint Luc.* — Si l'on juge d'après tel principe, tel critère. *Selon toute vraisemblance.* **3.** (Employé dans une phrase marquant l'alternative) *C'est rapide ou lent, selon les cas.* — SELON QUE (+ indicatif). *Son humeur change selon qu'il se sent admiré ou critiqué.* **4.** Fam. C'EST SELON : cela dépend des circonstances.

semailles [s(ə)maj] n. f. pl. ■ Travail qui consiste à semer ; période de l'année où l'on sème.

semaine [s(ə)mɛn] n. f. **1.** Chacun des cycles de sept jours (lundi, mardi, mercredi, jeudi, vendredi, samedi, dimanche) dont la succession partage conventionnellement le temps en périodes égales. REM. Il est désormais recommandé de considérer le lundi comme le 1er jour de la semaine. *En début, en fin de semaine. À la semaine prochaine ! Qui a lieu une fois par semaine.* ⇒ **hebdomadaire.** *La* SEMAINE SAINTE : la semaine qui précède le jour de Pâques. **2.** Cette période, considérée du point de vue du nombre et de la répartition des heures de travail. *La semaine de 39 heures. La semaine anglaise,* où le samedi est jour de repos. — L'ensemble des jours ouvrables. *C'est une route moins encombrée en semaine qu'au week-end.* **3.** Période de sept jours, quel que soit le jour initial. *Ce sera fini dans une semaine* ⇒ **huitaine,** *dans deux semaines* ⇒ **quinzaine.** — À LA SEMAINE : pour une période d'une semaine, renouvelable. *Chambre louée à la semaine.* — À LA PETITE SEMAINE : sans plan d'ensemble, sans prévisions à long terme (→ au jour le jour). — ÊTRE DE SEMAINE : assurer son service à son tour, pendant une semaine. **4.** Salaire d'une semaine de travail. *Toucher sa semaine.* ▶ *semainier* n. m. ■ Agenda divisé en semaines.

sémantique [semɑ̃tik] n. f. et adj. **1.** N. f. Étude du sens, de la signification des signes, notamment dans le langage. ⇒ **sémiologie. 2.** Adj. Qui concerne le sens, la signification. *Analyse sémantique.*

sémaphore [semafɔʀ] n. m. **1.** Poste établi sur le littoral, permettant de communiquer par signaux optiques avec les navires. **2.** Dispositif qui indique si une voie de chemin de fer est libre ou non.

semblable [sɑ̃blabl] adj. et n. m. **1.** *Semblable à,* qui ressemble à. ⇒ **analogue, comparable, similaire.** / contr. **différent** / *Une maison banale, semblable à beaucoup d'autres.* — *Considérer comme semblable, rendre semblable.* ⇒ **assimiler.** — Qui ressemble à la chose en question. ⇒ **pareil.** *En semblable occasion.* **2.** Au plur. Qui se ressemblent entre eux. / contr. **dissemblable** / *Des goûts semblables. Relation unissant deux choses semblables.* ⇒ **ressemblance, similitude.** *Triangles semblables,* qui ont leurs angles égaux, chacun à chacun, et leurs côtés homologues proportionnels. **3.** Littér. (Souvent avant le nom) De cette nature. ⇒ **tel.** *De semblables propos sont inadmissibles.* **4.** N. m. Être, personne semblable. *Vous et vos semblables.* — Être humain considéré comme semblable aux autres. ⇒ **prochain.** *Il n'a pas son semblable. Partager le sort de ses semblables.* ‹ ▶ dissemblable, vraisemblable ›

semblant [sɑ̃blɑ̃] n. m. **1.** Littér. FAUX-SEMBLANT : apparence trompeuse. *Des faux-semblants.* — *Un semblant de,* quelque chose qui n'a que l'apparence de. ⇒ **simulacre.** *Manifester un semblant d'intérêt.* **2.** Loc. verb. FAIRE SEMBLANT DE : se donner l'apparence de, faire comme si. ⇒ **feindre, simuler.** *J'ai fait semblant d'avoir oublié.* — *Ne faire semblant de rien,* feindre l'ignorance ou l'indifférence.

sembler [sɑ̃ble] v. intr. ■ conjug. 1. **I.** (Suivi d'un attribut) Avoir l'air, présenter (une apparence) pour qqn. ⇒ **paraître.** *Les heures m'ont semblé longues. Elle semble fatiguée.* — (+ infinitif) Donner l'impression, l'illusion de. *Tu sembles le regretter.* **II.** Impers. **1.** (Avec adj. attribut) *Il me semble inutile de revenir là-dessus.* — SEMBLER BON : convenir, plaire. *Venez quand bon vous semblera. Il travaille quand (comme, si) bon lui semble.* **2.** IL SEMBLE QUE : les apparences donnent à penser que, on a l'impression que. *Il semble qu'il n'y a plus rien à faire* (c'est certain). *Il semble qu'il n'y ait plus rien à faire* (ce n'est pas certain). — *Il n'y a plus rien à faire, semble-t-il.* **3.** IL ME (TE...) SEMBLE QUE (+ indicatif) : je (tu...) crois que. *Il me semble que c'est assez grave.* **4.** IL ME (TE...) SEMBLE (+ infinitif). *Il lui semblait connaître ce garçon.* **5.** Littér. *Que vous semble de... ?,* que pensez-vous de... ? *Que t'en semble ?* ‹ ▶ ressembler, semblable, semblant ›

semelle [s(ə)mɛl] n. f. **1.** Pièce constituant la partie inférieure de la chaussure. *Des semelles de cuir, de caoutchouc. Espadrilles à semelles de corde.* — Pièce découpée (de feutre, liège...) qu'on met à l'intérieur d'une chaussure. *Semelles orthopédiques.* — Partie d'un bas, d'une chaussette, correspondant à la plante du pied. **2.** Loc. NE PAS QUITTER *qqn* D'UNE SEMELLE : rester constamment avec lui. **3.** Partie médiane du dessous d'un ski. ‹ ▶ ressemeler ›

semence [s(ə)mɑ̃s] n. f. **1.** Graines qu'on sème ou qu'on enfouit. *Trier des semences.* **2.** Sperme. ⇒ liquide **séminal.** ‹ ▶ ensemencer ›

semer [s(ə)me] v. tr. ■ conjug. 5. **1.** Répandre en surface ou mettre en terre (des semences). *Semer du blé.* — Pronominalement (passif). *La salade se sème au printemps.* — Loc. *Semer le bon grain,* répandre de bons principes, des idées fructueuses. — PROV. *Qui sème le vent récolte la tempête,* en prêchant la révolte on risque de déchaîner des catastrophes. **2.** Répandre en dispersant. ⇒ **disséminer.** *Semer des pétales de fleurs sur le passage de qqn.* — Abstrait. *Semer la discorde, la ruine, la zizanie.* — Au p. p. SEMÉ, ÉE *de* : parsemé(e). *Une mer semée d'écueils.* **3.** Fam. Se débarrasser de la compagnie de (qqn qu'on devance, qu'on prend de vitesse). *Semer ses poursuivants, ses concurrents.* ⇒ **lâcher.** ► **semeur, euse** n. **1.** Personne qui sème du grain. **2.** *Semeur de...,* personne qui répand, propage. *Un semeur de discorde.* ⟨ ► clairsemé, parsemer, semailles, semis, semoir ⟩

semestre [s(ə)mɛstʀ] n. m. **1.** Première ou seconde moitié d'une année (civile ou scolaire) ; période de six mois consécutifs. **2.** Rente, pension qui se paye tous les six mois. ► **semestriel, ielle** adj. ■ Qui a lieu, se fait chaque semestre. *Bulletin semestriel.*

semi- ■ Élément de mots composés signifiant « demi ». ► **semi-automatique** [səmiɔtɔmatik] adj. ■ Qui est en partie automatique. *Appareil de photo reflex semi-automatique.* ► **semi-circulaire** adj. ■ *Canaux semi-circulaires,* tubes osseux de l'oreille interne, jouant un rôle important dans le maintien de l'équilibre du corps. ► **semi-conducteur** n. m. ■ Corps non métallique qui conduit imparfaitement l'électricité. *Les semi-conducteurs ont de nombreuses applications techniques (transistors, etc.).* ► **semi-consonne** n. f. ■ Voyelle ou groupe vocalique qui a une fonction de consonne (ex. : [j] dans *pied*). *Des semi-consonnes.* — REM. On dit aussi *semi-voyelle* n. f. ► **semi-remorque** n. **1.** N. f. Remorque de camion dont la partie antérieure, sans roues, s'adapte au dispositif de traction. **2.** N. f. ou m. Camion à semi-remorque. *De gros semi-remorques.* — Abrév. fam. *Un, des semis.*

sémillant, ante [semijɑ̃, ɑ̃t] adj. ■ Littér. D'une vivacité, d'un entrain qui se remarque. ⇒ **fringant.** *Une sémillante jeune personne.*

séminaire [seminɛʀ] n. m. **1.** Établissement religieux où étudient les jeunes clercs qui doivent recevoir les ordres (dit aussi *grand séminaire*). — *Petit séminaire,* école secondaire catholique qui préparait au grand séminaire. **2.** Groupe de travail d'étudiants. — Réunion d'ingénieurs, de techniciens, pour l'étude de certaines questions. ⇒ **colloque.** *Séminaire de ventes.* ► **séminariste** n. m. ■ Élève d'un séminaire religieux.

séminal, ale, aux [seminal, o] adj. ■ Relatif au sperme, à la semence (I, 2). *Liquide séminal,* le sperme. *Canaux séminaux.*

sémio- ■ Élément de mots savants signifiant « signe, signification, sens ; symptôme ». ► **sémiologie** [semjɔlɔʒi] n. f. **1.** Partie de la médecine qui étudie les signes (symptômes) des maladies. **2.** Science étudiant les systèmes de signes (langage et autres systèmes). ⇒ **sémiotique.** *La sémiologie du geste.* ► **sémiologique** adj. ■ Relatif à la sémiologie (2). ► **sémiotique** n. f. et adj. ■ N. f. Sémiologie (2). — Adj. Sémiologique.

semi-remorque ⇒ semi-.

semis [s(ə)mi] n. m. invar. **1.** Action, manière de semer, en horticulture. *Semis en lignes.* **2.** Terrain ensemencé de jeunes plantes qui y poussent. **3.** Ornement fait d'un petit motif répété. *Une robe ornée d'un semis de fleurs.*

sémite [semit] n. **1.** Nom donné à différents peuples appartenant à un groupe ethnique originaire d'Asie occidentale et parlant des langues apparentées dites *sémitiques* (arabe, hébreu, araméen, etc.). **2.** Abusivt. Juif. ⟨ ► antisémite ⟩

semoir [səmwaʀ] n. m. ■ Machine agricole destinée à semer le grain.

semonce [səmɔ̃s] n. f. **1.** Ordre donné à un navire de montrer ses couleurs, de s'arrêter. COUP DE SEMONCE : coup de canon appuyant cet ordre. **2.** Avertissement sous forme de reproches. ⇒ **répri-**

mande. *Il a reçu une verte semonce,* on lui a fait des reproches vigoureux.

semoule [s(ə)mul] n. f. ■ Farine granulée qu'on tire des blés durs. *Gâteau de semoule.* — En appos. *Sucre semoule,* sucre en poudre.

sempiternel, elle [sɛ̃(ɑ̃)pitɛʀnɛl] adj. ■ Continuel et lassant. ⇒ **perpétuel.** *Il nous ennuie avec ses sempiternelles récriminations.* ► **sempiternellement** adv. ■ D'une manière sempiternelle.

sénat [sena] n. m. **1.** Conseil souverain de la Rome antique (dont les empereurs limitèrent considérablement les pouvoirs). ⇒ ① **curie.** *Décret du sénat.* ⇒ **sénatus-consulte. 2.** Nom donné à certains anciens conseils ou assemblées. *Le sénat d'Athènes.* **3.** Assemblée législative élue au suffrage indirect ou dont les membres représentent des collectivités territoriales ; l'édifice où elle siège. *Le président du Sénat.* ► **sénateur** n. m. ■ Membre d'un sénat. *Madame X, sénateur de l'Isère.* ► **sénatorial, ale, aux** adj. ■ Relatif à un sénat, aux sénateurs. *Délégués sénatoriaux.*

sénatus-consulte [senatyskɔ̃sylt] n. m. ■ Décret, décision du sénat romain. — (Consulat, empire) Acte émanant du sénat et qui avait force de loi. *Des sénatus-consultes.*

sénéchal, aux [seneʃal, o] n. m. ■ Sous l'Ancien Régime. Officier du roi.

sénescence [senesɑ̃s] n. f. ■ Didact. Ralentissement de l'activité vitale chez les individus âgés. ⇒ **sénilité, vieillissement.**

sénevé [sɛnve] n. m. ■ Moutarde sauvage ; graine de cette plante.

sénile [senil] adj. ■ De vieillard, propre à la vieillesse. *Tremblement sénile.* ► **sénilité** n. f. ■ Ensemble des aspects pathologiques caractéristiques de la vieillesse avancée (⇒ **sénescence**). *Sénilité précoce.*

senior [senjɔʀ] n. et adj. ■ Sportif qui a cessé d'être junior et appartient à la catégorie adulte. *Une senior. Des seniors.*

① **sens** [sɑ̃s] n. m. invar. **I. 1.** Faculté d'éprouver les impressions que font les objets matériels, correspondant à un organe récepteur spécifique (⇒ **sentir,** I, 1). *Les cinq sens traditionnels* (vue, ouïe, odorat, goût, toucher). *Reprendre (l'usage de) ses sens,* reprendre connaissance après un évanouissement, une émotion violente. *Sixième sens,* l'intuition. — Loc. TOMBER SOUS LE SENS : être évident. **2.** Au plur. Littér. LES SENS : chez les êtres humains, instinct sexuel, besoin de le satisfaire (⇒ **sensualité**). *Troubler ses sens.* **3.** LE SENS DE... : faculté de connaître d'une manière immédiate et intuitive. ⇒ **instinct.** *Elle a le sens du rythme. Tu n'as pas le sens du ridicule. Avoir le sens pratique ; le sens de l'humour.* — *Le sens moral,* la conscience morale. **II. 1.** BON SENS : capacité de bien juger, sans passion. ⇒ **raison, sagesse.** *Un homme de bon sens. Avoir du bon sens.* ⇒ **sensé.** *Manquer de bon sens.* **2.** SENS COMMUN : manière d'agir, de juger commune et raisonnable (qui équivaut au *bon sens*). *Ça n'a pas le sens commun,* c'est déraisonnable. ⇒ **insensé. 3.** Dans des loc. Manière de juger (d'une personne). ⇒ **opinion, sentiment.** *À mon sens,* à mon avis. — Manière de voir. *En un sens,* d'un certain point de vue. **III. 1.** Idée ou ensemble intelligible d'idées que représente un signe ou un ensemble de signes. ⇒ **signification.** *Le sens d'une mimique, d'un texte. Ce symbole a un sens profond. Étude du sens.* ⇒ **sémantique.** — Idée générale à laquelle correspond un mot (objet, sentiment, relation, etc.). ⇒ **acception, valeur.** *Ce mot a plusieurs sens.*

Sens propre, figuré. Paroles à double sens, ambiguës.
2. Idée intelligible servant d'explication, de justification. *Ce qui donne un sens à la vie.* ‹ ▸ contresens, non-sens, sensé, sensitif, sensoriel, sensualisme, sensuel, sentir, stricto sensu › — REM. *Sensation, sensible* viennent de *sentir.*

② **sens** n. m. invar. **1.** Direction ; position d'une droite dans un plan, d'un plan dans un volume. *Dans le sens de la longueur. Retourner qqch. dans tous les sens. Tailler dans le sens du bois,* en suivant les fibres. — SENS DESSUS DESSOUS [sɑ̃dsydsu] : (choses) dans une position telle que ce qui devrait être dessus se trouve dessous et inversement ; (dans un grand désordre, une grande confusion ; (personnes) dans un grand trouble. — SENS DEVANT DERRIÈRE [sɑ̃dvɑ̃dɛʀjɛʀ]. *Il a mis son pull sens devant derrière.* **2.** Ordre dans lequel un mobile parcourt une série de points ; mouvement orienté. *Voie à sens unique ; à double sens. Panneau de sens interdit. Sens giratoire,* dans lequel on doit contourner un refuge. *Refaire un chemin en sens inverse. Tourner le bouton dans le sens des aiguilles d'une montre.* **3.** Abstrait. Direction que prend une activité. *Nous devons travailler dans le même sens.* — Direction générale, prise de façon irréversible. *Le sens de l'histoire.* ‹ ▸ à contresens ›

sensation [sɑ̃sasjɔ̃] n. f. **1.** Impression perçue directement par les organes des sens. ⇒ ① **sens.** *Sensations auditives, olfactives, etc. Éprouver une sensation de faim, de froid. Philosophie des sensations.* ⇒ **sensualisme.** ≠ *sentiment.* **2.** État psychologique qui résulte des impressions reçues (distinct du sentiment par son caractère immédiat et simple). *Il avait la sensation d'être traqué, qu'on le traquait. C'était une sensation pénible. Aimer les sensations fortes.* ⇒ **émotion. 3.** Forte impression produite sur plusieurs personnes. *Son intervention a fait sensation.* — Loc. À SENSATION : qui fait ou est destiné à faire sensation. *La presse à sensation.* ▸ **sensationnel, elle** adj. **1.** Qui fait sensation (3). *Une nouvelle sensationnelle.* **2.** Fam. Remarquable, d'une valeur exceptionnelle. *Un acteur sensationnel.* ⇒ fam. **super, terrible.**

sensé, ée [sɑ̃se] adj. ■ Qui a du bon sens. ⇒ **raisonnable, sage.** / contr. **insensé** / — (Choses) Conforme à la raison. ⇒ **judicieux.** *Des observations justes et sensées.* ≠ *censé.* ‹ ▸ insensé ›

sensibiliser [sɑ̃sibilize] v. tr. ■ conjug. 1. **1.** Rendre sensible à l'action de la lumière (une émulsion photographique). **2.** Rendre (qqn, l'opinion) sensible à. — Au p. p. *L'opinion publique n'est pas encore sensibilisée à ce problème.* ▸ **sensibilisation** n. f. **1.** Action de sensibiliser (une émulsion photographique). **2.** Modification de l'organisme, qui le rend sensible à une agression. ⇒ **allergie. 3.** Action de sensibiliser (qqn, l'opinion).

sensibilité [sɑ̃sibilite] n. f. **1.** Propriété (d'un être vivant, d'un organe) de réagir d'une façon adéquate aux modifications du milieu. ⇒ **excitabilité.** *La sensibilité de la rétine.* **2.** Propriété de l'être humain sensible, traditionnellement distinguée de l'*intelligence* et de la *volonté.* ⇒ **affectivité, cœur.** / contr. **insensibilité** / *Une vive sensibilité. Un artiste qui manque de sensibilité. Un ouvrage plein de sensibilité* (⇒ **senti**). — Faculté d'éprouver la compassion, la sympathie. ⇒ **pitié, tendresse. 3.** Propriété d'un objet sensible qui réagit rapidement. *La sensibilité d'une balance, d'un appareil.* ‹ ▸ hypersensibilité ›

① **sensible** [sɑ̃sibl] adj. **1.** Capable de sensation et de perception. / contr. **insensible** (1) / *Les êtres sensibles. L'oreille n'est pas sensible à certains sons.* **2.** (Choses) Que le moindre contact rend douloureux. *Endroit sensible. Il a les pieds sensibles. Le point*

sensible de qqn, qqch., son point faible. — (Personnes) Fragile. *Il est sensible du foie.* **3.** Capable de sentiment, apte à ressentir profondément les impressions. *C'est un enfant très sensible.* ⇒ **émotif, impressionnable.** — SENSIBLE À... : qui se laisse toucher par, ressent vivement. *Je suis sensible à vos attentions.* **4.** (Objets) Capable de réaction. *Plaque sensible.* — *Balance très sensible,* qui indique des mesures très fines. *Film, pellicule plus ou moins sensible.* ▸ **sensiblerie** n. f. ■ Sensibilité (2) exagérée et déplacée ; compassion un peu ridicule. *Je t'en prie, pas de sensiblerie !* ‹ ▸ hypersensible, ① insensible, sensibiliser, sensibilité, ultra-sensible ›

② **sensible** adj. **1.** Qui peut être perçu par les sens. ⇒ **tangible.** *La réalité sensible.* **2.** Qui peut être perçu et, par suite, non négligeable. ⇒ **appréciable, notable.** *Une baisse sensible des prix.* ▸ **sensiblement** adv. **1.** Autant que les sens ou l'intuition puissent en juger. *Nous étions sensiblement de la même taille,* à peu près de la même taille. **2.** D'une manière appréciable. ⇒ **notablement.** *La situation s'est sensiblement améliorée.* ‹ ▸ ② insensible ›

sensitif, ive [sɑ̃sitif, iv] adj. et n. **1.** Adj. Qui transmet les sensations. *Nerfs sensitifs.* **2.** N. Littér. et vx. Personne particulièrement sensible, qu'un rien peut blesser. *Un sensitif, une sensitive.* ⇒ **hypersensible.** ‹ ▸ sensitive ›

sensitive n. f. ■ Variété de mimosa très sensible (4), dont les feuilles se rétractent au contact.

sensoriel, elle [sɑ̃sɔʀjɛl] adj. ■ Qui concerne la sensation, les organes des sens. *Les organes sensoriels.*

sensualisme [sɑ̃sɥalism] n. m. ■ Doctrine philosophique d'après laquelle toutes les idées viennent des sensations et non de la raison. ▸ **sensualiste** adj.

sensuel, elle [sɑ̃sɥɛl] adj. **1.** Propre aux sens, émanant des sens. ⇒ **charnel.** *L'amour sensuel.* **2.** (Personnes) Porté à rechercher et à goûter tout ce qui flatte les sens (en particulier en amour). **3.** Qui annonce ou évoque un tempérament voluptueux. *Une bouche sensuelle. Un sourire sensuel.* ▸ **sensualité** [sɑ̃sɥalite] n. f. ■ Attirance pour les plaisirs des sens, pour le plaisir sexuel. *L'éveil de la sensualité.* — *Une danse pleine de sensualité.*

sente [sɑ̃t] n. f. ■ Région. Petit chemin. ‹ ▸ sentier ›

sentence [sɑ̃tɑ̃s] n. f. **1.** Décision d'un juge, d'un arbitre. ⇒ **arrêt, jugement, verdict.** *Juge qui prononce, qui fait exécuter une sentence.* — Fig. *Alors docteur, quelle est votre sentence ?* **2.** Littér. Maxime. ▸ **sentencieux, euse** adj. ■ Qui s'exprime comme par sentences (2), avec qqch. de solennel et d'affecté. *Un ton sentencieux.* ⇒ **moralisateur.** ▸ **sentencieusement** adv. ■ D'une manière sentencieuse.

senteur [sɑ̃tœʀ] n. f. ■ Littér. Odeur agréable, parfum qu'on sent (I). *Les senteurs d'un soir d'été.*

senti, ie [sɑ̃ti] adj. ■ Littér. Empreint de sincérité, de sensibilité. *Une description sentie.* — BIEN SENTI : exprimé avec conviction et habilement présenté. *Il a placé quelques mots bien sentis.*

sentier [sɑ̃tje] n. m. ■ Chemin étroit (en montagne, à travers prés...) pour les piétons et les bêtes. *Sentiers de randonnée.* — Loc. Abstrait. *Les* SENTIERS BATTUS : les voies, les usages communs. *Suivre les sentiers battus. S'écarter, s'éloigner des sentiers battus.*

sentiment [sɑ̃timɑ̃] n. m. **I.1.** Conscience plus ou moins claire, connaissance comportant des éléments affectifs et intuitifs. ⇒ **impression.** ≠ *sensation. Avoir le sentiment de sa force. Il éprouvait un sentiment de solitude.* **2.** Capacité d'apprécier (un ordre de choses ou de valeurs). ⇒ **sens** (I, 3). *Il a* *le sentiment du comique.* **3.** Littér. Avis, opinion. *C'est aussi mon sentiment.* **II. 1.** État affectif complexe, assez stable et durable. ⇒ **émotion, passion.** *L'amour, l'espoir sont des sentiments fondamentaux. Manifester, dissimuler ses sentiments. Le sentiment religieux, esthétique.* — Amour. *Un sentiment partagé.* Loc. fam. *Ça n'empêche pas les sentiments,* ça ne veut pas dire qu'il n'y ait pas d'affection (souv. iron.). — *Les sentiments, les bons sentiments,* les sentiments généreux, les inclinations altruistes. — (Dans les formules de politesse) *Recevez l'expression de mes sentiments respectueux, de mes sentiments les meilleurs.* **2.** Absolt. La vie affective, la sensibilité (opposé à *l'action* ou à *la réflexion*). *Le sentiment ne suffit pas !* — Démonstrations sentimentales. *Pas tant de sentiment ! Faire du sentiment.* — Fam. *Avoir* qqn AU SENTIMENT : réussir à l'apitoyer, à l'attendrir. — Expression de la sensibilité. *Elle a chanté avec beaucoup de sentiment.* ▶ **sentimental, ale, aux** adj. **1.** Qui concerne la vie affective, l'amour. ⇒ **amoureux.** *Sa vie sentimentale est assez agitée.* **2.** Qui provient de causes d'ordre affectif, n'est pas raisonné. *Un point de vue sentimental* (opposé à *réaliste*). — *La valeur sentimentale d'un objet.* **3.** Qui est sensible, rêveur, donne de l'importance aux sentiments tendres et les manifeste volontiers. ⇒ **romanesque.** — N. *C'est un(e) sentimental(e).* **4.** Empreint d'une sensibilité mièvre, de sentiments romanesques. *Des romances sentimentales.* ▶ **sentimentalement** adv. ▶ **sentimentalité** n. f. ■ Caractère sentimental (3, 4). ⟨ ▶ assentiment, dissentiment, ressentiment ⟩

sentine [sᾶtin] n. f. **1.** Endroit de la cale d'un navire où s'amassent les eaux. **2.** Littér. Lieu sale et humide. ⇒ **cloaque.**

sentinelle [sᾶtinɛl] n. f. ■ Soldat qui a la charge de faire le guet devant un lieu occupé par l'armée, de protéger un lieu public, etc. ⇒ **factionnaire, guetteur.** *Relever les sentinelles.* — *En sentinelle,* en faction.

sentir [sᾶtiʀ] v. tr. • conjug. 16. **I. 1.** Connaître, pouvoir réagir à (un objet, un fait, une qualité) par des sensations. ⇒ **percevoir ;** ① **sens.** *Je sens un courant d'air. Il ne sentait pas la fatigue.* — Fam. *Ne plus sentir ses jambes,* les avoir presque insensibles à cause d'un excès de fatigue. — Avoir la sensation de (une odeur, l'odeur de qqch.). ⇒ **flairer.** *Sens ce parfum !* ⇒ **humer.** — Loc. fam. NE PAS POUVOIR SENTIR *qqn* : le détester. **2.** Abstrait. Avoir ou prendre conscience plus ou moins nettement de... ⇒ **pressentir.** *Il sentait le danger ; il sentait qu'c'était grave. Ce sont des choses qu'on sent, qui se sentent.* **3.** Avoir un sentiment esthétique de (qqch.). ⇒ **apprécier, goûter.** *Il sentait la beauté de cette musique.* **4.** Être affecté agréablement ou désagréablement par (qqch.). ⇒ **éprouver, ressentir.** *Il ne sent jamais rien,* il est insensible. — Sans compl. *Nos manières de sentir sont très proches.* **5.** FAIRE SENTIR... : faire qu'on se rende compte de... *Il m'a fait sentir que j'étais de trop. Se faire sentir,* devenir sensible, se manifester. *Les effets se feront bientôt sentir.* **II. 1.** Dégager, répandre une odeur de... ⇒ **senteur.** *Cette pièce sent le renfermé. Ces fleurs sentent bon.* ⇒ **embaumer.** *Il sent mauvais.* ⇒ **puer.** — Sentir mauvais. *Il sent des pieds.* **2.** Donner une impression de, évoquer à l'esprit l'idée de. *Des manières qui sentent le parvenu.* **III.** V. pron. **1.** *Ne pas se sentir de,* être transporté de... *Il ne se sentait plus de joie.* Fam. *Tu ne te sens plus ?,* tu perds la tête ? — (Avec un attribut) Avoir l'impression, le sentiment d'être. *Il se sentait mieux.* — (+ infinitif) *Elle s'est sentie tomber.* **2.** Fam. *Ils ne peuvent pas se sentir,* ils se détestent. ⟨ ▶ consentir, dissension,

dissentiment, pressentir, sensation, ① sensible, ② sensible, senteur, senti, sentiment, ressentir ⟩

seoir [swaʀ] v. intr. • conjug. 26. — REM. Seulement à la 3ᵉ pers. prés., imp., fut., condit., et p. prés. ■ Littér. Convenir. *Cette robe vous sied à merveille.* ⇒ **seyant.** — Impers. *Comme il sied ; comme il vous siéra.* REM. Ce verbe avait également, dans la langue classique, le sens de *être assis ; siéger* (→ séance). ⟨ ▶ asseoir, assiette, assis, assise, bienséant, se rasseoir, rassis, séance, séant, siège, sis, surseoir, sursis ⟩

sépale [sepal] n. m. ■ Chaque pièce (foliole) du calice d'une fleur. ≠ *pétale. Les sépales restent verts.*

séparer [sepaʀe] v. tr. • conjug. 1. **I. 1.** Faire cesser (une chose) d'être avec une autre ; faire cesser (plusieurs choses) d'être ensemble. ⇒ **détacher, disjoindre, isoler.** / contr. **unir** / *Séparer une chose d'une autre, une chose d'avec une autre.* **2.** Faire en sorte que (des personnes) ne soient plus ensemble, ne soient plus en contact. *On a dû la séparer de ses enfants. On a séparé les combattants.* — Au p. p. adj. *Des époux séparés. Ils vivent séparés.* **3.** Considérer (deux qualités ou notions) comme étant à part, comme ne devant pas être confondues. ⇒ **différencier, distinguer.** / contr. **confondre** / *Tu as tort de séparer théorie et pratique.* **4.** (Suj. chose) Constituer une séparation entre (deux choses, deux personnes). *La cloison qui sépare les deux pièces.* **5.** (Suj. chose) Faire que (des personnes) ne soient pas, ou plus, en harmonie. *Leurs goûts les séparent. La politique nous a séparés.* / contr. **rapprocher** / **II.** V. pron. **1.** SE SÉPARER DE : cesser d'être avec, de vivre avec (qqn). ⇒ **quitter.** *Elle s'est séparée de son mari.* — Ne plus garder avec soi. *J'ai dû me séparer de mon vélo.* **2.** Cesser de vivre ensemble, de collaborer. *Ils se sont séparés à l'amiable.* ▶ **séparable** adj. ■ Qui peut être séparé (d'autre chose, d'un ensemble). ⇒ **dissociable.** / contr. **inséparable** / ▶ **séparation** n. f. **1.** Action de séparer, de se séparer ; fait d'être séparé. *La séparation des éléments d'un mélange. La séparation de l'Église et de l'État.* / contr. **unification** / **2.** (Personnes) Fait de se séparer, de se quitter (par suite d'un départ, ou d'une rupture). / contr. **union** / *Leur séparation a été pénible.* — *Séparation amiable,* état de deux époux qui sont convenus de vivre séparément. **3.** Ce qui est entre deux choses pour empêcher l'union ou le contact. *Haie qui sert de séparation entre deux jardins.* ▶ **séparatiste** n. ■ Personne qui réclame une séparation d'ordre politique (attitude appelée *séparatisme,* n. m.). ⇒ **autonomiste, dissident.** — Adj. *Organisation séparatiste.* ▶ **séparément** adv. ■ De façon séparée, à part l'un de l'autre. *Je les recevrai séparément.* / contr. **ensemble** / ⟨ ▶ inséparable ⟩

sépia [sepja] n. f. **1.** Matière colorante d'un brun très foncé. *Un lavis à la sépia.* — En appos. Invar. Cette couleur brune. *Des teintes sépia.* **2.** Dessin, lavis exécuté avec cette matière. *Des sépias.*

sept [sɛt] adj. numér. et n. m. invar. ■ Six plus un. ⇒ **hepta-.** *Les sept jours de la semaine.* — Ordinal. Septième. *Chapitre sept.* — N. m. *Il habite au sept, au numéro sept.* — Carte qui présente sept marques. *Le sept de carreau. J'ai les quatre sept.* ⟨ ▶ dix-sept, septennat, septième, septuagénaire, septuple ⟩

septante [sɛptᾶt] adj. numéral cardinal. ■ Région. Soixante-dix.

septembre [sɛptᾶbʀ] n. m. ■ Neuvième mois de l'année. *La douceur des septembres.*

septennat [sɛptena] n. m. ■ Durée de sept ans d'une fonction. *Le septennat du président de la République française.*

septentrional, ale, aux [sɛptᾶtʀijɔnal, o] adj. ■ Du nord, situé au nord (appelé autrefois *septentrion,* n. m.). *L'Europe septentrionale* (opposé à *méridional*).

septicémie [sɛptisemi] n. f. ■ Nom générique des maladies provoquées par l'introduction dans le sang d'un agent infectieux qui s'y développe sans susciter de réaction locale (appelées aussi *empoisonnement du sang*).

septième [sɛtjɛm] adj. **1.** Ordinal de sept. *Le septième art,* le cinéma. — N. f. *La septième,* classe qui préparait à la sixième (correspondant aujourd'hui au *cours moyen 2ᵉ année*). **2.** Se dit d'une fraction d'un tout divisé également en sept. — N. m. *Un septième de cette somme.* ▶ **septièmement** adv. ■ En septième lieu.

septique [sɛptik] adj. **1.** Qui produit l'infection. / contr. **aseptique, antiseptique** / *Les bactéries septiques.* **2.** *Fosse septique,* fosse d'aisances où les matières, sous l'action de microbes, deviennent inodores et inoffensives. ≠ *sceptique.*

septuagénaire [sɛptɥaʒenɛʀ] adj. ■ Dont l'âge est compris entre soixante-dix et quatre-vingts ans. — N. *Un, une septuagénaire.*

septuple [sɛptypl] adj. ■ Qui vaut sept fois (la quantité désignée). — N. m. *Le septuple.*

sépulcre [sepylkʀ] n. m. **1.** Tombeau du Christ (ou *Saint-Sépulcre*). — Littér. Tombeau. **2.** Loc. *Des* SÉPULCRES BLANCHIS : des gens corrompus sous leur apparence brillante. ▶ **sépulcral, ale, aux** adj. ■ Qui évoque la mort. ⇒ **funèbre.** *Une voix sépulcrale.*

sépulture [sepyltyʀ] n. f. **1.** Littér. Inhumation, considérée surtout dans les formalités et cérémonies qui l'accompagnent. — *Rester sans sépulture,* ne pas être inhumé. **2.** Lieu où est déposé le corps d'un défunt. *Violation de sépulture.*

séquelle [sekɛl] n. f. ■ Surtout au plur. Suites et complications plus ou moins tardives et durables d'une maladie, d'un accident. *Cette chute lui a laissé des séquelles.* — Effet ou contrecoup inévitable, mais isolé et passager, d'un événement. *Les séquelles de la dévaluation.*

séquence [sekɑ̃s] n. f. ■ Suite. **1.** Jeux. Série d'au moins trois cartes de la même couleur qui se suivent ou de cinq d'une couleur quelconque. **2.** Cinéma. Succession de plans formant un tout, une scène, même s'ils ne sont pas tournés dans le même décor. **3.** Sciences. Suite ordonnée d'éléments, d'opérations.

séquestre [sekɛstʀ] n. m. ■ Dépôt (d'une chose dont la possession est discutée) entre les mains d'un tiers en attendant le règlement de la contestation. Loc. SOUS SÉQUESTRE. *Des biens mis sous séquestre.* ⟨ ▶ séquestrer ⟩

séquestrer [sekɛstʀe] v. tr. ▪ conjug. 1. ■ Enfermer et isoler rigoureusement (qqn). *Ils séquestrent leur fille.* — Tenir arbitrairement et illégalement (qqn) enfermé. *Les ravisseurs ont séquestré l'enfant une semaine.* ▶ **séquestration** n. f. ■ *La séquestration des otages.*

sequin [səkɛ̃] n. m. ■ Ancienne monnaie d'or de Venise.

séquoia [sekɔja] n. m. ■ Arbre (conifère) originaire de Californie, aux dimensions gigantesques. *Une forêt de séquoias.*

sérac [seʀak] n. m. ■ Bloc de glace entouré de crevasses, dans un glacier. *Les séracs sont dangereux à franchir.*

sérail, ails [seʀaj] n. m. **1.** Palais du sultan, dans l'ancien Empire ottoman. — Histoire. Gouvernement du sultan turc. **2.** Vx. Harem. *Des sérails.*

séraphin [seʀafɛ̃] n. m. ■ Religion chrétienne. Ange de la première hiérarchie. ▶ **séraphique** [seʀafik] adj. ■ Angélique.

① **serein, eine** [səʀɛ̃, ɛn] adj. **1.** Littér. (Ciel, temps) Qui est à la fois pur et calme. ⇒ **beau.** *Une nuit sereine.* **2.** Abstrait. Dont le calme provient de la paix morale. ⇒ **paisible, tranquille.** *Il reste serein devant la mort. Visage serein.* — Insensible aux passions. ⇒ **impartial.** *Un jugement serein.* ≠ *serin.* ▶ **sereinement** adv. ■ D'une manière sereine, impartiale. ⟨ ▶ rasséréner, sérénité ⟩

② **serein** n. m. ■ Littér. ou région. Humidité qui tombe avec le soir après une belle journée. ≠ *serin.*

sérénade [seʀenad] n. f. **1.** Concert qui se donnait la nuit sous les fenêtres d'une femme aimée (opposé à *aubade*). *Donner une sérénade à sa belle.* — Composition musicale (de préférence pour instruments à vent). *Une sérénade de Mozart.* **2.** Fam. Charivari, tapage.

sérénissime [seʀenisim] adj. ■ Titre honorifique donné à certains princes ou hauts personnages. *Altesse sérénissime.*

sérénité [seʀenite] n. f. ■ État, caractère d'une personne sereine. ⇒ **calme.** — Caractère d'un jugement serein, objectif.

séreux, euse [seʀø, øz] adj. et n. f. ■ Qui ressemble au sérum, qui renferme du sérum. *Liquide séreux. Membrane séreuse,* qui tapisse certaines cavités internes de l'organisme (*cavités séreuses*). — N. f. *La séreuse de la plèvre.* ⟨ ▶ sérosité ⟩

serf [sɛʀ(f)] n. m. ■ Dans les sociétés féodales. Paysan qui n'avait pas de liberté personnelle, était attaché à une terre et assujetti à des obligations (⇒ **corvée** 1, ① **taille** 3). *Affranchir des serfs.* ≠ *cerf.* ⟨ ▶ asservir, servage ⟩

serge [sɛʀʒ] n. f. ■ Étoffe de laine formant des côtes obliques.

sergent [sɛʀʒɑ̃] n. m. **1.** Ancien officier de justice. SERGENT DE VILLE : ancien nom de l'agent de police. **2.** Sous-officier du grade le plus bas. *Sergent-chef,* d'un grade immédiatement supérieur à celui de sergent. *Des sergents-chefs. Sergent-major,* sous-officier chargé de la comptabilité d'une compagnie. *Des sergents-majors.*

sériciculture [seʀisikyltyʀ] n. f. ■ Élevage des vers à soie.

série [seʀi] n. f. **1.** Suite déterminée et limitée (de choses de même nature). *Émission d'une série de timbres. Une série de questions. Une série noire,* une succession de catastrophes. *Des attentats en série.* ⇒ **cascade** (2). — En sciences. Suite de nombres, de composés chimiques, etc., répondant à une loi. — Spécialt. Collection de vêtements de confection, de chaussures, etc., comportant toutes les tailles. *Soldes de fins de séries.* **2.** Petit groupe constituant une subdivision d'un classement. ⇒ **catégorie.** *Film de série B,* à petit budget et tournage plus rapide que les grandes productions. — Chaque groupe de concurrents disputant une épreuve de qualification ; degré dans un classement sportif. **3.** Grand nombre d'objets identiques fabriqués à la chaîne. *Voiture de série. Fabrication en série.* — Abstrait. HORS SÉRIE : absolument différent du commun, d'une valeur exceptionnelle. ▶ **sériel, elle** adj. ■ Musique. Qui utilise les douze demi-tons de la gamme chromatique. ⇒ **dodécaphonique.** *Une composition sérielle.* ▶ **sérier** v. tr. ▪ conjug. 7. ■ Classer, disposer par séries selon l'importance. *Il faut sérier les questions.*

sérieux, euse [seʀjø, øz] adj. et n. **I.** Adj. **1.** Qui ne peut prêter à rire, qui mérite considération. ⇒ **important.** / contr. **futile** / *Revenons aux choses sérieuses.* — Qui compte, par la quantité ou la qualité. *Une sérieuse augmentation.* — Assez inquiétant. *La* situation est sérieuse. ⇒ **critique, préoccupant. 2.** Qui n'est pas fait, dit pour l'amusement. / contr. **amusant** / *Des lectures sérieuses.* **3.** (Personnes) Qui prend en considération ce qui mérite de l'être. ⇒ **posé, raisonnable, réfléchi.** / contr. **fantaisiste** / *Un élève sérieux et appliqué.* — Qui est fait dans cet esprit, avec soin. *Un travail sérieux.* **4.** (Personnes) Qui ne rit pas, ne manifeste aucune gaieté. ⇒ **grave.** Loc. fam. *Être* SÉRIEUX COMME UN PAPE : très sérieux. — Qui ne plaisante pas, dit la vérité. *Tu n'es pas sérieux, c'est une blague !* **5.** (Choses) Sur qui (ou sur quoi) l'on peut compter. ⇒ **sûr.** *S'adresser à une maison sérieuse. Un renseignement sérieux.* — Fam. *Ce n'est pas sérieux,* c'est une plaisanterie. **6.** (Personnes) Qui ne prend pas de liberté avec la morale sexuelle. ⇒ **rangé, sage.** *Une jeune fille sérieuse.* **7.** Qui compte, par la quantité ou la qualité. *Une sérieuse augmentation.* **II.** N. m. **1.** État d'une personne qui ne rit pas. *J'avais de la peine à conserver mon sérieux.* **2.** Qualité d'une personne posée, appliquée. *Il manque de sérieux dans son travail.* **3.** Caractère d'une chose qu'on doit prendre en considération. — PRENDRE *qqch.* AU SÉRIEUX : le prendre pour réel, important. — PRENDRE *qqn* AU SÉRIEUX : le prendre pour sincère, fiable, important. Pronominalement. *Il se prend au sérieux,* il attache une grande importance à ce qu'il dit, à ce qu'il fait. ▶ *sérieusement* adv. **1.** Avec sérieux, avec réflexion et application. ⇒ **consciencieusement. 2.** Sans plaisanter. *Tu dis ça sérieusement ?* **3.** Réellement. *Il songe sérieusement à émigrer.* **4.** Fortement. *Il est sérieusement atteint.* ⇒ **gravement.**

sérigraphie [seRigRafi] n. f. ■ Technique. Procédé d'impression sur toutes sortes de matières à l'aide d'un écran de tissu à mailles quadrillées (soie, etc.). — Œuvre réalisée par ce procédé.

serin [s(ə)Rɛ̃] n. m. ≠ *serein.* **1.** Petit passereau chanteur au plumage généralement jaune, qu'on peut élever en cage. ⇒ **canari. 2.** Fam. Niais, nigaud. ▶ *seriner* v. tr. ■ conjug. 1. ■ Répéter inlassablement (qqch. à qqn). *Il m'a seriné le même air toute la soirée.* — *Seriner qqn,* lui répéter souvent la même chose. *Tu nous serines avec tes histoires !*

seringa(t) [s(ə)Rɛ̃ga] n. m. ■ Arbrisseau à fleurs blanches très odorantes. *Des seringa(t)s.*

seringue [s(ə)Rɛ̃g] n. f. ■ Petite pompe utilisée en médecine pour injecter des liquides dans l'organisme ou en prélever. *Faire une piqûre à l'aide d'une seringue.*

serment [sɛRmɑ̃] n. m. **1.** Affirmation ou promesse solennelle faite en invoquant un être ou un objet sacré, une valeur morale reconnue (⇒ **jurer** I, 1 et II, 1). *Un serment sur l'honneur.* ⇒ **parole.** *Prêter serment. Témoigner* SOUS SERMENT, *sous la foi du serment.* — Engagement solennel prononcé en public. *Serment professionnel,* prononcé par les magistrats, les officiers ministériels. *Serment d'Hippocrate,* énonçant les principes de déontologie médicale. **2.** Promesse ou affirmation particulièrement ferme. *Je vous en fais le serment.* — Loc. DES SERMENTS D'IVROGNE : des promesses jamais tenues. **3.** Vx. Promesse d'amour durable, de fidélité. *Échanger des serments.* ⟨ ▶ **assermenté, insermenté** ⟩

sermon [sɛRmɔ̃] n. m. **1.** Relig. catholique. Discours prononcé en chaire par un prédicateur. ⇒ **prêche.** *Le sermon dominical.* **2.** Péj. Discours moralisant, généralement long et ennuyeux. *Faire un sermon à qqn.* ⇒ **sermonner.** ▶ *sermonner* v. tr. ■ conjug. 1. ■ Adresser des conseils ou des remontrances à (qqn). ▶ *sermonneur, euse* adj. et n. ■ Qui aime à sermonner.

sér(o)- ■ Élément qui signifie « liquide organique ; sérum* ». ▶ *séropositif, ive* [seRɔpozitif, iv] adj. ■ Dont le sérum sanguin contient des anticorps spécifiques (notamment à propos du sida).

sérosité [seRozite] n. f. ■ Liquide organique sécrété et contenu dans les cavités séreuses*. *Épanchement de sérosité.*

serpe [sɛRp] n. f. ■ Outil formé d'une large lame tranchante recourbée en croissant, montée sur un manche, et servant à tailler le bois, à élaguer, émonder. ⇒ **faucille.** — Loc. *Visage taillé à la serpe,* à coups de serpe, visage anguleux, aux lignes rudes. ▶ *serpette* n. f. ■ Petite serpe.

serpent [sɛRpɑ̃] n. m. **1.** Reptile à corps cylindrique très allongé, dépourvu de membres apparents. ⇒ **ophidiens.** *Une morsure de serpent. Serpent venimeux.* — *Serpent à lunettes,* naja. *Serpent à sonnettes,* crotale. *Serpent d'eau,* espèce de couleuvre. — *Serpent de mer,* monstre marin mythique. — Loc. fig. *Ressortir le serpent de mer,* reparler d'une vieille histoire, reprendre un thème rebattu. **2.** Incarnation du démon qui tenta Ève, dans la Bible (Genèse). **3.** (Par allusion aux caractères attribués au serpent) *Une prudence, une ruse de serpent. Langue de serpent.* ⇒ **vipère.** — Loc. littér. *Nourrir, réchauffer un serpent dans son sein,* choyer qqn qui se retournera contre soi. ⟨ ▶ **serpenter, serpentin** ⟩

serpenter [sɛRpɑ̃te] v. intr. ■ conjug. 1. ■ Aller ou être disposé suivant une ligne sinueuse (comme un serpent). ⇒ **onduler.** *Le sentier serpente dans la campagne* (⇒ **sinueux**).

serpentin [sɛRpɑ̃tɛ̃] n. m. **1.** Tuyau en spirale ou à plusieurs coudes (comparé à un serpent), utilisé dans les appareils de distillation. **2.** Petit rouleau de papier coloré qui se déroule quand on le lance (fêtes, carnavals, etc.). *Confettis et serpentins.*

serpillière [sɛRpijɛR] n. f. ■ Pièce de toile épaisse servant à laver les sols. — REM. On emploie d'autres mots régionaux : *wassingue,* n. f. (Nord), etc.

serpolet [sɛRpɔlɛ] n. m. ■ Variété de thym.

serre [sɛR] n. f. ■ Construction vitrée où l'on met les plantes à l'abri pendant l'hiver, où l'on cultive les végétaux exotiques ou délicats. *Mettre une plante en serre.* — Loc. EN SERRE CHAUDE : se dit de ce qu'on place dans des conditions artificielles de développement.

① *serrer* [se(ɛ)Re] v. tr. ■ conjug. 1. **I.** **1.** Saisir ou maintenir vigoureusement, de manière à comprimer. ⇒ **empoigner.** Loc. SERRER LA MAIN *à qqn, de qqn :* lui donner une poignée de main. — Prendre (qqn) entre ses bras et tenir pressé (contre soi). ⇒ **embrasser, étreindre.** *Serrer qqn contre soi, le serrer dans ses bras.* **2.** (Suj. sensation) Faire peser une sorte de pression sur (la gorge, le cœur). *Cela me serre le cœur,* j'en ai de la peine, cela me fait pitié. **3.** Disposer (des choses, des personnes) plus près les unes des autres. ⇒ **rapprocher.** *Serrez les rangs !* **4.** Maintenir énergiquement fermé (le poing), rapprocher énergiquement (les mâchoires...). ⇒ **contracter.** *Serrer les lèvres.* ⇒ **pincer. 5.** (Choses) Comprimer en entourant ou en s'appliquant. *Cette jupe me serre, me serre la taille.* — Rendre plus étroit (un lien). *Serrez votre ceinture. Serrer le nœud de sa cravate.* **6.** Faire mouvoir (un organe de fixation), de manière à rapprocher deux choses, à fermer un mécanisme. *Serrer un robinet, un écrou.* — Loc. SERRER LA VIS *à qqn :* le traiter avec sévérité, le mater. **7.** Pousser, coincer (qqn). *Serrer qqn contre un mur.* **8.** *Serrer qqn de près,* être tout près de qqn qu'on suit. *Ses concurrents le serraient de près.* ⇒ **talonner.** — *Serrer de près une question,* *un problème*, l'examiner avec soin, dans les détails. **9.** Sans compl. *Serrez à droite, à gauche*, rapprochez-vous de la droite, de la gauche (voitures). **II.** V. pron. SE SERRER : se mettre tout près, tout contre (qqn). ⇒ se **blottir**, se **coller**. *Se serrer contre qqn.* — Se rapprocher jusqu'à se toucher. *Serrez-vous, faites-nous un peu de place.* ► **serré, ée** adj. **1.** Qui s'applique étroitement sur le corps. ⇒ **ajusté.** *Un habit serré à la taille.* **2.** Au plur. Placés l'un tout contre l'autre. *Nous étions serrés comme des harengs.* **3.** Dont les éléments sont très rapprochés. ⇒ **compact, dense.** *Herbe serrée. Une écriture fine et serrée.* — *Un café serré*, fort. **4.** Abstrait. Qui laisse peu de place à une échappatoire. *Une discussion serrée. La partie est serrée.* ⇒ **acharné.** — Adv. *Il nous faut jouer serré.* ► **serrage** n. m. ■ Action de serrer ; son résultat. *Collier de serrage.* ► **serrement** n. m. ■ Action de serrer. *Un serrement de main*, une poignée de main. — Fait d'être serré, contracté. *Serrement de cœur*, angoisse. ► **serre-tête** n. m. invar. ■ Bandeau, cercle qui enserre les cheveux. ‹ ► **desserrer**, enserrer, resserrer, serres ›

② **serrer** v. tr. ■ conjug. 1. ■ Région. Ranger. *Où as-tu serré tes affaires ?* ► **serre-bois** n. m. invar. ■ Abri, remise où l'on range le bois de chauffage. ‹ ► resserre, serre, serrure ›

serres [sɛʀ] n. f. pl. ■ Griffes ou ongles puissants (qui « serrent ») des oiseaux rapaces.

serrure [seʀyʀ] n. f. ■ Dispositif fixe de fermeture (d'une porte, d'un tiroir...) comportant un mécanisme ⇒ **gâche, pêne**, qu'on manœuvre à l'aide d'une clef. *La clef est dans la serrure.* — *Serrure codée.* ► **serrurier** n. m. **1.** Artisan qui pose des serrures, fabrique des clefs. **2.** Entrepreneur, ouvrier en serrurerie (2). *Serrurier en bâtiment.* ► **serrurerie** [seʀyʀʀi] n. f. **1.** Métier de serrurier ; commerce des serrures, verrous, etc. **2.** Confection d'ouvrages en fer. *Serrurerie d'art*, travail du fer forgé. ⇒ **ferronnerie.**

sertir [sɛʀtiʀ] v. tr. ■ conjug. 2. ■ Enchâsser (une pierre précieuse). — Au p. p. adj. *Rubis serti dans une monture en or.* SERTI DE : incrusté de. *Coffret serti de gemmes.* ► **sertissage** n. m. ► **sertisseur, euse** n.

sérum [seʀɔm] n. m. **1.** *Sérum sanguin*, partie du sang formée d'eau. ⇒ **plasma. 2.** *Sérum thérapeutique*, préparation à base de sérum (1) provenant d'un animal immunisé ou d'un convalescent, contenant un anticorps spécifique, utilisée en injections sous-cutanées à titre curatif ou préventif. *Sérum antitétanique.* — *Sérum de vérité*, barbiturique ⇒ **penthotal** plongeant le sujet dans un état qui permet de découvrir si ce qu'il dit est vrai ou non. — *Sérum physiologique*, solution saline de même composition moléculaire que le plasma sanguin. *Des sérums.* ‹ ► séreux, sér(o)- ›

servage [seʀvaʒ] n. m. ■ Condition du serf. *L'abolition du servage.*

servant [seʀvɑ̃] n. m. **1.** Clerc ou laïque qui assiste, « sert » le prêtre pendant la messe basse. **2.** Soldat chargé d'approvisionner une pièce d'artillerie (canon...).

servante [seʀvɑ̃t] n. f. ■ Vx. Fille ou femme employée comme domestique, qui « sert » qqn. ⇒ **bonne.**

serveur, euse [seʀvœʀ, øz] n. **1.** Personne qui sert* les clients dans un café, un restaurant. ⇒ **barman, garçon** (II, 2) ; **barmaid**. *On dit « monsieur » ou « garçon » au serveur, « mademoiselle » ou « madame » à la serveuse.* — Domestique qu'on prend en extra pour servir à table. **2.** Personne qui distribue les cartes, met la balle en jeu (tennis, etc.).

serviable [seʀvjabl] adj. ■ Qui est toujours prêt à rendre service. ⇒ **complaisant, obligeant.** ► **serviabilité** n. f. ■ Fait d'être serviable. — Caractère serviable.

① **service** [seʀvis] n. m. **I. 1.** Travail particulier que l'on doit accomplir. ⇒ **fonction.** *Assurer un service. Pendant les heures de service. Être en service commandé*, occupé à un travail imposé par la fonction. *Être de service ; prendre son service*, prendre son tour dans l'exercice de ses fonctions, à telle heure, tel jour. *Le pompier de service.* **2.** SERVICE (MILITAIRE) : temps qu'un citoyen doit passer dans l'armée. *Il fait son service militaire, son service.* — ÉTATS DE SERVICE : carrière d'un militaire. **3.** Relig. Ensemble des devoirs envers la divinité. *Se consacrer au service de Dieu*, être prêtre, religieux. — *Service divin*, messe, office. *Service funèbre.* **4.** Obligations d'une personne dont le métier est de servir un maître ; fonction de domestique. *Être au service de qqn*, être domestique chez qqn. *Escalier, porte* DE SERVICE. — Travail de celui qui est chargé de servir des clients. *Service rapide et soigné.* **5.** Action, manière de servir des convives, de servir les plats à table. *Quand il reçoit, il fait lui-même le service.* **6.** Ensemble des repas servis à la fois (dans une cantine, un wagon-restaurant). *Premier, deuxième service.* **7.** Au restaurant, au café, à l'hôtel. Pourcentage de l'addition affecté au personnel. *Menu à 100 francs, service compris.* ≠ **pourboire.** **II. 1.** (Dans des expressions) Fait de se mettre à la disposition de (qqn) par obligeance. *Je suis à votre service. Qu'y a-t-il pour votre service ?*, que puis-je faire pour vous ? **2.** UN SERVICE : ce que l'on fait pour qqn, avantage qu'on lui procure bénévolement. ⇒ **aide, faveur.** *J'ai un service, quelques services à te demander. Peux-tu me rendre un petit service ? Rendre un mauvais service à qqn*, lui nuire en croyant agir dans son intérêt. — (Suj. personne ou chose) RENDRE SERVICE à qqn : l'aider, lui être utile. **3.** Au plur. Ce qu'on fait pour qqn contre rémunération. *Je vais être obligé de me priver de vos services. Offrir ses services* (à un employeur éventuel). **4.** En économie. Activité qui présente une valeur économique sans correspondre à la production d'un bien matériel. ⇒ **secteur tertiaire.** *Prestation de services.* **III. 1.** (Dans des locutions) Usage, fonctionnement. *Mettre qqch.* EN SERVICE. *Appareil* HORS SERVICE. — (Personnes) Fam. *Être hors service*, épuisé (abrév. fam. *H.S.*). **2.** Ensemble d'opérations par lesquelles on fait fonctionner (qqch.). *Le service d'une pièce d'artillerie.* **3.** Coup par lequel on sert la balle (au tennis, au volley-ball...). *Faute de service.* **4.** Expédition, distribution. SERVICE DE PRESSE (d'un livre aux journalistes). **IV. 1.** Fonction d'utilité commune, publique (SERVICE PUBLIC) ; activité organisée qui la remplit. *Les grands services publics. Le service des postes.* SERVICE D'ORDRE : personnes qui assurent le bon ordre (particuliers, police). **2.** Le travail dans les activités d'utilité publique. *Note de service. Il est à cheval sur le service*, très pointilleux. **3.** Organisation chargée d'une branche d'activités correspondant à une fonction d'utilité sociale. ⇒ **département.** *Chef de service. Services administratifs. Le service de pédiatrie d'un hôpital. Le personnel du service. Service après-vente.* ⇒ **après-vente. 4.** Grande organisation de l'armée (à l'exclusion des unités combattantes). *Service des transmissions, de santé.* ‹ ► libre-service, self-service, station-service ; serviable ›

② **service** n. m. **1.** Assortiment d'objets utilisés pour servir à table. *Un service à café, à thé.* **2.** Ensemble assorti de plats, assiettes, saladiers, etc.

⇒ **vaisselle**. *Un service de porcelaine.* **3.** Linge de table, nappe et serviettes. *Un service brodé.*

serviette [sɛʀvjɛt] n. f. **1.** Pièce de linge dont on se sert à table ou pour la toilette. *Serviette de table, de toilette.* — *Serviette en papier.* **2.** SERVIETTE HYGIÉNIQUE : bande de coton utilisée comme protection externe par les femmes pendant les règles. ⇒ **tampon**. **3.** Sac à compartiments, rectangulaire, généralement pliant, servant à porter des papiers, des livres. *Une serviette en cuir.* ⇒ **porte-documents**. ‹ ▶ porte-serviettes ›

servile [sɛʀvil] adj. **1.** Histoire. Propre aux esclaves et aux serfs. **2.** Littér. Qui a un caractère de soumission avilissant. ⇒ **bas, obséquieux**. *Un ton servile. Des serviles flatteries.* **3.** Qui est étroitement soumis à un modèle, dépourvu d'originalité. *Une servile imitation.* ▶ *servilement* adv. ▶ *servilité* n. f. ■ Littér. Caractère, comportement servile.

① *servir* [sɛʀviʀ] v. tr. • conjug. 14. **I.** SERVIR *qqn*. **1.** S'acquitter de certaines obligations ou de certaines tâches envers (qqn auquel on obéit). ⇒ **travailler** pour. *Il a bien servi son pays, l'État.* — Sans compl. *Servir*, être soldat. — (À titre de domestique) *Se faire servir*, avoir des domestiques. — PROV. *On n'est jamais si bien servi que par soi-même*, le mieux est de faire soi-même les choses. **2.** Pourvoir du nécessaire. *Servir qqn à table*, lui donner à manger. *Servir un client*, lui fournir ce qu'il demande. — Iron. *En fait d'embêtements, nous avons été servis*, nous en avons eu beaucoup. **3.** SE SERVIR v. pron. : prendre ce dont on a besoin (à table, dans un magasin). *Sers-toi en légumes, de légumes.* — *Se servir chez un commerçant*, acheter habituellement chez lui. **4.** Aider, appuyer (qqn), en y employant sa peine, son crédit. / contr. **desservir** / *Je vous ai servi, j'ai servi vos intérêts.* — (Suj. chose) *Être utile à* ⇒ **aider**. *Sa discrétion l'a servi.* **II.** SERVIR *qqch*. **1.** Mettre à la disposition de qqn pour tel ou tel usage. *Sers-moi à boire. Servir des rafraîchissements. Servir du melon en entrée, comme entrée. À table ! C'est servi !* — *Servir (la balle)*, la mettre en jeu (au tennis, etc.) — *Servir (les cartes)*, les distribuer. *À moi de servir* (⇒ **serveur**, 2 ; ① **service**, III, 3). — Verser. *On lui sert une petite rente.* ⇒ **allouer, donner**. **2.** *Servir la messe*, participer matériellement à son déroulement (enfants de chœur). ‹ ▶ ① desservir, ② desservir, resservir (1), servant, servante, serveur, ① service, ② servir, serviteur ›

② *servir* v. tr. ind. • conjug. 14. **I.** SERVIR À. (Suj. chose) **1.** *Servir à qqn*, lui être utile. *Cela peut vous servir à l'occasion.* **2.** *Servir à qqch.*, être utile à, avoir pour but. *À quoi sert cet instrument ? Il sert à ouvrir les bouteilles. Ne pleure pas, cela ne sert à rien.* **3.** *Servir (à qqn) à (faire qqch.)*, être utile. *Cette prime va me servir à payer mes dettes.* **4.** (Suj. personne) *Tu ne sers à rien, tu es inutile.* **II.** SERVIR DE. **1.** Être utilisé comme, tenir lieu de. *La petite pièce sert de débarras. La personne qui lui sert de témoin. Cela te servira de leçon.* **2.** Pronominalement. SE SERVIR DE : utiliser. *Nous nous servons des machines les plus récentes. Elle s'est servie de son expérience.* — Péj. *Se servir de qqn*, l'utiliser, à son insu ou non ; l'exploiter. ‹ ▶ ③ desservir, resservir (2), serviette, ② service ›

serviteur [sɛʀvitœʀ] n. m. **1.** Littér. (Opposé à *maître*) Celui qui sert (qqn envers lequel il a des devoirs). *Un fidèle serviteur de l'État.* — Vx. Domestique. *Les serviteurs et les servantes.* **2.** Vx ou plaisant. (En s'adressant à qqn) *Votre serviteur*, moi-même.

servitude [sɛʀvityd] n. f. **1.** État de dépendance totale d'une personne ou d'une nation soumise à une autre. ⇒ **asservissement, sujétion**. *Maintenir qqn*

dans la servitude. **2.** Ce qui crée ou peut créer un état de dépendance. ⇒ **contrainte**. *Les servitudes d'un métier.* **3.** En droit. Charge que supporte un immeuble, un terrain pour l'utilité commune. *Servitude d'écoulement des eaux.*

servo- ■ Élément qui signifie « automatique » (ex. : *servocommande*, n. f., *servomécanisme*, n. m.).

ses adj. poss. ⇒ ① **son**.

① *sésame* [sezam] n. m. ■ Plante oléagineuse originaire de l'Inde. — Graine de cette plante. *Biscuits au sésame.*

② *sésame* n. m. ■ (Allusion au conte d'Ali Baba) *Le sésame, le « sésame ouvre-toi »*, le mot, la formule magique qui fait obtenir qqch. *Des sésames.*

session [sesjɔ̃] n. f. ■ Période pendant laquelle une assemblée délibérante, un tribunal est apte à tenir séance. *Une session extraordinaire du Parlement.* — Période de l'année pendant laquelle siège un jury d'examen. ≠ *cession*.

sesterce [sɛstɛʀs] n. m. ■ Ancienne monnaie romaine. *Le sesterce était une division du denier.*

set [sɛt] n. m. Anglic. **I.** Manche de tennis, de ping-pong, de volley-ball. *Remporter un set. Match en trois sets gagnants.* **II.** *Set* ou *set de table*, ensemble des napperons d'un service de table ; abusivt, un de ces napperons.

setier [sətje] n. m. ■ Ancienne mesure pour les grains (entre 150 et 300 litres).

setter [setɛʀ] n. m. ■ Chien de chasse à poils longs. *Des setters irlandais.*

seuil [sœj] n. m. **1.** Dalle ou planche recouvrant la partie inférieure de l'ouverture d'une porte. — Entrée d'une maison. ⇒ **pas** de la porte. *La gardienne se tenait sur le seuil.* **2.** Abstrait. AU SEUIL DE... : au commencement de... *Au seuil de l'hiver. Au seuil de la vieillesse.* **3.** Limite au-delà de laquelle se mettent en place de nouvelles conditions. *Seuil de rentabilité*, à partir duquel une affaire est rentable. / contr. **plafond** /

seul, seule [sœl] adj. **I.** Attribut. **1.** Qui se trouve être sans compagnie, séparé des autres. *Peux-tu me laisser seule un instant ?* ⇒ s'**isoler**. *Il vit seul. Parler tout seul*, sans interlocuteur. *Être seul avec qqn*, sans autre compagnie. *Il faut que je te parle* SEUL À SEUL : en particulier. ⇒ **tête** à tête. **2.** Qui a peu de relations avec d'autres personnes. ⇒ **solitaire**. *Être seul, tout seul au monde.* ⇒ **esseulé ; isolé**. **3.** Unique. *Il est seul de son espèce.* **II.** Épithète. **1.** Après le nom. Qui n'est pas accompagné. *Il y avait à la table deux femmes seules*, sans compagnons. — Loc. FAIRE CAVALIER SEUL : agir seul. **2.** Avant le nom. Un (et pas plus). ⇒ **unique**. *C'est ma seule joie. D'un seul coup. Il n'y avait plus une seule place. C'est le seul avantage*, il n'y en a pas d'autre. **III.** Valeur adverbiale. **1.** Seulement. — (En fonction d'apposition) *Seuls doivent compter les faits.* — (Renforçant un nom, un pronom) *Lui seul en est capable.* **2.** Sans aide. *Je pourrai le faire seul, tout seul. Débrouille-toi toute seule ! Le feu ne prend pas tout seul*, sans cause extérieure. *Cela ira tout seul*, sans difficulté. **IV.** N. UN, UNE SEUL(E) : une seule personne, une seule chose. *Par la volonté d'un seul... Un seul de ses livres m'a plu.* — LE, LA SEUL(E) : la seule personne. *Tu n'es pas le seul !*, il y en a bien d'autres dans ton cas. *Il est le seul à m'avoir aidé.* ▶ *seulement* adv. **1.** Sans rien d'autre que ce qui est mentionné. ⇒ **exclusivement, rien** que, **simplement, uniquement**. *L'homme ne vit pas seulement de pain.* — *Il vient seulement d'arriver*, il vient d'arriver à l'instant même. **2.** (Dans des propos. nég. ou interrog.) Même. *Sans avoir* *seulement le temps de dire un mot.* **3.** Loc. de souhait. *Si seulement il pouvait faire beau !* **4.** (En tête de proposition) Sert à introduire une restriction. ⇒ **mais.** *C'est une bonne voiture, seulement elle coûte cher.* ‹ ▶ esseulé, soliloque, solitaire, solitude, solo ›

sève [sɛv] n. f. **1.** Liquide nutritif tiré du sol par les racines, qui circule dans les plantes vasculaires. *La montée de la sève* (d'un arbre, etc.). **2.** Littér. Principe vital, énergie. *Malgré son grand âge, il déborde de sève.*

sévère [sevɛʁ] adj. **1.** Qui n'admet pas qu'on manque à la règle ; prompt à punir ou à blâmer. ⇒ **dur, exigeant.** / contr. **indulgent** / *Des parents sévères. Être sévère avec qqn, envers qqn.* — (Choses) Qui punit, blâme sans indulgence. *Adresser de sévères critiques à qqn.* — Très rigoureux. *Des mesures sévères.* **2.** Littér. Qui ne cherche pas à plaire, qui a qqch. de strict. ⇒ **austère.** *La façade est sévère.* **3.** Très grave, très difficile. *Une sévère défaite.* ⇒ **lourd.** *La lutte sera sévère.* ▶ **sévèrement** adv. ■ Avec sévérité. *Punir, critiquer sévèrement.* ▶ **sévérité** n. f. **1.** Caractère ou comportement d'une personne sévère. ⇒ **dureté.** / contr. **indulgence** / — Caractère rigoureux (d'une peine, d'une mesure). **2.** Littér. Caractère austère, sérieux. ⇒ **austérité.**

sévices [sevis] n. m. pl. ■ Mauvais traitements corporels exercés sur qqn qu'on a sous son autorité, sous sa garde. ⇒ **coup, violence.** *Exercer des sévices sur qqn. Se rendre coupable de sévices.*

sévir [seviʁ] v. intr. ■ conjug. 2. **1.** Exercer la répression avec rigueur. *Les autorités sont décidées à sévir.* ⇒ **punir. 2.** (Fléau) Exercer ses ravages. *L'épidémie sévissait depuis plusieurs mois.* ‹ ▶ sévices ›

sevrer [səvʁe] v. tr. ■ conjug. 5. **1.** Cesser progressivement d'alimenter en lait (un enfant), pour donner une nourriture plus solide. **2.** Littér. SEVRER qqn DE : le priver de (qqch. d'agréable). ⇒ **frustrer.** — Au p. p. adj. *Une enfant sevrée de tendresse.* ▶ **sevrage** n. m. ■ Action de sevrer (un nourrisson).

sexagénaire [sɛksaʒenɛʁ] adj. et n. ■ Qui a entre soixante et soixante-dix ans.

sex-appeal [sɛksapil] n. m. ■ Anglic. Charme, attrait à base de sexualité, qui excite le désir.

sexe [sɛks] n. m. **1.** Conformation particulière qui distingue le mâle de la femelle, l'homme de la femme, en leur assignant un rôle déterminé dans la génération. *Enfant du sexe masculin, féminin.* **2.** Qualité d'homme, qualité de femme. *Sans distinction de race ni de sexe.* — Iron. *Le sexe fort,* les hommes. *Le sexe faible, le deuxième sexe, le beau sexe,* les femmes. **3.** Sexualité (2). *Parler de sexe.* **4.** Parties sexuelles. *Le sexe de l'homme.* ⇒ **pénis, testicules.** *Le sexe de la femme.* ⇒ **vulve ; clitoris, vagin. 5.** Constitution et fonction particulière de chacun des deux éléments complémentaires qui interviennent dans la reproduction dite sexuée (⇒ **femelle, mâle**). *Fleur qui a un sexe* (ou *unisexuée*), *deux sexes* (ou *bisexuée*). ▶ **sexisme** n. m. ■ Attitude de discrimination à l'égard du sexe féminin. ⇒ **misogynie.** ▶ **sexiste** n. et adj. ■ Personne dont les modes de pensée et le comportement sont imprégnés de sexisme. — Adj. *Offres d'emploi sexistes.* ▶ **sexologie** n. f. ■ Science qui étudie les problèmes relatifs à la sexualité des êtres humains. ‹ ▶ cache-sexe, sex-appeal, sexué, sexuel ›

sextant [sɛkstɑ̃] n. m. ■ Instrument composé d'un sixième de cercle gradué, qui permet de mesurer la hauteur d'un astre à partir d'un navire, d'un avion. *Navigateur qui fait le point à l'aide d'un sextant.*

sextuor [sɛkstɥɔʁ] n. m. ■ Composition musicale à six parties. — Orchestre de chambre formé de six instruments. *Des sextuors.*

sextuple [sɛkstypl] adj. ■ Qui vaut six fois une quantité donnée. — N. m. *Le sextuple.* ▶ **sextupler** v. ■ conjug. 1. **1.** V. tr. Multiplier par six. **2.** V. intr. Devenir sextuple.

sexué, ée [sɛksɥe] adj. **1.** Qui est pourvu d'organes sexuels différenciés. / contr. **asexué** / **2.** Qui se fait par la conjonction des sexes. *La reproduction sexuée.* ‹ ▶ asexué, bisexué, unisexué ›

sexuel, elle [sɛksɥɛl] adj. **1.** Relatif au sexe, aux conformations et fonctions particulières du mâle et de la femelle. *Parties sexuelles.* ⇒ **génital. 2.** (Chez les humains) Qui concerne l'accouplement, les comportements qu'il détermine et ceux qui en dérivent. *L'acte sexuel.* ⇒ **coït.** *Relations sexuelles.* ▶ **sexualité** n. f. **1.** Caractère de ce qui est sexué, ensemble des caractères propres à chaque sexe. *La sexualité des plantes.* **2.** Ensemble des comportements relatifs à l'instinct sexuel et à sa satisfaction. ⇒ **libido, sexe** (3). *Troubles de la sexualité.* ▶ **sexuellement** adv. ■ Quant au sexe, à la sexualité. ‹ ▶ hétérosexuel, homosexuel, transsexuel ›

seyant, ante [sɛjɑ̃, ɑ̃t] adj. — REM. Part. prés. du v. ② *seoir.* ■ Littér. Qui va bien, flatte la personne qui le porte. *Une robe, une coiffure seyante. Ce n'est pas très seyant.*

shah ⇒ **schah.**

shaker [ʃɛkœʁ] n. m. ■ Anglic. Récipient formé d'une double timbale, que l'on utilise pour la préparation des cocktails et boissons glacées. *Secouer un shaker. Des shakers.*

shako ou, vx, **schako** [ʃako] n. m. ■ Coiffure militaire d'apparat, rigide, à visière, imitée de celle des hussards hongrois.

shampooing ou **shampoing** [ʃɑ̃pwɛ̃] n. m. **1.** Lavage des cheveux et du cuir chevelu au moyen d'un produit approprié. *Se faire un shampooing.* — Ce produit. *Une bouteille de shampooing.* **2.** Produit moussant pour laver les tapis, etc. *Shampooing à moquette.* ▶ **shampouiner** ou **shampooiner** [ʃɑ̃pwine] v. tr. ■ conjug. 1. ■ Faire un shampooing (1, 2) à. ▶ **shampouineur, euse** ou **shampooineur, euse** n. **1.** Personne qui, dans un salon de coiffure, fait les shampooings. **2.** N. f. Appareil servant à appliquer une mousse nettoyante sur les sols.

shantoung ou **shantung** [ʃɑ̃tuŋ] n. m. ■ Tissu de soie ou de soie sauvage, voisin du pongé. ⇒ **tussor.**

shérif [ʃeʁif] n. m. **1.** Magistrat anglais, responsable de l'application de la loi dans un comté. **2.** Aux États-Unis. Officier de police élu, à la tête d'un comté.

sherpa [ʃɛʁpa] n. m. ■ Guide de haute montagne (d'un groupe ethnique précis), dans les régions himalayennes. *Des sherpas.*

shetland [ʃɛtlɑ̃d] n. m. ■ Tissu de laine d'Écosse. *Pull en shetland.* — Absolt. *(Un, des shetlands)* Un, des pull(s) en shetland.

shilling [ʃiliŋ] n. m. ■ Ancienne unité monétaire anglaise, qui valait un vingtième de la livre. ≠ *schilling.*

shogun [ʃɔgun] n. m. ■ Histoire. Général en chef des armées, au Japon (XIIᵉ au XIXᵉ siècle). *Des shoguns.*

shoot [ʃut] n. m. ■ Anglic. Football. Tir (au but) ou dégagement puissant. *Des shoots.* ▶ **shooter** [ʃute] v. intr. ■ conjug. 1. ■ Faire un shoot.

shopping [ʃɔpiŋ] n. m. ■ Anglic. Le fait de parcourir les magasins pour regarder et faire des achats (⇒ **lèche-vitrines**). *Elle faisait du shopping avec une amie.* — REM. Au Canada, on dit (mieux) *magasinage*, n. m. et *magasiner*, v. intr. ▪ conjug. 1.

short [ʃɔʀt] n. m. ■ Culotte courte (pour le sport, les vacances).

show [ʃo] n. m. ■ Anglic. Spectacle de variétés centré sur une vedette. *Des shows.* ▶ *show-business* [ʃobiznɛs] n. m. ■ Anglic. Industrie, métier du spectacle. — Abrév. fam. Anglic. SHOW-BIZ [ʃobiz].

① *si* [si] conj. — REM. *Si* devient s′ devant *il, ils*. **I.** SI, hypothétique. **1.** Introduit soit une condition (à laquelle correspond une conséquence dans la principale), soit une simple supposition ou éventualité. ⇒ au **cas** où, **supposé** que. *Si tu es libre, nous irons ensemble. Si tu lui en parlais, il accepterait peut-être. Si j'avais su, je ne serais pas venu. Viendras-tu ? Si oui, préviens-moi à l'avance.* **2.** (En corrélation avec une proposition implicite) *Il se conduit comme s'il était fou,* comme il se conduirait s'il était fou. *Et si ça tourne mal ?* (sous entendu : *que ferons-nous ?*). — Exprime le souhait, le regret. *Si seulement, si au moins je pouvais me reposer ! S'il avait été plus prudent !* **3.** (Dans des loc. figées) *Si on veut.* ⇒ ① **vouloir** (I, 4). *Si on peut dire.* — *Si je ne me trompe*, à moins que je me trompe. — SI CE N'EST... : même si ce n'est pas..., en admettant que ce n'est pas. ⇒ **sinon.** *Un des meilleurs, si ce n'est le meilleur.* SI CE N'EST QUE... : sauf que... *Tout va bien, si ce n'est que j'ai un petit rhume.* **4.** N. m. invar. Hypothèse, supposition. Loc. prov. *Avec des si, on mettrait Paris dans une bouteille*, on ferait des choses impossibles. **II.** SI, non hypothétique. **1.** Servant à marquer un lien logique) *S'il revient te voir, c'est qu'il n'a pas d'amour-propre.* ⇒ **puisque. 2.** (Introduisant une complétive, une interrogative indirecte) *Je dois m'assurer si tout est en ordre. Tu me diras si c'est lui. Vous pensez, s'ils étaient fiers !* ⇒ **combien.** ⟨ ▶ sinon ⟩

② *si* adv. **I. 1.** Littér. SI FAIT : mais oui. **2.** S'emploie pour contredire l'idée négative que vient d'exprimer l'interlocuteur. « *Tu n'iras pas.* — *Si !* » (= j'irai !). « *Tu n'en as pas besoin.* — *Mais si ! Que si !* » **II.** (Exprime l'intensité) **1.** À un tel degré. ⇒ **tellement.** *Il est si bête !* **2.** (Avec une consécutive) *Ils ont si mal joué qu'ils ont été sifflés.* — Loc. conj. SI BIEN QUE... : de sorte que... *Il n'est pas venu, si bien que la partie n'a pu avoir lieu.* **III.** Adv. de comparaison avec *que*. Au même degré. ⇒ **aussi.** *On n'est jamais si bien servi que par soi-même.* — (Avec une concessive) *Il échouera si malin qu'il soit.* ⇒ **quelque.** ⟨ ▶ sitôt ⟩

③ *si* n. m. invar. ■ Septième note de la gamme d'ut. *Sonate en si mineur.*

siamois, oise [sjamwa, waz] adj. **1.** Du Siam (ancien nom de la Thaïlande). — N. *Les Siamois.* — *Chat siamois* ou, n., *un siamois, une siamoise*, chat à poil ras et aux yeux bleus. **2.** *Frères siamois, sœurs siamoises*, jumeaux, jumelles rattachés l'un à l'autre par une membrane. — Fig. Amis inséparables.

sibérien, enne [sibeʀjɛ̃, ɛn] adj. ■ De Sibérie. — *Un froid sibérien*, digne de la Sibérie ; extrême. ⟨ ▶ transsibérien ⟩

sibyllin, ine [sibilɛ̃, in] adj. ■ Littér. Dont le sens est caché, comme celui des oracles que rendaient les *sibylles* (n. f.), devineresses de l'Antiquité. ⇒ **énigmatique, mystérieux, obscur.** *Des propos sibyllins.*

sic [sik] adv. ■ Se met entre parenthèses après un mot ou une expression cités, pour souligner qu'on les cite textuellement, aussi étranges soient-ils.

sida [sida] n. m. ■ (Abréviation de *syndrome d'immuno-déficience acquis*) Maladie grave, souvent mortelle, se caractérisant par une chute brutale des défenses immunitaires de l'organisme, et due à un virus. *Le sida est transmissible par voie sexuelle ou sanguine.* ▶ *sidatique* adj. et n.

side-car [sajdkaʀ ; sidkaʀ] n. m. ■ Anglic. Habitacle à une roue et pour un passager, monté sur le côté d'une motocyclette. — L'ensemble du véhicule. *Des side-cars.*

sidéral, ale, aux [sideʀal, o] adj. ■ Astronomie. Qui a rapport aux astres. *Observations sidérales.* ⟨ ▶ intersidéral ⟩

sidérer [sideʀe] v. tr. ▪ conjug. 6. ■ Fam. Frapper de stupeur. *Cette nouvelle m'a sidéré.* — Au p. p. adj. *Complètement sidéré.* ▶ *sidérant, ante* adj. ■ Fam. ⇒ **stupéfiant.**

sidérurgie [sideʀyʀʒi] n. f. ■ Métallurgie du fer, de la fonte, de l'acier et des alliages ferreux ; industrie qui s'y rapporte. ▶ *sidérurgique* adj. ■ *Usine sidérurgique.* ▶ *sidérurgiste* n. ■ Ouvrier, industriel de la sidérurgie.

siècle [sjɛkl] n. m. **1.** Période de cent ans dont le début est déterminé par rapport à un moment arbitrairement défini, en particulier par rapport à l'ère chrétienne. *Le cinquième siècle après Jésus-Christ* (de 401 à 500), *avant J.-C.* (de 499 à 400). *Au siècle dernier*, au XIXᵉ siècle. **2.** Période de cent années environ considérée comme une unité historique présentant certains caractères. *Le siècle d'or*, espagnol. *Le Grand Siècle*, le XVIIᵉ siècle français. *Le Siècle des lumières*, le XVIIIᵉ siècle en Europe. — Époque. *Il défendait les idées de son siècle, du siècle.* **3.** Durée de cent années. *Cet arbre a été planté il y a un siècle* (⇒ **séculaire**). — Très longue période. *Depuis des siècles*, depuis très longtemps. **4.** Langage religieux. *Le siècle*, le monde temporel (⇒ **séculier**). ⟨ ▶ séculaire, séculier ⟩

① *siège* [sjɛʒ] n. m. **I. 1.** Lieu où se trouve la résidence principale (d'une autorité, d'une société). *Le siège d'un parti.* SIÈGE SOCIAL : domicile légal d'une société commerciale. **2.** Lieu où réside, où se trouve la cause (d'un phénomène). *Le siège d'une douleur.* **II.** Lieu où s'établit une armée, pour investir une place forte ; ensemble des opérations menées pour prendre une place forte. *Mettre le siège devant une ville.* ⇒ **assiéger.** — *Lever le siège*, cesser d'assiéger ; se retirer. — ÉTAT DE SIÈGE : régime spécial qui soumet les libertés individuelles à une emprise renforcée de l'autorité publique. *L'état de siège a été proclamé.* ▶ *siéger* v. intr. ▪ conjug. 3 et 6. **1.** Tenir séance, être en séance. *Le juge siégera demain.* **2.** Avoir le siège de sa juridiction à tel endroit. *L'Assemblée nationale siège au Palais-Bourbon.* — (Suj. chose) Littér. Résider, se trouver. *Voilà où siège le mal.* ⟨ ▶ assiéger ⟩

② *siège* n. m. **I.** Objet fabriqué, meuble disposé pour qu'on puisse s'y asseoir. *Donner, offrir un siège à qqn. Prends un siège*, assieds-toi. *Les sièges avant, arrière, d'une automobile.* **II. 1.** Place à pourvoir par élection. *Le parti a gagné vingt sièges à l'Assemblée.* **2.** Dignité d'évêque, de pontife. *Siège épiscopal.* ⟨ ▶ Saint-Siège, télésiège ⟩

③ *siège* n. m. ■ (Dans des expressions) Partie du corps humain sur laquelle on s'assied. ⇒ **postérieur.** *Bain de siège. Enfant qui se présente par le siège* (dans un accouchement).

sien, sienne [sjɛ̃, sjɛn] adj. et pronom poss. ■ Possessif de la troisième personne du singulier. **1.** Adj. Littér. *Il a fait siennes les idées de son chef.* **2.** Pronom. *Je préfère mon vélo au sien.* **3.** N. *Il y a* *mis du sien,* de la bonne volonté. — Fam. FAIRE DES SIENNES : commettre des sottises. *Il a encore fait des siennes.* **4.** N. m. pl. *Les siens,* sa famille, ses amis ; ses partisans. *Elle est revenue parmi les siens.*

sieste [sjɛst] n. f. ■ Repos (accompagné ou non de sommeil) pris après le repas de midi. *Faire la sieste.*

sieur [sjœR] n. m. ■ Monsieur (en langage de procédure). — Péj. *À en croire le sieur Un tel...* ⟨ ▶ monsieur ⟩

siffler [sifle] v. ■ conjug. 1. **I.** V. intr. **1.** Émettre un son aigu, modulé ou non, en faisant échapper l'air par une ouverture étroite (bouche, sifflet...). *Sais-tu siffler ? Asthmatique qui siffle en respirant. Il siffle comme un merle.* — (Animaux) *Le loriot siffle.* **2.** Produire un son aigu par un frottement, par un mouvement rapide de l'air. *Le vent sifflait dans la cheminée.* — *Jet de vapeur qui siffle.* ⇒ **chuinter.** **II.** V. tr. **1.** Moduler (un air) en émettant de tels sons. *Siffler un petit air joyeux.* **2.** Appeler ou signaler par de tels sons. *Siffler son chien. L'arbitre a sifflé une faute.* **3.** (Suj. le public) Désapprouver bruyamment, par des sifflements, des cris, etc. *Le pianiste s'est fait siffler.* ⇒ **conspuer, huer.** / contr. **applaudir** / **4.** Fam. Boire d'un trait. *Il a sifflé trois verres à la suite.* ▶ *sifflant, ante* adj. ■ Qui s'accompagne d'un sifflement. *Respiration sifflante. Consonne sifflante,* dont l'émission est caractérisée par un bruit de sifflement (ex. : [s]). ▶ *sifflement* n. m. **1.** Action de siffler ; son émis en sifflant. *Émettre un sifflement admiratif.* **2.** Production d'un son aigu. *Le sifflement des balles.* — Bruit parasite perçu dans un récepteur de radio. ▶ *sifflet* n. m. **1.** Petit instrument formé d'un tuyau court à ouverture en biseau, servant à émettre un son aigu. ⇒ **appeau.** *Le sifflet de l'arbitre.* **2.** *Coup de sifflet* ou, absolt, *sifflet,* son produit en soufflant dans un sifflet ou en sifflant. *J'ai entendu des sifflets. L'orateur fut interrompu par les sifflets du public.* ⇒ **huée.** **3.** Loc. fam. COUPER LE SIFFLET à qqn: le laisser coi. *Ça m'a coupé le sifflet.* ▶ *siffleur, euse* adj. et n. ■ Qui siffle. *Merle siffleur.* ▶ *siffloter* v. intr. ■ conjug. 1. ■ Siffler négligemment en modulant un air. *Siffloter gaiement.* — Transitivement. *Siffloter une rengaine.* ▶ *sifflotement* n. m. ■ Action de siffloter ; air siffloté. ⟨ ▶ persifler ⟩

sigisbée [siʒisbe] n. m. ■ Vx ; littér. ou plaisant. Compagnon empressé et galant.

sigle [sigl] n. m. ■ Suite d'initiales servant d'abréviation (ex. : *H.L.M.,* *h*abitation à *l*oyer *m*odéré).

signal, aux [siɲal, o] n. m. **1.** Signe convenu (geste, son...) fait par qqn pour indiquer le moment d'agir. *À son signal, tout le monde se leva. Donner le signal du départ.* — Fait qui déclenche une action, un processus en réponse. *Leur arrestation a été le signal de l'insurrection.* **2.** Signe (ou système) conventionnel destiné à transmettre une information. *Signal d'alarme. Signaux optiques, acoustiques. Signaux de chemin de fer* (disques, feux réglant la circulation sur les voies). *Le conducteur n'a pas respecté le signal. Signaux routiers* (⇒ **signalisation**). ⟨ ▶ signaler, signaliser ⟩

signaler [siɲale] v. tr. ■ conjug. 1. **1.** Annoncer par un signal (ce qui se présente, un mouvement). *Cycliste qui tend le bras pour signaler qu'il va tourner.* — Au p. p. *Le train est signalé,* il va entrer en gare. **2.** Faire remarquer ou connaître en attirant l'attention. *Rien à signaler. On a signalé leur présence à Paris. Permettez-moi de vous signaler que...* **3.** Dénoncer pour faute commise. *La surveillante générale les a signalés au proviseur.* **4.** Pronominalement. *Se signaler,* se faire remarquer, se distinguer (en bien ou en mal). *Elle s'est signalée par son courage.* ≠ signali-

ser. ▶ *signalé, ée* adj. ■ (En loc., devant le nom) Remarquable, insigne. *Il m'a rendu un signalé service.* ▶ *signalement* n. m. ■ Description physique d'une personne qu'on veut faire reconnaître. *Son signalement a été donné à tous les postes frontières.* ⟨ ▶ signalétique ⟩

signalétique [siɲaletik] adj. ■ Qui donne un signalement. *Fiche signalétique.*

signaliser [siɲalize] v. tr. ■ conjug. 1. ■ Munir d'un ensemble de signaux coordonnés. *Signaliser une route, un parcours.* ≠ signaler. ▶ *signalisation* n. f. ■ Emploi, disposition des signaux destinés à assurer la bonne utilisation d'une voie et la sécurité des usagers. *Panneaux, feux de signalisation.*

signataire [siɲatɛR] n. ■ Personne, autorité qui a signé (une lettre, un acte, un traité). *Les signataires d'un pacte.*

signature [siɲatyR] n. f. **1.** Inscription qu'une personne fait de son nom en vue de certifier exact ou authentique, ou d'engager sa responsabilité. ⇒ **griffe, paraphe, seing.** *Une signature illisible. Apposer sa signature.* ⇒ **signer.** — Honorer sa signature, l'engagement qu'on a signé. **2.** Action de signer (un écrit, un acte). *L'arrêté va être porté à la signature du ministre.*

signe [siɲ] n. m. **I. 1.** Chose perçue qui permet de conclure à l'existence ou à la vérité (d'une autre chose, à laquelle elle est liée). ⇒ **indice, manifestation, marque, signal, symbole, symptôme.** *Un portrait est un signe de la personne représentée.* ⇒ **image.** *Un mot est un signe arbitraire de la chose signifiée.* (→ ci-dessous II, 2). *C'est un signe qui ne trompe pas. Signes extérieurs de richesse,* ce qui, dans le train de vie, est pour le fisc un signe de richesse. *Donner des signes de fatigue, de nervosité.* ⇒ **manifester, témoigner.** Loc. *Ne pas donner* SIGNE DE VIE : paraître mort ; ne donner aucune nouvelle. *C'est* BON SIGNE, *c'est* MAUVAIS SIGNE : c'est l'annonce que ça va bien, mal. *Il est sorti, c'est signe qu'il va mieux,* cela annonce, prouve qu'il va mieux. **2.** Élément ou caractère (d'une personne, d'une chose) qui permet de distinguer, de reconnaître. *Son visage ne présente pas de signes particuliers. Un signe des temps,* une chose qui caractérise l'époque où l'on vit. — Marque faite pour distinguer. *Faire un petit signe sur un livre avant de le prêter.* **II. 1.** Mouvement ou geste destiné à communiquer avec qqn, à faire savoir qqch. ⇒ **signal.** *Communiquer par signes* (opposé à *parole*). *Un signe de tête affirmatif, négatif. Il me fit signe que non. Il m'a fait signe d'entrer. Je te ferai signe,* j'entrerai en contact avec toi. — *En signe de...,* pour manifester, exprimer. *Agiter son mouchoir en signe d'adieu.* **2.** Représentation matérielle simple qui se rapporte conventionnellement à une réalité complexe. ⇒ **symbole.** *Le noir, signe de deuil.* — En mathématiques. *Le signe « plus »* (+), *le signe « moins »* (−). — Élément du langage, associant un signifiant à un signifié. *Les mots sont des signes* ⇒ **sémantique ; sémiologie, sémiotique. 3.** Emblème, insigne (d'une société, d'une fonction). *Le signe de la croix,* l'emblème des chrétiens. *Faire le signe de la croix, un signe de croix,* le geste qui l'évoque. **4.** Chacune des figures représentant en astrologie les douze constellations du zodiaque. *Être né sous le signe du Bélier, être du signe du Bélier.* — Fam. *Sous le signe de la bonne humeur,* dans une atmosphère de bonne humeur. ⟨ ▶ assigner, consigner, désigner, ② insigne, signal, ① signer, ② se signer, signet, signifier ⟩

① *signer* [siɲe] v. tr. ■ conjug. 1. ■ Revêtir de sa signature (une lettre, une œuvre d'art...). *Signer un chèque. Signer la paix,* le traité de paix. — Au p. p. adj. *Tableau signé X. Œuvre signée de la main de l'artiste.* — Abstrait. *C'est signé !,* cela porte bien la marque de la personne en question. — *Lettres non signées,* anonymes. ‹ ▶ contresigner, signataire, signature, soussigné ›

② *se* **signer** v. pron. ▪ conjug. 1. ▪ Faire le signe de croix. *Elle s'est signée et a fait une prière.*

signet [siɲɛ] n. m. ▪ Petit ruban ou bande de papier, de carton, servant à marquer tel ou tel endroit d'un livre.

signifier [siɲifje] v. tr. ▪ conjug. 7. **1.** (Suj. chose) Avoir un sens, être le signe de. ⇒ vouloir **dire.** *Je ne sais pas ce que signifie ce mot. Le mot anglais « bed » signifie « lit ». Ta conduite signifie que tu n'as pas confiance en moi. Qu'est-ce que cela signifie ?* (expression de mécontentement). **2.** (Suj. personne) Faire connaître par des signes, des termes parfaitement clairs. *Il nous a signifié ses intentions.* — En droit. Faire savoir légalement. ⇒ **notifier.** ▶ *signifiant, ante* adj. et n. m. **1.** Adj. Qui signifie. **2.** N. m. En linguistique. Partie matérielle du signe (phonèmes ou sons, caractères écrits), opposée et liée au *signifié*.* ▶ *significatif, ive* adj. ▪ Qui signifie, exprime ou renseigne clairement. ⇒ **expressif, révélateur.** *Une indication, une remarque très significative.* ▶ *signification* n. f. **1.** Ce que signifie (une chose, un fait). *Quelle est la signification de cette grimace ?* — Sens (d'un signe, d'un ensemble de signes, et notamment d'un mot). *La signification d'un symbole. Les diverses significations d'un mot.* ⇒ **acception. 2.** En droit. Action de signifier (un jugement, etc.). ⇒ **notification.** ▶ *signifié* n. m. ▪ Linguistique. Contenu du signe opposé et lié au *signifiant*.* ⇒ **sens.** ‹ ▶ insignifiant ›

silence [silɑ̃s] n. m. **I. 1.** Fait de ne pas parler ; attitude d'une personne qui reste sans parler. ⇒ **mutisme.** *Garder le silence,* se taire. *En silence,* sans rien dire. *Faites silence !,* taisez-vous ! Ellipt. *Silence !* — *Minute de silence,* hommage que l'on rend aux morts en demeurant debout, immobile et silencieux. — *(Un, des silences)* Moment pendant lequel on ne dit rien. *Une conversation coupée de silences.* **2.** Le fait de ne pas exprimer, de ne pas divulguer (ce qu'on veut cacher). *Passer qqch. sous silence,* n'en rien dire, ne pas en faire mention. *Promets-moi un silence absolu.* ⇒ **secret.** *La loi du silence,* qui interdit aux malfaiteurs de faire des révélations sur leurs complices. *Réduire qqn au silence,* l'empêcher de se manifester. **II. 1.** Absence de bruit, d'agitation. *Dans le silence de la nuit. Il régnait un silence de mort, un silence total.* **2.** Interruption du son d'une durée déterminée, indiquée dans la notation musicale ; signe qui l'indique. ⇒ **pause, soupir.** ▶ ① *silencieux, euse* adj. **1.** Où le silence et le calme règnent. *Rue silencieuse.* — Qui se fait, fonctionne sans bruit. *Moteur silencieux.* **2.** Qui garde le silence. ⇒ **muet.** *Nous restions silencieux.* — Qui ne s'accompagne pas de paroles. *Repas silencieux.* ▶ *silencieusement* adv. ▪ Sans faire aucun bruit. — Sans parler. ▶ ② *silencieux* n. m. invar. **1.** Pot d'échappement (d'un véhicule à moteur). **2.** Dispositif qui étouffe le bruit d'une arme à feu.

silex [silɛks] n. m. invar. **1.** Roche sédimentaire siliceuse, cristallisée (⇒ **quartz**). **2.** Arme, outil préhistorique fait de cette roche taillée. *Des silex du paléolithique.* ‹ ▶ silice ›

silhouette [silwɛt] n. f. **1.** Forme qui se profile en noir sur un fond clair. *La silhouette de la tour se découpe sur le ciel.* — Forme ou dessin aux contours schématiques. *Silhouette des arbres reflétée dans l'eau.* **2.** Allure ou ligne générale d'une personne. *Sa silhouette est très jeune.* ▶ *silhouetter* v. tr. ▪ conjug. 1. ▪ Représenter en silhouette. — Pronominalement. *Se silhouetter.* ⇒ se **profiler.**

silice [silis] n. f. ▪ Oxyde de silicium, corps solide de grande dureté, blanc ou incolore, entrant dans la composition de nombreux minéraux. *Silice pure cristallisée.* ⇒ **quartz.** ▶ *silicate* n. m. ▪ Combinaison de silice avec divers oxydes métalliques. ▶ *siliceux, euse* adj. ▶ *silicium* [silisjɔm] n. m. ▪ Corps simple de couleur grise, métalloïde du groupe du carbone, présent dans la silice et les silicates. ▶ *silicone* n. f. ▪ Nom générique des dérivés du silicium se présentant sous forme d'huiles, de résines, de matières plastiques. ▶ *silicose* n. f. ▪ Maladie pulmonaire professionnelle des mineurs, due à l'inhalation de poussières de silice.

sillage [sijaʒ] n. m. **1.** Trace qu'un bateau laisse derrière lui à la surface de l'eau. — Loc. *Être, marcher* DANS LE SILLAGE *de qqn* : à la suite de, derrière qqn (qui ouvre la voie). **2.** *Le sillage d'une odeur, d'un parfum,* l'odeur laissée par une personne qui passe.

sillon [sijɔ̃] n. m. **1.** Longue tranchée ouverte dans la terre par la charrue. — Au plur. Les champs cultivés, la campagne. **2.** Ligne, ride. *Menton creusé d'un sillon.* — En anatomie. *Les sillons du cerveau,* les rainures qui séparent les circonvolutions. **3.** Trace produite à la surface d'un disque par l'enregistrement phonographique. ⇒ **microsillon.** ▶ *sillonner* v. tr. ▪ conjug. 1. **1.** Creuser en faisant des sillons, des fentes. — Au p. p. *Front sillonné de rides.* **2.** Traverser d'un bout à l'autre. *Les éclairs sillonnaient le ciel.* — Traverser, parcourir en tous sens. *Les routes qui sillonnent cette région.* ‹ ▶ microsillon, sillage ›

silo [silo] n. m. ▪ Réservoir où l'on entrepose les produits agricoles pour les conserver. *Des silos à fourrage, à blé.*

simagrée [simagʀe] n. f. ▪ Surtout au plur. Façons, petite comédie destinées à tromper. ⇒ **grimace, manière.** *Elle s'est laissé prendre à tes simagrées.*

simiens [simjɛ̃] n. m. pl. ▪ Sous-ordre de l'ordre des Primates, comprenant les singes proprement dits. *Les anthropoïdes sont des simiens.*

simiesque [simjɛsk] adj. ▪ Littér. Qui tient du singe, évoque le singe. *Un visage simiesque.*

similaire [similɛʀ] adj. ▪ Qui est à peu près semblable. ⇒ **analogue, équivalent.** *Nous n'avons plus ce produit, mais nous pouvons vous proposer quelque chose de similaire.*

simil(i)- ▪ Élément qui signifie « pareil, semblable ». ⇒ **semblable.** ▶ *similicuir* [similikɥiʀ] n. m. ▪ Matière plastique imitant le cuir. ⇒ **skaï.** ▶ *similigravure* n. f. ▪ Photogravure en demi-teinte au moyen de trames à travers lesquelles sont photographiés les objets ; cliché ainsi obtenu (abrév. *simili*).

similitude [similityd] n. f. ▪ Relation unissant deux choses semblables. ⇒ **analogie, identité, ressemblance.** — Caractère de deux figures géométriques semblables.

simoun [simun] n. m. ▪ Vent violent, chaud et sec, accompagné de tourbillons de sable, qui souffle sur les régions désertiques de l'Arabie, de l'Égypte, du Sahara. ⇒ **sirocco.**

① **simple** [sɛ̃pl] adj. **I.** (Personnes) **1.** Qui agit selon ses sentiments, sans affectation, sans calcul, sans recherche. ⇒ **direct.** *Un homme simple et rude.* — *Un cœur simple.* **2.** Dont les manières, les goûts ne dénotent aucune prétention. *Il a su rester simple dans les honneurs.* — *Les gens simples,* de condition modeste. **3.** Péj. Qui a peu de finesse, se laisse facilement tromper. ⇒ **crédule, simplet.** *Il est un peu simple.* — SIMPLE D'ESPRIT : qui n'a pas une intelligence normalement développée. ⇒ **arriéré.** N. *Débile mental. Un, une simple d'esprit.* **II.** (Choses)

1. Qui n'est pas composé de parties, est indécomposable. *Corps chimiques simples. Un billet, un aller simple* (opposé à *aller et retour*). *Les temps simples d'un verbe* (opposé à *composé*). — N. m. *Varier du simple au double*, être multiplié par deux. **2.** (Avant le nom) Indique que le nom est pris au sens strict, à l'exclusion de toute autre idée. *Une simple formalité.* ⇒ **pur.** *Un simple soldat.* **3.** Qui est formé d'un petit nombre de parties ou d'éléments. ⇒ **élémentaire.** / contr. **complexe** / *L'intrigue de ce roman est simple.* **4.** Qui, étant formé de peu d'éléments, est aisé à comprendre, à utiliser (opposé à *compliqué, difficile*). ⇒ **commode, facile.** *Il y a un moyen bien simple. C'est simple comme bonjour* (comme de dire bonjour). *Ce n'est pas si simple.* Fam. *C'est bien simple*, se dit pour ramener une question à une évidence. *C'est bien simple, il suffit d'aller tout droit.* **5.** Qui comporte peu d'éléments ajoutés, peu d'ornements. *Dans le plus simple appareil*, déshabillé, nu. *Une robe toute simple.* / contr. **recherché** / — Sans décorum, sans cérémonie. *Le mariage a été très simple.* ▶ **simplement** adv. **1.** D'une manière simple, sans complication, sans affectation. ⇒ **naturellement. 2.** Seulement. *Je voulais simplement te dire...* ▶ **simplet, ette** adj. **1.** Qui est un peu simple d'esprit. ⇒ **naïf. 2.** (Choses) D'une excessive simplicité. *Une musique plutôt simplette.* ▶ ② **simple** n. m. ■ Partie de tennis entre deux adversaire (opposé à *double*). *Un simple messieurs ; un simple dames.* ‹ ▶ simples, simplicité, simplifier, simpliste ›

simples n. f. plur. ■ Littér. Plantes médicinales. *Cueillir des simples.*

simplicité [sɛ̃plisite] n. f. **I. 1.** Sincérité sans détour. ⇒ **franchise.** — Comportement naturel et spontané. ⇒ **naturel.** *Répondre avec simplicité.* **2.** Caractère d'une personne simple (2). — Loc. EN TOUTE SIMPLICITÉ : sans cérémonie. **3.** Littér. Naïveté exagérée. ⇒ **candeur.** *Je n'ai pas la simplicité de le croire.* **II.** (Choses) **1.** Caractère de ce qui n'est pas composé ou décomposable. — Caractère de ce qui est facile à comprendre, à utiliser. *Problème, mécanisme d'une grande simplicité.* **2.** Qualité de ce qui n'est pas chargé d'ornements superflus. *La simplicité de sa toilette.*

simplifier [sɛ̃plifje] v. tr. ■ conjug. 7. ■ Rendre moins complexe, moins chargé d'éléments accessoires, plus facile. / contr. **compliquer** / *Cela simplifie la question. Cet appareil me simplifie la vie.* — *Simplifier une fraction*, en réduire également les deux termes. ▶ **simplification** n. f. ■ Action, fait de simplifier.

simpliste [sɛ̃plist] adj. ■ Qui ne considère qu'un aspect des choses et simplifie outre mesure. *Un raisonnement simpliste.*

simulacre [simylakʀ] n. m. ■ Littér. Ce qui n'a que l'apparence de ce qu'il prétend être. ⇒ **parodie, semblant.** *Il n'y a eu qu'un simulacre de combat.*

simuler [simyle] v. tr. ■ conjug. 1. ■ Faire paraître comme réel, effectif (ce qui ne l'est pas). *Simuler une vente.* — Donner pour réel en imitant l'apparence de (la chose à laquelle on veut faire croire). ⇒ **feindre,** faire **semblant** de. *Simuler un malaise.* — Au p. p. adj. *Une indifférence simulée.* ▶ **simulateur, trice** n. **1.** Personne qui simule un sentiment. ⇒ **hypocrite.** *Un habile simulateur.* — Personne qui simule une maladie. *Le médecin a la prise pour une simulatrice.* **2.** N. m. Appareil qui permet de représenter artificiellement un fonctionnement réel. *Un simulateur de vol.* ▶ **simulation** n. f. **1.** Fait de simuler (un acte juridique). **2.** Action de simuler (un sentiment, une maladie). **3.** Terme technique. Représentation à l'aide d'un simulateur. ‹ ▶ dissimuler, simulacre ›

simultané, ée [simyltane] adj. **1.** Se dit d'événements distincts ayant lieu au même moment. ⇒ **concomitant, synchrone.** / contr. **successif** / *Mouvements simultanés.* **2.** *Interprétation, traduction simultanée*, donnée en même temps que parle l'orateur (opposée à *consécutive*). ▶ **simultanéité** n. f. ■ Caractère simultané ; synchronisme absolu. *La locution conjonctive « au moment où » marque la simultanéité.* ▶ **simultanément** adv. ■ En même temps.

sinanthrope [sinɑ̃tʀɔp] n. m. ■ Grand primate fossile proche de l'homme dont les restes ont été découverts en Chine (d'où son nom → sin(o)-).

sinapisme [sinapism] n. m. ■ Traitement révulsif par application d'un cataplasme à base de farine de moutarde (ou *sinapis*, n. m.) ; ce cataplasme. ▶ **sinapisé, ée** adj. ■ *Cataplasme sinapisé*, à la moutarde.

sincère [sɛ̃sɛʀ] adj. **1.** Qui est disposé à reconnaître la vérité et à faire connaître ce qu'il pense, ce qu'il ressent. ⇒ **franc, loyal.** *Il s'est excusé et je le crois sincère.* **2.** Qui est tel réellement et en toute bonne foi. ⇒ **véritable.** *Ami sincère. Un sincère amateur d'art moderne.* **3.** (Choses) Réellement pensé ou senti. *Amour, repentir sincère. Ce n'est pas sincère* (c'est insincère). — (Dans le lang. de la politesse) *Mes sincères condoléances.* ▶ **sincèrement** adv. ▶ **sincérité** n. f. **1.** Qualité d'une personne sincère. ⇒ bonne **foi, franchise, loyauté.** *Je vous le dis en toute sincérité.* **2.** Caractère de ce qui est sincère.

sinécure [sinekyʀ] n. f. ■ Charge ou emploi où l'on est rétribué sans avoir rien (ou presque rien) à faire ; situation de tout repos. *Tu as trouvé une sinécure, avec cet emploi.* — Fam. *Ce n'est pas une sinécure*, ce n'est pas une mince affaire.

sine die [sinedje] loc. adv. ■ Sans fixer de date pour une autre réunion, une autre séance. *Le débat a été ajourné sine die.*

sine qua non [sinekwanɔn] loc. adj. invar. ■ *Condition sine qua non*, absolument indispensable.

singe [sɛ̃ʒ] n. m. **1.** Mammifère (primates) caractérisé par une face nue, un cerveau développé, des membres inférieurs plus petits que les membres supérieurs, et des mains. ⇒ **simiens ; pithéc(o)-.** *Qui rappelle le singe.* ⇒ **simiesque.** — *Cet animal mâle* (opposé à *guenon*). **2.** PROV. *On n'apprend pas à un vieux singe à faire la grimace*, on n'apprend pas les ruses à un homme plein d'expérience. — Loc. *Payer en* MONNAIE DE SINGE : récompenser ou payer par de belles paroles, des promesses creuses. — *Être malin comme un singe.* — *Faire le singe*, se comporter d'une façon déraisonnable ; faire des singeries. **3.** Personne laide. *C'est un vieux singe.* **4.** Fam. Corned-beef. *Une boîte de singe.* ▶ **singer** v. tr. ■ conjug. 3. **1.** Imiter (qqn) maladroitement ou d'une manière caricaturale (comme font les singes). ⇒ **contrefaire.** *Singer qqn, les manies de qqn.* **2.** Feindre, simuler (un sentiment). *Il singeait la passion.* ▶ **singerie** n. f. ■ Grimace, attitude comique. *Pas tant de singeries !*

singulariser [sɛ̃gylaʀize] v. tr. ■ conjug. 1. ■ Distinguer des autres par qqch. de peu courant. *Sa tenue voyante la singularise.* — Pronominalement. *Se singulariser*, se faire remarquer par qqch. de bizarre. ⇒ se **particulariser.**

singularité [sɛ̃gylaʀite] n. f. ■ Caractère exceptionnel de ce qui se distingue (en bien ou en mal). ⇒ **bizarrerie, étrangeté.** — Fait, trait singulier. ⇒ **particularité.** *Cet appareil photo présente la singularité de fonctionner sous l'eau.*

singulier, ière [sɛ̃gylje, jɛʀ] adj. et n. m. **1.** Qui est digne d'être remarqué (en bien ou en mal) par des traits peu communs. ⇒ **bizarre, curieux, étonnant, étrange.** / contr. **banal** / *Sa réaction a été tout à fait singulière. Singulière façon de voir les choses !* **2.** Littér. Différent des autres. ⇒ **particulier, spécial.** *Une nature singulière.* **3.** *Combat singulier,* duel. **4.** N. m. Catégorie grammaticale qui exprime l'unité (opposé à *pluriel*). ⇒ ② **duel ; nombre.** ▶ *singulièrement* adv. **1.** Beaucoup, très. *Un cas singulièrement troublant.* **2.** Littér. Bizarrement. *Il se conduit singulièrement.* **3.** Littér. Notamment, particulièrement. ⟨ ▶ singulariser, singularité ⟩

① *sinistre* [sinistʀ] adj. **1.** Qui fait craindre un malheur, une catastrophe. *Des craquements sinistres.* ⇒ **effrayant.** — Sombre, inquiétant. *Une allure sinistre. Une rue sinistre.* **2.** (Devant le nom) Inquiétant, dangereux. *Un sinistre individu.* — Intensif. *Un sinistre crétin.* **3.** Triste et ennuyeux. *La soirée a été sinistre.* ⟨ ▶ ② sinistre ⟩

② *sinistre* n. m. **1.** Événement catastrophique naturel (incendie, inondation, tremblement de terre, etc.). *Le sinistre a fait de nombreuses victimes. Se rendre sur les lieux du sinistre.* **2.** Dommages ou pertes subis par des objets assurés. *Évaluer le sinistre.* ▶ *sinistré, ée* adj. et n. ■ Qui a subi un sinistre. *Région sinistrée.* — (Personnes) N. *Les sinistrés sont aidés par la Croix-Rouge.*

sin(o)- ■ Élément savant signifiant « de la Chine » (ex. : *sinologie,* n. f., « ensemble des études relatives à la Chine »). ▶ *sinologue* [sinɔlɔg] n. ■ Spécialiste de la Chine. *Une sinologue émérite.* ⟨ ▶ sinanthrope ⟩

sinon [sinɔ̃] conj. **1.** (Après une propos. négative) En dehors de... ⇒ **excepté, sauf.** *Il ne sentait rien, sinon une légère douleur. Je n'ai pas grand-chose à lui reprocher, sinon qu'il est un peu lent.* — (Après une propos. interrogative) Si ce n'est. *Qu'est-ce qu'on peut faire sinon accepter ?* **2.** (Concession) En admettant que ce ne soit pas. *Sa conduite a rencontré sinon l'approbation, du moins l'indulgence. C'est une de mes passions, sinon la seule, et même peut-être la seule.* **3.** (Emploi absolu) Si la supposition énoncée est fausse ou ne se réalise pas. ⇒ **autrement, sans** quoi. *Il n'a pas eu la lettre, sinon il serait venu. Viendras-tu ? Si oui, tant mieux ; sinon, tant pis.*

sinoque ou *cinoque* [sinɔk] adj. ■ Fam. Fou, folle. ⇒ fam. **cinglé.**

sinueux, euse [sinɥø, øz] adj. ■ Qui présente une suite de courbes irrégulières et dans des sens différents. / contr. **rectiligne** / *Des ruelles étroites et sinueuses.* — Abstrait. Tortueux. *Des raisonnements sinueux.* ▶ *sinuosité* n. f. ■ Ligne sinueuse, courbe. ⇒ **détour, méandre.** *Les sinuosités de la rivière.*

① *sinus* [sinys] n. m. invar. **1.** Cavité irrégulière de l'os du maxillaire et du front, où peut siéger une infection. *Douleur dentaire qui se propage dans les sinus.* **2.** Renflements de certains vaisseaux sanguins. *Le sinus de la carotide.* ▶ *sinusite* [sinyzit] n. f. ■ Inflammation des sinus (1), consécutive à l'inflammation de la muqueuse nasale.

② *sinus* n. m. invar. ■ *Sinus d'un angle,* rapport entre la mesure d'un vecteur partant du sommet et porté par un côté, et la mesure de sa projection orthogonale sur un axe orthogonal à l'autre côté (symb. : *sin*). *Sinus du complément d'un angle.* ⇒ **cosinus.** *Fonction sinus* (⇒ **trigonométrie**). ▶ *sinusoïde* [sinyzɔid] n. f. ■ Courbe représentative de la fonction sinus ou cosinus. ▶ *sinusoïdal, ale, aux* adj. ■ Qui a la forme ondulée d'une sinusoïde. — *Mouvement sinusoïdal.* ⇒ **pendulaire.** ⟨ ▶ cosinus ⟩

sionisme [sjɔnism] n. m. ■ Mouvement politique et religieux, visant à l'établissement puis à la consolidation d'un État juif en Palestine. *Être pour, contre le sionisme. Il est contre le sionisme mais il n'est pas antisémite.* ▶ *sioniste* adj. et n. ■ Relatif ou favorable au sionisme. — N. *Un, une sioniste.*

sioux [sju] n. invar. et adj. invar. **1.** Personne appartenant à une population indienne de l'Amérique du Nord. *Les Sioux vivent aujourd'hui dans les réserves.* **2.** *Une ruse de Sioux,* très habile.

siphon [sifɔ̃] n. m. **1.** Tube courbé ou appareil permettant de transvaser un liquide ou de faire communiquer deux liquides. — Tube recourbé en forme de S, placé à la sortie des appareils sanitaires, de façon à empêcher la remontée des mauvaises odeurs. **2.** Bouteille contenant sous pression de l'eau gazéifiée et munie d'un bouchon à levier. *Un siphon d'eau de Seltz.* ⟨ ▶ siphonné ⟩

siphonné, ée [sifɔne] adj. ■ Fam. Fou. *Tu es complètement siphonné !*

sire [siʀ] n. m. **1.** Ancien titre honorifique. — Loc. *Un TRISTE SIRE* : un individu peu recommandable. **2.** Titre qu'on donne à un souverain quand on s'adresse à lui. ⟨ ▶ messire ⟩

① *sirène* [siʀɛn] n. f. **1.** Dans l'Antiquité. Être fabuleux, à tête et torse de femme et à queue de poisson, qui passait pour attirer, par la douceur de son chant, les navigateurs sur les écueils. — *Écouter le chant des sirènes,* se laisser charmer, séduire. **2.** Femme douée d'un dangereux pouvoir de séduction. ⇒ femme **fatale.** ⟨ ▶ ② sirène ⟩

② *sirène* n. f. ■ Puissant appareil sonore destiné à produire un signal. *Sirène d'alarme. La sirène d'une usine,* annonçant la reprise et la cessation du travail.

sirocco [siʀɔko] n. m. ■ En Afrique. Vent de sud-est extrêmement chaud et sec, d'origine saharienne. ⇒ **simoun.**

sirop [siʀo] n. m. ■ Solution de sucre dans de l'eau, du jus de fruit. *Sirop de groseille. Sirops pharmaceutiques. Sirop contre la toux.* — Fig. fam. *Cette musique, c'est du sirop.* ⇒ **sirupeux** (2). ⟨ ▶ siroter, sirupeux ⟩

siroter [siʀɔte] v. tr. ■ conjug. 1. ■ Fam. Boire à petits coups, en savourant. ⇒ **déguster.** *Siroter son café.*

sirupeux, euse [siʀypø, øz] adj. **1.** De la consistance du sirop (du miel, de la mélasse). *Liquide sirupeux.* **2.** Fig. *Musique sirupeuse,* mièvre.

sis, sise [si, siz] adj. ■ Lang. juridique. Situé. *Un domaine sis à tel endroit.*

sisal, als [sizal] n. m. ■ Agave dont les feuilles fournissent une fibre textile ; cette fibre. *Des tapis en sisal. Des sisals.*

sism(o)- ■ Élément savant signifiant « secousse, tremblement ; séisme* ». ▶ *sismique* [sismik] adj. ■ Relatif aux séismes. *Ondes sismiques. Secousse sismique.* ⇒ **tellurique.** ▶ *sismographe* n. m. ■ Instrument de mesure qui enregistre l'heure, la durée et l'amplitude des secousses du sol.

site [sit] n. m. **1.** Paysage (considéré du point de vue de l'esthétique, du pittoresque). *Un site classé.* **2.** Configuration du lieu où s'élève une ville, manière dont elle est située. — *Site archéologique,* où l'on effectue des fouilles. ⟨ ▶ situer ⟩

sitôt [sito] adv. **1.** (En loc.) Aussitôt*. *Sitôt après. Sitôt entré, il se coucha,* dès qu'il fut entré. *Pas de sitôt, pas bientôt. Il ne reviendra pas de sitôt,* il n'est pas près de revenir. **2.** Loc. conj. SITÔT QUE (+ indicatif) : aussitôt que. ⇒ **dès** que. *Sitôt qu'il la vit, il sortit.*

① *situation* [sityasjɔ̃] n. f. **1.** Ensemble des circonstances dans lesquelles une personne se trouve. ⇒ **condition, position.** *Sa situation est délicate. Leur situation financière s'améliore. Situation de famille* (célibataire, marié...). — Au théâtre. *Des situations comiques.* — Loc. fam. vieillie. *Elle est dans une situation intéressante* : elle attend un enfant. **2.** Emploi, poste rémunérateur régulier et stable. ⇒ **fonction, place.** *Il a perdu sa situation. Avoir une bonne, une belle situation.* **3.** Loc. ÊTRE EN SITUATION DE... (+ infinitif) : en mesure de... ; être bien placé pour... **4.** Ensemble des circonstances dans lesquelles un pays, une collectivité se trouve. *La situation est grave. Tentatives du gouvernement pour dominer la situation.*

situer [sitɥe] v. tr. ▪ conjug. 1. ▪ Placer par la pensée en un lieu ⇒ **localiser**, à une époque, à une certaine place dans un ensemble. *L'auteur a situé l'action à Londres au XVIᵉ siècle.* Fam. *On ne le situe pas bien,* on ne voit pas quelle sorte d'homme c'est, quel est son milieu. — Pronominalement. *Avoir du mal à se situer par rapport à qqn, qqch.,* à préciser sa position, à trouver sa place. ▶ *situé, ée* adj. ▪ Placé (à tel endroit, de telle ou telle façon). *Maison bien situé.* ▶ ② *situation* n. f. ▪ Emplacement (d'un édifice, d'une ville). *Ce port occupe une situation abritée.* ⇒ **site** (2). ‹ ▶ ① situation ›

six [sis] adj. numér. invar. et n. m. invar. — REM. *Six* se prononce [si] devant consonne, [siz] devant voyelle, [sis] dans les autres cas, sauf exception devant les noms de mois : *le six avril* se prononce [ləsisavril] ou [ləsizavril] ; *le six mai* [ləsimɛ] ou [ləsismɛ]. — Cinq plus un (6). ⇒ **demi-douzaine.** *Six et dix.* ⇒ **seize.** *Dix fois six.* ⇒ **soixante.** *Multiplier par six* (⇒ **sextuple**). *Les Six Jours,* en France, épreuve cycliste sur piste, disputée pendant six jours par des équipes de deux coureurs qui se relaient. — (Ordinal) Sixième. *Page six. Charles VI* (six). — N. m. Le nombre, le numéro six. *Sa lettre est du six* (du mois courant). Carte, face de dé, de domino présentant six marques. *Le six de trèfle.* ▶ *sixième* [sizjɛm] adj. numér. et n. ▪ Ordinal de six. *Le sixième jour.* — *La sixième,* classe qui commence l'enseignement secondaire. — Se dit d'une fraction, d'un tout divisé également en six. *Le sixième de la somme.* ▶ *sixièmement* adv. ▪ En sixième lieu. ▶ *à la six-quatre-deux* [alasiskatdø] loc. adv. ▪ Fam. À la hâte, sans soin. *Faire un travail à la six-quatre-deux,* le bâcler. ▶ *sixte* [sikst] n. f. **1.** Sixième degré de la gamme diatonique. — Intervalle musical de six degrés. **2.** Football. Équipe de six joueurs. *Un tournoi de sixtes.*

skaï [skaj] n. m. ▪ (Nom déposé) Tissu enduit de matière synthétique et imitant le cuir. ⇒ **similicuir.** *Un sac en skaï.*

skate-board [sketbɔrd] n. m. ▪ Anglic. Planche à roulettes. *Des skate-boards.*

sketch [sketʃ] n. m. ▪ Courte scène, généralement comique et rapide, interprétée par un nombre restreint d'acteurs. ⇒ **saynète.** *Film à sketches.*

ski [ski] n. m. **1.** Chacun des deux longs patins de bois, de métal ou de matière plastique, relevés à l'avant, dont on se chausse pour glisser sur la neige. *Une paire de skis. Aller en skis, à skis.* — *Le ski,* la locomotion, le sport en skis (descente, slalom, saut...). *Faire du ski. Station de ski,* de sports d'hiver. *Ski de piste. Ski de fond,* sur parcours à faible dénivellation. *Ski de randonnée,* hors des pistes, en haute montagne. **2.** SKI NAUTIQUE : sport nautique dans lequel le participant glisse sur l'eau, tiré par un bateau à moteur, et chaussé d'un ou deux longs patins. ▶ *skier* [skje] v. intr. ▪ conjug. 7. ▪ Aller en skis, faire du ski.

▶ *skieur, skieuse* n. ▪ Personne qui pratique le ski. ‹ ▶ après-ski, monoski, téléski ›

skiff [skif] n. m. ▪ Bateau de sport très long, effilé, pour un seul rameur. ≠ *esquif. Des squiffs.*

skunks ⇒ **sconse.**

slalom [slalɔm] n. m. ▪ Course de ski, descente sinueuse avec passage obligatoire entre plusieurs paires de piquets (les « portes »). *Descente en slalom. Des slaloms.* — Fig. Fam. *Faire du slalom entre les voitures* (moto, vélo...). ▶ *slalomer* v. intr. ▪ conjug. 1. ▪ Effectuer un parcours en slalom. ▶ *slalomeur, euse* n. ▪ Skieur, skieuse spécialiste du slalom.

slave [slav] adj. et n. ▪ Nom générique de peuples d'Europe centrale et orientale dont les langues sont apparentées (bulgare, polonais, russe, serbo-croate, slovaque, slovène, tchèque). *Plusieurs langues slaves sont écrites en alphabet cyrillique.* — Loc. *Le charme slave.*

sleeping [slipiŋ] n. m. ▪ Anglic. Vx. Wagon-lit. *Des sleepings confortables.*

slip [slip] n. m. ▪ Culotte échancrée sur les cuisses, à ceinture basse, portée comme sous-vêtement ou comme maillot de bain. *Le slip de son bikini. Des slips.* — Fam. *Se retrouver en slip,* être dépouillé de tout, se retrouver sans rien.

slogan [slɔgã] n. m. ▪ Anglic. Formule concise et frappante, utilisée par la publicité, la propagande politique, etc. *Lancer, répéter un slogan.*

slow [slo] n. m. ▪ Anglic. Danse lente à pas glissés, où les partenaires se tiennent enlacés ; musique qui accompagne cette danse. *Danser un slow. L'orchestre joua trois slows à la suite.*

smala [smala] n. f. **1.** Réunion de tentes abritant la famille, les bagages d'un chef arabe qui le suivent dans ses déplacements. **2.** Fam. Famille ou suite nombreuse qui vit aux côtés de qqn, qui l'accompagne partout. *Il est venu avec toute sa smala.*

smash [smaʃ] n. m. ▪ Anglic. Au tennis, au volley-ball, au ping-pong. Coup qui rabat violemment une balle haute. *Faire un smash* (ou *smasher,* v. intr. ▪ conjug. 1.). *Des smashes* ou *des smashs.*

S.M.I.C. [smik] n. m. invar. ▪ Sigle de *salaire minimum interprofessionnel de croissance,* le plus bas salaire autorisé par la loi (en France ; depuis 1970). *Être payé au S.M.I.C.* (être *smicard, arde*).

smocks [smɔk] n. m. pl. ▪ Anglic. Fronces brodées, en couture. *Robe à smocks.*

smoking [smɔkiŋ] n. m. ▪ Anglic. Tenue habillée comportant un veston à revers de soie, un gilet et un pantalon à galon de soie. *Pantalon, veste de smoking. Des smokings.*

snack-bar ou *snack* [snak(bar)] n. m. Anglic. **1.** Café-restaurant où l'on sert des plats rapidement. *Des snacks. Des snack-bars.* **2.** Au Québec. SNACK : repas rapide.

snob [snɔb] n. et adj. ▪ Personne qui cherche à être assimilée aux gens distingués de la haute société, en faisant étalage des manières, des modes qu'elle lui emprunte sans discernement, ainsi que des relations qu'elle peut y avoir. *Un, une snob.* — Adj. *Un café snob,* fréquenté par des snobs. ▶ *snober* [snɔbe] v. tr. ▪ conjug. 1. ▪ Traiter (qqn) de haut ; tenir (qqn) à l'écart, par mépris. ▶ *snobinard, arde* n. ▪ Péj. Petit, petite snob. — Au fém., on dit aussi *snobinette.* ▶ *snobisme* n. m. ▪ Comportement de snob.

snow-boot [snobut] n. m. ▪ Anglic. Vx. Bottine de caoutchouc qui se met par-dessus la chaussure. *Des snow-boots.*

sobre [sɔbʀ] adj. **1.** Qui mange, boit avec modération. ⇒ **tempérant.** — Qui boit peu ou ne boit pas d'alcool. **2.** Qui est mesuré, modéré. *Être sobre de gestes ; sobre en paroles.* — (Choses) Qui ne recherche pas l'effet. ⇒ **simple.** *Vêtement de coupe sobre. Style sobre.* ⇒ **dépouillé.** ▶ **sobrement** adv. ▶ **sobriété** n. f. **1.** Comportement d'une personne, d'un animal sobre. *La sobriété du chameau.* **2.** Mesure, réserve (dans un domaine quelconque). *La sobriété d'un décor.*

sobriquet [sɔbʀikɛ] n. m. ■ Surnom familier, souvent moqueur.

soc [sɔk] n. m. ■ Lame de la charrue qui tranche horizontalement la terre. *Des socs de charrue.*

sociable [sɔsjabl] adj. ■ Qui est capable d'avoir des relations humaines faciles, qui recherche la compagnie de ses semblables, aime la vie en société. / contr. **insociable, sauvage** (II, 1) / — *Caractère sociable.* ⇒ **facile** (4). ▶ **sociabilité** n. f. ■ Caractère d'une personne sociable. ⟨ ▶ **insociable** ⟩

social, ale, aux [sɔsjal, o] adj. **I. 1.** Relatif à une société*, à un groupe d'individus considéré comme un tout, aux rapports de ces individus entre eux. / contr. **individuel** / *Les rapports sociaux. Les phénomènes sociaux. Les sciences sociales,* sciences humaines envisagées d'un point de vue sociologique. **2.** Propre à la société constituée. *Les classes sociales. L'échelle sociale.* **3.** Relatif aux rapports entre les classes de la société (et notamment aux conditions matérielles des travailleurs et à leur amélioration). *Les questions sociales. Conflits sociaux. Une politique, des mesures sociales.* / contr. **antisocial** / *Avantages sociaux. Travailleurs sociaux.* — N. m. *Le social.* **II.** Relatif à une société commerciale. *Le siège social.* ▶ **socialement** adv. ■ Quant aux rapports entre classes sociales. ▶ **socialiser** v. tr. ⸱ conjug. 1. ■ Mettre sous régime communautaire, sous contrôle de la collectivité (des biens, des moyens de production). ⇒ **collectiviser, nationaliser.** ▶ **socialisation** n. f. ▶ **collectivisation.** ▶ **socialisme** n. m. **1.** Doctrine d'organisation sociale qui entend faire prévaloir l'intérêt collectif sur les intérêts particuliers, au moyen d'une organisation collective et du contrôle par la société, en général par l'État ⇒ **étatisme,** des grands moyens de production et d'échange (finance, commerce ; opposé à *libéralisme*). ⇒ **collectivisme, communisme.** *Socialisme réformiste et socialisme révolutionnaire.* Absolt. *Le socialisme.* — Les partis qui se réclament de cette doctrine. En France, les partis de gauche non communistes. **2.** Dans le schéma de l'évolution marxiste. Phase transitoire entre la disparition du capitalisme et l'instauration du communisme. ▶ **socialiste** adj. et n. **1.** Relatif ou propre au socialisme ; qui fait profession de socialisme. *Les partis socialistes* (travaillistes, communistes, etc.). *Un régime, un État socialiste.* — N. *Un, une socialiste.* **2.** En France. Qui appartient au parti socialiste. *Députés socialistes et députés radicaux.* — *Les socialistes.* **3.** Relatif au socialisme (2) tel qu'il existe dans certains pays. *L'économie socialiste des pays de l'Est.* ▶ **social-démocrate** adj. et n. ■ Se dit de socialistes réformistes, libéraux (attitude politique appelée *social-démocratie,* n. f.). *Députés sociaux-démocrates. La liste sociale-démocrate.* ⟨ ▶ antisocial, asocial, médico-social, national-socialisme, politico-social, radical-socialiste, socio- ⟩

sociétaire [sɔsjetɛʀ] adj. et n. ■ Qui fait partie d'une association, d'une société d'acteurs. *Les sociétaires de la Comédie-Française.*

société [sɔsjete] n. f. **I. 1.** Littér. Relations mondaines, sociales. *Aimer la société.* — Loc. JEUX DE SOCIÉTÉ : jeux distrayants qui peuvent se jouer à plusieurs. **2.** Compagnie habituelle. *Se plaire dans la société des femmes.* **3.** Ensemble de personnes qui se réunissent habituellement, en raison d'affinités de classe. *Les usages de la bonne société.* La HAUTE SOCIÉTÉ : le beau monde. — Absolt. *Être introduit, reçu dans la société.* **II. 1.** État particulier à certains êtres vivants, qui vivent en groupes organisés (⇒ **social,** I). *Les abeilles vivent en société.* **2.** Ensemble des personnes entre lesquelles existent des rapports organisés (avec institutions, sanctions, etc.) ; ensemble des forces du milieu agissant sur les individus. ⇒ **communauté.** *L'évolution de la société. Relatif à la société.* ⇒ **collectif, public, social.** — UNE SOCIÉTÉ : groupe social limité dans le temps et dans l'espace. *Les sociétés primitives. La civilisation, la culture d'une société. Les sociétés modernes.* — Type d'état social. *La société d'abondance, de consommation.* **III. 1.** Compagnie ou association religieuse. ⇒ **congrégation.** *La Société de Jésus.* **2.** Organisation fondée pour un travail commun ou une action commune. ⇒ **association.** *Les sociétés savantes. Société secrète,* association qui poursuit en secret des menées subversives. **3.** En droit. Groupement, issu d'un contrat, de personnes ayant mis des biens ou des activités en commun, en vue de partager les bénéfices éventuels ou de profiter d'une économie. *Sociétés civiles* (non commerciales). *Société de crédit,* qui fournit des crédits à ses adhérents. — SOCIÉTÉ (COMMERCIALE) : qui accomplit des opérations commerciales à but lucratif. ⇒ **compagnie, entreprise, établissement.** *Société par actions,* comportant des associés dont la part est représentée par des actions. *Société à responsabilité limitée (S.A.R.L.),* où la responsabilité des associés est limitée au montant de leur apport. *Société anonyme (S.A.). Le président, le conseil d'administration de cette société.* **4.** Nom donné à certaines associations entre États (comme l'ancienne *Société des Nations*). ⇒ **organisation.** ⟨ ▶ sociétaire, socio- ⟩

socio- ■ Élément qui signifie « social » (ex. : *socioculturel, elle,* adj. ; *socioprofessionnel, elle,* adj. ; *sociolinguistique,* n. f.) ou « groupe social, société ». ⟨ ▶ sociologie ⟩

sociologie [sɔsjɔlɔʒi] n. f. ■ Étude scientifique des phénomènes sociaux chez les humains. ≠ *anthropologie.* — Abrév. fam. SOCIO. *Une étudiante en socio.* — Étude de toutes les formes de sociétés (II). *Sociologie animale.* ▶ **sociologique** adj. ■ *Analyse sociologique de la mode.* ▶ **sociologue** n. ■ Spécialiste des travaux sociologiques.

socle [sɔkl] n. m. ■ Base sur laquelle repose une construction, un objet. *Le socle d'une colonne, d'une statue.*

socque [sɔk] n. m. **1.** Didact. Chaussure basse que portaient les acteurs de comédie à Rome. *Le socque et le cothurne.* **2.** Chaussure à semelle de bois. ⇒ **sabot.**

socquette [sɔkɛt] n. f. ■ Petite chaussette arrivant au-dessus de la cheville.

socratique [sɔkʀatik] adj. ■ Propre à Socrate, ou qui l'évoque. *L'ironie socratique. Les dialogues socratiques de Platon.*

soda [sɔda] n. m. ■ Boisson à base d'eau gazeuse, additionnée de sirop de fruit ou accompagnant un alcool fort. *Des sodas à l'orange.* — En appos. *Un whisky soda.*

sodium [sɔdjɔm] n. m. ■ Corps simple d'un blanc argenté, très mou, qui brûle à l'air et réagit violemment avec l'eau, avec formation de soude et dégagement d'hydrogène (Symb. *Na*). *Chlorure de sodium* (sel). *Carbonate de sodium* (soude).

sodomie [sɔdɔmi] n. f. ■ Coït anal (pratiqué sur un homme ou sur une femme). ▸ *sodomiser* v. tr. ● conjug. 1. ■ Pratiquer la sodomie sur (qqn). ▸ *sodomite* n. m. ■ Littér. Homme qui pratique la sodomie. ≠ *homosexuel.*

sœur [sœʀ] n. f. 1. Personne de sexe féminin, considérée par rapport aux autres enfants des mêmes parents. *Sœur aînée (grande sœur), sœur cadette (petite sœur). Paul et Anne sont frère et sœur.* — Fam. *Et ta sœur ?,* se dit ironiquement pour inviter qqn à se mêler de ce qui le regarde, ou pour couper court à ses propos. — SŒUR DE LAIT : fille d'une nourrice, par rapport à un des nourrissons dont elle a la charge. 2. Littér. Se dit d'une chose, d'une notion apparentée, quand elle est désignée par un nom féminin. *Théorie et pratique doivent être sœurs.* — ÂME SŒUR : se dit d'une personne qui semble faite pour en bien comprendre une autre de sexe opposé. *Elle n'a pas trouvé l'âme sœur.* 3. Titre donné aux religieuses. *Au revoir, ma sœur.* — Fam. BONNE SŒUR : religieuse d'un ordre charitable ou enseignant. ▸ *sœurette* n. f. ■ Terme d'affection envers une petite sœur. ⟨ ▸ belle-sœur, demi-sœur, sororal ⟩

sofa [sɔfa] n. m. ■ Lit de repos à deux ou trois appuis, servant aussi de siège. ⇒ **canapé, divan.** *Des sofas confortables.*

soi [swa] pronom pers. réfléchi de la 3ᵉ personne. **I.** (Personnes) 1. (Se rapportant à un sujet indéterminé) *Pour réussir, il faut avoir confiance en soi. La conscience de soi. Comme on est bien chez soi !* 2. Vx. (Se rapportant à un sujet déterminé) ⇒ **lui, elle, eux.** *Il regardait droit devant soi. Une femme sûre de soi.* **II.** (Choses) *C'est un régime qui n'est pas mauvais en soi, de par sa nature. Cela va de soi,* c'est bien évident, bien naturel. **III.** SOI-MÊME. *Ici, on fait tout soi-même. Aimer son prochain comme soi-même. Il faut savoir sortir de soi-même.* ▸ *soi-disant* [swadizɑ̃] adj. invar. 1. Qui dit, qui prétend être (telle ou telle chose). *Une soi-disant comtesse. Des soi-disant champions.* 2. (Choses ; emploi critiqué) Prétendu. *Cette soi-disant liberté est une illusion.* 3. Loc. adv. Prétendument. *Il est venu à Paris, soi-disant pour affaires.* ⟨ ▸ chez-soi, quant-à-soi ⟩

soie [swa] n. f. **I.** 1. Substance filiforme sécrétée par quelques chenilles de papillons (*vers à soie* ⇒ **sériciculture**), utilisée comme matière textile. *Fil de soie. Chemise, bas de soie. Un foulard pure soie. Une trame de soie.* ⇒ **sas.** *Impression par une trame de soie.* ⇒ **sérigraphie.** — *Soie sauvage,* produite par certaines chenilles d'Extrême-Orient. 2. PAPIER DE SOIE : papier fin, translucide et brillant. **II.** Poil long et rude de certains animaux (porc, sanglier). *Un pinceau en soie de sanglier.* ▸ *soierie* [swaʀi] n. f. ■ Tissu de soie. — *La soierie,* l'industrie et le commerce de la soie. ⇒ **magnanerie.** ⟨ ▸ soyeux ⟩

soif [swaf] n. f. 1. Sensation correspondant à un besoin de l'organisme en eau. *Avoir soif, très soif,* être assoiffé. *Cette chaleur m'a donné soif.* ⇒ **altérer.** — Fig. JUSQU'À PLUS SOIF : à satiété. *Rester sur sa soif,* n'être pas entièrement satisfait. *Ce film m'a laissé sur ma soif.* — (Terre, végétation) Manquer d'eau. *Les rosiers ont soif.* 2. Désir passionné et impatient. *La soif de connaître. J'ai soif d'indépendance.* ▸ *soiffard, arde* adj. et n. ■ Fam. Qui est toujours prêt à boire, qui boit exagérément (du vin, de l'alcool). ⟨ ▸ assoiffé ⟩

soigner [swaɲe] v. tr. ● conjug. 1. 1. S'occuper du bien-être et du contentement de (qqn), du bon état de (qqch). / contr. **maltraiter, négliger** / *Une maison qui soigne sa clientèle. Il soigne ses outils, ses livres, il en prend grand soin.* — Au p. p. adj. *Des plantes*

bien soignées. *Il est très soigné de sa personne.* — Pronominalement. *Elle devrait se soigner davantage, être plus soignée,* s'occuper davantage de sa beauté, de sa toilette. 2. Apporter du soin (III) à (ce qu'on fait). / contr. **bâcler** / *Il faut soigner les détails.* ⇒ **fignoler.** — Au p. p. adj. *Un travail soigné.* 3. S'occuper de rétablir la santé de (qqn), d'entretenir la forme de (un sportif). *Le médecin qui me soigne.* ⇒ **traiter ; soin** (II). — Pronominalement. *Soigne-toi bien.* — Fam. *Il faut te faire soigner !,* tu es fou ! — S'occuper de guérir (un mal). *Soigne ton rhume.* — Fam. *Il faut soigner ça !* ou, pronominalement, *ça se soigne !,* se dit à qqn dont on juge le comportement peu normal. ▸ *soignant, ante* adj. ■ Se dit d'une personne chargée de donner les soins. *Le personnel soignant d'un hôpital. Aide soignant(e),* personne qui assiste les infirmiers et infirmières. ▸ *soigneur* n. m. ■ Celui qui est chargé de soigner (3) un sportif, un boxeur. ⟨ ▸ soin ⟩

soigneux, euse [swaɲø, øz] adj. 1. Qui est fait avec soin, avec méthode. *Un travail peu soigneux.* 2. Qui soigne son ouvrage. ⇒ **appliqué.** / contr. **négligent** / *Une élève très soigneuse.* ▸ *soigneusement* adv. ■ Avec soin.

soin [swɛ̃] n. m. **I.** 1. Littér. Préoccupation relative à un objet auquel on s'intéresse. *Son premier soin a été de me prévenir de son arrivée.* — AVOIR, PRENDRE SOIN DE (+ infinitif) : penser à, s'occuper de. ⇒ **veiller** à. *J'avais pris soin de l'avertir.* — Travail dont on est chargé. ⇒ **charge.** *On lui a confié le soin de la maison.* 2. AVOIR, PRENDRE SOIN DE... *qqn, qqch.* : s'occuper du bien-être de (qqn), du bon état de (qqch.). **II.** LES SOINS. 1. Actes par lesquels on veille au bien-être, au bon état de (qqn, qqch.). *L'enfant a besoin des soins d'une mère. Les soins du ménage. Soins de toilette, de beauté. Aux bons soins de M. X,* se dit d'une lettre confiée à qqn. — Loc. *Être AUX PETITS SOINS pour qqn* : être très attentionné. 2. Actions par lesquelles on conserve ou on rétablit la santé (⇒ **soigner** (3) ; **curatif, médical, thérapeutique**). *Le blessé a reçu les premiers soins.* **III.** LE SOIN : manière appliquée, exacte, scrupuleuse (de faire). ⇒ **soigneux.** *Le soin qu'il met, qu'il apporte à faire son travail.* ⇒ **application, sérieux.** / contr. **négligence** / *Être habillé avec soin.* ⟨ ▸ soigneux ⟩

soir [swaʀ] n. m. 1. Fin du jour, moments qui précèdent et qui suivent le coucher du soleil. *Le soir descend, tombe. Il fait frais le soir.* — Loc. ÊTRE DU SOIR : être actif le soir, aimer se coucher tard. 2. Les dernières heures du jour et les premières de la nuit (opposé à *après-midi*). *Prendre un comprimé matin et soir. Il sort souvent le soir, le samedi soir. Tous les lundis soir. Hier (au) soir. À ce soir ! Robe du soir, de soirée.* — Loc. LE GRAND SOIR : celui de la révolution sociale. 3. Dans le décompte des heures. Temps qui va de 4 ou 5 heures de l'après-midi à minuit. *Dix heures du soir* (opposé à *du matin*). ▸ *soirée* n. f. 1. Temps compris entre le déclin du jour et le moment où l'on s'endort ; durée du soir (2), manière de la passer. *Les chaudes soirées de juillet. Les longues soirées d'hiver.* ⇒ **veillée.** *Il passe sa soirée chez des amis. Toute la soirée.* 2. Réunion mondaine ou intellectuelle, qui a lieu le soir, après le repas du soir. *Aller en soirée. Tenue de soirée,* très habillée. — Séance de spectacle qui se donne le soir (opposé à *matinée*). *Projeter un film en soirée.* ⟨ ▸ bonsoir ⟩

soit [swa] conj. et adv. 1. SOIT..., SOIT... : marque l'alternative. ⇒ **ou.** *Soit l'un, soit l'autre. Soit avant, soit après.* — SOIT QUE..., SOIT QUE... (+ subjonctif) *Soit que j'aille chez toi, soit que tu viennes.* 2. SOIT (présentant une hypothèse ou une supposition) : étant donné. *Soit un triangle rectangle.* — À savoir, c'est-à-dire. *Cent mille francs anciens, soit mille francs actuels.* **3.** SOIT [swat] adv. d'affirmation (valeur de concession). Bon, admettons. *Soit ! et après ? Eh bien soit !,* d'accord.

soixante [swasɑ̃t] adj. numér. invar. **1.** Six fois dix (60). *Soixante et un, soixante-deux. Soixante-dix* (70). *Soixante et onze, soixante-douze. Il, elle a eu soixante ans* ⇒ **sexagénaire**, *soixante-dix ans* ⇒ **septuagénaire**. — (Ordinal) *Page soixante.* Ellipt. *La guerre de soixante-dix,* de 1870. **2.** N. m. invar. Le nombre, le numéro soixante. ▶ *soixantaine* [swasɑ̃tɛn] n. f. **1.** Nombre de soixante environ. *Une soixantaine d'invités.* **2.** Âge de soixante ans. *Il approche de la soixantaine. Il a la soixantaine,* environ soixante ans. ▶ *soixantième* [swasɑ̃tjɛm] adj. et n. ■ Ordinal de *soixante.* — Se dit d'une fraction d'un tout divisé également en soixante parties.

soja [sɔʒa] n. m. ■ Plante légumineuse d'origine exotique, utilisée dans l'alimentation. *Huile, germes de soja. Sauce de soja.*

① *sol* [sɔl] n. m. **1.** Partie superficielle de la croûte terrestre, à l'état naturel ou aménagée par l'homme. ⇒ **terre**. *Posé au sol, à même le sol. Vitesse au sol d'un avion. Un sol revêtu, cimenté. Les sols à bâtir.* **2.** Cette partie, considérée du point de vue géologique ou agricole. *La pédologie, science des sols. Des sols argileux, calcaires.* ⇒ **terrain**. *Sol riche, pauvre.* **3.** Couche superficielle de tout corps céleste. *Le sol lunaire.* ⟨ ▶ entresol, sous-sol ⟩

② *sol* n. m. invar. ■ Cinquième degré de la gamme de do ; signe qui le représente. ⟨ ▶ solfège, solfier ⟩

solaire [sɔlɛʀ] adj. **I. 1.** Relatif au soleil, à sa position ou à son mouvement apparent dans le ciel. *Heure solaire* (opposé à *heure légale*). **2.** Du soleil. *Taches solaires. Énergie solaire. La lumière solaire.* — *Système solaire,* ensemble des corps célestes formé par le soleil et son champ de gravitation (planètes, comètes...). **3.** Qui fonctionne grâce à la lumière, au rayonnement du soleil. *Cadran solaire. Chauffage solaire.* — *Maison solaire.* **4.** Qui protège du soleil. *Crème, filtre solaire.* **II.** Fig. De forme rayonnante. *Plexus solaire.*

solarium [sɔlaʀjɔm] n. m. ■ Emplacement réservé aux bains de soleil dans une piscine, une maison... *Des solariums.*

soldat [sɔlda] n. m. **1.** Homme qui sert dans une armée. ⇒ **militaire**. *Le métier de soldat. Un grand soldat,* un grand homme de guerre. — Loc. JOUER AU PETIT SOLDAT : faire le brave, le malin. **2.** *Simple soldat* ou *soldat,* militaire non gradé des armées de terre et de l'air. *Les soldats et les marins.* — En appos. *Une femme soldat* (appelée parfois *soldate,* n. f.). — *La tombe du Soldat inconnu,* où repose la dépouille anonyme d'un soldat de la guerre de 14-18. **3.** Abstrait. Littér. Combattant, défenseur au service d'une cause. *Les soldats de la foi.* **4.** *Soldats de plomb,* figurines (à l'origine en plomb) représentant des soldats. ▶ *soldatesque* adj. et n. f. **1.** Adj. Propre aux soldats, à la condition de soldat. **2.** N. f. Péj. Ensemble de soldats brutaux et indisciplinés. *Violences commises par la soldatesque.*

① *solde* [sɔld] n. f. **1.** Rémunération (versée aux militaires). *Toucher sa solde.* **2.** Loc. péj. À LA SOLDE DE *qqn* : payé par qqn, acheté par qqn. *On l'accusait d'être à la solde de l'étranger.* ⟨ ▶ demi-solde, soldat, soudoyer ⟩

② *solde* [sɔld] n. m. **1.** Différence qui apparaît, à la clôture d'un compte, entre le crédit et le débit. *Solde créditeur, débiteur.* — Absolt. Ce qui reste à payer sur un compte. *Je vous paierai le solde demain.* — Loc. POUR SOLDE DE TOUT COMPTE : s'écrit sur une facture, etc., lorsque la totalité de la somme due est réglée. **2.** EN SOLDE : vendu au rabais. *Acheter des bottes en solde.* — Au plur. SOLDES : articles mis en solde. *Des soldes intéressants, avantageux* (le fém. est incorrect).

solder [sɔlde] v. tr. ■ conjug. 1. **1.** Arrêter (un compte) en établissant le solde. *Solder un compte en banque.* — Pronominalement. (Compte, budget) SE SOLDER PAR : faire apparaître à la clôture un solde consistant en (un débit ou un crédit). *Le bilan se solde par un déficit de cinq millions.* — Abstrait. Aboutir en définitive à. *Tous ses efforts se sont soldés par un échec.* **2.** Mettre, vendre en solde. ▶ *soldeur, euse* n. ■ Personne qui fait le commerce d'articles en solde. ⟨ ▶ ② solde ⟩

sole [sɔl] n. f. ■ Poisson plat ovale couvert d'écailles fines, qui vit près des côtes et dont la chair est très estimée. *Des filets de sole. Des soles meunière.*

solécisme [sɔlesism] n. m. ■ Emploi fautif, relativement à la syntaxe, de formes par ailleurs existantes (opposé à *barbarisme*). « *Je veux qu'il vient* » (au lieu de « *je veux qu'il vienne* ») est un solécisme.

soleil [sɔlɛj] n. m. **I. 1.** Astre qui donne la lumière et la chaleur à la Terre, et qui rythme la vie à sa surface. ⇒ **héli(o)-**. *Les rayons, la chaleur du soleil* (⇒ **solaire**). *Le lever, le coucher du soleil.* — PROV. *Le soleil brille pour tout le monde,* chacun a le droit d'être heureux. *Rien de nouveau sous le soleil,* sur la terre. — (Avec une majuscule) En sciences. Cet astre, en tant qu'étoile de la galaxie, autour de laquelle gravitent plusieurs planètes dont la Terre. — Le Soleil, en tant qu'objet d'un culte. *Les dieux du Soleil.* **2.** Lumière de cet astre ; temps ensoleillé. *Un beau soleil. Il fait soleil, du soleil,* il fait beau temps. *Les pays du soleil,* ceux où il fait souvent un temps ensoleillé. — Rayons du soleil ; lieu exposé à ces rayons (opposé à *ombre*). *Se mettre au soleil, en plein soleil. Bain* de soleil. Des lunettes de soleil,* qui protègent du soleil. — COUP DE SOLEIL : insolation, ou légère brûlure causée par le soleil. — Loc. *Avoir* UNE PLACE AU SOLEIL : une situation où l'on profite de certains avantages. *Avoir des biens au soleil,* des propriétés. **3.** Image de cet astre, cercle entouré de rayons. **4.** Abstrait. RAYON DE SOLEIL : ce qui réjouit, console. **5.** Pièce d'artifice, cercle monté sur pivot, garni de fusées qui le font tourner en lançant leurs feux. **II.** Fig. **1.** Tour acrobatique d'une personne autour d'un axe horizontal. *Faire le grand soleil à la barre fixe.* **2.** Grande fleur à pétales jaune vif entourant un cœur plus foncé. ⇒ **tournesol**. **3.** Loc. fam. PIQUER UN SOLEIL : rougir violemment. ⟨ ▶ ensoleiller, insolation, parasol, pare-soleil, solaire, solarium, solstice, ① tournesol ⟩

solennel, elle [sɔlanɛl] adj. **1.** Qui est célébré avec pompe, par des cérémonies publiques. *Des honneurs solennels lui ont été rendus.* **2.** Accompagné de formalités, d'actes publics qui lui donnent une importance particulière. *Un serment solennel.* **3.** Souvent péj. Qui a une gravité propre aux grandes occasions. *Un ton solennel.* ⇒ **cérémonieux, pompeux**. ▶ *solennellement* [sɔlanelmɑ̃] adv. ▶ *solennité* [sɔlanite] n. f. **1.** Fête solennelle. **2.** Souvent péj. Caractère solennel, pompeux.

solénoïde [sɔlenɔid] n. m. ■ Sciences, techniques. Bobine constituée par un fil conducteur enroulé et traversé par un courant qui crée sur son axe un champ magnétique. ⟨ ▶ solde ⟩

solfatare [sɔlfataʀ] n. f. ■ Terrain volcanique qui dégage des émanations de vapeur et de gaz sulfureux chaud.

solfège [sɔlfɛʒ] n. m. ■ Étude des principes élémentaires de la musique et de sa notation. *Faire du solfège* (⇒ **solfier**) ; *étudier le solfège.*

solfier [sɔlfje] v. tr. ▪ conjug. 7. ■ Chanter (un morceau de musique) en nommant les notes.

solidaire [sɔlidɛʀ] adj. **1.** Se dit de personnes qui sont ou se sentent liées par une responsabilité et des intérêts communs. *Ouvriers qui se déclarent solidaires d'autres travailleurs en grève. Étudiants et professeurs ont été solidaires dans la lutte.* **2.** Se dit de choses qui dépendent l'une de l'autre, de pièces mécaniques liées dans un même mouvement. / contr. **indépendant** / *La bielle est solidaire du vilebrequin.* ▶ **solidairement** adv. ▶ **se solidariser** v. pron. ▪ conjug. 1. ■ Se rendre, se déclarer solidaire (de qqn). *Se solidariser avec un collègue,* faire cause commune avec lui. ▶ **solidarité** n. f. **1.** Fait d'être solidaire, relation entre personnes ayant conscience d'une communauté d'intérêts qui entraîne une obligation morale d'assistance mutuelle. *Solidarité de classe. Solidarité professionnelle.* **2.** Interdépendance (de phénomènes, d'éléments). *Faire appel à la solidarité internationale.* ⟨ ▶ se désolidariser ⟩

① **solide** [sɔlid] adj. et n. m. **I.** Qui a de la consistance, qui n'est pas liquide (tout en pouvant être plus ou moins mou). *Aliments solides et aliments liquides. L'état solide* (opposé à *gazeux* et *liquide*). *Rendre solide.* ▶ **solidifier.** — N. m. *Les solides,* corps solides. **II.** N. m. Figure géométrique à trois dimensions, limitée par une surface fermée, à volume mesurable. *Le prisme, le cube sont des solides.* ▶ **solidifier** v. tr. ▪ conjug. 7. ■ Donner une consistance solide (1) à (une substance). / contr. **gazéifier, liquéfier** / — Pronominalement. *Se solidifier,* passer de l'état liquide à l'état solide. ⇒ **durcir.** ▶ **solidification** n. f. ■ Action de solidifier. ⟨ ▶ ② solide ⟩

② **solide** adj. **1.** Qui résiste aux efforts, à l'usure. ⇒ **résistant, robuste.** / contr. **fragile** / *Des meubles solides.* — N. m. Fam. *Ça, c'est du solide !* — Qui garde sa position. *Être solide sur ses jambes.* ⇒ ① **ferme** (2), **stable. 2.** Abstrait. Sur quoi l'on peut s'appuyer, compter ; qui est à la fois effectif et durable. ⇒ **sérieux, sûr.** *Une amitié solide. De solides qualités. J'ai de solides raisons pour croire cela. Il est doué d'un solide bon sens.* **3.** (Personnes) Qui est massif, puissant. ⇒ **fort.** *Un solide gaillard.* — Qui a une santé à toute épreuve, une grande endurance. ⇒ **vigoureux.** *Il est toujours solide, solide comme un roc. Il n'a pas l'estomac très solide. Être solide au poste.* **4.** Fam. Bon, grand (dans quelques emplois). *Il a un solide appétit.* ▶ **solidement** adv. ▶ **solidité** n. f. **1.** Robustesse, résistance (d'une chose). *Une construction d'une solidité à toute épreuve.* **2.** Abstrait. Caractère de ce qui est solide (2). — Qualité de ce qui est bien pensé, sérieux. *La solidité d'un raisonnement.* ⟨ ▶ consolider, souder ⟩

soliloque [sɔlilɔk] n. m. ■ Discours d'une personne seule* qui se parle à elle-même, qui pense tout haut. ⇒ **monologue.** *Se livrer à un triste soliloque.* ▶ **soliloquer** v. intr. ▪ conjug. 1. ■ Se livrer à des soliloques. ⇒ **monologuer.**

soliste [sɔlist] n. ■ Musicien ou chanteur qui exécute une partie de solo, ou qui interprète une œuvre écrite pour un seul instrument ou une seule voix. *Un, une soliste* (opposé à *musicien d'orchestre,* à *choriste*).

solitaire [sɔlitɛʀ] adj. et n. **I.** Adj. **1.** Qui vit seul, dans la solitude. — Qui vit dans la solitude et s'y complaît. *Un voyageur, un promeneur solitaire.* **2.** Ver *solitaire.* ⇒ **ténia. 3.** Qu'on accomplit seul, qui se

passe dans la solitude. *Une enfance solitaire.* **4.** Où l'on est seul, qui est inhabité. ⇒ **écarté, retiré.** *C'est un endroit solitaire.* **II.** N. **1.** N. m. ou f. Ermite ; personne qui a l'habitude de vivre seule. *Un, une solitaire. Vivre en solitaire.* **2.** N. m. Sanglier mâle (qui a quitté toute compagnie). *Chasser un vieux solitaire.* **3.** N. m. Diamant monté seul, en particulier sur une bague. ▶ **solitairement** adv. ■ Dans la solitude.

solitude [sɔlityd] n. f. **1.** Situation d'une personne qui est seule (de façon momentanée ou durable). ⇒ **isolement.** *La solitude lui pèse. Nous avons troublé sa solitude. Solitude à deux,* d'un couple qui s'isole. — Situation d'une personne qui vit habituellement seul, qui a peu de contacts avec autrui. ⇒ **retraite.** *Vivre dans la solitude.* **2.** Littér. *Une solitude,* un lieu solitaire. — Atmosphère solitaire (d'un lieu). *Dans la solitude des forêts.*

solive [sɔliv] n. f. ■ Chacune des pièces de charpente s'appuyant sur les poutres ou les murs, et qui soutient le plancher. *Solives en bois ou en fer. Poutres et solives apparentes.*

solliciter [sɔ(l)lisite] v. tr. ▪ conjug. 1. **1.** (Suj. chose) Appeler, tenter de manière pressante. *La publicité nous sollicite continuellement.* — (Suj. personne) Chercher à éveiller (l'attention, la curiosité). *Solliciter l'attention de qqn par des signes.* **2.** Faire appel à (qqn) de façon pressante en vue d'obtenir qqch. ⇒ **assiéger, importuner.** *Solliciter qqn de faire qqch.,* le prier de... **3.** Demander dans les formes officielles (qqch. qu'on veut obtenir d'une autorité). *Solliciter une faveur, une aumône. Solliciter un emploi.* ▶ **sollicitation** n. f. **1.** Littér. Incitation, tentation insistante. **2.** Demande instante, démarche pressante. *Céder aux sollicitations de qqn.* ▶ **solliciteur, euse** n. ■ Personne qui sollicite qqch. d'une autorité, d'un personnage influent. ⇒ **quémandeur.** *Éconduire un solliciteur.* ⟨ ▶ sollicitude ⟩

sollicitude [sɔ(l)lisityd] n. f. ■ Attention, intérêt affectueux porté à qqn. *Écouter qqn avec sollicitude.*

solo [sɔlo] n. m. ■ Morceau joué ou chanté par un seul interprète *(soliste). Des solos de piano.* — En appos. *Flûte solo.* ⟨ ▶ soliste ⟩

solstice [sɔlstis] n. m. ■ Chacune des deux époques où le Soleil atteint son plus grand éloignement angulaire du plan de l'équateur. *Solstice d'hiver* (21 ou 22 décembre), *d'été* (21 ou 22 juin), jour le plus court et jour le plus long de l'année dans l'hémisphère Nord (dans l'hémisphère Sud, la situation est inversée).

soluble [sɔlybl] adj. **1.** Qui peut se dissoudre (dans un liquide). / contr. **insoluble** (2) / *Café soluble.* **2.** (Problème) Qui peut être résolu. / contr. **insoluble** (1) / ▶ **solubiliser** v. tr. ▪ conjug. 1. ■ Rendre soluble. — Au p. p. adj. *Cacao solubilisé.* ▶ **solubilité** n. f. ■ Caractère de ce qui est soluble. ⟨ ▶ solucamphre ⟩

solucamphre [sɔlykãfʀ] n. m. ■ Dérivé du camphre, soluble dans l'eau, utilisé comme tonique pour le cœur.

soluté [sɔlyte] n. m. **1.** Corps dissous dans un solvant*. **2.** Remède liquide contenant une substance en solution (②, 2).

① **solution** [sɔlysjɔ̃] n. f. **1.** Opération mentale par laquelle on surmonte une difficulté, on résout* un problème ; son résultat. *Trouver la solution. Je cherche la solution de ce problème, une solution à ce problème.* ⇒ **résoudre** (il ne faut pas dire *solutionner*). **2.** Ensemble de décisions et d'actes qui peuvent résoudre une difficulté. *Une solution de facilité,* qui exige le moindre effort. *Ce n'est pas une solution !,* cela n'arrange rien ! — Manière dont une situation compliquée se dénoue. ⇒ **dénouement, issue.** *La solution de la crise est en vue.*

② *solution* n. f. **1.** Action de dissoudre* (un solide) dans un liquide ; le fait de se dissoudre. ⇒ **dissolution ; soluté** (1), **solvant.** *Solution à chaud.* **2.** Mélange homogène de deux ou plusieurs sortes de molécules chimiques. *Une solution saturée.* — Liquide contenant un solide dissous. ‹ ▶ ① solution, solution de continuité ›

solution de continuité n. f. ■ Interruption (dans la continuité) ; rupture. *Des solutions de continuité. Sans solution de continuité,* sans interruption, continu.

solvable [sɔlvabl] adj. ■ Qui a les moyens de payer ses créanciers. / contr. **insolvable** / ▶ *solvabilité* n. f. ■ Le fait d'être solvable. *Sa solvabilité est certaine.* ‹ ▶ insolvable ›

solvant [sɔlvɑ̃] n. m. ■ Substance (le plus souvent liquide) qui a le pouvoir de dissoudre d'autres substances. ⇒ ② **solution.**

somatique [sɔmatik] adj. ■ Qui concerne le corps, l'organisme (opposé à *psychique*). ‹ ▶ psychosomatique ›

sombre [sɔ̃bʀ] adj. **I. 1.** Qui est peu éclairé, reçoit peu de lumière. ⇒ **noir, obscur.** / contr. **clair, éclairé** / *Cette pièce est très sombre. Il fait sombre,* il y a peu de lumière. **2.** Foncé. *Une teinte sombre.* **II. 1.** (Personnes ; choses humaines) Empreint de tristesse, d'inquiétude. ⇒ **morne, morose, triste.** *Il était sombre et abattu. Son visage restait sombre. De sombres réflexions.* **2.** (Choses) D'une tristesse tragique ou menaçante. ⇒ **inquiétant, sinistre.** *L'avenir est bien sombre. C'est une sombre histoire.* **3.** Fam. Lamentable. *Une sombre brute. Un sombre idiot.* ‹ ▶ assombrir ›

sombrer [sɔ̃bʀe] v. intr. ▪ conjug. 1. **1.** (Bateau) Cesser de flotter, s'enfoncer dans l'eau. ⇒ **couler.** **2.** S'enfoncer ou se perdre. *Il a sombré dans un sommeil de plomb. Il a sombré dans la folie, sa raison a sombré.*

sombrero [sɔ̃bʀeʀo] n. m. ■ Chapeau à larges bords, en usage en Espagne, en Amérique du Sud. *Des sombreros.*

① *sommaire* [sɔ(m)mɛʀ] adj. **1.** Qui est résumé brièvement. ⇒ **court.** / contr. **détaillé** / *Un exposé sommaire,* succinct, élémentaire. **2.** Qui est fait promptement, sans formalité. *Coup d'État suivi d'exécutions sommaires.* **3.** Qui est réduit à sa forme la plus simple. *Connaissances sommaires.* ⇒ **rudimentaire.** ▶ *sommairement* adv. ■ D'une manière sommaire. ▶ ② *sommaire* n. m. ■ Résumé des chapitres d'un livre, en table des matières. *Le sommaire d'une revue,* la liste des articles et de leurs auteurs. *Qu'y a-t-il au sommaire ?*

sommation [sɔ(m)masjɔ̃] n. f. ■ Action de sommer qqn (⇒ **sommer**). *Après la troisième sommation, la sentinelle a tiré.*

① *somme* [sɔm] n. f. **1.** Quantité formée de quantités additionnées ; résultat d'une addition. *Faire la somme de plusieurs nombres.* **2.** Ensemble de choses qui s'ajoutent. ⇒ **total.** — Quantité considérée dans son ensemble. ⇒ **masse.** *Une somme d'efforts considérable.* — Loc. adv. EN SOMME : tout bien considéré. SOMME TOUTE : en résumé, après tout. ⇒ **finalement.** **3.** *Somme (d'argent),* quantité déterminée d'argent. *Une grosse somme. Arrondir une somme.* **4.** Œuvre qui résume toutes les connaissances relatives à une science, à un sujet. *Ce traité est une somme.* ‹ ▶ ① sommaire, sommer ›

② *bête de* *somme* n. f. ■ Bête de charge qui porte les fardeaux. *Des bêtes de somme.* — *Travailler comme une bête de somme,* durement.

③ *somme* [sɔm] n. m. ■ Action de dormir, considérée dans sa durée. *Faire un petit somme.* ⇒ fam. **roupillon.** *Je n'ai fait qu'un somme,* j'ai dormi toute la nuit sans m'éveiller. ‹ ▶ assommer, sommeil ›

sommeil [sɔmɛj] n. m. **1.** État d'une personne qui dort, caractérisé essentiellement par la suspension de la conscience et le ralentissement de certaines fonctions. *J'ai besoin de sommeil. Dormir d'un sommeil profond, d'un sommeil de plomb. Avoir le sommeil léger,* s'éveiller facilement. *Le premier sommeil,* les premières heures qui suivent le moment où l'on s'endort. *Privation de sommeil.* ⇒ **insomnie.** *Qui provoque le sommeil.* ⇒ **somnifère, soporifique.** *Sommeil provoqué.* ⇒ **hypnose, narcose.** *Faire une cure de sommeil. Maladie du sommeil* (transmise par la mouche tsé-tsé). — *Le sommeil éternel, le dernier sommeil,* la mort. — Envie de dormir. *Avoir sommeil. Tomber de sommeil.* **2.** Ralentissement des fonctions vitales pendant les saisons froides, chez certains êtres vivants. *Le sommeil hivernal de la marmotte.* ⇒ **engourdissement, hibernation. 3.** État de ce qui est provisoirement inactif. *Laisser une affaire en sommeil,* en suspens. ▶ *sommeiller* [sɔmeje] v. intr. ▪ conjug. 1. **1.** Dormir d'un sommeil léger et pendant peu de temps. ⇒ **somnoler. 2.** Exister à l'état latent. *Une passion qui sommeille.* ‹ ▶ demi-sommeil, ensommeillé, et aussi les mots en somn- ›

sommelier, ière [sɔməlje, jɛʀ] n. ■ Personne chargée de la cave, des vins, dans un restaurant.

sommer [sɔ(m)me] v. tr. ▪ conjug. 1. ■ *Sommer qqn à...,* le mettre en demeure, dans les formes établies ; l'avertir par une sommation. *Sommer qqn à comparaître devant la justice.* — *Sommer qqn de...,* lui commander impérativement de. ⇒ **enjoindre.** *Je l'ai sommé de répondre.* ‹ ▶ sommation ›

sommet [sɔ(m)mɛ] n. m. **1.** Partie qui se trouve en haut, point le plus élevé (d'une chose verticale). ⇒ **faîte, haut ;** ① **sommité.** / contr. **bas, base** / *Monter au sommet de la tour Eiffel.* — Point culminant (d'une montagne). ⇒ **cime.** *L'air pur des sommets.* **2.** Ce qui est le plus haut ; degré le plus élevé. ⇒ **summum.** *Le sommet de la hiérarchie. Être au sommet de la gloire. Conférence au sommet,* ou *sommet,* entre dirigeants du niveau le plus élevé. **3.** En géométrie. Intersection de deux côtés (d'un angle, d'un polygone). *Angles opposés par le sommet.*

sommier [sɔmje] n. m. **1.** Partie souple d'un lit, sur laquelle s'étend le matelas. *Sommier à ressorts, métallique.* **2.** Terme administratif. Gros registre ou dossier. *Les sommiers de la police judiciaire.*

① *sommité* [sɔ(m)mite] n. f. ■ Botanique. Extrémité de la tige d'une plante. *Plante dont on utilise les sommités fleuries en tisane.* ‹ ▶ ② sommité ›

② *sommité* n. f. ■ Personnage éminent. ⇒ **personnalité** (II). *Les sommités de la science.*

somnambule [sɔmnɑ̃byl] n. et adj. **1.** Personne qui, pendant son sommeil, effectue par automatisme des marches et autres actes coordonnés. *Un, une somnambule.* — Adj. *Il est somnambule.* **2.** Personne qui, dans un sommeil hypnotique, peut agir ou parler. ▶ *somnambulisme* n. m. ■ État d'automatisme inconscient du somnambule. ▶ *somnambulique* adj. ■ *Comportement somnambulique.*

somnifère [sɔmnifɛʀ] n. m. ■ Médicament qui provoque le sommeil. ⇒ **soporifique.**

somnoler [sɔmnɔle] v. intr. ■ conjug. 1. ■ Être dans un état de somnolence, dormir à demi. ▶ *somnolent, ente* adj. ■ Qui somnole. ▶ *somnolence* n. f. ■ État intermédiaire entre la veille et le sommeil. ⇒ **demi-sommeil, torpeur.** — Tendance irrésistible à s'assoupir. *Médicament qui peut amener un état de somnolence.*

somptuaire [sɔ̃ptчɛʀ] adj. 1. *Loi somptuaire*, loi qui, à Rome, restreignait les dépenses de luxe. 2. (Emploi critiqué) *Dépenses somptuaires*, de luxe. ≠ *somptueux.*

somptueux, euse [sɔ̃ptчø, øz] adj. ■ Qui est d'une beauté coûteuse, d'un luxe visible. ⇒ **fastueux, luxueux, magnifique.** *Un somptueux cadeau.* ≠ *somptuaire.* ▶ *somptueusement* adv. ▶ *somptuosité* n. f. ■ Beauté de ce qui est riche, somptueux. *La somptuosité d'une fête.*

① **son** [sɔ̃], *sa* [sa], *ses* [se] adj. poss. de la 3e pers. du sing. ■ Qui appartient, est relatif à la personne ou la chose dont il est question. *C'est son parapluie, c'est le sien. Elle a oublié son sac et sa valise. Il finit ses études. Ce n'est pas son genre. Il a comparu devant ses juges.* — *Une œuvre qui a perdu de son actualité, de sa fraîcheur.* — *On n'est jamais content de son sort. Chacun son tour.*

② **son** n. m. ■ Sensation auditive créée par un mouvement vibratoire dans l'air ; ce phénomène. ⇒ **bruit ; phon-, sonner.** *Entendre, percevoir un son. Émettre des sons. Sons inarticulés, articulés.* — *Vitesse du son.* ⇒ **Mach.** *Sons musicaux. Enregistrement, reproduction du son. Ingénieur du son*, qui s'occupe de la *prise de son.* ‹ ▶ **infra-son, sonner, subsonique, supersonique, ultra-son, unisson** ›

③ **son** n. m. 1. Résidu de la mouture provenant de l'enveloppe des grains. *Farine de son*, mêlée de son. *Pain de son*, fait avec cette farine. 2. Sciure servant à bourrer. *Poupée de son.* 3. Loc. TACHES DE SON : taches de rousseur.

sonar [sɔnaʀ] n. m. ■ Équipement de détection et de communications sous-marines par réflexion des ultra-sons. *Sonars utilisés pour la détection des bancs de poissons.*

sonate [sɔnat] n. f. ■ Composition musicale pour un ou deux instruments, en trois ou quatre mouvements. *Une sonate pour piano et violon.* ▶ *sonatine* n. f. ■ Petite sonate de caractère facile.

sonde [sɔ̃d] n. f. 1. Instrument (ligne à plomb) qui sert à mesurer la profondeur de l'eau et à reconnaître la nature du fond. *Naviguer à la sonde*, en utilisant la sonde. ⇒ Appareil de mesure des altitudes. *Sonde aérienne* (ou *ballon-sonde*). 2. Instrument de chirurgie destiné à explorer les canaux naturels ou accidentels. *On lui a mis une sonde après son opération.* — Instrument servant à l'alimentation artificielle. 3. Appareil servant aux forages et aux sondages du sol. ⇒ **trépan.** ▶ *sonder* v. tr. ■ conjug. 1. 1. Reconnaître au moyen d'une sonde ou d'un instrument de sondage. *Sonder les grands fonds.* — *Sonder un malade*, prélever l'urine dans la vessie à l'aide d'une sonde. 2. Abstrait. Chercher à entrer dans le secret de... ⇒ **explorer, scruter.** *Sonder qqn*, chercher à connaître ses dispositions d'esprit. *Sonder l'opinion.* ▶ *sondage* n. m. 1. Exploration locale et méthodique d'un milieu (mer, atmosphère, sol) à l'aide d'une sonde, etc. 2. Introduction d'une sonde (2) dans l'organisme. 3. *Sondage (d'opinion)*, enquête visant à déterminer la répartition des opinions sur une question, en recueillant des réponses auprès d'un échantillon de population. *Des sondages d'opinion.* ‹ ▶ **insondable** ›

songe [sɔ̃ʒ] n. m. ■ Littér. Rêve. *Faire un songe.* PROV. *Songes, mensonges.* ▶ *songer* v. tr. ind. ■ conjug. 3. 1. Vx. Rêver ou s'abandonner à la rêverie (⇒ **songeur**). 2. SONGER À : penser à, réfléchir à. *Songez-y bien !* — Avoir présent à l'esprit. *Cela me fait songer que je suis en retard, cela me le rappelle.* — Envisager en tant que projet qui demande réflexion. *Il songe au mariage, à se marier. Il ne faut pas y songer, c'est impossible.* — S'intéresser à... *Il est temps qu'il songe à son avenir.* 3. Prendre en considération. *Avez-vous songé qu'il y a un gros risque ?* ▶ *songerie* n. f. ■ Littér. Rêverie. ▶ *songeur, euse* adj. ■ Perdu dans une rêverie empreinte de préoccupation. ⇒ **pensif.** *Cette nouvelle le laissait songeur. Je te trouve bien songeuse.*

sonner [sɔne] v. ■ conjug. 1. I. V. intr. 1. Retentir sous un choc. ⇒ **résonner, tinter.** *Cela sonne creux*, rend le son d'un objet creux (quand on le frappe). *Les cloches sonnent.* ⇒ **carillonner.** 2. Produire le son commandé par une sonnerie. *Le téléphone a sonné.* — (Heure) *Minuit sonne. Trois heures sonnent.* — Loc. *Sa dernière heure a sonné*, l'heure de sa mort est arrivée. 3. *Une phrase qui sonne mal*, peu harmonieuse. *Sonner juste, bien. Tout cela sonne faux*, donne une impression de fausseté, d'hypocrisie. 4. Faire fonctionner une sonnerie. *Entrer sans sonner.* II. V. tr. ind. SONNER DE : jouer (du clairon, du cor...). *Sonner de la trompette.* III. V. tr. 1. Faire résonner. *Le sacristain sonnait les cloches.* — Loc. fam. *Se faire sonner les cloches.* ⇒ **cloche** (1). 2. Faire entendre (une sonnerie particulière) ; signaler, annoncer par une sonnerie. *On a sonné le tocsin, l'alarme. L'horloge a sonné onze heures.* — Au p. p. adj. *Il est midi sonné*, il est plus de midi. *Il est cinq heures sonnées.* Loc. *Il a soixante ans* BIEN SONNÉS : révolus. 3. Appeler (qqn) par une sonnerie, une sonnette. *Sonner l'infirmière de garde.* — Loc. fam. ON NE T'A PAS SONNÉ : on ne t'a pas appelé, mêle-toi de tes affaires. 4. Assommer, étourdir d'un coup de poing. — Au p. p. *Le boxeur était sonné.* ⇒ **groggy.** ▶ *sonné, ée* adj. 1. ⇒ **sonner** (III, 4). 2. Fam. Fou ; cinglé, toqué. *Il est complètement sonné.* ▶ *sonnaille* n. f. ■ Cloche ou clochette attachée au cou d'un animal domestique. — Au plur. Son de ces cloches. ▶ *sonnant, ante* adj. 1. Loc. ESPÈCES SONNANTES ET TRÉBUCHANTES : monnaie métallique. 2. (Heure) Qui est en train de sonner. ⇒ **tapant.** *À cinq heures sonnantes. À midi sonnant.* ▶ *sonnerie* n. f. 1. Son de ce qui sonne ou d'un instrument dont on sonne. *Une sonnerie de clairon. La sonnerie du téléphone.* 2. Mécanisme qui fait sonner une horloge, un réveille-matin. *Remonter la sonnerie d'un réveil.* — Appareil avertisseur, formé d'un timbre que fait vibrer un marteau. ⇒ **sonnette.** *Sonnerie électrique.* ▶ *sonnette* n. f. 1. Petit instrument métallique (clochette) qui sonne pour avertir. *Le président agitait sa sonnette.* — Timbre, sonnerie électrique ; objet matériel qui sert à déclencher la sonnerie. *Appuyez sur la sonnette. Donnez trois coups de sonnette. Sonnette d'alarme.* 2. Son produit par une sonnette. *Je n'ai pas entendu la sonnette du téléphone.* ⇒ **sonnerie.** ▶ *sonneur* n. m. ■ Celui qui sonne les cloches. ⇒ **carillonneur.** — Loc. *Dormir comme un sonneur* (que même les cloches ne réveillent pas). ‹ ▶ **assonance, consonance, consonne, dissonance, résonner, sonore** ›

sonnet [sɔnɛ] n. m. ■ Petit poème à forme fixe (deux quatrains sur deux rimes embrassées et deux tercets).

sonore [sɔnɔʀ] adj. 1. Qui résonne fort. ⇒ **éclatant.** *Il parlait avec une voix sonore.* — Consonne *sonore* et, n. f., *une sonore* (opposé à *sourde*), dont l'émission s'accompagne de vibrations du larynx (ex. : [b]). 2. Qui renvoie ou propage le son. *Une salle trop sonore.* 3. Relatif au son, phénomène physique ou sensation auditive. *Ondes sonores.* — *Film sonore,* qui comporte l'enregistrement des sons et des bruits. *Effets sonores,* bruits, sons spéciaux qui accompagnent l'image. ▶ **sonoriser** v. tr. ▪ conjug. 1. **1.** Rendre sonore (une consonne sourde). — Pronominalement. [t] *peut se sonoriser en* [d]. **2.** Rendre sonore (un film muet, un spectacle). *Sonoriser un montage de diapositives.* **3.** Munir (une salle) d'un matériel de diffusion du son. — Au p. p. adj. *Salle sonorisée.* ▶ **sonorisation** n. f. ▪ Action de sonoriser. — Matériel de diffusion du son (abrév. fam. *la* SONO). ▶ **sonorité** n. f. **1.** Qualité du son. *Cet instrument, cette radio a une belle sonorité.* — Au plur. Inflexions, sons particuliers (d'une voix). **2.** Qualité acoustique (d'un local). *Cette salle de concert a une bonne sonorité.* ⟨ ▶ **insonore** ⟩

-sophe, -sophie ▪ Éléments signifiant « savant, sage » et « science, sagesse ».

sophiste [sɔfist] n. m. **1.** Chez les Grecs. Maître de rhétorique et de philosophie qui enseignait l'art de parler en public et de défendre toutes les thèses, même contradictoires, avec des arguments subtils. **2.** Personne qui use de raisonnements spécieux *(sophismes).* ▶ **sophisme** n. m. ▪ Argument, raisonnement faux malgré une apparence de vérité.

sophistiqué, ée [sɔfistike] adj. **1.** Alambiqué, affecté. *Un style sophistiqué.* **2.** Qui se distingue par son allure recherchée, artificielle. *Une femme sophistiquée.* **3.** (Emploi critiqué) Complexe, perfectionné. *Machine très sophistiquée.* ▶ **sophistication** n. f. ▪ Caractère sophistiqué, artificiel.

soporifique [sɔpɔrifik] adj. et n. m. **1.** Qui provoque le sommeil. — N. m. *Un soporifique.* ⇒ **somnifère. 2.** Endormant, ennuyeux. *Un discours soporifique.*

soprano [sɔprano] n. **1.** N. m. La plus élevée des voix. *Le soprano de la femme, du jeune garçon.* **2.** N. Personne qui a cette voix. *Un, une soprano. Des sopranos.* — En appos. *Un enfant soprano.*

sorbet [sɔrbɛ] n. m. ▪ Glace légère à base de jus de fruit. *Un sorbet au citron.* ▶ **sorbetière** [sɔrbətjɛr] n. f. ▪ Appareil pour préparer les sorbets et les glaces.

sorbier [sɔrbje] n. m. ▪ Arbre sauvage ou ornemental, à petits fruits rouge orangé (les **sorbes,** n. f.) recherchés des oiseaux. — *Sorbier cultivé,* à fruits comestibles.

sorbonnard, arde [sɔrbɔnar, ard] n. et adj. ▪ Péj. Étudiant, professeur de la Sorbonne (la plus ancienne université de Paris). — Adj. *Esprit sorbonnard.*

sorcellerie [sɔrsɛlri] n. f. ▪ Pratique des sorciers. *Les anciens procès de sorcellerie.* — *C'est de la sorcellerie,* c'est inexplicable, extraordinaire.

sorcier, ière [sɔrsje, jɛr] n. **1.** Personne qui pratique une magie de caractère traditionnel, secret et illicite ou dangereux. ⇒ **magicien.** *Les sorciers du Moyen Âge. Sorciers et guérisseurs en Afrique.* **2.** Fam. *(Vieille) sorcière,* femme vieille, laide ou méchante. **3.** Loc. CHASSE AUX SORCIÈRES : poursuite systématique, par un gouvernement ou un parti, de ses opposants. — Adj. Fam. *Ce n'est pas sorcier,* ce n'est pas difficile. ⇒ **malin.** ⟨ ▶ **ensorceler, sorcellerie** ⟩

sordide [sɔrdid] adj. **1.** D'une saleté repoussante, qui dénote une misère extrême. *Des taudis sordides.* **2.** Qui est bassement intéressé, d'une mesquinerie ignoble. *Une sordide affaire d'héritage. Crime sordide,* commis par simple intérêt. ▶ **sordidement** adv. ▶ **sordidité** n. f. ▪ Littér. Caractère de ce qui est sordide.

sorgho [sɔrgo] n. m. ▪ Graminée des pays chauds. *Le sorgho est utilisé comme céréale.*

sornette [sɔrnɛt] n. f. ▪ Surtout au plur. Propos frivoles, affirmations qui ne reposent sur rien. ⇒ **baliverne.** *Raconter, débiter des sornettes.*

sororal, ale, aux [sɔrɔral, o] adj. ▪ Didact. D'une sœur (correspond à *fraternel*).

sort [sɔr] n. m. **1.** Ce qui échoit (à qqn) du fait du hasard, ou d'une prédestination supposée ; situation faite ou réservée (à une personne, une classe). ⇒ **destinée.** *Les infirmités sont le sort de la vieillesse. Améliorer le sort des travailleurs. Abandonner qqn à son triste sort.* — Littér. FAIRE UN SORT À *qqch.* : mettre en valeur. Fam. *Faire un sort à un plat, une bonne bouteille,* ne rien en laisser. **2.** Puissance qui est supposée fixer le cours des choses. *C'est un coup, une ironie du sort. Le MAUVAIS SORT : la malchance. Conjurer le mauvais sort.* — Fam. (Juron méridional) *Coquin de sort !* **3.** Désignation par le hasard (opposé à *choix, élection*). *Le sort décidera. Le sort en est jeté,* les dés sont jetés. **4.** Loc. JETER UN SORT *à qqn* : pratiquer sur lui une opération de sorcellerie. ⇒ **envoûtement, sortilège.** ⟨ ▶ **sorcier, sortilège** ⟩

sortable [sɔrtabl] adj. ▪ Que l'on peut sortir, présenter en public. *Tu n'es vraiment pas sortable.*

sortant, ante [sɔrtɑ̃, ɑ̃t] adj. **1.** Qui sort d'un tirage au sort. *Les numéros sortants.* ⇒ **gagnant. 2.** Qui cesse de faire partie d'une assemblée (lorsque son mandat arrive à expiration). *Le député sortant a été réélu.* — N. *Les sortants.*

sorte [sɔrt] n. f. **1.** Ensemble (de gens ou d'objets caractérisés par une certaine manière d'être). ⇒ **espèce, genre.** *Il y a plusieurs sortes de problèmes. Cette sorte de gens. On vend ici toutes sortes d'articles de sport. Des fruits de toutes sortes, de la même sorte. Une sorte de fraises tardives.* **2.** UNE SORTE DE... : ce qu'on ne peut qualifier exactement et que l'on rapproche d'autre chose. *C'était une sorte de vagabond.* ⇒ **une espèce de.** *Il a une sorte d'autorité naturelle.* **3.** En loc. Façon d'accomplir une action. — DE LA SORTE : de cette façon, ainsi. *Pourquoi ris-tu de la sorte ?* — DE SORTE À (+ infinitif) : de manière à. — EN QUELQUE SORTE : d'une certaine manière, pour ainsi dire. *Tu as eu de la chance, en quelque sorte.* — DE TELLE SORTE QUE : de telle manière que. *Il avait brouillé les pistes de telle sorte qu'on ne l'a jamais retrouvé.* — DE SORTE QUE : si bien que. *J'étais en retard, de sorte que j'ai manqué le début du film.* — FAIRE EN SORTE QUE (+ subjonctif) : s'arranger pour que... *Fais en sorte que tout soit prêt demain.* FAIRE EN SORTE DE (+ infinitif) *Fais en sorte d'être à l'heure.* ⟨ ▶ **assortir** ⟩

sortie [sɔrti] n. f. **I. 1.** Action de quitter un lieu ; moment où des personnes sortent. / contr. **entrée** / *C'est l'heure de la sortie des ouvriers (des usines). La sortie des usines, des bureaux. Viens me chercher à la sortie. À la sortie des théâtres,* lorsque les spectateurs sortent. Loc. *Acteur qui fait une* FAUSSE SORTIE : qui sort pour rentrer en scène peu après. **2.** Action militaire pour sortir d'un lieu. *Les assiégés ont tenté une sortie.* **3.** Attaque verbale ; parole incongrue. *Elle est capable de n'importe quelle sortie devant les gens.* **4.** Action de sortir pour se distraire, faire une course. *C'est le jour de sortie des pensionnaires.* Fam. *Aujourd'hui, nous sommes DE SORTIE :* nous devons sortir. **5.** (Produits, capitaux) Le fait de sortir d'un pays. *D'importantes sorties de devises.* **6.** Le fait d'être produit, livré au public. *La sortie d'un nouveau modèle de voiture.* **7.** Somme dépensée. *Il y a plus de sorties que de rentrées ce mois-ci.* **8.** (Choses) Action de s'écouler, de s'échapper. *La* sortie des gaz d'échappement. **II.** Porte, endroit par où les personnes, les choses sortent. *Sortie de secours.* ⇒ **issue.** *Par ici la sortie ! Les sorties de Paris sont encombrées le samedi.* **III.** SORTIE DE BAIN : peignoir que l'on porte après le bain.

sortilège [sɔʀtilɛʒ] n. m. ■ Artifice de sorcier ; action, influence qui semble magique. ⇒ ② **charme** (1). *Sortilège malfaisant.* ⇒ **maléfice, sort** (4).

① *sortir* [sɔʀtiʀ] v. • conjug. 16. **I.** V. intr. (Avec l'auxiliaire *être*) Aller du dedans au dehors. / contr. **entrer** / **1.** Aller hors (d'un lieu). *Les gens sortaient du cinéma.* — Sans compl. Quitter une maison, une pièce. ⇒ **partir,** se **retirer.** *Il est sorti discrètement. Sortez !* **2.** Aller dehors, se promener. *Ce n'est pas un temps pour sortir ! Il est sorti faire un tour.* ⇒ **aller.** — Aller hors de chez soi pour se distraire (dans le monde, au spectacle). *Nous sortons beaucoup.* **3.** (Le suj. désigne un objet en mouvement, un fluide) Aller hors de... *Une eau qui sort de terre à 18°.* ⇒ s'**échapper.** — Aller hors du contenant ou de l'espace normal. *La rivière est sortie de son lit.* ⇒ **déborder.** *La voiture est sortie de la route. Le ballon est sorti en touche.* — *Cela m'est sorti de la tête,* je l'ai oublié. **4.** Apparaître en se produisant à l'extérieur. ⇒ ② **pousser ; percer.** *Les bourgeons sortent.* — Être livré au public. ⇒ **paraître.** *Ce film sort la semaine prochaine.* **5.** Se produire (au jeu, au tirage au sort). *Un numéro, un tiercé qui n'est pas encore sorti.* **II.** V. intr. (Personnes) Cesser d'être dans tel lieu, dans tel état. **1.** Quitter le lieu d'une occupation. *Sortir, être sorti de table,* avoir fini de manger. *Sortir de prison.* — Sans compl. *Les élèves sortent à cinq heures.* **2.** Quitter, venir à bout (d'une occupation). *Sortir d'un entretien, d'un travail difficile. J'ai trop à faire, je n'en sors pas.* — Fam. (+ infinitif) *Je sors de lui parler,* je viens de lui parler. *Merci bien, je sors d'en prendre !,* je ne suis pas près de recommencer ! **3.** Quitter (un état), faire ou voir cesser (une situation). *Je sors à peine de maladie,* je suis à peine guéri. *Nous ne sommes pas encore sortis d'affaire, d'embarras, de ce mauvais pas.* — Abandonner (un comportement habituel). *Il n'est pas sorti de sa froideur coutumière.* ⇒ se **départir. 4.** Ne pas se tenir à (une chose fixée). ⇒ s'**écarter.** *Tu sors du sujet. Vous sortez de votre rôle.* — Loc. IL N'Y A PAS À SORTIR DE LÀ : il faut s'en tenir là. — (Choses) Cesser de faire partie de..., être en dehors de... *Cela sort de ma compétence. C'est une chose qui sort de l'ordinaire,* qui n'est pas ordinaire. **III.** V. intr. Être issu de... **1.** Avoir son origine, sa source dans. ⇒ **venir** de. *Des mots qui sortent du cœur,* sincères. — Provenir en tant que conséquence, résultat. *Je ne sais pas ce qui sortira de nos recherches.* — Impers. *De tous nos efforts, il n'est encore rien sorti.* **2.** (Personnes) Avoir pour ascendance. *Il sort d'une bonne famille.* ⇒ **descendre.** *D'où sort-il ?,* se dit de qqn dont les manières ou les propos sont choquants. — Avoir été formé (quelque part). *Les ingénieurs sortent d'une grande école. Officiers sortis du rang.* ⇒ **rang** (I, 4). **3.** Avoir été fait, fabriqué (quelque part). *Des robes qui sortent de chez les grands couturiers.* **IV.** V. tr. (Avec l'auxiliaire *avoir*) **1.** Mener dehors (un être qui ne peut ou ne doit pas sortir seul). *Je vais sortir les enfants. Il a sorti le chien.* — Fam. Accompagner (qqn) au spectacle, dans le monde. *Elle voudrait bien que son mari la sorte davantage.* **2.** Mettre dehors (qqch.), tirer (d'un lieu). *As-tu sorti la voiture du garage ?* — Fam. Expulser, jeter dehors (qqn). *À la porte ! Sortez-le !* — Éliminer (un concurrent, une équipe). *Elle s'est fait sortir aux éliminatoires.* **4.** Tirer d'un état, d'une situation. *Il faut le sortir de là.* — Pronominalement. *Se sortir d'un mauvais pas.* — S'EN SORTIR : venir à bout d'une situation pénible, dangereuse. *Elle s'en est sortie*

brillamment. *Docteur, ai-je des chances de m'en sortir ?* ⇒ s'en **tirer. 5.** Produire pour le public, mettre dans le commerce. *Éditeur qui sort un livre.* ⇒ **publier. 6.** Fam. Dire, débiter. *Qu'est-ce qu'il va encore nous sortir (comme ânerie) ?* ▶ ② *sortir* n. m. ■ Littér. AU SORTIR DE : en sortant de (un lieu, un état, une occupation). *Au sortir de l'enfance. Au sortir du théâtre.* ⇒ à la **sortie.** ⟨ ▶ ① ressortir, sortable, sortant, sortie ⟩

S.O.S. [ɛsoɛs] n. m. invar. ■ Signal de détresse (d'un bateau, d'un avion). *Envoyer, lancer un S.O.S.* — Appel à secourir d'urgence des personnes en difficulté. *Des S.O.S.*

sosie [sozi] n. m. ■ Personne qui a une parfaite ressemblance avec une autre. *Elle s'est découvert un sosie. C'est ton sosie. Avoir un sosie.*

sot, sotte [so, sɔt] adj. et n. **1.** Littér. Qui a peu d'intelligence et peu de jugement. ⇒ **bête, idiot, stupide.** *Je ne suis pas assez sot pour lui en vouloir.* — Privé momentanément de jugement (du fait de la surprise, de l'embarras). ⇒ **confus.** *Se trouver tout sot.* ⇒ **penaud.** — N. *Tu n'es qu'un sot.* ⇒ **âne.** *Une petite sotte.* **2.** (Choses) Littér. Qui ne dénote ni intelligence ni jugement. ⇒ **absurde, inepte.** *Rien de plus sot que cette réponse !* ▶ *sottement* adv. ■ D'une manière sotte. ⇒ **bêtement.** ▶ *sottise* n. f. **1.** Littér. Manque d'intelligence et de jugement. ⇒ **bêtise, stupidité. 2.** Parole ou action qui dénote peu d'intelligence. *Dire des sottises.* ⇒ **ânerie ; absurdité.** *Faire, commettre une sottise.* ⇒ **faute, maladresse.** — Acte d'un enfant désobéissant et turbulent. **3.** Mots injurieux. *Il lui a dit des sottises.* ▶ *sottisier* n. m. ■ Recueil de sottises (2) ou de platitudes échappées des auteurs connus. ⟨ ▶ sotie ⟩

sotie [sɔti] n. f. ■ Au Moyen Âge. Farce satirique et allégorique, jouée par des acteurs en costume de bouffon (appelés *sots*). — REM. On a écrit *sottie.*

sou [su] n. m. **1.** Le vingtième de l'ancien franc ou cinq centimes. *Une pièce de cent sous. Machine à sous,* appareil où l'on joue des pièces de monnaie. — Loc. AMASSER SOU À SOU, SOU PAR SOU. *Dépenser jusqu'au dernier sou. N'avoir* PAS LE SOU : pas du tout d'argent. *Être* SANS LE SOU : sans argent. *Un bijou de quatre sous,* sans valeur. *Il n'est pas compliqué* POUR UN SOU : pas compliqué du tout. *Il n'a pas un sou de bon sens.* ⇒ **grain, gramme, once.** — REM. *Sou* et sa forme ancienne *sol* sont apparentés à **solde, soldat, soudard, soudoyer. 2.** Fam. Au plur. Argent. *Il est près de ses sous,* intéressé, avare. *Une question de gros sous,* d'intérêt. ⟨ ▶ grippe-sou, sans-le-sou ⟩

soubassement [subasmɑ̃] n. m. **1.** Partie inférieure (d'une construction, d'une colonne). ⇒ **base. 2.** Socle sur lequel reposent des couches géologiques.

soubresaut [subʀəso] n. m. **1.** Saut brusque, secousse imprévue. *Le cheval fit un soubresaut.* **2.** Mouvement convulsif et violent du corps. ⇒ **haut-le-corps.** *Elle eut un soubresaut.*

soubrette [subʀɛt] n. f. ■ Suivante ou servante de comédie. *Les soubrettes (des comédies) de Molière, de Marivaux.*

souche [suʃ] n. f. **1.** Ce qui reste du tronc avec les racines, quand l'arbre a été coupé. *Brûler de vieilles souches.* — Loc. ÊTRE, RESTER COMME UNE SOUCHE : inerte. DORMIR COMME UNE SOUCHE : très profondément. **2.** En loc. Origine d'une lignée. *Faire souche,* avoir des descendants. *De vieille souche,* de vieille famille. — Origine commune (d'un groupe de peuples, de langues). *Mot de souche latine.* **3.** Partie d'un document qui reste fixée à un carnet, quand on en a détaché la partie à remettre à l'intéressé. ⇒ **talon.** *Un chéquier à souche.*

① **souci** [susi] n. m. **1.** Préoccupation inquiète à propos de qqn ou de qqch. ⇒ **contrariété, tracas.** *Se faire du souci. Être rongé, miné par les soucis. Être accablé de soucis. Cela vous épargnerait bien des soucis. Il ne se fait pas de souci, aucun souci,* il est insouciant. ⇒ **sans-souci. 2.** Être, chose qui détermine cet état d'esprit. *Sa santé est pour moi un souci continuel.* **3.** Intérêt soutenu. *Il a le souci de la perfection.* ▶ **se souci**er v. pron. ▪ conjug. 7. ▪ (Surtout négatif) Prendre intérêt à, s'inquiéter de, se préoccuper de. *Je ne m'en soucie guère. Il s'en soucie comme de sa première chemise, pas du tout.* ▶ **soucieux, euse** adj. **1.** Qui est absorbé, marqué par le souci. ⇒ **inquiet, préoccupé.** *Un air soucieux.* **2.** SOUCIEUX DE : qui se préoccupe, se soucie de. *Il est soucieux de notre bien-être.* ⟨ ▶ insouciant, insoucieux, sans-souci ⟩

② **souci** n. m. ▪ Petite plante de jardin, à fleurs jaunes ou orangées. *Cueillir des soucis.*

soucoupe [sukup] n. f. **1.** Petite assiette qui se place sous une tasse. — Loc. *Faire des yeux comme des soucoupes,* les écarquiller d'étonnement. **2.** SOUCOUPE VOLANTE : objet volant non identifié. ⇒ **ovni.**

soudain, aine [sudɛ̃, ɛn] adj. et adv. **I.** Adj. Qui arrive, se produit en très peu de temps, sans avoir été prévu. ⇒ **brusque, subit. /** contr. **lent /** *Une mort soudaine.* **II.** Adv. Dans l'instant même, tout à coup. *Soudain, il s'enfuit.* ▶ **soudainement** adv. ▪ D'une manière soudaine. ▶ **soudain**eté n. f. ▪ *La soudaineté de sa riposte m'a laissé sans voix.*

soudard [sudaʀ] n. m. ▪ Littér. Homme de guerre (⇒ **soldat**) brutal, grossier.

soude [sud] n. f. **1.** *Soude caustique,* oxyde de sodium, cristaux très corrosifs, toxiques. — *Lessive de soude,* obtenue en dissolvant ces cristaux avec de l'eau. **2.** En pharmacie. Sodium. *Sulfate de soude.*

souder [sude] v. tr. ▪ conjug. 1. **1.** Joindre, ou faire adhérer (des pièces métalliques, des matières plastiques) en faisant une seule masse indivise. *Souder ou braser des métaux.* **2.** Unir étroitement et solidement. *Il faut souder ces divers groupes au sein d'une organisation.* ▶ **soudage** n. m. ▪ Action de souder (opération technique). ▶ **soudeur, euse** n. **1.** Ouvrier spécialiste de la soudure. **2.** N. f. Machine à souder. ▶ **soudure** n. f. **1.** Alliage fusible servant à souder les métaux. **2.** Résultat de l'opération de soudage ; cette opération elle-même. *Soudure autogène,* sans autre matière que celle des parties à souder. *Soudure au chalumeau.* — Partie soudée. **3.** En économie. Arrivée d'une nouvelle récolte avant l'épuisement des réserves alimentaires. *Faute de faire la soudure, c'est la disette.* ⟨ ▶ dessouder ⟩

soudoyer [sudwaje] v. tr. ▪ conjug. 8. ▪ S'assurer à prix d'argent et d'une manière immorale le concours de (qqn). ⇒ **acheter.**

souffler [sufle] v. ▪ conjug. 1. **I.** V. intr. **1.** Expulser de l'air par la bouche ou par le nez, par une action volontaire. *Souffler sur le feu,* pour l'attiser. *Souffler sur ses mains, sur la soupe, dans une trompette.* **2.** Respirer avec peine, en expirant fort, après un effort. ⇒ **haleter.** *Souffler comme un bœuf, comme un phoque. Laisser souffler son cheval,* lui laisser reprendre souffle. *Laissez-moi le temps de souffler,* prendre un peu de repos. **3.** (Vent) Produire un courant d'air. *Le vent souffle.* **II.** V. tr. **1.** Envoyer un courant d'air sur (qqch). *Souffler une bougie,* l'éteindre par le souffle. **2.** Fam. SOUFFLER qqch. à qqn : le lui enlever. — *Souffler un pion,* aux dames, prendre le pion à l'adversaire quand celui-ci ne s'en est pas servi pour prendre alors qu'il le pouvait. **3.** Détruire par l'effet du souffle. — Au p. p. *Maison*

soufflée par une explosion. **4.** Envoyer de l'air, du gaz dans (le verre qu'on façonne). — Au p. p. adj. *Verre soufflé.* **5.** Dire à voix basse. *Souffler qqch. à l'oreille de qqn,* lui dire en confidence. ⇒ **chuchoter.** Loc. *Ne pas souffler mot,* ne rien dire. **6.** Dire discrètement à qqn qu'on veut aider (une réplique, une réponse). *Souffler une réplique à un acteur.* ⇒ **souffleur.** — Sans compl. *Il a été puni parce qu'il a soufflé.* **7.** Fam. (Compl. personne) Stupéfier, ahurir. ▶ **soufflé, ée** adj. et n. m. **I.** Adj. **1.** Gonflé. *Des pommes (de terre) soufflées,* gonflées à la cuisson. **2.** *Il a des traits soufflés,* bouffis, boursouflés. **3.** Stupéfait, ahuri. *J'en ai été soufflé !* ⇒ **époustouflé, sidéré. II.** N. m. Préparation de pâte légère qui se gonfle à la cuisson. *Un soufflé au fromage. Soufflé sucré.* ▶ **soufflage** n. m. ▪ Opération par laquelle on façonne le verre en y insufflant de l'air. ▶ **soufflant, ante** adj. ▪ Fam. Qui coupe le souffle. ⇒ **étonnant.** ▶ **souffle** n. m. **I. 1.** Mouvement de l'air que l'on produit en soufflant. *On le renverserait d'un souffle,* il est très faible. — Capacité de souffler fort, longtemps. *Pour jouer de la trompette, il faut du souffle.* **2.** Expiration ; air rejeté par la bouche. ⇒ **haleine.** *Jusqu'à son DERNIER SOUFFLE : jusqu'à la mort.* ⇒ **soupir.** — La respiration ; son bruit. *Retenir son souffle. Couper le souffle,* interrompre la respiration régulière ; étonner vivement. *Une virtuosité à vous couper le souffle. Avoir le souffle court,* être vite essoufflé. *Être à bout de souffle,* haletant de fatigue, épuisé. *Coureur qui a du souffle,* qui ne s'essouffle pas facilement. *Il a trouvé son second souffle.* **3.** Force qui anime, crée. ⇒ **inspiration.** *Quel souffle chez ce poète ! Ce récit manque de souffle.* **II. 1.** Mouvement d'air moins sensible que le vent ou que la brise. ⇒ **bouffée, courant.** *Ces feuilles frémissent au moindre souffle.* **2.** Air, fluide déplacé (par une différence de pression). ⇒ **poussée.** *Le souffle d'un réacteur. Effet de souffle d'un explosif.* **3.** En médecine. *Bruit de souffle,* bruit perçu à l'auscultation du cœur ou des poumons. *Avoir un souffle au cœur,* une lésion des valvules déterminant ce bruit. ▶ **soufflement** n. m. ▪ Action de souffler (I). *Les soufflements d'un bœuf.* ⇒ **souffle.** ▶ **soufflerie** n. f. **1.** Machine servant à souffler et conduire de l'air. *La soufflerie d'une forge.* **2.** Installation permettant d'étudier les mouvements de l'air, de la vapeur d'eau autour d'un matériel qui doit être soumis à de grandes vitesses. *Essais aérodynamiques d'une maquette en soufflerie.* ⟨ ▶ boursouflé, essouffler, ① soufflet, ② soufflet, souffleur, soufflure ⟩

① **soufflet** [suflɛ] n. m. **1.** Instrument composé de deux tablettes reliées par un assemblage de cuir qui se déplie en faisant entrer l'air et se replie en le chassant. **2.** Partie pliante ou souple entre deux parties rigides. *Aller d'un wagon à l'autre en passant par le soufflet.*

② **soufflet** n. m. ▪ Littér. Gifle. — Abstrait. Insulte grave. ▶ **souffleter** v. tr. ▪ conjug. 4. ▪ Littér. Gifler. *Il l'a souffleté et ils se sont battus en duel.*

souffleur, euse [suflœʀ, øz] n. **1.** Personne chargée d'aider les acteurs qui ont un trou de mémoire en leur soufflant (II, 6) leur rôle. *Le trou du souffleur.* **2.** *Souffleur de verre,* ouvrier qui forme des objets de verre en soufflant.

soufflure [suflyʀ] n. f. ▪ En technique. Bulle de gaz constituant un défaut de fabrication.

souffrance [sufʀɑ̃s] n. f. **1.** Le fait de souffrir ; douleur physique ou morale. **2.** EN SOUFFRANCE : se dit de marchandises qui n'ont pas été retirées à l'arrivée ou d'une affaire qui reste en suspens.

souffreteux, euse [sufʀətø, øz] adj. ▪ Qui est de santé débile, qui est habituellement souffrant. ⇒ **maladif, malingre.**

souffrir [sufʀiʀ] v. ■ conjug. 18. **I.** V. intr. **1.** Éprouver une souffrance, des douleurs physiques ou morales. *Où souffrez-vous ? Ses rhumatismes le font souffrir.* SOUFFRIR DE (origine, cause). *Nous avons beaucoup souffert du froid. Il souffre de la (sa) solitude, d'être seul.* — Avoir bien du mal, peiner. *J'ai souffert pour lui expliquer le problème.* **2.** Éprouver un dommage. ⇒ **pâtir.** *Pays, plante qui souffre de la sécheresse. Sa réputation en a souffert.* **3.** Transitivement. Loc. *Souffrir le martyre, mille morts, souffrir beaucoup.* **II.** V. tr. **1.** Littér. Supporter (qqch. de pénible ou désagréable). ⇒ **endurer.** *Il ne peut pas souffrir la plaisanterie.* — (+ subjonctif) *Elle ne peut pas souffrir qu'on la plaisante.* — Fam. (Compl. personne ; tournure négative) *Je ne peux pas souffrir ce type-là ?* **2.** Littér. Permettre. *Souffrez que...* (+ subjonctif). — (Choses) Admettre. *Une règle qui ne souffre aucune exception.* ▶ **souffrant, ante** adj. ■ Légèrement malade. ⇒ **indisposé.** *Il est souvent souffrant.* ⇒ **souffreteux.** ▶ **souffre-douleur** n. m. invar. ■ Personne qui est en butte aux mauvais traitements, aux tracasseries de son entourage. *Des souffre-douleur.* ⟨ ▶ souffrance, souffreteux ⟩

soufisme [sufism] n. m. ■ Doctrine et pratique ascétiques et mystiques d'une secte de l'islam (les *soufis*, n. m. et adj.), qui visent au pur amour de Dieu sans crainte de l'enfer ni espoir dans le paradis. — REM. On écrit aussi *çoufisme.*

soufre [sufʀ] n. m. ■ Corps simple, solide, jaune citron, entrant dans la composition de minéraux *(sulfures)* et de matières organiques. *Vapeurs de soufre.* ⇒ **sulfureux ; solfatare.** — En appos. Invar. *Jaune soufre.* — *Odeur de soufre,* qui passe pour signaler la présence du diable. ▶ **soufrer** v. tr. ■ conjug. 1. **1.** Imprégner, traiter de soufre. *Des allumettes soufrées.* **2.** Traiter au soufre, à l'anhydride sulfureux (la vigne, des étoffes...). ▶ **soufrage** n. m. ■ Action de soufrer. ▶ **soufrière** n. f. ■ Mine de soufre. ⟨ ▶ solfatare, sulf-, sulfure, sulfureux ⟩

souhaiter [swete] v. tr. ■ conjug. 1. ■ Désirer pour soi ou pour autrui, la possession de (qqch.), la réalisation de (un événement). ⇒ **espérer.** *Je souhaite sa réussite. Je lui souhaite de réussir.* (+ subjonctif) *qu'il réussisse. Je souhaite le rencontrer. Je souhaite que tout aille bien. Ce n'est pas à souhaiter,* souhaitable. *Je vous souhaite bonne chance.* Iron. *Je vous souhaite bien du plaisir.* — Souhaiter *la bonne année,* offrir ses vœux de Nouvel An. ▶ **souhait** [swɛ] n. m. **1.** Désir d'obtenir qqch. de voir un événement se produire. ⇒ **vœu.** *Exprimer, former, faire des souhaits. Tous nos souhaits de réussite vous accompagnent. Les souhaits de bonne année. À tes, vos souhaits !,* se dit à une personne qui éternue. **2.** À SOUHAIT loc. adv. : autant, aussi bien qu'on peut le souhaiter. *Tout marche à souhait.* ▶ **souhaitable** adj. ■ Qui peut, ou qui doit être souhaité, recherché. ⇒ **désirable.** *La fiancée a toutes les qualités souhaitables chez une jeune femme.*

souille [suj] n. f. ■ Mare fangeuse où un animal sauvage (sanglier...) aime à se vautrer. ⟨ ▶ souiller ⟩

souiller [suje] v. tr. ■ conjug. 1. **1.** Salir. — Au p. *Plage souillée de détritus. Linge souillé.* **2.** Abstrait. Salir par le contact d'une chose mauvaise, immorale. *On tente de souiller sa mémoire.* ▶ **souillure** n. f. **1.** Littér. Saleté, tache. **2.** Abstrait. Tache morale, flétrissure. ▶ **souillon** n. f. ■ Littér. Femme, fille négligée, malpropre. *C'est une petite souillon.*

souk [suk] n. m. **1.** En pays arabe. Marché couvert réunissant, dans un dédale de ruelles, des boutiques et ateliers. ⇒ **bazar.** — Foire hebdomadaire (en terrain découvert à la campagne). **2.** Fam. Lieu où règne le désordre, le bruit. *Quel souk !*

① **soûl, soûle** [su, sul] adj. **1.** Ivre. ⇒ **plein.** *Il était soûl comme un cochon, comme une grive.* **2.** Être soûl de qqch., en avoir trop, en être rassasié. *Je suis soûl de grand air.* ⇒ **étourdi, grisé.** — REM. On écrit aussi *saoul, saoule.* ▶ ② *tout mon (ton, son...) soûl* loc. adv. ■ À satiété, autant qu'on veut. *Vous pouvez fumer tout votre soûl.* ⟨ ▶ soûlard ou soûlaud, soûler ⟩

soulager [sulaʒe] v. tr. ■ conjug. 3. **1.** Débarrasser (qqn, qqch.) d'une partie d'un fardeau, dispenser de (un effort, une fatigue, un poids). *Donnez-moi cette valise, cela vous soulagera. Soulager l'avant de la voiture.* Plaisant. *Un pickpocket l'a soulagé de son portefeuille.* **2.** Débarrasser partiellement (qqn) de ce qui pèse sur lui (douleur, remords, etc.). *Ce remède a bien soulagé le malade. Parlez, cela vous soulagera.* **3.** Rendre moins pesant, moins pénible à supporter (un mal). *Soulager la peine, la douleur de qqn.* **4.** Pronominalement (réfl.). Fam. Satisfaire un besoin naturel. *Il s'est soulagé derrière une porte cochère.* ▶ **soulagement** n. m. **1.** Action ou manière de soulager ; chose qui soulage. ⇒ **adoucissement.** *Il cherche dans les livres le soulagement et l'oubli.* **2.** État de celui qui se trouve soulagé. *Pousser un soupir de soulagement.*

soûlard, arde [sular, aʀd] ou **soûlaud, aude** [sulo, od] n. ■ Fam. Ivrogne.

soûler [sule] v. tr. ■ conjug. 1. — REM. On écrit aussi *saouler.* **1.** Enivrer. — Pronominalement (réfl.). *Il s'est encore soûlé !* **2.** Littér. Griser. *On l'avait soûlé de beaux discours, de compliments.* **3.** Fam. Ennuyer, fatiguer. *Tu nous soûles avec tes jérémiades !* ▶ **soûlant, ante** adj. ■ Fam. Ennuyeux, lassant. ▶ **soûlerie** n. f. ■ Fam. Le fait de se soûler. ⇒ **beuverie, soûlographie.** ⟨ ▶ dessoûler, soûlographie ⟩

soulever [sulve] v. tr. ■ conjug. 5. **1.** Lever à une faible hauteur. *Il soulevait de temps en temps le couvercle de la casserole.* — Relever. *J'ai soulevé le rideau.* **2.** Faire s'élever. *La voiture soulevait de la poussière.* — Pronominalement. *Se soulever,* s'élever. *Ces terrains se sont soulevés à l'ère tertiaire.* — Au p. p. adj. *Terrains soulevés au tertiaire.* **3.** Abstrait. Transporter, exalter (qqn). *L'élan de gratitude qui la soulevait.* **4.** Animer (qqn) de sentiments hostiles ; exciter et entraîner à la révolte. *Soulever le peuple contre un dictateur.* — Pronominalement (réfl.). Se révolter. ⇒ **soulèvement. 5.** Exciter puissamment (un sentiment, une réaction). ⇒ **provoquer.** *Son discours a soulevé l'enthousiasme.* **6.** Faire que se pose (une question, un problème). ⇒ **poser.** *La question sera soulevée à la prochaine réunion.* **7.** Fam. Enlever, prendre. *Il veut lui soulever ses clients.* ▶ **soulèvement** n. m. **1.** Fait de se soulever. Élévation de l'écorce terrestre. / contr. **affaissement** / *Un soulèvement de terrain.* **2.** Mouvement massif de révolte contre un oppresseur (plus qu'une émeute, moins qu'une révolution).

soulier [sulje] n. m. ■ Chaussure à semelle résistante, qui couvre le pied sans monter beaucoup plus haut que la cheville. ≠ *chausson, botte, bottine. Souliers de marche, habillés, de sport.* — REM. Dans l'usage courant, on dit *chaussure,* sauf en parlant des gros *souliers* de marche. Loc. *Être* DANS SES PETITS SOULIERS : être mal à l'aise, dans l'embarras.

souligner [suliɲe] v. tr. ■ conjug. 1. **1.** Tirer une ligne, un trait sous (des mots qu'on veut signaler à l'attention). *Ce que vous soulignez sera imprimé en italique.* — Au p. p. adj. *Souligné dans le texte,* qui n'est pas souligné par celui qui cite le texte original. — Border d'un trait qui met en valeur. *Des paupières soulignées de noir.* **2.** Fig. Accentuer ; mettre en valeur. ⇒ **appuyer.** *Les clins d'œil dont il soulignait* *ses allusions.* — Faire remarquer avec une insistance particulière. *L'auteur souligne l'importance de cet événement.* ▶ **soulignage** ou **soulignement** n. m. ■ Action de souligner ; trait qui souligne.

soûlographie [sulɔgrafi] n. f. ■ Fam. Ivrognerie. ⇒ **soûl.**

soulte [sult] n. f. ■ Somme d'argent qui, dans un partage ou un échange, compense une inégalité.

① *soumettre* [sumɛtʀ] v. tr. ■ conjug. 56. **1.** Mettre dans un état de dépendance, ramener à l'obéissance. *L'armée veut soumettre les rebelles.* **2.** Mettre dans l'obligation d'obéir à une loi, d'accomplir un acte. ⇒ **assujettir.** — Au p. p. adj. *Les revenus soumis à l'impôt.* — Exposer à un effet qu'on fait subir. *On l'a soumis à un entraînement sévère.* **3.** Pronominalement (réfl.). Obéir, se conformer. ⇒ se **plier.** *Elle se soumet à tous ses caprices.* ▶ **soumis, ise** adj. **1.** Docile, obéissant. ■ **FILLE SOUMISE** : prostituée (qui était soumise à des contrôles). ▶ ① **soumission** n. f. **1.** Fait de se soumettre, d'être soumis (à une autorité, une loi). ⇒ **obéissance.** — Docilité. *Une soumission aveugle, irresponsable.* **2.** Action de se soumettre, d'accepter une autorité contre laquelle on a lutté. *Faire acte de soumission. Les révoltés ont fait leur soumission.* ⟨ ▶ ② soumettre ⟩

② *soumettre* v. tr. ■ conjug. 56. ■ Proposer (qqch.) au jugement, au choix. *Le maire a soumis le cas au préfet. Soumettez-nous vos conditions.* ▶ ② **soumission** n. f. ■ Devis établi par une entreprise en réponse à un appel d'offres, à l'adjudication publique d'un marché. ▶ **soumissionner** v. tr. ■ conjug. 1. ■ Proposer une soumission.

soupape [supap] n. f. ■ Pièce mobile qu'une surpression peut ouvrir momentanément. ⇒ **clapet, valve.** *Les soupapes d'un moteur d'automobile* (commandant l'admission et l'échappement). *Soupape de sûreté, de sécurité,* placée sur un conduit sous pression pour éviter une explosion.

soupçon [supsɔ̃] n. m. **I.** Opinion qui fait attribuer à qqn des actes ou des intentions blâmables. ⇒ **suspicion.** *Nous avons des soupçons à son sujet,* nous le soupçonnons. *Il est AU-DESSUS DE TOUT SOUPÇON :* son honnêteté ne peut être mise en doute. — Idée, pressentiment. *Je n'en ai pas le moindre soupçon.* **II.** Concret. Apparence qui laisse supposer la présence d'une chose ; très petite quantité. *Elle mettait un soupçon de rouge.* ⇒ **ombre.** *C'est une grosse farce, avec un soupçon de vulgarité.* ⇒ **pointe.** ▶ *soupçonner* [supsɔne] v. tr. ■ conjug. 1. **1.** Faire peser des soupçons sur (qqn). ⇒ **suspecter.** *Soupçonner un innocent. On le soupçonne de vol, d'avoir volé.* **2.** Pressentir (qqch.) d'après certains indices. ⇒ **entrevoir, flairer.** *Je soupçonne une manœuvre de dernière heure.* ▶ *soupçonnable* adj. ■ Qui peut être soupçonné. / contr. **insoupçonnable** / ▶ *soupçonneux, euse* adj. ■ Enclin aux soupçons. ⇒ **méfiant.** *Un enquêteur soupçonneux. Air, regard soupçonneux.* ⟨ ▶ insoupçonnable, insoupçonné ⟩

soupe [sup] n. f. **I. 1.** Potage ou bouillon épaissi. *Soupe à l'oignon, aux légumes.* — Loc. fam. *Un* GROS PLEIN DE SOUPE : un homme très gros, ventru. — Loc. *C'est une* SOUPE AU LAIT, *il est soupe au lait,* il se met facilement en colère (comme la soupe au lait déborde facilement de la casserole). **2.** Repas composé d'un plat unique (surtout de la soupe) qu'on servait aux soldats en campagne. ⇒ **rata.** *À la soupe !* — *Soupe populaire,* repas gratuit servi à ceux qui n'ont rien à manger ; local où l'on sert ce repas. **3.** Loc. fam. *Par ici la bonne soupe !,* l'argent. **4.** Vx. Tranche de pain arrosée de bouillon. *Tremper des soupes.* — Loc. *Être trempé comme une soupe,* complètement trempé.

▶ *soupière* n. f. ■ Récipient large et profond, dans lequel on sert la soupe ou le potage ; son contenu. ⟨ ▶ ① souper, ② souper ⟩

soupente [supɑ̃t] n. f. ■ Réduit clos aménagé dans la hauteur d'une pièce ⇒ **mezzanine** ou sous un escalier, pour servir de chambre. *Il couche dans une soupente.* ⇒ **mansarde.**

① *souper* [supe] n. m. **1.** Région. ou autrefois. Repas du soir. ⇒ **dîner.** **2.** Repas ou collation qu'on prend à une heure avancée de la nuit, après le spectacle, au cours d'une soirée. **3.** Repas de nuit fin ou galant. *Un souper aux chandelles.*

② *souper* v. intr. ■ conjug. 1. **1.** Région. ou autrefois. Prendre le repas du soir. ⇒ **dîner.** **2.** Faire un souper (2). *Souper dans un restaurant chic.* — *Souper aux chandelles.* **3.** Fam. *J'en ai soupé,* j'en ai assez.

soupeser [supəze] v. tr. ■ conjug. 5. **1.** Soulever et soutenir un moment dans la main (pour juger approximativement du poids). *Soupeser une valise.* **2.** Abstrait. Peser, évaluer. *Soupeser ses arguments.* — Au p. p. adj. *Tout bien pesé et soupesé.*

soupirer [supiʀe] v. ■ conjug. 1. **1.** V. intr. Pousser un soupir, des soupirs. — Littér. *Soupirer après..., pour...,* désirer ardemment (qqch. dont on ressent la privation). **2.** V. tr. (Surtout en incise) Dire en soupirant. *Hélas ! soupira-t-il...* ▶ *soupirant* n. m. ■ Iron. Amoureux (qui soupire après celle qu'il aime). *Elle a tout un cortège de soupirants.* ⇒ **prétendant.** ▶ *soupir* n. m. **1.** Inspiration ou respiration plus ou moins bruyante, dans les états d'émotion. *Pousser des soupirs, un profond soupir. Rendre le dernier soupir,* mourir. **2.** Littér. Plainte lyrique, mélancolique. **3.** En musique. Silence correspondant à une noire ; signe indiquant ce silence. ⟨ ▶ demi-soupir, soupirail ⟩

soupirail, aux [supiʀaj, o] n. m. ■ Ouverture pratiquée dans le bas d'un rez-de-chaussée pour donner de l'air (qui s'exhale, ⇒ **soupirer**), du jour au sous-sol, aux caves.

souple [supl] adj. **1.** Qu'on peut plier et replier facilement, sans casser ni détériorer. ⇒ **flexible.** / contr. **raide** / *Un cuir souple. L'acier est plus souple que le fer.* / contr. **cassant, dur** / **2.** (Membres, corps, personnes) Qui se plie et se meut avec aisance. *Ce danseur est très souple. Elle est souple comme une anguille.* **2.** (Personnes) Capable de s'adapter adroitement à la volonté d'autrui, aux exigences de la situation. *Un esprit très souple.* — Fam. Accommodant. *Il est très souple, il fermera les yeux.* / contr. **rigide, strict** / ▶ *souplesse* n. f. **1.** Propriété de ce qui est souple, de ce qui plie ou se meut avec aisance. *La souplesse d'un athlète. La souplesse de poignet d'un escrimeur.* ⇒ **élasticité, flexibilité. 2.** Caractère, action d'une personne souple. *Il a manœuvré avec souplesse.* ⇒ **adresse.** — Faculté d'adaptation, aisance dans le fonctionnement. *La souplesse d'une langue, d'une construction.* ⟨ ▶ assouplir ⟩

souquer [suke] v. ■ conjug. 1. **1.** V. intr. Marine. Tirer fortement sur les avirons. *Souquer dur.* **2.** V. tr. Tirer fortement sur. *Souquer une amarre, un nœud.*

sourate [suʀat] n. f. ■ Chapitre du Coran. — REM. On écrit aussi *surate.*

source [suʀs] n. f. **1.** Eau qui sort de terre ; lieu où une eau souterraine se déverse à la surface du sol. ⇒ **sourdre.** *Les sources thermales.* — *La source d'un cours d'eau,* celle qui lui donne naissance. *Le fleuve prend sa source à (tel endroit).* **2.** Abstrait. Origine, principe. *La source d'une erreur. Une source de profit, de revenu.* — En appos. *Langue source* (d'un document, d'un discours traduit, opposé à *langue cible*). **3.** Origine (d'une information). *Tenir, savoir de* *bonne source, de source sûre. Source officielle, officieuse.* — Œuvre antérieure qui a fourni un thème, une idée (à un artiste). *Étudier les sources de Molière.* **4.** Corps, point d'où rayonne (une énergie). *Source de chaleur, source lumineuse.* ⇒ **foyer.** ▸ *sourcier, ière* n. ■ Personne à laquelle on attribue l'art de découvrir les sources et les nappes d'eau souterraines. ⇒ **radiesthésiste.** *La baguette, le pendule du sourcier.* ≠ *sorcier.*

sourcil [suʀsi] n. m. ■ Dans l'espèce humaine. Arc garni de poils qui surplombe les yeux ; ces poils. *Avoir de gros sourcils. Froncer les sourcils,* exprimer ainsi son mécontentement. ▸ *sourcilier, ière* adj. ■ Relatif aux sourcils. — *Arcade sourcilière,* saillie de l'os frontal au-dessus de l'orbite, recouverte par le sourcil. ▸ *sourciller* [suʀsije] v. intr. ▪ conjug. 1. ■ (En emploi négatif) Manifester quelque émotion ou mécontentement. *Il n'a pas sourcillé, il a répondu sans sourciller.* ⇒ **ciller.** ▸ *sourcilleux, euse* adj. ■ Littér. Hautain, sévère, exigeant. *Un critique sourcilleux.* ⇒ **pointilleux.**

① *sourd, sourde* [suʀ, suʀd] adj. et n. **1.** Qui perçoit insuffisamment les sons ou ne les perçoit pas (⇒ **surdité**). *Sourd partiel.* ⇒ **malentendant.** *Il est sourd d'une oreille.* Loc. *Sourd comme un pot,* complètement sourd (on dit familièrement *sourdingue*). — N. UN, UNE SOURD(E). *Les sourds et les muets.* Loc. *Frapper, cogner, crier comme un sourd,* de toutes ses forces. — DIALOGUE DE SOURDS : où aucun ne comprend l'autre, ne tient compte de ses raisons. PROV. *Il n'est pire sourd que celui qui ne veut pas entendre,* se dit pour condamner qui refuse de comprendre. **2.** Littér. SOURD À : qui refuse d'entendre, reste insensible. *Il reste sourd à nos appels.* ▸ *sourd-muet, sourde-muette* n. ■ Personne atteinte de surdité congénitale entraînant la mutité. *Le langage des sourds-muets* (par signes). ▸ ② *sourd, sourde* adj. (Choses) **1.** Peu sonore, qui ne retentit pas. *Un bruit sourd.* ⇒ **étouffé.** — *Consonnes sourdes* [p, t, k, f], dont l'émission ne comporte pas les vibrations des *sonores.* **2.** Qui est peu prononcé, ne se manifeste pas nettement. *Une douleur sourde. Une lutte sourde,* cachée, non déclarée. ▸ *sourdement* adv. Littér. **1.** Avec un bruit sourd. **2.** D'une manière sourde, cachée. ▸ *sourdine* n. f. **1.** Dispositif qu'on adapte à des instruments à vent ou à cordes, pour amortir le son. *Jouer avec la sourdine.* **2.** Loc. EN SOURDINE : sans bruit, sans éclat. ⇒ **discrètement.** *Mettre une sourdine à...,* exprimer moins bruyamment. ⟨ ▸ **assourdir, surdité** ⟩

sourdre [suʀdʀ] v. intr. — REM. Seulement *sourdre, il sourd, ils sourdent ; il sourdait, ils sourdaient.* ■ Littér. (Eau) Sortir de terre. — Abstrait. Naître, surgir. *La tristesse qui sourdait en lui.* ⟨ ▸ **source** ⟩

souriant, ante [suʀjã, ãt] adj. ■ Qui sourit, est agréable à vivre. *Visage, paysage souriant.*

souriceau [suʀiso] n. m. ■ Jeune souris. *Des souriceaux.*

souricière [suʀisjɛʀ] n. f. **1.** Piège à souris. ⇒ **ratière. 2.** Piège tendu par la police (qui cerne un endroit après s'être assurée que qqn s'y rendrait).

① *sourire* [suʀiʀ] v. intr. ▪ conjug. 36. **1.** Prendre une expression rieuse ou ironique par un léger mouvement de la bouche et des yeux. ⇒ **rire.** *Sourire à qqn,* lui adresser un sourire. — *Cela fait sourire,* cela amuse, paraît légèrement ridicule. **2.** (Suj. chose) Être agréable. ⇒ **plaire.** *Ce projet ne me sourit guère.* — Être favorable. *Enfin la chance lui a souri.* ▸ ② *sourire* n. m. ■ Action de sourire, mouvement et expression d'un visage qui sourit. — *Avoir le sourire,* être enchanté de ce qui est arrivé. *Garder le*

sourire, rester souriant en dépit d'une déception. ⟨ ▸ **souriant** ⟩

souris [suʀi] n. f. invar. **1.** Petit mammifère rongeur. *Souris femelle, souris mâle. Jeune souris.* ⇒ **souriceau. 2.** Fam. Jeune fille, jeune femme. — SOURIS D'HÔTEL : voleuse qui s'introduit subrepticement dans les chambres. **3.** Terme d'informatique. Interrupteur mobile permettant de pointer un secteur de l'écran d'un ordinateur. ⟨ ▸ **chauve-souris, souriceau, souricière** ⟩

sournois, oise [suʀnwa, waz] adj. ■ Qui dissimule ses sentiments réels dans une intention malveillante. ⇒ **dissimulé.** — N. *C'est un sournois.* ⇒ **hypocrite.** — *Une méchanceté sournoise.* ▸ *sournoisement* adv. ▸ *sournoiserie* n. f. ■ Littér. ⇒ **dissimulation, fourberie.**

sous [su] prép. **I.** Marque la position en bas par rapport à ce qui est en haut, ou en dedans par rapport à ce qui est en dehors. ⇒ **dessous.** / contr. **sur** / **1.** (Chose en contact) *Disposer un oreiller sous la tête d'un malade. Sous l'eau,* sous la surface des eaux. **2.** (Chose qui recouvre) *Une lettre sous enveloppe.* — Abstrait. En prenant. *Sous une forme, sous un nom...* **3.** (Sans contact) *S'abriter sous un parapluie. Sous les fenêtres de qqn,* devant chez lui. — (Chose à quoi on est exposé) *Sous le feu de l'ennemi. Sous les yeux de tout le monde,* en étant vu par... **II.** **1.** (Rapport de subordination ou de dépendance) *Sous un régime capitaliste, socialiste. Sous sa direction. Sous condition,* avec des conditions. — *Sous l'action de. Blessé placé sous perfusion.* **2.** (Valeur temporelle) Pendant le règne de... *Sous Louis XIV.* — Avant que ne soit écoulé (un espace de temps). *Je vous répondrai sous huitaine. Sous peu,* bientôt. **3.** Par l'effet de. *Sous la pression des événements. Vu sous cet angle,* en considérant la chose de ce point de vue. ⟨ ▸ ① des- sous, ② dessous, soubassement, soucoupe, soulever, souligner, soumettre, soupeser ⟩

sous- ■ Préfixe marquant la position (ex. : *sous-main, sous-maxillaire, sous-sol*), la subordination (ex. : *sous-préfet*), la subdivision (ex. : *sous-classe, sous-ensemble, sous-genre*), le degré inférieur et l'insuffisance (ex. : *sous-alimenté*). ⇒ **hypo-, infra-, sub-.** ▸ *sous-alimenté, ée* [suzalimɑ̃te] adj. ■ Victime de la *sous-alimentation* (ou *sous-consommation*), d'une insuffisance alimentaire capable de compromettre la santé ou la vie. / contr. **suralimenté** / ▸ *sous-bois* [subwa] n. m. invar. ■ Partie de la forêt où la végétation pousse sous les arbres. ≠ *futaie.* ▸ *sous-chef* n. m. ■ Personne qui vient immédiatement après le chef. *Des sous-chefs de bureau.* — Au fém. *Ma sous-chef.* ▸ *sous-comité* n. m. ■ Comité constitué à l'intérieur d'un comité. ▸ *sous-commission* n. f. ■ Commission secondaire qu'une commission nomme parmi ses membres. ▸ *sous-continent* n. m. ■ Le *sous-continent indien,* unité géographique comprenant l'Inde, le Pakistan, le Bangladesh. ▸ *sous-cutané, ée* adj. ■ Qui est situé ou se fait sous la peau. *Piqûre sous-cutanée* (opposé à *intra-musculaire* et *intra-veineuse*). ▸ *sous-développé, ée* adj. ■ Qui souffre d'une insuffisance d'éducation, de production, d'équipement et d'un excès d'endettement auprès des pays riches *(sous-développement)* et, par suite, qui est pauvre en biens de consommation. *Pays sous-développés,* en voie de développement, nouvellement industrialisés. ⇒ **tiers** monde. / contr. **développé, industrialisé, riche** / ▸ *sous-développement* n. m. ■ État d'un pays sous-développé. ▸ *sous-diacre* n. m. ■ Clerc promu au sous-diaconat (supprimé en 1972). *Le sous-diacre gardait le célibat ; il assistait le diacre.* ▸ *sous-directeur, trice* n. ■ Directeur, directrice en second. ▸ *sous-emploi* [suzɑ̃plwa] n.

m. ■ Emploi d'une partie seulement des travailleurs disponibles, les autres restant au chômage (opposé à *plein-emploi*). ► *sous-entendre* [suzɑ̃tɑ̃dʀ] v. tr. ■ conjug. 41. ■ Avoir dans l'esprit sans dire expressément. — Impers. *Il est sous-entendu que...* Il va sans dire que... ► *sous-entendu* n. m. ■ Action de sous-entendre ; ce qui est sous-entendu (souvent dans une intention malveillante). ⇒ **allusion, insinuation.** — (En incise) *Il s'est trompé, sous-entendu, c'est un incapable.* ► *sous-estimer* [suzɛstime] v. tr. ■ conjug. 1. ■ Estimer au-dessous de sa valeur, de son importance. / contr. **surestimer** / — Pronominalement (réfl.). *Tu te sous-estimes !* ► *sous-estimation* n. f. ► *sous-exposer* [suzɛkspoze] v. tr. ■ conjug. 1. ■ Exposer insuffisamment (une pellicule, un film) à la lumière. / contr. **surexposer** / ► *sous-exposition* n. f. ■ Le fait de sous-exposer (un film). ► *sous-fifre* n. m. ■ Fam. Subalterne, tout petit employé. *Des sous-fifres.* ► *sous-jacent, ente* adj. ■ Qui s'étend au-dessous. *La couche sous-jacente.* — Abstrait. Caché, implicite. *Raisonnement sous-jacent.* ► *sous-lieutenant* n. m. ■ Officier du premier grade des officiers, au-dessous de lieutenant, chef de section ou de peloton. *Des sous-lieutenants et des aspirants.* ► *sous-louer* v. tr. ■ conjug. 1. **1.** Donner à loyer (ce dont on est soi-même locataire principal). — Sans compl. *Son propriétaire lui interdit de sous-louer.* **2.** Prendre à loyer du locataire principal. ► *sous-locataire* n. ■ Personne qui prend un local en sous-location. ► *sous-location* n. f. ■ Action de sous-louer ; état de ce qui est sous-loué. ► ① *en sous-main* [ɑ̃sumɛ̃] loc. adv. ■ Littér. En secret ; clandestinement. ► ② *sous-main* n. m. invar. ■ Accessoire de bureau sur lequel on place le papier pour écrire. *Des sous-main en cuir.* ► *sous-marin, ine* adj. et n. m. **1.** Qui est dans la mer, s'effectue sous la mer. *La pêche sous-marine.* **2.** N. m. Navire capable de naviguer sous l'eau, en plongée. ⇒ **submersible.** *Des sous-marins nucléaires.* ► *sous-marque* n. f. ■ Marque utilisée par un fabricant pour commercialiser des produits moins élaborés, différents. *Les sous-marques d'une grande marque.* ► *sous-multiple* adj. ■ Se dit d'une grandeur contenue un nombre entier de fois dans une autre. ⇒ **diviseur, quotient.** — N. *3 et 5 sont des sous-multiples de 15.* ► *sous-officier* [suzɔfisje] n. m. ■ Militaire d'un grade qui fait de lui un auxiliaire de l'officier. *Hiérarchie des sous-officiers de l'armée française :* sergent, sergent-chef, sergent-major, adjudant, adjudant-chef, aspirant. — Abrév. fam. SOUS-OFF. ► *sous-ordre* n. m. **1.** Employé subalterne qui n'a guère de responsabilité. **2.** En biologie. Division d'un ordre. ► *sous-préfet* n. m. ■ En France. Fonctionnaire représentant le pouvoir central dans un arrondissement (⇒ **préfet**) ; commissaire de la République adjoint. *Madame la sous-préfète,* la femme du sous-préfet. *Madame le sous-préfet,* femme qui est sous-préfet. ► *sous-préfecture* n. f. ■ En France. Ville (chef-lieu d'arrondissement) où réside le sous-préfet et où sont installés ses services ; bâtiment qui les abrite. ► *sous-production* n. f. ■ Production insuffisante. / contr. **surproduction** / ► *sous-produit* n. m. ■ Produit secondaire obtenu au cours de la fabrication du produit principal. — Fig. Mauvaise imitation. ► *sous-prolétariat* n. m. ■ Classe sociale urbaine ou rurale la plus pauvre, vivant d'emplois précaires et dans des conditions misérables. *Le sous-prolétariat des bidonvilles.* ► *soussigné, ée* [susiɲe] adj. ■ Qui a signé plus bas, ci-dessous. *Je soussigné Michel Dupont déclare...* — N. *Les soussignés s'engagent à respecter les conditions du contrat.* ⇒ **partie.** ► *sous-sol* n. m. **1.** Partie de l'écorce terrestre qui se trouve au-dessous du sol. *Le propriétaire du sol et du sous-sol.* **2.** Partie d'une construction aménagée au-dessous du rez-de-chaussée. *Parking au troisième sous-sol.* Des sous-sols. ► *sous-tasse* n. f. ■ Soucoupe. *Des sous-tasses.* ► *sous-tendre* v. tr. ■ conjug. 41. **1.** Constituer ou joindre les extrémités de (un arc, une voûte). **2.** Abstrait. Servir de base plus ou moins nette à (un raisonnement, une politique). *Les hypothèses qui sous-tendent sa position* (⇒ **sous-jacent**). ► *sous-titre* n. m. **1.** Titre secondaire (placé sous le titre principal d'un ouvrage). — Intertitre. *Les sous-titres sont de la rédaction.* **2.** Traduction condensée du dialogue d'un film (dit *sous-titré*), en bas de l'image. *Vous préférez voir le film doublé ou avec des sous-titres ?* ► *sous-traitant* n. m. ■ Personne qui est chargée d'une partie du travail concédé à un entrepreneur principal. *L'atelier est débordé de travail et cherche des sous-traitants.* ► *sous-verre* n. m. invar. ■ Image, photo que l'on place entre une plaque de verre et un fond rigide ; cet encadrement. *Des sous-verre simples, bordés, à griffes.* ► *sous-vêtement* n. m. ■ Vêtement de dessous (slip, tricot, maillot, culotte, bas, soutien-gorge...). *Des sous-vêtements.*

souscrire [suskʀiʀ] v. tr. ■ conjug. 39. **1.** V. tr. dir. S'engager à payer, en signant. *Souscrire un abonnement.* — Au p. p. adj. *Emprunt entièrement souscrit.* **2.** V. tr. ind. Littér. SOUSCRIRE À : donner son adhésion. ⇒ **acquiescer, consentir.** *Il a dû souscrire à nos exigences.* — S'engager à fournir une somme pour sa part. *Souscrire à une publication,* prendre l'engagement d'acheter, en versant une partie de la somme, un ouvrage en cours de publication. ≠ *s'abonner.* ► *souscripteur, trice* [suskʀiptœʀ, tʀis] n. ■ Personne qui souscrit. ► *souscription* [suskʀipsjɔ̃] n. f. ■ Action de souscrire ; somme versée par un souscripteur. *Ouvrage vendu par souscription.*

soustraire [sustʀɛʀ] v. tr. ■ conjug. 50. **1.** Retrancher par soustraction (un nombre d'un autre). ⇒ **déduire, ôter.** / contr. **additionner** / **2.** Enlever (qqch., surtout un document) le plus souvent par la ruse, la fraude. ⇒ **voler. 3.** Faire échapper à (qqch. à quoi on est exposé). *On a pu soustraire la vedette à la curiosité, aux questions des journalistes.* — Pronominalement (réfl.). *Échapper à..., s'affranchir de...* ⇒ **éviter.** ► *soustraction* [sustʀaksjɔ̃] n. f. **1.** Opération inverse de l'addition, par laquelle on retranche un ensemble d'un autre, pour obtenir la « différence » entre les deux. **2.** Action de soustraire (2). ⇒ **vol.**

soutache [sutaʃ] n. f. ■ Galon cousu servant d'ornement ; passementerie d'uniforme. ⇒ **ganse.** ≠ *fourragère.*

soutane [sutan] n. f. ■ Longue robe boutonnée par-devant, pièce principale du costume ecclésiastique traditionnel (abandonné par la majorité des prêtres catholiques). *Prêtre en soutane.* Loc. *Prendre la soutane,* devenir prêtre.

soute [sut] n. f. ■ Magasin situé dans la cale d'un navire ou dans le fuselage d'un avion. *Soute à bagages, à combustible.* ‹ ► soutier ›

souteneur [sutnœʀ] n. m. ■ Proxénète (il « soutient » celles qu'il exploite).

soutenir [sutniʀ] v. tr. ■ conjug. 22. **I. 1.** Tenir (qqch.) par-dessous, en servant de support ou d'appui. ⇒ **porter.** *De fortes poutres soutiennent les solives.* **2.** Maintenir debout, empêcher (qqn) de tomber. *L'infirmier soutenait le blessé.* **3.** Empêcher de défaillir, en rendant des forces. ⇒ **fortifier.** *On lui a fait une piqûre pour soutenir le cœur.* **4.** Réconforter (qqn). ⇒ **aider, encourager.** *Son amitié m'a soutenu dans cette épreuve.* **5.** Appuyer, prendre parti en faveur de (qqn, qqch.). *Deux partis ont décidé de soutenir ce candidat.* **6.** Affirmer, faire valoir en appuyant par des raisons. *Il est décidé à soutenir ses droits. Soutenir une thèse,* présenter et défendre devant le jury une thèse de doctorat (⇒ **soutenance**). *Je soutiens que...,* j'affirme, je prétends que. ⇒ **assurer ; soutenable. 7.** Faire que (qqch.) continue sans faiblir. *Il sait soutenir l'intérêt de l'auditoire. Soutenez votre effort !* **II.** Subir sans fléchir (une force, une action qui s'exerce). *Soutenir le regard de qqn,* ne pas baisser les yeux devant lui. ▶ *soutenable* [sutnabl] adj. **1.** Qui peut être soutenu (6). *Sa position n'est guère soutenable.* **2.** Qui peut être supporté. *Ce film est d'une violence difficilement soutenable.* ▶ *soutenance* n. f. ■ Action de soutenir (une thèse de doctorat). ▶ *soutènement* [sutɛnmã] n. m. ■ Appui, contrefort destiné à soutenir une masse (de terre, d'eau, etc.). *Mur de soutènement.* ▶ *soutenu, ue* adj. **1.** *Style soutenu,* qui se maintient à un certain niveau de pureté, d'élégance. ⇒ **élevé, noble. 2.** Qui est constant, régulier. *Une attention soutenue.* **3.** Accentué, prononcé. *Un bleu plus soutenu.* ⇒ **dense, profond.** ▶ *soutien* [sutjɛ̃] n. m. **1.** Action ou moyen de soutenir (dans l'ordre financier, politique, militaire). ⇒ **aide, appui.** *Notre parti apportera son soutien au gouvernement.* **2.** Personne qui soutient (une cause, un parti). SOUTIEN DE FAMILLE : personne dont l'activité est indispensable pour assurer la subsistance de sa famille. ▶ *soutien-gorge* n. m. ■ Sous-vêtement féminin destiné à soutenir les seins. *Bonnets et bretelles de soutien-gorge. Des soutiens-gorge.* ⟨ ▶ insoutenable, souteneur ⟩

souterrain, aine [sutɛrɛ̃, ɛn] adj. et n. m. **1.** Adj. Qui est ou se fait sous terre. *Un passage souterrain. Essai nucléaire souterrain* (opposé à *atmosphérique*). — Abstrait. Caché, obscur. *Une évolution souterraine.* **2.** N. m. Passage souterrain, naturel ou pratiqué par l'homme. *Les souterrains du château.*

soutier [sutje] n. m. ■ Matelot chargé d'alimenter la chaudière en charbon, dans la soute (anciens navires à charbon).

soutirer [sutire] v. tr. ▪ conjug. 1. **I.** Transvaser doucement (le vin, le cidre) d'un récipient à un autre, de façon à éliminer les dépôts qui doivent rester dans le premier. ⇒ **tirer. II.** *Soutirer de l'argent, des informations à qqn,* les lui arracher habilement. ⇒ **tirer.** ▶ *soutirage* n. m. ■ Action de soutirer (I).

① *souvenir* [suvnir] v. pron. et intr. ▪ conjug. 22. **I.** V. pron. SE SOUVENIR (DE). **1.** Avoir de nouveau présent à l'esprit (qqch. qui appartient à une expérience passée). ⇒ **se rappeler, se ressouvenir.** *Je m'en souviens,* je me le rappelle. / contr. **oublier** / *Je me souviens de cette rencontre, de l'avoir rencontré, que je l'ai rencontré. Faites m'en souvenir,* rappelez-moi cela. (Avec reconnaissance ou rancune) *Je m'en souviendrai,* se dit par menace. *Se souvenir de qqn,* l'avoir encore présent à l'esprit ou penser à lui. **2.** À l'impératif. Ne pas manquer de considérer, penser à. *Souvenez-vous de nos conventions, que vous me l'avez promis.* **II.** V. intr. Impers. Littér. IL ME SOUVIENT : j'ai le souvenir. *Il me souvient d'avoir lu cela, que j'ai lu cela autrefois.* ▶ ② *souvenir* n. m. **1.** Mémoire : fait de se souvenir. *Conserver, perdre le souvenir d'un événement.* **2.** Ce qui revient ou peut revenir à l'esprit des expériences passées ; image que garde et fournit la mémoire. ⇒ **réminiscence.** *Des souvenirs d'enfance, de lecture. Cette maison éveille en moi bien des souvenirs. J'en garde un mauvais souvenir. Gardez cela EN SOUVENIR DE moi.* — (Dans les formules de politesse) *Affectueux, meilleurs souvenirs.* — *Écrire ses souvenirs,* ses mémoires. **3.** (Objets concrets) Ce qui fait souvenir, ce qui reste comme un témoignage (de ce qui appartient au passé). *Il y avait là quelques souvenirs d'un temps meilleur.* **4.** Cadeau (qui fait qu'on pense à celui qui l'a donné). *Il nous a rapporté à chacun un petit souvenir.* — Bibelot qui évoque le souvenir d'un lieu touristique. *Une marchande de souvenirs.* ▶ *souvenance* n. f. ■ Littér. Avoir, garder souvenance de qqch., qqn, s'en souvenir. *Je n'en ai pas souvenance.* ⟨ ▶ se ressouvenir ⟩

souvent [suvã] adv. **1.** Plusieurs fois, à plusieurs reprises dans un espace de temps. / contr. **jamais** / *Peu souvent.* ⇒ **rarement.** *Assez souvent, souvent, très souvent.* ⇒ **fréquemment.** *J'ai souvent pensé à vous.* — Loc. *Plus souvent qu'à mon, qu'à son tour,* plus souvent qu'il n'est normal pour moi, pour lui. Fam. *Plus souvent !,* sûrement pas ! **2.** En de nombreux cas. — Dicton. *On a souvent besoin d'un plus petit que soi.* — *Le plus souvent,* dans la plupart des cas. ⇒ **généralement.**

① *souverain, aine* [suvrɛ̃, ɛn] adj. **1.** Qui est au-dessus des autres, dans son genre. ⇒ **suprême.** *Une habileté souveraine. Un remède souverain.* **2.** Dont le pouvoir n'est limité par celui d'aucun autre. *Le peuple souverain.* — N. *Le souverain.* — Loc. *Le souverain pontife,* le pape. — Qui possède la souveraineté (2). *État souverain.* — Qui juge ou décide sans appel. *Assemblée souveraine.* **3.** Extrême (avec un sentiment de supériorité). *Un souverain mépris.* ▶ *souverainement* adv. **1.** Littér. Supérieurement. **2.** Décider souverainement. **3.** *Il était souverainement méprisant.* ▶ ② *souverain, aine* n. m. ■ Chef d'État monarchique. ⇒ **reine, roi.** ▶ *souveraineté* n. f. **1.** Autorité suprême d'un souverain, d'un prince ou d'une nation. *La souveraineté du peuple, fondement de la démocratie.* **2.** Caractère d'un État qui n'est soumis à aucun autre État. ⇒ **indépendance.** *La souveraineté de la France dans une Europe unie.* ▶ ③ *souverain* n. m. ■ Ancienne monnaie anglaise (environ 7,5 grammes d'or).

soviet [sɔvjɛt] n. m. ■ En Russie. Conseil de délégués ouvriers et soldats au moment de la révolution de 1917. — Aujourd'hui. Chambre des représentants de la nation (*Soviet de l'Union*), chambre des républiques fédérées (*Soviet des nationalités*), formant le parlement de l'U.R.S.S. (ou *Soviet suprême*). — Péj. *Les soviets,* la Russie communiste, le communisme. ▶ *soviétique* adj. et n. ■ Relatif à l'État fédéral socialiste, né de la révolution de 1917 (nommé *Union des Républiques socialistes soviétiques* [U.R.S.S.] ou *Union soviétique*). — N. *Les Soviétiques.* ≠ *russe.* ▶ *sovkhoze* n. m. ■ En U.R.S.S. Grande exploitation agricole propriété de l'État. ≠ *kolkhoze.*

soyeux, euse [swajø, øz] adj. et n. m. **1.** Adj. Qui est doux et brillant comme la soie. **2.** N. m. À Lyon. Industriel de la soierie. *De riches soyeux.* ≠ *canut.*

spacieux, euse [spasjø, øz] adj. ■ Où l'on a de l'espace, où l'on est au large. / contr. **étroit** / *Une voiture spacieuse. C'est assez spacieux pour trois personnes.* ≠ *spatial ; spécieux.*

spadassin [spadasɛ̃] n. m. ■ Littér. Autrefois. Assassin à gages. ⇒ **nervi, sbire.**

spaghetti [spageti] n. m. ■ Variété de pâtes alimentaires fines et longues. — En général au plur. *Des spaghetti bolognaise.*

spahi [spai] n. m. ■ Soldat des corps de cavalerie indigène organisés autrefois par l'armée française en Afrique du Nord. *Les spahis.*

sparadrap [sparadra] n. m. ■ Bande adhésive utilisée pour protéger ou soigner des plaies, souvent combinée avec un petit pansement.

sparterie [spart(ə)ri] n. f. ■ Fabrication d'objets en fibres végétales (jonc, alfa, crin) vannées ou tissées. — Ouvrage ainsi fabriqué.

spartiate [sparsjat] adj. ■ Qui évoque les anciens citoyens de Sparte (Lacédémone) et leur austérité. *Une vie spartiate.*

spartiates [spaʁsjat] n. f. pl. ■ Sandales faites de lanières de cuir croisées.

spasme [spasm] n. m. ■ Contraction brusque et involontaire d'un ou de plusieurs muscles. ⇒ **convulsion, crampe, crispation.** ▶ *spasmodique* adj. ■ Convulsif. *Des frissons spasmodiques.* ‹ ▶ antispasmodique ›

spath [spat] n. m. ■ Nom donné autrefois à différents cristaux naturels qui se débitent en lamelles.

spatial, ale, aux [spasjal, o] adj. **1.** Qui est du domaine de l'espace (opposé à *temporel*). **2.** Relatif à l'espace interplanétaire, interstellaire, à son exploration. ⇒ **cosmique.** *La fusée spatiale européenne.* ≠ *spacieux* ‹ ▶ aérospatial ›

spatule [spatyl] n. f. ■ Ustensile à lame plate, large (*spatule de cuisine, de sculpteur*) ou étroite (*spatule de maçon*).

speaker [spikœʁ] n. m. ■ Anglic. Annonceur, présentateur de radio. *Des speakers.* — Fém. : SPEAKERINE [spikʁin].

spécial, ale, aux [spesjal, o] adj. **1.** Qui concerne une espèce de choses (opposé à *général*). *Des connaissances spéciales.* **2.** Qui est particulier à (une personne, un groupe) ou destiné à leur usage exclusif. *Ces malades étaient hospitalisés dans un pavillon spécial.* ⇒ **particulier.** — Qui constitue une exception, est employé pour les circonstances extraordinaires. *Prendre des mesures spéciales.* — Loc. ENVOYÉ(E) SPÉCIAL(E). *L'envoyé spécial d'un grand quotidien* (opposé à *permanent*). **3.** Qui présente des caractères particuliers dans son genre, n'est pas commun, ordinaire. ⇒ **étran-ge, singulier.** *Il prenait alors une voix spéciale.* Fam. *C'est un peu spécial,* bizarre. — Par euphémisme. *Des mœurs spéciales,* d'homosexuel. ▶ *spécialement* adv. **1.** D'une manière spéciale, en particulier. ⇒ **notamment. 2.** D'une manière adéquate, tout exprès. *Des salles spécialement équipées.* **3.** D'une manière très caractéristique. — Fam. *Il n'est pas spécialement beau,* pas tellement beau. ▶ *spécialiser* v. tr. ■ conjug. 1. ■ Employer, cantonner dans une spécialité. — Pronominalement (réfl.). *Il s'est spécialisé dans la littérature médiévale.* — Au p. p. adj. *Chercheurs spécialisés.* ⇒ **spécialiste.** *Ouvrier spécialisé* ⇒ **O.S.,** sans aucune qualification (en fait, il n'est pas spécialisé). ▶ *spécialisation* n. f. ■ Action, fait de se spécialiser (en particulier dans un domaine de la science ou de la technique). ▶ *spécialiste* n. **1.** Personne qui s'est spécialisée, qui a des connaissances approfondies dans un domaine déterminé et restreint (science, technique...). *Un, une spécialiste de l'art précolombien.* ⇒ **expert.** — Médecin qui se spécialise dans une branche particulière de la médecine. *Les généralistes et les spécialistes.* **2.** Fam. Personne qui est coutumière de (qqch.). *Un spécialiste de la gaffe.* ▶ *spécialité* n. f. ■ Ensemble de connaissances sur un objet d'étude limité. ⇒ **branche, domaine, partie.** *En dehors de sa spécialité, il ne sait rien.* **2.** Production déterminée à laquelle on se consacre. *Spécialités gastronomiques régionales.* — Spécialité *pharmaceutique,* médicament, produit vendu exclusivement en pharmacie. **3.** Fam. Art particulier et personnel. *Les insinuations, c'est sa spécialité.* ‹ ▶ spécifier, spécifique, spécimen ›

spécieux, euse [spesjø, øz] adj. ■ Littér. Qui n'a qu'une mince apparence, qui est faux et sans valeur. ≠ *spacieux. Sous un prétexte spécieux. Raisonnement spécieux,* trompeur.

spécifier [spesifje] v. tr. ■ conjug. 7. ■ Mentionner de façon précise. ⇒ **préciser.** *Vous n'avez pas spécifié la date, spécifié à quelle date vous viendrez.*

spécifique [spesifik] adj. **1.** Didact. Propre à une espèce (commun à tous les individus et aux cas de cette espèce). ≠ *générique. Terme spécifique. Remède spécifique,* propre à guérir une maladie particulière. **2.** Qui a son caractère et ses lois propres, ne peut se rattacher à autre chose. ≠ *unique.* ▶ *spécificité* n. f. ■ Didact. Caractère spécifique. ▶ *spécifiquement* adv.

spécimen [spesimɛn] n. m. **1.** Individu qui donne une idée de l'espèce ; unité d'un ensemble qui donne une idée du tout. ⇒ **échantillon, exemple, représentant.** *Des spécimens.* **2.** Exemplaire ou feuille publicitaire (d'une revue, d'un manuel).

spectacle [spɛktakl] n. m. **1.** Ensemble de choses ou de faits qui s'offre au regard. ⇒ **apparence, tableau, vision.** *La maison dévastée offrait un triste spectacle. Au spectacle de,* à la vue de. — Loc. péj. *Se donner en spectacle,* se faire remarquer. **2.** Représentation (théâtre, cinéma...), ce qu'on présente au public au cours d'une même séance. *Allez-vous souvent au spectacle ? Salle de spectacle.* — L'ensemble des activités concernant le théâtre, le cinéma, le music-hall, etc. *L'industrie du spectacle.* ⇒ anglic. show-business. **3.** *Pièce, revue* À GRAND SPECTACLE : qui comporte une mise en scène somptueuse. ▶ *spectaculaire* adj. ■ Qui parle aux yeux, frappe l'imagination. ⇒ **frappant.** *Une réalisation, un exploit spectaculaire.* ▶ *spectateur, trice* n. **1.** Témoin d'un événement, personne qui regarde ce qui se passe. *Aucun des spectateurs du drame n'a voulu témoigner.* ⇒ **observateur.** / contr. **acteur** / **2.** Personne qui assiste à un spectacle (représentation, match, cérémonie, etc.). ⇒ **assistance, public.** ‹ ▶ téléspectateur ›

① *spectre* [spɛktʁ] n. m. **1.** Apparition effrayante d'un mort. ⇒ **fantôme, revenant.** *Une pâleur de spectre.* **2.** Littér. Perspective menaçante. *Le spectre de la mort.* ▶ ① *spectral, ale, aux* adj. ■ De spectre (1). *Une pâleur spectrale.*

② *spectre* n. m. ■ Image résultant de l'analyse d'un rayonnement par le spectroscope. *Le spectre solaire obtenu à travers un prisme. Étudier les spectres des étoiles* (dont les raies décèlent la composition chimique). ▶ ② *spectral, ale, aux* adj. ■ Relatif aux spectres, à leur étude. *Raies spectrales.* ▶ *spectroscope* n. m. ■ Instrument pour produire ou examiner des spectres (de l'infrarouge aux rayons X). ▶ *spectroscopie* n. f. ■ En physique, astronomie (astrophysique). Étude des spectres.

spéculer [spekyle] v. intr. ■ conjug. 1. **I.** Littér. Méditer, se livrer à la recherche abstraite. **II.** Faire des spéculations financières, commerciales. *Spéculer en bourse.* — SPÉCULER SUR *qqch.* : compter dessus pour réussir. ▶ *spéculateur, trice* n. ■ Personne qui fait des spéculations (II) financières ou commerciales (souvent péj.). ▶ *spéculatif, ive* adj. ■ Relatif à la spéculation (I, II). ▶ *spéculation* n. f. **I.** Littér. Théorie, recherche abstraite. **II.** Opération financière ou commerciale, fondée sur les fluctuations du marché ; pratique de ce genre d'opérations. *La spéculation sur les terrains à bâtir.*

spéculum [spekylɔm] n. m. ■ Instrument dont une face forme miroir, utilisé par les médecins et chirurgiens pour explorer certaines cavités de l'organisme. *Des spéculums.*

speech [spitʃ] n. m. ■ Petite allocution de circonstance (notamment en réponse à un toast). *Des speeches.*

spéléo- ■ Élément savant signifiant « caverne ». ▶ *spéléologie* [speleɔlɔʒi] n. f. ■ Exploration et étude scientifique des cavités du sous-sol (grottes, gouffres, eaux souterraines, etc.). ▶ *spéléologique* adj. ▶ *spéléologue* n. ■ Spécialiste de la spéléologie. — Abrév. *Un, une* SPÉLÉO.

sperme [spɛʀm] n. m. ■ Liquide physiologique, formé par les spermatozoïdes et par le produit des sécrétions des glandes génitales mâles. ⇒ liquide **séminal.** *Le sperme est éjaculé.* ▶ *spermat(o)-, sperm(o)-, -sperme* ■ Éléments de mots savants signifiant « semence, graine ». ▶ *spermatozoïde* [spɛʀmatɔzɔid] n. m. ■ Cellule reproductrice (gamète) mâle formée d'un noyau et d'un long filament. ≠ *ovule.* ⇒ **gonade.** ‹ ▶ angiospermes, gymnospermes ›

sphère [sfɛʀ] n. f. **1.** Surface fermée dont tous les points sont à égale distance (rayon) du centre ; solide limité par cette surface. ⇒ **balle, bille, boule.** *Le cercle, le disque et la sphère sont ronds. Sphère céleste,* image sphérique du ciel nocturne. *La sphère terrestre.* ⇒ **globe.** ≠ *planisphère.* Moitié de sphère. ⇒ **hémisphère. 2.** Fig. Spécialité professionnelle, domaine d'activité (de qqn). *Chacun travaille dans sa sphère.* — (Choses) *Sphère d'action,* espace où se manifeste un agent physique. ⇒ **champ.** *Sphère d'influence,* zone dans laquelle une puissance possède un droit d'intervention. ▶ *sphérique* adj. **1.** En forme de sphère (1). ⇒ **rond. 2.** Qui appartient à la sphère. *Calotte sphérique.* ▶ *sphéroïde* n. m. ■ Solide à peu près sphérique. *La Terre est un sphéroïde.* ‹ ▶ atmosphère, biosphère, hémisphère, planisphère, stratosphère ›

sphincter [sfɛ̃ktɛʀ] n. m. ■ Muscle annulaire disposé autour d'un orifice naturel qu'il ferme en se contractant. *Le sphincter de l'anus.*

① *sphinx* [sfɛ̃ks] n. m. invar. **1.** Monstre imaginaire, lion ailé à tête et buste de femme, qui tuait les voyageurs quand ils ne résolvaient pas l'énigme qu'il leur proposait. *Le sphinx interrogea Œdipe.* — Statue de lion couché, à tête d'homme, de bélier ou d'épervier, représentant une divinité égyptienne. *Le grand sphinx de Gizeh.* **2.** Personne énigmatique, figée dans une attitude mystérieuse. *Ils jouent les sphinx.* ‹ ▶ ② sphinx ›

② *sphinx* n. m. invar. ■ Grand papillon du crépuscule aux ailes étroites, au vol puissant. *Des sphinx tête-de-mort* (portant une tache semblable à une tête de mort).

spi n. m. ⇒ **spinnaker.**

spinal, ale, aux [spinal, o] adj. ■ Terme d'anatomie. Qui appartient à la colonne vertébrale ou à la moelle épinière.

spinnaker [spinɛkœʀ, -nakɛʀ] n. m. ■ Grande voile creuse, de forme triangulaire, hissée devant le foc aux allures portantes. — Abrév. : SPI. *Voilier sous spi,* dont le spinnaker est déployé.

spirale [spiʀal] n. f. **1.** Courbe plane qui décrit des révolutions autour d'un point fixe (ou pôle), en s'en écartant de plus en plus. **2.** Courbe qui tourne autour d'un axe, dans l'espace (appelée scientifiquement *hélice*). ⇒ **volute.** *Des spirales de fumée.* — *En spirale. Escalier en spirale,* en colimaçon. **3.** Montée rapide et irrésistible (d'un phénomène). *La spirale de l'inflation.*

spire [spiʀ] n. f. ■ Tour complet (d'une spirale ou d'une hélice). — Enroulement d'une coquille. ‹ ▶ spirale ›

spirite [spiʀit] adj. et n. **1.** Adj. Relatif à l'évocation des esprits des morts. **2.** N. Personne qui évoque les esprits, s'occupe de spiritisme. ▶ *spiritisme* n. m. ■ Science occulte fondée sur l'existence, les manifestations et l'enseignement des esprits.

spiritual ⇒ **negro spiritual.**

① *spirituel, elle* [spiʀitɥɛl] adj. **1.** Qui est de l'ordre de l'esprit considéré comme distinct de la matière. ⇒ **immatériel. 2.** Propre à l'âme, considérée comme un don de Dieu. *La vie spirituelle.* **3.** Qui est d'ordre moral, n'appartient pas au monde physique. *Pouvoir spirituel de l'Église* (opposé à *temporel*). *Les valeurs spirituelles d'une civilisation.* ▶ *spiritualiser* v. tr. . conjug. 1. ■ Littér. Doter, imprégner de spiritualité. ▶ *spiritualisme* n. m. ■ Doctrine selon laquelle l'esprit constitue une réalité indépendante et supérieure (opposé à *matérialisme*). ▶ *spiritualiste* adj. et n. ■ Tenant du spiritualisme. ▶ *spiritualité* n. f. **1.** Caractère de ce qui est d'ordre spirituel, indépendant de la matière. **2.** Croyances et pratiques qui concernent la vie spirituelle. *La spiritualité hindoue.* ▶ ② *spirituel, elle* adj. ■ Qui est plein d'esprit (①, IV), de fine drôlerie. ⇒ **fin, malicieux.** *Un causeur très spirituel. Une plaisanterie spirituelle.* ⇒ **piquant.** / contr. **grossier, plat** / ▶ *spirituellement* adv. ■ Avec esprit, finesse.

spiritueux, euse [spiʀitɥø, øz] adj. et n. m. ■ Qui contient une forte proportion d'alcool. — N. m. invar. Liqueur forte en alcool. *Vins et spiritueux. Le cognac, le gin, le marc, le whisky sont des spiritueux.* ⇒ **alcool.**

spleen [splin] n. m. ■ Littér. Mélancolie sans cause apparente, caractérisée par le dégoût de toute chose ; vague à l'âme, neurasthénie. ⇒ **ennui.** *Avoir le spleen.* ⇒ ③ **cafard.**

splendeur [splɑ̃dœʀ] n. f. **1.** Beauté donnant une impression de luxe, de magnificence. ⇒ **somptuosité.** — Prospérité, gloire (d'un État, d'une famille). *Athènes au temps de sa splendeur.* Iron. *Voici Dupuy dans toute sa splendeur,* étalant tous ses ridicules. **2.** Chose splendide. *Cette tapisserie est une splendeur.* ▶ *splendide* adj. **1.** Plein d'éclat. ⇒ **clair, rayonnant.** *Il fait un temps splendide.* — Riche et beau. ⇒ **magnifique.** *Une fête splendide.* **2.** D'une beauté éclatante. ⇒ **superbe.** *C'est une fille splendide.* ▶ *splendidement* adv. ■ Littér. Avec splendeur. ‹ ▶ resplendir ›

spolier [spɔlje] v. tr. . conjug. 7. ■ Dépouiller (qqn) d'un bien par violence, par fraude, par abus de pouvoir. ▶ *spoliation* n. f.

spongieux, euse [spɔ̃ʒjø, øz] adj. **1.** Qui rappelle l'éponge, par sa structure et sa consistance. *Le tissu spongieux des poumons.* **2.** Qui est mou et s'imbibe, retient les liquides. *Un sol spongieux.*

sponsor [spɔ̃sɔʀ] n. m. ■ Anglic. Personne, entreprise qui finance une initiative sportive ou culturelle. ⇒ **commanditaire, mécène.** ▶ *sponsoriser* v. tr. . conjug. 1. ■ Anglic. ⇒ **commanditer, parrainer.**

spontané, ée [spɔ̃tane] adj. **1.** Que l'on fait soi-même, sans être incité ni contraint par autrui. *Une manifestation spontanée.* / contr. **organisé** / **2.** Qui se produit sans avoir été provoqué. ⇒ **naturel.** *Émission spontanée de rayonnement.* **3.** Qui se hâte, s'exprime directement, sans réflexion ni calcul. ⇒ **instinctif.** *Sa réaction a été tout à fait spontanée.* / contr. **réfléchi** / — (Personnes) Qui obéit au premier mouvement, ne calcule pas. *Un artiste spontané.* ▶ *spontanéité* n. f. ■ Caractère spontané (3). *Il a beaucoup de spontanéité et de naturel.* ▶ *spontanément* adv. ■ Avec spontanéité. *Il a tout avoué spontanément.*

sporadique [spɔʀadik] adj. **1.** Qui apparaît, se produit çà et là et de temps à autre, d'une manière irrégulière et isolée. *Des protestations sporadiques.* **2.** *Maladie sporadique,* qui atteint des individus isolés (opposé à *épidémique* et à *endémique*). ▶ *sporadiquement* adv.

spore [spɔʀ] n. f. ■ Corpuscule reproducteur de certaines espèces végétales et de certains protistes (organismes formés d'une seule cellule). ⇒ **pollen.** *Les spores des algues, des champignons.* ▶ *sporange* n. m. ■ Organe qui renferme ou produit les spores. *Sporanges mâles.* ⇒ **étamine.** *Sporanges femelles.* ⇒ **pistil.**

sport [spɔʀ] n. m. **1.** *(Le sport)* Activité physique exercée dans le sens du jeu et de l'effort, et dont la pratique suppose un entraînement méthodique, le respect de règles. ⇒ éducation **physique ; athlétisme, gymnastique.** *Faire du sport. Terrain de sport.* — *Veste, chaussures de sport,* pour la promenade, la campagne (opposé à *habillé*). — Loc. fam. *C'est du sport !,* c'est un exercice, un travail très difficile ou dangereux. *Il va y avoir du sport !,* de l'agitation, de la bagarre. **2.** *(Un, des sports)* Chacune des formes particulières et réglementées de cette activité. *La natation est un sport complet. Sports de compétition. Sports de combat* (boxe, judo, karaté...), *individuels* (athlétisme, cyclisme), *d'équipes* (football, rugby, hockey,...). *Sports d'hiver* (ski, patin à glace,...). ▶ *sportif, ive* [spɔʀtif, iv] adj. **1.** Propre ou relatif au sport, aux différents sports. *Épreuves sportives. L'esprit sportif, basé sur le franc-jeu (fair-play). Disciplines sportives.* **2.** Qui pratique, qui aime le sport. — N. *C'est un grand sportif. Sportif amateur* (opposé à *professionnel*). — Qui atteste la pratique du sport. *Une allure sportive.* **3.** Qui respecte l'esprit du sport. *Le public n'a pas été très sportif.* ▶ *sportivement* adv. ■ Avec un esprit sportif, loyal. *Accepter sportivement sa défaite.* ▶ *sportivité* n. f. ■ Esprit d'une personne sportive (3), qui joue franc-jeu. ⟨ ▶ omnisport ⟩

spot [spɔt] n. m. Anglic. **1.** Point lumineux, tache lumineuse (sur un instrument de mesure, un écran...). **2.** Petit projecteur. **3.** *Spot publicitaire,* bref message publicitaire. ⇒ **flash.**

sprat [spʀat] n. m. ■ Petit poisson de l'Atlantique, voisin du hareng, qui se mange surtout fumé. *Des sprats.*

spray [spʀɛ] n. m. ■ Anglic. Jet de liquide en fines gouttelettes lancé par un pulvérisateur ; ce pulvérisateur. ⇒ ① **bombe** (6). *Des sprays d'eau minérale.*

sprint [spʀint] n. m. ■ Allure la plus rapide possible qu'un coureur prend à un moment déterminé (surtout à la fin) d'une course ; fin de la course. *Il a gagné au sprint.* — (Athlétisme, cyclisme) Course de vitesse sur petite distance. ▶ ① *sprinter* [spʀintœʀ] n. ■ Spécialiste des courses de vitesse, des sprints. ▶ ② *sprinter* [spʀinte] v. intr. ■ conjug. 1. ■ Accélérer et soutenir l'allure la plus rapide possible, notamment en fin de course. — Fam. *Il va falloir sprinter,* se dépêcher.

squale [skwal] n. m. ■ Poisson de grande taille, au corps allongé et cylindrique, avec des fentes branchiales de chaque côté du cou. ⇒ **requin.**

squame [skwam] n. f. **1.** En biologie. Écaille (de poisson, de serpent,...). **2.** Lamelle qui se détache de l'épiderme (par *desquamation*). ▶ *squameux, euse* adj. ■ Didact. Écailleux. ⟨ ▶ desquamer ⟩

square [skwaʀ] n. m. ■ Petit jardin public, souvent aménagé au milieu d'une place.

squash [skwaʃ] n. m. invar. ■ Anglic. Sport pratiqué en salle, où deux joueurs se renvoient une balle en la frappant à la raquette contre un fronton.

squatter [skwatœʀ, -tɛʀ] n. ■ Anglic. Personne qui réside illégalement dans un local vacant. *Les squatters ont été expulsés par la police.* ▶ *squattériser* v. tr. ■ conjug. 1. ■ Occuper (un lieu) en squatters. — REM. On dit aussi *squatter* [skwate] v. tr. ■ conjug. 1.

squaw [skwo] n. f. ■ Anglic. Nom donné aux femmes indiennes par les Blancs lors de la conquête de l'Ouest des États-Unis. *Des squaws.*

squelette [skəlɛt] n. m. **1.** Charpente osseuse des vertébrés. — Restes osseux d'un humain ou d'un animal. *Les fouilles ont fait découvrir de nombreux squelettes.* — Fig. Fam. Personne très maigre. **2.** Les grandes lignes (d'une œuvre). ⇒ **architecture, plan.** **3.** Structures (d'un immeuble). ▶ *squelettique* adj. ■ Qui évoque un squelette (par sa maigreur). — Très réduit, peu nombreux.

① *S.S.* ■ Sigle de *Sécurité sociale.*

② *S.S.* n. m. invar. — Sigle de *Schutz Staffel.* **1.** Membre des formations policières et militaires spéciales de l'Allemagne nazie. **2.** Policier accusé de nazisme, de brutalité.

stable [stabl] adj. **1.** Qui n'est pas sujet à changer ou à disparaître ; qui demeure dans le même état. ⇒ **durable, solide.** *Un régime stable.* **2.** Équilibre *stable.* ⇒ **équilibre. 3.** Doué de stabilité (du point de vue chimique ou physique). ⇒ **inerte.** ▶ *stabiliser* v. tr. ■ conjug. 1. **1.** Rendre stable (la monnaie, les prix, les institutions, une situation). / contr. **déstabiliser** / **2.** Amener (un système, une substance) à la stabilité. — Au p. p. adj. *Accotements non stabilisés,* mouvants, susceptibles de glisser, de s'effondrer. **3.** Assurer la stabilité de (un navire, un avion, un véhicule). ⇒ **équilibrer.** ▶ *stabilisateur, trice* adj. et n. **1.** Adj. Propre à stabiliser. **2.** N. m. Dispositif de correction automatique des écarts et des erreurs, destiné à stabiliser, équilibrer un véhicule. *Les stabilisateurs d'une bicyclette d'enfant,* roulettes montées de chaque côté de la roue arrière. *Bateau de croisière muni de stabilisateurs.* ▶ *stabilisation* n. f. ■ Action de rendre stable. *Plan de stabilisation de la monnaie.* ▶ *stabilité* n. f. **1.** Caractère de ce qui tend à demeurer dans le même état. ⇒ **continuité, fermeté.** / contr. **instabilité** / *La stabilité des institutions anglaises.* — *Assurer la stabilité de la monnaie.* **2.** État d'une construction capable de demeurer dans un équilibre permanent. — Propriété d'un véhicule de revenir à sa position d'équilibre. *La stabilité d'un avion.* **3.** Tendance (d'un composé chimique, d'un phénomène physique) à rester dans un état défini. ⟨ ▶ déstabiliser, instable, instabilité ⟩

stabulation [stabylɑsjɔ̃] n. f. ■ Technique d'élevage en étable.

staccato [stakato] adv. ■ Terme de musique. En jouant les notes détachées (opposé à *legato*).

① *stade* [stad] n. m. **1.** Dans la Grèce antique. Distance (180 m environ) sur laquelle on disputait les courses ; terrain de sport et enceinte qui la complétaient. **2.** Terrain aménagé pour la pratique des sports, et le plus souvent entouré de gradins, de tribunes. *Un stade olympique.*

② *stade* n. m. ■ Chacune des étapes distinctes (une évolution) ; chaque forme que prend une réalité en devenir. ⇒ **phase, période.** *À tous les stades de la vie.*

① *staff* [staf] n. m. ■ Composition plastique de plâtre et de fibres végétales, employée dans la décoration, l'industrie. ⇒ **stuc.**

② *staff* n. m. ■ Anglic. Groupe de travail ; équipe dirigeante d'une entreprise. *Le P.-D.G. et son staff.*

stage [staʒ] n. m. **1.** Période d'études pratiques imposée aux candidats à certaines professions. *Faire, suivre un stage d'avocat.* **2.** Période de formation ou de perfectionnement. *Stage de reconversion. Il est en stage chez un artisan.* ▶ *stagiaire* adj. et n. ■ Qui fait son stage. *Elle est stagiaire dans une banque.* — N. *Un, une stagiaire.*

stagnant, ante [stagnɑ̃, ɑ̃t] adj. **1.** (Fluides) Qui ne s'écoule pas, reste immobile. ⇒ **dormant.** *Des eaux stagnantes.* **2.** Fig. Inerte, inactif. *Le commerce est stagnant.* ▶ **stagnation** [stagnɑsjɔ̃] n. f. **1.** État d'un fluide stagnant. **2.** Fig. État fâcheux d'immobilité, d'inactivité. ⇒ **inertie, marasme.** *La stagnation de la production.* ▶ **stagner** [stagne] v. intr. ▪ conjug. 1. **1.** (Fluides) Rester immobile sans couler, sans se renouveler. **2.** Fig. Être inerte. ⇒ **piétiner.** *Les affaires stagnent.*

stakhanovisme [stakanɔvism] n. m. ▪ Méthode d'encouragement au travail autrefois appliquée en Union soviétique, incitant à battre des records de production. ▶ **stakhanoviste** adj. et n. **1.** Qui concerne le stakhanovisme. — N. Ouvrier soviétique adhérant au stakhanovisme. **2.** Fam. Travailleur qui fait du zèle.

stalactite [stalaktit] n. f. ▪ Concrétion calcaire qui tombe de la voûte d'une grotte. / contr. **stalag-mite** /

stalag [stalag] n. m. ▪ Camp de prisonniers de guerre non officiers en Allemagne (1940-1945). ≠ *oflag.*

stalagmite [stalagmit] n. f. ▪ Concrétion calcaire qui monte du sol vers la voûte d'une grotte. / contr. **stalactite** /

stalinien, ienne [stalinjɛ̃, jɛn] adj. ▪ Relatif à Staline, au stalinisme. — N. Partisan du stalinisme. *Un vieux stalinien.* ▶ **stalinisme** n. m. ▪ Politique stalinienne caractérisée par sa violence totalitaire, son dogmatisme borné et la centralisation des partis communistes.

stalle [stal] n. f. **1.** Chacun des sièges de bois à dossier élevé réservés au clergé, des deux côtés du chœur d'une église. **2.** Dans une étable, une écurie. Compartiment cloisonné réservé à un animal. ⇒ **box.**

stance [stɑ̃s] n. f. **1.** Vx. Strophe. **2.** Au plur. Poème composé d'une suite de strophes lyriques d'inspiration grave. *Les stances de Rodrigue, dans « le Cid ».*

stand [stɑ̃d] n. m. **1.** Emplacement réservé, dans une exposition, une foire ; ensemble des installations et des produits exposés. **2.** *Stand de ravitaillement,* emplacement aménagé en bordure de piste pour les coureurs cyclistes ou automobiles. **3.** STAND DE TIR : emplacement aménagé pour le tir à la cible.

① **standard** [stɑ̃daʀ] n. m. et adj. invar. Anglic. **I.** N. m. **1.** Type, norme de fabrication. ⇒ **norme.** *Des standards.* **2.** *Standard de vie,* niveau de vie. **II.** Adj. invar. **1.** Conforme à un type ou à une norme de fabrication en série. *Modèle standard et options personnalisées.* **2.** Conforme au modèle habituel, sans originalité. *Les sourires standard des hôtesses.* ▶ **stan-dardiser** v. tr. ▪ conjug. 1. ▪ Anglic. Rendre conforme à un standard / contr. ⇒ **normaliser.** — Au p. p. adj. *Produits standardisés.* ▶ **standardisation** n. f. ▪ Anglic. Normalisation.

② **standard** n. m. ▪ Dispositif permettant, dans un réseau téléphonique, de mettre en relation les interlocuteurs. « *Allô, le standard ? – Oui Monsieur, quel poste demandez-vous ?* » ▶ **standardiste** n. ▪ Téléphoniste chargé(e) du service d'un standard.

standing [stɑ̃diŋ] n. m. Anglic. **1.** Position économique et sociale qu'occupe qqn aux yeux de l'opinion. *Mon standing a un peu baissé. Son standing va en prendre un coup.* ⇒ **image.** **2.** *Immeuble de* GRAND STANDING : de grand confort, de luxe.

staphylocoque [stafilɔkɔk] n. m. ▪ Microbe, agent de diverses infections qui se présente en grappes. *La pénicilline combat les staphylocoques.*

star [staʀ] n. f. ▪ Anglic. Célèbre acteur (actrice) de cinéma. ⇒ **étoile.** *Le déclin des stars.* ▶ **starlette** n. f. ▪ Jeune actrice de cinéma qui rêve d'une carrière de star.

① **starter** [staʀtɛʀ] n. m. ▪ Anglic. Personne qui est chargée de donner le départ d'une course par un coup de pistolet. *Des starters.*

② **starter** n. m. ▪ Anglic. Dispositif destiné à faciliter le démarrage à froid du moteur d'une automobile. *Des starters.*

starting-block [staʀtiŋblɔk] n. m. ▪ Anglic. Dispositif formé de deux cales réglables sur lesquelles les athlètes appuient leurs pieds au départ d'une course. — Au plur. (Même sens) *Des starting-blocks.*

statère [statɛʀ] n. m. ▪ Monnaie antique (12 à 17 grammes d'or).

station [sta(a)sjɔ̃] n. f. **I. 1.** Fait de s'arrêter au cours d'un déplacement. ⇒ **arrêt, halte.** *Elle faisait de longues stations devant les boutiques de mode.* — *Les stations du chemin de la Croix,* commémorant les arrêts de Jésus portant sa croix. **2.** Le fait de se tenir (d'une certaine façon). *La station verticale,* debout. **II.** (Lieu) **1.** Endroit où l'on se place pour effectuer des observations scientifiques, des recherches ; installations qui y sont aménagées. *Station orbitale, maritime, sous-marine.* **2.** Endroit aménagé pour l'arrêt momentané de véhicules. *Une station de métro, d'autobus.* ⇒ **arrêt.** *Station de taxis,* emplacement réservé aux taxis, où ils attendent les clients. *Station de chemin de fer,* gare de peu d'importance. **3.** (Villes) *Station (thermale),* lieu de cure thermale. — *Station balnéaire,* avec sa plage. *Station de ski, de sports d'hiver,* avec ses pistes. ▶ **stationnaire** [stasjɔnɛʀ] adj. **1.** Qui reste un certain temps à la même place. *Ondes stationnaires.* **2.** Qui demeure un certain temps dans le même état ; qui n'évolue pas. *L'état du malade est stationnaire.* ▶ **stationner** v. intr. ▪ conjug. 1. ▪ Faire une station (I). — (Véhicule vide de ses occupants) Rester à la même place sur la voie publique. *Il n'y a plus de place pour stationner.* ⇒ se **garer.** / contr. **circuler** / ▶ **stationnement** n. m. ▪ Fait de stationner. *Panneaux de stationnement interdit. Stationnement payant* (⇒ **parcmètre, par-king**). ▶ **station-service** n. f. ▪ Poste de distribution d'essence accompagné d'installations pour l'entretien (et non la réparation) des automobiles. *Des stations-service.* ≠ *garage.*

statique [statik] n. f. et adj. **I.** N. f. Didact. Étude des corps en équilibre (opposé à *la dynamique*). **II.** Adj. **1.** Didact. Relatif aux états d'équilibre. **2.** Qui est fixé, qui n'évolue pas. / contr. **dynamique** / *Un art statique.*

statistique [statistik] n. f. et adj. **I.** N. f. Science et techniques d'interprétation de données trop complexes et trop nombreuses pour être appréciées sans calcul. *Selon les statistiques, ce pays se dépeuple.* **II.** Adj. **1.** Relatif à la statistique. *Méthodes, données, résultats statistiques. Étude statistique de l'opinion publique* (⇒ **échantillon, sondage**). **2.** Qui concerne les grands nombres, les phénomènes quantitatifs complexes. *Prévisions d'ordre statistique.* ▶ **statisti-cien, ienne** n. ▪ Spécialiste de la statistique. ▶ **statistiquement** adv. ▪ Par la statistique, selon les statistiques.

statue [staty] n. f. ▪ Ouvrage représentant en entier un être vivant. ⇒ **buste, sculpture.** *Une statue équestre de Jeanne d'Arc.* — Fig. *Le malheureux était la statue du désespoir,* il personnifiait le désespoir. — *Être figé comme une statue.* ≠ *statut.* ▶ **statuette** [statɥɛt]

n. f. ■ Statue de petite taille. ▶ *statuaire* n. f. ■ Art de représenter en relief ou dans l'espace la figure humaine ou animale. *La statuaire et la sculpture.* ▶ *statufier* v. tr. ▪ conjug. 7. ■ Plaisant. Élever une statue à (qqn).

statuer [statɥe] v. intr. ▪ conjug. 1. ■ Prendre une décision (sur un cas, une affaire). *La Cour de cassation ne statue pas sur le fond.*

statu quo [statykwo] n. m. ■ État actuel des choses. *Maintenir le statu quo pour éviter un conflit.*

stature [statyʀ] n. f. 1. ▪ Le corps humain considéré dans sa taille et sa position debout. *Une stature d'athlète.* 2. ▪ Abstrait. Importance (de qqn). *De Gaulle avait une tout autre stature que la plupart des hommes d'État.*

statut [staty] n. m. ≠ *statue.* 1. ▪ Ensemble des lois et règlements qui définissent la situation (d'une personne, d'un groupe) ; cette situation. *Les droits et les devoirs fixés par le statut des fonctionnaires.* 2. ▪ Situation de fait dans la société, position. *Le statut de la femme dans l'Antiquité classique, en Islam.* 3. ▪ STATUTS : suite d'articles définissant une association, une société, et réglant son fonctionnement. *Rédiger, déposer les statuts d'une société.* ▶ *statutaire* adj. ■ Conforme aux statuts. ▶ *statutairement* adv. ■ Selon les statuts.

steak [stɛk] n. m. ▪ Morceau de bœuf grillé. ⇒ *bifteck. Des steaks saignants.*

steamer [stimœʀ] n. m. ■ Vx. Bateau à vapeur. *Des steamers.*

stéarine [steaʀin] n. f. ■ Graisse animale ou végétale traitée à la soude, solide et blanche, autrefois employée pour faire des bougies. ≠ *cire.*

steeple-chase [stipœltʃez] ou *steeple* [stipl] n. m. Anglic. 1. ▪ Course d'obstacles pour les chevaux, comportant haies, murs, fossés, etc. *Des steeple-chases.* 2. ▪ STEEPLE : course à pied dans laquelle les coureurs ont à franchir divers obstacles.

stèle [stɛl] n. f. ■ Monument monolithe qui porte une inscription, des ornements sculptés. *Une stèle funéraire.*

stellaire [ste(ɛl)lɛʀ] adj. ■ Des étoiles ; relatif aux étoiles. *La lumière stellaire.* ⟨ ▶ interstellaire ⟩

stencil [stɛnsil] n. m. ■ Anglic. Papier paraffiné perforé à la main ou à la machine, servant à la polycopie. *Des stencils.*

sténo- ■ Élément qui signifie « resserré » (en parlant de l'écriture). ▶ *sténo* [steno] n. 1. ▪ *Un, une sténo.* ⇒ *sténographe.* 2. ▪ N. f. ⇒ *sténographie.* ▶ *sténodactylo* [stenodaktilo] n. ■ Dactylo qui connaît la sténographie. ▶ *sténographie* ou *sténo* n. f. 1. ▪ Écriture abrégée et simplifiée, formée de signes qui permettent de noter la parole à la vitesse de prononciation normale. *Prendre le texte d'une conférence en sténo.* 2. ▪ Le métier de sténographe. ▶ *sténographique* adj. ▶ *sténographe* n. ou *sténo* n. ■ Personne qui pratique à titre professionnel la sténographie. *Ils, elles sont sténos.* ▶ *sténographier* v. tr. ▪ conjug. 7. ■ Noter par la sténographie. ▶ *sténotypie* n. f. ■ Transcription phonétique simplifiée de la parole (au moyen d'une machine appelée *sténotype,* n. f., utilisée par le ou la *sténotypiste*).

stentor [stɑ̃tɔʀ] n. m. ■ VOIX DE STENTOR : voix forte, retentissante (semblable à celle d'un héros de l'Iliade, appelé *Stentor*).

steppe [stɛp] n. f. ■ Grande plaine inculte, couverte d'herbe rase en plaques. ≠ *prairie, savane. Les steppes d'Asie centrale. Art, civilisation des steppes,* des

plaines de la Russie méridionale, à l'âge du bronze. ▶ *steppique* adj. ■ Propre à la steppe. *Une végétation steppique.*

stère [stɛʀ] n. m. ■ Volume (de bois) mesurant 1 m x 1 m x 1 m. *Deux stères de bois de chauffage.*

stéréo- ■ Élément de mots savants, signifiant « solide » et « en trois dimensions ». ▶ *stéréophonie* [stereofoni] ou *stéréo* [stereo] n. f. ■ Enregistrement et reproduction du son (par deux sources) permettant de donner l'impression du relief acoustique. *Émission en stéréophonie.* ▶ *stéréophonique* adj. ou *stéréo* adj. invar. ■ *Disque stéréophonique,* en stéréo. — *Des chaînes hi-fi stéréo,* utilisant le principe de la stéréophonie. ▶ *stéréoscope* n. m. ■ Instrument d'optique où deux images donnent la sensation du relief. ▶ *stéréoscopie* n. f. ■ Technique permettant d'obtenir l'impression d'un relief.

stéréotype [stereotip] n. m. ■ Opinion toute faite réduisant les particularités. ⇒ *cliché. Allocution pleine de stéréotypes.* ▶ *stéréotypé, ée* adj. ■ Qui paraît sortir d'un moule ; tout fait, figé. *Des formules stéréotypées.*

stérile [steʀil] adj. I. 1. ▪ Inapte à la génération, à la reproduction. ⇒ *infécond. Les hybrides sont stériles. Couple stérile,* qui ne peut pas avoir d'enfants. 2. ▪ (Terre, sol) Qui ne produit pas de végétaux utiles. 3. ▪ Exempt de tout germe microbien. *En milieu stérile.* II. ▪ Fig. Qui ne produit rien, ne donne naissance à aucun résultat positif. *Un écrivain stérile. Des efforts stériles.* ⇒ *inutile, vain.* ▶ *stérilement* adv. ▶ *stérilet* n. m. ■ Dispositif anticonceptionnel placé dans l'utérus. *Elle a gardé cinq ans son stérilet ; maintenant, elle prend la pilule.* ▶ *stériliser* v. tr. ▪ conjug. 1. 1. ▪ Littér. Rendre stérile, inefficace. 2. ▪ (Personnes) Rendre stérile. *Il s'est fait stériliser par vasectomie.* 3. ▪ Opérer la stérilisation de (qqch.). ⇒ *aseptiser, désinfecter, pasteuriser. Stériliser soigneusement les instruments.* — Au p. p. adj. *Lait stérilisé.* ▶ *stérilisant, ante* adj. ■ Qui stérilise. ▶ *stérilisation* n. f. ■ Opération qui consiste à stériliser. *La stérilisation de la femme par ligature des trompes.* ▶ *stérilisateur* n. m. ■ Appareil à stériliser (3). ▶ *stérilité* n. f. 1. ▪ Incapacité pour un être vivant de procréer ou de reproduire. 2. ▪ Caractère de ce qui est stérile.

sterling [stɛʀliŋ] n. m. et adj. invar. 1. ▪ N. m. Ancienne monnaie anglaise d'argent, servant d'étalon. 2. ▪ Adj. invar. LIVRE STERLING. ⇒ ③ *livre.*

sternum [stɛʀnɔm] n. m. ■ Os placé au milieu de la face antérieure du thorax et recevant les sept paires de côtes supérieures. *Des sternums.*

sternutatoire [stɛʀnytatwaʀ] adj. ■ Didact. Qui provoque des éternuements.

stéthoscope [stetoskɔp] n. m. ■ Instrument qui transmet à l'oreille du médecin les bruits internes du corps, notamment de la poitrine.

steward [stjuward ; stiward] n. m. ■ Anglic. Maître d'hôtel ou garçon de service à bord d'un paquebot, d'un avion. — REM. Au fém. on dit *hôtesse.*

stick [stik] n. m. Anglic. I. ▪ Courte baguette souple ; cravache. II. 1. ▪ Bâtonnet de cosmétique, de produit de beauté. *Des sticks.* 2. ▪ Bâtonnet de colle.

① *stigmate* [stigmat] n. m. 1. ▪ Au plur. Relig. Blessures, marques miraculeuses, apposées sur le corps comme les cinq blessures du Christ. 2. ▪ Autrefois. Marque d'infamie (fleur de lys appliquée au fer rouge). 3. ▪ Marque laissée sur la peau (par une plaie, une maladie). ⇒ *cicatrice. Les stigmates de la petite vérole.* ▶ *stigmatisé, ée* adj. et n. ■ Qui a reçu des stigmates (1). ⟨ ▶ stigmatiser ⟩

② **stigmate** n. m. **1.** En sciences naturelles. Chacun des orifices par où l'air pénètre dans les trachées des insectes. **2.** En botanique. Orifice du pistil.

stigmatiser [stigmatize] v. tr. ■ conjug. 1. ■ Littér. Dénoncer comme infâme, condamner avec force (d'abord marquer de « stigmates », au fer rouge). *Nous stigmatisons ces attentats, cette répression, cette prise d'otage.*

stimuler [stimyle] v. tr. ■ conjug. 1. **1.** Augmenter l'énergie, l'activité de (qqn) : pousser (qqn) à faire qqch. ⇒ **encourager, exciter.** *Ces bons débuts ont stimulé l'équipe.* **2.** Augmenter l'activité (des fonctions organiques). Redonner des forces à. *La dévaluation stimulera les exportations.* ▶ *stimulant, ante* adj. et n. m. **1.** Qui augmente l'activité, les fonctions organiques. ⇒ **fortifiant, tonique.** — N. m. *Un stimulant,* un médicament stimulant. **2.** Qui stimule, augmente l'ardeur de qqn. — N. m. Ce qui stimule, pousse à agir. *Les bonnes notes sont un excellent stimulant.* ▶ *stimulation* n. f. ■ Action de stimuler ; ce qui stimule. ▶ *stimulus* [stimylys] n. m. ■ En neurologie. Cause externe ou interne capable de provoquer la réaction d'un organisme vivant. *Les stimuli (ou les stimulus) sensoriels.*

stipe [stip] n. m. ■ Botanique. Tige ligneuse (de plantes arborescentes et des fougères).

stipendier [stipɑ̃dje] v. tr. ■ conjug. 7. ■ Littér. Corrompre, payer pour une action méprisable ou criminelle. ⇒ **soudoyer.**

stipuler [stipyle] v. tr. ■ conjug. 1. **1.** Énoncer comme condition (dans un contrat, un acte). **2.** Faire savoir expressément. ⇒ **préciser.** Impers. *Il est stipulé dans l'annonce qu'il faut écrire au journal.* ▶ *stipulation* n. f. ■ Clause, condition (énoncée dans un contrat). — Précision donnée expressément.

stock [stɔk] n. m. **1.** Quantité (de marchandises en réserve). *Un stock de blé.* Constituer, renouveler les stocks. ⇒ **lot, provision, réserve.** *Être en rupture* de stock.* **2.** Fam. Choses en réserve, provisions. — Choses possédées en grande quantité. *Gardez-le, j'en ai tout un stock.* ▶ *stocker* v. tr. ■ conjug. 1. ■ Garder (qqch.) en stock, en réserve. ▶ *stockage* n. m. ■ Le fait de mettre, de garder en stock.

stock-car [stɔkkaʀ] n. m. ■ Anglic. Course où de vieilles automobiles se heurtent à des obstacles, font des carambolages. *Des stock-cars.*

stoïcisme [stɔisism] n. m. **1.** Doctrine antique des philosophes (appelés *stoïciens*), selon laquelle le bonheur est dans la vertu. *Zénon, Épictète, Marc-Aurèle ont marqué l'histoire du stoïcisme.* **2.** Courage pour supporter la douleur, le malheur, les privations, avec les apparences de l'indifférence. ⇒ **héroïsme.**

stoïque [stɔik] adj. et n. ■ Qui fait preuve de stoïcisme (2). ⇒ **courageux, héroïque, impassible.** *Il est resté stoïque devant le danger, sous les attaques.* ▶ *stoïquement* adv. ■ Résister stoïquement. ⟨ ▶ stoïcisme ⟩

stomacal, ale, aux [stɔmakal, o] adj. ■ De l'estomac. ⇒ **gastrique.**

stomat(o)- ■ Élément de mots savants, signifiant « bouche ». ▶ *stomatologiste* ou *stomatologue* [stɔmatɔ-] n. ■ Médecin spécialiste des maladies de la bouche.

stop [stɔp] interj. et n. m. **1.** *Stop !,* commandement ou cri d'arrêt. *Stop ! Arrêtez !* — Mot employé dans les télégrammes pour séparer les phrases. *Mère malade. Stop. Arrivez d'urgence. Stop.* **2.** N. m. Feu arrière des véhicules automobiles, qui s'allume quand on freine. *Des stops.* — En appos. Invar. *Des feux stop.*

3. Panneau de signalisation routière imposant l'arrêt complet du véhicule à une intersection de voies. *Il a brûlé un stop.* — Au Québec, on dit *arrêt.* **4.** Fam. Auto-stop. *Il veut aller à Nice en stop.* ▶ ① *stopper* v. ■ conjug. 1. **I.** V. tr. **1.** Commander l'arrêt de (une masse en mouvement). *Le capitaine a fait stopper le navire.* **2.** Arrêter, empêcher de se continuer. *Ces mesures ont stoppé les progrès de la maladie.* **II.** V. intr. (Véhicules) S'arrêter. ⟨ ▶ auto-stop ⟩

② **stopper** v. tr. ■ conjug. 1. ■ Réparer (une déchirure, un vêtement déchiré) en refaisant la trame et la chaîne. *J'ai donné ma veste à stopper.* ▶ *stoppage* n. m. ■ Action de stopper.

store [stɔʀ] n. m. ■ Rideau ou assemblage souple d'éléments, destiné à abriter une fenêtre, une vitrine. *Store vénitien,* à lamelles orientables (intérieur ou extérieur).

stout [stut, stawt] n. f. ■ Mot anglais. Sorte de bière très brune, amère.

strabisme [stʀabism] n. m. ■ Didact. Défaut des yeux qui ne regardent pas dans la même direction. *Strabisme convergent. Strabisme divergent. Avoir un léger strabisme.* ⇒ **loucher.**

strangulation [stʀɑ̃gylasjɔ̃] n. f. ■ Didact. ou littér. Le fait d'étrangler (qqn). *Asphyxie par strangulation.*

strapontin [stʀapɔ̃tɛ̃] n. m. **1.** Siège à abattant (dans le métro, une salle de spectacle,...). *Deux fauteuils et un strapontin d'orchestre.* **2.** Fig. Place secondaire.

strass [stʀas] n. m. invar. ■ Imitation de pierre précieuse, cristal coloré dans la masse. *Un collier en strass.*

stratagème [stʀataʒɛm] n. m. ■ Ruse habile, bien combinée. ⇒ **subterfuge.** *Les stratagèmes de Scapin, de Figaro.*

strate [stʀat] n. f. ■ Couche superposée à d'autres, parallèle à d'autres. — Spécialt. Couche de terrain. ▶ *stratifié, ée* adj. et n. m. **1.** Disposé en strates. **2.** Composite, formé de matériaux disposés en couches minces imprégnées de résine. — N. m. *Coque de voilier en stratifié.* ▶ *stratification* n. f. ■ Disposition (de matériaux, de terrains...) par strates. ▶ *stratigraphie* n. f. ■ Partie de la géologie qui étudie la stratification des roches sédimentaires, l'âge relatif des terrains. ⟨ ▶ strato-, substrat ⟩

stratégie [stʀateʒi] n. f. **1.** (Opposé à *tactique*) Art de faire évoluer une armée en campagne jusqu'au moment où elle entre en contact avec l'ennemi. — Partie de la science militaire qui concerne la conduite générale de la guerre. *Stratégie navale, aérienne.* ≠ *tactique.* **2.** Plan d'actions coordonnées. *La stratégie d'un parti.* ▶ *stratège* [stʀateʒ] n. m. **1.** Chef militaire qui conduit des opérations de grande envergure. — (Opposé à *tacticien*) Personne spécialisée en stratégie. **2.** Personne qui sait manœuvrer les autres. *Un fin stratège. Les stratèges d'un parti politique.* ▶ *stratégique* adj. **1.** (Opposé à *tactique*) Qui concerne la stratégie. *Armes nucléaires stratégiques à très longue portée.* **2.** Relatif à l'art de la guerre ; qui présente un intérêt militaire (opposé à *politique, économique*). *Une position stratégique.* **3.** Qui donne un avantage décisif (contre un adversaire économique). *Le blé a une importance stratégique.*

strato- ■ Élément savant signifiant « étendu ». ▶ *stratosphère* [stʀatɔsfɛʀ] n. f. ■ Une des couches supérieures de l'atmosphère (entre 12 et 50 km d'altitude). ▶ *stratosphérique* adj. ■ *Les courants stratosphériques.* ▶ *stratus* [stʀatys] n. m. invar. ■ Nuage de brouillard. ▶ *strato-cumulus* n. m.

invar. ■ Couche régulière ou en bancs de nuages minces.

streptocoque [stʀɛptɔkɔk] n. m. ■ Se dit de bactéries, de forme arrondie, groupées en chaînettes, provoquant généralement du pus.

streptomycine [stʀɛptɔmisin] n. f. ■ Antibiotique utilisé pour combattre diverses maladies, notamment la tuberculose.

stress [stʀɛs] n. m. invar. ■ Anglic. Blocage des réactions naturelles de défense d'un animal, de l'être humain, sous l'effet d'un choc physique ou nerveux ; ce choc. ▶ **stresser** v. tr. . conjug. 1. ■ Fam. Angoisser en bloquant les réactions normales. *La vie dans les très grandes villes stresse les habitants.* ▶ **stressé, ée** adj. ■ Qui éprouve un stress.

strict, stricte [stʀikt] adj. 1. Qui laisse très peu de liberté d'action ou d'interprétation. ⇒ **étroit.** *Des principes très stricts.* — Rigoureusement conforme aux règles, à un modèle. ⇒ **exact.** *La stricte observation du règlement.* 2. Qui ne tolère aucun relâchement, aucune négligence. ⇒ **sévère.** *Il est strict en affaires.* ⇒ **dur.** 3. (Choses) Qui constitue un minimum. *C'est son droit strict, le plus strict. Dans la plus stricte intimité. Le sens strict d'un mot,* le sens le moins étendu, le plus précisément défini. *Au sens strict du terme.* ⇒ **étroit, précis, stricto sensu.** 4. Très correct et sans ornements ; conforme à un type classique. *Une tenue très stricte.* ▶ **strictement** adv. 1. D'une manière stricte, exclusive de tout autre point de vue. ⇒ **rigoureusement.** *Une affaire strictement personnelle.* 2. D'une manière simple et sévère. *Elle était vêtue très strictement.* ▶ **stricto sensu** [stʀiktɔsɛsy] loc. latine adv. ■ Au sens strict. ‹ ▶ restriction ›

strident, ente [stʀidɑ̃, ɑ̃t] adj. ■ (Bruit, son) Qui est à la fois aigu et intense. *Pousser des cris stridents.* ▶ **stridence** n. f. ■ Littér. Caractère strident (d'un son).

strie [stʀi] n. f. ■ Petit sillon, ou rayure (quand il y en a plusieurs à peu près parallèles). *Les stries d'une coquille.* ▶ **strié, ée** [stʀije] adj. ■ Couvert, marqué de stries. *La peau du dos striée par des coups de fouet.* — MUSCLES STRIÉS : qui se contractent volontairement (opposé à *muscles lisses*). ▶ **strier** v. tr. . conjug. 7. ■ Marquer de stries. ▶ **striure** [stʀijyʀ] n. f. ■ Disposition par stries, manière dont une chose est striée. ⇒ **rayure.**

strip-tease [stʀiptiz] n. m. ■ Anglic. Spectacle de cabaret au cours duquel une ou plusieurs femmes *(strip-teaseuses* ou *effeuilleuses)* se déshabillent suggestivement en musique. *Des strip-teases.*

strobo- ■ Élément de mots savants, signifiant « rotation » (ex. : *stroboscope,* n. m.).

strontium [stʀɔ̃tjɔm] n. m. ■ Métal d'un blanc argenté, mou (comme le plomb) dont certains isotopes sont radioactifs. *Le strontium 90 peut provoquer cancers et leucémies.*

strophe [stʀɔf] n. f. ■ Ensemble cohérent formé par plusieurs vers, avec une disposition déterminée de mètres et de rimes. *Un poème composé de trois strophes.*

structure [stʀyktyʀ] n. f. 1. Disposition, agencement visible des parties (d'une œuvre, d'un bâtiment). *La structure d'un poème.* 2. Agencement des parties (d'un ensemble) tel qu'il apparaît lorsqu'on l'étudie. ⇒ **constitution.** *La structure cellulaire. La structure de l'atome. La structure d'un État.* — Ensemble d'éléments essentiels, profonds. *Des réformes de structure.* 3. En sciences. Système complexe décrit et analysé en fonction de relations réciproques entre ses parties. ▶ **structural, ale, aux** adj. Didact. 1. Qui appartient à la structure. *État structural d'un organe* (opposé à *fonctionnel).* 2. Qui étudie les structures, en analyse les éléments. *Linguistique, grammaire structurale.* ≠ *fonctionnel.* ▶ **structuralisme** n. m. ■ Théorie selon laquelle les sciences humaines doivent envisager principalement les structures. ▶ **structuraliste** adj. et n. ■ Partisan du structuralisme. ▶ **structurel, elle** adj. ■ Des structures (2). ▶ **structurer** v. tr. . conjug. 1. ■ Donner une structure à (qqch.). — Pronominalement. Acquérir une structure. ‹ ▶ destructurer, infrastructure, superstructure ›

strychnine [stʀiknin] n. f. ■ Poison violent, qui contracte convulsivement les muscles, et qui est tiré de certains arbres tropicaux (⇒ **curare, cyanure).**

stuc [styk] n. m. ■ Mélange plastique de plâtre ou de poussière de marbre et de colle, qui imite le marbre. ⇒ ① **staff.** *Les stucs d'un décor.*

studieux, euse [stydjø, øz] adj. 1. Qui aime l'étude, le travail intellectuel. / contr. **paresseux** / *Un élève studieux.* ⇒ **appliqué.** 2. Favorable ou consacré à l'étude. *Une retraite studieuse.*

studio [stydjo] n. m. 1. Atelier d'artiste (peinture, sculpteur, photographe...), de styliste (2). 2. Ensemble des locaux aménagés pour les prises de vues de cinéma, les enregistrements. *Tourner en studio ou en extérieur.* 3. Pièce servant de salon, de salle à manger et de chambre à coucher. ⇒ **living.** — Appartement formé d'une seule pièce principale.

stûpa [stupa] n. m. ■ Monument bouddhique de l'Inde, de l'Asie du Sud-Est. *Les stûpas d'un temple.*

stupéfait, aite [stypefɛ, ɛt] adj. ■ Frappé de stupeur ; rendu sans réactions par l'étonnement. ⇒ **interdit, stupide** (3). *J'en suis encore stupéfait.* ▶ **stupéfaction** [stypefaksjɔ̃] n. f. ■ État d'une personne stupéfaite. ▶ **stupéfier** v. tr. . conjug. 7. ■ Étonner au point de laisser sans réaction. *Cela nous stupéfie. Il en est resté stupéfié.* ▶ ① **stupéfiant, ante** adj. ■ Qui frappe de stupéfaction. *Des nouvelles incroyables, stupéfiantes.*

② **stupéfiant** n. m. ■ Substance euphorisante (opium, morphine, cocaïne...) entraînant généralement une accoutumance et un état de stupeur. ⇒ **drogue.** *Trafic de stupéfiants.*

stupeur [stypœʀ] n. f. 1. Incapacité totale d'agir et de penser (due à un trouble, à un choc moral, psychologique, à des substances chimiques). 2. Étonnement profond. ⇒ **stupéfaction.** *Je suis resté muet de stupeur.*

stupide [stypid] adj. 1. Dénué d'intelligence. *Il est tout à fait stupide.* ⇒ **abruti, bête, idiot.** / contr. **intelligent/** — (Choses) *Il mène une vie stupide. Une remarque stupide.* 2. Privé de sens. *La guerre est stupide. Une mort stupide.* 3. Littér. Stupéfait, paralysé par l'étonnement. ⇒ **hébété.** *J'en suis resté stupide.* ▶ **stupidement** adv. ■ D'une manière stupide. ▶ **stupidité** n. f. ■ Caractère d'une personne, d'une chose stupide. ⇒ **absurdité, bêtise, idiotie.** — Action ou parole stupide. ⇒ **ânerie.** *Ce sont des stupidités.*

stupre [stypʀ] n. m. ■ Littér. Débauche honteuse. ⇒ **luxure.**

① **style** [stil] n. m. I. 1. Part de l'expression qui est laissée à la liberté de chacun, n'est pas directement imposée par les normes, les règles de l'usage, de la langue. *La grammaire et le style. Étudier le style d'un grand écrivain.* ⇒ **écriture, façon ; procédé, tournure.** — Façon de s'exprimer propre à une personne, à un groupe, à un type de discours. *Style oratoire. Il a un style original, inimitable. Le style administratif, didactique.* — Manière d'écrire présentant des qualités artistiques. *C'est un auteur qui manque de style.*

— Aspect particulier de l'énoncé. *Style parlé, écrit ; familier. Style soutenu.* ⇒ **registre. 2.** En grammaire. Forme de discours. *Style direct* (ex. : « *Où vas-tu ?* », « *où est-ce que tu vas ?* », « *où tu vas ?* »), *style indirect* (ex. : « *Je te demande où tu vas* »). **3.** Manière de traiter une œuvre d'art ; ensemble des caractères d'une œuvre (d'un ensemble d'œuvres) qui permettent de la (le) rapprocher d'autres œuvres. *Le style d'une école, d'une époque.* ⇒ **facture.** *Le style Louis XIII.* **4.** Fabriqué sur le modèle d'une époque (à une époque plus récente). *Meuble de style Louis XIII.* ⇒ **copie, genre, imitation, manière ;** (opposé à *meuble Louis XIII,* authentique). **II.** Manière personnelle d'agir, de se comporter. *C'est bien là son style. Style de vie.* — Loc. *De grand style,* mettant en œuvre de puissants moyens d'action. *Une opération de grand style.* ≠ *classe.* — Manière personnelle de pratiquer un sport, tendant à l'efficacité et la beauté. *Ce sauteur a un très beau style, a du style.* ▶ *stylé, ée* adj. ■ *Personnel stylé* (dans un hôtel, un restaurant...), qui accomplit son service dans les formes. ▶ *styliser* v. tr. ■ conjug. 1. ■ Représenter (un objet naturel) en simplifiant les formes en vue d'un effet décoratif. — Au p. p. adj. *Un motif de fleurs de lis stylisées.* ▶ *stylisation* n. f. ▶ *styliste* n. **1.** Écrivain remarquable par son culte du style. **2.** Spécialiste de la création de modèles dans la couture, la chaussure, l'ameublement. ⇒ **modéliste ;** anglic. *designer.* ▶ *stylistique* n. f. et adj. **1.** N. f. Étude du style (1), de ses procédés, de ses effets. **2.** Adj. Relatif aux façons de s'exprimer, d'écrire. ⇒ **rhétorique.**

② *style* n. m. Terme savant. **1.** Poinçon avec lequel les anciens grecs écrivaient sur les tablettes de cire. **2.** Tige verticale (d'un cadran solaire). **3.** En botanique. Partie allongée du pistil entre l'ovaire et les stigmates. ▶ *stylet* n. m. **1.** Autrefois. Poignard effilé. **2.** En zoologie. Pointe qui arme la bouche de certains insectes piqueurs et suceurs (moustique, etc.). ⟨ ▶ ① style ⟩

stylo [stilo] n. m. ■ Porte-plume à réservoir d'encre (abrév. de *stylographe*). — *Stylo à bille* (ou *stylo-bille*) stylo à encre grasse où la plume est remplacée par une bille de métal. ≠ *feutre, marqueur.* ▶ *stylo-mine* n. m. ■ Marque déposée. Porte-mine.

su Part. passé du v. *savoir.* ⇒ ① **savoir.** ▶ *au su de* [osyd(ə)] loc. prép. ■ Littér. La chose étant connue de... ⇒ *au vu et au su de.* / contr. à l'**insu de** / *Elle vit avec lui au su de tout le monde.*

suaire [sɥɛʀ] n. m. ■ Littér. Linceul. *Un fantôme revêtu de son suaire. Le saint suaire (de Turin),* le linceul dans lequel le Christ aurait été enseveli.

suant, ante [sɥɑ̃, ɑ̃t] adj. ■ Fam. Qui fait suer (I, 2). ⇒ **ennuyeux.**

suave [sɥav] adj. ■ Littér. Qui a une douceur délicieuse. *Un parfum, une musique suave.* ▶ *suavité* n. f. ■ Littér. Caractère suave. *La suavité de son regard.*

sub- ■ Préfixe qui exprime la position en dessous (ex. : *submerger, supporter*), le faible degré (ex. : *subdivision, subsonique*) et la proximité (ex. : *suburbain, succéder, suffixe*). — REM. *Sub-* prend aussi les formes *su-* (ex. : *suspect*), *suc-, suf-, sup-* respectivement devant *c* (ex. : *succession*), *f* (ex. : *suffixe*), *p* (ex. : *supporter*).

subalterne [sybaltɛʀn] adj. et n. **1.** Adj. Qui occupe un rang inférieur, est dans une position subordonnée. *Un employé, un emploi subalterne.* — *Un rôle subalterne,* secondaire. **2.** N. Subordonné. / contr. **supérieur** /

subconscient, ente [sybkɔ̃sjɑ̃, ɑ̃t] adj. et n. m. **1.** Adj. Se dit d'un phénomène ou d'un état psychique qui n'est pas clairement conscient. ≠ *inconscient.*

2. N. m. Conscience vague. *Son subconscient était en alerte.*

subdiviser [sybdivize] v. tr. ■ conjug. 1. ■ Diviser (un tout déjà divisé ; une partie d'un tout divisé). *Le roman est divisé en plusieurs livres, eux-mêmes subdivisés en chapitres.* ▶ *subdivision* n. f. ■ Fait d'être subdivisé ; partie obtenue en subdivisant (ex. : *sous-chapitre, sous-classe*).

subir [sybiʀ] v. tr. ■ conjug. 2. **I.** (Suj. personne) **1.** Être l'objet sur lequel s'exerce (une action, un pouvoir) senti comme menaçant ; recevoir l'effet pénible de. ⇒ **supporter.** *Il a subi un long interrogatoire. Nous avons subi une grave défaite.* — Avoir une attitude passive envers. *Nous ne devons pas subir les événements.* **2.** Se soumettre volontairement à (un traitement, un examen). *Elle a subi l'épreuve avec succès.* **3.** (Compl. personne) Supporter effectivement (qqn qui déplaît, ennuie, agace). *Il a fallu subir l'orateur pendant deux heures.* **II.** (Suj. chose) Être l'objet d'une action, d'une opération, d'une modification. *La tige, la poutre a subi une déformation.*

subit, ite [sybi, it] adj. ■ Qui arrive, se produit en très peu de temps, de façon soudaine. ⇒ **brusque, brutal, inopiné, soudain.** *Une mort subite. Un changement subit et imprévisible.* ▶ *subitement* adv. ■ Brusquement, soudainement. *Il est mort subitement.* ▶ *subito* [sybito] adv. ■ Fam. Subitement. — *Subito presto,* subitement et rapidement.

subjectif, ive [sybʒɛktif, iv] adj. **1.** En philosophie. Qui concerne le sujet en tant que personne consciente. ⇒ ③ **sujet** (IV, 3). *La pensée, phénomène subjectif.* / contr. **objectif** / **2.** Propre à une personne, en particulier, à son affectivité. ⇒ **personnel.** *Une vision subjective du monde. C'est une opinion toute subjective.* **3.** Exagérément personnel, partial. *Tu es trop subjectif(ive). Une critique subjective, qui manque d'objectivité.* ▶ *subjectivement* adv. ■ D'une façon subjective, toute personnelle. / contr. **objectivement** / ▶ *subjectivisme* n. m. **1.** Théorie philosophique selon laquelle la pensée du sujet, de l'individu est la seule réalité connaissable. **2.** Attitude d'une personne qui tient compte de ses sentiments personnels plus que de la réalité. ▶ *subjectivité* n. f. **1.** Caractère de ce qui appartient au sujet, à l'individu seul. / contr. **objectivité** / **2.** Attitude de qui juge la réalité à partir de ses opinions, de ses passions personnelles.

subjonctif [sybʒɔ̃ktif] n. m. ■ Mode personnel du verbe, exprimant le doute, l'incertitude, la volonté, le sentiment, ou caractérisant certaines subordonnées. *Subjonctif présent* (ex. : *je veux que tu viennes*) ; *passé, imparfait, plus-que-parfait du subjonctif* (je veux *que tu aies fini* à temps ; je voulais *que tu eusses fini*).

subjuguer [sybʒyge] v. tr. ■ conjug. 1. **1.** Séduire vivement par son talent, son charme. ⇒ **conquérir, envoûter.** *L'orateur a subjugué son auditoire.* **2.** Littér. Soumettre (par les armes, par sa force morale), mettre « sous *(sub)* le joug *(jug-)* ».

sublime [syblim] adj. et n. **I.** Adj. **1.** Qui est très haut, dans la hiérarchie des valeurs (morales, esthétiques). ⇒ **admirable, divin.** *Une musique, une scène sublime. Un dévouement sublime.* ⇒ **absolu, illimité, infini. 2.** (Personnes) Qui fait preuve de génie ou d'une vertu exceptionnelle. *Un homme sublime de dévouement. Dans ce rôle, elle est sublime de beauté.* **II.** N. m. Littér. **1.** Ce qu'il y a de plus élevé dans l'ordre moral, esthétique. ⇒ **grandeur. 2.** Dans l'esthétique classique. Le style, le ton qui est propre aux sujets élevés. ▶ *sublimement* adv. ■ Littér. D'une manière sublime, admirable. ▶ *sublimité* n. f. ■ Littér. Caractère sublime.

① *sublimer* [syblime] v. tr. ▪ conjug. 1. ▪ En chimie. Opérer le passage de (une substance) de l'état solide à l'état gazeux, sans passer par l'état liquide. ▶ ① *sublimation* n. f. ▶ *sublimé* n. m. ▪ Composé de mercure obtenu par sublimation.

② *sublimer* v. tr. ▪ conjug. 1. ▪ Transposer (les pulsions) sur un plan supérieur (selon la théorie de Freud). ▶ ② *sublimation* n. f. ▪ Détournement de l'énergie sexuelle vers la création artistique, l'action, les sentiments élevés (selon la théorie de Freud).

submerger [sybmɛrʒe] v. tr. ▪ conjug. 3. 1. (Liquide, flot...) Recouvrir complètement. ⇒ inonder, noyer. *Le fleuve en crue a submergé la plaine.* — Fig. *Il a été entraîné, submergé par la foule.* 2. Abstrait. Envahir complètement. *La douleur le submergeait.* — Passif. *Je suis submergé de travail.* ⇒ débordé.

submersible [sybmɛrsibl] adj. et n. m. 1. Adj. Qui peut être recouvert d'eau. *Pompe submersible.* 2. N. m. Sous-marin. — Spécialt. Sous-marin d'exploration scientifique, plus léger que le bathyscaphe. ▶ *submersion* n. f. ▪ Didact. Le fait de submerger. ⟨ ▶ insubmersible ⟩

subodorer [sybodɔre] v. tr. ▪ conjug. 1. ▪ Deviner, pressentir. ⇒ flairer.

subordonner [sybɔrdɔne] v. tr. ▪ conjug. 1. 1. Placer (une personne, un groupe) sous l'autorité de qqn, dans un ensemble hiérarchisé (surtout au passif et au p. p. adj.). *Il est subordonné au chef de service.* 2. Soumettre (à qqch. dont on doit tenir compte d'abord, à une condition préalable). *Nous devons subordonner toutes ces actions à notre stratégie.* ▶ *subordonné, ée* adj. et n. 1. Qui est dans une relation de dépendance syntaxique, grammaticale. *Les propositions subordonnées sont compléments du verbe principal ou d'un antécédent.* — N. f. *Une subordonnée complétive ou relative.* 2. N. Personne placée sous l'autorité d'une autre dans une hiérarchie. ⇒ subalterne. / contr. supérieur / *Il ne sait pas se faire obéir de ses subordonnés.* ▶ *subordination* n. f. 1. Fait d'être soumis (à une autorité). ⇒ dépendance. 2. Le fait, pour une chose, d'être subordonnée à une autre. 3. (Opposé à *coordination*) Construction grammaticale où une unité est subordonnée à une unité de niveau supérieur. *Conjonction de subordination suivie de l'indicatif ou du subjonctif* (ex. : *Il m'a dit qu'il venait ; je veux qu'il vienne*).

suborner [sybɔrne] v. tr. ▪ conjug. 1. 1. Littér. Séduire (une femme). 2. Inciter (un témoin) à mentir. ⇒ corrompre. — Au p. p. adj. *Témoins subornés.* ▶ *suborneur* n. m. ▪ Littér, péj. ou plaisant. Homme qui a séduit une jeune fille, une femme. ⇒ séducteur. *Un vil suborneur.*

subreptice [sybrɛptis] adj. ▪ Qui est obtenu, qui se fait par surprise, à l'insu de qqn et contre sa volonté. ⇒ clandestin, furtif. *Par une manœuvre subreptice.* ⇒ déloyal, souterrain. ▶ *subrepticement* adv. ▪ De manière subreptice. / contr. ostensiblement /

subrogé, ée [sybrɔʒe] adj. ▪ En droit. SUBROGÉ TUTEUR, SUBROGÉE TUTRICE : personne chargée de défendre les intérêts du pupille en cas de conflit avec le tuteur.

subséquent, ente [sypsekɑ̃, ɑ̃t] adj. ▪ Littér. Qui vient immédiatement après dans le temps, dans une série. ▶ *subséquemment* [sybsekamɑ̃] adv. ▪ Vx. En conséquence de quoi. ⇒ conséquemment.

subside [sypsid] n. m. ▪ Somme versée à un particulier ou à un groupement à titre d'aide, de subvention, ou en rémunération de services. *Demander des subsides.*

subsidiaire [sypsidjɛr] ou [sybzidjɛr] adj. ▪ Secondaire, accessoire. / contr. principal / *Question subsidiaire,* destinée à départager les gagnants d'un concours. ▶ *subsidiairement* adv. ▪ De manière subsidiaire, accessoire.

subsister [sybziste] v. intr. ▪ conjug. 1. 1. (Choses) Continuer d'exister, après élimination des autres éléments, ou malgré le temps. — Impers. *De l'ancienne basilique, il ne subsiste que la crypte.* ⇒ rester. 2. (Personnes) Entretenir son existence, pourvoir à ses besoins essentiels. ⇒ survivre. *La famille arrivait à subsister tant bien que mal.* ▶ *subsistance* n. f. 1. Le fait de subsister, ce qui sert à assurer l'existence matérielle. *Contribuer, pourvoir à la subsistance du ménage. Pour votre subsistance.* 2. Au plur. Ensemble des vivres et des objets qui permettent de subsister.

subsonique [sypsɔnik] adj. ▪ *Vitesse subsonique,* inférieure à la vitesse du son (à 300 m/s). / contr. supersonique /

substance [sypstɑ̃s] n. f. 1. Ce qu'il y a d'essentiel (dans une pensée, un discours). — EN SUBSTANCE : dans un résumé qui respecte l'essentiel ; pour le fond. *C'est, en substance, ce qu'a déclaré le ministre.* 2. En philosophie. Ce qui est permanent (opposé à ce qui change, aux *accidents*). ⇒ substantif. 3. Matière. *C'était un objet d'une consistance étrange, fait d'une substance inconnue. La substance et la forme.* — *Une substance chimique.* ⇒ corps. *La substance (ou matière) grise (du cerveau).* ▶ *substantiel, elle* [syps tɑ̃sjɛl] adj. 1. Qui nourrit bien, abondant. ⇒ nourrissant. *Nous avons pris un petit déjeuner substantiel.* 2. Abstrait. Important. *Des avantages, des bénéfices substantiels.* ⟨ ▶ consubstantiel, substantif, substantifique ⟩

substantif, ive [sypstɑ̃tif, iv] adj. et n. m. 1. Didact. En grammaire. Du nom (opposé à *adjectif*, à *verbal*). ⇒ nominal. 2. N. m. Mot qui peut constituer le noyau du syntagme nominal, être le sujet d'un verbe et dont la désignation est précise (à la différence du *pronom*). ⇒ nom. ▶ *substantivement* adv. ▪ Avec valeur de nom. *Un adjectif pris substantivement.* ▶ *substantiver* v. tr. ▪ conjug. 1. ▪ Transformer en nom. — Au p. p. adj. *Le nom « sourire » est un infinitif substantivé.*

substantifique [sypstɑ̃tifik] adj. ▪ Loc. *La* SUBSTANTIFIQUE MOELLE : ce qui, selon Rabelais, nourrit l'esprit, si on l'extrait d'un écrit, d'une œuvre.

substituer [sypstitɥe] v. tr. ▪ conjug. 1. ▪ Mettre (qqch., qqn) à la place (de qqch., qqn d'autre), pour faire jouer le même rôle. *Vous substituez vos rêves à la réalité.* — Pronominalement (réfl.). *Se substituer à qqn,* le remplacer. ▶ *substitution* n. f. 1. Action de substituer ; son résultat. *La substitution d'un mot à un autre.* ⇒ remplacement. 2. En chimie. Remplacement d'atomes ou de radicaux sans changement de constitution du composé. ⟨ ▶ substitut ⟩

substitut [sypstity] n. m. ▪ Magistrat du ministère public, chargé de suppléer (de se *substituer* à) un autre magistrat. *Le substitut du procureur.*

substrat [sypstra] n. m. 1. Ce qui sert de support stable (à une existence, une action). 2. Langue anciennement parlée dans un pays où son influence reste perceptible. *Le substrat gaulois en français est surtout sensible dans les noms de lieux.*

subterfuge [syptɛrfyʒ] n. m. ▪ Moyen habile et détourné pour se tirer d'embarras. ⇒ échappatoire, ruse, stratagème. *Recourir à un habile subterfuge.*

subtil, ile [syptil] adj. **I. 1.** Qui a de la finesse, qui est habile à percevoir des nuances ou à trouver des moyens ingénieux. *Un observateur subtil.* ⇒ **adroit, fin, perspicace. 2.** Qui est dit ou fait avec finesse, habileté. ⇒ **ingénieux.** *Une remarque, une argumentation subtile.* / contr. **grossier, maladroit** / **II.** Qui est difficile à percevoir, à définir. *Une différence bien subtile.* ⇒ **ténu.** *C'est trop subtil pour moi, je ne vois pas de différence.* ▶ *subtilement* adv. ■ D'une manière subtile (1, 2). ▶ ① *subtiliser* v. intr. ▪ conjug. 1. ■ Littér. Faire des raisonnements trop subtils. ▶ *subtilité* n. f. **1.** Caractère d'une personne subtile, de ce qui est subtil. ⇒ **finesse.** *La subtilité d'un psychologue, d'une analyse.* **2.** Pensée, parole, nuance subtile. *Les subtilités de la langue française. Les subtilités de la politesse.*

② *subtiliser* v. tr. ▪ conjug. 1. ■ Fam. Dérober avec adresse ; s'emparer avec habileté de (qqch.). *On lui a subtilisé son portefeuille dans le métro.* ▶ *subtilisation* n. f.

suburbain, aine [sybyʀbɛ̃, ɛn] adj. ■ Littér. Qui est près d'une grande ville, qui l'entoure. ⇒ **banlieue, faubourg, périphérie.** ≠ *urbain.*

subvenir [sybvǝniʀ] v. tr. ind. ▪ conjug. 22. ■ SUB-VENIR À... : fournir en nature, en argent, de quoi satisfaire à (un besoin, une dépense). ⇒ **pourvoir.** *Il subvient aux besoins de toute la famille.* ▶ *subvention* [sybvɑ̃sjɔ̃] n. f. ■ Aide que l'État, qu'une association accorde à un groupement, à une personne. ⇒ **secours, subside.** *Le gouvernement a décidé d'accorder une subvention à la commune sinistrée.* ▶ *subventionner* v. tr. ▪ conjug. 1. ■ Aider financièrement, soutenir par une subvention. — Au p. p. adj. *Les théâtres subventionnés* (par l'État).

subversif, ive [sybvɛʀsif, iv] adj. ■ Qui renverse ou menace de renverser l'ordre établi, les valeurs reçues. *Des opinions subversives.* ▶ *subversion* n. f. ■ Action subversive.

suc [syk] n. m. **1.** En sciences naturelles. Liquide susceptible d'être extrait des tissus animaux ou végétaux. — Liquide cellulaire ou de sécrétion. *Le suc gastrique.* **2.** Littér. Abstrait. Ce qu'il y a de plus substantiel (dans un écrit). ⇒ **quintessence.** ⟨ ▶ succulent ⟩

succédané [syksedane] n. m. **1.** Médicament, produit ayant les mêmes propriétés qu'un autre qu'il peut remplacer. ⇒ **synthétique. 2.** Ce qui remplace plus ou moins bien autre chose. *Un succédané de café à base d'orge torréfiée.* ⇒ **ersatz.** *Un succédané de sucre.* ⇒ **édulcorant.**

succéder [syksede] v. ▪ conjug. 6. **I.** SUCCÉDER À v. tr. ind. **1.** Venir après (qqn) de manière à prendre sa charge, sa place. *Le fils aîné a succédé à son père à la tête de l'affaire* (⇒ **successeur**). **2.** (Suj. et compl. choses) Se produire, venir après, dans l'ordre chronologique. ⇒ **remplacer, suivre.** *Le découragement succédait à l'enthousiasme.* / contr. **précéder** / — (Dans l'espace) *Des champs succédaient aux vignes.* **II.** SE SUCCÉDER v. pron. — REM. Le p. p. adj. SUCCÉDÉ reste invariable. Venir l'un après l'autre. *Les gouvernements qui se sont succédé.* — (Époques, événements) *Les attractions se succédaient sans interruption.* ⇒ se **suivre.** — (Dans l'espace) *Les tableaux se succèdent tout le long du mur.* ⟨ ▶ successeur, successif, ① succession, ② succession ⟩

succès [syksɛ] n. m. invar. **1.** Heureux résultat, caractère favorable de ce qui arrive. *Assurer le succès d'une entreprise. Avec succès.* — *Sans succès,* sans résultat, en vain. — Le fait, pour qqn, de parvenir à un résultat souhaité. ⇒ **réussite.** / contr. **échec** / *Il est sur le chemin du succès.* **2.** *Un succès,* événement qui constitue un résultat très heureux pour qqn. *Obtenir, remporter des succès, de beaux, de grands succès.* ⇒ **victoire. 3.** Le fait d'obtenir une audience nombreuse et favorable, d'être connu du public. ⇒ **triomphe.** *L'auteur, la pièce a beaucoup de succès, un succès fou. Un auteur à succès, qui a du succès.* — *Un succès de librairie,* un livre qui a un grand succès. *Cette chanson est un gros succès.* ⇒ fam. **tube. 4.** Le fait de plaire. *Elle a beaucoup de succès. Les succès féminins d'un séducteur.* ⟨ ▶ insuccès ⟩

successeur [syksesœʀ] n. m. **1.** Personne qui succède ou doit succéder (à qqn). / contr. **prédécesseur** / *Il a désigné lui-même son successeur. Sa fille sera son successeur pour diriger l'affaire. Son successeur a annulé ce projet.* — Personne qui continue l'œuvre de. ⇒ **continuateur.** *Les successeurs de Molière.* **2.** Personne appelée à recueillir une succession. ⇒ **héritier.** *Sa nièce est son unique successeur.*

successif, ive [syksesif, iv] adj. ■ Au plur. Qui se succèdent. *Il était découragé par ces échecs successifs, répétés.* ≠ *consécutif.* ▶ *successivement* adv. ■ Selon un ordre de succession, par éléments successifs. *On entendit successivement un choc et un cri. On l'a vu successivement joyeux et furieux,* tour à tour...

① *succession* [syksesjɔ̃] n. f. **1.** Ensemble de faits qui occupent dans le temps des moments voisins, mais distincts, de manière à présenter un ordre ; cet ordre. ⇒ **enchaînement, série, suite.** *Une succession ininterrompue de difficultés.* **2.** Suite de choses rapprochées dans l'espace, entre lesquelles un ordre peut être perçu.

② *succession* n. f. **1.** Transmission du patrimoine laissé par une personne décédée à une ou plusieurs personnes vivantes ; manière dont se fait cette transmission. ⇒ **héritage.** *Léguer qqch. par voie de succession. C'est sa part de succession, du patrimoine.* **2.** Le fait de succéder à qqn, d'obtenir le pouvoir (d'un prédécesseur). *Son petit fils a pris sa succession. Guerre de succession.* ▶ *successoral, ale, aux* adj. ■ Relatif aux successions (1). *Payer des droits successoraux.*

succinct, incte [syksɛ̃, ɛ̃t] adj. **1.** Qui est dit, écrit en peu de mots. ⇒ **bref, concis, laconique, schématique, sommaire.** *Faites-moi un exposé succinct de la situation.* — Qui s'exprime brièvement. ⇒ **concis.** *Soyez succinct.* **2.** Peu abondant, réduit. *Un repas succinct.* ▶ *succinctement* [syksɛ̃tmɑ̃] adv. ■ Racontez-moi succinctement les faits.

succion [syksjɔ̃] ou, cour., [sysjɔ̃] n. f. ■ Didact. Action de sucer, d'aspirer (en faisant le vide). *Bruit de succion.*

succomber [sykɔ̃be] v. intr. ▪ conjug. 1. **1.** Être vaincu dans une lutte. **2.** Mourir. *Le blessé a succombé pendant son transfert à l'hôpital.* **3.** S'affaisser (sous un poids trop lourd). **4.** SUCCOMBER À... : se laisser aller à..., ne pas résister. ⇒ **céder.** *Il a succombé à la tentation.*

succulent, ente [sykylɑ̃, ɑ̃t] adj. ■ Qui a une saveur délicieuse. ⇒ **excellent, exquis, savoureux.** *Un plat succulent.* — Fig. Plein de saveur. *Un récit succulent.*

succursale [sykyʀsal] n. f. ■ Établissement, commerce qui dépend d'un autre (la maison-mère), mais qui jouit d'une certaine autonomie. ⇒ **annexe, filiale.** *Les succursales d'une banque. Magasin à succursales multiples.*

sucer [syse] v. tr. ▪ conjug. 3. **1.** Exercer une pression et une aspiration sur (qqch.), avec les lèvres, la langue, pour extraire un liquide, faire fondre. *Les* *joueurs suçaient des citrons à la mi-temps. Sucez plusieurs pastilles par jour.* 2. Porter à la bouche et aspirer. *Le bébé suçait son pouce.* 3. (Animaux) Aspirer (un suc, le sang) au moyen d'un organe spécial (pompe, suçoir). ⇒ **gluc(o)-, sacchar-.** ▶ **sucette** n. f. ■ Bonbon à sucer fixé à l'extrémité d'un bâtonnet. ▶ *suceur, euse* n. et adj. 1. N. Littér. Personne qui suce (qqch.). — Loc. fig. SUCEUR DE SANG : celui qui vit des autres en les exploitant. 2. Adj. (Insectes) Qui aspire sa nourriture avec une trompe. ▶ *suçoir* n. m. ■ Trompe d'un insecte suceur. ▶ *suçon* n. m. ■ Légère ecchymose qu'on fait à la peau en la tirant par succion. *Faire un suçon à qqn.* ▶ *suçoter* v. tr. . conjug. 1. ■ Sucer longuement et délicatement. ▶ *suçotement* n. m. ⟨ ▶ resucée, succion ⟩

sucre [sykʀ] n. m. 1. Substance alimentaire, blanche, cristallisée (saccharose), de saveur douce (édulcorante), soluble dans l'eau. ⇒ **gluc(o)-, sacchar-.** *Sucre de canne, de betterave. Sucre en morceaux, cristallisé, en poudre. Sucre glace, finement broyé. Sucre brun, roux. Régime sans sucre des diabétiques. Un sucre,* un morceau de sucre. *Pince à sucre.* — Loc. ÊTRE TOUT SUCRE TOUT MIEL : se faire très doux, doucereux. CASSER DU SUCRE *sur le dos de qqn* : en dire du mal en son absence. 2. Cette substance, préparée en confiserie. — SUCRE D'ORGE : sucre cuit et parfumé, présenté en petits bâtons (confiserie). 3. En chimie. Corps ayant une constitution voisine du saccharose (ex. : *glucose, dextrose, maltose...*). ▶ *sucré, ée* adj. 1. Qui a le goût du sucre. ⇒ **doux.** *Des oranges très sucrées.* 2. Fig. Doucereux. *Un petit air sucré.* — N. *Faire le sucré, la sucrée (ou sa sucrée), se montrer aimable avec affectation.* ▶ *sucrer* v. tr. . conjug. 1. I. 1. Additionner de sucre. *Il ne sucre jamais son thé.* — Loc. fam. SUCRER LES FRAISES : avoir les mains qui tremblent. — Au p. p. adj. *Eau sucrée.* 2. Donner une saveur sucrée à (qqch.). — Absolt. *La saccharine sucre plus que le sucre.* II. SE SUCRER v. pron. 1. Fam. Se servir en sucre (pour le café, le thé...). 2. Fam. Faire de gros bénéfices (au détriment des autres). *Il a dû se sucrer dans cette opération.* ▶ *sucrage* n. m. ■ Dans la fabrication des vins. Addition de sucre au moût avant la fermentation. ⇒ **chaptalisation.** ▶ *sucrerie* n. f. 1. Usine où l'on fabrique le sucre. ⇒ **raffinerie.** 2. Friandise à base de sucre. ⇒ **bonbon, confiserie, douceur.** ▶ *sucrier, ière* adj. et n. m. 1. Adj. Qui a rapport au sucre et à sa production. *L'industrie sucrière.* 2. N. m. Récipient où l'on met le sucre.

sud [syd] n. m. 1. Celui des quatre points cardinaux qui est diamétralement opposé au nord. *Une façade exposée au sud, plein sud* (exactement au sud). ⇒ **midi.** — Adj. invar. Qui se trouve au sud. ⇒ **méridional.** *Le pôle Sud.* 2. (*Sud,* avec majuscule) Ensemble des régions situées dans l'hémisphère sud. *L'Afrique, l'Amérique du Sud.* — Région sud d'un pays. *Dans le Sud de la France.* ⇒ **midi.** — Dans des adjectifs et noms composés : *Sud-Africain, Sud-Américain, Sud-Coréen, Sud-Vietnamien* (mieux : *Américain, Coréen... du Sud*). ▶ *sudiste* n. et adj. ■ Histoire. Partisan de l'indépendance des États du Sud (et de l'esclavage des Noirs), pendant la guerre de Sécession* aux États-Unis. ▶ *sud-est* [sydɛst] n. m. ■ Point de l'horizon situé à égale distance, entre le sud et l'est. — Partie d'un pays située dans cette direction. *Le Sud-Est asiatique.* — Adj. invar. *La région sud-est.* ▶ *sud-ouest* [sydwɛst] n. m. ■ Point de l'horizon situé à égale distance entre le sud et l'ouest. — Partie d'un pays située dans cette direction. *Le Sud-Ouest (de la France).* — Adj. invar. *La région sud-ouest.*

sudation [sydasjɔ̃] n. f. ■ Production volontaire de sueur (par hygiène, pour se soigner, maigrir, etc.).

▶ *sudoripare* adj. ■ *Glandes sudoripares,* qui sécrètent la sueur.

suédé, ée [sɥede] adj. et n. m. ■ Se dit d'un tissu qui imite le daim.

suédois, oise [sɥedwa, waz] adj. et n. ■ Adj. De Suède. *L'économie suédoise.* — Loc. GYMNASTIQUE SUÉDOISE : méthode de gymnastique (due au Suédois Ling) comportant une série de mouvements simples et rationnels. — N. *Une Suédoise. Les Suédois.* — N. m. *Le suédois,* langue du groupe germanique nordique.

suer [sɥe] v. . conjug. 1. I. V. intr. 1. Produire beaucoup de sueur. ⇒ **transpirer.** *Il suait à grosses gouttes.* ⇒ être en **nage,** en **sueur.** 2. Fig. Se fatiguer, se donner beaucoup de mal. ⇒ **peiner.** *Il a fallu trimer et suer pour y arriver.* 3. FAIRE SUER : fam. fatiguer, embêter (qqn). *Tu commences à me faire suer ! Se faire suer, s'ennuyer.* 4. Dégager de l'humidité. *Les plâtres suent.* II. V. tr. 1. Rendre par les pores de la peau. — Loc. SUER SANG ET EAU : faire de grands efforts, se donner beaucoup de peine. 2. Exhaler. *Ce lieu sue l'ennui. Ce type sue la bêtise.* ⇒ **respirer.** ▶ *suée* n. f. ■ Fam. Transpiration abondante sous l'effet d'un travail, d'une inquiétude. *Prendre une suée.* ▶ *sueur* n. f. 1. Liquide odorant, salé, composé d'eau et d'acides organiques, qui, dans certaines conditions (chaleur, travail, émotion, etc.), suinte des pores de la peau, sous forme de gouttes. ⇒ **transpiration.** *Couvert, trempé, ruisselant de sueur.* — EN SUEUR : en **eau,** en **nage.** *Elle était toute en sueur.* SUEUR FROIDE : accompagnée d'une sensation de froid et de frisson. 2. (*Une, des sueurs*) Le fait de suer. ⇒ **suée.** *Des sueurs abondantes.* — Fam. *Cela me donne des sueurs froides, me fait peur, m'inquiète vivement.* 3. *La sueur,* symbole du travail et de l'effort. *Le sang, la sueur et les larmes d'un peuple.* ⟨ ▶ exsuder, suant, sudation, transsuder ⟩

suffire [syfiʀ] v. tr. ind. . conjug. 37. I. (Choses) 1. SUFFIRE À..., POUR... : avoir juste la quantité, la qualité, la force nécessaire à, pour (qqch.). *Cela suffit à mon bonheur. Un jour suffit, suffira pour préparer, pour que nous préparions la rencontre.* 2. Être de nature à contenter (qqn) sans qu'il ait besoin de plus ou d'autre chose. *Votre parole me suffit.* — Sans compl. *Cela ne suffit pas.* — Fam. ÇA SUFFIT (*comme ça*) ! : j'en ai, on en a assez ! II. Impers. IL SUFFIT À *qqn* DE (+ infinitif) : il n'a pas besoin d'autre chose que de... *Il lui suffit, il lui a suffi de se montrer pour que le calme se rétablisse.* — IL SUFFIT À *qqn* QUE (+ subjonctif). *Il ne lui a pas suffi que tu aies ton diplôme, il voulait que tu aies une mention.* — Sans compl. *Il suffit d'une fois ! Il suffisait d'y penser. Il suffit que nous teniez au courant.* III. (Personnes) SUFFIRE À. 1. Être capable de fournir ce qui est nécessaire à, de satisfaire à (qqch.). *Une personne suffisait à l'entretien de la maison. Je n'y suffis plus, je suis débordé.* 2. Être pour qqn tel qu'il n'ait pas besoin d'une autre personne. *Sa famille lui suffit, il ne voit personne.* IV. SE SUFFIRE v. pron. 1. N'avoir besoin de rien d'autre, d'aucun complément. *Cette définition se suffit à elle-même.* 2. (Personnes) Trouver par ses propres moyens de quoi satisfaire ses besoins. *Le pays se suffit (à lui-même) quant à, pour l'énergie.* ▶ *suffisant, ante* [syfizɑ̃, ɑ̃t] adj. I. (Choses) Qui suffit. *Je n'ai pas la somme suffisante. C'est amplement suffisant, plus que suffisant. Conditions nécessaires et suffisantes* (en sciences). *Aurez-vous le temps suffisant pour terminer le travail ?* / contr. **insuffisant** / II. (Personnes) Littér. Qui a une trop haute idée de soi et décide de tout sans douter de rien. ⇒ **fat, prétentieux, vaniteux.** ▶ *suffisamment* adv. ■ En quantité suffisante, d'une manière suffisante (I). ⇒ **assez.** *Vous n'avez pas suffisamment affranchi votre lettre. Suffi-*

samment de..., assez de. ►**suffisance** n. f. **I.** Région. Quantité suffisante (à qqn). *En avoir sa suffisance, à sa suffisance, en suffisance.* ⇒ **satiété. II.** Littér. Caractère, esprit d'une personne suffisante (II). *Il est plein de suffisance.* ⟨ ► insuffisant, insuffisance ⟩

suffixe [syfiks] n. m. ■ Élément de formation des dérivés placé après le radical. *« -ation » est un suffixe. Les suffixes et les préfixes sont des affixes.* ►**suffixer** v. tr. ■ conjug. 1. ■ Pourvoir d'un suffixe. ►**suffixation** n. f. ■ Processus par lequel des dérivés se forment avec des suffixes.

suffoquer [syfɔke] v. ■ conjug. 1. **I.** V. tr. **1.** (Choses) Empêcher (qqn) de respirer, rendre la respiration difficile. ⇒ **étouffer, oppresser.** *Une épaisse fumée nous suffoquait.* **2.** Remplir d'une émotion vive qui « coupe le souffle ». *L'émotion, la colère le suffoquait.* — Remplir d'étonnement et d'indignation. **II.** V. intr. Respirer avec difficulté, perdre le souffle. ⇒ **étouffer.** — Être étouffé, oppressé par une émotion vive. *Il répondit en suffoquant de colère.* ≠ **suffocant.** ►**suffocant, ante** adj. **1.** Qui suffoque (I) qui gêne ou empêche la respiration. ⇒ **étouffant.** *Une chaleur suffocante.* **2.** Qui étonne et indigne vivement. *Il a eu une réponse suffocante.* ►**suffocation** n. f. ■ Le fait de suffoquer ; impossibilité ou difficulté de respirer. ⇒ **asphyxie, étouffement, oppression.** *Une crise de suffocation. Elle souffre de suffocations.*

suffrage [syfraʒ] n. m. **1.** Acte par lequel on déclare sa volonté, dans un choix, une délibération, notamment politique. ⇒ **vote.** *Suffrage censitaire,* où le droit de vote est réservé aux citoyens les plus fortunés (qui paient le *cens*). *Suffrage universel,* qui n'est pas restreint aux conditions de fortune, de sexe ou autres. — Voix. *Suffrages exprimés,* excluant les bulletins blancs et nuls. **2.** Littér. Opinion, avis favorable. ⇒ **approbation.** ►**suffragette** n. f. ■ Nom donné aux femmes qui, en Grande-Bretagne, réclamaient le droit de vote (accordé en 1928). — Péj. Militante féministe.

suggérer [sygʒere] v. tr. ■ conjug. 6. **1.** (Personnes) Faire penser (qqch.) sans exprimer ni formuler. ⇒ **insinuer, sous-entendre.** *Il posait la question de manière à suggérer la réponse.* — Présenter (une idée, un projet) en tant que suggestion, conseil. ⇒ **conseiller, proposer.** *Je vous suggère d'agir sans plus tarder.* **2.** (Choses) Faire naître (une idée, un sentiment...) dans l'esprit. ⇒ **évoquer.** *Ce passage du texte suggère de nombreux symboles.* ►**suggestif, ive** adj. **1.** Qui a le pouvoir de suggérer des idées, des images, des sentiments. ⇒ **évocateur. 2.** Qui suggère des idées érotiques. ►**suggestion** [sygʒɛstjɔ̃] n. f. **1.** Idée, projet que l'on propose, en laissant la liberté d'accepter, de faire sien ou de rejeter. ⇒ **conseil, proposition.** *C'est une simple suggestion que je fais.* **2.** Idée, désir, inspiré(e) par autrui. *Suggestion sous hypnose.* ►**suggestionner** v. tr. ■ conjug. 1. ■ Influencer par la suggestion (2). ⟨ ► auto-suggestion ⟩

suicide [sɥisid] n. m. **1.** Action de causer volontairement sa propre mort (ou de le tenter). *Un suicide par balle. Tentative de suicide.* **2.** Le fait de prendre des risques mortels, d'engager une action qui ne peut que nuire gravement. *C'est un suicide !* — En appos. *Un avion suicide,* dont le pilote va volontairement à la mort. ⇒ **kamikaze.** ►**suicidé, ée** adj. et n. ■ Qui s'est tué volontairement. ►**se suicider** v. pron. ■ conjug. 1. ■ Se tuer volontairement. ⇒ **supprimer.** — Transitivement, au passif. *Il a été suicidé,* on l'a assassiné avant de prétendre à un suicide.
►**suicidaire** adj. **1.** Du suicidé ; qui mène au suicide. *Une conduite suicidaire.* — N. *Un, une suicidaire,* qui

fait des tentatives de suicide. **2.** Qui mène à l'échec, à la faillite. *Un projet suicidaire.*

suie [sɥi] n. f. ■ Noir de fumée mêlé d'impuretés, dû à une combustion incomplète et qui se dépose dans les cheminées, les tuyaux. *Enlever la suie en ramonant.*

suif [sɥif] n. m. ■ Graisse animale fondue, servant jadis à fabriquer des onguents, des chandelles, du savon. ►**suiffer** v. tr. ■ conjug. 1. ■ Enduire de suif.

sui generis [sɥiʒeneris] loc. adj. invar. ■ Propre à une espèce, à une chose. ⇒ **spécial.** *Odeur sui generis,* spéciale (et désagréable).

suint [sɥɛ̃] n. m. ■ Graisse que sécrète la peau du mouton, et qui se mêle à la laine.

suinter [sɥɛ̃te] v. intr. ■ conjug. 1. **1.** (Liquide) S'écouler très lentement, sortir goutte à goutte. ⇒ **perler, sourdre. 2.** Produire un liquide qui s'écoule goutte à goutte. *Un sous-sol où les murs suintent.* ►**suintement** n. m. ■ Fait de suinter. — Liquide, humidité qui suinte. ⟨ ► suint ⟩

suisse [sɥis] adj. et n. **I.** De la Suisse. ⇒ **helvétique.** *Les Alpes suisses. Dix francs suisses.* — N. m. *Les Suisses.* — Loc. *Manger, boire* EN SUISSE : tout seul, sans inviter les amis. **II. 1.** (Avec une minuscule) Employé chargé de la garde de l'église, de l'ordonnance des processions, etc. ⇒ **bedeau. 2.** Fam. ⇒ **petit-suisse.** ►**Suissesse** n. f. ■ Femme, fille suisse.

suite [sɥit] n. f. **I.** (Dans des loc.) **1.** Situation de ce qui suit. *Prendre la suite de qqn,* lui succéder. FAIRE SUITE À... : venir après, suivre. À LA SUITE DE : en suivant. *À la suite de ces incidents,* après ces incidents et à cause d'eux. *À la suite,* successivement, coup sur coup. ⇒ **d'affilée.** *Il a bu trois verres à la suite.* **2.** Ordre de ce qui se suit en formant un sens. *La suite des phrases d'un texte.* — *Des mots* SANS SUITE : incohérents, incompréhensibles. *Avoir de la suite dans les idées,* se dit d'une personne persévérante. **3.** DE SUITE : à la suite les uns des autres, sans interruption. *J'ai écrit quatre pages de suite.* ET AINSI DE SUITE : en continuant de la même façon. **4.** TOUT DE SUITE : sans délai, sans plus attendre. ⇒ **immédiatement, sur-le-champ.** *Venez tout de suite !* — (Dans l'espace) *C'est tout de suite après le bureau de tabac.* — Fam. (même sens ; emploi critiqué) *J'arrive de suite.* **II. 1.** Personnes qui se déplacent avec une autre dont elles sont les subordonnées. ⇒ **équipage, escorte, train.** *L'émir est descendu au Grand-Hôtel avec sa suite.* **2.** Ce qui suit qqch. ; ce qui vient après ce qui n'était pas terminé. *La suite du discours s'est perdue dans le vacarme. La suite au prochain numéro* (du journal). SUITE ET FIN : dernière page, dernier épisode. *Apportez-nous la suite* (du repas). **3.** Temps qui vient après le fait ou l'action dont il est question. *Attendons la suite.* — DANS, PAR LA SUITE : dans la période suivante, après cela. ⇒ **ensuite. 4.** Ce qui résulte (de qqch.). ⇒ **conséquence, effet, résultat.** *Ce sont les suites normales de leur erreur. Des suites fâcheuses.* ⇒ **développement, prolongement.** *Les suites d'une maladie.* ⇒ **séquelle.** — DONNER SUITE À : poursuivre ou reprendre l'action en vue de faire aboutir (un projet, une demande). *Suite à votre lettre du...,* en réponse à votre lettre (premiers mots de lettres commerciales). ⇒ **poursuite.** — PAR SUITE DE... : à cause de, en conséquence de. **5.** Ensemble de choses, de personnes qui se suivent (dans l'espace, et surtout dans le temps). ⇒ **séquence, série, succession.** *La conversation n'a été qu'une suite de banalités. La suite des nombres premiers.* **6.** Composition musicale faite de plusieurs pièces de même tonalité. *Suite en ré.* **7.** Appartement de plusieurs pièces en enfilade, loué à un seul client, dans un hôtel de luxe. *Le roi a retenu plusieurs suites pour ses gens.* ⟨ ▶ ensuite ⟩

① *suivant, ante* [sɥivɑ̃, ɑ̃t] adj. **1.** Qui suit, qui vient immédiatement après. / contr. **précédent** / *Les jours suivants. La page suivante* et, n. f., *la suivante.* — N. m. *Au suivant !,* au tour de la personne qui suit. **2.** Qui va suivre (dans un énoncé, une énumération). *L'exemple suivant,* ci-dessous, ci-après.

② *suivant* prép. **1.** Conformément à. ⇒ **selon.** *Suivant l'usage. Suivant son habitude.* **2.** En fonction de. *Suivant une proportion géométrique.* **3.** Conformément à (des circonstances). *Suivant le jour, il est gai ou triste.* — Dans la mesure où. *Le point de vue change suivant qu'on est d'un parti ou de l'autre.*

suivante [sɥivɑ̃t] n. f. ■ Autrefois. Dame de compagnie. *Les suivantes de la reine.*

suiveur [sɥivœʀ] n. m. **1.** Personne qui suit une course, à titre officiel (observateur, journaliste). *La caravane des suiveurs du Tour de France.* **2.** Personne qui, sans esprit critique, ne fait que suivre (un mouvement intellectuel, etc.). ⇒ **imitateur.** ▶ *suivisme* n. m. ■ Attitude du suiveur (2).

suivi, ie [sɥivi] adj. (⇒ **suivre**). **1.** Qui se fait d'une manière continue. ⇒ **régulier.** *Un travail suivi.* **2.** Dont les éléments s'enchaînent pour former un tout. / contr. **décousu** / *Ce n'est pas une histoire suivie.*

suivre [sɥivʀ] v. tr. ■ conjug. 40. **I.** (Venir après) **1.** Aller derrière (qqn qui marche, qqch. qui avance). / contr. **précéder** / *Ne suivez pas la voiture de trop près. Suivez le guide !* — Pronominalement (récipr.). *Ils se suivaient à la queue leu leu.* — (Choses) Être transporté après (qqn). *Le colis nous a suivis à notre adresse de vacances.* **FAIRE SUIVRE** : mention portée sur l'enveloppe d'une lettre afin que celle-ci puisse suivre le destinataire à sa nouvelle adresse. **2.** Aller derrière pour rejoindre ou repérer. ⇒ **poursuivre.** *Le chasseur suivait la bête à la trace. Faire suivre un suspect.* ⇒ **filer.** **3.** Aller avec (qqn qui a l'initiative d'un déplacement). ⇒ **accompagner.** *Si vous voulez bien me suivre dans mon bureau. Suivre qqn comme son ombre.* Loc. prov. *Qui m'aime me suive !* — Loc. *Suivre le mouvement,* aller avec les autres, faire comme eux. **4.** *Suivre qqn, qqch. des yeux, du regard,* accompagner par le regard (ce qui se déplace). **5.** Être placé ou considéré après, dans un ordre donné. *La démonstration qui suit le théorème. On verra dans l'exemple qui suit que...* — Impers. **COMME SUIT** : comme il est dit dans ce qui suit. — V. pron. récipr. Se présenter dans un ordre, sans qu'il manque un élément. *Cartes qui se suivent,* séquence*. **6.** Venir, se produire après, dans le temps. ⇒ **succéder** à. *Plusieurs jours d'orage ont suivi les grosses chaleurs.* — Pronominalement (récipr.). PROV. *Les jours se suivent et ne se ressemblent pas,* la situation change d'un jour à l'autre. **7.** Venir après, comme effet (surtout impers.). *Il suit de là que ; d'où il suit que...* ⇒ **s'ensuivre ; conséquence, conséquent, subséquent.** **II.** (Garder une direction) **1.** Aller dans (une direction, une voie). *Suivez ce chemin.* ⇒ **prendre.** *Les chiens suivaient sa piste.* — *Ces deux anciens camarades ont suivi des voies bien différentes.* — Aller le long de... ⇒ **longer.** *Nous suivions le quai.* **2.** Fig. Garder (une idée, etc.) avec constance. *Vous auriez dû suivre votre idée. Le malade devra suivre un long traitement.* — (Choses) *La maladie, l'enquête suit son cours,* évolue normalement, sans changer de caractère. — **À SUIVRE** : mention indiquant que le texte se poursuivra dans d'autres numéros (d'une publication.). **III.** (Se conformer à) **1.** Aller dans le sens de, obéir à (une force, une impulsion). *J'aurais dû suivre mon premier mouve-* ment. **2.** Penser ou agir selon (les idées, la conduite de qqn). ⇒ **imiter.** *Un exemple à suivre. Une élégante qui suit la mode.* **3.** Se conformer à (un ordre, une recommandation). ⇒ **obéir.** *Il faut suivre la consigne.* — *On ne m'a pas suivi,* on n'a pas fait ce que je recommandais, ce que je faisais. **4.** Se conformer à (un modèle abstrait). *La méthode, la marche à suivre.* **IV.** (Porter son attention sur) **1.** Rester attentif à (un énoncé). *Je suivais leur conversation. Suivre un cours, la leçon.* — Sans compl. *Cet élève ne suit pas.* **2.** Observer attentivement et continûment dans son cours. *Les spectateurs suivaient le match avec passion. C'est une affaire à suivre.* — *Suivre qqn,* être attentif à son comportement, pour le surveiller, le diriger. *Le médecin qui suit un malade.* **3.** Comprendre dans son déroulement (un énoncé). *Je ne suis pas votre raisonnement. Vous me suivez ?* ⟨ ▶ s'ensuivre, poursuivre, suite, ① suivant, ② suivant, suivante, suiveur, suivi ⟩

① *sujet, ette* [syʒɛ, ɛt] adj. ■ Exposé à. *Je suis sujet au mal de mer. Elle est sujette aux évanouissements.*

② *sujet, ette* n. **1.** N. m. Personne soumise à une autorité souveraine. *Les sujets et le souverain.* **2.** (Rare au fém.) Ressortissant d'un État. *Elle est sujet britannique.* ⟨ ▶ assujettir, sujétion ⟩

③ *sujet* n. m. **I. 1.** Ce sur quoi s'exerce (la réflexion). *Des sujets de méditation.* — Ce dont il s'agit, dans la conversation, dans un écrit. ⇒ **matière, objet, point, question, thème.** *Nous avons abordé une multitude de sujets. Revenons à notre sujet* (→ Revenons à nos moutons). *Ce qui ne concerne pas ce dont il faut parler. Assez sur ce sujet.* AU SUJET DE : à propos de. *C'est à quel sujet ?* **2.** Ce qui, dans une œuvre littéraire, sert de base au talent créateur de l'auteur. ⇒ **idée, thème.** *Un bon sujet de roman.* — Ce à quoi s'applique la réflexion, dans un ouvrage didactique. *Une bibliographie par sujets.* — Ce qui est représenté dans une œuvre plastique. *On reconnaît mal le sujet de ce tableau.* ⇒ **motif. II.** SUJET DE : ce qui fournit matière, occasion à (un sentiment, une action). ⇒ **motif, raison.** *Des sujets de mécontentement, de dispute.* — Littér. *Je n'ai pas sujet de me plaindre.* **III.** En grammaire. Terme considéré comme le point de départ de l'énoncé, à propos duquel on affirme qqch. ou avec lequel s'accorde le verbe. — En appos. *Nom, pronom, infinitif, proposition sujet.* — *Sujet réel* (opposé à *sujet grammatical*). *Sujet inversé* (placé après le verbe). **IV.** (Personnes) **1.** Loc. BON, MAUVAIS SUJET : garçon, homme qui se conduit bien, mal. — *Un brillant sujet,* un très bon élève. **2.** Être vivant soumis à l'observation ; individu présentant tel ou tel caractère. *Les souris qui servent de sujets d'expérience.* **3.** En philosophie. L'être pensant, considéré comme le siège de la connaissance (opposé à *objet*). *Du sujet.* ⇒ **subjectif.**

sujétion [syʒesjɔ̃] n. f. **1.** Littér. Situation de qqn ou d'un pays qui est soumis (⇒ ② **sujet**) à une domination souveraine. ⇒ **dépendance, soumission ; assujettir. 2.** Situation d'une personne astreinte à une nécessité ; obligation pénible, contrainte. ≠ *suggestion. C'est une sujétion que de travailler si loin de chez moi.*

sulf(o)- ■ Élément savant signifiant « soufre ». ▶ *sulfamide* [sylfamid] n. m. ■ Nom générique de médicaments bactéricides. ▶ *sulfate* n. m. ■ Sel de l'acide sulfurique. *Sulfate de cuivre,* utilisé pour sulfater les vignes. ▶ *sulfater* v. tr. ■ conjug. 1. ■ Traiter (la vigne) en pulvérisant sur ses tiges et ses feuilles une bouillie à base de sulfate de cuivre, afin de la protéger contre les maladies. ▶ *sulfatage* n. m. ■ Action de sulfater. ▶ *sulfateuse* n. f.

1. Pulvérisateur utilisé pour sulfater. **2.** Fam. Mitraillette. ▶ *sulfure* n. m. ■ Composé du soufre (avec un métal, etc.), constituant de nombreux minerais. ▶ *sulfuré, ée* adj. ■ Combiné avec le soufre. *L'hydrogène sulfuré sent l'œuf pourri.* ▶ *sulfurer* v. tr. ▪ conjug. 1. ■ Traiter (une vigne) au sulfure de carbone pour la débarrasser du phylloxéra. ≠ *sulfater.* ▶ *sulfureux, euse* adj. **1.** Qui contient du soufre ; relatif au soufre. *Vapeurs sulfureuses. Bains sulfureux, bains d'eau sulfureuse.* GAZ SULFUREUX : utilisé dans la fabrication de l'acide sulfurique, les industries de blanchiment, etc. **2.** Littér. Qui sent le soufre de l'enfer, évoque le diable. *Un discours sulfureux,* inquiétant, subversif. ▶ *sulfurique* adj. ■ ACIDE SULFURIQUE : acide corrosif, attaquant les métaux. ⇒ **vitriol.** ▶ *sulfurisé, ée* adj. ■ Traité à l'acide sulfurique. *Papier sulfurisé,* rendu imperméable par trempage dans l'acide sulfurique dilué.

sulky [sylki] n. m. ■ Anglic. Voiture légère à deux roues, sans caisse, utilisée pour les courses au trot attelé. *Des sulkies.*

sultan [syltɑ̃] n. m. ■ Souverain de l'Empire ottoman ou de certains pays musulmans. ▶ *sultanat* n. m. **1.** Dignité de sultan. **2.** État gouverné par un sultan. ≠ *émirat.* ▶ *sultane* n. f. ■ Épouse ou favorite du sultan.

summum [sɔmɔm] n. m. ■ Le plus haut point, le plus haut degré. ⇒ **comble, sommet.** *Des summums de qualité.*

sunlight [sœnlajt] n. m. ■ Anglic. Projecteur puissant utilisé dans les studios de cinéma. *Des sunlights.*

sunnite [synit] adj. et n. ■ Musulman orthodoxe, respectueux de la *Sunna* (recueil des actes de Mahomet qui complète le Coran). ≠ *chiite.*

① *super* [sypɛʀ] n. m. ■ Abrév. fam. de *supercarburant. Donnez-moi vingt litres de super.*

② *super* adj. invar. ■ Fam. Supérieur, formidable. *Ce nouveau disque est vraiment super. Elles sont super, tes copines.*

① *super-* ■ Élément qui signifie « au-dessus de », « sur » (ex. : *superposer, supersonique*), « de qualité supérieure » (ex. : *supercarburant, superphosphate*).

② *super-* ■ Préfixe de renforcement placé devant des mots auxquels il donne une valeur de superlatif familier (ex. : un *super-champion,* un très grand champion ; les *super-grands, les superpuissances,* les plus grandes puissances, États-Unis et U.R.S.S.). — REM. On trouve aussi *super* sans trait d'union : *superchampion.*

① *superbe* [sypɛʀb] n. f. ■ Littér. Assurance orgueilleuse, qui se manifeste par l'air, le maintien. *Il n'a rien perdu de sa superbe.*

② *superbe* adj. **1.** Très beau, d'une beauté éclatante. ⇒ **magnifique, splendide.** *La vue d'ici est superbe.* / contr. **affreux** / **2.** Remarquable. *Il a une superbe situation.* ▶ *superbement* adv.

supercarburant [sypɛʀkaʀbyʀɑ̃] n. m. ■ Carburant de qualité supérieure (opposé à *essence ordinaire*). ⇒ ① **super.**

supercherie [sypɛʀʃəʀi] n. f. ■ Tromperie qui consiste à faire passer le faux pour le vrai. ⇒ **fraude, mystification.** *Découvrir la supercherie.*

supérette ou *superette* [sype(ɛ)ʀɛt] n. f. ■ Magasin d'alimentation imitant, en plus petit, les supermarchés.

superfétatoire [sypɛʀfetatwaʀ] adj. ■ Littér. Qui s'ajoute inutilement (à une autre chose utile). ⇒ **superflu.**

superficie [sypɛʀfisi] n. f. **1.** Surface. *La superficie de la Terre, d'un appartement.* — Nombre caractérisant l'étendue d'une surface. *Calculer la superficie d'un terrain.* **2.** (Opposé à *fond*) Aspect superficiel (2). *Rester à la superficie des choses.* ⟨ ▶ superficiel ⟩

superficiel, elle [sypɛʀfisjɛl] adj. **1.** Qui est propre à la surface ou n'appartient qu'à la surface d'un corps. / contr. **profond** / *Les couches superficielles de l'écorce terrestre. Des brûlures superficielles sur la peau.* **2.** Abstrait. Qui n'est ni profond ni essentiel. ⇒ **apparent.** *Une amabilité superficielle.* — Qui, dans l'ordre de la connaissance, ne fait qu'effleurer sans approfondir. *Un esprit, un travail superficiel.* ▶ *superficiellement* adv. ■ De manière superficielle (1 ou 2).

superflu, ue [sypɛʀfly] adj. **1.** Qui n'est pas absolument nécessaire. *Ce sont des biens superflus.* — N. m. *Le nécessaire et le superflu.* **2.** Qui est en trop. ⇒ **inutile, oiseux.** *Ces explications sont superflues.* — Impers. *Il est superflu d'insister.* **3.** Qui est de trop et que l'on cherche à éliminer. *Les poils superflus.*

① *supérieur, eure* [sypeʀjœʀ] adj. (Comparatif, opposé à *inférieur*) **I.** Qui est plus haut, en haut. *Les étages supérieurs d'un immeuble. La lèvre supérieure et la lèvre inférieure.* **II.** SUPÉRIEUR (À). **1.** Qui a une valeur plus grande, occupe un degré au-dessus dans une hiérarchie. *Son nouvel ouvrage est nettement supérieur aux précédents.* — (Compl. chose) *Un homme supérieur à la situation, à sa tâche,* qui la domine. — Absolt. Qui est au-dessus des autres. ⇒ **suprême.** *Les intérêts supérieurs du pays. Produit de qualité supérieure.* ⇒ **excellent.** *C'est un esprit supérieur.* ⇒ **éminent. 2.** Plus grand que. *Un nombre supérieur à 10* (noté > 10). **3.** Plus avancé dans une évolution. *Les animaux supérieurs,* les vertébrés. **4.** Plus élevé dans une hiérarchie politique, administrative, sociale. *Les classes dites supérieures de la société.* ⇒ **dominant.** *L'enseignement supérieur,* l'Université (opposé à *primaire* et *secondaire*). *Cadres supérieurs* (opposé à *moyen*). *Officiers supérieurs* (opposé à *subalterne*). — N. m. Personne hiérarchiquement placée au-dessus d'autres qui sont sous ses ordres. *Il a consulté son supérieur.* **III.** Qui témoigne d'un sentiment de supériorité (2). ⇒ **condescendant, dédaigneux.** *Un air, un sourire supérieur.* ▶ *supérieurement* adv. ■ À un degré supérieur, éminent. ⇒ **très.** *Un garçon supérieurement intelligent.* ▶ *supériorité* n. f. ■ Fait d'être supérieur, plus fort. / contr. **infériorité** / *Les ennemis s'étaient assuré la supériorité numérique. La supériorité de leur équipe a été écrasante.* — Qualité d'une personne supérieure. *Un sentiment, un complexe de supériorité.*

② *supérieur, eure* n. ■ Religieux, religieuse qui dirige une communauté, un couvent. *Madame la supérieure.* — En appos. *Le père supérieur, la mère supérieure.*

superlatif, ive [sypɛʀlatif, iv] n. m. **1.** Terme qui exprime le degré supérieur d'une qualité. « *Rarissime, infime, excellent, parfait, sublime* » *sont des superlatifs.* Préfixes superlatifs : *archi-, extra-, hyper-...* — Terme exagéré, hyperbolique. **2.** Le superlatif, l'ensemble des procédés grammaticaux qui expriment la qualité au degré le plus élevé. *Le superlatif absolu* (très, tout à fait grand), *relatif* (le plus grand).

supermarché [sypɛʀmaʀʃe] n. m. ■ Centre commercial à grande surface. ⇒ **hypermarché.** *Petit supermarché.* ⇒ **supérette.**

superphosphate [sypɛʀfɔsfat] n. m. ■ Engrais artificiel phosphaté.

superposer [sypɛʀpoze] v. tr. ▪ conjug. 1. ■ Poser au-dessus de, par-dessus ; disposer l'un au-dessus de l'autre. *Superposer une chose à une autre, une chose et une autre, plusieurs choses.* ⇒ **empiler.** — Au p. p. adj. *Des couches superposées.* — Pronominalement. *Divers souvenirs s'étaient superposés dans sa mémoire.* — En géométrie. Placer (une figure) au-dessus d'une autre, pour en constater ou en vérifier l'égalité. ▶ **superposable** adj. ■ Que l'on peut superposer. ▶ **superposition** n. f. **1.** Action de superposer ; état de ce qui est superposé. — Abstrait. *La superposition de plusieurs influences.* **2.** Ensemble de choses superposées. *Une superposition de couches.*

superproduction [sypɛʀpʀɔdyksjɔ̃] n. f. ■ Film, spectacle réalisé à grands frais.

superpuissance n. f. ⇒ ② **super-.**

supersonique [sypɛʀsɔnik] adj. ■ Dont la vitesse est supérieure à celle du son. / contr. **subsonique** / *Avion supersonique,* qui peut dépasser cette vitesse.

superstar [sypɛʀstaʀ] n. f. ■ Anglic. Fam. Très grande vedette. *Des superstars.*

superstitieux, euse [sypɛʀstisjø, øz] adj. ■ Qui fait preuve ou témoigne de superstition. *Nous serons treize à table, j'espère que vous n'êtes pas superstitieux.* ▶ **superstition** n. f. **1.** Le fait de croire que certains actes, certains signes entraînent mystérieusement des conséquences bonnes ou mauvaises ; croyance ou pratique qui en résulte. *Les superstitions populaires.* **2.** Respect maniaque, instinctif (de qqch.). *Il a la superstition de l'ordre, de l'exactitude.*

superstructure [sypɛʀstʀyktyʀ] n. f. ■ Partie (d'une construction, d'une installation) située au-dessus du sol, d'un niveau. / contr. **infrastructure** / *Les superstructures d'une voie de chemin de fer.*

superviser [sypɛʀvize] v. tr. ▪ conjug. 1. ■ Contrôler (un travail), sans entrer dans les détails. ▶ **supervision** n. f. ■ Action de superviser.

supin [sypɛ̃] n. m. ■ Forme du verbe latin, substantive, sur laquelle se forment le participe passé en *-us* et certains dérivés.

supplanter [syplɑ̃te] v. tr. ▪ conjug. 1. **1.** Prendre la place de (qqn) en lui faisant perdre son crédit auprès de qqn. ⇒ **évincer.** *Il cherche à supplanter son rival.* **2.** (Choses) Éliminer (une chose) en la remplaçant dans la faveur du public. *La télévision n'a pas supplanté le cinéma.*

suppléer [syplee] v. tr. ▪ conjug. 1. **I.** V. tr. dir. Littér. Ajouter (pour remplacer ce qui manque) ; combler (un vide), remédier à (un manque). *Suppléer le pétrole par l'énergie atomique.* — *Suppléer qqn.* ⇒ **suppléant. II.** V. tr. ind. SUPPLÉER À. **1.** Apporter ce qu'il faut pour remplacer ou pour fournir (ce qui manque). *Suppléer à l'énergie nucléaire par l'énergie solaire.* **2.** Remédier à (un défaut, une insuffisance) en remplaçant, en compensant. *La rapidité de ce joueur supplée à son manque de puissance.* ▶ **suppléant, ante** [sypleɑ̃, ɑ̃t] adj. et n. ■ Qui supplée qqn ou est chargé de le suppléer dans ses fonctions. ⇒ **adjoint, remplaçant.** *Elle n'est pas titulaire, mais suppléante. Un poste de suppléant.* ▶ **suppléance** n. f. ■ Action de suppléer à qqn. ‹ ▶ **supplément,** suppléter ›

supplément [syplemɑ̃] n. m. **1.** Ce qui est ajouté à une chose déjà complète ; addition extérieure (à la différence du *complément*). ⇒ **surplus.** *Un supplément de salaire versé sous forme de prime.* — Ce qui est ajouté (à un livre, à une publication). *Le supplément d'un dictionnaire.* **2.** Dans un tarif (transports, théâtre, etc.). Somme payée en plus *(supplémentée)* pour obtenir un bien ou un service dans la classe supérieure.

Pour prendre ce train vous devez payer un supplément. Train à supplément. — EN SUPPLÉMENT : en sus (d'un nombre fixé, d'une quantité indiquée). — Au restaurant. *Vin en supplément.* ▶ **supplémentaire** adj. **1.** Qui est en supplément. *Demander des crédits supplémentaires. Heures supplémentaires,* heures de travail faites en plus d'un horaire normal (abrév. fam. invar. *des heures sup.*). *Train supplémentaire,* ou n. m., *un supplémentaire.* **2.** Qui est de trop, en plus. *C'est une charge supplémentaire.* ▶ **supplémentairement** adv. ■ En supplément.

supplétif, ive [sypletif, iv] adj. et n. ■ (Troupes, soldats) Destiné à suppléer d'autres forces. — N. *Des supplétifs.*

suppliant, ante [syplijɑ̃, ɑ̃t] adj. et n. **1.** Adj. Qui exprime la supplication. *Un regard suppliant.* **2.** N. Personne qui supplie.

supplication [syplikasjɔ̃] n. f. ■ Prière faite avec soumission ; action de supplier. *Il refuse d'entendre mes supplications.*

supplice [syplis] n. m. **1.** Peine corporelle grave, mortelle ou terrible, infligée par la justice à un condamné. *Le supplice de la croix, de la roue, de la guillotine. Instruments de supplice.* — *Supplice chinois,* particulièrement cruel et raffiné. — *Le dernier supplice,* la peine de mort. — Loc. *Le supplice de Tantale,* vive souffrance de qqn qui, comme Tantale dans la mythologie, est proche de l'objet de ses désirs, sans pouvoir l'atteindre. **2.** Cruelle souffrance morale, très vif désagrément. ⇒ **calvaire, martyre.** *Ces visites sont pour moi un supplice.* — ÊTRE AU SUPPLICE : être dans une situation très pénible. ▶ **supplicier** v. tr. ▪ conjug. 7. **1.** Livrer au supplice (un condamné). **2.** Littér. Torturer moralement. ▶ **supplicié, ée** n. ■ Personne qui a subi la peine de mort ou a été torturée.

supplier [syplije] v. tr. ▪ conjug. 7. ■ Prier (qqn) avec insistance et humilité, en demandant qqch. comme une grâce. ⇒ **adjurer, implorer.** *L'enfant suppliait son père de l'emmener au cinéma.* — Prier instamment. *Je vous supplie de vous taire.* ‹ ▶ suppliant, supplication, supplique ›

supplique [syplik] n. f. ■ Humble demande (souvent écrite) par laquelle on sollicitait une grâce ou une faveur d'un maître, d'un souverain.

support [sypɔʀ] n. m. **1.** Ce sur quoi repose ou s'appuie une chose. *Supports de charpente.* ⇒ **base, socle.** — Assemblage destiné à recevoir un instrument (chevalet, trépied...). **2.** Élément matériel qui sert de base à une œuvre graphique. *Le support d'un dessin.* — *Support publicitaire,* moyen matériel (affiches, journaux, télévision, etc.) par lequel se fait une publicité. ⇒ **espace, surface.**

① **supporter** [sypɔʀte] v. tr. ▪ conjug. 1. **I. 1.** Recevoir le poids, la poussée de (qqch.) sur soi. ⇒ **soutenir ; porter.** *Les piliers supportent la voûte.* **2.** Avoir (qqch.) comme charge, être assujetti à. *Vous en supporterez les conséquences.* **II. 1.** Subir les effets pénibles de (qqch.) sans faiblir. ⇒ **endurer.** *Les nombreuses épreuves qu'il a supportées dans sa vie. Il supporte mal la critique.* **2.** Subir de la part d'autrui, sans réagir. *Ne vous imaginez pas que je vais supporter ses injures. Tout supporter de qqn,* tout lui passer. — (+ subjonctif) *Je ne supporte pas qu'on me mente.* **3.** Supporter qqn, admettre, tolérer sa présence, son comportement. *Je ne peux pas supporter ce type-là, je le déteste.* — Pronominalement (récipr.). *Ils se sont supportés pendant quinze ans.* **4.** Subir sans dommage (une action physique). ⇒ **résister.** *Tu supportes bien le froid ?* — Résister à (une épreuve). *Cette idée ne supporte pas l'examen.* ▶ **supportable** adj. **1.** Qu'on

peut supporter. *C'est une douleur très supportable.*
/ contr. **insupportable, intenable** / **2.** Qu'on peut
tolérer, admettre. — Acceptable. ⇒ **passable.** *Il est
tout juste supportable dans ce rôle.* ‹ ▶ insupportable,
insupporter, support ›

② *supporter* [sypɔʀtɛʀ] n. m. ■ Anglic. Partisan
(d'un sportif, d'une équipe), qui manifeste son appui.
Les supporters de (l'équipe de) Saint-Étienne.

supposer [sypoze] v. tr. ■ conjug. 1. **I. 1.** Poser à
titre d'hypothèse. *Supposons le problème résolu.*
⇒ **admettre.** *La température étant supposée constante.*
— (+ subjonctif) *Supposez que vous ayez un accident.*
⇒ **imaginer.** *En supposant, à supposer que ce soit
possible.* **2.** Croire, considérer comme chose probable
ou comme explication plausible. ⇒ **présumer.** *Je le
suppose, mais je n'en suis pas sûr. On vous supposait
averti. On supposait que vous étiez au courant.* **II.** (Suj.
chose) Comporter comme condition nécessaire, impliquer comme cause. *Un message suppose un expéditeur
et un destinataire. Cela suppose du courage.* **III.** En
droit. Donner pour authentique, en trompant. — Au
p. p. adj. *Un testament supposé.* ▶ *supposition* n. f.
■ Hypothèse. *Dans cette supposition, si nous supposons cela.* Fam. *Une supposition que..., supposons que...*
— Ce qu'on avance, ce qu'on imagine, faute de
certitude. *Ce n'est qu'une supposition, mais cela me
paraît probable.* ‹ ▶ présupposer, présupposition ›

suppositoire [sypozitwaʀ] n. m. ■ Préparation
pharmaceutique, de forme conique, que l'on introduit
dans le rectum.

suppôt [sypo] n. m. ■ Littér. ou plaisant. Partisan
(d'une personne, d'une chose nuisible). *Les suppôts
de la réaction.* — SUPPÔT DE SATAN loc. littér. :
démon, personne méchante.

supprimer [sypʀime] v. tr. ■ conjug. 1. **1.** Faire
disparaître, faire cesser d'être (qqch. qui gêne).
⇒ **détruire.** *En supprimant cette cloison, on agrandi-
rait la pièce.* ⇒ **abattre.** *Supprimer la douleur.*
⇒ **arrêter, vaincre.** *Vous supprimez l'effet, vous ne
supprimez pas la cause.* — Réduire considérablement.
⇒ **effacer.** *L'avion supprime les distances.* **2.** Faire
cesser d'être dans (un ensemble), ou avec (qqch.).
⇒ **ôter, retrancher.** *Un mot, un passage à supprimer.*
3. Rendre sans effet légal ; mettre fin à (une loi, un
usage). ⇒ **abolir, abroger. 4.** *Supprimer qqn,* faire
disparaître en tuant. ⇒ **éliminer ;** fam. **liquider.**
Supprimer un témoin gênant. ▶ *suppression* n. f.
■ Action de supprimer ; son résultat. *La suppression
des inégalités. Un tel régime aboutit à la suppression
des libertés.* — *Opérer des suppressions dans un texte.*
⇒ **coupure, retranchement.**

suppurer [sypyʀe] v. intr. ■ conjug. 1. ■ Laisser
écouler du pus. *La plaie suppure. Qui suppure.*
⇒ **purulent.** ▶ *suppuration* n. f. ■ Production et
écoulement de pus.

supputer [sypyte] v. tr. ■ conjug. 1. **1.** Évaluer
indirectement, par un calcul, mais sans données
précises. ≠ *calculer. Essayons de supputer les
revenus que suppose un tel train de vie.* **2.** Évaluer
empiriquement (les chances, la probabilité). *Il suppu-
tait ses chances.*

supra [sypʀa] adv. ■ Sert à renvoyer à un passage
qui se trouve avant, dans un texte. (→ Ci-dessus, plus
haut.) / contr. **infra** /

supra- ■ Élément signifiant « au-dessus, au-delà »,
entrant librement dans la formation de mots savants
(ex. : *supraconducteur,* ⇒ ② **conducteur**), d'adjectifs
(ex. : *une réalité suprahumaine*). ▶ *supranational,
ale, aux* [sypʀanasjɔnal, o] adj. ■ Placé au-dessus
des institutions nationales. *Les pouvoirs supranatio-*

naux de la C.E.E. ▶ *supraterrestre* adj. ■ De
l'au-delà.

suprématie [sypʀemasi] n. f. **1.** Situation dominante (en matière politique). ⇒ **hégémonie, prééminence. 2.** Domination (intellectuelle, morale).

① *suprême* [sypʀɛm] adj. **1.** Qui est au-dessus
de tous et de tout, dans son genre, dans son espèce.
⇒ **supérieur.** *L'autorité suprême.* ⇒ **souverain.** *L'Être
suprême,* Dieu. — *Le Soviet* suprême.* — Le plus
élevé en valeur. *Le bien, le bonheur suprême. Au
suprême degré.* — Très grand. *Il a déployé une
suprême habileté.* **2.** Le dernier (avec une idée de
solennité ou de tragique). *L'instant suprême,* de la
mort. *Il fit un suprême effort.* ▶ *suprêmement* adv.
■ Au suprême degré (souvent iron.). *Il restait
suprêmement indifférent.* ‹ ▶ ② suprême ›

② *suprême* n. m. ■ Filets (de gibier, de poisson)
servis avec un velouté à la crème. — En appos.
Poularde sauce suprême.

① *sur* [syʀ] prép. **I.** Marque la position « en
haut » ou « en dehors ». / contr. **sous** / **1.** (Surface,
chose qui en porte une autre) *Poser un objet sur une
table. La clé est sur la porte. Le terrain sur lequel on
a construit cette maison. Sur terre et sur mer. Monter
sur une bicyclette. Il portait sur lui un carnet,* avec
soi, dans la poche. — (Accumulation) *Les uns sur les
autres. Recevoir visite sur visite,* des visites interrompues. — *S'étendre sur...,* couvrir (telle distance). *La
plage s'étend sur huit kilomètres.* — (Surface ou chose
atteinte) *Appuyer sur un bouton. Recevoir un coup sur
la tête. Tirer sur qqn. Écrire sur un registre. Chercher
sur une carte* (mais : *dans* un atlas). **2.** (Sans contact)
⇒ au-**dessus** de. *Les ponts sur la Seine.* **3.** (Sélection-
nant un ou quelques éléments d'un ensemble) *Prélever
sur ses économies.* — (Permettant d'établir un rapport)
Deux mètres sur trois (noté 2 m × 3 m). *Un jour sur
deux. Deux ou trois cas sur cent.* **4.** (Direction) *Sur
votre droite. Foncer sur qqn.* **II.** Abstrait. **1.** (Introduisant le nom de ce qui sert de base, de fondement) *Juger
les gens sur la mine,* d'après. *Jurer sur son honneur.
Sur mesure.* — (Sujet) *Discuter sur un problème,* d'un
problème. *Sur cette matière, sur ce point.* ⇒ à **propos**
de, **quant** à. *Essai, considérations sur...* **2.** (Valeur
temporelle) Immédiatement après, à la suite de... *Sur
le coup. Coup sur coup.* SUR CE : après ces paroles.
Il nous a dit au revoir ; sur ce, il est parti.
— (Approximation) ⇒ **vers.** *Sur le soir. Être sur le
départ,* près de partir. **3.** (Rapport de supériorité)
Prendre l'avantage sur qqn. ‹ ▶ sur-, surcot, surcroît,
② surtout ›

② *sur, sure* adj. ■ Qui a un goût acide. *Pommes
sures.* ≠ *sûr.* ▶ *suret, ette* adj. ■ Un peu acide.

sûr, sûre [syʀ] adj. **I.** (Personnes) SÛR DE. **1.** Qui
envisage avec confiance, qui tient pour assuré (un
événement). ⇒ **certain, convaincu.** *Il est sûr de son
coup* (fam.), *sûr de réussir.* — *Être sûr de qqn,* avoir
confiance en lui, être assuré de sa fidélité. *Je suis sûr
de lui.* — SÛR DE SOI : qui se comporte avec assurance.
Il est sûr de lui, elle est sûre d'elle. **2.** Qui sait avec
certitude, qui est assuré de ne pas se tromper. *J'en
suis sûr. Elle est sûre que vous vous trompez.* — *Sûr
de son fait,* de ce qu'on pense, de ce qu'on dit.
II. 1. (Choses) Où l'on ne risque rien, qui ne présente
pas de danger. / contr. **dangereux** / *Le quartier n'est
pas très sûr, la nuit. Caractère de ce qui est sûr.*
⇒ **sécurité.** *Ce sera plus sûr,* cela constituera une
garantie. — Loc. *En lieu sûr,* à l'abri. ⇒ **sûreté.** *Le
plus sûr est de...,* le meilleur parti est de... **2.** En qui
l'on peut avoir confiance. *Un ami sûr.* — Sur quoi
l'on peut compter. ⇒ **solide.** *Des valeurs sûres. Des
bases peu sûres. C'est le plus sûr moyen de réussir.*
— Loc. À COUP SÛR : sans risque d'échec. **3.** Qui

fonctionne avec efficacité et exactitude. *Un projectile lancé d'une main sûre. Un goût très sûr.* **4.** Dont on ne peut douter, qui est considéré comme vrai ou inéluctable. ⇒ **assuré, certain, évident, indubitable.** *La chose est sûre.* / contr. **douteux** / *Ce n'est pas si sûr. Ce qui est sûr, c'est que je n'irai pas.* **5.** BIEN SÛR ! loc. adv. : c'est évident, cela va de soi. ⇒ **sûrement.** — Fam. *(Bien) sûr qu'on n'y peut rien.* — Fam. POUR SÛR : certainement. ≠ ② *sur.* ‹ ▶ assurer, rassurer, sûrement, sûreté ›

sur- ■ Élément qui signifie « plus haut, au-dessus, par-dessus » (ex. : *surélever, survêtement*), « au-delà, par-delà » (ex. : *surnaturel, survie*), ou indique un degré élevé dans un classement (ex. : *surdoué, surenchère, surlendemain, surnombre, surproduction*). / contr. **sous-, sub-** /

surabonder [syʀabɔ̃de] v. intr. ■ conjug. 1. ■ Littér. Exister en quantité plus grande qu'il n'est nécessaire. ⇒ **abonder, regorger.** ▶ **surabondance** n. f. ■ Abondance extrême ou excessive. ⇒ **pléthore, profusion.** *Une surabondance de détails.* ▶ **surabondant, ante** adj. ■ Qui surabonde ; très ou trop abondant, nombreux. ▶ **surabondamment** adv. ■ En surabondance.

suraigu, uë [syʀegy] adj. ■ (Son, voix...) Très aigu. *Une voix suraiguë.*

surajouter [syʀaʒute] v. tr. ■ conjug. 1. ■ Ajouter (qqch.) à ce qui est déjà complet, ajouter après coup. — Pronominalement. *D'autres faits se sont surajoutés.*

suralimenter [syʀalimɑ̃te] v. tr. ■ conjug. 1. **1.** Procurer à (qqn) une alimentation plus riche. — Au p. p. adj. *Les personnes suralimentées risquent des maladies cardiaques.* **2.** Fournir à (un moteur) une plus grande quantité de combustible que la normale. ▶ **suralimentation** n. f. **1.** Alimentation plus riche que la normale (« ration d'entretien ») ; alimentation trop riche. / contr. **sous-alimentation** / **2.** Action de suralimenter (un moteur).

suranné, ée [syʀane] adj. ■ Littér. Qui a cessé d'être en usage, qui évoque une époque révolue. ⇒ **démodé, désuet, obsolète, vieillot.** *Une galanterie surannée.*

surate ⇒ **sourate.**

surcharger [syʀʃaʀʒe] v. tr. ■ conjug. 3. **I. 1.** Charger d'un poids qui excède la charge ordinaire (ou légale). — Au p. p. adj. *Un véhicule surchargé.* — Abstrait. *Des connaissances qui ne font que surcharger la mémoire.* ⇒ **encombrer.** — Au p. p. adj. *Un emploi du temps surchargé.* **2.** Charger (qqn) à l'excès. *Il se plaint d'être surchargé d'impôts, de travail.* **II.** Marquer d'une surcharge (manuscrite ou imprimée). ▶ **surcharge** n. f. **I. 1.** Charge ajoutée à la charge ordinaire, ou qui excède la charge permise. *Une surcharge de deux cents kilos. Le bateau avait pris des passagers en surcharge.* **2.** Fig. Excès, surabondance. *La chapelle est décorée avec une surcharge de dorures inimaginable.* **II.** Mot écrit au-dessus d'un autre raturé. — Inscription imprimée en recouvrant une autre, et ajoutée après coup. *Timbre-poste portant une surcharge.*

surchauffer [syʀʃofe] v. tr. ■ conjug. 1. ■ Chauffer à l'excès. *Inutile de surchauffer ta chambre !* ▶ **surchauffé, ée** adj. **1.** Chaud ou chauffé au-delà de ce qui convient. *Le wagon était surchauffé.* — *Vapeur surchauffée,* dont la pression a été augmentée par un supplément de chauffage. **2.** Abstrait. Surexcité, exalté. *Les esprits étaient surchauffés.* ▶ **surchauffe** n. f. **1.** État d'un appareil, d'un moteur qui chauffe au-delà de la normale. **2.** État de tension excessive dans l'activité économique.

surclasser [syʀklase] v. tr. ■ conjug. 1. **1.** Dominer (ses adversaires) au point de paraître d'une classe tout à fait supérieure. *Cet athlète surclasse tous ses concurrents.* **2.** (Choses) Être nettement supérieur à (qqch.). *Ce produit surclasse tous les autres.*

surcomposé, ée [syʀkɔ̃poze] adj. ■ En grammaire. Se dit du temps composé d'un verbe dont l'auxiliaire est lui-même à un temps composé (ex. : quand *j'ai eu terminé*).

surcot [syʀko] n. m. ■ Au Moyen Âge. Vêtement porté par dessus la cotte.

surcouper [syʀkupe] v. tr. ■ conjug. 1. ■ Aux cartes. Couper avec un atout supérieur à celui avec lequel un autre joueur (dit alors « en surcoupe ») vient de couper.

surcroît [syʀkʀwa(ɑ)] n. m. ■ Ce qui vient s'ajouter à ce qu'on a déjà. ⇒ **supplément.** *Un surcroît de précautions. C'est un surcroît de travail. Pour surcroît de malheur.* — Littér. DE SURCROÎT, PAR SURCROÎT loc. adv. : en plus, en outre.

surdité [syʀdite] n. f. ■ Affaiblissement ou abolition complète du sens de l'ouïe (⇒ **sourd**). ▶ **surdi-mutité** n. f. ■ État de sourd-muet.

surdoué, ée [syʀdwe] adj. et n. ■ Personne, enfant beaucoup plus intelligent(e) que la moyenne. *Des écoliers surdoués.* ⇒ très **doué.**

sureau [syʀo] n. m. ■ Arbrisseau à baies rouges ou noires, dont la tige légère peut facilement s'évider. *Moelle de sureau. Des sureaux.*

surélever [syʀelve] v. tr. ■ conjug. 5. ■ Donner plus de hauteur à. *On a surélevé d'un étage cette maison ancienne.* — Au p. p. adj. *Rez-de-chaussée surélevé,* qui n'est pas de plain-pied. ▶ **surélévation** n. f. ■ Situation de ce qui est surélevé.

sûrement [syʀmɑ̃] adv. **I. 1.** Adv. de phrase, modifiant tout l'énoncé. D'une manière certaine, évidente. ⇒ **certainement.** *Le tribunal va sûrement le condamner.* — (En réponse) *Sûrement ! Sûrement pas !* **2.** De façon très probable. ⇒ sans **doute.** *Il est sûrement malade.* **II.** De façon sûre, sans risque d'échec ; en sûreté. PROV. *Qui va lentement va sûrement* (italien : *qui va piano va sano*).

surenchère [syʀɑ̃ʃeʀ] n. f. **1.** Enchère supérieure à la précédente. **2.** Abstrait. Promesse, offre supérieure. *La surenchère électorale.* ▶ **surenchérir** v. intr. ■ conjug. 1. **1.** Faire une surenchère. *Vous surenchérissez ?* **2.** Proposer, promettre plus qu'un autre. — Renchérir (sur qqch.).

surestimer [syʀɛstime] v. tr. ■ conjug. 1. ■ Estimer au-delà de son prix. — Apprécier, estimer au-delà de son importance, de sa valeur. / contr. **sous-estimer** / *Ne surestimons pas nos possibilités.* ⇒ **exagérer.** — Pronominalement. *Il se surestime.* ▶ **surestimation** n. f. ■ Le fait de surestimer.

sûreté [syʀte] n. f. **I. 1.** (Rare, sauf en loc.) Absence de risque, de danger. ⇒ **sécurité.** PROV. *Prudence est mère de sûreté.* — *Pour plus de sûreté,* pour augmenter la sécurité par une précaution supplémentaire. — EN SÛRETÉ : à l'abri du danger. *Les évadés sont à présent en sûreté.* — DE SÛRETÉ : qui est destiné à assurer une protection, à éviter un danger. *Un verrou de sûreté.* **2.** Garantie, assurance d'ordre et de sécurité collective. *La sûreté publique. Complot contre la sûreté de l'État.* **3.** *Sûreté nationale* et, absolt, *la Sûreté,* direction du ministère de l'Intérieur français, service d'information et de surveillance policière. **II.** Caractère de ce qui est sûr, sans danger ou sans risque d'erreur. *La sûreté de son coup d'œil.* **III.** En droit. Garantie. *Donner des sûretés à qqn.*

surexciter [syrɛksite] v. tr. ▪ conjug. 1. ▪ Exciter à l'extrême. *Tous ces mystères surexcitaient la curiosité des gens.* ⇒ **exalter, exaspérer.** ▸ *surexcité, ée* adj. ▪ Qui est dans un état d'excitation, de nervosité extrême. ⇒ **survolté** (2). *Les élèves sont surexcités à l'approche des vacances.* ▸ *surexcitation* n. f.

surexposer [syrɛkspoze] v. tr. ▪ conjug. 1. ▪ Exposer à la lumière (la pellicule photographique, un film) plus longtemps ou plus intensément que la normale. — Au p. p. adj. *Des clichés surexposés.* / contr. **sous-exposer** / ▸ *surexposition* n. f.

surf [sœrf] n. m. Anglic. **I.** Jeu sportif qui consiste à se laisser porter par une vague déferlante sur une planche. **II.** Danse moderne, voisine du twist. ▸ *surfeur, euse* [sœrfœr, øz] n. ▪ Personne qui pratique le surf (I).

surface [syrfas] n. f. **1.** Partie extérieure (d'un corps) qui le limite en tous sens ; face apparente. *À la surface du globe. La surface de l'eau. Ces poissons nagent en surface,* près de la surface. — FAIRE SURFACE. *Le sous-marin fait surface,* émerge. Fig. (Personnes) Revenir à la conscience. — Abstrait. *Ce qu'on observe, ce qu'on comprend d'abord,* avec le moins d'effort ; les apparences. / contr. **fond** / *Rester à la surface des choses,* être superficiel. **2.** Superficie. ⇒ **aire.** *Trente-cinq mètres carrés de surface.* — *Magasins à* GRANDE SURFACE : les supermarchés. Absolt. *Une grande surface,* un supermarché. **3.** En géométrie. Zone de l'espace parcourue par une ligne qui se déplace. *Surface plane, courbe.* — *Partie de plan limitée par des segments. Calculez la surface du triangle.* ⇒ **superficie.** **4.** Limite entre deux milieux physiques différents. *Surface de séparation.* **5.** Football. *Surface de réparation**.

surfait, aite [syrfɛ, ɛt] adj. ▪ Trop apprécié, inférieur à sa réputation. *C'est un livre bien surfait.* ⇒ **décevant.**

surfiler [syrfile] v. tr. ▪ conjug. 1. ▪ En couture. Passer un fil qui chevauche le bord de (un tissu) pour l'empêcher de s'effilocher. — Au p. p. adj. *Un ourlet surfilé.*

surgelé, ée [syrʒəle] adj. et n. m. ▪ (Aliment) Congelé rapidement et à très basse température, en vue de la conservation. *Des filets de poisson surgelés.* — N. m. *Des surgelés, des produits surgelés. J'ai acheté des surgelés et les ai mis au congélateur.*

surgir [syrʒir] v. intr. ▪ conjug. 2. **1.** Apparaître brusquement en s'élevant, en sortant de. *L'avion surgit des nuages.* — Au p. p. adj. *Une forme surgie de l'ombre.* **2.** Abstrait. Se manifester brusquement. ⇒ **naître.** *Les objections surgissaient de toute part.* ⇒ **jaillir.** ▸ *surgissement* n. m. ▪ Littér. Le fait de surgir. ‹ ▸ **résurgence, resurgir** ›

surhomme [syrɔm] n. m. ▪ Être humain doté de pouvoirs intellectuels ou physiques exceptionnels. ▸ *surhumain, aine* [syrymɛ̃, ɛn] adj. ▪ Qui apparaît au-dessus des forces et des aptitudes normales. *Un travail surhumain. Une vertu surhumaine.*

surimpression [syrɛ̃presjɔ̃] n. f. ▪ Impression de deux images photographiques ou plus sur une même surface sensible. *Truquage par surimpression.*

surin [syrɛ̃] n. m. ▪ Fam. Couteau, poignard.

surintendant [syrɛ̃tɑ̃dɑ̃] n. m. ▪ Titre de certains ministres, sous l'Ancien Régime. *Le surintendant (des Finances) Fouquet.*

surir [syrir] v. intr. ▪ conjug. 2. ▪ Devenir sur ②, un peu aigre. — Au p. p. adj. *Du lait suri.*

surjet [syrʒɛ] n. m. ▪ Point de couture serré servant à assembler deux lisières, ou un tissu et une dentelle. *Coudre en surjet* (ou *surjeter,* v. tr. ▪ conjug. 4).

surlendemain [syrlɑ̃dmɛ̃] n. m. ▪ Jour qui suit le lendemain (⇒ **après-demain**). *Le surlendemain de son arrivée* (opposé à *avant-veille*).

surmener [syrmǝne] v. tr. ▪ conjug. 5. ▪ Fatiguer à l'excès (jusqu'au surmenage). — Au p. p. adj. *Des gens surmenés.* N. *Un(e) surmené(e).* — Pronominalement (réfl.). *Il n'est pas raisonnable, il se surmène.* ▸ *surmenage* n. m. ▪ Ensemble des troubles résultant d'un excès d'activité.

surmonter [syrmɔ̃te] v. tr. ▪ conjug. 1. **1.** Être placé, situé au-dessus de. *La coupole qui surmonte le Panthéon, à Paris.* **2.** Fig. Aller au-delà de (un obstacle, une difficulté), par un effort victorieux. ⇒ **franchir.** *Surmonter tous les obstacles.* — Vaincre par un effort volontaire (une difficulté psychologique). *Surmonter sa répugnance, sa peur.* ▸ *surmontable* adj. ▪ Qui peut être surmonté (2). / contr. **insurmontable** / ‹ ▸ **insurmontable** ›

surmulet [syrmylɛ] n. m. ▪ Variété de rouget (poisson). ≠ *surmulot.*

surmulot [syrmylo] n. m. ▪ Gros rat. ≠ *mulot, surmulet.*

surnager [syrnaʒe] v. intr. ▪ conjug. 3. **1.** Se soutenir, rester à la surface d'un liquide. ⇒ **flotter.** *Une mouche morte surnageait dans son verre.* **2.** Abstrait. Subsister, se maintenir (parmi ce qui disparaît).

surnaturel, elle [syrnatyrɛl] adj. **1.** D'origine divine. *L'action surnaturelle de la grâce.* **2.** Qui dépasse les lois de la nature, les explications scientifiques. ⇒ **magique.** *Un sorcier, un mage qui prétend avoir des pouvoirs surnaturels. Une apparition surnaturelle.* ⇒ **miraculeux.** — N. m. *Ils admettent le surnaturel.* **3.** Extraordinaire, prodigieux. *Une beauté surnaturelle.* ⇒ **fantastique.**

surnom [syrnɔ̃] n. m. **1.** Nom ajouté (lorsqu'il ne s'agit pas du nom de famille). *Le Bel* (le « beau »), *surnom de Philippe IV.* **2.** Nom attribué à une personne par d'autres. ≠ *pseudonyme.* ▸ *surnommer* v. tr. ▪ conjug. 1. ▪ Désigner par un surnom. *On l'a surnommé Jacques junior, parce qu'il a le même prénom que son père.*

en surnombre [ɑ̃syrnɔ̃br] loc. adv. ▪ En trop, par rapport à un nombre normal. *On a reproché au conducteur d'avoir pris des voyageurs en surnombre.* ⇒ **surnuméraire.**

surnuméraire [syrnymerɛr] adj. ▪ Terme administratif. Qui est en surnombre.

suroît [syrwa] n. m. **I.** Vent du sud-ouest, dans le langage des marins. (Correspond à *noroît*.) **II.** Chapeau imperméable de marin. *Un pêcheur en ciré avec son suroît.*

surpasser [syrpase] v. tr. ▪ conjug. 1. ▪ Être supérieur à (qqn) sous certains rapports. *Il surpasse son frère, tant en force qu'en souplesse.* — V. pron. réfl. SE SURPASSER : faire encore mieux qu'à l'ordinaire. *La cuisinière s'est surpassée.*

surpeuplé, ée [syrpœple] adj. ▪ Dont les habitants sont trop nombreux. *Région, maison surpeuplée.* / contr. **dépeuplé** / ▸ *surpeuplement* n. m. ▪ État d'un lieu surpeuplé. ▸ *surpopulation* n. f. ▪ Population excessive par rapport aux ressources disponibles.

surplis [syrpli] n. m. invar. ▪ Vêtement liturgique, blanc, à manches larges, souvent plissé, porté par-dessus la soutane.

surplomb [syrplɔ̃] n. m. ▪ Partie d'un bâtiment qui est en saillie par rapport à la base. — EN SURPLOMB : qui présente un surplomb. *Une falaise* *en surplomb,* dont la base est creusée par l'action des vagues. ▶ **surplomber** v. ▪ conjug. 1. **1.** V. intr. Dépasser par le sommet la ligne de l'aplomb. *Mur qui surplombe,* qui penche. **2.** V. tr. Faire saillie au-dessus de. *Le viaduc surplombe le port.* ▶ **surplombant, ante** adj. ▪ Qui surplombe, fait saillie.

surplus [syʀply] n. m. invar. **1.** Ce qui excède la quantité, la somme voulue. ⇒ **excédent.** — Stock vendu à très bas prix. *Les surplus américains* (stocks de matériel militaire). **2.** Littér. Loc. AU SURPLUS : au reste, d'ailleurs.

surprendre [syʀpʀɑ̃dʀ] v. tr. ▪ conjug. 58. **1.** Prendre sur le fait. *On les a surpris en train de fouiller dans l'armoire.* — Découvrir (ce que qqn cache). *Tu as surpris mon secret.* **2.** Se présenter inopinément à (qqn). *Il m'a surprise en petite tenue.* — Attaquer par surprise. *La sentinelle, la patrouille s'est laissé surprendre.* — (Suj. chose) *L'orage nous a surpris.* **3.** Frapper l'esprit de (qqn qui ne s'y attend pas ou s'attend à autre chose). ⇒ **déconcerter, étonner, stupéfier.** *Vous me surprenez, cela semble incroyable. Cela me surprendrait,* je ne crois pas que ce soit possible. — Au passif et au p. p. adj. *J'en suis surpris, agréablement surpris. Il paraît surpris de nous trouver ici, que nous soyons ici.* **4.** V. pron. SE SURPRENDRE À (+ infinitif) : se découvrir soudain en train de (faire, penser qqch. sans l'avoir voulu). *Je me suis surpris à le tutoyer.* **5.** Loc. Littér. *Surprendre la bonne foi de qqn,* le tromper en lui faisant commettre de bonne foi une faute, une erreur. ▶ **surprenant, ante** adj. **1.** Qui surprend, étonne. ⇒ **étonnant.** *Une surprenante nouvelle.* **2.** Remarquable. *Ses progrès ont été surprenants.* ▶ **surprise** n. f. **1.** Action ou attaque inopinée (surtout dans la loc. PAR SURPRISE). *Vous avez obtenu mon accord par surprise.* — En appos. *Une grève surprise, inattendue, soudaine.* **2.** État de qui est surpris, émotion provoquée par qqch. d'inattendu. ⇒ **étonnement.** *Sa surprise n'était pas feinte. Une exclamation de surprise. A ma grande surprise, il m'a remerciée.* **3.** Ce qui surprend ; chose inattendue. *Une mauvaise surprise l'attend. Un voyage sans surprise,* qui se passe normalement. **4.** Plaisir ou cadeau fait à qqn de manière à le surprendre agréablement. *Il veut vous faire une surprise, vous apporter une petite surprise.* — En appos. *Pochette-surprise.* ⇒ **pochette.** ▶ **surprise-partie** n. f. ▪ Vx. Soirée ou après-midi dansante de jeunes gens, qui a lieu chez l'un d'entre eux. ⇒ **partie, réunion.** *Des surprises-parties.*

surproduction [syʀpʀɔdyksjɔ̃] n. f. ▪ Production excessive. / contr. **sous-production** / *La surproduction entraîne des surplus.*

surréalisme [syʀʀealism] n. m. ▪ Ensemble de procédés de création et d'expression utilisant des forces psychiques (automatisme, rêve, inconscient) libérées du contrôle de la raison ; mouvement littéraire et artistique (fondé par André Breton) recommandant ces formes. ▶ **surréaliste** adj. et n. ▪ *La poésie surréaliste. Peintre surréaliste.* — N. *Les surréalistes belges.*

surrénal, ale, aux [syʀenal, o] adj. et n. ▪ Placé au-dessus du rein. — N. f. *Les surrénales,* glandes endocrines qui produisent l'adrénaline.

sursaut [syʀso] n. m. **1.** Mouvement involontaire qui fait qu'on se dresse brusquement, sous l'action d'une sensation brutale. ⇒ **soubresaut.** *Il a eu un sursaut en entendant frapper à la fenêtre. Se réveiller* EN SURSAUT : brusquement. **2.** Regain subit (d'un sentiment conduisant à une réaction vive). *Dans un dernier sursaut d'énergie.* ▶ **sursauter** v. intr. ▪ conjug. 1. ▪ Avoir un sursaut. ⇒ **tressaillir, tressauter.** *Sursauter de peur.*

surseoir [syʀswaʀ] v. tr. ind. ▪ conjug. 26. (forme en *-oi*) ▪ SURSEOIR À : attendre l'expiration d'un délai pour procéder à (un acte juridique, l'application de certaines mesures...). ⇒ **différer, remettre.** *Le juge sursoit à l'exécution de la peine.* ⟨ ▶ **sursis** ⟩

sursis [syʀsi] n. m. invar. **1.** Décision de surseoir à qqch., remise à une date postérieure. *Sursis (à l'exécution des peines),* grâce accordée sous condition par le tribunal au délinquant qui n'a pas subi de condamnation antérieure. *Trois ans de prison dont deux avec sursis* (un an de prison ferme). *Sursis (d'appel, d'incorporation),* report du service militaire à une date postérieure à la date normale. *Étudiant qui demande un sursis.* **2.** Période de répit. ⇒ **délai.** *Les vacances laissent un sursis au gouvernement.* ▶ **sursitaire** adj. et n. ▪ Qui bénéficie d'un sursis, notamment un sursis d'incorporation.

surtaxe [syʀtaks] n. f. ▪ Majoration d'une taxe ; droit perçu en même temps qu'une autre taxe. *Ta lettre était insuffisamment affranchie et j'ai dû payer une surtaxe.*

① **surtout** [syʀtu] adv. **1.** Avant tout, plus que tout autre chose. — (Renforçant un conseil, un ordre) *Surtout ne dites rien !* **2.** Plus particulièrement. ⇒ **principalement.** *Il aime le sport, surtout le football.* **3.** Fam. SURTOUT QUE... : d'autant plus que... (emploi critiqué).

② **surtout** n. m. ▪ Pièce de vaisselle ou d'orfèvrerie décorative, qu'on place sur une table. *Des surtouts de vermeil.*

surveiller [syʀveje] v. tr. ▪ conjug. 1. **1.** Observer (qqn) avec une attention soutenue, de manière à exercer un contrôle, à maintenir l'ordre, à éviter un danger. *Il nous surveille de près.* — Au p. p. adj. LIBERTÉ SURVEILLÉE : situation de délinquants laissés libres mais obligés de rendre compte de leurs activités à la police. **2.** Suivre avec attention (un travail) de manière à constater si tout se déroule comme il faut. ⇒ **contrôler, inspecter.** **3.** Être attentif à (qqch. de personnel). *Elle surveille sa ligne,* elle craint de grossir. *Surveillez votre langage !* — Pronominalement (réfl.). *Il ne se surveille pas assez quand il parle.* ▶ **surveillance** [syʀvejɑ̃s] n. f. ▪ Le fait de surveiller ; ensemble des actes par lesquels on exerce un contrôle suivi. *La surveillance des gardiens s'était relâchée. Être sous la surveillance de qqn,* être surveillé par lui. *On lui a confié la surveillance des travaux.* — *Direction de la surveillance du territoire* (D.S.T.), chargée de la répression de l'espionnage, en France. — *Surveillance médicale,* situation d'un malade, d'un blessé dont l'état est suivi attentivement par les médecins. ▶ **surveillant, ante** n. **1.** Personne qui surveille ce dont elle a la responsabilité. ⇒ **garde, gardien.** — Agent chargé de surveiller des travaux. **2.** Personne chargée de la discipline dans un établissement d'enseignement, une communauté. *Surveillant d'internat.* ⇒ fam. **pion.** — *Surveillant(e) général(e),* membre du personnel administratif d'un lycée, au-dessous du proviseur et du principal (abrév. fam. : SURGÉ).

survenir [syʀvəniʀ] v. intr. ▪ conjug. 22. ▪ (Personnes, choses) Arriver, venir à l'improviste, brusquement. *Une grave crise est survenue.* — Impers. *S'il survient un visiteur, dites que je ne suis pas là.*

survêtement [syʀvɛtmɑ̃] n. m. ▪ Blouson, pantalon molletonné que les sportifs passent sur leur tenue de sport (abrév. fam. : SURVÊT [syʀvɛt] n. m.).

survie [syʀvi] n. f. **1.** Vie de l'âme après la mort. **2.** Le fait de survivre, de se maintenir en vie. *Une survie de plusieurs années obtenue grâce à une intervention chirurgicale. Un équipement de survie.*

survivre [syʀvivʀ] v. ■ conjug. 46. **I.** V. tr. ind. SURVIVRE À. **1.** Demeurer en vie après la mort de (qqn). *Il a survécu à tous les siens.* — Vivre encore après (un temps révolu, une chose passée). **2.** (Choses) Exister encore après, durer plus longtemps que. *L'œuvre d'art survit à son auteur.* **3.** Continuer à vivre après (une chose insupportable). *Il n'a pu survivre à la honte.* **4.** Échapper à (une mort violente et collective). *Il a survécu à la déportation* (⇒ **survivant**). **5.** SE SURVIVRE v. pron. : continuer à exercer une influence, après sa mort. *Il se survit dans ses enfants.* — Vivre encore alors qu'on n'est plus soi-même, qu'on a perdu ses qualités. *Cet auteur se survit, il n'écrit plus rien de bon.* **II.** V. intr. **1.** Continuer à vivre, rester en vie. *L'espoir de survivre.* **2.** (Choses) Rester, subsister. *Rien ne survivra de cette œuvre.* ▶ **survivance** n. f. ■ Ce qui survit, ce qui subsiste d'une chose disparue. *En France, la Légion d'honneur est une survivance de l'Empire.* ▶ **survivant, ante** n. **1.** Personne qui survit à qqn, à d'autres. *La totalité des biens appartiendra au dernier survivant,* à celui ou celle (mari ou femme) qui vivra le plus longtemps. **2.** Personne qui survit à l'époque, à la société à laquelle elle appartenait. *Les rares survivants d'une époque révolue.* **3.** Personne qui a échappé à la mort là où d'autres sont mortes. ⇒ **rescapé.** *Il n'y a aucun survivant parmi les passagers de l'avion,* tous sont morts.

survoler [syʀvɔle] v. tr. ■ conjug. 1. **1.** (Oiseaux, avions...) Voler au-dessus de. *Nous avons survolé les Alpes.* **2.** Examiner de façon rapide et superficielle. *Il n'a fait que survoler la question.* ▶ **survol** n. m. ■ Action de survoler (1 ou 2).

survolté, ée [syʀvɔlte] adj. **1.** (Courant, appareil électrique) Dont le potentiel est anormalement élevé. **2.** Dont la tension nerveuse est extrême. ⇒ **surexcité.** *Il était survolté.*

sus [sy(s)] adv. **1.** Littér. *Courir sus à qqn,* l'attaquer. *Sus* [sys] *à l'ennemi ! 2.* EN SUS DE loc. prép. : en plus de (une somme fixée par la loi).

sus-, -sus ■ Éléments qui signifient « en haut, plus haut, sur » (ex. : *susdit, dessus*). ⇒ **sur-.**

① **susceptible** [sysɛptibl] adj. — SUSCEPTIBLE DE. **1.** Qui peut présenter (un caractère), recevoir (une impression), subir (une modification). *Cette phrase est susceptible de deux interprétations, d'être interprétée de deux façons.* **2.** (+ infinitif) Capable de (par capacité ou à l'occasion). *Des propositions susceptibles de vous intéresser. Il est susceptible d'accepter.*

② **susceptible** adj. ■ (Personnes) Particulièrement sensible dans son amour-propre ; qui se vexe, s'offense facilement. ⇒ **chatouilleux, ombrageux.** *Il est très susceptible. Je ne suis pas particulièrement susceptible, mais il a été trop loin.* ▶ **susceptibilité** n. f. ■ Caractère d'une personne susceptible. *Vous devrez ménager sa susceptibilité.*

susciter [sysite] v. tr. ■ conjug. 1. **1.** Littér. Faire exister (qqch.) pour aider ou pour contrecarrer, faire agir (qqn) en tant qu'ami ou ennemi. ⇒ **créer.** *On lui a suscité des ennuis, des adversaires.* **2.** Faire naître (un sentiment, une idée). ⇒ **éveiller, exciter, provoquer, soulever.** *L'affaire suscitait un intérêt profond.* — REM. *Ressusciter* a la même origine latine.

suscription [syskʀipsjɔ̃] n. f. ■ Terme administratif. Adresse d'une lettre. ≠ *souscription.*

susdit, dite [sysdi, dit] adj. ■ Didact. Dit, mentionné ci-dessus.

suspect, ecte [syspɛ, ɛkt] adj. et n. **1.** (Personnes) Qui est soupçonné ou éveille les soupçons. *Un individu suspect. Ils se sont rendus suspects à tous par leurs* réponses contradictoires. — N. *Trois suspects ont été arrêtés.* — *Suspect de...,* qu'on soupçonne ou peut soupçonner de... ⇒ **douteux, louche ; suspicion.** **2.** (Choses) Qui éveille les soupçons ou le doute. *Un témoignage suspect. Son enthousiasme m'est suspect.* ▶ **suspecter** [syspɛkte] v. tr. ■ conjug. 1. ■ Tenir pour suspect (une personne ou une chose). ⇒ **soupçonner.** *Il s'indigne qu'on suspecte sa bonne foi. On le suspecte de mensonge, d'avoir menti.*

① **suspendre** [syspɑ̃dʀ] v. tr. ■ conjug. 41. **1.** Interrompre (une action) pour quelque temps. ⇒ **arrêter.** / contr. **continuer** / *On a dû suspendre la séance. Les combats sont suspendus pour deux jours par une trêve* (⇒ ① **suspension**). **2.** Mettre un terme aux activités, aux effets de. *Les autorités ont suspendu certaines libertés, certains journaux.* — *Suspendre qqn,* le destituer provisoirement. **3.** Remettre à plus tard, réserver. *Je suspends mon jugement.* ‹ ▶ en suspens, suspense, ① suspension ›

② **suspendre** v. tr. ■ conjug. 41. **1.** Tenir ou faire tenir (une chose, une personne), de manière à ce qu'elle pende. *Suspendre un jambon au plafond, un tableau au mur.* — Au p. adj. *Un lustre suspendu à un crochet.* — Pronominalement. *Il s'est suspendu au trapèze.* **2.** Être suspendu aux lèvres de qqn, l'écouter avec avidité. *Boire ses paroles.* ▶ **suspendu, ue** adj. **1.** PONT SUSPENDU : dont le tablier est maintenu par des câbles. **2.** *Véhicule* BIEN, MAL SUSPENDU : dont la suspension (②, I, 2) est plus ou moins souple. **3.** Qui semble être accroché à une certaine hauteur. *Un village suspendu aux rochers. Jardins suspendus,* en terrasses. ‹ ▶ ② suspension ›

en suspens [ɑ̃syspɑ̃] loc. adv. ■ Dans l'indécision, sans solution, sans achèvement. *La question reste en suspens. On a laissé les travaux en suspens.*

suspense [syspɛns] n. m. ■ Anglic. Dans un film, un récit, etc. Moment ou passage qui fait naître un sentiment d'attente angoissée. — Ce sentiment. *À la fin du match, il y a eu du suspense, un beau suspense.* — REM. On peut dire (mieux) *du suspens* [syspɑ̃].

① **suspension** [syspɑ̃sjɔ̃] n. f. **1.** Interruption ou remise à plus tard. — Loc. *Suspension d'armes,* arrêt concerté, local et momentané, des opérations de guerre. ⇒ **trêve.** *Suspension d'audience,* décidée par le président du tribunal. **2.** Fait de retirer ses fonctions (à un magistrat, à un fonctionnaire) à titre de sanction disciplinaire. **3.** POINTS DE SUSPENSION : notés ... marquent l'interruption d'un énoncé ; notés (...), entre parenthèses, marquent une coupure dans le texte cité.

② **suspension** n. f. **I. 1.** Manière dont un objet suspendu est maintenu en équilibre stable. *La suspension du tablier d'un pont* (suspendu) *par des câbles tendus entre les pylônes.* **2.** Appui élastique (d'un véhicule) sur ses roues. *Une bonne suspension.* — Ensemble des pièces (amortisseurs, ressorts) assurant la liaison élastique du véhicule et des roues. **3.** EN SUSPENSION : se dit de particules solides baignant dans un liquide ou dans un gaz (opposé à *décantation, précipitation*). **II.** Appareil d'éclairage muni de lampes et d'un abat-jour. ⇒ **lustre.** *Une suspension et des appliques.*

suspicion [syspisjɔ̃] n. f. ■ Littér. Le fait de considérer comme suspect, de ne pas avoir confiance. ⇒ **défiance, méfiance.** *Il nous tient en suspicion. Un regard plein de suspicion.* ⇒ **soupçon.**

sustentation [systɑ̃tasjɔ̃] n. f. ■ Fait de soutenir, de se soutenir en équilibre. — Loc. *Polygone de sustentation,* formé par des points d'appui au sol qui permettent de rester en équilibre stable.

se **sustenter** [systɑ̃te] v. pron. ■ conjug. 1. ■ Se nourrir. ⇒ se **restaurer.**

susurrer [sysyʀe] v. ▪ conjug. 1. 1. ▪ V. intr. Murmurer doucement. ⇒ **chuchoter. 2.** ▪ V. tr. *Il lui susurrait des mots doux à l'oreille.*

suture [sytyʀ] n. f. ▪ Réunion, à l'aide de fils, de parties de chair coupées. *On a fait au blessé une suture, plusieurs points de suture.*

suzerain, aine [syzʀɛ̃, ɛn] n. ▪ Dans le système féodal. Seigneur qui avait concédé un fief à un vassal. *Le suzerain devait protection et justice à ses vassaux.* ▶ **suzeraineté** n. f. ▪ Qualité de suzerain. — Littér. Souveraineté.

svastika ou **swastika** [svastika] n. m. **1.** Emblème religieux de l'Inde, croix à extrémités à angle droit. **2.** Croix gammée, ressemblant au svastika (1). *Le svastika, emblème du parti nazi.*

svelte [svɛlt] adj. ▪ Qui produit une impression de légèreté, de souplesse, par sa forme élancée. ⇒ **fin, mince.** *Une svelte jeune fille. Une taille svelte.* ▶ **sveltesse** n. f.

S.V.P. [ɛsvepe] ▪ Abrév. de *s'il vous plaît.*

sweater [switœr] n. m. ▪ Anglic. Gilet (de laine, de coton, etc.) à manches longues. ▶ **sweat-shirt** [switʃœrt] n. m. ▪ Anglic. Vêtement de sport couvrant le torse (en coton, tissu éponge, etc.), serrant la taille et les poignets. *Des sweat-shirts.* ≠ *tee-shirt.*

sweepstake [swipstɛk] n. m. ▪ Anglic. Loterie où l'attribution des prix dépend à la fois d'un tirage et du résultat d'une course. *Des sweepstakes.*

① **swing** [swiŋ] n. m. Anglic. **1.** Coup de poing donné en ramenant horizontalement ou obliquement le bras, de l'extérieur à l'intérieur. **2.** Au golf. Mouvement de balancement du joueur qui frappe la balle.

② **swing** n. m. Anglic. **1.** Vx. Danse sur une musique très rythmée, inspirée du jazz. *Orchestre de swing.* **2.** Fluidité rythmique propre à la musique de jazz. *Cet orchestre a du swing.*

sybarite [sibaʀit] n. ▪ Littér. Personne qui, comme les habitants de l'antique Sybaris, recherche les plaisirs de la vie dans une atmosphère raffinée. ⇒ **jouisseur, voluptueux.** ▶ **sybaritisme** n. m.

sycomore [sikɔmɔʀ] n. m. **1.** Figuier originaire d'Égypte, au bois très léger et imputrescible. **2.** Érable blanc, faux platane.

syllabe [si(l)lab] n. f. ▪ Voyelle ou groupe de consonnes et de voyelles se prononçant d'une seule émission de voix. *Parler en détachant les syllabes. Des vers de douze syllabes* (alexandrins). ≠ *pied. Il n'a pas prononcé une syllabe, un seul mot.* ▶ **syllabique** adj. ⟨ ▶ dissyllabique, monosyllabe, octosyllabe ⟩

syllogisme [si(l)lɔʒism] n. m. ▪ Raisonnement déductif rigoureux qui, ne supposant aucune proposition étrangère sous-entendue, lie des prémisses* à une conclusion (ex. : *Si tout B est A et si tout C est B, alors tout C est A*).

sylphe [silf] n. m. ▪ Génie aérien des mythologies gauloise et germanique. ⇒ **elfe.** ▶ **sylphide** [silfid] n. f. ▪ Génie aérien féminin plein de grâce. *Elle a une taille de sylphide,* très mince.

sylvestre [silvɛstʀ] adj. ▪ Littér. Propre aux forêts, aux bois. ▶ **sylviculture** n. f. ▪ Exploitation rationnelle des arbres forestiers (conservation, entretien, reboisement, etc.). ⇒ **foresterie.**

sym- ⇒ **syn-.**

symbiose [sɛ̃bjoz] n. f. **1.** En sciences. Association biologique, durable et réciproquement profitable, entre deux ou plusieurs êtres vivants. *Les lichens sont* formés d'algues et de champignons vivant en symbiose. **2.** Littér. Étroite union. *Symbiose entre deux théories.*

symbole [sɛ̃bɔl] n. m. **I. 1.** Être, objet ou fait qui, par sa forme ou sa nature, évoque spontanément (dans une société ou une civilisation donnée) quelque chose d'abstrait ou d'absent. ⇒ **signe.** *La colombe est le symbole de la paix. Marianne est le symbole de la République française. Les mythes et les symboles populaires.* — Image ou énoncé qui vaut par ce qu'il (elle) évoque. ⇒ **allégorie, image, métaphore. 2.** Signe ou abréviation conventionnel(le) employé(e) dans les sciences. *Symbole algébrique.* 0, *symbole chimique de l'oxygène.* **3.** Personne qui représente, évoque (qqch.) de façon exemplaire. ⇒ **personnification.** *Elle est le symbole de la générosité.* **II.** Formule dans laquelle l'Église chrétienne résume sa foi. *Le symbole des apôtres commence par « Je crois en Dieu... ».* ▶ **symbolique** adj. et n. f. **I.** Adj. **1.** Qui constitue un symbole, repose sur un ou des symboles. ⇒ **allégorique, emblématique. 2.** Qui vaut surtout par ce qu'il représente ; qui est le signe d'autre chose. *Il a obtenu le franc symbolique de dommages et intérêts. Un salaire symbolique,* minuscule. **II.** N. f. Système de symboles. *La symbolique des animaux, au Moyen Âge.* ▶ **symboliquement** adv. ▶ **symboliser** v. tr. ▪ conjug. 1. **1.** Représenter par un symbole. *La balance symbolise la justice.* **2.** (Personnes ou choses) Être le symbole de (une abstraction). ▶ **symbolisme** n. m. **1.** Figuration par les symboles, système de symboles. *Le symbolisme religieux. Le symbolisme des masques africains.* **2.** Mouvement littéraire et d'arts plastiques (de la fin du XIXᵉ s.) qui s'efforça de fonder l'art sur une vision symbolique et spirituelle du monde. ▶ **symboliste** adj. et n. ▪ Du symbolisme. — N. Membre du mouvement du symbolisme.

symétrie [simetʀi] n. f. **1.** Distribution régulière de parties, d'objets semblables de part et d'autre d'un axe, autour d'un centre. *La parfaite symétrie des deux ailes d'un château. La symétrie de deux points par rapport à un troisième* (qui se trouve au milieu du segment qui joint les deux autres). *Axe de symétrie,* droite par rapport à laquelle il y a symétrie (1). **2.** Littér. Régularité et harmonie, dans les parties d'un objet ou dans la disposition d'objets semblables. *Un visage qui manque de symétrie.* ▶ **symétrique** adj. ▪ Qui présente une symétrie, est en rapport de symétrie (1). ▶ **symétriquement** adv. ▪ *Des ornements disposés symétriquement.* ⟨ ▶ asymétrie, dissymétrie ⟩

sympa adj. Fam. ⇒ ① **sympathique.**

sympathie [sɛ̃pati] n. f. **1.** Relations entre personnes qui, ayant des affinités, se conviennent, se plaisent spontanément et réciproquement. *La sympathie qui existe entre eux.* ⇒ **entente.** — Sentiment chaleureux et spontané qu'une personne éprouve (pour une autre). ⇒ **amitié, cordialité.** / contr. **antipathie** / *J'ai beaucoup de sympathie pour lui.* **2.** Bonne disposition (à l'égard d'une action, d'une production humaine). *Accueillir un projet avec sympathie.* **3.** Participation à la douleur d'autrui (*-pathie* veut dire « douleur »), fait de ressentir tout ce qui le touche. *Croyez à toute ma sympathie* (⇒ **condoléances**). ▶ ① **sympathique** adj. **I.** *Encre* sympathique.* **II. 1.** Qui inspire la sympathie. ⇒ **agréable, aimable.** / contr. **antipathique** / *Je le trouve très sympathique. Il m'est très sympathique.* **2.** (Choses) Fam. Très agréable. *Une petite plage sympathique.* — Abrév. fam. invar. SYMPA. *Ils sont sympa. Une soirée assez sympa.* ▶ **sympathiquement** adv. ▪ Avec sympathie, d'une façon sympathique. ▶ **sympathiser** v. intr. ▪ conjug. 1. ▪ S'entendre bien dès la première rencontre. *Nous avons tout de suite sympathisé.* ▶ **sympathisant, ante** n. ▪ Personne qui, sans appartenir à un parti, à un groupe, approuve l'essentiel de sa politique, de son action. *Les militants et les sympathisants.*

② *sympathique* n. m. ■ LE SYMPATHIQUE : système nerveux périphérique *(orthosympathique)* qui commande les mouvements inconscients, incontrôlés comme ceux de l'œil, du cœur, des poumons, la sueur, les frissons, etc. — REM. On disait aussi : *le grand sympathique.*

symphonie [sɛ̃fɔni] n. f. 1. Composition musicale à plusieurs mouvements, construite sur le plan de la sonate* et exécutée par un nombre important d'instrumentistes. *Les neuf symphonies de Beethoven.* — *Symphonie concertante,* concerto à plusieurs solistes. 2. Littér. Ensemble harmonieux. *Une symphonie de parfums.* ▶ *symphonique* adj. 1. POÈME SYMPHONIQUE : composition musicale assez ample, écrite pour tout l'orchestre et illustrant un thème précis. 2. Qui appartient à la symphonie, à la musique classique pour grand orchestre. *Concert, musique symphonique.*

symptôme [sɛ̃ptom] n. m. 1. Phénomène, caractère observable lié à une maladie qu'il permet de déceler, dont il est le signe*. *Plusieurs symptômes associés font un syndrome.* 2. Ce qui manifeste, révèle ou permet de prévoir (un état, une évolution). ⇒ **signe.** *Les symptômes avant-coureurs d'une crise.* ▶ *symptomatique* [sɛ̃ptɔmatik] adj. 1. Qui constitue un symptôme de maladie. *Une douleur symptomatique.* 2. Qui révèle ou fait prévoir (un état ou un processus caché). ⇒ **caractéristique.** *Leur réaction a été symptomatique.*

syn- ou *sy-, syl-, sym-* ■ Éléments de mots savants, qui marquent l'idée de réunion dans l'espace ou le temps.

synagogue [sinagɔg] n. f. ■ Édifice, temple consacré au culte israélite.

synchrone [sɛ̃kʀon] adj. ■ Qui se produit dans le même temps ou à des intervalles de temps égaux. ⇒ **simultané.** *Mouvements synchrones.* ▶ *synchronique* adj. ■ Qui concerne, étudie les phénomènes, les événements qui ont lieu en même temps. ▶ *synchroniser* [sɛ̃kʀonize] v. tr. ▪ conjug. 1. 1. Rendre synchrones (des phénomènes, des mouvements, des mécanismes). — Au p. p. adj. *Gymnaste parfaitement synchronisé,* dont les gestes s'enchaînent harmonieusement. *Feux de signalisation synchronisés,* assurant une circulation régulière. — Mettre en concordance (la piste sonore et la bande des images d'un film). ⇒ **postsynchroniser.** 2. Faire s'accomplir simultanément (plusieurs actions appartenant à des séries différentes). ▶ *synchronisation* n. f. ■ Opération par laquelle on synchronise (1). ▶ *synchronisme* n. m. 1. Caractère de ce qui est synchrone (phénomènes physiques, mouvements) ou synchronisé (mécanismes, dispositifs). 2. Coïncidence de dates, identité ou concordance d'époques. / contr. **anachronisme** / ⟨ ▶ postsynchroniser ⟩

① *syncope* [sɛ̃kɔp] n. f. ■ Arrêt ou ralentissement marqué des battements du cœur, accompagné de la suspension de la respiration et de la perte de la conscience. ⇒ **évanouissement.** *Avoir une syncope. Tomber en syncope.*

② *syncope* n. f. ■ En musique. Prolongation sur un temps fort d'un élément accentué sur un temps faible. ▶ *syncopé, ée* adj. ■ Caractérisé par un emploi systématique de la syncope. *Le rythme syncopé du swing, du rock.*

syncrétisme [sɛ̃kʀetism] n. m. ■ Didact. Combinaison de doctrines, de systèmes initialement incompatibles. *Le syncrétisme religieux du vaudou.*

syndic [sɛ̃dik] n. m. 1. Au Moyen Âge. Représentant des habitants, dans les villes franches. 2. *Syndic des gens de mer,* agent des Affaires maritimes chargé d'un bureau d'affaires maritimes. 3. *Syndic de faillite,* auxiliaire de justice chargé par un tribunal d'administrer provisoirement une entreprise en faillite. 4. Mandataire choisi par les copropriétaires d'un immeuble et chargé de l'administrer. ⟨ ▶ syndicat ⟩

syndicat [sɛ̃dika] n. m. 1. Association qui a pour objet la défense d'intérêts communs. *Un syndicat de copropriétaires. Syndicat de communes,* qui gère des services communs à plusieurs communes. — SYNDICAT D'INITIATIVE : organisme destiné à développer le tourisme dans une localité ; service qui en dépend. 2. Association qui a pour objet la défense d'intérêts professionnels. *Syndicat patronal. Syndicats ouvriers.* 3. (Employé seul) Syndicat, syndicat ouvrier, de salariés. *L'action sociale, les revendications salariales des syndicats.* ⇒ **syndicalisme ; syndical** (2). ▶ *syndical, ale, aux* adj. 1. Relatif à une association professionnelle. *Chambre syndicale,* syndicat patronal. 2. Relatif à un syndicat de salariés, au syndicalisme. *Les grandes centrales syndicales françaises* (C.G.T., F.O., C.F.D.T.). *Délégué syndical.* ▶ **syndicaliste.** *Luttes syndicales.* ▶ *syndicalisme* n. m. ■ Le fait social et politique que représentent l'existence et l'action des syndicats de travailleurs salariés (⇒ **syndicat,** 2, 3) ; leur mouvement, leur doctrine. *Les lois sociales sont une conquête du syndicalisme.* — Activité exercée dans un syndicat. *Faire du syndicalisme.* ▶ *syndicaliste* n. ■ Personne qui fait partie d'un syndicat et y joue un rôle actif. — Adj. *Le mouvement syndicaliste.* ▶ *se syndiquer* v. pron. ▪ conjug. 1. ■ Se grouper en un syndicat ; adhérer à un syndicat (surtout 3). ▶ *syndiqué, ée* adj. ■ Qui fait partie d'un syndicat. — N. *Les syndiqués et les non-syndiqués d'une entreprise.*

syndrome [sɛ̃dʀom] n. m. ■ En médecine. Ensemble de symptômes cliniques ou biologiques (analyses), caractérisant un état pathologique et permettant d'orienter le diagnostic.

synecdoque [synɛkdɔk] n. f. ■ Didact. Figure de rhétorique qui consiste à prendre le plus pour le moins, la partie pour le tout (ex. : *une voile* pour *un navire,* le singulier pour le pluriel (ex. : *l'ennemi* pour *les ennemis*) ... ou inversement.

synergie [sinɛʀʒi] n. f. 1. Action coordonnée de plusieurs organes qui concourent à une seule action. *Synergie musculaire.* 2. Action coordonnée de plusieurs éléments. *Créer une synergie à l'intérieur des services d'une entreprise.*

synode [sinɔd] n. m. ■ Assemblée d'ecclésiastiques convoquée par un évêque. — Dans certaines Églises protestantes. Réunion de pasteurs. — *Le saint-synode,* le conseil suprême de l'Église russe.

synodique [sinɔdik] adj. ■ En astronomie. Relatif à une conjonction d'astres.

synonyme [sinɔnim] adj. et n. m. 1. Adj. Se dit de mots ou d'expressions qui ont un sens identique ou très voisin. « *Marjolaine* » et « *origan* », « *jaunisse* » et « *ictère* » sont synonymes. — Pour eux, *modernisme* est synonyme de *décadence,* équivaut à. 2. N. m. Mot ou expression synonyme. *Les synonymes exacts sont rares.* ▶ *synonymie* n. f. ■ Relation entre deux mots, deux expressions synonymes. ▶ *synonymique* adj.

synopsis [sinɔpsis] n. m. ou f. invar. ■ Cinéma. Récit très bref qui constitue un schéma de scénario*.

synoptique [sinɔptik] adj. 1. Qui donne une vue générale. *Un tableau synoptique.* 2. *Les Évangiles synoptiques* ou, n. m. pl., *les synoptiques,* les trois

Évangiles (de saint Matthieu, de saint Marc, de saint Luc) dont les plans sont à peu près semblables.

synovie [sinɔvi] n. f. ■ Liquide d'aspect filant qui lubrifie les articulations mobiles (notamment au genou). *Un épanchement de synovie.* ▶ **synovial, ale, aux** adj. ■ *Le liquide synovial.*

syntagme [sɛ̃tagm] n. m. ■ En linguistique. Groupe de mots formant une unité à l'intérieur de la phrase. *Syntagme nominal, syntagme verbal,* correspondant souvent au sujet et au prédicat d'une phrase.

syntaxe [sɛ̃taks] n. f. **1.** Étude des règles grammaticales d'une langue ; ces règles. ⇒ **grammaire.** ≠ *morphologie. Respecter la syntaxe.* **2.** Étude descriptive des relations existant entre les mots, les formes et les fonctions dans une langue. ⇒ **grammaire.** *La syntaxe fait partie de la linguistique.* — Ouvrage consacré à cette étude. ▶ **syntaxique** ou **syntactique** adj. ■ Grammatical.

synthèse [sɛ̃tɛz] n. f. **1.** Suite d'opérations mentales qui permettent d'aller des notions simples aux notions composées (opposé à *analyse*). **2.** Opération intellectuelle par laquelle on rassemble des éléments de connaissance en un ensemble cohérent. *Un effort de synthèse.* **3.** Formation d'un tout matériel au moyen d'éléments. ⇒ **composition, mélange.** — Préparation (d'un composé chimique) à partir des éléments constituants. *Un produit de synthèse.* ⇒ **synthétique** (2). **4.** Ensemble constitué par les éléments méthodiquement réunis. *L'auteur nous livre une vaste synthèse.* **5.** Notion philosophique qui réalise l'accord de la thèse et de l'antithèse en les faisant passer à un niveau supérieur (⇒ **dialectique**). ▶ **synthétique** adj. **1.** Qui constitue une synthèse ou provient d'une synthèse. **2.** Produit par synthèse chimique, artificiellement. *La vanilline est de la vanille synthétique* (⇒ **ersatz**). **3.** (Esprit) Apte à la synthèse, aux efforts de synthèse. ∕ contr. **analytique** ∕ ▶ **synthétiquement** adv. ■ Par une synthèse. ▶ **synthétiser** v. tr. ■ conjug. 1. ■ Associer, combiner par une synthèse. ▶ **synthétiseur** n. m. ■ Instrument de musique électronique à clavier dont chaque son est programmé par l'utilisateur et produit par une synthèse acoustique. ⟨ ▶ **photosynthèse** ⟩

syntoniseur [sɛ̃tɔnizœr] n. m. ■ (Terme recommandé à la place de *tuner*) Appareil de réception radio, élément d'une chaîne haute-fidélité.

syphilis [sifilis] n. f. invar. ■ Grave maladie sexuellement transmissible. ▶ **syphilitique** adj. et n.

système [sistɛm] n. m. **I. 1.** Ensemble abstrait dont les éléments sont coordonnés par une loi, une théorie. *Le système astronomique de Ptolémée a été remplacé par celui de Copernic. Le système philosophique de Sartre.* **2.** Ensemble de pratiques organisées en fonction d'un but. ⇒ **méthode.** *Le système de défense d'un accusé.* — Fam. Moyen habile. *Je connais le système.* LE SYSTÈME D : qui permet de se débrouiller. **3.** Ensemble de pratiques et d'institutions. *Système politique, social.* ⇒ **régime.** *Un système démocratique. Le système scolaire d'un pays.* — Absolt. La société et ses valeurs, senties comme des contraintes. *Il refuse le système.* **4.** ESPRIT DE SYSTÈME : tendance à organiser, à relier les connaissances particulières en ensembles cohérents ; (péj.) tendance à faire prévaloir la conformité à un système sur une juste appréciation du réel. **II. 1.** Ensemble complexe d'éléments naturels de même espèce ou de même fonction. ⇒ **structure.** *Le système solaire. Le système grammatical du français. Le système nerveux.* — Loc. fam. *Il commence à me* TAPER SUR LE SYSTÈME (nerveux) : à m'énerver. **2.** Dispositif, appareil complexe mis en œuvre pour aboutir à un résultat. *Système d'exploitation d'un ordinateur. Système d'alarme.* **3.** Ensemble structuré (de choses abstraites). *Système d'unités,* ensemble d'unités de mesures. *Le système décimal, métrique.* ▶ **systématique** adj. **1.** Qui appartient à un système intellectuel. **2.** Organisé méthodiquement. *Ce pays est victime d'une exploitation systématique.* **3.** Qui pense selon un système. — Péj. Qui préfère son système à toute autre raison. ⇒ **dogmatique.** ▶ **systématiquement** adv. ■ D'une manière systématique (2). *Ils s'opposent systématiquement à toute réforme.* ▶ **systématiser** v. tr. ■ conjug. 1. ■ Réunir (plusieurs éléments) en un système. *Il faut systématiser toutes ces mesures plus ou moins improvisées.* ▶ **systématisation** n. f.

systole [sistɔl] n. f. ■ Contraction du cœur (alternant avec la diastole*).

t

t [te] n. m. invar. **1.** Vingtième lettre, seizième consonne de l'alphabet. — REM. Le groupe *th* se prononce [t]. Le *t* final ne se prononce pas dans les formes verbales et dans un grand nombre de mots : *il dit* [di], *un rat* [ʀa], *un fagot* [fago]. Il se prononce dans certains mots : *net* [nɛt], *dot* [dɔt], etc. Le *t* euphonique se place entre le verbe et le pronom sujet dans l'inversion lorsque le verbe n'a pas de finale en *t* ou en *d* : *puisse-t-il, arrive-t-on,* mais *prend-elle* [pʀɑ̃tɛl], *vient-il* [vjɛ̃til]. Le groupe *tion* se prononce [sjɔ̃] : *nation. T* devant *i* se prononce tantôt [s] *(ambitieux, calvitie),* tantôt [t] *(matière, potier).* **2.** Forme du T majuscule. *Antenne en T.* ⇒ **té.**

ta ⇒ ① **ton.**

① *tabac* [taba] n. m. **1.** Plante originaire d'Amérique, haute et à larges feuilles, qui contient un alcaloïde, la nicotine. *Des cultures de tabac.* **2.** Produit manufacturé fait de feuilles de tabac séchées et préparées (pour priser, chiquer, fumer). *Tabac gris.* ⇒ **caporal.** *Fumer du tabac blond. Régie française des tabacs. Débit de tabac* ou *bureau de tabac.* — Loc. fam. *C'est toujours le même tabac,* c'est toujours la même chose. — Adj. invar. D'une couleur brun roux qui rappelle celle du tabac. *Des imperméables tabac.* **3.** *Un tabac,* un bureau de tabac. *Des cafés tabacs.* ▶ *tabagie* n. f. **I.** Endroit où l'on a beaucoup fumé. *Quelle tabagie, chez vous !* **II.** Au Québec. Bureau, débit de tabac et d'articles pour fumeurs. ▶ *tabatière* n. f. **1.** Petite boîte pour le tabac à priser. **2.** Lucarne à charnière. *Châssis à tabatière.*

② *tabac* n. m. **1.** Loc. PASSER *qqn,* PASSAGE À TABAC : (exercer des) violences sur une personne qui ne peut se défendre. **2.** Loc. fam. *Faire un tabac,* avoir un grand succès. *Ce film a fait un tabac.* / contr. ② **bide** / ▶ *tabasser* v. tr. ▪ conjug. 1. ▪ Fam. Battre, rouer de coups, passer à tabac. *Tabasse-le.* — *Ils se sont tabassés.*

tabernacle [tabɛʀnakl] n. m. ▪ Petite armoire qui occupe le milieu de l'autel d'une église et contient le ciboire.

tablature [tablatyʀ] n. f. ▪ Figuration graphique des sons musicaux propres à un instrument. *Tablature d'orgue.*

table [tabl] n. f. **I. 1.** Meuble sur pied comportant une surface plane. *Table de bois. Table ronde, rectangulaire ; à rallonges. Table basse. Table roulante.* **2.** Spécialt. Le meuble où l'on prend ses repas. — Loc. *Mettre la table,* disposer sur la table tout ce qu'il faut pour manger. — DE TABLE : qui sert au repas. *Linge de table, nappe, serviette. Service de table. Vin de table, huile de table.* — Loc. *Se mettre, être* À TABLE : attablé pour manger. *À table !,* passons, passez à table. — *Se lever, sortir de table. Quitter la table,* interrompre son repas. *Recevoir qqn à sa table.* — Loc. fig. SE METTRE À TABLE : avouer, dire ce qu'on a sur la conscience. — Ceux qui prennent leur repas, qui sont à table. ⇒ **tablée.** *Présider la table.* — *La table,* la nourriture servie à table. *Aimer la (bonne) table,* aimer la bonne chère, la bonne cuisine. **3.** Table (1) servant à d'autres usages que les repas. *Table de travail.* ⇒ **bureau.** *Table à dessin. Table d'opérations,* pour les opérations chirurgicales. — *Table à repasser,* planche montée sur pieds pliants pour repasser le linge. — *Table de jeu.* Loc. *Jouer cartes sur table,* ne rien dissimuler. — *Tennis de table,* le ping-pong. **4.** TABLE RONDE : autour de laquelle peuvent s'asseoir (sans hiérarchie) les représentants à un congrès, à une conférence. — Réunion pour discuter d'un problème. ⇒ **colloque.** *Organiser une table ronde sur un problème.* **5.** Meuble comprenant, outre un support plat, différentes parties (tiroirs, coffre, tablettes). — TABLE DE NUIT : petit meuble placé au chevet du lit. On dit aussi *table de chevet.* **6.** TABLE D'ORIENTATION : table circulaire de pierre, sur laquelle sont figurés les directions des points cardinaux et les principaux accidents topographiques visibles. **7.** Partie supérieure de l'autel. *La sainte table,* l'autel. **II.** Surface plane. **1.** Partie plane ou légèrement incurvée d'un instrument de musique sur laquelle les cordes sont tendues. *Table (d'harmonie),* sur laquelle repose le chevalet. **2.** TABLE D'ÉCOUTE : poste d'écoute qui permet d'entendre les communications téléphoniques à l'insu des usagers. **3.** Surface plane naturelle. *Une table calcaire.* **III. 1.** (Dans quelques emplois) Surface plane sur laquelle on peut écrire, graver, inscrire. ⇒ **tablette.** — Loc. FAIRE TABLE RASE *du passé* : le considérer comme inexistant, nul. — *Les* TABLES DE LA LOI (remises par Dieu à Moïse) : les commandements de Dieu. **2.** Présentation méthodique sous forme de liste ou de tableau*. ⇒ **index.** *Table alphabétique.* TABLE DES MATIÈRES : dans un livre, énumération des chapitres, des questions traitées. **3.** Recueil d'informations, de données (numériques, expérimentales), groupées de façon systématique. *Tables de multiplication. Table de vérité* (en logique). ◂ ▶ entablement, retable, s'attabler, tablature, tableau, tablée, tabler, tablette, ② tablier, tabulaire, tabulateur ▶

tableau 988

tableau [tablo] n. m. **I. 1.** Peinture exécutée sur un support rigide et autonome. ⇒ **toile.** *Un mauvais tableau.* ⇒ **croûte.** *Un tableau abstrait. Genre de tableaux.* ⇒ **marine, nature morte, paysage, portrait.** *Exposer ses tableaux. Marchand de tableaux.* **2.** TABLEAU VIVANT : groupe de personnages immobiles évoquant un sujet de tableau. **3.** Image, scène réelle qui évoque une représentation picturale. *Un tableau touchant.* — Fam. *Vous voyez d'ici le tableau !,* la scène. **4.** TABLEAU DE CHASSE : ensemble des animaux abattus, rangés par espèces. **5.** Description ou évocation imagée, par la parole ou par écrit. ⇒ **récit.** *Brosser un tableau de la situation,* une rapide description. **6.** Subdivision d'un acte qui correspond à un changement de décor, au théâtre. *Un drame en vingt tableaux.* **II.** Panneau plat. **1.** Panneau destiné à recevoir une inscription, une annonce. *Un tableau d'affichage. Tableau des départs, des arrivées,* dans une gare. ⇒ Liste de renseignements affichés. *Tableau de service.* **2.** (Emplacement où on mise de l'argent) Avec SUR. — Loc. *Jouer, miser ; gagner sur les deux tableaux, sur tous les tableaux,* se réserver plusieurs chances. **3.** TABLEAU (NOIR) : panneau sur lequel on écrit à la craie dans une salle de classe. *Aller au tableau,* se faire interroger. **4.** Support plat réunissant plusieurs objets ou appareils. *Le tableau des clés dans un hôtel.* **5.** TABLEAU DE BORD : panneau où sont réunis les instruments de bord. *Le tableau de bord d'un avion, d'une voiture.* **III.** Ce qui est écrit sur un tableau. **1.** Liste par ordre (de personnes). *Tableau de l'Ordre des avocats.* — TABLEAU D'HONNEUR : liste des élèves les plus méritants. *Être inscrit au tableau d'honneur.* **2.** Série de données, de renseignements, disposés d'une manière claire et ordonnée. *Tableau des conjugaisons. Tableau statistique. Tableau synoptique.* ⇒ **table** (III, 2). *Disposé en tableau.* ⇒ **tabulaire.** ▶ **tableautin** n. m. ■ Tableau (I) de petite dimension.

tablée [table] n. f. ■ Ensemble des personnes assises à une table, qui prennent ensemble leur repas.

tabler [table] v. intr. ▪ conjug. 1. ■ TABLER SUR qqch. : baser une estimation, un calcul sur (ce qu'on croit sûr). ⇒ **compter.** *On avait tablé sur un gros succès, mais la pièce est tombée à plat.*

tablette [tablɛt] n. f. **I.** Autrefois. Planchette, petite surface plane destinée à recevoir une inscription. — Loc. *Je l'écris, je le marque sur mes tablettes,* j'en prends note, je m'en souviendrai. **II.** Petite planche horizontale. ⇒ **planchette.** *Les tablettes d'une armoire* (⇒ **rayon**). — Plaque d'une matière dure, servant de support, d'appui, d'ornement. *Tablette surmontant un radiateur* (de chauffage). **III.** Produit alimentaire présenté en petites plaques rectangulaires. *Tablette de chocolat* ⇒ **plaque,** *de chewing-gum.*

① **tablier** [tablije] n. m. **I. 1.** Vêtement de protection, pièce de matière souple qui garantit le devant du corps. *Tablier à bavette. Tablier de cuir. Tablier de domestique.* — Loc. *Rendre son tablier,* refuser de servir plus longtemps ; démissionner. **2.** Blouse de protection. *Tablier d'écolier.*

② **tablier** n. m. **1.** Dispositif (plaque ou assemblage de plaques) servant à protéger. *Le tablier de la cheminée.* ⇒ **rideau.** *Les tabliers de fer des magasins.* **2.** Plate-forme horizontale (d'un pont qui supporte une chaussée, une voie ferrée...).

tabou [tabu] n. m. et adj. **1.** N. m. Système d'interdictions religieuses appliquées à ce qui est considéré comme sacré (et interdit) ou impur. — Adj. Qui est soumis au tabou, exclu de l'usage commun. *Des armes taboues.* **2.** Ce sur quoi on fait silence, par crainte, pudeur. *Les tabous sexuels.* — Adj. Interdit. *Il vaut mieux ne pas aborder les sujets tabous.*

taboulé [tabule] n. m. ■ Préparation culinaire à base de semoule de blé crue, de feuilles de menthe, de persil, de tomates hachées, assaisonnée d'huile d'olive et de jus de citron.

tabouret [taburɛ] n. m. ■ Siège sans bras ni dossier, à pied(s). *Tabouret de bar.*

tabulaire [tabylɛr] adj. **1.** Disposé en tables, en tableau (III). **2.** En forme de table. *Plateau, massif tabulaire,* relief plat qui domine les environs.

tabulateur [tabylatœr] n. m. ■ Dispositif d'une machine de bureau (à écrire, à calculer), permettant d'aligner des signes en colonnes, en tableaux. ▶ **tabulatrice** n. f. ■ Machine à trier, à mettre en liste des informations, utilisant les cartes perforées.

tac [tak] n. m. et interj. **1.** Bruit sec. **2.** Loc. *Répondre, riposter* DU TAC AU TAC : répondre à un mot désagréable en rendant aussitôt la pareille.

tache [taʃ] n. f. **I. 1.** Petite étendue de couleur, d'aspect différent du reste. *Taches de rousseur sur la peau. Les taches du léopard. Taches sombres, lumineuses, colorées.* **2.** *Taches solaires,* zones relativement sombres qui apparaissent à la surface du Soleil. **3.** Chacune des touches de couleur uniforme, juxtaposées dans un tableau (⇒ **tachisme**). *Des taches de lumière.* **II. 1.** Surface salie par une substance étrangère ; cette substance. ⇒ **éclaboussure, salissure, souillure ; tacher.** *Une tache d'encre. Tache de suie. Des taches de doigts gras.* ⇒ **marque.** *Faire des ratures et des taches en écrivant.* ⇒ **bavure, pâté.** *Enlever les taches d'un vêtement.* ⇒ **détacher.** *Produit détachant, qui fait disparaître les taches.* **2.** FAIRE TACHE : rompre une harmonie de couleurs ou toute autre harmonie. *Ce vase fait tache dans le salon.* **3.** Souillure morale. ⇒ **déshonneur, tare.** *C'est une tache à sa réputation. Réputation sans tache.* — Relig. *La tache originelle,* le péché originel. ≠ **tâche.** ▶ **tacher** v. tr. ▪ conjug. 1. **I.** Salir en faisant une tache, des taches. ⇒ **maculer, salir, souiller.** *Tu as taché la nappe. La sauce a taché la nappe. Il a taché ses vêtements.* — (Suj. chose) Sans compl. *Le vin rouge tache.* **II.** SE TACHER v. pron. **1.** Faire des taches sur soi, sur ses vêtements. **2.** (Choses) Recevoir des taches, se salir. *Une nappe blanche se tache vite.* **3.** Se couvrir de taches. *Les bananes se tachent de points noirs en mûrissant.* **III.** (ÊTRE) TACHÉ, ÉE passif et p. p. adj. *Table tachée d'encre. Robe tachée.* ⇒ **tacher.** ▶ **tacheté, ée** adj. ■ Qui présente de petites taches. *Un tissu tacheté de brun.* ⇒ **moucheté.** ▶ **tacheter** v. tr. ▪ conjug. 4. ■ Couvrir de petites taches. ‹ ▶ **détacher, entacher, tachisme** ›

tâche [tɑʃ] n. f. **1.** Travail déterminé qu'on doit exécuter. ⇒ **besogne, ouvrage.** *Accomplir sa tâche quotidienne. Elle s'acquitte très bien de cette tâche.* **2.** Loc. À LA TÂCHE : se dit des ouvriers, des artisans qui sont payés selon l'ouvrage exécuté. — Fam. *Je ne suis pas à la tâche,* laissez-moi prendre mon temps. **3.** Ce qu'il faut faire ; conduite commandée par une nécessité ou qu'on se fait une obligation. ⇒ **devoir, mission, rôle.** *Former les jeunes est une tâche difficile.* ≠ **tache.** ▶ **tâcher** v. tr. ▪ conjug. 1. **1.** V. tr. ind. TÂCHER (DE) : faire des efforts, faire ce qu'il faut pour... ⇒ **s'efforcer, essayer.** *Tâchez de nous rendre visite.* — (À l'impératif, par euphémisme, pour donner un ordre) *Et tâche de ne pas recommencer, de ne pas me répondre sur ce ton !* **2.** TÂCHER QUE (à l'impératif + subjonctif) : faire en sorte que. *Tâchez que ça ne se reproduise plus.* ≠ **tacher.** ▶ **tâcheron** n. m. **1.** Petit entrepreneur du bâtiment travaillant à la tâche. **2.** Personne qui travaille avec application, en effectuant sans initiative des travaux ingrats, des tâches peu importantes.

tachisme [taʃism] n. m. ■ Façon de peindre par taches de couleur juxtaposées. ▶ *tachiste* n. et adj. ■ *Un (peintre) tachiste.*

tachy- ■ Élément savant signifiant « rapide ». ▶ *tachycardie* [takikardi] n. f. ■ Accélération du rythme des battements du cœur.

tacite [tasit] adj. ■ Non exprimé, sous-entendu entre plusieurs personnes. ⇒ **implicite, inexprimé.** *Un consentement tacite. La reconduction tacite d'un contrat.* ▶ *tacitement* adv. ■ Implicitement.

taciturne [tasityʀn] adj. ■ Qui parle peu, reste habituellement silencieux. — Qui n'est pas d'humeur à faire la conversation. ⇒ **morose, sombre.** *Il est bien taciturne aujourd'hui.*

tacot [tako] n. m. ■ Fam. Vieille automobile qui n'avance pas. ⇒ **guimbarde.**

tact [takt] n. m. **I.** Sensibilité qui permet, au contact d'une surface, d'apprécier certains caractères (caractère lisse, soyeux ; rugueux ; sec, humide, gluant, etc.). ⇒ **toucher.** *Choisir une étoffe au tact. Qui tombe sous le sens du tact.* ⇒ **tangible. II.** Caractère d'une personne qui manifeste des qualités de réserve, de discrétion et de prévenance envers autrui. ⇒ **délicatesse, doigté.** *Avoir du tact. Il lui a annoncé la nouvelle avec tact. En intervenant brutalement, il a montré qu'il n'avait aucun tact. Un malappris qui se caractérise par son manque de tact.* ▶ *tactile* adj. ■ Qui concerne les sensations du tact (I), du toucher. — *Poils tactiles, qui chez certains animaux servent au tact* (ex. : *moustaches du chat*). ⟨▶ contact, intact⟩

tactique [taktik] n. f. et adj. **I. N. f. 1.** Art de combiner tous les moyens militaires (troupes, armements) au combat ; exécution des plans de la stratégie*. *Tactique d'infanterie. Tactique d'encerclement. La tactique de la terre brûlée, qui consiste à tout détruire.* **2.** Ensemble des moyens coordonnés que l'on emploie pour parvenir à un résultat. ⇒ **plan, stratégie.** *La tactique parlementaire. Il va falloir changer de tactique.* **II.** Adj. Relatif à la tactique. ≠ *stratégique. Arme atomique tactique. Faire preuve d'habileté tactique.*

tænia ⇒ **ténia.**

taffetas [tafta] n. m. invar. **1.** Tissu de soie à armure unie. *Taffetas changeant,* dont la chaîne et la trame sont de nuances différentes. **2.** *Taffetas, taffetas gommé,* morceau de tissu gommé recouvert d'une gaze, qu'on applique sur les petites plaies, les coupures.

taïaut, tayaut [tajo] interj. ■ Dans la chasse à courre. Cri du veneur pour signaler la bête.

taie [tɛ] n. f. **1.** Enveloppe de tissu (d'un oreiller). *Changer les draps et les taies d'oreillers.* **2.** Tache opaque ou à demi transparente de la cornée. *Avoir une taie sur l'œil.*

taillader [tɑ(a)jade] v. tr. ■ conjug. 1. ■ Faire des coupures (dans les chairs, sur la peau). *Il s'est tailladé le menton en se rasant.* ⇒ **entailler.** — *Taillader sa table avec un canif.*

① taille [taj] n. f. **1.** Redevance payée au seigneur féodal, au roi par les serfs et les roturiers. *La taille et la gabelle.* ▶ *taillable* adj. ■ Qui est soumis à l'impôt de la taille. *Les serfs étaient taillables et corvéables à merci,* soumis aux impôts arbitraires du seigneur.

② taille n. f. **1.** Opération qui consiste à tailler qqch. ; forme qu'on donne à une chose en la taillant. *La taille des pierres.* Loc. PIERRE DE TAILLE : taillée (par un tailleur (II) de pierres, pour servir à la construction, etc.). *Un mur en pierre de taille.* — *La taille des arbres de la vigne.* **2.** Tranchant de l'épée, du sabre, qui sert à tailler (opposé à *estoc*). *Recevoir un coup de taille.*

③ taille n. f. **1.** Hauteur du corps humain, debout et droit. ⇒ **stature.** *La mensuration de la taille avec une toise. Une taille de 1,75 m. La taille de qqn, sa taille. Un homme de petite taille, de taille moyenne, de haute taille.* **2.** Loc. À LA TAILLE DE, DE LA TAILLE DE... : en rapport avec. *C'est un sujet à sa taille.* — ÊTRE DE TAILLE À (+ infinitif) : avoir la force suffisante, les qualités nécessaires pour. ⇒ **capable** de. *Il est de taille à se défendre.* — Négatif. (Sans compl.) *Il n'est pas de taille.* **3.** Grandeur, grosseur et conformation (du corps) par rapport aux vêtements. *Cette veste n'est pas à ma taille.* — Chacun des types standard dans une série de confection. *Taille 40. Il faudrait la taille au-dessus.* **4.** Grosseur ou grandeur. *Photo de la taille d'une carte de visite.* ⇒ **dimension, format.** — Fam. DE TAILLE : très grand, très important. *Il est de taille, votre parapluie.* ⇒ **immense.** Abstrait *C'est une erreur de taille.* ⇒ **énorme.**

④ taille n. f. **1.** Partie plus ou moins resserrée du tronc entre les côtes et les hanches. *Entrer dans l'eau jusqu'à la taille. Avoir la taille épaisse, fine.* Loc. *Taille de guêpe,* très fine. *Tour de taille,* mesuré à la ceinture. *Prendre qqn par la taille.* **2.** Partie plus ou moins resserrée (d'un vêtement) à cet endroit du corps. *Manteau à taille ajustée. Un pantalon à taille basse* (qui se porte sur les hanches). **3.** Loc. *Sortir* EN TAILLE : sans manteau.

① tailler [tɑje] v. tr. ■ conjug. 1. **1.** Couper, travailler (une matière, un objet) avec un instrument tranchant, de manière à lui donner une forme déterminée. *Tailler une pièce de bois. Tailler la pierre. Tailler un crayon,* le tailler en pointe pour dégager la mine. *Tailler un arbre,* ses branches. ⇒ **élaguer, émonder.** *Tailler un arbre en cône.* **2.** Confectionner, obtenir (une chose) en découpant. *Tailler des torchons dans un drap usagé.* — *Tailler un vêtement,* découper les morceaux que l'on coud ensuite pour faire le vêtement. ⇒ **couper. 3.** SE TAILLER *un beau succès* : obtenir. ▶ *taillé, ée* [tɑje] adj. **1.** Fait (du corps humain). *Il est taillé en athlète.* ⇒ **bâti.** *Un visage comme taillé au couteau.* **2.** Loc. *Être taillé pour,* être fait pour, apte à. *Il est taillé pour faire une belle carrière.* **3.** Coupé, rendu moins long. *Moustache taillée.* — Élagué. *Arbres taillés.* — TAILLÉ EN : qu'on a taillé en donnant la forme de. *Cheveux taillés en brosse. Bâton taillé en pointe.* ▶ *taille-crayon* ou *taille-crayons* n. m. ■ Petit instrument avec lequel on taille les crayons. *Un taille-crayon* ou *un taille-crayons. Des taille-crayons.* ▶ *taille-douce* n. f. ■ Gravure en creux. — Gravure sur cuivre au burin. *Des tailles-douces.* ⟨▶ détail, entaille, entailler, taillader, ② taille, tailleur, taillis⟩

② se tailler v. pron. ■ conjug. 1. ■ Fam. Partir, s'enfuir. ⇒ se **sauver**, se **tirer.** *Taillons-nous !*

tailleur [tɑjœʀ] n. m. **I. 1.** Artisan, ouvrier qui fait des vêtements sur mesure pour hommes ; personne qui exploite et dirige l'atelier où on les confectionne. *Se faire faire un costume chez un tailleur. Le tailleur prend les mesures de son client.* **2.** — Loc. S'asseoir *en tailleur,* par terre, les jambes à plat sur le sol et repliées, les genoux écartés. — *Un tailleur,* costume de femme (veste et jupe de même tissu). *Un tailleur sport.* **II.** TAILLEUR DE... : ouvrier qui taille, qui façonne (qqch.) par la taille. *Tailleur de pierre(s).*

taillis [taji] n. m. invar. ■ Partie d'un bois ou d'une forêt où il n'y a que des arbres de faible dimension ; ces arbres. *Des taillis et des futaies.*

tain [tɛ̃] n. m. ■ Amalgame métallique (étain ou mercure) qu'on applique derrière une glace pour qu'elle puisse réfléchir la lumière. *Le tain d'un miroir. Glace sans tain.* ≠ *teint.*

taire [tɛʀ] v. tr. ▪ conjug. 54, sauf 3ᵉ pers. du sing. de l'indicatif *il tait* et part. passé fém. *tue.* **I.** SE TAIRE v. pron réfl. **1.** Rester sans parler, s'abstenir de parler, de s'exprimer. *Il se tait.* / contr. **parler** / *Savoir se taire,* être discret. *Se taire sur qqch.,* à propos de qqch. *Je préfère me taire là-dessus. Dans certains cas, il vaut mieux se taire.* — Loc. fam. *Il a manqué, perdu une belle occasion de se taire,* il a parlé mal à propos. **2.** Cesser de parler (ou de crier, de pleurer). *Elles se sont tues. Il a fini par se taire. Tais-toi ! taisez-vous !* ⇒ **chut, silence.** — *Allez-vous vous taire ?* — (Avec ellipse de *se*) FAIRE TAIRE qqn : empêcher de parler, de crier, de pleurer ; forcer à se taire. *Faites-les taire.* — *Faire taire l'opposition.* ⇒ **museler.** *Faire taire ses scrupules.* **3.** (Suj. chose) Ne plus se faire entendre. ⇒ **s'éteindre.** *Les bruits se sont tus. L'orchestre s'était tu.* **II.** V. tr. Moins cour. Ne pas dire ; s'abstenir ou refuser d'exprimer (qqch.). ⇒ **cacher, celer.** / contr. **révéler** / *Il y a des vérités qu'il vaut mieux taire. Taire ses raisons. Une personne dont je tairai le nom.* / contr. **dire** /

talc [talk] n. m. ■ Poudre (silicate naturel de magnésium). *Mettre du talc sur le corps d'un bébé.* ⟨ ▶ talquer ⟩

talé, ée [tale] adj. ■ (Fruits) Meurtri. *Pêches talées.* ⇒ **tapé.**

① *talent* [talɑ̃] n. m. **1.** Aptitude particulière, dans une activité. ⇒ **capacité, don.** Fam. *Montrez-nous vos talents,* ce que vous savez faire. *Talent de société,* qui intéresse, divertit en société. *Talent littéraire. Avoir du talent pour,* être doué pour. *Il a du talent pour le jardinage.* — *Avoir le talent de* (+ infinitif). *Vous avez le talent de m'impatienter.* ⇒ **chic, don. 2.** LE TALENT : aptitude remarquable dans le domaine intellectuel ou artistique. *Avoir du talent. Il n'a aucun talent. Un écrivain de talent.* — *Le talent d'un peintre.* **3.** Au plur. Personne qui a du talent. *Il faut encourager les jeunes talents.* ▶ **talentueux, euse** [talɑ̃tɥø, øz] adj. ■ Qui a du talent. *Un peintre talentueux.* ▶ *talentueusement* adv. ■ Avec talent.

② *talent* n. m. ■ Poids de 20 à 27 kg, dans la Grèce antique. — Monnaie de compte équivalant à un talent d'or ou d'argent.

talion [taljɔ̃] n. m. **1.** Châtiment qui consistait à infliger au coupable le même traitement qu'il avait fait subir à autrui. *La loi du talion* (œil pour œil, dent pour dent). **2.** Le fait de rendre la pareille, de se venger.

talisman [talismɑ̃] n. m. ■ Objet (pierre, anneau, etc.) sur lequel sont gravés ou inscrits des signes, et auquel on attribue des vertus magiques de protection, de pouvoir. ⇒ **amulette.**

talkie-walkie [tɔkiwɔki ; talkiwalki] n. m. ■ Anglic. Petit poste émetteur-récepteur de radio, portatif et de faible portée. *Des talkies-walkies.*

Talmud [talmyd] n. m. ■ Recueil des enseignements des grands rabbins. *Étudier le Talmud.* ▶ *talmudique* adj. ■ Recueil *talmudique.*

taloche [talɔʃ] n. f. ■ Fam. Gifle (surtout à un enfant). *Si tu continues, tu vas recevoir une taloche.* ⇒ **calotte.** ▶ *talocher* v. tr. ▪ conjug. 1. ■ Fam. ⇒ **gifler.**

① *talon* [talɔ̃] n. m. **1.** Reste, bout (d'un pain, d'un fromage) où il y a beaucoup de croûte. — Extrémité (d'un jambon). **2.** Ce qui reste d'un jeu de cartes après la première distribution. *Piocher dans le talon.*

3. Partie d'une feuille de carnet, de registre, qui demeure fixée à la souche après qu'on en a ôté la partie détachable (volant). *Le talon du chèque fait foi.*

② *talon* n. m. **1.** Partie postérieure du pied humain, dont la face inférieure touche le sol pendant la marche. *Talon et pointe du pied. Pivoter sur ses talons. Être accroupi sur ses talons. Le talon d'Achille* (le seul endroit où Achille pouvait être blessé), le point vulnérable. *C'est son talon d'Achille.* — Loc. *Marcher, être* SUR LES TALONS *de qqn :* le suivre de tout près. *La police était sur ses talons.* ⇒ **talonner.** — *Montrer, tourner les talons,* s'en aller, partir, s'enfuir. — *Avoir l'estomac dans les talons,* avoir faim. **2.** Partie (d'un bas, d'une chaussette, etc.) qui enveloppe le talon. *Bas à talons renforcés.* **3.** Pièce rigide et saillante à l'arrière d'une chaussure. *Talons plats. Talons hauts. Talons aiguilles,* hauts et fins. *Mocassins usés aux talons.* ▶ *talonnette* n. f. **1.** Technique. Lame de liège que l'on place sous le talon à l'intérieur de la chaussure. **2.** Ruban que l'on coud au bas des jambes d'un pantalon pour en éviter l'usure. ▶ *talonner* v. tr. ▪ conjug. 1. **1.** Suivre ou poursuivre de très près. *Ses poursuivants le talonnent.* ⇒ **serrer** de près. **2.** Presser vivement et sans relâche. ⇒ **harceler.** *Ses créanciers le talonnent.* — (Suj. chose) *La soif le talonnait.* — Au p. p. *Talonné par la faim.* — *Presser un cheval du talon,* de l'éperon pour le faire avancer. **3.** Frapper du talon. — *Talonner (le ballon),* au rugby, lors d'une mêlée, envoyer le ballon dans son camp d'un coup de talon. ▶ *talonnage* n. m. ■ Action de talonner, au rugby. ▶ *talonnement* n. m. ■ Action de talonner (1, 2).

talquer [talke] v. tr. ▪ conjug. 1. ■ Enduire, saupoudrer de talc. — Au p. p. adj. *Gants de caoutchouc talqués.*

talus [taly] n. m. invar. ■ Terrain en pente très incliné, aménagé pour des travaux de terrassement. *Talus de déblai,* qui borde une excavation. *Talus de remblai,* fait de terre rapportée et qui s'élève au-dessus du sol. *Les talus qui bordent un chemin.* — Ouvrage de fortifications. ⇒ **glacis.**

talweg ⇒ **thalweg.**

tamanoir [tamanwaʀ] n. m. ■ Mammifère communément appelé *grand fourmilier,* qui peut atteindre 2,50 m, à langue effilée et visqueuse, qui lui sert à capturer les fourmis dont il se nourrit. *Le tamanoir ressemble au tapir.*

tamarinier [tamaʀinje] n. m. ■ Grand arbre exotique à fleurs en grappes, qui pousse dans les régions tropicales (son fruit s'appelle le *tamarin*).

tamaris [tamaʀis] n. m. invar., ou *tamarin* n. m. ■ Arbrisseau originaire d'Orient, à petites feuilles en écailles et à petites fleurs roses en épi, très décoratif. *Une allée de tamaris.*

tambouille [tɑ̃buj] n. f. **1.** Fam. Plat grossier, cuisine médiocre. *La tambouille de la cantine.* **2.** Fam. Cuisine. *Faire la tambouille.*

tambour [tɑ̃buʀ] n. m. **I. 1.** Instrument à percussion, formé de deux peaux tendues sur un cadre cylindrique ⇒ **caisse** et que l'on fait résonner à l'aide de baguettes. *Un roulement de tambour.* — Loc. *Sans tambour ni trompette,* sans attirer l'attention. — *Raisonner (résonner) comme un tambour,* très mal. **2.** Celui qui bat le tambour. *Les tambours du régiment.* **3.** Tout instrument à percussion à membrane tendue. ⇒ **timbale.** *Tambour de basque,* petit cerceau de bois muni d'une peau tendue et entouré de grelots. ⇒ **tambourin.** *Tambours africains.* ⇒ **tamtam** (2). **II. 1.** Petite entrée à double porte, servant à mieux isoler l'intérieur d'un édifice. *Tambour d'église.* — Tourniquet formé de quatre portes vitrées,

en croix. *Tambour vitré à l'entrée d'un hôtel.*
2. Métier circulaire pour broder à l'aiguille. *Broderie au tambour.* **3.** Cylindre d'un treuil. *Tambour de moulinet* (pêche). — Cylindre (de machines). *Le tambour d'une machine à laver.* **4.** Tambour de frein, pièce cylindrique solidaire de la roue, à l'intérieur de laquelle frottent les segments. ▶ **tambourin** n. m. **1.** Tambour de basque. **2.** Tambour haut et étroit, que l'on bat d'une seule baguette. *Tambourin provençal.* ▶ **tambourinaire** n. m. ■ Joueur de tambourin (2). ▶ **tambouriner** v. ▪ conjug. 1. **I.** V. intr. Faire un bruit de roulement, de batterie (avec un objet dur, avec ses poings, ses doigts). *Il tambourine à la porte.* — (Suj. chose) *La grêle tambourinait contre les vitres.* **II.** V. tr. Jouer (un air) sur un tambour, un tambourin. *Tambouriner une marche.* — Au p. p. adj. *Langages tambourinés d'Afrique,* signaux transmis par les tambours, les tam-tams (2). ▶ **tambourinage** ou **tambourinement** n. m. ■ Action de tambouriner. ▶ **tambour-major** n. m. ■ Sous-officier, du grade de sergent-major, qui commande les tambours et les clairons d'un régiment. *Des tambours-majors.*

tamis [tami] n. m. invar. **1.** Instrument formé d'un réseau plus ou moins serré (toile, vannerie) ou d'une surface percée de petits trous, et d'un cadre, qui sert à passer et à séparer les éléments d'un mélange. ⇒ **crible, sas.** *Tamis de cuisinière.* ⇒ **chinois, passoire.** **2.** Loc. *Passer au tamis,* trier, ne conserver que certains éléments. *On a passé le personnel au tamis.* ▶ **tamiser** v. tr. ▪ conjug. 1. **1.** Trier au tamis. ⇒ **cribler.** *Tamiser de la farine.* **2.** Laisser passer (la lumière) en partie. ⇒ **voiler.** *Les rideaux tamisaient la lumière.* — Au p. p. adj. *Lumière tamisée,* filtrée ; douce, voilée. ▶ **tamisage** n. m. ■ *Le tamisage de la farine.*

① **tampon** [tɑ̃pɔ̃] n. m. **I.** ▪ **1.** Petite masse dure ou d'une matière souple pressée, qui sert à boucher un trou, à empêcher l'écoulement d'un liquide. ⇒ **bouchon.** *Un tampon de liège.* **2.** Cheville qu'on plante pour y fixer un clou, une vis. **3.** Petite masse formée ou garnie de tissu, d'une matière souple, servant à étendre un liquide. *Tampon métallique à récurer,* formé d'une masse de fils métalliques. *Tampon encreur,* coussinet imprégné d'encre. **4.** Petite masse de gaze, d'ouate, de charpie, servant à étancher le sang, nettoyer la peau, etc. *Un tampon imbibé d'éther.* — *Tampons hygiéniques* ou *périodiques,* que les femmes portent pour se protéger pendant les règles. **5.** EN TAMPON : froissé en boule (papier, tissu). *Son mouchoir était roulé en tampon.* **II.** Timbre (qu'on encre sur un tampon encreur) qui sert à marquer, à oblitérer. *Apposer le tampon sur une lettre.* — Cachet, oblitération. ▶ **tamponner** v. tr. ▪ conjug. 1. **I.** Enduire d'un liquide ; essuyer, nettoyer avec un tampon (I, 3 et 4). *Tamponner une plaie avec de la gaze. Elle s'est tamponné le nez avec un mouchoir.* — Loc. fam. *Il s'en tamponne le coquillard* (l'œil), *il s'en tamponne,* il s'en moque. **II.** Timbrer, apposer un tampon (II) sur. *Faire tamponner une autorisation.* ▶ ① **tamponnement** n. m. ■ *Désinfecter une plaie par tamponnement,* avec un tampon d'ouate. ⟨ ▶ cache-tampon ⟩

② **tampon** n. m. **1.** Plateau métallique vertical destiné à recevoir et à amortir les chocs. *Les tampons d'une locomotive. Coup de tampon,* choc des tampons. **2.** Ce qui amortit les chocs, empêche les heurts (dans un sens concret ou abstrait). *Servir de tampon entre deux personnes qui se disputent.* En appos. ÉTAT TAMPON : dont la situation intermédiaire entre deux autres États empêche les conflits directs. ▶ ② **tamponner** v. tr. ▪ conjug. 1. **1.** Heurter avec les tampons (1). **2.** (Véhicules) Heurter violemment.

— Pronominalement (récipr.). *Les deux voitures se sont tamponnées.* ▶ ② **tamponnement** n. m. **1.** Le fait de heurter avec les tampons. **2.** Accident résultant du heurt de deux trains. ▶ **tamponneur, euse** adj. ■ AUTOS TAMPONNEUSES : attraction foraine où de petites voitures électriques circulent et se heurtent sur une piste.

tam-tam [tamtam] n. m. **1.** Tambour de bronze ou gong d'Extrême-Orient. ⇒ **gong.** *Des tam-tams.* **2.** Plus cour. Tambour en usage en Afrique noire comme instrument de musique et pour la transmission de messages. **3.** Bruit, publicité tapageuse, scandale bruyant. *Faire du tam-tam autour d'un événement.*

tancer [tɑ̃se] v. tr. ▪ conjug. 3. ■ Littér. Réprimander. ⇒ **admonester, gronder, morigéner.** *Il le tança vertement.*

tanche [tɑ̃ʃ] n. f. ■ Poisson d'eau douce, à peau sombre et gluante, à chair délicate.

tandem [tɑ̃dɛm] n. m. **1.** Bicyclette à deux sièges et deux pédaliers placés l'un derrière l'autre. **2.** Fam. Se dit de deux personnes associées. — Loc. *En tandem,* en collaboration. *Faire une traduction en tandem.*

tandis que [tɑ̃dikə] loc. conj. **1.** Pendant le temps que, dans le même moment que. ⇒ **alors** que, **comme, pendant** que. *Ils sont arrivés tandis que je m'apprêtais à sortir.* **2.** (Marquant l'opposition) ⇒ **alors** que. *Tandis que l'un travaille, l'autre se repose.*

tangage [tɑ̃gaʒ] n. m. ■ Mouvement alternatif d'un navire dont l'avant et l'arrière plongent successivement (⇒ **tanguer**). *Le tangage et le roulis. Il y a du tangage.* — *Le tangage d'un avion.*

tangent, ente [tɑ̃ʒɑ̃, ɑ̃t] adj. **1.** Qui touche, sans la couper, une ligne, une surface en un seul point. *Droite tangente à un cercle. Courbe tangente à une autre, à un plan.* **2.** Qui se fait de justesse. *Il a été reçu au bachot, mais c'était tangent.* ▶ **tangente** n. f. **1.** *La tangente à une courbe,* la droite qui touche une courbe en un seul point. *Tracer la tangente en un point de la courbe. Tangente à un cercle,* perpendiculaire au rayon du cercle en ce point. **2.** Loc. PRENDRE LA TANGENTE : se sauver sans être vu ; se tirer d'affaire adroitement en éludant la difficulté par un faux-fuyant. ▶ **tangence** n. f. ■ Position de ce qui est tangent. ▶ **tangentiel, ielle** adj. ■ Qui a rapport aux tangentes. *Force tangentielle,* exercée dans le sens de la tangente à une courbe.

tangible [tɑ̃ʒibl] adj. **1.** Qui tombe sous le sens du tact, que l'on peut connaître en touchant. ≠ **tactile.** *La réalité tangible.* ⇒ **matériel, palpable.** **2.** Dont la réalité est évidente. *Des preuves tangibles. Un fait tangible.* ⟨ ▶ intangible ⟩

① **tango** [tɑ̃go] n. m. ■ Danse originaire de l'Argentine, sur un rythme assez lent à deux temps. *Un tango langoureux. Jouer des tangos.*

② **tango** n. m. et adj. invar. ■ Orange vif (teinte). ⇒ **orangé.** *Des tangos.* — *Des robes tango.*

tanguer [tɑ̃ge] v. intr. ▪ conjug. 1. **1.** (Bateaux) Se balancer par un mouvement de tangage. *Un navire qui roule* et qui tangue. Ça tangue !* **2.** Remuer par un mouvement alternatif d'avant en arrière (pour le mouvement de côté, il faut dire *rouler*). *Tout tanguait autour de lui.*

tanière [tanjɛʀ] n. f. **1.** Retraite (d'une bête sauvage), caverne, lieu abrité ou souterrain. ⇒ **antre, gîte, repaire, terrier.** *Une bête tapie au fond de sa tanière.* **2.** Logis dans lequel on s'isole, on se cache. *Faire sortir un malfaiteur de sa tanière.*

tanin ou **tannin** [tanɛ̃] n. m. **1.** Substance d'origine végétale, rendant les peaux imputrescibles.

2. Cette substance provenant des grappes de raisin, et qui entre dans la composition des vins rouges. *Ajouter du tanin à un moût. Le tanin d'un bordeaux.*

① *tank* [tɑ̃k] n. m. ■ Citerne d'un navire pétrolier. *Des tanks.* — Petit réservoir métallique pour l'eau, utilisé par les campeurs. ▶ *tanker* [tɑ̃kɛr ; -kœr] n. m. ■ Bateau-citerne transportant du pétrole. ⇒ **pétrolier.**

② *tank* n. m. **1.** Vx. Char d'assaut. ⇒ **char. 2.** Fam. Grosse automobile. *Tu vas arriver à le garer, ton tank ?* ▶ *tankiste* n. m. ■ Soldat d'une unité de tanks, de blindés.

tannage ⇒ ① **tanner.** ▶ *tannant* ⇒ ② **tanner.**

tannée [tane] n. f. ■ Fam. Volée de coups, raclée. *Elle lui a donné une de ces tannées !*

① *tanner* [tane] v. tr. ■ conjug. 1. ■ Préparer (les peaux) avec du tanin ou d'autres produits pour les rendre imputrescibles et en faire du cuir. ⇒ **mégisser.** ▶ *tannage* n. m. ■ Action de tanner (les peaux). ▶ *tanné, ée* adj. **I.** Qui a subi le tannage. *Peaux tannées.* **II.** (Personnes) Dont la peau a pris une couleur brune par l'effet du soleil, des intempéries. *Un marin, un vigneron au visage tanné.* ⇒ **basané, hâlé.** ▶ *tannerie* n. f. **1.** Établissement où l'on tanne les peaux. **2.** Opérations par lesquelles on tanne les peaux. *La tannerie et le corroyage.* ▶ *tanneur, euse* n. ■ Personne qui tanne les peaux, qui possède une tannerie et vend une cuirs. ⟨▶ tanin ⟩

② *tanner* v. tr. ■ conjug. 1. ■ Fam. Agacer, importuner. *Tu nous tannes !* ⇒ **assommer, embêter.** *Il tanne son père pour avoir de l'argent.* ▶ *tannant, ante* adj. ■ Fam. Qui tanne, lasse. *Il est tannant avec ses questions.* ⇒ **assommant, fatigant.**

tansad [tɑ̃sad] n. m. ■ Anglic. Selle pour passager, derrière la selle d'une motocyclette. *Des tansads.*

tant [tɑ̃] adv. et nominal. **I.** Adv. de quantité, marquant l'intensité. **1.** TANT QUE : exprime qu'une action ou qu'une qualité portée à un très haut degré devient la cause d'un effet. ⇒ **tellement.** *Il souffre tant qu'il ne peut plus se lever.* **2.** TANT DE... QUE... : une si grande quantité, un si grand nombre de... que... *Elle éprouvait tant de jalousie qu'elle en était malade.* — Sans compl. *Tant de choses. Il a fait tant pour vous ! Puisque vous avez déjà tant fait, il faut continuer. Il fit TANT ET SI BIEN que la corde cassa.* **3.** (Sans QUE) Tellement. *Il vous aimait tant. Celle que vous avez tant aimée.* REM. *Tant se place entre l'auxiliaire et le verbe. — Je voudrais tant avoir fini.* **4.** TANT DE : une si grande, une telle quantité de. *Tant de gens se trompent. Tant de travail reste à faire. Celui-là et tant d'autres. Tant de fois. Ne faites pas tant de façons.* ⇒ **autant** *de. Des gens comme il y en a tant.* Loc. fam. *Vous m'en direz tant !,* je ne suis plus étonné après ce que vous m'avez dit. — TANT SOIT PEU : si peu que ce soit. *S'il est tant soit peu délicat, il comprendra.* — TANT S'EN FAUT : il s'en faut de beaucoup. *Il n'est pas généreux, tant s'en faut, il est tout le contraire de généreux. J'ai des amis tant et plus.* **III.** (Exprimant une comparaison) **1.** TANT... QUE : exprime l'égalité dans des propositions négatives ou interrogatives. ⇒ **autant.** *Ce n'est pas tant l'isolement qui me fait peur que le silence.* — TANT QUE... en phrase affirmative. ⇒ **autant.** *Il frappe tant qu'il peut.* — *Tant que ça,* tellement. *Dis-moi pourquoi tu tiens à lui tant que ça ?* — SI TANT

EST QUE... (+ subjonctif) : exprime une supposition très improbable. *Il a l'air d'un honnête homme si tant est qu'il en existe encore.* — TOUS TANT QUE (et verbe *être* au plur.) : tous, autant qu'il y en ait. *Tous tant que nous sommes, nous commettons des erreurs.* **2.** EN TANT QUE... : dans la mesure où... *La justice est en tant qu'elle garantit la liberté.* — Considéré comme. *La photographie en tant qu'art, en tant que technique, en tant qu'industrie.* ⇒ **comme.** *Il ne s'intéresse à nous qu'en tant que nous pouvons l'aider.* **3.** TANT... QUE... : aussi bien que. *Ses activités tant sportives qu'artistiques.* — TANT BIEN QUE MAL (+ verbe d'action) : ni bien ni mal et avec peine. *Il a réussi tant bien que mal à le réparer.* **4.** TANT QU'... (+ infinitif) : puisqu'il faut... *Tant qu'à changer, j'aimerais mieux choisir une voiture plus spacieuse.* — Loc. TANT QU'À FAIRE. *Tant qu'à faire, faites-le bien.* **5.** TANT MIEUX, TANT PIS : locutions exprimant la joie ou le dépit. *Il est guéri, tant mieux ! Il n'est pas là, tant pis ! Tant pis pour vous,* c'est dommage, mais c'est votre faute. **IV.** TANT QUE... : aussi longtemps que. *Je ne lui parlerai pas tant qu'il ne m'aura pas fait des excuses. Je m'y opposerai tant que j'en aurai le pouvoir.* — *Tant que vous y êtes,* pendant que vous y êtes. *Tant qu'à y es, tu peux aussi nous demander la lune !* (du moment que tu demandes beaucoup). ⟨▶ autant, ② partant, pourtant, tantième, tantinet, tantôt ⟩

① *tante* [tɑ̃t] n. f. ■ Sœur du père ou de la mère ; femme de l'oncle (lang. enfant. tata, tantine). *Tante paternelle, maternelle.* — *Tante à la mode de Bretagne,* cousine germaine du père ou de la mère. ▶ *tantine* n. f. ■ Lang. enfantin. *Ma tante,* en s'adressant à elle. *Bonjour, tantine.* ⟨▶ grand-tante ⟩

② *tante* n. f. ■ Vulg. et insultant. Homosexuel.

tantième [tɑ̃tjɛm] n. m. ■ Pourcentage d'un tout. *Le tantième du chiffre de vente.*

tantinet [tɑ̃tinɛ] n. m. et loc. adv. **1.** *Un tantinet de,* un tout petit peu de. *Donnez-moi un tantinet de pain.* **2.** Loc. adv. Un petit peu, passablement. *Elles sont un tantinet ridicules. Il est un tantinet menteur, farceur.*

tant mieux, tant pis ⇒ **tant** (III, 5).

tantôt [tɑ̃to] adv. **1.** Cet après-midi. *Venez tantôt prendre le thé. À tantôt.* **2.** TANTÔT..., TANTÔT... : à un moment, puis à un autre moment (pour exprimer des états différents d'une même chose). ⇒ **parfois.** *Il se porte tantôt bien, tantôt mal. Tantôt elle pleure, tantôt elle rit.* **3.** Vieilli ou région. (Canada) *Un instant avant.*

taon [tɑ̃] n. m. ■ Insecte piqueur et suceur, grosse mouche dont la femelle suce le sang des animaux. *Bœuf tourmenté par les taons.*

tapage [tapaʒ] n. m. **1.** Bruit violent, désordonné produit par un groupe de personnes. ⇒ **boucan, chahut, potin, raffut, vacarme.** / contr. **silence** / *Un tapage infernal. Arrêtez ce tapage !* — TAPAGE NOCTURNE : consistant à troubler la tranquillité des habitants en faisant du bruit, la nuit, sans motif légitime. **2.** Fig. Esclandre, scandale. *On a fait beaucoup de tapage autour de ce divorce.* ⇒ **bruit, publicité.** ▶ *tapageur, euse* adj. **1.** Qui fait du tapage. *Un enfant tapageur.* **2.** Qui fait du scandale. *Publicité tapageuse.* **3.** Qui se fait remarquer par l'outrance, le contraste des couleurs. ⇒ **criard, voyant.** / contr. **discret** / *Un luxe tapageur.*

tapée [tape] n. f. ■ Fam. Grande quantité. *Des ennuis, j'en ai des tapées.* ⇒ **flopée, masse.**

taper [tape] v. ■ conjug. 1. **I.** V. tr. **1.** Frapper du plat de la main. ⇒ **claquer, cogner.** *Taper un enfant.*

Maman, elle m'a tapé ! **2.** Donner des coups sur (qqch.). *Taper la table du poing. Il l'a tapé avec sa règle. Taper des tapis*, les battre. — (Le compl. désigne une partie du corps) Loc. fam. *Se taper les cuisses de contentement.* — Fam. *Il y a de quoi se taper le derrière par terre*, c'est une chose risible, grotesque. — Fam. *C'est à se taper la tête contre les murs*, c'est une situation révoltante et sans issue. **2.** Produire (un bruit) en tapant. *Taper trois coups à la porte.* **3.** Écrire (un texte) au moyen de la machine à écrire. ⇒ **dactylographier ; frappe.** *Faire taper une lettre.* — REM. Pour le clavier d'ordinateur, on dit *saisir.* **4.** Fam. Emprunter de l'argent à (qqn). *Je l'ai tapé de trois cents francs* (⇒ **tapeur**). **II.** V. intr. **1.** Donner des coups. *Le boxeur tapait comme un sourd.* ⇒ **cogner.** *Arrête de taper sur ton frère. Taper des mains*, dans ses mains. ⇒ **applaudir.** *Taper du poing sur la table.* **2.** Loc. fig. *Taper sur qqn*, dire du mal de lui en son absence. ⇒ **critiquer, médire.** — *Taper sur le ventre de qqn*, le traiter avec une familiarité excessive. — *Taper sur les nerfs de qqn*, l'agacer. — *Taper dans l'œil de qqn*, lui plaire vivement. — *Taper dans le mille*, réussir ; deviner juste. **3.** Écrire au moyen d'une machine. *Il tapait un rapport à la machine. Sans compl. direct. Taper (à la machine). Cette dactylo tape vite.* **4.** *Le soleil tape dur*, chauffe très fort. Fam. *Ça tape, aujourd'hui !* **5.** Fam. TAPER DANS : prendre dans, se servir de. *Ils ont déjà tapé dans les provisions.* ⇒ **puiser.** *Tapez dans le tas !* **III.** SE TAPER v. pron. **1.** (Récipr.) Se frapper l'un l'autre. *Ils se sont tapés comme des brutes.* **2.** Faux pron. Fam. Manger, boire (qqch.). *Elle se tape son litre de rouge.* **3.** Faux pron. Fam. Faire (une corvée). *Se taper tout le travail. Elle s'est tapé le trajet à pied.* ▸ **tapant, ante** adj. ■ (Après le nom d'une heure) Qui est en train de sonner (une heure). ⇒ **juste, pétant, sonnant.** *À midi tapant. À neuf heures tapantes.* — REM. On dit aussi *neuf heures tapant* (part. prés. de *taper*). ▸ **tape** n. f. ■ Coup donné avec le plat de la main. *Une tape dans le dos.* ⇒ **claque.** *Il m'a donné une tape amicale.* ▸ **tapé, ée** adj. **1.** Trop mûr, pourri par endroits (aux endroits des heurts). ⇒ **talé.** *Pommes tapées.* — Fam. (D'une personne qui n'est plus jeune) *Elle est un peu tapée.* **2.** Fam. BIEN TAPÉ : réussi, bien fait. *Une réponse bien tapée*, bien envoyée. — Bien servi. *Un demi bien tapé.* **3.** Fam. Fou. *Il est complètement tapé.* ⇒ **cinglé, sonné.** ▸ **tape-à-l'œil** [tapalœj] adj. invar. et n. m. invar. **1.** Adj. Qui attire l'attention par des couleurs voyantes, un luxe tapageur. *Une décoration un peu tape-à-l'œil.* / contr. **discret** / **2.** N. m. invar. *C'est du tape-à-l'œil*, cela fait beaucoup d'effet mais cela a peu de valeur. ▸ **tapecul** ou **tape-cul** [tapky] n. m. **1.** Voiture à cheval, automobile mal suspendue. **2.** Exercice de manège, à cheval. **3.** Brimade consistant à soulever qqn par les pieds et les épaules et à lui taper le derrière par terre. ▸ **tapement** n. m. ■ Action de taper (I, 1 et 2) ; *Des tapements de pieds.* — Le bruit ainsi produit. *Un tapement sourd.* ▸ ① **tapette** n. f. ■ Raquette d'osier pour battre les tapis ; pour tuer les mouches. ⟨ ▸ retaper, tapage, tapée, tapeur, tapoter ⟩

② **tapette** [tapɛt] n. f. ■ Fam. Langue (qui parle). *Il a une de ces tapettes !*, il est très bavard.

tapeur, euse [tapœr, øz] n. ■ Personne qui emprunte souvent de l'argent (⇒ **taper**, I, 4).

en tapinois [ɑ̃tapinwa] loc. adv. ■ En se cachant, à la dérobée. ⇒ **en catimini, sournoisement.** *Il avançait en tapinois.*

tapioca [tapjɔka] n. m. ■ Fécule extraite de la racine de manioc. *Un potage au tapioca* ou, ellipt, *un tapioca.*

① **se tapir** [tapiʀ] v. pron. réfl. ▪ conjug. 2. ■ Se cacher, se dissimuler en se blottissant. *Le chat s'est tapi sous le buffet.* — Au p. p. adj. *Une bête tapie dans les buissons.* ⟨ ▸ en tapinois ⟩

② **tapir** n. m. ■ Mammifère ongulé, herbivore, d'assez grande taille (jusqu'à 2 m), bas sur pattes, dont le nez se prolonge en trompe. *Le tapir et le tamanoir se ressemblent.*

tapis [tapi] n. m. invar. **1.** Ouvrage de fibres textiles, destiné à être étendu sur le sol. *Tapis de haute laine. Secouer les tapis.* — *Marchand de tapis*, marchand ambulant de tapis ; péj. vendeur, marchand trop insistant. *Des discussions de marchand de tapis.* — Loc. *Dérouler le tapis rouge*, recevoir qqn avec les honneurs. *Tapis volant* (des légendes orientales). **2.** Revêtement souple de sol. *Tapis de fibres.* ⇒ **natte.** *Tapis de sol*, dans une tente de camping, etc. — TAPIS-BROSSE : paillasson. *Des tapis-brosses.* — *Envoyer son adversaire* AU TAPIS : au sol. **3.** TAPIS ROULANT : surface plane animée d'un mouvement de translation et servant à transporter des personnes, des marchandises. *Des tapis roulants.* **4.** Couche, surface qui évoque un tapis. *Un tapis de neige.* **5.** Pièce de tissu recouvrant un meuble, une table. *Tapis de table.* ⇒ **dessus** de table. — Loc. *Mettre une affaire, une question sur le tapis*, la faire venir en discussion. *Avec lui, ce sont toujours les mêmes histoires qui reviennent sur le tapis.* ⟨ ▸ tapisser ⟩

tapisser [tapise] v. tr. ▪ conjug. 1. **1.** Couvrir de tapisseries, tentures, étoffes, papiers, etc., pour orner. *Tapisser un mur, une chambre. Papier à tapisser. Tapisser sa chambre d'affiches.* — Au p. p. *Une pièce tapissée de jute.* **2.** (Suj. chose) Recouvrir (un mur, une paroi) en manière d'ornement. *Le papier peint qui tapisse un appartement.* — Recouvrir parfaitement. *Le lierre tapissait tout le mur. Un dépôt de sel tapisse le fond de la lagune à sec.* ▸ **tapisserie** n. f. **1.** Ouvrage d'art en tissu, effectué au métier, dans lequel le dessin résulte du tissage même. *Tapisseries des Gobelins.* **2.** Loc. FAIRE TAPISSERIE *dans un bal* : se dit d'une jeune fille, d'une femme qui n'est pas invitée à danser (et qui reste immobile le long du mur, comme une tapisserie). **3.** Ouvrage de dame à l'aiguille, dans lequel un canevas est entièrement recouvert par des fils de laine, de soie. *Faire une tapisserie, de la tapisserie.* ▸ **tapissier, ière** n. **1.** Personne qui fabrique et vend des tissus utilisés en ameublement et en décoration. **2.** Personne qui tapisse une pièce, une maison, pose les papiers peints. *Tapissier-décorateur.*

tapoter [tapɔte] v. tr. ▪ conjug. 1. ■ Frapper légèrement à petits coups répétés. *Tapoter la joue d'un enfant. À sept ans, il tapotait du Mozart.* ⇒ **pianoter.** — Intransitivement. *Tapoter sur la table.* ⇒ **tambouriner.** *Tapoter (ou pianoter) sur un clavier d'ordinateur.* ▸ **tapotement** n. m. ■ *Entendre un léger tapotement à la porte.*

taquet [takɛ] n. m. **1.** Pièce de bois qui soutient l'extrémité d'un tasseau. — Coin de bois pour caler un meuble. **2.** Morceau de bois qui tourne autour d'un axe et sert à maintenir une porte fermée. ⇒ **loquet.**

taquin, ine [takɛ̃, in] adj. ■ Qui prend plaisir à contrarier autrui dans les petites choses et sans désir de nuire. *Un enfant taquin. Un caractère taquin.* ▸ **taquiner** v. tr. ▪ conjug. 1. **1.** S'amuser à contrarier dans de petites choses. ⇒ **asticoter**, faire enrager. *Il la taquinait pour la mettre en colère. Tu ne devrais pas la taquiner là-dessus, à ce sujet.* **2.** (Suj. chose) Être la cause de petites contrariétés, d'une douleur légère. *Ce retard me taquine.* ⇒ **inquiéter.** *J'ai une dent qui me taquine.* ⇒ **agacer.** **3.** Loc. fam. *Taquiner le goujon*, pêcher à la ligne. ▸ **taquinerie** n. f.

1. Caractère d'une personne taquine. **2.** *Une taquinerie,* action de taquiner ; parole taquine.

tarabiscoté, ée [taʀabiskɔte] adj. **1.** Qui comprend beaucoup d'ornements. *Des meubles tarabiscotés.* **2.** Abstrait. Affecté, contourné. *Style tarabiscoté. Une explication tarabiscotée.* ⇒ **embarrassée.**

tarabuster [taʀabyste] v. tr. ▪ conjug. 1. **1.** Importuner (qqn) par des paroles, des interventions renouvelées. ⇒ **houspiller, tourmenter, tracasser.** *Mes patrons vont encore me tarabuster.* ⇒ fam. **tanner.** **2.** (Suj. chose) Causer de la contrariété, de l'inquiétude, de l'agitation à (qqn). *C'est une idée qui me tarabuste.* ⇒ **turlupiner.**

tarama [taʀama] n. m. ▪ Hors-d'œuvre préparé avec des œufs de cabillaud, fumés, écrasés et mêlés à de la crème fraîche, parfois de l'huile.

tarasque [taʀask] n. f. ▪ Animal fabuleux, sorte de dragon des légendes provençales.

taratata [taʀatata] interj. ▪ Onomatopée exprimant l'incrédulité, la défiance, le mépris. *Taratata ! tout ça, c'est des histoires !*

tarauder [taʀode] v. tr. ▪ conjug. 1. **1.** Creuser, percer (une matière dure) pour y pratiquer un pas de vis. *Tarauder une planche.* **2.** Percer avec une tarière. *Les insectes qui taraudent le bois.*

tard [taʀ] adv. **1.** Après le moment habituel ; après un temps considéré comme long. / contr. **tôt** / *Se lever tard.* — PROV. *Mieux vaut tard que jamais. Il est rentré de son travail plus tard que d'habitude.* — *Un peu tard, bien tard, trop tard,* après un temps trop long, après le moment convenable. *Votre lettre est arrivée trop tard, j'étais déjà parti.* — TÔT OU TARD : inévitablement mais à un moment qu'on ne peut prévoir avec certitude. — (Avec *être*) *Il est, c'est trop tard.* PROV. *Il n'est jamais trop tard pour bien faire.* — *Au plus tard,* en prenant le délai le plus long qu'on puisse admettre ou estimer. *Je vous rembourserai dans un mois au plus tard.* — PLUS TARD : dans l'avenir. ⇒ **ultérieurement.** *Ce sera pour plus tard. Quelques minutes plus tard.* ⇒ **après.** *Pas plus tard qu'hier* (il y a si peu de temps). **2.** À la fin d'une période, à une heure avancée du jour ou de la nuit. *Tard dans la matinée, dans la nuit. Rentrer tard.* — Adj. *Il est, il se fait tard,* l'heure est avancée. *Il se fait tard, partons. Je ne croyais pas qu'il fût* (littér.), *qu'il était si tard.* **3.** N. m. SUR LE TARD : à un âge considéré comme avancé. *Il s'est mis à jouer du piano sur le tard.* ▶ **tarder** v. intr. ▪ conjug. 1. **1.** Se faire attendre ; être lent à venir. *Ça n'a pas tardé !* **2.** Mettre beaucoup de temps ; rester longtemps avant de commencer à agir. *Ne tardez pas, décidez-vous. Venez sans tarder,* tout de suite. — TARDER À (+ infinitif) *Il n'a pas tardé à lui répondre.* **3.** Impers. IL ME (TE, LUI...) TARDE (+ infinitif) : exprimant l'impatience de faire, de voir se produire qqch. *Il me tarde d'avoir les résultats.* — (Avec *que* + subjonctif) *Il lui tarde que ce soit terminé.* ▶ **tardif, ive** adj. **1.** Qui apparaît, qui a lieu tard, vers la fin d'une période, d'une évolution. *Maturité tardive. Enfant d'une intelligence tardive.* **2.** Qui a lieu tard dans la journée, la matinée ou la soirée. *Il est rentré à une heure tardive.* ⇒ **avancé.** — Qui vient, qui se fait trop tard. *Des remords tardifs.* **3.** (Opposé à *précoce*) Qui se forme, se développe plus lentement ou plus tard que la moyenne. *Un fruit tardif.* / contr. **précoce** / ▶ **tardivement** adv. ▪ Tard. *Elle s'en aperçut tardivement.* 〈 ▶ **s'attarder, retardataire, retarder** 〉

① **tare** [taʀ] n. f. **1.** Poids de l'emballage, du récipient pesé avec une marchandise. *Il faut déduire du poids brut la tare pour obtenir le poids net.* **2.** Poids qu'on place sur le plateau d'une balance, équivalent de celui d'un objet qu'on ne veut pas compter dans un poids total. ▶ **tarer** v. tr. ▪ conjug. 1. ▪ Peser (un emballage ou un récipient) avant de le remplir afin de pouvoir déduire son poids du poids brut.

② **tare** n. f. **1.** Grave défaut (d'une personne, d'une société, d'une institution). *Les tares humaines.* **2.** Défectuosité physique ou psychologique, souvent considérée comme héréditaire et irrémédiable. ▶ **taré, ée** adj. **1.** Affecté de tares (1). *Un politicien taré. Régime taré.* **2.** Atteint d'une tare (2). **3.** Fam. Inintelligent. ⇒ **bête, idiot.** *Mais tu es complètement taré ! Elle est tarée, cette nana !* — N. *Bande de tarés !*

tarentelle [taʀɑ̃tɛl] n. f. ▪ Danse du sud de l'Italie, sur un air au rythme très rapide.

tarentule [taʀɑ̃tyl] n. f. ▪ Grosse araignée venimeuse des pays chauds.

targette [taʀʒɛt] n. f. ▪ Petit verrou, généralement à tige plate, que l'on manœuvre en poussant ou en tournant un bouton. *Mettre la targette.*

se **targuer** [taʀge] v. pron. réfl. ▪ conjug. 1. ▪ Littér. Se prévaloir (de qqch.) avec ostentation, se vanter de... *Il se targue un peu trop de sa générosité.* — Plus cour. (+ infinitif) *Elle s'est targuée d'y parvenir. Il se targue de ce que tout lui réussit.*

targui, ie [taʀgi] n. et adj. ▪ Singulier de TOUAREG.

tarière [taʀjɛʀ] n. f. **1.** Grande vrille pour percer le bois. **2.** Prolongement de l'abdomen (d'insectes) capable de creuser des trous.

tarif [taʀif] n. m. **1.** Tableau ou liste qui indique le montant des droits à acquitter, des prix fixés ; ces prix. *Les tarifs des chemins de fer. Tarif réduit.* ⇒ **demi-tarif.** *Payer plein tarif.* — En parlant de salaires. *Tarif syndical,* fixé par un syndicat. — *Tarif douanier,* taux du droit de douane des produits pouvant être importés. **2.** Le prix tarifé ou usuel (d'une marchandise, d'un travail). *Le tarif, les tarifs d'un fabricant, d'un commerçant.* — Fam. *Il aura deux mois de prison, c'est le tarif,* la peine habituelle. ▶ **tarifaire** adj. ▪ *Dispositions tarifaires.* ▶ **tarifer** v. tr. ▪ conjug. 1. ▪ **1.** Fixer à un montant, à un prix déterminé ; déterminer le tarif de. *Faire tarifer une ordonnance.* — Au p. p. adj. *Des marchandises tarifées.* ▶ **tarification** n. f. ▪ Fixation des prix selon un tarif précis. 〈 ▶ demi-tarif 〉

tarir [taʀiʀ] v. ▪ conjug. 2. **I.** V. intr. **1.** Cesser de couler ; s'épuiser. *Source qui tarit. Ses larmes ne tarissent plus.* **2.** L'entretien, la conversation tarit, s'arrête parce qu'on n'a plus rien à se dire. — (Personnes) NE PAS TARIR : ne pas cesser de dire, de parler. *Il ne tarit pas sur ce sujet.* ⇒ **intarissable.** *Il ne tarit pas d'éloges sur vous.* **II.** V. tr. Faire cesser de couler ; mettre à sec. ⇒ **assécher.** *Tarir un fleuve. La sécheresse a tari tous les ruisseaux.* **III.** SE TARIR v. pron. *La source s'est tarie.* — *Sa veine poétique s'est tarie.* ⇒ **s'épuiser.** ▶ **tari, ie** adj. ▪ Sans eau. *Une rivière tarie.* ⇒ à **sec.** ▶ **tarissement** n. m. ▪ Le tarissement d'une source, d'un puits. ⇒ **assèchement.** 〈 ▶ intarissable 〉

tarot [taʀo] n. m. ▪ *Les tarots,* cartes à jouer portant des figures spéciales et plus longues que les cartes ordinaires, utilisées surtout en cartomancie (pour révéler l'avenir). *Un jeu de tarots* (ou ellipt *un tarot*) *de soixante-dix-huit cartes. Jouer aux tarots.*

tarse [taʀs] n. m. ▪ Partie du squelette du pied constituée par une double rangée d'os courts. ▶ **tarsien, ienne** adj. ▪ *Articulation tarsienne, os tarsiens.* 〈 ▶ métatarse 〉

① **tartan** [taʀtɑ̃] n. m. ▪ Tissu écossais propre à un clan*. — Tissu imité dit *écossais*. *Doublure, cravate en tartan.*

② *tartan* n. m. ■ (Marque déposée) Revêtement des pistes d'athlétisme fait d'un agglomérat de caoutchouc, de matières plastiques et d'amiante.

tartare [taʀtaʀ] n. et adj. 1. Se disait des populations d'Asie centrale (Turcs et Mongols). 2. *Sauce tartare*, mayonnaise aux câpres et à la moutarde. — *Un* STEAK TARTARE ou, n. m., *un tartare*, viande de bœuf (ou de cheval) crue et hachée, assaisonnée d'une sauce tartare. (En Belgique : *filet américain*.) — *Tartare de poisson* (bar, thon, etc.).

tarte [taʀt] n. f. et adj. I. N. f. 1. Pâtisserie formée d'un fond de pâte entouré d'un rebord et garni (de confiture, de fruits, de crème). *Tarte aux fruits. Tarte à la crème. Tarte Tatin*, renversée, caramélisée. — Loc. fig. TARTE À LA CRÈME : formule vide et prétentieuse pour laquelle on prétend avoir réponse à tout. — Fam. *C'est pas de la tarte !*, c'est désagréable ou difficile. 2. Fam. Coup, gifle. *Il a reçu une sacrée tarte*. II. Adj. Fam. Laid ; sot et ridicule, peu dégourdi. ⇒ **cloche**. (Avec ou sans accord) *Ce qu'ils sont tarte !* — (D'une chose) *Il est un peu tarte, son chapeau !* ⇒ **mochard**. (Dérivé fam. *tartignolle*.) ▶ *tartelette* n. f. ■ Petite tarte individuelle. ⇒ **barquette**.

Tartempion [taʀtɑ̃pjɔ̃] n. m. ■ Nom propre d'une personne fictive prise comme type de l'individu quelconque. *Monsieur Tartempion*.

tartine [taʀtin] n. f. 1. Tranche de pain recouverte de beurre, de confiture... ou destinée à l'être. *Faire des tartines. Tartines grillées*. ⇒ **rôtie**, ② **toast**. 2. Fam. Développement interminable sur un sujet quelconque. ⇒ **laïus**, **tirade**. *Il a fait là-dessus toute une tartine*. ▶ *tartiner* v. tr. ■ conjug. 1. ■ Étaler (du beurre, etc.) sur une tranche de pain.

tartre [taʀtʀ] n. m. 1. Dépôt qui se forme dans les récipients contenant du vin. 2. Dépôt plus ou moins dur, de couleur jaune ou brune (phosphate de calcium), qui s'attache au collet des dents. 3. Croûte calcaire due au dépôt sur les parois des chaudières, des bouilloires. ‹ ▶ détartrer, entartrer ›

tartufe ou *tartuffe* [taʀtyf] n. m. et adj. ■ Personne hypocrite. — Adj. *Il est un peu tartuffe*. ▶ *tartuferie* ou *tartufferie* n. f. ■ Conduite de tartufe. ⇒ **hypocrisie**.

tas [ta] n. m. invar. 1. Amas (de matériaux, de morceaux, d'objets) s'élevant sur une large base. *Un tas de pierres, de sable ; de détritus*. ⇒ **monceau**. *Faire des petits tas de... Mettre des bûches en tas*. ⇒ **entasser**. 2. Grande quantité, grand nombre (de choses). ⇒ **flopée**. *Un tas de détails inutiles. Des tas de..., beaucoup. Il s'intéresse à des tas de choses*. ⇒ **quantité**. — Péj. ou fam. Grand nombre (de gens). ⇒ **multitude**. *Un tas de gens*. — DANS LE TAS : dans le grand nombre de gens en question. *Tirer, taper dans le tas*, dans un groupe, sans viser précisément qqn. — (Dans une injure) *Tas de crétins, de salauds !* ⇒ **bande**. 3. Loc. SUR LE TAS : sur le lieu du travail, au travail. *Grève sur le tas*. Fam. *Être formé sur le tas*, par le travail même. ⇒ **sur le terrain**. ‹ ▶ entasser, tasser ›

tasse [tas] n. f. 1. Petit récipient à anse ou à oreilles, servant à boire. *Une tasse de porcelaine. Des tasses à café*. — Son contenu. *Prendre une tasse de thé*. 2. Loc. fam. *Boire une tasse, la tasse*, avaler involontairement de l'eau en se baignant.

tasseau [taso] n. m. ■ Petite pièce de bois ou de métal destinée à soutenir l'extrémité d'une tablette et qui est soutenue elle-même par un taquet. ⇒ **support**. *Une planche, supportée par deux tasseaux*.

tasser [tase] v. tr. ■ conjug. 1. I. 1. Comprimer le plus possible, en tapant, poussant, serrant. *Tasser ses*

affaires dans un sac. *Tasser le tabac dans la pipe*. ⇒ **bourrer**. *Tasser de la terre à coups de pelle*. 2. (Compl. personne) *Tasser des prisonniers dans un wagon*. ⇒ **entasser**. II. SE TASSER v. pron. 1. S'affaisser sur soi-même. *Des terrains qui se tassent*. 2. (Suj. chose) Fam. Revenir, après quelque incident, à un état normal. ⇒ s'**arranger**. *Il y a des difficultés ; ça se tassera ! Les choses vont se tasser*. 3. Faux pron. (Suj. personne) Fam. *Se tasser qqch.*, s'envoyer. *Qu'est-ce qu'elle s'est tassé comme gâteaux !* ⇒ se **taper**. III. ÊTRE TASSÉ (ÉE) passif et p. p. adj. 1. Qu'on a tassé. *Terre tassée. Voyageurs tassés dans le métro. On est tassés*. 2. Affaissé. *Constructions tassées. Une petite vieille toute tassée*. ⇒ **recroquevillé**. 3. Fam. BIEN TASSÉ : qui remplit bien le verre. *Un demi bien tassé*. ⇒ **tapé**. *Un café, un pastis bien tassé*, très fort. ▶ *tassement* n. m. ■ ⇒ **affaissement**. *Le tassement du sol*.

taste-vin [tastəvɛ̃] ou *tâte-vin* [tɑtvɛ̃] n. m. invar. ■ Petite tasse plate servant aux dégustateurs de vin.

tata [tata] n. f. ■ (Fam. ou enfantin) Tante.

tâter [tate] v. tr. ■ conjug. 1. 1. Toucher attentivement avec la main, afin d'explorer, d'éprouver, de reconnaître. ⇒ **manier**, **palper**. *Il tâte les murs pour trouver son chemin. Tâter le pouls d'un malade*. — TÂTER LE TERRAIN : le reconnaître ; s'assurer, avec précaution, des possibilités d'action. *Je ne sais s'il acceptera, il faut tâter le terrain*, s'assurer de ses intentions. 2. Chercher à connaître les forces ou les dispositions de (qqn), en le questionnant avec prudence. ⇒ **sonder**. *Tâter qqn, l'opinion. Je l'ai tâté sur cette affaire, il ne veut pas s'engager*. 3. Intransitivement. TÂTER DE : faire l'expérience de. ⇒ **essayer**. *Il a tâté un peu de tous les métiers. Tâter de la prison*. 4. V. pron. Fig. SE TÂTER : s'étudier avec attention ; s'interroger longuement, hésiter. *Il n'a rien décidé, il se tâte*. ‹ ▶ tatillon, tâtonner ›

tatillon, onne [tatijɔ̃, ɔn] adj. ■ (Personnes) Exagérément minutieux, exigeant, attaché aux détails des règlements. ⇒ **pointilleux**. *Un bureaucrate tatillon*.

tâtonner [tɑtɔne] v. intr. ■ conjug. 1. 1. Tâter plusieurs fois le sol, les objets autour de soi, pour se diriger ou trouver qqch. *Il tâtonnait dans l'obscurité*. 2. Hésiter, faute de compréhension suffisante. — Faire divers essais pour découvrir une solution. ⇒ **essayer**. *La médecine tâtonne encore dans bien des domaines*. ▶ *tâtonnant, ante* adj. ■ *Un geste tâtonnant. Des recherches tâtonnantes*. ▶ *tâtonnement* n. m. 1. Action de tâtonner. *Les tâtonnements d'un aveugle*. 2. Essai hésitant et renouvelé pour trouver qqch. *Nous trouverons certainement la solution après quelques tâtonnements*. ⇒ **essai**, **tentative**. ▶ *à tâtons* [atatɔ̃] loc. adv. 1. En tâtonnant (1). ⇒ l'**aveuglette**. *Avancer à tâtons dans l'obscurité*. 2. Au hasard, sans méthode. *Procéder à tâtons dans ses recherches*.

tatou [tatu] n. m. ■ Mammifère édenté d'Amérique du Sud, au corps recouvert d'une carapace. *Grand tatou. Des tatous*.

tatouer [tatwe] v. tr. ■ conjug. 1. 1. Marquer, orner (une partie du corps) d'inscriptions ou de dessins indélébiles en introduisant au moyen de piqûres des matières colorantes sous l'épiderme. *Un marin qui se fait tatouer la poitrine*. — Au p. p. adj. *Bras tatoué. Une femme tatouée. N. Un, une tatoué(e)*. 2. Exécuter (un dessin) par tatouage (et abusivt par un autre procédé). — Au p. p. adj. *Il a une sirène tatouée dans le dos*. ▶ *tatouage* n. m. 1. Action de tatouer. *Le raffinement des tatouages polynésiens*. 2. Signe, dessin exécuté en tatouant la peau. *Il a les bras couverts de tatouages.* ▶ *tatoueur* n. m.

taudis [todi] n. m. invar. **1.** Logement misérable, sans confort ni hygiène. ⇒ **galetas.** *Les taudis des bas quartiers. Lutte contre les taudis.* **2.** Maison, pièce sale et en désordre. *Ta chambre est un vrai taudis !*

taule ou *tôle* [tol] n. f. **1.** Fam. et péj. Chambre. ⇒ **piaule. 2.** Arg. Prison. *Aller en taule.* ▶ *taulier, ière* ou *tôlier, ière* n. ■ Fam. et péj. Propriétaire ou gérant d'un hôtel. *Le taulier lui a réclamé la note.*

① *taupe* [top] n. f. **1.** Petit mammifère insectivore aux yeux très petits, qui vit sous terre en creusant de longues galeries (⇒ **taupinière**). *La taupe vit dans l'obscurité, mais n'est pas aveugle.* — Loc. *Myope comme une taupe*, très myope. — *Vivre comme une taupe*, sans sortir de chez soi. — Fam. *Vieille taupe,* vieille femme désagréable. **2.** Fourrure à poil court et soyeux de cet animal. **3.** Espion infiltré dans le milieu qu'il observe. *Une taupe des services secrets.* ▶ *taupinière* n. f. ■ Monticule de terre formé par la taupe lorsqu'elle creuse des galeries. ▶ *taupé* n. m. ■ Chapeau de feutre à poils dépassants (rappelant la fourrure de taupe).

② *taupe* n. f. ■ Dans les lycées. Classe de mathématiques spéciales préparant aux grandes écoles scientifiques (polytechnique, etc.) *Il est en taupe.* ≠ *khâgne.*

taureau [tɔʀo] n. m. **1.** Mammifère ruminant domestique, mâle de la vache, apte à la reproduction. ≠ *bœuf. Des taureaux qui mugissent, beuglent. Mener une vache au taureau.* — Loc. *Un cou de taureau,* épais et puissant. *Fort comme un taureau.* — TAUREAU DE COMBAT : taureau sélectionné pour les *courses de taureaux.* ⇒ **corrida ; tauromachie. 2.** (Avec une majuscule) Deuxième signe du zodiaque (21 avril-20 mai). *Être né sous le signe du Taureau, être du Taureau.* — Ellipt. Invar. *Elles sont Taureau.* ▶ *taurillon* n. m. ■ Jeune taureau qui ne s'est pas encore accouplé. ▶ *taurin, ine* adj. ■ Relatif au taureau, au taureau de combat. ▶ *tauromachie* [tɔʀɔmaʃi] n. f. ■ Art de combattre les taureaux dans l'arène. *Les règles, le vocabulaire de la tauromachie.* ⇒ **corrida.** ▶ *tauromachique* adj. ■ De la tauromachie. ‹ ▶ torero, toréador, toréer, toril ›

tauto- ■ Élément savant signifiant « le même ». ‹ ▶ tautologie ›

tautologie [tɔtɔlɔʒi] n. f. **1.** Répétition inutile de la même idée sous une autre forme. ⇒ **pléonasme.** *« Je suis toujours à l'heure, je ne suis jamais en retard »* est une tautologie. **2.** En logique. Phrase qui donne dans le prédicat le sens du sujet. ⇒ **redondance.** ▶ *tautologique* adj. ■ Qui n'apporte aucune information. ⇒ **redondant.** *Un raisonnement tautologique.*

taux [to] n. m. invar. **1.** Montant d'une imposition, d'un prix fixé par l'État. *Taux de change,* prix d'une monnaie étrangère. ⇒ **cours, pair.** — Montant de l'intérêt annuel. *Un taux de 4%. Taux actuariel* brut.* **2.** Proportion dans laquelle intervient un élément variable. *Le taux d'urée sanguin.* — Pourcentage. *Le taux de mortalité.*

tavelé, ée [tavle] adj. ■ Marqué de petites taches. *Un visage tavelé. Un fruit tavelé.* ▶ *tavelure* n. f. ■ *Les tavelures de la peau.*

taverne [tavɛʀn] n. f. **1.** Autrefois. Lieu public où l'on mangeait et l'on buvait en payant. ⇒ **auberge. 2.** Café-restaurant de genre ancien et rustique. ⇒ **hostellerie.** ▶ *tavernier, ière* n. ■ Vx ou plaisant. Cafetier, restaurateur tenant une taverne.

taxe [taks] n. f. **1.** Somme prélevée par l'État à titre d'imposition sur un service. ⇒ **impôt** indirect. *Taxe*

sur le chiffre d'affaires, impôt sur le chiffre d'affaires des entreprises. (En France) *Taxe à la valeur ajoutée.* ⇒ **T.V.A.** *Prix* HORS TAXES : sans les taxes. *Produits hors taxes,* non soumis au paiement des taxes. **2.** Somme que doit payer le bénéficiaire d'une prestation fournie par l'autorité publique. *Taxe postale. Taxe de voirie. Taxe sur les appareils de télévision.* ⇒ **redevance. 3.** Nom de certains impôts. *Taxe d'habitation* (impôts locaux). ▶ ① *taxer* v. tr. ▪ conjug. 1. **1.** (État, tribunal) Fixer à une somme déterminée. *Taxer le prix d'une chose à tant.* — Au p. p. adj. *Prix taxés.* **2.** Soumettre à une imposition, à une taxe (un service, une transaction…) ; percevoir une taxe sur. ⇒ **imposer.** *Taxer les objets de luxe, les boissons.* ▶ *taxation* n. f. ■ Le fait de taxer (1). *La taxation de la viande.* ‹ ▶ détaxer, surtaxer ›

② *taxer* v. tr. ▪ conjug. 1. **1.** TAXER *qqn* DE : accuser de. *Elle le taxe de méchanceté.* **2.** Qualifier (une personne, une chose) de. ⇒ **appeler, considérer** comme. *La fantaisie est toujours taxée de folie.*

taxi [taksi] n. m. ■ Voiture automobile munie d'un compteur qui indique le prix de la course (⇒ **taximètre**). *J'ai pris un taxi. Hep taxi !* — *Chauffeur de taxi,* personne qui conduit un taxi. *Station de taxis.* — Fam. *Il, elle fait le taxi,* il, elle est chauffeur de taxi. ▶ *taximètre* n. m. ■ Compteur de taxi qui enregistre le temps écoulé et la distance, et détermine la somme à payer. ‹ ▶ radio-taxi ›

taxi- ■ Élément qui signifie « arrangement, ordre ». ▶ *taxidermie* [taksidɛʀmi] n. f. ■ Didact. Art de préparer, d'empailler les animaux morts. ⇒ **empaillage.** ▶ *taxinomie* n. f. ■ Didact. Science des classifications.

taxiphone [taksifɔn] n. m. ■ Téléphone public (souvent, dans une cabine) où l'on obtient la communication en introduisant un jeton, une pièce dans l'appareil.

taylorisme [tɛlɔʀism] n. m. ■ Méthode d'organisation scientifique du travail industriel, par l'utilisation maximale de l'outillage, la suppression des gestes inutiles.

tchèque [tʃɛk] adj. ■ De la partie de la Tchécoslovaquie comprenant la Bohême et la Moravie. — N. *Les Tchèques.* — N. m. *le tchèque,* langue slave. ▶ *tchécoslovaque* [tʃekɔslɔvak] adj. et n. ■ Relatif à la Tchécoslovaquie.

tchin-tchin [tʃintʃin] interj. ■ Fam. Interjection pour trinquer. ⇒ **santé.**

te [t(ə)] pronom pers. ■ Pronom personnel de la deuxième personne du singulier des deux genres, employé comme complément (⇒ **toi, tu**). — REM. *Te* s'élide en *t'* devant une voyelle ou un *h* muet. **1.** (Compl. d'objet direct ou attribut) *Je t'accompagne. Je te quitte. Tu t'habilleras toi-même. Cela va te rendre malade.* **2.** (Compl. indir.) À toi. *Je te donnerai cent francs. Je te l'ai promis. Il ne t'a pas répondu.* — (Marquant un rapport de possession) *Les enfants te cassent la tête. Si cela te vient à l'esprit.* — Fam. *Elle te court après,* après toi. — (Compl. de l'attribut) *Cela peut t'être utile.* **3.** (Avec un verbe de forme pronominale) *Tu t'en souviens ! Tu te perdras. Ne t'en fais pas.*

té [te] n. m. ■ Règle plate, faite de deux branches en équerre. *Des tés.* ⇒ **t (2)**

technique [tɛknik] adj. et n. **I.** Adj. **1.** Qui appartient à un domaine particulier, spécialisé, de l'activité ou de la connaissance. ⇒ **spécial.** *Des revues techniques. Mots techniques,* qui ne sont employés que par les techniciens, les spécialistes. / contr. **courant** / — Spécialt. *C'est trop technique pour moi,* trop spécialisé et difficile. **2.** Qui, dans le domaine de l'art, concerne les procédés de travail plus que l'inspiration. *Les difficultés techniques d'un morceau de piano.* **3.** Qui concerne les applications de la science, de la connaissance théorique, dans le domaine de la production et de l'économie. ≠ *scientifique. Progrès techniques et scientifiques. L'enseignement technique* ou, n. m., *le technique. Collège technique.* **4.** Qui concerne les objets, les mécanismes nécessaires à une action. Loc. *Un* INCIDENT TECHNIQUE : dû à une défaillance du matériel. **II.** LA, UNE TECHNIQUE n. f. **1.** Ensemble de procédés employés pour produire une œuvre ou obtenir un résultat déterminé. ⇒ **art** (II), **métier.** *La technique du théâtre. Les techniques audiovisuelles. Un musicien qui manque de technique.* **2.** Fam. Manière de faire. *N'avoir pas la (bonne) technique,* ne pas savoir s'y prendre. **3.** Ensemble de procédés méthodiques, fondés sur des connaissances scientifiques, employés à la production. *Les industries et les techniques. Techniques agro-alimentaires. Les techniques modernes, de pointe, les plus avancées* (dites par anglicisme *technologies). Transfert de techniques aux pays en voie de développement.* ▶ **technicien, ienne** n. **1.** Personne qui possède, connaît une technique (1) particulière. ⇒ **professionnel, spécialiste.** *C'est une technicienne de la peinture.* **2.** (Opposé à *théoricien)* Personne qui connaît et contrôle professionnellement des applications pratiques, économiques d'une science. *Les pays en voie de développement ont besoin de techniciens.* **3.** Agent spécialisé qui travaille sous les ordres directs d'un ingénieur et transmet les consignes aux exécutants. *Ouvriers et techniciens.* ▶ **technicité** [tɛknisite] n. f. ■ Caractère technique. *La technicité d'un mot, d'un exposé. D'une haute technicité.* ▶ **techniquement** adv. ■ Selon, d'après la technique. *Un procédé techniquement au point.* ⟨ ▶ **mnémotechnique, polytechnique, psychotechnique, techno-** ⟩

techno- ■ Élément signifiant « métier, procédé, technique ». ▶ **technocrate** [tɛknɔkrat] n. m. ■ Ministre, haut fonctionnaire, responsable possédant des compétences techniques (ou industrielles, financières, etc.) et qui voit principalement les aspects techniques des problèmes économiques, au détriment de l'élément humain. ▶ **technocratie** [tɛknɔkrasi] n. f. ■ Système politique dans lequel les techniciens et les technocrates ont un pouvoir prédominant. ▶ **technocratique** adj. ■ *Des décisions technocratiques.* ▶ **technologie** [tɛknɔlɔʒi] n. f. **1.** Étude des techniques, des outils, des machines, etc. *Un enseignement de technologie.* **2.** Anglic. Technique (II), en général complexe et moderne. *Les technologies de pointe.* ▶ **technologique** adj. ■ Qui appartient à la technologie (1, 2). *Vocabulaire technologique.* ⇒ **technique.**

teck [tɛk] n. m. ■ Bois brunâtre, dur, très dense, imputrescible, provenant surtout des régions tropicales.

teckel [tekɛl] n. m. ■ Basset allemand, à pattes très courtes.

tectonique [tɛktɔnik] adj. et n. f. ■ Relatif à la structure de l'écorce terrestre. *Le relief dépend pour une large part des facteurs tectoniques.* — N. f. Étude géologique de cette structure.

Te Deum [tedeɔm] n. m. invar. ■ Chant religieux (catholique) de louange et d'action de grâces. *Des Te Deum.*

tee-shirt [tiʃœrt] n. m. ■ Anglic. Maillot de coton à manches courtes ou longues, en forme de T. *Des tee-shirts bleu marine.*

tégument [tegymɑ̃] n. m. **1.** Tissu vivant qui recouvre le corps (d'un animal), avec ses appendices (poils, plumes, écailles, piquants, etc.). ⇒ **peau.** **2.** Enveloppe protectrice (des végétaux). *Le tégument de la graine.*

teigne [tɛɲ] n. f. **1.** Petit papillon de couleur terne (ex. : *la mite). La teigne des jardins.* **2.** Maladie parasitaire du cuir chevelu entraînant la chute des cheveux. ⇒ **pelade.** — Loc. *Il est mauvais comme une (la) teigne,* très méchant (→ c'est une teigne [3]). **3.** *C'est une teigne,* une personne méchante, hargneuse. ⇒ **gale, peste.** ▶ **teigneux, euse** adj. ■ Qui a la teigne. — N. *Un teigneux.*

teindre [tɛ̃dr] v. tr. ▪ conjug. 52. **1.** Imprégner (qqch.) d'une substance colorante par teinture. *Elle a teint ses cheveux. Qui sert à teindre.* ⇒ **tinctorial.** — SE TEINDRE v. pron. réfl. : teindre ses cheveux. **2.** Littér. Colorer. ⇒ **teinter.** — (Suj. chose) *Les champs se teignent de pourpre.* ▶ ① *teint, teinte* adj. ■ Qu'on a teint. *Cheveux teints.* ▶ ② *teint* [tɛ̃] n. m. **I.** Loc. *Tissu bon teint, grand teint,* dont la teinture résiste au lavage et à la lumière. — (Personnes) BON TEINT : qui ne change pas, solide. *Un catholique bon teint.* **II.** Nuance ou aspect particulier de la couleur du visage. ⇒ **carnation.** *Un teint de blonde. Un teint basané. Avoir le teint frais, le teint pâle.* — *Fond de teint.* ⇒ **fond.** ≠ **tain.** ▶ *teinte* n. f. **1.** Couleur, le plus souvent complexe ; nuance d'une couleur. ⇒ **nuance, ton.** *Les teintes de sa palette.* — *Une toilette aux teintes vives. Une teinte rougeâtre.* **2.** Abstrait. Apparence peu marquée ; petite dose. *Sa réponse avait une légère teinte d'ironie.* ▶ *teinter* v. tr. ▪ conjug. 1. ≠ *tinter.* **1.** Couvrir uniformément d'une teinte légère, colorer* légèrement. *Teinter un papier.* — Pronominalement. *Le ciel se teintait de rouge.* — Au p. p. adj. *Blanc teinté de rose.* **2.** V. pron. Avoir une légère apparence. *Sa remarque se teinte d'un peu d'ironie.* ▶ *teinté, ée* adj. ■ Légèrement coloré. *Lunettes à verres teintés.* ▶ *teinture* n. f. **I.** **1.** Action de teindre (qqch.) en fixant une matière colorante. *La teinture du coton. Un produit pour la teinture des cheveux.* **2.** UNE TEINTURE DE... : connaissance superficielle. ⇒ **vernis.** *Ils ont une petite teinture de philosophie.* **II.** (Substance) **1.** Substance colorante pour teindre. *Une teinture acajou pour les cheveux.* **2.** Préparation pharmaceutique à base d'alcool, d'éther ou d'eau. *Teinture d'iode* (pour nettoyer les plaies, souvent remplacée par le *mercurochrome). Teinture d'arnica.* ▶ *teinturerie* n. f. **1.** Industrie de la teinture (1), métier de teinturier (1). **2.** Magasin de teinturier (2). *Donner un complet à la teinturerie.* ⇒ **pressing.** ▶ *teinturier, ière* n. **1.** Personne qui assure les diverses opérations de la teinture. *Teinturier en cuirs et peaux.* **2.** Plus cour. Personne dont le métier est d'entretenir les vêtements (nettoyage, dégraissage, repassage, teinture). *Porter un costume chez le teinturier.* ⟨ ▶ **demi-teinte, déteindre, tinctorial** ⟩

tel, telle [tɛl] adj., pronom et nominal. **I.** (Marquant la ressemblance, la similitude) **1.** Semblable, du même genre. ⇒ **même, pareil, semblable.** *Je suis étonné qu'il tienne de tels propos,* ces propos-là. *S'ils ne sont pas avares, ils passent pour tels,* pour avares. — (En tête de proposition, avec inversion de l'attribut) *Telle est ma décision. Telles furent ses dernières paroles.* — COMME TEL : en cette qualité, à ce titre. *C'est votre aîné, respectez-le comme tel.* — EN TANT QUE TEL : en soi, par sa seule nature. *Détester la violence en tant que telle.* — (Redoublé et représentant deux personnes ou deux choses différentes) Loc. prov. *Tel père, tel fils,* le père et le fils sont semblables. **2.** TEL QUE... : comme. *Une femme telle que sa mère. Les arbres tels que les pins, les cèdres, etc. Acceptez-vous tel que vous êtes.* **3.** Littér. Comme. *Elle avançait majestueusement, telle une reine. Il file telle une flèche. Tel je l'ai laissé, tel je le retrouve,* je le retrouve sans changement. **4.** TEL QUEL : sans arrangement ; sans modification.

Laisser les choses telles quelles (incorrect : *telles que*).
II. (Exprimant l'intensité) Si grand, si fort, qui atteint
un degré si élevé. ⇒ **pareil, semblable.** *Je n'ai jamais
eu une telle peur.* — *A tel point.* ⇒ **tellement.** — RIEN
DE TEL : rien de si efficace. *Rien de tel que la marche
pour se délasser l'esprit.* — (Introduisant une conséquence) *J'ai eu une peur telle que je me suis enfui.*
— (+ subjonctif à la négative) *Je n'en ai pas un besoin
tel que je ne puisse attendre.* **III.** Indéfini. Un...
particulier. **1.** Adj. (Sans article) *Que m'importe que
tel ou tel candidat soit élu !,* un candidat ou un autre.
— REM. Avec *tel ou tel, tel et tel,* le nom et le verbe
se mettent au sing. *Telle et telle chose sera à faire.*
— (Désignant une chose précise qu'on ne nomme pas)
Telle quantité de. ⇒ **tant.** *Tel jour, à telle heure.*
2. Pronom. Littér. Certain, quelqu'un. *Tel veut être
flatté, tel autre a cela en horreur.* **3.** UN TEL : tenant
lieu d'un nom propre. *Il est sorti avec une telle.
Monsieur Un tel, Madame Une telle.* — *La famille
Un tel. Les Un tel.* ‹ ▶ **tellement** ›

télé [tele] n. f. ■ Fam. Télévision, téléviseur. *Regarder
la télé. Des télés couleurs.*

télé- **1.** Élément savant signifiant « au loin, à
distance » (ex. : *télécommunication*). **2.** Élément,
abréviation de télévision (ex. : *téléreporter,* n. m.).
3. Élément, abréviation de téléphérique (ex. : *télésiège,*
téléski).

télécabine [telekabin], *télébenne* [telebɛn]
n. f. ■ Téléphérique à un seul câble et à plusieurs
petites cabines. ≠ *télésiège.*

télécommander [telekɔmɑ̃de] v. tr. ▪ conjug. 1.
1. Commander à distance (une opération). ⇒ **téléguider.** *Télécommander la mise à feu d'une fusée.*
— Au p. p. adj. *Avions télécommandés.* **2.** Fig. *La
manœuvre a été télécommandée de l'étranger,* inspirée
par des influences étrangères. ▶ *télécommande* n. f.
■ *La télécommande des avions. Poste de télévision
livrée avec télécommande* (permettant de régler
éclairage et couleurs, de changer de chaîne).

télécommunication [telekɔmynikasjɔ̃] n. f.
■ Ensemble des procédés de transmission d'informa-
tions à distance (télégraphe, téléphone, télévision...).
*Le ministère des Postes et des Télécommunications.
Informatique et télécommunications.* ⇒ **télématique.**

télécopie [telekɔpi] n. f. ■ Procédé de télégraphie
consistant à émettre l'analyse de la surface d'un
document et à produire, à la réception, un document
géométriquement semblable. ▶ *télécopier* v. tr.
▪ conjug. 7. ■ Transmettre (une information écrite,
un document) par télécopie. ▶ *télécopieur* n. m.
■ Machine à télécopier.

télédiffuser [teledifyze] v. tr. ▪ conjug. 1. surtout
au p. p. adj. ■ Diffuser par la télévision. *Un match
télédiffusé.* ▶ *télédiffusion* n. f.

télé-enseignement [teleɑ̃sɛɲmɑ̃] n. m. ■ Mode
d'enseignement utilisant le support de la télévision.

téléférique ⇒ **téléphérique.**

téléfilm [telefilm] n. m. ■ Film tourné spécialement
pour la télévision. *Des téléfilms.*

télégramme [telegʀam] n. m. ■ Communication
transmise par le télégraphe ou par radiotélégraphie ;
feuille sur laquelle est inscrite cette communication.
⇒ **dépêche.** *Envoyer un télégramme.*

télégraphe [telegʀaf] n. m. ■ Système de transmission de messages écrits par une ligne électrique.
Envoyer une dépêche par télégraphe, télégraphier.
▶ *télégraphie* n. f. **1.** Technique, science de la
transmission par télégraphe électrique. *Alphabet
morse utilisé en télégraphie. Procédés de télégraphie*

(télécopie...). **2.** Vx ou admin. *Télégraphie sans fil.*
⇒ **T.S.F.** (vieilli) ; **radio.** ▶ *télégraphier* v. tr.
▪ conjug. 7. ■ Transmettre par télégraphe. ⇒ **câbler.**
Télégraphier une nouvelle à un ami. ▶ *télégraphique* adj. **1.** Du télégraphe. *Fils, poteaux télégraphiques.* **2.** Expédié par télégraphe ou télégramme. *Un
mandat télégraphique.* **3.** *Style télégraphique,* abrégé
comme dans les télégrammes. ▶ *télégraphiquement* adv. ■ Par télégraphie, par télégramme.
Prévenir qqn télégraphiquement. ▶ *télégraphiste* n.
1. Spécialiste de la transmission et de la réception des
messages télégraphiques. **2.** Personne qui délivre les
télégrammes et les messages urgents. ‹ ▶ télégramme ›

téléguider [telegide] v. tr. ▪ conjug. 1. **1.** Diriger,
guider à distance (un véhicule, un engin). *Téléguider
une fusée, un char.* — Au p. p. adj. *Elle jouait avec
une petite voiture téléguidée.* **2.** Fam. Inspirer,
conduire par une influence lointaine, secrète. ⇒ **télécommander.** ▶ *téléguidage* n. m.

téléinformatique [teleɛ̃fɔʀmatik] n. f. ■ Informatique faisant appel à des moyens de transmission
à distance (ex. : *minitel*).

télématique [telematik] n. f. ■ Ensemble des
techniques qui combine les moyens de l'informatique
avec ceux des télécommunications.

télémètre [telemɛtʀ] n. m. ■ Appareil de mesure
des distances par un procédé optique.

téléo-, télo- Éléments savants signifiant « fin,
but », et « complet, achevé » (ex. : *téléologie,* n. f.,
philosophie qui considère dans l'univers des moyens
servant à des buts, des objectifs).

téléobjectif [teleɔbʒɛktif] n. m. ■ Objectif photographique capable d'agrandir l'image et servant à
photographier des objets éloignés. *Il est parti avec son
téléobjectif et son grand angle.* — Abrév. fam. *Un télé.*

télépathie [telepati] n. f. ■ Sentiment de communication à distance par la pensée ; communication
réelle extra-sensorielle. ⇒ **transmission** de pensée.
▶ *télépathique* adj. ■ *Être en communication
télépathique.*

téléphérique ou *téléférique* [teleferik] n. m.
■ Dispositif de transport par cabine suspendue à un
câble, en montagne surtout. ≠ *télécabine.*

téléphone [telefɔn] n. m. **1.** Instrument qui permet
de transmettre à distance des sons, par l'intermédiaire
d'un circuit électrique. — Procédés, dispositifs
permettant la liaison d'un grand nombre de personnes
au moyen de cet appareil. *Téléphone automatique*
(ellipt *l'automatique*), *urbain, interurbain, international. Avoir le téléphone. Les abonnés du téléphone,*
personnes disposant d'un appareil téléphonique à
domicile. *Liste des abonnés du téléphone.* ⇒ **annuaire.**
Numéro de téléphone, indicatif d'un abonné. *Appeler
qqn au téléphone* (⇒ **appel ; allô**). *Ne le dérangez pas,
il est au téléphone.* — Fam. COUP DE TÉLÉPHONE.
⇒ coup de **fil.** *Donner, recevoir un coup de téléphone.*
2. Appareil constitué d'un combiné microphone-
récepteur qui repose sur un support. *Téléphone à
cadran, à touches. Mon téléphone est en dérangement.
Téléphone public.* ⇒ **taxiphone.** *Téléphone à cartes
magnétiques.* ▶ *téléphoner* v. ▪ conjug. 1. **1.** V. tr.
Communiquer, transmettre par téléphone. *Téléphone-
lui la nouvelle. Il lui a téléphoné qu'il serait absent
toute la journée.* — Au p. p. adj. *Message téléphoné.*
2. V. tr. ind. (Avec *à*) Se mettre, être en communication
par téléphone. *Téléphonez-moi demain. Il a téléphoné
à ses parents.* ⇒ **appeler.** **3.** V. intr. Se servir du
téléphone ; communiquer par téléphone. *Je téléphonerai pour vous donner de mes nouvelles. Il est en train
de téléphoner.* ▶ *téléphonique* adj. ■ *Une communi-*

cation, un appel téléphonique. Une cabine téléphoni-que. ▶ **téléphoniste** n. ■ Personne chargée d'assurer les liaisons, les transmissions téléphoniques. ⇒ **standardiste.**

télescope [teleskɔp] n. m. ■ Instrument d'optique destiné à l'observation des objets éloignés, des astres. ≠ *lunette astronomique.* ▶ **télescopique** adj. **1.** Qui se fait à l'aide du télescope. *Observations télescopiques.* **2.** Dont les éléments s'emboîtent les uns dans les autres, comme les éléments du tube d'une lunette d'approche, d'une longue-vue. *Une antenne télescopique.* ⟨ ▶ radiotélescope, télescoper ⟩

télescoper [teleskɔpe] v. tr. ■ conjug. 1. ■ Rentrer dans, enfoncer par un choc violent (de deux véhicules). ⇒ **heurter, tamponner.** *Le train a télescopé la voiture au passage à niveau.* — Pronominalement (récipr.). *Les deux voitures se sont télescopées.* **2.** SE TÉLESCOPER v. pron. Fig. : se chevaucher, se mêler. *Des souvenirs qui se télescopent dans la mémoire.* ▶ **télescopage** n. m.

téléscripteur [teleskriptœr] n. m. ■ Appareil télégraphique qui permet d'envoyer directement un texte dactylographié. ⇒ **télex.** — REM. On dit aussi **télétype,** n. m.

télésiège [telesjɛʒ] n. m. ■ Téléphérique constitué par une série de sièges suspendus à un câble unique.

téléski [teleski] n. m. ■ Remonte-pente pour les skieurs.

téléspectateur, trice [telespɛktatœr, tris] n. ■ Spectateur et auditeur de la télévision.

télévision [televizjɔ̃] n. f. **1.** Ensemble des procédés et techniques employés pour la transmission des images instantanées d'objets, après analyse de l'image (en points et en lignes) et transformation en ondes hertziennes. ⇒ **télé.** *Caméra de télévision.* **2.** Ensemble des activités et des services assurant l'élaboration et la diffusion d'informations et de spectacles à un grand nombre de personnes par le procédé de la télévision (1). *Studios de télévision. Émissions, programmes, chaînes, canaux de télévision. Télévision scolaire. Télévision privée, payante, à péage. Télévision par câble, câblée.* **3.** Fam. Poste récepteur de télévision. ⇒ **téléviseur.** *Acheter une télévision. Ils restent des heures devant la télévision.* ⇒ petit **écran.** ▶ **téléviser** v. tr. ■ conjug. 1. ■ Transmettre (des images, un spectacle) par télévision. — Au p. p. adj. *Les spectacles télévisés. Journal télévisé. Publicité télévisée.* ▶ **téléviseur** n. m. ■ Poste récepteur de télévision. ⇒ **télé, télévision** (3). *Un téléviseur couleurs.* ▶ **télévisuel, elle** adj. ■ De la télévision ⟨ ▶ télé, télédiffuser, télé-enseignement, téléfilm, téléspectateur ⟩

télex [telɛks] n. m. invar. ■ Service de dactylographie à distance avec le téléscripteur. *Les abonnés du télex.*

tellement [tɛlmɑ̃] adv. **1.** À un degré si élevé. ⇒ **si.** *C'est un spectacle tellement original. Elle l'aime tellement. Tellement plus, mieux, moins.* Fam. *Pas tellement, plus tellement,* pas très, pas beaucoup. « *Vous aimez ça ? — Pas tellement.* » *Il ne travaille pas tellement.* — TELLEMENT... QUE... *Il allait tellement vite qu'il ne nous a pas vus.* ⇒ **si.** — Littér. (+ subjonctif, à la négative) *Il n'est pas tellement vieux qu'il ne puisse travailler.* **2.** Fam. TELLEMENT DE... ⇒ **tant.** *J'ai tellement de soucis.* **3.** (+ proposition de cause) Tant. *Je ne le reconnais plus, tellement il a changé.*

tellurique [telyrik] adj. ■ *Secousse tellurique,* tremblement de terre. ⇒ **séisme.**

téméraire [temerɛr] adj. **1.** Hardi à l'excès, avec imprudence. ⇒ **audacieux, aventureux.** / contr. **lâche,** timoré / *Il est téméraire dans ses jugements.* **2.** Plus

cour. (Choses) Qui dénote une hardiesse imprudente. *Une entreprise téméraire.* ⇒ **hasardeux, dangereux.** / contr. **prudent, sage** / *Jugement téméraire,* porté à la légère, sans réflexion. *Il est téméraire de se lancer dans cette aventure.* ▶ **témérité** n. f. ■ Littér. Disposition à oser, à entreprendre sans réflexion ou sans prudence. ⇒ **audace, hardiesse.** / contr. **circonspection, prudence** / *Une folle, une dangereuse témérité.*

témoigner [temwaɲe] v. tr. ■ conjug. 1. **I.** V. tr. dir. **1.** Certifier qu'on a vu ou entendu. (Avec *que* ou l'infinitif) ⇒ **attester ; témoignage.** *Il a témoigné qu'il l'a vu, l'avoir vu.* — Sans compl. dir. Déposer en tant que témoin. *Témoigner en justice. Ils ont témoigné en sa faveur. Témoigner contre qqn.* **2.** Exprimer, faire connaître ou faire paraître. ⇒ **manifester, montrer.** *Il lui témoignait ses sentiments par des petites attentions.* **3.** (Choses) Littér. (Avec *que, combien*) Être l'indice, la preuve, le signe de... ⇒ **attester, montrer, révéler.** *Ce geste témoigne qu'il vous est attaché, combien il vous est attaché.* **II.** V. tr. ind. TÉMOIGNER DE. **1.** (Suj. personne) Confirmer la vérité, la valeur de (qqch.), par des paroles, ou simplement par ses actes, son existence même. ⇒ **témoin.** *Il peut témoigner de ma bonne foi. Il était d'accord, je peux en témoigner.* **2.** (Suj. chose) Être la marque, le signe de. *Ses œuvres témoignent d'une grande imagination. Il est courageux, sa conduite en témoigne.* ▶ **témoignage** n. m. **1.** Déclaration de ce qu'on a vu, entendu, servant à l'établissement de la vérité. ⇒ **attestation, rapport.** *Invoquer le témoignage de qqn* (pour prouver qqch.). *Selon son témoignage, cela s'est passé ainsi. Un témoignage irrécusable. J'ai besoin de votre témoignage.* RENDRE TÉMOIGNAGE *à, pour qqn :* témoigner en sa faveur. **2.** Déclaration d'un témoin en justice. ⇒ **déposition.** *Des témoignages écrasants. Faux témoignage,* témoignage inexact et de mauvaise foi (fait par un *faux témoin*). **3.** Le fait de donner des marques extérieures ; ces marques (paroles ou actes). ⇒ **démonstration, manifestation, preuve.** *Les premiers témoignages d'une navigation, d'une civilisation d'agriculteurs. Je lui ai toujours donné des témoignages d'affection.* — *Recevez ce cadeau, en témoignage de mon amitié.* ⇒ **gage.** — *Cadeau qui matérialise un sentiment. Acceptez ce modeste témoignage de ma reconnaissance.* ⟨ ▶ témoin ⟩

témoin [temwɛ̃] n. m. **I. 1.** Personne qui certifie ou peut certifier qqch., qui peut en témoigner. *Un témoin oculaire, direct. Un témoin impartial. Cette dame est le seul témoin de l'accident.* — Loc. PRENDRE À TÉMOIN : invoquer le témoignage de. *Je vous prends à témoin que je ne suis pas responsable.* **2.** Personne en présence de qui s'est accompli un fait et qui est appelé à l'attester en justice. *Comparution, déposition des témoins au cours d'une enquête. Témoin à charge,* qui dépose à l'appui de l'accusation. *Les témoins de l'accusation, de la défense.* — FAUX TÉMOIN : personne qui fait un faux témoignage. **3.** Personne qui doit certifier les identités, l'exactitude des déclarations, lorsqu'un acte est officiel. *Les témoins d'un mariage.* **4.** *Témoin (de)...,* personne qui assiste involontairement à un événement, un fait. *J'ai été témoin de leurs disputes.* ⇒ **assister, voir.** *Des témoins gênants. Parlons sans témoins.* **II.** Ce qui sert de preuve. **1.** Littér. Ce qui, par sa présence, son existence, atteste, permet de constater, de vérifier. *Les derniers témoins d'une civilisation disparue.* — En géologie. BUTTE TÉMOIN : qui a échappé à l'érosion. **2.** Élément qui sert de repère, de point de comparaison. *Animaux témoins,* sur lesquels on n'a pas fait d'expérience et que l'on compare à ceux qui en ont subi. **3.** Bâtonnet que doivent se passer les coureurs de relais. *Le passage du témoin.* **III.** (En tête de phrase) Invar. À preuve. *Ils ne sont pas unis ; témoin leurs déclarations contradictoires.*

tempe [tɑ̃p] n. f. ■ Côté de la tête, entre le coin de l'œil et le haut de l'oreille. *Cheveux ramenés sur les tempes. Un homme mûr, aux tempes grisonnantes, aux cheveux grisonnants sur les tempes.* ‹ ▶ temporal ›

① **tempérament** [tɑ̃peʁamɑ̃] n. m. ■ Constitution physiologique de l'individu et traits de caractère résultant de cette constitution. ⇒ **nature.** *Un tempérament nerveux ; sanguin et colérique. Il est d'un tempérament romanesque.* ⇒ **caractère.** *Un tempérament actif, faible.* ⇒ **personnalité.** — Sans compl. *C'est un tempérament,* une forte personnalité. **2.** *Avoir du tempérament,* des appétits sexuels. ⇒ **sensualité.**

② **tempérament** n. m. **I.** *Vente* À TEMPÉRAMENT : où le règlement du prix par l'acheteur est réparti en plusieurs paiements partiels. *Achats à tempérament,* à crédit. **II.** En musique. Organisation de l'échelle des sons, qui donne une valeur commune au dièse d'une note et au bémol de la note immédiatement supérieure (ex. : *sol* dièse et *la* bémol). ⇒ ① **tempéré.**

tempérance [tɑ̃peʁɑ̃s] n. f. **1.** Littér. Modération dans les plaisirs. ⇒ **mesure.** / contr. **excès, intempérance /** **2.** Modération dans la boisson (surtout dans la consommation d'alcool) et la nourriture. ⇒ **frugalité, sobriété.** ▶ **tempérant, ante** adj. ■ Littér. Qui a de la tempérance. ⇒ **frugal, sobre.** / contr. **intempérant /** ‹ ▶ intempérance ›

température [tɑ̃peʁatyʁ] n. f. **1.** Degré de chaleur ou de froid de l'atmosphère en un lieu. ⇒ **thermo-.** *Courbes des températures. Température en hausse, en baisse. La douceur de la température. La température ambiante.* **2.** Chaleur du corps. *Animaux à température fixe* ou homéothermes (à « sang chaud »), *variable* (à « sang froid »). *Prendre sa température avec un thermomètre.* — Loc. *Prendre la température d'une assemblée, d'un groupe,* etc., prendre connaissance de son état d'esprit. **3.** Chaleur excessive de l'organisme. *Avoir, faire de la température.* ⇒ **fièvre.**

① **tempéré, ée** adj. ■ Musique. Qui est réglé par le tempérament ②. *Le clavier bien tempéré* (de J.-S. Bach).

tempérer [tɑ̃peʁe] v. tr. ■ conjug. 6. **1.** Adoucir l'intensité (du froid, de la chaleur). **2.** Littér. Adoucir et modérer. ⇒ **atténuer.** *Tempérer l'ardeur de qqn. Il faut tempérer son agressivité.* ⇒ **assagir, calmer.** ▶ ② **tempéré, ée** adj. ■ *Climat tempéré,* ni très chaud ni très froid. ⇒ **doux.** *Zone tempérée,* où règne ce climat. *Les pays tempérés.* ‹ ▶ tempérance ›

tempête [tɑ̃pɛt] n. f. **1.** Violente perturbation atmosphérique ; vent rapide qui souffle en rafales, souvent accompagné d'orage. ⇒ **bourrasque, cyclone, ouragan, tourmente.** — *Ce temps sur la mer, qui provoque l'agitation des eaux.* / contr. **calme /** *La tempête se lève. Affronter, essuyer des tempêtes.* — *Tempête de neige,* chutes de neige avec un vent violent. — En appos. *Lampe-tempête, briquet-tempête,* dont la flamme protégée ne s'éteint pas par grand vent. **2.** Loc. *Une tempête dans un verre d'eau,* beaucoup d'agitation pour rien. *Déchaîner la tempête, des tempêtes,* provoquer de vives protestations. — PROV. *Qui sème le vent récolte la tempête,* celui qui incite à la violence, à la révolte, s'expose à de grands périls. **3.** *Une tempête d'applaudissements, d'injures,* une explosion subite de ... ▶ **tempétueux, euse** adj. ■ Littér. Où les tempêtes sont fréquentes. ⇒ **tumulte.** ‹ ▶ tempêter ›

tempêter [tɑ̃pete] v. intr. ■ conjug. 1. ■ Manifester à grand bruit son mécontentement, sa colère. ⇒ **fulminer ;** fam. **gueuler.** *Il tempêtait contre toute sa famille.*

temple [tɑ̃pl] n. m. **1.** Édifice public consacré au culte d'une divinité. ⇒ **église, mosquée, pagode, synagogue.** *Profaner un temple. Les temples grecs, romains. Un temple bouddhiste, hindouiste.* **2.** Édifice où les protestants célèbrent le culte. *Aller au temple.* **3.** *Le Temple,* en histoire, ordre fondé lors des premières croisades près de l'emplacement du temple de Jérusalem. ▶ **templier** n. m. ■ Chevalier de l'ordre religieux et militaire du *Temple,* au Moyen Âge.

tempo [tɛmpo] n. m. ■ Notation d'un mouvement musical. — Vitesse d'exécution, dans la musique de jazz. *Un tempo trop lent. Des tempos.*

temporaire [tɑ̃pɔʁɛʁ] adj. **1.** Qui ne dure ou ne doit durer qu'un temps limité. ⇒ **momentané, passager, provisoire.** / contr. **définitif /** *Une nomination à titre temporaire. Mesures temporaires. Il s'agit d'une crise temporaire.* — Loc. *Travail temporaire,* organisé par des agences qui envoient leurs employés à des entreprises, pour un temps déterminé assez bref (remplacements, etc.). **2.** Qui n'exerce ses activités que pour un temps. *Directeur temporaire.* ▶ **temporairement** adv. ■ ⇒ **provisoirement.**

temporal, ale, aux [tɑ̃pɔʁal, o] adj. ■ Qui appartient aux tempes. *Os temporal* ou, n. m., *le temporal.*

temporel, elle [tɑ̃pɔʁɛl] adj. **1.** En religion. Qui est du domaine du temps, des choses qui passent (opposé à *éternel*). *Le bonheur temporel et la béatitude éternelle.* — Qui est du domaine des choses matérielles (opposé à *spirituel*). ⇒ **séculier, terrestre.** *La puissance temporelle de l'Église.* **2.** En grammaire. Qui concerne, qui marque le temps, les temps. *Subordonnées temporelles,* propositions circonstancielles de temps. **3.** Relatif au temps ; situé dans le temps (surtout opposé à *spatial*). *Le déroulement temporel.* ▶ **temporalité** n. f. **1.** En grammaire. Caractère temporel, valeur temporelle. *La temporalité exprimée par les temps du verbe.* **2.** Didact. Caractère de ce qui est dans le temps, qui est vécu, conçu comme une succession. *La temporalité dans un roman.*

temporiser [tɑ̃pɔʁize] v. intr. ■ conjug. 1. ■ Attendre pour agir, par calcul, dans l'attente d'un moment plus favorable. ⇒ **attendre.** ▶ **temporisateur, trice** adj. et n. ■ (Personne) qui attend, ne se décide pas. ▶ **temporisation** n. f. ■ Le fait de temporiser. ⇒ **attentisme.**

① **temps** [tɑ̃] n. m. invar. **I.** Continuité indéfinie, qui paraît être le milieu où se déroule la succession des existences, des vies, des événements et des phénomènes, les changements, mouvements, etc. ⇒ **durée.** *Le temps et l'espace. Temps réel et temps vécu.* ⇒ **temporalité. 1.** Durée. *Nous avons du temps libre,* des loisirs. *Perdre, gagner du temps. Rattraper le temps perdu. Donnez-moi du temps et je le ferai. Ça prend trop de temps. Le temps presse,* il faut agir rapidement. *Dans peu de temps,* bientôt. *En peu de temps,* rapidement. *Un laps de temps,* un moment. — (Considéré comme une grandeur mesurable) *Unités de temps,* jour, heure, minute, seconde. *La division du temps en années, mois, semaines, jours, heures, minutes, secondes.* **2.** Portion limitée de cette durée. ⇒ **moment, période.** *Trouver le temps long. Emploi du temps. Travailler à plein temps* (pendant toute la journée normale de travail), *à mi-temps. Temps mort,* sans activité ni occupation. — *Durant, pendant ce temps. Depuis quelque temps. Quelque temps après. Pour un temps. N'avoir qu'un temps,* être éphémère, provisoire. *La beauté n'a qu'un temps,* elle disparaît vite. — Loc. conj. *Depuis le temps que... Voilà* BEAU TEMPS *que...,* il y a longtemps que. — Employé comme adv. en locutions. *Il attendit quelque temps,* pendant quelque temps. — *La plupart du temps,* le plus souvent. *C'est comme cela tout le temps,* continuellement. — LE TEMPS DE (+ infinitif) : le temps nécessaire pour. *On n'a pas le temps de s'amuser.* — *Le* TEMPS QUE (+ subjonctif). *Attendez-moi quelques minutes, le temps que j'aille téléphoner.* — *Vous avez tout le temps. Je n'ai pas le temps.* — MON, TON, SON TEMPS... *Passer son temps à un travail, à ne rien faire. Il passe* LE PLUS CLAIR DE SON TEMPS *à rêver* : la plus grande partie de son temps. *Perdre son temps. Prendre son temps,* ne pas se presser. — *Avoir fait son temps,* avoir terminé sa carrière ; être hors d'usage. *Ce vêtement a fait son temps.* **3.** Chacune des divisions égales de la mesure, en musique. *Une noire, une croche par temps.* — Loc. fam. *En deux temps, trois mouvements,* très rapidement. **4.** Chacune des phases (d'une manœuvre, d'une opération, d'un cycle de fonctionnement). *Moteur à quatre temps. Manœuvre en trois temps.* — Loc. AU TEMPS *pour les crosses* : recommencez la manœuvre. *Au temps pour moi,* je me suis trompé. ≠ *autant.* **5.** Durée chronométrée d'une course. *Réaliser le meilleur temps.* — TEMPS MORT : sans activité. ⇒ **pause. II.** (Dans une succession, une chronologie) **1.** Point repérable dans une succession par référence à un « avant » et un « après ». ⇒ **date, époque, moment.** *En ce temps-là. Depuis ce temps-là,* depuis lors. — Loc. *Chaque chose* EN SON TEMPS : on ne peut s'occuper de tout en même temps. — *Adverbes, compléments de temps,* marquant le moment. *Subordonnées de temps.* ⇒ **temporel. 2.** Époque. ⇒ **ère, siècle.** *Notre temps,* celui où nous vivons. *Être de son temps,* en avoir les mœurs, les idées. *Le temps passé ; l'ancien temps, le bon vieux temps.* — *Temps de...,* occupé, caractérisé par... *Le temps des vendanges, le temps des lilas, des cerises. Le temps des vacances. En temps de paix. En temps normal.* — LES TEMPS (avec une nuance d'indétermination). *Les temps ont changé depuis. Les Temps modernes. Ceci se passait dans des temps très anciens.* — Employé comme adv. *Je l'ai vu ces derniers temps, ces temps derniers.* **3.** Époque de la vie. — (Avec un adj. poss.) *De mon temps,* quand j'étais jeune. **4.** BON TEMPS : moments agréables, de plaisir. *Se donner, se payer, prendre du bon temps,* s'amuser. **5.** LE TEMPS DE (+ infinitif) : le temps où il convient de... *Le temps est venu de prendre des décisions.* — IL EST TEMPS DE : le moment est venu. *Il est temps de se décider. Il n'en est plus temps. Il est temps que* (+ subjonctif avec une idée d'urgence). *Il était temps que tu arrives !* **6.** Loc. adv. À TEMPS : juste assez tôt. *Nous sommes arrivés à temps.* — EN MÊME TEMPS : simultanément. *Ils arrivèrent en même temps.* — À la fois, aussi bien. *Cet outil sert en même temps à plusieurs usages.* — ENTRE-TEMPS. ⇒ **entre-temps.** — DE TEMPS EN TEMPS [dətãzãtã], DE TEMPS À AUTRE [dətãzaotʀ] : à des intervalles de temps plus ou moins longs et irréguliers. ⇒ **parfois, quelquefois.** — DE TOUT TEMPS : depuis toujours. — EN TOUT TEMPS : toujours. — DANS LE TEMPS : autrefois, jadis. *Je l'ai connu dans le temps.* — Loc. conj. DU TEMPS QUE (+ indicatif) : lorsque. *Du temps que j'étais jeune.* DANS LE TEMPS, AU TEMPS, DU TEMPS OÙ... : quand. **7.** En grammaire. Forme verbale particulière à valeur temporelle. *Temps et modes. Temps simples,* présent, imparfait, passé simple, futur. *Temps composés,* formés avec un auxiliaire : futur antérieur, passé composé, passé antérieur, plus-que-parfait. **III.** LE TEMPS : entité (souvent personnifiée) représentative du changement continuel de l'univers. *La fuite du temps. L'action du temps. Tromper le temps, tuer le* temps, échapper à l'ennui, en s'occupant ou en se distrayant avec peu de chose. ‹ ► contretemps, deux-temps, entre-temps, longtemps, mi-temps, passe-temps, printemps, tempo, temporaire, temporel, temporiser, ② temps ›

② **temps** n. m. invar. ■ État de l'atmosphère à un moment donné, considéré surtout dans son influence sur la vie et l'activité humaines (⇒ **air, ciel, température, vent**). *Un temps chaud, pluvieux. Quel temps fait-il ? Il fait beau temps,* il y a du soleil. *Nous avons eu beau temps. Le mauvais temps.* ⇒ **pluie ; orage.** *Un temps froid. Temps gris. Temps lourd, orageux. Gros temps.* ⇒ **tempête.** *Temps de saison,* normal pour l'époque de l'année. *Étude et prévision scientifique du temps.* ⇒ **météorologie.** *Le temps se gâte. Sortir par tous les temps.*

tenable [t(ə)nabl] adj. ■ Où l'on peut se tenir, demeurer (en emploi négatif). *Il fait trop chaud, ce n'est pas tenable.* ⇒ **supportable.** / contr. **intenable** / — Fig. *Sa position n'était plus tenable.*

tenace [tənas] adj. **1.** Dont on se débarrasse difficilement. *Une douleur tenace. Des préjugés tenaces.* ⇒ **durable.** *Odeur tenace.* ⇒ **persistant. 2.** (Personnes) Qui respecte et fait respecter ses opinions, ses décisions avec fermeté. ⇒ **entêté, ferme, obstiné, opiniâtre, persévérant.** *Un travailleur, un chercheur tenace.* — (Actes) Qui implique la ténacité, l'obstination. *Résistance, rancune tenace.* ⇒ **acharné, durable.** ► **tenacement** adv. ■ Avec ténacité, opiniâtreté. ► **ténacité** [tenasite] n. f. **1.** Caractère de ce qui est tenace. *La ténacité d'une odeur. La ténacité d'un préjugé.* **2.** Attachement opiniâtre à une décision, un projet. ⇒ **fermeté, obstination, persévérance.** *Il est d'une ténacité à toute épreuve. Un projet poursuivi avec ténacité.*

tenaille [t(ə)naj] n. f. ■ Surtout au plur. Outil de métal, formé de deux pièces assemblées en croix, dont une extrémité sert de manche et l'autre forme mâchoire (permettant de *tenir* qqch.). *Arracher un clou avec des tenailles.* ‹ ► tenailler ›

tenailler [tənaje] v. tr. • conjug. 1. ■ Faire souffrir moralement ou physiquement. ⇒ **torturer, tourmenter.** *La faim le tenaille ; il est tenaillé par les remords.*

tenancier, ière [tənãsje, jɛʀ] n. m. ■ Péj. Personne qui dirige, qui gère (*tient*) un établissement soumis à la surveillance des pouvoirs publics. *Le tenancier d'un hôtel, d'une maison de jeux.*

① **tenant, ante** [tənã, ãt] adj. ■ Qui se tient ; qui tient (dans quelques emplois). **1.** SÉANCE TENANTE : sur-le-champ. *Il accepta séance tenante.* **2.** *Chemise à col tenant,* qui tient, n'est pas séparé.

② **tenant** n. m. **I. 1.** *Le tenant du titre* (d'un titre sportif), celui qui le détient. **2.** Personne qui soutient. ⇒ **adepte, partisan.** *Les tenants d'une opinion. Les tenants du libéralisme.* / contr. **adversaire** / **II.** (Choses) **1.** D'UN (SEUL) TENANT : d'une seule pièce. *Deux hectares d'un seul tenant.* **2.** *Connaître* LES TENANTS ET LES ABOUTISSANTS *d'une affaire.* ⇒ **aboutissant.**

tendance [tãdãs] n. f. **1.** Ce qui porte (« tend ») à être, à agir, à se comporter de telle ou telle façon. ⇒ **disposition, inclination, penchant.** *Ils ont des tendances opposées.* — AVOIR TENDANCE À (+ infinitif) : tendre à ⇒ être enclin à. *J'ai plutôt tendance à grossir.* **2.** Orientation commune à une catégorie de personnes. *À quelle tendance politique appartient-il ?* **3.** Évolution (de qqch.) dans un même sens. ⇒ **direction, orientation.** *Les tendances du cinéma, de la mode.* — AVOIR TENDANCE À : s'orienter sensiblement vers. *Les prix ont tendance à monter.* ⇒ ② **tendre** (2). **4.** *Faire à qqn un procès de tendance,* le juger sur les intentions qu'on lui prête, sans attendre les actes. ⇒ procès d'**intention**. ▶ *ten-dancieux, euse* adj. ■ Péj. Qui manifeste ou trahit une tendance (2) intellectuelle inexprimée, des préjugés. ⇒ **partial**. *Récit tendancieux,* peu objectif. ▶ *tendancieusement* adv. ■ *Un texte interprété tendancieusement.*

tender [tɑ̃dɛʀ] n. m. ■ Wagon auxiliaire qui suit une locomotive à vapeur et contient le combustible et l'eau nécessaires à son approvisionnement.

tendeur [tɑ̃dœʀ] n. m. 1. Appareil servant à tendre (une chaîne de bicyclette, des fils, etc.). 2. Câble élastique servant à fixer (les bagages sur la galerie d'une voiture, etc.).

tendon [tɑ̃dɔ̃] n. m. ■ Organe conjonctif, fibreux, d'un blanc nacré, par lequel un muscle s'insère sur un os (et qui semble *tendre* l'os et le muscle). *Tendon d'Achille,* tendon du talon. ▶ *tendineux, euse* adj. ■ Qui contient beaucoup de tendons. *Viande tendineuse.* ▶ *tendinite* n. f. ■ Inflammation d'un tendon. *Ce footballeur souffre d'une tendinite.*

① *tendre* [tɑ̃dʀ] v. tr. . conjug. 41. 1. Tirer sur (une chose souple ou élastique) en la rendant droite. ⇒ **tension**. / contr. **détendre** / *Tendre une corde. Tendre un arc.* — *Tendre ses muscles,* les raidir. ⇒ **contracter**. 2. Déployer en allongeant en tous sens. *Tendre un filet. Tendre un piège*. Tendre une embuscade à l'ennemi.* 3. Recouvrir d'une chose tendue (⇒ **tenture**). *Tendre un mur de papier peint, de soie.* ⇒ **tapisser**. 4. SE TENDRE v. pron. : menacer de rompre, devenir tendu (liens, rapports). *Leurs rapports se tendirent.* 5. Allonger ou présenter en avançant (une partie du corps). / contr. **fléchir** / *Tendre les bras* (pour accueillir, embrasser). — *Tendre la main,* pour prendre (une autre main) ; pour saluer, pour demander l'aumône ; pour aider, secourir. *Tendre une main secourable.* Loc. TENDRE L'OREILLE : écouter avec attention. ⇒ **dresser**. 6. Présenter (qqch.) à qqn. ⇒ **donner**. *Elle lui tendit un paquet de cigarettes.* ▶ *tendu, ue* adj. 1. Rendu droit par traction. *Corde tendue. Fil tendu.* ⇒ **droit**. 2. Tapissé. *Une chambre tendue d'un papier bleu.* 3. Esprit tendu, volonté tendue, qui s'applique avec effort à un objet. — (Personnes) *Il était très tendu, soucieux.* ⇒ **contracté, préoccupé**. / contr. **détendu, serein** / 4. Qui menace de se dégrader, de rompre. ⇒ **difficile**. *Atmosphère tendue. J'ai des rapports tendus avec eux.* 5. Que l'on tend, que l'on avance. *Il s'approcha de moi la main tendue.* ⟨▶ **détendre, détente, distendre, étendre, extenseur, extensible, extensif, extension, hypertendu, hypotendu, intense, ostensible, ostensoir, ostentation, soustendre, tendance, tendeur, tendon, tension, tenture** ⟩

② *tendre* v. tr. ind. . conjug. 41. 1. TENDRE À, VERS : avoir un but, une fin et se rapprocher d'une manière délibérée. ⇒ **viser à** ; **tendance**. *Tendre à la perfection. Tous leurs efforts tendent au même résultat.* ⇒ **concourir, converger**. 2. (Choses) TENDRE À (+ infinitif) : avoir tendance à, évoluer de façon à (+ infinitif). *La situation tend à s'améliorer.* 3. TENDRE À (+ infinitif) : conduire, mener à (un résultat) sans le réaliser pleinement. *Ceci tendrait à prouver que notre hypothèse était juste.* ⇒ **sembler**. ⟨▶ **tendance** ⟩

③ *tendre* [tɑ̃dʀ] adj. et n. m. 1. (Choses) Qui se laisse facilement entamer, qui oppose une résistance relativement faible. ⇒ **mou**. / contr. **dur** / *Une viande tendre. Pain tendre,* frais. — *Roche tendre,* moins dure que d'autres. 2. Délicat, fragile. *L'âge tendre,* le jeune âge. *Tendre enfance.* 3. (Personnes) Porté à la sensibilité, aux affections. ⇒ **sensible**. / contr. **insensible** / *Un cœur tendre. Une tendre épouse.* ⇒ **affectueux** ;

aimant, doux. — N. *C'est un, une tendre.* ⇒ **sentimental**. — Fam. *N'être pas tendre pour qqn,* être sévère, impitoyable. 4. (Sentiments) Qui présente un caractère de douceur et de délicatesse. *Une tendre amitié. Un sentiment tendre.* — Qui manifeste l'affection. *Un tendre aveu. Un regard tendre.* ⇒ **caressant, langoureux**. / contr. **dur, froid** / 5. (Couleurs) Doux, atténué. *Un rose tendre.* ⇒ **pâle**. / contr. **vif** / ▶ *tendrement* adv. ■ *Ils s'embrassèrent tendrement. Un ami profondément et tendrement dévoué.* ▶ *tendresse* n. f. 1. Sentiment tendre pour qqn. ⇒ **affection, attachement**. *J'ai de la tendresse pour lui. La tendresse maternelle.* 2. Au plur. Expressions, témoignages de tendresse. ⟨▶ **attendrir, tendron** ⟩

① *tendron* [tɑ̃dʀɔ̃] n. m. ■ *Tendron de veau,* morceau de viande constituant la paroi inférieure du thorax.

② *tendron* n. m. ■ Vx. Très jeune fille (d'âge *tendre*).

tendu, ue ⇒ ① tendre.

ténèbres [tenɛbʀ] n. f. pl. ■ Obscurité profonde. ⇒ **noir, obscurité**. / contr. **lumière** / *Dans les ténèbres d'un cachot. Une lueur dans les ténèbres.* — Fig. Littér. *Les ténèbres de l'inconscient. Les ténèbres de la préhistoire. Les ténèbres de l'ignorance.* ▶ *ténébreux, euse* adj. 1. Littér. Où il y a des ténèbres, une obscurité menaçante. ⇒ **sombre**. / contr. **lumineux** / *Un bois ténébreux.* 2. Secret et dangereux. ⇒ **mystérieux**. « *Une ténébreuse affaire* » (titre d'un roman de Balzac). ⇒ **sombre**. 3. (Personnes) Sombre et mélancolique. — *Un beau ténébreux,* un bel homme à l'air sombre et profond.

teneur [tənœʀ] n. f. 1. Contenu exact, texte littéral (d'un écrit officiel ou important). *La teneur d'un article.* 2. Ce que (un corps) contient (d'une substance déterminée). *La teneur en or d'un minerai.*

ténia ou *tænia* [tenja] n. m. ■ Ver parasite de l'intestin des mammifères, au corps formé d'un grand nombre d'anneaux plats, muni de ventouses ou de crochets de fixation. *Le ténia de l'homme* ou *ver solitaire.*

tenir [t(ə)niʀ] v. . conjug. 22. I. V. tr. 1. Avoir (un objet) avec soi en le serrant afin qu'il ne tombe pas, ne s'échappe pas. / contr. **lâcher** / *Il tenait son chapeau à la main. Vous tenez la photo à l'envers. Elle tenait un enfant dans ses bras.* — *Tenir un enfant par la main,* tenir sa main. *Il tenait une feuille dans sa main. Tenir un verre entre ses mains.* 2. (Choses) Faire rester (qqch., qqn) en place. ⇒ **retenir**. *La courroie qui tient mes livres.* 3. Faire rester (en telle situation, tel état) pendant un certain temps. ⇒ **maintenir**. *Tenir une porte fermée.* Loc. *Tenir qqn en respect, en échec. Cette enfant ne tient pas en place.* — (Suj. chose) *Ces travaux me tiennent occupé. Son gros manteau lui tient chaud.* 4. Saisir (un être qui s'échappe), s'emparer de. *Nous tenons les voleurs.* — *Tenir qqn,* être maître de lui, pouvoir le punir, etc. *Si je le tenais !* 5. Résister à (dans quelques expressions). *Tenir le vin, l'alcool,* être capable de boire beaucoup sans être ivre. — *Tenir tête à.* → **tête**. 6. Avoir en sa possession (surtout abstrait). ⇒ **détenir**. *Ils croient tenir la vérité.* — Fam. *Je tiens un de ces rhumes !* — PROV. *Mieux vaut tenir que courir,* il vaut mieux avoir effectivement qqch. qu'entretenir de grands espoirs. — (Substantivé) *Un tiens vaut mieux que deux tu l'auras,* mieux vaut avoir effectivement un bien, que la promesse de deux biens (ou d'un plus grand bien). 7. TIENS, TENEZ !, prends, prenez. *Tenez, voilà votre argent.* — (Pour présenter qqch.) *Tenez, je l'ai vu hier.* — TIENS ! (pour marquer l'étonnement). *Tiens, te voilà encore, je te croyais parti. Tiens ! Tiens !*

C'est bien étrange. **8.** TENIR EN (et nom d'attitude psychologique) : avoir en. *Tenir qqn en estime.* **9.** TENIR *qqch.* DE *qqn* : l'avoir par lui. *De qui tenez-vous ce renseignement ?* — Avoir par hérédité. *Il tient cela de son père.* **10.** Occuper (un certain espace). *Le buffet tient toute la pièce. Cela tient trop de place.* ⇒ **prendre. 11.** Occuper (un lieu), sans s'en écarter. *Conducteur qui tient sa droite. Tenir la route.* ⇒ **tenue** de route. **12.** Remplir (une activité). *Tenir son rôle.* — S'occuper de. *Tenir un hôtel.* ⇒ **diriger, gérer.** *Elle tient une auberge à la campagne. Tenir la caisse, la comptabilité. Elle tient bien sa maison* (⇒ **tenu**). *Il songeait à tenir un journal.* **13.** Dire (suivi de *propos, discours*). *Tenir des propos scandaleux.* **14.** Présider (une réunion). — Prendre part à. *Tenir une assemblée. Tenir un conseil de guerre.* **15.** TENIR... POUR... : considérer, croire. *Je le tiens pour un honnête homme. Tenir un fait pour certain.* Loc. *Tenez-vous-le pour dit,* tenez-en compte (on ne vous le redira pas). **16.** Observer fidèlement (ce qu'on a promis). *Tenir parole, sa parole. Tenir ses promesses.* / contr. **manquer** à / **II.** V. intr. **1.** Être attaché, fixé, se maintenir dans la même position. *Mes lunettes ne tiennent pas bien. Je ne tiens plus debout* (de fatigue). Loc. *Votre histoire ne tient pas debout,* est invraisemblable. **2.** (Choses) Être solide, ne pas céder, ne pas se défaire. *Faites un double nœud, cela tiendra mieux. Sa coiffure ne tient pas.* — IL N'Y A PAS de raison, d'excuse... QUI TIENNE : qui ne puisse s'opposer à... — Résister à l'épreuve du temps. *Leur union tient toujours.* Fam. (En parlant d'un projet) *Ça tient toujours pour jeudi ?,* nous sommes toujours d'accord ? **3.** (Suj. personne) Résister. *Il faut* TENIR (BON) : ne pas céder. *Ne plus pouvoir tenir, ne pouvoir y tenir,* être au comble de l'impatience, à bout, hors de soi. *Tenir pour une opinion,* la soutenir. **4.** Être compris, être contenu dans un certain espace. ⇒ **entrer.** *Nous ne tiendrons pas tous dans la voiture.* **III.** V. tr. ind. **1.** TENIR À *qqn,* À *qqch.* : y être attaché par un sentiment durable. *Je ne tiens pas à rien ni à personne.* — Vouloir absolument. *Si vous y tenez, on le fera.* (Avec une propos.) *J'ai tenu à les inviter.* — TENIR À CE QUE (+ subjonctif). *Il ne tient pas à ce que je vienne. Il ne tenait pas à ce qu'on mît le nez dans ses manigances.* **2.** (Suj. chose) TENIR À *qqch.* : avoir un rapport de dépendance, d'effet à cause. ⇒ **provenir, résulter.** *Leur dynamisme tient à leur jeunesse.* Impers. NE TENIR QU'À... *Il ne tient qu'à moi qu'il obtienne satisfaction,* il ne dépend que de moi. *Il ne tient qu'à vous que l'affaire se termine. Qu'à cela ne tienne !,* peu importe. **3.** TENIR DE *qqn,* DE *qqch.* *Il tenait de sa mère.* ⇒ **ressembler** à. *Il a de qui tenir,* ses parents ont bien ce trait qu'il possède. — Participer de la nature de (qqch.). *Cela tient du miracle.* **IV.** V. pron. **1.** SE TENIR À *qqch.* : tenir qqch. afin de ne pas tomber, de ne pas changer de position. *Tenez-vous à la rampe.* **2.** Être, demeurer (dans une position). *Se tenir debout. Tiens-toi droit !* — (Choses) Être formé d'éléments cohérents qui entraînent la vraisemblance. *Une histoire qui se tient.* **3.** Être (quelque part). *Il se tenait au milieu de la chambre. Se tenir près, auprès de qqn.* — Avoir lieu. *La salle où se tient la réunion.* **4.** Être et rester (d'une certaine manière, dans un certain état). *Se tenir tranquille,* ne pas bouger ; rester sage. — *Se tenir bien, mal,* se conduire en personne bien, mal élevée. — Sans compl. *Il sait se tenir en société,* se tenir bien. **5.** Littér. NE POUVOIR SE TENIR DE... : ne pouvoir s'empêcher de... ; se retenir de (faire telle chose). *Ils ne pouvaient se tenir de rire.* **6.** S'EN TENIR À *qqch.* : ne pas aller au-delà, ne vouloir rien de plus. ⇒ se **borner.** *Je m'en tiens aux consignes que j'ai reçues. Tenez-vous-en là.* — Loc. *Savoir à quoi s'en tenir,* être fixé, informé. **7.** (Récipr.) Se tenir l'un l'autre. *Se tenir par la main,*

le bras. — (Choses) Être dans une dépendance réciproque. *Dans cette affaire, tout se tient.* ⟨ ▶ s'abstenir, contenir, détenir, entretenir, intenable, lieutenant, maintenir, obtenir, retenir, soutenir, tenable, tenaille, tenancier, ① tenant, ② tenant, teneur, tenon, tenu, tenue ⟩

tennis [tenis] n. m. invar. et n. m. pl. **1.** Sport dans lequel deux ou quatre joueurs se renvoient alternativement une balle, à l'aide de raquettes, de part et d'autre d'un filet, selon des règles précises et sur un terrain de dimensions déterminées. *Un court de tennis. Jouer au tennis. Une partie de tennis.* — *Tennis de table.* ⇒ **ping-pong. 2.** Terrain de tennis. *Les tennis d'un club sportif.* **3.** N. m. pl. Chaussures basses en toile, à semelles de caoutchouc. *Porter des tennis blancs.* ≠ **basket.**

tenon [tənɔ̃] n. m. ▪ Partie saillante d'un assemblage, qui s'ajuste à une mortaise (et qui *tient*).

ténor [tenɔʀ] n. m. et adj. **1.** N. m. Voix d'homme la plus aiguë ; chanteur qui a ce type de voix. / contr. **basse** / *Un ténor de l'opéra.* **2.** Adj. Se dit des instruments dont l'étendue correspond à celle de la voix de ténor. *Saxophone ténor.* **3.** Personnage très en vue dans l'activité qu'il exerce. *Les ténors de la politique.*

tension [tɑ̃sjɔ̃] n. f. **I.** Concret. **1.** État d'une substance souple ou élastique tendue. / contr. **détente** / *La tension d'un élastique. Régler la tension d'une corde de violon.* **2.** Force qui agit de manière à écarter, à séparer les parties constitutives d'un corps. **3.** Tension (*artérielle, veineuse*), pression du sang. *Prendre la tension de qqn.* — Absolt. Hypertension. *Avoir de la tension, un peu de tension.* **4.** Différence de potentiel électrique entre deux points d'un circuit. *Haute tension,* tension élevée (plusieurs milliers de volts). *Basse tension.* **II.** Abstrait. **1.** Effort intellectuel ; application soutenue. ⇒ **concentration.** *Tension d'esprit.* ⇒ **attention.** / contr. **relâchement** / **2.** État de ce qui menace de rompre. *La tension des relations entre deux pays.* **3.** Tension nerveuse, énervement. ⟨ ▶ hypertension, hypotension ⟩

tentacule [tɑ̃takyl] n. m. ▪ Bras de certains mollusques (poulpes, calmars), organe allongé muni de ventouses. *Les tentacules d'une pieuvre.* ▶ **tentaculaire** adj. ▪ Qui se développe dans toutes les directions. *Ville tentaculaire.*

tentateur, tentation ⇒ ① **tenter.**

tentative ⇒ ② **tenter.**

tente [tɑ̃t] n. f. ▪ Abri fait d'une matière souple tendue sur des supports (mâts, piquets). *Une tente de camping. La tente d'un cirque.* ⇒ **chapiteau.**

① **tenter** [tɑ̃te] v. tr. · conjug. 1. **1.** Religion. Essayer d'entraîner au mal, au péché. *Le démon tenta Ève.* **2.** Éveiller le désir, l'envie de (qqn). ⇒ **attirer, séduire.** *Un bijou, un voyage qui me tente. Ça ne me tente guère.* ⇒ **plaire.** *Se laisser tenter par...,* céder à (une envie, un désir). — Au p. p. Être tenté, très tenté, avoir envie (d'une chose) ; avoir envie de, tendance à. *Je suis tenté de penser que...* ▶ **tentant, ante** adj. ▪ **alléchant, séduisant.** *Un menu tentant. Une situation assez tentante.* ⇒ **enviable.** ▶ **tentateur, trice** n. et adj. **1.** N. m. ⇒ **démon. 2.** N. Plaisant. ou littér. Personne qui cherche à tenter, à séduire. — Adj. *Une beauté tentatrice.* ▶ **tentation** n. f. **1.** Religion. Impulsion qui pousse au péché, au mal. *La tentation de saint Antoine* (par les démons). *Succomber à la tentation.* **2.** Ce qui incite à (une action) en éveillant le désir. ⇒ **envie.** *La tentation de l'ambition,* dont l'ambition est la cause. *La tentation des voyages,* de partir en voyage. *Il n'a pu résister à la tentation d'ouvrir la lettre.*

② *tenter* v. tr. ▪ conjug. 1. ■ Éprouver (les chances de réussite) ; commencer, en vue de réussir. *Tenter une démarche. Tenter l'impossible. Il a tout tenté pour réussir. Tenter de* (+ infinitif). ⇒ **chercher** à, **essayer** de. *Le prisonnier a tenté de s'enfuir. Il a tenté de se suicider. Inutile de tenter de vous disculper.* — Loc. *Tenter sa chance, tenter de gagner, de réussir. Tenter le tout pour le tout,* risquer de tout perdre pour gagner. ▶ *tentative* n. f. ■ Action par laquelle on s'efforce d'obtenir un résultat (quand ce résultat est ou douteux ou nul). ⇒ **essai.** *Faire une tentative auprès de qqn,* essayer d'obtenir de lui qqch. ⇒ **démarche.** *Une tentative de suicide, d'assassinat. Tentative infructueuse.*

tenture [tãtyʀ] n. f. ■ Pièce de tissu, de cuir, de papier (tendu) servant d'élément de décoration murale. ⇒ **tapisserie.** *Des tentures de cretonne.*

tenu, ue [t(ə)ny] part. passé de *tenir* et adj. **1.** (Passif) ÊTRE TENU À : être obligé à (une action). *Le médecin est tenu au secret professionnel. Loc. prov. À l'impossible nul n'est tenu.* **2.** ÊTRE TENU DE (+ infinitif) : être obligé de. *Vous êtes tenu d'obéir.* **3.** Adj. BIEN (MAL) TENU : bien (ou mal) arrangé, entretenu. *Maison mal tenue. Ses enfants sont bien tenus.*

ténu, ue [teny] adj. ■ Très mince, très fin, de très petites dimensions. *Des particules ténues.* / contr. **épais** / — Abstrait. *Une différence ténue.* ⇒ **subtil.** ▶ *ténuité* n. f. ■ *La ténuité d'un lien.* ⇒ **finesse.** ‹ ▶ atténuer ›

tenue [t(ə)ny] n. f. **1.** Le fait, la manière de *tenir,* de gérer (un établissement, etc.) ; la manière dont la discipline, l'économie y sont assurées. ⇒ **ordre.** *La tenue de la maison,* son entretien et l'organisation de la vie domestique. *La tenue des comptes. Une bonne tenue des comptes.* **2.** Action de se tenir ; dignité de la conduite, correction des manières. *Manquer de tenue. Allons, un peu de tenue ! Bonne tenue en classe.* — Façon de se tenir (IV, 2). ⇒ **attitude, maintien. 3.** Manière dont une personne est habillée ; son aspect, sa présentation. ⇒ **mise.** *Une tenue correcte, impeccable. Une tenue négligée. Quelle tenue !* — Habillement particulier (à une profession, à une circonstance). *Une tenue de sport. Tenue de ville. Tenue de soirée. Tenue militaire.* ⇒ **uniforme.** *Militaire EN TENUE* (opposé à *en civil*). *Se mettre en tenue de travail.* — Fam. *Être en petite tenue,* peu vêtu. **4.** TENUE DE ROUTE : aptitude d'un véhicule à se maintenir dans la direction commandée par le conducteur (à *tenir la route*).

ter [tɛʀ] adv. **1.** Musique. Indication d'avoir à répéter un passage trois fois. **2.** Indique la répétition, une troisième fois, du numéro (sur une maison, devant un paragraphe...). *Le 12, le 12 bis et le 12 ter de la rue Balzac.*

térato- ■ Élément savant signifiant « monstre ». ▶ *tératologie* [teʀatɔlɔʒi] n. f. ■ Étude des anomalies et des monstruosités des êtres vivants.

tercet [tɛʀsɛ] n. m. ■ Couplet, strophe de trois vers. *Les deux quatrains et les deux tercets d'un sonnet.*

térébenthine [teʀebãtin] n. f. ■ Résine qu'on recueille par l'incision de certains végétaux (conifères). *Essence de térébenthine.*

térébrant, ante [teʀebʀã, ãt] adj. Didact. **1.** *Insecte térébrant,* qui perce des trous. **2.** *Douleur térébrante,* qui donne l'impression qu'une pointe s'enfonce dans la partie douloureuse.

tergal [tɛʀgal] n. m. ■ (Nom déposé) Étoffe synthétique. *Pantalon de tergal.*

tergiverser [tɛʀʒivɛʀse] v. intr. ▪ conjug. 1. ■ Littér. User de détours, de faux-fuyants pour éviter de donner une réponse nette, pour retarder le moment de la décision. ⇒ **atermoyer, temporiser.** *Sans tergiverser, sans hésiter.* ▶ *tergiversation* n. f. ■ (Presque toujours au pluriel) *Assez de tergiversations !* ⇒ **atermoiement, faux-fuyant.**

① *terme* [tɛʀm] n. m. ≠ *thermes.* **1.** Limite fixée dans le temps. *Passé ce terme, les billets seront périmés.* ⇒ **délai.** *Mettre un terme à qqch.,* faire cesser. — À TERME : dont l'exécution correspond à un terme fixé. *Vente, achat à terme.* ⇒ à **crédit.** *Emprunt à court terme. À court terme, à long terme,* qui doit se réaliser dans peu de temps, dans longtemps. *C'est un projet à court terme.* **2.** Époque fixée pour le paiement des loyers. ⇒ **délai, échéance.** — *Somme due au terme. Payer son terme.* **3.** Littér. Dernier élément, dernier stade (de ce qui a une durée). ⇒ **conclusion, fin.** / contr. **commencement** / *Le terme de la vie,* la mort. *Mener qqch. à terme, à son terme.* ⇒ **terminer. 4.** *Accouchement À* TERME : dans le temps normal de la naissance, neuf mois après la conception, chez la femme. — *Enfant né avant terme.* ⇒ **prématuré.** ‹ ▶ atermoyer ›

② *terme* n. m. **I. 1.** Mot ou expression qui dénomme une notion précise, une classe d'objets. *Le sens d'un terme. Chercher le terme exact. Terme usuel, rare, savant.* **2.** TERMES n. m. pl. : ensemble de mots et d'expressions choisis pour faire savoir qqch. ; manière de s'exprimer. *Aux termes du contrat.* ⇒ **formule.** *Parler en termes choisis.* Loc. EN D'AUTRES TERMES : pour donner une équivalence à l'aide d'autres mots. *Il ne dit pas la vérité, en d'autres termes, il ment.* ⇒ **c'est-à-dire. 3.** Mot appartenant à un vocabulaire spécial. *Les termes techniques.* ⇒ **terminologie.** *Terme scientifique, juridique.* **4.** Chacun des éléments simples entre lesquels on établit une relation. *Les termes d'une comparaison. Les termes d'une équation. Les deux termes d'une fraction.* — MOYEN TERME : solution, situation intermédiaire. *Il faut chercher des moyens termes.* **II.** Loc. *Être en bons* TERMES, *en mauvais termes avec qqn* : entretenir de bonnes ou de mauvaises relations avec qqn. ‹ ▶ terminologie ›

① *terminal, aux* [tɛʀminal, o] n. m. Anglic. **1.** Installations pour le déchargement de navires de transport (pétroliers, etc.). **2.** Élément d'un système informatique situé à l'extrémité. *L'ordinateur central et les terminaux.* ⇒ **écran. 3.** Point final d'une ligne d'autobus reliant un aéroport à la ville.

terminer [tɛʀmine] v. tr. ▪ conjug. 1. **I. 1.** Faire cesser (qqch. dans le temps) par une décision. *Terminer un débat.* ⇒ **clore, lever.** / contr. **ouvrir ; engager** / **2.** Faire arriver à son terme, mener à terme (ce qui est fait en grande partie). ⇒ **achever.** *Terminer un travail.* / contr. **commencer** / — Sans compl. *À quelle heure est-ce que tu termines* (ta journée de travail) *? En avoir terminé avec qqch.,* avoir enfin fini. *La hâte d'en avoir terminé.* — Passer la dernière partie de (un temps). *Nous terminerons la soirée au cinéma.* **3.** Constituer, former le dernier élément de (qqch.). *Terminer une phrase par un point d'exclamation. Un revers termine la manche. La formule qui termine la lettre.* — *Une fête terminée par un feu d'artifice.* **II.** SE TERMINER v. pron. **1.** Prendre fin. — (Dans l'espace) *Une rue qui se termine au boulevard Saint-Germain.* — (Dans le temps) *La soirée s'est plutôt mal terminée.* **2.** SE TERMINER PAR : avoir pour dernier élément. *Les mots qui se terminent par un x ne prennent pas l's au pluriel. La soirée se termine par un bal.* **3.** SE TERMINER EN (Dans l'espace) : avoir (telle forme) à son extrémité. *Clocher qui se termine en pointe. Les verbes qui se terminent en -ER.* — (Dans le temps) Prendre (tel aspect) à sa fin. *L'histoire se termine en drame.* ▶ *terminaison* n. f. **1.** Dernier élément d'un mot considéré sous l'aspect des sons, des lettres, des éléments (morphologie). ⇒ **finale.** *Les terminai-*

sons des mots en fin de vers. ⇒ **assonance, consonance, rime.** *Les terminaisons des formes conjuguées d'un verbe.* ⇒ **désinence.** *La terminaison « age » de breuvage.* ⇒ **suffixe. 2.** Extrémité (d'une chose). *Les terminaisons nerveuses* (dans le muscle). ▶ ② *terminal, ale, aux* adj. ■ Qui forme le dernier élément, la fin. ⇒ **final.** *Les classes terminales des lycées.* — N. f. *Être en terminale.* ‹ ▶ déterminer, exterminer, indéterminé, interminable, prédéterminer ›

terminologie [tɛʀminɔlɔʒi] n. f. **1.** Ensemble des désignations et des notions appartenant à une science, à une technique. *La terminologie de la médecine.* — Vocabulaire didactique d'un groupe social. *La vieille terminologie humanitaire.* **2.** Étude des systèmes de termes et de notions. ▶ *terminologique* adj. ▶ *terminologue* n. ■ Spécialiste de terminologie (2).

termite [tɛʀmit] n. m. ■ Insecte qui vit en société et ronge les pièces de bois par l'intérieur. — Loc. *Travail de termite,* travail de destruction lent et caché. ▶ *termitière* n. f. ■ Nid de termites, butte de terre percée de galeries.

ternaire [tɛʀnɛʀ] adj. ■ Composé de trois éléments, de trois unités. *Nombre ternaire. Mesure, rythme ternaire ou binaire.*

terne [tɛʀn] adj. **1.** Qui manque d'éclat, qui reflète peu ou mal la lumière. *Des couleurs ternes.* ⇒ **fade, neutre.** / contr. **vif** / *Œil, regard terne,* sans éclat ni expression. ⇒ **éteint.** / contr. **brillant, expressif** / **2.** Qui n'attire ni ne retient l'intérêt. ⇒ **fade, morne.** *Une conversation terne et languissante. Des journées ternes.* — (Personnes) Falot, insignifiant. *Des gens ternes.* / contr. **brillant** / ▶ *ternir* v. tr. ∎ conjug. 2. **1.** Rendre (qqch.) terne. ⇒ **décolorer, faner, altérer.** / contr. **polir** / *La poussière ternissait les meubles.* — Pronominalement. *L'argenterie se ternit.* — Au p. p. adj. *Couleurs ternies.* ⇒ **passé. 2.** Porter atteinte à la valeur morale, intellectuelle de. ⇒ **flétrir.** *Ternir la réputation, l'honneur de qqn.* ⇒ **salir.**

terrain [tɛʀɛ̃] n. m. **I. 1.** Étendue de terre (considérée dans son relief ou sa situation). ⇒ **sol.** *Un terrain plat, accidenté. Accident de terrain. Un terrain fertile. Glissement de terrain.* — Loc. *Un terrain glissant,* une situation dangereuse, hasardeuse. **2.** Loc. adj. invar. TOUT TERRAIN : se dit d'un véhicule capable de rouler hors des routes, sur toutes sortes de terrains. *Des voitures tout terrain.* **3.** Portion plus ou moins étendue et épaisse de l'écorce terrestre, considérée quant à sa nature, son âge ou son origine (souvent au plur.). *Les terrains primaires, secondaires. Terrains glaciaires.* **4.** *Le terrain,* la zone où se déroulent les opérations militaires. *Reconnaître le terrain,* le champ de bataille. Loc. *Sur le terrain,* en se rendant sur les lieux mêmes du combat ; sur place. — Loc. *Gagner, perdre du terrain,* avancer, reculer (sens propre et figuré). *Être sur son terrain,* dans un domaine familier, où l'on est à l'aise. *Je ne vous suivrai pas sur ce terrain,* dans vos jugements. *Chercher, trouver un terrain d'entente,* une base, un sujet sur lequel on s'entend, lorsqu'on s'oppose. *Se conduire comme en terrain conquis,* tyranniquement, avec arrogance. *Reconnaître, préparer, sonder, tâter le terrain,* la situation l'état des choses et des esprits, avant d'agir. **5.** *Le terrain,* le lieu de l'action, de l'observation. *Enquête sur le terrain.* — Loc. *De terrain. Travail de terrain* (en ethnologie, etc.). *Un homme de terrain,* qui observe, agit sur les lieux mêmes de l'action. **6.** État (d'un organisme, d'un organe, d'un tissu), quant à sa résistance à la maladie. **II. 1.** *(Un, des terrains)* Espace, étendue de terres de forme et de dimensions déterminées. ⇒ **parcelle.** *Acheter, vendre un terrain. Des terrains marécageux.*

Un terrain cultivé. ⇒ **terre.** *Terrains à bâtir.* Spéculation sur les terrains. — TERRAIN VAGUE : sans cultures ni constructions, dans une ville. **2.** Emplacement aménagé ou disposé pour une activité particulière. *Terrain de camping, de sport. Terrain d'aviation.*

terrasse [tɛʀas] n. f. **1.** Levée de terre formant plate-forme. *Les terrasses d'un parc. Cultures en terrasses,* en étages, soutenues par de petits murs. **2.** Plate-forme en plein air d'un étage de maison, en retrait de l'étage inférieur. *Appartement avec terrasse.* — Toiture plate (d'une maison). **3.** Partie d'un café qui déborde sur le trottoir (en plein air ou couverte). *Les Parisiens attablés aux terrasses des cafés. Voulez-vous mettre à la terrasse (en terrasse), ou à l'intérieur ?*

terrassement [tɛʀasmɑ̃] n. m. **1.** Opération par laquelle on creuse et on déplace la terre. *Travaux de terrassement.* **2.** Terres, matériaux déplacés ; déblais ou remblais. *Les terrassements d'une voie ferrée.* ▶ *terrassier* n. m. ■ Ouvrier employé aux travaux de terrassement.

terrasser [tɛʀase] v. tr. ∎ conjug. 1. **1.** Abattre, renverser (qqn), jeter à terre dans une lutte. *Terrasser son adversaire.* **2.** (Suj. chose) Abattre, rendre incapable de réagir, de résister. ⇒ **foudroyer** (2). *Cette nouvelle l'a terrassé. Être terrassé par l'émotion.* ⇒ **accabler, atterrer.**

terre [tɛʀ] n. f. **I.** L'élément solide qui supporte les êtres vivants et où poussent les végétaux. **1.** Surface sur laquelle les humains, les animaux se tiennent et marchent. ⇒ **sol.** *Se coucher sur la terre. Jeter, lancer, mettre* À TERRE, PAR TERRE : renverser. *Tomber par terre. Mettre pied à terre,* descendre de voiture, du lit, etc. — Loc. *Courir ventre à terre,* très vite. *Vouloir rentrer* SOUS TERRE (de honte). *Avoir les pieds* SUR TERRE : être réaliste. ⇒ **terre à terre. 2.** Matière qui forme la couche superficielle de la croûte terrestre. *La terre d'un chemin. Un chemin, une piste de terre,* non revêtu(e), non rocheux(euse). *Un sol de terre battue. Mottes de terre. Mettre un mort en terre.* ⇒ **enterrer, inhumer.** — Au plur. *Quantité de terre. Des terres rapportées.* **3.** L'élément où poussent les végétaux ; étendue de cet élément. *Une terre aride. Terre végétale.* ⇒ **humus, terreau.** *Cultiver, labourer la terre. Les produits de la terre.* — Loc. EN PLEINE TERRE : se dit des plantes, des arbres qui poussent dans une terre qui n'est pas dans un contenant. — LES TERRES : étendue indéterminée de terrain où poussent les végétaux. *Terres à blé,* propres à cette culture. *Terres cultivées.* ⇒ **champ.** *Défricher les terres vierges.* **4.** LA TERRE : la vie paysanne. ⇒ **glèbe.** *Le retour à la terre,* aux activités agricoles. **5.** Étendue limitée de surfaces cultivables, considérée comme objet de possession. ⇒ **bien, domaine, propriété, terrain.** *Acquérir une terre.* — *La terre. Acheter de la terre. Lopin de terre.* — Loc. *Politique de la terre brûlée,* de destruction des récoltes, des villages (à la guerre). — Au plur. *Vivre de ses terres. Se retirer sur ses terres.* **6.** Vaste étendue de la surface solide du globe. ⇒ **territoire, zone.** *Terres arctiques, australes.* — LA TERRE, LES TERRES (opposé à *la mer,* à *l'air*). ⇒ **continent, île.** *La répartition des terres et des mers à la surface du globe. La terre ferme. L'armée de terre* (opposé à *la marine, l'aviation*). *Un village breton dans les terres,* éloigné du rivage. **8.** La croûte terrestre. *Tremblement de terre.* ⇒ **séisme,** secousse **tellurique. 9.** Le sol, considéré comme ayant un potentiel électrique égal à zéro. Loc. *Prise de terre.* **II.** Le milieu où vit l'humanité ; notre monde. ⇒ **terrestre. 1.** (Avec une majuscule) En astronomie. Planète appartenant au système solaire, animée d'un mouvement de rotation sur elle-même et de révolution autour du Soleil (et où vit l'humanité). *La Lune, satellite de la Terre. Le centre de la Terre. La place de la Terre dans l'Univers.* **2.** L'ensemble de tous les lieux de la surface de la planète. *Il avait parcouru la terre entière.* **3.** Cette planète, en tant que milieu où vit l'humanité. *Être seul sur la terre,* au monde. *Être sur terre.* ⇒ **exister, vivre.** — Loc. *Remuer ciel et terre* (pour obtenir qqch.), se démener, s'adresser à tous ceux qu'on connaît. **III. 1.** Se dit de diverses matières pulvérulentes dans la composition desquelles entre généralement l'argile, et qui servent à fabriquer des objets. *Pipe en terre. Terre glaise.* — TERRE CUITE : argile ordinaire ferrugineuse durcie par la chaleur. *Poteries de terre cuite.* — *Récipient de terre.* ⇒ **terrine. 2.** Nom de différents colorants (couleurs minérales). *Terre de Sienne,* colorant brun. ⇒ **ocre.** ▶ *terreau* [tɛʁo] n. m. ■ Engrais naturel, formé d'un mélange de terre végétale et de produits de décomposition. ⇒ **humus.** ▶ *terre à terre* [tɛʁatɛʁ] loc. adj. invar. ■ Matériel et peu poétique. *Un esprit terre à terre.* ⇒ **prosaïque.** *Les préoccupations terre à terre du ménage.* ⟨ ▶ atterrer, atterrir, déterrer, enterrer, parterre, pied-à-terre, pomme de terre, souterrain, terrain, terrasse, terrassement, terrasser, terre-neuvas, terre-neuve, terre-plein, se terrer, terrestre, terreux, terrien, ① terrier, ② terrier, terril, terrine, territoire, terroir ⟩

terre-neuvas [tɛʁnœva] ou *terre-neuvier* [tɛʁnœvje] n. m. ■ Navire, marin qui pêche à Terre-Neuve. *Des terre-neuvas* ou *des terre-neuviers.*

terre-neuve [tɛʁnœv] n. m. invar. ■ Gros chien à tête large, à longs poils, dont la race est originaire de Terre-Neuve. *Des terre-neuve.*

terre-plein [tɛʁplɛ̃] n. m. ■ Plate-forme, levée de terre généralement soutenue par une maçonnerie. *Les terre-pleins d'une route.*

se terrer [tɛʁe] v. pron. ▪ conjug. 1. **1.** (Animaux) Se cacher dans un terrier ou se blottir contre terre. — Au p. p. adj. *Une bête terrée dans sa tanière.* **2.** Se mettre à l'abri, se cacher dans un lieu couvert ou souterrain. *Il se terre chez lui,* il ne se montre plus.

terrestre [tɛʁɛstʁ] adj. **1.** De la planète Terre. *Les océans et les mers recouvrent 70 % de la surface terrestre. Le globe terrestre,* la Terre. **2.** Des terres (opposé à *marin*). *Habitat terrestre.* — *Les animaux terrestres.* **3.** Qui est, qui se déplace sur le sol (opposé à *aérien, maritime*). *Locomotion, transport terrestre.* **4.** (Opposé à *céleste*) Du monde où vit l'homme ; d'ici bas. *Les choses terrestres,* temporelles, matérielles.

terreur [tɛʁœʁ] n. f. **1.** Peur extrême qui bouleverse, paralyse. ⇒ **effroi, épouvante, frayeur.** *Une terreur panique. Être muet, glacé de terreur. Inspirer de la terreur à qqn.* ⇒ **terrifier, terroriser.** *La terreur de...,* inspirée par... *La terreur des gendarmes. Répandre, semer la terreur.* **2.** Peur collective qu'on fait régner dans une population, un groupe pour briser sa résistance ; régime, procédé politique fondé sur l'emploi de l'arbitraire imposé et de la violence. ⇒ **terrorisme.** *Gouverner par la terreur. Le régime de terreur.* **3.** (Avec un compl.) Être ou chose qui inspire une grande peur. *Ce chien est la terreur des voisins. Il saccage tout, c'est la terreur de l'école.* — Fam. *Il joue les terreurs.* ⇒ **dur.** ⟨ ▶ terrible, terrifier, terroriser, terrorisme ⟩

terreux, euse [tɛʁø, øz] adj. **1.** Qui appartient à la terre (I, 2, 3), qui est de la nature de la terre. *Un goût terreux.* **2.** Mêlé, souillé de terre. *Des bottes terreuses.* ⇒ **boueux. 3.** D'une couleur dépourvue d'éclat et de fraîcheur. *Un teint terreux.* ⇒ **blafard.** ⟨ ▶ cul-terreux ⟩

terrible [tɛʁibl] adj. **1.** (Choses) Qui inspire de la terreur (1), qui amène ou peut amener de grands malheurs. ⇒ **effrayant, terrifiant.** *Une terrible catastrophe.* ⇒ **effroyable.** *Une terrible éruption du Vésuve.* **2.** Très pénible, très grave, très fort. *Il fait un froid terrible.* ⇒ **excessif.** *Il est d'une humeur terrible,* de très mauvaise humeur. *C'est terrible de ne pouvoir compter sur lui.* ⇒ **désolant.** — (Avec *que* + subjonctif) *C'est terrible qu'on ne puisse pas compter sur lui.* **3.** (Personnes) Agressif, turbulent, très désagréable. *Un enfant terrible.* ⇒ **intenable, insupportable. 4.** Fam. Extraordinaire, grand. ⇒ **formidable.** *J'ai un appétit terrible. Ce film n'a rien de terrible. C'est un type terrible,* très fort. ⇒ **étonnant.** *Ce n'est pas terrible,* c'est médiocre, mauvais. Adv. *Ça marche terrible.* ▶ *terriblement* adv. ■ D'une manière très intense ; à l'extrême. *C'est terriblement cher,* ennuyeux. ⇒ **affreusement, extrêmement, horriblement.**

terrien, ienne [tɛʁjɛ̃, jɛn] adj. et n. **I.** Adj. **1.** Qui possède des terres. *Propriétaire terrien.* ⇒ **foncier. 2.** Littér. Qui concerne la terre, la campagne, qui est propre aux paysans (opposé à *citadin*). *Un atavisme terrien.* — N. *C'est un terrien.* **II.** N. Habitant de la planète Terre (opposé *aux habitants supposés des autres planètes*).

① *terrier* [tɛʁje] n. m. ■ Trou, galerie que certains animaux creusent dans la terre et qui leur sert d'abri. ⇒ **tanière.** *Faire sortir un lièvre de son terrier.*

② *terrier* n. m. ■ Chien qu'on peut utiliser pour la chasse des animaux à terrier. *Les terriers sont de bons chiens de garde.* ⟨ ▶ fox-terrier ⟩

terrifier [tɛʁifje] v. tr. ▪ conjug. 7. ■ Frapper (qqn) de terreur. ⇒ **effrayer, terroriser.** *Leurs cris terrifiaient l'enfant.* ▶ *terrifiant, ante* adj. ■ ⇒ **terrible** (2, 4). *Des cris terrifiants. C'est terrifiant comme il a vieilli !* ⇒ **étonnant, effarant.**

terril ou *terri* [tɛʁi(l)] n. m. ■ Grand tas de déblais au voisinage d'une mine. ⇒ **crassier.**

terrine [tɛʁin] n. f. ■ Récipient de terre (III) assez profond, où l'on fait cuire et où l'on conserve certaines viandes. — Son contenu. ⇒ **pâté.** *Terrine de pâté de lièvre.*

territoire [tɛʁitwaʁ] n. m. **1.** Étendue de la surface terrestre sur laquelle vit un groupe humain. *Le territoire national français.* ⇒ **sol.** *En territoire ennemi.* — *Aménagement du territoire,* répartition des activités économiques selon un plan régional. **2.** Étendue de pays sur laquelle s'exerce une autorité, une juridiction. *Le territoire de la commune.* **3.** Pays qui jouit d'une personnalité, mais ne constitue pas un État souverain. *Les départements et territoires d'outre-mer français* (D.O.M.-T.O.M.). ▶ *territorial, ale, aux* adj. **1.** Qui consiste en un territoire, le concerne. *Puissance territoriale.* — *Les eaux territoriales,* zone de la mer sur laquelle s'exerce la souveraineté d'un État riverain. **2.** Qui concerne la défense du territoire national. *Armée territoriale.*

terroir [tɛʁwaʁ] n. m. **1.** Région rurale, provinciale, considérée comme influant sur ses habitants. *Accent du terroir. Poètes du terroir.* **2.** Ensemble des terres d'une même région fournissant un produit agricole caractéristique. *Goût de terroir,* goût particulier (d'un vin), dû au terrain.

terroriser [tɛʁɔʁize] v. tr. ▪ conjug. 1. ■ Frapper, paralyser de terreur, faire vivre dans la terreur. ⇒ **effrayer, terrifier.** *Son patron le terrorise. Vous terrorisez cet enfant avec vos menaces.*

terrorisme n. m. ■ Emploi systématique de la violence pour atteindre un but politique ; actes de violence (attentats, destructions, prises d'otages) destinés à déclencher des changements politiques. *Terrorisme et contre-terrorisme.* ▸ *terroriste* n. et adj. **1.** N. Membre d'une organisation politique qui use du terrorisme. *Un, une terroriste.* **2.** Adj. Du terrorisme. *Une organisation, un attentat terroriste.*

tertiaire [tɛʀsjɛʀ] adj. (⇒ **troisième**) **1.** *Ère tertiaire* ou, n. m., *le tertiaire*, ère géologique (environ 70 millions d'années) qui a succédé à l'ère secondaire. *Les plissements alpins datent du tertiaire.* — *Terrains tertiaires.* **2.** (Opposé à *primaire, secondaire*) *Secteur tertiaire* ou, n. m., *le tertiaire*, secteur comprenant toutes les activités non directement productrices de biens de consommation (commerces, administration, services).

tertio [tɛʀsjo] adv. ■ En troisième lieu (après *primo, secundo*). ⇒ **troisièmement.**

tertre [tɛʀtʀ] n. m. ■ Petite éminence isolée à sommet aplati. ⇒ **butte, monticule.** *Une maison sur un tertre.*

tes ⇒ ① **ton.**

tessiture [tesityʀ] n. f. ■ Musique. Échelle des sons qui peuvent être émis normalement par une voix. ⇒ **registre.**

tesson [tɛsɔ̃] n. m. ■ Débris (d'un objet de verre, d'une poterie). *Des tessons de bouteille.*

test [tɛst] n. m. **1.** Épreuve qui permet de déceler les aptitudes d'une personne et fournit des renseignements sur ses connaissances, son caractère, etc. *Soumettre qqn à un test, faire passer des tests à qqn. Un test d'orientation professionnelle. Test pédagogique, scolaire.* **2.** Épreuve ou expérience décisive, opération témoin permettant de juger. ▸ ① *tester* v. tr. ▪ conjug. 1. **1.** Soumettre à des tests. *Tester des élèves.* **2.** Contrôler, éprouver. *Tester un produit. Tester un procédé.* ⇒ **essayer, expérimenter.** ‹ ▸ alcootest ›

testament [tɛstamɑ̃] n. m. **I.** (Avec une majuscule) Nom des deux parties de l'Écriture sainte. *L'Ancien et le Nouveau Testament.* ⇒ **Bible. II. 1.** Acte par lequel une personne dispose des biens qu'elle laissera en mourant (⇒ **héritage**). *Léguer qqch. par testament. Mettre, coucher qqn sur son testament*, l'y inscrire comme légataire. — Loc. fam. *Il peut faire un testament*, il n'en a plus pour longtemps à vivre. **2.** Dernière œuvre, dernier écrit, considérés comme la suprême expression de la pensée et de l'art de qqn. ▸ *testamentaire* adj. ■ Qui se fait par testament, se rapporte à un testament. *Dispositions testamentaires.* ▸ *testateur, trice* n. ■ Terme de droit. Auteur d'un testament. ▸ ② *tester* v. intr. ▪ conjug. 1. ■ En droit. Disposer de ses biens par testament, faire un testament.

testicule [tɛstikyl] n. m. ■ Glande productrice des spermatozoïdes. — (Chez l'homme) Cet organe (les deux glandes) et ses enveloppes, en arrière du pénis. ⇒ **bourse.** *Les testicules.*

tétanos [tetanos] n. m. invar. **1.** Grave maladie infectieuse caractérisée par une contraction douloureuse des muscles du corps, avec des crises convulsives. **2.** *Tétanos musculaire*, contraction prolongée d'un muscle. ▸ *tétanique* adj. **1.** Atteint de tétanos. **2.** Propre au tétanos musculaire. ‹ ▸ antitétanique ›

têtard [tɛtaʀ] n. m. ■ Larve de batracien, à grosse tête prolongée par un corps effilé, à respiration par les branchies. *Un têtard qui devient grenouille.*

tête [tɛt] n. f. **I. 1.** Extrémité antérieure (à l'avant) et supérieure (en haut) chez les animaux à station verticale, qui porte la bouche et les principaux organes des sens (lorsque cette partie est distincte et reconnaissable). ⇒ **céphalo-.** *La tête d'un oiseau, d'un poisson.* *Une tête d'éléphant.* — Cette partie d'un animal préparée pour la consommation. *Tête de veau.* **2.** Partie supérieure du corps humain, contenant le cerveau, qui est de forme arrondie et tient au tronc par le cou. *Il a une grosse tête, une tête ronde, carrée.* Loc. *Des pieds à la tête, de la tête aux pieds.* ⇒ **pied.** *Se promener la tête haute*, avec fierté. *La tête basse*, en étant confus, honteux. *Baisser la tête. Détourner la tête. Hocher la tête. Signe de tête.* — Loc. *Être tombé sur la tête*, être un peu fou, déraisonner. — *Se taper la tête contre les murs*, désespérer. *Donner tête baissée dans...*, se jeter sur qqch. ; se jeter naïvement, imprudemment, dans un piège. — *Ne savoir où donner de la tête*, ne savoir que faire, avoir trop d'occupations. ⇒ **submergé.** *En avoir par-dessus la tête*, assez. — Partie de la tête où sont les cheveux. ⇒ **crâne.** *Avoir un chapeau sur la tête. Être tête nue*, sans chapeau. *Se laver la tête. Tête chauve.* ⇒ **caillou.** *Donner un coup sur la tête.* ⇒ fam. **caboche, cassis, citron, coloquinte, tirelire.** — TENIR TÊTE : résister (à l'adversaire) ; s'opposer avec fermeté (à la volonté de qqn). *Tenir tête à son père.* **3.** (Sensations localisées à la tête) ⇒ **cerveau.** *Avoir mal à la tête*, la migraine. *La tête lui tourne*, il a un étourdissement. **4.** (La tête étant considérée la partie vitale) ⇒ **vie.** *Je le jure sur la tête de mes enfants. L'accusé a sauvé sa tête* (de la peine capitale). *Risquer sa tête*, sa vie. — Loc. *Donner sa tête à couper que...*, affirmer avec conviction. **5.** Le visage, quant aux traits et à l'expression. ⇒ **face, figure ;** fam. **gueule.** *Il a une tête sympathique, une bonne tête.* ⇒ fam. **bouille.** *Il a, il fait une drôle de tête.* ⇒ fam. **bille, binette, bobine, fiole, poire, trombine, tronche.** — Loc. *Faire une tête de six pieds de long*, être triste, maussade. — FAIRE LA TÊTE. ⇒ **bouder. 6.** Représentation de cette partie du corps de l'homme, des animaux supérieurs. *Tête sculptée.* — TÊTE DE PIPE : tête formant le fourneau d'une pipe. — TÊTE DE TURC. *Être la tête de Turc, servir de tête de Turc*, être sans cesse en butte aux plaisanteries de qqn. ⇒ **souffre-douleur.** — TÊTE DE MORT : représentation d'un crâne humain, emblème de la mort. *Le drapeau à tête de mort des pirates.* **7.** Hauteur d'une tête d'homme. *Il a une tête de plus qu'elle.* — Longueur d'une tête de cheval, dans une course. *Cheval qui gagne d'une tête.* **8.** Partie d'une chose où l'on pose la tête. ⇒ **chevet.** *La tête d'un lit.* **9.** Coup de tête dans la balle, au football. *Joueur qui fait une tête.* **II. 1.** Le siège de la pensée, chez l'être humain. ⇒ **cerveau, cervelle, esprit.** *N'avoir rien dans la tête. Avoir une petite tête.* — Loc. *Avoir une tête sans cervelle, une tête en l'air, une tête de linotte*, être étourdi. *Une grosse tête*, une personne savante, intelligente. — Sans compl. *Avoir de la tête*, du jugement et de la mémoire. *Il n'a pas de tête*, il oublie tout. *Une femme de tête*, énergique, efficace. — *De tête*, mentalement. *Calculer de tête.* — *Il a une idée derrière la tête*, une intention cachée. *Avoir la tête vide*, ne plus pouvoir réfléchir, se souvenir. *Mettre, fourrer qqch. dans la tête de qqn*, lui apprendre, lui expliquer. *Se mettre dans la tête, en tête de..., que...*, décider ou imaginer, se persuader. *Elle s'est mis dans la tête que vous viendriez la voir. Je n'ai plus son nom en tête, je ne m'en souviens plus.* **2.** Le siège des états psychologiques. — (Caractère) *Avoir la tête froide*, être calme. *Avoir une tête de cochon*, être têtu. — (États passagers) *Perdre la tête*, perdre son sang-froid. ⇒ **boule, boussole.** *Mettre (à qqn) une tête à l'envers.* ⇒ **griser.** *Avoir la tête à ce qu'on fait*, y appliquer son esprit, son attention. *Avoir la tête ailleurs*, être dans la lune. *N'en faire qu'à sa tête*, agir selon sa fantaisie. — *Un COUP DE TÊTE* : une décision, une action inconsidérée, irréfléchie. **3.** Loc. *Perdre la tête*, devenir fou ou gâteux. *Avoir toute sa tête.* ⇒ **lucidité. III. 1.** (Représentant une personne) *Tête*

téter

couronnée, prince. *Tête de cochon, de mule*, personne
entêtée. — *Une tête brûlée.* ⇒ **brûlé.** *Une forte tête,*
une personne qui s'oppose aux autres et fait ce qu'elle
veut. *Une mauvaise tête*, une personne obstinée,
querelleuse. Fam. *Salut, petite tête !* — Physionomie,
visage (qui rend qqn reconnaissable). *Cette tête-là ne
m'est pas inconnue.* 2. PAR TÊTE : par personne, par
individu. *Trente francs par tête.* Fam. *Par tête de pipe.*
3. Personne qui conçoit et dirige (comme le cerveau
fait agir le corps). *Il est la tête de l'entreprise.*
4. Animal d'un troupeau. *Cent têtes de bétail.*
IV. 1. Partie supérieure (d'une chose), notamment
lorsqu'elle est arrondie. *La tête des arbres.* ⇒ **cime.**
2. Partie terminale, arrondie, large, etc. *La tête d'un
clou. Tête d'ail*, bulbe de l'ail. — *Tête de lecture d'un
électrophone*, extrémité du bras qui porte le saphir.
3. Partie antérieure (d'une chose qui se déplace). *La
tête d'un train, d'un cortège. Fusée à* TÊTE CHER-
CHEUSE : à tête munie d'un dispositif pouvant
modifier sa trajectoire vers l'objectif. 4. Partie antérieure (d'une chose orientée). *Tête de ligne*, point de
départ d'une ligne de transport. / contr. **terminus** /
— *Tête de liste*, premier nom d'une liste. *Une tête
d'affiche.* 5. Place de ce qui est à l'avant ou au début
(surtout : *de, en tête). Passer en tête.* ⇒ **devant**, le
premier. *Wagon de tête. L'article de tête d'un journal.
Mot en tête de phrase.* 6. Être À LA TÊTE de qqch.,
PRENDRE LA TÊTE : la première place (classement,
compétition, direction). *Être à la tête de sa classe,*
être le premier. *Le coureur a pris la tête du peloton.
Il est à la tête d'une entreprise.* ⇒ **chef, directeur.**
▶ **tête-à-queue** n. m. invar. ■ Volte-face d'un
véhicule. *La voiture a fait plusieurs tête-à-queue.*
▶ **tête à tête** loc. adv., **tête-à-tête** n. m. invar. I. Adv.
(Deux personnes) Ensemble et seuls ; seul (avec qqn).
On nous a laissés tête à tête. ⇒ **seul** à seul. II. N. m.
invar. 1. *Un tête-à-tête*, situation de deux personnes
qui se trouvent seules ensemble, qui s'isolent ensemble. *Elle essaya de nous ménager un tête-à-tête.*
⇒ **entrevue.** 2. EN TÊTE À TÊTE loc. adv. : dans la
situation de deux personnes qui se trouvent seules
ensemble ou qui s'isolent. *Laissons ces amoureux en
tête en tête !* ▶ **tête-bêche** [tɛtbɛʃ] loc. adv. ■ Dans
la position de deux personnes dont l'une a la tête du
côté où l'autre a les pieds ; parallèlement et en sens
inverse, opposé. *Il fallait coucher tête-bêche pour y
loger tous. Timbres tête-bêche.* ▶ **tête-de-loup** n. f.
■ Brosse ronde munie d'un long manche, pour
nettoyer les plafonds. *Des têtes-de-loup.* ▶ **tête-de-
nègre** adj. invar. ■ De couleur marron foncé. *Des
jupes tête-de-nègre.* ⟨ ▶ appui-tête, casse-tête, en-tête,
① entêter, ② s'entêter, étêter, serre-tête, têtard,
têtu, à tue-tête ⟩

téter [tete] v. tr. . conjug. 6. ■ Enfants, jeunes
animaux. Boire (le lait) en suçant le mamelon ou une
tétine. *Téter le lait. Téter sa mère.* — Sans compl.
Donner à téter à son enfant, l'allaiter. ▶ **tétée** n. f.
■ Action de téter. — Repas du nourrisson. ▶ **tétine**
n. f. 1. Mamelle (de la vache, de la truie...). ⇒ **pis.**
2. Bouchon allongé de caoutchouc ajusté à un
biberon, que tète le nourrisson. ▶ **téton** [tetɔ̃] n. m.
■ Fam. et vx. Sein* de femme.

tétra- ■ Élément savant signifiant « quatre ».
▶ **tétraèdre** [tetraɛdʀ] n. m. ■ Polyèdre à quatre
faces triangulaires. ▶ **tétralogie** n. f. ■ Littér.
Ensemble de quatre œuvres présentant une unité
d'inspiration. ▶ **tétrapodes** n. m. pl. ■ Ensemble des
animaux vertébrés à quatre membres, apparents ou
non (batraciens, reptiles, oiseaux, mammifères).
▶ **tétrarchie** n. f. ■ Histoire. Organisation de l'Empire
romain sous Dioclétien en un gouvernement collégial
de quatre empereurs.

têtu, ue [tety] adj. ■ Entêté, obstiné. ⇒ **buté.** *Il
est têtu comme une mule. Elles sont volontaires et
têtues.*

teuf-teuf [tœftœf] n. m. invar. ■ Bruit du moteur
à explosion. — Fam. Ancienne automobile. ⇒ **tacot.**
Des vieux teuf-teuf.

-teur, -trice ■ Suffixes de noms tirés de verbes,
signifiant « personne ou chose qui fait... » (ex. :
producteur, productrice).

teuton, onne [tøtɔ̃, ɔn] adj. et n. ■ Péj. Allemand,
germanique. ▶ **teutonique** adj. ■ *Ordre des chevaliers
teutoniques*, ordre de chevalerie allemand, au Moyen
Âge.

texte [tɛkst] n. m. 1. LE TEXTE DE, UN TEXTE :
les termes, les phrases qui constituent un écrit ou une
œuvre. *Commenter, annoter, traduire un texte. Lire
Platon dans le texte*, en grec (opposé à : *en traduction*).
Le texte d'une loi. ⇒ **teneur.** *Le texte d'un opéra,
d'une chanson* (opposé à *musique*). ⇒ **livret, parole.**
— La composition, la page imprimée. *Illustration
dans le texte* (opposé à *hors-texte*). 2. UN TEXTE, DES
TEXTES : écrit considéré dans sa rédaction originale
et authentique. *L'édition des textes.* — Œuvre
littéraire. *Un texte bien écrit.* 3. Page, fragment d'une
œuvre. *Textes choisis.* ⇒ **morceau.** *Une explication de
textes.* ▶ **textuel, elle** adj. ■ Conforme au texte.
Traduction textuelle. ⇒ **littéral.** *Voilà ce qu'il a dit,
c'est textuel*, ce sont ses propres mots. ▶ **textuellement** adv. ■ *Il m'a dit textuellement ceci.* ⇒ **exactement.** ⟨ ▶ contexte, hors-texte ⟩

textile [tɛkstil] adj. et n. m. 1. Susceptible d'être
tissé, d'être divisé en fils que l'on peut tisser. *Matières
textiles végétales* (ex. : *chanvre, coton, jute, lin*),
synthétiques (ex. : *nylon*), *animales* (ex. : *laine, poil, soie
naturelle*). — N. m. Fibre, matière textile. *Les textiles
artificiels.* 2. Qui concerne la fabrication, la vente des
tissus. *Les industries textiles.* ⇒ **filature, tissage.** — N.
m. *Il travaille dans le textile.*

texture [tɛkstyʀ] n. f. ■ Arrangement, disposition
(des éléments d'une matière, d'un tout). ⇒ **constitution, structure.** *La texture du marbre.* — *La texture
d'un roman.* ⟨ ▶ contexture ⟩

T.G.V. [teʒeve] n. m. invar. ■ Train à grande vitesse
(en France). *Prendre un T.G.V.*

thalamus [talamys] n. m. ■ Noyaux de substance
grise situés à la base du cerveau et qui constituent
un relais pour les voies sensitives.

thalasso- ■ Élément savant signifiant « mer ».
▶ **thalassothérapie** [talasɔteʀapi] n. f. ■ Usage
thérapeutique des bains de mer, du climat marin.

thalle [tal] n. f. ■ En botanique. Partie végétative
des plantes inférieures sans tige ni feuilles (algues,
bactéries, champignons) appelées THALLOPHYTES, n.
f. pl.

thalweg [talvɛg] n. m. ■ Terme géographique et
militaire. Ligne de plus grande pente d'une vallée,
suivant laquelle se dirigent les eaux.

thaumaturge [tomatyʀʒ] n. m. ■ Littér. Faiseur
de miracles. ⇒ **magicien.**

thé [te] n. m. 1. Arbre ou arbrisseau d'Extrême-
Orient, cultivé pour ses feuilles qui contiennent un
alcaloïde, la *théine (caféine du thé).* ⇒ **théier.** *La
culture du thé.* 2. Feuilles de thé servant à faire une
boisson infusée. *Thés de Chine, de Ceylan. Thé vert*
(au Japon, par exemple). — Cette boisson. *Faire,
préparer du thé, le thé. Une tasse de thé.* 3. Collation
où l'on boit du thé. *Prendre le thé. Salon de thé.*
— Réunion où l'on sert du thé, des gâteaux. *Un thé
dansant.* 4. En appos. Invar. *Rose thé* ou *rose-thé* (de

la couleur de la boisson). ▶ *théier* n. m. ■ Arbre à thé. ▶ *théière* n. f. ■ Récipient dans lequel on fait infuser le thé.

théâtre [teɑtʀ] n. m. **I. 1.** Construction ou salle destinée aux spectacles se rattachant à l'art dramatique. *La salle et la scène d'un théâtre. Aller au théâtre,* voir un spectacle dans un théâtre. — *Dans l'Antiquité.* Construction en amphithéâtre généralement adossée à une colline creusée en hémicycle, réservée aux spectacles. *Les théâtres grecs.* ⇒ **amphithéâtre. 2.** Entreprise de spectacles dramatiques (⇒ **troupe**). *Les théâtres subventionnés. Le répertoire d'un théâtre. Un homme de théâtre.* **3.** *Théâtre de verdure,* aménagement artistique dans un parc. **4.** Le cadre, le lieu où se passe un événement. *Le théâtre des opérations* (militaires). **II. 1.** LE THÉÂTRE : art visant à représenter devant un public une suite d'événements où des êtres humains agissent et parlent ; genre littéraire, œuvres qui y correspondent. ⇒ **comédie, drame, tragédie.** *Un personnage de théâtre. Le théâtre de Corneille. Théâtre de boulevard,* comédies légères et faciles. *Critique de théâtre,* qui juge les spectacles. — PIÈCE DE THÉÂTRE : texte littéraire qui expose une action dramatique, généralement sous forme de dialogue entre des personnages. **2.** Activités de l'acteur ; profession de comédien de théâtre. *Cours de théâtre,* d'art dramatique. *Faire du théâtre.* ⇒ **jouer. 3.** COUP DE THÉÂTRE : brusque changement imprévu dans une situation. *La déposition du nouveau témoin fut un coup de théâtre.* ▶ *théâtral, ale, aux* adj. **1.** Qui appartient au théâtre ; de théâtre (II, 1). ⇒ **dramatique.** *Une œuvre, une représentation théâtrale. Une situation théâtrale.* ⇒ **scénique, spectaculaire. 2.** Qui a le côté artificiel, emphatique, outré du théâtre. *Une attitude théâtrale.* — *(Des personnes) Il est un peu trop théâtral.* ▶ *théâtralement* adv. ■ D'une manière théâtrale (2). *Il gesticulait théâtralement.* ⇒ ▶ **amphithéâtre, café-théâtre** ⟩

théisme [teism] n. m. ■ Croyance en dieu. ⇒ **déisme.** / contr. **athéisme** / ▶ *théiste* adj. ■ *Un philosophe théiste.* ⇒ **croyant, déiste.** *Théorie théiste.* / contr. **athée** /

-théisme, -théiste ■ Éléments savants signifiant « Dieu » (⇒ **théo-**) dans une doctrine (ex. : *monothéisme, polythéiste*).

thème [tɛm] n. m. **1.** Sujet, idée, proposition qu'on développe (dans un ouvrage) ; ce sur quoi s'exerce la réflexion ou l'activité. ⇒ **objet, sujet.** *Les thèmes favoris d'un écrivain. Proposer un thème de réflexion.* **2.** Traduction (d'un texte) de sa langue maternelle dans une langue étrangère. *Thème et version.* — UN FORT EN THÈME : un très bon élève, et péj., une personne appliquée, de culture livresque. **3.** Dessin mélodique qui constitue le sujet d'une composition musicale et qui est l'objet de variations. ⇒ **motif.** *Faire des variations sur un thème.* ▶ *thématique* adj. ■ Relatif à un thème (1, 3).

théo- ■ Élément savant signifiant « Dieu ». ▶ *théocratie* [teɔkʀasi] n. f. **1.** Gouvernement par un souverain considéré comme le représentant de Dieu. **2.** Régime où l'Église, les prêtres jouent un rôle politique important. ▶ *théocratique* adj. ■ *Un régime théocratique.* ▶ *théogonie* n. f. ■ Dans les religions polythéistes. Système, récit qui explique la naissance des dieux. ⇒ **mythologie.** ▶ *théologale, ales* adj. fém. ■ Relig. chrétienne. *Vertus théologales,* qui ont Dieu lui-même pour objet (foi, espérance, charité). ▶ *théologie* n. f. **1.** Étude des questions religieuses fondée sur les textes sacrés, les dogmes et la tradition. *Faculté, professeur de théologie. La théologie de Bossuet.* **2.** Études de théologie. *Faire sa théologie.* ▶ *théologien* n. m. ▶ *théologique* adj.

■ *Études théologiques.* ⟨ ▶ **athée, panthéisme, panthéon, théisme, -théisme, théosophe** ⟩

théorbe [teɔʀb] n. m. ■ Autrefois. Luth à sonorité grave.

théorème [teɔʀɛm] n. m. ■ Proposition démontrable qui résulte d'autres propositions déjà posées (opposé à *définition, axiome, postulat, principe*). *Démontrer un théorème. Théorème de géométrie, de mathématique. Le théorème de Pythagore.*

① *théorie* [teɔʀi] n. f. **1.** Ensemble organisé d'idées, de concepts abstraits prenant pour objet un domaine particulier qu'il décrit et explicite. ⇒ **conception, doctrine, système, thèse.** *Bâtir une théorie. Les théories politiques, économiques.* — *Sans* compl. LA THÉORIE (opposé à *la pratique*). EN THÉORIE : en envisageant la question d'une manière abstraite. *C'est très beau en théorie, mais en fait, c'est impossible.* **2.** Système formé d'hypothèses, de connaissances vérifiées et de règles logiques qui correspond à un domaine de la science. *La théorie mathématique des ensembles.* — Éléments de connaissance organisée en système. *La théorie musicale.* ▶ *théoricien, ienne* n. **1.** Personne qui connaît la théorie (d'un art, d'une science). *Les théoriciens de l'électricité.* **2.** Personne qui élabore, défend une théorie sur un sujet. *Les théoriciens du socialisme.* **3.** Sans compl. Personne qui, dans un domaine déterminé, se préoccupe surtout de connaissance abstraite et non de pratique, des applications. *Les théoriciens et les techniciens. C'est une théoricienne.* ▶ *théorique* adj. **1.** Qui consiste en connaissance abstraite ; qui élabore des théories. *La recherche théorique.* ⇒ **fondamental, spéculatif.** *Physique théorique* / contr. **appliqué, expérimental** / **2.** Souvent péj. Qui est considéré, défini, étudié d'une manière abstraite et souvent incorrecte (opposé à *expérimental, réel, vécu*). *Une égalité toute théorique.* ▶ *théoriquement* adv. ■ *Justifier théoriquement une œuvre. Théoriquement, vous avez raison.* / contr. **pratiquement** /

② *théorie* n. f. ■ Littér. Groupe de personnes qui s'avancent les unes derrière les autres. ⇒ **cortège, défilé, procession.** *Des théories d'hommes et de femmes.*

théosophe [teɔzɔf] n. ■ Adepte de diverses doctrines, fortement imprégnées de magie et de mysticisme, qui visent à la connaissance de Dieu. ▶ *théosophie* n. f. ■ Doctrine des théosophes.

-thèque ■ Élément signifiant « loge, réceptacle, armoire » (ex. : *bibliothèque, cinémathèque,* etc.).

thérapeutique [teʀapøtik] adj. et n. f. **1.** Adj. Qui concerne les actions et pratiques destinées à guérir, à traiter les maladies ; apte à guérir. ⇒ **curatif, médical, médicinal.** *Substances thérapeutiques.* ⇒ **médicament, remède. 2.** N. f. LA THÉRAPEUTIQUE : partie de la médecine qui étudie et utilise les moyens propres à guérir et à soulager les malades. — UNE THÉRAPEUTIQUE. ⇒ **traitement.** *Une thérapeutique nouvelle.* ▶ *thérapeute* n. ■ Didact. Personne qui soigne des malades ⇒ **médecin,** notamment sur le plan psychique (psychanalyste, psychothérapeute).

-thérapie ■ Élément signifiant « soin, cure » (ex. : *psychothérapie*). ⟨ ▶ **ergothérapie, héliothérapie, hydrothérapie, kinésithérapie, psychothérapie, radiothérapie, thalassothérapie** ⟩

thermes [tɛʀm] n. m. pl. ≠ *terme*. **1.** Établissement de bains publics de l'Antiquité. **2.** Établissement où l'on soigne par les eaux thermales. ▶ *thermal, ale, aux* adj. **1.** *Eau thermale,* qui contient des matières dissoutes (sels, silice...) à une température élevée à la source et qui sert à traiter certaines maladies. *Sources thermales, situées dans les régions volcaniques.* ⇒ **minéral. 2.** Où l'on utilise les eaux médicinales. *Station thermale. Cure thermale.*

thermie [tɛrmi] n. f. ■ Unité M.T.S. de quantité de chaleur, égale à un million de petites calories (symb. th).

thermique adj. **1.** Relatif à la chaleur, qui se traduit par des sensations particulières dites *chaud* et *froid* ⇒ **chaud,** ② **froid,** par des phénomènes physiques. *Effet thermique* (ou *calorifique). Énergie thermique,* chaleur. *Centrale thermique,* utilisant des moteurs thermiques pour produire l'énergie électrique. **2.** Qui concerne l'étude des phénomènes thermiques. ⇒ **thermodynamique.**

thermo- ■ Élément de mots savants signifiant « chaud, chaleur ». ▶ *thermocautère* [tɛrmokotɛr] n. m. ■ Instrument pour cautériser par la chaleur intense. ▶ *thermodynamique* n. f. ■ Branche de la physique et de la chimie qui étudie les relations entre l'énergie thermique (chaleur) et mécanique (travail). ▶ *thermo-électrique* adj. ■ *Effet thermo-électrique,* production de courant électrique dans un circuit comprenant deux conducteurs différents dont les deux soudures sont à des températures différentes. (On forme ainsi un *couple thermo-électrique.*) ▶ *thermogène* adj. ■ Qui engendre la chaleur. — OUATE THERMOGÈNE : coton imprégné d'une teinture de poivre dans l'alcool, pour congestionner la peau. ⇒ **sinapisme.** ▶ *thermomètre* n. m. ■ Instrument destiné au repérage des températures, généralement grâce à la dilatation d'un liquide (mercure, alcool, etc.) ou d'un gaz. *Thermomètre à mercure. Thermomètre médical,* destiné à repérer la température interne du corps. — *Le thermomètre monte, descend,* la colonne de liquide du thermomètre. ▶ *thermonucléaire* adj. ■ Se dit de l'énergie obtenue par la fusion de noyaux atomiques à des millions ou des dizaines de millions de degrés. *Bombe thermonucléaire,* bombe atomique à hydrogène (cour. *bombe* H). ▶ *thermos* [tɛrmos] n. m. ou f. invar. ■ Récipient isolant qui maintient durant quelques heures la température du liquide qu'il contient. *Mettre du café dans un thermos.* — En appos. *Une bouteille thermos.* ▶ *thermostat* n. m. ■ Appareil qui permet d'obtenir une température constante dans une enceinte fermée. *Four à thermostat.* ⟨ ▶ thermie, thermique ⟩

thésauriser [tezorize] v. ■ conjug. 1. Littér. **1.** V. intr. Amasser de l'argent pour le garder, sans le faire circuler ni l'investir. ⇒ **capitaliser, économiser ; trésor.** *Il n'achète rien, il thésaurise.* **2.** V. tr. Amasser (de l'argent) de manière à se constituer un trésor. ⇒ **accumuler, entasser, épargner. / contr. dépenser /** *Il a thésaurisé une petite fortune !* ▶ *thésaurisation* n. f. ■ Action de mettre en réserve. ▶ *thésauriseur, euse* n. ■ Qui thésaurise.

thèse [tɛz] n. f. **1.** Proposition ou théorie particulière qu'on tient pour vraie et qu'on s'engage à défendre par des arguments. *Avancer, soutenir une thèse.* ⇒ **doctrine, opinion.** — Littér. *Pièce, roman* À THÈSE : qui illustre une thèse (philosophique, morale, politique, etc.) que l'auteur propose au public. **2.** Ouvrage présenté pour l'obtention du doctorat. *Il prépare une thèse de doctorat.* — Soutenance de la thèse devant un jury. *Assister à la thèse d'un ami.* **3.** En philosophie. Premier moment de la démarche dialectique auquel s'oppose l'*antithèse,* jusqu'à ce que ces contraires soient conciliés par la *synthèse.* ⟨ ▶ antithèse, hypothèse, synthèse ⟩

thibaude [tibod] n. f. ■ Molleton de tissu grossier ou de feutre qu'on met entre le sol et les tapis. *Une moquette sur thibaude.*

thon [tõ] n. m. ■ Poisson de grande taille qui vit dans l'Atlantique et la Méditerranée. *La pêche au thon. Thon en boîte.* ▶ *thonier* n. m. ■ Bateau pour la pêche au thon.

Thora ⇒ **Torah.**

thoraco- ■ Élément de mots de médecine signifiant « thorax ».

thorax [tɔraks] n. m. invar. **1.** Chez l'homme. Région comprise entre les douze vertèbres dorsales, les douze paires de côtes et le sternum, renfermant le cœur et les poumons. ⇒ **poitrine, torse. 2.** Partie du corps de l'insecte portant les organes locomoteurs. ▶ *thoracique* adj. ■ *Cage thoracique.*

thorium [tɔrjɔm] n. m. ■ Métal gris radioactif.

thromb(o)- ■ Élément savant signifiant « caillot ». ▶ *thrombose* [trõboz] n. f. ■ Formation d'un caillot dans un vaisseau sanguin ou dans le cœur.

thune [tyn] n. f. **1.** Fam. et vx. Pièce de cinq francs anciens. **2.** Fam. Lang. des jeunes. Pièce d'argent. *Je suis fauché ; t'as pas une thune ?*

thuriféraire [tyriferɛr] n. m. ■ Littér. Encenseur, flatteur. ⇒ **laudateur.**

thuya [tyja] n. m. ■ Arbre d'origine exotique, proche du cyprès.

thym [tɛ̃] n. m. ■ Plante aromatique des régions tempérées, abondant dans les garrigues et les maquis, utilisée en cuisine.

thymus [timys] n. m. invar. ■ Glande située à la partie inférieure du cou. *Thymus de veau.* ⇒ **ris** de veau.

thyroïde [tiroid] adj. et n. f. ■ *Corps, glande thyroïde* et, n. f., *la thyroïde,* glande endocrine située à la partie antérieure et inférieure du cou, qui produit des hormones. *Action de la thyroïde sur la croissance. Tumeur de la thyroïde.* ⇒ **goitre.** ▶ *thyroïdien, ienne* adj. ■ De la thyroïde. *Insuffisance thyroïdienne.*

thyrse [tirs] n. m. ■ Bâton entouré de feuilles, attribut du dieu Bacchus.

tiare [tjar] n. f. ■ Coiffure circulaire, entourée de trois couronnes, portée par le pape dans certaines circonstances solennelles. *La tiare pontificale.*

tibétain, aine [tibetɛ̃, ɛn] adj. et n. ■ Du Tibet. — N. *Les Tibétains.*

tibia [tibja] n. m. **1.** Os du devant de la jambe, en forme de prisme triangulaire. *Tibia et péroné.* **2.** Partie antérieure de la jambe, où se trouve le tibia. *Tibias protégés par des jambières. Un coup de pied dans les tibias.*

tic [tik] n. m. **1.** Mouvement convulsif, geste bref automatique, répété involontairement. *Il a des tics.* **2.** Geste, attitude habituels, que la répétition rend plus ou moins ridicules ; manie. *Un tic de style. C'est devenu un tic.* ≠ **tique.** ⟨ ▶ tiquer ⟩

ticket [tikɛ] n. m. **1.** Rectangle de carton, de papier, donnant droit à un service, à l'entrée dans un lieu, etc. ⇒ **billet.** *Un ticket de quai.* — REM. On dit : *un ticket de métro* et *un billet de chemin de fer.* **2.** TICKET MODÉRATEUR : quote-part que la Sécurité sociale laisse à la charge de l'assuré (en France). Fam. *Avoir un ticket,* une touche (①, 2).

tic tac interj., *tic-tac* [tiktak] n. m. invar. ■ Bruit sec et uniformément répété (d'un mécanisme d'horlogerie). *La pendule fait tic tac. Le tic-tac du réveil m'empêche de dormir. Des tic-tac.*

tiède [tjɛd] adj. **1.** Légèrement chaud, ni chaud ni froid. *De l'eau tiède. Café tiède,* refroidi ou légèrement

réchauffé. *Un vent tiède.* ⇒ **doux.** — Adv. *Boire tiède.*
2. Qui a peu d'ardeur, de zèle ; sans ferveur.
⇒ **indifférent.** *Un communiste tiède.* / contr. **fervent,**
fanatique / — N. *C'est un tiède.* ▶ *tiédasse* adj.
■ D'une tiédeur désagréable. *Une bière tiédasse.*
▶ *tièdement* adv. ■ (Surtout sens 2) *Il a réagi plutôt*
tièdement à ma proposition. ▶ *tiédeur* n. f. **1.** État,
température de ce qui est tiède. *La tiédeur du climat.*
2. Défaut d'ardeur, de passion, de zèle ⇒ **indiffé-**
rence, nonchalance. *La tiédeur de ses sentiments. La*
tiédeur d'un accueil. ▶ *tiédir* v. ■ conjug. 2. **1.** V. intr.
Devenir tiède (1). *L'eau chaude tiédit. Faire tiédir*
l'eau. ⇒ **attiédir. 2.** V. tr. Rendre tiède (1). *Tiédir*
l'eau. — Au p. p. *Air tiédi par le soleil.* ▶ *tiédisse-*
ment n. m. ‹ ▶ **attiédir** ›

tien, tienne [tjɛ̃, tjɛn] adj. et pronom poss. de la
deuxième pers. du sing. (⇒ **mien, sien**). **I.** Adj. poss.
Littér. De toi. ⇒ **ton.** *Un tien parent. Je suis tien, elle*
est tienne, à toi. **II.** Pronom poss. *Le tien, la tienne,*
les tiens, les tiennes, l'objet ou l'être lié par un rapport
à la personne à qui l'on s'adresse. *Ce sont mes affaires,*
occupe-toi des tiennes. C'est le tien ! — Fam. *À la*
tienne !, à ta santé ! **III.** N. **1.** DU TIEN (partitif). *Il*
faut y mettre du tien, il faut que tu fasses un effort.
2. LES TIENS : tes parents, tes amis, tes partisans.

tiens *(un tiens vaut mieux... ; tiens !)* Forme du verbe
TENIR.

tierce [tjɛʀs] n. f. **1.** Intervalle musical de trois
degrés (ex. : *do-mi*). *Tierce majeure, mineure.* **2.** Trois
cartes de même couleur qui se suivent. **3.** Troisième
et dernière épreuve d'imprimerie avant le tirage.

① *tiercé, ée* [tjɛʀse] adj. ■ *Rimes tiercées,*
ordonnées par groupe de trois vers.

② *tiercé* n. m. ■ Pari mutuel où l'on parie sur trois
chevaux, dans une course. *Le tiercé et le quarté.*
Gagner au tiercé. Toucher le tiercé dans l'ordre.

tiers, tierce [tjɛʀ, tjɛʀs] adj. et n. m. invar. **I.** Adj.
1. Vx. Troisième. *Le « Tiers Livre » de Rabelais. Le*
tiers état. — Loc. *Une tierce personne,* une troisième
personne ; un étranger. **2.** *Le* TIERS MONDE : le
troisième groupe de nations, qui n'appartient ni au
monde « occidental » ni au camp socialiste. **II.** N.
m. invar. TIERS. **1.** Troisième personne. Loc. fam. *Se*
moquer, se ficher du tiers comme du quart (du
troisième comme du quatrième), des uns comme des
autres. **2.** Personne étrangère (à une affaire, à un
groupe). ⇒ **inconnu.** *Un tiers nous écoute.* **3.** Fraction
d'un tout divisé en trois parties égales. *Il faut en*
supprimer les deux tiers. **4.** TIERS PROVISIONNEL :
acompte sur l'impôt, égal au tiers de l'imposition de
l'année précédente (en France).

tif ou *tiffe* [tif] n. m. ■ Fam. Généralt au plur. Cheveu.
Elle s'est fait couper les tifs.

tige [tiʒ] n. f. **I. 1.** Partie allongée des plantes, qui
naît au-dessus de la racine et porte les feuilles. *Un*
bouquet de longues tiges. ⇒ **queue. 2.** Jeune plant
d'un arbre à une seule tige. *Ce pépiniériste peut fournir*
trois cents tiges. **II. 1.** Partie (d'une chaussure, d'une
botte) au-dessus du pied, et qui couvre la jambe.
Bottines à tige. **2.** Pièce allongée droite et mince.
⇒ **barre, tringle.** *Des tiges de fer.*

tignasse [tiɲas] n. f. ■ Chevelure touffue, rebelle,
mal peignée.

tigre [tigʀ] n. m., *tigresse* [tigʀɛs] n. f. **1.** Mammifère de grande taille, félin d'Asie au pelage jaune
roux rayé de bandes noires transversales, dangereux
carnassier. *Tigre royal* ou *du Bengale.* **2.** *Une tigresse,*
une femme très agressive, très jalouse. ‹ ▶ **chat-tigre,**
tigré ›

tigré, ée [tigʀe] adj. **1.** Marqué de petites taches
arrondies. ⇒ **moucheté, tacheté.** *Des bananes tigrées.*
2. Marqué de bandes foncées. ⇒ **rayé, zébré.** *Un chat*
tigré.

tilbury [tilbyʀi] n. m. ■ Anglic. Ancienne voiture
à cheval, cabriolet léger à deux places. *Des tilburys.*

tilde [tild ; tilde] n. m. ■ Signe en forme de S couché
(~) qui se met au-dessus de certaines lettres,
notamment du *n* espagnol lorsqu'il se prononce [ɲ]
(ex. : *España*). — REM. Ce signe est utilisé dans la
transcription phonétique pour noter la nasalisation d'une
voyelle (ex. : [ɛ̃] notant *ain, in*).

tillac [tijak] n. m. ■ Pont supérieur des anciens
navires.

tilleul [tijœl] n. m. **1.** Grand arbre à feuilles simples,
à fleurs blanches ou jaunâtres très odorantes. *Une*
allée de tilleuls. **2.** La fleur de cet arbre, séchée pour
faire des infusions ; cette infusion. *Une tasse de tilleul.*
3. Le bois de cet arbre, tendre et léger. *Une table de*
tilleul.

tilt [tilt] n. m. et interj. ■ Anglic. Dispositif qui
interrompt la partie, au billard électrique. — Loc.
FAIRE TILT : attirer brusquement l'attention ; produire un effet. *Tilt ! je viens d'y penser (ça a fait tilt).*

① *timbale* [tɛ̃bal] n. f. ■ Instrument à percussion,
grand tambour formé d'un bassin hémisphérique
couvert d'une peau tendue. ▶ *timbalier* n. m.
■ Musicien qui joue des timbales.

② *timbale* n. f. **1.** Gobelet de métal de forme
cylindrique, sans pied. *Offrir une timbale en argent*
à un enfant. — Fam. DÉCROCHER LA TIMBALE :
obtenir une chose disputée, un résultat important.
2. Moule de cuisine de forme circulaire. — Préparation culinaire cuite dans ce moule. *Une timbale de*
queues d'écrevisses.

timbrage [tɛ̃bʀaʒ] n. m. ■ Opération qui consiste
à timbrer (1, 2). *Envoi dispensé de timbrage.*

① *timbre* [tɛ̃bʀ] n. m. **I.** Calotte de métal qui,
frappée par un petit marteau, joue le rôle d'une
sonnette. *Timbre de bicyclette. Timbre électrique.*
⇒ **sonnerie. II.** Qualité spécifique des sons, indépendante de leur hauteur, de leur intensité et de leur
durée. ⇒ **sonorité.** *Le timbre de la flûte.* — Sans
compl. *Une voix qui a du timbre,* dont la sonorité est
pleine. ▶ ① *timbré, ée* adj. **I.** *Une voix bien timbrée,*
qui a un beau timbre. **II.** Un peu fou. *Il est*
complètement timbré. ⇒ fam. **sonné, toqué.**

② *timbre* n. m. **1.** Petite vignette, au verso enduit
de gomme, et qui, collée sur un objet confié à la poste,
a une valeur d'affranchissement égale au prix marqué
sur son recto. — REM. On dit aussi TIMBRE-POSTE.
Des timbres-poste. Acheter des timbres au bureau de
tabac. Collection de timbres. ⇒ **philatélie. 2.** Vignettes vendues au profit d'œuvres. *Timbres antituber-*
culeux. **3.** Marque, cachet que doivent porter certains
documents officiels, et qui donne lieu à la perception
d'un droit au profit de l'État ; ce droit. *Acte soumis*
à l'obligation du timbre fiscal. Droit de timbre sur les
passeports. **4.** Marque apposée sur un document, une
lettre, un colis pour en indiquer l'origine. ⇒ **cachet.**
5. Instrument qui sert à imprimer cette marque.
⇒ **cachet, tampon.** ▶ *timbrer* v. tr. ■ conjug. 1.
1. *Timbrer une lettre,* y coller un ou plusieurs timbres.
⇒ **affranchir. 2.** Marquer (un acte, un document) du
timbre fiscal. **3.** Marquer (un document, un objet)
d'un cachet, d'un timbre. ⇒ **estampiller.** ▶ ② *tim-*
bré, ée adj. **1.** *Enveloppe timbrée.* **2.** *Papier timbré,*
papier émis par le gouvernement, marqué d'un
timbre (3) et destiné à la rédaction de certains actes.
‹ ▶ **timbrage** ›

timide [timid] adj. **1.** Qui manque d'aisance et d'assurance dans ses rapports avec autrui. / contr. **assuré, effronté** / *Un jeune homme timide. Un amoureux timide.* ⇒ **transi.** — N. *C'est une grande timide. — Elle parlait d'une voix timide.* **2.** Qui manque d'audace, de vigueur, d'énergie. ⇒ **timoré.** / contr. **audacieux, hardi** / *Il a été bien timide dans ses revendications. — Une satire trop timide.* ▶ **timidement** adv. ■ *Elle tendit timidement la main. Il exposa timidement sa requête.* / contr. **hardiment /** ▶ **timidité** n. f. **1.** Manque d'aisance et d'assurance en société ; comportement, caractère d'une personne timide. ⇒ **confusion, embarras, gaucherie, gêne, modestie.** / contr. **aplomb, culot /** *Surmonter sa timidité.* **2.** Manque d'audace et de vigueur dans l'action ou la pensée. / contr. **audace /**

timon [timɔ̃] n. m. ■ Longue pièce de bois disposée à l'avant d'une voiture, d'une machine agricole et de chaque côté de laquelle on attelle une bête de trait.

timonier [timɔnje] n. m. ■ Celui qui tient la barre du gouvernail, qui s'occupe de la direction du navire. — Par métaphore. Conducteur, guide. *Le Grand Timonier,* surnom de Mao Zedong. ▶ **timonerie** n. f. **1.** Service dont sont chargés les timoniers. **2.** Partie du navire qui abrite les divers appareils de navigation.

timoré, ée [timɔre] adj. ■ Qui est trop méfiant, trop attaché à ses habitudes, qui craint le risque, les responsabilités, l'imprévu. ⇒ **craintif, indécis, pusillanime, timide.** / contr. **courageux, entreprenant, téméraire /** *Elle est trop timorée pour s'engager dans cette entreprise.*

tinctorial, ale, aux [tɛ̃ktɔrjal, o] adj. ■ Qui sert à teindre. — Relatif à la teinture.

tintamarre [tɛ̃tamar] n. m. ■ Grand bruit discordant. *Le tintamarre des klaxons. Faire du tintamarre.* ⇒ **tapage ; fam. boucan.**

tinter [tɛ̃te] v. intr. ■ conjug. 1. ≠ **teinter. 1.** Produire des sons aigus qui se succèdent lentement (se dit d'une cloche dont le battant ne frappe que d'un côté). ⇒ **résonner, sonner.** *La cloche tinte.* **2.** Produire des sons clairs et aigus. *Il fit tinter sa monnaie dans sa poche.* **3.** Loc. *Les oreilles** *ont dû vous tinter.* ▶ **tintement** n. m. **1.** Bruit de ce qui tinte. *Un tintement de sonnette. Le tintement d'une clochette.* **2.** *Tintement d'oreilles,* bourdonnement interne analogue à celui d'une cloche. ▶ **tintinnabuler** [tɛ̃tinabyle] v. intr. ■ conjug. 1. ■ Littér. Se dit d'une clochette, d'un grelot qui sonne, et de ce qui tinte.

tintouin [tɛ̃twɛ̃] n. m. ■ Fam. Souci, tracas. *Les gosses, quel tintouin ! Se donner du tintouin,* du mal.

tique [tik] n. f. ■ Insecte parasite du chien, du bœuf, du mouton, dont il suce le sang. *Ce chien a des tiques.* ≠ **tic.**

tiquer [tike] v. intr. ■ conjug. 1. ■ Manifester par la physionomie, ou par un mouvement involontaire, son mécontentement, sa désapprobation, son dépit. *Elle a tiqué. Ma proposition l'a fait tiquer.*

tir [tir] n. m. **I. 1.** Le fait de tirer ④, de lancer une flèche ou des projectiles (à l'aide d'une arme). *Pratiquer le tir à l'arc, au fusil. Arme à tir automatique. Exercices de tir, dans l'armée. Canon en position de tir.* ⇒ en **batterie.** *Ligne de tir.* — Lancement (d'une fusée, d'un engin). **2.** Direction selon laquelle une arme à feu lance ses projectiles ; leur trajectoire. *Un tir précis. Régler le tir.* **3.** Série de projectiles envoyés par une ou plusieurs armes. *Tir d'artillerie.* ⇒ **coup, salve, rafale.** *Tir de barrage,* pour arrêter l'ennemi. **4.** Au football. *Tir au but,* coup pour envoyer le ballon au but. ⇒ **shoot. II.** Emplacement aménagé pour s'y exercer au tir à la cible.

⇒ **stand.** *Un tir forain.* — TIR AU PIGEON : dispositif pour s'exercer au tir des oiseaux au vol ; emplacement où l'on s'exerce à ce tir.

tirade [tirad] n. f. **1.** Longue suite de phrases, de vers, récitée sans interruption par un personnage de théâtre. *Les tirades de Phèdre.* **2.** Souv. péj. Long développement, longue phrase emphatique. *Il nous a fait toute une tirade sur le bonheur.* ⇒ **discours, laïus.**

① **tirage** [tiraʒ] n. m. ■ Le fait de tirer ① ; son résultat. **1.** Allongement, étirage. *Le tirage de la soie.* **2.** *Un cordon de tirage,* qui sert à tirer. **3.** Loc. fam. *Il y a du tirage,* des difficultés, des frottements entre personnes en désaccord. **4.** Mouvement de l'air qui est attiré vers une combustion, un foyer. ⇒ ① **tirer** (II, 2). *Régler le tirage d'un poêle.*

② **tirage** n. m. **1.** Le fait d'imprimer, de reproduire par impression ; ce qui est imprimé. *Un beau tirage sur papier glacé.* ⇒ ③ **tirer** (3). **2.** Ensemble des exemplaires, quantité d'exemplaires tirés ③ en une fois. *Journal à grand tirage. Second tirage.* ⇒ **édition. 3.** Opération par laquelle on reproduit sous son aspect définitif (une œuvre gravée). *Le tirage des gravures, d'une estampe.* **4.** Opération par laquelle on obtient une image positive (épreuve) d'un cliché photographique. *Développement et tirage. Le tirage d'un film, des copies (d'un film).*

③ **tirage** n. m. **1.** Action de tirer ⑥. *Le tirage du vin.* **2.** TIRAGE AU SORT : désignation par le sort. — Fait de tirer au hasard un ou plusieurs numéros. *Tirage d'une loterie. Demain le tirage !*

① **tirailler** [tiraje] v. tr. ■ conjug. 1. **1.** Tirer ① à plusieurs reprises, en diverses directions. *Il le tiraillait par le bras.* **2.** ÊTRE TIRAILLÉ PAR, ENTRE : être sollicité par (des demandes ou des désirs contradictoires). *Être tiraillé par des raisons, des sentiments contraires.* ⇒ **écartelé.** ▶ **tiraillement** n. m. **1.** Le fait de tirailler (1). **2.** Le fait d'être tiraillé (2) entre divers sentiments, désirs, etc. ; difficultés résultant de volontés ou d'intérêts contradictoires. **3.** Sensation douloureuse, crampe. *Des tiraillements d'estomac.*

② **tirailler** v. intr. ■ conjug. 1. ■ Tirer ④ souvent, irrégulièrement, en divers sens ; tirer à volonté. *Des chasseurs qui tiraillent dans le bois.* ▶ **tirailleur** n. m. **1.** Soldat détaché pour tirer à volonté sur l'ennemi. *Soldats déployés en tirailleurs,* en lignes espacées, sans profondeur. **2.** Soldats de certaines troupes d'infanterie, hors du territoire métropolitain (français), et qui étaient formés d'autochtones. *Tirailleurs algériens, sénégalais.*

tirant [tirã] n. m. **1.** Cordon sur lequel on tire ①, servant à ouvrir, à fermer une bourse, un sac. **2.** Anse à la partie supérieure des tiges de bottes, pour aider à les mettre.

tirant d'eau [tirãdo] n. m. ■ Quantité, volume d'eau que déplace, « tire » un bateau ; distance verticale entre la ligne de flottaison et la quille. *Des tirants d'eau.*

① **à la tire** [alatir] loc. adj. ■ Fam. VOL À LA TIRE : en tirant qqch. de la poche, du sac de qqn. *Voleur à la tire* (⇒ **pickpocket**).

② **tire** n. f. ■ Fam. Voiture. *On est venus en tire.* ⇒ fam. **bagnole, caisse.**

tire- ■ Premier élément de composés du v. *tirer.*

tire-au-cul [tiroky] ou **tire-au-flanc** [tiroflã] n. m. invar. ■ Fam. Personne (d'abord soldat) qui tire ② au flanc, cherche à se défiler, à échapper aux travaux. ⇒ **feignant, paresseux.**

tire-bouchon [tiʁbuʃɔ̃] n. m. **1.** Instrument, formé d'une hélice de métal et d'un manche, qu'on enfonce en tournant dans le bouchon d'une bouteille pour le tirer ⑤, l'enlever. *Des tire-bouchons.* **2.** En *tire-bouchon*, en hélice (circulaire). *La queue en tire-bouchon (des cochons).* ▶ *tirebouchonner* ou *tire-bouchonner* v. tr. ▪ conjug. 1. ■ Mettre en tire-bouchon, en spirale. — Au p. p. adj. *Des pantalons tirebouchonnés.*

à tire-d'aile [atiʁdɛl] loc. adv. **1.** Avec des coups d'ailes, des battements rapides et ininterrompus. *Les oiseaux s'envolent à tire-d'aile.* **2.** Littér. Très vite, comme un oiseau. *Filer à tire-d'aile.*

tirée [tiʁe] n. f. **1.** Fam. Longue distance pénible à parcourir (⇒ ② *tirer*). **2.** Fam. *Il y en a toute une tirée*, une grande quantité. ⇒ **flopée.**

tire-fesses [tiʁfɛs] n. m. invar. ■ Fam. Téléski, remonte-pente.

à tire-larigot [atiʁlaʁigo] loc. adv. ■ Fam. Beaucoup, en quantité. *Il boit à tire-larigot.* ⇒ à **gogo.**

tire-ligne [tiʁliɲ] n. m. ■ Petit instrument de métal servant à tirer ③, à tracer des lignes de largeur constante. *Des tire-lignes.*

tirelire [tiʁliʁ] n. f. **1.** Petit récipient percé d'une fente par où on introduit les pièces de monnaie. ⇒ **cagnotte.** *Mettre ses économies dans une tirelire. Casser sa tirelire* (pour avoir les pièces de monnaie). **2.** Fam. Tête. *Avoir reçu un coup sur la tirelire.*

① *tirer* [tiʁe] v. ▪ conjug. 1. **I.** V. tr. dir. **1.** Amener vers soi une extrémité, ou éloigner les extrémités de (qqch.), de manière à étendre, à tendre. ⇒ **allonger, étirer.** *Tirer ses chaussettes. Tirer un élastique. Tirer les cheveux, les oreilles de qqn. Se faire tirer l'oreille*, se faire prier. — *Tirer les cordes, les ficelles*, faire agir, manœuvrer. ⇒ *Faire qqch. en longueur*, faire durer à l'excès. **2.** Faire aller dans une direction, en exerçant une action, une force sur (une partie qu'on amène vers soi, tout en restant immobile). *Tirer un tiroir*, pour l'ouvrir. *Tirer l'échelle*, le haut de l'échelle. *Loc. Il faut tirer l'échelle*, il n'y a plus rien à faire, à espérer. — *Tirer l'aiguille*, travailler à l'aiguille, coudre. — TIRER qqch. À SOI : vers soi, le prendre. *Tirer un auteur, un texte à soi*, lui faire dire ce qu'on veut. **3.** Faire mouvoir sur le côté pour ouvrir ou fermer. *Tirer les rideaux. Tirer le verrou.* **4.** Faire avancer ; déplacer derrière soi. ⇒ **traîner ; entraîner.** *Tirer une charrette. Les bœufs tirent la charrue.* / contr. **pousser** / **5.** Littér. *Tirer l'attention, le regard*, attirer. **II.** V. tr. ind. ou intr. **1.** TIRER SUR... : exercer une traction, faire effort sur..., pour tendre ou pour amener vers soi. *Les chiens aboyaient en tirant sur leurs chaînes.* — *Loc. Tirer sur la ficelle*, exagérer, aller trop loin. — *Sans compl. Tirer de toutes ses forces.* **2.** TIRER SUR : exercer une forte aspiration sur. ⇒ **aspirer.** *Tirer sur une pipe.* — *Intransitivement.* Avoir une bonne circulation d'air. *La cheminée, le poêle tire bien.* ⇒ ① **tirage** (4). **III.** V. intr. **1.** Subir une tension, éprouver une sensation de tension. *La peau lui tire.* **2.** *Loc. Cela tire en longueur*, dure trop. ▶ *tiré, ée* adj. ■ Qui a été tiré, tendu. *Cheveux tirés en arrière.* — *Un verrou tiré.* — Allongé, amaigri par la fatigue. *Visage tiré, traits tirés.* ⟨ ▶ attirer, étirer, ① tirage, ① tiraillier, tirant, ① à la tire, tire-fesses, tirette, tiroir ⟩

② *tirer* v. ▪ conjug. 1. ■ Aller (dans une direction ou le long de), s'approcher ; passer (le temps). **I.** V. intr. **1.** *Tirer à*, aller vers. *Cette voiture tire à gauche. Loc.* TIRER À SA FIN : approcher de la mort, être à l'agonie. — *(Choses)* Approcher de sa fin. ⇒ **toucher.** *Le spectacle tire à sa fin.* — *Cela ne tire pas à*

conséquence, n'est pas grave. **2.** TIRER SUR : se rapprocher de (qqch.), avoir un rapport de ressemblance avec. *Un bleu tirant sur le vert*, un peu vert. *Le poil de ce chat tire sur le roux.* **II.** V. tr. **1.** (Bateau) Déplacer (une quantité d'eau). *Ce navire tire six mètres.* ⇒ **tirant d'eau. 2.** Fam. Passer péniblement (une durée). *Il a tiré six mois de prison.* ⇒ **faire.** *Plus qu'une heure à tirer !* **III.** SE TIRER v. pron. **1.** Fam. (Temps) S'écouler lentement. *Cette soirée ennuyeuse finira bien par se tirer. Ouf, ça se tire !* **2.** Fam. S'en aller, fuir. ⇒ **filer.** *Je me suis tiré en douce.* ≠ *se* ⑤ *tirer de.* ▶ *tirer au flanc* v. intr. ▪ conjug. 1. ■ Chercher à échapper à un travail, à une corvée (en « tirant » sur le côté, en s'esquivant). ⇒ **tire-au-flanc.** ⟨ ▶ se retirer, tirant d'eau, tire-au-flanc, tire-d'aile, tirée ⟩

③ *tirer* v. tr. ▪ conjug. 1. **1.** Allonger sur le papier (une figure). *Tirer un trait. Tirer un plan*, le tracer. **2.** *Loc. Se faire* TIRER LE PORTRAIT : se faire dessiner, peindre, photographier. **3.** Imprimer (⇒ ② *tirage*). *Tirer un tract.* — *Sans compl. Journal qui tire à trente mille (exemplaires).* — BON À TIRER : mention portée sur les épreuves corrigées, bonnes pour l'impression. *Les bons à tirer*, ces épreuves. — Au p. p. adj. *Des exemplaires mal tirés. Brochure tirée à part*, extraite d'un recueil. — N. m. *Un TIRÉ À PART* ⟨ ▶ ① tirage, ② tirage, tirade, tire-ligne, tiret ⟩

④ *tirer* v. tr. ▪ conjug. 1. **1.** Envoyer au loin (une flèche, un projectile) au moyen d'une arme. ⇒ **tir,** ② **tirailler.** *Tirer une balle. Tirer un coup de feu, de revolver.* — Au p. p. adj. *Des coups tirés au hasard.* — *Intransitivement. Tirez !* ⇒ **feu.** *Tirer à vue. Tirer au but*, viser. *Tirer sur qqn*, le viser. *On lui a tiré dessus.* — *Loc. Tirer dans le dos*, attaquer par derrière. *Tirer dans le tas.* — TIRER À : avec (une arme). *Tirer à l'arc, au fusil.* **2.** Faire partir (une arme à feu), faire exploser. ⇒ **décharger.** *Tirer le canon. Tirer des pétards. Tirer un feu d'artifice le 14 juillet.* **3.** Chercher à atteindre (un animal) par un coup de feu, une flèche, etc. *Tirer un oiseau au vol.* **4.** Envoyer le ballon. *Tirer au but.* ▶ ① *tireur, euse* ■ Personne qui se sert d'une arme à feu. *Un tireur d'élite.* ⟨ ▶ franc-tireur, tir, ② tirailler ⟩

⑤ *tirer* v. tr. ▪ conjug. 1. **I. 1.** Faire sortir (une chose) d'un contenant. ⇒ **extraire, retirer, sortir.** / contr. **mettre** / *Tirer un mouchoir de son sac. Tirer qqn du lit*, le forcer à se lever. — *Loc. Tirer la langue*, l'allonger hors de la bouche ; avoir très soif ; manquer cruellement de ce qu'on souhaite. *Tirer la langue à qqn*, pour se moquer. — *Tirer le vin* (du tonneau). *Loc. prov. Quand le vin est tiré, il faut le boire*, il faut supporter les conséquences de ses actes. **2.** Choisir parmi d'autres, dans un jeu de hasard. *Tirer le bon, le mauvais numéro à la loterie. Tirer qqch. au sort.* — TIRER LES CARTES : dire la bonne aventure, prédire l'avenir à l'aide des cartes, des tarots. *Tirer la fève,* TIRER LES ROIS — en mangeant la galette des Rois à l'Épiphanie. **3.** (Compl. personne) Faire cesser (qqn) d'être (dans un lieu une situation où l'on est retenu). ⇒ **délivrer, sortir.** *Tirer qqn de prison, d'une situation dangereuse.* — *Loc.* TIRER qqn D'AFFAIRE : le sauver. — Faire cesser d'être (dans un état). *Tirer qqn du sommeil*, réveiller. *Tirer qqn du doute, de l'erreur*, détromper. **4.** SE TIRER DE v. pron. réfl. : échapper, sortir de... (un lieu où l'on est retenu, une situation fâcheuse). *Se tirer d'affaire*, fam. *du pétrin.* ⇒ s'en **sortir.** ≠ *se* ② *tirer* (III). — Venir à bout de... (une chose difficile). ⇒ se **dépêtrer**, se **sortir.** *Se tirer avec habileté d'un sujet épineux.* **5.** S'EN TIRER : en réchapper, en sortir indemne ; réussir une chose délicate, difficile. *Il est grièvement blessé, mais il s'en tirera. Pour un premier essai, il s'en est bien tiré.* ⇒ **réussir.** — *Il s'en tire avec un mois de prison*, il en est quitte pour... **II.** Obtenir (qqch.) en séparant, en sortant de. **1.** Obtenir (un produit) en utilisant une manière première, une source, une .origine. ⇒ **extraire**. *Tirer le fer du minerai. L'opium est tiré d'un pavot.* ⇒ **provenir**. *Tirer des sons d'un instrument.* **2.** Obtenir (qqch.) d'une personne ou d'une chose (dans quelques loc.). *Tirer vanité de*, s'enorgueillir, se prévaloir de. — Loc. TIRER PARTI DE : se servir de, en profitant. — Obtenir (des paroles, des renseignements, une action) de qqn. *Tirer de force des informations d'un témoin.* ⇒ **extorquer**. *On ne peut rien en tirer, la personne reste muette. Il n'y a pas grand-chose à en tirer.* **3.** Obtenir (de l'argent, un avantage matériel). ⇒ **retirer**. *Tirer de l'argent de qqn,* ⇒ **soutirer**. *Tirer un intérêt de ses capitaux.* — *Tirer un chèque sur un compte,* prélever une somme sur le crédit de ce compte (⇒ ② **tireur**, 1). **4.** Faire venir (une chose) de. ⇒ **dégager** ; **déduire**. *Tirer argument de qqch. Il ne faudrait pas tirer de cette information des conclusions hâtives.* **5.** Emprunter (son origine, sa raison d'être de qqch.). *Tirer sa force, son pouvoir de... Tirer son origine de...,* descendre, venir de. ⇒ **provenir**. **6.** Élaborer, faire, en utilisant des éléments que l'on a extraits. *Tirer des citations d'un texte.* — Au p. p. adj. *Un roman tiré d'un fait divers.* ▶ ② *tireur, euse* n. **1.** N. M. Personne qui tire un chèque. **2.** N. f. TIREUSE DE CARTES : cartomancienne. ‹ ▶ retirer, ① soutirer, ② soutirer, ③ tirage, à la tire, tire-bouchon, à tire-larigot ›

tiret [tiʀɛ] n. m. ■ Petit trait que l'on trace (⇒ **tirer** ③) et que l'on place après un mot interrompu en fin de ligne pour renvoyer à la fin du mot, au début de la ligne suivante. — Trait un peu plus long qui fonctionne comme une parenthèse. — Trait d'union.

tirette [tiʀɛt] n. f. ■ Planchette mobile (que l'on peut tirer ①), adaptée à certains meubles. *Une table à tirette.*

tireur, euse n. ⇒ ④ **tirer**, ⑤ **tirer**.

tiroir [tiʀwaʀ] n. m. **1.** Compartiment coulissant emboîté dans un emplacement réservé (d'un meuble, etc.), et que l'on peut tirer ①. *Les tiroirs d'une commode.* **2.** FOND DE TIROIR : ce qu'on oublie au fond des tiroirs ; chose vieille, sans valeur. *Racler les fonds de tiroir,* prendre tout l'argent disponible jusqu'au dernier sou. *Auteur qui publie ses fonds de tiroir.* **3.** Littér. *Pièce* À TIROIRS : dont l'intrigue comprend des scènes étrangères à l'action principale, et emboîtées dedans. ▶ *tiroir-caisse* n. m. ■ Caisse où l'argent est renfermé dans un tiroir qu'un mécanisme peut ouvrir lorsqu'un crédit est enregistré. *Les tiroirs-caisses d'un magasin.*

tisane [tizan] n. f. ■ Boisson contenant une substance végétale (obtenue par macération, infusion, décoction de plantes) à effet médical ou hygiénique. *Une tasse de tisane.*

tison [tizɔ̃] n. m. ■ Reste d'un morceau de bois, d'une bûche dont une partie a brûlé. *Les tisons enterrés dans la cendre continuaient de fumer.* ▶ *tisonner* v. tr. ▪ conjug. 1. ■ Remuer les tisons, la braise de (un foyer, un feu) pour faire tomber la cendre. ▶ *tisonnier* n. m. ■ Longue barre de fer à extrémité un peu relevée pour attiser le feu.

tisser [tise] v. tr. ▪ conjug. 1. **1.** (Au p. p. TISSÉ) Fabriquer (un tissu) par tissage. *Tisser une toile.* — Transformer (un textile) en tissu. *Tisser de la laine.* Sans compl. *Métier à tisser.* — *Araignée qui tisse sa toile,* qui la confectionne. **2.** (Au p. p. TISSU [littér.] et TISSÉ) Littér. Former, élaborer, disposer les éléments de (qqch.) comme par tissage. ⇒ **ourdir**, **tramer**. *Tisser des intrigues compliquées.* — Au p. p.

adj. *Un livre tissu (ou tissé) d'aventures compliquées et invraisemblables.* ▶ *tissage* n. m. **1.** Action de tisser ; ensemble d'opérations consistant à entrelacer des fils textiles pour produire des étoffes ou tissus. **2.** Établissement, ateliers où s'exécutent ces opérations. *Le tissage est à côté de la filature.* ▶ *tisserand, ande* n. ■ Ouvrier qui fabrique des tissus sur métier à bras. ▶ *tisseur, euse* n. ■ Ouvrier sur métier à tisser. *Tisseur de tapis.* ▶ *tissu* n. m. **I. 1.** Surface souple et résistante constituée par un assemblage régulier de fils entrelacés, tissés ou à mailles. ⇒ **étoffe**. *Un tissu de coton. Robe en tissu imprimé. Du tissu-éponge. Des tissus d'ameublement.* **2.** Abstrait. Suite ininterrompue (de choses regrettables ou désagréables). ⇒ **enchaînement**. *C'est un tissu de mensonges, d'inepties.* **II.** Ensemble de cellules de l'organisme possédant la même organisation et assurant la même fonction. *Les tissus osseux, musculaires, nerveux. Tissus végétaux. Étude des tissus vivants.* ⇒ **histologie**. ▶ *tissulaire* adj. ■ Didact. Relatif aux tissus cellulaires.

titan [titɑ̃] n. m. ■ Littér. Géant (du nom des géants de la mythologie grecque). *Un travail de titan. Un titan de la pensée.* ▶ *titanesque* adj. ■ Littér. Grandiose et difficile. *C'est une entreprise titanesque.*

titane [titan] n. m. ■ Métal blanc brillant. *Le titane est employé en peinture (blanc de titane).*

titi [titi] n. m. ■ Gamin déluré et malicieux. ⇒ **gavroche**. *Des titis parisiens.*

titiller [titije] v. tr. ▪ conjug. 1. Littér. ou plaisant. **1.** Chatouiller agréablement **2.** Exciter légèrement (à faire qqch.). *L'envie de nous parler le titille.*

① *titre* [titʀ] n. m. **I. 1.** Désignation honorifique exprimant une distinction de rang, une dignité. *Les titres de noblesse. Le titre de maréchal.* **2.** Désignation correspondant à une charge, une fonction, un grade. *Le titre de directeur. Les titres universitaires.* — EN TITRE : qui a effectivement le titre de la fonction qu'il exerce (opposé à auxiliaire, suppléant). *Professeur en titre.* ⇒ **titulaire**. *Le fournisseur en titre d'une maison.* ⇒ **attitré**. **3.** Qualité de gagnant, de champion (dans une compétition). *Remporter le titre dans un championnat.* **4.** À TITRE ; À TITRE DE loc. prép. : en tant que, comme. *Il travaille dans cette société à titre de comptable. Argent remis à titre d'indemnité. Je vous raconte cela à titre d'exemple.* — À CE TITRE : pour cette qualité, cette raison (le titre donnant un droit). — AU MÊME TITRE : de la même manière. *Au même titre que* loc. conj., de la même manière que, de même que. *J'y ai droit au même titre que lui.* — À TITRE (+ adjectif). *À titre amical,* amicalement. *À titre indicatif, je cite quelques dates. Une faveur accordée à titre exceptionnel. À plus d'un titre, à plusieurs titres,* pour plusieurs raisons. **II.** (Cause qui établit un droit) **1.** Document qui constate et prouve un droit (de propriété, à un service, etc.). ⇒ **certificat, papier, pièce**. *Titres de propriété. Titres de transport, carte, ticket.* — Certificat représentatif d'une valeur de bourse. ⇒ **valeur**. *Vendre, acheter des titres.* **2.** Loc. À JUSTE TITRE : à bon droit, avec fondement, raison. ▶ ① *titrer* v. tr. ▪ conjug. 1. ■ Donner un titre de noblesse à (qqn). — Au p. p. adj. *Être titré.* ‹ ▶ attitré, titulaire ›

② *titre* n. m. ■ (Désignation d'une proportion) **1.** Proportion d'or ou d'argent contenu dans un alliage. *Le titre d'une monnaie.* **2.** Rapport de la masse d'une substance dissoute à la masse ou au volume de solvant ou de solution. ⇒ **degré**. ▶ ② *titrer* v. tr. ▪ conjug. 1. **1.** Déterminer le titre de. *Titrer un alliage, un alcool.* **2.** Avoir (tant de degrés) pour titre. *Les liqueurs doivent titrer 15° minimum.* ▶ ① *titrage* n. m. ■ *Le titrage d'un alcool.*

③ *titre* n. m. **1.** Désignation du sujet traité (dans un livre) ; nom donné (à une œuvre littéraire) par son auteur, et qui évoque plus ou moins clairement son contenu. *Les titres des livres. Page de titre*, portant le titre, le sous-titre, le nom de l'auteur, etc. FAUX TITRE : titre simple sur la page précédant la page de titre. — Par ext. Un ouvrage en particulier. *Les meilleurs titres de l'année.* **2.** Nom (d'un poème, d'une chanson, d'un film, d'une émission). **3.** Expression, phrase, plus visible que le reste du texte, qui présente un article de journal. ⇒ **rubrique.** *Titre sur cinq colonnes à la une.* ⇒ **manchette.** *Gros titres*, titres en gros caractères figurant à la première page d'un journal. **4.** Subdivision du livre (dans un recueil juridique). *Titres, chapitres, sections du code civil français.* ▸ ③ *titrer* v. tr. ▪ conjug. 1. ▪ Donner un titre à. ⇒ **intituler.** *Titrer un film,* y joindre les textes de présentation des séquences, surtout dans les films muets. ▸ ② *titrage* n. m. ▪ *Le titrage d'un film.* ⟨ ▸ sous-titre ⟩

tituber [titybe] v. intr. ▪ conjug. 1. ▪ Vaciller sur ses jambes, aller de droite et de gauche en marchant. ⇒ **chanceler.** *Un malade qui titube.* ▸ *titubant, ante* adj. ▪ ⇒ **vacillant.** *Un ivrogne titubant. Une démarche titubante.*

titulaire [titylɛʀ] adj. et n. **1.** Qui a une fonction, une charge pour laquelle il a été personnellement nommé (⇒ ① **titre**). *Un professeur titulaire.* / contr. **auxiliaire, suppléant** / — N. *Le, la titulaire d'un poste.* **2.** Qui possède juridiquement (un droit). *Les personnes titulaires du permis de conduire, d'un diplôme.* — N. *Les titulaires.* ▸ *titulariser* v. tr. ▪ conjug. 1. ▪ Rendre (une personne) titulaire d'une fonction, d'une charge qu'elle remplit. *Titulariser un fonctionnaire.* ▸ *titularisation* n. f. ▪ *Une demande de titularisation.*

T.N.T. [teɛnte] n. m. invar. ▪ Explosif solide, cristallisé, dérivé nitré d'un hydrocarbure, le toluène (nom scientifique *trinitrotoluène*)

① *toast* [tost] n. m. ▪ Action (fait de lever son verre) ou discours par quoi l'on propose de boire en l'honneur de qqn ou de qqch., à la santé de qqn, etc. *Porter un toast. Un toast de bienvenue. Prononcer plusieurs toasts.*

② *toast* n. m. ▪ Tranche de pain de mie grillée en surface (⇒ **rôtie**). *Du thé et des toasts beurrés.*

toboggan [tɔbɔgɑ̃] n. m. **1.** Traîneau à longs patins métalliques. *Piste de toboggan.* **2.** Piste où l'on fait des descentes et qui est utilisée comme jeu (dans les foires, les parcs d'attractions). **3.** Appareil de manutention formé d'une glissière. **4.** Voie de circulation automobile qui enjambe un carrefour.

① *toc* [tɔk] interj. **1.** Onomatopée d'un bruit, d'un heurt (souvent répété). *Toc, toc !, qui est là ?* ▸ *toctoc* adj. invar. ▪ Fam. Un peu fou. *Elles sont un peu toctoc.* ⟨ ▸ tocante, toqué ⟩

② *toc* n. m. **1.** *Le toc, du toc,* imitation d'une matière précieuse, d'un objet ancien. *C'est du toc.* ⇒ **camelote.** *Bijou en toc.* ⇒ **de pacotille. 2.** Adj. Fam. Sans valeur, faux et prétentieux. *Un meuble toc. Ça fait toc.* ▸ *tocard, arde* adj. et n. **1.** Adj. Fam. Ridicule, laid. *Un salon tocard.* ⇒ **moche. 2.** N. Fam. Personne incapable, sans valeur. *C'est un tocard.* ⇒ **ringard.** — Mauvais cheval. *Elle a misé sur un tocard.*

tocade ⇒ **toquade.**

tocante ou *toquante* [tɔkɑ̃t] n. f. ▪ Fam. Montre.

toccata [tɔkata] n. f. ▪ Pièce de musique écrite pour le clavier, à rythme régulier et marqué. *Toccatas et fugues de J.-S. Bach.*

tocsin [tɔksɛ̃] n. m. ▪ Sonnerie de cloche répétée et prolongée, pour donner l'alarme. *Faire sonner le tocsin. On sonnait le tocsin en cas d'incendie.*

toge [tɔʒ] n. f. **1.** Ample pièce d'étoffe sans coutures dans laquelle les Romains se drapaient. **2.** Robe de cérémonie, dans certaines professions. *Une toge d'avocat, de professeur.* ⟨ ▸ épitoge ⟩

tohu-bohu [tɔybɔy] n. m. invar. ▪ Désordre, confusion de choses mêlées ; bruit confus. *Le tohu-bohu des voitures.* ⇒ **tintamarre.** *Dans le tohu-bohu du départ.*

toi [twa] pronom pers. et nominal. ▪ Pronom personnel (forme tonique) de la 2e pers. du sing. et des deux genres, qui représente la personne à qui l'on s'adresse. ⇒ **tu. 1.** Compl. d'un verbe pronominal à l'impératif. *Dépêche-toi. Mets-toi là. Sauve-toi vite.* — REM. Devant *en* et *y, toi* s'élide en *t'.* ⇒ **te.** *Garde t'en bien. Mets t'y.* **2.** (+ infinitif) *Toi, nous quitter ?* — Sujet d'un participe. *Toi parti, la maison sera bien triste.* — Sujet d'une propos. elliptique. *Moi d'abord, toi après.* **3.** Sujet ou complément, coordonné à un nom, un pronom. — (Suj.) *Paul et toi partirez.* — (Compl.) *Toi ou moi (nous) irons. Il n'invitera tes parents et toi.* — (Dans une phrase comparative) *Il est plus gentil que toi.* **4.** Renforçant le pronom. *Et toi, tu restes. Toi ma fille, tu vas aller te coucher. T'épouser, toi, jamais !* **5.** TOI QUI... *Toi qui me comprends.* — TOI QUE. *Toi que j'estime. Toi que j'ai vu grand comme ça.* — *Toi dont, à qui, pour qui...* **6.** (En fonction de vocatif) *Toi, viens avec moi.* **7.** TOI, attribut. *C'est toi. Si j'étais toi...,* à ta place. — *C'est toi qui l'as voulu.* **8.** (Précédé d'une préposition) *Prends garde à toi.* — *Chez toi. Je suis content de toi. Le mal vient de toi. Avant toi, après toi, vers toi, sans toi. Je crois en toi.* — (Renforçant le possessif TON) *Ton livre, tes livres à toi.* **9.** TOI-MÊME. *Connais-toi toi-même.* — TOI SEUL... *Toi seule iras. Tu ne le feras pas à toi (tout) seul. Toi aussi. Toi non plus.* ⟨ ▸ tutoyer ⟩

toile [twal] n. f. **I.** (Sens général) **1.** Tissu d'armure unie (⇒ ② **armure**), fait de fils de lin, de coton, de chanvre, etc. *Tisser la toile, une toile. Toile de jute. Toile à matelas. Une robe de toile. Torchon de toile.* **2.** (Une, des toiles) Pièce de toile. *Une toile de 3 m². Toile de tente.* — *Une* TOILE CIRÉE : pièce de toile vernie servant de nappe, de revêtement. **3.** Fam. Écran de cinéma ; film. — Loc. *Se faire une toile,* aller au cinéma. **II. 1.** Pièce de toile, montée sur un châssis, poncée et enduite d'un côté, et servant de support pour une œuvre peinte. *La toile et le châssis d'un tableau.* — Cette œuvre. ⇒ **peinture, tableau.** *Un musée où l'on expose des toiles de maître.* **2.** Loc. TOILE DE FOND : toile verticale, au fond de la scène, représentant les derniers plans des décors. — Fig. Ce qui sert d'arrière-plan à une description (contexte historique, politique, social, etc.). *Le Paris de l'après-guerre est la toile de fond de l'intrigue.* **III.** Réseau de fils (d'araignée). *Une toile d'araignée. L'araignée tisse sa toile.* ⟨ ▸ entoiler ⟩

toilette [twalɛt] n. f. **1.** Action de se préparer, de s'apprêter pour paraître en public (de se peigner, se farder, s'habiller). *Meuble, table de toilette. Produits de toilette. Être à sa toilette.* **2.** Le fait de s'habiller et de se parer. ⇒ **ajustement, habillement.** *Avoir le goût de la toilette,* être coquet. **3.** Manière dont une femme est vêtue et apprêtée. ⇒ **mise, parure, vêtement.** *Être en grande toilette. Elle porte bien la toilette.* — UNE TOILETTE : les vêtements que porte une femme. *Une toilette élégante.* **4.** Ensemble des soins de propreté du corps. *Faire sa toilette avant de s'habiller. Faire un brin de toilette,* une toilette rapide. *Savon, gant de toilette. Trousse de toilette.* **5.** CABINET DE TOILETTE : petite pièce où est aménagé ce qu'il faut pour se laver (lavabo, douche, etc.), mais sans baignoire. ≠ *salle de bains.* ▶ *toiletter* v. tr. ▪ conjug. 1. ■ Faire la toilette de (un chien d'appartement). ‹ ▶ toilettes ›

toilettes n. f. pl. ■ Cabinet d'aisances. *Aller aux toilettes.* ⇒ fam. **cabinet** (I, 4). *Où sont les toilettes ?* ⇒ **lavabo** (2), **W.-C.** *Papier (de) toilette(s),* hygiénique.

toise [twaz] n. f. 1. Anciennt. Mesure de longueur valant 6 pieds (presque 2 mètres). 2. Tige verticale graduée qui sert à mesurer la taille. *Passer des soldats à la toise.* ▶ *toiser* v. tr. ▪ conjug. 1. 1. Mesurer (qqn) à la toise. 2. Fig. Regarder avec dédain, mépris. ⇒ **dévisager, examiner.** *Elle le toisa des pieds à la tête.*

toison [twazɔ̃] n. f. 1. Pelage laineux des moutons, etc. *La toison blanche et bouclée d'un agneau. La Toison d'or,* trésor fabuleux (dans l'Antiquité). 2. Chevelure très fournie. ⇒ **tignasse.** *Une toison blonde.* — Poils abondants de certains animaux (chat, chien) ou de l'homme. *Il a une toison sur la poitrine.*

toit [twa] n. m. 1. Surface supérieure (d'un édifice) ; matériaux recouvrant une construction et la protégeant contre les intempéries. ⇒ **couverture** (I, 3), **toiture.** *Un toit de tuiles, d'ardoises. Les toits de Paris. Toit en pente. Toit plat, en terrasse.* — *Habiter sous les toits,* au dernier étage d'un immeuble, dans une mansarde. — Loc. *Crier, publier qqch. sur les toits,* divulguer, répandre. — Loc. fig. *Le Toit du monde,* le Tibet. 2. Maison, abri où l'on peut vivre. ⇒ **domicile, logement.** *Posséder un toit. Être sans toit. Vivre avec qqn sous le même toit. Recevoir qqn SOUS SON TOIT : chez soi.* 3. Paroi supérieure (d'un véhicule). *Le toit d'une automobile. Voiture à toit ouvrant.* ▶ *toiture* n. f. ■ Ensemble constitué par la couverture d'un édifice et son armature. *La toiture d'une maison, d'une gare. Les ardoises de la toiture.*

① *tôle* [tol] n. f. ≠ *taule.* 1. Feuille de fer ou d'acier obtenue par laminage *(une tôle)* ; fer ou acier laminé *(la tôle). La tôle est utilisée en carrosserie automobile.* — Loc. *Froisser de la tôle,* endommager la carrosserie. 2. TÔLE ONDULÉE : tôle de fer présentant des plis courbes, alternés, et servant à couvrir des hangars, des bâtiments industriels, etc. *Un toit en tôle ondulée.* — Sol, revêtement de route qui forme des plis transversaux. ▶ *tôlerie* n. f. 1. Fabrication, commerce de la tôle. 2. Atelier où l'on travaille la tôle. 3. (Collectif) Ensemble des tôles. *La tôlerie d'une automobile.* ▶ ① *tôlier* n. m. ■ Celui qui fabrique, travaille ou vend la tôle.

② *tôle* ⇒ **taule.** ▶ ② *tôlier* ⇒ **taulier.**

tolérer [tɔleʀe] v. tr. ▪ conjug. 6. I. 1. Laisser se produire ou subsister (une chose qu'on aurait le droit ou la possibilité d'empêcher). ⇒ **permettre.** *On tolère le stationnement sur ce trottoir.* / contr. **interdire** / — Au p. p. adj. *Stationnement toléré.* — Considérer avec indulgence (une chose qu'on n'approuve pas et qu'on pourrait blâmer). ⇒ **excuser, pardonner.** *J'ai toléré tes bêtises trop longtemps. Tolérer qqch. de qqn. Il tolère de sa sœur ce qu'il n'accepterait de personne d'autre.* 2. Supporter avec patience (ce qu'on trouve désagréable, injuste). ⇒ **endurer.** *Une douleur qu'on ne peut tolérer.* ⇒ **intolérable.** 3. *Tolérer qqn,* admettre sa présence, le supporter malgré ses défauts. — Pronominalement (récipr.). *Ils se tolèrent, mais ne s'aiment pas.* II. (Organisme vivant) Supporter sans réaction fâcheuse. *Tolérer un médicament.* ▶ *tolérable* adj. 1. Qu'on peut tolérer, considérer avec indulgence. *Vos négligences ne sont plus tolérables.* ⇒ **admissible, excusable.** 2. Qu'on peut supporter. *Son existence n'est plus tolérable.* ⇒ **supportable.** / contr. **intolérable** / ▶ *tolérance* n. f. I. 1. Attitude qui consiste à admettre chez autrui une manière de penser ou d'agir différente de celle qu'on adopte soi-même ; le fait de respecter la liberté d'autrui en matière d'opinions. *La tolérance religieuse, politique.* 2. *Une tolérance,* ce qui est toléré, permis. *Ce n'est pas un droit, c'est une tolérance. Tolérance (grammaticale),* liberté de ne pas appliquer la règle stricte (dans certains cas). II. 1. Aptitude de l'organisme à supporter sans symptômes de maladie l'action d'une substance, etc. 2. Limite de l'écart admis entre les caractéristiques réelles d'un objet fabriqué ou d'un produit et les caractéristiques prévues. *Marge de tolérance. Tolérance de calibre, de poids.* ▶ *tolérant, ante* adj. ■ Qui manifeste de la tolérance (I, 1). *Ses parents sont très tolérants.* ⇒ **compréhensif, indulgent.** / contr. **intolérant** / ‹ ▶ intolérable, intolérance ›

tollé [tɔle] n. m. ■ Clameur collective de protestation indignée. ⇒ **huée.** *Sa déclaration déclencha un tollé général. Des tollés.* / contr. **ovation** /

tomahawk [tɔmaok] n. m. ■ Hache de guerre dont se servaient les Indiens de l'Amérique du Nord. *Des tomahawks.*

tomaison [tɔmezɔ̃] n. f. ■ Indication du numéro du tome (sur les pages de titre, au dos des reliures).

tomate [tɔmat] n. f. ■ Fruit sphérique rouge d'une plante annuelle, qui se consomme comme un légume. *Une salade de tomates. Des tomates farcies. Sauce tomate,* à la tomate. Loc. *Être rouge comme une tomate,* très rouge (de honte, de timidité).

tombe [tɔ̃b] n. f. 1. Lieu où l'on ensevelit un mort, fosse recouverte d'une dalle (parfois d'un monument). ⇒ **sépulture, tombeau.** *Descendre un cercueil dans une tombe. Les tombes d'un cimetière. Il se recueille sur la tombe de sa mère.* — *S'il pouvait voir cela, il se retournerait dans sa tombe,* se dit d'un défunt qu'on imagine indigné par qqch. 2. Loc. *Être au bord de la tombe, avoir déjà un pied dans la tombe,* être près de mourir. *Être muet comme une tombe,* observer un mutisme absolu, garder les secrets. 3. Pierre tombale, monument funéraire. *Un nom gravé sur une tombe.* ▶ *tombal, ale* adj. — REM. Le masc. plur. est inusité. ■ *Inscriptions tombales. Pierre tombale,* dalle qui recouvre une tombe. ▶ *tombeau* n. m. 1. Monument funéraire servant de sépulture. ⇒ **caveau, mausolée, sépulcre, stèle.** *Un tombeau en marbre.* 2. Littér. Lieu clos, sombre, d'aspect funèbre. *Cette maison est un vrai tombeau.* 3. Loc. À TOMBEAU OUVERT : avec une telle vitesse qu'on risque un accident mortel. *Il roulait à tombeau ouvert.* 4. *Le tombeau de...,* composition poétique, œuvre musicale en l'honneur d'un grand homme, d'un artiste disparu. « *Le Tombeau d'Edgar Poe* », par Baudelaire.

① *tomber* [tɔ̃be] v. intr. ▪ conjug. 1. (Avec auxil. *être*) I. 1. Être entraîné à terre en perdant son équilibre ou son assise. ⇒ **chute.** *Il est tombé par terre, à terre. Tomber de tout son long. Il tomba à la renverse. Il a fait tomber. Tomber mort. Elles sont tombées raides mortes. Ils sont tombés au champ d'honneur.* — Loc. *Tomber de fatigue, de sommeil,* avoir du mal à se tenir debout. — (Sans aller à terre) *Se laisser aller, choir. Elle se laissa tomber dans un fauteuil. Tomber dans les bras de qqn.* — (Choses) S'écrouler. *Ce pan de mur menace de tomber.* ⇒ **s'effondrer.** Fig. *Faire tomber les barrières, les cloisons.* — TOMBER EN *(ruine, poussière)* : se réduisant à l'état de ruine, etc. *Ce livre tombe en morceaux.* 2. (Personnes) Cesser de régner, être déchu, renversé. *Le gouvernement est tombé.* 3. (Choses) Être détruit ou disparaître. *La difficulté tombe.* — Échouer. *La pièce est tombée.* 4. Perdre de sa force, ne pas se soutenir. ⇒ **diminuer.** *Le jour tombe.* ⇒ **décliner.** *Sa colère était tombée.* II. 1. Être entraîné vers le sol, d'un lieu élevé à un lieu bas ou profond. ⇒ **dégringo-ler.** *Il est tombé dans le ravin, dans le vide. L'oiseau est tombé du nid. Tomber du cinquième étage. Il est tombé dans l'eau, à l'eau.* Loc. *Notre projet est tombé à l'eau. L'avion tombe en chute libre. La pluie tombe. La foudre est tombée.* Impers. *Il tombait de la neige.* — Au p. p. adj. *Des fruits tombés.* — *Laisser tomber un paquet. Attention ! ça va tomber. La plume me tombe des mains,* je lâche la plume (d'ennui, de fatigue). — Loc. LAISSER TOMBER : ne plus s'occuper de. *Elle laisse tomber la danse.* ⇒ **abandonner.** *Laisser tomber qqn,* ne plus s'intéresser à lui. *On ne laisse pas tomber ses amis.* Fam. *Laisse tomber,* abandonne (un projet, une attitude). **2.** (Lumière, obscurité, son, paroles, etc.) Arriver, parvenir du haut. ⇒ **frapper.** *La nuit tombe. Les paroles qui tombent de la bouche de qqn.* **3.** Baisser. ⇒ **descendre.** *Les prix tombent. Les cours de la Bourse sont tombés.* **4.** Être en décadence. *Il est tombé bien bas.* **5.** (Choses) S'abaisser en certaines parties, tout en restant suspendu ou soutenu. *Ses cheveux châtains tombaient en boucles sur ses épaules. Une robe qui tombe bien,* en s'adaptant aux lignes du corps. — S'affaisser. *Des épaules qui tombent.* ⇒ **tombant**(2). *Les bras lui tombent de fatigue.* Loc. *Les bras m'en tombent,* je suis stupéfait, accablé. **III. 1.** TOMBER SUR : s'élancer de toute sa force et par surprise. ⇒ **attaquer, charger, foncer.** *L'ennemi tomba sur nous.* — *Tomber sur qqn,* l'accuser ou le critiquer sans ménagement, l'accabler. — (Choses) *Les malheurs tombent sur moi.* **2.** TOMBER EN..., DANS *un état* : se trouver entraîné dans (un état critique, une situation fâcheuse). *Tomber dans l'oubli. Tomber dans le désespoir. Il tombe d'un excès dans un autre.* ⇒ **passer.** *Tomber dans l'erreur, dans le ridicule. Tomber dans un piège, dans une embuscade.* — *Notre voiture est tombée en panne.* **3.** (Personnes ; + adjectif ou compl. avec *dans , en*) Être, devenir (après une évolution rapide). *Tomber en disgrâce, en décadence. Tomber malade. Tomber amoureux.* — *Tomber d'accord,* s'accorder. **IV. 1.** Arriver ou se présenter inopinément. ⇒ **survenir.** *On est tombé en pleine réunion.* — TOMBER SUR... *qqn, qqch.* : rencontrer ou toucher par hasard. *Je tombe alors sur un ancien camarade. Je suis tombé par hasard sur une vieille photo de ma mère. La conversation est tombée sur la politique.* — TOMBER SOUS... : se présenter à portée de (la main). *Il attrape tout ce qui lui tombe sous la main.* — Loc. *Tomber sous le sens,* être évident. *Tomber sous le coup de la loi,* être passible d'une peine. — TOMBER BIEN, MAL, etc. (choses, personnes) : arriver à propos ou non. *Tiens ! tu tombes bien. Ça tombe à propos, à pic, pile.* **2.** Arriver, par une coïncidence. *Cette fête tombe un dimanche.* ► ***tom-bant, ante*** adj. **1.** *À la nuit tombante,* au crépuscule. **2.** Qui s'incline vers le bas, s'affaisse. *Des joues un peu tombantes. Avoir des épaules tombantes.* ► ***tom-bée*** n. f. ■ TOMBÉE DE LA NUIT, DU JOUR : moment où la nuit tombe, où le jour décline. ⇒ **crépuscule.** *Il lui rend visite à la tombée de la nuit.* ‹ ► retom-bées, retomber ›

② ***tomber*** v. tr. ▪ conjug. 1. (Avec auxil. *avoir*) **1.** Vaincre (l'adversaire) en le faisant tomber et en lui faisant toucher le sol des épaules. **2.** Fam. *Tomber une femme,* la séduire. **3.** Loc. fam. TOMBER LA VESTE : l'enlever. ► ***tombeur*** n. m. ▪ Fam. *Un tombeur de femmes.* — Sans compl. *C'est un vrai tombeur.* ⇒ **don Juan, séducteur.**

tombereau [tɔ̃bʀo] n. m. ■ Grosse voiture à cheval faite d'une caisse montée sur deux roues, susceptible d'être déchargée en basculant à l'arrière ; son contenu. *Des tombereaux de sable, d'ordures.*

tombola [tɔ̃bɔla] n. f. ■ Loterie de société où chaque gagnant reçoit un lot en nature. *La tombola d'une kermesse. Des tombolas.*

tome [tɔm] n. m. **1.** Division principale (d'un ouvrage). ⇒ **tomaison.** *Un livre divisé en quatre tomes et publié en deux volumes. Le second tome d'un livre.* **2.** Volume (d'un ouvrage en plusieurs volumes). ≠ ***tomme,*** n. f. ‹ ► tomaison ›

-tome, -tomie ■ Éléments savants signifiant « couper, découper » (ex. : *anatomie, dichotomie ; atome*).

tomette [tɔmɛt] n. f. ■ Petite brique de carrelage, de forme hexagonale, souvent rouge sombre. *Des tomettes provençales.*

tomme [tɔm] n. f. ■ Fromage de Savoie, fermenté, à pâte pressée. ≠ ***tome,*** n. m.

tom-pouce [tɔmpus] n. m. **1.** Fam. Homme de très petite taille, nain. **2.** Petit parapluie à manche court.

① ***ton*** [tɔ̃], ***ta*** [ta], ***tes*** [te] adj. poss. (⇒ **tien**) **I.** (Sens subjectif) **1.** Qui est à toi, t'appartient. ⇒ **toi, tu.** *C'est ta veste, ton veston. Occupe-toi de ton avenir.* — (Devant un mot fém. commençant par une voyelle, *ton* au lieu de *ta*) *Ton erreur.* **2.** (Devant un nom de personne) Exprime des rapports de parenté, d'amitié, de vie sociale. *Ton père, ta mère. Ton épouse.* **II.** (Sens objectif) *Ton juge,* celui qui te juge. *À ta vue,* en te voyant.

② ***ton*** [tɔ̃] n. m. **I. 1.** Hauteur de la voix. *Le ton aigu de sa voix. Changement de ton,* inflexion. **2.** Qualité de la voix humaine, en hauteur (*ton* proprement dit), en timbre et en intensité, qui dépend du contenu du discours, et des sentiments qu'elle exprime. ⇒ **accent, expression, intonation.** *Un ton suppliant, moqueur. Un ton de supériorité. Il annonça cela d'un ton détaché, d'un ton sec. Dire qqch. sur le ton de la conversation, de la plaisanterie, sur un ton calme. Hausser, baisser le ton,* parler avec plus, moins d'arrogance. — Loc. *Ne le prenez pas* SUR CE TON : de si haut. *Dire, répéter* SUR TOUS LES TONS : de toutes les manières. **3.** Manière de s'exprimer, dans un écrit. *Le ton amical d'une lettre.* **4.** Loc. DE BON TON : de bon goût. *Une élégance, une réserve de bon ton* (→ une élégance... bon genre). **II. 1.** En linguistique. Hauteur du son de la voix ; accent de hauteur. *Langues à ton,* où la signification dépend de la hauteur de certaines syllabes (ex. : *le chinois*). **2.** En musique. Intervalle qui sépare deux notes consécutives de la gamme. *Il y a un ton majeur entre do et ré, un ton mineur entre ré et mi, un demi-ton entre mi et fa.* **3.** Chacune des gammes caractérisées par la disposition particulière des intervalles qui séparent les notes d'une suite comprise dans les limites d'une octave (ex. : *de do à do*). ⇒ ① **tonalité.** *Le ton se dit de la gamme choisie pour écrire un morceau de musique* (il porte le nom de la note initiale appelée *tonique*). *Le ton de si bémol majeur, mineur. Morceau de musique écrit dans tel ton.* **4.** Hauteur des sons émis par la voix dans le chant ou par un instrument, définie par un repère. *Donner le ton, le la. Sortir du ton,* détonner. *Se mettre* DANS LE TON : s'accorder. ► ***tonal, ale, als*** adj. **1.** Qui concerne ou définit un ton, une hauteur caractéristique. *La hauteur tonale des sons musicaux.* **2.** Qui concerne la tonalité ①. *Musique tonale et musique modale.* ► ① ***tonalité*** n. f. **1.** Système musical fondé sur la disposition des tons et demi-tons dans la gamme. **2.** Ton (II, 3). *La clef donne la tonalité principale du morceau.* **3.** Ensemble des caractères, hauteur, timbre (d'un ensemble de sons, d'une voix). ‹ ► atone, demi-ton, détonner, entonner, intonation, monotone, ① tonique ›

③ ***ton*** n. m. ■ Couleur, considérée dans sa force, son intensité. ⇒ **teinte, nuance.** *Une robe aux tons criards.* Loc. TON SUR TON : dans une même couleur nuancée, claire et foncée (→ en camaïeu). ► ② ***tona-***

lité. n. f. ■ Ensemble de tons, de nuances de couleur ; impression que ces nuances produisent. *Ce tableau est dans une tonalité verte.*

tondre [tɔ̃dʀ] v. tr. ■ conjug. 41. **1.** Couper à ras (les poils, la laine). *Tondre la toison d'un mouton, tondre un caniche.* **2.** Dépouiller (un animal) de ses poils, (une personne) de ses cheveux en les coupant ras. ⇒ **tonte.** — *Se faire tondre la nuque, le crâne.* ⇒ **raser ; tonsure. 3.** Couper à ras ; égaliser en coupant. *Tondre le gazon. Tondre une haie.* **4.** Dépouiller (qqn). *Il s'est laissé tondre sans protes- ter.* ⇒ **plumer.** ► *tondeuse.* n. f. **1.** Instrument destiné à tondre le poil des animaux, les cheveux de l'homme. **2.** Tondeuse (à gazon), petite faucheuse rotative. ► *tondu, ue* adj. ■ Coupé à ras. *Des cheveux tondus.* ⇒ **ras.** — N. Loc. *Quatre pelés et un tondu.* ⇒ **pelé.** ‹ ► tonsure, tonte ›

tonifier [tɔnifje] v. tr. ■ conjug. 7. ■ Avoir un effet tonique sur. ⇒ **fortifier.** *Ce bain m'a tonifié. Une bonne lecture tonifie l'esprit.* ► *tonifiant, ante* adj. ■ ⇒ **tonique, vivifiant. /** contr. **lénifiant /** *Une lotion tonifiante. Une promenade tonifiante.*

① *tonique* [tɔnik] adj. et n. m. **1.** Qui fortifie, reconstitue les forces. *Un médicament tonique.* **2.** N. m. *Un tonique,* substance employée comme médica- ment tonique. ⇒ **fortifiant, remontant. 3.** Qui sti- mule, augmente la force vitale, rend plus vif. *Un froid sec et tonique.* — *Une idée tonique, réconfortante.* **/** contr. **débilitant /** — Qui stimule la circulation du sang. *Une lotion tonique pour l'épiderme.* ⇒ **tonifiant.** ► *tonicité* n. f. ■ Caractère de ce qui est tonique, stimulant. *La tonicité de l'air marin.* ‹ ► tonifier ›

② *tonique* adj. **1.** *Voyelle, syllabe tonique,* qui porte l'accent de hauteur. ⇒ ② **ton** (II, 1). *Formes toniques des pronoms. /* contr. **atone /** *« Toi » est la forme tonique correspondant à « te ».* **2.** ACCENT TONIQUE : à la fois d'intensité et de hauteur, portant sur une syllabe. *L'accent tonique porte sur la dernière syllabe non muette, en français.* ‹ ► diatonique ›

③ *tonique* n. f. ■ Première note de la gamme (d'un ton donné), celle qui commence un morceau de musique et lui donne son nom. (ex. : *do majeur*) ⇒ ② **ton** (II, 3) ; ① **tonalité.**

tonitruant, ante [tɔnitʀɥɑ̃, ɑ̃t] adj. ■ Fam. Qui fait un bruit de tonnerre, énorme. *Une voix toni- truante.* ⇒ **tonnant.**

tonnage [tɔnaʒ] n. m. **1.** Capacité de transport (d'un navire de commerce). ⇒ **jauge.** *Un bâtiment d'un fort tonnage.* **2.** Capacité totale des navires marchands (d'un port ou d'un pays).

tonnant, ante [tɔnɑ̃, ɑ̃t] adj. ■ Qui fait un bruit de tonnerre. *Une voix tonnante.* ⇒ **tonitruant.**

① *tonne* [tɔn] n. f. **1.** Unité de masse, mesure valant 1 000 kilogrammes (symb. *t*). *Commander deux tonnes de charbon.* **2.** Énorme quantité (de choses). *Elle épluche des tonnes de légumes.* **3.** Unité de poids de 1 000 kilogrammes servant à évaluer le déplace- ment ou le port en lourd d'un navire. *Un paquebot de 16 000 tonnes.* ⇒ ① **tonneau. 4.** Mesure du poids (des véhicules, des poids lourds). *Un camion de 7 tonnes,* et ellipt, *un 7 tonnes.* ⇒ ① **tonneau** n. m. ■ Unité internationale de volume employée pour déterminer la capacité des navires ⇒ **jauge, tonnage,** et valant 2,83 mètres cubes. *Un bateau de 200 ton- neaux.* ≠ ② **tonneau.** ‹ ► mégatonne, tonnage ›

② *tonne* n. f. ■ Technique. Grand récipient plus large que le tonneau. *Une énorme tonne de vin.* ► ② *tonneau* n. m. ■ Grand récipient cylindrique en bois, renflé au milieu. ⇒ **barrique.** ≠ ① *ton- neau. Mettre le vin en tonneau.* — Tonneau de vin.

Fond de tonneau, ce qui reste au fond du tonneau, où il y a de la lie ; mauvais vin ; résidu. ► *tonnelet* n. m. ■ Petit tonneau, petit fût. ⇒ **baril.** *Un tonnelet d'eau-de-vie.* ► *tonnelier* n. m. ■ Artisan, ouvrier qui fabrique et répare les tonneaux et récipients en bois. ‹ ► entonner, entonnoir ›

③ *tonneau* n. m. **1.** Tour complet (d'un avion) autour de son axe longitudinal. *Le pilote a exécuté une série de tonneaux.* **2.** Accident par lequel une automobile fait un tour complet sur le côté. *La voiture a fait plusieurs tonneaux sur la pente du ravin.*

tonnelle [tɔnɛl] n. f. ■ Petit abri circulaire à sommet arrondi, fait de lattes en treillis sur lequel on fait grimper des plantes. ⇒ **charmille.** *Déjeuner sous une tonnelle.*

tonner [tɔne] v. intr. ■ conjug. 1. **1.** Impers. (Ton- nerre) Éclater. *Il fait des éclairs et il tonne.* **2.** Faire un bruit de tonnerre. *Les canons tonnaient.* **3.** Expri- mer violemment sa colère en parlant très fort. ⇒ **crier, fulminer, tonitruer ; tonnant.** *Tonner contre l'injustice.* ► *tonnerre* n. m. **1.** Bruit de la foudre, accompagnant l'éclair (qui parvient plus tard à l'observateur, le son se propageant plus lentement que la lumière). *On entend le tonnerre dans le lointain. Un coup de tonnerre.* **2.** COUP DE TONNERRE : événement brutal et imprévu. *La mort de sa mère fut pour elle un coup de tonnerre.* **3.** Bruit très fort. *Un tonnerre d'applaudissements. Une voix de tonnerre.* ⇒ **tonitruant. 4.** Fam. DU TONNERRE : superlatif exprimant l'admiration. ⇒ **formidable, terrible.** *Une fille du tonnerre. Il y avait une ambiance du tonnerre (de Dieu).* **5.** Exclam. En interjection, pour exprimer la violence, la menace. *Tonnerre de Dieu ! Tonnerre !* ‹ ► détoner, paratonnerre, tonitruant, tonnant ›

tonsure [tɔ̃syʀ] n. f. **1.** Petit cercle rasé au sommet de la tête des ecclésiastiques, signe du premier degré dans la hiérarchie cléricale. *Porter la tonsure.* **2.** Fam. Calvitie circulaire au sommet de la tête. ► *tonsurer* v. tr. ■ conjug. 1. ■ Raser le sommet de la tête de (qqn). — Au p. p. adj. *Clerc tonsuré.* — N. *Un tonsuré.*

tonte [tɔ̃t] n. f. **1.** Action de tondre. *La tonte des moutons. L'époque de la tonte.* — *La tonte des gazons.* **2.** Laine obtenue en tondant les moutons.

tonton [tɔ̃tɔ̃] n. m. ■ Lang. enfantin. Oncle. *Tonton Pierre. Mon tonton et ma tata* (tante). ≠ **coton.**

tonus [tɔnys] n. m. invar. **1.** *Tonus musculaire,* légère contraction permanente du muscle vivant. **2.** Énergie, dynamisme. *Il manque de tonus.* ⇒ **vitalité.**

top [tɔp] n. m. ■ Signal sonore qu'on donne pour déterminer un moment avec précision. *Au quatrième top, il sera exactement 8 heures 12 minutes.* On a entendu deux tops (sonores).

topaze [tɔpaz] n. f. ■ Pierre fine (silicate), pâle ou jaune, transparente.

toper [tɔpe] v. intr. ■ conjug. 1. ■ Surtout à l'impératif. Accepter un défi, un enjeu ; taper dans la main, heurter le verre (du partenaire) pour signifier qu'on accepte, qu'on conclut le marché. *Topez là, affaire conclue !* ► *tope* interj. ■ Exclamation signifiant « j'accepte (nous acceptons) le défi ».

topinambour [tɔpinɑ̃buʀ] n. m. ■ Tubercule utilisé surtout pour la nourriture du bétail. *Pendant la guerre, on mangeait des topinambours et des rutabagas.*

topique [tɔpik] adj. ■ Didact. Relatif à un lieu (→ topo-), à un endroit précis. *Médicament topique* et, n. m., *un topique,* médicament qui agit sur un point précis du corps.

topo [tɔpo] n. m. ■ Fam. Discours, exposé. ⇒ **laïus.**
— REM. A d'abord signifié « croquis » ; de *topographie.*
*Il nous a fait tout un topo sur la situation financière
de l'entreprise. Des topos.*

topo- ■ Élément savant signifiant « lieu ».
▶ *topographie* [tɔpɔgrafi] n. f. **1.** Technique du
levé des cartes et des plans de terrains faits en
supposant la Terre plane. ⇒ **cartographie. 2.** Configuration, relief (d'un lieu, terrain ou pays). *Avant de
construire, il faut étudier la topographie des lieux.*
▶ *topographe* n. m. ■ Spécialiste de la topographie.
▶ *topographique* adj. ■ *Des cartes topographiques.
Appareils topographiques qui enregistrent les gauchis-
sements du sol.* ▶ *topologie* n. f. ■ Géométrie qui
étudie les positions indépendamment des formes et
des grandeurs (géométrie de situation). ▶ *toponymie*
n. f. ■ Étude des noms de lieux, de leur étymologie.
▶ *toponymique* adj. ⟨ ▶ isotope, topique, topo ⟩

toquade [tɔkad] n. f. ■ Fam. Goût très vif,
généralement passager, souvent bizarre et déraisonnable, pour une chose ou pour une personne. ⇒ **caprice,
lubie.** *Avoir une toquade pour une femme. C'est sa
dernière toquade.* ⇒ **manie.**

toquante ⇒ **tocante.** — *toquard* ⇒ **tocard.**

toque [tɔk] n. f. ■ Coiffure cylindrique sans bords.
Une toque de fourrure. ≠ *chapka. La toque blanche
d'un cuisinier.*

toqué, ée [tɔke] adj. et n. ■ Fam. Un peu fou,
bizarre. ⇒ **cinglé, timbré.** *Elle est toquée.* — N. *Ce
sont des toqués. — Toqué de..., amoureux fou de...*
⇒ **toquade.** ① *se toquer* v. pron. ■ conjug. 1. ■ Fam.
Se toquer de..., avoir une toquade pour (qqn).
⇒ s'**amouracher.** *Elle s'est toquée d'un chanteur de
rock.* ⟨ ▶ toquade ⟩

② *toquer* v. intr. ■ conjug. 1. ■ Fam. Frapper
légèrement, discrètement. ⇒ ① **toc.** *On toque à la
porte.*

Torah ou *Thora* [tɔra] n. f. ■ Les cinq premiers
livres de la Bible (ou Pentateuque), dans la tradition
juive.

torche [tɔrʃ] n. f. **1.** Flambeau grossier (bâton de
bois résineux). *Des torches flambantes éclairaient
l'entrée du camp.* — *Être transformé en torche vivante,*
brûler vif. **2.** *Torche (électrique),* lampe électrique de
poche, de forme cylindrique. ⟨ ▶ torchère ⟩

torcher [tɔrʃe] v. tr. ■ conjug. 1. **1.** Fam. Essuyer
pour nettoyer. *Torcher un plat. Torcher
le derrière d'un enfant. Torcher un enfant.* — SE
TORCHER v. pron. — Loc. fam. *Je m'en torche,* je m'en
fiche totalement. **2.** Bâcler, faire vite et mal. *Torcher
son travail.* ▶ **torchonner.** ▶ *torché, ée* adj. Fam.
1. *Ça, c'est torché ! Bien torché,* réussi, bien enlevé.
2. Bâclé, fait trop vite. *C'est du travail torché.*
⟨ ▶ torchon ⟩

torchère [tɔrʃɛr] n. f. **1.** Candélabre monumental ;
applique qui porte plusieurs sources lumineuses.
2. Tuyauterie élevée qui permet de dégager et de
brûler les gaz excédentaires d'hydrocarbures, dans
une raffinerie.

torchis [tɔrʃi] n. m. invar. ■ Terre argileuse malaxée
avec de la paille hachée et utilisée pour construire.
Des murs de torchis. ⇒ **pisé.**

torchon [tɔrʃɔ̃] n. m. **1.** Morceau de toile qui sert
à essuyer (« torcher ») la vaisselle, les meubles.
Donner un coup de torchon sur la table. **2.** Loc. fam.
Il ne faut pas mélanger les torchons et les serviettes,
il faut traiter différemment les gens selon leur
condition sociale, les choses selon leur valeur. — *Le
torchon brûle,* il y a une querelle entre les personnes

dont on parle. **3.** Fam. et péj. Écrit sans valeur ; texte
très mal présenté. *Votre devoir est un vrai torchon.*
— Journal de mauvaise qualité et méprisable.
≠ *canard. Ne lisez plus ce torchon !* ▶ **torchonner**
v. tr. ■ conjug. 1. ■ Fam. ⇒ **bâcler, torcher.** — Au p.
p. adj. *Du travail torchonné.*

tord-boyaux [tɔrbwajo] n. m. invar. ■ Fam.
Eau-de-vie très forte, de mauvaise qualité.

tordre [tɔrdr] v. tr. ■ conjug. 41. **I. 1.** Déformer
en tournant sur le côté (torsion), enrouler en hélice.
*Elle tordit ses cheveux et fit un chignon. Tordre un
chiffon mouillé. On tord le linge mouillé avant de le
faire sécher.* **2.** Soumettre (un membre, une partie du
corps) à une torsion. *Il m'a tordu le bras. Tordre le
cou,* étrangler. — *L'angoisse lui tord l'estomac.*
⇒ **serrer. 3.** Déformer par flexion ; plier. *Tordre une
barre de fer. Le vent tordait les branches.* **4.** Plier
brutalement (une articulation, en la forçant). *Elle s'est
tordu le pied, la cheville.* **5.** Tourner de travers en
déformant. *Tordre la bouche de douleur.* **II.** SE
TORDRE v. pron. réfl. : se plier en deux (sous l'effet
de la douleur, d'une émotion vive). *Se tordre de
douleur. — Se tordre (de rire). Il y a de quoi se tordre*
(⇒ **tordant).** ▶ *tordant, ante* adj. ■ Fam. Très drôle,
très amusant. ⇒ se **tordre ; marrant.** *C'est une histoire
tordante.* ▶ *tordu, ue* adj. **1.** Dévié, tourné de
travers ; qui n'est pas droit. *Une règle tordue. Des
jambes tordues.* **2.** Fam. N. *Un tordu,* un homme mal
bâti. **3.** Abstrait. *Avoir l'esprit tordu,* bizarre, mal
tourné. — Fam. *Il est complètement tordu,* fou.
— Terme d'injure. *Va donc, eh, tordu !* ⟨ ▶ contorsion,
distorsion, entorse, retordre, tord-boyaux, tors,
torsion, torticolis, tortiller, tortueux ⟩

torero [tɔrero] n. m. ■ Homme qui combat et doit
tuer le taureau, dans une corrida. ⇒ **matador.** *Des
toreros.* ▶ *toréador* n. m. ■ Vx. Torero. ▶ *toréer*
[tɔree] v. intr. ■ conjug. 1. ■ Combattre le taureau
selon les règles de la tauromachie. ▶ *toril* [tɔril] n.
m. ■ Enceinte où l'on tient enfermés les taureaux,
avant la corrida.

torgnole [tɔrɲɔl] n. f. ■ Coup, série de coups. *Son
père lui a flanqué une torgnole.* ⇒ **raclée.**

tornade [tɔrnad] n. f. ■ Mouvement tournant de
l'atmosphère, effet violent de certaines perturbations
tropicales. ⇒ **bourrasque, cyclone, ouragan.** *La tornade a tout arraché.* — *Il est entré comme une
tornade,* brusquement (→ En coup de vent).

toron [tɔrɔ̃] n. m. ■ Terme technique. Fils tordus
ensemble, pour fabriquer les câbles, etc.

torpeur [tɔrpœr] n. f. ■ Diminution de la
sensibilité, de l'activité, sans perte de conscience. *Une
sorte de torpeur l'envahit.* ⇒ **somnolence.** *Faire sortir,
tirer qqn de sa torpeur.*

torpille [tɔrpij] n. f. **1.** Engin de guerre chargé
d'explosifs et se dirigeant de lui-même sous l'eau vers
les objectifs à atteindre (navires, etc.). ⇒ **lance-
torpilles. 2.** Poisson capable de produire une
décharge électrique. ▶ *torpiller* v. tr. ■ conjug. 1.
1. Attaquer, faire sauter à l'aide de torpilles. *Sous-
marin qui torpille un navire.* **2.** Attaquer sournoisement. *Torpiller les négociations.* ▶ *torpillage* n. m.
■ *Le torpillage du « Lusitania ».* — *Le torpillage d'un
plan de paix.* ▶ *torpilleur* n. m. ■ Bateau de guerre
plus léger et rapide que le croiseur et destiné à lancer
des torpilles. ⟨ ▶ contre-torpilleur, lance-torpilles ⟩

torréfier [tɔrefje] v. tr. ■ conjug. 7. ■ Calciner
superficiellement à feu nu (le tabac, le café). *Torréfier
le tabac pour le dessécher.* — Au p. p. adj. *Café bien
torréfié.* ▶ *torréfacteur* n. m. ■ Appareil servant à
torréfier. *Un torréfacteur à café.* — Commerçant qui
vend du café qu'il torréfie lui-même. ▶ *torréfaction*

n. f. ■ Début de calcination à feu nu, que l'on fait subir à certaines matières organiques. *La torréfaction du café.*

torrent [tɔʀɑ̃] n. m. **1.** Cours d'eau à forte pente, à rives encaissées, à débit rapide et irrégulier. ≠ *ruisseau, rivière. Torrent de montagne, alimenté par les glaciers. Torrent des Pyrénées.* ⇒ **gave.** *La crue du torrent.* **2.** Écoulement très rapide de liquide, dans la nature. *Des torrents de boue. Un torrent de lave.* — Loc. *Il pleut* À TORRENTS : très abondamment. ⇒ à **verse ; torrentiel. 3.** Grande abondance (de ce qui afflue violemment). — *Elle versait des torrents de larmes.* ⇒ **déluge, flot.** *Un torrent d'injures.* ▶ **torrentiel, elle** adj. ■ Qui coule comme un torrent. *Une pluie torrentielle.* ⇒ **diluvien.**

torride [tɔʀid] adj. ■ Où la chaleur est extrême. ⇒ **brûlant, chaud.** *Un climat torride. Une chaleur torride,* extrême. — REM. *Torréfier* vient du même radical.

tors, torse [tɔʀ, tɔʀs] adj. **1.** *Colonne torse,* à fût contourné en spirale. **2.** *Jambes torses,* tordues, arquées. ▶ **torsade** n. f. **1.** Rouleau de fils, cordons tordus ensemble en hélice pour servir d'ornement. *Torsade d'épaulette* (d'un officier). — *Une torsade de cheveux,* cheveux longs réunis et tordus ensemble. **2.** Motif ornemental en hélice. *Colonne à torsades.* ▶ **torsader** v. tr. - conjug. 1. ■ Mettre en torsade. *Torsader des cheveux.* — Au p. p. adj. *Colonnes torsadées.*

torse [tɔʀs] n. m. ■ Buste, poitrine. *Se mettre torse nu. Un beau torse.* — Sculpture représentant un tronc sans tête ni membres. *Un torse d'Aphrodite.*

torsion [tɔʀsjɔ̃] n. f. **1.** Action de tordre (I); déformation que l'on fait subir à un objet allongé en faisant tourner une de ses extrémités dans un sens, les autres parties restant fixes ou étant soumises à un mouvement contraire. *Un mouvement de torsion.* **2.** État, position de ce qui est tordu. *La torsion des fils d'une torsade.*

tort [tɔʀ] n. m. **I.** (Employé sans article) **1.** AVOIR TORT : ne pas avoir le droit, la raison de son côté (opposé à *avoir raison*). ⇒ se **tromper.** *Il n'avait pas tort.* — AVOIR TORT DE... *Tu as tort de tant fumer.* — DONNER TORT À : accuser, désapprouver. *On lui a donné tort. Les faits vous ont donné tort,* ont montré que vous aviez tort. / contr. **raison** / **2.** À TORT : pour de mauvaises, de fausses raisons ; injustement. *Soupçonner qqn à tort. C'est à tort qu'on a prétendu cela* (opposé à *avec raison, à bon droit*). — À TORT OU À RAISON : sans motifs ou avec de justes motifs, quelle que soit la réalité. *À tort ou à raison, il considère qu'il a été lésé dans le partage.* — À TORT ET À TRAVERS : sans raison ni justesse. ⇒ **inconsidérément.** *Il dépense à tort et à travers. Parler à tort et à travers,* dire n'importe quoi. **3.** DANS SON TORT : dans la situation d'une personne à tort (relativement à la loi, à un autre) ; opposé à *dans son droit, son bon droit. Il, elle se met dans son tort en agissant ainsi. Se sentir dans son tort.* ⇒ **coupable.** — EN TORT. *Vous êtes en tort et passible d'amende.* **II.** (*Un, des torts ; le tort de...*) **1.** Action, attitude blâmable (envers qqn). *Il a des torts envers elle. Reconnaître ses torts.* **2.** Action, attitude qui constitue une erreur, une faute. *Il avait le tort de parler trop.* ⇒ **défaut.** *Vous faites comme ceci ? C'est un tort.* ⇒ **erreur. 3.** Le fait d'agir injustement contre qqn, de léser qqn. *Les torts qu'on lui a causés.* ⇒ **préjudice.** *Demander réparation d'un tort.* — FAIRE DU TORT À... *Il nous a fait du tort. Ça ne fait de tort à personne.*

torticolis [tɔʀtikɔli] n. m. invar. ■ Torsion du cou avec inclinaison de la tête accompagnée de sensations douloureuses dans les muscles.

tortiller [tɔʀtije] v. - conjug. 1. **I.** V. tr. Tordre à plusieurs tours (une chose souple). *Tortiller ses cheveux.* **II.** V. intr. **1.** Se remuer en ondulant, se tourner de côté et d'autre. *Elle dansait en tortillant des hanches.* ⇒ **balancer.** — REM. *Se tortiller* (III) est plus courant. **2.** Loc. fam. (IL N')Y A PAS À TORTILLER : à hésiter. *Il n'y a pas à tortiller, il faut y aller !* ⇒ **tergiverser. III.** SE TORTILLER v. pron. réfl. : se tourner de côté et d'autre sur soi-même. *Se tortiller comme un ver.* ▶ **tortillon** n. m. ■ Chose tortillée. *Un tortillon de tissu, de papier.* ▶ **tortillard** n. m. ■ Train d'intérêt local sur une voie de chemin de fer qui fait de nombreux détours, qui va très lentement (et dont la voie se *tortille*). ‹ ▶ **entortiller** ›

tortionnaire [tɔʀsjɔnɛʀ] n. m. ■ Personne qui fait subir des tortures. ⇒ **bourreau.** — Adj. *Des policiers, des terroristes tortionnaires.*

tortue [tɔʀty] n. f. ■ Reptile à quatre pattes courtes, à corps enfermé dans une carapace, à tête munie d'un bec corné, à marche lente. *Tortue marine. Le lièvre et la tortue.* — *Quelle tortue, c'est une vraie tortue !,* se dit d'une personne très lente.

tortueux, euse [tɔʀtɥø, øz] adj. **1.** Qui fait des détours, présente des courbes irrégulières. ⇒ **sinueux.** *Des rues tortueuses.* / contr. **droit** / **2.** Péj. Plein de détours, qui ne se manifeste pas franchement. *Les manœuvres tortueuses d'un politicien. Un esprit tortueux.* ⇒ **retors.** / contr. **direct** / ▶ **tortueusement** adv.

torture [tɔʀtyʀ] n. f. **1.** Souffrances physiques infligées à qqn pour lui faire avouer ce qu'il refuse de révéler. *Torture légale* (autrefois). ⇒ **question.** *Pays qui emploient la torture au mépris des droits de l'homme. Il est mort après avoir souffert d'atroces tortures. Bourreau qui inflige des tortures.* ⇒ **tortionnaire. 2.** Loc. *Instruments de torture,* se dit d'instruments, d'objets qui font souffrir. — *Mettre qqn* À LA TORTURE : l'embarrasser ou le laisser dans l'incertitude. *Se mettre l'esprit à la torture,* faire des efforts pénibles pour trouver ou se rappeler qqch. ⇒ se **creuser** la tête. **3.** Souffrance physique ou morale intolérable. ⇒ **martyre, tourment.** *La torture de la soif. Les tortures de la jalousie.* ▶ **torturer** v. tr. - conjug. 1. **1.** Infliger la torture (1), faire subir des tortures à (qqn). *Torturer un prisonnier.* ⇒ **supplicier ; tortionnaire. 2.** Faire beaucoup souffrir. ⇒ **martyriser.** *Ne le torturez pas avec vos questions. Se torturer le cerveau, l'esprit,* le mettre à la torture. — (Suj. chose) *La faim, la jalousie le torturait.* ⇒ **tourmenter. 3.** Transformer par force. *Torturer un texte,* l'altérer en le transformant. — Au p. p. adj. *Un visage torturé,* déformé (par l'angoisse, un sentiment violent). ▶ **torturant, ante** adj. ■ *Un remords torturant.* ‹ ▶ tortionnaire ›

torve [tɔʀv] adj. ■ *Œil torve, regard torve,* oblique et menaçant.

tory [tɔʀi] adj. et n. m. ■ En Angleterre. Se dit des membres du parti conservateur. — N. *Les tories s'opposent aux travaillistes.*

tôt [to] adv. et adj. **1.** Au bout de peu de temps et sensiblement avant le moment habituel ou normal. *Les arbres ont fleuri tôt cette année. Vous êtes arrivés trop tôt.* / contr. **tard** / — PLUS TÔT : avant le moment où l'on est ou dont on parle. ⇒ **auparavant.** *Un jour plus tôt. Il est arrivé plus tôt que moi.* — Il ne viendra pas DE SI TÔT : pas dans un proche avenir et peut-être jamais. — Adj. (emploi impers.) *Il est trop tôt pour manger.* — PAS PLUS TÔT QUE. *Nous n'étions pas plus tôt rentrés qu'il fallut repartir,* il fallut repartir immédiatement après. — LE (AU) PLUS TÔT... *Le plus tôt que vous pourrez,* dès que vous pourrez. — N. m.

Le plus tôt sera le mieux. Revenez au plus tôt, le plus tôt possible. Mon travail sera terminé dans quinze jours au plus tôt, pas avant. **2.** Au commencement d'une portion déterminée de temps. *Se lever tôt,* de bonne heure. **3.** Loc. *Avoir tôt fait de.* ⇒ **vite.** ⟨ ▶ aussitôt, bientôt, plutôt, sitôt, tantôt ⟩

total, ale, aux [tɔtal, o] adj. et n. **1.** Adj. Qui affecte toutes les parties, tous les éléments (de la chose ou de la personne considérée). ⇒ **absolu, complet, général.** *Une destruction totale. Dans l'obscurité totale. Une confiance totale.* ⇒ **entier, parfait.** — Pris dans son entier, dans la somme de toutes ses parties. / contr. **partiel** / *La somme totale* ⇒ **global** et les parties, les fractions. **2.** N. m. Nombre total, quantité totale. ⇒ **montant, somme.** *Le total de la population. Faire le total,* additionner le tout. — AU TOTAL : en comptant tous les éléments. *Cela fait cent mille francs au total.* — *Au total,* tout compte fait, tout bien considéré. ⇒ **somme.** *Au total, il vaut mieux attendre.* — Adv. Fam. En conclusion, finalement. *Total, on s'est encore fait voler.* ▶ *totalement* adv. ■ Complètement, entièrement. / contr. **partiellement** / *Il est totalement guéri.* ⇒ **tout** à fait. *Je suis totalement de votre avis.* ⇒ **absolument.** ▶ *totaliser* v. tr. ▪ conjug. 1. **1.** Additionner. *Totaliser les points avec une calculette.* / contr. **soustraire** / **2.** Compter au total. *L'équipe qui totalise le plus grand nombre de points.* ▶ *totalisateur, trice* adj. et n. m. ▪ Appareil donnant le total d'une série d'opérations. *Machine totalisatrice.* — N. m. *Un totalisateur.* ▶ *totalisation* n. f. ■ Opération consistant à totaliser. ⟨ ▶ totalitaire, totalité ⟩

totalitaire [tɔtalitɛʀ] adj. **1.** *Régime totalitaire,* régime à parti unique, n'admettant aucune opposition organisée et dans lequel le pouvoir politique tend à confisquer la totalité des activités sociales. ⇒ **dictatorial.** *Les régimes totalitaires de l'Italie fasciste, de l'Espagne franquiste.* ⇒ **dictature.** *États totalitaires.* / contr. **libéral** / **2.** Didact. Qui englobe la totalité des éléments (d'un ensemble). *Une conception totalitaire du monde.* ▶ *totalitarisme* n. m. ■ Système politique des régimes totalitaires. *Le totalitarisme stalinien.*

totalité [tɔtalite] n. f. ■ Réunion totale des parties ou éléments constitutifs (d'un ensemble, d'un tout). ⇒ **intégralité, total.** / contr. **fraction, partie** / *La totalité de ses biens. La totalité du personnel.* ⇒ **ensemble.** *Lire un texte dans sa totalité.* ⇒ en **entier.** — EN TOTALITÉ. ⇒ en **bloc, intégralement, totalement.** *Nos propositions avaient été rejetées en totalité.*

totem [tɔtɛm] n. m. ■ Animal (ou quelquefois végétal) considéré comme l'ancêtre et le protecteur d'un clan, objet de tabous et de devoirs particuliers. *Ces Indiens ont pour totem une tortue.* — Mât représentant les totems d'un clan. ▶ *totémique* adj. ■ Du totem. *Clan totémique. Mât totémique,* qui porte le totem. ▶ *totémisme* n. m. ■ Organisation sociale, familiale fondée sur les totems et leur culte.

toton [tɔtɔ̃] n. m. ■ Littér. Petite toupie. *Tourner comme un toton.* ≠ *tonton.*

touareg [twaʀɛg] n. et adj. ■ Nomade du Sahara (le mot est un pluriel ; il faudrait dire *un* TARGUI, *des* TOUAREG).

toubib [tubib] n. m. ■ Fam. Médecin. *C'est un bon toubib. Les toubibs de l'hôpital.* — Adj. *Elle est toubib.*

① *touchant* [tuʃɑ̃] prép. ■ Littér. Au sujet de... ⇒ **concernant, sur.** *Je ne sais rien touchant cette affaire.*

② *touchant, ante* adj. **1.** Littér. Qui fait naître de la pitié, de la compassion. *Un récit touchant.* ⇒ **attendrissant, émouvant.** *C'est très touchant.*

2. Qui émeut, attendrit d'une manière douce et agréable. *Ils se sont fait des adieux touchants.* — (Personnes) Attendrissant (iron.). *Il est touchant de maladresse.*

① *touche* [tuʃ] n. f. **1.** Action du poisson qui mord à l'hameçon. *Pas la moindre touche aujourd'hui, je n'ai rien pris.* **2.** Fam. *Faire une touche,* rencontrer qqn à qui l'on plaît. *Avoir la touche, une touche avec qqn,* plaire manifestement à qqn. ⇒ **ticket** (3).

② *touche* n. f. **I. 1.** Action, manière de poser la couleur, les tons sur la toile. *Peindre à larges touches.* — Couleur posée d'un coup de pinceau. *Une touche de rouge.* **2.** Loc. *Mettre une touche de gaieté, une touche exotique* (dans un décor, une toilette, une description, etc.), apporter un détail gai, un élément exotique. **II.** Fam. Aspect d'ensemble. ⇒ **allure, dégaine, tournure.** *Tu as une drôle de touche.*

③ *touche* n. f. **1.** Au rugby, au football. *Ligne de touche,* ou *touche,* chacune des limites latérales du champ de jeu, perpendiculaire aux lignes de but. *En touche, sur la touche.* — Sortie du ballon en touche. *Il y a touche.* **2.** Loc. *Rester, être mis* SUR LA TOUCHE : dans une position de non-activité, de non-intervention.

④ *touche* n. f. ■ Chacun des petits leviers que l'on frappe des doigts, qui constituent un clavier. *Les touches d'un piano. Les touches d'une machine à écrire, d'un clavier d'ordinateur.*

① *toucher* [tuʃe] v. tr. ▪ conjug. 1. **I.** (Avec mouvement) **1.** (Êtres vivants) Entrer en contact avec (qqn, qqch.) en éprouvant les sensations du tact. ⇒ **palper.** *Elle touche le radiateur pour savoir si le chauffage marche. Il lui touche l'épaule. Toucher légèrement le clavier.* ⇒ **effleurer ;** ④ **touche,** ② **toucher** (3). *Je n'ai jamais touché une carte, jamais joué. Toucher la main de, à qqn,* pour dire bonjour. — *Lutteur qui touche le sol des deux épaules. Toucher le fond* (de l'eau), avoir pied. **2.** (Sans contact direct) ⇒ **atteindre.** *Il tira et toucha son adversaire à l'épaule.* ⇒ **blesser.** *Il le toucha au visage. Toucher le sol de sa canne, avec sa canne. Toucher la toile avec son pinceau.* ⇒ ② **touche.** *Toucher le côté du jeu avec le ballon.* ⇒ ③ **touche. 3.** Joindre, arriver à rencontrer (qqn), par un intermédiaire (lettre, téléphone). ⇒ **atteindre.** *Où peut-on vous toucher ?* **4.** (Choses) Entrer en contact avec (qqn, qqch.) au terme d'un mouvement. ⇒ **atteindre.** *Être touché par une balle, blessé. Le bateau a touché le port, a touché terre.* **5.** Entrer en possession de, prendre livraison de (une somme d'argent). ⇒ **recevoir.** *Toucher de l'argent. Toucher un traitement.* ⇒ **gagner.** — Percevoir. *Ils ont touché leurs rations de cigarettes.* **6.** Abstrait. Procurer une émotion à (qqn), faire réagir en suscitant l'intérêt affectif. ⇒ **intéresser.** *La musique le touche particulièrement,* il y est très sensible. *Ce reproche l'a touché.* ⇒ **blesser.** — Plus cour. Émouvoir en excitant la compassion, la sympathie et une certaine tendresse. ⇒ **attendrir ;** ② **touchant.** *Ses larmes m'ont touché.* **7.** Loc. TOUCHER UN MOT *de qqch. à qqn* : dire un mot à qqn concernant qqch., dire un mot de... *Avant de décider, il faut lui en toucher un mot.* **II.** (Sans mouvement) **1.** Se trouver en contact avec ; être tout proche de. *Sa maison touche l'église.* **2.** Concerner, avoir un rapport avec. ⇒ **regarder.** *C'est un problème qui les touche de près. C'est une question qui ne me touche en rien. Il connaît tout ce qui touche à l'histoire romaine.* ⇒ ① **touchant.** — Pronominalement (récipr.). *Être en rapport étroit. Les extrêmes se touchent.* **III.** V. tr. ind. TOUCHER À. **1.** Porter la main sur, pour prendre, utiliser. *Ne touche pas à ce vase, n'y touche pas ! Pas touche !* (fam.) *Cet enfant touche à tout.* ⇒ **touche-à-tout.** — *Il n'avait pas faim, il n'a pas touché à son repas,* il n'a rien mangé. *Il n'a jamais* touché à un volant, il n'a jamais conduit. **2.** Abstrait. Se mêler, s'occuper de (qqch.). *Il vaut mieux ne pas toucher à ce sujet.* ⇒ **aborder.** — S'en prendre (à qqch.), pour modifier, corriger. *Ils n'osent pas toucher aux traditions. Elle a l'air de ne pas y toucher,* un air faussement innocent (⇒ **sainte nitouche**). **3.** Littér. Atteindre, arriver à (un point qu'on touche ou dont on approche). *Toucher au port. Nous touchons au but.* — (Dans le temps) TOUCHER À SA FIN. *L'automne touchait à sa fin et faisait place à l'hiver.* **4.** Être en contact avec. *Un immeuble qui touche à la mairie.* **5.** Avoir presque le caractère de. ⇒ **confiner.** *Son goût pour le ménage touche à la névrose.* ► ② *toucher* n. m. **1.** Un des cinq sens correspondant aux sensibilités qui interviennent dans l'exploration des objets par contact avec la peau, la main. ⇒ **tact.** **2.** Action ou manière de toucher. ⇒ **attouchement, contact.** *Le velours est doux au toucher.* **3.** Manière dont un(e) pianiste obtient la sonorité en frappant les touches. *Elle a un beau toucher.* **4.** En médecine. Exploration d'une cavité naturelle à la main. ⇒ **palpation.** ► *touche-à-tout* n. m. invar. **1.** Personne, enfant qui touche à tout. **2.** Personne qui se disperse en activités multiples. ⟨► attouchement, intouchable, retoucher, sainte nitouche, ① touchant, ② touchant, ①, ②, ③ et ④ touche ⟩

touer [twe ; tue] v. tr. ▪ conjug. 1. ▪ Faire avancer en tirant, en remorquant ; spécialt (navire, barque) en tirant à bord sur une amarre. ► *touage* n. m. ▪ Remorquage.

touffe [tuf] n. f. ▪ Assemblage naturel de plantes, de poils, de brins..., rapprochés par la base. ⇒ **bouquet.** *Une touffe d'herbe. Une touffe de poils, de cheveux.* ⇒ **épi, mèche.** ► *touffu, ue* adj. **1.** Qui est en touffes, qui est épais et dense. *Un bois touffu. Une barbe touffue.* ⇒ **dru, fourni.** / contr. **clairsemé** / **2.** Qui présente en trop peu d'espace des éléments abondants et complexes. *Un livre touffu.* / contr. **concis, simple** /

touiller [tuje] v. tr. ▪ conjug. 1. ▪ Fam. et région. Remuer, agiter, mêler. *Touiller la lessive. Touiller la salade,* la tourner.

toujours [tuʒuʀ] adv. de temps. **1.** Dans la totalité du temps considéré (la vie, le souvenir, etc.) ou pendant tout un ensemble d'instants discontinus ; à chaque instant, sans exception. ⇒ **constamment, continuellement.** / contr. **jamais** ; **parfois** / *Je l'ai toujours pensé. Ça ne durera pas toujours.* ⇒ **éternellement.** *On ne peut pas toujours réussir. Il arrive toujours à l'heure. Les journées sont toujours trop courtes.* — *Toujours plus..., toujours moins (+ adj.),* de plus en plus, de moins en moins. *Les candidats sont toujours plus nombreux.* — COMME TOUJOURS : de même que dans tous les autres cas (→ comme d'habitude). *Je pensais à elle comme toujours.* — PRESQUE TOUJOURS : très souvent. ⇒ **généralement, ordinairement.** — DE TOUJOURS : qui est toujours le même (→ de tout temps). *Ce sont des amis de toujours.* — DEPUIS TOUJOURS. *Ça se fait depuis toujours.* — POUR TOUJOURS. *Il est parti pour toujours.* ⇒ **définitivement. 2.** Encore maintenant, encore au moment considéré. *Je l'aimais toujours. Il court toujours.* — *Il n'est toujours pas parti, toujours pas là.* **3.** Fam. De toute façon, en tout cas. *Tu peux toujours courir, se fouiller...,* quoi qu'il fasse, il n'aura rien. *Cause toujours !* — Interj. (À la fin d'une phrase négative) « *Qui a dit ça ? — Ce n'est pas moi, toujours !* » (→ En tout cas, de toute façon). — TOUJOURS EST-IL (QUE)... : sert à introduire un fait ou un jugement en opposition avec d'autres qui viennent d'être présentés. *Personne ne voulait y croire, toujours est-il que c'est arrivé.*

toundra [tundʀa] n. f. ▪ Steppe de la zone arctique, caractérisée par des associations végétales de mousses et de lichens, des bruyères. ⇒ **taïga.** *La toundra sibérienne. Des toundras immenses.*

① **toupet** [tupɛ] n. m. ▪ Touffe de cheveux bouffant au-dessus du front.

② **toupet** n. m. ▪ Fam. Hardiesse, assurance effrontée. ⇒ **aplomb, audace, culot.** *Il ne manque pas de toupet. Quel toupet !*

toupie [tupi] n. f. **1.** Petit objet conique ou sphérique, muni d'une pointe sur laquelle il peut se maintenir en équilibre en tournant. ⇒ **toton.** *Il tourne sur lui-même comme une toupie.* **2.** Injure. *(Vieille) toupie,* femme désagréable.

① **tour** [tuʀ] n. f. **1.** Bâtiment construit en hauteur, dominant un édifice ou un ensemble architectural. *La tour d'un château.* ⇒ **donjon, tourelle.** *Tour de guet.* ⇒ **beffroi.** *Les tours d'une cathédrale,* clocher à sommet plat. — Immeuble moderne à nombreux étages. *Les tours du front de Seine, à Paris.* — REM. Tend à remplacer *building, gratte-ciel.* **2.** Construction en hauteur. *Tour métallique. La tour Eiffel.* — TOUR DE CONTRÔLE : local surélevé d'où s'effectue le contrôle des activités d'un aérodrome. **3.** Aux échecs. Pièce en forme de tour crénelée, qui avance en droite ligne. — Loc. TOUR D'IVOIRE : retraite d'un penseur, d'un écrivain, etc., qui se tient à l'écart de la vie sociale et politique de son temps, et refuse de se compromettre. *Se retirer dans sa tour d'ivoire.* — *Une* TOUR DE BABEL : un lieu où l'on parle toutes les langues. ⟨► tourelle ⟩

② **tour** [tuʀ] n. m. **I. 1.** Limite circulaire. ⇒ **circonférence.** *Le tour d'un arbre, d'un tronc. Le tour de la taille. Avoir soixante centimètres de tour de taille.* **2.** Chose qui en recouvre une autre en l'entourant (vêtements, garnitures). *Un tour de cou* (fourrure, foulard). **3.** FAIRE LE TOUR de qqch. : aller autour (d'un lieu, d'un espace). *Faites le tour du pâté de maisons. Faire le tour du monde,* voyager dans le monde entier. — Passer en revue. *Faire le tour de la situation.* **4.** FAIRE UN TOUR : une petite sortie. ⇒ **promenade.** *Elle était allée faire un tour au bois.* — Voyage (⇒ **tourisme**). **5.** TOUR DE... : parcours, voyage où l'on revient au point de départ. ⇒ **circuit, périple.** *Le Tour de France,* course cycliste disputée chaque année sur un long circuit de routes françaises. *Le Tour d'Italie.* **II. 1.** Mouvement giratoire. ⇒ **révolution, rotation.** *Un tour de manivelle.* — *Partir* AU QUART DE TOUR : immédiatement et sans difficulté. *Fermer la porte à* DOUBLE TOUR : en donnant deux tours de clé. **2.** À TOUR DE BRAS : de toute la force du bras. *Il le frappe à tour de bras.* **3.** EN UN TOUR DE MAIN : très vite. ⇒ **tournemain.** — *Tour de main,* mouvement adroit qu'accomplit la main. *Le tour de main d'un artisan.* ⇒ **adresse, habileté. 4.** TOUR DE REIN : torsion, faux mouvement douloureux dans la région des lombes. **III. 1.** Mouvement, exercice difficile à exécuter. *Les tours d'un prestidigitateur.* TOUR DE CARTES : tour d'adresse effectué avec des cartes. — TOUR DE FORCE : action qui exige de la force ou de l'habileté. *C'est un vrai tour de force.* ⇒ **exploit. 2.** Action ou moyen d'action qui suppose de l'adresse, de l'habileté, de la ruse. *Avoir plus d'un tour dans son sac.* — FAIRE, JOUER *(un, des...)* TOUR(s) au détriment de qqn. *Il m'a joué un mauvais tour. Jouer un bon tour à qqn,* lui faire une plaisanterie. ⇒ **farce.** *Méfiez-vous, cela vous jouera des tours,* cela vous nuira. — *Le tour est joué,* c'est accompli, terminé (→ l'affaire est dans le sac). **IV. 1.** Aspect que présente une chose selon la façon dont elle est faite, la manière dont elle évolue. ⇒ **tournure.** *Cela dépend du tour que vont prendre* les *événements.* **2.** TOUR (DE PHRASE) : manière d'exprimer qqch. selon l'agencement des mots. ⇒ **tournure** (1). **3.** TOUR D'ESPRIT : manière d'être caractéristique d'un certain esprit. ⇒ **tournure.** **V. 1.** Locutions. Moment auquel (ou durant lequel) une personne se présente, accomplit qqch. dans un ordre, une succession d'actions du même genre. *À moi, c'est mon tour. Chacun parlera à son tour. Il s'invite plus souvent qu'à son tour,* plus souvent qu'il ne conviendrait. — CHACUN SON TOUR : à son tour. **2.** Loc. TOUR À TOUR : l'un, puis l'autre (l'un après l'autre). *Nous lisions tour à tour.* — (États, action) ⇒ **alternativement, successivement.** *Je riais et pleurais tour à tour.* — À TOUR DE RÔLE. ⇒ **rôle. 3.** *Tour de chant,* série de morceaux interprétés par un chanteur, une chanteuse. **4.** *Tour de scrutin,* vote (d'une élection qui en compte plusieurs). *Candidat élu au premier tour, au second tour.* ‹ ► alentours, autour, compte-tours, contour, demi-tour, détour, pourtour, retour, tourisme ›

③ *tour* n. m. **1.** Dispositif, machine-outil qui sert à façonner des pièces par rotation, à les tourner (②, 1). *Travailler au tour* (⇒ **tourner,** II, 1 ; **tourneur**)*. Tour de potier.* **2.** Armoire cylindrique tournant sur pivot. *Tour pour passer les plats. Dans les couvents cloîtrés, un religieux* (le *tourier*) *fait passer les objets au tour.*

① *tourbe* [tuʀb] n. f. ■ Matière combustible spongieuse et légère, qui résulte de la décomposition de végétaux à l'abri de l'air. *Un feu de tourbe.* ► *tourbière* n. f. ■ Gisement de tourbe en quantité exploitable. *Les tourbières d'Irlande.*

② *tourbe* n. f. ■ Péj. et vx. Foule ; ramassis de personnes méprisables. ⇒ **canaille.**

tourbillon [tuʀbijɔ̃] n. m. **1.** Masse d'air qui tournoie rapidement. ⇒ **cyclone.** *Un tourbillon de vent.* **2.** Mouvement tournant et rapide (en hélice) d'un fluide, ou de particules entraînées par l'air. *Un tourbillon de poussière. Les tourbillons d'une rivière. Un tourbillon de feu, de flammes.* **3.** Tournoiement rapide. *Le tourbillon d'une danse.* **4.** Littér. Ce qui emporte, entraîne dans un mouvement rapide, irrésistible. *Un tourbillon de plaisirs.* ► *tourbillonner* v. intr. ▪ conjug. 1. **1.** Former un tourbillon ; être emporté en un tournoiement rapide. *La neige qui tourbillonnait.* **2.** Être agité par un mouvement rapide, irrésistible. *Les souvenirs tourbillonnaient dans sa tête.* ► *tourbillonnant, ante* adj. ■ Tournoyant. *Les jupes tourbillonnantes d'une danseuse.* ► *tourbillonnement* n. m. ■ Mouvement en tourbillon.

tourelle [tuʀɛl] n. f. **1.** Petite tour. *Les tourelles du château.* **2.** Abri blindé, fixe ou mobile, contenant des pièces d'artillerie. *La tourelle d'un char d'assaut.*

tourisme [tuʀism] n. m. **1.** Le fait de voyager, de parcourir pour son plaisir un lieu autre que celui où l'on vit habituellement. *Faire du tourisme. Hôtel, restaurant de tourisme. Avion, voiture* DE TOURISME : destinés aux déplacements privés et non utilitaires. **2.** Ensemble des activités liées au déplacements des touristes. *Le tourisme italien, français. Office du tourisme.* ► *touriste* n. **1.** Personne qui fait du tourisme. *Les touristes qui envahissent Venise.* **2.** *Classe touriste,* classe inférieure à la première classe (bateau, avion). ► *touristique* adj. ■ Relatif au tourisme. *Guide touristique. Ville touristique,* que les touristes visitent. *Activités touristiques* (hôtellerie, agences de voyages, etc.). *Menu touristique, prix touristiques,* destinés en principe aux touristes.

tourment [tuʀmɑ̃] n. m. **1.** Littér. Très grande souffrance physique ou morale. ⇒ **peine, supplice, torture.** *Les tourments de l'incertitude.* — Grave

souci. *Cette affaire m'a donné bien du tourment.* **2.** Ce qui cause de grands soucis, de graves ennuis. *Cet enfant est devenu un tourment pour moi.* ► *tourmenter* v. tr. ▪ conjug. 1. **I. 1.** Affliger de souffrances physiques ou morales ; faire vivre dans l'angoisse. *Il tourmente toute la famille.* **2.** (Suj. chose) Faire souffrir ; être un objet de grave souci. *La faim me tourmente. Les préoccupations qui le tourmentaient.* ⇒ **obséder.** *Les remords le tourmentent.* ⇒ **torturer.** *Qu'est-ce qui vous tourmente ?* ⇒ **préoccuper. 3.** Littér. (Besoin, désir) Exciter vivement. *L'envie d'écrire le tourmentait.* **II.** SE TOURMENTER v. pron. réfl. : se faire des soucis, éprouver de l'inquiétude, de l'angoisse. ⇒ **s'inquiéter, se tracasser.** *Ne vous tourmentez pas pour si peu.* ► *tourmenté, ée* adj. **1.** Qui est en proie aux tourments, aux soucis. ⇒ **anxieux, inquiet.** / contr. **calme** / *Un être tourmenté. Un visage tourmenté.* **2.** Littér. Qui s'accomplit dans l'agitation, le tumulte. *Une période très tourmentée. Mener une vie tourmentée.* ⇒ **agité. 3.** De forme très irrégulière. *Un relief tourmenté.* ⇒ **accidenté. 4.** Trop chargé d'ornements. ⇒ **tarabiscoté.** *Un style tourmenté.* / contr. **simple** / ► *tourmente* n. f. **1.** Littér. Tempête soudaine et violente. ⇒ **bourrasque, orage, ouragan.** *Une tourmente de neige. Être perdu dans la tourmente.* **2.** Troubles (politiques ou sociaux) violents et profonds. *La tourmente révolutionnaire.*

tournage [tuʀnaʒ] n. m. ■ Action de tourner (I, 8), de faire un film. ⇒ **réalisation.** *Le tournage d'un long métrage demande plusieurs mois. Être en tournage en Italie.*

① *tournant, ante* [tuʀnɑ̃, ɑ̃t] adj. **1.** Qui tourne (II), pivote sur soi-même. *Plaque tournante. Des ponts tournants. Le feu tournant d'un phare* (⇒ **gyrophare). 2.** Qui contourne, prend à revers. *Mouvement tournant,* pour cerner l'ennemi. **3.** Qui fait des détours, présente des courbes. ⇒ **sinueux.** *Un chemin tournant. Un escalier tournant,* en colimaçon. **4.** GRÈVE TOURNANTE : qui affecte successivement différents secteurs.

② *tournant* n. m. **1.** Endroit où une voie tourne ; courbe (d'une rue, d'une route). ⇒ **coude.** *Un tournant dangereux, en épingle à cheveux.* ⇒ **virage. 2.** Loc. fam. *Avoir qqn* AU TOURNANT : se venger dès que l'occasion s'en présente. *Je l'attends au tournant.* **3.** Fig. Moment où ce qui évolue change de direction, devient autre. *Il est à un tournant de sa carrière. Il a su prendre le tournant,* s'adapter avec opportunisme.

tournebouler [tuʀnəbule] v. tr. ▪ conjug. 1. ■ Fam. Mettre l'esprit à l'envers, bouleverser. *Cette nouvelle l'a tourneboulé. — Elle était toute tourneboulée.* ⇒ **retourner.**

tournebroche [tuʀnəbʀɔʃ] n. m. ■ Mécanisme servant à faire tourner une broche. ⇒ **rôtissoire.**

tourne-disque [tuʀnədisk] n. m. ■ Appareil électrique composé d'un plateau tournant, d'une tête de lecture et qui sert à écouter des disques. ⇒ **platine.** *Le tourne-disque et l'amplificateur d'une chaîne haute-fidélité. Des tourne-disques.* — Par ext. Électrophone.

tournedos [tuʀnədo] n. m. invar. ■ Tranche de filet de bœuf à griller. ⇒ **filet ; chateaubriand.** *Des tournedos bien tendres.*

tournée [tuʀne] n. f. **1.** Voyage à itinéraire fixé, comportant des arrêts, des visites déterminés. *Le facteur fait sa tournée. Le soir, le médecin de garde à l'hôpital fait une dernière tournée d'inspection. Un voyageur de commerce en tournée. — Tournée théâtrale,* voyage d'une compagnie d'artistes qui donnent des représentations dans plusieurs endroits. **2.** Tour dans lequel on visite des endroits de même sorte. ⇒ **virée.** *Faire la tournée des boîtes de nuit.*

3. Fam. Ensemble des consommations offertes par qqn, au café. *C'est ma tournée.* **4.** Fam. Volée de coups, raclée. *Recevoir une tournée.*

en un **tournemain** [ɑ̃nœturnəmɛ̃] loc. adv. ■ En un instant. *Il a sauvé la situation en un tournemain.* ⇒ **tour** de main.

tourner [turne] v. ■ conjug. 1. **I.** V. tr. **1.** Faire mouvoir autour d'un axe, d'un centre ; imprimer un mouvement de rotation à (qqch.). *Tourner une manivelle. Tournez lentement la poignée. Tourner et retourner qqch.*, manier en tous sens. — Abstrait. *Ce problème qu'il tournait et retournait dans sa tête.* **2.** Remuer circulairement. *Tourner une sauce.* **3.** Loc. TOURNER LA TÊTE à, de qqn. *Ce vin lui tourne la tête*, l'étourdit, le grise. *Cette fille lui a tourné la tête*, l'a rendu fou tant il est amoureux d'elle. — Fam. *Tourner le sang, les sangs*, bouleverser. **4.** *Tourner les pages d'un livre*, les faire passer du recto au verso, en feuilletant. **5.** Mettre, présenter (qqch.) en sens inverse, sur une face opposée ou en accomplissant un mouvement approprié (demi-tour, mouvement latéral). — Loc. *Tourner le dos à qqn, à qqch.* **6.** Diriger par un mouvement courbe. *Tournez la tête de ce côté. Tourner les yeux, son regard vers, sur qqn*, se mettre à le regarder. — Abstrait. *Tourner toutes ses pensées vers...* ⇒ **appliquer**. *Il faut tourner nos efforts vers ce résultat.* ⇒ **orienter**. — Loc. Au p. p. adj. *Avoir l'esprit* MAL TOURNÉ : disposé à prendre les choses en mauvaise part, à les interpréter de façon scabreuse. **7.** Suivre, longer en changeant de direction. *Tourner le coin de l'avenue.* **8.** (Par allusion à la manivelle des premières caméras) *Tourner un film*, faire un film (⇒ **tournage**). — Sans compl. *Silence, on tourne !* **II.** V. tr. **1.** Façonner (un objet) au tour ③. *Tourner une poterie.* **2.** Agencer, arranger (les mots) d'une certaine manière, selon un certain style. *Tourner un compliment.* — Au p. p. adj. *Une lettre bien tournée.* **3.** TOURNER EN..., À... : transformer (qqn ou qqch.) en donnant un aspect, un caractère différent. *Tourner un auteur en dérision. Il tourne tout à son avantage.* **III.** V. intr. **1.** Se mouvoir circulairement (exécuter un mouvement de rotation) ou décrire une ligne courbe (autour de qqch.). *La Terre est l'une des planètes qui tournent autour du Soleil.* — *Voir tout tourner*, avoir le vertige. — (Personnes) *Il tourne autour de la maison. Les enfants tournaient en rond sur un petit manège. Elle tournait dans la pièce comme une bête en cage. Il tourne en rond, ne sachant que faire.* **2.** TOURNER AUTOUR : évoluer sans s'éloigner. *Arrêtez de tourner autour de nous ! — Tourner autour de qqn*, lui faire la cour. — (Choses) *Avoir pour centre d'intérêt. La conversation tourne autour de l'éducation des enfants.* **3.** Avoir un mouvement circulaire (sans que l'ensemble de l'objet se déplace). *Tourner sur soi-même comme une toupie. Faire tourner un disque* (⇒ **tourne-disque**). — Se mouvoir autour d'un axe fixe. ⇒ **pivoter**. *La porte tourna aussitôt sur ses gonds.* — Fam. *L'heure tourne*, le temps passe. **4.** Fonctionner (en parlant de mécanismes dont une ou plusieurs pièces ont un mouvement de rotation). *Le moteur tourne, tourne rond. Tourner à vide.* — *Faire tourner une entreprise*, la faire marcher. **5.** Loc. *La tête lui tourne*, il est étourdi, perd le sens de l'équilibre. *Ça me fait tourner la tête*, ça m'étourdit (→ tourner [I,3] la tête à qqn). **6.** Changer de direction. *Tournez à gauche !* — *La chance a tourné*, changé. **7.** TOURNER À..., EN... : changer d'aspect, d'état, pour aboutir à (un résultat). ⇒ **se transformer**. *Le temps tourne au froid.* — *La discussion tournait à l'aigre, au vinaigre*, tendait à s'envenimer. *Cette agitation risque de tourner au désordre. Dans son cerveau, tout tourne à l'obsession.* **8.** TOURNER BIEN, MAL : évoluer bien, mal. *Ça va mal tourner.* ⇒ **se gâter**. *Les choses*

pourraient tourner mieux, autrement. — (Personnes) *Tourner mal*, se dit de qqn dont la conduite devient condamnable. *Elle a mal tourné.* **9.** Devenir aigre. *Le lait a tourné.* **IV.** SE TOURNER v. pron. réfl. **1.** Aller, se mettre en sens inverse ou dans une certaine direction. ⇒ **se retourner**. *Se tourner vers qqn. Tournez-vous un peu. Se tourner d'un autre côté.* ⇒ **détourner**. *Il se tourne et se retourne dans son lit.* **2.** Se diriger. *Elle s'était tournée vers les études.* ⇒ **s'orienter**. *Se tourner contre qqn*, changer d'attitude en prenant parti contre lui. ‹ ▶ chantourner, contourner, détourner, retourner, ② tour, ③ tour, tournage, ① tournant, ② tournant, tournebouler, tournebroche, tourne-disque, tournée, en un tournemain, ① tournesol, ② tournesol, tourneur, tournevis, tourniquer, tourniquet, tournis, tournoyer, tournure ›

① *tournesol* [turnəsɔl] n. m. ■ Nom de plantes dont la fleur se tourne vers le soleil (héliotrope, grand soleil). *Des graines de tournesol. Huile de tournesol.*

② *tournesol* n. m. ■ Substance d'un bleu-violet, qui tourne au rouge sous l'action d'un acide, au bleu sous l'action des bases (en chimie).

tourneur [turnœr] n. m. ■ Artisan, ouvrier qui travaille au tour (à main ou automatique). ⇒ ③ **tour**, **tourner** (II, 1). *Un tourneur en (ou sur) métaux.*

tournevis [turnəvis] n. m. invar. ■ Outil pour tourner les vis, tige d'acier aplatie à son extrémité et munie d'un manche.

tourniquer [turnike] v. intr. ■ conjug. 1. ■ Tourner, aller et venir sur place, sans but. ▶ *tournicoter* v. intr. ■ conjug. 1. ■ Fam. Tourniquer. *Il ne cesse de tournicoter dans toute la maison.*

tourniquet [turnikɛ] n. m. **1.** Appareil formé d'une croix horizontale tournant autour d'un pivot vertical, placé à l'entrée d'un chemin ou d'un édifice afin de livrer passage aux personnes, chacune à son tour ; porte à tambour. **2.** Cylindre métallique, à volets, tournant sur un pivot, et servant à présenter des cartes postales, des cravates, etc. ⇒ **présentoir**. **3.** Arroseur qui tourne sous la force de l'eau. *La pelouse est arrosée par un tourniquet.*

tournis [turni] n. m. invar. **1.** Maladie des bêtes à cornes qui se manifeste par le tournoiement de la bête atteinte. **2.** Fam. Vertige. *Vous me donnez le tournis.*

tournoi [turnwa] n. m. **1.** Au Moyen Âge. Fête guerrière où les chevaliers combattant les uns contre les autres rivalisaient de force et d'adresse. **2.** Littér. Lutte d'émulation. ⇒ **assaut, concours.** *Un tournoi d'éloquence.* **3.** Compétition sportive à plusieurs séries d'épreuves ou de manches. *Un tournoi de tennis. Le Tournoi des Cinq Nations* (rugby).

tournoyer [turnwaje] v. intr. ■ conjug. 8. **1.** Décrire des courbes, des cercles inégaux sans s'éloigner. *Les oiseaux tournoient, tournoyaient dans le ciel.* **2.** Tourner sur soi ⇒ **pivoter** ou tourner en spirale, en hélice ⇒ **tourbillonner.** *Le vent fait tournoyer les feuilles. L'eau bourbeuse du fleuve tournoyait.* ▶ *tournoiement* n. m. ■ Le fait de tournoyer. *Le tournoiement de la poussière sous l'effet du vent. Un tournoiement de feuilles mortes.* ▶ *tournoyant, ante* adj. ■ Qui tournoie. *Danses tournoyantes.*

tournure [turnyr] n. f. **1.** Forme particulière donnée à l'expression, à la phrase. *Une tournure impersonnelle, négative.* ⇒ ② **tour** (IV, 3). *Tournures affectées, régionales, dialectales.* **2.** Air, apparence (d'une chose). *Maintenant qu'elle est réparée, repeinte, la maison a (pris) une autre tournure !* — Aspect, allure générale (des événements). *Je n'aime pas la tournure que prend cette affaire.* ⇒ **cours.**

— PRENDRE TOURNURE : prendre forme. *Ça commence à prendre tournure, à s'organiser.* **3.** TOURNURE D'ESPRIT : manière d'envisager, de juger les choses. *Je n'apprécie pas sa tournure d'esprit.*

tourte [tuʀt] n. f. **1.** Pâtisserie ronde (à la viande, au poisson...). **2.** Fam. Personne inintelligente. *Quelle tourte !* ▸ *tourtière* n. f. ■ Ustensile de cuisine pour faire des tourtes. — *Tourte à la viande.*

① *tourteau* [tuʀto] n. m. ■ Résidu de graines, de fruits oléagineux, servant d'aliment pour le bétail ou d'engrais. *Des tourteaux.*

② *tourteau* n. m. ■ Gros crabe de l'Atlantique, à chair très estimée (appelé aussi, notamment en Bretagne, *dormeur*).

tourterelle [tuʀtəʀɛl] n. f. ■ Oiseau voisin du pigeon, mais plus petit. *La tourterelle roucoule.* ▸ *tourtereau* n. m. **1.** Jeune tourterelle. **2.** *Des tourtereaux,* de jeunes amoureux.

Toussaint [tusɛ̃] n. f. ■ Fête catholique en l'honneur de tous les saints, le 1er novembre. — Loc. *Un temps de Toussaint,* gris et froid.

tousser [tuse] v. intr. ▪ conjug. 1. **1.** Avoir un accès de toux. *Le malade tousse beaucoup.* **2.** Se racler la gorge, volontairement (pour éclaircir sa voix avant de parler ou faire signe à qqn, l'avertir). ▸ *toussailler* v. intr. ▪ conjug. 1. ■ Tousser un peu. ▸ *toussoter* v. intr. ▪ conjug. 1. ■ Tousser d'une petite toux peu bruyante. — Fam.

① *tout* [tu] ; *toute* [tut] ; *tous* [tu] ; *toutes* [tut] adj., pronom et adv. — REM. *Tout* se prononce [tut] devant une consonne, [tu] devant une voyelle ou un *h* muet ; *tous*, adj., se prononce [tu] devant consonne, [tuz] devant voyelle. **I.** TOUT, TOUTE (pas de pluriel), adjectif qualificatif. Complet, entier. **1.** (Devant un nom précédé d'un article, d'un possessif, d'un démonstratif) TOUT LE, TOUTE LA (+ nom). *Tout le jour, toute la nuit, tout le temps.* ⇒ **toujours.** — TOUT LE MONDE : l'ensemble des gens (selon le contexte) ; chacun d'eux. *Tout le reste,* l'ensemble des choses qui restent à mentionner. — TOUT UN, UNE. *Il a passé tout un hiver à voyager. C'est toute une affaire, toute une histoire, une véritable, une grave affaire.* — (Devant un titre) *J'ai lu toute « la Chartreuse de Parme », tout « les Misérables ».* — (Devant un possessif) *Toute sa petite famille. S'étendre de tout son long. Perdre toute sa fortune.* — (Devant un démonstratif) *Tout cet été. Tout ce que j'aime.* — TOUT CE QU'IL Y A DE (+ nom pluriel ; accord facultatif du verbe). *Tout ce qu'il y avait de professeurs était venu ou étaient venus.* — *Tout ce qu'il y a de plus* (avec un adj. ou un nom employé comme adj.), très. « *C'est vrai ? — Tout ce qu'il y a de plus vrai. » Des gens tout ce qu'il y a de plus cultivé* (ou *cultivés*). REM. L'accord de l'adjectif est facultatif. **2.** (Dans des loc.) Devant un nom sans article. *Avoir tout intérêt,* un intérêt évident et grand. *À toute vitesse,* à la vitesse la plus grande possible. — *De toute beauté,* très beau. *De toute éternité,* depuis toujours. *En toute simplicité. Selon toute apparence,* d'une manière très probable. — POUR TOUT (+ nom sans article) : en fait de..., sans qu'il y ait rien d'autre. *Il n'eut qu'un sourire pour toute récompense.* — *Lire tout Racine,* l'œuvre entière de Racine. — *De ma fenêtre, je vois tout Paris, toute la ville. Tout Marseille était en émoi,* tous ses habitants. — REM. Devant un nom propre, *tout* ne s'accorde pas. — LE TOUT-PARIS : les personnes les plus notables ou célèbres, tout ce qui compte à Paris. *Il fait partie du Tout-Paris.* **3.** TOUT, TOUTE À (employé en apposition). *Elle était toute à son travail,* entièrement absorbée par son travail. TOUT, TOUTE EN, DE : entièrement fait(e) de... *Une vie toute de soucis et de malheurs. Une robe toute en soie.* Habillée

toute en noir. — REM. Dans *elle est tout en noir, tout* est adverbe (→ ci-dessous, IV). **II.** Adj. indéf. **1.** TOUS [tu], TOUTES (toujours pluriel) : l'ensemble, la totalité de, sans excepter une unité. — Le plus grand nombre de. *Tous les hommes.* / contr. **aucun, nul** / *Tous les moyens sont bons. Tous les élèves sont là. Nous partirons tous les quatre dès le matin. Toutes les fois que..., chaque fois. Je les aime tous les deux. Dans tous les sens.* — (Devant un nom sans article) *Toutes sortes de choses. Avoir tous pouvoirs sur qqn. Tous deux, tous trois ont tort.* REM. La série ne va pas au-delà de *tous quatre.* — *C'est* TOUT UN : la même chose. — *Tous, toutes* + nom (sans article) et participe ou adjectif. *La voiture roulait tous feux éteints. Toutes proportions gardées. Il nous a tous trompés.* — (Précédé d'une préposition) *En tous lieux. À toutes jambes. En toutes lettres.* **2.** TOUS [tu], TOUTES (pluriel de *chaque*) : marquant la périodicité, l'intervalle. *Un anniversaire fêté tous les ans,* une fois par an, chaque année. *Il travaille tous les jours.* Loc. fam. *Tous les trente-six du mois,* jamais. — *Tous les combien ? Toutes les dix minutes,* à chaque instant. **3.** TOUT, TOUTE (singulier, + nom sans article) : un quelconque, n'importe quel ; un individu pris au hasard. *Tout homme qui se présentera... Toute personne.* ⇒ **quiconque.** PROV. *Toute vérité n'est pas bonne à dire.* — (Avec préposition) *À tout moment. À tout hasard. En toute saison. À tout prix. De tout côté. En tout cas.* ⇒ **cas.** *Avant toute chose,* avant tout, plus que tout. — Loc. *Tout un chacun,* chaque homme, tout le monde. — TOUT(E) AUTRE... *Toute autre qu'elle aurait accepté.* **III.** Pronom TOUT ; TOUS [tus], TOUTES. **1.** TOUS, TOUTES (pluriel) : représentant un ou plusieurs noms, pronoms, exprimés avant. *Nous mourrons tous. Ce sont tous des voleurs. La première, la dernière de toutes. Tous ensemble. Regardez tous ! Nous tous. Tous autant que nous sommes.* **2.** TOUS, TOUTES (en emploi nominal) : tous les hommes, tout le monde ou une collectivité entière. *Tous furent tués. Il s'insurge contre tous. Il les méprise toutes. Tous ont approuvé cette décision. Nous avons tous nos défauts. Ils parlaient tous en même temps.* — *Eux tous, nous tous.* **3.** TOUT (masc. sing.), pronom ou nominal : l'ensemble des choses dont il est question. *Le temps efface tout,* toutes choses. *Il sait tout.* / contr. **rien** / *Tout va bien. Tout est fini.* Loc. prov. *Tout est bien qui finit bien,* ce qui finit bien peut être considéré comme entièrement bon, heureux (malgré les difficultés passagères). — *Tout est là,* là réside le problème. — *À tout prendre,* tout bien considéré. *Pour tout dire,* en somme. — TOUT : résumant une série de termes. *Ses amis, ses enfants, son travail, tout l'exaspère.* — TOUT, attribut. *Être tout pour qqn,* avoir une extrême importance. — C'EST TOUT : marque la fin d'une énumération ou d'une déclaration catégorique. *Et c'est tout. Ce sera tout pour aujourd'hui. Un point, c'est tout.* — *Ce n'est pas tout,* il reste encore qqch. — *Ce n'est pas tout de..., que de..., ce n'est pas assez.* Fam. *Ce n'est pas tout de s'amuser,* il y a autre chose à faire. — VOILÀ TOUT (pour marquer que ce qui est fini, borné, n'était pas très important). *Il est malade ? Il a trop mangé, voilà tout.* — *Avant tout. Par-dessus tout* (⇒ **surtout**). COMME TOUT : extrêmement. *Elle est gentille comme tout.* — EN TOUT : complètement. *Une histoire conforme en tout à la réalité.* — Au total. *Cela fait cinq cents francs en tout. Il y avait en tout et pour tout trois personnes.* **4.** TOUT DE... *Il ignore tout de cette affaire, de vous.* — Fam. *Avoir tout de...,* avoir toutes les qualités, les caractéristiques de... *Elle avait tout d'une mère.* **IV.** Adv. TOUT (parfois TOUTE, TOUTES) : entièrement, complètement ; d'une manière absolue, intégrale (⇒ **absolument, bien, exactement, extrêmement**). **1.** Devant quelques adjectifs, des participes présents et passés. — REM. Sur l'accord de TOUT : 1) *Tout*, est invariable au masculin, et devant les adj. fém. commençant par une voyelle ou un h « muet ». *Il est tout jeune. Tout émue. Ils sont tout étonnés. Tout enfant, elle apprit la danse. Une fille tout humble. Tout entière.* 2) *Tout* est variable en genre et en nombre devant les adj. fém. commençant par une consonne, ou par un h « aspiré ». *Toute belle. Elles sont toutes contentes. Elle est toute honteuse.* — TOUT AUTRE : complètement différent. *C'est une tout autre affaire. Le tout premier, la toute première,* celui, celle qui est exactement le premier. *Les toutes premières pages d'un livre.* — TOUT... QUE... : exprime la concession. *Tout riches qu'ils sont, toutes riches qu'elles sont...,* bien que riches. (+ subjonctif) *Tout intelligente qu'elle soit, elle s'est trompée.* 2. TOUT, invariable, devant une préposition, un adverbe. *Elle est habillée tout en noir.* — REM. Dans *toute en noir, tout* est adj. : → ci-dessus (I, 3). *Elle était tout en larmes. Elle était tout à son travail. Parlez tout bas. J'habite tout près. Tout autrement. Tout autant. Tout récemment.* — *Tout à coup.* ⇒ **coup.** — *Tout à l'heure.* ⇒ **heure.** *Tout au plus,* au plus, au maximum. — *Tout d'abord. C'est tout le contraire.* 3. TOUT À FAIT [tutafɛ] ⇒ **entièrement, totalement.** *Ce n'est pas tout à fait pareil.* ⇒ **exactement.** 4. TOUT EN... (+ part. prés.) : marque la simultanéité. *Il chante tout en travaillant.* 5. TOUT, invariable pour renforcer un nom épithète ou attribut. *Je suis tout ouïe. Elle est tout yeux tout oreilles. Un tissu tout laine,* pure laine. ▶ *tout-à-l'égout* [tutalegu] n. m. invar. ■ Système de vidange qui consiste à envoyer directement à l'égout les eaux ménagères, résiduelles, les matières fécales. ▶ *tout-fou* [tufu] adj. m. et n. ■ Fam. Très excité, un peu fou. *Ils sont tout-fous.* ▶ *tout-petit* [tup(ə)ti] n. m. ■ Très jeune enfant ; bébé. *Les tout-petits.* ▶ *tout-puissant, toute-puissante* [tupɥisɑ̃ ; tutpɥisɑ̃t] adj. 1. Qui peut tout, dont la puissance est absolue, illimitée. ⇒ **omnipotent.** *Dieu est tout-puissant.* — *Un lien tout-puissant lie les unit. Des dictateurs tout-puissants. Elles sont toutes-puissantes.* 2. N. m. (Avec une majuscule) *Le Tout-Puissant,* Dieu. ▶ *toute-puissance* n. f. ■ Puissance absolue. ▶ *tout-venant* [tuvnɑ̃] n. m. ■ Tout ce qui se présente (sans triage, sans classement préalable). *Le tout-venant.* ⟨ ▶ brise-tout, fait-tout, fourre-tout, tout de go, mangetout, partout, risquetout, surtout, touche-à-tout, toujours, Toussaint, ② tout, toutefois, va-tout ⟩

② *tout,* plur. *touts* [tu] n. m. I. 1. LE TOUT : l'ensemble dont les éléments viennent d'être désignés. ⇒ **totalité.** *Vendez le tout. Risquer le tout pour le tout,* risquer de tout perdre pour pouvoir tout gagner. *Les touts et leurs parties.* 2. UN, LE TOUT : l'ensemble des choses dont on parle ; l'unité qu'elles forment. *Le tout et la partie. Ces divers éléments forment un tout.* — *Le tout d'une charade,* le mot cherché. 3. LE TOUT : ce qu'il y a de plus important. *Le tout est d'être attentif.* Fam. *Ce n'est pas le tout de rigoler,* ça ne suffit pas. II. Loc. adv. 1. DU TOUT AU TOUT : complètement, en parlant d'un changement (toutes les circonstances envisagées étant modifiées en leurs inverses). *Changer du tout au tout.* 2. PAS DU TOUT : absolument pas. *Il ne fait pas froid du tout. Plus du tout. Rien du tout,* absolument rien. — Ellipt. « *Vous y croyez, vous ? — Du tout.* »

toutefois [tutfwa] adv. ■ En considérant toutes les raisons, toutes les circonstances (qui pourraient s'opposer), et malgré elles. ⇒ **cependant, néanmoins, pourtant.** *Ce n'est pas grave, toutefois soignez-vous. Si toutefois vous vous décidez...*

toutou [tutu] n. m. ■ Lang. enfantin ou affectif. Chien, spécialt bon chien, chien fidèle. *Des gros toutous. Oh ! le joli toutou !*

toux [tu] n. f. invar. ■ Bruit produit par une expiration forcée (à travers la glotte rétrécie), souvent à cause d'une irritation des muqueuses de la gorge. *Accès, quinte de toux. Une toux sèche, grasse* (⇒ **tousser**). *Petite toux discrète.* ⇒ **toussotement.** ⟨ ▶ tousser ⟩

toxico- ■ Élément savant signifiant « poison ». ▶ *toxicologie* [tɔksikɔlɔʒi] n. f. ■ Étude scientifique des poisons. ▶ *toxicologique* adj. ▶ *toxicomanie* n. f. ■ Goût et besoin morbides, prolongés et tyranniques, pour des substances ou des médicaments toxiques (opium, cocaïne, haschisch, hypnotiques), créant un état de dépendance psychique et physique. ⇒ **intoxication.** ▶ *toxicomane* adj. et n. ■ Qui souffre de toxicomanie. ⇒ **drogué, intoxiqué.** ⟨ ▶ désintoxiquer, intoxiquer, toxine ⟩

toxine [tɔksin] n. f. ■ Poison soluble sécrété par les bactéries, qui pénètre dans le sang et se fixe sur un tissu ou un organe où il produit des lésions ou des troubles fonctionnels. *Élimination des toxines par le foie.* ▶ *toxique* [tɔksik] n. m. et adj. 1. N. m. Poison. *Les toxiques contenus dans les venins de serpents.* 2. Adj. Qui agit comme un poison. *Gaz toxiques.* ▶ *délétère.* ▶ *toxicité* n. f. ■ Caractère toxique. ⟨ ▶ antitoxine ⟩

T.P. [tepe] n. m. pl. ■ Abréviation de *travaux pratiques. Les T.P. de chimie.*

trac [tʀak] n. m. ■ Peur ou angoisse que l'on ressent avant d'affronter le public, de subir une épreuve, d'exécuter une résolution. *Ce comédien a le trac avant chaque représentation.*

tracasser [tʀakase] v. tr. . conjug. 1. ■ (Suj. chose) Tourmenter avec insistance, physiquement ou moralement, de façon agaçante. ⇒ **obséder.** *Ses ennuis d'argent le tracassent.* — (Suj. personne) *Je ne me laisserai pas tracasser par mon patron.* ⇒ **agacer, énerver, ennuyer.** — SE TRACASSER v. pron. réfl. : s'inquiéter. *Ne vous tracassez pas.* ▶ *tracas* [tʀaka] n. m. invar. ■ Souci ou dérangement causé par des préoccupations d'ordre matériel. ⇒ **difficulté, ennui.** *Les tracas du ménage. Se donner bien du tracas,* donner du souci, du mal. ▶ *tracasserie* n. f. ■ Ce qui tracasse. — Difficulté ou ennui qu'on suscite à qqn dans un esprit de chicane et de vexation mesquine. *Les tracasseries de l'administration.* ▶ *tracassier, ière* adj. ■ Qui se plaît à tracasser les gens. *Un patron tracassier.*

trace [tʀas] n. f. 1. Empreinte ou suite d'empreintes, de marques, que laisse le passage d'un être ou d'un objet. *Des traces de pas sur la neige. Suivre, perdre la trace d'un fugitif.* ⇒ **piste.** — *Suivre qqn, un animal à la trace,* suivre ses traces. 2. Loc. fig. *Suivre les traces, marcher sur les traces de qqn,* suivre son exemple. 3. Marque. *Un visage qui porte les traces d'une longue fatigue. Des traces de sang, d'encre.* ⇒ **tache.** 4. Ce à quoi on reconnaît que qqch. a existé, ce qui subsiste d'une chose passée. ⇒ **reste, vestige.** *Retrouver des traces d'une civilisation disparue.* 5. Très petite quantité perceptible. *L'autopsie a révélé des traces de poison.*

tracer [tʀase] v. tr. . conjug. 3. 1. Mener (une ligne) dans une direction ; former, dessiner (qqch.) en faisant plusieurs traits. *Tracer des cercles, une droite, un trait* (⇒ **tirer**). *Tracer le plan d'une ville.* — Former par les traits de l'écriture. *Tracer des lettres.* 2. Indiquer et ouvrir plus ou moins (un chemin) en faisant une trace. ⇒ **frayer.** *Tracer une route.* — Loc. *Tracer le chemin, la voie,* indiquer la route à suivre, donner l'exemple. ▶ *traçant, ante* adj. 1. Botanique. *Racine traçante,* horizontale. 2. *Balle traçante,* qui laisse derrière elle une trace lumineuse. ▶ *tracé* n. m.

1. Ensemble des lignes constituant le plan d'un ouvrage à exécuter. ⇒ **graphique, plan.** *Faire le tracé d'une route.* **2.** Contours d'un dessin au trait, d'une écriture. ⇒ **graphisme.** *Le tracé d'une côte.* ‹ ▶ retracer, trace ›

trachée [tʀaʃe] n. f. ■ Portion du conduit respiratoire comprise entre l'extrémité inférieure du larynx et l'origine des bronches. ▶ *trachée-artère* [tʀaʃeaʀtɛʀ] n. f. ■ Trachée. *Des trachées-artères.* ▶ *trachéite* [tʀakeit] n. f. ■ Inflammation de la trachée, généralement liée à la laryngite ou à la bronchite. ▶ *trachéotomie* [tʀakeɔtɔmi] n. f. ■ Incision chirurgicale de la trachée, destinée à rétablir le passage de l'air en cas d'obstruction.

tract [tʀakt] n. m. ■ Petite feuille ou brochure de propagande. *Distribuer des tracts.*

tractation [tʀaktasjɔ̃] n. f. ■ Péj. Surtout au plur. Négociation à caractère semi-clandestin, où interviennent des manœuvres et des marchandages. *L'affaire se préparait dans les coulisses par diverses tractations.* ⇒ fam. **combine, magouille.** *Distribuer des tracts.*

tracter [tʀakte] v. tr. ■ conjug. 1. ■ Tirer par un tracteur, un véhicule à moteur. — Au p. p. adj. *Engins tractés.* ▶ *tracteur* n. m. ■ Véhicule automobile destiné à tirer des instruments et machines agricoles, etc. — REM. Le radical de ce verbe est présent dans plusieurs familles de mots *(traction ; abstraction, attraction, contracter, détracteur, extraction, rétracter, soustraction).*

traction [tʀaksjɔ̃] n. f. **1.** Terme technique. Action de tirer ① en tendant, en étendant ; la force qui en résulte. *Résistance des matériaux à la traction.* **2.** Mouvement de gymnastique consistant à tirer le corps (suspendu), en amenant les épaules à la hauteur des mains, ou à relever le corps (étendu à plat ventre) en tendant et raidissant les bras. *Faire des tractions pour développer ses biceps.* **3.** Action de traîner, d'entraîner. ⇒ **remorquage.** *La traction animale. La traction électrique.* ⇒ **locomotion. 4.** TRACTION AVANT, ARRIÈRE : qui commande les roues avant ou arrière d'une automobile. — *Ces deux types d'automobile. Acheter une traction avant. Des tractions avant, arrière.*

tradition [tʀadisjɔ̃] n. f. **1.** LA TRADITION : transmission à travers les siècles des coutumes, des opinions, usages, etc., par la parole ou l'exemple. *La tradition juive, cartésienne. Une longue tradition artistique. Sociétés sans écritures, de tradition* (ou à *tradition*) *orale.* **2.** Ensemble des notions relatives au passé, ainsi transmises de génération en génération. *Des traditions millénaires. Les traditions populaires.* ⇒ **folklore. 3.** Manière de penser, de faire, d'agir, qui est un héritage du passé. ⇒ **coutume, habitude.** *Il reste attaché aux traditions de sa famille. Les traditions culinaires. Les traditions académiques en peinture. Fidèle à la tradition. Dans la tradition.* ▶ *traditionnel, elle* adj. **1.** Qui est fondé sur la tradition, correspond à une tradition (religieuse, politique, etc.). ⇒ **orthodoxe.** *Des conceptions traditionnelles.* ⇒ **classique.** *Fêtes, musique, costume traditionnels.* / contr. **nouveau, révolutionnaire** / **2.** (Objet concret ; avant le nom) D'un usage ancien et familier, consacré par la tradition. ⇒ **habituel.** *La traditionnelle robe de mariée.* ▶ *traditionalisme* n. m. ■ Attachement aux idées, aux notions, aux coutumes et aux techniques traditionnelles. ⇒ **conformisme.** ▶ *traditionaliste* adj. et n. ■ Propre au traditionalisme ; partisan du traditionalisme. ⇒ **conservateur.** *Un professeur traditionaliste.* ▶ *traditionnellement* adv. ■ Selon une tradition. ⇒ **rituellement.** *Une cérémonie traditionnellement célébrée à telle date.*

traduction [tʀadyksjɔ̃] n. f. **1.** Action, manière de traduire. *Traduction fidèle, littérale. Faire une traduction* (⇒ **thème, version**). *Traduction libre.* ⇒ **adaptation.** *Traduction* (écrite) *et interprétation.* — *Traduction automatique,* opérée par des machines électroniques. *Traduction assistée par ordinateur. Aide à la traduction.* **2.** Texte ou ouvrage traduit. *Se référer à une traduction de Shakespeare.* ▶ *traducteur, trice* n. ■ Auteur d'une traduction. *C'est le traducteur en français de Kafka.* — Personne capable de traduire ; professionnel de la traduction. *Le métier de traducteur.* — *Traducteur-interprète,* professionnel chargé de traduire des textes oralement et par écrit.

① *traduire* [tʀadyiʀ] v. tr. ■ conjug. 38. — REM. Part. passé *traduit(e).* **1.** (Suj. personne) Faire que ce qui était énoncé dans une langue le soit dans une autre, en tendant à l'équivalence de sens et de valeur des deux énoncés. *Traduire un texte russe en français.* — Au p. p. adj. *Un poème traduit de l'anglais. Un roman bien traduit.* **2.** Exprimer, de façon plus ou moins directe, en utilisant les moyens du langage ou d'un art. *Il ne sait pas traduire ses émotions en paroles. Les mots qui traduisent notre pensée.* **3.** (Suj. chose) Manifester aux yeux d'un observateur (un enchaînement, un rapport). *Les troubles politiques traduisent une crise économique.* — *La haine qui se traduisait sur son visage,* se manifestait. ▶ *traduisible* adj. ■ *Ce jeu de mots n'est guère traduisible.* / contr. **intraduisible** / ‹ ▶ intraduisible, traduction ›

② *traduire* v. tr. ■ conjug. 38. — REM. Part. passé *traduit(e).* ■ Citer, déférer. ⇒ faire **passer.** *Traduire qqn en justice.*

① *trafic* [tʀafik] n. m. **1.** Mouvement général des trains, des véhicules. *Le trafic maritime, routier, aérien.* **2.** Anglic. Circulation routière. *Il y a un trafic intense sur l'autoroute.*

② *trafic* n. m. ■ Péj. Commerce plus ou moins clandestin, honteux et illicite. *Trafic d'armes, de stupéfiants. Faire du trafic.* — *Trafic d'influence,* d'une personne qui use de son influence en faveur de qui la paie. ⇒ **corruption, malversation.**

trafiquer [tʀafike] v. ■ conjug. 1. **1.** V. tr. Faire du trafic ②, acheter et vendre (en réalisant des profits illicites). *Trafiquer les métaux précieux.* — Sans compl. *Il a trafiqué pendant la guerre.* **2.** V. tr. Fam. Modifier (un objet, un produit), en vue de tromper sur la marchandise. ⇒ **falsifier.** *Trafiquer un vin.* ⇒ **frelater.** *Le moteur de cette voiture a été trafiqué.* **3.** V. tr. Fam. Faire (qqch. de mystérieux), intriguer. *Qu'est-ce que tu es en train de trafiquer ?* ⇒ **fabriquer.** ▶ *trafiquant, ante* n. ■ Péj. Personne qui trafique. *Des trafiquants d'armes, de drogue.* ▶ *traficoter* v. intr. ■ conjug. 1. ■ Fam. Faire un petit trafic. ⇒ **trafiquer.** ‹ ▶ ② trafic ›

tragédie [tʀaʒedi] n. f. **1.** Œuvre dramatique en vers, représentant des personnages illustres aux prises avec un destin exceptionnel et malheureux ; genre de ce type de pièce. / contr. **comédie** / ≠ drame. *Les tragédies grecques. Les tragédies de Corneille, de Racine.* **2.** Événement ou ensemble d'événements tragiques. *Sa vie est une véritable tragédie.* ⇒ **drame** ; **tragique** (2). ▶ *tragédien, enne* n. ■ Acteur, actrice qui joue spécialement les rôles tragiques (tragédies et drames).

tragi-comédie [tʀaʒikɔmedi] n. f. **1.** Tragédie dont l'action est romanesque et le dénouement heureux (ex. : *le Cid*). *Des tragi-comédies.* **2.** Événement, situation où le comique se mêle au tragique. ▶ *tragi-comique* adj. **1.** Qui appartient à la tragi-comédie. **2.** Où le tragique et le comique se mêlent. *Une aventure tragi-comique.*

tragique [tʀaʒik] adj. **1.** De la tragédie ; qui évoque une situation où l'homme prend douloureusement conscience d'un destin ou d'une fatalité. *Pièce tragique. Auteur tragique.* — *La fatalité tragique.* — N. m. *Le tragique et le comique.* — *Les tragiques grecs,* les auteurs de tragédies de la Grèce antique (Eschyle, Sophocle, Euripide). **2.** Qui inspire une émotion intense, par un caractère effrayant ou funeste. ⇒ **dramatique, émouvant, terrible.** *Actuellement, il est dans une situation tragique. Il a eu une fin tragique. Les événements tragiques qui ont ensanglanté le pays.* — Fam. *Ce n'est pas tragique,* ce n'est pas bien grave. — N. m. *Prendre une chose au tragique,* s'en alarmer à l'excès. — (Choses) *Tourner au tragique,* prendre une tournure tragique. ▸ *tragiquement* adv. ■ *Il est mort tragiquement,* dans des circonstances tragiques. ⇒ **dramatiquement.** ⟨ ▸ tragi-comédie ⟩

trahir [tʀaiʀ] v. tr. ▪ conjug. 2. **1.** Cesser d'être fidèle à (qqn, une cause...) ; abandonner qqn, ou le livrer. *Trahir un ami. Trahir ses complices.* ⇒ **dénoncer.** *Trahir sa patrie.* — Sans compl. *Un soldat qui trahit.* ⇒ **déserter.** — *Trahir la confiance de qqn.* — (Suj. chose) Desservir par son caractère révélateur. *Sa voix l'a trahi.* **2.** (Suj. chose) Lâcher, cesser de seconder. *Ses forces le trahissent.* — Exprimer infidèlement. *Les mots trahissent notre pensée.* **3.** Livrer (un secret). ⇒ **divulguer, révéler.** *Trahir un secret.* — Être le signe, l'indice... (d'une chose peu évidente ou dissimulée). ⇒ **révéler.** *L'expression de son visage trahissait sa jalousie, son émotion.* **4.** SE TRAHIR v. pron. réfl. : laisser apparaître, laisser échapper ce qu'on voulait cacher. *Il s'est trahi par cette question.* ⇒ **se démasquer.** — Se manifester, se révéler. *Sa faiblesse s'est trahie en cette occasion.* ▸ *trahison* [tʀaizɔ̃] n. f. **1.** Crime d'une personne qui trahit, qui passe à l'ennemi. ⇒ **défection, désertion, traîtrise ; traître.** — HAUTE TRAHISON : intelligence (entente) avec une puissance étrangère ou ennemie, en vue de nuire à sa patrie (crime). **2.** Action de manquer au devoir de fidélité.

① *train* [tʀɛ̃] n. m. **I. 1.** La locomotive et l'ensemble des wagons et voitures qu'elle traîne. ⇒ **convoi, rame.** *Le train de Paris,* qui va à Paris, ou qui vient de Paris. *Train omnibus, rapide. Train à grande vitesse.* ⇒ **T.G.V.** (en France). *Train de marchandises. Prendre le train. Avoir, manquer son train.* — Loc. Abstrait. *Prendre le train en marche,* s'associer à une action déjà en cours. *Un train peut en cacher un autre. Train miniature* (jouet). *Un train électrique.* **2.** Moyen de transport par rail. ⇒ **chemin de fer.** *Voyager par le train. Préférer le train à la voiture.* **3.** File de choses traînées ou entraînées. *Un train de péniches.* **II. 1.** Suite ou ensemble de choses semblables qui fonctionnent en même temps. — *Train de pneus,* ensemble de pneus neufs d'une automobile. **2.** *Train des équipages,* matériel de transport des unités non autonomes de l'armée ; sans compl. (avec une majuscule) *le Train.* **III.** Partie qui porte le corps d'une voiture et à laquelle sont attachées les roues. *Le train avant, arrière d'une automobile.* — TRAIN D'ATTERRISSAGE : parties d'un avion (roues) destinées à être en contact avec le sol. ⟨ ▸ aérotrain, T.G.V., turbotrain ⟩

② *train* n. m. **1.** TRAIN D'AVANT, DE DERRIÈRE : partie de devant ⇒ **avant-train,** de derrière ⇒ **arrière-train** des animaux de trait, des quadrupèdes. **2.** Fam. Derrière. *Je vais te botter le train ! Se manier le train. Filer le train à qqn,* le suivre de près. ⟨ ▸ arrière-train, avant-train ⟩

③ *train* n. m. **1.** Dans des loc. Manière d'aller, d'évoluer, marche (des choses). *Du train où vont les choses,* si les choses continuent comme cela. *Aller son*

train, continuer de la même manière. ⇒ suivre son cours. **2.** TRAIN DE VIE : manière de vivre, relativement aux dépenses de la vie courante que permet la situation des gens. — *Train de maison,* domesticité, dépenses d'une maison. *Mener* GRAND TRAIN : vivre dans le luxe. **3.** Allure du cheval, d'une monture, d'un véhicule ou d'un coureur, d'un marcheur. *Accélérer le train,* aller plus vite. Loc. *Aller* À FOND DE TRAIN : très vite. **4.** EN TRAIN loc. adv. : en mouvement, en action ou en humeur d'agir. ≠ **entrain.** *Je ne suis pas en train,* je ne me sens pas bien disposé, je ne suis pas en forme. — (Choses) *Mettre un travail en train,* commencer à l'exécuter. ⇒ en **chantier.** *Mise en train,* début d'exécution. *Surveiller la mise en train de la chauffeuse.* **5.** EN TRAIN DE loc. prép. : marque l'action en cours. *Il est en train de travailler,* il travaille en ce moment. ⟨ ▸ boute-en-train, entrain, train-train ⟩

traîner [tʀene] v. ▪ conjug. 1. **I.** V. tr. **1.** Tirer après soi ; déplacer en tirant derrière soi sans soulever. *Traîner une charge sur un traîneau.* ⇒ **tirer.** *Action de traîner.* ⇒ **traction** (3). *Il traîne une chaise près de moi. Traîner un corps, une personne évanouie par terre.* / contr. **pousser** / — *Traîner la jambe, la patte,* avoir de la difficulté à marcher. *Traîner les pieds,* marcher sans soulever les pieds du sol. **2.** Forcer (qqn) à aller (quelque part). *Il la traîne à des réunions fastidieuses.* **3.** Amener, avoir partout avec soi par nécessité (les gens ou les choses dont on voudrait pouvoir se libérer). ⇒ **trimbaler.** *Elle est obligée de traîner partout ses enfants.* — Supporter (une chose pénible qui se prolonge). *Elle traîne cette maladie depuis des années.* **4.** Faire durer, faire se prolonger. *Traîner les choses en longueur.* **II.** V. intr. **1.** (Suj. chose) Pendre à terre en balayant le sol. *Vos lacets traînent par terre.* **2.** Être posé ou laissé sans être rangé. *Des vêtements qui traînent sur une chaise. Ne laisse pas traîner ton argent.* **3.** Abstrait. Se trouver, subsister. *Les vieilles notions qui traînent dans les livres scolaires. Ça traîne partout,* c'est usé, rebattu. **4.** Durer trop longtemps, ne pas finir. *Négociations, réunion qui traînent en longueur.* ⇒ s'**éterniser.** *Ça n'a pas traîné !,* ç'a été vite fait. ⇒ **tarder.** *Faire traîner qqch.* / contr. **expédier** / **5.** Émettre des sons anormalement lents et bas. *Une voix qui traîne* (⇒ **traînant). 6.** (Suj. personne) Aller trop lentement, s'attarder. *Ne traîne pas en rentrant de l'école.* — Agir trop lentement. *Le travail presse, il ne s'agit plus de traîner.* ⇒ **lambiner. 7.** Péj. Aller sans but ou rester longtemps (en un lieu peu recommandable ou peu intéressant). ⇒ **errer, vagabonder.** *Traîner dans les rues.* **III.** V. pron. réfl. **1.** Avancer, marcher avec peine (par infirmité, maladie, fatigue). *Elle se traîne de son lit au fauteuil. Il ne peut plus se traîner. Se traîner à une réunion,* y aller à contrecœur. **2.** Avancer à plat ventre ou à genoux. *Arrête de te traîner par terre !* **3.** S'étirer en longueur dans le temps. *Une conversation, une réunion qui se traîne.* ⇒ s'**éterniser.** ▸ *traînailler* ou *traînasser* v. intr. ▪ conjug. 1. ■ Traîner, être trop long (à faire qqch.). ⇒ **lambiner.** — Errer inoccupé. *Traînasser dans les cafés.* ▸ *traînant, ante* adj. ■ (Voix) Trop lent, qui traîne (II, 5). *Un accent traînant.* ▸ *traînard, arde* n. **1.** Personne qui traîne, reste en arrière d'un groupe en marche. ▸ Personne trop lente dans son travail. ⇒ **lambin.** ▸ ① *à la traîne* loc. adv. **1.** En arrière d'un groupe de personnes qui avance. *Il est toujours à la traîne.* **2.** En désordre (comme ce qui traîne à l'abandon). *Des vêtements à la traîne sur une chaise.* ▸ ② *traîne* n. f. ■ Bas d'un vêtement qui traîne à terre derrière une personne qui marche. ⇒ **queue.** *Robe de mariée à traîne.* ▸ *traîneau* n. m. ■ Voiture à patins que l'on traîne (ou pousse) sur la neige. ⇒ **luge, troïka.** *Un traîneau tiré par des chevaux. Les traîneaux à* chiens du Grand Nord. ▶ *traînée* n. f. **1.** Longue trace laissée sur le sol ou sur une surface par une substance répandue. *Des traînées de sang.* **2.** Loc. *Se répandre comme une* TRAÎNÉE DE POUDRE : (se dit d'une nouvelle, etc.) très rapidement, de proche en proche. **3.** Ce qui suit un corps en mouvement et semble émaner de lui. *La traînée lumineuse d'une comète.* — Bande allongée. *Des traînées rouges dans le ciel.* ⟨ ▶ ① entraîner, ① train ⟩

training [tʀɛniŋ] n. m. ■ Anglic. Survêtement muni d'une capuche. *Des trainings.*

train-train [tʀɛ̃tʀɛ̃] n. m. invar. ■ Marche régulière (⇒ ③ **train**) sans imprévu. ⇒ **routine.** *Le train-train de la vie quotidienne.*

traire [tʀɛʀ] v. tr. ■ conjug. 50. ■ Tirer le lait de (la femelle de certains animaux domestiques) en pressant le pis ou mécaniquement. *Traire une vache* (⇒ ④ **traite**). — Par extension. *Traire le lait.* — REM. *Traire* voulait dire « tirer » ; d'où ①, ②, ③ **trait**, ①, ②, ③ **traite**, **trait d'union**, et aussi *abstraire, distraire, extraire, retrait, retraite, soustraire.* ⟨ ▶ ④ **traite**, **trayeuse** ⟩

① *trait* [tʀɛ] n. m. **I. 1.** *Dessin* AU TRAIT : fait en dessinant, en tirant ① une ligne ou un ensemble de lignes. — *Esquisser* À GRANDS TRAITS : en traçant rapidement les lignes principales. — *Décrire, raconter à grands traits,* sans entrer dans le détail. **2.** Ligne droite ou courbe surtout quand on la forme sans lever l'instrument. *Faire, tirer ①, tracer un trait. Petit trait pour relier les éléments d'un mot composé.* ⇒ **trait d'union.** *Copier, reproduire trait pour trait,* avec une parfaite exactitude. **3.** Au plur. Les lignes caractéristiques du visage. ⇒ **physionomie.** *Il a les traits réguliers. Les traits tirés par la fatigue.* **II. 1.** TRAIT DE... : acte, fait qui constitue une marque, un signe (d'une qualité, d'une capacité). *Un trait de bravoure. Un trait d'esprit,* une parole, une remarque vive et spirituelle. *Trait de génie.* **2.** Loc. verb. AVOIR TRAIT À (suj. chose) : se rapporter à, concerner. *Tout ce qui a trait à cette période de notre histoire.* **3.** Élément caractéristique qui permet d'identifier, de reconnaître. ⇒ **caractère, caractéristique.** *Les traits dominants d'une œuvre. Trait de caractère.* ⟨ ▶ trait d'union ⟩

② *trait* n. m. **I. 1.** Projectile lancé, tiré ③ à la main (javelot, lance). — Loc. *Filer, partir comme un trait,* comme une flèche. **2.** Littér. Acte ou parole qui manifeste un esprit malveillant. ⇒ **flèche, sarcasme.** *Les traits de la satire. Décocher un trait à qqn.* **II.** (En loc.) *Boire d'un trait, d'un seul trait,* en une seule fois, d'un seul coup. *Boire à longs traits,* à grandes gorgées. — *Il dormit jusqu'à midi d'un seul trait,* d'une seule traite.

③ *trait* n. m. **1.** *Bête, animal* DE TRAIT : destiné à tirer ① des voitures. *Cheval de trait* (opposé à *de selle*). **2.** Corde servant à tirer les voitures. *Les traits d'un attelage.*

traitable [tʀɛtabl] adj. ■ Littér. Accommodant. *J'espère que mon créancier sera plus traitable que les vôtres.* / contr. **intraitable** / ⟨ ▶ intraitable ⟩

traitant [tʀɛtɑ̃] adj. m. ■ (Médecin) Qui traite les malades d'une manière suivie. *Aller chez son médecin traitant.*

trait d'union [tʀɛdynjɔ̃] n. m. **1.** Signe en forme de petit trait horizontal, servant de liaison entre les éléments de certains composés (ex. : *arc-en-ciel*), entre le verbe et le pronom placé après (ex. : *crois-tu ?, prends-le*). *Des traits d'union.* **2.** Personne, chose qui sert d'intermédiaire, entre deux êtres ou objets.

① *traite* [tʀɛt] n. f. ■ Ancient. *La traite des esclaves, des Noirs,* le fait d'en faire commerce comme des marchandises, en les transportant de force hors d'Afrique. — *Traite des Blanches,* entraînement ou détournement de femmes blanches en vue de la prostitution.

② *traite* n. f. ■ Billet, écrit par lequel un créancier oblige son débiteur à payer ce qu'il doit à une certaine date. ⇒ **lettre** de change. *Tirer, payer une traite. Il a plusieurs traites à payer.*

③ *traite* n. f. **1.** Trajet effectué sans s'arrêter. ⇒ **chemin, parcours.** *Il nous reste à faire une longue traite.* **2.** Loc. D'UNE *(seule)* TRAITE : sans interruption. *Il a fait ce long voyage d'une seule traite.* ⇒ ② **trait** (II).

④ *traite* n. f. ■ Action de traire (les vaches, les femelles d'animaux domestiques).

traité [tʀete] n. m. **I.** Ouvrage didactique, où un sujet est exposé d'une manière systématique. ⇒ **cours, manuel.** *Un traité d'algèbre. Un traité d'économie politique.* **II.** Acte juridique par lequel des gouvernements d'États établissent des règles et des décisions. ⇒ **pacte.** *Les clauses d'un traité. Conclure, ratifier un traité de paix.*

traiter [tʀete] v. ■ conjug. 1. **I.** V. tr. (Compl. personne) **1.** Agir, se conduire envers (qqn) de telle ou telle manière. *Traiter qqn très mal.* ⇒ **maltraiter.** *Il nous traite comme des subalternes. Traiter qqn d'égal à égal. Il la traite en gamine,* comme une gamine. *Traiter durement ses enfants.* **2.** Littér. Convier ou recevoir (qqn) à sa table. *Traiter qqn en lui offrant un bon repas* (⇒ **traiteur**). **3.** Soumettre (qqn) à un traitement médical. *Le médecin qui le traite.* ⇒ **soigner ; traitement.** **4.** TRAITER *qqn* DE... : qualifier (qqn) de tel ou tel mot péjoratif. *Il l'a traité d'imbécile. Elle l'a traité de tous les noms* (injurieux). **II.** V. tr. (Compl. chose) **1.** Régler (une affaire) en discutant, en négociant. *Traiter un marché.* **2.** Soumettre (une substance) à diverses opérations de manière à la modifier. *On traite le pétrole brut dans les raffineries pour obtenir de l'essence.* — Au p. p. adj. *Acier traité.* — Soumettre (des cultures) à l'action de produits. — Au p. p. adj. *Oranges non traitées.* **3.** Soumettre (un objet) à la pensée en vue d'étudier, d'exposer. ⇒ **examiner.** *Traiter une question. L'élève n'a pas traité le sujet.* **III.** V. tr. intr. **1.** TRAITER DE (surtout suj. chose) : avoir pour objet. *Un livre qui traite des questions sociales.* ⇒ **parler.** **2.** (Suj. personne) Entrer en pourparlers, pour régler une affaire, conclure un marché. ⇒ **traité.** *Je ne peux pas traiter avec vous. Les nations qui traitent entre elles.* ⇒ **négocier, parlementer.** ▶ *traitement* n. m. **I. 1.** Comportement à l'égard de qqn ; actes traduisant ce comportement. *Un traitement de faveur. Mauvais traitements,* coups, sévices. **2.** Manière de soigner (un malade, une maladie), ensemble des moyens employés pour guérir. *Suivre un traitement. Prescrire un traitement.* ⇒ **médication.** **3.** Manière de traiter (une substance). *Le traitement du minerai.* **II.** Rémunération (d'un fonctionnaire) ; gain attaché à un emploi régulier d'une certaine importance sociale. ⇒ **émoluments, salaire.** ⟨ ▶ maltraiter, soustraire, traitable, traitant, traité, traiteur ⟩

traiteur [tʀetœʀ] n. m. ■ Personne qui prépare des repas, des plats à emporter et à consommer chez soi, et fournit éventuellement le personnel pour le service. *Commander un dîner à un traiteur.*

traître [tʀɛtʀ] n. et adj. — REM. On emploie la forme *traître* au féminin, comme au masculin ; *traîtresse* [tʀɛtʀɛs] n'est plus employé que par plaisanterie. **I.** N. **1.** Personne qui trahit, se rend coupable d'une trahison. ⇒ **délateur, parjure, renégat.** *Les traîtres seront jugés.* **2.** Loc. *Prendre qqn* EN TRAÎTRE : agir avec lui de façon perfide, sournoise. **3.** Plaisant. TRAÎTRE, TRAÎTRESSE : perfide. *Tu m'as menti, traîtresse !* **II.** Adj. **1.** Qui trahit ou est capable de trahir. / contr. **fidèle** / *On accusa cette femme d'être traître à sa patrie.* — (Chose, action) *Un regard traître,* fourbe. **2.** Qui est dangereux sans le paraître, sans qu'on s'en doute. *Ce vin rosé est traître, il enivre rapidement.* **3.** Loc. fam. *Il n'a rien dit, pas* UN TRAÎTRE MOT : pas un seul mot. ▶ **traîtreusement** adv. ■ Littér. Par traîtrise. *Être attaqué traîtreusement.* ⇒ **perfidement.** ▶ **traîtrise** n. f. **1.** Caractère, comportement de traître. ⇒ **déloyauté, fourberie. 2.** UNE TRAÎTRISE : acte perfide, déloyal. *Cette traîtrise est digne de lui. Il l'a pris par traîtrise.*

trajectoire [tʀaʒɛktwaʀ] n. f. ■ Ligne décrite par le centre de gravité (d'un mobile, d'un projectile). *La trajectoire d'une flèche, d'un obus.* — *La trajectoire d'une planète, d'un satellite,* son orbite.

trajet [tʀaʒɛ] n. m. ■ Le fait de parcourir un certain espace, pour aller d'un lieu à un autre ; le chemin ainsi parcouru. ⇒ **parcours.** *Il a une heure de trajet pour se rendre à son bureau.* ⇒ **chemin, route.** *Les enfants font à pied le trajet de la maison à l'école.*

① **tralala** [tʀalala] n. m. ■ Fam. Luxe recherché et voyant (dans quelques expressions). ⇒ **flafla.** *Recevoir à dîner en grand tralala.*

② **tralala** interj. ■ Onomatopée exprimant la joie... *Tralala ! j'ai gagné.*

tram [tʀam] n. m. ⇒ **tramway.**

trame [tʀam] n. f. **1.** Ensemble des fils qui se croisent avec les fils de chaîne, dans le sens de la largeur, pour constituer un tissu, l'armure ② d'un tissu. *Une trame de coton. Une trame fine, grossière. Un tapis usé jusqu'à la trame.* ⇒ **corde. 2.** Ce qui constitue le fond et la liaison d'une chose organisée. ⇒ **texture.** *La trame d'un récit.* ▶ **tramer** v. tr. ■ conjug. 1. ■ Élaborer par des manœuvres cachées. ⇒ **combiner, machiner, ourdir.** *Ils tramENT un complot. Tramer une conspiration, la perte de qqn.* — Pronominalement (impers.). *Il se trame quelque chose.* — (Passif) *Un complot se trame contre la République.*

tramontane [tʀamɔ̃tan] n. f. ■ Vent du nord (sur la côte méditerranéenne), ou vent qui vient d'au-delà des montagnes (Alpes, Pyrénées).

trampoline [tʀɑ̃pɔlin] n. m. ■ Surface souple sur laquelle on peut sauter et rebondir (on dit aussi *trampolino,* mot italien).

tramway [tʀamwɛ] (vieilli) ou **tram** [tʀam] n. m. ■ Voiture publique qui circule sur des rails plats dans les rues des villes. *On a souvent remplacé les trams (les tramways) par des autobus, par des trolleybus, mais des trams modernes circulent.*

tranchée [tʀɑ̃ʃe] n. f. **1.** Excavation pratiquée en longueur dans le sol (comme si on l'avait coupé, *tranché*). ⇒ **cavité, fossé.** *Creuser une tranchée, pour poser des canalisations, des fondations.* **2.** Dispositif allongé, creusé à proximité des lignes ennemies, et où les soldats demeurent à couvert. *Une guerre de tranchées* (opposé à *guerre de mouvement*).

trancher [tʀɑ̃ʃe] v. ■ conjug. 1. **I.** V. tr. dir. **1.** Diviser, séparer (une chose en parties, deux choses unies) d'une manière nette, au moyen d'un instrument dur et fin (instrument *tranchant*). ⇒ **couper.** *Trancher une corde, un fil.* — *Trancher la tête de qqn,* le décapiter. *Trancher la gorge,* égorger. **2.** Terminer par une décision, un choix ; résoudre en terminant (une affaire, une question). *Trancher une difficulté.* **II.** V. intr. **1.** Loc. fig. *Trancher* DANS LE VIF : employer les grands moyens, agir de façon énergique. **2.** Décider

d'une manière franche, catégorique. *Il faut trancher sans plus hésiter.* **3.** (Choses) Se distinguer avec netteté ; former un contraste, une opposition. ⇒ **contraster,** se **détacher, ressortir.** *Un rouge qui tranche sur un fond noir. Trancher avec..., sur... Son silence tranchait avec (sur) l'agitation générale.* ▶ ① **tranchant, ante** adj. **1.** Qui est dur et effilé, peut diviser, couper. ⇒ **coupant.** *Le couteau, les ciseaux sont des instruments tranchants.* **2.** Qui tranche, décide d'une manière péremptoire. ⇒ **cassant, coupant, sec.** *C'est ce qu'il affirma d'un ton tranchant.* ▶ ② **tranchant** n. m. **1.** Le tranchant, le côté mince, destiné à couper, d'un instrument tranchant. *Un couteau à deux tranchants, à double tranchant.* **2.** Loc. À DOUBLE TRANCHANT : se dit d'un argument, d'un procédé dont l'emploi peut provoquer des effets opposés (et se retourner contre celui qui les emploie). ▶ **tranche** n. f. **I.** Concret. **1.** Morceau coupé assez mince, sur toute la largeur (d'une chose comestible). *Une tranche de gâteau.* ⇒ **part, portion.** *Tranche de pain,* tartine. *Une tranche de jambon. Couper des tranches fines.* **2.** Partie moyenne de la cuisse de bœuf. *Bifteck dans la tranche.* **3.** TRANCHE NAPOLITAINE : glace ayant la forme d'une tranche (de gâteau). **4.** Partie des feuillets d'un livre qui est rognée, « tranchée » pour présenter une surface unie. *Livre* DORÉ SUR TRANCHE : à tranche dorée. **II.** Abstrait. **1.** Série de chiffres. **2.** Partie séparée arbitrairement (dans le temps) d'une opération de longue haleine. *Les tranches d'émission d'une loterie.* **3.** *Une tranche de vie,* scène réaliste de la vie quotidienne. **4.** Loc. fam. S'EN PAYER UNE TRANCHE (de bon temps) : s'amuser beaucoup. ▶ **tranché, ée** adj. ■ Abstrait. Nettement séparé (de choses semblables ou comparables). *Des couleurs tranchées.* ⇒ **net, franc.** — *Opinion tranchée,* bien nette, qui est affirmée catégoriquement. ▶ **tranchet** [tʀɑ̃ʃɛ] n. m. ■ Outil tranchant, formé d'une lame plate, sans manche. *Un tranchet de cordonnier.* 〈 ▶ **retrancher, tranchée** 〉

tranquille [tʀɑ̃kil] adj. **1.** Où se manifestent un ordre et un équilibre qui ne sont affectés par aucun changement soudain ou radical (mouvement, bruit...). ⇒ **calme, immobile, silencieux.** / contr. **agité, bruyant** / *Un coin tranquille. Un quartier tranquille. C'est très tranquille, ici.* — Calme et régulier. *Un sommeil tranquille. Un pas tranquille.* **2.** (Êtres vivants) Qui est, par nature, peu remuant, n'éprouve pas le besoin de mouvement, de bruit. ⇒ **paisible.** *Des voisins tranquilles.* — Loc. *Un père tranquille,* un homme d'âge mûr aux habitudes régulières et calmes. **3.** Qui est momentanément en repos, qui ne bouge pas. *Les enfants, restez tranquilles !* (→ soyez sages !) **4.** Qui éprouve un sentiment de sécurité, de paix. / contr. **anxieux, inquiet** / *Soyez tranquille,* ne vous inquiétez pas. *Soyez tranquille, je m'en occupe. Être tranquille comme Baptiste,* très tranquille. **5.** Loc. LAISSER qqn TRANQUILLE : s'abstenir ou cesser de l'inquiéter, de le tourmenter. *Laisse-moi tranquille. Laisse ça tranquille,* n'y touche pas, ne t'en occupe plus. — *Avoir l'esprit, la conscience tranquille,* n'avoir rien à se reprocher. **6.** ÊTRE TRANQUILLE (à propos, au sujet de qqch.) : être certain de la réalité de la chose. *Il n'ira pas, je suis (bien) tranquille.* ⇒ **sûr.** *Tu peux être tranquille qu'il n'ira pas.* ▶ **tranquillement** adv. **1.** D'une manière tranquille. *Il était agité, mais maintenant il dort, il repose tranquillement.* **2.** Sans émotion ni inquiétude. ⇒ **calmement.** *Envisageons la situation tranquillement.* ▶ **tranquilliser** v. tr. ■ conjug. 1. ■ Rendre (qqn) tranquille ; délivrer de l'inquiétude. ⇒ **calmer, rassurer.** *Je vais essayer de vous tranquilliser à ce sujet. Cette idée me tranquillise.* — SE TRANQUILLISER v. pron. réfl. *Tranquillisez-vous.* — Au passif et p. p. adj. *(Être) tranquillisé(e).* ▶ **tranquillisant, ante** adj. et n. m.

1. Adj. Qui tranquillise. ⇒ **rassurant.** *Une nouvelle plutôt tranquillisante.* **2.** N. m. Médicament qui calme, tranquillise, en combattant l'angoisse, l'anxiété. ⇒ **calmant, sédatif.** *Il ne faut pas abuser des tranquillisants ni des antidépressifs.* ▸ *tranquillité* n. f. **1.** État stable, constant, ou modifié régulièrement et lentement. *La tranquillité de son sommeil. La tranquillité de la nuit.* ⇒ **calme.** — EN TOUTE TRANQUILLITÉ : sans être dérangé. ⇒ en toute **quiétude.** *Vous pouvez partir en toute tranquillité.* **2.** Stabilité morale ; état tranquille (4). ⇒ **calme, paix, repos, sérénité.** *Il tient à sa tranquillité. La tranquillité d'esprit.*

trans- ◼ Élément signifiant « au-delà de » (ex. : *transalpin*), « à travers » (ex. : *transpercer*), et qui marque le passage ou le changement (ex. : *transformation*).

transaction [trɑ̃zaksjɔ̃] n. f. **1.** Contrat où chacun renonce à une partie de ses prétentions. — Arrangement, compromis (⇒ **transiger**). **2.** Opération effectuée dans les marchés commerciaux, dans les bourses de valeurs. *Des transactions financières.*

transalpin, ine [trɑ̃zalpɛ̃, in] adj. ◼ Qui est au-delà des Alpes.

① *transatlantique* [trɑ̃zatlɑ̃tik] adj. et n. m. **1.** Adj. Qui traverse l'Atlantique. *Paquebot transatlantique.* — *Course transatlantique,* n. f. *la Transatlantique* (abrév. *la Transat* [trɑ̃zat]). **2.** N. m. *Un transatlantique,* paquebot faisant le service entre l'Europe et l'Amérique.

② *transatlantique* ou *transat* [trɑ̃zat] n. m. ◼ Chaise longue pliante en toile, employée sur les plages, les terrasses, dans les jardins. *Des transats.*

transbahuter [trɑ̃sbayte] v. tr. ◼ conjug. 1. ◼ Fam. Transporter, déménager. *Transbahuter une armoire.* ⇒ **trimbaler.** — Fam. *Se transbahuter,* se déplacer.

transborder [trɑ̃sbɔrde] v. tr. ◼ conjug. 1. ◼ Faire passer d'un navire à un autre, d'un train, d'un wagon à un autre (des voyageurs, des marchandises). ▸ *transbordement* n. m. ▸ *transbordeur* n. m. et adj. m. ◼ *Transbordeur* ou *pont transbordeur,* pont à tablier très élevé, et qui comporte une plate-forme mobile.

transcender [trɑ̃sɑ̃de] v. tr. ◼ conjug. 1. **1.** Dépasser en étant supérieur ou d'un autre ordre, se situer au-delà de... *L'art transcende la réalité.* **2.** SE TRANSCENDER v. pron. réfl. : se dépasser, aller au-delà des possibilités apparentes de sa propre nature. ▸ *transcendant, ante* adj. **1.** Qui s'élève au-dessus du niveau moyen, des autres. ⇒ **sublime, supérieur.** *C'est un esprit transcendant.* **2.** En philosophie. Qui est au-delà de l'expérience et fait appel à un ordre de réalités supérieur, à un principe extérieur et supérieur. / contr. **immanent** / *Dieu est transcendant,* Dieu ne se confond pas avec la nature, mais en est le principe créateur. *Les valeurs morales transcendantes. L'immortalité de l'âme est un principe transcendant.* — *Transcendant à... Le monde est transcendant à la conscience,* il est d'une tout autre nature ; la conscience ne peut en rendre compte. ▸ *transcendance* n. f. **1.** Caractère de ce qui est transcendant ; existence de réalités transcendantes. **2.** Action de transcender ou de se transcender.

transcontinental, ale, aux [trɑ̃skɔ̃tinɑ̃tal, o] adj. ◼ Qui traverse un continent d'un bout à l'autre. *Chemin de fer transcontinental ; route transcontinentale.* — N. f. *La transcontinentale canadienne.*

transcrire [trɑ̃skrir] v. tr. ◼ conjug. 39. **1.** Copier très exactement, en reportant. ⇒ **copier, enregistrer.** *Transcrire un texte. Transcrire des noms sur un registre.* **2.** Reproduire (un texte, des mots) dans un autre alphabet. *Transcrire un texte grec en caractères latins* (on dit aussi TRANSLITTÉRER). **3.** Adapter (une œuvre musicale) pour d'autres instruments que ceux pour lesquels elle a été écrite. ▸ *transcription* [trɑ̃skripsjɔ̃] n. f. **1.** Action de transcrire (1) ; son résultat. ⇒ **copie, enregistrement. 2.** Action de transcrire (2). (On dit aussi TRANSLITTÉRATION, n. f.) *Transcription phonétique.* **3.** Action de transcrire (3) une œuvre musicale. ⇒ **arrangement.**

transe [trɑ̃s] n. f. **1.** Au plur. Inquiétude ou appréhension extrêmement vive. ⇒ **affres, anxiété, tourment.** *Être dans les transes.* **2.** EN TRANSE : dans un état d'hypnose. *Médium qui entre en transe.* — *Être, entrer en transe,* s'énerver, être hors de soi.

transept [trɑ̃sɛpt] n. m. ◼ Partie (nef) transversale qui coupe la nef principale (en long) d'une église et lui donne la forme symbolique de la croix.

transférer [trɑ̃sfere] v. tr. ◼ conjug. 6. **1.** Transporter en observant les formalités prescrites. *Transférer un prisonnier. Le siège de l'organisation sera transféré à Strasbourg.* — *Transférer ses biens par don ou legs.* — Faire passer d'un compte à un autre. *Transférer des capitaux.* **2.** Étendre (un sentiment) à un autre objet, par un transfert (II). < ▸ transfert >

transfert [trɑ̃sfɛr] n. m. **I.** Déplacement d'un lieu à un autre. ⇒ **transport.** *Le transfert des cendres de Napoléon* (de Sainte-Hélène à Paris). *Transfert de capitaux à l'étranger. Transfert de technologie* (d'un pays développé vers un pays moins développé). *Le transfert d'un footballeur* (d'une équipe dans une autre). **II.** En psychologie. Phénomène par lequel un sentiment éprouvé pour un objet est étendu à un objet différent. ⇒ **identification, projection.** — En psychanalyse. Le fait, pour le patient en analyse, de revivre une situation affective de son enfance dans sa relation avec le ou la psychanalyste.

transfigurer [trɑ̃sfigyre] v. tr. ◼ conjug. 1. **1.** Transformer en revêtant d'un aspect éclatant et glorieux. *Jésus fut transfiguré sur le mont Thabor, apparut (à ses disciples) sous une forme glorieuse.* **2.** Transformer (qqch., qqn) en donnant une beauté et un éclat inhabituels. ⇒ **embellir.** *Le soleil qui transfigure tout. Le bonheur l'a transfiguré.* ▸ *transfiguration* n. f. ◼ Action de transfigurer ; son résultat. ⇒ **métamorphose.**

transformer [trɑ̃sfɔrme] v. tr. ◼ conjug. 1. **I. 1.** Faire passer d'une forme à une autre, donner un autre aspect, une autre forme. ⇒ **changer, modifier, renouveler.** *Transformer une maison. Transformer un atelier pour en faire un bureau* (→ ci-dessous, 2). *Transformer une matière première. L'art transforme le réel.* — Au rugby. *Transformer un essai,* envoyer le ballon, qu'on a posé au sol, entre les poteaux de but adverse. — (Compl. personne) *Son séjour à la campagne l'a complètement transformé.* **2.** TRANSFORMER EN : faire prendre la forme, l'aspect, la nature de. ⇒ **convertir.** *Transformer un château en hôpital, un atelier en bureau.* **II.** SE TRANSFORMER v. pron. **1.** Prendre une autre forme, un autre aspect. *Les animaux à métamorphoses se transforment au cours de leur vie. La chenille se transforme en papillon.* — Devenir différent. ⇒ **changer, évoluer.** *Leurs rapports se sont transformés.* **2.** SE TRANSFORMER EN : devenir différent ou autre en prenant la forme, l'aspect, la nature de. *Leur amitié s'est transformée en amour. La manifestation risque de se transformer en émeute.* ▸ *transformable* adj. ◼ Qui peut être transformé, qui peut prendre une autre forme, une autre position. *Un fauteuil transformable* (en lit). ⇒ **convertible.** ▸ *transformateur* n.

m. ■ Appareil servant à modifier la tension, l'intensité ou la forme d'un courant électrique. — Abrév. fam. TRANSFO [tʁɑ̃sfo] n. m. *Des transfos.* ▶ ***transformation*** n. f. **1.** Action de transformer, opération par laquelle on transforme. ⇒ **conversion.** *La transformation des matières premières. Industrie de transformation,* qui transforme les matières brutes en produits finis ou semi-finis. *Faire des transformations dans une maison.* ⇒ **amélioration, rénovation.** *Travaux de transformation.* **2.** Le fait de se transformer, modification qui en résulte. ⇒ **changement.** *La lente transformation de ses goûts.* — Action de se transformer en... ; passage d'une forme à une autre. *La transformation du mouvement en chaleur.* ▶ ***transformisme*** n. m. ■ Théorie de l'évolution des êtres vivants, selon laquelle les espèces dérivent les unes des autres par des transformations successives (⇒ **évolutionnisme**). *Le transformisme de Darwin.* ▶ ***transformiste*** adj. et n. ■ *Les théories transformistes.* — N. Partisan du transformisme.

transfuge [tʁɑ̃sfyʒ] n. **1.** N. m. Militaire qui déserte en temps de guerre pour passer à l'ennemi. ⇒ **traître. 2.** Personne qui abandonne son parti pour rallier le parti adverse ; personne qui trahit sa cause. ⇒ **dissident.** *Une transfuge. Les transfuges du Parti communiste.*

transfuser [tʁɑ̃sfyze] v. tr. ▪ conjug. 1. ■ Faire passer (le sang d'un individu) dans le corps d'un autre. — Au p. p. adj. *Sang transfusé.* ▶ ***transfusion*** n. f. ■ *Transfusion (sanguine),* injection de sang humain qui passe de la veine du donneur à celle du récepteur (de bras à bras). ⇒ **perfusion.** *Le plus souvent, la transfusion n'est pas directe et on utilise du sang stocké.*

transgresser [tʁɑ̃sgʁese] v. tr. ▪ conjug. 1. ■ Passer par-dessus (un ordre, une obligation, une loi). ⇒ **contrevenir** à, **désobéir** à, **violer.** *Transgresser des ordres.* ▶ ***transgression*** n. f. ■ Action de transgresser. ⇒ **désobéissance** à, **violation.** *La transgression d'une interdiction. La transgression du règlement par qqn.*

transhumer [tʁɑ̃zyme] v. intr. ▪ conjug. 1. ■ (Troupeaux) Aller paître en montagne pendant l'été. ▶ ***transhumance*** n. f. ■ Migration périodique du bétail de la plaine, qui s'établit en montagne pendant l'été. ▶ ***transhumant, ante*** adj. ■ *Troupeaux transhumants.* — N. *Les transhumants.*

transiger [tʁɑ̃ziʒe] v. intr. ▪ conjug. 3. **1.** Faire des concessions réciproques, de manière à régler, à terminer un différend. ⇒ **s'arranger, composer ; transaction.** *Il nous faudra transiger.* **2.** TRANSIGER SUR, AVEC *qqch.* : ne pas se montrer ferme, céder ou faire des concessions, par faiblesse. *Transiger avec l'injustice.* ⇒ **pactiser.** *Transiger avec sa conscience, avec son devoir. Je ne transige pas là-dessus.* ⟨ ▶ intransigeant ⟩

transir [tʁɑ̃ziʁ] v. tr. ▪ conjug. 2. — REM. Seulement prés. indicatif, temps composés, et infinitif. ■ Littér. (Froid, sentiment) Pénétrer en engourdissant, transpercer. ⇒ **glacer, saisir.** *Le froid nous transit. La peur l'avait brusquement transi.* ▶ ***transi, ie*** [tʁɑ̃zi] adj. ■ Pénétré, engourdi de froid ou d'un sentiment qui paralyse. ⇒ **transir.** *Il fait froid, je suis transi. Être transi de froid. Il était transi de peur.* — Iron. *Un amoureux transi, timide.*

transistor [tʁɑ̃zistɔʁ] n. m. **1.** Dispositif électronique utilisé pour redresser ou amplifier les courants électriques. *Poste de radio à transistors.* **2.** Poste récepteur portatif de radio. *Emporter son transistor en promenade.* ▶ ***transistoriser*** v. tr. ▪ conjug. 1.

■ Équiper de transistors. — Au p. p. adj. *Téléviseur portatif transistorisé.*

transit [tʁɑ̃zit] n. m. **1.** Situation d'une marchandise qui ne fait que traverser un lieu et ne paye pas de droits de douane ; passage en franchise (surtout dans *en, de transit*). *Marchandises en transit. Port de transit.* **2.** Situation de voyageurs à une escale (aérienne, maritime...), lorsqu'ils ne franchissent pas les contrôles de police, de douane. ▶ ***transitaire*** adj. et n. **1.** Adj. De transit. *Pays transitaire,* en transit. — *Commerce transitaire.* **2.** N. m. et f. Commerçant(e) qui s'occupe des transits. ▶ ***transiter*** v. ▪ conjug. 1. **1.** V. tr. Faire passer (des marchandises, etc.) en transit. *Transiter des marchandises.* **2.** V. intr. Passer, voyager en transit. *Marchandises qui transitent par la Belgique.*

transitif, ive [tʁɑ̃zitif, iv] adj. ■ Se dit de tout verbe qui peut avoir un complément d'objet. *Verbes transitifs directs* (ex. : *il travaille la terre*). *Verbes transitifs indirects,* dont le complément est construit avec une préposition *(à, de).* Ex. : *il travaille à son devoir.* / contr. **intransitif** / *Emploi absolu (sans complément) des verbes transitifs* (ex. : *je mange*). ▶ ***transitivement*** adv. ■ Avec la construction d'un verbe transitif direct. *Employer transitivement un verbe intransitif* (ex. : *vivre sa vie ; il pleut des cordes*). ⟨ ▶ intransitif ⟩

transition [tʁɑ̃zisjɔ̃] n. f. **1.** Manière de passer de l'expression d'une idée à une autre en les reliant dans le discours. *Un orateur qui possède l'art des transitions. Une transition ingénieuse entre deux chapitres.* **2.** Passage d'un état à un autre, en général lent et graduel ; état intermédiaire. ⇒ **changement, évolution.** *La transition entre le froid et la chaleur. Il passe* SANS TRANSITION *du désespoir à l'exaltation,* brusquement. — DE TRANSITION : qui constitue un intermédiaire. ⇒ **transitoire.** *Régime de transition entre deux constitutions.* ▶ ***transitoire*** adj. ■ Qui constitue une transition. *Un régime transitoire.* ⇒ **provisoire.**

translation [tʁɑ̃slasjɔ̃] n. f. ■ Déplacement, mouvement (d'un corps, en physique, d'une figure, en géométrie) pendant lequel les positions d'une même droite (de la figure ou liée à elle) restent parallèles. *Translation et rotation.*

translucide [tʁɑ̃slysid] adj. ■ Qui laisse passer la lumière, mais ne permet pas de distinguer nettement les objets (à la différence de ce qui est *transparent*). ⇒ **diaphane.** *Une coupe en opaline à peine translucide.* / contr. **opaque** / ▶ ***translucidité*** n. f. ■ *La translucidité d'une porcelaine.*

transmettre [tʁɑ̃smɛtʁ] v. tr. ▪ conjug. 56. ■ Faire passer (qqch.) d'une personne à une autre, d'un lieu à un autre (le plus souvent lorsqu'il y a des intermédiaires). ⇒ **transmission. 1.** Faire passer d'une personne à une autre (un bien, matériel ou moral). *Transmettre un héritage.* ⇒ **léguer.** *Transmettre son autorité, son pouvoir à qqn.* ⇒ **déléguer. 2.** Faire passer, laisser à ses descendants, à la postérité (un bien matériel ou moral). *Transmettre des traditions (à ses descendants).* — Au p. p. adj. *Un secret de fabrication transmis de père en fils.* **3.** Faire passer d'une personne à une autre (un écrit, des paroles, etc.) ; faire changer de lieu, en vue d'une utilisation. *Transmettre un message à qqn.* ⇒ **faire parvenir.** *Transmettre une information, un ordre.* ⇒ **communiquer.** — (Dans une formule de politesse) *Transmettez mes amitiés à M. Dupuy.* **4.** Faire parvenir (un phénomène physique) d'un lieu à un autre. ⇒ **conduire.** *Des corps qui transmettent l'électricité. Une courroie, une chaîne, une roue dentée transmettent le mouvement.* **5.** Faire passer (un germe, une maladie) d'un organisme à un autre. *Il a transmis la* *rougeole à ses frères.* — Pronominalement (passif). *Une maladie qui se transmet héréditairement, sexuellement.* ▶ **transmetteur** n. m. et adj. ■ Appareil qui sert à transmettre les signaux. ▶ **transmissible** [tʀɑ̃smisibl] adj. ■ Littér. ou terme de droit. Qui peut être transmis. / contr. **intransmissible** / *Une maladie sexuellement transmissible.* ⇒ **M.S.T.** ▶ **transmission** n. f. **I. 1.** Action de transmettre (1). *La transmission d'un bien.* ⇒ **cession.** *La transmission des pouvoirs.* ⇒ **passation. 2.** Le fait de laisser à ses descendants, à la postérité. *La transmission héréditaire de la propriété. La transmission des caractères héréditaires.* **3.** Le fait de transmettre (une maladie). **4.** Action de faire connaître. *La transmission d'un message, d'un ordre.* ⇒ **communication. 5.** TRANSMISSION DE PENSÉE : coïncidence entre les pensées de deux personnes, communication directe entre deux esprits. ⇒ **télépathie. 6.** Déplacement (d'un phénomène physique ou de ses effets ⇒ **propagation**) lorsque ce déplacement implique un ou plusieurs facteurs intermédiaires. *La transmission de la lumière dans l'espace. Transmission des sons.* ⇒ **diffusion, émission.** *La transmission d'un spectacle télévisé.* ⇒ **retransmission.** *Les organes de transmission d'une machine.* **II.** LES TRANSMISSIONS. **1.** Ensemble des moyens destinés à transmettre les informations (renseignements, troupes). ⇒ **communication(s), radio.** *Service des transmissions.* **2.** Troupes spécialisées qui mettent en œuvre ces moyens. *Servir dans les transmissions.* ⟨▶ **retransmettre, retransmission** ⟩

transmuer [tʀɑ̃smɥe] ou *transmuter* [tʀɑ̃smyte] v. tr. ■ conjug. 1. ■ Littér. Transformer (qqch.) en altérant profondément sa nature ; changer en une autre chose. *Les alchimistes voulaient transmuer (transmuter) les métaux vils en or. Un malheur qui se transmue en joie.* ▶ *transmutation* n. f. **1.** Changement d'une substance en une autre. *La transmutation des métaux, rêvée par les alchimistes.* — En physique. Changement de nature d'un corps simple ayant pour résultat une modification de la composition du noyau (le nombre de protons de ce noyau, le nombre atomique, est modifié). *La transmutation des atomes s'accompagne souvent de phénomènes radioactifs.* **2.** Littér. Changement de nature, transformation totale. *Le poète opère une véritable transmutation du langage.*

transparaître [tʀɑ̃spaʀɛtʀ] v. intr. ■ conjug. 57. ■ Littér. Se montrer au travers de qqch. ⇒ **apparaître, paraître.** *La forme du corps transparaît au travers d'un voile.* — *L'angoisse transparaît sur son visage. Laisser transparaître sa jalousie.*

transparent, ente [tʀɑ̃spaʀɑ̃, ɑ̃t] adj. **1.** Qui laisse passer la lumière et paraître avec netteté les objets qui se trouvent derrière. *Le verre est transparent. Une eau transparente.* ⇒ **cristallin, limpide.** / contr. **trouble** / — *Tissus, papiers transparents.* ≠ **translucide. 2.** Translucide, diaphane. *Avoir un teint transparent,* clair et délicat. **3.** Qui laisse voir le sens. *C'est une allusion transparente.* ⇒ **clair, évident.** *Un texte transparent.* ⇒ **limpide.** ▶ *transparence* n. f. **1.** Qualité d'un corps transparent ; phénomène par lequel les rayons lumineux visibles sont perçus à travers certaines substances. *La transparence de l'eau.* ⇒ **limpidité.** *Un écran éclairé* PAR TRANSPARENCE : par-derrière (l'écran étant transparent ou translucide). **2.** *La transparence du teint,* sa clarté, sa finesse. **3.** Littér. Qualité de ce qui est transparent (3). ⇒ **limpidité.** *La transparence de ses allusions.* — En politique, en économie. Clarté. *Réclamer la transparence du financement des partis.*

transpercer [tʀɑ̃spɛʀse] v. tr. ■ conjug. 3. **1.** Percer de part en part. *La balle lui a transpercé l'intestin.* ⇒ **perforer. 2.** Littér. Atteindre profondément, en faisant souffrir. ⇒ **percer.** *La douleur transperça son cœur.* ⇒ **fendre. 3.** Pénétrer ; passer au travers. *La pluie a transpercé mes vêtements.* ⇒ **traverser.**

transpirer [tʀɑ̃spiʀe] v. intr. ■ conjug. 1. **1.** Sécréter de la sueur par les pores de la peau. ⇒ **suer.** *Transpirer des pieds. Il transpirait à grosses gouttes* (→ être en nage, en eau). **2.** Littér. (D'une information tenue cachée) Finir par être connu. *La nouvelle a transpiré.* ▶ *transpiration* n. f. **1.** Sécrétion de la sueur par les pores de la peau. ⇒ **sudation.** *La transpiration provoquée par la chaleur. Être* EN TRANSPIRATION : couvert de sueur. **2.** Sueur. *Une chemise humide de transpiration.*

transplanter [tʀɑ̃splɑ̃te] v. tr. ■ conjug. 1. **1.** Sortir (un végétal) de la terre pour replanter ailleurs. *Transplanter un jeune arbre.* ⇒ **repiquer. 2.** Opérer la transplantation de (un organe, un tissu vivant). *Transplanter un rein.* — Au p. p. adj. *Un organe transplanté.* **3.** Transporter d'un pays dans un autre, d'un milieu dans un autre. *Transplanter des populations.* — Pronominalement (réfl.). *Cette famille s'est transplantée en Argentine.* — Au p. p. adj. *Coutume transplantée.* ▶ *transplantation* n. f. **1.** Action de transplanter (une plante, un arbre). **2.** Inclusion dans un organisme d'un organe, d'un fragment de tissu emprunté soit au même organisme, soit à un autre. ⇒ **greffe.** *Transplantation du rein, transplantation cardiaque.* **3.** Déplacement (de personnes, d'animaux) de leur lieu d'origine dans un autre lieu.

① *transporter* [tʀɑ̃spɔʀte] v. tr. ■ conjug. 1. ■ Faire changer de place. **1.** (Suj. chose [nom de véhicule], ou personne) Déplacer (qqn, qqch.) d'un lieu à un autre en portant. *Transporter un colis chez qqn. Transporter un blessé. Train qui transporte des marchandises, des voyageurs.* — Au p. p. adj. *Les marchandises transportées.* — Pronominalement. (Personnes) *Nous nous sommes transportés sur les lieux.* ⇒ **se rendre.** *Transportez-vous par la pensée à Pékin.* **2.** Faire passer d'un point à un autre. ⇒ **transmettre.** *Les ondes transportent l'énergie à distance.* **3.** Faire passer dans un autre contexte. *Transporter un thème dans une œuvre.* ⇒ **introduire.** ▶ ① *transport* n. m. **1.** Manière de déplacer ou de faire parvenir par un procédé particulier et sur une distance assez longue. *Le transport d'un blessé en ambulance. Transport de marchandises.* ⇒ **circulation.** *Transport des voyageurs par chemin de fer. Transport automobile.* ⇒ **routage.** — *Avions de transport. Moyen de transport,* utilisé pour transporter les marchandises ou les personnes (véhicules, avions, navires). **2.** Au plur. Moyens d'acheminement des personnes et des marchandises. *Transports aériens. Le ministère des Transports.* — *Transports en commun,* transport des voyageurs dans des véhicules publics. **3.** TRANSPORT *(de sang)* AU CERVEAU : hémorragie cérébrale. ▶ *transportable* adj. ■ Qui peut être transporté (dans certaines conditions). *Marchandise transportable par avion.* — *Malade transportable,* qui peut supporter sans danger un transport. / contr. **intransportable** / ▶ *transporteur* n. m. **1.** Personne qui se charge de transporter (des marchandises ou des personnes) ; entrepreneur de transports. *Un transporteur aérien. Elle est transporteur.* **2.** Appareil, dispositif (comportant des éléments mobiles) servant à transporter des marchandises. ⟨▶ **intransportable** ⟩

② *transporter* v. tr. ■ conjug. 1. ■ (Suj. chose) Agiter (qqn) par un sentiment violent (⇒ ② **transport**) ; mettre hors de soi. ⇒ **enivrer, exalter.** *Ce spectacle l'a transporté.* ⇒ **enthousiasmer.** — Au

passif. *Être transporté de joie, d'enthousiasme.*
▶ ② *transport* n. m. ■ Littér. Vive émotion, sentiment passionné (qui émeut, entraîne) ; état de la personne qui l'éprouve. ⇒ **enthousiasme, exaltation, ivresse.** *Transports de colère, de joie.* ⇒ **élan, emportement.**

transposer [trɑ̃spoze] v. tr. ▪ conjug. 1. **I.** **1.** (Avec un compl. plur. ou collectif) Placer en intervertissant l'ordre. ⇒ **intervertir.** *Transposer les mots d'une phrase.* **2.** Faire changer de forme ou de contenu en faisant passer dans un autre domaine. *Transposer une intrigue romanesque dans une pièce de théâtre.* ⇒ **adapter.** *Transposer dans l'Italie contemporaine une histoire qui se passe au XVᵉ siècle.* **II.** Faire passer (une structure musicale) dans un autre ton sans l'altérer. *Transposer une chanson pour l'adapter aux possibilités vocales d'un enfant.* ▶ *transposable* adj. ▶ *transposition* n. f. **1.** Déplacement ou interversion dans l'ordre des éléments de la langue. *Transposition de lettres* (dans le mot), *de mots* (dans la phrase). **2.** Le fait de transposer, de faire passer dans un autre domaine. *La transposition de la réalité dans un livre.* **3.** Le fait de transposer un morceau de musique. — Morceau transposé. *La transposition pour baryton d'un lied pour ténor.*

transsexuel, elle [trɑ̃ssɛksɥɛl] adj. et n. ■ En psychologie. Qui a le sentiment pathologique d'appartenir au sexe opposé et se conduit en conséquence.

transsibérien, enne [trɑ̃ssiberjɛ̃, ɛn] adj. ■ Qui traverse la Sibérie. *Chemin de fer transsibérien* et, n. m., *le transsibérien.*

transsubstantiation [trɑ̃ssypstɑ̃sja sjɔ̃] n. f. ■ En terme de religion chrétienne. Changement du pain et du vin en la substance du corps de Jésus-Christ.

transsuder [trɑ̃ssyde] v. intr. ▪ conjug. 1. ■ Passer au travers des pores, sortir des pores d'un corps en fines gouttelettes (comme fait la sueur). ⇒ **filtrer, suinter.** *Eau qui transsude d'une paroi rocheuse.*

transvaser [trɑ̃svɑze] v. tr. ▪ conjug. 1. ■ Verser, faire couler d'un récipient dans un autre. *Transvaser du vin.* ⇒ **transvider.** ▶ *transvasement* n. m.

transversal, ale, aux [trɑ̃sversal, o] adj. **1.** Qui traverse une chose en la coupant perpendiculairement à sa plus grande dimension (longueur ou hauteur). *Coupe transversale et coupe longitudinale.* **2.** Qui traverse, est en travers. *L'avenue et les rues transversales.* ▶ *transversalement* adv. ■ *Les poutres posées transversalement.* ▶ *transverse* adj. ■ Se dit, en anatomie, d'un organe qui est en travers. *Côlon transverse.*

transvider [trɑ̃svide] v. tr. ▪ conjug. 1. ■ Faire passer (un contenu) dans un autre récipient. *Transvider le sucre d'un paquet dans le sucrier. Transvider un liquide dans une carafe.* ⇒ **transvaser.**

① *trapèze* [trapɛz] n. m. ■ Quadrilatère dont deux côtés sont parallèles (surtout lorsqu'ils sont inégaux). *Les bases d'un trapèze, les côtés parallèles.* ▶ *trapézoïdal, ale, aux* [trapezoidal, o] adj. ■ Didact. En forme de trapèze.

② *trapèze* n. m. ■ Appareil de gymnastique, d'acrobatie ; barre horizontale suspendue par les extrémités à deux cordes. *Faire du trapèze.* TRAPÈZE VOLANT : où l'on saute d'un trapèze à l'autre en se balançant. ▶ *trapéziste* n. ■ Acrobate spécialisé dans les exercices du trapèze. *Une trapéziste de cirque.*

① *trappe* [trap] n. f. **1.** Ouverture pratiquée dans un plancher ou dans un plafond et munie d'une fermeture qui se rabat, pour donner accès à une cave, un grenier, etc. **2.** Piège formé d'un trou recouvert de branchages ou d'une bascule. ⇒ **chausse-trape.**
‹ ▶ attraper, trappeur ›

② *Trappe* n. f. ■ Ordre religieux institué en 1664.
▶ *trappiste* n. m. ■ Moine, religieux qui observe la règle réformée de la Trappe.

trappeur [trapœr] n. m. ■ Chasseur professionnel qui fait commerce de fourrures (en chassant les animaux avec des trappes, etc.), en Amérique du Nord.

trapu, ue [trapy] adj. **1.** (Personnes) Qui est court et large, ramassé sur soi-même (souvent avec l'idée de robustesse, de force). *Un homme petit et trapu.* / contr. **élancé** / — (Choses) Ramassé, massif. *Une construction trapue.* **2.** Fam. Fort. *Il est trapu en maths.* — Difficile. *Un problème trapu.*

traquer [trake] v. tr. ▪ conjug. 1. **1.** Poursuivre (le gibier) en resserrant toujours le cercle qu'on fait autour de lui. ⇒ **forcer.** — Au p. p. adj. *Un air de bête traquée.* **2.** Poursuivre (qqn), le forcer dans sa retraite. — Au p. p. *Un homme traqué par la police.* ▶ *traquenard* [traknar] **1.** ▶ Piège. *Être pris dans un traquenard.* ⇒ **souricière. 2.** Difficulté suscitée volontairement. *Des questions pleines de traquenards.* ⇒ **embûche.**

traumatique [tromatik] adj. ■ Didact. Qui a rapport aux plaies, aux blessures. *Choc traumatique, après une blessure grave, une opération.* ▶ *traumatiser* v. tr. ▪ conjug. 1. ■ Provoquer un traumatisme psychologique. *La mort de sa mère l'a complètement traumatisé.* ▶ *traumatisme* n. m. **1.** Ensemble des troubles provoqués dans l'organisme par une lésion, un coup, une blessure grave. *Traumatismes crâniens.* **2.** Choc émotionnel très violent. ▶ *traumatologie* n. f. ■ Didact. Partie de la médecine, de la chirurgie consacrée à soigner les blessures. *Le service de traumatologie d'un hôpital.*

travail, aux [travaj, o] n. m. **I.** **1.** *(Le travail)* Ensemble des activités humaines organisées, coordonnées en vue de produire ce qui est utile ; état, activité d'une personne qui agit avec suite en vue d'obtenir un tel résultat. ⇒ **action, activité, labeur ; travailler.** / contr. **inaction, oisiveté, repos** / *Le travail manuel, intellectuel. L'organisation du travail. Il est surchargé de travail.* — Loc. AU TRAVAIL. *Se mettre au travail, commencer un travail. Être au travail. Avoir du travail.* **2.** *(Le travail de qqch.)* L'action ou la façon de travailler (I) une matière ; de manier un instrument. *Le travail du bois.* **3.** *(Un travail ; le travail de qqn)* Ensemble des activités manuelles ou intellectuelles exercées pour parvenir à un résultat utile déterminé. ⇒ **besogne** (2), **tâche** ; fam. **boulot.** *Entreprendre un travail. Accomplir, faire un travail. Un travail de longue haleine.* — Loc. *Un travail de Romain*, long et dur, de **bénédictin**, long et patient (intellectuel). — Ouvrage de l'esprit (considéré comme le résultat d'une recherche, d'une étude). **4.** Manière dont un ouvrage, une chose ont été exécutés. *Travail soigné* (→ fam. de la belle ouvrage). *C'est du travail d'amateur*, mal fait, peu soigné. Iron. *C'est du beau travail !* **II.** LES TRAVAUX. **1.** Suite d'entreprises, d'opérations exigeant l'activité physique suivie d'une ou de plusieurs personnes et l'emploi de moyens techniques. *Les travaux des champs*, l'agriculture. *Les travaux ménagers ; travaux de maison. Gros travaux*, pénibles et n'exigeant pas une habileté particulière. *Pendant la durée des travaux, le magasin restera ouvert.* ⇒ **réparation.** *Travaux de réfection des routes. Attention ! Ralentir, travaux !* — Surveiller des travaux. Loc. plaisant. *Inspecteur des travaux finis*, paresseux, qui se contente de regarder les autres travailler. **2.** TRAVAUX PUBLICS : travaux de construction, de réparation, ou d'entretien d'utilité générale faits pour le compte d'une administration (ex. : *routes, ponts*, etc.). *Un ingénieur des Travaux* *publics. Le ministère des Travaux publics.* 3. TRA-VAUX FORCÉS : peine de droit commun qui s'exécutait dans les bagnes, et qui est remplacée de nos jours par une réclusion de plus de dix ans. 4. Suite de recherches dans un domaine intellectuel, scientifique. ⇒ **recherche.** *Les travaux scientifiques. Travaux pratiques,* cours où l'on fait des exercices en application d'un cours théorique. ⇒ **T.P.** 5. Délibérations (d'une réunion) devant aboutir à une décision. *L'assemblée poursuit ses travaux.* **III. 1.** Activité laborieuse, rétribuée, dans une profession. ⇒ **emploi, fonction, gagne-pain, métier, profession, spécialité** ; fam. **boulot, job, turbin.** / contr. **chômage, loisir, vacances** / *Un travail à mi-temps, à plein temps. Arrêt de travail,* grève momentanée ; interruption de travail (spécialt, pour une maladie : *le médecin lui a donné un arrêt de travail d'une semaine). Être sans travail* (⇒ **chômeur).** *Aller au travail. Il est interdit de fumer pendant le travail.* ⇒ **service.** *Travail payé à l'heure, aux pièces.* — *Travail continu,* exécuté sans interruption par une équipe. *Travail à la chaîne*. Travail à domicile* (exécuté chez soi). *Travail temporaire. Travaux d'utilité collective.* ⇒ **T.U.C.** — *Carte de travail* (pour les travailleurs étrangers, immigrés...). — *Contrat de travail.* — *Travail au noir,* exercé dans des conditions illégales. 2. L'ensemble des travailleurs, surtout dans les secteurs agricole et industriel. ⇒ **ouvrier, paysan, prolétariat, travailleur(s) ; main-d'œuvre.** *Le monde du travail. Le ministère du Travail.* **IV.** En sciences. **1.** Action continue, progressive ; son effet. *Le travail d'érosion des eaux.* — *Le travail du temps. Le travail de l'inconscient.* **2.** Le fait de produire un effet utile, par son activité. ⇒ **fonctionnement, force.** *Travail musculaire,* quantité d'énergie fournie par l'ensemble des muscles d'un organisme. **3.** Produit d'une force par le déplacement de son point d'application (estimé suivant la direction de la force). *Quantité de travail que peut fournir une machine par unité de temps.* ⇒ **puissance. V.** (Souffrances de l'accouchement) *Une femme en travail,* en train d'enfanter. *Salle de travail,* d'accouchement. ⟨ ▶ sans-travail, T.P., travailliste ⟩

travailler [travaje] v. ▪ conjug. 1. **I.** V. tr. Modifier par le travail (I). **1.** Soumettre à une action suivie, pour donner forme (ou changer de forme), rendre plus utile ou utilisable. *Travailler une matière première.* ⇒ **élaborer, façonner.** *Travailler l'ivoire. Travailler la terre.* ⇒ **cultiver.** *Travailler la pâte.* **2.** Soumettre à un travail intellectuel, pour améliorer. *Travailler son style.* ⇒ **perfectionner.** — Au p. p. adj. *Un style travaillé,* élaboré avec soin. **3.** Chercher à acquérir ou perfectionner (une science, une technique, une activité, un art) par l'exercice, l'étude, la connaissance ou la pratique. *Travailler la philosophie.* ⇒ **bûcher, potasser.** *Travailler un morceau de piano. Travailler un rôle, une scène.* ⇒ **répéter. 4.** Soumettre à des influences volontaires de manière à faire agir de telle ou telle façon. *Il travaillait l'opinion. Travailler les esprits,* les pousser au mécontentement, à la révolte. ⇒ **exciter. 5.** (Suj. chose) Faire souffrir. *Ses rhumatismes le travaillent. L'enfant est fiévreux ; ce sont ses dents qui le travaillent.* — Inquiéter, préoccuper. *Cette histoire me travaille.* ⇒ **tracasser. 6.** Transitivement (ind.). TRAVAILLER À... : faire tous ses efforts pour obtenir (un résultat), en vue de... *Travailler à la perte de qqn.* — Consacrer son activité, apporter ses soins à (un ouvrage). *Il travaille à un exposé.* ⇒ **préparer.** *Travailler ensemble à l'œuvre commune.* **II.** V. intr. **1.** Agir d'une manière suivie, avec plus ou moins d'effort, pour obtenir un résultat utile (intellectuellement, manuellement). ⇒ fam. **bosser, boulonner,** ② **bûcher, trimer.** / contr. **s'amuser, chômer,** se **reposer** / *Travailler dur, d'arrache-pied. Travailler comme un forçat, un bœuf, une bête de somme,*

travailler à des ouvrages pénibles, en se fatiguant beaucoup. — Fam. *Faire travailler sa matière grise, son esprit.* — Étudier. *Elle travaille bien en classe. Élève qui ne travaille pas,* paresseux. **2.** Exercer une activité professionnelle, un métier. *Il travaille en usine depuis l'âge de seize ans.* **3.** S'exercer ; effectuer un exercice. *Les acrobates travaillent sans filet.* **4.** (Suj. chose : temps, force...) Agir. *Le temps travaille pour nous, contre nous.* **5.** Fonctionner pour la production. *Industrie qui travaille pour l'exportation. Travailler à perte.* **6.** Loc. fam. *Il* TRAVAILLE DU CHAPEAU : il est fou. **III.** V. intr. (Choses) Subir une force, une action. **1.** Subir une ou plusieurs forces (pression, traction, poussée) et se déformer. *Le bois a travaillé.* ⇒ se **déformer,** se **gondoler. 2.** Fermenter, subir une action interne. *Le vin travaille. La pâte travaille,* lève. **3.** Être agité. *Son esprit, son imagination travaille.* ▶ **travailleur, euse** n. et adj. **I.** N. **1.** Personne qui travaille, fait un travail physique ou intellectuel. *Les oisifs et les travailleurs. Hélène est une grande travailleuse.* **2.** Personne qui exerce une profession, un métier. *Les travailleurs manuels.* ⇒ **ouvrier, paysan.** *Travailleurs intellectuels.* — *Les travailleurs,* les salariés, surtout les ouvriers de l'industrie. ⇒ **prolétaire.** *La condition des travailleurs.* **II.** Adj. **1.** Qui aime le travail. ⇒ **laborieux.** *Un élève travailleur.* / contr. **paresseux** / **2.** Des travailleurs. *Les masses travailleuses,* laborieuses. ▶ **travailloter** v. intr. ▪ conjug. 1. ▪ Travailler peu, sans se fatiguer. ⟨ ▶ travail ⟩

travailliste [travajist] n. et adj. ▪ Membre du Labour Party (parti du *Travail),* en Grande-Bretagne. ⇒ **socialiste.** / contr. **conservateur, tory** / — *Député travailliste.*

travée [trave] n. f. **1.** Portion (de voûte, de comble, de pont...) comprise entre deux points d'appui (colonnes, piles, piliers, etc.). *Nef à cinq travées.* **2.** Rangée de tables, de bancs placés les uns derrière les autres. *Les travées d'un amphithéâtre.*

travelling [travliŋ] n. m. ▪ Anglic. Mouvement de la caméra placée sur un chariot, qui glisse sur des rails. *Des travellings avant, arrière.*

travelo [travlo] n. m. ▪ Fam. Travesti, homosexuel qui se déguise en femme. *Des travelos.*

① **travers** [traver] n. m. invar. (Dans des loc. adv., adj. et prép.) **1.** EN TRAVERS : dans une position transversale par rapport à un axe. ⇒ **transversalement.** *Il dort en travers du lit.* — Loc. Littér. *Se mettre, se jeter en travers de...,* s'opposer, faire obstacle à. *Il s'est mis en travers de ma route, de mon entreprise.* **2.** À TRAVERS : par un mouvement transversal d'un bout à l'autre d'une surface ou d'un milieu (avec l'idée d'un obstacle passé). *Passer à travers champs, à travers la foule.* ⇒ au **milieu, parmi ; traverser.** *Des objets distingués à travers une vitre.* — *À travers diverses péripéties.* **3.** AU TRAVERS : en passant d'un bout à l'autre ; de part en part. *La maison est vieille, le vent passe au travers.* — Loc. *Passer au travers,* échapper à un danger, à une punition. *Il n'a pas eu d'ennuis, il est passé au travers.* **4.** PAR LE TRAVERS : sur le côté. **5.** DE TRAVERS : dans une direction, une position oblique par rapport à la normale ; qui n'est pas droit. ⇒ **dévié.** *Avoir le nez de travers.* ⇒ fam. **de traviole.** *Les crabes marchent de travers* (→ marcher en crabe). — Loc. *Regarder qqn de travers,* avec animosité, suspicion. — *Raisonner de travers, tout de travers.* ⇒ **mal.** *J'ai compris tout de travers.* — *Tout va de travers,* tout va mal. **6.** À TORT ET À TRAVERS : n'importe comment. *Il parle à tort et à travers.* ⟨ ▶ traverse, traverser, traversin, de traviole ⟩

② **travers** n. m. invar. ▪ UN, DES TRAVERS : défaut qui fait qu'on ne réagit pas correctement, qu'on s'écarte du bon sens. *Chacun a ses qualités et ses travers.*

traverse [travɛrs] n. f. **1.** Barre de bois, de métal, etc., disposée en travers, servant à assembler, à consolider des montants, des barreaux. *Les traverses d'une fenêtre.* **2.** Pièce (de bois, de métal, de béton) placée en travers de la voie pour maintenir l'écartement des rails. **3.** DE TRAVERSE loc. adj. *Chemin de traverse,* chemin qui coupe. ⇒ **raccourci.**

traverser [travɛrse] v. tr. ▪ conjug. 1. **I. 1.** Passer, pénétrer de part en part, à travers (un corps, un milieu interposé). ⇒ **percer, transpercer.** *Traverser un mur à coups de pioche. L'eau traverse la toile.* ⇒ **filtrer. 2.** Se frayer un passage à travers (des personnes rassemblées). *Traverser la foule.* **II. 1.** Parcourir (un espace) d'une extrémité, d'un bord à l'autre. ⇒ **franchir, parcourir.** *Traverser une ville. Le train traverse une jolie région. Les routes qui traversent le pays du nord au sud.* — (Suj. personne) Couper (une voie de communication), aller d'un bord à l'autre. *Traverser la rue, la rivière.* — Sans compl. *Les piétons qui traversent. Fais attention en traversant.* **2.** (Choses ; sans mouvement) Être, s'étendre, s'allonger au travers de... *La route traverse la voie ferrée.* ⇒ **croiser. 3.** Aller d'un bout à l'autre de (un espace de temps), dépasser (un état durable). *Traverser une période, une époque.* **4.** Passer par (l'esprit, l'imagination). *Une idée me traversa l'esprit.* ⇒ se **présenter.** — Au p. p. *Un sommeil agité, traversé de cauchemars.* ▶ *traversable* adj. ▪ *Rivière traversable à gué.* ▶ *traversée* n. f. **1.** Action de traverser la mer (ou une grande étendue d'eau). *La traversée de Calais à Douvres.* **2.** Action de traverser (un espace) d'un bout à l'autre. ⇒ **passage.** *La traversée d'une ville en voiture.* ▶ *traversier, ière* adj. et n. **I.** Adj. Vx ou loc. Qui est en travers. *Rue traversière. Flûte traversière,* la grande flûte. **II.** Adj. et n. m. Qui traverse (l'eau). *Barque traversière.* — N. m. Au Québec. Bac (au lieu de *ferry-boat,* anglic.).

traversin [travɛrsɛ̃] n. m. ▪ Long coussin de chevet, cylindrique, qui tient toute la largeur du lit (en travers du lit). ⇒ **polochon.**

travestir [travɛstir] v. ▪ conjug. 2. **1.** V. pron. réfl. SE TRAVESTIR : se déguiser pour un bal, un rôle de théâtre. *Ils se sont travestis pour le carnaval.* **2.** V. tr. Transformer en revêtant d'un aspect mensonger qui défigure, dénature. ⇒ **déformer, fausser.** *Travestir la pensée de qqn.* ⇒ **falsifier.** ▶ *travesti, ie* adj. et n. **I. 1.** Adj. Revêtu d'un déguisement. *Jeunes filles travesties pour un bal.* ⇒ **costumé, déguisé.** *Un acteur travesti* ou, n., *un travesti,* un acteur qui se travestit, qui joue un rôle féminin. **2.** N. Personne qui se déguise pour prendre l'apparence de l'autre sexe. ⇒ fam. **travelo. II.** N. m. Vieilli. Déguisement pour une mascarade, un bal masqué. ▶ *travestissement* n. m. **1.** Action ou manière de travestir, de se travestir. ⇒ **déguisement. 2.** Déformation, parodie. *Le travestissement de la vérité.*

de **traviole** [d(ə)travjɔl] loc. adv. ▪ Fam. De travers. *Avec son béret tout de traviole.*

trayeuse [trɛjøz] n. f. ▪ Petite machine pour traire les vaches.

trébucher [trebyʃe] v. intr. ▪ conjug. 1. **1.** Perdre soudain l'équilibre, faire un faux pas. ⇒ **chanceler.** *Un ivrogne qui trébuche et titube. Trébucher contre, sur une pierre.* ⇒ **buter. 2.** Être arrêté par une difficulté, faire une erreur. *Il trébuche sur les mots difficiles.* ▶ *trébuchant, ante* adj. **1.** Qui trébuche. *Une démarche trébuchante.* **2.** Qui hésite à chaque difficulté. *Une diction trébuchante.* **3.** Loc. Plaisant. *Espèces* SONNANTES ET TRÉBUCHANTES (pièces qui résonnent et qui pèsent le poids au trébuchet) : argent liquide. ⟨ ▶ **trébuchet** ⟩

trébuchet [trebyʃɛ] n. m. **1.** Piège à prendre les petits oiseaux, muni d'une bascule. **2.** Petite balance pour les pesées délicates.

tréfiler [trefile] v. tr. ▪ conjug. 1. ▪ Étirer (un métal) en le faisant passer au travers des trous d'une filière pour obtenir des fils de la grosseur requise. *Tréfiler du fer.* ⇒ **fileter.** ▶ *tréfilage* n. m. ▪ Opération par laquelle on tréfile (un métal). ▶ *tréfilerie* n. f. ▪ Atelier, usine où se fait le tréfilage des métaux.

trèfle [trefl] n. m. **1.** Plante, herbe aux feuilles composées de trois éléments (folioles), qui pousse dans les prairies des régions tempérées. *Un champ de trèfle.* — *Trèfle à quatre feuilles,* feuille de trèfle qui comporte anormalement quatre éléments, considérée comme porte-bonheur. **2.** Motif décoratif évoquant la feuille de trèfle. — Aux cartes. Ce motif, de couleur noire. *Roi de trèfle. Jouer trèfle.* **3.** Croisement en trèfle ou, n. m., *trèfle,* croisement de grandes routes à niveaux séparés, à raccords courbes. ⇒ **échangeur.**

tréfonds [trefɔ̃] n. m. invar. ▪ Littér. Ce qu'il y a de plus profond, de plus secret. ⇒ **fond.** *Le tréfonds du cœur.*

treille [trɛj] n. f. **1.** Vigne qui pousse en berceau, en voûte, les ceps étant soutenus par un treillage ; tonnelle où grimpe la vigne. **2.** Vigne que l'on fait pousser contre un support (treillage, mur, espalier...). — Fam. et vx. *Le jus de la treille,* le vin. ▶ *treillage* n. m. ▪ Assemblage de lattes, d'échalas posés parallèlement ou croisés dans un plan vertical. *Treillage en voûte.* ⇒ **berceau, tonnelle.** ▶ ① *treillis* n. m. invar. ▪ Entrecroisement de lattes, de fils métalliques formant claire-voie. *Le treillis métallique d'un garde-manger.*

② **treillis** [treji] n. m. **1.** Toile de chanvre très résistante. *Pantalon de treillis.* **2.** Tenue militaire d'exercice ou de combat.

treize [trɛz] adj. numér. invar. et n. m. invar. **1.** Adj. numér. cardinal (13 ou XIII). Dix plus trois. *Un garçon de treize ans. Treize cents* ou *mille trois cents* (1 300). — Loc. *Treize à la douzaine,* treize choses pour le prix de douze. **2.** Adj. numér. ordinal. Treizième. *Louis XIII* (treize). *Treize heures. Page treize.* **3.** N. m. invar. Le nombre, le numéro treize. *Treize est un nombre entier.* ▶ *treizième* adj. numér. ordinal ▪ Adjectif ordinal de treize. **1.** Qui vient après le douzième. *Le treizième arrondissement.* — N. *Être le, la treizième.* **2.** Se dit d'une fraction d'un tout, également partagé en treize. *La treizième partie.* — N. m. *Un treizième de la somme.* ▶ *treizièmement* adv. ▪ En treizième lieu.

tréma [trema] n. m. ▪ Signe formé de deux points juxtaposés que l'on met sur les voyelles *e, i, u,* pour indiquer que la voyelle qui précède doit être prononcée séparément. « *Astéroïde* » [asterɔid] *s'écrit avec un i tréma,* « *aiguë* » (fém.) [egy] *avec un e tréma.*

tremble [trɑ̃bl] n. m. ▪ Peuplier à écorce lisse, à tige droite, dont les feuilles tremblent au moindre vent.

trembler [trɑ̃ble] v. intr. ▪ conjug. 1. **1.** Faire une suite de petites oscillations, être agité de petits mouvements répétés autour d'une position d'équilibre. *L'explosion a fait trembler les vitres.* ⇒ **remuer, trépider, vibrer.** *Le feuillage tremble sous la brise.* ⇒ **frémir.** — Être ébranlé. *La terre tremble.* ⇒ **tremblement** de terre. — (Lumière) Produire une image vacillante. — (Voix) Ne pas conserver la même intensité ; varier rapidement (en intensité, hauteur). *Son qui tremble.* ⇒ **tremblé ; trémolo. 2.** (Personnes) Être agité par une suite de petites contractions involontaires des muscles. ⇒ **frissonner.** *Il tremblait de froid, de fièvre.* ⇒ **grelotter.** Loc. *Trembler comme une feuille,* beaucoup. *Ils tremblent de peur.* **3.** Éprouver une violente émotion, sous l'effet de la peur. *Tout le monde tremble devant lui. Je tremble qu'on ne nous tende un piège. Je tremble pour vous, j'ai peur pour vous, je vous vois en danger. Il tremble de la perdre,* il craint de la perdre. ▶ *tremblant, ante* adj. **1.** Qui tremble. *Il était tout tremblant de froid.* ⇒ **grelottant.** *Une lueur terrestre tremblante.* ⇒ **vacillant.** *Une voix tremblante.* ⇒ **chevrotant.** **2.** Qui tremble, craint, qui a peur. ⇒ **craintif.** *Effrayée et tremblante, elle se taisait.* ▶ *tremblé, ée* adj. **1.** Tracé d'une main tremblante. *Écriture tremblée.* **2.** (Son, voix) Qui tremble. ▶ **tremblement** n. m. **1.** Secousses répétées qui agitent une chose. ⇒ **ébranlement.** — TREMBLEMENT DE TERRE : secousses en relation avec la déformation de l'écorce terrestre en un lieu. ⇒ **séisme.** *Des tremblements de terre ont détruit une partie de la ville.* **2.** Léger mouvement de ce qui tremble. *Le tremblement des feuilles. Avec un tremblement dans la voix. Le tremblement des vitres lorsque passe un camion.* ⇒ **trépidation, vibration. 3.** Agitation du corps ou d'une partie du corps par petites oscillations involontaires. ⇒ **frémissement, frisson.** *Un tremblement de froid, de peur. Être pris, agité de tremblements convulsifs.* **4.** Loc. fam. ET TOUT LE TREMBLEMENT : et tout le reste. ⇒ ① **tralala.** ▶ **trembloter** v. intr. . conjug. 1. ■ Trembler (1, 2) légèrement. ▶ *tremblote* n. f. ■ Fam. Tremblement de froid, de fièvre, de peur. *Avoir la tremblote.* ▶ **tremblotement** n. m. ■ Léger tremblement. ⟨ ▶ tremble ⟩

trémie [tʁemi] n. f. ■ Grand entonnoir en forme de pyramide renversée qui permet de déverser une substance à traiter.

trémière [tʁemjɛʁ] adj. f. ⇒ **rose** trémière.

tremolo ou *trémolo* [tʁemolo] n. m. **1.** Effet musical obtenu par la répétition très rapprochée d'un son, d'un accord. **2.** TRÉMOLO : tremblement d'émotion (souvent affecté) dans la voix. *Déclamer avec des trémolos dans la voix.*

trémousser [tʁemuse] v. pron. . conjug. 1. ■ S'agiter avec de petits mouvements vifs et irréguliers. ⇒ **frétiller, se tortiller.** ▶ *trémoussement* n. m. ■ *Des trémoussements d'impatience.*

tremper [tʁɑ̃pe] v. . conjug. 1. **I.** V. tr. **1.** (Liquide) Mouiller fortement, imbiber. *La pluie a trempé sa chemise.* — Au passif et p. p. adj. (*Être*) *trempé. Une chemise trempée de sueur. Nous étions complètement trempés après cet orage.* **2.** Faire entrer (un solide) dans un liquide pour imbiber, enduire. *Il trempait sa tartine dans son café au lait.* — Immerger, baigner. *Il trempe son bras dans le lavabo.* — Pronominalement (réfl.). *Se tremper,* prendre un bain rapide. **3.** Plonger (l'acier) dans un bain froid. ⇒ **trempe.** — Au p. p. adj. *Acier* TREMPÉ : durci par la trempe. **4.** Littér. Aguerrir, fortifier. — Au p. p. adj. *Un caractère bien trempé,* énergique. **II.** V. intr. **1.** Rester plongé dans un liquide. *Les fleurs ne trempent pas bien dans ce vase. Faire tremper, mettre à tremper le linge,* le laisser un certain temps dans l'eau ou la lessive avant le lavage. — *Faire tremper des légumes secs* (dans l'eau). *Ça trempe dans l'huile.* ⇒ **baigner. 2.** Loc. (Suj. personne) TREMPER DANS... (une affaire malhonnête) : y participer, en être complice. *Il a trempé dans cette escroquerie.* ▶ *trempage* n. m. ■ Action de tremper. *Le trempage du linge.* ▶ *trempe* n. f. **1.** Immersion dans un bain froid (d'un métal, d'un alliage chauffé à haute température). *La trempe de l'acier.* — Qualité qu'un métal acquiert par cette opération. *Une lame de bonne trempe.* **2.** DE... TREMPE : qualité, caractère. *Un gars de sa trempe ne se laisse pas faire.* **3.** Fam.

Volée de coups. ⇒ **raclée.** ▶ *trempette* n. f. ■ FAIRE TREMPETTE : prendre un bain (de mer, de rivière...) hâtif sans entrer complètement dans l'eau. ⟨ ▶ détremper, se retremper ⟩

tremplin [tʁɑ̃plɛ̃] n. m. **1.** Planche élastique sur laquelle on prend élan pour sauter. *Plonger du haut d'un tremplin.* **2.** Abstrait. Moyen qui permet de parvenir à un but.

trench-coat [tʁɛnʃkot] ou *trench* [tʁɛnʃ] n. m. ■ Anglic. Imperméable à ceinture. *Des trench-coats* ou *des trenchs.*

trente [tʁɑ̃t] adj. numér. invar. et n. m. invar. **1.** Adj. numéral cardinal invar. Trois fois dix (30). *Mois de trente jours. Octobre a trente et un jours.* — TRENTE-SIX : nombre utilisé familièrement pour désigner un grand nombre indéterminé. ⇒ **cent.** *Il n'y a pas trente-six façons de le dire.* Loc. *Tous les trente-six du mois,* à peu près jamais. **2.** Adj. numéral ordinal invar. Qui suit le vingt-neuvième. ⇒ **trentième.** *Numéro trente, page trente. Les années trente, de 1930 à 1939.* **3.** N. m. Nombre, numéro trente. *Il habite au trente.* — Loc. *Se mettre, être* SUR SON TRENTE ET UN : mettre ses plus beaux habits. ▶ *trentaine* n. f. ■ Nombre de trente, d'environ trente. *Une trentaine d'années.* — Âge d'environ trente ans. *Il doit avoir dépassé la trentaine.* ▶ *trentième* adj. numér. ordinal ■ Qui vient après le vingt-neuvième. *La trentième partie* ou, n. m., *le trentième,* partie d'un tout également divisé en trente.

trépan [tʁepɑ̃] n. m. **1.** Instrument de chirurgie destiné à percer les os du crâne. **2.** Vilebrequin pour forer. ⇒ **foreuse.** *Trépan de sonde.* ▶ *trépaner* v. tr. . conjug. 1. ■ Pratiquer un trou dans la boîte crânienne à l'aide d'un trépan. *Trépaner un blessé.* — Au p. p. adj. et n. *Les trépanés.* ▶ *trépanation* n. f. ■ Opération par laquelle on trépane.

trépas [tʁepa] n. m. invar. ■ Vieilli. La mort. — Littér. En loc. ⇒ **mort.** *Passer de vie à trépas,* mourir. ▶ *trépasser* v. intr. . conjug. 1. ■ Littér. ⇒ **mourir.** — Au p. p. adj. et n. *Les trépassés,* les morts.

trépider [tʁepide] v. intr. . conjug. 1. ■ Être agité de petites secousses fréquentes, d'oscillations rapides. ⇒ **trembler, vibrer.** *Le plancher du wagon trépidait.* ▶ *trépidant, ante* adj. **1.** Qui est agité de petites secousses. **2.** Très rapide et agité. *Rythme trépidant. La vie trépidante des grandes villes,* la vie agitée des gens pressés. ▶ *trépidation* n. f. ■ Agitation de ce qui trépide. *La trépidation du moteur.*

trépied [tʁepje] n. m. ■ Meuble ou support à trois pieds. *Le trépied d'un appareil photographique.*

trépigner [tʁepiɲe] v. intr. . conjug. 1. ■ Piétiner ou frapper des pieds contre terre à plusieurs reprises, sous le coup d'une émotion. *La foule trépignait d'enthousiasme, d'impatience.* ▶ *trépignement* n. m. ■ *Des trépignements d'impatience, de colère.*

très [tʁɛ] adv. — REM. *Très* se prononce [tʁɛ] devant une consonne, [tʁɛz] devant une voyelle ou un *h* muet. ■ S'emploie pour marquer le superlatif absolu. ⇒ **bien, fort. 1.** (Devant un adj.) *Il est très gentil. C'est très drôle.* ⇒ **extrêmement.** *Un hiver très froid. C'est très clair.* ⇒ **parfaitement.** *Je suis très content. Cette question est très embarrassante.* ⇒ **terriblement.** — (Devant un terme, une expression à valeur d'adjectif) *J'étais très en retard. Un monsieur très comme il faut. Elle est déjà très femme.* — (Devant un p. p.) *Un très connu. J'étais très gêné.* **2.** (Devant un adv.) *Il porte très bien. Ça ne va pas très vite.* **3.** (Dans des locutions verbales d'état) *Il faisait très chaud.* — (Devant un nom) *Elle s'était fait très mal.* — (Emplois critiqués) ⇒ **grand.** *J'ai très faim, très soif. Faites très attention. J'en ai très envie.*

trésor [tʀezɔʀ] n. m. **I. 1.** Ensemble de choses précieuses amassées et cachées. *On a découvert un trésor en démolissant le vieux quartier. L'île au trésor*, où il y a un trésor (de pirates, etc.). — *Amasser un trésor.* ⇒ **thésauriser. 2.** DES TRÉSORS : grandes richesses concrètes, objets de grand prix. *Les trésors artistiques des musées.* — LE TRÉSOR : ensemble des objets précieux d'une église, réunis dans une sorte de musée. **3.** LE TRÉSOR (PUBLIC) : ensemble des moyens financiers dont dispose un État. — En France. Service financier chargé d'encaisser les recettes fiscales et de payer les dépenses du budget de l'État. *Direction du Trésor* (au ministère des Finances). *Des bons du Trésor.* **II.** Abstrait. **1.** *Un, des trésor(s) de*, une accumulation de (choses utiles, belles ou précieuses). *Il faut des trésors de patience pour le supporter.* **2.** *Le Trésor de la langue*, un grand dictionnaire. (On dit aussi THÉSAURUS [tezɔʀys] n. m.) **3.** *Mon trésor*, terme d'affection. ▶ *trésorerie* [tʀezɔʀʀi] n. f. **1.** Administration du Trésor public. — Services financiers (de l'armée, d'une association...). **2.** État et gestion des fonds, des ressources. ⇒ **finance.** *Difficultés de trésorerie*, insuffisance de ressources pour faire face aux dépenses. ▶ *trésorier, ière* n. ■ Personne chargée de l'administration des finances (d'une organisation publique ou privée). *Le trésorier d'un parti.* — *Trésorier-payeur général*, chargé de la gestion du Trésor public dans un département.

tressaillir [tʀesajiʀ] v. intr. • conjug. 13. ■ Éprouver un tressaillement. ⇒ **sursauter, tressauter.** *Il tressaillait au moindre bruit. Tressaillir de peur, de joie* ⇒ **frémir, trembler.** ▶ *tressaillement* n. m. ■ Ensemble de secousses musculaires qui agitent brusquement le corps, sous l'effet d'une émotion vive ou d'une sensation inattendue. *Un léger tressaillement parcourut sa nuque, la parcourut.* ⇒ **frémissement, tremblement.**

tressauter [tʀesote] v. intr. • conjug. 1. **1.** Tressaillir. *Un claquement de porte nous fit tressauter.* **2.** (Choses) Être agité de façon désordonnée. *La charrette tressautait sur le chemin défoncé.* ⇒ **cahoter.** ▶ *tressautement* n. m. ■ Mouvement de ce qui tressaute.

tresse [tʀes] n. f. **1.** Assemblage de trois longues mèches de cheveux entrecroisées à plat et retenues par une attache. ⇒ **natte.** *Faire des tresses à une petite fille.* **2.** Cordon plat fait de fils entrelacés ; galon fait de plusieurs cordons. ▶ *tresser* v. tr. • conjug. 1. **1.** Entrelacer (des brins de paille, de jonc), de manière à former un réseau fait de tresses. *Tresser de la paille. Tresser ses cheveux.* **2.** Faire (un objet) en entrelaçant des fils, des brins. *Les gitans tressaient des paniers.* — Loc. *Tresser des couronnes à qqn*, le louer, le glorifier.

tréteau [tʀeto] n. m. **1.** Longue pièce de bois sur quatre pieds, servant de support (à une estrade, un étalage, etc.). *Table à tréteaux.* **2.** Littér. LES TRÉTEAUX : théâtre de foire, scène sommairement installée. *Monter sur les tréteaux.* ⇒ **planche(s).**

treuil [tʀœj] n. m. ■ Appareil de levage composé d'un cylindre qu'on fait tourner sur son axe *(le tambour)* à l'aide d'une manivelle et autour duquel s'enroule une corde, un câble. ⇒ **cabestan.**

trêve [tʀɛv] n. f. **1.** Cessation provisoire des combats, pendant une guerre, par convention des belligérants. ⇒ **cessez-le-feu. 2.** Interruption dans une lutte. *Une trêve politique. Faisons trêve à nos querelles.* — (Choses) *Ne pas avoir de trêve*, de fin. *Ne pas laisser de trêve*, de repos. **3.** SANS TRÊVE : sans arrêt, sans interruption. *Travailler sans trêve. Il a plu sans trêve pendant une semaine*, sans cesse, sans répit. — Exclam. TRÊVE DE... : assez de. *Trêve de plaisanterie !*

tri [tʀi] n. m. ■ Action de trier. ⇒ **triage.** *Le tri des lettres.*

tri- ■ Préfixe signifiant « trois » (ex : *tricycle, trident, trilogie*).

triage [tʀijaʒ] n. m. ■ Le fait de trier dans un ensemble ou de répartir ; son résultat. ⇒ **tri, choix.** *Le triage du linge à laver.* — Séparation et regroupement des wagons pour former des convois. *Gare de triage.*

trial [tʀijal] n. m. ■ Course motocycliste d'obstacles sur tout terrain, en tant que constituant une spécialité, une discipline sportive distincte (différent de *cross, enduro*).

triangle [tʀijɑ̃gl] n. m. **1.** Figure géométrique, polygone à trois côtés. *Triangle isocèle, équilatéral, rectangle. Des billes disposées en triangle.* — Objet de cette forme. *Découper un petit triangle blanc.* **2.** Instrument de musique à percussion, fait d'une tige d'acier repliée, sur laquelle on frappe avec une baguette. ▶ *triangulaire* adj. **1.** En forme de triangle. *Une voile triangulaire.* **2.** Qui met en jeu trois éléments. *Élection triangulaire*, à trois candidats. ▶ *triangulation* n. f. ■ Division (d'un terrain) en triangles pour le mesurer.

tribal, ale, aux [tʀibal, o] adj. ■ Didact. De la tribu. *Guerres tribales.*

tribo-électricité [tʀiboelɛktʀisite] n. f. ■ Électricité statique produite par frottement. ▶ *tribo-électrique* adj.

tribord [tʀibɔʀ] n. m. ■ Côté droit d'un navire (quand on regarde vers la proue, l'avant). *Terre à tribord !* (opposé à *bâbord*).

tribu [tʀiby] n. f. ≠ *tribut*. **1.** Division du peuple romain, des peuples grecs. — Chez les Hébreux. Groupe qui s'estimait issu d'un des douze fils de Jacob. **2.** Groupe social et politique fondé sur une parenté ethnique réelle ou supposée, dans les sociétés pré-industrielles. *Des tribus nomades.* **3.** Groupe nombreux ; grande et nombreuse famille. *Il part en vacances avec toute sa tribu.* ⟨ ▶ tribal ⟩

tribulation [tʀibylasjɔ̃] n. f. **1.** Littér. Adversité, épreuve physique ou morale. ⇒ **tourment. 2.** Au plur. Aventures plus ou moins désagréables. ⇒ **mésaventure.** *Il n'est pas au bout de ses tribulations.*

tribun [tʀibœ̃] n. m. **1.** Nom d'officiers *(tribuns militaires)* ou de magistrats *(tribuns de la plèbe)* dans l'ancienne Rome. **2.** Littér. Défenseur éloquent (d'une cause, d'une idée), orateur qui remue les foules. ⟨ ▶ tribunal, tribune ⟩

tribunal, aux [tʀibynal, o] n. m. **1.** Lieu où l'on rend la justice. ⇒ **palais** de justice. *Se rendre au tribunal.* **2.** Magistrat ou corps de magistrats exerçant une juridiction. ⇒ **chambre, cour.** *Tribunaux administratifs, judiciaires. Tribunal de commerce. Tribunaux pour enfants. Porter une affaire devant les tribunaux.* **3.** Justice de Dieu, jugement de la postérité. *Comparaître devant le tribunal suprême. Le tribunal de l'histoire.*

tribune [tʀibyn] n. f. **1.** Emplacement élevé où sont réservées des places (dans une église, une salle publique). *La tribune de (la) presse, dans une assemblée politique, sportive.* — Emplacement en gradins (dans un champ de courses, un stade). **2.** Emplacement élevé, estrade d'où l'orateur s'adresse à une assemblée. *L'orateur monte à la tribune.* — L'éloquence parlementaire, politique (⇒ **tribun**).

3. Article de journal par lequel on s'adresse au public. *La* TRIBUNE LIBRE *d'un journal.*

tribut [tʀiby] n. m. ≠ *tribu.* **1.** Contribution forcée, imposée par un État à un autre. — REM. *Tribut, contribution, distribution, rétribution ont la même origine.* **2.** Littér. Contribution payée à une autorité, un pouvoir. *Lever un tribut sur la population.* **3.** Abstrait. Ce qu'on est obligé de supporter ou d'accorder. *Payer un lourd tribut à la maladie.* ▶ *tributaire* adj. **1.** Qui paye tribut, est soumis à une autorité. **2.** Qui dépend (d'un autre pays). *L'Europe est tributaire des pays tropicaux pour certaines denrées.* — (Personnes) *Les cultivateurs sont tributaires du climat.*

tricher [tʀiʃe] v. intr. . conjug. 1. **1.** Enfreindre les règles d'un jeu en vue de gagner. *Il triche aux cartes. Elle a triché.* **2.** Enfreindre une règle, un usage en affectant de les respecter. *On le soupçonne d'avoir triché à l'examen. Tricher sur la qualité, les prix.* ⇒ **frauder. 3.** Dissimuler un défaut dans la confection d'un ouvrage matériel. ▶ *triche* n. f. ■ Fam. *C'est de la triche,* de la tricherie. ▶ *tricherie* n. f. **1.** Tromperie au jeu. ⇒ **triche. 2.** Mauvaise foi de celui qui triche. ▶ *tricheur, euse* n. **1.** Personne qui triche au jeu. **2.** Personne qui enfreint secrètement les règles, est de mauvaise foi. *Ce politicien est un tricheur, un hypocrite.*

trichromie [tʀikʀɔmi] n. f. ■ Procédé photographique basé sur la séparation des trois couleurs fondamentales : bleu, rouge, jaune.

tricolore [tʀikɔlɔʀ] adj. **1.** Qui est de trois couleurs. *Feux tricolores à un carrefour.* **2.** Des trois couleurs d'un drapeau (spécialt, en France, du drapeau français : bleu, blanc et rouge). *Cocarde tricolore.* — *L'équipe tricolore,* française. — N. *Les tricolores.*

tricorne [tʀikɔʀn] n. m. ■ Chapeau à trois cornes formées par ses bords.

tricot [tʀiko] n. m. **1.** Tissu formé d'une matière textile disposée en mailles et confectionné avec des aiguilles. *Un gilet de tricot.* **2.** Action de tricoter ; ouvrage d'une personne qui tricote. *Faire du tricot.* **3.** Vêtement tricoté. ⇒ **chandail, pull-over.** *Un bon tricot bien chaud.* — *Un tricot de peau, de corps.* ⇒ **maillot.** ▶ *tricoter* v. . conjug. 1. **I.** V. tr. Exécuter au tricot. *Elle tricotait des chaussettes.* — Sans compl. *Des aiguilles à tricoter. Machine à tricoter.* ⇒ **tricoteuse. II.** V. intr. Fam. *Tricoter (des jambes),* courir vite, s'enfuir. ▶ *tricotage* n. m. ▶ *tricoteur, euse* n. **1.** Personne qui tricote. *Les tricoteuses qui venaient assister aux séances de la Convention, pendant la Révolution française.* **2.** N. f. Machine, métier à tricoter.

trictrac [tʀiktʀak] n. m. ■ Jeu de dés, où l'on fait avancer des pions sur une surface à deux compartiments comportant chacun six cases triangulaires. ⇒ **jacquet.**

tricycle [tʀisikl] n. m. ■ Véhicule semblable à la bicyclette, mais à trois roues dont deux parallèles. *Tricycle d'enfant. Tricycle de livreur.* ⇒ **triporteur.**

trident [tʀidɑ̃] n. m. **1.** Fourche à trois pointes. **2.** Engin de pêche, harpon à trois pointes. *Attraper un thon au trident.*

tridimensionnel, elle [tʀidimɑ̃sjɔnɛl] adj. ■ Didact. Qui a trois dimensions ; qui se développe dans un espace à trois dimensions.

trièdre [tʀijɛdʀ] n. m. ■ Figure géométrique (dans l'espace) formée par trois plans qui se coupent deux à deux.

triennal, ale, aux [tʀijɛnal, o] adj. ■ Qui a lieu tous les trois ans ou dure trois ans. *Plan triennal.*

— *Assolement triennal,* alternance de trois cultures sur un même terrain.

trier [tʀije] v. tr. . conjug. 7. **1.** Choisir parmi d'autres ; extraire d'un plus grand nombre, après examen (⇒ **tri, triage**). *Les semences qu'il a triées pour l'année suivante.* — Loc. TRIER SUR LE VOLET : sélectionner avec le plus grand soin. **2.** Traiter de manière à ôter ce qui est mauvais. *Trier des lentilles,* éliminer les grains non comestibles, les cailloux. **3.** Répartir en plusieurs groupes sans rien éliminer. ⇒ **classer.** *Il était occupé à trier ses papiers. Trier des lettres* (⇒ **tri**). ▶ *trieur, trieuse* n. **1.** Ouvrier chargé de trier qqch. *Trieur de minerai.* **2.** N. m. Appareil servant au triage. — N. f. Machine à trier, à classer des fiches, etc. ‹ ▶ **tri, triage** ›

trière [tʀijɛʀ] n. f. ■ Dans l'antiquité grecque. Bateau à trois rangs de rames. ⇒ **trirème.**

trifouiller [tʀifuje] v. . conjug. 1. Fam. **1.** V. tr. Mettre en désordre, en remuant. *On a trifouillé mes papiers.* **2.** V. intr. Fouiller (dans). ⇒ **farfouiller.** *Ne viens pas trifouiller dans mes affaires.*

trigonométrie [tʀigɔnɔmetʀi] n. f. ■ Application du calcul à la détermination des éléments des triangles. ▶ *trigonométrique* adj. ■ Qui concerne la trigonométrie ; qui est utilisé en trigonométrie. *Calculs, tables trigonométriques. Lignes trigonométriques.* ⇒ **cosinus, sinus, tangente.**

trijumeau [tʀiʒymo] adj. et n. m. ■ *(Nerf) trijumeau,* cinquième nerf crânien (qui se divise en trois : nerf ophtalmique ; deux nerfs maxillaires).

trille [tʀij] n. m. ■ En musique. Battement rapide et ininterrompu sur deux notes voisines. *Exécuter un trille sur la flûte.*

trillion [tʀiljɔ̃] n. m. ■ Un milliard de milliards (soit 10¹⁸).

trilogie [tʀilɔʒi] n. f. **1.** Ensemble de trois tragédies grecques sur un même thème. **2.** Groupe de trois pièces de théâtre, de trois œuvres dont les sujets se font suite.

trimaran [tʀimaʀɑ̃] n. m. ■ Bateau multicoque formé d'une coque centrale flanquée de deux petites coques parallèles réunies transversalement par une armature rigide. ≠ *catamaran. Des trimarans.*

trimbaler [tʀɛ̃bale] v. tr. . conjug. 1. ■ Fam. Mener, porter partout avec soi (souvent avec l'idée de difficulté). ⇒ **traîner, transporter.** *Il a fallu trimbaler la cage toute la journée.* — Pronominalement (réfl.). *Il a fallu que je me trimbale chez eux avec les enfants.* — Fam. *Qu'est-ce qu'il trimbale !,* comme il est bête ! ▶ *trimbalage* ou *trimbalement* n. m.

trimer [tʀime] v. intr. . conjug. 1. ■ Fam. Travailler avec effort, à une besogne pénible. *Ce n'est pas une vie, de trimer du matin au soir !* ⇒ **peiner.**

trimestre [tʀimɛstʀ] n. m. **1.** Durée de trois mois. — Division de l'année scolaire (en France). **2.** Somme payée ou allouée tous les trois mois. *Toucher son trimestre.* ▶ *trimestriel, ielle* adj. **1.** Qui dure trois mois. **2.** Qui a lieu, qui paraît tous les trois mois. *Bulletin trimestriel. Revue trimestrielle.* ▶ *trimestriellement* adv. ■ Tous les trois mois.

trimoteur [tʀimɔtœʀ] adj. et n. m. ■ *(Avion)* Qui a trois moteurs. ⇒ **triréacteur.**

tringle [tʀɛ̃gl] n. f. ■ Tige métallique servant de support. *Tringle à rideaux. Cintres suspendus à une tringle.*

trinité [tʀinite] n. f. **1.** Dans la doctrine chrétienne. (Avec une majuscule) Dieu unique en trois personnes. *La Sainte-Trinité.* **2.** Groupe de trois dieux (ou de trois principes, de trois objets considérés comme sacrés).

trinôme [trinom] n. m. ■ Polynôme à trois termes.

trinquer [trɛ̃ke] v. intr. ■ conjug. 1. **1.** Boire en même temps que qqn, après avoir choqué les verres, pour souhaiter la santé, le succès, etc. *Trinquer avec des amis.* **2.** Fam. Subir des désagréments, des pertes. ⇒ **écoper.** *Ce sont toujours les mêmes qui trinquent !*

trio [trijo] n. m. **1.** Morceau pour trois instruments ou trois voix. — Groupe de trois musiciens. *Des trios à cordes.* **2.** Groupe de trois personnes (souvent péj.). *Ils font un joli trio !*

triolet [trijɔlɛ] n. m. ■ En musique. Groupe de trois notes de valeur égale qui se jouent dans le temps de deux. *Un triolet de croches vaut une noire (deux croches).*

triomphe [trijɔ̃f] n. m. **1.** Victoire éclatante à l'issue d'une lutte, d'une rivalité. — (Choses) Établissement, avènement éclatant (de ce qui était en lutte avec autre chose). *Le triomphe de notre cause.* **2.** En histoire. Honneur décerné à un général romain qui avait remporté une grande victoire. — Loc. ARC DE TRIOMPHE : élevé pour un triomphe. **3.** Loc. PORTER *qqn* EN TRIOMPHE : le hisser au-dessus de la foule pour le faire acclamer. **4.** Joie rayonnante que donne la victoire ; grande satisfaction. *Un cri de triomphe.* **5.** Approbation enthousiaste du public. *Il a remporté un vrai triomphe.* — Représentation, interprétation, spectacle... qui déchaîne l'enthousiasme du public. *Ce film, ce disque est un vrai triomphe.* ▶ **triomphal, ale, aux** adj. **1.** Qui a les caractères d'un triomphe, qui est accompagné d'honneurs, d'acclamations. *Un accueil triomphal.* **2.** Qui constitue un triomphe, une grande réussite. *Une élection triomphale.* ▶ **triomphalement** adv. ■ D'une manière triomphale ; en triomphe. *Il a été reçu triomphalement. Il nous a montré triomphalement sa découverte.* ⟨ ▶ triompher ⟩

triompher [trijɔ̃fe] v. ■ conjug. 1. **I.** V. tr. ind. TRIOMPHER DE... : vaincre (qqn) avec éclat à l'issue d'une lutte. *Triompher de tous ses adversaires.* — Venir à bout de (qqch.). *Nous avons triomphé de sa résistance, de toutes les difficultés.* **II.** V. intr. **1.** Remporter une éclatante victoire. — (Choses) S'imposer, s'établir de façon éclatante. *Leurs thèses ont triomphé.* **2.** Éprouver un sentiment de triomphe, crier victoire. *Vous avez tort de triompher !* **3.** Réussir brillamment. ⇒ **exceller.** — Être l'objet de l'enthousiasme du public. *La pièce a triomphé.* ▶ **triomphant, ante** adj. **1.** Qui triomphe, qui a remporté une éclatante victoire. ⇒ **victorieux.** *Un geste triomphant.* ⇒ **vainqueur. 2.** Qui exprime le triomphe, est plein d'une joie éclatante. ⇒ **heureux, radieux.** *Un air triomphant.* ▶ **triomphateur, trice** n. **1.** Personne qui remporte une éclatante victoire. ⇒ **vainqueur.** *Les triomphateurs de la journée.* **2.** Général romain à qui l'on faisait les honneurs du triomphe (2).

triparti, ie [triparti] ou **tripartite** [-tit] adj. ■ En politique. Qui réunit trois partis ou trois parties qui négocient. *Pacte tripartite.*

tripatouiller [tripatuje] v. tr. ■ conjug. 1. **1.** Remanier sans scrupule (un texte original) en ajoutant, retranchant. *Tripatouiller la comptabilité d'une entreprise.* — Altérer, truquer (des écritures, des comptes). **2.** Concret. Tripoter. ▶ **tripatouillage** n. m. ■ Fam. Action de tripatouiller (un texte). — Modification malhonnête. *Des tripatouillages électoraux.* ⇒ **magouille, tripotage.** ▶ **tripatouilleur** n. m. et adj.

tripe [trip] n. f. **1.** Des tripes, plat fait de boyaux de ruminants préparés. *Tripes à la mode de Caen.*

2. Fam. Intestin de l'homme ; ventre. — Loc. *Rendre* TRIPES ET BOYAUX : vomir. **3.** Entrailles. *Une musique qui prend aux tripes,* qui bouleverse. — Loc. *Avoir* LA TRIPE *républicaine* : être républicain jusqu'aux entrailles. ▶ **triperie** n. f. ■ Commerce du tripier ▶ *boucherie.* ▶ **tripier, ière** n. ■ Commerçant qui vend des abats (tripes, etc.). ⟨ ▶ étriper, tripous ⟩

tripette [tripɛt] n. f. ■ Loc. *Ça ne* VAUT PAS TRIPETTE : cela ne vaut rien.

triple [tripl] adj. **1.** Qui équivaut à trois, se présente comme trois. *Un triple rang de perles. Un triple menton,* qui fait trois plis. — Qui concerne trois éléments. *Triple entente,* entente de trois puissances. — Fam. (Sert de superlatif) Très vite. *Au triple galop.* — *Triple idiot !* **2.** Trois fois plus grand. *Prendre une triple dose.* — N. m. *Le triple,* quantité trois fois plus grande. *Neuf est le triple de trois.* ▶ **tripler** v. ■ conjug. 1. **1.** V. tr. Rendre triple, multiplier par trois. **2.** V. intr. Devenir triple. *Les terrains ont triplé de valeur depuis dix ans.* ▶ **triplés, ées** n. plur. ■ Groupe de trois enfants nés d'une même grossesse. ⇒ **jumeaux.**

triporteur [triportœr] n. m. ■ Tricycle muni d'une caisse pour le transport des marchandises légères.

tripot [tripo] n. m. ■ Péj. Maison de jeu, café où l'on joue.

tripotée [tripɔte] n. f. Fam. **1.** Raclée, volée. **2.** Grand nombre. *Avoir une tripotée d'enfants.*

tripoter [tripɔte] v. ■ conjug. 1. **1.** V. tr. Manier, tâter sans délicatesse. *Ne tripotez pas ces fruits.* — Toucher de manière répétée, machinalement. **2.** V. intr. Se livrer à des opérations et combinaisons peu avouables, malhonnêtes. ⇒ **magouiller ; trafiquer.** *Il a tripoté dans pas mal d'affaires.* ▶ **tripotage** n. m. ■ Arrangement, combinaison louche. ⇒ **trafic, tripatouillage.** ▶ **tripoteur, euse** n. ■ Personne qui se livre à des tripotages. ⇒ **magouilleur.** ⟨ ▶ tripotée ⟩

tripous ou **tripoux** [tripu] n. m. pl. ■ Tripes et abats (pieds de mouton, etc.) à la mode auvergnate.

triptyque [triptik] n. m. **1.** Ouvrage de peinture ou de sculpture composé d'un panneau central et de deux volets mobiles pouvant se rabattre. — Œuvre littéraire en trois tableaux ou récits. **2.** Document douanier en trois feuillets.

trique [trik] n. f. ■ Gros bâton utilisé pour frapper. *Mener les hommes à coups de trique,* par la brutalité. Loc. *Être sec comme un coup de trique,* très maigre.

triréacteur [trireaktœr] n. m. ■ Avion à trois réacteurs. ⇒ **trimoteur.**

trirème [trirɛm] n. f. ■ Navire de guerre des Romains, des Carthaginois, etc., à trois rangées de rames superposées. ⇒ **trière.**

trisaïeul, eule [trizajœl] n. ■ Père, mère du bisaïeul, ou de la bisaïeule. *Mes trisaïeuls.*

triste [trist] adj. **I. 1.** Qui éprouve un malaise douloureux, de tristesse. ⇒ **affligé. /** contr. **gai, heureux, joyeux /** *Il est triste d'avoir échoué, parce qu'il a échoué.* ⇒ **abattu.** — Loc. *Triste comme un bonnet de nuit.* — *Des gens tristes,* habituellement sans gaieté. ⇒ **mélancolique, morose. 2.** Qui exprime la tristesse, est empreint de tristesse. ⇒ **malheureux, sombre.** *Un visage triste. Le chevalier à la triste figure,* don Quichotte. *Rouler de tristes pensées, des pensées bien tristes.* **3.** (Choses) Qui répand la tristesse. ⇒ **morne, sinistre.** *Le ciel est triste. Des couleurs tristes.* **II.** Valeur active. ⇒ **attristant.** (Choses) **1.** Qui fait souffrir, fait de la peine. ⇒ **affligeant, douloureux,**

pénible. / contr. **heureux** / *C'est une triste nouvelle.*
Il a eu une vie bien triste. — Qui raconte ou montre
des choses pénibles. *Ce film est trop triste.* **2.** Qui
suscite des jugements pénibles. ⇒ **déplorable.** *Ce
malade est dans un triste état. C'est bien triste.*
⇒ **malheureux, regrettable. 3.** Péj. (Toujours devant le
nom) Dont le caractère médiocre ou odieux afflige.
⇒ **lamentable.** *Quelle triste époque ! Un triste sire.*
► *tristement* adv. **1.** En étant triste, d'un air triste.
Baisser la tête tristement. **2.** D'une manière pénible,
affligeante. *Il est devenu tristement célèbre* (à cause
de ses méfaits). ► *tristesse* n. f. **1.** État affectif pénible
et durable ; envahissement de la conscience par une
douleur morale ou par un malaise qui empêche de
se réjouir du reste. ⇒ **ennui, mélancolie, peine.**
/ contr. **gaieté, joie** / *Des accès de tristesse. Il souriait
avec tristesse.* **2.** (Une, des tristesses) Moment où l'on
est dans cet état ; ce qui le fait naître. *Une des tristesses
de ma vie.* ⇒ **chagrin. 3.** Caractère de ce qui exprime
ou suscite cet état. *La tristesse de ces ruines.*
⟨ ► attrister, contrister ⟩

① *triton* [tʀitɔ̃] n. m. ■ Divinité mythologique à
figure humaine et à queue de poisson. *Neptune et ses
tritons.*

② *triton* n. m. ■ Batracien aquatique, proche de
la salamandre, à queue aplatie.

triturer [tʀityʀe] v. tr. • conjug. 1. **1.** Réduire en
poudre ou en pâte en écrasant par pression et
frottement. ⇒ **broyer.** *Les molaires triturent les
aliments.* **2.** Manier à fond. ⇒ **pétrir.** — Fam. *Se
triturer les méninges, la cervelle,* se mettre l'esprit à
la torture en cherchant qqch., en se faisant du souci.
3. Manier avec insistance, machinalement. *Il triturait
sa casquette.* ► *trituration* n. f. ■ Action de
triturer (1).

triumvir [tʀijɔmviʀ] n. m. ■ Magistrat romain
chargé, avec deux collègues, d'une mission administrative ou du gouvernement. *Les trois triumvirs.*
► *triumvirat* n. m. **1.** Fonction de triumvir. **2.** Littér.
Association de trois personnes qui exercent un
pouvoir, une influence.

trivial, ale, aux [tʀivjal, o] adj. **1.** Qui est
caractéristique d'une mauvaise éducation, qui est
contraire aux bons usages. ⇒ **vulgaire.** *Des plaisanteries triviales.* — (Mot) Qui désigne, ouvertement et
d'une manière populaire, des réalités que le bon ton
passe sous silence. ⇒ **grossier, obscène. 2.** En sciences. Ordinaire, non scientifique. ► *trivialement* adv.
■ D'une manière grossière. *Parler trivialement.*
► *trivialité* n. f. ■ Caractère de ce qui est grossier,
vulgaire. *La trivialité de ses propos.*

troc [tʀɔk] n. m. ■ Échange direct d'un bien contre
un autre. *Faire un troc avec qqn. Faire du troc.*
⇒ **troquer.** — Système économique primitif, excluant
l'emploi de monnaie. *Économie de troc.*

troène [tʀoɛn] n. m. ■ Arbuste à feuilles presque
persistantes, à petites fleurs blanches très odorantes.
Une haie de troènes.

troglodyte [tʀɔglɔdit] n. m. ■ Habitant d'une
caverne, d'une grotte, ou d'une demeure aménagée
dans le roc.

trogne [tʀɔɲ] n. f. ■ Fam. Visage grotesque. *Une
trogne rouge, comique.* — Visage. *Il a une bonne
trogne.* ⇒ fam. **trombine, tronche.**

trognon [tʀɔɲɔ̃] n. m. **1.** Ce qui reste quand on
a enlevé la partie comestible (d'un fruit, d'un légume).
Un trognon de pomme, de chou. — Loc. Fam.
JUSQU'AU TROGNON : jusqu'au bout, complètement.
On nous a eus jusqu'au trognon ! **2.** Fam. Terme

d'affection désignant un enfant. *Qu'il est gentil, ce petit
trognon !* — Adj. invar. *Elle est trognon.*

troïka [tʀɔika] n. f. ■ Grand traîneau russe, attelé
à trois chevaux de front.

trois [tʀwɑ] adj. numér. invar. et n. m. invar. **1.** Adj.
cardinal. Deux plus un (3 ou III). *Les trois dimensions.
Frapper les trois coups,* qui, au théâtre, précèdent le
lever du rideau. *J'ai trois rois.* ⇒ **brelan.** *Trois cartes
qui se suivent.* ⇒ **tierce.** *Trois cents, trois mille.* Loc.
Règle de trois, par laquelle on cherche le quatrième
terme d'une proportion, quand les trois autres sont
connus. — *Deux ou trois, trois ou quatre,* un très petit
nombre. *Nous n'étions que deux ou trois.* **2.** Adj.
ordinal. Troisième. *Page trois.* **3.** N. m. *Multiplier par
trois. Un, deux, trois, partez !* — Le chiffre, le numéro
trois. *Tracer des trois en chiffres romains* (III)
— *Numéro, carte, domino... marqué de trois signes.
Le trois a gagné. Le trois de carreau.* — Troisième
jour du mois. *Il est arrivé le trois.* Maison qui porte
le numéro trois. *Il habite au trois.* ► *troisième*
[tʀwazjɛm] adj. et n. **1.** Qui vient après le deuxième.
La troisième personne. — N. m. *Habiter au troisième*
(étage). **2.** Adj. Qui s'obtient en divisant par trois. *La
troisième partie d'un tout.* ⇒ **tiers.** ► *troisièmement*
adv. ■ En troisième lieu. ⇒ **tertio.** ► *trois-huit*
[tʀwɥit] n. m. pl. ■ Système de travail continu qui
nécessite la succession de trois équipes travaillant
chacune huit heures. *Faire les trois-huit dans une
usine.* ► *trois-mâts* n. m. invar. ■ Navire à voiles à
trois mâts. ► *trois-points* loc. adj. ■ Fam. *Les frères
trois-points,* les francs-maçons (à cause des *trois-points*
[. ·.], symbole de la franc-maçonnerie). ► *trois-
quarts* n. m. invar. ■ Au rugby. Joueur de la ligne
offensive placée entre les demis et l'arrière.

trolley [tʀɔlɛ] n. m. ■ Dispositif mobile servant à
transmettre le courant d'un câble conducteur au
moteur d'un véhicule. *Des trams à trolleys.* — Fam.
Trolleybus. *Des trolleys.* ► *trolleybus* [tʀɔlɛbys] n.
m. invar. ■ Autobus à trolley.

trombe [tʀɔ̃b] n. f. **1.** Cyclone tropical déterminant
la formation d'une sorte de colonne tourbillonnante
qui soulève la surface des eaux ; cette colonne.
⇒ **tornade. 2.** *Trombe d'eau,* pluie torrentielle.
3. Loc. EN TROMBE, *comme une trombe* : avec un
mouvement rapide et violent. *Il est arrivé en trombe.*

trombine [tʀɔ̃bin] n. f. ■ Fam. Tête, visage. ⇒ fam.
bobine, bouille, trogne.

tromblon [tʀɔ̃blɔ̃] n. m. ■ Anciennt. Arme à feu
individuelle au canon évasé en entonnoir. — Fam.
Vieux fusil.

trombone [tʀɔ̃bɔn] n. m. **I.** Instrument à vent,
cuivre de grande dimension, à embouchure. *Trombone à pistons.* — Spécialt. *Trombone à coulisse,* dont
le tube replié forme une longue coulisse qu'on allonge
ou raccourcit pour produire des sons différents.
— Joueur de trombone. *Il est trombone dans
l'orchestre de la Garde républicaine.* **II.** Petite agrafe
de fil de fer repliée en deux boucles, servant à retenir
plusieurs feuillets.

① *trompe* [tʀɔ̃p] n. f. **I.** Instrument à vent à
embouchure, formé d'un simple tube évasé en
pavillon. *Trompe de chasse,* cor. — *Trompe de brume,*
appareil sonore utilisé comme signal en cas de brume.
⇒ **corne.** ⟨ ► trompette ⟩

② *trompe* n. f. **I. 1.** Prolongement de l'appendice
nasal (nez) de l'éléphant, organe tactile, qui lui sert
à saisir à aspirer, pomper les liquides. *L'éléphant
balance sa trompe. Trompe d'insecte.* **2.** Organe
buccal de certains insectes. **II. 1.** TROMPE DE
FALLOPE : chez la femme, conduit par lequel l'ovule
quitte l'ovaire. **2.** TROMPE D'EUSTACHE : canal qui

relie au rhinopharynx la partie antérieure de la caisse du tympan.

③ *trompe* n. f. ■ En architecture. Section de voûte qui fait saillie et supporte une construction qui dépasse (encorbellement). *Coupole sur trompes.*

tromper [tʀɔ̃pe] v. tr. ▪ conjug. 1. **I.** V. tr. **1.** Induire (qqn) en erreur quant aux faits ou quant à ses intentions, en usant de mensonge, de dissimulation, de ruse. ⇒ **berner, duper, leurrer, mystifier, rouler.** *Le vendeur a essayé de nous tromper. Elle nous a bien trompés, avec ses airs de franchise.* **2.** (Dans la vie amoureuse et conjugale) Être infidèle à... *Il l'a souvent trompée.* — Au p. p. adj. *Mari trompé.* ⇒ fam. **cocu.** **3.** Échapper à (des poursuivants, des surveillants). ⇒ **déjouer.** *Il a trompé tous ses poursuivants, ses gardiens.* **4.** (Suj. chose) Faire tomber (qqn) dans l'erreur, l'illusion. *La ressemblance vous trompe. C'est ce qui vous trompe, c'est en quoi vous faites erreur. Cela ne trompe personne.* — Sans compl. *Ça ne trompe pas, c'est un indice sûr.* **5.** Littér. Être inférieur à (ce qu'on attend, ce qu'on souhaite). ⇒ **décevoir.** *L'événement a trompé notre attente.* — Au p. p. adj. *Un espoir toujours trompé.* **6.** Donner une satisfaction illusoire ou momentanée à (un besoin, un désir). *Des pastilles qui trompent la soif.* **II.** SE TROMPER v. pron. réfl. : (suj. personne) commettre une erreur. ⇒ **s'illusionner, se méprendre, avoir tort.** *Tout le monde peut se tromper. Je me suis trompé sur ses intentions, sur lui, à son propos, quant à lui. Ne t'y trompe pas. Se tromper de cent francs dans un compte,* faire une erreur de cent francs. — *Se tromper de...* (+ nom sans article), faire une confusion de. *Je me suis trompé de route, de date.* Loc. *Se tromper d'adresse,* ne pas s'adresser à la personne qui convient. — *Si je ne me trompe,* sauf erreur. ▶ **tromperie** [tʀɔ̃pʀi] n. f. ■ Le fait de tromper, d'induire volontairement en erreur. ⇒ **imposture, mensonge.** ▶ **trompe-l'œil** [tʀɔ̃plœj] n. m. invar. **1.** Peinture décorative visant à créer l'illusion d'objets réels en relief, par la perspective. *De beaux trompe-l'œil de la Renaissance. Fenêtre, colonne, décor, statue en trompe-l'œil.* **2.** Abstrait. Apparence trompeuse, chose qui fait illusion. *Sa démonstration n'est que du trompe-l'œil.* ⟨ ▶ détromper, trompeur ⟩

trompette [tʀɔ̃pɛt] n. **I.** N. f. **1.** Instrument à vent à embouchure, qui fait partie des cuivres. *Une sonnerie de trompettes. Trompette de jazz. Trompette bouchée,* dont l'embouchure a été munie d'une sourdine. **2.** Loc. EN TROMPETTE. *Nez en trompette,* retroussé. *La queue en trompette,* relevée. **3.** Nom de coquillages ; de champignons. TROMPETTE DE LA MORT : champignon noir comestible (craterelle). **II.** N. m. Musicien qui joue de la trompette dans une musique militaire. *Un trompette.* ≠ *trompettiste.* ▶ **trompettiste** n. ■ Musicien(ienne) qui joue de la trompette dans un orchestre. *Une excellente trompettiste classique, de jazz.* ≠ *trompette (II).*

trompeur, euse [tʀɔ̃pœʀ, øz] adj. **1.** (Personnes) Qui trompe, est capable de tromper par mensonge, dissimulation. ⇒ **déloyal, fourbe, hypocrite, perfide.** / contr. **sincère** / *Un grand trompeur.* — PROV. *À trompeur, trompeur et demi,* un trompeur en trouve toujours un autre pour le tromper. **2.** (Choses) Qui induit en erreur. *Les apparences sont trompeuses.* / contr. **vrai** / *Un calme trompeur.* ▶ **trompeusement** adv. ■ En trompant (volontairement ou non).

① *tronc* [tʀɔ̃] n. m. **I.** **1.** Partie inférieure et dénudée de la tige (d'un arbre). *Le tronc d'un arbre ; un, des tronc(s) d'arbre,* la partie située entre les racines et les branches maîtresses. **2.** Fig. TRONC COMMUN : partie commune appelée à se diviser, à se différencier. — Cycle d'étude parcouru par tous les élèves avant leur répartition en sections. **3.** Partie principale (d'un nerf, d'une artère, d'une veine). **II.** Partie du corps humain où sont fixés la tête et les membres. ⇒ **torse.** **III.** Partie comprise entre la base et une section plane parallèle (d'une figure solide). *Tronc de cône.* ⇒ **tronconique.** ⟨ ▶ tronçon, tronconique, tronquer ⟩

② *tronc* n. m. ■ Boîte percée d'une fente, où l'on dépose des offrandes, dans une église. *Le tronc des pauvres.*

tronche [tʀɔ̃ʃ] n. f. ■ Fam. et péj. Tête. *Il a une sale tronche, une drôle de tronche.* ⇒ fam. **trogne.**

tronçon [tʀɔ̃sɔ̃] n. m. **1.** Partie d'un objet plus long que large, qui a été coupé ou cassé. *Du bois débité en tronçons.* — Morceau coupé (de certains animaux à corps cylindrique). *Ver de terre coupé en trois tronçons.* **2.** Partie (d'une route, d'une ligne de chemin de fer). *On vient d'achever un nouveau tronçon d'autoroute.* ▶ **tronçonner** [tʀɔ̃sɔne] v. tr. ▪ conjug. 1. ■ Couper, diviser en tronçons. ▶ **tronçonnage** n. m. *Le tronçonnage du bois, des métaux.* ▶ **tronçonneuse** n. f. ■ Machine-outil mue par un moteur à essence, servant à découper du bois, du métal, etc., en tronçons.

tronconique [tʀɔ̃kɔnik] adj. ■ Qui constitue un tronc de cône.

trône [tʀon] n. m. **1.** Siège élevé sur lequel prend place un souverain dans les circonstances solennelles. **2.** Symbole de la puissance d'un souverain. *Il a été mis sur le trône. Les prétendants au trône.* ⇒ **souveraineté.** ▶ **trôner** v. intr. ▪ conjug. 1. **1.** Siéger sur un trône. — Être comme sur un trône, occuper la place d'honneur. **2.** Péj. Faire l'important ; s'étaler avec orgueil. *Il trônait au milieu de ses admirateurs.* ⟨ ▶ détrôner, introniser ⟩

tronquer [tʀɔ̃ke] v. tr. ▪ conjug. 1. **1.** Couper en retranchant une partie importante. — Au p. p. adj. *Des colonnes tronquées.* **2.** Péj. Retrancher qqch. de (un discours). *Elle s'est permis de tronquer le texte.* — Au p. p. adj. *Citation tronquée. La version tronquée d'un texte.*

trop [tʀo] adv. **I.** **1.** D'une manière excessive, abusive ; plus qu'il ne faudrait. ⇒ **excessivement.** *C'est trop cher.* — (Modifiant un adv.) *On est partis trop tard. Trop peu, pas assez, insuffisamment.* — (Un adj.) *Il est trop bon.* — (Un verbe) *Il a trop bu.* — TROP... POUR : s'emploie pour exclure une conséquence. *C'est trop beau pour être vrai,* on n'ose y croire. *Le temps est trop précieux pour qu'on le gaspille.* — (Modifié par un adv.) *C'est un peu, beaucoup, bien trop cher.* — (Avec la négation) PAS TROP : en quantité raisonnable. *Donnez-lui du vin, mais pas trop.* **2.** Beaucoup, très (sans idée d'excès). *Vous êtes trop aimable. Cet enfant est trop mignon.* — (Avec une négation) *Je ne sais pas trop,* pas bien. *Sans trop comprendre. Les choses ne vont pas trop bien,* elles vont médiocrement ; *pas trop mal,* plutôt bien. **II.** (Nominal) **1.** Une quantité excessive. *C'est trop !* (en remerciement pour un compliment, pour un cadeau). — DE TROP : s'emploie pour exprimer la mesure de l'excès. *Je t'ai payé dix francs de trop. Boire un coup de trop.* — EN TROP. *Je n'y comprends rien, j'ai de l'argent en trop.* — DE TROP (en attribut) : superflu. *Huit jours de travail ne seront pas de trop. Être de trop,* imposer une présence inutile ou inopportune. — TROP DE (+ nom) : une quantité excessive de... *Vous faites trop de bruit. Je n'ai montré que trop de patience,* plus de patience que j'aurais dû. *C'en est trop, c'est assez, ce n'est plus supportable.* **2.** (Employé comme nom) Excès. *Le trop de lumière est gênant.* ⟨ ▶ trop-plein ⟩

trope [trɔp] n. m. ■ Littér. Figure de rhétorique par laquelle un mot ou une expression sont détournés de leur sens propre. *La métaphore, la métonymie sont des tropes.*

-trope ■ Élément d'adjectifs savants, signifiant « qui se tourne vers » (-TROPIE, -TROPISME servent à former des noms).

trophée [trofe] n. m. **1.** Dépouille d'un ennemi vaincu, dans l'Antiquité ; ensemble d'objets attestant la victoire, un succès. *Trophée de chasse*, tête empaillée de l'animal abattu. *Trophée sportif*, coupe, médaille. **2.** Motif décoratif formé d'armes, de drapeaux, etc., (groupés autour d'une armure, d'un casque, et en architecture).

tropique [trɔpik] n. m. **1.** Chacun des deux cercles de la sphère terrestre, parallèles à l'équateur, qui correspondent au passage du Soleil au zénith, à chacun des solstices. *Tropique du Cancer* (hémisphère Nord), *du Capricorne* (Sud). **2.** *Les tropiques*, la région située près des tropiques. *Le soleil des tropiques.* ▶ *tropical, ale, aux* adj. **1.** Qui concerne les tropiques, les régions situées autour de chaque tropique. ⇒ **équatorial.** *Région tropicale. Les pays tropicaux. Climat tropical*, type de climat chaud à faible variation annuelle de température, à forte variation du régime des pluies, qui règne de part et d'autre de chaque tropique. *La végétation tropicale. La forêt tropicale.* ≠ *équatorial.* **2.** Se dit d'une chaleur très forte, d'une température très élevée.

tropisme [trɔpism] n. m. **1.** Didact. Phénomène d'orientation, de croissance de la matière vivante (plantes, protistes, etc.) en réponse à des facteurs physiques ou chimiques. **2.** Littér. Force obscure qui pousse qqn à agir d'une certaine façon.

trop-plein [trɔplɛ̃] n. m. **1.** Ce qui excède la capacité d'un récipient, ce qui déborde. — Réservoir destiné à recevoir un liquide en excès. ⇒ **déversoir.** *Des trop-pleins.* **2.** Abstrait. Ce qui est en trop, ce qui excède la capacité. *Épancher le trop-plein de son cœur*, exprimer les sentiments que l'on ne peut garder en soi. *Un trop-plein de vie, d'énergie*, une surabondance.

troquer [trɔke] v. tr. ■ conjug. 1. **1.** Donner en troc. ⇒ **échanger.** **2.** Changer, faire succéder à. *Il avait troqué ses culottes courtes contre des pantalons.* ⟨ ▶ troc ⟩

troquet [trɔkɛ] n. m. ■ Fam. Petit bistrot.

trotter [trɔte] v. ■ conjug. 1. **I.** V. intr. **1.** Aller au trot. *Le poulain trottait.* **2.** (Personnes) Marcher rapidement à petits pas. — Faire de nombreuses allées et venues. *Il devait trotter d'un bout de la ville à l'autre.* **3.** *Un air qui me trotte par la tête*, qui me poursuit. **II.** V. pron. réfl. Fam. Se sauver, partir. ⇒ fam. se *tirer. Il faut se trotter, maintenant.* ▶ *trot* [tro] n. m. **1.** Une des allures naturelles du cheval (et de quelques quadrupèdes), intermédiaire entre le pas et le galop. *Le cheval a pris le trot, est parti* AU TROT, *au petit trot, au grand trot. Courses de trot*, réservées aux trotteurs (*trot monté* ou *trot attelé*). **2.** Fam. AU TROT : en marchant rapidement, sans traîner. *À l'école, et au trot !* ▶ *trotte* n. f. ■ Fam. Chemin assez long à parcourir à pied. *Ça fait une trotte !* ▶ *trotteur, euse* n. ■ Cheval dressé à trotter ; cheval entraîné pour les courses de trot. ▶ *trotteuse* n. f. ■ Aiguille des secondes d'une montre. ▶ *trottiner* v. intr. ■ conjug. 1. **1.** Aller avec un trot très court. *Des ânes qui trottinent.* **2.** Marcher à petits pas courts et pressés. ▶ *trottinette* n. f. **1.** Jouet d'enfant composé d'une planchette montée sur deux roues et d'une tige de direction. ⇒ **patinette.** **2.** Fam. Petite automobile. ▶ *trottoir* [trɔtwar] n. m. **1.** Chemin surélevé réservé à la circulation des piétons (sur les côtés d'une rue). *Se promener sur les trottoirs.* — *Faire le trottoir*, se dit d'un(e) prostitué(e). **2.** *Trottoir roulant*, plate-forme qui roule sur des rails ou des galets, et sert à transporter des personnes ou des marchandises.

trou [tru] n. m. **I. 1.** Abaissement ou enfoncement (naturel ou artificiel) de la surface extérieure de qqch. ⇒ **cavité, creux, enfoncement, excavation.** *Faire un trou dans le bois, la pierre. Tomber dans un trou. Boucher un trou.* — *Trou d'air*, courant atmosphérique descendant qui fait que l'avion perd brusquement de l'altitude. **2.** Abri naturel ou creusé. *Trou de souris.* — Loc. *Se réfugier dans son trou.* ⇒ **tanière, terrier.** — Loc. *Faire son trou*, se faire une place, réussir. — *Le trou du souffleur*, loge sur le devant de la scène, où se tient le souffleur. **3.** Loc. Abstrait. (Idée de manque, d'espace vacant) *Boucher un trou*, remplir une place vide, combler un manque. *Il y a un trou dans sa comptabilité*, des sommes d'argent qui ont disparu sans trace comptable. *Avoir un* TROU DE MÉMOIRE. ⇒ **oubli.** *Il y a un trou dans son emploi du temps*, un espace de temps inoccupé. **4.** Fam. Petit village perdu, retiré. ⇒ fam. **bled.** *N'être jamais sorti de son trou*, ne rien connaître du monde. *Un petit trou pas cher*, une petite localité où l'on peut passer des vacances à bon marché. **5.** Fam. *Être au trou*, en prison. ⇒ fam. **taule. II. 1.** Ouverture pratiquée de part en part dans une surface ou un corps solide. — *Trou d'aération. Le trou d'une aiguille.* ⇒ **chas.** *Le trou de la serrure*, orifice par lequel on introduit la clé. **2.** Solution de continuité produite involontairement (du fait de l'usure, d'une brûlure, etc.). *Il y a un trou à ta manche.* **3.** Nom familier de certains orifices ou cavités. *Trous de nez.* ⇒ **narine.** ⟨ ▶ bouche-trou, trouer ⟩

troubadour [trubadur] n. m. ■ Poète lyrique courtois de langue d'oc, aux XIIᵉ et XIIIᵉ siècles. — REM. Correspond au *trouvère** pour la langue d'oïl.

troublant, ante [trublɑ̃, ɑ̃t] adj. **1.** Qui rend perplexe en inquiétant. *Des coïncidences troublantes.* ⇒ **déconcertant.** *Une ressemblance troublante.* ⇒ **saisissant. 2.** Qui excite le désir. *Un regard troublant.*

① *trouble* [trubl] adj. **1.** (Liquide) Qui n'est pas limpide, qui contient des particules en suspension. / contr. clair / *L'eau des ruisseaux venant des terres labourées est trouble. Cette rivière est trouble, mais pas polluée.* — *Qui n'est pas net. L'image est trouble. Avoir la vue trouble*, voir les images troubles. **2.** Qui contient des éléments obscurs, équivoques. *Il y a qqch. de trouble dans sa conduite.* ⇒ **ambigu.** *Une affaire trouble.* ⇒ **louche.** ⟨ ▶ troubler ⟩

② *trouble* n. m. **1.** Littér. État de ce qui cesse d'être en ordre. ⇒ **confusion, désordre.** *Jeter, porter, semer le trouble dans une famille.* — Au plur. Ensemble d'événements caractérisés par l'agitation, par l'opposition violente d'un groupe à l'intérieur d'une société. ⇒ **désordre, émeute, manifestation.** *Des troubles sociaux, politiques. Des troubles sanglants. Réprimer les troubles.* **2.** État anormal et pénible d'agitation, d'angoisse, avec une diminution de la lucidité. ⇒ **agitation, émotion.** *Remettez-vous de votre trouble. Le trouble de son esprit.* ⇒ **désarroi.** / contr. sérénité / — État, attitude de celui qui manifeste son trouble. *Son trouble était visible.* **3.** Modification pathologique des activités de l'organisme ou du comportement de l'être vivant. ⇒ **dérèglement, perturbation.** *Les troubles de la vue. Des troubles visuels. Troubles névrotiques.*

troubler [truble] v. tr. ■ conjug. 1. **1.** Modifier en altérant la clarté, la transparence, la netteté. *Troubler l'eau.* **2.** Modifier en empêchant que se maintienne (un état d'équilibre ou de paix). ⇒ **bouleverser, déranger, perturber.** *On les accusait de troubler l'ordre* *public. Rien ne troublait notre repos. Rien ne venait troubler ce grand calme de la nuit.* **3.** Interrompre ou gêner le cours normal de (qqch.). ⇒ **déranger, perturber.** *La représentation a été troublée par des manifestants.* — *Au p. p. adj.* *Une période troublée de notre histoire, où des troubles se sont produits.* **4.** Littér. Priver de lucidité (la raison, le jugement). ⇒ **égarer.** — *Au p. p.* *Avoir l'esprit troublé par qqch.* **5.** (Compl. personne) Affecter, déconcerter en faisant naître le trouble. ⇒ **impressionner, inquiéter.** *L'hostilité de ses voisins ne le troublait pas.* — Rendre perplexe. ⇒ **embarrasser, gêner.** *Il y a un détail qui me trouble.* — Émouvoir en faisant naître le désir. *La voix de cette femme le troublait.* — SE TROUBLER v. pron. réfl. *Ne vous troublez pas, gardez votre sang-froid.* ⇒ s'**affoler** ; fam. **paniquer.** — *Au p. p. adj.* *Le candidat paraissait troublé.* / contr. **assuré, maître** de soi / *Tranquillité troublée.* ▶ ***trouble-fête*** n. m. invar. ■ Personne qui trouble une situation agréable, des réjouissances. *Jouer les trouble-fête. Sa sœur est un vrai trouble-fête.* ⟨ ▶ troublant, ② trouble ⟩

trouer [tʀue] v. tr. ▪ conjug. 1. **1.** Faire un trou, des trous dans. *Il a troué sa culotte.* — *Au p. p. adj.* *Des chaussettes trouées.* ⇒ **percer.** — *Loc. Se faire trouer la peau,* se faire tuer par des balles. **2.** Faire une trouée dans. *Le faisceau du projecteur trouait les ténèbres.* ▶ ***trouée*** [tʀue] n. f. **1.** Large ouverture qui permet le passage, ou qui laisse voir. **2.** Ouverture faite dans les rangs d'une armée. ⇒ **percée.** **3.** Large passage naturel dans une chaîne de montagnes, entre deux massifs. *La trouée de Belfort.*

troufion [tʀufjɔ̃] n. m. ■ Fam. Simple soldat. ⇒ **troupier.**

trouille [tʀuj] n. f. ■ Peur. *Avoir la trouille.* ⇒ fam. **frousse.** *C'est idiot, mais j'ai la trouille en avion.* ▶ ***trouillard, arde*** adj. et n. ■ Fam. Peureux, poltron.

troupe [tʀup] n. f. **1.** Groupe régulier et organisé de soldats. *Rejoindre la troupe, le gros de la troupe.* — LES TROUPES, LA TROUPE : la force armée, la force publique. *L'avance de nos troupes. La troupe dut intervenir.* — LA TROUPE : l'ensemble des soldats (opposé à *officiers*). ⇒ **troupier.** *Le moral de la troupe.* — *Homme de troupe,* simple soldat. ⇒ **troufion, troupier.** **2.** Réunion de gens qui vont ensemble. ⇒ **bande, groupe.** *Une troupe d'amis. En troupe, à plusieurs, tous ensemble.* — Groupe d'animaux de même espèce vivant naturellement ensemble. *Une troupe de singes.* **3.** Groupe de comédiens, d'artistes qui jouent ensemble. *Une troupe en tournée. Troupe théâtrale.* ⇒ **compagnie.** ▶ ***troupier*** n. m. ■ Vx (sauf en loc.). Simple soldat. ⇒ **troufion.** — Adj. *Comique troupier,* genre comique grossier, à base d'histoires de soldats, à la mode vers 1900. ⟨ ▶ attrouper, troufion, troupeau ⟩

troupeau [tʀupo] n. m. **1.** Réunion (d'animaux domestiques qu'on élève ensemble). *Un troupeau de taureaux, de moutons, d'oies, de dindes. Des bergers à cheval qui tournent autour de leur troupeau* (⇒ **cow-boy, gaucho, guardian, vacher**). — Troupe (de bêtes sauvages). *Un troupeau d'éléphants.* **2.** Péj. Troupe nombreuse et passive (de personnes). *De longs troupeaux de touristes.*

① ***trousse*** [tʀus] n. f. ■ Autrefois. Haut-de-chausses relevé bas en le bas. — *Loc. Avoir qqn* À SES TROUSSES (⇒ **basque**) : qqn qui vous suit ou vous poursuit. *La police est à ses trousses.*

② ***trousse*** n. f. ■ Étui à compartiments pour ranger un ensemble d'objets. *Trousse de médecin, d'écolier. Range ta trousse ! Trousse de toilette,* pour mettre des objets de toilette. *Trousse à pharmacie.* ⟨ ▶ trousseau ⟩

trousseau [tʀuso] n. m. **1.** *Trousseau de clefs,* réunion de plusieurs clefs attachées à un anneau, un porte-clefs. **2.** Vêtements, linge qu'emporte une jeune fille qui se marie, un enfant qui entre en pension.

trousser [tʀuse] v. tr. ▪ conjug. 1. **1.** En cuisine. *Trousser une volaille,* replier ses membres et les lier au corps avant de la faire cuire. **2.** Littér. Retrousser (un vêtement). *Trousser ses manches.* — Fam. *Trousser les filles,* se dit d'un homme coureur et brutal (*un trousseur de jupons*). **3.** Littér. Faire rapidement et habilement (un petit ouvrage). — *Au p. p. adj.* *Un compliment assez bien troussé.* ⇒ **torché.** ⟨ ▶ détrousser, retrousser, ① trousse, ② trousse ⟩

trouvaille [tʀuvaj] n. f. **1.** Fait de trouver de manière heureuse ; la chose ainsi trouvée. *J'ai fait une trouvaille au marché aux puces.* **2.** Le fait de découvrir (une idée, une image, etc.) d'une manière heureuse ; idée, expression originale. ⇒ **création, invention.** *Les trouvailles d'un écrivain. On relève dans ce texte d'admirables trouvailles d'écriture.*

trouver [tʀuve] v. tr. ▪ conjug. 1. **I.** **1.** Apercevoir, rencontrer (ce que l'on cherchait ou ce que l'on souhaitait avoir). ⇒ **découvrir ;** fam. **dégoter, dénicher.** *J'ai eu du mal à trouver sa maison. On a fini par trouver le responsable.* ⇒ **retrouver. 2.** Se procurer, parvenir à avoir. *Il a trouvé un appartement, une situation.* **3.** Parvenir à rencontrer, à être avec (qqn). *Où peut-on vous trouver ?* ⇒ **atteindre, joindre, toucher.** — *Aller trouver qqn,* aller le voir, lui parler. **II.** Découvrir, rencontrer (qqn, qqch.) sans avoir cherché. *J'ai trouvé un parapluie dans le taxi. On l'a trouvé évanoui. On trouve dans ce roman des mots régionaux.* — *Il a trouvé son maître,* il est tombé sur qqn de plus fort que lui. **III.** **1.** Découvrir par un effort de l'esprit, de l'imagination. ⇒ **imaginer, inventer.** *Il faut trouver un moyen, un prétexte. As-tu trouvé la solution ?* ⇒ **deviner.** *Eurêka ! J'ai trouvé !* Fam. *Où avez-vous trouvé cela ?,* qu'est-ce qui vous fait croire cela ? ⇒ **prendre. 2.** Pouvoir disposer de (temps, occasion, etc.). *Si j'en trouve le temps, la force, je le ferai.* — Littér. TROUVER À... (+ infinitif) : trouver le moyen de... *Je trouverai bien à vous tirer de là.* **3.** TROUVER qqch. À (+ infinitif) : avoir à... (pour faire, en faisant qqch.). *Je n'ai rien trouvé à dire.* — *Loc. Trouver à redire,* critiquer. *Elle trouve un malin plaisir à nous taquiner.* ⇒ **éprouver.** *Il trouve de la difficulté à s'exprimer.* **IV.** **1.** (Le compl. est accompagné d'un attribut) Voir (qqn, qqch.) se présenter d'une certaine manière. *J'ai trouvé la porte fermée. À cette heure, vous le trouverez au lit.* **2.** TROUVER (un caractère, une qualité) À (qqn, qqch.) : lui reconnaître un caractère, une qualité. *Je lui trouve mauvaise mine, bien du mérite.* **V.** TROUVER qqn, qqch. (+ attribut) : estimer, juger que (qqn, qqch.) est... ⇒ **juger, regarder** comme, **tenir** pour. *Je le trouve sympathique. Trouver le temps long,* être fatigué d'attendre. Loc. fam. *La trouver mauvaise,* être mécontent. — TROUVER BON, MAUVAIS QUE... (+ subjonctif) : approuver, ne pas approuver que. *Je trouve (je ne trouve pas) que vous ayez pris cette liberté.* — TROUVER QUE... : juger, estimer que... — REM. Indicatif à l'affirmatif, indicatif ou subjonctif au négatif. *Je trouve qu'il est sympathique. Je ne trouve pas qu'il est, qu'il soit sympathique. Elle a dû croire que nous la trouvions ridicule. Vous trouvez ?,* vous croyez ? **VI.** SE TROUVER v. pron. **1.** Être (en un endroit, en une circonstance, en présence de). *Les personnes qui se trouvaient là. Il ne faisait pas bon se trouver sur son chemin.* — *Le dossier se trouvait dans un tiroir secret.* **2.** Être (dans un état, une situation). *Nous nous* *trouvons dans une situation difficile. Je me trouve dans l'impossibilité de vous aider. Il se trouvait pris dans les compromissions de ses amis. Se trouver dans une impasse.* — SE TROUVER (+ infinitif) : être, avoir, faire par hasard. *Il se trouvait habiter tout près de chez moi. Elle se trouvait être la sœur de mon ami.* — Impers. IL SE TROUVE : il existe, il y a. *Il se trouve toujours des gens qui disent, pour dire..., il y a toujours...* IL SE TROUVE QUE... : il arrive que, il se fait que. *Il se trouve que c'est moi qui ai raison,* les choses font que c'est moi... Fam. SI ÇA SE TROUVE : se dit pour présenter une chose qui peut très bien arriver. **3.** (Avec un attribut) Se sentir (dans un état). *Je me trouvais dépaysé. Comment vous trouvez-vous ce matin ?* — Loc. SE TROUVER MAL : s'évanouir. — SE TROUVER BIEN, MAL DE *qqch.* : en tirer un avantage, en éprouver un désagrément. *Un remède dont il s'est bien trouvé,* qui lui a réussi. — Se croire. *Si tu te trouves malin !* ‹ ▸ introuvable, retrouver, troubadour, trouvaille, trouvère ›

trouvère [tʀuvɛʀ] n. m. ■ Au Moyen Âge. Poète et jongleur de la France du Nord, s'exprimant en langue d'oïl (il « trouvait », inventait ses poésies). — REM. Correspond à *troubadour** pour la langue d'oc.

truand, ande [tʀyɑ̃, ɑ̃d] n. **1.** Vx. Mendiant professionnel. **2.** N. m. Homme du « milieu », souteneur ou voleur. ▸ *truander* v. tr. ■ conjug. 1. ■ Fam. Voler, escroquer (qqn).

trublion [tʀyblijɔ̃] n. m. ■ Péj. Fauteur de troubles, agitateur.

truc [tʀyk] n. m. **1.** Façon d'agir qui requiert de l'habileté, de l'adresse. ⇒ **combine, moyen.** *J'ai trouvé le truc. C'est un bon truc.* — Procédé habile pour obtenir un effet particulier. *Les trucs d'un prestidigitateur.* — Moyen concret, machine ou dispositif scénique destiné à créer une illusion. ⇒ **truquage.** **2.** Fam. Chose quelconque. ⇒ **machin.** *Qu'est-ce que c'est que ce truc-là ?* ‹ ▸ truquer ›

trucage ou *truquage* n. m. ⇒ **truquer.**

truchement [tʀyʃmɑ̃] n. m. **1.** Littér. Personne qui parle à la place d'une autre, exprime sa pensée. ⇒ **porte-parole. 2.** Loc. *Par le truchement de qqn,* par l'intermédiaire de qqn.

trucider [tʀyside] v. tr. ■ conjug. 1. ■ Plaisant. Tuer.

truculent, ente [tʀykylɑ̃, ɑ̃t] adj. ■ Haut en couleur, qui étonne et réjouit par ses excès. *Un personnage, un langage truculent.* ⇒ **pittoresque.** *Le style truculent de Rabelais.* ▸ *truculence* n. f. ■ Caractère de ce qui est truculent. *La truculence de son style.*

truelle [tʀyɛl] n. f. ■ Outil de maçon servant à étendre le mortier.

truffe [tʀyf] n. f. **1.** Tubercule souterrain de la famille des champignons, très apprécié comme garniture de certains mets (dinde, foie gras, etc.). *Truffes noires, blanches.* — *Truffes en chocolat,* confiserie faite d'une pâte chocolatée. **2.** Extrémité du museau (du chien). ▸ *truffer* v. tr. ■ conjug. 1. **1.** Garnir de truffes (1). — Au p. p. adj. *Pâté truffé.* **2.** Remplir, enrichir (de choses disséminées en abondance). *Il aimait truffer ses discours de citations et de proverbes.* — Au p. p. adj. *Une dictée truffée de fautes.*

truie [tʀɥi] n. f. ■ Femelle du porc, du cochon. *Une truie et ses porcelets.*

truisme [tʀɥism] n. m. ■ Littér. Vérité évidente, banale. ⇒ **lapalissade, lieu commun.**

truite [tʀɥit] n. f. ■ Poisson à chair très estimée qui vit surtout dans les eaux pures et vives. *Pêcher la truite.*

trumeau [tʀymo] n. m. ■ Partie d'un mur, d'une cloison comprise entre deux ouvertures verticales ; panneau, revêtement (de menuiserie, de glace) qui l'occupe. — Spécialt. Panneau de glace au-dessus d'une cheminée.

truquer [tʀyke] v. tr. ■ conjug. 1. ■ Changer pour tromper, donner une fausse apparence à (qqch.). ⇒ **falsifier, maquiller.** *Il a truqué les cartes. Les élections ont été truquées.* — Au p. p. adj. *Un combat de boxe truqué,* arrangé d'avance. ▸ *truquage* ou *trucage* n. m. **1.** Le fait de truquer, de falsifier. **2.** Procédé employé au cinéma pour produire à l'image une illusion (on dit aussi *effets spéciaux*). *Les truquages d'un film fantastique.* ▸ *truqueur, euse* n. **1.** Personne qui truque, triche. **2.** Technicien du truquage cinématographique.

trust [tʀœst] n. m. **1.** En économie. Combinaison financière réunissant plusieurs entreprises sous une direction unique. *Un trust international.* ⇒ **multinationale. 2.** Entreprise assez puissante pour exercer une influence prépondérante dans un secteur économique. *Les grands trusts internationaux.* ▸ *truster* [tʀœste] v. tr. ■ conjug. 1. ■ Accaparer, monopoliser, comme le font les trusts.

tsar [dzaʀ] n. m. ■ Nom donné aux anciens empereurs de la Russie (et aux anciens souverains serbes et bulgares). *Sous les tsars, avant la révolution d'octobre 1917.* — REM. On a écrit *tzar.* ▸ *tsarine* [dzaʀin] n. f. ■ Femme du tsar, impératrice de Russie. ▸ *tsarisme* n. m. ■ Régime autocratique des tsars ; période de l'histoire russe où ont régné les tsars. ▸ *tsariste* adj. ■ Du tsarisme.

tsé-tsé [tsetse] n. f. invar. ■ *Mouche tsé-tsé,* mouche d'Afrique qui peut transmettre diverses maladies (notamment la maladie du sommeil). *Des mouches tsé-tsé.*

T.S.F. [teɛsɛf] n. f. invar. **1.** Émission, par procédés radioélectriques, de signaux en morse. **2.** Vx. Radiodiffusion ; poste récepteur. ⇒ **radio.**

T-shirt [tiʃœʀt] ⇒ **tee-shirt.**

tsigane [tsigan] ou *tzigane* [tzigan] n. et adj. **1.** *Les Tsiganes,* nom d'un peuple venu de l'Inde, qui a mené une existence de nomades. ⇒ **bohémien, gitan. 2.** *Musique tsigane,* musique populaire de Bohême et de Hongrie, adaptée par les musiciens tsiganes.

① *tu* [ty] pronom pers. ■ Pronom personnel sujet de la deuxième personne du singulier et des deux genres. **1.** (Pronom) *Tu as tort.* — Fam. (Élidé en *t'* devant voyelle ou *h* muet) *T'as* [ta] *tort.* (Après le verbe en inversion ; dans une interrogation) *As-tu dormi ? Viens-tu ?* Plus cour. (en France) *Tu viens ?* **2.** (Nominal) *Je lui dis tu depuis l'enfance.* ⇒ **tutoyer.** *Être à tu et à toi avec qqn,* être très lié, intime avec lui. ‹ ▸ m'as-tu-vu, tutoyer ›

② *tu* ⇒ **taire.**

tuant, ante [tɥɑ̃, ɑ̃t] adj. ■ Épuisant, très fatigant. *Un travail tuant.* ⇒ **éreintant, exténuant.** — Énervant, assommant. *Ce gosse est tuant !*

tub [tœb] n. m. ■ Large cuvette où l'on peut se baigner ; ce bain. *Prendre un tub.*

① *tuba* [tyba] n. m. ■ Gros instrument à vent à trois pistons et embouchure. *Des tubas.*

② *tuba* n. m. ■ Tube respiratoire pour nager la tête sous l'eau. *Des tubas.*

tubage [tybaʒ] n. m. ■ En médecine. Introduction d'un tube dans un organe. *Tubage gastrique.*

tubard, arde [tybaʀ, aʀd] adj. et n. ■ Fam. Tuberculeux.

① **tube** [tyb] n. m. **1.** Conduit à section circulaire, généralement rigide, ouvert à une extrémité ou aux deux. *Un tube de verre.* TUBE À ESSAI : tube de verre cylindrique et fermé à un bout. ⇒ **éprouvette.** — Tuyau de métal. *Les tubes d'une chaudière* (⇒ **tubulure, tuyauterie**). Loc. À PLEINS TUBES : avec toute la puissance du moteur. — *Tube à décharges électriques*, muni d'électrodes, contenant un gaz ou une vapeur à une pression convenable. *Tube fluorescent* (pour l'éclairage). *Tube au néon.* **2.** En sciences naturelles, anatomie. Organe creux et allongé. *Le* TUBE DIGESTIF : ensemble des conduits de l'appareil digestif, par lesquels passent et sont assimilés les aliments. **3.** Petit étui cylindrique, fermé par un bouchon, servant d'emballage. *Un tube d'aspirine. Un tube de dentifrice.* ‹ ▶ **tubage,** ② **tube, tubulaire, tubulure** ›

② **tube** n. m. ■ Fam. Chanson à succès.

① **tubercule** [tybɛʀkyl] n. m. En anatomie, médecine. **1.** Petite protubérance* arrondie (à la surface d'un os ou d'un organe). — Petite masse solide arrondie (dans certaines maladies). *Tubercules syphilitiques.* **2.** Aggloméré de cellules détruites ou modifiées autour d'une colonie de bacilles de Koch (notamment dans les poumons). ⇒ **tuberculose.** ▶ **tuberculeux, euse** adj. et n. **1.** Qui s'accompagne de tubercules (1) pathologiques. **2.** Relatif à la tuberculose. *Bacille tuberculeux. La radiographie a décelé une lésion tuberculeuse.* **3.** Atteint de tuberculose. — N. *Tuberculeux en traitement dans un sanatorium.* ▶ **tuberculine** n. f. ■ Extrait d'une culture de bacilles tuberculeux utilisé pour diagnostiquer la tuberculose. ⇒ **cuti-réaction.** ▶ **tuberculose** n. f. ■ Maladie infectieuse et contagieuse, causée par le bacille de Koch et caractérisée notamment par la formation de tubercules (2). *Tuberculose pulmonaire, osseuse, rénale.* ‹ ▶ **antituberculeux, tubard,** ② **tubercule** ›

② **tubercule** n. m. ■ Excroissance arrondie de certaines racines, constituant une réserve nutritive (certaines sont comestibles, comme la pomme de terre).

tubéreuse [tybeʀøz] n. f. ■ Herbe à hautes tiges portant des grappes de fleurs blanches très parfumées. — Ces fleurs.

tubulaire [tybylɛʀ] adj. **1.** Qui a la forme d'un tube. **2.** Qui est fait de tubes métalliques. *Chaudière tubulaire.*

tubulure [tybylyʀ] n. f. ■ Tube métallique d'un ensemble tubulaire.

T.U.C. ou **tuc** [tyk] n. **1.** N. m. Abrév. de *Travaux d'utilité collective*, activités rémunérées destinées à faciliter l'insertion sociale des jeunes, en France. **2.** N. Personne qui travaille dans le cadre des T.U.C. *Le patron a embauché deux tucs.* — REM. On dit aussi, couramment, *tuciste* [tysist] n.

tue-mouches [tymuʃ] adj. invar. ■ *Papier tue-mouches*, qui sert à engluer et tuer les mouches.

tuer [tɥe] v. tr. ▪ conjug. 1. **I. 1.** Faire mourir (qqn) de mort violente. ⇒ **assassiner, exécuter, supprimer ;** fam. **descendre, trucider, zigouiller.** *L'assassin l'a tué à coups de couteau.* Fam. *Il est à tuer !*, on a envie de le tuer tant il est exaspérant. — Surtout au passif. *Faire mourir à la guerre. Dix soldats et un officier ont été tués.* — N. (rare au fém.) *Les tués et les blessés.* — Donner involontairement la mort à (qqn). *Il a tué son ami au cours d'une partie de chasse.* **2.** Faire mourir volontairement (un animal). *Nous avons tué trois lièvres à la chasse. Tuer des bêtes à l'abattoir.* ⇒ **abattre. 3.** (Sujet chose) Causer la mort de. *Une bombe, une maladie qui a tué des centaines de personnes.* **4.** Causer la disparition de (qqch.), faire

cesser plus ou moins brutalement. ⇒ **ruiner.** *La bureaucratie tue l'initiative.* — Loc. *Tuer qqch. dans l'œuf*, étouffer (qqch.) avant tout développement. — *Tuer le temps*, le passer en évitant de s'ennuyer (quand on n'a aucune occupation). **5.** (Suj. chose) Épuiser (qqn) en brisant la résistance. *Ce bruit, ces escaliers me tuent.* ⇒ **fatiguer, user.** — Plonger dans un désarroi ou une détresse extrême. ⇒ **désespérer.** *Tous ses mensonges me tuent.* **II.** SE TUER v. pron. réfl. **1.** Se suicider. — Être cause de sa propre mort par accident. *Elle s'est tuée dans un accident de voiture.* **2.** User ses forces, compromettre sa santé. *Il se tue au travail, à la peine.* — SE TUER À (+ infinitif) : se donner beaucoup de mal pour. *Je me tue à vous le répéter.* ⇒ **s'épuiser.** ▶ **tuerie** [tyʀi] n. f. ■ Action de tuer en masse, sauvagement. ⇒ **boucherie, carnage, massacre.** *Les affreuses tueries de la Grande Guerre.* ▶ **à tue-tête** [atytɛt] loc. adv. ■ D'une voix si forte qu'on s'en casse la tête, qu'on étourdit. *Chanter à tue-tête.* ▶ **tueur, euse** n. **1.** Personne qui assassine par profession ou comme par profession. *Un tueur à gages. Il a une tête de tueur*, d'assassin. **2.** Terme technique. Professionnel qui tue les bêtes dans un abattoir. ‹ ▶ **s'entretuer, tuant, tue-mouches** ›

tuf [tyf] n. m. **1.** Pierre poreuse provenant d'un dépôt de calcaire ou de la consolidation des cendres volcaniques. **2.** Littér. L'élément originel que l'on découvre en profondeur, en creusant sous la surface (d'un être, d'une société).

tuile [tɥil] n. f. **1.** Plaque (de terre cuite, etc.) servant à couvrir un édifice. *Un toit de tuiles.* **2.** Fam. Désagrément inattendu (comparé à une tuile qui tombe sur la tête de qqn). ⇒ **accident, malchance.** *Ça, c'est une tuile !* ▶ **tuilerie** n. f. ■ Fabrique de tuiles. *Une tuilerie.* — *La tuilerie*, l'industrie de la fabrication des tuiles.

tulipe [tylip] n. f. **1.** Plante à bulbe, aux feuilles allongées et dont la fleur renflée à la base est évasée à l'extrémité. **2.** Objet (verre, globe, lampe...) dont la forme rappelle celle de cette fleur. — REM. *Tulipe* a la même origine que *turban.*

tulle [tyl] n. m. ■ Tissu léger, formé d'un réseau de mailles rondes ou polygonales. *Des rideaux de tulle.*

tuméfier [tymefje] v. tr. ▪ conjug. 7. ■ Causer une augmentation de volume anormale à (une partie du corps). ⇒ **enfler, gonfler.** *Le coup a tuméfié l'arcade sourcilière.* — Surtout au p. p. *Des doigts tuméfiés par les engelures.* ▶ **tuméfaction** [tymefaksjɔ̃] n. f. ■ Fait de se tuméfier, d'être tuméfié. ⇒ **enflure.** — Partie tuméfiée.

tumeur [tymœʀ] n. f. **1.** Gonflement pathologique formant une saillie anormale (⇒ **excroissance**). **2.** En médecine. Amas de cellules qui se forme par multiplication anarchique. *Tumeurs bénignes*, à croissance lente et qui ne réapparaissent pas (après extirpation). *Tumeurs malignes*, qui ont tendance à se généraliser. ⇒ **cancer, sarcome.**

tumulte [tymylt] n. m. **1.** Désordre bruyant ; bruit confus que produisent des personnes assemblées. ⇒ **brouhaha, charivari, vacarme.** *L'orateur ne pouvait se faire entendre dans le tumulte.* — Agitation bruyante et incessante. *Le tumulte de la rue.* **2.** Littér. Agitation, désordre (dans la vie psychique). *Le tumulte des passions.* ▶ **tumultueux, euse** adj. Littér. **1.** Agité et bruyant. *La discussion a été tumultueuse.* ⇒ **orageux. 2.** Agité et violent. *Les flots tumultueux.* **3.** Abstrait. Plein d'agitation, de trouble. *Une jeunesse tumultueuse.* ▶ **tumultueusement** adv.

tumulus [tymylys] n. m. invar. ■ En archéologie. Tertre artificiel élevé au-dessus d'une tombe.

tungstène [tœ̃ksten] n. m. ■ Métal gris, ne se déformant que très peu sous l'action des efforts mécaniques, même à température élevée. *Acier au tungstène, au carbure de tungstène.*

tunique [tynik] n. f. **I. 1.** Vêtement de dessous des Anciens, sorte de chemise longue avec ou sans manches. *Les Romains revêtaient, pour sortir, la toge par-dessus la tunique.* **2.** Corsage, chemise descendant jusqu'à mi-cuisses, de forme droite. *Ensemble composé d'une tunique et d'un pantalon.* **3.** *Tunique d'armes,* ancienne veste d'armure, en mailles d'acier. — *Veste ou redingote d'uniforme.* **II.** Membrane qui enveloppe ou protège (un organe). *La tunique de l'œil.*

tunnel [tynɛl] n. m. ■ Galerie souterraine destinée au passage d'une voie de communication. *Le tunnel sous la Manche.* — Loc. *Arriver au bout du tunnel, sortir du tunnel,* sortir d'une période difficile, pénible.

turban [tyrbɑ̃] n. m. **1.** En Orient. Coiffure d'homme faite d'une longue bande d'étoffe enroulée autour de la tête. **2.** Coiffure de femme évoquant cette coiffure.

turbine [tyrbin] n. f. ■ Dispositif rotatif, destiné à utiliser la force d'un liquide ou d'un gaz et à transmettre le mouvement au moyen d'un arbre (⇒ **turbo-**). *Les turbines d'une centrale hydro-électrique. Turbines hydrauliques. Turbines à gaz.* ⟨▶ turbo- ⟩

turbiner [tyrbine] v. intr. ▪ conjug. 1. ■ Fam. Travailler dur. ▶ *turbin* n. m. ■ Fam. Travail, métier. *Après le turbin, on ira au cinéma.*

turbo- ■ Élément de mots techniques signifiant « turbine ». ▶ *turbocompresseur* [tyrbɔkɔ̃presœr] n. m. ■ Organe mécanique constitué par une turbine et un compresseur montés sur le même axe. — REM. Les moteurs équipés d'un *turbocompresseur à suralimentation* sont appelés familièrement *moteurs turbo* ou *turbo* (n. m.). ▶ *turbomoteur* n. m. ■ Moteur dont l'élément principal est une turbine *à gaz.* ▶ *turbopropulseur* n. m. ■ Moteur d'avion dans lequel une turbine à gaz entraîne une ou plusieurs hélices. ▶ *turboréacteur* n. m. ■ Moteur à réaction dans lequel une turbine à gaz alimente les compresseurs. ▶ *turbotrain* n. m. ■ Train dont l'énergie motrice est fournie par une ou plusieurs turbines à gaz.

turbot [tyrbo] n. m. ■ Poisson de mer, à corps plat et ovale, à chair très estimée.

turbulent, ente [tyrbylɑ̃, ɑ̃t] adj. **I.** (Personnes) **1.** Qui est porté à s'agiter physiquement, qui est souvent dans un état d'excitation bruyante. ⇒ **agité, bruyant, remuant.** *Un enfant turbulent.* ⇒ **chahuteur.** / contr. **calme, sage** / **2.** Littér. Qui aime le trouble, le désordre. *Une population turbulente.* **II.** En physique. Qui forme des tourbillons. ▶ *turbulence* n. f. **1.** Caractère d'une personne turbulente. **2.** En physique. Formation de tourbillons, dans un fluide. *Les turbulences qui ralentissent l'avion. Zone de turbulences.*

turc, turque [tyrk] adj. et n. **1.** Adj. De la Turquie (ottomane ou moderne). *Café turc* (ou *oriental*), noir et fort, servi avec le marc dans une très petite tasse. *Bain turc,* bain de vapeur suivi de massages (⇒ **hammam**). — *Être assis* À LA TURQUE : en tailleur. *Cabinets à la turque,* sans siège. **2.** N. *Les Turcs.* — *Les* JEUNES TURCS : éléments jeunes qui souhaitent une évolution politique (comme les révolutionnaires turcs en 1908). — Loc. *Fort comme un Turc,* très fort. — *Tête de Turc.* ⇒ **tête.** — N. m. *Le turc,* langue parlée en Asie centrale et en Turquie. ⟨▶ turquerie, turquoise ⟩

turf [tyrf] n. m. ■ Les courses de chevaux, leur préparation, et les activités qui en dépendent (paris, etc.). ⇒ **hippisme.** ▶ *turfiste* [tyrfist] n. ■ Personne qui aime les courses de chevaux et les paris.

turgescent, ente [tyrʒesɑ̃, ɑ̃t] adj. ■ En physiologie. (Organe) Gonflé par un liquide organique (notamment le sang). ▶ *turgescence* n. f. ■ *La turgescence d'une veine.*

turlupiner [tyrlypine] v. tr. ▪ conjug. 1. ■ Fam. Tourmenter, tracasser. *Ça me turlupine.* ⇒ **obséder, travailler.**

turne [tyrn] n. f. ■ Fam. Chambre ou maison sale et sans confort. ⇒ **piaule.** — Arg. scol. Chambre, petite salle de travail.

turpitude [tyrpityd] n. f. ■ Littér. Bassesse, indignité extrême. ⇒ **ignominie, infamie.** — *(Une, des turpitudes)* Action, parole, idée... d'une grande bassesse.

turquerie [tyrk(ə)ri] n. f. ■ Objet, composition artistique ou littéraire de goût ou d'inspiration turcs, orientaux.

turquoise [tyrkwaz] n. f. ■ Pierre fine d'un bleu tirant sur le vert. *Les turquoises venaient de Turquie.* — Bijou fait avec cette pierre. — Adj. invar. De la couleur de cette pierre. *Des écharpes turquoise.*

tutélaire [tytelɛr] adj. ■ Littér. Qui assure une protection. ⇒ **protecteur.** *Divinités tutélaires.*

tutelle [tytɛl] n. f. **1.** En droit. Institution destinée à assurer la protection des personnes (mineurs interdits). ⇒ ① **tuteur.** *Le juge des tutelles. Tutelle administrative,* moyens de contrôle dont dispose le gouvernement sur les collectivités publiques. *En France, le ministre du Travail exerce sa tutelle sur la Sécurité sociale.* **2.** État de dépendance d'une personne soumise à une surveillance gênante. *Se libérer de la tutelle de sa famille.* — Protection vigilante. *Être sous la tutelle des lois.* ⇒ **sauvegarde.** ⟨▶ ① tuteur ⟩

① *tuteur, trice* [tytœr, tris] n. ■ Personne chargée de veiller sur un mineur ou une personne frappée d'interdiction (2), de gérer ses biens, et de le représenter dans les actes juridiques. ⟨▶ tutélaire, ② tuteur ⟩

② *tuteur* n. m. ■ Armature de bois ou de métal, fixée dans le sol pour soutenir ou redresser des plantes.

tutoyer [tytwaje] v. tr. ▪ conjug. 8. ■ S'adresser à (qqn) en employant la deuxième personne du singulier ; dire tu à (qqn). / contr. **vouvoyer** / ▶ *tutoiement* n. m. ■ Action de tutoyer.

et tutti quanti [etu(t)tikwɑ̃ti] loc. nominale ■ Iron. (Après plusieurs noms de personnes) Et tous les gens de cette espèce.

tutu [tyty] n. m. ■ Jupe de gaze courte et évasée, portée par les danseuses de ballet. *Des tutus.* — *Tutu romantique,* qui descend jusqu'au genou.

① *tuyau* [tɥijo] n. m. **I. 1.** Conduit à section circulaire destiné à faire passer un liquide, un gaz. ⇒ **canalisation, conduite, tube.** *Tuyau d'arrosage. Le tuyau d'échappement d'une automobile. Tuyau de refoulement des gaz.* ⇒ **tuyère.** *Tuyau de cheminée,* partie extérieure du conduit de cheminée, qui évacue la fumée. *Tuyau de poêle,* qui relie un poêle à une cheminée. **2.** Cylindre creux. *Le tuyau d'une plume.* — Loc. fam. *Dire, raconter qqch. à qqn dans le tuyau de l'oreille,* confier tout bas ; de bouche à oreille (⇒ ② **tuyau**). **II.** Pli ornemental (en forme de tube, de tuyau). ▶ *tuyauté, ée* adj. ■ Orné de tuyaux (II). *Une coiffe tuyautée.* — N. m. *Un tuyauté,* un ensemble de tuyaux (II) juxtaposés. ▶ *tuyauterie* n. f.

■ Ensemble des tuyaux (I) d'une installation (eau, chauffage...). ‹ ► ① tuyau, tuyère ›

② **tuyau** n. m. ■ Indication confidentielle pour le succès d'une opération. ⇒ **renseignement.** *Avoir un bon tuyau aux courses.* Plaisant. *Un tuyau crevé,* un mauvais tuyau. ► **tuyauter** v. tr. ■ conjug. 1. ■ Fam. Renseigner en donnant des tuyaux.

tuyère [ty(ɥi)jɛʀ] n. f. ■ Large tuyau d'admission ou de refoulement des gaz (dans une machine, un réacteur). *Les tuyères d'une fusée.*

t.v. [teve] n. f. invar. ■ Anglic. Télévision. ⇒ **télé.**

T.V.A. [tevea] n. f. ■ En France. Taxe à la valeur ajoutée, impôt général de consommation supporté par le consommateur. *Le taux de T.V.A. varie selon la nature des produits.*

tweed [twid] n. m. ■ Anglic. Épais tissu de laine cardée, d'aspect rugueux et de couleurs mélangées. *Une veste de tweed. Des tweeds.*

twist [twist] n. m. ■ Anglic. Danse d'origine américaine, sur un rythme rapide, caractérisée par un mouvement de rotation des jambes et du bassin.

① **tympan** [tɛ̃pɑ̃] n. m. ■ Espace délimité par des arcs ou des droites, dans un fronton ou un portail. *Le tympan sculpté d'une église romane.*

② **tympan** n. m. ■ Membrane fibreuse translucide qui sépare le conduit auditif externe de l'oreille moyenne. *Crever le tympan,* se dit d'un bruit assourdissant.

tympanon [tɛ̃panɔ̃] n. m. ■ Ancien instrument de musique composé de cordes tendues sur une caisse et que l'on frappait avec deux petits maillets.

① **type** [tip] n. m. **1.** Modèle réunissant les traits caractéristiques d'une catégorie de personnes ou de choses et auquel on se réfère pour apprécier les individus et les objets particuliers ; ensemble d'images qui correspondent à ce modèle. ⇒ **canon, idéal.** *Un type de beauté éternelle. L'auteur a créé un type.* ⇒ **caractère, personnage.** *Conforme à un type.* ⇒ **typique. 2.** Ensemble des caractères qui permettent de distinguer des catégories d'objets et de faits individuels. *Distinguer des types dans un ensemble. Les types humains,* considérés du point de vue ethnique, esthétique. *Elle a le type nordique.* — Fam. *Ce n'est pas mon type,* le type physique, esthétique qui m'attire. ⇒ **genre. 3.** Ensemble des caractères d'une série d'objets fabriqués tel qu'il a été défini avant leur production. ⇒ **modèle, norme, standard.** *Conforme au type réglementaire.* **4.** *Un, le type de...,* personne ou chose qui réunit les principaux éléments d'un modèle abstrait et qui peut être donné en exemple. ⇒ **personnification, représentant.** *C'est le type même de l'affaire louche !* — En appos. *C'est la provinciale type.* ► **typé, ée** adj. ■ Qui présente nettement les caractères d'un type. *Un personnage bien typé.* ► **typer** v. tr. ■ conjug. 1. ■ Donner à (une création) les caractères apparents d'un type. ‹ ► archétype, prototype, stéréotype, ② type, typique, typologie ›

② **type** n. m. ■ Fam. Homme en général, individu. ⇒ **bonhomme, gars.** *Un groupe de types. Un brave,* un chic type. — Péj. *Va donc, eh, pauvre type !* — REM. Au féminin, on dit parfois *typesse,* n. f.

typhoïde [tifɔid] adj. et n. f. ■ *Fièvre typhoïde,* maladie infectieuse, contagieuse, caractérisée par des troubles nerveux et intestinaux et un état général d'abattement. — N. f. *Attraper la typhoïde.*

typhon [tifɔ̃] n. m. ■ Cyclone des mers de Chine et de l'océan Indien.

typhus [tifys] n. m. invar. ■ Maladie épidémique caractérisée par une fièvre intense et brutale et des rougeurs généralisées. ► **typhique** [tifik] adj. ■ Du typhus (ou de la typhoïde). ‹ ► typhoïde ›

typique [tipik] adj. **1.** Qui constitue un type ①, exemple caractéristique. ⇒ **caractéristique, remarquable.** *Un cas typique.* **2.** Qui présente suffisamment les caractères d'un type ① pour servir d'exemple, de repère (dans une classification). ⇒ **spécifique. 3.** *Musique typique,* musique de caractère sud-américain (danse, variétés). ► **typiquement** adv. ■ D'une manière typique. ⇒ **spécifiquement.** *Un comportement typiquement anglais.*

typo-, -type ■ Éléments de mots signifiant « empreinte ». ‹ ► linotype, prototype, typographie ›

typographie [tipɔgʀafi] n. f. **1.** Ensemble des techniques permettant de reproduire des textes par l'impression d'un assemblage de caractères en relief (en particulier, les opérations de composition). *La typographie est souvent remplacée par la photocomposition.* **2.** Manière dont un texte est imprimé (quant au type des caractères, à la mise en pages, etc.). ► **typographique** adj. ■ *La composition et l'impression typographiques.* ► **typographe** n. ■ Professionnel qui exerce une des spécialités de la typographie ; en particulier, compositeur à la main. (Abrév. fam. UN, UNE TYPO.)

typologie [tipɔlɔʒi] n. f. ■ Didact. Science de l'élaboration des types, facilitant l'analyse d'une réalité complexe et la classification. — Système de types. *Une typologie des langues.* ► **typologique** adj.

tyran [tiʀɑ̃] n. m. **1.** Celui qui, ayant le pouvoir suprême, l'exerce de manière absolue, oppressive. ⇒ **autocrate, despote, dictateur.** — REM. En histoire antique, le mot, comme *dictateur,* n'est pas péjoratif. **2.** Personne autoritaire qui impose sa volonté. *Un tyran domestique,* qqn qui tyrannise sa famille. ► **tyranneau** n. m. ■ Littér. Petit tyran, tyran subalterne. ► **tyrannie** n. f. **1.** Gouvernement absolu et arbitraire, cruel. ⇒ **despotisme, dictature.** *Autorité, pouvoir qui dégénère en tyrannie.* **2.** Abus de pouvoir. *Se libérer de la tyrannie d'un père, d'un mari.* — Contrainte impérieuse. *La tyrannie de la mode.* ► **tyrannique** adj. ■ Qui exerce une tyrannie. ► **tyranniser** v. tr. ■ conjug. 1. ■ Traiter (qqn) avec tyrannie, en abusant de son pouvoir ou de son autorité. ⇒ **opprimer, persécuter.** — (Choses) Exercer une contrainte qui asservit. *Les préjugés, les habitudes qui nous tyrannisent.*

tyrolienne [tiʀɔljɛn] n. f. ■ Chant montagnard à trois temps originaire du Tyrol, caractérisé par le passage rapide de la voix de poitrine à la voix de tête.

tzigane ⇒ **tsigane.**

u

u [y] n. m. invar. ■ Vingt et unième lettre de l'alphabet, cinquième voyelle. *U tréma* ou *ü.* — *En U,* en forme de U. *Tube en U.*

ubiquité [ybikɥite] n. f. ■ Présence en plusieurs lieux à la fois. ⇒ **omniprésence.** *Je n'ai pas le don d'ubiquité, je ne peux pas être à deux endroits à la fois.*

U.H.T. [yaʃte] adj. invar. ■ (Abrév. d'*ultra-haute température*) Stérilisé par passage à très haute température en vue d'une longue conservation. *Du lait U.H.T.* ⇒ **upérisé.**

ukase [ykaz] ou *oukase* [ukaz] n. m. **1.** Édit promulgué par le tsar. **2.** Décision arbitraire.

ukrainien, ienne [ykrɛnjɛ̃, jɛn] adj. ■ De l'Ukraine. *Folklore ukrainien.* — N. *Un Ukrainien.* — N. m. Langue des Ukrainiens. ≠ *russe.*

ulcère [ylsɛʀ] n. m. ■ Perte de substance de la peau et des muqueuses formant des plaies qui ont tendance à ne pas se cicatriser. *Ulcère à l'estomac.* ▶ *ulcération* n. f. **1.** Formation d'un ulcère. *Début d'ulcération.* **2.** Altération de la peau et des muqueuses avec perte de substance. *Ulcérations cancéreuses.* ▶ ① *ulcérer* v. tr. ▪ conjug. 6. ■ Produire un ulcère sur (une partie du corps). ▶ *ulcéreux, euse* adj. **1.** Qui a la nature de l'ulcère ou de l'ulcération. *Plaie, lésion ulcéreuse.* **2.** Couvert d'ulcères. *Membre ulcéreux.*

② *ulcérer* v. tr. ▪ conjug. 6. ■ Blesser (qqn) profondément. ⇒ **vexer.** *Ce manque de confiance l'a ulcéré.* — Au p. p. *Je suis ulcérée !*

ultérieur, eure [ylteʀjœʀ] adj. ■ Qui sera, arrivera plus tard. ⇒ **futur, postérieur.** *Réunion reportée à une date ultérieure.* / contr. **antérieur** / ▶ *ultérieurement* adv. ■ Plus tard. ⇒ **après, ensuite.** *Nous reparlerons de cette question ultérieurement.*

ultimatum [yltimatɔm] n. m. ■ Les dernières conditions présentées par un État à un autre et comportant une sommation. *Adresser, envoyer un ultimatum. Des ultimatums.* — Exigence impérative. *Les grévistes ont présenté un ultimatum à la direction.*

ultime [yltim] adj. ■ Dernier, final (dans le temps). *Faire une ultime tentative.* / contr. **premier** /

ultra [yltʀa] adj. et n. ■ Réactionnaire extrémiste. *Des ultras.*

ultra- ■ Élément savant signifiant « au-delà » ou « très » (ex. : *ultraconfidentiel, ultrasecret,* adj.). ▶ *ultramoderne* [yltʀamɔdɛʀn] adj. ■ Très moderne. *Du matériel ultramoderne.* ▶ *ultramontain, aine* adj. et n. ■ Qui soutient la position traditionnelle de l'Église catholique italienne (opposé à *gallican*). — N. *Les ultramontains se prononcent pour le pouvoir absolu du pape.* ▶ *ultra-rapide* adj. ■ Très rapide. *Des voitures ultra-rapides.* ▶ *ultra-sensible* adj. ■ (Choses) Sensible à l'extrême. *Pellicule ultra-sensible.* ▶ *ultra-son* ou *ultrason* [yltʀasɔ̃] n. m. ■ Onde acoustique de fréquence trop élevée pour correspondre à un son. ▶ *ultra-violet, ette* ou *ultraviolet, ette* adj. et n. m. ■ Adj. (Radiations électromagnétiques) Dont la longueur d'onde se situe entre celle de la lumière visible (extrémité violette du spectre) et celle des rayons X. *Rayons ultra-violets.* — N. m. *Le visible et l'ultraviolet.*

ululer v. ⇒ **hululer.**

un, une [œ̃, yn] adj. numér. ; adj. et pronom indéf. **I.** Numéral, expression de l'unité. **1.** Adj. cardinal. *Une ou deux fois. En un instant* [ɑ̃nœ̃nɛstɑ̃]. — *Les Mille et Une Nuits. Un seul homme. Pas un seul.* — PAS UN : aucun, nul. *Pas un navire à l'horizon.* Pronom. *Pas un n'a téléphoné.* (Avec *de* + adjectif) *Il n'y en a pas une de libre.* (Avec *qui* + subjonctif) *Pas un qui ne vienne nous voir.* — *Un à un* [œ̃naœ̃], *une à une, un par un,* à tour de rôle et un seul à la fois. **2.** Nominal. *Une unité ; le chiffre notant l'unité. Un et un* [œ̃eœ̃] *(font) deux.* — Numéro correspondant à l'unité. *Le un est gagnant.* ⇒ **as.** — *Il habite au un de la rue du Bac.* **3.** Loc. NE FAIRE QU'UN AVEC : se confondre avec. *Lui et son frère ne font qu'un.* **4.** Ordinal. Premier. *Livre un. La page un. Il est une heure.* — (Pour marquer le premier temps d'un mouvement, d'une sommation) *Une !... deux !...* — Fam. *Ne faire ni une ni deux,* agir sans hésitation. **5.** Adj. qualificatif (après le nom ou attribut). Qui n'a pas de parties et ne peut être divisé. *La République une et indivisible.* **II.** Art. indéf. (plur. *des* ⇒ **des**) **1.** Désigne un individu distinct mais indéterminé. *Une voiture est entrée dans la cour. Il faut appeler un plombier. Je voudrais une plante, pas des fleurs coupées.* — *Un jour. Une fois. Un peu. Un autre..., un certain...* (Avec le pronom *en*) *Je vais vous en raconter une* (histoire). *En voilà un qui ne s'en fait pas.* — Nominal. *Une qui serait contente de venir, c'est ta sœur.* **2.** (Devant un attribut) *Pierre est un journaliste réputé.* — REM. *Un, une* sont absents dans des locutions figées, des phrases négatives, devant un attribut énonçant une condition sociale, une caractérisation, ou devant une apposition. Ex. : *être médecin ; la Règle du jeu, film de Jean Renoir* : ne pas dire *un film de.* **3.** Désigne un individu comme le représentant de l'espèce. *Un triangle a trois côtés.* **4.** (Avec valeur intensive) *Sa robe était d'un beau vert.* — (En valeur exclamative) *Cette rue est d'un sale !* **5.** (Devant un nom propre) *Une personne telle que ou comparable à... Je ne fréquenterai jamais un Dupont. C'est un Machiavel.* — *Une personne de telle famille. C'est une Bonaparte.* **III.** Pronom indéf. UN, UNE, UNS, UNES. *Un de ces jours. Un, une (des choses, personnes) qui (que)...,* avec un verbe au pluriel accordé avec le complément de *un (un des livres qui lui plaisent le plus),* ou un verbe au singulier accordé avec *un (une des plus belles villes que j'aie vue).* — L'UN, L'UNE... *L'un des artistes les plus connus de son époque. L'un(e) et l'autre. Aimez-vous les uns les autres. Ni l'un ni l'autre.* ⇒ **autre.** ► *une* [yn] n. f. ■ La première page d'un journal. *Son procès a fait la une pendant trois jours.* — Loc. *Cinq colonnes* à la une. ⟨► chacun, quatre-cent-vingt-et-un, quelqu'un, unanime, uni, uni-, unième, unifier, union, unique, unir, unitaire, unité ⟩

unanime [ynanim] adj. **1.** Au plur. Qui ont tous la même opinion, le même avis. *Ils sont unanimes à penser, pour penser que...* **2.** Qui exprime un avis commun à plusieurs. ⇒ **général.** *Consentement unanime.* — Qui est fait par tous, en même temps. ► **unanimement** adv. ■ Par tous ; d'un commun accord. *Déclarer unanimement...* ► **unanimité** n. f. **1.** Conformité d'opinion ou d'intention entre tous les membres d'un groupe. ⇒ **accord ; consentement.** / contr. **contradiction, division, discorde** / *Il y a unanimité dans cette assemblée. Faire l'unanimité contre soi.* **2.** Expression de la totalité des opinions dans le même sens. *Être élu à l'unanimité, à l'unanimité moins deux voix, moins deux abstentions.*

ungui- ■ Élément de mots savants signifiant « ongle ».

uni, unie [yni] adj. **I. 1.** Qui est avec *(uni à, avec)* ou qui sont ensemble *(unis)* de manière à former un tout ou à être en union. ⇒ **confondu.** *Cœurs unis* (par le sentiment, l'amour). *Ils sont unis par le mariage.* / contr. **séparé** / — *Les États-Unis d'Amérique. Les Nations Unies.* **2.** Joint, réuni. *Il se tenait les talons unis.* — *Deux idées souvent unies.* **3.** Qui est formé d'éléments liés ; qui constitue une unité. *Le Royaume-Uni.* **4.** En bonne entente ; qui est dans la concorde. *Une famille unie.* / contr. **désuni** / **II.** Dont les éléments sont semblables ; qui ne présente pas d'inégalité, de variation apparente. ⇒ **cohérent, homogène. 1.** (Surface) Sans aspérités. ⇒ **égal, lisse.** / contr. **accidenté, inégal** / — De couleur, d'aspect uniforme. *Couleur unie. Étoffe unie, tissu uni* (opposé à rayé, écossais, imprimé, à pois...). — N. m. *De l'imprimé et de l'uni.* — Sans ornement. *Une robe unie.* / contr. **orné** / **2.** Littér. Qui s'écoule sans changement notable. ⇒ **calme, monotone, tranquille.** *Une vie unie.* ⟨► désuni, réuni, uniment ⟩

uni- ■ Élément savant signifiant « un ». / contr. **multi-, poly-** / ► **unicellulaire** [ynisε(εl)lylεʀ] adj. ■ Sciences. Formé d'une seule cellule. *Organismes unicellulaires.* — N. m. *Les unicellulaires.* ⟨► uniforme, unijambiste, unilatéral, uninominal, unisexe, unisexué, univalve, univoque ⟩

unicité [ynisite] n. f. ■ Littér. Caractère de ce qui est unique. *L'unicité d'un cas.* / contr. **multiplicité, pluralité** /

unième [ynjεm] adj. numér. ordinal ■ (Après un numéral) Qui vient en premier, immédiatement après une dizaine (sauf *soixante-dix, quatre-vingt-dix*), une

centaine, un millier. *Vingt, trente... et unième. Cent unième.*

unifier [ynifje] v. tr. ■ conjug. 7. **1.** Faire de (plusieurs éléments) une seule et même chose ; rendre unique, faire l'unité de. ⇒ **unir.** *Unifier des régions* (en un seul pays). ⇒ **fusionner, mêler.** / contr. **désunir, séparer** / **2.** Rendre semblables (divers éléments que l'on rassemble). ⇒ **uniformiser.** *Unifier l'orthographe d'un texte ancien.* ⇒ **normaliser.** / contr. **diversifier** / **3.** Rendre homogène ; faire l'unité morale de. *Unifier un parti.* **4.** S'UNIFIER v. pron. réfl. : se fondre en un tout (de plusieurs éléments). *Les diverses tendances du parti se sont unifiées avant les élections.* ► **unificateur, trice** adj. ■ Qui unifie, qui contribue à unifier. ► **unification** n. f. ■ Le fait d'unifier (plusieurs éléments, un ensemble d'éléments), de rendre unique ou uniforme ; le fait de s'unifier. ⇒ **intégration.** *L'unification d'un pays.* / contr. **division** / ⟨► réunifier, réunification ⟩

① **uniforme** [ynifɔʀm] adj. **1.** Qui présente des éléments tous semblables ; dont toutes les parties sont ou paraissent identiques. ⇒ **régulier.** / contr. **inégal, irrégulier** / *Accélération uniforme.* **2.** Qui ne varie pas ou peu ; dont l'aspect reste le même. / contr. **changeant, divers** / *Un ciel uniforme et gris.* **3.** Qui ressemble beaucoup aux autres. ⇒ **même, pareil.** *Caractères uniformes.* ► **uniformément** adv. **1.** Par un mouvement régulier. *Orbites décrites uniformément.* — Proportionnellement au temps. *Mouvement uniformément accéléré.* **2.** De la même façon dans toute sa durée ou son étendue. *Sa vie s'écoule uniformément.* **3.** Comme tous les autres. *Les enfants étaient vêtus uniformément.* / contr. **différemment** / ► ② **uniforme** n. m. **1.** Costume dont la forme, le tissu, la couleur sont définis par un règlement pour tous les hommes d'une même unité militaire. *Uniforme d'officier. En uniforme ou en civil. En grand uniforme, en uniforme de cérémonie.* — *L'uniforme,* la tenue militaire (symbole de l'armée). **2.** Vêtement déterminé, obligatoire pour un groupe. *Uniforme d'huissier, d'hôtesse de l'air.* ► **uniformiser** v. tr. ■ conjug. 1. **1.** Rendre uniforme. *Uniformiser une teinte.* **2.** Compl. au plur. Rendre semblables ou moins différents. *Uniformiser les programmes.* ⇒ **standardiser, unifier.** / contr. **diversifier** / ► **uniformisation** n. f. ■ Le fait de rendre uniforme ; son résultat. ► **uniformité** n. f. **1.** Caractère de ce qui est uniforme. *L'uniformité d'un mouvement.* / contr. **inégalité** / **2.** Absence de changement, de variété ; monotonie de ce qui ne varie pas. *L'uniformité et l'ennui de la vie quotidienne.*

unijambiste [yniʒɑ̃bist] n. et adj. ■ Personne qui a été amputée d'une jambe.

unilatéral, ale, aux [ynilateʀal, o] adj. **1.** Qui ne se fait que d'un côté. *Appui unilatéral, dans la marche.* — *Stationnement unilatéral,* autorisé d'un seul côté d'une voie. **2.** En droit. Qui n'engage qu'une seule partie. *Contrat unilatéral.* **3.** Qui provient d'un seul, n'intéresse qu'un seul (lorsque deux personnes, deux éléments sont concernés). / contr. **bilatéral** / *Décision unilatérale,* prise sans consulter les partenaires. ► **unilatéralement** adv. ■ D'une manière unilatérale (surtout 3).

unilingue [ynilε̃g] adj. ■ Qui est en une seule langue. ⇒ **monolingue.** *Dictionnaire unilingue et dictionnaire bilingue.* — Qui parle, écrit une seule langue. ⇒ **monolingue.**

uniment [ynimɑ̃] adv. ■ D'une manière unie. **1.** Littér. Semblablement ; avec régularité. ⇒ **également, régulièrement.** *Avancer uniment.* **2.** TOUT UNIMENT : avec simplicité. ⇒ **franchement, simplement.** *Il a répondu tout uniment.*

uninominal, ale, aux [yninɔminal, o] adj. ■ Qui porte sur un seul nom. *Scrutin, vote uninominal* (opposé à *de liste*).

union [ynjɔ̃] n. f. **I. 1.** Relation qui existe entre deux ou plusieurs personnes ou choses considérées comme formant un ensemble. — REM. *Union* désigne le résultat d'un processus alors que *unité* désigne plutôt un caractère ou un état. ⇒ **assemblage, association, réunion.** / contr. **désunion** / *Union étroite, solide. Union des couleurs, des sons musicaux. — Union mystique,* de l'âme à une divinité. **2.** Relation réciproque qui existe entre deux ou plusieurs personnes ; sentiments réciproques, vie en commun. ⇒ **amitié, attachement, fraternité.** *Union des cœurs, des âmes. — Union conjugale,* mariage. UNION LIBRE : vie commune d'un couple non marié. ⇒ **concubinage. 3.** État dans lequel se trouvent des personnes, des groupes liés par un accord ou par des intérêts communs. *Union douanière,* entre États qui suppriment leurs frontières douanières. **4.** Entente entre plusieurs personnes, plusieurs groupes. *Resserrer l'union entre des partis.* / contr. **discorde, opposition** / — PROV. *L'union fait la force,* l'entente, la communauté de vues et d'action engendrent la force. **II.** Ensemble de ceux qui sont unis. ⇒ **association, groupement, entente, ligue.** *Union ouvrière. Union de syndicats,* groupement de plusieurs syndicats similaires ou de syndicats d'une ville, d'une région. ⇒ **confédération, fédération.** ‹ ▶ réunion, trait d'union ›

unique [ynik] adj. **I.** (Quantitatif) **1.** (Avant ou après le nom) Qui est un seul, n'est pas accompagné par d'autres du même genre. / contr. **multiple, plusieurs** / — REM. *Unique* a plus de force placé après le nom. *C'est son unique fils* (ou *son fils unique*). *Il est fils unique,* il n'a ni frères ni sœurs. *C'est mon unique, mon seul et unique chapeau.* — (Toujours après le nom) *Rue à sens unique. Un cas unique.* ⇒ **isolé.** *Une seule et unique occasion. Salaire unique,* quand une seule personne est salariée dans un couple. **2.** (Généralement après le nom) Qui est un seul, qui répond seul à sa désignation et forme une unité. *La Trinité des catholiques est un Dieu unique en trois personnes.* — Qui est le même pour plusieurs choses, plusieurs cas. / contr. **divers** / *Un principe unique. Prix unique.* **II.** (Qualitatif) REM. Dans ce sens, le comparatif et le superlatif sont possibles. *C'est le plus unique en son genre.* **1.** (Généralement après le nom) Qui est le seul de son espèce ou qui dans son espèce présente des caractères qu'aucun autre ne possède. *Il faut essayer d'employer le mot juste, le mot unique.* **2.** (Après le nom) Qui est ou qui paraît foncièrement différent des autres. ⇒ **irremplaçable ; exceptionnel, remarquable.** / contr. **commun, courant** / *Une œuvre unique. C'est un artiste unique. Unique en son genre,* extraordinaire. — Fam. Qui étonne beaucoup (en bien ou en mal). ⇒ **curieux, extravagant, inouï.** *Il est vraiment unique !* ▶ *uniquement* adv. **1.** À l'exclusion des autres. ⇒ **exclusivement, seul.** *Pour lui, le résultat compte uniquement.* **2.** Seulement. *Il désire uniquement réussir. Il veut uniquement les faire enrager.* ⇒ **rien que, simplement.** *Pas uniquement,* pas seulement. ‹ ▶ unicité ›

unir [yniR] v. tr. · conjug. 2. **I. 1.** Mettre ensemble (les éléments d'un tout) ou rapprocher (des éléments). ⇒ **assembler, réunir.** *Unir une province à un pays. Il faut unir des mots pour former une phrase.* **2.** Faire exister, vivre ensemble (des personnes). *C'est le prêtre qui les a unis.* ⇒ **marier.** — (Suj. chose) Constituer l'élément commun, la cause de l'union entre (des personnes). *Sentiment, affection qui unit deux êtres.* / contr. **diviser, opposer, séparer** / **3.** Associer par un lien politique, économique. *Unir deux États.* ⇒ **allier.**

4. Relier par un moyen de communication. *Ligne aérienne qui unit deux continents.* **5.** UNIR *qqch.* À : avoir, posséder à la fois (des caractères différents et souvent en opposition). ⇒ **allier, associer, joindre.** *Il unit la force à la douceur.* **II.** S'UNIR v. pron. **1.** Réfl. Contracter une union (avec qqn), s'associer avec. *S'unir à, avec des amis pour former une association.* **2.** Récipr. (Choses) Ne plus former qu'un tout. ⇒ **se fondre, se joindre, se mêler.** *Rivières qui s'unissent en mêlant leurs eaux.* — (Personnes) Faire cause commune. ⇒ **s'associer, se liguer, se solidariser.** *S'unir contre l'envahisseur.* ⇒ **se coaliser.** *États, nations qui s'unissent politiquement.* — S'attacher par des liens affectifs, par le mariage. *Les époux s'unissent pour le meilleur et pour le pire.* **3.** Passif. Se trouver ensemble, de manière à former un tout. ⇒ **se joindre.** *Couleurs qui s'unissent harmonieusement.* ⇒ **s'associer.** *Leurs idées s'unissent sans peine.* ‹ ▶ désunir, réunir, uni, unisson ›

unisexe [ynisɛks] adj. ■ (Habillement, coiffure) Destiné indifféremment aux hommes et aux femmes. *Pantalon unisexe. Des chemises unisexes.*

unisexué, ée [ynisɛksɥe] adj. ■ Sciences naturelles. (Fleurs, animaux) Qui n'a qu'un seul sexe (opposé à *bisexué, hermaphrodite*).

unisson [ynisɔ̃] n. m. ■ Son unique produit par plusieurs voix ou instruments. ⇒ **consonance.** *Un bel unisson.* — Loc. À L'UNISSON. *Chanter, jouer à l'unisson.* Fig. En accord, en harmonie. *Nos cœurs sont à l'unisson.*

unitaire [ynitɛR] adj. **1.** Qui forme, qui concerne une unité politique. *Manifestation unitaire.* **2.** Relatif à l'unité, à un seul objet. *Le prix unitaire est de cent francs.* / contr. **global, total** /

unité [ynite] n. f. **I. 1.** Caractère de ce qui est unique. *Unité et pluralité.* — UNITÉ DE... : caractère unique. *Unité de vues du gouvernement.* ⇒ **conformité, identité.** / contr. **diversité, multiplicité** / *Unité d'action,* principes d'action communs à plusieurs groupes. **2.** Caractère de ce qui n'a pas de parties, ne peut être divisé. *L'unité d'une espèce.* — État de ce qui forme un tout organique, dont les parties sont unies par des caractères communs, par leur contribution au fonctionnement de l'ensemble. *Faire, maintenir ; briser, rompre l'unité. L'unité d'une nation. Formation de l'unité italienne.* **3.** Cohérence interne. ⇒ **cohésion, homogénéité.** *L'unité d'une œuvre. Ce texte manque d'unité.* **II.** Élément. **1.** Élément simple (d'un ensemble homogène). *Le département est une unité administrative française.* — Objet fabriqué (en série). *Une commande de tant d'unités. Prix à l'unité.* ⇒ **unitaire. 2.** Formation militaire ayant une composition, un armement, des fonctions déterminées et spécifiques. *Grande unité d'infanterie. Rejoindre son unité.* **3.** Élément arithmétique qui forme les nombres. *Mesure des unités.* ⇒ **quantité.** — Dans les nombres de deux chiffres et plus, le chiffre placé à droite de celui des dizaines. *Dans 325, 5 est le chiffre des unités.* **4.** Grandeur finie servant de base à la mesure des autres grandeurs de même espèce. *Dans le système des unités C. G. S., le centimètre est l'unité de longueur, le gramme l'unité de poids, la seconde l'unité de temps. La lire est l'unité monétaire de l'Italie.*

univalve [ynivalv] adj. ■ Dont la coquille n'est formée que d'une pièce. *L'escargot est un mollusque univalve.*

univers [ynivɛR] n. m. invar. **I. 1.** L'ensemble des sociétés, des hommes sur la Terre. *L'univers entier craint la guerre nucléaire. Citoyen de l'univers.* **2.** L'ensemble de tout ce qui existe. ⇒ **monde (I),**

nature. *Les lois de l'univers.* **3.** En sciences. Ensemble de la matière distribuée dans l'espace et dans le temps. *La structure de l'univers connu est étudiée par l'astronomie.* **4.** *Un univers,* système planétaire ou galactique. **II.** Fig. Milieu réel, matériel ou moral *(univers mental). L'univers poétique et l'univers du rêve.* ▶ *universel, elle* adj. et n. m. **I.** Adj. **1.** Qui s'étend, s'applique à la totalité des objets (personnes ou choses) qui existent. ⇒ **général.** / contr. **individuel, particulier** / *Jugement universel,* qui s'applique à tous les cas, est vrai partout et toujours. *Un remède universel.* ⇒ **panacée.** — Loc. *Clé universelle,* qui s'adapte à différents types de boulons, d'écrous. **2.** (Personnes) Dont les connaissances, les aptitudes s'appliquent à tous les sujets. ⇒ **complet, omniscient.** *Un esprit universel.* **3.** Qui concerne la totalité des hommes, le monde entier ou la totalité d'un groupe. *Histoire universelle,* qui concerne tous les peuples. *Exposition universelle. Guerre, paix universelle.* ⇒ **mondial.** — *Suffrage universel,* étendu à tous les individus (sauf les exceptions prévues par la loi). — Commun à tous les hommes ou à un groupe donné ; qui peut s'appliquer à tous. *La science est universelle.* **4.** Qui concerne l'univers tout entier. *Gravitation universelle.* ⇒ **cosmique. II.** N. m. Ce qui comprend tous les objets dont il est question. *L'universel et le particulier.* ▶ *universellement* adv. ■ Par tous les hommes, sur toute la terre. ⇒ **mondialement.** *Une chose universellement connue.* ▶ *universaliser* v. tr. . conjug. 1. ■ Rendre commun à tous les hommes ; répandre largement. ⇒ **diffuser, généraliser.** — Pronominalement (réfl.). *Cette coutume tend à s'universaliser.* ▶ *universalisation* n. f. ■ Le fait de répandre largement, d'étendre à tous les hommes. ⇒ **généralisation.** ▶ *universalité* n. f. **1.** Caractère de ce qui est universel (I, 1) ou considéré sous son aspect de généralité universelle. *Universalité d'un jugement.* **2.** Caractère d'un esprit universel (I, 2). *L'universalité des connaissances d'un historien.* **3.** Caractère de ce qui concerne la totalité des hommes, de ce qui s'étend à tout le globe. *L'universalité de la langue anglaise.*

université [yniveʀsite] n. f. **1.** *L'Université,* les maîtres, professeurs, etc., de l'enseignement public des divers degrés. *Entrer dans l'Université.* **2.** *Une université,* établissement public d'enseignement supérieur, constitué par l'ensemble des facultés établies dans une même Académie et administré par un *conseil d'université. Elle fait ses études à l'université de Lille.* ▶ *universitaire* adj. et n. **1.** Qui appartient, est relatif à l'Université (1). *Le corps universitaire. Un universitaire,* un membre de l'Université. ⇒ **professeur. 2.** Relatif aux universités, à l'enseignement supérieur. *Diplômes universitaires. Cités, restaurants universitaires,* d'étudiants.

univoque [ynivɔk] adj. ■ Sciences. Se dit d'une correspondance, d'une relation dans laquelle un terme entraîne toujours le même corrélatif (la relation est dite *bi-univoque,* s'il y a réciprocité). ▶ *univocité* n. f. ■ Didact. Caractère univoque.

upériser [ypeʀize] v. tr. . conjug. 1. ■ Stériliser un liquide en injectant de la vapeur à la température de 140° C et en le refroidissant brusquement. — Au p. p. adj. *Jus d'orange, lait upérisé.* ⇒ **U.H.T.**

uppercut [ypɛʀkyt] n. m. ■ Boxe. Coup porté de bas en haut. ⇒ ④ **crochet.** *Des uppercuts.*

uranium [yʀanjɔm] n. m. ■ Élément radioactif naturel, métal gris, dur, présent dans plusieurs minerais où il est toujours accompagné de radium.

① **urbain, aine** [yʀbɛ̃, ɛn] adj. ■ Qui est de la ville, des villes (opposé à *rural). Transports urbains. Populations urbaines.* — *Communauté urbaine,* ville

formée de plusieurs agglomérations. ▶ *urbaniser* v. tr. . conjug. 1. ■ Donner le caractère urbain, citadin à (un lieu). — Au p. p. adj. *Région urbanisée.* ▶ *urbanisation* n. f. **1.** Action d'urbaniser. *L'urbanisation des zones rurales autour des grandes villes.* **2.** Concentration croissante de la population (d'une région, d'un pays) dans les agglomérations urbaines. *L'urbanisation a entraîné le dépeuplement des campagnes.* ▶ *urbanisme* n. m. ■ Étude systématique des méthodes permettant d'adapter l'habitat urbain aux besoins des hommes. *Architecture et urbanisme.* ▶ *urbaniste* n. ■ Architecte, technicien spécialisé dans l'urbanisme.

② **urbain, aine** adj. ■ Littér. (Personnes) Affable, agréable en société. ▶ *urbanité* n. f. ■ Politesse où entrent beaucoup d'affabilité naturelle et d'usage du monde.

urbi et orbi [yʀbietɔʀbi] loc. adv. ■ Se dit de la bénédiction que le pape donne à toute la chrétienté. — Loc. *Publier, proclamer urbi et orbi,* partout.

urée [yʀe] n. f. ■ Substance cristalline que l'on rencontre dans le sang et l'urine des carnivores. *L'urée qui se forme dans le foie est éliminée par le rein.* — *Excès d'urée* (maladie). *Il a de l'urée.* ⇒ **urémie** n. f. ■ Intoxication due à l'accumulation de l'urée dans le sang. *Une crise d'urémie.*

uretère [yʀtɛʀ] n. m. ■ Canal qui conduit l'urine du rein à la vessie. ≠ **urètre.**

urètre [yʀɛtʀ] n. m. ■ Canal excréteur de l'urine qui s'ouvre dans la vessie et aboutit à l'extérieur (⇒ **méat** urinaire). ≠ **uretère.**

urgent, ente [yʀʒɑ̃, ɑ̃t] adj. ■ Dont on doit s'occuper sans retard. *Des affaires urgentes.* ⇒ **pressé.** *Un besoin urgent.* ⇒ **pressant.** *C'est urgent. Il devient urgent de te faire opérer.* ▶ *urgence* n. f. **1.** Caractère de ce qui est urgent. *L'urgence d'un travail.* **2.** Nécessité d'agir vite. *Il y a urgence,* c'est urgent. *En cas d'urgence.* — *Une urgence,* un malade à opérer, à soigner sans délai. *Service des urgences dans un hôpital.* **3.** D'URGENCE loc. adv. : sans délai, en toute hâte. *Venez d'urgence, de toute urgence.* ▶ *urger* v. intr. . conjug. 1. (Seulement 3ᵉ pers. sing.) ■ Fam. Être urgent. *Ça urge ! ⇒* **presser.**

urine [yʀin] n. f. ■ Liquide organique clair et jaune, odorant, qui se forme dans le rein, passe dans les uretères, séjourne dans la vessie et est évacué par l'urètre. — fam. **pipi, pisse.** *Les urines,* l'urine évacuée. *Analyse d'urines.* ▶ *urinaire* adj. ■ Qui a rapport à l'urine. *Appareil urinaire,* qui forme et évacue l'urine (rein, uretère, urètre, vessie). *Voies urinaires. Appareil génital et urinaire.* ▶ *urinal* n. m. ■ Récipient à col incliné où les malades peuvent uriner couchés. *Des urinaux.* ▶ *uriner* v. intr. . conjug. 1. ■ Évacuer l'urine. — fam. faire **pipi, pisser.** *Le fait d'uriner s'appelle « miction ».* ▶ *urinoir* n. m. ■ Petit édifice où les hommes vont uriner. ⇒ **pissotière, vespasienne.** ‹ ▶ **uro-** ›

urique [yʀik] adj. ■ ACIDE URIQUE : acide organique azoté dont on trouve de petites quantités dans l'urine humaine.

urne [yʀn] n. f. **1.** Vase qui sert à renfermer les cendres d'un mort. *Urne funéraire, cinéraire.* **2.** Vase antique à flancs arrondis. *Les urnes et les amphores.* **3.** Boîte dont le couvercle est muni d'une fente, dans laquelle les électeurs déposent leur bulletin de vote. *Aller aux urnes,* aller voter.

uro- ■ Élément de mots de médecine signifiant « urine ». ▶ *urographie* [yʀɔgʀafi] n. f. ■ Radiographie de l'appareil urinaire. ▶ *urologie* n. f. ■ Partie de la médecine qui s'occupe de l'appareil urinaire. *Service d'urologie dans un hôpital.* ▸ **urologue** n. ∎ Médecin spécialiste de l'appareil urinaire. ⟨ ▸ diurétique, urée, uretère, urètre, urique ⟩

urticaire [yrtikɛr] n. f. ∎ Éruption passagère rosée ou rouge sur la peau (semblable à des piqûres d'ortie) accompagnée d'une sensation de brûlure.

us [ys] n. m. pl. ∎ Loc. *Les* US ET COUTUMES : les habitudes, les usages traditionnels.

usage n. m. **I. 1.** Action d'user de qqch., de s'en servir, de l'appliquer pour satisfaire un besoin. *L'usage d'un outil, d'un instrument.* ⇒ **emploi, utilisation.** *Le bon, le mauvais usage de l'argent. Je n'en ai pas l'usage, cela ne m'est pas utile.* — (Compl. abstrait) *L'usage de la force.* **2.** Mise en activité effective (d'une faculté, d'une fonction physique ou mentale). ⇒ **exercice, fonctionnement.** *L'usage du raisonnement. L'usage des sens,* le fait de sentir, de percevoir. *Il a perdu l'usage de la parole.* **3.** Loc. FAIRE USAGE DE : se servir de. ⇒ **utiliser ; employer.** *Il a fait usage de stratagèmes pour parvenir à ses fins.* — À L'USAGE : lorsqu'on s'en sert, lorsqu'on l'utilise. *À l'usage, sa découverte s'est révélée utile.* — EN USAGE : qui est encore employé. *Dispositifs encore en usage.* — Fam. *Faire de l'usage,* pouvoir être utilisé longtemps sans se détériorer. ⇒ **durer.** *Ce manteau m'a fait beaucoup d'usage.* **4.** Le fait de pouvoir produire un effet particulier et voulu. ⇒ **fonction, utilité.** *Un couteau à plusieurs usages.* — HORS D'USAGE : qui ne peut plus fonctionner, produire son effet. *Une vieille voiture hors d'usage.* — À USAGE (DE) : destiné à être utilisé (de telle ou telle façon). *Médicament à usage externe, interne* **5.** À L'USAGE DE : destiné à être utilisé (par). ⇒ **pour.** *Des livres à l'usage des écoles.* **6.** Le fait d'employer les éléments du langage dans le discours, la parole ; manière dont ils sont employés. ⇒ **emploi.** *L'usage oral, écrit, courant, populaire. Mot en usage* (usité), *hors d'usage, sorti de l'usage. Le bon usage* (considéré comme seul correct). *Expression consacrée par l'usage.* **II. 1.** Pratique que l'ancienneté ou la fréquence rend normale, courante, dans une société. ⇒ **coutume, habitude, mœurs, us.** *Un ancien usage qui se perd.* — *Les usages,* les comportements considérés comme les meilleurs, ou les seuls normaux dans une société. *Conforme aux usages,* correct, courant, normal. *Contraire aux usages,* bizarre ou incorrect. — Habitude particulière (dans un groupe). ⇒ **rite.** *C'est un usage, dans ce collège, de donner une fête le dernier jour avant les vacances.* ⇒ **tradition. 2.** L'USAGE : ensemble des pratiques sociales. ⇒ **coutume, habitude.** *C'est l'usage,* c'est ce qu'il convient de faire et de dire. *Consacré par l'usage.* — D'USAGE : habituel, normal. *La formule d'usage.* **3.** Littér. Les bonnes manières. ⇒ **civilité, politesse.** *Manquer d'usage.* **III.** Droit réel qui permet à son titulaire *(l'usager)* de se servir d'une chose appartenant à autrui. ⇒ **usufruit.** *Avoir l'usage d'un lieu.* ▸ **usagé, ée** adj. ∎ Qui a beaucoup servi (sans être forcément détérioré, à la différence de *usé*). *Vêtements usagés.* ⇒ **défraîchi, vieux.** ▸ **usager, ère** n. **1.** Qui a un droit réel d'usage (III). *Les usagers du chemin et son propriétaire.* **2.** Personne qui utilise (un service public, le domaine public). ⇒ **utilisateur.** *Les usagers de la route.* — Utilisateur (de la langue). *Les usagers du français.* — Personne qui utilise un ouvrage de consultation. *Les usagers de l'annuaire, d'un dictionnaire.*

usant, ante [yzã, ãt] adj. ∎ Fam. Qui use la santé, les forces. *Cet enfant est usant.* ⇒ **fatigant, tuant.**

usé, ée [yze] adj. **1.** Altéré par un usage prolongé, par des actions physiques (frottements, etc.). ⇒ **détérioré, vieux.** *Vêtements usés.* ⇒ **avachi, défraîchi, râpé.** *Usé jusqu'à la corde,* élimé. *Chaussure, semelle*

usée, éculée. — Hors d'usage. *Vos pneus sont usés.* ⇒ fam. **foutu, mort.** — *Eaux usées,* salies par l'usage. **2.** Littér. Diminué, affaibli par une action progressive. ⇒ **émoussé, éteint.** *Passion usée,* refroidie. **3.** (Personnes) Dont les forces, la santé sont diminuées. *Elle est épuisée, usée.* **4.** Qui a perdu son pouvoir d'expression, d'évocation par l'usage courant, la répétition. ⇒ **banal, commun, rebattu.** *Termes vagues et usés. Une comparaison usée.*

user [yze] v. tr. ∎ conjug. 1. **I.** V. tr. ind. USER DE. **1.** (Avec un compl. désignant une chose abstraite) Avoir recours à, mettre en œuvre. ⇒ **se servir, utiliser ; usage.** *User d'un droit, d'un privilège. Vous usez et même abusez de votre pouvoir.* — Employer, se servir de (tel élément du langage). *User de termes ambigus.* **2.** Littér. EN USER *avec qqn* : agir, se conduire (d'une certaine manière). ⇒ **se comporter.** *Il en use avec elle d'une façon désinvolte.* **II.** V. tr. dir. **1.** Détruire par la consommation ; utiliser (qqch.) jusqu'à l'épuiser. *Ce poêle use beaucoup de charbon.* ⇒ **consommer, dépenser. 2.** Modifier (qqch.) progressivement en enlevant certaines de ses parties, en altérant son aspect, par un usage prolongé. ⇒ **abîmer, élimer ; usure.** *User ses vêtements jusqu'à la corde.* — Loc. *User ses fonds de culottes sur les bancs de l'école,* aller à l'école. — (En parlant du temps, d'effets naturels ou d'une action volontaire) Altérer ou entamer (qqch.). Au passif et p. p. adj. *Terrains usés par l'érosion.* **3.** Diminuer, affaiblir (une sensation, la force de qqn) par une action lente, progressive. *User ses forces, sa santé.* ⇒ **miner.** *La lecture a usé ses yeux.* ⇒ **abîmer.** *Tu vas t'user la vue à lire dans le noir.* **4.** Diminuer ou supprimer les forces de (qqn). ⇒ **épuiser.** *Le travail l'a usé.* **III.** S'USER v. pron. réfl. **1.** Se détériorer à l'usage ; perdre de son effet, de son utilité. *Tissu, instrument, machine qui s'use vite.* **2.** Fig. S'affaiblir, être diminué avec le temps. *Les sentiments finissent par s'user.* **3.** (Personnes) Perdre sa force, sa santé. *Elle s'est usée au travail.* ⇒ **se fatiguer, s'épuiser, se tuer.** — Perdre son ascendant, sa puissance, son influence. *Régime où les ministres s'usent vite.* ⟨ ▸ abus, abuser, désabusé, inusable, inusité, mésuser, usage, usant, usé, usité, usuel, ① usure ⟩

usine [yzin] n. f. **1.** Établissement de la grande industrie destiné à la fabrication d'objets ou de produits, à la transformation de matières premières, à la production d'énergie. ⇒ **fabrique, industrie, manufacture.** *Travailler dans une usine, en usine. Usines de métallurgie. Usines textiles. Usine à gaz.* **2.** L'usine, la grande industrie. *Des ouvriers d'usine.* **3.** Fam. Local qui, par ses dimensions, son nombreux personnel et l'importance de son rendement, évoque une usine. *Ce restaurant est une véritable usine.* ▸ **usiner** v. tr. ∎ conjug. 1. **1.** Façonner une pièce avec une machine-outil. **2.** Fabriquer dans une usine. *Usiner des produits finis.* ▸ **usinage** n. m. ∎ Action d'usiner. *Usinage de pièces mécaniques.*

usité, ée [yzite] adj. ∎ Qui est employé, en usage. *Un mot usité.* ⇒ **courant, usuel.** / contr. **inusité** / — *Peu usité,* rare.

ustensile [ystãsil] n. m. ∎ Objet ou accessoire, dont l'utilisation n'exige pas la mise en mouvement d'un mécanisme. — REM. Se dit parfois pour des appareils ou instruments simples et d'usage très courant. *Ustensiles de cuisine. Ustensiles de toilette.* — Fam. *Qu'est-ce que c'est que cet ustensile ?* ⇒ fam. **engin, machin, truc.**

usuel, elle [yzɥɛl] adj. ∎ Qui est utilisé habituellement, qui est dans l'usage courant. *Un objet usuel.* ⇒ **commun, familier, ordinaire.** *La langue usuelle. Expressions usuelles,* en usage et courantes. ⇒ **usité.** ▸ **usuellement** adv. ∎ Communément. ⇒ **d'ordinaire.**

usufruit [yzyfʀɥi] n. m. ■ Jouissance légale d'un bien dont on n'a pas la propriété. *Avoir l'usufruit d'une maison, une maison en usufruit.* ▶ *usufruitier, ière* n. ■ Personne qui détient un usufruit.

① *usure* [yzyʀ] n. f. 1. Détérioration par un usage prolongé, par le frottement, etc. ⇒ **dégradation**. *Résister à l'usure.* — Action de ce qui use, dégrade. *L'usure du temps. Guerre* D'USURE : où l'on use les forces de l'adversaire sans l'attaquer massivement. 2. Diminution ou altération (d'une qualité, de la santé). *Usure des forces, de l'énergie.* ⇒ **fatigue**. — Fam. *Avoir qqn* À L'USURE : prendre l'avantage sur lui en le fatiguant peu à peu. 3. État de ce qui est détérioré par l'usage (⇒ **usagé**). *L'usure des marches les rendait glissantes.*

② *usure* n. f. ■ Intérêt de taux excessif ; le fait de prendre un tel intérêt. *Prêter à usure.* — AVEC USURE loc. littér. : au-delà de ce qu'on a reçu (comme dans le prêt à usure). *Je lui rendrai sa méchanceté avec usure.* ▶ *usuraire* adj. ■ Qui a le caractère de l'usure, est propre à l'usure. *Intérêt, taux usuraire.* ▶ *usurier, ière* n. ■ Prêteur qui exige un taux excessif (et souvent illégal).

usurper [yzyʀpe] v. tr. ▪ conjug. 1. ■ S'approprier sans droit, par la violence ou la fraude (un pouvoir, une dignité, un bien). ⇒ s'**arroger**, s'**emparer**. *Usurper un pouvoir, un titre, un nom, des honneurs.* — Obtenir de façon illégitime. — Au p. p. adj. *Une réputation usurpée.* ▶ *usurpateur, trice* n. ■ Personne qui usurpe (un pouvoir, un droit ; la souveraineté). *Révoltons-nous contre cet usurpateur.* ⇒ **imposteur**. ▶ *usurpation* n. f. ■ Action d'usurper ; son résultat. ⇒ **appropriation**. — *Usurpation de pouvoir*, commise par un agent administratif qui empiète sur le domaine réservé aux autorités judiciaires.

ut [yt] n. m. invar. ■ Ton de do. *La Cinquième Symphonie de Beethoven, en ut mineur. Clef d'ut.* — Do (note). *Deux ut de poitrine.*

utérus [yteʀys] n. m. invar. ■ Chez la femme. Organe situé entre la vessie et le rectum, destiné à contenir l'œuf fécondé puis l'embryon jusqu'à son complet développement. ⇒ **matrice**. *Col de l'utérus.* — Chez les animaux supérieurs vivipares. Organe de la gestation chez la femelle. ▶ *utérin, ine* adj. ■ De l'utérus, relatif à l'utérus. *Hémorragie utérine.*

utile [ytil] adj. et n. m. 1. Dont l'usage, l'emploi est ou peut être avantageux (à qqn, à la société), satisfait un besoin (surtout matériel). ⇒ **bon, profitable, salutaire ; indispensable, nécessaire.** / contr. **inutile** / UTILE À... *Achetez ce livre, il vous sera utile.* — *Dépenses utiles ou inutiles.* — Profitable, fructueux. *Efforts utiles.* — IL EST UTILE DE (+ infinitif). *Il serait plus utile de travailler que de discuter.* — IL EST UTILE QUE (+ subjonctif). *Il est utile que vous appreniez l'anglais.* — UTILE À (+ infinitif) : qu'il est utile de... *Ouvrages utiles à consulter.* — N. m. L'UTILE. ⇒ **bien, utilité**. *Joindre l'utile à l'agréable.* 2. (Personnes) Dont l'activité est ou peut être avantageusement mise au service d'autrui. *Un collaborateur très utile.* ⇒ **précieux**. *Chercher à se rendre utile. Puis-je vous être utile ?* — *Animaux utiles* (opposé à *nuisibles*). 3. En *temps utile*, au moment opportun. ▶ *utilement* adv. ■ D'une manière utile. ▶ *utiliser* v. tr. ▪ conjug. 1. 1. Rendre utile, faire servir à une fin précise (ce qui n'y était pas nécessairement ou spécialement destiné). ⇒ **employer, exploiter**, se **servir** de. *Utiliser une ficelle pour lacer sa chaussure. La manière d'utiliser les restes.* ⇒ **accommoder**. 2. Employer. ⇒ **pratiquer**, se **servir** de, user de. *Utiliser un procédé, un moyen, un instrument.* ▶ *utilisable* adj. ■ Qui peut être utilisé. *Les moyens utilisables.* / contr. **inutilisable** / ▶ *utilisateur, trice* n. ■ Personne qui utilise (une machine, un appareil, etc.). ⇒ **usager**. ▶ *utilisation* n. f. ■ Action, manière d'utiliser. ⇒ **emploi, usage**. *Les utilisations du charbon par les industries chimiques.* ▶ *utilité* n. f. 1. Caractère de ce qui est utile, satisfait des besoins matériels. *Utilité d'un instrument, d'une méthode. Ce procédé n'est d'aucune utilité dans nos recherches.* ⇒ **secours**. — (Personnes) *Elle m'est d'une grande utilité.* 2. Le bien ou l'intérêt (de qqn). *Pour mon utilité personnelle.* ⇒ **convenance**. — *Association reconnue d'utilité publique.* 3. Emploi subalterne d'acteur (simplement utile). *Jouer les utilités.* ▶ *utilitaire* adj. et n. 1. Qui vise essentiellement à l'utile. *Arts utilitaires.* ⇒ **pratique**. — *Véhicules utilitaires*, camions, autocars... (opposé à *véhicules de tourisme*). 2. Péj. Préoccupé des intérêts matériels. *Préoccupations utilitaires.* ⇒ **intéressé**. ‹ ▶ **inutile, réutiliser** ›

utopie [ytɔpi] n. f. 1. Idéal, vue politique ou sociale qui ne tient pas compte de la réalité. 2. Conception ou projet qui paraît irréalisable. ⇒ **illusion, mirage**. ▶ *utopique* adj. ■ Qui constitue une utopie, tient de l'utopie. ⇒ **imaginaire, irréalisable**. *Il a des idées utopiques.* ▶ *utopiste* n. ■ Auteur de systèmes utopiques, esprit attaché à des vues utopiques. ⇒ **rêveur**.

V

V [ve] n. m. invar. **1.** Vingt-deuxième lettre de l'alphabet, dix-septième consonne. — *En V,* en forme de V majuscule. *Décolleté en V,* en pointe. — Loc. fam. *À la vitesse grand V,* très vite. **2.** *V,* cinq (en chiffres romains).

va [va] ⇒ **aller. 1.** Fam. *Va pour,* je suis d'accord pour. *Va pour 100 francs,* les voici. **2.** Interj. *Va !,* s'emploie pour encourager ou menacer. *Tu peux rester, va ! Va donc !,* s'emploie devant une injure. *Va donc, eh crétin !* **3.** Loc. *À la va-vite,* rapidement et sans soin. *À la va comme je te pousse,* n'importe comment (d'un travail).

vacant, ante [vakɑ̃, ɑ̃t] adj. **1.** Qui n'a pas de titulaire. *Poste vacant.* **2.** Qui n'est pas rempli, qui est libre. ⇒ **libre ; inoccupé.** *Siège vacant. Logement vacant.* / contr. **occupé** / ▸ *vacance* n. f. ■ État d'une charge, d'un poste vacant. *Vacance d'une chaire de faculté.* — Poste sans titulaire. ▸ *vacances* n. f. pl. **1.** Période pendant laquelle les écoles, les universités rendent leur liberté aux élèves, aux étudiants. *Vacances scolaires.* / contr. **rentrée** / *Les grandes vacances,* les deux ou trois mois d'été. *Les vacances de Pâques, de Noël. Colonie de vacances.* **2.** Repos, cessation des occupations, du travail ordinaires. *Vous êtes fatigué, vous avez besoin de vacances.* — Temps de repos accordé aux employés. *Vacances payées.* ⇒ **congé.** *Nous prendrons nos vacances en juillet. Passer ses vacances à la mer, à la montagne.* — *Maison de vacances. Partir en vacances.* ▸ *vacancier, ière* n. ■ Personne en vacances. ⇒ **estivant.**

vacarme [vakaʀm] n. m. **1.** Grand bruit de gens qui crient, se querellent, s'amusent. ⇒ **clameur.** *Faire du vacarme.* ⇒ **chahut, tapage, tumulte. 2.** Bruit assourdissant. *Le vacarme d'un chantier.*

vacation [vakɑsjɔ̃] n. f. ■ Temps consacré à l'accomplissement d'une fonction précise par la personne qui en a été spécialement chargée. *Médecin payé à la vacation.* ⇒ **vacataire.** — Travail fait pendant ce temps déterminé. *Faire une vacation, des vacations.* ▸ *vacataire* adj. et n. ■ Personne affectée à une fonction précise pendant un temps déterminé. *Vacataire qui cherche à être titulaire.*

vaccin [vaksɛ̃] n. m. ■ Substance (microbe ou produit soluble) qui, inoculée à un individu, lui confère l'immunité contre une maladie. *Sérum et vaccin. L'injection, l'inoculation d'un vaccin. Vaccin antivariolique.* — *Faire un vaccin à qqn,* inoculer un vaccin à qqn. ▸ *vacciner* v. tr. ■ conjug. 1. **1.** Immu-niser par un vaccin. *Vacciner qqn contre la fièvre typhoïde.* — Au p. p. adj. *Les enfants vaccinés.* — N. *Les vaccinés.* **2.** Fam. *Être vacciné contre qqch.,* être préservé d'une chose désagréable, dangereuse pour en avoir fait la pénible expérience. ⇒ **guéri.** *Plus d'affaires sentimentales, je suis vacciné pour un moment.* ▸ *vaccination* n. f. ■ Inoculation d'un vaccin pour combattre une maladie ou créer une immunité *(vaccination préventive).*

① *vache* [vaʃ] n. f. **1.** Femelle du taureau. *Jeune vache.* ⇒ **génisse.** REM. En boucherie, on dit *bœuf. La vache meugle, beugle. Les vaches paissent, ruminent. Bouse de vache. Vache laitière. La vache et ses petits veaux. La vache vient de vêler*.* **2.** Loc. *Vache à lait,* personne qu'on exploite, qui est une source de profit pour une autre. *Être gros comme une vache,* très gros. *Il pleut comme vache qui pisse,* très fort. — *Manger de la vache enragée,* en être réduit à de dures privations. — *Parler français comme une vache espagnole,* parler mal le français. **3.** Peau de la vache apprêtée en fourrure, en cuir. *Sac en vache.* ▸ *vacher, ère* n. ■ Personne qui mène paître les vaches et les soigne. ▸ *vachette* n. f. **1.** Jeune vache. **2.** Cuir de génisse.

② *vache* n. f. et adj. Fam. **1.** N. f. Personne méchante, qui se venge ou punit sans pitié. *C'est une vieille vache, une belle vache.* — *C'est une (vraie) peau de vache.* — *Un coup en vache,* nuisible et hypocrite. — (En parlant d'une personne dont on a à se plaindre) *Ah ! les vaches, ils m'ont oublié !* **2.** N. f. *La vache !,* exclamation exprimant l'étonnement, l'admiration (⇒ **vachement**), l'indignation. *La vache ! c'est superbe !* — (Devant le nom) *Une vache de belle bagnole.* ⇒ fam. **sacré. 3.** Adj. Méchant ou sévère, injuste. *Il a été vache avec moi. Une réponse assez vache. C'est vache !,* se dit aussi d'un contretemps, d'une malchance. ▸ *vachement* adv. ■ Fam. (Intensif, admiratif) Beaucoup ; très. ⇒ **drôlement, rudement.** *C'est vachement bien. Il nous aide vachement.* ▸ *vacherie* n. f. ■ Fam. Parole, action méchante. ⇒ **méchanceté.** *Dire, faire des vacheries.* — Caractère vache (3), méchant. *Elle est d'une vacherie inouïe !* / contr. **gentillesse** /

vacherin n. m. ■ Meringue à la crème fraîche, souvent servie glacée.

vaciller [vasije] v. intr. ■ conjug. 1. **1.** Être animé de mouvements répétés, alternatifs, être en équilibre instable et risquer de tomber. ⇒ **chanceler.** *Vaciller* *sur ses jambes.* **2.** Trembler, être sur le point de s'éteindre ; scintiller faiblement. ⇒ **trembloter.** *Bougie, flamme, lumière qui vacille.* **3.** Devenir faible, incertain ; manquer de solidité. *Mémoire, intelligence qui vacille.* ⇒ **s'affaiblir.** ▶ *vacillant, ante* adj. ■ Qui vacille. *Démarche vacillante.* ⇒ **chancelant, tremblant.** *Flamme, lumière vacillante !* ▶ *vacillation* n. f. ou *vacillement* n. m. ■ Mouvement, état de ce qui vacille. *Vacillation d'une flamme.*

vacuité [vakɥite] n. f. **1.** Didact. État de ce qui est vide. **2.** Vide moral, intellectuel. *La vacuité de ses propos.* / contr. **plénitude** /

vacuole [vakɥɔl] n. f. ■ Sciences naturelles. Petite cavité.

vade-mecum [vademekɔm] n. m. invar. ■ Littér. Livre (manuel, guide, aide-mémoire) que l'on garde sur soi pour le consulter. *Des vade-mecum.*

vadrouiller [vadʀuje] v. intr. ■ conjug. 1. ■ Fam. Se promener sans but précis, sans raison. ⇒ **traîner.** ▶ *vadrouille* n. f. ■ Fam. Action de vadrouiller. ⇒ **balade.** *Être en vadrouille.*

va-et-vient [vaevjɛ̃] n. m. invar. **1.** Dispositif servant à établir une communication en un sens et dans le sens inverse. — Dispositif électrique comportant deux interrupteurs (ou plus) montés en circuit, et permettant d'allumer, d'éteindre de plusieurs endroits. *Installer un va-et-vient dans une grande salle.* **2.** Mouvement alternatif. *Les va-et-vient d'une balançoire.* ⇒ **balancement.** **3.** Allées et venues de personnes. *Le va-et-vient perpétuel d'un café.*

vagabond, onde [vagabɔ̃, ɔ̃d] adj. et n. **I.** Adj. **1.** Littér. Qui mène une vie errante. ⇒ **nomade.** *Les tribus vagabondes de bohémiens.* **2.** Qui change sans cesse, n'est retenu par rien. *Humeur, imagination vagabonde.* **II.** N. Personne sans domicile fixe et sans ressources, qui se déplace à l'aventure. ⇒ **clochard.** ▶ *vagabondage* n. m. **1.** Le fait ou l'habitude d'errer, d'être vagabond. **2.** État de l'imagination vagabonde. ▶ *vagabonder* v. intr. ■ conjug. 1. **1.** Circuler, marcher sans but, se déplacer sans cesse. ⇒ **errer.** *Vagabonder sur les chemins.* **2.** Fig. Passer sans s'arrêter d'un sujet à l'autre. *Son imagination vagabondait.*

vagin [vaʒɛ̃] n. m. ■ Organe sexuel féminin, conduit qui s'étend de l'utérus à la vulve. ▶ *vaginal, ale, aux* adj. ■ Du vagin. *Muqueuse vaginale.*

vagir [vaʒiʀ] v. intr. ■ conjug. 1. ■ Pousser de faibles cris. ▶ *vagissant, ante* adj. ■ Qui vagit. ▶ *vagissement* n. m. ■ Cri de l'enfant nouveau-né. — Cri plaintif et faible (de quelques animaux).

① *vague* [vag] n. f. **1.** Inégalité de la surface d'une étendue liquide (mer, lac...) due aux courants, au vent, etc. ; masse d'eau qui se soulève et s'abaisse. ⇒ **flot, houle, lame.** *Le bruit des vagues. Une grosse vague.* **2.** Phénomène comparable (par l'ampleur, la puissance, la progression...). *La vague d'enthousiasme pour cet auteur est passée.* ⇒ **courant, mouvement.** *Vague de protestation.* — Fam. *Ça a fait des vagues,* des remous, de l'agitation. — *La* NOUVELLE VAGUE : la dernière génération ou tendance. — *Vague de chaleur, de froid,* afflux de masses d'air chaud, froid. — Masse (d'hommes, de choses) qui se répand brusquement. *Des vagues successives d'immigrants.* **3.** Surface ondulée. *Les vagues de sa chevelure.* ▶ *vaguelette* n. f. ■ Petite vague ; ride à la surface de l'eau.

② *vague* adj. ■ *Terrain vague,* vide de cultures et de constructions, dans une ville.

③ *vague* adj. et n. m. **I.** Adj. **1.** Que l'esprit a du mal à saisir, à cause de son caractère mouvant ou

de son sens mal défini, mal établi. ⇒ **confus, imprécis, incertain.** *Il m'a donné des indications vagues.* / contr. **précis** / *Il est resté vague,* il s'est contenté de propos vagues ⇒ **évasif.** *Une angoisse vague,* sans objet précis. ⇒ **indéfinissable.** — (Avant le nom) Insuffisant, faible. *Elle n'a qu'une vague idée de ce qui se passe. Elle a de vagues souvenirs de cette époque. De vagues connaissances d'anglais.* **2.** *Regard vague,* qui exprime des pensées ou des sentiments indécis. ⇒ **distrait.** **3.** Qui est perçu d'une manière imparfaite. ⇒ **indéfinissable, obscur.** *On apercevait dans l'obscurité une silhouette vague.* / contr. **distinct, net** / **4.** Qui n'est pas ajusté, serré. *Manteau vague.* / contr. **moulant** / **5.** (Avant le nom) Dont l'identité précise importe peu ; quelconque, insignifiant. *Il travaille dans un vague bureau. Un vague cousin.* **II.** N. M. **1.** Ce qui n'est pas défini, fixé (espace, domaine intellectuel, affectif). *Regarder dans le vague,* sans rien fixer. *Rester dans le vague,* ne pas préciser sa pensée. **2.** Loc. *Avoir du vague à l'âme,* être dans un état mélancolique. ▶ *vaguement* adv. **1.** D'une manière vague, en termes imprécis. *Il m'a vaguement dit de quoi il s'agit.* / contr. **précisément** / **2.** D'une manière incertaine et douteuse. *Un geste vaguement désapprobateur.* / contr. **nettement** /

vaguemestre [vagmɛstʀ] n. m. ■ Sous-officier (quartier-maître) chargé du service de la poste dans l'armée (sur un navire).

vahiné [vaine] n. f. ■ Femme de Tahiti. *Des vahinés.*

vaillant, ante [vajɑ̃, ɑ̃t] adj. **1.** Littér. Plein de bravoure, de courage, de valeur pour se battre, pour le travail, etc. ⇒ **brave, courageux.** / contr. **lâche, poltron** / **2.** Vigoureux. *Il est guéri, mais pas encore bien vaillant.* / contr. **faible** / **3.** Loc. *N'avoir pas un sou vaillant,* être pauvre, démuni. ▶ *vaillamment* adv. ■ Avec vaillance. ⇒ **bravement, courageusement.** ▶ *vaillance* n. f. **1.** Littér. Valeur guerrière, bravoure. *Un soldat dont la vaillance est connue.* / contr. **lâcheté** / **2.** Courage d'une personne que la souffrance, les difficultés, le travail n'effraient pas. ⇒ **faiblesse** /

vain, vaine [vɛ̃, vɛn] adj. **I.** (Choses) **1.** Littér. Dépourvu de valeur, de sens. ⇒ **dérisoire, insignifiant.** *Ce ne sont que de vains mots.* ⇒ **creux.** — Qui n'a pas de base sérieuse. ⇒ **chimérique, illusoire.** *Un vain espoir* [œ̃vɛnɛspwaʀ] / contr. **fondé** / **2.** Qui est dépourvu d'efficacité. ⇒ **inefficace, inutile.** *Faire de vains efforts.* — Impers. *Il est vain de songer à cela.* **II.** (Personnes) Littér. Fier de soi sans avoir de bonnes raisons de l'être. ⇒ **glorieux, vaniteux.** *Il est superficiel et vain.* **III.** EN VAIN loc. adv. : sans obtenir de résultat, sans que la chose en vaille la peine. ⇒ **inutilement, vainement.** *J'ai protesté en vain,* en pure perte. *C'est en vain qu'elle lui a écrit.* ⟨ ▶ *vainement, vanité* ⟩

vaincre [vɛ̃kʀ] v. tr. ■ conjug. 42. **1.** L'emporter par les armes sur (un ennemi). ⇒ **battre.** *Nous vaincrons l'ennemi.* — Sans compl. *Il faudra vaincre ou mourir.* ⇒ **gagner.** / contr. **perdre** / — Dominer et réduire à sa merci, au terme d'une lutte. *Elle l'a vaincu par son acharnement.* **2.** L'emporter sur (un adversaire, un concurrent) dans une compétition. ⇒ **battre.** *Le champion a vaincu tous ses challengers.* **3.** Être plus fort que (une force naturelle), faire reculer ou disparaître. ⇒ **dominer, surmonter.** *Il a vaincu la maladie. Vaincre ses mauvais penchants.* ▶ *vaincu, ue* [vɛ̃ky] adj. ■ Qui a subi une défaite (de la part d'un ennemi, d'un rival, d'une force). / contr. **gagnant, vainqueur, victorieux** / *S'avouer vaincu,* reconnaître sa défaite. *Il était vaincu d'avance,* sa défaite était inévitable. — N. *Malheur aux vaincus !* ▶ *vainqueur*

n. m. — REM. Ce mot n'a pas de féminin et s'emploie pour les deux genres. **1.** Personne qui a gagné une bataille, une guerre. — Adj. Victorieux. *Avoir un air vainqueur,* orgueilleux et satisfait. ⇒ **triomphant. 2.** Gagnant. ⇒ **champion, lauréat.** *Le vainqueur d'une épreuve sportive.* **3.** Celui qui a triomphé (d'une force, d'une difficulté naturelle). *Le vainqueur de l'Everest.*

vainement [vɛnmɑ̃] adv. ■ En vain, inutilement.

vair [vɛʀ] n. m. ■ Fourrure de petit-gris. *La pantoufle de vair de Cendrillon.* ≠ *verre.*

① *vairon* [vɛʀɔ̃] n. m. ■ Petit poisson des eaux courantes, au corps cylindrique.

② *vairon* adj. m. ■ Se dit des yeux à l'iris cerclé d'une teinte blanchâtre, ou qui ont des couleurs différentes. *De petits yeux vairons.*

① *vaisseau* [vɛso] n. m. **1.** Organe tubulaire permettant la circulation des liquides organiques. *Vaisseaux sanguins, lymphatiques.* **2.** UN VAISSEAU : conduit dans lequel circule le sang. ⇒ **artère, veine ; vasculaire.**

② *vaisseau* n. m. **I. 1.** Vieilli, sauf dans certaines locutions. Bateau d'une certaine importance. ⇒ **navire ; bâtiment.** *Capitaine, enseigne de vaisseau.* **2.** *Vaisseau spatial, cosmique,* véhicule des astronautes. ⇒ **astronef.** *Des vaisseaux spatiaux.* **II.** Espace allongé que forme l'intérieur d'un grand bâtiment, d'un bâtiment voûté. ⇒ **nef.** *Le vaisseau d'une église.*

vaisselle [vɛsɛl] n. f. **1.** Ensemble des récipients qui servent à manger, à présenter la nourriture. *De la vaisselle de faïence, de porcelaine, de plastique. Pile de vaisselle.* **2.** Ensemble des plats, assiettes, ustensiles de table à laver. *Faire la vaisselle,* la laver. — *Elle n'a pas fini sa vaisselle,* le lavage de sa vaisselle. ▶ *vaisselier* n. m. ■ Meuble rustique, où la vaisselle est exposée à la vue. ⇒ **buffet.** ⟨ ▶ **lave-vaisselle** ⟩

val, plur. *vaux* ou *vals* [val, vo] n. m. **1.** (Dans des noms de lieux) Vallée. *Le Val de Loire. Les Vaux-de-Cernay.* **2.** Loc. À VAL : en suivant la pente de la vallée. ⇒ **en aval.** — *Par monts et par vaux.* ⇒ **mont.** ⟨ ▶ **aval, dévaler, vallée, vallon, à vau-l'eau** ⟩

valable [valabl] adj. **1.** Qui remplit les conditions requises (pour être reçu en justice, accepté par une autorité, etc.). ⇒ **valide.** / contr. **nul, caduc, périmé** / *Acte, contrat valable. Ma carte d'identité n'est plus valable.* ⇒ **en règle. 2.** Qui a une valeur, un fondement reconnu. ⇒ **acceptable, sérieux.** *Il n'a donné aucun motif valable.* **3.** Qui a des qualités estimables. *Une solution valable.* ⇒ **bon.** *Interlocuteur valable,* qualifié, autorisé. — REM. Cet emploi est critiqué. ▶ *valablement* adv. **1.** De manière à être reçu, à produire ses effets juridiques. *Valablement autorisé.* **2.** À bon droit. *Alléguer valablement que...* **3.** D'une manière efficace, appréciable. *Ils savent utiliser valablement ses talents.* — REM. Cet emploi est critiqué.

valdinguer [valdɛ̃ge] v. intr. . conjug. 1. ■ Fam. Tomber, dégringoler. *Il l'a envoyé valdinguer dans l'escalier.* ⇒ fam. **dinguer.**

valence [valɑ̃s] n. f. ■ Nombre des liaisons chimiques qu'un atome peut avoir avec les atomes d'autres substances, dans une combinaison. ⟨ ▶ **bivalent, monovalent** ⟩

valériane [valeʀjan] n. f. ■ Plante à fleurs roses ou blanches, à la racine très ramifiée. *Valériane officinale* (appelée aussi *herbe-aux-chats*).

valet [valɛ] n. m. **I. 1.** Autrefois. Domestique. ⇒ **laquais, serviteur.** — VALET DE PIED : domestique de grande maison, en livrée. — VALET DE CHAMBRE :

domestique masculin servant dans une maison ou un hôtel. **2.** Salarié chargé de certains travaux. *Valet de ferme,* ouvrier agricole. *Valet d'écurie,* chargé des soins des chevaux. **II.** Carte sur laquelle est représenté un jeune écuyer, et qui vient en général après le roi et la dame. *Valet de pique.*

valétudinaire [valetydinɛʀ] adj. et n. ■ Littér. Maladif. *Vieillard valétudinaire.*

valeur [valœʀ] n. f. **I. 1.** Caractère mesurable (d'un objet) en tant que susceptible d'être échangé, d'être désiré. ⇒ **prix.** *Avoir la valeur de...* ⇒ **valoir.** *La valeur d'un bien. Objet de valeur, sans valeur. Estimer la valeur de qqch.* ⇒ **évaluer.** — Loc. METTRE EN VALEUR : faire valoir, faire produire (un bien matériel, un capital). *Mettre en valeur des terres incultes.* Faire valoir (une personne, une chose) en la montrant à son avantage. *Mot mis en valeur dans la phrase.* — ÊTRE EN VALEUR : être à son avantage. *Ce tableau est mieux en valeur de ce côté.* **2.** *Valeurs (mobilières),* titres cotés ou non en Bourse. ⇒ **action, billet, effet, obligation, titre.** — *Taxe à la valeur ajoutée.* ⇒ **T.V.A. II. 1.** Caractère de ce qui répond aux normes idéales de son type, qui a de la qualité. *La valeur de cet ouvrage vient de la sincérité de l'auteur.* **2.** Ce en quoi une personne est digne d'estime. ⇒ **mérite.** *C'est un homme de grande valeur. Estimer qqn à sa juste valeur.* **3.** JUGEMENT DE VALEUR : par lequel on affirme qu'un objet est plus ou moins digne d'estime. *Je ne porterai aucun jugement de valeur sur ce roman.* **4.** Qualité de ce qui produit l'effet souhaité. ⇒ **efficacité, portée, utilité.** *La valeur d'une méthode.* **5.** UNE VALEUR : ce qui est vrai, beau, bien (selon un jugement en accord avec celui de la société, de l'époque). *Les valeurs morales, sociales, esthétiques. Échelle des valeurs,* les valeurs classées de la plus haute à la plus faible, dans la conscience, servant de référence dans les jugements, la conduite. **III. 1.** Mesure (d'une grandeur ou d'une quantité variable). *Valeur de x.* — Quantité approximative. *Ajoutez la valeur d'un litre d'eau.* **2.** Mesure conventionnelle attachée à un signe. *La valeur des différentes cartes à jouer.* — Durée relative (d'une note, d'un silence), indiquée par sa figure, éventuellement modifiée par certains signes. *La valeur d'une blanche est deux noires.* **3.** Sens d'un mot limité ou précisé par son contexte. *Un mot a sa valeur par son opposition aux autres mots.* ▶ *valeureux, euse* adj. ■ Littér. Brave, courageux. ⇒ **vaillant.** *De valeureux soldats.* ⟨ ▶ **contre-valeur, valoriser** ⟩

valide [valid] adj. **1.** Qui est en bonne santé, capable de travail, d'exercice. / contr. **impotent, invalide, malade** / **2.** Qui présente les conditions requises pour produire son effet. ⇒ **valable.** *Passeport valide.* / contr. **nul, périmé** / ▶ *valider* v. tr. . conjug. 1. ■ Rendre ou déclarer valide (2). ⇒ **entériner, homologuer, ratifier.** *Faire valider un certificat.* ▶ *validation* n. f. ■ Action de valider ; son résultat. / contr. **annulation, invalidation** / *Validation des élections.* ▶ *validité* n. f. ■ Caractère de ce qui est valide (2). *Durée de validité d'un billet de chemin de fer.* ⟨ ▶ **invalide, invalider** ⟩

valise [valiz] n. f. **1.** Bagage de forme rectangulaire, relativement plat et pouvant être porté à la main. ⇒ fam. **valoche.** *Petite valise.* ⇒ **mallette.** *Faire sa valise, ses valises,* y disposer ce qu'on emporte ; s'apprêter à partir. **2.** VALISE DIPLOMATIQUE : transport de correspondance ou d'objets sous le couvert de l'immunité diplomatique. ⟨ ▶ **dévaliser, valoche** ⟩

vallée [vale] n. f. **1.** Espace allongé entre deux zones plus élevées (pli concave) ou espace situé de part et d'autre du lit d'un cours d'eau. ⇒ **val, vallon ; gorge,** ravin. *Ce village est au fond de la vallée.* **2.** Région qu'arrose un cours d'eau. ⇒ **bassin.** *La vallée de la Loire, du Nil.* **3.** En montagne. Se dit des régions moins hautes (vallées proprement dites et pentes).

vallon [valɔ̃] n. m. ■ Petite dépression allongée entre deux collines, deux coteaux. ⇒ **vallée.** ▶ **vallonné, ée** adj. ■ Parcouru de vallons. *Région vallonnée.* ▶ **vallonnement** n. m. ■ Relief d'un terrain où il y a des vallons et des collines.

valoche [valɔʃ] n. f. ■ Fam. Valise. *C'est toujours moi qui porte les valoches !*

valoir [valwar] v. ■ conjug. 29. **I.** V. intr. **1.** Correspondre à (une certaine valeur) ; avoir un rapport d'égalité avec (autre chose) selon l'estimation qui en est faite. ⇒ **coûter, faire.** *Valoir peu, beaucoup. Votre maison vaut cinq cent mille francs. Cela ne vaut pas grand-chose.* — *Cela vaut de l'argent,* c'est une chose de prix. — Loc. *Cela vaut son pesant d'or !* (d'une chose étonnante, ridicule). *Il ne vaut plus les mille francs qu'il a valu* (p. p. invar.). **2.** Correspondre, dans le jugement des hommes, à (une qualité, une utilité). *Il a conscience de ce qu'il vaut. Prendre une chose pour ce qu'elle vaut,* ne pas se faire d'illusion à son sujet. — (En tour négatif) *Ne rien valoir,* être sans valeur, médiocre. *Ce pâté ne vaut rien.* — *L'oisiveté ne lui vaut rien,* ne lui réussit pas. **3.** Sans compl. Avoir de la valeur, de l'intérêt, de l'utilité. *Cette loi vaut pour tout le monde.* — Loc. *Rien qui vaille,* rien de bon, rien d'important. *Cela ne me dit rien qui vaille,* cela m'inquiète. — *Vaille que vaille,* tant bien que mal. — *À valoir,* en constituant une somme dont la valeur est à déduire d'un tout. *Verser un acompte à valoir sur telle somme.* — FAIRE VALOIR : faire apprécier plus ; rendre plus actif, plus efficace. *Faire valoir ses droits,* les exercer, les défendre. — *Se faire valoir,* se montrer à son avantage. — Rendre productif (un bien). ⇒ **exploiter.** *Faire valoir son domaine, ses capitaux.* **4.** Être égal en valeur, en utilité, équivalent à (autre chose). *Cette carte vaut deux points. Cette façon de faire, qui en vaut bien une autre, qui n'est pas inférieure à une autre.* — (Personnes) Avoir les mêmes qualités, le même mérite que (qqn). *Tu le vaux bien.* SE VALOIR v. pron. : avoir même valeur, être équivalent. Fam. *Ça se vaut,* ce n'est ni meilleur ni pire. **5.** VALOIR MIEUX QUE (+ nom) : avoir plus de valeur, être plus estimable, plus utile. *Le travail vaut mieux que l'ennui.* — Impers. *Il vaut mieux, mieux vaut,* il est préférable, meilleur de (avec *que* + subjonctif). *Il vaut mieux qu'elle se taise plutôt que de dire des bêtises.* (+ infinitif) *Il vaut mieux perdre de l'argent que la santé.* Fam. *Ça vaut mieux,* c'est préférable. *Ça vaut mieux que de se casser une jambe !* **6.** Être comparable en intérêt à (autre chose), mériter (un effort, un sacrifice). *Cela vaut le dérangement.* Fam. *Ça vaut le coup,* la peine. — VALOIR LA PEINE : mériter qu'on prenne la peine de... *Ça ne vaut pas la peine d'en parler, que nous en parlions,* c'est insignifiant. **II.** V. tr. Faire obtenir, avoir pour conséquence. ⇒ **procurer.** *Qu'est-ce qui nous vaut cet honneur ? Les ennuis que lui a valus cette aventure* (p. p. accordé). ⟨ ▶ **ambivalence,** ① **équivalent, équivaloir, évaluer, plus-value, polyvalent, prévaloir, revaloir, vaillant, valable, valence, valeur, valide, vaurien** ⟩

valoriser [valɔrize] v. tr. ■ conjug. 1. ■ Faire prendre de la valeur à (qqch., un bien), augmenter la valeur que l'on attribue à qqch. ⇒ **revaloriser.** / contr. **dévaloriser, dévaluer** / Valoriser une monnaie. — Pronominalement (réfl.). *Il cherche à se valoriser,* à se donner de la valeur. ▶ **valorisation** n. f. ■ *La valorisation de ses efforts.* ⟨ ▶ **dévaloriser, revaloriser** ⟩

valse [vals] n. f. **1.** Danse à trois temps, où chaque couple tourne sur lui-même tout en se déplaçant. *Valse viennoise, valse lente. Valse musette.* — Morceau de musique composé sur le rythme de cette danse. *Les valses de Chopin.* **2.** Fam. Mouvement de personnel à des postes politiques ou administratifs que les titulaires ont l'air d'échanger entre eux. *La valse des ministres.* — Changements répétés. *La valse des étiquettes.* ▶ **valser** v. intr. ■ conjug. 1. **1.** Danser la valse, une valse. **2.** Fam. Être projeté. *Il est allé valser sur le trottoir.* ⇒ fam. **valdinguer.** — *Faire valser l'argent,* le dépenser sans compter. — *Faire valser des employés,* les déplacer. *Envoyer valser,* congédier ⇒ fam. **balancer,** ou rembarrer. ▶ **valseur, euse** n. ■ Personne qui valse, qui sait valser. *Bon, mauvais valseur.*

valve [valv] n. f. **1.** Chacune des deux parties de la coquille (dite *bivalve*) de certains mollusques et crustacés. *Les valves d'une moule.* **2.** Système de régulation d'un courant de liquide ou de gaz (assurant souvent le passage du courant dans un seul sens). — Soupape à clapet. *Valve de chambre à air.* **3.** Appareil laissant passer le courant électrique dans un sens. ▶ **valvule** n. f. ■ Repli muqueux ou membraneux qui règle le cours de matières circulant dans les vaisseaux. *Les valvules du cœur.*

vamp [vãp] n. f. ■ Femme fatale et irrésistible. *Des vamps.* ▶ **vamper** v. tr. ■ conjug. 1. ■ Fam. Séduire par des allures de vamp. *Elle va essayer de le vamper.*

vampire [vãpiʀ] n. m. **1.** Fantôme sortant la nuit de son tombeau pour aller sucer le sang des vivants. *Un film de vampires.* **2.** Homme avide d'argent. — Meurtrier cruel. **3.** Grande chauve-souris insectivore de l'Amérique du Sud (elle suce aussi le sang des animaux pendant leur sommeil).

① **van** [vã] n. m. ■ Panier à fond plat, large, muni de deux anses, qui sert à vanner les grains. ⟨ ▶ ① **vanner** ⟩

② **van** n. m. ■ Anglic. Voiture, fourgon servant au transport des chevaux de course. *Des vans.*

vandale [vãdal] n. ■ Destructeur brutal, ignorant. *Le musée a été saccagé par des vandales.* ▶ **vandalisme** n. m. ■ Destruction ou détérioration des œuvres d'art, des équipements publics. *Des actes de vandalisme.*

vanille [vanij] n. f. **1.** Gousse allongée d'une plante tropicale ⇒ **vanillier,** qui, séchée, devient noire et aromatique. **2.** Substance aromatique (contenue dans cette gousse ou artificielle) utilisée en confiserie et en pâtisserie. *Crème, glace à la vanille* (souvent faite avec un extrait chimique, la *vanilline*). ▶ **vanillé, ée** adj. ■ Aromatisé avec de la vanille. *Sucre, chocolat vanillé.* ▶ **vanillier** [vanije] n. m. ■ Plante des régions tropicales à tige grimpante, dont le fruit est la vanille.

vanité [vanite] n. f. **1.** Défaut d'une personne vaine*, satisfaite d'elle-même et étalant cette satisfaction. ⇒ **fatuité, orgueil, prétention, suffisance.** / contr. **humilité, modestie, simplicité** / *Flatter, ménager la vanité de qqn.* **2.** Caractère de ce qui est frivole, insignifiant ; chose futile, illusoire. *Les vanités de la vie mondaine.* **3.** Caractère de ce qui est vain (I, 2), inefficace. *La vanité de nos efforts.* ▶ **vaniteux, euse** adj. ■ Plein de vanité (1). ⇒ **orgueilleux, prétentieux, suffisant.** *Il est vaniteux comme un paon. Un air vaniteux.* — N. *C'est un vaniteux.* ⇒ **fat.** / contr. **modeste** /

vannage [vanaʒ] n. m. ■ Action de vanner (les grains).

① **vanne** [van] n. f. ■ Panneau vertical mobile disposé dans une canalisation pour en régler le débit.

Les vannes d'une écluse, d'un moulin. Ouvrir, fermer les vannes.

② *vanne* n. f. ■ Fam. Remarque ou allusion désobligeante à l'adresse de qqn. *Arrête de lui lancer des vannes.*

vanné, ée [vane] adj. ■ Fam. Très fatigué. ⇒ fam. **crevé, fourbu.**

vanneau [vano] n. m. ■ Oiseau échassier de la taille du pigeon, à huppe noire. *Des vanneaux.*

① *vanner* [vane] v. tr. • conjug. 1. ■ Secouer dans un van (les grains), de façon à les nettoyer en les séparant de la paille, des poussières et des déchets. *Vanner du blé.* ▶ *vanneur, euse* n. ■ Personne qui vanne les grains. ⟨ ▶ vannage ⟩

② *vanner* v. tr. conjug. 1. ■ Fam. Accabler de fatigue. *Cette course à pied m'a vanné.* ⇒ fam. **crever, tuer.** ⟨ ▶ vanné ⟩

vannier [vanje] n. m. ■ Ouvrier qui travaille, tresse l'osier, le rotin, pour en faire des objets de vannerie. ▶ *vannerie* [vanʀi] n. f. **1.** Fabrication des objets tressés avec des fibres végétales, des tiges. **2.** Objets ainsi fabriqués.

vantail, aux [vãtaj, o] n. m. ■ Panneau mobile. ⇒ **battant.** *Les vantaux d'une fenêtre, d'une armoire. Petit vantail.* ⇒ **vasistas.**

vantard, arde [vãtaʀ, aʀd] adj. ■ Qui a l'habitude de se vanter. ⇒ **bluffeur, fanfaron, hâbleur.** — N. *Quel vantard !* ▶ *vantardise* n. f. ■ Caractère ou propos de vantard. ⇒ **bluff, fanfaronnade.**

vanter [vãte] v. • conjug. 1. **I.** V. tr. Littér. Parler très favorablement de (qqn ou qqch.), en louant publiquement et avec excès. ⇒ **célébrer, exalter.** / contr. **dénigrer** / *Il vante ses enfants, les mérites de ses enfants.* **II.** SE VANTER v. pron. réfl. **1.** Exagérer ses mérites ou déformer la vérité par vanité. *C'est faux, elle se vante.* — *Sans me vanter,* soit dit sans vanité. **2.** SE VANTER DE : tirer vanité de, prétendre avoir fait. *Se vanter d'un succès, d'avoir réussi.* Fam. *Elle ne s'en est pas vantée,* elle l'a caché. *Il n'y a pas de quoi se vanter,* il n'y a pas de quoi être fier. *Et je m'en vante !,* et j'en tire un sujet de satisfaction (bien loin d'en avoir honte). — Se déclarer, par vanité, capable de faire qqch. ⇒ se **flatter,** se **targuer.** *Il se vante de réussir sans travailler.* ⟨ ▶ vantard ⟩

va-nu-pieds [vanypje] n. invar. ■ Misérable qui vit en vagabond. ⇒ **gueux.** — REM. *Va* (du verbe aller) et *nu,* adv., ne sont pas accordés. *Des va-nu-pieds.*

vapes [vap] n. f. plur. ■ Loc. fam. *Dans les vapes,* dans un état (vapeurs) proche de la somnolence dû à un choc, un malaise, une drogue, etc. *Il est complètement dans les vapes. Elle est tombée dans les vapes,* elle s'est évanouie.

① *vapeur* [vapœʀ] n. f. **1.** Amas visible, en masses ou traînées blanchâtres, de très fines et légères gouttelettes d'eau suspendues dans l'air. ⇒ **brouillard, brume, nuage. 2.** *Vapeur d'eau,* ou *vapeur,* eau à l'état gazeux, état normal de l'eau au-dessus de son point d'ébullition. *Machine* À VAPEUR. *Locomotive, bateau à vapeur.* — Loc. *Renverser la vapeur,* la faire agir sur l'autre face du piston ; fig. arrêter net une action qui se développait dans un sens dangereux et la mener dans un sens opposé. — *À toute vapeur,* en utilisant toute la vapeur possible, à toute vitesse. Fam. *Faire qqch. à la vapeur,* à la hâte, en se pressant. — *Bain de vapeur.* ⇒ **étuve.** — *Pommes de terre cuites à la vapeur (pommes vapeur). Repassage à la vapeur.* **3.** En sciences. Substance à l'état gazeux au-dessous de sa température critique. *Vapeur d'essence. Condensation de la vapeur.* ⟨ ▶ vaporeux, vaporiser ⟩

② *vapeur* n. m. ■ Bateau à vapeur.

vapeurs [vapœʀ] n. f. pl. ■ Troubles, malaises attribués à des exhalaisons montant au cerveau. *Les vapeurs de l'ivresse.* — Iron. *Avoir ses vapeurs.* ⟨ ▶ vapes ⟩

vaporeux, euse adj. **1.** Littér. Où la présence de la vapeur est sensible ; que des vapeurs couvrent, voilent. ⇒ **nébuleux.** *Les lointains vaporeux,* aux contours incertains. ⇒ **flou, fondu. 2.** Léger, fin et transparent. *Une robe de tulle vaporeux.*

vaporiser [vapɔʀize] v. tr. • conjug. 1. **1.** Disperser et projeter en fines gouttelettes. ⇒ **pulvériser.** *Vaporiser un insecticide.* **2.** Didact. Transformer en vapeur. ▶ *vaporisateur* n. m. ■ Petit pulvérisateur. *Vaporisateur à parfum.* ⇒ **atomiseur.** ▶ *vaporisation* n. f. ■ Action de vaporiser. ⇒ **pulvérisation.**

vaquer [vake] v. tr. ind. • conjug. 1. — VAQUER À. ■ S'occuper de, s'appliquer à. *Vaquer à ses occupations.*

varan [vaʀɑ̃] n. m. ■ Reptile saurien, grand lézard.

varappe [vaʀap] n. f. ■ Ascension d'un couloir rocheux, d'une paroi abrupte, en montagne. — *Faire de la varappe,* pratiquer l'escalade de rocher.

varech [vaʀɛk] n. m. ■ Ensemble des algues, goémons, etc., rejetés par la mer et qu'on récolte sur le rivage.

vareuse [vaʀøz] n. f. **1.** Blouse courte en grosse toile. *Vareuse de marin, de pêcheur.* **2.** Veste de certains uniformes. — Veste assez ample (d'intérieur, de sport).

variable [vaʀjabl] adj. **1.** Qui est susceptible de se modifier, de changer souvent au cours d'une durée. ⇒ **changeant, incertain, instable.** / contr. **constant, invariable** / *Temps variable.* — *Vent variable,* qui change souvent de direction ou d'intensité. — En sciences. Qui prend, peut prendre plusieurs valeurs distinctes. *Grandeur, quantité variable.* — N. f. UNE VARIABLE : symbole ou terme auquel on peut attribuer plusieurs valeurs numériques différentes. — En grammaire. *Mot variable,* dont la forme est susceptible de se modifier suivant la phrase qui le contient. *Mots variables en genre et en nombre.* / contr. **invariable** / **2.** Qui prend plusieurs valeurs, plusieurs aspects (selon les cas individuels, les circonstances). *Loi variable selon les pays.* **3.** Qui présente ou peut présenter des transformations, se réaliser diversement. *Les formes variables de l'art.* **4.** Qui est conçu, fabriqué pour subir des variations. *Lentilles à foyer variable.* ▶ *variabilité* n. f. ■ Caractère de ce qui est variable. / contr. **constance, invariabilité** / *Variabilité du temps, des goûts.* ⟨ ▶ invariable ⟩

variante [vaʀjɑ̃t] n. f. **1.** Énoncé partiel d'un texte qui est un peu différent de celui qui est imprimé ; différence selon les versions. *Édition critique d'un texte accompagné des variantes.* **2.** Forme ou solution légèrement différente. *Cette formule publicitaire est une variante des précédentes.* **3.** Moyen d'expression (ton, prononciation) qui s'écarte d'une référence, d'un type. *Le mot « fjord » présente comme variante orthographique « fiord ».*

variation [vaʀjasjɔ̃] n. f. **1.** Passage d'un état à un autre ; différence entre deux états successifs. ⇒ **modification.** *Les variations de son humeur sont imprévisibles.* ⇒ **saute. 2.** Écart entre deux valeurs numériques (d'une quantité variable) ; modification de la valeur (d'une quantité, d'une grandeur). *Variations de la température. Variations d'intensité (d'un courant, etc.).* **3.** Modification d'un thème musical. — Composition formée d'un thème et de ses modifications. *Variations pour piano.*

varice [varis] n. f. ■ Dilatation permanente d'un vaisseau, d'une veine (surtout aux jambes). *Avoir des varices.* ▶ *variqueux, euse* adj. ■ Accompagné de varices. *Ulcère variqueux.*

varicelle [varisɛl] n. f. ■ Maladie infectieuse, contagieuse, généralement bénigne, caractérisée par des éruptions. *Il y a une épidémie de varicelle à l'école.*

varier [varje] v. ■ conjug. 7. **I.** V. tr. **1.** Donner à (une seule chose) plusieurs aspects distincts, en changeant à plusieurs reprises certains de ses caractères ; rendre divers. *Elle cherche à varier le menu.* **2.** Rendre (plusieurs choses) nettement distinctes, diverses. *Varions un peu nos distractions.* ⇒ **changer.** Iron. *Pour varier les plaisirs,* en passant d'un ennui à l'autre. **II.** V. intr. **1.** Présenter au cours d'une durée plusieurs modifications ; changer souvent. ⇒ **se modifier ; variation.** *Le temps varie.* — (Personnes) Ne pas conserver la même attitude, les mêmes opinions. *Il n'a jamais varié sur ce point.* **2.** Se réaliser sous des formes différentes, diverses. *Les coutumes varient selon les lieux.* ⇒ **différer.** ▶ *varié, ée* adj. **1.** Qui présente des aspects ou des éléments distincts. ⇒ **divers.** *Un répertoire varié.* — *Un programme de musique variée. Terrain varié,* accidenté. **2.** Au plur. Qui sont nettement distincts, donnent une impression de diversité. *Des arguments variés. Hors-d'œuvre variés.* ⟨ ▶ variable, variante, variation, variété ⟩

variété [varjete] n. f. **1.** Caractère d'un ensemble formé d'éléments variés, qui donne une impression de changement ; différences qui existent entre ces éléments. ⇒ **diversité.** *Une grande variété de papillons. Il y a dans cette œuvre une grande variété de thèmes, de tons. Cela manque de variété.* / contr. **monotonie, uniformité** / **2.** Subdivision de l'espèce, délimitée par la variation de caractères individuels. ⇒ **type.** *Toutes les variétés de poires et de pommes.* **3.** Au plur. Titre de recueils contenant des morceaux sur des sujets variés. ⇒ **mélange(s).** — *Spectacle, émission de variétés,* comprenant des attractions variées (⇒ **music-hall).**

variole [varjɔl] n. f. ■ Maladie infectieuse, épidémique et contagieuse, grave, caractérisée par une éruption de boutons (taches rouges, vésicules, pustules). ⇒ petite **vérole.** *Tu t'es fait vacciner contre la variole ?* ▶ *varioleux, euse* adj. et n. ■ (Personne) Qui a la variole. ▶ *variolique* adj. ■ De la variole. *Une éruption variolique.*

varlope [varlɔp] n. f. ■ Grand rabot à poignée, qui se manie à deux mains.

vasculaire [vaskylɛr] adj. ■ Qui appartient aux vaisseaux ①, contient des vaisseaux. *Le système vasculaire sanguin.* — *Plantes vasculaires,* végétaux supérieurs à tige, racine et feuilles. ▶ *vasculariser* v. tr. ■ conjug. 1. ■ Pourvoir de vaisseaux (surtout pronominalement et au p. p. adj.). *Tissus vascularisés.*

① *vase* [vaz] n. m. **1.** Récipient servant à des usages nobles ou ayant une valeur historique, artistique. *Vases grecs.* **2.** Récipient destiné à recevoir des fleurs coupées. *Un grand vase en cristal.* **3.** *Vases sacrés,* destinés à la célébration de la messe. ⇒ **burette, calice, ciboire, patène.** **4.** Récipient utilisé en chimie. — Loc. *Le principe des VASES COMMUNICANTS.* **5.** Loc. EN VASE CLOS : sans communication avec l'extérieur. *Sa théorie s'est développée en vase clos.* ⟨ ▶ évaser, s'extravaser, transvaser ⟩

② *vase* [vaz] n. f. ■ Dépôt de terre et de particules organiques en décomposition, qui se forme au fond des eaux stagnantes ou à cours lent. ⇒ **boue, limon.**

Un chalutier échoué dans la vase. ▶ ① *vaseux, euse* adj. ■ Qui contient de la vase, est formé de vase. *Fonds vaseux.* ⟨ ▶ envaser ⟩

vaseline [vazlin] n. f. ■ Substance molle, grasse obtenue à partir des pétroles de la série des paraffines, utilisée en pharmacie.

② *vaseux, euse* adj. Fam. **1.** (Personnes) Qui se trouve dans un état de malaise, de faiblesse. ⇒ **fatigué.** *Je me sens vaseux ce matin.* **2.** Trouble, embarrassé, obscur. *Un raisonnement vaseux.* ⇒ fam. **vasouillard.** ⟨ ▶ vasouiller ⟩

vasistas [vazistas] n. m. invar. ■ Petit vantail pouvant s'ouvrir dans une porte ou une fenêtre.

vaso- ■ Élément savant signifiant « récipient ». ▶ *vasoconstricteur* [vazokɔ̃striktœr] adj. m. ■ (Nerfs) Qui commande la diminution du calibre d'un vaisseau par contraction de ses fibres musculaires *(vasoconstriction).* ▶ *vasodilatateur* adj. m. ■ (Nerfs) Qui commande la dilatation des vaisseaux *(vasodilatation).* ▶ *vasomoteur, trice* adj. ■ Relatif à la vasoconstriction et à la vasodilatation.

vasouiller [vazuje] v. intr. ■ conjug. 1. ■ Fam. Être hésitant, peu sûr de soi, maladroit (dans une réponse, etc.). ⇒ fam. **cafouiller, s'embrouiller, nager, patauger.** *Il vasouille à tous ses oraux.* ▶ *vasouillard, arde* adj. ■ Fam. Qui vasouille, est plutot vaseux ②. *Une explication vasouillarde.*

vasque [vask] n. f. ■ Bassin ornemental peu profond qui peut être aménagé en fontaine. *Vasque de marbre.*

vassal, ale, aux [vasal, o] n. **1.** Au Moyen Âge. Homme lié personnellement à un seigneur, un suzerain qui lui concédait la possession effective d'un fief. **2.** Homme, groupe dépendant d'un autre et considéré comme un inférieur. — En appos. *Pays vassaux.* ⇒ **satellite.**

vaste [vast] adj. **1.** (Surface) Très grand, immense. *Une vaste forêt de pins.* **2.** (Construction) Très grand. / contr. **exigu, petit** / *C'est une église très vaste.* — Littér. Spacieux, ample. *Il portait un vaste manteau.* **3.** Important en quantité, en nombre. *Un vaste groupe d'étudiants.* **4.** Étendu dans sa portée ou son action. *Il possède une vaste culture.* / contr. **limité** / Fam. *C'est une vaste blague, une vaste plaisanterie,* je n'y crois pas.

vaticiner [vatisine] v. intr. ■ conjug. 1. ■ Littér. Prédire l'avenir (en parlant comme un oracle), prophétiser. ▶ *vaticination* n. f. ■ Littér. Prédiction de l'avenir. ⇒ **oracle, prophétie.**

va-tout [vatu] n. m. invar. ■ Aux cartes. Coup où l'on risque tout son argent. — Loc. fig. JOUER SON VA-TOUT : risquer le tout pour le tout.

vaudeville [vodvil] n. m. ■ Comédie légère, divertissante, fertile en intrigues et rebondissements. *Cette histoire est un vrai vaudeville,* elle est burlesque. ▶ *vaudevillesque* adj. ■ Qui a le caractère léger ou burlesque du vaudeville. ▶ *vaudevilliste* n. ■ Auteur de vaudevilles.

vaudou [vodu] n. m. et adj. invar. ■ Culte religieux des Antilles, d'Haïti, mélange de pratiques magiques, de sorcellerie et d'éléments chrétiens. — Les divinités du culte et les personnes qui le pratiquent. *Des vaudous.* — Adj. invar. *Des cérémonies vaudou.*

à vau-l'eau ⇒ à vau-l'eau.

vaurien, enne [vorjɛ̃, ɛn] n. ■ Mauvais sujet, petit voyou. ⇒ **chenapan, galopin, garnement.**

vautour [votur] n. m. **1.** Oiseau rapace de grande taille, au bec crochu, à la tête et au cou dénudés, qui se nourrit de charognes et de détritus. **2.** Personne dure et rapace. *Son associé est un vautour.* ⇒ **requin.**

*se **vautrer*** [votʀe] v. pron. réfl. ⬝ conjug. 1. **1.** Se coucher, s'étendre (sur, dans qqch.) en prenant une position abandonnée (II, 2). *L'enfant se vautrait par terre.* — Au p. p. adj. *Il reste des heures vautré sur son lit.* **2.** Se complaire. *Ils se vautraient dans la paresse.*

veau [vo] n. m. **I. 1.** Petit de la vache, pendant sa première année, mâle ou femelle. — Loc. *Tuer le* VEAU GRAS : faire un festin à l'occasion de réjouissances familiales. — *Pleurer comme un veau,* en sanglotant bruyamment. — *Adorer le Veau d'or,* avoir le culte de l'argent. **2.** Viande de cet animal (viande blanche). *Escalope, tête de veau. Blanquette de veau.* **3.** Peau de cet animal (ou de génisse), tannée et apprêtée. ⇒ **box-calf, vélin.** *Chaussures, sacs en veau retourné.* **II. Fam. 1.** (Personnes) Nigaud, paresseux. *Vous n'êtes tous que des veaux !,* vous êtes tous veules. **2.** Mauvais cheval de course. — Automobile peu nerveuse. *Cette voiture est un vrai veau.* ⟨ ▶ vêler, vélin ⟩

vecteur [vɛktœʀ] n. m. **1.** Segment de droite orienté, formant un être mathématique sur lequel on peut effectuer des opérations. *Grandeur, direction, sens d'un vecteur.* **2.** Animal transmettant un agent infectieux d'un sujet à un autre. *Le renard, principal vecteur de la rage.* **3.** Chose ou personne qui sert d'intermédiaire. *La télévision est un grand vecteur de l'information.* **4.** Véhicule capable de transporter une charge nucléaire. ▶ *vectoriel, ielle* adj. ⬝ Relatif aux vecteurs. *Calcul vectoriel,* étude des opérations que l'on peut effectuer sur les vecteurs.

vécu, ue [veky] adj. et n. m. ⬝ Adj. Qui appartient à l'expérience de la vie. ⇒ **réel.** *Histoire vécue.* ⇒ **vrai.** *Expérience vécue.* — N. m. *Le vécu,* l'expérience vécue.

véda [veda] n. m. ⬝ Texte religieux et poétique de l'Inde ancienne. *Les védas.* ▶ *védique* adj. ⬝ Relatif aux védas.

① *vedette* [vədɛt] n. f. ⬝ Petit navire de guerre chargé d'observations. — Canot rapide. *Les vedettes de la douane.*

② *vedette* n. f. **1.** *Mettre* EN VEDETTE : mettre en évidence, en valeur. *Son intelligence le mettait toujours en vedette.* **2.** Au théâtre. Le fait d'avoir son nom imprimé en gros caractères. *Avoir, partager la vedette.* — *Avoir la vedette,* être au premier plan. *Le congrès du parti tient la vedette.* **3.** Artiste qui a la vedette, personne qui jouit d'une grande renommée. *Les vedettes de la scène, du cinéma.* ⇒ ② **étoile, star.** *C'est une des vedettes de l'actualité.* ▶ *vedettariat* n. m. ⬝ Condition sociale des vedettes ; attitude de vedette. *Les contraintes du vedettariat.*

végétal, ale, aux [veʒetal, o] n. m. et adj. **I.** N. m. Être vivant caractérisé par rapport aux autres (les animaux) par des mouvements et une sensibilité plus faibles, une composition chimique particulière, une nutrition à partir d'éléments simples. ⇒ ① **plante, végétation.** *Étude des végétaux.* ⇒ **botanique. II.** Adj. **1.** Relatif aux plantes, aux êtres vivants appelés végétaux. *Règne végétal* (opposé à *animal, minéral*). **2.** Qui provient d'organismes de végétaux. *Huiles végétales. Crin végétal.*

végétarien, enne [veʒetaʀjɛ̃, ɛn] adj. et n. ⬝ *Régime végétarien,* d'où sont exclus la viande, le poisson. — N. *Un(e) végétarien(ne),* personne qui suit ce régime.

végétation [veʒetasjɔ̃] n. f. ⬝ Ensemble des végétaux, des plantes qui poussent en un lieu. ⇒ **flore.** *Zones de végétation* (glaciale, tempérée, tropicale...). *Une végétation luxuriante.*

végétations n. f. pl. ⬝ Hypertrophie des replis de la peau ou des muqueuses. *Opérer un enfant des*

végétations, d'une hypertrophie des tissus des amygdales.

végéter [veʒete] v. intr. ⬝ conjug. 6. **1.** Péj. (Plantes) Mal pousser, croître avec difficulté. *Tes tomates, cette année, végètent.* **2.** (Personnes) Avoir une activité réduite ; vivre dans une morne inaction ou rester dans une situation médiocre. ⇒ **vivoter.** *Il végète derrière son bureau.* — (Choses) Avoir une activité réduite. *Son entreprise végète.* ▶ *végétatif, ive* adj. **1.** Qui concerne les activités physiologiques involontaires. *Vie végétative* ou *organique* (opposé à *vie animale* ou *de relation*). — Relatif à la partie du système nerveux qui innerve les viscères. ⇒ ② **sympathique.** *Système végétatif centrifuge.* **2.** Qui évoque la vie des végétaux, par son inaction. ⇒ **inactif.** *Mener une vie végétative,* végéter. ⟨ ▶ végétal, végétarien, végétation, végétations ⟩

véhémence [veemɑ̃s] n. f. ■ Littér. Force impétueuse (des sentiments ou de leur expression). ⇒ **ardeur, emportement, fougue, impétuosité.** *Il protesta avec véhémence.* / contr. **calme, froideur** / ▶ *véhément, ente* adj. ⬝ Littér. Qui a une grande force expressive, qui entraîne ou émeut. ⇒ **entraînant, fougueux.** *Un discours véhément. Un orateur véhément.*

véhicule [veikyl] n. m. **I.** Moyen de transport terrestre, le plus souvent autonome et muni de roues. *Véhicule automobile.* ⇒ **voiture.** *Véhicule prioritaire.* **II.** Ce qui sert à transmettre, à faire passer d'un lieu à un autre, à communiquer. *Le langage, véhicule de la pensée.* ▶ *véhiculaire* adj. ■ Qui sert aux communications entre des peuples de langue maternelle différente (opposé à *vernaculaire*). ▶ *véhiculer* v. tr. ⬝ conjug. 1. **1.** Transporter (qqn) avec un véhicule (I). *Il les a véhiculées jusqu'à l'école.* ⇒ **conduire. 2.** Constituer un véhicule (II) pour (qqch.). *Le sérum sanguin véhicule divers pigments.*

① *veille* [vɛj] n. f. ■ Jour qui en précède un autre, qui précède celui dont il est question. / contr. **lendemain** / *La veille et l'avant-veille.* — Loc. fam. *Ce n'est pas demain la veille,* ce n'est pas pour bientôt. — À LA VEILLE DE (un événement) : dans la période qui le précède immédiatement. *À la veille de la Révolution française.* — (+ infinitif) *Être à la veille de faire qqch.,* sur le point de. ⟨ ▶ avant-veille ⟩

② *veille* n. f. **I. 1.** Action de veiller (I, 1) ; moment sans sommeil pendant le temps normalement destiné à dormir. *Les longues veilles passées à travailler.* **2.** Garde de nuit. *Elle a pris la veille cette nuit-là.* **II.** État d'une personne qui ne dort pas (opposé à *sommeil*). *État entre la veille et le sommeil.* ⇒ **somnolence.** ▶ *veillée* n. f. **1.** Temps qui s'écoule entre le moment du repas du soir et celui du coucher, qui était consacré à des réunions familiales ou de voisinage (surtout dans les campagnes). ⇒ **soirée.** *À la veillée. Les contes de la veillée.* **2.** Loc. VEILLÉE D'ARMES : préparation morale à une épreuve, une action difficile. **3.** Action de veiller un malade, un mort ; nuit passée à le veiller. *Veillée funèbre.* ▶ *veiller* v. ⬝ conjug. 1. **I.** V. intr. **1.** Rester volontairement éveillé pendant le temps habituellement consacré au sommeil. ⇒ ② **veille.** *Tu ne devrais pas veiller si tard.* **2.** Être de garde. *Veiller auprès d'un malade.* — Être en éveil, vigilant. *Je suis là qui veille.* **II.** V. tr. **1.** V. tr. dir. Rester la nuit auprès de (un malade pour s'occuper de lui ; un mort). **2.** V. tr. ind. VEILLER À qqch. : y faire grande attention et s'en occuper activement. *Il va au bon déroulement des opérations.* (+ infinitif) *Il faudra veiller à ranger tes affaires.* (Avec *ce que* + subjonctif) *Veillez à ce que tout soit en ordre à mon retour.* — VEILLER SUR qqn : prêter grande attention à ce qu'il fait, à ce qui lui arrive (pour intervenir au besoin). ⇒ **surveiller.** *Veillez bien sur cet enfant.* ▶ *veilleur* n. m. **1.** Soldat de garde.

2. VEILLEUR DE NUIT : gardien (d'un magasin, d'une banque, etc.), qui est de service de nuit ; employé d'hôtel chargé d'assurer le service et la réception pendant la nuit. ▸ *veilleuse* n. f. **1.** Petite lampe qu'on laisse allumée pendant la nuit ou en permanence dans un lieu sombre. — Lanterne d'automobile. *Éteignez vos veilleuses.* — Mettre une lampe EN VEILLEUSE : réduire la flamme, diminuer l'éclairage. *Ils se sont mis en veilleuse,* ils ont réduit leur activité. — Fam. *Mets-la en veilleuse,* du calme, tais-toi. **2.** Petite flamme d'un chauffe-eau à gaz, d'un réchaud. ⟨ ▸ éveiller, réveiller, surveiller ⟩

① *veine* [vɛn] n. f. **1.** Vaisseau à ramifications convergentes, qui ramène le sang des capillaires au cœur. *Les veines et les artères*.* — *S'ouvrir les veines,* se trancher les veines du poignet pour se donner la mort. **2.** Les vaisseaux sanguins, symboles de la vie (dans des loc.). *Ne pas avoir de sang dans les veines,* être lâche. ▸ ① *veiné, ée* adj. ■ Qui présente des veines bleues apparentes sous la peau. ▸ *veineux, euse* adj. ■ Qui a rapport aux veines. *Système veineux.* ▸ *veinule* n. f. **1.** Petit vaisseau qui, convergeant avec d'autres, forme les veines. **2.** Ramification extrême des nervures des feuilles. ⟨ ▸ intraveineux ⟩

② *veine* n. f. **1.** Filon mince (d'un minéral). *Veine de quartz, de houille. Exploiter une veine dans une mine.* **2.** Dessin coloré, mince et sinueux (dans le bois, les pierres dures). ▸ ② *veiné, ée* adj. ■ Qui présente des veines, des filons. *Bois, marbre veiné.*

③ *veine* n. f. **I. 1.** Inspiration de l'artiste. *La veine poétique, dramatique.* — *Être en veine,* inspiré. **2.** EN VEINE DE... : disposé à. *Il est en veine de travail.* **II.** Fam. Chance. ⇒ fam. **bol, pot.** *Il a eu de la veine. C'est un coup de veine.* ▸ *veinard, arde* adj. et n. ■ Fam. Qui a de la veine (II). ⇒ **chanceux, verni.** — N. *Quel veinard !* ⟨ ▸ déveine ⟩

vélaire [velɛʀ] adj. ■ Qui est articulé près du voile du palais. [k] *est une consonne vélaire.* — N. f. *Une vélaire.*

velcro [velkʀo] n. m. invar. ■ (Marque déposée) Ensemble de deux rubans, tissés différemment, qui s'agrippent par contact ; chacun de ces deux rubans. *Du velcro.* — En appos. *Une bande velcro.*

vêler [vele] v. intr. ▪ conjug. 1. ■ (Vache) Mettre bas, avoir son veau. ▸ *vêlage* ou *vêlement* n. m. ■ Action de vêler.

vélin [velɛ̃] n. m. **1.** Peau de veau mort-né, plus fine que le parchemin ordinaire. *Manuscrit, ornements sur vélin.* — Cuir de veau. *Reliure de vélin.* **2.** Papier très blanc et de pâte très fine. *Exemplaire sur vélin.*

véliplanchiste [veliplɑ̃ʃist] n. ■ Personne qui pratique la planche à voile.

velléité [ve(el)leite] n. f. ■ Intention (vouloir) qui n'aboutit pas à une décision. *Il a eu des velléités de résister.* ▸ *velléitaire* adj. et n. ■ Qui n'a que des intentions faibles, ne se décide pas à agir.

vélo [velo] n. m. ■ Bicyclette (autrefois, *vélocipède*). *Elle est à vélo, en vélo, sur son vélo. Des vélos.* — Le fait de monter, de rouler à bicyclette. *Faire du vélo, aimer le vélo.* ⇒ **cyclisme.** ⟨ ▸ vélodrome, vélomoteur ⟩

véloce [velos] adj. ■ Littér. Agile, rapide. ▸ *vélocité* n. f. **1.** Rare. Mouvement rapide, aptitude à aller vite. ⇒ **vitesse.** **2.** Agilité, vitesse dans le jeu d'un instrument de musique. *Exercice de vélocité au piano.* ⇒ **virtuosité.**

vélocipède [velosipɛd] n. m. ■ Ancien appareil de locomotion, ancêtre de la bicyclette. ⟨ ▸ vélo ⟩

vélodrome [velodʀom] n. m. ■ Piste entourée de gradins, aménagée pour les courses de bicyclettes.

vélomoteur [velomotœʀ] n. m. ■ Vélo à moteur de petite cylindrée, entre 50 et 125 cm³. ⇒ **cyclomoteur.** ≠ *moto.*

velours [v(ə)luʀ] n. m. invar. **1.** Tissu à deux chaînes superposées dont l'une produit le fond du tissu et l'autre le velouté ; tissu analogue dont le velouté est produit par une trame. *Velours de coton, de soie, de rayonne. Velours uni, côtelé. Pantalon de velours.* — *Velours de laine,* tissu de laine pelucheux sur l'endroit, utilisé dans l'ameublement. — Loc. *Jouer sur le velours,* agir sans risques. — *Chat qui fait patte de velours,* qui présente sa patte après avoir rentré ses griffes. *Faire patte de velours,* dissimuler un dessein de nuire sous une douceur affectée. **2.** Ce qui donne une impression de douceur au toucher, à la vue, au goût. ⇒ **velouté.** *Le velours d'une pêche.* — *C'est du velours,* une boisson, une nourriture délectable. — Plaisant. *Faire des yeux de velours,* des yeux doux. ▸ *velouté, ée* adj. et n. m. **1.** Doux au toucher, comme du velours. / contr. **rêche** / ⇒ **duveté.** *Pêche veloutée.* **2.** Doux et onctueux (au goût). *Potage velouté.* — N. m. *Un velouté d'asperges.* **3.** N. m. LE VELOUTÉ : douceur de ce qui est velouté au toucher ou à l'aspect. *Le velouté de la peau.*

velu, ue [vəly] adj. ■ Qui a les poils très abondants. ⇒ **poilu.** *Mains velues.*

velum ou *vélum* [velɔm] n. m. ■ Grande pièce d'étoffe servant à tamiser la lumière ou à couvrir un espace sans toiture. *Des vélums.*

venaison [vənɛzɔ̃] n. f. ■ Chair de grand gibier (cerf, chevreuil, daim, sanglier).

vénal, ale, aux [venal, o] adj. ■ Qui se laisse acheter au mépris de la morale. ⇒ **cupide.** *Un homme vénal,* qui n'agit que par intérêt. ⇒ **corrompu.** / contr. **intègre, probe** / — (Choses) *Amour vénal.* ▸ *vénalité* n. f. **1.** Le fait d'être cédé pour de l'argent au mépris des valeurs morales. **2.** Caractère ou comportement d'une personne vénale. ⇒ **bassesse, corruption.**

à tout venant [atuv(ə)nɑ̃] loc. ■ À chacun, à tout le monde. *Il parle à tout venant.*

vendable [vɑ̃dabl] adj. ■ Qui peut être vendu. / contr. **invendable** / *Ces vieux livres sont encore vendables.* ⟨ ▸ invendable ⟩

vendange [vɑ̃dɑ̃ʒ] n. f. **1.** Le fait de recueillir les raisins mûrs pour la fabrication du vin. *Faire la vendange, les vendanges.* ⇒ **vendanger.** — *Les vendanges,* l'époque des vendanges, en automne. **2.** Raisin récolté pour faire le vin. *La vendange est abondante.* ▸ *vendanger* v. ▪ conjug. 3. **1.** V. tr. Récolter (les raisins) pour faire le vin. *Vendanger le vignoble.* **2.** V. intr. Faire la vendange, cueillir les raisins et les transporter. ▸ *vendangeur, euse* n. ■ Personne qui fait les vendanges.

vendetta [vɑ̃de(ɛt)ta] n. f. ■ Coutume corse, par laquelle les membres de deux familles ennemies poursuivent une vengeance réciproque jusqu'au crime. *Des vendettas.*

vendeur, euse [vɑ̃dœʀ, øz] n. **1.** Personne qui vend ou a vendu qqch. / contr. **acheteur, acquéreur, client** / **2.** Personne dont la profession est de vendre (surtout lorsqu'elle ne dispose pas de local fixe comme le *commerçant*). ⇒ **marchand.** *Vendeur ambulant. Vendeur à la sauvette.* **3.** Employé chargé d'assurer la vente dans un établissement commercial. *Vendeuse de grand magasin.* **4.** Personne qui connaît et applique les procédés de vente. *Ce directeur commercial est un excellent vendeur.* ⟨ ▸ revendeur ⟩

vendre [vɑ̃dʀ] v. tr. ▪ conjug. 41. **1.** Céder (qqch.)
à qqn en échange d'une somme d'argent. ⟹ **vente.**
/ contr. **acheter, acquérir** / *Il a vendu ses livres.*
Vendre qqch. (à) tel prix, tant. Vendre cher. Vendre
à perte. — *À vendre,* offert pour la vente. *La maison*
est à vendre. — Faire commerce de (ce qu'on a
fabriqué ou acheté). *Vendre qqch. au détail ; en*
réclame, en solde. ⟹ **brader, liquider, solder.** — Pronominalement (passif). Être vendu. *Ce livre se vend*
bien. — Organiser, faire la vente de. *Pays qui vend*
des produits finis. ⟹ **exporter. 2.** Souvent péj. Accorder ou céder (un avantage, un service) en faisant
payer, ou contre un avantage matériel. *Vendre ses*
charmes. **3.** Exiger qqch. en échange de. *Vendre*
chèrement sa vie, se défendre avec vaillance jusqu'à
la mort. **4.** Trahir, dénoncer (qqn). *Il a vendu ses*
complices. ⟹ **donner, livrer.** — Pronominalement
(réfl.). Se mettre au service de qqn par intérêt matériel
(⟹ **vénal**). *Se vendre à un parti.* ▶ **vendu, ue** adj.
1. (Choses) Cédé pour de l'argent. *Adjugé, vendu !*
(aux enchères). **2.** (Personnes) Qui a aliéné sa liberté,
promis ses services pour de l'argent. *Juge vendu.*
⟹ **corrompu, vénal.** / contr. **intègre / 3.** N. Personne
qui a trahi pour de l'argent. ⟹ **traître.** — Crapule,
homme sans honneur (injure). *Tas de vendus !*
⟨ ▶ invendu, revendre, vendable, vendeur, vente ⟩

vendredi [vɑ̃dʀədi] n. m. ▪ Cinquième jour de la
semaine*, qui succède au jeudi. *Tous les vendredis*
après-midi. Le vendredi saint, précédant le dimanche
de Pâques. — *Viens vendredi,* le vendredi qui vient.

venelle [vənɛl] n. f. ▪ Petite rue étroite. ⟹ **ruelle.**

vénéneux, euse [venenø, øz] adj. ▪ (Végétaux)
Qui contient un poison, qui peut empoisonner.
⟹ **toxique.** / contr. **comestible** / *Champignons véné*
neux. ≠ *venimeux.*

vénérer [veneʀe] v. tr. ▪ conjug. 6. **1.** Considérer
avec le respect dû aux choses sacrées. ⟹ **adorer,**
révérer. *Vénérer un saint.* **2.** Littér. Avoir un grand
respect, empreint d'affection pour (qqn, qqch.).
⟹ **adorer.** ▶ **vénérable** adj. ▪ Littér. ou plaisant.
Digne de vénération. *Une vénérable dame.* — *D'un*
âge vénérable, très vieux. ⟹ **respectable.** *Cette véné*
ble institution. ▶ **vénération** n. f. **1.** Respect religieux. **2.** Grand respect fait d'admiration et d'affection. ⟹ **adoration, culte, dévotion.** *Il a pour son père*
une véritable vénération.

vénerie [venʀi] n. f. **1.** Art de la chasse à courre.
Petite, grande vénerie. **2.** Administration des officiers
des chasses (⟹ **veneur**).

vénérien, enne [veneʀjɛ̃, ɛn] adj. et n.
▪ *Maladies vénériennes* (de *Vénus,* déesse de l'amour),
maladies contagieuses qui se communiquent par les
rapports sexuels (blennorragie, syphilis...). ⟹ **M.S.T.**

veneur [vənœʀ] n. m. ▪ Celui qui organise les
chasses à courre. — *Grand veneur,* chef d'une vénerie.

venger [vɑ̃ʒe] v. tr. ▪ conjug. 3. **1.** Dédommager
moralement (qqn) en punissant son offenseur. *Venger*
qqn d'un affront. Venger la mémoire d'un ami. — (Suj.
chose) Constituer une vengeance ou une compensation
pour (qqn). *Son échec me venge.* **2.** Littér. Réparer
(une offense) en punissant l'offenseur. *Venger un*
affront dans le sang. **3.** SE VENGER v. pron. réfl. :
rendre une offense (à qqn) pour se dédommager
moralement. *Elle s'est vengée de lui. Je me vengerai.*
Il veut toujours se venger. ⟹ **vindicatif.** — Se
dédommager (d'une offense) en punissant son auteur.
Se venger d'une insulte, d'une injure. ▶ **vengeance**
n. f. ▪ Action de se venger ; dédommagement moral
de l'offensé par punition de l'offenseur. ⟹ **vendetta.**
Tirer vengeance d'un affront. Une terrible vengeance
a puni l'agresseur. ⟹ **châtiment.** *Soif, désir de*

vengeance, rancune, ressentiment. — Loc. prov. *La*
vengeance est un plat qui se mange froid, il faut savoir
attendre pour se venger. ▶ **vengeur, vengeresse** adj.
et n. **1.** Adj. Qui venge (une personne, sa mémoire,
ses intérêts). — Littér. *Un bras vengeur,* animé par
la vengeance. **2.** N. Personne qui venge, punit (rare
au fém.).

véniel, elle [venjɛl] adj. ▪ *Péché véniel,* petite faute
digne de pardon (opposé à *péché mortel*).

venimeux, euse [vənimø, øz] adj. **1.** (Animaux)
Qui a du venin. *Serpents venimeux.* ≠ *vénéneux.*
2. Fig. Haineux, perfide. *Des remarques, des allusions*
venimeuses.

venin [vənɛ̃] n. m. **1.** Substance toxique sécrétée
chez certains animaux par une glande spéciale, qu'ils
injectent par piqûre ou morsure. *Crochets à venin d'un*
serpent. Venin de scorpion, d'araignée. — Substance
toxique des piquants (de certaines plantes). **2.** Fig.
Haine, méchanceté perfide. *Lettre pleine de venin.*
Cracher son venin, dire des méchancetés dans un accès
de colère. ⟨ ▶ envenimer, vénéneux, venimeux ⟩

venir [v(ə)niʀ] v. intr. ▪ conjug. 22. **I.** (Sens spatial)
Se déplacer de manière à aboutir dans un lieu.
⟹ **aller,** se **déplacer,** se **rendre. 1.** (Sans compl. de lieu)
Venez avec moi, accompagnez-moi. *Aller et venir.* Fam.
Je ne fais qu'aller et venir, je reviens tout de suite.
— *Faire venir qqn,* le convoquer. *Faire venir qqch.,*
le commander, se le faire livrer. — VOIR VENIR. *Je*
te vois venir, je devine tes intentions. *Voir venir* (les
événements), attendre prudemment en observant
l'évolution des événements. **2.** (Avec un compl. marquant le terme du mouvement) VENIR À, CHEZ, DANS...
Demain vous viendrez chez moi. Venez ici. Il vient vers
nous, jusqu'à nous. — VENIR À qqn : aller vers lui,
aller le trouver. — (Choses) *Mot qui vient aux lèvres,*
sous la plume. Cette idée ne m'était pas venue à l'esprit.
— Impers. *Jamais il ne m'est venu à l'esprit de* (+
infinitif). **3.** Parvenir (à un but, une étape d'un
développement). *Venir à bout de qqch.* — *Il faudra*
bien qu'il y vienne, il finira bien par s'y résoudre, par
l'accepter. — VENIR À (un sujet, une question).
⟹ **aborder.** EN VENIR À : finir par faire, par employer,
après une évolution. *En venir aux mains, aux coups,*
engager la lutte. *Où veut-il en venir ?,* que veut-il, où
cherche-t-il en fin de compte ? *J'en viens à croire qu'il*
est idiot, je finis par croire... **4.** VENIR DE (avec un
compl. marquant le point de départ, l'origine). *Je viens*
de Paris. D'où venaient-ils ? Les nuages viennent de
l'ouest. — Provenir. *Son bracelet vient des Indes. Des*
biens qui lui venaient de son grand-père (par héritage).
5. Provenir, sortir de. *La plupart des mots français*
viennent du latin. ⟹ **dériver. 6.** (Avec un complément
de cause) Être l'effet de. ⟹ **découler.** *Son malheur*
vient de son imprévoyance. Cela vient de ce que (+
indicatif). — Impers. *De là vient que... d'où vient que...,*
c'est pourquoi. **II.** (Semi-auxiliaire, + infinitif) **1.** Se
déplacer (pour faire). *J'irai le voir et ensuite je viendrai*
vous chercher. Viens m'aider ! Venez voir par ici !
2. VENIR À (surtout à la 3ᵉ pers.) : se trouver en train
de faire, de subir qqn. *S'il venait à me perdre,* au cas
où il me perdrait. — Impers. *S'il venait à passer*
quelqu'un. **3.** VENIR DE (+ infinitif) : avoir (fait) très
récemment, juste finir de. *Elle vient de sortir.*
Elle venait d'être malade. **III.** Arriver, se produire,
survenir. **1.** (Personnes) Arriver (dans la vie). *Venir*
au monde. ⟹ **naître.** *Ceux qui viendront après nous.*
⟹ **succéder.** — (Événements) Se produire. ⟹ **survenir.**
Prendre les choses comme elles viennent, avec philoso
phie. — (Temps) *L'heure est venue de réfléchir. Le jour*
viendra où nous pourrons réussir. — Au p. p. adj. *La*
nuit venue, tombée. — Loc. adv. À VENIR. ⟹ **avenir,**
futur. *Les générations à venir.* **2.** (Végétaux, tissus
vivants) Naître et se développer. ⟹ **pousser.** *Un sol*

où le blé vient bien. **3.** (Idées, créations) *Les idées ne viennent pas. Alors, ça vient ?, allez-vous répondre ? L'idée lui est venue subitement.* ‹ ▸ advenir, avenir, avenu, avenue, bienvenu, circonvenir, contrevenir, événement, intervenir, malvenu, parvenir, prévenir, provenir, ① revenir, ② revenir, subvenir, survenir, tout-venant, va-et-vient, à tout venant, venu, venue ›

vénitien, ienne [venisjɛ̃, jɛn] adj. et n. ▪ De la ville de Venise. — *Blond vénitien,* blond tirant sur le roux. — N. *Les Vénitiens, les Vénitiennes.*

vent [vɑ̃] n. m. **I.** Déplacement naturel de l'atmosphère. **1.** Mouvement de l'atmosphère ressenti au voisinage du sol ; déplacement d'air. *Vent modéré* ⇒ **brise,** *violent, glacial* ⇒ **bise.** *Le vent du nord,* qui vient du nord. *Le vent souffle, se lève, tombe. Il y a du vent, il fait du vent. Coup, rafale de vent.* — Loc. *Passer en* COUP DE VENT : rapidement. — *Marcher contre le vent.* — Loc. *Au vent* (dans la direction du vent) ; *sous le vent* (dans la direction opposée). *Les* *îles Sous-le-Vent, en Polynésie.* — À VENT : mû par l'air. *Moulin à vent.* — *Énergie du vent.* ⇒ **éolien.** — *Les quatre vents,* les quatre points cardinaux (directions des vents). *Aux quatre vents ; à tous les vents,* partout, en tous sens. **2.** L'atmosphère, l'air (généralement agité par des courants). *Flotter au vent. Voler au vent. Exposer au vent. En plein vent,* en plein air. *Le nez au vent,* le nez en l'air, d'un air étourdi. **3.** Loc. (*Le vent,* symbole des impulsions, des influences) *Aller contre vents et marées,* envers et contre tout. *Avoir le vent en poupe, le vent dans le dos,* être bien parti, avoir une suite de succès. *Être dans le vent,* avoir la direction générale (de la mode, etc.). — *Quel bon vent vous amène ?,* quelle est la cause de votre venue ? (formule d'accueil). Iron. *Bon vent !,* bon débarras. — *Le vent tourne,* les événements vont changer. *Le vent était à l'optimisme.* — (Symbole de vitesse) *Aller comme le vent, plus vite que le vent.* **4.** *Du vent,* des choses vaines, vides. *C'est du vent, ce n'est que du vent,* se dit de promesses faites à la légère. **5.** AVOIR VENT DE : avoir connaissance de. *J'ai eu vent de ses projets.* **II.** Déplacement d'air, de gaz. **1.** *Le ventilateur fait du vent.* Loc. fam. *Personne qui fait du vent,* fait l'importante. **2.** *Instrument de* (musique) *à vent,* dans lequel on souffle. **3.** Au plur. Gaz intestinaux. ⇒ **pet.** ‹ ▸ contrevent, coupe-vent, engoulevent, éventail, éventaire, éventer, paravent, venter, ① ventiler, ventouse, vol-au-vent ›

vente [vɑ̃t] n. f. **1.** Le fait d'échanger une marchandise contre de l'argent, de la transmettre en toute propriété à un acquéreur en la faisant payer (⇒ **vendre).** *En vente,* pour être vendu, ou disponible dans le commerce. *Mettre qqch. en vente. Marchandises en vente* (libre). *Magasin, point de vente. Vente au comptant, à crédit, à tempérament. Prix de vente. Vente en gros, au détail. Vente par correspondance.* **2.** Réunion des vendeurs et des acquéreurs éventuels, au cours de laquelle on vend publiquement. *Vente aux enchères.* ⇒ **adjudication.** *Salle des ventes,* où ont lieu les ventes publiques. — *Vente de charité,* au cours de laquelle on vend au bénéfice d'une œuvre des objets généralement donnés. ‹ ▸ après-vente, mévente ›

venter [vɑ̃te] v. impers. ▪ conjug. 1. ▪ (Vent) Souffler. *Il vente, il fait du vent.* — Loc. *Qu'il pleuve ou qu'il vente,* par tous les temps. ▸ *venteux, euse* adj. ▪ Où il y a beaucoup de vent. ⇒ **éventé.** *Plaine venteuse.* — REM. On dit aussi *venté, ée.*

① *ventiler* [vɑ̃tile] v. tr. ▪ conjug. 1. ▪ Produire un courant d'air dans, sur. ⇒ **aérer.** — Au p. p. adj. *Un local mal ventilé.* ▸ *ventilateur* n. m. **1.** Appareil servant à rafraîchir l'atmosphère en soufflant de l'air. *Ventilateur électrique à hélice.* **2.** Mécanisme utilisé

dans le refroidissement du moteur d'une automobile. *Courroie de ventilateur.* ▸ ① *ventilation* n. f. ▪ Opération par laquelle l'air est brassé, renouvelé ou soufflé. ⇒ **aération.** *La ventilation de cette salle de cinéma est insuffisante.*

② *ventiler* v. tr. ▪ conjug. 1. ▪ Répartir (une somme totale) entre plusieurs comptes. *Ventiler les dépenses.* — Répartir en plusieurs groupes (des choses, des personnes). ▸ ② *ventilation* n. f. ▪ Répartition entre divers comptes. *Ventilation des frais généraux.*

ventouse [vɑ̃tuz] n. f. **1.** Petite cloche de verre appliquée sur la peau après qu'on y a raréfié l'air, pour provoquer une révulsion. *Poser des ventouses à un malade.* **2.** Organe où un vide partiel se fait, et qui sert à sucer, aspirer. *Les ventouses des sangsues.* — *Faire ventouse,* adhérer. **3.** Dispositif (rondelle de caoutchouc, etc.) qui se fixe par vide partiel sur une surface plane. *Fléchettes à ventouse.*

ventre [vɑ̃tʀ] n. m. **I.** (Chez l'homme) **1.** Partie antérieure de la cavité qui contient l'intestin ⇒ **abdomen ;** paroi antérieure du bassin, au-dessous de la taille. *À plat ventre,* allongé sur le ventre. — Loc. *Se mettre à plat ventre devant qqn,* s'humilier par intérêt. *Marcher, passer sur le ventre,* écraser, éliminer (qqn) pour arriver à ses fins. — BAS-VENTRE : le bas du ventre. ⇒ **bas-ventre.** — *Danse du ventre,* danse orientale où la danseuse remue les hanches et le bassin. **2.** (Animaux) Partie analogue au ventre humain chez les mammifères. Paroi inférieure du corps (opposé à *dos*). *Le ventre argenté d'un poisson.* — Loc. *Courir* VENTRE À TERRE : très vite. **3.** Proéminence que forme la paroi antérieure de l'abdomen, de la taille au bas-ventre. ⇒ fam. **bedaine,** ① **bide, brioche, panse.** *Rentrer le ventre. Avoir, prendre du ventre,* un gros ventre. **4.** L'abdomen en tant que siège de la digestion (estomac et intestins). *Se remplir le ventre.* — Loc. *Avoir le ventre creux,* l'estomac vide. *Avoir les yeux plus grands que le ventre,* vouloir manger plus que son appétit ne réclame. — *Avoir mal au ventre,* aux intestins. — Loc. *Faire mal au ventre à qqn,* lui être très désagréable. *Arrête ! Tu me fais mal au ventre.* **5.** (Chez la femme, les femelles de mammifères) L'abdomen en tant que siège de la gestation et des organes génitaux internes. ⇒ **sein** (3), **utérus.** *Enfant dans le ventre de sa mère.* — Fam. *Un enfant de six mois.* **6.** Loc. *Avoir, mettre le cœur au ventre,* de l'énergie, du courage. *Il n'a rien dans le ventre,* il est lâche. *Chercher à savoir ce que qqn a dans le ventre,* quels sont ses projets, ses intentions secrètes, ce qu'il est capable de faire. **II.** Partie creuse, lorsqu'elle présente à l'extérieur un renflement. *Le ventre d'une cruche.* — Partie bombée de la coque d'un bateau. ▸ *ventral, ale, aux* adj. **1.** Du ventre, de l'abdomen. ⇒ **abdominal.** *Nageoires ventrales.* **2.** Qui se porte sur le ventre. *Parachute ventral.* / contr. **dorsal** / ▸ *ventrée* n. f. ▪ Fam. Nourriture qui remplit bien le ventre ; repas au cours duquel on s'empiffre. *Une ventrée de frites.* ‹ ▸ bas-ventre, éventrer, ventricule, ventriloque, ventru ›

ventricule [vɑ̃tʀikyl] n. m. **1.** Chacun des deux compartiments inférieurs (du cœur), séparés par une cloison. **2.** Se dit de quatre cavités d'un cerveau. *Ventricules latéraux, ventricule moyen.* ▸ *ventriculaire* adj. ▪ D'un ventricule, des ventricules.

ventriloque [vɑ̃tʀilɔk] n. et adj. ▪ N. Personne qui peut articuler sans remuer les lèvres, d'une voix étouffée qui semble venir du ventre. — Adj. *Il est ventriloque.*

ventripotent, ente [vɑ̃tʀipɔtɑ̃, ɑ̃t] adj. ▪ Qui a un gros ventre. ⇒ **gros, ventru.** / contr. **maigre** /

ventru, ue [vɑ̃tʀy] adj. **1.** Qui a un gros ventre. ⇒ **gros, pansu, ventripotent. 2.** (Choses) Renflé, bombé. *Commode ventrue.* ⇒ **pansu.**

venu, ue [v(ə)ny] adj. et n. **1.** Littér. *Être* BIEN, MAL VENU : arriver à propos (ou non) ; être bien (ou mal) accueilli. — *Être mal venu de* (+ infinitif), n'être pas fondé à. *Vous seriez mal venu d'insister.* **2.** BIEN, MAL VENU : qui s'est développé (bien, mal). *Un enfant mal venu, chétif.* **3.** N. *Le* PREMIER VENU : n'importe qui. *Ce n'est pas la première venue.* — *Les nouveaux, les derniers venus.*

venue [v(ə)ny] n. f. **1.** Action, fait de venir (I). ⇒ **arrivée. 2.** Littér. Action, fait de venir (III), de se produire, d'arriver. *La venue du beau temps.* **3.** Loc. *D'une seule venue, tout d'une venue,* d'un seul jet (en parlant des plantes, des arbres). ‹ ▶ allée et venue ›

vêpres [vɛpʀ] n. f. pl. ■ Cérémonie religieuse (catholique) qui se fait l'après-midi.

ver [vɛʀ] n. m. **1.** Petit animal au corps mou (insecte, larve) sans pattes. — VER DE TERRE : lombric terrestre, petit animal annelé et rougeâtre très commun. — *Ver solitaire,* le ténia. *Cet enfant a des vers* (intestinaux). — *Ver blanc,* larve de hanneton ; asticot. — *Ver luisant,* femelle d'un coléoptère (le lampyre) qui brille la nuit (se dit aussi de la *luciole*). — *Ver à soie,* chenille du bombyx du mûrier, qui s'enferme dans un cocon fait d'un enroulement de fils de soie. — *Fruit plein de vers.* ⇒ **véreux. 2.** Loc. *Se tortiller comme un ver* (de terre). *Être nu comme un ver,* tout nu. — *Tirer les vers du nez de qqn,* le faire parler, avouer. **3.** Littér. Vermine qui, selon la croyance populaire, ronge la chair des morts. ≠ *vair, verre, vers, vert.* ‹ ▶ véreux, vermicelle, vermiculaire, vermifuge, vermine, vermoulu ›

véracité [veʀasite] n. f. **1.** Qualité de celui qui dit la vérité. *Décrire, raconter avec véracité.* ⇒ **exactitude, fidélité. 2.** Qualité de ce qui est rapporté avec véracité (1). *La véracité de son témoignage.* ⇒ **authenticité, sincérité.** / contr. **fausseté /**

véranda [veʀɑ̃da] n. f. ■ Galerie vitrée contre une maison, servant de petit salon. *Des vérandas.*

verbal, ale, aux [vɛʀbal, o] adj. **I.** Du verbe (I) ; relatif au verbe. *Désinences verbales. Adjectif verbal,* participe présent du verbe, adjectivé (ex. : *partant*). *Locution verbale,* groupe de mots formé d'un verbe et d'un nom et qui se comporte comme un verbe (ex. : *prendre froid*). **II. 1.** Qui se fait de vive voix (opposé à *écrit*). ⇒ **oral.** *Promesse verbale.* **2.** Qui se fait, s'exprime par des mots et non par d'autres signes. *Violence verbale.* — Qui concerne les mots plutôt que la chose ou l'idée. *Une explication purement verbale.* ⇒ **formel.** ▶ *verbalement* adv. **1.** De vive voix et non par écrit. ⇒ **oralement. 2.** Par des mots. *S'exprimer verbalement.* ‹ ▶ procès-verbal, verbaliser, verbalisme ›

verbaliser [vɛʀbalize] v. intr. ⚬ conjug. 1. ■ Dresser un procès-verbal (1). *Agent de police qui verbalise.* ▶ *verbalisation* n. f.

verbalisme [vɛʀbalism] n. m. ■ Péj. Utilisation des mots pour eux-mêmes au détriment de l'idée (et sans intention esthétique). ⇒ **verbiage.**

verbe [vɛʀb] n. m. **I.** Mot qui exprime une action, un état, un devenir, et qui présente un système complexe de formes (⇒ **conjugaison**). *Formes, temps, modes, personnes du verbe. Verbe transitif, intransitif, pronominal. Conjuguer un verbe.* **II. 1.** (Avec une majuscule) Dans la théologie chrétienne. Parole (de Dieu) adressée aux hommes. *Le Verbe de Dieu.*

2. Littér. Expression de la pensée (oralement ou par écrit) au moyen du langage. ⇒ **langage, langue.** *La magie du verbe.* **3.** Ton de voix. *Avoir le verbe haut,* parler très fort ; parler, décider avec hauteur. ‹ ▶ adverbe, cruciverbiste, procès-verbal, proverbe, verbal, verbaliser, verbalisme, verbeux, verbiage ›

verbeux, euse [vɛʀbø, øz] adj. ■ Qui dit les choses en trop de paroles, trop de mots. *Un orateur verbeux.* ⇒ **bavard, prolixe.** *Commentaire verbeux.* / contr. **bref, concis /** ▶ *verbeusement* adv. ▶ *verbosité* n. f. ■ Défaut de celui, de ce qui est verbeux.

verbiage [vɛʀbjaʒ] n. m. ■ Abondance de paroles, de mots vides de sens ou qui disent peu de chose. ⇒ **bavardage, délayage.** *Un verbiage creux. Tendance au verbiage.* ⇒ **verbalisme.**

verdâtre [vɛʀdɑtʀ] adj. ■ Qui tire sur le vert, est d'un vert un peu sale et trouble. *Teinte verdâtre.*

verdeur [vɛʀdœʀ] n. f. **1.** Vigueur de la jeunesse (chez qqn qui n'est plus jeune). **2.** Acidité d'un fruit vert, d'un vin trop vert. **3.** Liberté, spontanéité savoureuse dans le langage. *La verdeur du langage de Rabelais.*

verdict [vɛʀdikt] n. m. **1.** Déclaration par laquelle le jury répond, après délibération, aux questions posées par le tribunal. *Verdict de culpabilité, d'acquittement. Prononcer, rendre un verdict.* **2.** Jugement rendu par une autorité. ⇒ **décision, sentence.** *Un verdict sévère.*

verdier [vɛʀdje] n. m. ■ Oiseau passereau, de la taille du moineau, à plumage verdâtre.

verdir [vɛʀdiʀ] v. intr. ⚬ conjug. 2. ■ Devenir vert. — (Végétaux) Pousser, se couvrir de feuilles. — Devenir vert de peur. ⇒ **blêmir.** *Il a verdi en le voyant.* ▶ *verdissant, ante* adj. ■ Qui verdit, est en train de verdir.

verdoyer [vɛʀdwaje] v. intr. ⚬ conjug. 8. ■ Se dit des végétaux, des prés, de la campagne... qui donnent une sensation dominante de vert. ▶ *verdoiement* n. m. ■ Littér. Fait de verdoyer. *Le verdoiement des prés.* ▶ *verdoyant, ante* adj. ■ Qui verdoie ; où la végétation est vivace. *Une vallée verdoyante.*

verdure [vɛʀdyʀ] n. f. **1.** Couleur verte de la végétation. **2.** Arbres, plantes, herbes, feuilles. ⇒ **végétation.** *Un rideau de verdure. Se reposer dans la verdure.* **3.** Plante potagère que l'on mange crue, en salade. *Un plat de verdure.*

véreux, euse [veʀø, øz] adj. **1.** Qui contient un ver, est gâté par des vers. *Fruits véreux.* **2.** Foncièrement malhonnête. / contr. **intègre /** *Agent, financier véreux.* — Qui n'est pas sain. *Affaire véreuse.* ⇒ **louche, suspect.**

① **verge** [vɛʀʒ] n. f. ■ Organe de la copulation (chez l'homme et les mammifères). ⇒ **pénis, phallus.**

② **verge** n. f. ■ Littér. Baguette (pour frapper, battre). ‹ ▶ vergeté ›

verger [vɛʀʒe] n. m. ■ Terrain planté d'arbres fruitiers.

vergeté, ée [vɛʀʒəte] adj. ■ Marqué de petites raies. ⇒ **rayé.** *Peau marquetée et vergetée.* ▶ *vergeture* n. f. ■ Surtout au plur. Petites marques qui sillonnent la peau aux endroits qui ont été distendus.

verglas [vɛʀglɑ] n. m. invar. ■ Couche de glace naturelle très mince qui se forme sur le sol. *Faites attention au verglas sur la route ! Une plaque de verglas.* ▶ *verglacé, ée* adj. ■ Couvert de verglas. *Route verglacée, dangereuse.*

sans **vergogne** [sɑ̃vɛʀgɔɲ] loc. adv. ■ Sans honte,

sans scrupule. *Il nous a menti sans vergogne.*
⇒ **impudemment.**

vergue [vɛʀg] n. f. ■ Longue pièce de bois disposée sur l'avant des mâts, et servant à porter la voile qui y est fixée. ⟨ ▸ envergure ⟩

véridique [veʀidik] adj. **1.** Littér. Qui dit la vérité, qui rapporte qqch. avec exactitude (⇒ **véracité**). *Témoin véridique.* **2.** Cour. Conforme à la vérité, à ce qui a été éprouvé, constaté. ⇒ **authentique, exact.** / contr. **faux, trompeur** / *Témoignage, récit véridique.*
▸ *véridiquement* adv. ■ D'une manière véridique, exacte.

vérifier [veʀifje] v. tr. ■ conjug. 7. **1.** Examiner la valeur de (qqch.), par une confrontation avec les faits ou par un contrôle de la cohérence interne. ⇒ **examiner ; contrôler.** *Vérifier une nouvelle. Vérifier un compte. Vérifier l'exactitude, l'authenticité d'une assertion.* ⇒ **reconnaître.** — *Vérifier si* (+ indicatif), examiner de manière à constater que. *Il vérifie si le train part toujours à la même heure.* ⇒ **s'assurer.** *Vérifier que* (+ indicatif). *Vérifier qu'un devoir a bien été fait.* **2.** Examiner (une chose) de manière à pouvoir établir si elle est conforme à ce qu'elle doit être, si elle fonctionne correctement. *Vérifier ses freins. As-tu fait vérifier le niveau d'huile ?* **3.** Reconnaître ou faire reconnaître (une chose) pour vraie. ⇒ **prouver.** *Vérifier une hypothèse.* — (Suj. chose) Constituer le signe non récusable de la vérité de (qqch.). *Les faits ont vérifié nos soupçons.* ⇒ **confirmer, justifier.** — Pronominalement (passif). SE VÉRIFIER : se révéler exact, juste. *Les présomptions se sont vérifiées.*
▸ *vérifiable* adj. ▸ *vérificateur, trice* n. ■ Professionnel chargé de vérifier (1). — Personne qui vérifie des comptes, des déclarations. ⇒ **contrôleur.** ▸ *vérification* n. f. **1.** Le fait de vérifier. ⇒ **contrôle, épreuve.** *Faire des vérifications.* **2.** Constatation qu'une chose est vraie. — Le fait d'être vérifié (3), d'être exact. ⇒ **confirmation.** *Son attitude n'est que la vérification de ses affirmations.* ⟨ ▸ invérifiable ⟩

vérin [veʀɛ̃] n. m. ■ Appareil de levage à vis. ⇒ **cric.**

vérisme [veʀism] n. m. ■ Mouvement littéraire italien de la fin du XIXᵉ siècle, inspiré par le naturalisme et dirigé contre les romantiques.

vérité [veʀite] n. f. **1.** Ce à quoi l'esprit peut et doit donner son assentiment (par suite d'un rapport de conformité avec l'objet de pensée, d'une cohérence interne de la pensée) ; connaissance à laquelle on attribue la plus grande valeur (opposé à *erreur, illusion*). *Chercher, prétendre posséder la vérité. La recherche de la vérité.* **2.** Connaissance conforme au réel ; son expression (opposé à *erreur, ignorance* ou à *invention, mensonge*). *Connaître, dire la vérité sur qqch. C'est l'entière, la pure vérité ; fam. la vérité vraie.* — *Dire la vérité, toute la vérité* (opposé à *mentir*). — Loc. prov. *La vérité sort de la bouche des enfants,* ce que disent spontanément les enfants apprend beaucoup sur ce que leurs proches cachent. — EN VÉRITÉ loc. adv. : sert à renforcer une affirmation, une assertion. ⇒ **assurément, certainement, vraiment.** *C'est peu de chose, en vérité.* — À LA VÉRITÉ loc. adv. : s'emploie pour introduire une restriction, une précision. *Il est intelligent, mais à la vérité plutôt paresseux.* — Loc. DE VÉRITÉ (après un nom désignant une mesure de durée) : moment décisif où il faut affronter la réalité, dire la vérité, montrer sa vraie valeur. *Minute de vérité.* **3.** Caractère de ce qui s'accorde avec notre sentiment de la réalité. *La vérité d'un portrait* ⇒ **ressemblance,** *d'un personnage de roman* ⇒ **vraisemblance.** **4.** (*Une, des vérités*) Idée ou proposition vraie, qui mérite un assentiment entier ou qui l'emporte. ⇒ **conviction, évidence.** *Vérités éternelles.*

Vérités premières, évidentes mais indémontrables. *Dire, énoncer des vérités.* — *Dire ses quatre vérités à qqn,* lui dire sur son compte des choses désobligeantes avec une franchise brutale. **5.** Le réel. ⇒ **réalité.** *Tout ce que l'on peut dire des camps d'extermination est au-dessous de la vérité.* **6.** *Un accent, un air de vérité,* de sincérité.
▸ *véritable* adj. **1.** Qui a lieu, qui existe réellement, en dépit de l'apparence. ⇒ **réel, vrai** (opposé à *inventé, imaginé, faux, apparent...*). *Toute cette histoire est véritable.* **2.** (Choses concrètes) Qui est conforme à l'apparence, qui n'est pas imité. *De l'or véritable.* **3.** (Choses abstraites ; personnes) Généralement avant le nom. Qui est conforme à l'idée qu'on s'en fait, qui mérite son nom et sa réputation. *Un véritable ami,* digne de ce nom. *Le véritable amour.* **4.** (Devant le nom) Qui est exactement nommé ; qui mérite son nom. *Une véritable canaille.* — (Pour introduire une désignation figurée qui n'est justement pas « véritable » mais dont on veut souligner l'exactitude) *Cette classe est un véritable capharnaüm.*
▸ *véritablement* adv. **1.** D'une manière réelle, effective. ⇒ **réellement.** *Ils se sont battus véritablement.* **2.** Conformément à l'apparence, au mot qui désigne. ⇒ **absolument, proprement, vraiment.** *C'est véritablement génial.*

verjus [vɛʀʒy] n. m. invar. ■ Suc acide extrait de certaines espèces de raisin, ou de raisin cueilli vert.

verlan [vɛʀlɑ̃] n. m. ■ Procédé argotique consistant à inverser les syllabes de certains mots (ex. : *laisse béton* pour « laisse tomber »).

① *vermeil, eille* [vɛʀmɛj] adj. ■ (Teint, peau) D'un rouge vif et léger. *Teint vermeil.* / contr. **blafard, pâle** / ② *vermeil* n. m. **1.** Argent recouvert d'une dorure d'un ton chaud tirant sur le rouge. *Plats en vermeil.* **2.** *Carte vermeil,* réservée aux personnes âgées, donnant droit à un tarif réduit sur le réseau des chemins de fer français.

vermicelle [vɛʀmisɛl] n. m. ■ Pâtes à potage en forme de fils très minces. *Soupe au vermicelle.*

vermiculaire [vɛʀmikylɛʀ] adj. ■ Qui a la forme, l'aspect d'un petit ver. *Appendice vermiculaire,* ou cour. *appendice,* prolongement du cæcum.

vermifuge [vɛʀmifyʒ] adj. ■ Propre à provoquer l'expulsion des vers intestinaux. — N. m. *Prendre un vermifuge.*

vermillon [vɛʀmijɔ̃] n. m. ■ Substance colorante ou couleur d'un rouge vif tirant sur le jaune. — Adj. invar. *Des robes vermillon.*

vermine [vɛʀmin] n. f. **1.** Nom collectif désignant tous les insectes (puces, poux, etc.) parasites de l'homme et des animaux. **2.** Littér. Ensemble nombreux d'individus méprisables, nuisibles à la société. ⇒ **canaille, racaille.** **3.** Personne méprisable, vaurien. ⇒ **peste.** *Une petite vermine.*

vermisseau [vɛʀmiso] n. m. ■ Petit ver, petite larve. *Des vermisseaux.*

vermoulu, ue [vɛʀmuly] adj. ■ Se dit du bois, d'un objet de bois rongé, mangé par les vers. ⇒ **piqué.**
▸ *vermoulure* n. f. ■ Fait de devenir vermoulu ; trace de vers (dans le bois).

vermout ou *vermouth* [vɛʀmut] n. m. ■ Apéritif à base de vin aromatisé de plantes amères et toniques. *Du vermouth blanc, rouge.*

vernaculaire [vɛʀnakylɛʀ] adj. ■ Du pays, propre au pays (terme savant). *Langue vernaculaire,* dialecte (opposé à *véhiculaire*).

verni, ie [vɛʀni] adj. ■ Fam. (Personnes) Qui a de la chance. ⇒ **veinard.** *Elle n'est pas vernie.*

vernis [vɛʀni] n. m. invar. **1.** Solution résineuse qui laisse sur le corps où on l'applique une pellicule brillante et qui sert à le décorer ou à le protéger. ⇒ **enduit, laque.** *Vernis d'un tableau. Vernis à ongles.* **2.** Fig. Connaissances superficielles, apparence de bonnes manières. *Il a un vernis de littérature.* ▶ *vernir* v. tr. ▪ conjug. 2. ▪ Enduire de vernis. *Vernir un tableau.* — Au p. p. adj. *Souliers vernis.* ▶ *vernissage* n. m. **1.** Action de vernir (un tableau, une planche de gravure, etc.), de vernisser (une poterie). **2.** Jour d'ouverture d'une exposition de peinture. ▶ *vernisser* v. tr. ▪ conjug. 1. ▪ Enduire de vernis (une poterie, une faïence). — Au p. p. adj. *Tuiles vernissées.*

vérole [veʀɔl] n. f. **1.** PETITE VÉROLE : variole. **2.** Fam. Syphilis. **3.** Fam. Chose très désagréable. ▶ *vérolé, ée* adj. **1.** *Être vérolé,* avoir la peau vérolée, avoir la peau marquée de petits trous comme ceux laissés par la variole. **2.** Fam. Qui a la syphilis.

véronal, als [veʀɔnal] n. m. ▪ Barbiturique employé comme somnifère.

véronique [veʀɔnik] n. f. ▪ Plante herbacée à fleurs bleues.

verrat [veʀa] n. m. ▪ Porc mâle employé comme reproducteur.

verre [vɛʀ] n. m. **1.** *(Le verre, du verre)* Substance fabriquée, dure, cassante et transparente, de structure « vitreuse » (formée de silicates alcalins). *Bouteille en verre. Panneau de verre d'une fenêtre.* ⇒ **carreau, glace, vitre.** *Verre dépoli.* — Loc. *Se briser, se casser comme (du) verre,* très facilement. — *Laine de verre,* matière composée de fils de verre, utilisée comme filtrant ou isolant. — *Papier de verre,* où des débris de verre sont fixés au papier, à la toile (abrasif). — *Verre blanc* ou *verre,* verre ordinaire (opposé à *cristal*). **2.** *(Un, des verres)* Plaque, lame, morceau ou objet de verre. *Verre de montre,* qui en protège le cadran. — *Verres optiques. Verres déformants, grossissants. Des verres,* des verres optiques que l'on porte pour mieux voir. ⇒ **lorgnon, lunettes.** — *Verres de contact.* ⇒ **lentille. 3.** Récipient à boire (en verre, cristal, matière plastique). *Verre à pied. Verre à vin, à liqueur. Emplir son verre. Lever son verre* (pour trinquer). *Verre à dents,* servant à se rincer la bouche quand on se lave les dents. **4.** Contenu d'un verre. *Boire un verre d'eau.* — Loc. *Se noyer dans un verre d'eau,* être incapable de surmonter les moindres difficultés. — Boisson alcoolisée (hors des repas, au café). *Je vous paie un verre.* ⇒ **fam. pot.** *Boire, prendre un verre. Un petit verre,* un verre d'alcool, de liqueur. — Loc. fam. *Avoir un verre dans le nez,* être ivre. ≠ *vair, ver, vers, vert.* ▶ *verrerie* n. f. **1.** Fabrique, usine où l'on fait et où l'on travaille le verre ; fabrication du verre. ⇒ **cristallerie, miroiterie, optique, vitrerie. 2.** Commerce du verre, des objets en verre ; ces objets. *Le rayon de verrerie d'un grand magasin.* ▶ *verrier* n. m. **1.** Personne qui fabrique le verre, des objets en verre. **2.** Artiste qui fait des vitraux ; peintre sur verre. ▶ *verrière* n. f. **1.** Grande ouverture ornée de vitraux. *Les verrières de la cathédrale de Chartres.* **2.** Grand vitrage ; toit vitré (d'une véranda, etc.). *La verrière d'une gare.* ▶ *verroterie* n. f. ▪ Verre coloré et travaillé, dont on fait des bijoux et des ornements. *De la verroterie. Bijoux en verroterie.* ⟨ ▶ **sous-verre** ⟩

verrou [veʀu] n. m. ▪ Système de fermeture constitué par une pièce de métal allongée qui coulisse horizontalement de manière à s'engager dans un crampon ou une gâchette (comme le pêne d'une serrure). ⇒ **targette.** *Pousser, tirer le verrou* (pour fermer et ouvrir). — Loc. *Mettre qqn* SOUS LES VERROUS : l'enfermer, l'emprisonner. *Être sous les*

verrous, en prison. ▶ *verrouiller* v. tr. ▪ conjug. 1. ▪ Fermer à l'aide d'un verrou. / contr. **déverrouiller /** *Verrouiller une porte, une fenêtre.* ▶ *verrouillage* n. m. ▪ Le fait de verrouiller ; manière dont une ouverture est verrouillée. ⟨ ▶ **déverrouiller** ⟩

verrue [veʀy] n. f. **1.** Petite excroissance cornée de la peau (aux mains, aux pieds, à la face). **2.** Littér. Ce qui défigure, enlaidit. *Ce quartier misérable est une verrue au milieu de la ville.* ▶ *verruqueux, euse* adj. ▪ En forme de verrue ; qui a des verrues (1).

① **vers** [vɛʀ] prép. **1.** En direction de. *Courir vers la sortie. Il venait vers moi. S'avancer, marcher vers l'ennemi.* ⇒ **à, sur.** — *Tourner la tête vers qqn.* **2.** Fig. (Pour marquer le terme d'une évolution ou d'une tendance) *C'est un pas vers la découverte de la vérité.* — (Avec ellipse du verbe dans les titres de journaux) *Vers la résolution du conflit.* **3.** Du côté de (sans mouvement). *Vers le nord, il y a un village.* — Aux environs de. *Nous nous sommes arrêtés vers Fontainebleau.* **4.** À peu près (à telle époque). ⇒ **environ, sur.** *Vers (les) cinq heures. Vers le milieu de sa vie.*

② **vers** [vɛʀ] n. m. invar. **1.** *Un vers,* fragment d'énoncé formant une unité rythmique définie par des règles concernant la longueur, l'accentuation, ou le nombre des syllabes. *Un vers de douze syllabes est un alexandrin. Vers réguliers,* conformes aux règles de la versification traditionnelle. *Vers libres,* non rimés et irréguliers. *Suite de vers.* ⇒ **quatrain, strophe, tercet ; poème. 2.** *Les vers,* l'écriture en vers. *Composer, écrire, faire des vers,* de la poésie versifiée. *Réciter des vers.* ≠ *vair, ver, verre, vert.* ⟨ ▶ **verset,** versifier ⟩

versant [vɛʀsɑ̃] n. m. ▪ Chacune des deux pentes d'une montagne ou d'une vallée.

versatile [vɛʀsatil] adj. ▪ Qui change facilement de parti, d'opinion. ⇒ **changeant, inconstant.** *Une opinion publique versatile.* / contr. **entêté, persévérant /** ▶ *versatilité* n. f. ▪ Caractère versatile.

à **verse** [avɛʀs] loc. adv. ▪ En abondance (se dit de la pluie qui tombe). *Il pleuvait à verse* (⇒ **averse**).

versé, ée [vɛʀse] adj. ▪ Littér. *Versé dans,* expérimenté et savant (en une matière), qui en a une longue expérience. *Il est très versé dans la littérature chinoise.*

Verseau [vɛʀso] n. m. invar. ▪ Onzième signe du zodiaque (20 janvier – 18 février). *Être du signe du Verseau, être du Verseau.* — Ellipt. Invar. *Elles sont Verseau.*

verser [vɛʀse] v. ▪ conjug. 1. **I.** V. tr. **1.** Faire tomber, faire couler (un liquide) d'un récipient qu'on incline. *Verser du vin dans un verre.* — Servir une boisson. *Verser le café. Verse-nous à boire. Elle s'est versé du champagne.* **2.** Répandre. *Verser des larmes, des pleurs,* pleurer. *Verser le sang,* le faire couler en blessant, en tuant. *Verser son sang,* être blessé, ou mourir pour une cause. **3.** Déverser, répandre. *On a versé du sable dans la cour.* — Donner en répandant. ⇒ **prodiguer.** *Verser l'or à pleines mains.* **4.** Apporter (de l'argent) à titre de paiement, de dépôt, de mise de fonds. ⇒ **payer.** *Les sommes à verser. Verser des intérêts.* — Déposer, annexer des documents. *Verser une pièce au dossier.* **5.** Affecter (qqn) à une arme, à un corps. ⇒ **incorporer.** *On l'a versé dans l'infanterie.* **II.** V. intr. **1.** Basculer et tomber sur le côté. ⇒ **culbuter, se renverser.** *Sa voiture a versé dans le fossé.* **2.** Fig. VERSER DANS... : tomber. *Dans ce roman, l'auteur a versé dans la facilité.* ▶ *versement* n. m. ▪ Action de verser de l'argent. ⇒ **paiement.** *S'acquitter en plusieurs versements. Versements mensuels.* ⇒ **mensualité.** ⟨ ▶ versant, à verse, Verseau, verseur, versoir ⟩

verset [vɛʀsɛ] n. m. **1.** Paragraphe (d'un texte sacré). *Versets de la Bible, d'un psaume.* **2.** Dans la liturgie. Brève formule ou maxime, récitée ou chantée à l'office. **3.** Phrase ou suite de phrases rythmées d'une seule respiration, découpées dans un texte poétique.

verseur [vɛʀsœʀ] n. et adj. m. **1.** N. Appareil servant à verser (1). **2.** Adj. m. Qui sert à verser. *Bec verseur, bouchon verseur.* ▸ *verseuse* n. f. ■ Cafetière en métal à poignée droite.

versifier [vɛʀsifje] v. tr. ▪ conjug. 7. ■ Mettre en vers (surtout au p. p. adj.). *Œuvre versifiée.* ▸ *versificateur, trice* n. ■ Faiseur(euse) de vers. ▸ *versification* n. f. **1.** Technique du vers régulier (⇒ **poésie**). *Les règles de la versification.* ⇒ **métrique, prosodie. 2.** Technique du vers propre à un poète. *La versification de Verlaine.*

version [vɛʀsjɔ̃] n. f. **1.** Traduction (d'un texte en langue étrangère) dans sa propre langue (opposé au *thème*). *Version latine.* **2.** Chacun des états d'un texte qui a subi des modifications. *Les différentes versions de la Chanson de Roland.* — *Film en version originale* (abrév. *V.O.*), avec la bande sonore originale. *Film américain en version française, doublé.* **3.** Manière de rapporter, de présenter, d'interpréter un fait, une série de faits. ⇒ **interprétation.** *Selon la version du témoin.*

verso [vɛʀso] n. m. ■ Envers d'un feuillet (opposé à *recto*). *Au verso.* ⇒ **dos.** *Des versos.*

versoir [vɛʀswaʀ] n. m. ■ Pièce de la charrue qui rabat sur le côté la terre détachée par le soc.

verste [vɛʀst] n. f. ■ Ancienne mesure de longueur (un peu plus de 1 km), en Russie.

vert, verte [vɛʀ, vɛʀt] adj. et n. **I.** Adj. **1.** Intermédiaire entre le bleu et le jaune ; qui a la couleur dominante de la végétation. *Couleur verte des plantes à chlorophylle* (⇒ **verdure**). *Chêne vert,* à feuilles persistantes. *Lézard vert.* — *Feu, signaux verts,* indiquant que la voie est libre. Loc. *Donner le* FEU VERT *à...* : permettre d'entrer en action, d'agir. — Par exagér. *Le teint vert d'un malade. Être vert de peur.* ⇒ **blême, bleu.** — *Bleu-vert, gris-vert,* tirant sur le vert. *Des robes gris-vert.* **2.** (Céréales, fruits) Qui n'est pas mûr ; qui a encore de la sève. ⇒ contr. **blet, passé, sec /** *Blé vert. Bois vert. Légumes verts* (consommés non séchés). — *En voir, en dire des vertes et des pas mûres,* voir, dire des choses scandaleuses, choquantes. — *Vin vert,* qui n'est pas fait. ⇒ **jeune. 3.** (Personnes) Qui a de la vigueur, de la verdeur. *Un vieillard encore vert.* ⇒ **gaillard, vaillant. 4.** *Langue verte.* ⇒ **argot. 5.** Relatif à la nature, à la campagne, à l'environnement. *L'Europe verte,* la Communauté européenne agricole. *Moto verte,* pratiquée à la campagne, hors des grandes routes. — *Un candidat vert,* écologiste. N. m. *Un, des vert(s).* **II.** N. m. **1.** Couleur verte. *Le vert est complémentaire du rouge. Vert foncé, vert tendre. Vert amande, vert pomme. Vert d'eau.* **2.** Se dit de feuilles vertes, de la verdure (dans des expressions). — *Fourrage frais. Mettre un cheval au vert,* le nourrir au fourrage frais. — Fam. *Se mettre au vert,* prendre du repos à la campagne. ‹ ▸ pivert, verdâtre, verdeur, verdier, verdir, verdoyer, verdure, verjus, vert-de-gris, vertement ›

vert-de-gris [vɛʀdəgʀi] n. m. invar. et adj. invar. **1.** N. m. invar. Dépôt verdâtre qui se forme à l'air humide sur le cuivre, le bronze, etc. **2.** Adj. invar. D'un vert grisâtre. *Des uniformes vert-de-gris.* ▸ *vert-de-grisé, ée* adj. ■ Couvert de vert-de-gris. *Une statue vert-de-grisée.*

vertèbre [vɛʀtɛbʀ] n. f. ■ Chacun des os qui forment la colonne vertébrale (support du tronc chez les vertébrés, chez l'homme). *Elle s'est déplacé une*

vertèbre. ▸ *vertébral, ale, aux* adj. ■ Des vertèbres. *Colonne vertébrale.* ▸ *vertébré, ée* adj. et n. **1.** Adj. Qui a des vertèbres, un squelette. *Animaux vertébrés et invertébrés.* **2.** N. m. pl. LES VERTÉBRÉS : embranchement du règne animal formé des animaux qui possèdent une colonne vertébrale constituée de vertèbres osseuses ou cartilagineuses (poissons, batraciens, reptiles, oiseaux, mammifères). / contr. **invertébré /**

vertement [vɛʀtəmɑ̃] adv. ■ Avec vivacité, rudesse. *Reprendre vertement qqn.*

vertical, ale, aux [vɛʀtikal, o] adj. et n. **1.** Adj. Qui suit la direction de la pesanteur, du fil à plomb en un lieu ; perpendiculaire à l'horizontale. *Ligne verticale. Station verticale de l'homme.* ⇒ **debout.** / contr. **horizontal, oblique / 2.** N. f. Ligne, position verticale. *Une verticale.* — Loc. adv. À LA VERTICALE : dans la direction de la verticale. *Hélicoptère qui se pose à la verticale.* ⇒ **verticalement.** *Falaise à la verticale.* ▸ *verticalement* adv. ■ En suivant une ligne verticale. ⇒ à **plomb.** / contr. **horizontalement, obliquement /** *La pluie tombe verticalement* ▸ *verticalité* n. f. ■ Caractère, position de ce qui est vertical. *Vérifier la verticalité d'un mur.* ⇒ **aplomb.**

vertige [vɛʀtiʒ] n. m. **1.** Impression par laquelle une personne croit que les objets environnants et elle-même sont animés d'un mouvement circulaire ou d'oscillations. ⇒ **éblouissement, étourdissement.** *Avoir un vertige, des vertiges.* **2.** Peur pathologique de tomber dans le vide. *Je ne peux monter par cette échelle, j'ai le vertige. Ça me donne le vertige. À chaque vertige,* très haut, très impressionnant. **3.** État d'une personne qui ne sait plus ce qu'elle fait, où elle en est. ⇒ **égarement, trouble.** *Le vertige du succès,* la tentation. ▸ *vertigineux, euse* adj. ■ Très haut, très grand, en parlant de ce qui pourrait donner le vertige (2). *Des hauteurs, des vitesses vertigineuses.* — Fig. Très grand. *Augmentation, hausse vertigineuse des prix.* ⇒ **fantastique, terrible.** ▸ *vertigineusement* adv.

vertu [vɛʀty] n. f. **I. 1.** Vieilli ou littér. Force avec laquelle l'être humain tend au bien ; force morale appliquée à suivre la règle, la loi morale ; cette règle, cette loi morale (opposé à *vice*). — Loc. fam. *Il a de la vertu,* il a du mérite (à faire cela). **2.** Littér. Conduite, vie vertueuse. **3.** Vieilli ou plaisant. Chasteté ou fidélité sentimentale, conjugale (d'une femme). *Femme de petite vertu,* de mœurs légères. **4.** UNE, LES VERTUS : disposition à accomplir des actes moraux par un effort de volonté ; qualité portée à un haut degré. *Parer qqn de toutes les vertus,* lui attribuer toutes les qualités. Relig. catholique. *Les quatre vertus cardinales,* courage, justice, prudence, tempérance. *Les trois vertus théologales,* charité, espérance, foi. **II. 1.** Littér. Principe qui, dans une chose, est considéré comme la cause des effets qu'elle produit. ⇒ **pouvoir, propriété.** *Vertu médicale, curative des plantes.* — *La vertu réparatrice du temps.* **2.** EN VERTU DE loc. prép. : par le pouvoir de, au nom de. *Ce qu'on nous impose en vertu de ces principes moraux. En vertu de quoi accepterait-il ?* ▸ *vertueux, euse* adj. **1.** Vieilli. (Personnes) Qui a des vertus, des qualités morales. ⇒ **honnête, moral, sage.** / contr. **corrompu, malhonnête / 2.** Vieilli (Femme) Qui est chaste ou fidèle. ⇒ **honnête, pur. 3.** Littér. (Choses) Qui a le caractère de la vertu. *Action, conduite vertueuse.* ▸ *vertueusement* adv. ‹ ▸ s'évertuer ›

vertugadin [vɛʀtygadɛ̃] n. m. ■ Bourrelet, armature autrefois portée par les femmes pour faire bouffer la jupe autour des hanches. ⇒ **panier.**

verve [vɛʀv] n. f. ■ Qualité brillante, imagination et fantaisie dans la parole. ⇒ **brio.** *La verve d'un* *orateur.* — *Être* EN VERVE : être plus brillant qu'à l'ordinaire.

verveine [vɛʀvɛn] n. f. **1.** Plante dont une espèce a des vertus calmantes. *Verveine odorante,* cultivée pour son parfum (citronnelle). **2.** Infusion de verveine officinale. *Boire une tasse de verveine.*

vésical, ale, aux [vezikal, o] adj. ■ De la vessie. *Artères vésicales. Calculs vésicaux.*

vésicatoire [vezikatwaʀ] n. m. ■ Remède pour provoquer une révulsion locale et le soulèvement de l'épiderme.

vésicule [vezikyl] n. f. ■ Cavité, réservoir ou petit sac membraneux (comparés à de petites vessies). — *Vésicule (biliaire),* réservoir membraneux situé à la face inférieure du foie et qui emmagasine la bile.

vespasienne [vɛspazjɛn] n. f. ■ Urinoir public pour hommes. ⇒ fam. **pissotière.**

vespéral, ale, aux [vɛspeʀal, o] adj. ■ Littér. Du soir, du couchant. *Des lueurs vespérales.*

vessie [vesi] n. f. **1.** Organe creux dans lequel s'accumule l'urine. *Inflammation de la vessie, cystite. Calculs, pierres dans la vessie.* **2.** Vessie desséchée d'un animal, formant sac. *Vessie d'un ballon.* Loc. *Prendre des vessies pour des lanternes,* se tromper. **3.** (Chez certains poissons) *Vessie natatoire,* sac membraneux relié à l'œsophage, qui, en se remplissant plus ou moins de gaz, règle l'équilibre de l'animal dans l'eau. ⟨ ▶ vésicule ⟩

vestale [vɛstal] n. f. ■ Dans l'antiquité romaine. Prêtresse de Vesta, vouée à la chasteté et chargée d'entretenir le feu sacré.

veste [vɛst] n. f. **1.** Vêtement court (à la taille ou aux hanches), avec manches, ouvert devant, et qui se porte sur la chemise, le gilet. *Veste droite, croisée.* ⇒ **veston.** *Veste de tailleur* (femmes). *Veste de sport.* ⇒ **blazer.** *Porter une veste. Enlever, ôter sa veste.* Fam. *Tomber la veste.* — *Veste de pyjama,* partie du pyjama couvrant le torse. **2.** Loc. fam. *Ramasser, prendre une veste,* subir un échec. — Fam. *Retourner sa veste,* changer brusquement d'opinion, de parti. ⟨ ▶ veston ⟩

vestiaire [vɛstjɛʀ] n. m. **1.** Lieu où l'on dépose momentanément les vêtements d'extérieur (manteaux), les parapluies, cannes, etc., dans certains établissements publics. *Vestiaire d'un théâtre, d'un restaurant. La dame du vestiaire.* **2.** Partie d'un stade, d'un gymnase, etc., où les sportifs se changent. — Fam. *Au vestiaire !,* cri hostile à l'égard de joueurs, d'acteurs. **3.** Meuble ou endroit d'un logement aménagé pour déposer les vêtements. *Les vestiaires des employés.* **4.** Ensemble de vêtements d'une garde-robe. *Renouveler son vestiaire.*

vestibule [vɛstibyl] n. m. ■ Pièce d'entrée (d'un édifice, d'une maison, d'un appartement). ⇒ **anti-chambre, entrée.** *Attendre dans un vestibule.*

vestige [vɛstiʒ] n. m. — REM. S'emploie surtout au plur. **1.** Ce qui demeure (d'une chose détruite, disparue, d'un groupe d'hommes, d'une société). *Les vestiges d'un temple, d'une armée.* **2.** Ce qui reste (d'une chose abstraite : idée, sentiment ; d'un caractère). *Vestiges de grandeur.* ⇒ **marque, reste, trace.**

vestimentaire [vɛstimɑ̃tɛʀ] adj. ■ Qui a rapport aux vêtements. *Dépense vestimentaire.*

veston [vɛstɔ̃] n. m. ■ Veste d'un complet d'homme. *Être en veston. Des complets-veston.*

vêtement [vɛtmɑ̃] n. m. **1.** LES VÊTEMENTS : habillement (comprenant le linge mais non les chaussures) ; en particulier les vêtements de dessus (opposé à *sous-vêtements*). ⇒ **habillement, habits** ; fam. **fringues, frusques, nippes.** *Vêtements neufs, usés, en loques.* ⇒ **guenille, haillon.** *Vêtements de travail, de tous les jours, du dimanche. Vêtements habillés, de ville, de sport. Mettre ses vêtements.* ⇒ s'**habiller,** se **vêtir.** *Des vêtements.* ⇒ **vestimentaire.** **2.** LE VÊTEMENT (sing. collectif) : les vêtements. *Industrie, commerce du vêtement.* **3.** UN VÊTEMENT : une pièce de l'habillement de dessus (manteau, veste). *Je vais chercher un vêtement et je sors avec vous.* ⟨ ▶ sous-vêtement ⟩

vétéran [veteʀɑ̃] n. m. **1.** Ancien combattant. *Les vétérans de la guerre de 14.* **2.** Personne pleine d'expérience (dans un domaine). *Un vétéran de l'enseignement.* ⇒ **ancien.** / contr. **bleu, nouveau** /

vétérinaire [veteʀinɛʀ] adj. et n. **1.** Adj. Qui a rapport au soin des bêtes (animaux domestiques, bétail). *Art vétérinaire.* **2.** N. *Un, une vétérinaire,* médecin vétérinaire, qui soigne les animaux. — Abrév. fam. VÉTO.

vétille [vetij] n. f. ■ Chose insignifiante. ⇒ **baga-telle, détail, rien.** *Ergoter sur des vétilles.* ▶ *vétilleux, euse* adj. ■ Littér. Qui s'attache à des détails, à des vétilles.

vêtir [vetiʀ] v. tr. ■ conjug. 20. **1.** Littér. Couvrir (qqn) de vêtements ; mettre un vêtement à (qqn). *Vêtir un enfant.* ⇒ **habiller. 2.** Littér. SE VÊTIR v. pron. réfl. : s'habiller. / contr. se **dévêtir** / ▶ *vêtu, ue* adj. ■ Qui porte un vêtement. ⇒ **habillé.** *Être bien vêtu, mal vêtu, à demi-vêtu.* / contr. **nu** / *Chaudement vêtu.* ⟨ ▶ dévêtir, revêtir, vêtement ⟩

vétiver [vetivɛʀ] n. m. **1.** Plante tropicale dont l'odeur éloigne les insectes et dont la racine est utilisée en parfumerie. **2.** Parfum de la racine de cette plante.

veto [veto] n. m. invar. ■ Opposition à une décision. *Droit de veto. Mettre son veto à une décision. Des veto.*

vétuste [vetyst] adj. ■ Qui est vieux, n'est plus en bon état (choses, bâtiments et installations). *Maison vétuste.* ⇒ **délabré.** ▶ *vétusté* n. f. ■ Littér. État de ce qui est vétuste, abîmé par le temps. ⇒ **délabrement.**

veuf, veuve [vœf, vœv] adj. et n. **1.** Adj. Dont le conjoint est mort. *Il est veuf de deux femmes.* **2.** N. Personne veuve. *Épouser un veuf.* — Loc. iron. *Défenseur de la veuve et de l'orphelin,* des personnes sans appui (se dit des avocats). ▶ *veuvage* n. m. ■ Situation, état d'une personne veuve et non remariée. *Elle s'est remariée après une année de veuvage.*

veule [vøl] adj. ■ Qui n'a aucune énergie, aucune volonté. ⇒ **avachi, faible, lâche, mou.** *Il est veule et hypocrite.* — *Un air veule.* / contr. **énergique, ferme** / ▶ *veulerie* n. f. ■ Caractère, état d'une personne veule. ⇒ **apathie, faiblesse, lâcheté.**

vexer [vɛkse] v. tr. ■ conjug. 1. **1.** Blesser (qqn) dans son amour-propre. ⇒ **désobliger, froisser, humilier, offenser.** *Je ne voulais pas vous vexer.* — (Avec *de* + infinitif) *Il est vexé d'avoir raté son examen.* (Avec *que* + subjonctif) *Elle est vexée que tu ne viennes pas.* — Au p. p. adj. *Facilement vexé.* ⇒ **susceptible. 2.** SE VEXER v. pron. passif. : être vexé, se piquer. *Il se vexe d'un rien.* ⇒ se **fâcher,** se **formaliser,** se **froisser.** ▶ *vexant, ante* adj. **1.** Qui contrarie, peine. ⇒ **contrariant, irritant.** *Nous avons raté le train, c'est vexant !* ⇒ **rageant. 2.** Qui blesse l'amour-propre. *Une remarque, un refus vexant.* ⇒ **blessant.** — (Personnes) *Il est vexant.* ▶ *vexation* n. f. ■ Littér. Action de maltraiter ; son résultat. ⇒ **brimade, persécution. 2.** Blessure, froissement d'amour-propre. ⇒ **humilia-tion, mortification.** *Essuyer des vexations.* ▶ *vexa-*

toire adj. ■ Qui a le caractère d'une vexation (1). *Mesure vexatoire.*

via [vja] prép. ■ Par la voie de, en passant par. ⇒ **par.** *Aller de Paris à Alger via Marseille.*

① *viabilité* [vjabilite] n. f. ■ État d'un chemin, d'une route où l'on peut circuler. — Ensemble des travaux d'aménagement (voirie, égouts, adductions) à exécuter avant de construire sur un terrain.

viable [vjabl] adj. **1.** Apte à vivre ; qui peut avoir une certaine durée de vie. *Cet enfant n'est pas viable.* **2.** Qui présente les conditions nécessaires pour durer, se développer. ⇒ **durable.** *Entreprise viable.* ► ② *viabilité* n. f. **1.** État d'un organisme (et notamment d'un embryon) viable. **2.** État de ce qui peut se développer. *La viabilité d'un projet.*

viaduc [vjadyk] n. m. ■ Pont de grande longueur servant au passage d'une voie ferrée, d'une route. *La voie emprunte plusieurs viaducs et un tunnel.*

viager, ère [vjaʒe, ɛʀ] adj. et n. ■ Qui doit durer pendant la vie d'une personne et pas au-delà. *Rente viagère.* — N. m. *Le viager,* la rente viagère. *Vendre une maison* EN VIAGER : moyennant une rente viagère.

viande [vjɑ̃d] n. f. **1.** Chair des mammifères et des oiseaux que l'homme emploie pour sa nourriture (surtout des animaux de boucherie). *Viande rouge,* le bœuf, le cheval, le mouton. *Viande blanche,* la volaille, le veau, le porc. *Viande en sauce. Jus de viande. Viande froide. Viande bien cuite, à point ; viande saignante, bleue.* — Chair d'animal dont un autre animal se nourrit. *Animal qui se nourrit de viande.* ⇒ **carnassier, carnivore. 2.** Fam. Chair de l'homme, corps. *Amène ta viande !,* viens ! *Étaler sa viande,* se dénuder. — Loc. fam. *Il va y avoir de la viande froide,* un mort, des morts, une tuerie.

viatique [vjatik] n. m. **1.** Communion portée à un mourant. *Recevoir le viatique.* **2.** Littér. Soutien, secours indispensable.

vibrer [vibʀe] v. intr. . conjug. 1. **1.** Se mouvoir périodiquement autour de sa position d'équilibre avec une très faible amplitude et une très grande rapidité ; être en vibration (ondes*). *Faire vibrer un diapason, une cloche.* **2.** (Voix) Avoir une sonorité tremblée qui dénote une émotion intense. *Sa voix vibrait d'émotion.* **3.** Être vivement ému, exalté. *Faire vibrer son auditoire.* ► *vibrant, ante* adj. **1.** Qui vibre (1), est en vibration. — *Consonne vibrante* et, n. f., *une vibrante,* produite par la vibration de la langue [l] ou du gosier [ʀ]. *Une voix forte et vibrante,* très sonore. **2.** Qui vibre (2), exprime ou trahit une forte émotion. *Discours vibrant,* pathétique. ► *vibraphone* [vibʀafɔn] n. m. ■ Instrument de musique formé de plaques métalliques vibrantes, que l'on frappe à l'aide de marteaux. ► *vibraphoniste* n. ■ Musicien(ienne) qui joue du vibraphone. ► *vibration* n. f. **1.** Mouvement, état de ce qui vibre ; effet qui en résulte (son et ébranlement). *Vibration de moteur.* **2.** En physique. Mouvement de va-et-vient d'un point matériel déplacé de sa position d'équilibre et qui y est ramené par l'effet de forces complexes, analysées au moyen d'une fonction harmonique. *Vibrations lumineuses, sonores, électromagnétiques.* **3.** Tremblement. *La vibration d'une voix.* — *Vibration de l'air, de la lumière,* impression de tremblotement que donne l'air chaud. ► *vibratoire* adj. **1.** Formé par une série de vibrations. *Phénomène vibratoire.* **2.** Qui s'effectue en vibrant, en faisant vibrer. *Massage vibratoire* (⇒ *vibromasseur*). ► *vibrato* n. m. ■ Tremblement rapide d'un son ⇒ **trémolo,** utilisé dans la musique vocale ou par les instruments, en jazz. *Des vibratos.* ► *vibreur* n. m. ■ Élément qui produit,

transmet une vibration. — Sonnerie sans timbre. *Le vibreur d'un téléphone.* ► *vibromasseur* n. m. ■ Appareil électrique qui produit des massages par vibration. ⟨ ► ① vibrion, ② vibrion ⟩

① *vibrion* [vibʀijɔ̃] n. m. ■ En sciences. Bactérie de forme incurvée.

② *vibrion* n. m. ■ Fam. Personne agitée. ► *vibrionner* v. intr. conjug. 1. ■ Fam. S'agiter sans cesse. *Arrête de vibrionner autour de nous !*

vicaire [vikɛʀ] n. m. **1.** Celui qui exerce en second les fonctions attachées à un office ecclésiastique. — Prêtre qui aide et remplace éventuellement le curé. **2.** *Le vicaire de Dieu,* le pape. ► *vicariat* n. m. ■ Fonction, dignité de vicaire, durée de cette fonction.

vice [vis] n. m. ≠ *vis.* **I. 1.** LE VICE : disposition habituelle au mal ; conduite qui en résulte. ⇒ **immoralité, mal, péché.** / contr. **vertu** / *Vivre dans le vice et la débauche.* — Fam. Dépravation du goût. *Il n'aime que les laiderons : c'est du vice !* **2.** UN VICE : mauvais penchant, défaut grave que réprouve la morale sociale. *Il a tous les vices ! Être pourri de vices.* — PROV. *L'oisiveté (la paresse) est mère de tous les vices. Pauvreté n'est pas vice.* — Perversion sexuelle. *Un vice contre nature.* **3.** Mauvaise habitude qu'on ne peut réprimer. *Le bavardage est notre vice familial.* ⇒ **faible, faiblesse, travers. II.** Imperfection grave qui rend une chose plus ou moins impropre à sa destination. ⇒ **défaut, défectuosité.** *Vice de construction d'un bâtiment.* — *Vice de forme,* absence d'une formalité obligatoire qui rend nul un acte juridique. ⟨ ► vicelard, vicier, vicieux ⟩

vice- ■ Particule invariable signifiant « à la place de », formant des noms de grades, de fonctions immédiatement inférieures (ex. : *vice-amiral, vice-consul, vice-légat,* etc.). ► *vice-président, ente* n. ■ Personne qui seconde ou supplée le président, la présidente. *La vice-présidente d'une société. Les deux vice-présidents.* ► *vice-présidence* n. f. ■ Fonction de vice-président. ► *vice-roi* n. m. ■ Celui à qui un roi, un empereur a délégué son autorité pour gouverner un royaume, ou une province ayant eu titre de royaume. *Des vice-rois.* ⟨ ► vicomte ⟩

vicelard, arde [vislaʀ, aʀd] adj. et n. Fam. **1.** Un peu vicieux. *Un air vicelard.* — N. *Un, une vicelarde.* **2.** Malin, rusé et pas très honnête.

vice versa [visevɛʀsa ; visvɛʀsa] loc. adv. ■ Réciproquement, inversement.

vichy [viʃi] n. m. **1.** Toile de coton à carreaux ou rayée. *Tablier de vichy bleu et blanc.* **2.** Eau minérale de Vichy. — *Garçon ! Un vichy !,* un verre de vichy. *Un vichy fraise* (au sirop de fraise).

vicier [visje] v. tr. . conjug. 7. Littér. **1.** En droit. Rendre défectueux. *Cette incompatibilité ne vicie pas l'élection.* **2.** Littér. Corrompre. ⇒ **polluer.** *Des fumées d'usine vicient l'air.* — Pronominalement (passif). *L'air s'est vicié.* / contr. **purifier** / ► *vicié, ée* adj. ■ Impur, pollué. *Air vicié.* / contr. **pur, sain** / ≠ *vicieux.*

vicieux, euse [visjø, øz] adj. **I. 1.** Littér. Qui a des vices, de mauvais penchants. ⇒ **corrompu, dépravé.** / contr. **vertueux** / — Se dit d'une bête ombrageuse et rétive. *Cheval vicieux.* — En sport. Qui n'est pas envoyé, exécuté franchement. *Une balle vicieuse.* **2.** Qui a des mœurs sexuelles que la société réprouve. ⇒ **pervers** ; fam. **vicelard.** *Il est un peu vicieux.* — N. *Un vieux vicieux.* ⇒ **débauché, libertin, satyre. 3.** Fam. Qui a des goûts dépravés, bizarres. *Il faut être vicieux pour aimer ça.* ≠ *vicié.* **II.** (Choses) Défectueux, mauvais, entaché de vices (II). *Expression vicieuse.* ⇒ **fautif.** / contr. **correct** /

vicinal, ale, aux [visinal, o] adj. ■ *Chemin vicinal*, route étroite qui met en communication des villages.

vicissitudes [visisityd] n. f. pl. ■ Littér. Choses bonnes et mauvaises, événements heureux et surtout malheureux qui se succèdent dans la vie. *Les vicissitudes de l'existence.* ⇒ **tribulation.**

vicomte, esse [vikɔ̃t, ɛs] n. **1.** N. m. Titre de noblesse au-dessous du comte. **2.** N. f. Titre de noblesse au-dessous de la comtesse. — Femme du vicomte.

victime [viktim] n. f. **1.** Créature vivante offerte en sacrifice aux dieux. *Immoler, égorger une victime.* **2.** Personne qui subit la haine, les injustices de qqn, ou qui souffre (d'un état de choses). *Les victimes d'un tyran. Se prendre pour une victime. Victime de la calomnie. Il est victime de son dévouement.* **3.** Personne tuée ou blessée. *La catastrophe a fait plus de cent victimes.* ⇒ **mort.** / contr. **rescapé** / *Le corps de la victime* (d'un meurtre). — Personne arbitrairement tuée, condamnée à mort. *Les victimes du nazisme.*

victoire [viktwar] n. f. **1.** Succès obtenu dans un combat, une bataille, une guerre. / contr. **défaite, déroute** / *Ils ont remporté la victoire. Victoire éclatante. La fête nationale* (française) *de la Victoire* (de 1918), *le 11 novembre.* **2.** Heureuse issue d'une lutte, d'une opposition, d'une compétition, pour la personne qui a eu l'avantage. ⇒ **triomphe.** *Une victoire facile.* / contr. **échec** / *Crier, chanter victoire,* se glorifier d'une réussite. — (Sports, jeux) Situation de la personne, du groupe qui gagne contre qqn. *Victoire d'une équipe sportive.* ▶ **victorieux, euse** adj. **1.** Qui a remporté une victoire (1). ⇒ **vainqueur.** / contr. **vaincu** / *Armée, troupes victorieuses.* **2.** Qui l'a emporté sur qqn. *Sortir victorieux d'une dispute.* — *L'équipe victorieuse.* ▶ **victorieusement** adv.

victoria [viktɔrja] n. f. ■ Ancienne voiture à cheval découverte, à quatre roues.

victuailles [viktɥaj] n. f. pl. ■ Provisions de bouche. ⇒ **vivres.** *Nous avons partagé nos victuailles.*

vidange [vidɑ̃ʒ] n. f. **1.** Action de vider (surtout en parlant d'opérations techniques ou sales). *Faire la vidange d'un fossé, du réservoir d'huile d'une voiture. Vidange et graissage.* — Opération par laquelle on vide une fosse d'aisances. **2.** Ce qui est enlevé, vidé. *Évacuation des vidanges.* **3.** Mécanisme qui sert à vider, à évacuer l'eau. *La vidange d'un lavabo* (bonde à soupape). ▶ **vidanger** v. tr. ■ conjug. 3. **1.** Faire la vidange de (une fosse, un réservoir). *Vidanger une cuve.* ⇒ **purger.** **2.** Évacuer par une vidange. *Vidanger l'huile d'un moteur.* ▶ **vidangeur, euse** n. ■ Personne qui fait la vidange des fosses d'aisances.

vide [vid] adj. et n. m. **I.** Adj. **1.** Qui ne contient rien de perceptible ; dans lequel il n'y a ni solide ni liquide. *Espace vide entre deux choses. Ensemble vide,* qui n'a aucun élément. **2.** Dépourvu de son contenu normal. / contr. **plein, rempli** / *Bouteille vide. Louer un appartement vide,* sans meubles (opposé à *meublé*). — Loc. *Avoir l'estomac, le ventre vide.* ⇒ **creux.** *Rentrer les mains vides,* sans rapporter ce que l'on allait chercher. **3.** (Local, lieu) Inoccupé. *La maison est vide,* il n'y a personne dedans. *Paris est à moitié vide au mois d'août.* ⇒ **désert.** *Place vide.* ⇒ **libre, vacant.** **4.** (Durée) Qui n'est pas employé, occupé comme il pourrait l'être ; sans occupation. *Des journées vides, ennuyeuses.* **5.** *Avoir la tête vide,* ne plus avoir momentanément sa présence d'esprit, ses connaissances et ses souvenirs. **6.** Qui manque d'intérêt, de substance. ⇒ **creux, vain.** *Des propos vides.* ⇒ **insignifiant ; vacuité.** **7.** (Surface) Qui n'est pas

couvert, recouvert. ⇒ **nu.** *Murs vides.* **8.** VIDE DE : qui ne contient, ne renferme, ne possède pas (ce qu'il devrait normalement contenir). ⇒ **sans.** *Rues vides de voitures.* — *Mots vides de sens.* **II.** N. m. **1.** Espace qui n'est pas occupé par de la matière ; abaissement très important de la pression d'un gaz. *Faire le vide en aspirant l'air. Nettoyage par le vide.* **2.** Espace non occupé par des choses ou des personnes. *Faire le vide autour de qqn,* écarter tout le monde de lui. *Il a fait le vide autour de lui,* il s'est isolé ; il n'a plus d'amis. — Espace où il n'y a aucun corps solide susceptible de servir d'appui. *Nous étions au-dessus du vide.* — *Il regardait dans le vide,* dans le vague. — *Parler dans le vide,* sans objet ou sans auditeur. **3.** UN VIDE : espace vide ou solution de continuité. ⇒ **espace, fente, ouverture.** *Boucher un vide.* — Ce qui est ressenti comme un manque. *Son départ fait un grand vide.* **4.** Caractère de ce qui manque de réalité, d'intérêt. *Le vide de l'existence.* ⇒ **néant, vacuité.** / contr. **plénitude** / **5.** À VIDE loc. adv. : sans rien contenir. *L'autobus est parti à vide.* — Sans avoir l'effet (matériel) normalement attendu. *Rouage qui tourne à vide. Il raisonne à vide.* — Loc. PASSAGE À VIDE : moment où un mécanisme tourne à vide ; moment où une activité s'exerce sans effet utile ; baisse de l'efficacité d'une personne due à la maladie, à la fatigue, etc. *Elle a eu un passage à vide après ses examens.*

vidé, ée [vide] adj. **1.** (Choses) ⇒ **vider** (I). **2.** (Personnes) Épuisé de fatigue. ⇒ **éreinté, fatigué, fourbu ;** fam. **crevé, lessivé.** — Qui n'a plus de ressources morales, intellectuelles. *Écrivain fini, vidé.*

vidéo [video] n. f. et adj. invar. ■ N. f. (Abrév. de *vidéophonie*) Technique audiovisuelle permettant d'enregistrer sur un support magnétique l'image et le son au moyen d'un magnétoscope, puis de reproduire cet enregistrement sur un écran de télévision. — Adj. invar. ou en appos. *Bande vidéo. Technique vidéo. Disque vidéo* (ou *vidéodisque*). *Jeux vidéo,* jeux qui utilisent un écran de visualisation et dans lesquels les mouvements sont commandés électroniquement. ▶ **vidéocassette** n. f. ■ Cassette contenant une bande vidéo où sont enregistrés l'image et le son d'un programme télévisé. *Des vidéocassettes.*

vide-ordures [vidɔrdyr] n. m. invar. ■ Conduit vertical dans lequel on peut jeter les ordures par une trappe ménagée à chaque étage.

vide-poches [vidpɔʃ] n. m. invar. **1.** Petit meuble, corbeille où l'on peut déposer de petits objets (qui étaient dans les poches). **2.** Compartiment de rangement au tableau de bord d'une automobile (appelé aussi *boîte à gants*).

vider [vide] v. tr. ■ conjug. 1. **I. 1.** Rendre vide (un contenant) en ôtant ce qui était dedans. / contr. **emplir, garnir, remplir** / *Vider un seau, un sac, ses poches, un meuble. Vider son cœur,* s'épancher. — (En buvant) *Vider une bouteille.* — (En emportant, volant, dépensant) *Ils ont vidé les tiroirs.* — VIDER... DANS, SUR : répandre tout le contenu de... quelque part. ⇒ **verser.** *Vide-moi cette bouteille dans le lavabo !* **2.** Ôter les entrailles de (un poisson, une volaille) pour le faire cuire. *Vider et flamber un poulet.* — Au p. p. adj. *Un faisan vidé.* **3.** VIDER... DE : débarrasser de. *Vider une maison de ses habitants.* — Pronominalement (réfl.). *En août, Paris se vide de ses habitants.* **4.** Rendre vide en s'en allant. Loc. *Vider les lieux,* partir. — Pronominalement (réfl.). *Salle qui se vide.* / contr. **s'emplir, se remplir** / **5.** Fam. Épuiser les forces de (qqn). ⇒ **crever, éreinter ; vidé** (2). *Ce travail l'a vidé.* **6.** Faire en sorte qu'une question soit épuisée, réglée. ⇒ **résoudre, terminer.** *Vider une affaire, un débat.* **II.** Enlever d'un lieu. **1.** Ôter (le contenu d'un contenant). ⇒ **évacuer, retirer.** *Aller vider les ordures. Vider l'eau d'un vase.* — Pronominalement (réfl). S'écouler. *Les eaux sales se vident dans l'égout.* **2.** Fam. Faire sortir brutalement (qqn) d'un lieu, d'un emploi, d'une situation. ⇒ **chasser, renvoyer ;** fam. **virer.** *Elle s'est fait vider.* ▶ *vidage* n. m. ■ Action de vider (II, 2). ▶ *videur, euse* n. ■ Personne qui vide, est chargée de vider. — Personne qui est chargée de vider (II, 2) les indésirables (d'un bal, d'une discothèque). *Les videurs ont viré les ivrognes.* ‹ ▶ dévider, évider, transvider, vidange, vide, vidé, vide-ordures, vide-poches ›

vie [vi] n. f. **I. 1.** Fait de vivre*, propriété essentielle des êtres organisés qui évoluent de la naissance à la mort (surtout en parlant des êtres humains). ⇒ **existence.** *Être en vie,* vivant. *Sans vie,* mort ou évanoui. *Revenir à la vie. Être entre la vie et la mort. Donner la vie* à un enfant, enfanter. *Sauver la vie de qqn. Donner, risquer sa vie pour son idéal. Lutte pour la vie. C'est une question de vie ou de mort. Assurance sur la vie.* — Vigueur, vivacité. *Enfant plein de vie.* — Animation que l'artiste donne à son œuvre. *Une œuvre pleine de vie.* **2.** LA VIE : ensemble des phénomènes (croissance, métabolisme, reproduction) que présentent tous les organismes, animaux ou végétaux, de la naissance à la mort. *Science de la vie.* ⇒ **biologie.** *Vie animale, végétale.* **3.** Espace de temps compris entre la naissance et la mort d'un individu. *Espérance de vie. Durée moyenne de la vie d'une espèce. Au commencement, à la fin de la vie.* — Loc. *Jamais de la vie.* ⇒ **jamais.** *De ma vie, je n'ai vu chose pareille !,* jamais. — (Dans la religion) *Cette vie, la vie terrestre* (opposé à *l'autre vie, la vie future, éternelle*). — Temps qui reste à vivre à un individu. *Amis pour la vie.* Loc. *Nous sommes amis à la vie à la mort* (même sens). À VIE : pour tout le temps qui reste à vivre. *Il a été élu membre à vie. Prison à vie.* ⇒ **perpétuité.** **4.** Ensemble des activités et des événements qui remplissent pour chaque être cet espace de temps. ⇒ **destin, destinée.** *Il raconte sa vie à tout le monde. Écrire la vie de qqn.* ⇒ **biographie.** — Manière de vivre (d'un individu, d'un groupe). *La vie rude des pêcheurs. Mode, train, style de vie.* ⇒ **mœurs.** *Vie simple, rangée. Elle mène une vie agitée.* Loc. *Il nous fait, nous mène la vie dure,* nous tourmente, nous fait souffrir. Fam. *Il nous fait la vie,* il nous querelle sans cesse. *Ce n'est pas une vie !,* c'est insupportable. *C'est la belle, la bonne vie, la vie de château. Mener joyeuse vie. Vivre sa vie,* la vie pour laquelle on s'estime fait, en la menant à sa guise. — Vieilli. *Femme de mauvaise vie,* prostituée. — *Faire la vie,* mener une vie de plaisirs. **5.** (Suivi d'une épithète, d'un compl.) Part de l'activité humaine, type d'activité. *Vie privée. Vie civile, militaire. Vie conjugale. Vie professionnelle. La vie politique.* — Le monde, l'univers où s'exerce une activité psychique. *La vie intérieure, spirituelle. La vie affective. Vie mentale, intellectuelle.* **6.** Moyens matériels (nourriture, argent) d'assurer la subsistance d'un être vivant. *Gagner (bien, mal) sa vie. La vie est chère. Niveau de vie.* **7.** Sans compl. Le monde humain, le cours des choses humaines. *Expérience de la vie. Regarder la vie en face. Que voulez-vous, c'est la vie !,* c'est comme ça ! (d'une chose déplaisante). **II.** Existence dont le caractère temporel et dynamique évoque la vie. **1.** (Dans le monde humain) *La vie des sociétés. La vie du pays.* **2.** (Dans le monde matériel, inorganique) *La vie des étoiles.* **III.** AVOIR LA VIE DURE : résister contre toute cause de mort ou de disparition. *Il a encore réchappé de cette maladie, il a la vie dure ! Une idée, une erreur qui a la vie dure.* ‹ ▶ eau-de-vie, survie, viable ›

vieil, vieille ⇒ **vieux.** ▶ *vieillard* [vjɛjaʀ] n. m. **1.** Homme d'un grand âge. *Vieillard respectable.*

Vieillard impotent, gâteux. **2.** (Au plur. ou sing. indéterminé) Personne (homme ou femme) d'un grand âge. *Les adultes et les vieillards. Hospice de vieillards.* ▶ *vieillerie* [vjɛjʀi] n. f. **1.** Objet vieux, démodé, usé. *Un tas de vieilleries.* **2.** Idée, conception rebattue, usée ; œuvre démodée. / contr. **nouveauté** / ▶ *vieillesse* n. f. **1.** Dernière période de la vie humaine, temps de la vie qui succède à la maturité et qui est caractérisé par le relentissement des activités biologiques (sénescence). ⇒ **âge.** *Avoir une vieillesse triste, heureuse, une longue vieillesse. Allocations de vieillesse,* sommes allouées aux personnes âgées. **2.** Le fait, pour un être humain, d'être vieux. / contr. **jeunesse** / *Mourir de vieillesse,* par le seul effet du grand âge. **3.** (Considérée comme une puissance active parfois personnifiée) *La vieillesse arrive à grands pas.* **4.** Les personnes âgées, les vieillards. *Aide à la vieillesse.* ▶ *vieillir* [vjejiʀ] v. ■ conjug. 2. **I.** V. intr. **1.** S'approcher de la vieillesse ou continuer à vivre alors qu'on est vieux. *Vieillir dans sa famille, y passer sa vieillesse. Vieillir bien, mal,* être peu, beaucoup éprouvé par les effets de l'âge. *Demeurer longuement* (dans tel état, telle situation). *Vieillir dans un métier.* **2.** Acquérir les caractères de la vieillesse ; changer par l'effet du vieillissement. ⇒ **décliner.** *Il a beaucoup vieilli depuis sa maladie.* — Au p. p. adj. *Je l'ai trouvé vieilli.* **3.** (Choses) Perdre de sa force, de son intérêt, avec le temps. *Livre, film qui a vieilli, ne vieillit pas.* — Être en voie de disparition. *Mot, expression qui vieillit.* — Au p. p. adj. *Mot vieilli.* **4.** (Produits) Acquérir certaines qualités par le temps. ⇒ **vieux** (II, 1). *Faire vieillir du vin, des alcools.* **II.** V. tr. **1.** Faire paraître plus vieux ; donner les caractères (physiques, moraux) de la vieillesse. *La fatigue le vieillit. Ce vêtement la vieillit.* — Pronominalement (réfl). *Elle se vieillit à plaisir.* **2.** Attribuer à (qqn) un âge supérieur à son âge réel. *Vous me vieillissez d'un an !* / contr. **rajeunir** / ▶ *vieillissant, ante* adj. ■ Qui vieillit, est en train de vieillir. *Des hommes vieillissants.* ▶ *vieillissement* n. m. **1.** Le fait de devenir vieux, ou de s'affaiblir par l'effet de l'âge. *Lutter contre le vieillissement. Vieillissement d'une population,* augmentation de la proportion de vieillards. **2.** Fait de se démoder. *Le vieillissement d'une doctrine, d'un mot.* **3.** Processus par lequel les vins se modifient, acquièrent leur bouquet. *Vieillissement forcé.* ▶ *vieillot, otte* adj. ■ Qui a un caractère vieilli et un peu ridicule. ⇒ **désuet, suranné.** *Une installation démodée, vieillotte.*

viennois, oise [vjɛnwa, waz] adj. et n. ■ De Vienne, en Autriche. — *Pain viennois.* *Pâtisserie viennoise. Café, chocolat viennois,* avec de la crème Chantilly. — N. *Un Viennois, une Viennoise.* — N. m. *Un viennois,* un pain viennois. ▶ *viennoiserie* n. f. ■ Boulangerie, pâtisserie où l'on vend des produits « viennois ».

vierge [vjɛʀʒ] n. f. et adj. **I.** N. f. **1.** Fille qui n'a jamais eu de relations sexuelles. ⇒ **pucelle.** *Une pureté de vierge.* ⇒ **virginal.** **2.** *La Vierge, la Sainte Vierge,* Marie, mère de Jésus. — Représentation de la Sainte Vierge (tableau, statue). ⇒ **madone.** *Une vierge romane, gothique.* **3.** (Avec une majuscule) Sixième signe du zodiaque (23 août-22 septembre). *Être du signe de la Vierge, être de la Vierge.* — Ellipt. Invar. *Ils sont Vierge.* **II.** Adj. **1.** Qui n'a jamais eu de relations sexuelles. *Garçon vierge.* ⇒ **puceau.** **2.** Qui n'a jamais été touché, sali ou utilisé. ⇒ **blanc, net, pur.** *Cahier, feuille vierge,* sur quoi on n'a pas écrit. *Film, pellicule vierge,* non impressionnés. *Casier judiciaire vierge.* — VIERGE DE : qui n'est pas sali de, qui n'a pas de. *Vierge de toute accusation.* **3.** Qui n'est mélangé à rien d'autre. *Pure laine vierge.*

4. Inculte, inexploité. *Sol, terre vierge.* — FORÊT VIERGE : forêt tropicale, impénétrable. **5.** *Vigne* (3) vierge.*

vieux [vjø] ou *vieil* [vjɛj] (plur. *vieux* [vjø]), *vieille* (plur. *vieilles*) [vjɛj] adj. et n. — REM. Au masc. sing. on emploie *vieil* devant un nom commençant par une voyelle ou un h « muet » : *un vieil homme, un vieil arbre* (mais *un homme vieux et malade*). **I.** Adj. (Êtres vivants) / contr. **jeune** / **1.** Qui a vécu longtemps ; qui est dans la vieillesse. ⇒ **âgé.** *Un vieil homme, un homme vieux. Les vieilles gens. Être, devenir vieux, vieille. Vivre vieux. Se faire vieux,* vieillir. — (En loc. avec des termes péj. ou des injures) *C'est un vieux schnock, une vieille bique. Vieille noix, vieux crétin.* **2.** Qui a les caractères physiques ou moraux d'une personne âgée, d'un vieillard. ⇒ **décrépit, sénile.** *Vieux avant l'âge.* **3.** Loc. *Sur ses vieux jours,* dans sa vieillesse. **4.** Qui est depuis longtemps dans l'état indiqué. *C'est un vieil ami, un vieux copain.* **5.** (Avec *assez, trop, plus, moins*) Âgé. *Tu es plus vieille que moi.* **II.** (Choses) / contr. **neuf, nouveau, récent** / **1.** Qui existe depuis longtemps, remonte à une date éloignée. *Un vieux mur croulant. Une vieille voiture.* — (En insistant sur l'ancienneté, la valeur, le charme) *Une vieille demeure.* ⇒ **ancien.** *De vieux meubles.* — Se dit de certaines couleurs adoucies, rendues moins vives. *Vieil or. Vieux rose.* — (De boissons) Amélioré par le temps. *Vin vieux* (⇒ **vieillir,** I, 4). **2.** Dont l'origine, le début est ancien. *C'est vieux comme le monde,* très ancien, très connu. *Vieille habitude.* ⇒ **invétéré.** Loc. *Le Vieux Monde,* l'Europe. — VIEUX DE (+ numéral) : qui date de. *Une histoire vieille de vingt ans.* — Péj. Qui a perdu son intérêt, ses qualités, avec la nouveauté. ⇒ **démodé, vieillot.** *Vieilles sornettes.* — VIEUX JEU adj. invar. : démodé. / contr. **moderne** / *Des idées vieux jeu. Il est gentil, mais un peu vieux jeu.* **3.** Qui a existé autrefois, il y a longtemps. ⇒ **éloigné, lointain, révolu.** *Le bon vieux temps. La vieille France.* En appos. *Une politesse très vieille France,* raffinée et désuète. **III.** N. **1.** UN VIEUX, UNE VIEILLE : un vieil homme, une vieille femme. ⇒ **vieillard ;** fam. **croulant, vioc.** Fam. *Un petit vieux.* — Loc. *Un vieux de la vieille* (garde), un vieux soldat (sous le Premier Empire) ; un vieux travailleur. **2.** Les gens plus âgés ou trop âgés. *Les vieux disent toujours la même chose. Les vieux du village.* ⇒ **anciens. 3.** Fam. (Le plus souvent avec le possessif) Père, mère ; parents. *Ses vieux sont morts.* **4.** Terme d'amitié (même entre personnes jeunes). *Mon (petit) vieux, ma vieille.* **5.** Fam. COUP DE VIEUX : vieillissement subit. *Prendre, avoir, recevoir un coup de vieux.* ⟨ ▸ vieil, vioc ⟩

① *vif, vive* [vif, viv] adj. **I.** **1.** Dont la vitalité se manifeste par la rapidité, la vivacité* des mouvements et des réactions. ⇒ **agile, alerte, éveillé.** *Un enfant vif et intelligent.* / contr. **apathique, mou** / *Œil, regard vif,* brillant, prompt à suivre, à saisir. *Mouvements, gestes vifs.* ⇒ **rapide. 2.** Qui est d'une ardeur excessive, qui s'emporte facilement. ⇒ **brusque, emporté, violent.** *Il a été un peu vif dans la discussion.* — *Échanger des propos très vifs,* qui ont quelque chose de blessant. **3.** Prompt dans ses opérations. *Esprit vif.* ⇒ **ouvert.** *Intelligence vive. Vive imagination.* **II.** Loc. (où *vif* veut dire « vivant »). *Être plus mort que vif,* paralysé de peur, d'émotion. *Jeanne d'Arc a été brûlée vive.* **III.** (Choses) **1.** Mis à nu. *Pierre coupée à vive arête,* en formant une arête bien nette, aiguë. *Angles vifs,* nettement découpés. *Chair vive,* sans peau. **2.** *Eau vive,* eau pure qui coule. *Source vive.* — *Air vif,* frais et pur. **3.** Très intense. *Lumière vive.* / contr. **faible, pâle** / *Couleurs vives. Jaune vif. Il faisait un froid très vif.* — (Sensations, émotions) ⇒ **fort.** *Une vive douleur.* ⇒ **aigu.** *À mon vif regret.*

Éprouver une vive satisfaction. ⟨ ▸ aviver, ② vif, vivace, vivement ⟩

② *vif* n. m. **1.** LE VIF : en droit, personne vivante. *Donation entre vifs.* **2.** Loc. SUR LE VIF : d'après nature. *Peindre, raconter qqch. sur le vif.* **3.** Tailler, couper DANS LE VIF : dans la chair vivante. — *Entrer dans le vif du sujet, du débat,* toucher à l'essentiel. ⇒ **cœur. 4.** *Être atteint, touché, blessé, piqué* AU VIF : au point le plus sensible. — À VIF : avec la chair vive à nu. *Plaie, moignon à vif.* — *Avoir les nerfs, la sensibilité à vif,* être irrité, sensible à tout. ▸ *vif-argent* n. m. ■ Ancien nom du mercure. — *C'est du vif-argent,* se dit d'une personne très vive.

vigie [viʒi] n. f. **1.** Matelot placé en observation dans la mâture ou à la proue d'un navire. — Son poste d'observation. **2.** Poste d'observation des conducteurs de trains.

vigilant, ante [viʒilɑ̃, ɑ̃t] adj. ■ Qui surveille avec une attention soutenue. ⇒ **attentif.** *Un observateur vigilant.* — *Attention vigilante. Soins vigilants.* ▸ *vigilance* n. f. ■ Surveillance attentive, sans défaillance. *Tromper la vigilance de qqn. Redoubler de vigilance.*

① *vigile* [viʒil] n. f. ■ Dans la religion catholique. Veille d'une fête importante. *La vigile de Noël.*

② *vigile* [viʒil] n. m. ■ Personne exerçant une fonction de surveillance dans une police privée, un organisme de défense. *Les vigiles d'un centre commercial.*

vigne [viɲ] n. f. **1.** Arbrisseau sarmenteux, grimpant, à fruits en grappes ⇒ **raisin,** cultivé pour ce fruit et pour la production du vin. *Pied de vigne.* ⇒ **cep.** *Plant de vigne. Feuille de vigne. Culture de la vigne.* ⇒ **viticulture.** Loc. *Être dans les vignes du Seigneur,* être ivre. **2.** Plantation de vignes. ⇒ **vignoble.** *Les vignes de Bourgogne. Cette vigne produit un bon cru.* **3.** VIGNE VIERGE : plante décorative qui s'accroche par des vrilles ou des crampons. *Façade couverte de vigne vierge.* ▸ *vigneron, onne* n. ■ Personne qui cultive la vigne, fait le vin. *Les vignerons du Bordelais.* ⇒ **viticulteur.** ▸ *vignoble* n. m. ■ Plantation de vignes. — Ensemble de vignes (d'une région, d'un pays). *Le vignoble français, italien.*

vignette [viɲɛt] n. f. **1.** Motif ornemental d'un livre à la première page ou à la fin des chapitres. **2.** Petit carré de papier portant un dessin, une inscription, collé ou joint à un produit, un objet, et ayant valeur légale. (En France) *Vignette de l'impôt sur les automobiles* (ou *vignette auto* ou, sans compl., *vignette*). *As-tu acheté ta vignette ?* — *Vignettes de la Sécurité sociale,* portant le prix du médicament.

vigogne [viɡɔɲ] n. f. **1.** Animal ruminant du genre lama, à pelage fin, d'un jaune rougeâtre. **2.** Laine de vigogne. *Un manteau de vigogne.*

vigoureux, euse [viɡurø, øz] adj. **1.** Qui a de la vigueur. *Un homme, un cheval vigoureux.* ⇒ **énergique, fort, robuste, solide.** / contr. **apathique, faible** / *Des bras vigoureux. Plante, végétation vigoureuse.* **2.** Qui s'exprime, agit sans contrainte, avec efficacité. *Style vigoureux.* / contr. **mièvre** / — *Sentiments vigoureux.* — *Dessin vigoureux,* tracé avec vigueur. ▸ *vigoureusement* adv. **1.** Avec vigueur. *Frotter, taper vigoureusement.* — *Elle nie vigoureusement.* ⇒ **énergiquement. 2.** Avec de la vigueur dans l'expression. *Écrire vigoureusement.*

vigueur [viɡœr] n. f. **1.** Force, énergie d'un être en pleine santé et dans la plénitude de son développement. ⇒ **énergie, puissance, robustesse.** / contr. **faiblesse** / *Appuyer, serrer avec vigueur.* **2.** Activité intellectuelle libre et efficace. *La vigueur de l'esprit, de la pensée. Vigueur du style, de l'expression.* Elle *lui répondit avec vigueur.* ⇒ **fermeté, véhémence.** **3.** Qualité de ce qui est dessiné, peint avec une netteté pleine de force. ⇒ **fermeté.** / contr. **mollesse** / *Vigueur du coloris, de la touche.* **4.** EN VIGUEUR : en application actuellement. *Loi en vigueur.* / contr. **caduc, périmé** / *Entrer en vigueur*, en usage. / contr. tomber en **désuétude** / ‹ ▶ **vigoureux** ›

viking [vikiŋ] n. m. et adj. ■ Nom donné aux Scandinaves qui prirent part à l'expansion maritime du VIIIᵉ au XIᵉ s. *Les drakkars des Vikings.* — Adj. *L'art viking.*

vil, vile [vil] adj. **1.** Littér. Qui inspire le mépris, qui est sans dignité, sans courage ou sans loyauté. ⇒ **indigne, lâche, méprisable.** / contr. **estimable** / *Vil courtisan, vil flatteur.* — *Action vile.* ⇒ **vilenie. 2.** À VIL PRIX : à très bas prix. ‹ ▶ **avilir, vilenie, vilipender** ›

① **vilain, aine** [vilɛ̃, ɛn] adj. et n. **1.** (Dans le vocabulaire affectif, surtout en parlant aux enfants) Qui ne se conduit pas bien, qui n'est pas « gentil ». ⇒ **méchant.** *Qu'il est vilain !* — N. *Le vilain, la petite vilaine !* — *Un vilain mot*, un mot grossier. **2.** Désagréable à voir. ⇒ **laid.** *Elle n'est pas vilaine*, elle est assez jolie. — *Il a une vilaine peau.* **3.** Temps. Mauvais, laid. *Il fait un vilain temps.* ⇒ **sale.** — *Il fait vilain*, mauvais. **4.** Dont l'apparence est inquiétante. *Une vilaine blessure.* — (Au moral) *Une vilaine affaire. Il lui a joué un vilain tour.* ⇒ **sale.** — N. M. *Il va y avoir du vilain*, un éclat, une dispute. ⇒ **grabuge.** ▶ **vilainement** adv. ■ D'une manière laide, vilaine (1).

② **vilain** n. m. ■ Au Moyen Âge. Paysan libre (qui n'était pas serf). ⇒ **manant.** — PROV. *Jeux de main, jeux de vilain*, se dit pour arrêter un jeu qui risque de dégénérer.

vilebrequin [vilbʀəkɛ̃] n. m. **1.** Outil formé d'une mèche que l'on fait tourner à l'aide d'une manivelle coudée, et qui sert à percer des trous. **2.** Dans un moteur à explosion. Arbre articulé avec des bielles, permettant de transformer le mouvement rectiligne des pistons en mouvement de rotation.

vilenie [vil(ə)ni] n. f. Littér. **1.** Action vile et basse. *C'est une vilenie.* ⇒ **infamie, saleté. 2.** Littér. Caractère vil. / contr. **noblesse** /

vilipender [vilipɑ̃de] v. tr. ∙ conjug. 1. ■ Littér. Dénoncer comme vil, méprisable. ⇒ **bafouer, honnir.**

villa [villa] n. f. **1.** Maison de plaisance ou d'habitation avec un jardin. *Petite villa de banlieue.* ⇒ **pavillon.** *De belles villas.* **2.** Voie calme, impasse bordée de belles maisons. *J'habite 2, villa Boileau, à Paris.*

village [vilaʒ] n. m. **1.** Agglomération rurale ; groupe d'habitations assez important pour avoir une vie propre (à la différence des *hameaux*). *Un petit village isolé.* ⇒ **trou.** *Gros village.* ⇒ **bourg, bourgade.** *L'école, l'église du village.* — *Village de huttes* (en Afrique). — *Village de toile*, agglomération de tentes, munie de services communs organisés (pour des campeurs, etc.). *Village de vacances.* **2.** Les habitants d'un village. *Tout le village était rassemblé sur la place.* ▶ **villageois, oise** adj. et n. **1.** Adj. D'un village, de ses habitants. ⇒ **campagnard, rural.** / contr. **citadin** / *Coutumes, danses, fêtes villageoises.* **2.** N. Habitant d'un village déterminé. *Une jeune villageoise.* ⇒ **paysan.**

ville [vil] n. f. **1.** Milieu géographique et social formé par une réunion importante de constructions et dont les habitants travaillent, pour la plupart, à l'intérieur de l'agglomération. ⇒ **capitale, cité, métropole.** *Les grandes villes et leurs banlieues. Ville qui s'étend. Les* villes et les bourgs, les villages d'un pays. ⇒ **commune, localité.** — *La ville de Paris, de New York.* — Loc. *La Ville lumière*, Paris. *La Ville éternelle*, Rome. *Villes saintes* (Jérusalem, Rome, La Mecque, Bénarès). — *Ville d'eaux*, station thermale. — *Ville industrielle, universitaire.* — *Au centre de la ville, au centre-ville.* — Partie d'une ville. *La vieille ville et les nouveaux quartiers.* — EN VILLE, À LA VILLE : dans la ville. *Aller en ville. En ville*, hors de chez soi, en étant invité. *Elle dîne très souvent en ville.* **2.** L'administration, la personne morale de la ville. ⇒ **municipalité.** *Travaux financés par la ville.* **3.** La vie, les habitudes sociales dans une grande ville (opposé à *la campagne, la terre*). *Les amusements, les lumières, le bruit de la ville.* — *Les gens de la ville.* ⇒ **citadin.** *Population des villes.* ⇒ **urbain. 4.** Les habitants de la ville. *Toute la ville en parle.* ‹ ▶ **bidonville, village** ›

villégiature [vi(l)leʒjatyʀ] n. f. ■ Séjour de repos, à la campagne ou dans un lieu de plaisance (ville d'eaux, plage...). *Il est allé en villégiature dans sa maison de campagne.*

villosité [vi(l)lozite] n. f. ■ En anatomie. Saillie filiforme qui donne un aspect velu à une surface. *Les villosités intestinales.*

vin [vɛ̃] n. m. **1.** Boisson alcoolisée provenant de la fermentation du raisin. ⇒ fam. **pinard.** *Fabrication, production du vin* (⇒ **vinicole, vinification**). *Mettre le vin en tonneaux. Tirer le vin. Mise en bouteilles du vin. Vin nouveau*, consommé dès la fin de la fermentation. *Vin rouge, blanc, rosé. Vin de pays, vin du cru*, provenant d'un terroir non délimité. *Vins vieux, bons vins. Vins fins. Mauvais vin.* ⇒ fam. **picrate, vinasse.** — *Bouteille, litre, verre de vin. Sauce au vin, coq au vin.* — *Vins doux, vins de liqueur*, très chargés en sucre, auxquels on ajoute de l'alcool de raisin en cours de fermentation. ⇒ **banyuls, malaga, porto, sherry...** — *Le vin*, symbole de l'ivresse. *Sac à vin*, ivrogne. *Cuver son vin. Ce vin est traître, il monte à la tête, tourne la tête. Être entre deux vins*, un peu gris. — *Avoir le vin gai, triste*, l'ivresse gaie, triste. **2.** Loc. *Vin d'honneur*, offert en l'honneur de qqn. **3.** Dans la religion catholique. L'une des deux espèces sous lesquelles se fait la consécration. ⇒ **eucharistie.** *Consacrer le pain et le vin. Vin de messe.* **4.** Liqueur alcoolisée obtenue par fermentation d'un produit végétal. *Vin de palme, de canne.* ‹ ▶ **aviné, épine-vinette, pot-de-vin, vinaigre, vinasse, vineux, vinicole, vinification** ›

vinaigre [vinɛgʀ] n. m. ■ Liquide provenant du vin (« vin aigre ») ou d'une solution alcoolique modifié(e) par la fermentation, et utilisé comme assaisonnement, comme condiment. *Vinaigre de vin, d'alcool.* — Loc. *Tourner au vinaigre*, se dit d'une situation qui tourne mal, empire (comme le vin qui s'aigrit). *On ne prend pas (n'attrape pas) les mouches avec du vinaigre*, on ne réussit pas par la dureté. — Loc. fam. *Faire vinaigre*, se dépêcher. *Ils ont fait vinaigre pour venir.* ▶ **vinaigrer** v. tr. ∙ conjug. 1. ■ Assaisonner avec du vinaigre. — Au p. p. adj. *Salade trop vinaigrée.* ▶ **vinaigrette** n. f. ■ Sauce faite d'huile et de vinaigre, salée et poivrée, qui sert à assaisonner la salade, les crudités. *Bœuf froid à la vinaigrette, en vinaigrette. Poireaux vinaigrette.* ▶ **vinaigrier** n. m. **1.** Personne qui fait, qui vend du vinaigre. *Un vinaigrier en gros.* **2.** Flacon pour mettre le vinaigre. *L'huilier et le vinaigrier.*

vinasse [vinas] n. f. ■ Mauvais vin (surtout son odeur). *Cette sauce sent la vinasse.* ⇒ fam. **picrate,** gros **rouge.**

vindicatif, ive [vɛ̃dikatif, iv] adj. ■ Porté à la vengeance. ⇒ **rancunier.** *Un rival vindicatif.*

vindicte [vɛ̃dikt] n. f. ■ Littér. *Désigner qqn à la vindicte publique*, le signaler au public comme coupable et méritant un châtiment.

vineux, euse [vinø, øz] adj. ■ Qui a la couleur du vin rouge. *Teint vineux.* — Qui a l'odeur du vin.

vingt [vɛ̃] adj. numér. — REM. *Vingt* se prononce [vɛ̃] isolé ou devant consonne (ex. : *vingt jours* [vɛ̃ʒuʀ]), sauf dans les nombres de *vingt-deux* à *vingt-neuf* [vɛ̃tdø...], [vɛ̃t] en liaison (ex. : *vingt ans* [vɛ̃tɑ̃], *vingt et un* [vɛ̃tœ̃]). **1.** Numér. cardinal. Deux fois dix (20). *Vingt francs. Cinq heures moins vingt* (minutes). *Vingt-quatre heures*, un jour. Fam. *Vingt-quatre heures sur vingt-quatre*, sans discontinuer. *Vingt ans*, âge représentatif de la jeunesse. — *Je vous l'ai répété vingt fois*, de nombreuses fois. **2.** Ordinal. Vingtième. *Page, chapitre vingt. Les années vingt*, entre 1920 et 1930. **3.** Nominal masc. Le nombre, le numéro vingt. *Vingt pour cent. Miser sur le vingt.* — *Le vingt de chaque mois. Nous sommes le 20 août. Habiter au vingt, au 20.* — *Vingt-deux !*, attention ! *Vingt-deux (voilà) les flics !* — (Dans la notation d'exercices, d'examens) *Vous nous notez sur dix ou sur vingt ? J'ai eu vingt sur vingt en dictée.* ▸ *vingtaine* [vɛ̃tɛn] n. f. ■ Nombre approximatif de vingt. *Une vingtaine de mille francs.* ▸ *vingtième* [vɛ̃tjɛm] adj. **1.** (Ordinal de *vingt*) Dont le numéro, le rang est vingt. *Le vingtième siècle. J'habite dans le vingtième arrondissement de Paris.* **2.** Contenu vingt fois dans le tout. *La vingtième partie.* — N. m. *Le vingtième.* ▸ *vingtièmement* adv.

vinicole [vinikɔl] adj. ■ Relatif à la production du vin (culture de la vigne et fabrication du vin). *Industrie vinicole.*

vinification [vinifikasjɔ̃] n. f. **1.** Procédé par lequel le jus de raisin (moût) est transformé en vin *(vinifié).* **2.** Fermentation alcoolique, transformation des glucides (sucres) en alcool par des levures.

vinyle [vinil] n. m. ■ Radical chimique qui entre dans la composition des matières plastiques, etc.

vioc ou *vioque* [vjɔk] adj. Fam. **1.** Vieux. *Elles sont un peu vioques.* **2.** N. m. plur. (Grossier) Les parents. *Dis-le à tes viocs.*

viol [vjɔl] n. m. **1.** Acte de violence par lequel une personne a des relations sexuelles avec autrui contre sa volonté. *Il a été condamné pour viol.* **2.** Le fait de violer (2). *Le viol d'un sanctuaire.*

violacé, ée [vjɔlase] adj. et n. f. **1.** Adj. Qui tire sur le violet. *Rouge violacé. Nez, teint violacé* (à cause du froid, de la boisson). **2.** N. f. Plante dicotylédone à cinq pétales. *Les pensées sont des violacées.*

violation [vjɔlasjɔ̃] n. f. ■ Action de violer (un engagement, un droit), de profaner une chose sacrée (ou protégée par la loi). ⇒ **outrage.** *Violation de la loi.* ⇒ **infraction.** *Violation du secret professionnel.* — *Violation de sépulture.* ▸ *violateur, trice* n. ■ Littér. Personne qui profane ce qui doit être respecté. *Violateur de tombeau.* ⇒ **profanateur.**

viole [vjɔl] n. f. ■ Ancien instrument de musique à cordes et à archet. *Viole d'amour.* — VIOLE DE GAMBE (de « jambe ») : ancien instrument d'où dérive le violoncelle. ⟨ ▸ ① violon ⟩

violent, ente [vjɔlɑ̃, ɑ̃t] adj. **1.** Impétueux ; qui agit ou s'exprime sans aucune retenue. *Un homme sans méchanceté, mais assez violent.* ⇒ **brutal, coléreux.** / contr. **doux** / — N. *C'est un violent.* — *Une violente colère. Des propos violents.* ⇒ **virulent.** *Révolution violente* (opposé à *pacifique*). **2.** Qui a un intense pouvoir d'action ou d'expression. *Un violent orage a éclaté. Le choc a été violent.* ⇒ **fort, terrible.** *Remèdes violents*, très actifs et dangereux par leurs effets secondaires. / contr. **anodin, bénin** / — Qui a

un effet intense sur les sens. *Impression violente.* **3.** Qui exige de la force, de l'énergie. *Faire de violents efforts.* — *Mort violente*, par accident, meurtre. **4.** Fam. Excessif. *C'est un peu violent !* ▸ *violemment* [vjɔlamɑ̃] adv. ■ Avec une force brutale. ⇒ **brutalement.** *Heurter violemment un obstacle.* — Âprement, vivement. *Réagir, s'insurger violemment contre une injustice.* ▸ *violence* [vjɔlɑ̃s] n. f. **1.** FAIRE VIOLENCE *à qqn* : agir sur qqn ou le faire agir contre sa volonté, en employant la force ou l'intimidation. ⇒ **forcer.** *Se faire violence*, s'imposer une attitude contraire à celle qu'on aurait spontanément. ⇒ **se contenir, se contraindre.** — LA VIOLENCE : force brutale pour soumettre qqn. ⇒ **brutalité.** *Acte, mouvement de violence.* / contr. **non-violence** / — Manifestations sociales de cette force brutale. *Escalade de la violence.* **2.** UNE VIOLENCE : acte violent. *Il a subi des violences.* ⇒ **sévice.** — Loc. *Se faire une* DOUCE VIOLENCE : accepter avec plaisir après une résistance affectée. **3.** Disposition naturelle à l'expression brutale des sentiments. ⇒ **brutalité.** / contr. **calme, douceur** / *Parler avec violence.* — *Il a fait une déclaration d'une grande violence.* **4.** Force brutale (d'une chose, d'un phénomène). *La violence de la tempête, du vent.* ⇒ **fureur.** — Caractère de ce qui produit des effets brutaux. *La violence de ses crises de foie. La violence d'un sentiment, d'une passion.* ⇒ **intensité, vivacité.** *La violence des désirs.* ⇒ **ardeur.** ▸ *violenter* v. tr. . conjug. 1. **1.** *Violenter une femme*, la violer. **2.** Dénaturer, altérer. *Violenter un texte.*

violer [vjɔle] v. tr. . conjug. 1. **I.** (Compl. chose) **1.** Agir contre, porter atteinte à (ce qu'on doit respecter), faire violence à... *Violer les lois, la constitution.* ⇒ **enfreindre, transgresser.** *Violer un traité*, ne pas en respecter les clauses. **2.** Ouvrir, pénétrer dans (un lieu sacré ou protégé par la loi). *Violer une sépulture.* ⇒ **profaner.** *Violer le domicile de qqn.* — *Violer les consciences*, pénétrer dans leur secret ou leur imposer certaines idées, contre leur volonté. **II.** *Violer qqn*, posséder sexuellement (une personne) contre sa volonté. ⇒ **violenter** (1) ; **viol.** *Elle s'est fait violer par deux hommes.* ▸ *violeur* n. m. ■ Celui qui commet un viol (1). ⟨ ▸ inviolable, viol, violation ⟩

violette [vjɔlɛt] n. f. ■ Petite plante à fleurs violettes solitaires, à cinq pétales, de la famille des violacées ; sa fleur. *Violette odorante, violette de Parme* (inodore). *Un bouquet de violettes.* Loc. *L'humble violette* (symbole de modestie). — Essence de cette fleur. *Elle se parfume à la violette.* ▸ *violet, ette* [vjɔlɛ, ɛt] adj. et n. m. **1.** Adj. D'une couleur qui s'obtient par le mélange du bleu et du rouge. *Iris violet.* — *Mains violettes de froid.* ⇒ **violacé.** **2.** N. m. Couleur violette. *Violet pâle.* ⇒ **lilas, mauve.** ▸ *violine* adj. ■ Violet pourpre, foncé. ⇒ **lie-de-vin.**

① *violon* [vjɔlɔ̃] n. m. **1.** Instrument de musique à quatre cordes que l'on frotte avec un archet, et qui se tient entre l'épaule et le menton. *Jouer du violon. Sonate pour piano et violon.* — Loc. *Accordez vos violons !*, mettez-vous d'accord dans ce que vous dites. — VIOLON D'INGRES : activité artistique exercée en dehors d'une profession (Ingres, le grand peintre, jouait du violon). ⇒ **hobby.** *L'aquarelle est son violon d'Ingres.* **2.** Musicien(ne) qui joue du violon. ⇒ **violoniste.** *Le premier violon d'un orchestre*, celui qui dirige les violons. — Loc. *Aller plus vite que les violons*, aller trop vite, précipiter les choses. ▸ *violoneux* n. m. ■ Violoniste de village. ▸ *violoniste* n. ■ Musicien(ne) qui joue du violon. *Une grande violoniste.* ▸ *violoncelle* [vjɔlɔ̃sɛl] n. m. **1.** Instrument de musique à quatre cordes et à archet, semblable au violon mais plus gros, dont on joue assis

en le tenant entre les jambes. ⇒ **viole** de gambe.
2. Musicien(ienne) qui joue du violoncelle. ⇒ **violoncelliste**. *Il est violoncelle dans un petit orchestre.*
▶ *violoncelliste* n. ■ Musicien(ienne) qui joue du
violoncelle.

② *violon* n. m. ■ Fam. Prison d'un poste de police.
Passer la nuit au violon.

viorne [vjɔʁn] n. f. ■ Nom d'un arbrisseau à fleurs
blanches. — Clématite.

vipère [vipɛʁ] n. f. ■ Serpent à tête triangulaire
aplatie, à deux dents ou crochets à venin, qui vit dans
les terrains broussailleux et ensoleillés. ⇒ **aspic**. *La
morsure (la piqûre) de vipère est très dangereuse.
Sifflement de vipère.* — Loc. *C'est une vipère, une
langue de vipère,* une personne méchante et médisante.

① *virage* [viʁaʒ] n. m. **1.** Mouvement d'un véhicule qui tourne, change de direction. *Amorcer,
prendre un virage. Virages d'un avion, virage sur l'aile.*
2. Courbure du tracé d'une route, d'une piste.
⇒ **coude, tournant**. *Virage dangereux. Véhicule qui
aborde, prend un virage. Négocier un virage.* **3.** Fig.
Changement radical d'orientation, d'attitude. *Il prend
un virage à gauche.* — *Il a su prendre le virage,*
s'adapter aux circonstances.

② *virage* n. m. ■ Action de virer ②. **1.** Transformation chimique que subit l'image photographique.
— En chimie. Changement de couleur (d'un indicateur), marquant la fin d'une réaction. *Virage au bleu
du papier de tournesol.* **2.** Se dit de la cuti-réaction
qui vire.

virago [viʁago] n. f. ■ Femme d'allure masculine,
aux manières rudes et autoritaires. *Des viragos.*

viral, ale, aux [viʁal, o] adj. ■ Qui se rapporte
à un virus. — Provoqué par un virus. *Infections
virales. Hépatite virale.*

virée [viʁe] n. f. ■ Fam. Promenade, voyage rapide.
On est allé faire une virée en bagnole. ⇒ **balade, tour.**

virelai [viʁlɛ] n. m. ■ Poème du Moyen Âge, petite
pièce sur deux rimes avec refrain.

virement [viʁmɑ̃] n. m. ■ Transfert de fonds du
compte d'une personne au compte d'une autre
personne. *Virement bancaire.*

① *virer* [viʁe] v. intr. ■ conjug. 1. **1.** Tourner sur
soi, tourner en rond. *Il la faisait tourner et virer.*
2. Changer de direction. *Virer de bord.* — Aller en
tournant. *Braquer pour virer.* ‹ ▶ **revirement,**
① **virage, virée, virelai, virevolter** ›

② *virer* v. ■ conjug. 1. **I.** V. tr. **1.** Transporter (une
somme) d'un compte à un autre : effectuer le virement
de. *Virez la somme à mon compte.* — (Au passif) *Être
viré,* être payé sur un compte. *Je suis viré tous les mois.*
2. Fam. Virer qqn, le renvoyer. ⇒ **vider**. *Il s'est fait
virer.* **II.** V. intr. **1.** Changer de couleur. *Épreuves qui
virent bien. Les bleus de cette reproduction ont viré.*
2. Cuti-réaction qui vire, qui devient positive. — Transitivement. *Virer sa cuti*.* **3.** VIRER À : devenir. *Virer
à l'aigre, au rouge.* ‹ ▶ **virement** ›

virevolter [viʁvɔlte] v. intr. ■ conjug. 1. ■ Tourner
rapidement sur soi. — Aller en tous sens sans
nécessité. ⇒ **papillonner.** ▶ *virevoltant, ante* adj.
■ Qui virevolte, tourne sur soi. ▶ *virevolte* n. f.
1. Mouvement de ce qui fait un demi-tour. *Les
virevoltes d'une danseuse.* **2.** Changement complet.
⇒ **volte-face.** — Changement d'avis, d'opinion.
⇒ **revirement.**

virginal, ale, aux [viʁʒinal, o] adj. ■ D'une
vierge ; propre à une vierge. *Pudeur, fraîcheur*
virginale. ▶ *virginité* n. f. ■ État d'une personne
vierge. *Perdre sa virginité.* ⇒ **pucelage.**

virgule [viʁgyl] n. f. ■ Signe de ponctuation (,)
marquant une pause de peu de durée, qui s'emploie
à l'intérieur de la phrase pour isoler des propositions
ou des éléments de propositions. — Loc. *Sans y
changer une virgule,* sans faire le moindre changement. — POINT-VIRGULE (;) : séparant des phrases
sans les isoler. — Signe qui précède la décimale dans
un nombre décimal (ex. : *2,04*). *Virgule flottante*.*

viril, ile [viʁil] adj. **1.** Propre à l'homme adulte.
⇒ **mâle, masculin.** *Force virile.* **2.** Qui a l'appétit
sexuel d'un homme normal, qui a l'air mâle. *Il n'est
pas très viril.* **3.** Qui a les caractères moraux qu'on
attribue plus spécialement à l'homme (actif, énergique, courageux). *Une femme virile.* ▶ *virilement*
adv. ▶ *virilité* n. f. **1.** Ensemble des attributs et
caractères physiques et sexuels de l'homme. **2.** Puissance sexuelle chez l'homme. / contr. **impuissance** /
3. Caractère viril (3).

virole [viʁɔl] n. f. ■ Petite bague de métal dont se
garnit l'extrémité d'un manche pour assujettir ce qui
y est fixé. *La virole d'un couteau.*

virtuel, elle [viʁtɥɛl] adj. ■ Littér. Qui est à l'état
de simple possibilité ; qui a en soi toutes les conditions
essentielles à sa réalisation. ⇒ **possible, potentiel.**
Réussite virtuelle. Le marché virtuel d'un produit.
/ contr. **effectif, réel /** ▶ *virtualité* n. f. ■ Littér.
Caractère de ce qui est virtuel ; pouvoir, qualité à
l'état virtuel. ⇒ **potentialité.** ▶ *virtuellement* adv.
■ D'une manière virtuelle, en puissance. — Selon
toute probabilité. *Vous êtes virtuellement admis.*
⇒ **pratiquement, en principe.**

virtuose [viʁtɥoz] n. **1.** Musicien, exécutant doué
d'une technique brillante. *Une virtuose du piano.*
— Adj. *Il est plus virtuose qu'inspiré.* **2.** Personne,
artiste extrêmement habile, dont le métier et la
technique sont supérieurs. *Un virtuose du pinceau.*
▶ *virtuosité* n. f. ■ Talent, technique de virtuose.
⇒ **brio, maestria.** — Technique brillante (d'un artiste,
d'un écrivain, d'un artisan, etc.). ⇒ **maîtrise.** — Péj.
C'est de la virtuosité pure, cela manque de profondeur.

virulent, ente [viʁylɑ̃, ɑ̃t] adj. **1.** Plein d'âpreté,
de violence. ⇒ **venimeux.** *Satire, critique virulente.*
— (Personnes) *Il est très virulent contre le gouvernement.* **2.** (Microbe, poison) Dangereux, actif. ▶ *virulence* n. f. **1.** Âpreté, violence. *La virulence d'une
critique.* **2.** Aptitude des microbes à se développer et
à sécréter des toxines dans un organisme. *Degré de
virulence.* — Caractère nocif, dangereux. *Virulence
d'un poison.*

virus [viʁys] n. m. invar. **1.** Germe très petit d'une
maladie ; organisme microscopique capable de former
sa propre substance par synthèse (sans échanges).
*Bactéries, microbes et virus. Le virus de la poliomyélite,
de la rage.* **2.** Principe moral de contagion. *Il a le
virus du cinéma.* ‹ ▶ **viral** ›

vis [vis] n. f. invar. ≠ *vice.* **1.** Tige de métal, de
bois, présentant une partie saillante en hélice
⇒ ① **filet** (4), et que l'on fait pénétrer dans une pièce
en la faisant tourner sur elle-même. *Tête d'une vis.
Vis à bois, à métaux. Serrer, desserrer une vis avec
un tournevis. Donner un tour de vis.* ⇒ **visser.** — Loc.
Serrer la vis à qqn, le traiter avec une grande sévérité.
2. *Escalier à vis,* en forme d'hélice. ‹ ▶ **dévisser,**
tournevis, visser ›

visa [viza] n. m. ■ Formule ou sceau accompagné
d'une signature, qu'on appose sur un acte pour le
rendre régulier ou valable. *Visa de censure* (d'un film).
Donner (⇒ ② **viser**), *refuser un visa. Des visas.*
— Formule exigée, en plus du passeport, pour entrer

dans certains pays. *Il faut un visa pour entrer en Union soviétique, aux États-Unis.*

visage [vizaʒ] n. m. **1.** Partie antérieure de la tête de l'homme. ⇒ **face, figure, tête ;** fam. **bouille, gueule, tronche.** *Visage allongé, en lame de couteau. Visage rond, plein, joufflu. Visage pâle, blafard. Visage ridé. Un beau visage aux traits réguliers. Visage expressif, ouvert ; triste, maussade. La peur, la colère se lisait sur son visage. Soins du visage,* soins de beauté. — Loc. *À visage découvert,* sans se cacher. — *Système politique* À VISAGE HUMAIN : qui tient compte de l'individu, qui respecte les droits de l'homme. **2.** Expression du visage. *Faire bon visage,* prendre un air satisfait quand il n'y a pas lieu de l'être. *Faire bon visage à qqn,* être aimable envers lui, surtout lorsqu'on lui est hostile. **3.** La personne (considérée dans son visage). *Un visage inconnu, connu. Mettre un nom sur un visage. Je reconnais un visage ami.* — *Les Visages pâles,* les Blancs (pour les Indiens d'Amérique). **4.** Aspect particulier et reconnaissable (de qqch.). ⇒ **forme, image.** *Le vrai visage des États-Unis.* ▸ *visagiste* n. ■ Esthéticien (enne), spécialisé(e) dans les soins de beauté du visage.

① *vis-à-vis* [vizavi] loc. prép. — Avec DE. **1.** En face de (*vis* voulait dire « visage »). *Se placer vis-à-vis d'un ami. Vis-à-vis l'un de l'autre.* **2.** Fig. En face de, en présence de, devant (de manière à confronter). *J'ai honte vis-à-vis de lui.* — En regard, en comparaison de. *Ma fortune est modeste vis-à-vis de la sienne.* **3.** Envers (qqn). ⇒ **avec.** *Il s'est engagé vis-à-vis d'elle.* — À l'égard de (qqch.). *Il est lâche vis-à-vis de ses responsabilités.* ▸ ② *vis-à-vis* n. m. invar. **1.** Position de deux personnes, deux choses qui se font face. *Un long et pénible vis-à-vis.* ⇒ **tête-à-tête. 2.** Personne placée en face d'une autre (à table, en voiture ; à la danse). *Mon vis-à-vis était charmant.* — Se dit des choses situées en face d'une personne, d'une propriété. *Nous avons le bois pour vis-à-vis.*

viscère [visɛʀ] n. m. ■ Organe contenu dans une cavité du corps (cavités crânienne, thoracique et abdominale : cerveau, cœur, estomac, foie, intestin, poumon, rate, rein, utérus). — Cour. *Les viscères,* ceux de l'abdomen. ⇒ **boyau(x), entrailles.** ▸ *viscéral, ale, aux* adj. **1.** Relatif aux viscères. *Cavités viscérales.* **2.** (Sentiment) Profond et irraisonné. *Une haine viscérale. Une peur viscérale.* ▸ *viscéralement* adv. ■ Profondément, du fond de son être. *Elle est viscéralement jalouse.*

viscosité [viskozite] n. f. **1.** État de ce qui est visqueux (1). *Viscosité d'une huile.* **2.** État d'un corps dont la surface est visqueuse, gluante. *La viscosité d'un poisson.*

① *viser* [vize] v. ■ conjug. 1. **I.** V. intr. **1.** Diriger attentivement son regard, un objet, une arme vers le but, la cible à atteindre. *Visez bien, avant de tirer.* **2.** *Visez moins haut, plus haut,* ayez des ambitions plus modestes, plus grandes. **II.** V. tr. ind. VISER À. **1.** Diriger un objet, une arme sur (qqch.). *Il a visé à la tête, au cœur.* **2.** Avoir en vue (une certaine fin), tendre à. *C'est le but auquel cet examen vise* — (+ infinitif) *Ses manœuvres visent à nous tromper.* **III.** V. tr. dir. **1.** Regarder attentivement (un but, une cible) afin de l'atteindre d'un coup, d'un projectile. *Viser l'objectif en clignant de l'œil.* **2.** Avoir en vue, s'efforcer d'atteindre (un résultat). *Il visait ce poste depuis longtemps.* ⇒ **briguer. 3.** (Suj. chose) S'appliquer à. *Cette remarque vise tout le monde.* ⇒ **concerner.** — Au passif et p. p. adj. *Être, se sentir visé,* être l'objet d'une allusion, d'une critique. **4.** Fam. Regarder. *Vise un peu la tête qu'il fait !* ▸ *visée* n. f. **1.** Action de diriger la vue, le regard (ou une arme, un instrument d'optique) vers un but, un objectif. *Ligne de visée.* **2.** Surtout au plur. Direction de l'esprit, vers un but, un objectif qu'il se propose. ⇒ **ambition, intention.** *Avoir des visées ambitieuses, des visées sur qqn.* ⇒ **vue.** ▸ *viseur* n. m. ■ Instrument, dispositif optique servant à effectuer une visée. *Le viseur d'une arme à feu.* — Dispositif permettant de délimiter le champ (en photo, cinéma). *Le viseur de la caméra.* ⟨ ▸ aviser, réviser, superviser, visible, visière, vision ⟩

② *viser* v. tr. ■ conjug. 1. ■ Voir, examiner (un acte) et le revêtir d'un visa* ou d'une mention qui le rend valable. *Faire viser son passeport.*

visible [vizibl] adj. **1.** Qui peut être vu. *La face visible de la Lune. Visible à l'œil nu, à la loupe, au microscope.* **2.** (Réalité abstraite, mentale ou globale) Sensible à la vue (opposé à *caché, invisible*). ⇒ **apparent, manifeste.** *Le monde, la nature visible.* — N. m. *Le visible et l'invisible.* **3.** Qui se manifeste, peut être constaté par les sens. ⇒ **évident, flagrant, manifeste.** *Il répondit avec un embarras, un plaisir visible.* — Impers. *Il est visible que* (+ indicatif), clair, évident. **4.** (Personnes) En état de recevoir une visite. *Il n'est pas visible à cette heure-ci.* — Fam. En état d'être vu (habillé, apprêté). ⇒ **présentable.** ▸ *visiblement* adv. **1.** De manière à être vu ; en se manifestant à la vue. ⇒ **ostensiblement. 2.** D'une manière évidente, claire. ⇒ **manifestement.** *Il était visiblement préoccupé. Visiblement, il ne voulait pas venir.* ▸ *visibilité* n. f. **1.** Caractère de ce qui est perceptible par la vue, sensible à l'œil humain. **2.** Qualité de l'atmosphère, permettant de voir à une plus ou moins grande distance. *Bonne, mauvaise visibilité.* **3.** Possibilité, en un point donné, de voir plus ou moins bien les abords. *Virage sans visibilité.* ⟨ ▸ invisible, invisibilité ⟩

visière [vizjɛʀ] n. f. **1.** Partie d'une casquette, d'un képi qui abrite les yeux. **2.** Pièce rigide qui protège les yeux et qui s'attache autour de la tête. *Visière en celluloïd.* — *Mettre sa main en visière devant ses yeux,* pour se protéger des reflets.

vision [vizjɔ̃] n. f. **I. 1.** Perception du monde extérieur par les organes de la vue ; mécanisme physiologique par lequel les radiations lumineuses donnent naissance à des sensations. *Vision nette, indistincte. Champ de vision. De la vision.* ⇒ **visuel. 2.** Fig. Action de voir, de se représenter en esprit. ⇒ **représentation.** *Avoir une vision confuse de l'avenir. Une vision réaliste, épique, poétique de la réalité.* ⇒ **conception. II.** (Une, des visions) **1.** Chose surnaturelle qui apparaît aux yeux ou à l'esprit. ⇒ **apparition, révélation.** *Les visions des grands mystiques.* **2.** Représentation imaginaire. ⇒ **hallucination, rêve.** *Visions hallucinatoires.* — Fam. *Avoir des visions,* voir ce qui n'existe pas. *Tu as des visions !* **3.** Image mentale. ⇒ **idée.** *La vision de la mort m'a traversé l'esprit.* ▸ *visionnaire* n. et adj. **1.** N. Personne qui a ou croit avoir des visions, des révélations surnaturelles, ou qui a des idées folles, extravagantes. ⇒ **halluciné, illuminé.** *Traiter qqn de visionnaire.* **2.** Adj. Capable d'anticiper, qui a une vision juste de l'avenir. *Poète visionnaire. Art visionnaire.* ▸ *visionner* v. tr. ■ conjug. 1. ■ Examiner (un film) d'un point de vue technique. *Visionner une séquence.* ▸ *visionneuse* n. f. ■ Appareil formé d'un dispositif optique grossissant, pour examiner un film, des diapositives. ⟨ ▸ prévision, révision, supervision, télévision ⟩

visiter [vizite] v. tr. ■ conjug. 1. **I.** Aller voir (qqn). **1.** Rare. Faire une visite à (qqn). *Il est allé visiter des amis,* leur *rendre visite* (plus courant). **2.** Se rendre auprès de (qqn) pour l'assister, le soigner. *Visiter les indigents, les prisonniers, un malade.* **3.** (En parlant de Dieu) Agir sur, se manifester auprès de (l'homme). *Dieu l'a visité.* **II.** Aller voir (qqch.), parcourir (un lieu) en examinant. ⇒ **voir.** *J'ai visité la Hollande l'été dernier. Visiter un musée.* — Examiner, inspecter. ⇒ **fouiller.** ▶ *Visitation* n. f. ■ Dans la religion catholique. Visite que fit la Sainte Vierge à sainte Élisabeth, alors enceinte de saint Jean-Baptiste ; fête commémorant cet événement. *La Visitation.* ▶ *visite* n. f. **I.** **1.** Le fait d'aller voir (qqn) et de rester avec lui un certain temps ; le fait de recevoir un visiteur. ⇒ **entrevue, rencontre.** *Quel est l'objet, le but de cette visite ? Une petite, une longue visite. On a sonné, c'est une visite. L'heure des visites* (dans une pension, un hôpital, une prison, etc.). *Faire, rendre une visite à qqn.* RENDRE VISITE. ⇒ **visiter** (I, 1). *Je suis allé lui rendre visite. Nous avons reçu sa visite.* — Rencontre mondaine de personnes qui se reçoivent. *Être* EN VISITE *chez qqn.* **2.** La personne qui se rend chez une autre. ⇒ **visiteur.** *Tu as une visite.* Fam. *Voilà de la visite !,* des visiteurs. — (Médecin) Le fait de se rendre auprès d'un malade. *Visites à domicile. Les visites et les consultations.* — Action de visiter (un client). *Les visites d'un représentant.* **II.** **1.** Le fait de se rendre (dans un lieu) pour voir, pour parcourir, visiter. *Visite touristique d'une ville. Faire la visite d'un musée.* — *Visite officielle d'un chef d'État.* **2.** Le fait de se rendre dans un lieu, pour procéder à un examen, une inspection. *Visite d'expert.* — *Visite de douane,* formalité d'examen des marchandises, des bagages. ⇒ **fouille.** **3.** Examen de patients, de malades par un médecin à l'hôpital, en clinique, etc. *L'heure de la visite. Aller à la visite médicale. As-tu passé la visite (médicale) ?* ▶ *visiteur, euse* n. **I.** **1.** Personne qui va voir qqn chez lui, lui fait une visite. *Accompagner, reconduire un visiteur.* **2.** Personne qui visite (un pensionnaire, un malade, un prisonnier). *Les visiteurs sont admis au parloir.* **II.** **1.** Personne qui visite, inspecte, examine. *Visiteur, visiteuse des douanes.* **2.** Personne qui visite un lieu. *Les visiteurs sont priés de s'adresser au guide.* ⇒ **touriste, voyageur.** **3.** En sport. Membre d'une équipe qui se déplace et joue sur le terrain de l'adversaire. *Les visiteurs ont gagné par trois buts à deux.*

vison [vizɔ̃] n. m. **1.** Mammifère voisin du putois, dont la variété d'Amérique du Nord est chassée et élevée pour sa fourrure très estimée. **2.** Fourrure de cet animal. *Manteau, étole de vison.* — Fam. Manteau de vison. *Elle s'est acheté un vison.*

visqueux, euse [viskø, øz] adj. **1.** (Liquide) Qui est épais et s'écoule avec difficulté. *L'écoulement des liquides visqueux.* ⇒ **viscosité.** *Goudrons plus ou moins visqueux.* ⇒ **collant, poisseux.** / contr. **fluide** / **2.** Péj. Dont la surface est couverte d'un liquide visqueux, d'une couche gluante. *La peau visqueuse d'un crapaud.* **3.** Fig. Répugnant par un caractère de bassesse, de traîtrise. *Des manières visqueuses.* ⟨ ▶ viscosité ⟩

visser [vise] v. tr. ▪ conjug. 1. **1.** Fixer, faire tenir avec une vis, des vis. *Visser un interrupteur.* — Loc. Au p. p. *Il reste des heures vissé sur sa chaise,* sans se lever. **2.** Serrer en tournant sur un pas de vis. / contr. **dévisser** / *Visser un couvercle.* — Pronominalement (passif). *Ce bouchon se visse.* ▶ *vissage* n. m. ■ Action de visser.

visualiser [vizɥalize] v. tr. ▪ conjug. 1. **1.** Rendre visible (un phénomène qui ne l'est pas). *Visualiser l'écoulement de l'air dans une soufflerie.* **2.** En informatique. Faire apparaître sur un écran les résultats d'un traitement informatique (sous forme graphique). *Visualiser les résultats sur une console.* ▶ *visualisation* n. f. **1.** Action de rendre visible (qqch.). **2.** En informatique. Présentation d'informations sur un écran. ⇒ **affichage.** *Écran de visualisation.*

visuel, elle [vizɥɛl] adj. et n. **1.** Relatif à la vue. *Champ visuel. Images, impressions, sensations visuelles. Mémoire visuelle,* des choses vues. **2.** N. Personne chez qui les sensations visuelles prédominent. *Les visuels et les auditifs.* **3.** Qui fait appel au sens de la vue. *Méthodes visuelles,* dans l'enseignement. (⇒ **audiovisuel**) ▶ *visuellement* adv. ■ Par le sens de la vue. *Constater visuellement.* ⇒ **de visu.** ⟨ ▶ audiovisuel, télévisuel, visualiser ⟩

vital, ale, aux [vital, o] adj. **1.** Qui concerne, constitue la vie. *Propriétés, fonctions vitales.* — *Principe vital, force vitale,* énergie propre à la vie. **2.** Essentiel à la vie d'un individu, d'une collectivité. ⇒ **indispensable.** — Qui touche à l'essentiel de la vie. *C'est un problème vital, une question vitale pour nous,* d'une importance extrême. *Il est vital d'y aller, que nous y allions. C'est vital.* ▶ *vitalité* n. f. ■ Caractère de ce qui manifeste une santé, une activité remarquables. ⇒ **dynamisme, énergie, vigueur.** *La vitalité d'une personne, d'une plante. Un vieillard d'une étonnante vitalité !* ⟨ ▶ dévitaliser, revitaliser ⟩

vitamine [vitamin] n. f. ■ Substance organique, sans valeur énergétique, mais indispensable à l'organisme, apportée en petite quantité par l'alimentation. *Vitamine A* (de croissance), *C* (antiscorbutique), *D* (antirachitique). *Carence en vitamines.* ⇒ **avitaminose.** ▶ *vitaminé, ée* adj. ■ Où l'on incorpore une ou plusieurs vitamines. *Biscuits vitaminés.*

vite [vit] adv. **1.** En parcourant un grand espace en peu de temps. / contr. **lentement** / *Aller vite.* ⇒ **filer, foncer.** *Marcher, courir vite, passer très vite* (→ Comme un éclair, une flèche). *On roule plus vite qu'eux.* — À un rythme rapide. *Je sentis mon cœur battre plus vite.* **2.** En peu de temps. ⇒ **promptement, rapidement.** *Faire vite, se dépêcher. Vous parlez trop vite.* ⇒ **précipitamment.** *Tu te fatigues vite.* — *Il y va un peu vite,* il agit à la légère. — Loc. *Plus vite que le vent,* extrêmement vite. — (Avec un impératif) *Sans plus attendre, immédiatement. Partez vite. Allons vite, dépêchez-vous !* **3.** Au bout d'une courte durée. ⇒ **bientôt.** *On sera plus vite arrivé.* — *Au plus vite,* dans le plus court délai. — *Il a eu vite fait de, il aura vite fait de* (+ infinitif), il n'a pas tardé, il ne tardera pas à. — Loc. adv. fam. VITE FAIT : rapidement. *Elle s'est tirée vite fait.* ▶ *vitesse* n. f. **I.** (Sens absolu) **1.** Le fait ou le pouvoir de parcourir un grand espace en peu de temps. ⇒ **célérité, rapidité, vélocité.** *Course de vitesse. L'avion prend de la vitesse. Excès de vitesse.* **2.** Le fait d'accomplir une action en peu de temps. ⇒ **hâte, promptitude.** *La vitesse avec, à laquelle il se gare.* — Loc. *Prendre qqn de vitesse,* faire (qqch.) plus vite que lui. ⇒ **devancer.** — Loc. fam. EN VITESSE : au plus vite. *Tirez-vous en vitesse !* **II.** (Sens relatif) **1.** Le fait d'aller plus ou moins vite, de parcourir une distance plus ou moins grande par unité de temps. ⇒ **allure.** *Vitesse modérée de la marche. Vitesse d'une automobile,* appréciée en kilomètres à l'heure. *À quelle vitesse roulez-vous ? Compteur, indicateur de vitesse.* — Loc. À TOUTE VITESSE : le plus vite possible, très vite. *Vitesse de croisière*.* — Loc. PERTE DE VITESSE : (avion) dont la vitesse devient inférieure à la vitesse minimale nécessaire au vol. — *En perte de vitesse,* qui ne se développe plus, perd son dynamisme, son succès. *Mouvement politique en perte de vitesse.* **2.** Rapport entre la vitesse de rotation de l'arbre moteur et celle des roues, assuré par le système de transmission. *Changement de vitesse,* dispositif permettant de changer ce rapport. *Première, seconde, troisième, quatrième, cinquième vitesse. Passe la troisième (vitesse) !* — Loc. fam. *En quatrième vitesse,* très vite. — *Boîte de vitesses,* carter du changement de vitesse. **3.** En sciences. Quantité exprimée par le rapport d'une distance au temps mis à la parcourir.

Vitesse de propagation des ondes. — Le fait de s'accomplir en un temps donné pour un phénomène quelconque. *Vitesse de sédimentation.*

vitellus [vitɛllys] n. m. invar. ■ Biologie. Substance qui constitue les réserves de l'œuf, de l'embryon. ▶ **vitellin, ine** adj. ■ Du vitellus.

viti- ■ Élément signifiant « vigne ». ▶ **viticole** [vitikɔl] adj. 1. Relatif à la culture de la vigne et à la production du vin. ⇒ **vinicole.** *Industrie, culture viticole.* 2. Qui produit de la vigne. *Région viticole.* ▶ **viticulteur, trice** n. ■ Personne qui cultive de la vigne, pour la production du vin. ⇒ **vigneron.** ▶ **viticulture** n. f. ■ Culture de la vigne.

vitre [vitʀ] n. f. 1. Panneau de verre garnissant une ouverture (fenêtre, porte, etc.). ⇒ **carreau.** *Vitres d'une fenêtre. Nettoyer, laver, faire les vitres. Casser une vitre.* 2. Panneau de verre permettant de voir à l'extérieur lorsqu'on est dans un véhicule. ⇒ **glace.** *Les vitres des portières, d'un train, d'une voiture. Baisser, remonter la vitre.* ▶ **vitrage** n. m. 1. Ensemble de vitres (d'une baie, d'une fenêtre, d'une marquise, d'une serre). 2. Châssis garni de vitres, servant de cloison, de toit, de paroi. *Le vitrage d'une véranda.* ⇒ **verrière.** 3. Le fait de poser les vitres, de garnir de vitres. ▶ **vitrail, aux** [vitʀaj, o] n. m. ■ Panneau constitué de morceaux de verre, généralement colorés, assemblés pour former une décoration. *Les vitraux d'une cathédrale.* ⇒ **rosace, verrière.** — *Le vitrail,* la technique de la fabrication des vitraux ; l'art de faire des vitraux, analogue à la peinture (formes, couleurs). ▶ **vitrer** v. tr. ■ conjug. 1. ■ Garnir de vitres. *Vitrer une porte, un panneau.* — Au p. p. adj. *Porte vitrée. Baie vitrée.* ▶ **vitré, ée** adj. ■ En anatomie. *Corps vitré,* masse transparente entre la rétine et la face postérieure du cristallin. *Humeur vitrée de l'œil,* substance gélatineuse qui remplit le corps vitré. ⇒ **vitreux.** ▶ **vitrerie** n. f. ■ Industrie des vitres (fabrication, pose, façonnage, etc.). ▶ **vitreux, euse** adj. 1. Qui ressemble au verre fondu, à la pâte de verre. *Humeur vitreuse* (de l'œil). ⇒ **vitré.** 2. Dont l'éclat est terni. *Œil, regard vitreux.* ▶ **vitrier** n. m. ■ Celui qui vend, coupe et pose les vitres, les pièces de verre. ▶ **vitrifier** v. tr. ■ conjug. 7. 1. Transformer en verre par fusion ou donner la consistance du verre à (une matière). 2. Recouvrir (un parquet) d'une matière plastique transparente pour le protéger. — Au p. p. adj. *Parquet vitrifié.* ▶ **vitrification** n. f. ■ Transformation en verre ; acquisition de la structure vitreuse. *Vitrification de l'émail par fusion.* — Action de vitrifier (un parquet). ▶ **vitrine** n. f. 1. Devanture vitrée d'un local commercial ; espace ménagé derrière cette vitre, où l'on expose des objets à vendre. ⇒ **étalage.** *Article exposé en vitrine. Regarder, lécher les vitrines.* ⇒ **lèche-vitrines.** — L'aménagement, le contenu d'une vitrine. *Les commerçants refont leurs vitrines pour Noël.* 2. Petite armoire vitrée où l'on expose des objets de collection. ‹ ▶ **lèche-vitrines** ›

vitriol [vitʀijɔl] n. m. 1. Acide sulfurique concentré, très corrosif. 2. Fig. *Portrait au vitriol,* description très corrosive, mordante. ▶ **vitrioler** v. tr. ■ conjug. 1. ■ Lancer du vitriol sur (qqn) pour le défigurer.

vitupérer [vitypeʀe] v. ■ conjug. 6. 1. V. tr. Littér. Blâmer vivement. / contr. ① **louer** / 2. V. intr. *Vitupérer contre qqn, qqch.,* élever de violentes protestations contre (qqn, qqch.). ⇒ **pester, protester.** *Elle vitupère toujours contre son mari.* ▶ **vitupération** n. f. ■ Littér. Action de vitupérer. — *(Une, des vitupérations)* Blâme ou reproche violent.

vivable [vivabl] adj. 1. Où l'on peut vivre ①. ⇒ **supportable.** *Cette pièce n'est pas vivable.* 2. Que l'on peut supporter. *Son mari n'est pas vivable. Cette* situation n'est pas vivable. / contr. **insupportable, invivable** / ‹ ▶ **invivable** ›

① **vivace** [vivas] adj. 1. (Plantes, petits animaux) Constitué de façon à résister longtemps à ce qui peut compromettre la santé ou la vie. ⇒ **résistant, robuste.** 2. *Plante vivace,* qui vit plus de deux années (opposé à *plante annuelle*). 3. Qui se maintient sans défaillance, qu'il est difficile de détruire. ⇒ **durable, persistant, tenace.** *Souvenir vivace. Il garde une haine vivace contre ses anciens ennemis.* ▶ **vivacité** n. f. 1. Caractère de ce qui a de la vie, est vif. ⇒ **activité, entrain.** / contr. **apathie, lenteur, mollesse** / *La vivacité d'un enfant. Vivacité d'esprit,* rapidité à comprendre, à concevoir. 2. Caractère de ce qui est vif, a de l'intensité. *Vivacité du coloris, du teint.* ⇒ **éclat.** 3. Caractère de l'air frais, vif. 4. Caractère vif (I, 2), emporté ou agressif. *Vivacité des propos. Il m'a répondu avec vivacité.*

② **vivace** [vivat∫e] adj., adv. et n. m. invar. ■ Musique. D'un mouvement rapide (plus que l'*allégro*). *Des vivace.*

vivandière [vivãdjɛʀ] n. f. ■ Autrefois. Femme qui suivait les troupes pour vendre aux soldats des vivres, des boissons. ⇒ **cantinière.**

① **vivant, ante** [vivã, ãt] adj. 1. Qui vit, est en vie. / contr. **mort** / *Il est encore vivant. Attrapez-le vivant !* — Loc. *C'est un cadavre vivant,* une personne très malade. — N. *Les vivants et les morts. Rayer qqn du nombre des vivants,* le faire mourir. 2. Plein de vie. ⇒ **vif.** *Un enfant très vivant.* — (Œuvres) Qui a l'expression, les qualités de ce qui est vif. *Les personnages de Molière sont vivants.* / contr. **figé** / 3. Doué de vie. ⇒ **animé, organisé.** *Cellule vivante,* possédant les caractères de la vie. *L'être vivant, les êtres vivants.* 4. Constitué par un ou plusieurs êtres vivants. *Tableaux vivants.* — *C'est le vivant portrait de sa mère.* ⇒ **ressemblant, craché.** 5. (Lieu) Plein de vie, d'animation. *Des rues vivantes.* ⇒ **animé.** / contr. **désert, morne** / 6. (Choses) Animé d'une sorte de vie (II) ; actif, actuel. *Langues vivantes* (opposé à *langues mortes*). *Un mot très vivant,* en usage. *Son souvenir est toujours vivant.* ⇒ **durable.**

② **vivant** n. m. ■ DU VIVANT DE..., DE SON VIVANT : pendant la vie de (qqn), sa vie. *Cela ne serait pas arrivé du vivant du directeur.*

vivat [viva] interj. et n. m. ■ Acclamation (→ ② *vive*). *Il y a eu des vivats en son honneur.*

① **vive** [viv] n. f. ■ Poisson aux nageoires épineuses, vivant surtout dans le sable des côtes.

② **vive** exclam. ■ Acclamation envers qqn, qqch. à qui l'on souhaite de vivre, de durer longtemps. ⇒ **vivat.** *Vive la France, la République !* / contr. à **bas,** à **mort** / — (Avec un nom au plur., au lieu de : *vivent*) *Vive les vacances !*

vivement [vivmã] adv. 1. D'une manière vive ⇒ **vif** ; avec vivacité, ardeur. ⇒ **promptement, rapidement.** *Mener vivement une affaire.* 2. Exclamatif, pour exprimer l'accomplissement rapide d'un souhait. *Vivement les vacances !* — (Avec *que* + subjonctif) *Vivement qu'on s'en aille !* 3. D'un ton vif, avec un peu de colère. *Il répliqua vivement.* 4. Avec force, intensité. *J'ai été vivement affecté par sa mort. Nous regrettons vivement que* (+ subjonctif) ⇒ **beaucoup, intensément, profondément.**

vivi- ■ Élément savant signifiant « vivant » (ex. : *vivipare*).

vivier [vivje] n. m. ■ Étang, bassin d'eau aménagé pour la conservation et l'élevage du poisson, des crustacés. *Truites en vivier.*

vivifier [vivifje] v. tr. • conjug. 7. ■ Donner de la vitalité à (qqn). *Ce climat me vivifie.* ⇒ **stimuler, tonifier.** ► *vivifiant, ante* adj. ■ Air vivifiant. ⇒ **stimulant.** ⟨► revivifier ⟩

vivipare [vivipaʀ] adj. ■ Se dit d'un animal dont l'œuf se développe complètement à l'intérieur de l'utérus maternel, de sorte qu'à la naissance le petit apparaît formé. *Les mammifères sont vivipares.* — N. *Les vivipares.*

vivisection [vivisɛksjɔ̃] n. f. ■ Opération pratiquée à titre d'expérience sur les animaux vivants. ⇒ **dissection.**

vivoter [vivɔte] v. intr. • conjug. 1. ■ Vivre au ralenti, avec de petits moyens. ⇒ **végéter.** — (Choses) Subsister ; avoir une activité faible, médiocre. *Son affaire vivote tant bien que mal.*

vivre [vivʀ] v. • conjug. 46. **I.** V. intr. (Suj. personne ; être vivant) **1.** Être en vie ; exister. *La joie, le plaisir de vivre. Ne vivre que pour..., se consacrer entièrement à... Se laisser vivre,* vivre sans faire d'effort. **2.** (Avec un compl. de durée) Avoir une vie d'une certaine durée. *Vivre longtemps, vivre vieux,* jusqu'à un âge avancé. *Les années qu'il a vécu,* pendant lesquelles il a vécu (le participe ne s'accorde pas). **3.** Passer sa vie, une partie de sa vie en résidant habituellement (dans un lieu). ⇒ **habiter.** *Vivre à Paris, à la campagne. Il vit à l'hôtel.* **4.** Mener une certaine vie. *Vivre seul, libre. Vivre avec qqn* (dans le mariage, ou maritalement). ⇒ **cohabiter.** *Est-ce qu'ils vivent ensemble ? Vivre en paix.* — *Art de vivre,* de se conduire d'une certaine façon. *Vivre dangereusement. Vivre dans l'anxiété.* — Loc. *Être facile, difficile à vivre,* d'un caractère accommodant ou non. **5.** Disposer des moyens matériels qui permettent de subsister. *Travailler pour vivre. Il la fait vivre,* il subvient à ses besoins. — *Vivre pauvrement, petitement* ⇒ **végéter, vivoter ;** *largement.* — (Avec un compl. de moyen) *Vivre de lait, de fruits...* ⇒ **se nourrir.** *Vivre de son travail, de ses rentes. Avoir de quoi vivre,* assez de ressources pour subsister. **6.** SAVOIR VIVRE : savoir se comporter comme le veut l'usage social. *Voilà des gens qui savent vivre, qui vivent bien, agréablement.* ⇒ **savoir-vivre.** — *Je vais lui apprendre à vivre* (menace). **7.** Réaliser toutes les possibilités de la vie ; jouir de la vie. *Un homme qui a vécu, beaucoup vécu,* qui a eu une vie riche d'expériences. **8.** (Choses) Exister parmi les hommes. *Cette croyance vit encore dans les campagnes.* **II.** V. tr. (Suj. personne) **1.** Avoir, mener (telle ou telle vie). *Ils ont vécu une existence difficile.* — Passer, traverser (un espace de temps). *Vivre des jours heureux.* ⇒ **couler.** *Les jours difficiles qu'il a vécus* (le participe s'accorde). **2.** Éprouver intimement, réellement par l'expérience même de la vie. *Vivre un sentiment, un grand amour.* — Traduire en actes réels. *Vivre sa foi, son art.* ⟨► invivable, modus vivendi, qui-vive, revivre, savoir-vivre, survivre, vivable, ① vivace, ① vivant, ② vivant, vivat, ② vive, vivi-, vivier, vivoter, vivres ⟩

vivres [vivʀ] n. m. pl. ■ Ce qui sert à l'alimentation des humains. ⇒ **aliment, nourriture.** *Les vivres et les munitions d'une armée.* — Loc. *Je vais lui couper les vivres,* le priver de ses moyens de subsistance (d'argent).

vizir [viziʀ] n. m. ■ Ministre, sous l'empire ottoman. *Grand vizir,* Premier ministre.

vlan ou *v'lan* [vlɑ̃] interj. ■ Onomatopée imitant un bruit fort et sec produit par une large surface. *Et vlan, encore une porte qui claque.*

vocable [vɔkabl] n. m. ■ Mot d'une langue, considéré dans sa signification, sa valeur expressive. ► *vocabulaire* n. m. **1.** Dictionnaire succinct ou spécialisé. *Vocabulaire français-anglais.* **2.** Ensemble de mots dont dispose une personne. *Vocabulaire pauvre, réduit ; riche, étendu. Il faut enrichir ton vocabulaire. Quel vocabulaire !,* quelle manière étrange, grossière, de s'exprimer. **3.** Termes spécialisés (d'une science, d'un art, ou qui caractérisent une forme d'esprit). ⇒ **terminologie.** *Vocabulaire juridique, sociologique, technique.*

vocal, ale, aux [vɔkal, o] adj. **1.** Qui produit la voix. *Organes vocaux. Cordes vocales.* **2.** De la voix. *Technique vocale,* du chant. — Écrit pour le chant, chanté. *Musique vocale* (opposé à *instrumentale*). ► *vocalique* adj. ■ Qui a rapport aux voyelles. *Le système vocalique d'une langue.* ► *vocaliser* v. intr. • conjug. 1. ■ Chanter, en parcourant une échelle de sons et sur une seule syllabe. ► *vocalise* n. f. ■ Suite de sons produite par une personne qui vocalise. *Faire des vocalises.*

vocatif [vɔkatif] n. m. ■ Dans les langues à déclinaisons. Cas employé pour s'adresser directement à qqn, à qqch. *Vocatif latin, grec.* — Construction, phrase exclamative par laquelle on s'adresse directement à qqn, qqch. *Le « ô » vocatif.*

vocation [vɔkasjɔ̃] n. f. **1.** Mouvement intérieur par lequel on se sent appelé par Dieu. *Vocation contrariée. Avoir, ne pas avoir la vocation.* **2.** Inclination, penchant (pour une profession, un état). ⇒ **attirance, disposition, goût.** *Suivre sa vocation. Vocation artistique.* **3.** Destination (d'une personne, d'un peuple, d'un pays). ⇒ **mission.** *La vocation industrielle, artistique de la France.*

vociférer [vɔsifeʀe] v. intr. • conjug. 6. ■ Parler en criant et avec colère. ⇒ **hurler.** *Vociférer contre qqn.* — Transitivement. *Vociférer des injures.* ► *vociféra-tion* n. f. ■ Parole bruyante, prononcée dans la colère. *Pousser des vociférations.* ⇒ **cri, hurlement.**

vodka [vɔdka] n. f. ■ Eau-de-vie de grain (seigle, orge) en général blanche. *Vodka russe, polonaise. Des vodkas.*

vœu [vø] n. m. **1.** Promesse faite à Dieu ; engagement religieux. *Les trois vœux* (pauvreté, chasteté, obéissance), prononcés par qqn qui entre en religion. *Faire vœu de pauvreté. Qui est gage d'un vœu.* ⇒ **votif.** *Consacrer par un vœu.* ⇒ **vouer. 2.** Engagement pris envers soi-même. ⇒ **résolution.** *Faire le vœu de ne plus revoir qqn.* **3.** Souhait que s'accomplisse qqch. *Faire, former des vœux pour la santé de qqn. J'ai fait un vœu en jetant une pièce dans l'eau de la fontaine. Mon vœu a été exaucé.* — Au plur. Souhaits adressés à qqn. *Tous mes vœux ! Vœux de bonne année. Envoyer ses vœux.* **4.** Demande, requête faite par qui n'a pas autorité ou pouvoir pour la satisfaire. *Les assemblées consultatives n'émettent que des vœux.* ⇒ **résolution.**

vogue [vɔg] n. f. ■ État de ce qui est apprécié momentanément du public ; de ce qui est à la mode. *Ce chanteur connaît une vogue extraordinaire.* ⇒ **suc-cès.** — EN VOGUE : actuellement très apprécié, à la mode. *Il n'est plus en vogue.* ⇒ **démodé.**

voguer [vɔge] v. intr. • conjug. 1. ■ Littér. Avancer avec des rames (⇒ **ramer**). — Avancer sur l'eau. *Voguer sa vie.* ⇒ **naviguer.**

voici [vwasi] prép. — REM. En principe opposé à *voilà, voici* est, dans l'usage, employé moins couramment. **1.** Désigne une chose ou une personne relativement proche. *Voici mon père, le voici qui arrive. Voici ta chambre et voilà la mienne.* — Littér. *Voici venir, voici... qui vient. Voici venir toute la famille.* **2.** Désigne ce qui arrive, approche, commence à se produire. *Voici la pluie.* **3.** Désignant les choses dont il va être question dans le discours. *Voici ce dont je veux te parler.* **4.** (Présentant un nom, un pronom caractérisé par un adj.) ⇒ **voilà.** *Te voici tranquille. Voici nos amis enfin arrivés.* — Littér. (Suivi d'une complétive) *Voici que la nuit tombe. Voici comment il faut faire.* ⇒ **voilà.** ⟨ ▶ revoici ⟩

voie [vwa] n. f. **I.** Concret. **1.** Espace à parcourir pour aller quelque part. ⇒ **chemin, passage.** *Trouver, suivre, perdre, quitter une voie, la bonne voie.* — Loc. *Mettre sur la voie,* donner des indications, aider à trouver. **2.** Cet espace, lorsqu'il est tracé et aménagé. ⇒ **artère, chemin, route, rue.** *Les grandes voies de communication d'un pays,* routes et voies ferrées. *La voie publique* (faisant partie du domaine public), destinée à la circulation (y compris les places, les squares...). *Attroupement sur la voie publique.* — Route ou rue. *Voie étroite, prioritaire, à sens unique. Voie express,* à circulation rapide. ⇒ **autoroute.** — Partie d'une route de la largeur d'un véhicule. *Route à trois, quatre voies.* **3.** Grande route pavée de l'Antiquité. *Les voies romaines.* — *Voie sacrée,* commémorant un itinéraire (religieux, militaire). **4.** VOIE FERRÉE : l'ensemble des rails mis bout à bout et à écartement fixe qui forment une voie, un chemin pour les convois de chemin de fer. *Ligne à voie unique,* où les trains ne peuvent se croiser. *Porte qui donne sur la voie.* — *Voie de garage,* où sont garés les wagons et les voitures de chemin de fer ; fig. fonction sans responsabilités. **5.** *Voies navigables,* les fleuves et canaux. **6.** *La voie maritime, aérienne,* les déplacements, transports par mer, air. **7.** VOIE D'EAU : ouverture accidentelle par laquelle l'eau entre dans un navire. *Boucher, calfater une voie d'eau.* **8.** Se dit de passages, conduits anatomiques. ⇒ **canal.** *Les voies digestives, respiratoires, urinaires. Par voie buccale, orale,* par la bouche. **II.** Fig. **1.** Conduite, suite d'actes orientés vers une fin et considérée comme un chemin que l'on peut suivre. ⇒ **chemin, ligne, route.** *Aller, avancer, entrer, marcher dans telle ou telle voie. Préparer la voie,* faciliter les choses à faire en réduisant les obstacles. *Ouvrir la voie.* ⇒ **passage.** *Être dans la bonne voie,* commencer à réussir. *Trouver sa voie,* la situation qui convient. — Les desseins, les commandements (de Dieu). *Les voies de Dieu, de la Providence.* **2.** Conduite suivie ou à suivre ; façon de procéder. ⇒ **moyen.** *Opérer par la voie la plus simple, par une voie détournée.* — Loc. VOIE DE FAIT : violence ou acte matériel insultant. **3.** Intermédiaire qui permet d'obtenir ou de faire qqch. *Réclamer par la voie hiérarchique.* — Loc. *Par voie de conséquence,* en conséquence. **4.** EN VOIE DE... : se dit de ce qui se modifie dans un sens déterminé. *Plaie en voie de cicatrisation. Pays en voie de développement.* ≠ **voix.** ⟨ ▶ claire-voie, à contre-voie, convoi, convoyer, dévoyé, envoi, envoyer, fourvoyer, renvoi, renvoyer, voyage ⟩

voilà [vwala] prép. **1.** Désigne une personne ou une chose, plus particulièrement quand elle est relativement éloignée (mais *voilà,* plus courant que *voici,* s'emploie dans tous les cas). *Voilà un homme courageux. Voilà de l'argent. Le voilà, c'est lui. Voilà votre ami qui vient, qui arrive.* — EN VOILÀ : voilà de ceci. *Vous en voulez ? En voilà.* — Loc. adv. *En veux-tu en voilà,* beaucoup, tant qu'on en veut. *De l'argent en veux-tu en voilà.* — Exclamatif pour mettre en relief. *En voilà un imbécile ! En voilà des manières !* — *Voilà !,* interjection qui répond à un appel, à une demande. *Voilà, j'arrive !,* attendez, j'arrive. **2.** Désignant les choses dont il vient d'être question dans le discours (opposé à *voici*). *Voilà ce que c'est que de ne pas obéir,* telles en sont les conséquences. *Voilà tout.* — *En voilà assez,* cela suffit, je n'en supporterai pas davantage. — Construit avec QUI, en valeur neutre. *Voilà qui est bien. Voilà.* — (Avec une valeur exclamative) C'est (ce sont) bien..., c'est vraiment.

Voilà bien les hommes. Ah ! voilà !, c'était donc ça. **3.** S'emploie pour présenter un substantif, un pronom caractérisé (par un adjectif, un participe). *Vous voilà content. Nous voilà arrivées. La voilà partie,* enfin, elle est partie. *Nous voilà bien ! Nous voilà frais... ! Le voilà qui radote !* — (Avec un compl. de lieu) *Nous voilà à la maison ; nous y voilà.* — Loc. *Nous y voilà,* nous abordons enfin le problème, la question. **4.** Pour présenter une circonstance nouvelle (suivie d'une complétive). *Soudain, voilà que l'orage éclate. Voilà comme, comment, pourquoi...* **5.** Employé pour présenter ou souligner un argument, une objection. *C'était simple, seulement voilà, personne n'y avait pensé.* **6.** Il y a (telle durée). *Voilà quinze jours que je suis partie.* ⟨ ▶ revoilà ⟩

① **voile** [vwal] n. f. **1.** Morceau de forte toile ou de textile synthétique, destiné à recevoir l'action du vent pour faire avancer un bateau. *Bateau à voiles.* ⇒ **voilier.** *Naviguer à la voile. Hisser, larguer, mettre les voiles,* pour faire avancer le bateau. — Loc. *Avoir le vent dans les voiles,* se dit d'une personne dont les affaires vont bien, qui est en train de réussir. — Loc. fam. *Avoir du vent dans les voiles,* se dit d'une personne ivre qui ne marche pas droit. — Fam. *Mettre les voiles,* s'en aller, partir. ⇒ fam. se **débiner,** se **tirer. 2.** *La voile,* navigation à voile. — Sport nautique sur voilier. ⇒ **plaisance.** *Faire de la voile.* — VOL À VOILE : pilotage des planeurs. **4.** *Planche* à voile. ▶ **voilier** n. m. ■ Bateau à voiles. *Les grands voiliers d'autrefois.* — Bateau de sport ou de plaisance, qui avance à la voile. *Faire du voilier. Course de voiliers.* ⇒ **régate.** ▶ **voilure** n. f. **1.** Ensemble des voiles d'un bâtiment. **2.** Ensemble des surfaces portantes d'un avion. — Toile d'un parachute.

② **voile** [vwal] n. m. ■ Morceau d'étoffe destiné à cacher. **1.** Étoffe qui cache une ouverture ou dont on couvre un monument, une plaque, etc. **2.** Morceau d'étoffe destiné à cacher le visage. *Voile des musulmanes.* ⇒ **tchador.** *Porter le voile.* **3.** Coiffure féminine de tissu léger, flottant, qui recouvre la tête. *Voile de religieuse, d'infirmière.* — Loc. *Prendre le voile,* se faire religieuse. — *Voile blanc de mariée, de communiante.* **4.** Tissu léger et fin. *Voile de coton, de soie, de laine. Voile pour faire des rideaux.* ⇒ **voilage. II.** Fig. **1.** Ce qui cache qqch. *Étendre, jeter un voile sur qqch.,* cacher ou condamner à l'oubli. *Lever le voile,* révéler qqch. ⇒ **dévoiler. 2.** Ce qui rend moins net, ou obscurcit. *Un léger voile de brume.* — Partie anormalement obscure d'une épreuve photographique, due à un excès de lumière. — *Voile au poumon,* diminution de la transparence d'une partie du poumon, visible à la radiographie. **III.** VOILE DU PALAIS : cloison musculaire et membraneuse, à bord inférieur libre et flottant, qui sépare la bouche du pharynx. *Son articulé près du voile du palais.* ⇒ **vélaire.** ⇒ ① **voiler** v. tr. ⦁ conjug. 1. **I. 1.** Couvrir, cacher d'un voile ; étendre un voile sur. *Voiler une statue. Se voiler le visage, porter le voile.* — Loc. SE VOILER LA FACE : refuser de voir ce qui indigne. *Elle s'est voilé la face.* **2.** Littér. Dissimuler. ⇒ **estomper, masquer.** *Il tente de voiler la vérité.* / contr. **dévoiler** / **3.** Rendre moins visible, moins net. ⇒ **obscurcir.** — Au p. p. adj. *Ses beaux yeux voilés de larmes.* **II.** SE VOILER v. pron. réfl. **1.** Porter le voile. *Beaucoup de musulmanes ne se voilent plus.* **2.** Perdre son éclat, se ternir. *Ses yeux, son regard se voile. Le ciel se voile,* se couvre. **3.** (Voix) Perdre sa netteté, sa sonorité. ▶ **voilé, ée** adj. **1.** Recouvert d'un voile. *Femme voilée.* **2.** Rendu obscur, incompréhensible. *Sens voilé. S'exprimer en termes voilés,* par allusions. **3.** Qui a perdu de l'éclat, de netteté. *Ciel voilé. Regard voilé,* terne, trouble. / contr. **clair, limpide** / — *Photo voilée,* qui présente un voile.

4. (Voix) Qui n'émet pas des sons clairs. ⇒ **enroué.** / contr. **sonore** / ▶ ***voilette*** n. f. ■ Petit voile transparent que les femmes portent à leur chapeau, et qui peut couvrir le visage. ‹ ▶ dévoiler, ① voile, ② se voiler ›

② *se **voiler*** v. pron. ■ conjug. 1. ■ Se dit d'une roue qui s'est légèrement tordue. — Au p. p. adj. *Sa bicyclette a une roue voilée.*

voir [vwar] v. ■ conjug. 30. **I.** V. intr. Recevoir les images des objets par le sens de la vue*. *Les aveugles ne voient pas. Ne voir que d'un œil.* ⇒ **borgne.** *Voir trouble, confusément. Je ne vois pas clair. Les rapaces voient loin.* — Fig. *Voir loin, prévoir.* **II.** V. tr. dir. **1.** Percevoir (qqch.) par les yeux. *Voir qqch. de ses yeux, de ses propres yeux. Il a tout vu, tout observé sans être vu. Je l'ai à peine vu.* ⇒ **apercevoir, entrevoir.** *Une femme agréable à voir,* jolie. *C'est à voir, cela mérite d'être vu. J'ai vu cela dans le journal.* ⇒ **lire.** — FAIRE VOIR : montrer. *Faites voir ce livre.* — (Personnes) *Se faire voir,* se montrer. Fam. *S'il n'est pas content, qu'il aille se faire voir !,* qu'il aille au diable. — LAISSER VOIR : permettre qu'on voie ; ne pas cacher. *Ne pas laisser voir son trouble. Décolleté qui laisse voir les épaules.* — VOIR QUE, COMME, SI... *J'ai vu qu'il allait tomber. Vous voyez comme c'est beau. Allons voir si elle est prête.* **2.** Avoir l'image de (qqn, qqch.) dans l'esprit. ⇒ **se représenter.** *Ma future maison, je la vois en Bretagne.* — Fam. *Tu vois ça d'ici !,* tu imagines. **3.** (Avec un compl. suivi d'un infinitif) *Je vois tout tourner. Les voitures que j'ai vues rouler* (ce sont les voitures qui roulent : accord du participle). *Les voitures que j'ai vu conduire* (le compl. de *voir* n'est pas le sujet du verbe à l'infinitif : pas d'accord). Loc. *On vous voit venir,* vos intentions sont connues. *Il faut voir venir,* attendre. — *Le pays qui l'a vue naître,* où elle est née. *Ce journal a vu son tirage augmenter.* — (Avec un compl. suivi d'un attribut) *Quand je l'ai vue si malade, j'ai appelé le médecin. Je voudrais la voir heureuse. Vous m'en voyez désolée.* Fam. *Je voudrais vous y voir !* (dans cet état, cette situation), ce n'est guère facile. — (Avec un compl. suivi d'une propos. relative) *Je les vois qui arrivent.* — (Avec un compl. suivi d'une propos. au participe) *Je la vois montant l'escalier.* **4.** Être spectateur, témoin de (qqch.). *Voir une pièce de théâtre.* ⇒ **assister.** — *Voir une ville, un pays,* y aller, visiter. Loc. *Voir Naples et mourir* (parce qu'il n'y a rien de plus beau à voir). *Voir du pays,* voyager. — Loc. *On aura tout vu,* c'est le comble. *J'en ai vu bien d'autres !,* j'ai vu pire. *Il en a vu, dans sa vie,* il a eu des malheurs. *En faire voir à qqn,* lui causer des tourments. *Il m'en fait voir de toutes les couleurs,* il me tourmente. **5.** Être, se trouver en présence de (qqn). *Je l'ai déjà vu.* ⇒ **rencontrer.** *Il ne veut voir personne.* ⇒ **recevoir ; fréquenter.** — Fam. *Je l'ai assez vu,* j'en suis las. *Aller voir qqn,* lui rendre visite. *Je ne peux pas le voir, je le déteste.* ⇒ fam. **encaisser, sentir. 6.** Regarder attentivement, avec intérêt. ⇒ **examiner.** *J'ai vu des fautes dans ta dictée. Il faut voir cela de plus près. Voyez ci-dessous. Voir un malade,* l'examiner. (Sans compl.) *Il ne sait pas voir,* il est mauvais observateur. **7.** Fig. Se faire une opinion sur (qqch.). *Voyons un peu cette affaire.* ⇒ **considérer, étudier.** (Sans compl.) *Nous allons voir,* réfléchir (avant un choix). *C'est tout vu,* c'est tout décidé. — PROV. *Qui vivra verra,* l'avenir seul permettra d'en juger. — *On verra bien !,* attendons la suite des événements. — POUR VOIR : pour se faire une opinion. En menace. *Essaie un peu, pour voir !* — VOIR QUE, COMME, COMBIEN... ⇒ **constater.** *Voyez comme le hasard fait bien les choses !* — VOIR SI... *Voyez si elle accepte,* informez-vous-en. — *Tu vois, vois-tu, voyez-vous,* appuie une opinion en invitant à la réflexion. *Ce qu'il*

faut, vois-tu, c'est... — *Regardez voir, dites voir,* pour voir. Fam. *Voyons voir !* — VOYONS ! : s'emploie pour rappeler à la raison, à l'ordre. *Un peu de bon sens, voyons !* **8.** Se représenter à la pensée. ⇒ **concevoir, imaginer.** *Voir la réalité telle qu'elle est. Vous voyez ce que je veux dire ? Ah ! je vois !,* je comprends fort bien (souvent iron.). *Si vous n'y voyez pas d'inconvénient,* si vous êtes d'accord. — *Voir grand,* avoir de grands projets. — *Elle voyait en lui un ami,* elle le considérait comme... — *Voir qqch. à,* d'après, par. « *À quoi voyez-vous cela ? — À ses vêtements.* » **9.** AVOIR QQCH. À VOIR *(avec, dans)* : avoir une relation, un rapport avec (seulement avec *pas, rien, peu*). *Je n'ai rien à voir dans cette affaire, là-dedans,* je n'y suis pour rien. *Cela n'a rien à voir !,* c'est tout différent. **III.** V. tr. ind. VOIR À (+ infinitif) : songer, veiller à. — Littér. *Nous verrons à vous récompenser plus tard.* — Fam. *Il faudrait voir à ne pas nous raconter d'histoires !* **IV.** SE VOIR v. pron. **1.** (Réfl.) *Voir sa propre image. Elle s'est vue dans la glace.* — (Avec un attribut d'objet, un compl.) *Elle ne s'est pas vue mourir.* ⇒ **sentir.** *Elle s'est vue contrainte de renoncer,* elle fut, elle se trouva contrainte. *Elle s'est vu refuser son passage en cinquième,* on lui a refusé... *Ils se voyaient déjà morts,* ils se croyaient morts. **2.** (Récipr.) Se rencontrer, se trouver ensemble. *Des amoureux qui se voient en cachette. Ils ne se voient pas.* ⇒ **se fréquenter.** — *Ils ne peuvent pas se voir,* ils se détestent. ⇒ **se sentir. 3.** (Passif) Être, pouvoir être vu. — Être remarqué, visible. *La retouche ne se voit pas.* — Se rencontrer, se trouver. *Cela se voit tous les jours,* c'est fréquent. *Cela ne s'est jamais vu,* c'est impossible. ‹ ▶ entrevoir, m'as-tu-vu, prévoir, revoir, voici, voilà, ①, ②, ③ voyant, voyeur, vu, vue ›

voire [vwar] adv. ■ (Employé pour renforcer une assertion, une idée) Et même. *Ce remède est inutile, voire dangereux.* — REM. Éviter d'employer *voire même.*

voirie [vwari] n. f. **1.** Aménagement et entretien des voies, des chemins ; administration publique qui s'occupe de l'ensemble des voies de communication. **2.** Plus cour. Enlèvement quotidien des ordures dans les villes. *Service de voirie.* — Lieu où sont déposés ordures et immondices. ⇒ ① **décharge, dépotoir.**

voisin, ine [vwazɛ̃, in] adj. et n. **I.** Adj. **1.** Qui est à une distance relativement petite. ⇒ **proche, rapproché.** *La ville voisine.* / contr. **distant, éloigné** / — Qui touche, est à côté. *La pièce voisine.* ⇒ **attenant, contigu.** *Les pays voisins.* ⇒ **limitrophe.** — Proche dans le temps. *Les années voisines de 1789.* **2.** Qui présente un trait de ressemblance, une analogie. *Des idées voisines.* — *Voisin de...,* qui se rapproche de. *Un véhicule voisin de la bicyclette.* ⇒ **semblable à.** / contr. **différent** / **II.** N. **1.** Personne qui vit, habite le plus près. *Mes voisins de palier. Entre voisins, on peut se rendre quelques services.* — Personne qui occupe la place la plus proche. *Voisin de table. Ma voisine de droite.* — Habitants d'un pays contigu ou peu éloigné. *Nos voisins belges, allemands* (disent les Français). **2.** Autrui. *Jalouser le sort du voisin.* ▶ ***voisinage*** n. m. **1.** Ensemble des voisins. ⇒ **entourage.** *Tout le voisinage a été averti.* **2.** Relations entre voisins. *Être, vivre en bon voisinage avec qqn. Relations de bon voisinage.* **3.** Proximité. *Le voisinage de la mer.* **4.** Espace qui se trouve à proximité, à faible distance. *Les maisons du voisinage, qui sont dans le voisinage.* ⇒ **environ(s), parages.** ▶ ***voisiner*** v. intr. ■ conjug. 1. **1.** Littér. Visiter, fréquenter ses voisins. **2.** *Voisiner avec,* être placé près de (qqn, qqch.). ‹ ▶ avoisiner ›

voiture [vwatyr] n. f. **1.** Véhicule monté sur roues tiré ou poussé par un animal, un homme. *Voiture à* *deux, quatre roues. Voiture à cheval, à âne. — Voiture à bras,* poussée ou tirée par des personnes. — *Voiture d'enfant,* dans laquelle on promène les bébés. ⇒ **landau, poussette.** *Voiture d'infirme. Quand je serai dans une petite voiture,* vieux et infirme. **2.** Véhicule automobile. ⇒ **automobile ;** fam. **bagnole, caisse, tire.** *Voiture décapotable, à toit ouvrant. Voiture de course, de sport, de tourisme. Voiture neuve, d'occasion.* Loc. *Voiture de place.* ⇒ **taxi.** *Encombrement de voitures.* ⇒ **embouteillage.** *Accident de voiture.* — *Conduire, garer sa voiture. Voitures en stationnement.* **3.** Dans le langage des chemins de fer. Grand véhicule, roulant sur des rails, destiné aux voyageurs (appelé couramment, à tort, *wagon*). *Voiture de tête, de queue ; de première, de seconde.* — Loc. *En voiture !,* montez dans le train, le train va partir. ▶ *voiturer* v. tr. ● conjug. 1. ■ Transporter (qqch.) dans une voiture. ⇒ **véhiculer.** — Fam. Transporter, mener (qqn) en voiture, en automobile. ▶ *voiturette* n. f. ■ Petite voiture. ▶ *voiturier* n. m. ■ Employé d'un hôtel ou d'un casino chargé de garer les voitures des clients. *Voituriers et bagagistes.*

voix [vwa(ɑ)] n. f. invar. **I. 1.** Dans l'espèce humaine. Sons produits par le larynx, quand les cordes vocales entrent en vibration (sous l'effet d'une excitation nerveuse rythmique). *De la voix.* ⇒ **vocal.** *Extinction de voix* ⇒ **aphone).** *Voix forte, puissante, bien timbrée. Une grosse voix,* grave et forte. *Voix faible, cassée, chevrotante. Voix aiguë, perçante. Voix de crécelle, de fausset. Voix grave, basse. Tremblement de la voix. Éclats de voix.* — *Avoir de la voix,* une voix appropriée au chant. *Forcer sa voix. Une belle voix.* — Loc. *Être sans voix,* être aphone ; rester interdit sous l'effet de l'émotion. ⇒ **muet.** *De vive voix,* en parlant ; oralement. *Parler à voix basse, à mi-voix, à voix haute ; à haute et intelligible voix. Élever la voix. Couvrir la voix de qqn,* parler plus fort que lui. *Baisser la voix.* — *Il l'exhorte de la voix et du geste,* de la parole et du geste. **2.** La personne qui parle, et qu'on ne voit pas (avec *dire, crier, faire...*). *Une voix lui cria d'entrer.* — *Entendre des voix,* croire entendre des gens qui parlent. **3.** Littér. Cri (d'animal) ; bruit, son (d'instruments de musique, de phénomènes de la nature, de certains objets). *Les chiens donnent de la voix,* aboient. *On entend la voix du vent.* **II.** Fig. **1.** Ce que l'être humain ressent en lui-même, qui l'avertit, l'inspire. *La voix de la conscience, de la raison.* ⇒ **avis, conseil. 2.** Expression de l'opinion. ⇒ **avis, jugement.** *La voix du peuple,* de l'opinion. — Droit de donner son opinion dans une assemblée. ⇒ **vote.** *Avoir voix consultative* (dans une assemblée). — Avis favorable d'une personne qui a ce droit. ⇒ **suffrage.** *Donner sa voix à un candidat,* voter pour lui. *Majorité, unanimité des voix. Gagner des voix.* **III.** En grammaire. Aspect de l'action verbale dans ses rapports avec le sujet, suivant que l'action est considérée comme accomplie par lui (*voix active*), ou subie par lui (*voix passive*). ≠ *voie.* ⟨▶ à mi-voix, porte-voix, voyelle ⟩

① *vol* [vɔl] n. m. **1.** Action de voler ① ; ensemble des mouvements coordonnés faits par les animaux capables de se maintenir et de se déplacer en l'air. *Vol des oiseaux, des insectes.* PRENDRE SON VOL : s'envoler. — Loc. *Prendre son vol (son essor),* améliorer sa position, sa situation. AU VOL : rapidement au passage. *Attraper une balle au vol. Cueillir une impression au vol.* — *Dix kilomètres à vol d'oiseau,* en ligne droite. — DE HAUT VOL : de grande envergure. ⇒ de haute **volée.** *Un filou, un escroc de haut vol.* **2.** Le fait, pour un engin, de se soutenir et de se déplacer dans l'air. *Altitude, vitesse de vol d'un avion, d'un planeur. Vol au-dessus d'un lieu.* ⇒ **survol.** *Début du vol.* ⇒ **décollage ; s'envoler.** *Fin du vol.*

⇒ **atterrissage.** *Vol plané* (moteurs arrêtés). *En vol, en plein vol,* pendant le vol (se dit de l'engin, de son pilote, des passagers). — VOL À VOILE : manœuvre des planeurs. — *Un vol,* déplacement en vol. *Faire plusieurs vols en une journée. Le vol AF 720 pour Moscou est retardé.* **3.** Distance parcourue en volant (par un oiseau, un insecte) ; le fait de voler d'un lieu à un autre. *Les grands vols migrateurs des oies sauvages.* **4.** La quantité (d'oiseaux, d'insectes) qui se déplacent ensemble dans l'air. *Vol de perdreaux, de sauterelles.* ⇒ **nuage, nuée.**

② *vol* n. m. **1.** Le fait de s'emparer du bien d'autrui, par la force ou à son insu ; action qui consiste à prendre frauduleusement le bien d'autrui. ⇒ ② **voler.** *Commettre un vol. Vol avec effraction, à main armée.* ⇒ **attaque, hold-up. 2.** Le fait de faire payer à autrui plus qu'il ne doit, ou de ne pas donner ce que l'on doit. *Deux cents francs ce repas, c'est du vol.*

volage [vɔlaʒ] adj. ■ Littér. Qui change souvent et facilement de sentiments (surtout dans les relations amoureuses) ; qui se détache facilement. ⇒ **frivole, inconstant, léger.** / contr. **fidèle** / *Des jeunes gens volages.* — *Être d'humeur volage.*

volaille [vɔlaj] n. f. **1.** Ensemble des oiseaux qu'on élève pour leurs œufs ou leur chair (poules, canards, oies, dindons, etc.). — Viande de volaille. *Manger de la volaille.* **2.** Une volaille, oiseau de basse-cour. ⇒ **volatile.** *Volaille rôtie, bouillie.* ▶ *volailler* n. m. ■ Marchand de volailles.

① *volant, ante* [vɔlɑ̃, ɑ̃t] adj. **1.** Capable de s'élever, de se déplacer dans les airs (pour un être ou un objet qui n'en est pas capable, en règle générale). *Poisson volant.* — *Le tapis volant* des légendes orientales. *Une soucoupe volante.* — Dans l'aviation. *Personnel volant* (opposé à *rampant*). ⇒ **navigant. 2.** Très mobile. *Les brigades volantes de la police des douanes.* — N. f. *La volante,* brigade volante de police. **3.** Qui peut être déplacé facilement. *Pont volant.* ⇒ **mobile. 4.** Qui n'est pas attaché. *Feuille volante.* ⟨ ▶ cerf-volant ⟩

② *volant* n. m. **1.** Petit morceau de liège, de bois léger, muni de plumes en couronne, destiné à être lancé et renvoyé à l'aide d'une raquette. — Jeu qui se joue avec des raquettes et un volant. ⇒ **badminton.** *Au début du siècle, les jeunes filles jouaient au volant.* **2.** Bande de tissu libre à un bord et formant une garniture rapportée. *Une robe à volants.*

③ *volant* n. m. ■ Dispositif circulaire avec lequel le conducteur oriente les roues directrices d'un véhicule automobile. *Tenir le volant, être, se mettre au volant,* conduire. *Avec ma femme, nous nous sommes relayés au volant.* — Conduite, manœuvre des automobiles. *Les as du volant.*

volatil, ile [vɔlatil] adj. ■ Qui passe facilement à l'état de vapeur. *Matières volatiles inflammables.* ▶ *se volatiliser* v. pron. réfl. ● conjug. 1. **1.** Passer à l'état de vapeur. **2.** Se dissiper, disparaître. ⇒ **s'évaporer.** *Tout à coup, Jean s'est volatilisé.* ⇒ **éclipser.** *Où est mon stylo, il ne s'est pourtant pas volatilisé !* ⇒ **s'envoler.**

volatile [vɔlatil] n. m. ■ Oiseau domestique, de basse-cour. ⇒ **volaille.**

vol-au-vent [vɔlovɑ̃] n. m. invar. ■ Plat formé d'un moule de pâte feuilletée garni d'une préparation de viande ou de poisson en sauce, avec des champignons, des quenelles, etc. ⇒ **timbale.** *Les bouchées à la reine sont de petits vol-au-vent. Des vol-au-vent.*

volcan [vɔlkɑ̃] n. m. **1.** Montagne qui émet ou a émis des matières en fusion. *L'éruption d'un volcan. La lave d'un volcan. Cheminée, cratères d'un volcan.*

Volcan en activité ; volcan éteint. Volcan sous-marin.
2. *Nous sommes sur un volcan,* dans une situation très dangereuse. **3.** Personne au caractère violent, emporté, impétueux. *Cet homme est un vrai volcan.*
▶ **volcanique** adj. **1.** Relatif aux volcans et à leur activité. *Activité, éruption volcanique. Matières volcaniques,* provenant d'un volcan (cendres, lave...).
— *Régions volcaniques.* **2.** Ardent, impétueux. *Tempérament volcanique.* ⇒ **explosif.** ▶ **volcanisme** n. m. ■ Ensemble des manifestations géologiques et géographiques par lesquelles les couches profondes de la Terre (magma) entrent en contact avec la surface. *Le volcanisme et les séismes.* ▶ **volcanologie** n. f. ■ Science qui étudie les phénomènes volcaniques. — REM. On trouve aussi *vulcanologie,* n. f. ▶ **volcanologue** n. ■ Spécialiste de la volcanologie. — REM. On trouve aussi *vulcanologue,* n.

volée [vɔle] n. f. **I. 1.** Groupe d'oiseaux qui volent ou s'envolent ensemble. ⇒ **vol.** *Une volée de moineaux.* **2.** DE HAUTE VOLÉE : de haut rang ; de grande envergure. *Un escroc de haute volée.* ⇒ ① **vol.**
II. 1. Mouvement rapide ou violent (de ce qui est lancé, jeté ou balancé : projectiles, cloches). *Volée de flèches, de plombs.* — À LA VOLÉE, À TOUTE VOLÉE : en faisant un mouvement ample, avec force. *Lancer une pierre à toute volée. Refermer une porte à la volée.* **2.** Mouvement de ce qui a été lancé et n'a pas encore touché le sol. *Attraper une balle à la volée, reprendre une balle de volée,* au football, au tennis, au volley-ball, en l'air, au vol. — *Une volée,* coup par lequel on renvoie une balle avant qu'elle n'ait touché le sol. *Volée de revers* (au tennis). **3.** Suite de coups rapprochés. *Volée de coups de bâton.* — Fam. *Il a reçu, on lui a flanqué une bonne volée.* ⇒ fam. **raclée,** ① **trempe.**

① **voler** [vɔle] v. intr. ■ conjug. 1. **1.** Se soutenir et se déplacer dans l'air au moyen d'ailes. *Un jeune oiseau qui commence à voler.* — Loc. *On entendrait voler une mouche,* il n'y a aucun bruit. — Loc. fam. *Se voler dans les plumes, voler dans les plumes à, de qqn* (comme des oiseaux qui se battent), se battre, se jeter l'un sur l'autre. — Se soutenir et se déplacer au-dessus du sol. *Voler à haute altitude.* — Se trouver dans un appareil en vol ; effectuer des vols. *Ce pilote a cessé de voler à cause de sa vue.* **2.** Littér. Être projeté dans l'air. *Pierre, flèche qui vole vers son but.* — Flotter. *Son voile volait au vent.* — Loc. VOLER EN ÉCLATS : éclater, se briser de manière que les éclats volent au loin. **3.** (Personnes) Aller très vite, s'élancer. *Voler vers qqn, dans ses bras. Elle a volé à mon secours.* ‹ ▶ convoler, envol, survol, ① vol, volage, volaille, ① volant, ② volant, volatil, volatile, vol-au-vent, volée, voleter, volière, voltiger ›

② **voler** v. tr. ■ conjug. 1. **I.** VOLER QQCH. — **1.** Prendre ce qui appartient à qqn, contre son gré ou à son insu. ⇒ **dérober, s'emparer ;** fam. ② **barboter, chaparder, chiper, faucher, piquer, rafler ;** ② **vol, voleur.** *Voler de l'argent, des bijoux, mille francs. Elle s'est fait voler sa voiture.* — Au p. p. adj. *Une voiture volée.* — PROV. *Qui vole un œuf vole un bœuf,* celui qui commet un petit larcin finira par en commettre de grands. — Sans compl. Commettre un vol. ⇒ **cambrioler.** *Voler à main armée. Il vole dans les grandes surfaces. L'impulsion à voler des kleptomanes.* **2.** S'approprier (ce à quoi on n'a pas droit). *Voler un titre, une réputation.* ⇒ **usurper.** — Loc. fam. *Il ne l'a pas volé,* il l'a bien mérité (cette punition, cet ennui). **3.** Donner comme sien (ce qu'on a emprunté). ⇒ **s'attribuer.** *Voler une idée.* ⇒ **plagier. II.** VOLER QQN. **1.** Dépouiller (qqn) de son bien, de sa propriété, par force ou par ruse. ⇒ **cambrioler, détrousser, dévaliser, escroquer.** *Il s'est fait voler par des cambrioleurs.* — Au p. p. adj. *Une personne volée.*

2. Ne pas donner ce que l'on doit ou prendre plus qu'il n'est dû à (qqn). *Voler le client.* ⇒ **rouler.** — Loc. *Il nous a volés comme dans un bois,* sans que nous puissions nous défendre. — Loc. fam. *On n'est pas volé, on en a pour son argent,* on n'est pas déçu. ‹ ▶ antivol, ② vol, voleur ›

volet [vɔlɛ] n. m. **1.** Panneau (de menuiserie ou de métal) ou battant qui protège une baie (à l'extérieur ou à l'intérieur). ⇒ **contrevent, jalousie, persienne.** *Ouvrir, fermer les volets.* **2.** Vantail, aile, partie (d'un objet qui se replie). *Le panneau central et les deux volets d'un triptyque. Les trois volets d'un permis de conduire* (en France). — Fig. Partie d'un programme. *Le deuxième volet d'une émission télévisée.* **3.** Loc. *Trier* SUR LE VOLET : choisir avec le plus grand soin. ⇒ **sélectionner.** *Des personnes triées sur le volet.*

voleter [vɔlte] v. intr. ■ conjug. 4. ■ Voler ① à petits coups d'aile, en se posant souvent, en changeant fréquemment de direction. ⇒ **voltiger.** *Des papillons volettent autour de la lampe.*

voleur, euse [vɔlœʀ, øz] n. et adj. **1.** Personne qui vole ② ou a volé le bien d'autrui ; personne qui tire ses ressources de délits de vol. ⇒ **cambrioleur, pickpocket.** *On a arrêté le voleur. Voleurs organisés en bande.* ⇒ **bandit, gangster.** *Le milieu des voleurs.* ⇒ **milieu, pègre.** *C'est une voleuse, une souris d'hôtel.* — Loc. *Voleurs de grand chemin,* qui opéraient sur les grandes routes. ⇒ **brigand.** — *Un voleur d'enfants.* ⇒ **kidnappeur, ravisseur.** — *Jouer au gendarme et au voleur* (jeu de poursuite). — Crier, appeler au *voleur* (pour le faire arrêter). *Au voleur !, au secours !* **2.** Personne qui détourne à son profit l'argent d'autrui (sans prendre d'objet matériel), ou ne donne pas ce qu'elle doit. ⇒ **escroc.** *Ce commerçant est un voleur.* **3.** Adj. Qui dérobe ou soustrait de l'argent, ne donne pas ce qu'il doit. *Il est voleur.*

volière [vɔljɛʀ] n. f. ■ Enclos grillagé assez vaste pour que les oiseaux enfermés puissent y voler. ⇒ **cage.**

volige [vɔliʒ] n. f. ■ Latte sur laquelle sont fixées les ardoises, les tuiles d'un toit.

volition [vɔlisjɔ̃] n. f. ■ Psychologie. Acte de volonté. ▶ **volitif, ive** adj. ■ Relatif à la volonté.

volley-ball [vɔlɛbol] ou **volley** [vɔlɛ] n. m. ■ Sport opposant deux équipes de six joueurs, séparées par un filet, au-dessus duquel chaque camp doit renvoyer le ballon à la main et de volée. *Jouer au volley. Terrain, match de volley.* ▶ **volleyeur, euse** n. ■ Joueur, joueuse de volley-ball.

volonté [vɔlɔ̃te] n. f. **I. 1.** Ce que veut qqn et qui tend à se manifester par une décision effective conforme à une intention. ⇒ **dessein, détermination, intention, résolution,** ② **vouloir.** *Imposer sa volonté à qqn. Accomplir, faire la volonté de qqn.* — Fam. *Faire les* QUATRE VOLONTÉS *de qqn* : tout ce qu'il veut. — Loc. À VOLONTÉ : de la manière qu'on veut et autant qu'on veut. ⇒ **à discrétion.** *Avoir qqch. à volonté. Vin à volonté.* — *Les dernières volontés de qqn,* celles qu'il manifeste avant de mourir pour qu'on les exécute après sa mort. — (Suivi d'un compl. désignant ce qui est voulu) *Il nous a dit sa volonté de se marier. Volonté de puissance.* **2.** BONNE VOLONTÉ : disposition à bien faire, à faire volontiers. *Avec la meilleure volonté du monde, je ne pourrais pas. Les bonnes volontés,* les gens de bonne volonté. — MAUVAISE VOLONTÉ : disposition à se dérober (aux ordres, aux devoirs) ou faire ce qu'on doit de mauvaise grâce. *Vous y mettez de la mauvaise volonté.* **II.** *La volonté,* faculté de vouloir, de se déterminer librement à agir ou à s'abstenir. *Effort de volonté.* — Cette faculté, considérée comme une qualité individuelle. *Il a de* la volonté, une volonté de fer. ⇒ **caractère, énergie, fermeté, résolution.** *Il n'a pas de volonté.* ⇒ **faible.**

▶ *volontaire* adj. et n. **1.** Qui résulte d'un acte de volonté (et non de l'automatisme, des réflexes ou des impulsions). ⇒ **délibéré, intentionnel, voulu.** / contr. **involontaire** / *Acte, activité volontaire.* — Qui n'est pas forcé, obligatoire. *Contribution volontaire.* **2.** Qui a, ou marque de la volonté (II), une volonté ferme. ⇒ **décidé, opiniâtre.** *Un enfant têtu et volontaire. Un visage, un menton volontaire.* **3.** Qui agit librement, sans contrainte extérieure. ENGAGÉ VOLONTAIRE : soldat qui s'engage dans une armée sans y être obligé par la loi. — N. m. *Les volontaires et les appelés.* **4.** Personne bénévole qui offre ses services par simple dévouement. *On demande un, une volontaire.* ▶ *volontairement* adv. ■ Par un acte volontaire, délibéré. ⇒ **délibérément, exprès, sciemment.** / contr. **involontairement** / ▶ *volontiers* [vɔlɔ̃tje] adv. **1.** Par inclination et avec plaisir, ou du moins sans répugnance. ⇒ de bonne **grâce,** de bon **gré.** / contr. à **contrecœur** / *J'irai volontiers vous voir.* — (En réponse) ⇒ **oui.** « *Voulez-vous aller au cinéma ?* — *Très volontiers.* » **2.** Par une tendance naturelle ou ordinaire. *On condamne volontiers ce qu'on ne comprend pas. Il reste volontiers des heures sans parler.* ⇒ **habituellement, ordinairement.**

volt [vɔlt] n. m. ■ Unité pratique de force électromotrice et de différence de potentiel (symb. V). *Courant de 110, de 220 volts. Cet appareil ne marche qu'en 220 volts* ou, ellipt, *en 220.* ▶ *voltage* n. m. ■ Force électromotrice ou différence de potentiel mesurée en volts. ⇒ **tension ; voltmètre.** — Nombre de volts pour lequel un appareil électrique fonctionne normalement. ‹ ▶ survolté, voltmètre ›

voltaire [vɔltɛʀ] n. m. ■ Fauteuil à siège bas, à dossier élevé et légèrement renversé en arrière. *Des voltaires.* — En appos. *Des fauteuils voltaires.*

voltairien, ienne [vɔltɛʀjɛ̃, jɛn] adj. et n. ■ Qui adopte ou exprime l'incrédulité, l'anticléricalisme et le scepticisme railleur de Voltaire. *Esprit voltairien.*

volte [vɔlt] n. f. ■ (Cheval) Tour sur soi-même. ▶ *volte-face* [vɔltəfas] n. f. invar. **1.** Action de se retourner (pour faire face). *Une volte-face sur les talons. Faire volte-face.* ⇒ **demi-tour. 2.** Changement brusque et total d'opinion, d'attitude (notamment en politique). ⇒ **revirement.** *Les volte-face de l'opposition ont déconcerté le gouvernement.*

voltiger [vɔltiʒe] v. intr. ■ conjug. 3. **1.** Faire de la voltige. **2.** (Insectes, petits oiseaux) Voleter. *Une nuée d'oiseaux voltigeait dans le jardin.* **3.** (Choses légères) Voler ①, flotter çà et là. ▶ *voltige* n. f. **1.** Exercice d'acrobatie sur la corde, au trapèze volant. ⇒ **saut.** *Haute voltige.* — Fam. Acrobatie intellectuelle. **2.** Ensemble des exercices acrobatiques exécutés à cheval (en particulier dans les cirques). ▶ *voltigeur* n. m. ■ Acrobate qui fait de la voltige.

voltmètre [vɔltmɛtʀ] n. m. ■ Appareil à résistance élevée, servant à mesurer des différences de potentiel (en volts*).

volubilis [vɔlybilis] n. m. invar. ■ Plante ornementale, à grosses fleurs pourpres ou bleues en entonnoir, qu'on fait grimper sur les clôtures. ⇒ **liseron.**

volubilité [vɔlybilite] n. f. ■ Abondance, rapidité et facilité de parole. ⇒ **loquacité.** ▶ *volubile* adj. ■ Qui parle avec abondance, rapidité. ⇒ **bavard, loquace.** / contr. **silencieux** / — *Une explication volubile.*

① *volume* [vɔlym] n. m. **1.** Partie de l'espace à trois dimensions (qu'occupe un corps) ; quantité qui la mesure. *Le volume d'un corps, d'un solide. Volume d'un récipient,* mesure de ce qu'il peut contenir.

⇒ **capacité, contenance.** — Mesure, proportion. *Verser trois volumes d'eau pour un d'alcool.* — En art. Caractère de ce qui a ou représente trois dimensions. **2.** Encombrement d'un corps. *Cela fera beaucoup de volume,* ce sera encombrant. — Quantité globale, masse. *Le volume de la production.* **3.** Figure géométrique à trois dimensions, limitée par des surfaces. ⇒ **solide.** *Les lignes, les surfaces et les volumes.* **II.** Intensité (de la voix). ⇒ **ampleur.** *Sa voix manque de volume.* — *Volume sonore,* intensité des sons. *Baisse le volume de ta radio !* ▶ *volumétrique* adj. ■ Qui a rapport à la détermination des volumes (I, 1), appelée *volumétrie,* n. f. *Analyse volumétrique.* ▶ *volumineux, euse* adj. ■ Qui a un grand volume, occupe une grande place. ⇒ **gros.** *Des paquets volumineux.* ⇒ **embarrassant encombrant.** *Un volumineux dossier.*

② *volume* n. m. **1.** Réunion de cahiers (notamment imprimés) brochés ou reliés ensemble. ⇒ **livre.** *Les volumes reliés de la bibliothèque.* **2.** Chacune des parties, brochées ou reliées à part, d'un ouvrage. ⇒ **tome.** *Dictionnaire en deux volumes.*

volupté [vɔlypte] n. f. Littér. **1.** Vif plaisir des sens (surtout plaisir sexuel) ; jouissance pleinement goûtée. **2.** Plaisir moral ou esthétique très vif. ⇒ **délectation.** *Entendre avec volupté des flatteries.* ▶ *voluptueux, euse* adj. **1.** Qui aime, recherche la jouissance, les plaisirs raffinés. ⇒ **sensuel.** — N. *C'est un voluptueux.* — Qui est porté aux plaisirs de l'amour et à leurs raffinements. ⇒ **lascif, sensuel. 2.** Qui exprime ou inspire la volupté, les plaisirs amoureux. *Attitude, danse voluptueuse.* ▶ *voluptueusement* adv. ■ Avec volupté (1), en prenant du plaisir.

volute [vɔlyt] n. f. **1.** Enroulement sculpté en spirale ou en hélice. *Les deux volutes caractéristiques de la colonne ionique.* — *En volute,* en forme de volute. **2.** Forme enroulée en spirale, en hélice. ⇒ **enroulement.** *Des volutes de fumée.*

vomer [vɔmɛʀ] n. m. ■ Anatomie. Os du nez, partie supérieure de la cloison des fosses nasales.

vomir [vɔmiʀ] v. tr. ■ conjug. 2. **1.** Rejeter spasmodiquement par la bouche (ce qui est contenu dans l'estomac). ⇒ **régurgiter, rendre ;** fam. **dégobiller, dégueuler.** *Il a vomi tout son repas.* — Sans compl. *Avoir envie de vomir,* avoir des nausées. — Loc. *C'est à vomir,* cela soulève le cœur, c'est ignoble. **2.** Rejeter avec violence et répugnance. *Il vomit les bourgeois.* ⇒ **exécrer. 3.** Littér. Laisser sortir, projeter au dehors. — Au p. p. adj. *Vapeurs, laves vomies par un volcan.* — Proférer avec violence (des injures, des blasphèmes). ▶ *vomi* n. m. sing. ■ Fam. Vomissure. *Ça sent le vomi.* ▶ *vomissement* n. m. **1.** Fait de vomir. *Vomissements de sang.* **2.** Matière vomie. ⇒ **vomi, vomissure.** ▶ *vomissure* n. f. ■ Matière vomie. ▶ *vomitif, ive* adj. **1.** Qui provoque le vomissement. ⇒ **émétique.** — N. m. *Un vomitif puissant.* **2.** Fam. Qui est à faire vomir ; répugnant. *Ce tableau est vomitif.*

vorace [vɔʀas] adj. **1.** Qui dévore, mange avec avidité. *Ce chien est vorace.* — (Personnes) Glouton, goulu. — *Un appétit vorace.* **2.** Avide, insatiable. *Curiosité vorace.* ▶ *voracement* adv. ■ Avec voracité. ▶ *voracité* n. f. **1.** Avidité à manger, à dévorer. ⇒ **gloutonnerie, goinfrerie.** *Manger avec voracité.* **2.** Avidité à satisfaire un désir ; âpreté au gain.

-vore ■ Élément de mots savants signifiant « qui mange... » (ex. : *carnivore*).

vote [vɔt] n. m. **1.** Opinion exprimée, dans une assemblée délibérante, un corps politique. ⇒ **suffrage, voix.** *Compter les votes favorables.* — Le fait d'exprimer ou de pouvoir exprimer une telle opinion ; mode de scrutin. *Droit de vote. Vote par correspon-*

dance. **2.** Opération par laquelle les membres d'un corps politique donnent leur avis. ⇒ **consultation, élection.** *Nous allons procéder au vote. Bulletin, bureau, urne de vote.* — Décision positive ainsi obtenue. *Vote d'une loi.* ⇒ **adoption.** / contr. **rejet** / ▶ **voter** v. ▪ conjug. 1. **1.** V. intr. Exprimer son opinion par son vote, son suffrage. *Voter à droite, à gauche. Voter pour un parti.* — Ellipt. *Voter socialiste.* **2.** V. tr. Contribuer à faire adopter par son vote ; décider par un vote majoritaire. *Ceux qui ont voté la loi. La motion a été votée. Voter des crédits.* ⇒ **allouer, débloquer.** ▶ **votant, ante** n. ▪ Personne qui a le droit de voter et qui participe à un vote. *Les inscrits et les votants.*

votif, ive [vɔtif, iv] adj. ▪ Littér. Qui commémore l'accomplissement d'un vœu (1), est offert comme gage d'un vœu. *Inscription, offrande votive.*

votre [vɔtr], plur. **vos** [vo] adj. poss. ▪ Adjectif possessif de la deuxième personne du pluriel et des deux genres, correspondant au pronom personnel *vous.* **I.** Qui vous appartient, a rapport à vous. **1.** (Représentant un groupe dont le locuteur est exclu) *Vos histoires, mesdemoiselles, ne m'intéressent pas.* **2.** (Représentant une seule personne à laquelle on s'adresse au pluriel de politesse) *Donnez-moi votre adresse, Monsieur. À votre place, j'irais.* — *Votre Excellence.* **3.** (Emploi stylistique) *Votre Monsieur X est un escroc,* celui dont vous parlez, qui vous intéresse, etc. **II.** (Sens objectif) De vous, de votre personne. *C'est pour votre bien. Pour votre gouverne.*

vôtre, vôtres [votr] adj., pronom poss. et n. **I.** Adj. (attribut). Littér. À vous. *Cette maison est vôtre. Mes idées que vous avez faites vôtres.* **II.** Pronom (avec l'article). LE VÔTRE, LA VÔTRE, LES VÔTRES : désigne ce qui appartient, a rapport à un groupe de personnes au quel le locuteur n'appartient pas ; ou à une personne à laquelle on s'adresse au pluriel de politesse. *C'est le vôtre. Rendez-moi le mien et gardez les vôtres.* — Fam. *À la (bonne) vôtre,* à votre santé. **III.** N. m. Loc. *Il faut que vous y mettiez du vôtre.* ⇒ **mettre.** — LES VÔTRES : vos parents, vos amis, vos partisans. *Je ne pourrai être des vôtres,* être parmi vous.

vouer [vwe] v. tr. ▪ conjug. 1. **1.** Consacrer (qqn à Dieu, à un saint) par un vœu. — Loc. Pronominalement (réfl.). *Ne plus savoir à quel saint se vouer,* à qui recourir. **2.** Promettre, engager d'une manière solennelle. *Elle lui a voué une amitié éternelle.* **3.** Employer avec un zèle soutenu. ⇒ **consacrer.** *Elle a voué son temps à soigner les malades.* — Pronominalement (réfl.). *Elle s'est vouée à cette cause.* **4.** Destiner irrévocablement (à un état, une activité). ⇒ **condamner.** — Au p. p. adj. *Voué à périr. Un vieux quartier voué à la démolition.* ⟨ ▶ **se dévouer, vœu** ⟩

① **vouloir** [vulwar] v. tr. ▪ conjug. 31. **I.** **1.** Avoir la volonté*, le désir de. — (+ infinitif) *Il voulait le voir.* ⇒ **désirer, souhaiter, tenir** à. *J'aurais voulu tout lui dire. Je voudrais bien la connaître. Je voudrais vous voir seul* (atténuation de *je veux,* par politesse). — (Impératif de politesse) *Veuillez m'excuser.* — Fam. (Choses) *Ce stylo ne veut plus écrire.* **2.** VOULOIR DIRE (suj. chose et personne). ⇒ ① **dire** (III, 4). **3.** VOULOIR QUE... (suivi d'une proposition complétive au subjonctif, dont le sujet ne peut être celui de *vouloir*). *Il veut que je lui fasse la lecture.* — Fam. *Qu'est-ce que vous voulez que j'y fasse ? Que voulez-vous que je vous dise ? Je n'y peux rien, c'est comme ça.* Ellipt. *Que veux-tu ? Que voulez-vous ?* (marque l'embarras ou la résignation). **4.** Loc. (Avec un pronom complément neutre représentant un infinitif, une complétive) *Vous l'avez voulu, bien voulu,* c'est votre faute. *Que tu le veuilles ou non. Sans le vouloir,* involontairement. — (Avec ellipse du compl.) *Tant que vous voudrez. Si tu veux,*

si vous voulez, si on veut, sert à introduire une expression qu'on suppose préférée par l'interlocuteur. **5.** (Avec un nom, un pronom compl.) Prétendre obtenir, ou souhaiter que se produise... ⇒ **demander, désirer.** *Elle veut absolument sa tranquillité. Voulez-vous des légumes ? Elle les a voulus. Il m'a donné tous les renseignements que j'ai voulu (avoir). J'en veux, je n'en veux plus. En vouloir pour son argent.* — *Vouloir qqch. à qqn,* souhaiter que qqch. arrive à qqn. *Je ne lui veux aucun mal.* — *Vouloir qqch. de qqn,* vouloir obtenir de lui. ⇒ **attendre.** *Que voulez-vous de moi ?* **6.** EN VOULOIR À : s'en prendre à. *En vouloir à la vie de qqn.* — Garder du ressentiment de la rancune contre (qqn). *Il m'en veut. Je lui en veux d'avoir menti. Ne m'en veuillez plus.* — S'en vouloir de, se reprocher de. ⇒ se **repentir.** *Je m'en veux d'avoir accepté.* **7.** (Avec un attribut du complément) Souhaiter avoir (une chose qui présente certain caractère). *Je veux une robe bon marché. Comment voulez-vous votre viande ? Je la veux saignante. Je les ai voulus aussi complets que possible.* **8.** VOULOIR DE qqch., qqn : être disposé à s'intéresser de, à se satisfaire de, à accepter. *Personne ne voulait d'elle.* **9.** Sans compl. Faire preuve de volonté. *Pour réussir, il faut vouloir. Le fait de vouloir.* ⇒ **volition. II.** **1.** (Avec un sujet de chose, auquel on prête une sorte de volonté) *Le hasard voulut qu'ils se rencontrent.* **2.** Donner pour vrai, affirmer. ⇒ **prétendre.** *Cette thèse veut nous dire ceci.* — *La légende veut que* (+ subjonctif) **3.** Fam. *Je veux !,* formule d'approbation ou d'affirmation énergique. « *Ça te branche d'aller à la mer ? — Je veux !* » **III.** Consentir, accepter. *Si vous voulez me suivre.* — (Pour exprimer une prière polie) *Voulez-vous avoir l'obligeance de signer ici.* — (Pour marquer un ordre) *Veux-tu te taire !* — VOULOIR BIEN. *Nous passerons ici, si vous voulez bien.* ⇒ être d'**accord.** Iron. *Ils trouvent ça beau ; moi je veux bien.* ▶ **voulu, ue** adj. **1.** Exigé, requis par les circonstances. *C'est la quantité voulue.* **2.** Délibéré, volontaire. — Fam. *C'est voulu,* ce n'est pas le fait du hasard. ▶ ② **vouloir** n. m. **1.** Littér. Faculté de vouloir. ⇒ **volonté. 2.** BON, MAUVAIS VOULOIR : bonne, mauvaise volonté.

vous [vu] pronom pers. **I.** Pronom personnel de la deuxième personne du pluriel (réel ou de politesse). **1.** Plur. *Pourquoi n'êtes-vous pas tous partis ?* **2.** Sing. (Remplaçant *tu, toi,* dans le vouvoiement) *Que voulez-vous, Monsieur ? Madame, on vous a appelée.* **3.** (Renforcé) *Vous devriez lui en parler vous-même.* — *À vous deux, vous y arriverez bien.* **II.** Indéfini. (Remplace le compl. en un fait fonction) *La pluie vous transperçait jusqu'aux os.* **III.** Nominal. *Il me dit vous depuis toujours.* ⇒ **vouvoyer.** ⟨ ▶ garde-à-vous, rendez-vous, vouvoyer ⟩

voussure [vusyr] n. f. ▪ Partie courbe d'une voûte, d'un arc.

voûte [vut] n. f. **1.** Ouvrage de maçonnerie cintré, fait de pierres spécialement taillées, servant en général à couvrir un espace en s'appuyant sur des murs, des piliers, des colonnes. *Voûte en plein cintre. Voûte en ogive. Voûtes en berceau. Voûte d'arête,* intersection de quatre voûtes cylindriques. — *En voûte,* en forme de voûte. **2.** Paroi, région supérieure présentant courbure analogue. *Une voûte d'arbres.* ⇒ **berceau, dais.** — *La voûte céleste.* — En anatomie. *La voûte du palais.* ▶ **voûté, ée** adj. **1.** Couvert d'une voûte, en forme de voûte. *Cave voûtée.* **2.** (Personnes) Dont le dos est courbé (notamment du fait de l'âge), ne peut plus se redresser. ⇒ **cassé.** *Un vieux monsieur très voûté.* ▶ **voûter** v. tr. ▪ conjug. 1. **1.** Fermer (le haut d'une construction) par une voûte. **2.** Rendre voûté (qqn). *L'âge l'a voûté.* — Pronominalement (réfl.). *Il commence à se voûter.*

vouvoyer [vuvwaje] v. tr. ▪ conjug. 8. ■ S'adresser à (qqn) en employant la deuxième personne du pluriel. ⇒ **vous** (III). ▶ **vouvoiement** n. m. ■ Le fait de vouvoyer qqn. *Passer du vouvoiement au tutoiement.*

voyage [vwajaʒ] n. m. **1.** Déplacement d'une personne qui se rend en un lieu assez éloigné. *J'ai fait deux voyages en Italie. Voyage d'agrément. Voyage d'affaires. Voyage de noces. Voyage organisé,* par une agence (souvent en groupe, pour réduire les frais). — *Partir en voyage. Souhaiter (un) bon voyage à qqn. Elle est en voyage. Pendant le voyage.* ⇒ **route, trajet.** *Sac de voyage,* fait pour les voyages. *Chèques de voyage.* — Loc. *Le grand voyage,* la mort. *Les gens du voyage,* les comédiens ambulants, les forains, les gens du cirque. **2.** Course que fait un chauffeur, un porteur pour transporter qqn ou qqch. *Je ferai deux ou trois voyages pour transporter vos bagages.* ▶ **voyager** v. intr. ▪ conjug. 3. **1.** Faire un voyage. *Nous voyageons en voiture.* — Faire des voyages, aller en différents lieux pour voir du pays. *Elle a beaucoup voyagé.* **2.** (Représentants, voyageurs de commerce) Faire des tournées. *Voyager pour une maison d'édition.* **3.** Être transporté. *Une marchandise qui s'abîme en voyageant.* ▶ **voyageur, euse** n. **1.** Personne qui est en voyage. — Personne qui se sert d'un véhicule de transport public. ⇒ **passager.** *Les voyageurs pour Paris, en voiture !* **2.** Personne qui voyage pour voir de nouveaux pays (dans un but de découverte, d'étude). ⇒ **explorateur.** *Les récits des grands voyageurs.* **3.** *Voyageur (de commerce),* représentant de commerce qui voyage pour visiter la clientèle. ⇒ **V.R.P.**

① **voyant, ante** [vwajɑ̃, ɑ̃t] n. **1.** Personne douée de seconde vue. ⇒ **illuminé, spirite.** — VOYANTE n. f. : femme qui fait métier de lire le passé et prédire l'avenir par divers moyens. ⇒ **cartomancienne. 2.** Personne qui voit. *Les voyants et les aveugles.* ▶ **voyance** n. f. ■ Don du voyant (1). ⟨ ▶ clairvoyant ⟩

② **voyant** n. m. ■ Signal lumineux destiné à attirer l'attention de l'utilisateur. ⇒ **témoin** lumineux. *Voyant d'essence, d'huile,* avertissant l'automobiliste que l'essence, l'huile sont presque épuisées.

③ **voyant, ante** adj. ■ Qui attire la vue, qui se voit de loin. *Des couleurs voyantes.* ⇒ **criard, éclatant.** / contr. **discret** / *Toilette voyante.*

voyelle [vwajɛl] n. f. **1.** Son de la voix caractérisé par une résonance de la cavité buccale, parfois en communication avec la cavité nasale. *Voyelles orales, nasales. Des voyelles.* ⇒ **vocalique. 2.** Lettre qui sert à noter ce son *(a ; e ; i ; o ; u ; y).*

voyeur, euse [vwajœr, øz] n. ■ Personne qui assiste pour sa satisfaction à une vue à une scène érotique. ▶ **voyeurisme** n. m. **1.** Perversion sexuelle du voyeur. **2.** Attitude de celui qui observe (qqch., qqn) avec complaisance et sans être vu.

voyou [vwaju] n. m. et adj. **1.** Garçon mal élevé qui traîne dans les rues. ⇒ **chenapan, garnement, vaurien.** *Une bande de voyous.* **2.** Mauvais sujet, aux moyens d'existence peu recommandables. ⇒ **crapule. 3.** Adj. Propre aux voyous. *Un air voyou.*

en vrac [ɑ̃vrak] loc. adv. **1.** Pêle-mêle, sans être attaché et sans emballage. *Marchandises expédiées en vrac.* **2.** En désordre. *Poser ses affaires en vrac sur une chaise.* **3.** Au poids (opposé à *en paquet*). *Acheter des lentilles en vrac.*

vrai, vraie [vrɛ] adj., n. m. et adv. **I.** Adj. **1.** Qui présente un caractère de vérité ; à quoi on peut et on doit donner son assentiment (opposé à *faux, illusoire,* ou *mensonger*). ⇒ **certain, exact, incontestable, sûr, véritable.** *Une histoire vraie.* — Fam. *C'est la vérité vraie,* exacte. — *Il est vrai que..., cela est si vrai que...* (+ indicatif), sert à introduire une preuve à l'appui. *Il n'en est pas moins vrai que...,* cela reste vrai, malgré tout. *C'est pourtant vrai. C'est vrai, est-ce vrai ? (N'est-il) pas vrai ?,* n'est-ce pas ? — *Il est vrai que...,* s'emploie pour introduire une concession, une restriction. ⇒ sans **doute.** *Il est vrai que c'est cher, mais tout est cher ! Il est vrai, c'est vrai,* s'emploie en incise pour marquer qu'on reconnaît la chose. *Je ne l'aime pas, c'est vrai, mais je ne lui veux pas de mal.* **2.** Qui existe indépendamment de l'esprit qui le pense (opposé à *imaginaire*). ⇒ **réel.** / contr. **artificiel, faux** / *Pour faire la dînette, on lui a donné de vrais fruits.* **3.** (Avant le nom) Qui correspond bien au nom employé ; ainsi nommé à juste titre. *De vraies perles.* / contr. **artificiel** / *Un vrai Renoir.* ⇒ **authentique.** — *Un vrai salaud. Il mange comme un vrai cochon.* ⇒ **véritable.** — Loc. fam. VRAI DE VRAI : absolument vrai, authentique, véritable. *C'est du champagne, du vrai de vrai.* **4.** Qui, dans l'art, s'accorde avec notre sentiment de la réalité (en général par la sincérité et le naturel). ⇒ **naturel, senti, vécu.** *Ce livre est vrai.* **5.** Qui vaut ou agit dans un cas précis. *C'est le vrai moyen,* le bon moyen. — Qui compte, qui est plus important. *La vraie raison de son départ.* **II.** N. m. LE VRAI. **1.** La vérité. *Il sait reconnaître le vrai du faux.* — Ce qui, dans l'art, correspond à notre sentiment du réel. **2.** La réalité. *Vous êtes dans le vrai,* vous avez raison. / contr. **erreur** / **3.** Loc. À *dire vrai ; à vrai dire,* s'emploient pour introduire une restriction. *À vrai dire, je ne le connais pas personnellement.* — Fam. (Lang. des enfants) *Pour de vrai,* vraiment. **III.** Adv. Conformément à la vérité, à notre sentiment de la réalité. *Faire vrai.* — Fam. (Détaché en tête ou en incise) Vraiment. *Eh bien vrai, je n'y pensais pas !* ▶ **vraiment** adv. **1.** D'une façon indiscutable et qui ne peut faire la réalité ne dément pas. ⇒ **effectivement, véritablement.** *Il a vraiment réussi.* **2.** S'emploie pour souligner une affirmation. ⇒ **franchement.** *Vraiment, il exagère ! — Vraiment ? Vous êtes sûr ?* **3.** PAS VRAIMENT : pas complètement, pas du tout. *« Tu as aimé ce film ? — Pas vraiment. »* ▶ **vraisemblable** [vrɛsɑ̃blabl] adj. ■ Qui peut être considéré comme vrai ; qui semble vrai. *Je n'ai pas vérifié, mais c'est très vraisemblable.* ⇒ **croyable, plausible.** / contr. **invraisemblable** / *Il est vraisemblable que* (+ indicatif). ▶ **vraisemblablement** adv. ■ Selon la vraisemblance, les probabilités. ⇒ **apparemment, probablement.** *Vraisemblablement, il ignore tout.* ▶ **vraisemblance** [vrɛsɑ̃blɑ̃s] n. f. ■ Caractère vraisemblable ; apparence de vérité. ⇒ **crédibilité.** / contr. **invraisemblance** / *La vraisemblance de son excuse.* — *Respecter la vraisemblance au théâtre.* ⟨ ▶ invraisemblable ⟩

vrille [vrij] n. f. **1.** Organe de fixation de certaines plantes grimpantes, analogue aux feuilles, de forme allongée et qui s'enroule en hélice. *Les vrilles de la vigne.* **2.** Outil formé d'une tige que termine une vis. ⇒ **tarière ; foret.** *Percer avec une vrille.* **3.** Hélice, spirale. *Escalier en vrille. — Avion qui descend en vrille,* en tournant sur lui-même. ▶ **vriller** v. tr. ▪ conjug. 1. ■ Percer avec une vrille. ⇒ **tarauder.**

vrombir [vrɔ̃bir] v. intr. ▪ conjug. 2. ■ Produire un son vibré par un mouvement périodique rapide. ⇒ **bourdonner.** *Le frelon vrombit. Moteur qui vrombit.* ⇒ **ronfler.** ▶ **vrombissant, ante** adj. ■ Qui vrombit. *Des motos vrombissantes.* ▶ **vrombissement** n. m. ■ Bruit de ce qui vrombit. ⇒ **ronflement.**

vroum [vrum] interj. ■ Onomatopée imitant un bruit de moteur. *Le moteur fait vroum ! vroum !*

V.R.P. [veɛrpe] n. m. invar. ■ *Voyageur représentant placier* qui voyage pour représenter et vendre les produits d'une ou plusieurs entreprises. ⇒ **représentant, voyageur** (3).

① *vu, vue* [vy] adj. **1.** Perçu par le regard. *Des choses vues ou entendues.* — Loc. *Ni vu ni connu,* sans que personne en sache rien. — N. m. *Au vu et au su de tout le monde,* au grand jour. ⇒ **ouvertement.** — *C'est du déjà vu,* ce n'est pas une nouveauté. **2.** Compris. *C'est bien vu ?* Ellipt. *Vu ?* — Fam. *C'est tout vu !,* j'ai mon opinion. **3.** (Personnes) *Bien, mal vu,* bien ou mal considéré. *Il est bien vu par le patron.* ▶ ② *vu* prép. ■ En considérant, eu égard à. *Vu les circonstances, il vaut mieux attendre.* ▶ *vue* n. f. **I.** Action de voir*. **1.** Sens par lequel les stimulations lumineuses donnent naissance à des sensations de lumière, couleur, forme organisées en une représentation de l'espace. *Perdre la vue,* devenir aveugle. *L'œil, organe de la vue.* **2.** Manière de percevoir les sensations visuelles. ⇒ **vision.** *Troubles de la vue.* — Fonctionnement de ce sens chez un individu. *Vue basse, courte d'un myope. Sa vue baisse. Avoir une bonne vue. Vue perçante.* **3.** Fait ou manière de regarder. ⇒ **regard.** *Les choses qui se présentent à la vue. Jeter, porter la vue sur,* diriger ses regards vers. *À la vue de tous,* en public. — À PREMIÈRE VUE : au premier regard, quand on n'a pas encore examiné. — Loc. *Connaître qqn* DE VUE : le reconnaître pour l'avoir déjà vu, sans avoir d'autres relations avec lui. — À VUE : en regardant, sans quitter des yeux. *Tirer à vue,* sur un objectif visible. *Changement à vue,* au théâtre, changement de décor qui se fait devant le spectateur, sans baisser le rideau. — À VUE D'ŒIL : se dit de ce qui change d'aspect d'une manière visible et rapide. *La société française se transforme à vue d'œil.* — Fam. *À vue de nez,* approximativement. *Je lui donne, à vue de nez, dix-huit ans.* **4.** Les yeux, les organes qui permettent de voir. *Une lumière qui fatigue la vue.* — Loc. fam. *En mettre plein la vue à qqn,* l'éblouir. ⇒ **épater.** **II.** Ce qui est vu. **1.** Étendue de ce qu'on peut voir d'un lieu. ⇒ **panorama.** *D'ici, on a une très belle vue.* **2.** Aspect sous lequel se présente (un objet). *Vue de face, de côté.* — EN VUE : aisément visible. *Un objet d'art bien en vue dans une vitrine.* ⇒ **en évidence, en valeur.** *Un personnage en vue,* marquant. **3.** *La vue de...,* la perception visuelle de... ⇒ **image, spectacle.** *La vue du sang le rend malade.* **4.** Ce qui représente (un lieu, une étendue de pays) ; image, photo. *J'ai reçu une vue de Madrid.* **5.** Orientation permettant de voir. *Les fenêtres de sa chambre ont vue sur le jardin.* **III.** Fig. **1.** Faculté de former des images mentales, de se représenter ; exercice de cette faculté. — *Seconde vue, double vue,* faculté de voir par l'esprit des objets réels, des faits qui sont hors de portée des yeux. ⇒ **voyance.** **2.** Image, idée ; façon de se représenter (qqch.). *La profondeur de ses vues m'a étonné.* — Loc. *Échange de vues,* entretien où l'on expose ses conceptions respectives. — *C'est une vue de l'esprit,* une vue théorique, qui a peu de rapport avec la réalité. **3.** EN VUE : en considérant (un but, une fin). ⇒ **intention.** *Avoir un résultat en vue,* l'envisager. *Je n'ai personne en vue pour ce poste.* — EN VUE DE loc. prép. : de manière à permettre, à préparer (une fin, un but). ⇒ **pour.** *Il a travaillé en vue de réussir, de sa réussite.* **4.** Au plur. Dessein, projet. *Si cela est toujours dans vos vues, je vous l'expliquerai. J'ai des vues sur lui, je pense à lui pour tel ou tel projet. Je crois qu'il a des vues sur elle,* qu'il aimerait bien la séduire. ⟨ ▶ longue-vue, point de vue ⟩

vulcaniser [vylkanize] v. tr. ▪ conjug. 1. ■ Traiter (le caoutchouc) en y incorporant du soufre, pour améliorer sa résistance. — Au p. p. adj. *Caoutchouc vulcanisé.* ▶ *vulcanisation* n. f. ■ Opération par laquelle on vulcanise (le caoutchouc).

vulcanologie, vulcanologue ⇒ **volcanologie, volcanologue.**

vulgaire [vylgɛʀ] adj. et n. m. **I.** Adj. **1.** Qui manque d'élévation ou de distinction. ⇒ **bas, commun, grossier, trivial.** *Il est riche et vulgaire.* / contr. **distingué, fin** / *Des goûts vulgaires.* **2.** Péj. (Avant le nom) Quelconque, qui n'est que cela. *Un vulgaire menteur, escroc.* ⇒ **simple.** **3.** Didact. (Opposé à *littéraire*) *Latin vulgaire,* le latin parlé dans les pays romans. ⇒ **populaire.** *Langues vulgaires,* se dit des principales langues romanes (opposé à *latin,* langue savante). — (Opposé à *scientifique, technique*) *Le nom vulgaire d'une plante, d'un animal.* ⇒ **courant.** **II.** N. m. Ce qui est vulgaire. *C'est d'un vulgaire !* ▶ *vulgairement* adv. **1.** Avec vulgarité. *Il s'exprime vulgairement.* **2.** *Appelé vulgairement,* dans le langage courant, non technique. / contr. **scientifiquement** / ▶ *vulgariser* v. tr. ▪ conjug. 1. **1.** Répandre (des connaissances) en mettant à la portée du grand public. ⇒ **propager.** **2.** Rendre ou faire paraître vulgaire. *Ce chapeau ridicule la vulgarise.* ▶ *vulgarisateur, trice* n. ■ Spécialiste de la vulgarisation scientifique. ▶ *vulgarisation* n. f. ■ *Vulgarisation scientifique,* le fait d'adapter un ensemble de connaissances techniques, scientifiques, de manière à les rendre accessibles à un lecteur non spécialiste. *Un ouvrage de vulgarisation.* ▶ *vulgarité* n. f. **1.** Caractère vulgaire (I, 1), absence totale de distinction et de délicatesse. ⇒ **bassesse, trivialité.** *La vulgarité de ses manières.* **2.** Manière vulgaire d'agir, de parler. *Je ne te permets pas ces vulgarités.*

vulgate [vylgat] n. f. ■ Traduction latine de la Bible.

vulnérable [vylneʀabl] adj. Littér. **1.** Qui peut être blessé, frappé par un mal physique. *Organisme vulnérable.* **2.** Fig. Qui peut être facilement atteint, se défend mal. *Son inexpérience le rend vulnérable.* / contr. **invulnérable** / ▶ *vulnérabilité* n. f. ■ Caractère vulnérable. / contr. **invulnérabilité** / ⟨ ▶ invulnérable ⟩

vulnéraire [vylneʀɛʀ] n. m. ■ Autrefois. Médicament qu'on appliquait sur les plaies. — Cordial (1).

vulve [vylv] n. f. ■ Ensemble des organes génitaux externes de la femme (et des femelles de mammifères). — Orifice extérieur du vagin. ▶ *vulvaire* adj. ■ Didact. De la vulve.

W-X-Y-Z

w [dublave] n. m. invar. ■ Vingt-troisième lettre, dix-huitième consonne de l'alphabet, servant à noter le son [v] (ex. : *wagon*) ou le son [w] (ex. : *watt*). — W, symbole de watt.

wagon [vagɔ̃] n. m. **1.** Véhicule sur rails, tiré par une locomotive. *Wagon de marchandises ; wagons à bestiaux.* ⇒ **fourgon.** — Cour. et abusivt. Voiture (3) destinée aux voyageurs. *Wagon de première, de seconde (classe).* **2.** Contenu d'un wagon. *Cent wagons de blé.* ▶ *wagonnet* n. m. ■ Petit chariot sur rails, destiné au transport de matériaux en vrac dans les mines. ▶ *wagon-citerne* n. m. ■ Wagon-réservoir, aménagé pour le transport des liquides. *Des wagons-citernes.* ▶ *wagon-couchettes* n. m. ■ Voiture d'un train formée de compartiments garnis de couchettes escamotables. *Des wagons-couchettes.* ▶ *wagon-lit* n. m. ■ Voiture d'un train formée de compartiments équipés de lits et de cabinets de toilette. *Des wagons-lits.* ▶ *wagon-restaurant* n. m. ■ Voiture d'un train aménagée en restaurant. *Des wagons-restaurants.*

walkman [wɔkman] n. m. ■ (Nom déposé) Petit récepteur radio ou lecteur de cassettes muni de deux écouteurs. — REM. Il est recommandé d'employer *baladeur.*

wallon, onne [walɔ̃, ɔn] adj. et n. **1.** Habitant de la Wallonie ; relatif à cette région. — N. *Les Wallons.* **2.** N. m. Langue française parlée en Belgique. *Les Belges parlent le wallon ou le flamand.*

wapiti [wapiti] n. m. ■ Cerf d'Amérique du Nord, de plus grande taille que le cerf commun. *Des wapitis.*

water-ballast [watɛrbalast] n. m. ■ Réservoir d'eau, sur un navire. — Réservoir de plongée d'un sous-marin. *Des water-ballasts.*

water-polo [watɛrpolo] n. m. ■ Sorte de hand-ball qui se joue dans l'eau, et où s'opposent deux équipes de sept nageurs.

waters [watɛr] n. m. pl., ou *water-closet(s)* [watɛrklozɛ(t)] n. m. ■ Lieux d'aisances. ⇒ **cabinet** (I, 4), **toilettes, W.-C. ;** fam. **chiottes.** *Aller aux waters.* — Cuvette des lieux d'aisances. *Les waters sont fêlés.*

watt [wat] n. m. ■ Unité de puissance électrique (symb. *W*) correspondant à un travail de 10⁷ (10 millions) ergs (ou un joule) par seconde. *Mille watts.* ⇒ **kilowatt.** ‹▶ hectowatt, kilowatt, mégawatt ›

W.-C. [dublavese ; cour. vese] n. m. pl. ■ Abréviation de *water-closet(s).* *Où sont les W.-C. ?*

week-end [wikɛnd] n. m. ■ Anglic. Congé de fin de semaine, comprenant le samedi et le dimanche. *Nous partons à la campagne tous les week-ends.*

western [wɛstɛrn] n. m. ■ Film sur la conquête de l'ouest des États-Unis ; genre cinématographique que constituent ces films. *Les chevauchées des westerns.*

whisky, plur. *whiskies* [wiski] n. m. ■ Eau-de-vie de grain (seigle, orge, maïs) écossaise. ⇒ **bourbon,** ① **scotch.** — Verre de cette eau-de-vie. *Un whisky soda,* un whisky avec de l'eau gazeuse.

whist [wist] n. m. ■ Jeu de cartes répandu en France au XIXᵉ siècle, ancêtre du bridge.

white spirit [wajtspirit] n. m. ■ Anglic. Produit de la distillation du pétrole, utilisé comme solvant des peintures non solubles dans l'eau. *Des white spirits.*

x [iks] n. m. invar. **1.** Vingt-quatrième lettre, dix-neuvième consonne de l'alphabet, servant à noter les groupes de consonnes [ks] (*extrême, lynx...*), ou [gz] (*exemple...*), ou les consonnes [z] (*deuxième...*) ou [s] (*soixante...*). **2.** Forme de cette lettre. *Tréteaux en X.* **3.** En algèbre. Symbole désignant une inconnue. *Les x et les y. L'abscisse est l'axe des x.* — Chose, personne inconnue. *X années,* un temps non spécifié. *Monsieur X.* — *Rayons X.* ⇒ ① **rayon** (3). **4.** *L'X,* l'École polytechnique. *Un X,* un polytechnicien. **5.** *X* (majuscule), dix (en chiffres romains).

xén(o)- ■ Élément savant signifiant « étranger ». ▶ *xénophobe* [gzenɔfɔb] adj. et n. ■ Hostile aux étrangers, à tout ce qui vient de l'étranger. ⇒ **chauvin.** ▶ *xénophobie* n. f.

xérès [xeres ; kseres ; gzeres] n. m. invar. ■ Vin blanc, apéritif de la région de Jerez (Espagne).

xylène [ksilɛn ; gzilɛn] n. m. ■ Hydrocarbure liquide extrait du benzol.

xylo- [ksilɔ] ou [gzilɔ] ■ Élément savant signifiant « bois ». ▶ *xylographie* n. f. ■ Gravure sur bois ; estampe réalisée par cette technique. *Les xylographies de Dürer.* ▶ *xylophone* [ksilɔfɔn ; gzilɔfɔn] n. m. ■ Instrument de musique à percussion, formé de lames de bois ou de métal de longueur inégale, sur lesquelles on frappe avec deux petits maillets. *Le balafon* est un xylophone.*

① *y* [igʀɛk] n. m. invar. **1.** Vingt-cinquième lettre, sixième voyelle de l'alphabet, servant à noter le son [i] *(type)* et le son [j] *(yeux).* — REM. Le *y* entre voyelles a la double valeur de voyelle et de consonne dans la prononciation moderne : *tuyau* [tµijo], *payer* [peje], *noyer* [nwaje]. **2.** Lettre désignant une seconde inconnue (après *x*), ou une fonction de la variable *x. Les ordonnées sont l'axe des y.*

② *y* [i] pronom et adv. ■ Représente une chose ou un énoncé. **1.** (Pour rappeler le lieu où l'on est, où l'on va) Dans ce lieu, dans cela. *J'y vais* (dans un endroit, chez quelqu'un, etc.). *Allons-y. Nous y avons passé plusieurs années.* — *Ah ! j'y suis,* je comprends. *Je n'y suis pour rien,* je n'ai aucune responsabilité dans cette affaire. **2.** (Représentant un compl. précédé de *à*) À ce..., à cette..., à ces... ; à cela. *J'y renonce.* — (Représentant un compl. précédé d'une autre prép.) *N'y comptez pas.* **3.** (Dans divers gallicismes) *Il y a* (⇒ **avoir**). — *Vas-y !,* décide-toi (⇒ **aller**). *Ça y est !,* s'emploie pour annoncer quelque chose qui est arrivé, qu'on attendait. (→ *C'est arrivé !*) ‹ ▶ revenez-y, sainte nitouche ›

③ *y* ■ S'emploie pour transcrire *il* ou *lui* dans la prononciation négligée : *Y en a pas* (pour *il n'y en a pas*). *J'y ai dit* (pour *je lui ai dit*).

yacht [jɔt] n. m. ■ Grand navire de plaisance à voiles ou à moteur. *Yachts de croisière, de course.* ▶ **yachting** [jɔtiŋ] n. m. ■ Pratique de la navigation de plaisance de luxe (⇒ ① **voile**).

yack ou **yak** [jak] n. m. ■ Ruminant semblable au bœuf, à longue toison soyeuse, qui vit au Tibet où il est domestiqué. *Des yacks.*

yankee [jãki] n. ■ Habitant du nord-est des États-Unis. *Les Yankees ont gagné la guerre de Sécession.* / contr. **sudiste** / — Par ext. Habitant des États-Unis. ⇒ **Américain.** — Adj. *Les capitaux yankees.*

yaourt ⇒ **yoghourt.**

yard [jaʀd] n. m. ■ Mesure de longueur anglosaxonne valant 0,914 mètre.

yatagan [jatagã] n. m. ■ Sabre turc, à lame recourbée vers la pointe. ⇒ **cimeterre.**

yen [jɛn] n. m. ■ Unité monétaire du Japon. *Des yens.*

yeuse [jøz] n. f. ■ Autre nom du chêne vert. *L'yeuse.*

yeux ⇒ **œil.**

yé-yé [jeje] n. invar. et adj. invar. ■ Qui concerne les jeunes ayant des goûts (musicaux, etc.) à la mode dans les années 1960 (correspond au *zazou* de la période 1940-1950). *Chansons yé-yé.*

yiddish [jidiʃ] n. m. invar. et adj. invar. ■ Ensemble des parlers allemands des communautés juives d'Europe orientale (et autrefois d'Allemagne). — Adj. invar. *La littérature yiddish.*

yod [jɔd] n. m. ■ Didact. En phonétique. Nom de la semi-consonne [j], transcrite en français par *-i- (pied), -y- (ayant), -il (soleil), -ille (maille).*

yoga [jɔga] n. m. ■ Doctrine et exercices traditionnels hindous, voisins de notre mysticisme, cherchant à réunir l'individu, non à Dieu, mais avec le principe de toute existence. — Ces exercices, pratiqués comme une gymnastique (⇒ **yogi**). *Faire du yoga.* ▶ **yogi** [jɔgi] n. m. ■ Ascète hindou qui pratique le yoga.

yoghourt [jɔguʀ(t)] ou **yaourt** [jauʀ(t)] n. m. ■ Lait caillé par un ferment spécial. *Des yaourts aux fruits. Des yaourts nature.*

yole [jɔl] n. f. ■ Bateau non ponté, étroit et allongé, propulsé à l'aviron.

yougoslave [jugɔslav] adj. ■ De Yougoslavie. *Le folklore yougoslave.* — N. *Les Yougoslaves parlent serbo-croate, slovène, etc.*

youpi [jupi] interj. ■ Cri d'enthousiasme, souvent accompagné d'un geste exubérant. *On a gagné, youpi !*

youyou [juju] n. m. ■ Petit canot utilisé pour aller à terre, venant d'un navire, ou, de la terre, pour regagner son bord. *Des youyous.*

yo-yo [jojo] n. m. invar. ■ Jouet formé de deux disques de bois ou de plastique reliés par un axe, qu'on fait descendre et monter le long d'un fil. *Jouer au yo-yo. Des yo-yo.*

ypérite [ipeʀit] n. f. ■ Gaz asphyxiant utilisé pendant la Première Guerre mondiale (d'abord par les Allemands à Ypres).

ysopet ou **isopet** [izɔpɛ] n. m. ■ Histoire littéraire. Recueil de fables du Moyen Âge. *Les ysopets de Marie de France.*

yucca [juka] n. m. ■ Plante arborescente portant des grappes de fleurs en clochettes rosées ou blanches, à feuillage abondant. *Des beaux yuccas.*

z [zɛd] n. m. invar. ■ Vingt-sixième et dernière lettre, vingtième consonne de l'alphabet. — Fam. *De A à Z,* d'un bout à l'autre, entièrement.

zakouski [zakuski] n. m. pl. ■ Hors-d'œuvre variés russes (légumes, poissons, etc.).

zazou [zazu] adj. et n. ■ S'est dit, pendant l'occupation allemande et après la Libération (en France), des jeunes gens qui se signalaient par leur passion pour le jazz et leur élégance tapageuse. *Des allures zazoues* ou *zazous.* — N. *Des zazous.*

zèbre [zɛbʀ] n. m. **1.** Équidé d'Afrique, voisin de l'âne, à la robe rayée de bandes noires ou brunes, au galop très rapide. — Loc. *Courir, filer comme un zèbre,* très vite. **2.** Fam. Individu bizarre. *Un drôle de zèbre.* ▶ **zébrer** v. tr. · conjug. 6. ■ Marquer de raies qui rappellent celles de la robe du zèbre. ⇒ **rayer.** ▶ **zébrure** n. f. **1.** Rayure sur le pelage d'un animal. **2.** Marque de coup de forme allongée.

zébu [zeby] n. m. ■ Grand bœuf domestique, caractérisé par une bosse graisseuse sur le garrot. *Des zébus d'Asie, d'Afrique.*

zélateur, trice [zelatœʀ, tʀis] n. ■ Littér. Partisan ou défenseur zélé (d'une cause, d'une personne). ⇒ **adepte.**

zèle [zɛl] n. m. ■ Disposition enthousiaste à servir une personne ou une cause en laquelle on a confiance. ⇒ **dévouement, empressement.** / contr. **négligence** / *Travailler avec zèle.* — FAIRE DU ZÈLE : montrer un zèle inhabituel ou hypocrite, exagéré. — GRÈVE DU ZÈLE : application méticuleuse de toute les consignes de travail, en vue de bloquer toute activité. *Faire la grève du zèle.* ▶ **zélé, ée** adj. ■ Vieilli. Plein de zèle. *Un secrétaire zélé.* ⇒ **dévoué.** ‹ ▶ zélateur ›

zen [zɛn] n. m. ■ Secte bouddhique du Japon où la méditation prend la première place ; courant esthétique qui en est issu, caractérisé par le dépouillement. — Adj. invar. *Le bouddhisme zen. Des jardins zen.*

zénith [zenit] n. m. **1.** Point du ciel situé à la verticale de l'observateur. *Regarder au zénith. De l'horizon au zénith.* **2.** Littér. Point culminant. ⇒ **apogée, sommet.** *Être à son zénith. Le zénith de la réussite.*

zéphyr [zefiʀ] n. m. **I.** Poét. Vent doux et agréable, brise légère. *Les zéphyrs.* / contr. **aquilon** / **II.** *Du zéphyr,* toile de coton fine et souple.

zéro [zeʀo] n. m. **1.** Chiffre arabe (0) notant les ordres d'unités absentes. **2.** Nombre qui représente un ensemble vide. *Deux plus deux moins quatre égale zéro.* **3.** Fam. Néant, rien. *Réduire qqch. à zéro.* — Loc. *Avoir le moral à zéro,* être déprimé. *Repartir de zéro,* *à zéro,* recommencer qqch. après avoir échoué. *Pour moi, c'est zéro,* ça ne compte pas. *Un zéro,* un homme sans valeur. ⇒ **nullité. 4.** Fam. Aucun. *Il a fait zéro faute à sa dictée. Ça m'a coûté zéro franc, zéro centime,* ça ne m'a rien coûté. *Gagner par trois buts à zéro.* **5.** Point de départ d'une mesure ou d'une évaluation. *Zéro degré. Dix degrés au-dessus, au-dessous de zéro. Le degré zéro du développement économique. — Avoir zéro en orthographe, zéro sur vingt. Zéro de conduite. — Zéro pointé,* note éliminatoire à un examen.

zeste [zɛst] n. m. ■ Petit morceau d'écorce fraîche (de citron, d'orange) qui sert à parfumer des boissons, des pâtisseries, etc. *Un zeste de citron.*

zézayer [zezeje] v. intr. ▪ conjug. 8. ■ Prononcer des [z] à la place des [ʒ] *(ze veux pour je veux),* ou des [s] à la place des [ʃ]. ⇒ fam. **zozoter.** ▶ *zézaiement* [zezɛmɑ̃] n. m. ■ Défaut de prononciation de qqn qui zézaie.

zibeline [ziblin] n. f. ■ Petit mammifère de la Sibérie et du Japon, du genre martre, dont la fourrure est très précieuse. — Fourrure de cet animal. *Manteau de zibeline.*

zieuter ou *zyeuter* [zjøte] v. tr. ▪ conjug. 1. ■ Fam. Jeter un coup d'œil (de : *les yeux* [zjø]) pour observer (qqch., qqn). ⇒ **regarder.**

zig ou *zigue* [zig] n. m. ■ Fam. Individu, type. *Un drôle de zigue.* ▶ *zigoto* [zigɔto] n. m ■ Zigue. *Il fait le zigoto,* le malin, l'intéressant.

ziggourat [zigurat] n. f. ■ Temple babylonien, en forme de pyramide à étages.

zigouiller [ziguje] v. tr. ▪ conjug. 1. ■ Fam. Tuer.

zigzag [zigzag] n. m. ■ Ligne brisée. *Route en zigzag.* ⇒ **lacet.** *Courir en zigzag.* ▶ *zigzaguer* v. intr. ▪ conjug. 1. ■ Faire des zigzags, aller de travers.

zinc [zɛ̃g] n. m. **1.** Corps simple (symb. *Zn*), métal dur utilisé pour sa bonne résistance à la corrosion par l'eau. *Toits en zinc. Comptoir de zinc.* **2.** Fam. Comptoir d'un débit de boissons. *Boire un verre sur le zinc.* **3.** Fam. Avion. *Un vieux zinc.* ▶ *zingueur* n. m. ■ Ouvrier spécialisé dans les revêtements en zinc. *Plombier zingueur.*

zinnia [zinja] n. m. ■ Plante d'origine exotique, ornementale, aux nombreuses variétés.

zinzin [zɛ̃zɛ̃] adj. invar. ■ Fam. Un peu fou, bizarre. ⇒ fam. **cinglé, toqué.** *Elles sont zinzin.*

zircon [zirkɔ̃] n. m. ■ Pierre semi-précieuse utilisée en bijouterie.

zizanie [zizani] n. f. ■ Littér. Discorde. *Semer la zizanie* (*entre* des personnes, *dans* un groupe), faire naître la discorde, les disputes.

zloty [zlɔti] n. m. ■ Unité monétaire de la Pologne. *Des zlotys.*

-zoaire ■ Élément savant signifiant « animal » (ex. : *protozoaire*). ⇒ **zoo-.**

zodiaque [zɔdjak] n. m. **1.** Zone circulaire du ciel à l'horizon, dans laquelle le Soleil et les constellations se lèvent au cours de l'année. **2.** *Signes du zodiaque,* les douze figures (Bélier, Taureau, Gémeaux, Cancer, Lion, Vierge, Balance, Scorpion, Sagittaire, Capricorne, Verseau, Poissons) qu'évoque la configuration des étoiles dans cette zone, et qui président, en astrologie, à la destinée de chacun. « *De quel signe du zodiaque es-tu ? — Je suis Lion.* » ▶ *zodiacal, ale, aux* adj.

zona [zona] n. m. ■ Maladie caractérisée par une éruption de vésicules disposées sur le trajet des nerfs sensitifs. *Attraper un zona, avoir le zona.*

zone [zon] n. f. **1.** Partie d'une surface sphérique comprise entre deux plans parallèles. *La zone équatoriale.* **2.** Partie importante d'une surface quelconque. ⇒ **région, secteur.** *La zone médiane du cerveau. — Zone urbaine,* espace autour d'une ville, lui-même construit. *Zone franche,* soumise à la franchise douanière. *Zone libre, zone occupée* (en France, 1940-1942). **3.** Loc. Abstrait. *De seconde zone,* de second ordre, en valeur. *C'est un romancier de seconde zone.* ⇒ **choix. 4.** Les faubourgs misérables qui se constituent autour d'une grande ville. *La porte de Pantin, c'était la zone.*

zoo [zo(o)] n. m. ■ Collection d'animaux vivant en captivité ou en semi-liberté. *Le zoo de Vincennes. Des zoos.*

zoo- ■ Élément savant signifiant « animal ». ⇒ **-zoaire.** ⟨ ▶ zoologie, zoomorphe ⟩

zoologie [zɔɔlɔʒi] n. f. ■ Partie des sciences naturelles qui étudie les animaux. ▶ *zoologique* adj. ■ Qui concerne la zoologie, les animaux. *Classification zoologique. — Jardin zoologique,* parc animalier où des animaux, sont présentés dans des conditions rappelant leur vie en liberté. ⇒ **zoo.** ≠ *réserve.* ▶ *zoologiste* n. ■ Spécialiste de la zoologie. ⇒ **naturaliste.**

zoom [zum] n. m. Anglic. **1.** Objectif d'appareil photo ou de caméra, à focale variable. **2.** Cadrage réalisé grâce à cet objectif, qui permet d'éloigner ou de rapprocher le sujet. *Faire des zooms* (fam. *zoomer* [zume] v. intr. ▪ conjug. 1.).

zoomorphe [zɔɔmɔrf] adj. ■ Art. Qui représente des animaux. *Décoration zoomorphe. /* contr. **anthropomorphe /**

zoroastrisme [zɔrɔastrism] n. m. ■ Religion dualiste fondée par Zarathoustra. ⇒ **manichéisme.**

zouave [zwav] n. m. **1.** À l'origine, soldat algérien d'un corps d'infanterie coloniale créé en 1830. — Fantassin français d'un corps distinct des tirailleurs indigènes. **2.** *Faire le zouave,* faire le malin, faire le pitre. *Arrête de faire le zouave !,* sois sérieux.

zoulou [zulu] adj. et n. ■ Relatif à un peuple noir d'Afrique du Sud. *Les danses zouloues* ou *zoulous.* — N. *Les Zoulous représentent près du quart de la population d'Afrique du Sud.*

zozoter [zɔzɔte] v. intr. ▪ conjug. 1. ■ Fam. Zézayer.

zut [zyt] interj. ■ Fam. Exclamation de dépit. ⇒ ② **flûte.**

zygomatique [zigɔmatik] adj. ■ Anatomie. De la joue. *Les muscles zygomatiques* (rire, sourire).

ANNEXES

TABLEAU DES NOMS DE NOMBRES

REM. Les composés des adj. numéraux cardinaux s'écrivent avec des traits d'union (ex. : *dix-sept, quatre-vingt-un*), sauf si entrent dans leur composition les mots *et, cent* ou *mille*, lesquels ne sont jamais précédés ou suivis de trait d'union (ex. : *cent sept, vingt et un, trois mille vingt-deux*).

	CARDINAUX	ORDINAUX
1	un (m.), une (f.)	premier (1er), première (1re)
2	deux	second(e), deuxième (2e)
3	trois	troisième (3e)
4	quatre	quatrième (4e)
5	cinq	cinquième (5e)
6	six	sixième
7	sept	septième
8	huit	huitième
9	neuf	neuvième
10	dix	dixième
11	onze	onzième
12	douze	douzième
13	treize	treizième
14	quatorze	quatorzième
15	quinze	quinzième
16	seize	seizième
17	dix-sept	dix-septième
18	dix-huit	dix-huitième
19	dix-neuf	dix-neuvième
20	vingt	vingtième (20e)
21	vingt et un (m.), vingt et une (f.)	vingt et unième (21e)
22	vingt-deux	vingt-deuxième (22e)
23	vingt-trois	vingt-troisième (23e)
30	trente	trentième (30e)
31	trente et un (m.), trente et une (f.)	trente et unième
32	trente-deux	trente-deuxième
40	quarante	quarantième
41	quarante et un(e)	quarante et unième
42	quarante-deux	quarante-deuxième
50	cinquante	cinquantième
51	cinquante et un(e)	cinquante et unième
52	cinquante-deux	cinquante-deuxième
60	soixante	soixantième
61	soixante et un(e)	soixante et unième
62	soixante-deux	soixante-deuxième
70	soixante-dix (ou, région., septante)	soixante-dixième (ou, région., septantième)
71	soixante et onze (ou, région., septante et un[e])	soixante et onzième (ou, région., septante et unième)
72	soixante-douze (ou, région., septante-deux)	soixante-douzième (ou, région., septante-deuxième)
80	quatre-vingts (ou, région., octante)	quatre-vingtième (ou, région., octantième)
81	quatre-vingt-un(e) (ou, région., octante et un[e])	quatre-vingt-unième (ou, région., octante et unième)
82	quatre-vingt-deux (ou, région., octante-deux)	quatre-vingt-deuxième (ou, région., octante-deuxième)
90	quatre-vingt-dix (ou, région., nonante)	quatre-vingt-dixième (ou, région., nonantième)
91	quatre-vingt-onze (ou, région., nonante et un[e])	quatre-vingt-onzième (ou, région., nonante et unième)
92	quatre-vingt-douze (ou, région., nonante-deux)	quatre-vingt-douzième (ou, région., nonante-deuxième)

CARDINAUX		ORDINAUX
100	cent	centième
101	cent un(e)	cent unième
102	cent deux	cent deuxième
200	deux cents	deux centième
201	deux cent un(e)	deux cent unième
300	trois cents	trois centième
301	trois cent un(e)	trois cent unième
400	quatre cents	quatre centième
500	cinq cents	cinq centième
999	neuf cent quatre-vingt-dix-neuf	neuf cent quatre-vingt-dix-neuvième
1 000	mille	millième
1 001	mille un(e)	mille unième
1 002	mille deux	mille deuxième
1 100	mille cent (ou onze cents)	mille centième
1 200	mille deux cents (ou douze cents)	mille deux centième
2 000	deux mille	deux millième
9 999	neuf mille neuf cent quatre-vingt-dix-neuf	neuf mille neuf cent quatre-vingt-dix-neuvième
10 000	dix mille	dix millième
99 999	quatre-vingt-dix-neuf mille neuf cent quatre-vingt-dix-neuf	quatre-vingt-dix-neuf mille neuf cent quatre-vingt-dix-neuf millième
100 000	cent mille	cent millième
100 001	cent mille un(e)	cent mille unième
100 002	cent mille deux	cent mille deuxième
101 000	cent un mille	cent un millième
1 000 000	un million	millionième
1 000 000 000	un milliard	milliardième

PETIT DICTIONNAIRE DES SUFFIXES DU FRANÇAIS

par Danièle Morvan

Cette liste alphabétique est destinée à guider le lecteur dans la compréhension de la morphologie suffixale du français. Elle a été conçue comme un complément pédagogique et pratique à la présentation des familles lexicales, telle qu'elle est faite dans le corps du dictionnaire (regroupement des mots alphabétiquement proches d'une part, renvois morphologiques en fin d'article d'autre part). Les séries d'exemples ont été établies pour manifester les processus de formation lexicale ; on ne s'étonnera donc pas d'y trouver des mots qui ne figurent pas à la nomenclature du dictionnaire : ils ont été choisis en tant qu'exemples pour illustrer les processus mis en évidence.

Guide de lecture

Ce petit dictionnaire complète le *Micro-Robert* de la langue en traitant un aspect de la formation des mots (ou *morphologie*) qui ne peut être montré clairement dans un dictionnaire ordinaire ; il manifeste comment, en français, on a formé et on peut former des mots (des *dérivés*) en ajoutant à une base (un mot ou un radical) un élément de formation placé après cette base (un *suffixe*). On ne confondra pas ces suffixes avec les radicaux comme *-graphe* ou *-phobe*, qui sont d'une autre nature (voir ci-dessous).

L'utilisateur du *Micro-Robert* peut y trouver les familles de mots (ou *familles lexicales*), c'est-à-dire les mots de même base et de même origine dans lesquels on reconnaît une communauté de forme et de sens ; en effet, ce dictionnaire regroupe les mots de la même famille qui sont proches dans l'ordre alphabétique et donne à la fin de l'article les autres mots, éloignés alphabétiquement ou trop importants pour être regroupés. Le lecteur dispose ainsi, d'un seul coup d'œil, de la famille intégrale. Mais, si les mots formés à l'aide d'un élément placé devant la base (un *préfixe*), par exemple les mots en *re-*, en *in-*, se trouvent rapprochés par l'ordre alphabétique, ceux qui sont formés à l'aide d'un élément placé après la base, tels les mots en *-age*, se trouvent dispersés dans le dictionnaire de manière imprévisible. Pour présenter de façon plus complète non seulement le résultat, mais les processus essentiels de la formation des mots en français, il était nécessaire de regrouper les suffixes dans une liste alphabétique unique. On ne trouvera dans cette liste ni les morphèmes qui expriment les rapports grammaticaux (le *-e* du féminin, le *-s* du pluriel, les désinences des conjugaisons des verbes, etc.), ni les éléments représentés seulement dans des mots empruntés à des langues étrangères. On n'y trouvera pas non plus les radicaux comme *-graphe*, *-phobe*, etc. : les plus usuels d'entre eux sont traités à la nomenclature du dictionnaire, au même titre que les préfixes ; ces radicaux, qu'ils soient préfixés ou suffixés, véhiculent un contenu de sens plus précis et se combinent entre eux pour former des mots (ex. : *xénophobe*), notamment dans les terminologies scientifiques et techniques. Au contraire, les suffixes énumérés ici s'appliquent à l'usage général ; en outre, ils déterminent la catégorie grammaticale du mot produit : on peut former des noms avec des verbes, des adverbes avec des adjectifs, etc. Par ailleurs, la production des dérivés (« transformation » morphologique) intervient dans les transformations syntaxiques (le morphème suffixal *-eur*, *-euse* permet de passer de : celui, celle qui *chante* l'opéra à : un *chanteur*, une *chanteuse* d'opéra). On s'est d'autre part appliqué à choisir des exemples de mots formés en français, et non pas empruntés, pour montrer la productivité des suffixes décrits.

Description des articles. Ce dictionnaire se consulte comme le *Micro-Robert* lui-même. Chaque suffixe retenu fait l'objet d'un **article** avec une entrée, une analyse en numéros (**I.**, **1.**, etc.) et des exemples (qui sont ici des mots complexes, et non plus des phrases) ; on a fait figurer aussi, à la fin des articles, l'**étymologie** des suffixes, entre crochets : ⟨ ... ⟩. Quand deux suffixes différents (par l'origine ou le sens) ont la même forme, ils sont numérotés, comme les homonymes dans le dictionnaire ; dans ce cas, des indications sur la valeur sémantique de ces suffixes sont données, pour aider à les différencier.

Les suffixes et leurs **variantes,** qui sont mentionnées après l'entrée ou à l'intérieur des articles, selon les cas, sont soigneusement distingués des **finales,** qui sont des terminaisons quelconques. Les finales ou modifications de finales les plus courantes ont été signalées, notamment celles qui peuvent donner lieu à des confusions avec de véritables suffixes : précisons ici que, parmi ces terminaisons, seuls les suffixes ont une forme stable et un sens constant (ce sont des morphèmes) ; il arrive cependant parfois que des finales deviennent par mauvaise coupe des suffixes « stabilisés » et productifs (ex. : *-tique* dans *bureautique*).

Les articles du dictionnaire sont rédigés de manière uniforme : on présente d'abord la catégorie grammaticale des mots produits (par exemple : « pour former des noms »), puis la nature de la base qui sert à les produire (par exemple : « la base est un verbe »). À l'intérieur de chacune de ces distinctions, on a toujours suivi le même ordre : nom, adjectif, verbe, etc. Quand la base est un verbe, et que la formation des mots suffixés met en œuvre plusieurs radicaux différents (voir les tableaux de conjugaisons), on a indiqué ceux qui fournissent la base. La forme de la base s'obtient le plus souvent à partir de celle de la 1re personne du pluriel du présent de l'indicatif ; le radical étant (sauf pour *être*) le même que celui de l'imparfait, on a, pour simplifier, mentionné « forme de l'imparfait ». Lorsqu'il s'agissait de la forme de la première personne du singulier du présent de l'indicatif, on a mentionné « forme de la 1re personne du présent » (par opposition à « forme de l'imparfait »).

Viennent ensuite les **exemples** qui sont regroupés selon la valeur du suffixe, selon le sens (classes sémantiques : personnes, choses, etc.), ou selon le niveau de langue (familier, etc.). Les exemples contenant une variante suffixale sont précédés par un tiret. On trouvera dans ces séries d'exemples des mots courants, mais aussi des mots rares ou archaïques et des mots argotiques ; tous ont été choisis pour illustrer le plus clairement possible le processus de formation base + suffixe. Parmi ces exemples figurent de nombreux noms de personnes, cités au masculin ou au féminin : ils sont précédés de l'article indéfini *un, une,* pour souligner qu'ils peuvent généralement être employés aux deux genres ; les noms de choses, en revanche, sont en général présentés sans article.

Dans le texte des articles, les **renvois** à d'autres suffixes sont présentés par une flèche double (comme les renvois à des mots dans le dictionnaire). Dans les étymologies, les renvois, qui sont précédés par une flèche simple, se rapportent à l'étymologie des autres suffixes.

D'une manière générale, on a utilisé des formules simples, et explicité le plus clairement possible les processus de formation. Cependant, pour préciser la nature de certains suffixes, quant au sens, on a dû recourir à quelques notions techniques, correspondant à des termes spécialisés qui ne sont pas définis dans le *Micro-Robert*. Il s'agit essentiellement de :

augmentatif, qui se dit des éléments (suffixes ou préfixes) servant à renforcer le sens de la base, par un effet inverse de celui des *diminutifs* ;

fréquentatif, qui indique, pour un verbe, la répétition de l'action exprimée par la base ; ex. : *mordiller* par rapport à *mordre* (de nombreux suffixes verbaux sont à la fois diminutifs et fréquentatifs, ou fréquentatifs et péjoratifs) ;

partitif, qui se dit d'un élément (ou d'un cas, dans les langues à déclinaisons) exprimant la partie, par opposition à *collectif* (ex. : *chaînon* par rapport à *chaîne*).

D'autres termes, comme *diminutif, péjoratif* (les suffixes péjoratifs sont souvent aussi *familiers*), sont plus connus et sont définis dans le *Micro-Robert*.

-able Pour former des adjectifs. **1.** La base est un nom. *Charitable, corvéable, effroyable, rentable, viable.* □ ⇒ **-ible** (1). **2.** La base est un verbe (la base est celle de la forme de la 1ʳᵉ personne du présent, ou de la forme de l'imparfait). *Abordable, buvable, critiquable, faisable, habitable, périssable.* [Avec le préfixe **in-**] *imbattable, imprenable, insoutenable, intarissable, irréprochable.* □ ⇒ **-ible** (2). □ La terminaison de noms correspondante est *-abilité* ⇒ **-ité.** ‹ latin *-abilem,* accusatif de *-abilis.* ›

-acé, -acée Pour former des adjectifs. ■ La base est un nom. *Micacé, rosacé, scoriacé.* ‹ latin *-aceum, -aceam.* ›

-ade Pour former des noms féminins. **1.** La base est un nom. *Citronnade, colonnade, cotonnade, œillade.* **2.** La base est un verbe. *Baignade, glissade, rigolade.* ‹ latin *-atam* par le provençal *-ada,* l'italien *-ata,* l'espagnol *-ada,* et devenu suffixe de noms en français. → aussi ① **-ée,** ② **-ée.** ›

-age Pour former des noms masculins. **1.** La base est un nom. *Branchage, outillage. Esclavage. Laitage. Métrage. Ermitage.* **2.** La base est un verbe (la base est celle de la forme de la 1ʳᵉ personne du présent, ou de la forme de l'imparfait). *Blanchissage, caviardage, dressage, noyautage, pilotage, remplissage, vernissage.* ‹ latin *-aticum* (accusatif de *-aticus,* de *-ticus,* du grec *-tikos*), suffixe d'adjectifs, devenu suffixe de noms en français. ›

-aie, variante **-eraie** Pour former des noms féminins. ■ La base est un nom. *Cerisaie, chênaie, oliviaie, ormaie, saulaie.* [Base en **-ier** ; finale en **-eraie**] *châtaigneraie, fraiseraie, oliveraie, palmeraie, peupleraie, roseraie.* — *Pineraie, ronceraie.* ‹ latin *-eta,* pluriel (neutre) de *-etum,* dans des mots désignant une collection de végétaux, une plantation. ›

① **-ail** ou **-aille** Pour former des noms (valeur : dans des noms d'instruments). ■ La base est un verbe (la base est celle de la forme de la 1ʳᵉ personne du présent, ou de la forme de l'imparfait). *Épouvantail, éventail, tenaille.* ‹ latin *-aculum, -aculam.* ›

② **-ail** ou **-aille** Pour former des noms (valeur : collectif ; « action de »). **1.** La base est un nom. *Bétail, muraille, vitrail.* (Péjoratif) *cochonnaille, ferraille, pierraille, valetaille.* **2.** La base est un verbe. *Fiançailles, semailles, sonnaille, trouvaille.* (Péjoratif) *mangeaille.* ‹ ancien français *-al,* du latin *-ale,* refait, par analogie, en *-ail ;* latin *-alia,* pluriel neutre de

-alis, parfois par l'italien *-aglia,* puis *-aille* est devenu suffixe de noms en français. ›

-ailler Pour former des verbes. ■ La base est un verbe (la base est celle de la forme de la 1ʳᵉ personne du présent, ou de la forme de l'imparfait). (Diminutif ou péjoratif) *criailler, écrivailler, tirailler, traînailler.* (Fréquentatif) *discutailler.* □ ⇒ **-asser, -iller, -ouiller.** ‹ latin *-aculare ;* français *-aille* (→ ② *-ail* ou *-aille*) + ① *-er,* puis *-ailler* est devenu suffixe de verbes en français. ›

① **-ain, -aine** (valeur : indique l'appartenance) **I.** Pour former des noms. **1.** La base est un nom commun. *Un mondain, une républicaine.* **2.** La base est un nom propre. *Une Africaine, un Marocain.* **II.** Pour former des adjectifs. **1.** La base est un nom commun. *Mondain, républicain.* **2.** La base est un nom propre. *Cubain, jamaïquain, marocain, tibétain.* **3.** La base est un adjectif. *Hautain.* ‹ latin *-anum, -anam.* ›

② **-ain** ou **-aine** Pour former des noms (valeur : « groupe de »). ■ La base est un nom de nombre. *Centaine, dizain, dizaine, quatrain, quinzaine.* ‹ latin *-enum,* puis *-ain* (ou *-aine*) est devenu un suffixe en français. ›

③ **-ain** Pour former des noms masculins. ■ La base est un verbe (la base est celle de la forme de la 1ʳᵉ personne du présent, ou de la forme de l'imparfait). *Couvain, naissain.* ‹ latin *-amen,* ou latin *-imen,* donnant une finale *-in,* remplacée par *-ain.* ›

① **-aire,** variante **-iaire** Pour former des noms (valeur : « qui a, dispose de ; qui renferme »). ■ La base est un nom. *Un actionnaire, une disquaire, un fonctionnaire, une milliardaire. Abécédaire, questionnaire.* — *Une stagiaire.* □ ⇒ **-ataire** (I). ‹ latin *-arium.* → aussi ① *-ier,* *-ière.* ›

② **-aire** (valeur : « relatif à ») **I.** Pour former des noms. La base est un nom. *Moustiquaire.* **II.** Pour former des adjectifs. Variante **-iaire.** La base est un nom. *Bancaire, élitaire, grabataire, herniaire, planétaire, résiduaire, universitaire.* — *Biliaire, conciliaire, domiciliaire, pénitentiaire.* □ ⇒ **-ataire** (II). ‹ latin *-arius* et latin *-aris* (issu de *-alis* [→ *-al, -ale*] après un radical en *l*). → aussi ① *-ier,* *-ière.* ›

-ais, -aise **I.** Pour former des noms. La base est un nom propre. *Un Japonais, une Lyonnaise.* □ ⇒ **-ois, -oise** (I). **II.** Pour former des adjectifs. La base est un nom propre. *Français, japonais,* *montréalais, new-yorkais.* □ ⇒ **-ois, -oise** (II). ⟨ latin *-ensem* et latin médiéval *-iscum,* du germanique *-isk.* → aussi **-ois, -oise.** ⟩

-aison Pour former des noms féminins. **1.** La base est un nom. *Lunaison, olivaison, siglaison, tomaison.* **2.** La base est un verbe. *Comparaison, cueillaison, déclinaison, démangeaison, livraison, salaison.* □ ⇒ ① **-son.** ⟨ latin *-ationem,* accusatif de *-atio.* ⟩

-al, -ale, -aux, -ales, variante **-ial, -iale, -iaux, -iales** Pour former des adjectifs. ■ La base est un nom. *Génial, matinal, musical, régional, théâtral.* — *Collégial, mondial, racial.* [Pluriel en **-als, -ales** : *causals, finals,* etc.] ⟨ latin *-alis* (pluriel *-ales*), par emprunt, puis *-al, -ale* est devenu un suffixe en français. → aussi **-el, -elle.** ⟩

-amment Pour former des adverbes. ■ La base est un adjectif en **-ant, -ante.** *Couramment, galamment, indépendamment, puissamment, savamment.* □ ⇒ **-emment.** □ Exceptions. **1.** La base est un participe présent (base verbale) : *notamment, précipitamment.* **2.** La base est un nom (par analogie) : *nuitamment.* ⟨ origine : français *-ant* (→ **-ant, -ante**), avec chute du *t* final et passage de *n* à *m* + français *-ment* (→ ② **-ment**). ⟩

-an, -ane **I.** Pour former des noms. **1.** La base est un nom commun. *Paysan.* **2.** La base est un nom propre. *Un Castillan, une Persane.* **II.** Pour former des adjectifs. La base est un nom propre. *Bressan, mahométan, mosellan, persan.* ⟨ latin *-anum, -anam.* ⟩

-ance Pour former des noms féminins. **1.** La base est un adjectif en **-ant, -ante.** *Arrogance, constance, reconnaissance, vaillance.* **2.** La base est un verbe (la base est celle de la forme de la 1ʳᵉ personne du présent, ou de la forme de l'imparfait). *Alliance, appartenance, croissance, croyance, descendance, espérance, jouissance, méfiance, mouvance, naissance, nuisance, partance, suppléance, vengeance.* □ ⇒ **-ence.** □ Exception. La base est un participe présent : *échéance.* ⟨ latin *-antia : -ans* (→ **-ant, -ante**) + *-ia.* ⟩

-ant, -ante **I.** Pour former des noms. La base est un verbe (la base est celle de la forme de la 1ʳᵉ personne du présent, ou de la forme de l'imparfait). *Un assistant, une habitante, un militant, un poursuivant. Imprimante.* **II.** Pour former des adjectifs. La base est un verbe (la base est celle de la forme de la 1ʳᵉ personne du présent, ou de la forme de l'imparfait). *Apaisant, brillant, charmant, descendant, finissant, irri-*

tant, méprisant. □ ⇒ **-ent, -ente.** □ Le suffixe de noms correspondant est **-ance,** et le suffixe d'adverbes est **-amment.** ⟨ latin *-antem,* accusatif du suffixe de participe présent *-ans.* REM. La terminaison *-ant, -ante* est aussi celle du participe présent des verbes. ⟩

-ard, -arde **I.** Pour former des noms. **1.** La base est un nom. *Un Briard, une montagnarde. Cuissard, cuissardes. Un soiffard.* (Péjoratif) *un froussard, un politicard.* (Augmentatif) *une veinarde.* **2.** La base est un adjectif. (Augmentatif) *un richard.* (Péjoratif) *une soûlarde.* **3.** La base est un verbe (la base est celle de la forme de la 1ʳᵉ personne du présent, qu de la forme de l'imparfait). *Buvard, reniflard, tortillard. Un grognard.* (Péjoratif) *une braillarde, une geignarde, une traînarde, un vantard.* **II.** Pour former des adjectifs. **1.** La base est un nom. *Campagnard, savoyard.* (Péjoratif) *flemmard, pantouflard, soixante-huitard.* (Augmentatif) *chançard, veinard.* **2.** La base est un adjectif. *Bonard, faiblard, vachard.* [Avec **-ouill-**] *rondouillard.* **3.** La base est un verbe (la base est celle de la forme de la 1ʳᵉ personne du présent, ou de la forme de l'imparfait). *Débrouillard.* (Péjoratif) *geignard, nasillard, vantard.* ⟨ germanique *-hart,* de l'adjectif *hart* « dur, fort », entré en composition dans des noms propres ; en français, *-ard* s'est étendu à la formation de noms communs, peut-être par l'intermédiaire de noms propres et de surnoms devenus noms communs. ⟩

-ariat ⇒ ① **-at.**

-asse **I.** Pour former des noms féminins. Variante **-iasse.** **1.** La base est un nom. *Paillasse.* (Péjoratif) *caillasse, conasse, paperasse* [base en **-ier**]*, vinasse.* — *Pouffiasse.* **2.** La base est un verbe. (Péjoratif) *chiasse, lavasse, traînasse.* **II.** Pour former des adjectifs. **1.** La base est un nom. (Péjoratif) *hommasse.* **2.** La base est un adjectif. (Péjoratif) *blondasse, bonasse, fadasse, mollasse.* ⟨ latin *-aceam,* ou latin *-ax* (génitif *-acis*), puis *-asse* est devenu un suffixe en français. ⟩

-asser Pour former des verbes. ■ La base est un verbe (la base est celle de la forme de la 1ʳᵉ personne du présent, ou de la forme de l'imparfait). (Péjoratif et fréquentatif) *écrivasser, pleuvasser, rêvasser, traînasser.* □ ⇒ **-ailler, -iller, -ouiller.** ⟨ origine : → **-asse,** et ① **-er.** ⟩

① -at, et -ariat, -orat Pour former des noms masculins (valeur : indique un état, une fonction, une dignité). **1.** La base est un nom. *Consulat, mandarinat.* — [Base en **-aire** ; finale en **-ariat**] *commissariat, notariat, secrétariat.* [Par

analogie] *interprétariat, vedettariat.* — [Base en
-eur ; finale en **-orat**]. *Doctorat, professorat.*
2. La base est un adjectif. *Anonymat, bénévolat.*
⟨ latin *-atum,* neutre de participes passés substantivés. ⟩

② **-at** Pour former des noms masculins
(valeur : « chose produite »). ■ La base est
un verbe (la base est celle de la forme de la 1ʳᵉ
personne du présent, ou de la forme de l'imparfait). *Agglomérat, résultat.* ⟨ latin *-atum.* ⟩

③ **-at, -ate** (valeur : indique l'origine, la
provenance) **I.** Pour former des noms. La base
est un nom propre. *Un Auvergnat, une Rouer-
gate.* **II.** Pour former des adjectifs. La base est
un nom propre. *Auvergnat, rouergat, sauveterrat, vitryat.* ⟨ latin tardif *-attum, -attam,*
variante de *-ittum, -ittam* (→ -et, -ette). ⟩

-ataire I. Pour former des noms. La base est
un verbe. *Une protestataire, un signataire, un
retardataire.* □ ⟹ ① **-aire.** **II.** Pour former des
adjectifs. La base est un verbe. *Contestataire,
protestataire.* □ ⟹ ② **-aire** (II). ⟨ latin *-atum*
+ *-arium* ; latin *-atio* + *-arium* ; français *-ation*
+ *-aire.* ⟩

-ateur, -atrice I. Pour former des noms.
La base est un verbe. *Perforatrice, programmateur, ventilateur. Une animatrice, un vérificateur.* □ ⟹ ② **-eur, -euse** (I). **II.** Pour former des
adjectifs. La base est un verbe. *Congratulateur,
éliminateur, retardateur.* □ ⟹ ② **-eur, -euse**
(II). ⟨ latin *-atorem ;* pour le féminin, latin
-atrix. ⟩

-ateux, -ateuse I. Pour former des noms
(adjectifs substantivés). La base est un nom. *Un
eczémateux, un exanthémateux, une œdéma-
teuse.* □ ⟹ ① **-eux, -euse** (I). **II.** Pour former
des adjectifs. La base est un nom. *Eczémateux,
emphysémateux, érythémateux, exanthémateux, fibromateux, œdémateux, sarcomateux.*
□ ⟹ ① **-eux, -euse** (II). ⟨ grec *-(m)at-* + latin
-osum, -osam (→ ① -eux, -euse). ⟩

-atif, -ative I. *-atif* ou *-ative* Pour former
des noms. La base est un verbe. *Alternative,
rectificatif, tentative.* □ ⟹ **-if, -ive** (I). **II.** *-atif,
-ative* Pour former des adjectifs. **1.** La base est
un nom. *Facultatif, qualitatif.* **2.** La base est un
verbe. *Décoratif, éducatif, imitatif, portatif.* □
⟹ **-if, -ive** (II). ⟨ latin *-ativum : -atum* +
-ivum. ⟩

-ation Pour former des noms féminins. ■ La
base est un verbe (la base est celle de la forme
de la 1ʳᵉ personne du présent, ou de la forme
de l'imparfait). *Agitation, constatation, datation,*

*miniaturisation, modernisation, résiliation, sta-
bilisation.* □ ⟹ **-tion.** ⟨ latin *-ationem.* ⟩

-atique Pour former des adjectifs. ■ La base
est un nom. *Drolatique, enzymatique, fantasmatique, fantomatique, idiomatique, prismatique.* □ ⟹ ① **-ique, -tique.** ⟨ latin *-aticum,* du
grec *-(m)at-* + *-ikos* (→ -ique). ⟩

-atoire I. Pour former des noms. La base est
un verbe. *Dépilatoire, échappatoire. Observatoire.* □ ⟹ **-oir, -oire** (I). **II.** Pour former des
adjectifs. La base est un verbe. *Déclamatoire,
dînatoire, masticatoire, ondulatoire, préparatoire.* □ ⟹ **-oir, -oire** (II). ⟨ latin *-atorium.* ⟩

-âtre I. Pour former des noms. La base est un
adjectif. (Péjoratif) *un bellâtre.* **II.** Pour former
des adjectifs. La base est un adjectif. (Péjoratif)
douceâtre, folâtre, jaunâtre, rougeâtre. ⟨ latin
tardif *-astrum* (donnant -astre, puis -âtre), puis
-âtre est devenu un suffixe en français. ⟩

-ature ⟹ **-ure.**

-aud, -aude I. Pour former des noms
(adjectifs substantivés). **1.** La base est un nom.
(Péjoratif) *un pataud.* **2.** La base est un adjectif.
(Péjoratif) *un lourdaud, un salaud.* **II.** Pour
former des adjectifs. **1.** La base est un nom.
Pataud. **2.** La base est un adjectif. *Finaud.*
(Péjoratif) *courtaud, lourdaud, rougeaud.* ⟨ germanique *-ald* (du francique *-wald,* de *walden*
« gouverner »), finale de noms propres ; *-aud* a
servi en français à former des noms propres, puis
des noms communs, et est devenu péjoratif. ⟩

-auté Pour former des noms féminins. **1.** La
base est un nom. *Papauté.* **2.** La base est un
adjectif. *Communauté.* [D'après *royauté*] *privauté.* □ Ne pas confondre avec la terminaison
-auté des noms formés sur une base en *-al, -ale*
⟹ **-té.** ⟨ français *-al, -ale* + *-té,* par analogie
avec les mots en *-auté* (comme *royauté*).
→ -té. ⟩

-ayer Pour former des verbes. **I.** La base est
un nom. *Bégayer.* **2.** La base est une onomatopée. *Zézayer.* □ ⟹ **-eyer, -oyer.** □ Ne pas
confondre avec la terminaison *-ayer* des verbes
formés sur une base en *-ai* ou en *-aie* ⟹ ① **-er.**
□ Les noms correspondants sont les noms
masculins en *-aiement* (ou *-ayement*) ⟹ **-ement.**
⟨ ancien français *-oyer* (→ -oyer), devenu
-ayer. ⟩

*
*   *

-ceau ou *-celle* Pour former des noms. ■ La base est un nom. (Diminutif) *lionceau, souriceau. Rubicelle.* [Sur un radical latin, d'après des finales en **-cule**] *radicelle, lenticelle.* □ ⇒ **-eau** ou **-elle.** ‹ latin *-cellum, -cellam* pour *-culum, -culam* (→ *-cule* à *-ule*). ›

-cule ⇒ **-ule.**

*

* *

① *-é, -ée* Pour former des adjectifs (valeur : « pourvu de ; qui a l'aspect, la nature de »). ■ La base est un nom. *Ailé, azuré, corseté, feuillé, membré, zélé.* [Avec une consonne de liaison] *chapeauté.* [Avec un préfixe] *déboussolé, dépoitraillé, éhonté, ensoleillé, ensommeillé.* [Base en **-eau** ou **-elle** ; finale en **-elé, -elée**] *burelé, cannelé, fuselé, mantelé, tavelé* ; [avec un préfixe] *écervelé.* ‹ latin *-atum, -atam.* ›

② *-é* Pour former des noms (valeur : dans des noms de juridictions). ■ La base est un nom. *Doyenné, prieuré, vicomté.* ‹ latin *-atum.* ›

□ REM. La terminaison *-é, -ée* est aussi celle du participe passé des verbes en *-er* (ainsi que de *naître* [*né, née*] et être [*été*]).

-eau ou *-elle,* variante *-ereau* ou *-erelle* Pour former des noms. 1. La base est un nom. *Éléphanteau, pigeonneau, ramereau* [base en **-ier**], *renardeau, vipéreau. Citronnelle, pruneau. Gouttereau* [base en **-ière**], *paumelle, plumeau, tombeau, tuileau. Un chemineau.* (Diminutif) *jambonneau, poutrelle, prunelle, ruelle, tombelle, tourelle ; un tyranneau.* — *Bordereau, coquerelle, hachereau. Un poêtereau.* □ ⇒ **-ceau** ou **-celle.** 2. La base est un verbe. *Balancelle, traîneau, videlle.* — *Chanterelle, passerelle, sauterelle, téterelle, tombereau.* ‹ latin *-ellus, -ella* ; souvent en ancien français sous la forme *-el, -elle,* refaite en *-eau, -elle.* ›

① *-ée* Pour former des noms féminins (valeur : « action, fait de »). ■ La base est un verbe. *Criée, dégelée, envolée, traversée, veillée.* ‹ latin *-ata.* → aussi **-ade.** ›

② *-ée* Pour former des noms féminins (valeur : « ensemble, quantité »). 1. La base est un nom. *Batelée* [base en **-eau**], *bouchée, coudée, cuillerée, matinée, panerée* [base en **-ier**], *poêlée.* 2. La base est un verbe (la base est celle de la forme de la 1ʳᵉ personne du présent, ou de la forme de l'imparfait). *Buvée, enjambée, pincée.* ‹ latin *-ata.* → aussi **-ade.** ›

③ *-ée* Pour former des noms féminins. ■ La base est un nom. *Onglée.* ‹ latin *-aea,* du grec *-aia.* ›

□ REM. La terminaison *-ée* est aussi celle du féminin du participe passé des verbes en *-er* (ainsi que de *naître*).

-éen, -éenne, variante *-en, -enne* I. Pour former des noms. 1. La base est un nom commun. *Une lycéenne.* 2. La base est un nom propre. *Un Européen.* — *Un Coréen, une Vendéenne.* □ ⇒ ② **-ien, -ienne** (I). II. Pour former des adjectifs. 1. La base est un nom commun. *Paludéen.* — *Céruléen.* 2. La base est un nom propre. *Européen, herculéen, panaméen.* — *Vendéen.* □ ⇒ ② **-ien, -ienne** (II). ‹ latin *-aeum* ou *-eum.* ›

-el, -elle, variante *-iel, -ielle* Pour former des adjectifs. 1. La base est un nom. *Accidentel, constitutionnel, émotionnel, idéel, résiduel, sensationnel.* — *Lessiviel, présidentiel, torrentiel, trimestriel.* 2. La base est un adjectif. *Continuel.* ‹ latin *-alis.* → aussi **-al, -ale.** ›

-elé, -elée Pour former des adjectifs. 1. La base est un nom. *Côtelé, pommelé.* 2. La base est un verbe. *Crêpelé.* □ Ne pas confondre avec la terminaison *-elé, -elée* des adjectifs formés sur une base en *-eau* ou *-elle* ⇒ ① **-é, -ée.** ‹ ancien français *-el* (→ *-eau* ou *-elle*) + français *-é, -ée.* → ① **-é, -ée.** ›

-eler Pour former des verbes. 1. La base est un nom. *Bosseler, griveler, pommeler.* [Avec un préfixe] *épinceler.* 2. La base est un verbe. *Craqueler.* □ Ne pas confondre avec la terminaison *-eler* des verbes formés sur une base en *-eau* ou *-elle* ⇒ ① **-er.** ‹ latin *-illare,* ou ancien français *-el* (→ *-eau* ou *-elle*) + français ① *-er.* ›

-elet, -elette I. *-elet* ou *-elette* Pour former des noms. La base est un nom. (Diminutif) *coquelet, côtelette, osselet, tartelette.* [Avec une consonne de liaison] *roitelet.* II. *-elet, -elette* Pour former des adjectifs. La base est un nom. (Diminutif) *aigrelet, maigrelet, rondelet.* □ Ne pas confondre avec la terminaison *-elet* ou *-elette* des noms formés sur une base en *-eau* ou *-elle* ⇒ **-et, -ette** (I). ‹ ancien français *-el* (→ *-eau* ou *-elle*) + français *-et, -ette.* ›

-elle ⇒ **-eau** ou **-elle.**

-ement Pour former des noms masculins. 1. La base est un nom. *Piètement, vallonnement.* [Avec un préfixe] *empiècement, entablement,*

remembrement. **2.** La base est un adjectif. *Aveuglement.* **3.** La base est un verbe (la base est celle de la forme de la 1ʳᵉ personne du présent, ou de la forme de l'imparfait). *Agrandissement, amoncellement, blanchissement, consentement, craquement, développement, engourdissement, éternuement, groupement, picotement, remerciement, renouvellement, vieillissement.* [Pour *agréement, châtiement*] *agrément, châtiment.* [Base en **-ayer** ; finale en **-aiement** (ou **-ayement**)] *bégaiement* (ou *bégayement*), *paiement* (ou *payement*). [Base en **-oyer** ; finale en **-oiement**] *aboiement, verdoiement.* □ ⇒ ① **-ment.** < latin *-amentum,* pour *-mentum.* → ① **-ment.** >

-ement, -ément (terminaisons d'adverbes) ⇒ ② **-ment.**

-emment Pour former des adverbes. ■ La base est un adjectif en **-ent, -ente.** *Ardemment, décemment, prudemment.* □ ⇒ **-amment.** □ REM. Trois adjectifs en *-ment* en *-ent, -ente* donnent des adverbes en *-ment* ⇒ ② **-ment.** < origine : français *-ent* (→ -ent, -ente), avec chute du *t* final et passage de *n* à *m* + français *-ment* (→ ② -ment). >

① **-en, -enne** ⇒ **-éen, -éenne.**

② **-en, -enne** ⇒ ① **-ien, -ienne.**

③ **-en, -enne** ⇒ ② **-ien, -ienne.**

-ence Pour former des noms féminins. **1.** La base est un nom. [Avec **-esc-**] *fluorescence, phosphorescence.* [La base est un nom en **-ent, -ente**] *présidence.* **2.** La base est un adjectif en **-ent, -ente** (ou en **-escent, -escente**). *Concurrence, immanence, opalescence.* **3.** La base est un verbe (la base est celle de la forme de la 1ʳᵉ personne du présent, ou de la forme de l'imparfait). *Exigence, ingérence, préférence.* [Avec **-esc-**] *dégénérescence.* □ ⇒ **-ance.** □ Le suffixe d'adjectifs correspondant est **-ent, -ente.** < latin *-entia : -ens* (→ -ent, -ente) + *-ia.* REM. La plupart des noms français en *-ence* (comme *adolescence, affluence, exigence, résidence*) sont directement empruntés aux mots latins correspondants (en *-entia*). >

-ent, -ente ■ Pour former des adjectifs. La base est un nom. [Avec **-esc-**] *fluorescent, opalescent.* [La base est un nom en **-ence** (ou en **-escence**)] *ambivalent, dégénérescent, grandiloquent, luminescent, omniscient, phosphorescent, réticent.* ⇒ **-ant, -ante** (II). □ Le suffixe de noms correspondant est **-ence,** et le suffixe d'adverbes est **-emment.** < latin *-entem,* accusatif du suffixe de participe présent *-ens.* REM. La

plupart des noms et adjectifs français en *-ent,* *-ente* (comme *un président, une adolescente ; différent, excellent, précédent*) sont directement empruntés aux mots latins correspondants (en *-ens,* génitif *-entis*). >

① **-er,** variante **-ier** Pour former des verbes. **1.** La base est un nom. *Arbitrer, clouer, commérer, corseter, feuilleter, goudronner, papillonner, plumer, rayonner.* [Avec une consonne de liaison] *abriter, cauchemarder, caviarder, chapeauter, coincer, faisander, noyauter.* [Avec un préfixe] *dégoûter, dépoussiérer, désherber, dévaliser, égoutter, embarquer, embrasser, émerveiller, épincer.* — [La dernière consonne de la base est c, d ou g] *gracier, étudier, privilégier.* [Base en **-ai** ou **-aie** ; finale en **-ayer**] *balayer, pagayer.* [Base en **-eau** ou **-elle** ; finale en **-eler**] *agneler, carreler, étinceler, javeler, jumeler, morceler, niveler, ruisseler ;* [avec un préfixe] *amonceler, dépuceler, engrumeler, épanneler, ressemeler.* [Base en **-ier** ou **-ière** ; finale en **-erer** (ou **-érer**)] *acérer, liserer* (ou *liadérer*). **2.** La base est un adjectif. *Bavarder, calmer, griser, innocenter.* [Avec un préfixe] *affoler, apurer, déniaiser, ébouillanter, épurer.* □ ⇒ aussi **-ayer, -eler, -eyer, -oyer.** < latin *-are ; -ier* ou *-yer* lorsque la consonne latine précédente était [k] ou [g]. >

② **-er, -ère** I. Pour former des noms. La base est un nom. *Un horloger, un volailler, une usagère. Étagère, oreiller. Oranger, pêcher.* □ ⇒ ① **-ier, -ière** (I). II. Pour former des adjectifs. Variante de **-ier, -ière** ⇒ ① **-ier, -ière** (II). < origine : suffixe *-ier, -ière,* souvent réduit à *-er, -ère* lorsque le radical se termine par *ch* [ʃ], *g* [ʒ], *l* et *n* mouillés. >

-eraie ⇒ **-aie.**

-ereau ou **-erelle** ⇒ **-eau** ou **-elle.**

-eresse ⇒ ③ **-eur, -eresse.**

-eret ou **-erette** ⇒ **-et, -ette** (I).

-erie Pour former des noms féminins. **1.** La base est un nom. *Ânerie, clownerie, gaminerie, pitrerie. Hôtellerie, lunetterie, oisellerie* [base en **-eau**]. *Crêperie, laiterie, parfumerie, rhumerie. Conciergerie. Argenterie, paysannerie.* □ Ne pas confondre avec la terminaison *-erie* des noms formés sur une base en **-er, -ère** ou en **-ier, -ière** ⇒ **-ie** (1). **2.** La base est un adjectif. *Brusquerie, étourderie, mièvrerie, niaiserie.* ⇒ **-ie** (2). **3.** La base est un verbe (la base est celle de la forme de la 1ʳᵉ personne du présent, ou de la forme de l'imparfait). *Boiterie, fâcherie, flânerie, grivèlerie, moquerie, pleurnicherie, rêvasserie, tra-*

casserie, tricherie. Brasserie, rôtisserie. ‹ français -(i)er + -ie (exemple : chevalier donne chevalerie), puis devenu un suffixe indépendant. ›

-erole et **-erolle** ⇒ -ol, -ole (I).

① **-eron, -eronne** (valeur : « qui s'occupe de ; originaire de ») I. Pour former des noms. 1. La base est un nom. Un bûcheron, un vigneron. [Nom propre] un Beauceron, une Percheronne. 2. La base est un verbe. Un forgeron. II. Pour former des adjectifs. La base est un nom propre. Beauceron, percheron. ‹ origine : → ② -eron. ›

② **-eron** Pour former des noms masculins (valeur : « sorte de ; qui fait »). 1. La base est un nom. Liseron. (Diminutif) moucheron, puceron. 2. La base est un adjectif. Un laideron. 3. La base est un verbe. Fumeron. □ Ne pas confondre avec la terminaison -eron des noms formés sur une base en -ier ou -ière ⇒ -on, -onne (I). ‹ français -(i)er + -on, puis devenu un suffixe indépendant sous la forme -eron. ›

-escence ⇒ -ence.

-escent, -escente ⇒ -ent, -ente.

-escible ⇒ -ible.

-esque Pour former des adjectifs. ■ La base est un nom. Charlatanesque, clownesque, éléphantesque, funambulesque, jargonnesque ; [avec une consonne de liaison] cauchemardesque. [Nom propre] chaplinesque, moliéresque, rocambolesque, ubuesque. (Péjoratif) livresque. ‹ italien -esco, ou, plus rarement, espagnol -esco, du latin -iscum. ›

① **-esse** Pour former des noms féminins (valeur : dans des noms de femmes, de femelles). ■ La base est un nom masculin. Une hôtesse, une maîtresse, une princesse, une traîtresse. Ânesse, tigresse. □ ⇒ -eresse à ③ -eur, -eresse. ‹ latin -issa, du grec. ›

② **-esse** Pour former des noms féminins (valeur : indique la qualité liée à la base). ■ La base est un adjectif. Étroitesse, gentillesse, hardiesse, jeunesse, joliesse, mollesse, petitesse, robustesse, sagesse, tendresse. □ ⇒ ① -eur. ‹ latin -itia. → aussi -is ou -isse, et -ise. ›

-et, -ette I. -et ou -ette, variante -eret ou -erette Pour former des noms. 1. La base est un nom. (Diminutif) amourette, coffret, jardinet, pincette. Une fillette, une suffragette. — Ableret, chardonneret, gorgerette, vergerette. [Base

en -eau ou -elle ; finale en -elet ou -elette] agnelet, carrelet, cervelet, cordelette, mantelet, nivelette ; (diminutif) ciselet, ruisselet, tonnelet. [Base en -ier ou -ière ; finale en -eret ou -erette] banneret, collerette, dosseret. 2. La base est un adjectif. Basset, belette (base en -eau, -elle), fauvette. 3. La base est un verbe (la base est celle de la forme de la 1re personne du présent, ou de la forme de l'imparfait). Buvette, jouet, sifflet, sonnette, sucette. — Chaufferette, couperet, percerette, traceret. □ ⇒ -elet, -elette (I) ; -eton. II. -et, -ette Pour former des adjectifs. La base est un adjectif. (Diminutif) clairet, gentillet, jeunet, longuet. [Avec -ouill-] grassouillet. □ ⇒ -elet, -elette (II). ‹ latin tardif -ittum, -ittam (attesté dans des noms propres et des inscriptions), peut-être d'origine celtique. → aussi -ot, -otte. ›

-eté, -etée Pour former des adjectifs. ■ La base est un nom. Moucheté, tacheté. ‹ origine : → -et, -ette, et ① -é, -ée. ›

-eter Pour former des verbes. 1. La base est un nom. Louveter. (Diminutif et fréquentatif) becqueter, moucheter, pelleter. 2. La base est un verbe. Caleter. (Diminutif et fréquentatif) claqueter, craqueter, voleter. ‹ origine : → -et, -ette, et ① -er. ›

-etier, -etière ⇒ ① -ier, -ière (I).

-eton Pour former des noms masculins. 1. La base est un nom. Caneton. Banneton, œilleton. Un cureton. 2. La base est un verbe. Vireton. □ ⇒ -et, -ette (I) ; -on, -onne (I). ‹ origine : → -et, -ette, et -on, -onne. ›

-etons ⇒ -ons.

① **-eur** Pour former des noms féminins (valeur : indique une qualité). ■ La base est un adjectif. Blancheur, douceur, grandeur, moiteur, pâleur. [D'après noircir] noirceur. □ ⇒ -esse. ‹ latin -orem, accusatif de -or (génitif -oris). ›

② **-eur, -euse** (valeur : « qui fait l'action de ; qui s'occupe de » ; dans des noms de machines ou d'appareils) I. Pour former des noms. 1. La base est un nom. Un camionneur, un farceur, une parfumeuse. 2. La base est un verbe (la base est celle de la forme de la 1re personne du présent, ou de la forme de l'imparfait). Un bâtisseur, un buveur, un chanteur, une coiffeuse, un dormeur, une fumeuse, un menteur. Agrandisseur, couveuse, démarreur, friteuse, planeur, suceuse. □ ⇒ -ateur, -atrice (I) ; ③ -eur, -eresse (I). II. Pour former des adjectifs. La base est un verbe (la base est celle de la forme de la 1ʳᵉ personne du présent, ou de la forme de l'imparfait). *Crâneur, encreur, refroidisseur, trompeur.* □ ⇒ **-ateur, -atrice** (II) ; ③ **-eur, -eresse** (II). ⟨ latin *-orem ;* le féminin *-euse* a pour origine le féminin du suffixe *-eux* (→ ① **-eux, -euse**) — avec lequel *-eur* a été confondu (→ ② **-eux, -euse**) —, qui a éliminé *-eresse* (→ ③ **-eur, -eresse**). ⟩

③ *-eur, -eresse* (valeur : « qui fait l'action de ») **I.** Pour former des noms. La base est un verbe. *Le bailleur, la bailleresse ; un chasseur, une chasseresse ; le demandeur, la demanderesse ; un enchanteur, une enchanteresse.* [Exception : *doctoresse,* formé sur *docteur.*] □ ⇒ ① **-esse** ; ② **-eur, -euse** (I). **II.** Pour former des adjectifs. La base est un verbe. *Enchanteur, -eresse.* □ ⇒ ② **-eur, -euse** (II). ⟨ origine : → ② **-eur, -euse** ; pour *-eresse : -eur* (→ ② **-eur, -euse**) + ① **-esse**. ⟩

① *-eux, -euse* (valeur : indique une qualité ou une propriété) **I.** Pour former des noms (adjectifs substantivés). Variante *-ieux, -ieuse* **1.** La base est un nom. *Un coléreux, une morveuse, un paresseux, une peureuse.* — [La dernière consonne de la base est *c*] *une audacieuse, un avaricieux.* **2.** La base est un verbe. *Une boiteuse.* □ ⇒ **-ateux, -ateuse** (I). **II.** Pour former des adjectifs. Variantes *-ieux, -ieuse* et *-ueux, -ueuse* **1.** La base est un nom. *Aventureux, paresseux, poissonneux. Ferreux.* — [La dernière consonne de la base est *c, d* ou *g*] *audacieux, avaricieux, consciencieux, élogieux, miséricordieux, tendancieux.* — *Difficultueux, luxueux, majestueux, respectueux, talentueux, torrentueux.* **2.** La base est un verbe. *Boiteux, chatouilleux, oublieux.* □ ⇒ **-ateux, -ateuse** (II). ⟨ latin *-osum, -osam ;* pour *-ieux, -ieuse,* latin *-iosum, -iosam ;* pour *-ueux, -ueuse,* latin *-uosum, -uosam.* ⟩

② *-eux, -euse* (valeur : « qui fait l'action de ; qui s'occupe de »). Pour former des noms. **1.** La base est un nom. *Un violoneux. Une matheuse.* **2.** La base est un verbe. *Une partageuse, un rebouteux.* □ ⇒ ② **-eur, -euse** (I). ⟨ français ② *-eur, -euse,* dont le *r* n'était pas prononcé (à partir de la moitié du xiiᵉ siècle), confondu avec ① *-eux, -euse.* ⟩

-eyer Pour former des verbes. ■ La base est un adjectif. *Grasseyer.* □ ⇒ **-ayer, -oyer,** et aussi ① **-er.** ⟨ latin tardif *-idiare,* de *-izare.* → **-iser.** ⟩

*

* *

-fier, variante *-ifier* Pour former des verbes. **1.** La base est un nom. *Cocufier, cokéfier, momifier.* — *Codifier, dragéifier, ossifier, personnifier.* [Finale *-éifier*] *gazéifier.* **2.** La base est un adjectif. *Raréfier.* — *Acidifier, humidifier, rigidifier, simplifier, solidifier.* [Base en **-ique**] *électrifier, plastifier, tonifier.* [Finale *-éifier*] *homogénéifier.* □ ⇒ **-iser.** □ Ne pas confondre avec les mots formés sur le verbe *fier* (comme *défier, méfier*). ⟨ latin *-ificare,* pour *-ficare,* de *facere* « faire », en composition. ⟩

*

* *

① *-iaire* ⇒ ① **-aire.**

② *-iaire* ⇒ ② **-aire.**

-ial, -iale, -iaux, -iales ⇒ **-al, -ale, -aux, -ales.**

-iasse ⇒ **-asse** (I).

-ible Pour former des adjectifs. **1.** La base est un nom. *Paisible, pénible.* [Base en **-ion**] *extensible, fissible, prescriptible, prévisible.* □ ⇒ **-able** (1). **2.** La base est un verbe (la base est celle de la forme de la 1ʳᵉ personne du présent, ou de la forme de l'imparfait). *Convertible, lisible.* [Avec le préfixe **in-**] *incorrigible, illisible, irrésistible.* [Avec **-esc-**] *fermentescible.* □ ⇒ **-able** (2). □ La terminaison de noms correspondante est *-ibilité* ⇒ **-ité.** ⟨ latin *-ibilis.* ⟩

① *-iche* Pour former des noms (valeur : « sorte de »). ■ La base est un nom. *Barbiche, potiche.* ⟨ italien *-iccio* ou *-ice.* ⟩

② *-iche* **I.** Pour former des noms. La base est un nom. (Péjoratif) *une boniche.* **II.** Pour former des adjectifs. La base est un adjectif. (Augmentatif ; familier) *fortiche.* ⟨ origine : ① *-iche.* ⟩

-ichon, -ichonne **I.** *-ichon,* variante *-uchon* Pour former des noms masculins. La base est un nom. *Cornichon. Un ratichon.* — *Balluchon.* □ ⇒ **-on, -onne** (I). **II.** *-ichon, -ichonne* Pour former des adjectifs. La base est un adjectif. *Folichon, maigrichon, pâlichon.* □ ⇒ **-on, -onne** (II). ⟨ origine : → ② *-iche,* et *-on, -onne* ; pour *-uchon : -uche* (comme dans *nunuche, paluche, Pantruche*), d'origine argotique inconnue + *-on, -onne.* ⟩

-icule ⇒ **-ule.**

-ie Pour former des noms féminins. **1.** La base

est un nom. *Acrobatie, pairie, seigneurie. Agronomie. Boulangerie, boucherie, horlogerie. Bergerie, mairie. Aciérie. Bourgeoisie, confrérie.* [Base en **-ier, -ière** ; finale en **-erie**] *cordonnerie, épicerie, mercerie, pelleterie, tonnellerie ; chancellerie ; cavalerie, chevalerie.* □ ⇒ aussi **-erie** (1). **2.** La base est un adjectif. *Courtoisie, économie, folie, jalousie, maladie.* □ ⇒ aussi **-erie** (2). ⟨ latin et grec *-ia.* REM. La terminaison *-ie* est aussi celle de participes passés féminins de verbes en *-ir*, notamment de participes substantivés (comme *éclaircie, embellie, saisie, sortie*). ⟩

-iel, -ielle ⇒ **-el, -elle.**

-ième **I.** Pour former des noms. La base est un nom de nombre. *La cinquième, le nième. Un dix-millième.* **II.** Pour former des adjectifs. La base est un nom de nombre. *Dixième, vingt-deuxième.* ⟨ latin *-esimum, -esimam,* suffixe d'adjectifs numéraux ordinaux en *-esimus,* et de noms féminins en *-esima* désignant une fraction. ⟩

① **-ien, -ienne,** variante *-en, -enne* Pour former des noms (valeur : « spécialiste de, qui s'occupe de »). ■ La base est un nom. *Un grammairien, une historienne.* [Base en **-ique**] *une informaticienne, un mécanicien, un physicien. — Une chirurgienne, un comédien.* ⟨ latin *-ianum, -ianam.* ⟩

② **-ien, -ienne,** variante *-en, -enne* (valeur : « membre de, qui fait partie de ; relatif à, propre à ; habitant de ») **I.** Pour former des noms. **1.** La base est un nom commun. *Une collégienne, un milicien, un paroissien.* **2.** La base est un nom propre. *Les Capétiens, un épicurien, un Parisien. — Une Australienne.* □ ⇒ **-éen, -éenne** (I). **II.** Pour former des adjectifs. **1.** La base est un nom commun. *Crânien, microbien.* [Base en **-ique**] *musicien.* **2.** La base est un nom propre. *Canadien, cornélien, freudien, ivoirien, rabelaisien, sartrien, wagnérien. — Italien, libyen.* □ ⇒ **-éen, -éenne** (II). ⟨ latin *-anum, -anam* lorsque la consonne latine précédente était [k] ou [g], ou lorsque la voyelle précédente était *i.* ⟩

① **-ier, -ière** **I.** Pour former des noms. Variante *-etier, -etière* **1.** La base est un nom (la base est parfois suivie d'une consonne de liaison). *Une banquière, une bouquetière, un boyaudier, un cuisinier, une échotière. Abricotier, amadouvier, cacaotier (ou cacaoyer), fruitier, pommier. Gaufrier, yaourtière. Une rentière. Échassier. Bêtisier, dentier, merdier, verrière. Cendrier, salière, saucière, sucrier.*

Cacaotière (ou *cacaoyère*), *escargotière, pigeonnier, rizière. Un écolier, une postière. Boîtier, litière, sentier. Collier, gouttière, jambière, plafonnier. — Un cafetier, un grainetier. Cafetière, coquetier.* [Base en **-eau** ou **-elle** ; finale en **-elier, -elière**] *une batelière, un chamelier, un chapelier, une coutelière, un oiselier, un tonnelier ; chandelier, muselière, râtelier, vaisselier.* **2.** La base est un adjectif. *Verdier. Clairière.* **3.** La base est un verbe. *Un héritier, un roulier. Balancier, glissière, levier.* □ ⇒ ② **-er, -ère** (I). **II.** Pour former des adjectifs. Variante *-er, -ère* **1.** La base est un nom (la base est parfois suivie d'une consonne de liaison). *Betteravier, dépensier, morutier, ordurier, peaucier, policier, princier, rancunier. — Houiller, mensonger.* **2.** La base est un adjectif. *Grossier. Droitier. — Étranger. Gaucher.* **3.** La base est un verbe. *Tracassier.* ⟨ latin *-arium, -ariam* ; latin *-arem,* avec substitution de suffixe en ancien français (*-er, -ère* donnant *-ier, -ière,* réduit de nouveau à *-er, -ère* dans certains cas ; → ② **-er, -ère**). → aussi ① **-aire** et ② **-aire.** ⟩

② **-ier** ⇒ ① **-er.**

-ieux, -ieuse ⇒ ① **-eux, -euse.**

-if, -ive **I.** Pour former des noms (adjectifs substantivés). La base est un nom. *Un sportif, une instinctive.* [Base en **-ion**] *un explosif, l'exécutif ; une intuitive.* □ ⇒ **-atif, -ative** (I). **II.** Pour former des adjectifs. **1.** La base est un nom. *Arbustif, hâtif, fautif, plaintif, sportif.* [Base en **-ion**] *allusif, dépressif, émotif, évolutif, intuitif, volitif.* **2.** La base est un adjectif. *Distinctif, intensif, maladif.* **3.** La base est un verbe (la base est celle de la forme de la 1re personne du présent, ou de la forme de l'imparfait). *Combatif, inventif, jouissif, pensif, poussif.* **4.** La base est un adverbe. *Tardif.* □ ⇒ **-atif, -ative** (II). □ La terminaison de noms correspondante est *-ivité* ⇒ **-ité.** ⟨ latin *-ivum, -ivam.* ⟩

-ifier ⇒ **-fier.**

-ille Pour former des noms féminins. ■ La base est un nom. (Diminutif) *brindille, charmille, faucille.* ⟨ latin *-icula,* d'abord par emprunt aux langues romanes. ⟩

-iller Pour former des verbes. **1.** La base est un nom. *Gambiller, pétiller, pointiller.* (Diminutif et fréquentatif) *grappiller.* **2.** La base est un verbe (la base est celle de la forme de la 1re personne du présent, ou de la forme de l'imparfait). (Diminutif et fréquentatif) *fendiller, mordiller, pendiller, sautiller.* □ ⇒ **-ailler, -ouiller.** ⟨ latin *-iculare,* ou français *-ille* + ① **-er.** ⟩

-illon Pour former des noms masculins. **1.** La base est un nom. (Diminutif) *bottillon, croisillon, oisillon, portillon. Un moinillon, un négrillon.* **2.** La base est un adjectif. *Durillon, raidillon.* □ ⇒ -on, -onne (I). ‹ origine : → -ille, et -on. ›

-in, -ine **I.** Pour former des noms. **1.** La base est un nom. (Diminutif) *bottine, langoustine ;* [avec une consonne de liaison] *tableautin. Chaumine, serpentin, vitrine. Un calotin.* [Allongement **-erin**] *vacherin.* [Nom propre] *un Andin, une Girondine, un Levantin.* **2.** La base est un adjectif. *Un blondin, un plaisantin, une rouquine. Rondin.* **3.** La base est un verbe. *Balancine, comptine, grondin, saisine, tapin, tracassin. Un galopin, un trottin.* [Allongement **-erin**] *tisserin.* **II.** Pour former des adjectifs. La base est un nom. *Enfantin, ivoirin, porcin, sanguin, vipérin.* [Nom propre] *alpin, andin, girondin, levantin.* ‹ latin *-inum, -inam ;* italien *-ino, -ina.* ›

-iner Pour former des verbes (ces verbes sont diminutifs et fréquentatifs). **1.** La base est un nom. *Tambouriner.* **2.** La base est une onomatopée. *Dodiner.* [Avec un préfixe] *enquiquiner.* **3.** La base est un verbe (la base est celle de la forme de la 1re personne du présent, ou de la forme de l'imparfait). *Pleuviner, trottiner.* ‹ latin *-inare.* ›

-ing Pour former des noms masculins (la base peut être un verbe ou, plus rarement, un nom). □ La plupart des mots en **-ing** sont empruntés à l'anglais, soit sous la forme et avec le sens de l'anglais (dans des mots comme *karting, jogging*), soit avec une altération de la forme ou du sens ; l'abondance de ces mots fait de **-ing** un pseudo-suffixe, sans productivité réelle en français. ‹ anglais *-ing,* servant à former le participe présent des verbes ; ces participes présents sont souvent substantivés. ›

-ingue Pour former des adjectifs. ■ La base est un adjectif. (Familier et péjoratif) *lourdingue, salingue, sourdingue* (et aussi, nom, *un lourdingue, une sourdingue*). ‹ suffixe français d'origine argotique inconnue. ›

-iole ⇒ -ol, -ole (I).

-ion ⇒ -on, -onne (I).

-iot, -iotte ⇒ -ot, -otte.

① *-ique* Pour former des adjectifs. **1.** La base est un nom commun. *Alcoolique, anesthésique, atomique, lamaïque, merdique, volcanique. Ferrique, tartrique.* **2.** La base est un nom

propre. *Bouddhique, marotique, satanique.* **3.** La base est une interjection. *Zutique.* □ ⇒ -atique, et aussi -tique. □ Terminaisons de noms correspondantes : **-icité** (⇒ -ité), et le suffixe **-isme**. ‹ latin *-icus,* grec *-ikos ;* l'anglais *-ic* et l'allemand *-isch* ont la même origine. REM. Une grande partie des mots français en **-ique**, notamment les noms féminins de sciences (comme *mathématique, physique, technique*), sont directement empruntés aux mots latins correspondants, eux-mêmes généralement empruntés au grec. ›

② *-ique* ⇒ -tique.

-ir Pour former des verbes. **1.** La base est un nom. *Finir, fleurir.* [Avec un préfixe] *anéantir, atterrir.* **2.** La base est un adjectif. *Blanchir, bleuir, faiblir, grossir, mûrir, verdir.* [Avec un préfixe] *agrandir, amoindrir, élargir.* [Base adjectif en [R] ; parfois finale en **-cir**] *durcir, forcir, obscurcir ;* [avec un préfixe] *accourcir, endurcir.* ‹ latin *-ire ;* latin *-ere,* refait en *-ire.* ›

-is ou *-isse* Pour former des noms. **1.** La base est un nom. *Châssis, treillis.* **2.** La base est un adjectif. *Jaunisse.* **3.** La base est un verbe (la base est celle de la forme de la 1re personne du présent, ou de la forme de l'imparfait). *Bâtisse, fouillis, hachis, logis, ramassis, roulis, semis.* ‹ latin *-icium ;* latin *-aticium.* → aussi ② -esse et -ise. REM. La terminaison *-is* est aussi celle de certains participes passés masculins (comme *assis, conquis, mis, pris*), notamment des participes substantivés (comme *acquis, sursis*). ›

-isant, -isante **I.** Pour former des noms (adjectifs substantivés). La base est un nom. *Une arabisante, un celtisant.* [Base en **-isme**] *un rhumatisant.* [Base en **-iste**] *un communisant.* **II.** Pour former des adjectifs. La base est un nom. *Arabisant, celtisant.* [Base en **-isme**] *archaïsant, rhumatisant.* [Base en **-iste**] *communisant, fascisant.* ‹ français *-iser* + *-ant, -ante.* ›

-ise Pour former des noms féminins. **1.** La base est un nom. *Expertise, maîtrise, traîtrise. Prêtrise.* **2.** La base est un adjectif. *Bêtise, débrouillardise, franchise, sottise, paillardise, vantardise.* **3.** La base est un verbe. *Convoitise, hantise.* ‹ latin *-itia,* puis *-ise* est devenu un suffixe en français. → aussi ② -esse, et -is ou -isse. REM. La terminaison *-ise* est aussi celle de certains participes passés féminins (comme *acquise, conquise*), notamment des participes substantivés (comme *mise, surprise*). ›

-iser Pour former des verbes. **1.** La base est un nom. *Alcooliser, alphabétiser, bémoliser,*

caraméliser, champagniser, étatiser, laïciser, scandaliser. [Avec un préfixe] démoraliser. Prolétariser, fonctionnariser. Terroriser. [Base en **-ique**] informatiser. **2.** La base est un adjectif. Fertiliser, immobiliser, moderniser, ridiculiser. Américaniser, humaniser, italianiser. Populariser, scolariser. Extérioriser. Centraliser, égaliser, régionaliser. [Base en **-el**, **-elle** ; finale en *-aliser*] constitutionnaliser, industrialiser, intellectualiser, officialiser, personnaliser. [Base en **-able** ; finale en *-abiliser*] comptabiliser, imperméabiliser, responsabiliser. [Base en **-ible** ; finale en *-ibiliser*] sensibiliser. [Par analogie] solubiliser. [Base en **-ique**] électriser, érotiser, hébraïser, mécaniser, politiser, systématiser. [Base en **-ique** ; finale en *-iciser*] techniciser. [Base en **-if**, **-ive** ; finale en *-iviser*] collectiviser, relativiser. [Finale *-éiser*] homogénéiser. □ ⇒ **-fier.** ⟨ latin tardif *-izare*, du grec *-izein*. → aussi **-oyer.** ⟩

-isme Pour former des noms masculins. **1.** La base est un nom. Défaitisme, impressionnisme, progressisme, racisme, snobisme. Organisme. Alcoolisme. Capitalisme. Argotisme. [Nom propre] bouddhisme, hitlérisme, marxisme. **2.** La base est un adjectif. Parallélisme. Amoralisme, communisme, modernisme, socialisme. Américanisme, régionalisme. [Base en **-ique**] illogisme, romantisme. **3.** La base est un verbe. Arrivisme, dirigisme, transformisme. **4.** La base est un groupe de mots, une phrase. Aquoibonisme, je-m'en-fichisme, je-m'en-foutisme. □ ⇒ aussi **-iste.** ⟨ latin *-ismus*, du grec *-ismos* ; l'anglais *-ism* a la même origine. ⟩

-isse ⇒ **-is** ou **-isse.**

-issime **I.** Pour former des noms. La base est un nom. Le généralissime. **II.** Pour former des adjectifs. La base est un adjectif. Illustrissime, rarissime, richissime. ⟨ italien *-issimo*, du latin *-issimus* (suffixes de superlatifs). ⟩

-iste **I.** Pour former des noms (noms de personnes). **1.** La base est un nom. Un bouquiniste, une chimiste, un dentiste, un latiniste, un pianiste, une violoncelliste. Une congressiste. Un défaitiste, un féministe, une progressiste. Un capitaliste. [Nom propre] un gaulliste, une maoïste. **2.** La base est un adjectif. Un puriste, un spécialiste. Un communiste, un socialiste. **3.** La base est un verbe. Un arriviste, une transformiste. **4.** La base est un groupe de mots, une phrase. Un je-m'en-fichiste, une jusqu'au-boutiste. □ ⇒ aussi **-isme.** **II.** Pour former des adjectifs. **1.** La base est un nom. Alarmiste, fétichiste. [Nom propre] bouddhiste, darwiniste, maoïste. **2.** La base est un adjectif. Fataliste,

intimiste, royaliste. **3.** La base est un verbe. Arriviste, transformiste. **4.** La base est un groupe de mots, une phrase. Je m'-en-fichiste, jusqu'au-boutiste. □ Le suffixe de noms correspondant est **-isme.** ⟨ latin *-ista*, du grec *-istês* ; l'italien *-ista* et l'anglais *-ist* ont la même origine. ⟩

-ite **I.** Pour former des noms. La base est un nom. Météorite. Appendicite, bronchite. Espionite. [Nom propre] un Annamite ; une Israélite, un jésuite. **II.** Pour former des adjectifs. La base est un nom propre. Adamite, israélite, jésuite. ⟨ grec *-itês* ; latin ecclésiastique d'origine grecque *-ita* ; grec *-itis*. REM. La terminaison *-ite* est aussi celle de certains participes passés féminins. ⟩

-ité Pour former des noms féminins. ■ La base est un adjectif. Absoluité, continuité, exquisité, grécité, matité, spontanéité. Acidité, efficacité, fixité, frivolité, intimité, viviparité. Mondanité. Solidarité. Intériorité. Motricité. Préciosité. Fiscalité, internationalité, natalité. [Base en **-el**, **-elle** ; finale en *-alité*] actualité, constitutionnalité, intellectualité, matérialité, virtualité. [Base en **-able** ; finale en *-abilité*] comptabilité, impénétrabilité, maniabilité. [Base en **-ible** ; finale en *-ibilité*] divisibilité, lisibilité, susceptibilité. [Par analogie] solubilité. [Base en **-ique** ; finale en *-icité*] analyticité, atomicité, authenticité, périodicité. [Base en **-if**, **-ive** ; finale en *-ivité*] captivité, émotivité, nocivité, productivité, sportivité. [Finale *-éité*] diaphanéité, étanchéité, homogénéité, planéité. □ ⇒ **-té.** ⟨ latin *-itatem*, accusatif de *-itas*. ⟩

-iteur, *-itrice* Pour former des noms. ■ La base est un verbe. Un expéditeur, une compositrice. ⟨ latin *-it-* (dans des radicaux de supin) + *-or* (finale de noms d'agents). ⟩

-itude Pour former des noms féminins. **1.** La base est un nom. Négritude, punkitude. **2.** La base est un adjectif. Exactitude, platitude. □ ⇒ **-ude.** ⟨ latin *-(i)tudo*, suffixe de noms abstraits. REM. La plupart des noms français en *-itude* (comme lassitude, solitude) sont directement empruntés aux mots latins correspondants (en *-itudo*). ⟩

* * *

① *-ment* Pour former des noms masculins. ■ La base est un verbe (la base est celle de la forme du participe passé). Assortiment, bâtiment, blanchiment, sentiment. □ ⇒ **-ement.** □

REM. Pour *agrément* et *châtiment,* voir à **-ement.** 〈 latin *-mentum.* 〉

② **-ment** Pour former des adverbes. **1.** La base est un adjectif masculin. *Éperdument, goulûment, instantanément, joliment, vraiment.* **2.** La base est un participe passé masculin. *Dûment, foutument, modérément, posément.* **3.** La base est un nom ou une interjection. *Bigrement, diablement, foutrement.* **4.** La base est un adverbe. *Quasiment.* **5.** La base est un adjectif féminin. [Finale **-ement**] *aucunement, doucement, follement, grandement, nettement, normalement, nouvellement ;* [base adjectif en **-ent, -ente** (exceptions : au lieu de *-emment)*] *lentement, présentement, véhémentement.* [Finale **-ément**] *commodément, communément, énormément, exquisément, précisément.* □ ⇒ **-amment** (pour les adjectifs en **-ant, -ante**), **-emment** (pour les adjectifs en **-ent, -ente**). 〈 latin *mente,* ablatif de *mens,* n. f. « esprit, disposition d'esprit », dans des groupes adjectif + *mente* (comme *bona mente* « bonnement »), où le substantif prit peu à peu le sens de « manière d'être » et fut senti comme un suffixe d'adverbes. 〉

① **-O** I. Pour former des noms (ces noms sont tous familiers). **1.** La base est un nom (la base est abrégée). *Dico. Un mécano, un métallo, un prolo, une proprio.* **2.** La base est un adjectif. *Une dingo, un facho.* II. Pour former des adjectifs (ces adjectifs sont tous familiers). La base est un adjectif (la base est souvent abrégée). *Alcoolo, dingo, ramollo, réglo.* □ Ne pas confondre avec la terminaison *-o* des abréviations familières s'achevant par un *o* qui figure dans la base (comme *métro, vélo*). 〈 suffixe devenu autonome par confusion avec la finale *-o* de mots tronqués comme *aristo (aristocrate).* 〉

② **-O** Pour former des adverbes. ■ La base est un adjectif. [D'après *primo, secundo...*] (Familier) *deuzio, directo, rapido, texto.* □ ⇒ aussi **-os** (II). 〈 latin *-o,* finale d'adverbes, issue de l'ablatif en *-o* d'adjectifs en *-us ;* italien *-o,* finale d'adverbes. 〉

-oche Pour former des noms. **1.** La base est un nom. *Épinoche, filoche, mailloche, mioche, pioche.* [La base est abrégée] (Familier ou populaire) *bidoche, cinoche, valoche.* **2.** La base est un verbe. (Familier ou populaire) *pétoche, taloche.* 〈 latin tardif *-occa* (non attesté) et italien *-occia ;* suffixe argotique, probablement d'origine dialectale. 〉

-ocher Pour former des verbes. **1.** La base est un nom. *Boulocher.* **2.** La base est un verbe. (Fréquentatif et péjoratif) *bavocher, filocher, flânocher.* 〈 origine : → **-oche,** et ① **-er.** 〉

-oir, -oire I. **-oir** ou **-oire** Pour former des noms. La base est un verbe (la base est celle de la forme de la 1ʳᵉ personne du présent, ou de la forme de l'imparfait). *Arrosoir, baignoire, balançoire, bouilloire, écumoire, laminoir, rôtissoire. Mâchoire, nageoire. Boudoir, fumoir, patinoire.* □ ⇒ **-atoire** (I). II. **-oire** Pour former des adjectifs. La base est un nom. *Attentatoire, compromissoire, méritoire.* [Base en **-ion**] *classificatoire, collusoire, divinatoire, excrétoire, incantatoire, sécrétoire.* ⇒ **-atoire** (II). 〈 latin *-orium.* 〉

-ois, -oise I. Pour former des noms. **1.** La base est un nom commun. *Un bourgeois. Minois.* **2.** La base est un nom propre. *Un Gaulois, une Suédoise.* □ ⇒ **-ais, -aise** (I). II. Pour former des adjectifs. **1.** La base est un nom commun. *Bourgeois, villageois.* **2.** La base est un nom propre. *Bruxellois, chinois, niçois, québécois, suédois.* □ ⇒ **-ais, -aise** (II). 〈 latin *-ensem,* accusatif de *-ensis.* → **-ais, -aise.** 〉

-ol, -ole I. Pour former des noms. Variantes **-iole, -erole, -erolle** **1.** La base est un nom. *Campagnol.* [Nom propre] *un Cévenol, une Espagnole.* — (Diminutif) *artériole, bronchiole.* — *Casserole, flammerole, profiterole.* — *Moucherolle.* (Diminutif) *lignerolle.* **2.** La base est un adjectif. *Rougeole.* **3.** La base est un verbe. *Bouterolle.* II. Pour former des adjectifs. La base est un nom propre. *Cévenol, espagnol.* 〈 latin *-olus, -ola, -olum,* parfois par les langues romanes. 〉

-on, -onne I. Pour former des noms. Variante **-ion** **1.** La base est un nom. *Ballon, ceinturon, croûton, jupon, manchon, médaillon, poêlon.* (Diminutif) *aiglon, autruchon, chaton, glaçon ; un marmiton.* (Partitif) *chaînon, échelon, maillon.* (Familier) *un couillon.* — *Croupion, pyramidion, virion.* [Base en **-eau** ou **-elle** ; finale en **-elon**] *chamelon, échelon, mamelon.* [Base en **-ier** ou **-ière** ; finale en **-eron**] *saleron, quarteron.* **2.** La base est un adjectif. *Molleton.* (Diminutif) *une sauvageonne.* **3.** La base est un verbe (la base est celle de la forme de la 1ʳᵉ personne du présent, ou de la forme de l'imparfait). *Jeton, guidon, lorgnon, nichon, pilon, torchon. Hérisson. Brouillon, pinçon, plongeon.* (Péjoratif) *un avorton, une souillon.* □ ⇒ ② **-eron ; -eton ; -ichon, -ichonne** (I) ; **-illon ; -ton.** II. Pour former des adjectifs. La base est un verbe. *Brouillon, grognon.* □ ⇒ **-ichon, -ichonne**

(II). ⟨ latin *-onem* (accusatif de noms féminins en *-o*), quelquefois par l'intermédiaire des langues romanes. ⟩

-onner Pour former des verbes. ■ La base est un verbe. (Fréquentatif et diminutif) *chantonner, griffonner, mâchonner, tâtonner.* ⇒ aussi ① *-er.* ⟨ moyen français *-on-*, ajouté au suffixe verbal ① *-er.* ⟩

-ons, variante *-etons* Pour former des locutions adverbiales. Avec la préposition *à.* 1. La base est un verbe. *À reculons, à tâtons.* 2. La base est un nom. *À croupetons.* ⟨ suffixe à valeur expressive, probablement issu de *-on*, *-onne.* ⟩

-orat ⇒ ① *-at.*

-os I. Pour former des noms. La base est un nom. [La base est abrégée] (Familier) *matos* (de *matériel*). II. Pour former des adjectifs. 1. La base est un adjectif. (Familier) *chicos, chouettos, débilos.* 2. La base est un verbe (la base est celle de la forme de l'imparfait). (Familier) *craignos.* III. Pour former des adverbes. La base est un adjectif. (Familier) *rapidos, tranquillos.* □⇒ aussi ② *-o.* ⟨ suffixe français d'origine inconnue ; comparer les mots d'argot comme *campos* (argot scolaire ancien), *bitos, calendos, doulos*, parfois écrits également *-o* (ou *-au*), ou *-osse.* ⟩

-ose Pour former des noms féminins. 1. La base est un nom. *Bacillose, parasitose, phagocytose, tuberculose.* 2. La base est un adjectif. *Sinistrose.* 3. La base est un verbe. *Hallucinose.* ⟨ grec *-ôsis.* ⟩

-ot, -otte I. *-ot, -otte* (ou *-ote*) Pour former des noms. Variante *-iot, -iotte* (ou *-iote*) 1. La base est un nom. *Ballot, billot, cageot, cheminot, culot, culotte.* (Familier ou diminutif) *bécot, Charlotte, cocotte, frérot, îlot, Pierrot.* — *Une loupiotte, un pégriot, un salopiot ; loupiote.* 2. La base est un verbe (la base est celle de la forme de la 1re personne du présent, ou de la forme de l'imparfait). *Caillot. Bougeotte, jugeote, tremblote. Bouillotte, chiottes, roulotte.* 4. La base est une onomatopée. *Fafiot.* II. *-ot, -otte* Pour former des adjectifs. Variante *-iot, -iotte.* La base est un adjectif. *Chérot, fiérot, pâlot, petiot, vieillot.* — *Maigriot.* ⟨ latin tardif *-ottum, -ottam,* variante de *-ittum, -ittam.* → *-et, -ette.* ⟩

-oter (ou *-otter*) Pour former des verbes. 1. La base est un verbe (la base est celle de la forme de la 1re personne du présent, ou de la forme de l'imparfait). (Fréquentatif et diminutif) *buvoter, clignoter, pleuvoter, tapoter, trembloter, vivoter.* — *Frisotter, sifflotter.* 2. La base est une onomatopée. *Chuchoter, papoter.* ⟨ origine : → *-ot, -otte,* et ① *-er.* ⟩

-ouiller Pour former des verbes. 1. La base est un nom. (Fréquentatif) *patouiller.* 2. La base est une onomatopée. *Gazouiller.* 3. La base est un verbe (la base est celle de la forme de la 1re personne du présent, ou de la forme de l'imparfait). (Fréquentatif) *crachouiller, gratouiller, mâchouiller, pendouiller.* □⇒ *-ailler, -iller.* ⟨ latin *-uculare* (non attesté). ⟩

-ouse (ou *-ouze*) Pour former des noms féminins. ■ La base est un nom. (Familier ou populaire) *bagouse* (ou *bagouze*), *partouse* (ou *partouze*), *perlouse* (ou *perlouze*), *tantouse* (ou *tantouze*). ⟨ suffixe français d'origine argotique inconnue ; peut-être forme ancienne de *-euse* (→ ② *-eur, -euse*), conservée dans des patois. ⟩

-oyer Pour former des verbes. 1. La base est un nom. *Chatoyer, côtoyer, coudoyer, foudroyer, guerroyer, larmoyer, merdoyer, ondoyer.* 2. La base est un adjectif. *Nettoyer, rougeoyer, rudoyer, verdoyer.* 3. La base est un verbe. *Tournoyer.* □⇒ *-ayer, -eyer,* et aussi ① *-er.* □ Les noms correspondants sont des noms masculins en *-oiement* ⇒ *-ement.* ⟨ latin tardif *-izare,* du grec *-izein.* → *-iser,* et aussi *-ayer.* ⟩

*   *
*

① *-son* Pour former des noms féminins. ■ La base est un verbe du 2e groupe (la base est celle de la forme du participe passé). *Garnison, guérison, trahison.* □⇒ *-aison.* ⟨ latin *-tionem.* REM. La plupart des noms français en *-son* (comme *boisson ; un nourrisson*) sont directement empruntés aux mots latins correspondants (en *-tio,* génitif *-tionis*). ⟩

② *-son* Pour former des noms masculins. ■ La base est un nom (base tronquée). (Familier ou populaire) *pacson, tickson.* ⟨ suffixe français d'origine argotique inconnue. ⟩

*   *
*

-té Pour former des noms féminins. ■ La base est un adjectif. *Étrangeté, lâcheté, mocheté, propreté.* [Adjectif masculin] *beauté, chrétienté.* [Adjectif féminin] *ancienneté, grossièreté, joyeuseté, netteté, oisiveté.* [Base adjectif en *-al, -ale ;* finale en *-auté*] *loyauté, royauté.* □⇒ aussi *-auté, -ité.* ⟨ latin *-itatem.* ⟩

-tion Pour former des noms féminins. ■ La base est un verbe (la base est celle de la forme du participe passé). *Comparution, parution.* □ ⇒ **-ation.** ⟨ latin *-ionem*, précédé d'un radical de supin en *t*. REM. La plupart des noms français en *-tion* (comme *finition, résolution*) sont directement empruntés aux mots latins correspondants (en *-tio*, génitif *-tionis*), de même que les noms français à finale *-ion* (comme *action, torsion*). ⟩

-tique (ou **-ique** devant *t*) **I.** Pour former des noms féminins. **1.** La base est un nom (parfois tronqué). *Bureautique, créatique, consommatique, monétique, productique, robotique.* **2.** La base est un adjectif. *Privatique* (de *privé*). **II.** Pour former des adjectifs. La base est un nom. *Médiatique.* ⟨ origine : de la finale de *informatique*, lui-même de *information*, avec la finale des noms de sciences en *-ique*. REM. Il existe aussi des mots à finale *-matique* (comme *télématique, micromatique*), tirée également de *informatique.* ⟩

-ton Pour former des noms masculins. ■ La base est un nom. (Diminutif ou familier) *un fiston, gueuleton, un mecton.* [Base abrégée] *fromton.* □ ⇒ **-on, -onne** (I). ⟨ suffixe français d'origine argotique inconnue. ⟩

-ture ⇒ **-ure.**

* *
* *

-u, -ue **I.** Pour former des noms (adjectifs substantivés). La base est un nom. *Un barbu, une bossue.* **II.** Pour former des adjectifs. La base est un nom. *Bossu, feuillu, membru,* *moussu, poilu, têtu, ventru.* ⟨ latin *-utum, -utam.* REM. La terminaison *-u, -ue* est aussi celle de certains participes passés (comme *prévu ; conclu, vaincu ; couru, tenu*), notamment des participes substantivés (comme *battue, revue, vue ; un mordu*). ⟩

-uchon ⇒ **-ichon, -ichonne** (I).

-ude Pour former des noms féminins. ■ La base est un adjectif. *Décrépitude, incomplétude.* □ ⇒ **-itude.** ⟨ latin *-udo.* REM. La plupart des noms français en *-ude* (comme *désuétude*) sont directement empruntés aux mots latins correspondants (en *-udo*, génitif *-udinis*). ⟩

-ueux, -ueuse ⇒ ① **-eux, -euse** (II).

-ule, variantes **-cule** et **-icule** Pour former des noms (ces noms sont tous des diminutifs). ■ La base est un nom. *Barbule, lobule, lunule, plumule, ridule, veinule.* — *Animalcule.* [Par analogie] *groupuscule.* — *Canalicule.* ⟨ latin *-ulum, -ulam*, à valeur diminutive. ⟩

-ure Pour former des noms féminins. **1.** La base est un nom. Variante **-ature.** *Carrure, chevelure, toiture, voilure.* — *Ossature.* **2.** La base est un adjectif. *Droiture, froidure.* **3.** La base est un verbe (les bases sont celles des formes de la 1re personne du présent, de l'imparfait ou du participe passé). Variantes **-ature** et **-ture.** [Présent] *brûlure, dorure, gageure, gravure.* [Imparfait] *allure, flétrissure, moisissure, meurtrissure, rayure.* [Participe passé] *ouverture ;* [par analogie ; finale **-eture**] *fermeture.* — [Présent] *filature.* — [Participe passé] *fourniture, garniture, pourriture.* ⟨ latin *-ura ;* pour *-ature*, latin *-atura ;* pour *-ture*, latin *-ura*, précédé d'un radical de supin en *t.* ⟩

TABLEAUX
DES CONJUGAISONS

	PRÉSENT	IMPARFAIT
∎ conjug. 1. — ARRIVER, SE REPOSER (réguliers ; voir p. XXXVI à XXXIX).		
∎ conjug. 2. — FINIR (régulier ; voir p. XL. et XLI).		
VERBES EN -ER		
∎ conjug. 3. — PLACER	je place nous plaçons [plasɔ̃]	je plaçais [plasɛ] nous placions
— BOUGER	je bouge nous bougeons [buʒɔ̃]	je bougeais nous bougions
∎ conjug. 4. — APPELER	j'appelle [apɛl] nous appelons [aplɔ̃]	j'appelais nous appelions
— JETER	je jette [ʒɛt] nous jetons [ʒ(ə)tɔ̃]	je jetais nous jetions
∎ conjug. 5. — GELER	je gèle [ʒɛl] nous gelons [ʒ(ə)lɔ̃]	je gelais nous gelions
— ACHETER	j'achète [aʃɛt] nous achetons [aʃtɔ̃]	j'achetais nous achetions
et les verbes en -emer (ex. : semer), -ener (ex. : mener), -eser (ex : peser), -ever (ex. : lever), etc.		
∎ conjug. 6. — CÉDER	je cède [sɛd] nous cédons [sedɔ̃]	je cédais nous cédions
et les verbes en -é + consonne(s) + -er (ex. : célébrer, lécher, déléguer, préférer, etc.).		
∎ conjug. 7. — ÉPIER	j'épie [epi] nous épions [epjɔ̃]	j'épiais [epjɛ] nous épiions [epijjɔ̃]
∎ conjug. 8. — NOYER	je noie [nwa] nous noyons [nwajɔ̃]	je noyais nous noyions [nwajjɔ̃]
et les verbes en -uyer (ex. : appuyer).		
— PAYER	je paie ou je paye nous payons	je payais nous payions [pɛjjɔ̃]
et tous les verbes en -ayer.		
∎ conjug. 9. — ALLER (voir p. XLII et XLIII).		

FUTUR	PASSÉ SIMPLE	PARTICIPE PASSÉ	SUBJONCTIF
je placerai nous placerons	je plaçai nous plaçâmes	placé, ée	que je place que nous placions

REM. Les verbes en *-ecer* (ex. : *dépecer*) se conjuguent comme *placer* et *geler*. Les verbes en *-écer* (ex. : *rapiécer*) se conjuguent comme *céder* et *placer*.

je bougerai nous bougerons	je bougeai nous bougeâmes	bougé, ée	que je bouge que nous bougions

REM. Les verbes en *-éger* (ex. : *protéger*) se conjuguent comme *bouger* et *céder*.

j'appellerai nous appellerons	j'appelai nous appelâmes	appelé, ée	que j'appelle que nous appelions
je jetterai nous jetterons	je jetai nous jetâmes	jeté, ée	que je jette que nous jetions
je gèlerai nous gèlerons	je gelai nous gelâmes	gelé, ée	que je gèle que nous gelions
j'achèterai nous achèterons	j'achetai nous achetâmes	acheté, ée	que j'achète que nous achetions

REM. Les verbes en *-ecer* (ex. : *dépecer*) se conjuguent comme *geler* et *placer*.

je céderai nous céderons	je cédai nous cédâmes	cédé, ée	que je cède que nous cédions

REM. Les verbes en *-éger* (ex : *protéger*) se conjuguent comme *céder* et *bouger*. Les verbes en *-écer* (ex : *rapiécer*) se conjuguent comme *céder* et *placer*.

j'épierai nous épierons	j'épiai nous épiâmes	épié, ée	que j'épie que nous épiions
je noierai nous noierons	je noyai nous noyâmes	noyé, ée	que je noie que nous noyions

REM. **envoyer** fait au futur : *j'enverrai*, et au conditionnel : *j'enverrais*.

je paierai ou je payerai nous paierons ou payerons	je payai nous payâmes	payé, ée	que je paie ou paye que nous payions

		PRÉSENT	IMPARFAIT

VERBES EN -IR

autres que ceux du type *finir*

	PRÉSENT	IMPARFAIT
conjug. 10. — HAÏR	je hais [ʒəɛ] il hait [ilɛ] nous haïssons [nuaisɔ̃] ils haïssent [ilais]	je haïssais [ʒəaisɛ] nous haïssions
conjug. 11. — COURIR	je cours il court nous courons ils courent	je courais nous courions
conjug. 12. — CUEILLIR	je cueille [kœj] il cueille nous cueillons [kœjɔ̃] ils cueillent	je cueillais [kœjɛ] nous cueillions [kœjjɔ̃]
conjug. 13. — ASSAILLIR	j'assaille [asaj] il assaille nous assaillons ils assaillent	j'assaillais [-ajɛ] nous assaillions [-ajjɔ̃]
conjug. 14. — SERVIR	je sers il sert nous servons ils servent	je servais nous servions
conjug. 15. — BOUILLIR	je bous il bout nous bouillons [bujɔ̃] ils bouillent	je bouillais nous bouillions [bujjɔ̃]
conjug. 16. — PARTIR	je pars il part nous partons ils partent	je partais nous partions
— SENTIR	je sens il sent nous sentons ils sentent	je sentais nous sentions

REM. Le part. passé de **mentir** est invar. (*menti*).

	PRÉSENT	IMPARFAIT
conjug. 17. — FUIR	je fuis [fɥi] il fuit nous fuyons [fɥijɔ̃] ils fuient	je fuyais [fɥijɛ] nous fuyions [fɥijjɔ̃]
conjug. 18. — COUVRIR	je couvre il couvre nous couvrons ils couvrent	je couvrais nous couvrions

FUTUR	PASSÉ SIMPLE	PARTICIPE PASSÉ	SUBJONCTIF
je haïrai [ʒəaiʀɛ]	je haïs [ʒəai]	haï, ïe [ai]	que je haïsse [ais]
nous haïrons	nous haïmes [nuaim]		que nous haïssions
je courrai [kuʀʀɛ]	je courus	couru, ue	que je coure
nous courrons	nous courûmes		que nous courions
je cueillerai [kœjʀɛ]	je cueillis [kœji]	cueilli, ie	que je cueille
nous cueillerons	nous cueillîmes		que nous cueillions
j'assaillirai [asajiʀɛ]	j'assaillis	assailli, ie	que j'assaille
nous assaillirons	nous assaillîmes		que nous assaillions
je servirai	je servis	servi, ie	que je serve
nous servirons	nous servîmes		que nous servions
je bouillirai	je bouillis	bouilli, ie	que je bouille qu'il bouille
nous bouillirons	nous bouillîmes		que nous bouillions
je partirai	je partis	parti, ie	que je parte
nous partirons	nous partîmes		que nous partions
je sentirai	je sentis	senti, ie	que je sente
nous sentirons	nous sentîmes		que nous sentions
je fuirai	je fuis	fui (invar.)	que je fuie
nous fuirons	nous fuîmes		que nous fuyions
je couvrirai	je couvris	couvert, e	que je couvre
nous couvrirons	nous couvrîmes		que nous couvrions

	PRÉSENT	IMPARFAIT
▪ conjug. 19. — MOURIR	je meurs il meurt nous mourons ils meurent	je mourais nous mourions
▪ conjug. 20. — VÊTIR	je vêts il vêt nous vêtons ils vêtent	je vêtais nous vêtions
▪ conjug. 21. — ACQUÉRIR	j'acquiers il acquiert nous acquérons ils acquièrent	j'acquérais nous acquérions
▪ conjug. 22. — VENIR	je viens il vient nous venons ils viennent	je venais nous venions
VERBES EN -OIR		
▪ conjug. 23. — PLEUVOIR (impers.)	il pleut	il pleuvait
▪ conjug. 24. — PRÉVOIR	je prévois il prévoit nous prévoyons ils prévoient	je prévoyais nous prévoyions
▪ conjug. 25. — POURVOIR	je pourvois il pourvoit nous pourvoyons ils pourvoient	je pourvoyais nous pourvoyions
▪ conjug. 26. — ASSEOIR	j'assois il assoit nous assoyons ils assoient ou j'assieds il assied nous asseyons ils asseyent	j'assoyais nous assoyions ou j'asseyais nous asseyions
▪ conjug. 27. — MOUVOIR	je meus il meut nous mouvons ils meuvent	je mouvais nous mouvions
▪ conjug. 28. — RECEVOIR	je reçois il reçoit nous recevons ils reçoivent	je recevais nous recevions
— DEVOIR	je dois	je devais

FUTUR	PASSÉ SIMPLE	PARTICIPE PASSÉ	SUBJONCTIF
je mourrai	je mourus	mort, e	que je meure
nous mourrons [muʀʀɔ̃]	nous mourûmes		que nous mourions
je vêtirai	je vêtis	vêtu, ue	que je vête
nous vêtirons	nous vêtîmes		que nous vêtions
j'acquerrai [akɛʀʀɛ]	j'acquis	acquis, e	que j'acquière [akjɛʀ]
nous acquerrons	nous acquîmes		que nous acquérions
je viendrai	je vins	venu, ue	que je vienne
nous viendrons	nous vînmes [vɛ̃m]		que nous venions
il pleuvra	il plut	plu (invar.)	qu'il pleuve
je prévoirai	je prévis	prévu, ue	que je prévoie
nous prévoirons	nous prévîmes		que nous prévoyions
je pourvoirai	je pourvus	pourvu, ue	que je pourvoie
nous pourvoirons	nous pourvûmes		que nous pourvoyions
j'assoirai	j'assis	assis, e	que j'assoie
nous assoirons	nous assîmes		que nous assoyions
ou j'assiérai ou j'asseyerai			ou que j'asseye
			que nous asseyions
je mouvrai	je mus	mû, mue, mus	que je meuve
nous mouvrons	nous mûmes		que nous mouvions

REM. **émouvoir** et **promouvoir** font au p. p. *ému, ue ; promu, ue.*

je recevrai	je reçus	reçu, ue	que je reçoive
nous recevrons	nous reçûmes		que nous recevions
je devrai	je dus	dû, due, dus	que je doive

	PRÉSENT	IMPARFAIT
▪ conjug. 29. — VALOIR	je vaux [vo] il vaut nous valons ils valent	je valais nous valions
— ÉQUIVALOIR		
— PRÉVALOIR		
— FALLOIR (impers.)	il faut	il fallait
▪ conjug. 30. — VOIR	je vois il voit nous voyons ils voient	je voyais nous voyions
▪ conjug. 31. — VOULOIR	je veux il veut nous voulons ils veulent	je voulais nous voulions
▪ conjug. 32. — SAVOIR	je sais il sait nous savons ils savent	je savais nous savions
▪ conjug. 33. — POUVOIR	je peux ou je puis il peut nous pouvons ils peuvent	je pouvais nous pouvions
▪ conjug. 34. — AVOIR (voir p. XLIV et XLV).		
VERBES EN -RE		
▪ conjug. 35. — CONCLURE	je conclus il conclut nous concluons ils concluent	je concluais nous concluions
▪ conjug. 36. — RIRE	je ris il rit nous rions ils rient	je riais nous riions
▪ conjug. 37. — DIRE	je dis il dit nous disons vous dites ils disent	je disais nous disions
— SUFFIRE	vous suffisez	

FUTUR	PASSÉ SIMPLE	PARTICIPE PASSÉ	SUBJONCTIF
je vaudrai	je valus	valu, ue	que je vaille
nous vaudrons	nous valûmes		que nous valions
		équivalu (invar.)	
		prévalu, ue	que je prévale
il faudra	il fallut	fallu (invar.)	qu'il faille
je verrai	je vis	vu, ue	que je voie
nous verrons	nous vîmes		que nous voyions
je voudrai	je voulus	voulu, ue	que je veuille
nous voudrons	nous voulûmes		que nous voulions
je saurai	je sus	su, ue	que je sache
nous saurons	nous sûmes		que nous sachions
je pourrai	je pus	pu (invar.)	que je puisse
nous pourrons	nous pûmes		que nous puissions
je conclurai	je conclus	conclu, ue	que je conclue
nous conclurons	nous conclûmes		que nous concluions

REM. **exclure** se conjugue comme *conclure* : p. p. *exclu, ue* ; **inclure** se conjugue comme *conclure* sauf au p. p. : *inclus, use*.

je rirai	je ris	ri (invar.)	que je rie
nous rirons	nous rîmes		que nous riions
je dirai	je dis	dit, e	que je dise
nous dirons	nous dîmes		que nous disions

REM. **médire, contredire, dédire, interdire, prédire** se conjuguent comme *dire* sauf *médisez, contredisez, dédisez, interdisez, prédisez*.

		suffi (invar.)	

REM. **confire** se conjugue comme *suffire* sauf au p. p. : *confit, e*.

		PRÉSENT	IMPARFAIT
• conjug. 38. — NUIRE		je nuis il nuit nous nuisons ils nuisent	je nuisais nous nuisions

et les verbes : *luire, reluire.*

— CONDUIRE			

et les verbes : *construire, cuire, déduire, détruire, enduire, induire, instruire, introduire, produire, réduire, séduire, traduire.*

• conjug. 39. — ÉCRIRE		j'écris il écrit nous écrivons ils écrivent	j'écrivais nous écrivions
• conjug. 40. — SUIVRE		je suis il suit nous suivons ils suivent	je suivais nous suivions
• conjug. 41. — RENDRE		je rends il rend nous rendons ils rendent	je rendais nous rendions

et les verbes en *-andre* (ex. : *répandre*), *-erdre* (ex. : *perdre*), *-ondre*
(ex. : *répondre*), *-ordre* (ex. : *mordre*).

— ROMPRE		il rompt	il rompait
— BATTRE		je bats il bat nous battons ils battent	je battais nous battions
• conjug. 42. — VAINCRE		je vaincs il vainc nous vainquons ils vainquent	je vainquais nous vainquions
• conjug. 43. — LIRE		je lis il lit nous lisons ils lisent	je lisais nous lisions

FUTUR	PASSÉ SIMPLE	PARTICIPE PASSÉ	SUBJONCTIF
je nuirai nous nuirons	je nuisis nous nuisîmes	nui (invar.)	que je nuise que nous nuisions
		conduit, e	
j'écrirai nous écrirons	j'écrivis nous écrivîmes	écrit, e	que j'écrive que nous écrivions
je suivrai nous suivrons	je suivis nous suivîmes	suivi, ie	que je suive que nous suivions
je rendrai nous rendrons	je rendis nous rendîmes	rendu, ue	que je rende que nous rendions
il rompra	il rompit	rompu, ue	qu'il rompe
je battrai nous battrons	je battis nous battîmes	battu, ue	que je batte que nous battions
je vaincrai nous vaincrons	je vainquis nous vainquîmes	vaincu, ue	que je vainque que nous vainquions
je lirai nous lirons	je lus nous lûmes	lu, ue	que je lise que nous lisions

		PRÉSENT	IMPARFAIT
▪ conjug. 44. — CROIRE		je crois il croit nous croyons ils croient	je croyais nous croyions
▪ conjug. 45. — CLORE		je clos il clôt ils closent	je closais (contesté)
▪ conjug. 46. — VIVRE		je vis il vit nous vivons ils vivent	je vivais nous vivions
▪ conjug. 47. — MOUDRE		je mouds il moud nous moulons ils moulent	je moulais nous moulions
▪ conjug. 48. — COUDRE		je couds il coud nous cousons ils cousent	je cousais nous cousions
▪ conjug. 49. — JOINDRE		je joins [ʒwɛ̃] il joint nous joignons [ʒwaɲɔ̃] ils joignent [ʒwaɲ]	je joignais [ʒwaɲɛ] nous joignions [ʒwaɲjɔ̃]
▪ conjug. 50. — TRAIRE		je trais il trait nous trayons ils traient	je trayais nous trayions [tʀɛjjɔ̃]
▪ conjug. 51. — ABSOUDRE		j'absous il absout nous absolvons ils absolvent	j'absolvais nous absolvions
▪ conjug. 52. — CRAINDRE		je crains il craint nous craignons ils craignent	je craignais nous craignions [kʀɛɲɔ̃]
— PEINDRE		je peins il peint nous peignons ils peignent	je peignais nous peignions [pɛɲɔ̃]

FUTUR	PASSÉ SIMPLE	PARTICIPE PASSÉ	SUBJONCTIF
je croirai	je crus	cru, ue	que je croie
nous croirons	nous crûmes		que nous croyions
je clorai (rare)	(n'existe pas)	clos, e	que je close
je vivrai	je vécus	vécu, ue	que je vive
nous vivrons	nous vécûmes		que nous vivions
je moudrai	je moulus	moulu, ue	que je moule
nous moudrons	nous moulûmes		que nous moulions
je coudrai	je cousis	cousu, ue	que je couse
nous coudrons	nous cousîmes		que nous cousions
je joindrai	je joignis	joint, e	que je joigne
nous joindrons	nous joignîmes		que nous joignions
je trairai	(n'existe pas)	trait, e	que je traie
nous trairons			que nous trayions
j'absoudrai	j'absolus (rare)	absous, oute	que j'absolve
nous absoudrons			que nous absolvions

REM. **dissoudre** se conjugue comme *absoudre* ; **résoudre** se conjugue comme *absoudre*, mais le passé simple *je résolus* est courant. Il a deux p. p. : *résolu, ue (problème résolu)* et *résous, oute (brouillard résous en pluie).*

je craindrai	je craignis	craint, e	que je craigne
nous craindrons	nous craignîmes [kʀɛɲim]		que nous craignions
je peindrai	je peignis	peint, e	que je peigne
nous peindrons	nous peignîmes		que nous peignions

	PRÉSENT	IMPARFAIT
▪ conjug. 53. — BOIRE	je bois il boit nous buvons ils boivent	je buvais nous buvions
▪ conjug. 54. — PLAIRE	je plais il plaît nous plaisons ils plaisent	je plaisais nous plaisions
— TAIRE	il tait	
▪ conjug. 55. — CROÎTRE	je croîs il croît nous croissons ils croissent	je croissais nous croissions

REM. **accroître** et **décroître** ne prennent un accent circonflexe que sur l'*i* suivi d'un *t* : *j'accrois, elle décrut ; accru, ue ; décru, ue ;* et aux 2ᵉ et 3ᵉ pers. du plur. du passé simple.

	PRÉSENT	IMPARFAIT
▪ conjug. 56. — METTRE	je mets il met nous mettons ils mettent	je mettais nous mettions
▪ conjug. 57. — CONNAÎTRE	je connais il connaît nous connaissons ils connaissent	je connaissais nous connaissions
▪ conjug. 58. — PRENDRE	je prends il prend nous prenons ils prennent	je prenais nous prenions
▪ conjug. 59. — NAÎTRE	je nais il naît nous naissons ils naissent	je naissais nous naissions
▪ conjug. 60. — FAIRE (voir p. XLVI et XLVII).		
▪ conjug. 61. — ÊTRE (voir p. XLVIII et XLIX).		

FUTUR	PASSÉ SIMPLE	PARTICIPE PASSÉ	SUBJONCTIF
je boirai	je bus	bu, ue	que je boive
nous boirons	nous bûmes		que bous buvions
je plairai	je plus	plu (invar.)	que je plaise
nous plairons	nous plûmes		que nous plaisions

REM. Le participe passé de **plaire, complaire, déplaire** est invariable.

		tu, ue	
je croîtrai	je crûs	crû, crue, crus	que je croisse
nous croîtrons	nous crûmes		que nous croissions
je mettrai	je mis	mis, e	que je mette
nous mettrons	nous mîmes		que nous mettions
je connaîtrai	je connus	connu, ue	que je connaisse
nous connaîtrons	nous connûmes		que nous connaissions
je prendrai	je pris	pris, e	que je prenne
nous prendrons	nous prîmes		que nous prenions
je naîtrai	je naquis	né, e	que je naisse
nous naîtrons	nous naquîmes		que nous naissions

REM. **renaître** n'a pas de participe passé.

INDICATIF

PRÉSENT	PASSÉ COMPOSÉ
j'arrive	je suis arrivé
tu arrives	tu es arrivé
il arrive	il est arrivé
nous arrivons	nous sommes arrivés
vous arrivez	vous êtes arrivés
ils arrivent	ils sont arrivés

IMPARFAIT	PLUS-QUE-PARFAIT
j'arrivais	j'étais arrivé
tu arrivais	tu étais arrivé
il arrivait	il était arrivé
nous arrivions	nous étions arrivés
vous arriviez	vous étiez arrivés
ils arrivaient	ils étaient arrivés

PASSÉ SIMPLE	PASSÉ ANTÉRIEUR
j'arrivai	je fus arrivé
tu arrivas	tu fus arrivé
il arriva	il fut arrivé
nous arrivâmes	nous fûmes arrivés
vous arrivâtes	vous fûtes arrivés
ils arrivèrent	ils furent arrivés

FUTUR SIMPLE	FUTUR ANTÉRIEUR
j'arriverai	je serai arrivé
tu arriveras	tu seras arrivé
il arrivera	il sera arrivé
nous arriverons	nous serons arrivés
vous arriverez	vous serez arrivés
ils arriveront	ils seront arrivés

INFINITIF

PRÉSENT	PASSÉ
arriver	être arrivé, ée

REM. Les verbes **jouer, tuer**, etc., sont réguliers (ex. : je *joue*, je *jouerai* ; je *tue*, je *tuerai*).

CONDITIONNEL	SUBJONCTIF
PRÉSENT	**PRÉSENT**
j'arriverais tu arriverais il arriverait nous arriverions vous arriveriez ils arriveraient	que j'arrive que tu arrives qu'il arrive que nous arrivions que vous arriviez qu'ils arrivent
PASSÉ 1re FORME	**IMPARFAIT**
je serais arrivé tu serais arrivé il serait arrivé nous serions arrivés vous seriez arrivés ils seraient arrivés	que j'arrivasse que tu arrivasses qu'il arrivât que nous arrivassions que vous arrivassiez qu'ils arrivassent
PASSÉ 2e FORME	**PASSÉ**
je fusse arrivé tu fusses arrivé il fût arrivé nous fussions arrivés vous fussiez arrivés ils fussent arrivés	que je sois arrivé que tu sois arrivé qu'il soit arrivé que nous soyons arrivés que vous soyez arrivés qu'ils soient arrivés
IMPÉRATIF	**PLUS-QUE-PARFAIT**
PRÉSENT arrive arrivons arrivez **PASSÉ** sois arrivé soyons arrivés soyez arrivés	que je fusse arrivé que tu fusses arrivé qu'il fût arrivé que nous fussions arrivés que vous fussiez arrivés qu'ils fussent arrivés

PARTICIPE	
PRÉSENT	**PASSÉ**
arrivant	arrivé, ée étant arrivé, ée

INDICATIF

PRÉSENT	PASSÉ COMPOSÉ
je me repose	je me suis reposé
tu te reposes	tu t'es reposé
il se repose	il s'est reposé
nous nous reposons	nous nous sommes reposés
vous vous reposez	vous vous êtes reposés
ils se reposent	ils se sont reposés

IMPARFAIT	PLUS-QUE-PARFAIT
je me reposais	je m'étais reposé
tu te reposais	tu t'étais reposé
il se reposait	il s'était reposé
nous nous reposions	nous nous étions reposés
vous vous reposiez	vous vous étiez reposés
ils se reposaient	ils s'étaient reposés

PASSÉ SIMPLE	PASSÉ ANTÉRIEUR
je me reposai	je me fus reposé
tu te reposas	tu te fus reposé
il se reposa	il se fut reposé
nous nous reposâmes	nous nous fûmes reposés
vous vous reposâtes	vous vous fûtes reposés
il se reposèrent	il se furent reposés

FUTUR SIMPLE	FUTUR ANTÉRIEUR
je me reposerai	je me serai reposé
tu te reposeras	tu te seras reposé
il se reposera	il se sera reposé
nous nous reposerons	nous nous serons reposés
vous vous reposerez	vous vous serez reposés
ils se reposeront	ils se seront reposés

INFINITIF

PRÉSENT	PASSÉ
se reposer	s'être reposé, ée

CONDITIONNEL	SUBJONCTIF
PRÉSENT	**PRÉSENT**
je me reposerais	que je me repose
tu te reposerais	que tu te reposes
il se reposerait	qu'il se repose
nous nous reposerions	que nous nous reposions
vous vous reposeriez	que vous vous reposiez
ils se reposeraient	qu'ils se reposent
PASSÉ 1ʳᵉ FORME	**IMPARFAIT**
je me serais reposé	que je me reposasse
tu te serais reposé	que tu te reposasses
il se serait reposé	qu'il se reposât
nous nous serions reposés	que nous nous reposassions
vous vous seriez reposés	que vous vous reposassiez
ils se seraient reposés	qu'ils se reposassent
PASSÉ 2ᵉ FORME	**PASSÉ**
je me fusse reposé	que je me sois reposé
tu te fusses reposé	que tu te sois reposé
il se fût reposé	qu'il se soit reposé
nous nous fussions reposés	que nous nous soyons reposés
vous vous fussiez reposés	que vous vous soyez reposés
ils se fussent reposés	qu'ils se soient reposés
IMPÉRATIF	**PLUS-QUE-PARFAIT**
PRÉSENT	que je me fusse reposé
repose-toi	que tu te fusses reposé
reposons-nous	qu'il se fût reposé
reposez-vous	que nous nous fussions reposés
	que vous vous fussiez reposés
	qu'ils se fussent reposés

PARTICIPE	
PRÉSENT	**PASSÉ**
se reposant	s'étant reposé, ée

INDICATIF

PRÉSENT	PASSÉ COMPOSÉ
je finis	j'ai fini
tu finis	tu as fini
il finit	il a fini
nous finissons	nous avons fini
vous finissez	vous avez fini
ils finissent	ils ont fini

IMPARFAIT	PLUS-QUE-PARFAIT
je finissais	j'avais fini
tu finissais	tu avais fini
il finissait	il avait fini
nous finissions	nous avions fini
vous finissiez	vous aviez fini
ils finissaient	ils avaient fini

PASSÉ SIMPLE	PASSÉ ANTÉRIEUR
je finis	j'eus fini
tu finis	tu eus fini
il finit	il eut fini
nous finîmes	nous eûmes fini
vous finîtes	vous eûtes fini
ils finirent	ils eurent fini

FUTUR SIMPLE	FUTUR ANTÉRIEUR
je finirai	j'aurai fini
tu finiras	tu auras fini
il finira	il aura fini
nous finirons	nous aurons fini
vous finirez	vous aurez fini
ils finiront	ils auront fini

INFINITIF

PRÉSENT	PASSÉ
finir	avoir fini

CONDITIONNEL	SUBJONCTIF
PRÉSENT	**PRÉSENT**
je finirais	que je finisse
tu finirais	que tu finisses
il finirait	qu'il finisse
nous finirions	que nous finissions
vous finiriez	que vous finissiez
ils finiraient	qu'ils finissent
PASSÉ 1re FORME	**IMPARFAIT**
j'aurais fini	que je finisse
tu aurais fini	que tu finisses
il aurait fini	qu'il finît
nous aurions fini	que nous finissions
vous auriez fini	que vous finissiez
ils auraient fini	qu'ils finissent
PASSÉ 2e FORME	**PASSÉ**
j'eusse fini	que j'aie fini
tu eusses fini	que tu aies fini
il eût fini	qu'il ait fini
nous eussions fini	que nous ayons fini
vous eussiez fini	que vous ayez fini
ils eussent fini	qu'ils aient fini
IMPÉRATIF	**PLUS-QUE-PARFAIT**
PRÉSENT	que j'eusse fini
finis	que tu eusses fini
finissons	qu'il eût fini
finissez	que nous eussions fini
PASSÉ	que vous eussiez fini
aie fini	qu'ils eussent fini
ayons fini	
ayez fini	

PARTICIPE	
PRÉSENT	**PASSÉ**
finissant	fini, e
	ayant fini

INDICATIF

PRÉSENT	PASSÉ COMPOSÉ
je vais	je suis allé
tu vas	tu es allé
il va	il est allé
nous allons	nous sommes allés
vous allez	vous êtes allés
ils vont	ils sont allés

IMPARFAIT	PLUS-QUE-PARFAIT
j'allais	j'étais allé
tu allais	tu étais allé
il allait	il était allé
nous allions	nous étions allés
vous alliez	vous étiez allés
ils allaient	ils étaient allés

PASSÉ SIMPLE	PASSÉ ANTÉRIEUR
j'allai	je fus allé
tu allas	tu fus allé
il alla	il fut allé
nous allâmes	nous fûmes allés
vous allâtes	vous fûtes allés
ils allèrent	ils furent allés

FUTUR SIMPLE	FUTUR ANTÉRIEUR
j'irai	je serai allé
tu iras	tu seras allé
il ira	il sera allé
nous irons	nous serons allés
vous irez	vous serez allés
ils iront	ils seront allés

INFINITIF

PRÉSENT	PASSÉ
aller	être allé, ée

CONDITIONNEL	SUBJONCTIF
PRÉSENT	**PRÉSENT**
j'irais tu irais il irait nous irions vous iriez ils iraient	que j'aille que tu ailles qu'il aille que nous allions que vous alliez qu'ils aillent
PASSÉ 1ʳᵉ FORME	**IMPARFAIT**
je serais allé tu serais allé il serait allé nous serions allés vous seriez allés ils seraient allés	que j'allasse que tu allasses qu'il allât que nous allassions que vous allassiez qu'ils allassent
PASSÉ 2ᵉ FORME	**PASSÉ**
je fusse allé tu fusses allé il fût allé nous fussions allés vous fussiez allés ils fussent allés	que je sois allé que tu sois allé qu'il soit allé que nous soyons allés que vous soyez allés qu'ils soient allés
IMPÉRATIF	**PLUS-QUE-PARFAIT**
PRÉSENT va (sauf dans *vas-y*) allons allez **PASSÉ** sois allé soyons allés soyez allés	que je fusse allé que tu fusses allé qu'il fût allé que nous fussions allés que vous fussiez allés qu'ils fussent allés

PARTICIPE	
PRÉSENT	**PASSÉ**
allant	allé, ée étant allé, ée

INDICATIF

	PRÉSENT		PASSÉ COMPOSÉ
j'ai		j'ai eu	
tu as		tu as eu	
il a		il a eu	
nous avons		nous avons eu	
vous avez		vous avez eu	
ils ont		ils ont eu	

	IMPARFAIT		PLUS-QUE-PARFAIT
j'avais		j'avais eu	
tu avais		tu avais eu	
il avait		il avait eu	
nous avions		nous avions eu	
vous aviez		vous aviez eu	
ils avaient		ils avaient eu	

	PASSÉ SIMPLE		PASSÉ ANTÉRIEUR
j'eus		j'eus eu	
tu eus		tu eus eu	
il eut		il eut eu	
nous eûmes		nous eûmes eu	
vous eûtes		vous eûtes eu	
ils eurent		ils eurent eu	

	FUTUR SIMPLE		FUTUR ANTÉRIEUR
j'aurai		j'aurai eu	
tu auras		tu auras eu	
il aura		il aura eu	
nous aurons		nous aurons eu	
vous aurez		vous aurez eu	
ils auront		ils auront eu	

INFINITIF

	PRÉSENT		PASSÉ
avoir		avoir eu	

CONDITIONNEL	SUBJONCTIF
PRÉSENT	**PRÉSENT**
j'aurais tu aurais il aurait nous aurions vous auriez ils auraient	que j'aie que tu aies qu'il ait que nous ayons que vous ayez qu'ils aient
PASSÉ 1ʳᵉ FORME	**IMPARFAIT**
j'aurais eu tu aurais eu il aurait eu nous aurions eu vous auriez eu ils auraient eu	que j'eusse que tu eusses qu'il eût que nous eussions que vous eussiez qu'ils eussent
PASSÉ 2ᵉ FORME	**PASSÉ**
j'eusse eu tu eusses eu il eût eu nous eussions eu vous eussiez eu ils eussent eu	que j'aie eu que tu aies eu qu'il ait eu que nous ayons eu que vous ayez eu qu'ils aient eu
IMPÉRATIF	**PLUS-QUE-PARFAIT**
PRÉSENT aie ayons ayez	que j'eusse eu que tu eusses eu qu'il eût eu que nous eussions eu que vous eussiez eu qu'ils eussent eu

PARTICIPE	
PRÉSENT	**PASSÉ**
ayant	eu, eue ayant eu

INDICATIF

PRÉSENT	PASSÉ COMPOSÉ
je fais [fɛ]	j'ai fait
tu fais [fɛ]	tu as fait
il fait [fɛ]	il a fait
nous faisons [f(ə)zɔ̃]	nous avons fait
vous faites [fɛt]	vous avez fait
ils font [fɔ̃]	ils ont fait

IMPARFAIT	PLUS-QUE-PARFAIT
je faisais [f(ə)zɛ]	j'avais fait
tu faisais [f(ə)zɛ]	tu avais fait
il faisait [f(ə)zɛ]	il avait fait
nous faisions [f(ə)zjɔ̃]	nous avions fait
vous faisiez [f(ə)zje]	vous aviez fait
ils faisaient [f(ə)zɛ]	ils avaient fait

PASSÉ SIMPLE	PASSÉ ANTÉRIEUR
je fis	j'eus fait
tu fis	tu eus fait
il fit	il eut fait
nous fîmes	nous eûmes fait
vous fîtes	vous eûtes fait
ils firent	ils eurent fait

FUTUR SIMPLE	FUTUR ANTÉRIEUR
je ferai	j'aurai fait
tu feras	tu auras fait
il fera	il aura fait
nous ferons	nous aurons fait
vous ferez	vous aurez fait
ils feront	ils auront fait

INFINITIF

PRÉSENT	PASSÉ
faire	avoir fait

CONDITIONNEL	SUBJONCTIF
PRÉSENT	**PRÉSENT**
je ferais [f(ə)ʀɛ] tu ferais [f(ə)ʀɛ] il ferait [f(ə)ʀɛ] nous ferions [fəʀjɔ̃] vous feriez [fəʀje] ils feraient [f(ə)ʀɛ]	que je fasse que tu fasses qu'il fasse que nous fassions que vous fassiez qu'ils fassent
PASSÉ 1ʳᵉ FORME	**IMPARFAIT**
j'aurais fait tu aurais fait il aurait fait nous aurions fait vous auriez fait ils auraient fait	que je fisse que tu fisses qu'il fît que nous fissions que vous fissiez qu'ils fissent
PASSÉ 2ᵉ FORME	**PASSÉ**
j'eusse fait tu eusses fait il eût fait nous eussions fait vous eussiez fait ils eussent fait	que j'aie fait que tu aies fait qu'il ait fait que nous ayons fait que vous ayez fait qu'ils aient fait
IMPÉRATIF	**PLUS-QUE-PARFAIT**
PRÉSENT fais [fɛ] faisons [f(ə)zɔ̃] faites [fɛt] **PASSÉ** aie fait ayons fait ayez fait	que j'eusse fait que tu eusses fait qu'il eût fait que nous eussions fait que vous eussiez fait qu'ils eussent fait

PARTICIPE	
PRÉSENT	**PASSÉ**
faisant [f(ə)zɑ̃]	fait, e ayant fait

INDICATIF

PRÉSENT

je suis
tu es
il est
nous sommes
vous êtes
ils sont

PASSÉ COMPOSÉ

j'ai été
tu as été
il a été
nous avons été
vous avez été
ils ont été

IMPARFAIT

j'étais
tu étais
il était
nous étions
vous étiez
ils étaient

PLUS-QUE-PARFAIT

j'avais été
tu avais été
il avait été
nous avions été
vous aviez été
ils avaient été

PASSÉ SIMPLE

je fus
tu fus
il fut
nous fûmes
vous fûtes
ils furent

PASSÉ ANTÉRIEUR

j'eus été
tu eus été
il eut été
nous eûmes été
vous eûtes été
ils eurent été

FUTUR SIMPLE

je serai
tu seras
il sera
nous serons
vous serez
ils seront

FUTUR ANTÉRIEUR

j'aurai été
tu auras été
il aura été
nous aurons été
vous aurez été
ils auront été

INFINITIF

PRÉSENT

être

PASSÉ

avoir été

CONDITIONNEL	SUBJONCTIF
PRÉSENT	**PRÉSENT**
je serais tu serais il serait nous serions vous seriez ils seraient	que je sois que tu sois qu'il soit que nous soyons que vous soyez qu'ils soient
PASSÉ 1ʳᵉ FORME	**IMPARFAIT**
j'aurais été tu aurais été il aurait été nous aurions été vous auriez été ils auraient été	que je fusse que tu fusses qu'il fût que nous fussions que vous fussiez qu'ils fussent
PASSÉ 2ᵉ FORME	**PASSÉ**
j'eusse été tu eusses été il eût été nous eussions été vous eussiez été ils eussent été	que j'aie été que tu aies été qu'il ait été que nous ayons été que vous ayez été qu'ils aient été
IMPÉRATIF	**PLUS-QUE-PARFAIT**
PRÉSENT sois soyons soyez	que j'eusse été que tu eusses été qu'il eût été que nous eussions été que vous eussiez été qu'ils eussent été

PARTICIPE	
PRÉSENT	**PASSÉ**
étant	été ayant été

DÉRIVÉS DES NOMS DE PERSONNES
(réelles, mythologiques, imaginaires)

abélien, ienne *(Abel)*
adamique *(Adam)*
aldin, ine *(Alde)*
ambrosien, ienne (saint *Ambroise)*
anacréontique *(Anacréon)*
aphrodisiaque *(Aphrodite)*
apollinarien, ienne (Guillaume *Apollinaire)*
apollinien, ienne *(Apollon)*
arien, enne *(Arius)*
aristophanesque *(Aristophane)*
aristotélique, Aristotélicien, enne *(Aristote)*
arminien, enne *(Arminius)*
augustéen, enne *(Auguste)*
augustinien, ienne (saint *Augustin)*
averroïste*(Averroès)*

babouviste *(Babeuf)*
bacchique *(Bacchus)*
baconien, ienne (Francis *Bacon)*
balzacien, ienne *(Balzac)*
barrésien, ienne *(Barrès)*
barriste (R. *Barre)*
barthésien, ienne (Roland *Barthes)*
baudelairien, ienne *(Baudelaire)*
beethovénien, ienne *(Beethoven)*
bergmanien, ienne *(Bergman)*
bergsonien, ienne *(Bergson)*
bernanosien, ienne *(Bernanos)*
bismarckien, ienne *(Bismarck)*
blanquiste (L.-A. *Blanqui)*
bodléien, ienne (Thomas *Bodley)*
bollandiste (Jean *Bolland)*
bonapartiste *(Bonaparte)*
bouddhique *(Bouddha)*
boulangiste (Gal *Boulanger)*
bourbonien, ienne (les *Bourbons)*
bourguibiste *(Bourguiba)*
brechtien, ienne (Bertolt *Brecht)*
brownien, ienne *(Brown)*
byronien, ienne *(Byron)*

calviniste *(Calvin)*
capétien, ienne (Hugues *Capet)*
caravagesque, Caravagiste (Le *Caravage)*
cartésien, ienne *(Descartes)*
castriste (Fidel *Castro)*
célinien, ienne *(Céline)*
césarien, ienne (Jules *César)*
cézannien, ienne *(Cézanne)*
chaplinesque *(Chaplin)*
chaucérien, ienne *(Chaucer)*
chiraquien, ienne *(Chirac)*
churchillien, ienne (Winston *Churchill)*
churrigueresque *(Churriguera)*
cicéronien, ienne *(Cicéron)*
claudélien, ienne *(Claudel)*
clémentin, ine *(Clément VII, VIII, etc., papes)*
colbertiste *(Colbert)*
combiste (Émile *Combes)*
comtien, ienne (A. *Comte)*

condillacien, ienne *(Condillac)*
confucéen, enne *(Confucius)*
constantinien, ienne *(Constantin Ier le Grand)*
cornélien, ienne *(Corneille)*
courtelinesque *(Courteline)*

dantesque *(Dante)*
dantoniste *(Danton)*
darwinien, ienne *(Darwin)*
davidien, ienne (Louis *David*, peintre)
debussyste *(Debussy)*
dioclétien, enne *(Dioclétien)*
disraélien, enne *(Disraeli)*
dominicain, aine (saint *Dominique)*
domitien, enne *(Domitien)*
donatiste *(Donat)*
donjuanesque *(don Juan)*
donquichottesque *(don Quichotte)*
dostoïevskien, enne *(Dostoïevski)*
dreyfusard, arde *(Dreyfus)*

einsteinien, ienne *(Einstein)*
élisabéthain, aine *(Élisabeth)*
ellingtonien, ienne (Duke *Ellington)*
épicurien, ienne *(épicure)*
érasmien, ienne *(Érasme)*
eschylien, ienne *(Eschyle)*
ésopique *(Ésope)*
euclidien, ienne *(Euclide)*
euripidien, ienne *(Euripide)*

faradique *(Faraday)*
farnésien, ienne *(Farnèse)*
faulknérien, ienne *(Faulkner)*
faustien, ienne *(Faust)*
fellinien, enne *(Fellini)*
fénelonien, ienne *(Fénelon)*
flaubertien, ienne *(Flaubert)*
flavien, enne (Titus *Flavius* Vespasianus-Vespasien)
fouriériste *(Fourier)*
francien, ienne (Anatole *France)*
franciscain, aine (saint *François)*
franckiste (César *Franck)*
franquiste *(Franco)*
freudien, ienne *(Freud)*

galiléen, enne *(Galilée)*
gandhiste *(Gandhi)*
gargantuesque *(Gargantua)*
garibaldien, enne *(Garibaldi)*
gassendiste *(Gassendi)*
gaulliste (de *Gaulle)*
gidien, ienne *(Gide)*
giralducien, ienne *(Giraudoux)*
giscardien, ienne *(Giscard d'Estaing)*
gladstonien, ienne *(Gladstone)*

gluckiste *(Gluck)*
goethéen, enne *(Goethe)*
gorbatchévien, ienne *(Gorbatchev)*
goyesque *(Goya)*
grégorien, ienne (saint *Grégoire)*
guesdiste *(Guesde)*

habsbourgeois, oise (les *Habsbourg)*
① hébertiste (Jacques *Hébert)*
② hébertiste (Georges *Hébert)*
hégélien, enne *(Hegel)*
héraclitéen, enne *(Héraclite)*
herculéen, enne *(Hercule)*
hermétique *(Hermès)*
hertzien, ienne *(Hertz)*
hésiodique *(Hésiode)*
hiéronymien, ienne (saint *Jérôme)*
holbachique (d'*Holbach)*
homérique *(Homère)*
horacien, Horatien, ienne *(Horace)*
hugolien, ienne *(Hugo)*
hussite (Jean *Huss)*

ibsénien, ienne *(Ibsen)*
icarien, ienne *(Icare)*
ignacien, ienne (saint *Ignace* de Loyola)
ingriste, ingresque *(Ingres)*
isiaque *(Isis)*
ismaïlien, ienne *(Ismaïl,* imam)

① jacobite *(Jacques* II d'Angleterre)
② jacobite *(Jacques* Baraddaï)
janséniste *(Jansen)*
jennérien, ienne *(Jenner)*
johannique (saint *Jean)*
julien, ienne *(Jules)*
jungien, ienne *(Jung)*
junonien, ienne *(Junon)*
jupitérien, ienne *(Jupiter)*
kafkaïen, ïenne (F. *Kafka)*
kantien, ienne *(Kant)*
keplérien, ienne *(Kepler)*
keynésien, ienne *(Keynes)*
khrouchtchévien, ienne *(Khrouchtchev)*
kierkegaardien, ienne *(Kierkegaard)*

lamarckien, ienne, Lamarckiste *(Lamarck)*
lamartinien, ienne *(Lamartine)*
leibnizien, ienne *(Leibniz)*
léniniste *(Lénine)*
linnéen, enne *(Linné)*
lockiste *(Locke)*
louis-philippard, arde *(Louis-Philippe)*
louis-quatorzien, ienne *(Louis XIV)*
luthérien, ienne *(Luther)*

machiavélien, ienne, Machiavélique *(Machiavel)*
mallarméen, enne *(Mallarmé)*
malraucien, ienne *(Malraux)*
malthusien, ienne *(Malthus)*
manuélin, ine *(Manuel)*
maoïste *(Mao Zedong)*
mariste, marial *(Marie)*
marivaudesque *(Marivaux)*
marotique (C. *Marot)*
marxiste, marxien, ienne (K. *Marx)*
masochiste (Sacher-*Masoch)*
mauriacien, ienne *(Mauriac)*
maurrassien, ienne *(Maurras)*
ménaisien, ienne *(Lamennais)*

mendélien, ienne *(Mendel)*
mendésiste *(Mendès-France)*
mérovingien, ienne *(Mérovée)*
mesmérien, ienne *(Mesmer)*
michelangélesque *(Michel-Ange)*
mitchourinien, ienne *(Mitchourine)*
mitterrandiste *(Mitterrand)*
moliéresque *(Molière)*
mosaïque *(Moïse)*
mozartien, ienne *(Mozart)*
mussolinien, enne *(Mussolini)*

napoléonien, ienne *(Napoléon)*
nassérien, ienne *(Nasser)*
neptunien, ienne *(Neptune)*
nervalien, ienne *(Nerval)*
newtonien, ienne *(Newton)*
nietzschéen, enne *(Nietzsche)*

octavien, ienne *(Octave)*
œdipien, ienne *(Œdipe)*
orléaniste (duc d'*Orléans)*
orphique *(Orphée)*
ossianique *(Ossian)*
ovidien, ienne *(Ovide)*

palladien, enne *(Palladio)*
pantagruélique *(Pantagruel)*
pascalien, ienne *(Pascal)*
pastorien, ienne, Pasteurien, ienne *(Pasteur)*
paulinien, ienne (saint *Paul)*
pavésien, ienne *(Pavèse)*
pavlovien, ienne *(Pavlov)*
péroniste *(Peron)*
pétainiste *(Pétain)*
pétrarquiste *(Pétrarque)*
pétrinien, ienne (saint *Pierre)*
phidiesque *(Phidias)*
picassien, ienne *(Picasso)*
pickwickien, ienne *(Pickwick)*
pindarique *(Pindare)*
pirandellien, ienne *(Pirandello)*
platonicien, ienne, Platonique *(Platon)*
plinien, ienne *(Pline)*
plutonien, ienne, Plutonique *(Pluton)*
pompéien, ienne *(Pompée)*
poussiniste *(Poussin)*
praxitélien, ienne *(Praxitèle)*
prométhéen, enne *(Prométhée)*
proustien, ienne *(Proust)*
ptolémaïque *(Ptolémée)*
pythagoréen, enne, Pythagoricien, ienne *(Pythagore)*

rabelaisien, ienne *(Rabelais)*
racinien, ienne *(Racine)*
raphaélique, Raphaélesque *(Raphaël)*
ravélien, ienne *(Ravel)*
reaganien, ienne *(Reagan)*
rembranesque *(Rembrandt)*
riemannien, ienne *(Riemann)*
rimbaldien, ienne *(Rimbaud)*
robespierriste *(Robespierre)*
rocambolesque *(Rocambole)*
rocardien, ienne (M. *Rocard)*
rossellinien, enne *(Rossellini)*
rousseauiste *(Rousseau)*
roussélien, ienne *(Roussel)*

sadique, Sadien, ienne *(Sade)*

saint-simonien, ienne *(Saint-Simon)*
saphique *(Sapho)*
sardanapalesque *(Sardanapale)*
sartrien, ienne *(Sartre)*
saturnien, ienne *(Saturne)*
saussurien, ienne *(Saussure)*
schönberguien, ienne *(Schönberg)*
schubertien, ienne *(Schubert)*
schumannien, ienne *(Schumann)*
shakespearien, ienne *(Shakespeare)*
socratique *(Socrate)*
spinoziste *(Spinoza)*
stalinien, ienne *(Staline)*
stendhalien, ienne *(Stendhal)*
swedenborgien, ienne *(Swedenborg)*
swiftien, ienne *(Swift)*

tainien, ienne *(Taine)*
tchékhovien, ienne *(Tchékhov)*
thomiste (saint *Thomas* d'Aquin)
tibérien, ienne *(Tibère)*
titianesque *(Titien)*

titiste *(Tito)*
tolstoïen, enne *(Tolstoï)*
trotskyste *(Trotsky)*

ubuesque *(Ubu)*

valérien, enne *(Valéry)*
vénusien, ienne *(Vénus)*
verlainien, ienne *(Verlaine)*
victorien, enne (reine *Victoria)*
virgilien, ienne *(Virgile)*
voltairien, ienne *(Voltaire)*

wagnérien, ienne *(Wagner)*
wildien, ienne *(Wilde)*

zolien, ienne *(Zola)*
zoroastrien, ienne *(Zoroastre)*

NOMS ET ADJECTIFS TIRÉS DES
NOMS PROPRES DE LIEUX

Abbevillois, oise (*Abbeville*, Somme)
Abidjanais, aise (*Abidjan*, Côte-d'Ivoire)
Ablonnais, aise (*Ablon-sur-Seine*, Val-de-Marne)
Abyssinien, ienne ou Abyssin, ine
Acadien, enne
Afghan, ane
Africain, aine
Agenais, aise ou Agenois, oise (*Agen*, Lot-et-Garonne)
Aigrefeuillais, aise (*Aigrefeuille-d'Aunis*, Charente-Maritime)
Aiguebellain, aine (*Aiguebelle*, Savoie)
Aigues-Mortais, aise (*Aigues-Mortes*, Gard)
Aiguepersois, oise (*Aigueperse*, Puy-de-Dôme)
Aiguillon, onne (*Aiguilles-en-Queyras*, Hautes-Alpes)
Aiguillonnais, aise (*Aiguillon*, Lot-et-Garonne)
Aigurandais, aise (*Aigurande*, Indre)
Airois, oise (*Aire-sur-la-Lys*, Pas-de-Calais)
Airvaudais, aise (*Airvault*, Deux-Sèvres)
① Aixois, oise (*Aix-en-Othe*, Aube ; *Aixe-sur-Vienne*, Haute-Vienne ; *Aix-les-Bains*, Savoie)
② Aixois, oise ou Aquisextain, aine (*Aix-en-Provence*, Bouches-du-Rhône)
Ajaccien, enne ou Ajaccéen, enne (*Ajaccio*, Corse)
Akkadien, ienne
Albanais, aise
Albertin, ine (*Albert*, Somme)
Albertivillarien, ienne (*Aubervilliers*, Seine-Saint-Denis)
Albertvillain, aine ou Albertvillois, oise (*Albertville*, Savoie)
Albigeois, oise
Albinien, ienne (*Aubigny-sur-Nère*, Cher)
Alençonnais, aise (*Alençon*, Orne)
Aleppin, ine (*Alep*, Syrie)
Alésien, ienne (*Alès*, Gard)
Alexandrin, ine
Alfortvillais, aise (*Alfortville*, Val-de-Marne)
Algérien, enne
Algérois, oise
Allaudien, ienne (*Allauch*, Bouches-du-Rhône)
Allemand, ande
Allosard, arde (*Allos*, Alpes-de-Haute-Provence)
Alnélois, oise ou Aunélien, ienne (*Auneau*, Eure-et-Loir)
Alpin, ine
Alréen, enne (*Auray*, Morbihan)
Alsacien, ienne
Altaïque (*Altaï*)
Amandinois, oise (*Saint-Amand-en-Puisaye*, Nièvre ; *Saint-Amand-les-Eaux*, Nord)
Amazonien, enne (*Amazonie*)
Ambarrois, oise (*Ambérieu-en-Bugey*, Ain)
Ambertois, oise (*Ambert*, Puy-de-Dôme)
Amboisien, ienne (*Amboise*, Indre-et-Loire)
Amélien, enne ou Paladéen, enne (*Amélie-les-Bains-Palalda*, Pyrénées-Orientales)
Américain, aine
Amiénois, oise (*Amiens*, Somme)
Amollais, aise (*Amou*, Landes)
Amstellodamien, ienne ou Amstellodamois, oise (*Amsterdam*, Pays-Bas)

Ancenien, enne (*Ancenis*, Loire-Atlantique)
Anconitain, aine (*Ancône*, Italie)
Andalou, ouse
Andelysien, ienne (*Les Andelys*, Eure)
Andernisien, ienne (*Andernos-les-Bains*, Gironde)
Andin, ine
Andorran, ane (principauté d'*Andorre*, Europe)
Angérien, ienne (*Saint-Jean-d'Angély*, Charente)
Angevin, ine
Anglais, aise
Angloys, oise (*Anglet*, Pyrénées-Atlantiques)
Angolais, aise (*Angola*, Afrique)
Angoumois, oise ou Angoumoisin, ine (*Angoulême*, Charente)
Anianais, aise (*Aniane*, Hérault)
Anicien, ienne (*Le Puy* [*Anicium*], Haute-Loire) ⇒ Ponot
Annamite
Annécien, enne (*Annecy*, Haute-Savoie)
Annemassien, ienne (*Annemasse*, Haute-Savoie)
Annonéen, enne (*Annonay*, Ardèche)
Annotain, aine (*Annot*, Alpes-de-Haute-Provence)
Antibois, oise (*Antibes*, Alpes-Maritimes)
Antillais, aise
Antonien, ienne (*Antony*, Hauts-de-Seine)
Antraiguin, ine (*Antraigues-sur-Volane*, Ardèche)
Antrainois, oise (*Antrain*, Ille-et-Vilaine)
Anversois, oise (*Anvers*, Belgique)
Anzinois, oise (*Anzin*, Nord)
Appaméen, enne ou Appamien, ienne (*Pamiers*, Ariège)
Aptésien, ienne ou Aptois, oise (*Apt*, Vaucluse)
Aquisextain, aine ⇒ ② Aixois
Aquitain, aine (*Aquitaine*, France)
Arabe
Aragonais, aise (*Aragon*, Espagne)
Aramonais, aise (*Aramon*, Gard)
Arboisien, ienne (*Arbois*, Jura)
Arcachonnais, aise (*Arcachon*, Gironde)
Arcadien, enne (*Arcadie*, Grèce)
Arcisien, ienne (*Arcis-sur-Aube*, Aube)
Ardéchois, oise (*Ardèche*, France)
Ardennais, aise (*Ardenne*, Belgique)
Arédien, ienne (*Saint-Yrieix-la-Perche*, Haute-Vienne)
Arétin, ine (*Arezzo*, Italie)
Argelésien, ienne (*Argelès-Gazost*, Hautes-Pyrénées ; *Argelès-sur-Mer*, Pyrénées-Orientales)
Argentaçois, oise (*Argentat*, Corrèze)
Argentais, aise (*Argent-sur-Sauldre*, Cher)
Argentanais, aise (*Argentan*, Orne)
Argenteuillais, aise ou Argentolien, ienne (*Argenteuil*, Val-d'Oise)
Argentiérois, oise (*L'Argentière-la-Bessée*, Hautes-Alpes)
Argentin, ine
Argentolien, ienne ⇒ Argenteuillais
Argentonnais, aise (*Argenton-Château*, Deux-Sèvres ; *Argenton-sur-Creuse*, Indre)
Argentréen, enne (*Argentré-du-Plessis*, Ille-et-Vilaine)

Ariégeois, oise (*Ariège,* Pyrénées)
Arlésien, ienne (*Arles,* Bouches-du-Rhône)
Arleusien, ienne (*Arleux,* Nord)
Arménien, enne
Armentiérois, oise (*Armentières,* Nord)
Armoricain, aine (*Armorique,* France)
Arnétois, oise (*Arnay-le-Duc,* Côte-d'Or)
Arrageois, oise (*Arras,* Pas-de-Calais)
Arsais, aise (*Ars-en-Ré,* Charente-Maritime)
Artésien, ienne (*Artois,* France)
Ascquois, oise (*Ascq,* Nord)
Asiate ou Asiatique
Asniérois, oise (*Asnières,* Hauts-de-Seine)
Assyrien, enne
Asturien, enne (*Asturies,* Espagne)
Athémontien, ienne ⇒ Athésien
Athénien, ienne
Athésien, ienne ou Athémontien, ienne (*Athis-Mons,* Essonne)
Athisien, ienne (*Athis-de-l'Orne,* Orne)
Aturin, ine (*Aire-sur-l'Adour,* Landes)
Aubeterrien, ienne (*Aubeterre-sur-Dronne,* Charente)
Aubussonnais, aise (*Aubusson,* Creuse)
Auchellois, oise (*Auchel,* Pas-de-Calais)
Auchois, oise ⇒ Auscitain
Audiernais, aise (*Audierne,* Finistère)
Audonien, ienne (*Saint-Ouen,* Seine-Saint-Denis)
Audincourtois, oise (*Audincourt,* Doubs)
Audomarois, oise (*Saint-Omer,* Pas-de-Calais)
Audruicquois, oise (*Audruicq,* Pas-de-Calais)
Audunois, oise (*Audun-le-Roman,* Meurthe-et-Moselle)
Augeron, onne (pays d'*Auge,* France)
Aulnaisien, ienne (*Aulnay-sous-Bois,* Seine-Saint-Denis)
Aulnésien, ienne ⇒ Aulnoyen
Aulnoyen, enne ou Aulnésien, ienne (*Aulnoye-Aymeries,* Nord)
Aultois, oise (*Ault,* Somme)
Aumalois, oise (*Aumale,* Seine-Maritime)
Aunais, aise (*Aunay-sur-Odon,* Calvados)
Aunélien, ienne ⇒ Alnélois
Aunisien, ienne (*Aunis,* France)
Aupsois, oise (*Aups,* Var)
Aurignacien, ienne (*Aurignac,* Haute-Garonne)
Aurillacois, oise (*Aurillac,* Cantal)
Auscitain, aine ou Auchois, oise (*Auch,* Gers)
Australien, ienne (*Australie)*
Autrichien, ienne (*Autriche,* Europe)
Autunois, oise (*Autun,* Saône-et-Loire)
Auvergnat, ate
Auxerrois, oise (*Auxerre,* Yonne)
Avallonnais, aise (*Avallon,* Yonne)
Avesnois, oise (*Avesnes-sur-Helpe,* Nord)
Aveyronnais, aise (*Aveyron,* France)
Avignonnais, aise (*Avignon,* Vaucluse)
Avranchais, aise (*Avranches,* Manche)
Azerbaïdjanais, aise (*Azerbaïdjan,* Union soviétique)

Babylonien, ienne (*Babylone,* Mésopotamie)
Bachanenchs [invar.] (*Baixas,* Pyrénées-Orientales)
Bachânois, oise (*Baccarat,* Meurthe-et-Moselle)
Badois, oise (*Bade,* Allemagne)
Badonvillais, aise (*Badonviller,* Meurthe-et-Moselle)
Bagnérais, aise (*Bagnères-de-Bigorre,* Hautes-Pyrénées)
Bajocasse ⇒ Bayeusain
Baléare (*Baléares,* Espagne)
Balinais, aise (*Bali)*
Balkanique *(les Balkans)*
Bâlois, oise (*Bâle,* Suisse)
Balte *(Baltique)*

Bamakois, oise (*Bamako,* Mali)
Banyulenc, ence ou Banyulais, aise *(Banyuls-sur-Mer,* Pyrénées-Orientales)
Bapalmois, oise (*Bapaume,* Pas-de-Calais)
Barcelonais, aise (*Barcelone,* Espagne)
Barcelonnettain, aine (*Barcelonnette,* Alpes-de-Haute-Provence)
Barralbin, ine (*Bar-sur-Aube,* Aube)
Barrisien, ienne (*Bar-le-Duc,* Meuse)
Barrois, oise (*Bar-sur-Aube,* Aube)
Basque, Basquaise *(Pays Basque)* ⇒ Euscarien
Bastiais, aise (*Bastia,* Corse)
Bavarois, oise (*Bavière,* Allemagne)
Bayeusain, aine (*Bayeux,* Calvados)
Bayonnais, aise (*Bayonne,* Pyrénées-Atlantiques)
Béarnais, aise
Beauceron, onne (*Beauce,* France)
Beaunois, oise (*Beaune,* Côte d'Or)
Beauvaisien, ienne ou Beauvaisin, ine (*Beauvais,* Oise)
Belfortin, ine ou Belfortain, aine (*Belfort,* Territoire-de-Belfort)
Belge
Bellacquais, aise ou Bellachon, onne (*Bellac,* Haute-Vienne)
Belleysan, ane (*Belley,* Ain)
Bellifontain, aine (*Fontainebleau,* Seine-et-Marne)
Bénédictin, ine (*Saint-Benoît-du-Sault,* Indre)
Bengali, ie ou Bengalais, aise (*Bengale,* Inde)
Béninois, oise (*Bénin,* Afrique)
Béotien, enne
Bergeracois, oise (*Bergerac,* Dordogne)
Berlinois, oise (*Berlin,* Allemagne)
Bernayen, enne (*Bernay,* Eure)
Bernois, oise (*Berne,* Suisse)
Berrichon, onne (*Berry,* France)
Berruyer, ère (*Bourges,* Cher)
Béthunois, oise (*Béthune,* Pas-de-Calais)
Biafrais, aise (*Biafra,* Afrique)
Biarrot, ote (*Biarritz,* Pyrénées Atlantiques)
Bidartois, oise (*Bidart,* Pyrénées-Atlantiques)
Biélorusse (*Biélorussie,* Union soviétique)
Binchois, oise (*Binche,* Belgique)
Birman, ane (*Birmanie,* Asie)
Biscaïen, enne (la *Biscaye,* Espagne)
Bisontin, ine (*Besançon,* Doubs)
Biterrois, oise (*Béziers,* Hérault)
Bizertin, ine (*Bizerte,* Tunisie)
Blaisois, oise ou Blésois, oise (*Blois,* Loir-et-Cher)
Blancois, oise (*Le Blanc,* Indre)
Blangeois, oise (*Blangy-sur-Bresle,* Seine-Maritime)
Blayais, aise (*Blaye,* Gironde)
Blésois, oise ⇒ Blaisois
Bohémien, ienne
Bolivien, enne (*Bolivie,* Amérique du Sud)
Bolonais, aise (*Bologne,* Italie)
Bonifacien, enne (*Bonifacio,* Corse)
Bonnevillois, oise (*Bonneville,* Haute-Savoie)
Bônois, oise (*Bône,* Algérie)
Borain, aine (*Borinage,* Belgique)
Bordelais, aise (*Bordeaux,* Gironde)
Bosniaque ou Bosnien, enne *(Bosnie)*
Bostonien, ienne (*Boston,* États-Unis)
Boucalais, aise (*Le Boucau,* Pyrénées-Atlantiques)
Bougivalais, aise (*Bougival,* Yvelines)
Boulageois, oise (*Boulay-Moselle,* Moselle)
Boulonnais, aise ou Boulenois, oise (*Boulogne-sur-Mer,* Pas-de-Calais)
Bourbonnais, aise (*Bourbonnais,* France)
Bourbourgeois, oise (*Bourbourg,* Nord)
Bourguignon, onne (*Bourgogne,* France)
Brabançon, onne
Brandebourgeois, oise (*Brandebourg,* Allemagne)

Brésilien, ienne

Bressan, ane (*Bresse*, France ; *Bourg-en-Bresse*, Ain)

Bressuirais, aise (*Bressuire*, Deux-Sèvres)

Brestois, oise (*Brest*, Finistère)

Breton, onne

Briançonnais, aise (*Briançon*, Hautes-Alpes)

Briard, arde

Briéron, onne (la *Brière*, France)

Briochin, ine (*Saint-Brieuc*, Côtes-du-Nord)

Briotin, ine (*Briey*, Meurthe-et-Moselle)

Brisacien, ienne (*Neuf-Brisach*, Haut-Rhin)

Britannique

Brivadois, oise (*Brioude*, Haute-Loire)

Brivois, oise (*Brive-la-Gaillarde*, Corrèze)

Broutain, aine (*Brou*, Eure-et-Loir)

Bruaysien, ienne (*Bruay-en-Artois*, Pas-de-Calais)

Brugeois, oise (*Bruges*, Belgique)

Bruxellois, oise (*Bruxelles*, Belgique)

Bulgare

Burgien, ienne (*Bourg-en-Bresse*, Ain)

Burkinabé, ée (*Burkina*, Afrique)

Byzantin, ine

Cadurcien, ienne, Cahorsin, ine ou Cahorsain, aine (*Cahors*, Lot)

Caennais, aise ou Caenais, aise (*Caen*, Calvados)

Cahorsain, aine ou Cahorsin, ine
⇒ Cadurcien

Cairote (*Le Caire*, Égypte)

Calabrais, aise

Caladois, oise (*Villefranche-sur-Saône*, Rhône)

Calaisien, ienne (*Calais*, Pas-de-Calais ; *Saint-Calais*, Sarthe)

Californien, enne (*Californie*, États-Unis)

Calvais, aise (*Calvi*, Corse)

Camarguais, aise, Camarguin, ine ou Camarguen, enne (*Camargue*, France)

Cambodgien, ienne (*Cambodge*, Asie)

Cambrésien, ienne (*Cambrai*, Nord)

Camerounais, aise (*Cameroun*, Afrique)

Canadien, ienne

Cananéen, enne

Canarien, enne (îles *Canaries*, Espagne)

Candiote ⇒ Crétois

Cannois, oise ou Cannais, aise (*Cannes*, Alpes-Maritimes)

Cantalien, ienne (*Cantal*, France)

Cantilien, ienne (*Chantilly*, Oise)

Capouan, ane (*Capoue*, Italie)

Caraïbe (*Caraïbes*)

Carcassonnais, aise ou Carcassonnois, oise (*Carcassonne*, Aude)

Carolorégien, ienne (*Charleroi*, Belgique)

Carpentrassien, ienne (*Carpentras*, Vaucluse)

Carquefolien, ienne (*Carquefou*, Loire-Atlantique)

Carriérois, oise (*Carrières-sur-Seine*, Yvelines)

Carthaginois, oise

Casablancais, aise (*Casablanca*, Maroc)

Cassiden, enne (*Cassis*, Bouches-du-Rhône)

Castelbriantais, aise (*Châteaubriant*, Loire-Atlantique)

Castellanais, aise (*Castellane*, Alpes-de-Haute-Provence)

Castellinois, oise ou Châteaulinois, oise (*Châteaulin*, Finistère)

Castelroussin, ine ou Châteauroussin, ine (*Châteauroux*, Indre)

Castelsalinois, oise (*Château-Salins*, Moselle)

Castelsarrasinois, oise (*Castelsarrasin*, Tarn-et-Garonne)

Castillan, ane

Castrais, aise (*Castres*, Tarn ; *La Châtre*, Indre)

Castro-Gontérien, ienne (*Château-Gontier*, Mayenne)

Castrothéodoricien, ienne (*Château-Thierry*, Aisne)

Catalan, ane

Caucasien, ienne

Cayennais, aise (*Cayenne*, Guyane)

Centrafricain, aine (*Centrafrique*)

Cerdan, ane ou Cerdagnol, ole (*Cerdagne*, Espagne)

Cérétan, ane (*Céret*, Pyrénées-Orientales)

Cévenol, ole (*Cévennes*, France)

Ceylanais, aise (île de *Ceylan*, Asie)
⇒ Cingalais

Chaldéen, enne

Chalonnais, aise (*Chalon-sur-Saône*, Saône-et-Loire)

Châlonnais, aise (*Châlons-sur-Marne*, Marne)

Chambérien, ienne (*Chambéry*, Savoie)

Chamoniard, iarde (*Chamonix*, Haute-Savoie)

Champenois, oise

Charentais, aise (*Charente*, France)

Charollais, aise (*Charolles*, Saône-et-Loire)

Chartrain, aine (*Chartres*, Eure-et-Loir)

Château-Chinonais, aise (*Château-Chinon*, Nièvre)

Châteaulinois, oise ⇒ Castellinois

Châteauroussin, ine ⇒ Castelroussin

Châtelleraudais, aise (*Châtellerault*, Vienne)

Chaumontois, oise ou Chaumontais, aise (*Chaumont*, Haute-Marne)

Chaurien, ienne (*Castelnaudary*, Aude)

Cherbourgeois, oise (*Cherbourg*, Manche)

Chicoutimien, enne (*Chicoutimi*, Canada)

Chilien, enne

Chinois, oise

Chinonais, aise (*Chinon*, Indre-et-Loire)

Choletais, aise (*Cholet*, Maine-et-Loire)

Chypriote (*Chypre*) ⇒ Cypriote

Cingalais, aise ⇒ Ceylanais

Ciotaden, enne (*La Ciotat*, Bouches-du-Rhône)

Ciréen, enne (*Cirey-sur-Vezouve*, Meurthe-et-Moselle)

Cisjordanien, enne (*Cisjordanie*)

Civraisien, ienne (*Civray*, Vienne)

Clamariot, iote ou Clamartois, oise (*Clamart*, Hauts-de-Seine)

Clamecyçois, oise (*Clamecy*, Nièvre)

Clermontois, oise (*Clermont-Ferrand*, Puy-de-Dôme ; *Clermont*, Oise)

Clodoaldien, ienne (*Saint-Cloud*, Hauts-de-Seine)

Clusien, ienne (*Cluses*, Haute-Savoie)

Cochinchinois, oise (*Cochinchine*, Asie)

Cognaçais, aise (*Cognac*, Charente)

Colmarien, ienne (*Colmar*, Haut-Rhin)

Colombien, enne (*Colombie*, Amérique du Sud)

Columérien, ienne (*Coulommiers*, Seine-et-Marne)

Commercien, ienne (*Commercy*, Meuse)

Comorien, ienne (*Comores*)

Compiégnois, oise (*Compiègne*, Oise)

Comtois, oise ou Franc-Comtois, oise (*Franche-Comté*, France)

Concarnois, oise (*Concarneau*, Finistère)

Condomois, oise (*Condom*, Gers)

Confolentais, aise ou Confolennais, aise (*Confolens*, Charente)

Congolais, aise

Constantinois, oise (*Constantine*, Algérie)

Corbeillais, aise ou Corbeillois, oise (*Corbeil-Essonnes*, Essonne)

Cordouan, ane (*Cordoue*, Espagne)

Coréen, enne

Corfiote (*Corfou*, Grèce)

Corse

Cortenais, aise (*Corte*, Corse)

Cosnois, oise (*Cosnes-sur-Loire*, Nièvre)

Costaricain, aine ou Costaricien, ienne (*Costa-Rica*, Amérique centrale)

Côtois, oise (*La Côte-Saint-André*, Isère)

Cotterézien, ienne (*Villers-Cotterêts*, Aisne)

Courtraisien, ienne (*Courtrai,* Belgique)
Coutançais, aise (*Coutances,* Manche)
Creillois, oise (*Creil,* Oise)
Crétois, oise ou Candiote (île de *Crète,* Grèce)
Creusois, oise (*Creuse,* France)
Croate (*Croatie,* Yougoslavie)
Croisicais, aise (*Le Croisic,* Loire-Atlantique)
Cubain, aine
Cypriote ou Chypriote

Dacquois, oise (*Dax,* Landes)
Dahoméen, enne
Dakarois, oise (*Dakar,* Sénégal)
Dalmate (*Dalmatie,* Yougoslavie)
Damascène (*Damas,* Syrie)
Danois, oise
Danubien, ienne (*Danube,* Europe centrale)
Dauphinois, oise
Délien, ienne ou Déliaque (*Délos,* Grèce)
Denaisien, ienne (*Denain,* Nord)
Déodatien, ienne (*Saint-Dié,* Vosges)
Dieppois, oise (*Dieppe,* Seine-Maritime)
Dignois, oise ou Dinien, ienne (*Digne,* Alpes-de-Haute-Provence)
Dijonnais, aise (*Dijon,* Côte-d'Or)
Dinannais, aise (*Dinan,* Côtes-du-Nord)
Dinien, ienne ⇒ Dignois
Diois, oise (*Die,* Drôme)
Dionysien, ienne (*Saint-Denis,* Seine-Saint-Denis)
Dolois, oise (*Dôle,* Jura)
Dominicain, aine (république *Dominicaine*)
Dominiquais, aise (République de *Dominique*)
Douaisien, ienne (*Douai,* Nord)
Douarneniste ou Douarnenézien, ienne (*Douarnenez,* Finistère)
Draguignanais, aise ou Dracenois, oise (*Draguignan,* Var)
Drouais, aise ou Durocasse (*Dreux,* Eure-et-Loir)
Dunkerquois, oise (*Dunkerque,* Nord)
Dunois, oise (*Châteaudun,* Eure-et-Loir)
Durocasse ⇒ Drouais

Ébroïcien, ienne (*Évreux,* Eure)
Écossais, aise
Édimbourgeois, oise (*Édimbourg,* Écosse)
Égyptien, ienne
Elbeuvien, ienne ⇒ Elbovien
Elbois, oise (île d'*Elbe,* Italie)
Elbovien, ienne ou Elbeuvien, ienne (*Elbeuf,* Seine-Maritime)
Équatorien, ienne (*Équateur,* Amérique du Sud)
Esclavon, onne
Espagnol, ole
Estonien, ienne ou Este
Étampois, oise (*Étampes,* Essonne)
États-Unien, enne
Éthiopien, enne
Étolien, enne (*Étolie,* Grèce)
Étrusque
Eurasien, enne (*Eurasie*)
Européen, enne
Euscarien, ienne ou Euskarien, ienne ⇒ Basque
Évahonnien, ienne (*Évaux-les-Bains,* Creuse)
Évianais, aise ((*Évian-les-Bains,* Haute-Savoie)
Évryen, enne (*Évry,* Essonne)

Faouëtais, aise (*Le Faouët,* Morbihan)
Fassi, ie (*Fez,* Maroc)
Fécampois, oise (*Fécamp,* Seine-Maritime)
Ferrarais, aise (*Ferrare,* Italie)
Ferton, onne (*Fère-Champenoise,* Marne)

Figeacois, oise (*Figeac,* Lot)
Finistérien, ienne (*Finistère,* France)
Finlandais, aise ou Finnois, oise
Flamand, ande
Flandrien, ienne (*Flandres*)
Fléchois, oise (*La Flèche,* Sarthe)
Flérien, ienne (*Flers-de-l'Orne,* Orne)
Fleurantin, ine (*Fleurance,* Gers)
Floracois, oise (*Florac,* Lozère)
Florentin, ine (*Florence,* Italie)
Florentinois, oise (*Saint-Florentin,* Yonne)
Fontenaisien, ienne (*Fontenay-le-Comte,* Vendée)
Forbachois, oise (*Forbach,* Moselle)
Forcalquiérais, aise (*Forcalquier,* Alpes-de-Haute-Provence)
Forgien, ienne (*Forges-les-Eaux,* Seine-Maritime)
Formosan, ane (*Formose,* Asie)
Fouesnantais, aise (*Fouesnant,* Finistère)
Fougerais, aise (*Fougères,* Ille-et-Vilaine)
Fourasin, ine (*Fouras,* Charente-Maritime)
Fourchambaltais, aise (*Fourchambault,* Nièvre)
Fourmésien, ienne ou Fourmisien, ienne (*Fourmies,* Nord)
Foyalais, aise (*Fort-de-France,* Martinique)
Foyen, enne (*Sainte-Foy-la-Grande,* Gironde)
Français, aise
Franc-Comtois, oise ⇒ Comtois
Francfortois, oise (*Francfort-sur-le-Main,* Allemagne)
Fréjussien, ienne (*Fréjus,* Var)
Fribourgeois, oise (*Fribourg,* Suisse)
Frison, onne
Fuégien, ienne
Fuxéen, enne (*Foix,* Ariège)

Gabalitain, aine (le *Gévaudan,* Lozère)
Gabonais, aise (*Gabon,* Afrique)
Gaditan, ane (*Cadix,* Espagne)
Galicien, ienne (*Galice,* Espagne)
Galiléen, enne
Gallois, oise
Gantois, oise (*Gand,* Belgique)
Gapençais, aise (*Gap,* Hautes-Alpes)
Gascon, onne
Gaspésien, ienne (péninsule de Gaspé ou *Gaspésie,* Canada)
Gaulois, oise
Genevois, oise (*Genève,* Suisse)
Génois, oise
Géorgien, enne
Gergolien, ienne (*Jargeau,* Loiret)
Germain, aine
Gessien, ienne (*Gex,* Ain)
Ghanéen, enne (*Ghana,* Afrique)
Giennois, oise (*Gien,* Loiret)
Girondin, ine
Gisorsien, ienne (*Gisors,* Eure)
Gourdonnais, aise (*Gourdon,* Lot)
Granbyen, enne (*Granby,* Canada)
Grassois, oise (*Grasse,* Alpes-Maritimes)
Grec, Grecque
Grenadin, ine (*Grenade,* Espagne)
Grenoblois, oise (*Grenoble,* Isère)
Grison, onne (canton des *Grisons,* Suisse)
Groenlandais, aise (*Groenland,* Amérique du Nord)
Guadeloupéen, enne (*Guadeloupe,* Antilles fr.)
Guatémalien, ienne ou Guatémaltèque (*Guatemala,* Amérique centrale)
Guebvillérois, oise (*Guebwiller,* Haut-Rhin)
Guérandais, aise (*Guérande,* Loire-Atlantique)
Guérétois, oise (*Guéret,* Creuse)
Guernesiais, aise (île de *Guernesey,* Grande-Bretagne)

Guinéen, enne (*Guinée*, Afrique)
Guingampois, oise (*Guingamp*, Côtes-du-Nord)
Guyanais, aise (*Guyane*, Amérique du Sud)

Hagetmautien, ienne (*Hagetmau*, Landes)
Haguenois, oise (*La Haye*, Hollande)
Haguenovien, ienne (*Haguenau*, Bas-Rhin)
Hainuyer, ère (*Hainaut*, Belgique)
 ⇒ Hannuyer
Haïtien, enne (*Haïti*, Amérique centrale)
Haligonien, ienne (*Halifax*, Canada)
Hallicourtois, oise (*Hallicourt*, Pas-de-Calais)
Hambourgeois, oise (*Hambourg*, Allemagne)
Hamois, oise (*Ham*, Somme)
Hannuyer, ère (*Hainaut*, Belgique) ⇒ Hainuyer,
 Hennuyer
Hanovrien, ienne (*Hanovre*, Allemagne)
Havanais, aise
Havrais, aise (*Le Havre*, Seine-Maritime)
Hawaïen, enne (îles *Hawaï*, Polynésie)
Haytillon, onne (*La Haye-du-Puits*, Manche)
Hédéen, enne (*Hédée*, Ille-et-Vilaine)
Hellène
Hendayais, aise (*Hendaye*, Pyrénées-Atlantiques)
Hennebontais, aise (*Hennebont*, Morbihan)
Hennuyer, ère (*Hainaut*, Belgique) ⇒ Hainuyer,
 Hannuyer
Hiérosolymite ou Hiérosolymitain, aine (*Jérusalem*,
 Israël)
Himalayen, enne (*Himalaya*, Asie)
Hirsonnais, aise (*Hirson*, Aisne)
Hollandais, aise *(Pays-Bas)* ⇒ Néerlandais
Hondurien, ienne (*Honduras*, Amérique centrale)
Honfleurais, aise ou Honfleurois, oise (*Honfleur*,
 Calvados)
Hongrois, oise (*Hongrie*) ⇒ Magyar
Hullois, oise (*Hull*, Canada)
Hyérois, oise (*Hyères*, Var)

Ibère
Indien, ienne
Indochinois, oise
Indonésien, enne
Ionien, ienne
Irakien, ienne (*Iraq* ou *Irak*, Proche-Orient)
Iranien, ienne
Irlandais, aise
Isérois, oise ou Iseran, ane (*Isère*, France)
Isignais, aise (*Isigny-sur-Mer*, Calvados)
Islandais, aise
Islois, oise (*L'Isle-Jourdain*, Gers)
Israélien, ienne (*Israël*, Proche-Orient)
Ississois, oise (*Issy-les-Moulineaux*, Hauts-de-Seine)
Issoirien, ienne ⇒ Issorien
Issoldunois, oise ou Issoudunois, oise (*Issoudun*,
 Indre)
Issorien, ienne ou Issoirien, ienne (*Issoire*, Puy-de-
 Dôme)
Istanbuliote (*Istanbul*, Turquie)
Italien, enne
Ivoirien, ienne (*Côte-d'Ivoire*, Afrique)

Jamaïquain, aine
Japonais, aise
Javanais, aise
Jersiais, aise (île de *Jersey*)
Joinvillois, oise (*Joinville*, Haute-Marne)
Jonzacais, aise (*Jonzac*, Charente-Maritime)
Jordanien, enne
Juliénois, oise (*Saint-Julien-en-Genevois*, Haute-
 Savoie)

Jurassien, ienne

Kabyle
Kalmouk ou Kalmuk (*Kalmoukie*, Union
 soviétique)
Kazakh, e (*Kazakhstan*, Union soviétique)
Kényan, ane (*Kenya*, Afrique)
Kinois, oise (*Kinshasa*, Zaïre)
Kirghiz, e (*Kirghizistan*, Union soviétique)
Koweitien, ienne (*Koweit*, Arabie)

Labradorien, ienne (péninsule du *Labrador*, Canada)
Lacaunois, oise (*Lacaune*, Tarn)
Lachinois, oise (*Lachine*, Canada)
Lagneusin, ine (*Lagnieu*, Ain)
Landais, aise
Landernéen, enne (*Landerneau*, Finistère)
Landivisien, enne (*Landivisiau*, Finistère)
Landrecien, enne (*Landrecies*, Nord)
Langonais, aise (*Langogne*, Lozère)
Langonnais, aise (*Langon*, Gironde)
Langrois, oise (*Langres*, Haute-Marne)
Languedocien, ienne (*Languedoc*, France)
Lanmeurien, ienne (*Lanmeur*, Finistère)
Lannionais, aise (*Lannion*, Côtes-du-Nord)
Laonnois, oise (*Laon*, Aisne)
Laotien, ienne
Lapalissois, oise (*Lapalisse*, Allier)
Lapon, one
Lasallien, ienne (*Lasalle*, Canada)
Latino-Américain (*Amérique latine*)
Laurentien, ienne (*Saint-Laurent*, Canada)
Lausannois, oise (*Lausanne*, Suisse)
Lavallois, oise (*Laval*, Canada ; *Laval*, Mayenne)
Lédonien, ienne (*Lons-le-Saulnier*, Jura)
Leipzigois, oise (*Leipzig*, Allemagne)
Lensois, oise (*Lens*, Pas-de-Calais)
Léonais, aise ou Léonard, arde (pays de *Léon*,
 Bretagne)
Léonais, aise, Léonard, arde, ou Saint-Politain, aine
 (*Saint-Pol-de-Léon*, Finistère)
Lesbien, ienne
Lescarien, ienne (*Lescar*, Pyrénées-Atlantiques)
Lesparrain, aine (*Lesparre-Médoc*, Gironde)
Letton, onne, Lette ou Latvien, enne
Levantin, ine
Libanais, aise
Libérien, enne (*Liberia*, Afrique)
Libournais, aise (*Libourne*, Gironde)
Librevillois, oise (*Libreville*, Gabon)
Libyen, enne (*Libye*, Afrique)
Liégeois, oise
Ligurien, enne (*Ligurie*, Italie)
Lillois, oise (*Lille*, Nord)
Liménien, ienne (*Lima*, Pérou)
Limousin, ine ou Limougeaud, eaude
Limouxin, ine (*Limoux*, Aude)
Lisbonnin, ine (*Lisbonne*, Portugal)
Lituanien, enne ou Lithuanien, enne
Livournais, aise (*Livourne*, Italie)
Lochois, oise (*Loches*, Indre-et-Loire)
Loctudyste (*Loctudy*, Finistère)
Lodévois, oise (*Lodève*, Hérault)
Lombard, arde
Loméen, enne (*Lomé*, Togo)
Lommois, oise (*Lomme*, Nord)
Londonien, ienne (*Londres*, Angleterre)
Longjumellois, oise (*Longjumeau*, Essonne)
Longnycien, enne (*Longny-au-Perche*, Orne)
Longovicien, ienne (*Longwy*, Meurthe-et-Moselle)
Loossois, oise (*Loos*, Nord)
Lorrain, aine

Losnais, aise (*Saint-Jean-de-Losne,* Côte-d'Or)
Loudéacien, ienne (*Loudéac,* Côtes-du-Nord)
Loudunois, oise (*Loudun,* Vienne)
Louhannais, aise (*Louhans,* Saône-et-Loire)
Louisianais, aise (*Louisiane,* États-Unis)
Lourdois, oise ou Lourdais, aise (*Lourdes,* Hautes-Pyrénées)
Louvaniste (*Louvain,* Belgique)
Lovérien, ienne (*Louviers,* Eure)
Lucanien, enne (*Lucanie,* Italie)
Luciennois, oise (*Louveciennes,* Yvelines)
Lucquois, oise (*Lucques,* Italie)
Lunévillois, oise (*Lunéville,* Meurthe-et-Moselle)
Lurcyquais, aise ((*Lurcy-Lévis,* Allier)
Luron, onne (*Lure,* Haute-Saône)
Lusitanien, enne ou Lusitain, aine ⇒ Portugais
Lussacois, oise (*Lussac,* Gironde)
Luxembourgeois, oise (*Luxembourg,* Europe)
Luzarchois, oise (*Luzarches,* Val-d'Oise)
Luzien, ienne (*Saint-Jean-de-Luz,* Pyrénées-Atlantiques)
Lydien, enne
Lyonnais, aise (*Lyon,* Rhône)
Lyonsais, aise (*Lyons-la-Forêt,* Eure)

Macédonien, ienne (*Macédoine,* Grèce)
Macérien, ienne (*Mézières,* Ardennes)
Machecoulois, oise (*Machecoul,* Loire-Atlantique)
Mâconnais, aise (*Mâcon,* Saône-et-Loire)
Madelinot, Madelinienne (îles de la *Madeleine,* Canada)
Madérien, ienne ou Madérois, oise (*Madère,* Portugal)
Madrilène (*Madrid,* Espagne)
Maghrébin, ine (*Maghreb,* Afrique)
Magyar, e ⇒ Hongrois
Maintenonnois, oise (*Maintenon,* Eure-et-Loir)
Majorquin, ine (*Majorque,* Espagne)
Malabare (*Malabar,* Inde)
Malais, aise et Malaysien, enne (*Malaisie* et *Malaysia*)
Malgache
Malien, enne (*Mali,* Afrique)
Malinois, oise (*Malines,* Belgique)
Malouin, ine (*Saint-Malo,* Ille-et-Vilaine)
Maltais, aise (*Malte,* Europe)
Mamertin, ine (*Mamers,* Sarthe)
Manceau, elle (*Maine,* France ; région du *Mans,* France)
Mandchou, e (*Mandchourie*)
Manitobain, aine (*Manitoba,* Canada)
Mannois, oise (île de *Man,* Grande-Bretagne)
Manosquin, ine (*Manosque,* Alpes-de-Haute-Provence)
Mantais, aise (*Mantes-la-Jolie,* Yvelines)
Mantevillois, oise (*Mantes-la-Ville,* Yvelines)
Mantouan, ane (*Mantoue,* Italie)
Marandais, aise (*Marans,* Charente-Maritime)
Marcquois, oise (*Marcq-en-Barœul,* Nord)
Marennais, aise (*Marennes,* Charente-Maritime)
Marignanais, aise (*Marignane,* Bouches-du-Rhône)
Maringois, oise (*Maringues,* Puy-de-Dôme)
Marlois, oise (*Marle,* Aisne)
Marlychois, oise (*Marly-le-Roi,* Yvelines)
Marmandais, aise (*Marmande,* Lot-et-Garonne)
Marocain, aine
Marommais, aise (*Maromme,* Seine-Maritime)
Marseillais, aise (*Marseille,* Bouches-du-Rhône) ⇒ Massaliote, Phocéen
Martégaux ou Martigaux [plur.] (*Martigues,* Bouches-du-Rhône)
Martien, ienne

Martiniquais, aise (*Martinique,* Antilles fr.)
Marvejolais, aise (*Marvejols,* Lozère)
Maskoutain, aine (*Saint-Hyacinthe,* Canada)
Masopolitain, aine (*Masevaux,* Haut-Rhin)
Massaliote ⇒ Marseillais
Mathalien, ienne (*Matha,* Charente-Maritime)
Maubeugeois, oise (*Maubeuge,* Nord)
Maubourguetois, oise (*Maubourguet,* Hautes-Pyrénées)
Maure ou More
Mauriacois, oise (*Mauriac,* Cantal)
Mauricien, ienne (île *Maurice,* océan Indien)
Maxipontain, aine ou Pontois, oise (*Pont-Sainte-Maxence,* Oise)
Mayençais, aise (*Mayence,* Allemagne)
Mayennais, aise (*Mayenne,* dép. et ville de France)
Mazamétain, aine (*Mazamet,* Tarn)
Mélanésien, enne
Meldois, oise (*Meaux,* Seine-et-Marne)
Melunois, oise, Melunais, aise ou Melodunois, oise (*Melun,* Seine-et-Marne)
Mendois, oise (*Mende,* Lozère)
Menehildien, ienne ou Menehouldien, ienne (*Sainte-Menehould,* Marne)
Mennetousien, ienne (*Mennetou-sur-Cher,* Loir-et-Cher)
Mentonnais, aise (*Menton,* Alpes-Maritimes)
Merdrignacien, ienne (*Merdrignac,* Côtes-du-Nord)
Mersois, oise (*Mers-les-Bains,* Somme)
Mervillois, oise (*Merville,* Nord)
Mesnilois, oise (*Le Mesnil-le-Roi,* Yvelines)
Mésopotamien, enne
Messin, ine (*Metz,* Moselle)
Meudonnais, aise (*Meudon,* Hauts-de-Seine)
Meulanais, aise (*Meulan,* Yvelines)
Meurisaltien, ienne (*Meursault,* Côte d'Or)
Mexicain, aine
Meyrueisien, ienne (*Meyrueis,* Lozère)
Milanais, aise (*Milan,* Italie)
Millavois, oise (*Millau,* Aveyron)
Milliacois, oise (*Milly-la-Forêt,* Essonne)
Mimizannais, aise (*Mimizan,* Landes)
Minhote (*Minho,* Portugal)
Minorquin, ine (*Minorque,* Espagne)
Miramassen, enne (*Miramas,* Bouches-du-Rhône)
Mirandais, aise (*Mirande,* Gers)
Mirapicien, ienne (*Mirepoix,* Ariège)
Mirebalais, aise (*Mirebeau,* Vienne)
Miribelan, ane (*Miribel,* Ain)
Modanais, aise (*Modane,* Savoie)
Modénais, aise (*Modène,* Italie)
Mohonnais, aise (*Mohon,* Ardennes)
Moirantin, ine (*Moirans-en-Montagne,* Jura)
Moissagais, aise (*Moissac,* Tarn-et-Garonne)
Moldave (*Moldavie,* Roumanie)
Moncoutantais, aise (*Moncoutant,* Deux-Sèvres)
Monégasque
Mongol, ole
Monistrolien, ienne (*Monistrol-sur-Loire,* Haute-Loire)
Monpaziérais, aise (*Monpazier,* Dordogne)
Monségurais, aise (*Monségur,* Gironde)
Montacutain, aine ou Montaigusien, ienne (*Montaigu,* Vendée)
Montalbanais, aise (*Montauban,* Tarn-et-Garonne)
Montargois, oise (*Montargis,* Loiret)
Montbardois, oise (*Montbard,* Côte-d'Or)
Montbéliardais, aise (*Montbéliard,* Doubs)
Montbrisonnais, aise (*Montbrison,* Loire)
Montbronnais, aise (*Montbron,* Charente)
Montcellien, ienne (*Montceau-les-Mines,* Saône-et-Loire)
Montchaninois, oise (*Montchanin,* Saône-et-Loire)
Montcinois, oise (*Montcenis,* Saône-et-Loire)

Montcuquois, oise (*Montcuq,* Lot)
Montdidérien, ienne (*Montdidier,* Somme)
Montdorien, ienne (*Mont-Dore,* Puy-de-Dôme)
Monténégrin, ine (*Monténégro,* Yougoslavie)
Montilien, ienne (*Montélimar,* Drôme)
Montluçonnais, aise (*Montluçon,* Allier)
Montmartrois, oise (*Montmartre,* Paris)
Montmorencien, ienne (*Montmorency,* Val-d'Oise)
Montmorillonnais, aise (*Montmorillon,* Vienne)
Montois, oise (*Mont-de-Marsan,* Landes)
Montois, oise (*Mons,* Nord)
Montpelliérain, aine (*Montpellier,* Hérault)
Montponnais, aise (*Montpon-Ménestérol,* Dordogne)
Montréalais, aise (*Montréal,* Canada)
Montréjeaulais, aise (*Montréjeau,* Haute-Garonne)
Montreuillois, oise (*Montreuil-sous-Bois,* Seine-Saint-Denis)
Montrichardois, oise (*Montrichard,* Loir-et-Cher)
Montrougien, ienne (*Montrouge,* Hauts-de-Seine)
Morave (*Moravie,* Tchécoslovaquie)
Morcenais, aise (*Morcenx,* Landes)
Morétain, aine (*Moret-sur-Loing,* Seine-et-Marne)
Morlaisien, ienne (*Morlaix,* Finistère)
Morlan, ane (*Morlaas,* Pyrénées-Atlantiques)
Mortagnais, aise (*Mortagne-au-Perche,* Orne)
Mortinais, aise (*Mortain,* Manche)
Mortuassien, ienne ou Mortuacien, ienne (*Morteau,* Doubs)
Morzinois, oise (*Morzine,* Haute-Savoie)
Moscovite (*Moscou,* Union soviétique)
Moulinois, oise (*Moulins,* Allier)
Mouysard, arde (*Mouy,* Oise)
Mouzonnais, aise (*Mouzon,* Ardennes)
Mulhousien, ienne (*Mulhouse,* Haut-Rhin)
Munichois, oise (*Munich,* Allemagne)
Muratais, aise (*Murat,* Cantal)
Muretin, ine (*Muret,* Haute-Garonne)
Murois, oise (*La Mure,* Isère)
Murviellois, oise (*Murviel-lès-Béziers,* Hérault)
Mussipontain, aine (*Pont-à-Mousson,* Meurthe-et-Moselle)
Mycénien, ienne

Namurois, oise (*Namur,* Belgique)
Nancéien, ienne (*Nancy,* Meurthe-et-Moselle)
Nantais, aise (*Nantes,* Loire-Atlantique)
Nanterrois, oise (*Nanterre,* Hauts-de-Seine)
Nantuatien, ienne (*Nantua,* Ain)
Napolitain, aine
Narbonnais, aise (*Narbonne,* Aude)
Navarrais, aise (*Navarre,* Espagne)
Nazairien, ienne (*Saint-Nazaire,* Loire-Atlantique)
Nazaréen, enne
Néerlandais, aise ⇒ Hollandais
Nemourien, ienne (*Nemours,* Seine-et-Marne)
Néo-Calédonien, enne (*Nouvelle-Calédonie,* Océanie)
Néocastrien, ienne (*Neufchâteau,* Vosges)
Néodanien, ienne (*Neuves-Maisons,* Meurthe-et-Moselle)
Néo-Écossais, aise (*Nouvelle-Écosse,* Canada)
Néo-Zélandais, aise
Népalais, aise (*Népal,* Asie)
Néracais, aise (*Nérac,* Lot-et-Garonne)
Neuchâtelois, oise (*Neuchâtel,* Suisse)
Neufchâtelois, oise (*Neufchâtel-en-Bray,* Seine-Maritime)
Neulléen, enne (*Neuilly,* Hauts-de-Seine)
Neustrien, ienne
Neuvicois, oise (*Neuvic,* Corrèze)
Neuvillois, oise (*Neuville-de-Poitou,* Vienne)
New-Yorkais, aise (*New York,* États-Unis)
Nicaraguayen, enne (*Nicaragua,* Amérique centrale)

Niçois, oise (*Nice,* Alpes-Maritimes)
Nigerian, ane (*Nigeria,* Afrique)
Nigérien, ienne (*Niger,* Afrique)
Nîmois, oise (*Nîmes,* Gard)
Niortais, aise (*Niort,* Deux-Sèvres)
Nivellois, oise (*Nivelles,* Belgique)
Nivernais, aise (*Nevers,* Nièvre)
Nocéen, enne (*Neuilly-Plaisance,* Seine-Saint-Denis)
Nogarolien, ienne (*Nogaro,* Gers)
Nogentais, aise (*Nogent-en-Bassigny,* Haute-Marne ; *Nogent-le-Roi,* Eure-et-Loir ; *Nogent-sur-Marne,* Val-de-Marne ; *Nogent-sur-Oise,* Oise)
Noirmoutrin, ine (*Noirmoutier-en-l'Île,* Vendée)
Nolaytois, oise (*Nolay,* Côte-d'Or)
Nonancourtois, oise (*Nonancourt,* Eure)
Nontronnais, aise (*Nontron,* Dordogne)
Nord-Africain, aine
Nord-Américain, aine
Nord-Coréen, enne
Normand, ande
Norvégien, ienne
Nubien, enne (*Nubie,* Afrique)
Nuiton, onne (*Nuits-Saint-Georges,* Côte-d'Or)
Numide
Nyonsais, aise (*Nyons,* Drôme)

Océanien, enne
Oléronais, aise (île d'*Oléron,* Charente-Maritime)
Ollierguois, oise (*Olliergues,* Puy-de-Dôme)
Oloronais, aise (*Oloron-Sainte-Marie,* Pyrénées-Atlantiques)
Ombrien, ienne
Ontarien, enne (*Ontario,* Canada)
Oranais, aise (*Oran,* auj. Ouahran, Algérie)
Orangeois, oise (*Orange,* Vaucluse)
Orléanais, aise (*Orléans,* Loiret)
Orlysien, ienne (*Orly,* Val-de-Marne)
Ormessonnais, aise (*Ormesson-sur-Marne,* Val-de-Marne)
Ornanais, aise (*Ornans,* Doubs)
Ostendais, aise (*Ostende,* Belgique)
Ottoman, ane
Ouagalais, aise (*Ouagadougou,* Burkina)
Ouessantin, ine ou Ouessantais, aise (île d'*Ouessant,* Finistère)
Ougandais, aise (*Ouganda,* Afrique)
Outremontais, aise (*Outremont,* Canada)
Oxonien, ienne ou Oxfordien, ienne (*Oxford,* Angleterre)
Oyonnaxien, ienne (*Oyonnax,* Ain)

Pacéen, enne (*Pacy-sur-Eure,* Eure)
Padouan, ane (*Padoue,* Italie)
Paimblotin, ine (*Paimbœuf,* Loire-Atlantique)
Paimpolais, aise (*Paimpol,* Côtes-du-Nord)
Pakistanais, aise
Palaisien, ienne (*Palaiseau,* Essonne)
Palaldéen, enne ⇒ Amélien
Palermitain, aine ou Panormitain, aine (*Palerme,* Italie)
Palestinien, ienne (*Palestine,* Proche-Orient)
Palois, oise (*Pau,* Pyrénées-Atlantiques)
Panaméen, enne ou Panamien, ienne (*Panama,* Amérique centrale)
Pantinois, oise (*Pantin,* Seine-Saint-Denis)
Paraguayen, enne (*Paraguay,* Amérique du Sud)
Parisien, ienne
Parmesan, ane (*Parme,* Italie)
Parodien, ienne (*Paray-le-Monial,* Saône-et-Loire)
Parthenaisien, ienne (*Parthenay,* Deux-Sèvres)
Pauillacais, aise (*Pauillac,* Gironde)
Paulopolitain, aine ⇒ Saint-Polais

Pavesan, ane (*Pavie,* Italie)
Péageois, oise (*Bourg-de-Péage,* Drôme)
Pékinois, oise
Péloponnésien, ienne (*Péloponnèse,* Grèce)
Pennsylvanien, enne (*Pennsylvanie,* États-Unis)
Percheron, onne
Percyais, aise (*Percy,* Manche)
① Périgourdin, ine (*Périgord,* France)
② Périgourdin, ine ou Prétocorien, ienne (*Périgueux,* Dordogne)
Pernois, oise (*Pernes-les-Fontaines,* Vaucluse)
Péronnais, aise (*Péronne,* Somme)
Pérougien, ienne (*Pérouges,* Ain)
Perpignanais, aise (*Perpignan,* Pyrénées-Orientales)
Persan, ane
Persannais, aise (*Persan,* Val-d'Oise)
Pérugin, ine (*Pérouse,* Italie)
Péruvien, ienne
Pétrifontin, ine (*Pierrefonds,* Oise)
Phalsbourgeois, oise (*Phalsbourg,* Moselle)
Phénicien, enne
Philadelphien, enne (*Philadelphie,* États-Unis)
Philippin, ine (*Philippines,* Océanie)
Phocéen, enne ⇒ Marseillais
Phocidien, ienne (*Phocide,* Grèce)
Picard, arde
Piémontais, aise
Pierrefittois, oise (*Pierrefitte-sur-Aire,* Meuse)
Pierrelattin, ine (*Pierrelatte,* Drôme)
Piscénois, oise (*Pézenas,* Hérault)
Pisciacais, aise (*Poissy,* Yvelines)
Pithivérien, ienne (*Pithiviers,* Loiret)
Placentin, ine (*Plaisance,* Italie)
Plouescatais, aise (*Plouescat,* Finistère)
Plouhatin, ine (*Plouha,* Côtes-du-Nord)
Podot, ote ⇒ Ponot
Pointois, oise ou Pointe-Noirais, aise (*Pointe-à-Pitre,* Guadeloupe)
① Poitevin, ine (*Poitou,* France)
② Poitevin, ine (*Poitiers,* Vienne)
Polinois, oise (*Poligny,* Jura)
Polonais, aise
Polynésien, enne (*Polynésie,* Océanie)
Pompéien, ienne
Poncinois, oise (*Poncin,* Ain)
Ponot, ote ou Podot, ote (*Le Puy,* Haute-Loire)
Pontaudemérien, ienne (*Pont-Audemer,* Eure)
Pontaveniste (*Pont-Aven,* Finistère)
Pontépiscopien, ienne (*Pont-l'Évêque,* Calvados)
Pontinois, oise (*Pont-de-Chéruy,* Isère)
Pontissalien, ienne (*Pontarlier,* Doubs)
Pontivien, ienne (*Pontivy,* Morbihan)
Pont-l'Abbiste (*Pont-l'Abbé,* Finistère)
Pontois, oise ⇒ Maxipontain
Pontois, oise (*Pons,* Charente-Maritime ; *Pont-en-Royans,* Isère ; *Pont-sur-Yonne,* Yonne)
Pontoisien, ienne (*Pontoise,* Val-d'Oise)
Pontorsonnais, aise (*Pontorson,* Manche)
Pontrivien, ienne (*Pontrieux,* Côtes-du-Nord)
Pornicais, aise (*Pornic,* Loire-Atlantique)
Pornichétin, ine (*Pornichet,* Loire-Atlantique)
Portais, aise (*Port-Sainte-Marie,* Lot-et-Garonne)
Portugais, aise (*Portugal,* Europe) ⇒ Lusitanien
Pouillonais, aise (*Pouillon,* Landes)
Poyais, aise (*Poix,* Somme)
Pradéen, enne (*Prades,* Pyrénées-Orientales)
Prémerycois, oise (*Prémery,* Nièvre)
Prétocorien, ienne ⇒ ② Périgourdin
Privadois, oise (*Privas,* Ardèche)
Provençal, ale, aux
Provinois, oise (*Provins,* Seine-et-Marne)
Prussien, ienne
Pugétin, ine (*Puget-Théniers,* Alpes-Maritimes)
Puisatin, ine (*Puiseaux,* Loiret)

Pyrénéen, enne

Québécois, oise
Quercinois, oise (le *Quercy,* France)
Quercitain, aine, (*le Quesnoy,* Nord)
Quiberonnais, aise (*Quiberon,* Morbihan)
Quillanais, aise (*Quillan,* Aude)
Quillebois, oise (*Quillebeuf-sur-Seine,* Eure)
Quimperlois, oise (*Quimperlé,* Finistère)
Quimpérois, oise (*Quimper,* Finistère)

Rabastinois, oise (*Rabastens,* Tarn)
Ragnabertois, oise (*Saint-Rambert-sur-Loire,* Loire)
Raismois, oise (*Raismes,* Nord)
Rambolitain, aine (*Rambouillet,* Yvelines)
Rambuvetais, aise (*Rambervilliers,* Vosges)
Ravennate (*Ravenne,* Italie)
Redonnais, aise (*Redon,* Ille-et-Villaine)
Réginaborgien, ienne (*Bourg-la-Reine,* Hauts-de-Seine)
Réien, ienne (*Riez,* Alpes-de-Haute-Provence)
Rémois, oise (*Reims,* Marne)
Renazéen, enne (*Renazé,* Mayenne)
Rennais, aise (*Rennes,* Ille-et-Vilaine)
Réolais, aise (*La Réole,* Gironde)
Restérien, ienne (*Retiers,* Ille-et-Villaine)
Rethélois, oise (*Rethel,* Ardennes)
Réunionnais, aise (île de la *Réunion,* océan Indien)
① Rhénan, ane (*Rhénanie*)
② Rhénan, ane (*Rhin*)
Rhétais, aise (île de *Ré,* Charente-Maritime)
Rhodien, ienne (île de *Rhodes,* Grèce)
Ribeauvilléen, enne (*Ribeauvillé,* Haut-Rhin)
Riceton, one (*Les Riceys,* Aube)
Rifain, aine (*Rif,* Maroc)
Riomois, oise (*Riom,* Puy-de-Dôme)
Ripagérien, ienne (*Rive-de-Gier,* Loire)
Rivesaltais, aise (*Rivesaltes,* Pyrénées-Orientales)
Rivois, oise (*Rives,* Isère)
Roannais, aise (*Roanne,* Loire)
Romarimontain, aine (*Remiremont,* Vosges)
Roubaisien, ienne (*Roubaix,* Nord)
Rouennais, aise (*Rouen,* Seine-Maritime)
Rouergat, ate (*Rouergue,* France)
Rougéen, enne (*Rougé,* Loire-Atlantique)
Roumain, aine
Roussillonnais, aise (*Roussillon,* Isère)
Roybonnais, aise (*Roybon,* Isère)
Royen, enne (*Roye,* Somme)
Royéraud, aude (*Royère,* Creuse)
Rueillois, oise (*Rueil-Malmaison,* Hauts-de-Seine)
Ruffécois, oise (*Ruffec,* Charente)
Rumulien, enne (*Rumilly,* Haute-Savoie)
Russe
Ruthénois, oise (*Rodez,* Aveyron)

Sabéen, enne
Sablais, aise (*Les Sables-d'Olonne,* Vendée)
Sabolien, ienne (*Sablé-sur-Sarthe,* Sarthe)
Sabrin, ine ou Sabringot, ote (*Sabres,* Landes)
Saint-Affricain, aine (*Saint-Affrique,* Aveyron)
Saint-Agrévois, oise (*Saint-Agrève,* Ardèche)
Saint-Aignanais, aise (*Saint-Aignan,* Loir-et-Cher)
Saintais, aise ou Santon, one (*Saintes,* Charente-Maritime)
Saint-Alvérois, oise (*Saint-Alvère,* Dordogne)
Saint-Amandinois, oise (*Saint-Amand-Mont-Rond,* Cher)
Saint-Andréen, enne (*Saint-André-les-Alpes,* Alpes-de-Haute-Provence)

Saint-Aubinais, aise (*Saint-Aubin-sur-Mer,* Calvados)
Saint-Béatais, aise (*Saint-Béat,* Haute-Garonne)
Saint-Céréen, enne (*Saint-Céré,* Lot)
Saint-Chamonais, aise (*Saint-Chamond,* Loire)
Saint-Chinianais, aise (*Saint-Chinian,* Hérault)
Saint-Claudien, ienne (*Saint-Claude,* Jura)
Sainte-Crix (*Sainte-Croix,* Suisse)
Saint-Cyrien, ienne (*Saint-Cyr-l'École,* Yvelines)
Saint-Fidéen, enne (*Sainte-Foy,* Canada)
Saint-Foniard, arde (*Saint-Fons,* Rhône)
Saint-Fulgentais, aise (*Saint-Fulgent,* Vendée)
Saint-Gallois, oise (*Saint-Gall,* Suisse)
Saint-Gaudinois, oise (*Saint-Gaudens,* Haute-Garonne)
Saint-Germinois, oise (*Saint-Germain-en-Laye,* Yvelines)
Saint-Gillois, oise (*Saint-Gilles,* Gard)
Saint-Gironnais, aise (*Saint-Girons,* Ariège)
Saint-Julien, enne (*Saint-Julien-Chapteuil,* Haute-Loire)
Saint-Juniaud, aude (*Saint-Junien,* Haute-Vienne)
Saint-Justois, oise (*Saint-Just-en-Chaussée,* Oise)
Saint-Laurentin, ine (*Saint-Laurent-du-Pont,* Isère ; *Saint-Laurent-de-Neste,* Hautes-Pyrénées)
Saint-Lois, oise (*Saint-Lô,* Manche)
Saint-Maixentais, aise (*Saint-Maixent-l'École,* Deux-Sèvres)
Saint-Marcellinois, oise (*Saint-Marcellin,* Isère)
Saint-Martinois, oise (*Saint-Martin-Vésubie,* Alpes-Maritimes)
Saintois, oise (*Saintes-Maries-de-la-Mer,* Bouches-du-Rhône)
Saintongeais, aise (*Saintonge,* France)
Saint-Paulais, aise (*Saint-Paul-de-Fenouillet,* Pyrénées-Orientales)
Saint-Pérollais, aise (*Saint-Péray,* Ardèche)
Saint-Pierrais, aise (*Saint-Pierre-et-Miquelon,* océan Atlantique)
Saint-Pierrois, oise (*Saint-Pierre-le-Moûtier,* Nièvre)
Saint-Polais, aise ou Paulopolitain, aine (*Saint-Pol-sur-Ternoise,* Pas-de-Calais)
Saint-Politain, aine ⇒ Léonais
Saint-Ponais, aise (*Saint-Pons,* Hérault)
Saint-Pourcinois, oise ou Sanpourcinois, oise (*Saint-Pourçain-sur-Sioule,* Allier)
Saint-Quentinois, oise (*Saint-Quentin,* Aisne)
Saint-Rémois, oise (*Saint-Rémy-sur-Durolle,* Puy-de-Dôme)
Saint-Servantin, ine ou Servannais, aise (*Saint-Servan-sur-Mer,* Ille-et-Vilaine)
Salersois, oise (*Salers,* Cantal)
Salinois, oise (*Salins-les-Bains,* Jura)
Salisien, ienne (*Salies-de-Béarn,* Pyrénées-Atlantiques)
Sallanchois, oise ou Sallanchard, arde (*Sallanches,* Haute-Savoie)
Salonicien, ienne (*Salonique,* Grèce)
Samaritain, aine
Samien, ienne ou Samiote (*Samos,* Grèce)
Sammiellois, oise (*Saint-Mihiel,* Meuse)
Samoënsien, ienne ou Samoentin, ine (*Samoëns,* Haute-Savoie)
Sancerrois, oise (*Sancerre,* Cher)
Sanflorin, ine (*Saint-Flour,* Cantal)
Sanpourcinois, oise ⇒ Saint-Pourcinois
Santon, one ⇒ Saintais
Sarde
Sarladais, aise (*Sarlat,* Dordogne)
Sarrebruckois, oise (*Sarrebruck,* Allemagne)
Sarrois, oise (*Sarre,* Allemagne)
Sartenais, aise ou Sartinois, oise (*Sartène,* Corse)
Sarthois, oise (*Sarthe,* France)
Sartinois, oise ⇒ Sartenais

Saskatchewannais, aise (*Saskatchewan,* Canada)
Saulxuron, onne (*Saulxures-sur-Moselotte,* Vosges)
Saumurois, oise (*Saumur,* Maine-et-Loire)
Sauveterrat, ate (*Sauveterre-de-Rouergue,* Aveyron)
Savenaisien, ienne (*Savenay,* Loire-Atlantique)
Savernois, oise (*Saverne,* Bas-Rhin)
Savinien, ienne (*Savigny-sur-Orge,* Essonne)
Savoyard, arde ou Savoisien, ienne
Saxon, onne
Scandinave
Scéen, enne (*Sceaux,* Hauts-de-Seine)
Sédanais, aise (*Sedan,* Ardennes)
Sédélocien, ienne (*Saulieu,* Côte-d'Or)
Seclinois, oise (*Seclin,* Nord)
Ségovien, enne (*Ségovie,* Espagne)
Segréen, enne (*Segré,* Maine-et-Loire)
Sélestadien, ienne (*Sélestat,* Bas-Rhin)
Semurois, oise (*Semur-en-Auxois,* Côte-d'Or)
Sénégalais, aise
Sénégambien, enne (*Sénégambie,* Afrique)
Sénézien, ienne (*Senez,* Alpes-de-Haute-Provence)
Senlisien, ienne (*Senlis,* Oise)
Sénonais, aise (*Sens,* Yonne)
Serbe
Servannais, aise ⇒ Saint-Servantin
Sétois, oise (*Sète,* Hérault)
Seurrois, oise (*Seurre,* Côte-d'Or)
Séveraguais, aise (*Séverac-le-Château,* Aveyron)
Sévranais, aise (*Sevran,* Seine-Saint-Denis)
Sévrien, ienne (*Sèvres,* Hauts-de-Seine)
Sherbrookois, oise (*Sherbrooke,* Canada)
Siamois, oise
Sibérien, enne
Sicilien, ienne
Siennois, oise (*Sienne,* Italie)
Sissonnais, aise (*Sissonne,* Aisne)
Sisteronais, aise (*Sisteron,* Alpes-de-Haute-Provence)
Slovaque
Slovène
Smyrniote (*Smyrne,* Turquie)
Sochalien, ienne (*Sochaux,* Doubs)
Soiséen, enne (*Soisy-sous-Montmorency,* Val-d'Oise)
Soissonnais, aise (*Soissons,* Aisne)
Solesmois, oise (*Solesmes,* Sarthe)
Soleurois, oise (*Soleure,* Suisse)
Sollièspontois, oise (*Solliès-Pont,* Var)
Solognot, ote (*Sologne,* France)
Solrézien, ienne (*Solre-le-Château,* Nord)
Somalien, enne (*Somalie,* Afrique)
Sommiérois, oise (*Sommières,* Gard)
Sonégien, ienne (*Soignies,* Belgique)
Sorien, ienne (*Sore,* Landes)
Sospellitain, aine (*Sospel,* Alpes-Maritimes)
Soudanais, aise ou Soudanien, ienne
Souillaguais, aise (*Souillac,* Lot)
Sourdevalais, aise (*Sourdeval,* Manche)
Soussien, ienne (*Sousse,* Tunisie)
Spadois, oise (*Spa,* Belgique)
Sparnacien, ienne (*Épernay,* Marne)
Spinalien, ienne (*Épinal,* Vosges)
Stanois, oise (*Stains,* Seine-Saint-Denis)
Stéphanois, oise (*Saint-Étienne,* Loire)
Strasbourgeois, oise (*Strasbourg,* Bas-Rhin)
Sud-Africain, aine
Sud-Américain, aine
Sud-Coréen, enne
Suédois, oise
Suisse
Sullylois, oise (*Sully-sur-Loire,* Loiret)
Suménois, oise (*Sumènes,* Gard)
Syracusain, aine (*Syracuse,* Sicile)
Syrien, enne

Talmondais, aise (*Talmont* ou *Talmond,* Vendée)
Tararien, ienne (*Tarare,* Rhône)
Tarasconnais, aise (*Tarascon,* Bouches-du-Rhône)
Tarbais, aise ou Tarbéen, enne (*Tarbes,* Hautes-Pyrénées)
Tarentin, ine (*Tarente,* Italie)
Tarusate (*Tartas,* Landes)
Tasmanien, enne (*Tasmanie,* Australie)
Taulésien, ienne (*Taulé,* Finistère)
Tchadien, ienne (*Tchad,* Afrique)
Tchécoslovaque ou Tchèque
Tençois, oise (*Tence,* Haute-Loire)
Tendasque (*Tende,* Alpes-Maritimes)
Ternois, oise (*Tergnier,* Aisne)
Terrassonnais, aise (*Terrasson-la-Villedieu,* Dordogne)
Terre-Neuvien, ienne (*Terre-Neuve,* Canada)
Testerin, ine (*La Teste,* Gironde)
Texan, ane (*Texas,* États-Unis)
Thaïlandais, aise (*Thaïlande,* Asie)
Thébain, aine (*Thèbes,* Grèce)
Théoulien, ienne (*Théoule-sur-Mer,* Alpes-Maritimes)
Thessalien, enne (*Thessalie,* Grèce)
Theutois, oise (*Theux,* Belgique)
Thiaisien, ienne (*Thiais,* Val-de-Marne)
Thiernois, oise (*Thiers,* Puy-de-Dôme)
Thillotin, ine (*Le Thillot,* Vosges)
Thionvillois, oise (*Thionville,* Moselle)
Thironais, aise (*Thiron,* Eure-et-Loir)
Thouarsais, aise (*Thouars,* Deux-Sèvres)
Thuirinois, oise (*Thuir,* Pyrénées-Orientales)
Tibétain, aine
Togolais, aise
Tonneinquais, aise (*Tonneins,* Lot-et-Garonne)
Tonnerrois, oise (*Tonnerre,* Yonne)
Torontois, oise (*Toronto,* Canada)
Toscan, ane
Toulois, oise (*Toul,* Meurthe-et-Moselle)
Toulonnais, aise (*Toulon,* Var)
Toulousain, aine (*Toulouse,* Haute-Garonne)
Touquettois, oise (*Le Touquet-Paris-Plage,* Pas-de-Calais)
Tourangeau, elle (*Touraine,* France ; *Tours,* Indre-et-Loire)
Tournaisien, ienne (*Tournai,* Belgique)
Tournonais, aise (*Tournon,* Ardèche)
Tournusien, ienne (*Tournus,* Saône-et-Loire)
Tourouvrain, aine (*Tourouvre,* Orne)
Tourquennois, oise (*Tourcoing,* Nord)
Traiton, onne (*Le Trait,* Seine-Maritime)
Transylvain, aine ou Transylvanien, ienne
Trappiste (*Trappes,* Yvelines)
Trégastellois, oise (*Trégastel,* Côtes-du-Nord)
Trégorrois, oise (*Tréguier,* Côtes-du-Nord)
Treignacois, oise (*Treignac,* Corrèze)
Trélonais, aise (*Trélon,* Nord)
Trembladais, aise (*La Tremblade,* Charente-Maritime)
Trévire ou Trévère (*Trèves,* Allemagne)
Trévisan, ane (*Trévise,* Italie)
Trévoltien, ienne (*Trévoux,* Ain)
Triestin, ine (*Trieste,* Italie)
Trifluvien, ienne (*Trois-Rivières,* Canada)
Tropézien, ienne (*Saint-Tropez,* Var)
Trouvillais, aise (*Trouville-sur-Mer,* Calvados)
Troyen, enne (*Troie,* Asie Mineure ; *Troyes,* Aube)
Tulliste ou Tullois, oise (*Tulle,* Corrèze)
Tunisien, enne
Tunisois, oise (*Tunis,* Tunisie)
Turc, Turque ⇒ Ottoman
Turinois, oise (*Turin,* Italie)
Tyrolien, ienne

Uginois, oise (*Ugine,* Savoie)
Uruguayen, enne (*Uruguay,* Amérique du Sud)
Ussellois, oise (*Ussel,* Corrèze)
Utellien, ienne (*Utelle,* Alpes-Maritimes)
Uzellois, oise (*Uzel,* Côtes-du-Nord)
Uzerchois, oise (*Uzerche,* Corrèze)
Uzétien, ienne (*Uzès,* Gard)

Vaillicien, ienne (*Vailly-sur-Aisne,* Aisne)
Vaisonnais, aise (*Vaison-la-Romaine,* Vaucluse)
Valaisan, ane (*Valais,* Suisse)
Valencéen, enne (*Valençay,* Indre)
Valenciennois, oise (*Valenciennes,* Nord)
Valentinois, oise (*Valence,* Drôme)
Valéricain, aine (*Saint-Valéry-sur-Somme,* Somme)
Valériquais, aise (*Saint-Valéry-en-Caux,* Seine-Maritime)
Vallaurien, ienne (*Vallauris,* Alpes-Maritimes)
Valloirien, ienne (*Saint-Vallier,* Drôme)
Valmontais, aise (*Valmont,* Seine-Maritime)
Valognais, aise (*Valognes,* Manche)
Valréassien, ienne (*Valrés,* Vaucluse)
Vannetais, aise (*Vannes,* Morbihan)
Varennois, oise (*Varennes-sur-Allier,* Allier)
Varsovien, enne (*Varsovie,* Pologne)
Vaudois, oise
Vauverdois, oise (*Vauvert,* Gard)
Vençois, oise ou Vincien, ienne (*Vence,* Alpes-Maritimes)
Vendéen, enne
Vendômois, oise (*Vendôme,* Loir-et-Cher)
Vénézuélien, ienne ou Vénézolan, ane (*Venezuela,* Amérique du Sud)
Vénitien, ienne (*Venise,* Italie)
① Verdunois, oise (*Verdun,* Meuse)
② Verdunois, oise (*Verdun-sur-le-Doubs,* Saône-et-Loire)
Vermandois, oise (*Vermand,* Aisne)
Vernois, oise (*Vergt,* Dordogne)
Vernolien, ienne (*Verneuil-sur-Avre,* Eure)
Vernonnais, aise (*Vernon,* Eure)
Vernoussain, aine (*Vernoux-en-Vivarais,* Ardèche)
Véronais, aise (*Vérone,* Italie)
Verriérois, oise (*Verrières-le-Buisson,* Essonne)
Versaillais, aise (*Versailles,* Yvelines)
Vertavien, ienne (*Vertou,* Loire-Atlantique)
Vervinois, oise (*Vervins,* Aisne)
Vésigondin, ine (*Le Vésinet,* Yvelines)
Vésulien, ienne (*Vesoul,* Haute-Saône)
Veveysan, ane (*Vevey,* Suisse)
Vézelien, ienne (*Vézelay,* Yonne)
Vibraysien, ienne (*Vibraye,* Sarthe)
Vicentin, ine (*Vicence,* Italie)
Vichyssois, oise (*Vichy,* Allier)
Vicois, oise (*Vic-Fezensac,* Gers ; *Vic-sur-Cère,* Cantal)
Vicolais, aise (*Vico,* Corse)
Vicomtois, oise (*Vic-le-Comte,* Puy-de-Dôme)
Viennois, oise (*Vienne,* Autriche ; *Vienne,* Isère)
Vierzonnais, aise (*Vierzon,* Cher)
Vietnamien, ienne
Viganais, aise (*Le Vigan,* Gard)
Vigneusien, ienne (*Vigneux-sur-Seine,* Essonne)
Villandrautais, aise (*Villandraut,* Gironde)
Villardien, ienne (*Villard-de-Lans,* Isère)
Villefortais, aise (*Villefort,* Lozère)
Villefranchois, oise (*Villefranche-de-Lauragais,* Haute-Garonne ; *Villefranche-de-Rouergue,* Aveyron)
Villejuifois, oise (*Villejuif,* Val-de-Marne)
Villemomblois, oise (*Villemomble,* Seine-Saint-Denis)

Villemurien, ienne (*Villemur-sur-Tarn*, Haute-Garonne)
Villeneuvois, oise (*Villeneuve-sur-Lot*, Lot-et-Garonne)
Villepintois, oise (*Villepinte*, Seine-Saint-Denis)
Villersois, oise (*Villers-Saint-Paul*, Oise)
Villeruptien, ienne (*Villerupt*, Meurthe-et-Moselle)
Vimonastérien, ienne (*Vimoutiers*, Orne)
Vimynois, oise (*Vimy*, Pas-de-Calais)
Vinçanench [invar.] (*Vinça*, Pyrénées-Orientales)
Vincennois, oise (*Vincennes*, Val-de-Marne)
Vincien, ienne ⇒ Vençois
Virais, aise ou Virois, oise (*Vire*, Calvados)
Viroflaysien, ienne (*Viroflay*, Yvelines)
Vitréen, enne (*Vitré*, Ille-et-Vilaine)
Vitryat, ate (*Vitry-le-François*, Marne)
Vivarois, oise (*Viviers*, Ardèche)
Vizillois, oise (*Vizille*, Isère)
Vogladien, ienne (*Vouillé*, Vienne)
Voironnais, aise (*Voiron*, Isère)
Voltaïque *(Haute-Volta)*
Volvicois, oise (*Volvic*, Puy-de-Dôme)
Vosgien, ienne (*Vosges*, France)
Vouvrillon, onne (*Vouvray*, Indre-et-Loire)

Vouzinois, oise (*Vouziers*, Ardennes)

Wallon, onne (*Wallonie*, Belgique)
Wasséen, enne (*Wassy-sur-Blaise*, Haute-Marne)
Wasselonnais, aise (*Wasselonne*, Bas-Rhin)
Wattignien, enne (*Wattignies*, Nord)
Wattrelosien, ienne (*Wattrelos*, Nord)
Winnipeguien, ienne (*Winnipeg*, Canada)

Yéménite (*Yémen*, Arabie)
Yennois, oise (*Yenne*, Savoie)
Yerrois, oise (*Yerres*, Essonne)
Yonnais, aise (*La Roche-sur-Yon*, Vendée)
Yougoslave
Yssingelais, aise (*Yssingeaux*, Haute-Loire)
Yvetotais, aise (*Yvetot*, Seine-Maritime)
Yzeurien, ienne (*Yzeure*, Allier)

Zaïrois, oise (*Zaïre*, Afrique)
Zambien, ienne (*Zambie*, Afrique)
Zélandais, aise (*Zélande*, Pays-Bas)
Zurichois, oise (*Zurich*, Suisse)

TABLE DES ANNEXES

cartes

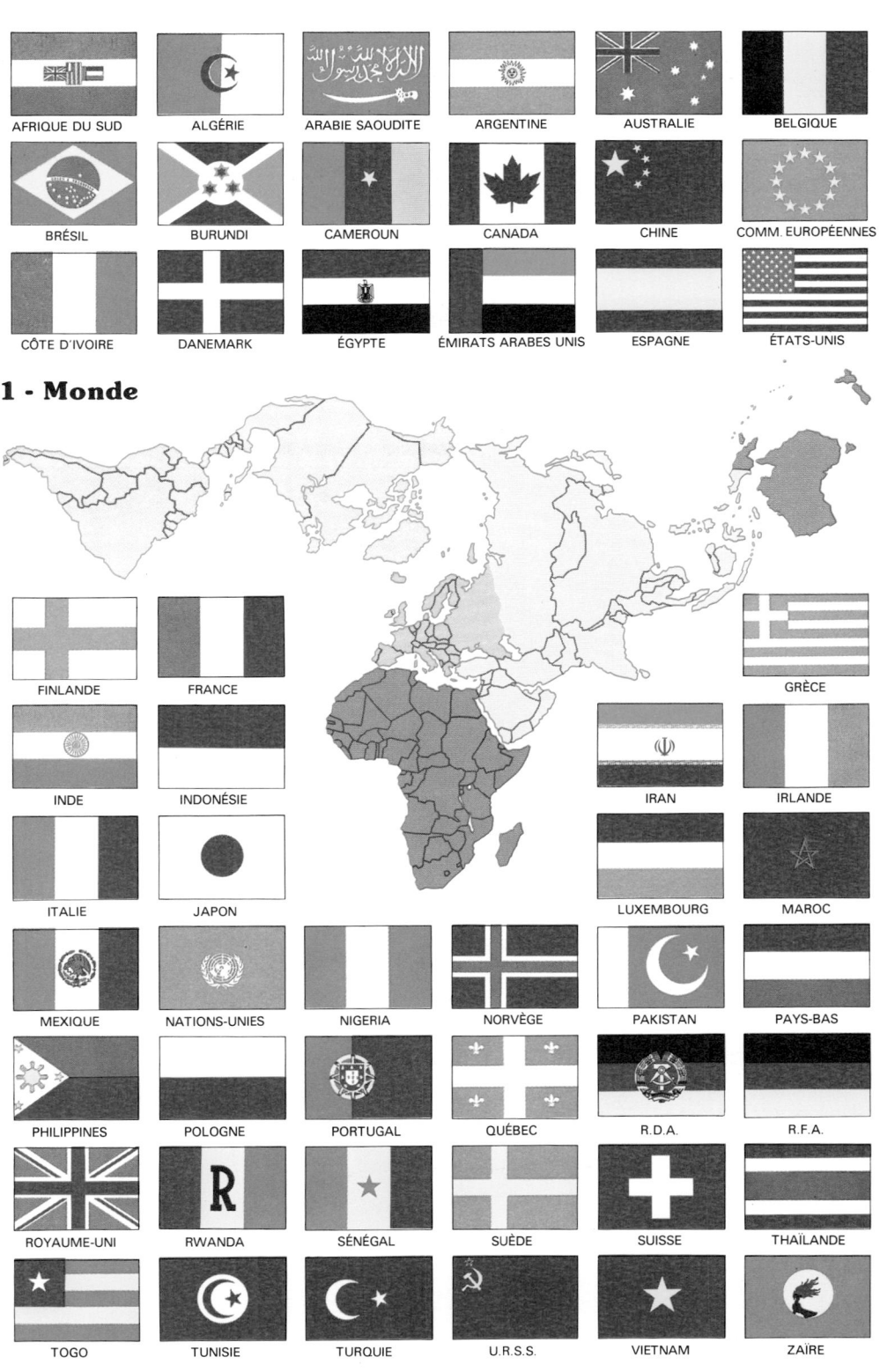

AFRIQUE DU SUD

ALGÉRIE

ARABIE SAOUDITE

ARGENTINE

AUSTRALIE

BELGIQUE

BRÉSIL

BURUNDI

CAMEROUN

CANADA

CHINE

COMM. EUROPÉENNES

CÔTE D'IVOIRE

DANEMARK

ÉGYPTE

ÉMIRATS ARABES UNIS

ESPAGNE

ÉTATS-UNIS

1 - Monde

FINLANDE

FRANCE

GRÈCE

INDE

INDONÉSIE

IRAN

IRLANDE

ITALIE

JAPON

LUXEMBOURG

MAROC

MEXIQUE

NATIONS-UNIES

NIGERIA

NORVÈGE

PAKISTAN

PAYS-BAS

PHILIPPINES

POLOGNE

PORTUGAL

QUÉBEC

R.D.A.

R.F.A.

ROYAUME-UNI

RWANDA

SÉNÉGAL

SUÈDE

SUISSE

THAÏLANDE

TOGO

TUNISIE

TURQUIE

U.R.S.S.

VIETNAM

ZAÏRE

FRANCE

République française.
Capitale : Paris.
Superficie : 543 965 km².
Population : 55,6 millions d'hab.
Densité : 102 hab./km².
Monnaie : franc.
Langues : français ; langues régionales : alsacien, basque, breton, catalan, corse, néerlandais (flamand), occitan (gascon, provençal...).
Nature de l'État : république.
Nature du régime : démocratie parlementaire.

France métropolitaine :
22 régions, 96 départements.
France d'outre-mer :
4 départements d'outre-mer (Guadeloupe, Guyane, Martinique, Réunion).
4 territoires d'outre-mer (Nouvelle-Calédonie, Polynésie française, Terres australes et antarctiques françaises, Wallis et Futuna).
2 collectivités territoriales aux statuts particuliers (Mayotte, St-Pierre et Miquelon).

2 - France : divisions administratives

3 - France : économie

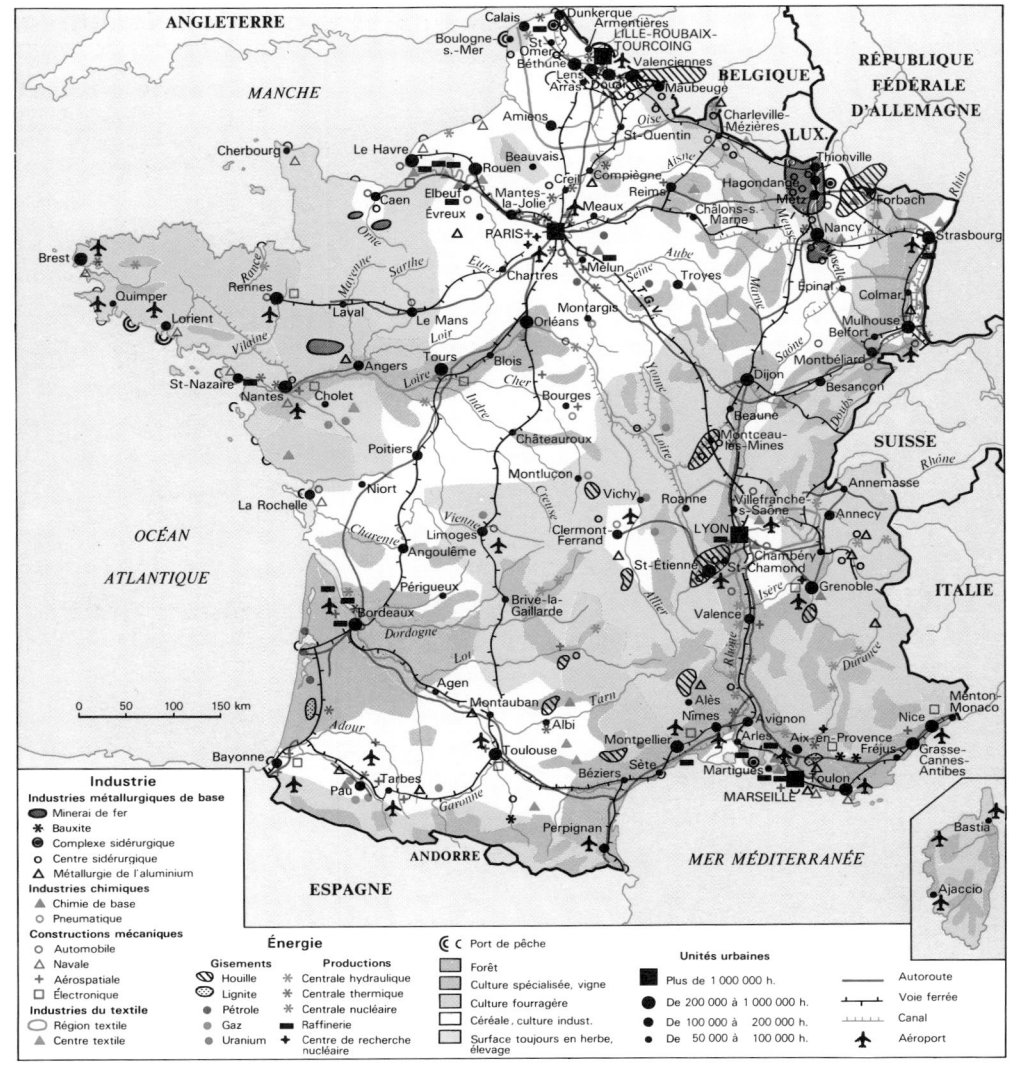

ANGLETERRE

MANCHE

Calais • Dunkerque
Boulogne- Armentières
s.-Mer St- LILLE-ROUBAIX-
Béthune Omer TOURCOING
Lens Valenciennes
Arras Maubeuge

BELGIQUE

**RÉPUBLIQUE
FÉDÉRALE
D'ALLEMAGNE**

LUX.

Cherbourg Le Havre
Rouen
Caen Elbeuf Beauvais Creil Compiègne
Évreux Mantes- Meaux
la-Jolie
PARIS Chartres Melun
Brest Rennes Laval Le Mans Orléans Montargis
Quimper Angers Tours Blois Bourges
Lorient
St-Nazaire Nantes Cholet
Poitiers Châteauroux
Niort Montluçon Vichy
La Rochelle Limoges Roanne
Angoulême Clermont
Ferrand St-Étienne
Périgueux Brive-la-
Bordeaux Gaillarde Valence
Agen
Montauban Alès
Bayonne Albi Nîmes Avignon
Pau Tarbes Toulouse Montpellier Arles
Béziers Sète Martigues
MARSEILLE
Perpignan

Amiens
St-Quentin
Charleville-
Mézières
Thionville
Reims Hagondange
Châlons-s.- Metz Forbach
Marne Nancy
Troyes Strasbourg
Épinal
Montargis Colmar
Mulhouse
Dijon Belfort
Montbéliard Besançon
Beaune
Montceau-
les-Mines
Villefranche-
s-Saône Annemasse
LYON Annecy
Chambéry
Chamond Grenoble

St-Omer

SUISSE

ITALIE

Menton-
Monaco
Aix-en-Provence Nice
Fréjus Grasse-
Cannes-
Antibes
Toulon

**OCÉAN
ATLANTIQUE**

ANDORRE

ESPAGNE

MER MÉDITERRANÉE

Bastia

Ajaccio

0   50   100   150 km

Industrie
Industries métallurgiques de base
- ⬤ Minerai de fer
- ✳ Bauxite
- ● Complexe sidérurgique
- ○ Centre sidérurgique
- △ Métallurgie de l'aluminium

Industries chimiques
- ▲ Chimie de base
- ○ Pneumatique

Constructions mécaniques
- ○ Automobile
- △ Navale
- + Aérospatiale
- □ Électronique

Industries du textile
- ◯ Région textile
- △ Centre textile

Énergie
Gisements
- ◍ Houille
- ◎ Lignite
- ● Pétrole
- ● Gaz
- ● Uranium

Productions
- ✳ Centrale hydraulique
- ✳ Centrale thermique
- ✳ Centrale nucléaire
- ▬ Raffinerie
- + Centre de recherche
  nucléaire

〖 C Port de pêche
- Forêt
- Culture spécialisée, vigne
- Culture fourragère
- Céréale, culture indust.
- Surface toujours en herbe,
  élevage

Unités urbaines
- ■ Plus de 1 000 000 h.
- ● De 200 000 à 1 000 000 h.
- ● De 100 000 à 200 000 h.
- • De 50 000 à 100 000 h.

- —— Autoroute
- ┼ Voie ferrée
- ┼┼┼ Canal
- ✈ Aéroport

NORD-PAS-DE-CALAIS

Préfecture régionale : Lille.
Superficie : 12 414 km².
Population : 3 927 200 hab.
Densité : 316 hab./km² (France : 102).
Principales unités urbaines : Lille, Valenciennes, Lens, Béthune, Douai.
Production intérieure brute : 6 % de la production nationale (4e rang).
Spécialisations industrielles : textile et habillement, production de minerais et métaux ferreux, industries agricoles et alimentaires, construction mécanique, construction automobile.
Principales productions agricoles : lait, légumes et pommes de terre, céréales, porcins.

PICARDIE

Préfecture régionale : Amiens
Superficie : 19 399 km².
Population : 1 773 500 hab.
Densité : 91 hab./km² (France : 102).
Principales unités urbaines : Amiens, Creil, St-Quentin, Compiègne, Beauvais.
Production intérieure brute : 2,8 % de la production nationale (13e rang).
Spécialisations industrielles : industries agricoles et alimentaires, construction mécanique, fonderie et travail des métaux, textile et habillement .
Principales productions agricoles : céréales, légumes et pommes de terre, lait.

4 - France : relief

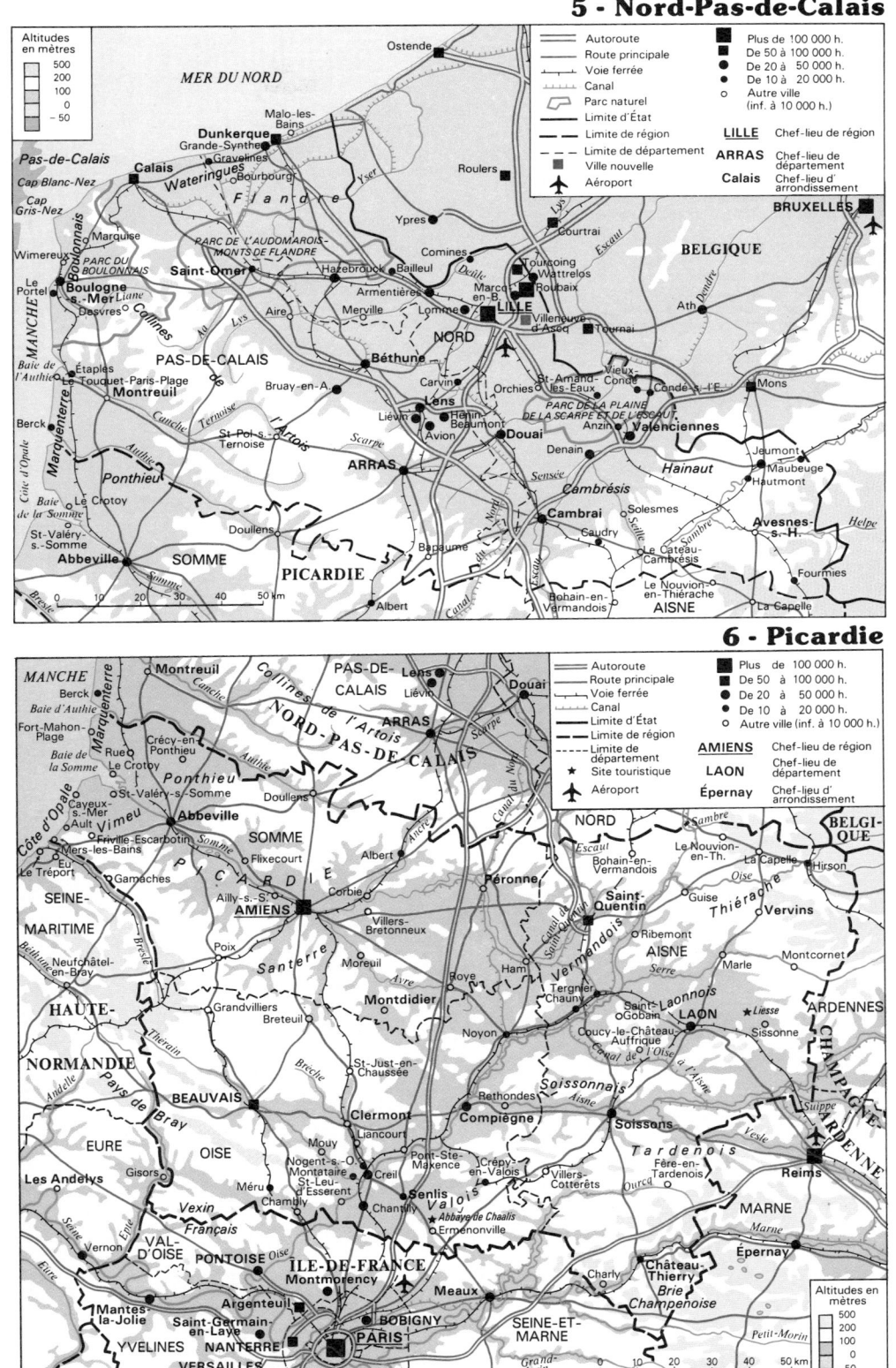

7 - Île-de-France

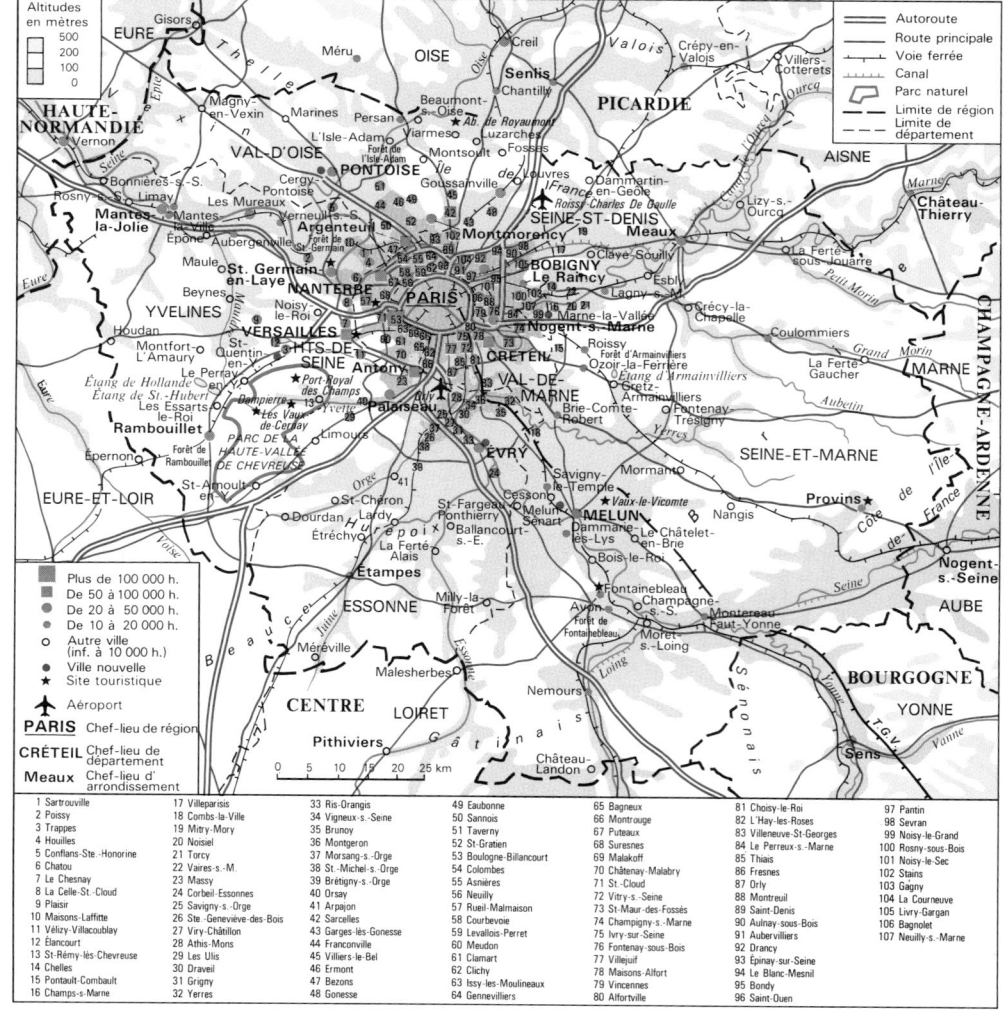

1 Sartrouville	28 Ste.-Geneviève-des-Bois
2 Poissy	27 Viry-Châtillon
3 Trappes	28 Athis-Mons
4 Houilles	29 Les Ulis
5 Conflans-Ste.-Honorine	30 Draveil
6 Chatou	31 Grigny
7 Le Chesnay	32 Yerres
8 La Celle-St.-Cloud	33 Ris-Orangis
9 Plaisir	34 Vigneux-s.-Seine
10 Maisons-Laffitte	35 Brunoy
11 Vélizy-Villacoublay	36 Montgeron
12 Elancourt	37 Morsang-s.-Orge
13 St-Rémy-lès-Chevreuse	38 St.-Michel-s.-Orge
14 Chelles	39 Brétigny-s.-Orge
15 Pontault-Combault	40 Orsay
16 Champs-s-Marne	41 Arpajon
17 Villeparisis	42 Sarcelles
18 Combs-la-Ville	43 Garges-lès-Gonesse
19 Mitry-Mory	44 Franconville
20 Noisiel	45 Villiers-le-Bel
21 Torcy	46 Ermont
22 Vaires-s.-M.	47 Bezons
23 Massy	48 Gonesse
24 Corbeil-Essonnes	49 Eaubonne
25 Savigny-s.-Orge	50 Sannois
51 Taverny	65 Bagneux
52 St-Gratien	66 Montrouge
53 Boulogne-Billancourt	67 Puteaux
54 Colombes	68 Suresnes
55 Asnières	69 Malakoff
56 Neuilly	70 Châtenay-Malabry
57 Rueil-Malmaison	71 St.-Cloud
58 Courbevoie	72 Vitry-s.-Seine
59 Levallois-Perret	73 St-Maur-des-Fossés
60 Meudon	74 Champigny-s.-Marne
61 Clamart	75 Ivry-sur-Seine
62 Clichy	76 Fontenay-sous-Bois
63 Issy-les-Moulineaux	77 Villejuif
64 Gennevilliers	78 Maisons-Alfort
	79 Vincennes
	80 Alfortville
81 Choisy-le-Roi	97 Pantin
82 L'Hay-les-Roses	98 Sevran
83 Villeneuve-St-Georges	99 Noisy-le-Grand
84 Le Perreux-s.-Marne	100 Rosny-sous-Bois
85 Thiais	101 Noisy-le-Sec
86 Fresnes	102 Stains
87 Orly	103 Gagny
88 Montreuil	104 La Courneuve
89 Saint-Denis	105 Livry-Gargan
90 Aulnay-sous-Bois	106 Bagnolet
91 Aubervilliers	107 Neuilly-s.-Marne
92 Drancy	
93 Épinay-sur-Seine	
94 Le Blanc-Mesnil	
95 Bondy	
96 Saint-Ouen	

8 - Champagne-Ardenne

LORRAINE

Préfecture régionale : Metz.
Superficie : 23 547 km^2.
Population : 2 312 700 hab.
Densité : 98 hab./km^2 (France : 102).
Principales unités urbaines : Nancy, Metz, Thionville, Hagondange, Forbach.
Production intérieure brute : 3,8 % de la production nationale (7e rang).
Spécialisations industrielles : minerais et métaux ferreux ; fonderie et travail des métaux ; textile et habillement ; production et distribution d'électricité, de gaz et d'eau ; combustibles, minéraux solides et torréfaction.
Principales productions agricoles : lait, céréales, gros bovins.

9 - Lorraine

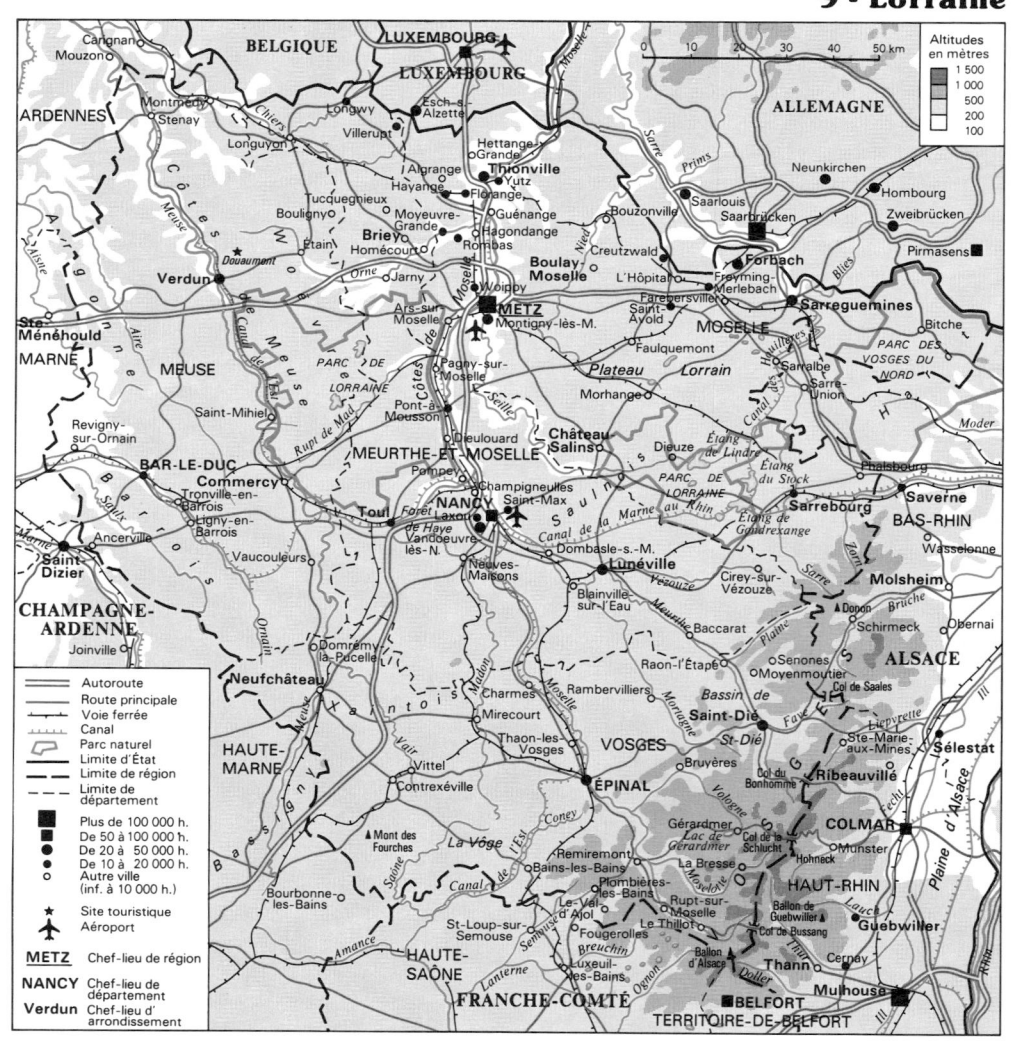

ALSACE

Préfecture régionale : Strasbourg.
Superficie : 8 280 km².
Population : 1 599 600 hab.
Densité : 193 hab./km² (France : 102).
Principales unités urbaines : Strasbourg, Mulhouse, Colmar, Saint-Louis, Haguenau.
Production intérieure brute : 3 % de la production nationale (12ᵉ rang).
Spécialisations industrielles : construction mécanique, industries agricoles et alimentaires, construction automobile, textile et habillement, fonderie et travail des métaux.
Principales productions agricoles : céréales, vins, lait.

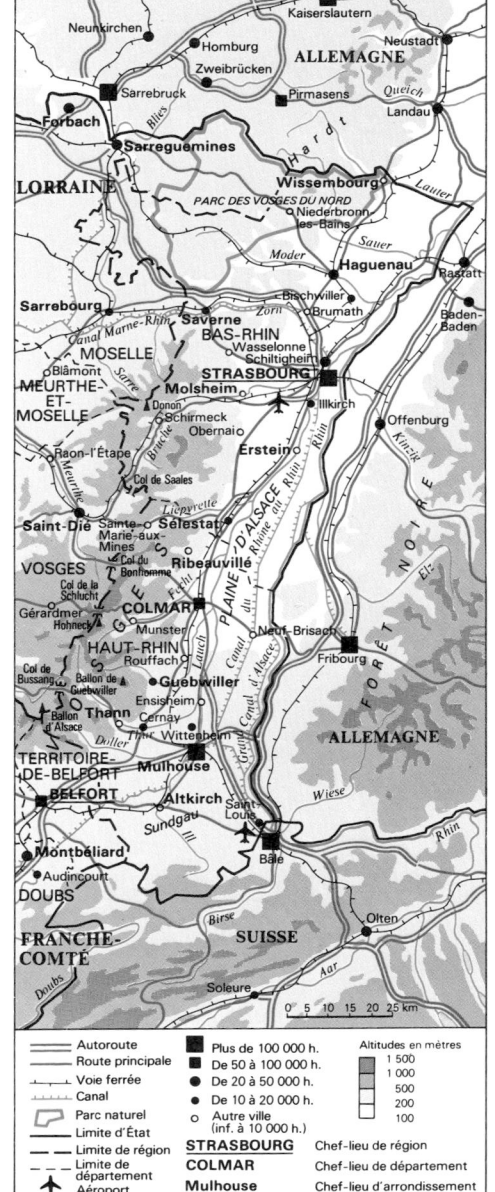

Autoroute	■ Plus de 100 000 h.	Altitudes en mètres
Route principale	■ De 50 à 100 000 h.	1 500
Voie ferrée	● De 20 à 50 000 h.	1 000
Canal	● De 10 à 20 000 h.	500
Parc naturel	○ Autre ville (inf. à 10 000 h.)	200
Limite d'État		100
Limite de région	**STRASBOURG** Chef-lieu de région	
Limite de département	**COLMAR** Chef-lieu de département	
✈ Aéroport	**Mulhouse** Chef-lieu d'arrondissement	

11 - Haute-Normandie

BASSE-NORMANDIE

Préfecture régionale : Caen.
Superficie : 17 589 km².
Population : 1 372 900 hab.
Densité : 78 hab./km² (France : 102).
Principales unités urbaines : Caen, Cherbourg, Alençon, Lisieux, St-Lô.
Production intérieure brute : 2 % de la production nationale (18e rang).
Spécialisations industrielles : construction électrique et électronique ; construction automobile ; industries de la viande et du lait ; construction navale, aéronautique et armement ; fonderie et travail des métaux.
Principales productions agricoles : lait, gros bovins.

12 - Basse-Normandie

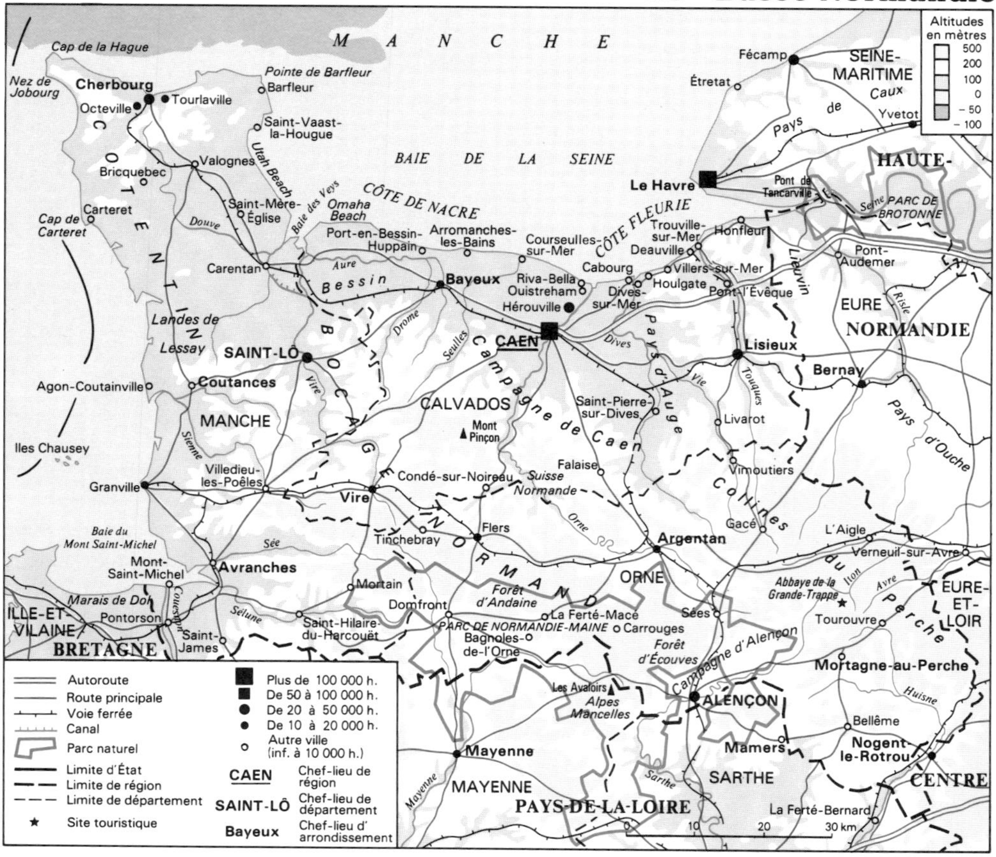

Autoroute
Route principale
Voie ferrée
Canal
Parc naturel
Limite d'État
Limite de région
Limite de département
★ Site touristique

Plus de 100 000 h.
De 50 à 100 000 h.
De 20 à 50 000 h.
De 10 à 20 000 h.
Autre ville (inf. à 10 000 h.)

CAEN Chef-lieu de région
SAINT-LÔ Chef-lieu de département
Bayeux Chef-lieu d'arrondissement

HAUTE-NORMANDIE

Préfecture régionale : Rouen.
Superficie : 12 317 km².
Population : 1 692 800 hab.
Densité : 137 hab./km² (France : 102).
Principales unités urbaines : Rouen, Le Havre, Évreux, Elbeuf, Dieppe.
Production intérieure brute : 3,2 % de la production nationale (11ᵉ rang).
Spécialisations industrielles : pétrole, construction automobile, construction électrique et électronique, fonderie et travail des métaux, chimie de base.
Principales productions agricoles : céréales, lait, gros bovins.

BRETAGNE

Préfecture régionale : Rennes.
Superficie : 27 208 km².
Population : 2 763 800 hab.
Densité : 102 hab./km² (France : 102).
Principales unités urbaines : Rennes, Brest, Lorient, St-Brieuc, Quimper.
Production intérieure brute : 3,5 % de la production nationale (9ᵉ rang).
Spécialisations industrielles : industries agricoles et alimentaires ; industries de la viande et du lait ; construction navale, aéronautique et armement ; production et distribution d'électricité, de gaz et d'eau ; construction électrique et électronique.
Principales productions agricoles : lait, porcins, volailles-œufs.

13 - Bretagne

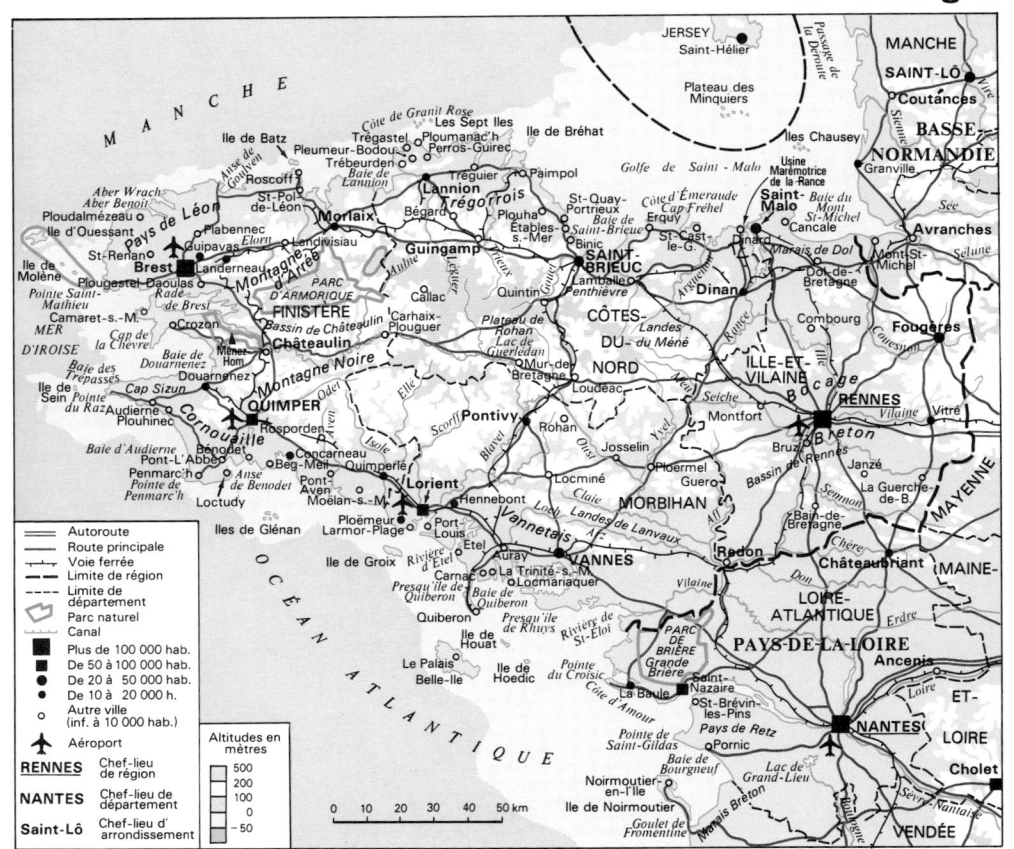

PAYS DE LA LOIRE

Préfecture régionale : Nantes.
Superficie : 32 082 km².
Population : 3 017 700 hab.
Densité : 94 hab./km² (France : 102).
Principales unités urbaines : Nantes, Angers, Le Mans, St-Nazaire, Laval.
Production intérieure brute : 4,7 % de la production nationale (5ᵉ rang).
Spécialisations industrielles : construction électrique et électronique, construction mécanique, construction automobile, bois et ameublement.
Principales productions agricoles : lait, gros bovins, volailles-œufs.

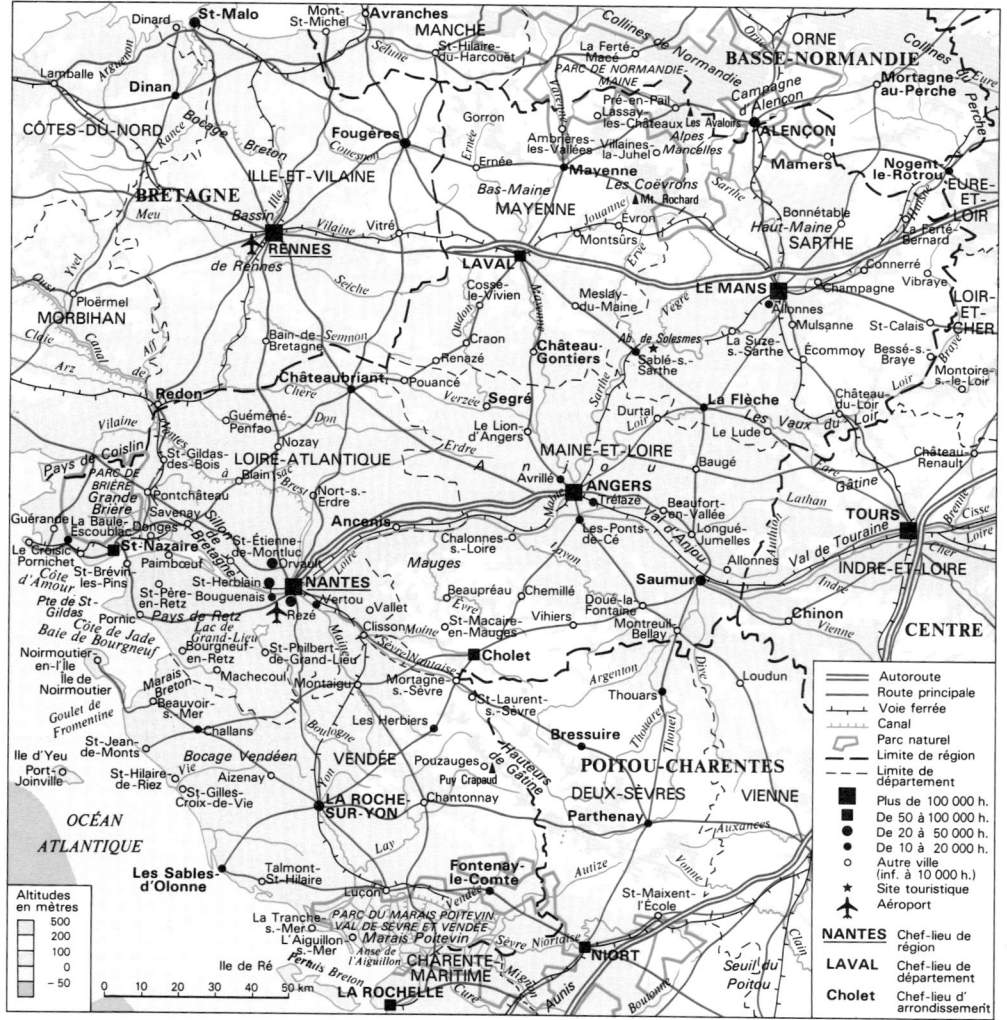

CENTRE

Préfecture régionale : Orléans.
Superficie : 39 151 km².
Population : 2 324 400 hab.
Densité : 59 hab./km² (France : 102).
Principales unités urbaines : Tours, Orléans, Bourges, Chartres, Châteauroux.
Production intérieure brute : 3,3 % de la production nationale (10e rang).
Spécialisations industrielles : construction électrique et électronique ; construction mécanique ; production et distribution d'électricité, de gaz et d'eau ; fonderie et travail des métaux ; caoutchouc et matières plastiques.
Principales productions agricoles : céréales, légumes et pommes de terre.

15 - Centre

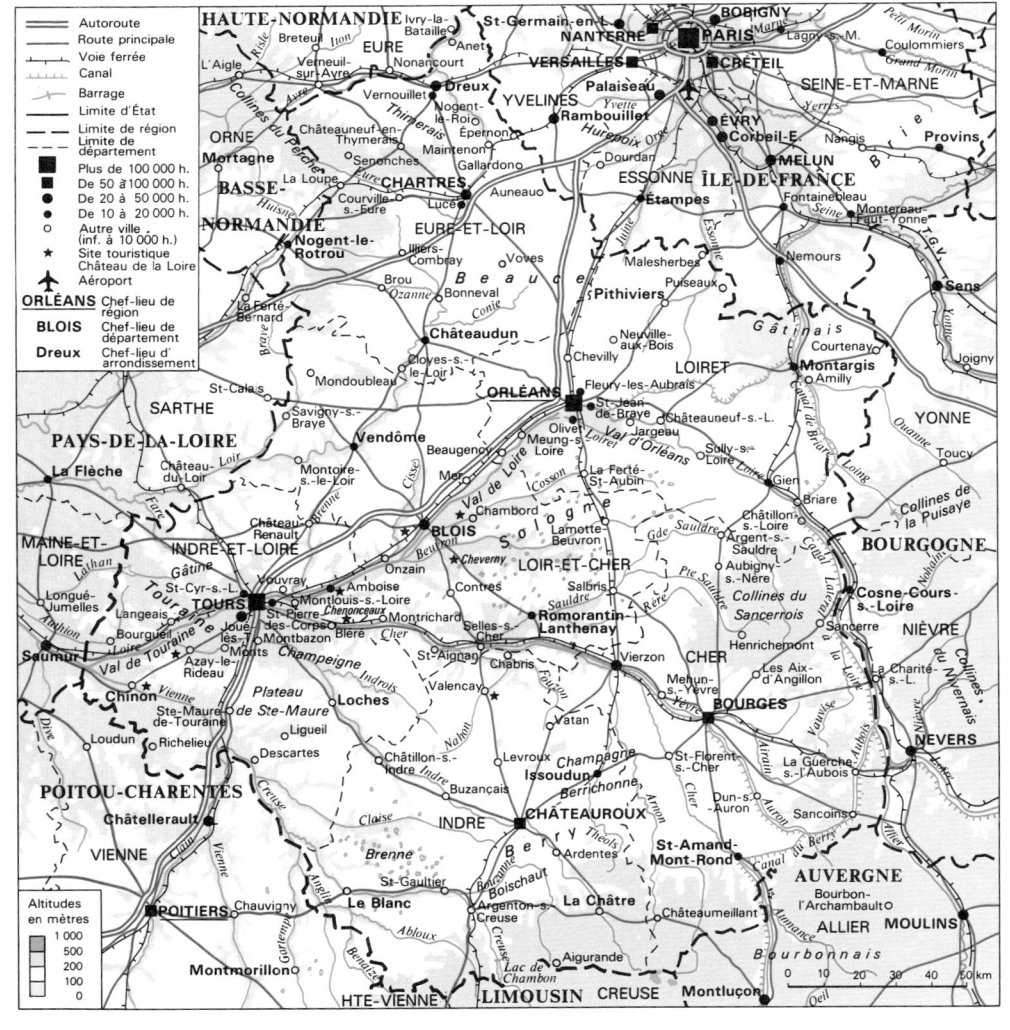

16 - Bourgogne

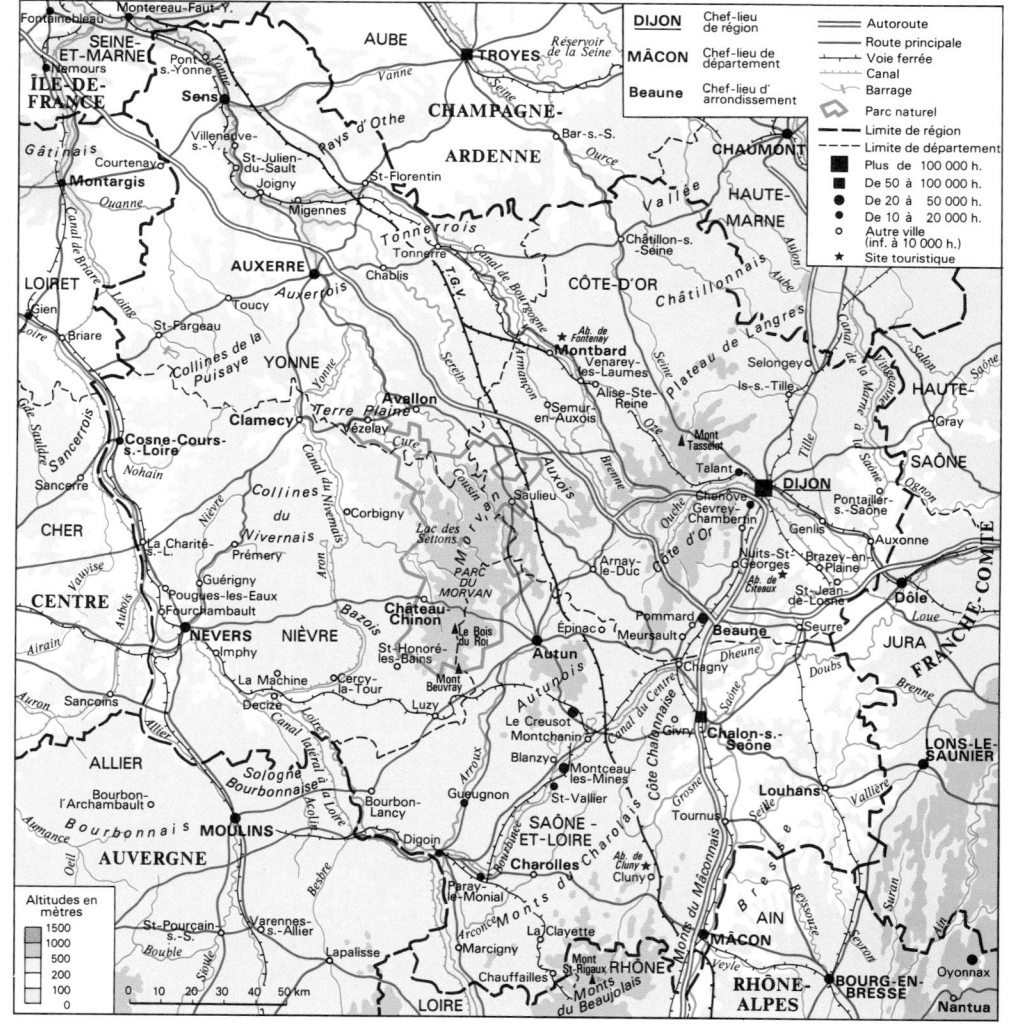

FRANCHE-COMTÉ

Préfecture régionale : Besançon.
Superficie : 16 202 km².
Population : 1 085 900 hab.
Densité : 67 hab./km² (France : 102).
Principales unités urbaines : Montbéliard, Besançon, Belfort, Dôle, Vesoul, Lons-le-Saunier.
Production intérieure brute : 1,7 % de la production nationale (20e rang).
Spécialisations industrielles : construction automobile, fonderie et travail des métaux, construction mécanique, bois et ameublement, construction électrique et électronique.
Principales productions agricoles : lait, gros bovins.

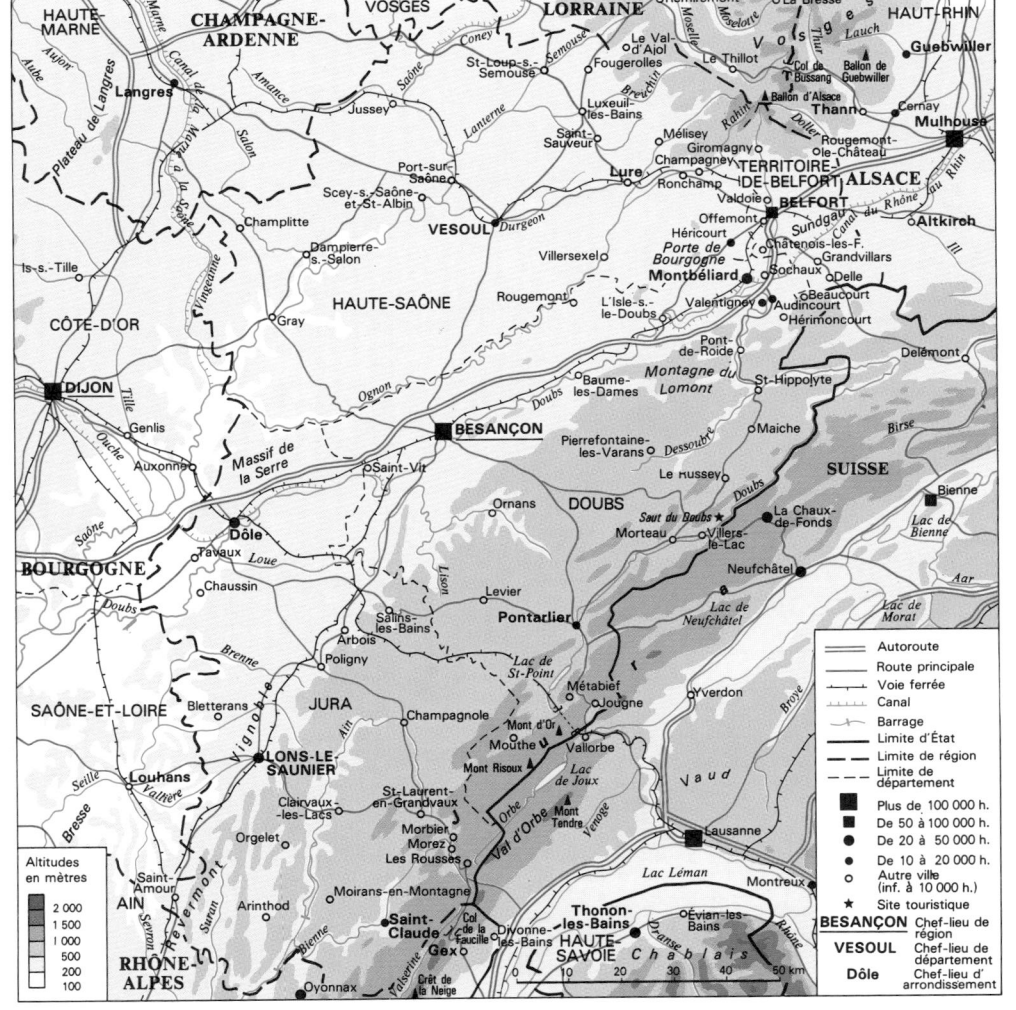

POITOU-CHARENTES

Préfecture régionale : Poitiers.
Superficie : 25 809 km².
Population : 1 583 600 hab.
Densité : 61 hab./km² (France : 102).
Principales unités urbaines : Angoulême, Poitiers, La Rochelle, Niort, Châtellerault.
Production intérieure brute : 2,2 % de la production nationale (17e rang).
Spécialisations industrielles : industries agricoles et alimentaires, bois et ameublement, construction mécanique, construction automobile.
Principales productions agricoles : céréales, vins, gros bovins, lait.

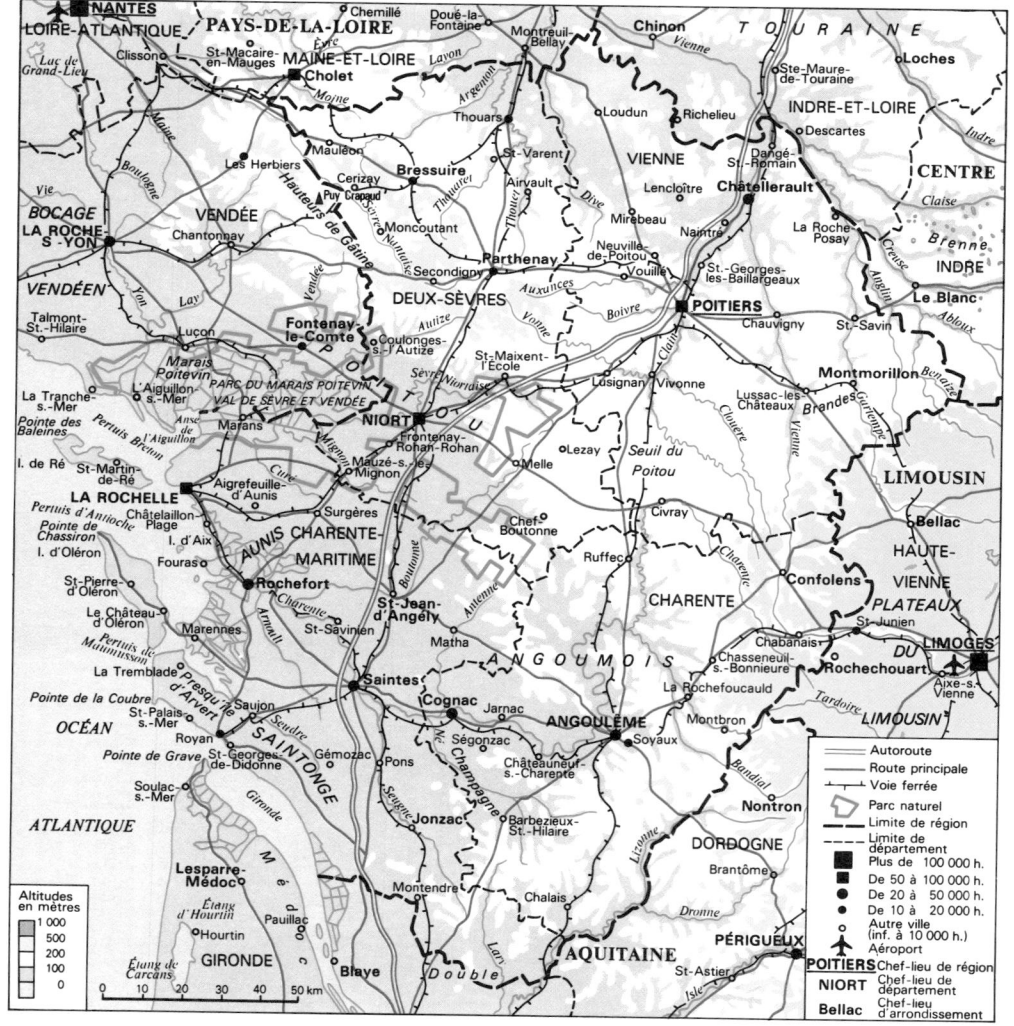

Légende :
- Autoroute
- Route principale
- Voie ferrée
- Parc naturel
- Limite de région
- Limite de département
- Plus de 100 000 h.
- De 50 à 100 000 h.
- De 20 à 50 000 h.
- De 10 à 20 000 h.
- Autre ville (inf. à 10 000 h.)
- Aéroport

POITIERS Chef-lieu de région
NIORT Chef-lieu de département
Bellac Chef-lieu d'arrondissement

Altitudes en mètres : 1 000 / 500 / 200 / 100 / 0

0 10 20 30 40 50 km

19 - Limousin

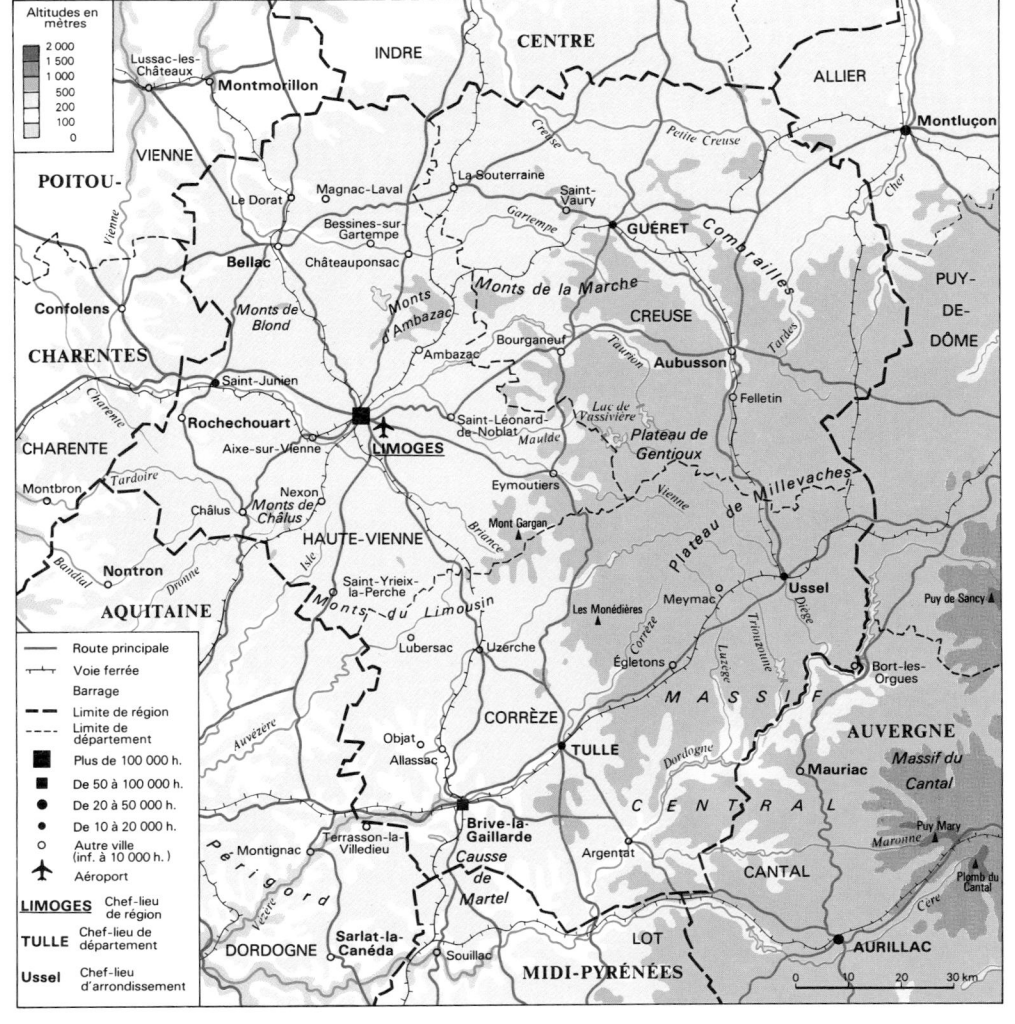

AUVERGNE

Préfecture régionale : Clermont-Ferrand.
Superficie : 26 013 km².
Population : 1 334 400 hab.
Densité : 51 hab./km² (France : 102).
Principales unités urbaines : Clermont-Ferrand, Montluçon, Vichy, Moulins, Le Puy.
Production intérieure brute : 1,9 % de la production nationale (19ᵉ rang).
Spécialisations industrielles : construction mécanique, construction électrique et électronique, fonderie et travail des métaux, industries agricoles et alimentaires, construction automobile.
Principales productions agricoles : gros bovins, lait.

20 - Auvergne

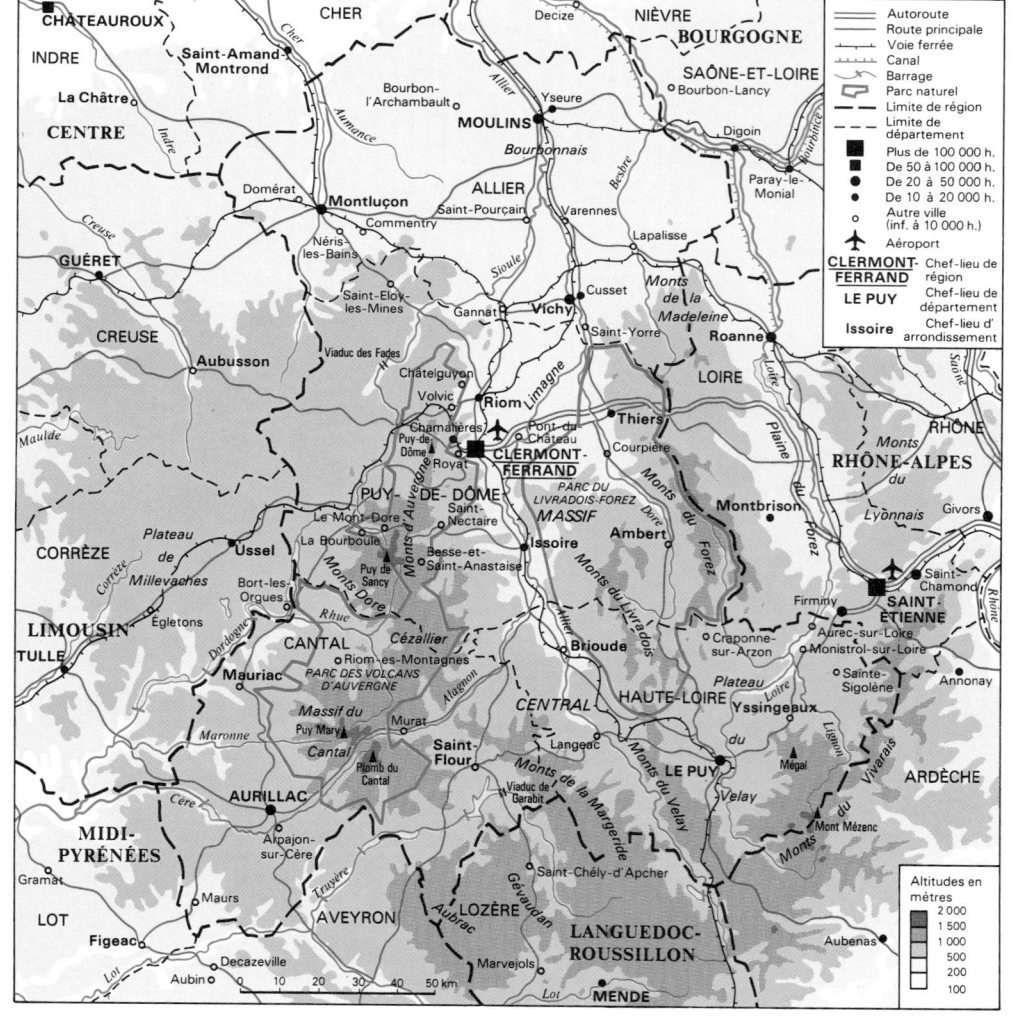

RHÔNE-ALPES

Préfecture régionale : Lyon.
Superficie : 43 698 km².
Population : 5 153 600 hab.
Densité : 118 hab./km² (France : 102).
Principales unités urbaines : Lyon, Grenoble, St-Étienne, Annecy, Valence.
Production intérieure brute : 9,8 % de la production nationale (2e rang).
Spécialisations industrielles : construction mécanique ; fonderie et travail des métaux ; construction électrique et électronique ; textile et habillement ; production et distribution d'électricité, de gaz et d'eau.
Principales productions agricoles : lait, vins, volailles-œufs.

21 - Rhône-Alpes

AQUITAINE

Préfecture régionale : Bordeaux.
Superficie : 41 309 km².
Population : 2 718 200 hab.
Densité : 66 hab./km² (France : 102).
Principales unités urbaines : Bordeaux, Pau, Bayonne, Périgueux, Agen.
Production intérieure brute : 4,5 % de la production nationale (6e rang).
Spécialisations industrielles : pétrole et gaz naturel ; production et distribution d'électricité, de gaz et d'eau ; construction navale, aéronautique et armement ; industries agricoles et alimentaires ; bois et ameublement.
Principales productions agricoles : céréales, vins, volailles-œufs.

23 - Midi-Pyrénées

LANGUEDOC-ROUSSILLON

Préfecture régionale : Montpellier.
Superficie : 27 376 km².
Population : 2 011 900 hab.
Densité : 73 hab./km² (France : 102).
Principales unités urbaines : Montpellier, Perpignan, Nîmes, Béziers, Alès.
Production intérieure brute : 2,7 % de la production nationale (14e rang).
Spécialisations industrielles : production et distribution d'électricité, de gaz et d'eau ; industries agricoles et alimentaires ; matériaux de construction et minéraux divers ; minerais, métaux et demi-produits non ferreux ; construction électrique et électronique.
Principales productions agricoles : vins, légumes et pommes de terre, fruits.

PROVENCE-ALPES-CÔTE D'AZUR

Préfecture régionale : Marseille.
Superficie : 31 400 km².
Population : 4 058 800 hab.
Densité : 129 hab./km² (France : 102).
Principales unités urbaines : Marseille, Nice, Toulon, Grasse-Cannes-Antibes, Avignon.
Production intérieure brute : 6,8 % de la production nationale (3e rang).
Spécialisations industrielles : production et distribution d'électricité, de gaz et d'eau ; industries agricoles et alimentaires ; construction navale, aéronautique et armement ; pétrole et gaz naturel ; construction électrique et électronique.
Principales productions agricoles : légumes et pommes de terre, fruits, vins.

CORSE

Préfecture régionale : Ajaccio.
Superficie : 8 680 km².
Population : 248 700 hab.
Densité : 29 hab./km² (France : 102).
Principales unités urbaines : Ajaccio, Bastia, Porto-Vecchio, Corte, Calvi.
Production intérieure brute : 0,2 % de la production nationale (22e rang).
Spécialisations industrielles : production et distribution d'électricité, de gaz et d'eau ; matériaux de construction et minéraux divers ; industries agricoles et alimentaires.
Principales productions agricoles : vins, fruits, légumes et pommes de terre, porcins.

24 - Languedoc-Roussillon

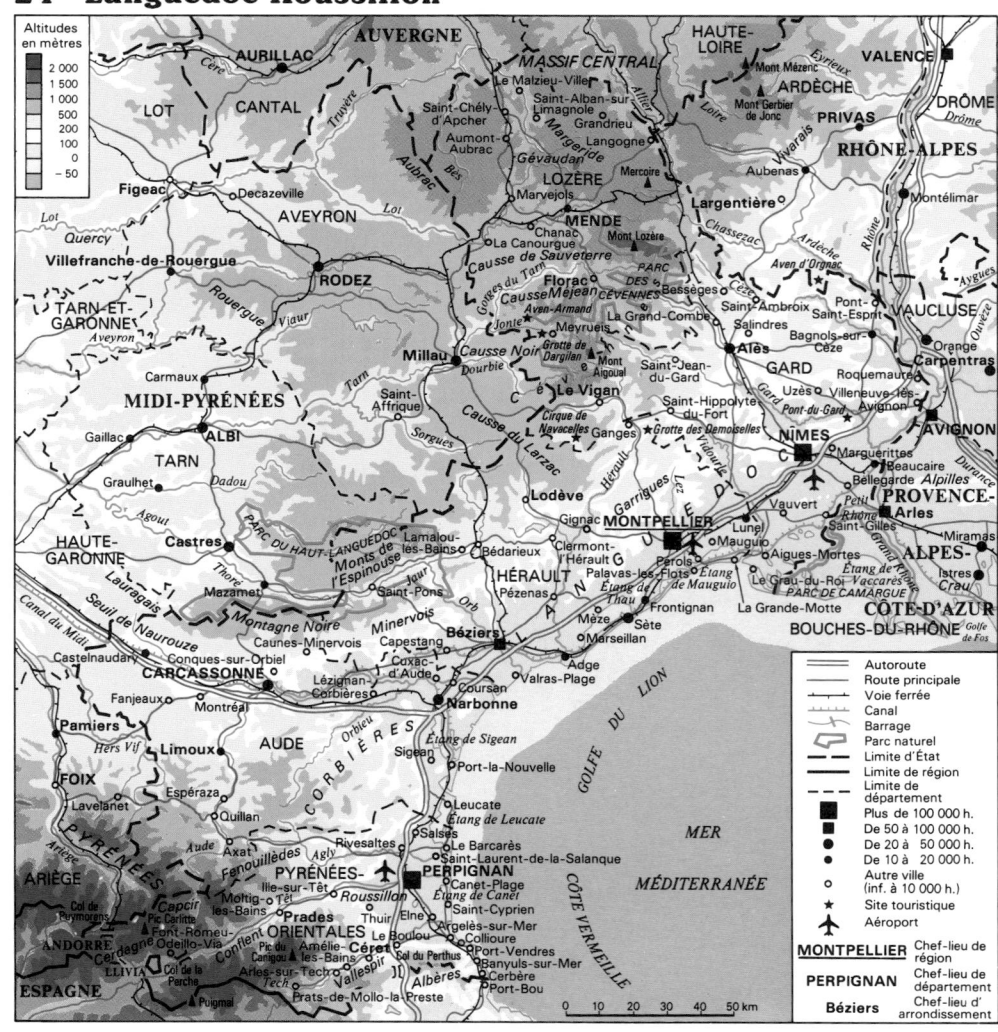

25 - Provence-Alpes-Côte d'Azur

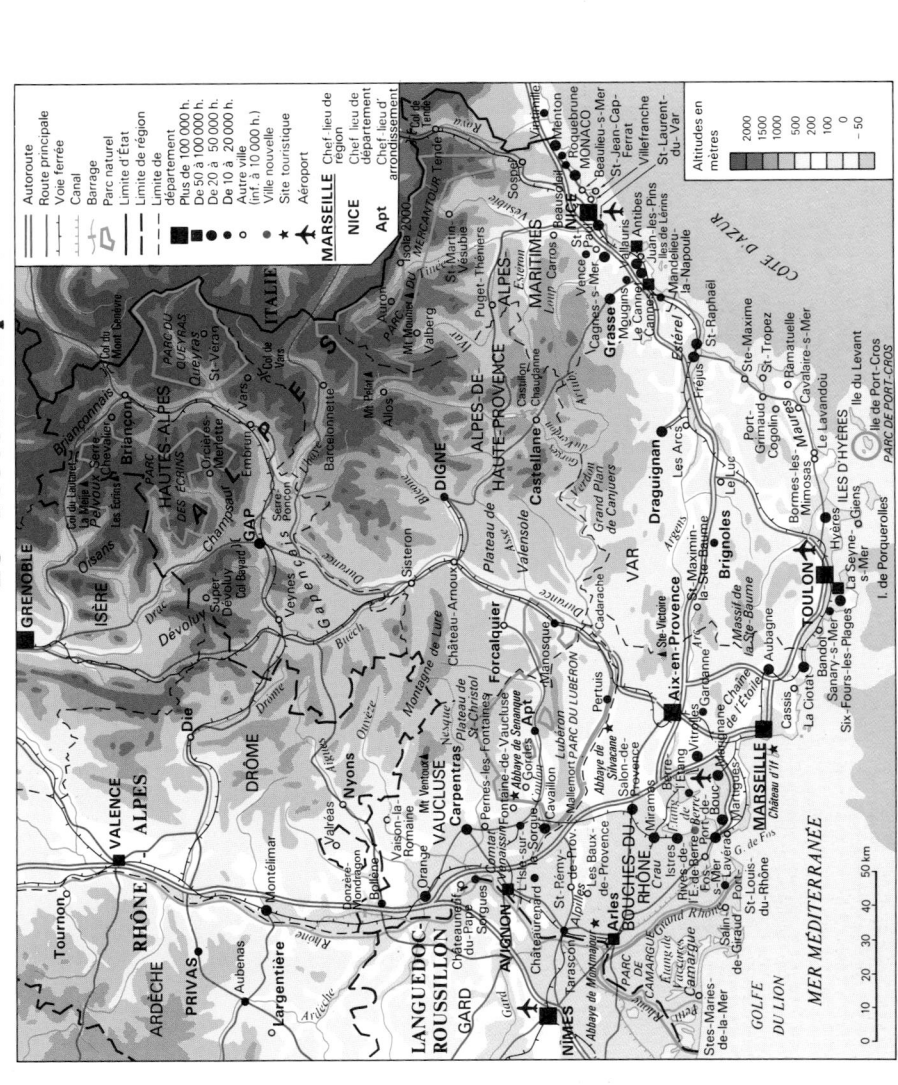

Légende (Provence-Alpes-Côte d'Azur)

- Autoroute
- Route principale
- Voie ferrée
- Canal
- Barrage
- Parc naturel
- Limite d'État
- Limite de région
- Limite de département
- Plus de 100 000 h.
- De 50 à 100 000 h.
- De 20 à 50 000 h.
- De 10 à 20 000 h.
- Autre ville (inf. à 10 000 h.)
- Ville nouvelle
- Site touristique
- Aéroport

MARSEILLE Chef-lieu de région
NICE Chef-lieu de département
Apt Chef-lieu d'arrondissement

Altitudes en mètres
2000 1500 1000 500 200 100 0 -50

26 - Corse

Légende (Corse)

- Route principale
- Voie ferrée
- Parc naturel
- Limite d'État
- Limite de département
- De 50 à 100 000 h.
- De 20 à 50 000 h.
- Autre ville (inf. à 10 000 h.)
- Aéroport

Altitudes en mètres
2 000 1 500 1 000 500 200 100 0 -100 -200

AJACCIO Chef-lieu de région
BASTIA Chef-lieu de département
Calvi Chef-lieu d'arrondissement

0 10 20 30 km

27 - Guyane

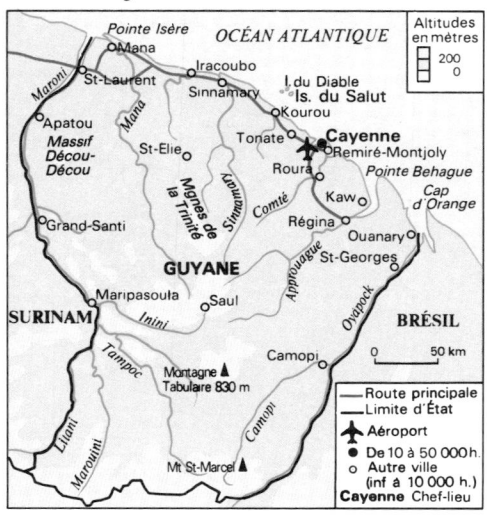

29 - Île de la Réunion

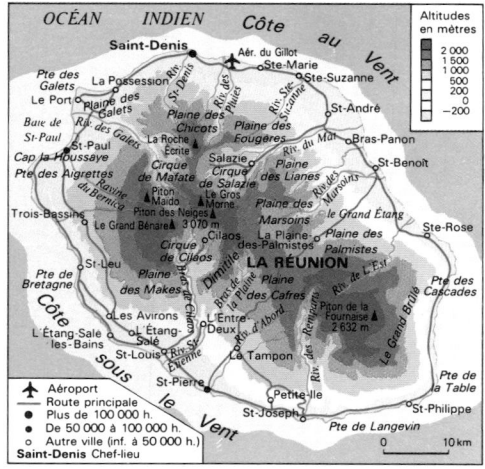

31 - Tahiti

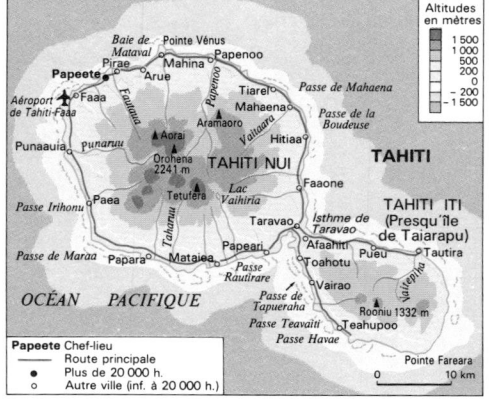

28 - Guadeloupe

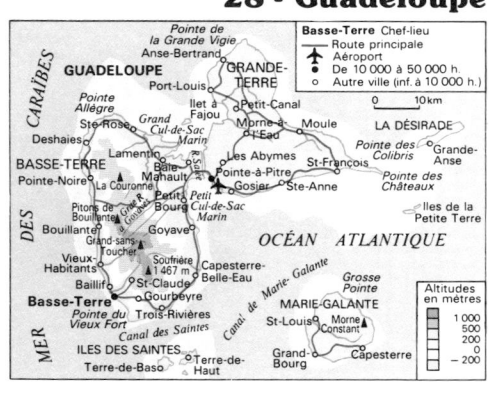

30 - Martinique

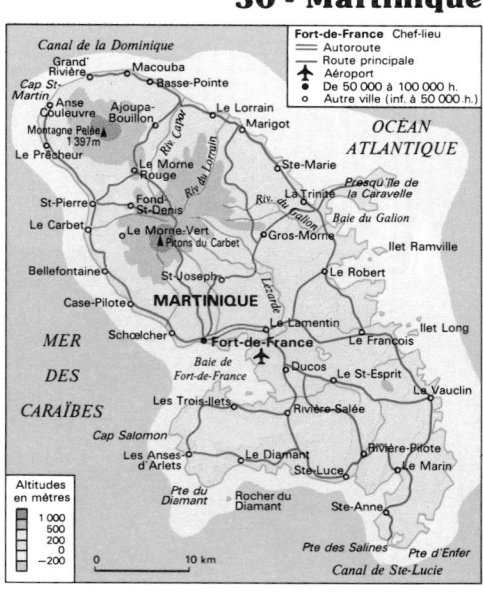

32 - Nouvelle-Calédonie

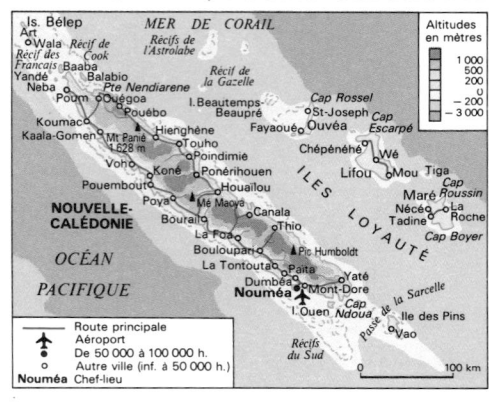

33 - Communauté Européenne

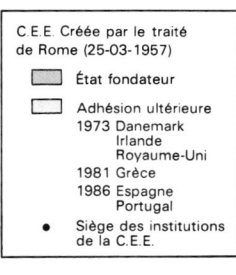

C.E.E. Créée par le traité de Rome (25-03-1957)

État fondateur

Adhésion ultérieure
1973 Danemark
Irlande
Royaume-Uni
1981 Grèce
1986 Espagne
Portugal

• Siège des institutions de la C.E.E.

34 - Europe

ROYAUME-UNI

Royaume-Uni de Grande-Bretagne et d'Irlande du Nord.
Capitale : Londres.
Superficie : 244 046 km² (0,45 fois la France).
Population : 56,8 millions d'hab. (1,02 fois la France).
Densité : 233 hab./km² (France : 102).

Monnaie : livre sterling.
Langues : anglais (officielle) ; gallois.
Nature de l'État : monarchie.
Nature du régime : démocratie parlementaire.

35 - Royaume-Uni

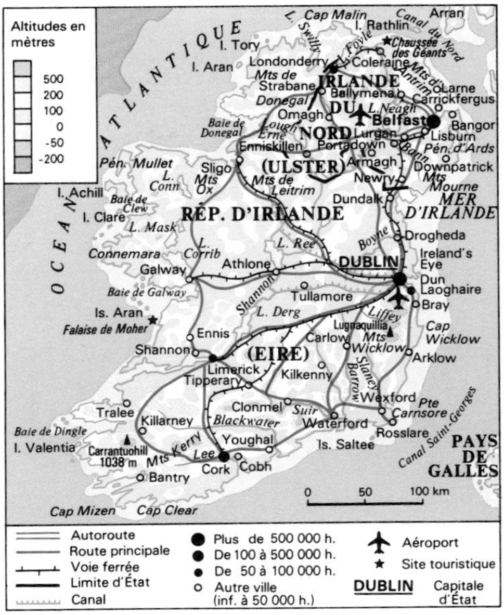

IRLANDE

République d'Irlande.
Capitale : Dublin.
Superficie : 70 280 km^2 (0,13 fois la France).
Population : 3,5 millions d'hab. (0,06 fois la France).
Densité : 50 hab./km^2 (France : 102).
Monnaie : livre irlandaise.
Langues : anglais, irlandais (gaélique).
Nature de l'État : république.
Nature du régime : démocratie parlementaire.

SUISSE

Confédération helvétique.
Capitale : Berne.
Superficie : 41 288 km^2 (0,08 fois la France).
Population : 6,6 millions d'hab. (0,12 fois la France).
Densité : 160 hab./km^2 (France : 102).
Monnaie : franc suisse.
Langues : allemand, français, italien, romanche.
Nature de l'État : république fédérale (26 cantons).
Nature du régime : démocratie parlementaire ; éléments de démocratie directe.

37 - Suisse

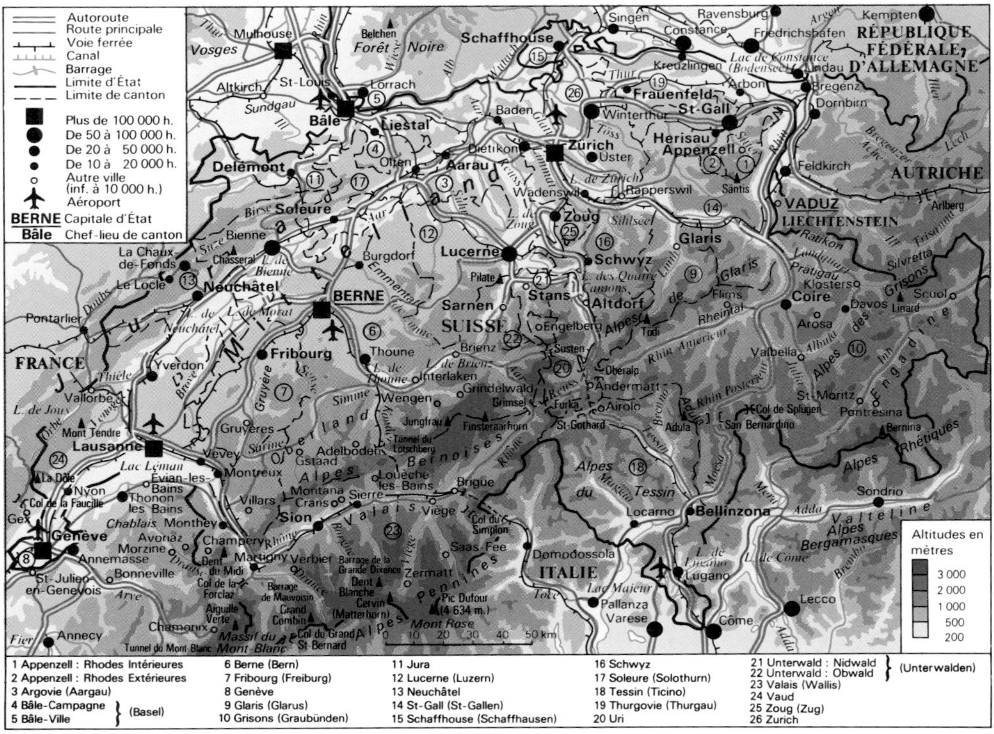

1 Appenzell : Rhodes Intérieures	6 Berne (Bern)	11 Jura	16 Schwyz	21 Unterwald : Nidwald	(Unterwalden)
2 Appenzell : Rhodes Extérieures	7 Fribourg (Freiburg)	12 Lucerne (Luzern)	17 Soleure (Solothurn)	22 Unterwald : Obwald	
3 Argovie (Aargau)	8 Genève	13 Neuchâtel	18 Tessin (Ticino)	23 Valais (Wallis)	
4 Bâle-Campagne (Basel)	9 Glaris (Glarus)	14 St-Gall (St-Gallen)	19 Thurgovie (Thurgau)	24 Vaud	
5 Bâle-Ville (Basel)	10 Grisons (Graubünden)	15 Schaffhouse (Schaffhausen)	20 Uri	25 Zoug (Zug)	
				26 Zurich	

MER DU NORD

PAYS-BAS

FRANCE

RÉPUBLIQUE FÉDÉRALE D'ALLEMAGNE

LUXEMBOURG

BELGIQUE

FLANDRE OCCIDENTALE

FLANDRE ORIENTALE

BRABANT

LIMBOURG

ANVERS

HAINAUT

NAMUR

LIÈGE

Autoroute
Route principale
Voie ferrée
Canal
Limite d'État
Limite de province
Aéroport

■ Plus de 100 000 h.
● de 50 à 100 000 h.
● de 20 à 50 000 h.
• Autre ville (inf. à 20 000 h.)
BRUXELLES Capitale d'État
Namur Chef-lieu de province

Altitudes en mètres
1 000 / 500 / 200 / 100 / 0

0 10 20 30 40 50 km

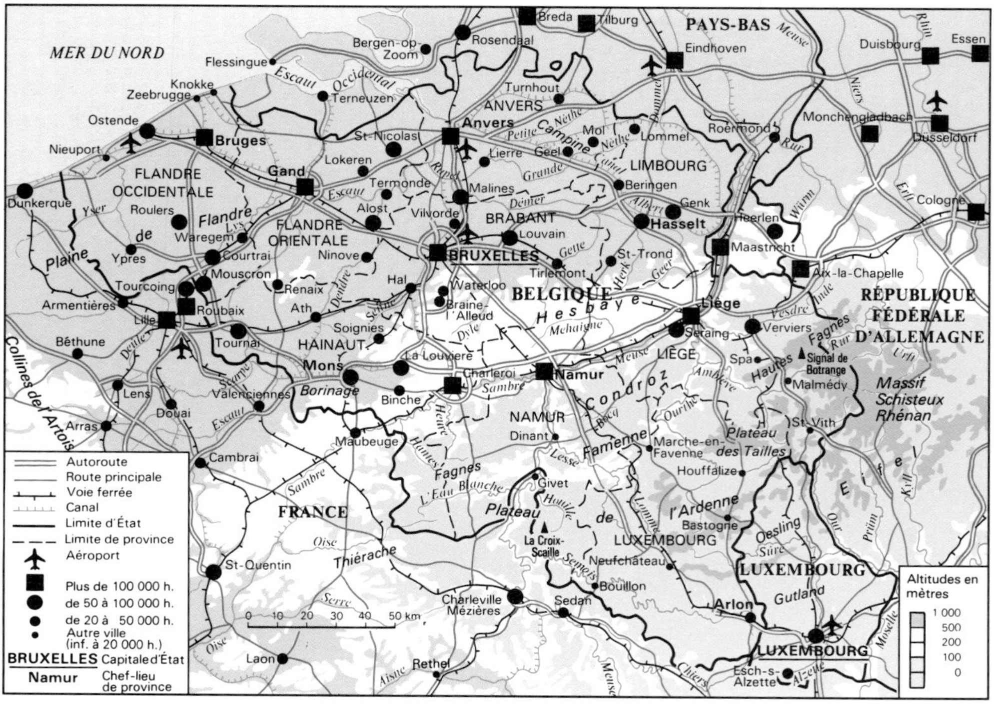

BELGIQUE

Royaume de Belgique.
Capitale : Bruxelles.
Superficie : 30 514 km² (0,06 fois la France).
Population : 9,9 millions d'hab. (0,18 fois la France).
Densité : 324 hab./km² (France : 102).
Monnaie : franc belge.
Langues : français, néerlandais (flamand).
Nature de l'État : monarchie.
Nature du régime : démocratie parlementaire.

BELGIQUE

Ardenne

Oesling

LUXEMBOURG

Gutland

RÉPUBLIQUE FÉDÉRALE D'ALLEMAGNE

FRANCE

Autoroute
Route principale
Voie ferrée
Limite d'État
Aéroport
■ 50 à 100 000 h.
● 20 à 50 000 h.
• Autre ville (inf. à 20 000 h.)
LUXEMBOURG Capitale d'État

Altitudes en mètres
1000 / 500 / 200 / 100

0 10 20 km

LUXEMBOURG

Grand-Duché de Luxembourg.
Capitale : Luxembourg.
Superficie : 2 586 km² (0,005 fois la France).
Population : 0,4 million d'hab. (0,007 fois la France).
Densité : 155 hab./km² (France : 102).
Monnaie : franc luxembourgeois, franc belge.
Langues : français, allemand, luxembourgeois.
Nature de l'État : monarchie.
Nature du régime : démocratie parlementaire.

R.F.A.
République fédérale d'Allemagne.
Capitale : Bonn.
Superficie : 248 147 km², y compris Berlin-Ouest (0,46 fois la France).
Population : 61 millions d'hab. (1,1 fois la France).
Densité : 246 hab./km² (France : 102).
Monnaie : deutsche mark.

Langue : allemand.
Nature de l'État : république fédérale (10 Länder, statut séparé pour Berlin-Ouest).
Nature du régime : démocratie parlementaire.

R.D.A.
République démocratique allemande.
Capitale : Berlin.

Superficie : 108 178 km² (0,2 fois la France).
Population : 16,7 millions d'hab. (0,3 fois la France).
Densité : 154 hab./km² (France : 102).
Monnaie : ostmark ou mark oriental.
Langue : allemand.
Nature de l'État : république.
Nature du régime : démocratie populaire.

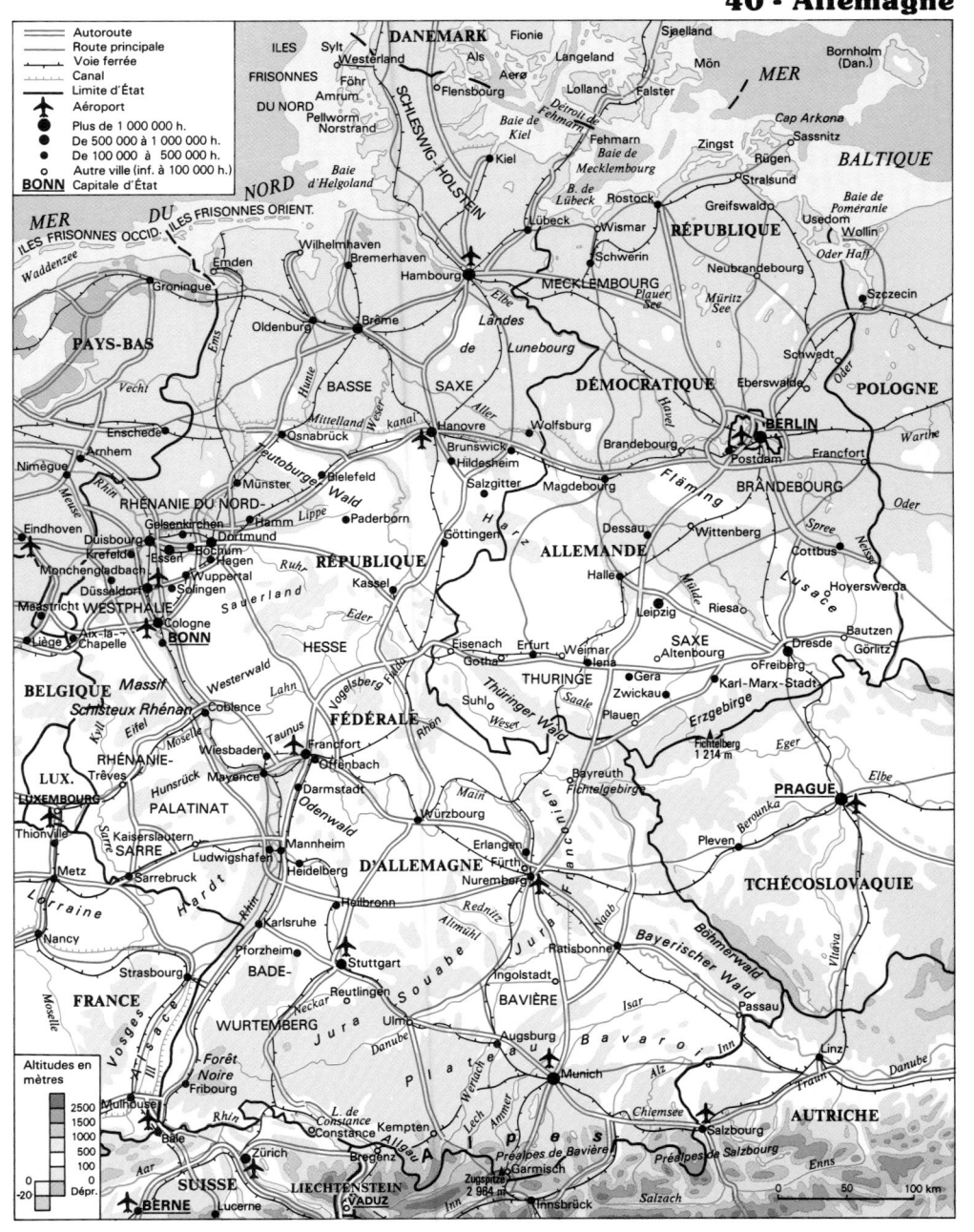

ITALIE

République italienne.
Capitale : Rome.
Superficie : 301 225 km² (0,55 fois la France).
Population : 57,4 millions d'hab. (1,03 fois la France).
Densité : 191 hab./km² (France : 102).
Monnaie : lire.
Langues : italien (officielle) ; allemand, albanais, ladino, grec, français.
Nature de l'État : république accordant une certaine autonomie aux régions (20 régions).
Nature du régime : démocratie parlementaire.

ESPAGNE

Espagne.
Capitale : Madrid.
Superficie : 504 782 km² (0,93 fois la France).
Population : 39 millions d'hab. (0,7 fois la France).
Densité : 77 hab./km² (France : 102).
Monnaie : peseta.
Langues : officielle nationale : espagnol (ou castillan) ;
officielles régionales : basque ou euskara, catalan (valencien), galicien.
Nature de l'État : monarchie - Reconnaissance du ''droit d'autonomie des nationalités et régions'' (19 communautés autonomes, y compris Ceuta et Melilla).
Nature du régime : démocratie parlementaire .

PORTUGAL

République du Portugal.
Capitale : Lisbonne.
Superficie : 92 080 km² (0,17 fois la France).
Population : 10,3 millions d'hab. (0,19 fois la France).
Densité : 112 hab./km² (France : 102).
Monnaie : escudo.
Langue : portugais.
Nature de l'État : république ; respecte l'autonomie des archipels des Açores et de Madère.
Nature du régime : démocratie parlementaire .

41 - Italie

42 - Espagne

43 - Portugal

U.R.S.S.

Union des Républiques socialistes soviétiques.
Capitale : Moscou.
Superficie : 22 402 200 km²
(41 fois la France).
Population : 284 millions d'hab.
(5,1 fois la France).
Densité : 13 hab./km² (France :
102).
Monnaie : rouble.

Langues : russe (officielle) ; 112 autres langues reconnues.
Nature de l'État : république fédérale et multinationale (15 républiques socialistes soviétiques).
Nature du régime : démocratie
populaire - État du "socialisme développé", fondé sur "le centralisme
démocratique" et le régime du parti
unique.

44 - U.R.S.S.

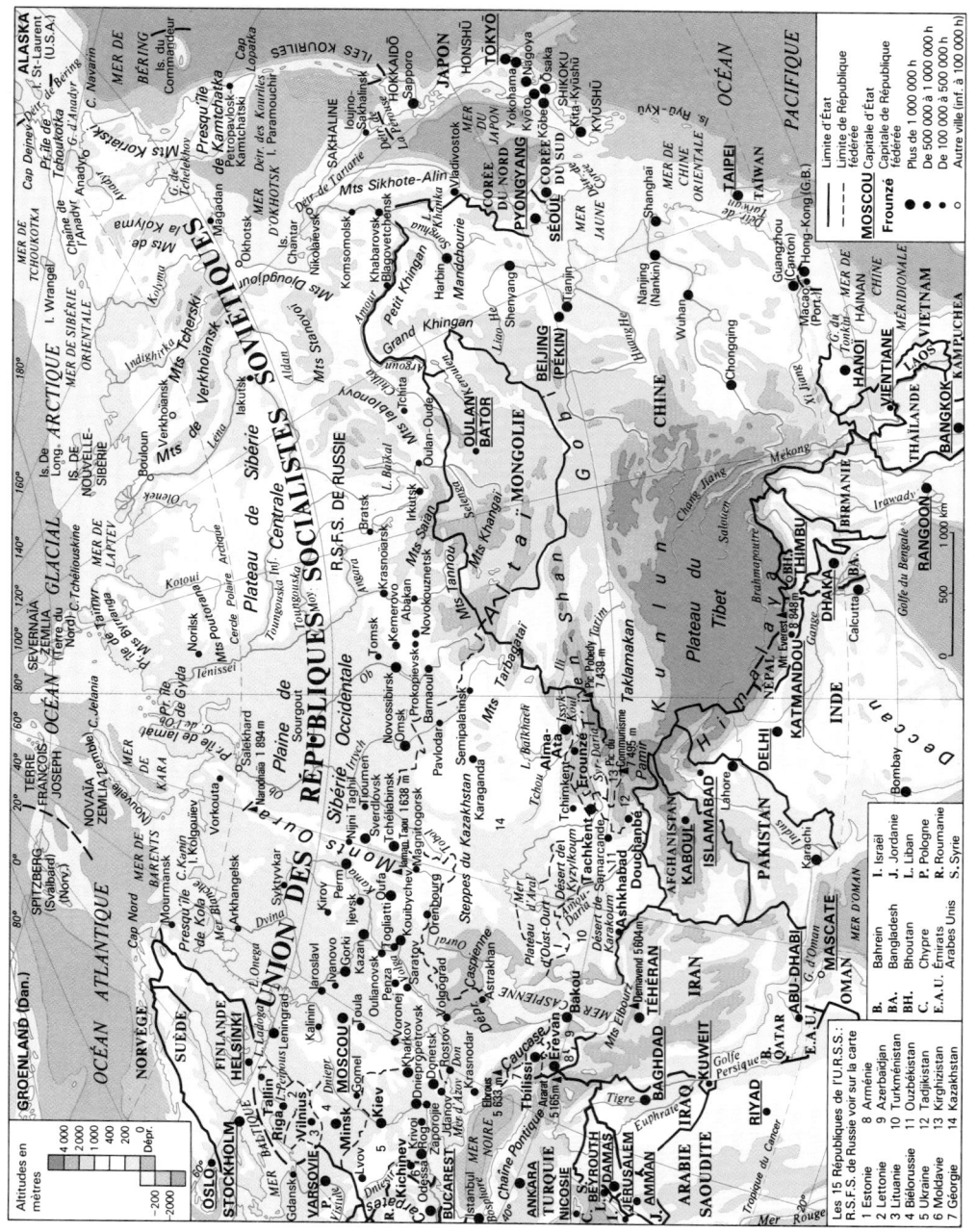

Limite d'État
Limite de République fédérée
Capitale d'État
Capitale de République fédérée

Plus de 1 000 000 h
De 500 000 à 1 000 000 h
De 100 000 à 500 000 h
Autre ville (inf. à 100 000 h)

MOSCOU Capitale d'État
Frounzé Capitale de République fédérée

Altitudes en mètres
4 000 / 2000 / 1000 / 400 / 200 / 0 Dépr.
-200 / -2000

Les 15 Républiques de l'U.R.S.S. :
R.S.F.S. de Russie voir sur la carte

1 Estonie
2 Lettonie
3 Lituanie
4 Biélorussie
5 Ukraine
6 Moldavie
7 Géorgie
8 Arménie
9 Azerbaïdjan
10 Turkménistan
11 Ouzbékistan
12 Tadjikistan
13 Kirghizistan
14 Kazakhstan

B. Bahrein
BA. Bangladesh
BH. Bhoutan
C. Chypre
E.A.U. Émirats Arabes Unis
I. Israël
J. Jordanie
L. Liban
P. Pologne
R. Roumanie
S. Syrie

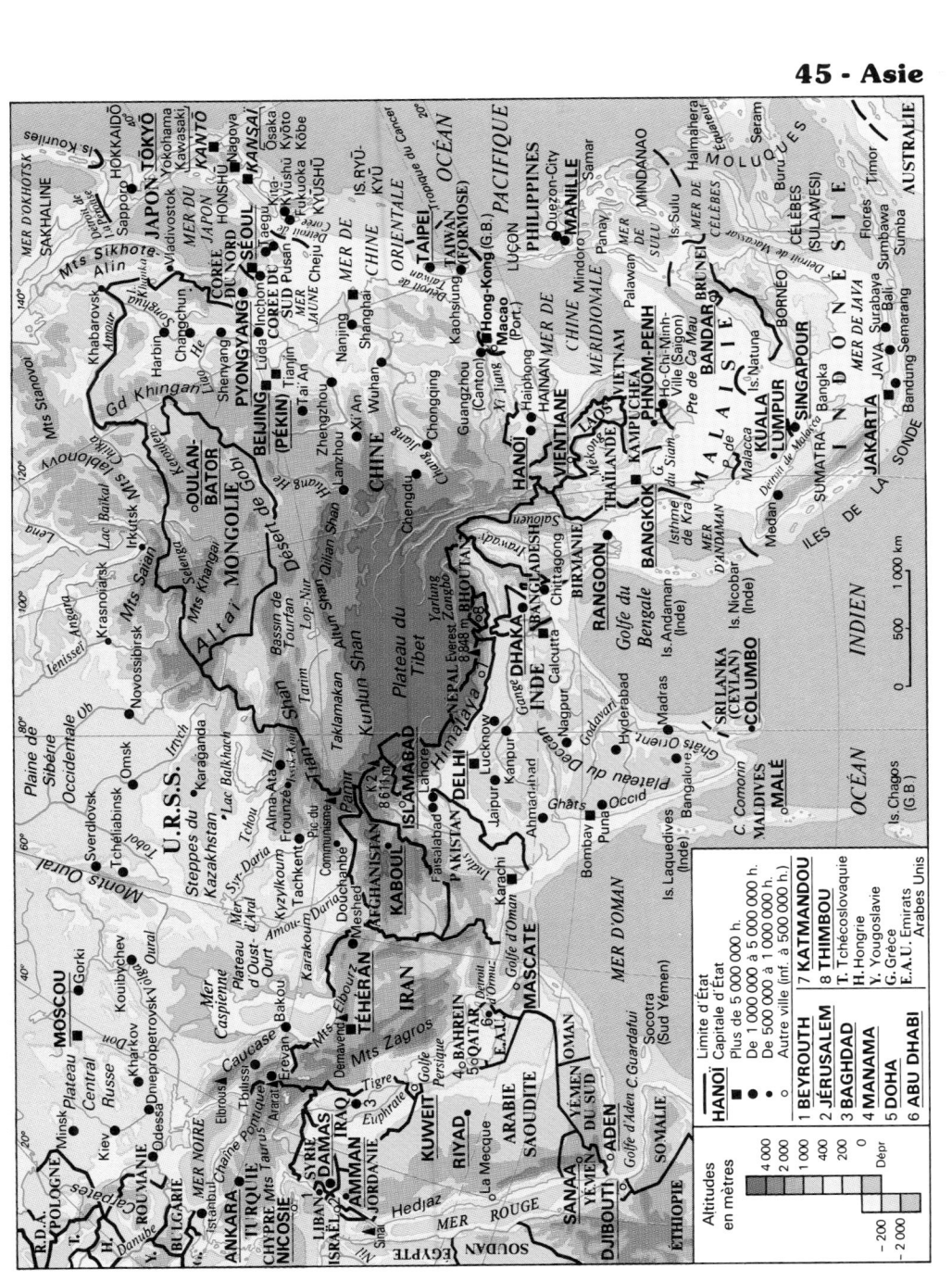

Altitudes
en mètres

4 000
2 000
1 000
400
200
0
Dépr

- 200
- 2 000

HANOÏ
● ■ Limite d'État
● Capitale d'État
● Plus de 5 000 000 h.
● De 1 000 000 à 5 000 000 h.
● De 500 000 à 1 000 000 h.
○ Autre ville (inf. à 500 000 h.)

1 BEYROUTH
2 JÉRUSALEM
3 BAGHDAD
4 MANAMA
5 DOHA
6 ABU DHABI

7 KATMANDOU
8 THIMBOU
T. Tchécoslovaquie
H. Hongrie
Y. Yougoslavie
G. Grèce
E.A.U. Emirats
Arabes Unis

0   500   1 000 km

CHINE

République Populaire de Chine.
Capitale : Beijing (Pékin).
Superficie : 9 596 961 km² (18 fois la France).
Population : 1 062 millions d'hab. (19 fois la France).
Densité : 111 hab./km² (France : 102).
Monnaie : yuan.
Langues : mandarin de Pékin (officielle) ; 8 dialectes (dont le cantonais, parlé aussi à Hong-Kong) avec de nombreuses variantes ; les minorités nationales ont leur propre langue.
Nature de l'État : république socialiste unitaire et multinationale (21 provinces, 5 régions autonomes, 3 municipalités).
Nature du régime : démocratie populaire fondée sur le régime du parti unique et une idéologie d'État : le marxisme-léninisme.

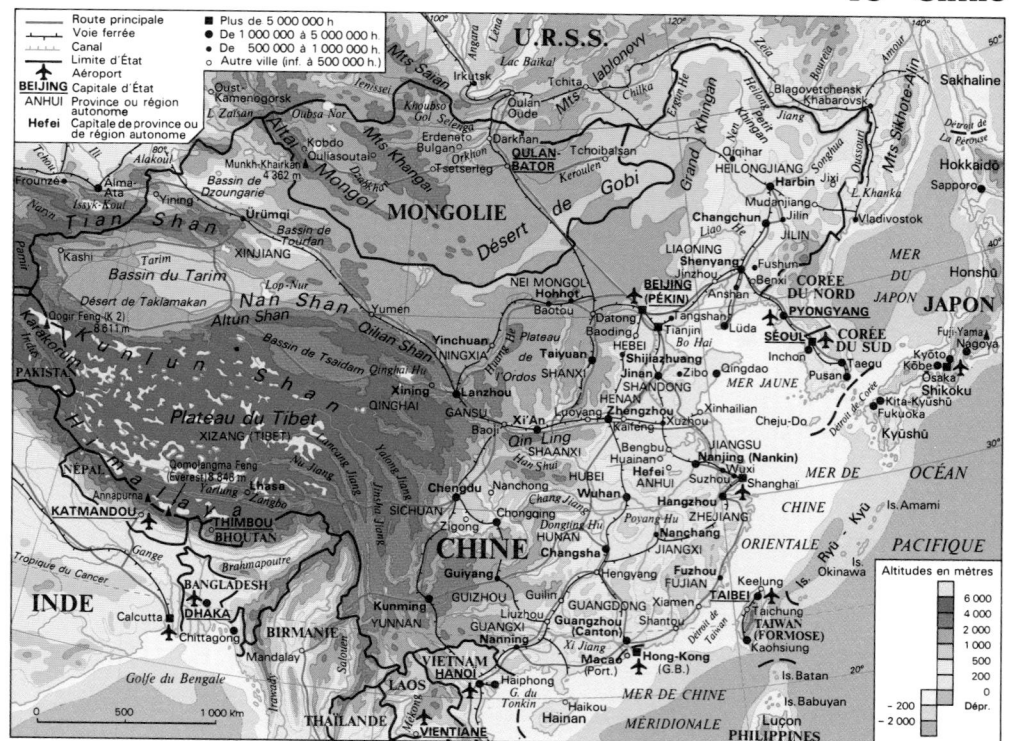

JAPON

Japon.
Capitale : Tōkyō.
Superficie : 372 313 km² (0,68 fois la France).
Population : 122,2 millions d'hab. (2,2 fois la France).
Densité : 328 hab./km² (France : 102).
Monnaie : yen.
Langue : japonais.
Nature de l'État : empire, mais l'empereur n'a aucun pouvoir pour gouverner.
Nature du régime : démocratie parlementaire.

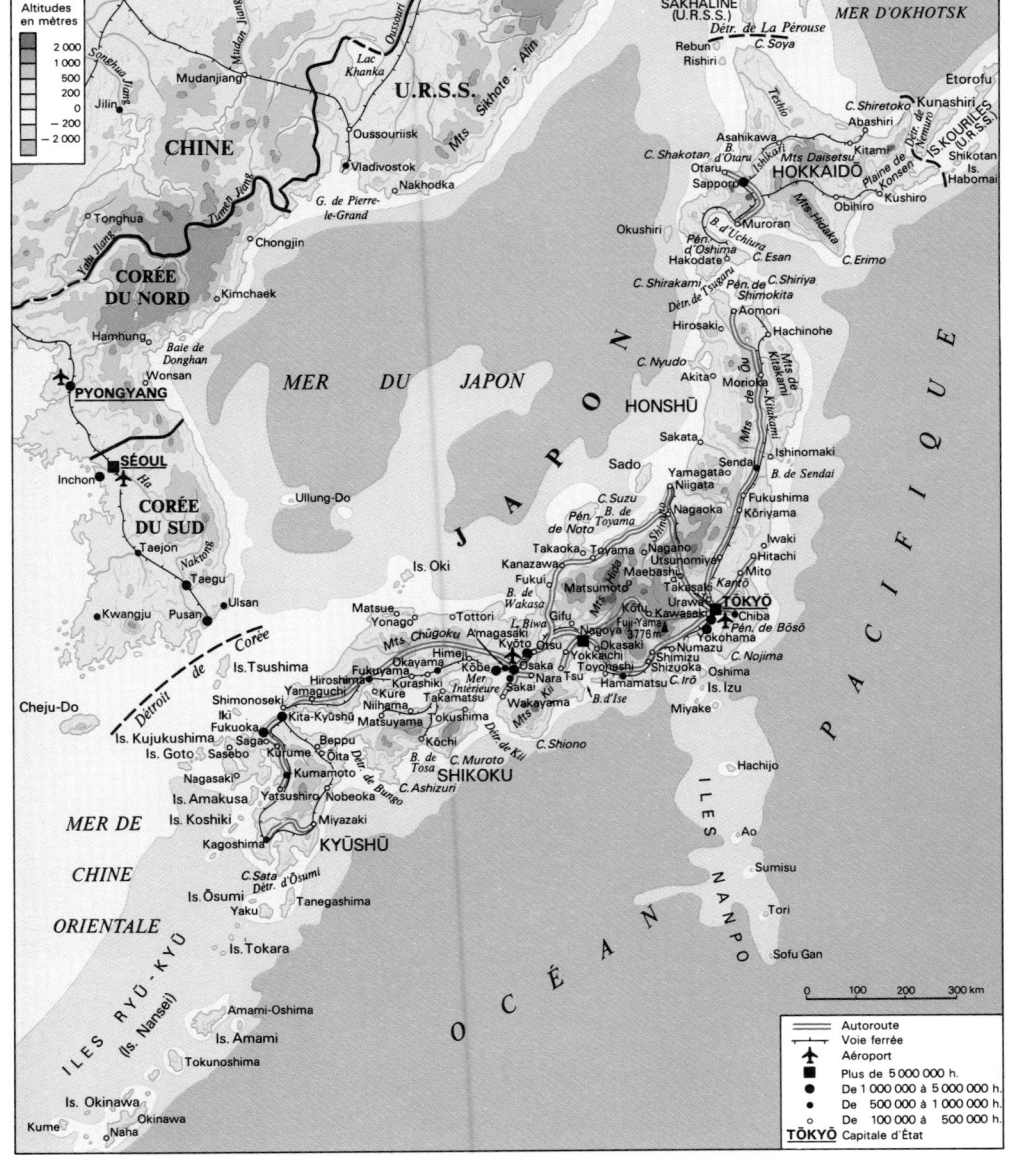

CANADA

Canada.
Capitale : Ottawa.
Superficie : 9 976 139 km² (18 fois la France).
Population : 25,9 millions d'hab. (0,47 fois la France).
Densité : 3 hab./km² (France : 102).

Monnaie : dollar canadien.
Langues : anglais, français.
Nature de l'État : État fédéral (10 provinces et 2 territoires).
Nature du régime : démocratie parlementaire.

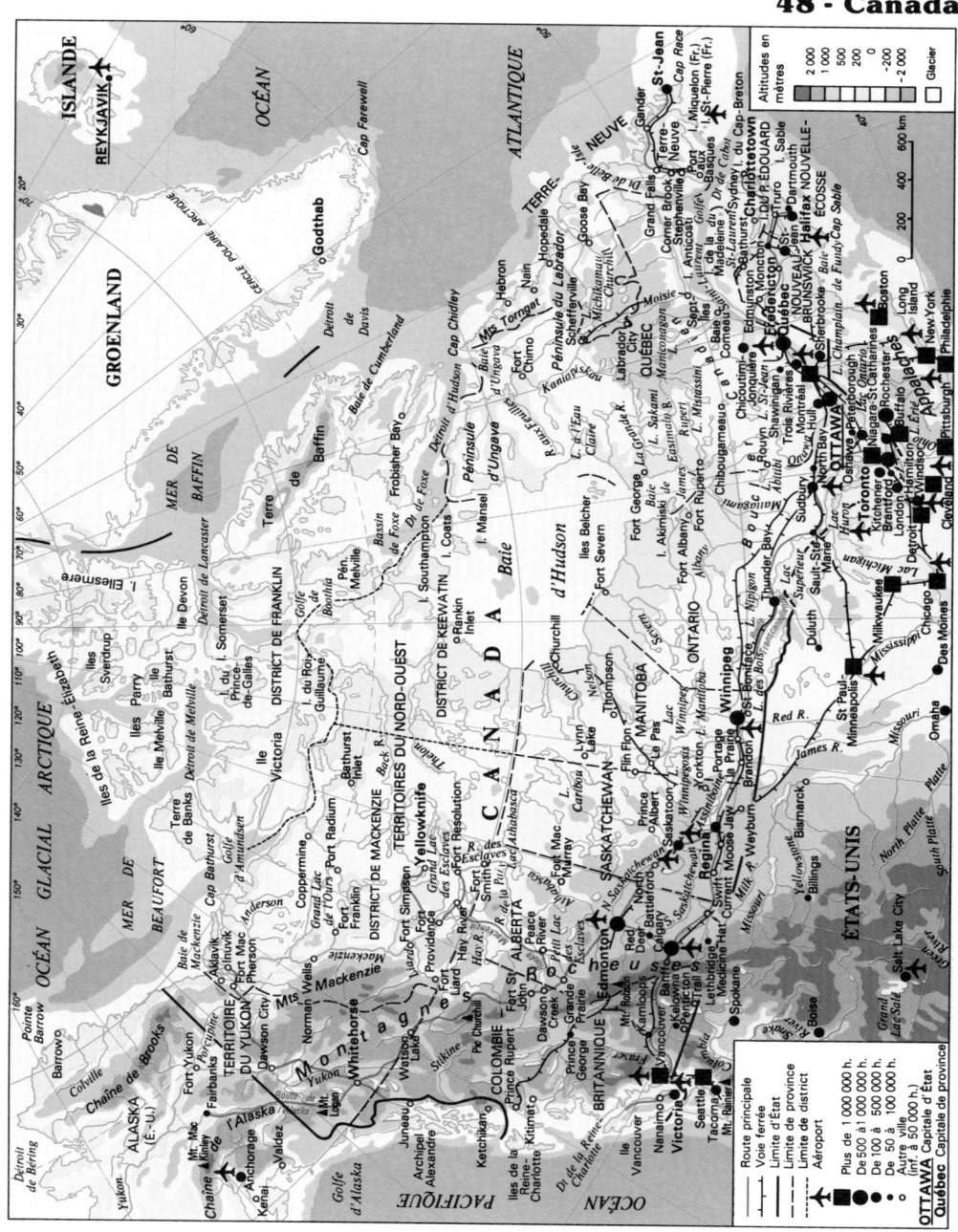

QUÉBEC

Province du Québec.
Capitale : Québec.
Superficie : 1 540 680 km² (2,8 fois la France).
Population : 6,6 millions d'hab. (0,12 fois la France).
Densité : 4 hab./km² (France : 102).
Monnaie : dollar canadien.
Langue : français.

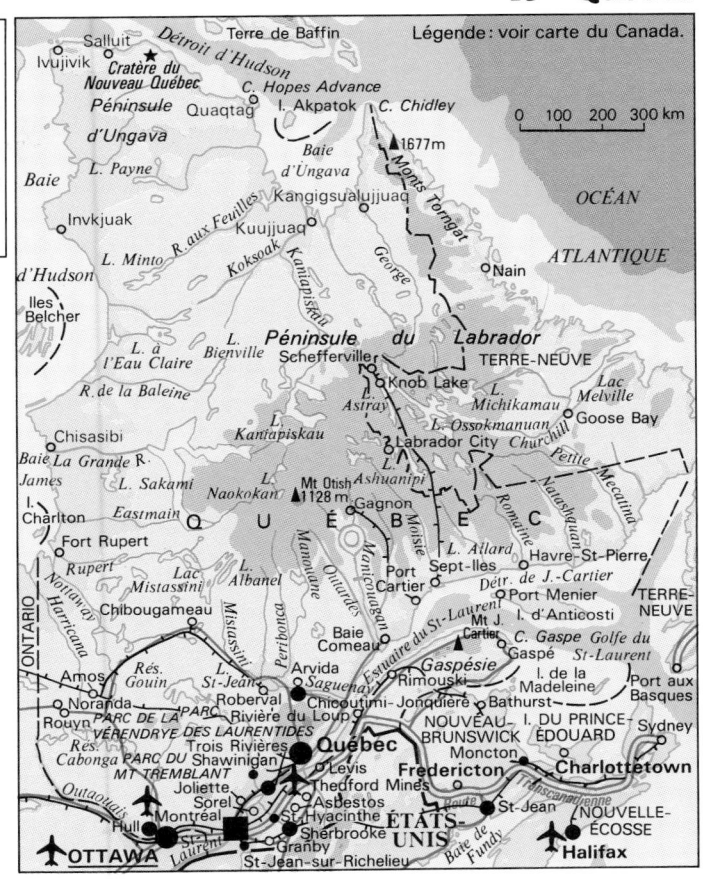

Légende : voir carte du Canada.

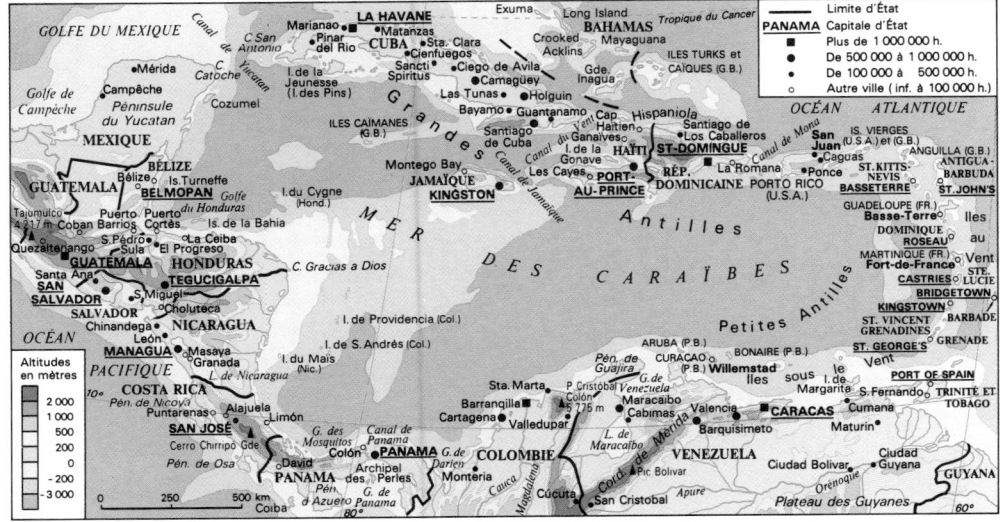

U.S.A.

États-Unis d'Amérique.
Capitale : Washington.
Superficie : 9 363 123 km² (17 fois la France).
Population : 243,8 millions d'hab. (4,4 fois la France).
Densité : 26 hab./km² (France : 102).

Monnaie : dollar.
Langue : anglais.
Nature de l'État : république fédérale (50 États et 1 district fédéral).
Nature du régime : démocratie présidentielle.

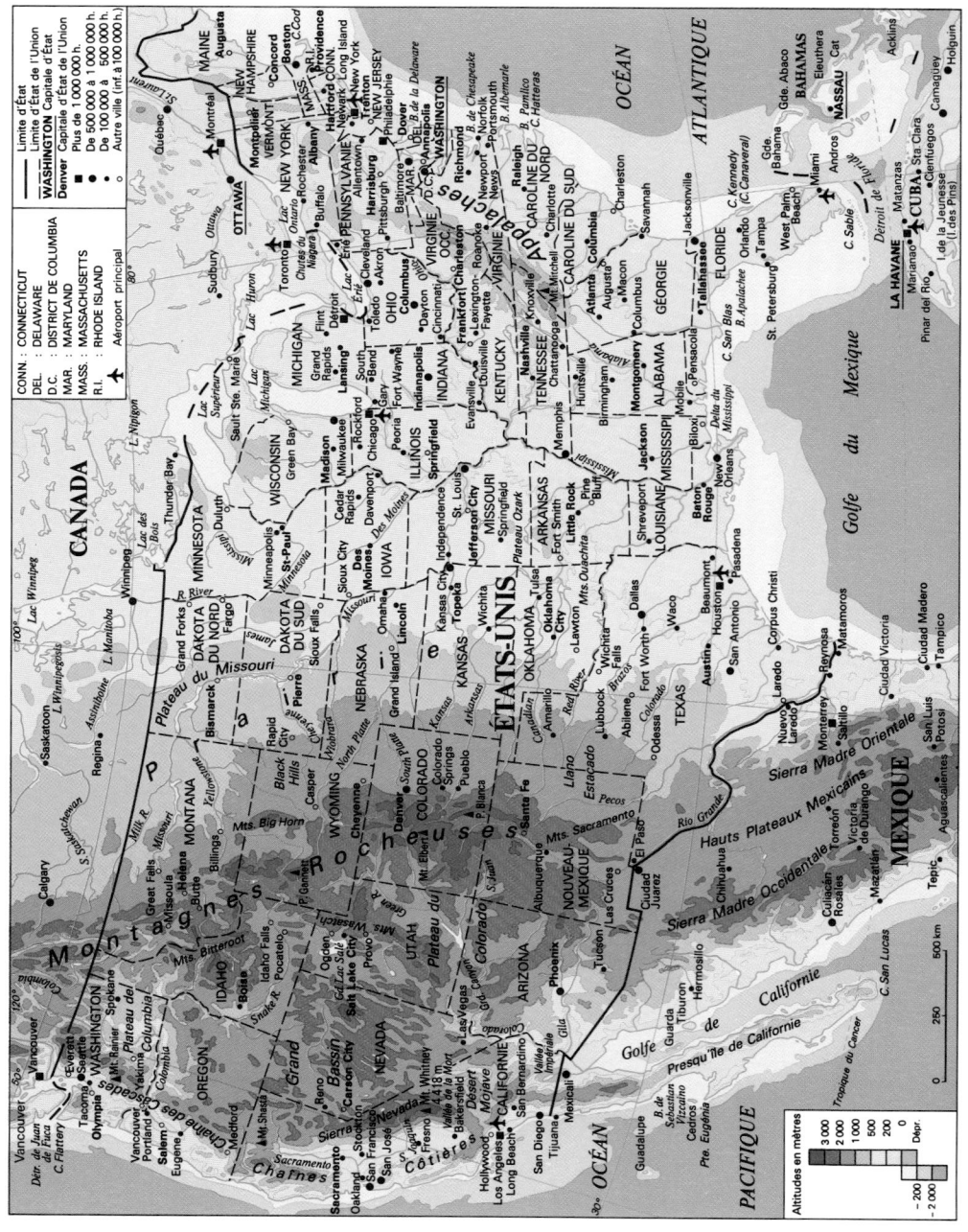

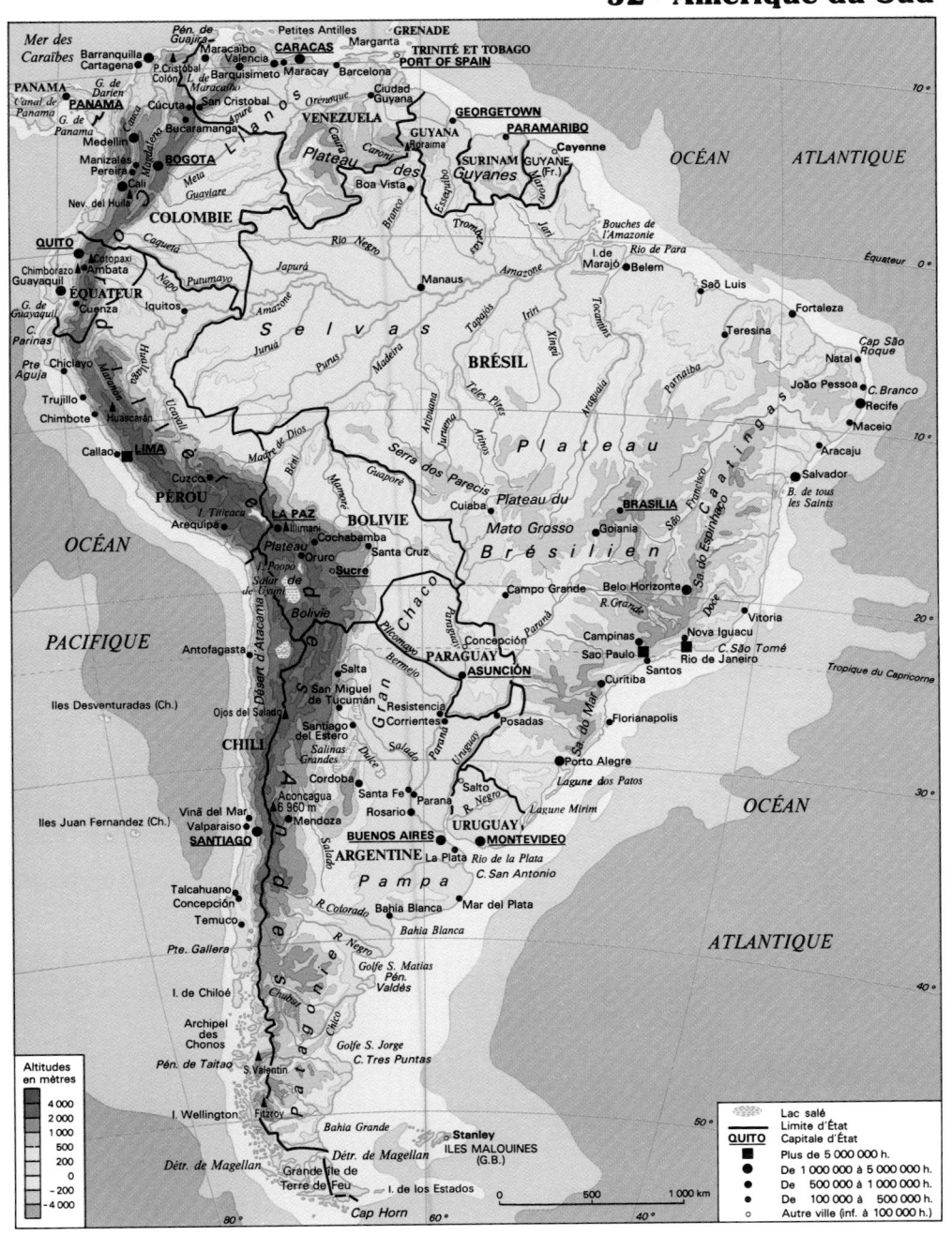

Mer des Caraïbes

Pén. de Guajira
Barranquilla
Cartagena
PANAMA
Canal de Panama
G. de Darien
PANAMA
G. de Panama
Medellin
Manizales
Pereira
BOGOTA
Cali
Nev. del Huila
COLOMBIE

P.Cristóbal
Colón
Maracaibo
L. de Maracaibo
Valencia
Cúcuta
San Cristobal
Bucaramanga
Meta
Guaviare
Caquetá

Petites Antilles
CARACAS
Barquisimeto
Maracay
Barcelona
Ciudad Guyana
Orenoque
VENEZUELA
Apure
Caura
Plateau
Caroni
Branco

GRENADE
Margarita
TRINITÉ ET TOBAGO
PORT OF SPAIN
GEORGETOWN
GUYANA
Roraima
SURINAM
PARAMARIBO
Cayenne
GUYANE (Fr.)
Boa Vista
des
Guyanes
Maroni

OCÉAN ATLANTIQUE

QUITO
Cotopaxi
Chimborazo
Ambato
Guayaquil
ÉQUATEUR
Cuenza
Iquitos
G. de Guayaquil
C. Parinas
Pte Aguja
Chiclayo
Trujillo
Chimbote
Huascarán
Callao
LIMA
Cuzco
PÉROU
Arequipa
LA PAZ
Illimani
BOLIVIE
Cochabamba
Oruro
Santa Cruz
Sucre
Plateau
Poopó
Salar de de Uyuni
Bolivie

Napo
Putumayo
Río Negro
Japurá
Amazone
Juruá
Purus
Madeira
Madre de Dios
Beni
Guaporé
Mamoré

Manaus
Selvas
BRÉSIL
Tapajós
Xingu
Teles-Pires
Arinos
Juruena
Tromba
Tocantins
Jari

Bouches de l'Amazonie
I. de Marajó
Belem
Río de Pará
Saō Luis

Équateur 0°

Fortaleza
Cap São Roque
Natal
C.Branco
João Pessoa
Recife
Maceio
10°

Aracaju
Salvador
B. de tous les Saints

Plateau
Serra dos Parecis
Cuiaba
Plateau du
Mato Grosso
Goiania
BRASILIA
Campo Grande
Belo Horizonte

Brésilien
São Francisco
Caatingas
Sa. do Espinhaço

OCÉAN PACIFIQUE
Antofagasta
Iles Desventuradas (Ch.)
Ojos del Salado
Salta
San Miguel de Tucumán
CHILI
Santiago del Estero
Salinas Grandes
Cordoba

I. Titicaca
Chaco
Pilcomayo
Bermejo
PARAGUAY
ASUNCIÓN
Concepción
Resistencia
Corrientes
Posadas

Campinas
São Paulo
Santos
Curitiba
Florianopolis
Porto Alegre
Nova Iguaçu
Rio de Janeiro
C. São Tomé
Vitoria
R.Grande
Doce

Tropique du Capricorne 20°

Sa. do Mar
Lagune dos Patos
Lagune Mirim

OCÉAN 30°

Iles Juan Fernandez (Ch.)
Viña del Mar
Valparaiso
SANTIAGO
Aconcagua 6 960 m
Mendoza
Santa Fe
Parana
Rosario
Salto
R. Negro
BUENOS AIRES
La Plata
ARGENTINE
Río de la Plata
C. San Antonio
URUGUAY
MONTEVIDEO

Saldo
Duce
Salado
Uruguay
Parana

Talcahuano
Concepción
Temuco
Pte. Galiera
I. de Chiloé
Archipel des Chonos
Pén. de Taitao
S.Valentin
I. Wellington
Fitzroy

Pampa
Bahia Blanca
R. Colorado
R. Negro
Golfe S. Matias
Pén. Valdés
Chubut
Golfe S. Jorge
C. Tres Puntas

Mar del Plata
Bahia Blanca

ATLANTIQUE 40°

Bahia Grande
Détr. de Magellan
Grande Île de Terre de Feu
I. de los Estados
Cap Horn

Stanley
ILES MALOUINES (G.B.)
50°

Détr. de Magellan

80° 60° 40°

Altitudes en mètres	
	4 000
	2 000
	1 000
	500
	200
	0
	- 200
	-4 000

	Lac salé	
	Limite d'État	
QUITO	Capitale d'État	
■	Plus de 5 000 000 h.	
●	De 1 000 000 à 5 000 000 h.	
●	De 500 000 à 1 000 000 h.	
•	De 100 000 à 500 000 h.	
○	Autre ville (inf. à 100 000 h.)	

0 500 1 000 km

ACORES (Port.) 20° LISBONNE MADRID Sardaigne ITALIE 20° GRÈCE Istanbul ANKARA 40° Mer U.R.S.S.
Ponta Delgada PORTUGAL ESPAGNE Is. Baléares MER TUNIS Sicile ATHÈNES TURQUIE Ararat Caspienne
Détroit Gibraltar (G.B.) ALGER MALTE Crète CHYPRE NICOSIE SYRIE Euphrate TÉHÉRAN
de Gibraltar Ceuta (Esp.) Aurès LA VALETTE BEYROUTH DAMAS IRAN
MADÈRE (Port.) Melilla (Esp.) MÉDITERRANÉE LIBAN BAGHDAD
Funchal Casablanca MAROC A t l a s TUNISIE G. de Grande JÉRUSALEM IRAQ 30°
Santa Cruz O. Draâ Toubkal TRIPOLI Syrte Alexandrie ISRAËL AMMAN KUWEIT
de Tenerife Gd. Erg Gd. Erg LE CAIRE C. de Suez JORDANIE G. Persique
CANARIES Las Palmas Occid. Oriental Sinaï BAHREÏN MANAMA
(Esp.) C. Bojador Erg Iguidi ALGÉRIE LIBYE ÉGYPTE Désert Arabique QATAR DOHA
Tropique du Cancer Erg Chech S a h a r a Désert de Libye L. Nasser Arabique RIYAD ABU DHABI
Cap Blanc Hoggar Désert de La Mecque Arabique ÉMIRATS
(Ras Nouadhibou) MAURITANIE Air Ténéré Nubie ARABIE SAOUDITE ARABES UNIS
CAP-VERT NOUAKCHOTT S a h e l Tibesti
PRAIA SÉNÉGAL MALI NIGER Bodélé KHARTOUM YÉMEN SANAA YÉMEN
Cap Vert DAKAR BAMAKO Niger NIAMEY TCHAD Darfour Nil Blanc ADDIS-ABÉBA DJIBOUTI Socotra (Y. du S.)
GAMBIE BANJUL OUAGADOUGOU Lac Tchad NDJAMENA SOUDAN ADEN G. d'Aden
BISSAU GUINÉE-BISSAU Fouta Djalon BURKINA BÉNIN Chari Nil Bleu DJIBOUTI C. Guardafui
CONAKRY GUINÉE CÔTE GHANA NIGÉRIA Bénoué L. Tana SOMALIE
FREETOWN YAMOUSSOUKRO PORTO-NOVO Logone CENTRAFRIQUE Massif d'Éthiopie ÉTHIOPIE
SIERRA LEONE D'IVOIRE ACCRA LAGOS Adamaoua BANGUI L. Turkana
MONROVIA LIBÉRIA Abidjan LOMÉ Ibadan YAOUNDÉ Uele OUGANDA MOGADISHU
Cap des Palmes MALABO CAMEROUN Oubangui L. Mobutu KAMPALA KENYA
Golfe de Guinée Bioko GUINÉE Zaïre Bassin L. Victoria Mt. Kenya NAIROBI
ÉQUAT. SAO TOMÉ LIBREVILLE CONGO du Congo Lac KIGALI OCÉAN
Équateur SAO TOMÉ ET PRINCIPE GABON Congo RWANDA Victoria 0°
Annobón (G. equat.) BRAZZAVILLE BUJUMBURA BURUNDI Kilimandjaro 5 895 m
Cabinda KINSHASA ZAÏRE TANZANIE Pemba VICTORIA
OCÉAN Ascension (G.B.) CABINDA (Ang.) DAR-ES-SALAAM Zanzibar SEYCHELLES
LUANDA Cuanza Lac Mafia
Tanganyika L. Rukwa
L. Mweru COMORES Is.
L. Malawi MORONI Glorieuses (Fr.) 10°
ANGOLA MALAWI Dzaoudzi C. d'Ambre
Cuango LILONGWE MAYOTTE (Fr.)
SAINTE-HÉLÈNE (G.B.) Cubango LUSAKA MADAGASCAR
Cunene ZAMBIE Zambèze MOZAMBIQUE Juan de ANTANANARIVO
NAMIBIE L. de Nova (Fr.) Tromelin
(Afr. S.) Bassin de Kariba HARARE (Fr.)
Windhoek l'Okavango ZIMBABWE MAURICE
Walvis Bay BOTSWANA Bassas da PORT-LOUIS
(Afr. S) Désert du India (Fr.) Europa St-Denis LA RÉUNION
Tropique du Capricorne Kalahari GABORONE (Fr.)
ATLANTIQUE Désert du Namib Johannesburg PRETORIA Limpopo
Orange MBABANE MAPUTO C. Ste-Marie Is. Mascareignes
LESOTHO SWAZILAND INDIEN
Drakensberg MASERU 30°
AFRIQUE
DU SUD
Le Cap
Cap de Bonne
Espérance

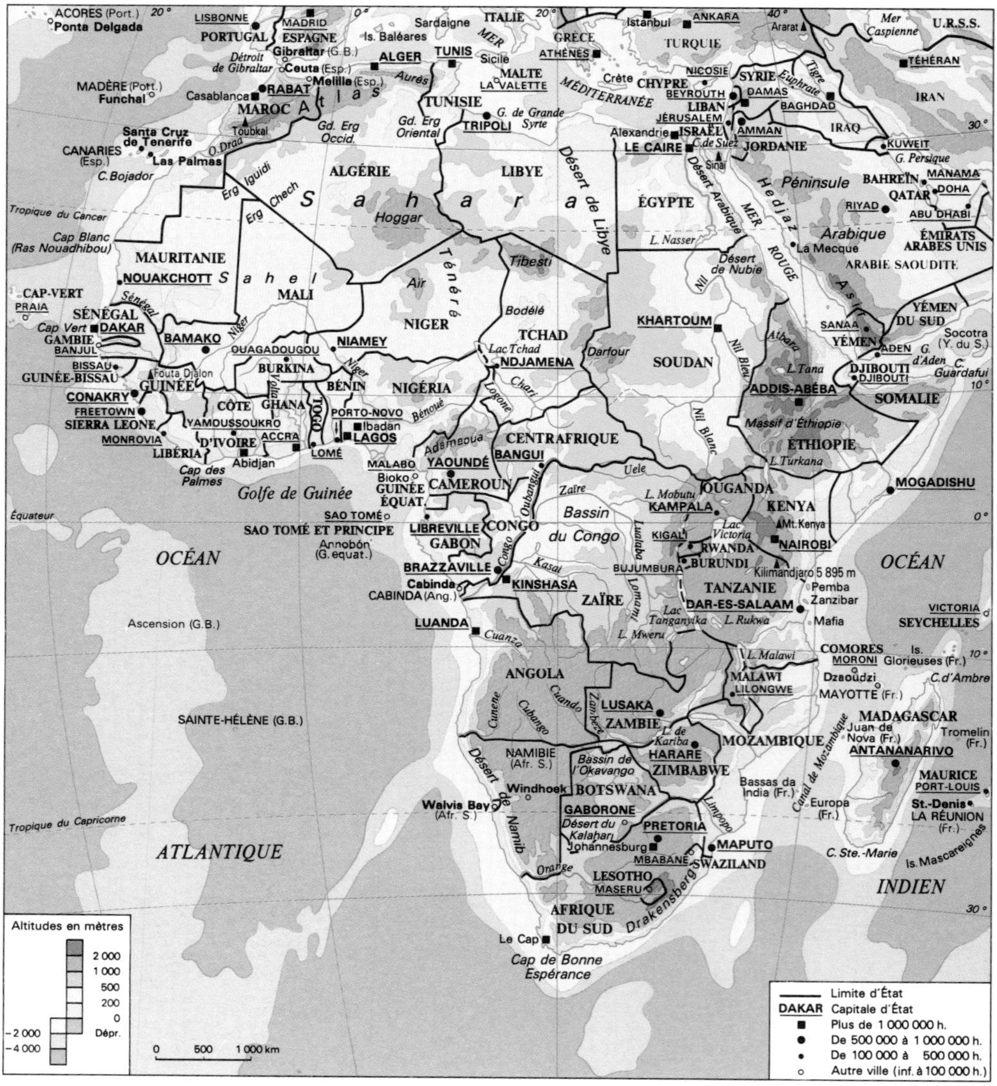

Altitudes en mètres
2 000
1 000
500
200
0
-2 000 Dépr.
-4 000

0 500 1 000 km

Limite d'État
DAKAR Capitale d'État
■ Plus de 1 000 000 h.
● De 500 000 à 1 000 000 h.
• De 100 000 à 500 000 h.
○ Autre ville (inf. à 100 000 h.)

Altitudes en mètres
2 000
1 000
500
200
100
0
-200 Dépr.
-2 000

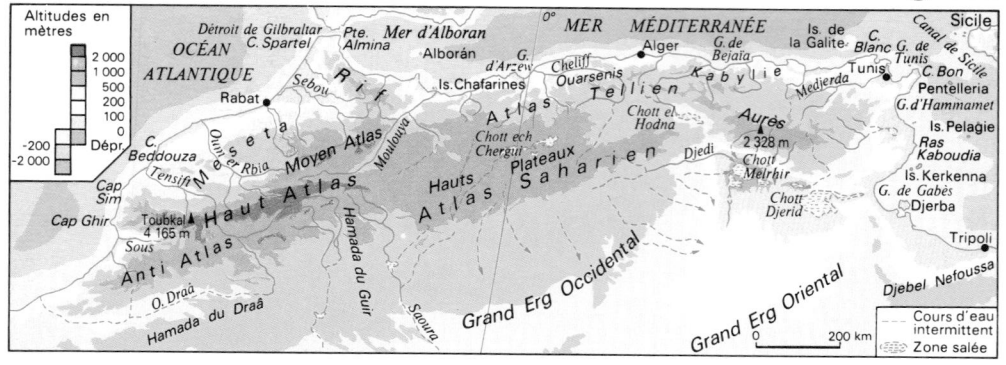

Détroit de Gibraltar 0° MER MÉDITERRANÉE Is. de Sicile
OCÉAN C. Spartel Pte. Almina Mer d'Alboran Alger G. de Blanc C. Canal de Sicile
ATLANTIQUE Alborán G. de Bejaïa la Galite Blanc G. de
ATLANTIQUE Is. Chafarines d'Arzew Chélif K a b y l i e Tunis C. Bon
Rabat Rif Sebou Ouarsenis Tellien Medjerda Tunis Pentelleria
Oued A t l a s Chott el Aurès G. d'Hammamet
Beddouza Oum er Rbia Moyen Atlas Moulouya Hodna 2 328 m Is. Pélagie
Cap Meseta Hauts Chott Ras Kaboudia
Sim Tensift Chergui Plateaux Melrhir Is. Kerkenna
Cap Ghir Toubkal Djedi A t l a s Djedi G. de Gabès
4 165 m Haut Atlas Hauts S a h a r i e n Chott Djerba
Sous Djerid
Anti Atlas Tripoli
O. Draâ Hamada Grand Erg Occidental Djebel Nefoussa
du Guir Grand Erg Oriental
Hamada du Draâ Saoura 0 200 km

Cours d'eau
intermittent
Zone salée

Dictionnaire de noms propres

A

Aalborg ■ Ville et port du Danemark. 137 000 hab. Centre culturel.

Alvar **Aalto** ■ Architecte et urbaniste finlandais (1898-1976). Pionnier de l'architecture contemporaine.

Aarau ■ Ville de Suisse. Chef-lieu du canton d'*Argovie. 17 000 hab.

Aarhus ■ Ville et port du Danemark. Capitale du *Jutland. 241 000 hab.

Aaron ■ Frère de *Moïse dans la Bible.

Abadan ■ Port d'Iran sur le golfe Persique. 300 000 hab. Exportation de pétrole.

'Abbās Ier le Grand ■ Shah de Perse (1571-1629), le plus célèbre des *Safavides. Il vainquit les Ouzbeks et les *Ottomans et fit d'Ispahan sa capitale.

Farhāt **'Abbās** ■ Homme politique algérien (1899-1985). Premier président du gouvernement provisoire de la République algérienne, de 1958 à 1961. Exclu du *F. L. N. en 1963.

les **Abbassides** ■ Dynastie de 37 califes arabes. Elle détrôna les *Omeyades en 750, fit de Bagdad sa capitale (762) et fut vaincue par les *Mongols en 1258.

Abbeville ■ Sous-préfecture de la *Somme. 26 000 hab. *(les Abbevillois)*.

'Abd al-Hamīd ibn Yahyā ■ Écrivain arabe (VIIIe s.). Premières épîtres arabes.

'Abd al-Rahmān III ■ Calife *omeyade (v. 889 - 961). Il porta l'émirat de *Cordoue à son apogée.

Abd el-Kader ■ Émir algérien et écrivain mystique musulman (1807-1883). Il combattit les Français, fut vaincu et exilé.

Abd el-Krim ■ Nationaliste marocain (1882-1963). Il dirigea la lutte contre les Espagnols et les Français (guerre du *Rif).

Abel ■ Fils d'*Adam dans la Bible, tué par son frère aîné *Caïn.

Niels **Abel** ■ Mathématicien norvégien (1802-1829). Il devance les travaux de *Galois en algèbre et les travaux de *Gauss, *Cauchy et *Jacobi en analyse (intégrales *abéliennes*).

Pierre **Abélard** ■ Philosophe et théologien français (1079-1142). ⇒ **Héloïse**. Son intérêt pour la logique annonce la rigueur technique de la scolastique.

Aberdeen ■ 1er port d'*Écosse. 325 000 hab. Université.

Abhinavagupta ■ Poète et penseur indien, inspiré par le culte de *Śiva (v. 1000).

Abidjan ■ Métropole économique et culturelle de la Côte-d'Ivoire. 1,4 million d'hab. Port. Université. Capitale du pays jusqu'en 1983.

*l'***Abkhasie** n. f. ■ République autonome d'U. R. S. S. dépendante de la R. S. S. de *Géorgie. 8 600 km². 500 000 hab. Capitale : Soukhoumi. Tabac. Stations balnéaires.

Abomey ■ Ville du Bénin. 30 000 hab. ▶ *le royaume d'Abomey*, fondé en 1625, résista à la pénétration européenne jusqu'en 1892.

Abou al-'Alā al-Ma'arrī ■ Poète et lettré musulman arabe (973-1058). *"Épître du pardon"*.

Abou al-'Atahiyah ■ Poète arabe (v. 748 - v. 825).

Abou Bakr ■ Premier calife musulman, beau-père de *Mahomet (mort en 634).

Abou Dhabī ■ Le plus vaste et le plus peuplé des *Émirats arabes unis : 65 000 km². Grande richesse grâce au pétrole. □ *Abou Dhabī*, sa capitale (350 000 hab.), est aussi le siège du gouvernement fédéral des Émirats arabes.

Abou Firās al-Hamdānī ■ Prince et poète arabe (932-968). *"Rumiyyat"*, poème de l'exil.

Abou Nouwas ■ Poète arabe (762 - v. 813). Favori de *Harun-al-Rachid, il célébra de manière lyrique le plaisir.

Abou Simbel ■ Site d'Égypte, au sud d'*Assouan : temples funéraires creusés dans les falaises, construits par *Ramsès II au XIIIe s. av. J.-C. Ils ont été surélevés après la mise en eau du barrage d'Assouan.

Abou Tammām ■ Poète arabe (804-845). Auteur d'une célèbre anthologie, *"al-Hamasa"*.

Abraham ■ Patriarche de la Bible (*Genèse). Dieu lui demande de sacrifier son fils *Isaac. Il s'apprête à le faire mais son fils est épargné.

*les plaines d'***Abraham** ▪ Lieu situé près de *Québec, au bord du Saint-Laurent. Les Anglais y battirent les Français en 1759.

*Madame d'***Abrantès** ▪ ⟹ **Junot.**

les **Abruzzes** ▪ Région d'Italie centrale. Les montagnes calcaires qui en occupent la majeure partie.

Abydos ▪ Site archéologique d'Égypte, près de *Thèbes, dédié au culte d'*Osiris.

l'Abyssinie n. f. ▪ Ancien nom de l'*Éthiopie.

l'Académie n. f. ▪ Nom donné à l'école philosophique de *Platon et repris à la *Renaissance (en Italie d'abord) pour désigner des cercles de lettrés ou de savants. ☐ *l'Académie française,* la plus célèbre des cinq académies qui forment aujourd'hui l'Institut de France. Créée en 1635 par Richelieu, elle compte 40 membres, les « Immortels », chargés de veiller sur les lettres et la langue françaises. ☐ *l'Académie royale de peinture et de sculpture,* fondée en 1648, dirigée par *Le Brun, a défini le style classique français (⟹ **classicisme**) ; supprimée en 1793, elle réapparut ensuite comme *Académie des beaux-arts.* Au XIXᵉ s., les peintres dits « académiques » s'en réclamèrent. L'adjectif académique a fini par désigner un respect étroit de conventions. ☐ *l'Académie des sciences,* fondée en 1666 par Colbert, regroupe deux divisions : sciences mathématiques et physiques, sciences chimiques, biologiques et médicales. ☐ *l'Académie royale de Belgique* compte trois sections : lettres, beaux-arts, sciences.

l'Acadie n. f. ▪ Région du Canada (*Nouvelle-Écosse, *Nouveau-Brunswick). ▶ *les* **Acadiens,** habitants francophones de l'Acadie, se réfugièrent en Louisiane après 1755.

Acapulco ▪ Port du Mexique. 460 000 hab. Station balnéaire du Pacifique.

Accra ▪ Capitale et port du Ghana. 636 000 hab.

Achab ▪ Roi d'Israël de 873 à 853 av. J.-C.

l'Achaïe n. f. ▪ Région de *Patras en Grèce. Principauté latine au XIIIᵉ s. ▶ *les* **Achéens** s'y établirent au IIᵉ millénaire av. J.-C. (civilisation de *Mycènes). Ils furent repoussés vers le nord par les *Doriens.

les **Achéménides** ▪ Dynastie perse (550 à 330 av. J.-C.). ⟹ **Cyrus, Darius Iᵉʳ, Xerxès, Artaxerxès.**

l'Achéron n. m. ▪ Fleuve des *Enfers dans la mythologie grecque.

Achille ▪ L'un des principaux héros de l'*Iliade. Invulnérable, excepté par son talon. Vainqueur d'*Hector dans la guerre de Troie.

Achkhabad ▪ Ville d'U. R. S. S., capitale du *Turkménistan. 302 000 hab.

l'Aconcagua n. m. ▪ Volcan des *Andes (Argentine), la plus haute montagne d'Amérique : 6 959 m.

les **Açores** ▪ Archipel de l'océan Atlantique, région autonome du Portugal depuis 1980. 2 335 km². 285 000 hab. Capitale : Ponta Delgada (île de *São Miguel). Tourisme.

Acre ou *Akko* ▪ Ville d'Israël. 34 000 hab. Port important au Moyen Âge (*Saint-Jean-d'Acre,* forteresse des Croisés).

l'Acropole d'Athènes n. f. ▪ Citadelle sur une colline d'*Athènes, ensemble de monuments antiques, dont le *Parthénon, les Propylées, l'Érechthéion.

l'Action française ▪ Mouvement politique et journal français d'extrême-droite, monarchiste et catholique ; né des idées de Charles *Maurras au moment de l'affaire *Dreyfus, condamné par Pie XI en 1926, il disparut à la Libération.

Actium ▪ Promontoire de Grèce, au large duquel Octavien remporta une victoire complète sur la flotte d'Antoine et de Cléopâtre (31 av J.C.).

Adam ▪ Dans la *Bible et les religions du Livre, le premier homme.

Paul **Adam** ▪ Romancier français (1862-1920). *"Chair molle".*

Robert **Adam** ▪ Architecte, décorateur et théoricien *néo-classique écossais (1728-1792).

Adam de la Halle ▪ Trouvère et musicien français (v. 1240 - v. 1285). *"Le Jeu de la feuillée" ; "le Jeu de Robin et Marion".*

Arthur **Adamov** ▪ Auteur dramatique français d'origine russe (1908-1970). *"Ping-Pong".*

John **Adams** ▪ Homme d'État américain (1735-1826). 2ᵉ président des États-Unis, de 1797 à 1801. ☐ *John Quincy* **Adams,** son fils (1767-1848), collaborateur de *Monroë, antiesclavagiste. 6ᵉ président des États-Unis, de 1825 à 1829. ☐ *Henri Brooks* **Adams,** petit-fils du précédent, historien et écrivain américain (1838-1918).

Adana ▪ Ville de Turquie. 467 000 hab. Industries.

Addis-Abeba ▪ Capitale de l'Éthiopie. 1,5 million d'hab. Pôle économique relié à *Djibouti par chemin de fer. Siège de l'Organisation de l'Unité Africaine (O. U. A.).

Joseph **Addison** ▪ Écrivain et homme politique anglais (1672-1719). Fondateur avec Steele du journal le *"Spectator".*

Adelaïde ▪ Ville du sud de l'Australie. 900 000 hab.

la terre **Adélie** ▪ Possession française de l'Antarctique oriental. env. 350 000 km².

Aden ▪ Ville du Yémen du Sud. 265 000 hab. ▶ *le golfe d'***Aden** fait communiquer l'océan Indien avec la mer Rouge.

Konrad **Adenauer** ▪ Homme d'État allemand (1876-1967). Démocrate-chrétien, premier chancelier de la R. F. A., de 1949 à 1963, principal artisan avec Ludwig *Erhard du redressement économique de l'après-guerre.

Clément **Ader** ▪ Ingénieur français, pionnier de l'aviation (1841-1925). On lui doit le mot *avion.*

l'Adjarie n. f. ▪ République autonome d'U. R. S. S., dépendante de la R. S. S. de *Géorgie. 3 000 km². 353 000 hab. Capitale : Batoumi. Cultures subtropicales.

Alfred **Adler** ▪ Médecin autrichien (1870-1937). Disciple de *Freud, il s'en sépara pour constituer sa propre psychologie.

Victor **Adler** ▪ Homme politique autrichien (1852-1918). Il joua un rôle important dans le parti social-démocrate et dans la IIᵉ *Internationale.

Adonis ▪ Dans la mythologie phénicienne, puis grecque, jeune homme d'origine orientale, aimé par *Aphrodite.

Theodor Wiesengrund **Adorno** ▪ Philosophe et musicologue allemand (1903-1969).

l'*Adour* n. m. ■ Fleuve français (335 km) qui se jette dans l'Atlantique à Bayonne.

l'*Adriatique* n. f. ■ Mer formée par la Méditerranée, entre l'Italie, la Yougoslavie et l'Albanie.

Adrien ■ ⇒ Hadrien.

Endre Ady ■ Poète hongrois (1877-1919). Il rénova les idées, les formes et la langue de la poésie hongroise. "*En tête des morts*".

l'*A. -É. F., Afrique-Équatoriale Française* ■ ⇒ Afrique.

les *Afars* ■ Groupe ethnique de religion musulmane chiite vivant entre la mer Rouge et le plateau d'Éthiopie. □ *Territoire des Afars et des Issas,* ancien territoire français devenu (1977) la République de Djibouti.

l'*Afghanistan* n. m. ■ État (république démocratique) d'Asie centrale. 647 497 km², 14,2 millions d'hab. *(les Afghans).* Capitale : Kabul. Langues : pashtu, persan. Monnaie : afghani. Pays montagneux et aride. Artisanat. □HISTOIRE. L'Afghanistan a toujours représenté pour ses puissants voisins (aujourd'hui l'Inde, le Pakistan, l'Iran, l'Union Soviétique et la Chine) un enjeu politique : envahi par les Scythes (Ier s.), les Perses sassanides et les Huns (Ve s.), sous influence musulmane depuis le IXe s., il a été convoité à partir du XVIIIe s. par les Anglais, qui voulaient protéger leur empire des *Indes. En 1921, la troisième guerre anglo-afghane aboutit à la reconnaissance de l'indépendance du royaume afghan. En 1973, un coup d'État militaire instaure la république. Le gouvernement actuel se maintient grâce à l'occupation du territoire par l'armée soviétique (1979), contre des opposants islamiques qui organisent la résistance. La question de l'influence soviétique au Proche-Orient, le voisinage de la révolution iranienne, expliquent la gravité de ce conflit.

l'*Afrique* n. f. ■ Vaste continent (30,3 millions de km²), proche au nord de l'Asie (à laquelle il est rattaché par l'isthme de *Suez) et de l'Europe ; bordé à l'ouest par l'océan Atlantique, à l'est par l'océan Indien et la mer Rouge, au nord par la Méditerranée. De formation ancienne (précambrien), le socle géologique a été cassé par des mouvements volcaniques : il en résulte de larges dépressions bordées de montagnes, essentiellement à l'est et au sud-est ; le désert du *Sahara sépare cet ensemble de l'Afrique méditerranéenne, dont le relief est plus récent (tertiaire). Le climat est essentiellement tropical et désertique (méditerranéen aux deux extrêmes, équatorial au centre) puisque l'Afrique, axée sur l'Équateur, est comprise pour sa majeure partie entre les deux tropiques. Le peuplement (env. 600 millions d'hab., îles comprises), de densité très inégale, se répartit en deux zones principales (plus une minorité anglo-néerlandaise à l'extrême sud) : population blanche, de langues chamito-sémitiques, à la Méditerranée et au sud du Sahara (*Berbères, *Arabes) ; population noire et métissée au-delà, de langues africaines (Peuls, Maures, Toubous, Bambaras, Haoussas, Mandingues, Ouolofs, Pygmées, Bochimans, Hottentots, Bantous...) ; le christianisme et l'islam — en expansion — touchent près de 40 % de la population, le reste étant animiste. Dans le contexte difficile d'une économie « en voie de développement », certains pays d'Afrique ont tenté de s'imposer sur le marché mondial en privilégiant la culture d'un seul produit : le coton, le cacao, l'arachide, les fruits exotiques. Ils cherchent aujourd'hui à se diversifier, à exploiter les importantes ressources minières du continent (le pétrole a fait la fortune de la Libye) et à développer

le tourisme. Mais la très forte subordination au commerce extérieur et l'insuffisance des échanges interafricains ne rendent pas la tâche aisée. □HISTOIRE. Très riche en sites préhistoriques, l'Afrique a connu ensuite plusieurs des grandes civilisations méditerranéennes : l'*Égypte pharaonique, le rayonnement de *Carthage, la conquête romaine et l'influence de *Byzance. À partir du VIIe s., l'islam envahit progressivement le continent par le Nord-Est, dominant les grands empires du Niger. Au XVe s., les Portugais s'implantèrent sur le littoral atlantique : ce fut le début de la pénétration européenne, et avec elle les transferts de population noire (esclavage) vers les Amériques. De multiples guerres aboutissent au partage, v. 1900, de l'Afrique entre Européens. À la France, les pays du *Maghreb (Maroc, Tunisie, Algérie), Madagascar, la Côte des Somalis (actuellement Djibouti), l'Afrique-Équatoriale française (actuellement Congo-Brazzaville, Gabon, Tchad, République centrafricaine) et l'Afrique-Occidentale française (actuellement Bénin [ex-Dahomey], Burkina Faso [ex-Haute-Volta], Côte-d'Ivoire, Guinée, Mauritanie, Niger, Sénégal, Soudan). À la Belgique, le Congo-Kinshasa. À l'Espagne, l'actuelle Guinée équatoriale, le Rio de Oro (⇒ Sahara occidental) et le nord du Maroc. Au Portugal, l'actuelle Guinée-Bissau, l'Angola et le Mozambique. À l'Italie la Somalie et l'Érythrée qui, avec l'Éthiopie, formèrent entre les deux guerres mondiales l'Afrique-Orientale italienne ; après 1918, les possessions allemandes passèrent aux Français, Anglais et Belges. Presque tous les territoires restants étaient des colonies britanniques. Depuis 1945, les pays africains ont acquis leur indépendance, à l'exception des présides espagnols (Ceuta et Melilla), de Mayotte et de la Réunion, îles restées françaises. Seule l'Afrique du Sud est encore aujourd'hui gouvernée par une minorité d'origine européenne.

la *province romaine d'Afrique* ou *Africa* ■ Elle correspond à la Tunisie et à la Tripolitaine actuelles. Elle a donné au Bas-Empire plusieurs des grands écrivains latins : *Apulée, *Tertullien, saint *Augustin, preuve qu'elle était très intégrée à la civilisation romaine.

l'*Afrique du Nord* ■ Nom donné aux pays du *Maghreb, plus le nord de la *Libye.

l'*Afrique du Sud* n. f. ■ État (république fédérale) d'Afrique australe. 1 221 037 km². 34,3 millions d'hab. *(les Sud-Africains).* Langues : anglais, afrikaan (officielles), xhosa, zoulou. Monnaie : rand. Capitale : Pretoria. Vaste plateau où s'est développée une économie agro-pastorale, et qui tient sa richesse de son sous-sol (premier producteur mondial d'or et de diamants ; fer, chrome). Industries. □HISTOIRE. Après trois siècles d'implantation d'origine hollandaise (les *Boers) et de violentes guerres contre l'Angleterre, un pouvoir nationaliste blanc, celui des Afrikaaners, s'est imposé aux populations noires d'Afrique australe (Bochimans, Hottentots, Zoulous puis Bantous) par des mesures ségrégationnistes, étendant son influence sur les territoires voisins (⇒ Namibie). Indépendante depuis 1931, République sud-africaine (hors du Commonwealth) depuis 1961, l'Afrique du Sud est le seul État d'Afrique noire dirigé par une minorité blanche (15 %). Cette dernière pratique une politique d'« apartheid » (séparation des races), civique, économique et territoriale (⇒ bantoustan), à l'égard d'une majorité de métis, d'Indiens et de Noirs. Les affrontements vont s'intensifiant entre les Noirs qui réclament des droits politiques et sociaux, et le gouvernement qui s'appuie sur ses ressources et son armée, mais compromet son crédit international.

Agadir ■ Ville et port du Maroc sur l'Atlantique. 848 000 hab. Reconstruite après un terrible séisme (1960). Tourisme.

Agamemnon ■ Roi légendaire de Mycènes et d'Argos, chef des Grecs pendant la guerre de *Troie (⇒ **Iliade**). Le sacrifice de sa fille Iphigénie, pour obtenir la faveur des dieux, est le sujet de tragédies d'Euripide, Racine, Goethe. Sa femme *Clytemnestre le tua.

Agde ■ Commune de l'*Hérault. 13 000 hab. (les Agathois). ► le cap d'Agde, complexe de communes touristiques, au bord de la Méditerranée.

Agen ■ Préfecture du *Lot-et-Garonne. 36 000 hab. (les Agenais ou Agenois). Important marché agricole. Industries alimentaires (pruneaux).

Samuel Joseph Agnon ■ Écrivain israélien d'origine polonaise (1888-1970). Très attaché aux thèmes essentiels du judaïsme. Prix Nobel 1966.

la comtesse d'Agoult ■ Écrivaine française, sous le pseudonyme de *Daniel Stern* (1805-1876). Elle fut la compagne de *Liszt.

Agra ■ Ville de l'Inde. 640 000 hab. Le *Taj Mahal en fait un centre touristique d'importance mondiale.

Mikael Agricola ■ Introducteur de la *Réforme en Finlande, auteur du premier livre en finnois (v. 1510 - 1557).

Agrigente ■ Ville de Sicile. 52 000 hab. Principale colonie grecque de *Sicile après *Syracuse : temples des VIe et Ve s. av. J.-C.

Marcus Vipsanius Agrippa ■ Général romain (63 - 12 av. J.-C.). Un des plus proches conseillers d'*Auguste.

Agrippine l'Aînée ■ Princesse romaine, fille d'*Agrippa et épouse de *Germanicus (14 av. J.-C. - 33). □ Agrippine la Jeune, sa fille (16-59), sœur de *Caligula, mère de *Néron, qu'elle imposa comme successeur à son second époux, l'empereur *Claude. Néron la fit assassiner.

Aguascalientes ■ Ville du Mexique. 220 000 hab.

le chancelier Henri François d'Aguesseau ■ Juriste et écrivain français (1668-1751).

Emilio Aguinaldo ■ Homme politique philippin, héros de l'indépendance des Philippines (1869-1964).

Ahmedabad ■ Ville de l'Inde, la plus peuplée du Gujarat. Env. 2 millions d'hab.

Juhani Aho ■ Écrivain finnois (1861-1921). "L'Écume des rapides".

Ahwaz ■ Ville d'Iran. 330 000 hab.

Aïcha ■ Épouse favorite de *Mahomet (v. 614 - 678).

le mont Aigoual ■ Point culminant des *Cévennes : 1 567 m.

Aigues-Mortes ■ Ville du *Gard entourée de remparts. 4 500 hab. (les Aigues-Mortais). Ancien port aujourd'hui dans les terres : c'est de là que Saint Louis (*Louis IX) s'embarqua pour la septième croisade.

le duc d'Aiguillon ■ Ministre de *Louis XV (1720-1788).

l'Ain [01] n. m. ■ Département français de la région *Rhône-Alpes. Il doit son nom à la rivière qui le traverse. 5 826 km². 420 000 hab. Préfecture : Bourg-en-Bresse. Sous-préfectures : Belley, Gex, Nantua.

Ai Qing ■ Poète chinois (né en 1910).

Aire ou **Aire-sur-la-Lys** ■ Commune du *Pas-de-Calais. 9 700 hab.

l'Aisne [02] n. f. ■ Département français de la région *Picardie. Il doit son nom à la rivière qui la traverse. 7 428 km². 535 000 hab. Préfecture : Laon. Sous-préfectures : Château-Thierry, Saint-Quentin, Soissons.

Aix-en-Provence ■ Sous-préfecture des *Bouches-du-Rhône. 115 000 hab. (les Aixois). Ancienne capitale de la *Provence. Ville universitaire, ville d'art (festival musical), station thermale.

Aixe-sur-Vienne ■ Commune de Haute-*Vienne. 6 000 hab. (les Aixois).

Aix-la-Chapelle en allemand **Aachen** ■ Ville de R. F. A., aux frontières belge et hollandaise. 244 000 hab. C'est un haut lieu historique : résidence privilégiée de Charlemagne, traités de 1668 (fin de la guerre de *Dévolution) et 1748 (fin de la guerre de *Succession d'Autriche), congrès de 1818 (fin de l'occupation de la France par les armées de la Sainte-*Alliance).

Aix-les-Bains ■ Station thermale, au bord du lac du Bourget en *Savoie. 23 000 hab. (les Aixois).

Ajaccio ■ Préfecture de la *Corse du Sud et centre administratif de l'île. 52 000 hab. (les Ajacciens). Patrie des *Bonaparte.

Ajax ■ Roi légendaire de Salamine dans l'*Iliade. Il devient fou et se donne la mort.

Ajmer ■ Ville de l'Inde. 263 000 hab.

Akaba ■ Port de Jordanie. 10 000 hab. ► le golfe d'Akaba, à l'extrême nord de la mer Rouge, sépare l'Arabie Saoudite de la Jordanie et Israël.

Akashi ■ Ville du Japon (*Honshū). 230 000 hab.

Muhammad Akbar ■ Le plus grand empereur *moghol de l'Inde (1542-1605). Auteur de réformes sociales et fiscales. Partisan de la tolérance, il fonda une religion syncrétiste, mêlant l'islam, le christianisme et l'hindouisme.

Anna Akhmatova ■ Poète russe (1889-1966). "Le Poème sans héros".

Akhnaton ou **Akhenaton** ■ Nom que se donna le pharaon Aménophis IV (1375 - 1354 av. J.-C.) en instituant le culte solaire d'*Aton et qui signifie « serviteur d'Aton ». Il engagea l'Égypte dans la voie du monothéisme, suscitant un art nouveau (⇒ **Tell el-Amarna**). Mais il avait fragilisé l'empire et le culte d'Aton fut aboli après sa mort.

Akiba Ben Joseph ■ Savant exégète juif (v. 50 - 135).

Akinari Ueda ■ Écrivain japonais (v. 1734 - 1809). "Contes de pluie et de lune".

Akita ■ Ville du Japon (*Honshū). 270 000 hab.

Akkad ou **Agadé** ■ Puissante cité de *Mésopotamie, capitale de l'empire akkadien, fondé au IIIe millénaire av. J.-C. par Sargon l'Ancien.

Akola ■ Ville de l'Inde. 170 000 hab.

Akosombo ■ Barrage du Ghana sur la *Volta. Il a formé le plus grand lac artificiel du monde (lac Volta).

Akron ■ Ville des États-Unis (*Ohio). 272 000 hab.

le royaume d'Aksoum ■ ⇒ **Éthiopie.**

Akutagawa Ryūnosuke ■ Écrivain japonais (1892-1927). "Rashomon".

l'**Alabama** n. m. ■ État du sud-est des États-Unis, du nom du fleuve qui le traverse. 105 145 km². 3 900 000 hab. Capitale : Montgomery.

Aladin ■ Dans *"les *Mille et Une Nuits"*, personnage d'un milieu modeste qui trouve la fortune grâce à une lampe magique.

Émile-Auguste Chartier dit **Alain** ■ Essayiste français, philosophe (1868-1951). *"Propos"*.

Alain-Fournier ■ Écrivain français (1886-1914). Auteur d'un unique roman, *"le Grand Meaulnes"* (1913) et d'une *"Correspondance"* avec Jacques *Rivière.

les **Alamans** ou **Alémans** ■ Tribus germaniques dont le nom a donné *Allemagne* et *Suisse* alémanique.

les **Alaouites** ou **Alawites** ■ Dynastie régnant au *Maroc depuis le XVIIe s.

Pedro Antonio de **Alarcón y Ariza** ■ Écrivain espagnol (1833-1891). *"Le Tricorne"* a inspiré un ballet à Manuel de *Falla.

Alaric Ier ■ Roi des *Wisigoths (v. 370 - 410). Il pilla Rome en 410.

l'**Alaska** n. m. ■ État des États-Unis, au nord du Canada. 1 518 700 km². 413 000 hab. Capitale : Juneau. Richesses minières (pétrole, fer, or). Industries de la pêche et du bois. ⇒ **Anchorage**.

Albacete ■ Ville du Sud-Est de l'Espagne. 117 000 hab.

l'**Albanie** n. f. ■ État (république populaire) des *Balkans. 29 000 km². 2,96 millions d'hab. *(les Albanais)*. Capitale : Tirana. Langue : albanais. Monnaie : lek. Les deux tiers de la population ont moins de 30 ans. Région essentiellement montagneuse, pour un tiers couverte de forêts, l'Albanie est traditionnellement vouée à l'agriculture (blé) et l'élevage ovin. Industrie à partir de 1946, sous l'impulsion étatique. ☐**HISTOIRE**. Colonisée par les Grecs (VIIe s. av. J.-C.), province de Rome (IIe s. av. J.-C.) puis de Byzance (IVe s.), l'Albanie fut conquise par la Serbie au XIVe s. et intégrée comme elle à l'empire musulman des Ottomans (XVe s.). À la fin de l'empire turc, le pays dut attendre 1919 pour que l'Autriche et l'Italie reconnaissent son indépendance. Pendant la Seconde Guerre mondiale, la résistance à l'annexion par l'Italie fasciste s'organisa autour du parti communiste d'Enver *Hoxha. La république populaire fut proclamée en 1946. Le régime, intransigeant sur la doctrine marxiste, a décidé l'interdiction de la religion traditionnelle (islam), et la rupture avec l'U. R. S. S. « révisionniste » de *Khrouchtchev en 1961. Il obtint, jusqu'en 1978, l'aide de la Chine.

Albany ■ Ville des États-Unis, capitale de l'État de *New York. 116 000 hab.

le duc d'**Albe** ■ Général et homme politique espagnol (1507-1582). Gouverneur des *Pays-Bas de 1567 à 1573, il y exerça une répression terrible.

Edward Franklin **Albee** ■ Auteur dramatique américain (né en 1928). *"Qui a peur de Virginia Woolf ?"*.

Albe la Longue ■ D'après la légende, ville fondée par le fils d'*Énée au pied des *monts Albains*, dans le Latium, et détruite par Rome en 665 av. J.-C. (⇒ **Horace**). Jules *César prétendait descendre de la dynastie des rois albains, dont sont issus les fondateurs de Rome, Romulus et Remus.

Isaac **Albeniz** ■ Compositeur espagnol (1860-1909). Il a surtout écrit pour le piano. *"Iberia"*.

Giulio **Alberoni** ■ Cardinal italien (1664-1752). Chef de la politique espagnole de 1715 à 1719.

saint **Albert le Grand** ■ Dominicain allemand, savant et théologien (v. 1193 - 1280). Maître de saint *Thomas d'Aquin.

Albert *prince de Saxe-Cobourg-Gotha* ■ Prince consort du Royaume-Uni, époux de la reine *Victoria (1819-1861).

Albert Ier ■ Roi des Belges de 1909 à sa mort (1875-1934). Il eut un rôle militaire et diplomatique actif durant la Première *Guerre mondiale.

Albert Ier **de Ballenstädt** dit **Albert l'Ours** ■ Margrave de *Brandebourg (v. 1100 - 1170). Fondateur de la dynastie des *Ascaniens*, qui joua un grand rôle en Saxe jusqu'en 1918.

l'**Alberta** n. f. ■ Province (État fédéré) du Canada. 661 161 km². 1,8 million d'hab. Capitale : Edmonton. Ville principale : Calgary. Charbon, pétrole. Céréales.

Leon-Battista **Alberti** ■ Architecte italien (1404-1472). Il fut un grand théoricien et un *humaniste.

Rafael **Alberti** ■ Écrivain espagnol (né en 1902). Poèmes d'inspiration surréaliste et louant la révolte. *"Marin à terre"*.

Albertville ■ Sous-préfecture de *Savoie. 18 000 hab. *(les Albertvillois ou Albertvillains)*.

Albi ■ Préfecture du *Tarn. 50 000 hab. *(les Albigeois)*. Cathédrale en brique rouge *(les Albigeois)*. Industries liées au gaz de *Lacq. ⇒ *la guerre des* **Albigeois** opposa les *Cathares à la papauté et au roi de France ; elle se solda par la réunion du comté de Toulouse au domaine royal (1249) et l'écrasement de la secte.

Tomaso **Albinoni** ■ Compositeur italien (1671-1750). Célèbre *"Adagio"*.

l'**Albion** n. f. ■ Nom donné à l'Angleterre, du latin *albus* (« blanc »), à cause du blanc de ses falaises.

l'**Albret** n. m. ■ Ancienne seigneurie de *Gascogne, réunie à la couronne par Henri IV (1607), fils de Jeanne d'Albret.

Alfonso de **Albuquerque** ■ Navigateur et conquérant portugais (1453-1515). Vice-roi des Indes de 1508 à sa mort.

Albuquerque ■ Ville des États-Unis (*Nouveau-Mexique). 335 000 hab.

Alcamène ■ Sculpteur grec, disciple de *Phidias (Ve s. av. J.-C.).

Alcée ■ Poète grec, à qui l'on doit le vers dit *alcaïque* (v. 630 - 580 av. J.-C.).

Alceste ■ Héroïne de la mythologie grecque, épouse d'Admète, symbole du dévouement conjugal.

André **Alciat** ■ Juriste et écrivain italien (1492-1550). Fondateur de l'école historique de droit.

Alcibiade ■ Général et homme d'État athénien (v. 450 - 404 av. J.-C.). Il pratiqua une politique impérialiste (expédition contre Syracuse en 415 av. J.-C.).

Louisa May **Alcott** ■ Romancière américaine (1832-1888). *"Les Quatre Filles du Dr March"*.

Alcuin ■ Religieux anglo-saxon (v. 735 - 804). Conseiller de *Charlemagne.

Pierre **Alechinsky** ■ Peintre belge, poète (né en 1927). Membre du groupe *Cobra.

*Vasile **Alecsandri*** ■ Poète et homme politique roumain (1821-1890).

*Vicente **Aleixandre*** ■ Poète espagnol (1898-1984). Prix Nobel 1977.

*Mateo **Alemán*** ■ Écrivain espagnol (1547-1614). Auteur de *"Guzmán de Alfarache"*, une des sources du roman moderne.

*Jean Le Rond d'**Alembert*** ■ Mathématicien français (1717-1783). Premier directeur, avec Diderot, de l'**"Encyclopédie"*, dont il rédigea le *"Discours préliminaire"* (1751).

Alençon ■ Préfecture de l'*Orne. 35 000 hab. *(les Alençonnais)*. Industries mécanique, électrique et textile.

*les îles **Aléoutiennes*** ■ Prolongement de l'Alaska, entre la mer de Béring et le Pacifique.

Alep ■ Ville de Syrie. 640 000 hab. Important centre commercial, industriel et culturel. Ville au passé millénaire, carrefour de civilisations. Mosquées anciennes, citadelle.

Alès ■ Sous-préfecture du *Gard. 48 000 hab. *(les Alésiens)*. La *paix de grâce d'Alais* mit fin aux guerres de Richelieu contre les protestants (1629).

Alésia ■ Site gallo-romain sur le mont Auxois, en *Côte-d'Or (Alise-Sainte-Reine). Victoire décisive de *César sur les Gaulois (52 av. J.-C.).

Alessandria en français *Alexandrie* ■ Ville d'Italie. 103 000 hab. ≠ *Alexandrie*.

Alexandre III ■ Pape de 1159 à sa mort (1181). Il lutta contre l'empereur germanique *Frédéric Ier Barberousse.

Alexandre VI ■ Pape de 1492 à sa mort, né *Borgia (1431-1503). Célèbre pour ses intrigues et sa vie dissolue, père de César Borgia. Responsable du partage des Amériques entre l'Espagne et le Portugal (1493).

Alexandre le Grand ■ Roi de Macédoine (356 - 323 av. J.-C.). Il succéda à son père *Philippe II de Macédoine en 336 av. J.-C. Maître de la Grèce, puis, au terme d'une prodigieuse épopée, de l'Empire perse jusqu'à l'Indus.

Alexandre Ier ■ Tsar ou empereur de Russie de 1801 à 1825 (1777-1825). Adversaire, allié puis vainqueur de Napoléon Ier.

Alexandre II ■ Tsar ou empereur de Russie de 1855 à 1881 (1818-1881). Il abolit le servage (1861) mais revint à une politique absolutiste qui fut la cause de son assassinat.

Alexandre Ier Karageorgévitch ■ Roi de Yougoslavie (1888-1934). Il instaura une dictature (1929) qui favorisait les Serbes et fut assassiné par des terroristes croates.

Alexandre Farnèse ■ Duc de Parme, brillant soldat de Philippe II d'Espagne (1545-1592). Il soutint la *Ligue.

Alexandre Nevski ■ Héros de l'histoire de Russie, canonisé par l'Église orthodoxe (v. 1220 - 1263). Il a inspiré un film d'*Eisenstein.

Alexandrie ■ 2e ville et principal port d'Égypte. 2,25 millions d'hab. Fondée par *Alexandre le Grand (331 av. J.-C.), centre de la civilisation hellénistique sous les *Ptolémées (bibliothèque de 700 000 volumes), berceau de la philosophie néo-platonicienne et de la théologie chrétienne (IIIe s.). L'arrivée des Arabes (642) marqua son déclin. Elle conserve

aujourd'hui un rôle stratégique et économique (coton).

*Vittorio **Alfieri*** ■ Auteur dramatique italien (1749-1803). Dans ses tragédies, il analyse la tyrannie.

Alfortville ■ Ville du *Val-de-Marne. 38 000 hab. *(les Alfortvillais)*.

*saint **Alfred le Grand*** ■ Roi anglo-saxon (v. 849 - 899). Il favorisa l'essor culturel de l'Église d'Angleterre.

*Hannes **Alfvén*** ■ Astrophysicien suédois (né en 1908). Physique des plasmas. Prix Nobel 1970.

Algazel ■ Penseur arabe d'origine iranienne (1058-1111). Il concilia la théologie avec la mystique de l'islam.

Alger ■ Capitale de l'Algérie. 2,5 millions d'hab. *(les Algérois)*. Capitale des corsaires sous domination turque (XVIe s.), siège du gouvernement colonial français (1830-1962), pôle de la lutte des Alliés l'Allemagne, de 1942 à 1944 (⇒ **Giraud**). La ville fut aussi le théâtre des événements de la guerre d'*Algérie : bataille d'Alger, 1957 ; putsch des généraux, 1961.

*l'**Algérie*** n. f. ■ État (république démocratique et populaire) d'Afrique du Nord, sur la Méditerranée. 2 381 741 km². 23,5 millions d'hab. *(les Algériens)* : 60 % ont moins de vingt ans. Capitale : Alger. Langue : arabe (officielle), berbère, français. Monnaie : dinar. Le désert saharien occupe sept huitièmes du territoire, coupé du littoral par les montagnes. Le pétrole (gisement d'Hassi-Messaoud) et le gaz naturel fournissent des ressources importantes. Le pays donne, dans le cadre d'une économie planifiée, la priorité à l'industrialisation. ☐**HISTOIRE**. Comme l'ensemble du monde méditerranéen, la région fut romanisée, puis christianisée : saint *Augustin était évêque d'Hippone, près de l'actuelle Annaba. Après les invasions vandales (ve s.) et byzantines (VIe s.), les Arabes conquirent le territoire et répandirent l'*islam (VIIIe s.) mais ils se heurtèrent à la résistance berbère qui se manifestait dans l'adhésion au *Khâridjisme (royaume de Tlemcen). Le pays fut morcelé entre les émirats indépendants et les principautés khâridjites. À partir du XIe s., l'ensemble du Maghreb fut réuni sous l'autorité des dynasties berbères islamisées : *Almoravides puis (1147) *Almohades (⇒ **Maroc**). Leur empire, divisé dès s., ne résista pas à l'offensive des Espagnols puis surtout des Ottomans (1554), qui firent de l'Algérie une Régence. La domination turque cessa avec la prise d'Alger par *Bourmont (1830). De l'occupation restreinte, les Français passèrent à l'occupation totale du pays, au terme d'une guerre difficile (⇒ **Bugeaud, Abd-el-Kader**). La colonisation, amorcée dès 1840, connut un essor remarquable (organisation administrative, viticulture) ; mais elle ne réussit pas à assimiler les élites algériennes, ni culturellement (malgré l'œuvre du cardinal Lavigerie), ni politiquement. Les mouvements nationalistes créés après 1945, jugèrent la politique coloniale insuffisante (retard de l'agriculture, de l'industrie, de la scolarisation). Le 1er novembre 1954, une insurrection déclencha la guerre d'Algérie (voir ci-dessous) qui aboutit en 1962 à l'indépendance. Le président de la jeune République algérienne démocratique et populaire, Ben Bella, fut renversé en 1965. Son ministre de la Défense, *Boumediene, lui succéda. Il renforça le pouvoir présidentiel et lança (1966) un programme de nationalisations. Le colonel Chadli est devenu chef de l'État en 1979 ; il a libéré Ben Bella en 1981. L'Algérie s'oppose à la politique marocaine dans le *Sahara occidental. ▶ *la guerre d'**Algérie*** (1954-

1962). Guerre d'indépendance des nationalistes algériens contre l'autorité française. Elle commença par une série d'attentats, qui firent connaître le Front de libération nationale (F. L. N.). Après l'échec d'une politique de conciliation, le général Massu fut chargé du maintien de l'ordre par la force (bataille d'Alger, 1957). Craignant un revirement de l'opinion internationale et des Français de métropole, la population européenne envahit le gouvernement général (13 mai 1958) et obtint des militaires la constitution d'un « Comité de salut public ». La crise politique qui en résulta marqua la fin de la IVe République et le retour au pouvoir du général de *Gaulle. Ce dernier engagea rapidement des négociations avec le gouvernement provisoire de la République algérienne (G. P. R. A.) qui aboutirent aux accords d'Évian (mars 1962) : cessez-le-feu, reconnaissance de l'indépendance. Plus d'un million de Français d'Algérie regagnèrent précipitamment la métropole. Certains s'opposèrent violemment à cette évolution : tentative de putsch des généraux Challe, *Salan, Jouhaud et Zeller, à Alger (avril 1961) ; création et action terroriste de l'*O. A. S.

les Algonquins ou Algonkins n. m. ■ Indiens d'Amérique du Nord (40 000 aujourd'hui, au nord-ouest du Saint-Laurent).

Algrange ■ Commune de *Moselle. 7 700 hab. *(les Algrangeois).*

l'Alhambra ■ ⇒ **Grenade**.

Ali ■ Quatrième calife musulman, époux de Fatima, la fille de *Mahomet (v. 600 - 661). Son règne est à l'origine des grands schismes de l'islam : évincé par les *Omeyades (auxquels les *chiites refusent le titre de calife), il fut assassiné par un *Khāridjite.

Alicante ■ Ville d'Espagne. 251 500 hab.

Aliénor d'Aquitaine ■ Reine de France puis d'Angleterre (v. 1122 - 1204). Répudiée par son époux Louis VII, elle se remaria avec Henri II d'Angleterre, faisant ainsi passer l'Aquitaine sous domination anglaise. D'où la rivalité entre les rois de France et les *Plantagenêts.

Allah ■ Nom du dieu unique dans le *Coran. ⇒ **Islam**.

Allâhâbâd ■ Ville de l'Inde. 513 000 hab.

Alphonse Allais ■ Écrivain humoriste français (1854-1905).

Allal al-Fasi ■ Homme politique marocain (1906-1974). Fondateur de l'*Istiqlal.

Marc Allégret ■ Cinéaste français, ami de *Gide (1900-1973). □ *Yves Allégret,* son frère (1907-1987), était également cinéaste.

Grégorio Allegri ■ Compositeur italien (1582-1652). Auteur d'un célèbre "*Miserere*" pour neuf voix.

l'Allemagne n. f. ■ Pays d'Europe centrale, bordé par la Baltique et la mer du Nord, divisé en deux républiques indépendants depuis 1949 : la *R. F. A. et la *R. D. A. Formée d'une vaste plaine au nord, de montagnes moyennes et de bassins au centre, d'une zone alpine et subalpine au sud, l'Allemagne bénéficie d'un climat de transition (influences océaniques et alpines), continental modéré. □**HISTOIRE**. Issu de la *Germanie, le Saint Empire romain germanique, créé en 962, était morcelé en féodalités ; tourné vers l'Italie, il avait l'ambition d'une monarchie universelle placée sous le double gouvernement du pape et de l'empereur. À la mort de *Frédéric II (1250), cet idéal fut abandonné au profit de l'expansion vers l'est et le nord. Après un demi-siècle de rivalités entre les princes, la dynastie du Luxembourg (1308) puis celle des Habsbourg (1438) redéfinissent l'Empire : renoncement à Rome, autorité renforcée de l'empereur. Lieu de naissance de la Réforme (1521), l'Allemagne fut déchirée par les luttes religieuses et le conflit entre la maison d'Autriche et la maison de France (⇒ guerre de **Trente Ans**). Le traité de Westphalie (1648) ruina tout espoir d'unification en morcelant l'Allemagne qui ne reprit son essor que sous l'impulsion de la *Prusse, au XVIIIe s. La guerre de *Succession d'Autriche, puis les guerres révolutionnaires et napoléoniennes, consacrèrent la prépondérance de la Prusse sur les autres États allemands. À l'instigation de Napoléon Ier, qui voulait faire disparaître définitivement le Saint Empire romain germanique, une *Confédération du Rhin fut créée en 1806, remplacée en 1815 au congrès de Vienne par une *Confédération germanique. Encore renforcée par l'échec de l'idéologie révolutionnaire qui se répand en Europe en 1848, la monarchie prussienne s'enhardit : Bismarck bâtit contre l'Autriche la Confédération de l'Allemagne du Nord inspirée de la Confédération germanique (1866) ; la victoire sur la France (1870) permit l'unification du nord et du sud (de part et d'autre du Main), sous l'autorité de Guillaume Ier, qui se fit proclamer empereur d'Allemagne à *Versailles (1871) ; ce fut le IIe Reich », « Ier Reich » désignant le Saint Empire. L'Allemagne s'engagea avec toute sa puissance dans la Première Guerre mondiale (1914-1918) mais sa défaite marqua la fin du IIe Reich et l'instauration de la « République de Weimar » (1919-1933), fragilisée par les exigences des vainqueurs et surtout la crise économique de 1929 ; la misère et le chômage facilitèrent l'essor du parti national-socialiste. *Hitler, chef du parti, appelé au pouvoir en 1933, instaura le IIIe Reich, dictature expansioniste et nationaliste qui mena le pays à la Seconde *Guerre mondiale. D'abord invincibles, l'Allemagne nazie et ses alliés ne purent résister à la pression des Soviétiques (Stalingrad, 1943), des Américains, des Anglais et des Français ; vaincu, le pays fut partagé en quatre zones d'occupation (1945). L'évolution des rapports entre les Soviétiques et les Occidentaux aboutit (1949) à la constitution de deux États, la R. D. A. et la R. F. A. □ *l'Allemagne de l'Est.* ⇒ **R. D. A.** □ *l'Allemagne de l'Ouest.* ⇒ **R. F. A.**

Woody Allen ■ Cinéaste et acteur américain (né en 1935). Son œuvre mêle l'humour juif, la satire des intellectuels, la tendresse et la gravité. "*La Rose pourpre du Caire*".

Salvador Allende ■ Homme politique chilien (1908-1973). Élu président de la République (socialiste) en 1970, tué lors du coup d'État du général *Pinochet.

Allentown ■ Ville des États-Unis (*Pennsylvanie), dans la zone urbaine de *Bethlehem. 110 000 hab.

Alleppey ■ Port de l'Inde. 160 000 hab.

la Sainte-Alliance ■ Pacte mystique signé en 1815, fondé sur un idéal chrétien commun entre le tsar Alexandre Ier (orthodoxe), l'empereur d'Autriche François Ier (catholique) et le roi de Prusse Frédéric-Guillaume III (protestant). □ *La Quadruple-Alliance,* traité prolongeant la Sainte-Alliance, entre l'Angleterre, l'Autriche, la Prusse et la Russie (1815), et lui donnant sa dimension politique d'union contre la France.

la Triple-Alliance ou Triplice ■ Traité d'alliance défensive (1882) entre l'Autriche, l'Allemagne et l'Italie. Il cessa en 1915, lorsque l'Italie se joignit aux Alliés.

*l'*Allier [03] n. m. ■ Département français de la région *Auvergne. Il doit son nom à la rivière qui le traverse. 7 381 km². 370 000 hab. Préfecture : Moulins. Sous-préfectures : Montluçon, Vichy.

Alma-Ata ■ Ville d'U. R. S. S., capitale du *Kazakhstan. 1 million d'hab. Centre scientifique et industriel.

les *Almohades* ■ Souverains berbères qui régnèrent sur la moitié de l'Espagne et la totalité du Maghreb de 1147 à 1269.

les *Almoravides* ■ Souverains berbères qui régnèrent sur l'ouest de l'Afrique du Nord et l'Espagne musulmane du milieu du XIᵉ s. à 1147.

les *Alpes* ■ Le plus important massif montagneux d'Europe (1 000 km, de la Yougoslavie à la France), datant de l'époque tertiaire. Point culminant : le mont Blanc, 4 807 m. Profondes vallées élargies au quaternaire. L'économie, fondée sur l'élevage et la forêt, a été rénovée par l'hydroélectricité et le tourisme (sports d'hiver). □ les *Alpes-de-Haute-Provence* [04]. Anciennement Basses-Alpes. Département français de la région *Provence-Côte d'Azur, frontalier des Alpes italiennes. 6 944 km². 119 000 hab. Préfecture : Digne. Sous-préfectures : Barcelonnette, Castellane, Forcalquier. □ les *Hautes-Alpes* [05], département français de la région *Provence-Côte d'Azur. 5 520 km². 105 000 hab. Préfecture : Gap. Sous-préfecture : Briançon. □ les *Alpes-Maritimes* [06], département français de la région *Provence-Côte d'Azur, sur la Méditerranée. 4 298 km². 881 000 hab. Préfecture : Nice. Sous-préfecture : Grasse.

Jean-Charles Alphand ■ Ingénieur français (1817-1891). Collaborateur d'*Haussmann.

*l'*Alphée n. m. ■ Fleuve de Grèce et dieu-fleuve de l'oubli dans la mythologie.

Alphonse ■ NOM DE PLUSIEURS SOUVERAINS ESPAGNOLS □ *Alphonse V le Grand* (1396-1458), roi d'*Aragon, premier roi des Deux-Siciles (Naples et Sicile). □ *Alphonse VI* (v. 1042 - 1109), roi de *León et de *Castille, reprit *Tolède aux Maures. □ *Alphonse X le Sage* (1221-1284), roi des *Asturies, de León et de Castille, empereur germanique (1267-1272), juriste, astronome, écrivain, considéré comme le fondateur de la langue nationale. □ *Alphonse XIII* (1886-1941), roi d'Espagne de 1902 à 1931, contraint à l'exil par la victoire électorale des Républicains.

les *Alpilles* n. f. ■ Petite chaîne montagneuse de *Provence.

*l'*Alsace n. f. ■ Région administrative et économique de l'est de la France, formée de deux départements : le Bas-Rhin et le Haut-Rhin. 8 280 km². 1,6 million d'hab. (les Alsaciens). Préfecture : Strasbourg. Région fortement urbanisée. Industries mécanique (Peugeot), chimique, alimentaire (brasseries). Mines de potasse. Vignobles, céréales, tabac. Région carrefour au cœur de la *C. E. E. grâce à l'axe formé par le Rhin et le grand canal d'Alsace, elle développe sa fonction tertiaire mais souffre de l'attraction des villes allemandes (notamment pour la main-d'œuvre). □HISTOIRE. La région administrative coïncide avec l'ancienne province d'Alsace, conquise par les Romains (58 av. J.-C.), territoire alaman au VIᵉ s., intégré à l'empire carolingien (v. 745) puis à la Lotharingie (843) et à la Germanie (dès 870). L'Alsace fut un foyer de la Renaissance allemande et de la Réforme. Le traité de Westphalie (1648) et la création, sous la Révolution, des départements du Rhin intègrent la région à la France. Annexée à l'Allemagne après la défaite de 1870, libérée en 1918, occupée à nouveau de 1940 à 1945, l'Alsace fut au cœur des guerres franco-allemandes. Sa capitale Strasbourg est le symbole d'une reconstruction européenne (siège du Conseil de l'Europe et de l'Assemblée européenne). □ *l'*Alsace-Lorraine. Territoires annexés à l'Empire allemand en 1871, réoccupés en 1940 : Bas-Rhin, Haut-Rhin (moins le territoire de Belfort), Moselle (moins le bassin de Briey), Sarrebourg et Château-Salins.

*l'*Altaï n. m. ■ Ensemble montagneux, à la frontière de l'U. R. S. S., de la Mongolie et de la Chine.

Albrecht Altdorfer ■ Peintre et graveur allemand (v. 1480 - 1538). Dans ses scènes historiques et religieuses, il donna une place prépondérante au paysage. "*La Bataille d'Alexandre*".

Louis Althusser ■ Philosophe marxiste et épistémologue français (né en 1918).

Altkirch ■ Sous-préfecture du Haut-*Rhin. 6 300 hab.

Robert Altman ■ Cinéaste américain (né en 1925). "*M. A. S. H.*"

Jorge Amado ■ Romancier brésilien (né en 1912). Il évoque surtout sa ville, Salvador de Bahia. "*Bahia de tous les saints*".

Amagasaki ■ Ville du Japon (*Honshū). 534 000 hab.

Amarâvatî ■ Ville de l'Inde. 194 000 hab. Grand centre bouddhique jusqu'au IXᵉ s.

Amarillo ■ Ville des États-Unis (*Texas). 150 000 hab. Région agricole.

*l'*Amazone n. f. ■ Fleuve d'Amérique du Sud, le premier du monde par la superficie de son bassin et par son débit ; le second, après le Nil, pour sa longueur (6 400 km). Né dans les *Andes, il traverse le Pérou, le Brésil et se jette dans l'Atlantique. ▶ *l'*Amazonie n. f. ■ Bassin de l'Amazone (plus de 6 millions de km²) couvert de forêts tropicales, encore peu exploitées. Les Indiens d'Amazonie sont l'une des dernières sociétés primitives, chassées peu à peu par la construction des routes « transamazoniennes ».

les *Amazones* ■ Peuple de femmes guerrières, dans la mythologie grecque, souvent représentées à cheval.

Ambalâ ■ Ville de l'Inde. 103 000 hab.

Ambarès-et-Lagrave ■ Commune de la *Gironde. 7 200 hab.

Ambérieu-en-Bugey ■ Commune de l'*Ain. 10 000 hab. (les Ambarrois).

Ambert ■ Sous-préfecture du *Puy-de-Dôme. 8 000 hab. (les Ambertois).

Amboise ■ Ville d'*Indre-et-Loire. 11 000 hab. Le château (fin XVᵉ s.) était une résidence royale pendant la Renaissance.

saint Ambroise ■ Haut fonctionnaire romain, évêque de Milan, Père et Docteur de l'Église (340-397).

Aménophis ■ NOM DE QUATRE PHARAONS □ *Aménophis III* (v. 1410 - 1372 av. J.-C.) permit l'apogée artistique de l'Égypte. □ *Aménophis IV*, son fils. ⇒ Akhnaton.

*l'*Amérique n. f. ■ Ensemble de deux masses continentales (l'Amérique du Nord et l'Amérique du Sud) reliées par un isthme (l'Amérique centrale). 42 millions de km², entre l'Atlantique et le Pacifique, étirés sur 18 000 km entre les deux pôles. C'est, d'ouest en est, la succession de montagnes jeunes, de vastes plaines sédimentaires et de montagnes anciennes. La population (690 millions d'hab.) est très mélangée, à dominante européenne dans le nord. L'économie de l'Amérique du Nord repose sur une agriculture à haute productivité et d'énormes ressources naturelles alimentant une puissante industrie (⇒ **Canada, États-Unis**). Le développement de l'Amérique latine est beaucoup plus difficile : emprise des États-Unis, faiblesse de l'infrastructure, démographie « galopante » (⇒ **Argentine, Brésil, Chili, Mexique**, etc). ☐HISTOIRE. Avant la « découverte » de l'Amérique par Christophe Colomb, de grands empires (*Mayas, *Toltèques, *Aztèques, *Incas) se succédèrent en Amérique centrale et dans les Andes, le reste du continent étant moins peuplé (tribus indiennes en Amérique du Nord et dans l'Amazonie). À partir de 1492, l'Espagne et le Portugal colonisent le sud et le centre (l'Amérique latine, très catholique aujourd'hui) ; la France (Québec, Louisiane) et surtout la Grande-Bretagne s'approprient le nord. Les colonies anglaises se révoltent : guerre d'Indépendance des États-Unis (1776-1783). Au XIXᵉ s., l'Amérique latine se fractionne en une vingtaine d'États, qui n'ont pas atteint la stabilité des deux États du Nord (États-Unis et Canada).

Henri Frédéric **Amiel** ■ Écrivain suisse d'expression française (1821-1881). "*Journal intime*" (fragments posthumes).

Amiens ■ Préfecture de la *Somme et de la région *Picardie. 136 000 hab. *(les Amiénois)*. Réunie à la couronne avec l'*Amiénois* (l'Oise et la Somme actuelles) en 1185. Vaste cathédrale gothique (XIIIᵉ s.). Activités tertiaires. Industries automobile et chimique. La *paix d'Amiens* (1802) marqua une trêve dans les guerres entre Napoléon et l'Angleterre.

Amilcar ■ ⇒ **Hamilcar Barca.**

Idi **Amin Dada** ■ Officier et homme politique ougandais (né en 1925). Chef de l'État de 1971 à 1979, il instaura une véritable terreur et fut renversé.

*les îles de l'***Amirauté** ■ Archipel de *Mélanésie, sous tutelle australienne. Environ 2 500 km². 28 000 hab.

Kingsley **Amis** ■ Écrivain anglais (né en 1922). "*Jim la Chance*" ("Lucky Jim").

Amman ■ Capitale de la Jordanie. 700 000 hab. Ruines romaines.

Amnesty International ■ Organisation de défense des droits de l'homme, fondée en 1961. Prix Nobel de la paix 1977.

Amnéville ■ Commune de la *Moselle. 9 000 hab.

Amon ■ Dieu de l'Égypte antique. Son ascension fut liée à celle de *Thèbes (*Karnak) et déclina au profit d'*Osiris après la domination assyrienne (VIIᵉ s. av. J.-C.). Identifié à Rê sous le nom d'*Amon-Rê*.

les **Amorrites** ■ Peuple sémitique. Au IIIᵉ millénaire av. J.-C., il fonda une dynastie à *Babylone.

*l'***Amou-Daria** n. m. ■ Fleuve d'Asie soviétique. 2 620 km. Il se jette dans la mer d'*Aral.

*l'***Amour** ou **Heilong Jiang** n. m. ■ Fleuve frontière entre l'U. R. S. S. et la Chine (4 354 km).

Amoy ■ ⇒ **Xiamen.**

André Marie **Ampère** ■ Physicien et mathématicien français (1775-1836). Contributions fondamentales à l'étude de l'électricité : son nom a été donné à l'unité de courant électrique. ⟨ ► ampère ⟩

Amphitryon ■ Roi de la mythologie grecque. *Zeus prit son apparence pour séduire son épouse

Alcmène. Plaute, Molière et Giraudoux en ont tiré des comédies.

Amplepuis ■ Commune du *Rhône. 5 400 hab. *(les Amplepuisiens)*.

Amritsar ■ Ville sainte des Sikhs (Temple d'or du XVIᵉ - XVIIIᵉ s.), en Inde. 433 000 hab.

Amsterdam ■ Capitale et port des Pays-Bas, en Hollande-Septentrionale. 730 000 hab. *(les Amstellodamois)*. Centre financier, intellectuel (université, édition), et touristique : nombreux canaux, monuments, quartiers anciens, musées (Rijksmuseum). Taille de diamants. Industries mécanique, chimique et alimentaire. ☐HISTOIRE. Elle adhéra à la *Hanse (XIVᵉ s.), devint un centre de commerce important au XVᵉ s., de dimension mondiale au XVIIᵉ s. (fondation de la Compagnie des Indes orientales en 1602 et de la banque d'Amsterdam en 1609). Patrie de *Spinoza et de *Rembrandt.

Roald **Amundsen** ■ Explorateur norvégien des régions polaires (1872-1928).

Jacques **Amyot** ■ Humaniste français (1513-1593). Traducteur de *Plutarque et de *Longus.

*l'***anabaptisme** n. m. ■ Mouvement protestant, apparu en Allemagne au XVIᵉ s. ► *les anabaptistes* ne pratiquaient que le baptême des adultes. Ils furent persécutés par *Luther et *Charles-Quint.

Anacréon ■ Poète grec (v. 570 av. J.-C.). Inspirateur d'une poésie gracieuse dite *anacréontique*.

Anaheim ■ Ville des États-Unis (*Californie). 220 000 hab. Parc d'attractions de Disneyland.

*l'***Anatolie** n. f. ■ Ancien nom de l'*Asie Mineure, donné aujourd'hui à la Turquie d'Asie.

Anaxagore ■ Philosophe et penseur grec (v. 500 - v. 428 av. J.-C.). Il introduisit l'idée d'une intelligence ordonnatrice de la nature.

Ancenis ■ Sous-préfecture de la *Loire-Atlantique. 7 300 hab. *(les Anceniens)*.

Anchorage ■ La plus grande ville d'*Alaska (États-Unis). 175 000 hab. Aéroport.

le Conseil des **Anciens** ■ L'une des deux assemblées législatives du *Directoire.

la Querelle des **Anciens et des Modernes** ■ Polémique littéraire (1670-1715) pendant laquelle les écrivains français discutèrent de la prééminence des écrivains modernes (avis de *Perrault, *Fontenelle) ou des auteurs de l'Antiquité (opinion de *Boileau, *Racine, *La Fontaine, *La Bruyère).

Ancône ■ Port d'Italie, capitale des *Marches. 108 000 hab.

Ancyre ■ Nom d'*Ankara dans l'Antiquité.

*l'***Andalousie** n. f. ■ Région historique du sud de l'Espagne. 6,4 millions d'hab. *(les Andalous)*. Riche province carthaginoise puis romaine, royaume barbare, cœur de l'Espagne maure (califat de *Cordoue, royaume de *Grenade), elle fut la dernière province rattachée au royaume catholique, en 1492. Tourisme, agriculture, pêche (chantiers navals de *Cadix).

les îles **Andaman** ■ Îles sous juridiction indienne, dans le golfe du Bengale.

Les **Andelys** ■ Sous-préfecture de l'*Eure. 8 300 hab. *(les Andelysiens)*. Ruines du Château-Gaillard (construit par Richard Cœur de Lion).

Anderlecht ■ Commune de Belgique dans l'agglomération de *Bruxelles. 104 000 hab.

Andernos-les-Bains ■ Commune de la *Gironde, sur le bassin d'Arcachon. 5 700 hab. *(les Andernoisiens).*

Hans Christian Andersen ■ Écrivain danois (1805-1875). *"Contes"* (« La petite ondine », « Le vilain petit canard », « Le costume neuf de l'empereur », « La petite marchande d'allumettes »...).

Sherwood Anderson ■ Écrivain américain (1876-1941). Lié avec *Faulkner et *Hemingway. *"Pauvre blanc".*

les Andes ■ Chaîne montagneuse couvrant le tiers occidental de l'Amérique du Sud (8 000 km de long). Point culminant : l'Aconcagua (6 959 m). Agriculture vivrière. Richesses minières peu exploitées.

Andijan ■ Ville d'U. R. S. S. (*Ouzbékistan). 224 000 hab. Centre industriel.

Andong ■ Ville de Chine. 370 000 hab.

l'Andorre n. f. ■ Principauté des Pyrénées, sous la souveraineté conjointe du chef de l'État français et de l'évêque d'Urgel en Espagne. 465 km². env. 40 000 hab. *(les Andorrans).* □ *Andorre-la-Vieille,* capitale. 14 000 hab.

Gyula Andrássy l'Aîné ■ Homme politique roumain (1823-1890). Ministre des Affaires étrangères de l'empire austro-hongrois de 1871 à 1879.

saint André ■ Un des apôtres du Christ, crucifié. On appelle *croix de Saint-André* une croix en X.

Andrea del Sarto ■ ⇒ **Del Sarto.**

Leonid Andreïev ■ Écrivain russe (1871-1919). *"Le Gouffre".*

Andrésy ■ Commune des *Yvelines. 9 000 hab.

Ivo Andrić ■ Écrivain yougoslave (1892-1975). Prix Nobel 1961. *"Il est un pont sur la Drina".*

Andrinople aujourd'hui *Edirne* ■ Première ville prise aux Romains par des Barbares (378), capitale de l'Empire ottoman aux XIVᵉ et XVᵉ s. (Turquie actuelle). 55 000 hab.

Androclès ■ Esclave romain (Iᵉʳ s.). Selon l'écrivain latin Aulu-Gelle, il aurait soigné un lion qui le reconnut et l'épargna dans l'arène.

Andromaque ■ D'après l'*Iliade, femme du prince troyen *Hector, captive puis épouse du roi grec Pyrrhos. Elle a inspiré Euripide et Racine.

Andromède ■ Princesse légendaire d'Éthiopie qui a donné son nom à une constellation de l'hémisphère boréal, qui comprend la *nébuleuse d'Andromède,* la seule visible à l'œil nu.

Iouri Andropov ■ Dirigeant soviétique (1914-1984). Successeur de *Brejnev, il amorça la modernisation du régime. ⇒ **U. R. S. S.**

les Androuet du Cerceau ■ FAMILLE D'ARCHITECTES FRANÇAIS □ *Baptiste* (v. 1545 - 1590), architecte d'Henri III (plans du Pont-Neuf à Paris). □ *Jacques II* (v. 1550 - 1614), architecte d'Henri IV (grande galerie du *Louvre). □ *Jean Iᵉʳ* (1585-1649), architecte de Louis XIII.

Anduze ■ Commune du *Gard. 2 800 hab. *(les Anduziens).* Ancien foyer du protestantisme des Cévennes.

Angarsk ■ Ville d'U. R. S. S. (Russie), en *Sibérie orientale. 233 000 hab. Industries du pétrole.

Fra Angelico ■ Peintre italien, dominicain (v. 1400 - 1455). Une grande spiritualité se dégage de son œuvre. Fresques du couvent de San Marco à Florence.

Angelus Silesius ■ Écrivain mystique allemand (1624-1677). *"Le Pèlerin chérubinique".*

Angers ■ Préfecture du *Maine-et-Loire. 143 000 hab. *(les Angevins).* Centre de commerce et de services. Petites industries. Capitale historique de l'*Anjou : nombreux monuments médiévaux.

la baie des Anges ■ Baie de la Méditerranée, au fond de laquelle se trouve Nice.

Angkor ■ Site monumental et archéologique du Cambodge, ancienne capitale des *Khmers du IXᵉ au XVᵉ s. Temple funéraire d'Angkor Vat (1113-1152), inachevé (nombreuses sculptures), aujourd'hui en péril.

les Angles ■ Peuple germanique qui envahit l'île de Bretagne au Vᵉ s. (d'où le nom d'*Angleterre*).

Anglet ■ Commune des Pyrénées-Atlantiques. 30 000 hab. *(les Angloys).* Station balnéaire.

l'Angleterre n. f. ■ Partie centrale de l'île de Grande-Bretagne, la plus grande (131 760 km²) et la plus peuplée. 48 millions d'hab. *(les Anglais).* Limitée au nord par l'*Écosse, à l'ouest par le pays de *Galles. Capitale : Londres. Bassin sédimentaire bordé de massifs anciens (chaîne Pennine, plateau de Cornouailles). Bénéficiant d'un climat océanique, le pays est favorable à l'agriculture, et surtout à l'élevage laitier. D'importantes ressources en fer (aujourd'hui en déclin) et en charbon lui ont permis d'inaugurer la révolution industrielle et d'être la première puissance mondiale au XIXᵉ s. □**HISTOIRE.** À partir du Vᵉ s. la province romaine de *Britannia* fut morcelée en royaumes barbares (Angles et Saxons). Après les invasions scandinaves (fin VIIIᵉ s.), le conflit entre princes danois et saxons domina l'histoire de l'Angleterre, jusqu'à sa conquête par Guillaume, duc de Normandie (1066). En 1154, commença le règne des *Plantagenêts : il fut marqué par un long conflit avec les rois de France (qui débuta sous *Richard Iᵉʳ Cœur de Lion et culmina pendant la guerre de *Cent Ans), et par une lutte du pouvoir royal contre l'Église et les barons féodaux. La guerre des Deux-*Roses épuisa la féodalité anglaise et conduisit à la restauration d'un pouvoir monarchique fort par les *Tudors (1485). Le XVᵉ s. marqua l'apogée du pays, qui devint une des premières puissances européennes, ravissant à l'Espagne la suprématie maritime. *Henri VIII substitua la religion anglicane (⇒ **anglicanisme**) au catholicisme (1534) ; le long règne d'*Élisabeth Iʳᵉ fut une riche période artistique (⇒ **Shakespeare**). À sa mort, avec l'alliance des Tudors d'Angleterre et des Stuarts d'Écosse, le royaume prend le nom de Grande-Bretagne (1603). ⇒ **Grande-Bretagne.**

l'anglicanisme n. m. ■ Église officielle d'Angleterre, établie au XVIᵉ s., après la rupture d'Henri VIII avec le pape Clément VII qui s'opposait à son divorce. Le roi en est le chef suprême. La doctrine anglicane est proche du calvinisme (⇒ **Calvin**) ; sa liturgie proche du catholicisme.

les îles Anglo-Normandes en anglais *Channel Islands* ■ Archipel britannique de la Manche. Les principales sont *Jersey, *Guernesey, *Aurigny, *Sercq.

l'Angola n. m. ■ État (république populaire) de l'Afrique subtropicale, bordé par l'Atlantique. 1 246 700 km². 8,54 millions d'hab. *(les Angolais,* bantous en majorité). Langue officielle : portugais. Monnaie : kwanda. Capitale : Luanda. Essentiellement montagneux, le pays développe la culture du café sur une étroite plaine côtière. Pétrole, diamants.

Ancienne colonie portugaise, l'Angola, indépendant depuis 1975, est aujourd'hui déchiré par la guerre civile, et menacé militairement par l'Afrique du Sud.

Angoulême ■ Préfecture de la *Charente. 51 000 hab. *(les Angoumois ou Angoumoisins).* Activités tertiaires et industrie traditionnelle. Capitale de l'*Angoumois* (la *Charente actuelle), qui fut définitivement intégré au domaine royal en 1531.

Louis Antoine de Bourbon duc d'Angoulême ■ Fils de Charles X (1775-1844), dernier dauphin de France. Il dut laisser le trône à *Louis-Philippe. □ *Marie-Thérèse Charlotte d'Angoulême,* son épouse (1778-1851) dite « Madame Royale ».

Anders Jonas Ångström ■ Physicien suédois (1814-1874). Son nom a été donné à une unité de mesure, valant un dix-millième de micron. ‹ ► angström ›

François Anguier ■ Sculpteur français (1604-1669).

Aniche ■ Commune du *Nord. 9 700 hab.

Anjero-Soudjensk ou *Sudjensk* ■ Ville d'U. R. S. S. (Russie), au nord du *Kouzbass. 105 000 hab.

l'Anjou n. m. ■ Région de l'ouest de la France correspondant aux départements de Maine-et-Loire (⇒ **Angers**), Mayenne, Sarthe, Indre-et-Loire et Vienne. □HISTOIRE. La première maison d'Anjou est le berceau de plusieurs rois de Jérusalem (*Foulques et ses successeurs) et des *Plantagenêts, rois d'Angleterre. La seconde maison d'Anjou, fondée en apanage par *Louis VIII contre les prétentions anglaises, régna sur la Provence, Naples et la Sicile (Charles d'Anjou), la Hongrie (Carobert), la Pologne (Louis Ier), Constantinople ; elle s'éteint avec l'accession d'un des siens au trône de France, *Philippe VI de Valois (1328). La troisième maison d'Anjou, créée en apanage par *Jean le Bon (1360), anima une cour extrêmement brillante, notamment à Angers et Aix-en-Provence sous *René le Bon (1409-1480). L'Anjou fut rattaché définitivement à la couronne en 1482, et le titre de duc d'Anjou porté par la famille du roi : François, frère d'*Henri III, d'abord duc d'Alençon, chef protestant, signataire (1576) de la paix de Monsieur ; Philippe, petit-fils de Louis XIV, roi d'Espagne sous le nom de *Philippe V.

Ankara autrefois *Ancyre* ■ Capitale de la Turquie. 2,2 millions d'hab. Cité importante sous l'empire hittite (XVIe s. av. J.-C.), capitale de la province romaine de Galatie, christianisée, islamisée, Ancyre, appelée Angora (XIXe s.) puis Ankara, prit son importance moderne en devenant le siège du gouvernement de *Mustafa Kémal (1919).

Annaba autrefois *Bône* ■ 2e port d'Algérie. 260 000 hab.

l'Annam n. m. ■ Partie centrale du Viêt-nam, plaine côtière entre la mer de Chine et la cordillère *annamitique.* Ville principale : *Hué. Ancienne colonie française (⇒ **Indochine**). Empire qui unifia le Viêt-nam au début du XIXe s.

l'Annapurna n. m. ■ Un des principaux sommets de l'Himalaya (8 078 m).

Ann Arbor ■ Ville des États-Unis (*Michigan). 107 000 hab. Industries. Université.

sainte Anne ■ D'après la tradition, la mère de la Vierge Marie.

Anne Boleyn ■ Reine d'Angleterre (1507-1536). Mère d'Élisabeth Ire et seconde épouse d'*Henri VIII qui la fit exécuter.

Anne d'Autriche ■ Reine de France (1601-1666), fille de Philippe III d'Espagne. Épouse de Louis XIII en 1615, régente durant la minorité de son fils Louis XIV, de 1643 à 1661, avec l'appui de *Mazarin.

Anne de Bretagne ■ Duchesse de Bretagne, reine de France (1476-1514). Elle épousa Charles VIII en 1491, et Louis XII en 1499.

Anne de France ou *Anne de Beaujeu* ■ Fille de Louis XI, régente du royaume de France de 1484 à 1491 (1462-1522).

Anne Stuart ■ Reine d'Angleterre, d'Écosse et d'Irlande de 1702 à sa mort (1665-1714).

Annecy ■ Préfecture de la Haute-*Savoie. 55 000 hab. *(les Annéciens),* au nord du *lac d'Annecy.* Constructions mécaniques et électriques. Centre touristique, au pied des Alpes.

Annibal ■ ⇒ **Hannibal.**

Annonay ■ Principale ville industrielle de l'*Ardèche. 22 000 hab. *(les Annonéens).*

Jean Anouilh ■ Auteur dramatique français (1910-1987). Il distingue dans son œuvre des « pièces noires » (*"Antigone"),* des « pièces brillantes » (*"Colombe"),* des « pièces grinçantes » (*"la Valse des toréadors").*

l'Anschluss n. m. ■ Rattachement de l'Autriche à l'Allemagne, imposé par *Hitler en 1938.

saint Anselme de Canterbury ■ Théologien d'origine lombarde, primat d'Angleterre (1033-1109). Auteur de la preuve ontologique de l'existence de Dieu, reprise par *Descartes et critiquée par *Kant.

Ernest Ansermet ■ Chef d'orchestre suisse (1883-1969).

Antalkidas ■ Général spartiate. Il signa avec les Perses la *paix d'Antalkidas* (386 av. J.-C.) dirigée contre Athènes.

Antananarivo en français *Tananarive* ■ Capitale de Madagascar. 400 000 hab.

l'Antarctique ou *Antarctide* n. f. ■ Continent centré sur le pôle Sud. 14 millions de km². Presque entièrement couvert de glaces, il n'a pour habitants que quelques géophysiciens. □ *l'océan Glacial Antarctique* ou *océan Austral* réunit les océans Atlantique, Indien et Pacifique.

Antée ■ Géant de la mythologie grecque, fils de la Terre (*Gaïa), vaincu par *Héraclès.

Antibes ■ Ville des *Alpes-Maritimes. 56 000 hab. *(les Antibois).* ► *le cap d'Antibes,* presqu'île de la Méditerranée, où se trouve Antibes. Centre touristique et culturel (festival de jazz).

le cap d'Antifer ■ Promontoire de la côte du pays de Caux, près d'*Étretat. Avant-port pétrolier du *Havre.

Antigone ■ Dans la légende de Thèbes, fille d'*Œdipe. Elle rend les honneurs funéraires à son frère Polynice, malgré l'interdiction du roi Créon, qui la condamne à mort. Elle a inspiré Sophocle, Cocteau, Anouilh, Brecht.

Antigonos Monophtalmos en français *Antigonos le Borgne* ■ Général macédonien (384 - 301 av. J.-C.). Il tenta de reconstituer à son profit l'empire d'*Alexandre.

Antigua et Barbuda ■ Îles des Antilles, constituant un État indépendant depuis 1981. 442 km². 80 000 hab. Langues : anglais, créole.

Monnaie : le dollar des Caraïbes de l'Est. Capitale : Saint John's (sur Antigua).

les *Antilles* ■ Archipel qui s'étend sur 2 000 km, de l'entrée du golfe du Mexique aux côtes du Venezuela, et qui sépare la *mer des Antilles* ou mer des Caraïbes, de l'océan Atlantique. On distingue *Cuba, *Haïti, la république *Dominicaine, les États membres du Commonwealth, les Antilles américaines, britanniques, françaises (*Guadeloupe, *Martinique) et néerlandaises.

Antioche aujourd'hui *Antakya* ■ Ville de Turquie. 78 000 hab. Une des principales cités grecques d'Orient dans l'Antiquité, elle fut prise par les chevaliers francs à la première croisade (1098) et devint une principauté latine. Conquise par les musulmans en 1268, elle fait partie de la Turquie moderne depuis 1939.

Antiochos ■ NOM DE 13 ROIS SÉLEUCIDES DE SYRIE □ *Antiochos III Mégas,* allié d'*Hannibal contre les Romains, maître de l'Asie Mineure, vaincu par les frères Scipion (v. 242 - 187 av. J.-C.).

Antiope ■ Femme de la mythologie grecque, séduite dans son sommeil par Zeus.

Antipatros ou *Antipater* ■ Général macédonien (v. 397 - 319 av. J.-C.). Régent de Macédoine pendant l'expédition d'*Alexandre en Asie.

Antofagasta ■ Ville et port du Chili. 283 000 hab. Nitrate et cuivre.

saint *Antoine le Grand* ■ Ermite égyptien (251-356). Ses visions, rapportées par saint Athanase, ont inspiré les écrivains (Flaubert) et les peintres (Bosch).

saint *Antoine de Padoue* ■ Un des premiers franciscains (1195-1231). Très populaire, invoqué pour retrouver les objets perdus.

André *Antoine* ■ Homme de théâtre français (1858-1943). Fondateur du Théâtre-Libre, il introduisit le *naturalisme au théâtre.

Jacques Denis *Antoine* ■ Architecte *néoclassique français (1733-1801). Hôtel des Monnaies à Paris.

Marc *Antoine* en latin *Marcus Antonius* ■ Homme politique romain (v. 83 - 30 av. J.-C.). Maître de Rome après la mort de *César, puis triumvir d'Orient, il voulut fonder avec *Cléopâtre un grand empire oriental. Vaincu par son rival *Octave à *Actium, en 31 av. J.-C.

Antonello da Messina ou *de Messine* ■ Peintre italien (v. 1430 - 1479). Influencé par l'art *flamand, il diffusa la technique de la peinture à l'huile en Italie. "Condottiere".

Ion *Antonescu* ■ Maréchal roumain (1882-1946). Chef de l'État fasciste de 1940 à 1944.

Antonin le Pieux ■ Empereur romain (86-161). Symbole de la « paix romaine », il régna de 138 à sa mort. ▶ les *Antonins,* dynastie des empereurs romains de 96 à 192.

Michelangelo *Antonioni* ■ Cinéaste italien (né en 1912). "L'Avventura" ; "Blow up".

Antony ■ Sous-préfecture des *Hauts-de-Seine, dans la banlieue sud de Paris. 58 000 hab. *(les Antoniens).*

Anubis ■ Dieu funéraire de l'ancienne Égypte, représenté avec un corps d'homme et une tête de chacal, assimilé par les Grecs à *Hermès (Hermanubis).

Anvers en néerlandais *Antwerpen* ■ Ville de Belgique. env. 500 000 hab. *(les Anversois).* 2e centre industriel de Belgique, 4e port du monde (quatre cinquième du commerce national). Anvers était la plus grande ville du monde au XVIe s., et connut son apogée artistique au début du XVIIe s. (résidence de *Rubens). ▶ *la province d'Anvers,* l'une des neuf provinces de Belgique. 2 861 km². 1,5 million d'hab. Chef-lieu : Anvers.

Anzin ■ Commune du *Nord. 14 900 hab. *(les Anzinois).*

l'A. -O. F., Afrique-Occidentale française ■ ⇒ Afrique.

le val d'*Aoste* ■ Région autonome de l'Italie, dans les Alpes, à la frontière de la Suisse et de la France. ▶ *Aoste,* son chef-lieu, 37 000 hab.

la nuit du 4 *Août 1789* ■ Date de l'abolition des privilèges par l'Assemblée *constituante.

les *Apaches* n. m. ■ Indiens du sud-ouest des États-Unis, célèbres pour leur lutte contre les colons (v. 1880).

Apeldoorn ■ Ville des Pays-Bas. 136 000 hab.

Apelle ■ Peintre grec, le plus célèbre de l'Antiquité (IVe s. av. J.-C.). Ses œuvres, aujourd'hui perdues, ne sont connues que par les descriptions des Anciens.

l'*Apennin* ou les *Apennins* n. m. ■ Chaîne montagneuse de l'Italie, des Alpes à la *Calabre, en passant par la Toscane (1 300 km).

Aphrodite ■ Déesse grecque de la beauté et de l'amour, assimilée à la Vénus romaine. Sa naissance depuis l'écume de la mer, son union avec Héphaïstos (Vulcain), ses amours avec Adonis ou Anchise, le jugement de *Pâris ont inspiré les artistes et les poètes.

Apia ■ Capitale des Samoa. 33 000 hab.

Apis ■ Dieu funéraire d'Égypte honoré à *Memphis sous la forme d'un taureau sacré.

l'*Apocalypse* n. f. ■ Le dernier livre du Nouveau Testament (⇒ Bible), attribué à saint *Jean.

les *Apocryphes* ■ ⇒ Bible.

Guillaume *Apollinaire* ■ Poète français (1880-1918). Transformant l'anecdote quotidienne en mythe, il fonde son lyrisme sur le rappel des formes et des rythmes traditionnels et sur une esthétique de la surprise. Il fut un des initiateurs de l'art moderne et du *surréalisme. "Alcools".

Apollon ou *Phébus* ■ Dieu grec de la lumière, de la musique et de la poésie, fils de Zeus et Léto, jumeau d'Artémis. Incarnation de la beauté masculine, il a inspiré de nombreuses statues antiques. Son plus célèbre sanctuaire était à Delphes.

Apollonios de Rhodes ■ Écrivain grec (295 - 230 av. J.-C.). Son poème "les Argonautiques" raconte l'histoire des *Argonautes.

les *Appalaches* n. m. ■ Montagnes de l'est des États-Unis, très boisées.

Karel *Appel* ■ Peintre néerlandais (né en 1921).

Appenzell ■ Ville de Suisse. 5 100 hab. □ l'*Appenzell.* Canton de Suisse enclavé dans le canton de Saint-Gall. 415 km². 64 000 hab. Élevage (fromage). Depuis la Réforme, il est divisé pour des raisons religieuses en deux demi-cantons : les Rhodes-Extérieures (chef-lieu : Herisau) et les Rhodes-Intérieures (chef-lieu : Appenzell).

Adolphe *Appia* ■ Homme de théâtre suisse (1862-1928). Précurseur du théâtre moderne.

Apt ■ Sous-préfecture du *Vaucluse. 10 000 hab. *(les Aptésiens ou Aptois).*

Apulée ■ Écrivain latin d'Afrique (v. 125 - 170). "*Les Métamorphoses*" ou "*l'Âne d'or*", roman satirique et mystique, a influencé de nombreux écrivains (Rabelais, Cervantès, La Fontaine).

Claude d'Aquin ou **Daquin** ■ Organiste et compositeur français (1694-1772).

Hubert Aquin ■ Écrivain canadien de langue française (1929-1977). "*Neige noire*".

Cory Aquino ■ Femme d'État philippine (née en 1934). Élue présidente de la République en 1986.

l'Aquitaine n. f. ■ Région économique et administrative du sud-ouest de la France, comprenant cinq départements : Dordogne, Gironde, Landes, Lot-et-Garonne, Pyrénées-Atlantiques. Préfecture : Bordeaux. 41 309 km². 2,7 millions d'hab. L'agriculture domine (vins prestigieux), le développement du tertiaire restant limité à Bordeaux, Bayonne et Pau. Le tourisme et l'industrie, notamment dans les secteurs de pointe, sont encouragés. □HISTOIRE. L'Aquitaine romaine désignait un vaste territoire : une des quatre provinces de la Gaule, tout le sud-ouest, Bourges (Avaricum) compris. Le royaume wisigoth d'Aquitaine (Vᵉ s.) avait sa capitale à Toulouse. Pris par les Francs, séparé de la *Gascogne en 768, il devint royaume carolingien. L'Aquitaine médiévale, comprenant à nouveau la Gascogne (1058), retrouve sous l'autorité des comtes de Poitiers sa dimension ancienne ; le remariage d'*Aliénor (1152) en fait un enjeu de la guerre franco-anglaise, les Français ne l'ayant définitivement reconquise qu'en 1453.

les Arabes n. m. ■ Habitants de la péninsule d'Arabie et, par extension, populations arabophones d'Asie et d'Afrique. C'est l'usage d'une même langue, l'arabe, aux nombreuses variantes locales, qui les caractérise ; l'unité culturelle s'est faite autour de la religion (⟹ **Coran**), puis du refus de la domination turque (XVIᵉ - XIXᵉ s.) et du colonialisme européen.

l'Arabie n. f. ■ Vaste péninsule désertique de l'extrémité sud-ouest de l'Asie (3 millions de km²), partagée entre l'Arabie Saoudite, les deux Yémen, les Émirats arabes unis, le Bahrein, le Koweit, le Qatar et le sultanat d'Oman. Elle renferme 40 % des réserves mondiales de pétrole.

l'Arabie Saoudite n. f. ■ Le plus important État d'Arabie, royaume qui comprend les deux villes saintes de l'Islam (*Médine et La *Mecque). Environ 2,2 millions de km². 11 millions d'hab. Capitale : Riyad. Langue : arabe. Monnaie : riyal. Fondé en 1932 par l'émir Ibn Saoud (d'où son nom), le royaume tire de ses immenses ressources pétrolières (premier exportateur mondial) et joue un rôle de médiateur dans l'*O. P. E. P.

Arabi Pacha ■ Officier et homme politique égyptien (1839-1911). Il dirigea un soulèvement contre la Grande-Bretagne (1881), mais échoua.

le golfe Arabique ou **Arabo-Persique** ■ ⟹ golfe **Persique**.

Aracaju ■ Port du Brésil. 180 000 hab.

Arad ■ Ville de Roumanie. 513 000 hab. Centre commercial et industriel.

Yasser Arafat ■ Dirigeant palestinien, chef de l'*O. L. P. (né en 1929).

François Arago ■ Astronome, physicien et homme politique français (1786-1853). Découverte de l'aimantation du fer par courant électrique.

Louis Aragon ■ Écrivain français (1897-1982). Il fut un des fondateurs du mouvement *surréaliste ("*le Paysan de Paris*"), avant de rejoindre le parti communiste (cycle romanesque du « Monde réel »). Poète ("*le Fou d'Elsa*"), romancier ("*Œuvres romanesques croisées*" avec Elsa *Triolet) et essayiste.

l'Aragon n. m. ■ Région historique du nord-est de l'Espagne. 1,2 million d'hab. Cultures arbustives. Son roi *Ferdinand II, en épousant *Isabelle de Castille en 1469, scella l'unité espagnole.

la mer d'Aral ■ Mer intérieure d'U. R. S. S., à l'ouest de la mer *Caspienne. 65 000 km².

les Araméens n. m. ■ Peuple sémitique. Ils fondèrent d'importants royaumes (Xᵉ s. av. J.-C.) en *Aram* (Syrie actuelle). Leur langue devint la langue courante de l'ancien Orient.

le comte d'Aranda ■ Diplomate et ministre espagnol (1718-1798).

Aranjuez ■ Ville d'Espagne. 27 000 hab. Palais de Philippe II, reconstruit au XVIIIᵉ s.

János Arany ■ Poète hongrois (1817-1882). "*Toldi*", épopée.

le mont Ararat ■ Massif montagneux de Turquie, près de l'Arménie soviétique et de l'Iran (5 165 m au *Grand Ararat*). L'arche de Noé s'y serait échouée.

les Arawaks n. m. ■ Premiers habitants des Antilles, supplantés par les *Caraïbes, puis par les Espagnols.

Arcachon ■ Station balnéaire de la *Gironde, sur le *bassin d'Arcachon*. 14 000 hab. *(les Arcachonnais).*

l'Arcadie n. f. ■ Région de Grèce, représentée d'après la mythologie comme le pays du bonheur. Chef-lieu : Tripolis.

Flavius Arcadius ■ Premier empereur romain d'Orient, de 395 à sa mort (377-408).

l'Arc de triomphe de l'Étoile ■ Monument de Paris construit sur les ordres de Napoléon Iᵉʳ après la victoire d'*Austerlitz (1806-1836). Plans de *Chalgrin.

Arc-et-Senans ■ Commune du *Doubs. 1 200 hab. Saline royale construite par *Ledoux.

Arches ■ Commune des *Vosges, célèbre pour sa papeterie fondée au XVᵉ s. 1 500 hab.

Archiloque ■ Poète grec (VIIᵉ s. av. J.-C.). Célèbre pour ses "*Iambes*" satiriques.

Archimède ■ Savant grec (287 - 212 av. J.-C.). Mathématicien, physicien, ingénieur. Le *théorème d'Archimède*, principe fondamental de l'hydrostatique : tout corps plongé dans un liquide reçoit une poussée égale au poids du fluide déplacé.

Alexandre Archipenko ■ Peintre et sculpteur américain d'origine russe, formé en Europe (1887-1964). Archipeintures.

Giuseppe Arcimboldo ■ Peintre italien (v. 1527 - 1593). Il composa des figures par assemblage de végétaux, d'animaux ou d'objets. "*Les Saisons*".

Arcole ■ Village d'Italie, près de Vérone. Bonaparte y remporta une victoire (1796) sur les Autrichiens.

l'Arctique n. m. ■ Région centrée sur le pôle Nord, joignant l'Amérique à l'Europe et l'Asie (Sibérie). ▶ *l'océan Glacial Arctique*, recouvert en grande partie par la banquise, a, par la situation géographique de l'Arctique, un important rôle stratégique.

Arcueil ■ Commune du *Val-de-Marne, dans la banlieue sud de Paris. 20 500 hab.

Ardébil ■ Ville d'Iran. 149 000 hab. Ancienne résidence des *Safavides.

l'**Ardèche** [07] n. f. ■ Département français de la région *Rhône-Alpes. Il doit son nom à la rivière qui le traverse. 5 556 km². 268 000 hab. Préfecture : Privas. Sous-préfectures : Largentière, Tournon.

l'**Ardenne** n. f. ■ Région partagée entre la Belgique, la France et le Luxembourg, entaillée de profondes vallées, couverte de forêts et de tourbières. Ce fut le théâtre d'importantes batailles durant les Première et Seconde Guerres mondiales. □ les *Ardennes* [08], département français de la région *Champagne-Ardenne. 5 219 km². 302 000 hab. Préfecture : Charleville-Mézières. Sous-préfectures : Rethel, Sedan, Vouziers.

Arequipa ■ 2e ville du Pérou, située à 2 500 m d'altitude. Centre commercial. 305 000 hab.

Arès ■ Dieu grec de la guerre, aimé d'*Aphrodite, identifié à Mars par les Romains.

l'**Arétin** ■ Écrivain italien (1492-1556). Satirique et licencieux, observateur impitoyable de la société de son temps. "*Ragionamenti*".

Arezzo ■ Ville d'Italie. 87 000 hab. *(les Arétins)*. Nombreux monuments médiévaux. Fresques de *Piero della Francesca.

Argelès-Gazost ■ Sous-préfecture des Hautes-*Pyrénées. 3 700 hab. *(les Argelésiens)*.

Argelès-sur-Mer ■ Station balnéaire des *Pyrénées-Orientales. 5 100 hab. *(les Argelésiens)*.

le marquis d'**Argenson** ■ Homme d'État français (1652-1721). Lieutenant-général de police (1697), garde des Sceaux de 1718 à 1720. □ *René-Louis d'Argenson,* son fils, (1694-1757), ministre des Affaires étrangères de 1744 à 1747, auteur de "*Mémoires*". □ *Marc-Pierre d'Argenson* (1696-1764), frère du précédent, ministre de la Guerre, fondateur (1751) de l'École militaire.

Argentan ■ Sous-préfecture de l'*Orne. 17 000 hab. *(les Argentanais)*.

Argenteuil ■ Ville du *Val-d'Oise. 103 000 hab. *(les Argenteuillais)*.

l'**Argentine** ■ État (république fédérale) d'Amérique du Sud. 2 766 889 km². 30,5 millions d'hab. *(les Argentins)* en majorité d'origine européenne. Langue : espagnol. Monnaie : austral. Capitale : Buenos Aires. Aux deux tiers aride, le pays n'en est pas moins essentiellement agricole (élevage, maïs, vin). Pétrole, industries de transformation (alimentaire et textile). Commerce intérieur très actif. Difficultés économiques et financières. □HISTOIRE. Peu habitées avant la colonisation espagnole (XVIe s.), les *Provinces du Río de La Plata* se proclamèrent indépendantes en 1810. Sous la dictature de Rosas (1829-1852), elles furent unifiées en un État argentin, ratifié par la constitution fédérale de 1853. La dictature populaire (1946-1955) de *Perón transforma le pays. Après plusieurs décennies d'instabilité politique, le pouvoir militaire instauré en 1976 se signala par son mépris des droits de l'homme ; son échec dans la guerre des *Malouines permit le retour du pouvoir civil en 1983.

Argenton-sur-Creuse ■ Commune de l'*Indre. 6 800 hab. *(les Argentonnais)*.

Ion N. Teodorescu dit *Tudor* **Arghezi** ■ Poète roumain (1880-1967). Inspiration lyrique et mystique. "*Cantique à l'homme*".

les **Argonautes** ■ Héros de la mythologie grecque. À bord du navire Argo, *Jason, Admète, Atalante, Augias, *Castor et Pollux, *Héraclès, Lyncée, Méléagre, *Orphée, Pelée, *Thésée et Télamon partent à la conquête de la *Toison d'or.

Argos ■ Ville de Grèce. 19 000 hab. D'après la mythologie, la plus ancienne cité grecque, supplantée par Sparte au Ve s. av. J.-C.

le canton d'**Argovie** en allemand *Aargau* ■ Canton de Suisse. 1 403 km². 464 000 hab. *(les Argoviens)*. Chef-lieu : Aarau.

Ariane ■ Fille de *Minos et de *Pasiphaé dans la mythologie grecque. Au moyen d'un fil, elle aide *Thésée à sortir du Labyrinthe ; mais il l'abandonne à Naxos et elle épouse *Dionysos.

l'**Arianisme** n. m. ■ Hérésie chrétienne issue de la doctrine d'Arius (v. 280 - v. 336), condamnée au concile de Nicée (325). Très répandue, surtout en Orient, du IVe au Ve s.

l'**Ariège** [09] n. f. ■ Département français de la région *Midi-Pyrénées. Il doit son nom à la rivière qui le traverse. 4 890 km². 136 000 hab. Préfecture : Foix. Sous-préfectures : Pamiers, Saint-Girons.

l'**Arioste** ■ Poète italien (1474-1533). Son "*Roland furieux*" est une des œuvres les plus célèbres de la Renaissance.

Aristarque de Samos ■ Astronome grec, précurseur de *Copernic (v. 310 - v. 230 av. J.-C.).

Aristarque de Samothrace ■ Grammairien et critique grec (220 - 143 av. J.-C.). Célèbre pour sa recension des poèmes d'Homère. On dit *un aristarque* pour « critique sévère ».

Aristide ■ Général et homme politique athénien (v. 550 - 467 av. J.-C.). Surnommé « le Juste » pour son action.

Aristippe ■ ⇒ hédonisme.

Aristophane ■ Écrivain grec (v. 450 - 386 av. J.-C.). Auteur des premières comédies : "*les Oiseaux*" ; "*les Grenouilles*" ; "*l'Assemblée des femmes*". Il tire ses sujets de l'actualité et se sert de situations burlesques et de jeux de mots pour railler ses ennemis politiques.

Aristote dit *le Stagirite* ■ Savant et philosophe grec (384 - 322 av. J.-C.). Alors que son maître *Platon privilégiait les mathématiques et les Idées, il réhabilita la connaissance de la nature, suspendue au « premier moteur » qu'étudie la Métaphysique. Il créa la logique et aborda dans une œuvre encyclopédique tous les domaines du savoir. Il fut le précepteur d'Alexandre le Grand. ► l'*aristotélisme*. Ensemble de doctrines se réclamant d'Aristote. Son influence est au moins comparable à celle du *platonisme. Redécouvert par l'islam (⇒ *Averroès), dominant la pensée chrétienne avec saint *Thomas, il fut éclipsé par le succès de la physique mathématique au XVIIe s. L'intérêt pour l'œuvre d'Aristote porte aujourd'hui sur les rapports entre logique, langue et création esthétique.

l'**Arizona** n. m. ■ État du sud-ouest des États-Unis, à la frontière du Mexique. 295 014 km². 2,7 millions d'hab. Capitale : Phoenix. Plateau du Colorado. Ressources minérales très importantes (cuivre, zinc, plomb).

l'**Arkansas** n. m. ■ État du centre-sud des États-Unis. 137 539 km². 2,28 millions d'hab. Capitale : Little Rock. Agriculture (soja). Richesses minérales (bauxite).

Arkhangelsk ■ Ville d'U. R. S. S. (*Russie), port sur la mer *Blanche. 416 000 hab.

Marcel Arland ■ Écrivain français (1899-1986). "*L'Ordre*", roman.

Arlequin ■ ⇒ Commedia dell'arte.‹ ► arlequin ›

Arles ■ Sous-préfecture des *Bouches-du-Rhône. 50 700 hab. *(les Arlésiens)*. Ville d'art au riche passé romain (nécropole des Aliscamps) et médiéval (église romane Saint-Trophime). Capitale du royaume de Bourgogne-Provence ou *royaume d'Arles*, de 934 à 1032.

l'Invincible Armada n. f. ■ Nom donné à la flotte de *Philippe II d'Espagne, envoyée contre l'Angleterre en 1588 et qui fut détruite par la tempête.

Armagh ■ Capitale religieuse de l'Irlande du Nord, depuis la fondation d'un évêché par saint *Patrick (445). 12 000 hab.

l'Armagnac n. m. ■ Région d'Aquitaine (Gascogne) qui produit une célèbre eau-de-vie, l'armagnac. ► *le comté d'Armagnac* (le *Gers actuel) connut son apogée lors de la guerre de *Cent Ans, quand les Armagnacs se firent les champions des Orléans contre les Bourguignons et les Anglais. ‹ ► armagnac ›

Armavir ■ Ville d'U. R. S. S. (*Russie), au pied du *Caucase. 172 000 hab.

Armenia ■ Ville de Colombie. 199 500 hab.

l'Arménie n. f. ■ Région d'Asie partagée entre l'Iran, l'U. R. S. S. et la Turquie actuels. Ses habitants ont été dispersés : on évalue à environ 5 millions le nombre d'Arméniens aujourd'hui dans le monde. ☐HISTOIRE. Malgré les occupations et annexions successives (Assyriens, Mèdes, Perses, Romains, Arabes), elle jouit d'une certaine autonomie jusqu'à son partage, au XVIᵉ s., entre les Turcs et les Perses. *Mustafa Kemal annexa à la Turquie moderne la région de Kars, après une répression féroce de la résistance arménienne (au moins 2 millions de morts de 1890 à 1916). La Russie s'empara en 1828 de la région d'Erevan, devenue, au mépris du traité de Sèvres (1920) qui prévoyait une Arménie indépendante, une république d'U. R. S. S. ☐ *la république socialiste soviétique d'Arménie*. 29 800 km². 3,36 millions d'hab. Capitale : Erevan. Agriculture, minerais. Il existe, en Azerbaïdjan, une région (le Nagorno-Karabakh) dont la majorité de la population (arménienne) demande son rattachement à l'Arménie.

Armentières ■ Commune du *Nord. 26 000 hab. *(les Armentiérois)*.

le Massif armoricain ■ Massif ancien à l'ouest de la France, très érodé, rajeuni au tertiaire. Il descend de la Bretagne vers les bocages de Vendée et de Normandie. ► *l'Armorique* n. f., nom ancien de la Bretagne.

Louis Armstrong ■ Trompettiste et chanteur de jazz noir américain (1900-1971).

Neil Armstrong ■ Astronaute américain (né en 1930). Le premier homme ayant marché sur la Lune, en 1969.

Arnaud de Brescia ■ Réformateur politique et religieux italien, disciple d'Abélard (v. 1090 - 1155).

les Arnauld ■ FAMILLE FRANÇAISE, très liée au *jansénisme ☐ *Antoine Arnauld* (1560-1619), conseiller d'État, restaura l'abbaye janséniste de *Port-Royal. Ses filles en furent abbesses sous le nom de *mère Angélique* (1591-1661) et de *mère Agnès* (1593-1671). ☐ *Robert Arnauld d'Andilly*, son fils (1589-

1674). ☐ *Antoine* dit *le Grand Arnauld*, frère du précédent (1612-1694), théologien, chef du parti janséniste, auteur avec Pierre *Nicole de "*la Logique de Port-Royal*".

Ernst Moritz Arndt ■ Poète et historien allemand (1769-1860). "*L'Esprit du temps*".

Arnhem ■ Ville des Pays-Bas. 127 700 hab.

Achim von Arnim ■ Écrivain romantique allemand (1781-1831). "*Le Cor enchanté de l'enfant*", recueil de chants populaires écrit avec *Brentano. ☐ *Bettina Arnim*, son épouse, née Élisabeth Brentano. Écrivaine allemande (1785-1859). "*Correspondance de Goethe avec une enfant*".

l'Arno n. m. ■ Fleuve d'Italie qui traverse *Florence et *Pise.

Matthew Arnold ■ Poète et critique anglais (1822-1888). "*Empédocle sur l'Etna*".

Arnolfo di Cambio ■ Architecte italien (v. 1245 - v. 1302). Dôme (cathédrale) de *Florence.

Arnouville-lès-Gonesse ■ Commune du *Val-d'Oise. 10 700 hab. Église moderne.

Raymond Aron ■ Philosophe et sociologue français (1905-1983). Critique du marxisme. "*Introduction à la philosophie de l'histoire*" ; "*l'Opium des intellectuels*".

Arouet ■ Nom de famille de *Voltaire.

Jean ou *Hans Arp* ■ Sculpteur et peintre abstrait français, poète de langue allemande (1887-1966). Il réalisa les mêmes formes aux contours arrondis dans des techniques diverses. "*Le Berger des nuages*".

Árpád ■ Grand prince de Hongrie (IXᵉ s.). Il fonda la dynastie des *Arpadiens* qui régna jusqu'en 1301.

Arpajon ■ Commune de l'*Essonne. 8 000 hab. *(les Arpajonnais)*. Foire aux haricots.

Arques ■ Commune du *Pas-de-Calais. 9 200 hab. *(les Arquais)*.

Fernando Arrabal ■ Cinéaste et écrivain espagnol d'expression française (né en 1932). "*¡Viva la Muerte !*".

Arras ■ Préfecture du *Pas-de-Calais. 45 300 hab. *(les Arrageois* ou *Artésiens)*. ☐HISTOIRE. Centre de tapisserie de renommée mondiale au Moyen Âge. Très disputée en raison de sa situation stratégique, cédée à la France au traité de *Pyrénées (1659). On y signa plusieurs traités : 1414, 1435 (les Bourguignons renoncent à l'alliance anglaise), 1482 (mariage de Marguerite d'Autriche avec le futur *Charles VIII). ► *l'Union d'Arras*. Traité (1579) entre les provinces catholiques des *Pays-Bas qui reconnaissaient l'autorité espagnole. Il provoqua l'Union d'*Utrecht.

les monts d'Arrée ■ Chaîne granitique comprenant le signal de Toussaines, point culminant de la *Bretagne (384 m).

Svante Arrhenius ■ Physicien et chimiste suédois (1859-1927). Prix Nobel de chimie 1903 pour ses travaux sur les électrolytes.

Arromanches-les-Bains ■ Commune du *Calvados. 400 hab. Lieu du débarquement allié en Normandie, le 6 juin 1944.

Arsace ■ Chef *parthe, fondateur de la dynastie des *Arsacides* (v. 250 av. J.-C.) qui régna sur la Perse jusqu'à la victoire des *Sassanides.

Arsène Lupin ■ ⇒ Maurice Leblanc.

Artaban ■ Nom de plusieurs rois parthes de l'Antiquité.

Artaban ■ Héros d'un roman de *La Calprenède (*"Cléopâtre"*), célèbre pour sa fierté.

Charles de Batz, comte de Montesquiou, seigneur d'Artagnan ■ Mousquetaire français (1611-1673). Immortalisé par Alexandre *Dumas dans "*les Trois Mousquetaires*" (1844).

Antonin Artaud ■ Écrivain français (1896-1948). Poète et homme de théâtre, il a contribué au renouvellement de la mise en scène. "*Le Théâtre et son double*".

Artaxerxès II ■ Roi de Perse (mort en 358 av. J.-C.). Par la paix d'Antalkidas, il domina les cités grecques d'Asie Mineure.

Artémis ■ Déesse chasseresse de la Grèce, jumelle d'Apollon, identifiée à la Diane des Romains. Vierge, chaste et cruelle, elle a inspiré de nombreux artistes.

Arthur ou *Artus* ■ Roi celte légendaire (v. 600), héros de la résistance aux Anglo-Saxons en Grande-Bretagne. ► *le cycle arthurien* ou *cycle de la Table ronde* ou *cycle breton,* ensemble de romans de chevalerie, dont Arthur est l'un des héros, développé notamment par *Chrétien de Troyes (XIIᵉ s.).

Emil Artin ■ Mathématicien allemand (1898-1962). Un des pères de l'algèbre moderne.

l'Artois n. m. ■ Région d'Arras (actuel Pas-de-Calais). ► *le comte d'Artois.* Titre du futur *Charles X.

Michel Artsybachev ■ Écrivain russe (1878-1927). "*Sanine*".

Aruba ■ Île des Antilles néerlandaises. 193 km². 67 000 hab. Pétrole.

les Arvernes n. m. ■ Gaulois d'Auvergne. *Vercingétorix était leur chef.

les Aryens n. m. ■ Dans l'Antiquité, peuples d'Iran et d'Inde du Nord, de langue indo-européenne. Pour les racistes (notamment les nazis), *aryen,* mot sanskrit qui veut dire « fidèle, noble », désignait la race blanche, plus particulièrement nordique.

Asahigawa ■ Ville du Japon (*Hokkaidō). 331 000 hab.

les frères Asam ■ Architectes et décorateurs *rococo allemands. Cosmas Damian (1686-1739) et Egid Quirin (1692-1750).

Asansol ■ Ville de l'Inde. 242 000 hab.

Peter Christen Asbjørnsen ■ Écrivain norvégien (1812-1885). Contes.

les Ascaniens n. m. ■ ⇒ Albert Iᵉʳ de Ballenstädt.

Cholem Asch ■ Écrivain yiddish né en Pologne (1880-1957).

Asclépios ■ Dieu grec de la médecine, adopté par les Romains sous le nom d'*Esculape.

Abū Burda ʿAmir al-Ashʿarī ■ Théologien arabe (873-935). Défenseur de l'orthodoxie *sunnite.

William Ross Ashby ■ Neurologue anglais, cybernéticien (1903-1972).

les Ashikaga ■ Famille de guerriers du Japon, auquel ils donnèrent 15 shoguns, de 1336 à 1573.

Ashikaga ■ Ville du Japon (*Honshū). 162 000 hab.

Ashtart ■ ⇒ Ishtar.

l'Asie n. f. ■ La plus grande et la plus peuplée des parties du globe, 44 millions de km². Séparée de l'Europe par l'Oural, de l'Afrique par la mer Rouge et de l'Amérique par le détroit de Béring, elle est située dans l'hémisphère Nord (sauf une part de l'Insulinde). Grande variété de reliefs (plaines du nord-ouest, plateaux du Moyen-Orient, montagnes et hauts plateaux — Tibet — au centre), de climats (continental à l'ouest, rôle prépondérant des moussons au sud-est), de populations : très concentrées dans les régions chaudes (plaines côtières et fluviales de l'Inde et de la Chine), plus dispersées dans l'intérieur des terres, elles comprennent les Indo-Européens (Inde, Asie centrale), les Türko-Mongols (Chine, Mongolie), les Indonésiens (Asie du sud-est), les Paléo-Sibériens (Sibérie), les Japonais, des groupes peut-être mélanésiens, etc. Continent essentiellement rural, l'Asie connaît, à l'exception surtout du Japon et de la Sibérie (U. R. S. S.), une économie de sous-développement ou en voie de développement (la Chine, grâce au pétrole, le Moyen-Orient). ▢ HISTOIRE. L'*Asie Mineure,* avancée de l'Asie dans le monde méditerranéen (Turquie actuelle) et plus généralement l'*Asie antérieure* (de l'Asie Mineure au golfe de Suez) furent le lieu de la civilisation suméro-akkadienne (2500 av. J.-C. ⇒ Sumer, Mésopotamie), de la naissance d'Israël (XIIᵉ s. av. J.-C.), des empires du « croissant fertile » (*Hittites, Babylonie, Assyrie et Phénicie), de l'extension de l'empire des Mèdes et des Perses, des empires grec et romain d'Orient (⇒ Alexandre le Grand, Byzance). Parallèlement une civilisation brillante se développa en Chine ainsi qu'une nouvelle religion naquit en Inde (Vᵉ s. av. J.-C.) : le *bouddhisme. Au XIIIᵉ s. les *Mongols, souverains en Chine, étendirent leur empire jusqu'à la Perse. L'islam, né en Arabie au VIIᵉ s., suscita contre eux un nouvel empire : celui des Turcs ottomans. L'Asie se fractionna en plusieurs puissances : Chine, Japon, Tibet, Inde, Perse, Empire *ottoman... La présence chrétienne, anéantie par les Ottomans en Orient (prise de Constantinople, 1453), réapparut en Extrême-Orient avec les missions des Jésuites, au XVIᵉ s. Conjointement se développa la colonisation européenne. Au XIXᵉ s., les Anglais étaient maîtres des Indes, les Français de l'Indochine, les Russes de toute l'Asie du Nord, les Hollandais de l'Indonésie. Aux Russes s'opposèrent les Japonais (1904-1905), jeune puissance industrielle et expansionniste. À son tour, la Chine sortit brusquement du joug européen en 1911 (proclamation de la république) ; après un demi-siècle de guerre civile, elle devint (1949) république populaire. Les deux guerres mondiales et les conflits locaux ont achevé la décolonisation du continent qui, à l'exception de la partie asiatique de l'U. R. S. S., ne compte aujourd'hui que des États indépendants, parfois instables.

Asmara ■ Ville d'Éthiopie, capitale de l'Érythrée, 2ᵉ centre industriel du pays. 296 000 hab.

Asnières-sur-Seine ■ Commune des *Hauts-de-Seine, dans la banlieue nord de Paris. 76 000 hab. (*les Asniérois*).

Aśoka ■ Empereur indien (v. 273 - v. 237 av. J.-C.). Unificateur de l'Inde. Il contribua au développement du *bouddhisme.

Aspasie ■ Compagne de Périclès, célèbre par sa beauté et son esprit (Vᵉ s. av. J.-C.).

Erik Gunnar Asplund ■ Architecte suédois (1885-1940).

Herbert Henri Asquith ■ Homme politique britannique (1852-1928). Chef du parti libéral.

l'Assam n. m. ■ État de l'Inde, C'est la région la plus arrosée du monde. 19 millions d'hab.

les Assassins n. m. ■ Déformation de l'arabe *'asasin*, pluriel de *asaz*, « gardien (de la foi) » et non pas *hashāshīn*, « fumeurs de hachisch ». Secte chiite ismaïlienne (XIᵉ - XIIIᵉ s.) célèbre pour son activisme mystique et accusée de nombreux crimes.

l'Assemblée constituante ■ ⇒ **Constituante.**

l'Assemblée législative ■ Assemblée française élue au suffrage censitaire en 1791 (⇒ **Constituante**). Elle dut faire face aux difficultés économiques, aux progrès de la contre-révolution (entrée en guerre des pays étrangers) et à ses propres divisions entre une majorité encore attachée à la monarchie constitutionnelle et une minorité républicaine. L'insurrection du 10 août 1792 provoqua la suspension du roi et l'élection de la *Convention.

l'Assemblée nationale ■ La Chambre des députés, élue pour cinq ans, ainsi nommée par la Constitution française de 1958. Elle siège au Palais-Bourbon.

Assise ■ Ville d'Italie. 18 500 hab. Nombreux édifices anciens. Fresques de *Giotto. Pèlerinage sur les lieux où vécut saint *François d'Assise.

Assouan ■ Ville d'Égypte. 246 000 hab. Barrage gigantesque édifié par *Nasser. Tourisme sur le site voisin d'*Abou Simbel.

Assur ■ Ancienne capitale de l'*Assyrie. Site archéologique en Iraq.

Assurbanipal ■ Roi d'Assyrie environ de 669 à 631 av. J.-C. Le légendaire Sardanapale lui emprunterait certains traits, ainsi qu'à son frère, roi de Babylone, qu'il accula au suicide en brûlant la ville.

l'Assyrie n. f. ■ Empire de l'Antiquité, fondé au XVIIIᵉ s. av. J.-C. autour d'*Assur. Organisés en une puissante nation militaire, les *Assyriens* ont dominé l'Asie occidentale pendant six siècles : conquête de Babylone (729 av. J.-C.) et de la Syrie. L'empire atteint un premier apogée avec le roi Teglath-Phalasar, puis avec Sargon II (70 provinces dont Israël), au VIIIᵉ s. av. J.-C. Vaincue par les Mèdes, l'Assyrie laissa la place (625 av. J.-C.) à l'empire néo-babylonien (⇒ **Babylone**). Art monumental, bas-reliefs.

Asti ■ Ville d'Italie. 76 000 hab. La région produit un célèbre vin mousseux, l'*asti.*

Astrakhan ■ Ville d'U. R. S. S. (*Russie). Port dans le delta de la Volga, sur la mer Caspienne. 466 000 hab. Tanneries (moutons *astrakan*).

l'Astrée ■ Roman pastoral d'Honoré d'Urfé, très célèbre au XVIIᵉ s.

Astrid ■ Reine des Belges par son mariage avec Léopold III (1905-1935). Elle fut très populaire.

Miguel Angel Asturias ■ Écrivain guatémaltèque (1899-1974). Il puise son inspiration dans les traditions indienne et hispanique. Prix Nobel 1967.

les Asturies ■ Région historique et province de l'Espagne. 10 565 km². 1,12 million d'hab. Houille, sidérurgie. Le royaume fut le point de départ, au IXᵉ s., de la reconquête (⇒ **Espagne**).

Asunción en français *Assomption* ■ Capitale du Paraguay. env. 500 000 hab. Port fluvial actif.

Atahualpa ■ Dernier empereur *inca, mis à mort par *Pizarro en 1533.

Atatürk ■ « Père des Turcs », surnom donné à *Mustafa Kemal.

Atchinsk ■ Ville d'U. R. S. S. (*Russie), en *Sibérie centrale. 102 000 hab. Houille.

Athalie ■ Reine de Judée de 841 à 835 av. J.-C. Après six ans de pouvoir tyrannique, elle fut massacrée par le peuple. Elle a inspiré une tragédie à Racine.

Athéna ■ Déesse grecque identifiée à Minerve par les Romains. Née tout armée du crâne de Zeus, elle personnifie l'intelligence, protège les arts, les sciences, les techniques et surtout la ville d'Athènes.

Athènes ■ Capitale de la Grèce. 3 millions d'hab. *(les Athéniens).* Célèbres monuments de l'Antiquité (*Acropole), églises byzantines. ☐HISTOIRE. Prospère dès le Xᵉ s. av. J.-C., elle domina les cités grecques et constitua un empire maritime, grâce à ses victoires sur les Perses (guerres médiques) à Marathon et Salamine (490 et 480 av. J.-C.). L'Athènes de *Périclès (443 - 429 av. J.-C.), ayant inventé les institutions démocratiques, devint « l'école de la Grèce », le foyer de la civilisation classique : sciences, philosophie, histoire, théâtre. Mais elle commença à décliner v. 420 av. J.-C., dans sa lutte contre Sparte (guerre du *Péloponnèse) et Thèbes, qui fit appel à Philippe II de Macédoine, maître de la Grèce en 338 av. J.-C. Athènes garda cependant son prestige culturel, connut même une renaissance sous la domination romaine, mais ne joua aucun rôle sous l'empire byzantin, et moins encore pendant l'occupation turque (1456-1832). Elle devint en 1834 capitale de la Grèce indépendante. Aujourd'hui, elle constitue avec son port (Le Pirée) le principal centre industriel grec.

Athis-Mons ■ Commune de l'*Essonne. 31 500 hab. *(les Athégiens* ou *Athémonsois).*

le mont Athos ■ « Montagne sainte » de Grèce où s'est fixée une république de 1 300 moines (interdite aux femmes), le plus important foyer de l'Église orthodoxe.

Atlanta ■ Ville des États-Unis, capitale de *Géorgie. env. 500 000 hab (1 million dans la zone urbaine). Principal centre des États du sud. Universités.

l'Atlantide n. f. ■ Île fabuleuse, civilisation engloutie, d'après Platon, v. 1300 av. J.-C. Sa légende a inspiré les artistes et écrivains, notamment le chancelier Bacon et Pierre Benoît.

l'océan Atlantique ■ Bordé par l'Europe et l'Afrique à l'est, l'Amérique à l'ouest, c'est le 2ᵉ océan par la superficie (106 millions de km²). Les nombreux courants, froids ou chauds (⇒ **Gulf Stream**) expliquent les différences de climat sur les côtes. L'importance de son rôle économique fait de lui le plus fréquenté des océans : trafic maritime entre les grands ports (Rotterdam, New York, Londres, etc.). Il est devenu symbole d'alliance entre les pays riverains. (⇒ **O. T. A. N.**).

Atlas ■ Dans la mythologie grecque, *Géant condamné par Zeus à porter la voûte du ciel sur ses épaules.

l'Atlas n. m. ■ Barrière montagneuse entre la Méditerranée et le Sahara. On distingue le *Haut-Atlas*, le *Moyen-Atlas* et l'*Anti-Atlas* (Maroc) de l'*Atlas tellien* et de l'*Atlas saharien* (Algérie).

Aton ■ Dieu solaire égyptien. Sans mythe ni statue, son culte fut une des plus belles manifestations du monothéisme dans la haute Antiquité, sous l'action d'*Akhnaton (v. 1300 av. J.-C.). ⇒ **Tell el-Amarna.**

Atoum ■ Dieu égyptien créateur du monde, identifié à *Rê sous la forme d'Atoum-Rê.

Atrée ■ Roi légendaire de *Mycènes. ► les **Atrides**, ses descendants. Leur destin est le sujet de plusieurs tragédies grecques.

Farīd al-Dîn 'Attār ■ Poète mystique persan (v. 1150 - v. 1220). "*Le Colloque des oiseaux*".

Attila ■ Roi des *Huns (v. 395 - 453). Il unifia leurs différentes tribus, lutta contre les empires romains d'Orient et d'Occident et constitua un État, de la mer Noire à la Gaule, qui ne lui survécut pas.

l'Attique n. f. ■ Région de Grèce autour d'*Athènes.

Clement Attlee ■ Homme politique britannique (1883-1967). Chef du parti travailliste, Premier ministre de 1945 à 1951, grand réformiste. ⇒ **Grande-Bretagne.**

Aubagne ■ Ville des *Bouches-du-Rhône. 33 600 hab. (*les Aubains* ou *Aubagniens*).

Théodore Aubanel ■ Poète français de langue d'oc (1829-1886). ⇒ **Mistral.**

l'Aube [10] n. f. ■ Département français de la région *Champagne-Ardenne. Il doit son nom à la rivière qui le traverse. 6 026 km². 289 300 hab. Préfecture : Troyes. Sous-préfectures : Bar-sur-Aube, Nogent-sur-Seine.

Aubenas ■ Ville de l'*Ardèche. 13 700 hab. (*les Albenassiens*).

Aubenton ■ Ville de l'*Aisne. 10 000 hab.

Esprit Auber ■ Compositeur français d'opéras (1782-1871). "*La Muette de Portici*".

Aubergenville ■ Commune des *Yvelines. 10 000 hab.

René Auberjonois ■ Peintre suisse (1872-1957).

Jean Aubert ■ Architecte français (mort en 1741). Grandes Écuries de Chantilly (1719-1735).

Aubervilliers ■ Commune de la *Seine-Saint-Denis, dans la banlieue nord de Paris. 73 000 hab. (*les Albertivilliens*).

Aubière ■ Commune du *Puy-de-Dôme, banlieue de *Clermont-Ferrand. 9 200 hab.

Agrippa d'Aubigné ■ Soldat et écrivain français (1552-1630). Grand poète baroque ("*les Tragiques*"). Un des chefs militaires du parti protestant dans les guerres de *Religion.

Aubigny-sur-Nère ■ Commune du *Cher. 5 700 hab. (*les Albiniens*).

les monts d'Aubrac ■ Plateau du Massif central au sud de l'Auvergne.

Aubusson ■ Sous-préfecture de la *Creuse. 7 000 hab. (*les Aubussonois*). Ateliers de tapisserie.

Auby ■ Commune du *Nord. 8 800 hab.

Auch ■ Préfecture du *Gers. 25 000 hab. (*les Auscitains*). Capitale de la Gascogne sous l'Ancien Régime. Industries alimentaires (foie gras, armagnac).

Auchel ■ Commune du *Pas-de-Calais. 13 300 hab. (*les Auchellois*). Houille.

Auckland ■ 1er port et centre économique de la *Nouvelle-Zélande. 797 000 hab.

l'Aude [11] n. m. ■ Département français de la région *Languedoc-Roussillon. Il doit son nom au fleuve qui le traverse. 6 342 km². 281 000 hab. Préfecture : Carcassonne. Sous-préfectures : Limoux, Narbonne.

Wystan Hugh Auden ■ Écrivain anglais naturalisé américain (1907-1973). Poèmes d'inspiration religieuse. "*L'Âge de l'anxiété*".

Jacques Audiberti ■ Écrivain français (1899-1965). Poète ("*Des tonnes de semence*"), romancier ("*Abraxas*"), auteur dramatique ("*l'Effet Glapion*").

Audincourt ■ Ville du *Doubs. 19 000 hab. (*les Audincourtois*). Église construite en 1949 et décorée par des artistes modernes. Mécanique.

Audran ■ FAMILLE D'ARTISTES FRANÇAIS □ *Gérard II **Audran*** (1640-1703), illustre graveur. □ *Claude III **Audran*** (1657-1734), son neveu, peintre décorateur, un des créateurs du style rocaille.

Audun-le-Tiche ■ Commune de *Moselle. 6 800 hab. Mines.

l'Aufklärung n. f. ■ Mot allemand, équivalent des *Lumières en France, caractérisant la pensée et la culture allemandes du XVIIIe s.

Pierre Augereau ■ Officier français (1757-1816). Il servit la Révolution, l'Empire qui le fit maréchal, et la Restauration.

Augsbourg ■ Ville de R. F. A. 250 000 hab. Centre de la Souabe. Elle joua un grand rôle dans l'histoire de la *Réforme. □ *la Confession d'Augsbourg*, profession de foi des protestants, rejetée par les théologiens catholiques à la *diète d'Augsbourg* (1530). □ *la paix d'Augsbourg* (1555) instaura le principe *cujus regio ejus religio* (chaque État de l'Empire germanique était tenu d'adopter la religion de son prince, protestant ou catholique). □ *la ligue d'Augsbourg* réunit de 1687 à 1697 les opposants à *Louis XIV (Angleterre, Hollande, Suède, Espagne, certaines principautés allemandes) et arrêta après dix ans de guerre l'impérialisme français (traité de Ryswick).

Augusta ■ L'une des plus anciennes villes des États-Unis (*Géorgie). 60 000 hab. ≠ *Augusta*. Ville des États-Unis, capitale du *Maine. 22 000 hab.

Octave dit **Auguste** en latin *Caius Julius Caesar Octavianus Augustus* ■ Premier empereur romain (63 - 14 av. J.-C.). À la mort de son père adoptif César (44 av. J.-C.), Octave eut pour rival *Antoine. Après avoir partagé un temps le pouvoir, il devint maître incontesté de l'État et reçut le titre d'*Imperator* (38 av. J.-C.) puis d'*Augustus* (27 av. J.-C.), consacrant sa mission divine : réorganisation politique (⇒ **Rome**), protection des arts et des lettres. Le « siècle d'Auguste » est l'âge d'or du classicisme romain.

Auguste II ou **Frédéric-Auguste Ier** ■ Électeur de Saxe, roi de Pologne (1670-1733). □ *Auguste III* ou *Frédéric-Auguste II*. Fils du précédent (1696-1763), roi de Pologne après la guerre de *Succession qui l'opposa à *Stanislas Leszczyński.

saint Augustin ■ Évêque d'Afrique du Nord, écrivain latin, Docteur et Père de l'Église (354-430). Converti tardivement au christianisme (386), il combattit les hérésies et devint le théologien majeur de son époque. "*De Magistro*" ; "*Confessions*" ; "*De Trinitate*" ; "*la Cité de Dieu*".

Aulis ■ Ancien port de Grèce dans la région de l'*Aulide. Lieu d'embarquement des Grecs pour la guerre de *Troie.

Aulnay-sous-Bois ■ Commune de *Seine-Saint-Denis, banlieue de Paris. 78 000 hab. (*les Aulnaisiens*).

la comtesse d'Aulnoy ■ Écrivaine française (v. 1650 - 1705). Contes de fées.

Henri d'Orléans duc d'Aumale ■ Général, historien et homme politique français (1822-1897). Quatrième fils de *Louis-Philippe. ⇒ **Chantilly**.

Aung San ■ Héros de l'indépendance de la Birmanie, assassiné en 1947.

l'Aunis n. m. ■ Ancienne province, dans la région de La *Rochelle, définitivement intégrée à la France en 1373. Important foyer calviniste aux XVIe et XVIIe s.

Aurangabad ■ Ville de l'Inde. 151 000 hab. Monuments bouddhiques, hindous, islamiques.

Aurangzeb ■ Empereur *moghol (1618-1707). Ses conquêtes marquèrent l'apogée de l'empire, sa tyrannie en amorça le déclin.

Auray ■ Ville du *Morbihan. 10 400 hab. *(les Alréens)*.

Aurélien ■ Empereur romain (v. 212 - 275). Il restaura un pouvoir fort, instaura le culte solaire.

Georges Auric ■ Compositeur français (1899-1983). Auteur de ballets *("Phèdre")* et de musiques de film.

Aurignac ■ Localité de Haute-*Garonne. 1 100 hab. Site préhistorique. Il a donné son nom à la culture de l'*Aurignacien* (30 000 - 25 000 av. J.-C.).

l'île d'Aurigny ■ L'une des îles *Anglo-Normandes. 1 350 hab.

Aurillac ■ Préfecture du *Cantal. 33 000 hab. *(les Aurillacois)*. Centre commercial.

Vincent Auriol ■ Homme politique français (1884-1966). Président de la République (socialiste) de 1947 à 1954.

Śri Aurobindo ■ Penseur indien (1872-1950). ▶ *Auroville*, cité expérimentale fondée par ses disciples en 1968, près de Pondicherry.

Auschwitz ■ Camp nazi de concentration et d'extermination sur le territoire polonais (1940-1945) : 4 millions de morts, juifs pour la plupart, de 1940 à 1945.

Ausone ■ Poète latin (v. 310 - v. 385).

Jane Austen ■ Romancière britannique (1775-1817). *"Orgueil et Préjugé"*.

Austerlitz ■ Localité de Tchécoslovaquie (*Moravie) où Napoléon Ier remporta, contre l'armée austro-russe de *François II et d'*Alexandre Ier, la « bataille des Trois Empereurs », le 2 décembre 1805.

John Langshaw Austin ■ Philosophe anglais (1911-1960). Logique du langage.

Austin ■ Ville des États-Unis, capitale du *Texas. 344 000 hab. Universités.

les terres Australes ou *Subantarctiques* ■ 20 îles au large de l'Antarctique, dont les archipels Crozet et Kerguelen et les îles de la Nouvelle-Amsterdam et de Saint-Paul qui constituent, avec la terre Adélie, les *terres Australes et Antarctiques françaises*. □ *l'océan Austral*. L'océan *Antarctique.

l'Australie n. f. ■ État fédéral d'*Océanie formant le *Commonwealth of Australia*. Il comprend la *Tasmanie (68 332 km²), des territoires annexes et l'Australie proprement dite (7 631 668 km², la plus grande île du monde) constituée de cinq États : l'Australie-méridionale (capitale : Adelaïde), l'Australie-occidentale (capitale : Perth), la Nouvelle-Galles du Sud (capitale : Sidney), Queensland (capitale : Brisbane), Victoria (capitale : Melbourne). env. 16 millions d'hab. *(les Australiens)* d'origine anglaise et, plus récemment, d'autres provenances

(Europe centrale, Italie, etc.). Langue : anglais. Monnaie : dollar australien. Capitale : Canberra. Malgré le rapide essor de la métallurgie (Newcastle, Wollongong) et des industries de transformation, l'économie est avant tout fondée sur l'élevage (ovins). Les principales villes sont des ports, où le commerce est très actif. Membre du *Commonwealth. □HISTOIRE. La population aborigène, d'un grand intérêt ethnologique, est réduite à environ 160 000. Découverte par les Hollandais au XVIIe s., l'Australie fut colonisée par les Anglais, qui en firent leur pénitencier (1788-1840). La création du Commonwealth d'Australie fut approuvée par le parlement britannique en 1901. Le nouvel État fut l'allié de la Grande-Bretagne pendant les deux guerres mondiales, et soutint les États-Unis dans le Pacifique.

l'Austrasie ■ Royaume *mérovingien de l'est de la Gaule, avec Metz pour capitale. Les *Carolingiens en sont issus.

Claude Autant-Lara ■ Cinéaste français (né en 1903). *"Le Diable au corps"*, d'après le roman de Radiguet.

Auterive ■ Commune de Haute-*Garonne. 5 200 hab. *(les Auterivains)*.

l'Autriche n. f., en allemand *Österreich* ■ État (république fédérale) d'Europe centrale. Il comprend neuf États : Vienne, la *Basse-Autriche* (capitale : Vienne), la *Haute-Autriche* (capitale : Linz), le Burgenland (capitale : Eisenstadt), la Carinthie (capitale : Klagenfurt), la province de Salzbourg, la Styrie (capitale : Graz), le *Tyrol (capitale : Innsbruck), le Vorarlberg (capitale : Bregenz). 83 850 km², 7,55 millions d'hab. *(les Autrichiens)*. Langue : allemand. Monnaie : schilling. Capitale : Vienne. Pays montagnard qui a développé l'élevage et l'exploitation de la forêt. Il bénéficie d'importantes ressources hydro-électriques, mais son industrie, quoique diversifiée, dépend fortement des importations. □HISTOIRE. La marche d'Autriche (*Österreich* signifie « royaume de l'est ») devint duché héréditaire en 1156 et passa aux mains des *Habsbourg en 1278. Aux XVIe et XVIIe s. elle constituait le noyau dur de l'empire germanique et se fit le champion du catholicisme contre les princes allemands réformés, les Tchèques (guerre de *Trente Ans) et les Turcs. Tandis que sur le plan intérieur les règnes de *Marie-Thérèse, puis de *Joseph II renforcèrent et modernisèrent l'État, sur le plan extérieur, les défaites causées par la guerre de *Succession (1740-1748) puis par les guerres napoléoniennes diminuèrent son territoire. Mais le congrès de Vienne (1815) et le rôle diplomatique de *Metternich lui redonnèrent une place prépondérante en Europe. À l'intérieur, la politique absolutiste se heurta aux revendications nationalistes des peuples non allemands (Hongrois, Tchèques, Slaves du sud) qui aboutiront aux révolutions de 1848. Vaincue par la Prusse en 1866 (bataille de Sadowa), exclue alors de l'Allemagne, l'Autriche dut reconnaître l'existence du royaume de Hongrie, dont *François-Joseph se fit couronner roi en 1867. Ainsi naquit la monarchie austro-hongroise. Le conflit avec la Serbie (⇒ **François-Ferdinand de Habsbourg**) déclencha la Première Guerre mondiale, qui provoqua la ruine de la monarchie austro-hongroise et l'institution d'une république (1920) dans les limites territoriales actuelles. Devenue une province allemande après l'annexion *(Anschluss)* par Hitler, occupée par les Alliés après 1945, l'Autriche retrouva son indépendance en 1955 et affirma sa souveraineté (traité de paix avec l'U. R. S. S., admission à l'O. N. U.). Le chancelier Bruno Kreisky (socialiste) a dirigé le pays de 1970 à 1983. L'élection de Kurt Waldheim, ancien secrétaire général de l'O. N. U., à la présidence de la République (1986) a suscité une polémique sur l'attitude de certains Autrichiens pendant la Seconde Guerre mondiale.

Autun ■ Sous-préfecture de la *Saône-et-Loire. 23 000 hab. *(les Autunois).* Remarquable cathédrale romane (XIIᵉ s.).

Antoine d'Auvergne ou **Dauvergne** ■ Violoniste et compositeur français (1713-1797).

l'Auvergne n. f. ■ Région administrative et économique française comprenant quatre départements du Massif central : Allier, Cantal, Haute-Loire, Puy-de-Dôme. Préfecture : Clermont-Ferrand. 26 013 km². 1,3 million d'hab. *(les Auvergnats).* Elle correspond à peu près à l'ancienne province (l'ancien territoire des *Arvernes), divisée au Moyen Âge en *comté d'Auvergne* (annexé en 1610), *Dauphiné et *terre d'Auvergne* (réunis à la couronne en 1531). Le peuplement industriel et urbain se concentre dans les vallées (industries automobile et pneumatique). Les hauts plateaux et massifs volcaniques se dépeuplent, bien que l'agriculture occupe encore un quart de la population active (élevage laitier, fromages). Tourisme thermal (Vichy).

Auvers-sur-Oise ■ Commune du *Val-d'Oise. 5 800 hab. *(les Auversois).* *Van Gogh y est enterré.

Auxerre ■ Préfecture de l'*Yonne. 40 000 hab. *(les Auxerrois).* Monuments médiévaux.

le mont **Auxois** ■ ⇒ **Alésia.**

Auxonne ■ Commune de *Côte-d'Or. 7 000 hab. *(les Auxonnois).* Église gothique.

Adrien Auzout ■ Astronome français (1622-1691). Il perfectionna les instruments de mesure et d'observation.

Avallon ■ Sous-préfecture de l'*Yonne. 9 300 hab. Centre commercial et industriel.

Avalokiteśvara ■ Dans la religion bouddhiste, le *Bodhisattva le plus vénéré, spécialement en Chine, au Tibet et au Japon.

les **Avars** n. m. ■ Tribu asiatique qui constitua du VIᵉ au IXᵉ s. un empire en Europe centrale. Vaincus par les armées de *Charlemagne.

l'avatāra n. m. ■ Métamorphose d'une divinité hindoue sur terre. Les plus connus sont les *avatāra* de *Visnu (homme-lion, poisson, etc.). ‹ ► avatar ›

Avellanada ■ Ville industrielle d'Argentine. 338 000 hab.

Avempace ■ ⇒ **Ibn Bādjdja.**

le mont **Aventin** ■ Une des sept collines de Rome. De 494 à 450 av. J.-C., la plèbe, révoltée contre le patriarcat, s'y retira.

le lac d' **Averne** ■ Lac d'Italie, décrit par Virgile comme l'entrée des *Enfers.

Ibn Rushd dit **Averroès** ■ Principal philosophe arabe et musulman d'Espagne (1126-1198). ► *l'averroïsme,* sa doctrine fut considérée par les chrétiens, au moins jusqu'à sa condamnation en 1277, comme la meilleure explication d'*Aristote.

Tex Avery ■ Réalisateur américain de dessins animés (1918-1980). Créateur de Bugs Bunny.

Avesnes-sur-Helpe ■ Sous-préfecture du *Nord. 6 800 hab. *(les Avesnois).*

l'Avesta n. m. ■ Recueil des textes sacrés du mazdéisme, en langue avestique. ⇒ **Zarathoustra.**

l'Aveyron [12] n. f. ■ Département français de la région *Midi-Pyrénées. Il doit son nom à la rivière qui le traverse. 8 771 km². 279 000 hab. Préfecture : Rodez. Sous-préfectures : Millau, Villefranche-de-Rouergue.

Avicebron ■ ⇒ **Ibn Gabirol.**

Ibn Sinā dit **Avicenne** ■ Savant, philosophe et mystique de l'*Islam (980-1037). ► *l'avicennisme,* sa doctrine, à la rencontre de la philosophie grecque et de la mystique iranienne, eut une grande influence en Orient comme en Occident.

Avignon ■ Préfecture du *Vaucluse. 93 000 hab. *(les Avignonnais).* Résidence des Papes au XIVᵉ s. Grand centre commercial et touristique (festival de théâtre depuis 1947).

Ávila ■ Ville d'Espagne. 87 000 hab. « Ville des saints et des pierres » : nombreux couvents et églises, enceinte du XIIᵉ s.

Avion ■ Commune du *Pas-de-Calais. 23 000 hab.

Amedeo Avogadro *comte de Quaregna* ■ Chimiste italien (1776-1856). Le *nombre d'Avogadro* : nombre constant de molécules dans une molécule-gramme ($6,023.10^{23}$).

Avon ■ Commune de *Seine-et-Marne. 15 600 hab. *(les Avonnais).*

Avoriaz ■ Station française de sports d'hiver, dans les *Alpes (Haute-*Savoie). Festival du cinéma fantastique.

Avranches ■ Sous-préfecture de la *Manche. 11 300 hab. *(les Avranchins).* La *percée d'Avranches* marqua le début de la grande offensive alliée sur Paris (31 juillet 1944).

Avvakoum ■ Réformateur orthodoxe et écrivain russe (1620-1682). Chef des « vieux croyants ».

Awaji ■ La plus grande île de la mer Intérieure du Japon. 200 000 hab.

l'Axe n. m. ■ Nom donné à l'alliance entre *Mussolini et *Hitler (1936).

sir **Alfred Jules Ayer** ■ Philosophe empiriste et logicien anglais (né en 1910).

les **Aymaras** n. m. ■ Indiens du Pérou et de Bolivie. Ils ont conservé leur langue et des traditions antérieures à la colonisation espagnole.

Marcel Aymé ■ Écrivain français (1902-1967). Son œuvre (contes, récits, nouvelles) instaure des rapports familiers entre le réel et l'imaginaire. *"Contes du chat perché".*

Aytré ■ Commune de *Charente-Maritime. 6 900 hab.

Ayuthyâ ■ Ville de Thaïlande. 16 000 hab. Capitale de 1347 à 1767 d'un royaume thaï, puis du *Siam. Nombreux monuments.

les **Ayyūbides** n. m. ■ Dynastie musulmane fondée par *Saladin. Sa branche principale régna en Égypte de 1171 à 1250.

Azay-le-Rideau ■ Localité d'*Indre-et-Loire. 2 800 hab. Célèbre château Renaissance.

le marquis d' **Azeglio** ■ Écrivain et homme politique italien (1798-1866). Chef du gouvernement du *Piémont de 1849 à 1857.

l'Azerbaïdjan n. m. ■ Région de l'Asie occidentale divisée entre l'Iran (3,6 millions d'hab., 109 064 km²) et l'U. R. S. S. □ *la République socialiste soviétique d'Azerbaïdjan.* 86 600 km². 7 millions d'hab. Capitale : Bakou. Industrie pétrolière. Cultures irriguées (coton, tabac).

Azincourt ■ Commune du *Pas-de-Calais. Importante victoire anglaise durant la guerre de Cent Ans (1415).

José Martínez Ruiz dit *Azorín* ■ Romancier espagnol (1873-1967). "*La Volonté*".

la mer d'Azov ■ En U. R. S. S., golfe de la mer Noire. □ *Azov.* Port sur la mer d'Azov. 60 000 hab.

Ancienne colonie grecque (Tanaïs) puis ville génoise, vénitienne, ottamane et russe.

les Aztèques n. m. ■ Ancien peuple indien qui fonda un empire au Mexique (XVᵉ s.). Leur capitale était Tenochtitlán (actuellement Mexico). Militaires et conquérants, dotés d'une solide organisation politique et sociale avec des croyances religieuses fortes (*Quetzalcoatl, *Tlaloc) ils soumirent et assimilèrent la culture d'autres tribus dont les *Toltèques. Par sa victoire sur l'empereur Moctezuma, l'Espagnol Cortès mit fin à leur pouvoir (⇒ **Cuauhtémoc**).

B

Baal ■ Divinité de l'Orient méditerranéen, associée depuis la Bible à tout culte idolâtrique, et spécialement aux sacrifices humains.

Baalbek ■ Ville du Liban. 18 000 hab. Haut lieu archéologique : elle abrita le culte de *Baal, puis celui du dieu soleil, d'où son nom d'*Héliopolis.*

le Baath ou **Baas** ■ Parti nationaliste panarabe et socialiste dominant en Syrie et en Iraq.

'Alī Muhammad dit **le Bāb** ■ Réformateur musulman iranien (v. 1820 - 1850). ►*le babisme* fut persécuté par les sunnites, mais continué par le *bahā'isme.

Charles **Babbage** ■ Mathématicien anglais, logicien (1792-1871). Il conçut la première calculatrice à programme (« machine analytique »), mais ne la réalisa pas.

Babel ■ Nom hébreu de *Babylone. ►*la tour de Babel,* dans la Bible, symbolise l'orgueil des hommes ; la diversité des langues est le châtiment que le ciel leur inflige.

François Noël dit *Gracchus* **Babeuf** ■ Révolutionnaire français (1760-1797). Sa doctrine, le *babouvisme,* annonce le communisme.

Joseph **Babinski** ■ Médecin et neurologue français d'origine polonaise (1857-1932).

Mihály **Babits** ■ Poète hongrois (1883-1941). Animateur de la revue "*Nyugat*" (« Occident »).

Bābur ■ Souverain turc (1483-1530). Il conquit l'Inde du Nord et fonda l'Empire *moghol.

Babylone ■ Ancienne ville de *Mésopotamie (160 km de Bagdad), cœur de la principale civilisation de l'Asie antérieure. Fondée par les *Akkadiens, elle assimila ses envahisseurs successifs (Hittites, Kassites, Élamites, Assyriens — civilisation assyro-babylonienne). Un premier empire babylonien fut fondé par *Hammourabi (v. 1700 av. J.-C.), restauré par Nabuchodonosor (v. 1137 av. J.-C.). L'empire néobabylonien (625 - 539 av. J.-C.) fut fondé par Nabopolassar ; les ruines actuelles témoignent de cette époque, où l'on édifia les fameux jardins suspendus et la tour à étages (*ziggourat*) qui inspira le mythe de *Babel. Conquise par les Perses (539 av. J.-C.), qui en firent leur capitale, puis par Alexandre, qui y mourut (323 av. J.-C.), Babylone fut ensuite délaissée au profit d'*Antioche.

Bacau ■ Ville de Roumanie. 130 000 hab.

Baccarat ■ Commune de *Meurthe-et-Moselle. 5 600 hab. *(les Bachânois).* Célèbres cristalleries depuis le XVIIIᵉ s.

les **bacchantes** ■ Femmes du cortège de *Bacchus. ‹ ► ① bacchante ›

Riccardo **Bacchelli** ■ Écrivain italien (1891-1985). "*Les Moulins du Pô*", fresque historique.

Bacchus ■ Nom latinisé de *Dionysos. ‹ ►bacchanale ›

les **Bach** ■ FAMILLE DE MUSICIENS ALLEMANDS □ *Jean-Sébastien* **Bach** (1685-1750), le plus illustre, luthérien fervent, a laissé une œuvre immense (le "*Clavecin bien tempéré*" ; "*Concertos brandebourgeois*" ; "*Passions*" ; "*Cantates*" ; "*l'Art de la fugue*") dont les qualités d'inspiration et de composition sont aujourd'hui universellement admirées. Il a fixé les règles de la musique tonale. Ses fils furent des compositeurs réputés, notamment de concertos et de sonates, annonçant parfois *Mozart. □ *Wilhelm Friedemann* **Bach** (1710-1784). □ *Carl Philipp Emanuel* **Bach** (1714-1788). □ *Johann Christoph Friedrich* **Bach** (1732-1795). □ *Johann Christian* **Bach** (1735-1782).

Alexander von **Bach** ■ Homme politique autrichien (1813-1893). De 1849 à 1859, il institua un système absolutiste.

Gaston **Bachelard** ■ Philosophe français (1884-1962). Épistémologie ("*la Philosophie du non*"). Étude de l'imaginaire.

la **Bachkirie** ■ Une des républiques autonomes de *Russie (U. R. S. S.). 143 600 km². 3 847 000 hab. Capitale : Oufa. Région pétrolière qui fait partie du second *Bakou.

Ingeborg **Bachmann** ■ Écrivaine autrichienne (1926-1973). Membre du *Groupe 47. "*Le Temps mesuré*", poèmes.

il **Baciccia** ■ Peintre et décorateur baroque italien (1639-1709).

Bacolod ■ Ville des Philippines. 227 000 hab.

le chancelier Francis **Bacon** ■ Philosophe et homme politique anglais (1561-1626). Défenseur du progrès et de la science expérimentale.

Francis Bacon ■ Peintre britannique (né en 1909). La déformation de l'image humaine crée une esthétique de l'angoisse.

Roger Bacon ■ Franciscain anglais, philosophe, savant (v. 1220 - v. 1292). Considéré comme le précurseur de la méthode expérimentale.

Badajoz ■ Ville d'Espagne. 114 300 hab.

Badalona ■ Ville d'Espagne. 227 700 hab.

le Bade ■ Ancien État allemand (capitale : Karlsruhe), réuni aujourd'hui au *Wurtemberg. ► le Bade-Wurtemberg, État de R. F. A. 35 751 km². 9,33 millions d'hab. (les Badois). Capitale : Stuttgart. Importantes activités agricoles, industrielles et touristiques (lac de Constance, Forêt-Noire, thermes de Baden-Baden).

Robert Baden-Powell ■ Général anglais, fondateur du scoutisme (1857-1941).

Karl Ernst von Baer ■ Anatomiste russe (1792-1876). Pionnier de l'embryologie.

William Baffin ■ Navigateur anglais (v. 1584-1622). ► la terre de Baffin, île canadienne (476 066 km²) séparée du Groenland par la mer de Baffin.

Bagdad ■ Capitale de l'Iraq. 3,2 millions d'hab. Fondée en 762 par les *Abbassides, sur le Tigre, métropole de l'Islam jusqu'à sa destruction par les *Mongols (1258).

Bag Jeong Hui ou **Park Chung-Hee** ■ Général et homme d'État coréen (1917-1979). Président de la république de Corée du Sud de 1963 à son assassinat.

Bagnères-de-Bigorre ■ Sous-préfecture des Hautes-*Pyrénées. 9 850 hab. (les Bagnérais). Station thermale.

Bagneux ■ Ville des *Hauts-de-Seine, dans la banlieue sud de Paris. 40 300 hab. (les Balnéolais).

Bagnolet ■ Commune de la *Seine-Saint-Denis, dans la banlieue est de Paris. 32 500 hab.

Bagnols-sur-Cèze ■ Ville du *Gard. 17 800 hab. (les Bagnolais).

le bahá'isme ■ Religion syncrétiste fondée par un disciple du *Bāb, Bahā' U'llah (1817-1892). Née en Turquie, elle compte aujourd'hui de nombreux adeptes en Europe et aux États-Unis.

le Commonwealth des Bahamas ■ État des *Antilles, 700 îles. 13 864 km². 235 000 hab. Langues : anglais (officielle), créole. Monnaie : dollar des Bahamas. Capitale : Nassau. Ancienne colonie britannique. Indépendant en 1973 et membre du *Commonwealth, l'archipel est aujourd'hui un « paradis fiscal » qui vit essentiellement du tourisme.

Bahār ■ Poète et critique iranien (1880-1951). Il exerça une grande influence sur ses contemporains.

Bahāwalpur ■ Ville du Pakistan. 178 000 hab.

Bahia ■ L'un des 23 États du Brésil. 561 000 km². 10,9 millions d'hab. Capitale : *Salvador (ancien nom : Bahía).

Bahía Blanca ■ Port d'Argentine. 182 000 hab.

le Bahreïn ■ Archipel et État (émirat) du golfe Persique. 687 km². Capitale : Manama. 416 000 hab. Langue : arabe. Monnaie : dinar bahreïni. Ancien protectorat anglais, indépendant depuis 1971. Place financière du Golfe. Production d'hydrocarbures.

Baia Mare ■ Ville de Roumanie. 135 500 hab.

Jean Antoine de Baïf ■ Écrivain français (1532-1589). Poète de la *Pléiade, érudit. Il proposa une réforme hardie de l'orthographe.

le lac Baïkal ■ Lac le plus profond du globe (1 620 m), en U. R. S. S. (*Bouriatie). 636 km de long. 31 500 km².

Baïkonour ■ Base aérospatiale soviétique (au *Kazakhstan).

Bailleul ■ Ville du *Nord. 13 400 hab. (les Bailleulois).

André Baillon ■ Écrivain belge (1875-1932). "Un homme si simple".

Jean-Sylvain Bailly ■ Astronome et révolutionnaire français (1736-1793). Président de l'Assemblée nationale et maire de Paris en 1789, proche des *Feuillants, exécuté sous la *Terreur.

Joséphine Baker ■ Artiste de music-hall américaine (1906-1975). Célèbre meneuse de la revue des Folies-Bergère à Paris.

Mahmut Abdül Bakī ■ Un des grands poètes classiques turcs (1526-1600). "Divan".

Bakin ■ Écrivain japonais (1767-1848). "Les Huit Chiens de Satomi".

Bakou ■ Ville d'U. R. S. S., 1,7 million d'hab. Capitale de l'*Azerbaïdjan, grand centre pétrolier. □ le second Bakou : nom donné à la grande région pétrolière entre l'Oural et la Volga. □ le troisième Bakou : le plus grand gisement pétrolier d'U.R.S.S., dans la plaine de l'*Ob.

Mikhaïl Bakounine ■ Révolutionnaire et théoricien anarchiste russe (1814-1876). "Étatisme et Anarchie".

Miliï Balakirev ■ Compositeur russe (1837-1910). Maître de *Borodine, Cui, *Moussorgski, *Rimski-Korsakov, avec lesquels il formait le « Groupe des Cinq ».

George Balanchine ■ Chorégraphe russe naturalisé américain (1904-1983).

le lac Balaton ■ Le plus grand lac d'Europe centrale, en Hongrie. 600 km².

Italo Balbo ■ Maréchal italien, un des chefs du *fascisme (1896-1940).

Vasco Nuñez de Balboa ■ Conquistador espagnol (1475-1517). Il découvrit l'océan Pacifique en 1513.

Hans Baldung Grien ■ Peintre et graveur allemand (v. 1484 - 1545). Élève de *Dürer. Sujets chargés de symbolisme, mêlant érotisme et magie.

James Baldwin ■ Romancier noir américain (1924-1987). "Les Élus du Seigneur".

Robert Baldwin ■ Homme d'État canadien (1804-1858).

Bâle, en allemand **Basel** ■ Ville de la Suisse, sur le Rhin, aux frontières de la France, de la R.F.A. et de la Suisse. 174 600 hab. (les Bâlois). Université (fondée en 1460, elle abrita *Érasme et fit de la ville un foyer du protestantisme. Centre industriel : chimie, métallurgie. ► le canton de Bâle, divisé en deux demi-cantons : Bâle-Ville (en allemand Basel-Stadt ; chef-lieu : Bâle) et Bâle-Campagne (en allemand Basel-Land ; chef-lieu : Liestal).

les Baléares n. f. ■ Archipel méditerranéen ; communauté autonome de l'Espagne dont les principales îles sont *Majorque, *Minorque, *Ibiza, Formentera, Cabrera. Capitale : *Palma de Majorque. 5 014 km². 685 100 hab. Tourisme.

Cristóbal **Balenciaga** ■ Couturier espagnol (1895-1972).

lord **Balfour** ■ Homme d'État britannique (1848-1930). Premier ministre (conservateur), puis ministre des Affaires étrangères. ▶ *la déclaration Balfour*, le 2 novembre 1917, engageait l'Angleterre à favoriser « l'établissement en Palestine d'un foyer national pour le peuple juif ».

Bali ■ Île d'*Indonésie, à l'est de Java. 5 561 km². 2 469 000 hab. Chef-lieu : Denpasar. Rizières en terrasses. Tourisme.

Balikpapan ■ Ville de l'Indonésie (*Bornéo). 280 800 hab.

les **Balkans** n. m. ■ La plus orientale des trois péninsules du sud de l'Europe, comprenant la Yougoslavie, l'Albanie, la Bulgarie, la Grèce et la Turquie d'Europe. Théâtre des *guerres balkaniques* (démembrement de l'Empire ottoman, 1912-1913). □ *le mont* **Balkan**, chaîne montagneuse de la Bulgarie. ⟨▶ balkanique ⟩

le lac **Balkhach** ■ Lac d'U. R. S. S. (au *Kazakhstan).

Giacomo **Ballà** ■ Peintre et théoricien *futuriste italien (1871-1958).

Victor **Baltard** ■ Architecte français (1805-1874). Halles de Paris (charpente métallique), démontées en 1971.

les pays **Baltes** ■ Les républiques soviétiques d'Estonie, Lettonie et Lituanie, au bord de la *Baltique. Région autrefois conquise par les chevaliers *Teutoniques, disputée ensuite entre la Pologne, la Suède et la Russie, puis l'Allemagne durant les deux guerres mondiales, indépendante de 1920 à 1940.

Balthazar ■ D'après la légende chrétienne, un des Rois mages, de race noire.

Balthazar Klossowski dit **Balthus** ■ Peintre français d'origine polonaise (né en 1908). Œuvre réaliste dans sa forme. Scènes d'intérieur avec des adolescentes. Paysages.

Baltimore ■ Ville des États-Unis (*Maryland). 787 000 hab. Port de la baie de *Chesapeake. Industries. Université Johns Hopkins.

la mer **Baltique** ■ Mer qui baigne les côtes d'Europe du Nord : Danemark, Suède, Finlande, pays *Baltes (U. R. S. S.), Pologne, R. D. A.

le **Baluchistān** ■ Région aride s'étendant sur le Pakistan et l'Iran.

Jean Louis Guez de **Balzac** ■ Écrivain français (1595-1654). Il contribua pour la prose à l'avènement du *classicisme.

Honoré de **Balzac** ■ Écrivain français (1799-1850). "*La Comédie humaine*", ensemble de quelque 95 romans ("*la Peau de chagrin*" ; "*le Père Goriot*" ; "*le Lys dans la vallée*" ; "*Eugénie Grandet*" ; "*les Illusions perdues*" ; "*la Cousine Bette*"...), brosse un tableau à la fois réaliste et visionnaire de la société.

Bamako ■ Capitale du Mali. 404 000 hab.

Bamberg ■ Ville de Bavière. 70 000 hab. Cathédrale du XIIIe s. Nombreux monuments.

Bāmiān ■ Site archéologique afghan, autour de deux statues colossales de *Bouddha.

Stefan **Banach** ■ Mathématicien polonais (1892-1945). Un des pères de l'analyse fonctionnelle.

Bandar Seri Begawan ■ Capitale de *Brunei. 63 800 hab.

la **Bande des quatre** ■ Surnom péjoratif de dirigeants communistes chinois, comprenant la veuve de *Mao Zedong, écartés du pouvoir en 1976.

Matteo **Bandello** ■ Conteur italien (1485-1561). Célèbre pour ses "*Nouvelles*" qui inspirèrent Shakespeare puis les romantiques.

Bandol ■ Commune du *Var. 6 700 hab. Station balnéaire.

Bandung ou **Bandoeng** ■ Ville d'Indonésie (*Java). 1,4 million d'hab. La *conférence de Bandung* (1955), réunissant *Nasser, *Nehru, *Chou En-Lai et *Sukarno, marque l'acte de naissance politique du tiers monde.

Bangalore ■ Ville de l'Inde. 2,9 millions d'hab.

Bangkok ■ Capitale de la Thaïlande. 5,4 millions d'hab. Centre culturel et économique du pays, son seul port important. Forte croissance liée à l'exode rural.

le **Bangladesh** ■ État (république) d'Asie du Sud. 143 999 km². 104,1 millions d'hab. Capitale : Dacca. Langue officielle : bengali. Monnaie : taka. Économie essentiellement agricole. Graves problèmes de surpopulation. Ancien Pakistan oriental. □**HISTOIRE.** ⇒ **Bengale.**

Ban Gu ou *Pan Kou* ■ Historien chinois du Ier s.

Bangui ■ Capitale de la République centrafricaine. 473 800 hab.

Banjarmasin ■ Ville et port pétrolier d'Indonésie (*Bornéo). 381 200 hab.

Banjul ■ Capitale de la Gambie (ancienne Bathurst), port sur l'Atlantique. 44 200 hab.

les **Bantous** ■ Peuples d'Afrique noire parlant des langues du même groupe (langues bantoues). 60 millions environ.

bantoustan ■ Nom donné aux territoires autonomes attribués à la population noire, en Afrique du Sud. 7 millions d'hab.

Théodore de **Banville** ■ Poète français (1823-1891). Proche du *Parnasse. "*Odes funambulesques*".

Baoding ■ Ville de Chine. 350 000 hab.

Baotou ■ Ville de Chine. 846 000 hab. Centre sidérurgique.

Bārābudur ■ Célèbre monument bouddhique de *Java, près de *Djogjakarta (VIIIe s.).

la **Barbade** ■ Île et État des Petites Antilles. Capitale : Bridgetown. 430 km². 253 000 hab. (*les Barbadiens*).

la **Barbarie** ou *les États barbaresques* ■ Nom donné aux pays d'Afrique du Nord avant la colonisation (v. 1830), par déformation du mot *berbère.

sainte **Barbe** ■ Vierge et martyre légendaire, patronne des pompiers, des artilleurs, des sapeurs.

les **Barberousse** ■ Célèbres corsaires de l'Empire *ottoman, basés à Alger au début du XVIe s.

Armand **Barbès** ■ Révolutionnaire français (1809-1870). Il s'exila en 1854.

Jules-Amédée **Barbey d'Aurevilly** ■ Écrivain français (1808-1889). Dandy méprisant le caractère bourgeois de son siècle, critique et polémiste catholique virulent, il est l'auteur de récits célèbres pour leur caractère tragique et satanique. "*Les Diaboliques*".

Barbizon ■ Commune de *Seine-et-Marne. 1 200 hab. Séjour, au XIXᵉ s., de peintres paysagistes groupés sous le nom d'*école de Barbizon* et qui furent à l'origine de l'*impressionnisme.

Henri **Barbusse** ■ Écrivain français (1873-1935). Pacifiste. "*Le Feu*" (1916).

Barcelone ■ Ville d'Espagne, capitale de la Catalogne. 1,7 million d'hab. *(les Barcelonais)*. 1ʳᵉ ville industrielle (textile) et 3ᵉ port du pays. Monuments médiévaux et modernes (⇒ **Gaudi**).

Barcelonnette ■ Sous-préfecture des *Alpes-Maritimes. 3 300 hab. *(les Barcelonnets ou Barcelonnettais)*. Station de sports d'hiver à Sauze.

Brigitte **Bardot** dite *B. B.* ■ Actrice française, vedette de cinéma (née en 1934). "*Et Dieu créa la femme*".

Bareilly ■ Ville de l'Inde. 438 000 hab.

Barentin ■ Commune de *Seine-Maritime. 12 800 hab. *(les Barentinois)*.

la mer de **Barents** ■ Partie de l'océan Arctique baignant les côtes de Norvège et d'U. R. S. S. Importantes pêcheries. □ *Willem* **Barents,** navigateur néerlandais (v. 1550 - 1597).

Bari ■ Port d'Italie. Chef-lieu des *Pouilles. 362 500 hab. Nombreux monuments médiévaux.

Bar-le-Duc ■ Préfecture de la *Meuse. 20 000 hab. *(les Barrois ou Barrisiens)*. Monuments anciens.

saint **Barnabé** ■ Apôtre de l'Église primitive, compagnon de saint *Paul.

Barnaoul ■ Ville d'U. R. S. S. (*Russie) sur l'Ob. 596 000 hab. Centre industriel.

Antoine **Barnave** ■ Révolutionnaire français (1761-1793). Un des chefs de la *Constituante, rallié aux *Feuillants, guillotiné.

Baroda, aujourd'hui *Vadodara* ■ Ville de l'Inde. 744 000 hab.

Pío **Baroja** ■ Écrivain espagnol (1872-1956). Il s'est interrogé sur le destin de l'Espagne. "*Mémoires d'un homme d'action*".

le **baroque** ■ Courant qui se manifesta dans l'art occidental du XVIᵉ s. au XVIIIᵉ s. Par opposition au *classicisme, l'esthétique baroque privilégie le mouvement, l'ouverture, la multiplicité. Cette tendance, issue de la *Contre-Réforme, s'étendit des arts plastiques (le *Bernin, *Borromini, les *Churriguera, *Rubens) à la littérature (*Scève, d'*Aubigné, *Calderon) et à la musique (*Pachelbel, *Vivaldi, *Bach).

Barquisimeto ■ Ville du *Venezuela. 496 700 hab.

Barranquilla ■ 1ᵉʳ port de Colombie. 920 700 hab. Important centre industriel.

Paul comte de **Barras** ■ Révolutionnaire français (1755-1829). Membre le plus influent du *Directoire.

Jean-Louis **Barrault** ■ Homme de théâtre français (né en 1910). ⇒ Madeleine **Renaud.**

Raymond **Barre** ■ Homme politique et économiste français (né en 1924). Premier ministre de 1976 à 1981.

Maurice **Barrès** ■ Écrivain et homme politique français (1862-1923). Il exalta le nationalisme. "*La Colline inspirée*".

sir James Matthew **Barrie** ■ Écrivain écossais (1860-1937). Créateur de Peter Pan.

sir Charles **Barry** ■ Architecte anglais (1795-1860). Palais de Westminster, à Londres.

la comtesse du **Barry** ■ ⇒ **du Barry.**

Bar-sur-Aube ■ Sous-préfecture de l'*Aube. 7 400 hab. *(les Baralbins ou Barsuraubois)*.

Jean **Bart** ■ Corsaire français (1650-1702).

Karl **Barth** ■ Théologien protestant suisse (1886-1968). "*Dogmatique*".

saint **Barthélemy** ■ L'un des douze apôtres.

Roland **Barthes** ■ Écrivain et essayiste français (1915-1980). Un des créateurs en France de la critique moderne. "*Le Degré zéro de l'écriture*".

Frédéric Auguste **Bartholdi** ■ Sculpteur français (1834-1904). "*La Liberté éclairant le monde*" à New York, "*le Lion de Belfort*".

Béla **Bartók** ■ Compositeur hongrois (1881-1945). Très attaché, comme *Kodály, au folklore, et puissamment original. "*Concerto pour orchestre*" ; "*le Château de Barbe-Bleue*", opéra ; "*Mikrokosmos*", piano.

Bartolo ■ Juriste italien (1314-1357).

Fra **Bartolomeo** ■ Peintre italien (1472-1517). Représentant du *classicisme florentin, avec Andrea *Del Sarto.

Antoine-Louis **Barye** ■ Sculpteur français, peintre d'aquarelles (1796-1875). Animaux.

le **Bas-Empire** ■ La dernière période de l'empire romain (IIIᵉ - Vᵉ s.).

Bashō ■ Moine et poète japonais (1644-1694). Réputé pour son art du haïku.

Count **Basie** ■ Compositeur de jazz, pianiste et chef d'orchestre noir américain (1904-1984).

Basildon ■ Ville d'Angleterre, banlieue de Londres. 153 200 hab.

Basile ■ NOM DE PLUSIEURS EMPEREURS BYZANTINS □ *Basile Iᵉʳ le Macédonien* (v. 813 - 886) entreprit le recueil de lois appelé les « *Basiliques* ». □ *Basile II le Bulgaroctone* (v. 958 - 1025) anéantit la puissance bulgare et porta *Byzance à son apogée.

saint **Basile le Grand** ■ Docteur et Père de l'Église, évêque de *Césarée (330-379).

le Pays **basque** ■ Région de part et d'autre des Pyrénées occidentales. Elle regroupe l'Alava, la *Biscaye, le Guipúzcoa, la *Navarre (en Espagne) et le Labourd, la Basse-Navarre, la Soule (en France). Son unité est principalement linguistique (la langue basque — euskara — n'est pas indo-européenne). Le nationalisme basque s'est surtout développé en Espagne, s'exprimant parfois par le terrorisme (E. T. A. militaire). Le Pays basque espagnol est une région autonome depuis 1979.

Basra ou **Bassora** ■ 2ᵉ ville d'Iraq. 616 000 hab. Grand port, à 150 km de la mer et du terminal pétrolier de Fao.

Bassæ ■ Site archéologique grec. Temple d'Apollon Épikourios (Vᵉ s. av. J.C.).

Jacopo **Bassano** ■ Peintre italien (v. 1515 - 1592). Scènes bibliques et pastorales. □ *Francesco* **Bassano,** son fils (1549-1592), peintre et décorateur.

Basse-Terre ■ Chef-lieu de la *Guadeloupe. 13 800 hab. *(les Basse-Terriens)*. ► *l'île de Basse-Terre* est, malgré son nom, la plus élevée du département (volcan de la Soufrière, 1 467 m).

Bastia ■ Préfecture et port de Haute-*Corse. 52 000 hab. *(les Bastiais)*. Principal centre commercial de l'île.

la Bastille ■ Prison et symbole de l'État monarchique. La *prise de la Bastille*, le 14 juillet 1789, marqua l'entrée du peuple de Paris dans la Révolution française. La forteresse fut rasée en 1790. Le 14 juillet est la date de la fête nationale française depuis 1880.

Georges Bataille ■ Écrivain français (1897-1962). L'érotisme et la mort sont au centre de son œuvre. *"Le Bleu du ciel"*.

la République batave ■ Nom donné aux Pays-Bas de 1795 à 1805, transformés (1806) en royaume de *Hollande. ▶ *les Bataves*. Peuple germain qui habitait les Pays-Bas au Iᵉʳ s. av. J.-C.

le Bateau-Lavoir ■ Atelier parisien de nombreux peintres et poètes initiateurs du cubisme, dont Picasso, de 1904 à 1909.

Fulgencio Batista ■ Officier et homme politique cubain (1901-1973). Chef de la dictature militaire de 1933 à 1959, renversé par Fidel *Castro.

Baton Rouge ■ Ville des États-Unis, capitale de la *Louisiane. 219 400 hab. Pétrole.

Batoumi ou *Batoum* ■ Ville d'U. R. S. S., capitale de l'*Adjarie (Géorgie). Port pétrolier sur la mer Noire. 126 000 hab.

Bat Yam ■ Banlieue de *Tel-Aviv (Israël). 132 000 hab.

Charles Baudelaire ■ Écrivain français (1821-1867). Critique *("l'Art romantique")*, traducteur (de *Poe et *De Quincey) et surtout grand poète, en vers et en prose, il eut une influence capitale sur l'art et la littérature modernes. *"Les Fleurs du mal"* (1857).

Baudoin ■ NOM DE CINQ ROIS DE JÉRUSALEM □ *Baudoin Iᵉʳ,* frère de *Godefroy de Bouillon (mort en 1118).

Baudoin Iᵉʳ ■ Roi des Belges depuis 1951 (né en 1930).

Baudoin II de Courtenay ■ Dernier empereur latin d'Orient (1217-1273) (⇒ **Byzance**).

le Bauhaus ■ École d'architecture et d'art appliqué fondée par *Gropius (Weimar 1919 — Berlin 1931). Influence capitale sur les artistes qui y enseignèrent (*Klee, *Kandinsky, *Moholy-Nagy), et sur l'art contemporain jusqu'à nos jours.

La Baule-Escoublac ■ Commune de *Loire-Atlantique. 14 700 hab. Station balnéaire.

Vicki Baum ■ Romancière américaine d'origine autrichienne (1888-1960). *"Grand Hôtel"*.

Willi Baumeister ■ Peintre abstrait allemand (1889-1955).

Bauru ■ Ville du Brésil. 179 000 hab.

Les Baux-de-Provence ■ Commune des *Bouches-du-Rhône, sur un piton des *Alpilles. 430 hab. Elle a donné son nom à la « bauxite ». Tourisme : ruines médiévales. ⟨ ▶ bauxite ⟩

la Bavière, en allemand *Bayern* ■ Royaume carolingien, principauté importante du Saint Empire, royaume de 1806 à 1918, elle devint en 1949 l'État *(land)* le plus étendu de la R. F. A., à caractère rural et touristique. Industries dans les grandes villes, raffineries à Ingolstadt. 70 553 km². 11 millions d'hab. Capitale : Munich.

Pierre du Terrail seigneur de Bayard ■ Homme de guerre français, surnommé « le chevalier sans peur et sans reproche » (v. 1475 - 1524).

Bayeux ■ Sous-préfecture du *Calvados. 15 200 hab. *(les Bayeusiens* ou *Bajocasses)*. Célèbre broderie dite de la reine *Mathilde et abusivement *"tapisserie de Bayeux"* (v. 1077). Nombreux monuments.

Pierre Bayle ■ Écrivain français (1647-1706). Son *"Dictionnaire historique et critique"* annonce les travaux des philosophes des *Lumières.

Bayonne ■ Sous-préfecture des *Pyrénées-Atlantiques. 43 000 hab. *(les Bayonnais)*. Port sur l'*Adour (gaz de *Lacq).

Bayreuth ■ Ville de la R. F. A. (*Bavière). 70 200 hab. Festival Wagner.

Jean Bazaine ■ Peintre français (né en 1904). Vitraux, mosaïques.

Frédéric Bazille ■ Peintre français, lié aux *impressionnistes (1841-1870). *"La Réunion de famille"*.

Hervé Bazin ■ Écrivain français (né en 1911). *"Vipère au poing"* ; *"Au nom du fils"* ; *"Madame Ex"*.

André Bazin ■ Critique français de cinéma (1918-1958). Cofondateur des *"Cahiers du cinéma"* qui ont formé les cinéastes de la « nouvelle vague ».

le Béarn ■ Ancienne province du sud-ouest de la France (partie est de l'actuel département des *Pyrénées-Atlantiques). Capitale : Pau. Patrie d'Henri IV dit *le Béarnais ;* son fils Louis XIII réunit le Béarn à la France (1620).

les Beatles ■ Groupe anglais de musique pop des années 1960-1970.

Béatrice ■ Inspiratrice de *Dante. Elle s'appelait Béatrice Portinari et vécut à Florence (v. 1265 - 1290).

Béatrix Iʳᵉ ■ Reine des Pays-Bas depuis 1980 (née en 1938).

le centre Beaubourg ou *centre Pompidou* ■ Centre national français d'art et de culture (musée, bibliothèque...) inauguré en 1977 à Paris.

Beaucaire ■ Ville du *Gard. 13 000 hab. *(les Beaucairois)*. Château sur le Rhône, face à *Tarascon.

la Beauce ■ Région du Bassin parisien, plateau limoneux voué à la culture des céréales et de la betterave. Les habitants sont les *Beaucerons*.

la Beauce ■ Comté du sud du *Québec.

Alphonse Beau de Rochas ■ Ingénieur français (1815-1893). Inventeur du cycle à quatre temps (⇒ **Otto**).

Alexandre vicomte de Beauharnais ■ Général français (1760-1794). Premier mari de *Joséphine. □ *Eugène de Beauharnais,* leur fils (1781-1824), vice-roi d'Italie (1805). □ *Hortense de Beauharnais,* leur fille (1783-1837), épouse de Louis Bonaparte, reine de Hollande, mère de Napoléon III et de Morny.

Anne de Beaujeu ■ ⇒ **Anne de France.**

le Beaujolais ■ Région entre la Loire et la Saône, à l'ouest du Massif central. La côte est célèbre pour ses vins. ⟨ ▶ beaujolais ⟩

Pierre Auguste Caron de Beaumarchais ■ Auteur dramatique français (1732-1799). Comédies célèbres pour leur verve, leurs rebondissements et leur ambiguïté entre libertinage, morale et critique sociale. Le valet Figaro est le héros de sa trilogie : *"le Barbier de Séville"*, *"le Mariage de Figaro"*, *"la Mère coupable"*.

Beaumont ■ Ville des États-Unis (*Texas). 118 100 hab. Port fluvial. Pétrochimie.

Beaumont-sur-Oise ■ Commune de l'*Oise. 8 300 hab.

Beaune ■ Sous-préfecture de la *Côte-d'Or. 21 100 hab. *(les Beaunois).* Hôtel-Dieu (XVᵉ s.). Capitale viticole de la *Bourgogne.

André **Beauneveu** ■ Miniaturiste et sculpteur flamand (v. 1330 - v. 1410). Illustrations du psautier de Jean de Berry.

Beausoleil ■ Commune des *Alpes-Maritimes. 11 600 hab.

Beauvais ■ Préfecture de l'*Oise. 54 100 hab. *(les Beauvaisiens).* Cathédrale gothique (XIIIᵉ - XIVᵉ s.). Industries. La région du *Beauvaisis,* entre la Picardie et l'Île-de-France, fut réunie à la couronne sous Louis XI.

Simone de **Beauvoir** ■ Écrivaine française (1908-1986). Philosophe, compagne de *Sartre, auteur d'essais *("le Deuxième Sexe"),* de romans *("les Mandarins"),* de mémoires *("la Force de l'âge").*

August **Bebel** ■ Socialiste allemand (1840-1913). Fondateur du parti ouvrier social-démocrate avec *Liebknecht en 1869.

Domenico **Beccafumi** ■ Peintre *maniériste italien (v. 1486 - 1551).

Cesare Bonesana marquis de **Beccaria** ■ Juriste italien (1738-1794). Ses thèses en font un précurseur du droit pénal moderne.

Sydney **Bechet** ■ Musicien de jazz noir américain, clarinettiste et saxo soprano (1897-1959).

Jacques **Becker** ■ Metteur en scène français de cinéma (1906-1960). *"Casque d'or".*

saint Thomas **Becket** ■ ⇒ saint **Thomas Becket.**

Samuel **Beckett** ■ Écrivain irlandais (né en 1906). Surtout connu par son théâtre écrit en français *("En attendant Godot") ; "Oh ! les beaux jours").* Romans en anglais et en français. Il présente une vision dérisoire de l'activité humaine. Prix Nobel 1969.

Henry **Becque** ■ Auteur français de pièces réalistes, souvent cruelles (1837-1899). *"Les Corbeaux" ; "la Parisienne".*

les **Becquerel** ■ FAMILLE DE PHYSICIENS FRANÇAIS □ *Henri* **Becquerel** (1852-1908), prix Nobel 1903, découvrit la radioactivité ; son nom a été donné à l'unité d'activité d'une source radioactive.

Bédarieux ■ Commune de l'*Hérault. 6 500 hab. *(les Bédariciens).*

saint **Bède le Vénérable** ■ Clerc anglo-saxon (673-735). *"Histoire ecclésiastique des Angles".*

Mrs. **Beecher-Stowe** ■ Romancière américaine (1811-1896). *"La Case de l'oncle Tom".*

Ludwig van **Beethoven** ■ Compositeur allemand (1770-1827). Son œuvre est immense : neuf symphonies (la *"Pastorale",* l'"*Héroïque",* la Neuvième avec *"L'hymne à la joie"),* 32 sonates pour piano, 17 quatuors, un opéra *("Fidelio").* Il a révolutionné l'écriture orchestrale et la facture instrumentale. Il incarna le mythe du génie préromantique, idéaliste. Il fut tragiquement frappé de surdité, mais ne cessa pas de composer.

Menahem **Begin** ■ Homme politique israélien (né en 1913). Chef du Likoud (parti de droite). Premier ministre de 1977 à 1983. Prix Nobel de la paix 1978 (⇒ Sadate).

Bègles ■ Commune industrielle de la *Gironde. 23 400 hab. *(les Béglais).*

Begrām ■ Site archéologique afghan (IIᵉ s.).

Béhistun ■ Site archéologique d'Iran (v. 500 av. J.-C.).

Behren-lès-Forbach ■ Commune de la *Moselle. 11 100 hab.

Peter **Behrens** ■ Architecte allemand (1868-1940). Pionnier du modernisme (formes dépouillées et fonctionnelles).

Emil von **Behring** ■ Médecin et bactériologiste allemand (1854-1917). Premier prix Nobel de médecine (1901).

Beijing ■ ⇒ Pékin.

Maurice Berger dit **Béjart** ■ Danseur et chorégraphe français (né en 1927).

la **Bekaa** ■ Haute plaine du Liban, région de *Baalbek, à population *chiite.

Béla ■ NOM DE QUATRE ROIS DE HONGRIE □ *Béla IV* (1235-1270) subit l'invasion mongole (1241).

François-Joseph **Bélanger** ■ Architecte français (1745-1818). Il construisit des « folies » (pavillon de Bagatelle). Il fit les premières charpentes métalliques (halle au blé à Paris).

Belém ■ Port du Brésil. 758 100 hab. Institut de recherches scientifiques. Commerce.

Belfast ■ Capitale de l'Irlande du Nord (Royaume-Uni). 322 600 hab. 1ᵉʳ port et centre industriel de la province (textile, constructions navales). Déchirée par la guerre civile entre protestants (70 % de la population) et catholiques (30 %).

Belfort ■ Préfecture du *Territoire de Belfort. 52 800 hab. *(les Belfortains).* L'héroïque résistance du colonel Denfert-Rochereau (1823-1878) en 1870-1871 permit au territoire de rester français ; elle inspira *le Lion de Belfort,* monument de *Bartholdi.

la **Belgique** ■ État (monarchie constitutionnelle) d'Europe occidentale. 30 507 km². 9,9 millions d'hab. *(les Belges).* Langues : français, néerlandais, allemand. Monnaie : franc belge. Capitale : *Bruxelles. Neuf provinces : *Anvers, le *Brabant, la *Flandre-Occidentale, la *Flandre-Orientale, le *Hainaut, *Liège, le *Limbourg, le *Luxembourg, *Namur. L'économie de ce pays plat, aux sols ingrats, est principalement industrielle et commerciale (ports d'Anvers, Bruges, Gand) dans le cadre du *Benelux (débouché de Rotterdam). □HISTOIRE. L'opposition actuelle (notamment linguistique) entre *Wallonie et *Flandre, s'explique historiquement. Dès les invasions barbares (IVᵉ s.), la région abrite les Germains et des peuples romanisés, de culture latine. Cette situation d'entre-deux fut un atout pour Charlemagne. L'opposition reparut lors du partage de l'empire carolingien (843), entre la *Lotharingie et la France occidentale, qui comprenait la Flandre. Au Moyen Âge, les villes acquièrent leur autonomie grâce aux richesses du commerce (triomphe du corporatisme), mais l'ensemble des provinces entre la France et les États allemands fut progressivement dominé par les ducs de Bourgogne. En 1477, les possessions bourguignonnes passèrent aux *Habsbourg et formèrent les Pays-Bas, devenus territoire espagnol à la mort de Charles Quint. La Réforme provoqua la scission des *Provinces-Unies (Union d'Utrecht, 1579). Les provinces catholiques (Union d'Arras) furent prises dans les conflits entre la France, l'Espagne et la Hollande. Cédées à l'Autriche en 1714, elles furent annexées par la France révolutionnaire en 1795. En 1815 fut constitué un royaume hollando-belge. En 1830 la Belgique fit sécession et devint une monarchie constitutionnelle (*Léopold Ier). Dans les années 1890-1914, le renouveau artistique alla de pair avec la prospérité économique et le colonialisme (Congo belge, aujourd'hui le *Zaïre). Une monarchie libérale et éclairée s'établit avec Albert Ier, qui régna de 1909 à 1934. Le pays rompit avec la neutralité en 1919 mais l'attitude ambiguë de Léopold III en 1940 et la montée du nationalisme flamand le divisèrent. Il s'engagea dans une politique résolument européenne après 1945, le ministre Spaak étant l'un des pères de la *C. E. E. Depuis 1960, date de l'indépendance du Congo, le pays subit les tensions nées de l'existence des deux communautés linguistiques et culturelles (Flamands et Wallons), devenues autonomes par un accord de 1977.

Belgrade ■ Capitale de la Yougoslavie et de la République fédérative de *Serbie. 746 000 hab. Port fluvial actif, grand centre industriel et commercial.

le Belize ■ État (république) d'Amérique centrale. 22 960 km². 200 000 hab. Capitale : *Belmopan. Langues : anglais (officielle), espagnol, maya. Monnaie : dollar de Belize. Ancien Honduras britannique, indépendant depuis 1981. Membre du *Commonwealth.

sir Charles Bell ■ Physiologiste écossais, neurologue (1774-1842).

Graham Bell ■ Savant américain (1847-1922). Inventeur du téléphone (1876) et de procédés d'enregistrement du son.

Bellac ■ Sous-préfecture de la Haute-*Vienne. 5 800 hab. *(les Bellacquais ou Bellachons)*.

Jacques de Bellange ■ Peintre, graveur, dessinateur lorrain (v. 1575 - v. 1616). Proche du *maniérisme.

Bellarmin ■ ⇒ saint Robert Bellarmin.

Joachim du Bellay ■ Poète français (1522-1560). Rédacteur du manifeste de la *Pléiade, *"Défense et Illustration de la langue française"* (1549). *"Regrets"* ; *"les Antiquités de Rome"*.

Rémi Belleau ■ Poète français (1528-1577). Membre de la *Pléiade. *"La Bergerie"*.

Bellegarde-sur-Valserine ■ Commune de l'*Ain. 12 400 hab. *(les Bellegardiens)*.

Belle-Île ou *Belle-Île-en-Mer* ■ La plus grande des îles bretonnes, dans le Morbihan. 8 461 ha. 4 300 hab. *(les Bellilois)*. Communes : Le Palais, Sauzon, Bangor, Locmaria.

Belleville ou *Belleville-sur-Saône* ■ Commune du *Rhône. 6 600 hab. *(les Bellevillois)*.

Belley ■ Sous-préfecture de l'*Ain. 8 200 hab. *(les Belleysans)*.

les Bellini ■ FAMILLE DE PEINTRES ITALIENS □ *Giovanni Bellini* (v. 1430 - 1516) fut un maître de la peinture vénitienne du XVe s. *Giorgione fut son élève.

Vincenzo Bellini ■ Compositeur italien (1801-1835). Un des maîtres de l'opéra romantique. *"La Norma"*.

Carl Michael Bellman ■ Poète suédois (1740-1795). *"Épîtres et chansons de Fredman"*.

Hans Bellmer ■ Sculpteur et dessinateur français d'origine allemande (1902-1975). Surréaliste, il réalisa des poupées désarticulées dans des poses érotiques.

Bernardo Bellotto dit *Canaletto le Jeune* ■ Peintre italien (1721-1780). Il fut l'élève de *Canaletto, dont il imita le style en le durcissant.

Saul Bellow ■ Romancier américain (né en 1915). Il s'interroge sur la place des minorités, notamment la minorité juive, dans la société américaine. *"Herzog"*. Prix Nobel 1976.

Belmopan ■ Capitale du *Belize, ville nouvelle. 4 000 hab.

Belo Horizonte ■ 3e ville du Brésil. 1,5 million d'hab. Métallurgie, industries. Université.

Beltsy ■ Ville d'U. R. S. S. (*Moldavie). 123 000 hab. Centre industriel.

Belzébuth ■ Un des noms du diable.

Pietro Bembo ■ Cardinal et humaniste italien (1470-1547). Il a fixé l'usage littéraire de la langue italienne et inauguré la mode du pétrarquisme (⇒ Pétrarque).

Bénarès ■ ⇒ Vārānasī.

Mehdi Ben Barka ■ Homme politique marocain (1920- ?1965). Opposant au régime, enlevé à Paris en 1965.

Mohammed Ben Bella ■ Homme d'État algérien (né en 1916). Président de la République de 1963 à 1965.

Julien Benda ■ Écrivain français (1867-1956). Polémiste. *"La Trahison des clercs"*.

Bendery ■ Ville d'U.R. S. S. (*Moldavie). 100 000 hab. Elle fut roumaine de 1919 à 1945.

les Bénédictins n. m. ■ Religieux qui suivent la règle de saint *Benoît de Nursie. Nombreux ordres dérivés et monastères. ▶ *les Bénédictines* n. f. reconnaissent comme patronne sainte Scholastique, sœur de saint Benoît.

le Benelux ■ Union douanière (1944) puis économique (1958) de la Belgique, des Pays-Bas *(Netherlands)* et du Luxembourg, tous membres de la *C. E. E.

Edvard Beneš ■ Homme d'État tchécoslovaque (1884-1948). Président de la République de 1935 à 1938 et de 1945 à 1948.

le Bengale ■ Région des Indes orientales. En 1947, elle fut partagée entre l'Inde (Bengale occidental. 87 612 km². 35 millions d'hab. *les Bengalis)*. Capitale : Calcutta) et le Pakistan (Pakistan oriental, devenu l'État indépendant du *Bangladesh en 1971).

Bengbu ■ Ville de Chine. 330 000 hab.

Benghāzi ■ Port de Libye, capitale de la *Cyrénaïque. 450 000 hab.

David Ben Gourion ■ Homme politique israélien (1886-1973). Premier chef de gouvernement (travailliste) de l'État d'Israël.

le Bénin ■ État (république populaire) d'Afrique occidentale, sur l'Atlantique (golfe de Bénin). 112 600 km². 3,93 millions d'hab. Capitale : Porto-Novo. Langue officielle : français. Monnaie : franc CFA. Cultures tropicales exportées à *Cotonou. □ HISTOIRE. Le territoire actuel du Bénin correspondait avant la colonisation à plusieurs royaumes. Sous le nom de *Dahomey*, il est rattaché à l'Afrique-Occidentale française en 1904. République indépendante en 1960, le Dahomey connaît une grande instabilité politique, qui aboutit à la mise en place d'un régime socialiste par le colonel Kerekou. Il prend le nom de Bénin en 1975.

le royaume du Bénin ■ Ancien État africain (XIe - XIXe s.) correspondant au sud-ouest du Nigeria actuel.

Benin City ■ Ville du Nigeria, capitale de l'ancien royaume du *Bénin. 165 900 hab.

Walter **Benjamin** ■ Philosophe et essayiste allemand (1892-1940). Il voulut concilier le romantisme et le marxisme avec son judaïsme.

Ben Jonson ■ ⇒ Jonson.

Gottfried **Benn** ■ Écrivain allemand (1886-1956). "*Morgue*" ; "*Poèmes statiques*".

Enoch Arnold **Bennett** ■ Journaliste et écrivain régionaliste anglais (1867-1931). "*Histoire de vieilles femmes*".

Pierre **Benoit** ■ Romancier français (1886-1962). "*Kœnigsmark*" ; "*l'Atlantide*".

Benoît XIV ■ Pape de 1740 à sa mort (1675-1758). Libéral et érudit, il est réputé pour sa tolérance.

Benoît XV ■ Pape de 1914 à sa mort (1854-1922). Il tenta une action diplomatique et humanitaire durant la Première Guerre mondiale.

saint **Benoît de Nursie** ■ Fondateur de l'ordre *bénédictin (v. 480 - v. 547). La "*Règle*" de saint Benoît, qui insiste sur la prière, l'étude et le travail manuel, est à la base de la vie monacale en Occident.

Isaac de **Benserade** ■ Poète français, homme de cour (v. 1613 - 1691). "*Sonnet de Job*".

Jeremy **Bentham** ■ Philosophe et juriste anglais (1748-1832). "*Panoptique*". Pour lui, l'utilité est le principe de la vie sociale (*utilitarisme*, doctrine développée par *Mill).

Émile **Benveniste** ■ Linguiste français (1902-1976). Études sur les langues indo-européennes. "*Problèmes de linguistique générale*".

Benxi ■ Ville minière de Chine. 643 000 hab.

Carl **Benz** ■ Ingénieur allemand (1844-1929). Pionnier de l'industrie automobile.

la **Béotie** ■ Région de Grèce. Son rôle historique se confond avec celui de sa ville principale, Thèbes, alliée des Perses puis de Sparte contre Athènes (Ve s. av. J.-C.). Cette dernière fit à ses habitants, les *Béotiens*, une réputation de lourdeur et de grossièreté. ‹ ❯ béotien ›

le lai de **Beowulf** ■ Poème du VIIIe s., la plus ancienne épopée anglo-saxonne.

Beppu ■ Ville du Japon (*Kyūshū). 136 400 hab. Pêche, sources thermales.

Pierre Jean de **Béranger** ■ Poète et chansonnier français (1780-1857).

les **Berbères** n. m. ■ Populations d'Afrique du Nord qui parlent un des dialectes berbères (masmuda, sanhaja, zanata) : Marocains, Algériens (*Kabyles), *Touaregs... Après quinze siècles d'arabisation, l'élément berbère s'est maintenu dans les montagnes et les déserts.

Nicolaes Pietersz **Berchem** ■ Peintre hollandais (1620-1683). Paysages.

Giovanni **Berchet** ■ Poète romantique italien (1783-1851). Il créa une mythologie patriotique.

Berck ■ Commune du *Pas-de-Calais. 15 600 hab. (*les Berckois*). Station balnéaire de Berck-Plage.

Nicolas **Berdiaeff** ou **Berdiaev** ■ Philosophe russe (1874-1948). Chrétien proche de l'existentialisme.

Berdiansk ■ Ville et port d'U. R. S. S. (*Ukraine), sur la mer d'*Azov. 126 000 hab.

Bérénice ■ Nom grec de princesses égyptiennes et juives. L'amour de *Titus, maître romain de la Judée, pour Bérénice (v. 70) a inspiré Racine et Corneille.

Bernhard **Berenson** ■ Amateur et critique d'art américain (1865-1959). Spécialiste de la Renaissance italienne.

la **Berezina** ■ Affluent du *Dniepr, en *Biélorussie (U. R. S. S.). Sa traversée par les armées napoléoniennes est restée le symbole de la difficile « retraite de Russie » (1812).

Berezniki ■ Ville d'U. R. S. S. (*Russie), dans l'*Oural. 200 000 hab. Chimie, gaz naturel.

Alban **Berg** ■ Compositeur autrichien (1885-1935). Élève de *Schönberg. "*Wozzeck*" (d'après *Büchner) et "*Lulu*" (inachevé) sont des chefs-d'œuvre de l'opéra.

Bergame ■ Ville d'Italie du Nord. 118 900 hab. Nombreux monuments.

José **Bergamín** ■ Écrivain espagnol (1895-1983). "*L'Étoile et la Fusée*".

Bergen ■ Ville et port de Norvège. 208 800 hab. Importante université. Industries.

Bergerac ■ Sous-préfecture de la *Dordogne. 27 700 hab. (*les Bergeracois*). Vignobles.

Ingmar **Bergman** ■ Cinéaste suédois (né en 1918). Thèmes de l'angoisse, de l'amour et de la mort. "*Le Septième Sceau*" ; "*les Fraises sauvages*" ; "*Cris et chuchotements*".

Henri **Bergson** ■ Philosophe français (1859-1941). Son « retour conscient et réfléchi aux données de l'intuition » influença notamment *Péguy, *Proust. Prix Nobel de littérature 1927. "*Matière et Mémoire*" ; "*l'Évolution créatrice*" ; "*les Deux Sources de la morale et de la religion*".

Lavrentii **Beria** ■ Homme politique soviétique (1899-1953). Chef redouté de la police, éliminé après la mort de *Staline.

Vitus **Béring** ou **Behring** ■ Explorateur danois (1681-1741). ▶ *le détroit de* **Béring** ou **Behring**, passage entre les océans Arctique (mer des Tchouktches) et Pacifique (*mer de Béring*).

Luciano **Berio** ■ Compositeur italien (né en 1925). Un des chefs de file de la musique contemporaine.

George **Berkeley** ■ Évêque irlandais, philosophe idéaliste (1685-1753).

Berkeley ■ Ville des États-Unis (*Californie), près de San Francisco. 103 300 hab. Célèbre université.

Hendrick Petrus **Berlage** ■ Architecte et théoricien néerlandais (1856-1934).

Berlin ■ Ville allemande, ancienne capitale du *Brandebourg (1486), de la *Prusse (1701), des IIe et IIIe Reich, de la république de *Weimar (1919-1933). Siège d'une prestigieuse université et symbole de la puissance allemande au XIXe s. La ville, grand centre industriel et culturel, a été divisée après 1945 en quatre zones d'occupation (soviétique, américaine, française, anglaise) puis en deux parties depuis 1961, par le *mur de Berlin*. □ *Berlin-Ouest,* enclave de la R. F. A. en R. D. A., 480 km², 1 879 000 hab. □ *Berlin-Est,* capitale de la R. D. A. (quartier de Pankow). 403 km². 1 223 300 hab.

Hector **Berlioz** ■ Compositeur romantique français (1803-1869). Un des inventeurs de l'écriture orchestrale moderne. "*La Symphonie fantastique*" ; "*Requiem*" ; "*la Damnation de Faust*".

les **Bermudes** n. f. ■ Îles britanniques au large des *Antilles. 60 000 hab. Capitale : Hamilton. Tourisme. Découvertes par les Espagnols, elles devinrent anglaises en 1612. ▶ *le triangle des Bermudes*. Zone dangereuse où navires et avions sont censés avoir disparu mystérieusement.

sainte **Bernadette Soubirous** ■ Paysanne de Lourdes (1844-1879). Ses visions sont à l'origine du pèlerinage à la Vierge.

Bernadotte ■ ⇒ Charles XIV de Suède.

Georges **Bernanos** ■ Écrivain catholique français (1888-1948). Essais polémiques *("les Grands Cimetières sous la lune")*. Romans *("Journal d'un curé de campagne")*. Théâtre *("Dialogues des carmélites")*.

Claude **Bernard** ■ Physiologiste français (1813-1878). Théoricien de la méthode expérimentale, précurseur de la biologie moderne.

Émile **Bernard** ■ Peintre et théoricien français (1868-1941). Animateur avec Gauguin de l'école de *Pont-Aven.

Paul dit *Tristan* **Bernard** ■ Écrivain humoriste français (1866-1947).

saint **Bernard de Clairvaux** ■ Fondateur de l'abbaye de *Clairvaux (1091-1153). Conseiller des papes et des souverains, écrivain mystique. Docteur de l'Église.

Bernard ou **Bernart de Ventadour** ■ Troubadour à la cour de Poitiers, poète de l'amour (v. 1150 - v. 1200). "Chansons".

Jacques Henri **Bernardin de Saint-Pierre** ■ Écrivain français (1737-1814). Disciple de Rousseau et précurseur du *romantisme. "Paul et Virginie" (1787).

Bernay ou **Bernay-de-l'Eure** ■ Sous-préfecture de l'*Eure. 11 300 hab. *(les Bernayens).* « Trésor de Bernay » (objets d'argent du Ier s. av. J.-C.). Abbaye.

Berne en allemand **Bern** ■ Capitale fédérale de la Suisse. 145 500 hab. *(les Bernois).* Bel ensemble médiéval, activités industrielles, siège d'organismes internationaux. ▶ *le canton de* **Berne** comprend l'*Oberland bernois*, le Mittelland et le *Jurabernois*, dont la plus grande partie est devenue le canton du Jura suisse en 1978. 921 000 hab. 6 049 km².

Thomas **Bernhard** ■ Écrivain autrichien (né en 1931). Son œuvre, souvent autobiographique, exprime le désespoir. "Le Souffleur".

Sarah **Bernhardt** ■ Célèbre tragédienne française (1844-1923).

Francesco **Berni** ■ Poète italien (v. 1497 - 1535). Il fut le rival de l'*Arétin. Œuvres parodiques.

François **Bernier** ■ Médecin français (1620-1688). Ses récits de *"Voyages"* aux Indes eurent un grand succès.

le **Bernin** ■ Artiste *baroque italien (1598-1680). Surtout connu comme architecte, décorateur (colonnade et baldaquin de Saint-Pierre de Rome) et sculpteur *("Sainte Thérèse en extase")*.

François Joachim de Pierre de **Bernis** ■ Prélat et diplomate français (1715-1794). Ministre de Louis XV.

les **Bernoulli** ou **Bernouilli** ■ FAMILLE DE SAVANTS SUISSES □ *Jacques* **Bernoulli** (1654-1705) établit la loi des grands nombres en calcul des probabilités. □ *Jean* **Bernoulli**, son frère (1667-1748), développa le calcul exponentiel. □ *Daniel* **Bernoulli**

(1700-1782), fils de Jean, contribua à créer l'hydrodynamique et la cinétique des gaz.

Eduard **Bernstein** ■ Théoricien socialiste allemand (1850-1932). *"Socialisme théorique et social-démocratie pratique".*

Henry **Bernstein** ■ Auteur dramatique français (1876-1953). "La Soif" ; "Mélo".

Leonard **Bernstein** ■ Chef d'orchestre et compositeur américain (né en 1918). *"West Side Story"*, comédie musicale.

l'étang de **Berre** ■ Étang des *Bouches-du-Rhône. Sur ses rives, complexe pétrolier comprenant La Mède, Lavéra (golfe de *Fos) et *Berre-l'Étang*. 12 000 hab. *(les Berratins).*

Pedro **Berruguete** ■ Peintre espagnol (v. 1450 - v. 1504). □ *Alonso* **Berruguete,** son fils, sculpteur et peintre (v. 1490 - 1561).

le **Berry** ■ Ancienne province de France, dans la région de Bourges (approximativement l'Indre et le Cher actuels). Ses habitants : les *Berrichons*. Englobée dans l'Aquitaine romaine, elle devint duché des princes capétiens. □ *Jean de France duc de* **Berry.** Prince capétien (1340-1416). Frère de Charles V, tuteur de Charles VI. Grand mécène (⇒ **Beauneveu, Limbourg**). □ *Charles-Ferdinand duc de* **Berry.** Fils du futur roi de France Charles X (1778-1820). Chef des *Ultras. Son assassinat provoqua un durcissement du régime (chute de *Decazes). □ *Marie-Caroline de Bourbon-Sicile duchesse de* **Berry,** sa femme (1798-1870), tenta en vain de soulever la Provence puis la Vendée (1832) contre *Louis-Philippe.

Berthe aux grands pieds ■ Reine de France (v. 730 - 783). Épouse de *Pépin le Bref, mère de *Charlemagne. Son surnom lui vient d'un poème du XIIIe s.

Marcelin **Berthelot** ■ Chimiste et homme politique français (1827-1907). Il développa la thermochimie.

Louis-Alexandre **Berthier** ■ Chef d'état-major de Napoléon, maréchal d'Empire, prince de Wagram (1753-1815). Rallié à Louis XVIII, il ne survécut pas aux *Cent-Jours.

Claude Louis comte **Berthollet** ■ Chimiste français (1748-1822). Les *lois de Berthollet* expliquent les réactions de précipitation des sels.

Alphonse **Bertillon** ■ Administrateur français, créateur de l'anthropométrie (1853-1914).

Bernardo **Bertolucci** ■ Cinéaste italien (né en 1941). *"1900" ; "le Dernier Empereur".*

Aloysius **Bertrand** ■ Poète français (1807-1841). *"Gaspard de la nuit"* inaugure le genre du poème en prose. Le *surréalisme l'a reconnu comme un de ses précurseurs.

Bertran de Born ■ Seigneur et troubadour du Périgord (v. 1140 - v. 1215).

Pierre de **Bérulle** ■ Prélat français (1575-1629). Il fonda l'*Oratoire de France, qui eut une grande influence sur la spiritualité du XVIIe s.

James Stuart Fitz-James duc de **Berwick** ■ Maréchal de France, fils naturel de Jacques II d'Angleterre (1670-1734). Il sauva la couronne de *Philippe V d'Espagne.

Jöns Jacob baron **Berzelius** ■ Chimiste suédois (1779-1848). On lui doit entre autres la notation symbolique moderne.

Besançon ■ Préfecture du *Doubs. 126 000 hab. *(les Bisontins).* Rattachée à la France en 1678, fortifiée par Vauban, la ville a de nombreux monuments des XVIᵉ - XVIIIᵉ s. Premier centre français de l'horlogerie.

les frères **Bescherelle** ■ Grammairiens et lexicographes français. Louis-Nicolas (1802-1883) et Henri (1804-1852).

Albert **Besnard** ■ Peintre et décorateur académique français (1849-1934).

la **Bessarabie** ■ Région d'Europe orientale aujourd'hui partagée entre les républiques soviétiques d'*Ukraine et de *Moldavie.

Jean **Bessarion** ■ Humaniste et théologien byzantin (v. 1400 - 1472). Fixé à Rome, il contribua à la renaissance du *platonisme.

Bessèges ■ Commune du *Gard. 5 300 hab. *(les Bességeois).*

Friedrich **Bessel** ■ Astronome et mathématicien allemand (1784-1846).

Rómulo **Bétancourt** ■ Homme politique vénézuélien (1908-1981). Président de la République (réformiste) de 1958 à 1964.

Hans Albrecht **Bethe** ■ Physicien allemand naturalisé américain (né en 1906). Prix Nobel 1967 pour ses travaux d'astrophysique.

Bethléem ■ Ville de Cisjordanie. 24 000 hab. D'après les Évangiles, Jésus y naquit : basilique de la Nativité, monastères.

Bethlehem ■ Ville des États-Unis (*Pennsylvanie). Centre sidérurgique. 70 000 hab.

Béthoncourt ■ Commune du *Doubs. 10 500 hab.

Bethsabée ■ Épouse du roi *David et mère de *Salomon dans la Bible.

Béthune ■ Sous-préfecture du *Pas-de-Calais. 28 000 hab. *(les Béthunois).* Ancien centre houiller.

Mongo **Beti** ■ Écrivain camerounais naturalisé français (né en 1932). Il décrit les ravages de la vie à l'occidentale sur la société africaine traditionnelle.

Bruno **Bettelheim** ■ Psychiatre et psychanalyste autrichien naturalisé américain (né en 1903). "*La Forteresse vide*" (sur l'autisme).

Ugo **Betti** ■ Écrivain italien et auteur dramatique (1892-1953). "*L'Île des chèvres*".

Beuvry ■ Commune du *Pas-de-Calais. 8 000 hab. *(les Beuvrygeois).*

lord *William Henry* **Beveridge** ■ Économiste anglais (1879-1963). Théoricien des dépenses sociales (emploi, santé, instruction).

Beynes ■ Commune des *Yvelines. 7 800 hab.

Beyrouth ■ Capitale du Liban. 702 000 hab. Grand centre culturel et financier, l'un des plus anciens ports méditerranéens (phénicien puis romain et ottoman), la ville est depuis 1975 ravagée par la guerre.

Théodore de **Bèze** ■ Réformateur et auteur de tragédies, successeur de *Calvin à Genève (1519-1605).

Béziers ■ Sous-préfecture de l'*Hérault. 86 000 hab. *(les Biterrois).* Belles églises (plusieurs conciles contre les *Albigeois) et monuments. Important marché viticole.

Bezons ■ Commune du *Val-d'Oise. 25 000 hab.

Bhadrâvati ■ Ville de l'Inde. 103 000 hab.

Bhâgalpur ■ Ville de l'Inde. 173 000 hab.

le **Bhagavad-gîta** ■ Texte capital de la pensée hindoue, inclus dans le *Mahâbhârata.

Bhârat ■ Nom officiel (hindi) de l'*Inde.

Bhatpara ■ Ville de l'Inde. 205 000 hab.

Bhavnagar ■ Ville de l'Inde. 200 000 hab.

Bhopâl ■ Ville de l'Inde. 392 000 hab. Catastrophe écologique (1984).

le **Bhoutan** ■ État (monarchie) entre la Chine et l'Inde, dans l'Himâlaya. 47 000 km². 1,4 million d'hab. Langue : dzong-ka (dialecte tibétain). Monnaie : ngultrum. Capitale : Thimbu. Protectorat anglais en 1910, indépendant depuis 1971, c'est un pays peu accessible et mal connu.

Bhubaneśvar ■ Ville de l'Inde. 106 000 hab. Ancien centre du culte de *Śiva : nombreux temples.

Zulfikar Alî **Bhutto** ■ Homme d'État pakistanais (1928-1979). Premier ministre renversé en 1977 et exécuté.

la république du **Biafra** ■ Nom pris par la région orientale du *Nigeria quand elle fit sécession (1967). Divisée par une guerre civile, elle disparut en 1970.

Bialystok ■ Ville de Pologne. 207 000 hab. Textile.

Biarritz ■ Ville des *Pyrénées-Atlantiques. 28 000 hab. *(les Biarrots).* Station balnéaire.

les **Bibiena** ■ Famille d'artistes italiens, scénographes et architectes de théâtre. □ *Ferdinando Bibiena* (1657-1743) a publié d'importants traités de scénographie.

la **Bible** ■ Livre saint des juifs et des chrétiens. La Bible juive comprend plusieurs écrits : la Loi ou *Torah (Genèse, Exode, Lévitique, Nombres, Deutéronome), les Prophètes ou *Nebî'îm*, les Écrits ou *Ketoubim ;* sa version grecque (et augmentée) est dite des **Septante**. La Bible chrétienne se compose de l'*Ancien Testament* (la Bible juive) et du *Nouveau Testament* (les Évangiles, les Actes des Apôtres, les Épîtres, l'Apocalypse — tous en grec) ; sa principale traduction est la *Vulgate*. La Réforme, l'invention de l'imprimerie et la Contre-Réforme ont suscité de nombreuses éditions dans toutes les langues. Les livres juifs et chrétiens non canoniques sont dits apocryphes. Les livres repris des Septante par les catholiques, mais qui ne figurent pas dans la Bible juive, sont dits deutérocanoniques (généralement exclus des Bibles protestantes). Une traduction française dite œcuménique (catholique et protestante) est parue en 1972-1975.

Marie François Xavier **Bichat** ■ Anatomiste et physiologiste français (1771-1802). Il définit la vie comme un « ensemble des fonctions qui résistent à la mort ».

Georges **Bidault** ■ Homme politique français (1899-1983). Chef de la *Résistance, puis partisan de l'Algérie française.

Bielaïa Tserkov ■ Ville d'U. R. S. S. (*Ukraine). 116 000 hab. Pneumatiques. Agriculture.

Bielefeld ■ Ville de R. F. A.. 313 000 hab.

Bielgorod ou **Belgorod** ■ Ville d'U. R. S. S. (*Russie), près de l'*Ukraine. 166 000 hab. Fer.

Vissarion **Bielinski** ou **Belinski** ■ Philosophe et critique littéraire russe (1811-1848).

la **Biélorussie** ■ République socialiste soviétique (⇒ U. R. S. S.). 207 600 km². 11 millions d'hab. Capitale : Minsk. Cultures industrielles, bois, industries mécaniques. Longtemps disputée entre la Lituanie, la Pologne et la Russie, la Biélorussie ou « Russie blanche » appartient aujourd'hui à l'U. R. S. S., sauf la région de *Białystok.

Bielovo ou **Belovo** ■ Ville d'U. R. S. S. (*Russie), dans le *Kouzbass. 113 000 hab. Zinc.

Bielsko-Biała ■ Ville de Pologne. 174 000 hab. Textile.

Andreï **Biely** ■ Écrivain symboliste russe (1880-1934). Ami de *Blok. *"Pétersbourg"*.

Bienne, en allemand *Biel* ■ Ville de Suisse, au nord du *lac de Bienne.* 65 000 hab. Maisons médiévales. Horlogerie, métallurgie, mécanique.

Fulgence **Bienvenüe** ■ Ingénieur français (1852-1936). Surnommé le « père du métropolitain ».

Ambrose **Bierce** ■ Écrivain américain (1842-1914). Nouvelles fantastiques et macabres, d'un humour caustique. *"Le Dictionnaire du Diable"*.

Bolesław **Bierut** ■ Homme d'État polonais (1892-1956). Président de la République de 1947 à 1952.

la **Bigorre** ■ Région des Hautes-*Pyrénées.

le **Bihar** ■ État de l'Inde, dans la région de *Patna (sa capitale), où vécut et prêcha *Bouddha.

Bihorel ■ Commune de la *Seine-Maritime, dans la banlieue de Rouen. 10 100 hab. *(les Bihorellais).*

Bikini ■ Atoll du Pacifique (archipel *Marshall). Les États-Unis y firent leurs premières expériences atomiques. ‹ ► bikini ›

Bilbao ■ Grand port d'Espagne, capitale de la *Biscaye. 433 000 hab.

Jean-Nicolas **Billaud-Varenne** ■ Révolutionnaire français (1756-1819). Membre du *Comité de salut public, déporté en 1795.

Billère ■ Commune des *Pyrénées-Atlantiques, dans la banlieue de Pau. 13 300 hab.

Binche ■ Ville de Belgique. 33 000 hab. *(les Binchois).* Tradition du « carnaval binchois ». Musée.

Gilles **Binchois** ■ Compositeur franco-flamand à la cour de *Bourgogne (1400-1460).

Alfred **Binet** ■ Psychologue français (1857-1911). Créateur des tests mentaux.

Jean-Baptiste **Biot** ■ Physicien français (1774-1862). Astronomie, électromagnétisme.

Birger ■ Homme d'État suédois (v. 1210 - 1266). Régent de 1248 à 1266, il renforça le pouvoir royal, et traita avec la *Hanse.

Birkenhead ■ Ville et port d'Angleterre. 341 000 hab. Important centre industriel (minoterie).

la **Birmanie** ■ État (république fédérale) d'Asie du Sud-Est, au bord du golfe du Bengale. 676 577 km². 37,8 millions d'hab. Capitale : Rangoon. Langue officielle : birman. Monnaie : kyat. Ancienne colonie anglaise, indépendante en 1947. Économie essentiellement agricole (riz, bois de tek). Production d'opium dans les montagnes (⇒ **Triangle d'or**).

Birmingham ■ Ville d'Angleterre, la deuxième par sa population (plus de 1 million d'hab.). Grand centre industriel : houille, fer. ⇒ **Black Country.**

Birmingham ■ Ville des États-Unis (*Alabama). 284 400 hab. Nombreuses industries (minerais).

Birobidjan ■ Ville d'U. R. S. S. (*Russie). 72 000 hab. Chef-lieu de la région autonome mise en 1934 « à la disposition » des juifs.

*al-***Bīrūnī** ■ Savant iranien de langue arabe (973-1048). Un des grands esprits encyclopédiques de l'islam.

Biscarrosse ■ Commune des *Landes, au nord de l'*étang de Biscarrosse.* 8 900 hab.

la **Biscaye** ■ Une des provinces du Pays *basque espagnol. Fief républicain pendant la guerre civile (⇒ **Guernica**). Capitale : Bilbao.

Bischheim ■ Commune du Bas-*Rhin, dans la banlieue de *Strasbourg. 16 200 hab.

Bischwiller ■ Commune du Bas-*Rhin. 10 800 hab.

Bismarck ■ Homme d'État allemand (1815-1898). Ministre de *Guillaume Iᵉʳ. Après avoir organisé l'armée, il permit à la Prusse de battre les Autrichiens (Sadowa, 1866) et les Français (Sedan, 1870). Chancelier du IIᵉ Reich (de 1871 à 1890), il redonna à l'Allemagne son unité et sa puissance.

l'archipel **Bismarck** ■ Îles mélanésiennes de la *Papouasie-Nouvelle-Guinée (Nouvelle-Bretagne, Nouvelle-Irlande, îles de l'Amirauté), dans la *mer de Bismarck.*

Bismarck ■ Ville des États-Unis, capitale du *Dakota du Nord. 44 400 hab. Agriculture.

Bissau ■ Capitale de la *Guinée-Bissau. 109 000 hab.

B.I.T. ■ Bureau international du travail. ⇒ **O.N.U.**

Bitche ■ Commune de la *Moselle. 7 700 hab. Place militaire depuis Vauban (1679).

la **Bithynie** ■ Royaume d'Asie Mineure (Turquie) légué par Nicomède III en 74 av. J.-C. à Rome, et annexé par les *Ottomans au XIIIᵉ s.

Bizerte ■ Ville de Tunisie. 94 500 hab. Ancienne base navale française.

Georges **Bizet** ■ Compositeur français (1838-1875). Auteur de *"Carmen"*, chef-d'œuvre de l'opéra français. *"L'Arlésienne"*.

Bjørnstjerne **Bjørnson** ■ Écrivain et auteur dramatique norvégien (1832-1910). Ami et rival d'*Ibsen. *"La Faillite"* ; *"Au-delà des forces humaines"*. Prix Nobel 1903.

Joseph **Black** ■ Chimiste et physicien écossais (1728-1799). Étude du gaz carbonique.

Blackburn ■ Ville d'Angleterre. 141 700 hab. Centre cotonnier.

Black Country ■ Zone industrielle de *Birmingham, appelée en anglais le « pays noir », à cause du charbon.

Blackpool ■ Ville d'Angleterre. 148 700 hab. Station balnéaire sur la mer d'Irlande.

Blagnac ■ Commune de Haute-*Garonne. Banlieue et aéroport de Toulouse. 14 900 hab. *(les Blagnacais).*

Blagovechtchensk ■ Ville d'U. R. S. S. (*Russie), à la frontière chinoise. 202 000 hab.

Blain ■ Commune de *Loire-Atlantique. 7 400 hab. *(les Blinois).*

Henri Ducrotay de **Blainville** ■ Naturaliste français (1777-1850).

Marie-Claire **Blais** ■ Écrivaine canadienne de langue française (née en 1939). *"Une saison dans la vie d'Emmanuel"*.

William **Blake** ■ Poète, peintre et graveur anglais (1757-1827). Thèmes bibliques traités avec un esprit visionnaire.

Louis **Blanc** ■ Socialiste et historien français (1811-1882). Membre du gouvernement provisoire de 1848.

Le **Blanc** ■ Sous-préfecture de l'*Indre. 8 500 hab. *(les Blancois).*

le mont **Blanc** ■ Point culminant des Alpes (4 807 m). ▶ *le massif du* **Mont-Blanc** domine *Chamonix. ▶ *le tunnel du* **Mont-Blanc,** percé de 1959 à 1965, relie la vallée de Chamonix au Val d'Aoste (Italie).

la mer **Blanche** ■ Dépendance de l'*Arctique, au nord-ouest de l'U. R. S. S.

Blanche de Castille ■ Reine de France (1188-1252). Régente du royaume à la mort de son époux *Louis VIII (1226) et pendant la croisade de son fils *Louis IX (de 1248 à 1252).

Maurice **Blanchot** ■ Écrivain français (né en 1907). Un des initiateurs du roman et de la critique modernes en France. "*L'Arrêt de mort*", récit ; "*le Livre à venir*", essai.

Le **Blanc-Mesnil** ■ Commune de la *Seine-Saint-Denis, dans la banlieue nord-est de *Paris. 49 000 hab. *(les Blancmesnilois).*

Blanquefort ■ Commune de la *Gironde. 11 000 hab. *(les Blanquefortais).*

Louis Auguste **Blanqui** ■ Socialiste français, théoricien révolutionnaire (1805-1881).

Blantyre-Limbe ■ Ville du *Malawi. 229 000 hab.

Vicente **Blasco Ibáñez** ■ Romancier espagnol (1867-1928). "*Arènes sanglantes*".

der **Blaue Reiter** ■ ⇒ le **Cavalier bleu.**

Blaye ■ Sous-préfecture de la *Gironde. 4 300 hab. *(les Blayais).* Vins des côtes de Blaye.

Blendecques ■ Commune du *Pas-de-Calais, banlieue d'Arques. 5 000 hab.

Louis **Blériot** ■ Aviateur et constructeur d'avions français (1872-1936). Première traversée de la Manche, en 1909.

Roger **Blin** ■ Acteur et metteur en scène français (1907-1984). Ami d'Artaud, Adamov, Beckett et Genet.

Karen **Blixen** ■ Écrivaine danoise (1885-1962). "*La Ferme africaine*".

le **Bloc des gauches** ou **Bloc républicain** ■ Alliance de gouvernement des radicaux et des socialistes après l'affaire *Dreyfus (1899).

le **Bloc national** ■ Alliance de gouvernement entre les modérés et les conservateurs, battue par le *Cartel des gauches (1919-1924).

Félix **Bloch** ■ Physicien suisse naturalisé américain (1905-1983). Prix Nobel 1952.

Jean-Richard **Bloch** ■ Écrivain français (1884-1947). Communiste, fondateur de la revue "*Europe*" avec Romain *Rolland. Romans.

Marc **Bloch** ■ Médiéviste français (1886-1944). Fondateur avec Lucien *Febvre des "*Annales d'histoire économique et sociale*".

le **Blocus continental** ■ Ensemble de mesures prises par *Napoléon Ier à partir de 1806 pour tenter de bloquer l'économie britannique, en l'empêchant d'écouler les produits de ses colonies vers l'Europe.

Abraham **Bloemaert** ■ Peintre et graveur hollandais (1564-1651). Paysages.

Bloemfontein ■ Ville d'Afrique du Sud, siège de la Cour suprême. 185 000 hab.

Blois ■ Préfecture du *Loir-et-Cher. 52 000 hab. *(les Blésois).* Château médiéval profondément remanié du XVe au XVIIe s., résidence de *Louis XII. Petites industries.

Aleksandr **Blok** ■ Poète *symboliste russe (1880-1921). Ami de Biely. "*Les Douze*".

François **Blondel** ■ Architecte français (1618-1686). Théoricien, premier directeur de l'Académie royale d'architecture (1671). Porte Saint-Denis à Paris.

Jacques François **Blondel** ■ Architecte français, dans la tradition classique du siècle précédent (1705-1774).

Maurice **Blondel** ■ Philosophe catholique français (1861-1949). "*L'Action*".

Leonard **Bloomfield** ■ Linguiste américain (1887-1949). Fondateur de l'analyse distributionnelle, à l'origine (avec *Sapir) de l'essor de la linguistique aux États-Unis.

Léon **Bloy** ■ Écrivain catholique français (1846-1917). Polémiste vigoureux au style puissant et baroque. "*La Femme pauvre*".

Gebhard Leberecht **Blücher** ■ Général prussien (1742-1819). Il joua un rôle décisif dans la défaite de Napoléon Ier à *Waterloo.

Léon **Blum** ■ Homme politique français (1872-1950). Socialiste, chef du *Front populaire, président du Conseil en 1936-1937, 1938 et 1946, écrivain et journaliste.

Franz **Boas** ■ Anthropologue américain d'origine allemande (1858-1942). Ses travaux ont valorisé l'ethnographie.

Bobigny ■ Préfecture de la *Seine-Saint-Denis, dans la banlieue nord-est de Paris. 43 200 hab. *(les Balbyniens).* Centre industriel : mécanique, électricité, chimie.

Bobo-Dioulasso ■ Ville du *Burkina Faso. 120 000 hab. Abattoirs frigorifiques.

Bobrouïsk ■ Ville d'U. R. S. S. (*Biélorussie), sur la *Bérézina. 192 000 hab. Industries.

Manuel Maria de Barbosa du **Bocage** ■ Poète portugais (1765-1805). Observateur satirique de son temps, à la jonction du classicisme et du romantisme.

Boccace ■ Écrivain italien (1313-1375). Il contribua avec *Pétrarque à l'essor de l'humanisme à Florence. "*Le Décaméron*", recueil de nouvelles.

Giovanni **Boccati** ■ Peintre italien (v. 1430 - v. 1480). Madones.

Luigi **Boccherini** ■ Compositeur italien (1743-1805). Musique de chambre.

Umberto **Boccioni** ■ Peintre, sculpteur et théoricien futuriste italien (1882-1916).

les **Bochimans** n. m. ■ Peuple nomade du Sud-Ouest africain (environ 60 000).

Bochum ■ Ville de R. F. A. 410 000 hab. Grand centre industriel, université de la Ruhr.

Arnold **Böcklin** ■ Peintre suisse (1827-1901). Paysages oniriques. *"L'Île des morts"*.

Bodh Gayā ■ Bourgade de l'Inde où *Bouddha devint l'« Éveillé ».

les **Bodhisattva** n. m. ■ Divinités bouddhiques qui ont accepté de s'en tenir à l'état d'éveil *(bodhi)*, antérieur à l'état suprême de non-désir *(nirvāna)* pour aider les hommes à progresser sur la voie du salut.

Jean **Bodin** ■ Juriste français, économiste, auteur du traité de philosophie politique *"la République"* (1529-1596).

Johann Jakob **Bodmer** ■ Écrivain et critique suisse de langue allemande (1698-1783).

Boèce ■ Philosophe et homme politique romain (480-524). Grand commentateur d'*Aristote.

les **Boers** n. m. ■ Colons néerlandais, qui s'installèrent en Afrique du Sud dès 1652. Leurs descendants, les *Afrikaanders* ou *Afrikaners*, forment la majorité de la population blanche au pouvoir à Pretoria, l'*afrikaan* étant avec l'anglais la langue officielle. ► *la guerre des Boers* opposa les Boers aux Anglais de 1899 à 1902.

Germain **Boffrand** ■ Architecte et décorateur *rococo français (1667-1754).

Humphrey **Bogart** ■ Acteur de cinéma américain (1900-1957). Il interpréta, entre autres, Philip Marlowe, le type du détective privé.

Bogor ■ Ville d'Indonésie (*Java). 247 400 hab.

Bogotá ■ Capitale de la *Colombie, à 2 650 m d'altitude. 4,18 millions d'hab. Métropole administrative et culturelle. Marché d'une région agricole.

la **Bohême** ■ Partie occidentale de la Tchécoslovaquie. Depuis 1968, elle constitue avec la Moravie la *République socialiste tchèque*, l'un des deux États fédérés formant la Tchécoslovaquie. 52 766 km². 10,1 millions d'hab. La *forêt de Bohême* s'étend le long de la frontière avec l'Allemagne. □HISTOIRE. Le duché de Bohême, érigé en royaume au XIᵉ s., est à l'origine de l'État tchèque. Il connut son apogée lorsque les Luxembourg en furent rois tout en étant empereurs germaniques (XIVᵉ s.). Au XVᵉ s., la réforme religieuse de Jan *Hus provoqua la guerre civile. Les *Jagellons unirent la Bohême à la Hongrie en 1490. À partir de 1526, la Bohême subit la domination des *Habsbourg (⇒ **Hongrie**) contre laquelle elle se rebella (défenestration de Prague en 1618, qui marqua le début de la guerre de *Trente Ans ; émeute nationaliste de 1848). La création de la Tchécoslovaquie en 1918 lui donna son indépendance. De 1939 à 1945, elle constitua, avec la *Moravie, un protectorat du IIIᵉ Reich. ‹ ► bohème, bohémien ›

Bohémond Iᵉʳ ■ Un des chefs de la première croisade, prince d'*Antioche de 1098 à 1111.

Eugen **Böhm-Bawerk** ■ Ministre et économiste autrichien (1851-1914). Proche de *Menger. Critique du marxisme.

Jakob **Böhme** ■ Mystique allemand (1575-1624). Ses écrits ont influencé les *romantiques.

Niels **Bohr** ■ Physicien danois (1885-1962). Ayant introduit les quanta dans la description de l'atome, il fit de *Copenhague le principal foyer de recherches sur la mécanique quantique à ses débuts. Il énonça le « principe de complémentarité » entre les deux aspects de la réalité atomique, ondes et corpuscules (⇒ **Broglie, Schrödinger**). Prix Nobel 1922.

Matteo Maria **Boiardo** ■ Poète italien (v. 1441 - 1494). *"Roland amoureux"* (inachevé).

François Adrien **Boieldieu** ■ Compositeur français (1775-1834). Opéras-comiques : *"le Calife de Bagdad"* ; *"la Dame blanche"*.

Nicolas **Boileau** dit **Boileau-Despréaux** ■ Écrivain français (1636-1711). Poète et critique exigeant, partisan des *Anciens. *"Satires"* ; *"Épîtres"* ; *"le Lutrin"* ; *"l'Art poétique"*, manifeste du *classicisme français (1674).

Louis Léopold **Boilly** ■ Peintre et graveur français (1761-1845). Scènes de mœurs.

Bois-Colombes ■ Commune des *Hauts-de-Seine, banlieue de Paris. 23 800 hab.

Bois-d'Arcy ■ Commune des *Yvelines. 12 400 hab.

Boise ou *Boise City* ■ Ville des États-Unis, capitale de l'*Idaho. 102 400 hab.

Pierre Le Pesant sieur de **Boisguilbert** ■ Économiste français (1646-1714). Ses tentatives de réformes (fiscalité, liberté du commerce) causèrent sa disgrâce en 1707.

Bois-Guillaume ■ Commune de *Seine-Maritime, dans la banlieue de Rouen. 9 300 hab.

Bois-le-Duc, en néerlandais *'s-Hertogenbosch* ■ Ville des Pays-Bas, chef-lieu du *Brabant-Septentrional. 89 700 hab. Cathédrale gothique.

Joseph Bodin de **Boismortier** ■ Compositeur français (1691-1755). Il fut le rival de *Rameau.

François Antoine comte de **Boissy d'Anglas** ■ Homme politique français (1756-1826). Président de la *Convention thermidorienne, notable sous l'Empire et la Restauration.

Boissy-Saint-Léger ■ Commune du *Val-de-Marne. 12 700 hab.

Arrigo **Boito** ■ Compositeur italien et auteur de livrets d'opéra, notamment pour Verdi (1842-1918).

Jean Bedel **Bokassa** ■ Officier et homme d'État centrafricain (né en 1921). Chef de l'armée, il s'empara du pouvoir en 1966. Président à vie, maréchal puis empereur, il instaura un régime répressif (massacres) et fut renversé en 1979.

Boksburg ■ Ville d'Afrique du Sud. 150 200 hab.

Bolbec ■ Commune de la *Seine-Maritime. 12 500 hab. *(les Bolbécais).*

les **bolcheviks** n. m. ■ Majorité du parti ouvrier social-démocrate russe (1903-1917). Leur chef *Lénine s'empara du pouvoir en 1917.

Boleslas ■ NOM DE PLUSIEURS SOUVERAINS DE POLOGNE DE LA DYNASTIE DES *PIAST. □ *Boleslas Iᵉʳ* (v. 966-1025) agrandit le territoire et devint le premier roi de Pologne en 1025.

Boleslav Iᵉʳ ■ Duc de Bohême (935-967). Considéré comme le fondateur de l'État tchèque.

Henri Saint John vicomte **Bolingbroke** ■ Homme politique et écrivain anglais (1678-1751). Correspondant de *Pope.

Simón **Bolívar** ■ Héros de l'indépendance sud-américaine (1783-1830). Il libéra la Nouvelle-Grenade (Colombie), le Venezuela puis l'Équateur qu'il fédéra à partir de 1819 en une *république de Grande-Colombie*. Il en devint le premier président, mais elle ne devait pas lui survivre. Il se retira en 1830. La scission du Haut-Pérou donna naissance à une

Bolivie

36

république qui prit le nom de *Bolivie en son honneur (1825).

la **Bolivie** ■ État (république) d'Amérique du Sud. 1 098 581 km². 5,9 millions d'hab. *(les Boliviens).* Capitale : Sucre. Siège du gouvernement : La Paz. Langue officielle : espagnol. Monnaie : peso bolivien. Grandes difficultés économiques liées à la raréfaction des ressources minières (étain), à la faible productivité de l'agriculture, et au manque de communications. □HISTOIRE. Rattachée à l'Empire inca, elle devint espagnole en 1538. Après l'indépendance (1825), plusieurs conflits frontaliers réduisirent progressivement son territoire, la privant d'un accès à la mer. Les réformes engagées par le gouvernement révolutionnaire de Paz Estenssoro, de 1952 à 1964, furent interrompues par une junte militaire, déclenchant une guérila (mort de *Guevara en 1967). Le pouvoir civil a été rétabli en 1982.

Heinrich **Böll** ■ Romancier allemand (1917-1985). Catholique et socialiste, membre du *Groupe 47. Prix Nobel 1972. *"Portrait de groupe avec dame".*

Bollène ■ Commune du *Vaucluse. 11 500 hab. *(les Bollénois).*

Jean de **Bologne** ■ ⇒ **Giambologna.**

Bologne ■ Ville d'Italie, capitale de l'Émilie. 481 000 hab. Centre industriel (mécanique). Monuments du Moyen Âge et de la Renaissance. Université.

Bolton ■ Ville d'Angleterre. 155 000 hab. Un des plus anciens centres d'industrie textile.

Ludwig **Boltzmann** ■ Physicien autrichien (1844-1906). Il a joué un grand rôle en thermodynamique (cinétique des gaz).

János **Bolyai** ■ Mathématicien hongrois (1802-1860). Considéré avec *Lobatchevski comme l'inventeur de la géométrie non euclidienne.

Bernhard **Bolzano** ■ Mathématicien, logicien et philosophe tchèque de langue allemande (1781-1848). Précurseur des recherches sur les fondements des mathématiques.

Bolzano ■ Ville d'Italie, dans les *Dolomites. 106 000 hab.

Boma ■ Ville du *Zaïre. 90 000 hab. Port fluvial sur le fleuve *Zaïre.

Bombay ■ 2ᵉ ville de l'Inde, port sur l'océan Indien. 8,2 millions d'hab. Grand centre d'industrie textile.

le vicomte Louis de **Bonald** ■ Écrivain politique français, monarchiste et catholique (1754-1840).

les **Bonaparte** ■ Famille française d'origine italienne (Buonaparte), établie en Corse au XVIᵉ s. Elle est connue par *Napoléon* (⇒ **Napoléon Iᵉʳ**) qui fit la gloire de ses frères et sœurs. □ *Charles Marie* (1746-1785), père de Napoléon. □ *Marie Letizia,* née Ramolino, dite « Madame Mère » (1750-1836), son épouse, mère de Napoléon. □ *Joseph* (1768-1844), roi de Naples puis roi d'Espagne. □ *Lucien* (1775-1840), président du *Conseil des Cinq-Cents, prince de Canino, devint opposant à Napoléon. □ *Louis* (1778-1846), roi de Hollande opposé au *Blocus continental, père de *Napoléon III. □ *Jérôme* (1784-1860), roi de Westphalie, dignitaire du Second Empire, père de la *princesse Mathilde,* dont le salon littéraire est resté célèbre, et du *prince Jérôme,* dont descend l'actuel prétendant. □ *Maria-Anna* dite *Élisa* (1777-1820), princesse de Lucques et de Piombino, grande-duchesse de Toscane. □ *Marie-Paulette* dite *Pauline* (1780-1825), princesse Borghèse, célèbre pour sa beauté. □ *Marie-*

Annonciade dite *Caroline* (1782-1839), épouse de *Murat, reine de Naples.

saint **Bonaventure** ■ Théologien italien (1221-1274). Il enseigna à Paris et fut général des Franciscains. Docteur de l'Église.

Bondy ■ Commune de la *Seine-Saint-Denis, banlieue de Paris. 48 500 hab.

Bône ■ ⇒ **Annaba.**

Dietrich **Bonhœffer** ■ Pasteur et théologien allemand, martyr de la résistance au nazisme (1906-1945).

Boniface VIII ■ Pape de 1294 à sa mort (1235-1303). Adversaire décidé de *Philippe le Bel, qu'il excommunia.

Bonifacio ■ Commune de *Corse-du-Sud. 3 000 hab. *(les Bonifaciens).* Enceinte, ville haute médiévale. Les *bouches de Bonifacio* séparent la Corse de la Sardaigne.

Richard **Bonington** ■ Peintre et aquarelliste anglais (1802-1828). Paysages.

Bonn ■ Capitale de la R. F. A. 289 000 hab. Centre d'activités tertiaires. Célèbre université. Collégiale romane.

Pierre **Bonnard** ■ Peintre et graveur français (1867-1947). Il fut membre des *nabis, ami de *Vuillard. Grand coloriste. *"Nu dans la baignoire".*

Léon **Bonnat** ■ Peintre et collectionneur français (1833-1922). Portraits académiques.

le cap de **Bonne-Espérance** ■ Pointe extrême-sud de l'Afrique, découverte par B. *Dias.

Yves **Bonnefoy** ■ Poète français, essayiste et critique d'art (né en 1923). *"L'Arrière-Pays".*

Bonneuil-sur-Marne ■ Commune du *Val-de-Marne. 16 300 hab.

Bonneville ■ Sous-préfecture de Haute-*Savoie. 8 000 hab. *(les Bonnevillois).*

Jules Joseph **Bonnot** ■ Criminel anarchiste français (1876-1912). Chef de la « bande à Bonnot », abattu lors de son arrestation.

Giovanni Battista **Bononcini** ■ Compositeur italien (1670-1747).

George **Boole** ■ Mathématicien anglais (1815-1864). Pour mathématiser la logique, il créa une algèbre binaire dite « algèbre de Boole ».

Booz ■ Personnage de la Bible, époux de *Ruth. Il a inspiré un célèbre poème de V. Hugo dans *"la Légende des siècles",* « Booz endormi ».

Franz **Bopp** ■ Linguiste allemand (1791-1867). Un des fondateurs de la grammaire comparée des langues indo-européennes et par conséquent de la linguistique moderne.

Bora Bora ■ Île volcanique de *Polynésie française. 2 500 hab.

Bordeaux ■ Préfecture de la *Gironde et de la région Aquitaine. 271 000 hab. *(les Bordelais).* Nombreux monuments, notamment du XVIIIᵉ s. La prospérité du port fut liée au commerce avec les Antilles et à la traite des Noirs. Elle explique le rôle des *Girondins pendant la Révolution. Métropole historique (gauloise, romaine, médiévale...) et économique (6ᵉ port de France). Cimenteries, industries alimentaires et métallurgiques. ▶ *le Bordelais* est célèbre pour ses vignobles. ▶ *le duc de Bordeaux.* ⇒ comte de **Chambord.**

Petrus **Borel** ■ Écrivain romantique français (1809-1859). Un des maîtres de l'humour noir. *"Rhapsodies"*, poèmes ; *"Champavert"*, nouvelles.

Émile **Borel** ■ Mathématicien et homme politique français (1871-1956). Calcul infinitésimal. Théorie des probabilités.

Jorge Luis **Borges** ■ Écrivain argentin (1899-1986). Une culture encyclopédique nourrit son œuvre, souvent proche du fantastique. *"Fictions"* et *"l'Aleph"*, nouvelles.

Borghèse ■ Famille noble d'Italie. ▶ *le palais* **Borghèse** (1590-1607), à Rome, abrite un musée de peinture et de sculpture. ▶ *la princesse* **Borghèse.** ⇒ Pauline **Bonaparte.**

les **Borgia** ■ FAMILLE ROMAINE □ *César* **Borgia,** prélat et homme politique italien (1476-1507), fils du pape *Alexandre VI ; inspirateur du *"Prince"* de *Machiavel. □ *Lucrèce* **Borgia,** sa sœur (1480-1519), fut l'instrument de sa politique.

Boris Godounov ■ Tsar de Russie (v. 1551 - 1605). Véritable successeur d'*Ivan le Terrible. Son histoire tourmentée a inspiré Pouchkine et Moussorgski.

Max **Born** ■ Physicien allemand naturalisé anglais (1882-1970). Mécanique quantique et physique nucléaire. Prix Nobel 1954.

Bornéo ■ Grande île du Sud-Est asiatique, sur l'équateur, partagée entre l'Indonésie, la Malaysia et le Brunei. 736 000 km². 9 millions d'hab. Ville principale : *Bandjarmasin. Île très montagneuse couverte de forêts où vivent de nombreuses tribus.

Bornou ■ Empire musulman africain qui connut son apogée au XVIᵉ s. (Nigeria, Tchad, Niger, Cameroun actuels). Reconstitué au XIXᵉ s., il fut vaincu par la France (1900) et partagé entre les puissances coloniales.

Borobudur ■ ⇒ **Bārābudur.**

Aleksandr **Borodine** ■ Compositeur russe (1833-1887). Il s'inspira du folklore. *"Le Prince Igor"*, opéra.

saint Charles **Borromée** ■ ⇒ saint **Charles Borromée.**

Franscesco **Borromini** ■ Architecte italien (1599-1667). Un des artistes les plus inventifs, ingénieux, tendus, du *baroque.

Bort-les-Orgues ■ Commune de la *Corrèze. 5 600 hab. *(les Bortois).*

Jérôme **Bosch** ■ Peintre flamand (v. 1450 - 1516). Visions fantastiques, peuplées d'êtres hybrides, dans des coloris clairs. *"Le Jardin des délices"* ; *"la Tentation de saint Antoine"* ; *"la Nef des fous"* ; *"le Jugement dernier".*

Henri **Bosco** ■ Écrivain français (1888-1976). Dans ses romans, les paysages provençaux sont imprégnés de mystère.

Satyendranâth **Bose** ■ Physicien indien (1894-1974). La *statistique de Bose-*Einstein* décrit les systèmes quantiques.

la **Bosnie** ■ Région des Balkans qui forme avec la Herzégovine l'une des six républiques fédérales de Yougoslavie. Foyer d'opposition nationaliste au pouvoir austro-hongrois, de 1875 à 1918. L'assassinat de l'archiduc *François-Ferdinand d'Autriche par les Bosniaques fut la cause directe de la guerre en 1914. □ *la* **Bosnie-Herzégovine.** 51 129 km². 3,74 millions d'hab. Capitale : Sarajevo.

le **Bosphore** ■ Détroit qui sépare l'Europe de l'Asie (Turquie).

le **Bosphore** ■ Dans l'Antiquité, royaume qui correspond au « Bosphore cimmérien », aujourd'hui le détroit de Kertch' (Crimée).

Alain **Bosquet** ■ Écrivain et critique français d'origine russe (né en 1919).

Abraham **Bosse** ■ Graveur et théoricien d'art français (1602-1676).

Jacques Bénigne **Bossuet** ■ Prélat français, un des grands noms de la littérature classique par sa prose ample et parfaite (1627-1704). *"Sermons"* ; *"Oraisons funèbres".*

Boston ■ Ville des États-Unis. Capitale du *Massachusetts. 563 000 hab. Recherche, commerce, industries. Port sur l'Atlantique. La zone urbaine comprend notamment *Cambridge.

James **Boswell** ■ Écrivain anglais (1740-1795). Il écrivit une *"Vie de Samuel *Johnson"*, son ami.

Christo **Botev** ■ Écrivain et patriote bulgare (1848-1876). Héros national.

Pieter Willem **Botha** ■ Homme politique sud-africain (né en 1916). Premier ministre depuis 1978.

le **Botswana** ■ État (république) d'Afrique australe, entre la Namibie, le Zimbabwe et l'Afrique du Sud. 600 372 km². 1 million d'hab. Capitale : Gaborone. Langues : anglais (officielle), setswana. Monnaie : pula. Pays en majeure partie désertique (*Kalahari) à l'économie agro-pastorale, doté de richesses minières. État indépendant associé au *Commonwealth depuis 1966, multiracial, il dépend pour ses débouchés du *Zimbabwe et de l'*Afrique du Sud (80 % des échanges).

Sandro **Botticelli** ■ Peintre florentin (1445-1510). *"Le Printemps"* et *"la Naissance de Vénus"* sont parmi les chefs-d'œuvre de la *Renaissance.

Sébastien **Bottin** ■ Éditeur des premiers annuaires statistiques français (1764-1853).

Bottrop ■ Ville de R. F. A. 115 000 hab.

Markos **Botzaris** ou **Bótsaris** ■ Patriote grec (v. 1789 - 1823).

Bouaké ■ Ville de Côte-d'Ivoire. 161 000 hab.

Le **Boucau** ■ Commune des *Pyrénées-Atlantiques. 6 200 hab. *(les Boucalais).*

Edme **Bouchardon** ■ Sculpteur et dessinateur français (1698-1762). Fontaine des Quatre-Saisons, à Paris.

François **Boucher** ■ Peintre et décorateur français (1703-1770). Il fut le protégé de Madame de Pompadour. Sujets galants, dans l'esprit libertin du XVIIIᵉ s. *"Diane sortant du bain".*

les **Bouches-du-Rhône** [13] ■ Département français de la région *Provence-Alpes-Côte d'Azur. 5 248 km². 1,7 million d'hab. Préfecture : Marseille. Sous-préfectures : Aix-en Provence, Arles.

Bouddha ■ En sanskrit « l'Éveillé », surnom d'un prince indien, Siddharta Gautama (v. 536 - v. 480 av. J.-C.). À 29 ans, il quitta le palais royal pour mener une vie ascétique. Un jour, assis sous un figuier, il reçut l'Éveil *(bodhi)* et devint **Bouddha**. Il commença à prêcher sa doctrine *(dharma)* et une méthode pour se libérer des illusions, de la douleur et atteindre le *nirvāna.* ▶ *le* ***bouddhisme*** exerce une influence profonde dans toute l'Asie, sous différentes formes : hīnayāna et mahāyāna (petit et grand véhicule) en Inde, tantrisme au Tibet, zen au Japon, ch'an en Chine... ⇒ **Bodhisattva.**

Eugène **Boudin** ■ Peintre français (1824-1898). Précurseur des *impressionnistes. Paysages marins.

la Querelle des **Bouffons** ■ Polémique qui opposa en 1752, à Paris, les partisans de l'opéra italien (⇒ **Pergolèse**) et ceux de l'opéra français (⇒ **Gluck**).

Louis Antoine comte de **Bougainville** ■ Navigateur français (1729-1811). Son "*Voyage autour du monde*" eut un grand succès. ▶ *l'île de Bougainville,* la plus grande des îles de la province des Salomon septentrionales de la *Papouasie-Nouvelle-Guinée. ⟨ ▶ bougainvillée ⟩

Bougival ■ Commune des *Yvelines. 8 400 hab. *(les Bougivalais).*

Bouguenais ■ Commune de *Loire-Atlantique. 14 100 hab. *(les Bouguenaisiens).*

Adolphe William **Bouguereau** ■ Peintre académique français (1825-1905).

Jean **Bouillaud** ■ Médecin français (1796-1881). Il a décrit le rhumatisme articulaire aigu ou *maladie de Bouillaud.*

Boukhara ■ Ville d'U. R. S. S. (*Ouzbékistan). 220 000 hab. Ancienne capitale de principautés musulmanes (mosquées des Xᵉ - XIIᵉ s.).

Nikolaï Ivanovitch **Boukharine** ■ Révolutionnaire russe (1888-1938). Condamné à mort sous *Staline comme opposant et théoricien de droite. Il fut réhabilité en 1988.

Georges **Boulanger** ■ Général français (1837-1891). Il cristallisa autour de lui les oppositions au régime parlementaire mais recula devant la prise du pouvoir (1889). Son suicide mit fin au *boulangisme.*

Nadia **Boulanger** ■ Professeur de musique et organiste française (1887-1979). □ *Lily Boulanger,* sa sœur (1893-1918), compositrice, mourut à 25 ans.

Boulay-Moselle ■ Sous-préfecture de la *Moselle. 4 450 hab. *(les Boulageois).*

Pierre **Boulez** ■ Compositeur et chef d'orchestre français (né en 1925). Son influence sur la musique contemporaine est déterminante. "*Le Marteau sans maître*" ; "*Répons*".

Mikhaïl **Boulgakov** ■ Écrivain soviétique (1891-1940). "*Le Maître et Marguerite*".

André Charles **Boulle** ■ Ébéniste français (1642-1732). Son nom est attaché au type de meuble qu'il créa et à une école d'ébénisterie (fondée en 1886).

Étienne Louis **Boullée** ■ Architecte français (1728-1799). Cénotaphe de Newton.

Boulogne-Billancourt ■ Commune des *Hauts-de-Seine. 102 500 hab. *(les Boulonnais).* Banlieue industrielle (usines Renault) et résidentielle (bois de Boulogne) de Paris.

Boulogne-sur-Mer ■ Sous-préfecture du *Pas-de-Calais. 48 300 hab. *(les Boulonnais).* 1ᵉʳ port de pêche de France, site pittoresque (nombreux monuments). ▶ *le Boulonnais* est une région d'élevage de chevaux et de bœufs.

Houari **Boumediene** ■ Officier et homme d'État algérien (1932-1978). Président de la République de 1965 à sa mort.

Ivan **Bounine** ■ Écrivain russe (1870-1953). Prix Nobel 1933.

Henri **Bourassa** ■ Journaliste et homme politique canadien (1868-1952). Fondateur du quotidien "*le Devoir*" (1910).

Robert **Bourassa** ■ Homme politique canadien (né en 1933). Premier ministre (libéral) du *Québec de 1970 à 1976 et depuis 1985.

Nicolas **Bourbaki** ■ Pseudonyme d'un groupe de mathématiciens français, formé en 1933. "*Éléments de mathématiques*".

la maison de **Bourbon** ■ Famille de seigneurs du Bourbonnais (Allier), parents des *Capétiens à partir du XIIIᵉ s. La branche cadette parvint au trône de *Navarre avec Antoine de Bourbon en 1548 (son frère Louis fondant la maison de *Condé), puis au trône de France avec *Henri IV en 1589 ; elle le conserva jusqu'à *Charles X. □ *les Bourbon-Orléans,* descendants du second fils de Louis XIII, branche dont sont issus *Louis-Philippe et l'actuel prétendant, comte de Paris (⇒ maison d'**Orléans**). D'autres branches de la famille régnèrent sur Naples (1759-1860) et sur Parme (1748-1859). □ *les Bourbon-Anjou* régnèrent en Espagne à partir de 1700 (*Philippe V). ⟨ ▶ bourbonien ⟩

le Connétable de **Bourbon** ■ Charles III, huitième duc de Bourbon, dernier représentant de la branche aînée des Bourbons (1490-1527). Il passa au service de Charles Quint. Ses terres furent réunies à la Couronne.

l'île **Bourbon** ■ Ancien nom de la *Réunion.

le Palais-Bourbon ■ Siège de l'*Assemblée nationale française.

Louis **Bourdaloue** ■ Jésuite et prédicateur français (1632-1704).

Antoine **Bourdelle** ■ Sculpteur français (1861-1929). Élève de *Rodin. "*Héraclès archer*".

Sébastien **Bourdon** ■ Peintre et décorateur français (1616-1671). Portraits.

Bourg-de-Péage ■ Commune de la *Drôme. 8 600 hab. *(les Péageois).*

Bourg-en-Bresse ■ Préfecture de l'*Ain. 43 600 hab. *(les Bressans ou Burgiens).* Important marché agricole. Monastère de Brou (église du *gothique flamboyant).

Léon **Bourgeois** ■ Homme politique français (1851-1927). Théoricien du radicalisme.

Bourges ■ Préfecture du *Cher. 79 400 hab. *(les Berruyers).* Cathédrale gothique. Palais Jacques-Cœur (XVᵉ s.), témoignage de l'essor de la ville sous Charles VII et Louis XI. Centre industriel et artisanal.

Paul **Bourget** ■ Romancier français (1852-1935). Romans psychologiques. "*Le Disciple*".

le lac du **Bourget** ■ Lac des Alpes françaises, en Savoie (44 km²). *Aix-les-Bains et *Le Bourget-du-Lac* sont sur ses rives.

Le Bourget ■ Commune de la *Seine-Saint-Denis, où se trouve le plus ancien des trois aéroports de Paris. 11 000 hab.

Bourg-la-Reine ■ Commune des *Hauts-de-Seine, dans la banlieue sud de Paris. 18 200 hab. *(les Réginaborgiens).*

Bourg-lès-Valence ■ Commune de la *Drôme. 16 400 hab. *(les Bourcains ou Bourquins).*

la **Bourgogne** ■ Région administrative et économique française, comprenant les départements de la Côte-d'Or, la Nièvre, la Saône-et-Loire, l'Yonne. Préfecture : Dijon. 31 592 km². 1,6 million d'hab. *(les Bourguignons).* Relief diversifié qui fait alterner les régions d'élevage, de forêt et de vignobles (vins renommés de la Côte-d'Or, dont le commerce est une activité importante pour la région). Deux pôles d'industrialisation : autour du charbon, au *Creusot et à *Montceau-les-Mines (aujourd'hui en crise), autour de Dijon (constructions mécaniques et électriques). □HISTOIRE. Ancienne *Burgondie, la Bourgogne fut un royaume indépendant puis un duché prospère (à partir du IXe s.), enfin un État (aux XIVe et XVe s.), allié des Anglais contre les *Armagnacs pendant la guerre de *Cent Ans (parti des *Bourguignons*). La lutte contre les rois de France s'acheva à la mort de Charles le Téméraire : la Bourgogne fut peu à peu annexée à la couronne de France, alors que le reste des États bourguignons (Belgique et Pays-Bas actuels) passait aux Habsbourg. ▶ *le canal de Bourgogne* relie, par l'Yonne et la Saône, les bassins de la Seine et du Rhône. ‹ ▶ bourgogne, bourguignon ›

Bourgoin-Jallieu ■ Commune de l'*Isère. 22 900 hab. *(les Berjalliens).*

Habīb ibn 'Alī Bourguiba ■ Homme d'État tunisien (né en 1903). Principal artisan de l'indépendance (1956), président de la République depuis 1957, déposé, pour raison de santé, par son gouvernement en 1987.

la Bouriatie ou *Buriatie* ■ Une des républiques autonomes de la R. S. S. de *Russie, à la frontière de la *Mongolie. 351 300 km². 1 million d'hab. Capitale : Oulan-Oude. Élevage, forêts. Fer et industries dérivées.

Louis comte de Ghaisnes de Bourmont ■ Un des chefs de la *chouannerie puis des *Ultras, ministre de Charles X et maréchal de France (1773-1846).

Bournemouth ■ Station balnéaire d'Angleterre, sur la Manche. 143 000 hab.

Le Bouscat ■ Commune de la *Gironde dans la banlieue de *Bordeaux. 20 900 hab. *(les Bouscatais).*

Joë Bousquet ■ Poète français (1897-1950). "*Lettres à Poisson d'or*" ; "*Traduit du silence*".

Dierick Bouts ■ Peintre *flamand (v. 1415 - 1475). "*Adoration des Mages*".

Bouvines ■ Site (près de *Lille) d'une victoire décisive de *Philippe Auguste (1214) contre les Anglais, Allemands et Flamands.

les Boxers n. m. ■ Secte chinoise. Ses membres déclenchèrent un mouvement d'hostilité envers les Européens, qui aboutit à la *révolte des Boxers* et au massacre des missions à Pékin (1900).

sir Robert Boyle ■ Physicien et chimiste irlandais (1627-1691). Son œuvre annonce la chimie expérimentale moderne. *Loi de Boyle-*Mariotte* : loi de compressibilité des gaz.

le Brabant ■ Région historique située entre la Meuse et l'Escaut. Duché au XIIe s., il passa à la Bourgogne puis aux Habsbourg. Il est aujourd'hui partagé en deux provinces. □ *le Brabant-Septentrional*, aux Pays-Bas *Nord-Brabant*. 4 946 km². 2,13 millions d'hab. Chef-lieu : *Bois-le-Duc. □ *le Brabant*, en Belgique. 3 358 km². 2,21 millions d'hab. *(les Brabançons* parlent flamand au nord, wallon au sud). Chef-lieu : *Bruxelles. Forte urbanisation, industries textile et alimentaire. *La Brabançonne* est l'hymne national belge.

Ray Bradbury ■ Écrivain américain (né en 1920). Romans d'anticipation. "*Chroniques martiennes*" ; "*Fahrenheit 451*".

Bradford ■ Ville d'Angleterre. 464 000 hab.

James Bradley ■ Astronome anglais (1693-1762). Il découvrit l'aberration solaire.

Francis Herbert Bradley ■ Philosophe anglais (1846-1924). Il développa un idéalisme influencé par *Hegel.

Teófilo Braga ■ Homme politique et écrivain portugais (1843-1924). "*Contes traditionnels du peuple portugais*".

Bragance ■ Ville du Portugal. 9 300 hab. ▶ *la maison de Bragance*, apparentée aux *Capétiens, a régné sur le Portugal (1640-1910) et le Brésil (1822-1889).

les Bragg ■ Physiciens anglais. Sir William Henri (1862-1942) et son fils sir William Lawrence (1890-1971) reçurent ensemble le prix Nobel en 1915. *Loi de Bragg*, loi fondamentale en optique cristalline.

Tycho Brahe ■ Astronome danois (1546-1601). Ses observations remarquables furent exploitées par son élève *Kepler.

Brahmā ■ Personnification du *brahman*, c'est-à-dire de l'« Universel », peu à peu éclipsé par *Viṣṇu et *Śiva dans le panthéon de l'hindouisme. Il a quatre faces et quatre bras. ▶ *les brahmanes* étaient les membres de la caste supérieure dans l'ancienne société indienne. ‹ ▶ brahmane ›

le Brahmapoutre ■ Fleuve d'Asie. 2 880 km. Delta commun avec le *Gange.

Johannes Brahms ■ Compositeur romantique allemand (1833-1897). Subtil mélodiste et chef d'orchestre, il a laissé quatre symphonies et, surtout, des pièces pour piano, de la musique de chambre, des mélodies.

James Braid ■ Médecin et chirurgien britannique (1795-1860). Il créa le terme *hypnotism* (hypnotisme).

Brăila ■ Ville de Roumanie. 234 600 hab. Port sur le *Danube.

Louis Braille ■ Inventeur français de l'écriture pour les aveugles (1809-1852). ‹ ▶ braille ›

Bramante ■ Peintre et grand architecte italien (1444-1514). Il conçut le plan de la basilique *Saint-Pierre à Rome.

le Bramantino ■ Peintre italien, architecte (v. 1465 - v. 1530).

Constantin Brâncuși ■ Sculpteur français d'origine roumaine (1876-1957). Il épure les formes jusqu'à les rendre abstraites. "*Muse endormie*".

Brandebourg ■ Ville de R. D. A., à l'ouest de Berlin. 95 000 hab. □ *le Brandebourg*, berceau du royaume de Prusse, domaine des *Hohenzollern de 1415 à 1918.

Georg Brandes ■ Écrivain et critique danois (1842-1927). Il exerça une influence capitale sur la littérature scandinave.

Sébastien Brandt ou *Brant* ■ Humaniste alsacien (1458-1521). "*La Nef des fous*" ("*das Narrenschiff*").

Willy Brandt ■ Homme d'État allemand (né en 1913). Chancelier (social-démocrate) de R. F. A. de 1969 à 1974.

Édouard Branly ■ Physicien français (1844-1940). Pionnier de la radiodiffusion.

Pierre de Bourdeilles seigneur de Brantôme ■ Écrivain français (v. 1538 - 1614). "*Mémoires*" célèbres pour leurs anecdotes galantes.

Georges Braque ■ Peintre français (1882-1963). Il ne cessa d'exploiter, sous toutes ses formes, le

*cubisme, qu'il inventa avec Picasso. Séries de tableaux sur un même thème (l'oiseau, le poisson, l'atelier). Papiers collés.

Brasília ■ Ville nouvelle (plans de *Costa, bâtiments de *Niemeyer), capitale du Brésil depuis 1960, située dans une région faiblement peuplée pour favoriser le développement de celle-ci. 1,2 million d'hab.

Robert **Brasillach** ■ Écrivain et publiciste français (1909-1945). Fusillé pour sa collaboration avec l'Allemagne nazie.

Brașov ■ Ville de Roumanie. 268 000 hab. Monuments médiévaux. Centre industriel.

Brassaï ■ Photographe français d'origine roumaine (1899-1984).

Georges **Brassens** ■ Chanteur, auteur et compositeur français (1921-1981).

Bratislava ■ Ville et port de Tchécoslovaquie, sur le Danube. Chef-lieu de la *Slovaquie (ancienne Pressburg). 396 200 hab.

Bratsk ■ Ville d'U. R. S. S. (Russie), en *Sibérie. 168 000 hab. Centrale hydraulique.

Fernand **Braudel** ■ Historien français (1902-1985), l'un des principaux représentants de la « nouvelle histoire ». *"Civilisation matérielle, Économie et Capitalisme, XVᵉ - XVIIIᵉ s."*

Wernher von **Braun** ■ Savant allemand naturalisé américain (1912-1977). Père des fusées modernes.

Victor **Brauner** ■ Peintre surréaliste roumain installé à Paris (1902-1966).

Auguste **Bravais** ■ Physicien français (1811-1863). Cristallographie.

Pierre Savorgnan de **Brazza** ■ Explorateur français d'origine italienne (1852-1905). Colonisateur du Congo.

Brazzaville ■ Capitale du Congo. 422 000 hab. Métropole politique, universitaire et religieuse du pays. Industries.

Michel **Bréal** ■ Linguiste français (1832-1915). Créateur de la sémantique.

Bertolt **Brecht** ■ Auteur dramatique allemand et théoricien du théâtre (1898-1956). Le fondateur d'une nouvelle forme de théâtre : le spectateur doit réfléchir et non s'identifier à l'action. C'est le procédé de « distanciation ». *"Mère Courage"* ; *"l'Opéra de quat'sous"*, musique de Kurt *Weill.

Breda ■ Ville des Pays-Bas. 119 000 hab. Résidence (XVIᵉ s.) des princes d'Orange-Nassau.

Louis **Bréguet** ■ Ingénieur français (1880-1955). Pionnier de l'aéronautique.

l'île de **Bréhat** ■ Île de la Manche (*Côtes-du-Nord). 550 hab. Tourisme.

Leonid **Brejnev** ■ Homme d'État soviétique (1906-1982). À la tête de l'U. R. S. S. de 1964 à sa mort.

Arno **Breker** ■ Sculpteur allemand (né en 1900). Artiste officiel du régime hitlérien.

Jacques **Brel** ■ Chanteur, auteur et compositeur belge de langue française (1929-1978).

Brême ■ 2ᵉ port fluvial de R. F. A., au fond de l'estuaire de la Weser. 563 000 hab. Vieille ville médiévale. Industries sidérurgiques, raffineries. ▶ *Bremerhaven*. Débouché maritime de Brême. 140 500 hab.

l'abbé Henri **Brémond** ■ Historien de la spiritualité et critique littéraire français (1865-1933).

Brennus ■ Chef gaulois. Il s'empara de Rome en 390 av. J.-C.

Clemens **Brentano** ■ Écrivain romantique allemand (1778-1842). □ *Elizabeth* **Brentano,** sa sœur. ⇒ Bettina **Arnim.** □ *Franz* **Brentano,** son neveu (1838-1917), philosophe allemand, psychologue, maître de *Husserl.

Brescia ■ Ville d'Italie en Lombardie. 215 000 hab.

le **Brésil** ■ État (république fédérale) d'Amérique du Sud occupant presque la moitié de l'Amérique latine. 8 511 965 km². 135,6 millions d'hab. *(les Brésiliens).* Capitale : Brasília. Langue officielle : portugais. Monnaie : cruzado. Cinq régions : nord (*Amazonie, forêts semi-désertiques), nord-est (*Nordeste, littoral fertile, intérieur semi-aride), est (montagnes) et sud-est (pampa) qui regroupent l'essentiel de l'activité économique (*Belo Horizonte, *Rio de Janeiro, *São Paulo), centre-ouest (plateau très peu peuplé malgré la création de *Brasília). Développement économique spectaculaire depuis les années 1960, lié à d'immenses ressources agricoles (n°1 mondial pour le café ; sucre, cacao, maïs) et minières (n°1 pour le fer ; manganèse, bauxite). L'avenir est prometteur : essor industriel, modernisation (exploitation de l'Amazonie grâce à la route dite transamazonienne). Mais de graves déséquilibres économiques, financiers et sociaux subsistent. □**HISTOIRE**. Découvert en 1500 par P.A. *Cabral, vice-royauté portugaise, le Brésil devint la tête de l'empire du Portugal quand le roi Jean VI, fuyant Napoléon, fit de Rio sa capitale ; son fils proclama l'indépendance en 1822 et devint empereur du Brésil sous le nom de Pierre Iᵉʳ. La richesse du pays attira de nombreux immigrants (population aujourd'hui très métissée). Le pays fut doté d'une constitution républicaine en 1891. Vargas instaura un pouvoir fort de 1930 à 1945 et de 1951 à 1954. Après une période réformiste, les militaires prirent le pouvoir (1964). L'élection de José Sarney en 1985 marqua le retour à la démocratie.

Breslau ■ Nom allemand de *Wrocław (Pologne).

la **Bresse** ■ Région de *Bourg-en-Bresse, dans l'est de la France. Elle fut cédée par la Savoie à la France en 1601. Économie agricole (volailles renommées).

La **Bresse** ■ Commune des *Vosges. 5 400 hab. *(les Bressands).*

Robert **Bresson** ■ Cinéaste français (né en 1907). Style exigeant et dépouillé. *"Les Dames du bois de Boulogne."*

Bressuire ■ Sous-préfecture des Deux-*Sèvres. 18 000 hab. *(les Bressuirais).*

Brest ■ Sous-préfecture du *Finistère, port militaire sur la rade de Brest depuis le XVIIᵉ s. Centre détruit en 1944 et reconstruit. Nombreuses activités portuaires et océanographiques. Université. 172 000 hab. *(les Brestois).*

Brest ■ Ville d'U. R. S. S. (*Biélorussie), 135 000 hab, autrefois polonaise *(Brześć Litowski).* ▶ *le traité de Brest-Litovsk* (1918) mit fin à la guerre russo-allemande.

la **Bretagne** ■ Péninsule à l'ouest de la France, entre la Manche et l'Atlantique, formée de massifs peu élevés (⇒ Massif **armoricain**) entaillés de vallées. Elle doit son nom aux **Bretons,** peuple celte venu de l'Angleterre aux Vᵉ - VIᵉ s. Pratiquement indépendante sous les Carolingiens, la Bretagne fut un enjeu des rivalités entre Capétiens et Anglais. Duché prospère au XVᵉ s., elle passa à la Couronne en 1524 (mort de *Claude de France), non sans continuer à manifester son particularisme. C'est aujourd'hui une région administrative regroupant quatre départements : Côtes-du-Nord, Finistère, Morbihan, Ille-et-Vilaine. Préfecture : Rennes. 27 208 km². 2,7 millions d'hab. *(les Bretons).* Économie essentiellement agricole qui repose sur l'élevage (laitier, porcin, avicole) et qui cherche à s'industrialiser (agro-alimentaire, pêche très active). La Bretagne est la 2e région touristique française.

la **Bretagne** ■ Nom francisé de la province romaine de *Britannia,* aujourd'hui la Grande-Bretagne.

Brétigny-sur-Orge ■ Commune de l'*Essonne. 20 000 hab. *(les Brétignolais).*

André **Breton** ■ Écrivain français (1896-1966). Fondateur et théoricien du *surréalisme. Poète et critique d'art. *"Nadja"*, récit. *"Manifestes du surréalisme".*

Bretton Woods ■ Localité des États-Unis où eut lieu une conférence internationale fixant des conditions nouvelles à l'économie (1944) : changes fixes (le dollar comme unité de compte — il restera convertible en or jusqu'en 1971), création du Fonds monétaire international (F. M. I.) et de la Banque internationale pour la reconstruction et le développement (B. I. R. D.).

Marcel **Breuer** ■ Architecte américain (1902-1981). Collaborateur de Gropius, professeur au *Bauhaus. Mobilier. Palais de l'Unesco à Paris (avec Nervi et Zehrfuss).

Breughel ■ ⇒ **Bruegel.**

l'abbé Henri **Breuil** ■ Paléontologue et préhistorien français (1877-1961).

Otokar **Březina** ■ Poète tchèque (1868-1929). Inspiration mystique et métaphysique. *"Les Lointains mystérieux".*

Briançon ■ Sous-préfecture des Hautes-*Alpes. 11 500 hab. *(les Briançonnais).* Église et citadelle construites par Vauban. La région du *Briançonnais* a une situation stratégique.

Aristide **Briand** ■ Homme politique français (1862-1932). Remarquable orateur, plusieurs fois ministre de gauche avant 1918, il fut surtout l'artisan du rapprochement franco-allemand après guerre et de la diplomatie de la paix. Prix Nobel 1926.

Briansk ■ Ville d'U. R. S. S. (Russie). 385 000 hab. Industries.

Briare ■ Commune du *Loiret. 5 700 hab. *(les Briarois).*

Bridgeport ■ Ville des États-Unis (*Connecticut), près de *New York. 156 500 hab.

Bridgetown ■ Capitale de l'île de la Barbade (Antilles). 10 000 hab.

la **Brie** ■ Plateau fertile entre la Seine et la Marne. Fromages réputés. Villes principales : Meaux, Melun, Coulommiers. Ses habitants sont *les Briards.*

Brie-Comte-Robert ■ Commune de *Seine-et-Marne. 8 800 hab. *(les Briards).*

Briey ■ Sous-préfecture de *Meurthe-et-Moselle. 5 500 hab. *(les Briotins).*

Richard **Bright** ■ Médecin anglais (1788-1858). Un des fondateurs de l'anatomie pathologique. Le *mal de Bright :* la néphrite chronique.

Brighton ■ La plus importante station balnéaire d'Angleterre. 164 000 hab.

Brignoles ■ Sous-préfecture du *Var. 10 500 hab. *(les Brignolais).* Ancienne résidence des comtes de Provence.

La **Brigue** ■ Commune des *Alpes-Maritimes. 490 hab. *(les Brigasques).* Rattachée à la France avec Tende, en 1947.

Paul **Bril** ■ Peintre flamand (1556-1626). Paysages d'Italie.

Anthelme **Brillat-Savarin** ■ Magistrat et écrivain français (1755-1826). Sa *"Physiologie du goût"* fait l'éloge de la gastronomie.

Léon **Brillouin** ■ Physicien français, établi aux États-Unis en 1941 (1889-1969). Théorie quantique, électronique, théorie de l'information.

Brindisi ■ Ville d'Italie. 88 000 hab. Une des plus anciennes cités de l'Adriatique.

Brioude ■ Sous-préfecture de la Haute-*Loire. 8 400 hab. *(les Brivadois).* Marché agricole.

Valéri **Brioussov** ■ Poète russe (1873-1924). Critique, traducteur, théoricien du symbolisme russe.

Brisbane ■ Ville et port d'Australie. 1,1 million d'hab.

Jacques Pierre **Brissot** dit *Brissot de Warville* ■ Révolutionnaire français, publiciste (1754-1793). Chef des *Girondins (ou *Brissotins),* il fut guillotiné.

Bristol ■ Ville et port fluvial d'Angleterre. 422 000 hab. Nombreuses industries : constructions mécaniques, pétrochimie.

Britannicus ■ Rival malheureux de *Néron (41-55). Il fut empoisonné. Son destin a inspiré une tragédie à Racine.

les îles **Britanniques** ■ Grande-Bretagne, Irlande, et 5 000 îles environnantes.

Benjamin **Britten** ■ Compositeur anglais (1913-1976). Il écrivit surtout pour la voix. *"Peter Grimes"*, opéra.

Brive-la-Gaillarde ■ Sous-préfecture de la *Corrèze. 55 000 hab. *(les Brivois* ou *Brivistes).* Important marché agricole. Petites industries. Maisons anciennes.

Brno ■ 3e ville de Tchécoslovaquie, capitale de la *Moravie. 379 000 hab. Mécanique.

Broadway ■ Rue des théâtres à Manhattan (*New York).

Pierre Paul **Broca** ■ Chirurgien français, initiateur de l'anthropologie physique (1824-1888). Recherche des localisations cérébrales.

Hermann **Broch** ■ Écrivain autrichien (1886-1951). *"Les Somnambules"* ; *"la Mort de Virgile".*

Max **Brod** ■ Écrivain israélien de langue allemande, né à Prague (1884-1968). Éditeur et biographe de *Kafka.

les ducs de **Broglie** ■ Nobles français d'origine piémontaise. Plusieurs d'entre eux ont été des hommes politiques et des hommes de science. □ *Louis de Broglie* (1892-1987), créateur de la mécanique ondulatoire, qui fut un apport décisif à la théorie quantique. Prix Nobel de physique 1929.

Louis **Bromfield** ■ Romancier américain (1896-1956). *"La Mousson".*

Bromley ■ Banlieue de Londres. 303 000 hab.

Bron ■ Commune du *Rhône, dans la banlieue de Lyon. 41 500 hab.

Alexandre Théodore **Brongniart** ■ Architecte *néoclassique français (1739-1813). Bourse de Paris. □ *Alexandre* **Brongniart**, son fils (1770-1847), minéralogiste, géologue, céramiste. □ *Adolphe* **Brongniart** (1801-1876), fils du précédent, fondateur de la paléontologie végétale.

les **Brontë** ■ Écrivains anglais. Un même esprit de révolte anime leurs œuvres. □ *Branwell Patrick* **Brontë** (1815-1846). Enfant, il rédigea les "*Juvenilia*" avec ses sœurs. □ *Charlotte* **Brontë** (1816-1855), auteur de "*Jane Eyre*". □ *Emily Jane* **Brontë** (1818-1848) a écrit le célèbre "*les Hauts de Hurlevent*". □ *Anne* **Brontë** (1820-1849), auteur de "*Agnes Grey*".

le **Bronx** ■ ⇒ New York.

Bronzino ■ Peintre *maniériste italien (1503-1572). Portraits aux coloris froids.

Peter **Brook** ■ Metteur en scène anglais de théâtre et de cinéma (né en 1925).

Brooklyn ■ District de New York. 2,2 millions d'hab.

Salomon de **Brosse** ■ Architecte français (1575-1626). Il annonce le *classicisme. Palais du Luxembourg, à Paris.

Charles de **Brosses** ■ Magistrat, écrivain et érudit français (1709-1777). "*Lettres*".

François **Broussais** ■ Médecin français (1772-1838). Adepte des diètes et saignées.

Brousse, en turc *Bursa* ■ Ville de Turquie. 614 000 hab. Capitale des sultans ottomans au XIVᵉ s. Nombreux monuments.

Adriaen **Brouwer** ou **Brauwer** ■ Peintre flamand (1605-1638). Élève de F. *Hals. Scènes de taverne.

Luitzen **Brouwer** ■ Mathématicien et logicien hollandais (1881-1966). Chef de file de l'école qui défend le rôle de l'intuition, en mathématique.

Robert **Brown** ■ Botaniste écossais (1773-1858). Il a découvert le mouvement des particules qu'on appelle mouvement *brownien*.

Robert **Browning** ■ Poète anglais (1812-1889). Inspiration lyrique et philosophique ("*l'Anneau et le Livre*"). □ *Elizabeth Barrett* **Browning**, sa femme (1806-1861), auteur des "*Sonnets de la Portugaise*" et d'"*Aurora Leigh*" (roman en vers).

Libéral **Bruant** ■ Architecte français (v. 1636 - 1697). Représentant du *classicisme. Hôtel des Invalides à Paris.

Aristide **Bruant** ■ Chansonnier français (1851-1925). Chansons d'inspiration populaire, notamment "*Nini Peau d'chien*".

Bruay-en-Artois ■ Commune du *Pas-de-Calais. 23 200 hab. (*les Bruaysiens*). Houillères.

Bruay-sur-l'Escaut ■ Commune du *Nord. 11 800 hab. Houillères.

die **Brücke** ■ « Le Pont », association regroupant de 1905 à 1913 les artistes *expressionnistes allemands les plus extrêmes (*Kirchner, Heckel, *Schmidt-Rottluff, *Nolde).

Anton **Bruckner** ■ Compositeur romantique autrichien (1824-1896). "*Te Deum*". Amples symphonies dans la lignée de Beethoven.

Pieter **Bruegel** *l'Ancien* ■ Peintre flamand (v. 1525 - 1569). Il fit une description du milieu rural de son temps, qu'il enrichit d'une méditation sur le destin. Grand plasticien. "*Les Aveugles*" ; "*la Chute d'Icare*". □ **Bruegel** *de Velours* (1568-1625), le plus célèbre de ses fils, ami de *Rubens, peintre de bouquets et de paysages minutieux.

Bruges, en néerlandais **Brugge** ■ Ville de Belgique. 117 700 hab. (*les Brugeois*). Résidence des comtes de *Flandre au Moyen Âge, très prospère grâce au marché du drap et au commerce de la *Hanse. Cité ancienne (XIIIᵉ - XVᵉ s.), canaux (la « Venise du Nord »). Tourisme. Le canal de *Zeebrugge a relancé son activité.

Bruges ■ Commune de la *Gironde, banlieue de *Bordeaux. 7 900 hab.

le 18 **Brumaire** *an VIII* ■ 9 novembre 1799, journée au cours de laquelle Napoléon Bonaparte, à l'instigation de *Sieyès, renversa le *Directoire. Le *Consulat fut mis en place dès le lendemain.

Brumath ■ Commune du Bas-*Rhin. 7 700 hab.

George Bryan **Brummel** ■ Célèbre dandy anglais (1778-1840). Surnommé « le roi de la mode ».

Brunei ■ État (sultanat islamique), sur l'île de *Bornéo. Capitale : *Bandar Seri Begawan. Langue officielle : malais. Monnaie : dollar de Brunei. 5 765 km². 221 900 hab. Ancien protectorat britannique, indépendant depuis 1984. Il vit du pétrole.

Filippo **Brunelleschi** ■ Architecte italien (1377-1446). Sculpteur, une des grandes figures des débuts de la *Renaissance. Dôme de la cathédrale de Florence.

saint **Bruno** ■ Fondateur de l'ordre bénédictin des *Chartreux (v. 1035 - 1101).

Giordano **Bruno** ■ Dominicain, savant, écrivain et théologien italien (1548-1600). Condamné et brûlé pour hérésie.

Brunoy ■ Commune de l'*Essonne. 23 900 hab.

Léon **Brunschvicg** ■ Philosophe français (1869-1944). Philosophe des sciences.

Brunswick, en allemand **Braunschweig** ■ Ville de R. F. A. 247 300 hab. Important centre commercial et industriel. Capitale de l'ancien État de Brunswick, aujourd'hui intégré à la *Basse-Saxe.

Charles Guillaume Ferdinand duc de **Brunswick** ■ Chef des armées austro-prussiennes (1735-1806). Il lança le « manifeste de Brunswick » contre la France en 1792.

Brutus ■ Fils adoptif de César, et l'un de ses meurtriers (v. 85 - 42 av. J.-C.).

Bruxelles, en néerlandais **Brussel** ■ Capitale de la Belgique, chef-lieu du *Brabant. 973 000 hab. (*les Bruxellois*). Centre économique, politique (palais royal, institutions européennes), administratif, culturel (universités, musées, monuments). Ville bilingue. Son histoire reflète celle du pays : résidence des Bourguignons, des Habsbourg, du roi des Pays-Bas, lieu des insurrections indépendantistes.

Bruz ■ Commune d'*Ille-et-Vilaine. 8 000 hab.

Bry-sur-Marne ■ Commune du *Val-de-Marne. 12 100 hab.

Martin **Buber** ■ Philosophe israélien d'origine autrichienne (1878-1965). "*Le Je et le Tu*".

Bucaramanga ■ Ville de Colombie. 363 900 hab. Cimenteries.

Bucarest ■ Capitale de la *Roumanie, 1,9 million d'hab. Métropole industrielle (20 % de la production nationale). Capitale de la *Valachie aux XVIIIe et XIXe s. (monuments).

Martin **Bucer** ■ Un des propagateurs de la *Réforme en Alsace et en Angleterre (1491-1551).

George **Buchanan** ■ Humaniste écossais (1506-1582). Il écrivit des tragédies en latin.

Buchenwald ■ Camp de concentration nazi, près de *Weimar (plus de 55 000 morts).

Georg **Büchner** ■ Écrivain romantique allemand, mort à 24 ans (1813-1837). Son théâtre oscille entre l'action révolutionnaire et une philosophie du néant : "*la Mort de Danton*" ; "*Woyzeck*" (sujet d'un opéra de *Berg).

Pearl **Buck** ■ Romancière américaine (1892-1973). L'action de ses romans se déroule en Chine. "*La Terre chinoise*". Prix Nobel 1938.

Buckingham ■ Ville d'Angleterre (4 500 hab.), érigée en duché pour George Villiers (1592-1628), favori de *Jacques Ier et *Charles Ier. □ *Buckingham Palace*, palais construit à Londres par ses descendants (1705), est l'actuelle résidence royale.

la **Bucovine** ou **Bukovine** ■ Région des Carpates partagée entre la Roumanie (Bucovina) et l'U. R. S. S. (Bukovina).

Budapest ■ Principale ville et capitale de la Hongrie. 2,09 millions d'hab. (un cinquième de la population). Née de la réunion de Buda et de Pest en 1873. Elle concentre l'essentiel des activités économiques, intellectuelles et culturelles du pays : un tiers des usines, trois quarts des sièges sociaux. Pôle touristique.

Guillaume **Budé** ■ Humaniste et érudit français (1467-1540). Il obtint de *François Ier la création du *Collège de France.

Buenaventura ■ Port de Colombie, sur le Pacifique. 165 000 hab.

Buenos Aires ■ Capitale de l'Argentine. 3 millions d'hab. (un tiers de la population du pays avec l'agglomération). Au cœur du réseau de communications du pays, centre intellectuel et économique. Grand port dans l'estuaire du Río de La Plata, sur l'Atlantique. Pétrole. Second centre industriel d'Amérique du Sud, après *São Paulo. Fondée en 1536 par les Espagnols.

Buffalo ■ Ville des États-Unis (*New York). 357 800 hab. Grand port sur le lac *Érié. Université.

William Frederick Cody dit **Buffalo Bill** ■ Aventurier américain (1846-1917). Célèbre pour avoir chassé et tué de nombreux bisons (buffaloes).

Georges Louis Leclerc comte de **Buffon** ■ Naturaliste et écrivain français (1707-1788). "*Histoire naturelle*".

Ettore **Bugatti** ■ Industriel français d'origine italienne (1881-1947). Automobiles et automotrices.

Thomas **Bugeaud** ■ Maréchal de France (1784-1849). Gouverneur de l'Algérie de 1840 à 1847, il en organisa la conquête.

Bujumbura ■ Capitale du Burundi. 272 600 hab.

Bukavu ■ Ville du Zaïre. 171 000 hab.

Bulawayo ■ Ville du Zimbabwe. 414 800 hab.

la **Bulgarie** ■ État (république populaire) des *Balkans. 110 912 km². 8,95 millions d'hab. (les *Bulgares*). Capitale : Sofia. Langue : bulgare. Mon-naie : lev. Pays de montagnes et de vallées (dont la plaine du *Danube, au nord) à dominante agricole, malgré le développement de la chimie et de l'industrie lourde dans le cadre d'une économie socialiste. □HISTOIRE. État indépendant au IXe s., il fut christianisé et soumis par *Byzance (972). Au XIIe s., il retrouva son autonomie et domina les Balkans (dynastie des Asénides). L'Empire ottoman l'annexa progressivement au XIVe s. L'éveil du nationalisme aboutit à la reconnaissance partielle de l'indépendance de la Bulgarie en 1878. Elle s'engagea dans les guerres balkaniques sous la conduite de Ferdinand de Saxe-Cobourg, qui proclama l'indépendance totale en 1908 et prit le titre de tsar des Bulgares. L'alliance avec l'Allemagne en 1914 et 1940 entraîna la chute de la royauté puis l'instauration (1946) d'une république prosoviétique.

Jean **Bullant** ■ Architecte et théoricien français (v. 1520 - 1578).

Bully-les-Mines ■ Commune du *Pas-de-Calais. 12 500 hab. (les Bullygeois). Houillères.

Bernhard prince von **Bülow** ■ Homme politique allemand (1849-1929). Chancelier de 1900 à 1909.

le **Bundestag** ■ Assemblée législative de la R. F. A., élue pour quatre ans.

Robert Wilhelm **Bunsen** ■ Physicien allemand (1811-1899). Inventeur du *bec Bunsen*.

Luis **Buñuel** ■ Cinéaste espagnol (1900-1983). Proche du *surréalisme et de l'anarchisme. "*Un chien andalou*" ; "*Viridiana*" ; "*Cet obscur objet du désir*".

John **Bunyan** ■ Écrivain religieux anglais (1628-1688). "*Le Voyage du pèlerin*".

Philippe **Buonarroti** ■ Révolutionnaire français (1761-1837). Proche de *Babeuf, dont il continua l'œuvre en Europe.

Jakob **Burckhardt** ■ Historien suisse de langue allemande (1818-1897). "*La Civilisation de la Renaissance en Italie*".

Burdwân ■ Ville de l'Inde. 167 600 hab.

Bures-sur-Yvette ■ Commune de l'*Essonne. 7 700 hab.

Burgas ■ Port de Bulgarie, 182 500 hab., au fond du *golfe de Burgas*.

Gottfried **Bürger** ■ Poète lyrique allemand (1747-1794). "*Lénore*".

Anthony **Burgess** ■ Romancier britannique (né en 1917). "*Orange mécanique*" adapté au cinéma par *Kubrick.

Hans **Burgkmair** ■ Peintre et graveur allemand (1473-1531). L'un des premiers qu'influença la *Renaissance italienne.

les **Burgondes** n. m. ■ Peuple germanique de l'Antiquité. ▶ *la* **Burgondie**, royaume fondé en Gaule par les Burgondes, chassé par les *Huns, et qui est à l'origine de la Bourgogne.

Burgos ■ Ville d'Espagne. 156 500 hab. Ancienne capitale de la *Castille. Nombreuses églises médiévales.

Jean **Buridan** ■ Philosophe scolastique français (v. 1300 - v. 1370). On appelle « l'âne de Buridan » un argument qui lui est attribué mais ne se trouve pas dans ses écrits ; il pose le problème du déterminisme ou de la liberté : un âne qui ne saurait choisir entre des aliments à égale distance de lui mourrait de faim.

Edmund **Burke** ■ Homme politique britannique (1729-1797). Écrivain conservateur.

le **Burkina Faso** ∎ État (république démocratique et populaire) de l'Afrique occidentale. 274 122 km². 8,3 millions d'hab. *(les Burkinabé)*. Capitale : Ouagadougou. Élevage. Manganèse. Langues : français (officielle), moré, dioula. Monnaie : franc CFA. □HISTOIRE. Territoire des anciens royaumes mossis, le pays fut englobé dans les colonies françaises à la fin du XIXᵉ s. Sous l'impulsion de Maurice Yameogo, il devint indépendant en 1960, sous le nom de *Haute-Volta*. Après le coup d'État du capitaine Thomas Sankara, il devint le Burkina Faso (1984).

sir Edward Jones dit **Burne-Jones** ∎ Peintre anglais (1833-1898) proche des *préraphaélites, mais plus novateur qu'eux par ses *formes qui annoncent l'art *nouveau.

Robert **Burns** ∎ Poète écossais (1759-1796). Autodidacte, considéré comme le plus grand poète de langue écossaise, il trouve son inspiration dans la vie paysanne.

Edgar Rice **Burroughs** ∎ Romancier américain (1875-1950). Créateur du personnage de Tarzan. *"La Conquête de Mars"* ; *"Pellucidar"*.

William Seward **Burroughs** ∎ Écrivain américain (né en 1914). Proche de *Ginsberg. Récits d'expériences limites dans un style d'avant-garde. *"Nova Express"*.

le **Burundi** ∎ État (république) d'Afrique centrale, entre le Ruanda, le Zaïre et la Tanzanie. 27 834 km². 4,92 millions d'hab. Capitale : Bujumbura. Langues officielles : kirundi et français. Monnaie : franc du Burundi. Économie agricole (café). □HISTOIRE. Royaume africain, il fut colonisé par les Allemands (fin XIXᵉ s.) avant de former, avec le *Ruanda, le Ruanda-Urundi, sous mandat puis sous tutelle belge. Il fut indépendant en 1962 et devint une république en 1966, divisée par l'opposition des ethnies hutu et tutsi.

Wilhelm **Busch** ∎ Humoriste et dessinateur allemand (1832-1908). *"Max und Moritz"*, une des premières bandes dessinées.

Bussy-Rabutin ∎ Écrivain français (1618-1693). Son *"Histoire amoureuse des Gaules"* dépeint les intrigues de la cour de Louis XIV.

Samuel **Butler** ∎ Écrivain anglais (1835-1902). *"Erewhon"* (*nowhere*, « nulle part », inversé), ouvrage satirique.

Michel **Butor** ∎ Écrivain français (né en 1926). Il a renouvelé la technique du roman. *"La Modification"*. Écrits expérimentaux. Critique d'art.

Dietrich **Buxtehude** ∎ Compositeur et organiste germano-danois (v. 1637 - 1707). Son art a profondément influencé J.-S. Bach. Musique sacrée, pièces pour orgue et pour clavecin.

Cyriel **Buysse** ∎ Écrivain belge d'expression néerlandaise (1859-1932). *"Le Droit du plus fort"*, chronique sociale.

Buzançais ∎ Commune de l'*Indre. 4 900 hab. *(les Buzançaiens)*.

Dino **Buzzati** ∎ Écrivain italien (1906-1972). Récits étranges et fantastiques. *"Le Désert des Tartares"* ; *"la Fameuse Invasion des ours en Sicile"*.

Byblos ∎ Ancienne cité phénicienne, aujourd'hui site archéologique de Djebail au Liban.

Bydgoszcz ∎ Ville de Pologne. 361 000 hab. Nœud de communications, port fluvial, industries.

William **Byrd** ∎ Compositeur anglais (1543-1623). Musique religieuse.

lord **Byron** ∎ Poète anglais (1788-1824). Ses voyages, sa révolte contre la société et la morale britanniques, sa vie amoureuse, son séjour en Italie, sa mort à *Missolonghi ont fait de lui un personnage de légende. Son influence sur le *romantisme fut immense. *"Le Pèlerinage de Childe Harold"* ; *"Don Juan"*.

Bytom ∎ Ville de Pologne. 239 000 hab. Centre minier et sidérurgique de haute *Silésie.

Byzance ∎ Ville de *Thrace choisie par *Constantin Iᵉʳ comme seconde capitale de l'empire romain (rebaptisée *Constantinople*) et demeurée après la chute de Rome (476) la capitale de l'empire romain d'Orient ou *Empire byzantin*. *Justinien crut pouvoir reprendre aux Barbares les territoires d'Occident (v. 550). Sous son règne ce fut l'apogée d'une civilisation originale, l'hellénisme chrétien, d'où est issue la religion *orthodoxe. En conflit avec les Arabes et la papauté, l'empire fut peu à peu réduit à ses territoires d'Asie Mineure, et passa même sous la domination des Croisés de 1204 à 1261 *(Empire latin de Constantinople)*. Il disparut quand les *Ottomans prirent Constantinople (1453) et en firent leur capitale, aujourd'hui *Istanbul en Turquie. ‹ ▶ byzantin ›

C

Alexandre **Cabanel** ■ Peintre français (1823-1889). Représentant du style académique. Il eut un grand succès sous le second Empire. Scènes historiques. Portraits. Nus.

Georges **Cabanis** ■ ⇒ **Idéologues.**

José **Cabanis** ■ Écrivain français (né en 1922). *"Le Bonheur du jour"*.

Étienne **Cabet** ■ Socialiste utopiste français (1788-1856). *"Voyage en Icarie"*.

Cabimas ■ Ville du Venezuela. 138 500 hab.

Jean ou *John* **Cabot** ■ Navigateur italien au service de l'Angleterre (v. 1450 - 1499). □ *Sébastien Cabot,* son fils (v. 1476 - 1557), navigateur au service de l'Espagne.

Cabourg ■ Commune du *Calvados. 3 200 hab. *(les Cabourgeais)*. Station balnéaire.

Pedro Álvarez **Cabral** ■ Navigateur portugais (v. 1460 - 1526). Il prit possession du Brésil en 1500.

Giulio **Caccini** ■ Compositeur et chanteur italien (1560-1618). Un des inventeurs de l'opéra avec *Péri.

Cachan ■ Commune du *Val-de-Marne, dans la banlieue sud de Paris. 25 100 hab.

le **Cachemire** ■ Ancien royaume indien, province montagneuse riche et fertile (6 millions d'hab.), partagée depuis 1949 entre l'Inde et le Pakistan et cause de tensions entre les deux pays (guerre en 1966). ⟨ ► cachemire ⟩

José **Cadalso** ■ Écrivain espagnol (1741-1782). *"Lettres marocaines"*, inspirées des *"Lettres persanes"* de *Montesquieu.

Cadix, en espagnol *Cádiz* ■ Port d'Espagne (*Andalousie). 158 000 hab. Cadix devint au XVIIIᵉ s. le principal port de commerce avec l'Amérique, supplantant *Séville.

René-Guy **Cadou** ■ Poète français (1920-1951). *"Hélène ou le règne végétal"* ; *"Mon enfance est à tout le monde"*.

Georges **Cadoudal** ■ Chef chouan (⇒ **chouannerie**), exécuté pour complot contre le Premier consul Bonaparte (1771-1804).

Caen ■ Préfecture du *Calvados et de la région de Basse-Normandie. 117 100 hab. *(les Caennais)*. Résidence de *Guillaume le Conquérant (monuments médiévaux). Gravement endommagée en 1944. Port relié à la Manche par le *canal de Caen*. Centre industriel : sidérurgie, automobile, électronique.

les **Caffieri** ■ Famille de sculpteurs, ciseleurs et ébénistes français d'origine italienne. □ *Jean-Jacques Caffieri* (1725-1792), auteur de célèbres bustes (Corneille, le chanoine Pingré).

John **Cage** ■ Compositeur américain (né en 1912). Célèbre pour son « piano préparé » et ses expériences provocantes.

Cagliari ■ Port d'Italie (*Sardaigne). Nombreux vestiges archéologiques. 222 500 hab.

Cagnes-sur-Mer ■ Commune des *Alpes-Maritimes. 35 400 hab. *(les Cagnois)*.

Cahors ■ Préfecture du *Lot. 20 700 hab. *(les Cadurciens, Cahorsins* ou *Cahorsains)*. Sa cathédrale romane, à coupoles, et d'autres monuments (pont Valentré) témoignent de son importance au Moyen Âge. Vins, industries de consommation.

Joseph **Caillaux** ■ Homme politique français (1863-1944). Expert des Finances, plusieurs fois ministre (radical).

Gustave **Caillebotte** ■ Peintre français et le premier collectionneur des *impressionnistes (1848-1894).

René **Caillié** ■ Explorateur français (1799-1838). Le premier à visiter *Tombouctou (1828).

Roger **Caillois** ■ Écrivain et essayiste français (1913-1978). Il n'a cessé de mettre en rapport les sciences et les arts, la nature et la société.

Caïn ■ Fils d'Adam et Ève, dans la Bible. Il tua son frère *Abel.

Le **Caire** ■ Capitale d'Égypte, la plus importante ville africaine et arabe. 6,2 millions d'hab. *(les Cairotes)*. Monuments de toutes les époques de l'islam (apogée au XIVᵉ s. sous les *Mamelouks), musées, mosquée-université d'al-Azhar. Grande métropole industrielle et commerciale.

la **Calabre** ■ Extrémité sud de la péninsule italienne. Terre pauvre, économiquement sacrifiée à l'industrialisation du Nord.

Calais ■ Sous-préfecture du *Pas-de-Calais. 77 000 hab. *(les Calaisiens)*. La ville fut anglaise de 1347 à 1558. Célèbre épisode de la guerre de *Cent Ans (représenté par un groupe sculpté de Rodin) : six bourgeois se livrèrent en otages aux Anglais pour que Calais soit épargné. Peu de monuments ont échappé aux destructions de 1944. Industries (dentelle), port (tourisme avec l'Angleterre). Station balnéaire.

Calcutta ■ 1ᵉʳ port de l'Inde, capitale du *Bengale, ancien comptoir de la Compagnie anglaise des Indes orientales. 9,1 millions d'hab. Vie économique intense (industrie métallurgique, textile, centre commercial et bancaire), mais les problèmes de surpopulation, de misère et de salubrité sont graves.

Antonio **Caldara** ■ Compositeur *baroque italien (v. 1670 - 1736).

Alexander **Calder** ■ Sculpteur américain, peintre (1898-1976). Inventeur des *mobiles*.

Pedro **Calderón de la Barca** ■ Un des grands maîtres du théâtre espagnol (1600-1681). Auteur de pièces allégoriques en un acte (*"le Grand Théâtre du monde"*), et de comédies à thème historique, moral ou religieux (*"la Vie est un songe"* ; *"la Dévotion à la croix"*).

Erskine **Caldwell** ■ Romancier américain (1903-1987). *"La Route au tabac"*.

la **Calédonie** ■ Nom donné par les Romains à l'Écosse actuelle.

*la Nouvelle-***Calédonie** ■ ⇒ **Nouvelle-Calédonie.**

Calgary ■ Ville du Canada (*Alberta). 636 100 hab. Commerce pétrolier. Banques.

Cali ■ Ville de Colombie. 1,39 million d'hab. Industries textiles et alimentaires.

la **Californie** ■ Région frontalière du Mexique et des États-Unis, sur le Pacifique. □ *la Californie,* État des États-Unis. 411 012 km². 27,6 millions d'hab. Capitale : *Sacramento. Villes principales : *Los Angeles, *San Francisco. Nombreux centres universitaires et de recherche (électronique). Cultures tropicales ; agrumes, vins. Richesses minérales (ruée vers l'or v. 1850). □ *la* **Basse-Californie,** presqu'île mexicaine divisée en deux États, est séparée du continent par le *golfe de Californie.*

Caligula ■ Empereur romain (12-41). Il succéda à *Tibère. Ses fantaisies despotiques le firent passer pour fou.

Callao ■ 1ᵉʳ port du Pérou, près de Lima. 260 500 hab. Pêche. Exportation de farine de poisson.

Maria Kalogeropoulos dite *la* **Callas** ■ Cantatrice grecque, soprano (1923-1977). Sa voix, son génie dramatique et son tempérament ont marqué l'histoire de l'opéra.

Callicratès ■ Architecte grec (vᵉ s. av. J.-C.). Il éleva avec Ictinos le *Parthénon, sous les directives de *Phidias.

Callimaque ■ Sculpteur grec (vᵉ s. av. J.-C.). Il aurait inventé le chapiteau corinthien.

Callimaque ■ Poète grec (v. 315 - v. 240 av. J.-C.). Représentant de l'art raffiné d'Alexandrie, il fut un modèle pour les poètes latins.

Calliope ■ *Muse de la Poésie épique et de l'Éloquence.

Jacques **Callot** ■ Artiste français, remarquable graveur (1592-1635). Œuvre immense au style réaliste et baroque. Séries des *"Caprices"*, des *"Misères de la guerre"*.

Charles-Alexandre de **Calonne** ■ Ministre de Louis XVI (1734-1802). Contrôleur des Finances de 1783 à 1787, il échoua dans ses tentatives de réformes.

Calonne-Ricouart ■ Commune du *Pas-de-Calais. 7 500 hab. *(les Calonnais).* Houillères.

Caloocan ■ Ville des Philippines. 467 800 hab.

Caluire-et-Cuire ■ Commune du *Rhône. 42 100 hab.

le **Calvados** [14] ■ Département français de la Basse-*Normandie, bordé au nord par la Manche. 5 693 km². 590 000 hab. Préfecture : Caen. Sous-préfectures : Bayeux, Lisieux, Vire. ⟨ ▶ calvados ⟩

Calvi ■ Sous-préfecture de la Haute-*Corse, port au fond du *golfe de Calvi.* 3 600 hab. *(les Calvais).* Citadelle (xvᵉ s.), tourisme.

Jean **Calvin** ■ Réformateur français. Un des fondateurs, après *Luther, du protestantisme (1509-1564). Auteur d'une *"Institution de la religion chrétienne",* il dut fuir l'*Inquisition et se réfugia à Genève (1541), où il organisa l'Église réformée de Genève. ▶ *le calvinisme,* sa doctrine, professe le retour à l'autorité de la Bible, la simplicité du culte, et la croyance en la prédestination. Originaire de France et de Suisse, il s'est répandu en Angleterre, aux Pays-Bas, aux États-Unis, en Afrique du Sud... ⇒ **protestantisme, Réforme.** ⟨ ▶ calvinisme ⟩

Italo **Calvino** ■ Écrivain italien (1923-1985). Son œuvre mêle l'étrange, le pathétique et le cocasse, de manière très structurée. *"Le Baron perché"* ; *"Marcovaldo"*.

André **Calvos** ■ Poète grec (1792-1867). *"La Lyre"* ; *"Odes nouvelles"*.

Camagüey ■ Ville de Cuba. 260 800 hab.

la **Camargue** ■ Région marécageuse du sud de la France, à l'embouchure du *Rhône. Élevage de chevaux et de taureaux. Parc naturel régional. Rizières. Sel marin.

Jean-Jacques de **Cambacérès** *duc de Parme* ■ Juriste et homme politique français (1753-1824). 2ᵉ consul lors du *Consulat, dignitaire du premier Empire.

le **Cambodge** ou **Kampuchéa** ■ État (république populaire) d'Asie du Sud-Est, entre la Thaïlande, le Laos et le Viêt-nam. 181 035 km². 6,2 millions d'hab. Capitale : Phnom Penh. Langue officielle : khmer. Monnaie : riel. □HISTOIRE Cet ancien royaume, menacé à la fois par les Siamois et les Vietnamiens, devint protectorat français en 1863. Théoriquement indépendant dès 1949, le pays chercha son autonomie sous la houlette du roi *Norodom Sihanouk qui resta, après son abdication en faveur de son père (1955), le véritable chef de l'État. Le prince fut renversé par le général Lon Nol, la royauté abolie (1970). Le nouveau gouvernement s'engagea dans une guerre civile qu'il perdit malgré l'aide américaine : les Khmers rouges (communistes, maoïstes) créèrent l'État du Kampuchéa démocratique (1976), instaurèrent, dirigés par Pol Pot, le communisme rural et la terreur, exterminant une partie de la population. Entrés en guerre contre le Viêt-nam, ils furent battus et chassés par le gouvernement pro-vietnamien de Heng Samrin (1979). La République populaire du Cambodge tente de se relever de ces épreuves (génocide, exode massif notamment vers la Thaïlande) et de la ruine de son économie (agriculture, pêche).

Cambo-les-Bains ■ Commune des *Pyrénées-Atlantiques. 5 100 hab. *(les Camboards).* Station climatique.

Joseph **Cambon** ■ Révolutionnaire français (1756-1820). En 1793, il instaura la reconnaissance de la Dette publique.

les frères **Cambon** ■ Diplomates français. Jules (1845-1935) et Paul (1843-1924).

Cambrai ■ Sous-préfecture du *Nord. 36 600 hab. *(les Cambrésiens).* Nombreux monuments des XVIIᵉ-XVIIIᵉ s. Réunie à la France en 1678, elle eut *Fénelon pour archevêque. Industries textile et alimentaire (confiserie : les « bêtises de Cambrai »). Le riche seuil du *Cambrésis* fait la jonction entre la *Flandre et le Bassin *parisien.

Cambridge ■ Ville du sud-est de l'Angleterre. 100 000 hab. Célèbre université fondée au XIIIᵉ s. (nombreux bâtiments anciens).

Cambridge ■ Ville des États-Unis, (*Massachusetts), à côté de Boston. 95 000 hab. Siège de la plus ancienne université américaine (Harvard, 1636) et du Massachusetts Institute of Technology (M. I. T.).

Pierre **Cambronne** ■ Général français (1770-1842). On lui attribue « le mot de Cambronne » et le fier « la garde meurt et ne se rend pas », adressés aux Anglais à *Waterloo.

le **Cameroun** ■ État (république fédérale) d'Afrique centrale, sur le golfe de Guinée. 465 054 km². 9,88 millions d'hab. *(les Camerounais).* Principales ethnies : Bamilékés, *Peuls. Capitale : Yaoundé. Langues : français et anglais (officielles), béti, peul. Monnaie : franc CFA. Essentiellement montagnard, le pays développe l'agriculture (cacao, café, élevage), la production d'électricité, quelques industries (alimentaires, aluminium) ; les ressources minières restent sous-exploitées. □HISTOIRE. Royaume *peul puis protectorat allemand, divisé en 1919 entre Français (9/10 du territoire) et Anglais, le Cameroun devint indépendant en 1960 (la partie britannique étant divisée entre le Nigeria et le nouvel État en 1961). Il joue un rôle diplomatique important en Afrique, sous la présidence de A. Ahidjo, puis de son successeur (en 1982) et ancien ministre Paul Biya.

Camille ■ Général romain (Vᵉ-IVᵉ s. av. J.-C.). Il chassa les Gaulois qui avaient pris Rome (390 av. J.-C.).

les **Camisards** ■ Nom donné aux calvinistes des Cévennes, en révolte contre l'autorité royale au début du XVIIIᵉ s.

Luís de **Camoens** ou *Camões* ■ Poète portugais (v. 1524-1580). Des échos de sa vie aventureuse se retrouvent dans les *"Lusiades"*, grand poème national.

Charles **Camoin** ■ Peintre *fauve français (1879-1965).

Tommaso **Campanella** ■ Dominicain italien (1568-1639). *"La Cité du Soleil"*, classique du collectivisme utopique.

la **Campanie** ■ Région du sud de l'Italie, sur la mer *Tyrrhénienne. Capitale : Naples. Peuplement très ancien. Malgré un sol fertile (volcanique) et l'apport du tourisme, la région est pauvre : surpopulation, faibles structures économiques.

Robert **Campin** ■ Peintre flamand, maître de *Van der Weyden (1378-1444). Il serait identifié avec *le Maître de Flémalle,* l'initiateur avec *Van Eyck de l'école *flamande.

Campina Grande ■ Ville du Brésil. 222 000 hab.

Campinas ■ Ville du Brésil. 566 500 hab.

la **Campine** ■ Plaine du nord de la Belgique (bassin houiller).

Campo Grande ■ Ville du Brésil. 283 000 hab.

André **Campra** ■ Compositeur français, créateur de l'opéra-ballet (1660-1744).

Albert **Camus** ■ Écrivain français (1913-1960). Son œuvre manifeste son sentiment de l'absurde, son exigence de sincérité et de justice. Essais *("le Mythe de Sisyphe"* ; *"l'Homme révolté"*). Romans *("l'Étranger"* ; *"la Peste"* ; *"la Chute"*). Nouvelles. Théâtre. Articles de journaux *("Actuelles"*). Prix Nobel 1957.

Cana ■ Ville de Galilée où l'Évangile situe le premier miracle de Jésus (transformation de l'eau en vin).

le pays de **Canaan** ■ ⇒ les **Cananéens**.

le **Canada** ■ État (confédération, membre du *Commonwealth) d'Amérique du Nord, au nord des États-Unis, bordé par l'Arctique, l'Atlantique et le Pacifique. Capitale : Ottawa. Langues : anglais et français. Monnaie : dollar canadien. Immense (9 203 204 km²), peu peuplé (26 millions d'hab.) car 77 % de la superficie du pays se trouvent en zones subarctique et arctique, le Canada dispose d'énormes réserves naturelles (amiante, uranium), d'une agriculture très productive (blé), de 5 % de la production forestière mondiale, de puissantes industries aidées par le faible coût de l'énergie (hydro-électricité notamment). Une vie économique et sociale de plus en plus liée aux États-Unis, et surtout le poids démographique des anglophones (plus de 75 %), ont favorisé l'émergence de mouvements indépendantistes au *Québec ; le gouvernement *Trudeau a cependant proclamé le français et l'anglais langues officielles du Canada (1968), le français devenant langue officielle du Québec en 1974. Il y a de nombreux francophones, les Acadiens, au Nouveau-Brunswick. □HISTOIRE. Les Français qui prirent possession du pays en 1534 (⇒ Jacques **Cartier**) et le colonisèrent (XVIIᵉ s.) durent céder cette « Nouvelle-France » à l'Angleterre (1763, traité de Paris), non sans avoir profondément marqué la région de *Québec, restée francophone. L'indépendance des États-Unis augmenta l'afflux de population britannique : création du *Nouveau-Brunswick en 1784 ; acte constitutionnel de 1791 imposant la création d'un *Bas-Canada* (français) et d'un *Haut-Canada* (anglais) ; acte d'union de 1840, imposant le Canada uni aux dépens des francophones. *Macdonald et G. E. *Cartier obtinrent de Londres le statut de dominion (1867), ce qui permit de réduire les tensions avec la Grande-Bretagne. Aux deux « provinces » d'origine, devenues l'*Ontario et le *Québec, et aux « provinces maritimes » (*Nouvelle-Écosse, *Nouveau-Brunswick, puis île du Prince-Édouard), se sont progressivement ajoutés cinq autres États fédérés : *Alberta, *Colombie britannique, *Manitoba, *Saskatchewan, *Terre-Neuve. Gagnant progressivement son autonomie (⇒ **Laurier, King**), indépendant depuis la création du Commonwealth (1931), le pays est dirigé depuis 1984 par le conservateur B. *Mulroney. ‹▶ canada, canadien ›

Antonio Canal dit **Canaletto** ■ Peintre italien (1697-1768). Vues de Venise, lumineuses, au dessin précis.

les **Cananéens** ■ Habitants du pays de *Canaan,* la « terre promise » selon la Bible (*Phénicie-

*Palestine). Ils furent vaincus par les Hébreux (XIᵉ s. av. J.-C.), qui adoptèrent une part de leur culture.

les îles **Canaries** ■ Archipel de l'océan Atlantique, au large du *Sahara. Communauté autonome espagnole constituée de deux provinces. 7 273 km². 1,4 million d'hab. *(les Canariens).* Tourisme. Chefs-lieux : Las Palmas et *Santa Cruz de Tenerife. ‹ ► canari ›

cap **Canaveral** ■ Base aérospatiale américaine en Floride, appelée « cap Kennedy » de 1963 à 1972.

Canberra ■ Capitale fédérale d'Australie. 285 500 hab. Ville administrative et commerciale, construite de 1913 à 1927.

Cancale ■ Commune d'*Ille-et-Vilaine. 4 700 hab. Ostréiculture.

Candie ■ Ancien nom d'*Héraklion.

Georges **Candilis** ■ Architecte et urbaniste français formé en Grèce (né en 1913). Collaborateur de *Le Corbusier.

Augustin Pyrame de **Candolle** ■ Botaniste suisse (1778-1841). Un des fondateurs de la géographie botanique.

Elias **Canetti** ■ Écrivain de langue allemande, né en Bulgarie et naturalisé britannique (né en 1905). *"Autodafé",* roman. *"Masse et Puissance",* essai. Prix Nobel 1981.

le **Canigou** ■ Massif granitique des *Pyrénées (2 786 m). Observatoire. Mines de fer.

Ivan **Cankar** ■ Écrivain slovène (1876-1918).

Cannes ■ Une des principales villes de la *Côte d'Azur (*Alpes-Maritimes). 72 700 hab. *(les Cannois* ou *Cannais).* Station balnéaire et hivernale. Festival du cinéma.

Le **Cannet** ■ Commune des *Alpes-Maritimes. 37 400 hab. *(les Cannettans).* Tourisme.

Stanislao **Cannizzaro** ■ Chimiste italien (1826-1910). Il introduisit la notion de *nombre d'*Avogadro.*

Alonso **Cano** ■ Peintre espagnol, architecte et sculpteur (1601-1667). Figures polychromes *baroques.

Canossa ■ Village d'Italie où l'empereur germanique *Henri IV vint implorer le pardon du pape *Grégoire VII (1077). *Aller à Canossa* signifie « faire amende honorable, s'humilier devant l'adversaire ».

Antonio **Canova** ■ Sculpteur italien (1757-1822). Un des principaux représentants du *néo-classicisme. *"Pauline Bonaparte".*

le **Cantal** ■ Massif volcanique d'Auvergne. Point culminant : le *Plomb du Cantal,* 1 858 m. □ *le Cantal* [15], département français de la région *Auvergne. 5 777 km². 163 000 hab. Préfecture : Aurillac. Sous-préfectures : Mauriac, Saint-Flour. ‹ ► cantal ›

Canteleu ■ Commune de *Seine-Maritime. 15 800 hab. *(les Cantiliens).*

Joseph **Canteloube** ■ Compositeur et folkloriste français (1879-1956). *"Chants d'Auvergne".*

Dimitrie **Cantemir** ■ Prince et écrivain moldave (1674 - 1723). Père de A. *Kantemir.

Canterbury ■ Ville d'Angleterre, dans le Kent. 39 000 hab. Siège du primat de l'Église anglicane (cathédrale, XIᵉ - XVᵉ s.).

Can-tho ■ Ville du Viêt-nam. 182 000 hab. Port fluvial.

Richard **Cantillon** ■ Économiste français d'origine irlandaise (v. 1680 - v. 1734).

le **Cantique des cantiques** ■ Un des livres de la *Bible. Chants d'amour attribués à *Salomon.

Canton ou **Guangzhou** ■ Ville de *Chine. 3,29 millions d'hab. *(les Cantonais).* Grande cité industrielle et commerciale. Imprimerie. Ce fut le point de pénétration des Européens au XIXᵉ s. et le lieu de proclamation de la première république chinoise (1912).

Georg **Cantor** ■ Mathématicien allemand (1845-1918). Son arithmétique de l'infini inaugure la théorie des ensembles.

Canut, en danois *Knud* ■ NOM DE SIX ROIS DU DANEMARK □ *Canut le Grand* (v. 995 - 1035) conquit l'Angleterre en 1018, puis la Norvège.

les **canuts** ■ Ouvriers lyonnais de la soie. Leur révolte en 1831 est une date importante pour le mouvement ouvrier.

Cao Cao ■ Guerrier et poète chinois (155-220). Il usurpa le pouvoir et, succédant aux *Han, unifia la Chine du Nord.

le **caodaïsme** ■ Religion syncrétiste vietnamienne fondée en 1919. Elle réunit bouddhisme, taoïsme et confucianisme.

Le **Cap** ■ 2ᵉ ville d'Afrique du Sud, capitale législative du pays. 1,5 million d'hab. Port, université, pétrole, industries.

Karel **Čapek** ■ Écrivain tchèque (1890-1938). Dramaturge, poète, romancier *("Hordubal").* Sa pièce *"les Robots universels de Rossum"* créait le mot *robot.*

Capesterre-Belle-Eau ■ Commune de *Guadeloupe. 17 400 hab.

les **Capétiens** n. m. ■ Troisième et dernière dynastie des rois de France, du nom de son fondateur *Hugues Capet (987). Ils établirent la monarchie héréditaire, et l'extension de leur domaine se confondit avec l'histoire territoriale de la France. La branche directe s'éteignit en 1328 (*Charles IV le Bel) ; la couronne passa aux Capétiens de *Valois, puis de *Bourbon (1589) et Bourbon-*Orléans.

Cap-Haïtien ■ Ville et port d'Haïti. 64 000 hab.

le **Capitole** ■ Nom donné à l'une des sept collines de Rome, puis au temple qui s'y trouvait, ensuite à la place aménagée en cet endroit par *Michel-Ange (Sénat, puis commune de Rome) et, par extension, à divers monuments publics : mairie de Toulouse (XVIIIᵉ s.) ; parlement de *Washington (XIXᵉ s.).

Jean **Capo d'Istria** ■ Homme d'État grec (1776-1831). Conseiller du tsar de Russie. « Président provisoire » de la Grèce de 1827 à son assassinat, à la fin de la guerre d'indépendance.

Al **Capone** ■ Célèbre gangster américain, d'origine italienne (1895-1947).

Truman **Capote** ■ Écrivain du sud des États-Unis (1924-1984). *"La Harpe d'herbes" ; "De sang froid".*

Capoue ■ Ville d'Italie (*Campanie) fondée par les *Étrusques (18 000 hab.). En 215 av. J.-C., les soldats d'*Hannibal s'y abandonnèrent aux « délices de Capoue », perdant un temps précieux.

la **Cappadoce** ■ Ancien pays d'Asie Mineure (Turquie), un des premiers christianisé.

Frank **Capra** ■ Cinéaste américain (né en 1897). *"L'Extravagant Mr. Deeds".*

Capri ■ Petite île italienne à l'entrée du golfe de Naples. Centre touristique célèbre.

les îles du **Cap-Vert** ■ Archipel et État (république) de l'Atlantique, au large du Sénégal. 4 033 km². 400 000 hab. (très forte densité, d'où un fort taux d'émigration des *Cap-Verdiens*). Langues : portugais (officielle), créole. Monnaie : escudo. Capitale : Praia. Ancienne colonie portugaise indépendante depuis 1975.

Caracalla ■ Empereur romain (188-217). Guerrier et bâtisseur. L'*Édit de Caracalla* (212) accorda la citoyenneté romaine à tous les sujets libres de l'Empire.

Caracas ■ Capitale du Venezuela. 2,37 millions d'hab. Expansion due au pétrole. Industries.

les **Caraïbes** ■ Indiens, anciens habitants des Antilles. □ *la mer des Caraïbes.* ⇒ **Antilles.**

le Caravage ■ Peintre italien (1573-1610). Son art délibérément réaliste, en réaction contre le *maniérisme de son époque et fortement contrasté entre l'ombre et la lumière, fit école en Europe. Nombreux sujets religieux. ▶ *le caravagisme,* manière de peindre inspirée du Caravage, courant artistique européen des années 1600-1650.

le Carbonarisme ■ Société secrète de républicains italiens. Les *carbonari* luttèrent contre l'occupation autrichienne et provoquèrent les révolutions de Naples (1820) et du Piémont (1821). En France se développa la « Charbonnerie », qui s'opposa, avec moins de succès, à la *Restauration.

Carcassonne ■ Préfecture de l'*Aude. 44 600 hab. (les Carcassonnais). La double enceinte de la cité fortifiée (VIᵉ - XIIIᵉ s.), restaurée par *Viollet-le-Duc, et les nombreux monuments anciens attirent les touristes.

Francis **Carco** ■ Écrivain français (1886-1958). Poèmes. Romans (*"Jésus la Caille",* sur le monde de la pègre). Biographies.

Jérôme **Cardan** ■ Médecin, mathématicien et philosophe italien (1501-1576). Inventeur du *cardan.* ⟨ ▶ cardan ⟩

Lázaro **Cárdenas** ■ Général et homme politique mexicain (1895-1970). Chef de l'État de 1934 à 1940.

Cardiff ■ Principale ville du pays de Galles. 275 000 hab. Port charbonnier, industries. Château, cathédrale.

Giosuè **Carducci** ■ Poète et critique italien (1835-1907). Très influent par son retour au classicisme. Prix Nobel 1906.

la Carélie ■ Une des républiques autonomes de la R. S. S. de *Russie. Capitale : Petrozavodsk. 172 400 km². 742 000 hab. Disputée à la Finlande, elle ne fut totalement annexée qu'en 1947. Pêche. Industrie du bois.

Maurice **Carême** ■ Poète belge d'expression française (1899-1978). Il a publié pour les enfants un choix de *"Poésies".*

Carentan ■ Commune de la *Manche. 6 600 hab. (les Carentanais). Produits laitiers.

Carhaix ou *Carhaix-Plouguer* ■ Commune du *Finistère. 8 900 hab. (les Carhaisiens).*

Giacomo **Carissimi** ■ Compositeur italien, maître de l'oratorio (1605-1674).

le carlisme, les carlistes ■ ⇒ don **Carlos.**

Carloman ■ Nom de plusieurs princes carolingiens, dont le frère de Pépin le Bref (mort en 754), celui de Charlemagne (751-771), et le roi de France de 879 à 884.

don **Carlos** ■ Infant d'Espagne, prétendant au trône contre sa nièce *Isabelle II (1788-1855). De 1833 à 1840, il provoqua une guerre civile entre ses partisans, les *carlistes* et leurs opposants. Son fils *Charles de Bourbon,* comte de Montemolin (1818-1860), puis son petit-fils *don Carlos* (1848-1909) tentèrent vainement après lui d'obtenir la couronne par les armes (1848, 1860, 1872-1876). ▶ *le carlisme,* parti de la tradition, se rallia à *Franco ; il subsiste encore, notamment en Navarre.

Thomas **Carlyle** ■ Historien et philosophe écossais (1795-1881). *"Les Héros".*

Carmaux ■ Commune du *Tarn. 13 400 hab. (les Carmausins). Houille (en déclin).

le Carmel ■ Ordre religieux né à Notre-Dame du Mont-Carmel (Palestine, XIIᵉ s.). ▶ *carmes* et *carmélites* sont surtout connus depuis la réforme de sainte *Thérèse d'Avila et saint *Jean de la Croix, au XVIᵉ s.

António Óscar de Fragoso **Carmona** ■ Maréchal et homme d'État portugais (1869-1951). Il prit le pouvoir en 1926, fut élu président en 1928 et nomma *Salazar.

Carnac ■ Commune du *Morbihan. 3 700 hab. (les Carnacois). Mégalithes du IIIᵉ millénaire av. J.-C. ≠ *Karnak.*

Rudolf **Carnap** ■ Logicien et philosophe allemand naturalisé américain (1891-1970). Représentant de l'empirisme logique et de l'intérêt philosophique pour le langage.

Marcel **Carné** ■ Cinéaste français (né en 1909). Ses films appartiennent au « réalisme poétique ». *"Hôtel du Nord" ; "les Visiteurs du soir"* et *"les Enfants du paradis",* scénarios de Prévert.

Andrew **Carnegie** ■ Industriel et philanthrope américain (1835-1919).

Lazare **Carnot** ■ Révolutionnaire français, général, savant (1753-1823). Surnommé « l'organisateur de la victoire ». □ *Sadi Carnot,* son fils (1796-1832), précurseur de la thermodynamique, dont le second principe est dit *de Carnot-*Clausius.* □ *Marie François Sadi Carnot,* son petit-fils (1837-1894), neveu du précédent, président de la République élu en 1887, victime d'un attentat anarchiste.

la **Caroline du Nord** ■ État côtier de l'est des États-Unis. Capitale : Raleigh. 135 000 km². 5,9 millions d'hab. Cultures subtropicales (tabac). □ *la Caroline du Sud.* État cotonnier au sud du précédent, le premier à faire *sécession en 1860. 79 176 km². 3,1 millions d'hab. Capitale : Columbia.

les îles **Carolines** ■ Principal archipel de la *Micronésie (500 îles). 862 km². 78 000 hab. Elles forment l'essentiel de la Fédération des États de *Micronésie.

les **Carolingiens** ■ Deuxième dynastie des rois de France, de *Pépin le Bref (751) à Louis V (987). *Charlemagne édifia un empire européen qui ne lui survécut guère. Le territoire correspondant à peu près à la France actuelle échut à son petit-fils *Charles le Chauve en 843 (traité de Verdun). Au Xᵉ s., les derniers Carolingiens disputèrent le trône aux Robertiens, ancêtres des *Capétiens.

Antoine **Caron** ■ Peintre français de l'école de *Fontainebleau (v. 1521 - 1599).

Vittore **Carpaccio** ■ Peintre vénitien (v. 1460 - 1526). Grandes séries narratives, dans un style détaillé. *"Vie de saint Jérôme"*.

les **Carpates** n. f. ■ Ensemble montagneux aux frontières de la Tchécoslovaquie, de la Pologne, de la Roumanie et de l'U. R. S. S.

Jean-Baptiste **Carpeaux** ■ Sculpteur français (1827-1875). Virtuose du mouvement. *"La Danse"*.

Alejo **Carpentier** ■ Écrivain et musicologue cubain (1904-1980). Ses romans s'inspirent des traditions et de l'histoire des Caraïbes.

Carpentras ■ Sous-préfecture du *Vaucluse. 25 500 hab. *(les Carpentrassiens)*. Fruits.

Carquefou ■ Commune de *Loire-Atlantique. 6 300 hab. *(les Carquefoliens)*.

les frères **Carrache** ■ Peintres italiens de la fin du XVIᵉ s. Ludovico (1555-1619), Agostino (1557-1602) et surtout Annibale (1560-1609), décorateur de la galerie Borghèse à Rome, ont, par leur réaction contre le *maniérisme, contribué au renouvellement de leur art.

Venustiano **Carranza** ■ Homme d'État mexicain (1859-1920). Président de 1917 à 1920.

Carrare ■ Ville d'Italie, en Toscane. 68 000 hab. Célèbres carrières de marbre.

Alexis **Carrel** ■ Chirurgien et physiologiste français (1873-1944). Prix Nobel en 1912, surtout connu pour son essai philosophique *"l'Homme, cet inconnu"*.

Armand **Carrel** ■ Journaliste français (1800-1836). Il fonda *le National* avec *Thiers et Mignet. Il fut tué au cours d'un duel par Émile de *Girardin.

Juan **Carreño de Miranda** ■ Peintre espagnol (1614-1685). Disciple de *Velasquez.

Jean-Baptiste **Carrier** ■ Révolutionnaire français (1756-1794). Son action à Nantes (les « noyades ») fit de lui un symbole de la *Terreur.

Eugène **Carrière** ■ Peintre et lithographe français. (1849-1906). Scènes intimes, portraits.

Carrières-sur-Seine ■ Commune des *Yvelines. 11 700 hab. *(les Carrillons)*.

Charles Lutwidge Dodgson dit *Lewis* **Carroll** ■ Écrivain anglais, mathématicien et logicien (1832-1898). *"Alice au pays des merveilles"*, *"Au-delà du miroir"*, écrits pour les enfants.

Carson City ■ Ville des États-Unis. Capitale du *Nevada. 31 000 hab.

Cartagena ■ Ville de Colombie. 345 500 hab. Forteresse, bâtiments de style andalou.

Élie **Cartan** ■ Mathématicien français (1869-1951). Théorie des groupes de *Lie.

le **Cartel des gauches** ■ Union électorale puis gouvernementale des radicaux et socialistes français (1924-1926).

Jimmy **Carter** ■ Homme politique américain (né en 1924). Président (démocrate) des États-Unis de 1977 à 1981.

Carthage ■ Ville d'Afrique du Nord (16 km de *Tunis). Colonie phénicienne, elle édifia en Méditerranée un empire commercial opposé aux Grecs, puis aux Romains, qui la rasèrent (fin des guerres *puniques, 146 av. J.-C.). Reconstruite, elle devint le centre de la province romaine d'Afrique (écoles, conciles). Elle déclina à partir du Vᵉ s.

Carthagène ■ 2ᵉ port d'Espagne. 173 000 hab. Fondée par le général carthaginois Hasdrubal le Beau. Base militaire.

Jacques **Cartier** ■ Navigateur français (1494 - v. 1554). Il prit possession du *Canada au nom du roi *François Iᵉʳ.

sir Georges Étienne **Cartier** ■ Homme d'État canadien (1814-1873). Chef des conservateurs du Bas-Canada (Canada français), premier ministre avec *Mac Donald en 1857, il joua un rôle essentiel dans la création de la Confédération canadienne (1867) et de la province de *Québec.

Henri **Cartier-Bresson** ■ Photographe français (né en 1908). Reportages sur le vif.

Louis Dominique Bourguignon dit **Cartouche** ■ Célèbre bandit français (1693-1721).

Edmund **Cartwright** ■ Inventeur britannique (1743-1823). Métier à tisser actionné par une machine à vapeur.

Enrico **Caruso** ■ Ténor italien (1873-1921).

Carvin ■ Commune du Pas-de-Calais. 16 000 hab. *(les Carvinois)*.

Casablanca ■ Ville et port du Maroc, sur l'Atlantique, métropole économique et commerciale. 3,17 millions d'hab.

Pablo **Casals** ■ Violoncelliste espagnol (1876-1973).

la **Casamance** ■ Fleuve et région du Sénégal. Estuaire fertile. Culture de l'arachide.

Giovanni Giacomo **Casanova** *de Seingalt* ■ Aventurier et mémorialiste italien de langue française (1725-1798). Ses nombreuses aventures féminines font de lui un modèle du libertin.

Casimir ■ NOM DE PLUSIEURS PRINCES POLONAIS □ *Casimir III le Grand* (1310-1370), roi de Pologne de 1333 à sa mort, le dernier des *Piast. Véritable restaurateur de la nation, il favorisa l'expansion économique et réforma la législation. □ *Casimir IV Jagellon* (1427-1492), roi en 1447. □ *saint Casimir*, son fils (1458-1484), patron de la Pologne et de la Lituanie.

Jean **Casimir-Perier** ■ Homme politique français (1847-1907). Conservateur, président de la République de 1894 à 1895.

la mer **Caspienne** ■ La plus vaste mer fermée du monde, environ 400 000 km². Rôle économique important (gaz et pétrole) pour l'U. R. S. S. et pour l'Iran. Pêcheries (caviar).

Cassandre ■ Princesse troyenne. Ses prophéties, jamais écoutées, se réalisent, pour le malheur de Troie. Personnage de tragédies, d'Eschyle à Euripide, jusqu'à Giraudoux.

Cassandre ■ Roi de Macédoine après la mort d'Alexandre (v. 358 - 297 av. J.-C.).

Alphonse Mouron dit **Cassandre** ■ Décorateur et affichiste français (1901-1968). Publicité *Dubonnet*.

Mary **Cassat** ■ Peintre américaine (1845-1926). Proche de *Degas. *"Mère et enfant"*.

John **Cassavetes** ■ Acteur et cinéaste américain (né en 1929). *"Shadows"*.

le mont **Cassin** ou *monte* **Cassino** ■ Colline d'Italie où saint *Benoît fonda un monastère en 529, qui marque la naissance de l'ordre religieux des *Bénédictins. Dure bataille en 1944.

les **Cassini** ■ Dynastie d'astronomes et de cartographes français, à la tête de l'Observatoire de Paris de 1672 à la *Révolution. Jean-Dominique (1625-1712) ; Jacques (1677-1756).

Cassiodore ■ Écrivain latin, historien et exégète chrétien (v. 480 - v. 575).

Ernst **Cassirer** ■ Philosophe allemand (1874-1945). *"Philosophie des formes symboliques".*

Cassis ■ Commune des *Bouches-du-Rhône. 6 300 hab. *(les Cassidens).* Tourisme.

Castellane ■ Sous-préfecture des *Alpes-de-Haute-Provence. 1 400 hab. *(les Castellanais).* Centre touristique (gorges du Verdon).

Castellón de la Plana ■ Ville d'Espagne. 126 500 hab. Grand commerce d'oranges. Centre d'une riche région agricole.

Castelnaudary ■ Ville de l'*Aude. 11 400 hab. *(les Castelnaudariens* ou *les Chauriens).* Monuments des XIIIᵉ-XVIᵉ s. Conserveries (cassoulet).

Castelnau-le-Lez ■ Commune de l'*Hérault. 10 000 hab.

Camilo **Castelo Branco** ■ Écrivain portugais (1825-1890). Influencé par *Balzac. *"Les Nouvelles du Minho".*

Castelsarrasin ■ Sous-préfecture du *Tarn-et-Garonne. 12 100 hab. *(les Castelsarrasinois).*

Baldassare **Castiglione** ■ Écrivain italien (1478-1529). *"Le Parfait Courtisan",* traité qui exerça une profonde influence sur la société aristocratique européenne.

Benedetto **Castiglione** ■ Peintre *baroque italien, élève des *Flamands (v. 1611 - v. 1665).

la **Castille** ■ Ancien royaume qui, réuni à l'*Aragon (mariage d'Isabelle la Catholique, 1469), donna naissance à l'Espagne. La région est aujourd'hui divisée administrativement en trois communautés autonomes : Castille-Manche *(Castilla la Mancha,* 1,63 million d'hab.), Castille-León *(Castilla León,* 2,58 millions d'hab.) et Madrid (4,73 millions d'hab.).

Robert Stewart **Castlereagh** ■ Homme politique britannique (1769-1822). Un des protagonistes du congrès de *Vienne.

Castor et Pollux dits *les Dioscures* ■ Dans la mythologie grecque, fils jumeaux de *Zeus et *Léda, inséparables.

Castres ■ Sous-préfecture du *Tarn. 46 800 hab. *(les Castrais).* Industrie de la laine, produits pharmaceutiques.

Castries ■ Capitale de l'île *Sainte-Lucie. 45 700 hab.

Fidel **Castro** ■ Révolutionnaire et homme d'État cubain (né en 1926). Il dirigea la guérilla qui aboutit au renversement de la dictature de *Batista et devint (1959) chef du gouvernement, soutenu par l'U. R. S. S. et hostile aux États-Unis.

la **Catalogne** ■ Communauté autonome et région historique du nord-est de l'Espagne. 5,9 millions d'hab. *(les Catalans).* L'industrialisation, ancienne, provoque une forte immigration. Textile, métallurgie, chimie. Tourisme. Une dynastie catalane régna sur l'*Aragon du XIIᵉ au XVIᵉ s. La province se replia ensuite sur elle-même, développant une volonté d'autonomie (renaissance de la littérature de langue catalane) et bénéficie depuis 1979 d'un statut particulier. ⟨ ► catalan ⟩

Catane ■ Ville d'Italie (*Sicile). 372 400 hab. Port important. Industries.

Cateau-Cambrésis ■ Commune du *Nord. 8 300 hab. *(les Catésiens).* La *paix de Cateau-Cambrésis* (1559), double traité signé avec l'Angleterre et l'Espagne, mit fin aux ambitions françaises en Italie.

les **Cathares** n. m. ■ Secte chrétienne du Moyen Âge. Leur doctrine, d'inspiration manichéenne (⇒ **Mani**), se répandit dans le midi de la France. Considérée comme hérétique, elle fut réprimée lors de la guerre des Albigeois (⇒ **Albi**). ⟨ ► cathare ⟩

Jacques **Cathelineau** ■ Chef de l'armée contre-révolutionnaire de Vendée (1759-1793).

Catherine II la Grande ■ Impératrice de Russie de 1762 à sa mort (1729-1796). Elle mena une politique de réformes et d'expansion territoriale, en « despote éclairé », protectrice des arts et des lettres.

sainte **Catherine d'Alexandrie** ■ Vierge chrétienne martyrisée au début du IVᵉ s. ⟨ ► catherinette ⟩

Catherine d'Aragon ■ Reine d'Angleterre, première épouse d'*Henri VIII (1485-1536). Leur divorce entraîna le schisme avec Rome (⇒ **anglicanisme**).

Catherine de Médicis ■ Reine de France (1519-1589). Veuve de Henri II, elle inspira la politique de ses fils François II, Charles IX (elle fut régente durant sa minorité) et Henri III.

sainte **Catherine de Sienne** ■ Mystique italienne (1347-1380).

Lucius Sergius **Catilina** ■ Homme politique romain (v. 108 - 62 av. J.-C.). Il fut à la tête d'une conjuration, dénoncée par *Cicéron, qui marqua les derniers temps de la République.

Caton l'Ancien ou *le Censeur* ■ Homme politique romain (234 - 149 av. J.-C.). Symbole des qualités romaines d'austérité et de vertu. □ *Caton d'Utique,* son arrière-petit-fils (93 - 46 av. J.-C.), exemple de vertu comme son ancêtre, ultime adversaire républicain de César.

Georges **Catroux** ■ Général, administrateur colonial et diplomate français (1877-1969).

Catulle ■ Poète latin de l'amour-passion (v. 87 - v. 54 av. J.-C.).

le **Caucase** ■ Ensemble montagneux d'U. R. S. S. à la frontière de l'Iran et de la Turquie. Sommet : l'Elbrouz (5 633 m). Les républiques soviétiques du Caucase : *Arménie, *Azerbaïdjan, *Géorgie.

Augustin-Louis baron **Cauchy** ■ Mathématicien français (1789-1857). Il a profondément réorganisé l'analyse (notion de *limite).*

Caudebec-lès-Elbeuf ■ Commune de *Seine-Maritime. 8 900 hab. *(les Caudebecquais).*

Caudry ■ Commune du *Nord. 14 100 hab. *(les Caudrésiens).*

Armand marquis de **Caulaincourt** *duc de Vicence* ■ Diplomate et général français (1772-1827). *"Mémoires".*

Salomon de **Caus** ■ Ingénieur français (v. 1576 - 1626). Automates. Description théorique d'une machine à vapeur.

Caussade ■ Commune du *Tarn-et-Garonne. 6 100 hab. *(les Caussadais).*

les **Causses** ■ Plateaux calcaires du sud du Massif central, creusés par des vallées profondes (gorges du Tarn). Climat rude. Élevage du mouton.

le *pays de* **Caux** ■ Plateau crayeux de Normandie, qui retombe en falaises imposantes sur la Manche (⇒ **Étretat**). Terre fertile, favorable à l'agriculture.

Constantin **Cavafis** ■ Poète grec (1863-1933). Il a évoqué dans une écriture moderne et exigeante la décadence de la Grèce.

Louis Eugène **Cavaignac** ■ Général français (1802-1857). Républicain, il réprima l'insurrection de juin 1848 et exerça les pleins pouvoirs jusqu'à l'élection de Louis-Napoléon Bonaparte. ⇒ **IIᵉ République**.

Jean **Cavaillès** ■ Philosophe français des mathématiques et de la logique (1903-1944). Résistant exécuté par les nazis.

Cavaillon ■ Commune du *Vaucluse. 21 000 hab. *(les Cavaillonnais).* Fruits, primeurs.

le **Cavalier bleu,** en allemand *der Blaue Reiter* ■ Mouvement artistique animé par *Kandinsky qui rassemblait des peintres d'avant-garde à Munich. Célèbre *Almanach,* expositions (1911-1914).

le *R.P. Bonaventura* **Cavalieri** ■ Mathématicien italien (v. 1598 - 1647). Sa géométrie des indivisibles annonce le calcul intégral.

Francesco **Cavalli** ■ Compositeur vénitien, auteur de nombreux opéras (1602-1676). *"Ercole Amante".*

Pietro **Cavallini** ■ Peintre italien et mosaïste novateur (v. 1250 - v. 1340).

Henry **Cavendish** ■ Physicien et chimiste anglais (1731-1810). Il identifia l'hydrogène (première analyse scientifique de l'eau) et fit l'analyse précise de l'air.

Camilio Benso comte de **Cavour** ■ Homme d'État italien (1810-1861). Président du Conseil du royaume du Piémont, il fut le principal artisan de l'unité italienne.

Cayenne ■ Chef-lieu du département de la *Guyane française. 38 100 hab. Bagne supprimé en 1938.

Arthur **Cayley** ■ Mathématicien anglais (1821-1895). Calcul matriciel, théorie des invariants, géométrie projective.

Jean **Cayrol** ■ Écrivain français (né en 1911). L'expérience des camps de concentration a marqué son œuvre. *"Lazare parmi nous" ; "Poèmes de la nuit et du brouillard".*

Jacques **Cazotte** ■ Écrivain français (1719-1792). *"Le Diable amoureux".* Il fut guillotiné.

Nicolae **Ceauşescu** ■ Homme d'État roumain (né en 1918). Il dirige sans partage le pays depuis 1965.

Cebu ■ Île des *Philippines (1,6 million d'hab.) et port important (490 200 hab.).

C.E.C.A. ■ ⇒**C.E.E.**

Svatopluk **Čech** ■ Écrivain et patriote tchèque (1846-1908).

William **Cecil** *baron Burghley* ■ Homme d'État anglais, principal conseiller d'*Élisabeth Iʳᵉ (1520-1598).

sainte **Cécile** ■ Vierge et martyre chrétienne (IIIᵉ s.), souvent représentée comme patronne des musiciens.

Cedar Rapids ■ Ville des États-Unis (*Iowa). 110 200 hab.

la **C. E. E., Communauté économique européenne** ■ « Marché commun » entre la R. F. A., la France, l'Italie, le Benelux (1957), le Danemark, la Grande-Bretagne, l'Irlande (1973), la Grèce (1981), le Portugal et l'Espagne (1986). La *C. E. C. A.,* Communauté européenne du charbon et de l'acier et la *C. E. E. A.* (Euratom), Communauté européenne de l'énergie atomique, ont fusionné avec la C. E. E. en 1967.

Camilo José **Cela** ■ Écrivain réaliste espagnol (né en 1916). *"La Famille de Pascal Duarte" ; "la Ruche".*

Paul **Celan** ■ Poète et traducteur autrichien (1920-1970). L'un des principaux poètes de langue allemande du XXᵉ s.

les **Célèbes** ou **Sulawesi** ■ Archipel de l'Indonésie. 189 216 km². 10,4 millions d'hab.

Louis-Ferdinand Destouches dit *Louis-Ferdinand* **Céline** ■ Écrivain français (1894-1961). Œuvre marquante par son style, qu'il a défini comme un « lyrisme de l'ignoble », et par sa véhémence contre la société. Il a renouvelé la prose française. *"Bagatelles pour un massacre",* violent pamphlet antisémite. *"Voyage au bout de la nuit" ; "Mort à crédit" ; "Féerie pour une autre fois".*

La Celle-Saint-Cloud ■ Commune des *Yvelines. 23 300 hab. *(les Cellois).* Ville résidentielle de l'ouest de Paris.

Benvenuto **Cellini** ■ Sculpteur et orfèvre italien (1500-1571). *"Persée",* à Florence. Auteur de *"Mémoires".*

Anders **Celsius** ■ Astronome et physicien suédois (1701-1744). Il créa l'échelle thermométrique centésimale (degrés *Celsius).*

les **Celtes** ■ Population indo-européenne. Sa région d'origine est entre le Rhin et le Danube. On distingue la *civilisation* dite *des champs d'urnes* (1200 - 750 av. J.-C.), la *civilisation de Hallstatt* (725 - 480 av. J.-C.) qui rencontra les influences grecques et étrusques, enfin la *civilisation de la Tène,* qui dans sa phase terminale (IIᵉ s. av. J.-C.) conduisit l'art barbare à son apogée. Répandus dans presque toute l'Europe, mais divisés en royaumes indépendants et rivaux, les Celtes n'ont pas formé d'empire. ⇒ **Gaule.** Sous la pression de Rome, ils se retirèrent en Bretagne et Grande-Bretagne. ‹ ► celtique ›

les **Cenci** ■ Famille romaine. Le meurtre du tyrannique Francesco (1549-1598) par sa fille Béatrice (1577-1599) a inspiré de nombreux artistes (Shelley, Artaud).

Frédéric Sauser dit *Blaise* **Cendrars** ■ Écrivain français d'origine suisse (1887-1961). Il a exalté la vie aventureuse. Poèmes, récits, romans. *"L'Or" ; "Moravagine".*

le *Mont-***Cenis** ■ Massif des Alpes du Nord. Col (2 083 m) et tunnel permettant le passage entre la France et l'Italie. Barrage.

Cennino **Cennini** ■ Peintre italien (XIVᵉ s.). Son œuvre peint a disparu mais son *"Libro dell' Arte"* nous informe sur les techniques de son époque.

Cenon ■ Commune de la *Gironde, banlieue de Bordeaux. 23 800 hab. *(les Cenonnais).*

la *guerre de* **Cent Ans** ■ Conflit (1337-1453) entre *Philippe VI de Valois et ses descendants d'une part, *Édouard III d'Angleterre (petit-fils par sa mère de *Philippe le Bel) et ses descendants d'autre part. Véritable guerre civile (⇒ **Armagnacs** et **Bourguignons**), le conflit tourna à l'avantage de la France sous

Charles VII et eut pour conséquence la réunion à la couronne des terres du vassal anglais.

les *Centaures* ■ Dans la mythologie grecque, êtres mi-hommes (tête et torse) mi-chevaux.

les *Cent-Jours* ■ Tentative de Napoléon Ier pour restaurer l'Empire (20 mars - 22 juin 1815). Brillamment menée à l'intérieur, elle échoua à *Waterloo.

la *République centrafricaine* ■ État (république) d'Afrique centrale. Capitale : Bangui. 623 000 km². 2,52 millions d'hab. Langues : français (officielle), langues bantoues, peul. Monnaie : franc CFA. Vaste plateau consacré pour l'essentiel à l'agriculture et à l'élevage. Gisements de diamants et d'uranium, encore peu exploités. □HISTOIRE. La colonie de l'Oubangui-Chari, créée en 1905, fut intégrée à l'Afrique-*Équatoriale française. Elle devint indépendante en 1960 sous le nom de République centrafricaine (R. C. A.). Le président Dacko fut renversé en 1965 par le général Bokassa, qui se proclama souverain de l'empire centrafricain en 1976 mais fut à son tour déposé par Dacko en 1979. Depuis le coup d'État militaire de 1981, le général Kolingba dirige le pays.

le *Centre* ■ Région administrative et économique française comprenant six départements : Eure-et-Loir, Loiret, Loir-et-Cher, Cher, Indre et Indre-et-Loire. Préfecture : Orléans. 39 151 km². 2,3 millions d'hab. Région très variée qui regroupe les anciennes provinces de l'Orléanais, du Berry et de la Touraine. Grandes richesses agricoles : céréales dans la *Beauce, cultures fruitières et vinicoles en Touraine, florales à Orléans. Industries diversifiées (agro-alimentaires, mécanique, chimique). Secteur tertiaire important. Les châteaux de la Loire, demeures des rois et des princes de la Renaissance, attirent de nombreux touristes.

Cerbère ■ Chien gardien des Enfers, dans la mythologie grecque. Il a trois têtes et le cou hérissé de serpents. ‹ ►cerbère ›

la *Cerdagne* ■ Région des Pyrénées orientales, partagée entre la France et l'Espagne depuis 1659.

Cérès ■ ⇒ Déméter.

Céret ■ Sous-préfecture des *Pyrénées-Orientales. 6 200 hab. (les Céretans). Cerises.

Cergy ■ Commune du *Val-d'Oise. 12 400 hab. (les Cerginois). □ *Cergy-Pontoise*, ville nouvelle sur les communes de Cergy et *Pontoise, préfecture du Val-d'Oise. 15 200 hab.

Cernay ■ Commune du Haut-*Rhin. 9 600 hab. (les Cernéens).

Michel Cérulaire ■ Patriarche de Constantinople (v. 1000 - 1059). Il fut à l'origine du *schisme d'Orient.

Miguel de Cervantès ■ Écrivain espagnol (1547-1616). Son chef-d'œuvre, "*Don Quichotte de la Manche*", mêle l'humour et un sentiment tragique de la vie : il n'a cessé de susciter des interprétations, qui font de lui un des grands mythes modernes.

le mont *Cervin* ■ Sommet des Alpes, à la frontière italo-suisse (4 478 m).

Aimé Césaire ■ Poète et auteur dramatique français, député de la Martinique (né en 1913). La négritude est au cœur de son œuvre. "*Cahier d'un retour au pays natal*".

Jules César en latin *Caius Julius Caesar* ■ Général et homme d'État romain, grand prosateur (101 - 44 av. J.-C.). Après la victoire de ses armées en Gaule (58 - 51 av. J.-C.), il élimina *Pompée (48 av. J.-C.)

et obtint la dictature (46 av. J.-C.). Hardi réformateur, il instaura le régime impérial mais fut assassiné avant d'avoir reçu le titre de roi. "*Commentaires sur la guerre des Gaules*" et "*sur la guerre civile*".

César ■ Sculpteur français (né en 1921). Il invente des formes à partir de trouvailles techniques : compressions de voitures, plastique expansé.

Césarée ■ Nom de plusieurs villes romaines en *Cappadoce (aujourd'hui *Kayseri, en Turquie), *Palestine et *Mauritanie.

Ceuta ■ Ville et port franc situé au Maroc, sous souveraineté espagnole. 71 000 hab.

les *Cévennes* n. f. ■ Bordure est du Massif central, sur la plaine rhodanienne. Pays rude, dépeuplé, dont les principales ressources sont les arbres fruitiers et le tourisme (parc national). Haut lieu du protestantisme (⇒ Camisards).

Ceylan ■ ⇒ Sri Lanka.

Paul Cézanne ■ Peintre français (1839-1906). Il exposa avec les *impressionnistes, mais ses préoccupations étaient classiques : il voulait « refaire *Poussin sur nature ». Figures ("*les Joueurs de cartes*"), natures mortes ("*Tables de cuisine*"), paysages de Provence ("*la Montagne Sainte-Victoire*"). Il donna l'impulsion aux courants artistiques les plus importants du XXe s.

la *C. F. D. T., Confédération française démocratique du travail* ■ Organisation syndicale française issue de la *Confédération française des travailleurs chrétiens* (C. F. T. C.) en 1964 et proche de la gauche non communiste.

la *C. G. C., Confédération générale des cadres* ■ Principale organisation syndicale française de cadres, appelée aussi *C. F. E., Confédération française de l'encadrement*.

la *C. G. T., Confédération générale du travail* ■ Le plus important syndicat ouvrier français, proche du parti communiste.

la *C. G. T. - F. O.* ■ ⇒ F. O.

Jacques Chaban-Delmas ■ Homme politique français (né en 1915). Gaulliste, général dans la *Résistance, maire de Bordeaux depuis 1947, Premier ministre de 1969 à 1972.

Emmanuel Chabrier ■ Compositeur français (1841-1894). Mélodies, opéras-comiques. "*L'Étoile*" ; "*Gwendoline*" ; "*le Roi malgré lui*".

le *Chaco* ou *Gran Chaco* ■ Vaste plaine de l'Argentine et du Paraguay. 300 000 km².

Ben Djedid Chadli ■ Colonel et homme d'État algérien (né en 1929). Chef de l'État depuis 1979.

sir *James Chadwick* ■ Physicien anglais (1891-1974). Prix Nobel 1935 pour la découverte du neutron.

Marc Chagall ■ Artiste français d'origine russe (1887-1985). Peintre lyrique du bonheur, de la culture juive et biblique. Plafond de l'Opéra de Paris.

Chagny ■ Commune de *Saône-et-Loire. 5 900 hab. (les Chagnotins).

Chakhty ■ Ville d'U. R. S. S. (*Russie), dans la région de *Rostov. 223 000 hab. Houille.

Chalcis ■ Port de Grèce. 36 000 hab. Importante cité antique, elle fonda plusieurs colonies dans la Chalcidique, presqu'île au nord de la Grèce.

la *Chaldée* ■ Pays des *Chaldéens*, dans la région d'*Ur. Le terme s'étendit à l'Empire néo-babylonien (⇒ Babylone).

Chalette-sur-Loing ■ Commune du *Loiret. 14 000 hab.

Jean-François **Chalgrin** ■ Architecte français (1739-1811). *Arc de triomphe à Paris.

Fedor **Chaliapine** ■ Chanteur russe d'opéra (1873-1938).

Challans ■ Commune de *Vendée. 12 200 hab. *(les Challandais).*

Châlons-sur-Marne ■ Préfecture de la *Marne et de la région *Champagne-Ardenne. 55 700 hab. *(les Châlonnais).* Monuments anciens. Industries électroniques, chimiques, alimentaires. Commerce des vins de champagne.

Chalon-sur-Saône ■ Sous-préfecture de *Saône-et-Loire. 60 500 hab. *(les Chalonnais).* Ville industrielle grâce à l'axe Rhône-Saône : photographie, verrerie, chimie.

Chamalières ■ Commune du *Puy-de-Dôme. 18 000 hab. *(les Chamaliérois).*

Joseph **Chamberlain** ■ Homme politique britannique (1836-1914). □ *Arthur Neville* **Chamberlain**, son fils (1869-1940), conservateur, Premier ministre de 1937 à 1940.

sir William **Chambers** ■ Architecte et paysagiste anglais (1723-1796). Auteur de traités d'architecture.

Chambéry ■ Préfecture de la *Savoie. 57 000 hab. *(les Chambériens).* Ancienne capitale de la Savoie. Château des ducs de Savoie, cathédrale. Carrefour industriel et commercial entre Lyon, Turin et Genève.

Chambly ■ Commune de l'*Oise. 6 200 hab.

Le **Chambon-Feugerolles** ■ Commune de la *Loire. 20 000 hab. *(les Chambonnais).*

Jacques Champion de **Chambonnières** ■ Compositeur français (1601-1672). Maître du clavecin et professeur de *Couperin.

Chambord ■ Commune du *Loir-et-Cher (230 hab.). Le plus grand château de la Loire (440 pièces), chef-d'œuvre de la *Renaissance française, commencé en 1519 pour François Ier.

Henri de Bourbon duc de Bordeaux comte de **Chambord** ■ Fils du duc de *Berry, prétendant au trône en 1871 (1820-1883).

Nicolas de **Chamfort** ■ Moraliste français (1741-1794). *"Maximes et Pensées, Caractères et Anecdotes".*

Adelbert von **Chamisso** ■ Écrivain romantique et naturaliste allemand d'origine française (1781-1838). Ami de *La Motte-Fouqué.

Chamonix-Mont-Blanc ■ Commune de Haute-*Savoie dominée par le mont *Blanc. 9 000 hab. *(les Chamoniards).* Alpinisme, ski.

la **Champagne** ■ Ancienne province à l'est du Bassin parisien, célèbre pour ses vins. Le commerce fit sa prospérité au Moyen Âge (foires). Elle fut rattachée à la France en 1234, quand *Philippe le Bel épousa Jeanne de Champagne. Ce fut le lieu d'importants combats *(bataille de Champagne)* en 1915, 1917 et 1918. □ *la* **Champagne-Ardenne**. Région administrative et économique qui regroupe quatre départements : Ardennes (⇒ **Ardenne**), Aube, Marne, Haute-Marne. Préfecture : Châlons-sur-Marne. 25 606 km². 1,35 million d'hab. *(les Champenois).* Région agricole prospère : céréales, élevage laitier et vignobles. Mais l'industrie traditionnelle est

en déclin : sidérurgie dans la vallée de la Meuse et à Charleville-Mézières, textile à Reims et à Troyes.

Champagne-sur-Seine ■ Commune de *Seine-et-Marne. 6 000 hab.

Champagnole ■ Commune du *Jura. 10 700 hab. *(les Champagnolais).*

Philippe de **Champaigne** ou **Champagne** ■ Peintre français d'origine flamande (1602-1674). Grand portraitiste au classicisme sévère, proche des jansénistes et de *Port-Royal.

Champfleury ■ Écrivain et critique d'art français (1821-1869). Théoricien du *réalisme.

Champigneulles ■ Commune de *Meurthe-et-Moselle. 8 100 hab. Brasseries.

Champigny-sur-Marne ■ Commune du *Val-de-Marne. 80 500 hab. Église du XIIe-XIIIe s.

Samuel de **Champlain** ■ Explorateur français, colonisateur du *Québec (v. 1567 - 1635).

Jean-François **Champollion** ■ Égyptologue français (1790-1832). Il déchiffra les hiéroglyphes de la pierre de *Rosette.

les **champs Élysées** ■ Dans la mythologie grecque, séjour des morts vertueux.

les **Champs-Élysées** ■ Célèbre avenue de Paris.

Champs-sur-Marne ■ Commune de *Seine-et-Marne. 5 300 hab. Château de Champs (XVIIIe s.), avec de beaux jardins.

André **Chamson** ■ Écrivain français (1900-1983). *"Roux le bandit".*

Chancelade ■ Commune de *Dordogne (2 400 hab.). Site préhistorique qui a donné son nom à « l'homme de Chancelade », phase tardive (10 000 av. J.-C.) de l'homme de *Cro-Magnon.

Chandernagor aujourd'hui *Chandranâgara* ■ Ancien comptoir français des Indes, au nord de *Calcutta. 75 000 hab.

Chandigârh ■ Ville de l'Inde, conçue en 1950 par *Le Corbusier, bâtie de 1951 à 1965. 450 000 hab.

Raymond **Chandler** ■ Écrivain américain (1888-1959). Romans policiers (*"le Grand Sommeil"* et *"la Dame du lac"*, adaptés au cinéma par *Hawks et par R. Montgomery).

Chandragupta Maurya ■ Premier empereur des Indes, de 322 à 298 av. J.-C. environ.

Gabrielle Chasnel dite *Coco* **Chanel** ■ Couturière française (1883-1971). La première à imposer un style simple, épuré, dans la mode féminine.

Chang an ■ ⇒ **Xian.**

Changchun ■ Ville de Chine en Mandchourie. 975 000 hab.

Changsha ■ Ville de Chine. 709 000 hab. Artisanat : laque, marionnettes, théâtres d'ombre.

Changzhou ■ Ville de Chine. 839 000 hab.

Chantilly ■ Commune de l'*Oise. 10 700 hab. *(les Cantiliens).* Riches collections et château du duc d'*Aumale, légués à l'Institut de France (musée Condé). Forêt.

Chantonnay ■ Commune de *Vendée. 7 400 hab. *(les Chantonnaisiens).*

Octave **Chanute** ■ Ingénieur français naturalisé américain (1832-1910). Pionnier du vol à voile.

Chaozhou ■ Port de Chine. 170 000 hab.

Jean **Chapelain** ■ Critique et poète français (1595-1674). *"La pucelle"*, poème épique raillé par Boileau.

La **Chapelle-Saint-Luc** ■ Commune de l'*Aube. 16 200 hab. *(les Chapelains).*

La **Chapelle-sur-Erdre** ■ Commune de *Loire-Atlantique. 12 300 hab.

sir Charles Spencer dit *Charlie* **Chaplin** ■ Acteur et cinéaste britannique qui fit carrière aux États-Unis (1889-1977). Créateur de *Charlot*, vagabond tragi-comique, un des mythes les plus populaires du cinéma. *"La Ruée vers l'or"* ; *"les Lumières de la ville"* ; *"les Temps modernes"* ; *"le Dictateur"* (1940) ; *"Monsieur Verdoux"* ; *"les Feux de la rampe".*

Claude **Chappe** ■ Ingénieur français (1763-1805). Inventeur du télégraphe aérien.

Jean **Chaptal** *comte de Chanteloup* ■ Chimiste et homme politique français (1756-1832). Artisan de la reprise économique sous le *Consulat, pionnier de l'industrie chimique. ‹ ► chaptaliser ›

René **Char** ■ Poète français (1907-1988). Son œuvre, à la fois lyrique et concise, s'est enrichie de multiples expériences : le *surréalisme, la *Résistance, l'amitié de *Heidegger.

Jean Martin **Charcot** ■ Médecin français (1825-1893). Ses recherches sur l'hystérie et l'hypnose ont influencé *Freud. □ *Jean Charcot,* son fils (1867-1936), savant navigateur, explora les régions australes et la mer du Groenland.

Jean-Baptiste Siméon **Chardin** ■ Peintre français (1699-1779). Le maître de la nature morte par sa technique et sa sensibilité (« on peint avec le sentiment »). Scènes de genre *("Benedicite"),* portraits au pastel.

Jacques **Chardonne** ■ Romancier français (1884-1968). *"Claire".*

la **Charente** [16] ■ Département français de la région *Poitou-Charente. Il doit son nom au fleuve qui le traverse. 5 956 km². 341 000 hab. Préfecture : Angoulême. Sous-préfectures : Cognac, Confolens. □ *la* **Charente-Maritime** [17], département français de la région *Poitou-Charente, où le fleuve de la Charente rejoint l'Atlantique. 6 864 km². 513 000 hab. Préfecture : La Rochelle. Sous-préfectures : Jonzac, Rochefort, Saintes, Saint-Jean-d'Angély.

Charenton-le-Pont ■ Commune du *Val-de-Marne, dans la banlieue sud-est de Paris. 20 600 hab. *(les Charentonnais).*

François de **Charette** *de La Contrie* ■ Chef des guerres de *Vendée (1763-1796).

La **Charité-sur-Loire** ■ Commune de la *Nièvre. 6 400 hab. Église romane.

Charlemagne ■ « Charles le Grand », en latin *Carolus Magnus,* fils de Pépin le Bref, roi des Francs, sacré empereur d'Occident en 800 (742-814). Avec la papauté, il favorisa l'activité culturelle et missionnaire des moines (« renaissance carolingienne »), organisa et administra un empire qui se voulait la restauration de l'Empire romain mais qui s'effondra vers 840. ⇒ **Carolingiens.**

Charleroi ■ Ville de Belgique. 209 400 hab. *(les Carolorégiens).* Pôle économique (bassin houiller du *Hainaut) et stratégique, dans la vallée de la Sambre. Verrerie, commerce. Vie culturelle.

Charles ■ NOM DE PLUSIEURS SOUVERAINS EUROPÉENS. **1.** empereurs d'ALLEMAGNE □ *Char-*

les III le Gros (839-888). ⇒ **7.** rois de FRANCE, **Charles III.** □ *Charles IV* (1316-1378), empereur germanique, mena Prague et la Bohème à leur apogée. □ *Charles V* dit *Charles Quint* (1500-1558), héritier par son père Philippe le Beau et par sa mère Jeanne la Folle, d'immenses territoires : Pays-Bas, Franche-Comté, Espagne avec ses possessions d'Amérique et d'Italie (Sardaigne, Sicile, Naples), domaine des Habsbourg (Autriche, Styrie, Tyrol, Carinthie, Carniole) ; élu empereur en 1519, il gouverna un empire « sur lequel le soleil ne se couchait jamais ». Il eut à affronter François Ier, Henri II, les princes allemands, les Turcs musulmans, et, malgré ses victoires (Pavie 1525, Tunis 1535), malgré la puissance du royaume d'Espagne, il ne parvint pas à enrayer la *Réforme, qui divisait l'empire. Il abdiqua en 1556 en faveur de Philippe II et Ferdinand Ier. □ *Charles VI* (1685-1740), père de Marie-Thérèse, vit le déclin de son empire, échouant dans les guerres de *Succession d'Espagne et de Pologne. □ *Charles VII Albert,* Charles-Albert de Bavière, (1697-1745) ravit peu de temps le trône à Marie-Thérèse (⇒ guerre de **Succession d'Autriche**). **2.** rois d'ANGLETERRE □ *Charles Ier* (1600-1649) succéda à son père Jacques Ier en 1625. En conflit avec le Parlement, il fut écrasé par les armées de Cromwell (Naseby, 1645) et exécuté. □ *Charles II,* son fils (1630-1685), fut rappelé sur le trône en 1660. **3.** comtes d'ANJOU. ⇒ **9.** rois de NAPLES. **4.** empereur d'AUTRICHE □ *Charles Ier* (1887-1922), petit-neveu de François-Joseph, dernier souverain austro-hongrois, abdiqua en 1918. **5.** duc de BOURGOGNE □ *Charles le Téméraire* (1433-1477) ne réussit pas, contre la France et la Lorraine, à réunir ses États de Flandre et Bourgogne. Tué à Nancy. **6.** rois d'ESPAGNE □ *Charles Ier.* ⇒ **1.** empereurs d'ALLEMAGNE, **Charles Quint.** □ *Charles II* (1661-1700) vit le déclin de son pays à l'avantage de la France. □ *Charles III* (1716-1788) gouverna en « despote éclairé », mais ses réformes ne lui survécurent pas. □ *Charles IV,* son fils (1748-1819), abdiqua en faveur de Joseph *Bonaparte. □ *Charles de Bourbon.* ⇒ don **Carlos. 7.** rois de FRANCE □ *Charles Ier.* ⇒ **Charlemagne.** □ *Charles II le Chauve* (823-877), roi de *Francia occidentalis* après le traité de Verdun (843) qui partagea l'empire carolingien entre les fils de Louis le Pieux. □ *Charles III le Gros* (839-888), carolingien d'Allemagne, rétablit provisoirement l'empire d'Occident. □ *Charles III le Simple* (879-929) fut détrôné au profit de Robert Ier, ancêtre des *Capétiens. □ *Charles IV le Bel* (1294-1328), 3e fils de Philippe le Bel dont il poursuivit l'œuvre réformatrice, fut roi de Navarre sous le nom de Charles Ier. Il mourut sans héritier, ouvrant une crise entre la France et l'Angleterre (⇒ **Philippe VI de Valois**). □ *Charles V le Sage* (1338-1380) réussit à repousser les Anglais, à assainir l'économie et le gouvernement, à protéger les arts. □ *Charles VI le Bien-Aimé,* son fils (1368-1422), devint fou en 1392 et le pays sombra dans la guerre civile (⇒ **Armagnac**). □ *Charles VII* (1403-1461), fils du précédent, déshérité au profit d'Henri V d'Angleterre, fut d'abord « le roi de Bourges », avant de reconquérir (⇒ guerre de **Cent Ans** et **Jeanne d'Arc**), agrandir, réorganiser le royaume. □ *Charles VIII* (1470-1498) fut l'initiateur des guerres d'Italie. □ *Charles IX* (1550-1574) hésitant entre l'influence de sa mère Catherine de Médicis et celle du protestant Coligny, ordonna le massacre de la *Saint-Barthélemy. □ *Charles X* (1757-1836) succéda à son frère Louis XVIII (⇒ **Restauration**) ; réactionnaire, il fut renversé par la *Révolution de 1830. **8.** rois de HONGRIE □ *Charles Ier* ou *Charles-Robert* dit *Carobert* (1288-1342), fils de Charles II d'Anjou. □ *Charles II.* ⇒ **9.** rois de NAPLES, **Charles III.**

9. rois de NAPLES □ *Charles Ier d'Anjou* (1227-1285), frère de Saint Louis avec qui il s'illustra aux croisades, comte de Provence, conquit le royaume de Naples et de Sicile (il perdit cette dernière en 1282). □ *Charles III* ou *Charles de Duras* (1345-1386) obtint le trône de Hongrie sous le nom de Charles II mais fut assassiné un après. **10.** rois de NAVARRE □ *Charles Ier.* ⇒ 7. rois de FRANCE, **Charles II le Bel.** □ *Charles II le Mauvais* (1322-1387), fils de Louis X le Hutin, fut prétendant au trône de France, vaincu par *Du Guesclin. **11.** roi du PORTUGAL □ *Charles Ier* (1868-1908) tenta d'instaurer la dictature (confiée à Joao Franco) mais fut assassiné. **12.** rois de SUÈDE □ *Charles IX* (1550-1611) évinça du trône son neveu Sigismond Vasa, roi de Pologne, laissant à son fils *Gustave II Adolphe un royaume en guerre contre le Danemark, la Russie et la Pologne. □ *Charles XII* (1682-1718) obtint très jeune les plus grands succès militaires (il imposa *Stanislas Leszczyński en Pologne) mais fut défait et tué, laissant un pays exsangue. □ *Charles XIII.* ⇒ **Charles XIV.** □ *Charles XIV* ou *Charles-Jean.* Nom de règne du maréchal français Charles Jean-Baptiste Bernadotte (1764-1844). Désigné comme héritier par Charles XIII (1748-1818) en 1810, il conquit avec lui la Norvège (1814) et lui succéda sur les deux trônes.

Jacques **Charles** ■ Physicien français (1746-1823), aéronaute.

Charles-Albert ■ Roi de Piémont-Sardaigne (1798-1849). Chef indécis du mouvement national en Italie, il abdiqua (1848) en faveur de son fils *Victor-Emmanuel II.

saint **Charles Borromée** ■ Cardinal italien (1538-1584), neveu et principal collaborateur du pape Pie IV. Défenseur de la *Contre-Réforme.

Charles d'Orléans ■ ⇒ maison d'**Orléans.**

Charles Martel ■ Maire du palais, véritable maître du royaume franc des derniers *Mérovingiens (v. 688 - 741). Père de Pépin le Bref et donc l'ancêtre des *Carolingiens.

Charles Quint ■ ⇒ 1. empereurs d'ALLEMAGNE, **Charles V.**

Charleston ■ Ville des États-Unis (*Caroline du Sud), port sur l'Atlantique, célèbre pour ses maisons coloniales et la danse « charleston » qui y est née v. 1920 (70 000 hab.).

Charleston ■ Capitale de la *Virginie occidentale (64 000 hab.).

Nicolas **Charlet** ■ Artiste français (1792-1845). Le succès de ses gravures contribua à la légende napoléonienne.

Charleville-Mézières ■ Préfecture des *Ardennes, ville issue de la réunion de Charleville et de Mézières en 1966. 63 300 hab. *(les Carolomacériens).* Industries métallurgiques et mécaniques. Patrie d'A. *Rimbaud.

Charlieu ■ Commune de la *Loire. 5 000 hab. *(les Charliendins).* Beau portail abbatial roman bourguignon (XIIe s.).

Charlot ■ ⇒ Charlie **Chaplin.**

Charlotte ■ Ville des États-Unis (*Caroline du Nord). 311 000 hab. Commerce, industries.

Charlotte-Elisabeth de Bavière dite *la princesse Palatine* ■ Épouse de Monsieur, frère de Louis XIV, et mère du Régent Philippe d'Orléans (1652-1772). *"Correspondance".*

Charlottetown ■ Ville du Canada. Capitale de l'île du *Prince-Édouard. 19 000 hab.

Charmes ■ Commune des *Vosges. 6 000 hab. *(les Charmois).*

Charolles ■ Sous-préfecture de la *Saône-et-Loire. 4 300 hab. *(les Charollais).* ▶ *le Charolais.* Région de Charolles, en *Bourgogne, au bord du Massif central. Élevage bovin : race *charolaise.*

Charon ■ Dans la mythologie grecque, personnage qui fait passer aux morts le fleuve des *Enfers.

Enguerrand **Charonton** ■ ⇒ **Quarton.**

Marc Antoine **Charpentier** ■ Compositeur français (v. 1635 - 1704). Auteur avant tout de musique religieuse. Célèbre *"Te Deum".*

Gustave **Charpentier** ■ Compositeur français (1860-1956). *"Louise",* roman musical de style naturaliste.

Pierre **Charron** ■ Moraliste français (1541-1603). Sa *"Sagesse",* très inspirée de Montaigne, a été beaucoup lue au XVIIe s.

Chartres ■ Préfecture d'*Eure-et-Loir. 41 300 hab. *(les Chartrains).* Petites industries. Cathédrale Notre-Dame (XIIe - XIIIe s.), chef-d'œuvre du gothique : statues-colonnes, vitraux. L'*école de Chartres* fut un des foyers intellectuels de l'Occident médiéval.

la **Chartreuse** ■ Monastère fondé par saint Bruno en 1084 dans les Préalpes françaises (massif de la Grande-Chartreuse). ▶ *l'ordre des chartreux* en est issu.

Charybde et Scylla ■ Monstres fabuleux de l'*Odyssée, ils gardent le détroit de Messine ; si l'on évite l'un, on n'échappe pas à l'autre, d'où l'expression « tomber de Charybde en Scylla ».

Michel **Chasles** ■ Mathématicien français (1793-1880). Géométrie projective.

Théodore **Chassériau** ■ Peintre français (1819-1856). Il se situe entre le classicisme d'Ingres, son maître, et le romantisme.

Château-Arnoux ■ Commune des *Alpes-de-Haute-Provence. 6 200 hab.

François René vicomte de **Chateaubriand** ■ Écrivain français (1768-1848). Ministre de Louis XVIII et diplomate. Le lyrisme de sa prose, ample et rythmée, et son implication dans le siècle sont caractéristiques du romantisme, dont il est un des premiers représentants en France. *"Atala" ; "René" ; "le Génie du christianisme" ; "Mémoires d'outre-tombe".* ⟨ ▶ chateaubriand ⟩

Châteaubriant ■ Sous-préfecture de la *Loire-Atlantique. 13 800 hab. *(les Castelbriantais).* Château (XIe - XVIe s.).

Château-Chinon ■ Sous-préfecture de la *Nièvre. 2 900 hab. *(les Château-Chinonais).* Musée du Septennat.

Château-d'Olonne ■ Commune de la *Vendée. 7 700 hab.

Château-du-Loir ■ Commune de la *Sarthe. 6 200 hab. *(les Castéloriens).*

Châteaudun ■ Sous-préfecture de l'*Eure-et-Loir. 16 100 hab. *(les Dunois).*

Château-Gaillard ■ ⇒ Les **Andelys.**

Château-Gontier ■ Sous-préfecture de la *Mayenne. 8 600 hab. *(les Castrogontériens).*

Châteaulin ■ Sous-préfecture du *Finistère. 6 500 hab. *(les Castellinois ou Châteaulinois).* Port à 3 km (Port-Launay), pêche.

Châteauneuf-sur-Loire ■ Commune du *Loiret. 5 700 hab. *(les Castelneuviens).*

Châteaurenard ■ Commune des *Bouches-du-Rhône. 11 000 hab. *(les Châteaurenardins).*

Château-Renault ■ Commune d'*Indre-et-Loire. 6 100 hab. *(les Castelrenaudins).*

Châteauroux ■ Préfecture de l'*Indre. 55 700 hab. *(les Castelroussins).* Constructions mécaniques. Confection. Ce fut une place forte.

Château-Thierry ■ Sous-préfecture de l'*Aisne. 13 900 hab. *(les Castrothéodoriciens).* Batailles de la *Marne (1918).

Châtelaillon-Plage ■ Station balnéaire de *Charente-Maritime. 5 400 hab.

Châtelguyon ■ Station thermale du *Puy-de-Dôme. 3 700 hab. *(les Chatelguyonnais).*

Châtellerault ■ Sous-préfecture de la *Vienne. 38 300 hab. *(les Châtelleraudais).* Bâtiments anciens (XIIe - XVIIe s.). Centre industriel : coutellerie, aéronautique, électronique.

Châtenay-Malabry ■ Commune des *Hauts-de-Seine, dans la banlieue sud de Paris. 30 500 hab.

Châtillon ou *Châtillon-sous-Bagneux* ■ Commune des *Hauts-de-Seine, dans la banlieue sud de Paris. 26 600 hab. *(les Châtillonnais).*

Châtillon-sur-Seine ■ Commune de la *Côte-d'Or. 8 000 hab. *(les Châtillonnais).*

Chatou ■ Commune des *Yvelines. 26 600 hab. *(les Catoviens).* Cité résidentielle.

La Châtre ■ Sous-préfecture de l'*Indre. 5 200 hab. *(les Castrais ou Castreux).*

Chattanooga ■ Ville du sud des États-Unis (*Tennessee). 170 000 hab. Tourisme. Défaite des *Sudistes en 1863.

Thomas Chatterton ■ Poète anglais (1752-1770). Son suicide a frappé les auteurs romantiques (Wordsworth, Vigny).

Geoffrey Chaucer ■ Poète anglais (v. 1340 - 1400). Ses *"Contes de Canterbury"* l'ont fait considérer comme le premier écrivain réaliste. Il créa le décasyllabe anglais.

Chaufailles ■ Commune de *Saône-et-Loire. 5 000 hab. *(les Chaufaillons).*

Guy de Chauliac ■ Auteur du premier traité français de chirurgie (XIVe s.).

Chaumont ■ Préfecture de la Haute-*Marne. 29 300 hab. *(les Chaumontais).* Industries du cuir (gants).

Chauny ■ Commune de l'*Aisne. 15 000 hab. *(les Chaunois).* Industrie chimique.

les îles Chausey ■ Archipel français de la Manche (300 îles). Pêche.

Ernest Chausson ■ Compositeur français (1855-1899). Proche de César *Franck. *"Le Poème de l'amour et de la mer".*

Camille Chautemps ■ Homme politique français (1885-1963). Président du Conseil radical-socialiste en 1930, 1933-1934, et de 1937 à 1938 (⇒ **Front populaire**).

Chauvigny ■ Commune de la *Vienne. 6 800 hab. *(les Chauvinois).* Châteaux, églises.

La Chaux-de-Fonds ■ Ville de Suisse. 39 000 hab. Centre de l'industrie horlogère.

Carlos Chávez ■ Compositeur et chef d'orchestre mexicain (1899-1978). Il s'inspire du folklore.

Chaville ■ Commune des *Hauts-de-Seine. 19 000 hab. *(les Chavillois).*

Chavín de Huantar ■ Site archéologique du Pérou. Vestiges de la civilisation *chavin* (VIIIe - IIIe s. av. J.-C.).

Chazelles-sur-Lyon ■ Commune de la *Loire. 5 400 hab. *(les Chazellois).*

Andrée Chédid ■ Poète et romancière libanaise d'expression française (née en 1920).

Chelles ■ Commune de *Seine-et-Marne. 42 500 hab. *(les Chellois).*

Chengdu ■ Ville de Chine. 1,13 million d'hab. Centre industriel et culturel (université).

Cheng zu dit *Yongle* ■ Empereur *Ming de Chine (1360-1424). Esprit encyclopédique, il encouragea de grands voyages sur mer.

André de Chénier ■ Poète français (1762-1794). Imprégnée de culture hellénique, son œuvre fut saluée par les Romantiques. Il mourut guillotiné. *"Iambes"*. □ *Marie-Joseph de Chénier,* son frère (1764-1811), écrivain et homme politique, auteur du *"Chant du départ"*.

Chennevières-sur-Marne ■ Commune du *Val-de-Marne. 17 600 hab. *(les Chenneviérois).*

Chenonceaux ■ Commune d'*Indre-et-Loire (316 hab.). Château Renaissance construit en partie sur un pont à cinq arches, enjambant le Cher.

Chenove ■ Commune de la *Côte-d'Or. 21 500 hab. Vins. Industries.

Cheongjin ■ Port de Corée du Nord. 265 000 hab. Industries. Exportation.

le Cher [18] ■ Département français de la région *Centre. Il doit son nom à la rivière qui le traverse. 7 228 km². 320 000 hab. Préfecture : Bourges. Sous-préfecture : Saint-Amand-Montrond.

Cherbourg ■ Sous-préfecture de la *Manche. 35 000 hab. *(les Cherbourgeois).* Port militaire, un des enjeux du front Atlantique en 1940-1945. Constructions navales, métallurgie.

Jules Chéret ■ Artiste français (1836-1932). Il renouvela l'art de l'affiche.

les Cherokees ■ Indiens d'Amérique du Nord, environ 40 000 aujourd'hui.

Luigi Cherubini ■ Compositeur italien (1760-1842). Il fit une brillante carrière à Paris. Son opéra, *"Médée"*, annonce le romantisme.

la baie de Chesapeake ■ Baie américaine (*Maryland, *Virginie) sur l'Atlantique. Pont de 12 km à son extrémité.

Le Chesnay ■ Ville résidentielle des *Yvelines. 16 400 hab.

Chester ■ Ville et port fluvial d'Angleterre, chef-lieu du *Cheshire*. 62 300 hab. Architecture médiévale, remparts.

Philip Stanhope comte de Chesterfield ■ Diplomate, ministre et mécène anglais (1694-1773). *"Lettres à son fils"*.

Gilbert Keith **Chesterton** ■ Écrivain anglais (1874-1936). Brillant polémiste catholique. "*Le Nommé Jeudi*", roman.

Léon **Chestov** ■ Philosophe russe exilé à Paris, proche d'un christianisme tragique (1866-1938).

le facteur **Cheval** ■ Artiste français (1836-1924). Autodidacte, il construisit un « palais » admiré par les *surréalistes.

Maurice **Chevalier** ■ Artiste français de music-hall (1888-1972).

Chevigny-Saint-Sauveur ■ Commune de la *Côte-d'Or. 7 300 hab.

Chevilly-Larue ■ Commune du *Val-de-Marne. 16 000 hab.

Eugène **Chevreul** ■ Chimiste français (1786-1889). Analyse des corps gras. Théorie des couleurs (étudiée par le peintre *Seurat).

Tarass **Chevtchenko** ■ Poète et héros national de l'*Ukraine (1814-1861).

les **Cheyennes** ■ Indiens d'Amérique du Nord.

Chiai ■ Ville de Taiwan. 252 000 hab.

Chiang Kai-shek ■ ⇒ **Tchang Kaï-chek.**

Chiang Mai ■ 2ᵉ ville de Thaïlande. 101 600 hab. Commerce (teck, soieries).

le **Chianti** ■ Région d'Italie, en Toscane. Vin réputé. ‹ ▶ chianti ›

Chiba ■ Ville industrielle du Japon (*Honshū). 789 000 hab.

Chicago ■ 2ᵉ ville des États-Unis (*Illinois). 3 millions d'hab. Zone urbaine de 7 millions d'hab. Centre culturel, industriel, commerçant (céréales, bétail). Universités.

Chichén Itzá ■ Site archéologique du Mexique. Centre de la civilisation toltèque-maya (⇒ **Mayas**).

Chiclayo ■ Ville du Pérou. 280 200 hab.

Chicoutimi ■ Ville du Canada (Québec), située au nord de *Québec. 61 000 hab. Centre administratif, commercial et universitaire.

Chihuahua ■ Ville du Mexique. 406 800 hab.

le **chiisme,** *les chiites* ■ Mouvement politique et religieux qui divisa l'Islam dès le VIIᵉ s. Les chiites s'écartent de l'islam majoritaire (la *sunna) ; ils restent fidèles au souvenir d'*Ali, parent de *Mahomet, et refusent de reconnaître les califes (ou *imâms*) qui lui succédèrent. ‹ ▶ chiite ›

Chikamatsu Monzaemon ■ Auteur dramatique japonais (1653-1724). Surnommé « le Shakespeare du Japon », il est le créateur du théâtre moderne de son pays.

Childebert ■ NOM DE TROIS ROIS MÉROVINGIENS □ *Childebert Iᵉʳ* (v. 495 - 558), fils de *Clovis. □ *Childebert II* (v. 570 - 596), roi d'Austrasie, à laquelle il unit la Bourgogne. □ *Childebert III* (v. 683 - 711) fut dominé par *Pépin de Herstal.

Childéric ■ NOM DE TROIS ROIS MÉROVINGIENS □ *Childéric Iᵉʳ* (v. 436 - 481), fils de *Mérovée et père de *Clovis. □ *Childéric II* (v. 653 - 675), roi d'Austrasie. □ *Childéric III* (mort en 755), dernier roi mérovingien, déposé en 751 par Pépin le Bref.

le **Chili** ■ État (république) d'Amérique du Sud, s'étendant sur 4 200 km du nord au sud en bordure du Pacifique, et sur une largeur moyenne de 200 km. 736 905 km². 12 millions d'hab. (*les Chiliens*). Capitale : Santiago. Langue officielle : espagnol. Monnaie : peso. Malgré un essor économique récent et d'importantes ressources agricoles (vins), minières (premier exporteur mondial de cuivre) et industrielles, les difficultés subsistent : inflation, dette extérieure. □HISTOIRE. Conquis au XVIᵉ s. par les Espagnols sur les indiens *Araucans (la population est aujourd'hui métis à 70 %), géographiquement coupé de la vice-royauté du Pérou dont il dépendait, le Chili ne prit son essor qu'au XIXᵉ s. : indépendance en 1818, victoire sur le Pérou et la Bolivie (guerre du Pacifique, 1883) qui lui apporta de nouvelles richesses minières. Malgré la crise économique de 1929 et les secousses de l'alternance des partis de gauche et de droite au pouvoir, il s'était institué une tradition démocratique et progressiste. En 1970 le programme socialiste de Salvador *Allende se heurta à la droite. Le président fut tué lors du coup d'État du général Pinochet (1973). La dictature militaire en place engendre de violentes manifestations (*protestas*) et une réprobation internationale.

Chilly-Mazarin ■ Commune de l'*Essonne. 17 300 hab. (*les Chiroquois*).

Chilpéric ■ NOM DE DEUX ROIS MÉROVINGIENS □ *Chilpéric Iᵉʳ* (539-584). Fils de *Clotaire Iᵉʳ, il reçut en partage la *Neustrie. □ *Chilpéric II* (v. 670 - 721). Roi mérovingien de Neustrie.

Chimbote ■ Port du Pérou. 216 400 hab. Sidérurgie.

la **Chimère** ■ Monstre de la mythologie grecque : elle a la tête d'un lion, le ventre d'une chèvre et la queue d'un dragon. ‹ ▶ chimère ›

Chinatown ■ ⇒ **New York.**

la **Chine** ■ État (république populaire) le plus peuplé du monde, allant de la mer de Chine (Pacifique) au cœur de l'Asie. Le relief va en gradins descendants, du plateau du Tibet aux grandes plaines et aux vallées fertiles de l'est. 1,072 milliard d'hab. (*les Chinois*). 9 572 900 km². Capitale : Pékin. Langue officielle : chinois. Monnaie : yuan. L'énorme croissance démographique a entraîné un contrôle très strict des naissances. L'agriculture domine l'économie (riz, blé, thé) ; collectivisée à partir de 1949, la terre est redistribuée aux familles depuis 1979. L'industrialisation, amorcée dans les années 1950, a accordé la priorité à l'industrie lourde. Énormes ressources minières : charbon, pétrole, fer, manganèse... □HISTOIRE. La Chine connaît l'écriture dès le IIᵉ millénaire av. J.-C. (dynastie des Shang puis Shang-Yin). Sous la dynastie des *Zhou apparaissent (v. 500 av. J.-C.) la pensée *taoïste (⇒ **Laozi**) et celle de *Confucius. Mais la véritable unité politique du pays, après la période dite des *Printemps et Automnes* puis celle des *Royaumes combattants*, fut l'œuvre de *Qin Shi Huangdi (v. 220 av. J.-C.). Il construisit la Grande Muraille, fonda la dynastie *Qin (ou Ch'in) qui a donné son nom à la Chine. Avec la dynastie des *Han (apogée sous Guang Wudi, 140 - 87 av. J.-C.) s'introduit le *bouddhisme (Iᵉʳ s.). À nouveau divisée (220), la Chine fut réunifiée (618) par la dynastie des *Tang (qui prit fin en 907) et connut une prospérité exceptionnelle (VIIᵉ - VIIIᵉ s., âge d'or de la poésie classique : *Li Bo, *Du Fu). La restauration de l'empire par les *Song ne résista pas aux puissances du Nord ; ce fut le Mongol *Qubilai Khan qui, de sa nouvelle capitale Pékin, imposa un pouvoir central (dynastie des *Yuan, 1276-1368), brimant les peuples Han (92 % de la population actuelle). Une réaction nationaliste porta Hongwu au pouvoir (dynastie des *Ming, 1368-1644) ; il accomplit en despote une œuvre économique considérable ; son fils Yongle mena une politique d'expansion (militaire en Mongolie, maritime jusqu'en Afrique) et de prestige ; après le renouveau culturel sous Wanli (1573-1620), les troubles politiques et sociaux permirent l'invasion de la Chine par la Mandchourie. La dynastie mandchoue des *Qing régna de 1644 à 1911 ; l'ouverture à l'Europe (accueil des Jésuites à la cour de Kangxi, monarque de 1662 à 1722) fut forcée par les intérêts commerciaux de la Grande-Bretagne, de la France et de l'Allemagne (« guerre de l'opium » qui aboutit au traité de Nankin en 1842, guerre sino-française du Tonkin en 1884-1885). L'impuissance du régime, les soulèvements nationalistes (guerre des *Boxers, 1900) conduisirent à la proclamation de la république par *Sun Yat-sen. Mais les républicains étaient divisés. Au terme de quarante ans de guerre civile (⟹ **Kuo min-tang, Tchang Kaï-chek**) et quinze ans (1931-1945) de guerre avec le Japon, le parti communiste de *Mao Zedong proclama la république populaire (1949), ses adversaires se retirant à *Tai-wan. D'abord soutenue par l'Union Soviétique, en particulier dans son effort de planification économique, la Chine s'en éloigna après le « bond en avant » de 1958, pour se rapprocher du Japon et même des États-Unis (visite du président *Nixon en 1972). Des conflits frontaliers l'opposèrent à l'Inde (1972) et au Viêt-nam (1979, 1983). Après les soubresauts de la « révolution culturelle » (destitution du chef de l'État *Liu Shaoqi par le parti en 1968) et l'éviction brutale du ministre de la Défense *Lin Biao en 1971, le pragmatisme du Premier ministre *Chou En-lai a marqué les dernières années de Mao, mort comme lui en 1976. Les dirigeants actuels (⟹ **Deng Xiaoping**) ont accentué cette orientation « modérée », réformatrice, par opposition au maoïsme « dur » qu'incarnait *Hua Guofeng. Le pays est administré en 22 provinces, y compris la « Chine extérieure » (*Tibet, *Xinjiang, *Mongolie intérieure) et l'île de *Taiwan, laquelle se déclare « république de Chine » anticommuniste. ⟨ ▶ ① et ② chinois ⟩

Chinon ■ Sous-préfecture de l'*Indre-et-Loire. 8 800 hab. *(les Chinonnais).* Château. Centrale nucléaire d'Avoine.

l'île de ***Chios*** ■ Dans la mer *Égée, une des plus importantes cités de la Grèce antique. Massacre de la population par les Turcs en 1822. 904 km². 49 800 hab.

Thomas ***Chippendale*** ■ Ébéniste anglais (v. 1718 - 1779). Il créa un style de mobilier auquel il donna son nom.

Jacques ***Chirac*** ■ Homme politique français (né en 1932). Gaulliste, Premier ministre en 1974-1976 et 1986-1988, maire de Paris depuis 1977.

Chirāz ou *Shīrāz* ■ Centre artistique et culturel de l'Iran, ancienne capitale du pays (XVIIIᵉ s.). 848 000 hab.

Chirico ■ ⟹ Giorgio **De Chirico.**

Chittagong ■ Port du Bangladesh. 1,39 million d'hab.

Étienne François duc de ***Choiseul*** ■ Ministre de Louis XV (1719-1785). Sous son ministère, la France acquit la Lorraine et la Corse et l'opposition parlementaire se renforça.

Choisy-le-Roi ■ Commune du *Val-de-Marne. 35 500 hab. *(les Choisyens).* Constructions mécaniques, verrerie.

Cholet ■ Sous-préfecture du *Maine-et-Loire. 56 500 hab. *(les Choletais).* Commerce, industries traditionnelles (mouchoirs). La guerre de Vendée a détruit les monuments anciens (1793-1794).

Mikhaïl ***Cholokhov*** ■ Romancier soviétique (1905-1984). *"Le Don paisible".* Prix Nobel 1965.

Noam ***Chomsky*** ■ Linguiste américain (né en 1928). Créateur de la grammaire générative.

Ch'ŏngjin ■ Ville industrielle et port de Corée du Nord. 490 000 hab.

Chongqing ■ Port fluvial et centre industriel de la Chine. 2,78 millions d'hab. Capitale de *Tchang Kaï-chek de 1938 à 1946.

Frédéric ***Chopin*** ■ Compositeur polonais (1810-1849). Il a révolutionné l'art du piano *("Polonaises" ; "Mazurkas" ; "Valses").* Personnage *romantique par excellence : héros national émigré à Paris, pianiste virtuose, amant de la romancière George *Sand.

Chorzów ■ Ville de Pologne (haute *Silésie). 157 000 hab.

Dimitri ***Chostakovitch*** ■ Compositeur soviétique (1906-1975). Auteur de quinze symphonies.

la ***chouannerie*** ■ Mouvement d'opposition des catholiques royalistes du Maine, de Bretagne et de Normandie *(les chouans)* à la Révolution française. Ce fut une guerre civile de 1793 à 1795, parallèlement à la guerre de *Vendée (⟹ **Cottereau**).

Chou En-lai ou ***Zhou Enlai*** ■ Compagnon de *Mao Zedong, Premier ministre de la république populaire de Chine de 1949 à sa mort (1898-1976).

Driss ***Chraïbi*** ■ Romancier marocain d'expression française (né en 1926).

Chrétien de Troyes ■ Écrivain français (v. 1135 - v. 1183). Romans de chevalerie en vers octosyllabes reprenant le « cycle breton » de la quête du *Graal : *"Lancelot" ; "Yvain" ; "Perceval".*

le ***Christ*** ■ *Jésus, identifié par les chrétiens au Messie (en hébreu *mashiah* c'est-à-dire « oint », traduit en grec par *khristos*), envoyé et fils de Dieu. □ *le* ***christianisme,*** religion des disciples du Christ, propagée par les *Apôtres. Au cours de l'histoire, les chrétiens se sont divisés en trois confessions principales : les *catholiques, les *orthodoxes et les *protestants. ⟨ ▶ chrétien, christ ⟩

Christchurch ■ Ville de Nouvelle-Zélande. 333 200 hab. Port de Lyttelton.

Christian ■ NOM DE DIX ROIS DU DANEMARK □ ***Christian II*** (1481-1559) fut chassé du trône de Suède par *Gustave Vasa (1523), après avoir tenté de s'imposer par la force. □ ***Christian VI*** (1699-1746) régna en despote éclairé. □ ***Christian X*** (1870-1947) s'est opposé au nazisme.

Agatha ***Christie*** ■ Écrivaine britannique (1891-1976). Maître du roman policier. *"Le Crime de l'Orient-Express".*

Christine ■ Reine de Suède (1626-1689). Très cultivée, elle reçut *Descartes. Elle abdiqua (1654) après sa conversion au catholicisme.

Christine de Pisan ■ Écrivaine française (v. 1363 - v. 1430). Elle prit la défense des femmes. *"La Cité des femmes".*

Christo ■ Artiste américain d'origine bulgare (né en 1935). Empaquetage du Pont-Neuf à Paris, en 1985.

saint ***Christophe*** ■ Personnage légendaire, patron des voyageurs. Son nom signifie « porteur du Christ ».

Henri ***Christophe*** ■ Roi d'Haïti (1767-1820). Esclave noir affranchi, il renversa *Dessalines, fut proclamé président puis roi de 1811 à sa mort.

Georges Colomb dit ***Christophe*** ■ Écrivain et dessinateur français (1856-1945). Albums précurseurs de la bande dessinée : *"la Famille Fenouillard" ; "le Sapeur Camember" ; "le Savant Cosinus".*

Petrus **Christus** ■ Peintre *flamand (v. 1410 - v. 1473). *"Portrait d'une jeune femme"*.

Chrysippe ■ ⇒ stoïcisme.

Chrysostome ■ ⇒ saint **Jean Chrysostome**.

Alonzo **Church** ■ Mathématicien, logicien et philosophe américain (né en 1903).

sir Winston **Churchill** ■ Homme d'État britannique (1874-1965). Symbole de la détermination britannique pendant la Seconde Guerre mondiale, à la tête d'un gouvernement de coalition. Député en 1900, plusieurs fois ministre, responsable (1911 et 1939) de la Marine, il fut à nouveau chef du gouvernement (conservateur) de 1951 à 1955. Il a laissé de nombreux ouvrages.

les frères **Churriguera** ■ Architectes espagnols des années 1700. Le baroque espagnol le plus exubérant est parfois appelé style *churrigueresque*. Alberto (1676-1750) est l'auteur de la Plaza Mayor à Salamanque.

Chypre ■ Île et État de la Méditerranée au large de la Turquie, mais à population majoritairement grecque. 9 251 km². 700 000 hab. *(les Chypriotes* ou *Cypriotes)*. Capitale : Nicosie. Langues : grec, turc (officielles), anglais. Monnaie : livre chypriote. Agriculture, minerais (cuivre). ☐**HISTOIRE**. L'hellénisation remonte à l'Antiquité et se prolonge, à travers *Byzance, jusqu'à la conquête de Chypre par les Croisés (1191). Le conflit avec la minorité turque, fortement établie depuis l'annexion de l'île à l'Empire ottoman (1571), s'est exacerbé sous la domination britannique (1878-1959) et plus encore depuis la création d'une république indépendante (1960). Après intervention directe de la Grèce et de la Turquie (1974), les Chypriotes turcs ont fait sécession.

la **C.I.A.**, *Central Intelligence Agency* ■ Agence centrale de renseignements, d'espionnage et de contre-espionnage des États-Unis (lutte contre le communisme).

Galeazzo **Ciano** *comte de Cortellazzo* ■ Gendre de *Mussolini, chef de la diplomatie fasciste, exécuté pour trahison (1903-1944).

Ciboure ■ Commune des *Pyrénées-Atlantiques. 6 000 hab. Patrie de M. *Ravel.

Cicéron en latin *Marcus Tullius Cicero* ■ Homme politique, orateur et écrivain romain (106 - 43 av. J.-C.). Il a donné les modèles de l'éloquence et de la prose philosophique latines. Son influence fut immense.

Rodrigo Díaz de Bivár dit *le* **Cid Campeador** ■ Illustre chef de guerre espagnol (1043-1099). Adversaire des *Maures, héros de la « Reconquête » (⇒ **Espagne**). Sa légende a inspiré la littérature médiévale espagnole, et des auteurs dramatiques (*Corneille).

Cienfuegos ■ Port de Cuba. 226 000 hab.

la **Cilicie** ■ Région du sud de la Turquie.

Cimabue ■ Peintre florentin (v. 1240 - v. 1302). Maître de *Giotto. *"Crucifix"*. Peintures sur fond d'or. Mosaïques.

Domenico **Cimarosa** ■ Compositeur italien (1749-1801). Opéras bouffes. *"Le Mariage secret"*.

les **Cimbres** n. m. ■ Peuple germanique. Avec les Teutons, ils envahirent la Gaule mais furent arrêtés au nord de l'Italie (101 av. J.-C.).

Cimon ■ Général et homme politique athénien (v. 510 - v. 449 av. J.-C.).

Cincinnati ■ Ville des États-Unis (*Ohio). 383 000 hab. Musées. Métallurgie.

Cincinnatus ■ Paysan romain (vᵉ s. av. J.-C.). Glorieux soldat, il retourna à sa charrue, refusant les honneurs.

Lucius Cornelius **Cinna** ■ Homme politique romain, qui exerça le pouvoir de 87 av. J.-C. à sa mort (84 av. J.-C.).

Cneius Cornelius **Cinna** ■ Favori d'*Auguste (Iᵉʳ s. av. J.-C.). Il conspira contre lui mais fut pardonné. Corneille en tira une tragédie, *"Cinna ou la Clémence d'Auguste"*.

le groupe des **Cinq** ■ Musiciens russes du XIXᵉ s. : *Balakirev, *Borodine, César Cui, *Moussorgski, *Rimski-Korsakov.

le Conseil des **Cinq-Cents** ■ L'une des deux assemblées législatives du *Directoire.

le monte **Cinto** ■ Point culminant de la Corse, 2 710 m.

Emil **Cioran** ■ Essayiste roumain d'expression française (né en 1911). Moraliste pessimiste. *"De l'inconvénient d'être né"*.

La **Ciotat** ■ Commune des *Bouches-du-Rhône. 33 000 hab. *(les Ciotadens)*. Port sur la Méditerranée, pêche, chantiers navals.

Circé ■ Magicienne de l'*Odyssée.

la **Cisjordanie** ■ Territoire à l'ouest du Jourdain correspondant aux provinces de Samarie et de Judée. Conquis par la Jordanie en 1948, occupé et administré par Israël depuis 1967. Villes principales : Bethléem, Jéricho, Jérusalem.

les **cisterciens** ■ ⇒ **Cîteaux**.

la **Cité** en anglais *the City of London* ■ Le plus ancien quartier de Londres, et son pôle financier.

l'île de la **Cité** ■ Île sur la Seine, site originaire de la ville de Paris. Cathédrale *Notre-Dame. Nombreux bâtiments publics.

Cîteaux ■ Abbaye fondée en Bourgogne en 1098. ▶ *l'ordre des* **cisterciens** (bénédictins réformés) s'étendit dans toute l'Europe médiévale. Son architecture est austère. La *Trappe regroupe les cisterciens dits « de la stricte observance ».

André **Citroën** ■ Ingénieur français, industriel de l'automobile (1878-1935).

Ciudad Bolívar ■ Ville du Venezuela. 104 000 hab. Port fluvial (exportation du fer).

Ciudad Guayana ■ Ville du Venezuela. 144 000 hab. Centre industriel (fer).

Ciudad Juárez ■ Ville du Mexique. 570 000 hab. Important trafic avec El Paso (États-Unis).

Ciudad Obregón ■ Ville du Mexique. 170 000 hab. Marché agricole, mines.

Cixi ■ ⇒ **Ts'eu-Hi**.

René **Clair** ■ Cinéaste français (1898-1981). *"Le Million"* ; *"À nous la liberté"*.

Alexis **Clairaut** ■ Astronome et mathématicien français (1713-1765).

sainte **Claire** ■ Religieuse italienne, proche de saint *François d'Assise (v. 1193 - 1253). ⇒ **clarisses**.

Clairvaux ■ Abbaye cistercienne (⇒ **Cîteaux**) fondée par saint *Bernard en 1115.

Clamart ■ Commune des *Hauts-de-Seine, dans la banlieue sud-ouest de Paris. 53 000 hab. *(les Clamariots* ou *Clamartois).*

Clamecy ■ Sous-préfecture de la *Nièvre. 6 100 hab. *(les Clamecycois).* Industries.

Émile Clapeyron ■ Physicien français (1799-1864). Un des pères de la thermodynamique.

les clarisses n. f. ■ Ordre religieux féminin fondé par sainte *Claire.

John Bates Clark ■ Économiste américain (1847-1938). Théoricien de l'école marginaliste.

le classicisme ou *l'art classique* ■ Période de l'art occidental et idéal esthétique qui se définit par le culte des modèles antiques et par la recherche de la perfection et de l'harmonie. L'Antiquité et la Renaissance italienne sont les bases sur lesquelles s'épanouit le classicisme français sous le règne de Louis XIV, avec *Mansart et Hardouin-*Mansart pour l'architecture, *Le Brun, *Poussin pour la peinture, *Girardon pour la sculpture. *Malherbe, *Boileau, *La Fontaine, *Bossuet, *Racine sont les principaux écrivains classiques. ⇒ **néo-classicisme.**

Georges Claude ■ Physicien et industriel français (1870-1960). Liquéfaction de l'air.

Claude Ier ■ Empereur romain (10 av. J.-C. - 54). Époux de Messaline puis d'Agrippine la jeune, père de Britannicus.

Claude de France ■ Reine de France (1499-1524). Épouse de François Ier, fille de Louis XII et d'Anne de Bretagne. À sa mort, le duché de Bretagne fut définitivement réuni à la couronne.

Paul Claudel ■ Écrivain français (1868-1955). Converti au catholicisme en 1886, il a rénové l'écriture théâtrale en France (*"Tête d'or"* ; *"Partage de midi"* ; *"l'Annonce faite à Marie"* ; *"le Soulier de satin").* Ses voyages (il était diplomate) ont nourri son œuvre de poète. □ *Camille Claudel,* sa sœur (1864-1943), sculptrice française proche de Rodin.

Appius Claudius Caecus ■ Homme politique romain (v. 300 av. J.-C.). Il fit ouvrir la *voie Appienne,* de Rome à Capoue.

Hugo Claus ■ Écrivain belge d'expression flamande (né en 1929). *"La Chasse aux canards".*

Karl von Clausewitz ■ Général prussien, théoricien de la guerre (1780-1831).

Rudolf Clausius ■ Physicien allemand (1822-1888). Contributions fondamentales à la thermodynamique (⇒ Sadi **Carnot**) et à la cinétique des gaz.

Henry Clay ■ Homme politique américain (1777-1852). Il s'efforça d'éviter le conflit entre États du Nord et du Sud.

Claye-Souilly ■ Commune de *Seine-et-Marne. 5 900 hab.

Les Clayes-sous-Bois ■ Commune des *Yvelines. 10 000 hab.

Georges Clemenceau ■ Homme politique français (1841-1929). Partisan de *Dreyfus, président du Conseil (radical) en 1906-1909 puis 1917-1919, sa fermeté restaura la confiance face à l'Allemagne. Surnommé « le Tigre ».

Clément V ■ Pape élu en 1305 (mort en 1314). Proche des intérêts de Philippe le Bel, il fut le premier pape installé à Avignon.

Clément VII ■ Antipape d'Avignon de 1378 à 1394, à l'origine du Grand *schisme d'Occident.

Clément VII ■ Jules de *Médicis (1478-1534), pape de 1523 à sa mort. Il excommunia *Henri VIII (⇒ **anglicanisme**).

Clément d'Alexandrie ■ Écrivain grec et philosophe chrétien (v. 150 - v. 215). *"Le Pédagogue".*

Jean-Baptiste Clément ■ Socialiste français, auteur de chansons (1837-1903). *"Le Temps des cerises",* musique de Renard.

René Clément ■ Cinéaste français (né en 1913). *"La Bataille du rail"* ; *"Jeux interdits".*

Muzio Clementi ■ Compositeur, pianiste et facteur de pianos italien (1752-1832). Un des inventeurs du piano moderne.

Cléopâtre ■ Reine d'Égypte (69 - 30 av. J.-C.), maîtresse de César (leur fils Césarion fut le dernier *Ptolémée) puis d'Antoine. Son rêve d'un empire oriental fut anéanti par Octave (⇒ **Auguste**), qui fit de l'Égypte une province romaine (31 av. J.-C.). Devant cet échec, elle se suicida.

Charles-Louis Clérisseau ■ Architecte français (1721-1820).

Clermont ■ Sous-préfecture de l'*Oise. 8 800 hab. *(les Clermontois).* Industries alimentaires.

Clermont-Ferrand ■ Préfecture du *Puy-de-Dôme. 161 000 hab. *(les Clermontois).* Cathédrale gothique, église romane Notre-Dame-du-Port, monuments. Industries du caoutchouc (pneus Michelin). La ville est née de la réunion, en 1633, de Clermont, ancienne capitale de l'Auvergne, et de Montferrand.

Clermont-l'Hérault ■ Commune de l'*Hérault. 5 500 hab. *(les Clermontais).*

Cleveland ■ Ville des États-Unis (*Ohio). 573 000 hab. Port sur le lac Érié. Universités. Industries.

Clichy ■ Commune des *Hauts-de-Seine, dans la banlieue nord-ouest de Paris. 48 000 hab. *(les Clichiens).* Industries automobile (Citroën), chimique et électrique.

Clichy-sous-bois ■ Commune résidentielle de la *Seine-Saint-Denis. 22 500 hab. *(les Clichois).*

Clio ■ *Muse de la poésie épique et de l'histoire.

l'îlot Clipperton ■ Possession française du Pacifique, au large du Mexique.

Clisthène ■ Homme d'État grec, père de la démocratie d'Athènes (fin ve s. av. J.-C.).

Robert baron Clive de Plassey ■ Général britannique (1726-1774). Fondateur de l'empire anglais des Indes.

Jean-Baptiste dit *Anarcharsis Cloots* ■ Baron prussien rallié à la Révolution française (1755-1794). Guillotiné avec *Hébert.

Clotaire ■ NOM DE TROIS ROIS MÉROVINGIENS □ *Clotaire Ier,* dernier fils de Clovis (497-561). À sa mort, le royaume fut partagé entre ses fils. □ *Clotaire II,* père de Dagobert Ier (584-628). □ *Clotaire III,* roi de Neustrie (652-673).

les Clouet ■ Peintres de la Renaissance française, d'origine flamande. Jean (v. 1485 - 1541) et son fils François (v. 1510 - 1572). Miniatures, portraits, dessins.

Clovis ■ NOM DE TROIS ROIS MÉROVINGIENS □ *Clovis Ier,* roi des Francs (466-511). L'extension qu'il donna au royaume et sa conversion au catholicisme l'ont fait considérer comme un des pères de la nation française. □ *Clovis II,* roi de Neustrie et de Bourgogne (mort en 657). ☐ *Clovis III,* roi d'Austrasie (mort en 695).

Cluj ■ Ville de Roumanie. 309 800 hab.

Cluny ■ Commune de la *Saône-et-Loire. 4 700 hab. *(les Clunisois).* En 910 y fut fondée une abbaye bénédictine qui dirigea un important mouvement de réforme ; son architecture influença l'évolution de l'art roman. ▶ *les clunisiens,* abbés de Cluny, furent étroitement associés à l'action de la papauté (⇒ **Grégoire VII**).

Cluses ■ Commune de Haute-*Savoie. 15 900 hab. *(les Clusiens).*

la *Clyde* ■ Le plus important fleuve d'Écosse, jalonné de villes industrielles.

Clytemnestre ■ Personnage d'*Homère et de la légende des Atrides, reprise par *Sophocle, *Eschyle, *Euripide. Pour venger le sacrifice de sa fille *Iphigénie, elle tua son époux *Agamemnon et fut tuée par son fils *Oreste.

Cnossos ■ Site archéologique de la *Crète.

William Cobbett ■ Journaliste anglais, parlementaire radical (1763-1835).

Coblence, en allemand *Koblenz* ■ Ville de R. F. A. 110 600 hab. Refuge des émigrés français pendant la Révolution (1793).

Cobra ■ Mouvement artistique international fondé à Paris en 1948, dissous en 1951. Son nom reprend les initiales de *Co*penhague, *Br*uxelles et *A*msterdam. Expressionnisme exacerbé et impulsif.

Cochabamba ■ 3e ville de Bolivie. 282 000 hab. Région agricole. Pétrole.

Cochin ■ Nom européen de *Kuchi Bandar.

la *Cochinchine* ■ Nom donné par les Français au sud du Viêt-nam, formé par le delta du *Mékong. Climat subtropical (riz, canne à sucre). Ancienne colonie française, capitale : Saigon (⇒ **Indochine**).

sir John Douglas Cockcroft ■ Physicien anglais (1897-1967). Prix Nobel 1951 avec *Walton, pour leur réalisation du premier accélérateur de particules.

Jean Cocteau ■ Écrivain et artiste français (1889-1963). Il a cherché à rapprocher le réel et l'imaginaire. "*Thomas l'Imposteur*", roman ; "*les Parents terribles*", théâtre ; "*la Belle et la Bête*" et "*le Testament d'Orphée*", films. Essentiellement poète, il fut aussi peintre et dessinateur.

le *Code civil* ou *code Napoléon* ■ Recueil de droit civil français (1804). Il influença la législation de nombreux États.

Coëtquidan ■ ⇒ **Saint-Cyr.**

Jacques Cœur ■ Négociant français, argentier de *Charles VII (v. 1395 - 1456).

Cognac ■ Sous-préfecture de la *Charente. 21 000 hab. *(les Cognaçais).* Production de l'eau-de-vie dite *cognac.* ⟨ ▶ cognac ⟩

Marcel Cohen ■ Linguiste français (1884-1974). Pionnier de la sociolinguistique.

Albert Cohen ■ Écrivain suisse d'expression française (1895-1981). "*Belle du Seigneur*".

Leonard Cohen ■ Écrivain et chanteur canadien d'expression anglaise (né en 1934).

Coimbatore ■ Ville de l'Inde. 917 000 hab.

Coïmbre, en portugais *Coimbra* ■ Ville du Portugal. 74 600 hab. Célèbre université.

Jean-Baptiste Colbert ■ Homme d'État français (1619-1683), ministre de Louis XIV. Il incarna le soutien royal au grand commerce, aux manufactures, aux arts et lettres. Son image de bourgeois économe, magnifiée au XIXe s., l'opposa à la Cour. *Louvois fut son rival.

Samuel Taylor Coleridge ■ Poète et philosophe anglais (1772-1834). Les "*Ballades lyriques*" (1798), écrites avec *Wordsworth, marquent le début du romantisme anglais.

Sidonie Gabrielle Colette ■ Romancière française (1873-1954). Auteur de la série des "*Claudine*" (signée par son premier mari, Willy) ; "*le Blé en herbe*" ; "*Dialogues de bêtes*".

Gaspard de Châtillon sire de Coligny ■ Amiral de France, chef protestant victime de la *Saint-Barthélemy (1519-1572).

le *Colisée* ■ Amphithéâtre de Rome (v. 80).

la *Collaboration* ■ Politique du gouvernement français de 1940 à 1944 (⇒ **Vichy**) et de ses partisans (journaux, mouvements politiques, militaires et, comme la *Milice, paramilitaires). Ils collaboraient avec l'Allemagne nazie et instituèrent pour cela le Service du travail obligatoire, en 1943.

le *Collège de France* ■ Établissement d'enseignement supérieur fondé à Paris en 1530 par *François Ier, sur proposition de G. *Budé.

l'*affaire du Collier* ■ Escroquerie dont fut victime le cardinal de *Rohan (1785). Le scandale atteignit *Marie-Antoinette, contribuant à déconsidérer la royauté.

Carlo Collodi ■ Écrivain italien (1826-1890). "*Pinocchio*", histoire d'une marionnette qui devient un enfant, connut un succès universel.

Jean-Marie Collot d'Herbois ■ Révolutionnaire français (1750-1796). Organisateur de la *Terreur, déporté en 1795.

Colmar ■ Préfecture du Haut-*Rhin. 63 700 hab. *(les Colmariens).* Églises, maisons anciennes, musées. Industrie textile. Marché du vin. Commerce des vins d'Alsace.

Cologne, en allemand *Köln* ■ Ville de R. F. A. 914 000 hab. Un des plus anciens ports rhénans, centre économique, artistique, intellectuel (université créée au Moyen Âge, musées). La cathédrale (XIIIe s.) et les monuments épargnés par les bombardements de 1943-1945 témoignent d'un riche passé.

Christophe Colomb ■ Navigateur d'origine italienne, au service de l'Espagne (v. 1451 - 1506). Parti pour l'Inde en explorant une route occidentale, il découvrit l'Amérique (1492). Il en devint le vice-roi puis fut destitué.

Colombes ■ Commune des *Hauts-de-Seine, dans la banlieue nord-ouest de Paris. 78 700 hab.

Colombey-les-Deux-Églises ■ Commune de Haute-*Marne. 700 hab. Résidence du général de Gaulle, qui y mourut. Mémorial élevé en 1972.

la *Colombie* ■ État (république) d'Amérique du Sud. 1 141 748 km². 29,5 millions d'hab. *(les Colombiens).* Capitale : Bogotá. Langue officielle : espagnol. Monnaie : peso colombien. Les principales richesses économiques sont le café (2e producteur mondial) et les ressources minières (émeraudes, platine, pétrole), encore peu exploitées. ☐ HISTOIRE. Conquise par les Espagnols sur les Indiens Chibchas, libérée par *Bolívar (1819), intégrée jusqu'en 1830 à la « Grande-

Colombie » (avec le Panamá, le Venezuela et l'Équateur), république fédérale puis, depuis 1886, unitaire (obligée de reconnaître en 1903 la sécession du *Panamá, la Colombie a connu en 1948-1953 une violente guerre civile, arrêtée par le coup d'État du général Rojas Pinilla. La vie politique reste instable, marquée par l'alternance au pouvoir des conservateurs et des libéraux, par les guérillas et la répression militaire.

la **Colombie britannique** ■ Province (État fédéré) du Canada. 948 596 km². 2,88 millions d'hab. Capitale : Victoria. Port de *Vancouver.

Colombine ■ ⇒ **Commedia dell'arte.**

Colombo ■ Capitale et port du *Sri Lanka. 587 600 hab.

Colomiers ■ Commune de la Haute-*Garonne. 23 600 hab.

le **Colorado** ■ Fleuve, né dans les *Rocheuses, qui traverse l'*État* puis le *plateau du Colorado* (vallée du Grand Canyon, *Arizona). □ le *Colorado,* État de l'ouest des États-Unis. 270 000 km². 3,2 millions d'hab. Capitale : Denver. Minerais (or, argent).

Colorado Springs ■ Ville des États-Unis (*Colorado). 215 000 hab. Tourisme. Centre militaire (défense aérienne).

John **Coltrane** ■ Saxophoniste de jazz noir américain (1926-1967).

la **Columbia** ■ Fleuve d'Amérique du Nord. Les *plateaux de la Columbia* forment le socle des *Rocheuses à l'est de *Seattle.

Columbia ■ Ville des États-Unis, capitale de la *Caroline-du-Sud. 93 000 hab. Université.

Columbia University ■ La plus importante université de New York.

Columbus ■ Ville des États-Unis (*Géorgie). 168 000 hab.

Columbus ■ Ville des États-Unis, capitale de l'*Ohio. 565 000 hab. Centre industriel. Université.

les **Comanches** ■ Indiens d'Amérique du Nord, réduits à 2 000 aujourd'hui.

Émile **Combes** ■ Homme politique français (1835-1921). Président du Conseil radical de 1902 à 1905, il fit voter la loi de séparation de l'Église et de l'État.

Combourg ■ Commune d'*Ille-et-Vilaine. 4 700 hab. *(les Combourgeois).* Château médiéval (musée *Chateaubriand).

Combs-la-Ville ■ Commune de *Seine-et-Marne. 13 800 hab. *(les Comblavillais).*

Côme, en italien *Como* ■ Ville d'Italie, au bord du *lac de Côme* (146 km²), dans les Alpes. 98 000 hab. Région touristique.

le **Comecon** ■ Organisme de coopération économique créé à Moscou en 1949 et qui comprend l'U. R. S. S., la Bulgarie, la Hongrie, la Mongolie, la R. D. A., la Pologne, la Roumanie, la Tchécoslovaquie, Cuba et le Viêt-nam. La Yougoslavie, entre autres pays, a conclu un accord de coopération en 1964. L'Afghánistán et le Yémen du Sud y siègent en tant qu'observateurs.

Comenius ■ Nom latin de Jan Amos Komensky, humaniste tchèque, grand pédagogue (1592-1670).

Comines, en néerlandais *Komen* ■ Commune de France et de Belgique, située de part et d'autre de la frontière. 10 500 hab. *(les Cominois).*

le **Comité de salut public** ■ Organisme de l'exécutif pendant la Révolution française (1793-1795). Le pouvoir dictatorial et la *Terreur qu'il exerça en 1793-1794 aboutirent à l'exécution de ses chefs, *Robespierre, *Couthon et *Saint-Just. Il fut supprimé par le *Directoire.

la **Commedia dell'arte** ■ Style théâtral italien : improvisation sur un canevas, masques, personnages de convention (Arlequin, Pierrot, Scaramouche, Pantalon, Colombine). Il connut son heure de gloire vers 1600 et inspira *Molière, *Goldoni, *Marivaux.

Commentry ■ Commune de l'*Allier. 9 400 hab. *(les Commentryens).* Centre industriel.

Commercy ■ Sous-préfecture de la *Meuse. 8 000 hab. *(les Commerciens).* Forges. Spécialité de pâtisseries (madeleines).

Commode ■ Empereur romain (161-192). Fils de *Marc Aurèle. Son assassinat mit fin à un règne désordonné.

le **Commonwealth** ■ Fédération de 49 États souverains issus de l'ancien Empire britannique en 1931. Les principaux : ⇒ **Canada, Nigeria, Tanzanie, Kenya, Ghana, Inde, Bangladesh, Sri Lanka, Malaysia, Australie, Nouvelle-Zélande.**

le **Commonwealth of Australia** ■ ⇒ **Australie.**

la **Communauté économique européenne** ■ ⇒ **C. E. E.**

la **Commune** ■ Révolte parisienne contre la capitulation de 1871 face aux Prussiens (⇒ guerre **franco-allemande),** modèle d'un « gouvernement du peuple » pour la gauche révolutionnaire. Elle fut réprimée par *Thiers, chef de l'exécutif républicain installé à Versailles. ⟨ ► communard ⟩

la **Commune de Paris** ■ Gouvernement révolutionnaire de Paris (1789) devenu « commune insurrectionnelle » en 1792 par élimination des *Girondins au profit des sans-culottes (*hébertistes). Éliminée en 1795.

la *Chambre des* **communes,** en anglais *House of Commons* ■ « Chambre basse » du Parlement britannique, elle « exerce l'essentiel du pouvoir législatif (⇒ Chambre des **lords).**

le *Parti* **communiste** *français* ■ Parti politique créé par l'adhésion de la majorité du parti socialiste français (*S. F. I. O.) à la IIIᵉ *Internationale (1920). Proche de l'Union Soviétique et d'un idéal révolutionnaire marxiste-léniniste, il a soutenu le gouvernement du *Front populaire (1936). Après son action dans la *Résistance, les électeurs en avaient fait le premier parti de France. Il participa aux gouvernements de 1945-1947 puis de 1981-1984 (Union de la gauche). Après 1980, il subit une importante baisse d'influence. ⟨ ► communiste ⟩

Philippe de **Commynes** ou **Comines** ■ Conseiller de *Louis XI et de *Charles VIII, mémorialiste (v. 1447 - 1511).

les **Comnènes** ■ Empereurs byzantins (XIᵉ s.). Leurs descendants fondèrent l'empire de *Trébizonde en 1204.

les **Comores** ■ Archipel et État (république fédérale islamique) de l'océan Indien, proche de Madagascar. 1 862 km². 347 000 hab. Langues : comorien, français. Monnaie : franc CFA. Capitale : Moroni. Faibles ressources et surpeuplement. Ancienne colonie française, elle obtint l'indépendance en 1975 (à l'exception de l'île de *Mayotte qui a choisi de rester française).

la **Compagnie de Jésus** ▪ ⇒ Compagnie de Jésus.

Compiègne ▪ Sous-préfecture de l'*Oise. 40 700 hab. *(les Compiégnois)*. Résidence royale et impériale. Industries chimique et alimentaire. Musées. Forêt où furent signés les armistices de 1918 et 1940 (clairière de Rethondes).

Compostelle ▪ ⇒ Saint-Jacques-de-Compostelle.

Arthur Holly **Compton** ▪ Physicien américain (1892-1962). Prix Nobel 1927. Recherche sur les photons *(effet Compton)*.

Ivy **Compton-Burnett** ▪ Romancière anglaise (1892-1969). *"Frères et sœurs"*.

le **Comtat Venaissin** ▪ Ancienne région du *Vaucluse, comprenant Avignon. Elle fut la propriété des papes de 1274 à 1791.

Auguste **Comte** ▪ Philosophe français (1798-1857). Sa doctrine, le *positivisme*, se veut l'accomplissement du progrès des sciences, connaissance objective de l'humanité qui débouche sur une religion nouvelle. Il créa le terme *sociologie*.

Conakry ▪ Capitale et port de la *Guinée-Conakry. 525 000 hab.

Laure **Conan** ▪ Romancière canadienne d'expression française (1845-1924). *"Angéline de Montbrun"*.

Concarneau ▪ Commune du *Finistère. 19 000 hab. *(les Concarnois)*. Remparts. Port thonier. Station balnéaire.

Concepción ▪ Port du Chili. 170 000 hab.

Concino **Concini** dit *le maréchal d'Ancre* ▪ Ministre et favori de Marie de Médicis éliminé par Louis XIII (1575-1617).

le **Concordat de 1801** ▪ Traité entre Bonaparte et le pape *Pie VII. Son application dans le sens du *gallicanisme fut dénoncée par l'Église.

la **maison de Condé** ▪ Branche de la maison de *Bourbon. Jusqu'en 1709 ses membres avaient le titre de *Monsieur le Prince*. □ *Louis Iᵉʳ prince de Condé*, chef des protestants tué à Jarnac (1530-1569). □ *Louis II dit le Grand Condé*, un des plus brillants généraux de son temps (1621-1686), se rallia à la *Fronde. □ *Louis Joseph de Bourbon prince de Condé* (1736-1818), l'un des chefs des émigrés contre-révolutionnaires *(armée de Condé)*. ⇒ duc d'**Enghien.**

Condé-sur-l'Escaut ▪ Commune du *Nord. 14 000 hab. *(les Condéens)*. Ancienne place forte des princes de Condé (monuments).

Condé-sur-Noireau ▪ Commune du *Calvados. 7 500 hab. *(les Condéens)*.

Étienne Bonnot de **Condillac** ▪ Philosophe français (1715-1780). Influencé par *Locke, il s'intéressa au langage et à l'économie. Pour lui les connaissances sont issues des sensations (doctrine du *sensualisme)*.

Condom ▪ Sous-préfecture du *Gers. 8 000 hab. *(les Condomois)*. Ancienne cathédrale.

Marie Jean Antoine Nicolas de Caritat marquis de **Condorcet** ▪ Philosophe français, précurseur de la mathématique sociale (1743-1794). *"Esquisse d'un tableau des progrès de l'esprit humain"*.

Georges **Condylis** ▪ Général grec, au pouvoir de 1926 à 1935 (1879-1936).

la **Confédération du Rhin** ▪ Union politique entre plusieurs États allemands (1806-1813). Suscitée par Napoléon, elle marqua la fin du Saint Empire.

la **Confédération germanique** ▪ Union politique entre les États allemands (1815-1866). Créée par *Metternich, elle était présidée par l'empereur d'Autriche.

Conflans-Sainte-Honorine ▪ Commune des *Yvelines. 31 000 hab. *(les Conflanais)*. Important centre de batellerie.

Confolens ▪ Sous-préfecture de la *Charente. 3 200 hab. *(les Confolentais)*. Églises et maisons anciennes.

Confucius ▪ Nom latin de Kongzi, le plus célèbre penseur chinois (v. 552 - v. 479 av. J.-C.). ▶ le *confucianisme,* ensemble de règles morales plus que religion, a influencé toute la civilisation chinoise jusqu'à aujourd'hui.

le **Congo** ▪ État (république populaire) d'Afrique équatoriale. 342 000 km², 1,7 million d'hab. *(les Congolais)*. Langue officielle : français. Monnaie : franc CFA. Capitale : Brazzaville. Sucre, pétrole. □HISTOIRE. Le Congo d'avant la colonisation est mal connu. Exploré par Savorgnan de Brazza v. 1875, il est intégré à l'Afrique-Équatoriale française (dont la capitale est Brazzaville) en 1910. Dans le cadre de la politique de décolonisation progressive du général de Gaulle, il accède à l'indépendance en 1960 sous le nom de *Congo-Brazzaville*. Devenu république populaire en 1970, le pays est dirigé depuis 1979 par le colonel Sassou-Nguesso. □ *le Congo belge* puis *le Congo-Kinshasa,* anciens noms du *Zaïre. □ *le fleuve Congo.* ⇒ fleuve **Zaïre.**

le **Connecticut** ▪ État côtier de l'est des États-Unis. 12 850 km². 3,1 millions d'hab. Capitale : Hartford. Industries. Université de Yale à *New Haven.

le **Connemara** ▪ Région d'Irlande, près de Galway.

Conrad ▪ NOM DE QUATRE SOUVERAINS GERMANIQUES □ *Conrad III* (v. 1093 - 1152), le premier empereur de la dynastie des *Hohenstaufen.

Joseph **Conrad** ▪ Romancier anglais d'origine polonaise (1857-1924). *"Le Nègre du Narcisse"*, *"Cœur des ténèbres"*, *"Typhon"* se nourrissent de sa vie d'ancien marin.

Hendrik **Conscience** ▪ Écrivain belge d'expression flamande (1812-1883). Romans historiques. *"Le Lion de Flandre"*.

le **Conseil constitutionnel** ▪ Organe veillant au respect de la Constitution de 1958 et à la régularité des élections en France.

le **Conseil des Anciens** ▪ ⇒ Conseil des **Anciens.**

le **Conseil des Cinq-Cents** ▪ ⇒ Conseil des **Cinq-Cents.**

le **Conseil d'État** ▪ Conseiller du pouvoir exécutif français, juridiction administrative suprême.

le **parti conservateur** en anglais *British Conservative Party* ▪ Actuellement un des deux principaux partis britanniques, opposé au parti *travailliste *(Labour party)*.

John **Constable** ▪ Peintre anglais (1776-1837). Maître du paysage et de l'atmosphère, il influença les romantiques et les impressionnistes.

Constance Iᵉʳ Chlore ▪ Empereur romain (mort en 306). Associé à la tétrarchie par Maximien (⇒ **Dioclétien**).

Constance II ■ Empereur romain (317-361). Fils de Constantin, il réunifia l'Empire.

Constance ■ Ville de R. F. A., sur le *lac de Constance.* 56 700 hab. Villégiature. Monuments. Grande prospérité au Moyen Âge (concile de 1414-1418, qui mit fin au grand *schisme d'Occident).

Benjamin Constant de Rebecque ■ Écrivain français d'origine suisse (1767-1830). Essayiste et pamphlétaire. Son roman "*Adolphe*" transpose sa liaison avec Madame de Staël.

Constanța ou *Constantza* ■ Ville de Roumanie. 260 000 hab. Port sur la mer Noire et station balnéaire.

Constantin Ier le Grand ■ Empereur romain (v. 285 - 337). Fondateur de l'empire chrétien, qu'il dota d'une nouvelle capitale (Constantinople) et divisa entre ses fils, Constantin II, *Constance II et Constant Ier. Plusieurs empereurs byzantins eurent le même nom. □ *Constantin VII Porphyrogénète* (905-959), protecteur des arts et des lettres. □ *Constantin XI Paléologue Dragasès* (1404-1453), tué lors de la chute de Constantinople.

Constantine autrefois *Cirta* ■ Ville d'Algérie. 254 000 hab. *(les Constantinois).* Ancienne capitale de la *Numidie (IIe s. av. J.-C.). Centre religieux.

Constantinople ■ L'ancienne *Byzance, capitale de l'empire d'Orient, baptisée *Istanbul par les Turcs qui l'enlevèrent en 1453. Centre de l'hellénisme chrétien, lieu de plusieurs conciles.

la Constituante ■ Première Assemblée nationale de la Révolution française, issue des *États généraux de 1789. Elle avait pour but d'instaurer la monarchie constitutionnelle : après avoir rédigé la Constitution de 1791, elle laissa la place à l'*Assemblée législative. Elle avait engagé de profondes réformes d'inspiration bourgeoise, voté la Déclaration des *droits de l'homme et du citoyen, provoqué par la *Constitution civile du clergé* (1790) l'opposition du pape, des prêtres réfractaires et de plusieurs provinces. Le roi, par sa fuite (manquée) du 20 juin 1791, révéla la fragilité de son accord avec le nouveau régime.

le Consulat ■ Régime politique de la France de 1799 à 1804, après le *Directoire, et défini par la Constitution de l'an VIII (1800), qui nomma les trois consuls : Cambacérès, Lebrun, Bonaparte. Celui-ci, Premier consul (nommé à vie en 1802), réunissait en fait tous les pouvoirs. L'œuvre législative du Consulat fixait certains acquis de la Révolution. Une politique étrangère brillante et le redressement de l'économie ouvriront la voie à l'*Empire.

la maison de Conti ou *Conty* ■ Branche cadette de la maison de *Condé.

la Contre-Réforme ■ Mouvement catholique d'opposition à la *Réforme protestante, amorcé par le concile de *Trente (1545) : redéfinition du dogme, impulsion nouvelle pour l'enseignement, les pratiques religieuses, les arts.

Contrexéville ■ Commune des *Vosges. 4 600 hab. *(les Contrexévillois).* Eau minérale.

la Convention ■ Assemblée élue en 1792, au suffrage quasi universel, pour doter la France en guerre d'une nouvelle Constitution. Après avoir proclamé la République, la *Convention girondine* (des *Girondins) fut dépassée (1793) par la *Convention montagnarde* (des *Montagnards ; Constitution de l'an I, *Terreur), elle-même renversée par la *Convention *thermidorienne* en 1794. Cette dernière instaura le *Directoire, par la Constitution de l'an III.

James Cook ■ Navigateur anglais (1728-1779). Il découvrit notamment le *détroit de Cook* et les *îles Cook* (Océanie).

James Fenimore Cooper ■ Écrivain américain (1789-1851). Un des fondateurs du roman américain. "*Le Dernier des Mohicans*" et "*la Prairie*" mettent en scène les Indiens.

Copacabana ■ Plage de *Rio de Janeiro.

Copán ■ Site archéologique du Honduras. Ruines *mayas.

Edward Drinker Cope ■ Paléontologue américain, partisan de *Lamarck (1840-1897).

Jacques Copeau ■ Homme de théâtre français (1879-1949). Sa Compagnie, le Vieux-Colombier, s'inspira de *Craig et de *Stanislavski.

Copenhague ■ Capitale et 1er port du Danemark, sur l'île de Sjælland. 642 000 hab. Grand centre industriel, carrefour européen. ▶ *l'école de Copenhague.* Physiciens qui, autour de *Bohr et de *Heisenberg, élaborèrent la mécanique quantique et en donnèrent l'interprétation philosophique la plus radicale.

Nicolas Copernic ■ Astronome polonais (1473-1543). Le système de Copernic, repris par Kepler et Galilée, annonce la révolution scientifique du XVIIe s. En démontrant le mouvement des planètes autour du Soleil, il mit fin à la vision d'un monde centré sur la Terre, et donc sur l'homme.

François Coppée ■ Poète français (1842-1908). "*Les Humbles*".

les Coptes n. m. ■ Chrétiens d'Égypte et d'Éthiopie. Ils ont leur propre Église.

la mer de Corail ■ Partie du Pacifique comprise entre l'Australie et la Mélanésie.

le Coran ■ Francisation de l'arabe *Qu'ran,* mot signifiant « la récitation ». C'est le message transmis par Allah à Mahomet ; il ne devint un livre qu'après la mort de celui-ci. Il comporte 114 chapitres ou *sourates* et 6 236 versets ou *ayat,* modèles de la prose arabe classique. ⇒ *islam.*

Corbeil-Essonnes ■ Commune de l'*Essonne. 39 000 hab. *(les Corbeillois-Essonnais).* Centre industriel (papier, minoterie).

Corbie ■ Commune de la *Somme. 5 600 hab. *(les Corbéens).* Importante abbaye sous Charlemagne (30 000 hab. au Moyen Âge).

Tristan Corbière ■ Poète français (1845-1875). "*Les Amours jaunes*", recueil révélé par *Verlaine.

les Corbières n. f. ■ Prolongement nord-est des Pyrénées. Région vinicole.

Charlotte Corday ■ Personnage de la Révolution française (1768-1793). Proche des *Girondins, elle poignarda Marat et fut guillotinée.

le Club des Cordeliers ■ Cercle révolutionnaire animé par Marat puis Hébert.

Córdoba ■ Ville d'Argentine. 800 000 hab. Pôle économique (agriculture, industries) et culturel du centre du pays.

Cordoue ■ Ville d'Espagne (*Andalousie), sur le Guadalquivir. 284 800 hab. *(les Cordouans).* Elle connut son plus grand rayonnement grâce aux Arabes, à la tête de l'*émirat de Cordoue* (756-1236) : foyer intellectuel et religieux (célèbre mosquée).

la Corée ■ Péninsule du sud de la *Mandchourie, bordée par la mer Jaune et la mer du Japon.

☐HISTOIRE. La Corée fut unifiée par les royaumes du Silla (668), du Goryeo (918) et des Yi (1392). Elle connut les dominations chinoise (av. VIIe s.), mongole (XIIIe - XIVe s.) et japonaise (1910-1945). Elle est divisée depuis 1948 en deux États. Après avoir été en guerre l'un contre l'autre (1950-1953), les deux pays ont tenté en vain une réunification (incidents frontaliers). ☐ *la* **Corée du Nord,** république populaire démocratique. 120 538 km². 20 millions d'hab. Capitale : *Pyongyang. Langue : coréen. Monnaie : won. Riz ; charbon, fer. ☐ *la* **Corée du Sud,** république alliée des États-Unis. 98 479 km². 41,2 millions d'hab. Langue : coréen. Monnaie : won. Capitale : Séoul. Riz ; charbon, électricité. Développement économique et difficultés politiques.

Arcangelo **Corelli** ■ Compositeur et violoniste italien (1653-1713). Maître de la sonate et du concerto classiques.

Corfou ■ La principale des îles Ioniennes en Grèce. 589 km². 90 700 hab. Ville principale : Corfou, 28 000 hab.

Corinthe ■ Port de Grèce, centre commercial. 21 000 hab. *(les Corinthiens).* Elle fut une des plus riches cités de la Grèce antique, rivale d'Athènes et de Sparte. Affaiblie par la guerre du *Péloponnèse, elle fut détruite par les Romains (146 av. J.-C.).

Gaspard **Coriolis** ■ Mathématicien français (1792-1843). *Force de Coriolis,* force qui explique la déviation de la trajectoire d'un corps en mouvement sur un solide en rotation (cas des vents et courants marins sur le globe terrestre).

Cork ■ Port et 2e ville d'Irlande. 130 000 hab. Centre commercial d'une région agricole.

Cormeilles-en-Parisis ■ Commune du *Val-d'Oise. 14 300 hab. *(les Cormeillais).*

Pierre **Corneille** ■ Auteur dramatique français (1606-1684). Poète de l'héroïsme, du devoir et de la gloire. Ses 32 pièces oscillent entre classicisme et baroque. Principales œuvres : *"Mélite"* (1629) ; *"Clitandre"* (1630) ; *"Médée"* (1635) ; *"l'Illusion comique"* (1636) ; *"le Cid"* (décembre 1636) ; *"Horace"* (1640) ; *"Cinna"* (1641) ; *"Polyeucte"* (1642) ; *"le Menteur"* (1643) ; *"Rodogune"* (1644) ; *"Pertharite"* (1651) ; *"Nicomède"* (1651) ; *"Agésilas"* (1666) ; *"Attila"* (1667) ; *"Tite et Bérénice"* (1670) ; *"Psyché"* (écrite avec Molière, 1670) ; *"Suréna"* (1674). ☐ *Thomas* **Corneille,** son frère, (1625-1709), surtout connu pour ses tragédies.

Peter von **Cornelius** ■ Peintre allemand (1783-1867). Sujets religieux et historiques.

la **Cornouaille** ■ Région du sud-ouest de la Bretagne (*Finistère).

les **Cornouailles** n. f. en anglais *Cornwall* ■ Région à l'extrémité sud-ouest de l'Angleterre. Côte très découpée sur la Manche. Chef-lieu : Truro.

La **Corogne** ■ 3e port de pêche d'Espagne. 232 500 hab.

Jean-Baptiste Camille **Corot** ■ Peintre français (1796-1875). Grand paysagiste, peintre de la lumière, attaché au classicisme de Poussin.

Corpus Christi ■ Ville des États-Unis (*Texas). Port sur le golfe du Mexique. 230 000 hab.

le **Corrège** ■ Peintre italien (v. 1489 - 1534). Un des maîtres de la fin de la Renaissance à Parme. La sensualité de ses contours et de ses coloris, la nouveauté de ses dernières compositions, ont exercé une influence durable.

la **Corrèze** [19] ■ Département français de la région *Limousin. Il doit son nom à la rivière qui le traverse. 5 865 km². 241 000 hab. *(les Corréziens).* Préfecture : Tulle. Sous-préfectures : Brive-la-Gaillarde, Ussel.

Corrientes ■ Ville d'Argentine. 131 000 hab. Industries. Marché agricole du *Chaco.

la **Corse** ■ Île montagneuse de la Méditerranée. Point culminant : Cinto, 2 710 m. Le littoral et les plaines concentrent la population et l'économie : culture des fruits et de la vigne, élevage ; activité touristique. ☐HISTOIRE. Ancienne colonie de Carthage (IIIe s. av. J.-C.), province romaine envahie par les Lombards, elle fut attribuée au pape en 755, puis lentement conquise par Gênes. Elle se révolta de 1729 à 1768 (date de la cession à la France). Sa situation géographique, la spécificité de ses problèmes économiques, son histoire (⇒ **Paoli, Pozzo di Borgo**) et des revendications séparatistes parfois violentes ont conduit à en faire une région administrative et économique (1970) dotée d'un statut particulier de « collectivité territoriale » (1982). Elle comprend deux départements depuis 1974. ☐ *la* **Haute-Corse** [2A]. Préfecture : Bastia (centre économique). Sous-préfectures : Corte, Calvi. 4 660 km². 132 000 hab. ☐ *la* **Corse-du-Sud** [2B]. Préfecture : Ajaccio (ville administrative). Sous-préfecture : Sartène. 4 020 km². 109 000 hab.

Julio **Cortázar** ■ Écrivain argentin naturalisé français (1914-1984). Son roman *"Marelle"* eut une grande influence sur la littérature sud-américaine.

Corte ■ Sous-préfecture de la Haute-*Corse. 6 000 hab. *(les Cortenois).* Citadelle. Université. Ancien palais de Paoli.

Hernán **Cortés** ■ Conquistador espagnol (1485-1547). Vainqueur des *Aztèques en 1521, puis administrateur du Mexique.

Pierre de **Cortone** ■ Peintre et architecte italien (1596-1669). L'un des premiers et des plus grands artistes *baroques.

Alfred **Cortot** ■ Pianiste et professeur français (1877-1962).

les **Cosaques** ■ Nomades d'Asie centrale. Organisés militairement, ils se soumirent à la Russie au XVIIIe s. Leur nom vient du turc *Kazakh,* « homme libre ».

Cosenza ■ Ville d'Italie. 103 000 hab.

Piero di **Cosimo** ■ ⇒ **Piero di Cosimo.**

Cosne-sur-Loire ■ Sous-préfecture de la *Nièvre. 12 300 hab. *(les Cosnois).*

Lúcio **Costa** ■ Architecte, urbaniste et théoricien brésilien (né en 1902). Auteur des plans de Brasilia (⇒ **Niemeyer**).

la **Costa Brava** ■ Littoral touristique de la *Catalogne (Espagne).

la **Costa del Sol** ■ Littoral touristique de la région de *Malaga (Espagne).

le **Costa Rica** ■ État (république) d'Amérique centrale. 50 700 km². 2,53 millions d'hab. *(les Costaricains).* Capitale : San José. Langue officielle : espagnol. Monnaie : colon. Pays montagneux à l'économie essentiellement agricole (sucre, café, banane). Indépendant depuis 1839, il connaît une remarquable stabilité politique, mais doit tenir compte de l'empire économique des États-Unis, impliqués dans l'opposition armée à son voisin le *Nicaragua.

la **Côte d'Azur** ▪ Littoral méditerranéen entre Cassis et Menton. La plus importante région touristique française.

la **Côte-d'Ivoire** ▪ État (république) d'Afrique occidentale, sur le golfe de Guinée. 332 500 km². 9,46 millions d'hab. (les Ivoiriens). Capitale : Yamoussoukro (depuis 1983). Ville principale : Abidjan. Langue officielle : français. Monnaie : franc CFA. Le pays eut un essor économique exceptionnel (« miracle ivoirien » : café, cacao, bois) ; mais il est confronté depuis 1980 à la récession. Raffineries de pétrole à Abidjan. ▫HISTOIRE. La Côte-d'Ivoire connut plusieurs États africains (royaume de Bouna, empire de Kong). Colonie française à partir de 1899, elle bénéficia d'un développement rapide des cultures et de grands travaux. Territoire d'outre-mer en 1946. Son député Félix *Houphouët-Boigny eut une part importante dans le processus de décolonisation de l'Afrique noire et devint président de la République au moment de l'indépendance (1960).

la **Côte-d'Or** [21] ▪ Département français de la région *Bourgogne. 8 765 km². 474 000 hab. Préfecture : Dijon. Sous-préfectures : Beaune, Montbard.

le **Cotentin** ▪ Presqu'île de Normandie, département de la *Manche. Région d'élevage bovin.

les **Côtes-du-Nord** [22] ▪ Département français de la région *Bretagne. 7 218 km². 539 000 hab. Préfecture : Saint-Brieuc. Sous-préfectures : Dinan, Guingamp, Lannion.

John Sell Cotman ▪ Aquarelliste et graveur anglais (1782-1842).

Cotonou ▪ Principale ville et port du *Bénin. 178 000 hab.

Cottbus ▪ Ville de R. D. A. 123 000 hab.

Robert de Cotte ▪ Architecte et décorateur français (1656-1735). Élève d'Hardouin-*Mansart, actif dans toute l'Europe. Palais de Rohan, à Strasbourg.

Jean Cottereau dit *Jean Chouan* ▪ Contre-révolutionnaire français (1757-1794). Il donna son nom à la *chouannerie, qu'il dirigeait avec ses frères.

René Coty ▪ Homme politique français (1882-1962). Président de la République de 1954 au retour du général de *Gaulle.

Pierre de Coubertin ▪ Pédagogue français (1863-1937). Il ressuscita les Jeux *olympiques à Athènes en 1896.

Coudekerque-Branche ▪ Commune du *Nord. 25 000 hab. (les Coudekerquois). Industries.

Émile Coué ▪ Pharmacien français (1857-1926). La méthode Coué : psychothérapie par autosuggestion, qui suscita l'ironie.

Couëron ▪ Commune de la *Loire-Atlantique, agglomération de Nantes. 13 400 hab.

le **Couesnon** ▪ Fleuve côtier qui sépare la Bretagne de la Normandie et se jette dans la baie du *Mont-Saint-Michel.

Charles Augustin de Coulomb ▪ Ingénieur et physicien français (1736-1806). Lois d'attraction électriques et magnétiques.

Coulommiers ▪ Commune de *Seine-et-Marne. 12 000 hab. (les Columériens). Fromages.

Coulounieix-Chamiers ▪ Commune de la *Dordogne. 8 500 hab.

les **Couperin** ▪ FAMILLE DE MUSICIENS FRANÇAIS ▫ *François II* dit *Couperin le Grand* (1668-1733). Ses

pièces pour clavecin, sommet de la musique pour clavier, furent redécouvertes au XXᵉ s.

Gustave Courbet ▪ Peintre français (1819-1877). Membre de la *Commune, il dut s'exiler. La puissance, l'énergie de son métier servirent un réalisme novateur qui scandalisa. "*L'Enterrement à Ornans*".

Courbevoie ▪ Commune des *Hauts-de-Seine, banlieue nord-ouest de Paris. 55 000 hab. (les Courbevoisiens). Nombreuses industries (mécaniques, pharmaceutiques...).

Courchevel ▪ Centre français de sports d'hiver, en Savoie.

Paul-Louis Courier ▪ Écrivain français (1772-1825). "*Le Pamphlet des pamphlets*".

la **Courlande** ▪ Région de *Lettonie, ancien duché annexé par la Russie en 1795.

La **Courneuve** ▪ Commune de la *Seine-Saint-Denis, dans la banlieue nord de Paris. 38 000 hab.

Antoine Augustin Cournot ▪ Philosophe, logicien et mathématicien français (1801-1877). Père de l'économie mathématique (⇒ **Walras**).

Courrières ▪ Commune du *Pas-de-Calais. 12 500 hab. Houille. Centrale thermique.

Georges Courteline ▪ Auteur dramatique français (1858-1929). Ses pièces décrivent avec saveur et amertume des héros médiocres : les petits-bourgeois ("*Boubouroche*"), les fonctionnaires ("*Messieurs les ronds-de-cuir*"), les militaires.

Jacques Courtois dit *le Bourguignon* ▪ Peintre français (1621-1676). Batailles.

Courtrai en néerlandais *Kortrijk* ▪ Ville de Belgique. 77 300 hab. Très prospère au Moyen Âge (nombreux monuments). Défaite des Français devant les Flamands (1302).

Jean Cousin ▪ Peintre français de la Renaissance (v. 1490 - v. . 1561). "*Eva Prima Pandora*", un des premiers grands nus de la peinture française.

Victor Cousin ▪ Philosophe français, ministre de Louis-Philippe (1792-1867). Fondateur de l'éclectisme philosophique.

Jacques-Yves Cousteau ▪ Officier de marine, océanographe et réalisateur français de documentaires sur la mer (né en 1910).

les **Coustou** ▪ Sculpteurs français. ▫ *Guillaume Iᵉʳ* (1677-1746), élève de *Coysevox. "*Chevaux de Marly*".

Coutances ▪ Sous-préfecture de la *Manche. 12 000 hab. (les Coutançais). Cathédrale gothique. Marché agricole.

Georges Couthon ▪ Révolutionnaire français (1755-1794). ⇒ **Comité de salut public.**

Coutras ▪ Commune de la *Gironde. 6 100 hab. (les Coutrasiens).

Thomas Couture ▪ Peintre français au style académique (1815-1879). "*Les Romains de la décadence*".

Coventry ▪ Ville d'Angleterre. 336 000 hab. Université. Grand centre industriel.

Abraham Cowley ▪ Écrivain anglais (1618-1667). "*Odes pindariques*", poèmes.

William Cowper ▪ Poète anglais (1731-1800). "*L'Œuvre*" annonce *Wordsworth.

Coypel

68

Antoine **Coypel** ■ Peintre et décorateur français (1661-1722). Voûte de la chapelle de Versailles.

Antoine **Coysevox** ■ Sculpteur français (1640-1720). Bustes (*"le Grand Condé"*). Il participa à la décoration de *Versailles, dont il illustre la tendance baroque.

George **Crabbe** ■ Poète réaliste anglais (1754-1832). *"Le Village"*.

Cracovie ■ Ville de Pologne. 712 000 hab. *(les Cracoviens)*. Métropole régionale. Nombreux monuments. Ce fut le premier évêché et la première université (1364) du pays. Érigée en république semi-autonome de 1815 à 1846.

Edward Gordon **Craig** ■ Homme de théâtre britannique (1872-1966). *"L'Art du théâtre"*.

Craiova ■ Ville de Roumanie. 231 000 hab.

Johann Baptist **Cramer** ■ Compositeur allemand (1771-1858). « Études » pour l'enseignement du piano.

Thomas Russell **Crampton** ■ Ingénieur anglais (1816-1888). La locomotive *Crampton* fut très utilisée au XIXe s.

Lucas **Cranach l'Ancien** ■ Artiste majeur de la Renaissance allemande et de la *Réforme (1472-1553). Portrait de Luther. Scènes religieuses. Nus féminins. □ *Lucas* **Cranach le Jeune,** son fils (1515-1586), reprit son atelier.

Stephen **Crane** ■ Journaliste et écrivain naturaliste américain (1871-1900).

Hart **Crane** ■ Poète américain (1899-1932). *"Le Pont"*.

Cran-Gevrier ■ Commune de la Haute-*Savoie. 12 700 hab. *(les Gévriens)*. Papeterie.

Thomas **Cranmer** ■ Prélat anglais (1489-1556). Promoteur de l'*anglicanisme.

Crassus ■ Général romain, membre avec Pompée et César du premier triumvirat, de 60 av. J.-C. à sa mort (114 - 53 av. J.-C.).

Claude **Crébillon** ■ Écrivain français (1707-1777). *"Les Égarements du cœur et de l'esprit"* ; *"le Sopha"*, roman licencieux.

Creil ■ Ville de l'*Oise. 35 000 hab. *(les Creillois)*. Centre industriel. Important centre de communications routière, fluviale et ferroviaire.

Adolphe **Crémieux** ■ Homme politique français, ministre républicain (1796-1880). Il fit voter en 1870 *(décret Crémieux)* la naturalisation des Juifs d'Algérie.

Crémone ■ Ville d'Italie. 82 000 hab. Patrie de Monteverdi et Stradivarius. École internationale de lutherie.

Créon ■ Frère de Jocaste, roi légendaire de Thèbes après Œdipe, il s'opposa à Antigone.

Crépy-en-Valois ■ Commune de l'*Oise. 11 000 hab. *(les Crépynois)*. Ancienne capitale du *Valois. Petites industries.

Charles **Cressent** ■ Ébéniste et sculpteur français (1685-1768). Le premier à employer des bois rares.

Crest ■ Commune de la *Drôme. 8 000 hab. *(les Crestois)*. Donjon du XIIe s. Industries.

Crésus ■ Roi de *Lydie à la fortune légendaire, vaincu par la Perse (v. 561 - 546 av. J.-C.).

la **Crète** ■ Île grecque de la Méditerranée, très montagneuse. 8 259 km². 500 000 hab. *(les Crétois)*. Ville principale : Héraklion. La civilisation antique de la Crète, dite *minoenne*, connut son apogée v. 1500 av. J.-C. (palais du roi Minos à Cnossos). Elle influença la civilisation de *Mycènes. La Crète fut ensuite prise successivement par les Grecs, Byzance, Venise, puis par les Turcs contre lesquels elle se révolta, choisissant en 1908 l'union avec la Grèce.

Créteil ■ Préfecture du *Val-de-Marne. 60 000 hab. *(les Cristoliens)*. Nouveau centre administratif.

la **Creuse** [23] ■ Département français de la région *Limousin. Il doit son nom à la rivière qui le traverse. 255 km. 5 606 km². 140 000 hab. Préfecture : Guéret. Sous-préfecture : Aubusson.

Le **Creusot** ■ Commune de *Saône-et-Loire. 33 500 hab. *(les Creusotins)*. Houille. Forges, sidérurgie (société Creusot-Loire).

Creutzwald ■ Commune de *Moselle. 15 700 hab. Métallurgie.

René **Crevel** ■ Écrivain surréaliste français (1900-1935). *"Êtes-vous fous ?"* ; *"les Pieds dans le plat"*.

Francis **Crick** ■ Biochimiste anglais (né en 1916). ⇒ **Watson.**

la **Crimée** ■ Presqu'île d'U.R.S.S. (région de *Sébastopol), dans la mer Noire. Successivement sous influence grecque, romaine, barbare, elle devint les Tatars vassale de l'Empire ottoman (1475). Le déclin de ce dernier, au XVIIIe s., permit l'annexion par la Russie (⇒ **Potemkine**), qui ne fut pas remise en cause par la guerre de Crimée (→ ci-dessous). Après la défaite de *Wrangel (1920), elle devint république soviétique autonome, avant d'être intégrée à la république de Russie puis (1954) à celle d'*Ukraine. ▶ *la guerre de* Crimée (1854-1855), coup d'arrêt donné par la France et l'Angleterre, alliées de la Turquie, à l'expansionnisme russe en Orient.

Francesco **Crispi** ■ Homme politique italien (1819-1901). Compagnon de Garibaldi, rallié à Victor-Emmanuel II, il engagea avec autorité une politique coloniale.

la **Croatie** ■ Région des Balkans, l'une des six républiques fédératives de Yougoslavie. 56 538 km². 4,42 millions d'hab. *(les Croates)*. Capitale : Zagreb. □ HISTOIRE. Après 1 000 ans de domination hongroise, la Croatie connut comme la Serbie, au début du XXe s, un vif mouvement nationaliste qui se poursuivit après son rattachement à la Yougoslavie en 1919 (assassinat d'Alexandre Ier, 1934) ; elle forma même un État indépendant de 1941 à 1945, proche de Hitler et Mussolini.

Benedetto **Croce** ■ Philosophe italien, historien, critique (1866-1952). Opposant à Mussolini, sénateur libéral après 1944.

les **croisades** n. f. ■ Expéditions entreprises par les chrétiens contre les musulmans, pour délivrer les Lieux saints. De la fin du XIe s. à la fin du XIIIe s., neuf croisades se succédèrent en Orient. □ *la première croisade* (1096-1099) prêchée par le pape Urbain II ; la croisade populaire (Pierre l'Ermite) fut décimée en Anatolie ; la croisade des chevaliers (Godefroy de Bouillon, Bohémond, Tancrède) créa le royaume de Jérusalem et plusieurs États latins (Antioche, Edesse, Tripoli). □ *la deuxième croisade* (1147-1149) prêchée par Bernard de Clairvaux : Louis VII de France et l'empereur Conrad III échouèrent devant Damas. □ *la troisième croisade* (1189-1192) prêchée par Guillaume de Tyr après la prise de Jérusalem par Saladin et dirigée par Philippe Auguste et Richard Cœur de

Lion. Les croisés ne purent reconquérir Jérusalem, mais y obtinrent l'autorisation de pèlerinage. □ *la quatrième croisade* (1202-1204) prêchée par Foulques de Neuilly, détournée par Venise sur Byzance où fut créé l'Empire latin de Constantinople. □ *la croisade des enfants* (1212) décimée avant d'atteindre la Terre sainte. □ *la cinquième croisade* (1217-1221), prise puis restitution de *Damiette, par Jean de Brienne et André II de Hongrie. □ *la sixième croisade* (1228-1229), l'empereur *Frédéric II obtint la cession et l'accès aux Lieux saints. □ *la septième croisade* (1248-1254) après la chute de Jérusalem (1244), échec de Saint Louis (Louis IX de France). □ *la huitième croisade* (1270), mort de Louis IX devant Tunis. □ *la neuvième croisade* (1291), échec devant Acre.

Le Croisic ■ Commune de *Loire-Atlantique. 4 300 hab. *(les Croisicois).* ▶ *la pointe du Croisic,* cap de la côte atlantique.

le Croissant fertile ■ Région d'Asie occidentale, du golfe Persique à la Palestine, où sont apparus de grands empires (Babylone, Assyrie, Phénicie) et de grandes civilisations (Sumer, Israël) dans l'Antiquité.

le Croissant-Rouge ■ ⇒ la **Croix-Rouge**.

Croissy-sur-Seine ■ Commune des *Yvelines. 7 000 hab. *(les Croissillons).*

Croix ■ Commune du *Nord. 19 400 hab. *(les Croisiens).*

la Croix-Rouge ■ Organisation internationale d'assistance médicale, créée par *Dunant en 1863 pour les blessés de guerre. □ *le Croissant-Rouge,* emblème équivalent pour les pays musulmans.

Cro-Magnon ■ Site préhistorique de Dordogne *(homme de Cro-Magnon,* 30 000 av. J.-C.).

Fernand Crommelynck ■ Auteur dramatique belge d'expression française (1885-1970). *"Le Cocu magnifique".*

Oliver Cromwell ■ Homme d'État anglais (1599-1658). Chef militaire de la révolution parlementaire contre *Charles Ier. Après l'exécution du roi (1649), il instaura la république et exerça un pouvoir dictatorial. Il engagea de profondes réformes mais mourut impopulaire.

Thomas Cromwell *comte d'Essex* ■ Homme d'État anglais (v. 1485 - 1540). Inspirateur de la politique religieuse d'*Henri VIII.

Archibald Joseph Cronin ■ Romancier anglais (1896-1981). *"La Citadelle" ; "les Clefs du royaume".*

Cronos ■ Dans la mythologie grecque, père de *Zeus, fils de la Terre (Gaïa) et du Ciel (Ouranos), identifié au Temps. Il est *Saturne pour les Romains. ⟨ ▶ chrono- ⟩

Cronstadt ■ ⇒ **Kronstadt**.

Charles Cros ■ Poète et savant français (1842-1888). Pionnier de la photographie, inventeur, en même temps qu'Edison, du phonographe. *"Le Coffret de santal".*

Crosne ou **Crosnes** ■ Commune de l'*Essonne. 6 000 hab. *(les Crosnois).*

Crotone ■ Ville d'Italie. 60 000 hab. Florissante colonie de la Grèce antique.

Croydon ■ Banlieue de Londres. 319 300 hab.

Crozon ■ Commune du *Finistère. 7 900 hab. *(les Crozonnais).*

Mihály Csokonai Vitéz ■ Poète hongrois (1773-1805). Grand lyrique. *"Dorothée".*

Cuauhtémoc ■ Dernier empereur *aztèque, assassiné sur ordre de *Cortès (v. 1497 - 1524).

Cuba ■ Île et État (république) des Antilles. 114 524 km². 10,1 millions d'hab. Capitale : La Havane. Langue officielle : espagnol. Monnaie : peso cubain. Libérée des colons espagnols par les Américains en 1898, indépendant en 1901 mais sous l'étroit contrôle des États-Unis, Cuba connut la corruption et la dictature de 1925 à la révolution menée par Fidel *Castro (1959), qui institua en 1961 un régime prosoviétique. Cuba a tenté ensuite une relative ouverture à l'Ouest sans abandonner cependant son aide aux mouvements révolutionnaires (Éthiopie, Angola) et son intégration économique (sucre, tabac) au *Comecon. ⟨ ▶ cubain ⟩ □ HISTOIRE.

le cubisme, *les cubistes* ■ Mouvement artistique qui naquit vers 1907 des recherches de *Braque et de *Picasso. Rompant avec la perspective, il utilise simultanément plusieurs angles de vue pour un même objet (d'où l'impression de « cubes »). Par son recours tantôt directement à la réalité (papiers collés) tantôt à l'abstraction géométrique, il affranchit l'art moderne de l'idéal de représentation.

Cúcuta ■ Ville de Colombie. 407 200 hab. Important centre commercial (café).

Cuernavaca ■ Ville du Mexique. 232 300 hab. Centre touristique et économique.

Cuers ■ Commune du *Var. 6 600 hab. *(les Cuersins).*

Joseph Cugnot ■ Ingénieur français (1725-1804). Inventeur du premier engin automobile.

Jacques Cujas ■ Jurisconsulte français (1522-1590). Exégète du droit latin.

George Cukor ■ Cinéaste américain (1899-1983). *"My Fair Lady".*

Culiacán ■ Ville du Mexique. 560 000 hab.

Cumaná ■ Port du Venezuela. 200 000 hab.

le Cumberland ■ Comté du nord-ouest de l'Angleterre. ▶ *le massif de Cumberland* va du sud de l'Écosse à la mer d'Irlande. Tourisme.

Cumes ■ Site archéologique d'Italie, ancienne colonie grecque, alliée de Rome.

Edward Estlin Cummings ■ Poète américain (1894-1962). Proche de *Pound, il est l'auteur d'une œuvre provocatrice.

Cupidon ■ Dieu romain de l'amour, identifié avec l'*Éros grec.

Curaçao ■ La plus grande des *Antilles néerlandaises. 444 km². 147 000 hab. Elle a donné son nom à une liqueur d'oranges. ⟨ ▶ curaçao ⟩

les Curiaces ■ ⇒ les trois **Horaces**.

les Curie ■ Physiciens français. Pierre (1859-1906) et Marie, née Skłodowska, son épouse, d'origine polonaise (1867-1934). Leur contribution décisive à l'étude de la radioactivité leur valut le prix Nobel de physique en 1903, et à Marie le prix Nobel de chimie en 1911. ⟨ ▶ ② curie ⟩

Curitiba ■ Ville du Brésil. 843 700 hab. Centre agricole et industriel important.

Michael Curtiz ■ Cinéaste américain d'origine hongroise (1888-1962). *"Casablanca".*

Cusset ■ Commune de l'*Allier. 14 900 hab. *(les Cussetois).*

Cuttack ■ Ville de l'Inde. 195 000 hab. Université. Commerce.

Georges baron Cuvier ■ Zoologiste français (1769-1832). Créateur de la paléontologie grâce à l'anatomie comparée.

François de Cuvilliés ■ Architecte et décorateur allemand (1695-1768). Un des principaux représentants du style *rococo.

Albert Cuyp ■ Peintre hollandais (1620-1691). Remarquable paysagiste.

Alexandre Jean Cuza ■ Premier prince de Roumanie, de 1859 à 1866 (1820-1873).

Cuzco ■ Ville du Pérou, située à 3 600 m. 121 000 hab. Berceau de l'Empire *inca. Monuments coloniaux. Tourisme.

Cyaxare ■ Roi des Mèdes de 653 à 584 av. J.-C. Vainqueur des Scythes et des Perses, il détruisit l'empire assyrien.

Cybèle ■ Divinité orientale adorée à Rome sous le nom de « Grande Mère » ou « Mère des dieux ».

les Cyclades ■ Îles grecques de la mer Égée, foyer d'une brillante civilisation en 2000 av. J.-C.

les Cyclopes ■ Géants de la mythologie grecque n'ayant qu'un œil, au milieu du front.

saint Cyprien ■ Évêque de Carthage, écrivain latin, Père de l'Église (v. 200 - 258).

Savinien de Cyrano de Bergerac ■ Écrivain français (1619-1655). "*Histoire comique des États et Empires de la Lune*". Le personnage, esprit libre et savant, a inspiré Edmond Rostand pour sa célèbre comédie "*Cyrano de Bergerac*" (1897).

la Cyrénaïque ■ Région orientale de la Libye. Colonisée par les Grecs, puis État indépendant soumis aux *Ptolémées, province romaine en 74 av. J.-C., elle fut conquise par les Arabes en 641 puis annexée à l'Empire ottoman. Colonie italienne après 1912, elle fut réunie à la *Tripolitaine pour former la Libye en 1934. □ *les cyrénaïques*. ⇒ **hédonisme.**

saint Cyrille ■ Patriarche d'Alexandrie. Docteur de l'Église (v. 380 - 444).

les saints Cyrille et Méthode ■ Évangélisateurs des Slaves (IXᵉ s.). On leur attribue l'invention de l'alphabet russe ou *cyrillique*.

Cyrus II le Grand ■ Roi de Perse (550 - 530 av. J.-C.). Il vainquit les Mèdes, conquit Babylone (où il libéra les juifs) et fonda la dynastie des Achéménides.

Cythère ou **Cérigo** ■ Île ionienne (Grèce). Célèbre sanctuaire d'Aphrodite dans l'Antiquité, d'où le thème artistique de *l'embarquement pour Cythère*, pays de l'amour.

les Czartoryski ■ FAMILLE PRINCIÈRE DE POLOGNE □ *Adam Jerzy Czartoryski* (1770-1861) lutta pour l'indépendance de la Pologne.

Częstochowa ■ Ville de Pologne. 227 000 hab. Pèlerinage à la Vierge noire. Sidérurgie.

D

Eugène Dabit ■ Romancier français (1898-1936). *"Hôtel du Nord"*.

Maria Dąbrowska ou **Dombrowska** ■ Écrivaine polonaise (1892-1965). *"Les Nuits et les Jours"*, cycle romanesque épique.

Jan Henryk Dąbrowski ou **Dombrowski** ■ Général polonais (1755-1818). Chef des légions polonaises dans l'armée française de 1797 à 1814. Il donna son nom à l'hymne national polonais.

Dacca ou **Dhaka** ■ Capitale du *Bangla Desh. 2 millions d'hab. Nombreux monuments de l'époque *moghole.

Dachau ■ Ville de R. F. A. 33 000 hab. Camp de concentration nazi de 1933 à 1945.

la Dacie ■ Région de l'Antiquité correspondant à la Roumanie actuelle. ► *les Daces,* habitants de la Dacie.

Dada ou **le dadaïsme** ■ Mouvement d'artistes et d'intellectuels, apparu en 1916 en Europe (*Tzara, *Arp) et aux États-Unis (*Duchamp, *Picabia, Man *Ray). Caractérisé par un refus des valeurs admises, il s'exprima par la provocation, la parodie et l'humour. Il ouvrit la voie au *surréalisme et à l'art moderne, en donnant une liberté nouvelle aux artistes.

Dagenham ■ Banlieue de *Londres. 108 000 hab.

le Daghestan ou **Daguestan** ■ Une des 16 républiques autonomes de la R. S. S. de *Russie, au bord de la mer Caspienne. 50 300 km². 1,6 million d'hab. Capitale : Makhatchkala. Pays montagneux. Cultures, pêche, industries.

Dagobert ■ NOM DE TROIS ROIS MÉROVINGIENS □ *Dagobert Ier.* Roi mérovingien des Francs (v. 600 - 639). Conseillé par saint Éloi, il a laissé le souvenir d'un grand règne. □ *Dagobert II,* son petit-fils, roi d'Austrasie, assassiné en 679. □ *Dagobert III,* roi de Neustrie de 711 à 715.

Jacques Daguerre ■ Inventeur français, collaborateur de Niepce (1787-1851). Procédés photographiques.

le Dahomey ■ Ancienne colonie française, devenue indépendante en 1960 et qui prit le nom de *Bénin en 1975.

Dai Jin ■ Principal peintre chinois de l'époque *Ming, avec Wu Wei (1388-1462).

Gottlieb Daimler ■ Ingénieur allemand (1834-1900). Inventeur du moteur des premières automobiles à essence.

Dakar ■ Capitale et port du Sénégal. 980 000 hab. Université. Industries légères, pétrole. Centre de communications.

le Dakota du Nord ■ État du centre-nord des États-Unis, à la frontière du Canada. 183 022 km². 653 000 hab. Capitale : Bismarck. □ *le Dakota du Sud,* État au sud du précédent. 199 552 km². 690 000 hab. Capitale : Pierre. Les deux États furent créés en 1889, sur l'ancien territoire des *Indiens Dakota.* Régions agricoles et touristiques.

Édouard Daladier ■ Homme politique français (1884-1970). Radical-socialiste, ministre du gouvernement du *Front populaire (1936). Président du Conseil en 1933 et 1938-1940 (signataire des accords de *Munich en 1938).

Salvador Dali ■ Peintre espagnol (né en 1904). Membre du groupe *surréaliste en 1927. Sujets symboliques et fantastiques, à dominante érotique, représentés avec un réalisme minutieux. Films avec *Buñuel (*"l'Âge d'Or"*). Essais.

Dalian ■ Ville de Chine. 1,6 million d'hab. Elle forme avec Lüshum la conurbation de Lüda. Port et centre industriel.

Dalila ■ Personnage de la Bible. ⇒ **Samson.**

Luigi Dallapiccola ■ Compositeur italien, un des plus importants de son époque (1904-1975). *"Vol de nuit"* ; *"Ulysse"*.

Dallas ■ Ville des États-Unis, métropole du Texas avec *Houston. 900 000 hab. Pétrole. Centre de la mode, du commerce et des finances. C'est à Dallas que le président *Kennedy fut assassiné en novembre 1963.

la Dalmatie ■ Région historique des Balkans, aujourd'hui en Yougoslavie (*Croatie). Tourisme (*Dubrovnik, *Split).

Jules Dalou ■ Sculpteur français (1838-1902). *"Le Triomphe de la République"*, place de la Nation à Paris.

John Dalton ■ Chimiste anglais (1766-1844). Il introduisit la théorie atomique en chimie. Il a étudié les troubles dans la perception des couleurs appelés *daltonisme.* ‹ ▶ daltonien ›

Damanhour ▪ Ville d'Égypte. 176 000 hab.

Damas ▪ Capitale de la Syrie. 1,1 million d'hab. *(les Damascènes* ou *Damasquins).* Important centre de communications. Artisanat réputé (tissu). Une des plus anciennes villes du monde, capitale d'un royaume araméen au XIᵉ s. av. J.-C. ; résidence des *Omeyades de 650 à 724 (célèbre mosquée).

Jean **Damascène** ▪ ⇒ saint **Jean Damascène.**

Damiette ▪ Ville d'Égypte. 86 000 hab. Port très important au Moyen Âge, pris par les Croisés en 1218 et 1249.

Dammarie-les-Lys ▪ Commune de *Seine-et-Marne. 20 000 hab.

Damoclès ▪ Courtisan de *Denys l'Ancien (IVᵉ s. av. J.-C.). *L'épée de Damoclès,* suspendue par Denys au-dessus de la tête de Damoclès, symbolise la fragilité du bonheur.

Danaé ▪ Mère de *Persée, dans la mythologie grecque. Zeus se transforma en pluie d'or pour la séduire.

les ***Danaïdes*** ▪ D'après la légende grecque, filles du roi de Libye *Danaos ;* meurtrières de leurs époux, elles furent condamnées à verser éternellement de l'eau dans un tonneau sans fond. Elles ont inspiré *Eschyle.

Da Nang ▪ Port du Viêt-nam. 438 000 hab.

Enrico ***Dandolo*** ▪ Doge de Venise, un des chefs de la 4ᵉ croisade (1110-1205).

le ***Danemark*** ▪ État (monarchie constitutionnelle) d'Europe du Nord, formé de la péninsule de Jütland et d'îles dont le Sjaelland, la Fionie, Lolland, Falster et Bornholm sont les principales. 43 070 km². 5,11 millions d'hab. *(les Danois).* Langue : danois. Monnaie : couronne danoise. Capitale : Copenhague. Pays de plaines, doté d'une agriculture moderne (élevage). Industries alimentaires, métallurgie, mécanique, chantiers navals. Nombreux ports (pêche). Tourisme. ▭HISTOIRE. Les Danois étaient peu connus avant le VIIIᵉ s., date à laquelle ils participèrent aux expéditions des *Vikings vers le sud-ouest. Ils se christianisèrent au Xᵉ s., et vers 1025, *Canut le Grand soumit la Norvège et l'Angleterre : l'unité des trois pays, éphémère, se reconstitua sous le règne de *Marguerite Valdemarsdotter (union de Kalmar, 1397). Cependant la Suède fit sécession avec *Gustave Vasa en 1523, malgré la résistance de *Christian II. En 1536 le luthéranisme (⇒ **Luther**) fut déclaré religion d'État. *Christian IV fit une intervention malheureuse dans la guerre de *Trente Ans (1625-1629). Il entreprit une guerre contre la *Suède (1643-1645), poursuivie par *Frédéric III (1648) et qui se solda par un échec (1658) : la Suède avait la suprématie dans la Baltique. Paradoxalement, la monarchie se renforça, et le XVIIIᵉ s. fut une période de « despotisme éclairé » et d'enrichissement (commerce international). Allié de Napoléon, le Danemark perdit la Norvège (1814), acquit les duchés de Schleswig et du Holstein (1815), qu'il dut céder à la Prusse et à l'Autriche (1864). Monarchie constitutionnelle depuis 1849, le Danemark s'engagea à partir de 1915 dans une politique réformiste et sociale très avancée. Pays neutre pendant la Première Guerre mondiale, il retrouva en 1920 le nord du Schleswig (sud du Jütland actuel). Occupé par Hitler en 1940, il opposa une résistance active au nazisme, le roi Christian X protégeant efficacement la minorité juive. L'indépendance de l'Islande, ancien territoire

danois, fut reconnue en 1943. Membre de l'O. T. A. N. (1949) puis de la C. E. E. (1972).

Daniel ▪ Un des grands prophètes de la Bible. Le *"Livre de Daniel"* raconte des épisodes célèbres : Daniel dans la fosse aux lions, Suzanne et les vieillards.

Pierre ***Daninos*** ▪ Écrivain humoriste français (né en 1913). *"Carnets du major Thompson".*

Gabriele ***D'Annunzio*** ▪ Écrivain italien (1863-1938). Poète *("Alcyone"),* prosateur *("la Léda sans cygne" ; "Nocturne"),* auteur dramatique, il exalta, parfois avec emphase, la sensualité et l'héroïsme. Nationaliste fervent, il fut proche du fascisme.

Dante Alighieri ▪ Écrivain italien (1265-1321). Engagé dans la vie politique de Florence, il écrivit divers traités en latin, des recueils poétiques *("La Vita nuova",* où il célèbre son amour pour Béatrice) et le premier chef-d'œuvre de la littérature italienne : la *"Divine Comédie"* (1307-1321), vision d'un voyage dans l'au-delà en compagnie de *Virgile, Béatrice et saint *Bernard. Ce poème sacré eut une influence immense sur la culture et la littérature européennes.

Georges Jacques ***Danton*** ▪ Révolutionnaire français (1759-1794). Il organisa la défense nationale, déclencha la *Terreur mais en réclama la fin dès 1793 (d'où le nom d'*Indulgents* donné à ses partisans). Accusé de vénalité, il fut éliminé par *Robespierre. C'était un orateur remarquable.

Dantzig ▪ Nom allemand de *Gdansk. Important port de la Baltique, la ville fut disputée entre l'Allemagne ou la Prusse et la Pologne. ▶ *le couloir de Dantzig,* territoire autonome qui reliait la Pologne à la mer, fut occupé par *Hitler en 1939, ce qui provoqua la Seconde *Guerre mondiale, et intégré après 1945 à la Pologne.

le ***Danube*** ▪ Le plus long et le plus important fleuve d'Europe après la *Volga. Né en R. F. A., il se jette dans la mer Noire (2 850 km). Il traverse Vienne, Budapest et Belgrade. Rôle historique (limite de l'empire romain, frontière naturelle entre États) et économique (voie navigable de Ratisbonne à l'Orient).

Daougavpils ▪ Ville de *Lettonie (Union Soviétique). 114 000 hab.

Lorenzo ***Da Ponte*** ▪ Librettiste italien (1749-1838). Auteur de livrets d'opéras de *Mozart : *"les Noces de Figaro" ; "Don Juan" ; "Cosi fan tutte".*

Claude ***Daquin*** ▪ ⇒ d'Aquin.

Darbhanga ▪ Ville de l'*Inde. 132 000 hab.

le détroit des ***Dardanelles*** ▪ Passage entre la mer *Égée et, par la mer de Marmara, la mer *Noire. Position stratégique dès l'Antiquité, les Dardanelles ont été un enjeu des guerres du XIXᵉ et du XXᵉ s.

Dar es-Salam ▪ Capitale et port de la Tanzanie. Nombreuses industries. 870 000 hab.

le ***Darfour*** ▪ Région montagneuse du Soudan. Le *royaume du Darfour* disparut sous la domination égyptienne en 1874.

Alexandre ***Dargomyjski*** ▪ Compositeur russe (1813-1869). *"Roussalka"* et *"le Convive de pierre",* opéras.

Rubén ***Darío*** ▪ Écrivain nicaraguayen (1867-1916). Il a rénové la poésie de langue espagnole. *"Azur".*

Darius le Grand ▪ Roi de Perse de 522 à 486 av. J.-C., grand organisateur de l'empire achéménide.

☐ *Darius III Codoman,* roi de Perse de 336 à 330 av. J.-C., vaincu par *Alexandre le Grand.

Darjîling ou **Darjeeling** ■ Ville de l'Inde. 43 000 hab. Fondée par les Anglais comme capitale d'été du *Bengale. Thé renommé.

François **Darlan** ■ Amiral et homme politique français, dauphin du maréchal *Pétain (1881-1942). Remplacé à la tête du gouvernement de *Vichy par *Laval en 1942, il fit reconnaître par les Américains son autorité sur les colonies françaises. Assassiné, il fut remplacé par *Giraud.

Darmstadt ■ Ville de R. F. A. 139 000 hab. Monuments. Centre industriel et culturel important.

Darnétal ■ Commune de *Seine-Maritime, banlieue de Rouen. 12 000 hab.

Charles **Darwin** ■ Naturaliste anglais (1809-1882). Il a expliqué l'évolution biologique par la sélection naturelle. La biologie contemporaine est *néodarwiniste :* elle concilie les thèses de Darwin avec la génétique, issue des travaux de *Mendel.

Marcel **Dassault** ■ Ingénieur français, industriel de l'aéronautique (1892-1986).

Datong ■ Ville de Chine. 400 000 hab. Houille. Ancienne capitale des *Han (remparts).

Louis **Daubenton** ■ Naturaliste français, collaborateur de *Buffon (1716-1800).

Charles François **Daubigny** ■ Peintre français de l'école de *Barbizon (1817-1878).

Alphonse **Daudet** ■ Écrivain français (1840-1897), originaire de Provence. "*Le Petit Chose*" ; "*les Lettres de mon moulin*" ; "*l'Arlésienne*" (avec une musique de Bizet) ; "*Tartarin de Tarascon*". ☐ *Léon Daudet,* son fils (1868-1942), brillant polémiste de l'*Action française. "*Souvenirs*".

Daugavpils ■ ⇒ **Daougavpils.**

René **Daumal** ■ Écrivain français (1908-1944). Créateur de la revue "*le Grand Jeu*". "*Le Mont Analogue*".

Honoré **Daumier** ■ Artiste français (1808-1879). Caricaturiste engagé, il s'exprima à travers la gravure ("*la Rue Transnonain*"), la sculpture ("*Ratapoil*") et la peinture où il fut un grand précurseur.

Pierre Claude François **Daunou** ■ Ancien prêtre rallié à la Révolution, grand érudit et archiviste français (1761-1840).

le Grand **Dauphin** ■ Fils de *Louis XIV, mort avant d'avoir régné (1661-1711).

le **Dauphiné** ■ Province de France correspondant aux départements de l'Isère, des Hautes-Alpes et de la Drôme. Ancienne principauté rattachée à la couronne sous *Philippe VI de Valois, elle donna son nom à l'héritier du trône : le *dauphin.* ‹ ▶ dauphin ›

Davao ■ Port des Philippines, dans l'île de Mindanao. 482 000 hab.

David ■ Roi d'Israël (v. 1000 av. J.-C.). La Bible raconte sa victoire sur le géant *Goliath, son amour pour *Bethsabée, l'intronisation de son fils *Salomon, etc. Auteur supposé des Psaumes, vénéré par les juifs et par les chrétiens (*Jésus est dit « fils de David ») comme le roi de l'Alliance avec Dieu, il est aussi le prophète Daoud du *Coran.

Félicien **David** ■ Compositeur français (1810-1876). "*Le Désert*".

Gérard **David** ■ Peintre *flamand (v. 1460 - 1523). Il travailla à *Bruges.

Jacques Louis **David** ■ Peintre français (1748-1825). Chef de file de l'école *néo-classique. Ses tableaux ont une portée morale et politique, célébrant l'idéal révolutionnaire ("*Marat assassiné*"), puis l'Empire ("*le Sacre*"). Portraits ("*Madame de Récamier*").

David d'Angers ■ Sculpteur français (1788-1856). Fronton du Panthéon à Paris. Médaillons-portraits.

Jefferson **Davis** ■ Homme politique américain (1808-1889). Président de la Confédération des États sudistes au moment de la guerre de *Sécession.

Miles **Davis** ■ Musicien de jazz noir américain, trompettiste, un des grands novateurs du jazz (né en 1926).

Stuart **Davis** ■ Peintre américain (1894-1964). Objets en série ; "*Batteurs à œufs*".

Louis Nicolas **Davout** ■ Un des meilleurs maréchaux de Napoléon Ier (1770-1823). Ministre de la Guerre durant les *Cent-Jours.

sir Humphry **Davy** ■ Chimiste anglais (1778-1829). Électrochimie. Définition du chlore comme élément. *Lampe Davy :* lampe de sûreté pour les mineurs.

le plan **Dawes** ■ Plan établi sous la direction du financier américain Charles Dawes pour préciser comment l'Allemagne devait payer les réparations de guerre (1924).

Dax ■ Sous-préfecture des *Landes. 20 300 hab. (les Dacquois). Station thermale.

Moshé **Dayan** ■ Général et homme politique israélien (1915-1981). Artisan de la victoire de 1967 (⇒ conflit **israélo-arabe**).

Dayton ■ Ville des États-Unis (*Ohio). 194 000 hab. Industries aéronautiques.

James **Dean** ■ Acteur de cinéma américain (1931-1955). Ses trois films ("*À l'est d'Eden*" ; "*la Fureur de vivre*" ; "*Géant*") et sa mort prématurée firent de lui l'idole des jeunes générations.

Marcel **Déat** ■ Homme politique français (1894-1955). Socialiste, il évolua vers le fascisme et la *collaboration.

Deauville ■ Commune du *Calvados. 5 700 hab. (les Deauvillais). Station balnéaire. Festival de cinéma.

Dimčo **Debeljanov** ■ Poète symboliste bulgare (1887-1916).

Michel **Debré** ■ Homme politique français (né en 1912). Premier ministre du début de la Ve République (1959) à 1962.

Debrecen ■ Ville de Hongrie. 196 000 hab. Centre du mouvement protestant hongrois, elle connut une vie intellectuelle active (université). *Kossuth y proclama l'indépendance en 1849.

Salomon **De Brosse** ■ ⇒ Salomon de **Brosse.**

Claude **Debussy** ■ Compositeur français, un des plus importants du XXe s. (1862-1918). On a qualifié sa musique d'impressionniste : art de l'évocation dans ses œuvres pour piano ("*Préludes*"), pour orchestre ("*la Mer*" ; "*Prélude à l'après-midi d'un faune*") et dans son opéra "*Pelléas et Mélisande*" (sur un livret de *Maeterlinck).

Petrus **Debye** ■ Physicien et physico-chimiste hollandais (1884-1966). Théorie des solutions électrolytiques. Applications chimiques de la théorie quantique. Prix Nobel de chimie 1936.

Élie duc **Decazes** ■ Ministre libéral de Louis XVIII (1780-1860). Créateur des forges de *Decazeville. ⇒ duc de **Berry**.

Decazeville ■ Commune de l'*Aveyron. 9 200 hab. *(les Decazevillois)*. Houille en déclin.

le **Deccan** ■ ⇒ **Dekkan**.

Dèce ■ Empereur romain (v. 200-251). Voulant restaurer l'unité morale de l'Empire autour de la religion traditionnelle, il déclencha la première persécution systématique des chrétiens.

le coup d'État du 2 décembre 1851 ■ ⇒ IIᵉ **République**.

Giorgio **De Chirico** ■ Peintre italien (1888-1978). Son œuvre « métaphysique » (avant 1920) a beaucoup marqué le *surréalisme.

Décines-Charpieu ■ Commune du *Rhône. 22 800 hab. Constructions mécaniques.

Decize ■ Commune de la *Nièvre. 7 500 hab. *(les Decizois)*.

la **Déclaration des droits de l'homme et du citoyen** ■ ⇒ la Déclaration des **droits de l'homme et du citoyen**.

Charles **De Coster** ■ Écrivain belge d'expression française (1827-1879). Célèbre pour sa version de la légende de *Till Eulenspiegel (1867) et ses récits folkloriques.

Ovide **Decroly** ■ Médecin, psychologue et pédagogue belge (1871-1932). Inspirateur d'écoles expérimentales.

Dédale ■ Dans la mythologie grecque, père d'*Icare et architecte du Labyrinthe de Crète, construit sur l'ordre de *Minos pour enfermer le *Minotaure. ‹ ▶ dédale ›

Richard **Dedekind** ■ Mathématicien allemand (1831-1916). Sa théorie des nombres est à la base de l'algèbre moderne. Il a rattaché la géométrie à l'algèbre. Correspondance avec *Cantor (théorie des ensembles).

le quartier de la **Défense** ■ Quartier d'affaires et ensemble résidentiel de la proche banlieue parisienne (Puteaux, Courbevoie), construit depuis 1958 et caractérisé par ses nombreuses tours.

le gouvernement de la **Défense nationale** ■ Gouvernement républicain instauré après la défaite de *Sedan et la proclamation révolutionnaire de la déchéance de Napoléon III (4 septembre 1870). Après l'armistice et les nouvelles élections législatives (janvier et février 1871), il laissa la place au gouvernement *Thiers.

Marie, marquise du **Deffand** ■ Femme de lettres française (1697-1780). Son salon reçut notamment les encyclopédistes. Abondante correspondance avec *Voltaire, d'*Alembert...

Gaston **Defferre** ■ Homme politique français (1910-1986). Ministre socialiste, maire de Marseille de 1953 à sa mort. *Lois* dites *Defferre :* sur la décolonisation (1956), sur la décentralisation (1982).

Daniel **Defoe** ■ Écrivain, pamphlétaire et homme d'affaires anglais (1660-1731). Avec *"Robinson Crusoé"*, récit de la vie d'un marin échoué sur une île, il a créé le mythe de la confrontation d'un Européen avec la solitude, la nature et l'étranger.

Edgar **Degas** ■ Peintre et sculpteur français (1834-1917). La nouveauté de ses compositions et de ses coloris (spécialement les pastels), l'intimisme de ses œuvres (danseuses, modistes, femmes à la toilette) influencèrent notamment *Toulouse-Lautrec et *Bonnard.

Alcide **De Gasperi** ■ Homme politique italien (1881-1954). Adversaire du fascisme, au pouvoir de 1945 à 1953, il fut l'artisan de la reconstruction du pays après guerre et de l'unité européenne.

Dehra Dūn ■ Ville de l'Inde. 294 000 hab.

Deir el-Bahari ■ Site archéologique égyptien. Temple de la reine Hatchepsout.

le **Dekkan** ou **Deccan** ■ Vaste région de la péninsule indienne. Plus influencée par la culture musulmane qu'hindoue, elle ne fut véritablement unie à la plaine du nord que par la colonisation britannique.

Willem **De Kooning** ■ Peintre américain d'origine néerlandaise (né en 1904). Style violemment expressionniste. *"Femmes"*.

Eugène **Delacroix** ■ Peintre français (1798-1863). Le maître du *romantisme, par ses coloris éclatants, ses compositions tourmentées, son imagination violente et sensuelle. Thèmes littéraires *("Dante et Virgile aux Enfers")*, allégories *("la Liberté guidant le peuple")*, scènes orientales. Célèbre *"Journal"*.

Delalande ■ ⇒ Michel Richard de **Lalande**.

Walter **De La Mare** ■ Écrivain anglais (1873-1956). *"Chansons d'enfance"*.

Robert **Delaunay** ■ Peintre, décorateur et théoricien français (1885-1941). Parti du *cubisme, il évolua vers l'art abstrait, faisant de la couleur et de la lumière le sujet de ses toiles. □ *Sonia Delaunay*, sa femme, née Terk (1885-1979), appliqua les mêmes recherches aux tissus.

Casimir **Delavigne** ■ Auteur dramatique français (1793-1843). Ses pièces oscillent entre *classicisme et *romantisme. *"Les Vêpres siciliennes"*.

le **Delaware** ■ État de l'est des États-Unis, où le fleuve du même nom se jette dans l'Atlantique. Capitale : Dover. 5 294 km². 633 000 hab. Agriculture (conserveries), industries (⇒ **Wilmington**).

Théophile **Delcassé** ■ Homme politique français (1852-1923). Ministre radical des Affaires étrangères de 1898 à 1905 et de 1914 à 1915.

Grazia **Deledda** ■ Romancière italienne (1871-1936). *"Elias Portolu"* est typique du vérisme (réalisme). Prix Nobel 1926.

Benjamin **Delessert** ■ Homme d'affaires français (1773-1847). Le *Blocus continental empêchant la consommation de sucre de canne, il lança la production industrielle de sucre de betterave (1812).

Gilles **Deleuze** ■ Philosophe français (né en 1925). *"Différence et répétition"* ; *"Logique du sens"* ; *"l'Anti-Œdipe"* (écrit avec F. Guattari).

Delft ■ Ville des Pays-Bas. 87 700 hab. Monuments, musées, vieux canaux. Célèbres faïences.

Delhi ■ Ville de l'Inde. 5,7 millions d'hab. avec la ville nouvelle de *New Delhi*, capitale fédérale de l'Inde depuis sa création par les Anglais en 1912. Ancienne capitale d'un sultanat musulman (1206-1526) et de l'Empire *moghol (⇒ **Inde**).

Léo **Delibes** ■ Compositeur français (1836-1891). Ses ballets *"Coppélia"* et *"Sylvia"* sont devenus des classiques. *"Lakmé"*, opéra.

l'abbé Jacques **Delille** ■ Poète français très célèbre à son époque (1738-1813).

Nicolo **Dell'Abate** ■ Peintre italien (1509-1571). Collaborateur du *Primatice au château de *Fontainebleau.

les **Della Robia** ■ Sculpteurs florentins. L'atelier créé par Luca (v. 1400 - 1482) puis animé par Andrea, neveu de Luca (1435-1525), et ses fils, Giovanni (1469-1529) et Girolamo (1488-1566), était spécialisé dans les terres cuites émaillées.

Delle ■ Commune du Territoire de *Belfort. 8 000 hab. *(les Dellois).*

Louis **Delluc** ■ Cinéaste et théoricien français du cinéma (1890-1924). *"Fièvre".*

Philibert **Delorme** ou **de l'Orme** ■ Architecte français (v. 1510 - 1570). Il fut formé en Italie. Son traité d'architecture et le château de Diane de Poitiers à Anet sont des œuvres majeures de la Renaissance française.

Marion **Delorme** ■ ⇒ Marion de **Lorme.**

Délos ■ La plus petite île des Cyclades, en Grèce. Important site archéologique (sanctuaire d'Apollon, v. 700 av. J.-C.).

Delphes ■ Ville de l'ancienne Grèce, centre du culte d'*Apollon qui donnait des oracles par la bouche de la *Pythie. Nombreux vestiges archéologiques.

Andrea **Del Sarto** ■ Peintre italien (1486-1530). Représentant avec Fra *Bartolomeo du classicisme florentin, influencé par *Raphaël et *Léonard de Vinci.

Joseph **Delteil** ■ Écrivain français (1894-1978). Il fut membre du groupe *surréaliste. *"Sur le fleuve Amour"* ; *"Saint Don Juan"* ; *"Jésus II".*

Paul **Delvaux** ■ Peintre belge (né en 1897). Scènes surréalistes, à dominante érotique.

Déméter ■ Une des plus grandes divinités de la Grèce antique, déesse de l'agriculture (la *Cérès* des Romains), mère de *Perséphone. ⇒ **Éleusis.**

Cecil Blount **DeMille** ■ Cinéaste américain (1881-1959). Spécialiste des superproductions à sujets historique ou biblique. *"Les Dix Commandements"* ; *"Samson et Dalila".*

le parti **démocrate** en anglais *Democratic Party* ■ L'un des deux grands partis des États-Unis (⇒ parti **républicain**), de tendance réformiste. *Roosevelt, *Kennedy et *Carter étaient des présidents démocrates.

la **démocratie chrétienne** ■ Courant politique d'inspiration catholique. De nombreux partis d'Europe et d'Amérique latine s'en réclament, notamment les grands partis de centre-droit en R. F. A. (Christlich-Demokratische-Union, C. D. U.) et en Italie.

Démocrite ■ Penseur grec (v. 460 - v. 370 av. J.-C.). Sa doctrine, *l'atomisme,* est un matérialisme pour lequel la réalité est faite de vide et d'atomes.

Augustus **De Morgan** ■ Mathématicien et logicien anglais (1806-1871).

Démosthène ■ Homme politique athénien, le plus grand orateur antique (384 - 322 av. J.-C.).

Denain ■ Commune du *Nord. 26 500 hab. *(les Denaisiens).* Houille. Sidérurgie.

Dendérah ■ Site archéologique d'Égypte (temple d'*Hathor, sous les *Ptolémées).

le colonel **Denfert-Rochereau** ■ ⇒ **Belfort.**

Deng **Xiaoping** ■ Président de la commission militaire du Comité central du parti communiste chinois, le principal homme politique de la Chine depuis Mao (né en 1904).

Anton **Denikine** ■ Général russe (1872-1947). Un des chefs des armées contre-révolutionnaires de 1918 à 1920.

saint **Denis** ou **Denys** ■ Premier évêque de Paris (v. 250). Martyr, il est souvent représenté décapité, sa tête entre ses mains.

Maurice **Denis** ■ Peintre français, théoricien du groupe des *Nabis (1870-1943).

Dominique Vivant, baron **Denon** ■ Graveur, écrivain, diplomate français (1747-1825). Il organisa le musée du *Louvre.

Denver ■ Ville des États-Unis, capitale du *Colorado. 490 000 hab. Pôle économique des *Rocheuses. Nœud ferroviaire et routier.

Denys **d'Halicarnasse** ■ Rhéteur, historien et critique grec vivant à Rome (Ier s. av. J.-C.).

Denys **l'Ancien** ■ Tyran de Syracuse (430 - 367 av. J.-C.). ⇒ **Damoclès.** □ *Denys le Jeune,* son fils, lui succéda mais fut chassé par *Timoléon en 344 av. J.-C.

saint **Denys l'Aréopagite** ■ ⇒ **Pseudo-Denis.**

Déols ■ Commune de l'*Indre. 10 700 hab.

Agostino **Depretis** ■ Homme politique italien (1813-1887). Chef de la gauche, initiateur de la Triple-*Alliance et du colonialisme.

Thomas **De Quincey** ■ Écrivain anglais (1785-1859). Révélé en France par *Baudelaire. *"De l'assassinat considéré comme un des beaux arts"* ; *"Confessions d'un opiomane anglais".*

André **Derain** ■ Peintre français (1880-1954). Style éclectique.

Derby ■ Ville britannique. 220 000 hab. Textiles, industries mécaniques (Rolls-Royce). Plusieurs *comtes de Derby* ont été des hommes politiques anglais, notamment le chef des conservateurs avant Disraeli.

Gavriil **Derjavine** ■ Poète russe (1743-1816). *"Ode à Dieu".*

Paul **Déroulède** ■ Écrivain nationaliste et homme politique français (1846-1914). *"Les Chants du soldat".*

Jacques **Derrida** ■ Philosophe français (né en 1930). *"De la grammatologie"* ; *"l'Écriture et la Différence"* ; études sur *Husserl.

Tibor **Déry** ■ Écrivain hongrois (1894-1977). *"La Phrase inachevée".*

Francesco **De Sanctis** ■ Écrivain et homme politique italien (1817-1883). Fondateur de la critique littéraire moderne en Italie, historien de la culture nationale.

Gérard **Desargues** ■ Mathématicien français (1593-1662). Il a créé la géométrie projective, réinventée par *Poncelet v. 1820.

Marceline **Desbordes-Valmore** ■ Poétesse française (1786-1859). *"Élégies"* ; *"les Pleurs".*

René **Descartes** ■ Philosophe et savant français (1596-1650). Créateur de la géométrie analytique, promoteur du mécanisme dans les sciences exactes, père de la philosophie moderne. Contre les autorités reçues, il ne voulut se fier qu'à la raison. *"Discours de la méthode"* (suivi des essais scientifiques de cette méthode) ; *"Méditations métaphysiques"* ; *"Principes de la philosophie"* ; *"les Passions de l'âme".*

*Paul **Deschanel*** ■ Homme politique français (1855-1922). Président de la République (centre droit) en 1920.

*Vittorio **De Sica*** ■ Cinéaste néo-réaliste italien naturalisé français en 1966 (1902-1974). *"Le Voleur de bicyclette"* ; *"Miracle à Milan".*

*Nicolas **Desmarets*** ■ Homme d'État français, neveu de *Colbert (1648-1721). Dernier contrôleur des Finances de Louis XIV.

*Des **Moines*** ■ Ville des États-Unis, capitale de l'*Iowa. 191 000 hab.

*Camille **Desmoulins*** ■ Publiciste français (1760-1794). Engagé dans la Révolution, il fut exécuté avec *Danton.

*Robert **Desnos*** ■ Poète français (1900-1945). Il participa au *surréalisme. *"Corps et biens".*

*Charles **Despiau*** ■ Sculpteur français (1874-1946). Bustes.

*François **Desportes*** ■ Peintre français (1661-1743). Scènes de chasse, natures mortes avec gibier.

*Philippe **Desportes*** ■ Poète français (1546-1606). Rival de *Ronsard et de *Malherbe. *"Amours de Diane".*

*Alfred **Desrochers*** ■ Poète canadien de langue française (1901-1978).

*Jean-Jacques **Dessalines*** ■ Premier empereur d'Haïti après sa victoire sur les Français en 1803 (v. 1748 - 1806). Ancien esclave noir, lieutenant de *Toussaint-Louverture, renversé par *Pétion.

Dessau ■ Ville de R. D. A. 100 000 hab.

*le **Destour*** ■ Parti politique tunisien. □ *le Néo-Destour* (⇒ **Bourguiba**) réclama l'indépendance et devint en 1964 le *parti socialiste destourien,* parti unique du nouvel État.

Destutt de Tracy ■ ⇒ **Idéologues**.

Desvres ■ Commune du *Pas-de-Calais. 5 900 hab. *(les Desvrois).*

Detroit ■ Ville des États-Unis (*Michigan). 1,2 million d'hab. Industries automobiles.

*le **Deutéronome*** ■ Livre de la *Bible. ▶ *le code deutéronomique* rassemble les lois que doit observer la tradition juive.

*la guerre des **Deux-Roses*** ■ ⇒ guerre des Deux-**Roses**.

*le royaume des **Deux-Siciles*** ■ ⇒ royaume de **Naples**.

*Eamon **De Valera*** ■ Révolutionnaire et homme d'État irlandais (1882-1975). Fondateur de la république d'Irlande en 1937.

Déville-lès-Rouen ■ Commune de la *Seine Maritime. 13 000 hab. Papeterie.

*la guerre de **Dévolution*** ■ Guerre par laquelle *Louis XIV prit à l'Espagne le sud de la Flandre, notamment *Lille (1668).

*le **Devon*** ou *Devonshire* ■ Comté du sud-ouest de l'Angleterre. Chef-lieu : Exeter. Ville principale : Plymouth.

*Hugo **De Vries*** ■ Botaniste hollandais (1848-1935). Sa *"Théorie de la mutation"* rejoint *Darwin. Il redécouvrit les lois de *Mendel.

*la classification **Dewey*** ■ Classification décimale utilisée dans les bibliothèques, inventée par le bibliographe américain *Melvil Dewey* (1851-1931).

*John **Dewey*** ■ Pédagogue américain (1859-1952). Promoteur de l'« instrumentalisme » et des méthodes « actives » en pédagogie.

*Théodore **Dézamy*** ■ Socialiste français (1808-1850). Théoricien du communisme.

*André **Dhôtel*** ■ Écrivain français (né en 1900). *"Le pays où l'on n'arrive jamais",* roman.

Dhûlia ■ Ville de l'Inde. 140 000 hab.

*Serge de **Diaghilev*** ■ Créateur des Ballets russes (1872-1929). Animateur de la vie artistique et musicale en Russie et en Europe, initiateur de la danse moderne.

Diane ■ ⇒ **Artémis**.

*Diane de **Poitiers*** ■ Maîtresse d'Henri II (1499-1566). Elle joua un grand rôle politique jusqu'à la mort du roi (1559). Mécène, elle fut célèbre pour sa beauté.

*Antonio Gonçalves **Dias*** ■ Écrivain brésilien (1823-1864). Il est considéré comme le premier grand poète de l'âme nationale.

*Bartolomeu **Dias*** ■ Navigateur portugais (v. 1450 - 1500). Il franchit le premier le cap de Bonne-Espérance (1488).

*Porfirio **Diaz*** ■ Homme d'État mexicain (1830-1915). Général pendant la guerre d'indépendance. Maître du pays de 1876 à 1911, période de développement économique dite « le Porfiriat ».

*Mohammed **Dib*** ■ Écrivain algérien d'expression française (né en 1920). *"Dieu en Barbarie".*

*Philip Kindred **Dick*** ■ Écrivain américain de science-fiction (1928-1982). *"Ubik".*

*Charles **Dickens*** ■ Écrivain anglais (1812-1870), le plus célèbre de son époque. Ses romans dénoncent l'injustice sociale et les malheurs de l'enfance. *"Les Aventures de M. Pickwick"* ; *"Nicolas Nickleby"* ; *"David Copperfield".*

*Emily **Dickinson*** ■ Poétesse américaine (1830-1886). Auteur d'environ 1 800 poèmes lyriques, d'inspiration romantique et religieuse, publiés après sa mort.

*Denis **Diderot*** ■ Écrivain français, principal responsable de l'*Encyclopédie (1713-1784). Son œuvre est caractéristique du rationalisme spirituel et ouvert des *Lumières, où littérature et philosophie se mêlent étroitement. *"Lettre sur les aveugles"* ; *"le Rêve de d'Alembert"* ; *"Paradoxe sur le comédien"* ; *"la Religieuse"* ; *"Jacques le Fataliste"* ; *"le Neveu de Rameau".*

Didon ou *Elissa* ■ Princesse de *Tyr, fondatrice légendaire de *Carthage au IXᵉ s. av. J.-C. D'après *Virgile, abandonnée par Énée, elle se donne la mort.

Didot ■ FAMILLE DE LIBRAIRES ET IMPRIMEURS FRANÇAIS □ *Firmin Didot* (1764-1836) renouvela la gravure et la fonderie des caractères.

Die ■ Sous-préfecture de la *Drôme. 4 200 hab. *(les Diois).* Monuments romains et médiévaux. Vins blancs mousseux (clairette).

Diên Biên Phú ■ Site du Nord Viêt-nam. En 1954, la défaite des Français contre le *Viêt-minh marqua la fin de l'hégémonie française en Indochine.

Dieppe ■ Sous-préfecture de la *Seine-Maritime. 26 100 hab. *(les Dieppois).* Station balnéaire. Port important (transit de voyageurs avec la Grande-Bretagne).

Rudolf **Diesel** ■ Ingénieur allemand (1858-1913). Inventeur du moteur *Diesel.* ‹ ► diesel ›

Maria Magdalena von Losch dite *Marlène* **Dietrich** ■ Actrice allemande naturalisée américaine (née en 1902). Elle incarne le type de la femme fatale : *"l'Ange bleu".*

Dieulouard ■ Commune de *Meurthe-et-Moselle. 5 400 hab. *(les Deicustodiens).*

Dieuze ■ Commune de *Moselle. 5 200 hab.

Digne ■ Préfecture des *Alpes-de-Haute-Provence. 16 500 hab. *(les Dignois).* Monuments. Station thermale des *Bains de Digne.*

Digoin ■ Commune de *Saône-et-Loire. 11 500 hab. *(les Digoinais).* Petites industries.

Dijon ■ Préfecture de la *Côte-d'Or. 157 000 hab. *(les Dijonnais).* Capitale historique et administrative de la *Bourgogne, elle conserve beaucoup de maisons et monuments anciens (XIᵉ - XVIIIᵉ s.) : cathédrale Saint-Bénigne, palais ducal, etc. Université, centre ferroviaire et industriel, foire internationale. ► le *Dijonnais,* région au sud du plateau de *Langres (prairies, vignes).

Wilhelm **Dilthey** ■ Philosophe allemand (1833-1911). Il a tenté de fonder sur l'histoire la compréhension scientifique des sociétés humaines.

Dimitri ou **Dmitri** ■ NOM DE PLUSIEURS GRANDS PRINCES DE *RUSSIE □ *Dimitri IV Donskoi* (1350-1389), vainqueur des Mongols en 1380. □ *le faux Dimitri* (1580-1606) s'empara du trône en 1605. □ *le second faux Dimitri* envahit la Russie (1607) mais fut tué en 1610 sans avoir pris le pouvoir.

Georgi **Dimitrov** ■ Homme d'État bulgare (1882-1949). Premier chef de gouvernement de la Bulgarie communiste, de 1946 à 1949.

Dinan ■ Sous-préfecture des *Côtes-du-Nord. 16 400 hab. *(les Dinandois* ou *Dinannais).* Maisons et monuments anciens. Industries textile, électronique, alimentaire.

Dinant ■ Ville de Belgique. 12 300 hab. *(les Dinantais).* Cuivre, laiton. ‹ ► dinanderie ›

Dinard ■ Commune d'*Ille-et-Vilaine. 9 600 hab. *(les Dinardais).* Station balnéaire.

les **Dinarides** n. f. ■ Ensemble montagneux qui couvre la Yougoslavie *(Alpes dinariques),* l'Albanie et la Grèce *(Hellénides).*

Dindigul ■ Ville de l'Inde. 128 000 hab. Tabac, coton.

Dioclétien ■ Empereur romain (245 - v. 313). Il instaura la tétrarchie (pouvoir partagé par deux Augustes, chacun secondé par un César) pour mieux administrer l'empire. Il abdiqua avec Maximien en 305.

Diodore *de Sicile* ■ Historien grec (Iᵉʳ s. av. J.-C.). *"Bibliothèque historique".*

Diogène Laërce ■ Écrivain grec (IIIᵉ s.). *"Vies, doctrines et sentences des philosophes illustres",* source précieuse pour connaître la philosophie antique.

Diogène le Cynique ■ Philosophe grec de l'école cynique (413 - 327 av. J.-C.).

Dionysos ou **Bacchus** ■ Dieu grec de la vigne, du vin et du délire extatique. Son culte (les *Bacchanales,* réputées orgiaques) fut interdit à Rome

v. 180 av. J.-C. *Nietzsche l'oppose à *Apollon, comme l'ivresse au rêve.

Birago **Diop** ■ Écrivain sénégalais (né en 1906). Il a adapté en français des contes de la tradition orale africaine.

Diophante ■ Mathématicien grec d'Alexandrie (IIIᵉ s. ?). Ses *"Arithmétiques"* ont créé l'analyse *diophantienne* ou *indéterminée,* une des sources de l'algèbre moderne.

Christian **Dior** ■ Couturier français (1905-1957).

les **Dioscures** ■ ⇒ **Castor et Pollux.**

Paul **Dirac** ■ Physicien anglais (1902-1984). Un des pères de la mécanique quantique, prix Nobel 1933 pour l'*équation de Dirac* (équation relativiste de l'électron).

le **Directoire** ■ Période de l'histoire de France (1795-1799). Régime de transition entre le gouvernement révolutionnaire (*Convention) et l'époque napoléonienne (*Consulat). Au sens strict, c'est le nom du pouvoir exécutif sous ce régime, renforcé après le coup d'État du 18 Fructidor an V (4 septembre 1797), sous l'impulsion de *Barras, dans le sens d'un pouvoir dictatorial et antiroyaliste.

*Peter Gustav Lejeune-***Dirichlet** ■ Mathématicien allemand (1805-1859). Analyse, théorie des nombres.

Walt **Disney** ■ Réalisateur et producteur américain de dessins animés (1901-1966). Maître du genre, créateur de Mickey et Donald, fondateur d'une immense entreprise de loisirs (*Disneyland,* en Californie ; *Disneyworld,* en Floride).

Benjamin **Disraeli** ■ Homme d'État britannique (1804-1881). Brillant écrivain, chef des conservateurs qu'il orienta vers les problèmes sociaux et l'impérialisme. Premier ministre en 1868 et de 1874 à 1880, rival de *Gladstone.

Dives-sur-Mer ■ Commune du *Calvados. 6 200 hab. *(les Divais).*

Otto **Dix** ■ Peintre et graveur allemand (1891-1969). Un des principaux représentants de l'*expressionnisme.

le **Dixieland** ■ Ensemble des États du sud des États-Unis. Nom donné au « vieux style » du jazz (⇒ **Nouvelle-Orléans**), spécialement quand il est imité par des Blancs.

Diyarbakir ■ Ville de Turquie. 170 000 hab. Remparts, citadelle, mosquée.

Djabir ibn Hāyyan ■ Auteur supposé d'un ensemble important de textes alchimiques arabes, connu en Occident sous le nom de *Geber* (v. 800).

Djadjapura autrefois *Hollandia* ■ Capitale de l'*Irian Barat en Indonésie (Nouvelle-Guinée). 88 000 hab.

Djakarta autrefois *Batavia* ■ Capitale fédérale, principal port, centre économique et culturel de l'*Indonésie. 6 millions d'hab. Fondée par les Hollandais en 1619.

Djalāl al-Dīn Rūmī ■ Poète mystique persan (1207-1273). Créateur d'une école à l'origine de l'ordre des derviches tourneurs.

Djambi ■ Port d'Indonésie. 120 000 hab. Exportations.

Djamboul ou **Jambul** ■ Ville d'U. R. S. S. (*Kazakhstan). 252 000 hab. Industries.

Djeddah ■ Principal port et 3ᵉ ville d'Arabie Saoudite. 560 000 hab. Centre diplomatique. Accueil

des pèlerins musulmans pour La *Mecque et
*Médine.

Djerba ■ Île de Tunisie. 70 000 hab. Tourisme.

la *Djezireh* ■ Région du Proche-Orient, plateau
entre le *Tigre et l'*Euphrate. Céréales, riz, coton
produits sur sa partie syrienne.

la *république de Djibouti* ■ État du nord-est
de l'Afrique, entre l'Éthiopie, la Somalie et le golfe
d'Aden. 21 700 km². 300 000 hab. Langues officielles :
arabe et français. Monnaie : franc djiboutien. Débouché commercial de l'Éthiopie. Point stratégique pour
le trafic pétrolier maritime dans la région. □HIS-
TOIRE. Colonie française en 1886 puis territoire
d'outre-mer de la *Côte française des Somalis* en 1946.
Il prit en 1967 le nom de *Territoire des Afars et des
Issas*. Indépendant en 1977, il fut rebaptisé du nom
de sa capitale, Djibouti (62 000 hab.).

Djogjakarta ■ Ville de l'île de *Java (Indonésie).
Centre intellectuel. 342 000 hab.

Djoser ■ Pharaon égyptien, fondateur de la
troisième dynastie memphite (v. 2800 av. J.-C.).

Djurdjura ■ Chaîne montagneuse d'Algérie
(2 308 m).

le *Dniepr* ■ Fleuve d'U. R. S. S., le troisième
d'Europe par sa longueur (2 285 km de la région de
*Smolensk à la mer *Noire).

Dnieprodzerjinsk ■ Ville d'*Ukraine (Union
Soviétique). 275 000 hab. Sidérurgie.

Dniepropetrovsk ■ Ville d'*Ukraine (Union
Soviétique). 1 million d'hab. Port fluvial. Industries.

Alfred Döblin ■ Romancier allemand (1878-1957).
"*Berlin, Alexanderplatz*".

la *Dobroudja* ■ Région d'Europe centrale
partagée entre la Roumanie au nord (capitale :
Constanţa) et la Bulgarie au sud.

le *Dodécanèse* ■ Archipel grec de la mer Égée,
comprenant, entre autres, Cos, Patmos et *Rhodes.

Charles Dodgson ■ ⇒ Lewis **Carroll**.

Dodone ■ Ville de Grèce, célèbre dans l'Antiquité
pour son oracle de *Zeus.

le *Dogger Bank* ■ Haut-fond sableux et
poissonneux de la mer du Nord.

les *Dogons* ■ Peuple, langue et civilisation
d'Afrique noire (*Mali). 200 000 environ.

Doha ■ Capitale du Qatar. 190 000 hab.

Robert Doisneau ■ Photographe français (né
en 1912).

Dol-de-Bretagne ■ Commune d'*Ille-et-Vilaine.
5 000 hab. *(les Dolois)*. Cathédrale de style gothique
normand. Marais de Dol.

Dole ■ Sous-préfecture du *Jura. 30 500 hab. *(les
Dolois)*. Ancienne capitale de la *Franche-Comté.
Église, maisons anciennes.

Étienne Dolet ■ Humaniste et imprimeur français,
pendu puis brûlé pour hérésie (1509-1546).

Engelbert Dollfuss ■ Homme politique autrichien (1892-1934). Chancelier en 1932, il imposa un
État chrétien, autoritaire et corporatial, dans la ligne
de *Seipel. Assassiné par les nazis (⇒ **Schuschnigg**).

les *Dolomites* n. f. ou *Alpes dolomitiques*
■ Massif italien des Alpes occidentales. □ *Dieudonné
de Gratet de Dolomieu*. Géologue français à qui elles
doivent leur nom (1750-1801).

Jean Domat ■ Juriste français (1625-1696). Rationalisation et mise en ordre du droit.

*Christophe Joseph Alexandre Mathieu de
Dombasle* ■ Agronome français (1777-1843).

Dombasle-sur-Meurthe ■ Commune de
*Meurthe-et-Moselle. 10 200 hab. *(les Dombaslois)*.

la *Dombes* ■ Région française, plateau argileux
de l'*Ain. Ancienne principauté (capitale : Trévoux).

le *puy de Dôme* ■ Point culminant (1 465 m) des
volcans qui forment la *chaîne des puys* ou *monts Dôme*
en *Auvergne.

Domène ■ Commune de l'*Isère. 5 300 hab. *(les
Doménois)*.

la *république Dominicaine* ■ État couvrant
près des deux tiers de l'île d'*Haïti. 48 730 km².
6,42 millions d'hab. Langue : espagnol. Capitale :
Saint-Domingue. Monnaie : peso dominicain. □HIS-
TOIRE. Ancienne colonie espagnole, qui devint une
république indépendante en 1844. Elle eut à subir
plusieurs conflits avec Haïti, des guerres civiles, la
dictature de *Trujillo de 1930 à 1961, enfin une
instabilité politique qui ne cessa qu'après l'intervention militaire des États-Unis contre la « révolution
d'avril » (1965) et l'instauration d'un régime autoritaire par Balaguer, évoluant vers la démocratie. Les
difficultés d'une économie trop exclusivement vouée
à la production sucrière pèsent sur la société.

les *Dominicains* ou *ordre des prêcheurs*,
O.P. ■ Ordre fondé par saint Dominique. Ils
partagent avec les *Franciscains l'idéal de pauvreté
des ordres mendiants. Voués à la mission, ils jouèrent
un grand rôle dans l'histoire de l'Église (*Inquisition,
élaboration de la doctrine). En France, *Lacordaire
rétablit l'ordre (1843) qu'avait supprimé la Révolution. ▶ les *Dominicaines* n. f., branche féminine de
l'ordre.

saint Dominique ■ Religieux espagnol, fondateur
de l'ordre des *Dominicains (v. 1170 - 1221). Prédicateur pendant la guerre des *Albigeois.

la *république de Dominique* ■ Île des Petites
Antilles indépendante depuis 1978. 751 km²,
80 000 hab. (95 % de Noirs). Langues : anglais
(officielle), créole. Monnaie : dollar des Caraïbes de
l'Est. Capitale : Roseau. Produits tropicaux (agrumes). Le niveau de vie est très bas.

Domenico Zampieri dit le *Dominiquin* ■ Peintre italien, élève des *Carrache (1581-1641). Son
*classicisme comme ses talents de paysagiste influen-
cèrent *Poussin.

Domitien ■ Empereur romain (51-96). Il continua
les conquêtes de son frère *Titus. Sa tyrannie le fit
détester et assassiner.

Domont ■ Commune du *Val-d'Oise. 11 900 hab.
(les Domontois).

le *Don* ■ Fleuve d'U. R. S. S. (1 970 km, du sud
de *Toula à la mer d'*Azov). Les plus célèbres armées
des *Cosaques étaient établies sur son cours inférieur.

Donatello ■ Sculpteur italien (v. 1386-1466). Il
réalisa les premières œuvres monumentales de la
*Renaissance ("*Gattamelatta*" à Padoue). Virtuose du
relief et de la perspective.

le *Donbass* ■ Bassin du Donetz (affluent du Don),
un des plus grands districts houillers d'U. R. S. S.
(*Ukraine, *Russie).

Stanley Donen ■ Cinéaste américain (né en 1924).
"*Chantons sous la pluie*", comédie musicale.

Donetsk ∎ Ville d'U. R. S. S. (*Ukraine), principal centre du *Donbass. 990 000 hab. □ *le Donetz* ou *Donets.* ⇒ **Donbass.**

Donges ∎ Commune de *Loire-Atlantique. 6 300 hab. *(les Dongeois).* Port pétrolier.

Gaetano **Donizetti** ∎ Compositeur romantique italien, auteur de nombreux opéras (1797-1848). *"Lucia de Lammermoor" ; "l'Élixir d'amour".*

don Juan ∎ Personnage mythique du séducteur libertin, mis en scène par Tirso de Molina, Molière, Mozart. Le romantisme en fit le héros de l'esprit de révolte.

John **Donne** ∎ Prédicateur et poète anglais (1573-1631). Auteur d'une œuvre hantée par la mort, il fut le premier des « poètes métaphysiques ».

Jean **Donneau de Visé** ∎ Écrivain français (1638-1710). Adversaire de Molière. Fondateur du *"Mercure galant"*, un des premiers périodiques français.

Don Quichotte ∎ ⇒ **Cervantès.**

Christian **Doppler** ∎ Physicien autrichien (1803-1853). *Effet Doppler-Fizeau,* découvert par Doppler en acoustique, étendu par *Fizeau en optique : variation apparente de la fréquence d'une onde, due au mouvement de l'observateur ou de la source des ondes (nombreuses applications : astrophysique, médecine, etc.).

la **Dordogne** [24] ∎ Département français de la région *Aquitaine. Il doit son nom à la rivière qui le traverse. 9 224 km². 378 000 hab. Préfecture : Périgueux. Sous-préfectures : Bergerac, Nontron, Sarlat.

Dordrecht ∎ Ville et port des Pays-Bas. 105 000 hab.

Gustave **Doré** ∎ Artiste français (1832-1883). Surtout connu comme graveur et illustrateur (de Rabelais, Dante, la Bible).

Roland **Dorgelès** ∎ Écrivain français (1885-1973). *"Les Croix de bois"*, roman inspiré par la guerre de 1914-1918.

Andrea **Doria** ∎ Homme de guerre italien (1466-1560). Passé au service de Charles Quint, il obtint l'indépendance de Gênes.

les **Doriens** ∎ Peuple grec de l'Antiquité, établi principalement à Sparte et Corinthe. Venus du nord, ils auraient envahi la Grèce v. 1200 av. J.-C. ▶ *l'ordre dorique* est le plus ancien des styles d'architecture grecque apparu v. 600 av. J.-C.

Jacques **Doriot** ∎ Homme politique français (1898-1945). Exclu du parti communiste en 1934, il évolua vers le fascisme et la *collaboration, combattit avec les nazis.

Dorpat ∎ Ancien nom de *Tartu.

Dortmund ∎ Ville de R. F. A. (en *Rhénanie-Westphalie). Un des centres industriels de la *Ruhr (charbon, acier). 618 000 hab. Brasseries.

John **Dos Passos** ∎ Écrivain américain (1896-1970). *"Manhattan Transfer"* et *"U. S. A.",* romans critiques sur la vie américaine, innovent par leur construction, inspirée directement du cinéma. Il influença Sartre.

Fiodor Mikhaïlovitch **Dostoïevski** ∎ Écrivain russe (1821-1881). *"Crime et Châtiment", "l'Idiot", "les Frères Karamazov",* chefs-d'œuvre du roman, explorent avec un intense souci religieux l'angoisse, les passions et les motivations des hommes.

Douai ∎ Sous-préfecture du *Nord. 47 500 hab. *(les Douaisiens).* Monuments du XIIIe au XVIIIe s. Centre industriel.

Douala ∎ Principal port du *Cameroun, métropole économique. 486 000 hab.

Douarnenez ∎ Ville du *Finistère, sur la *baie de Douarnenez.* 19 300 hab. *(les Douarnenistes* ou *Douarnenéziens).* Station balnéaire de Tréboul. Pêche et conserves.

le fort de **Douaumont** ∎ Enjeu de combats meurtriers durant la bataille de *Verdun, dans la Meuse (1916). Ossuaire.

le **Doubs** [25] ∎ Département français de la région *Franche-Comté. Il doit son nom à la rivière qui le traverse. 5 229 km². 477 000 hab. Préfecture : Besançon. Sous-préfectures : Montbéliard, Pontarlier.

Douchanbé ∎ Ville d'U. R. S. S., capitale du *Tadjikistan. 460 000 hab. Centre culturel.

Douchy-les-Mines ∎ Commune du *Nord. 11 000 hab. Houille.

Doué-la-Fontaine ∎ Commune du *Maine-et-Loire. 6 500 hab. *(les Douessins).*

Doullens ∎ Commune de la *Somme. 8 500 hab. *(les Doullennais).* Papeteries.

Paul **Doumer** ∎ Homme d'État français (1857-1932). Gouverneur de l'Indochine, président de la République (radical) en 1931.

Gaston **Doumergue** ∎ Homme d'État français (1863-1937). Président du Conseil radical de 1913 à 1914 et en 1934, président de la République de 1924 à 1931.

Doura-Europos ∎ Site archéologique de *Syrie (monuments grecs, juifs, chrétiens).

Dourdan ∎ Commune de l'*Essonne. 7 500 hab. *(les Dourdannais).* Château du XIIIe s.

Dourges ∎ Commune du *Pas-de-Calais. 5 400 hab.

le **Douro** ∎ Fleuve de la péninsule Ibérique qui se jette dans l'Atlantique à *Porto. ▶ *le Douro Litoral,* région de Porto. Les vignes de la vallée produisent le porto.

Douvres *en anglais* **Dover** ∎ Ville de Grande-Bretagne (sur le pas de Calais). 35 000 hab. Port de voyageurs.

Aleksandr Petrovitch **Dovjenko** ∎ Cinéaste soviétique (1894-1956). *"La Terre" ; "Aérograd".*

John **Dowland** ∎ Compositeur anglais et luthiste réputé (1563-1626). Représentant de la musique élisabéthaine.

sir Arthur Conan **Doyle** ∎ Écrivain écossais (1859-1930). Auteur de romans policiers dont le héros, Sherlock Holmes, est devenu le type du détective amateur.

Dracon ∎ Législateur athénien (VIIe s. av. J.-C.). Il rédigea un code pénal resté célèbre pour sa sévérité. ⟨ ▶ draconien ⟩

Dracula ∎ ⇒ Bram **Stoker.**

les **Dragonnades** n. f. ∎ Nom donné à des persécutions exercées contre les protestants avant et après la révocation de l'édit de Nantes (1685).

Draguignan ∎ Commune du *Var. 27 000 hab. *(les Dracénois).* Monuments des XVIIe et XVIIIe s.

sir Francis **Drake** ■ Navigateur anglais (v. 1540-1596). Il détruisit la flotte espagnole à Cadix (1587) et prit une part importante à la dispersion de l'Invincible Armada (1588). □ *détroit de* **Drake** ■ Détroit reliant, au sud de la *Terre de Feu, les océans Atlantique et Pacifique.

Drancy ■ Commune de *Seine-Saint-Denis. 64 500 hab. *(les Drancéens)*.

Draveil ■ Commune de l'*Essonne. 29 000 hab.

Théodore **Dreiser** ■ Écrivain américain (1871-1945). Auteur de romans réalistes qui critiquent le puritanisme hypocrite des États-Unis. *"Une Tragédie américaine"*.

Dresde en allemand **Dresden** ■ Ville de R. D. A. 515 000 hab. Ancienne résidence des ducs de Saxe (1485), monuments du XVIIᵉ - XVIIIᵉ s. détruits par les bombardements de 1945. Industries de transformation.

Dreux ■ Sous-préfecture d'*Eure-et-Loir. 34 000 hab. *(les Drouais)*. Monuments. Industries mécaniques et pharmaceutiques.

Carl **Dreyer** ■ Cinéaste danois d'inspiration chrétienne (1889-1968). Son art sobre est marqué par une fascination pour les visages. *"Le Procès de Jeanne d'Arc"* ; *"Dies iræ"* ; *"Gertrud"*.

l'affaire **Dreyfus** ■ Erreur scandaleuse de la justice militaire française, qui devint une crise politique et morale majeure de la IIIᵉ République. Le capitaine d'origine juive Alfred Dreyfus (1859-1935) fut condamné pour trahison en 1894. Le débat pour la révision du procès, engagé dès 1896 par le commandant Picquart, opposa un nationalisme anti-sémite, militariste, *antidreyfusard*, et les défenseurs de Dreyfus *(dreyfusards)*, dont beaucoup d'intellectuels républicains, en particulier *Zola. Les troubles contribuèrent à porter au pouvoir une coalition de gauche (1899). L'ordre ne revint qu'avec la réhabilitation de Dreyfus en 1906.

Pierre **Drieu La Rochelle** ■ Écrivain français (1893-1945). *"L'Homme couvert de femmes"*. Collaborateur, il se suicida en 1945.

la **Déclaration des droits** en anglais *Bill of Rights* ■ Un des textes fondateurs de la monarchie constitutionnelle en Angleterre (1689). □ *la Déclaration des* **droits de l'homme et du citoyen** ou **Déclaration de 1789**, texte de base des constitutions républicaines de la France et de la constitution monarchique de 1791, affirmant un droit naturel préalable à toute institution sociale et comprenant les droits fondamentaux de liberté, propriété et égalité. □ *la Déclaration universelle des* **droits de l'homme**, votée par l'O. N. U. en 1948, affirme la liberté et l'égalité pour tous.

la **Drôme** [26] ■ Département français de la région *Rhône-Alpes. Il doit son nom à la rivière qui le traverse. 6 560 km². 390 000 hab. Préfecture : Valence. Sous-préfectures : Die, Nyons.

Édouard **Drumont** ■ Publiciste français (1844-1917). Champion du nationalisme catholique, antisémite et antidreyfusard.

Maurice **Druon** ■ Écrivain français (né en 1918). *"Les Rois maudits"*. Auteur avec son oncle Joseph Kessel des paroles du *"Chant des partisans"*.

les **Druzes** ■ Secte arabe issue des *Ismaïliens, fondée par al-Darazi v. 1000. Ils sont implantés dans le « djebel Druze » (Syrie), en Galilée et au sud du Liban.

John **Dryden** ■ Auteur dramatique anglais, poète officiel de la cour (1631-1700). Inspiration classique.

Marin **Držić** ■ Poète et auteur dramatique dalmate (1507-1567). Le grand écrivain de la Renaissance en langue slave.

Jeanne Bécu comtesse **du Barry** ■ Favorite de *Louis XV (1743-1793). Elle fut guillotinée.

Dubay ■ Un des *Émirats arabes unis. 3 900 km². 207 000 hab. □ *Dubay*, sa capitale, port sur la « côte des pirates ».

Alexandre **Dubček** ■ Homme politique tchécoslovaque (né en 1921). L'armée soviétique mit fin à sa tentative de libéralisation du régime communiste (« printemps de Prague », 1968), provoquant son éviction dès 1969.

Du Bellay ■ ⇒ du **Bellay**.

Dublin ■ Capitale et 1ᵉʳ port de la république d'Irlande. 566 000 hab. Industries alimentaires, brasseries. Importante université, comprenant *Trinity College*. Cathédrale (XIIIᵉ s.), parlement (XVIIIᵉ s.).

Ambroise **Dubois** ■ Peintre français d'origine flamande, l'un des maîtres de la *seconde école de* *Fontainebleau* (v. 1543 - 1614).

Guillaume **Dubois** ■ Prélat français, ministre du régent Philippe d'Orléans (1656-1723).

René **Dubos** ■ Bactériologiste et essayiste américain d'origine française (1901-1982).

André **Du Bouchet** ■ Poète français (né en 1924).

Toussaint **Dubreuil** ■ Peintre français (v. 1561 - 1602). Il travailla à la décoration du château de Fontainebleau. L'un des maîtres de la *seconde école de *Fontainebleau*. Son style annonce le classicisme.

Dubrovnik ■ Ville de *Yougoslavie, sur la côte dalmate. 26 000 hab. Les monuments de son passé (⇒ **Raguse**) en font un haut lieu du tourisme.

Jean **Dubuffet** ■ Peintre français (1901-1985). Il trouve sa vitalité dans les styles et les matières dédaignés par la culture. Il défend dans ses récits l'« art brut » des enfants, des fous, des ignorants.

Isidore **Ducasse** ■ ⇒ **Lautréamont**.

Duccio di Buoninsegna ■ Peintre italien, maître de l'art primitif de l'école *siennoise (v. 1255 - v. 1319).

Du Cerceau ■ ⇒ **Androuet du Cerceau**.

Marcel **Duchamp** ■ Artiste et intellectuel français (1887-1968). Pionnier du mouvement *Dada, dont ses *"ready-made"* sont l'illustration. Son ironie a profondément marqué l'art contemporain. □ *Raymond* **Duchamp-Villon**, son frère (1876-1918), sculpteur proche du cubisme. *"Cheval majeur"*. □ *Gaston* **Duchamp**. ⇒ Jacques **Villon**.

Réjean **Ducharme** ■ Écrivain canadien d'expression française (né en 1942). *"Les Enfantômes"*.

Jacques **Duclos** ■ Homme politique français (1896-1975). Membre fondateur du parti communiste, dont il fut le candidat aux élections présidentielles de 1969.

John **Dudley** ■ Homme politique anglais (1502-1553). Responsable de la politique protestante d'*Édouard VI, il fut éliminé par *Marie Tudor. □ *Robert* **Dudley**, son fils, comte de Leicester (1532-1588) fut un des favoris d'Élisabeth Iʳᵉ.

Dudley ■ Ville industrielle d'Angleterre. 186 000 hab. Houille.

Guillaume **Dufay** ■ Compositeur français (v. 1400 - 1474). Messes, motets, rondeaux.

Charles François de Cisternay **Du Fay** ■ Chimiste et physicien français (1698-1739). Découverte de deux types d'électricité : vitrée (positive), résineuse (négative).

Guillaume Henri **Dufour** ■ Général suisse (1787-1875). Il mit fin à la guerre du *Sonderbund, organisa la défense nationale (théorie de la neutralité armée) et le Bureau topographique. ▶ *le Dufour-spitze,* point culminant de la Suisse (4 634 m).

Du Fu ou *Tou Fou* ■ Poète chinois de l'époque *Tang (712-770). Sujets politiques, autobiographiques.

Raoul **Dufy** ■ Peintre et décorateur français (1877-1953). Sa peinture dissocie le trait, net, construit, rapide, et les couleurs, souvent éclatantes. *"La Fée électricité"*.

Dugny ■ Commune de *Seine-Saint-Denis. 8 800 hab.

René **Duguay-Trouin** ■ Corsaire français (1673-1736). La prise de Rio de Janeiro (1711) est son plus célèbre exploit.

Bertrand **Du Guesclin** ■ Noble breton, connétable du roi de France Charles V, héros de la guerre de *Cent Ans (v. 1320 - 1380).

Léon **Duguit** ■ Juriste français (1859-1928).

Georges **Duhamel** ■ Écrivain français (1884-1966). Son œuvre témoigne d'une exigence morale. *"Chronique des Pasquier"*, roman.

Pierre **Duhem** ■ Physicien et philosophe français (1861-1916). L'histoire des sciences montre selon lui qu'elles n'ont pas vocation à expliquer. Il préserve ainsi l'autonomie de la métaphysique.

Karl Eugen **Dühring** ■ Philosophe réformiste allemand (1833-1921). Antisémite, il fut violemment critiqué par *Engels dans son livre l'*"Anti-Dühring"*.

Duisbourg ■ Ville de R. F. A. 572 000 hab. 1er port fluvial du monde, au confluent du *Rhin et de la *Ruhr. Important centre métallurgique.

Paul **Dukas** ■ Compositeur français (1865-1935). Il obtint le succès avec *"l'Apprenti sorcier"*, poème symphonique.

Germaine **Dulac** ■ Cinéaste française (1882-1942). Son influence est comparable à celle de *Delluc. *"La Coquille et le Clergyman"*, d'après un scénario d'Antonin Artaud.

John Foster **Dulles** ■ Homme politique américain (1888-1959). Responsable (républicain) de la politique étrangère d'*Eisenhower (« guerre froide » avec l'U. R. S. S.).

Charles **Dullin** ■ Homme de théâtre français (1885-1949). Son jeu et ses mises en scène ont marqué Vilar, Barrault.

Pierre Louis **Dulong** ■ Physicien français (1785-1838). *Loi de Dulong et Petit :* expression d'une constante entre chaleur spécifique et masse atomique d'un solide.

Duluth ■ Ville des États-Unis (*Minnesota), port important sur le lac Supérieur. 101 000 hab.

Dumarsais ■ ⇒ César Chesneau sieur du Marsais.

Alexandre **Dumas** ■ Écrivain français (1802-1870). Auteur de pièces et surtout de romans historiques très populaires. *"Le Comte de Monte-Cristo"* ; *"les Trois Mousquetaires"*. □ *Alexandre* **Dumas fils**, son fils (1824-1895), auteur de pièces d'inspiration sociale. *"La Dame aux camélias"*, dont Verdi fit un opéra *("La Traviata")*.

Jean-Baptiste **Dumas** ■ Chimiste français, homme politique sous le Second *Empire (1800-1884). Chimie organique.

Daphné **Du Maurier** ■ Romancière anglaise (né en 1907). *"Rebecca"* ; *"l'Auberge de la Jamaïque"*.

Georges **Dumézil** ■ Philologue français, historien des religions (1898-1986). Il dégagea une structure commune aux mythes indo-européens : les trois fonctions de souveraineté, force et fécondité.

Henri **Du Mont** ■ Compositeur wallon à la cour de France (1610-1684). Il généralisa l'emploi de la basse continue. Musique sacrée.

Jules Sébastien **Dumont d'Urville** ■ Navigateur français (1790-1841). Il a découvert la terre *Adélie, exploré l'*Océanie.

Charles **Dumoulin** ■ Juriste français, mêlé aux polémiques religieuses de son temps (1500-1566). Historien du droit français.

Charles François Du Périer dit **Dumouriez** ■ Général français (1739-1823). Habile, intrigant, agent secret de Choiseul, rallié à la *Révolution française. Ministre girondin de la guerre, vainqueur des Autrichiens à Jemmapes. Il passa au service de l'étranger en 1793.

Henri **Dunant** ■ Philanthrope suisse, créateur de la *Croix-Rouge (1828-1910).

Isadora **Duncan** ■ Danseuse américaine (1877-1927). Son art et sa vie firent d'elle un symbole de libération.

Dundee ■ Port d'Écosse. 193 000 hab. Industries textile (jute, lin), alimentaire (marmelade). Pêche sur la mer du Nord.

Dunedin ■ Port de *Nouvelle-Zélande. 120 000 hab.

Dunhuang ■ Site chinois célèbre pour ses grottes bouddhiques, sculptées et peintes.

Dunkerque ■ Sous-préfecture du *Nord. 84 000 hab. *(les Dunkerquois).* 3e port français. Complexe sidérurgique. La position stratégique de la ville (reconstruite après 1945) l'a exposée à de nombreuses guerres.

André **Dunoyer de Segonzac** ■ Peintre, graveur et illustrateur français (1884-1974).

Jean **Duns Scot** ■ Franciscain écossais, théologien et philosophe (v. 1266 - 1308). Un des maîtres (avec saint *Bonaventure et saint *Thomas d'Aquin) de l'université de Paris.

Félix **Dupanloup** ■ Évêque d'*Orléans, chef de file du catholicisme libéral (1802-1878).

Henri **Duparc** ■ Compositeur français, auteur de mélodies (1848-1933). *"L'Invitation au voyage"*, sur un poème de Baudelaire.

Joseph François **Dupleix** ■ Administrateur colonial français (1697-1763). Malgré ses réussites, sa politique d'expansion aux Indes fut abandonnée dès 1754.

Maurice Le Noblet **Duplessis** ■ Homme politique canadien (1890-1959). Premier ministre du Québec (conservateur) de 1936 à 1939 et de 1944 à sa mort.

Jacques Charles **Dupont de l'Eure** ■ Homme politique français (1767-1855) de la *Révolution française puis de l'*Empire, président du gouvernement provisoire de *février 1848.

Pierre Samuel *Dupont de Nemours* ■ Économiste français (1739-1817). En 1797, il émigra aux États-Unis où ses descendants développèrent le groupe chimique *Du Pont de Nemours.*

Adrien *Duport* ■ Révolutionnaire français (1759-1798). Un des chefs de la *Constituante, *feuillant, exilé en 1792.

Antoine *Duprat* ■ Prélat français, diplomate, ministre de François Iᵉʳ (1463-1535).

Guillaume *Dupuytren* ■ Chirurgien français (1777-1835). La *maladie de Dupuytren* : rétraction des doigts par sclérose des tissus de la paume de la main.

Abraham *Duquesne* ■ Marin français, vainqueur de *Ruyter (1610-1688). Protestant, il fut exempté par Louis XIV des effets de la révocation de l'édit de *Nantes.

les *Duquesnoy* ■ FAMILLE DE SCULPTEURS FLAMANDS □ *François Duquesnoy* (1597-1643)) s'établit à Rome. □ *Jérôme Duquesnoy* dit *Jérôme le Vieux,* son père, auteur du *Manneken-Pis* à Bruxelles.

la *Durance* ■ Rivière des Alpes françaises (305 km). Important bassin hydro-électrique.

Durango ■ Ville du Mexique. 209 000 hab.

Louis Edmond *Duranty* ■ Écrivain réaliste et critique d'art français (1833-1880).

la duchesse de *Duras* ■ Écrivaine française (1778-1828). Son roman "*Ourika*" lui valut la célébrité ; "*Olivier*", le scandale.

Marguerite *Duras* ■ Écrivaine et cinéaste française (née en 1914). Son écriture romanesque a évolué vers une mise en scène de la parole amoureuse, la conduisant naturellement au théâtre et au film. "*Le Ravissement de Lol V. Stein*" ; "*India Song*" ; "*Hiroshima mon amour*".

Durban ■ 1ᵉʳ port d'Afrique du Sud. 843 000 hab.

Albrecht *Dürer* ■ Artiste allemand de la *Renaissance, célèbre dans toute l'Europe dès son vivant (1471-1528). Remarquable graveur *("Mélancolie"),* peintre *("les Quatre Apôtres"),* théoricien *("Traité des proportions"),* et grand anatomiste.

Durga ■ Divinité féminine hindoue, guerrière, épouse de *Siva.

Durham ■ Ville d'Angleterre. 27 500 hab. Sa cathédrale est un chef-d'œuvre de l'art roman anglo-normand.

Émile *Durkheim* ■ Sociologue français (1858-1917). Un des pères des sciences sociales positives. "*La*

Division du travail social" ; "*Règles de la méthode sociologique*" ; "*le Suicide*" ; "*les Formes élémentaires de la vie religieuse*".

Lawrence *Durrell* ■ Romancier anglais (né en 1912). Critique des valeurs sociales et culturelles. "*Le Quatuor d'Alexandrie*".

Friedrich *Dürrenmatt* ■ Auteur dramatique et romancier suisse de langue allemande (né en 1921). Œuvres tragicomiques et pessimistes. "*La Visite de la vieille dame*".

Durrës ■ 2ᵉ ville d'*Albanie. 60 000 hab. Port, industries.

Maurice *Duruflé* ■ Compositeur et organiste français (1902-1986).

Victor *Duruy* ■ Historien et homme politique français (1811-1894). Un des organisateurs de l'école publique en France.

Düsseldorf ■ Ville de R. F. A. 607 500 hab. Ville ancienne, université. Industries. Centre administratif et financier de la *Ruhr (sièges des firmes et syndicats).

Henri *Dutilleux* ■ Compositeur français (né en 1916). Dans ses œuvres se mêlent poésie et mystère. "*Le Loup*", ballet.

Jean *Dutourd* ■ Écrivain et chroniqueur français (né en 1920). "*Au bon beurre*".

Olav *Duun* ■ Écrivain norvégien (1876-1939). "*Les Gens de Juvik*", fresque épique sur la Norvège rurale.

François *Duvalier* dit *Papa Doc* ■ Homme politique haïtien (1909-1971). Il établit un régime dictatorial à *Haïti de 1957 à sa mort. Son fils Jean-Claude dit *Bébé Doc* lui succéda, mais fut chassé en 1986.

Julien *Duvivier* ■ Cinéaste français (1896-1967). "*Poil de Carotte*" ; "*Pépé le Moko*".

Antón *Dvořák* ■ Compositeur tchèque (1841-1904). Son inspiration est double : le folklore national et le romantisme. "*Symphonie du Nouveau Monde*" ; 14 quatuors.

Bob Zimmerman dit *Bob Dylan* ■ Chanteur américain (né en 1941). Auteur et compositeur, témoin des révoltes de son époque.

Dzerjinsk ■ Ville d'U. R. S. S. (*Russie), près de Gorki. 248 000 hab. Industries chimique et alimentaire.

Félix *Dzerjinski* ■ Révolutionnaire russe d'origine polonaise (1877-1926). Chef de la police politique *(Guépéou).*

la *Dzoungarie* ■ Région de Chine, lieu traditionnel de contact avec l'Asie centrale, centre d'un royaume mongol du XIᵉ au XIVᵉ s.

E

Thomas **Eakins** ■ Peintre américain (1844-1916). Scènes sur le vif dans un style très réaliste.

Ealing ■ Banlieue de Londres. 292 000 hab.

le général **Eanes** ■ Président de la république du Portugal de 1976 à 1986 (né en 1935).

l'East End n. m. ■ Quartiers industriels de Londres, à l'est de *Tower Bridge*. Ils s'opposent aux riches quartiers du *West End*.

East Ham ■ Faubourg industriel de Londres. 105 000 hab.

George **Eastman** ■ Inventeur et industriel américain (1854-1932). Pionnier de la photographie et du cinéma.

Eaubonne ■ Commune du *Val-d'Oise. 24 000 hab. *(les Eaubonnais).*

Friedrich **Ebert** ■ Homme politique allemand (1871-1925). Président (social-démocrate) de la république de Weimar (⇒ **Allemagne**) de 1919 à 1925.

Ebla ■ Ville et royaume antiques de Mésopotamie, connus par les fouilles de Tell-Mardik, près d'Alep, en Syrie.

Félix **Éboué** ■ Administrateur colonial français (1884-1944). Noir, il défendit l'assimilation des siens.

l'Èbre n. m. ■ Fleuve d'Espagne (950 km).

José Maria **Eça de Queirós** ■ ⇒ **Queirós**.

Ecbatane ■ Ancienne capitale des *Mèdes.

Échirolles ■ Commune de l'*Isère. 33 500 hab.

Écho ■ Nymphe de la mythologie gréco-romaine. Elle meurt de son amour malheureux pour *Narcisse, sa voix seule lui survit. ‹ ► écho ›

Maître **Eckhart** ■ Dominicain et théologien allemand (v. 1260 - v. 1327). Il est à l'origine de la mystique rhénane.

l'Écosse en anglais *Scotland* ■ Partie la plus au nord de la Grande-Bretagne. 78 772 km². 5,2 millions d'hab. *(les Écossais).* Capitale : Édimbourg. Son relief accidenté est un atout pour le tourisme (Highlands, îles Hébrides) mais concentre l'activité industrielle et agricole dans les Basses-Terres *(Lowlands) :* industries lainière (*Tweed, *Shetland) et alimentaire (whisky), industries associées au charbon, aujourd'hui en crise (métallurgie et constructions navales à Glasgow).

□HISTOIRE. Peuplée très anciennement par des Celtes, l'Écosse, autrefois appelée la *Calédonie*, fut coupée de l'Angleterre sous la conquête romaine, quand *Hadrien fit construire un mur à la limite de la *Britannia*. ⇒ **Bretagne**. Après le règne de *Macbeth, Malcolm III Canmore introduisit la féodalité anglo-normande (XIᵉ s.). Le royaume connut son apogée sous ses successeurs. Mais à la mort sans héritier d'Alexandre III (1286), le conflit latent avec l'Angleterre se transforma en guerre, pour trois siècles (avec notamment l'exécution de Wallace, héros national, en 1305). Les luttes religieuses compliquèrent les luttes de faction sous le règne de *Marie Iʳᵉ Stuart, forcée d'abdiquer en 1567. Jacques VI d'Écosse réunit les deux couronnes en prenant le titre de Jacques Iᵉʳ de Grande-Bretagne à la mort d'*Élisabeth Iʳᵉ (1603). Mais l'Église presbytérienne d'Écosse, fondée par le réformateur John Knox, s'opposa à ses tentatives d'unification religieuse ; elle contribua à la chute de *Charles Iᵉʳ. La création du Royaume-Uni, en 1707, fut mal reçue, provoquant un certain repli après l'échec, au XVIIIᵉ s., des ultimes soulèvements.

la Nouvelle-Écosse ■ ⇒ la **Nouvelle-Écosse**.

Écouen ■ Commune du *Val-d'Oise. 4 500 hab. Château et musée de la *Renaissance.

Écrouves ■ Commune de *Meurthe-et-Moselle. 6 800 hab.

Écully ■ Commune du Rhône, dans la banlieue de Lyon. 11 200 hab.

les Edda n. f. ■ Recueils de poésie islandaise du Moyen Âge, notre principale source pour connaître la mythologie scandinave.

sir Arthur Stanley **Eddington** ■ Astronome, physicien et philosophe anglais (1882-1944). Son ouvrage, *"la Constitution interne des étoiles"*, établit notamment la relation masse-luminosité. Contributions à la théorie de la relativité.

Ede ■ Ville du Nigeria. 162 600 hab. Ville yoruba fondée v. 1500.

Anthony **Eden** *comte d'Avon* ■ Diplomate britannique (1897-1977). Premier ministre (conservateur) de 1955 à 1957.

l'Éden n. m. ■ Dans la Bible, le jardin paradisiaque que Dieu aménagea sur terre pour Adam et Ève.

Édesse ■ Ancienne ville de Mésopotamie, aujourd'hui *Urfa (Turquie). Royaume dans l'Antiquité. Comté sous les croisés.

Francis Ysidro Edgeworth ■ Économiste britannique (1845-1926). Il introduisit, à la suite de *Jevons, les mathématiques en économie.

Édimbourg ■ Ville de Grande-Bretagne, capitale de l'Écosse. 465 000 hab. *(les Édimbourgeois).* Nombreux monuments (ville médiévale autour du Castle Rock, quartiers XVIIIᵉ s.). Centre universitaire et culturel.

Edirne ■ ⇒ **Andrinople.**

Thomas Edison ■ Inventeur américain (1847-1931). Phonographe. Lampe à incandescence.

l'Édit de Nantes ■ ⇒ l'édit de **Nantes.**

Edmonton ■ Ville du Canada, capitale de l'*Alberta. 460 000 hab. Centre industriel (pétrole, viande) et commercial.

Édom ■ Surnom d'*Ésaü (« le roux »). ► *les Édomites,* « descendants d'Édom », peuple sémitique de l'Antiquité.

saint Édouard le Confesseur ■ Roi d'Angleterre (v. 1002 - 1066). Connu pour sa piété.

Édouard ■ NOM DE PLUSIEURS ROIS D'ANGLE-TERRE □ *Édouard Iᵉʳ* (1239-1307), remarquable administrateur, soumit le pays de Galles. □ *Édouard II* (1284-1327), son fils, fut incapable de continuer l'œuvre paternelle ; vaincu en Écosse, trahi par sa femme Isabelle de France, il fut déposé par *Mortimer. □ *Édouard III* (1312-1377), fils du précédent, élimina *Mortimer. Ses prétentions en France déclenchèrent la guerre de *Cent Ans. □ *Édouard IV* (1442-1483), chef du parti d'York contre *Henri VI de Lancastre (⇒ guerre des Deux-Roses). □ *Édouard V* (1470-1483) son fils, éliminé par *Richard III. □ *Édouard VI* (1537-1553), sous l'influence de *Dudley, encouragea la *Réforme. □ *Édouard VII* (1841-1910), fils de *Victoria, soutint la politique d'*Entente cordiale. □ *Édouard VIII* (1894-1972) ne régna qu'un an, en 1936 ; après son abdication (Baldwin s'étant opposé à son mariage avec Mrs. Simpson), il prit le titre de *duc de Windsor.*

Édouard d'Angleterre dit *le Prince Noir* ■ Prince de Galles (1330-1376). Fils d'*Édouard III et l'un de ses meilleurs soldats dans la guerre de *Cent Ans.

le lac Édouard ■ Lac à la frontière du Zaïre et de l'Ouganda, appelé aussi *lac Rutanzige* (2 150 km²).

Georges Eekhoud ■ Poète et romancier belge d'expression française (1854-1927).

Jean Effel ■ Dessinateur humoriste français (1908-1982).

Égée ■ Roi légendaire d'Athènes. Croyant son fils *Thésée mort, il se précipite dans la mer qui porte son nom. ► *la mer Égée.* Partie de la Méditerranée entre la Grèce continentale, la Crète et l'Asie Mineure. ► *la civilisation égéenne* se développa au cours du IIᵉ millénaire av. J.-C., autour de la mer Égée.

Égérie ■ Nymphe associée au culte de Diane, inspiratrice du roi de Rome Numa. ‹ ► égérie ›

Éginhard ■ Homme d'État et chroniqueur carolingien (v. 770 - 840). *"Vie de Charlemagne".*

Égisthe ■ Roi légendaire de Mycènes. Amant de *Clytemnestre et meurtrier d'*Agamemnon, il est tué par *Oreste.

les États de l'Église ou *États pontificaux* ■ Territoires dont le pape est le souverain. Au Moyen Âge ils comprenaient l'essentiel de l'Italie centrale et le *Comtat Venaissin. Ils se réduisent aujourd'hui à la cité du *Vatican.

le comte d'Egmont ■ Homme de guerre flamand (1522-1568). Grand capitaine de Charles Quint. Il s'opposa, comme *Hoorne, à la politique de Philippe II et fut exécuté sur les ordres du duc d'*Albe. Il a inspiré Goethe et Beethoven.

la république arabe d'Égypte ■ État du nord-est de l'Afrique. 1 001 449 km². 45,8 millions d'hab. Capitale : Le Caire. Langue : arabe. Monnaie : livre égyptienne. Pays désertique, à l'exception de la vallée du Nil, extraordinairement fertile et irriguée par le barrage d'*Assouan (coton, céréales). L'industrie se développe (pétrole, textiles), mais les guerres *israélo-arabes (fermeture du canal de *Suez, dépenses militaires), la poussée démographique et les pressions religieuses freinent l'économie. □HISTOIRE. L'*Égypte pharaonique* fut une des grandes civilisations de l'Antiquité. Les deux royaumes de la haute vallée du Nil et du Delta furent réunis v. 3300 av. J.-C. par Ménès, fondateur de Memphis la capitale de l'*Ancien Empire* (v. 2800 - v. 2300 av. J.-C.), dont les grandes figures furent *Djoser et son ministre-architecte *Imhotep (⇒ **Saqqarah**), les rois *Khéops, *Khéphren, *Mykérinos (⇒ **Gizeh**), Pépi Iᵉʳ et Pépi II. V. 2300 av. J.-C., l'opposition des deux royaumes se manifesta par la rivalité entre *Thèbes et Héracléopolis. V. 2050 av. J.-C., le souverain thébain Mentouhotep Iᵉʳ refit l'unité. Avec la XIIᵉ dynastie et le déplacement de la capitale près de l'actuelle *Licht, le *Moyen-Empire* devint une époque de conquêtes (règne des Amménémès et des *Sésostris) et de grande culture. Mais v. 1800 av. J.-C. la succession dynastique se compliqua. Les *Hyksos, venus d'Asie, envahirent le pays et n'en furent chassés que par Amôsis (v. 1580 av. J.-C.). Ce dernier fonda le *Nouvel-Empire* (XVIIIᵉ dynastie), qui marqua l'apogée de l'Égypte pharaonique (règnes des *Aménophis et des *Touthmôsis). Les questions religieuses étaient essentielles car les pharaons étaient considérés comme divins. L'introduction du culte d'Aton par Aménophis IV *Akhnaton (ou révolution amarnienne, ⇒ **Tell el-Amarna**) marqua le début d'une époque de désordres politiques, malgré les grands règnes de Ramsès II (temples de *Louxor et *Karnak, qui témoignent de la restauration du culte d'Amon) et de Ramsès III. À partir de 1085 av. J.-C., les pharaons perdirent leur autorité sur les prêtres de Thèbes. La domination assyrienne puis surtout perse, malgré quelques sursauts d'indépendance (dynastie saïte, VIᵉ s. av. J.-C.), fut suivie de l'*Égypte ptolémaïque :* quand Alexandre le Grand ayant conquis l'Égypte (332 av. J.-C.), le général macédonien *Ptolémée fonda la dynastie dite des Lagides (323 av. J.-C.). Alexandrie, fondée en 331 av. J.-C., devint l'un des pôles de la Méditerranée. Après la victoire de Rome sur Cléopâtre (30 av. J.-C.), la ville resta un grand port et un centre intellectuel très important pour le christianisme antique. Au moment de la conquête arabe (642) le pays semblait sur le déclin. Mais la dynastie des Fâtimides (971-1171) qui fondèrent Le Caire, celle des Ayyûbides (1171-1250) avec *Saladin, et celle des sultans *Mamelouks, grands bâtisseurs (1250-1517), donnèrent tout son éclat à l'*Égypte musulmane,* affranchie de la tutelle de *Damas ou *Bagdad. La découverte du cap de *Bonne-Espérance fut la cause d'un désastre économique. L'Égypte, n'étant plus le seul médiateur entre l'Europe et l'Asie, devint une province de l'Empire ottoman en 1517. La campagne d'Égypte (1798-1801, → ci-dessous) marqua le début de l'*Égypte moderne.* Quoique rétablie après le départ des Français, l'autorité turque faiblit. Le véritable maître du pays, *Méhémet-Ali, engagea dès 1805 des réformes économiques et fonda une dynastie qui régna jusqu'en 1952. La culture arabe connut à la fin du XIXᵉ s. une authentique renaissance *(Nahda)*. Mais la nécessité d'emprunter renforça le rôle de l'Angleterre dans la région. Après la révolte nationaliste d'*'Arabī Pacha (1882), un protectorat anglais se mit en place, officiellement établi, après 30 ans d'occupation, en 1914 (déposition d'Abbas II). L'indépendance fut cependant reconnue dès 1922, sous la pression du parti nationaliste *Wafd*, dont les chefs, Sa'd Zaghlūl et Nahhās Pacha, devinrent les premiers ministres des rois Fouad Iᵉʳ et *Farouk. Mais l'organisation clandestine des « officiers libres », lassée de la persistance de la présence anglaise et ulcérée de la défaite de leur armée face au nouvel État d'*Israël (1949), renversa le roi, et proclama la République en 1953. *Nasser, chef de l'État en 1956, décida la nationalisation du canal de *Suez pour financer la construction du haut barrage d'*Assouan ; il s'ensuivit une crise diplomatique grave, qui rapprocha l'Égypte de l'Union soviétique. La création avec la Syrie (1958) de la République arabe unie (R. A. U.) fit de Nasser le champion du nationalisme arabe, et l'une des grandes figures politiques du tiers monde. Mais l'éclatement de la R. A. U. (1961), la victoire rapide d'Israël dans la guerre des six jours (1967) et les difficultés économiques renforcèrent les liens avec l'U. R. S. S. *Sadate, successeur de Nasser en 1970, opéra un rapprochement avec les États-Unis. La République arabe d'Égypte, proclamée en 1971 dans le cadre de l'Union des républiques arabes (Syrie, Libye, Égypte), ne put cependant pas renoncer à combattre Israël et ménagea par conséquent le soutien soviétique. Après un nouvel échec militaire (1973), l'action diplomatique de Sadate devint spectaculaire : réouverture du canal de Suez (1975) ; accords tripartites de Camp-David, en 1978, avec Israël et les États-Unis. Isolé parmi les nations arabes, engagé dans la répression des mouvements religieux, Sadate fut assassiné en 1981. Son successeur Hosni Moubarak tente de redonner au pays la stabilité et la sécurité.

la campagne d'Égypte ■ Expédition française dirigée contre l'Angleterre (1798-1801). Commandée par Bonaparte puis Kléber, elle se conclut par un retrait honorable des troupes sous les ordres du général Menou.

Ilya Ehrenbourg ■ Écrivain et journaliste soviétique (1891-1967). "*La Chute de Paris*".

Paul Ehrlich ■ Médecin allemand (1854-1915). Prix Nobel 1908 pour ses travaux fondamentaux en chimiothérapie.

Joseph von Eichendorff ■ Écrivain romantique allemand (1788-1857).

Gustave Eiffel ■ Ingénieur français (1832-1923). Il réalisa notamment l'un des plus célèbres monuments de Paris. ▶ *la tour Eiffel*, entièrement métallique, construite de 1887 à 1889 (320 m de haut).

Luigi Einaudi ■ Homme politique et économiste italien (1874-1961). Premier président de la République italienne (1948).

Eindhoven ■ Ville des Pays-Bas. 193 000 hab. Grand centre industriel.

l'abbaye d'Einsiedeln ■ Célèbre exemple du *baroque suisse allemand (XVIIIᵉ s.).

Albert Einstein ■ Physicien allemand naturalisé suisse, puis américain en 1940 (1879-1955). Prix Nobel 1921. Sa théorie de la relativité et ses contributions à la théorie des quanta ont bouleversé la physique fondamentale, permettant l'étude des réactions nucléaires et suscitant d'importants débats philosophiques.

l'Eire n. f. ■ Nom gaélique de l'Irlande. Depuis 1937, c'est le nom officiel de la république d'*Irlande.

Dwight David Eisenhower ■ Général et homme d'État américain (1890-1969). Commandant en chef des forces alliées en 1943-1945. Président (républicain) des États-Unis de 1952 à 1960, il confia à *Dulles la politique de la "guerre froide".

Sergueï Eisenstein ■ Cinéaste soviétique (1898-1948). "*Le Cuirassé Potemkine*", "*Octobre*", "*Alexandre Nevski*", "*Ivan le Terrible*" témoignent de sa maîtrise et de son lyrisme révolutionnaire. Ses écrits théoriques sont également importants.

l'Élam n. m. ■ Ancien royaume à l'est du *Tigre, appelé la *Susiane* par les Grecs.

Elâzığ ■ Ville de Turquie. 130 000 hab.

Elbasan ■ Ville d'Albanie. 50 700 hab. Important marché agricole. Centre industriel.

l'Elbe n. f. ■ Fleuve d'Europe centrale allant de la Tchécoslovaquie à *Hambourg (1 165 km). Il marque la frontière entre la R. F. A. et la R. D. A.

l'île d'Elbe ■ Île italienne de la mer *Tyrrhénienne. Napoléon Iᵉʳ en fut le souverain entre mai 1814 (date de son abdication en France) et les Cent-Jours.

Maurice Gigost d'Elbée ■ Un des premiers chefs de la guerre de *Vendée (1752-1794).

Elbeuf ■ Commune de la *Seine-Maritime. 19 500 hab. *(les Elbeuviens)*. Textile.

Elche ■ Ville du sud de l'Espagne. 163 000 hab. Palmeraie.

l'Eldorado n. m. ■ Contrée mythique d'Amérique du Sud, où les conquérants espagnols croyaient trouver de l'or (XVIᵉ s.). ⟨ ▶ eldorado ⟩

Électre ■ Fille d'*Agamemnon et de *Clytemnestre. Pour venger son père, elle pousse son frère *Oreste à tuer Clytemnestre et *Égisthe. Elle a inspiré Eschyle, Sophocle, Euripide et Giraudoux.

Elektrostal' ■ Ville d'U. R. S. S., près de Moscou (*Russie). 135 000 hab. Sidérurgie.

Éléphantine ■ Île du Nil, en face d'*Assouan. Ruines d'une cité antique, à vocation religieuse et commerciale.

Éleusis ■ Port de Grèce, sur la *baie d'Éleusis*. 19 000 hab. ▶ *les mystères d'Éleusis*, liés au culte de *Déméter, constituaient une religion initiatique très importante dans l'Antiquité.

sir Edward Elgar ■ Compositeur anglais (1857-1934). "*Enigma*" ; "*le Songe de Gerontius*" ; "*Falstaff*".

Mircea Eliade ■ Historien des religions et romancier roumain (1907-1986). Il enseigna en France et aux États-Unis. "*Le Sacré et le Profane*" ; "*le Vieil Homme et l'Officier*".

Élie ■ Prophète de la Bible.

Léonce Élie de Beaumont ■ Géologue français (1798-1874). Il établit avec Dufrénoy la carte géologique de la France (1842). Tectonique (étude des montagnes).

Mary Ann Evans dite *George Eliot* ■ Écrivaine anglaise (1819-1880). Grande romancière de l'époque victorienne, avec Dickens, Thackeray. "*Middlemarch*".

Thomas Stearns Eliot ■ Écrivain anglais d'origine américaine (1888-1965). Poète *("la Terre désolée")*, auteur dramatique *("Meurtre dans la cathédrale")*, il n'a cessé de méditer sur la création littéraire, laissant une œuvre critique importante. Prix Nobel 1948.

sainte **Élisabeth** ■ Dans l'Évangile de Luc, mère de *Jean-Baptiste et cousine de la Vierge *Marie.

Élisabeth Ire ■ Reine d'Angleterre de 1558 à sa mort (1533-1603). Fille d'*Henri VIII et Anne *Boleyn. Elle rétablit l'*anglicanisme, évinça *Marie Stuart, combattit victorieusement l'Espagne de *Philippe II. Son règne fut une période de développement de la marine, de l'économie, et d'épanouissement culturel (on parle de musique et de théâtre *élisabéthains*. ⇒ **Shakespeare**).

Élisabeth II ■ Reine du Royaume-Uni depuis 1952 (née en 1926). Fille du roi *George VI.

Élisabeth de Bavière ■ Reine des Belges, épouse d'*Albert Ier (1876-1965).

Élisabeth de France ■ Reine d'Espagne, seconde épouse de *Philippe II, fille d'*Henri II et de *Catherine de Médicis (1545-1568).

Élisabeth de France dite *Madame* ■ Sœur de *Louis XVI (1764-1794). Elle mourut guillotinée.

Élisabeth de Wittelsbach ■ Impératrice d'Autriche, épouse de *François-Joseph Ier (1837-1898). La littérature et le cinéma en ont fait la légendaire *Sissi*.

Élisabeth Petrovna ■ Impératrice de Russie, fille de *Pierre Ier (1709-1762). Son ministre Chouvalov favorisa l'instruction et la culture (⇒ **Lomonossov**).

Elista ■ ⇒ **Kalmoukie**.

Elizabeth ■ Port industriel des États-Unis (*New Jersey), en partie intégré à la zone urbaine de New York. 106 000 hab.

Duke **Ellington** ■ Pianiste, compositeur et chef d'orchestre de jazz noir américain (1899-1974).

Elne ■ Commune des *Pyrénées-Orientales. 6 000 hab. *(les Illibériens)*. Cloître roman (XIIe - XIVe s.).

Élohim ■ Mot hébreu désignant toute divinité. ⇒ **Yahvé**.

saint **Éloi** ■ Orfèvre franc, évêque, conseiller du roi *Dagobert (v. 588 - 660).

Jean-Claude **Éloy** ■ Compositeur français (né en 1938). Élève de Milhaud et de Boulez. *"Anahata"*.

El Paso ■ Ville des États-Unis (*Texas). 425 000 hab. Centre commercial et financier.

Elseneur en danois *Helsingør* ■ Ville et port du Danemark. 56 000 hab. Château de Kronborg où Shakespeare situe l'action d'*"Hamlet"*.

Adam **Elsheimer** ■ Peintre et graveur allemand (1578-1610). Ses paysages influencèrent les peintres français (Poussin notamment) et italiens.

Max **Elskamp** ■ Poète belge d'expression française (1862-1931). Son inspiration allie symbolisme, piété et formes populaires.

Eugène Grindel dit *Paul* **Éluard** ■ Poète français (1895-1952). Membre du mouvement *surréaliste puis du parti communiste, soucieux d'une poésie accessible à tous, il a élaboré un langage d'images et d'harmonies. *"Capitale de la douleur"* ; *"les Yeux fertiles"* ; *"Poésie ininterrompue"*.

Ely ■ Une des plus anciennes villes d'Angleterre, célèbre pour sa cathédrale gothique (XIe - XVIe s.). 10 500 hab.

*l'***Élysée** ■ Palais parisien du XVIIIe s., résidence du président de la République française depuis 1873.

les champs **Élysées** ■ ⇒ **champs Élysées**.

Odysseus **Elytis** ■ Poète grec, proche du surréalisme (né en 1911). Prix Nobel 1979.

les **Elzévir** ou **Elsevier** ■ Libraires et imprimeurs hollandais des XVIe et XVIIe s.

Embabeh ■ Faubourg du *Caire. 341 000 hab.

Embrun ■ Commune des Hautes-*Alpes. 5 600 hab. *(les Embrunais)*. Église romane.

Ralph Waldo **Emerson** ■ Essayiste, poète et philosophe américain (1803-1882). Son *transcendantalisme* est une forme typiquement américaine de romantisme : optimiste, religieux, individualiste et social.

Jacques André **Émery** ■ Prélat français, principal interlocuteur de *Napoléon Ier pour les questions ecclésiastiques (1732-1811).

Émèse ■ Ancienne ville de Syrie célèbre pour son temple du Soleil. Aujourd'hui *Homs.

*l'***Émilie** n. f. ■ Région de l'Italie, entre l'Apennin et le Pô, réunie administrativement à la Romagne pour former l'*Émilie-Romagne*. Plaine agricole. Villes principales : Bologne, Parme, Modène.

Mihail **Eminescu** ■ Poète romantique roumain (1850-1889). Le grand lyrique de son pays, où il est comparé à *Hölderlin.

l'État des **Émirats arabes unis** ■ Fédération de sept émirats de la côte des Pirates : *Abou Dhabī (capitale), *Dubay, *Fujaïrah, Ajman, Sarjah, Oum al-Qaïwan, Ras al-Kaïmah. 83 600 km². 1,4 million d'hab. Langue : arabe. Territoires sous contrôle britannique jusqu'en 1970. Le pétrole assure aux habitants les plus hauts revenus moyens (théoriques) du monde.

Pierre **Emmanuel** ■ Poète français (1916-1984). Révélé par la *Résistance, il a créé un lyrisme chrétien. *"Jacob"*.

Emmanuel-Philibert dit *Tête-de-fer* ■ Duc de Savoie (1528-1580). Ses victoires au service de Charles Quint lui permirent de restaurer l'indépendance de son État.

*l'***Emmenthal** n. m. ■ Vallée de la Suisse (canton de *Berne), célèbre pour son fromage. 〈 ▶ emmenthal 〉

Empédocle ■ Penseur grec (v. 490 - v. 435 av. J.-C.), philosophe et poète. Il serait mort en se jetant dans l'*Etna.

*l'***Empire latin de Constantinople** ■ ⇒ **Byzance**.

le Premier **Empire** ■ Gouvernement de la France établi quand *Napoléon Bonaparte prit le titre d'Empereur des Français (1804). Les réformes entreprises dès le *Consulat (Code civil, centralisation, etc.) furent poursuivies, l'économie encouragée et servie par la conquête de l'Europe. Après une période de gloire militaire, la résistance de l'Angleterre et le retournement de la Russie forcèrent Napoléon Ier à abdiquer (1814). L'Empire fut rétabli durant les *Cent-Jours (1815).

le Second **Empire** ■ Rétablissement de l'Empire des Français par Louis-Napoléon Bonaparte, qui prit le nom de *Napoléon III, le 2 décembre 1852 (⇒ IIᵉ **République**). L'essor économique et les succès diplomatiques n'empêchèrent pas la fragilisation du régime, qui évolua de l'autoritarisme à un certain libéralisme (ministère *Ollivier) ; la guerre *franco-allemande entraîna sa chute le 4 septembre 1870. ⇒ IIIᵉ **République.**

la dépêche d'Ems ■ Compte rendu par *Bismark de l'entrevue, dans la ville prussienne d'Ems (actuellement en R. F. A.), entre *Guillaume Iᵉʳ et l'ambassadeur de France, et qui provoqua la déclaration de guerre à la Prusse (1870). ⇒ guerre **franco-allemande.**

Juan del Encina ■ Poète et musicien espagnol (1469 - v. 1529). Le fondateur du théâtre profane.

l'Encyclopédie ou *Dictionnaire raisonné des sciences, des arts et des métiers* ■ Ouvrage de vulgarisation scientifique et technique dans l'esprit philosophique des *Lumières : croyance au progrès, confiance en la raison, lutte contre les préjugés (notamment religieux). L'entreprise, animée par d'*Alembert et surtout *Diderot, réunit les savants et certains grands noms de l'époque (Voltaire, Rousseau...).

Énée ■ Prince troyen, fils d'Anchise et d'Aphrodite, ancêtre de Romulus. □ *l'Énéide,* poème épique de *Virgile, fait le récit de cette légende des origines troyennes et divines de Rome.

Georges Enesco ■ Compositeur et interprète roumain (1881-1955). Grand professeur de violon, maître de Yehudi *Menuhin. Sonates, quatuors.

les Enfers ■ Séjour des morts dans la mythologie gréco-latine.

Enfield ■ Ville d'Angleterre, au nord de Londres. 260 000 hab.

Engadine ■ Partie suisse de la haute vallée de l'*Inn. Tourisme.

Friedrich Engels ■ Théoricien socialiste allemand (1820-1895). Ami et collaborateur de *Marx, avec qui il écrivit le *"Manifeste du parti communiste".*

le duc d'Enghien ■ Dernier représentant de la maison de *Condé (1772-1804). Il fut fusillé sur ordre de Bonaparte.

Enghien-les-Bains ■ Commune du *Val-d'Oise, sur le *lac d'Enghien.* 10 800 hab. Eaux sulfureuses. Casino. Hippodrome.

Enki ■ ⇒ **Enlil.**

Enlil ■ Un des trois principaux dieux sumériens, avec An et Enki. ⇒ **Sumer.**

Quintus Ennius ■ Poète latin (239 - 169 av. J.-C.). Il introduisit la littérature grecque à Rome et fut un des fondateurs de la littérature latine.

les Enragés ■ Groupe révolutionnaire éliminé dès 1793, mais dont le programme fut repris par *Hébert, puis *Babeuf.

Federigo Enriques ■ Mathématicien et philosophe italien (1871-1946).

Enschede ■ Ville des Pays-Bas. 141 000 hab. Centre textile.

Ensisheim ■ Commune du Haut-*Rhin. 5 700 hab. Chaussures.

James Sidney Ensor ■ Peintre belge (1860-1949). Scènes de carnaval mi-burlesques, mi-morbides, dans un style expressionniste puissant. *"L'Entrée du Christ à Bruxelles".*

l'Entente cordiale ■ Politique de rapprochement franco-britannique, inaugurée par *Guizot. Elle aboutit en 1904 avec les accords entre *Delcassé et *Balfour.

Enugu ■ Ville du Nigeria, métropole économique de l'est du pays (*Biafra). 167 500 hab.

Enver Pacha ■ Général et homme politique turc (1881-1922). Ministre de la Guerre en 1914, il engagea son pays aux côtés de l'Allemagne.

Éole ■ D'après *Homère, le maître des vents.

les Éoliens n. m. ■ Ancien peuple de Grèce qui tenait son nom d'un roi légendaire. ▶ *l'Éolide* ou *Éolie* n. f. Région habitée par les Éoliens (nord-ouest de l'Asie Mineure).

le chevalier d'Éon ■ Officier et agent secret de Louis XV (1728-1810). Il fut envoyé comme lectrice à la cour de Russie et dut sa célébrité au doute qu'il entretint sur son sexe.

Épaminondas ■ Général et homme d'État grec (v. 420 - 362 av. J.-C.). Il assura la domination de *Thèbes sur *Sparte et sur la Grèce centrale.

l'abbé de l'Épée ■ Pédagogue français (1712-1789). Il mit au point un langage par signes pour les sourds-muets.

Épernay ■ Sous-préfecture de la *Marne. 31 100 hab. *(les Sparnaciens).* Champagne.

Éphèse ■ Ville de l'Antiquité, en Asie Mineure (Turquie actuelle). Sanctuaire d'*Artémis, puis l'un des premiers centres chrétiens : séjour de saint Paul (*"Épître aux Éphésiens"*), basilique, *concile d'Éphèse* en 431.

Épictète ■ Philosophe stoïcien (v. 50 - v. 130). *"Manuel"* et *"Entretiens".* ⇒ **stoïcisme.**

Épicure ■ Philosophe grec (341 - 270 av. J.-C.). Il fonda l'école dite du Jardin. ▶ *l'épicurisme* n. m., inspiré du matérialisme atomiste de *Démocrite, enseigne que le bonheur s'atteint par l'usage raisonné des plaisirs.

Épidaure ■ Ancienne ville de Grèce (ruines du sanctuaire d'*Asclépios).

Épinal ■ Préfecture des *Vosges. 43 000 hab. *(les Spinaliens).* Monuments. Industries textile et mécanique. Musée de l'Imagerie populaire (fabrique Pellerin d'*images dites d'Épinal*).

Épinay-sur-Orge ■ Commune de l'*Essonne. 9 500 hab.

Épinay-sur-Seine ■ Commune de *Seine-Saint-Denis. 47 000 hab. *(les Spinassiens).*

l'Épire n. f. ■ Région montagneuse partagée entre la Grèce et l'Albanie. Royaume de l'Antiquité annexé par Rome, Byzance puis par les Ottomans.

Epsom ■ Ville d'Angleterre où a lieu le *Derby,* célèbre course de chevaux.

Jean Epstein ■ Cinéaste français (1897-1953). Théoricien de l'avant-garde, il exerça une influence profonde sur l'évolution du cinéma. *"La Chute de la maison Usher".*

l'Équateur n. m. ■ État (république) d'Amérique du Sud traversé par l'équateur. 283 561 km² (avec les îles *Galapagos). 8,8 millions d'hab. *(les Équatoriens).* Capitale : Quito. Langues : espagnol, quechua. Monnaie : sucre. Les ressources minières des *Andes sont encore peu exploitées, et l'économie concentrée essentiellement sur la plaine côtière (cultures tropicales, port de *Guayaquil). Depuis une vingtaine d'années, le pétrole a été favorisé au détriment de l'agriculture (population paysanne aujourd'hui en difficulté). □**HISTOIRE.** Ancienne partie de l'Empire *inca conquis par les Espagnols, libérée par *Sucre en 1822 et intégrée à la Grande Colombie (⇒ **Colombie**), elle se proclama indépendante en 1830. Après un siècle d'alternances difficiles entre conservateurs et libéraux, Velasco Iberra et Arosemena dominèrent la scène politique (1944-1972). Les militaires prirent le pouvoir en 1972, puis laissèrent la place aux démocrates-chrétiens en 1979.

Équeurdreville-Hainneville ■ Commune de la *Manche, banlieue de Cherbourg. 13 000 hab.

Érasme en latin *Desiderius Erasmus* ■ Humaniste, écrivain et érudit hollandais (v. 1469 - 1536). Esprit mordant mais tolérant, il voulut préserver l'unité de l'Église chrétienne et la nourrir de la culture antique. *"Éloge de la folie" ; "Colloques".*

Érato ■ *Muse de la poésie et des noces.

Ératosthène ■ Astronome, mathématicien et géographe grec (v. 276 - v. 194 av. J.-C.).

Erbil ■ Ville d'Irak. 107 000 hab. Centre d'une région essentiellement agricole.

Erckmann-Chatrian ■ Nom de plume adopté par Émile Erckmann (1822-1899) et Alexandre Chatrian (1826-1890). Écrivains français, auteurs de contes alsaciens et fantastiques et de romans d'inspiration patriotique. *"L'Ami Fritz".*

l'*Érechthéion* n. m. ■ Temple sur l'*Acropole d'Athènes. Célèbres cariatides.

Erevan ou *Erivan'* ■ Ville d'U. R. S. S., capitale de l'*Arménie. 1 million d'hab. Métropole économique et culturelle.

Erfurt ■ Ville de R. D. A. 215 000 hab.

Ludwig Erhard ■ Homme d'État allemand (1897-1977). Ministre de l'économie d'*Adenauer, auquel il succéda de 1963 à 1966. Considéré comme le principal artisan du « miracle allemand ».

Éric de Poméranie ■ Roi de Norvège, du Danemark et de Suède (v. 1382 - 1459). Les trois pays scandinaves furent réunis en 1397.

Eridu ■ Site archéologique d'Iraq, ancienne cité de *Mésopotamie, près d'*Ur.

Erie ■ Ville des États-Unis (*Pennsylvanie) sur le lac *Érié* (⇒ **Grands Lacs**). 119 000 hab.

Jean Scot Érigène ■ ⇒ **Scot Érigène.**

Erik le Rouge ■ Chef norvégien (v. 940 - v. 1010). Il découvrit et colonisa le Groenland vers 981. □ *Leiv Eriksson,* son fils, aurait abordé l'Amérique v. 1000.

les Érinyes n. f. ■ Divinités grecques de la vengeance, assimilées aux *Furies* par les Romains.

Erlangen ■ Ville de R.F.A. 101 000 hab. Université protestante. Nombreux monuments baroques.

Ermenonville ■ Commune de l'*Oise. 600 hab. *(les Ermenonvillois).* Rousseau y étant mort, ses admirateurs en firent un lieu de pèlerinage.

l'*Ermitage* n. m. ■ Palais de *Catherine II à Saint-Pétersbourg (aujourd'hui *Leningrad). Un des plus riches musées du monde.

Ermont ■ Commune du *Val-d'Oise. 25 500 hab.

Ernakulam ■ Ville du sud-ouest de l'Inde. 215 000 hab. Industries chimiques.

Ernée ■ Commune de *Mayenne. 6 000 hab. *(les Ernéens).*

Max Ernst ■ Artiste et écrivain allemand naturalisé américain puis français (1891-1976). La diversité de son art (collages, grattages, sculpture) en fait le plus inventif des surréalistes.

Éros ■ Dieu grec de l'Amour (le *Cupidon des Romains), fils d'Aphrodite et amant de Psyché.

Erstein ■ Commune du Bas-*Rhin. 7 500 hab.

l'*Érythrée* n. m. ■ Province d'Éthiopie (capitale *Asmara), sur la mer Rouge (autrefois appelée « mer d'Érythrée »). 118 000 km². 2,12 millions d'hab. Ancienne colonie italienne, État fédéré d'Éthiopie en 1952, il mène une guerre séparatiste depuis sa constitution en province (1962).

l'*Erzberg* n. m. ■ Montagne d'Autriche qui doit son nom au fer *(Erz)* qu'on y exploite.

l'*Erzgebirge* n. m. ■ « monts Métallifères », massif montagneux à la frontière de la R. D. A. et de la Tchécoslovaquie, importante région minière et industrielle.

Erzurum ■ Ville de l'est de la Turquie (ancienne Arménie). 163 000 hab.

Ésaü ■ Fils d'Isaac et de Rebecca dans la Bible. Il vendit son droit d'aînesse à son frère Jacob.

Escaudain ■ Commune du *Nord. 10 600 hab.

l'*Escaut* n. m. ■ Fleuve qui relie le nord de la France au sud des Pays-Bas, essentiel à l'économie de la Belgique dont il arrose les principaux ports : Anvers et Gand. 430 km.

Eschyle ■ Auteur dramatique grec, le père de la tragédie (v. 525 - 456 av. J.-C.). Sujets mythologiques d'où se dégage une morale civique et religieuse : *"les Perses" ; "Prométhée enchaîné" ;* la trilogie de l'*"Orestie".*

Esculape ■ Dieu romain de la médecine, assimilé à l'*Asclépios grec.

l'*Escurial* ■ Palais et monastère espagnol édifié près de Madrid pour Philippe II par Toledo et Juan Bautista de *Herrera de 1563 à 1584.

Eskişehir ■ Ville de Turquie. 250 000 hab.

Ésope ■ Grec à demi légendaire (VIe s. av. J.-C.). On lui attribue des *"Fables"* qui eurent une influence littéraire considérable.

l'*Espagne* n. f. ■ État (monarchie constitutionnelle) du sud-ouest de l'Europe (partie de la péninsule Ibérique). 12 régions : la *Navarre, les provinces *basques, la *Castille (*Castilla la Mancha, Castilla León,* Madrid), l'*Estrémadure, le Levant, l'*Andalousie, la *Catalogne, l'*Aragon, les *Asturies, la *Galice, le *León, les *Baléares ; et les *Canaries. 504 748 km². 39 millions d'hab. *(les Espagnols).* Capitale : Madrid. Langue officielle : castillan. Autres langues : catalan, galicien, basque. Monnaie : peseta. Pays bordé de montagnes, au climat sec, l'Espagne a connu une industrialisation rapide à partir de 1959 (sidérurgie, chimie, biens de consommation). L'agriculture reste très importante (huile d'olive, vins, agrumes et légumes), ainsi que la pêche et surtout le tourisme, en plein essor depuis les années soixante. □**HISTOIRE.** Peuplé de Celtes et d'*Ibères, colonisé, sur la côte méditerranéenne par les Phéniciens, les Grecs puis les Carthaginois, le pays fut progressivement intégré au monde romain (Ier - Ve s.). Les Wisigoths, arrivés dès le Ve s., en firent un royaume uni et catholique qui fut à son apogée au VIIe s. Mais les Musulmans, passant par *Gibraltar, conquirent toute la péninsule au début du VIIIᵉ s. ; l'influence du califat de *Cordoue fut durable, en particulier dans le domaine artistique. Les chrétiens, réfugiés dans le nord, entreprirent une lente reconquête *(Reconquista)*, où s'illustrèrent le *Cid et *Alphonse VI de Castille (XIᵉ s.) : à la fin du XIIIᵉ s. seule *Grenade restait musulmane. Sa chute en 1492 marque le triomphe des « rois catholiques », *Ferdinand d'Aragon et *Isabelle de Castille, qui scellèrent par leur mariage l'unité de leurs royaumes. Le successeur de Ferdinand, son petit-fils Charles, fut le premier roi d'Espagne (1516). Élu empereur du *Saint Empire romain germanique en 1519, sous le nom de *Charles Quint, il se trouva à la tête de la première puissance d'Europe. En 1556, il partagea son empire entre son frère *Ferdinand Iᵉʳ et son fils *Philippe II. Ce dernier, roi d'Espagne, de Naples, de Sicile et des Pays-Bas, maître absolu des Amériques (il annexa le Portugal en 1580) et maître de la Méditerranée, lutta contre la *Réforme en « champion » du catholicisme : son règne fut le « Siècle d'or » de l'Espagne. Mais le déclin fut rapide : échec naval aux Pays-Bas, défaite de l'*Armada face à l'Angleterre (1588), indépendance du Portugal (1640). Par le mariage de Louis XIV à l'infante Marie-Thérèse (1659) le pays passa sous influence française. À partir de *Philippe V (1700), les Bourbons régnèrent en Espagne. Si la dynastie affirma son caractère national dans la guerre qui l'opposa à Napoléon Iᵉʳ et à Joseph Bonaparte, elle fut ensuite divisée par la lutte entre les libéraux (réformistes) et les absolutistes (don *Carlos et les Carlistes). La perte des colonies affaiblit encore le rôle international du pays. Le coup d'État de *Primo de Rivera (1923), la proclamation de la République (1931, l'exil d'*Alphonse XIII) et surtout la guerre civile (1936) allaient révéler les divisions profondes de la société espagnole. Dans un contexte international très dur, la victoire des nationalistes (1939), aidés par l'Italie fasciste et l'Allemagne nazie, permit l'instauration du franquisme (dictature de *Franco), avec l'appui de l'armée, de l'Église et d'un parti unique d'inspiration fasciste (la Phalange). Malgré le « miracle économique », le régime fut peu à peu critiqué de l'intérieur, notamment par les catholiques. À la mort de Franco (1975) et selon ses volontés, *Juan Carlos Iᵉʳ devint roi et réussit à instaurer rapidement un régime parlementaire et démocratique. Le gouvernement dirigé par le socialiste Felipe *González a décidé l'entrée de l'Espagne dans la C. E. E. (1986). Elle est membre de l'O. T. A. N. depuis 1982. Si le pays a accepté la modernisation et l'ouverture sur l'Europe, il doit résoudre les problèmes posés par les nostalgies franquistes et par les extrémistes basques. ‹ ▶ espagnol, hispan(o)- ›

Espoo ■ Ville de Finlande. 160 400 hab.

l'Esquilin n. m. ■ Une des sept collines de Rome.

les Esquimaux ou *Eskimos* ■ Peuple des régions arctiques et subarctiques (Groenland, Labrador, Alaska...). Leur nom véritable est *Inuit*. Langues : inupik et yupik. Leur civilisation disparaît peu à peu au contact des populations nord-américaines.

Jean Étienne Dominique Esquirol ■ Médecin français (1772-1840). Un des pères de la psychiatrie.

Essen ■ Ville de R. F. A. 617 700 hab. Grand centre métallurgique de la *Ruhr (⟹ les **Krupp**).

Sergueï Essenine ■ Poète lyrique russe (1895-1925). D'abord enthousiasmé par la *révolution de 1917, il finit par se suicider. *"L'Homme noir"*.

l'Essex n. m. ■ Comté de l'est de l'Angleterre. Chef-lieu : Chelmsford. Ancien royaume saxon dont la capitale était Londres.

l'Essonne [91] n. f. ■ Département français de la région *Île-de-France. Il doit son nom à la rivière qui le traverse. 1 804 km². 988 000 hab. Préfecture : Évry. Sous-préfectures : Étampes, Palaiseau.

les Este ■ Famille noble d'Italie. Ducs de *Ferrare (1240-1597) et de *Modène (1288-1796). Célèbres mécènes, notamment de l'*Arioste.

l'Esterel n. m. ■ Massif cristallin de *Provence, entre Cannes et Saint-Raphaël.

les Esterházy ■ Famille noble de Hongrie. Ils furent les mécènes de *Haydn.

Maurice Estève ■ Peintre français (né en 1904). Juxtaposition de formes simples, abstraites et colorées.

Esther ■ Héroïne juive du livre biblique d'Esther. En épousant le roi de Perse, elle obtient la grâce des juifs qui massacrent ensuite leurs ennemis. Son histoire a inspiré Racine.

les Estienne ■ Imprimeurs et érudits humanistes français du XVIᵉ s. Robert (1503-1559) et son fils Henri (1531-1598).

l'Estonie n. f. ■ République socialiste soviétique (⟹ **U. R. S. S.**), à la frontière de la Finlande. 45 100 km². 1,5 million d'hab. Capitale : Tallin. Langue : estonien. Forêts, pêche. Gaz, schistes bitumeux. De peuplement finno-ougrien, sous domination suédoise puis russe, l'Estonie ne fut définitivement annexée à l'U. R. S. S. qu'en 1944 (⟹ pays **Baltes**).

la maison d'Estrées ■ FAMILLE NOBLE D'ARTOIS □ *Gabrielle d'Estrées* (1573-1599) fut la maîtresse d'Henri IV.

l'Estrémadure n. f. ■ Région de l'Espagne, à la frontière du Portugal. Elle fut soumise au califat de Cordoue. Patrie de nombreux conquistadors.

l'Estrémadure portugaise n. f. ■ Province côtière du Portugal, près de Lisbonne (port de pêche de Peniche).

Étampes ■ Sous-préfecture de l'*Essonne. 19 400 hab. *(les Étampois)*. Nombreux monuments anciens, dont l'hôtel d'Anne de Pisseleu, *duchesse d'Étampes*, maîtresse de François Iᵉʳ.

Étaples ■ Commune et port de pêche du *Pas-de-Calais. 11 300 hab. *(les Étaplois)*.

les États de l'Église ■ ⟹ **Église**.

les états généraux ■ Assemblée représentant les trois ordres ou états de la France d'Ancien Régime : noblesse, clergé et tiers état. Elle fut convoquée pour la première fois par *Philippe le Bel (1302). Les ministres de *Louis XVI les réunirent en 1789 pour dénouer la crise financière mais le tiers état, jugeant qu'il ne disposait pas d'un droit de vote correspondant à son importance réelle, se proclama Assemblée nationale *constituante. Ce fut le début de la *Révolution : l'absolutisme laissait place à une monarchie constitutionnelle.

les États-Unis d'Amérique, en anglais *United States of America* ■ État (république fédérale) d'Amérique du Nord, entre le Mexique et le Canada, les océans Atlantique et Pacifique. 9 363 353 km². 238,7 millions d'hab. *(les Américains)*. Langue officielle : anglais. Monnaie : dollar. Capitale : Washington. 50 États et un district fédéral. L'étendue du pays, la variété du relief (montagnes à l'ouest, plaines au centre et à l'est) et du climat contribuent à faire de l'économie américaine la première du monde : agriculture (élevage, blé, maïs), abondance de ressources minérales (cuivre, uranium) et énergétiques (charbon, pétrole), industries (alimentaire, bois et papier, textile, métallurgie, pétrochimie, automobile, aéronautique et biens de consommation, informatique). Cependant, difficultés financières dues à un commerce extérieur déséquilibré (excédent des importations). Les transports et communications jouent évidemment un grand rôle : chemin de fer au XIXᵉ s., route et avion, voies d'eau (en particulier à la frontière du Canada, principal partenaire des États-Unis). ▢HISTOIRE. Cet immense territoire était peu peuplé avant l'arrivée au XVIᵉ s. des Européens, qui refoulèrent les autochtones et même les éliminèrent : il reste aujourd'hui environ 1 million d'Indiens, groupés, pour la moitié, dans des réserves (Arizona, Nouveau-Mexique...). Les Espagnols se cantonnèrent au sud : Texas, Floride, Californie actuels. Sur la côte atlantique, les Anglais supplantèrent rapidement les Hollandais et chassèrent les Français de la région des Grands Lacs. Mais les colons acceptent de moins en moins les exigences financières de la Grande-Bretagne. Avec l'appui de la France, ils déclarèrent et gagnèrent la guerre d'*Indépendance (1787). Leur Constitution concilie les vues du parti républicain de *Jefferson (devenu en 1830, sous l'influence de *Jackson, le parti démocrate) et du parti fédéraliste d'*Adams (ancêtre de l'actuel parti républicain) : autonomie des États, mais nécessité d'un pouvoir central fort ; ainsi fut fondée, sous l'arbitrage de *Franklin et surtout de *Washington, la première république moderne. Le pays s'étendit vers l'ouest : achat de la Louisiane (1803) à la France et de la Floride (1819) à l'Espagne, conquête du Texas (1845) et de la Californie (1848) sur le *Mexique. L'élection de l'antiesclavagiste *Lincoln à la présidence déclencha la *sécession des États du Sud, voués à la culture du coton. La guerre civile qui s'ensuivit (guerre de Sécession, 1861-1865) aboutit à la victoire des États du Nord et à l'industrialisation rapide du pays, dont la population tripla entre 1865 et 1914 (grâce à l'immigration) et dont l'économie prit le premier rang dans le monde. La conquête de l'ouest touchant à sa fin, les États-Unis se lancèrent dans une politique interventionniste, sous l'impulsion de Th. *Roosevelt et W. *Wilson. La puissance américaine se révéla dans son engagement lors de la Première *Guerre mondiale (1917) ; elle était telle qu'elle entraîna le monde dans la crise économique de 1929. Le redressement réussi par F.D. *Roosevelt et la Seconde *Guerre mondiale firent des États-Unis « la nation la plus puissante de l'histoire » (*Truman). Ainsi s'engageait une lutte d'influence avec l'Union soviétique : « guerre froide », participation à la plupart des conflits internationaux. Cependant l'assurance américaine s'est vue mise à mal par la guerre du *Viêt-nam, la persistance des problèmes raciaux dans les années soixante, les difficultés économiques et les désordres monétaires des années soixante-dix, la démission du président *Nixon (malgré les succès diplomatiques de *Kissinger) à la suite de l'affaire du *Watergate, l'échec de *Carter en Iran. Le républicain *Reagan, président de 1981 à 1988, s'est attaché à rétablir la confiance dans les valeurs traditionnelles, non sans susciter des critiques (politique sociale « sacrifiée », danger de l'interventionnisme en Amérique latine). Il signa, en 1987, un accord avec *Gorbatchev sur la limitation des armements.

Ethelbert ■ Roi du *Kent (mort en 616). Il fit œuvre de législateur et imposa *Canterbury comme centre de l'évangélisation.

l'**Éthiopie** n. f. ■ État d'Afrique de l'Est, au sud de la mer Rouge et du golfe d'Aden. 1 221 900 km². 46 millions d'hab. Capitale : Addis-Abeba. Langue officielle : amharique. Monnaie : birr. Le relief accidenté gêne l'économie, encore agricole (café, élevage). ▢HISTOIRE. Le pays a presque toujours maintenu son indépendance : dans l'Antiquité le royaume d'Aksoum, au Moyen Âge royaume chrétien (proche de l'Église *copte d'Alexandrie). Au XVIᵉ s., les luttes épuisantes contre les Turcs favorisèrent l'émergence de féodaux et parmi eux la dynastie de *Gondar. Le négus (« roi des rois », empereur) Theodoros II réunifia le pays après 1855. Il fallut encore lutter contre les puissances coloniales. La dynastie des Salomonides (descendants de la reine de *Saba, maîtresse de *Salomon d'après la Bible) fut restaurée par *Ménélik II en 1889. Le négus *Haïlé Sélassié fut cependant chassé par les Italiens en 1935, qui réunirent l'Éthiopie, la Somalie et l'Érythrée pour former l'Afrique-Orientale italienne. Rétabli sur son trône par les Anglais en 1941, le négus poursuivit la modernisation du pays. L'*Érythrée, fédéré à l'Empire en 1952, refuse d'y être intégré depuis 1962. La *Somalie, indépendante depuis 1960, revendique l'Ogaden (province de l'est). Les difficultés économiques s'ajoutant, le négus fut renversé par les militaires en 1974. Le lieutenant-colonel Mengistu Haïlé-Mariam gouverne depuis 1977, avec l'appui de Cuba et de l'U.R.S.S.

René Étiemble ■ Écrivain et professeur français (né en 1909). *"Parlez-vous franglais ?"*.

saint **Étienne** ■ Diacre à Jérusalem (Iᵉʳ s.). Premier martyr de la tradition chrétienne.

Étienne de Blois ■ Roi d'Angleterre (v. 1097 - 1154). Père d'*Henri II.

saint **Étienne Iᵉʳ** ■ Premier roi de Hongrie (v. 969 - 1038). Il imposa le christianisme.

Étienne Iᵉʳ Báthory ■ Roi de Pologne (1533-1586). Un des chefs de la *Contre-Réforme. Vainqueur d'*Ivan le Terrible en Livonie.

Étienne IX Douchan ■ Roi puis empereur des Serbes (1308-1355). Il constitua contre les Turcs un empire gréco-serbe qui ne lui survécut pas.

Étienne Nemanja ■ Prince de *Serbie (v. 1170 - 1196). Il fit l'unité de la Serbie.

l'**Etna** n. m. ■ Le plus haut volcan actif d'Europe situé en Sicile (3 295 m).

l'**Étolie** n. f. ■ Région du centre de la Grèce.

Eton ■ Ville du sud de l'Angleterre. 4 000 hab. Célèbre école *(public school)* fondée en 1440.

Étréchy ■ Commune de l'*Essonne. 5 600 hab.

Étretat ■ Commune de la *Seine-Maritime. 1 500 hab. *(les Étretanais)*. Site célèbre (falaises, aiguille). Station balnéaire.

l'**Étrurie** n. f. ■ Ancienne région d'Italie (approximativement, l'actuelle *Toscane). ▶ *les Etrusques,* ses habitants, envahirent le *Latium vers le VIIᵉ s. av. J.-C., puis la Campanie et la plaine du Pô. Ils furent évincés v. 350 av. J.-C. par les Romains, mais leur civilisation demeura influente : urbanisme, art, religion.

Eu ■ Commune de *Seine-Maritime. 8 700 hab. *(les Eudois).*

Eubée ■ Île grecque de la mer Égée. Ses minerais donnèrent à ses cités de Chalcis et d'Érétrie un rôle dans l'économie antique et dans la civilisation des Cyclades.

Euclide ■ Mathématicien grec (IIIᵉ s. av. J.-C.) d'Alexandrie. Ses *"Éléments"* ont défini la géométrie classique, dite *euclidienne.* C'est aussi le plus ancien traité de théorie des nombres et l'introduction, décisive, de la méthode axiomatique. ⟨▶ euclidien⟩

Eudes ■ Prince franc, fils de *Robert le Fort (v. 860 - 898). Roi de France de 888 à 898, ancêtre d'*Hugues Capet.

Eudoxe de Cnide ■ Astronome et mathématicien grec (v. 406 - v. 355 av. J.-C.). Théorie des proportions.

Eugene ■ Ville de l'*Oregon (États-Unis). 105 600 hab.

Eugène de Savoie-Carignan dit *le prince Eugène* ■ Homme de guerre et diplomate au service de l'Autriche (1663-1736).

Eugénie de Montijo dite *l'impératrice Eugénie* ■ Impératrice des Français (1826-1920). Comtesse espagnole, elle épousa *Napoléon III en 1853.

Leonhard Euler ■ Mathématicien suisse (1707-1783). Un des fondateurs de l'analyse moderne, qu'il sut utiliser dans les sciences exactes. Son œuvre domine les mathématiques de son temps.

*l'*Euphrate** n. m. ■ Fleuve du Proche-Orient. Né en Turquie, il se jette dans le golfe Persique (2 780 km). Avec le *Tigre, il délimitait la *Mésopotamie. Rôle capital dans l'Antiquité avec la construction sur ses rives des villes d'*Ur, de *Babylone et de *Sumer.

*l'*Eurasie** n. f. ■ Masse continentale formée par l'Asie et l'Europe. ‹ ► eurasien ›

Euratom ■ ⇒ C.E.E.

*l'*Eure** [27] n. m. ■ Département français de la région Haute-*Normandie. Il doit son nom à la rivière qui la traverse. 6 037 km². 462 300 hab. Préfecture : Évreux. Sous-préfectures : les Andelys, Bernay.

*l'*Eure-et-Loir** [28] n. m. ■ Département français de la région *Centre. Il doit son nom à deux rivières qui le traversent. 5 940 km². 363 000 hab. Préfecture : Chartres. Sous-préfectures : Châteaudun, Dreux, Nogent-le-Rotrou.

Euripide ■ Auteur dramatique grec (480 - 406 av. J.-C.). Ses tragédies se distinguent par leur réalisme : expression violente de la mort, naturel des mouvements de l'âme. *"Alceste"* ; *"Médée"* ; *"Hippolyte"* ; *"Andromaque"* ; *"Hécube"* ; *"Iphigénie en Tauride"* ; *"Électre"* ; *"Iphigénie à Aulis"* ; *"les Bacchantes"*.

*l'*Europe** n. f. ■ Le plus petit des continents (10 millions de km²) prolongeant l'Asie vers l'ouest jusqu'à l'Arctique, l'Atlantique et la Méditerranée. À l'est, l'Europe est traditionnellement délimitée par la mer *Caspienne, l'*Oural et le *Bosphore. Sa position de carrefour et ses richesses naturelles, la densité de population qui en a résulté expliquent son rôle central dans l'histoire et l'économie mondiales. D'abord au contact du monde méditerranéen (grandes civilisations de l'Antiquité), des *Celtes et des différents peuples venant de l'est, l'Europe n'acquit son identité que progressivement, avec la scission de l'Empire romain en deux empires (Orient et Occident), et surtout la réunification de l'Occident par *Charlemagne. Après lui, le *Saint Empire romain germanique occupa l'Europe centrale ; à l'ouest et au nord se développèrent les nations qui nous connaissons aujourd'hui (notamment l'Angleterre et la France) ; la Russie et l'Europe orientale étaient sous le contrôle des *Mongols ou de *Byzance (conquise par les *Ottomans en 1453). Mais une civilisation commune s'affirma : héritage gréco-romain (ravivé, depuis l'Italie, par la *Renaissance), christianisme. À partir du XVIᵉ s., les conflits entre les puissances européennes furent exacerbés par les questions religieuses, et aboutirent à la formation de grands empires coloniaux, au bénéfice en particulier de l'Espagne et de l'Angleterre. Après la *Révolution de 1789, la France domina le continent européen, mais Napoléon échoua devant l'Angleterre et la Russie. La prépondérance de l'Angleterre sur les mers lui assura le plus grand empire colonial du XIXᵉ s. malgré la perte de l'Amérique du Nord (⇒ **États-Unis**) ; c'était aussi la patrie de la révolution industrielle. Le dynamisme économique et l'impérialisme européens ont bouleversé la carte du globe. Le continent fut aussi transformé de l'intérieur par les nationalismes : crise en Europe centrale et déclin de l'empire d'Autriche, émergence de la Prusse (puis de l'Allemagne), unification de l'Italie. Mais le rôle de l'Europe s'amoindrit : depuis leur intervention dans les deux *guerres mondiales, les États-Unis dominent l'économie et la politique de notre temps ; d'autre part, après 1945 l'Union soviétique a placé directement sous son influence l'Europe de l'Est. La décolonisation en Asie et en Afrique a accéléré une prise de conscience difficile : les pays d'Europe doivent s'unir pour maintenir leur rang. La principale réussite des tentatives de fédération entre les pays d'Europe de l'Ouest est pour l'instant la *C. E. E., Communauté économique européenne ou « Marché commun ». ► *le Conseil de l'Europe* : organisme de coopération politique intereuropéenne, créé en 1949, siégeant à Strasbourg et regroupant 21 pays. ‹ ► européen ›

*l'*Europe verte** n. f. ■ Nom donné aux pays de la Communauté économique européenne (*C. E. E.) lorsqu'on les considère du point de vue des questions agricoles.

Europoort ■ Avant-port de *Rotterdam.

Eurydice ■ ⇒ **Orphée.**

Bartolomeo Eustachi ■ Médecin anatomiste italien (v. 1510 - v. 1574). Il donna son nom à divers organes, dont la *trompe d'Eustache* (dans l'oreille).

Euterpe ■ *Muse de la Musique.

les Évangiles n. m. ■ Partie principale du Nouveau Testament (⇒ **Bible**). Ils rapportent la vie et l'enseignement de *Jésus. ► *les quatre Évangélistes*, les saints *Matthieu, *Marc, *Luc et *Jean, auteurs des Évangiles.

Edward Evans-Pritchard ■ Anthropologue et ethnologue britannique (1902-1973).

Evansville ■ Ville des États-Unis (*Indiana). 130 400 hab. Nombreuses industries.

Ève ■ D'après la Bible, la première femme, compagne d'*Adam.

sir George **Everest** ■ Géophysicien anglais (1790-1866). Il découvrit le point culminant du globe, auquel il donna son nom. ► *le mont Everest,* situé dans l'*Himalaya (8 882 m).

Évian-les-Bains ■ Commune de Haute-*Savoie. 6 200 hab. *(les Évianais)*. Station thermale et climatique où furent signés les *accords d'Évian* (1962), qui mirent fin à la guerre d'*Algérie.

Évreux ■ Préfecture de l'*Eure. 48 600 hab. *(les Ébroïciens)*. Cathédrale (XIIᵉ - XVIIIᵉ s.), monuments (malgré les destructions de 1940). Industries pharmaceutique et textile.

Évron ■ Commune de la *Mayenne. 6 700 hab. *(les Évronnais)*. Ancienne abbatiale.

Évry ■ Ville nouvelle, préfecture de l'*Essonne. 29 600 hab. *(les Évryens)*.

Ievguenii Evtouchenko ■ Poète soviétique (né en 1933). *"Les Héritiers de Staline"*.

*l'*Exode** n. m. ■ Livre de la Bible. Il raconte l'asservissement d'Israël, la sortie d'Égypte sous la direction de Moïse et la révélation de la loi divine sur le Sinaï.

l'*expressionnisme* n. m., *les expressionnistes*
■ Mouvement artistique et littéraire qui se manifeste
en Europe, et plus particulièrement en Allemagne et
en Autriche, autour de la Première Guerre mondiale.
Il privilégie la subjectivité et l'émotion de l'artiste à
travers une exacerbation des formes d'expression.
L'expressionnisme est surtout bien défini en peinture
(die *Brücke, *Schiele, *Kokoschka, *Soutine), au
théâtre (*Wedekind, *Reinhardt) et au cinéma
(F. *Lang, *Pabst, *Murnau).

Eyck ■ ⇒ Van Eyck.

Eylau ■ Ville d'U.R.S.S. (*Russie) appelée
aujourd'hui *Bagrationovsk*. Elle fut le théâtre d'une
des plus sanglantes batailles de Napoléon. Les Russes
battirent en retraite.

Eysines ■ Commune de la *Gironde. 15 000 hab.
Vins.

Ézéchiel ■ Un des quatre grands prophètes de la
*Bible (vie s. av. J.-C.).

F

Faaa ■ Commune de la *Polynésie française. 20 000 hab. Aéroport de *Papeete.

Fabius Cunctator ■ Consul romain (v. 275 - 203 av. J.-C.). Un des grands adversaires d'*Hannibal.

Laurent Fabius ■ Homme politique français (né en 1946). Premier ministre (socialiste) de 1984 à 1986.

Jean Henri Fabre ■ Entomologiste français (1823-1915). *"Souvenirs entomologiques"*.

Philippe Fabre dit **Fabre d'Églantine** ■ Écrivain et révolutionnaire français (1755-1794). Auteur du calendrier révolutionnaire et de la chanson *"Il pleut, il pleut bergère..."*.

Carel Fabritius ■ Peintre hollandais (v. 1622 - 1654). Élève de *Rembrandt, il fut le maître de Vermeer.

Faches-Thumesnil ■ Commune du *Nord, banlieue de Lille. 16 900 hab.

Alexandre Fadeïev ■ Écrivain soviétique (1901-1956). Il obtint le prix Staline. *"La Jeune Garde"*.

Daniel Gabriel Fahrenheit ■ Physicien allemand (1686-1736). Il définit la première échelle thermométrique, dite *Fahrenheit*.

Louis Faidherbe ■ Général et colonisateur français (1818-1889). Son œuvre au Sénégal fut considérée comme exemplaire.

Thomas Fairfax ■ Général et homme politique anglais (1612-1671). Il combattit avec *Cromwell, mais se rallia ensuite à *Charles II.

Falaise ■ Commune du *Calvados. 8 800 hab. *(les Falaisiens)*. Enceinte du XIIIᵉ s., monuments.

Étienne Falconet ■ Sculpteur français (1716-1791). Monument à Pierre le Grand, à Leningrad.

les îles Falkland ■ Nom anglais des îles *Malouines.

Manuel de Falla ■ Compositeur espagnol (1876-1946). *"La Vie brève"* (opéra), *"l'Amour sorcier"* (ballet), et les *"Chansons populaires"* allient une veine populaire, nationale, et la science d'un musicien proche de Debussy.

Armand Fallières ■ Homme politique français (1841-1931). Président de la République (gauche) de 1906 à 1913.

Gabriel Fallope ■ Chirurgien et anatomiste italien (1523-1562). La *trompe de Fallope* est un conduit qui va de l'ovaire à l'utérus.

Frédéric comte de Falloux ■ Homme politique français (1811-1886). Ministre de l'Instruction publique, il favorisa l'enseignement catholique (*loi Falloux*, 1850).

Falster ■ Île du Danemark, dans la Baltique. 645 km². 46 700 hab.

Fameck ■ Commune de *Moselle. 14 900 hab.

Amintore Fanfani ■ Homme politique italien, plusieurs fois ministre (démocrate-chrétien) et président du Conseil (né en 1908).

Frantz Fanon ■ Psychiatre et révolutionnaire antillais (1925-1961). Il fit la critique du colonialisme.

Henri Fantin-Latour ■ Peintre français (1836-1904). Portraits de groupes. Fleurs.

la F.A.O. ■ Organisation pour l'alimentation et l'agriculture. ⇒ O.N.U.

al-Fārābī ■ Philosophe arabo-islamique de langue arabe (872-950).

Michael Faraday ■ Physicien et chimiste anglais (1791-1867). Lois quantitatives de l'électrolyse (*lois de Faraday*). Découverte de l'induction électromagnétique.

Farébersviller ■ Commune de la *Moselle. 7 100 hab.

Léon-Paul Fargue ■ Écrivain et poète français (1876-1947). *"Le Piéton de Paris"*.

les frères Farman ■ Pionniers de l'aviation française, d'origine anglaise. Henri (1874-1958) établit plusieurs records.

les Farnèse ■ Maison princière d'Italie, très puissante quand l'un des siens devint pape au XVIᵉ s. ▶ le *palais Farnèse*, édifié à Rome par *Paul III, est aujourd'hui le siège de l'ambassade de France. ⇒ **Alexandre Farnèse.**

Farouk ou **Faruq** ■ Dernier roi d'Égypte (1920-1965). Renversé en 1952.

le Far West ■ « L'Ouest lointain », nom traditionnel aux États-Unis des territoires situés à l'ouest du *Mississippi. ⟨ ▶ Far West ⟩

le *fascisme* ■ Régime politique instauré en Italie par Mussolini de 1922 à 1943. Doctrine corporatiste, nationaliste et totalitaire. ‹ ► fascisme ›

Fátima ■ Ville du Portugal. 5 000 hab. Pèlerinage à la Vierge qui y serait apparue en 1917.

Fāṭima ■ Fille du prophète *Mahomet (v. 606 - v. 632). Elle est très vénérée dans l'*Islam, particulièrement par les *chiites. ► les *Fatimides* n. m., déclarant appartenir à sa descendance, régnèrent en Afrique du Nord (Xᵉ s.) puis en Égypte, où le *sunnite *Saladin les renversa (1171).

William Faulkner ■ Romancier américain (1897-1962). Prix Nobel 1949. Il a fait du sud des États-Unis le lieu mythique d'intrigues à la fois tragiques et banales, sans concession à la psychologie ni à la construction romanesque traditionnelles. "*Sanctuaire*" ; "*le Bruit et la Fureur*".

Faulquemont ■ Commune de *Moselle. 5 800 hab. (*les Faulquinois*).

Faunus ■ Divinité romaine de la nature, souvent identifiée, comme Silvanus, dieu des forêts, à *Pan. ‹ ► faune ›

Félix Faure ■ Homme politique français (1841-1899). Président de la République (républicain modéré) de 1895 à sa mort.

Sébastien Faure ■ Anarchiste français, journaliste et pédagogue (1858-1942).

Élie Faure ■ Essayiste français (1873-1937). "*Histoire de l'art*".

Edgar Faure ■ Homme politique français, juriste, essayiste et historien (1908-1988). Président du Conseil en 1952 puis en 1955-1956.

Gabriel Fauré ■ Compositeur français (1845-1924). Auteur d'œuvres intimistes : nombreuses mélodies (sur des poèmes de Verlaine), pièces pour piano, musique de chambre.

Faust ■ Personnage légendaire qui vendit son âme au diable afin d'obtenir la connaissance et le plaisir. Venu d'Allemagne (XVIᵉ s.), le mythe a nourri tous les arts : littérature (Marlowe, Goethe, Valéry), peinture (Delacroix), musique (Gounod).

Jean Fautrier ■ Peintre français (1898-1964). Art informel ; effets de matière (empâtements). "*Otages*".

le *fauvisme*, les *fauves* ■ Mouvement pictural apparu à Paris v. 1905. Les peintres fauves aimaient les couleurs vives, la simplification énergique des formes (*Matisse, *Derain, *Vlaminck, *Van Dongen, *Marquet, *Rouault).

Charles Simon Favart ■ Auteur français de livrets pour l'opéra-comique (1710-1792).

Faverges ■ Commune de Haute-*Savoie. 6 300 hab.

Luc Faydherbe ■ Sculpteur, architecte flamand (1617-1697). Élève de *Rubens.

Faysāl ou *Faïçal Iᵉʳ* ■ Roi d'Iraq (1883-1933). □ *Faysāl II*, son petit-fils (1935-1958), fut renversé et assassiné en 1958.

le *F. B. I., Federal Bureau of Investigation* ■ « Bureau fédéral d'enquêtes », chargé de la police fédérale aux États-Unis.

Lucien Febvre ■ Historien français, fondateur avec Marc *Bloch de l'école des Annales (1878-1956). "*La Terre et l'Évolution humaine*" ; "*le Problème de l'incroyance au XVIᵉ s.*".

Fécamp ■ Port du pays de *Caux (*Seine-Maritime). 21 700 hab. (*les Fécampois*). Église, vestiges du château des ducs de Normandie. Pêche.

l'*insurrection fédéraliste* ■ Mouvement d'opposition à la Révolution française, mené en province par les *Girondins (1793).

Constantin Fedine ■ Écrivain soviétique (1892-1977). Prix Staline.

Feignies ■ Commune du *Nord. 6 900 hab. Métallurgie.

Benito Jeronimo Feijoo y Montenegro ■ Écrivain et bénédictin espagnol (1676-1764). Représentant des *Lumières, il dénonça les superstitions.

Lyonel Feininger ■ Peintre américain, membre du *Bauhaus (1871-1956). Paysages urbains.

Feira de Santana ■ Ville du Brésil. 225 000 hab.

Pál Fejős ■ Cinéaste et anthropologue hongrois (1897-1963).

Federico Fellini ■ Cinéaste italien (né en 1920). Films d'abord néo-réalistes, puis spectaculaires, nourris de rêves et de fantasmes. "*La Strada*" ; "*la Dolce Vita*" ; "*Huit et demi*" ; "*Amarcord*" ; "*Intervista*".

Fenain ■ Commune du *Nord. 5 700 hab. Houille.

François de Salignac de la Mothe Fénelon ■ Prélat et écrivain français (1651-1715). Son style et sa sensibilité en font un précurseur des *Lumières. "*Télémaque*".

Félix Fénéon ■ Écrivain et critique d'art français (1861-1944).

la *Fennoscandie* ■ Ensemble formé par la Suède, la Norvège et la Finlande.

Beppe Fenoglio ■ Romancier italien (1922-1963). "*La Guerre sur les collines*", inspiré par la Résistance italienne.

Mouloud Feraoun ■ Écrivain algérien d'expression française (1913-1962). "*La Terre et le Sang*".

Ferdinand ■ NOM DE PLUSIEURS SOUVERAINS EUROPÉENS. 1. empereurs d'ALLEMAGNE □ *Ferdinand Iᵉʳ* (1503-1564), roi de Bohême et de Hongrie (1526), roi des Romains (1531), empereur à la suite de son frère *Charles Quint (1556). Confronté comme lui à l'offensive turque (1529) et à la *Réforme, envers laquelle il fit preuve d'une certaine clémence. □ *Ferdinand II de Habsbourg* (1578-1637), champion de la *Contre-Réforme. □ *Ferdinand III de Habsbourg* (1608-1657), son fils, perdit la guerre de *Trente Ans. 2. souverain de BULGARIE □ *Ferdinand* (1861-1948) prit le titre de tsar des Bulgares en 1908 ; il abdiqua en faveur de son fils en 1918. 3. rois d'ESPAGNE □ *Ferdinand le Catholique* (1452-1516). Roi d'Aragon, époux d'*Isabelle de Castille. Il acheva la reconquête de l'Espagne sur les Maures et fonda l'*Inquisition. Cette politique valut au couple le nom de "Rois catholiques", décerné par le pape. Elle fit l'unité du royaume : leur petit-fils *Charles Quint eut, le premier, le titre de "roi des Espagnes" (1516). □ *Ferdinand VII* (1784-1833) oscilla entre libéralisme et autorité, après le règne de Joseph *Bonaparte.

Sándor Ferenczi ■ Psychanalyste et neurologue hongrois (1873-1933). "*Thalassa*".

Fergana ■ Ville d'U. R. S. S. (*Ouzbékistan). 203 000 hab. Coton, soie.

Pierre de Fermat ■ Mathématicien français (1601-1665). Théorie des nombres (*théorème de Fer-*

mat), probabilités, calcul infinitésimal, géométrie, optique (*principe de Fermat :* principe de moindre action dans la propagation de la lumière).

Enrico **Fermi** ■ Physicien italien (1901-1954). Physique nucléaire (théorie statistique quantique ; réalisation de la première pile atomique). Prix Nobel 1938.

Fernandel ■ Acteur français (1903-1971). Irrésistiblement drôle, il a excellé dans les films de Marcel Pagnol. *"La Fille du puisatier". "La Vache et le Prisonnier".*

Ferney-Voltaire ■ Commune de l'*Ain, à la frontière de la Suisse. 5 700 hab. *(les Ferneysiens).* Elle fut créée par Voltaire, autour du château où il vécut de 1758 à 1778.

les îles **Féroé** ou **Faeroe** ■ Archipel danois de l'Atlantique Nord. 1 400 km². 40 000 hab. *(les Féringiens* ou *Féroïens).* Elles ont leur langue (féroïen) et leur autonomie.

Ferrare ■ Ville d'Italie (Émilie). 155 000 hab. Brillante cité culturelle du XIIIᵉ au XVIᵉ s. : université, monuments (château d'Este).

Gustave **Ferrié** ■ Général et savant français (1868-1932). Radiotélégraphie.

Kathleen **Ferrier** ■ Cantatrice irlandaise (1912-1953). Émouvante voix de contralto.

Ferrière-la-Grande ■ Commune du *Nord. 5 700 hab.

Jules **Ferry** ■ Avocat et homme d'État français (1832-1893). Journaliste républicain sous Napoléon III, maire de Paris (1870) puis ministre de l'Instruction publique (1879) et président du Conseil (1880). Il imposa la laïcité, la gratuité et le caractère obligatoire de l'enseignement primaire. Sa politique d'essor colonial entraîna sa démission en 1885.

La **Ferté-Bernard** ■ Commune de la *Sarthe. 9 800 hab. *(les Fertois).* Monuments (XVᵉ - XVIᵉ s.).

La **Ferté-Macé** ■ Commune de l'*Orne. 7 700 hab. *(les Fertois).*

La **Ferté-Saint-Aubin** ■ Commune du *Loiret. 5 500 hab. *(les Fertésiens).*

La **Ferté-sous-Jouarre** ■ Commune de *Seine-et-Marne. 6 900 hab. *(les Fertois).*

Fès ou *Fez* ■ Ville du Maroc. 325 000 hab. *(les Fassis).* Capitale des *Marīnides. Remparts, mosquées, médinas, palais du roi. Tourisme. Centre culturel.

Joseph **Fesch** ■ Prélat français (1763-1839). Oncle maternel de Napoléon Iᵉʳ, dont il fut l'ambassadeur au *Vatican, puis l'adversaire. Il constitua d'importantes collections d'art italien.

Ludwig **Feuerbach** ■ Philosophe allemand (1804-1872). Critique de *Hegel et de la religion (*"l'Essence du christianisme").* ☐ *Anselm Feuerbach,* son neveu (1829-1880), peintre et dessinateur allemand.

Louis **Feuillade** ■ Cinéaste français (1873-1925). La sobriété du jeu de ses interprètes donnait à ses films le sens du réel. *"Fantômas" ; "les Vampires".*

le club des **Feuillants** ■ Club révolutionnaire rassemblant les monarchistes constitutionnels (La Fayette, Barnave, Duport). Ils dominèrent la *Constituante et les débuts de l'*Assemblée législative.

Feurs ■ Commune de la *Loire. 8 100 hab. *(les Foréziens).* Vestiges antiques.

Paul **Féval** ■ Écrivain français (1817-1887). Romans-feuilletons (*"Le Bossu").*

Février 1848 ■ ⇒ **Révolution française de février 1848.**

Georges **Feydeau** ■ Auteur dramatique français (1862-1921). Vaudevilles : *"le Dindon" ; "la Dame de chez Maxim".*

Jacques **Feyder** ■ Cinéaste français d'origine belge (1888-1948). *"Le Grand Jeu" ; "Pension Mimosas" ; "la Kermesse héroïque".*

Richard P. **Feynman** ■ Physicien américain (né en 1918). Prix Nobel 1965.

Feyzin ■ Commune du *Rhône. 7 700 hab. Pétrochimie.

saint **Fiacre** ■ Ermite du VIIᵉ s. Patron des cochers (par jeu de mots).

Léonardo **Fibonacci** ■ ⇒ **Léonard de Pise.**

Ficardin en arabe *Fakhr al-Din II* ■ Émir du Liban (1572-1635).

Johann Gottlieb **Fichte** ■ Philosophe allemand (1762-1814). Sa *"Doctrine de la science"* marque le passage de *Kant à l'idéalisme absolu (⇒ **Schelling, Hegel**). Ses écrits politiques ont joué un grand rôle dans la formation du nationalisme allemand.

Marsile **Ficin** ■ Philosophe et humaniste italien (1433-1499). Maître du *platonisme chrétien. *"Théologie platonicienne".*

les îles **Fidji** ■ Archipel et État de Mélanésie (plus de 800 îles). 18 274 km². 700 000 hab. *(les Fidjiens).* Langues : fidjien, anglais. Capitale : Suva. Monnaie : dollar de Fidji. Économie sucrière. Tourisme. Indépendant depuis 1970, membre du *Commonwealth.

Henry **Fielding** ■ Écrivain satirique et journaliste anglais (1707-1754). *"Tom Jones",* chef-d'œuvre d'observation sociale et d'humour.

les **Fiesque** en italien *Fieschi* ■ Famille noble de Gênes, rivale des *Doria.

Figaro ■ ⇒ **Beaumarchais.**

Figeac ■ Sous-préfecture du *Lot. 10 900 hab. *(les Figeacois).* Petites industries.

le **Filarète** ■ Sculpteur et architecte italien (v. 1400 - v. 1469). Son *"Traité d'Architecture"* décrit une ville idéale, synthèse des réflexions et connaissances de l'époque.

la querelle du **filioque** ■ Conflit qui opposa, à partir du IXᵉ s., catholiques et orthodoxes au sujet de la théologie de la Trinité.

le **Finistère** [29] ■ Département français de la région *Bretagne. 7 029 km². 828 000 hab. Préfecture : Quimper (préfecture maritime : Brest). Sous-préfectures : Brest, Châteaulin, Morlaix.

la **Finlande** ■ État (république) du nord de l'Europe. 337 032 km². 4,9 millions d'hab. *(les Finlandais).* Langues : finnois (90 %) et suédois. Capitale : Helsinki. Monnaie : mark finnois. Le climat rigoureux, dû à la latitude élevée, limite l'agriculture et la pêche aux côtes de la Baltique. L'industrie du bois (les forêts couvrent 65 % du territoire) domine les autres (métallurgie, mécanique, textile). Porcelaine, verreries. Importantes ressources hydro-électriques. □**HISTOIRE.** L'isolement des Lapons, puis des Finnois (dont la langue est apparentée au hongrois) favorisa un particularisme mais aussi l'absence de détermination politique face aux Suédois, maîtres du pays du XIIᵉ au XVIIIᵉ s. La Russie imposa sa domination en 1809. Elle permit d'abord un réveil culturel et politique, mais engagea à la fin du XIXᵉ s. une politique de russification stoppée par les événements révolutionnaires de 1917. Avec l'appui des Allemands, la Finlande obtint son indépendance ; elle devint république en 1919, reconnue par l'U. R. S. S. en 1920. La Seconde Guerre mondiale la livra aux convoitises russe et allemande et l'obligea, après 1945, à ménager son puissant voisin soviétique. Cette politique de prudence diplomatique et de coopération économique lui a permis de préserver sa liberté jusqu'à aujourd'hui, sous la présidence notamment du social-démocrate Kekkonen (de 1956 à 1981). ▶ *le golfe de Finlande,* formé par la Baltique entre l'U. R. S. S. et la Finlande, baigne Helsinki et Leningrad. ⟨ ▶ finlandais ⟩

la Fionie ■ Grande île du Danemark. Chef-lieu : *Odense. 456 000 hab. 3 486 km².

Firdousi ■ Poète persan (v. 940 - 1020). Le *"Livre des Rois"* ("Shah-Name"), chef-d'œuvre de la littérature épique mondiale.

Firminy ■ Commune de la *Loire. 24 300 hab. Église des XIIᵉ et XVIᵉ s. Métallurgie.

saint John Fisher ■ Prélat anglais, ami d'*Érasme (v. 1469 - 1535). Il s'opposa au second mariage d'*Henri VIII, et fut exécuté.

Irving Fisher ■ Économiste américain (1867-1947). Théorie mathématique de la monnaie.

Johann Bernhard Fisher von Erlach ■ Architecte et décorateur *baroque autrichien (1656-1723). Église Saint-Charles-Borromée à Vienne.

Francis Scott Fitzgerald ■ Écrivain américain (1896-1940). Il a évoqué la splendeur des années du jazz et l'échec puis l'effondrement du rêve américain. *"Gatsby le Magnifique"*.

Ella Fitzgerald ■ Chanteuse de jazz noire américaine (née en 1918).

Fiume ■ Nom italien de *Rijeka.

Hippolyte Fizeau ■ Physicien français (1819-1896). ⇒ **Doppler.** Première mesure physique (non astronomique) de la vitesse de la lumière.

Robert Flaherty ■ Cinéaste américain (1884-1951). *"Nanouk", "Moana", "l'Homme d'Aran"*, chefs-d'œuvre du documentaire ethnologique.

l'école flamande, les peintres flamands ■ ⇒ **Flandre.**

Nicolas Flamel ■ Auteur supposé de traités hermétiques, alchimiste français légendaire (v. 1330 - 1418).

Camille Flammarion ■ Astronome français (1842-1925). Fondateur de la Société astronomique de France. *"Astronomie populaire"* (1879).

la Flandre ou *les Flandres* ■ Région historique partagée aujourd'hui entre la France et la Belgique. Elle prit son essor au Moyen Âge avec l'industrie drapière. Au XIVᵉ s., les villes s'opposèrent à l'annexion française, avant de passer aux mains du duc de Bourgogne (XVᵉ s.), puis de ses héritiers : *Maximilien d'Autriche, *Charles Quint, *Philippe II d'Espagne. Après la sécession des *Pays-Bas protestants, la Flandre resta catholique et espagnole. Au terme de la guerre de *Succession d'Espagne (1714), elle fut soumise aux Autrichiens, à l'exception de places fortes cédées à la France (dont Lille). Sous domination française durant la Révolution et l'Empire, la Flandre fut rattachée en 1814 au royaume des Pays-Bas. En 1830, elle devint l'une des parties de la Belgique indépendante. Elle se divise en deux provinces dans la Belgique actuelle. □ *la Flandre-Occidentale,* en néerlandais *West-Vlaanderen,* chef-lieu : *Bruges. □ *la Flandre-Orientale,* en néerlandais *Oost-Vlaanderen,* chef-lieu : *Gand. □ *la Flandre maritime* en France est intégrée au département du Pas-de-Calais. La Flandre intérieure fait partie du département du Nord. ▶ *l'école flamande* naquit avec l'introduction de la technique de la peinture à l'huile (v. 1420) et connut un développement important du XVᵉ au XVIIᵉ s. Robert *Campin, Jan *Van Eyck et Roger *Van der Weyden en jetèrent les bases : goût du détail, expressivité du visage et du geste. Au XVIᵉ s. apparurent les genres indépendants : Quentin *Metsys fut le premier portraitiste (ses successeurs créèrent le « portrait de groupe ») ; Joachim *Patinir le premier paysagiste. *Bruegel créa un type de peinture de genre qui se développa par la suite : la scène villageoise dans un paysage. Au début du XVIIᵉ s., *Rubens, de retour d'Italie, introduisit le *baroque en Flandre. Son ancien élève *Van Dyck eut une grande influence en Angleterre. La peinture de genre, de caractère allégorique, inaugurée par Bruegel, continua avec *Jordaens. À la fin du XVIIᵉ s. l'école flamande déclina. ⟨ ▶ flamand ⟩

Hippolyte Flandrin ■ Peintre français (1809-1864). Élève d'*Ingres.

Gustave Flaubert ■ Écrivain français (1821-1880). Sa recherche forcenée de la beauté et de la vérité, appuyée par un souci de réalisme et une écriture lyrique, a marqué une rupture avec les conventions romanesques traditionnelles. *"Madame Bovary"* ; *"Salammbô"* ; *"l'Éducation sentimentale"* ; *"Trois contes"* ; *"Bouvard et Pécuchet"*.

les Flaviens ■ Dynastie d'empereurs romains (69-96) fondée par *Vespasien, représentée après lui par ses fils *Titus et *Domitien.

Flavius Josèphe ■ Historien juif rallié à Rome, de langue latine (v. 37 - v. 100).

John Flaxman ■ Sculpteur et illustrateur *néoclassique anglais (1735-1826).

La Flèche ■ Sous-préfecture de la *Sarthe. 16 400 hab. (les Fléchois). Prytanée militaire (ancien collège des Jésuites).

le Maître de Flémalle ■ ⇒ Robert **Campin.**

sir Alexander Fleming ■ Médecin et bactériologiste anglais (1881-1955). Prix Nobel 1945 pour sa découverte de la pénicilline.

Victor Fleming ■ Cinéaste américain (1883-1949). *"L'Île au trésor"* ; *"le Magicien d'Oz"* ; *"Autant en emporte le vent"*.

Ian Flemming ■ Écrivain anglais (1908-1964). Créateur du personnage de James Bond, héros de romans et de films d'espionnage.

Flers ou *Flers-de-l'Orne* ■ Commune de l'*Orne. 19 400 hab. (les Flériens).

Fleurance ■ Commune du *Gers. 6 000 hab. (les Fleurantins).

Fleurus ■ Commune de Belgique. 22 000 hab. Victoire française sur les Autrichiens (1794).

le cardinal de Fleury ■ Ministre de *Louis XV (1653-1743). Il mena une politique habile et prudente. Il fut impopulaire.

Fleury-les-Aubrais ■ Commune du *Loiret. 19 800 hab. Gare d'Orléans-les-Aubrais.

Fleury-Mérogis ■ Commune de l'*Essonne. 7 800 hab. *(les Fleury-Mérogissois).* Centre pénitentiaire moderne.

le fleuve Bleu ■ ⇒ **Yangzi Jiang.**

le fleuve Jaune ■ ⇒ **Huang-He.**

Flint ■ Ville des États-Unis (*Michigan). 159 600 hab. Industrie automobile (General Motors).

le F. L. N., Front de libération nationale ■ Mouvement nationaliste algérien créé en 1954. Depuis l'indépendance (1962), il est le parti unique.

Floirac ■ Commune de *Gironde, banlieue de Bordeaux. 14 500 hab. *(les Floiracais).*

Florac ■ Sous-préfecture de la *Lozère. 2 100 hab. *(les Floracois).* Tourisme.

Florange ■ Commune de la *Moselle. 11 700 hab. *(les Florangeois).*

Florence, en italien *Firenze* ■ Ville d'Italie, centre de la *Toscane. 425 800 hab. *(les Florentins).* Brillante cité culturelle et touristique : nombreux monuments *Renaissance, musées, académies. Artisanat, industrie mécanique. □**HISTOIRE.** Commune libre au Moyen Âge, Florence s'enrichit rapidement grâce au commerce ; elle conquit *Pise en 1406, devenant ainsi une puissance maritime. Elle fut le premier foyer du développement des arts et des lettres en Italie : dès 1300 avec *Dante et *Giotto, autour de 1400 avec *Brunelleschi et *Masaccio, enfin, sous le gouvernement des *Médicis (qui inspira *"le Prince"* de Machiavel), avec *Léonard de Vinci et *Michel-Ange (v. 1500). Elle fut la capitale du royaume d'Italie de 1865 à 1870.

Flores ■ Île d'Indonésie, dans l'archipel de la Sonde. 14 275 km². 700 000 hab. Chef-lieu : Ende. ► *la mer de Flores* sépare l'île et les *Célèbes.

Jean-Pierre Claris de Florian ■ Écrivain français (1755-1794). *"Fables".*

Florianópolis ■ Port du Brésil, capitale de l'État de Santa Catarina. 196 000 hab.

la Floride ■ État du sud-est des États-Unis, péninsule entre le golfe du Mexique et l'Atlantique. 151 940 km². 12 millions d'hab. Capitale : Tallahassee. Agrumes. Industries alimentaire et électrique. Tourisme (*Miami, Disneyworld). Centre aérospatial de cap *Canaveral.

les Floris de Vriendt ■ Artistes flamands, influencés par l'Italie. □ *Cornelis Floris de Vriendt,* architecte de l'hôtel de ville d'Anvers (1514-1575). □ *Frans Floris de Vriendt,* son fils, peintre d'allégories (v. 1516 - 1570).

Pierre Flourens ■ Physiologiste français (1794-1867). □ *Gustave Flourens,* son fils, membre de la *Commune de Paris (1838-1871).

Robert Fludd ■ Médecin anglais, auteur de traités d'hermétisme (1574-1637).

le F. M. I., Fonds monétaire international ■ Institution de coopération internationale veillant à la stabilité des changes.

F. O., Force ouvrière ■ Organisation syndicale française, issue d'une scission de la *C. G. T. en 1948.

Ferdinand Foch ■ Maréchal de France (1851-1929). Généralissime des forces alliées en 1918, signataire de l'armistice avec l'Allemagne. ⇒ Première **Guerre mondiale.**

Henri Focillon ■ Historien et théoricien français de l'art (1881-1943). *"La Vie des formes" ; "Art d'Occident".*

Daniel De Foe ■ ⇒ Daniel **De Foe.**

Antonio Fogazzaro ■ Écrivain italien (1842-1911). *"Le Petit Monde d'autrefois".*

Foggia ■ Ville d'Italie du Sud. 159 000 hab. Marché agricole.

Foix ■ Préfecture de l'*Ariège. 10 000 hab. *(les Foxiens* ou *Fuxéens).* ► *le comté de Foix,* dont elle fut la capitale, connut son apogée sous Gaston de Foix (XIVᵉ s.).

Anthony Fokker ■ Aviateur et industriel néerlandais (1890-1939).

Teofilo Folengo ■ Poète italien, bénédictin (1491-1544). *"Baldus",* chef-d'œuvre du style macaronique, influença *Rabelais.

Folkestone ■ Port sur la côte sud de l'Angleterre. 46 000 hab.

Jean Follain ■ Poète français (1903-1971). *"Territoires".*

Maurice Fombeure ■ Poète français (1906-1981). *"Une forêt de charme".*

Pierre François Fontaine ■ Architecte français associé à *Percier (1762-1853).

Fontaine ■ Commune de l'*Isère. 22 900 hab. *(les Fontainois).*

Fontainebleau ■ Commune de *Seine-et-Marne. 18 700 hab. *(les Bellifontains).* Forêt domaniale de 17 000 ha. ► *le château de Fontainebleau* fut construit par *François Iᵉʳ, qui fit appel pour la décoration à des artistes italiens (le *Rosso, le *Primatice, *Dell'Abate, autour desquels s'élabora un style d'inspiration *maniériste, la *première école de Fontainebleau.* Le château fut agrandi par Henri IV et décoré alors par des artistes français qui créèrent la *seconde école de Fontainebleau,* ultime manifestation du *maniérisme (⇒ **Dubois, Dubreuil, Fréminet).** C'est aujourd'hui un musée.

Domenico Fontana ■ Architecte et urbaniste italien (1543-1607).

Carlo Fontana ■ Architecte, décorateur et sculpteur *baroque italien (1634-1714). Collaborateur du *Bernin.

Lucio Fontana ■ Sculpteur et peintre argentin (1899-1968). Surfaces lacérées.

Theodor Fontane ■ Écrivain allemand (1819-1898). Nombreux romans dont *"Effi Briest".*

Louis de Fontanes ■ Écrivain français, responsable de l'Université sous l'Empire, ministre de Louis XVIII (1757-1821).

Fontenay-aux-Roses ■ Commune des *Hauts-de-Seine, dans la banlieue sud de Paris. 24 000 hab. *(les Fontenaisiens).* Centre de recherche et d'études.

Fontenay-le-Comte ■ Sous-préfecture de la *Vendée. 16 700 hab. *(les Fontenaisiens).* Églises et bâtiments anciens.

Fontenay-le-Fleury ■ Commune des *Yvelines. 12 900 hab.

Fontenay-sous-Bois ■ Commune du *Val-de-Marne, dans la banlieue est de Paris. 53 000 hab.

Bernard de Fontenelle ■ Écrivain français (1657-1757). Son art d'exposer le progrès des sciences annonce les *Lumières. *"Entretiens sur la pluralité des mondes".*

Fontenoy ■ Commune de Belgique. Victoire du maréchal de Saxe, à la tête des Français, sur les Anglais en 1745, au cours de la guerre de *Succession d'Autriche.

l'abbaye de **Fontevrault** ■ Abbaye du *Maine-et-Loire fondée par Robert d'Arbrissel (fin XIᵉ s.) pour abriter, sous l'autorité d'une abbesse, une communauté d'hommes et une communauté de femmes. L'ordre fut supprimé en 1792.

Font-Romeu-Odeillo-Via ■ Commune des *Pyrénées-Orientales. 3 100 hab. Tourisme.

Jean-Louis **Forain** ■ Artiste français (1852-1931). Célèbre dessinateur de presse.

Forbach ■ Sous-préfecture de la *Moselle. 27 300 hab. *(les Forbachois).* Centre houiller, constructions mécaniques.

Forcalquier ■ Sous-préfecture des *Alpes-de-Haute-Provence. 3 800 hab. *(les Forcalquiérens).*

John **Ford** ■ Auteur dramatique anglais d'inspiration *baroque (1586-1639). "*Dommage qu'elle soit une putain*" ; "*le Cœur brisé*".

Henry **Ford** ■ Industriel américain (1863-1947). Pionnier de l'automobile.

John **Ford** ■ Cinéaste américain d'origine irlandaise (1895-1973). Le maître du western. "*La Chevauchée fantastique*" ; "*les Raisins de la colère*", d'après *Steinbeck.

Gerald **Ford** ■ Président (républicain) des États-Unis de 1974 à 1976 (né en 1913). Vice-président, il succéda à *Nixon.

la **Forêt-Noire,** en allemand *Schwarzwald* ■ Massif montagneux de R. F. A., en bordure du Rhin. Conifères. Commerce et industries dans les vallées et les villes (⇒ **Fribourg-en-Brisgau**). Tourisme.

le **Forez** ■ Région du *Massif central.

Forli ■ Ville d'Italie (*Émilie). 110 000 hab.

Miloš **Forman** ■ Cinéaste tchécoslovaque établi aux États-Unis (né en 1932). "*Amadeus*".

Formose ■ Nom donné par les Portugais à l'île de *Taiwan.

Edward Morgan **Forster** ■ Romancier et critique anglais (1879-1970). "*La Route des Indes*".

Paul **Fort** ■ Poète français (1872-1960). "*Ballades françaises*".

Fortaleza ■ Port du nord du Brésil, capitale de l'État de Ceará. 648 800 hab. Industries textile et alimentaire.

Fort-de-France ■ Préfecture de la *Martinique. 100 600 hab. Port actif sur la *baie de Fort-de-France.* Rhum.

Fort-Lamy ■ Ancien nom de *N'Djamena.

Fort Lauderdale ■ Ville des États-Unis, 3ᵉ port de *Floride. 153 200 hab.

Fortuna ■ Divinité romaine du hasard. Elle a donné son nom à la *fortune.* ⟨ ▶ fortune ⟩

Fort Wayne ■ Ville des États-Unis (*Indiana). 172 000 hab.

Fort Worth ■ Ville des États-Unis (*Texas). 385 000 hab. Industries, commerce (bétail).

le **Forum romanum** ■ Ancien quartier de la Rome antique, centre religieux, commercial et politique de la ville, dont les ruines sont un site touristique.

Ugo **Foscolo** ■ Écrivain préromantique italien (1778-1827). "*Les Dernières Lettres de Jacopo Ortis*" ; "*les Tombeaux*", poèmes patriotiques.

Foshan ■ Ville de Chine au sud de *Canton. 300 000 hab. Filatures de soie.

Fosses ■ Commune du *Val-d'Oise. 8 800 hab.

Fos-sur-Mer ■ Commune des *Bouches-du-Rhône, près du *golfe de Fos.* 9 400 hab. □ *Fos-Étang-de-Berre.* Zone industrielle. Raffinerie de pétrole, chimie, sidérurgie (⇒ étang de **Berre**).

Charles de **Foucauld** dit *le père de Foucauld* ■ Prêtre français, ermite et missionnaire au Sahara (1858-1916).

Léon **Foucault** ■ Physicien français (1819-1868). Sa célèbre expérience du pendule mit en évidence la rotation de la Terre.

Michel **Foucault** ■ Philosophe et essayiste français (1926-1984). Son intérêt pour l'histoire de la médecine s'est déplacé vers la morale et la politique. "*Les Mots et les Choses*" ; "*l'Archéologie du savoir*" ; "*Histoire de la sexualité*".

Joseph **Fouché** ■ Homme politique français (1759-1820). Ministre de la Police sous le Consulat, l'Empire et Louis XVIII.

Fougères ■ Sous-préfecture de l'*Ille-et-Vilaine. 25 000 hab. *(les Fougerais).* Ancienne ville forte.

Léonard **Foujita** ou **Fujita** *Tsuguharu* ■ Peintre japonais établi à Paris (1886-1968).

Foulques V ■ Comte d'*Anjou, roi de *Jérusalem de 1131 à 1143 (1095-1143).

Jean **Fouquet** ■ Peintre et miniaturiste français (v. 1420 - v. 1477). "*Portrait de Charles VII*" ; "*Vierge*".

Nicolas **Fouquet** ■ Surintendant des Finances de Louis XIV (1615-1680). Disgracié en 1661, son faste ayant déplu au roi.

Fouquières-lès-Lens ■ Commune du *Pas-de-Calais. 7 500 hab. *(les Fouquiérois).*

Antoine **Fouquier-Tinville** ■ Magistrat français, accusateur public du Tribunal révolutionnaire, guillotiné (1746-1795).

Jean **Fourastié** ■ Économiste français (né en 1907).

Joseph **Fourier** ■ Mathématicien français (1768-1830). *Séries de Fourier :* séries trigonométriques, essentielles en physique (théorie de la chaleur).

Charles **Fourier** ■ Utopiste français (1772-1837). Théoricien de l'harmonie et de l'organisation communautaire du phalanstère.

Fourmies ■ Commune du *Nord. 15 600 hab. *(les Fourmiésiens* ou *Fourmisiens).*

Fourvière ■ Colline dominant Lyon sur laquelle est bâtie la basilique Notre-Dame-de-Fourvière.

le **Fouta-Djalon** ■ Massif montagneux de *Guinée, « château d'eau » de l'ouest de l'Afrique. Cultures vivrières, élevage.

George **Fox** ■ Protestant anglais, fondateur de la secte des *Quakers (1624-1691).

Charles James **Fox** ■ Homme politique britannique (1749-1806). Réformiste favorable à un rapprochement avec la France.

Jean-Honoré **Fragonard** ■ Peintre français, élève de *Boucher (1732-1806). Style plein de grâce et de vivacité. Scènes galantes, portraits.

Pierre **Francastel** ■ Historien et théoricien de l'art français (1900-1970).

Anatole **France** ■ Écrivain français (1844-1924). Humaniste ironique et sceptique. Il soutint *Dreyfus aux côtés de *Zola. *"L'Histoire contemporaine"*, roman. Prix Nobel 1921.

la **France** ■ État (république) occupant l'extrémité ouest du continent européen, bordé par l'Atlantique, la Manche, la mer du Nord et au sud par la Méditerranée. Elle est séparée de la Belgique et du Luxembourg par les Ardennes, de l'Allemagne par le Rhin, de la Suisse et de l'Italie par le Jura et les Alpes, de l'Espagne par les Pyrénées. Elle comprend des îles (*Corse), ainsi que des départements et territoires d'outre-mer. 543 998 km². 54,3 millions d'hab. *(les Français).* Langue officielle : français. Capitale : Paris. Monnaie : franc. Son climat tempéré, son relief varié en font un pays agricole (élevage, blé, maïs, cultures maraîchères et fruitières ; viticulture). L'industrie est cependant devenue le premier secteur économique, mais la sidérurgie, le textile et les industries mécaniques (automobiles, chantiers navals) ont connu des difficultés ces dernières années. Le secteur tertiaire se développe (tourisme). L'État assure certains services (éducation, santé, postes et télécommunications) ; ses entreprises représentent 20 % du produit national brut (Électricité de France, chemins de fer, quelques groupes industriels, une partie des banques et assurances...) ; ses décisions influent sur l'économie privée : ainsi l'entrée dans le Marché commun (*C. E. E.) a entraîné des mesures de soutien à l'agriculture et le développement du commerce avec l'Europe. Globalement, les importations (pétrole, biens de consommation) l'emportent sur les exportations (biens d'équipement et de consommation ; alimentation) ; l'apport complémentaire en devises extérieures (tourisme, investissements à l'étranger) reste insuffisant. D'autre part, on a tenté de corriger les disparités régionales et le rôle excessivement important de Paris par rapport à la province en favorisant la décentralisation et en créant 22 régions administratives : *Alsace, Aquitaine, Auvergne, Bourgogne, Bretagne, Centre, Champagne-Ardenne, Corse, Franche-Comté, Île-de-France, Languedoc-Roussillon, Limousin, Lorraine, Midi-Pyrénées, Nord-Pas-de-Calais, Basse-Normandie, Haute-Normandie, Pays de la Loire, Picardie, Poitou-Charentes, Provence-Alpes-Côte-d'Azur, Rhône-Alpes* (se reporter à l'article concernant chaque région pour connaître les départements qui la composent). □HISTOIRE. Située à la pointe de l'*Eurasie, la *Gaule est devenue une partie de l'Empire romain. À l'époque des grandes invasions germaniques, elle s'est transformée en un royaume barbare, le royaume des *Francs, avec la dynastie des *Mérovingiens. Divisé dès la mort de *Clovis (511) en *Neustrie, *Austrasie, *Bourgogne et *Aquitaine, réunifié un temps par *Dagobert, le royaume fut intégré à l'empire de *Charlemagne (v. 800). Le lien entre la papauté et les dynasties régnantes s'affirma alors et fit de la France « la fille aînée de l'Église ». Le traité de Verdun (843) fixa la frontière de la *Francia Occidentalis,* que reçut en partage l'un des petits-fils de Charlemagne, *Charles le Chauve. Mais le pouvoir effectif passait aux mains des grands féodaux. Ce fut l'œuvre des *Capétiens, succédant aux *Carolingiens en 987 (sacre de *Hugues Capet), d'annexer progressivement à leur propre territoire les comtés ou duchés qui fragmentaient le royaume. Pour y parvenir, ils surent, à partir de *Louis VI (v. 1130), encourager la renaissance des villes qui cherchaient à s'affranchir des seigneurs. La victoire de *Philippe Auguste à *Bouvines (1214), le prestige de *Louis IX (Saint Louis) au temps des croisades (v. 1250), enfin les réformes et l'autorité de *Philippe le Bel (v. 1300) imposèrent le rayonnement de la France au XIIIᵉ s., dont témoigne son influence culturelle (université de Paris) et artistique (cathédrales gothiques). Mais, le roi d'Angleterre prétendant à la succession de *Philippe le Bel, la guerre de *Cent Ans plongea le pays dans une profonde instabilité, qui ne cessa qu'avec les succès définitifs de *Charles VII (⇒ **Jeanne d'Arc**) et *Louis XI. Ce dernier acheva la politique d'annexion, notamment en neutralisant le duc de Bourgogne *Charles le Téméraire ; il laissa aux rois de la *Renaissance un domaine et des institutions consolidés. *François Iᵉʳ dut lutter contre la puissance des *Habsbourg (⇒ **Charles Quint**) et les troubles nés de la *Réforme. Après son règne éclatèrent les guerres de *Religion, guerres civiles où chaque parti trouvait des soutiens à l'étranger ; Henri IV, prince protestant rallié au catholicisme, y mit fin en 1598, par le compromis de l'édit de *Nantes. Il redressa l'économie nationale et renforça le pouvoir royal. Cette tendance à l'absolutisme fut accentuée par *Louis XIII, les ministres *Richelieu et *Mazarin (qui mata la *Fronde), et surtout *Louis XIV. La France dominait l'Europe v. 1680. Mais les ressources économiques étaient sacrifiées à la Cour (⇒ **Versailles**), à la gloire, aux grands desseins diplomatiques et militaires. Au XVIIIᵉ s. les esprits brillants des *Lumières critiquèrent de plus en plus les faiblesses du régime ; l'Angleterre faisait figure de nouvelle grande puissance, alors que la France négligeait ses entreprises coloniales, que la situation financière de l'État et les tensions sociales s'aggravaient. Les ministres de *Louis XV puis *Louis XVI échouèrent dans leurs réformes : la noblesse conserva ses privilèges ; la convocation des *états généraux (1789) ne suffit pas à débloquer la situation. La *Révolution emporta la royauté (exécution de Louis XVI en 1793). Affrontant l'Europe entière, les révolutionnaires divulguèrent leurs principes politiques. Mais leurs divisions, les conflits entre royalistes et républicains, entre les provinces et Paris, entre modérés et radicaux suscitèrent l'apparition d'un pouvoir fort : le *Consulat (1799) puis l'*Empire (1804). *Napoléon Iᵉʳ engagea la France dans une épopée conquérante, d'abord couronnée de succès, puis réduite à néant (1814-1815) par la résistance de l'Angleterre, alliée à la Russie et l'Autriche. La restauration de la monarchie (*Louis XVIII, *Charles X, *Louis-Philippe) ne survécut pas, cependant, à la *révolution de 1848, suivie du rétablissement de l'Empire par *Napoléon III (1852). La France du second *Empire s'engagea dans l'économie moderne : réforme du crédit, industries, transports, urbanisation. Après la défaite contre la Prusse (1870) et la révolution de la *Commune, le régime républicain s'instaura durablement : la IIIᵉ *République réussit à imposer progressivement aux Français, en leur apportant l'instruction gratuite, laïque et obligatoire ; elle développa par ailleurs l'expansion coloniale, mais son économie évoluait lentement, à la différence de celle de l'Allemagne, qui mobilisa en 1914 une formidable puissance industrielle. La Première *Guerre mondiale, dont la France sortit vainqueur, lui rendit l'Alsace et la Lorraine, mais la ruina humainement (1,4 million de morts) et économiquement. En France, l'entre-deux-guerres fut marqué par les mesures sociales des gouvernements du *Front populaire (1936). L'Allemagne, en pleine crise économique et humiliée par la défaite de 1918, porta au pouvoir *Hitler et les nazis, qui engagèrent (1939) la Seconde *Guerre mondiale et triomphèrent rapidement en Europe continentale. Le parlement français donna les pleins pouvoirs au maréchal *Pétain, qui choisit la collaboration avec le vainqueur (gouvernement de *Vichy). Mais la ténacité de la Grande-

Bretagne, l'entrée en guerre des Américains, le retournement d'alliance de l'U. R. S. S., l'organisation de la *Résistance dans les régions occupées provoquèrent la chute de Hitler (1945). Après la *Libération et le gouvernement d'union (*G. P. R. F.) du général de *Gaulle, la IVe *République fut proclamée. Elle poursuivit une œuvre de reconstruction économique et financière et d'intégration européenne (création de la *C.E.E. en 1957), malgré l'instabilité ministérielle et les graves problèmes de la décolonisation. La guerre d'*Algérie provoqua le retour au pouvoir de Charles de Gaulle (1958) et la proclamation de la Ve *République, dont il fut élu président. Il inspira directement la politique de ses gouvernements. Son ancien Premier ministre Georges *Pompidou lui succéda en 1969. L'élection du centriste libéral Valéry *Giscard d'Estaing en 1974 plaça le parti gaulliste à la droite de l'échiquier politique mais les institutions gaullistes ne sont plus guère contestées : le socialiste François *Mitterrand, devenu président de la République en 1981, a usé des pouvoirs que lui confère la Constitution pour mener ses réformes (nationalisations, décentralisation) avec le soutien des communistes jusqu'en 1984. Devant les effets persistants (en particulier le chômage) de la crise que connaît le monde depuis 1973, il entreprend ensuite une « politique de rigueur » ; aux problèmes économiques s'ajoutent ceux de l'éducation, qui avaient provoqué en mai 1968 d'importants mouvements contestataires. Les élections législatives de 1986 imposèrent la « cohabitation » avec un gouvernement de droite dirigé par Jacques *Chirac. L'alternance politique n'a cependant jamais remis en cause les choix diplomatiques et militaires de De Gaulle (présence en Afrique ; défense nucléaire...). Réélu en 1988, F. Mitterrand nomma Michel *Rocard Premier ministre. ‹ ► ④ franc, français ›

l'île de France ■ Ancien nom de l'île *Maurice. ≠ *Île-de-France.* ⇒ *Île-de-France.*

Piero della Francesca ■ ⇒ *Piero della Francesca.*

Francesco di Giorgio Martini ■ Architecte, peintre et sculpteur italien (1439-1502).

Francfort-sur-le-Main ■ Ville de R. F. A. 593 000 hab. Durant la Seconde Guerre mondiale, la ville fut détruite à 60 %. Importante place commerciale et financière depuis le Moyen Âge, pôle industriel et culturel (presse, université, édition). ► le *traité de Francfort* (10 mai 1871) mit fin à la guerre *franco-allemande de 1870. ► *l'école de Francfort,* courant philosophique proche du marxisme, dominé par Max Horkheimer (1895-1973), *Adorno, *Marcuse, puis Jürgen Habermas (né en 1929).

la Franche-Comté ■ Région administrative et économique de l'est de la France, comprenant les départements du Doubs, du Jura, de la Haute-Saône et du Territoire de Belfort. Préfecture : Besançon. 16 190 km². 1,1 million d'hab. (les Francs-Comtois). Pays de forêts (⇒ **Jura**) et de prairies, favorisant traditionnellement l'élevage laitier (fromages) et l'industrie (grâce au bois). L'horlogerie (Besançon), l'automobile et les cycles (Belfort, Montbéliard), l'informatique et l'agro-alimentaire, en font une grande région industrielle. Cette province fut longtemps disputée entre la France et l'Empire germanique et définitivement acquise à la France par la paix de Nimègue (1678).

Francheville ■ Commune du *Rhône. 9 500 hab.

Sam Francis ■ Peintre américain (né en 1923). Représentant de « l'abstraction lyrique ».

les Franciscains ou *Frères Mineurs* ■ Ordre religieux fondé par saint *François d'Assise, voué à la pauvreté mendiante et à la prédication itinérante.

César Franck ■ Compositeur et organiste français (1822-1890). Sa musique de chambre et son enseignement ont influencé les musiciens français de la fin du XIXe s.

le général Franco ■ Homme d'État espagnol (1892-1975). Après avoir conduit le soulèvement nationaliste contre les républicains, et remporté la victoire (1939), il instaura un régime autoritaire, catholique et corporatiste, prit le titre de *caudillo* (« guide ») et restaura la monarchie (1947), tout en exerçant le pouvoir comme régent. ‹ ► franquisme ›

la guerre franco-allemande de 1870 ■ Conflit entre *Napoléon III et *Guillaume Ier (1870-1871). La défaite de *Sedan provoqua la chute de l'Empire français, la proclamation de la République et le soulèvement de la *Commune de Paris. La victoire confirma l'unité allemande, œuvre de *Bismarck, au bénéfice de la *Prusse dont le roi fut proclamé empereur d'*Allemagne. L'annexion de l'Alsace-Lorraine par l'Allemagne suscita une opposition durable entre les deux pays.

Le François ■ Commune de *Martinique. 14 400 hab. Bananiers, canne à sucre.

saint François d'Assise ■ Religieux italien (v. 1182-1226). Fils d'un riche marchand, il fonda l'ordre des *Franciscains. Sa vie légendaire est racontée dans les *"Fioretti"* (XIVe s.).

saint François de Sales ■ Prélat savoyard, évêque de Genève (1567-1622). *"Introduction à la vie dévote"*, modèle de prose française préclassique.

saint François Xavier ■ Missionnaire espagnol (1506-1552). Un des membres fondateurs de la Compagnie de *Jésus, qu'il implanta en Inde, en Chine et au Japon.

François ■ NOM DE PLUSIEURS SOUVERAINS EUROPÉENS. **1.** empereurs d'ALLEMAGNE □ *François Ier* (1708-1765). Duc de Lorraine, il obtint la couronne à l'issue de la guerre de *Succession d'Autriche mais laissa gouverner sa femme, l'impératrice *Marie-Thérèse. □ *François II* (1768-1835). Dernier souverain du *Saint Empire romain germanique (anéanti par Napoléon en 1806) et premier empereur d'Autriche sous le nom de François Ier. **2.** empereur d'AUTRICHE □ *François Ier.* ⇒ 1. empereurs d'ALLEMAGNE, **François II. 3.** rois de FRANCE □ *François Ier* (1494-1547). Prince mécène de la *Renaissance, il s'opposa à la puissance de *Charles Quint et à la montée de la *Réforme, qu'il avait d'abord tolérée. □ *François II* (1544-1560) fut dominé par les *Guise.

François-Ferdinand de Habsbourg ■ Archiduc d'Autriche (1863-1914). Neveu et héritier de *François-Joseph. Son assassinat à *Sarajevo par un nationaliste serbe déclencha la guerre de 1914.

l'archipel François-Joseph ■ Archipel soviétique de l'Arctique. 16 100 km².

François-Joseph Ier ■ Empereur d'Autriche (1830-1916). Confronté aux nationalismes d'Europe centrale, il prit le titre de roi de Hongrie. Mais la guerre contre la Serbie entraîna la fin de la monarchie austro-hongroise (1918).

la **Franconie** ■ Région de R. F. A. (*Bavière). Ancien royaume des *Francs orientaux (c'est-à-dire ceux de l'est du Rhin).

Franconville ■ Commune du *Val-d'Oise. 33 000 hab. *(les Franconvillois).*

les **Francs** ■ Peuple établi dans la région du Rhin durant l'Antiquité. Il envahit la Belgique et la Gaule romaines. Le royaume des Francs, fondé par *Clovis v. 500, a donné son nom à la France. ⇒ **Franconie.**

Georges **Franju** ■ Cinéaste français (1912-1987). Un des fondateurs de la Cinémathèque française. Documentaires et films *("Thérèse Desqueyroux",* d'après *Mauriac ; *"Judex").*

Frankenstein ■ ⇒ Mary **Shelley.**

Frankfort ■ Ville des États-Unis, capitale du *Kentucky. 26 000 hab.

Benjamin **Franklin** ■ Publiciste, savant et homme politique américain, esprit des *Lumières (1706-1790). Il obtint l'aide de la France contre l'Angleterre et participa aux actes fondateurs de l'indépendance des États-Unis. Il inventa le paratonnerre et contribua à l'étude de l'électricité.

le **Fraser** ■ Fleuve de l'ouest du Canada (1 200 km).

Naim **Frashëri** ■ Écrivain et patriote albanais (1846-1900).

les **Fratellini** ■ Clowns français d'origine italienne. Les frères Paul (1877-1940), François (1879-1951), et Albert (1855-1961).

Joseph von **Fraunhofer** ■ Physicien et astronome allemand (1787-1826).

Denis comte de **Frayssinous** ■ Homme politique et prélat français (1765-1841). Grand maître de l'Université, puis ministre de Charles X.

sir James George **Frazer** ■ Ethnologue britannique (1854-1941). Il tenta de distinguer religions constituées et « magie » primitive. *"Le Rameau d'or".*

Louis **Fréchette** ■ Écrivain et publiciste canadien d'expression française (1839-1908). *"Originaux et Détraqués".*

Frédégonde ■ Reine de *Neustrie (v. 545-597), épouse de *Chilpéric Ier.

Frédéric ■ NOM DE PLUSIEURS SOUVERAINS EUROPÉENS. **1.** empereurs d'ALLEMAGNE □ *Frédéric Ier Barberousse* (v. 1122 - 1190) raffermit l'autorité impériale et fut l'un des chefs de la troisième *croisade. □ *Frédéric II* (1194-1250), petit-fils, fut le dernier *Hohenstaufen à dominer l'Allemagne et l'Italie ; il préféra son royaume de Sicile à l'Empire, qui se désagrégea après sa mort ; sa brillante cour de Palerme, ouverte en particulier à l'islam, annonçait la *Renaissance ; il fut excommunié et déposé par le pape en 1245. □ *Frédéric III* (1415-1493) inaugura le long règne des *Habsbourg sur l'Empire. **2.** roi du DANEMARK □ *Frédéric III* (1609-1670), vaincu par la Suède. Il institua l'hérédité de la monarchie. **3.** roi de PRUSSE □ *Frédéric II le Grand* (1712-1786), fils de *Frédéric-Guillaume Ier dont il poursuivit la politique centralisatrice. Son conflit avec l'Autriche révéla la puissance militaire de la Prusse alors à son apogée (⇒ guerre de **Sept Ans**). Modèle du despote éclairé, il accueillit *Voltaire de 1750 à 1753.

Frédéric-Auguste III ■ Électeur de Saxe puis roi en 1806 sous le nom de Frédéric-Auguste Ier le Juste, grâce à son alliance avec Napoléon Ier (1750-1827).

Frédéric-Guillaume ■ NOM DE QUATRE ROIS DE PRUSSE. □ *Frédéric-Guillaume Ier* dit *le Roi-Sergent* (1688-1740). Il laissa à son fils *Frédéric II une armée et une administration modernes. □ *Frédéric-Guillaume II* (1744-1797), neveu de *Frédéric II, lutta contre la Révolution française. □ *Frédéric-Guillaume III,* son fils (1770-1840), d'abord vaincu par Napoléon Ier, rétablit la puissance prussienne au congrès de *Vienne (1815), affermit ses ambitions face aux autres États allemands et passa à une politique réactionnaire, après les réformes libérales de ses débuts (création de l'université de Berlin en 1809). □ *Frédéric-Guillaume IV* (1795-1861), atteint de démence précoce, céda le pouvoir à son frère, le futur *Guillaume Ier.

Fredericton ■ Ville du Canada, capitale du *Nouveau-Brunswick. 44 300 hab.

Freetown ■ Capitale de la Sierra Leone. 469 800 hab. Industries alimentaires.

Gottlob **Frege** ■ Mathématicien et philosophe allemand, créateur de la logique moderne, précurseur de la sémantique (1848-1925).

Célestin **Freinet** ■ Éducateur français (1896-1966). L'école et la pédagogie expérimentales qu'il a créées ont connu un large écho : techniques de motivation, d'expression, d'insertion dans le groupe.

Fréjus ■ Commune du *Var. 32 700 hab. *(les Fréjusiens* ou *Forojuliens).* Importants monuments romains et gallo-romains. Tourisme à *Fréjus-Plage.* Matières plastiques. Textiles.

Emmanuel **Frémiet** ■ Sculpteur français (1824-1910).

Martin **Fréminet** ■ Peintre *maniériste français (1567-1619). Il décora la chapelle du château de *Fontainebleau.

André **Frénaud** ■ Poète français (né en 1907). *"Les Rois mages".*

les **Frères musulmans** ■ Mouvement religieux *sunnite fondé en Égypte en 1920. Il joue un rôle politique important. Il a eu plusieurs fois recours à des actions terroristes.

Girolamo **Frescobaldi** ■ Compositeur et organiste italien (1583-1643). Ses œuvres baroques pour la voix, l'orgue et le clavecin influencèrent *Buxtehude et surtout J.-S. *Bach.

Augustin **Fresnel** ■ Physicien français (1788-1827). Sa théorie ondulatoire de la lumière ouvre la voie à l'optique moderne.

Fresnes ■ Commune du *Val-de-Marne. 25 900 hab. *(les Fresnais).* Prison.

Fresnes-sur-Escaut ■ Commune du *Nord. 8 200 hab. *(les Fresnois).* Métallurgie.

Fresno ■ Ville des *États-Unis (*Californie). 218 200 hab. Important marché agricole.

Sigmund **Freud** ■ Neurologue autrichien, fondateur de la psychanalyse (1856-1939). Délaissant les explications médicales de l'hystérie ou des névroses, il explora, grâce aux rêves et à la pratique de l'analyse, un psychisme inconscient centré sur la sexualité (libido ; pulsions de vie et de mort) et qui structure la personnalité. □ *Anna Freud,* sa fille, naturalisée britannique (1895-1982), développa l'analyse des enfants. ‹ ▶ freudien ›

Charles Louis de Saulces de **Freycinet** ■ Ingénieur et homme d'État français (1828-1923). Collaborateur de *Gambetta, président du Conseil en 1879-

1880, 1882, 1886 et 1890-1892, il réorganisa l'armée et les transports.

Freyja ■ Déesse nordique de la Fécondité, souvent confondue avec Frija, déesse de l'Amour et épouse d'*Odin.

Freyming-Merlebach ■ Commune de *Moselle. 15 600 hab. Charbon.

Freyr ■ Dieu nordique de la Prospérité.

Fribourg en allemand **Freiburg im üchtland** ■ Commune de Suisse. 40 000 hab. *(les Fribourgeois).* Ville ancienne, dans un site pittoresque. ► *le canton de Fribourg.* 1 670 km². 190 000 hab. Grande région agricole : gruyère, céréales, fruits, vins. Chef-lieu : Fribourg.

Fribourg-en-Brisgau ■ Ville de R. F. A. (*Bade-Wurtemberg). 180 000 hab. Cathédrale gothique. Université. Important centre commercial et industriel.

Milton **Friedman** ■ Économiste américain (né en 1912). Prix Nobel 1976, chef de file de « l'école de Chicago ». Théorie néo-libérale de la monnaie.

Georges **Friedmann** ■ Sociologue français (1902-1977). Critique du machinisme industriel.

Caspar David **Friedrich** ■ Peintre allemand (1774-1840). Sa recherche d'un symbolisme inspiré par la nature fait de lui un des peintres les plus représentatifs du *romantisme allemand.

Frija ■ ⟹ **Freyja.**

le **Frioul** ■ Région historique partagée entre la Yougoslavie (c'est-à-dire autrefois l'Autriche) et l'Italie, où elle fait partie de la région administrative autonome de *Frioul-Vénétie Julienne* (7 684 km². 1,2 million d'hab. Capitale : Trieste.)

Max **Frisch** ■ Auteur dramatique suisse de langue allemande (né en 1911). Ses pièces sont conçues comme des paraboles. "*Biedermann et les Incendiaires*".

Ragnar **Frisch** ■ Économiste suédois (1895-1973). Prix Nobel 1969 pour ses travaux fondamentaux en économétrie.

la **Frise** ■ Province des Pays-Bas. 3 388 km². 573 000 hab. Chef-lieu : Leeuwarden. Polders, élevage bovin. ⬜HISTOIRE. Région autrefois habitée par les *Frisons,* partagée aujourd'hui entre la R. F. A. (*Frise orientale*) et les Pays-Bas.

les îles **Frisonnes** ■ Archipel du nord des Pays-Bas (réserve d'oiseaux). ⬜ *les îles Frisonnes orientales,* archipel de R. F. A. ⬜ *les îles Frisonnes du Nord,* partagées entre la R. F. A. et le Danemark.

Roger **Frison-Roche** ■ Romancier français (né en 1906). "*La Grande Crevasse*".

Johann Jakob **Froberger** ■ Compositeur et organiste allemand (1616-1667). Son œuvre fait la synthèse des styles italiens, français et allemands.

sir Martin **Frobisher** ■ Navigateur anglais (1535-1594). Il explora les régions arctiques.

Jean **Froissart** ■ Écrivain français (v. 1337 - après 1400). Ses "*Chroniques*" relatent les guerres de l'époque.

Nicolas **Froment** ■ Peintre français (v. 1425 - v. 1484). Auteur du triptyque du "*Buisson ardent*".

Eugène **Fromentin** ■ Peintre, écrivain et critique d'art français (1820-1876). "*Dominique*" ; "*les Maîtres d'autrefois*".

la **Fronde** ■ Période troublée de l'histoire de France (1648-1653). Opposition politique et militaire du parlement de Paris et des princes (*Condé, Gaston d'*Orléans, *Retz...) à la politique absolutiste de *Mazarin, durant la minorité de Louis XIV. La royauté sortit renforcée de l'épreuve.

Frontignan ■ Commune de l'*Hérault. 12 200 hab. *(les Frontignanais).* Vins muscats.

le **Front populaire** ■ Coalition des forces de gauche (révolutionnaires et réformistes) opposées à la montée du totalitarisme en Europe dans les années trente. En Espagne, le *Frente popular* remporta les élections législatives de 1936, mais la guerre civile l'empêcha de gouverner. En France, le Front, constitué en 1935, remporta les élections de 1936 et gouverna jusqu'en 1938 (ministères *Blum, *Chautemps et *Daladier). Malgré la prudence des réformes structurelles et de la politique étrangère, il est resté une référence du gouvernement de gauche, symbolisé surtout par des acquis sociaux : congés payés, semaine de 40 heures.

Robert Lee **Frost** ■ Poète américain (1874-1963).

Frouard ■ Commune de *Meurthe-et-Moselle. 7 000 hab. Sidérurgie, métallurgie.

Frounze ■ Ville d'U. R. S. S., capitale du *Kirghizistan. 511 000 hab.

le **coup d'État du 18 Fructidor an V** ■ ⟹ **Directoire.**

Carlos **Fuentes** ■ Romancier mexicain (né en 1928). "*La Mort d'Artemio Cruz*" ; "*Terra Nostra*".

les **Fugger** ■ Banquiers allemands, financiers des *Habsbourg aux XVᵉ et XVIᵉ s. ⬜*Jacob II Fugger* (1459-1525) soutint *Charles Quint.

Fujairah ■ Un des Émirats arabes unis. 2 600 km². 65 000 hab. Pêche, pétrole.

Fujisawa ■ Ville du Japon (*Honshū). 300 000 hab.

les **Fujiwara** ■ Famille noble du Japon, associée au pouvoir dès son apparition au VIIᵉ s., puis supplantée par des rivaux au XIIᵉ s. (⟹ **Taira, Minamoto**). Elle compta beaucoup d'artistes.

le **Fuji-yama** ou *Fuji-San* ■ Le plus haut sommet du Japon (3 776 m), volcan de l'île d'*Honshū. Vénéré par les peintres.

Fukasawa Schichirō ■ Écrivain japonais (1914-1987). "*Narayama*".

Fukui ■ Ville du Japon (*Honshū). 241 000 hab.

Fukuoka ■ Port du Japon, centre politique et culturel du *Kyūshū. 1,1 million d'hab. Complexe industriel.

Fukushima ■ Ville du Japon (*Honshū). 262 000 hab.

Fukuyama ■ Port du Japon (*Honshū). 346 000 hab.

Fulbert ■ Évêque de Chartres (v. 960 - 1028). Il fit de l'école de la cathédrale un centre intellectuel.

Richard Buckminster **Fuller** ■ Architecte américain (1895-1983). Créateur de structures d'avant-garde en acier.

Robert **Fulton** ■ Ingénieur américain (1765-1815). Constructeur du premier sous-marin.

Fumay ■ Commune des *Ardennes. 6 100 hab. *(les Fumaciens).* Métallurgie.

Fumel ■ Commune du *Lot-et-Garonne. 6 600 hab. *(les Fumélois).* Métallurgie.

Funabashi ■ Ville du Japon (*Honshū). 507 000 hab.

Funchal ■ Capitale de Madère. 44 100 hab.

Antoine **Furetière** ■ Écrivain français (1619-1688). *"Le Roman bourgeois".* Important *"Dictionnaire universel".*

les **Furies** ■ Divinités romaines des Enfers, assimilées aux *Érinyes grecques.

Walter **Fürst** ■ Héros légendaire de l'histoire suisse (fin XIIIᵉ s.). Beau-père de Guillaume *Tell, il aurait représenté le canton d'Uri au serment de *Rütli.

Wilhelm **Furtwängler** ■ Chef d'orchestre allemand (1886-1954).

Fushun ■ Ville de Chine. 1,24 million d'hab. Industries.

Johann Heinrich **Füssli** ■ Artiste suisse, établi à Londres (1741-1825). Sa peinture traite de sujets mythologiques ou tragiques, rêves, scènes fantastiques et irréelles. *"Le Cauchemar".*

Milán **Füst** ■ Écrivain hongrois (1888-1967). *"Histoire de ma femme".*

Numa Denis **Fustel de Coulanges** ■ Historien français (1830-1889). *"La Cité antique".*

Futuna et Alofi ■ Îles de Polynésie faisant partie du territoire français de *Wallis-et-Futuna. 115 km². 3 000 hab.

le **futurisme,** *les futuristes* ■ Mouvement artistique et littéraire italien lancé à Paris en 1909 par *Marinetti, qui glorifiait le mouvement et le futur (la technique, la modernité). Principaux peintres et sculpteurs : *Balla, *Boccioni et *Severini. ▶ *le futurisme russe,* mouvement littéraire d'avant-garde, auquel appartenait *Maïakovski.

Johann Joseph **Fux** ■ Compositeur autrichien, auteur d'un magistral traité du contrepoint (1660-1741).

Fuxin ou *Fou-Sin* ■ Ville de Chine. 516 000 hab. Centre houiller.

Fuzhou ou *Fou-Tcheou* ■ Port du sud de la Chine. 1,19 million d'hab. Industries.

G

Jean **Gabin** ■ Acteur de cinéma français (1904-1976). *"La Grande Illusion"* ; *"Quai des brumes"* ; *"le Chat"*.

Naum Pevsner dit *Naum* **Gabo** ■ Sculpteur américain d'origine russe (1890-1977), frère du sculpteur Antoine *Pevsner. Théoricien et professeur au *Bauhaus.

le **Gabon** ■ État (république) d'Afrique équatoriale. 267 670 km². 1,13 million d'hab. *(les Gabonais)*. Capitale : Libreville. Langues : français (officielle), langues bantoues. Monnaie : franc CFA. L'un des pays les plus riches d'Afrique : forêt, sous-sol (manganèse, uranium, pétrole, fer). □HISTOIRE. Aux XVIIᵉ - XVIIIᵉ s., le pays connut la traite des esclaves. Exploré par Savorgnan de *Brazza au XIXᵉ s., territoire de l'*Afrique-Équatoriale française en 1904, il devint indépendant en 1960. Au président M'Ba a succédé en 1967 Omar Bongo.

Dennis **Gabor** ■ Physicien britannique (1900-1979). Prix Nobel 1971 pour sa découverte du principe de l'holographie.

Gaborone ■ Capitale du Botswana. 37 300 hab.

saint **Gabriel** ■ Un des archanges de Dieu. Dans l'Évangile, il annonce à Marie la naissance de Jésus.

Jacques **Gabriel** ■ Architecte français (1667-1742). □ *Jacques-Ange* **Gabriel,** son fils (1698-1782), architecte de Louis XV. Le Petit Trianon à Versailles. La place Royale à Paris, aujourd'hui place de la Concorde.

Youri **Gagarine** ■ Cosmonaute soviétique (1934-1968). Le premier homme qui alla dans l'espace.

Gagny ■ Commune de *Seine-Saint-Denis. 36 800 hab.

Gaïa ou **Gê** ■ La Terre, dans la mythologie grecque. ⇒ **Cybèle, Déméter.**

Gaillac ■ Commune du *Tarn. 11 000 hab. *(les Gaillacois)*. Vignobles.

Gaillon ■ Commune de l'*Eure. 5 800 hab. *(les Gaillonnais)*.

Thomas **Gainsborough** ■ Peintre anglais (1727-1788). Rival de *Reynolds. Il associa l'art du portrait à celui du paysage.

les îles **Galápagos** ■ Archipel de l'océan Pacifique formant une province de l'*Équateur.

7 800 km². 4 000 hab. Réserve d'animaux (reptiles, oiseaux).

Galati ■ Port de Roumanie, sur le Danube. 253 000 hab. Sidérurgie.

John Kenneth **Galbraith** ■ Économiste américain (né en 1908).

la **Galice** ■ Région du nord-ouest de l'Espagne. 29 434 km². 2,7 millions d'hab. *(les Galiciens)*. Réunie à la Castille en 1071. Chef-lieu : Saint-Jacques-de-Compostelle.

la **Galicie** ■ Région d'Europe centrale partagée depuis 1945 entre la Pologne et l'U.R.S.S. (une partie de l'*Ukraine). Ancienne province de l'empire d'Autriche.

Claude **Galien** ■ Médecin grec (v. 131 - v. 201). Ses traités, écrits en latin, eurent une grande influence jusqu'au XVIIᵉ s.

Galilée ■ Mathématicien, physicien et astronome italien (1564-1642). Créateur de la lunette astronomique avec laquelle il observa le Soleil, Jupiter et Saturne. La condamnation de ses thèses (reprises par *Copernic) par l'Église romaine en 1633 marque une rupture dans l'histoire de la pensée : la naissance de la physique moderne, qui s'affranchira progressivement de la métaphysique et de la religion.

la **Galilée** ■ Région du nord d'Israël, entre la Méditerranée et le lac de Tibériade. Patrie de *Jésus-Christ.

Franz Joseph **Gall** ■ Médecin allemand (1758-1828). Créateur de la phrénologie.

Émile **Gallé** ■ Verrier et ébéniste français (1846-1904). Précurseur de l'art *nouveau et fondateur de l'école de Nancy.

Rómulo **Gallegos** ■ Romancier et homme politique vénézuélien (1884-1969). *"Doña Bárbara"*.

le pays de **Galles** en anglais *Wales* ■ Région de l'ouest de la Grande-Bretagne. 20 800 km². 2,8 millions d'hab. *(les Gallois)*. Capitale : Cardiff. Haut plateau très arrosé. L'intérieur du pays vit de l'élevage ovin. Les 3/4 de la population sont dans le sud, où l'exploitation du bassin houiller est en crise, alors que se développe, sur la côte, le raffinage du pétrole. Ancienne colonie romaine, le pays fut rattaché à l'Angleterre en 1536, après de longues luttes.

le prince de **Galles** ■ Titre porté par les fils aînés des souverains d'Angleterre depuis 1301.

le **gallicanisme** ■ Doctrine qui affirme l'indépendance du roi et du clergé de France à l'égard du pape.

Joseph **Gallieni** ■ Maréchal de France (1849-1916). Gouverneur général de Madagascar (1896-1905), gouverneur de Paris en 1914 (taxis de la Marne), ministre de la Guerre en 1915-1916.

Gaston de **Galliffet** ■ Général français (1830-1909). Il réprima durement la *Commune. Ministre de la Guerre en 1899-1900.

Évariste **Galois** ■ Mathématicien français (1811-1832). En fondant la théorie des groupes, il annonce l'algèbre moderne. En plus de son génie, ses idées politiques révolutionnaires et sa mort à 20 ans dans un duel ont fait de lui un personnage romantique.

John **Galsworthy** ■ Écrivain anglais (1867-1933). Il fit une peinture satirique de la haute bourgeoisie. "*La Saga des Forsyte*" (romans). Prix Nobel 1932.

Luigi **Galvani** ■ Médecin et physicien italien (1737-1798). Ses expériences électriques, contredites par *Volta, ont laissé son nom au procédé de *galvanisation*. ⟨ ▶ galvanique ⟩

Vasco de **Gama** ■ Navigateur portugais (1469-1524). Il atteignit les Indes par la route de B. *Dias (1497), puis fonda des comptoirs portugais sur les côtes sud-est de l'Afrique.

Léon **Gambetta** ■ Homme d'État français (1838-1882). Il fut l'un des fondateurs de la IIIe *République. Après la défaite de *Sedan (1870), il organisa la Défense nationale.

la **Gambie** ■ État (république) d'Afrique occidentale, situé de part et d'autre du cours inférieur du fleuve *Gambie* (1 130 km). 10 601 km². 698 800 hab. Capitale : Banjul. Langue officielle : anglais. Monnaie : dalasi. Arachides. Élevage. Pétrole. Tourisme. Colonie anglaise en 1888, le pays devint un État indépendant, membre du *Commonwealth, en 1965.

Maurice **Gamelin** ■ Général français (1872-1958). Chef de l'état-major en 1939-1940 (⇒ Seconde **Guerre mondiale**).

Abel **Gance** ■ Cinéaste français (1889-1981). Le premier à utiliser des techniques modernes, au service d'un langage cinématographique ambitieux pour son époque. "*La Roue*" ; "*Napoléon*".

Gand, en néerlandais *Gent* ■ Ville et port de Belgique, chef-lieu de la *Flandre-Orientale. 233 800 hab. *(les Gantois).* Monuments (XIVe - XVIIe s.). Industries textile et alimentaire.

Gāndhī ■ Homme politique et philosophe indien, fondateur de l'Inde moderne (1869-1948). Il fut surnommé *Mahatma* (« grande âme »). Par la résistance passive et la non-violence, il obtint des anglais l'indépendance pour son pays (1947). Il fut assassiné par un hindou fanatique.

Indira **Gāndhī** ■ Femme d'État indienne (1917-1984). Fille de *Nehru. Premier ministre de 1966 à 1977 puis de 1980 à son assassinat. Son fils Rājiv lui a succédé.

le **Gange** ■ Fleuve du nord de l'Inde qui descend de l'Himalaya, arrose *Bénarès et *Patna puis se jette dans le golfe du Bengale par un vaste delta marécageux (2 700 km). Fleuve sacré et purificateur pour la religion hindoue.

Gangtok ■ Capitale du *Sikkim. 15 000 hab. Monastères bouddhistes.

Gao ■ Ville du Mali. 30 700 hab. Ancienne capitale du royaume des *Songhaï.

Gap ■ Préfecture des Hautes-*Alpes. 32 100 hab. *(les Gapençais* ou *Gapençois).*

Greta **Garbo** ■ Actrice de cinéma suédoise naturalisée américaine, surnommée « la Divine » (née en 1905). "*La Reine Christine*".

Garches ■ Commune des *Hauts-de-Seine. 18 300 hab. *(les Garchois).* Hôpital.

Federico **García Lorca** ■ Écrivain espagnol (1898-1936). Il a concilié, dans sa poésie et son théâtre, les traditions populaires andalouses et le souci d'une écriture moderne. Fusillé par les franquistes.

Gabriel **García Márquez** ■ Écrivain colombien (né en 1928). Son œuvre, couronnée par le prix Nobel (1982), est une méditation sur la violence et la mort. "*Cent ans de solitude*".

Garcilaso de la Vega ■ Poète espagnol (1503-1536).

le **Gard** [30] ■ Département français de la région *Languedoc-Roussillon. Il doit son nom à la rivière qui le traverse. 5 848 km². 530 500 hab. Préfecture : Nîmes. Sous-préfectures : Alès, Le Vigan.

le pont du **Gard** ■ Célèbre aqueduc romain.

Gardanne ■ Commune des *Bouches-du-Rhône, près d'Aix-en-Provence. 15 400 hab.

La **Garde** ■ Commune du *Var. 19 800 hab. *(les Gardéens).*

le lac de **Garde** ■ Lac glaciaire d'Italie du Nord. 370 km². Tourisme.

La **Garenne-Colombes** ■ Commune des *Hauts-de-Seine, dans la banlieue nord-ouest de Paris. 21 000 hab.

Gargantua ■ Personnage d'un roman de Rabelais. Géant, père de *Pantagruel. ⟨ ▶ gargantua ⟩

Garges-lès-Gonesse ■ Commune du *Val-d'Oise. 40 200 hab. *(les Gargeois).*

Giuseppe **Garibaldi** ■ Homme politique et révolutionnaire italien, héros de l'unification italienne (1807-1882). En 1860, il organisa « l'expédition des Mille » et conquit la Sicile et Naples.

Garigliano ■ Fleuve d'Italie. Les Français y furent battus par Gonzalve de Cordoue en 1503. En mai 1944, le corps expéditionnaire français y remporta une grande victoire.

Robert **Garnier** ■ Auteur de tragédies français (1544-1590). "*Les Juives*", chef-d'œuvre du théâtre de la *Renaissance.

Charles **Garnier** ■ Architecte français (1825-1898). Opéra de Paris.

Tony **Garnier** ■ Architecte et urbaniste français (1869-1948). Stade olympique de Lyon.

la **Garonne** ■ Fleuve du nord de l'Espagne et du sud-ouest de la France (650 km). Elle traverse Toulouse et se jette dans l'Atlantique par l'estuaire de la *Gironde, à Bordeaux. □ *la* **Haute-Garonne** [31], département français de la région *Midi-Pyrénées. 6 309 km². 824 500 hab. Préfecture : Toulouse. Sous-préfectures : Muret, Saint-Gaudens.

Almeida **Garrett** ■ Écrivain et homme politique portugais (1799-1854). Créateur du *romantisme dans son pays.

Roland **Garros** ■ Aviateur français (1888-1918), le premier à franchir la Méditerranée (1913).

Romain **Gary** ■ Romancier français d'origine russe (1914-1980). *"Les Racines du ciel"*. Romans sous le pseudonyme d'Émile Ajar, *"la Vie devant soi"*.

Gary ■ Ville des États-Unis (*Indiana), 152 000 hab. Industries métallurgiques.

la **Gascogne** ■ Ancienne région française située entre la Garonne et les Pyrénées, rattachée à l'*Aquitaine en 1036. Ses habitants sont les *Gascons.* ▶ *le golfe de Gascogne,* golfe de l'Atlantique qui borde la France et l'Espagne. ⟨ ▶ gascon ⟩

Gaspard ■ Un des Rois mages de la légende chrétienne.

la **Gaspésie** ■ Péninsule du Canada (*Québec), entre le golfe du Saint-Laurent et la baie des Chaleurs. Parc provincial.

Pierre **Gassend** dit **Gassendi** ■ Philosophe et savant français (1592-1655). Adversaire d'*Aristote et de *Descartes, il se réclame de l'atomisme matérialiste d'*Épicure.

Gaston III de Foix ■ Comte de Foix et vicomte de Béarn (1331-1391). Il protégea les lettres et les arts.

le **Gâtinais** ■ Région du Bassin parisien, située de part et d'autre du *Loing.

le **G.A.T.T.** ■ Accord douanier international (1947).

Antonio **Gaudí** ■ Architecte espagnol (1852-1926). Il inventa des formes fantastiques en s'inspirant des styles *baroque et *gothique. Église de la Sainte-Famille et parc Güell, à Barcelone.

Martin Charles **Gaudin** duc de Gaète ■ Ministre des Finances sous le Consulat et l'Empire (1756-1841). Créateur du cadastre. Il entreprit d'importantes réformes économiques.

Paul **Gauguin** ■ Peintre et sculpteur français (1848-1903). Le maître de l'école de *Pont-Aven et l'inspirateur des *Nabis. Il vécut en Océanie où il puisa alors l'essentiel de son inspiration. *"La Vision après le sermon"* ; *"D'où venons-nous ? Que sommes-nous ? Où allons-nous ?"*.

la **Gaule** ■ Nom donné par les Romains au territoire correspondant à peu près à la France et la Belgique actuelles. L'*ages galliens* désignait les terres destinées aux colons du *Latium : d'abord l'Italie du Nord (Gaule cisalpine) puis l'ensemble au-delà des Alpes (Gaule transalpine), conquis par *César en 51 av. J.-C. La culture gréco-romaine se diffusa à partir de la Méditerranée ; déjà la côte était fortement urbanisée (province de la Narbonnaise). L'influence gréco-romaine se propagea rapidement dans le sud-ouest (province de l'Aquitaine) ; à l'est et au nord se constitua la province de Belgique, d'où fut menée la conquête de la Germanie et de la Bretagne (Angleterre actuelle) ; enfin, de la Narbonnaise à la Manche. La Gaule romaine était divisée en quatre provinces : Narbonnaise, Aquitaine, Lyonnaise et Belgique. L'administration du Bas-Empire créa de nouvelles divisions (Novempopulanie, Séquanaise, Viennoise...). Lyon était la métropole des Gaules. Surtout peuplé de *Celtes (les *Gaulois*), le pays n'avait pas de véritable unité politique (sinon lors de la brève résistance menée par le chef arverne *Vercingétorix), mais une communauté de culture : religion des druides, art gaulois. L'assimilation à l'empire produisit une civilisation originale, dite *gallo-romaine,* christianisée à partir du IIe s. Elle prit fin avec les invasions barbares et la naissance du royaume des *Francs (*Clovis, VIe s.). ⟨ ▶ gaulois ⟩

Charles de **Gaulle** ■ Général et homme d'État français (1890-1970). Refusant l'armistice de 1940 et le gouvernement de *Vichy, il lança de Londres un fameux appel le 18 juin 1940 invitant à poursuivre les combats contre les nazis et organisa la *Résistance. À la *Libération, il devint président du *Gouvernement provisoire de la République française mais démissionna le 20 janvier 1946. Hostile au « régime des partis » qui caractérisait selon lui la IVe *République, il se retira jusqu'en 1958, quand la crise de la guerre d'*Algérie lui permit d'instaurer un pouvoir présidentiel fort (⇒ Ve **République**). Réélu à la tête de l'État en 1965, il affronta l'opposition de la gauche, des syndicats et des étudiants (mai 1968) et démissionna après l'échec d'un référendum en 1969. Depuis sa mort, le consensus autour de sa dimension historique et des grandes orientations de sa politique, avec le maintien des institutions qu'il a créées, va grandissant. ⟨ ▶ gaulliste ⟩

Léon **Gaumont** ■ Inventeur et industriel français, pionnier du cinéma (1864-1946).

Carl Friedrich **Gauss** ■ Mathématicien allemand, physicien et astronome (1777-1855). Il a dominé la science de son temps, anticipant sur le travail de *Galois en algèbre, de *Cauchy en analyse, et surtout de *Lobatchevski en géométrie.

Théophile **Gautier** ■ Écrivain français, membre de l'école du *Parnasse (1811-1872). *"Le Capitaine Fracasse"* ; *"le Roman de la momie"* (romans). *"Émaux et camées"* (poèmes).

le cirque de **Gavarnie** ■ Cirque de rochers aux parois verticales dans la haute vallée du gave de Pau (Hautes-*Pyrénées).

John **Gay** ■ Auteur dramatique anglais (1688-1732). L'*"Opéra des gueux"*, œuvre satirique vigoureuse, lui valut la célébrité.

Gayā ■ Ville de l'Inde. 246 000 hab. Lieu de pèlerinage.

Louis Joseph **Gay-Lussac** ■ Physicien et chimiste français (1778-1850). *Loi de Gay-Lussac,* sur la dilatation des gaz.

Gaza ■ Ville du sud de la Palestine. 120 000 hab. Capitale du *territoire de Gaza,* occupé par *Israël depuis 1967.

Gaziantep ■ Ville de Turquie. 466 300 hab.

Gdańsk, autrefois *Dantzig* ■ Principal port de Pologne (⇒ **Dantzig**). 467 000 hab. Cœur d'une conurbation de 800 000 hab. formée avec Gdynia et Sopot. Chantiers navals où éclatèrent en 1980 les grèves qui furent à l'origine du syndicat Solidarność (⇒ **Wałesa**).

Gdynia ■ Ville de Pologne. 243 000 hab. ⇒ **Gdańsk.**

les **Géants** ■ Monstres de la mythologie grecque, nés du sang d'Ouranos et de Gaïa.

Geben ■ ⇒ **Djabir ibn Hāyyan.**

Hans **Geiger** ■ Physicien allemand (1882-1945). Le *compteur Geiger-Müller :* détecteur de particules.

Gejiu ■ Ville de Chine près de la frontière du Viêt-nam. 180 000 hab. Étain.

Claude **Gellée** ■ ⇒ **Le Lorrain.**

Gelsenkirchen ■ Ville de la R.F.A. 284 400 hab. Premier centre charbonnier de la *Ruhr.

Firmin Gémier ■ Directeur de théâtre français (1869-1933). Il eut l'initiative du premier Théâtre national populaire.

General San Martín ■ Ville d'Argentine, banlieue industrielle de Buenos Aires. 385 000 hab.

General Santos ■ Ville des Philippines. 115 000 hab.

Gênes en italien **Genova** ■ 1er port et 3e ville d'Italie, située au fond du golfe de Gênes. 795 000 hab. (les Génois). Nombreux monuments (tourisme). Centre industriel (métallurgie, chimie). Indépendant au XIIe s., Gênes constitua (du XIIIe s. au XVIe s.) un puissant empire commercial en Orient qui fit d'elle la rivale de Venise. Rattachée à la France en 1805 puis au royaume de *Piémont en 1815.

la Genèse ■ Premier livre de la Bible. Il retrace les origines de l'humanité.

Jean Genet ■ Écrivain français (1910-1986). Il a exploré les formes sociales du mal qu'il a érigées en valeurs morales et esthétiques. "*Le Miracle de la rose*" (roman) ; "*Les Bonnes*" (théâtre).

Genève ■ Ville de Suisse, à l'extrémité sud-ouest du lac Léman. 159 500 hab. (les Genevois). Centre industriel (horlogerie, chimie, textile), commercial et financier. Organismes internationaux (Croix-Rouge). Principal foyer du calvinisme au XVIe s. (⇒ **Calvin**). ▶ le canton de Genève correspond à l'agglomération de Genève (283 km²). ▶ la conférence de Genève (1954) mit fin à la guerre d'Indochine (⇒ **Viêt-nam**). ▶ les conventions de Genève concernent la protection des victimes de guerre.

sainte Geneviève ■ Vierge chrétienne (v. 422 - 502). Ses prières auraient sauvé Paris des armées d'Attila. Patronne de Paris.

Maurice Genevoix ■ Romancier français (1890-1980). "*Raboliot*" ; "*Ceux de Quatorze*".

Gengis Khan ou **Temüjin** ■ Khan des *Mongols (v. 1160 - 1227). Grand conquérant, il fonda un vaste empire allant de Pékin à la Volga.

Gennevilliers ■ Commune des *Hauts-de-Seine. 50 300 hab. Port sur la Seine. Centre industriel (métallurgie).

Gentile da Fabriano ■ Peintre italien (1370-1427). "*L'Adoration des Mages*".

Gentileschi ■ Peintre italien, influencé par le *Caravage (1565-1647).

Gentilly ■ Commune du *Val-de-Marne. 17 000 hab. (les Gentilléens). Produits pharmaceutiques.

Étienne Geoffroy Saint-Hilaire ■ Naturaliste français (1772-1844). Sa polémique avec *Cuvier sur l'évolution passionna l'Europe.

George ■ NOM DE PLUSIEURS ROIS DE GRANDE-BRETAGNE ET D'IRLANDE □ **George Ier** (1660-1727), électeur de Hanovre, fut désigné comme successeur d'Anne Stuart en 1714. □ **George II** (1683-1760), son fils, laissa le pouvoir aux *whigs. □ **George III** (1738-1820) s'aliéna l'opinion par une politique trop pacifiste. Il se laissa dominer par le second *Pitt. □ **George IV**, son fils (1762-1830). □ **George V** (1865-1936). □ **George VI** (1895-1952), père d'Elisabeth II, succéda en 1936 à son frère *Édouard VIII, qui prit le titre de duc de Windsor.

Lloyd George ■ ⇒ **Lloyd George**.

saint Georges ■ Martyr chrétien, souvent représenté à cheval, tuant le dragon. Son culte se répandit en Orient et en Occident.

Georgetown ■ Capitale de la Guyana. 182 000 hab. Principal port du pays.

George Town ■ Ville et port de Malaysia. 270 000 hab.

la Géorgie ■ État du sud-est des États-Unis, sur l'Atlantique. 152 589 km². 5,5 millions d'hab. Capitale : Atlanta. État cotonnier ravagé par la guerre de *Sécession, reconverti dans le tabac, l'élevage, les industries du bois. Universités.

la Géorgie ■ République socialiste soviétique (⇒ **U. R. S. S.**) située au bord de la mer Noire. 69 700 km². 6 millions d'hab. (les Géorgiens). Capitale : Tbilissi. Thé, agrumes, tabac, industries. Au carrefour des civilisations méditerranéennes et orientales dans l'Antiquité, puissant royaume chrétien au Moyen Âge, la Géorgie, devenue l'enjeu des rivalités entre la Perse et la Turquie, se mit sous la protection de la Russie qui l'annexa en 1801. Un fort sentiment nationaliste s'y est développé (indépendance de 1918 à 1921), réprimé notamment par le géorgien Staline. La R. S. S. de Géorgie comprend les républiques autonomes d'Abkhazie et d'Adjarie.

Gera ■ Ville de R. D. A. 131 000 hab.

le baron François Gérard ■ Peintre français (1770-1837). Portraitiste officiel du Premier Empire et de la Restauration. "*Madame Récamier*".

Gérardmer ■ Commune des *Vosges. 10 000 hab. (les Géromois).

Gerbert d'Aurillac ■ Un des hommes les plus savants de son temps, moine, évêque, pape de 999 à 1003 sous le nom de Sylvestre II (v. 938 - 1003).

le mont Gerbier-de-Jonc ■ Mont volcanique de l'Ardèche où la Loire prend sa source.

Gergovie ■ Ancienne ville de Gaule, dans le pays des Arvernes (Auvergne). Victoire de Vercingétorix sur César en 52 av. J.-C.

Théodore Géricault ■ Peintre français (1791-1824). Il devint l'un des chefs de l'école *romantique avec son œuvre majeure, "*le Radeau de la « Méduse »*". Il fut aussi l'un des initiateurs du mouvement *réaliste, notamment par ses portraits de fous.

les Germain ■ Famille d'orfèvres parisiens. Les plus célèbres furent Thomas (1673-1748) et François-Thomas (1726-1791).

les Germains ■ Peuples probablement originaires de Scandinavie. Ils émigrèrent vers le sud au IIIe s. av. J.-C. et furent arrêtés par les Romains qui les fixèrent dans les nouvelles provinces de Germanie. À partir du IIIe s., ils envahirent la Gaule, l'Espagne, l'Italie, la Bretagne.

Germanicus ■ Général romain (15 av. J.-C. - 19). Il rétablit l'ordre en Germanie, d'où son nom. Époux d'Agrippine l'Aînée.

le royaume de Germanie ■ État né du démembrement de l'Empire *carolingien en 843 (traité de Verdun), et attribué à Louis II le Germanique. Sous Othon Ier, il constitua avec les royaumes d'Italie et de Bourgogne le *Saint Empire romain germanique (962).

Germiston ■ Ville d'Afrique du Sud. 139 500 hab. Mines d'or.

Jean Léon Gérôme ■ Peintre français au style académique (1824-1904). "*Le Combat de Coqs*".

le *Gers* [32] ■ Département français de la région
*Midi-Pyrénées. Il doit son nom à la rivière qui le
traverse. 6 291 km². 174 100 hab. *(les Gersois).*
Préfecture : Auch. Sous-préfectures : Condom,
Mirande.

George **Gershwin** ■ Compositeur américain
(1898-1937). Il s'inspire du jazz dans ses comédies
musicales (*"Un Américain à Paris"*) et dans ses pièces
pour piano (*"Rhapsody in Blue"*).

la *Gestapo* ■ Abréviation de *Geheime Staatspolizei*,
« police secrète d'État ». Créée en 1933, elle devint,
sous la direction de *Himmler, la toute puissante
police politique du régime *nazi, en Allemagne et en
Europe.

Gethsémani ■ Jardin du mont des *Oliviers à
*Jérusalem, où Jésus pria durant la nuit qui précéda
sa Passion.

le *Gévaudan* ■ Plateau d'élevage situé en *Lozère,
hanté au XVIIIᵉ s. par la « bête du Gévaudan »
(probablement un loup).

Gex ■ Sous-préfecture de l'*Ain. 4 800 hab. *(les
Gessiens).*

le *Ghana* ■ État (république) de l'Afrique
occidentale, drainé par la Volta. 238 305 km².
12,2 millions d'hab. *(les Ghanéens).* Capitale : Accra.
Langue officielle : anglais. Monnaie : cedi. Ancienne
colonie anglaise, indépendante en 1957. Économie
essentiellement agricole. Importante production de
cacao, d'or, de diamants, de manganèse et de bauxite.

le *royaume du Ghana* ■ Ancien État africain
du Soudan occidental (IVᵉ - XIᵉ s.). Il tirait sa
puissance de l'or.

al-Ghazālī ■ ⟹ **Algazel.**

les *Gherardesca* ■ Famille italienne qui joua un
rôle important à Pise dans la querelle des *Guelfes
et des Gibelins (XIIIᵉ - XIVᵉ s.).

Lorenzo **Ghiberti** ■ Orfèvre, sculpteur et architecte italien (1378-1455). Il réalisa les portes de bronze
du baptistère de *Florence.

Ghirlandajo ■ Peintre italien (1449-1494). Il fut
influencé par le réalisme de l'art *flamand.

Alberto **Giacometti** ■ Sculpteur et peintre suisse
(1901-1966). Ses figures aux formes allongées et
décharnées expriment le tragique de la destinée
humaine.

Gia-dinh ■ Ville du Viêt-nam, près d'Hô Chi
Minh-Ville. 151 000 hab.

Giambologna ou ***Jean de Bologne*** ■ Sculpteur *maniériste flamand (1529-1608). Il travaillait en
Italie.

Giap ■ ⟹ **Vô Nguyên Giap.**

Josiah Willard **Gibbs** ■ Physicien et mathématicien américain (1839-1903). Il jeta les bases de la
physico-chimie et de la mécanique statistique.

les *Gibelins* ■ ⟹ les **Guelfes.**

Gibraltar ■ Port et base militaire britannique, à
l'extrême sud de l'Espagne. 6,5 km². 29 100 hab. Elle
appartient aux Anglais depuis 1704 (guerre de
*Succession d'Espagne). ▶ *le détroit de* **Gibraltar**
(15 km de large) réunit l'Atlantique à la
Méditerranée.

André **Gide** ■ Écrivain français (1869-1951). Son
œuvre eut un important retentissement sur ses
contemporains pour ses théories littéraires, sa critique
des conventions morales et ses engagements politiques. *"Les Nourritures terrestres"* ; *"les Caves du*

Vatican" ; *"la Symphonie pastorale"* ; *"les Faux-
monnayeurs"* ; *"Voyage au Congo"* ; *"Retour
d'U. R. S. S."* ; *"Journal".*

Gien ■ Commune du *Loiret. 16 800 hab. *(les
Giennois).*

la presqu'île de *Giens* ■ Presqu'île du *Var entre
le golfe de Giens et la rade d'Hyères.

Gif-sur-Yvette ■ Commune de l'*Essonne.
17 200 hab. *(les Giffois).*

Gifu ■ Ville du Japon (*Honshū). 412 000 hab.
Centre industriel important.

Gijón ■ Ville et port industriel d'Espagne (*Asturies). 256 000 hab. Sidérurgie, chimie.

les îles *Gilbert et Ellice* ■ Ancienne colonie
britannique de la Micronésie divisée aujourd'hui entre
la république de Kiribati et Tuvalu.

Gilgamesh ■ Héros d'une épopée mésopota-
mienne du IIIᵉ millénaire av. J.-C.

Allen **Ginsberg** ■ Poète américain (né en 1926).
Porte-parole de la contestation des jeunes contre la
société de consommation dans les années 1960, proche
de *Burroughs. *"Hurlement".*

Jean **Giono** ■ Écrivain français (1895-1970). Il a
exalté la vie rustique de haute Provence (*"Regain"*)
avant de renouveler son inspiration (*"le Hussard sur
le toit"* ; *"l'Eau vive"*).

Luca **Giordano** ■ Peintre et décorateur *baroque
italien (1634-1705).

Giorgione ■ Peintre italien (1477-1510). Il fut l'un
des premiers peintres vénitiens à donner une très
grande importance à l'étude de la lumière. *"La
Tempête".*

Giotto ■ Peintre florentin (1266-1337). Il fut le
premier à représenter plastiquement un espace à trois
dimensions et eut, de son vivant, un grand rayonnement. Fresques de la *"Vie de saint François"* à Assise,
et de la *"Vie de la Vierge et du Christ"* à Padoue.
Travaux d'architecture à Florence (campanile de
S. Maria del Flore).

Giovanni da Udine ■ Peintre italien (1487-
1564). Il rénova l'art décoratif occidental.

Émile de **Girardin** ■ Journaliste français
(1806-1881). Il créa les premiers journaux à prix
modiques.

François **Girardon** ■ Sculpteur français (1628-
1715). Représentant caractéristique du *classicisme en
sculpture. Œuvres pour les jardins de Versailles.

Henri **Giraud** ■ Général français (1879-1949). Rival
de De *Gaulle, il fut, à Alger, de 1942 à 1944, le
dirigeant en titre des forces françaises hostiles à
l'Allemagne.

Jean **Giraudoux** ■ Écrivain français (1882-1944).
Son œuvre, d'un style précieux, oscille entre un
humanisme optimiste et une inquiétude désespérée.
"La guerre de Troie n'aura pas lieu", *"la Folle de
Chaillot"* (théâtre) ; *"Suzanne et le Pacifique"*
(roman).

Anne Louis **Girodet-Trioson** ■ Peintre français (1767-1824). Son style est à la charnière du
*néo-classicisme et du *romantisme.

la *Gironde* ■ Estuaire formé par la Garonne et
la Dordogne entre Bordeaux et l'Atlantique (75 km).
□ *la Gironde* [33], département français de la région
*Aquitaine. 10 725 km². 1,12 million d'hab. Préfec-

ture : Bordeaux. Sous-préfectures : Blaye, Langon, Lesparre-Médoc, Libourne.

les *Girondins* ■ Groupe de révolutionnaires français (*Brissot, *Roland, *Vergniaud) qui doit son nom à sa forte proportion de députés de la Gironde, liés à la grande bourgeoisie d'affaires. Républicains modérés, adversaires des *Feuillants, ils dominèrent l'Assemblée législative en 1792 et les débuts de la Convention, puis furent débordés par les *Montagnards et les mouvements populaires. ⇒ insurrection **fédéraliste.**

Thomas Girtin ■ Peintre paysagiste anglais (1775-1802). Il transforma la technique de l'aquarelle.

Valéry Giscard d'Estaing ■ Homme d'État français (né en 1926). Ministre des finances de 1962 à 1966 et de 1969 à 1974, puis président de la République de 1974 à 1981.

Gisors ■ Commune de l'*Eure. 8 800 hab. (les Gisorciens).

Givet ■ Commune des *Ardennes, sur la Meuse. 7 700 hab. (les Givetois).

Givors ■ Commune du *Rhône, sur le Rhône. 20 500 hab. (les Givordins).

Gizeh ou *Guizèh* ■ Ville d'Égypte, faubourg du Caire. 1,6 million d'hab. À proximité se trouvent le *Sphinx et les pyramides de Khéops, Khéphren et Mykérinos.

Karl Gjellerup ■ Écrivain danois (1857-1919). Prix Nobel 1917. "Le Pèlerin Kamanita".

William Ewart Gladstone ■ Homme d'État britannique (1809-1898). Chef du Parti libéral, rival de *Disraeli, quatre fois Premier ministre sous le règne de Victoria. Il se prononça pour l'autonomie de l'Irlande.

Glaris, en allemand *Glarus* ■ Ville de Suisse. 6 200 hab. ► le canton de *Glaris.* 685 km². 36 600 hab. Industrie textile. Chef-lieu : Glaris.

Glasgow ■ Ville de Grande-Bretagne. 733 800 hab. Métropole commerciale et industrielle de l'Écosse, elle doit son développement au commerce colonial et à son bassin houiller, mais connaît aujourd'hui des problèmes de chômage.

Alexandre Glazounov ■ Compositeur russe (1865-1936). Symphonies, concertos, quatuors, d'inspiration russe, qui ont influencé *Chostakovitch, *Prokofiev, *Stravinski.

Albert Gleizes ■ Peintre français et théoricien du *cubisme (1881-1953).

Glendale ■ Ville des États-Unis (*Californie). 139 000 hab.

le plateau des *Glières* ■ Plateau des Préalpes. Maquis de résistants exterminés en 1944.

Mikhaïl Glinka ■ Compositeur russe (1804-1857). Œuvre partagée entre la tradition folklorique russe et l'influence occidentale. "La Vie pour le tsar", opéra.

Gliwice ■ Ville de Pologne (Haute-*Silésie). 213 000 hab.

les Trois *Glorieuses* ■ ⇒ **Révolution française** de 1830.

Gloucester ■ Port d'Angleterre. 90 900 hab. Monuments médiévaux.

Christoph Willibald von Gluck ■ Compositeur allemand (1714-1787). Le grand réformateur de l'opéra : la musique doit « seconder la poésie ». "Orphée et Euridice" ; "Alceste".

Goa ■ Port et territoire (3 700 km² ; 1 million d'hab.) du sud-ouest de l'Inde. Colonie portugaise de 1510 à 1961.

les *Gobelins* ■ Manufacture de tapisseries à Paris. Créée en 1662 sous le nom de *Manufacture royale des Gobelins.*

le désert de *Gobi* ■ Un des plus grands déserts du monde. Il s'étend en Chine et en Mongolie. Vents violents. Grands écarts de température.

Joseph Arthur de Gobineau ■ Diplomate et écrivain français (1816-1882). "Les Pléiades" (roman) ; "Essai sur l'inégalité des races humaines".

Jean-Luc Godard ■ Cinéaste français (né en 1930). Principal représentant de la nouvelle vague française. "À bout de souffle" ; "Pierrot le Fou".

le *Godāvari* ■ L'un des fleuves sacrés de l'Inde. 1 500 km.

Jacques Godbout ■ Écrivain et cinéaste canadien d'expression française (né en 1933). "L'Isle au dragon".

Godefroy de Bouillon ■ Chef de la première *croisade, élu roi de Jérusalem (1061-1100).

Kurt Gödel ■ Logicien et philosophe autrichien naturalisé américain (1906-1978). Ses théorèmes d'incomplétude ont montré les limites de la formalisation en mathématiques.

Manuel de Godoy ■ Homme politique espagnol, Premier ministre de Charles IV (1767-1851). Considéré comme responsable de la soumission de son pays à la France, il s'exila en 1808.

Joseph Paul Goebbels ■ Homme politique allemand (1897-1945). Chargé par Hitler de la propagande *nazie.

Johann Wolfgang von Goethe ■ Écrivain, homme politique et savant allemand (1749-1832). Poète éminent, reconnu comme une des plus grandes personnalités de son temps, il fut proche du préromantisme dans sa jeunesse ("les Souffrances du jeune Werther"), puis il évolua vers un art plus classique ("les Affinités électives"). Son écriture prit parfois une forme symbolique : "Faust" ; "Poésie et vérité".

Nikolaï Gogol ■ Écrivain russe (1809-1852). Son œuvre, satire réaliste, mêle le rire et le cauchemar. "Le Nez" ; "le Journal d'un fou".

Goiânia ■ Ville du Brésil. 703 200 hab.

le *Golan* ■ Plateau du sud de la Syrie en partie occupé par *Israël depuis 1967. Combats en 1973.

Golbey ■ Commune des *Vosges. 8 900 hab. (les Golbéens).

William Golding ■ Écrivain britannique (né en 1911). Prix Nobel 1983. "Sa Majesté des Mouches".

Carlo Goldoni ■ Auteur de pièces comiques italien (1707-1793). Il a écrit 150 pièces, donnant aux jeux de la *Commedia dell'arte plus de sobriété. "Arlequin, serviteur de deux maîtres".

Oliver Goldsmith ■ Écrivain anglais (1728-1774). Auteur de romans sentimentaux ("le Vicaire de Wakefield") ; comédies.

Kurt Goldstein ■ Psychiatre allemand naturalisé américain (1878-1965).

le *Golgotha* ■ En araméen « lieu du crâne », site près de *Jérusalem, où Jésus fut crucifié.

Goliath ■ Géant de la Bible, vaincu par *David. Ce combat symbolise la supériorité de l'intelligence sur la force.

Witold Gombrowicz ■ Écrivain polonais (1904-1969). Œuvre grinçante et pessimiste dominée par l'érotisme. "Ferdydurke".

Gomel' ■ Ville d'U. R. S. S. (*Biélorussie). 488 000 hab. Industries mécaniques.

Ramón Gómez de la Serna ■ Écrivain espagnol (1888-1963). Romans et aphorismes humoristiques (les *greguerías*).

Gomorrhe ■ ⇒ Sodome.

Władysław Gomułka ■ Homme politique polonais (1905-1982). Secrétaire général du parti communiste (1956), il dut démissionner après les révoltes ouvrières de 1970.

Nuno Gonçalvès ■ Peintre portugais, actif de 1450 à 1480. Le *"Polyptyque de Saint Vincent"* qu'il exécuta pour la cathédrale de Lisbonne est d'une remarquable intensité psychologique.

les frères Goncourt ■ Écrivains français. Edmond (1822-1896) et Jules (1830-1870). Auteurs de romans naturalistes (⇒ **naturalisme**) et d'un *"Journal"*, qui retrace la vie artistique de leur époque. Edmond fonda l'académie Goncourt, jury chargé de décerner un prix littéraire, le *prix Goncourt*.

Gondar ■ Ville d'Éthiopie (69 000 hab.) et capitale du pays du XVIe au XIXe s. Vestiges du *royaume de Gondar* (XVIIe - XVIIIe s.).

Gondwana ■ Continent hypothétique qui aurait réuni, à l'ère primaire, l'Inde, l'Afrique, l'Australie, l'Amérique du Sud et l'Antarctique.

Gonesse ■ Commune du *Val-d'Oise. 23 000 hab. (*les Gonessiens*). Églises du XIIe - XIIIe s.

Gonfreville-l'Orcher ■ Commune de la *Seine-Maritime. 10 300 hab. (*les Gonfrevillais*). Pétrochimie.

Luis de Góngora y Argote ■ Poète *baroque espagnol (1561-1627). Son style virtuose et raffiné fut imité (le *gongorisme*).

Ivan Gontcharov ■ Romancier russe (1812-1891). "*Oblomov*".

Natalia Gontcharova ■ Peintre russe (1881-1962). Elle fit une synthèse entre l'art populaire russe et l'art moderne. Compagne de *Larionov.

les Gonzague ■ Famille princière d'Italie qui gouverna le duché de Mantoue du XIVe au XVIIIe s.

Felipe González ■ Premier ministre espagnol (socialiste) depuis 1982 (né en 1942).

Gorakhpur ■ Ville de l'Inde, près du *Népal. 306 000 hab.

Mikhaïl Gorbatchev ■ Homme d'État soviétique (né en 1931). Secrétaire général du Parti communiste depuis 1985. ⇒ U. R. S. S.

Gordon Pacha ■ Général britannique, gouverneur du Soudan pour le compte de l'Égypte (1833-1885). Tué par les troupes de *Mahdī.

Fakhr al-Dīn As'ad Gorgani ■ Poète persan du XIe s.

les Gorgones n. f. ■ Trois monstres de la mythologie grecque, à la chevelure faite de serpents. *Méduse est la plus célèbre.

Hermann Göring ■ Maréchal allemand, dauphin de Hitler (1893-1946). Héros de la guerre de 1914, nazi dès 1922, chef de la *Luftwaffe* (armée de l'air) de 1935 à 1945. Désavoué par Hitler, condamné à mort à *Nuremberg, il se suicida.

Maxime Gorki ■ Écrivain russe (1868-1936). Initiateur de la littérature sociale soviétique. "*La Mère*" ; "*les Bas-fonds*".

Gorki, autrefois *Nijni-Novgorod* ■ Ville d'U. R. S. S. (*Russie) et grand port sur la *Volga. 1,42 million d'hab. Centre culturel.

Gorlovka ■ Ville d'U. R. S. S. (*Ukraine) dans le *Donbass. 345 000 hab.

Le Gosier ■ Commune de la *Guadeloupe. 15 400 hab.

Jan Gossart ou *Gossaert* dit *Mabuse* ■ Peintre *flamand (v. 1478-v. 1535). Il propagea les valeurs de la *Renaissance dans son pays.

Göteborg ■ 2e ville et principal port de Suède. 429 400 hab.

l'art gothique ■ Forme d'art qui s'est surtout épanouie en Europe de l'Ouest du XIIe au XVe s., en architecture (croisée d'ogives, arcs-boutants, ouverture des murs et vitraux), en sculpture et dans les arts décoratifs.

les Goths ■ Peuple de *Germains qui se divisa au IVe s. entre *Ostrogoths et *Wisigoths. ‹ ► gothique ›

Gotland ■ Île de Suède, dans la mer Baltique. 3 140 km². 56 100 hab. Tourisme.

Göttingen ■ Ville de R. F. A. (Basse-*Saxe). 133 700 hab. Célèbre université fondée en 1737. Hôtel de ville du XVIe s.

Gouda ■ Ville des Pays-Bas. 61 400 hab. Célèbres fromages.

Olympe de Gouges ■ Publiciste française, auteur d'une "*Déclaration des droits de la femme et de la citoyenne*" (1748-1793).

Jean Goujon ■ Sculpteur et architecte français de la *Renaissance, aux tendances *maniéristes (v. 1510- v. 1566).

Charles Gounod ■ Compositeur français (1818-1893). Auteur d'opéras ("*Faust*" ; "*Mireille*") et de musique religieuse ("*Messe de sainte Cécile*").

Gourbeyre ■ Commune de la *Guadeloupe. 6 400 hab.

Gourdon ■ Sous-préfecture du *Lot. 5 000 hab. (*les Gourdonnais*).

le baron Gourgaud ■ Général français (1783-1852). Il suivit *Napoléon Ier à Sainte-Hélène puis fut l'aide de camp de *Louis-Philippe.

Rémy de Gourmont ■ Écrivain français (1858-1915). Romans, essais.

Gournay-en-Bray ■ Commune de la *Seine-Maritime. 6 500 hab.

Goussainville ■ Commune du *Val-d'Oise. 23 600 hab. (*les Goussainvillois*).

le Gouvernement provisoire de la République française ou *G. P. R. F.* ■ Gouvernement mis en place dès 1944 par la *Résistance. Après la dissolution de la IIIe République et le régime de Pétain, le G. P. R. F. eut pour mission d'établir de nouvelles institutions : il prit fin avec l'adoption de la Constitution de la IVe République (fin 1946). Le général de *Gaulle le dirigea jusqu'en janvier 1946. Politique de reconstruction, nationalisations, épuration des anciens collaborateurs.

Gouvieux ■ Commune de l'*Oise. 9 300 hab. (*les Godviciens*).

Francisco de Goya y Lucientes ■ Peintre espagnol (1746-1828). Habile peintre officiel du roi à ses débuts (1780), déjà inventif et poétique, il devint un des maîtres de l'école espagnole, précurseur de la peinture moderne. Admirables portraits ; gravures et tableaux dénonçant les horreurs de la guerre. À la fin de sa vie, sourd et isolé, il pratique un art sombre et visionnaire (fresques de sa maison, la *Quinta del sordo*).

Juan Goytisolo ■ Écrivain espagnol (né en 1931). "*Deuil au paradis*".

Carlo Gozzi ■ Auteur dramatique italien (1720-1806). Il s'opposa au réalisme de *Goldoni en écrivant des féeries dramatiques. "*Turandot*".

le G. P. R. F. ■ ⇒ Gouvernement provisoire de la République française.

le Graal ou *Saint-Graal* ■ Vase sacré qui servit à la Cène et qui recueillit le sang du Christ. Les romans du Moyen Âge racontent la quête (recherche) du Graal par les chevaliers de la Table ronde, *Perceval, *Lancelot.

les frères Gracchus ■ Tribuns et frères romains. Tiberius (v. 162 - 133 av. J.-C.) et Caius (v. 154 - 121 av. J.-C.). Ils firent voter une loi agraire favorisant les petits propriétaires contre l'aristocratie foncière.

les trois Grâces ■ Déesses de la Beauté chez les Grecs et les Romains (Aglaé, Thalie, Euphrosyne).

Julien Gracq ■ Écrivain français (né en 1910). Proche d'André *Breton du romantisme allemand, il a donné des romans d'une grande richesse poétique et des essais critiques. "*Le Rivage des Syrtes*".

Gradignan ■ Commune de la *Gironde. 21 700 hab.

Martha Graham ■ Danseuse et chorégraphe américaine (née en 1893).

Zénobe Gramme ■ Électricien belge (1826-1901). Inventeur de la dynamo.

Antonio Gramsci ■ Philosophe marxiste et homme politique italien (1891-1937).

Enrique Granados ■ Compositeur espagnol (1867-1916). Œuvres pour piano : "*Danses espagnoles*" ; "*Goyescas*".

Grand-Bourg ■ Commune de *Marie-Galante (dépendance de la *Guadeloupe). 6 100 hab.

Grand-Charmont ■ Commune du *Doubs. 7 100 hab.

La Grand'Combe ■ Commune du *Gard. 8 400 hab.

Grand-Couronne ■ Commune de la *Seine-Maritime. 9 500 hab. (*les Couronnais*). Industries.

la Grande-Bretagne ■ La plus grande des îles de l'archipel britannique. 229 880 km². 54,2 millions d'hab. (*les Britanniques*). Elle comprend trois grandes régions : l'Angleterre, le pays de Galles, l'Écosse, et forme, avec l'Irlande du Nord, le Royaume-Uni. ◻HISTOIRE. Avec l'avènement de *Jacques Ier et des *Stuart en 1603 (⇒ Angleterre) commence l'histoire de la Grande-Bretagne. Le XVIIe s. fut celui des révolutions : exécution de *Charles Ier (1649), république de *Cromwell (1649-1658), fuite de Jacques II en France (1688) et couronnement de *Guillaume III d'Orange-Nassau, l'Angleterre réprimant les catholiques (⇒ jacobites) d'Irlande et d'Écosse. L'acte d'Union de 1707 instaura le Royaume-Uni de Grande-Bretagne (avec un Parlement unique pour les royaumes d'Écosse et d'Angleterre) — qui devint par l'acte d'Union de 1800 le *Royaume-Uni (comprenant l'Irlande). Les structures politiques modernes se dessinèrent : Premier ministre chef de la majorité parlementaire (*whig ou *tory), essor de la Chambre des communes. La révolution industrielle se développa. La politique extérieure fut marquée par la création d'un immense domaine colonial en Amérique du Nord, l'acquisition des Indes françaises (1763), puis la guerre de l'*Indépendance américaine (1775-1783) et la guerre contre la Révolution française et le premier Empire (1793-1815). Le XIXe s. fut celui des réformes et de l'expansion : c'est le règne de *Victoria, symbole de l'impérialisme triomphant et du puritanisme bourgeois, dominé par l'opposition entre le conservateur *Disraeli et le libéral *Gladstone. Première puissance mondiale, le royaume ne put néanmoins résoudre la grave question de l'Irlande. Les difficultés sociales et économiques (nombreux mouvements ouvriers) assurèrent une percée au jeune parti travailliste qui, avec les conservateurs, domine la vie politique au XXe s. Pour s'opposer à la menace allemande, l'Angleterre se rapprocha de la France (*Entente cordiale*, 1904) et prit une part déterminante à la Première *Guerre mondiale. *Chamberlain, Premier ministre en 1937, rechercha une politique d'« apaisement » avec Hitler et Mussolini. Mais, la guerre déclarée, son successeur *Churchill opposa une résistance admirable au nazisme. Après 1945, le gouvernement d'*Attlee fut marqué par la mainmise de l'État sur l'économie (nationalisations) et la décolonisation volontaire. L'adhésion à la *C. E. E. (1973) mit fin à l'isolement insulaire de l'Angleterre, bien que Margaret *Thatcher cherchât à réduire la part de la contribution britannique au budget européen. Durement frappée par les difficultés économiques, la Grande-Bretagne reste très attachée à la monarchie.

la Grande Grèce ■ Nom donné dans l'Antiquité au sud de l'Italie et à la Sicile, colonisés par les Grecs. ⇒ Grèce.

La Grande-Motte ■ Station balnéaire de l'*Hérault, sur la Méditerranée (immeubles en forme de pyramides). 3 900 hab.

Grande-Synthe ■ Commune du *Nord, banlieue de Dunkerque. 26 200 hab.

Grand-Fort-Philippe ■ Commune du *Nord. 6 600 hab.

Urbain Grandier ■ Curé français de *Loudun qui fut brûlé après qu'on l'eut accusé d'avoir envoûté plusieurs religieuses ursulines (1590-1634).

Le Grand-Quevilly ■ Commune de la *Seine-Maritime. 31 800 hab. (*les Grand-Quevillais*). Chimie. Papeterie.

Grand Rapids ■ Ville des États-Unis (*Michigan). 181 800 hab.

les Grands Lacs ■ Ensemble de lacs d'Amérique du Nord, reliés entre eux, de *Duluth à la baie du *Saint-Laurent : lac Supérieur, lac Michigan, lac Huron, lac Érié, lac Ontario. Zone d'activité économique intense entre le Canada et les États-Unis.

François Granet ■ Peintre français (1775-1849). Portraits. Paysages.

Ulysses Grant ■ Général américain, commandant des armées nordistes durant la guerre de *Sécession, 18e président (républicain) des États-Unis de 1869 à 1877 (1822-1885).

Granville ■ Commune de la *Manche. 15 000 hab. (*les Granvillais*).

Günter Grass ■ Écrivain allemand (né en 1927). Membre du *Groupe 47. "*Le Tambour*".

Grasse ■ Sous-préfecture des *Alpes-Maritimes. 38 300 hab. (*les Grassois*). Parfumerie.

Graulhet ■ Ville du *Tarn. 14 500 hab. *(les Graulhetois).* Industrie des peaux.

Gravelines ■ Commune du *Nord. 11 700 hab. *(les Gravelinois).* Centrale nucléaire.

Stephen **Gray** ■ Physicien anglais (v. 1670 - 1736). Étude de l'électricité (notion de corps conducteur).

Gray ■ Commune de la *Haute-Saône, sur la *Saône. 9 600 hab. *(les Graylois).*

Graz ■ 2ᵉ ville d'Autriche. 250 000 hab. Marché important au XIIᵉ s.

la **Grèce** ■ État (république) du sud-est de l'Europe formé d'une partie continentale (extrémité de la péninsule des *Balkans) et de plus de 430 îles. 131 944 km². 9,9 millions d'hab. *(les Grecs).* Capitale : Athènes. Villes principales : Patras, Thessalonique. Langue : grec. Monnaie : drachme. Économie essentiellement agricole (olivier, vigne). Bauxite. Puissante flotte de commerce. Tourisme. □ HIS-TOIRE. La *Grèce antique* fut le centre d'une des plus brillantes civilisations de l'histoire : elle apparut au IIᵉ millénaire av. J.-C. et atteignit son apogée au Vᵉ s. av. J.-C. V. 1600 av. J.-C., au temps des *Achéens, une première civilisation dite *mycénienne* se développa à partir des influences crétoises (⇒ Crète, **Mycènes**, l'**Iliade**, la guerre de **Troie**). En 1200 av. J.-C., l'invasion des *Doriens ouvrit une période de régression appelée le « Moyen Âge grec ». Le IXᵉ s. av. J.-C. fut l'époque d'*Homère (récits mythologiques, sanctuaires religieux à *Delphes, *Délos, *Olympie, jeux), le père de la culture grecque, et celle où la cité commença à s'organiser. Le développement de l'économie mercantile à l'époque *archaïque* (VIIIᵉ - VIᵉ s. av. J.-C.) suscita la création des premières colonies en *Grande Grèce, l'enrichissement des cités (Corinthe, Athènes) et l'épanouissement des cités (⇒ **Sappho, Anacréon, Pindare, Héraclite, Pythagore**). Au Vᵉ s., la Perse déclara la guerre aux cités grecques (guerres *médiques de 490 à 479 av. J.-C.). Victorieuse, Athènes devint le foyer de la *culture classique* grecque, qui atteignit son apogée sous le règne de *Périclès : en politique (démocratie), en philosophie (*Socrate), en littérature (*Eschyle, *Sophocle, *Euripide créent la tragédie), en histoire (*Hérodote, *Xénophon) et en architecture (*Phidias réalise l'Acropole). La guerre du *Péloponnèse entre *Sparte et Athènes (431 - 404 av. J.-C.) mit fin à l'hégémonie athénienne. La civilisation classique resta florissante, avec *Platon, *Aristote, *Protagoras, *Démosthène et *Aristophane ; mais la rivalité entre les cités facilita l'invasion de la Grèce par *Philippe II de Macédoine (337 av. J.-C.) suivie par l'empire d'*Alexandre le Grand, puis par la conquête romaine en 146 av. J.-C. En 395, la Grèce devint *byzantine*. Ravagée par les invasions barbares, puis par les croisés (prise de *Constantinople en 1204), elle passa sous la domination turque, après la prise d'Athènes (1456). À partir du XVIIIᵉ s., l'éveil du sentiment national et le philhellénisme des Occidentaux conduisirent à la naissance de la *Grèce moderne :* prise de Tripoli (1821) ; proclamation d'indépendance (congrès d'Épidaure, 1822), qui ne fut reconnue par les grandes puissances qu'en 1830, après la *guerre d'indépendance* (⇒ **Missolonghi, Chio**). Au terme d'une longue lutte, la Grèce s'unifia et abolit la monarchie pour devenir une république (1924). La royauté fut rétablie par le coup d'État du général Condylis en 1935. Après les épreuves de l'occupation allemande (1941-1944) et de la guerre civile (1946-1949), la Grèce devient une démocratie du camp atlantique, mais son régime est fragile. Le putsch de 1967 instaure une dictature, le « régime des colonels », qui proclame la république en 1973. Il est contraint d'accepter le retour à la démocratie l'année suivante. La Grèce fait partie de la Communauté économique européenne depuis 1981. Elle est membre de l'O. T. A. N.

le **Greco** ■ Peintre espagnol d'origine crétoise (1541-1614). Son mysticisme se traduit par l'emploi de couleurs rares et l'allongement extrême des figures. "*L'Enterrement du comte d'Orgaz*".

Julien **Green** ■ Écrivain français d'origine américaine (né en 1900). Catholique tourmenté, il décrit dans son œuvre l'affrontement entre les élans mystiques et la débauche. "*Moïra*" ; "*Journal*".

Graham **Greene** ■ Écrivain anglais (né en 1904). Il confronte des êtres ambigus et une morale d'inspiration chrétienne. "*La Puissance et la Gloire*".

Greensboro ■ Ville des États-Unis (*Caroline du Nord). 155 000 hab.

Greenwich ■ Faubourg de Londres. 231 000 hab. Le *méridien de Greenwich,* adopté quasi universellement comme méridien d'origine, passe par son observatoire.

Greenwich Village ■ ⇒ **New York**.

saint **Grégoire Iᵉʳ** dit *Grégoire le Grand* ■ Pape de 590 à sa mort (540-604). Il fit de Rome le centre de la chrétienté, réforma la liturgie et le chant d'Église, appelé *grégorien*.

saint **Grégoire VII** ■ Pape de 1073 à sa mort (v. 1020 - 1085). Il lutta contre l'empereur d'Allemagne *Henri IV (querelle des *Investitures) et rétablit la discipline ecclésiastique *(réforme grégorienne).*

saint **Grégoire de Nazianze** ■ Théologien chrétien de langue grecque, Docteur de l'Église (v. 330 - v. 390).

saint **Grégoire de Nysse** ■ Théologien chrétien de langue grecque, Père de l'Église (v. 335 - v. 395).

saint **Grégoire de Tours** ■ Évêque de Tours (v. 538 - v. 594). "*Histoire des Francs*" (en latin).

Grégoire Palamas ■ Mystique et théologien grec orthodoxe (1296-1359).

Henri **Grégoire** dit *l'abbé Grégoire* ■ Ecclésiastique et révolutionnaire français (1750-1831). Apôtre des droits de l'homme et de la réunion des Églises, défenseur de la Constitution civile du clergé (⇒ **Constituante**).

Grenade ■ Ville d'Espagne (*Andalousie). 262 200 hab. Fondée en 756 par les Arabes, capitale du *royaume musulman de Grenade* (l'Alhambra, palais du XIIIᵉ - XIVᵉ s., est l'ancienne résidence des princes), reconquise par les Rois Catholiques en 1492 (palais de Charles Quint).

Grenade ■ L'une des Petites *Antilles. 344 km². 110 000 hab. Capitale : Saint George's. Langues : anglais (officielle) ; créole. Monnaie : dollar des Caraïbes de l'Est. Colonie anglaise en 1783, indépendante en 1974. Tourisme.

Grenay ■ Commune du *Pas-de-Calais. 6 900 hab.

Grenoble ■ Préfecture de l'*Isère, sur l'Isère. 170 000 hab. *(les Grenoblois).* Centre universitaire. Cathédrale (XIIᵉ - XIIIᵉ s.). Important centre industriel.

André-Modeste **Grétry** ■ Compositeur français (1741-1813). Ses opéras-comiques eurent un grand succès au XVIIIᵉ s. "*L'Amant jaloux*".

Gretz-Armainvilliers ■ Commune de *Seine-et-Marne. 7 000 hab. *(les Gretzois).*

Jean-Baptiste Greuze ■ Peintre français (1725-1805). Scènes moralisatrices (*"le Fils puni"*), anecdotiques (*"la Cruche cassée"*) ; portraits (*"Sophie Arnould"*).

Jules Grévy ■ Homme politique français (1807-1891). Avocat, député, il fut président de la République de 1879 à 1887.

Aleksandr Griboïedov ■ Dramaturge russe (1795-1829). *"Le malheur d'avoir trop d'esprit"*.

Edvard Grieg ■ Compositeur norvégien (1843-1907). La musique de scène de *"Peer Gynt"* d'Ibsen et le *"Concerto en la"* s'inspirent du folklore norvégien.

David Wark Griffith ■ Cinéaste américain (1875-1948). *"Naissance d'une nation"* ; *"Intolérance"*.

Grigny ■ Commune de l'*Essonne. 26 000 hab. (les Grignois).

Grigny ■ Commune du *Rhône. 10 000 hab. (les Grignerots).

Jacob Grimm ■ Philologue et écrivain allemand (1785-1863). Il publia avec son frère Wilhelm (1786-1859) des contes germaniques. *"Contes d'enfants et du foyer"* : « *Blanche-Neige et les Sept Nains* », « *Hänsel et Gretel* », etc. Les frères Grimm ont aussi commencé le plus grand dictionnaire de la langue allemande.

Hans von Grimmelshausen ■ Romancier allemand (v. 1620-1676). *"Les Aventures de Simplex Simplicissimus"*.

Juan Gris ■ Peintre espagnol (1887-1927). Il vécut à Paris et fut l'un des maîtres et des théoriciens importants du *cubisme.

les Grisons en allemand **Graubünden** ■ Le plus vaste canton de Suisse : 7 108 km². 165 000 hab. Chef-lieu : Coire. Langues : romanche, allemand. Tourisme. Économie rurale.

Georg Groddeck ■ Médecin allemand (1866-1934). Fondateur de la médecine psychosomatique, correspondant de *Freud.

Grodno ■ Ville d'U. R. S. S. (*Biélorussie). 212 000 hab. Textiles.

le Groenland ■ Territoire autonome du Danemark, île au nord-est du Canada, en grande partie couverte de glace. 2,17 millions de km². 52 000 hab. (les Groenlandais). Capitale : Nuuk. Langues : danois (officielle), anglais, langues esquimaudes. Monnaie : couronne danoise. Climat polaire. Pêche. Base militaire américaine.

l'île de Groix ■ Île de l'Atlantique et canton du *Morbihan. 2 800 hab. (les Groisillons).

Marcel Gromaire ■ Peintre français (1892-1971). Il représente des figures humaines (ouvriers, paysans) aux traits massifs et simplifiés.

Andreï Gromyko ■ Homme d'État soviétique (né en 1909), chef de la diplomatie soviétique de 1957 à 1985, président du præsidium du Soviet suprême depuis 1985.

Groningue en néerlandais **Groningen** ■ Ville des Pays-Bas. 160 500 hab. Centre intellectuel (université), industriel (gaz naturel) et commercial. ▶ *la province de Groningue*. 2 246 km². 547 800 hab. Chef-lieu : Groningue.

Walter Gropius ■ Architecte et théoricien américain d'origine allemande, fondateur du *Bauhaus (1883-1969). Il modernisa les matériaux et les formes.

Antoine baron Gros ■ Peintre français (1771-1835). Élève de *David, il se détacha de son enseignement et devint l'un des initiateurs du *romantisme. *"Les Pestiférés de Jaffa"*.

Gros-Morne ■ Commune de la *Martinique. 9 200 hab.

Georges Grosz ■ Peintre et dessinateur allemand naturalisé américain (1893-1959). Il participa au mouvement *dada.

Hugo de Groot dit **Grotius** ■ Juriste et diplomate hollandais (1583-1645). Philosophe du droit naturel et du droit des États.

Jerzy Grotowski ■ Homme de théâtre polonais (né en 1933).

le marquis de Grouchy ■ Officier français (1766-1847). Fait maréchal durant les *Cent-Jours, il ne sut empêcher la jonction des armées de *Blücher et de *Wellington à *Waterloo, ce qui provoqua la défaite de Napoléon Ier.

le Groupe 47 ■ Société d'écrivains de langue allemande fondée en 1947. Elle lutta contre les séquelles du nazisme et critiqua le conformisme moral en Allemagne. ⇒ **Bachmann, Böll, Grass, Johnson.**

Groznyï ■ Ville d'U. R. S. S., capitale de la *Tchétchéno-Ingouchie. 387 000 hab. Pétrole.

Matthias Grünewald ■ Peintre allemand (v. 1460 - 1528). Son art religieux, riche en symboles, résume la spiritualité tourmentée de la fin du Moyen Âge dans un style puissamment novateur par la violence des couleurs et des expressions. *"Le Retable d'Issenheim"*, à Colmar.

Andreas Gryphius ■ Poète allemand, auteur de comédies et de tragédies historiques (1616-1664). Un des grands représentants de la littérature *baroque allemande.

Guadalajara ■ Ville du Mexique. 1,7 million d'hab. Cathédrale (XVIe - XVIIe s.) et monuments de style colonial. Université.

Guadalcanal ■ Île volcanique des *Salomon. 6 475 km². 46 000 hab. Importants combats durant la Seconde *Guerre mondiale.

le Guadalquivir ■ Fleuve d'Espagne (*Andalousie). 680 km.

la Guadeloupe [971] ■ Île des *Antilles et département français d'outre-mer. 1 709 km². 329 000 hab. (les Guadeloupéens). Préfecture : Basse-Terre. Sous-préfectures : Pointe-à-Pitre, Marigot. Formée de deux îles, Basse-Terre et Grande-Terre (séparées par un bras de mer), et de plusieurs îles (la Désirade, les Saintes, Marie-Galante, Saint-Barthélemy). Ressources : canne à sucre, rhum, tourisme. Découverte par Christophe Colomb en 1493, colonisée par la France à partir de 1635, elle devint département français en 1946.

Guam ou **Guaham** ■ Île principale de l'archipel des *Marianes. 549 km². 106 000 hab. Capitale : Agana. Langues : anglais (officielle), chamorro. Base aéronavale américaine.

Guangzhou ■ ⇒ **Canton.**

Guantánamo ■ Ville de *Cuba. 167 000 hab. Base navale américaine.

les indiens Guaranis ■ Indiens d'Amérique du Sud (*Paraguay) faisant partie du groupe tupi-guarani.

Francesco **Guardi** ■ Peintre italien (1712-1793). Ses vues de Venise, proches de celles de *Canaletto par les sujets, sont plus lumineuses et vibrantes.

Guarulhos ■ Ville du Brésil, au nord de *São Paulo. 395 100 hab.

le **Guatemala** ■ État (république) d'Amérique centrale, au sud-est du Mexique. 108 890 km². 8,99 millions d'hab. *(les Guatémaltèques).* Capitale : Ciudad Guatemala. Langues : espagnol (officielle), langues indiennes. Monnaie : quetzal. Économie essentiellement agricole (bananes, café), nickel. Colonie espagnole en 1513, le pays fut indépendant en 1839. Depuis 1954, les alternances de coups d'État et de mouvements de répression déstabilisent le pays qui fait face, en outre, à de grandes difficultés économiques.

Guatemala ou *Ciudad* **Guatemala** ■ Capitale du Guatemala. 1,3 million d'hab.

Guayaquil ■ Port de la république de l'*Équateur. 1,3 million d'hab. Métropole économique du pays : exportation de cacao, café, bananes.

Guebwiller ■ Sous-préfecture du Haut-*Rhin. 11 100 hab. *(les Guebwillerois).* ▶ *le ballon de* **Guebwiller** est le massif le plus élevé des Vosges (1 424 m) — nommé aussi Grand Ballon.

Jean **Guéhenno** ■ Écrivain français (1890-1978). Il représenta un socialisme humaniste. *"Caliban parle".*

les **Guelfes** n. m. ■ Nom donné au xiiie s., en Italie, aux partisans du pape, unis contre les Gibelins, partisans de l'empereur d'Allemagne. Leur lutte déchira l'Italie jusqu'au xve s.

Guénange ■ Commune de la *Moselle. 8 300 hab.

Guer ■ Commune du *Morbihan. 7 100 hab.

Guérande ■ Commune de la *Loire-Atlantique entourée de remparts. 9 500 hab. *(les Guérandais).*

le **Guerchin** ■ Peintre italien (1591-1666). Il fut influencé par le *Caravage.

Guéret ■ Préfecture de la *Creuse. 16 600 hab. *(les Guérétois).* Marché agricole.

Otto von **Guericke** ■ Physicien allemand (1602-1686). Il inventa la première machine capable de produire de l'électricité.

Maurice de **Guérin** ■ Poète français (1810-1839).

le baron Pierre **Guérin** ■ Peintre *néo-classique français (1774-1833). Thèmes antiques.

Guernesey ■ La plus occidentale des îles *Anglo-Normandes. 63 km². 55 400 hab. Chef-lieu : Saint-Pierre. Victor Hugo y vécut en exil de 1855 à 1870.

Guernica y Luno ■ Ville du nord de l'Espagne (*Biscaye). 18 000 hab. « Cité sainte » du pays basque, bombardée en 1937 par les Allemands alliés de Franco (célèbre tableau de *Picasso).

la **guerre de 1870** ■ ⇒ guerre **franco-allemande.**

la Première **Guerre mondiale** ■ Premier conflit mondial de l'histoire (1914-1918). Il opposa deux blocs : d'une part la Serbie, les États de la Triple-Entente (France, Grande-Bretagne, Russie) et leurs alliés (Belgique, Japon ; Italie en 1915 ; Roumanie en 1916 ; Grèce et États-Unis en 1917) ; d'autre part les puissances centrales (Allemagne, Autriche-Hongrie), l'Empire ottoman et la Bulgarie. La cause immédiate en fut l'assassinat de l'archiduc *François-Ferdinand (28 juin 1914) qui provoqua l'entrée en guerre de l'Autriche contre la Serbie ; la cause profonde, les rivalités entre impérialismes européens.

Déconsidéré par ses défaites, l'Empire russe fut renversé par la *révolution de 1917 et une paix séparée fut signée à *Brest-Litovsk en mars 1918. L'Autriche occupait les Balkans et le nord de l'Italie. La Turquie contrôlait le détroit des *Dardanelles. À l'ouest, l'offensive allemande fut arrêtée par *Joffre sur la Marne dès septembre 1914. Le front resta à peu près stable durant trois ans, opposant les armées dans une épuisante guerre de tranchées (⇒ **Verdun**). L'appui des États-Unis permit à *Foch et à ses alliés de prendre définitivement l'avantage en 1918 (armistice avec l'Allemagne le 11 novembre). Les traités de paix (*Versailles, 1919) sanctionnèrent la dislocation des empires centraux et l'apparition de nations nouvelles. Le bilan de la guerre fut lourd en pertes humaines (8 millions de morts) et économiques. Elle amorça le déclin de l'Europe et la montée de nouvelles puissances : l'U. R. S. S. et les États-Unis.

la Seconde **Guerre mondiale** ■ Conflit le plus meurtrier de l'histoire (50 à 55 millions de morts dont 20 millions de civils), de 1939 à 1945. Il opposa les forces de l'*Axe (Allemagne, Italie, Japon) aux Alliés (France, Grande-Bretagne, U. R. S. S., États-Unis). La cause profonde en fut l'impérialisme des dictatures (*fascisme, *nazisme, militarisme nippon, alliés dès 1936) qui attisa les oppositions d'intérêts économiques. *Hitler amorçait la renaissance d'un empire allemand (IIIe Reich). La guerre d'Espagne (1936-1939) avait révélé l'attitude timorée des pays démocratiques. En 1938-1939, l'Allemagne annexa l'Autriche *(Anschluss)* puis la Tchécoslovaquie. Une paix illusoire fut maintenue à la conférence de *Munich. La signature du pacte germano-soviétique (août 1939), neutralisant le front est, permit à Hitler d'envahir la Pologne ; aussitôt la France et l'Angleterre lui déclarèrent la guerre (septembre 1939). L'Axe s'imposa par une guerre éclair en Europe. La Hollande, la Belgique et le Luxembourg furent occupés, puis le Danemark et la Norvège. La France capitula en juin 1940 et mit en œuvre une politique de collaboration (⇒ **Pétain,** gouvernement de **Vichy**) : antibolchevisme, déportation massive des juifs, contribution à l'effort de guerre allemand. Mais, en 1941-1942, la rupture du pacte germano-soviétique et la résistance de l'U. R. S. S. aux armées allemandes (⇒ **Stalingrad**), l'entrée en guerre des États-Unis (après *Pearl Harbor), l'opiniâtreté de *Churchill et des Anglais, l'organisation de la *Résistance (⇒ de **Gaulle**) et la conquête de l'Afrique du Nord par les Alliés marquèrent un tournant. *Mussolini fut vaincu dès septembre 1943. Un nouveau front fut ouvert en Normandie par le débarquement du 6 juin 1944. À l'est, l'armée Rouge progressa irrésistiblement jusqu'à Berlin (avril 1945). Après le suicide d'Hitler, l'Allemagne signa une capitulation sans conditions (8 mai 1945). La lutte se poursuivit dans le Pacifique jusqu'au lancement de la bombe atomique sur Hiroshima et Nagasaki qui provoqua la capitulation du Japon. La guerre modifia la carte politique de l'Europe ; la conférence de *Yalta (avec *Staline, Churchill et *Roosevelt) prépara la division en deux blocs, l'ouest, allié des États-Unis, et l'est, dominé par l'U. R. S. S. D'autre part, elle favorisa la décolonisation (*Inde, *Indochine...).

Bertrand Du **Guesclin** ■ ⇒ Bertrand **Du Guesclin.**

Jules **Guesde** ■ Socialiste français (1845-1922). Opposé au réformisme de *Jaurès. Le *guesdisme* introduisit Marx en France.

Gueugnon ■ Commune de *Saône-et-Loire. 10 400 hab. *(les Gueugnonnais).*

Che **Guevara** ■ Révolutionnaire argentin (1928-1967). Avec Fidel *Castro, il renversa la dictature militaire de *Cuba et créa un gouvernement révolutionnaire (1959). Il mena ensuite la guérilla en Bolivie, où il fut tué.

Germaine Guèvremont ■ Écrivaine canadienne d'expression française (1893-1968). *"Le Survenant"*.

Gui d'Arezzo ■ Bénédictin italien, théoricien de la musique (v. 990 - v. 1050). Le fondateur du système de notation musicale actuel.

Guignol ■ ⇒ **Mourguet.**

Guilherand ■ Commune de l'*Ardèche. 9 500 hab.

Guilin ■ Ville de Chine. 250 000 hab. Ses paysages (pains de sucre) ont inspiré les peintres et les poètes chinois.

Guillaume ■ NOM DE PLUSIEURS SOUVERAINS EUROPÉENS. **1.** empereurs d'ALLEMAGNE □ *Guillaume I*er (1797-1888), fils de *Frédéric-Guillaume III, roi de Prusse en 1861. Il établit l'unité allemande avec l'aide de *Bismarck ; après ses victoires sur l'Autriche (1866) et sur la France (1870), il fut proclamé empereur d'Allemagne à Versailles en janvier 1871. □ *Guillaume II* (1859-1941), petit-fils du précédent, fit de son pays une grande puissance industrielle et coloniale, mais ses ambitions expansionnistes provoquèrent la Première *Guerre mondiale. Il abdiqua le 9 novembre 1918. **2.** rois d'ANGLETERRE □ *Guillaume I*er dit *Guillaume le Conquérant* (1027-1087), duc de *Normandie, s'assura le trône après avoir éliminé son rival Harold II en 1066, et fonda une monarchie puissante. □ *Guillaume III d'Orange-Nassau* (1650-1702), stathouder des *Provinces-Unies (1674), appelé en 1688 par les parlementaires protestants anglais pour prendre la place de *Jacques II. **3.** duc de NORMANDIE □ *Guillaume le Conquérant.* ⇒ **2.** rois d'ANGLETERRE, **Guillaume I**er. **4.** stathouder des PAYS-BAS □ *Guillaume I*er *d'Orange-Nassau* dit *Guillaume le Taciturne* (1533-1584), stathouder de Hollande (1559), s'opposa à l'autorité espagnole et devint le chef des insurgés (« gueux ») lors du soulèvement de 1572. □ *Guillaume II d'Orange-Nassau* (1626-1650), petit-fils du précédent, stathouder de la Hollande en 1647. □ *Guillaume III d'Orange-Nassau*, fils du précédent. ⇒ **2.** rois d'ANGLETERRE, **Guillaume III.**

Paul Guillaume ■ Psychologue français (1878-1962).

Gustave Guillaume ■ Linguiste français (1883-1960). *"Psychomécanique"* du langage.

Guillaume de Machaut ■ Compositeur et poète français (v. 1300 - 1377). Un des grands maîtres de la polyphonie.

Guillaume d'Occam ou *d'Ockham* ■ Franciscain anglais, théologien et logicien (v. 1290 - v. 1349). Sa théorie, l'*ockhamisme,* est typique du nominalisme.

Guillaume Tell ■ Héros légendaire de l'indépendance suisse (v. 1300). Rebelle à l'autorité des *Habsbourg, il fut condamné à tirer une flèche sur une pomme placée sur la tête de son fils et réussit l'épreuve.

Eugène Guillevic ■ Poète français (né en 1907). *"Exécutoire"*.

le docteur Guillotin ■ Médecin français, député aux états généraux de 1789 (1738-1814). L'inventeur de la *guillotine.* ⟨ ▶ guillotine ⟩

Louis Guilloux ■ Romancier français (1899-1980). *"Le Sang noir"* ; *"le Jeu de patience"*.

Hector Guimard ■ Architecte français, le principal représentant de l'art *nouveau (1867-1942). Il réalisa les bouches de métro parisiennes.

la Guinée ■ Ancien nom de la zone côtière s'étendant du cap *Vert à l'Angola, baignée en partie par l'actuel *golfe de Guinée.*

la Guinée ■ État (république démocratique) d'Afrique occidentale. 245 857 km². 6,34 millions d'hab. Capitale : Conakry. Langues : français (officielle), mandingue, peul, basari. Monnaie : franc guinéen. Sous-sol riche (bauxite, fer). □ **HISTOIRE.** Le nord du pays fit partie de l'empire du Mali (XIIIe s.). Pour le coloniser, à la fin du XIXe s., la France eut à battre *Samory Touré. Englobée dans l'Afrique-Occidentale française en 1905, la Guinée refusa le processus de décolonisation proposé par de Gaulle et accéda à l'indépendance dès 1958. Sékou *Touré devint le leader de l'anti-impérialisme noir, mais il gouverna de manière dictatoriale. Sa mort en 1984 apparut comme une libération, et l'armée, dirigée par le colonel Lansana Conté, prit le pouvoir.

la Nouvelle-Guinée ■ ⇒ **Nouvelle-Guinée.**

la Guinée-Bissau ■ État (république) d'Afrique occidentale. 36 125 km². 935 000 hab. Capitale : Bissau. Langues : portugais (officielle), mandingue, balanté, peul. Monnaie : peso. Économie essentiellement agricole. Ancienne *Guinée portugaise,* indépendante en 1974, après onze ans de guerre.

la Guinée-Équatoriale ■ État (république) d'Afrique occidentale. 28 051 km². 384 000 hab. Capitale : Malabo. Langues : espagnol (officielle), langues bantoues. Monnaie : franc CFA. Café. Cacao. Bois. Ancienne *Guinée espagnole,* indépendante en 1968.

Guînes ■ Commune du *Pas-de-Calais. 5 100 hab.

Guingamp ■ Sous-préfecture des *Côtes-du-Nord. 9 500 hab. *(les Guingampais).*

Guipavas ■ Commune du *Finistère. 10 500 hab. Aéroport de Brest.

Guipúzcoa ■ L'une des trois provinces basques de l'Espagne. 693 000 hab. Chef-lieu : Saint Sébastien.

Henri Guisan ■ Général suisse (1874-1960). Commandant en chef des forces armées suisses pendant la Seconde Guerre mondiale.

les Guise ■ Famille noble de Lorraine. François (1519-1563) et Henri (1550-1588) furent les chefs du parti catholique en France pendant les guerres de *Religion.

Guise ■ Commune de l'Aisne. 6 300 hab. *(les Guisards).*

Sacha Guitry ■ Acteur et auteur français de comédies (1885-1957). Fils d'un grand comédien, Lucien Guitry (1860-1925). Il fut aussi cinéaste : *"Le Roman d'un tricheur"* ; *"Si Versailles m'était conté"*.

Guiyang ■ Ville du sud de la Chine. 1,38 million d'hab.

François Guizot ■ Historien français, théoricien libéral, ministre de Louis-Philippe (1787-1874). ⇒ **monarchie de Juillet.**

Gujan-Mestras ■ Commune de la *Gironde. 8 600 hab. *(les Gujanais).*

Gujrānwāla ■ Ville du Pakistan. 597 000 hab.

Gulbarga ■ Ville de l'Inde. 218 000 hab. Grande mosquée du XIVe s.

le Gulf Stream ■ Le « courant du golfe », courant marin chaud de l'Atlantique, né dans le golfe du Mexique. Il adoucit le climat de l'Europe occidentale.

Guntūr ■ Ville de l'Inde. 367 000 hab.

le **Guomindang** ■ ⇒ **Kuo-min-tang.**

Guo Moruo ou **Kouo Mo-Jo** ■ Écrivain et homme d'État chinois (1892-1978).

les **Gupta** n. m. ■ Dynastie indienne qui régna depuis le Gange jusqu'à l'Indus, de 320 à la fin du Ve s.

Gustave ■ NOM DE PLUSIEURS ROIS DE SUÈDE □ **Gustave Ier Vasa** (1495-1560) fut élu roi après avoir rompu l'union avec le Danemark (⇒ **Christian II**). Il fit de son pays une grande puissance et imposa le *luthéranisme. □ **Gustave II Adolphe** (1594-1632) réorganisa l'État et l'armée et soutint les protestants dans la guerre de *Trente Ans contre la maison d'Autriche. □ **Gustave III** (1746-1792) gouverna en despote éclairé.

Johannes Gensfleisch dit **Gutenberg** ■ Imprimeur allemand (1399-1468). Son nom symbolise l'apparition du livre imprimé qui, en favorisant la diffusion de textes, contribua à la révolution de pensée des Temps modernes (⇒ **humanistes, Réforme, Renaissance**).

la **Guyana** ■ État (république coopérative) d'Amérique du Sud. 214 969 km². 812 000 hab. Capitale : Georgetown. Langues : anglais (officielle), langues indiennes. Monnaie : dollar guyanais. Deux tiers couverts de forêts. Bauxite. Ancienne *Guyane britannique,* indépendante en 1966.

Guyancourt ■ Commune des *Yvelines. 11 100 hab.

la **Guyane française** [973] ■ Département français d'outre-mer situé entre le Surinam et le Brésil. 85 533 km². 73 000 hab. *(les Guyanais).* Préfecture : Cayenne. Sous-préfecture : Saint-Laurent-du-Maroni. Centre spatial de *Kourou. Culture de bananes, riz, canne à sucre. Colonisée par la France au XVIIe s., département français depuis 1946.

les **Guyanes** n. f. ■ Région du nord-est de l'Amérique du Sud, partagée entre le Venezuela, la Guyana, le Surinam, la Guyane française et le Brésil.

la **Guyenne** ■ Ancienne province française (*Aquitaine), longtemps disputée entre Français et Anglais, rattachée à la France en 1472.

Georges **Guynemer** ■ Héros de l'aviation militaire française (1894-1917).

madame **Guyon** ■ Mystique française (1648-1717). Ses œuvres, d'inspiration quiétiste (⇒ **Molinos**), furent condamnées, malgré l'appui de Fénelon.

Gwalior ■ Ville de l'Inde. 560 000 hab.

Györ ■ Ville de Hongrie. 130 000 hab.

H

Haarlem ■ Ville des Pays-Bas, chef-lieu de la *Hollande-Septentrionale. 149 000 hab. Fleurs. Église (XVe - XVIe s.). ≠ *Harlem.*

l'Habeas Corpus n. m. ■ Loi anglaise de 1679 garantissant la liberté individuelle et protégeant contre l'arbitraire judiciaire.

Jürgen Habermas ■ ⇒ école de **Francfort.**

Hissène Habré ■ Président de la république du Tchad depuis 1982 (né en 1936).

la maison de Habsbourg ■ Maison féodale allemande originaire de Suisse qui fut la plus grande dynastie européenne, du XVe s. au début du XXe s. *Rodolphe Ier devint empereur du *Saint Empire romain germanique en 1273, et il enrichit les possessions Habsbourg des duchés d'Autriche, de Styrie et de Carniole, auxquels s'ajoutèrent par la suite la Carinthie, le Tyrol, le Vorarlberg, Fribourg, Trieste. En 1492, le titre impérial revint dans la famille et y resta (sauf de 1740 à 1745) jusqu'à l'extinction du Saint Empire en 1806. L'ascension de la maison se fit par les mariages. Sa puissance fut à son apogée sous le règne de *Charles Quint. Après lui, la famille se divisa en une branche espagnole (⇒ **Philippe II**) qui s'éteignit en 1700, et une branche autrichienne qui se partagea en trois : la ligne autrichienne directe qui disparut en 1619 ; la ligne styrienne dont fut issu *Ferdinand II ; la ligne viennoise qui hérita au XVIIIe s. des Pays-Bas espagnols, du Milanais, et de la Hongrie. En 1740 les Habsbourg d'Autriche s'éteignirent et le mariage de *Marie-Thérèse avec le duc François de Lorraine fonda la nouvelle dynastie des Habsbourg-Lorraine qui conserva le titre d'empereur d'Autriche (et de roi de Hongrie à partir de 1867) jusqu'en 1918.

les Hachémites ■ Descendants de Hāchim (arrière-grand-père de *Mahomet), ils régnèrent à La Mecque du Xe s. à 1924 et fondèrent, au XXe s., les monarchies d'Iraq et de Jordanie.

Jeanne Laisné dite **Jeanne Hachette** ■ Héroïne française (v. 1454 - après 1472). Elle défendit Beauvais contre *Charles le Téméraire (1472).

Hachinohe ■ Port du Japon (*Honshū). 238 000 hab. Pêche.

Hachiōji ■ Ville du Japon (*Honshū). 427 000 hab.

Jacques Hadamard ■ Mathématicien français (1865-1963).

Hadès ■ Dieu des *Enfers dans la mythologie grecque, le *Pluton des Romains.

Hadrien ■ Empereur romain (76-138). Il succéda à *Trajan en 117. Il mena une politique de paix, réforma l'administration de l'empire et encouragea les arts. Son mausolée devint le château Saint-Ange à Rome.

Ernst Haeckel ■ Zoologiste allemand (1834-1919). Partisan de *Darwin.

Georg Friedrich Haendel ■ ⇒ **Händel.**

Muhammad Hāfiz ■ Poète lyrique persan (1320-1389). Maître de l'exégèse du *Coran et du poème d'amour, encore très populaire en Iran.

les Hafsides n. m. ■ Dynastie maghrébine qui régna sur la Tunisie du XIIIe au XVIe s.

Hagen ■ Ville de la R. F. A. (dans la *Ruhr). 206 000 hab.

Hagondange ■ Commune de la *Moselle. 9 000 hab. (les Hagondangeois). Sidérurgie.

Haguenau ■ Sous-préfecture du Bas-*Rhin. 29 700 hab. (les Haguenoviens). Églises (XIIe - XIIIe s.).

Reynaldo Hahn ■ Compositeur français (1875-1947). Ami de *Proust et de Sarah *Bernhardt. Mélodies, opérettes ("Ciboulette").

Haiderābād ■ ⇒ **Hyderābād.**

Haïfa ■ Principal port d'Israël. 223 400 hab. Raffinage de pétrole.

Hailé Sélassié Ier ■ Négus d'Éthiopie (1892-1975). Il fut chassé en 1974, laissant un pays insuffisamment modernisé.

le Hainaut ■ Région historique partagée entre la France (*Valenciennes, *Maubeuge) et la Belgique. □ le Hainaut, l'une des neuf provinces de Belgique. 3 786 km². 1,27 million d'hab. (les Hainuyers). Chef-lieu : *Mons.

Haiphong ■ Principal centre industriel du nord du Viêt-nam, port sur le delta du fleuve Rouge. 1,27 million d'hab.

Haïti ou **Hispaniola** ■ Île des Grandes *Antilles partagée depuis 1843 entre la République *dominicaine à l'est et la république d'Haïti à l'ouest. ▶ la république d'Haïti. 27 750 km². 5,3 millions d'hab. (les Haïtiens). Capitale : Port-au-Prince. Langues : français (officielle), créole. Monnaie :

gourde. Agriculture : café, canne à sucre, sisal. □HISTOIRE. Colonie française prospère, le pays fut en 1804 le premier État noir indépendant (⟹ **Toussaint-Louverture, Dessalines, Pétion, Christophe**). Sous la dictature de la famille Duvalier (de 1957 à 1986), il est devenu le pays le plus pauvre de l'Amérique latine. L'exil de « Bébé Doc » (J.-C. Duvalier) n'a pas mis un terme à la gravité des tensions politiques internes.

Hakodate ■ Port du Japon (*Hokkaidō). 319 000 hab.

Stephen Hales ■ Physicien, naturaliste et inventeur anglais (1677-1761).

Ludovic Halévy ■ Auteur français de livrets d'opérettes (1834-1908). Collaborateur de *Meilhac.

Halifax ■ Ville du Canada, capitale de la *Nouvelle-Écosse. 113 500 hab. Port important sur l'Atlantique.

al-Hallādj ■ Mystique musulman condamné à mort pour ses idées inspirées du *soufisme (858-922).

Halle ■ Ville de R. D. A. 234 700 hab. Université. Centre industriel important.

Edmond Halley ■ Astronome britannique (1656-1742). Le premier, il a prédit le retour périodique d'une comète qu'il avait observée (appelée *comète de Halley*).

Halluin ■ Commune du *Nord. 16 500 hab. Industries textile et alimentaire.

Frans Hals ■ Peintre hollandais (v. 1580-1666). Il excella dans l'art du portrait par sa facture très libre, étonnamment moderne. *"La Bohémienne"* ; *"les Régents"* et *"les Régentes"*.

Hälsingborg ■ Port de Suède. 106 200 hab.

Ham ■ Commune de la *Somme. 6 400 hab. *(les Hamois)*.

Hama ■ Ville de Syrie. 176 600 hab. Centre textile.

Hamadān, autrefois *Ecbatane* ■ Ville d'Iran. 274 000 hab. Monuments.

Hamamatsu ■ Ville du Japon (*Honshū). 514 000 hab.

Hambourg ■ Principal port de R. F. A. Chef-lieu du *land* du même nom, situé sur l'Elbe. 1,57 million d'hab. Grand centre économique du pays. Chantiers navals.

Hamhŭng ■ Ville de Corée du Nord. 775 000 hab.

Hamilcar Barca ■ Chef de guerre carthaginois (v. 290 - 229 av. J.-C.). Il participa à la première guerre *punique et conquit le sud de l'Espagne. Père d'*Hannibal.

Alexander Hamilton ■ Homme d'État américain (1757-1804). Un des inspirateurs de la Constitution, secrétaire du Trésor de 1789 à 1795, créateur de la Banque nationale.

sir William Rowan Hamilton ■ Mathématicien et astronome irlandais (1805-1865). Géométrie vectorielle. Nombres complexes.

Hamilton ■ Ville du Canada. 306 700 hab. Port actif sur le lac Ontario (⟹ **Grands Lacs**). Métallurgie.

Hamilton ■ Ville de Nouvelle-Zélande. 169 000 hab.

Hamlet ■ Prince danois (IIᵉ s. ?) dont la légende inspira *Shakespeare.

Hamm ■ Ville de R. F. A. (dans la *Ruhr). 166 200 hab.

les Hammādides ■ Dynastie *berbère qui régna sur le Maghreb central de 1015 à 1152.

Hammamet ■ Ville de Tunisie. 12 000 hab. Station balnéaire.

Dashiell Hammett ■ Auteur américain de romans policiers (1894-1961). *"Le Faucon maltais"* (adapté au cinéma par *Huston).

Hammourabi ou *Hammurabi* ■ Le plus grand souverain de la Mésopotamie ancienne (XVIIIᵉ s. av. J.-C.). Son règne de 43 ans marqua l'âge d'or de la civilisation babylonienne. Il érigea un code de lois dit *code de Hammourabi*.

Hampton ■ Ville des États-Unis (*Virginie). 122 600 hab. Port de *Hampton Roads,* commun avec Newport News, Norfolk et Portsmouth, sur la baie de *Chesapeake.

Knut Hamsun ■ Romancier norvégien (1859-1952). Adversaire virulent de la société moderne et de la démocratie. *"La Faim"*. Prix Nobel 1920.

les Han n. m. ■ Dynastie chinoise qui régna pendant plus de quatre siècles (de 202 av. J.-C. à 221). Un des sommets de la civilisation chinoise : apparition du *bouddhisme, commerce (avec la Route de la soie).

Georg Friedrich Händel ■ Compositeur anglais d'origine allemande (1685-1759). Auteur du *"Messie"* et de nombreux oratorios. Opéras (*"Rinaldo"*) et suites (*"Water Music"*) célèbres.

Peter Handke ■ Écrivain autrichien (né en 1942). *"La Femme gauchère"*, roman.

Hangzhou ■ Ville de Chine. 1,25 million d'hab. Centre culturel (monuments, universités) et industriel (textile, sidérurgie, chimie).

Hankou ou *Hank'eou* ■ Partie de la conurbation de *Wuhan.

Hannibal ■ Chef de guerre carthaginois (v. 247 -183 av. J.-C.). Fils d'*Hamilcar Barca. Il déclencha la deuxième guerre *punique : célèbre traversée des Alpes, victoire sur les Romains à Trasimène (217 av. J.-C.) et à Cannes (Cannæ, en Italie du Sud) en 216 av. J.-C. Mais il fut vaincu par *Scipion l'Africain à Zama (202 av. J.-C.).

Hannon le Grand ■ Chef de guerre carthaginois (IIIᵉ s. av. J.-C.). Il favorisa la paix avec Rome.

Hanoï ■ Capitale du *Viêt-nam (depuis 1976) sur le delta du fleuve Rouge. 2 millions d'hab. Fondée par les Chinois au IIIᵉ s., siège du gouvernement de l'*Indochine française de 1887 à 1954, elle subit de violents bombardements américains de 1954 à 1972.

le Hanovre ■ Ancien État d'Allemagne du Nord, devenu les territoires de la maison de Brunswick, l'électorat de Brunswick-Lunebourg en 1692. Gouverné par les rois d'Angleterre de 1714 à 1837, institué en royaume par le congrès de Vienne, province prussienne en 1866, il fut incorporé en 1945 à l'État de Basse-Saxe. □ *Hanovre,* ville de R. F. A. Capitale de la Basse-*Saxe, ancienne résidence des princes de Hanovre (1495-1866). 506 400 hab. Importantes activités commerciales (foires), industrielles, culturelles.

la Hanse ■ Association de marchands allemands puis de villes d'Allemagne du Nord et d'Europe septentrionale (appelées villes *hanséatiques*). Dotée d'importants privilèges, elle domina le commerce de ces régions du XIIᵉ au XVIIᵉ s.

Gerhard A. Hansen ■ Médecin norvégien (1841-1912). Le *bacille de Hansen* (lèpre).

les *Haoussas* n. m. ■ Peuple noir islamisé d'Afrique occidentale (Niger, Nigeria), métissé de *Peuls.

Harare ■ Capitale du Zimbabwe. 656 100 hab. Nombreuses industries (tabac).

Harbin ou *Kharbin* ■ Ville du nord-est de la Chine. 2,63 millions d'hab. Grand centre d'industrie grâce aux ressources minières voisines.

Jules *Hardouin-Mansart* ■ ⇒ **Mansart.**

Alexandre *Hardy* ■ Auteur dramatique français (1570-1632).

Thomas *Hardy* ■ Écrivain anglais (1840-1928). Il a dénoncé la morale victorienne. *"Tess d'Uberville"* ; *"Jude l'Obscur".*

Harfleur ■ Commune de la *Seine-Maritime. 9 700 hab. *(les Harfleurais).* Château du XVIIe s.

Harlem ■ ⇒ **New York.**

Adolf von *Harnack* ■ Historien et théologien protestant allemand (1851-1930). *"Histoire des dogmes".*

Harnes ■ Commune du *Pas-de-Calais. 14 000 hab. *(les Harnésiens).*

les *Harpies* n. f. ■ Divinités grecques au corps d'oiseau et à tête de femme. Ravisseuses d'enfants et d'âmes.

Harrow-on-the-Hill ■ Faubourg résidentiel de Londres. 201 900 hab.

Hartford ■ Ville des États-Unis, capitale du *Connecticut. 136 400 hab.

Hans *Hartung* ■ Peintre allemand naturalisé français (né en 1904). Il s'inspire de la calligraphie orientale.

Hārūn al-Rashīd ■ Le plus célèbre calife de la dynastie des *Abbassides (766-809).

Harvard ■ ⇒ **Cambridge.**

William *Harvey* ■ Médecin anglais (1578-1657). Il découvrit la mécanique de la circulation sanguine.

Hasan II ou *Hassan II* ■ Roi du Maroc depuis 1961 (né en 1929). ⇒ **Maroc.**

Hasdrubal ■ NOM DE PLUSIEURS GÉNÉRAUX CAR-THAGINOIS □ *Hasdrubal le Beau* (v. 270 - 221 av. J.-C.), fondateur de *Carthagène. □ *Hasdrubal Barca* (v. 245 - 207 av. J.-C.), vaincu par *Scipion l'Africain. □ *Hasdrubal* (mort v. 146 av. J.-C.), battu lors de la troisième guerre *punique.

Jaroslav *Hašek* ■ Écrivain tchèque (1883-1923). Il créa le type populaire Švejk dans *"le Brave Soldat Švejk".*

Hasparren ■ Commune des *Pyrénées-Atlantiques. 5 600 hab. *(les Haspandars).*

Hastings ■ Ville et port d'Angleterre. 74 000 hab. En 1066, *Guillaume le Conquérant y vainquit le dernier roi anglo-saxon Harold II.

Hatchepsout ■ Reine d'Égypte, épouse de *Touthmosis III (v. 1504-1483 av. J.-C.). Elle fit construire de nombreux monuments.

Hathor ■ Déesse de l'Amour dans la mythologie égyptienne, identifiée à l'*Aphrodite des Grecs. Temple à *Dendérah.

Haubourdin ■ Commune du *Nord, banlieue de Lille. 14 600 hab. *(les Haubourdinois).*

Gerhart *Hauptmann* ■ Écrivain allemand (1862-1946). *"La Cloche engloutie".* Prix Nobel 1912.

le baron *Haussmann* ■ Préfet de la Seine sous le second *Empire (1809-1891). Il dirigea une politique de grands travaux qui transforma Paris.

Haute-Garonne, Haute-Loire, Haute-Marne, Haute-Normandie, Hautes-Alpes, Haute-Saône, Haute-Savoie, Hautes-Pyrénées, Haute-Vienne ■ ⇒ Haute-**Garonne**, Haute-**Loire**, Haute-**Marne**, Haute-**Normandie**, etc.

la *Haute-Volta* ■ ⇒ le Burkina **Faso.**

Hautmont ■ Commune du *Nord. 18 400 hab. *(les Hautmontois).*

le *Haut-Rhin* ■ ⇒ Haut-**Rhin.**

les *Hauts-de-Seine* [92] ■ Département français de la région *Île-de-France. 175 km². 1,38 million d'hab. Préfecture : Nanterre. Sous-préfectures : Antony, Boulogne-Billancourt.

l'abbé René Just *Haüy* ■ Minéralogiste français (1743-1822). Fondateur de l'étude structurale des cristaux.

La *Havane* ■ Capitale de Cuba. 2 millions d'hab. Principal port et centre commercial de l'île. Tabac (cigares). ‹ ► havane ›

Le *Havre* ■ Sous-préfecture de la *Seine-Maritime, à l'embouchure de la Seine. 200 400 hab. *(les Havrais).* 2e port de commerce français après Marseille. Raffineries de pétrole.

les îles *Hawaï,* autrefois *îles Sandwich* ■ Archipel de Polynésie, comprenant les îles d'Hawaï, Molokai, Oahu (la plus peuplée) et Kaui. Les États-Unis l'annexèrent en 1898, mais il n'en devint l'un des États (le 50e) qu'en 1959. Base militaire (⇒ **Pearl Harbor**). 16 600 km². 965 000 hab. Capitale : Honolulu. Cultures tropicales. Tourisme.

Howard *Hawks* ■ Cinéaste américain (1896-1977). *"Le Grand Sommeil",* d'après *Chandler.

Nathaniel *Hawthorne* ■ Romancier américain (1804-1864). Son œuvre est marquée par la morale puritaine. *"La Lettre écarlate".*

Hayange ■ Commune de la *Moselle. 18 000 hab. Sidérurgie.

Joseph *Haydn* ■ Compositeur autrichien (1732-1809). Il marqua l'apogée du style classique, fixant les règles de la symphonie, de la sonate. De son œuvre immense qui a influencé *Mozart et *Beethoven, on retient surtout les oratorios *("la Création"),* les messes et les quatuors.

La *Haye,* en néerlandais *Den Haag* ou *'s-Gravenhage* ■ Ville des Pays-Bas. 445 100 hab. Monuments (XIIIe - XVIIe s.). Musées (Mauritshuis). Ville administrative et diplomatique, siège de la Cour internationale de justice. Résidence de la famille royale. Siège du gouvernement.

Friedrich August von *Hayek* ■ Économiste autrichien enseignant en Angleterre (né en 1899). Champion du libéralisme. Prix Nobel 1974.

Rutherford *Hayes* ■ 19e président des États-Unis de 1877 à 1881 (1822-1893).

Muḥammad Hussayn *Haykal* ■ Écrivain égyptien (1888-1956). Auteur du premier roman arabe moderne : *"Zaynab".*

L'*Haÿ-les-Roses* ■ Sous-préfecture du *Val-de-Marne. 30 600 hab.

Hazebrouck ■ Commune du *Nord. 20 500 hab.

Edward **Heath** ■ Premier ministre britannique (conservateur) de 1970 à 1974 (né en 1916).

Friedrich **Hebbel** ■ Auteur dramatique allemand (1813-1863).

Jacques **Hébert** ■ Révolutionnaire français (1757-1794). Son journal *"le Père Duchesne"* représentait l'extrême gauche : les *sans-culottes et la *Commune de Paris. Il fut éliminé par *Robespierre avec ses partisans, les *hébertistes*.

Anne **Hébert** ■ Écrivaine canadienne d'expression française (née en 1916). *"Les Enfants du Sabbat"*, roman.

les **Hébreux** n. m. ■ Peuple *sémitique du Moyen-Orient formé de tribus nomades originaires du désert syrien qui s'installèrent au pays de *Canaan en 2000 av. J.-C. Ils eurent pour premiers patriarches *Abraham, *Isaac et *Jacob. La Bible retrace leur histoire : le séjour en Égypte, l'exode sous la conduite de *Moïse (1250 av. J.-C.), la conquête de la Palestine avec *Josué (1220 - 1200 av. J.-C.), le siècle d'or (1030 - 931 av. J.-C.) sous le règne de *Saül, *David et *Salomon, la scission en deux royaumes (Israël et Juda), l'exil à Babylone (587 - 538 av. J.-C.), le retour et la restauration de Jérusalem, le règne des Asmonéens, l'occupation romaine (63 av. J.-C.), la destruction de Jérusalem par *Titus (70). ‹ ► hébraïque ›

les îles **Hébrides** ■ Archipel britannique d'environ 500 îlots, à l'ouest de l'*Écosse.

les **Nouvelles-Hébrides** ■ ⇒ les **Nouvelles-Hébrides.**

Hector ■ Héros de l'*Iliade, fils de *Priam. Le plus brave des Troyens.

l'hédonisme n. m. ■ Ensemble de thèses philosophiques préconisant une morale du plaisir. Les premiers hédonistes auraient été Aristippe (IVᵉ s. av. J.-C.) et ses disciples, les cyrénaïques.

Hefei ■ Ville de Chine. 540 000 hab. Sidérurgie, chimie.

Georg Wilhelm Friedrich **Hegel** ■ Philosophe allemand (1770-1831). Englobant l'ensemble de l'histoire et des savoirs, son système définit réel et rationnel comme identiques ; sa valeur suprême est l'Esprit. ► *l'hégélianisme* a été contesté par les « hégéliens de gauche » (*Feuerbach) puis par *Marx qui lui a emprunté sa logique, la dialectique.

Martin **Heidegger** ■ Philosophe allemand (1889-1976). Sollicitant de plus en plus les poètes (*Hölderlin notamment), il déplaça la phénoménologie de *Husserl vers la « question de l'être », approchée dans l'existence et la parole humaines. *"Être et Temps"* (*"Sein und Zeit"*).

Heidelberg ■ Ville de la R. F. A. (*Bade-Wurtemberg). 135 800 hab. Célèbre université. Château (XVᵉ - XVIIᵉ s.). Tourisme.

Heilbronn ■ Ville de la R. F. A. (*Bade-Wurtemberg). 111 400 hab.

Heinrich **Heine** ■ Poète *romantique et publiciste allemand (1797-1856). Il fut un médiateur entre les cultures allemande et française. *"Loreleï"*.

Werner **Heisenberg** ■ Physicien allemand (1901-1976). Prix Nobel 1932. Principal fondateur et interprète philosophique de la mécanique quantique. Il a formulé le « principe d'incertitude », selon lequel les observations à l'échelle atomique ne peuvent être complètes.

Hélène ■ Héroïne de l'*Iliade. Célèbre pour sa beauté. *Pâris l'enlève, déclenchant ainsi la guerre de *Troie.

Héliodore ■ Romancier grec (IIIᵉ s.). *"Éthiopiques"*, roman qui fut imité jusqu'au XVIIᵉ s.

Héliogabale ou **Élagabal** ■ Empereur romain, prêtre du Soleil dont il voulut imposer le culte (204-222). Il fut assassiné, laissant un souvenir d'anarchie et de débauche.

Jean **Hélion** ■ Peintre français (1904-1987). Il évolua d'un style abstrait à un art figuratif. *"Marchés"*.

Héliopolis ■ ⇒ **Baalbek.**

Hellespont ■ Ancien nom des *Dardanelles.

Hermann von **Helmholtz** ■ Physicien et physiologiste allemand (1821-1894). Contributions fondamentales en énergétique, neurophysiologie, analyse des sensations, acoustique.

Héloïse ■ Abbesse française (1101-1164). Célèbre pour ses amours tragiques avec *Abélard et pour leur correspondance.

Helsinki ■ Capitale de la Finlande. 487 600 hab. Principal port et centre industriel du pays. Siège en 1975 de la Conférence sur la sécurité et la coopération en Europe.

l'Helvétie n. f. ■ Ancienne partie orientale de la Gaule correspondant à peu près à la Suisse (ou *Confédération helvétique*) actuelle. ‹ ► helvétique ›

Claude Adrien **Helvétius** ■ Philosophe matérialiste français (1715-1771). *"De l'esprit"*.

Hem ■ Commune du *Nord. 21 900 hab. *(les Hémois)*.

Ernest **Hemingway** ■ Écrivain américain (1899-1961). Son œuvre, refusant le sentimentalisme et l'analyse psychologique, exprime, dans un style elliptique, un désarroi qui se mue en engagement. *"L'Adieu aux armes"*, roman sur la Première Guerre mondiale ; *"Pour qui sonne le glas"*, sur la guerre d'Espagne. Prix Nobel 1954.

Louis **Hémon** ■ Écrivain français établi au Canada en 1911 (1880-1913). *"Maria Chapdelaine, récit du Canada français"* ; *"Monsieur Ripois et la Némésis"*, adapté au cinéma par René *Clément.

Hendaye ■ Commune des *Pyrénées-Atlantiques. 11 100 hab.

Heng Shan ■ Une des cinq montagnes sacrées du *bouddhisme en Chine.

Hengyang ■ Ville de Chine. 350 000 hab. Centre de communications.

Hénin-Beaumont ■ Commune du *Pas-de-Calais. 26 200 hab. *(les Héninois)*. Charbon.

Hennebont ■ Commune du *Morbihan. 13 100 hab. *(les Hennebontais)*. Cité médiévale.

Henri ■ NOM DE PLUSIEURS SOUVERAINS EUROPÉENS. **1.** empereurs D'ALLEMAGNE □ *Henri III* (1017-1056) affirmit l'autorité de l'empereur sur le pape. □ *Henri IV* (1050-1106) se heurta à une crise intérieure qui dura vingt ans (révolte des princes, querelle des *Investitures). □ *Henri V* (1081-1125), successeur du précédent, mit fin à la querelle des *Investitures. **2.** rois D'ANGLETERRE □ *Henri II* (1133-1189), époux d'*Aliénor d'Aquitaine, affirmit l'autorité monarchique (1154), s'opposant à l'Église jusqu'à faire assassiner *Thomas Becket. Son fils, *Richard

Cœur de Lion, lui succéda. □ *Henri III* (1207-1272) succéda à son père Jean sans Terre en 1216. □ *Henri IV* (1367-1413), fondateur de la dynastie des Lancastre. □ *Henri V* (1387-1422). Aimé des Anglais comme un héros de légendes, il vainquit les Français à Azincourt (1415). □ *Henri VI* (1421-1471) dut faire face à de nombreuses révoltes. □ *Henri VII* (1457-1509). Dernier descendant des Lancastre, il mit fin à la guerre des Deux-*Roses. □ *Henri VIII*, son fils (1491-1547), lui succéda en 1509. Souhaitant annuler son mariage avec Catherine d'Aragon, il provoqua le schisme avec la papauté (⇒ **anglicanisme**) et devint chef suprême de l'Église d'Angleterre. De ses six femmes (*Catherine d'Aragon, *Anne Boleyn, *Jeanne Seymour, Anne de Clèves, Catherine Howard et Catherine Parr), il eut deux filles, *Marie Tudor et *Élisabeth Iʳᵉ, et un fils, *Édouard VI. **3.** rois de FRANCE □ *Henri Iᵉʳ* (1008-1060). □ *Henri II* (1519-1559), fils de *François Iᵉʳ, opposé comme lui à *Charles Quint et à la *Réforme ; sa maîtresse *Diane de Poitiers protégea les *Guise. Père de François II, Charles IX et Henri III. □ *Henri III* (1551-1589) chercha une voie médiane entre les protestants et les catholiques de la *Ligue (dont il fit assassiner le chef, Henri de *Guise), soutenue par l'Espagne. Il fut tué par un moine ligueur, Jacques Clément. □ *Henri IV* (1553-1610) prince *Bourbon, roi de Navarre, lui succéda. Chef des protestants, il se convertit au catholicisme et mit fin aux guerres de *Religion par l'édit de *Nantes (1598). Aidé de ministres remarquables, comme *Sully, il redressa l'économie du pays. Assassiné par le moine fanatique Ravaillac, sa popularité devint immense.

Henri le Navigateur ■ Prince portugais (1394-1460). Il dirigea l'exploration du littoral occidental de l'Afrique.

Pierre Henry ■ Compositeur français (né en 1927). Pionnier de la musique électro-acoustique. *"Bidule en ut"* ; *"Dieu"*.

Hans Werner Henze ■ Compositeur allemand (né en 1926). *"Boulevard Solitude"*, opéra.

Héphaïstos ■ Dieu du feu et des forgerons chez les Grecs, identifié avec le Vulcain des Romains.

Héra ■ L'une des épouses de *Zeus, déesse du mariage chez les Grecs. Elle est Junon chez les Romains.

Héraclès ■ Héros le plus populaire de la mythologie grecque (*Hercule* chez les Latins). Célèbre pour sa force et ses exploits : les « Douze Travaux ». ► *les Héraclides,* descendants d'Héraclès.

Héraclite ■ Penseur grec (v. 576 - v. 480 av. J.-C.). Au contraire de *Parménide, il voit le mouvement et le changement dans les choses.

Héraclius Iᵉʳ ■ Empereur byzantin de 610 à sa mort (575-641).

Héraklion autrefois *Candie* ■ Port et principale ville de la Crète, sur la côte nord. 101 700 hab.

l'*Hérault* [34] n. m. ■ Département français de la région *Languedoc-Roussillon. Il doit son nom à la rivière qui le traverse. Préfecture : Montpellier. 6 000 km². 706 500 hab. Sous-préfectures : Béziers, Lodève.

Les Herbiers ■ Commune de *Vendée. 12 500 hab.

Auguste Herbin ■ Peintre français (1882-1960). Formes géométriques en série.

Herblay ■ Commune du *Val-d'Oise. 20 000 hab.

Alexandre Herculano ■ Écrivain portugais (1810-1877). Défenseur du libéralisme.

Herculanum ■ Ville de l'Italie ancienne, ensevelie sous les cendres du Vésuve en 79. ⇒ **Pompéi.**

Hercule ■ ⇒ **Héraclès.**

Johann Gottfried Herder ■ Écrivain et philosophe allemand (1744-1803). Il s'est intéressé au génie des nations.

Emmanuel Héré ■ Architecte lorrain (1705-1763). Place Stanislas à Nancy, chef-d'œuvre de l'architecture Louis XV.

José Maria de Heredia ■ Poète français (1842-1905). L'un des maîtres du *Parnasse. Les *"Trophées"*.

Georges Rémi dit *Hergé* ■ Auteur belge de bandes dessinées, créateur du personnage de Tintin (1907-1983).

Héricourt ■ Commune de la *Haute-Saône. 10 000 hab.

Hermaphrodite ■ Personnage de la mythologie grecque qui est à la fois mâle et femelle. ‹ ► hermaphrodite ›

Hermès ■ Dieu du commerce et messager des dieux dans la mythologie grecque. Il est le *Mercure* latin.

Hermès Trismégiste ■ Nom signifiant « trois fois très grand » et donné à *Hermès, identifié à *Thot, et auteur supposé d'ouvrages théosophiques de l'époque hellénistique. ‹ ► hermétisme ›

Charles Hermite ■ Mathématicien français (1822-1901). Étude des nombres transcendants.

Hermosillo ■ Ville du Mexique. 281 500 hab. Mines de cuivre.

Gregorio Hernández ou *Fernandez* ■ Sculpteur *baroque espagnol (v. 1576-1636). Sculpture religieuse polychrome, à l'expression pathétique.

José Hernández ■ Écrivain argentin (1834-1886). *"Martín Fierro"*, poème national argentin.

Herne ■ Ville de R. F. A, dans la *Ruhr. 185 000 hab.

Hérode Iᵉʳ le Grand ■ Roi des Juifs (73 - 4 av. J.-C.). Selon l'Évangile, il ordonna le « massacre des Innocents ».

Hérode Antipas ■ Fils du précédent (v. 20 av. J.-C. - après 39). Dans l'Évangile, il emprisonne *Jean-Baptiste et le fait décapiter. ⇒ **Hérodiade, Salomé.**

Hérodiade ■ Princesse juive, épouse d'*Hérode Antipas (7 av. J.-C. - 39). Selon l'Évangile, elle fit demander, par sa fille *Salomé, la tête de *Jean-Baptiste.

Hérodote ■ Historien grec (v. 484 - v. 420 av. J.-C.). Il est considéré comme le « père de l'histoire ».

Héron d'Alexandrie ■ Mathématicien et ingénieur grec (Iᵉʳ s.).

Paul Héroult ■ Chimiste français (1863-1914). Pionnier de l'industrie de l'aluminium.

Hérouville-Saint-Clair ■ Commune du *Calvados, banlieue de Caen. 24 500 hab.

Juan Bautista de Herrera ■ Architecte espagnol (1530-1597). Le plus important représentant de la *Renaissance dans son pays. Palais de l'*Escurial, près de Madrid.

Francisco de **Herrera** *le Vieux* ■ Peintre espagnol (v. 1585-1656).

Édouard **Herriot** ■ Écrivain et homme politique français (1872-1957). Maire de Lyon, symbole du *radicalisme, président du Conseil en 1924-1925 (*Cartel des gauches) et 1932.

William **Herschel** ■ Astronome anglais (1738-1822). Il découvrit *Uranus et fonda l'étude systématique des étoiles.

Hersin-Coupigny ■ Commune du *Pas-de-Calais. 7 000 hab.

Heinrich **Hertz** ■ Physicien allemand (1857-1894). Il découvrit les ondes électromagnétiques dites *hertziennes*. ⟨ ▶ hertz ⟩

l'Herzégovine n. f. ■ L'une des six républiques (avec la Bosnie) de la Yougoslavie (⟹ **Bosnie**).

Aleksandr **Herzen** ■ Philosophe et écrivain russe (1812-1870). Révolutionnaire, il prône, dans ses écrits, un socialisme utopique à tendance slavophile.

Theodor **Herzl** ■ Écrivain juif hongrois, fondateur du *sionisme (1860-1904). "*L'État juif*".

Hésiode ■ Poète grec (VIIIe - VIIe s. av. J.-C.). Auteur d'œuvres mythologiques et didactiques.

les **Hespérides** n. f. ■ Nymphes gardiennes du jardin des dieux, où poussaient les arbres produisant des pommes d'or qui rendaient immortel.

Rudolf **Hess** ■ Homme politique allemand, collaborateur d'Hitler (1894-1987). Condamné, lors du procès de Nuremberg, à la prison à vie.

Hermann **Hesse** ■ Romancier allemand naturalisé suisse (1877-1962). Son œuvre est une interrogation sur le sens de la vie : "*Peter Camenzind*" ; "*le Loup des steppes*". Prix Nobel 1946.

la **Hesse** ■ État (land) de R.F.A. 21 114 km². 5,54 millions d'hab. Capitale : *Wiesbaden.

Higashiōsaka ■ Ville du Japon (*Honshū). 523 000 hab.

les **Highlands** ■ Région montagneuse du nord de l'Écosse (le nom signifie les « Hautes Terres »). Parsemée de lacs (ou *loch*), démunie de ressources, la région vit de la pêche et du tourisme.

Nazim **Hikmet** ■ Écrivain turc (1902-1963), d'inspiration marxiste. "*C'est un dur métier que l'exil*" (poèmes).

saint **Hilaire** ■ Évêque de Poitiers, Père et docteur de l'Église (v. 315 - v. 367).

David **Hilbert** ■ Mathématicien allemand (1862-1943). Il aborda tous les domaines de la mathématique contemporaine et formalisa la géométrie.

Hildebrand ■ Moine italien devenu pape sous le nom de *Grégoire VII.

Lukas von **Hildebrandt** ■ Architecte *baroque autrichien (1668-1745). Château de Schönbrunn et Belvédère à Vienne.

Hildesheim ■ Ville de R. F. A. (Basse-*Saxe). 100 700 hab. Églises romanes.

l'Himalaya n. m. ■ En sanskrit, le « Séjour des neiges », la plus haute chaîne de montagnes du monde (8 848 m à l'*Everest), située aux frontières de la Chine (*Tibet) avec le sous-continent indien (Pakistan, Inde, Népal, Bhoutan). Longue de 2 700 km, large de 200 à 500 km.

Himeji ■ Ville du Japon (*Honshū). 453 000 hab.

Heinrich **Himmler** ■ Homme politique allemand (1900-1945). Chef de la *Gestapo (1934) et des *S. S., il organisa l'extermination des juifs. Il se suicida.

Paul **Hindemith** ■ Compositeur et théoricien allemand (1895-1963). Un révolutionnaire du monde musical, qui s'est intéressé à tous les genres et tous les styles. "*Nobilissima Visione*", ballet.

Paul von **Hindenburg** ■ Maréchal et homme d'État allemand (1847-1934). Président de la République en 1925, réélu en 1932, il nomma Hitler chancelier.

le **hindi** ■ Groupe de langues et dialectes de l'Inde, parlé par près de 100 millions de personnes. Langue officielle du pays depuis 1949.

Hipparque ■ Astronome grec (IIe s. av. J.-C.). Auteur du premier catalogue d'étoiles.

Hippocrate ■ Médecin grec (460 - 377 av. J.-C.). Référence majeure pour *Galien et la pensée médicale jusqu'au XIXe s. Avant d'exercer, les médecins prêtent le « serment d'Hippocrate ».

Hippolyte ■ Fils de *Thésée dans la mythologie grecque. L'amour que lui porte *Phèdre a inspiré *Euripide et *Racine.

Hippone ■ Ancienne ville de *Numidie. Saint *Augustin en fut l'évêque de 395 à 430. Ruines près d'*Annaba (Algérie).

Hirakata ■ Ville du Japon (*Honshū). 382 000 hab.

Hiratsuka ■ Ville du Japon (*Honshū). 230 000 hab.

Hiro-Hito ■ Empereur du Japon depuis 1926 (né en 1901).

Hirosaki ■ Ville du Japon (*Honshū). 176 000 hab.

Hiroshige ■ Dessinateur japonais (1797-1858). Maître de l'art du paysage à l'égal d'*Hokusai.

Hiroshima ■ Un des principaux ports du Japon, dans l'île d'Honshū. 1,04 million d'hab. Autrefois base militaire. La bombe atomique lancée par les Américains le 6 août 1945 détruisit 90 % de la ville et fit plus de 100 000 victimes.

Hirson ■ Commune de l'*Aisne. 11 800 hab. *(les Hirsonnais).*

Hispaniola ■ ⟹ **Haïti.**

Hitachi ■ Ville du Japon (*Honshū). 207 000 hab.

Alfred **Hitchcock** ■ Cinéaste anglais naturalisé américain (1899-1980). Le grand maître du « suspense ». "*Les 39 Marches*" ; "*Psychose*" ; "*les Oiseaux*".

Adolf **Hitler** ■ Homme d'État allemand d'origine autrichienne (1889-1945). Ancien combattant de 1914-1918, chef du parti nazi (national-socialiste), il se fit connaître par un putsch manqué à Munich en 1923. Emprisonné, il rédigea "*Mein Kampf*" (« mon combat »), où il expose l'idéologie du nazisme (⟹ **nazisme**). Excellent propagandiste, il séduisit l'opinion allemande, humiliée par la défaite de 1918 et ruinée par la crise économique de 1929. S'appuyant sur les organisations paramilitaires des S. A. (*Röhm) puis des S. S. (*Himmler), il devint chancelier en 1933 et chef *(Führer)* du Reich à la mort de *Hindenburg en 1934. Cumulant tous les pouvoirs, il organisa avec *Göring une redoutable police d'État, la *Gestapo. Il mit en œuvre son programme : annexion des pays voisins, extermination des juifs, développement des armées. Il provoqua la Seconde *Guerre mondiale. Finalement vaincu, il se suicida le 30 avril 1945.

les **Hittites** ■ Peuple d'*Anatolie centrale qui forma un puissant empire du XXe au XIIe s. av. J.-C. Le secret de la métallurgie du fer leur assura la suprématie militaire.

Louis **Hjelmslev** ■ Linguiste et sémiologue danois (1899-1965). Linguistique structurale, méthodologie.

Hobart ■ Port d'Australie. 180 300 hab.

Thomas **Hobbes** ■ Philosophe anglais (1588-1679). Son maître ouvrage, le *"Léviathan"*, fonde la nécessité du pouvoir absolu sur une approche mécaniste de l'homme.

Lazare **Hoche** ■ L'un des meilleurs généraux de la Révolution française (1768-1797). Pacificateur de la Vendée (⇒ guerre de **Vendée**).

Hô Chi Minh ■ Homme d'État vietnamien (1890-1969). L'inspirateur du nationalisme révolutionnaire (⇒ **Viêt-minh**). Il lutta contre les Français et remporta la bataille de *Diên Biên Phû (1954), devint président de la République démocratique et s'opposa aux Américains au Viêt-nam du Sud.

Hô Chi Minh-Ville, autrefois *Saigon* ■ Ville du sud du Viêt-nam. 3,5 millions d'hab. Port fluvial sur le delta du *Mékong. (Avant 1975 ⇒ **Saigon**.)

Hodeida ■ Port du Yémen du Nord. 126 400 hab.

Ferdinand **Hodler** ■ Peintre suisse de tendance symboliste (1853-1918). *"La Nuit"*.

Hoenheim ■ Commune du Bas-*Rhin. 10 400 hab.

Ernst Theodor Amadeus **Hoffmann** ■ Écrivain et compositeur allemand (1776-1822). Auteur de contes et de romans. *"Les Élixirs du diable"*.

Hugo von **Hofmannsthal** ■ Auteur dramatique autrichien (1874-1929). Sensibilité à la fois raffinée et décadente. Il écrivit des livrets pour les opéras de R. *Strauss. *"Le Chevalier à la rose"*.

Hofouf ■ Ville d'Arabie Saoudite. 101 300 hab.

William **Hogarth** ■ Peintre et graveur anglais (1697-1764). Il fit la caricature des mœurs de son époque. *"Le Mariage à la mode"*.

le **Hoggar** ■ Massif volcanique du Sahara algérien, peuplé par les *Touaregs.

les **Hohenstaufen** ■ Famille allemande (dite aussi *maison de Souabe*) qui régna sur le *Saint Empire : *Conrad III de 1138 à 1152, *Frédéric Ier Barberousse de 1152 à 1190, Henri VI de 1190 à 1197, Philippe de Souabe de 1198 à 1208, *Frédéric II de 1220 à 1250, Conrad IV de 1250 à 1254. Elle régna sur Naples de 1194 à 1268 et s'éteignit à la mort de Conradin (1268), rival malheureux de *Charles Ier d'Anjou en Sicile.

les **Hohenzollern** ■ Famille allemande qui se divisa en 1227 en une ligne de *Souabe et une ligne de *Franconie. La ligne de Souabe céda ses principautés à la Prusse en 1849. La ligne de Franconie régna à partir de Frédéric VI (1415) sur le Brandebourg (électorat en 1417) et sur la Prusse (*Frédéric III, *Guillaume Ier) jusqu'en 1918.

Hohhot ■ Ville de Chine, capitale de la *Mongolie intérieure. 450 000 hab.

Hokkaidō ■ Île du nord du Japon jalonnée de volcans. 83 519 km². 5,67 millions d'hab. Chef-lieu : *Sapporo. L'agriculture est la principale richesse.

Hokusai ■ Peintre et graveur japonais (1760-1849). Il renouvela l'art de l'estampe. *"L'Arc de la vague"*.

*le baron d'***Holbach** ■ Philosophe matérialiste et savant français d'origine allemande (1723-1789). Collaborateur de l'*Encyclopédie.

les **Holbein** ■ FAMILLE DE PEINTRES ALLEMANDS □ *Holbein l'Ancien* (1465-1524) exécuta des retables et des portraits. □ *Holbein le Jeune*, son fils (1497-1543), devint le peintre du roi Henri VIII d'Angleterre. Ses portraits *("Érasme"* ; *"les Ambassadeurs")* allient l'exactitude du dessin, la science de la composition et la volonté humaniste de comprendre le modèle. Il joint à la rigueur et au réalisme allemands le goût et le savoir de la *Renaissance.

Friedrich **Hölderlin** ■ Poète romantique allemand (1770-1843). L'un des plus grands lyriques du XIXe s. Il célébra la communion avec la nature. *"Hypérion"*.

Holguín ■ Ville de Cuba. 194 700 hab. Centre commercial.

la **Hollande** ■ Région la plus riche et la plus peuplée des Pays-Bas, divisée en deux provinces. □ *la Hollande-Méridionale.* 2 907 km². 3,18 millions d'hab. Chef-lieu : La *Haye. □ *la Hollande-Septentrionale.* 2 665 km². 2,3 millions d'hab. Chef-lieu : *Haarlem. Son rôle fut essentiel dans la formation des *Pays-Bas. ▶ *la guerre de Hollande.* Guerre qui opposa Louis XIV à la république des *Provinces-Unies et à ses alliés, de 1672 à 1679. Les traités de Nimègue y mirent fin.

Hollywood ■ L'un des faubourgs de Los Angeles (*Californie). Studios de cinéma et de télévision.

Hollywood ■ Ville des États-Unis (*Floride), dans la zone urbaine de Fort Lauderdale. 121 300 hab.

Sherlock **Holmes** ■ ⇒ Conan **Doyle**.

Holon ■ Ville d'Israël. 140 700 hab.

Holopherne ■ Général assyrien de la Bible, séduit et décapité par *Judith.

le **Holstein** ■ ⇒ le **Schleswig-Holstein**.

Hombourg-Haut ■ Commune de la *Moselle. 10 000 hab.

Homécourt ■ Commune de *Meurthe-et-Moselle. 8 100 hab.

Homère ■ Poète épique grec (IXe s. av. J.-C.). Son nom signifie « l'aveugle » ou « l'otage ». Bien que son existence soit controversée, la tradition lui attribue l'*Iliade et l'*Odyssée. Il demeure une référence capitale pour les littératures occidentales. ⟨ ▶ homérique ⟩

Homs ■ Ville de Syrie, centre d'une riche région agricole. 354 500 hab.

Hondō ■ Ancien nom de l'île japonaise *Honshū.

le **Honduras** ■ État (république) d'Amérique centrale, bordé au nord par la mer des Caraïbes. 112 088 km². 4,37 millions d'hab. *(les Honduriens).* Langues : espagnol (officielle), langues indiennes. Capitale : Tegucigalpa. Monnaie : lempira. L'économie (dont les principales ressources sont la banane et le café) est en grande difficulté (65 % de chômage). □ HISTOIRE. Colonisé par les Espagnols au XVIe s., devenu indépendant en 1821, le pays ne forma un État qu'en 1839, sous l'influence britannique puis américaine. De nombreuses querelles de frontières aboutirent à une guerre sanglante avec le Salvador (1969). Après une longue période d'instabilité politique (dictatures, coups d'État militaires), il a vu le retour du pouvoir civil en 1981.

Erich **Honecker** ■ Homme d'État est-allemand (né en 1912). Président du Conseil d'État (chef de l'État) depuis 1976.

Arthur **Honegger** ■ Compositeur suisse (1892-1955). Il trouve son inspiration dans la Bible. "*Le Roi David*", psaume dramatique ; "*Jeanne d'Arc au bûcher*", oratorio.

Honfleur ■ Commune du *Calvados. 8 500 hab. *(les Honfleurais).* Tourisme.

Hong-kong ■ Territoire du sud de la Chine, constitué par l'*île de Hong-kong* et une péninsule continentale *(Kowloon).* 5,59 millions d'hab. sur 1 070 km² (la plus forte densité du monde). Capitale : Victoria. Langues : anglais, chinois. Monnaie : dollar de Hong-kong. Activité commerciale et bancaire intense. Nombreuses industries légères (textile, électronique, jouets). Sidérurgie et constructions navales. ▭HISTOIRE. Cédé à la Grande-Bretagne par le traité de *Nankin (1842), Hong-kong devint une colonie britannique. Loué depuis 1898 pour 99 ans, il sera rendu à la Chine le 1er juillet 1997.

la **Hongrie** ■ État (république populaire) d'Europe centrale. 93 032 km². 10,62 millions d'hab. *(les Hongrois* ou *Magyars).* Langue : hongrois. Capitale : Budapest. Monnaie : forint. Le revenu national a quadruplé entre 1949 et 1980 : essor de l'industrie (sidérurgie, chimie, alimentation). Bauxite. ▭HISTOIRE. *Étienne Ier (dynastie des *Árpád) créa l'État hongrois et le christianisa (v. 1000). Du XVIe au XIXe s., il fut rattaché à la maison de *Habsbourg. La révolution de 1848 aboutit à la formation d'une monarchie austro-hongroise (1867). La défaite de l'Autriche en 1918 provoqua le morcellement de l'empire des Habsbourg et l'indépendance de la Hongrie (1920, traité de Trianon). Après les tentatives de gouvernement socialiste de Béla *Kun, l'amiral *Horthy obtint le titre de régent et mena une politique réactionnaire. Le pays se rapprocha progressivement de l'Allemagne nazie mais fut occupé par Hitler en 1944 et Horthy fut destitué. Passé sous l'influence soviétique, il devint une démocratie populaire en 1949, dirigée par Mátyás *Rákosi. En 1956 éclata l'insurrection de Budapest (Imre *Nagy était alors président du Conseil), réprimée directement par les Soviétiques. À partir de 1958, J. *Kádár entreprit de libéraliser le régime, tout en restant soumis à l'alliance soviétique. ‹ ▶ hongrois ›

Honolulu ■ Ville des États-Unis, capitale de *Hawaï. 365 000 hab. Tourisme. Université.

Honorius ■ Premier empereur d'Occident (384-423). Il succéda à son père *Théodose Ier en 395.

Honshū, autrefois *Hondō* ■ La plus grande et la plus peuplée des îles du Japon. 231 000 km². 96,5 millions d'hab. Le centre de l'île est montagneux (point culminant : le *Fuji-yama). Les côtes sont parsemées de grandes villes industrielles : *Tōkyō, *Ōsaka, *Yokohama, etc.

Robert **Hooke** ■ Physicien, astronome et naturaliste anglais (1635-1703). *Loi de Hooke :* loi de déformation élastique des solides.

le comte de **Hoorne** ou **Hornes** ■ Général hollandais (1518-1568). Exécuté avec le comte d'*Egmont pour son opposition aux Espagnols.

Herbert **Hoover** ■ 31e président des États-Unis, de 1929 à 1933 (1874-1964).

les **Hopi** n. m. ■ Groupe des Indiens *Pueblos, de culture originale (*Arizona).

*L'*Hôpital** ■ Commune de la *Moselle. 6 600 hab.

Gerard Manley **Hopkins** ■ Poète anglais d'inspiration *symboliste (1844-1889).

Horace ■ Poète latin (65 - 8 av. J.-C.). Auteur de "*Satires*", d'"*Épîtres*" et d'"*Odes*" où il s'interroge sur les mœurs, la morale et la poésie. Tenu, avec *Virgile, pour le plus grand poète latin.

les trois **Horaces** ■ Nom de trois frères romains (VIIe s. av. J.-C.). Ils triomphèrent des *Curiaces, champions d'*Albe. Leur légende a inspiré *Corneille : "*Horace*", 1640.

la **Horde d'or** ■ Traduction du nom que se donnaient les Mongols, qui régnèrent des plaines russes au Caucase (XIIIe - XVe s.).

Max **Horkheimer** ■ ⇒ école de **Francfort.**

le comte de **Horn** ■ Premier ministre de Suède de 1720 à 1738 (1664-1742).

le cap **Horn** ■ Cap du Chili, marquant l'extrémité sud de l'Amérique latine.

Vladimir **Horowitz** ■ Pianiste américain d'origine russe (né en 1904).

Victor **Horta** ■ Architecte belge (1861-1947). Principal créateur du style art *nouveau avec *Van de Velde. Maisons "*Tassel*" et "*Horta*" à Bruxelles.

Hortense de Beauharnais ■ ⇒ **Beauharnais.**

Miklós **Horthy de Nagybánya** ■ Homme d'État hongrois (1868-1957). Régent de 1920 à son arrestation par les nazis (1944), il mena une politique ultraconservatrice et autoritaire.

Horus ■ Dieu du Soleil dans l'Égypte ancienne, fils d'*Isis et d'*Osiris, représenté sous la forme d'un faucon ou d'un soleil ailé.

Hospitalet ■ Ville d'Espagne, banlieue industrielle de *Barcelone. 294 000 hab.

les **Hottentots** n. m. ■ Peuple nomade de *Namibie (20 000 environ, polygames).

Houdain ■ Commune du *Pas-de-Calais. 7 700 hab.

Jean-Antoine **Houdon** ■ Sculpteur français (1741-1828). Bustes (Voltaire, Washington).

Houilles ■ Commune des *Yvelines. 29 900 hab. *(les Ovillois).* Fonderies.

Félix **Houphouët-Boigny** ■ Homme d'État ivoirien (né en 1905). Plusieurs fois ministre dans les gouvernements français, il obtint l'indépendance de la Côte-d'Ivoire en 1960. Président de la République.

Houplines ■ Commune du *Nord. 7 900 hab.

les **Hourrites** n. m. ■ Peuple asiatique de l'Antiquité, installé en *Mésopotamie dès le IIIe millénaire av. J.-C.

Houston ■ Ville des États-Unis (*Texas). Port relié par un canal au golfe du Mexique. 1,59 million d'hab. Centre spatial. Pétrochimie. Commerce. Université.

Enver **Hoxha** ou **Hodja** ■ Homme d'État albanais (1908-1985). Il mena la libération du pays (⇒ **Albanie),** créa puis dirigea le parti communiste albanais (de 1941 à sa mort), et la république populaire (de 1946 à 1954). Communiste intransigeant, il rompit avec *Khrouchtchev et se rapprocha un temps de la Chine.

Hua Guofeng ou *Houa Kouo-Fong* ■ Homme d'État chinois (né en 1922). Président du P. C. chinois de 1976 (mort de *Mao Zedong) à 1981 et Premier ministre de 1976 à 1980.

Huainan ■ Ville de Chine. 539 000 hab. Centre industriel.

Huancayo ■ Ville du Pérou (à 3 200 m d'altitude). 165 100 hab. Centre commercial important.

Huang Gongwang ■ Peintre paysagiste chinois (1269-1354).

le Huang He ou *fleuve Jaune* ■ Le second fleuve de Chine, après le *Yangzi Jiang (fleuve Bleu), situé en Chine du Nord. 4 845 km. De débit très irrégulier, il a dû être aménagé.

saint Hubert ■ Évêque belge (VIIᵉ s. - VIIIᵉ s.). Le patron des chasseurs.

Hubli-Dhārwār ■ Ville de l'Inde. 526 000 hab.

Huddersfield ■ Ville d'Angleterre. 149 000 hab. Industrie textile.

l'Hudson n. m. ■ Fleuve des États-Unis qui relie New York aux canaux venant des *Grands Lacs. 500 km. Rôle économique très important. ▶ *la baie d'Hudson*. Golfe formé par l'Atlantique au nord-est du Canada. ▶ *la Compagnie de la baie d'Hudson* : compagnie commerciale créée par les Anglais, en 1670, pour le négoce des fourrures avec les Indiens, autour de la baie d'Hudson.

Huê ■ Ville du Viêt-nam. 209 000 hab. Ancienne capitale impériale de l'*Annam qui eut un grand rayonnement culturel.

Huelva ■ Ville d'Espagne (*Andalousie). 127 800 hab.

Paul Huet ■ Peintre paysagiste français (1803-1869).

Victor Hugo ■ Écrivain français (1802-1885). Chef de file des *romantiques. Il est l'auteur d'une œuvre immense et variée caractérisée par un art lyrique et visionnaire, « écho sonore » des préoccupations de son siècle. Son imagination puissante apparaît également dans ses dessins. En politique, il fut légitimiste puis libéral. Républicain et démocrate, il s'exila après le coup d'État de Napoléon III (1851). Œuvres principales : POÉSIE *"les Odes et Ballades"* (1822-1828) ; *"les Feuilles d'automne"* (1831) ; *"les Chants du crépuscule"* (1835) ; *"les Voix intérieures"* (1837) ; *"les Rayons et les Ombres"* (1840) ; *"les Châtiments"* (1853) ; *"les Contemplations"* (1856) ; *"la Légende des siècles"* (1859-1883) ; THÉÂTRE *"Cromwell"* (1827) ; *"Hernani"* (1830) ; *"Marion Delorme"* (1831) ; *"Lucrèce Borgia"* (1833) ; *"Ruy Blas"* (1838) ; ROMANS *"Notre-Dame de Paris"* (1831) ; *"les Misérables"* (1862) ; *"les Travailleurs de la mer"* (1866) ; *"Quatre-vingt-treize"* (1874).

Hugues Capet ■ Duc des Francs, puis roi de France de 987 à sa mort (v. 941 - 996). Il fonda la dynastie des *Capétiens.

Hull ■ Ville du Canada (*Québec) située face à *Ottawa, sur la rivière Ottawa. 58 700 hab. Industries du bois et du papier.

les humanistes ■ Nom donné aux érudits de la Renaissance qui firent connaître les textes de l'Antiquité et la Bible dans leurs langues originales (*Érasme, *Estienne, *Lefèvre d'Étaples...). ▶ *l'humanisme* n. m. mouvement des humanistes.

Alexander von Humboldt ■ Naturaliste allemand (1769-1859). Grand voyageur, pionnier des sciences de la terre. □ *Wilhelm von Humboldt*, son frère, philologue et homme politique (1767-1835). Il élabora une théorie générale du langage.

David Hume ■ Philosophe, historien et essayiste écossais (1711-1776). Son empirisme radical en fait le père du positivisme. Sa critique de la causalité eut une influence décisive sur *Kant.

Hŭngnam ■ Port de Corée du Nord. 146 000 hab.

Huningue ■ Commune du Haut-*Rhin. 6 600 hab.

les Huns n. m. ■ Peuples asiatiques nomades qui dévastèrent l'Europe aux IVᵉ et Vᵉ s. ⟹ **Attila.**

William Hunt ■ Peintre *préraphaélite anglais (1827-1910). *"Le Mauvais Berger"*.

Huntsville ■ Ville des États-Unis (*Alabama). 142 500 hab. Centre aérospatial.

Jean Hunyadi ■ Homme de guerre hongrois (v. 1387-1456). Il défendit le pays contre les Turcs. Régent de 1446 à 1453.

le lac Huron ■ ⟹ **Grands Lacs.**

les Hurons n. m. ■ Indiens du Canada, alliés des Français contre les *Iroquois au XVIIᵉ s.

Jan Hus ■ Réformateur religieux tchèque (v. 1371-1415). Son exécution provoqua un soulèvement chez ses adeptes (les *Hussites*) et déclencha une guerre civile.

le roi Husayn ou *Hussein* ■ Roi de Jordanie depuis 1952 (né en 1935). Il engagea son pays dans la troisième guerre *israélo-arabe.

Saddām Hussein ■ Homme d'État irakien (né en 1937). Secrétaire général du *Baath, chef de l'État depuis 1979.

Edmund Husserl ■ Philosophe allemand (1859-1938). Il a fondé la phénoménologie, tâche descriptive antérieure selon lui à toute science, développée en recherches sur la logique et la conscience. Il a notamment influencé son élève *Heidegger, les philosophes français *Sartre et *Merleau-Ponty, ses traducteurs *Ricœur et *Lévinas.

John Huston ■ Cinéaste américain (1906-1987). *"Le Faucon maltais"* ; *"African Queen"*.

James Hutton ■ Géologue écossais (1726-1797).

Thomas Huxley ■ Zoologiste anglais (1825-1895). Il défendit les thèses de son ami *Darwin.

Aldous Huxley ■ Écrivain anglais (1894-1963). Dans ses essais et ses romans, il a dénoncé les dangers des civilisations techniciennes. *"Le Meilleur des mondes"*.

Christiaan Huygens ■ Physicien, mathématicien et astronome néerlandais (1629-1695). Lois de la force centrifuge. Théorie ondulatoire de la lumière. *"Traité des horloges"*.

Joris-Karl Huysmans ■ Écrivain français (1848-1907). D'abord réaliste, il s'attacha à la recherche d'une esthétique raffinée et à une quête spirituelle. *"À rebours"* ; *"la Cathédrale"*.

Hyderābād ■ Ville de l'Inde, capitale de l'État d'Andhra Pradesh. 2,5 millions d'hab.

Hyderābād ■ Ville du Pakistan. 795 000 hab.

Hyères ■ Commune du *Var, à 4 km de la Méditerranée. 41 700 hab. (les *Hyérois*). ▶ *les îles d'Hyères* ferment la *rade d'Hyères et comprennent *Porquerolles, Port-Cros, l'île du Levant. Tourisme.

les Hyksos n. m. ■ Envahisseurs asiatiques qui dominèrent l'Égypte de 1785 à 1580 av. J.-C.

Hyménée ■ Dieu du Mariage dans la mythologie grecque. ⟨ ▶ ① hymen ⟩

Hypnos ■ Personnification du sommeil dans la mythologie grecque, fils de la Nuit et frère de la Mort. ⟨ ▶ hypn(o)- ⟩

I

Iahvé ■ ⇒ **Yahvé.**

la Iakoutie ■ Une des républiques autonomes de la R. S. S. de Russie, en *Sibérie. 3 103 200 km². 842 000 hab. *(les Iakoutes).* Capitale : Iakoutsk. 149 000 hab. Forêts, richesses minérales.

Iaroslavl' ■ Ville d'U. R. S. S. (*Russie) et port sur la *Volga. 600 000 hab. Nombreux monuments religieux. Centre économique.□ *Iaroslav Vladimirovitch* , prince de *Kiev (978-1054), la fonda en 1026.

Iaşi ou *Jassy* ■ Ville de Roumanie, ancienne capitale de la *Moldavie. 270 000 hab. Centre industriel.

Ibadan ■ Ville champignon du Nigeria. 847 000 hab. Centre commercial. Universités.

Ibagué ■ Ville de Colombie. 263 000 hab. Café.

Ibaraki ■ Ville du Japon (*Honshū). 164 000 hab.

Dolorès Ibarruri dite *la Pasionaria* ■ Militante communiste espagnole (née en 1895). Célèbre oratrice.

les Ibères n. m. ■ Peuple établi en Espagne, au temps de la conquête romaine (Iᵉʳ s.). ► *la péninsule Ibérique* , nom donné à l'ensemble géographique que constituent l'Espagne et le Portugal.

Jacques Ibert ■ Compositeur français (1890-1962). Mélodies, musiques de film ("*Don Quichotte*" de Pabst).

Ibiza ■ Île de l'archipel des *Baléares. 572 km². 36 000 hab.

Ibn al-Farīd ■ Poète et mystique arabe (1182-1235). ⇒ **Soufisme.**

Ibn ʿArabī ■ Philosophe, poète et mystique musulman arabe (1165-1241). Le grand maître de la tradition soufie (⇒ **Soufisme**).

Ibn Bādjdja ■ Philosophe musulman arabe d'Espagne (mort en 1138). Connu des chrétiens sous le nom d'Avempace.

Ibn Battūta ■ Écrivain arabe, un des plus grands voyageurs du Moyen Âge (1304 - 1377). Son journal de route est un document historique et littéraire précieux.

Ibn Gabirol ■ Philosophe juif espagnol de langue arabe (v. 1020 - v. 1058). Connu des chrétiens sous le nom d'Avicebron.

Ibn Hazm ■ Écrivain et philosophe arabe (993-1064). Célèbre pour ses écrits non conformistes.

Ibn Khaldūn ■ Historien arabe (1332-1406). Théoricien de l'histoire et précurseur de la sociologie.

Ibn Muqaffaʿ ■ Écrivain arabe, un des premiers grands prosateurs (v. 721 - 757).

Ibn Saoud ■ Émir arabe (1887-1953). ⇒ **Arabie Saoudite.**

les Ibos n. m. ■ Peuple noir du Nigeria oriental (Biafra).

Henrik Ibsen ■ Auteur dramatique norvégien (1828-1906). Ses pièces sont souvent pessimistes, animées par une critique sociale véhémente. "*Peer Gynt*" ; "*Maison de poupée*" ; "*le Canard sauvage*".

Icare ■ Fils de *Dédale dans la mythologie grecque. Il s'échappe du Labyrinthe au moyen d'ailes, mais le soleil fait fondre la cire qui tient les plumes et il se noie.

Ichihara ■ Ville du Japon (*Honshū). 116 000 hab.

Ichikawa ■ Ville du Japon (*Honshū). 364 000 hab.

Ichinomiya ■ Ville du Japon (*Honshū). 253 000 hab.

les Iconoclastes ■ Chrétiens byzantins qui rejetaient les images saintes. Ils tentèrent de supprimer le culte des icônes (du VIIIᵉ au IXᵉ s.) et furent condamnés par le concile de *Nicée (787).

Ictinos ■ Architecte grec (Vᵉ s. av. J.-C.). Avec Callicratès, il assista Phidias pour le *Parthénon.

l'Idaho n. m. ■ État du nord-ouest des États-Unis, dans les *Rocheuses. 216 413 km². 944 000 hab. Capitale : Boise. Importantes richesses minières (1ᵉʳ producteur américain d'argent, ruée vers l'or v. 1860), exploitation de la forêt.

les Idéologues n. m. ■ Philosophes français qui contribuèrent à fonder les sciences humaines en étudiant la formation des idées (étude qu'ils appelaient *idéologie*). Les principaux sont Antoine Destutt de Tracy (1754-1808), Georges Cabanis (1757-1808) et Constantin-François Volney (1757-1820).

Idoménée ■ Roi légendaire de Crète, héros de l'*Iliade.

al-Idrīsī ■ Géographe arabe (v. 1100 - v. 1166).

Iéna, en allemand *Jena* ■ Ville de R. D. A. 107 300 hab. Importante université où enseignèrent *Fichte, *Hegel. Victoire de Napoléon Ier sur les Prussiens en 1806.

l'Iénisseï n. m. ■ Fleuve d'U. R. S. S. Né en Mongolie, il traverse la Sibérie et se jette dans l'océan Arctique (3 800 km).

If ■ Îlot français de la Méditerranée, célèbre pour le *château d'If,* château fort qui servit de prison.

Ife ■ Ville du Nigeria. 214 500 hab. Art *yorouba).

saint **Ignace de Loyola** ■ Gentilhomme espagnol (1491-1556). Il se convertit au catholicisme et fonda la compagnie de *Jésus (ordre des Jésuites) avec ses disciples (⇒ saint **François Xavier**).

Igny ■ Commune de l'*Essonne. 9 600 hab.

l'Iguaçu n. m. ■ Rivière du Brésil (1 320 km). Elle marque la frontière entre le Brésil et l'Argentine. Chutes spectaculaires.

Ijevsk■ Ville d'U. R. S. S., capitale de l'*Oudmourtie (*Russie). 631 000 hab.

l'Île-de-France n. f. ■ La plus importante région économique et administrative française, correspondant à l'ancienne *région parisienne,* au cœur du Bassin parisien. Huit départements : Paris, Hauts-de-Seine, Seine-Saint-Denis, Val-de-Marne, Essonne, Val-d'Oise, Yvelines, Seine-et-Marne. 12 100 km². 10 millions d'hab., dont la plupart viennent de province, et beaucoup sont immigrés du Maghreb, du Portugal, etc. Très forte urbanisation : l'expansion de Paris, qui absorbe les villes proches, est contrebalancée par des villes-satellites (Rambouillet, Meaux, Étampes, etc.) et cinq villes nouvelles (Cergy-Pontoise, Saint-Quentin-en-Yvelines, Évry, Marne-la-Vallée, Melun-Sénart). Une des régions agricoles les plus riches de France (céréales, betteraves, légumes). Les industries sont nombreuses (construction électrique, électronique, automobile, chimie, édition) mais limitées par la politique de décentralisation dès 1955. Le secteur tertiaire se développe : plus de « cols blancs », moins d'ouvriers. ☐HISTOIRE. Ancien centre du domaine royal *capétien. Le dialecte qui y était parlé (le francien) devint le français, langue du royaume de France. ⇒ **Paris**.

L'Île-d'Yeu ■ Canton de *Vendée formé par l'île d'*Yeu.

L'Île-Saint-Denis ■ Commune de la *Seine-Saint-Denis. 7 400 hab.

Ilesha ■ Ville du Nigeria. 273 400 hab.

l'Iliade ■ Épopée grecque attribuée à *Homère. Elle raconte un épisode de la guerre de *Troie. Le héros en est *Achille.

Sergueï Iliouchine ■ Ingénieur soviétique, constructeur d'avions (1894-1977).

l'Ill n. m. ■ Rivière d'Alsace, affluent du Rhin.

l'Ill n. m. ou f. ■ Rivière d'Autriche (75 km), affluent du Rhin. Vallée industrialisée.

l'Ille-et-Vilaine [35] n. f. ■ Département français de la région *Bretagne, arrosé par l'Ille et la Vilaine. 6 852 km². 749 700 hab. Préfecture : Rennes. Sous-préfectures : Fougères, Redon, Saint-Malo.

l'Illinois n. m. ■ État industriel (métallurgie, chimie) du centre des États-Unis. 146 756 km². 11,5 millions d'hab. Capitale : *Springfield. Ville principale : *Chicago. Agriculture (maïs, élevage). Universités.

Illkirch-Graffenstaden ■ Commune du Bas-*Rhin. 21 100 hab.

l'Illyrie n. f. ■ Région balkanique montagneuse proche de l'Adriatique. Colonisée par les Grecs au VIIe s. av. J.-C., elle devint province romaine en 27 av. J.-C., puis passa sous domination slave au VIIe s.

Illzach ■ Commune du Haut-*Rhin près de Mulhouse. 15 600 hab.

Iloilo ■ Ville et port des Philippines. 244 800 hab.

Ilorin ■ Ville du Nigeria. 343 900 hab.

Imhotep ■ Architecte égyptien (v. 2800 av. J.-C.). Auteur de la première pyramide à degrés (*Saqqarah). Divinisé après sa mort.

l'impressionnisme n. m., *les impressionnistes* ■ Mouvement pictural qui apparut en France vers 1875. Travaillant en plein air, les impressionnistes cherchèrent à reproduire les jeux de la lumière, les mutations des objets selon l'éclairage, en procédant par petites touches et en suggérant les formes par des vibrations de couleurs. Ils privilégiaient l'instantanéité, la mobilité des choses. *Manet, *Renoir, *Monet, *Pissaro et *Sisley sont les principaux peintres impressionnistes. ⟨ ▶ impressionnisme ⟩

Imru'al-Qays ■ Prince et poète arabe (mort v. 535). Célèbre pour ses poèmes lyriques.

l'Empire inca ■ Puissant empire de l'Amérique *précolombienne dont la capitale était *Cuzco. Fondé par Manco Cápac au XIIe s., il connut son apogée au XVe s. et fut détruit par les conquistadores espagnols de *Pizarro en 1532. ☐ *les Incas* se disaient « Fils du soleil ». Peuple de conquérants, grands bâtisseurs, dominés par un souverain absolu, ils se dotèrent d'une administration remarquable et d'un réseau routier. Leur économie était fondée sur l'agriculture et l'artisanat d'objets précieux. *Machu Picchu semble avoir été leur dernier refuge. ⟨ ▶ inca ⟩

Inch'ŏn ■ Ville et port de Corée du Sud. 1,38 million d'hab.

l'Inde n. f. ■ État (république) d'Asie, le plus peuplé du monde après la Chine. 783 millions d'hab. *(les Indiens).* 3 166 829 km². République fédérale de 22 États. Capitale : New Delhi. Villes principales : Bombay, Calcutta, Madras. Langues : *hindi en anglais (officielles), bengali, et nombreuses langues régionales, indo-européennes et (au sud) dravidiennes (tamoul, télougou, etc.). Monnaie : roupie. Climat de mousson. L'agriculture est le pivot de l'économie (riz, blé, sucre, thé). Mais malgré la modernisation des techniques, des millions d'Indiens sont sous-alimentés. Niveau de vie très bas aggravé par le fort taux de croissance de la population et le conservatisme hérité de l'ancienne division de la société en castes et hors-castes (intouchables ou parias). Industrie traditionnelle (textile) et industrie récente, favorisée par les ressources minières (métallurgie, chimie, mécanique). ☐HISTOIRE. L'histoire de l'Inde ancienne dura dur de l'implantation du *bouddhisme (du VIe au Ve s. av. J.-C.) à l'invasion des musulmans, qui dominèrent l'Inde du XIIIe au XVIe s. En 1526 est fondé l'Empire *moghol. Les Européens installèrent peu à peu des comptoirs pour le commerce des épices et du coton (en 1664, création par *Colbert de la « Compagnie française des Indes orientales »). L'Inde devint totalement colonie anglaise en 1858, après l'écrasement de la révolte des Cipayes ; la reine *Victoria fut proclamée impératrice des Indes le 1er janvier 1877. Le pays obtint son indépendance en 1947 grâce à l'action de *Gāndhī. Dirigé par *Nehru puis par Indira *Gāndhī, et depuis 1984 par son fils Rājiv Gāndhī, il est le théâtre de violents affrontements entre les diverses religions (hindous et musulmans, le bouddhisme ayant presque disparu) et ethnies (⇒ **sikhs**). ⇒ **hindouisme, Brahmā, Viṣṇu, Śiva**. ⟨ ▶ ⊙ indien ⟩

Io

*la guerre de l'***Indépendance américaine**
■ Guerre qui opposa la Grande-Bretagne à ses
colonies d'Amérique du Nord de 1775 à 1782. Sous
les ordres de *Washington, aidés par les volontaires
français (dont *La Fayette) commandés par
*Rochambeau, les Américains obtinrent l'indépen-
dance en 1782 et créèrent les États-Unis par la
Constitution de 1787.

*l'***Indiana** n. m. ■ État du centre des États-Unis.
94 153 km². 5,5 millions d'hab. Capitale : *Indianapolis. Agriculture prospère (céréales, élevage).
Métallurgie.

Indianapolis ■ Ville des États-Unis, capitale de
l'*Indiana. 700 800 hab. Centre économique, universitaire et culturel. Courses automobiles.

l'océan **Indien** ■ 3e océan du monde par sa
superficie (75 millions de km²). Il s'étend entre
l'Afrique, l'Asie et l'Australie. Nombreuses îles :
Madagascar, la Réunion, l'île Maurice, les Comores.
Ses fonds sont riches en minerais rares.

les **Indiens** n. m. ■ Nom donné aux indigènes
d'Amérique par les Européens, car ils croyaient,
comme *Colomb, que celui-ci avait abordé en Inde.
On dit aujourd'hui *Amérindiens.*

*l'***Indochine** n. f. ■ Péninsule asiatique située entre
l'Inde et la Chine. Elle comprend la Birmanie, le Laos,
la Thaïlande, le Cambodge, le Viêt-nam et une partie de
la Malaysia. Ce terme désigne aussi les anciennes
colonies françaises, conquises sous Napoléon III : la
Cochinchine, l'Annam, le Tonkin, le Cambodge, le
Laos. ► *la guerre d'*Indochine, guerre d'indépendance des Vietnamiens, conduits par *Hô Chi Minh,
qui aboutit au départ des Français (1946-1954).
⇒ **Viêt-nam, Cambodge.**

*l'***Indonésie** n. f. ■ État (république) d'Asie du
Sud-Est, formé d'un archipel d'environ 3 000 îles dont
Java, Bali, Sumatra, les Célèbes, une partie de la
Nouvelle-Guinée (*Irian Barat) et de l'île de Bornéo.
1 919 443 km². 172 millions d'hab. *(les Indonésiens).*
Capitale : Djakarta. Langue officielle : bahasa
indonesia (forme du malais). Monnaie : roupie
indonésienne. Climat équatorial. L'économie est
fondée sur l'agriculture : riz, caoutchouc, tabac, café.
Développement industriel grâce au pétrole ; mais il
est freiné par le manque d'infrastructure et par les
problèmes liés au surpeuplement. Colonisée par les
Hollandais en 1596, l'Indonésie obtint son indépendance en 1950.

Indore ■ Ville de l'Inde. 827 000 hab. Université.

Indra ■ Dieu de la foudre et de la guerre, la plus
importante divinité de l'Inde à l'époque *védique.

*l'***Indre** [36] n. m. ■ Département français de la
région *Centre. Il doit son nom à la rivière qui le
traverse. 6 824 km². 243 200 hab. Préfecture :
Châteauroux. Sous-préfectures : Le Blanc, La Châtre,
Issoudun.

*l'***Indre-et-Loire** [37] n. m. ■ Département
français de la région *Centre, au nord-est du
précédent. 6 127 km². 506 100 hab. Préfecture : Tours.
Sous-préfectures : Chinon, Loches.

*l'***Indus** n. m. ■ Fleuve de l'Inde et du Pakistan
(3 180 km). Né dans le Tibet, il se jette dans la mer
d'Oman à Karâchi, par un vaste delta. Ses rives
abritèrent une civilisation brillante du IIIe au IIe
millénaire av. J.-C.

*Vincent d'***Indy** ■ Compositeur et pédagogue
français (1851-1931). Maître de *Falla, *Honegger,
*Satie. *"Fervaal" ; "l'Étranger".*

Inès de **Castro** ■ Héroïne espagnole, morte
assassinée (v. 1320 - 1355). Sa vie a inspiré *Camoens
et *Montherlant.

Dominique **Ingres** ■ Peintre français (1780-1867).
Représentant du classicisme et de l'art officiel, il
s'opposa à *Delacroix. Artiste minutieux, soucieux
des détails dans ses portraits *("Mlle Rivière")* et ses
nus *("l'Odalisque" ; "le Bain turc").* Son goût pour
le violon est à l'origine de l'expression : « un violon
d'Ingres ».

*l'***Inn** n. m. ■ Rivière de Suisse, d'Autriche et
d'Allemagne, affluent du Danube (525 km). Elle
marque la frontière entre la R. D. A. et l'Autriche.
Hydroélectricité.

Innocent III ■ Le plus puissant des papes du
Moyen Âge (1160-1216). Il lutta contre *Philippe
Auguste, contre *Jean sans Terre et fut à l'origine
de la quatrième croisade et de la croisade contre
les *Albigeois.

Innocent XI ■ Pape qui se heurta à Louis XIV
et au *gallicanisme (1611-1689).

Innsbruck ■ Ville d'Autriche, capitale du *Tyrol,
sur l'*Inn. 117 300 hab. Station de tourisme (nombreux monuments baroques). Sports d'hiver aux
alentours.

Ismet **Inönü** ■ Général et homme d'État turc
(1884-1973).

*l'***Inquisition** ■ Juridiction créée par l'Église au
Moyen Âge pour lutter contre l'hérésie. Les inquisi-
teurs (⇒ **Torquemada**) et leurs tribunaux étaient
craints pour leur sévérité impitoyable et leurs
méthodes (tortures, autodafés). Ils luttèrent contre les
*Albigeois, les *Vaudois, les sorciers et, en Espagne,
contre les Juifs.

I. N. R. I. ■ Abréviation de l'inscription latine
posée sur la croix de Jésus : *Iesus Nazarenus Rex
Iudaeorum* (« Jésus le Nazaréen, roi des Juifs »).

*l'***Insulinde** n. f. ■ Nom des îles du Sud-Est
asiatique : *Indonésie et *Philippines.

*l'***Intelligence Service** n. m. ■ Services secrets
britanniques.

*l'***Internationale** n. f. ■ Organisation des partis
ouvriers ayant pour but de transformer les sociétés
capitalistes en sociétés socialistes. La *Ire Internationale* fut fondée à Londres en 1864, sous l'impulsion
de *Marx ; la *IIe Internationale* à Paris en 1889 ; la
IIIe Internationale (ou *Komintern*) par *Lénine à
Moscou en 1919 ; la *IVe Internationale* par *Trotski
au Mexique en 1937. L'hymne révolutionnaire
"l'Internationale" fut joué pour la première fois à Lille
en 1888.

Interpol ■ Organisation internationale de police
criminelle, créée en 1923, regroupant 120 pays.

Inuit ■ Véritable nom des *Esquimaux. ‹ ► inuit ›

l'hôtel des **Invalides** ■ Monument de Paris conçu
par Louis XIV pour abriter les invalides de guerre.
Commencé en 1670 par Libéral *Bruant, il fut achevé
en 1706 par Hardouin-*Mansart. Cendres de Napoléon Ier sous la coupole.

la querelle des **Investitures** ■ Conflit entre la
papauté et le *Saint Empire romain germanique au
sujet de l'investiture des évêques (1059-1122). ⇒ **Grégoire VII.**

Io ■ Prêtresse d'*Héra, aimée de *Zeus et changée
par lui en génisse.

Iochkar-Ola ■ Ville d'U. R. S. S., capitale de la république autonome des *Mariis (Russie). 243 000 hab.

Eugène Ionesco ■ Auteur dramatique français d'origine roumaine (né en 1912). Il décrit l'incommunicabilité entre les êtres, dans des pièces où le comique naît de l'absurde et engendre le désespoir. *"La Cantatrice chauve"* ; *"Rhinocéros"* ; *"Le roi se meurt"*.

l'Ionie n. f. ■ Ancienne région d'Asie Mineure sur la mer *Égée. ► *les Ioniens,* chassés de Grèce, s'y installèrent au XIIᵉ s. av. J.-C. Ils fondèrent douze cités prospères (parmi lesquelles *Samos, *Chios, *Éphèse, *Phocée et *Milet). Leur rôle fut déterminant dans la culture grecque (patrie d'*Homère et des *présocratiques). Soumise par les Perses (⇒ guerres **médiques**), *Alexandre le Grand puis les *Séleucides, l'Ionie fut intégrée ensuite à l'Empire romain. ► *la mer Ionienne* est la partie de la Méditerranée qui s'étend entre l'Italie et la Grèce. ► *les îles Ioniennes* les plus célèbres sont *Corfou, *Ithaque, *Cythère. ⟨ ► ionique ⟩

l'Iowa n. m. ■ État du centre des États-Unis. 145 791 km². 2,83 millions d'hab. Capitale : Des Moines. Élevage, agriculture et industries dérivées. Universités.

Iphigénie ■ Personnage de la mythologie grecque. Pour obtenir des vents favorables, son père *Agamemnon la sacrifie. Elle a inspiré *Euripide, *Racine, *Gluck.

Ipoh ■ Ville de Malaysia. 300 700 hab. Centre d'extraction de l'étain.

Jean Robert Ipoustéguy ■ Sculpteur français (né en 1920).

Ipswich ■ Ville d'Angleterre, port sur la mer du Nord. 131 000 hab.

Iquitos ■ Ville du Pérou. 178 700 hab. Raffinerie de pétrole.

l'I. R. A., Irish Republican Army ■ Organisation nationaliste irlandaise fondée en 1919. Sa branche militaire (l'I. R. A. provisoire) livre une lutte armée (terrorisme) contre les autorités britanniques. ⇒ **Irlande.**

Irak ■ ⇒ **Iraq.**

l'Iran n. m. ■ État (république islamique) du Proche-Orient. 1 648 000 km². 49,8 millions d'hab. *(les Iraniens).* Capitale : Téhéran. Langue officielle : persan. Monnaie : rial. Pays de hauts plateaux entourés de montagnes. Agriculture céréalière et élevage nomade. Pêche (caviar). Industrie traditionnelle (célèbres tapis persans) ; pétrole. ☐**HISTOIRE.** Ancienne *Perse, le pays prend le nom d'Iran en 1925. *Rizāh shāh engage des réformes ; après la politique de nationalisations de *Mossadegh (1951), c'est sur le pétrole que se fonde la modernisation du pays. La révolution islamique (*chiite) et le renversement du shah, sous la direction de l'ayatollah *Khomeiny (1979), provoquent la dégradation de l'économie, aggravée par la guerre contre l'Iraq (1980-1988). L'Iran développe un activisme islamique révolutionnaire dans tout le Proche-Orient. ⟨ ► iranien ⟩

Irapuato ■ Ville du Mexique. 246 300 hab. Centre industriel.

l'Iraq ou **Irak** n. m. ■ État (république) du Proche-Orient. 434 924 km². 17,1 millions d'hab. *(les Iraqiens* ou *Irakiens).* Langue : arabe. Capitale : Bagdad. La richesse principale est le pétrole. 1ᵉʳ producteur mondial de dattes. ☐**HISTOIRE.** Ancienne *Mésopotamie, le pays prit le nom d'Iraq lors des conquêtes arabes du VIIᵉ s. Soumis à l'Empire *ottoman, il passa sous domination anglaise en 1920 et devint indépendant en 1932. La république fut proclamée en 1958. En 1980, l'Iraq, dirigé depuis 1979 par Saddām *Hussein, déclare la guerre à l'Iran. Le conflit s'interrompt en 1988. ⟨ ► irakien ⟩

l'Irawady n. m. ■ Principal fleuve de Birmanie (2 250 km). Né dans le Yunnan, en Chine, il se jette dans le golfe du Bengale.

Irbid ■ Ville de Jordanie. 136 200 hab. Marché agricole.

Irène ■ Impératrice d'Orient (v. 752 - 803). Elle rétablit le culte des images (⇒ **Iconoclastes**).

saint Irénée ■ Évêque de Lyon (v. 130 - v. 208). Père latin, adversaire de la gnose.

l'Irian Barat ou **Irian Jaya** n. m. ■ Partie occidentale de la *Nouvelle-Guinée, qui, avec plusieurs îles, forme une province de l'Indonésie. 421 981 km². 1,1 million d'hab. (⇒ **Papous**). Chef-lieu : Djadjapura.

Irigny ■ Commune du *Rhône. 6 900 hab.

Iris ■ Messagère des dieux, dans la mythologie grecque, personnification de l'arc-en-ciel.

Irkoutsk ■ Ville d'U. R. S. S. (*Russie). 609 000 hab. Centre culturel et industriel de la *Sibérie orientale.

l'Irlande n. f. ■ Île située à l'ouest de la Grande-Bretagne. 84 000 km². Le nord-est fait partie du Royaume-Uni, et le reste de l'île forme un État indépendant. ☐**HISTOIRE.** Peuplée par les *Celtes autour du Vᵉ s. av. J.-C., divisée en royaumes, l'Irlande resta à l'écart de la conquête romaine. Au Vᵉ s., elle devint catholique avec saint *Patrick (nombreux monastères). Au XIIᵉ s., avec l'invasion anglaise, commence une longue lutte contre l'Angleterre. En 1541, *Henri VIII prit le titre de roi d'Irlande ; la confiscation des terres et les tentatives pour imposer le protestantisme provoquèrent des révoltes. La plus sanglante fut réprimée par *Cromwell en 1649. L'acte d'Union de 1800 créa le *Royaume-Uni. *Parnell obtint une certaine émancipation dans sa lutte contre l'Union. La terrible famine de 1845 provoqua une vaste émigration. *O'Connell échoua dans sa tentative d'obtenir un statut d'autonomie *(Home Rule).* La répression brutale de la rébellion nationaliste de Pâques 1916 renforça le sentiment indépendantiste. En 1921, l'Irlande devint un dominion au sein du *Commonwealth, mais les comtés d'Irlande du Nord restaient unis à la Grande-Bretagne. Les républicains proclamèrent la création de l'*Eire en 1937 puis, reconnaissant la partition de l'île, celle de la *république d'Irlande* en 1948, qui quitta le Commonwealth. ⇒ **De Valera.** ☐ *la république d'Irlande* ou *Eire* couvre la majeure partie de l'île (70 280 km²). 3,5 millions d'hab. *(les Irlandais).* Langues : anglais et gaélique. Capitale : Dublin. Monnaie : livre irlandaise. L'économie repose sur l'élevage (bovins, ovins, chevaux) et l'industrie agro-alimentaire (bière, whisky). Tourisme important. La population est majoritairement catholique. ☐ *l'Irlande du Nord* ou *Ulster* fait partie du Royaume-Uni. 13 482 km². 1,34 million d'hab., protestants pour la plupart. Capitale : Belfast. Langue : anglais. Industrie plus développée que dans le reste de l'île (textile, constructions navales) mais paralysée par la guerre civile (depuis 1969) entre catholiques et protestants.

les **Iroquois** ■ Indiens d'Amérique du Nord, dans la région des *Grands Lacs. Ils luttèrent contre les Français et les *Hurons parfois pour le compte des Anglais.

l'**Irtych** n. m. ■ Rivière de Sibérie, affluent de l'*Ob. 4 248 km.

Washington **Irving** ■ Écrivain américain (1783-1859). *"Les Esquisses"* où figure la légende de *"Rip van Winkle"*.

Isaac ■ Un des patriarches de la Bible, fils d'*Abraham et de *Sarah. Le *sacrifice d'Isaac.* ⇒ **Abraham.**

Isabeau de Bavière ■ Reine de France (1371-1435). La folie de son époux *Charles VI lui donna un rôle politique, entre les *Armagnacs et les Bourguignons.

Isabelle Ire la Catholique ■ Reine de Castille (1451-1504). Son mariage avec le roi d'Aragon *Ferdinand le Catholique prépara l'unification de l'Espagne. Elle soutint Christophe *Colomb.

Isabelle II ■ Reine d'Espagne (1830-1904). Succédant à son père en 1833, elle écarta du trône don *Carlos, son oncle.

Isaïe ■ Le premier des grands prophètes de la Bible (VIIIe s. av. J.-C.).

Ise ■ Ville du Japon (*Honshū). 105 600 hab. Célèbres sanctuaires *shintoïstes.

l'**Isère** [38] n. f. ■ Département français de la région *Rhône-Alpes. Il doit son nom à la rivière qui le traverse. 7 467 km². 937 100 hab. Préfecture : Grenoble. Sous-préfectures : La Tour-du-Pin, Vienne.

Ishinomaki ■ Port du Japon (*Honshū). 120 700 hab.

Ishtar ou **Ashtart** ■ Déesse de la Fécondité dans les religions anciennes de l'*Asie antérieure. Elle correspond à la déesse grecque Astarté.

saint **Isidore de Séville** ■ Évêque espagnol, érudit et écrivain latin (v. 570 - 636). Sa grande encyclopédie fut très lue au Moyen Âge, comme la somme, utile à la foi, des connaissances humaines.

Isis ■ Déesse de l'ancienne Égypte, épouse d'*Osiris. Adorée comme la Mère universelle, son culte se répandit en Grèce et à Rome.

l'**islam** ■ Religion des musulmans, fondée par *Mahomet au VIIe s. en Arabie. Les principes de l'islam sont fixés par le *Coran et la *sunna. Cinq règles fondamentales : 1. Croire en un seul Dieu (*Allah) dont Mahomet est le dernier prophète après *Abraham et Jésus ; 2. Faire 5 prières par jour. 3. Pratiquer la charité ; 4. Jeûner au mois de ramadan. 5. Faire un pèlerinage à La *Mecque (⇒ al-**Ka'ba**). Il y a plus de 500 millions de musulmans (la majorité en Afrique et en Asie). ⇒ **sunnites, chiites, ismaïliens, khāridjisme, soufisme.** □ l'*Islam* désigne l'ensemble des pays qui suivent la loi du Coran. ‹ ▶ islam ›

Islāmābād ■ Capitale du Pakistan, ville administrative et universitaire construite en 1959. 201 000 hab.

l'**Islande** n. f. ■ Île volcanique de l'Atlantique, près du *Groenland, et république de 103 000 km². 244 000 hab. *(les Islandais).* Capitale : Reykjavík. Langue : islandais. Monnaie : couronne islandaise. La pêche est la principale activité économique (hareng, morue). Société brillante aux IXe et Xe s., la « Terre de glace » passa sous domination norvégienne puis devint colonie danoise. Indépendante en 1944. ‹ ▶ islandais ›

Isle ■ Commune de la Haute-*Vienne. 7 000 hab.

L'**Isle-Adam** ■ Commune du *Val-d'Oise. 9 500 hab. *(les Adamois).*

L'**Isle-sur-la-Sorgue** ■ Commune du *Vaucluse. 13 200 hab. *(les Ilois).*

Ismaël ■ Fils d'*Abraham et de sa servante, considéré comme l'ancêtre des Arabes dans la tradition islamique.

Ismā'īl Ier ■ Shah de Perse (1487-1524). Il propagea le *chiisme.

Ismaïlia ou **Al-Ismā'īlīyah** ■ Ville d'Égypte sur le canal de Suez. 191 700 hab.

les **ismaïliens** n. m. ■ Membres d'une secte musulmane extrémiste, branche du *chiisme, qui veut rester fidèle à la pensée d'Ismā'īl (mort en 762), considéré comme le dernier imam. La secte *druze en est issue.

Ismā'īl Pacha ■ Souverain d'Égypte de 1863 à 1879 (1830-1895). Il favorisa la modernisation de son pays.

Isocrate ■ Orateur athénien (436 - 338 av. J.-C.).

Ispahan ou **Eşfahān** ■ Ville d'Iran. 1 million d'hab. Nombreux monuments (Grande Mosquée, XIe - XVIIe s.). Industrie textile (tapis).

Israël ■ Mot hébreu qui désigne dans la Bible : 1. *Jacob ; 2. les douze tribus issues des douze fils de Jacob ; 3. le royaume fondé par ce peuple en *Palestine après la mort de *Salomon (par opposition au royaume de *Juda) ; 4. l'ensemble du peuple juif (⇒ **Hébreux, judaïsme**). □ l'*État d'Israël* est aujourd'hui une république du Proche-Orient. 20 770 km². 4,3 millions d'hab. *(les Israéliens)* avec une minorité d'Arabes car le peuplement résulte de l'immigration massive des Juifs depuis 1880 (⇒ **Herzl, sionisme**). Capitale : Jérusalem. Langues : hébreu et arabe. Monnaie : shekel. L'agriculture moderne, en partie dans le cadre de kibboutz, a permis d'irriguer les régions désertiques (*Néguev) : agrumes, vignes, céréales. Aviculture. Industries de pointe (électronique, taille de diamants). Mais le pays connaît aujourd'hui des difficultés : inflation, chômage, poids du budget militaire. □ HISTOIRE. L'État d'Israël fut créé en 1948 après le partage de la *Palestine par l'O. N. U. (⇒ **Ben Gourion**, Golda **Meir**). C'est le début d'une série de conflits avec les pays arabes qui ne reconnaissent pas cet État (⇒ **O. L. P.**). ▶ *les guerres israélo-arabes. Première guerre israélo-arabe* (1948-1949) : Israël conquiert le *Néguev et la *Galilée. *Deuxième guerre israélo-arabe* (1956) : attaque éclair de Moshé *Dayan dans le *Sinaï. L'O. N. U. exige l'évacuation des troupes israéliennes. *Troisième guerre israélo-arabe* ou *guerre des 6 jours* (1967) : les Israéliens occupent à nouveau le Sinaï, la *Cisjordanie, le *Golan et la partie arabe de Jérusalem. *Quatrième guerre israélo-arabe* ou *guerre du Kippour* (1973) : attaque surprise de l'Égypte et de la Syrie. Israël se retire du Sinaï mais occupe toujours *Gaza, la Cisjordanie et une partie du Golan. La paix séparée signée par *Begin avec l'Égypte en 1979, à Camp David, n'a pas permis de mettre fin aux tensions avec les autres pays arabes. ‹ ▶ israélien, israélite ›

Issoire ■ Sous-préfecture du *Puy-de-Dôme. 15 400 hab. *(les Issoiriens).*

Issoudun ■ Sous-préfecture de l'*Indre. 15 200 hab. *(les Issoldunois).*

Issy-les-Moulineaux ■ Commune des *Hauts-de-Seine. 46 500 hab. *(les Issinois).*

İstanbul ■ Ville de Turquie, carrefour entre l'Europe et l'Asie. 5,4 millions d'hab. 1er port du pays sur le détroit du *Bosphore et capitale économique : industries chimique, électrique, chantiers navals. Basilique Sainte-Sophie (transformée en mosquée, puis en musée) ; nombreux monuments byzantins et ottomans. Ancienne *Constantinople, elle fut la capitale de l'Empire byzantin (⟹ **Byzance**). Elle devint Istanbul, capitale de l'Empire *ottoman, après la prise de la ville par les Turcs en 1453. Nombreuses mosquées.

l'Istiqlāl n. m. ■ Parti nationaliste marocain fondé en 1937. Il fut l'élément moteur de l'indépendance (1956).

Istres ■ Commune des *Bouches-du-Rhône. 20 000 hab. *(les Istréens).*

l'Istrie n. f. ■ Région de la Yougoslavie, en face de Venise, longtemps disputée entre l'Autriche et l'Italie. 350 000 hab.

l'Italie n. f. ■ État (république) d'Europe méridionale. Elle comprend une péninsule et deux grandes îles (Sicile et Sardaigne). 300 000 km². 57 millions d'hab. *(les Italiens).* Capitale : Rome. Langue : italien. Monnaie : lire. Climat méditerranéen. Contraste géographique et déséquilibre économique entre le nord et le sud. L'Italie du Nord est très industrialisée : construction automobile (Fiat), industrie de pointe (Olivetti), chimie, textile (⟹ **Milan, Turin, Gênes**). Les terres y sont riches (céréales, fruits). Le sud (le *Mezzogiornio), pauvre, reste surtout agricole : agrumes, oliviers, vignes (1er producteur mondial de vin), élevage ovin. Pays très touristique, par son riche passé historique et culturel : villes d'art (Venise, Florence, Rome). ▭**HISTOIRE**. À partir du IVe s. av. J.-C., la péninsule est conquise par Rome (⟹ **Rome**). Après la chute de l'Empire romain d'Occident (476) et les invasions barbares, elle est dominée par *Byzance puis par les *Lombards. Autour du XIIe s. l'Italie se redresse lentement : essor économique et artistique des villes de *Pise, *Gênes, *Florence, *Venise. Elle devient à partir du XVe s. le foyer de la *Renaissance. Mais affaiblie par le morcellement en petits États indépendants, elle subit, jusqu'au milieu du XIXe s., la domination espagnole, autrichienne et française (guerres d'Italie menées par Charles VIII, Louis XII et François Ier ; campagnes d'Italie de Bonaparte). Le sentiment national s'éveille : l'unité du pays se fait à partir du Piémont (⟹ **Garibaldi, Cavour**) et *Victor-Emmanuel est proclamé roi d'Italie en 1861. En 1922, *Mussolini arrive au pouvoir ; l'Italie, fasciste, entre dans la Seconde *Guerre mondiale aux côtés de l'Allemagne. Elle devient une république en 1946. Membre de la *C. E. E. depuis 1957. En rapide progrès économique.

Itami ■ Ville du Japon (*Honshū). 180 000 hab.

Ithaque ■ Une des îles Ioniennes, patrie d'*Ulysse dans l'*Odyssée.

Ivan III le Grand ■ Grand-prince de Moscou (1440-1505). Il renforça l'unité et l'autonomie du pays (contre les Mongols et l'État polono-lituanien), ainsi que le prestige du pouvoir, en faisant de Moscou une capitale de l'orthodoxie.

Ivan IV dit *Ivan le Terrible* ■ Grand-prince de Moscou qui, le premier, prit le titre de tsar (empereur) de Russie (1530-1584). Son règne, caractérisé par un absolutisme de droit divin, commença par d'importantes réformes et finit dans la terreur. Son expansionnisme fut freiné à l'ouest par *Étienne Ier Báthory. Il inspira un film d'*Eisenstein.

Viatcheslav Ivanov ■ Poète *symboliste russe (1866-1949). "*Les Étoiles pilotes*".

Ivanovo ■ Ville d'U. R. S. S. (*Russie). 460 000 hab. Industrie cotonnière.

Charles Ives ■ Compositeur américain, auteur de nombreuses mélodies (1874-1954).

Ivry-sur-Seine ■ Commune du *Val-de-Marne. 63 000 hab. *(les Ivryens).*

Iwaki ■ Ville du Japon (*Honshū). 340 000 hab.

Iwakuni ■ Port du Japon (*Honshū). 110 000 hab.

Jaroslaw Iwaszkiewicz ■ Écrivain polonais (1894-1980). "*Mère Jeanne des Anges*" ; "*le Bois de bouleaux*".

Iwo ■ Ville du Nigeria. 214 000 hab.

Izmir ■ ⟹ **Smyrne.**

Izmit autrefois *Nicomédie* ■ Ville de Turquie. 190 000 hab.

le col de l'Izoard ■ Col des Hautes-*Alpes (2 360 m).

J

Jabalpur ■ Ville de l'Inde. 534 000 hab. Industries.

Edmond Jabès ■ Poète français (né en 1912). Œuvre inspirée par l'exil et la judaïté.

Jaca ■ Ville d'Espagne. 10 000 hab. Célèbre pour ses monuments.

Philippe Jaccottet ■ Poète et traducteur suisse d'expression française (né en 1925). "*L'Effraie*".

Andrew Jackson ■ 7ᵉ président des États-Unis, de 1829 à 1837 (1767-1845). Après l'idéalisme des premiers présidents, sa politique réaliste marqua les débuts de la démocratie à l'américaine.

Jackson ■ Ville des États-Unis, capitale du *Mississippi. 203 000 hab. Industrie textile.

Jacksonville ■ Ville et port des États-Unis (*Floride). 541 000 hab. Tourisme.

Jacob ■ Fils d'*Isaac et de *Rebecca dans la Bible, appelé Israël par son Dieu. Ses douze fils furent les pères des douze tribus d'*Israël.

François Jacob ■ Biochimiste français (né en 1920). "*La Logique du vivant*". Prix Nobel de médecine 1965 (⇒ **Lwoff**).

Max Jacob ■ Poète français (1876-1944). Son œuvre allie fantaisie et mysticisme. "*Le Cornet à dés*".

Carl Jacobi ■ Mathématicien allemand (1804-1851). Théorie des fonctions elliptiques.

Friedrich Heinrich Jacobi ■ Philosophe et écrivain allemand (1743-1819).

les Jacobins ■ Club révolutionnaire. Progressivement dominé par *Robespierre, il fut l'âme de la *Convention montagnarde.

les Jacobites ■ Membres de l'Église chrétienne de Syrie occidentale, organisée par Jacques Baradée au VIᵉ s.

les Jacobites ■ Catholiques partisans de *Jacques II après la révolution anglaise de 1688.

Peter Jacobsen ■ Écrivain danois (1847-1885). "*Madame Marie Grubbe*".

Jacopone da Todi ■ Poète italien (1230-1306). Auteur du "*Stabat Mater*", abondamment mis en musique par les compositeurs baroques.

Joseph-Marie Jacquard ■ Mécanicien français (1752-1834). Inventeur d'un métier à tisser automatique qui porte son nom. ⟨ ▶ jacquard ⟩

la Jacquerie ■ Soulèvement de paysans (ou *jacques*) dans le Beauvaisis en 1538. Ils furent soutenus un temps par Étienne *Marcel, puis écrasés par le roi de Navarre.

saint Jacques dit *le Majeur* ■ Apôtre de Jésus (mort en 44). Considéré comme l'évangélisateur de l'Espagne, il fait l'objet d'un des plus célèbres pèlerinages chrétiens, à *Saint-Jacques-de-Compostelle.

saint Jacques dit *le Juste* ou *le Mineur* ■ Premier chef de l'Église de Jérusalem, martyrisé en 62.

Jacques Iᵉʳ ■ Roi d'Angleterre de 1603 à sa mort (1566-1625). Il succéda à *Élisabeth Iʳᵉ et fut le premier à réunir les couronnes d'Angleterre, d'Irlande et d'Écosse.

Jacques II ■ Roi de Grande-Bretagne et d'Irlande de 1685 à 1688 (1633-1701). Converti au catholicisme, il fut chassé du trône par *Guillaume III d'Orange Nassau.

Jaffa ■ Ancienne ville de Palestine, aujourd'hui incluse dans l'agglomération de *Tel-Aviv-Jaffa. Commerce d'agrumes. Bonaparte s'en empara en 1799 (célèbre tableau de *Gros).

les Jagellons n. m. ■ Dynastie lituanienne qui régna sur la Pologne de 1386 à 1572.

'Amr ibn Bahr al-Jāhiz ■ Écrivain arabe (v. 780 - 869). Il a apporté les bases de la culture arabo-musulmane.

Jahvé ■ ⇒ **Yahvé**.

Jaipur ■ Ville de l'Inde, capitale du *Rājasthān. 613 000 hab. Monuments du XVIIIᵉ s. Tourisme.

Jakarta ■ ⇒ **Djakarta**.

Roman Jakobson ■ Linguiste russe naturalisé américain (1896-1982). Fondateur avec Troubetskoy de la phonologie. Son œuvre très variée a notamment influencé son élève *Chomsky et son ami *Lévi-Strauss.

Jalapa ■ Ville du Mexique. 195 000 hab.

Jālgaon ■ Ville de l'Inde. 106 000 hab.

la **Jamaïque** ■ Île et État des Grandes *Antilles dans la mer Caraïbe. 11 425 km². 2,3 millions d'hab. *(les Jamaïcains).* Capitale : Kingston. Langues : anglais (officielle), espagnol. Monnaie : dollar jamaïcain. Production de sucre et de bananes. 3e producteur de bauxite du monde. Tourisme. Patrie du reggae. Ancienne colonie espagnole puis anglaise, indépendante en 1962. Membre du *Commonwealth.

William **James** ■ Psychologue américain, philosophe des religions, tenant du pragmatisme (1842-1910).

Henry **James** ■ Romancier américain naturalisé anglais (1843-1916). L'histoire des consciences, leurs drames et leurs révoltes intérieures inspirent son œuvre. *"Daisy Miller"* ; *"le Tour d'écrou"* ; *"les Ailes de la colombe".*

Francis **Jammes** ■ Écrivain français (1868-1938). Poète d'inspiration lyrique et religieuse. *"Géorgiques chrétiennes".*

Jammu ■ Ville de l'Inde (*Cachemire). 155 300 hab.

Jāmnagar ■ Ville de l'Inde. 317 000 hab.

Jamshedpur ■ Ville de l'Inde, centre métallurgique créé en 1912. 670 000 hab.

Leoš **Janáček** ■ Compositeur tchèque (1854-1928). Opéras *("Jenufa")* et œuvres instrumentales *("Sinfonietta")* d'inspiration folklorique.

Clément **Janequin** ■ Compositeur français (v. 1485 - 1558). Il renouvela la chanson polyphonique, notamment par le recours à l'onomatopée et à l'imitation. *"Le Caquet des femmes".*

Pierre **Janet** ■ Psychiatre et philosophe français (1859-1947).

le **Janicule** ■ Une des sept collines de Rome.

Vladimir **Jankélévitch** ■ Philosophe et musicologue français (1903-1985). *"Le Je-ne-sais-quoi et le Presque-rien".*

Jansénius ■ Théologien néerlandais (1585-1638). ► le *jansénisme,* doctrine chrétienne inspirée par ses écrits. Elle reprend la théorie de saint *Augustin sur la prédestination : le salut n'est possible que par la grâce divine. D'où une querelle entre jésuites (⇒ **Molina**) et *jansénistes* (⇒ **Saint-Cyran, Arnauld, Nicole**), notamment en France, qui aboutit à la condamnation du jansénisme, malgré la contre-attaque de *Pascal *("les Provinciales").* ⇒ **Port-Royal.** 〈 ► jansénisme 〉

Janus ■ Dieu romain, gardien des portes. Représenté avec deux visages opposés.

le **Japon** ■ État (monarchie parlementaire) et archipel d'Asie. 377 815 km². 121,6 millions d'hab. *(les Japonais).* Capitale : Tōkyō. Langue : japonais. Monnaie : yen. Les îles principales sont *Hokkaidō, *Honshū, *Kyūshū, *Shikoku et *Ryu-Kyu. Les montagnes couvrent les trois quarts du pays : la faible surface cultivable et la très forte densité imposent une agriculture intensive (riz, thé). Pêche active (1er rang mondial). 3e puissance industrielle du monde : sidérurgie, construction navale (la première du monde) et automobile, électronique réputée, chimie. Réussite économique liée à une grande compétence technique et commerciale. Mais le Japon, qui investit ses capitaux dans le monde entier, dépend de l'extérieur pour les matières premières et l'exportation de produits finis. ▭ HISTOIRE. Du VIe au IXe s., le Japon fut très influencé par la Chine : il adopta sa religion (le bouddhisme), son écriture. Du XIIe au XIXe s., c'est un État féodal dirigé par un shogun

(⇒ **Minamoto-no-Yoritomo**) avec *Kamakura pour capitale ; l'empereur n'a plus qu'une autorité religieuse. Le dernier shogun remit ses pouvoirs à l'empereur, installé à *Tōkyō en 1867. Confronté aux impérialismes occidentaux, le pays s'est rapidement modernisé (ère Meiji). Devenu une puissance militaire et menacé de surpopulation, le Japon attaqua la Chine et annexa *Taiwan en 1894, la *Corée en 1910 et la *Mandchourie en 1931. En 1941, il entra dans la Seconde Guerre mondiale aux côtés de l'Allemagne nazie (⇒ **Pearl Harbor**). Il dut capituler après que les Américains eurent lâché des bombes atomiques sur *Hiroshima et *Nagasaki. Avec l'aide américaine, il a rapidement reconstruit son économie. 〈 ► japon, japonais 〉

Jarny ■ Commune de *Meurthe-et-Moselle. 9 000 hab. *(les Jarnysiens).*

l'ordre de la **Jarretière** ■ Ordre de chevalerie anglais fondé en 1346. « Honni soit qui mal y pense » est sa devise.

Alfred **Jarry** ■ Écrivain français (1873-1907). Créateur du personnage cocasse d'Ubu. *"Ubu roi"* ; *"Ubu enchaîné".*

le *général* **Jaruzelski** ■ Homme d'État polonais (né en 1923). Chef du gouvernement de 1981 (« état de guerre ») à 1985, chef de l'État depuis 1985. ⇒ **Pologne.**

Jarville-la-Malgrange ■ Commune de *Meurthe-et-Moselle. 12 000 hab.

Jason ■ Chef des *Argonautes, dans la mythologie grecque. Il partit à la conquête de la *Toison d'or.

Karl **Jaspers** ■ Psychologue et philosophe allemand (1883-1969). Proche de *Kierkegaard.

les **Jātaka** n. m. ■ Contes indiens dont les plus anciens remontent au IIIe s. av. J.-C.

le *fleuve* **Jaune** ■ ⇒ **Huang He.**

la *mer* **Jaune** ■ Mer entre la Chine et la Corée.

Jean **Jaurès** ■ Homme politique et intellectuel français, figure marquante du socialisme (1859-1914). Fondateur du journal *l'Humanité* en 1904. Pacifiste militant, il fut assassiné à la veille de la Première Guerre mondiale.

Java ■ Île volcanique d'Indonésie. 126 500 km². 83 millions d'hab. *(les Javanais),* une des plus fortes densités du monde. Ville principale : Djakarta. Terres très fertiles : riz, canne à sucre, thé. Ancien royaume des îles de la Sonde, colonie hollandaise, Java est rattachée à l'Indonésie depuis sa création en 1950. 〈 ► ① javanais 〉

Alexej von **Jawlensky** ■ Peintre russe (1864-1941). Portraits méditatifs aux couleurs vives.

Jayavarman VII ■ Roi du Cambodge de 1181 à 1218. Son zèle de constructeur (*Angkor) ruina son royaume (⇒ **khmer**).

Jdanov ■ Ville et port d'U. R. S. S. (*Ukraine) sur la mer d'Azov, dans le *Donbass. 529 000 hab.

saint **Jean** ■ Apôtre de Jésus. On lui attribue le quatrième *Évangile, l'*Apocalypse et trois Épîtres. L'aigle est son emblème.

saint **Jean-Baptiste** ■ Prophète juif (mort v. 28). Il reconnut *Jésus comme Messie et le baptisa dans l'eau du Jourdain. Il fut décapité à la demande de *Salomé.

saint **Jean-Baptiste de La Salle** ■ Prêtre français (1651-1719). Fondateur de la congrégation des Frères des Écoles chrétiennes.

saint **Jean Bosco** ■ Prêtre italien (1815-1888). Fondateur des congrégations des salésiens et des salésiennes, consacrées à l'éducation des enfants pauvres.

saint **Jean Chrysostome** ■ Docteur de l'Église, patriarche de Constantinople (v. 349 - 407).

saint **Jean Damascène** ■ Théologien chrétien de Damas, Docteur de l'Église grecque (mort v. 749).

saint **Jean de la Croix** ■ Moine espagnol (1542-1591). Auteur de poèmes et de traités mystiques, chefs-d'œuvre du siècle d'or espagnol. Après sainte *Thérèse d'Avila, il réforma les carmels.

Jean XXII ■ Second pape d'Avignon (1245-1334). Il condamna les *franciscains et la doctrine de la pauvreté du Christ.

Jean XXIII ■ Pape de 1958 à sa mort (1881-1963). Il convoqua le IIe concile du *Vatican et adapta l'Église au monde actuel.

Jean ■ NOM DE PLUSIEURS SOUVERAINS EUROPÉENS. 1. roi d'ANGLETERRE □ *Jean sans Terre* (1167-1216) succéda en 1199 à son frère *Richard Ier Cœur de Lion. Il fut condamné à perdre ses terres françaises pour avoir enlevé Isabelle d'Angoulême. 2. duc de BOURGOGNE □ *Jean sans Peur* (1371-1419) fut à l'origine de la guerre des *Armagnacs et des Bourguignons par sa volonté d'obtenir la couronne de France. Il s'allia aux Anglais et mourut assassiné. 3. rois de FRANCE □ *Jean Ier le Posthume*, fils posthume de Louis X (1316). □ *Jean II le Bon* (1319-1364). Capturé par les Anglais lors de la guerre de *Cent Ans (1356) ; son fils, le futur *Charles V, assuma la régence. 4. roi de POLOGNE □ *Jean III Sobieski* (1624-1696) proclamé « héros de la chrétienté » après ses victoires sur les Turcs. 5. rois du PORTUGAL □ *Jean Ier le Grand* (1357-1433) fit de son pays une grande puissance et encouragea les voyages de son fils *Henri le Navigateur. □ *Jean IV le Fortuné* (1604-1656) libéra son pays de la domination espagnole en 1640. □ *Jean VI* (1767-1826), régent jusqu'à la mort de sa mère en 1816. Il fut chassé par les Français en 1807, se réfugia au Brésil et ne put revenir qu'en 1821. Son fils *Pierre Ier proclama alors le Brésil indépendant et en devint empereur (1822). 6. grand-duc de LUXEMBOURG □ *Jean* (né en 1921) succéda à sa mère, après son abdication, en 1964.

André Jean Bon Saint-André ■ Révolutionnaire français (1749-1813). Membre du *Comité de salut public chargé des affaires maritimes, employé par le *Directoire, puis par *Napoléon Ier.

sainte **Jeanne d'Arc** dite *la Pucelle d'Orléans* ■ Héroïne française (v. 1412 - 1431). Pendant la guerre de *Cent Ans, elle entendit des voix surnaturelles lui ordonnant de délivrer le pays, obtint une armée et fit sacrer *Charles VII à Reims. Prisonnière des Anglais après plusieurs victoires, elle fut jugée comme hérétique et brûlée à Rouen. Réhabilitée en 1456, canonisée en 1920.

sainte **Jeanne de Chantal** ■ Religieuse française qui fonda l'ordre de la Visitation (1572-1641).

Jeanne la Folle ■ Reine de Castille (1479-1555). Fille de *Ferdinand d'Aragon et d'*Isabelle la Catholique, mère de *Charles Quint, épouse de *Philippe le Beau.

Jeanne Seymour ■ Troisième épouse d'Henri VIII, mère d'*Édouard VI (v. 1509 - 1537).

Jean-Paul ■ ⇒ Johann Paul **Richter**.

Jean-Paul II ■ Le premier pape polonais, élu en 1978 (né en 1920). Il porte une grande attention aux problèmes géopolitiques.

Thomas Jefferson ■ Homme d'État américain (1743-1826). Auteur de la Déclaration d'indépendance en 1776. 3e président des États-Unis, de 1801 à 1809.

Jefferson City ■ Ville des États-Unis, capitale de l'État du *Missouri. 32 000 hab.

les **témoins de Jéhovah** ■ Secte chrétienne fondée à Pittsburgh, aux États-Unis, en 1872. Elle compte 2,8 millions de fidèles dans le monde. Ils refusent l'autorité du gouvernement, le service militaire et s'opposent aux transfusions sanguines.

Jemappes, anciennement **Jemmapes** ■ Ancienne commune de Belgique, aujourd'hui rattachée à *Mons. *Dumouriez y vainquit les Autrichiens en novembre 1792.

Edward Jenner ■ Médecin anglais (1749-1823). Inventeur du premier vaccin.

Jérémie ■ Un des quatre grands prophètes de la Bible (v. 650 - v. 580 av. J.-C.). On lui attribue les "*Lamentations*", complaintes sur Jérusalem dévastée. ‹ ▶ jérémiades ›

Jerez de la Frontera ■ Ville d'Espagne. 176 200 hab. Réputée pour ses vins. ‹ ▶ xérès ›

Jéricho ■ Considérée traditionnellement comme la plus ancienne ville du monde, fondée en 8000 av. J.-C. en Palestine, miraculeusement conquise par *Josué et les *Hébreux, selon la Bible.

Jéroboam Ier ■ Fondateur et premier roi d'Israël (de 931 à 910 av. J.-C.). ‹ ▶ jéroboam ›

saint **Jérôme** ■ Père et docteur de l'Église (v. 347 - 420). Sa traduction de la Bible en latin, la *Vulgate, fut adoptée par l'Église et joua un grand rôle dans la culture des pays catholiques. Les peintres l'ont souvent représenté en ermite.

Jersey ■ La plus grande des îles Anglo-Normandes. 116 km². 80 200 hab. Chef-lieu : Saint-Hélier. Tourisme. ‹ ▶ jersey ›

Jersey City ■ Ville des États-Unis (*New Jersey). 223 500 hab.

Jérusalem ■ Capitale d'Israël, cité sainte et lieu de pèlerinage pour les religions juive, chrétienne et musulmane (d'où les nombreuses synagogues, églises, mosquées). 468 900 hab. Vers l'an 1000 av. J.-C., le roi *David en fit la capitale de la *Judée, puis *Salomon y construisit son Temple. Détruite par *Nabuchodonosor II, conquise par les Romains en 63 av. J.-C. (⇒ **Hérode**), elle vit la crucifixion de *Jésus-Christ. En 1099, après la première *croisade, les chrétiens y fondèrent le *royaume latin de Jérusalem* (⇒ **Godefroy de Bouillon**). Occupée par les musulmans du XIIIe au XXe s., puis par les Anglais qui partagèrent la ville entre Juifs et Arabes en 1948. En 1967, les Israéliens prirent possession de la partie arabe, réunifiant de fait la ville (⇒ conflit **israélo-arabe**).

Jésus ou **Jésus-Christ** ■ Fondateur de la religion chrétienne, pour laquelle il est le fils de Dieu, venu sur terre pour sauver l'humanité. Les *Évangiles racontent sa naissance à Bethléem, sa jeunesse à Nazareth, sa prédication et ses miracles en Galilée, sa condamnation à mort devant *Ponce Pilate, sa crucifixion et sa résurrection le troisième jour. ⇒ **Christ**. ‹ ▶ jésus ›

la **Compagnie de Jésus** ■ Ordre fondé en 1540 par *Ignace de Loyola et voué à l'enseignement. ▶ les *jésuites* furent aussi de grands missionnaires en Extrême-Orient ⇒ saint **François Xavier**) et au Paraguay. Ils soutinrent le *molinisme contre le *jansénisme. Ordre aboli en 1773 et rétabli en 1814. ‹ ▶ jésuite ›

le serment du *Jeu de paume* ■ Serment prêté le 20 juin 1789 par les députés du tiers état, réunis dans une salle de jeu de paume à Versailles (la salle habituelle leur étant interdite) : ils jurèrent de ne pas se séparer avant d'avoir donné une constitution à la France (⇒ **Constituante**). Le 17 juin, ils s'étaient proclamés Assemblée nationale (⇒ **états généraux**).

Jeumont ■ Commune du *Nord. 11 700 hab.

William Stanley Jevons ■ Économiste anglais (1835-1882). Un des fondateurs de l'économie mathématique et du marginalisme.

Jhānsi ■ Ville de l'Inde. 281 000 hab. Industrie lourde.

Jilin ou *Kirin* ■ Ville de Chine. 1,14 million d'hab.

Juan Ramón Jiménez ■ Poète espagnol (1881-1958). Il quitta l'Espagne en 1936. Prix Nobel 1956. "*Platero et moi*".

Jinan ■ Ville de Chine. 1,43 million d'hab. Important carrefour ferroviaire.

Jingdezhen ■ Ville de Chine célèbre pour ses porcelaines (gisements de kaolin). 300 000 hab.

Muhammad Ali Jinnah ■ Homme d'État pakistanais (1876-1948). Chef de la Ligue musulmane, opposé à *Gāndhī, il obtint, lors de l'indépendance de l'Inde, la création d'un État musulman : le *Pakistan.

Jinzhou ■ Ville de Chine. 450 000 hab.

Jitomir ■ Ville d'U. R. S. S. (*Ukraine). 287 000 hab. Marché agricole, bois, lin.

les Jivaros n. m. ■ Indiens d'Amazonie qui coupaient et réduisaient la tête de leurs ennemis pour en faire des trophées.

saint Joachim ■ Père de la Vierge Marie et époux de sainte *Anne, dans la tradition chrétienne.

Joachim de Flore ■ Mystique italien (v. 1130 - 1202). Ses thèses inspirèrent les mouvements mendiants hétérodoxes du XIIIe s.

João Pessoa ■ Ville du Brésil. 290 400 hab.

Job ■ Personnage de la Bible. On dit « pauvre comme Job » par allusion aux malheurs qu'il a subis.

Jocaste ■ Dans la mythologie grecque, mère d'*Œdipe. Elle l'épouse et se pend quand elle découvre qu'il était son fils.

Étienne Jodelle ■ Auteur dramatique français (1532-1573). "*Cléopâtre captive*" est la première tragédie classique française.

Jodhpur ■ Ville de l'Inde fondée en 1212, dans le Rājasthān. 494 000 hab.

Jœuf ■ Commune de *Meurthe-et-Moselle. 9 000 hab. Sidérurgie.

Joseph Joffre ■ Maréchal de France (1852-1931). Vainqueur de la bataille de la Marne en 1914, généralissime jusqu'en 1916.

Johannesburg ■ La plus grande ville d'Afrique du Sud, dans le *Transvaal, construite près de mines d'or. 1,5 million d'hab. Métropole économique du pays (sidérurgie, construction mécanique).

Samuel Johnson ■ Écrivain anglais (1709-1784). Célèbre pour son "*Dictionnaire de la langue anglaise*" et ses éditions de Shakespeare et des poètes anglais. ⇒ **Boswell**.

Andrew Johnson ■ Homme politique américain (1808-1875). Il fut le 17e président des États-Unis (de 1865 à 1869). Démocrate.

Lyndon Johnson ■ Homme politique américain (1908-1973). Vice-président (démocrate) et successeur de *Kennedy à la présidence de 1963 à 1968.

Daniel Johnson ■ Homme politique canadien (1915-1968). Il fut Premier ministre du Québec de 1966 à sa mort. □ *Pierre-Marc Johnson*, son fils (né en 1946), fut Premier ministre du Québec en 1985.

Uwe Johnson ■ Écrivain allemand (1934-1984). Membre du *Groupe 47. "*Deux opinions*".

Joigny ■ Commune de l'*Yonne. 10 500 hab. (*les Joviniens*).

Jean sire de Joinville ■ Chroniqueur français (v. 1224 - 1317). Conseiller de *Louis IX. "*Le Livre des saintes paroles et des bons faits de notre saint roi Louis*".

Joinville ■ Commune de la *Haute-Marne. 5 100 hab. (*les Joinvillois*).

Joinville-le-Pont ■ Commune du *Val-de-Marne. 17 200 hab. (*les Joinvillais*).

Mór Jókai ■ Romancier hongrois (1825-1904). Il eut un immense succès populaire. "*L'Homme en or*".

les Joliot-Curie ■ Physiciens français. Prix Nobel de chimie 1935, pour leur découverte de la radioactivité artificielle. Irène (1897-1956) fille des *Curie et son époux Frédéric (1900-1958). Communiste engagé, pacifiste convaincu, ce dernier fut un pionnier du nucléaire civil.

André Jolivet ■ Compositeur français (1905-1974). Musique incantatoire. "*Songe à nouveau rêvé*" ; "*Concerto pour ondes Martenot*".

Niccolo Jomelli ■ Compositeur italien (1714-1774). Précurseur de *Gluck. "*Miserere*".

Antoine Henri baron de Jomini ■ Général suisse au service de Napoléon Ier, puis de la Russie, théoricien de la guerre (1779-1869).

Jonas ■ Un des douze « petits prophètes » de la Bible. Avalé par une baleine, il passe trois jours dans son ventre (symbole de résurrection pour les chrétiens).

Johan Barthold Jongkind ■ Peintre et aquarelliste néerlandais (1819-1891). Ses paysages annoncent l'*impressionnisme.

Jönköping ■ Ville et port de Suède. 108 200 hab. Industrie des allumettes.

Ben Jonson ■ Écrivain anglais (1572-1637), ami et rival de *Shakespeare. Auteur de comédies : "*Volpone*".

Jonzac ■ Sous-préfecture de la *Charente-Maritime. 4 900 hab.

Jacob Jordaens ■ Peintre *baroque flamand (1593-1678). Scènes populaires ("*Le roi boit !*") et religieuses ("*les Quatre Évangélistes*"), influencées par *Rubens.

Camille Jordan ■ Mathématicien français (1838-1922). Théorie des groupes. Analyse.

la Jordanie ■ État (monarchie) du Proche-Orient, à l'est d'Israël. 89 206 km². 2,85 millions d'hab. (*les Jordaniens*), dont la moitié de réfugiés palestiniens. Capitale : 'Ammān. Langue : arabe. Monnaie : dinar jordanien. Ancien protectorat britannique (sous le nom de Transjordanie), royaume indépendant en 1946, il prit le nom de Jordanie en 1949. La partie occidentale (la *Cisjordanie) est occupée depuis 1967 par Israël (⇒ conflit **israélo-arabe**). Mines de phosphate. Pays désertique à l'exception des vallées du

*Jourdain et du Cédron, dotées d'un système d'irrigation. Avec une économie desservie par le manque d'eau, la Jordanie reçoit l'aide des pays pétroliers.

Joseph ■ Fils de *Jacob dans la Bible. Vendu par ses frères, il devient ministre du pharaon en Égypte.

saint Joseph ■ Dans les *Évangiles, charpentier, époux de *Marie et père nourricier de *Jésus.

le père Joseph ■ Capucin français, collaborateur intime de *Richelieu, surnommé « l'Éminence grise » (1577-1638).

Joseph II ■ Empereur germanique (1741-1790). Despote éclairé, il poursuivit l'œuvre de centralisation et de modernisation commencée par sa mère *Marie-Thérèse. Sa politique anticléricale fut appelée le *joséphisme*.

Flavius Josèphe ■ ⇒ **Flavius Josèphe.**

Joséphine née *Marie-Josèphe Tascher de La Pagerie* ■ Impératrice des Français (1763-1814). Veuve de *Beauharnais, elle épousa en 1796 Napoléon Bonaparte qui, devenu *Napoléon I⁰ʳ, la répudia en 1809 pour *Marie-Louise, faute d'héritier.

Josquin des Prés ■ Compositeur français (v. 1440 - 1521). Un des maîtres de la polyphonie. Nombreuses messes.

Josué ■ Personnage de la Bible (v. XIIᵉ s. av. J.-C.). Il fait tomber les murs de *Jéricho au son des trompettes et mène les Hébreux à la conquête de la Terre promise (épisode retracé dans le livre biblique de Josué).

Joseph Joubert ■ Moraliste français (1754-1824). Ami de *Fontanes et de *Chateaubriand, qui édita ses *"Carnets"*.

Joué-lès-Tours ■ Commune d'*Indre-et-Loire. 35 200 hab. *(les Jocondiens).*

Marcel Jouhandeau ■ Écrivain français (1888-1979). Romans, essais, autobiographies. *"Chroniques maritales"*.

Gueorgui Joukov ■ Maréchal et homme politique soviétique (1896-1974). Vainqueur de la bataille de *Stalingrad, signataire de la capitulation allemande (1945) et ministre de la Défense sous *Khrouchtchev.

Vassili Joukovski ■ Poète russe (1783-1852). Il introduisit le *romantisme en Russie.

Nikolaï Joukovski ■ Physicien russe, spécialiste de l'aérodynamique (1847-1927).

James Prescott Joule ■ Physicien anglais (1818-1889). Il établit certaines lois fondamentales de la thermodynamique et définit l'équivalent mécanique de la chaleur, désormais mesurée en *joules*. ⟨ ► joule ⟩

le Jourdain ■ Fleuve de *Palestine qui traverse le lac de *Tibériade, sépare la *Jordanie de la *Cisjordanie et se jette dans la mer Morte (350 km). Important rôle d'irrigation.

Jean-Baptiste Jourdan ■ Officier français, maréchal d'Empire (1762-1833). Il vainquit les Autrichiens à *Fleurus (1794).

Pierre Jean Jouve ■ Écrivain français (1887-1976). Œuvre marquée par la psychanalyse et le mysticisme. *"Paulina 1880"*.

Jean Jouvenet ■ Peintre français (1644-1717). Grandes compositions religieuses.

Louis Jouvet ■ Acteur, metteur en scène et directeur de théâtre français (1887-1951). Il collabora avec *Giraudoux et interpréta de nombreux films.

Jouy-en-Josas ■ Commune des *Yvelines. 7 600 hab. *(les Jovaciens).*

Gaspar Melchor de **Jovellanos** ■ Essayiste espagnol, défenseur du libéralisme (1744-1811).

James **Joyce** ■ Écrivain irlandais (1882-1941). Créant de nouveaux procédés de narration et restituant le flux de la conscience, il a fait du langage la réalité fondamentale du roman. *"Ulysse" ; "Finnegans Wake"*.

Attila **József** ■ Poète hongrois (1905-1937). Marxiste, admirateur de *Freud, il tenta la synthèse entre le *surréalisme et le folklore hongrois. *"Sur le pourtour de la ville"*.

Juan Carlos I⁰ʳ ■ Roi d'Espagne depuis 1975 (né en 1938). Il a permis la démocratisation de son pays après la mort de *Franco.

don **Juan d'Autriche** ■ Prince espagnol (1545-1578). Fils de *Charles Quint, demi-frère de *Philippe II. Il remporta la victoire de *Lépante sur les Turcs (1571) et devint gouverneur général des Pays-Bas (1576).

Juan-les-Pins ■ Station balnéaire de la Côte d'Azur, près d'*Antibes.

Benito **Juárez** ■ Homme d'État mexicain (1806-1872). Vainqueur de l'expédition française, il fit fusiller l'empereur *Maximilien (1867). Président de la République de 1861 à sa mort.

Juda ■ Fils de *Jacob, dans la Bible, ancêtre d'une des tribus d'Israël. ► *le royaume de Juda* fut fondé après la mort de *Salomon (v. 931 av. J.-C.) par les tribus du sud de la Palestine (capitale : Jérusalem) et détruit par *Nabuchodonosor II en 587 av. J.-C.

le judaïsme ■ Religion des juifs, qui croient en un Dieu unique qui a fait alliance avec *Abraham et transmis sa loi à *Moïse. La *Bible, la *Mishnah et le *Talmud sont ses livres sacrés. ⇒ **Hébreux, Kabbale.**

Judas dit *l'Iscariote* ■ Un des douze apôtres de l'Évangile. Il trahit Jésus pour de l'argent. On appelle un traître un « Judas ». ⟨ ► judas ⟩

saint Jude ou **Thadée** ■ Un des douze apôtres de l'Évangile.

la Judée ■ Région du sud de la Palestine, le cœur du pays juif dans l'Antiquité.

Judith ■ Héroïne de la Bible. Elle sauva sa ville en tranchant la tête du général ennemi *Holopherne.

les Juges n. m. ■ Dans la Bible, chefs militaires et porte-parole de Dieu qui gouvernèrent les *Hébreux aux XIIᵉ et XIᵉ s. av. J.-C.

Jugurtha ■ Roi de *Numidie vaincu par les Romains (v. 160 - v. 104 av. J.-C.).

le 14 Juillet 1789 ■ ⇒ **Bastille.**

la monarchie de Juillet ■ ⇒ **monarchie de Juillet.**

Alphonse **Juin** ■ Maréchal de France (1888-1967). Héros de la *Résistance, puis résident général au Maroc de 1947 à 1951.

Juiz de Fora ■ Ville du Brésil. 299 700 hab.

Jules II ■ Pape de 1503 à sa mort, surnommé « le Terrible » (1443-1513). Voulant restaurer le pouvoir temporel de l'Église, il lutta contre les Vénitiens (1508) et organisa la « Sainte Ligue » contre les Français (1512). Mécène et bâtisseur, il fit travailler *Bramante, *Michel-Ange, *Raphaël (⇒ **Saint-Pierre de Rome**).

Jules César ■ ⇒ Jules **César.**

la gens Julia ■ Illustre famille romaine à laquelle appartenait Jules César.

Julie ■ Fille d'*Auguste (39 - 14 av. J.-C.).

Julien l'Apostat ■ Empereur romain d'Orient (331-363). Il rejeta le christianisme instauré par son oncle *Constantin Ier et tenta de restaurer la religion païenne.

saint Julien l'Hospitalier ■ Personnage légendaire du XIIIe s. qui a inspiré un conte de *Flaubert.

Jullundur ■ Ville de l'Inde, au pied de l'Himalaya. 406 000 hab.

l'abbaye de Jumièges ■ Ruines d'une abbaye fondée en 654, avec une remarquable église abbatiale du XIe s., situées dans l'arrondissement de *Rouen.

Juneau ■ Ville des États-Unis, capitale de l'*Alaska. 26 000 hab.

Carl Gustav Jung ■ Psychiatre suisse (1875-1961). Disciple dissident de *Freud, il élargit l'analyse à l'« inconscient collectif » et à ses expressions : mythes, symboles. Il s'intéressa beaucoup à l'alchimie.

Ernst Jünger ■ Écrivain allemand (né en 1895). Il a donné une œuvre d'inspiration romantique et d'une grande perfection formelle, où la guerre, la nature, le refus du modernisme sont les thèmes majeurs. "Héliopolis" ; "le Livre du sablier".

la Jungfrau ■ Sommet des Alpes suisses (4 158 m).

Juan de Juni ■ Sculpteur espagnol (1507-1577). Expression pathétique.

Junon ■ Épouse de *Jupiter, déesse de la nature féminine chez les Romains.

Andoche Junot duc d'Abrantès ■ Général français (1771-1813). Ami de Bonaparte. □ *Laure Junot duchesse d'Abrantès*, sa femme (1784-1838), a laissé des "Mémoires".

Jupiter ■ Principal dieu romain, assimilé au *Zeus des Grecs. Dieu du ciel, de la foudre et du tonnerre, protecteur de Rome. □ *Jupiter* est aussi la plus grosse planète du système solaire : 143 000 km de diamètre (soit 11,2 fois celui de la Terre). Température : –140° C.

le Jura ■ Chaîne de montagnes d'Europe (est de la France, Suisse, Allemagne). Point culminant : le crêt de la Neige (1 723 m). Climat rude et humide dans le Jura franco-suisse : élevage laitier (comté, gruyère), exploitation de la forêt, tourisme, énergie hydro-électrique. ► *le Jura* [39], département français de la région *Franche-Comté. 5 053 km². 243 000 hab. Préfecture : Lons-le-Saunier. Sous-préfectures : Dole, Saint-Claude. □ *le Jura suisse,* 23e canton de la Suisse, créé en 1979. 837 km². 64 700 hab. Chef-lieu : Delémont. ⟨ ► jurassien ⟩

Jurançon ■ Commune des *Pyrénées-Atlantiques, près de Pau. 7 900 hab. Vins.

les Jussieu ■ FAMILLE DE MÉDECINS ET BOTANISTES FRANÇAIS □ *Antoine Laurent de Jussieu,* botaniste (1748-1836).

les Juste ■ Famille de sculpteurs italiens de la *Renaissance établis en France en 1504.

Justinien Ier ■ Empereur romain d'Orient (482-565). Grand conquérant et législateur ("Code justinien"), il contribua à la grandeur et à la prospérité de la civilisation byzantine. Il édifia des grands monuments à *Ravenne et *Constantinople.

le Jutland ■ Presqu'île continentale du Danemark. 2,15 millions d'hab. Capitale : *Aarhus. Bataille navale anglo-allemande en 1916.

Juvénal ■ Poète latin (v. 55 - v. 140). Auteur de "Satires" où il critique les mœurs dissolues de son temps.

Juvisy-sur-Orge ■ Commune de l'*Essonne. 12 300 hab. *(les Juvisiens).*

K

K2 ou **Dapsang** ■ 2e sommet du monde (8 611 m), dans l'*Himalaya.

al-Ka'ba ■ Édifice cubique au centre de la mosquée de La *Mecque. La Pierre Noire, apportée selon la tradition par saint *Gabriel à *Abraham, y est scellée. C'est le point vers lequel se tournent tous les musulmans pour prier.

Dimitri Kabalevsky ■ Compositeur soviétique (1904-1987). *"Nikita Verchinine"*, opéra.

la Kabardino-Balkarie ■ Une des républiques autonomes de la R. S. S. de Russie, dans le *Caucase. 12 500 km². 724 000 hab. Capitale : *Naltchik. Agriculture. Industrie mécanique.

la Kabbale ou **Cabale** ■ En hébreu « la tradition ». À l'origine, tout commentaire de la Bible ; puis, à la fin du XIIIe s., doctrine mystique du *judaïsme, très importante dans la pensée juive. Le *Zohar est son ouvrage principal. ⟨ ▶ ① et ② cabale ⟩

le kabuki ■ Genre de théâtre japonais créé au XVIe s., plus populaire que le *nô.

Kābul ou **Kaboul** ■ Capitale de l'Afghanistan. 913 000 hab. Centre caravanier et artisanal. Ville universitaire et administrative.

la Kabylie ■ Massifs montagneux d'Algérie bordant la Méditerranée. ▶ *les Kabyles,* population d'origine et de langue *berbères. ⟨ ▶ kabyle ⟩

János Kádár ■ Homme d'État hongrois (né en 1912). Premier secrétaire du parti communiste hongrois (1957-1988), président du Parti depuis mai 1988 (⇒ **Hongrie.**

Ismaïl Kadaré ■ Écrivain albanais (né en 1936). *"Le Général de l'armée morte"*, roman.

Muammar al-Kadhafi ■ Officier et homme d'État libyen (né en 1942). Président du Conseil de la révolution depuis 1970. ⇒ **Libye.**

Kadiri ■ Ville d'Indonésie. 221 800 hab. Industrie (bois, sucre).

Kaduna ■ Ville du Nigeria. 247 100 hab. Culture et industrie du coton.

Kaesŏng ■ Ville de la Corée du Nord. 259 000 hab.

Franz Kafka ■ Écrivain tchèque d'expression allemande (1883-1924). Ses récits et ses romans mettent en scène des personnages livrés à l'étrangeté, la solitude et la culpabilité. *"La Métamorphose"* ; *"le Procès"* ; *"le Château"*. ⟨ ▶ kafkaïen ⟩

Mauricio Kagel ■ Compositeur argentin (né en 1931). Son œuvre mêle l'humour et la provocation : *"Bestiarum"* ; *"Rrr..."*.

Kagoshima ■ Ville du Japon (*Kyūshū). 530 000 hab. Centre commercial. Université.

Gustave Kahn ■ Poète *symboliste français (1859-1936).

Daniel-Henry Kahnweiler ■ Critique et marchand de tableaux français (1884-1979). Premier défenseur des *cubistes.

Kaifeng ■ Ville de Chine, sur le *Huang He. Ancienne capitale impériale. 450 000 hab. Industrie alimentaire.

Kairouan ■ Ville de Tunisie. 72 200 hab. Ville sainte de l'Islam. Mosquées. Fabrication de tapis.

Kaiserslautern ■ Ville de R. F. A. (*Rhénanie-Palatinat). 100 000 hab. Centre industriel.

Kākināda ■ Ville et port de l'Inde sur le golfe du Bengale. 227 000 hab.

Kakinomoto-no-Hitomaro ■ Poète japonais (v. 665 - 710). Parfois considéré comme une divinité de la poésie dans le *shintoïsme.

le désert de Kalahari ■ Cuvette fermée du sud de l'Afrique, situé en majeure partie au *Botswana.

Nicholas Kaldor ■ Économiste britannique dans la lignée de *Keynes (1908-1986).

le Kalevala ■ Épopée populaire finnoise connue par la tradition orale et transcrite au XIXe s.

Kalgan ou **Zhangjiakou** ■ Ville de Chine. 750 000 hab. Centre d'échange entre Pékin et la Mongolie.

Kālī ■ Divinité hindoue, destructrice. Une des épouses de *Siva, honorée par des sacrifices sanglants.

Kālidāsa ■ Écrivain indien, le maître du théâtre sanskrit (IVe - Ve s.). *"Śakuntalā"*.

Kalimantan ■ Partie indonésienne de l'île de *Bornéo. 539 000 km². 6 millions d'hab.

Mikhaïl Kalinine ■ Homme d'État soviétique (1875-1946). Président du Præsidium du Soviet suprême de 1937 à sa mort.

Kalinine anciennement *Tver´* ■ Ville d'U. R. S. S. (*Russie), port sur la *Volga. 400 000 hab.

Kaliningrad autrefois *Königsberg* ■ Ville et port d'U. R. S. S. (*Russie, enclave entre la *Pologne et la *Lituanie), près de la Baltique. 353 000 hab. Constructions navales. Pêche. ⇒ **Königsberg.**

Kaliningrad ■ Ville d'U. R. S. S. (*Russie), dans la région de Moscou. 110 000 hab.

la Kalmoukie ■ Une des républiques autonomes de la R. S. F. S. de Russie. 75 900 km². 280 000 hab. *(les Kalmouks).* Capitale : Elista (50 000 hab.). Agriculture.

Kalouga ■ Ville d'U. R. S. S. (*Russie) au sud-ouest de Moscou. 260 000 hab. Région agricole et minière.

Kamakura ■ Ville du Japon (*Honshū). 139 000 hab. Ancienne capitale. Nombreux temples. Statue de Bouddha du XIIIᵉ s.

Kamarhati ■ Ville de l'Inde. 169 000 hab.

les Kāma sūtra n. m. ■ Célèbre ouvrage indien du IVᵉ - Vᵉ s. consacré à l'amour.

Kamensk-Ouralski ■ Ville d'U. R. S. S. (*Russie), au pied de l'*Oural. 187 000 hab.

Heike **Kamerlingh Onnes** ■ Physicien néerlandais (1853-1926). Un des créateurs de la physique des très basses températures.

Kampala ■ Capitale de l'Ouganda. 330 000 hab. Ville résidentielle.

le Kampuchéa ■ Nom officiel du *Cambodge depuis 1976.

le Kamtchatka ■ Presqu'île d'U. R. S. S. (*Russie), située à l'extrême est de la *Sibérie. 350 000 km². Bois. Pêche.

Kananga ■ Ville du Zaïre. 600 000 hab. Centre commercial.

Konstantinos **Kanáris** ■ Marin grec, héros de l'indépendance de son pays (1790-1877).

Kanazawa ■ Ville du Japon (*Honshū). 400 000 hab. Jardin célèbre. Laques et porcelaines.

Kānchīpuram ■ Ville du sud de l'Inde. 209 000 hab. Une des sept villes sacrées de l'Inde. Nombreux temples.

Kānchrāpāra ■ Ville de l'Inde. 110 000 hab.

Kāndāhār ■ Ville d'Afghanistan. 209 000 hab. Marché important.

Vassili **Kandinsky** ■ Peintre et théoricien russe naturalisé allemand, puis français (1866-1944). Fondateur avec Franz *Marc du *Blaue Reiter, puis professeur au *Bauhaus. Il réalisa le premier tableau abstrait : *"Avec l'arc noir"* (1912).

Kandy ■ Ville de Ceylan. 95 000 hab. Pèlerinage bouddhique.

Kangxi ou *K'ang-hi* ■ Empereur de Chine (1654-1722). Sous son règne, la Chine redevint une grande puissance.

Kang Youwei ■ Homme politique et philosophe chinois (1858-1927). Surnommé « le J.-J. Rousseau chinois ».

Kano ■ Ville du Nigeria. 398 000 hab. Ancienne capitale d'un royaume haoussa (XIᵉ - XIXᵉ s.).

l'école **Kanō** ■ École de peinture japonaise active du XVᵉ au XXᵉ s. ► *Kanō Masanobu* (1434-1530) et

Kanō Eitoku (1543-1590) sont ses représentants principaux.

Kānpur ou *Cawnpore* ■ Ville de l'Inde. 1,7 million d'hab. Centre industriel (textile, cuir, métallurgie).

le Kansas ■ État du centre des États-Unis. 213 095 km². 2,36 millions d'hab. Capitale : Topeka. État agricole (1ᵉʳ producteur de blé des États-Unis) ; élevage bovin. Pétrole, gaz. Industrie agro-alimentaire, engrais. Universités. Sa prospérité est liée au développement du chemin de fer (v. 1860).

Kansas City ■ Centre urbain des États-Unis, formé par deux villes du même nom, de part et d'autre du Missouri. *Kansas City* (*Missouri), 448 000 hab. et *Kansas City* (*Kansas), 161 000 hab.

Emmanuel **Kant** ■ Philosophe allemand (1724-1804). Sa critique de la raison tire la leçon de la révolution accomplie depuis *Copernic dans les sciences : n'est connu que ce qui est conforme à notre faculté de connaître. Elle ruine la théologie rationnelle, repense la morale et l'esthétique. ► *le kantisme* marque les débuts de la philosophie contemporaine. □ *le néo-kantisme* réaffirma l'actualité du criticisme kantien (⇒ **Cassirer**).

Antioche **Kantemir** ■ Poète et diplomate russe (1708-1744). *"Contre les dénigreurs de la culture"*. ⇒ **Cantemir.**

Léonide **Kantorovitch** ■ Économiste soviétique (1912-1986). Prix Nobel 1975.

Kaolack ■ Port du Sénégal. 115 000 hab.

Piotr **Kapitsa** ■ Physicien soviétique (1894-1984). Prix Nobel 1978.

la mer de Kara ■ Mer bordière de l'océan Arctique, au nord de l'U. R. S. S.

Hasan **Karacaoghlan** ■ Poète populaire turc (1606 - v. 1679).

Karāchi ■ Ancienne capitale, principale ville et port du Pakistan, sur le golfe d'Oman. 3,5 millions d'hab. Centre industriel.

Vuc **Karadžič** ■ Écrivain et réformateur de la langue serbe (1787-1864). Il s'intéressa au folklore, publia une *"Grammaire"* et le premier *"Dictionnaire serbe"*.

Karaganda ■ Ville d'U. R. S. S. (*Kazakhstan). 575 000 hab. Centre d'un bassin houiller. Centre culturel.

Djordje **Karageorges** ou *Karadjordje* ■ Homme politique serbe (1752-1817). Fondateur de la dynastie des *Karageorgévitch* ou *Karadjorjevic*, princes de *Serbie de 1808 à 1941.

Herbert von **Karajan** ■ Chef d'orchestre autrichien (né en 1908). Directeur de l'Orchestre philharmonique de Berlin.

la Karakalpakie ■ République autonome d'*Ouzbékistan. 165 000 km². 875 000 hab. *(les Karakalpaks).* Capitale : Noukous (81 000 hab.). Région agricole.

le Karakoram ■ Massif montagneux de l'ouest de l'*Himalaya. 8 611 m.

Nicolas **Karamzine** ■ Écrivain russe (1766-1826). Il a donné naissance au russe littéraire moderne.

Karbalá ■ Ville d'Iraq. 107 000 hab. Centre de pèlerinage pour les *chiites.

Abram **Kardiner** ■ Psychanalyste et ethnologue américain (1891-1981). Un des créateurs de l'anthropologie culturelle.

Karl-Marx-Stadt, autrefois *Chemnitz* ■ Ville de R. D. A. 314 400 hab. Textiles. Constructions mécaniques.

Boris **Karloff** ■ Acteur de cinéma britannique naturalisé américain (1887-1969). Célèbre pour son interprétation du monstre dans *"Frankenstein"*, d'après Marie *Shelley.

Karlsruhe ■ Ville de R. F. A. 267 600 hab. Port sur le Rhin. Industries mécaniques. Raffinerie.

Karnak ■ Site archéologique d'Égypte (partie nord de *Thèbes). Célèbre temple d'*Amon, construit du XVIᵉ au XIIIᵉ s. av. J.-C. ≠ *Carnac.*

le **Karst** ■ Région de Yougoslavie (*Istrie) formée de plateaux calcaires, modelés par l'érosion des eaux souterraines. ⟨ ▶ karst ⟩

Kashiwa ■ Ville du Japon. 273 000 hab.

le **Kasmir** ou **Kashmir** ■ ⇒ le **Cachemire.**

Jan **Kasprowicz** ■ Poète polonais (1860-1926). *"Christ".*

Kassel ■ Ville de R. F. A. 184 200 hab. Château impérial (IXᵉ s.). Centre industriel et culturel.

les **Kassites** n. m. ■ Peuple asiatique de l'Antiquité, qui conquit au XVIIIᵉ s. av. J.-C. la *Mésopotamie.

Alfred **Kastler** ■ Physicien français (1902-1984). Prix Nobel 1966.

Erich **Kästner** ■ Romancier allemand (1899-1974). *"Émile et les détectives".*

Kasugai ■ Ville du Japon (*Honshū). 257 000 hab.

Valentin **Kataïev** ■ Écrivain soviétique (1897-1986). *"Les Flots de la mer Noire"*, cycle romanesque sur la révolution russe.

Katak ou **Cuttack** ■ Ville de l'Inde. 326 000 hab. Artisanat de l'argent.

le **Katanga** ■ Province du Zaïre dénommée *Shaba* depuis 1972. Riche région minière qui tenta une sécession sous le direction de M. Tshombé (1960-1963).

Kateb **Yacine** ■ Écrivain algérien d'expression française (né en 1929). *"Nedjma"* (roman) et *"Cercle de représailles"* (théâtre) sont inspirés par la guerre d'indépendance.

le **kathakali** ■ Genre théâtral dansé du sud de l'Inde.

Katmandou ou **Kātmāndu** ■ Capitale du Népal. 235 000 hab. Pèlerinages bouddhiques. Artisanat. Tourisme.

Katowice ■ Ville de Pologne. 363 000 hab. Grand centre industriel et minier de haute *Silésie.

Katyn' ■ Localité d'U. R. S. S., à l'ouest de *Smolensk. Les Allemands y découvrirent en 1943 un charnier d'officiers polonais. *Le massacre de Katyn',* jamais élucidé, a gravement affecté les relations russo-polonaises.

Kaunas ■ Ville et port fluvial d'U. R. S. S. (*Lituanie). 417 000 hab. Centre culturel. Industries.

le prince von **Kaunitz-Rittberg** ■ Homme d'État autrichien (1711-1794). Il allia l'Autriche à la France (⇒ guerre de **Sept Ans**) et soutint la politique de *Joseph II.

Karl **Kautsky** ■ Homme politique allemand (1854-1938). Théoricien marxiste du parti social-démocrate, qu'il dirigea avec Eduard *Bernstein (1880). Critiqué par *Lénine comme « renégat ».

Kawabata **Yasunari** ■ Écrivain japonais (1899-1972). Prix Nobel 1968. *"Pays de neige".*

Kawagoe ■ Ville du Japon. 285 000 hab. Temple du IXᵉ s.

Kawaguchi ■ Ville du Japon (*Honshū). 403 000 hab. Métallurgie.

Kawasaki ■ Ville du Japon (*Honshū). 1 million d'hab. Grand centre d'industrie lourde.

Kayseri, autrefois *Césarée* ■ Ville de Turquie. 378 400 hab. Ancienne capitale de la *Cappadoce, un des premiers foyers du christianisme en Asie.

le **Kazakhstan** ou *la* **Kazakhie** ■ République socialiste soviétique (⇒ **U. R. S. S.**), au nord-ouest de la Chine, s'étendant de l'Europe au *Turkestan. 2 717 300 km². 16 millions d'hab. *(les Kazakhs).* Capitale : Alma-Ata. Sous-sol très riche. Agriculture (céréales, moutons). Industries (sidérurgie, cuir). Base aérospatiale à *Baïkonour. La population, musulmane, d'origine turque, a été dominée par les Russes qui ont colonisé la région à partir du XVIIIᵉ s.

Elia **Kazan** ■ Cinéaste américain (né en 1909). *"À l'est d'Eden"* ; *"Sur les quais".*

Kazan' ■ Ville d'U. R. S. S., capitale de la république autonome des *Tatars (*Russie). 1 million d'hab. Port fluvial sur la *Volga. Grand centre industriel et culturel. Capitale du royaume bulgare de la Volga, puis (XIVᵉ s.) d'un État mongol.

Níkos **Kazantzákis** ■ Écrivain grec, célèbre romancier (1885-1957). *"Alexis Zorba"* ; *"le Christ recrucifié".*

Edmund **Kean** ■ Le plus célèbre acteur du théâtre anglais (1787-1833). Sa vie inspira une comédie à *Dumas (adaptée par *Sartre).

Buster **Keaton** ■ Acteur et cinéaste américain (1895-1966). Une des plus grandes vedettes du cinéma comique muet, avec Charlie *Chaplin. *"Les Lois de l'hospitalité".*

John **Keats** ■ Poète romantique anglais (1795-1821). Il a célébré le culte de l'art et de la beauté. *"Ode à un rossignol".*

le **Keihin** ■ Immense conurbation qui s'étend, au Japon, de *Tōkyō à *Yokohama. 13 millions d'hab.

Wilhelm **Keitel** ■ Maréchal allemand, chef de la *Wehrmacht de 1938 à 1945 (1882-1946).

Urho **Kekkonen** ■ Homme d'État finlandais (1900-1986). Plusieurs fois Premier ministre entre 1950 et 1956, il fut président de la République de 1956 à 1981.

Friedrich August **Kekule** *von Stradonitz* ■ Chimiste allemand (1829-1896). Son étude du carbone inaugure la chimie organique structurale.

Gottfried **Keller** ■ Écrivain suisse d'expression allemande (1819-1890). *"Henri le Vert".*

François **Kellermann** *duc de Valmy* ■ Officier français (1735-1820). Vainqueur à *Valmy (1792), maréchal d'Empire.

Frank Billings **Kellogg** ■ Diplomate américain (1856-1937). Prix Nobel de la paix 1929 après la signature par 57 pays du *pacte Briand-Kellogg* (1928), qui condamnait la guerre.

lord **Kelvin** ■ ⇒ sir William **Thomson.**

Mustafa **Kemal** ■ ⇒ **Mustafa Kemal.**

Yachar **Kemal** ■ Romancier turc (né en 1922). *"Mehmed le Faucon".*

Zsigmond baron **Kemény** ■ Écrivain hongrois (1814-1875). Auteur de romans historiques. *"Les Exaltés".*

Kemerovo ■ Ville d'U. R. S. S. (*Russie), dans le *Kouzbass. 520 000 hab. Chimie.

Kenitra, autrefois *Port-Lyautey* ■ Ville et port artificiel du Maroc. 449 700 hab.

John Fitzgerald **Kennedy** ■ Homme d'État américain (1917-1963). Président (démocrate) des États-Unis de 1961 à son assassinat. Politique progressiste à l'intérieur et de « coexistence pacifique » à l'extérieur. Ferme à l'égard de l'U. R. S. S. et de Cuba, il engagea l'escalade américaine au *Viêt-nam. □ *Robert* **Kennedy** (1925-1968), son frère et ministre de la Justice, fut assassiné.

le **Kent** ■ Comté du sud-est de l'Angleterre. 3 732 km². 1,5 million d'hab. Agriculture. Tourisme (*Canterbury, *Douvres).

le **Kentucky** ■ État du centre des États-Unis. 104 623 km². 3,72 millions d'hab. Capitale : *Frankfort. Agriculture, élevage de chevaux. Industrie du tabac. Whisky (bourbon). Universités. Réserve d'or de Fort *Knox.

le **Kenya** ■ État (république) de l'Afrique de l'Ouest. 582 600 km². 20 millions d'hab. Capitale : Nairobi. Langues officielles : anglais et souahéli. Monnaie : shilling kenyan. Climat équatorial souvent modifié par l'altitude (mont Kenya 5 194 m). Agriculture (café, thé, sisal). Tourisme (safaris). Ancienne colonie anglaise, indépendante dans le cadre du *Commonwealth depuis 1963.

Jomo **Kenyatta** ■ Homme d'État du Kenya (1893-1978). Il lutta pour l'indépendance et devint président de la République en 1964.

Johannes **Kepler** ■ Astronome allemand (1571-1630). Disciple de *Copernic et de Tycho *Brahe, il énonça les lois du mouvement des planètes autour du soleil.

Alexandre **Kerenski** ■ Homme politique russe (1881-1970). Socialiste, chef du gouvernement provisoire de juillet à octobre 1917, renversé par les *bolcheviks.

les îles **Kerguelen** ■ Archipel français du sud de l'océan Indien (terres *Australes). 7 215 km². Importante base scientifique.

Kermān ■ Ville d'Iran. 254 800 hab. Mosquée. Premier centre d'exportation de tapis.

Kermānshāh, aujourd'hui *Bakhtaran* ■ Ville d'Iran (*Kurdistan). 565 500 hab.

Jack **Kerouac** ■ Écrivain américain (1922-1969). Il a critiqué la civilisation américaine. *"Sur la route"* eut une grande influence sur la jeunesse occidentale.

Kertch' ■ Ville et port d'U. R. S. S. (*Ukraine). 173 000 hab. ► *le détroit de* **Kertch'** fait communiquer la mer d'*Azov et la mer *Noire.

Joseph **Kessel** ■ Écrivain français (1898-1979). Le voyage, l'action et la fraternité sont les thèmes de ses romans. *"Le Lion".*

John Maynard **Keynes** ■ Économiste britannique (1883-1946). Il conçut la nécessité d'une intervention de l'État pour garantir le plein-emploi, tout en voulant préserver au maximum les principes du libéralisme. *"Théorie générale de l'emploi, de l'intérêt et de la monnaie"* (1936).

le **K.G.B.** ■ Organisme soviétique chargé du renseignement à l'intérieur et à l'extérieur de l'U.R.S.S.

Khabarovsk ■ Ville d'U. R. S. S. (*Russie), sur l'Amour. 591 000 hab. Métropole de la *Sibérie extrême-orientale.

Khadīja ■ Première épouse de *Mahomet (morte en 619). Elle lui apporta un précieux soutien. Mère de *Fāṭima.

*al-*Khalīl** ■ Grammairien arabe (mort v. 791). Il composa le premier dictionnaire arabe.

Kharagpur ■ Ville de l'Inde (*Bengale). 235 000 hab. Centre industriel.

Kharbin ■ ⇒ **Harbin.**

le **Khārezm** ■ Ancien État d'Asie centrale, devenu russe en 1873, partagé en 1924 entre l'*Ouzbékistan, la *Karakalpakie et le *Turkménistan.

le **khāridjisme** ■ Premier schisme de l'islam (657), à propos de la succession du Prophète. ► *les* **khāridjites** sont réputés pour leur puritanisme et leur intransigeance.

Kharkov ■ Ville d'U. R. S. S. (*Ukraine). 1,58 million d'hab. Grand centre industriel, commercial et culturel. Bataille soviéto-allemande (1941-1943).

Khartoum ■ Capitale de la république du Soudan, au confluent du *Nil blanc et du *Nil bleu. 476 200 hab. Prise par les *mahdistes en 1884, qui y tuèrent *Gordon.

Aram **Khatchatourian** ■ Compositeur soviétique, marqué par les folklores arménien et géorgien (1903-1978). *"La Danse du sabre".*

'Umar **Khayyām** ■ Savant et poète persan (v. 1050 - v. 1123). Ses poèmes, de forme brève (« robaïates »), expriment un regard critique et désespéré sur le monde.

les **Khazars** n. m. ■ Ancien peuple d'origine turque. Ils fondèrent un empire du VIIᵉ au XIᵉ s., en Asie centrale.

Khéops ■ Second pharaon de la IVᵉ dynastie (v. 2650 av. J.-C.). Il fit construire la grande pyramide de *Gizeh.

Khéphren ■ Fils et successeur de *Khéops, troisième pharaon de la IVᵉ dynastie (v. 2620 av. J.-C.). Il fit construire la seconde pyramide de *Gizeh. ⇒ **Mykérinos.**

Kherson ■ Ville et port d'U. R. S. S. (*Ukraine). 358 000 hab. Conserveries. Combinat textile. Raffinerie de pétrole.

Velemir **Khlebnikov** ■ Poète russe (1885-1922). Un des fondateurs de l'école *futuriste russe. *"Perquisition de nuit".*

Khmelnitski ■ Ville d'U. R. S. S. (*Ukraine). 186 000 hab. Région agricole.

les **Khmers** n. m. ■ Peuple de Mongols et d'Indiens. Ils créèrent une civilisation brillante au *Cambodge entre le VIIᵉ et le XIVᵉ s., synthèse entre *bouddhisme et *hindouisme. *Angkor fut détruite par les Siamois en 1431.

l'imam **Khomeiny** ■ Chef *chiite iranien, fondateur de la république islamique d'Iran en 1979 (né en 1900).

Khorramshahr ■ Ville et port d'Iran. 150 000 hab.

Khorsabad ■ Site archéologique d'Iraq. Ancienne capitale de *Sargon II.

Khosrô Ier ou **Chosroès** ■ Roi *sassanide de Perse (531-579). Célèbre par sa sagesse et le raffinement de la société de son temps.

Nikita **Khrouchtchev** ■ Homme d'État soviétique (1894-1971). Après la mort de *Staline, il mena une politique de « déstalinisation ». Ses échecs économiques et diplomatiques l'obligèrent à quitter ses fonctions en 1964.

Khulna ■ Ville du Bangladesh. 646 300 hab. Centre commercial et industriel.

Muhammad al-**Khwārizmī** ■ Savant et mathématicien arabe (début du IXe s.). Il a imposé le terme algèbre (al-jabr, « la réduction »). Son nom latinisé a donné le mot algorithme.

Kichinev ■ Ville d'U. R. S. S., capitale de la *Moldavie. 663 000 hab. Industries alimentaire, métallurgique et textile.

Kiel ■ Ville et port de R. F. A., capitale du *Schleswig-Holstein. 244 700 hab. Ancienne base navale. Important port de pêche, de commerce et de plaisance. Industrie. Le canal de Kiel (98 km) joint la mer du Nord à la Baltique.

Kielce ■ Ville de Pologne. 201 000 hab. Métallurgie, chimie.

Alexander **Kielland** ■ Écrivain norvégien (1849-1906). "Travailleurs", roman ironique et engagé.

Søren **Kierkegaard** ■ Théologien et penseur danois (1813-1855). Son influence sur les philosophies de l'existence et le renouveau de la théologie protestante est considérable. "Le Concept d'angoisse" ; "le Journal du séducteur".

Kiev ■ 3e ville d'U. R. S. S., capitale de l'*Ukraine, sur le Dniepr. 2,5 millions d'hab. Édifices religieux du XIe s. Grand centre industriel, commercial et culturel. *Vladimir Ier, puis *Iaroslav Vladimirovitch (XIe s.) en firent la capitale du premier État russe, rivale de *Constantinople dans le monde orthodoxe. Elle fut rattachée à la Lituanie en 1361 puis à la Russie en 1667.

Kigali ■ Capitale du Ruanda. 156 600 hab.

le **Kilimandjaro**, aujourd'huipic Uhuru ■ Massif volcanique de la Tanzanie et point culminant de l'Afrique (5 963 m).

Kimberley ■ Ville d'Afrique du Sud. 144 900 hab. Diamants.

Hans **Kinck** ■ Écrivain norvégien (1865-1926). "De la mer à la lande".

William Lyon Mackenzie **King** ■ Homme d'État canadien (1874-1950). Premier ministre de 1921 à 1930 et de 1935 à 1948, il fut l'artisan de l'émancipation vis-à-vis de l'Angleterre.

Martin Luther **King** ■ Pasteur baptiste noir américain (1929-1968). Il lutta pour l'intégration des Noirs dans la société américaine en prêchant la non-violence. Prix Nobel de la paix 1964. Assassiné le 4 avril 1968.

Kingersheim ■ Commune du Haut-*Rhin. 9 600 hab.

Kingston ■ Capitale et port de la Jamaïque. 524 600 hab. Centre culturel, commercial et industriel. Exportation de bauxite.

Kingston-upon-Hull ou **Hull** ■ Ville et 3e port de commerce de l'Angleterre. 258 000 hab. Importantes activités de pêche.

Kingstown ■ Capitale de l'État de *Saint-Vincent et Grenadines. 33 700 hab.

Alfred **Kinsey** ■ Zoologiste et médecin américain (1894-1956). Rapport Kinsey : enquêtes sur la sexualité humaine.

Kinshasa, autrefois Léopoldville ■ Capitale du Zaïre. 2,6 millions d'hab. Centre administratif, commercial et industriel.

Rudyard **Kipling** ■ Écrivain anglais (1865-1936). Prix Nobel 1907. Son œuvre célèbre les thèmes de l'éducation morale, de l'énergie, et les aspects exaltants de l'aventure coloniale. "Le Livre de la jungle" (1895) ; "Kim".

Athanasius **Kircher** ■ Jésuite et savant allemand (1601-1680).

Gustav **Kirchhoff** ■ Physicien allemand (1824-1887). Étudiant le rayonnement thermique, il aboutit au concept de corps noir, et fonda avec *Bunsen l'analyse spectrale.

Ernst **Kirchner** ■ Peintre et graveur allemand (1880-1938). Fondateur du groupe expressionniste die *Brücke.

le **Kirghizistan** ou la **Kirghizie** ■ République socialiste soviétique (⇒ U. R. S. S.). 198 500 km². 4,1 millions d'hab. (les Kirghiz). Capitale : Frounzé. Pays de montagnes. Élevage, coton. Industries.

Kiribati ■ Archipel et État (république) de Micronésie. 717 km². 66 200 hab. Langue officielle : anglais. Monnaie : dollar australien. Capitale : Bairiki. Coprah. Colonie britannique sous le nom d'îles *Gilbert jusqu'en 1979. Membre du *Commonwealth.

Kirkūk ■ Ville du nord de l'Iraq. 207 800 hab. Marché agricole. Raffinerie.

Sergueï **Kirov** ■ Homme politique soviétique (1886-1934). Son assassinat fut le prétexte de la première grande purge stalinienne.

Kirov ■ Ville d'U. R. S. S (*Russie). 421 000 hab. Industries métallurgique et textile. Région agricole.

Kirovabad ■ Ville d'U. R. S. S. (*Azerbaïdjan). 270 000 hab. Industries.

Kirovograd ■ Ville d'U.R.S.S. (*Ukraine). 269 000 hab.

Danilo **Kiš** ■ Écrivain yougoslave (né en 1935). "Le Sablier".

Kisangani, autrefois Stanleyville ■ Ville du Zaïre sur le fleuve Zaïre. 282 600 hab. Université.

Károly **Kisfaludy** ■ Écrivain hongrois (1788-1830). Chef de file du romantisme hongrois. "Les Tartares en Hongrie".

Kishiwada ■ Ville et port de pêche du Japon (*Honshū). 186 000 hab.

Henry **Kissinger** ■ Universitaire et homme politique américain (né en 1923). Inspirateur de la politique extérieure des présidents *Nixon et *Ford. Prix Nobel de la paix 1973.

Kitakyūshū ■ Ville du Japon (*Kyūshū). Le plus grand centre sidérurgique du monde. Port artificiel. 1,05 million d'hab.

lord **Kitchener** ■ Maréchal britannique (1850-1916). Il reconquit le Soudan (1898) et mit fin, de façon brutale, à la guerre des *Boers (1902). Ministre de la guerre en 1914.

Kitchener ■ Ville du Canada (*Ontario). 147 400 hab. Centre commercial et financier.

Kitwe-Nkana ■ Ville de Zambie. 314 800 hab. Industrie liée aux mines de cuivre.

Aleksis **Kivi** ■ Écrivain finnois (1834-1872). *"Les Sept Frères"*.

le lac **Kivu** ■ Lac d'Afrique (2 650 km²). Frontière entre le Zaïre et le Ruanda.

Ludwig **Klages** ■ Psychologue et graphologue allemand (1872-1956).

Klaïpeda, autrefois *Memel* ■ Ville et port d'U. R. S. S. (*Lituanie) sur la Baltique. 201 000 hab.

Jean-Baptiste **Kléber** ■ Général français (1753-1800). Il réprima la contre-révolution en *Vendée puis fut l'adjoint de *Jourdan. Successeur de Bonaparte dans la campagne d'Égypte, il fut assassiné au Caire.

Paul **Klee** ■ Peintre et théoricien allemand (1879-1940). Membre du *Cavalier bleu, puis professeur au *Bauhaus. Au travers de quelques thèmes (la nature, la musique, l'architecture, la ville), il montra l'importance des rythmes colorés.

Félix **Klein** ■ Mathématicien allemand (1849-1925). Unification de la géométrie par la théorie des groupes.

Melanie **Klein** ■ Psychanalyste autrichienne naturalisée britannique (1882-1960). *"La Psychanalyse des enfants"*.

Yves **Klein** ■ Peintre français (1928-1962). Théoricien de la couleur pure : monochromes bleus.

Heinrich von **Kleist** ■ Écrivain romantique allemand (1777-1811). Son génie fut méconnu par ses contemporains. Il se suicida. *"Catherine de Heilbronn"* ; *"le Prince de Hombourg"*.

Gustav **Klimt** ■ Peintre et décorateur autrichien (1862-1918). Principal représentant de l'art *nouveau à Vienne. Portraits et paysages symboliques ornés de motifs décoratifs précieux.

Franz **Kline** ■ Peintre américain (1910-1962). Agrandissements de tracés linéaires.

Friedrich von **Klinger** ■ Auteur dramatique allemand (1752-1831). Sa pièce *"Sturm und Drang"* (« Orage et Passion ») donna son nom au mouvement intellectuel et artistique animé par *Goethe (⇒ **romantisme**).

Tristan **Klingsor** ■ Poète français (1874-1966). *"Schéhérazade"*, poèmes mis en musique par Ravel.

le **Klondike** ■ Rivière du Canada, affluent du *Yukon. La découverte de riches gisements d'or en 1896 déclencha une véritable ruée et une activité intense, jusque vers 1906.

Friedrich **Klopstock** ■ Écrivain allemand (1724-1803). Ses poèmes et ses tragédies ont marqué un retour aux sources de la littérature germanique.

Pierre **Klossowski** ■ Écrivain français (né en 1905). *"Les Lois de l'hospitalité"*. Dessins.

la **Knesset** ■ Le parlement israélien.

Knokke-le-Zoute ■ Commune de Belgique. 14 500 hab. Station balnéaire.

John **Knox** ■ Réformateur religieux écossais (v. 1505 - 1572). Il fut lié avec *Calvin.

Fort **Knox** ■ Zone militaire des États-Unis (*Kentucky). Réserve fédérale d'or.

Knoxville ■ Ville des États-Unis (*Tennessee). 175 000 hab. Université.

Kōbe ■ Ville du Japon (*Honshū). 2e port du pays. 1,4 million d'hab. Sidérurgie. Constructions navales. Chimie.

Robert **Koch** ■ Médecin allemand (1843-1910). Prix Nobel 1905. *Bacille de Koch :* agent de la tuberculose.

Jan **Kochanowski** ■ Poète polonais (1530-1584). Fondateur de la poésie polonaise. *"La Concorde"*.

Kōchi ■ Ville et port de pêche du Japon (*Shikoku). 312 000 hab.

Zoltán **Kodály** ■ Compositeur et folkloriste hongrois (1882-1967). Avec *Bartók, il étudia la musique populaire de Hongrie. Œuvres symphoniques (*"Danses de Galánta"*) et pour chœurs.

Ludwig von **Koechel** ■ Musicographe autrichien (1800-1877). Catalogue des œuvres de *Mozart.

Charles **Kœchlin** ■ Compositeur français (1867-1951). *"La Nuit de Walpurgis"*, musique symphonique.

Marie Pierre **Kœnig** ■ Maréchal de France (1898-1970). Un des chefs militaires de la *Résistance.

Arthur **Koestler** ■ Écrivain anglais d'origine hongroise (1905-1983). *"Le Testament espagnol"* ; *"le Zéro et l'Infini"*.

Kurt **Koffka** ■ Psychologue allemand naturalisé américain (1886-1941). ⇒ **Köhler**.

Kōfu ■ Ville du Japon (*Honshū). 202 000 hab. Vin.

Helmut **Kohl** ■ Homme politique ouest-allemand (né en 1930). Président de la C .D .U. dès 1973, il devint chancelier en octobre 1982.

Wolfgang **Köhler** ■ Psychologue allemand (1887-1967). Un des principaux théoriciens, avec *Koffka et *Wertheimer, du *gestaltisme* (ou « psychologie de la forme »).

Pavel **Kohout** ■ Auteur dramatique tchèque (né en 1928). *"August, August, August"*.

Kokand ■ Ville d'U. R. S. S. (*Ouzbékistan). 156 000 hab. Industries.

Oskar **Kokoschka** ■ Peintre autrichien (1886-1980). Portraits *expressionnistes à la psychologie exacerbée. Paysages.

la presqu'île de **Kola** ■ Péninsule d'U. R. S. S. (*Russie) entre la mer Blanche et la mer de Barents. 100 000 km².

Kolhāpur ■ Ville de l'Inde. 351 000 hab.

Alexandra **Kollontaï** ■ Révolutionnaire russe (1872-1952).

Andreï **Kolmogorov** ■ Mathématicien russe (1903-1987). Théorie axiomatique des probabilités.

Kolomna ■ Ville d'U. R. S. S. (*Russie), dans la région de Moscou. 150 000 hab. Industries.

Alexandre **Koltchak** ■ Amiral russe (1874-1920). Chef de l'armée contre-révolutionnaire de 1918 à 1920.

le **Komintern** ■ ⇒ la IIIe **Internationale**.

la république des **Komis** ■ Une des républiques autonomes de la R. S. S. de *Russie, au nord de l'*Oural. 415 900 km². 1,2 million d'hab. Capitale : Syktyvkar. Houille. Pétrole. Gaz. Élevage (bovins, rennes).

Kommounarsk ■ Ville d'U. R. S. S. (*Ukraine), dans le *Donbass. 130 000 hab.

Komsomolsk-sur-l'Amour ■ Ville d'U.R.S.S. (*Russie), port fluvial sur l'*Amour. 316 000 hab. Centre culturel et économique de *Sibérie extrême-orientale, fondée en 1932 par des *Komsomols (jeunesses communistes).

Kongzi ou *K'ongtseu* ■ ⇒ **Confucius.**

Ivan **Koniev** ■ Maréchal et homme politique soviétique, un des vainqueurs de l'Allemagne nazie (1897-1973).

Königsberg ■ Capitale de l'ancienne *Prusse-Orientale. Célèbre université où enseigna *Kant. Prise par l'U. R. S. S. en 1945 et rebaptisée *Kaliningrad.

Konstantinovka ■ Ville d'U. R. S. S. (*Ukraine), dans le *Donbass. 114 000 hab.

Konya ■ Ville de Turquie. 438 800 hab. Mosquée du XIIIᵉ s.

Kopeïsk ■ Ville d'U. R. S. S. (*Russie), à l'est de l'*Oural. 155 000 hab. Lignite.

les **Köprülü** ■ Famille turque d'origine albanaise qui donna cinq grands vizirs à l'Empire ottoman, de 1656 à 1710.

Mehmet **Köprülü** ■ Historien et homme d'État turc (1890-1966). "*Les Origines de l'Empire ottoman*".

Kōriyama ■ Ville du Japon (*Honshū). 302 000 hab.

Alexandre **Korneïtchouk** ■ Auteur dramatique soviétique (1905-1972). "*Le Front*".

Lavr **Kornilov** ■ Général russe (1870-1918). Chef de l'armée contre-révolutionnaire en 1917-1918.

Serguei **Korsakoff** ■ Neuropsychiatre russe (1854-1900). *Syndrome de Korsakoff :* troubles mentaux dus à l'alcoolisme.

Tadeusz **Kościuszko** ■ Officier et patriote polonais (1746-1817). Il lutta toute sa vie pour l'indépendance de la Pologne.

Koshigaya ■ Ville du Japon. 254 000 hab.

Košice ■ Ville de Tchécoslovaquie. 222 000 hab. Édifices anciens. Centre industriel et agricole.

le **Kosovo-Metohija** ■ Province autonome de Yougoslavie (*Serbie). 10 887 km². 1,58 million d'hab. Capitale : Priština. Région la moins développée du pays.

Lajos **Kossuth** ■ Homme politique et écrivain hongrois (1802-1894). Partisan de réformes sociales et de l'indépendance nationale, il joua un rôle capital dans la révolution de 1848.

Alekseï **Kossyguine** ■ Homme politique soviétique (1904-1980). Président du Conseil des ministres de 1964 à 1980.

Kostroma ■ Ville d'U. R. S. S. (*Russie). 276 000 hab. Port fluvial sur la *Volga.

Dezsö **Kosztolányi** ■ Écrivain hongrois (1885-1936). Poète symboliste. "*Les Plaintes du pauvre petit enfant*".

Kota ■ Ville de l'Inde. 347 000 hab. Centrale nucléaire.

Koubīlāi ■ ⇒ **Qūbilai Khān.**

Kouïbychev ■ Ville d'U. R. S. S. (*Russie), sur la *Volga. 1,28 million d'hab. Industrie mécanique. Chimie du pétrole.

Alexandre **Kouprine** ■ Romancier et nouvelliste russe (1870-1938). "*Le Bracelet de grenats*".

Kourgan ■ Ville d'U. R. S. S. (*Russie), en *Sibérie occidentale. 354 000 hab.

les îles **Kouriles** ■ Archipel soviétique (*Russie), au nord du Japon.

Kourou ■ Commune de la *Guyane française. 7 100 hab. Base française de lancement de fusées.

Koursk ■ Ville d'U. R. S. S. (*Russie). 434 000 hab. Industrie métallurgique.

Koustanaï ■ Ville d'U. R. S. S. (*Kazakhstan). 212 000 hab. Nœud ferroviaire.

Koutaïssi ■ Ville d'U. R. S. S. (*Géorgie). 220 000 hab. Centre culturel.

Mikhaïl **Koutouzov** ■ Feld-maréchal russe (1745-1813). Il mena l'offensive russe de 1812 contre l'armée de Napoléon Iᵉʳ.

le **Kouzbass** ■ Le plus grand bassin houiller de l'U. R. S. S., en *Sibérie occidentale. Nombreuses mines de fer et de métaux non ferreux.

Sofia **Kovalevskaïa** ■ Mathématicienne russe (1850-1891).

Kovrov ■ Ville d'U. R. S. S. (*Russie), près de *Vladimir. 153 000 hab.

Lew **Kowarski** ■ Physicien et chimiste français d'origine russe (1907-1979). Pionnier du nucléaire civil français et européen.

le **Koweit** ■ Émirat arabe, situé entre l'Iraq et l'Arabie Saoudite. 17 818 km². 1,7 million d'hab. *(les Koweitiens).* Capitale : Koweit, port de 60 000 hab. Langue : arabe. Monnaie : dinar koweitien. Ancien protectorat anglais, indépendant en 1961. Immenses gisements de pétrole et de gaz naturel. Le pays est un des plus riches du Moyen-Orient.

Alexandre **Koyré** ■ Philosophe et historien des sciences français d'origine russe (1892-1964).

Kozhikode ■ Nom indien de l'ancien comptoir français de *Calicut,* sur la côte de *Malabar. 546 000 hab. Célèbre pour ses étoffes. ⟨ ► calicot ⟩

Kramatorsk ■ Ville d'U. R. S. S. (*Ukraine), dans le *Donbass. 198 000 hab. Sidérurgie.

Krasnodar ■ Ville d'U. R. S. S. (*Russie), dans le *Caucase. 623 000 hab.

Krasnoïarsk ■ Ville d'U. R. S. S. (*Russie), port sur l'Ienisseï. 899 000 hab. Centre culturel de la *Sibérie orientale.

Krasnyï Loutch ■ Ville d'U. R. S. S. (*Ukraine), dans le *Donbass. 108 000 hab.

Karl **Kraus** ■ Écrivain polémiste autrichien (1874-1936). "*Les Derniers Jours de l'humanité*" (1914).

Krefeld ■ Ville de R. F. A. (*Ruhr). 216 700 hab. Industrie textile.

Krementchoug ■ Ville et port fluvial d'U. R. S. S. (*Ukraine), sur le *Dniepr. 230 000 hab. Industries. Pétrole.

le **Kremlin** ■ Citadelle des anciennes villes russes. Celui de Moscou, ancienne résidence des tsars jusqu'à *Pierre le Grand, comprend de nombreux édifices (XVᵉ - XXᵉ s.). C'est le siège du Soviet suprême et du Parti communiste d'U. R. S. S.

Le **Kremlin-Bicêtre** ■ Commune du *Val-de-Marne. 17 700 hab.

Ernst **Kretschmer** ■ Psychiatre allemand (1888-1964).

Krişna ou **Krishna** ■ Une des divinités hindoues les plus populaires, 8ᵉ *avatāra de *Vişnu. Vénéré comme le « berger de l'amour ».

Krivoï-Rog ■ Ville d'U. R. S. S. (*Ukraine). 698 000 hab. Centre d'un important gisement de minerai de fer. Sidérurgie.

Helge **Krog** ■ Auteur dramatique norvégien (1889-1962). *"Départ"*.

Leopold **Kronecker** ■ Mathématicien allemand (1823-1891). Élève de *Kummer. Théorie des nombres algébriques.

Kronstadt ■ Base navale de l'U. R. S. S. (*Russie), fondée sur une île de la *Baltique par *Pierre le Grand pour défendre *Saint-Pétersbourg. Mutineries révolutionnaires : 1825, 1905, 1917, 1921.

Piotr prince **Kropotkine** ■ Révolutionnaire et théoricien anarchiste russe (1842-1921). *"Les Bases scientifiques de l'anarchie"*.

Paul **Kruger** ■ Homme politique sud-africain (1825-1904). Président de la république du *Transvaal en 1883, il mena la guerre contre l'Angleterre de 1899 à 1902.

Alfred **Krupp** ■ Industriel allemand (1812-1887). Il créa un des groupes sidérurgiques les plus importants de la *Ruhr. □ *Gustav* **Krupp** *von Bohlen* (1870-1950) fournit le matériel de guerre en 1914-1918 et 1939-1945, soutenant le nazisme.

Ivan **Krylov** ■ Fabuliste russe (1769-1844). Auteur de neuf recueils de fables qui connaissent toujours le succès.

les **Kşatriya** ou **Kshatriya** n. m. ■ Caste des nobles et des guerriers de l'Inde.

Kuala **Lumpur** ■ Capitale fédérale de la Malaysia. 937 800 hab. Industrie de l'étain et du caoutchouc.

Kūbīlāi ou *Kūblāi Khān* ■ ⇒ **Qūbilai Khān.**

Stanley **Kubrick** ■ Cinéaste américain (né en 1928). *"2001, Odyssée de l'espace"* ; *"Barry Lyndon"*.

Kuchi **Bandar** ou **Cochin** ■ Ville et port de l'Inde. 686 000 hab. Industrie textile. Commerce de thé et de coprah.

le **Ku Klux Klan** ■ Mouvement, originaire du sud des États-Unis, contre l'émancipation des Noirs après la guerre de *Sécession. Vers 1920-1930, il reparut avec un caractère ultranationaliste, xénophobe et raciste. Interdit, il s'est manifesté sporadiquement depuis 1960.

Kumamoto ■ Ville du Japon (*Kyūshū). 556 000 hab. Célèbre château féodal.

Kumasi ■ Ville du Ghana. 348 800 hab. Or. Cacao.

Kumbakonam ■ Ville de l'Inde. 110 000 hab. Centre de pèlerinage à *Śiva.

Ernst **Kummer** ■ Mathématicien allemand (1810-1893). Ses « nombres idéaux » annoncent la théorie des nombres algébriques.

Béla **Kun** ■ Homme politique hongrois (1886-1937 ?). Fondateur du Parti communiste, il prit le pouvoir en 1919 puis fut chassé par *Horthy.

Milan **Kundera** ■ Écrivain tchèque naturalisé français (né en 1929). *"La Plaisanterie"*, *"l'Insoutenable Légèreté de l'être"* (romans).

Kunming ■ Ville de Chine, capitale du Yunnan. 1,49 million d'hab. Centre commercial.

le *Kuo-min-tang* ou *Guomindang* ■ Parti fondé en 1911 par *Sun Yat-sen. Il devint plus tard celui de *Tchang Kaï-chek.

Frank **Kupka** ■ Peintre tchèque installé à Paris (1871-1957). L'un des pionniers de l'art abstrait, inspiré par la musique.

Kurashiki ■ Ville du Japon (*Honshū). 414 000 hab. Sidérurgie. Textile.

les **Kurdes** n. m. ■ Peuple de l'ouest de l'Asie. 15 millions d'hab., répartis en Turquie, Iran, Iraq. En grande majorité musulmans sunnites. Ils résistent aux politiques d'assimilation forcée et répressive. ▶ *le* *Kurdistan*. « Pays des Kurdes », région de montagne et de plateaux de l'ouest de l'Asie. Agriculture et élevage. Richesses minières. ⟨ ▶ kurde ⟩

Kure ■ Ville du Japon (*Honshū). 226 000 hab. Constructions navales. Sidérurgie.

Kurnool ■ Ville de l'Inde. 207 000 hab.

Kurosawa Akira ■ Cinéaste japonais (né en 1910). Son œuvre, abondante et violente, exprime souvent une révolte contre l'injustice sociale. *"Les Sept Samouraïs"* ; *"Kagemusha"*.

Kuroshio ■ Courant marin chaud baignant les côtes orientales du Japon.

Kurume ■ Ville du Japon (*Kyūshū). 223 000 hab. Laques. Textiles.

le *Kuşāna* ou *Kushān* ■ Empire fondé au début de l'ère chrétienne en Afghanistan. Il disparut au Vᵉ s.

Kushiro ■ Ville et port du Japon (*Hokkaidō). 215 000 hab. Pêche à la baleine. Charbon.

Simon **Kuznets** ■ Économiste américain d'origine russe (1901-1985). Expert international. Prix Nobel 1971. *"La Croissance économique des nations"*.

Kwangju ■ Ville de la Corée du Sud. 905 900 hab.

Thomas **Kyd** ■ Auteur dramatique anglais (1558-1594). Personnages cruels, atmosphère de violence. *"Tragédie espagnole"*.

Kyōto ■ Ville du Japon (*Honshū) et ancienne capitale du pays. 1,47 million d'hab. Ville historique (nombreux temples). Centre culturel et artisanal. Fondée en 794, elle fut la résidence impériale jusqu'en 1868. Elle connut des périodes fastes, marquées par un développement religieux, culturel et architectural important.

Kyūshū ■ La plus méridionale des quatre principales îles du Japon. 42 150 km². 13,2 millions d'hab. Côtes découpées et abritées. Nombreux ports (*Nagasaki, *Kagoshima). Agriculture tropicale. Complexes industriels au nord (*Kitakyūshū, *Fukuoka).

Kzyl-Orda ■ Ville d'U. R. S. S. (*Kazakhstan). 189 000 hab. Industrie alimentaire.

L

Louise **Labé** ■ Poétesse française (avant 1524-1566). Élégies et sonnets qui expriment un amour sensuel.

Eugène **Labiche** ■ Auteur dramatique français (1815-1888). Le maître du vaudeville. *"Le Chapeau de paille d'Italie"* ; *"le Voyage de Monsieur Perrichon"*.

Étienne de **La Boétie** ■ Écrivain français (1530-1563). Ami de *Montaigne. *"Discours de la servitude volontaire"*.

Bertrand François Mahé de **La Bourdonnais** ■ Marin français (1699-1753). Il soutint sur les mers la politique coloniale de *Dupleix, mais fut désavoué.

le **Labour Party** ■ Parti travailliste anglais.

le **Labrador** ■ Vaste péninsule formant l'extrémité nord-est du Canada (provinces de *Québec et de *Terre-Neuve et Labrador). Plateau glaciaire, nombreux lacs. Immenses gisements de fer.

Jean de **La Bruyère** ■ Écrivain français (1645-1696). *"Les Caractères"*, maximes et portraits d'une écriture dense et incisive.

le **Labyrinthe** n. m. ■ ⇒ **Dédale.** ⟨ ► labyrinthe ⟩

Gautier de Costes de **La Calprenède** ■ Écrivain français (1610-1663). Auteur de tragédies et de romans « précieux » qu'admirèrent ses contemporains.

Jacques **Lacan** ■ Psychiatre et psychanalyste français (1901-1981). Il a rapproché les théories de *Freud de la linguistique et du structuralisme.

Lacédémone ■ ⇒ **Sparte.**

Étienne de La Ville comte de **Lacépède** ■ Naturaliste et écrivain français (1756-1825). Il contribua à l'*"Histoire naturelle"* de *Buffon.

le père **La Chaise** ■ Jésuite français (1624-1709). Confesseur de Louis XIV. □ *le cimetière du Père-Lachaise.* Le plus grand et le plus célèbre des cimetières parisiens.

Pierre Claude Nivelle de **La Chaussée** ■ Auteur dramatique français (1692-1754). Créateur du « drame bourgeois ».

Pierre Choderlos de **Laclos** ■ Écrivain et officier français (1741-1803). *"Les Liaisons dangereuses"* (1782), roman par lettres qui, outre son succès de scandale, eut une grande influence sur la littérature du XIXᵉ et du XXᵉ s.

Charles Marie de **La Condamine** ■ Savant et voyageur français (1701-1774). Il fit connaître le caoutchouc en Europe.

Henri **Lacordaire** ■ Prêtre et prédicateur français (1802-1861). Un des chefs du catholicisme libéral, avec *Lamennais.

Lacq ■ Commune des *Pyrénées-Atlantiques où fut découvert, en 1951, un gisement de gaz naturel.

Jacques de **Lacretelle** ■ Écrivain français (1888-1985). *"Silbermann"*, roman.

les Grands **Lacs** ■ ⇒ **Grands Lacs.**

le Grand **Lac Salé** ■ Marécage salé de l'ouest des États-Unis (*Utah). La surface plane de ses rives a servi de piste pour des essais de vitesse d'engins terrestres.

le **Ladākh** ■ Région montagneuse (de 3 000 à 6 000 m) du *Cachemire, dans la partie attribuée à l'Inde, mais revendiquée par le Pakistan puis par la Chine. Population d'origine mongole.

saint **Ladislas Iᵉʳ Árpád** ■ Roi de Hongrie, qu'il acheva de christianiser (1040-1095).

Ladislas Iᵉʳ Łokietek ■ Roi de Pologne (1260-1333). Il réunifia le pays.

le lac **Ladoga** ■ Le plus grand lac d'Europe (18 100 km²), en *Carélie (*U. R. S. S.).

René **Laennec** ■ Médecin français (1781-1826). Il travailla sur l'acoustique appliquée aux maladies de poitrine et inventa le stéthoscope.

Laërte ■ Personnage de l'*Odyssée, roi d'*Ithaque et père d'*Ulysse.

Paul **Lafargue** ■ Socialiste français (1842-1911). Gendre de *Marx, auteur du pamphlet *"le Droit à la paresse"*.

Madame de **La Fayette** ■ Écrivaine française (1634-1693). *"La Princesse de Clèves"* (1678), l'un des premiers romans psychologiques modernes.

Marie-Joseph marquis de **La Fayette** ■ Général et homme politique français (1757-1834). Héros de la guerre d'*Indépendance américaine, il fut de 1789 à 1792 le champion de la monarchie constitutionnelle, dont l'échec l'obligea à quitter la France. Opposant libéral sous la *Restauration, il participa à la révolution de *Juillet 1830 et favorisa l'avènement de *Louis-Philippe, qui l'écarta.

Barthélemy de **Laffemas** ■ Ministre d'*Henri IV (1545 - v. 1612). Il favorisa le commerce et l'industrie, soutint Olivier de *Serres. Ses thèses économiques annoncent *Colbert.

Jacques **Laffitte** ■ Banquier français, ministre de *Louis-Philippe (1767-1844). Président du Conseil en 1830-1831.

Jean de **La Fontaine** ■ Poète français (1621-1695). Ses "*Fables*", qui mettent souvent en scène des animaux, sont extrêmement populaires pour la virtuosité de leur style et leur morale épicurienne. "*Contes et Nouvelles*".

sir Louis Hippolyte **Lafontaine** ■ Homme d'État canadien (1807-1864).

Jules **Laforgue** ■ Poète français (1860-1887). Il a raillé les mythes et les symboles modernes. "*Les Complaintes*".

Roger de **La Fresnaye** ■ Peintre français (1885-1925). Portraits, paysages et natures mortes traités par plans de couleur, dans un style proche du *cubisme.

Lagash aujourd'hui *Tello* ■ Cité de *Sumer, en Mésopotamie. Grand foyer artistique.

Pär **Lagerkvist** ■ Écrivain suédois (1891-1974). "*Le Bourreau*", théâtre. "*Barrabas*", roman. Prix Nobel 1951.

Selma **Lagerlöf** ■ Romancière suédoise (1858-1940). Son "*Merveilleux Voyage de Nils Holgersson*" lui apporta une notoriété mondiale. Prix Nobel 1909.

les **Lagides** ■ ⇒ les **Ptolémées.**

Lagnieu ■ Commune de l'*Ain. 5 200 hab. *(les Lagneusins).*

Lagny-sur-Marne ■ Commune de *Seine-et-Marne. 16 800 hab. *(les Laniaques* ou *les Latignaciens).* Église du XIIIe s.

Lagos ■ Capitale et 1er port du Nigeria. 3,5 millions d'hab. : l'une des plus grandes villes d'Afrique. 1er centre industriel du pays, pôle commercial, politique, culturel.

Joseph Louis de **Lagrange** ■ Mathématicien français (1736-1813). Il donna le premier traité systématique de mécanique analytique, développa le calcul des variations, la résolution algébrique des équations et la théorie des nombres.

Léo **Lagrange** ■ Homme politique français (1900-1940). Ministre socialiste, il développa le sport et le tourisme populaire.

Laurent de **La Hire** ou *La Hyre* ■ Peintre français (1606-1656). Son œuvre marque les débuts du *classicisme.

Lahore ■ Ville du Pakistan, la plus peuplée du pays (3,2 millions d'hab.). Capitale du *Panjab. Nombreux monuments *moghols.

Laïos ■ Roi légendaire de *Thèbes. Il est l'époux de *Jocaste et le père d'*Œdipe.

Joseph **Lakanal** ■ Enseignant et révolutionnaire français. Organisateur de l'enseignement public (1762-1845).

Lakhnau ou *Lucknow* ■ Ville de l'Inde, capitale de l'*Uttar Pradesh. 1 million d'hab. Industries textile, alimentaire.

Michel Richard de **Lalande** ou **Delalande** ■ Compositeur et organiste français (1657-1726). "*Les Fontaines de Versailles*".

René **Lalique** ■ Verrier et décorateur français (1860-1945). L'un des principaux créateurs de l'art *nouveau.

Lallaing ■ Commune du *Nord. 8 300 hab.

Thomas de **Lally-Tollendal** ■ Général français (1702-1766). Condamné à mort pour trahison après sa capitulation devant les Anglais en Inde. Voltaire obtint sa réhabilitation en 1778.

Édouard **Lalo** ■ Compositeur français pour orchestre et opéra (1823-1892). "*Symphonie espagnole*".

Wilfredo **Lam** ■ Peintre cubain (1902-1982). Il s'inspira de l'art africain et adhéra au *surréalisme.

le **lamaïsme** ■ ⇒ **Tibet.**

La Mantaza ■ Ville d'Argentine (faubourg de *Buenos Aires). 402 000 hab.

Jean-Baptiste de Monet de **Lamarck** ■ Naturaliste français (1744-1829). Sa "*Philosophie zoologique*" fut la première théorie positive de l'évolution biologique.

Maximilien comte **Lamarque** ■ Général et homme politique français (1770-1832). Ses obsèques furent l'occasion de la première insurrection républicaine de la *monarchie de Juillet (5 et 6 juin 1832).

Alphonse de **Lamartine** ■ Poète, écrivain et homme politique français (1790-1869). "*Les Méditations poétiques*" (1820) et "*les Harmonies poétiques et religieuses*" (1830) exercèrent une profonde influence sur le *romantisme français.

Charles **Lamb** ■ Écrivain *romantique anglais (1775-1834). "*Essais d'Élia*".

Lamballe ■ Commune des *Côtes-du-Nord. 10 100 hab. *(les Lamballais).* Églises médiévales.

Lambersart ■ Commune du *Nord. 30 000 hab. *(les Lambersartois).* Textile.

Johann Heinrich **Lambert** ■ Mathématicien et philosophe suisse alémanique (1728-1777). Démonstration de l'irrationalité du nombre π. Photométrie, astronomie, géométrie projective. Sa théorie de la connaissance influença *Kant.

Lambres-lez-Douai ■ Commune du *Nord. 5 500 hab.

Gabriel **Lamé** ■ Mathématicien et ingénieur français (1795-1870).

Félicité de **Lamennais** ou *La Mennais* ■ Écrivain et penseur catholique français (1782-1854). "*Paroles d'un croyant*". Condamné par le pape comme tenant du libéralisme, il quitta la prêtrise.

Lamentin ■ Commune de la *Guadeloupe. 10 000 hab. Sucrerie. Sources thermales.

Le **Lamentin** ■ Commune de la *Martinique. 25 000 hab. *(les Lamentinois).* Distilleries. Sucrerie.

Alexandre comte de **Lameth** ■ Révolutionnaire français (1760-1829). Proche de *Barnave et de *Duport, rallié, comme ses frères Théodore (1756-1854) et Charles (1757-1832), aux *Feuillants. Les frères Lameth firent une carrière de notables sous l'Empire et la Restauration.

Julien Offroy de **La Mettrie** ■ Médecin et philosophe matérialiste français (1709-1751). "*L'Homme-machine*".

Lamis ■ Ville d'Argentine (faubourg de *Buenos Aires). 381 000 hab.

François de **La Mothe Le Vayer** ■ Écrivain et philosophe français (1588-1672). Sceptique et libertin, devenu précepteur de *Louis XIV.

Friedrich baron de **La Motte-Fouqué** ■ Écrivain *romantique allemand (1777-1843). *"Ondine"*.

Giuseppe Tomasi di **Lampedusa** ■ Romancier italien (1896-1957). *"Le Guépard"* décrit son milieu, l'aristocratie sicilienne.

le **Lancashire** ■ Comté d'Angleterre situé dans les *Midlands. 3 043 km². 1,3 million d'hab. Chef-lieu : Preston. Cette région a été le berceau de l'industrie anglaise (textile). Raffineries, métallurgie et industrie chimique.

la maison de **Lancastre** ■ Famille noble anglaise. Avec *Henri IV, *Henri V et *Henri VI, les Lancastre régnèrent sur l'Angleterre de 1399 à 1471. Mettant fin à la guerre des Deux-*Roses, Henri VII, descendant des Lancastre, fonda la dynastie *Tudor.

Lancelot du Lac ■ Personnage du cycle de la Table ronde, chevalier du roi *Arthur.

Lev **Landau** ■ Physicien soviétique (1908-1968). Prix Nobel 1962.

Landerneau ■ Ville du *Finistère. 15 000 hab. *(les Landernéens)*. Édifices anciens. Pêche.

les **Landes** ■ Région de l'*Aquitaine, baignée par l'Atlantique (tourisme sur la côte) et couverte de pins (1 million d'ha de forêts). □ *les* **Landes** [40], département français de la région *Aquitaine. 9 364 km². 300 000 hab. Préfecture : Mont-de-Marsan. Sous-préfecture : Dax.

Landivisiau ■ Commune du *Finistère. 8 000 hab. *(les Landivisiens)*.

Tommaso **Landolfi** ■ Écrivain italien (1908-1979). *"La Pierre de Lune"* ; *"Ombres"*.

Wanda **Landowska** ■ Claveciniste polonaise (1877-1959).

Paul **Landowski** ■ Sculpteur français (1875-1961). Le *"Christ"* du Pain de Sucre à Rio de Janeiro. □ *Marcel* **Landowski,** son fils (né en 1915), compositeur. *"Le Fou"* et *"Montségur"*, opéras.

Henri Désiré **Landru** ■ Criminel français (1869-1922).

Karl **Landsteiner** ■ Médecin autrichien, installé aux États-Unis à partir de 1914 (1868-1943). Prix Nobel 1930. Père de l'immunologie sanguine.

Lanester ■ Commune du *Morbihan. 21 000 hab. *(les Lanestériens)*.

Laneuveville-devant-Nancy ■ Commune de la *Meurthe-et-Moselle. 5 000 hab. *(les Laneuve-villois)*.

Giovanni **Lanfranco** ■ Peintre italien (1582-1647). Il réalisa les premières décorations *baroques.

Fritz **Lang** ■ Cinéaste allemand naturalisé américain (1890-1976). Son œuvre montre l'homme aux prises avec la société moderne. *"Métropolis"* ; *"M. le Maudit"*.

Langeac ■ Commune de la Haute-*Loire. 5 000 hab.

Paul **Langevin** ■ Physicien français (1872-1946). Mise au point du sonar. Il contribua à la diffusion des thèses d'*Einstein et de son élève *Broglie. Progressiste, il s'intéressa aux questions d'éducation.

Langon ■ Sous-préfecture de la *Gironde. 6 000 hab. *(les Langonnais)*. Marché des vins de Bordeaux. Vin blanc.

Langres ■ Sous-préfecture de la Haute-*Marne, sur le plateau de Langres. 12 500 hab. *(les Langrois)*. Nombreux monuments. Industries alimentaires.

le **Languedoc** ■ Ancienne province du sud de la France. Elle tire son nom de la "langue d'oc" que parlaient ses habitants. Capitale : Toulouse. Riche et florissante au Moyen Âge, sa civilisation déclina après la croisade des *Albigeois.

le **Languedoc-Roussillon** ■ Région administrative et économique du sud de la France. Elle comprend cinq départements : *Aude, *Gard, *Hérault, *Lozère, *Pyrénées-Orientales. 27 376 km². 2 millions d'hab. Préfecture : Montpellier. La population s'est concentrée dans la plaine et sur le littoral (exode rural en Lozère). 1re région viticole de France. Cultures fruitières et maraîchères. Tourisme actif sur la Méditerranée. Peu d'industries, excepté dans le secteur agro-alimentaire.

Languidic ■ Commune du *Morbihan. 5 300 hab.

Lannemezan ■ Commune des Hautes-*Pyrénées. 8 500 hab.

Jean **Lannes** *duc de Montebello* ■ Un des meilleurs maréchaux de Napoléon Ier (1769-1809).

Lannion ■ Sous-préfecture et port des *Côtes-du-Nord. 18 000 hab. *(les Lannionnais)*. ⟹ **Pleumeur-Bodou.**

Lansing ■ Ville des États-Unis, capitale du *Michigan. 130 000 hab. Université. Industries mécaniques.

Gustave **Lanson** ■ Universitaire et critique littéraire français (1857-1934). *"Histoire de la littérature française"*.

Lanza del Vasto ■ Penseur et écrivain français (1901-1981). Disciple de *Gandhi. *"Le Pèlerinage aux sources"*.

Lanzhou *ou* **Lanchow** ■ Ville de Chine. 1,2 million d'hab. Important centre industriel et commercial.

Laocoon ■ Prêtre d'Apollon à *Troie, qu'Athéna fit étouffer, avec ses fils, par des serpents. Sujet d'une célèbre sculpture antique.

Laon ■ Préfecture de l'*Aisne. 30 000 hab. *(les Laonnais)*. Cathédrale gothique (XIIe - XIIIe s.).

le **Laos** ■ État (république populaire) d'Asie du Sud-Est. 236 800 km², 3,6 millions d'hab. *(les Laotiens)*. Capitale administrative : Vientiane. Langue officielle : lao ou laotien. Monnaie : kip. □**HISTOIRE.** Royaume fondé en 1353, il fut peu à peu annexé par ses voisins. Il devint protectorat français en 1893 et accéda à l'indépendance en 1953. Il est économiquement et militairement lié au Viêt-nam.

Lao-She ■ Écrivain chinois (1898-1966). *"Cœur joyeux"* ; *"Coolie de Pékin"*.

Lao Tseu ou *Laozi* ■ Philosophe chinois (v. 570 - 490 av. J.-C.). Fondateur du *taoïsme.

Jacques de Chabannes seigneur de **La Palice** ■ Maréchal de France (1470-1525). Une chanson naïve célèbre son courage, et on l'a cru lui-même naïf. ⟨ ▶ lapalissade ⟩

La Paz ■ Ville de Bolivie, siège du gouvernement et capitale de fait du pays. Située à 3 700 m d'altitude. 881 400 hab. Textile. Tabac.

Jean-François de Galaup comte de **La Pérouse** ■ Marin français (1741-1788). Il entreprit une expédition autour du monde, mais disparut dans le Pacifique, laissant un récit de ses voyages.

les **Lapithes** n. m. ■ Peuple légendaire de Thessalie. Connus pour leur combat contre les *Centaures.

Pierre Simon de **Laplace** ■ Mathématicien et astronome français (1749-1827). Il participa à la création de l'École polytechnique et de l'École normale, fut le promoteur du calcul des probabilités, s'intéressa à la mécanique céleste (travaux sur les planètes et les marées) et s'illustra par l'hypothèse cosmogonique qui porte son nom.

le Río de **La Plata** ■ « Fleuve d'argent », estuaire d'Amérique du Sud qui sépare l'Argentine de l'Uruguay. □ *La Plata.* Port d'Argentine situé sur la rive droite du Río de La Plata. 455 000 hab.

la **Laponie** ■ Région d'Europe du Nord partagée entre le nord de la Norvège, de la Suède, de la Finlande et une partie de l'U. R. S. S. 36 500 hab. *(les Lapons).* Langue : lapon. Élevage de rennes. Fourrures.

Valery **Larbaud** ■ Écrivain français (1881-1957). Grand traducteur, il fit connaître de nombreux auteurs étrangers en France. Poèmes, récits, romans. *"Fermina Marquez"* ; *"A. O. Barnabooth".*

les **Lares** n. m. ■ Dieux romains chargés de protéger les foyers domestiques, souvent associés aux *Pénates. ‹ ► lare ›

Largentière ■ Sous-préfecture de l'*Ardèche. 2 600 hab. Soie.

Nicolas de **Largillière** ou **Largillierre** ■ Peintre français (1656-1746). Portraitiste favori de la grande bourgeoisie.

Mikhaïl **Larionov** ■ Peintre russe naturalisé français (1881-1964). Il créa le *rayonnisme,* une des premières manifestations de l'art abstrait. Compagnon de Natalia *Gontcharova.

Larmor-Plage ■ Commune du *Morbihan. 6 300 hab. *(les Larmoriens).* Station balnéaire.

Lárnaka ou **Lárnax** ■ Ville de *Chypre. 53 400 hab. Aéroport.

François duc de **La Rochefoucauld** ■ Écrivain français (1613-1680). Ses *"Réflexions ou Sentences et maximes morales",* d'un style admirable, témoignent d'une vision pessimiste de l'homme.

Henri de **La Rochejaquelein** ■ Un des chefs de la guerre de *Vendée (1772-1794).

Pierre **Larousse** ■ Encyclopédiste et éditeur français (1817-1875). Ancien instituteur, il publia des ouvrages pédagogiques et le *"Grand Dictionnaire universel du XIXe siècle".*

Jacques Henri **Lartigue** ■ Photographe français (1894-1986).

le causse du **Larzac** ■ Le plus grand causse du sud du *Massif central (1 000 km²). Élevage de brebis. Camp militaire.

Antoine de **La Sale** ■ Écrivain français (v. 1386 - v. 1462). *"Le Petit Jehan de Saintré",* un des premiers romans français.

René Robert Cavelier de **La Salle** ■ Explorateur français (1643-1687). Il a découvert la *Louisiane.

les **Lascaris** ■ Famille byzantine qui donna les empereurs de *Nicée (1208-1261).

Bartolomé de **Las Casas** ■ Dominicain espagnol, évêque au Mexique (1474-1566). Il prit la défense des Indiens et dénonça dans ses écrits les atrocités commises par les conquistadors.

Emmanuel comte de **Las Cases** ■ Écrivain français (1766-1842). Son *"Mémorial de Sainte-Hélène"* rapporte les propos de Napoléon Ier après sa déportation.

la grotte de **Lascaux** ■ Site préhistorique de *Dordogne. Un des plus riches ensembles connus de peintures rupestres, datant du *magdalénien.

Lashkar ■ Ville de l'Inde. 250 000 hab. Centre industriel important, près de *Gwalior.

Rina **Lasnier** ■ Poétesse canadienne d'expression française (née en 1915). *"Chant de la montée".*

Ferdinand **Lassalle** ■ Homme politique allemand (1825-1864). Démocrate radical et socialiste, il évolua vers un socialisme réformiste à tendance nationaliste et féodale.

Roland de **Lassus** ■ Compositeur franco-flamand (v. 1532-1594). Son œuvre abondante a bouleversé la musique de son temps.

Las Vegas ■ Ville des États-Unis (*Nevada). 165 000 hab. Réputée pour ses salles de jeu et de spectacle.

les **Latins** n. m. ■ Habitants du *Latium puis de l'Italie antique. ⇒ **Rome.** ‹ ► latin ›

Latinus ■ Héros mythologique qui a donné son nom aux *Latins. Selon *Virgile, il accueillit *Énée en Italie.

le **Latium** ■ Région de l'Italie centrale, autour de Rome.

Georges de **La Tour** ■ Peintre français (1593-1652). La lumière est le sujet central de son œuvre qui comprend des peintures « diurnes » (scènes de genre) et « nocturnes » (scènes religieuses).

Maurice Quentin de **La Tour** ■ Peintre français (1704-1788). Il excella dans l'art du portrait au pastel.

Patrice de **La Tour du Pin** ■ Poète français d'inspiration catholique (1911-1975). *"Une somme de poésie".*

le **Latran** ■ Résidence des papes de 313 à 1304, avant leur installation au *Vatican. La basilique *Saint-Jean-de-Latran,* de style *baroque, est la cathédrale de Rome. □ *les accords du* **Latran** furent signés le 11 février 1929 entre le Saint-Siège et Mussolini (convention financière et concordat religieux). Ils marquent la naissance de l'État du *Vatican.

Lattaquié ou **Al-Lādhiqīyah,** autrefois *Laodicée* ■ Ville et port de Syrie. 196 800 hab.

Jean-Marie de **Lattre de Tassigny** ■ Maréchal de France (1889-1952). Héros de la *Résistance. Haut-commissaire en *Indochine de 1950 à 1952.

Max von **Laue** ■ Physicien allemand (1879-1960). Prix Nobel 1914 pour la diffraction des rayons X, qui permit l'optique cristalline.

Francesco **Laurana** ■ Sculpteur italien (v. 1430 - v. 1502). Bustes féminins.

Laure ■ Dame provençale à laquelle est consacré le *"Canzoniere"* de *Pétrarque.

Stan **Laurel** ■ Acteur anglo-américain de cinéma (1890-1965). Il forma avec Oliver Hardy (1892-1957) un célèbre tandem comique.

Marie **Laurencin** ■ Peintre française (1885-1956). Amie d'*Apollinaire et des *cubistes.

Henri **Laurens** ■ Sculpteur français (1885-1954). Son art, d'inspiration *cubiste, évolua vers des formes amples et sensuelles.

Auguste **Laurent** ■ Chimiste français (1807-1853). Précurseur de la chimie structurelle.

les **Laurentides** n. f. ■ Région de collines du Canada (*Québec). Parc national. Tourisme.

sir Wilfrid **Laurier** ■ Homme politique canadien (1841-1919). Premier ministre (libéral) de 1896 à 1911, il renforça l'autonomie du pays.

Lausanne ■ Ville de Suisse située au bord du lac Léman. Chef-lieu du canton de *Vaud. Agglomération : 260 200 hab. (les Lausannois).

Isidore Ducasse dit le comte de **Lautréamont** ■ Écrivain français (1846-1870). Son œuvre, remarquable pour sa critique du langage poétique conventionnel et son appel aux fantasmes de l'inconscient, est une des sources de la poésie du XXᵉ s. et du *surréalisme. "Les Chants de Maldoror" ; "Poésies".

Toulouse-**Lautrec** ■ ⇒ Henri de Toulouse-Lautrec.

Laval ■ Préfecture de la *Mayenne. 53 800 hab. (les Lavallois). Ville historique. Violents combats pendant la guerre de *Vendée. Industries alimentaire et mécanique.

Laval ■ Ville du Canada (*Québec), dans l'agglomération de *Montréal. 268 000 hab.

l'université **Laval** ■ Université de *Québec (Canada). Elle porte le nom du premier évêque du pays, François de Montmorency-Laval (1623-1708).

Pierre **Laval** ■ Homme politique français (1883-1945). Socialiste indépendant rallié à *Pétain, il mena la politique de *Collaboration. Fusillé à la *Libération.

la duchesse de **La Vallière** ■ Favorite de Louis XIV (1644-1710). ⟨ ▶ lavallière ⟩

Johann **Lavater** ■ Écrivain et penseur suisse de langue allemande (1741-1801). Sa "Physiognomonie", art de déduire le caractère des traits du visage, connut une grande vogue au XIXᵉ s.

Lavaur ■ Commune du *Tarn. 8 300 hab. (les Vauréens). Cathédrale (XIIIᵉ - XVIᵉ s.). Édifices anciens.

Lavelanet ■ Commune de l'*Ariège. 8 400 hab. (les Lavelanétiens). Industrie textile.

Antoine Laurent de **Lavoisier** ■ Savant français, créateur de la chimie moderne (1743-1794). Il a introduit la mesure objective des quantités dans l'analyse des composants et élaboré (avec Guyton de Morveau, *Berthollet et Fourcroy) une nomenclature rationnelle. Fermier général, il fut décapité.

John **Law** ■ Financier écossais, ministre du *Régent (1671-1729). Son échec à introduire le papier-monnaie empêcha l'instauration en France du crédit et d'une banque d'État jusqu'au *Consulat.

sir Thomas **Lawrence** ■ Peintre anglais (1769-1830). Il succéda à *Reynolds comme portraitiste officiel.

David Herbert **Lawrence** ■ Écrivain anglais (1885-1930). Il fait l'apologie de la sensualité. "L'Amant de Lady Chatterley".

Ernest Orlando **Lawrence** ■ Physicien américain (1901-1958). Inventeur du cyclotron. Prix Nobel 1939.

Thomas Edward dit **Lawrence d'Arabie** ■ Officier et écrivain anglais (1888-1935). Il combattit avec les Arabes contre les Turcs. "Les Sept Piliers de la sagesse".

Halldór Kiljan **Laxness** ■ Écrivain islandais (né en 1902). "La Cloche d'Islande" ; "Lumière du monde". Prix Nobel 1955.

Laxou ■ Commune de *Meurthe-et-Moselle. 17 600 hab. (les Lascaviens). Fonderies.

saint **Lazare** ■ Dans l'*Évangile de saint *Jean, il est ressuscité par *Jésus.

Laza **Lazarević** ■ Écrivain serbe (1851-1890). "Werther".

Paul **Lazarsfeld** ■ Sociologue et statisticien américain d'origine autrichienne (1901-1976).

les **Lê** ■ Nom de deux dynasties qui régnèrent sur le Viêt-nam du Xᵉ au XVIIIᵉ s.

Paul **Léautaud** ■ Écrivain français (1872-1956). "Journal littéraire" ; "Passe-Temps".

Achille **Le Bel** ■ Chimiste français (1847-1930). ⇒ Van't Hoff.

Henri **Lebesgue** ■ Mathématicien français (1875-1941). Théorie des fonctions.

Maurice **Leblanc** ■ Romancier français (1864-1941). Créateur du personnage d'Arsène Lupin.

Gustave **Le Bon** ■ Sociologue français (1841-1931). "Psychologie des foules".

Charles **Le Brun** ■ Peintre français (1619-1690). Son influence fut capitale sur l'art du siècle de Louis XIV, dont il assura, par ses fonctions, l'unité stylistique (directeur de l'Académie royale de peinture et de sculpture et de la manufacture des *Gobelins, premier peintre du roi).

Charles François **Lebrun** duc de Plaisance ■ Homme politique français (1739-1824). 3ᵉ consul lors du *Consulat.

Albert **Lebrun** ■ Homme politique français (1871-1950). Dernier président de la IIIᵉ République.

Henry **Le Chatelier** ■ Chimiste français (1850-1936). Études des métaux.

Jean-Marie **Leclair** ■ Compositeur et violoniste français (1697-1764).

Philippe de Hauteclocque dit **Leclerc** ■ Maréchal de France (1902-1947). Héros de la *Résistance (commandant de la "2ᵉ D. B.", il libéra Paris en 1944) puis chef des armées en *Indochine.

Félix **Leclerc** ■ Chanteur, auteur et compositeur canadien d'expression française (1914-1988).

Jean-Marie Gustave **Le Clézio** ■ Écrivain français (né en 1940). Les personnages de ses romans restent fidèles à un étonnement profond devant la vie. "Le Procès-verbal", roman ; "l'Extase matérielle", essai ; "Désert", nouvelles.

Charles **Lecocq** ■ Compositeur français d'opérettes (1832-1918). "La Fille de Madame Angot".

Charles Marie **Leconte** dit **Leconte de Lisle** ■ Poète français (1818-1894). Chef de file du *Parnasse.

"*Poèmes antiques*" ; "*Poèmes barbares*" ; "*Poèmes tragiques*".

Charles-Édouard Jeanneret dit **Le Corbusier** ■ Architecte et théoricien français d'origine suisse (1887-1965). Il révolutionna l'architecture et l'urbanisme. Cités-jardins. Chapelle Notre-Dame de Ronchamp. Il a aussi été peintre.

Léda ■ Dans la mythologie grecque, mère de *Castor, *Pollux, *Clytemnestre et *Hélène. *Zeus prit la forme d'un cygne pour la séduire.

Claude Nicolas **Ledoux** ■ Architecte français (1736-1806). Œuvre visionnaire dans sa conception et son style. "*Salines royales*" d'Arc-et-Senans.

Alexandre Auguste **Ledru-Rollin** ■ Homme politique français (1807-1874). Républicain, opposé à la *monarchie de Juillet, député sous la IIᵉ République, il s'exile pendant le second Empire.

Robert Edward **Lee** ■ Général américain, chef des armées sudistes pendant la guerre de *Sécession (1807-1870).

Leeds ■ Ville du nord de l'Angleterre. 710 900 hab. Industrie textile (laine).

Leers ■ Commune du *Nord. 8 500 hab.

Leeuwarden ■ Ville des Pays-Bas, chef-lieu de la *Frise. 85 200 hab.

Jacques **Lefèvre d'Étaples** ■ *Humaniste français (v. 1450 - 1537). Premier traducteur de la Bible en français.

Leforest ■ Commune du *Pas-de-Calais. 7 900 hab.

Adrien Marie **Le Gendre** ■ Mathématicien français (1752-1833). Géométrie, analyse, théorie des nombres.

Fernand **Léger** ■ Peintre et décorateur français (1881-1955). Sujets inspirés par le monde moderne dans un style dérivé du *cubisme. "*Les Constructeurs*".

la **Légion d'honneur** ■ Ordre français créé par *Bonaparte en 1802 pour récompenser les services militaires et civils.

les **légitimistes** ■ Nom donné après la *Révolution de 1830 aux royalistes partisans, contre *Louis-Philippe, de la branche aînée des *Bourbons.

Franz **Lehár** ■ Compositeur autrichien d'opérettes (1870-1948). "*La Veuve joyeuse*".

Rosamond **Lehmann** ■ Romancière britannique (née en 1903). "*Poussière*".

Wilhelm **Leibl** ■ Peintre allemand (1844-1900). Ses scènes paysannes traduisent l'influence de *Courbet.

Gottfried Wilhelm **Leibniz** ■ Philosophe et savant allemand (1646-1716). Précurseur de la logique moderne, créateur, au même titre que *Newton, du calcul infinitésimal, diplomate, juriste, historien. Son œuvre est l'une des plus hautes expressions du rationalisme chrétien.

Leicester ■ Ville d'Angleterre, dans les *Midlands. 281 100 hab.

Leipzig ■ 2ᵉ ville de R. D. A. (*Saxe). 552 100 hab. Centre intellectuel et carrefour commercial depuis le Moyen Âge. Monuments (XVIᵉ s.).

Michel **Leiris** ■ Écrivain et ethnologue français (né en 1901). Il a mené avec rigueur une entreprise autobiographique où le langage devient un moyen de révélation. "*L'Âge d'homme*" ; "*la Règle du jeu*".

Claude **Le Jeune** ■ Compositeur français (v. 1530-1600). Psaumes, motets.

Antoine **Lemaistre** ou **Le Maître** ■ *Janséniste français (1608-1658). □ *Isaac* **Lemaistre de Saci** (1613-1684), son frère, traduisit la Bible.

Jules **Lemaitre** ■ Écrivain et critique français (1853-1914).

Frédérick **Lemaître** ■ Acteur français (1800-1876). Le plus célèbre de son temps.

le lac **Léman** ou lac de **Genève** ■ Lac d'Europe dont la rive sud est française, la rive nord, suisse. 582 km².

Roger **Lemelin** ■ Écrivain canadien d'expression française (né en 1919). "*Les Plouffe*".

Jacques **Lemercier** ■ Architecte français (v. 1585-1654). Un des initiateurs du *classicisme.

Lemnos, aujourd'hui **Límnos** ■ Île grecque de la mer Égée. 475 km². 23 000 hab.

Camille **Lemonnier** ■ Écrivain belge d'expression française (1844-1913). "*Le Mâle*" ; "*les Charniers*" ; "*la Belgique*".

François **Lemoyne** ou **Lemoine** ■ Peintre français (1688-1737). Un des grands décorateurs de son époque (château de *Versailles).

Jean-Baptiste **Lemoyne** ■ Sculpteur français (1704-1778). Bustes de style *rococo.

Lempdes ■ Commune du *Puy-de-Dôme. 8 800 hab.

les **Lémures** n. m. ■ Esprits des morts, dans la religion romaine.

la **Lena** ■ Fleuve d'U. R. S. S., en Sibérie centrale (4 270 km).

les frères **Le Nain** ■ Peintres français du XVIIᵉ s. qui signaient ensemble leurs œuvres. Leurs scènes de la vie paysanne influencèrent les artistes *réalistes au XIXᵉ s.

Nikolaus **Lenau** ■ Poète autrichien (1802-1850).

Ninon de **Lenclos** ■ Écrivaine française (1616-1705), proche des libres penseurs.

Leninakan ■ Ville d'U. R. S. S. (*Arménie). 228 000 hab. Industries.

Vladimir Ilitch Oulianov dit **Lénine** ■ Homme d'État russe (1870-1924). Militant et théoricien marxiste, il fonda le parti *bolchevik et organisa la *révolution d'Octobre 1917. Il se consacra ensuite à la construction du socialisme en U. R. S. S., en mettant en œuvre la doctrine de la "*dictature du prolétariat*". ⟨ ▶ léninisme ⟩

Leningrad, autrefois **Saint-Pétersbourg** ■ 2ᵉ ville d'U. R. S. S. (*Russie), 1ᵉʳ port maritime et fluvial, sur l'embouchure de la *Neva. 4,94 millions d'hab. Centre culturel (musée de l'*Ermitage) et industriel. Fondée en 1703, par *Pierre le Grand, capitale de l'empire russe de 1715 à 1917 rebaptisée *Petrograd* de 1914 à 1924. Résistance héroïque aux nazis (1941-1944).

André **Le Nôtre** ■ Architecte français de jardins, créateur du jardin « à la française » (1613-1700). Parcs de *Versailles et de *Vaux-le-Vicomte.

Lens ■ Sous-préfecture du *Pas-de-Calais. 38 300 hab. *(les Lensois).* Industries liées au bassin charbonnier, aujourd'hui en recul.

Jakob **Lenz** ■ Auteur dramatique allemand (1751-1792). Un des pionniers du *romantisme. "*Les Soldats*".

Léognan ■ Commune de la *Gironde. 7 700 hab.

le **León** ■ Province du nord-ouest de l'Espagne. 15 468 km². 518 000 hab. Foyer de l'art *roman. *Le royaume de León* se constitua lorsque les rois des *Asturies choisirent comme capitale la ville de León (914), et fut réuni à la *Castille en 1230. □ *León.* Chef-lieu de *la province de León.* 131 100 hab. Évêché. Cathédrale gothique. Textile.

le **León** ■ Région du nord-ouest de la Bretagne, autour de Saint-Pol-de-Léon.

Léon ■ NOM DE PLUSIEURS PAPES □ *saint Léon Iᵉʳ le Grand,* pape de 440 à 461, arrêta l'invasion des *Huns en Italie en 452. □ *Léon X* (1475-1521), fils de Laurent de Médicis, protégea les arts et les lettres et condamna Luther en 1520. □ *Léon XIII* (1810-1903) promut un catholicisme social.

León de los Aldamas ■ Ville du Mexique. 655 800 hab.

León l'Africain ■ Érudit et géographe arabe (v. 1483 - v. 1554). Il enseigna l'arabe à Rome.

Leonardo Fibonacci dit **Léonard de Pise** ■ Mathématicien italien (v. 1175 - v. 1240). Il introduisit les connaissances et les notations mathématiques des Arabes.

Léonard de Vinci ■ Artiste italien (1452-1519). Déployant une activité prodigieuse, il fut à la fois peintre, architecte, savant et mena parallèlement à ses travaux une importante réflexion théorique. Par son universalisme et son rayonnement, son œuvre est capitale dans l'histoire de la *Renaissance. En peinture, il réalisa la *"Joconde"* (v. 1503 - 1507), célèbre illustration de ses découvertes sur le clair-obscur et le *sfumato,* art d'adoucir les contours. Il travailla à Florence et à Milan où il devint célèbre, puis appelé en France par François Iᵉʳ en 1516.

Léonidas Iᵉʳ ■ Roi de *Sparte (mort v. 480 av. J.-C.). Il se sacrifia avec trois cents Spartiates aux *Thermopyles.

Giacomo comte **Leopardi** ■ Écrivain *romantique italien (1798-1837). Il est à l'origine de la poésie italienne moderne. *"Premier Amour"* ; *"Canti".*

Léopold ■ NOM DE PLUSIEURS SOUVERAINS DE BELGIQUE □ *Léopold Iᵉʳ, prince de Saxe-Cobourg* (1790-1865). Habile diplomate, il protégea la Belgique contre les ambitions des pays voisins. □ *Léopold II* (1835-1909). Sous son règne, la Belgique devint une puissance coloniale, avec l'annexion du *Congo. □ *Léopold III* (1901-1983). Critiqué pour avoir capitulé en 1940, il dut accepter la régence de son frère Charles (1945-1950) et abdiqua en 1951 en faveur de son fils *Baudoin.

Léopoldville ■ Ancien nom de *Kinshasa.

Lépante ■ Ville de Grèce. Victoire des marines chrétiennes sur la flotte ottomane d'Ali Pacha (1571).

Frédéric **Le Play** ■ Haut fonctionnaire et sociologue français, conservateur (1806-1882).

Jeanne-Marie **Leprince de Beaumont** ■ Écrivaine française (1711-1780). Célèbres contes : *"la Belle et la Bête".*

René **Leriche** ■ Chirurgien français (1879-1955). *"La Chirurgie de la douleur".*

Lérida ■ Ville d'Espagne (*Catalogne). 109 600 hab.

le duc de **Lerma** ■ Homme politique espagnol (v. 1550-1625). Favori et ministre de *Philippe III, il exerça le pouvoir de 1598 à 1618.

Mikhaïl **Lermontov** ■ Écrivain *romantique russe (1814-1841). *"La Mort du poète"* ; *"Un héros de notre temps".*

André **Leroi-Gourhan** ■ Ethnologue et préhistorien français (1911-1986). *"Le Geste et la Parole".*

Leroi Jones ■ Écrivain noir américain (né en 1934). *"L'Esclave"* ; *"le Peuple du blues".*

Pierre **Leroux** ■ Philosophe et publiciste français (1797-1871). Théoricien d'un socialisme à caractère religieux.

Gaston **Leroux** ■ Écrivain français (1868-1927). Créateur des personnages de Rouletabille et de Chéri-Bibi.

Alain René **Lesage** ■ Écrivain français (1668-1747). Satire réaliste de la société de la *Régence dans *"le Diable boiteux"* (roman de mœurs), *"Turcaret"* (comédie) et *"Gil Blas"* (roman).

Lesbos ou **Mytilène** ■ Île grecque de la mer Égée. 100 000 hab. *(les Lesbiens).* Foyer de la civilisation des *Éoliens. Patrie d'*Alcée et de *Sappho. ‹ ► lesbienne ›

Lescar ■ Commune des *Pyrénées-Atlantiques. 5 900 hab. *(les Lescariens).*

Pierre **Lescot** ■ Architecte français de la *Renaissance (1515-1578). Il a conçu une aile de la cour Carrée du *Louvre.

Lesneven ■ Commune du *Finistère. 7 100 hab. *(les Lesneviens).*

le **Lesotho,** autrefois *Basutoland* ■ État (royaume) montagneux enclavé dans l'*Afrique du Sud dont il dépend économiquement. 30 355 km². 1,63 million d'hab. *(les Sothos).* Capitale : Maseru. Langues officielles : anglais, sesotho. Monnaie : loti (plur. : maloti). Ancien protectorat britannique indépendant depuis 1966, membre du *Commonwealth. C'est l'un des 25 pays les plus pauvres au monde.

Lesparre-Médoc ■ Sous-préfecture de la *Gironde. 4 200 hab. *(les Lesparrains).* Marché des vins du *Médoc.

Ferdinand de **Lesseps** ■ Diplomate français (1805-1894). Il conçut et fit creuser le canal de *Suez, mais échoua à percer celui de *Panamá.

Gotthold Ephraim **Lessing** ■ Auteur dramatique allemand et théoricien du théâtre (1729-1781). Il libéra le théâtre allemand de l'imitation de la tragédie française. *"Laokoon".*

Doris **Lessing** ■ Écrivaine britannique (née en 1919). Son œuvre est sensible aux revendications sociales et politiques, à la condition féminine, au racisme (l'apartheid). *"Le Carnet d'or".*

Nicolas **Lesskov** ■ Écrivain russe (1831-1895). *"Gens d'Église"* ; *"Contes de Noël".*

Eustache **Le Sueur** ■ Peintre et décorateur français d'inspiration *classique (1617-1655). Sujets historiques et religieux.

Jean-François **Lesueur** ■ Compositeur français de musique religieuse et d'opéras (1760-1837).

Leszczyński ■ Famille polonaise dont sont issus le roi *Stanislas et sa fille Marie, reine de France par son mariage avec *Louis XV.

Michel **Le Tellier** ■ Ministre d'Anne d'Autriche puis de Louis XIV (1603-1685). Père de *Louvois. Signataire de la révocation de l'édit de *Nantes.

la **Lettonie** ■ République socialiste soviétique (*U. R. S. S.) sur la mer Baltique. 63 700 km². 2,64 millions d'hab. *(les Lettons).* Capitale : Riga. Agriculture, pêche. Industries. La Lettonie a été intégrée à l'U. R. S. S. en 1940 (⇒ pays **baltes**).

Levallois-Perret ■ Commune des *Hauts-de-Seine, dans la banlieue de Paris. 53 000 hab. *(les Levalloisiens)*. Centre industriel.

le Levant ■ Autrefois, nom du littoral oriental de la Méditerranée.

Émile Levassor ■ Industriel français (1844-1897). ⇒ **Panhard.**

Louis Le Vau ■ Architecte et décorateur français (1612-1670). L'un des maîtres du *classicisme. Il réalisa le château de Vaux-le-Vicomte, remania le Louvre et Versailles.

Leverkusen ■ Ville de R. F. A., sur le Rhin. 156 500 hab. Important centre chimique.

Urbain Le Verrier ■ Astronome français (1811-1877). Découverte de *Neptune par le calcul. Théorie des planètes.

René Lévesque ■ Homme politique canadien (1922-1987). Premier ministre du *Québec de 1976 à 1985, il fut un grand défenseur de la personnalité québécoise.

Carlo Levi ■ Écrivain italien (1902-1975). *"Le Christ s'est arrêté à Éboli"*.

Lévi ■ Dans la Bible, fils de *Jacob. Il donne son nom à une tribu d'Israël, celle d'où provenaient les prêtres, ou *lévites*.

le Léviathan ■ Monstre marin décrit dans la Bible.

Emmanuel Lévinas ■ Philosophe français (né en 1905). Traducteur de *Husserl. Éthique inspirée du judaïsme.

Claude Lévi-Strauss ■ Ethnologue et anthropologue français (né en 1908). Son structuralisme a reçu une audience considérable. *"Tristes tropiques"*.

Lucien Lévy-Bruhl ■ Sociologue français (1857-1939). *"La Morale et la Science des mœurs"* ; *"la Mentalité primitive"*.

Kurt Lewin ■ Psychologue allemand naturalisé américain (1890-1947). Il a introduit le concept de champ en sciences sociales.

Matthew Gregory Lewis ■ Écrivain anglais (1775-1818). Créateur avec Ann Radcliffe du « roman noir ». *"Le Moine"*.

Sinclair Lewis ■ Écrivain américain (1885-1951). Romans satiriques. *"Babbitt"*. Prix Nobel 1930.

Lexington ■ Ville des États-Unis (*Kentucky). 204 000 hab. Centre de la région d'élevage dite *Blue Grass* (« herbe bleue »). Tabac, chevaux de course. Université.

Leyde en néerlandais *Leiden* ■ Ville des Pays-Bas. 103 000 hab. Ville culturelle (université créée en 1575, musées).

Lézignan-Corbières ■ Commune de l'*Aude. 7 400 hab. *(les Lézignannais)*. Église du XVᵉ s.

Lhassa ou **Lasa** ■ Capitale du Tibet à 3 600 m d'altitude (Chine). 70 000 hab. Palais des dalaï-lamas, le Potala.

Marcel L'Herbier ■ Cinéaste français (1888-1979). *"Forfaiture"*.

Tristan L'Hermite ■ ⇒ **Tristan l'Hermite.**

Michel de L'Hospital ■ Ministre de Catherine de Médicis (v. 1504 - 1573). Ses réformes et sa politique de tolérance envers les protestants (qui échoua) annoncent *Henri IV.

Guillaume de L'Hospital ■ Mathématicien français (1661-1704). Il publia le premier traité de calcul infinitésimal, diffusant les résultats de *Leibniz et de Jean *Bernoulli.

André Lhôte ■ Peintre *cubiste et critique d'art français (1885-1962).

Liancourt ■ Commune de l'*Oise. 5 700 hab.

Lianyungang ■ Port de Chine sur la mer Jaune. 210 000 hab.

le Liban ■ État (république) du Proche-Orient qui borde la Méditerranée, entre la Syrie et Israël. 10 400 km². 2,6 millions d'hab. *(les Libanais)*. Capitale : Beyrouth. Langues : arabe (officielle), français, anglais. Religions : islam (sunnites, chiites, druzes) et christianisme (maronites). Monnaie : livre libanaise. □HISTOIRE. Ancienne patrie des *Phéniciens, le Liban fut successivement occupé par les Grecs, les Perses, les Romains, les Byzantins, les croisés, les Turcs, avant d'être administré par la France en 1919. Indépendant en 1946, le pays vit, depuis 1975, en état de guerre civile et de crise économique.

la Libération ■ À la fin de la Seconde *Guerre mondiale, libération des territoires (notamment français) occupés par les nazis.

Libercourt ■ Commune du *Pas-de-Calais. 9 800 hab.

le Liberia ■ État (république) d'Afrique de l'Ouest, bordant l'Atlantique. 111 400 km². 2,1 millions d'hab. *(les Libériens)*. Capitale : Monrovia. Langue officielle : anglais. Monnaie : dollar libérien. État fondé en 1847 par d'anciens esclaves noirs américains libérés.

Li Bo ou **Li Po** ou **Li T'ai po** ■ Un des plus grands poètes de la Chine médiévale (699-792).

Libourne ■ Sous-préfecture de la *Gironde. 23 000 hab. *(les Libournais)*. Vignobles et marché des vins de Bordeaux.

Libreville ■ Capitale du Gabon. 250 000 hab. Port maritime.

la Libye ■ État (république) d'Afrique du Nord. 1 759 540 km². 3,6 millions d'hab. *(les Libyens)*. Capitale : Tripoli. Langues : arabe (officielle), berbère. Monnaie : dinar. Pétrole et gaz naturel. Ancienne colonie italienne, royaume indépendant en 1951, le pays devint, à la suite d'un coup d'État du colonel *Kadhafi en 1969, la *République arabe libyenne*.

Licht ■ Site archéologique d'Égypte. Capitale de la XIIᵉ dynastie (Moyen-Empire).

Georg Christophe Lichtenberg ■ Écrivain allemand (1742-1799). Ses *"Aphorismes"* révèlent un esprit lucide et caustique.

Roy Lichtenstein ■ Peintre américain (né en 1923). Représentant majeur du *Pop-art.

Li Dazhao ■ Philosophe et homme politique chinois (1888-1927). Il introduisit en Chine la pensée marxiste et fonda le Parti communiste chinois en 1921.

Sophus Lie ■ Mathématicien norvégien (1842-1899). Il a donné à la théorie des groupes (⇒ **Galois**) des développements remarquables, concernant aussi bien la géométrie que l'analyse.

Justus baron von Liebig ■ Chimiste allemand (1803-1873). Premières applications de la chimie de l'agriculture.

Wilhelm Liebknecht ■ Socialiste allemand (1826-1900). Il créa avec August Bebel le parti ouvrier social-démocrate. □ *Karl* **Liebknecht,** son fils (1871-1919). Fondateur, avec Rosa *Luxemburg, du Parti communiste allemand. Il fut assassiné.

le **Liechtenstein** ■ Principauté indépendante d'Europe centrale, entre la Suisse et l'Autriche. 160 km². 27 400 hab. Capitale : Vaduz (4 900 hab.). Langue : allemand. Monnaie : franc suisse. État rattaché à la Suisse pour les questions monétaires, postales et douanières. Hydro-électricité. Tourisme.

Liège, en néerlandais *Luik* ■ Ville de Belgique (la plus grande de *Wallonie), au centre d'un réseau de communications et située sur un bassin houiller. 200 900 hab. *(les Liégeois).* Ville d'art. Port pétrolier. Elle devint en 710 un évêché dont les princes-évêques conservèrent jusqu'au XVIIIᵉ s. un pouvoir important. ► *la province de Liège.* L'une des neuf provinces de Belgique. 3 862 km². 991 000 hab. Chef-lieu : Liège. ‹ ► liégeois ›

Liévin ■ Commune du *Pas-de-Calais. 32 300 hab. *(les Liévinois).* Charbon. Chimie.

Serge **Lifar** ■ Danseur et chorégraphe français d'origine russe (1905-1986).

György **Ligeti** ■ Compositeur hongrois naturalisé autrichien (né en 1923). "*Le Grand Macabre*", opéra d'après Ghelderode.

le *prince de* **Ligne** ■ Maréchal autrichien, auteur d'écrits en langue française (1735-1814). "*Mélanges militaires, littéraires et sentimentaux*".

Ligny-en-Barrois ■ Commune de la *Meuse. 5 700 hab. *(les Linéens).*

la **Ligue** ou *Sainte Ligue* ou *Sainte Union* ■ Confédération de catholiques français (1576-1594). Formée pour défendre la foi catholique, elle visait aussi, soutenue par l'Espagne, à détrôner *Henri III au profit d'Henri de *Guise. Elle joua un rôle important pendant les guerres de *Religion.

les **Ligures** ■ Ancien peuple du nord de l'Italie, vaincu par les Romains. ► *la Ligurie.* Pays des Ligures. Région administrative de l'Italie moderne. 5 416 km². 1,7 million d'hab. Chef-lieu : Gênes. Industrie, tourisme.

Likasi ■ Ville du Zaïre. 194 400 hab.

Les **Lilas** ■ Commune de la *Seine-Saint-Denis. 20 500 hab. *(les Lilasiens).*

Otto **Lilienthal** ■ Ingénieur allemand, pionnier du vol à voile (1848-1896).

Lille ■ Préfecture du *Nord et de la région *Nord-Pas-de-Calais. 174 000 hab. *(les Lillois).* Importante cité des Flandres au Moyen Âge, résidence des ducs de Bourgogne au XVᵉ s., Lille, rattachée à la France en 1668, devint l'une des premières métropoles industrielles du pays (textile, métallurgie). Le déclin de la sidérurgie du Nord l'engage à développer sa vocation commerciale aux portes du Benelux. Agglomération de près de 1 million d'hab., comprenant *Roubaix et *Tourcoing. Université. Musées.

Lillebonne ■ Commune de la *Seine-Maritime. 9 700 hab. *(les Lillebonnais).*

Lillers ■ Commune du *Pas-de-Calais. 9 500 hab. *(les Lillerois).*

Lilongwe ■ Ville nouvelle, capitale du Malawi depuis 1975. 186 800 hab.

Lima ■ Capitale du Pérou. Agglomération de 4,6 millions d'hab. Métropole administrative,

commerciale, industrielle et économique du pays. Musée de l'Or (arts précolombiens). Fondée en 1535 par *Pizarro et capitale du vice-royaume du Pérou, elle dut son rayonnement aux richesses minières et au commerce.

Limay ■ Commune des *Yvelines. 10 100 hab. *(les Limayens).* Ciment.

Georges **Limbour** ■ Écrivain français (1900-1970). Proche du *surréalisme. "*Les Vanilliers*" ; "*la Chasse au mérou*".

les frères **Limbourg** ■ Enlumineurs flamands (début du XVᵉ s.). Ils illustrèrent les "*Très Riches Heures*" et les "*Belles Heures*" du duc de Berry, qui sont parmi les plus beaux manuscrits enluminés du XVᵉ s.

le **Limbourg** ou **Limburg** ■ L'une des neuf provinces de Belgique. 2 422 km². 734 300 hab. *(les Limbourgeois).* Chef-lieu : Hasselt. Bassin houiller. □ *le* **Limbourg** ou **Limburg.** L'une des douze provinces des Pays-Bas. 2 170 km². 1,09 million d'hab. Chef-lieu : Maastricht.

Limeil-Brévannes ■ Commune du *Val-de-Marne. 16 700 hab. Château.

Limoges ■ Préfecture de la Haute-*Vienne et de la région *Limousin. 144 000 hab. *(les Limougeauds).* Monuments anciens. Porcelaine, faïence et émaux réputés. En 1914, *Joffre y plaça en résidence des officiers jugés incapables (d'où le mot ‹ ► limoger ›).

le **Limousin** ■ Région administrative et économique du centre de la France composée de trois départements : Corrèze, Creuse, Haute-Vienne. Préfecture : Limoges. 16 932 km². 737 100 hab. *(les Limousins).* Région de plateaux étagés, entaillés de gorges, elle a une économie agricole malgré une tradition industrielle ancienne : tapisseries d'Aubusson au XVIᵉ s., manufacture d'armes de Tulle au XVIIᵉ s., porcelaine de Limoges depuis le XVIIIᵉ s. (grâce au kaolin).

Limoux ■ Sous-préfecture de l'*Aude. 10 900 hab. *(les Limouxins).* Maisons anciennes. Centre vinicole (blanquette de Limoux).

Lin Biao ou **Lin Piao** ■ Général et homme politique chinois (1908-1971).

Abraham **Lincoln** ■ Homme d'État américain (1809-1865). 16ᵉ président (républicain) des États-Unis de 1860 à son assassinat. Son élection provoqua la guerre de *Sécession. Contre les États du Sud, il abolit l'esclavage (1863).

Lincoln ■ Ville d'Angleterre. 70 000 hab. Célèbre cathédrale gothique.

Lincoln ■ Ville des États-Unis, capitale du *Nebraska. 171 900 hab. Région agricole.

Lindau ■ Ville de R.F.A., sur le lac de *Constance. 25 000 hab. Tourisme.

Charles **Lindbergh** ■ Aviateur américain (1902-1974). Première traversée de l'Atlantique en avion (1927).

Max **Linder** ■ Acteur et cinéaste français (1883-1925). Précurseur des burlesques américains. "*L'Étroit Mousquetaire*".

Lingolsheim ■ Commune du Bas-*Rhin. 14 700 hab.

Linköping ■ Ville et port de Suède. 117 800 hab. Centre religieux.

Carl von **Linné** ■ Naturaliste suédois (1707-1778). Il imposa les classifications systématiques dans les sciences naturelles.

Linz ■ Ville d'Autriche, capitale de l'État confédéré de Haute-Autriche. 203 000 hab. Monuments de la Renaissance. Université. Sidérurgie.

le *golfe du Lion* ■ Golfe de la Méditerranée, baignant les côtes françaises entre le delta du Rhône et les Pyrénées.

Jean-Étienne Liotard ■ Peintre suisse (1702-1789). Portraits minutieux au pastel.

Lioubertsy ■ Ville d'U. R. S. S. (*Russie), banlieue de Moscou. 156 000 hab.

Joseph Liouville ■ Mathématicien français (1809-1882). Il établit l'existence des nombres transcendants.

les *îles Lipari* ■ Archipel italien de la mer Tyrrhénienne. 15 000 hab. Sur l'une des sept îles le composant se trouve le volcan *Stromboli. Tourisme.

Jacques Lipchitz ■ Sculpteur lituanien naturalisé français puis américain (1891-1973). Figures d'une grande puissance expressive, à l'inspiration *cubiste.

Lipetsk ■ Ville d'U. R. S. S. (*Russie). 375 000 hab. Industries. Station thermale.

Li Po ■ ⇒ Li Bo.

Filippo Lippi ■ Peintre italien (v. 1406-1469). Scènes de la vie de la Vierge. □ *Filippino Lippi,* son fils (1457-1504), fut l'élève de Botticelli.

Gabriel Lippmann ■ Physicien français (1845-1921). Prix Nobel 1908 pour son procédé de reproduction photographique des couleurs.

Li Qingzhao ■ Poétesse chinoise (v. 1081 - 1141). Élégies.

Lisbonne en portugais *Lisboa* ■ Capitale du Portugal, sur l'estuaire du Tage. 760 150 hab. Principal centre commercial (port) et industriel (pétrochimie) du pays. Principal port de l'empire colonial aux XVe - XVIe s., la ville fut alors à son apogée (tour de Bélem, XVIe s.) et déclina à l'annexion espagnole (1580). En partie détruite par un tremblement de terre en 1755.

Lisieux ■ Sous-préfecture du *Calvados. 26 600 hab. *(les Lexoviens).* Pèlerinage à sainte Thérèse de Lisieux. Basilique.

Lissitchansk ■ Ville d'U. R. S. S. (*Ukraine), dans le *Donbass. 120 000 hab.

Joseph Lister ■ Chirurgien anglais (1827-1912). Créateur de l'antisepsie.

Franz Liszt ■ Compositeur hongrois (1811-1886). Il eut d'abord une carrière de pianiste virtuose. Chef d'orchestre, il dirigea les œuvres majeures de son temps et soutint Wagner. En 1865, il entra en religion. Son œuvre fougueuse, d'inspiration romantique, privilégie le piano et annonce la musique du XXe s. "Sonates en si" ; "Harmonies poétiques et religieuses".

Little Rock ■ Ville des États-Unis, capitale de l'*Arkansas. 158 500 hab. Incidents raciaux en 1957.

Émile Littré ■ Philologue et lexicographe français (1801-1881). Disciple de *Comte. "Dictionnaire de la langue française".

la **Lituanie** ■ République socialiste soviétique (*U. R. S. S.), à la frontière de la Pologne. 65 200 km². 3,4 millions d'hab. *(les Lituaniens).* Capitale : Vilnius. Pêche, agriculture, industries alimentaires. □HISTOIRE. Principauté indépendante à la fin du Moyen Âge, elle joua un grand rôle dans l'histoire de la Pologne à laquelle elle fut réunie en 1569. Annexée à la Russie en 1795, elle n'est devenue une république

soviétique qu'en 1940, après vingt ans d'indépendance (⇒ pays **baltes**).

Liu Shaoqi ■ Homme d'État chinois (v. 1900 - après 1968).

Liuzhou ■ Ville de Chine. 190 000 hab.

Liverdun ■ Commune de *Meurthe-et-Moselle. 5 000 hab. *(les Liverdunois).*

Liverpool ■ Ville industrielle et port d'Angleterre. 590 000 hab. Son développement, à partir du XVIIIe s., est lié au commerce des esclaves et à l'industrie cotonnière.

David Livingstone ■ Missionnaire et explorateur britannique (1813-1873). Ses explorations, en Afrique, et ses écrits eurent une place importante dans l'idéologie impérialiste.

la **Livonie** ■ Ancienne région d'Europe du Nord (Estonie et Lettonie actuelles). ⇒ pays **baltes.**

Livourne ■ Ville d'Italie, port sur la mer Tyrrhénienne. 180 000 hab.

Livron-sur-Drôme ■ Commune de la *Drôme. 5 600 hab.

Livry-Gargan ■ Commune de la *Seine-Saint-Denis. 33 000 hab. Constructions mécaniques.

Ljubljana ■ Ville de Yougoslavie, capitale de la république fédérale de *Slovénie. 175 000 hab. Commerce, tourisme, industrie électrique.

David Lloyd George ■ Homme d'État britannique (1863-1945). Premier ministre pendant la Première *Guerre mondiale. Rôle majeur dans le traité de *Versailles (1919).

Nikolaï Lobatchevski ■ Mathématicien russe, créateur de la première géométrie non euclidienne (1792-1856).

Locarno ■ Ville de Suisse, dans le *Tessin, au bord du lac Majeur. 15 000 hab. En 1925, les puissances européennes y signèrent un pacte garantissant le traité de *Versailles.

Loches ■ Sous-préfecture d'*Indre-et-Loire. 7 000 hab. *(les Lochois).* Château (XIIe - XVe s.).

John Locke ■ Philosophe anglais (1632-1704). Son "Essai sur l'entendement humain", opposé aux thèses de *Descartes, a marqué le début de l'empirisme anglo-saxon.

la **Locride** ■ Ancienne région de la Grèce centrale.

Lodève ■ Sous-préfecture de l'*Hérault. 9 000 hab. *(les Lodévois).* Centre textile.

Łódź ■ Ville de Pologne. 818 000 hab. Capitale de l'industrie textile du pays.

Karl Loewe ■ Compositeur allemand (1796-1869). Mélodies.

le *mont Logan* ■ Point culminant du Canada (6 050 m), près de l'Alaska.

Logroño ■ Ville d'Espagne. 110 000 hab.

Daniel Kaspar von Lohenstein ■ Auteur allemand de tragédies *baroques (1635-1683). "Cléopâtre".

le *Loing* ■ Affluent de la *Seine, qui passe à *Montargis. 166 km.

le *Loir* ■ Affluent de la Sarthe, qui passe à Châteaudun et Vendôme. 311 km.

la **Loire** ■ Le plus long des fleuves français (1 012 km). Il naît au mont Gerbier-de-Jonc et se jette dans l'Atlantique. Son régime est irrégulier. ▶ *les châteaux de la* **Loire** ont été édifiés pendant la *Renaissance dans les régions de Blois, de Tours, dans le Berry et en Anjou. ▶ *la* **Loire** [42], département français de la région *Rhône-Alpes. 4 800 km². 740 000 hab. Préfecture : Saint-Etienne. Sous-préfectures : Montbrison, Roanne. ▶ *la* **Haute-Loire** [43], département français de la région *Auvergne. 5 000 km². 200 000 hab. Préfecture : Le Puy. Sous-préfectures : Brioude, Yssingeaux. ▶ *la* **Loire-Atlantique** [44], département français de la région pays de la Loire. 7 000 km². 1 million d'hab. Préfecture : Nantes. Sous-préfectures : Ancenis, Châteaubriant, Saint-Nazaire. ▶ *les Pays de la* **Loire**. Région économique et administrative de l'ouest de la France. Elle comprend cinq départements : Loire-Atlantique, Maine-et-Loire, Mayenne, Sarthe et Vendée. Préfecture : Nantes. 32 000 km². 2,9 millions d'hab. Grande région agricole (élevage, céréales, vignobles : muscadet). Pêche. Industries variées : biscuiteries, aéronautique et électronique à Nantes, chantiers navals à Saint-Nazaire. ▶ *le Val de* **Loire**. ⟹ le **Val de Loire**.

le **Loiret** [45] ■ Département français de la région *Centre. Il doit son nom à la rivière qui le traverse. 6 812 km². 535 000 hab. Préfecture : Orléans. Sous-préfectures : Montargis, Pithiviers.

le **Loir-et-Cher** [41] ■ Département français de la région *Centre. Il doit son nom aux rivières qui le traversent. 6 300 km². 302 000 hab. Préfecture : Blois. Sous-préfectures : Romorantin-Lanthenay, Vendôme.

Alfred **Loisy** ■ Exégète français (1857-1940). Condamné par le pape pour modernisme, il quitta la prêtrise et fut l'un des pionniers de l'histoire des religions.

la **Lombardie** ■ Région du nord de l'Italie, la plus prospère et la plus active. Capitale : Milan. Elle doit son nom aux *Lombards*, peuple d'origine germanique qui la conquit et fut vaincu par *Charlemagne en 774. Possession germanique puis autrichienne, elle fut annexée au Piémont en 1859, première étape de l'unification de l'Italie.

Lombok ■ Île d'Indonésie. 5 435 km². 1,3 million d'hab.

Cesare **Lombroso** ■ Médecin italien, fondateur de la criminologie (1835-1909).

Lomé ■ Capitale du Togo. 229 400 hab. Centre administratif, commercial (port) et industriel.

Étienne de **Loménie de Brienne** ■ Prélat français, ministre de Louis XVI (1727-1794). Comme son prédécesseur Calonne, il échoua dans ses tentatives de réformes.

Lomme ■ Commune du *Nord. 29 000 hab. (*les Lommois*).

Mikhaïl **Lomonossov** ■ Écrivain russe (1711-1765). Considéré comme le fondateur de la littérature russe moderne. L'université de Moscou, qu'il créa, porte son nom.

John Griffith dit *Jack* **London** ■ Écrivain américain (1876-1916). Il fut ouvrier, marin, chercheur d'or et vagabond. Son œuvre évoque des personnages en marge de la société et l'aventure. "*Martin Eden*" ; "*Croc blanc*".

London ■ Ville du Canada (*Ontario). 240 000 hab.

Londonderry ■ 2ᵉ ville et port d'Irlande du Nord. 52 000 hab.

Londres en anglais *London* ■ Capitale du *Royaume-Uni, au fond de l'estuaire de la Tamise. 1ʳᵉ agglomération d'Europe : 1 900 km². 7,5 millions d'hab. (*les Londoniens*). La ville proprement dite compte 2,5 millions d'hab. 3ᵉ port du monde (45,6 millions de tonnes/an) et 1ᵉʳ centre économique de Grande-Bretagne. Capitale politique, elle abrite le palais royal (*Buckingham Palace*) et le Parlement (*Westminster*). La City est la deuxième place d'affaires du monde après New York. □HISTOIRE. Centre commercial romain, capitale du royaume d'Essex (526), la ville fut agrandie par *Guillaume le Conquérant qui fit construire la Tour de Londres. Sa vocation maritime et commerciale en fit un centre économique et artistique important. Dévastée par la peste (1665), puis par un incendie (1666), Londres fut au XIXᵉ s. le plus grand centre bancaire et commercial du monde.

Albert **Londres** ■ Journaliste français (1884-1932). Un des premiers à accomplir des reportages internationaux.

Marguerite **Long** ■ Professeur de piano et pianiste française (1874-1966). Elle créa le concours international Long-Thibault.

Long Beach ■ Ville et port des États-Unis (*Californie). 361 000 hab. Tourisme.

Henry Wadsworth **Longfellow** ■ Poète américain (1807-1882). "*Hiawatha*".

Pietro **Longhi** ■ Peintre italien (1702-1785). Scènes pittoresques de la vie vénitienne au XVIIIᵉ s.

Long Island ■ Île des États-Unis à l'est de *New York. 6,5 millions d'hab.

Longjumeau ■ Commune de l*Essonne. 18 000 hab. (*les Longjumellois*).

Longueau ■ Commune de la *Somme. 5 600 hab.

Longué-Jumelles ■ Commune du *Maine-et-Loire. 6 300 hab.

Longuenesse ■ Commune du *Pas-de-Calais. 12 000 hab.

Longueuil ■ Ville du Canada (*Québec), sur le *Saint-Laurent. 122 000 hab.

Longus ou *Longos* ■ Écrivain grec de la fin du IIᵉ s. "*Daphnis et Chloé*", roman longtemps populaire.

Longuyon ■ Commune de la *Meurthe-et-Moselle. 7 400 hab. Église du XIIIᵉ s.

Longvic ■ Commune de la *Côte-d'Or. 7 400 hab.

Longwy ■ Commune de *Meurthe-et-Moselle. 20 000 hab. (*les Longoviciens*). Fortifiée par *Vauban. Charbon. Sidérurgie.

Lons-le-Saunier ■ Préfecture du *Jura. 21 000 hab. (*les Lédoniens*). Industries alimentaires. Fromages.

Loos ■ Commune du *Nord. 22 100 hab. (*les Loossois*).

Felix **Lope de Vega** ■ Auteur dramatique espagnol (1562-1635). Il écrivit plus de 1 800 comédies qui exercèrent une profonde influence sur le théâtre français, en particulier sur Corneille et Molière. "*Font-aux-Cabres*" ; "*le Cavalier d'Olmedo*".

Federico García **Lorca** ■ ⟹ Federico **García Lorca**.

la **Chambre des** *lords* en anglais *House of Lords* ■ Chambre haute du Parlement du *Royaume-Uni, composée de 800 pairs ("Lords"). ⇒ **Chambre des communes.**

la **Lorelei** ∎ Falaise sur la rive droite du Rhin (R. F. A.), célèbre pour sa sirène légendaire dite *la Lorelei*, qui inspira les poètes *Brentano, *Heine et *Apollinaire.

Hendrik Antoon **Lorentz** ∎ Physicien néerlandais (1853-1928). Prix Nobel 1902 pour la théorie des électrons. Dans la théorie de la relativité d'*Einstein, la *transformation de Lorentz* exprime l'invariance des lois physiques pour tous les systèmes de coordonnées en mouvement uniforme les uns par rapport aux autres.

Konrad **Lorenz** ∎ Zoologiste autrichien (né en 1903). Prix Nobel 1973 pour ses travaux fondateurs en éthologie (étude du comportement animal).

Lorient ∎ Sous-préfecture du *Morbihan. 72 000 hab. *(les Lorientais).* Port de commerce et 3e port de pêche français. Base de sous-marins. Conserves. Constructions mécaniques. Le port de « l'Orient » fut fondé par la Compagnie des Indes orientales en 1666.

Marion de **Lorme** ∎ Courtisane française (1611-1650). Héroïne d'un drame de Victor Hugo, "*Marion Delorme*" (1831).

Lormont ∎ Commune de la *Gironde. 22 000 hab. Port sur la *Garonne.

Claude Gellée dit *le* **Lorrain** ∎ Peintre français, le grand maître du paysage *classique (1600-1682). Son sens rigoureux de la composition, avec une grande sensibilité à la lumière, influencèrent l'école anglaise.

la **Lorraine** ∎ Région administrative et économique de l'est de la France, composée de quatre départements : Meuse, Meurthe-et-Moselle, Moselle et Vosges. Préfecture : Nancy. 23 547 km². 2,31 millions d'hab. *(les Lorrains).* Pays de montagne (⇒ **Vosges**) et de plateaux, avec une industrie textile traditionnelle dans les vallées. Sur les gisements de charbon et de minerai de fer s'est implantée au XIXe s. une puissante industrie lourde, actuellement en crise. (⇒ **Longwy, Thionville**). □HISTOIRE. Constitué au Xe s. (⇒ **Lotharingie**), le duché de Lorraine fut cédé au roi de Pologne détrôné, Stanislas Leszczynski, en 1737, et au roi de France en 1766. De 1871 à 1918, les territoires lorrains de langue allemande furent annexés par l'Allemagne.

Los Alamos ∎ Localité des États-Unis (*Nouveau-Mexique). Recherches nucléaires (expérimentation de la première bombe atomique, 16 juillet 1945).

Los Angeles ∎ Ville des États-Unis (*Californie). 2,96 millions d'hab. Agglomération d'une très large étendue (2e du pays) : 2 500 km². 9,5 millions d'hab. Centre industriel et culturel. Elle a absorbé *Hollywood.

Joseph **Losey** ∎ Cinéaste américain (1909-1984). "*The Servant*".

le **Lot** ∎ Affluent de la Garonne (481 km). □*le Lot* [46], département français de la région *Midi-Pyrénées. 5 220 km². 155 000 hab. Préfecture : Cahors. Sous-préfectures : Figeac, Gourdon. □*le Lot-et-Garonne* [47], département français de la région *Aquitaine. 5 400 km². 300 000 hab. Préfecture : Agen. Sous-préfectures : Marmande, Nérac, Villeneuve-sur-Lot.

Loth ∎ Personnage de la Bible. Sa femme est changée en statue de sel pour avoir regardé la destruction de *Sodome.

Lothaire ∎ Roi de France, fils de Louis IV (941-986).

Lothaire Ier ∎ Empereur d'Occident, fils de Louis Ier le Pieux (795-855). Le traité de *Verdun ne lui laissa que la *Lotharingie. □*Lothaire II,* son fils (v. 825 - 869), roi de Lotharingie.

Lothaire III de Supplinburg ∎ Empereur germanique de 1125 à 1137. Il supplanta Conrad de *Hohenstaufen, ce qui déclencha la querelle des *Guelfes et des Gibelins.

la **Lotharingie** ∎ Territoires cédés à Lothaire Ier (d'où leur nom) après le traité de *Verdun, et dont le cœur est la Lorraine actuelle. Le royaume fut intégré par *Othon Ier le Grand au Saint Empire romain germanique (Xe s.).

Julien Viaud dit *Pierre* **Loti** ∎ Romancier français (1850-1923). Inspiré par les thèmes de l'exotisme et du voyage en mer. "*Aziyadé*" ; "*Pêcheur d'Islande*".

Lorenzo **Lotto** ∎ Peintre italien (v. 1480-1556). Grandes compositions religieuses ("*le Mariage de sainte Catherine*"). Portraits.

Loudéac ∎ Commune des *Côtes-du-Nord. 10 000 hab. *(les Loudéaciens).*

Loudun ∎ Commune de la *Vienne. 7 000 hab. *(les Loudunais).* Siège d'une célèbre affaire de sorcellerie. ⇒ Urbain **Grandier.**

Louhans ∎ Sous-préfecture de la *Saône-et-Loire. 7 100 hab. *(les Louhannais).*

Louis ∎ NOM DE NOMBREUX SOUVERAINS EUROPÉENS. **1.** empereurs D'ALLEMAGNE □*Louis Ier le Pieux.* ⇒ **3.** rois de FRANCE. □*Louis II le Germanique* (v. 805-876), son fils, hérita de la Germanie au traité de *Verdun. □*Louis IV de Bavière* (v. 1286 - 1347) mena une politique indépendante vis-à-vis de la papauté. **2.** roi de BAVIÈRE □*Louis II de Bavière* ou *de Wittelsbach* (1845-1886), protégea Wagner, fit construire des châteaux fantastiques et mourut fou. **3.** rois de FRANCE □*Louis Ier le Pieux* (778-840), fils de *Charlemagne, empereur d'Occident, dernier empereur carolingien. □*Louis II le Bègue* ou *le Fainéant* (846-879), fils de Charles le Chauve. □*Louis III* (v. 863 - 882), fils du précédent. □*Louis IV d'Outre-Mer* (921-954), fils de *Charles le Simple. □*Louis V le Fainéant* (v. 967 - 987), dernier des *Carolingiens. □*Louis VI le Gros* (v. 1081-1137) augmenta le domaine et le pouvoir de la monarchie. □*Louis VII le Jeune* (v. 1120-1180), son fils bien conseillé par *Suger, poursuivit sa politique ; sa rupture avec *Aliénor d'Aquitaine amorça le conflit franco-anglais. □*Louis VIII le Lion* (1187-1226), époux de Blanche de Castille, continua la guerre de son père *Philippe Auguste contre l'Angleterre. □*Saint Louis* ou *Louis IX* (1214-1270), son fils, huitième roi très chrétien (canonisé en 1297), mort lors de la huitième Croisade ; il mena le royaume à son apogée, ayant un rôle moral d'arbitre dans les affaires européennes. □*Louis X le Hutin* (1289-1316), fils de *Philippe le Bel. □*Louis XI* (1423-1483), grand politique, consolida son pouvoir et l'unité du royaume (qu'il agrandit notamment de la Bourgogne, la Picardie, l'Anjou, le Maine et la Provence) en combattant les féodaux, en particulier Charles le Téméraire. □*Louis XII* (1462-1515) poursuivit les guerres de Charles VIII en Italie. □*Louis XIII* (1601-1643) subit d'abord la régence de *Marie de Médicis puis l'influence de *Luynes ; mais avec *Richelieu, il prépara l'absolutisme et l'hégémonie de la France en Europe, qui caractérisa le règne suivant. □*Louis XIV* dit *le Roi Soleil* (1638-1715), son fils ; la *Fronde qui éclata sous le règne d'Anne d'Autriche lui inspira le culte du pouvoir absolu et la crainte de résider à Paris ; il fit construire *Versailles, favorisa l'épanouissement des arts et des lettres (Molière, Racine, Le Brun, Mansart, Lully...) ; il réduisit le rôle de la noblesse et reçut dans son Conseil des bourgeois (Colbert, Le Tellier, Louvois) ; la fin du « siècle de Louis XIV » fut cependant assombrie par les limites de sa politique de conquêtes, l'autoritarisme religieux et les difficultés économiques. Son fils, le *Grand Dauphin* (1661-1711) et son petit-fils, *Louis de France* (1682-1712), moururent avant lui. □ *Louis XV le Bien-Aimé* (1710-1774), arrière-petit-fils de Louis XIV, succéda au *Régent : il soutint la politique de *Fleury, après lequel les ministres réformistes se succédèrent sans véritable appui contre l'opposition des Parlements ; la tentative de *Maupéou arriva trop tard (1771) ; le roi mourut impopulaire, moqué pour ses amours (la Pompadour, la du Barry) ; mais son règne fut celui des *Lumières et d'une prospérité certaine. □ *Louis XVI* (1754-1793), son petit-fils, ne sut pas dénouer les contradictions du régime, qui débouchèrent sur la *Révolution ; d'abord favorable à la monarchie constitutionnelle, il devint « roi des Français » (1791) ; mais, sous l'influence de la reine *Marie-Antoinette et des monarques étrangers, il prit le parti de la contre-révolution ; déchu, le citoyen Louis Capet fut jugé, déclaré « coupable de conspiration contre la liberté de la nation » et guillotiné le 21 janvier 1793. □ *Louis XVII* (1785-1795), son fils, prisonnier de la Révolution ; plusieurs personnages tentèrent de se faire passer pour lui après la Restauration. □ *Louis XVIII* (1755-1824), frère de Louis XVI et du comte d'Artois (le futur Charles X), émigra en 1791 ; il prit le titre de Régent après l'exécution du roi, puis celui de roi en 1795 mais ne régna qu'après la chute de Napoléon Ier. ⇒ **Restauration. 4.** roi de HONGRIE □ *Louis Ier le Grand* (1326-1382), succéda à son père Charles Ier et devint roi de Pologne en 1370. Il conquit la Bohème (1345), la Lituanie (1352), obtint la Dalmatie (1381). **5.** roi du PORTUGAL □ *Louis Ier* (1838-1889) abolit l'esclavage dans les colonies en 1868.

Joseph Dominique baron **Louis** ■ Homme politique français (1755-1837). Collaborateur de *Talleyrand et de *Mollien, ministre des Finances en 1814-1815, 1818-1819 et 1831-1832.

sainte **Louise de Marillac** ■ Religieuse française (1591-1660). Principale collaboratrice de saint *Vincent de Paul.

Louise de Savoie ■ Mère de François Ier et de Marguerite de Navarre, régente du royaume lors des guerres d'Italie (1476-1531).

Louise-Marie d'Orléans ■ Reine des Belges, épouse de Léopold Ier (1812-1850).

la **Louisiane** ■ État du sud des États-Unis. 125 625 km². 4,2 millions d'hab. *(les Louisianais).* Capitale : Baton Rouge. ⇒ La **Nouvelle-Orléans.** Agriculture tropicale. Pétrole et gaz naturel. Exploré par Cavelier de La Salle, ce territoire appartint à la France jusqu'à ce que Bonaparte le vendît aux États-Unis (1803) ; le français y est encore parlé par les *Cajuns,* descendants des Acadiens (⇒ **Acadie**).

Louis-Philippe Ier ■ Roi des Français de 1830 à 1848 (1773-1850). Il fut, comme son père le duc d'*Orléans, partisan des idées révolutionnaires. Lieutenant de *Dumouriez, il émigra en 1793 et revint sous la *Restauration. Lié aux milieux libéraux, il fut appelé au pouvoir après la *révolution de 1830 (⇒ **monarchie de Juillet**). La *révolution de 1848 provoqua sa chute.

Louisville ■ Ville des États-Unis (*Kentucky). 298 500 hab.

Louksor ou **Louqsor** ■ ⇒ Louxor.

Lourdes ■ Commune des Hautes-*Pyrénées. Un des principaux centres de pèlerinage pour les catholiques. 18 000 hab. *(les Lourdais).* En 1858, Bernadette Soubirous déclara avoir eu plusieurs visions de la Vierge près de la grotte Massabielle.

Louvain en néerlandais *Leuven* ■ Ville de Belgique, dans le *Brabant. 87 000 hab. Églises gothiques et baroques. Le commerce de draps était florissant au XIIIe s. mais c'est surtout sous la domination de la *Bourgogne au XVe s. que la ville se développa. Industries alimentaire, chimique et mécanique. Université catholique (créée en 1425) ; sa section francophone a été transférée près d'Ottignies à *Louvain-la-Neuve*.

Louveciennes ■ Commune des *Yvelines. 7 500 hab. *(les Louveciennois ou les Luciennois).*

Jean-Baptiste **Louvet de Couvray** ■ Révolutionnaire et écrivain français (1760-1797). "*Les Amours du chevalier de Faublas*".

Louviers ■ Commune de l'*Eure. 19 000 hab. *(les Lovériens).* Première manufacture de draps en 1681.

François Michel Le Tellier marquis de **Louvois** ■ Ministre de Louis XIV (1639-1691), fils de *Le Tellier. Il réorganisa l'armée. Son influence alla grandissant, aux dépens de *Colbert.

le **Louvre** ■ Ancienne résidence royale, située à Paris sur la rive droite de la Seine. Simple forteresse sous *Philippe-Auguste, le Louvre fut agrandi et transformé, devenant le plus grand palais du monde : au XVIe s., *cour Carrée,* par *Lescot et *Goujon, au XVIIe s., *galerie du bord de l'eau* et *colonnade,* au XIXe s., *grande galerie du nord, Arc du Carrousel.* Il abrite de très riches collections (musée depuis 1791) et le ministère des Finances. Le projet du « Grand Louvre » vise à agrandir le musée.

Louvres ■ Commune du *Val-d'Oise. 7 500 hab.

Louxor ou **Louqsor** ou **Louksor** ■ Ville d'Égypte sur le Nil. 40 000 hab. Site archéologique situé dans la partie sud de *Thèbes. Temple d'*Amon, dont un des obélisques se trouve depuis 1831 à Paris, place de la Concorde.

Pierre **Louÿs** ■ Écrivain français (1870-1925). Romans inspirés de la littérature érotique grecque. "*Les Chansons de Bilitis*" ; "*Aphrodite*".

Howard Phillips **Lovecraft** ■ Écrivain américain (1890-1937). Récits fantastiques où règne l'épouvante. "*Démons et Merveilles*".

Robert **Lowell** ■ Poète américain, catholique et pacifiste (1917-1977).

les **Lowlands** n. f. ■ Région d'Écosse la plus peuplée (75 % de la population) et la plus développée. Agriculture et métallurgie. Chef-lieu : Glasgow.

Malcolm **Lowry** ■ Romancier anglais (1909-1957). Il trouve son inspiration dans les voyages, l'alcool et la mer. "*Au-dessous du volcan*".

les îles **Loyauté** ■ Archipel français du Pacifique, dépendant de la Nouvelle-*Calédonie. Trois îles principales, Ouvéa, Lifou et Maré. 2 095 km². 14 500 hab.

le mont **Lozère** ■ Massif le plus élevé des *Cévennes, couvert de landes et de pins. □ *la* Lozère [48], département français de la région *Languedoc-

Roussillon. 5 179 km². 74 300 hab. Préfecture : Mende. Sous-préfecture : Florac.

Luanda ■ Capitale de l'Angola, sur l'Atlantique. 960 000 hab. Raffinerie de pétrole.

Lubbock ■ Ville des États-Unis (*Texas). 174 000 hab. Centre agricole.

Lübeck ■ Ville et port de R. F. A. (*Schleswig-Holstein). 209 800 hab. Constructions navales. Conserveries. Fondée au XIIᵉ s., elle fut, avec *Hambourg, fondatrice de la *Hanse.

le Luberon ou *Lubéron* ■ Chaîne calcaire du sud des Alpes, dans le *Vaucluse.

Ernst Lubitsch ■ Cinéaste américain d'origine allemande (1892-1947). *"La Veuve joyeuse" ; "To Be or not To Be".*

Lublin ■ Ville de Pologne. 324 000 hab. Camp de concentration, pendant la Seconde Guerre mondiale (Majdanek).

Lubumbashi, autrefois *Elisabethville* ■ Ville du Zaïre, dans le Shaba. 543 000 hab. Université.

saint Luc ■ Auteur de l'*Évangile qui porte son nom, et, selon la tradition, des *"Actes des Apôtres".* Patron des médecins et des peintres. Son emblème est le bœuf.

Le Luc ■ Commune du *Var. 6 000 hab. *(les Luçois).*

Lucain ■ Poète latin (39-65). Compagnon de *Néron, qui le contraignit à se suicider. *"La Pharsale".*

Lucas de Leyde ■ Peintre hollandais (1494-1533). Célèbre pour la qualité de ses gravures.

Lucé ■ Commune d'*Eure-et-Loir. 17 500 hab.

Lucerne, en allemand *Luzern* ■ Ville de Suisse. 60 600 hab. *(les Lucernois).* Tourisme (ponts couverts du XIVᵉ s.). ► *le canton de Lucerne.* 1 492 km². 306 100 hab. Chef-lieu : Lucerne. Il resta catholique durant la *Réforme.

sainte Lucie ou *sainte Luce* ■ Vierge et martyre chrétienne (IVᵉ s.). Très populaire en Italie.

Lucien de Samosate ■ Écrivain satirique grec (v. 125 - v. 192). Sa critique incisive de la société, de la philosophie et de la religion de son temps a été beaucoup imitée. *"Dialogues des morts".*

Lucifer ■ Autre nom de *Satan.

Lucknow ■ ⇒ **Lakhnau.**

Luçon ■ Commune de *Vendée. 9 500 hab. *(les Luçonnais).* Cathédrale gothique.

Luçon ou *Luzon* ■ Île principale de l'archipel des Philippines. 104 684 km². 21 millions d'hab. Chef-lieu : Manille.

Lucques, en italien *Lucca* ■ Ville d'Italie (*Toscane). 90 000 hab. Importante cité au Moyen Âge. Cathédrale et églises romanes.

Lucrèce ■ Dame romaine (morte en 509 av. J.-C.). Son viol par Sextus Tarquin et son suicide provoqua la chute de la royauté.

Lucrèce ■ Poète latin (v. 98 - 55 av. J.-C.). *"De natura rerum"* (« De la nature »), ouvrage d'inspiration atomiste (matérialiste) et *épicurienne, est un modèle de poésie philosophique et savante.

Lucullus ■ Général romain (v. 106 - av. 56 av. J.-C.). Grâce aux richesses amassées pendant ses campagnes,

il mena une vie dont le luxe (notamment gastronomique) est resté proverbial.

Lüda ■ Agglomération de Chine du Nord réunissant *Lüshun et *Dalian. 3,6 millions d'hab. Métallurgie et sidérurgie.

Erich Ludendorff ■ Général allemand (1865-1937). Collaborateur de *Hindenburg. Il dirigea les opérations militaires en 1916.

Ludhiāna ■ Ville de l'Inde dans le *Panjab. 606 000 hab.

Ludovic Sforza dit *le More* ■ Duc de Milan (1451-1508). Il tint avec sa femme Béatrice d'Este une cour fastueuse. Il protégea *Bramante et *Léonard de Vinci.

Ludwigshafen ■ Ville de R. F. A. 153 000 hab. Industrie chimique.

Lugano ■ Ville de Suisse (*Tessin) au bord du *lac de Lugano.* 28 000 hab. Station touristique. Importante collection privée (*Thyssen) de peintures.

Leopoldo Lugones ■ Poète argentin (1874-1938). *"La Guerre gauchesque",* récit de la guerre des gauchos.

Bernardino Luini ■ Peintre italien (v. 1485-1532). Fresques d'inspiration religieuse.

György Lukács ■ Philosophe marxiste et homme politique hongrois (1885-1971).

Jan Łukasiewicz ■ Philosophe et logicien polonais (1878-1956).

Raymond Lulle ■ Théologien, logicien et écrivain catalan, l'un des grands esprits de son siècle (1235-1315). *"Ars Magna".*

Jean-Baptiste Lully ou *Lulli* ■ Compositeur français d'origine italienne (1632-1687). Musicien officiel à la cour de Louis XIV ; il régna sur la musique de son époque. Il collabora avec Molière (*"le Bourgeois gentilhomme").* C'est le créateur de l'opéra à la française : *"Atys" ; "Armide".*

les frères Lumière ■ Industriels français, inventeurs du cinématographe en 1895. Auguste (1862-1954) et Louis (1864-1948).

les Lumières ■ Mouvement d'idées de l'Europe du XVIIIᵉ s. Ses principaux représentants sont les « philosophes » français (qui sont aussi des militants et des écrivains), mais il peut être considéré comme la manifestation d'une conscience européenne (*Aufklärung* en Allemagne, *Enlightenment* en Angleterre...). Il a influencé les despotes « éclairés » (*Catherine la Grande en Russie, *Frédéric II en Prusse) et les idéologues de la Révolution française. On lui doit l'*Encyclopédie, animée par *Diderot et d'*Alembert, à laquelle ont collaboré notamment *Voltaire, *Rousseau, *Turgot. Ses caractéristiques : confiance dans les progrès de la raison et de la science pour dissiper les ténèbres de l'ignorance et de la superstition, liberté de pensée, volonté de réformes.

Patrice Lumumba ■ Homme politique congolais (1925-1961). Leader du Mouvement national congolais, il devint Premier ministre dès l'indépendance (1960). Destitué et arrêté, il fut assassiné.

la Lune ■ Satellite situé à 353 700 km de la Terre. Elle décrit une orbite elliptique en 29 jours, 12 heures et 44 mn. Animée d'un mouvement de rotation sur elle-même, la Lune présente toujours la même face à la Terre. Diamètre : 3 500 km. Neil *Armstrong fut le premier homme à marcher sur la Lune, en 1969.

Lunel ■ Commune de l'*Hérault. 15 700 hab. *(les Lunellois).*

Lunéville ■ Sous-préfecture de la *Meurthe-et-Moselle. 23 200 hab. *(les Lunévillois).* Château (XVIIIᵉ s.) ; maisons anciennes.

Luoyang ■ Ville de Chine. 563 000 hab.

Jean **Lurçat** ■ Peintre et décorateur français (1892-1966). Il donna une nouvelle impulsion à l'art de la tapisserie.

Lure ■ Sous-préfecture de la Haute-*Saône. 10 500 hab. *(les Lurons).*

Luristān ou **Lorestān** ■ Région d'Iran où, lors de fouilles en 1929, furent mis à jour des bronzes datant du XIXᵉ au XIIᵉ s. av. J.-C.

la **Lusace** ■ Région de R. D. A., située au sud du Brandebourg. Lignite. Industrie textile.

Lusaka ■ Capitale de la Zambie, située à 1 300 m d'altitude. 538 400 hab. Centre administratif. Université.

Lüshun, autrefois *Port-Arthur* ■ Ville et port de Chine intégré à l'agglomération de *Lüda. 40 000 hab.

la **Lusitanie** ■ Province romaine d'Espagne correspondant à l'actuel Portugal. ‹ ▶ lusitanien ›

Lutèce ■ ⇒ **Paris.**

Martin **Luther** ■ Réformateur religieux allemand (1483-1546). Un des fondateurs, comme *Calvin, du *protestantisme et un des premiers grands écrivains de langue allemande. En 1517, il afficha sur les portes du château de Wittenberg ses 95 thèses où il dénonçait la vente des indulgences et qui marquèrent le début de la *Réforme. Il traduisit la Bible en allemand et organisa l'Église luthérienne. ⇒ **Mélanchthon.** ▶ *le luthéranisme,* professe l'affirmation de l'autorité de la Bible, le salut par la foi et par un retour à l'Église primitive. Il critique la hiérarchie de l'Église romaine et les vœux monastiques. Il s'est implanté en Allemagne du Nord et dans les pays scandinaves. ‹ ▶ luthérien ›

Martin **Luther King** ■ ⇒ Martin Luther **King.**

Albert John **Luthuli** ou **Lutuli** ■ Homme politique sud-africain (1898-1967). Il lutta contre l'apartheid et fut le premier Africain noir à recevoir le prix Nobel de la paix (1960).

Luton ■ Ville d'Angleterre, près de Londres. 166 300 hab.

Witold **Lutosławski** ■ Compositeur polonais (né en 1913).

Lutterbach ■ Commune du Haut-*Rhin. 5 100 hab.

Luxembourg ■ Capitale du grand-duché de Luxembourg. 76 600 hab. Siège d'institutions européennes et internationales. Industrie métallurgique. Constructions mécaniques. Industrie textile et alimentaire. ▶ *le grand-duché de Luxembourg.* État d'Europe limité par la Belgique, la R.F.A. et la France. 2 587 km². 369 500 hab. *(les Luxembourgeois).* Capitale : Luxembourg. Langues : français, allemand, luxembourgeois (dialecte allemand). Monnaie : franc luxembourgeois. Agriculture, industrie métallurgique. □HISTOIRE. Il fut fondé en 963. À l'époque de la *Réforme, le pays resta fidèle au catholicisme. En 1831, il fut divisé entre une partie belge (province de *Luxembourg) et une partie néerlandaise qui correspond au grand-duché actuel, indépendant depuis 1867. Il s'est rapproché de la Belgique et des Pays-Bas (⇒ **Benelux**) et a fait partie

des pays fondateurs de la *C. E. E. en 1957. Le grand-duc *Jean règne depuis 1964.

le **Luxembourg** ■ L'une des neuf provinces de la Belgique. 4 441 km². 225 000 hab. Chef-lieu : Arlon.

le palais du **Luxembourg** ■ Palais de Paris, construit par Salomon de *Brosse pour *Marie de Médicis, de 1615 à 1620. Il abrite le *Sénat depuis 1958. Célèbre jardin « à la française ».

Rosa **Luxemburg** ■ Socialiste, révolutionnaire et théoricienne polonaise naturalisée allemande (1871-1919). Fondatrice de la *ligue Spartakus* (futur parti communiste) avec Karl *Liebknecht.

Luxeuil-les-Bains ■ Commune de la Haute-*Saône. 10 500 hab. *(les Luxoviens).* Station thermale.

Lu Xun ■ Écrivain chinois (1881-1936). *"La Véridique Histoire d'Ah Q",* roman.

Charles d'Albert de **Luynes** ■ Favori de Louis XIII, au pouvoir de 1617 à 1621, après l'élimination de *Concini (1578-1621).

Luzhou ■ Ville de Chine. 189 000 hab.

Lvov ■ Ville d'U. R. S. S. (*Ukraine). 767 000 hab. Centre culturel, commercial et industriel. Polonaise *(Lwów)* puis allemande *(Lemberg),* elle a été annexée par l'U. R. S. S. en 1945.

André **Lwoff** ■ Biologiste français (né en 1902). Il accueillit *Jacob et *Monod dans son service et partagea avec eux le prix Nobel 1965 de médecine pour leurs recherches fondamentales en biologie moléculaire.

Lyallpur ou **Faisalabad** ■ Ville du Pakistan (*Panjab). 1,09 million d'hab. Industrie textile.

Louis Hubert **Lyautey** ■ Maréchal de France (1854-1934). Administrateur colonial en *Indochine, à Madagascar et surtout au Maroc, où il fut résident général de 1912 à 1925.

le **Lycabette** ■ Colline de l'*Attique entourée par la ville moderne d'Athènes.

le **Lycée** ■ Nom du lieu où enseigna *Aristote et qui fut donné à son école. ‹ ▶ lycée ›

Lycurgue ■ Législateur mythique de Sparte ayant vécu au IXᵉ s. av. J.-C.

la **Lydie** ■ Ancienne contrée d'Asie Mineure sur la mer Égée. Elle est associée aux légendes d'*Héraclès et d'*Omphale, de *Tantale et de *Pélops. Le dernier roi de Lydie fut *Crésus.

sir Charles **Lyell** ■ Géologue écossais (1797-1875). Proche de *Darwin.

John **Lyly** ■ Écrivain anglais (v. 1553 - 1606). *"Euphues ou l'Anatomie de l'esprit",* roman allégorique.

Lyon ■ Préfecture du *Rhône et de la région Rhône-Alpes, au confluent du Rhône et de la Saône. 418 500 hab. *(les Lyonnais).* 2ᵉ agglomération française (1,2 million d'hab.). La ville, fondée en 43 av. J.-C. par les Romains *(Lugdunum),* a toujours bénéficié de sa situation de carrefour fluvial et routier. C'est un centre commercial (foires célèbres), financier et industriel (soie) depuis la fin du Moyen Âge. Aujourd'hui, les textiles artificiels et la chimie (liée au pétrole), la métallurgie et l'industrie automobile dominent. Fonctions tertiaires en développement. Université. ▶ *les monts du Lyonnais :* montagnes de l'est du *Massif central.

Bernard Lyot ■ Astronome français (1897-1952). Il obtint les premières photographies d'éruptions solaires.

Lysandre ■ Général spartiate (mort en 395 av. J.-C.). Vainqueur des Athéniens dans la guerre du *Péloponnèse.

Lysimaque ■ Général macédonien (v. 361 - 281 av. J.-C.). Lieutenant d'*Alexandre le Grand.

Lysippe ■ Sculpteur grec (v. 390 - v. 310 av. J.-C.). Avec *Praxitèle et *Scopas, il renouvela le style de la sculpture grecque.

Lys-lès-Lannoy ■ Commune du *Nord. 11 100 hab.

Edward Bulwer lord Lytton ■ Homme politique et romancier anglais (1803-1873). *"Les Derniers Jours de Pompéi"*.

M

Maastricht ou **Maëstricht** ■ Ville des Pays-Bas. Chef-lieu du *Limbourg. 112 000 hab. Centre culturel et industriel.

Jean Mabillon ■ Bénédictin et érudit français (1632-1707).

Mably ■ Commune de la *Loire. 6 500 hab.

Mac ■ Mot celtique signifiant « fils », précédant de nombreux noms écossais et irlandais. On l'écrit aussi *Mc* et *M'* et on l'accole au nom, qui garde généralement sa majuscule.

John Loudon McAdam ■ Ingénieur écossais (1756-1836). Il réalisa le système de revêtement des chaussées appelé *macadam*. ‹ ► macadam ›

Macao ■ Enclave portugaise en Chine du Sud, face à *Hong Kong. 340 000 hab. dont 8 000 Européens. Langues : portugais (officielle), chinois. Monnaie : pataca. Monuments portugais du XVIᵉ s. L'industrie textile, le tourisme et le jeu (casino, courses) sont les principales ressources.

Douglas MacArthur ■ Général américain (1880-1964). Commandant des forces alliées du Pacifique Sud (1942-1945) et des forces de l'*O. N. U. en Corée (1950-1951).

Thomas Macaulay ■ Historien et homme politique anglais (1800-1859). "*Histoire d'Angleterre*".

Macbeth ■ Roi d'Écosse de 1040 à sa mort (1057). Pour monter sur le trône, il assassina Duncan Iᵉʳ. Il a inspiré une célèbre tragédie de *Shakespeare.

les Maccabées ■ Nom des guerriers juifs qui dirigèrent la révolte contre le roi de Syrie Antiochos IV Épiphane (165 av. J.-C.). ► *les livres des Maccabées*, livres bibliques deutérocanoniques et apocryphes.

Joseph MacCarthy ■ Sénateur républicain américain (1908-1957). Le *maccarthysme* est responsable de la « chasse aux sorcières » contre des intellectuels et des hommes politiques supposés proches du communisme (1950-1954).

Carson MacCullers ■ Romancière américaine (1917-1967). "*Le cœur est un chasseur solitaire*".

sir John Alexander Macdonald ■ Homme d'État canadien (1815-1891). Principal artisan de la création de l'État confédéré en 1867, il en fut le Premier ministre (conservateur) jusqu'en 1873, puis de 1878 à sa mort.

James Ramsay MacDonald ■ Homme d'État britannique (1866-1937). Un des fondateurs du parti *travailliste.

la Macédoine ■ Contrée historique de l'Europe dans la péninsule des Balkans, aujourd'hui partagée entre la Grèce (chef-lieu de la région : Thessalonique), la Yougoslavie (une des dix républiques fédératives. 25 713 km². 1,9 million d'hab. Capitale : Skopje.) et la Bulgarie. ☐ HISTOIRE. Monarchie puissante, le royaume de Macédoine a étendu progressivement son influence sur la Grèce (⇒ **Philippe II de Macédoine**) puis sur l'Empire perse (⇒ **Alexandre le Grand**). Il connut ensuite le déclin et fut conquis par Rome en 146 av. J.-C. ‹ ► macédoine ›

Maceió ■ Ville et port du Brésil. 324 000 hab. Industries.

Ernst Mach ■ Physicien et philosophe autrichien (1838-1916). Son épistémologie influença *Einstein. *Nombre de Mach :* rapport de la vitesse d'un projectile à la vitesse du son. ‹ ► Mach ›

Antonio Machado ■ Poète espagnol (1875-1939). Il permit à l'Espagne moderne de renouer avec la tradition lyrique. Républicain mort en exil à Collioure. "*Champs de Castille*".

Guillaume de Machault ou **Machaut** ■ ⇒ **Guillaume de Machaut.**

Machecoul ■ Commune de *Loire-Atlantique. 5 300 hab. *(les Machecoulois).*

Nicolas Machiavel ■ Homme politique et philosophe florentin (1469-1527). L'un des premiers à avoir une approche réaliste de l'histoire et de la politique. La réputation du cynisme de son ouvrage, "*Le Prince*", a donné naissance au terme « *machiavélisme* ». ‹ ► machiavélisme ›

Machida ■ Ville résidentielle du Japon (*Honshū) au sud de Tokyo. 200 000 hab.

La Machine ■ Commune de la *Nièvre. 5 000 hab.

Machu Picchu ■ Site archéologique du Pérou situé à 2 000 m d'altitude au nord de *Cuzco. Découverte en 1911, cette citadelle, construite en gradins, semble avoir été le dernier refuge des *Incas.

August Macke ■ Peintre allemand (1887-1914). Membre du *Cavalier bleu. Scènes de la vie moderne.

le Mackenzie ■ Fleuve du Canada (territoires du *Nord-Ouest). Son estuaire forme une vaste baie dans l'*Arctique. 4 100 km.

William McKinley ■ 25ᵉ président des États-Unis (1843-1901), de 1897 à son assassinat par un anarchiste. ► *le mont McKinley :* point culminant de l'Amérique du Nord (*Alaska). 6 194 m.

Colin Maclaurin ■ Mathématicien écossais (1698-1746). Disciple de *Newton.

Archibald McLeish ■ Poète américain (1892-1982). *"Conquistador" ; "Panic".*

Marshall McLuhan ■ Universitaire canadien, auteur d'essais sur les médias et la communication (1911-1980). *"La Galaxie Gutenberg".*

Patrice comte de **Mac-Mahon** *duc de Magenta* ■ Maréchal de France et homme politique (1808-1893). Il se distingua dans les armées de Napoléon III et soutint *Thiers contre la *Commune de Paris (1871). Quoique monarchiste, il fut président de la République de 1873 à 1879.

Harold Macmillan ■ Premier ministre (conservateur) du Royaume-Uni de 1957 à sa démission en 1963 (1894-1986).

Macon ■ Ville des États-Unis (*Géorgie). 116 900 hab.

Mâcon ■ Préfecture de la *Saône-et-Loire. 39 900 hab. *(les Mâconnais).* Hôtel-Dieu du XVIIᵉ s. Port fluvial sur la *Saône. Centre commercial (vins) et administratif. ► *le Mâconnais,* ensemble de plateaux situés à l'est du *Massif central. Vignobles réputés.

Pierre **Mac Orlan** ■ Écrivain français (1882-1970). Ses romans évoquent des personnages marginaux. *"Le Quai des brumes"*, adapté au cinéma par *Prévert et *Carné ; *"la Bandera".* Chansons.

James **Macpherson** ■ Poète écossais (1736-1796). ⇒ **Ossian.**

Imre **Madách** ■ Écrivain hongrois (1823-1864). *"La Tragédie de l'homme"*, drame philosophique.

Madagascar ■ Île et État (république démocratique) de l'océan Indien, au sud-est de l'Afrique, séparée du continent par le canal de Mozambique. 587 041 km². 10,57 millions d'hab. *(les Malgaches).* Monnaie : franc malgache. Capitale : Antananarivo. Langues : malgache (officielle), français. Économie essentiellement agricole : riz, tabac, café, canne à sucre. □HISTOIRE. Peuplée par des Indonésiens et des Africains, elle fut longtemps composée de petits royaumes. Elle fut colonisée au XIXᵉ s. par la France. Après de dures luttes, elle devint une république indépendante (1960) puis démocratique (1975).

l'abri de la **Madeleine** ■ Site préhistorique de *Dordogne qui a donné son nom à la dernière culture du paléolithique supérieur (13 000 - 8000 av. J.-C.) : le *magdalénien.* ⟨ ► magdalénien ⟩

La **Madeleine** ■ Commune du *Nord. 22 300 hab.

Madère, en portugais **Madeira** ■ Archipel de l'Atlantique, région autonome du Portugal située à l'ouest du Maroc. 794 km². 269 500 hab. Capitale : *Funchal. Relief volcanique. Tourisme. Économie agricole : célèbres vins liquoreux. ⟨ ► madère ⟩

Bruno **Maderna** ■ Compositeur italien (1920-1973). Musique sérielle et postsérielle.

Carlo **Maderno** ■ Architecte italien (1556-1629). Il travailla à la basilique Saint-Pierre à Rome.

James **Madison** ■ Homme d'État américain (1751-1836). 4ᵉ président des États-Unis, de 1809 à 1817.

Madison ■ Ville des États-Unis, capitale du *Wisconsin. 170 600 hab. Centre administratif et économique. Université.

Madiun ■ Ville d'Indonésie, au centre de *Java. 150 600 hab.

Ma **Douanlin** ■ Encyclopédiste chinois (1245-1322).

Madras ■ Ville et port de l'Inde du Sud, capitale du *Tamil Nadu. 4,2 millions d'hab. Célèbres tissus imprimés (les *madras*). Centre universitaire et touristique. ⟨ ► madras ⟩

la sierra **Madre** ■ Nom donné aux principales chaînes de montagnes du Mexique, qui longent les côtes du Pacifique *(sierra Madre occidentale, sierra Madre du Sud)* et celles de l'Atlantique *(sierra Madre orientale).* Agriculture. Richesses minières.

Madrid ■ Capitale de l'Espagne, au centre du pays. 3,18 millions d'hab. *(les Madrilènes).* Ville historique et culturelle (université, musée du Prado), centre administratif, commercial et industriel. □HISTOIRE. Elle succéda à *Tolède, comme capitale, en 1561. Embellie au XVIIIᵉ s. sous *Charles III, la ville se souleva contre l'occupation française et fut le théâtre de violents combats pendant la guerre civile (1939). □ **Madrid.** Communauté autonome de l'Espagne (*Castille). 7 995 km². 4,85 millions d'hab. Capitale : Madrid.

Madura ■ Île d'Indonésie située au nord-ouest de Java. 4 000 km². 2,5 millions d'hab. Problèmes de surpopulation.

Madura ou **Madurai** ■ Ville de l'Inde du Sud, dans le *Tamil Nadu. 904 000 hab. Industrie textile. Temple grandiose.

Maebashi ■ Ville du Japon (*Honshū). 277 000 hab. Centre de l'industrie de la soie.

Nicolaes **Maes** ■ Peintre hollandais (v. 1634-1693). Élève et disciple de *Rembrandt. Scènes de genre. Portraits.

Maurice **Maeterlinck** ■ Écrivain belge d'expression française (1862-1949). *"Les Serres chaudes"*, poèmes ; *"Pelléas et Mélisande"*, drame symboliste dont il fit un livret pour *Debussy ; *"la Vie des abeilles"*, essai. Prix Nobel 1911.

Magadan ■ Ville et port d'U. R. S. S. (*Russie) sur la mer d'*Okhotsk. 142 000 hab.

le **Magdalena** ■ Fleuve de Colombie qui se jette dans la mer des Caraïbes à *Barranquilla. 1 700 km. Voie de communication importante.

le **magdalénien** ■ ⇒ l'abri de la **Madeleine.**

Magdebourg ■ Ville de R. D. A. (*Saxe). 288 800 hab. Cathédrale gothique. Carrefour de communications. Important port fluvial. Jusqu'à la Seconde *Guerre mondiale, centre sidérurgique (usines *Krupp). Industrie chimique.

Magelang ■ Ville de l'Indonésie au milieu de l'île de Java. 123 500 hab. Temple de *Bārābudur à proximité.

Fernand de **Magellan** ■ Navigateur portugais (v. 1480 - 1521). Il entreprit en 1520 le premier voyage autour du monde. ► *le détroit de* **Magellan** relie l'Atlantique au Pacifique, entre l'Amérique du Sud et la *Terre de Feu.

François **Magendie** ■ Médecin français (1783-1855). Il fut le maître de Claude *Bernard.

Magenta ■ Ville d'Italie (*Lombardie). 22 000 hab. Victoire française sur les troupes autrichiennes en 1859.

les Rois **mages** ■ Dans l'Évangile, sages d'Orient qui vinrent rendre hommage à l'enfant Jésus, guidés par une étoile. Ils étaient trois : *Balthazar, *Gaspard, *Melchior.

le **Maghreb** ■ En arabe, « l'endroit où le soleil se couche », ensemble des pays du nord-ouest de l'Afrique compris entre la Méditerranée et le Sahara, l'Atlantique et le désert de Libye (Maroc, Algérie, Tunisie). Formant une unité géographique et une unité ethnique (les *Berbères), il doit à la conquête arabe du VIIᵉ s. son unité religieuse et culturelle. 〈 ► maghrébin 〉

Alessandro **Magnasco** ■ Peintre italien (1667-1749). Scènes de genre animées de petites figures, traitées dans un style nerveux. Portraits.

Magnitogorsk ■ Ville d'U. R. S. S. (*Russie) dans l'*Oural. 430 000 hab. Sidérurgie.

René **Magritte** ■ Peintre belge (1898-1967). Natures mortes et paysages où les objets sont juxtaposés de façon insolite à la manière du « collage » *surréaliste. Écrits théoriques.

les **Magyars** ■ Nom ethnique des Hongrois. Peuple finno-ougrien établi au IXᵉ s. en *Pannonie. 〈 ► magyar 〉

Mahābalipuram ■ Site archéologique de l'Inde. Temples du VIIIᵉ s.

le **Mahābhārata** ■ Grand récit épique indien composé sur plusieurs siècles (du IXᵉ av. J.-C. au VIᵉ s.). C'est aussi une encyclopédie des connaissances sacrées et profanes des Indo-européens.

le **Mahdī** ■ « Celui qui est guidé (par Dieu) ». Selon les musulmans *chiites, personnage messianique qui viendra délivrer l'homme du mal. Plusieurs souverains arabes prirent ce titre, notamment Muḥammad ibn 'Abd Allāh (1844-1885). Il conquit le *Soudan et s'empara de *Khartoum. ► *les* **mahdistes,** ses partisans, furent battus par *Kitchener en 1898.

Gustav **Mahler** ■ Compositeur et chef d'orchestre autrichien (1860-1911). Auteur de dix symphonies, remarquables par leur vaste architecture, et de mélodies (*"Chants pour les enfants morts"*).

Mahomet ■ Prophète et fondateur de l'*islam (v. 570 - 632). Il épousa *Khadīja et mena jusqu'à quarante ans une vie prospère. Vers 610, il reçut ses premières révélations et commença son enseignement à La *Mecque (⇒ **Coran**). Des persécutions l'obligèrent à fuir vers *Médine en 622, an I de l'ère musulmane ou *hégire.* Homme de guerre remarquable, il conquit La Mecque, puis la péninsule arabique, et instaura une nouvelle législation religieuse. Après sa mort, les dissensions opposèrent *chiites, *sunnites et *khāridjites. 〈 ► mahométan 〉

Vladimir **Maïakovski** ■ Poète soviétique (1893-1930). Animateur du mouvement *futuriste, partisan de la *Révolution de 1917. Il se suicida.

Maiduguri ■ Ville du Nigeria. 230 900 hab.

Norman **Mailer** ■ Écrivain et cinéaste américain (né en 1923). Il critique les mythes de la société américaine. *"Les Nus et les Morts".*

Antonine **Maillet** ■ Écrivaine canadienne (acadienne) d'expression française (née en 1929). *"Pélagie-la-Charrette".*

Aristide **Maillol** ■ Sculpteur et peintre français (1861-1944). Par leur sens de la monumentalité et leur pureté de ligne, ses nus féminins l'ont fait apparaître comme l'héritier du classicisme grec.

Moïse **Maimonide** ■ Philosophe et médecin juif, principal théologien du judaïsme (1135-1204). *"Le Guide des égarés".*

le **Main** ■ Fleuve de R. F. A. qui arrose *Bayreuth, *Francfort puis devient l'affluent du Rhin à *Mayence (524 km). Il forme une partie de la liaison Rhin-Danube.

le **Maine** ■ Ancienne région de l'ouest de la France, qui forme aujourd'hui les départements de la Mayenne et de la Sarthe. Ses habitants : *les Manceaux.* Capitale : Le Mans. Bocages voués à l'élevage et aux arbres fruitiers. Céréales.

le **Maine** ■ État du nord-est des États-Unis. 86 027 km². 1,17 million d'hab. Capitale : *Augusta. Agriculture, pêche, industrie du bois.

Maine de Biran ■ Philosophe français (1766-1824). Écrits d'introspection.

le **Maine-et-Loire** [49] ■ Département français de la région des Pays de la *Loire. 7 151 km². 675 300 hab. Préfecture : Angers. Sous-préfectures : Cholet, Saumur, Segré.

Françoise d'Aubigné marquise de **Maintenon** ■ Maîtresse de Louis XIV qui l'épousa en secret (1635-1719). Très dévote, elle influa sur les affaires religieuses du royaume.

Mainvilliers ■ Commune d'*Eure-et-Loir. 10 200 hab.

Jean **Mairet** ■ Auteur dramatique français (1604-1686). *"Sophonisbe"* (1634), la première tragédie classique.

La **Maison Blanche** ■ Résidence du président des États-Unis, à Washington, édifiée de 1792 à 1800.

Maisons-Alfort ■ Commune du *Val-de-Marne. 51 600 hab. École nationale vétérinaire.

Maisons-Laffitte ■ Commune des *Yvelines. 22 900 hab. (*les Mansonniens*). Hippodrome. Château construit par *Mansart.

le comte Joseph de **Maistre** ■ Écrivain français (1753-1821). Critique de la Révolution et défenseur de la papauté. □ *Xavier de* **Maistre,** son frère (1763-1852), auteur du *"Voyage autour de ma chambre"* et du *"Lépreux de la cité d'Aoste".*

le **Maître de Flémalle** ■ ⇒ Robert **Campin.**

le **Maître de Moulins** ■ Peintre du triptyque du *"Couronnement de la Vierge"* de la cathédrale de *Moulins (v. 1498).

Maizières-lès-Metz ■ Commune de la *Moselle. 9 800 hab.

le lac **Majeur** ■ Lac d'Italie du Nord (212 km²) dont l'extrémité nord (⇒ **Locarno**) appartient à la Suisse. Îles *Borromées.

Ma Jong ou **Ma Rong** ■ Philosophe chinois (79-166).

Majorque ■ Île espagnole des *Baléares. 3 064 km². 530 000 hab. (*les Majorquins*). Chef-lieu : *Palma de Majorque. Agriculture. Centre touristique.

Anton **Makarenko** ■ Pédagogue soviétique (1888-1939). Il se consacra à l'éducation des délinquants.

Makarios III ■ Prélat et homme d'État chypriote (1913-1977). Partisan de l'indépendance de l'île, il fut président de la République de 1960 à juillet 1974, puis de décembre 1974 à sa mort.

Makeïevka ou **Makeevka** ■ Ville d'U. R. S. S. (*Ukraine), dans le *Donbass. 440 000 hab. Centre sidérurgique et charbonnier.

Makhatchkala ■ Ville et port d'U. R. S. S., capitale du *Daghestan, sur la mer Caspienne. 240 000 hab. Centre culturel et industriel.

Yannis Makriyannis ■ Général et écrivain grec (1797-1864). Héros de la guerre d'indépendance, auteur de "*Mémoires*".

la côte de Malabār ■ Région littorale de l'Inde de l'Ouest, au sud de Goa. Agriculture.

Malabo ■ Capitale et port de la Guinée équatoriale. 17 500 hab.

la presqu'île de Malacca ou *presqu'île malaise* ■ Péninsule de l'Asie du Sud-Est, baignée par l'océan Indien et partagée entre la Thaïlande et la Malaysia. La fondation (XVe s.) et l'essor du port de *Malacca* (ou *Malaka,* 88 000 hab.) donna naissance au premier État malais.

saint Malachie ■ Prélat d'Irlande (1094-1148). Il réforma l'Église d'Irlande.

Málaga ■ Ville et port d'Espagne, en *Andalousie. 503 000 hab. Vin réputé. Tourisme.

les Malais n. m. ■ Peuple asiatique occupant la plupart des îles de l'Océanie et des Philippines, ainsi que la presqu'île de *Malacca et les îles de la *Sonde. Leur langue est parlée par plus de 80 millions de personnes.

la fédération de Malaisie ■ ⇒ fédération de **Malaysia.**

Malakoff ■ Commune des *Hauts-de-Seine, dans la banlieue sud de Paris. 34 000 hab. *(les Malakoffiots).* Centre industriel.

Bernard Malamud ■ Écrivain américain (né en 1914). "*L'Assistant*".

Malang ■ Ville d'Indonésie, dans l'est de Java. 420 000 hab.

Curzio Malaparte ■ Écrivain italien (1898-1957). "*Kaputt*" (1944) et "*la Peau*" (1949) évoquent la guerre et l'après-guerre.

les Malatesta ■ Famille de condottieres italiens qui régna sur Rimini et sur la Romagne, du XIIIe au XVe s.

Malatya ■ Ville de Turquie, en Anatolie. 180 000 hab. Ruines *assyriennes (palais de Sargon II).

le Malawi ■ État (république) montagneux d'Afrique de l'Ouest. 118 480 km². 7 millions d'hab. Langues officielles : anglais et chewa. Monnaie : kwancha. Capitale : Lilongwe. Économie essentiellement agricole (tabac, thé, coton, arachide). Protectorat britannique à partir de 1891 (qui s'appelait le *Nyassaland),* le pays devint indépendant en 1964. □ *le lac Malawi* (26 000 km²) le sépare de la Tanzanie.

la fédération de Malaysia ou *fédération de Malaisie* ■ État (monarchie constitutionnelle) d'Asie du Sud-Est constitué par la *Malaysia occidentale* (le sud de la presqu'île de Malacca) et la *Malaysia orientale* (le Sarawak et le Sabah, au nord de l'île de Bornéo). 330 000 km². 15,2 millions d'hab. *(les Malaysiens).* Capitale : Kuala Lumpur. Langues : malais, chinois. Monnaie : ringitt. L'économie repose sur l'exportation d'étain (1er producteur mondial) et d'hévéa. □ HISTOIRE. Protectorat britannique depuis le XIXe s., le pays est devenu indépendant en 1957 ; membre du Commonwealth. Il a pris le nom de Malaysia après le rattachement des colonies britanniques du Nord-Bornéo (1963). *Brunei et *Singapour forment des enclaves indépendantes. Instabilité politique liée à la diversité ethnique et géographique.

Antoine Malczewski ■ Poète polonais (1793-1826). Il fut influencé par *Byron. "*Maria*".

les îles Maldives ■ État (république) constitué par un archipel de l'océan Indien, situé au sud-ouest de l'Inde. 298 km². 170 000 hab. Langues : divehi, anglais. Monnaie : rufiyaa. Capitale : Malé. (29 000 hab). Cocoteraies, pêcheries. Pays surpeuplé qui tire l'essentiel de ses revenus du tourisme et des échanges avec l'Inde et Sri Lanka. Protectorat anglais de 1887 à l'indépendance, en 1965. République depuis 1968.

Nicolas Malebranche ■ Philosophe français, prêtre oratorien (1638-1715). Grandiose conciliation, appuyée sur *Descartes et saint *Augustin, de la raison et de la foi.

Malegaon ■ Ville de l'Inde du Sud. 200 000 hab.

Gueorgui Malenkov ■ Homme politique russe (1902-1988). Successeur de Staline, évincé par Khrouchtchev.

Chrétien Guillaume de Lamoignon de Malesherbes ■ Magistrat et homme politique français (1721-1794). Sous Louis XV, il protégea la publication de l'"*Encyclopédie*". Il défendit Louis XVI pendant son procès et fut exécuté.

Malesherbes ■ Commune du *Loiret. 5 000 hab.

Claude François de Malet ■ Général français (1754-1812). Républicain, il complota contre Napoléon et fut exécuté.

Kazimir Malevitch ■ Peintre et théoricien russe (1878-1935). L'un des pionniers de la peinture abstraite qu'il poussa jusqu'à ses limites : "*Carré blanc sur fond blanc*".

François de Malherbe ■ Poète français (1555-1628). Son lyrisme et son éloquence mesurée font de lui un des fondateurs du *classicisme français. "*Consolation à M. Du Périer*".

le Mali ■ État (république) d'Afrique de l'Ouest. 1 204 000 km². 8 millions d'hab. *(les Maliens).* Langues : français (officielle), mandingue, songhaï, dogon. Monnaie : franc CFA. Capitale : Bamako. Économie essentiellement agricole. □ HISTOIRE. Le Mali fut un puissant royaume musulman à partir du XIIIe s., allant de l'Atlantique au Niger. Il devint une colonie française au XIXe s. *(Soudan français)* et fut indépendant en 1960. Dirigé par les militaires depuis 1968.

la Malibran ■ Cantatrice française d'origine espagnole (1808-1836). Elle fascina les Romantiques.

Malines en néerlandais **Mechelen** ■ Ville de Belgique. 77 000 hab. Centre culturel, métropole religieuse. Cité prospère au XIIIe s. (draps), elle connut son apogée au XVe s. La dentelle fit sa renommée dès le XVIIIe s.

Rodion Malinovski ■ Maréchal soviétique (1898-1967). Successeur de *Joukov au ministère de la Défense en 1957.

Bronisław Kaspar Malinowski ■ Anthropologue et ethnologue britannique d'origine polonaise

(1884-1942). Théoricien du fonctionnalisme, dont l'influence fut très grande.

Stéphane **Mallarmé** ■ Poète symboliste français (1842-1898). Créant une langue poétique allusive et elliptique, il tenta une quête de l'absolu, ayant le projet d'une œuvre ambitieuse qu'il appelait « le Livre ». Il a exercé une influence considérable sur la poésie du XXe s. *"Un coup de dés jamais n'abolira le hasard"*. Sonnets. Traduction des poèmes de *Poe.

Louis **Malle** ■ Cinéaste français (né en 1932). *"Ascenseur pour l'échafaud"* ; *"Au revoir les enfants"*.

Malmö ■ 3e ville et port de Suède. 230 000 hab. Chantiers navals.

sir Thomas **Malory** ■ Écrivain anglais (v. 1408 - 1471). *"La Mort d'Arthur"*, un des premiers livres imprimés en anglais (1485).

Hector **Malot** ■ Écrivain français (1830-1907). Populaire par ses romans pour la jeunesse. *"Romain Kalbris"* ; *"Sans famille"*.

les îles **Malouines,** en espagnol *Malvinas,* en anglais *Falkland* ■ Colonie britannique située au large des côtes de l'Argentine. 12 000 km². 1 920 hab. Capitale : Port-Stanley. En 1982, une guerre de revendication territoriale, qui échoua, fut déclenchée par l'Argentine.

Marcello **Malpighi** ■ Médecin et anatomiste italien (1628-1694).

André **Malraux** ■ Écrivain français (1901-1976). Homme d'action, il tira de ses voyages en Chine et de son engagement contre le fascisme les sujets de ses romans (*"La Condition humaine"* ; *"l'Espoir"*, sur la guerre d'Espagne). Auteur d'une importante réflexion sur l'art et la culture (*"le Musée imaginaire"*), ministre du général de *Gaulle, il a laissé des mémoires (*"Antimémoires"* ; *"le Miroir des limbes"*).

Malte ■ État (république) formé de plusieurs îles situées en Méditerranée au sud de la Sicile, dont *l'île de Malte* est la principale. 316 km². 343 300 hab. *(les Maltais).* Capitale : La Valette. Langues : maltais, anglais. Monnaie : livre maltaise. Malgré quelques industries, l'économie de Malte dépend de l'étranger. Tourisme. Enjeu stratégique dès l'Antiquité, l'île fut donnée à l'*ordre de Malte* par *Charles Quint en 1530. Colonie anglaise en 1800, elle devint indépendante en 1964.

Thomas Robert **Malthus** ■ Pasteur et économiste anglais (1766-1834). ▶ *le malthusianisme,* doctrine favorable à la limitation des naissances. ▶ *les néo-malthusiens* sont partisans de la contraception. ‹ ▶ malthusianisme ›

Étienne Louis **Malus** ■ Physicien français (1775-1812). Optique *(loi de Malus).*

Malzéville ■ Commune de *Meurthe-et-Moselle. 8 700 hab. *(les Malzévillois).*

les **Mamelouks** n. m. ■ Milice d'élite qui prit le pouvoir en Égypte et le détint de 1250 à 1517. Ils gardèrent un rôle important jusqu'au XIXe s. Certains d'entre eux formèrent une compagnie de la garde impériale de Napoléon Ier. ‹ ▶ mamelouk ›

Mamers ■ Sous-préfecture de la *Sarthe. 6 700 hab. *(les Mamertins).*

l'île de **Man** ■ Île de Grande-Bretagne, en mer d'Irlande. 572 km². 64 300 hab. Langues : manx, anglais.

Manado ■ Ville d'Indonésie. 217 100 hab. Port exportateur de produits exotiques.

Managua ■ Capitale du Nicaragua sur la rive du *lac de Managua* (1 134 km²). 682 100 hab. Centre administratif, commercial et industriel. La ville a souffert de nombreux tremblements de terre.

Manama ou *Al-Manāmah* ■ Capitale de la principauté de Bahreïn. 122 000 hab. Commerce de perles. Raffineries de pétrole.

Manaus, autrefois *Manáos* ■ Ville du Brésil. 613 000 hab. Port fluvial et principal centre commercial de l'*Amazonie. Capitale du caoutchouc au début du XXe s., époque de sa prospérité. Raffinage de pétrole. Tourisme (zone franche).

la **Manche,** en espagnol *la Mancha* ■ Plateau du centre de l'Espagne, dans le sud-est de la *Castille, immortalisé par *Cervantès (« *Don Quichotte* »).

la **Manche,** en anglais *the Channel* ■ Mer de l'Europe de l'Ouest, entre le sud de la Grande-Bretagne et le nord-ouest de la France. Le trafic maritime y est très intense. ▶ *la Manche* [50], département français de la région Haute-*Normandie, bordé par la Manche. 5 947 km². 466 000 hab. Préfecture : Saint-Lô. Sous-préfectures : Avranches, Cherbourg, Coutances.

Manchester ■ Ville d'Angleterre. 451 400 hab. Son développement, dès le XVIIIe s., est lié à l'industrie du coton.

la **Manchourie** ■ ⇒ **Mandchourie.**

Mancini ■ Famille italienne apparentée au cardinal *Mazarin.

Manco Cápac Ier ■ Fondateur légendaire de l'Empire *inca qui se fit appeler « fils du Soleil » (XIe s.).

Mandalay ■ Ancienne capitale de la Birmanie. 533 000 hab. Centre culturel et artisanal.

la **Mandchourie** ■ Ancien nom de la Chine du Nord-Est. Capitale : *Shenyang. ▶ *les Mandchous* conquièrent la Chine au début du XVIIe s. et établirent la dynastie des *Qing sur le trône.

Mandelieu-la-Napoule ■ Commune des *Alpes-Maritimes. 14 300 hab. Station balnéaire.

Ossip **Mandelstam** ■ Poète soviétique (1891-1938). Il mourut en déportation. *"Iristia"*.

Mandeure ■ Commune du *Doubs. 6 100 hab.

Mandiargues ■ ⇒ André **Pieyre de Mandiargues.**

les **Mandingues** n. m. ■ Groupe ethnique d'Afrique occidentale, réparti dans les régions du haut Sénégal et du haut Niger.

Louis **Mandrin** ■ Brigand français (v. 1725 - 1755).

les **Mânes** n. m. ■ Esprits des morts dans la religion romaine. ‹ ▶ mânes ›

Alfred **Manessier** ■ Peintre français d'inspiration chrétienne (né en 1911). Tableaux et vitraux abstraits.

Édouard **Manet** ■ Peintre français (1832-1883). Il contesta les principes trop rigides de l'enseignement académique et chercha à fixer sur la toile les impressions visuelles fugitives de la vie moderne (⇒ **impressionnisme**), puis à construire des formes amples par le dessin et les couleurs mises à plat. Chef de file des artistes indépendants, il incarna la « modernité » chère aux *naturalistes. *"Olympia"* ; *"le Déjeuner sur l'herbe"* ; *"Un bar aux Folies-Bergère"*.

Mangalore ■ Ville et port de l'Inde sur la côte de *Malabar. 306 000 hab. Tuileries.

Manhattan ■ ⇒ **New York.**

Mani ou **Manès** ■ Prophète perse, fondateur de la religion manichéenne (216-277). ▶ *le manichéisme,* religion dualiste, se répandit en Asie, en Europe, en Afrique du Nord et survécut jusqu'au XIVᵉ s. ⟨ ▶ manichéen ⟩

le **maniérisme,** *les maniéristes* ■ Courant artistique européen de la fin de la Renaissance. Ses principaux représentants furent le *Parmesan, *Pontormo, *Bronzino pour l'Italie, les artistes de l'école de *Fontainebleau pour la France, *Spranger à Prague, le sculpteur *Giambologna, l'architecte Jules *Romain. Les peintres maniéristes allongent les formes, choisissent des couleurs acides et traitent leurs sujets dans un style raffiné.

Manille ou **Manila** ■ Capitale de la république des Philippines, située dans l'île de *Luçon. 1,5 million d'hab. Principal centre industriel du pays.

le **Manitoba** ■ Province (État fédéré) du Canada. 650 000 km². 1 million d'hab. *(les Manitobains).* Capitale : Winnipeg. Lacs, forêts, minerais.

Manizales ■ Ville de Colombie. 237 000 hab. Commerce du café.

Joseph **Mankiewicz** ■ Cinéaste américain (né en 1909). *"La Comtesse aux pieds nus" ; "Cléopâtre".*

Thomas **Mann** ■ Écrivain allemand (1875-1955). L'analyse de la décadence, l'affinité de l'art et de la mort sont les thèmes favoris de ses romans. Prix Nobel 1929. *"Les Buddenbrooks" ; "la Montagne magique" ; "Docteur Faustus".* □ *Heinrich Mann,* son frère, écrivain allemand (1871-1950). *"Professeur Unrat",* dont Sternberg tira le film *"l'Ange bleu".*

Mannheim ■ Ville de R. F. A. (*Bade-Wurtemberg). 2ᵉ port fluvial d'Europe. 304 000 hab. Palais baroque. Château du XVIIIᵉ s. Industries mécaniques.

Manosque ■ Commune des *Alpes-de-Haute-Provence. 19 500 hab. *(les Manosquins).*

Jorge **Manrique** ■ Poète espagnol (v. 1440 - 1479). Stances *"Sur la mort de son père".*

Le Mans ■ Préfecture de la *Sarthe. 150 000 hab. *(les Manceaux).* Enceinte gallo-romaine, cathédrale romane et gothique. Centre commercial, industriel (constructions automobile et ferroviaire), administratif (assurances). Célèbre course automobile des *Vingt-Quatre Heures du Mans.*

François **Mansart** ■ Architecte français (1598-1666). Son style ample et symétrique annonce le *classicisme français. Il généralisa l'emploi de la *mansarde.* Château de Maisons-Laffitte. □ *Jules Hardouin* dit **Hardouin-Mansart,** son petit-neveu (1646-1708). Architecte français. Le maître du classicisme français. Il acheva le château de *Versailles (avec le Grand Trianon), et réalisa la place Vendôme et la place des Victoires à Paris. ⟨ ▶ mansarde ⟩

Katherine **Mansfield** ■ Écrivaine néo-zélandaise (1888-1923). *"Pension allemande" ; "la Maison de poupée".*

Mansourah ■ Ville d'Égypte. 232 000 hab. Centre commercial et industriel.

Andrea **Mantegna** ■ Peintre et graveur italien (1431-1506). Grand dessinateur, il explora les effets dramatiques de la perspective : *"Christ mort".*

Mantes-la-Jolie ■ Sous-préfecture des *Yvelines. 42 000 hab. *(les Mantais).* Collégiale (XIIᵉ - XIIIᵉ s.). Centre industriel et commercial. Pétrochimie.

Mantes-la-Ville ■ Commune des *Yvelines. 16 000 hab. *(les Mantevillois).*

Mantoue ■ Ville d'Italie, en *Lombardie. 66 000 hab. Nombreux monuments dus à la famille Gonzague, qui y régna de 1328 à 1708.

Manu ou **Mānava** ■ En sanskrit, « homme ». Selon la mythologie de l'Inde, ancêtre de la race humaine et premier législateur.

Aldo **Manuce** ■ Imprimeur et *humaniste de Venise (v. 1450-1515). La dynastie d'imprimeurs qu'il fonda est connue sous le nom d'*Aldes ;* leurs éditions d'œuvres antiques furent parmi les plus diffusées de la *Renaissance.

Manuel Iᵉʳ le Grand ■ Roi du Portugal (1469-1521). Il encouragea la colonisation de l'Amérique du Sud et favorisa l'architecture.

Niklaus **Manuel Deutsch** ■ Peintre et graveur suisse (1484-1530). Scènes mythologiques hantées par l'érotisme et la cruauté.

Alessandro **Manzoni** ■ Écrivain romantique italien (1785-1873). Il a œuvré pour l'élaboration de la langue nationale et l'unité de l'Italie. *"La Lettre sur le romantisme" ; "les Fiancés".*

les **Maori** ou **Maoris** n. m. ■ Population polynésienne de *Nouvelle-Zélande.

Mao Dun ■ Écrivain chinois (1896-1981). *"L'Éclipse".*

Mao Zedong ou **Mao Tsé-toung** ■ Homme d'État chinois (1893-1976). Dans la tradition chinoise, il fut aussi poète et calligraphe. Un des fondateurs du parti communiste chinois, à sa tête de 1935 à sa mort. Face aux nationalistes de *Tchang Kaï-chek, il organisa la « Longue Marche » de recul vers le Nord-Ouest (1934-1936), qui lui apporta le soutien de la population. Vainqueur des nationalistes (qui se replièrent à *Taiwan), il proclama la république populaire de Chine en 1949. « Grand Timonier » de la révolution (⇒ **Chine**), il prit ses distances avec l'U. R. S. S., donnant le modèle d'un marxisme original, diffusant sa pensée militaire et politique dans le *"Petit Livre rouge".* Sa mort a été suivie d'une certaine remise en cause de son héritage. ⟨ ▶ maoïsme ⟩

Maputo ■ Capitale du Mozambique, sur l'océan Indien. 355 000 hab. Centre industriel. Raffinerie de pétrole.

Maracaibo ■ 2ᵉ ville et port du Venezuela, reliée au *lac Maracaibo* (13 600 km²). 650 000 hab. Centre industriel et pétrolier (80 % de la production nationale).

Maracay ■ Ville du Venezuela. 255 000 hab.

Marin **Marais** ■ Compositeur français, particulièrement pour la viole (1656-1728).

Marange-Silvange ■ Commune de la *Moselle. 6 500 hab.

Maras ■ Ville de Turquie, en Anatolie centrale. 180 000 hab. Ancienne capitale du royaume *hittite de Gourgoum.

Jean-Paul **Marat** ■ Révolutionnaire français (1743-1793). Ancien médecin, il fonda en 1789 le journal *"l'Ami du peuple",* avocat des masses populaires et des mouvements insurrectionnels, réclamant la tête des *Girondins. Son assassinat par Charlotte *Corday en fit le héros des *sans-culottes.

Marathon ■ Ancienne ville de Grèce, au nord-ouest d'Athènes. *Miltiade y vainquit les Perses en 490 av. J.-C. (⇒ guerres **médiques**). Un soldat envoyé à Athènes pour annoncer la victoire serait mort d'épuisement en y arrivant. ‹ ► marathon ›

saint **Marc** ■ Selon la tradition, auteur du IIᵉ Évangile. Patron de *Venise. Son emblème est le lion ailé.

Franz **Marc** ■ Peintre allemand (1880-1916). Membre du *Cavalier bleu, il fut fasciné par le thème de l'animal.

Marc Aurèle ■ Empereur et philosophe romain (121-180). Il succéda à *Antonin en 161. Il rénova l'administration de l'Empire et écrivit des *"Pensées"* d'inspiration *stoïcienne.

François Séverin **Marceau** ■ Général révolutionnaire français (1769-1796).

Marcel **Marceau** ■ Mime français (né en 1923). Il a créé le personnage de Bip.

Étienne **Marcel** ■ Prévôt des marchands de Paris (v. 1315-1358). Il prit la tête de la révolte de la capitale contre le Dauphin (futur *Charles V). Il fut vaincu et assassiné.

Gabriel **Marcel** ■ Philosophe et écrivain français (1889-1973). Existentialiste chrétien.

Benedetto **Marcello** ■ Compositeur italien (1686-1739). Célèbre pour sa musique vocale.

Georges **Marchais** ■ Homme politique français (né en 1920). Secrétaire général du Parti communiste depuis 1972.

Samuel **Marchak** ■ Poète soviétique (1887-1964). Connu comme poète de l'enfance. *"Les Enfants en cage"*.

le **Marché commun** ■ ⇒ C. E. E.

les **Marches** n. f. ■ Région de l'Italie entre l'*Apennin et l'Adriatique. Chef-lieu : *Ancône. Agriculture.

Marck ■ Commune du *Pas-de-Calais. 7 450 hab.

Guglielmo **Marconi** ■ Physicien italien qui travailla en Angleterre (1874-1937). Prix Nobel 1909. Il fabriqua le premier poste de télégraphie sans fil.

Marcoule ■ Centre d'énergie atomique français dans le *Gard. Production de plutonium.

Marcq-en-Barœul ■ Commune du *Nord. 35 500 hab. *(les Marcquois)*.

Herbert **Marcuse** ■ Philosophe américain d'origine allemande (1898-1979). Théoricien de la révolution permanente, il se réclame de *Freud et de *Marx. Il eut une grande influence sur les mouvements étudiants de 1968.

Mar del Plata ■ Ville et port d'Argentine sur l'Atlantique. 407 000 hab. Pêche. Station balnéaire.

Marengo ■ Ville d'Italie. Le 14 juin 1800, Napoléon y remporta une victoire sur les Autrichiens. ‹ ► marengo ›

Marennes ■ Commune de *Charente-Maritime. 4 500 hab. Ostréiculture.

Luca **Marenzio** ■ Compositeur italien (v. 1553-1599). Un des plus grands auteurs de madrigaux du XVIᵉ s.

Étienne Jules **Marey** ■ Physiologiste français (1830-1904). Ses recherches sur l'enregistrement du mouvement en firent l'un des précurseurs du cinéma.

Margny-lès-Compiègne ■ Commune de l'*Oise. 5 600 hab.

Marguerite II ■ Reine du Danemark (née en 1940). Elle succéda à son père Frédéric IX en 1972.

Marguerite d'Autriche ■ Duchesse de Savoie, gouvernante des Pays-Bas (1480-1530). Elle joua un rôle important dans la politique européenne.

Marguerite de Navarre ou *d'Angoulême* ■ Reine de Navarre, sœur de François Iᵉʳ, protectrice des *humanistes et écrivaine (1492-1549). *"L'Heptaméron"*.

Marguerite de Valois dite *la reine Margot* ■ Reine de Navarre (1553-1615). Célèbre par ses amours. Son mariage avec *Henri IV fut annulé en 1599.

Marguerite Valdemarsdotter ■ Reine du Danemark, de Norvège et de Suède (1353-1412). Elle réalisa l'union de ces trois États au bénéfice de son neveu *Éric de Poméranie.

Mari ■ Ancienne cité de *Mésopotamie, sur l'*Euphrate (v. 3000 av. J.-C.). Vestiges archéologiques.

Marianne ■ Nom donné à la République française, représentée sous les traits d'une jeune femme coiffée du bonnet phrygien. À l'origine, c'était le nom d'une société secrète républicaine opposée au second Empire.

les îles **Mariannes** ■ Archipel de la Micronésie, en Océanie, dont l'île principale est *Guam. ► *le Commonwealth des* **Mariannes du Nord** regroupe 16 îles en un État « librement associé » des États-Unis depuis 1976 (même statut que la fédération des États de *Micronésie). 477 km². 19 600 hab. Capitale : Saipan. Langue officielle : anglais.

Maribor ■ Ville de Yougoslavie (*Slovénie). 185 700 hab. Centre industriel.

sainte **Marie** ou *la* **Vierge Marie** ■ Dans la tradition chrétienne, épouse de *Joseph, elle enfanta *Jésus par l'intervention de l'Esprit-Saint. Son culte s'est développé à partir du IVᵉ s. ; il a été rejeté par la *Réforme et encouragé par la *Contre-Réforme.

Marie II de Bragance ■ Reine du Portugal (1819-1853). Elle reçut la couronne de son père *Pierre Iᵉʳ en 1826. Évincée en 1828, elle retrouva son pouvoir en 1834.

Marie de France ■ Poétesse française (XIIᵉ s.). Thèmes de l'amour courtois. *"Le Lai de Lanval"*.

Marie de l'Incarnation ■ Religieuse française (1566-1618). Avec *Bérulle, elle établit en France les *carmélites.

Marie de Médicis ■ Reine de France (1573-1642). Régente à la mort de son époux Henri IV. Elle entra en conflit avec son fils Louis XIII après le meurtre de *Concini.

Marie Iʳᵉ Stuart ■ Reine d'Écosse (1542-1587). Mariée à *François II, reine de France en 1559-1560. Réfugiée en Angleterre en 1568, adversaire d'*Élisabeth Iʳᵉ d'Angleterre qui la fit exécuter.

Marie II Stuart ■ Reine de Grande-Bretagne et d'Irlande de 1689 à sa mort (1662-1694). Fille de *Jacques II et épouse de *Guillaume III d'Orange-Nassau.

Marie Iʳᵉ Tudor dite *Marie la Catholique* ou *Marie la Sanglante* ■ Reine d'Angleterre (1516-1558). Pendant ses cinq années de règne (de 1553 à sa mort), elle rétablit le catholicisme et persécuta les protestants.

Marie-Antoinette ■ Reine de France (1755-1793). Archiduchesse d'Autriche, mariée au futur Louis XVI. Impopulaire, surnommée « l'Autrichienne », elle fut très opposée à la *Révolution et guillotinée, après un procès pénible.

Marie-Galante ■ Petite île des Antilles françaises, proche de la Guadeloupe. 158 km². 13 700 hab. Chef-lieu : Grand-Bourg.

Marie-Louise de Habsbourg-Lorraine ■ Impératrice des Français (1791-1847). Elle épousa Napoléon Iᵉʳ en 1810 et rejoignit son père *François Iᵉʳ d'Autriche en 1814.

sainte ***Marie Madeleine*** ■ Nom de trois personnages de l'Évangile, que la tradition a confondus : une pécheresse, la sœur de *Lazare et la première femme qui rencontra Jésus ressuscité.

Marie-Thérèse ■ Impératrice d'Autriche de 1740 à sa mort (1717-1780). Fille de *Charles VI. Son accession au trône déclencha la guerre de *Succession d'Autriche (1740-1748). Elle mena une politique centralisatrice, associant son fils *Joseph II au trône dès 1765. Ayant épousé *François Iᵉʳ de Lorraine, elle fonda la dynastie des *Habsbourg-Lorraine.

Marie-Thérèse d'Autriche ■ Reine de France (1638-1683) par son mariage avec Louis XIV en 1660.

Auguste ***Mariette*** ■ Égyptologue français (1821-1881).

Marignan ■ Ville d'Italie en Lombardie. Célèbre victoire de François Iᵉʳ sur les Suisses du duc de Milan en 1515.

Marignane ■ Commune des *Bouches-du-Rhône. 31 200 hab. Aéroport de Marseille.

la république des ***Mariis*** ■ Une des républiques autonomes de la R. S. S. de *Russie, sur la Volga. 23 200 km². 731 000 hab. Capitale : *Iochkar-Ola. Agriculture. Industrie. □ *les Mariis* participèrent aux révoltes de *Razine et de *Pougatchev.

Michel de ***Marillac*** ■ Juriste français (1563-1632). Chef du parti dévot, ministre de Louis XIII, écarté par *Richelieu.

Filippo ***Marinetti*** ■ Écrivain italien (1876-1944). Fondateur et théoricien du *futurisme.

Giambattista ***Marini*** dit *le Cavalier marin* ■ Poète italien (1569-1625). Son style précieux influença la littérature européenne de son temps. "*Adonis*".

les ***Marinides*** n. m. ■ Dynastie berbère qui régna sur le *Maghreb du XIIIᵉ au XVᵉ s.

l'abbé ***Edme Mariotte*** ■ Physicien français (v. 1620-1684). *Loi de Boyle-Mariotte.* ⟹ **Boyle.**

Jacques ***Maritain*** ■ Philosophe français (1882-1973). Il a renouvelé le thomisme (⟹ saint **Thomas d'Aquin**).

les provinces ***maritimes*** ■ Provinces canadiennes de la *Nouvelle-Écosse, du *Nouveau-Brunswick et de l'Île du *Prince-Édouard.

Caius ***Marius*** ■ Général romain (157 - 86 av. J.-C.). Élu consul par le parti populaire (107 av. J.-C.), glorieux vainqueur de *Jugurtha et des Teutons. Il fut l'adversaire de *Sylla.

Pierre Carlet de ***Marivaux*** ■ Romancier et auteur dramatique français (1688-1763). Il fut le peintre subtil de l'amour naissant. "*La Vie de Marianne*", roman ; "*la Double Inconstance*", théâtre.

Andreï ***Markov*** ■ Mathématicien russe (1856-1922). Théorie des probabilités.

le duc de ***Marlborough*** ■ Général et homme politique anglais (1650-1722). Il s'illustra dans la guerre de *Succession d'Espagne. Il a inspiré la chanson "*Malbrough s'en va-t-en guerre*".

Marles-les-Mines ■ Commune du *Pas-de-Calais. 7 300 hab. *(les Marlésiens).*

Christopher ***Marlowe*** ■ Auteur dramatique anglais (1564-1593). Œuvre pathétique qui fait l'apologie de la révolte individuelle. "*La Tragique Histoire du docteur Faust*".

Marly ■ Commune de la *Moselle. 9 500 hab.

Marly ■ Commune du *Nord. 14 300 hab. Aéroport de *Valenciennes.

Marly-le-Roi ■ Commune des *Yvelines. 17 300 hab. *(les Marlychois).* Hardouin-*Mansart y construisit un château pour Louis XIV, détruit au XIXᵉ s.

Marmande ■ Sous-préfecture du *Lot-et-Garonne. 17 800 hab. *(les Marmandais).* Fruits, légumes, tabac. Industries alimentaires.

la mer de ***Marmara*** ■ Mer située entre les détroits des *Dardanelles et du *Bosphore.

Auguste Viesse de ***Marmont*** ■ Officier français (1774-1852). Maréchal d'Empire, il rallia *Louis XVIII et *Charles X.

Jean-François ***Marmontel*** ■ Écrivain français des *Lumières (1723-1799). Il a attaqué l'intolérance et l'esclavage. "*Bélisaire*" ; "*Contes moraux*".

la ***Marne*** ■ Rivière de France qui prend sa source sur le plateau de *Langres et se jette dans le *Seine (525 km). Pendant la Première *Guerre mondiale, d'importantes batailles opposèrent les Français, commandés par *Joffre, aux Allemands. □ *la Marne* [51], département français de la région *Champagne-Ardenne. 8 205 km². 543 600 hab. Préfecture : Châlons-sur-Marne. Sous-préfectures : Épernay, Reims, Sainte-Menehould, Vitry-le-François. □ *la Haute-Marne* [52], département français de la région *Champagne-Ardenne. 6 210 km². 210 600 hab. Préfecture : Chaumont. Sous-préfectures : Langres, Saint-Dizier.

Marne-la-Vallée ■ Ville nouvelle créée à l'est de Paris en 1970.

le ***Maroc*** ■ État (royaume) d'Afrique du Nord, le plus occidental du Maghreb. 458 730 km². 23 millions d'hab. *(les Marocains).* Capitale : Rabat. Langues : arabe (officielle), berbère, français, espagnol. Monnaie : dirham. Pays au relief montagneux (le *Rif et l'*Atlas) doté d'importantes ressources minières (3ᵉ producteur de phosphates). Son économie est essentiellement agricole, mais l'industrie et le tourisme sont en plein essor. □HISTOIRE. Des colonies phéniciennes puis carthaginoises s'implantèrent au Maroc, jusqu'à l'annexion par Rome, v. 40. Situé à l'extrême ouest de l'Afrique du Nord, le pays fut relativement abandonné durant le Bas-Empire, et opposa une forte identité berbère à la conquête arabe. Les dynasties berbères islamisées dominèrent le Maroc de la fin du VIIᵉ s. au XVᵉ s. : les Idrisides (capitale : *Fès) jusqu'en 985, les *Almoravides (capitale : *Marrakech), conquérants de l'Espagne et du Maghreb, jusqu'en 1147, les *Almohades, qui portèrent l'empire à son apogée, jusqu'en 1269, les *Marinides enfin, qui durent quitter l'Espagne et furent progressivement dominés par elle et le Portugal. Il en résulta, sous l'impulsion des marabouts, un réveil religieux qui porta au pouvoir des dynasties chérifiennes (*chérif* signifie « descendant de *Mahomet »). À la fin du XVIᵉ s., les *Sa'diens entreprirent une guerre sainte pour la reconquête du pays. Mūlāy al-Rashid fonda en 1666 la dynastie des Alaouites, qui règne encore aujourd'hui. Son successeur Mūlāy Ismā'īl, célèbre en Europe, donna un nouvel éclat à la civilisation de son pays (capitale *Meknès*). Mais les difficultés s'accumulaient. Au XIXᵉ s., les puissances européennes n'eurent pas de mal à pénétrer économiquement le royaume, affaibli par ses divisions. En 1912, il devient protectorat français, à l'exception du nord (*Rif*) et du sud, concédés à l'Espagne. Tanger est doté d'un statut international en 1923. La résistance d'*Abd el-Krim annonce le mouvement nationaliste. Le sultan *Muhammad V, déposé en 1952 puis exilé en 1955, réussit à cristalliser l'opposition à la France. Ayant obtenu l'indépendance (1956), il est proclamé roi en 1957. Son fils Hassan II lui succède en 1961. Il affaiblit l'opposition, échappe à deux tentatives d'attentats militaires (1971, 1972). Depuis 1975, le Maroc combat le Polisario dans le *Sahara occidental. □ *le Maroc espagnol*. Ancien protectorat espagnol sur le *Rif et les zones d'Ifni et Tarfaya. L'Espagne a conservé les villes de *Ceuta et *Melilla. ‹ ▶ maroquin ›

Maromme ■ Commune de la *Seine-Maritime. 12 000 hab. *(les Marommais)*.

les Maronites ■ Fidèles de l'*Église maronite*, Église catholique de rite syrien créée v. 700, qui regroupe aujourd'hui les catholiques libanais.

Clément Marot ■ Poète français (1496-1544). Il contribua à épurer la langue de son temps, sans abandonner la truculence et l'ironie. "*Épigrammes*" ; "*Élégies*".

Marpa ■ Religieux bouddhiste tibétain, maître de *Milarepa (1012-1096).

Albert Marquet ■ Peintre français (1875-1947). Paysages parisiens, ports.

Marquette-lez-Lille ■ Commune du *Nord. 7 900 hab.

Marquise ■ Commune du *Pas-de-Calais. 5 000 hab. Marbre.

les îles Marquises ■ Archipel de la *Polynésie française au nord-est de Tahiti. 1 274 km². 5 400 hab. Cocotiers. Centre administratif : Atuana.

Marrakech ■ Ville du Maroc, au pied du Haut *Atlas. 333 000 hab. Centre commercial et touristique. Nombreux édifices : minarets, palais. Ancienne capitale des *Almohades.

Mars ■ Dieu romain de la Guerre, de la Végétation et du Printemps, identifié à l'Arès grec. Père de *Romulus et Remus. □ *Mars* est aussi une planète du système solaire qui tourne autour du Soleil en 687 jours et sur elle-même en 24 h 37 mn 23 s. Elle a deux satellites, Deimos et Phobos. Une atmosphère ténue, des températures extrêmes (entre —100⁰ et + 70 ⁰C) et des vents violents y rendent la vie en surface peu probable.

César Chesneau sieur du Marsais ■ Grammairien français (1676-1756). Il collabora à l'*Encyclopédie. "*Traité des tropes*".

Marsala ■ Ville d'Italie (*Sicile). 83 000 hab. Célèbre pour ses vins doux.

Marsannay-la-Côte ■ Commune de la *Côte-d'Or. 6 000 hab.

la Marseillaise ■ Chant patriotique dont les paroles et la musique furent composées en 1792 par l'officier *Rouget de Lisle. Il devint l'hymne national français le 14 juillet 1795, après avoir été rendu célèbre par les fédérés marseillais.

Marseille ■ Préfecture des *Bouches-du-Rhône et de la région *Provence-Côte d'Azur. 900 000 hab. *(les Marseillais)*. Ville universitaire et culturelle : musées et édifices anciens. Célèbre avenue de la Canebière. 1ᵉʳ port de commerce français (hydrocarbures) et l'un des plus grands ports de voyageurs du monde. Grand centre industriel : raffinage du pétrole, chimie, agro-alimentaire. □HISTOIRE. *Massalia*, fondée vers 600 av. J.-C. par des Grecs de *Phocée (d'où l'appellation de « Cité phocéenne »), fut très prospère jusqu'à la conquête romaine (49 av. J.-C.). Le commerce avec l'Orient lui donna un nouvel essor au Moyen Âge. Réunie à la France avec la Provence, en 1481.

Alfred Marshall ■ Économiste anglais (1842-1924). Professeur de *Keynes à Cambridge, il concilia les thèses classiques de *Smith et le marginalisme de *Menger.

George Catlett Marshall ■ Général et homme politique américain (1880-1959). Il proposa en 1947 un plan d'assistance pour la reconstruction de l'Europe. La France reçut au titre du *plan Marshall* 2,8 milliards de dollars. Prix Nobel de la paix 1953.

les îles Marshall ■ Archipel de *Micronésie. 41 000 hab. 181 km². Après avoir été sous la tutelle de l'Allemagne, du Japon et des États-Unis, les îles sont depuis 1980 « librement associées » à ces derniers, qui y maintiennent leur présence militaire (bases de missiles ; essais nucléaires à Bikini).

Maurice Martenot ■ Ingénieur français (1898-1980). Il inventa les *ondes Martenot*, instrument de musique électronique.

Wilfried Martens ■ Homme politique belge (né en 1936). Premier ministre depuis 1979.

José Martí ■ Révolutionnaire et écrivain cubain (1853-1895). Ses œuvres et ses idées jouèrent un rôle fondamental dans la libération de l'Amérique latine.

Martial ■ Poète latin (v. 40 - v. 104). Ses "*Épigrammes*" infléchirent le genre vers la satire.

Martigues ■ Ville des *Bouches-du-Rhône, sur l'étang de *Berre. 40 000 hab. *(les Martigaux)*. Port de pêche. Raffineries.

saint Martin ■ Évêque de Tours (316-397). Selon la tradition, il partagea son manteau avec un pauvre. Il fonda le premier monastère de Gaule et eut un grand rôle missionnaire.

Martin V ■ Pape élu en 1417 (1368-1431). Son élection mit fin au grand *schisme d'Occident.

Roger Martin du Gard ■ Écrivain français (1881-1958). Auteur de l'importante somme romanesque des "*Thibault*" (1922-1940). Ami et correspondant de *Gide. Prix Nobel 1937.

André Martinet ■ Linguiste français (né en 1908). "*Éléments de linguistique générale*", classique de l'approche « fonctionnaliste ».

le père Martini ■ Compositeur et musicologue italien (1706-1784). Il fut l'ami et le conseiller des musiciens de son époque (Mozart, Gluck, Rameau).

Simone Martini ■ Peintre italien (v. 1282-1344). Un des maîtres de l'école de *Sienne. Fresques au dessin et aux couleurs raffinés.

la Martinique [972] ■ Île des Petites Antilles (îles au Vent) formant un département français, à 7 000 km de la métropole, au sud de la Guadeloupe. 1 100 km². 330 000 hab., en majorité des mulâtres *(les Martiniquais)*. La surpopulation a entraîné une forte émigration vers la métropole. Préfecture : Fort-de-

France. Sous-préfectures : Le Marin, La Trinité. Agriculture (café, cacao, épices) et industrie alimentaire (sucreries, rhum). Tourisme. □**HISTOIRE**. Découverte par Christophe Colomb en 1502, l'île a été colonisée à partir de 1635 par la France, qui utilisa une main-d'œuvre d'esclaves africains. Département d'outre-mer depuis 1946.

Emmanuel de **Martonne** ■ Géographe français (1873-1955). *"Traité de géographie physique"* ; *"Géographie aérienne".*

André **Marty** ■ Homme politique français (1886-1956). Il participa à une mutinerie sur un bâtiment français, envoyé contre les bolcheviks, en 1919, fut élu député communiste, mais exclu du Parti en 1953.

Marvejols ■ Commune de la *Lozère. 6 000 hab. *(les Marvejolais).*

Karl **Marx** ■ Philosophe, économiste et homme politique allemand (1818-1883). Il critiqua la pensée de *Hegel et de *Feuerbach et affirma avec *Engels la nécessité d'un dépassement de la philosophie théorique (*"l'Idéologie allemande"*, 1846) ; en 1848, ils rédigèrent le *"Manifeste du Parti communiste"* où se trouve exposée leur conception de la société et de l'action. Dans *"le Capital"* (publié de 1867 à 1910), Marx voulut élaborer une science, le matérialisme historique, qui mît en évidence les contradictions liées au développement du système capitaliste. À la tête de la Ire *Internationale, il joua un rôle éminent dans l'organisation du mouvement ouvrier. *Lénine et les dirigeants soviétiques, *Mao et les dirigeants chinois, *Castro, bien d'autres révolutionnaires et communistes se réclamèrent du *marxisme.*

les **Marx Brothers** ■ Acteurs américains : Léonard dit Chico (1891-1961), ses frères Arthur dit Harpo (1893-1964), Julius dit Groucho (1895-1977) et Herbert dit Zeppo (1901-1979). Ils ont introduit au cinéma un univers burlesque. *"Une nuit à l'Opéra".*

le **Maryland** ■ État de l'est des États-Unis. 31 296 km². 4,2 millions d'hab. Capitale : Annapolis. Le district de Colombia (⟹ **Washington**) est enclavé au sud de l'État. Agriculture. Industrie lourde autour de la baie de Chesapeake.

Tommaso **Masaccio** ■ Peintre italien, actif à Florence (1401-1428). Il prit conscience de principes qui ont révolutionné la peinture : l'importance plastique de la lumière, le rôle de la composition, l'expressivité des personnages. Fresques de la chapelle Brancacci à Florence.

les **Masaïs** ou **Massaïs** n. m. ■ Population d'éleveurs du Kenya et de la Tanzanie.

Masan ■ Ville et port de commerce de Corée du Sud. 370 000 hab.

Tomáš **Masaryk** ■ Homme d'État tchécoslovaque (1850-1937). Il fonda la République tchécoslovaque en 1918 et en fut le 1er président jusqu'en 1935.

Pietro **Mascagni** ■ Compositeur vériste italien (1863-1945). *"Cavalleria rusticana",* opéra.

Mascate ou **Masqat** ■ Ville portuaire, capitale du sultanat d'Oman. 60 000 hab. Port de commerce.

John Edward **Masefield** ■ Écrivain anglais (1878-1967). *"Les Ballades de la mer".*

Maseru ■ Capitale du *Lesotho. 45 000 hab.

Masinissa ou **Massinissa** ■ Roi de *Numidie (v. 240 - v. 149 av. J.-C.). Il aida les Romains à vaincre Carthage. ⟹ **Jugurtha**.

Masolino da Panicale ■ Peintre italien (1383 - av. 1447). Il travailla avec *Masaccio.

le **Masque de fer** ■ Surnom donné à un mystérieux prisonnier qui mourut à la Bastille en 1703. Selon la tradition, il portait un masque muni d'une fermeture en acier.

le **Massachusetts** ■ État du nord-est des États-Unis, sur la côte Atlantique (Nouvelle-Angleterre). 21 408 km². 5,7 millions d'hab. Capitale : Boston. Universités (dont *Harvard) et centres de recherche (dont le *M. I. T.*). C'est là que s'installèrent les puritains anglais venus à bord du *Mayflower* (1620) et que commença la guerre d'indépendance (v. 1770).

Massada ■ Forteresse d'Israël au-dessus de la mer Morte, célèbre pour les résistants juifs qui préférèrent s'y donner la mort, plutôt que de se rendre aux Romains (73).

André **Masséna** *duc de Rivoli prince d'Essling* ■ Brillant maréchal de Napoléon Ier (1756-1817). Vaincu au Portugal en 1811.

Jules **Massenet** ■ Compositeur français d'opéras (1842-1912). *"Manon"* ; *"Werther"* ; *"Thaïs".*

le **Massif armoricain** ■ ⟹ le Massif **armoricain.**

le **Massif central** ■ Région montagneuse du centre de la France. Massif primaire, soulevé par le contrecoup du plissement alpin au tertiaire (Morvan, Charolais, Beaujolais, Cévennes) qui provoqua des éruptions volcaniques. Point culminant : le puy de Sancy (dans les monts Dore), 1 886 m. Pour l'économie ⟹ **Auvergne**.

Jean-Baptiste **Massillon** ■ Prédicateur français (1663-1742), il prononça des *Sermons* à l'éloquence simple et persuasive.

André **Masson** ■ Peintre français (1896-1987). Proche des *surréalistes par son goût de l'ésotérisme et des matières insolites (sable, plumes).

Loÿs **Masson** ■ Écrivain français d'origine mauricienne (1915-1969). *"Les Tortues".*

la **Massore** ■ Texte de la Bible hébraïque fixé par les *Massorètes,* docteurs juifs, du VIe au XIIe s.

Le **Mas-Soubeyran** ■ Hameau des *Cévennes, haut lieu de la résistance protestante au XVIIe s. Musée du *Désert.*

Massy ■ Commune de l'*Essonne. 41 000 hab. *(les Massicois).* Plastique. Électronique. Aéronautique.

Masulipatnam ■ Ville et port de l'Inde. 150 000 hab.

Matadi ■ Ville et port du Zaïre, sur le fleuve Zaïre. 143 000 hab.

Mata-Hari ■ Danseuse hollandaise (1876-1917). Elle fut fusillée pour espionnage.

Matamoros ■ Ville du Mexique. 180 000 hab.

Matanza ■ Banlieue de *Buenos Aires. 658 000 hab.

Matanzas ■ Ville et port de Cuba. 160 000 hab. Sucre et tourisme.

Mathias Ier Corvin ■ Roi de Hongrie (1440-1490). Il lutta pour l'indépendance de la Hongrie contre les Autrichiens et les Turcs. Grand mécène, il fonda l'université de Buda (1465).

Georges **Mathieu** ■ Peintre français (né en 1921). Théoricien de l'art abstrait lyrique.

la princesse **Mathilde** ■ ⟹ **Bonaparte**.

Mathilde de Flandre dite *la reine Mathilde* ■ Épouse de *Guillaume le Conquérant, duchesse de Normandie, puis reine d'Angleterre (morte en 1083). On lui attribue à tort la « tapisserie (broderie) de *Bayeux ».

Mathurā ■ Une des sept villes saintes de l'Inde. Lieu de naissance de *Krisna. 140 000 hab. Centre de pèlerinage.

Mathusalem ou *Mathusala* ■ Patriarche de la Bible qui aurait vécu 969 ans. D'où l'expression « vieux comme Mathusalem ».

l'hôtel Matignon ■ Hôtel parisien du XVIIIe s., attribué au président du Conseil (1935) puis au Premier ministre (1958) de la France.

Henri Matisse ■ Peintre et sculpteur français (1869-1954). Il ne cessa de tendre vers une plus grande simplification de la ligne et des couleurs pour leur donner toute leur force expressive. Les gouaches découpées (*"Nus bleus"*) et les vitraux de la chapelle de Vence marquent l'aboutissement de cette recherche.

le Mato Grosso ■ État du sud-ouest du Brésil. 881 001 km². 1,2 million d'hab. Capitale : Cuiabá. Agriculture (élevage, café, maté). Gisements de minerais. □ *le Mato Grosso do Sul.* État voisin du précédent. 350 548 km². 1,4 million d'hab. Capitale : Campo Grande.

Matsudo ■ Ville du Japon (*Honshū). 401 000 hab.

Matsue ■ Ville du Japon (*Honshū). 135 000 hab.

Matsumoto ■ Ville du Japon (*Honshū). 192 000 hab. Marché de la soie. Célèbre château fort du XVIe s.

Matsuyama ■ Ville industrielle et port du Japon (*Shikoku). 401 000 hab. Château fort. Industrie textile et du papier.

Quentin Matsys ■ ⇒ **Metsys.**

Roberto Matta ■ Peintre chilien (né en 1912), *surréaliste.

Mattāncheri ■ Ville de l'Inde. 100 000 hab.

Giacomo Matteotti ■ Homme politique italien (1885-1924). Socialiste, il voulut lutter contre les fascistes, qui l'assassinèrent.

saint Matthieu ■ L'un des douze apôtres de Jésus, auteur, selon la tradition, de l'Évangile qui porte son nom. Son emblème est un homme ailé.

Charles Robert Maturin ■ Écrivain irlandais (1782-1824). *"Melmoth ou l'Homme errant",* roman noir qui influença Balzac.

Maturín ■ Ville du Venezuela. 122 000 hab. Centre commercial et industriel d'une région riche en pétrole.

Ana María Matute ■ Romancière espagnole (née en 1926).

Maubeuge ■ Commune du *Nord. 35 500 hab. *(les Maubeugeois).*

Jacques Mauduit ■ Compositeur français (1557-1627). Ami des poètes Ronsard et Du Baïf, il composa des pièces vocales.

Somerset Maugham ■ Écrivain anglais (1874-1965). Romans, théâtre, nouvelles. *"Servitude humaine".*

Mauguio ■ Commune de l'*Hérault. 5 600 hab. *(les Melgoriens* ou *Mauguiolins).* Vignoble et arbres fruitiers.

Franz Anton Maulbertsch ■ Peintre et décorateur allemand (1724-1796). Style *rococo.

Mauléon ■ Commune des Deux-*Sèvres. 8 000 hab.

Guy de Maupassant ■ Écrivain français (1850-1893). Proche de Flaubert, il fut un maître de la nouvelle et du court roman, réalistes (*"Boule-de-suif"* ; *"Une vie"* ; *"Bel-Ami"*) ou fantastiques (*"le Horla"*).

le chancelier de Maupeou ■ Ministre de Louis XV (1714-1792). Il jugula l'agitation parlementaire (1771) mais son renvoi par Louis XVI anéantit ses réformes.

Pierre Louis Moreau de Maupertuis ■ Mathématicien français (1698-1759). Partisan de *Newton. Il énonça, en mécanique, le principe de moindre action.

Maurepas ■ Commune des *Yvelines. 19 000 hab.

les Maures n. m. ■ Massif côtier de Provence qui s'étend de Hyères à Fréjus. Il culmine à 780 m.

les Maures n. m. ■ Nom donné par les Romains aux Berbères (⇒ **Mauritanie**) puis, par extension, aux conquérants musulmans de l'Espagne.

les Maures n. m. ■ Ethnie de l'ouest du Sahara.

François Mauriac ■ Écrivain catholique français (1885-1970). Ses romans évoquent la révolte contre le monde étroit des contraintes familiales et sociales. *"Le Sagouin"* ; *"Thérèse Desqueyroux".* Prix Nobel 1952.

Mauriac ■ Sous-préfecture du *Cantal. 4 600 hab. *(les Mauriacois).*

l'île Maurice ■ État (république) formé d'une île de l'archipel des Mascareignes (océan Indien). 1 865 km². 1 million d'hab. *(les Mauriciens).* Langues : anglais (officielle), français, créole, langues indiennes. Capitale : Port-Louis. Monnaie : roupie. Monoculture de la canne à sucre (80 % des terres). □ **HISTOIRE.** D'abord possession hollandaise, colonie française de 1715 à 1800 *(île de France),* britannique en 1814, elle devint indépendante en 1968. Membre du *Commonwealth.

Maurice de Nassau ■ Stathouder des Provinces-Unies (1567-1625). Il succéda à son père *Guillaume le Taciturne et fut un grand chef de guerre.

la Mauritanie ■ État (république islamique) de l'Afrique de l'Ouest bordé par l'Atlantique. 1 031 000 km². 1,8 million d'hab. *(les Mauritaniens).* Langue officielle : arabe. Monnaie : ouguiya. Capitale : Nouakchott. Agriculture, élevage, pêche. Minerai de fer. □ **HISTOIRE.** Envahie par les Musulmans et arabisée au XIVe s., elle fut occupée par la France en 1855. Elle devint en 1904 un protectorat et en 1920 l'une des colonies de l'Afrique-Occidentale française (A.-O.F.). Indépendante en 1960, elle fut en guerre avec le *Polisario jusqu'en 1978 (⇒ **Sahara occidental**).

la Mauritanie ■ Dans l'Antiquité, royaume d'Afrique du Nord (à l'ouest de la Numidie, du Maroc à la Kabylie), conquis au Ier s. par les Romains, puis v. 700 par les Arabes.

André Maurois ■ Écrivain français (1885-1967). *"Les Silences du colonel Bramble"* ; *"Prométhée ou la Vie de Balzac".*

Mauroy

Pierre **Mauroy** ■ Homme politique français (né en 1928). Maire de Lille depuis 1973. Premier ministre (socialiste) de 1981 à 1984.

Charles **Maurras** ■ Écrivain et homme politique français (1868-1952). Nationaliste, il anima le mouvement de l'*Action française. *"Anthinéa"*.

Mausole ■ Satrape de *Carie (mort en 353 av. J.-C.). ► *le* **Mausolée**, tombeau magnifique que sa sœur et épouse Artémis II lui éleva, une des Sept Merveilles du monde. ⟨ ► mausolée ⟩

Marcel **Mauss** ■ Sociologue français (1872-1950). Disciple de *Durkheim. L'*"Essai sur le don"* annonce l'anthropologie structurale de *Lévi-Strauss.

Mauthausen ■ Ville d'Autriche. Camp de concentration nazi de 1938 à 1945 (120 000 personnes y moururent).

Maxéville ■ Commune de *Meurthe-et-Moselle. 9 000 hab. *(les Maxévillois)*. Mine de fer.

Maximien ■ Empereur romain (v. 250 - 310). Il fut appelé par *Dioclétien à partager le pouvoir.

Maximilien ■ Empereur du Mexique (1832-1867). Imposé par *Napoléon III, il se heurta au nationalisme mexicain (⟹ **Juárez**) et fut fusillé. Sa femme Charlotte (1840-1927) en devint folle.

Maximilien Ier ■ Archiduc d'Autriche, roi des Romains, empereur germanique (1459-1519). Par sa politique d'alliance, il fonda la puissance des *Habsbourg, léguant à son petit-fils *Charles Quint un empire qui dominait la moitié de l'Europe.

James Clerk **Maxwell** ■ Physicien écossais (1831-1879). Les *équations de Maxwell* formulent les lois du champ électromagnétique. Le concept de champ a motivé l'effort d'*Einstein pour unifier la physique.

les **Mayas** n. m. ■ Peuple d'Amérique centrale localisé au Guatemala, Honduras, Mexique (*Yucatán). Leur civilisation connut son apogée du VIIᵉ au IXᵉ s. et brilla par son architecture (pyramides de pierre), son astronomie (premier calendrier), son écriture et ses mathématiques. Elle se mélangea à la civilisation *toltèque *(civilisation toltèque-maya)* et s'effondra devant les conquistadores espagnols (XVIᵉ s.). Principaux sites archéologiques : *Copán, *Palenque, *Chichén Itzá. ⟨ ► maya ⟩

Mayence, en allemand *Mainz* ■ Ville et port de R. F. A., capitale de l'État de *Rhénanie-Palatinat. 188 500 hab. Métropole commerciale. Cathédrale romane (Xᵉ - XIIIᵉ s.).

la **Mayenne** [53] ■ Département français de la région des Pays de la *Loire. Il doit son nom à la rivière qui le traverse. 5 213 km². 271 800 hab. Préfecture : Laval. Sous-préfectures : Château-Gontier, Mayenne.

Mayenne ■ Sous-préfecture de la *Mayenne. 14 300 hab. *(les Mayennais)*.

Julius Robert von **Mayer** ■ Physicien et médecin allemand (1814-1878). Il formula (en même temps que *Joule) le premier principe de la thermodynamique.

Mayerling ■ Localité d'Autriche. Pavillon de chasse où, en janvier 1889, l'archiduc Rodolphe et la baronne Marie Vetsera furent trouvés morts.

Mayotte ■ Collectivité territoriale française des *Comores. 373 km². 73 900 hab. *(les Mahorais)*. Chef-lieu : Dzaoudzi.

Mazamet ■ Commune du *Tarn. 13 300 hab. *(les Mazamétains)*. Délainage des peaux de moutons.

Jules **Mazarin** ■ Cardinal et homme d'État français d'origine italienne (1602-1661). Collaborateur de *Richelieu, il lui succéda à la fin du règne de Louis XIII et sous la régence d'*Anne d'Autriche. En réprimant la *Fronde, en mettant fin à la guerre de *Trente Ans et à la guerre contre l'Espagne, il assura le triomphe de l'absolutisme. Il acquit une immense fortune, protégea les arts et les lettres.

Mazatlán ■ Ville et port du Mexique. 250 000 hab. Tourisme.

Ivan **Mazeppa** ■ Chef des cosaques, gouverneur de l'*Ukraine (1644-1709). Il s'allia à la Suède contre *Pierre le Grand mais fut vaincu.

Mazingarbe ■ Commune du *Pas-de-Calais. 8 100 hab. *(les Mazingarbois)*. Chimie des produits issus de la houille.

Ivan **Mažuranić** ■ Poète croate (1814-1890). Fondateur de la littérature croate moderne.

Giuseppe **Mazzini** ■ Patriote et révolutionnaire italien (1805-1872). Fondateur du mouvement « Jeune Italie » (1831), il représenta l'idéal républicain, face aux partisans de la monarchie et de *Cavour.

Mbabane ■ Capitale du Swaziland. 24 000 hab.

Mbandaka, autrefois *Coquilhatville* ■ Ville du Zaïre sur le fleuve Zaïre. 125 200 hab.

Mbuji-Mayi ■ Ville du Zaïre. 423 300 hab. Diamants.

George Herbert **Mead** ■ Philosophe et sociologue américain (1863-1931). Pionnier de la psychologie sociale.

Margaret **Mead** ■ Anthropologue américaine (1901-1978). Elle trouva dans l'ethnographie océanienne une remise en cause des modèles occidentaux, en particulier les modèles d'éducation et de relation entre les sexes.

le **Méandre** ■ Fleuve de Turquie (450 km), au cours sinueux. ⟨ ► méandre ⟩

Meaux ■ Sous-préfecture de la *Seine-et-Marne. 45 900 hab. *(les Meldois)*. Évêché et cathédrale. Tombeau de *Bossuet (évêque de la ville au XVIIᵉ s., surnommé « l'Aigle de Meaux »).

Mécène ■ Chevalier romain (v. 69 - 8 av. J.-C.). Ministre d'*Auguste, il protégea les arts. ⟨ ► mécène ⟩

le **Mecklembourg** ■ Ancien État allemand, situé au bord de la *Baltique, faisant partie aujourd'hui de la R.D.A.

La **Mecque** ■ 3ᵉ ville d'Arabie Saoudite, capitale religieuse de l'Islam, interdite aux non-musulmans. 367 000 hab. Berceau du prophète *Mahomet, c'est le plus grand centre de pèlerinage de l'islam. La Grande Mosquée contient al-*Ka'ba.

Medan ■ Ville et port de l'Indonésie (Sumatra). 1,37 million d'hab.

saint **Médard** ■ Évêque de *Noyon et de *Tournai (v. 456 - v. 545). Invoqué pour la pluie et le beau temps.

Peter Brian **Medawar** ■ Biologiste anglais (1915-1987). Prix Nobel de médecine 1960 pour ses travaux sur les greffes.

Médée ■ Magicienne de la mythologie grecque (cycle des *Argonautes). Elle aide *Jason à s'emparer de la *Toison d'or. Abandonnée, elle se venge en tuant ses propres enfants.

Medellín ■ 2ᵉ ville de Colombie. 1,5 million d'hab. Centre commercial (café) et industriel.

les **Mèdes** n. m. ■ Ancien peuple d'Asie occidentale. Leur roi *Cyaxare conquit l'Assyrie (612 av. J.-C.), mais ils furent vaincus par les Perses et Cyrus II (550 av. J.-C.).

les *Médicis* ■ Famille italienne de marchands et de banquiers qui joua un rôle primordial dans l'histoire de Florence et de la Toscane du XVe au XVIIIe s. ainsi que dans la politique, l'économie et les arts d'Europe. Les reines françaises *Catherine de Médicis et *Marie de Médicis en étaient issues. □ *Cosme* ou *Cosimo de Médicis* (1389-1464), le « Père de la Patrie ». □ *Laurent le Magnifique,* son fils (1449-1492), protégea les artistes, les savants et favorisa l'imprimerie. □ *Jules de Médicis,* pape sous le nom de *Clément VII. □ *Alessandro de Médicis* (v. 1510 - 1537) exerça une dictature sur Florence et fut assassiné par son cousin Lorenzaccio. □ *Lorenzino de Médicis* dit *Lorenzaccio* (1514-1548). Cousin et assassin du précédent. Sa vie inspira *Musset.

Médine ■ Ville sainte d'Arabie Saoudite, grand lieu de pèlerinage musulman. 200 000 hab. Tombeaux de *Mahomet et de *Fatima.

Médinet el-Fayoum ■ Ville d'Égypte. 167 000 hab. Artisanat.

les guerres *médiques* ■ Conflits qui opposèrent les cités grecques à l'Empire perse au Ve s. av. J.-C. : en 490, les Perses de *Darios Ier furent battus à *Marathon. En 480, dirigés par *Xerxès Ier, battant les Grecs aux *Thermopyles (⇒ *Léonidas*), les Perses s'emparèrent d'Athènes, mais furent écrasés à *Salamine et à Platées.

la mer *Méditerranée* ■ Mer intérieure comprise entre l'Afrique du Nord, l'Asie de l'Ouest et l'Europe du Sud. 2,9 millions de km² (avec la mer Noire et la mer d'Azov). Elle communique avec l'Atlantique par le détroit de Gibraltar, avec la mer Noire par les détroits du Bosphore et des Dardanelles, avec la mer Rouge par le canal de Suez. Activité sismique importante, d'où des volcans (Vésuve, Stromboli, Etna) et les cratères sous-marins. Les activités portuaires, déjà favorisées par la configuration des côtes et la faible amplitude des marées, se sont développées avec l'exploitation du pétrole : oléoducs provenant du golfe Persique, industries lourdes dans les ports français (⇒ *Fos-sur-Mer*), italiens et espagnols. Le tourisme, favorisé par un cadre exceptionnel, est une ressource essentielle : Costa Brava, Côte d'Azur. □HISTOIRE. Jusqu'au Ier s., la Phénicie, Carthage et la Grèce établirent des comptoirs commerciaux sur son pourtour. Pour Rome, qui lui donna le nom de *Mare Nostrum* (« notre mer »), elle fut un facteur d'expansion et d'unification de l'Empire. Après le IVe s., l'activité commerciale, gênée par les pirates sarrasins, reprit avec les Croisades (XIe s.) à Venise, Gênes et en Espagne : la Méditerranée servit de lien entre l'Orient et l'Occident. Mais la découverte de la route des Indes puis celle de l'Amérique firent perdre à son commerce son importance. En 1869, l'ouverture du canal de Suez lui fit retrouver une activité commerciale et un rôle stratégique (contrôle de Gibraltar, Malte et Chypre par le Royaume-Uni). Depuis 1945, les États-Unis s'opposent à la pénétration soviétique. Le conflit israélo-arabe et la fermeture du canal de Suez (de 1967 à 1975) en ont renforcé l'importance stratégique.

le *Médoc* ■ Région française, sur la rive gauche de la Gironde. Vins de Bordeaux réputés.

Méduse ■ L'une des trois *Gorgones. Elle pétrifie ceux qui la regardent. *Persée la tue et orne de sa tête le bouclier d'Athéna.

Meerut ou *Mīrāth* ■ Ville industrielle de l'Inde. 370 000 hab. Camp militaire important.

Le *Mée-sur-Seine* ■ Commune de *Seine-et-Marne. 14 000 hab.

Paul *Mefano* ■ Compositeur français (né en 1937).

Megalopolis ■ Ancienne ville de Grèce, en *Arcadie, détruite au Moyen Âge par les Slaves. ► *Megalopolis,* qui signifie « grande ville », désigne aujourd'hui de vastes complexes urbains, notamment celui qui s'étend, aux États-Unis, entre Boston et Washington.

Mégare ■ Ville de Grèce, près d'Athènes. Très prospère dans l'Antiquité, elle fonda des colonies, dont Byzance. Importante école de philosophie qui influença le *stoïcisme.

Megève ■ Commune de Haute-*Savoie. 5 300 hab. *(les Megévans).* Célèbre station de sports d'hiver.

Mehallah el-Koubra ■ Ville d'Égypte. 288 000 hab.

Méhémet-Ali ou *Muhammad-'Ali* ■ Vice-roi d'Égypte de 1805 à sa mort (1769-1849). Fondateur de l'Égypte moderne (réforme de l'agriculture et de l'enseignement). Il conquit le Soudan.

Mehmet II ■ Sultan ottoman (1429-1481). Il prit Constantinople (1453), combattit Venise et fit plusieurs incursions en Europe.

Étienne *Méhul* ■ Compositeur français (1763-1817). Auteur du *"Chant du Départ",* sur des paroles de M. J. *Chénier.

Mehun-sur-Yèvre ■ Commune du *Cher. 7 000 hab. *(les Méhunois).*

Mutsu-Hito dit *Meiji-Tennō* ■ 122e empereur japonais (1852-1912). Le créateur du Japon moderne. ► *l'ère du Meiji* ou « gouvernement éclairé » désigne l'ère nouvelle qui commence avec lui.

Henri *Meilhac* ■ Auteur dramatique français (1831-1897). Il écrivit avec Halévy les livrets des opérettes d'*Offenbach.

Antoine *Meillet* ■ Linguiste français (1866-1936). *"Introduction à l'étude comparative des langues indo-européennes".*

Alexius von *Meinong* ■ Philosophe et psychologue autrichien (1853-1920). Il voulut élaborer une « théorie de l'objet ».

Golda *Meir* ■ Femme d'État israélienne (1898-1978). Elle dirigea le gouvernement (travailliste) de 1969 à 1974.

Meissen ■ Ville de R. D. A. 45 500 hab. Manufacture de porcelaines créée en 1709.

Ernest *Meissonier* ■ Peintre français (1815-1891). Scènes militaires minutieuses, très appréciées de son vivant.

Meknès ■ Ville du Maroc. 248 000 hab. Ancienne cité royale (XVIIIe s.). Tourisme, commerce.

le *Mékong* ■ Fleuve d'Asie (4 200 km). Né au Tibet, il arrose la Birmanie, le Laos, la Thaïlande, fertilise le Cambodge et se jette en mer de Chine en formant un immense delta au Viêt-nam. Il est très poissonneux.

Melanchthon ■ Réformateur religieux allemand (1497-1560). Principal disciple de *Luther.

la *Mélanésie* ■ Ensemble d'îles du Pacifique (Océanie), comprenant l'est de la *Nouvelle-Guinée, l'archipel *Bismarck, les îles *Salomon, la république de *Vanuatu, la *Nouvelle-Calédonie et les îles *Fidji. 965 000 km². 3,5 millions d'hab. *(les Mélanésiens).*

William Lamb lord **Melbourne** ■ Homme d'État anglais (1779-1848). Premier ministre au début du règne de *Victoria, qu'il initia à la politique.

Melbourne ■ 2e ville et port d'Australie, capitale de l'État de Victoria. 2,9 millions d'hab. Centre économique du sud du pays. Universités.

Melchior ■ Un des Rois *mages, dans la tradition chrétienne.

Georges **Méliès** ■ Cinéaste et illusionniste français (1861-1938). Il réalisa 500 petits films où se mêlent fantaisie et truquages. *"Le Voyage dans la lune"*.

Melilla ■ Ville et port franc, située au Maroc, sous souveraineté espagnole. 14 km². 58 400 hab.

Melitopol' ■ Ville d'U. R. S. S. (*Ukraine). 174 000 hab. Industries.

Melpomène ■ Muse de la Tragédie et mère des *Sirènes.

Melun ■ Préfecture de la *Seine-et-Marne. 36 200 hab. *(les Melunais)*. Centre industriel. Monuments. Ancienne cité gallo-romaine, résidence royale sous les premiers *Capétiens. □ *Melun-Sénart*. Ville nouvelle créée en 1969, entre Melun et la forêt de Sénart.

Mélusine ■ Personnage de légende médiévale. À la suite d'une faute, elle est condamnée à devenir tous les samedis femme-serpent.

Herman **Melville** ■ Écrivain américain (1819-1891). *"Moby Dick ou la Baleine blanche"*, roman symbolique, récit d'une chasse forcenée à la baleine.

Jean-Pierre **Melville** ■ Réalisateur français (1917-1973). *"Le Silence de la mer"* ; *"le Cercle rouge"*.

Memel ■ Depuis 1923 : *Klaïpeda.

Hans **Memling** ■ Peintre *flamand (v. 1433 - 1494). Exerçant à Bruges, comme *Van Eyck, il représente l'aboutissement serein, médité, harmonieux, de l'art primitif *flamand.

Albert **Memmi** ■ Écrivain tunisien d'expression française (né en 1920). Romans et essais. *"La Statue de sel"*.

les colosses de **Memnon** ■ Nom donné par les Grecs et les Romains aux deux statues colossales d'*Aménophis III situées devant son temple funéraire près de Thèbes.

Memphis ■ Ancienne ville d'Égypte. Capitale sous l'Ancien Empire : culte de *Ptah, *Apis.

Memphis ■ Ville des États-Unis (*Tennessee). 646 300 hab. Haut lieu du jazz et de la musique populaire américaine.

Gilles **Ménage** ■ Érudit et écrivain français (1613-1692). Premier dictionnaire étymologique du français.

Ménandre ■ Auteur grec de comédies (342-292 av. J.-C.). Il fut l'ami d'*Épicure. *"La Belle aux cheveux coupés"*.

Mencius ■ ⇒ Mengzi.

Mende ■ Préfecture de la *Lozère, sur le Lot. 12 100 hab. *(les Mendois)*. Centre touristique.

Gregor Johann **Mendel** ■ Botaniste et religieux morave (1822-1884). *Lois de Mendel :* lois fondamentales de la génétique, redécouvertes vers 1900.

Dmitri **Mendeleïev** ■ Chimiste russe (1834-1907). *Tableau de Mendeleïev :* classification périodique des éléments chimiques selon leur poids atomique.

Moses **Mendelssohn** ■ Philosophe allemand (1729-1786). Représentant des *Lumières.

Felix **Mendelssohn-Bartholdy** ■ Compositeur romantique allemand (1809-1847). Œuvre immense pour orchestre *("le Songe d'une nuit d'été")*, piano *("Romances sans paroles")*. Il fit revivre les œuvres de *Bach.

Catulle **Mendès** ■ Écrivain français (1841-1909). Membre du *Parnasse. *"Philoméla"*, poèmes.

Pierre **Mendès France** ■ Homme politique français (1907-1982). Président du Conseil en 1954-1955, il mit fin à la guerre d'*Indochine. Symbole pour la gauche d'exigence morale dans l'exercice du pouvoir.

Mendoza ■ Ville d'Argentine, chef-lieu de la province du même nom. 118 000 hab. Vins. Raffinerie de pétrole.

Ménélas ■ Roi mythique de *Sparte, fils d'*Atrée et frère d'*Agamemnon. L'enlèvement de son épouse *Hélène par *Pâris déclencha la guerre de *Troie.

Ménélik II ■ Négus d'Éthiopie de 1889 à 1913 (1844-1913). Il agrandit et modernisa l'empire.

Marcelino **Menéndez y Pelayo** ■ Écrivain espagnol (1856-1912). *"Histoire des idées esthétiques en Espagne"*.

Carl **Menger** ■ Économiste autrichien (1840-1921). Un des fondateurs de l'école marginaliste. Théorie de la valeur.

Anton **Mengs** ■ Théoricien et peintre allemand (1728-1779). Il fut à l'origine du mouvement *néoclassique.

Mengzi, en latin *Mencius* ■ Philosophe chinois disciple de *Confucius (v. 372 - 289 av. J.-C.).

Ménippe ■ Écrivain grec (IVe - IIIe s. av. J.-C.). La *satire ménippée*, genre littéraire imité de Ménippe, mêle la prose et le vers ; un pamphlet français contre la *Ligue porte ce titre.

Mennecy ■ Commune de l'*Essonne. 10 700 hab.

Gian Carlo **Menotti** ■ Compositeur italien naturalisé américain (né en 1911). *"Le Médium"*, opéra.

Menton ■ Commune des *Alpes-Maritimes. Un des centres touristiques de la Côte d'Azur. 25 400 hab. *(les Mentonnais)*.

Mentor ■ Dans l'*Odyssée, ami d'*Ulysse. Ce dernier lui confie la gérance de ses biens et l'éducation de son fils *Télémaque. ⟨ ► mentor ⟩

Yehudi **Menuhin** ■ Violoniste américain d'origine russe (né en 1916).

Mer ■ Commune du *Loir-et-Cher. 5 800 hab. *(les Mérois)*.

Gerhard Kremer dit *Gerardus* **Mercator** ■ Géographe flamand (1512-1594). La *projection de Mercator,* système de représentation plane de la terre, marque les débuts de la cartographie moderne.

Louis Sébastien **Mercier** ■ Écrivain français et théoricien du théâtre (1740-1814). *"Tableau de Paris"*, étude minutieuse de la société à la veille de la Révolution.

Mercure ■ Dieu romain protecteur des commerçants et des voyageurs, assimilé à l'*Hermès grec. □ *Mercure*, planète du système solaire, la plus proche du Soleil. 4 700 km de diamètre. Atmosphère composée de gaz rares et de traces d'hydrogène. ⟨ ► mercure ⟩

George **Meredith** ■ Écrivain anglais (1828-1909). *"L'Égoïste"*, roman psychologique, analyse impitoyable des relations entre les sexes.

Méricourt ■ Commune du *Pas-de-Calais. 13 300 hab. Houille.

Mérida ■ Ville du Mexique (*Yucatán). 424 500 hab. Centre commercial et industriel.

Mérignac ■ Commune de la *Gironde. 52 800 hab. *(les Mérignaçais).* Aéroport de *Bordeaux.

Prosper Mérimée ■ Écrivain français (1803-1870). Auteur de "*Carmen*" (adapté à l'opéra par *Bizet) et de "*Colomba*". Inspecteur des Monuments historiques, il soutint *Viollet-le-Duc et fit redécouvrir l'art *roman.

Maurice Merleau-Ponty ■ Philosophe français (1908-1961). Continuateur de la phénoménologie de *Husserl. Son attention au sujet la rapprocha des sciences humaines et, comme *Sartre, de l'existentialisme et du marxisme.

Merlin l'Enchanteur ■ Magicien de la mythologie celtique, épris de la fée Viviane.

Jean Mermoz ■ Aviateur français (1901-1936). Héros des débuts de l'aéropostale.

Mérovée ■ Roi des Francs (mort v. 458). Aïeul de *Clovis. ► *les Mérovingiens.* Première dynastie des rois de France (rois des Francs). Après *Dagobert, le pouvoir fut détenu par les maires du palais. *Pépin le Bref déposa en 751 le dernier mérovingien, Childéric III, et fonda la dynastie *carolingienne. ⟨ ► mérovingien ⟩

Mers el-Kébir, aujourd'hui *El-Marsa el-Kebir* ■ Commune d'Algérie. 23 000 hab. Le 3 juillet 1940, les Britanniques bombardèrent une escadre française après que celle-ci eut refusé l'ultimatum anglais lui enjoignant de se laisser désarmer ou de continuer la guerre contre l'Allemagne. 1 300 marins français y périrent.

l'abbé Marin Mersenne ■ Philosophe et savant français (1588-1648). Correspondant de *Descartes et de la plupart des savants de son époque, auteur de travaux d'acoustique.

Mersin ■ Ville et port de Turquie. 314 000 hab. Site occupé dès le néolithique et fortifié au IV\ae millénaire av. J.-C.

Méru ■ Commune de l'*Oise. 11 500 hab. *(les Méruviens).*

Merville ■ Commune du *Nord. 9 000 hab. *(les Mervillois).*

Méry-sur-Oise ■ Commune du *Val-d'Oise. 5 700 hab.

Meshed ou **Mashhad** ■ Ville du nord-est de l'Iran. 1,4 million d'hab. Lieu de pèlerinage *chiite. Capitale de la *Perse de 1736 à 1747.

Franz Mesmer ■ Médecin allemand (1734-1815). Sa thérapie, qui supposait l'existence d'un « magnétisme animal », fut très à la mode à Paris v. 1780.

Le Mesnil-le-Roi ■ Commune des *Yvelines. 5 500 hab. *(les Mesnilois).*

Le Mesnil-Saint-Denis ■ Commune des *Yvelines. 6 500 hab.

la Mésopotamie ■ Région d'Asie antérieure située entre le *Tigre et l'*Euphrate. Son nom vient du grec *mesos* (« milieu ») et *potamos* (« fleuve »). Sa fertilité en fit un intense foyer de civilisation dès le V\ae millénaire, peu à peu partagé en cités indépendantes : Kish, *Eridu, *Uruk, *Ur. Des envahisseurs sémites fondèrent la civilisation de *Sumer qui fleurit à *Akkad et à *Babylone. À partir du II\ae millénaire se constituèrent de grands empires

(*Assyrie) au rayonnement important (⟹ **Hammourabi**). Après avoir résisté aux invasions étrangères (⟹ **Araméens, Elam**), ils furent conquis par les *Mèdes et les *Perses (539 av. J.-C.), puis par les Grecs (331 av. J.-C.). Les *Séleucides contrôlèrent la Mésopotamie jusqu'à sa conquête par les *Parthes (141 av. J.-C.) qui se heurtèrent dès le I\ae s. à l'expansionnisme de Rome. Elle passa en 224 sous la domination des *Sassanides, puis fut intégrée au royaume de *Palmyre, avant d'être conquise par *Dioclétien (298) et à nouveau par les Perses au IV\ae s. Après la conquête arabe (637-641), elle devint l'*Iraq.

André Messager ■ Compositeur et chef d'orchestre français (1853-1929). "*Véronique*" et "*les P'tites Michu*", opérettes.

Messaline ■ Impératrice romaine (morte en 48). Femme de *Claude, célèbre pour ses débauches.

la Messénie ■ Région de la ville de *Messène,* en Grèce (*Péloponnèse). Peuplée par les *Achéens, elle fut conquise par *Sparte au VIII\ae s. av. J.-C., puis par Rome (146 av. J.-C.).

Willy Messerschmitt ■ Ingénieur allemand (1898-1978). Spécialiste d'aéronautique, il mit au point le premier chasseur à réaction (1938).

Olivier Messiaen ■ Compositeur français (né en 1908). Curieux de sonorités nouvelles, fasciné par le chant des oiseaux, il s'inspire de symboles religieux et mystiques. "*Quatuor pour la fin du temps*" ; "*Saint François d'Assise*", opéra.

le Messie ■ Dans la religion juive, celui qui libérera Israël. Dans la religion chrétienne, *Jésus. ⟨ ► Messie ⟩

Messine ■ Ville et port d'Italie, au nord-ouest de la *Sicile. 268 900 hab. Raffinerie. Le *détroit de Messine* sépare la péninsule italienne de la Sicile.

Pierre Métastase ■ Poète et librettiste italien (1698-1782). "*La Clémence de Titus*", livret de l'opéra de *Mozart.

Ilya Metchnikov ■ Biologiste russe (1845-1916). Prix Nobel de médecine 1908 pour ses travaux sur l'immunité cellulaire.

saint Méthode ■ ⟹ saint **Cyrille.**

le méthodisme ■ ⟹ John **Wesley.**

Gabriel Metsu ■ Peintre hollandais (1629-1667). Scènes de la vie domestique. Natures mortes.

Quentin Metsys ou **Matsys** ■ Peintre *flamand actif à Anvers (v. 1466-1530). Ses portraits portent l'empreinte de l'humanisme de la *Renaissance. "*Le Changeur et sa femme*".

le prince de Metternich ■ Diplomate et homme d'État autrichien (1773-1859). Par crainte de la politique de conquête napoléonienne, il favorisa le rapprochement avec la France ; mais ayant échoué, il se rallia à la quadruple-*Alliance. Il fut partisan d'une politique d'équilibre européen (congrès de *Vienne ; Sainte-*Alliance), mais, très conservateur, il fut renversé par la révolution de 1848.

Metz ■ Préfecture de la *Moselle et de la région de *Lorraine. 118 000 hab. *(les Messins).* Ville importante de la Gaule romaine, capitale de l'*Austrasie, elle fit partie des *Trois-Évêchés. Elle fut allemande de 1871 à 1918. Aujourd'hui, elle est centre commercial de la Lorraine, un carrefour autoroutier et fluvial (port sur la *Moselle). Industries mécaniques, alimentaires et chimiques.

Meudon ■ Commune des *Hauts-de-Seine. 49 000 hab. *(les Meudonnais).* Observatoire d'astronomie physique.

Meulan ■ Commune des *Yvelines. 8 500 hab. *(les Meulanais)*.

Meung-sur-Loire ■ Commune du *Loiret. 5 600 hab. *(les Magdunois)*.

Constantin Meunier ■ Sculpteur et peintre belge (1831-1905). Il se fit l'interprète de la vie ouvrière. *"Coup de grisou"*.

la Meurthe-et-Moselle [54] ■ Département français de la région *Lorraine. 5 280 km². 720 000 hab. Il doit son nom aux rivières qui le traversent. Préfecture : Nancy. Sous-préfectures : Briey, Lunéville, Toul.

la Meuse ■ Fleuve de France, de Belgique et des Pays-Bas (950 km). □ *la Meuse* [55], département français de la région *Lorraine. 6 219 km². 200 000 hab. Préfecture : Bar-le-Duc. Sous-préfectures : Commercy, Verdun.

Mexicali ■ Ville du Mexique. 360 000 hab. Coton, blé.

Mexico ■ Capitale du Mexique située à 2 277 m d'altitude, sur l'emplacement de l'ancienne capitale aztèque (Tenochtitlán). 14 millions d'hab. (aggl.). Premier centre industriel du pays (46 % de la production nationale), métropole politique et culturelle. La croissance démographique et la pollution constituent des problèmes majeurs. Grave séisme en 1985.

le Mexique ■ État (république fédérale) d'Amérique centrale. 1 958 201 km². 78,5 millions d'hab. *(les Mexicains)*. Capitale : Mexico. Langues : espagnol (officielle), langues indiennes. Monnaie : peso mexicain. Plateau central limité au sud par un axe volcanique (⇒ **Popocatépetl**), à l'est par la sierra Madre orientale et à l'ouest par la sierra Madre occidentale. L'isthme de Tehuantepec lie cet ensemble à la péninsule du *Yucatán. Climat chaud et humide dans les parties basses et sec dans le nord. Face à une agriculture peu productive qui accuse le retard du monde rural, l'industrie est en plein essor. 2ᵉ producteur mondial d'argent. Pétrole. □ **HISTOIRE**. Les plus importantes civilisations précolombiennes se sont épanouies au Mexique entre le Iᵉʳ s. av. J.-C. et le XVᵉ s. : civilisations *Olmèque, *Maya, *Zapotèque, *Mixtèque, *Toltèque et *Aztèque. De nombreux sites archéologiques subsistent : Chichén Itzá, Monte Albán, Teotihuacán, Palenque, etc. Colonisé par *Cortés, le Mexique devint en 1535 la vice-royauté de la Nouvelle-Espagne. Les Indiens furent réduits en esclavage ou décimés, leurs civilisations détruites. L'indépendance fut proclamée en 1821, et la constitution républicaine adoptée en 1824. Une période de troubles et de revers militaires débuta alors : guerre contre les États-Unis, interventions militaires de l'Angleterre, la France et l'Espagne. Napoléon III qui souhaitait créer un empire au bénéfice de la France envoya un corps expéditionnaire : Maximilien Iᵉʳ fut proclamé empereur en 1863, mais il fut déposé et fusillé par Juárez en 1867. De 1876 à 1911, période du « Porfiriat » (⇒ **Díaz**), le pays connut un développement économique rapide dont ne bénéficia pas la population paysanne. Celle-ci, dirigée par Emiliano Zapata et Pancho Villa, se révolta en 1910, exigeant une réforme agraire. À partir de 1920, le Mexique se stabilisa et se modernisa grâce à des réformes profondes. Le pays, très endetté, doit actuellement faire face à une véritable explosion démographique.

Conrad Ferdinand Meyer ■ Écrivain suisse d'expression allemande (1825-1898). Poèmes. Récits historiques.

Giacomo Meyerbeer ■ Compositeur allemand (1791-1864). Ses opéras furent très appréciés en France de son vivant. *"Robert le Diable"* ; *"les Huguenots"*.

Vsevolod Meyerhold ■ Metteur en scène russe (1874-1940). Il renouvela la mise en scène des textes classiques.

Émile Meyerson ■ Philosophe et historien des sciences français, d'origine polonaise (1859-1933).

Meylan ■ Commune de l'*Isère. 12 000 hab.

Meythet ■ Commune de la Haute-*Savoie. 7 600 hab.

Meyzieux ■ Commune du *Rhône. 19 000 hab. Chimie.

Mèze ■ Commune de l'*Hérault. 5 500 hab. *(les Mézois)*.

le Mezzogiorno ■ Le « midi », ensemble des régions du sud de l'Italie, formé par le *Latium méridional, les Abruzzes, la *Campanie, le Basilicate, la *Calabre, les *Pouilles, la *Sicile et la *Sardaigne. 131 000 km². 20 millions d'hab. Capitale : Naples. Les efforts du gouvernement pour développer l'économie n'ont pas encore mis fin à la pauvreté et à l'émigration, vers le nord plus industriel.

Miami ■ Ville des États-Unis (*Floride). 347 000 hab. Tourisme. Université. □ *Miami Beach*, centre touristique sur une île face à Miami, près de 100 000 hab.

Miass ■ Ville d'U. R. S. S. (*Russie). 146 000 hab. Automobiles.

Henri Michaux ■ Écrivain et peintre français d'origine belge (1899-1984). En explorant des mondes exotiques, intérieurs et imaginaires, il a cherché, par le poème, le récit et la peinture, à découvrir le fonctionnement et le maniement de la pensée. *"Un barbare en Asie"* ; *"Plume"* ; *"Face à ce qui se dérobe"*.

saint Michel ou **Michaël** ■ Archange de la tradition juive et chrétienne. Il a été abondamment représenté, en guerrier céleste, terrassant un dragon qui symbolise le mal.

Michel III ■ Premier tsar de la dynastie des *Romanov (1596-1645). ⇒ **Philarète.**

Michel VIII Paléologue ■ Empereur de *Nicée et de Constantinople (1224-1282). Fondateur de la dernière dynastie byzantine.

Louise Michel ■ Révolutionnaire française (1833-1905). Figure légendaire de la Commune (la « Vierge rouge »), déportée à Nouméa de 1873 à 1880, militante et conférencière anarchiste.

Michelangelo Buonarroti dit **Michel-Ange** ■ Sculpteur, peintre, architecte de la Renaissance italienne, ingénieur et poète (1475-1564). Son œuvre célèbre le divin à travers le culte de la beauté humaine. La sculpture (*"Pieta"* ; *"David"*) y tient la première place car la peinture, dans sa démarche même, reste sculpturale. Entre 1508 et 1512, il peignit les scènes de la Genèse sur la voûte de la chapelle *Sixtine (40 m sur 13 m) puis en 1536 le *"Jugement dernier"*. Il exécuta le mausolée du pape Jules II (avec la sculpture de Moïse) et la chapelle funéraire des Médicis. Il devint en 1547 l'architecte officiel de la papauté (coupole de Saint-Pierre, palais Farnèse, place du Capitole).

Jules Michelet ■ Historien et écrivain français (1798-1874). Il allie une documentation rigoureuse avec une écriture poétique, dans une approche romantique et engagée des grandes figures de l'histoire nationale et de la France elle-même. *"Le Peuple"* ; *"Histoire de la Révolution française"* ; *"la Sorcière"*.

les **Michelin** ■ Industriels français du pneumatique. Édouard (1859-1940) inventa le pneu démontable.

Albert **Michelson** ■ Physicien américain (1852-1931). Prix Nobel 1907. Ses expériences sur la vitesse de la lumière sont à l'origine de la théorie de la relativité d'*Einstein.

le **Michigan** ■ État du centre nord des États-Unis. 150 779 km² (sans les lacs). 9,26 millions d'hab. Capitale : Lansing. Gaz naturel. Industrie automobile à Détroit. □ *le lac* **Michigan**. ⇒ **Grands Lacs.**

Mickey Mouse ■ Personnage de dessins animés, célèbre souris créée par Walt *Disney v. 1928.

Adam **Mickiewicz** ■ Poète romantique polonais (1798-1855). Grand lyrique patriote, il mit sa célébrité au service de l'indépendance de son pays. *"Monsieur Thadée"*.

la **Micronésie** ■ Ensemble d'îlots du Pacifique, à l'est des Philippines. Elle comprend notamment les îles Mariannes, Carolines, Marshall, Kiribati, et l'île de Nauru. 125 000 hab. *(les Micronésiens).* Coprah. Phosphates. ► *la fédération des États de* **Micronésie** regroupe certaines de ces îles (principalement les îles Carolines), mises sous tutelle américaine en 1947, « librement associées » aux États-Unis depuis 1980, ce qui leur donne l'indépendance politique malgré des liens économiques et militaires.

Midas ■ Roi légendaire de Phrygie, fils de Gordias. Il reçut la faculté de changer en or tout ce qu'il touche et manque mourir de faim. Représenté avec des oreilles d'âne.

Middlesbrough ■ Port d'Angleterre. 400 000 hab. Centre industriel.

le **Middle-West** ■ Région des États-Unis au sud des *Grands Lacs. Céréales, élevage. Industrie dans le nord.

l'aiguille du **Midi** ■ Un des sommets du massif du Mont-*Blanc. 3 845 m.

le pic du **Midi de Bigorre** ■ Un des sommets des *Pyrénées (2 877 m). Observatoire et institut de physique. Émetteur.

la région **Midi-Pyrénées** ■ Région administrative et économique du sud-ouest de la France composée de huit départements : Lot, Aveyron, Tarn-et-Garonne, Tarn, Gers, Haute-Garonne, Hautes-Pyrénées et Ariège. 45 348 km². 2,35 millions d'hab. Préfecture : Toulouse. Essentiellement agricole (céréales, élevage, vignes), la région a souffert du dépeuplement et du manque d'industries. Toulouse, avec l'aéronautique et l'électronique, est désormais un pôle d'expansion industrielle.

les **Midlands** n. f. ■ Les « terres du milieu », ensemble de plaines du centre de l'Angleterre. Une des principales régions industrielles du pays. Aciéries, mécanique lourde, chimie et industrie textile. Ville principale : Birmingham.

les îles **Midway** ■ Îles américaines du Pacifique. Première victoire navale des États-Unis sur le Japon en juin 1942.

Ludwig **Mies van der Rohe** ■ Architecte allemand naturalisé américain (1886-1969). Directeur du *Bauhaus de 1930 à 1933. Il conçut dès 1919 les gratte-ciel à ossature d'acier et paroi vitrée.

Mieszko Ier ■ Prince de Pologne (v. 960-992). Il introduisit le catholicisme dans son pays et fonda la dynastie des *Piast.

Mi Fu ou **Mi Fei** ■ Peintre et poète chinois (1051-1107).

Migennes ■ Commune de l'*Yonne. 8 000 hab.

Pierre **Mignard** ■ Peintre et décorateur français (1612-1695). Portraitiste à la mode, peintre du roi à la mort de *Le Brun.

Milan en italien **Milano** ■ Ville d'Italie du Nord, capitale de la *Lombardie. 1,7 million d'hab. *(les Milanais).* Principal centre industriel (mécanique, textile, chimie), commercial et culturel du pays. Nombreux monuments (cathédrale gothique le Duomo, théâtre de la Scala). □HISTOIRE. Grand centre marchand dès l'Antiquité, elle connut une grande prospérité sous les *Visconti et les *Sforza (XIVe - XVIe s.). Ruinée par les Espagnols, dominée par les Autrichiens, capitale du royaume d'Italie créé par les Français en 1805, puis du royaume lombard-vénitien créé par les Autrichiens en 1815, elle est incorporée au royaume de Piémont-Sardaigne (1859) puis d'Italie (1861).

Milarepa ■ Ascète tibétain, disciple de *Marpa (XIe s.). Il serait à l'origine du lamaïsme (bouddhisme tibétain).

Milet ■ Ville d'Asie Mineure, dans l'Antiquité. Cité grecque puissante et centre d'une école de philosophie (⇒ **Thalès**).

Milford Haven ■ 1er port pétrolier du Royaume-Uni (pays de Galles).

Darius **Milhaud** ■ Compositeur français (1892-1974). Œuvre variée où domine la gaieté. *"Le Bœuf sur le toit"*, ballet.

la **Milice** ■ Organisation paramilitaire française fondée en 1943 ; militarisée, elle participa activement à la politique de collaboration avec l'Allemagne nazie en combattant la *Résistance.

John Stuart **Mill** ■ Philosophe et économiste anglais (1806-1873). Penseur libéral attiré par le socialisme, utilitariste (⇒ **Bentham**) en morale, et logicien empiriste.

John Everett **Millais** ■ Peintre anglais (1829-1896). Fondateur de la confrérie des *préraphaélites. *"Ophélie"*.

Millau ■ Sous-préfecture de l'*Aveyron. 22 000 hab. *(les Millavois).* Industrie du gant.

les **Mille et Une Nuits** ■ Recueil de contes populaires arabes. La traduction française (1704-1717) de Galland les révéla en Europe.

Arthur **Miller** ■ Auteur dramatique américain (né en 1915). *"Mort d'un commis-voyageur"* ; *"les Sorcières de Salem"*. Il fut l'époux de Marylin Monroe.

Henry **Miller** ■ Écrivain américain (1891-1980). Ses œuvres font l'éloge d'une existence et d'une sexualité libérées. *"Tropique du Cancer"*, roman autobiographique.

Alexandre **Millerand** ■ Homme politique français (1859-1943). Chef du *Bloc national, président de la République de 1920 à 1924.

Jean-François **Millet** ■ Peintre français (1814-1875). Sujets paysans d'inspiration allégorique. *"L'Angelus"* ; *"le Semeur"*.

Robert Andrews **Millikan** ■ Physicien américain, prix Nobel 1923 (1868-1953). *L'expérience de Millikan* a permis de mesurer la charge de l'électron.

Milo, en grec *Mílos* ■ Île grecque des *Cyclades. On y a retrouvé en 1820 la célèbre statue dite *Vénus de Milo*, aujourd'hui au *Louvre.

*Oscar Vladislas de Lubicz-***Milosz** ■ Poète français d'origine lituanienne (1877-1939). "*Miguel Manara*", drame métaphysique.

Czesław **Miłosz** ■ Écrivain polonais (né en 1911). Il s'interroge sur le destin des civilisations. Prix Nobel 1980. "*Le Salut*", poèmes ; "*la Pensée captive*", essai.

Miltiade ■ Stratège athénien (540 - 489 av. J.-C.). Vainqueur des *Perses à *Marathon (490 av. J.-C.).

John **Milton** ■ Écrivain anglais (1608-1674). Polémiste *puritain, apologiste du régicide, il est surtout l'auteur de poèmes bibliques, dont "*le Paradis perdu*", épopée grandiose qui inspira notamment "*la Création*" de *Haydn.

Milton Keynes ■ Ville du Royaume-Uni. 161 800 hab.

Milwaukee ■ Ville des États-Unis (*Wisconsin). 636 300 hab. Brasseries. Industrie automobile.

Mimizan ■ Commune des *Landes. 7 500 hab. *(les Mimizannais).*

les **Minamoto** ou **Genji** n. m. ■ Clan japonais qui joua un rôle important dans l'histoire féodale du Japon, en s'opposant aux *Taira. □ *Minamoto-no-Yoritomo* (1147-1199) devint le premier shogun du Japon en 1185. □ *Minamoto-no-Yoshitsune*, son frère (1159-1189), un des héros les plus populaires du Japon.

Minas Gerais ■ État du sud-est du Brésil. 587 172 km². 14,8 millions d'hab. Capitale : *Belo Horizonte. Riches ressources minières.

Minerve ■ Déesse romaine identifiée à l'*Athéna des Grecs. ‹ ► minerve ›

les **Ming** ■ Dynastie chinoise qui supplanta les *Yuan en 1368 et fut remplacée par les *Qing en 1644. Période d'essor commercial et artistique (construction de la cité interdite et du temple du Ciel par l'empereur Yongle à Pékin).

Charlie **Mingus** ■ Musicien de jazz noir américain, contrebassiste (1922-1979). "*Fables of Faubus*".

Minîeh ou **Al-Minyā** ■ Ville d'Égypte, sur le Nil. 191 800 hab.

Hermann **Minkowski** ■ Mathématicien allemand d'origine russe (1864-1909). Géométrie des nombres. Formalisme géométrique de la théorie de la relativité d'*Einstein.

Georges baron **Minne** ■ Sculpteur et dessinateur belge (1866-1941). Sujets religieux.

Minneapolis ■ Ville des États-Unis (*Minnesota), sur le *Mississippi. 371 000 hab. Centre commercial : 1er marché de blé du monde. Conurbation, avec *Saint Paul, de 2,1 millions d'hab.

Vincente **Minnelli** ■ Cinéaste américain (1913-1986). "*Un Américain à Paris*".

le **Minnesota** ■ État du centre nord des États-Unis. 224 329 km². 4,2 millions d'hab. Capitale : *Saint Paul. Agriculture. Ressources minières. Électricité. Commerce. Université.

Minorque ■ Île de l'archipel espagnol des *Baléares. 668 km². 65 000 hab. Pêche.

Minos ■ Roi légendaire de *Crète, fils de *Zeus et d'*Europe, époux de *Pasiphaé. Il fait enfermer le *Minotaure dans le Labyrinthe. Après sa mort, il devient un des juges des *Enfers. ► *la civilisation minoenne.* ⇒ **Crète.**

le **Minotaure** ■ Monstre mi-homme, mi-taureau de la mythologie grecque, fils de *Pasiphaé et d'un taureau. Enfermé par *Minos et tué par *Thésée.

Minsk ■ Ville d'U. R. S. S., capitale de la *Biélorussie. 1,5 million d'hab. Centre culturel et économique. En 1944, la ville fut détruite, et sa population exterminée par les Allemands.

Richard **Mique** ■ Architecte français (1728-1794). Il édifia le hameau de Marie-Antoinette, à Versailles.

Miquelon ■ Île française de l'Atlantique. ⇒ **Saint-Pierre-et-Miquelon.**

Victor Riqueti marquis de **Mirabeau** ■ Économiste français (1715-1789). Disciple de *Quesnay, auteur de "*l'Ami des hommes*". □ *Honoré Gabriel Riqueti comte de Mirabeau*, son fils, révolutionnaire français (1749-1791). Personnage ambigu, intrigant, conseiller secret de Louis XVI, il fut le principal orateur des débuts de la *Constituante.

Miramas ■ Commune des *Bouches-du-Rhône. 20 700 hab. *(les Miramassens).* Industrie chimique.

Francisco **Miranda** ■ Patriote vénézuélien (1750-1816). Il fit voter la déclaration d'indépendance de son pays.

Mirande ■ Sous-préfecture du *Gers. 4 100 hab. *(les Mirandais).*

Octave **Mirbeau** ■ Écrivain français (1848-1917). Ses romans comme son théâtre dénoncent les mensonges de la société et de la politique. "*Le Journal d'une femme de chambre*".

Mirecourt ■ Commune des *Vosges. 8 500 hab. *(les Mirecurtiens).* Industrie textile.

Miribel ■ Commune de l'*Ain. 7 100 hab. *(les Miribelans).*

Joan **Miró** ■ Peintre et décorateur espagnol (1893-1983). Ses formes schématisées, au point de devenir des signes, ses couleurs vives, créent un monde ludique. Il fut *surréaliste.

Gaston **Miron** ■ Poète canadien d'expression française (né en 1928). Il défend l'identité du *Québec. "*Deux sangs*".

Mishima **Yukio** ■ Écrivain japonais (1925-1970). Il a incarné les contradictions du Japon moderne : emprunt de certains critères esthétiques à l'Occident, mais défense extrême (jusqu'au suicide) de la tradition. "*Le Pavillon d'or*".

la **Mishnah** ou **Michna** ■ Dans le judaïsme, commentaires des rabbins sur la *Torah. Ils furent mis par écrit au IIe s.

Miskolc ■ 3e ville de Hongrie. 211 000 hab. Sidérurgie.

Misrātah ou **Misurata** ■ Ville de Libye. 178 300 hab.

Mississauga ■ Ville du Canada (*Ontario), banlieue de *Toronto. 315 000 hab.

le **Mississippi** ■ Fleuve des États-Unis qui traverse le pays du nord au sud (3 780 km). Immense delta sur le golfe du Mexique. Il forme avec le Missouri la plus longue artère fluviale du monde (6 800 km). □ *le Mississippi*. État du sud des États-Unis. 123 584 km². 2,6 millions d'hab. Capitale : Jackson. Agriculture (coton).

Missolonghi, en grec *Mesolóngion* ■ Ville de Grèce. 10 100 hab. Assiégée de 1821 à 1826, elle est devenue le symbole de la résistance grecque à la Turquie.

le **Missouri** ■ Rivière des États-Unis (4 370 km), affluent du *Mississippi. □ *le Missouri*. État du centre des États-Unis. 180 456 km². 5 millions d'hab. Capitale : Jefferson City. Agriculture, élevage, richesses minérales.

Jeanne Bourgeois dite **Mistinguett** ■ Vedette française de music-hall (1875-1956).

Mistra ■ Site médiéval de Grèce, près de *Sparte. Centre intellectuel byzantin (principauté de Morée). Détruit par les Turcs en 1825.

Frédéric **Mistral** ■ Écrivain français d'expression occitane (1830-1914). Artisan de la renaissance de la langue occitane, fondateur, avec *Roumanille et *Aubanel, du mouvement du *félibrige. *"Mireille"* *("Mirèio")*. Prix Nobel 1904.

Gabriela **Mistral** ■ Poétesse chilienne (1889-1957). Première écrivaine latino-américaine à recevoir le prix Nobel (1945).

Margaret **Mitchell** ■ Romancière américaine (1900-1949). *"Autant en emporte le vent"*, roman historique sur la guerre de *Sécession.

Peter **Mitchell** ■ Chimiste britannique (né en 1920). Spécialiste de bioénergétique. Prix Nobel 1978.

Mithra ■ Dieu solaire de l'ancien Iran. Son culte, le *mithraïsme*, se répandit dans le monde grec et romain.

Mithridate VI Eupator ■ Roi du *Pont (v. 132 - 63 av J.-C.). Il tenta de chasser Rome de l'Asie, mais fut vaincu par *Pompée. Il s'était immunisé contre les poisons. ‹ ► mithridatiser ›

la **Mitidja** ■ Plaine d'Algérie, dans l'arrière-pays d'Alger.

Mito ■ Ville du Japon (*Honshū). 229 000 hab. Jardin célèbre.

Mitry-Mory ■ Commune de *Seine-et-Marne. 12 700 hab.

Eilhard **Mitscherlich** ■ Chimiste allemand (1794-1863). Découverte de l'isomorphisme.

François **Mitterrand** ■ Homme d'État français (né en 1916). Plusieurs fois ministre sous la IVe République, chef de l'opposition socialiste au général de Gaulle, élu président de la République en 1981. Il a nommé trois gouvernements : Mauroy (quatre ministres communistes ; nationalisations, décentralisation, abolition de la peine de mort), Fabius (retour des communistes dans l'opposition ; rigueur économique) et Chirac, après les élections législatives de 1986 qui imposèrent une majorité de droite (dénationalisations). Premier président de gauche de la Ve République, il a prouvé que les institutions permettaient le « cohabitation » politique. Réélu en 1988, il désigna M. *Rocard pour former un nouveau gouvernement.

les **Mixtèques** n. m. ■ Peuple indien du Mexique *précolombien (près d'*Oaxaca). Ils envahirent le territoire *zapotèque et eurent une civilisation brillante.

Miyazaki ■ Ville du Japon (*Kyūshū). 279 000 hab.

Mizoguchi *Kenji* ■ Cinéaste japonais (1898-1956). *"Les Contes de la lune vague après la pluie"* ; *"l'Intendant Sansho"*.

Mnémosyne ■ Une des *Titanides. Déesse grecque de la Mémoire et mère des *Muses. ‹ ► mnémo- ›

Ariane **Mnouchkine** ■ Metteuse en scène française de théâtre (née en 1939).

Moab ■ Fils de *Loth et ancêtre des *Moabites,* dans la Bible.

Mobile ■ Ville des États-Unis (*Alabama), port sur le golfe du Mexique. 200 400 hab.

August Ferdinand **Möbius** ■ Mathématicien et astronome allemand (1790-1868). *Ruban de Möbius :* surface à un seul côté.

Sese Seko **Mobutu** ■ Officier et homme d'État du Zaïre (né en 1930). Président depuis le coup d'État de 1965.

Moctezuma ou **Montezuma** ■ Empereur *aztèque (1466-1520). Il fut soumis par *Cortés.

Modane ■ Commune de la *Savoie. 4 900 hab. Gare frontière avec l'Italie.

Modène ■ Ville d'Italie, en *Émilie. 176 800 hab. Université. Cathédrale (XIe s.). Palais ducal.

Amedeo **Modigliani** ■ Peintre et sculpteur italien installé à Paris (1884-1920). Portraits aux formes allongées, inspirés de l'art nègre et du *cubisme. Nus féminins.

Moëlan-sur-Mer ■ Commune du *Finistère. 6 500 hab.

Mogadishu ou **Muqdisho** ■ Capitale et port de la Somalie sur l'océan Indien. 1 million d'hab. Centre commercial du pays.

Moghilev ■ Ville d'U. R. S. S. (*Biélorussie). 359 000 hab.

les **Moghols** ou **Mogols** n. m. ■ Dynastie de souverains musulmans fondée par *Bābur, et qui régna sur le nord de l'Inde de 1526 à 1858. Ils favorisèrent l'architecture et la peinture. Brillante civilisation dont témoigne le *Taj Mahāl. ≠ *Mongols.*

Mohammed ■ ⇒ Muhammad, Mahomet, Méhémet, Mehmet.

Mohammedia, autrefois *Fedala* ■ Ville et port du Maroc. 90 000 hab. Raffinerie de pétrole.

Mohenjo-Daro ■ Site archéologique du Pakistan, sur l'*Indus.

les **Mohicans** n. m. ■ Ancienne tribu d'Indiens d'Amérique du Nord.

Andrija **Mohorovičić** ■ Géophysicien yougoslave (1857-1936).

Moirans ■ Commune de l'*Isère. 6 300 hab.

les **Moires** n. f. ■ Divinités grecques du Destin, représentées comme des fileuses et identifiées aux *Parques romaines.

Moïse, en hébreu *Moché* ■ Prophète, fondateur de la religion et de la nation d'Israël qu'il guida jusqu'à la Terre promise (XIIIe s. av. J.-C.). La Bible et la tradition racontent sa sortie d'Égypte, la traversée de la mer Rouge, le séjour dans le désert pendant 40 ans, et la remise des Tables de la Loi sur le mont *Sinaï (⇒ Torah).

Moissac ■ Commune du *Tarn-et-Garonne. 11 400 hab. *(les Moissagais).* Cloître et tympan romans de l'église abbatiale.

Henri **Moissan** ■ Chimiste français (1852-1907). Prix Nobel 1906 pour ses travaux sur le fluor.

Igor **Moïsseïev** ■ Danseur et chorégraphe soviétique (né en 1906). Il fonda le plus important groupe folklorique de l'U. R. S. S. *(les ballets Moïsseïev).*

Abraham de **Moivre** ■ Mathématicien anglais d'origine française (1667-1754). Trigonométrie, calcul des probabilités.

Moka, en arabe *Al-Mukhā* ■ Ville et port du Yémen du Nord. 6 000 hab. Café renommé. ⟨ ► moka ⟩

Mokp'o ■ Port de Corée du Sud, sur la mer *Jaune. 222 000 hab.

la **Moldavie** ■ Ancienne principauté des *Carpates, unie en 1859 à la *Valachie pour former la *Roumanie.

la **Moldavie** ■ République socialiste soviétique (⟹ U. R. S. S.), à la frontière de la Roumanie. 33 700 km². 4,18 millions d'hab. *(les Moldaves).* Capitale : Kichinev. Agriculture (vignobles, élevage) et industries dérivées.

Jean-Baptiste Poquelin dit **Molière** ■ Comédien, chef de troupe et auteur dramatique français (1622-1673). En 1643, il fonda la troupe de l'Illustre-Théâtre avec Madeleine Béjart. Il connut un immense succès avec *"les Précieuses ridicules"* (1659) et fut protégé par Louis XIV, malgré les attaques de ses ennemis et de ses rivaux (en particulier pour *"l'École des femmes"* et *"Tartuffe"*). Il a créé un théâtre remarquable par son sens du comique, sa finesse et son observation des caractères humains. *"L'Étourdi"* (1655) ; *"Sganarelle ou le Cocu imaginaire"* (1660) ; *"l'École des maris"* (1661) ; *"les Fâcheux"* (1661) ; *"l'École des femmes"* (1662) ; *"Tartuffe"* (1664) ; *"Dom Juan"* (1665) ; *"l'Amour médecin"* (1665) ; *"le Misanthrope"* (1666) ; *"le Médecin malgré lui"* (1666) ; *"Amphitryon"* (1668) ; *"George Dandin ou le Mari confondu"* (1668) ; *"l'Avare"* (1668) ; *"Monsieur de Pourceaugnac"* (1669) ; *"le Bourgeois gentilhomme"* (1670) ; *"Psyché"* avec *Corneille (1671) ; *"les Fourberies de Scapin"* (1671) ; *"les Femmes savantes"* (1672) ; *"le Malade imaginaire"* (1673).

Luis **Molina** ■ Théologien jésuite espagnol (1535-1600). ► *le molinisme*, sa doctrine, concilie l'action de la grâce divine et la liberté humaine. Elle suscita une controverse avec le *jansénisme.

Tirso de **Molina** ■ Religieux et auteur dramatique espagnol (v. 1583 - 1648). Dans *"le Trompeur de Séville"*, apparaît pour la première fois au théâtre le personnage de don Juan.

Miguel de **Molinos** ■ Théologien espagnol (1628-1696). Sa doctrine, le *quiétisme, fut diffusée en France par Mme *Guyon, mais condamnée par le pape en 1687.

Guy **Mollet** ■ Homme politique français (1905-1975). Président du Conseil (socialiste) de 1956 à 1957.

Nicolas François comte **Mollien** ■ Homme politique français (1758-1850). Ministre du Trésor public sous l'Empire.

le **Moloch** ■ Divinité mentionnée par la Bible. On lui sacrifiait des enfants.

Viatcheslav Scriabine dit **Molotov** ■ Diplomate et homme politique soviétique (1890-1986). Signataire du pacte germano-soviétique (1939), proche collaborateur de Staline, évincé en 1956.

Molsheim ■ Sous-préfecture du Bas-*Rhin. 7 000 hab.

le *comte von* **Moltke** ■ Maréchal prussien (1800-1891). Disciple de *Clausewitz, artisan de la réforme militaire décidée par *Bismarck. ◻ *Helmuth von Moltke*, son neveu (1848-1916). Général allemand, chef de l'état-major de 1906 à 1914, jusqu'à la défaite de la Marne.

les **Moluques** n. f. ■ Archipel et province de l'est de l'Indonésie. 74 505 km². 1,4 million d'hab. Capitale : Amboine.

Mombasa ou **Mombassa** ■ Ville et principal port du Kenya. 341 000 hab. Raffinerie de pétrole.

Theodor **Mommsen** ■ Historien allemand (1817-1903), prix Nobel de littérature 1902. Un maître de l'histoire de l'Antiquité romaine.

Federico **Mompou** ■ Compositeur espagnol (1893-1987). Œuvres pour piano.

la *principauté de* **Monaco** ■ État souverain d'Europe (placé sous la protection de la France) sur la côte méditerranéenne. 195 ha. 27 000 hab. *(les Monégasques).* Quatre sections : Monaco-ville, la Condamine, *Monte-Carlo, Fontvieille. Casino, tourisme, océanographie. *Rainier III en est le prince depuis 1949. ⟨ ► monégasque ⟩

la **monarchie de Juillet** ■ Règne de *Louis-Philippe Ier (1830-1848), qui incarnait pour les modérés une voie moyenne (*orléanisme,* ⟹ maison d'Orléans) entre les aspirations républicaines de la révolution de juillet 1830 et le royalisme *ultra de *Charles X. Le « roi bourgeois » renforça le parlementarisme, mais sur une base électorale étroite. Avec *Guizot, la France connut (plusieurs décennies après l'Angleterre) sa première révolution industrielle. Le conservatisme politique de ce régime et la crise économique de 1846-1847 provoquèrent la *révolution de 1848.

Monastir ■ Ville de Tunisie. 27 000 hab. Station balnéaire.

Mönchengladbach ■ Ville de R. F. A. (*Rhénanie-Westphalie). 254 700 hab.

Mondelange ■ Commune de la *Moselle. 6 000 hab. *(les Mondelangeais).*

Mondeville ■ Commune du *Calvados. 9 600 hab. *(les Mondevillais).*

Pieter **Mondrian** ■ Peintre et théoricien néerlandais (1872-1944). Il évolua d'un style figuratif à un art abstrait extrême.

Claude **Monet** ■ Peintre français (1840-1926). Auteur du premier tableau *impressionniste (*"Impression, soleil levant"*, 1872) et principal représentant de ce mouvement. Il fit des séries de paysages (les *"Meules"*, les *"Nymphéas"*...) pour traduire les variations de la lumière.

Henry de **Monfreid** ■ Voyageur et écrivain français (1879-1974). *"Les Secrets de la mer Rouge"*.

Gaspard **Monge** *comte de Péluse* ■ Mathématicien français (1746-1818). Créateur de la géométrie descriptive, maître de *Poncelet. Ministre sous la Révolution, il fut l'un des fondateurs des grandes Écoles.

les **Mongols** n. m. ■ Peuples nomades de Chine et de Sibérie. Ils conquirent la Chine au XIIIe s., puis une partie de l'Europe de l'Est. ⟹ **Gengis Khan, Tamerlan.** ► *la* **Mongolie,** autrefois *Mongolie-Extérieure,* État (république populaire) du centre-est de l'Asie, entre l'U. R. S. S. et la Mongolie-Intérieure. 1 567 000 km². 1,97 million d'hab. *(les Mongols).* Capitale : Oulan Bator. Langue : mongol. Monnaie : tugrik. Climat continental. Élevage. Industrie lourde. La république populaire a été proclamée en 1924, mais elle est passée de la tutelle chinoise à l'influence soviétique. ► *la* **Mongolie-Intérieure** ou *Neimenggu.* Région autonome du

nord de la Chine (créée en 1947). 1 200 000 km².
19 millions d'hab. Capitale : Houhehot.

Monime ■ Reine du *Pont (morte en 72 av. J.-C.).
Captive et épouse de *Mithridate VI Eupator.

Monistrol-sur-Loire ■ Commune de la Haute-
*Loire. 5 000 hab. *(les Monistroliens).*

George Monk ■ Général et homme d'État anglais
(1608-1670). À la mort de *Cromwell, il assura la
restauration de la royauté.

Thelonious Monk ■ Pianiste et compositeur de
jazz noir américain (1920-1982). *"Round about
Midnight".*

Blaise de Monluc ou *Montluc* ■ Maréchal de
France et chroniqueur français (v. 1500-1577).
"Commentaires".

Jean Monnet ■ Économiste et homme politique
français (1888-1979). Père de la planification en France
et de l'union économique européenne.

Henri Monnier ■ Écrivain et caricaturiste
français (1799-1877). *"Joseph Prudhomme"*, type du
bourgeois sous *Louis-Philippe.

Jacques Monod ■ Biochimiste français (1910-1976).
"Le Hasard et la Nécessité". Prix Nobel de médecine
1965 (⇒ **Lwoff**).

le monophysisme ■ Doctrine chrétienne que
reconnaissent les *Coptes, les *Jacobites et les
Arméniens.

James Monroe ■ Homme d'État américain
(1758-1831). 5e président des États-Unis, de 1817
à 1825. *Doctrine de Monroe :* politique étrangère
fondant l'abstention des États-Unis dans les conflits
européens sur la non-ingérence de l'Europe en
Amérique.

Norma Jean Baker dite *Marylin Monroe*
■ Actrice américaine de cinéma (1926-1962). *"Certains
l'aiment chaud" ; "les Misfits".*

Monrovia ■ Capitale du Liberia. 171 600 hab.
Centre industriel et commercial. Raffineries.

Mons ■ Ville de Belgique (*Hainaut). 95 000 hab.
(les Montois). Monuments (XVIe - XVIIe s.).
Pétrochimie.

Mons ou *Mons-en-Barœul* ■ Commune du
*Nord. 28 000 hab. Industrie textile.

Monsieur ■ Nom donné en France, à partir de
la fin du XVIe s., à l'aîné des frères du roi.

Alexandre Monsigny ■ Compositeur français
d'opéras comiques (1729-1817). *"Les Aveux indiscrets".*

Bartolomeo Montagna ■ Peintre italien (v. 1450-
1523). Madones.

les Montagnards, la Montagne ■ Nom donné
aux députés qui, à l'*Assemblée législative, siégeaient
sur les plus hauts bancs. Appuyés sur la Commune
et les sans-culottes de Paris, ils proscrirent les
*Girondins et furent les maîtres de la *Convention
jusqu'à la chute de *Robespierre. Le nom de
Montagnards fut repris par les députés de gauche sous
la IIe *République.

La Montagne ■ Commune de *Loire-Atlantique.
5 100 hab.

Michel Eyquem de Montaigne ■ Écrivain
français (1533-1592). Ses *"Essais"*, méditations toujours
reprises sur sa vie et ses lectures, suscitent depuis leur
parution la réflexion des penseurs et des écrivains.

Eugenio Montale ■ Poète italien (1896-1982). *"La
Tourmente et autres poèmes".* Prix Nobel 1975.

Charles Forbes comte de Montalembert
■ Homme politique et historien français (1810-1870).
Un des chefs du catholicisme libéral, proche de
*Lacordaire et *Dupanloup.

le Montana ■ État du nord-ouest des États-Unis.
381 087 km². 787 000 hab. Capitale : Helena. Agriculture. Forêts. Richesses minières. Les Indiens y
résistèrent à l'immigration jusqu'en 1881.

Ivo Livi dit *Yves Montand* ■ Comédien et
chanteur français (né en 1921).

Montargis ■ Sous-préfecture du *Loiret.
19 800 hab. *(les Montargois).* Nombreux canaux.

Montataire ■ Commune de l'*Oise. 13 000 hab.
Métallurgie.

Montauban ■ Préfecture du *Tarn-et-Garonne.
50 000 hab. *(les Montalbanais).* Ville historique (haut
lieu du protestantisme au XVIe s.) et culturelle (musée
Ingres).

Montbard ■ Sous-préfecture de la *Côte-d'Or.
7 700 hab. *(les Montbardois).* Ancien château des ducs
de Bourgogne.

Montbéliard ■ Sous-préfecture du *Doubs.
31 000 hab. *(les Montbéliardais).* Centre industriel :
construction automobile.

le Mont-Blanc ■ ⇒ le mont **Blanc.**

Montbrison ■ Sous-préfecture de la *Loire.
10 000 hab. *(les Montbrisonnais).*

le marquis de Montcalm de Saint-Véran
■ Général français (1712-1759). Commandant l'armée
française au Canada, il fut tué par les Anglais devant
Québec.

Montceau-les-Mines ■ Commune de *Saône-
et-Loire. 28 000 hab. *(les Moncelliens).* Bassin houiller
en déclin.

Montchanin ■ Commune de *Saône-et-Loire.
6 300 hab.

Antoine de Montchrestien ■ Auteur dramatique et économiste français (v. 1575 - 1621).
"Sophonisbe".

Mont-de-Marsan ■ Préfecture des *Landes.
30 000 hab. *(les Montois).* Marché agricole.

Montdidier ■ Sous-préfecture de la *Somme.
6 200 hab. *(les Mondidériens).* Offensive allemande
en 1918.

Monte Albán ■ Site archéologique du Mexique,
autrefois centre de la civilisation des *Zapotèques.

Monte-Carlo ■ Une des quatre sections de la
principauté de *Monaco. Casino. Station de radio-
télévision.

Montecristo ■ Petite île montagneuse de l'Italie,
au sud de l'île d'Elbe. *"Le comte de Monte-Cristo"*,
célèbre roman de Dumas père.

Montélimar ■ Ville de la *Drôme. 30 000 hab.
(les Montiliens). Marché régional. Nougats.

Jorge de Montemayor ■ Écrivain espagnol
(1520-1561). *"La Diane"*, roman pastoral imité dans
toute l'Europe.

le Monténégro ■ La plus petite des républiques
fédératives de Yougoslavie. 13 812 km². 530 000 hab.
(les Monténégrins). Capitale : Titograd.

Xavier de **Montépin** ■ Romancier populaire français (1823-1902). "*La Porteuse de pain*".

Montereau ou **Montereau-faut-Yonne** ■ Commune de *Seine-et-Marne. 21 000 hab. *(les Monterelais)*. Centre industriel.

Montería ■ Ville de *Colombie. 172 000 hab. Centre commercial.

Monterrey ■ Ville du Mexique. 1,1 million d'hab. Important centre industriel.

la marquise de **Montespan** ■ Maîtresse de Louis XIV (1641-1707). Elle fut compromise dans l'affaire des *Poisons.

Charles de **Montesquieu** ■ Magistrat et écrivain français (1689-1755). Ses "*Lettres persanes*" critiquent l'étroitesse d'esprit chez les Occidentaux. "*De l'esprit des lois*" est un classique de la philosophie politique, avec sa distinction des pouvoirs législatif, exécutif et judiciaire.

Montesson ■ Commune des *Yvelines. 9 000 hab. *(les Montessonnais)*.

Maria **Montessori** ■ Pédagogue italienne (1870-1952). Sa méthode privilégie la liberté de l'enfant et l'éducation des sens.

Monteux ■ Commune du *Vaucluse. 6 500 hab. *(les Montiliens)*.

Claudio **Monteverdi** ■ Compositeur italien, maître de chapelle à Saint-Marc de Venise (1567-1643). Sa musique vocale (madrigaux et cantates) marque un tournant décisif en Europe. "*Orfeo*" ; "*le Couronnement de Poppée*".

Montevideo ■ Capitale de l'Uruguay, sur le río de La Plata. 1,4 million d'hab. (40 % de la population du pays). Commerce de laine, viande et peaux. Industries. Fondée par les Espagnols en 1726.

Montfermeil ■ Commune de *Seine-Saint-Denis. 21 000 hab. *(les Montfermeillois)*.

Simon IV comte de **Montfort** ■ Chef de la croisade contre les *Albigeois (v. 1150-1218).

Montgeron ■ Commune de l'*Essonne. 24 000 hab.

les frères de **Montgolfier** ■ Papetiers français, inventeurs des premiers aérostats ou *montgolfières*. Joseph (1740-1810) et Étienne (1745-1799). ⇒ **Pilâtre de Rozier.** ‹ ► montgolfière ›

le comte de **Montgomery** ■ Homme de guerre français (v. 1530-1574). Il tua involontairement le roi Henri II lors d'un tournoi.

lord **Montgomery** *of Alamein* ■ Maréchal britannique (1887-1976). En 1942, il vainquit *Rommel à El Alamein.

Montgomery ■ Ville des États-Unis, capitale de l'*Alabama. 178 000 hab. Marché agricole (bétail).

Henry Millon de **Montherlant** ■ Romancier et auteur dramatique français (1895-1972). Moraliste exigeant, il célébra un modèle de vie héroïque. "*Service inutile*" ; "*la Reine morte*".

le comte de **Montholon** ■ Général français (1783-1853). Il suivit Napoléon Ier à Sainte-Hélène et publia avec Gourgaud des "*Mémoires pour servir à l'histoire de France sous Napoléon*".

Vincenzo **Monti** ■ Poète néo-classique italien (1754-1828). Remarquable traduction de l'*Iliade.

Montigny-en-Gohelle ■ Commune du *Pas-de-Calais. 9 000 hab. Houille.

Montigny-en-Ostrevent ■ Commune du *Nord. 5 500 hab.

Montigny-lès-Cormeilles ■ Commune du *Val-d'Oise. 8 000 hab. *(les Ignymontains)*. Métallurgie.

Montigny-lès-Metz ■ Commune de la *Moselle. 26 000 hab. *(les Montigniens)*.

Montivilliers ■ Commune de la *Seine-Maritime. 14 000 hab. *(les Montivilliens)*.

Montlhéry ■ Commune de l'*Essonne. 4 800 hab. L'autodrome de Montlhéry est sur la commune de Linas.

Montlouis-sur-Loire ■ Commune d'*Indre-et-Loire. 7 000 hab.

Montluçon ■ Sous-préfecture de l'*Allier. 58 000 hab. *(les Montluçonnais)*. Maisons anciennes.

Montluel ■ Commune de l'*Ain. 5 600 hab.

Montmagny ■ Commune du *Val-d'Oise. 8 000 hab. Industrie chimique. Fonderies.

Montmartre ■ Ancienne commune rattachée à Paris en 1860, qui forme aujourd'hui un quartier très individualisé (les habitants sont les *Montmartrois*). Au sommet de la *butte Montmartre* (130 m) se dresse le *Sacré-Cœur.

les **Montmorency** ■ Famille noble française (XIIe - XVIIe s.). Elle compta des grands officiers de la couronne, des maréchaux et des connétables. □ *Anne de* **Montmorency,** compagnon d'armes de François Ier (1493-1567). □ *Henri II de* **Montmorency** (1595-1632), condamné à mort pour complot contre Richelieu.

Montmorency ■ Sous-préfecture du *Val-d'Oise. 21 000 hab. *(les Montmorenciens)*. Ville résidentielle.

Montmorillon ■ Sous-préfecture de la *Vienne. 7 000 hab. *(les Montmorillonnais)*.

Montoir-de-Bretagne ■ Commune de la *Loire-Atlantique. 5 400 hab.

Montoire ou **Montoire-sur-le-Loir** ■ Commune du *Loir-et-Cher. Le 24 octobre 1940, l'entrevue de Pétain et Hitler y scella la politique de collaboration.

Montpelier ■ Ville des États-Unis, capitale du *Vermont (9 000 hab.).

Montpellier ■ Préfecture de l'*Hérault et de la région *Languedoc-Roussillon. 200 000 hab. *(les Montpelliérains)*. Hôtels du XVIIe et du XVIIIe s. Ville culturelle et universitaire (faculté de médecine la plus ancienne d'Europe). Marché viticole. Industrie alimentaire. Électronique. Fondée vers 985, elle a toujours eu une vocation commerçante. Centre protestant pendant les guerres de Religion.

la duchesse de **Montpensier** *dite la Grande Mademoiselle* ■ Nièce de Louis XIII (1627-1693). Elle prit part à la *Fronde et laissa des "*Mémoires*".

Montpon-Ménestérol ■ Commune de la *Dordogne. 6 000 hab. *(les Montponnais)*.

Montréal ■ Ville du Canada, la principale de *Québec. 1 million d'hab. *(les Montréalais)*, près de 3 millions pour l'agglomération. Population à majorité francophone (2e ville francophone du monde). Port sur le Saint-Laurent. Centre culturel et économique qui rivalise avec *Toronto. Fondée en 1642 par les Français, elle a gardé des édifices anciens, malgré un aspect nord-américain (gratte-ciel, plan orthogonal).

Montreuil ou *Montreuil-sous-Bois* ■ Commune de *Seine-Saint-Denis. 100 000 hab. *(les Montreuillois).* Centre industriel.

Montreuil ou *Montreuil-sur-Mer* ■ Sous-préfecture du *Pas-de-Calais. 3 100 hab. *(les Montreuillois).* Ancienne place forte (citadelle du XVIe et XVIIe s.).

Montreuil-Juigné ■ Commune du *Maine-et-Loire. 5 600 hab.

Montreux ■ Ville de Suisse (*Vaud), sur la rive droite du lac Léman. 20 000 hab. Vignobles. Festival de jazz.

Montrouge ■ Commune des *Hauts-de-Seine. 40 000 hab. *(les Montrougiens).* Centre industriel.

Monts ■ Commune d'*Indre-et-Loire. 5 400 hab.

Mont-Saint-Aignan ■ Commune de *Seine-Maritime. 19 000 hab.

Mont-Saint-Martin ■ Commune de *Meurthe-et-Moselle. 11 500 hab.

le *Mont-Saint-Michel* ■ Commune de la *Manche, sur un îlot rocheux haut de 78 m. Lieu de pèlerinage à saint Michel. Abbaye bénédictine (XIIe - XIIIe s.), surmontée d'une construction gothique, *la Merveille.*

Montségur ■ Commune de l'*Ariège. Ruines d'une des dernières places fortes cathares, à 1 207 m d'altitude.

Montville ■ Commune de la *Seine-Maritime. 5 000 hab.

Monza ■ Ville d'Italie, près de Milan. 122 000 hab. Centre industriel. Circuit automobile.

George Edward Moore ■ Philosophe britannique (1873-1958).

Henry Moore ■ Sculpteur et dessinateur britannique (1898-1986). Il étudia tout particulièrement le rapport des vides et des pleins en sculpture.

Thomas Moore ■ Poète irlandais (1779-1852). "*Lalla Rookh*".

Morādābād ■ Ville de l'Inde. 272 000 hab.

Cristóbal de Morales ■ Compositeur espagnol de musique religieuse (1500-1553).

Luis de Morales ■ Peintre espagnol (v. 1500-1586). Sujets religieux traités dans un style *maniériste.

Paul Morand ■ Écrivain français (1888-1976). Récits vifs et rapides sur la vie d'avant-guerre.

Giorgio Morandi ■ Peintre italien (1890-1964). Natures mortes au style dépouillé.

Morangis ■ Commune de l'*Essonne. 9 000 hab.

Elsa Morante ■ Écrivaine italienne (1912-1985). Romans d'un réalisme hallucinant. "*L'Île d'Arthur*" ; "*la Storia*". Elle fut l'épouse de *Moravia.

Alberto Moravia ■ Écrivain italien (né en 1907). La critique de la vie bourgeoise et la sexualité sont les thèmes de ses romans. "*L'Ennui*". Il fut l'époux d'Elsa *Morante.

la *Moravie* ■ Partie centrale de la Tchécoslovaquie. Elle constitue, avec la *Bohême, la *République socialiste tchèque,* l'un des deux États fédérés formant le pays. 26 095 km². 3,9 millions d'hab. *(les Moraves).* Ville principale : Brno. Agriculture riche. L'industrie bénéficie de la houille de *Silésie. Royaume indépendant de 830 à 1182. Son histoire se confondit ensuite avec celle de la *Bohême.

le *Morbihan* [56] ■ Département français de la région *Bretagne. 7 092 km². 590 000 hab. Préfecture : Vannes. Sous-préfectures : Lorient, Pontivy. ▶ *le golfe du Morbihan* communique avec l'Atlantique par un étroit goulet. Tourisme.

Morcenx ■ Commune des *Landes. 6 000 hab.

la *Mordovie* ■ Une des républiques autonomes de la R. S. S. de *Russie, à l'ouest de Kazan. 26 200 km². 980 000 hab. Capitale : Saransk. Agriculture (tabac). Industries métallurgiques. ▶ *les Mordves* participèrent aux révoltes de *Razine et de *Pougatchev.

saint Thomas More ou *Morus* ■ Humaniste anglais, chancelier d'*Henri VIII, assassiné pour son opposition à l'*anglicanisme (1478-1535). Son livre "*l'Utopie*" a imposé ce terme, créé pour désigner le territoire de la république imaginaire qu'il décrivait.

Jean Moréas ■ Poète symboliste français d'origine grecque (1856-1910). "*Les Stances*".

Gustave Moreau ■ Peintre français (1826-1898). Le maître du *symbolisme. Il s'inspire de sujets mythologiques qui mettent en scène des femmes fatales ("*Jupiter et Sémélé*"). Son enseignement eut une grande influence.

Jean Victor Moreau ■ Général français (1763-1813). Proche de *Pichegru, suspecté par Napoléon, il fut arrêté et exilé.

Morelia ■ Ville du Mexique. 230 000 hab. Industrie alimentaire.

Jacob Levy Moreno ■ Psychosociologue américain d'origine roumaine (1892-1974). Créateur de la thérapeutique du psychodrame.

Agustín Moreto y Cabaña ■ Auteur dramatique espagnol (1618-1669). "*Dédain pour dédain*".

Morez ■ Commune du *Jura. 7 000 hab. *(les Moréziens).

John Pierpont Morgan ■ Financier et collectionneur américain (1837-1913). □ *John Pierpont Morgan junior,* son fils (1867-1943), lui succéda à la tête de la *banque Morgan,* et du trust de l'acier qu'il avait créé.

Lewis Henry Morgan ■ Ethnologue américain (1818-1881). Considéré avec Tylor comme le créateur de l'anthropologie.

Thomas Hunt Morgan ■ Généticien américain (1866-1945). Prix Nobel de médecine 1933 pour ses travaux sur les mutations chez la drosophile.

la *fée Morgane* ■ Personnage fabuleux du cycle breton. Elle recueille *Arthur.

Oskar Morgenstern ■ Économiste américain d'origine autrichienne (1902-1977). Créateur avec le mathématicien *Neumann de la « théorie des jeux ».

Morhange ■ Commune de la *Moselle. 5 700 hab. *(les Morhangeois).* Matières plastiques.

Zsigmond Móricz ■ Écrivain hongrois (1872-1942). Romans réalistes et historiques. "*Fange et or*".

Moriguchi ■ Ville du Japon. 185 000 hab.

Eduard Mörike ■ Écrivain allemand (1804-1875). "*Le Voyage de Mozart à Prague*". Hugo *Wolf a mis certains de ses poèmes en musique.

Edgar Morin ■ Sociologue français (né en 1921).

Morioka ■ Ville du Japon (*Honshū). 229 000 hab.

*Berthe **Morisot*** ■ Peintre *impressionniste française (1841-1895). Elle fut le modèle et l'élève de *Manet.

*Karl **Moritz*** ■ Écrivain allemand (1757-1793). Il influença Goethe. *"Anton Reiser"*.

Morlaix ■ Sous-préfecture et port du *Finistère. 20 000 hab. *(les Morlaisiens)*. Églises anciennes. Manufacture de tabac (depuis le XVIIᵉ s.). Industries.

*les **Mormons*** ■ ⟹ Joseph **Smith**.

Morne-à-l'Eau ■ Commune de la *Guadeloupe. 15 000 hab. Rhumeries. Sucreries.

*Charles duc de **Morny*** ■ Financier et homme politique français (1811-1865). Demi-frère de Napoléon III, il joua un grand rôle sous le Second Empire.

*Aldo **Moro*** ■ Homme politique italien (1916-1978). Président de la Démocratie chrétienne, enlevé et assassiné par les Brigades rouges, terroristes d'extrême gauche.

*Antonio **Moro*** ■ Peintre néerlandais (1517-1576). Portraits de cour exécutés pour Philippe II d'Espagne.

Morón ■ Ville d'Argentine, banlieue de Buenos Aires. 486 000 hab. Industries.

Moroni ■ Capitale des *Comores. 26 000 hab. Port de pêche.

Morphée ■ Un des enfants d'*Hypnos. Il suscite les rêves, d'où l'expression « être dans les bras de Morphée » (dormir). ⟨ ► morphine ⟩

*William **Morris*** ■ Écrivain et décorateur britannique (1834-1896). Il renouvela l'art décoratif en Angleterre.

Morsang-sur-Orge ■ Commune de l'*Essonne. 20 000 hab. *(les Morsaintois)*.

*Samuel **Morse*** ■ Physicien américain (1791-1872). Il réalisa un télégraphe électrique, qui utilisait l'alphabet conventionnel qui porte son nom.

*Jan **Morsztyn*** ■ Poète baroque polonais (1613-1693). *"La Canicule"* ; *"le Luth"*.

*la vallée de la **Mort*** en anglais *Death Valley* ■ Vallée désertique des États-Unis (*Californie), très aride. Parc national.

Mortagne-au-Perche ■ Sous-préfecture de l'*Orne. 5 000 hab. *(les Mortagnais)*. Marché aux chevaux.

Mortagne-sur-Sèvre ■ Commune de la *Vendée. 5 300 hab.

*la mer **Morte*** ■ Mer intérieure située entre Israël et la Jordanie, à 395 m environ au-dessous du niveau de la mer. L'eau y est si salée qu'aucune vie animale n'y est possible. □ *les manuscrits de la mer **Morte**.* ⟹ **Qumràn.**

Morteau ■ Ville du *Doubs. 7 000 hab. *(les Mortuassiens* ou *Mortuaciens)*. Horlogerie. Saucisses fumées.

*Roger **Mortimer** comte de La Marche* ■ Seigneur gallois (v. 1287-1330). Amant de la reine, il fit abdiquer Édouard II (1327) et régna en despote sur l'Angleterre. Condamné à mort sous Édouard III.

*le **Morvan*** ■ Région montagneuse proche de la Bourgogne, fragment isolé du Massif central qui culmine à 902 m. Forêts. Élevage. Tourisme (parc régional).

*Gaetano **Mosca*** ■ Sociologue italien (1858-1941). Théorie des élites.

Moscou ■ Capitale de l'U. R. S. S. et de la R. S. S. de *Russie, sur la Moskova. 7,8 millions d'hab. *(les Moscovites)*. Centre administratif (siège du Soviet suprême), culturel et scientifique. Universités Lomonossov et Patrice-Lumumba (pour les étudiants du tiers monde). Bibliothèque Lénine, une des plus grandes du monde. Musées. Théâtres. Nombreux monuments : *Kremlin, place Rouge. Plaque tournante de voies de communication : trois ports fluviaux reliés à cinq mers (Blanche, Baltique, Caspienne, Noire et d'Azov). Quatre aéroports. Nombreuses industries. Grand centre textile. □**HISTOIRE**. Vassale de la *Horde d'or jusqu'à la fin du XVᵉ s. et centre religieux (orthodoxe) de la Russie, elle annexa peu à peu les principautés environnantes (sous Ivan III, Vassili III et Ivan le Terrible). Pierre le Grand transféra sa capitale à *Saint-Pétersbourg en 1715 mais Moscou resta capitale religieuse de l'empire. Occupée par les troupes de Napoléon Iᵉʳ, elle fut incendiée et détruite aux trois quarts par les Russes, ce qui contraignit les Français à l'abandonner. Elle participa activement à la révolution de 1905 puis à celle de 1917, et devint en 1918 le siège du gouvernement soviétique. En 1941-1942, l'armée allemande connut son premier échec en tentant de l'investir. ► *la **Moscovie**.* Nom donné à la principauté de Moscou jusqu'au XVIIᵉ s.

*Henry **Moseley*** ■ Physicien anglais (1887-1915). Ses travaux sur le nombre atomique ont complété la classification de *Mendeleïev.

*la **Moselle*** ■ Affluent du Rhin (550 km), importante voie de navigation. □ *la **Moselle*** [57], département français de la région *Lorraine. 6 214 km². Un million d'hab. Préfecture : Metz. Sous-préfectures : Bouley-Moselle, Château-Salins, Forbach, Sarrebourg, Sarreguemines, Thionville.

*la **Moskova*** ■ Rivière d'U. R. S. S., qui traverse *Moscou.

*Muhammad **Mossadegh*** ■ Homme d'État iranien (1880-1967). Il œuvra à l'indépendance économique de son pays (nationalisation des pétroles, 1951) mais fut destitué de son poste de Premier ministre en 1953 et emprisonné.

Mossoul ■ 1ʳᵉ ville industrielle de l'Iraq (textile, alimentaire, raffineries). Centre commercial. 380 000 hab.

*La **Motte-Servolex*** ■ Commune de la *Savoie. 7 700 hab.

*Hosni **Moubarak*** ■ Homme d'État égyptien (né en 1928). Élu président de la République après l'assassinat de Sadate (1981).

Mougins ■ Commune des *Alpes-Maritimes. 9 600 hab. Tourisme.

*Le **Moule*** ■ Commune de la *Guadeloupe. 16 000 hab. Rhumeries. Sucreries.

*Jean **Moulin*** ■ Héros de la *Résistance française (1899-1943). Délégué du général de Gaulle en France, livré aux nazis et torturé. Inhumé au Panthéon en 1964.

Moulins ■ Préfecture de l'*Allier. 27 000 hab. *(les Moulinois)*. Cathédrale. Industrie alimentaire. Important marché. La ville doit son nom aux moulins établis au bord de l'Allier.

*le **Maître de Moulins*** ■ ⟹ le **Maître de Moulins.**

Moulins-lès-Metz ■ Commune de la *Moselle. 5 000 hab.

Moulmein ■ Ville et port de Birmanie. 220 000 hab. Exportation de teck et de riz.

Emmanuel Mounier ■ Philosophe français (1905-1950). Chrétien progressiste, fondateur de la revue *"Esprit"*. *"Le Personnalisme"*.

lord Mountbatten of Burma ■ Amiral britannique, dernier vice-roi de l'Inde (1900-1979).

Mourenx ■ Commune des *Pyrénées-Atlantiques. 9 000 hab.

Laurent Mourguet ■ Marionnettiste français (1769-1844). Créateur du personnage et du spectacle de Guignol, à Lyon.

Mourmansk ■ Ville et port d'U. R. S. S. (*Russie), sur la côte nord de la péninsule de Kola, au-delà du cercle polaire. 432 000 hab. Durant les deux guerres mondiales, le port fut utilisé par les Alliés pour ravitailler les Russes.

Mourmelon-le-Grand ■ Commune de la *Marne. 5 900 hab. Camp militaire.

Modest Moussorgsky ■ Compositeur russe (1839-1881). Auteur d'opéras au réalisme puissant (*"Boris Godounov"*), d'œuvres symphoniques (*"Une nuit sur le mont Chauve"*) et d'œuvres pour piano (*"Tableaux d'une exposition"*).

Mouvaux ■ Commune du *Nord. 12 600 hab. *(les Mouvallois).*

Moyeuvre-Grande ■ Commune de la *Moselle. 12 300 hab.

les Mozabites ■ ⇒ **Mzab.**

le Mozambique ■ État (république populaire) du sud de l'Afrique de l'Est. 799 380 km². 14,5 millions d'hab. Capitale : Maputo. Langues : portugais (officielle), langues bantoues. Monnaie : metical. Économie surtout agricole. Importante production d'électricité. Colonisé dès 1498 par les Portugais (avec Vasco de *Gama), le pays est devenu indépendant en 1975. ► *le canal de Mozambique,* bras de mer de l'océan Indien, entre l'Afrique et l'île de Madagascar.

Wolfgang Amadeus Mozart ■ Compositeur autrichien (1756-1791). Enfant prodige, virtuose du violon et du clavier, il fit des tournées dans les cours princières d'Europe, se familiarisant avec les différentes formes musicales de son temps, surtout allemandes et italiennes. Malgré la défaveur du public et sa mort prématurée, il a laissé une œuvre immense et admirable (près de 700 œuvres, classées par *Koechel) : opéras (*"Don Juan" ; "la Flûte enchantée"*), concertos, sonates, musique sacrée (*"Requiem"*), etc. Il fut enterré dans la fosse commune. □ *Léopold Mozart,* son père (1719-1787), fut son professeur.

Mu'āwiya Ier ■ Fondateur de la dynastie des *Omeyades de Damas (v. 603-680).

Alfons Mucha ■ Peintre et affichiste tchèque installé à Paris (1860-1939). Représentant du style art *nouveau.

Mufulira ■ 4e ville de Zambie. 149 800 hab.

Muhammad V ibn Yūsuf ■ Sultan, puis roi du Maroc (1909-1961). Favorable au nationalisme, il fut déposé en 1953 mais rappelé en 1955. Il obtint de la France l'indépendance et fut couronné. Père du roi actuel, *Hassan II.

Muhammad Rizāh Shāh ■ Shāh d'Iran (1919-1980). Il succéda à son père *Rizāh Shāh et fut renversé en 1978.

Mukden ■ ⇒ **Shenyang.**

La Mulatière ■ Commune du *Rhône, près de Lyon. 7 800 hab. *(les Mulatins).*

Mülheim an der Ruhr ■ Ville et port fluvial de R. F. A. (*Rhénanie-Westphalie). 171 000 hab. Centrale thermique, industrie mécanique.

Mulhouse ■ Sous-préfecture du Haut-*Rhin, port fluvial sur l'Ill. 113 800 hab. *(les Mulhousiens).* Industries (textile, automobile et chimique). Aéroport international *Bâle-Mulhouse. République indépendante au XVIe s., Mulhouse fut rattachée à la France en 1798.

Friedrich Müller dit *Maler-Müller* ■ Peintre et poète allemand (1749-1825). Représentant du *Sturm und Drang.

Johannes Peter Müller ■ Physiologiste et anatomiste allemand (1801-1858).

Max Müller ■ Orientaliste et linguiste allemand (1823-1900). Il créa la mythologie comparée.

Brian Mulroney ■ Homme politique canadien (né en 1939). Premier ministre (conservateur) depuis 1984.

Multān ■ Ville du Pakistan. 730 000 hab. Art du bijou.

Edvard Munch ■ Peintre norvégien (1863-1944). L'un des maîtres de l'*expressionnisme, obsédé par la mort et le tragique de l'existence.

Karl baron de Münchhausen ■ Officier allemand (1720-1797). Connu par le récit de ses aventures extraordinaires, qui en firent un personnage de légende, devenu en français le *baron de Crac.*

Munich, en allemand *München* ■ 3e ville de R. F. A., capitale de la *Bavière. 1,26 million d'hab. *(les Munichois).* Nombreux monuments et édifices anciens. Centre financier et bancaire, métropole industrielle et commerciale qui bénéficie d'un important réseau de communications. Nombreux musées. Université. Fêtes réputées (fête de la bière). □ HISTOIRE. Résidence des *Wittelsbach au XIIIe s., capitale historique de la Bavière. La ville fut le foyer du nazisme (putsch manqué d'Hitler en 1923). Travaux importants au XXe s. ► *les accords de Munich* (1938), conférence qui réunit les représentants de la France, de la Grande-Bretagne, de l'Italie et de l'Allemagne, et qui renforça la politique d'expansion de l'Allemagne.

Munster ■ Commune du Haut-*Rhin. 4 700 hab. *(les Munstériens).* Fromage réputé.

Münster ■ Ville de R. F. A. (*Rhénanie-Westphalie). 268 900 hab. Ville médiévale qui entra dans la *Hanse au XIIIe s. Centre commercial et industriel. Foyer du mouvement des *anabaptistes au XVIe s.

Thomas Münzer ■ Réformateur religieux allemand (v. 1489-1525). Chef *anabaptiste de la révolte des paysans, exécuté, il apparaît pour la pensée marxiste comme un révolutionnaire.

Murano ■ Île et agglomération de la commune de *Venise, célèbre pour ses verreries.

Murasaki Shikibu ■ Romancière japonaise (xe - xie s.). Le *"Genji-monogatari"* (« Dit du Gengi »), immense évocation de la société et des intrigues de la cour de Kyōto.

Joachim Murat ■ Époux de Caroline Bonaparte, maréchal d'Empire, roi de *Naples (1767-1815). Chef de guerre intrépide, mais mauvais politique.

sir Roderick Impey Murchison ■ Géologue écossais (1792-1871).

Murcie, en espagnol *Murcia* ■ Ville d'Espagne. 288 600 hab. Cathédrale gothique. Industrie agro-alimentaire.

Iris Murdoch ■ Romancière britannique (née en 1919). *"Dans le filet"*.

George Peter Murdock ■ Ethnologue américain (né en 1897). *"La Structure sociale"*, approche comparative des sociétés.

La Mure ■ Commune de l'*Isère. 5 900 hab. *(les Murois)*.

Les Mureaux ■ Commune des *Yvelines. 31 800 hab. *(les Muriautins)*.

Muret ■ Sous-préfecture de la Haute-*Garonne. 16 200 hab. *(les Murétains)*.

Henri Murger ■ Écrivain français (1822-1861). *"Scènes de la vie de bohème"*, dont *Puccini tirera l'opéra *"la Bohème"*.

Bartolomé Estebán Murillo ■ Peintre espagnol (1618-1682). Sujets religieux *("Immaculée Conception")*. Scènes de genre *("le Jeune Mendiant")*.

Friedrich Murnau ■ Cinéaste *expressionniste allemand, naturalisé américain (1889-1931). *"Nosferatu"* ; *"Tabou"*.

Muroran ■ Ville et port de commerce du Japon (*Hokkaidō). 136 000 hab. Sidérurgie.

Henry Murray ■ Psychologue américain (né en 1892). Auteur d'un des tests projectifs les plus employés, le T. A. T.

le Murray ■ Fleuve du sud-est de l'Australie (2 574 km). La vallée du Murray a une grande importance économique.

Mururoa ■ Atoll de l'archipel de *Tuamotu. Base française d'expérimentation d'engins atomiques.

Musashino ■ Ville du Japon (*Honshū). 136 000 hab. Industrie de la soie.

les Muses ■ Les neuf filles de *Zeus et de *Mnémosyne, divinités des chants et des sciences : *Calliope, *Clio, *Érato, *Euterpe, *Melpomène, *Polymnie, *Terpsichore, *Thalie, *Uranie. 〈 ▶ muse, musée 〉

Robert von Musil ■ Écrivain autrichien (1880-1942). Il a cherché, par le roman, à analyser le domaine de la subjectivité avec la rigueur de la démarche scientifique. *"Les Désarrois de l'élève Törless"* ; *"l'Homme sans qualités"*.

Alfred de Musset ■ Écrivain romantique français (1810-1857). Auteur de poèmes *("les Nuits")*, de pièces de théâtre *("les Caprices de Marianne"* ; *"Lorenzaccio")* et d'un roman *("les Confessions d'un enfant du siècle")*.

Benito Mussolini ■ Homme d'État italien, le fondateur du *fascisme (1883-1945). Journaliste socialiste jusqu'en 1914, il créa les « Faisceaux italiens de combat » en 1919. En 1922, le *Duce* (le « Guide »), comme il se faisait appeler, organisa la marche sur Rome à l'issue de laquelle il s'empara du pouvoir. Pendant la Seconde *Guerre mondiale, les revers italiens déclenchèrent de vives critiques contre lui. Arrêté sur ordre du roi et emprisonné (1943), libéré par les Allemands, il fut exécuté par les résistants à la Libération.

Mustafa Kemal dit *Atatürk* ■ Homme d'État et nationaliste turc (1881-1938). Il affirma l'indépendance de l'État et de la nation contre les grandes puissances et la Grèce. Il appliqua une politique de réformes et de laïcisation.

al-Mutanabbī ■ Poète épique arabe (915-965).

le muʿtazilisme ■ Secte musulmane fondée au VIIIᵉ s.

Mutzig ■ Commune du Bas-*Rhin. 5 100 hab. Brasserie.

Le Muy ■ Commune du *Var. 5 400 hab.

Muzaffarpur ■ Ville de l'Inde. 190 000 hab.

Mycènes ■ Ancienne ville de Grèce (*Péloponnèse). Foyer de la première civilisation hellénique, dite *mycénienne*. Site célèbre pour son palais, son enceinte cyclopéenne (XIVᵉ s. av. J.-C.) et ses sépultures royales découvertes par *Schliemann. Lieu de constitution du Panthéon grec. ⇒ **Argonautes, Héraclès, Ulysse, Persée, Atrée, Pélops, Agamemnon, Clytemnestre, Égisthe, Oreste.**

Mykérinos ■ Pharaon de la IVᵉ dynastie (v. 2600 av. J.-C.). Fils et successeur de *Khéphren, il fit construire une des trois grandes pyramides de *Gizeh.

Mykonos ou *Míkonos* ■ Île grecque de la mer Égée. 75 km². 3 600 hab. Centre touristique.

Karl Gunnar Myrdal ■ Homme politique et économiste suédois (1898-1987). *"L'Équilibre monétaire"*. Prix Nobel 1974. □ *Alva Reimer Myrdal,* son épouse (1902-1986). Diplomate, prix Nobel de la Paix 1982.

les Myrmidons n. m. ■ Peuple de *Thessalie. Selon le mythe, ils étaient à l'origine des fourmis que *Zeus transforma en hommes afin de peupler l'île d'*Égine. *Achille fut leur chef pendant la guerre de *Troie.

Myron ■ Sculpteur grec (vᵉ s. av. J.-C.). *"Discobole"*.

Mysore ■ Ville de l'Inde. 476 000 hab. Jardin zoologique.

My-tho ■ Ville du Viêt-nam. 119 000 hab. Ancienne base navale française, dans le delta du *Mekong.

Mytichtchi ■ Ville d'U. R. S. S. (*Russie), près de Moscou. 145 000 hab.

Mytilène ■ ⇒ **Lesbos.**

le Mzab ■ Région du Sahara algérien peuplée de *Mozabites* (ou *Mzabites*), et de musulmans *khārijites d'origine berbère qui conservent une certaine autonomie.

N

les **Nabatéens** n. m. ■ Ancien peuple sémitique d'Arabie, soumis par les Romains en 106. Leur capitale était *Petra.

les **nabis** ■ En hébreu les « prophètes », groupe de peintres, créé à Paris en 1888. Maurice *Denis en fut le théoricien et *Sérusier le chef de file. Les nabis s'inspirent des estampes japonaises et des vitraux ; ils procèdent par aplats cernés de noir (⇒ **Vuillard**).

Nabis ■ Tyran cruel de *Sparte (v. 205 - 192 av. J.-C.).

Vladimir **Nabokov** ■ Écrivain russe naturalisé américain (1899-1977). Il a exploré les thèmes de la méprise, de l'incertain et de l'exil. "*Lolita*".

Nabuchodonosor II ■ Roi de *Babylone de 605 à 562 av. J.-C. Grand conquérant et bâtisseur, vainqueur des Égyptiens. La Bible raconte comment il prit Jérusalem et déporta le peuple juif à Babylone.

Félix Tournachon dit **Nadar** ■ Photographe français (1820-1910). Il fit les portraits de Nerval, Dumas, George Sand, etc. Il prit aussi les premières photographies aériennes.

Nādir Shāh ■ Shah de Perse, despote et grand conquérant (1688-1747).

Nadjaf ■ Ville d'Iraq. Centre de pèlerinage. 130 000 hab.

Nadjd ou **Nedjd** ■ Vaste plateau désertique d'Arabie Saoudite.

Nagano ■ Ville du Japon (*Honshū). 324 000 hab.

Nagaoka ■ Ville du Japon (*Honshū). 180 000 hab.

Nagarkoil ou **Nāgercoil** ■ Ville de l'Inde. 141 000 hab. Centre religieux hindou.

Nagasaki ■ Ville du Japon (*Kyūshū) sur laquelle les Américains lancèrent la seconde bombe atomique en août 1945. 445 000 hab. Port actif (constructions navales).

Nagoya ■ 3e port du Japon, sur l'île d'*Honshū. Conurbation de 3,2 millions d'hab. Grande région d'industrie lourde.

Nāgpur ■ Ville de l'Inde. 860 000 hab. Centre industriel (métallurgie, tissage).

Imre **Nagy** ■ Homme d'État hongrois (1896-1958). Président du Conseil de 1953 à 1955, revenu au pouvoir après les émeutes étudiantes de 1956, renversé par les soviétiques et exécuté par le régime de *Kádár.

Naha ■ Ville du Japon, capitale de l'archipel des *Ryū-kyū. 295 000 hab. Université. Tourisme.

Vidiadhar Surajprasad **Naipaul** ■ Écrivain de Trinité-et-Tobago (né en 1932). Auteur d'essais et de romans sur les problèmes du tiers monde.

Nairobi ■ Capitale du Kenya située à 1 600 m d'altitude. 700 000 hab. La plus grande ville d'Afrique de l'est. Université. Archevêché. Industrie du bois, caoutchouc. Tourisme. Aéroport.

Nakasone Yasuhiro ■ Homme d'État japonais (né en 1918). Premier ministre depuis 1982.

Nakhodka ■ Ville d'U. R. S. S. (*Russie), port sur la mer du Japon. 133 000 hab.

Naltchik ■ Ville d'U. R. S. S. (*Russie), capitale de la *Kabardino-Balkarie. 207 000 hab.

Namangan ■ Ville d'U. R. S. S. (*Ouzbékistan). 224 000 hab.

la **Namibie** ou **Sud-Ouest africain** ■ Territoire d'Afrique, sur l'Atlantique, administré par la république d'*Afrique du Sud. 823 144 km². 1,5 million d'hab. (les Namibiens). Monnaie : rand sud-africain. Langues officielles : afrikaans, anglais, allemand. Capitale : Windhoek. Bien que peuplée en majorité de *Bantous, la Namibie est aux mains d'une minorité blanche : malgré l'opposition de l'O. N. U., l'Afrique du Sud bloque le processus d'indépendance et maintient sa tutelle sur ce territoire, ancien protectorat allemand que les Sud-Africains avaient conquis en 1915. Richesses minières (diamant, uranium) et pêche.

Nampo ■ Port de Corée du Nord. 130 000 hab.

Nampula ■ Ville du Mozambique. 126 000 hab.

Namur ■ Ville de Belgique. 100 300 hab. (les Namurois). Activités tertiaires, tourisme (monuments XIVe - XVIIIe s.). Grand rôle stratégique dans le passé. ▶ la province de **Namur.** Une des neuf provinces de la Belgique. 3 665 km². 411 000 hab.

Nānak ■ Maître spirituel indien, le premier des gourous, fondateur de la secte des *Sikhs (1469-1539).

Nanchang ■ Ville de Chine. 520 000 hab. Important centre industriel : constructions mécaniques, chimie, textile.

Nancy ■ Préfecture de la *Meurthe-et-Moselle. 99 300 hab. *(les Nancéiens).* Centre industriel (métallurgie, textile, chaussures, cristal) et culturel (musée, écoles scientifiques). Capitale des ducs de *Lorraine dès le XIIIᵉ s., embellie par le roi *Stanislas au XVIIIᵉ s. ▶ *l'école de Nancy,* fondée par *Gallé à la fin du XIXᵉ s. pour renouveler les arts décoratifs. Style inspiré des motifs végétaux.

Nānded ■ Ville de l'Inde. 190 800 hab.

Nangis ■ Commune de *Seine-et-Marne. 6 900 hab.

Nanjing ou **Nankin** ■ Ville de Chine qui fut plusieurs fois capitale. 2,25 millions d'hab. Port fluvial sur le *Yangzi Jiang. Tombeau des empereurs *Ming. Le *traité de Nankin,* signé par les Chinois et les Anglais en 1842, mit fin à la guerre de l'*Opium.

Nanning ■ Ville et port de Chine. 876 000 hab.

Nanterre ■ Préfecture des *Hauts-de-Seine, dans la banlieue ouest de Paris. 90 400 hab. *(les Nanterrois).* Université. Industries automobile et chimique.

Nantes ■ Préfecture de la *Loire-Atlantique et de la région Pays de la *Loire. 247 200 hab. *(les Nantais).* 4ᵉ port français (sur l'estuaire de la Loire), base d'une grande activité industrielle : chantiers navals, métallurgie, biscuiteries. Capitale des ducs de *Bretagne à partir du XIIᵉ s., elle se développa au XVIIIᵉ s. grâce au commerce *triangulaire. ▶ *l'édit de Nantes,* signé par *Henri IV en 1598, mit fin aux guerres de *Religion en donnant aux protestants la liberté de culte et de conscience. ▶ *la révocation de l'édit de Nantes,* signée par *Louis XIV en 1685, provoqua l'émigration de plus de 200 000 Français et la révolte des *Camisards.

Robert Nanteuil ■ Graveur français (v. 1623 -1678). Portraits.

Nantong ■ Ville de Chine au nord de *Shanghai. 275 000 hab.

Nantua ■ Sous-préfecture de l'*Ain. 3 600 hab. *(les Nantuatiens).*

John Napier ■ ⇒ **Neper.**

Naples ■ 3ᵉ ville d'Italie, port au pied du *Vésuve. 1,2 million d'hab. *(les Napolitains).* Nombreux monuments ; site magnifique, mais avec des zones misérables. Centre économique de la région du *Mezzogiorno : raffinage du pétrole, industries chimique, mécanique (Olivetti). □ *le royaume de Naples* puis *royaume des Deux-Siciles* s'étendait autrefois sur le sud de l'Italie et la *Sicile. Fondé par les *Normands au XIᵉ s., dominé par les Espagnols à partir de 1442, il fut confisqué par Napoléon Iᵉʳ et attribué à son frère Joseph puis à *Murat. Les *Bourbons furent restaurés en 1815, puis en 1821. Après la victoire de *Garibaldi en 1860, le royaume fut intégré au nouveau royaume d'Italie. ⟨ ▶ napolitain ⟩

Naplouse, en arabe **Nābulus** ■ Ville de Jordanie (Cisjordanie). 50 000 hab. La ville est occupée par Israël depuis la guerre des Six-Jours (1967).

Napoléon Iᵉʳ ■ Napoléon *Bonaparte, empereur des Français de 1804 à 1815 (1769-1821). Officier corse rallié, contre *Paoli, à la Révolution française, brillant conquérant de l'Italie où il organisa des républiques (1796-1797), il fut remarqué par *Barras et *Sieyès qui l'utilisèrent pour réprimer leurs adversaires politiques. Après le coup d'État du 18 *Brumaire (1799), il les supplanta immédiatement. Il domina dès lors l'histoire de l'Europe, devenant Premier consul (1799), consul à vie (1802) puis Empereur des Français (1804) (⇒ **Consulat** et premier **Empire**),

jusqu'à sa défaite militaire devant l'Autriche, la Prusse, l'Angleterre et la Russie (1814). Forcé d'abdiquer, souverain de l'île d'*Elbe, il réussit à reprendre le pouvoir en 1815 (⇒ **Cent-Jours**), mais fut définitivement vaincu à *Waterloo et déporté à *Sainte-Hélène, où il mourut. Son génie politique et militaire a inspiré un véritable mythe, forgé dès son vivant par des artistes tels que *David, continué par des écrivains (*Hugo, Bérenger) et des mémorialistes (*Las Cases) après sa mort, parallèlement à la « Légende noire » de l'« ogre de Corse » qu'entretenaient ses ennemis, notamment les Anglais. □ *Napoléon II,* son fils, roi de Rome, duc de Reichstadt, ne régna pas (1811-1832). Edmond *Rostand en fit le héros de *"l'Aiglon".* ⟨ ▶ napoléon, napoléonien ⟩

Napoléon III ■ Louis Napoléon Bonaparte, empereur des Français de 1852 à 1870 (1808-1873). Bénéficiant de l'aura de son oncle *Napoléon Iᵉʳ, il tenta par deux fois de prendre le pouvoir (1836, 1840). Élu président de la IIᵉ *République (1848) avec l'appui des conservateurs, il neutralisa l'Assemblée (coup d'État du 2 décembre 1851), obtint par plébiscite le droit d'établir une constitution renforçant considérablement ses pouvoirs puis, par un second plébiscite, rétablit l'Empire (⇒ second **Empire**). Déchu après la défaite de *Sedan face à la Prusse, il s'exila en Angleterre, où il mourut.

Nara ■ Ville du Japon (*Honshū). 328 000 hab. Capitale du Japon au VIIIᵉ s.

Nārāyanganj ■ Ville du Bangladesh. 425 000 hab.

la Narbadā ■ Un des grands fleuves sacrés de l'Inde.

Narbonne ■ Sous-préfecture de l'*Aude. 42 700 hab. *(les Narbonnais).* Important marché du vin. Grand port à l'époque romaine et jusqu'au XVIᵉ s., métropole d'une des quatre provinces de la Gaule romaine, la *Narbonnaise,* vaste région englobant les villes de Narbonne, Toulouse, Aix-en-Provence, Vienne.

Narcisse ■ Jeune homme de la mythologie grecque, amoureux de son image, reflétée dans l'eau d'une fontaine. ⟨ ▶ narcissisme ⟩

la N. A. S. A., *National Aeronautics and Space Administration* ■ Organisme officiel des États-Unis pour la recherche civile spatiale et aéronautique.

Nashville ■ Ville des États-Unis, capitale du *Tennessee. 455 600 hab. Édition et production musicales.

Nāsik ■ Ville de l'Inde, ancienne cité sacrée. 429 000 hab.

les Nasrides n. m. ■ Dernière dynastie arabe d'Espagne. Elle régna à Grenade de 1238 à 1492.

la maison de Nassau ■ Famille qui s'installa en *Rhénanie au XIIᵉ s. et qui se divisa en plusieurs branches. La ligne d'*Orange-Nassau* domina l'histoire des Provinces-Unies. ⇒ **Guillaume III,** roi d'Angleterre.

Nassau ■ Capitale des *Bahamas. 135 400 hab.

Gamal Abdel Nasser ■ Président de la République égyptienne de 1956 à sa mort (1918-1970). Créateur de l'Égypte moderne et champion de l'unité arabe, malgré sa défaite contre l'armée israélienne en 1967 (⇒ conflit **israélo-arabe**). ▶ *le lac Nasser.* Retenue formée sur le *Nil par le barrage d'*Assouan.

Natal ■ Ville et port du Brésil sur l'Atlantique. 376 500 hab.

Nataniya ou *Netanya* ■ Ville et port d'Israël. 93 000 hab. Centre industriel actif et station balnéaire sur la Méditerranée.

les Natchez n. m. ■ Ancienne tribu d'Indiens d'Amérique du Nord. Évoqués par *Chateaubriand dans "*Atala*" et "*René*".

le national-socialisme ■ ⇒ nazisme.

Charles Joseph Natoire ■ Peintre et décorateur français (1700-1777). Maître du décor *rococo.

Jean-Marc Nattier ■ Peintre français (1685-1766). Portraits précieux à caractère mythologique et allégorique.

le naturalisme ■ École littéraire de la fin du XIXᵉ s. Sous l'impulsion de *Zola, elle amplifie le réalisme en ajoutant à la reproduction fidèle du réel une investigation scientifique : le romancier « miroir » devient le romancier « savant ». Il y eut aussi un théâtre naturaliste. ⇒ Strindberg, Ibsen.

Nauru ■ Île (république) de *Micronésie. L'un des plus petits États du monde (21 km²). 8 000 hab. Langues : nauruan (officielle), anglais. Capitale : Yaren (4 000 hab.). Phosphate. Indépendante depuis 1968, membre du *Commonwealth.

Nausicaa ■ Fille du roi des Phéaciens dans l'*Odyssée. Elle recueille *Ulysse naufragé.

les Navahos ou *Navajos* n. m. ■ La plus grande ethnie indienne des États-Unis. Ils sont environ 45 000 et vivent en *Utah, en *Arizona et au *Nouveau-Mexique.

la Navarre ■ Communauté autonome d'Espagne. 10 421 km². 507 000 hab. Capitale : Pampelune. Région montagneuse sillonnée de vallées et vouée à l'agriculture (élevage, maïs, olivier). La Navarre fut un royaume indépendant jusqu'à son annexion par *Ferdinand d'Aragon (1515), sauf la *Basse-Navarre* (région de *Saint-Jean-Pied-de-Port), devenue française après l'accession au trône d'*Henri IV, roi de Navarre. Population et langue basques.

Náxos ■ Île grecque, la plus grande des *Cyclades. 14 000 hab. Dans la mythologie, *Thésée y abandonne *Ariane.

Nazareth ■ Ville d'Israël, en *Galilée. 40 000 hab. D'après les *Évangiles, *Jésus, surnommé « le Nazaréen », y passa son enfance.

le nazisme ou *national-socialisme* ■ Doctrine exposée par *Hitler dans "*Mein Kampf*" (1924), fondée sur l'ultra-nationalisme, l'apologie de la force, et un racisme dirigé surtout contre les juifs. Elle inspira le *parti nazi* et l'Allemagne du IIIᵉ Reich, de 1933 à 1945. ⇒ Hitler. ► *les nazis*, ses partisans. Après la Seconde *Guerre mondiale, ils furent déclarés criminels de guerre et jugés au procès de *Nuremberg. ⟨ ► nazi ⟩

N'Djamena ■ Capitale du Tchad, port sur le fleuve Chari. 511 700 hab. Autrefois *Fort-Lamy,* fondé par les Français en 1900.

Ndola ■ Ville de Zambie. 282 400 hab.

l'homme de Neandertal ou *Néanderthal* ■ Squelette humain découvert en 1856 en R. F. A., dans la vallée de Neander (*Neander-Tal*), et datant du paléolithique.

Néarque ■ Navigateur grec, lieutenant d'*Alexandre le Grand (IVᵉ s. av. J.-C.).

le Nebraska ■ État du centre des États-Unis. 200 018 km². 1,6 million d'hab. Capitale : *Lincoln. Vaste plaine agricole (bovins, céréales).

le Neckar ■ Rivière de R. F. A., affluent du *Rhin, en partie navigable (371 km).

Jacques Necker ■ Banquier genevois, ministre de Louis XVI (1732-1804). Rendu populaire par sa politique d'économie et la publication des dépenses de la Cour (1777-1781). Il fut rappelé en 1788 ; son renvoi le 11 juillet 1789 précipita le mouvement révolutionnaire. À nouveau rappelé après la prise de la *Bastille, il se retira en 1790.

Nederland ■ Nom néerlandais des *Pays-Bas.

Néfertiti ■ Reine d'Égypte, épouse du pharaon Aménophis IV *Akhnaton (XIVᵉ s. av. J.-C.). Célèbre pour sa beauté.

le Néguev ■ Région désertique du sud d'Israël mise en valeur grâce aux travaux d'irrigation : coton, oranges, blé.

Jawāharlāl Nehru ■ Homme d'État indien (1889-1964). Il lutta avec *Gāndhī pour l'indépendance de l'Inde et devint Premier ministre lors de l'indépendance (1947). Père d'Indira *Gāndhī.

la Neisse de Lusace ■ Rivière qui naît en Tchécoslovaquie, puis forme en Pologne la frontière avec la R. D. A., avant de rejoindre l'*Oder (*Oder-Neisse*). 256 km.

Neiva ■ Ville et port fluvial de Colombie. 197 400 hab.

Nikolaï Nekrassov ■ Poète et journaliste russe (1821-1877). Il a évoqué la misère du peuple. "*Qui vit heureux en Russie ?*".

Émile Nelligan ■ Poète canadien d'expression française (1879-1941). Poèmes d'inspiration française (Rimbaud, Baudelaire), mais au ton personnel.

Nellore ■ Ville de l'Inde. 234 000 hab. Port de pêche.

Horatio Nelson ■ Amiral anglais qui vainquit les Français à Aboukir et à *Trafalgar, où il fut tué (1758-1805).

Némée ■ Localité de la Grèce antique où étaient célébrés les « jeux Néméens » et où *Héraclès, dans la légende, tua un lion.

Némésis ■ Déesse grecque de la Vengeance.

Nemours ■ Commune de *Seine-et-Marne. 11 600 hab. (*les Nemouriens*). Château remontant au XIIᵉ s.

Pietro Nenni ■ Homme politique italien (1891-1980). Figure importante du parti socialiste italien.

le néo-classicisme ■ Mouvement artistique européen apparu à la fin du XVIIIᵉ s., inspiré par les découvertes archéologiques (⇒ Winckelmann). Il prône un retour aux modèles de l'Antiquité. Ses principaux représentants furent *Mengs, *David et ses élèves en peinture, *Canova en sculpture et *Soufflot en architecture.

la N. E. P. ■ « Nouvelle Politique économique », libéralisation temporaire préconisée par *Lénine (1921-1928). ⇒ U. R. S. S.

le Népal ■ État (royaume) d'Asie, charnière entre le Tibet et l'Inde. 147 181 km². 16,6 millions d'hab. (*les Népalais*). Langue : nepali. Capitale : *Katmandu. Monnaie : roupie népalaise. Pays des plus hautes montagnes du monde, dans l'*Himalaya. Les Népalais vivent dans les plaines : culture du maïs et du riz, élevage de yacks. Leur niveau de vie est bas.

Nombreux temples bouddhiques. Protectorat anglais au XIXe s., le Népal retrouva son indépendance en 1923.

John Neper ou ***Napier*** ■ Mathématicien écossais (1550-1617). Il découvrit les logarithmes.

Neptune ■ Dieu romain de la Mer. Comme le Poséidon grec, il est armé d'un trident. □ *Neptune* est aussi la huitième planète du système solaire, découverte en 1846. 50 000 km de diamètre.

Nérac ■ Sous-préfecture du *Lot-et-Garonne. 7 600 hab. *(les Néracais).*

Nérée ■ Dieu grec, appelé « le Vieillard de la mer ». Père des *Néréides,* divinités marines.

Néron ■ Empereur romain, symbole du tyran fou et sanguinaire (37-68). Il fit assassiner sa mère Agrippine ; il mit le feu à Rome (64), accusa les chrétiens de ce crime et les fit persécuter.

Pablo Neruda ■ Poète chilien (1904-1973). Son œuvre est inséparable de son engagement social et révolutionnaire. *"Chant général"*. Prix Nobel 1971.

Gérard Labrunie dit ***Gérard de Nerval*** ■ Écrivain français (1808-1855). Son œuvre, où dominent le mysticisme et le rêve, annonce le surréalisme : *"les Chimères"*, poèmes; *"Sylvie"* ; *"Aurélia"* ; *"les Filles du feu"*, récits. Atteint de crises de folie, il se pendit.

Pier Luigi Nervi ■ Architecte italien (1891-1979). L'un des maîtres de l'architecture en béton armé.

le loch Ness ■ Lac d'Écosse célèbre pour son hypothétique « monstre du loch Ness ».

Nessos ou ***Nessus*** ■ Centaure tué par *Héraclès.

Nestorius ■ Patriarche de Constantinople (v. 380 - 451). ► *le nestorianisme,* sa doctrine, fut jugé hérétique, mais se répandit en Orient jusqu'à nos jours.

Netzahualcóyotl ■ Banlieue de Mexico. 558 000 hab.

Neuchâtel en allemand ***Neuenburg*** ■ Ville de Suisse sur le *lac de Neuchâtel.* 38 000 hab. *(les Neuchâtelois).* Université. Tourisme. Horlogerie. ► *le canton de Neuchâtel* s'étend sur le Jura. 797 km². 159 000 hab. Chef-lieu : Neuchâtel.

Neufchâteau ■ Sous-préfecture des *Vosges. 9 600 hab. *(les Néocastriens* ou *Neufchâtellois).* Industrie du bois (jouets).

Neufchâtel-en-Bray ■ Commune de *Seine-Maritime. 6 000 hab. *(les Neufchâtelois).* Fromages.

Neuilly-Plaisance ■ Commune de *Seine-Saint-Denis, à l'est de Paris. 18 000 hab. *(les Nocéens).*

Neuilly-sur-Marne ■ Commune de *Seine-Saint-Denis. 30 000 hab. *(les Nocéens).*

Neuilly-sur-Seine ■ Commune des *Hauts-de-Seine, à l'ouest de Paris. 66 000 hab. *(les Neuilléens).* Ville résidentielle.

Balthazar Neumann ■ Architecte allemand (1687-1753). Nombreux châteaux de style *rococo.

Johannes von Neumann ■ Mathématicien américain d'origine hongroise (1903-1957). Théorie des ensembles, axiomatisation de la mécanique quantique, théorie ergodique (du travail), théorie des jeux (avec Morgenstern), programmation, cybernétique.

Neuss ■ Ville et port de R. F. A., sur le Rhin. 145 000 hab.

la Neustrie ■ Royaume mérovingien de l'est de la Gaule, réuni à l'*Austrasie à la fin du VIIe s.

Richard Joseph Neutra ■ Architecte américain d'origine autrichienne (1892-1970). Auteur de maisons particulières originales.

Neuves-Maisons ■ Commune de *Meurthe-et-Moselle. 6 800 hab. *(les Néodaniens).* Sidérurgie.

Neuville-en-Ferrain ■ Commune du *Nord. 9 000 hab.

Neuville-sur-Saône ■ Commune du *Rhône. 5 900 hab. *(les Neuvillois).*

la Néva ■ Fleuve d'U. R. S. S. qui traverse Leningrad et se jette dans le golfe de Finlande. 74 km. Victoire décisive d'*Alexandre Nevski (d'où son nom) sur les Suédois (1240).

le Nevada ■ État de l'ouest des États-Unis. 286 299 km². 800 000 hab. Capitale : Carson City. Villes principales : Las Vegas, Reno. Tourisme, jeux d'argent.

Nevers ■ Préfecture de la *Nièvre. 48 000 hab. *(les Nivernais).* Cathédrale, palais ducal. Fabrique de faïence d'art depuis le XVIIe s. Constructions mécaniques.

Alexandre Nevski ■ ⇒ **Alexandre Nevski.**

Newark ■ Ville des États-Unis (*New Jersey), port appartenant à la conurbation de New York. 329 000 hab.

New Bedford ■ Port des États-Unis (*Massachusetts). 102 000 hab.

Newcastle ■ Ville britannique, principal centre industriel du nord de l'Angleterre : extraction de la houille, sidérurgie, raffinage du pétrole. 240 000 hab.

Newcastle ■ Ville et port d'Australie. 363 000 hab. Sidérurgie, chimie.

le New Deal ■ La « nouvelle donne », politique de F. D. *Roosevelt contre la crise de 1929, caractérisée par une intervention de l'État dans la vie économique et sociale.

New Delhi ■ Faubourg moderne de la ville de *Delhi et capitale administrative de l'Inde. 300 000 hab.

le New Hampshire ■ État du nord-est des États-Unis. 24 192 km² (dont 80 % en forêts). 920 000 hab. Capitale : Concord.

New Haven ■ Ville des États-Unis (*Connecticut), port du détroit de Long Island, près de New York. 126 000 hab. Siège de l'université de *Yale.

le New Jersey ■ État de l'est des États-Unis. 21 300 km². 7,4 millions d'hab. Capitale : Trenton. État industriel grâce à la proximité de New York et de Philadelphie. Tourisme sur la côte atlantique. Université de Princeton.

Barnett Newman ■ Peintre américain (1905-1970). Champs verticaux de couleurs pures sur de grandes surfaces.

John Henry Newman ■ Théologien anglais (1801-1890). Membre de l'Église anglicane, il se fit catholique et devint cardinal.

New Orleans ■ ⇒ **La Nouvelle-Orléans.**

Newport ■ Ville et port du pays de Galles. 112 000 hab. Centre industriel.

Newport ■ Ville et port des États-Unis (*Rhode Island). 35 000 hab. Festival de jazz.

Newport News ■ Ville et port des États-Unis (*Virginie). 145 000 hab. Chantiers navals. ⇒ **Hampton.**

sir Isaac **Newton** ■ Mathématicien, physicien et astronome anglais (1642-1727). Grâce à la loi de l'attraction universelle, il accomplit la synthèse annoncée par *Galilée de la physique et de l'astronomie, retrouvant les lois de *Kepler et donnant à la science moderne le modèle du rapport entre les mathématiques et l'expérience. On lui doit aussi l'analyse spectrale de la lumière et l'invention, en même temps que *Leibniz, du calcul infinitésimal.

New York ■ La plus grande ville des États-Unis. 7 millions d'hab. *(les New-Yorkais).* Conurbation de 16,2 millions d'hab., située à l'embouchure de l'*Hudson, sur l'Atlantique (État de New York). C'est aussi la première agglomération noire du monde (1,1 million de Noirs). La partie la plus célèbre est l'île de *Manhattan* où les Hollandais fondèrent en 1626 la ville de *New Amsterdam,* rebaptisée *New York* par les Anglais en 1664 ; aujourd'hui, elle regroupe les quartiers des affaires et les quartiers résidentiels avec leurs gratte-ciel, le quartier intellectuel *(Greenwich Village),* les villes noire de Harlem et chinoise de Chinatown. Autres « districts » : le *Bronx, Brooklyn, Queens, Staten Island.* New York est le siège de l'*O. N. U., le 2e *port du monde, la capitale financière *(Wall Street)* et économique du pays et un grand centre culturel (musées, opéras). ▢ *l'État de New York,* État du nord-est des États-Unis. 136 583 km². 17,7 millions d'hab. Capitale : Albany. Villes principales : New York, Buffalo, Rochester. 1er rang industriel, commercial et financier.

Michel **Ney** ■ « Le Brave des braves », le plus populaire des maréchaux d'Empire, duc d'Elchingen, prince de la Moskova (1769-1815). Héros de la retraite de Russie. Rallié à Louis XVIII, il devait arrêter Napoléon Ier mais se remit à son service. Il fut fusillé après les *Cent-Jours.

Neyagawa ■ Ville du Japon (*Honshū). 258 000 hab.

Nezāmi ■ Poète persan (1141-1209). Il mêla tradition soufie, culture savante et culture populaire. "*Leyla et Madjnun*".

Ngô Dinh Diêm ■ Homme d'État vietnamien (1901-1963). Il imposa une dictature au Sud-Viêt-nam à partir de 1955 et fut renversé par un putsch.

le **Niagara** ■ Cours d'eau reliant les lacs *Érié et *Ontario, à la frontière du Canada et des États-Unis. ▶ *les chutes du Niagara,* spectaculaires. Tourisme. Centrale hydro-électrique.

Niamey ■ Capitale du Niger sur le fleuve *Niger. 399 100 hab. Marché de bétail.

les **Nibelungen** n. m. ■ Nains de la mythologie germanique, habitant le monde souterrain. Ils ont inspiré *Wagner.

le **Nicaragua** ■ État (république) d'Amérique centrale. 127 849 km². 3,5 millions d'hab. *(les Nicaraguayens).* Langues : espagnol (officielle), langues indiennes. Capitale : Managua. Monnaie : cordoba. Population de métis au niveau de vie très bas. Le café et le coton sont les bases de l'économie. ▢ HISTOIRE. Ancienne colonie espagnole, le pays fut indépendant en 1821. Après un siècle de troubles et de guerres civiles, il fut soumis à la dictature de Somoza (1937-1956), puis de son fils renversé par les sandinistes en 1979. C'est aujourd'hui un régime socialiste lié à Cuba et en conflit avec les États-Unis.

Nice ■ Préfecture des *Alpes-Maritimes sur la baie des Anges. 338 500 hab. *(les Niçois).* Grand centre touristique sur la Méditerranée : promenade des

Anglais, carnaval. Université. Ancienne colonie grecque puis romaine rattachée à la Savoie (1388), au Piémont (1814), enfin à la France en 1860.

Nicée, aujourd'hui *İznik* ■ Ancienne ville d'Asie Mineure (Turquie). ▶ *le premier concile de Nicée* (325), condamna l'*arianisme. ▶ *le second concile de Nicée,* réuni en 787 par Constantin et l'impératrice *Irène, condamna les *iconoclastes. ▶ *l'empire de Nicée* s'étendit sur une grande partie de l'Asie Mineure de 1204 à 1261.

saint **Nicéphore** ■ Patriarche de *Constantinople (v. 758 - 829). Il se prononça contre les *iconoclastes.

saint **Nicolas** ■ Évêque de Myre en Lycie (Asie Mineure), patron de la Russie et des enfants (Ive s.). Dans les pays nordiques, il est le Père Noël sous le nom de *Santa Claus.*

Nicolas Ier ■ Tsar de Russie (1796-1855). Surnommé le « Tsar de fer » pour sa politique antiprogressiste. Il écrasa les révoltes polonaise (1831) et hongroise (1849), et déclara la guerre de *Crimée.

Nicolas II ■ Dernier tsar de Russie (1868-1918). Surnommé « Nicolas le Sanglant » pour sa répression des révoltes, renversé en 1917 et exécuté avec sa famille par les révolutionnaires. ⇒ **Russie.**

Nicolas de Cuse ■ Cardinal, théologien et savant allemand (1401-1464). "*La Docte Ignorance*".

Pierre **Nicole** ■ Moraliste français (1625-1695). Professeur à *Port-Royal, il soutint le *jansénisme. "*Logique de Port-Royal*", avec *Arnauld.

Charles **Nicolle** ■ Bactériologiste français (1886-1936). Prix Nobel de médecine, 1928.

Nicosie ou **Levkosía** ■ Capitale de l'île de Chypre. 163 700 hab. Marché agricole, tourisme.

Jean **Nicot** ■ Diplomate et érudit français (v. 1530 - 1600). "*Trésor de la langue française*", dictionnaire (1606). Il introduisit en France le tabac, d'abord appelé *herbe à Nicot* ou *nicotiane.* ⟨ ▶ nicotine ⟩

le **Niémen,** en russe *Niéman* ■ Fleuve du nord-ouest de l'U. R. S. S. (937 km).

Oscar **Niemeyer** ■ Architecte brésilien (né en 1907). Il a réalisé les principaux bâtiments de *Brasília.

Nicéphore **Niepce** ■ Inventeur français de la photographie (1765-1833). Collaborateur de *Daguerre.

Nieppe ■ Commune du *Nord. 7 200 hab.

Friedrich **Nietzsche** ■ Penseur allemand (1844-1900). Philologue de formation, il entreprit une critique des valeurs occidentales (esthétiques, philosophiques, religieuses, scientifiques) servie par un style éblouissant. De nombreux thèmes nietzschéens ont influencé la pensée contemporaine : généalogie, volonté de puissance, surhomme, « mort de Dieu », opposition entre *Dionysos et *Apollon, retour aux *présocratiques.

la **Nièvre** [58] ■ Département français de la région *Bourgogne. Il doit son nom à la rivière qui le traverse. 6 888 km². 239 600 hab. Préfecture : Nevers. Sous-préfectures : Château-Chinon, Clamecy, Cosne-Cours-Loire.

le **Niger** ■ 3e fleuve d'Afrique (4 200 km), navigable toute l'année. Son cours forme une boucle à travers la Guinée, le Mali, le Niger et le Nigeria. Il se jette dans l'Atlantique.

le **Niger** ■ État (république) d'Afrique de l'ouest. 1 186 408 km². 6,6 millions d'hab. *(les Nigériens).* Langue officielle : français. Monnaie : franc CFA.

Capitale : Niamey. En grande partie désertique, il est doté de l'un des climats les plus chauds du monde. L'élevage est la ressource principale. Le riz et le coton sont cultivés dans la vallée du *Niger. Gisements d'uranium. ▭HISTOIRE. Le pays fut partagé entre les *Haoussas et les *Songhaï, puis dominé et islamisé par les *Peuls, avant d'être colonisé par la France au début du XXᵉ s. (partie de l'Afrique-Occidentale française). Il devint indépendant en 1960.

le ou *la* **Nigeria** ■ État fédéral d'Afrique de l'Ouest. 923 773 km². 105 millions d'hab. *(les Nigérians)*. Langues : anglais (officielle) et 200 langues dont le haoussa, l'ibo et le yorouba. Capitale : Lagos. Monnaie : naira. Agriculture commerciale (cacao, palmier à huile) et élevage en voie de sédentarisation. Grand producteur de pétrole, membre de l'*O. P. E. P., il connaît une crise depuis la chute des cours du pétrole. ▭HISTOIRE. Avant l'arrivée des colons anglais au XIXᵉ s., deux civilisations s'affrontaient : les féodalités musulmanes du nord et les royaumes du sud. Indépendant en 1960, il est depuis membre du *Commonwealth.

Niigata ■ Ville et port du Japon (*Honshū). 476 000 hab. Industries pétrolières.

Vatslav **Nijinski** ■ Danseur et chorégraphe russe (1890-1950). Le plus célèbre interprète des Ballets russes de *Diaghilev.

Nijni Novgorod ■ ⇒ **Gorki**.

Nijni Taguil ■ Ville d'U. R. S. S. (*Russie), dans l'*Oural. 427 000 hab. Industries.

Nikolaïev ■ Ville et port d'U. R. S. S. (*Ukraine), sur la mer *Noire. 501 000 hab.

le **Nil** ■ Le plus long fleuve du monde (6 671 km). Né au Burundi, il passe au Soudan où il est appelé le *Nil blanc*, il reçoit le *Nil bleu* à Khartoum, puis il traverse les déserts de Nubie et d'Égypte par une série de cataractes, et se jette dans la Méditerranée par un vaste delta marécageux. Le fleuve, aujourd'hui régularisé par le barrage d'*Assouan, a façonné l'Égypte, son économie (voie de communication), son agriculture (crues fertilisantes) et sa religion (*Osiris).

Nilvange ■ Commune de la *Moselle. 5 900 hab. *(les Nilvangeois)*.

Nimègue, en néerlandais **Nijmegen** ■ Ville des Pays-Bas. 146 600 hab. Les *traités de Nimègue* (1678-1679) mirent fin à la guerre de *Hollande.

Nîmes ■ Préfecture du *Gard. 129 900 hab. *(les Nîmois)*. Centre touristique et commercial (fruits, légumes, vins). Ancienne cité de l'Empire romain : arènes, temple du Iᵉʳ s. (Maison carrée).

Roger **Nimier** ■ Romancier français (1925-1962). "*Le Hussard bleu*".

Anaïs **Nin** ■ Écrivaine américaine (1903-1977). Connue surtout pour son "*Journal*" et son roman "*la Maison de l'inceste*".

Ningbo ■ Port de Chine. 280 000 hab. Pêche.

Ninive ■ Capitale de l'*Assyrie dans l'Antiquité, détruite en 612 av. J.-C.

Niort ■ Préfecture des Deux-*Sèvres. 60 200 hab. *(les Niortais)*. Travail du cuir (gants, chaussures). Industries alimentaire, mécanique, électrique.

Nippon ou **Nihon** ■ Nom japonais désignant le Japon. ► *les* **Nippons**, les Japonais. ‹ ► nippon ›

Niš ■ Ville de Yougoslavie (*Serbie). 230 700 hab. Centre commercial et industriel.

Nishinomiya ■ Ville du Japon (*Honshū). 421 000 hab.

Niterói ■ Ville du Brésil. 386 200 hab.

le **Nivernais** ■ Ancienne province du centre de la France, pays de plateaux forestiers. Chef-lieu : Nevers.

Richard **Nixon** ■ Homme d'État américain (né en 1913). 37ᵉ président (républicain) des États-Unis de 1969 à 1974. Avec *Kissinger, il amorça la détente avec l'U. R. S. S. et la Chine (fin de la guerre du *Viêt-nam). Le scandale du *Watergate l'obligea à démissionner.

Paul **Nizan** ■ Écrivain français (1905-1940). Auteur d'essais et de romans engagés. "*Aden Arabie*" (célèbre préface de Sartre) ; "*la Conspiration*".

Kwame **Nkrumah** ■ Homme d'État ghanéen (1909-1972). Il lutta pour l'indépendance de son pays et en fut le premier président de la République (1960-1966).

le **nô** n. m. ■ Forme de théâtre classique japonais, chanté et dansé, créée au XVᵉ s. ⇒ **kabuki**. ‹ ► nô ›

Anna de **Noailles** ■ Poétesse et romancière française (1876-1933). "*Le Cœur innombrable*" ; "*la Nouvelle Espérance*".

Alfred **Nobel** ■ Chimiste et industriel suédois (1833-1896). Il mit au point la dynamite. Il légua sa fortune à la *fondation Nobel*, qui distribue chaque année des *prix Nobel* aux bienfaiteurs de l'humanité : physique, chimie, médecine ou physiologie, littérature, paix et (depuis 1968) économie.

Charles **Nodier** ■ Écrivain romantique français (1780-1844). Son œuvre mêle la fantaisie et le rêve. "*La Fée aux miettes*".

Noé ■ Patriarche de la Bible (*Genèse). Il est le seul à échapper au déluge, grâce à l'*Arche de Noé*, bateau que *Yahvé lui a ordonné de construire.

Marie Rouget dite *Marie* **Noël** ■ Poétesse française (1883-1967). Spiritualité franciscaine.

Nœux-les-Mines ■ Commune du *Pas-de-Calais. 13 200 hab.

Nogent ■ Commune de la Haute-*Marne. 5 300 hab. *(les Nogentais)*. Coutellerie.

Nogent-le-Rotrou ■ Sous-préfecture d'*Eure-et-Loir. 13 200 hab. *(les Nogentais)*.

Nogent-sur-Marne ■ Sous-préfecture du *Val-de-Marne. 24 700 hab. *(les Nogentais)*. « Fête du petit vin blanc », guinguettes.

Nogent-sur-Oise ■ Commune de l'*Oise. 17 400 hab. *(les Nogentais)*.

Nogent-sur-Seine ■ Sous-préfecture de l'*Aube. 5 100 hab. *(les Nogentais)*.

Charles **Noguès** ■ Général français, résident général au Maroc (1876-1971).

la mer **Noire** ■ Mer intérieure entre l'U. R. S. S., la Turquie, la Roumanie et la Bulgarie (435 000 km²). Elle communique avec la Méditerranée par les détroits du *Bosphore et des *Dardanelles.

Noirmoutier ■ Île de l'Atlantique (canton du département de la *Vendée). 8 400 hab. Reliée au continent par un pont.

Noisy-le-Grand ■ Commune de la *Seine-Saint-Denis. 40 600 hab. *(les Noiséens)*. Église romane et gothique.

Noisy-le-Roi ■ Commune des *Yvelines. 5 600 hab.

Noisy-le-Sec ■ Commune de la *Seine-Saint-Denis. 36 900 hab. *(les Noiséens)*. Centre ferroviaire.

Emil **Nolde** ■ Peintre et graveur allemand (1867-1956). Son style, violent et tourmenté, relève de l'*expressionnisme.

Luigi **Nono** ■ Compositeur italien (né en 1924). Un des principaux représentants de la musique sérielle. *"Intolleranza"*.

Nontron ■ Sous-préfecture de la *Dordogne. 4 000 hab. *(les Nontronnais)*.

le cap **Nord** ■ Point le plus septentrional d'Europe, au nord de la Norvège.

la mer du **Nord** ■ Partie de l'océan Atlantique située entre la Grande-Bretagne, la Belgique, les Pays-Bas, l'Allemagne, le Danemark et la Norvège (570 000 km²). Trafic maritime très dense (⇒ les ports de **Rotterdam, Londres, Anvers, Hambourg**). Gisements de pétrole près de l'Écosse et de la Norvège.

le **Nord** [59] ■ Département français de la région *Nord-Pas-de-Calais. 5 738 km². 2,5 millions d'hab. Préfecture : Lille. Sous-préfectures : Avesnes-sur-Helpe, Cambrai, Douai, Dunkerque, Valenciennes.

le passage du **Nord-Est** ■ Passage entre le nord de l'Europe et l'Asie par l'océan Arctique et le détroit de *Béring.

le **Nordeste** ■ Région située au nord-est du Brésil. Elle est surpeuplée (28,7 % de la population sur 18 % de sa superficie) et sous-développée. Une terrible famine eut lieu en 1983.

le passage du **Nord-Ouest** ■ Passage entre l'Atlantique Nord et le Pacifique par l'archipel arctique canadien, ouvert par *Amundsen (1903-1906).

les Territoires du **Nord-Ouest** ■ Région administrative du Canada, allant de la baie d'*Hudson au *Yukon et à l'*Alaska. Très vaste (3 379 683 km²) mais peu peuplée (51 400 hab.), à cause du froid. Ressources minières.

le **Nord-Pas-de-Calais** ■ Région administrative et économique française formée de deux départements : Nord et Pas-de-Calais. 12 126 km². 3,9 millions d'hab. Préfecture : Lille. Plaines de la Flandre et de l'Artois, une des régions agricoles les plus riches de France : céréales, betteraves, élevage. Grand foyer d'économie textile et commerciale au Moyen Âge (Lille, Roubaix, Tourcoing). Révolution industrielle au XIXe s. avec le charbon : sidérurgie sur le bassin houiller de la *Flandre et de l'*Escaut. Depuis quelques années, la crise du textile et de la sidérurgie nécessite une reconversion économique.

Norfolk ■ Ville et port des États-Unis (*Virginie). 267 000 hab. ⇒ **Hampton.**

Géo **Norge** ■ Poète belge d'expression française (né en 1898). *"La Langue verte"*.

Norilsk ■ Ville d'U. R. S. S. (*Russie) en Sibérie. 181 000 hab. Cuivre, nickel.

la **Normandie** ■ Ancienne province française. Unifiée lors de la conquête romaine, puis envahie par les *Normands au IXe s., elle comprenait l'Angleterre au XIe s. (⇒ **Guillaume le Conquérant**) puis passa aux *Plantagenêt. Longtemps disputée entre Anglais et Français, elle fut rattachée au domaine royal de France en 1468. Aujourd'hui divisée en deux régions administratives. □ *la région de* **Basse-Normandie** regroupe trois départements : Calvados, Manche, Orne. 17 583 km². 1,35 million d'hab. Préfecture :

Caen. Paysage de champs et de bocages au climat doux et pluvieux. Région essentiellement agricole : élevage bovin, produits laitiers (beurre, camembert), pommiers. Tourisme sur le littoral : *Deauville, *Cabourg. □ *la région de* **Haute-Normandie** comprend les départements de l'Eure et de la Seine-Maritime. 12 258 km². 1,65 million d'hab. Préfecture : Rouen. Paysage de plateaux creusés de vallées profondes et tombant en falaises abruptes sur la Manche. Élevage bovin et produits laitiers, mais la région est surtout industrielle grâce aux ports (Le Havre et Rouen) et à la proximité de Paris : raffinage du pétrole, chimie, industries du papier.

les **Normands** n. m. ■ « Hommes du Nord », pirates scandinaves (⇒ **Vikings**) auxquels *Charles le Simple céda la future *Normandie* (911), afin de protéger Paris et son royaume. Leurs descendants fondèrent un royaume anglo-normand (⇒ **Guillaume le Conquérant**) et divers États méditerranéens, notamment en *Sicile. ‹ ▶ normand ›

Norodom Sihanouk ■ Roi du Cambodge puis chef du gouvernement (né en 1922). Il démissionna en 1976, et quitta son pays en 1979. ⇒ **Cambodge.**

Norrköping ■ Ville et port de Suède. 118 800 hab.

Northampton ■ Ville d'Angleterre. 172 500 hab. Industrie du cuir.

Nort-sur-Erdre ■ Commune de *Loire-Atlantique. 5 100 hab.

la **Norvège** ■ État (monarchie constitutionnelle) d'Europe du Nord. Il correspond à la bordure occidentale de la Scandinavie et comprend de nombreuses îles. 323 877 km². 4,2 millions d'hab. *(les Norvégiens)*. Capitale : Oslo. Langue : norvégien (deux formes : bokmal, nynorsk). Monnaie : couronne norvégienne. Pays de montagnes, au littoral découpé de fjords. La pêche (premier rang en Europe) et l'exploitation de la forêt sont les bases de l'économie, stimulée en outre par les gisements de gaz naturel et de pétrole en mer du Nord. Aluminium. □HISTOIRE. L'un des pays d'origine des *Vikings. Il fut unifié en 872 et christianisé au XIe s. Il connut son apogée au XIIIe s., possédant le Groenland et l'Islande et dominant le reste de la Scandinavie. Il fut uni au Danemark et à la Suède sous *Marguerite Valdemarsdotter (1397). Puis il passa sous la domination de fait du Danemark en 1523, de la Suède en 1814 (mais avec sa propre Constitution), et devint indépendant en 1905. ‹ ▶ norvégien ›

Norwich ■ Ville d'Angleterre. 121 600 hab. Très belle cathédrale romane.

Michel de **Nostre-Dame** dit **Nostradamus** ■ Médecin et astrologue français (1503-1566). Célèbre pour ses prédictions, *"les Centuries"*.

Notre-Dame-de-Bondeville ■ Commune de *Seine-Maritime. 6 700 hab. *(les Bondevillais)*.

Notre-Dame-de-Gravenchon ■ Commune de *Seine-Maritime. 9 000 hab. *(les Gravenchonnais)*.

Notre-Dame de Paris ■ Cathédrale gothique de Paris, dans l'île de la Cité, construite entre 1163 et 1245 (mais on travailla sur l'édifice jusqu'en 1345). Elle fut restaurée par *Viollet-le-Duc au XIXe s.

Nottingham ■ Ville d'Angleterre. 227 800 hab. Industries mécanique et chimique. Université.

Nouâdhibou ■ Port de la Mauritanie. 22 000 hab.

Nouakchott ■ Capitale de la Mauritanie, fondée en 1957. 500 000 hab. Centre administratif et commercial.

Noukous ■ ⇒ **Karakalpakie.**

Nouméa ■ Chef-lieu du territoire d'outre-mer de *Nouvelle-Calédonie, fondé en 1854 sous le nom « Port-de-France ». Centre commercial et administratif de l'île. 56 000 hab.

Rudolf Noureïev ■ Danseur et chorégraphe soviétique, naturalisé britannique puis autrichien (né en 1938). Danseur étoile du théâtre Kirov de Leningrad, il choisit de rester en Occident. Directeur de la danse à l'Opéra de Paris depuis 1983.

l'art nouveau ou **modern style** ■ Mouvement de renouveau dans l'architecture et les arts décoratifs v. 1900 en Europe, dit aussi « style nouille ». Il s'inspire des volutes de la flore et de l'art japonais. Il utilise le fer et le verre, matériaux qui peuvent prendre toutes les formes. ⇒ **Mucha, Horta, Guimard, Gallé.**

Germain Nouveau ■ Poète français (1851-1920). Son œuvre oscille entre la sensualité et le mysticisme. *"Valentines".*

le Nouveau-Brunswick ■ Province (État fédéré) du Canada. 73 437 km². 709 000 hab. Capitale : Fredericton. Pêche, forêts. Un tiers de la population est francophone (frontière avec le Québec ; Acadiens).

le Nouveau-Mexique ■ État du sud-ouest des États-Unis. 315 115 km². 1,3 million d'hab. Capitale : Santa Fe. Tourisme (canyons), ressources minérales. Ancienne colonie espagnole puis province mexicaine, cédée aux États-Unis en 1848.

le Nouveau Monde ■ Nom donné au continent américain par les Européens, lorsqu'ils le découvrirent en 1492.

le nouveau roman ■ Mouvement littéraire français (v. 1950) qui se définit comme un refus des composants traditionnels du roman : déroulement chronologique de l'histoire, psychologie des personnages. Ses principaux représentants sont *Robbe-Grillet, Claude *Simon, *Butor, *Sarraute.

la Nouvelle-Angleterre ■ Nom des six États des États-Unis (Connecticut, Maine, Massachusetts, New Hampshire, Rhode Island, Vermont) correspondant aux colonies anglaises fondées sur la côte atlantique.

la Nouvelle-Calédonie ■ Île et territoire français d'outre-mer, dans l'océan Pacifique à l'est de l'Australie. 19 200 km². 145 000 hab. *(les Néo-Calédoniens).* Langues : français, kanak. Capitale : Nouméa. Climat subtropical. Le nickel est à la base de l'économie. Découverte par Cook, possession française depuis 1853, l'île est soumise à des affrontements entre les Canaques (Kanaks) indépendantistes et les Européens ou « Caldoches ».

la Nouvelle-Écosse ■ Province (État fédéré) du Canada. 54 465 km². 841 000 hab. Capitale : Halifax. Pêche en Atlantique.

la Nouvelle-Guinée ■ Immense île de l'océan Pacifique, avec des parties très peu habitées. 775 000 km². 3,4 millions d'hab. *(les Néo-guinéens,* en majorité Papous). Montagneuse, volcanique et très humide, partagée entre l'Indonésie (⇒ **Irian Barat**) et la *Papouasie-Nouvelle-Guinée. Quelques plantations de café, cacao, coprah. Mines d'or.

La Nouvelle-Orléans en anglais *New Orleans* ■ Ville des États-Unis (*Louisiane), ancienne capitale de la Louisiane, port actif sur le Mississippi. 557 000 hab. Fondée par les Français v. 1718 (maisons anciennes dans le Vieux Carré), lieu de naissance du jazz, elle est très touristique. Pétrochimie. Université.

les Nouvelles-Hébrides ■ ⇒ **Vanuatu.**

la Nouvelle-Zélande ■ État (république) d'Océanie, formé de plusieurs îles, dont deux grandes. 268 676 km². 3,3 millions d'hab. *(les Néo-Zélandais).* Capitale : Wellington. Langue : anglais. Monnaie : dollar néo-zélandais. Élevage ovin (2e exportateur mondial de laine) et bovin. Petite industrie grâce à la houille blanche. Peuplée d'abord de Maoris, découverte par *Tasman, elle fut une colonie anglaise jusqu'en 1907, et fait, depuis 1931, partie du *Commonwealth.

Nouzonville ■ Commune des *Ardennes. 7 800 hab.

Nova Iguaçu ■ Ville du Brésil. 932 000 hab.

Friedrich Novalis ■ Poète romantique allemand (1772-1801). Ses œuvres exaltent un sentiment mystique de la nature. *"Hymnes à la nuit"* ; *"Henri d'Ofterdingen",* roman inachevé.

Novare ■ Ville d'Italie, dans le Piémont. 102 000 hab.

Novgorod ■ Ville d'U. R. S. S. (*Russie), au sud de Leningrad. 143 000 hab. Ancienne principauté. École d'icônes. Monuments.

Novi Sad ■ Ville de Yougoslavie, sur le Danube. 140 000 hab.

Novochakhtinsk ■ Ville d'U. R. S. S. (*Russie), près de Rostov. 104 000 hab. Houille.

Novokouïbychevsk ■ Ville d'U. R. S. S. (*Russie), près de Kouïbychev. 109 000 hab.

Novokouznetsk ■ Ville d'U. R. S. S. (*Russie), dans le *Kouzbass. 550 000 hab. Centre industriel.

Novomoskovsk ■ Ville d'U. R. S. S. (*Russie), dans la région de *Toula. 147 000 hab.

Novorossiisk ■ Ville d'U. R. S. S. (*Russie), port sur la mer Noire. 160 000 hab.

Novossibirsk ■ Ville d'U. R. S. S. (*Russie), métropole de la *Sibérie, sur l'Ob'. Gare du Transsibérien. 1,35 million d'hab.

Novotcherkask ■ Ville d'U. R. S. S. (*Russie). 180 000 hab. Centre culturel.

Nowa Huta ■ Ville de Pologne, dans la banlieue de *Cracovie. 120 000 hab.

Noyelles-Godault ■ Commune du Pas-de-Calais. 5 400 hab.

Noyelles-sous-Lens ■ Commune du Pas-de-Calais. 8 200 hab.

Noyon ■ Ville de l'*Oise. 14 000 hab. *(les Noyonnais).* Cathédrale gothique (XIIe - XIIIe s.). Patrie de *Calvin.

la Nubie ■ Région désertique du nord de l'Afrique, couvrant une partie du Soudan et de l'Égypte. Cultures le long du *Nil (coton, dattes). Mise en valeur par les pharaons, elle conserva de nombreux vestiges de leur civilisation.

Nuevo Laredo ■ Ville du Mexique. 214 000 hab. Centre commercial. Gisements pétroliers.

Nuits-Saint-Georges ■ Commune de la *Côte-d'Or, en Bourgogne, célèbre pour ses vins. 5 000 hab. *(les Nuitons).*

Nuku'alofa ■ Capitale des îles *Tonga. 18 000 hab.

Numazu ■ Ville du Japon (*Honshū). 190 000 hab.

la **Numidie** ■ Royaume d'Afrique du Nord (Algérie actuelle) créé par Masinissa en 203 av. J.-C. Après la victoire des Romains à Carthage, il devint une province romaine, fut christianisé au IIᵉ s., puis passa sous domination arabe au VIIIᵉ s.

Charles **Nungesser** ■ Aviateur français (1892-1927). Il disparut avec Coli au-dessus de l'Atlantique-Nord.

Nuremberg ■ Ville de R. F. A. en Bavière. 480 000 hab. Industries mécanique, électrique. Jouets réputés. Possession des *Hohenzollern, métropole commerciale et artistique (*Dürer) du XIIIᵉ au XVIᵉ s., Hitler en fit le siège du congrès annuel du parti *nazi.

► *le procès de* **Nuremberg,** après la Seconde Guerre mondiale, eut lieu pour juger les criminels de guerre nazis.

Nuuk autrefois *Godthåb* ■ Capitale du Groenland. 10 000 hab.

le **Nyassaland** ■ ⇒ **Malawi.**

Julius **Nyerere** ■ Homme d'État de Tanzanie (né en 1922). Président de la République du *Tanganyika en 1962, il fut, de 1964 à 1985, président de la République de *Tanzanie.

Nyíregyháza ■ Ville de Hongrie. 107 000 hab.

Nyons ■ Sous-préfecture de la *Drôme. 6 000 hab. *(les Nyonsais).*

O

Oakland ■ Ville et port des États-Unis, dans la zone urbaine de *San Francisco (*Californie). 339 300 hab. Centre industriel.

l'O. A. S., Organisation armée secrète ■ Elle s'opposa par la violence à la politique algérienne du général de *Gaulle (1961-1962).

Oaxaca de Juárez ■ Ville du Mexique. 157 300 hab. Nombreux édifices baroques. Site de *Monte Albán à proximité.

l'Ob' n. m. ■ Fleuve d'U. R. S. S. (*Russie). Il traverse la Sibérie occidentale et se jette dans l'Arctique (4 230 km).

René de Obaldia ■ Écrivain français (né en 1918). Pièces de théâtre à l'humour acide. '*Le Satyre de la Villette*".

Oberhausen ■ Ville et port de R. F. A., important centre industriel de la *Ruhr. 222 000 hab.

Obernai ■ Commune du Bas-*Rhin. 9 400 hab.

Obrenović ■ Dynastie serbe, rivale des *Karageorgevitch, qui régna de 1817 à 1903 (sauf de 1842 à 1858).

Sean O'Casey ■ Auteur dramatique irlandais (1880-1964). Son théâtre évoque les problèmes politiques et sociaux de l'Irlande.

Guillaume d'Occam ■ ⇒ **Guillaume d'Occam.**

l'empire romain d'Occident ■ État issu du partage de l'Empire romain en 395. ⇒ **Rome.**

l'Occitanie n. f. ■ Ensemble des régions du sud de la France, où l'on parlait la langue d'oc, aujourd'hui maintenue par les dialectes et par la renaissance occitane (provençal, gascon, etc.). ⟨ ► occitan ⟩

l'O.C.D.E. ■ « Organisation de coopération et de développement économique », créée en 1961, dont le but est de coordonner les politiques économiques des riches pays occidentaux (24 membres).

les Océanides n. f. ■ Dans la mythologie grecque, nymphes de la mer et des eaux.

l'Océanie n. f. ■ Une des cinq parties du monde (8 970 000 km², 25 millions d'hab.), comprenant l'*Australie et une multitude d'îles dans le Pacifique, groupées en trois ensembles : *Mélanésie (dont la *Nouvelle-Guinée), *Micronésie, *Polynésie (dont la *Nouvelle-Zélande). L'art et les civilisations océa-niens, découverts par les Occidentaux aux XIXᵉ et XXᵉ s., ont été affectés par la colonisation, l'immigration asiatique, le rôle stratégique de la région, le tourisme ; ils sont menacés de disparition en *Nouvelle-Zélande et en *Australie, où la population et le style de vie européens ou américains sont largement majoritaires. ⟨ ► océanien ⟩

Johannes Ockeghem ■ Compositeur franco-flamand (v. 1420 - v. 1497). Un des maîtres du contrepoint.

Daniel O'Connell ■ Homme politique irlandais (1775-1847). Catholique, il lutta pour la liberté politique et religieuse de son pays.

Octave ■ Nom d'*Auguste, avant son adoption par *César.

Octavie ■ Impératrice romaine, épouse de *Néron (v. 42 - 62). Ce dernier la répudia pour épouser *Poppée.

Octeville ■ Commune de la *Manche. 18 700 hab.

la révolution d'Octobre ■ ⇒ **Révolution russe de 1917.**

Odawara ■ Ville du Japon (*Honshū). 186 000 hab.

Odense ■ Ville et port du Danemark. 173 300 hab.

l'Oder n. m. ■ Fleuve qui naît en Tchécoslovaquie, traverse la Pologne et se jette dans la *Baltique (848 km). Il forme avec son affluent la Neisse la ligne de l'*Oder-Neisse* qui sert de frontière entre la Pologne et la R. D. A.

Odessa ■ Ville d'U. R. S. S. (*Ukraine), principal port de la mer Noire. 1,14 million d'hab. Centre culturel et économique.

Odin, en allemand *Wotan* ■ Principal dieu de la mythologie scandinave, dieu de la guerre, de l'écriture et de la poésie.

l'Odyssée ■ Épopée grecque attribuée, comme l'*Iliade, à *Homère. Elle raconte le retour d'*Ulysse après la guerre de *Troie : poursuivi par la haine du dieu *Poséidon, il met dix ans sur les mers avant de retrouver sa patrie, *Ithaque, et son épouse, *Pénélope, dont il élimine les prétendants. ⟨ ► odyssée ⟩

Œdipe ■ Personnage de la mythologie grecque. Il tue son père, épouse sa mère et se crève les yeux pour se punir de ses fautes involontaires. Le mythe d'Œdipe a inspiré *Sophocle et *Euripide. Le *complexe d'Œdipe*, amour coupable de l'enfant pour chacun de ses parents, notamment celui du sexe opposé, est au centre de la psychanalyse.

Christian Œrsted ■ Physicien danois (1777-1851). Son nom a été donné à l'unité d'intensité du champ magnétique.

Jacques Offenbach ■ Compositeur français d'origine allemande (1819-1880). Célèbre pour ses opérettes enjouées : *"la Belle Hélène" ; "la Vie parisienne"*.

Offenbach-sur-le-Main ■ Ville de R. F. A., port sur le Main. 112 000 hab. Cuir.

Ōgaki ■ Ville du Japon (*Honshū). 143 000 hab. Château du XVIᵉ s.

Ogbomosho ■ Ville du Nigeria. 432 600 hab. Centre commercial (coton).

Ogden ■ Ville des États-Unis (*Utah). 169 000 hab.

Maurice Ohana ■ Compositeur français (né en 1914). *"Syllabaire pour Phèdre"*, opéra de chambre.

l'Ohio n. m. ■ État du centre-nord des États-Unis, entre la rivière Ohio (affluent du Mississipi) et le lac Érié. 106 289 km². 10,8 millions d'hab. Capitale : Colombus. Villes principales : Cincinnati, Cleveland. Industries.

Georg Ohm ■ Physicien allemand (1789-1854). Son nom a été donné à l'unité de mesure de la résistance électrique. *Loi d'Ohm :* loi fondamentale des courants électriques. ‹ ► ohm ›

Oignies ■ Commune du *Pas-de-Calais. 11 000 hab. *(les Oigninois)*.

l'Oise n. f. ■ Rivière du Bassin parisien, affluent de la Seine. Importante voie de navigation : 3ᵉ axe fluvial français. ► *l'Oise* [60], département français de la région *Picardie. 5 887 km². 660 000 hab. Préfecture : Beauvais. Sous-préfectures : Clermont, Compiègne, Senlis.

Oissel ■ Commune de la *Seine-Maritime. 12 000 hab. *(les Osseliens)*.

Ōita ■ Port et ville industrielle du Japon (*Kyūshū). 360 000 hab.

Okayama ■ Ville du Japon (*Honshū). 546 000 hab.

Okazaki ■ Ville du Japon (*Honshū). 210 000 hab.

la mer d'Okhotsk ■ Mer à l'est de la Sibérie, entre la presqu'île du Kamtchatka et l'île de Sakhaline.

Okinawa ■ Île du Japon, la principale de l'archipel des *Ryū-kyū. Combats en 1945.

l'Oklahoma n. m. ■ État du centre-sud des États-Unis. 181 090 km². 3 millions d'hab. □ *Oklahoma City*, sa capitale. 403 000 hab. Céréales et coton. Pétrole (3ᵉ État producteur), gaz.

Öland ■ Île de Suède, reliée au continent par un pont. 1 339 km². 22 000 hab.

l'Oldenbourg n. m. ■ Ancien État d'Allemagne, au bord de la mer du Nord. Comté au XIᵉ s. puis duché, enfin grand-duché au XIXᵉ s. □ *Oldenbourg*, sa capitale (138 000 hab.), est aujourd'hui une ville commerciale (marché aux bestiaux) de R. F. A., située en Basse-*Saxe.

Oldham ■ Ville d'Angleterre. 106 000 hab. Filatures de coton.

l'île d'Oléron ■ Île française de l'océan Atlantique, près de l'embouchure de la Charente, reliée au continent par un viaduc. 175 km². 15 000 hab. *(les Oléronais)*. Ostréiculture, pêche. Tourisme.

Olinda ■ Ville du Brésil. 250 000 hab.

le comte-duc d'Olivares ■ Homme politique espagnol (1587-1645). Favori de *Philippe IV, il exerça le pouvoir de 1621 à 1643.

Olivet ■ Commune du *Loiret. 15 000 hab. *(les Olivétins)*. Horticulture.

sir Laurence Olivier ■ Acteur et metteur en scène anglais (né en 1907). Brillantes interprétations et mises en scène de Shakespeare. *"Henry V" ; "Hamlet"*.

le mont des Oliviers ■ Colline à l'est de Jérusalem, où le Christ fut arrêté, selon les Évangiles. Le jardin de *Gethsémani est au pied de ce mont.

Ollioules ■ Commune du *Var. 9 000 hab.

Émile Ollivier ■ Homme d'État français (1825-1913). Ministre de Napoléon III en 1870 ; sa tentative pour rétablir un régime parlementaire fut ruinée par la guerre *franco-allemande.

les Olmèques n. m. ■ Ancienne civilisation précolombienne, caractérisée par ses monumentales têtes sculptées en pierre.

Olomouc autrefois *Olmütz* ■ Ville de Tchécoslovaquie. 102 500 hab.

Olonne-sur-Mer ■ Commune de la *Vendée. 7 800 hab.

Oloron-Sainte-Marie ■ Sous-préfecture des *Pyrénées-Atlantiques. 13 000 hab. *(les Oloronais)*. Monuments anciens.

l'O. L. P., Organisation de libération de la Palestine ■ Mouvement nationaliste créé en 1964 dans le but d'obtenir la création d'un État palestinien et présidé par Yasser Arafat.

Olsztyn ■ Ville de Pologne. 131 000 hab.

l'Olympe n. m. ■ Montagne du nord de la Grèce (2 917 m). Pour les Grecs de l'Antiquité, c'était le séjour des dieux. ‹ ► olympien ›

Olympia ■ Ville des États-Unis, capitale de l'État de *Washington. 24 000 hab.

Olympias ■ Reine de Macédoine et mère d'*Alexandre le Grand (v. 375 - 316 av. J.-C.).

Olympie ■ Centre religieux de la Grèce antique, dans le Péloponnèse, consacré au culte de *Zeus. ► *les Jeux olympiques* s'y déroulaient tous les quatre ans, à partir de 776 av. J.-C. Le nombre des épreuves passa de une (course du stade) à 13 (javelot, pugilat...). Pour les *Jeux olympiques* modernes, ⇒ **Coubertin**. ‹ ► olympiade, olympique ›

Omaha ■ Ville des États-Unis (*Nebraska), port sur le Missouri. 314 000 hab.

le sultanat d'Oman ■ État (monarchie absolue) de la péninsule arabique, baigné par le *golfe* et la *mer d'Oman*. 212 457 km². 1,2 million d'hab. Capitale : Mascate. Langue : arabe. Monnaie : riyal omani. Ancien protectorat britannique, indépendant en 1921. Dattes, arbres fruitiers. Pays producteur de pétrole, il n'est pas membre de l'O. P. E. P.

Omar Iᵉʳ ■ Second calife des musulmans après *Abou Bakr (v. 581-644). Il contribua à l'expansion de l'islam.

l'Ombrie n. f. ■ Région du centre de l'Italie, formée par les provinces de Pérouse et de Terni. 800 000 hab. *(les Ombriens)*. Oliviers, élevage, industries électrochimiques.

Omdourman ou **Umm Durmān** ■ 1ʳᵉ ville du Soudan. 526 300 hab.

les **Omeyades** n. m. ■ Dynastie de califes arabes, qui régna à Damas de 661 à 750. Immense empire qui s'étendit jusqu'à l'Espagne (XIᵉ s.).

Ōmiya ■ Ville du Japon (*Honshū). 373 000 hab.

Omphale ■ Reine légendaire de *Lydie. *Héraclès fut son esclave, puis son époux.

Omsk ■ Ville d'U. R. S. S. (*Russie), pôle historique de la *Sibérie occidentale. 1,13 million d'hab. Port fluvial, pétrole. Le contre-révolutionnaire *Koltchak, après avoir pris le titre de régent suprême, en fit sa capitale en 1918.

le lac **Onega** ■ 2ᵉ lac européen par sa surface (9 900 km²), en U. R. S. S.

Eugène O'Neill ■ Auteur dramatique américain (1888-1953). Ses pièces allient le réalisme du quotidien au symbolisme. *"Le Singe velu"*. Prix Nobel 1936.

Onet-le-Château ■ Commune de l'*Aveyron. 9 800 hab.

Onitsha ■ Ville du Nigeria. 268 700 hab. Marché. Industries alimentaires.

Onnaing ■ Commune du *Nord. 9 200 hab.

l'**Ontario** n. m. ■ Province (État fédéré) du Canada. 1 068 630 km². 9,1 millions d'hab. (*les Ontariens*), en grande majorité anglophones (mais il existe des *Franco-Ontariens*). Capitale : Toronto. Première région économique du pays, et la plus peuplée. ▶ le lac *Ontario*. ⇒ **Grands Lacs.**

l'**O. N. U., Organisation des Nations Unies** ■ Créée en 1945, elle succéda en 1946 à la *Société des Nations (S. D. N.). Son but est de maintenir la paix et la sécurité dans le monde. L'O. N. U. siège à New York. Elle comprend une *Assemblée générale* qui rassemble les 159 États membres, un *Conseil de sécurité* (15 membres dont 5 permanents : États-Unis, U. R. S. S., Chine, France, Royaume-Uni), un secrétaire général et des organes spécialisés (*U. N. E. S. C. O., etc.).

l'**O. P. E. P., Organisation des pays exportateurs de pétrole** ■ Créée en 1960 pour fixer les prix du pétrole, elle regroupe 13 États et siège à Vienne.

le théâtre de l'**Opéra de Paris** dit le Palais Garnier ■ Bâtiment de l'Académie de musique et de danse. Construit par *Garnier de 1862 à 1875. Son style fastueux est caractéristique du second Empire. Plafond décoré par *Chagall en 1964.

Max Ophüls ■ Cinéaste allemand naturalisé français (1902-1957). *"Madame de"* ; *"Lola Montès"*.

la guerre de l'**Opium** ■ Guerre anglo-chinoise (1839-1842), à la suite de la saisie par les Chinois de 2 000 caisses d'opium livrées par les Anglais.

Opole ■ Ville de Pologne, centre économique de la *Silésie. 124 000 hab.

Robert Oppenheimer ■ Physicien américain (1904-1967). Il dirigea les recherches qui aboutirent à la bombe atomique en 1945 et devint, par ses écrits et son rôle public, le symbole d'une interrogation sur la responsabilité du savant.

Oradea ■ Ville de Roumanie. 208 500 hab.

Oradour-sur-Glane ■ Commune de la Haute-*Vienne où les Allemands massacrèrent la population en juin 1944. Symbole de la barbarie nazie. 1 900 hab.

Oran, en arabe **Ouahran** ■ 2ᵉ ville et port d'Algérie. 663 500 hab. (*les Oranais*). Évêché. Université. Exportation de produits agricoles et industriels. Ancienne colonie romaine puis espagnole, occupée par les Français en 1831.

Orange ■ Commune du *Vaucluse. 27 500 hab. (*les Orangeois*). Théâtre antique et arc de triomphe romains.

l'**État libre d'Orange** ■ Province d'Afrique du Sud. 127 993 km². 1,86 million d'hab. Chef-lieu : Bloemfontein. Mines d'or et de diamants.

Orange-Nassau ■ ⇒ **Nassau.**

l'**Oratoire** n. m. ■ Congrégation de prêtres, fondée en Italie par saint Philippe Neri (1575) ; *Bérulle créa l'Oratoire de France en 1611. ▶ *les oratoriens* se consacrent à l'enseignement.

les îles **Orcades** ■ Archipel britannique au nord-est de l'Écosse. 70 îles dont la principale est Mainland (chef-lieu : Kirkwall). 18 000 hab. Élevage, pêche.

Orchies ■ Commune du *Nord. 5 700 hab. (*les Orchésiens*). Enceinte médiévale.

Ordjonikidze ■ Ville d'U. R. S. S. (*Russie), capitale de l'*Ossétie du Nord. 313 000 hab.

Örebro ■ Ville de Suède. 118 400 hab.

l'**Oregon** n. m. ■ État du nord-ouest des États-Unis. 249 281 km². 2,69 millions d'hab. Capitale : Salem. Élevage. Industries du bois.

Orekhovo-Zouïevo ■ Ville d'U. R. S. S. (*Russie), près de Moscou. 133 000 hab. Textiles.

Orel ■ Ville d'U. R. S. S. (*Russie), au sud de Moscou. 335 000 hab. Industries alimentaire et mécanique.

Orenbourg ■ Ville d'U. R. S. S. (*Russie). 537 000 hab. Centre culturel et économique.

l'**Orénoque** n. m. ■ Fleuve du Venezuela qui se jette dans l'Atlantique par un vaste delta marécageux. 2 160 km. 4ᵉ fleuve du monde par son débit.

Oreste ■ Dans la mythologie grecque, fils d'*Agamemnon et de *Clytemnestre. Poussé par sa sœur *Électre, il tue sa mère pour venger le meurtre de son père. Personnage de nombreuses tragédies, de l'Antiquité à nos jours.

Carl Orff ■ Compositeur allemand (1895-1982). Il revint aux sources « primitives » de la musique. *"Carmina burana"*.

l'empire romain d'**Orient** ■ ⇒ **Byzance.**

la question d'**Orient** ■ ⇒ Empire **ottoman.**

Origène ■ Théologien de langue grecque (v. 185 - v. 254). Un des grands penseurs de l'Antiquité chrétienne. ▶ l'*origénisme* n. m. doctrine inspirée d'Origène.

Orion ■ Géant de la mythologie grecque qui a donné son nom à une constellation de la zone équatoriale.

le volcan d'**Orizaba** ■ Point culminant du Mexique (5 700 m).

Orlando ■ Ville des États-Unis (*Floride). 128 300 hab. À proximité, le parc d'attraction de *Disneyworld*.

la maison d'**Orléans** ■ Duché donné par quatre fois dans l'histoire au fils cadet du roi de France. PRINCIPAUX REPRÉSENTANTS □ *Charles d'Orléans* (1394-1465), fils de Louis d'Orléans (le frère de Charles VI), grand seigneur et grand poète lyrique, père de

*Louis XII (⟹ **Valois**). ☐ *Gaston d'Orléans* (1608-1660), frère de *Louis XIII, chef de l'opposition à la politique absolutiste de *Richelieu et de *Mazarin (⟹ la **Fronde**). ☐ *Philippe d'Orléans* dit *Monsieur* (1640-1701), frère de *Louis XIV. ☐ *Philippe* dit *le Régent,* son fils (1674-1723), exerça le pouvoir pendant la minorité de *Louis XV (⟹ la **Régence**). ☐ *Louis Philippe Joseph* dit *Philippe Égalité* (1747-1793), arrière-petit-fils du précédent, rassembla l'opposition libérale à *Louis XVI (dont il vota la mort), probablement dans l'espoir de le remplacer, mais fut guillotiné ; son fils *Louis-Philippe, roi des Français, réalisa un compromis entre la monarchie et la république, l'aristocratie et la bourgeoisie (⟹ **monarchie de Juillet**). On a pu désigner par le terme d'*orléanisme* une constante de la vie politique française : le choix du « gouvernement des élites », c'est-à-dire des notables.

Orléans ■ Préfecture du *Loiret et de la région *Centre, sur la Loire. 105 600 hab. *(les Orléanais).* *Jeanne d'Arc délivra la ville des Anglais en 1429. Cathédrale gothique Sainte-Croix, parc floral. Industries alimentaire (vinaigre réputé), mécanique, électrique, chimique.

Orly ■ Commune du *Val-de-Marne, au sud de Paris. 23 900 hab. *(les Orlysiens).* Grand aéroport.

Ormesson-sur-Marne ■ Commune du *Val-de-Marne. 8 700 hab. *(les Ormessonnais).* Château (XVIᵉ - XVIIIᵉ s.).

Ormuz ■ Île iranienne. ▶ *le détroit d'Ormuz,* passage entre le golfe *Persique et la mer d'Oman, essentiel au commerce du pétrole.

*l'*Orne** [61] n. f. ■ Département français de la région Basse-*Normandie. Il doit son nom au fleuve qui le traverse. 6 144 km². 295 500 hab. Préfecture : Alençon. Sous-préfectures : Argentan, Mortagne-au-Perche.

José Clemente **Orozco** ■ Peintre mexicain (1883-1949). Fresques monumentales d'inspiration politique.

Orphée ■ Poète musicien de la mythologie grecque. Descendu aux Enfers, il obtient de ramener à la vie son épouse Eurydice. Mais il désobéit en se retournant pour la regarder et elle disparaît pour toujours. Le récit a inspiré poètes et musiciens (*Monteverdi, *Gluck). ▶ *l'*orphisme* n. m. religion initiatique, se développa en Grèce à partir du VIᵉ s. av. J.-C. ⟨ ▶ orphéon, orphisme ⟩

Philibert **Orry** ■ Ministre de *Louis XV de 1730 à 1745 (1689-1747).

Orsay ■ Commune de l'*Essonne, sur l'Yvette. 14 100 hab. *(les Orcéens).* Laboratoire de physique nucléaire.

Orsk ■ Ville d'U. R. S. S. (*Russie), dans l'Oural. 273 000 hab. Industries, pétrole.

José **Ortega** *y* **Gasset** ■ Écrivain espagnol (1883-1955). Il exerça une profonde influence sur la pensée de son pays. "*Méditations de don Quichotte*".

Orthez ■ Commune des *Pyrénées-Atlantiques. 11 500 hab. *(les Orthéziens).* Nombreux édifices anciens.

*l'*Église* **orthodoxe** ■ Une des trois grandes confessions chrétiennes, avec le catholicisme et le protestantisme. Elle se constitua dans l'empire romain d'Orient (*Byzance), tandis que Rome devenait la capitale de la chrétienté en Occident. Le *schisme d'Orient marqua la rupture avec les catholiques (1054). Après la chute de l'Empire byzantin (1453), la Russie devint son principal foyer, avec le patriarcat de Moscou. Les grands évangélisateurs de l'Église orthodoxe furent les saints *Cyrille et Méthode.

Oruro ■ 4ᵉ ville de Bolivie. 132 200 hab.

Orvault ■ Commune de *Loire-Atlantique, banlieue de Nantes. 23 200 hab.

George **Orwell** ■ Écrivain anglais (1903-1950). Auteur de deux satires impitoyables où il dénonce les pratiques totalitaires : "*1984*" ; "*la Ferme des animaux*".

Ōsaka ■ 3ᵉ ville du Japon. 2,6 millions d'hab. Grand port sur l'île de *Honshū. Un des plus grands centres industriels du pays : métallurgie, chimie, électronique, textile.

John **Osborne** ■ Auteur dramatique anglais (né en 1929). "*La Paix du dimanche*".

Oshawa ■ Ville du Canada (*Ontario), port sur le lac Ontario. 123 600 hab. Automobiles.

Oshima *Nagisa* ■ Cinéaste japonais (né en 1932). "*L'Empire des sens*" ; "*Furyo*".

Oshogbo ■ Ville du Nigeria. 344 500 hab. Aciéries. Coton.

Osiris ■ Dieu égyptien de la végétation et du bien. Représenté sous la forme d'une momie, coiffé d'une mitre blanche, il tient un sceptre et un fouet. Son culte, associé à celui d'*Isis, sa femme, et d'*Horus, son fils, se répandit dans le monde gréco-romain.

Oslo ■ Capitale de la Norvège située au fond d'un fjord. 451 100 hab. 1ᵉʳ port industriel du pays : chantiers navals, métallurgie, textile. La ville prit le nom de *Christiania* de 1624 à 1925.

Osman Iᵉʳ Gazi ■ Sultan turc (1259-1326). Fondateur de la dynastie ottomane. ⟹ Empire **ottoman.**

Osnabrück ■ Ville de R. F. A. (Basse-*Saxe). 153 200 hab.

Osny ■ Commune du *Val-d'Oise. 10 900 hab.

*l'*Ossétie du Nord* n. f. ■ Une des républiques autonomes de la R. S. S. de *Russie, dans le *Caucase. 8 000 km². 616 000 hab. Capitale : *Ordjonikidze. Céréales, forêts. ☐ *l'Ossétie du Sud,* région autonome de *Géorgie. 3 900 km². 99 000 hab. Capitale : Tskhinvali. — Ces deux territoires sont peuplés d'*Ossètes* ou *Osses.*

Ossian ■ Barde écossais légendaire du IIIᵉ s. La publication des "*Poèmes d'Ossian*" en 1760 eut un immense succès. On sait aujourd'hui que leur auteur était *Macpherson.

Ostende, en néerlandais *Oostende* ■ Ville et port de Belgique. 68 300 hab. Station balnéaire et thermale.

Ostie ■ Port de Rome dans l'Antiquité, aujourd'hui ensablé. Tourisme *(Ostia antiqua)* : nombreux vestiges, lido (plage) de Rome.

Ostrava ■ 4ᵉ ville de Tchécoslovaquie. 328 000 hab. Centre d'une conurbation industrielle.

Ostricourt ■ Commune du *Nord. 6 200 hab.

les **Ostrogoths** n. m. ■ Ancien peuple germanique (une des deux branches des *Goths) vaincu par les *Huns en 375. À la mort d'*Attila, ils conquirent l'Italie sous la conduite de *Théodoric le Grand. Le royaume qu'ils fondèrent autour de Ravenne fut renversé par les Byzantins en 555. ⟨▶ ostrogoth⟩

Ostwald ■ Commune du Bas-*Rhin. 9 900 hab.

l'O. T. A. N., Organisation du traité de l'Atlantique Nord ■ Structure militaire commune aux États-Unis, au Canada et à leurs alliés européens, issue du traité dit de l'Alliance atlantique (4 avril 1949). La France s'en est retirée en 1966, mais elle reste membre de l'Alliance.

Othon ou **Otton Iᵉʳ le Grand** ■ Fondateur et premier empereur du *Saint Empire romain germanique (912-973). Il triompha des féodaux allemands, des Hongrois et des Slaves (955) et se fit couronner en 962. Il christianisa l'orient slave. □ *Othon II,* son fils (955-983). □ *Othon III,* son petit-fils (980-1002), fit de Rome sa capitale.

Ōtsu ■ Ville du Japon (*Honshū), ancienne cité impériale. 235 000 hab.

Ottawa ■ Capitale fédérale du Canada, à la limite de l'*Ontario et du *Québec. 300 800 hab. Ville administrative et résidentielle.

Nikolaus Otto ■ Ingénieur allemand (1832-1891). Il réalisa le premier moteur à quatre temps, suivant le cycle de *Beau de Rochas.

l'Empire ottoman ■ Une des plus grandes puissances d'Europe et du Proche-Orient, de 1453 (prise de Constantinople) à la naissance de la Turquie moderne. Il fut édifié par la dynastie ottomane turque (⟹ **Osman Iᵉʳ Gazi**) sur les ruines des empires *saljūqide et byzantin (⟹ **Byzance**). Les règnes de *Mehmet II et de *Soliman le Magnifique (XVᵉ - XVIᵉ s.) marquent l'apogée de l'Empire qui domine l'Europe balkanique, l'Europe centrale, le Proche-Orient arabe et l'Afrique du Nord. Constantinople est rebaptisée *İstanbul. L'administration est centralisée avec un sultan, souverain absolu, assisté d'un grand vizir et d'une armée de janissaires. La flotte turque fait la loi sur les mers. À partir du XVIIᵉ s. commence le déclin : querelles de succession, avancée des Russes (1713-1774). L'Empire ottoman devient l'enjeu d'une lutte entre Anglais, Russes, Autrichiens et Français : c'est « la question d'Orient ». Il perd la Grèce (1830) puis la Roumanie, la Serbie... Allié de l'Allemagne, l'Empire ottoman s'effondre après la défaite de la Première Guerre mondiale (1918). ⟹ **Turquie.** ⟨▶ ① et ② ottoman ⟩

Ouagadougou ■ Capitale du Burkina Faso. 442 200 hab. Industrie légère.

l'Oubangui n. m. ■ Rivière d'Afrique équatoriale. 1 160 km.

l'Oudmourtie ou **Udmurtie** n. f. ■ Une des 16 républiques autonomes de la R. S. S. de *Russie à l'ouest de l'*Oural. 42 100 km². 1,57 million d'hab. Capitale : Ijevsk. Forêts, céréales. Métallurgie.

Jean-Baptiste Oudry ■ Peintre français (1686-1755). Célèbre animalier. Cartons de tapisseries des "*Chasses de Louis XV*".

l'île d'Ouessant ■ Île de Bretagne (canton du *Finistère). 15 km². 1 200 hab. (les *Ouessantins*). Pêche, moutons.

Oufa ■ Ville d'U. R. S. S (*Russie), capitale de la *Bachkirie, dans le second *Bakou. 1,09 million d'hab. Centre culturel. Pétrole.

l'Ouganda n. m. ■ État (république) d'Afrique de l'Est. 236 860 km². 16,79 millions d'hab. (les *Ougandais*). Capitale : Kampala. Langues : anglais (officielle), souahéli. Monnaie : shilling ougandais. Pays de hauts plateaux : le café, le coton et le sucre sont les principales ressources. Ancien protectorat anglais, indépendant en 1962 et affaibli par la dictature du général *Amin Dada de 1971 à 1979.

Ougarit ■ Importante cité commerciale de la côte syrienne, dans l'Antiquité, fondée v. 3000 av. J.-C. Nombreux vestiges.

Ouistreham ■ Commune du *Calvados. 6 300 hab.

Oujda ■ Ville du Maroc. 470 500 hab.

Oulan-Bator ■ Capitale de la république populaire de *Mongolie. 479 500 hab. Ville religieuse fondée en 1778, elle est aujourd'hui le principal centre industriel du pays.

Oulan-Oude ■ Ville d'U. R. S. S. (*Russie), capitale de la *Bouriatie. 351 000 hab.

Oulianovsk ■ Ville d'U. R. S. S. (*Russie). 589 000 hab. Patrie de *Lénine (V. I. *Oulianov*).

Oullins ■ Commune du *Rhône, dans la banlieue sud de Lyon. 27 400 hab.

les Ouolofs ou **Wolofs** n. m. ■ Peuple noir, musulman, établi principalement au Sénégal.

Our ■ ⟹ Ur.

l'Oural n. m. ■ Chaîne de montagnes d'U. R. S. S. qui s'étend du nord au sud sur 2 500 km et sépare l'Europe de l'Asie (*Sibérie). Ses richesses minières (fer, cuivre, or) en font un des grands foyers d'industrie lourde du pays. □ *l'Oural* n. m. fleuve qui se jette dans la mer *Caspienne (2 534 km).

Ouralsk ■ Ville d'U. R. S. S. (*Kazakhstan), dans l'Oural. 201 000 hab. Industries.

Ouranos ■ Personnification du Ciel dans la mythologie grecque. *Uranus dans la mythologie latine.

l'Ourcq n. m. ■ Affluent de la *Marne. ▶ *le canal de l'Ourcq* le fait communiquer avec la Seine.

Ourmia, autrefois **Rezā'īyeh** ■ Ville d'Iran sur le lac d'Ourmia. 304 800 hab.

Ourouk ■ ⟹ Uruk.

Oust-Kamenogorsk ■ Ville d'U. R. S. S. (*Kazakhstan), au pied de l'*Altaï. 321 000 hab.

Outreau ■ Commune du *Pas-de-Calais, faubourg de *Boulogne-sur-Mer. 14 700 hab.

l'Ouzbékistan n. m. ou *l'Ouzbékie* n. f. ■ République socialiste soviétique (⟹ **U. R. S. S.**), partie du *Turkestan. 447 400 km². 18,48 millions d'hab. (les *Ouzbeks*). Capitale : Tachkent. Pays de déserts, parsemés d'oasis. Cultures irriguées et industries dérivées : coton, soie, canne à sucre. Moutons. Ancienne puissance islamique (⟹ **Boukhara, Samarkand**).

Friedrich Overbeck ■ Peintre allemand (1789-1869). Il s'inspire des maîtres de la *Renaissance italienne. Sujets religieux.

Ovide ■ Poète latin (43 av. J.-C. - v. 17). Œuvres d'inspiration érotique ("*l'Art d'aimer*") et mythologique ("*les Métamorphoses*"), sources d'inspiration de la littérature et de l'art occidentaux.

Oviedo ■ Ville d'Espagne, capitale de l'ancien royaume des *Asturies. 190 000 hab. Métallurgie.

Robert Owen ■ Réformateur et théoricien socialiste britannique (1771-1858).

Oxford ■ Ville du sud de l'Angleterre, sur la Tamise. 110 000 hab. *(les Oxfordiens)*. Son université, fondée en 1133, est une des plus célèbres du monde. À partir du XVIᵉ s. l'université de *Cambridge fut sa rivale. Nombreux collèges d'architecture gothique.

Oyama ■ Ville du Japon (*Honshū). 101 000 hab.

Oyo ■ Ville du Nigeria. 152 000 hab. Textile.

Oyonnax ■ Ville de l'*Ain, dans le Jura. 23 000 hab. *(les Oyonnaxiens)*.

Amos Oz ■ Écrivain israélien (né en 1939). *"Mon Michaël"*.

Ozaki Koyo ■ Écrivain japonais (1867-1903). Il a contribué à l'élaboration de la langue japonaise moderne. *"Le Démon doré"*.

Ozoir-la-Ferrière ■ Commune de *Seine-et-Marne. 13 700 hab.

Ozu Yasujirō ■ Cinéaste japonais (1903-1963). *"Le Goût du saké"*.

P

Georg Wilhelm Pabst ■ Cinéaste *expression-niste allemand (1885-1967). "*La Rue sans joie*"; "*Loulou*".

Johann Pachelbel ■ Organiste et compositeur allemand, précurseur de J.-S. *Bach (1653-1706).

l'océan **Pacifique** ■ Le plus grand océan de la Terre (180 millions de km², c'est-à-dire environ 30 % de la surface du globe). Il s'étend entre l'Amérique, l'Asie et l'Australie. Bordé au nord et à l'ouest par une série d'îles volcaniques, il est parsemé au sud de récifs de corail. Il communique avec l'océan Arctique par le détroit de Béring. Avec l'essor du Japon et de l'Australie, son importance économique et stratégique s'est accrue. ► *la guerre du* **Pacifique,** épisode de la Seconde *Guerre mondiale, conflit entre le Japon et les États-Unis, avec leurs alliés, de 1941 (⇒ **Pearl Harbor**) à 1945 (capitulation du Japon le 2 septembre). ► *le centre d'expérimentation du* **Pacifique,** ensemble des sites nucléaires dans les territoires français du Pacifique (⇒ **Mururoa**).

le **Pactole** ■ Fleuve d'Asie Mineure (*Lydie) qui roulait des paillettes d'or. ⟨ ► pactole ⟩

Padang ■ Ville et port d'Indonésie. 196 000 hab. Exportations.

Paderborn ■ Ville de R. F. A. 110 000 hab.

Ignacy **Paderewski** ■ Homme politique, pianiste et compositeur polonais (1860-1941). Président du Conseil en 1919. "*Humoresques de concert*", pour piano.

le gouffre de **Padirac** ■ Gouffre du *Lot, qui s'ouvre dans le causse jusqu'à 75 m. Rivière souterraine. Site touristique.

Padoue ■ Ville d'Italie en Vénétie. 242 000 hab. *(les Padouans).* Basilique avec le tombeau de saint *Antoine. Université depuis le XIIIᵉ s. (important centre *humaniste au XVIᵉ s.). Ville commerciale et industrielle.

Paestum ■ Ville de l'Italie ancienne, colonie grecque puis romaine. Site au sud de Naples. Très beaux temples grecs.

Pagan ■ Site archéologique de Birmanie, réputé pour ses nombreux monuments bouddhiques.

Niccolo **Paganini** ■ Violoniste et compositeur italien célèbre pour sa virtuosité (1782-1840).

Marcel **Pagnol** ■ Écrivain et cinéaste français (1895-1974). Comédies qu'il adapta au cinéma ("*Marius*"; "*Fanny*"; "*César*"), romans ("*Jean de Florette*") et récits de souvenirs ("*la Gloire de mon père*"), qui se passent en Provence.

les **Pahlavi** n. m. ■ Dynastie perse fondée par Rizāh Shāh en 1925. Elle régna sur l'Iran jusqu'au renversement du shah en 1979.

Paimpol ■ Commune des *Côtes-du-Nord en Bretagne. 8 500 hab. *(les Paimpolais).* Port de pêche.

le **Pain de Sucre** ■ Montagne conique à l'entrée de la baie de Rio de Janeiro, au Brésil (395 m).

Thomas **Paine** ■ Homme politique américain d'origine anglaise (1737-1809). Publiciste révolutionnaire, naturalisé français, il fut député à la *Convention française.

Paul **Painlevé** ■ Mathématicien et homme politique français (1863-1933). Il contribua au développement de l'aviation.

Giovanni **Paisiello** ■ Compositeur italien, auteur d'opéras (1740-1816). "*La Molinara*".

Augustin **Pajou** ■ Sculpteur français (1730-1809). Portraitiste attitré de Mme *du Barry. "*Psyché abandonnée*".

le **Pakistan** ■ État (république) d'Asie du Sud. 803 940 km². 95,7 millions d'hab. *(les Pakistanais).* Capitale : Islāmābād. Langues : urdu, anglais. Monnaie : roupie pakistanaise. Agriculture intensive dans la vallée de l'*Indus (blé, riz, coton). Seule industrie notable : le textile. ☐**HISTOIRE.** L'histoire de ce pays s'est longtemps confondue avec celle de l'Inde. En 1947, l'Empire anglais des Indes se sépara en deux États indépendants, l'Inde et, créé par les populations musulmanes, l'État islamique du Pakistan. En 1971, le Pakistan oriental se détacha et devint, avec l'appui de l'Inde, la république de *Bangladesh. À la frontière de l'Afghanistan et de la Chine, le pays est impliqué dans les conflits régionaux, accueillant notamment de nombreux réfugiés afghans.

le **Palais-Bourbon** ■ Monument de Paris, siège de l'*Assemblée nationale.

Palaiseau ■ Sous-préfecture de l'*Essonne. 29 000 hab. *(les Palaisiens).*

le **Palais-Royal** ■ Ensemble de bâtiments (XVIIᵉ - XIXᵉ s.) à Paris. *Lemercier le construisit pour Richelieu qui le légua au roi (d'où son nom). Jardins. Théâtre de la Comédie-Française.

Le **Palais-sur-Vienne** ■ Commune de la Haute-*Vienne. 5 000 hab.

Kostis **Palamas** ■ Poète grec (1859-1943). Il œuvra pour l'emploi littéraire de la langue parlée. "*Chants de ma patrie*".

le mont **Palatin** ■ Une des sept collines de Rome, premier foyer d'habitation de la ville. Quartier aristocratique dans l'Antiquité (résidence d'*Auguste).

le **Palatinat** ■ Région historique d'Allemagne. Foyer du *calvinisme au XVIᵉ s. Elle fait partie de l'État de Rhénanie-Palatinat (R. F. A.) depuis 1946.

la princesse **Palatine** ■ ⇒ **Charlotte-Élisabeth de Bavière.**

Palavas-les-Flots ■ Station balnéaire de l'*Hérault. 4 000 hab. *(les Palavasiens).*

Palembang ■ Ville d'Indonésie, 2ᵉ port du pays. 583 000 hab.

Palenque ■ Site archéologique du Mexique, ancienne cité *maya (dans le *Yucatan). Pyramide des Inscriptions.

Palerme ■ Principale ville de Sicile, fondée par les Phéniciens en 254 av. J.-C. 695 000 hab. *(les Palermitains).* Port sur la mer Tyrrhénienne : exportation d'agrumes et de vin. Monuments byzantins, normands (gothiques), arabes et baroques.

la **Palestine** ■ Région du Proche-Orient bordée par la Méditerranée, au sud du Liban. Ville principale : Jérusalem. Pays des *Cananéens puis des *Hébreux conduits par *Moïse. Colonisée par les Romains en 64 av. J.-C., elle vit naître *Jésus-Christ. Elle devint Terre sainte sous l'empire chrétien de *Constantin et fut longuement disputée entre Arabes et Croisés (⇒ **Croisades**). À la fin du XIXᵉ s. commence l'immigration juive (⇒ **sionisme**) ; les Anglais qui ont un mandat sur la Palestine (1922) soumettent à l'O. N. U. la question de l'affrontement entre Juifs et Arabes *(Palestiniens),* qui aboutit en 1947 à la création de l'État d'Israël. La partie arabe de la Palestine prend le nom de *Cisjordanie (⇒ **O. L. P.,** conflit **israélo-arabe**).

Giovanni Pierluigi da **Palestrina** ■ Compositeur italien de musique sacrée (v. 1525-1594). Nombreuses messes et motets.

Bernard **Palissy** ■ Céramiste et savant français (v. 1510 - v. 1589).

Andrea **Palladio** ■ Architecte italien (1508-1580). Il travailla surtout à Vicence et dans sa région. Le style *palladien,* inspiré des formes antiques, devint au XVIIIᵉ s. la référence majeure du mouvement *néo-classique. La "*villa Rotonda*".

Pallas ■ Surnom de la déesse grecque *Athéna.

Palma le Vieux ■ Peintre italien (v. 1480-1528). Vastes compositions religieuses. Influencé par *Titien. □ *Palma le Jeune* (1544-1628), son petit-neveu, fut surtout un peintre décorateur, représentant du *maniérisme vénitien.

Palma de Majorque ■ Ville espagnole des Baléares, dans l'île de Majorque. 304 000 hab. Important centre touristique.

Las **Palmas** ■ Ville des Canaries. 366 000 hab. Tourisme, pêche.

Olof **Palme** ■ Homme d'État suédois (1927-1986). Le plus célèbre représentant de la social-démocratie suédoise. Premier ministre de 1969 à 1976, réélu en 1982, il mourut assassiné.

lord **Palmerston** ■ Homme d'État britannique (1784-1865). Premier ministre de la reine *Victoria de 1855 à 1865. Il eut une grande influence sur la politique étrangère de son pays.

Palmira ■ Ville de Colombie. 154 000 hab. Centre agricole.

Palmyre ■ Oasis du désert de Syrie, ancienne capitale du *royaume de Palmyrène* dévastée par l'empereur Aurélien en 273.

Pamiers ■ Sous-préfecture de l'*Ariège. 15 000 hab. *(les Appaméens).* Cathédrale. Marché agricole.

le **Pamir** ■ Région montagneuse d'Asie centrale qui s'étend principalement sur le *Tadjikistan (U. R. S. S.). Pic du Communisme à 7 495 m.

la **Pampa** ■ Vaste plaine au centre de l'Argentine. Importante zone d'élevage bovin (pays des « gauchos »). ⟨ ▶ pampa ⟩

Pampelune ■ Ville d'Espagne, chef-lieu de la province de *Navarre. 183 000 hab. Foires. Industrialisation récente. Tourisme.

Pan ■ Dieu grec des bergers et des troupeaux. Les philosophes et les poètes en firent l'incarnation de l'Univers (*Pan* signifie « tout » en grec). L'effroi qu'il suscitait a donné le mot *panique.*

le **Panamá** ou **Panama** ■ État (république) d'Amérique centrale, formant un isthme qui sépare l'Atlantique du Pacifique. 77 080 km². 2,1 millions d'hab. *(les Panaméens).* Capitale : Panamá. Langues : espagnol (officielle), anglais. Monnaie : balboa. Ancienne colonie espagnole. L'économie est surtout agricole (plantations de bananes, cacao, canne à sucre). Activité commerciale liée au canal de Panamá dont le trafic est intense. □ *Panamá.* Capitale de la république de Panamá située sur le *golfe de Panamá,* au nord-est du débouché du canal de Panamá. 460 000 hab. Ville administrative et commerciale. Industries. Université. ▶ *le canal de Panamá,* commencé en 1881 par Ferdinand de *Lesseps puis arrêté à cause d'un scandale financier, fut achevé en 1914 et sera jusqu'en 1999 sous contrôle des États-Unis.

Pandore ■ Première femme de l'humanité dans la mythologie grecque. Elle ouvrit la boîte contenant les misères humaines qui se répandirent sur la terre.

Panetius ■ ⇒ **stoïcisme.**

René **Panhard** ■ Ingénieur français (1841-1908). Créateur avec Levassor de l'une des premières sociétés d'industrie automobile.

Pāṇini ■ Célèbre grammairien indien, considéré comme le premier théoricien formaliste du langage (v. IVᵉ s. av. J.-C).

le **Pañjāb** ou **Pendjab** ■ Région d'Asie qui s'étend sur l'Inde du nord-ouest et le Pakistan. Très fertile, elle abrita de grandes civilisations.

Vera **Panova** ■ Écrivaine « réaliste socialiste » soviétique (1905-1973). "*Les Compagnons*".

Pankow ■ Quartier de *Berlin. Siège du gouvernement de la R. D. A.

la **Pannonie** ■ Ancienne province romaine de l'Europe centrale. ⇒ **Hongrie.**

Pantagruel ■ Titre et personnage d'un roman de *Rabelais, fils du géant *Gargantua. ⟨ ▶ pantagruélique ⟩

Pantalon ■ Personnage de la *Commedia dell'arte. ⟨ ▶ pantalon, pantalonnade ⟩

le Panthéon ■ Église de Paris qui devint sous la Révolution le lieu de sépulture des grands hommes (Voltaire, Rousseau, Hugo, Jaurès...). ⟨ ▶ panthéon ⟩

Pantin ■ Commune de la *Seine-Saint-Denis. 43 500 hab. *(les Pantinois).*

Panurge ■ Personnage du *"Pantagruel"* de *Rabelais, intelligent et immoral. On appelle *mouton de Panurge* un homme qui suit les autres aveuglément, comme des moutons se suivent.

Pasquale Paoli ■ Patriote corse (1725-1807). Allié de l'Angleterre contre la France.

Georges Papandréou ■ Homme politique grec (1888-1968). Fondateur du parti social-démocrate. □ *Andreas Papandréou*, son fils (né en 1919), est Premier ministre (socialiste) de la Grèce depuis 1981.

Papeete ■ Chef-lieu de la *Polynésie française, port de l'île de *Tahiti. 78 800 hab. (avec les banlieues). Base aérienne. Tourisme.

Denis Papin ■ Physicien français (1647-1714). Il réalisa, à Londres, les premières machines à vapeur. ⇒ **Savery.**

Louis Joseph Papineau ■ Homme politique canadien (1786-1871). Il fut l'instigateur de la rébellion des Canadiens français contre Londres en 1837.

les Papous n. m. ■ Population de *Nouvelle-Guinée et des îles voisines. ▶ *la Papouasie-Nouvelle-Guinée.* Territoire de la *Nouvelle-Guinée, devenu État indépendant en 1975. 462 840 km². 3,48 millions d'hab. Langues : papou, pidgin mélanésien, anglais. Monnaie : kina. Capitale : Port Moresby.

Pappos ou *Pappus d'Alexandrie* ■ Mathématicien grec (IVᵉ s.).

l'île de Pâques ■ Île du Pacifique, à l'ouest du *Chili auquel elle appartient. Célèbre pour ses statues (têtes géantes), d'une civilisation inconnue. 118 km². 1 860 hab.

Paracelse ■ Médecin suisse alémanique (v. 1493-1541). Œuvre très variée, typique de l'hermétisme encyclopédique de la *Renaissance.

le Paraguay ■ État (république) d'Amérique du Sud. La rivière Paraguay (2 200 km) le traverse et le sépare du Brésil et de l'Argentine. 406 752 km². 3,79 millions d'hab. *(les Paraguayens).* Capitale : Asunción. Langues : espagnol (officielle), guarani. Monnaie : guarani. Pays rural, il vit de l'exploitation de la forêt (arbre à tanin), d'élevage et de polyculture. □**HISTOIRE.** Conquis par les Espagnols au XVIᵉ s., colonisé par les *Jésuites, il proclama son indépendance en 1811. Une dictature militaire (général Stroessner) est au pouvoir depuis 1954.

Paramaribo ■ Capitale du Surinam, sur l'estuaire de la rivière Surinam. 103 700 hab. Centre administratif et commercial. Exportation de bauxite et de produits tropicaux.

Paraná ■ Ville d'Argentine. 160 000 hab. □ *le Paraná*, immense fleuve né au Brésil (3 300 km), la traverse.

Paray-le-Monial ■ Commune de *Saône-et-Loire. 11 300 hab. Basilique romane. Pèlerinage.

Paray-Vieille-Poste ■ Commune de l'*Essonne. 7 100 hab. *(les Paraysiens).*

Ambroise Paré ■ Chirurgien français (v. 1509-1590). Considéré comme le père de la chirurgie moderne.

Vilfredo Pareto ■ Économiste et sociologue italien (1848-1923). Théoricien (après *Walras) de l'économie « pure ».

Paris ■ Ville et département français [75]. 10 540 ha. Capitale de la France et préfecture de la région *Île-de-France. 2,18 millions d'hab. *(les Parisiens).* 8,7 millions avec la banlieue : un Français sur six habite l'agglomération de Paris. Capitale politique, économique, intellectuelle depuis treize siècles, elle s'est développée sur un site privilégié, où l'on pouvait passer la Seine (grâce aux îles), puis est devenue carrefour des routes et du réseau de chemins de fer. Sa croissance s'est faite à partir de l'île de la Cité, en anneaux concentriques, matérialisée par les enceintes successives et favorisée par l'activité du port puis, au milieu du XIXᵉ s., par l'industrialisation et l'exode rural massif. Progressivement, les anciens faubourgs ont été intégrés à la ville, les usines et la population ouvrière déplacées vers les villes nouvelles d'Île-de-France et la province (décentralisation). Aujourd'hui restent les industries de précision (électronique, mécanique) et les sièges sociaux des entreprises. Le secteur tertiaire se développe, en particulier dans le nouveau quartier d'affaires de la *Défense. Les problèmes de logement et de transport sont importants. Nombreux monuments (⇒ ci-dessous), tourisme. ⇒ **Île-de-France.** □**HISTOIRE.** Fondée par la tribu d'origine celte des *Parisii*, Lutèce fut conquise par les Romains en 52 av. J.-C. et considérablement agrandie. Devenue Paris (Parisii) v. 310, elle résista aux invasions des *Huns grâce à sainte *Geneviève (451). Le roi mérovingien *Clovis en fit sa capitale. La dynastie des *Capétiens n'allait cesser de confirmer son rôle politique central. Au XIIIᵉ s., Paris était la plus grande cité de l'Occident chrétien (université de la *Sorbonne, cathédrale *Notre-Dame). Elle se révolta contre le futur *Charles V en 1358 (⇒ Étienne **Marcel**). Après la période sanglante des guerres de Religion (massacre de la Saint-Barthélemy en 1572), elle connut un nouvel essor avec Henri IV, qui fit construire la *place des Vosges,* la *place Dauphine* et le *Pont-Neuf,* puis Louis XIV (le *Louvre, le jardin des *Tuileries), avant que la Cour ne s'installe à *Versailles. Centre intellectuel de l'Europe du temps des *Lumières, Paris joua un grand rôle pendant la *Révolution française. Napoléon y fit des travaux d'embellissement (*Arc de triomphe,* église de la *Madeleine).* Le peuple de Paris fut à nouveau au premier rang des révolutions de 1830 et 1848. Ce fut le second Empire qui donna son visage actuel à Paris, avec *Haussmann : réduction des problèmes d'ordre et d'hygiène grâce à la percée de grands boulevards, construction de nouveaux ponts et des premières gares. Après le siège de Paris par les Allemands (1870) puis les insurrections de la *Commune, la ville retrouva sa prospérité sous la IIIᵉ République *(tour Eiffel, Grand et Petit Palais).* Occupée par les Allemands de 1940 à 1944, elle a connu depuis la Libération de nouveaux travaux d'urbanisme (quartiers *Montparnasse, *Beaubourg* et *les Halles).* Paris est aujourd'hui à la fois une commune et un département [75]. Divisée en 20 arrondissements, elle est administrée depuis 1977 par un maire, J. *Chirac, et par le conseil de Paris. La ville a été le lieu de plusieurs traités. Le *traité de Paris* du 10 février 1763 mit fin à la guerre de *Sept Ans et marqua l'abandon de l'empire colonial français en Amérique. Le *traité de Paris* du 30 mai 1814 et le *second traité de Paris* du 20 novembre 1815 entérinaient l'abandon par la France de ses conquêtes de la Révolution et de l'Empire. Le *traité de Paris* de 1856 marqua la fin de la guerre de *Crimée.

Pâris ■ Héros de la mythologie grecque, fils de Priam et d'Hécube. En enlevant *Hélène, il provoqua la guerre de Troie.

le *Bassin parisien* ■ Vaste région géographique française limitée par le Massif central au sud, le Massif armoricain à l'ouest, les Ardennes au nord et les Vosges à l'est. Paris est au centre de cette cuvette sédimentaire drainée par la Seine, la Loire, la Meuse et la Moselle. ► *la région parisienne.* ⇒ Île-de-France.

Charlie Parker ■ Saxophoniste et compositeur de jazz noir américain (1920-1955).

James Parkinson ■ Médecin anglais (1755-1824). *Maladie de Parkinson :* paralysie agitante.

le *Parlement* ■ ⇒ Assemblée nationale et Sénat.

Parme ■ Ville d'Italie fondée par les *Étrusques. 178 000 hab. *(les Parmesans).* Célèbres jambon et fromage (le *parmesan*). Nombreux monuments anciens. Industries diverses.

Parménide ■ Penseur grec (v. 500 - v. 450 av. J.-C.). Le père de l'ontologie. Contre *Héraclite, son *"Poème"* pose l'unité et l'éternité de l'être. Platon a donné son nom à l'un de ses plus importants dialogues.

Antoine Augustin Parmentier ■ Savant français qui répandit la culture de la pomme de terre en France (1737-1813).

le *Parmesan* ■ Peintre italien (1503-1540). Le maître du *maniérisme. Son influence, due à ses talents de dessinateur et de peintre, fut immense. *"La Vierge au long cou"*.

le *Parnasse* ■ Montagne de Grèce (2 457 m). Séjour favori des *Muses dans l'Antiquité et lieu d'inspiration des poètes. ► *le Parnasse,* groupe littéraire français de la seconde moitié du XIXᵉ s., en réaction contre le *romantisme, recherchant la perfection formelle et affirmant la gratuité de l'art. ⇒ Leconte de Lisle, Heredia, Banville.

Charles Stewart Parnell ■ Homme politique irlandais (1846-1891). Il lutta pour que son pays ait un gouvernement indépendant *(Home Rule).*

Paros ■ Île grecque réputée pour ses carrières de marbre blanc et ses ateliers de sculpture.

les trois *Parques* ■ Divinités romaines du Destin. Elles filent et coupent le fil de la vie des humains. Identifiées aux Moires grecques.

Parthenay ■ Sous-préfecture des *Deux-Sèvres. 13 000 hab. *(les Parthenaisiens).* Marché agricole, monuments anciens.

le *Parthénon* ■ Temple de la déesse *Athéna bâti au Vᵉ s. av. J.-C. sur le sommet de l'Acropole à Athènes. Un des plus prestigieux monuments de l'Antiquité.

les *Parthes* n. m. ■ Ancien peuple d'Iran, aristocrates guerriers. Leur empire eut *Rome pour rivale en Orient. Le dernier roi parthe, *Artaban, fut vaincu en 224.

Pârvatî ■ Divinité hindoue, bienveillante, épouse de *Śiva.

Pasadena ■ Ville des États-Unis (*Californie). 119 000 hab. Centre de recherche de la N. A. S. A.

Pasay ■ Ville des Philippines, banlieue de *Manille. 231 000 hab.

Blaise Pascal ■ Mathématicien, physicien, philosophe et écrivain français (1623-1662). Hydrostatique, machine arithmétique, travaux précurseurs en géométrie projective (⇒ Poncelet), analyse infinitésimale (⇒ Leibniz et Newton) et calcul de probabilités. Proche des *jansénistes, il attaqua leurs adversaires jésuites dans les *"Provinciales"*. Les *"Pensées"* (posthume), notes en vue d'une apologie de la religion chrétienne dans une prose puissante et personnelle, sont le chef-d'œuvre d'une spiritualité de l'angoisse et du « Dieu caché ». ⟨ ► ③ pascal ⟩

le *Pas-de-Calais* [62] ■ Département français de la région du *Nord-Pas-de-Calais. 6 639 km². 1,4 million d'hab. Préfecture : Arras. Sous-préfectures : Béthune, Boulogne-sur-Mer, Calais, Lens, Montreuil, Saint-Omer. □ *le Pas de Calais,* détroit entre la France et l'Angleterre, relie la Manche à la mer du Nord. Trafic maritime intense.

la *Pasionaria* ■ ⇒ Dolores Ibarruri.

Pasiphaé ■ Épouse de *Minos, mère de *Phèdre, d'*Ariane et du *Minotaure dans la mythologie grecque.

Pier Paolo Pasolini ■ Cinéaste et écrivain italien (1922-1975). *"Le Décaméron"* et *"Médée"*, films.

Le Passage ■ Commune du *Lot-et-Garonne. 8 500 hab.

Passy ■ Commune de la Haute-*Savoie. 9 700 hab. Station climatique. Sanatorium.

Boris Pasternak ■ Écrivain soviétique (1890-1960). Auteur de poèmes et du roman *"Le Docteur Jivago"*. Il fut contraint de refuser le prix Nobel en 1958.

Louis Pasteur ■ Savant français, un des créateurs de la microbiologie et de la stéréochimie (1822-1895). Ses travaux sur la fermentation ont fait progresser l'industrie et la médecine. Il mit au point le vaccin contre la rage. ⟨ ► pasteurisation ⟩

Pasto ou *San Juan de Pasto* ■ Ville de Colombie. 159 000 hab. Université. Centre commercial.

la *Patagonie* ■ Région du sud de l'Argentine, vaste plateau de pierres au climat sec et froid. 785 000 km². 600 000 hab. *(les Patagons).* Élevage ovin. Pétrole.

Pātan ■ Ancienne capitale du *Népal. 135 000 hab. Temples.

Paterson ■ Ville des États-Unis, près de New York (*New Jersey). 145 000 hab.

les frères *Pathé* ■ Industriels français, pionniers du disque et du cinéma. Émile (1860-1937) et Charles (1863-1957).

Patiāla ■ Ville de l'Inde (*Panjab). 152 000 hab.

Joachim Patinir ou *Patenier* ■ Peintre flamand (v. 1480 - 1524). Sujets bibliques où il fut l'un des premiers à donner une grande place au paysage.

Patna ■ Ville de l'Inde. 916 000 hab. Important carrefour de communications sur le *Gange.

Patras ■ Ville de Grèce. Port actif (liens avec l'Italie). 116 000 hab.

saint *Patrick* ou *Patrice* ■ Évangélisateur et patron de l'Irlande (v. 389 - 461).

Patrocle ■ Héros de l'*Iliade. Compagnon d'*Achille, il est tué par *Hector devant Troie.

George **Patton** ■ Général américain (1885-1945). Chef de la IIIᵉ armée durant la Seconde Guerre mondiale.

Pau ■ Préfecture des *Pyrénées-Atlantiques, sur le *gave de Pau*. 86 000 hab. *(les Palois)*. Ancienne capitale du Béarn et des rois de Navarre, où naquit Henri IV. Centre touristique (château) et commercial. Gisements de gaz près de la ville (Lacq).

Pauillac ■ Commune de la *Gironde. 6 400 hab. *(les Pauillacais)*. Port pétrolier. Grands vignobles.

saint **Paul** ■ Apôtre du christianisme (v. 10 - v. 62). Il écrivit 14 lettres ou *"Épîtres"* aux premières communautés chrétiennes, qui furent intégrées au Nouveau Testament. Martyrisé à Rome.

Alexandre Farnèse dit **Paul III** ■ Pape élu en 1534 (1468-1549). Il fut à l'origine de la *Contre-Réforme et réunit le concile de *Trente en 1545. Prince humaniste, il employa *Michel-Ange.

Paul VI ■ Pape élu en 1963 (1897-1978). Il réforma la liturgie selon les décisions du IIᵉ concile du *Vatican.

Jean **Paulhan** ■ Écrivain français (1884-1968). Critique, prosateur, théoricien de la langue et de la littérature, figure importante de l'édition. *"Les Fleurs de Tarbes"*.

Wolfgang **Pauli** ■ Physicien suisse d'origine autrichienne (1900-1958). Prix Nobel 1945. Théorie atomique, formalisme quantique.

Linus **Pauling** ■ Chimiste américain (né en 1901). Prix Nobel de chimie en 1954 et prix Nobel de la paix en 1962.

Cesare **Pavese** ■ Écrivain italien (1908-1950). Poèmes, romans *("le Bel Été")*, journal *("le Métier de vivre")*.

Pavie ■ Ville d'Italie du Nord. 87 000 hab. François Iᵉʳ y fut vaincu et fait prisonnier par Charles Quint en 1525.

Pavillons-sous-Bois ■ Commune de la *Seine-Saint-Denis, au nord-est de Paris. 18 000 hab. *(les Pavillonnais)*.

Pavilly ■ Commune de la *Seine-Maritime. 5 500 hab. *(les Pavillais)*.

Pavlodar ■ Ville d'U. R. S. S. (*Kazakhstan). 273 000 hab.

Ivan **Pavlov** ■ Physiologiste russe (1849-1936). Précurseur de la psychophysiologie, prix Nobel 1904. *Réflexe de Pavlov* : type du réflexe conditionné.

les **Pays-Bas** en néerlandais *Nederland* ■ État (monarchie constitutionnelle) d'Europe, sur la mer du Nord. 34 182 km² (dont 7 400 km² d'eau). 14,6 millions d'hab. *(les Néerlandais)*. Une des populations les plus denses du monde (462 hab./km²). Capitale : Amsterdam. Siège du gouvernement et de la Cour : La Haye. Langues : néerlandais, frison. Monnaie : florin. 12 provinces : la *Hollande-Méridionale et la *Hollande-Septentrionale, la Drenthe, la Gueldre, l'Ijselmeer, le Limbourg, l'Overijsel, la province d'Utrecht, la *Zélande, la *Frise, le *Brabant, la *Groningue. Grande plaine souvent au-dessous du niveau de la mer, traversée par la Meuse, le Rhin et l'Escaut et soumise à un climat humide, les Pays-Bas ont toujours cherché à gagner des terres sur l'eau (ce sont les *polders*), par la construction de digues, de canaux et l'assèchement des marais. Agriculture moderne et intensive : céréales, tulipes, élevage laitier (fromages de Hollande). Immense gisement de gaz naturel en Gro-

ningue. Industries sidérurgique, chimique et électronique. Fonction commerciale importante avec Rotterdam, 1ᵉʳ port mondial. ☐HISTOIRE. Les Pays-Bas furent réunis à la Bourgogne en 1384, à la maison de Habsbourg en 1478 et donc à l'Espagne sous le règne de Charles Quint. Mais l'Inquisition et les mesures de répression économique prises par les gouverneurs espagnols entraînèrent des soulèvements (⇒ **Guillaume Iᵉʳ d'Orange-Nassau**). En 1579, les provinces calvinistes firent sécession avec l'*Union d'*Utrecht. Celle-ci donna naissance aux *Provinces-Unies, noyau de l'actuel royaume des Pays-Bas. Le XVIIᵉ s. fut une période de développement économique (commerce maritime et colonial, intellectuel et artistique. En 1815, les Pays-Bas devinrent indépendants (comprenant la *Belgique jusqu'en 1830). Ils participèrent à la création du *Benelux, puis (1957) de la *C. E. E.

La Paz ■ ⇒ **La Paz.**

Octavio **Paz** ■ Poète mexicain (né en 1914). Il a collaboré au mouvement surréaliste. *"Pierre de soleil"* ; *"l'Arc et la Lyre"*.

le **P. C. F.** ■ Sigle du Parti *communiste français.

Le **Péage-de-Roussillon** ■ Commune de l'*Isère. 6 200 hab. *(les Péageois)*.

Giuseppe **Peano** ■ Mathématicien italien (1858-1932). Formalisation, axiomatique.

Pearl Harbor ■ Base militaire américaine des îles Hawaï. L'attaque surprise de l'aviation japonaise, le 7 décembre 1941, provoqua l'entrée des États-Unis dans la Seconde *Guerre mondiale.

Lester Bowles **Pearson** ■ Homme d'État canadien (1897-1972). Diplomate, prix Nobel de la paix 1957. Premier ministre de 1963 à 1967.

Robert **Peary** ■ Explorateur américain (1856-1920). Il atteignit, le premier, le pôle Nord (1909).

Le **Pecq** ■ Ville des *Yvelines, sur la Seine. 17 000 hab.

Pecquencourt ■ Commune du *Nord. 7 500 hab.

Pécs ■ Ville de Hongrie. 169 000 hab. Évêché depuis le XIᵉ s. Université. Industries.

Pedro ■ ⇒ 1. empereurs du BRÉSIL, **Pierre Iᵉʳ.**

sir Robert **Peel** ■ Homme politique britannique (1788-1850). Il créa une police à Londres et fit voter l'émancipation des catholiques en Irlande.

Pégase ■ Cheval ailé de la mythologie grecque, symbole de l'inspiration poétique.

Pegu ■ Ville de Birmanie. 254 000 hab. Pagodes anciennes.

Charles **Péguy** ■ Écrivain français (1873-1914). Socialiste et catholique, il a laissé une œuvre engagée, lyrique (adoptant le verset dans ses poèmes) et souvent polémique. Animateur de la revue des *"Cahiers de la Quinzaine"*. *"Jeanne d'Arc"*.

le lac **Peïpous** ou *Tchoudsk* ■ Lac d'U. R. S. S. entre l'Estonie et la Russie. Victoire d'*Alexandre Nevski sur les chevaliers *Teutoniques (1242).

Charles Sanders **Peirce** ■ Philosophe et logicien américain (1839-1914). Fondateur et théoricien de la sémiotique (science des signes). ⇒ **Saussure.**

Pekalongan ■ Ville et port de l'île de Java. 115 000 hab.

Pékin ou *Beijing* ■ Capitale de la Chine. 9,2 millions d'hab. *(les Pékinois)*. Industries sidérurgique, automobile, textile. Universités. Ville très ancienne (Ve s. av. J.-C.) qui se développa au temps des Mongols (XIIIe s.). Capitale impériale jusqu'en 1912 (avec la « cité interdite »), elle perdit alors son rôle et ne le retrouva qu'en 1949, quand les communistes y proclamèrent la république.

Pélage ■ Moine établi à Rome (v. 360 - v. 422). ► *le pélagianisme,* sa doctrine, niait le péché originel et la grâce divine. Il fut combattu par saint Augustin.

les Pélasges n. m. ■ Habitants primitifs de la Grèce.

Pelé ■ Footballeur brésilien (né en 1940). Deux fois vainqueur de la Coupe du Monde (1958, 1970).

la montagne Pelée ■ Volcan de la Martinique (1 430 m).

Pelissanne ■ Commune des *Bouches-du-Rhône. 6 200 hab.

Jean Charles Pellerin ■ Imprimeur français (1756-1836). ⇒ **Épinal.**

Silvio Pellico ■ Écrivain et patriote italien (1789-1854). *"Mes prisons".*

le Péloponnèse ■ Presqu'île du sud de la Grèce rattachée au continent par l'isthme de Corinthe. 21 063 km². 1 million d'hab. Elle comprend, entre autres, l'*Arcadie, *Épidaure, *Mycènes. À l'époque classique, son histoire se confond avec celle de *Sparte et de la Grèce. ► *la guerre du Péloponnèse,* de 431 à 404 av. J.-C., opposa Sparte à Athènes pour l'hégémonie de la Grèce. Malgré les succès d'*Alcibiade, privée de sa flotte par *Lysandre (405 av. J.-C.), Athènes assiégée dut capituler.

Pélops ■ Héros éponyme du Péloponnèse (« l'île de Pélops »). Son père, *Tantale, le tue et le donne à manger aux dieux, qui lui rendent la vie.

Pelotas ■ Ville et port du Brésil. 268 000 hab. Conserveries, industrie pharmaceutique.

le Pelvoux ■ Massif cristallin des Alpes. Parc national.

Pematang Siantar ■ Ville d'Indonésie (Sumatra). 130 000 hab.

les Pénates ■ Divinités protectrices du foyer dans la religion romaine. ‹ ► pénate ›

Krzisztof Penderecki ■ Compositeur polonais (né en 1933). *"Psaumes de David"* ; *"les Possédées de Loudun",* opéra.

le Pendjab ■ ⇒ **Panjab.**

Pénélope ■ Femme d'Ulysse dans l'*Odyssée. Symbole de fidélité conjugale.

Penmarch ■ Commune du *Finistère. 6 500 hab. Église gothique. Pêche, conserves.

William Penn ■ Quaker anglais (1644-1718). Il fonda aux États-Unis une colonie qui prit le nom de *Pennsylvanie.

Les Pennes-Mirabeau ■ Commune des *Bouches-du-Rhône. 15 000 hab.

La Penne-sur-Heauve ■ Commune des *Bouches-du-Rhône. 5 700 hab.

la Pennsylvanie ■ État du nord-est des États-Unis. 117 413 km². 11,9 millions d'hab. Capitale : Harrisburg. Villes principales : Philadelphie, Pittsburgh. Puissante industrie grâce au charbon et à l'acier (aujourd'hui en crise).

le Pentagone ■ Bâtiment en forme de pentagone qui abrite l'état-major des forces armées américaines, à Washington.

le Pentateuque ■ Nom grec donné à l'ensemble formé par les cinq premiers livres de la Bible. ⇒ **Torah.**

Penza ■ Ville d'U. R. S. S. (*Russie) au sud-est de Moscou. 483 000 hab. Industries.

Peoria ■ Ville des États-Unis (*Illinois). 124 000 hab. Région agricole.

Pépin de Herstal ■ Maire du palais sous Childebert III (mort en 714). Père de *Charles Martel.

Pépin le Bref ■ Roi des Francs, fils de *Charles Martel et père de *Charlemagne (714-768). Maire du palais, il déposa le dernier *Mérovingien. Sacré roi (754), il fonda ainsi la dynastie des *Carolingiens.

Samuel Pepys ■ Mémorialiste anglais (1633-1703). *"Journal".*

Perceval ■ Héros du dernier roman de Chrétien de Troyes *"Perceval ou le Conte du Graal".* ⇒ **Graal.**

le Perche ■ Région de bocages et de forêts à l'ouest du Bassin parisien. Chef-lieu : Nogent-le-Rotrou. Célèbres chevaux de trait : les *percherons.*

Charles Percier ■ Architecte français (1764-1838). Auteur avec Fontaine des principales œuvres du Premier Empire.

Georges Perec ■ Écrivain français (1936-1982). Son œuvre allie une grande virtuosité formelle au souci du réel. *"Les Choses"* ; *"la Vie mode d'emploi".*

Pereira ■ Ville de Colombie. 227 000 hab. Centre commercial. Industries alimentaires.

les frères Pereire ■ Hommes d'affaires français. Notables du Second *Empire, ils favorisèrent l'essor des transports et des finances. Émile (1800-1875) et Isaac (1806-1880).

le Père Lachaise ■ ⇒ le Père **La Chaise.**

Perenchies ■ Commune du *Nord. 7 000 hab. Textile.

Shimon Peres ■ Homme politique israélien (né en 1923). Premier ministre (travailliste) de 1984 à 1986, il est depuis ministre des Affaires étrangères.

Benjamin Péret ■ Écrivain *surréaliste français (1899-1959). Pamphlétaire. *"Le Grand Jeu".*

Benito Pérez Galdós ■ Écrivain espagnol (1843-1920). Il a décrit la vie quotidienne dans une vaste fresque sociale, *"Épisodes nationaux",* qu'on a comparée à l'œuvre de *Balzac.

Pergame aujourd'hui *Bergama* ■ Ancienne ville d'Asie Mineure (Turquie), capitale d'un puissant royaume hellénistique aux IIIe et IIe s. av. J.-C. De nombreux monuments subsistent. Sculptures au musée de Berlin.

Louis Pergaud ■ Écrivain français (1882-1914). *"La Guerre des boutons".*

Jean-Baptiste Pergolèse ■ Compositeur italien (1710-1736). *"La Servante maîtresse"* est le premier opéra bouffe (⇒ querelle des **Bouffons**). Célèbre *"Stabat Mater".*

Gabriel Péri ■ Homme politique français (1902-1941). Journaliste, député communiste et résistant, il fut fusillé par les Allemands.

Jacopo Peri ■ Compositeur italien (1561-1633). Il définit l'opéra comme genre musical. *"Euridice".*

Périclès ■ Homme d'État athénien, auteur de grandes réformes démocratiques (v. 495 - v. 429 av. J.-C.). Il étendit la domination d'Athènes sur les autres cités grecques et en fit le centre de la civilisation et de l'art classiques (⇒ **Phidias, Parthénon**). Le « siècle de Périclès » désigne l'époque la plus brillante de la civilisation grecque.

Casimir Perier ■ Banquier français, ministre de Louis-Philippe (1777-1832).

dom Pérignon ■ Moine bénédictin qui inventa la « méthode champenoise » de fabrication du champagne (1638-1715).

Périgny ■ Commune de la *Charente-Maritime, banlieue de la Rochelle. 6 900 hab.

le Périgord ■ Ancienne région du sud-ouest rattachée à la France par Henri IV. Plateaux calcaires traversés par la *Dordogne. Riches cultures dans la vallée. Les habitants sont les *Périgourdins*.

Périgueux ■ Préfecture de la *Dordogne. 37 000 hab. (*les Pétrocoriens* ou *Périgourdins*). Industrie alimentaire active : truffes, foie gras. Arènes romaines, cathédrale romane (restaurée au XIXe s.). Ancienne capitale du *Périgord.

Perm' ■ Ville d'U. R. S. S. (*Russie), dans l'*Oural. 980 000 hab. Centre culturel et industriel.

Constant Permeke ■ Peintre et sculpteur belge (1886-1952). Scènes de la vie paysanne. Nus aux formes monumentales.

Pernes-les-Fontaines ■ Commune du *Vaucluse. 7 000 hab. (*les Pernois*).

Pernik ■ Ville de Bulgarie. 174 000 hab.

Juan Domingo Perón ■ Homme d'État argentin (1895-1974). Élu président de la République en 1946, il transforma radicalement son pays. □ *Eva Perón*, sa femme (1919-1952) fut, comme lui, très populaire. ► *le péronisme* joue encore un grand rôle dans la vie politique argentine.

Péronne ■ Sous-préfecture de la *Somme. 9 800 hab. (*les Péronnais*). Château médiéval.

Pérotin ■ Compositeur français de l'École de Notre-Dame de Paris (XIIIe s.).

le Pérou ■ État (république) d'Amérique du Sud. 1 285 216 km². 19,2 millions d'hab. (*les Péruviens*). Langues officielles : espagnol, quechua. Capitale : Lima. Monnaie : inti. Trois régions contrastées : la côte Pacifique avec les cultures de coton, de riz et la pêche ; les hautes terres des Andes avec l'élevage et la production minière (cuivre, zinc) ; enfin la forêt amazonienne presque inexploitée. □**HISTOIRE**. Le Pérou fut le centre de l'Empire *inca, qui disparut sous les coups des conquistadores de Pizarro au XVIe s. Devenu une colonie espagnole, il accéda à l'indépendance en 1824. Dès 1825, il fut divisé et le « haut Pérou » prit le nom de *Bolivie. Il connaît une grande instabilité politique depuis le XIXe s. avec une alternance de gouvernements révolutionnaires et conservateurs. Depuis 1978, il traverse une grave crise économique.

Pérouse ■ Ville d'Italie. 138 000 hab. Ruines étrusques et romaines. Monuments du Moyen Âge et de la Renaissance.

Perpignan ■ Préfecture des *Pyrénées-Orientales. 113 000 hab. (*les Perpignanais*). Commerce actif des fruits cultivés dans la région. Ancienne capitale des rois de Majorque.

Charles Perrault ■ Écrivain français (1628-1703). Auteur des célèbres *"Contes de ma mère l'Oye"* (Cendrillon, Barbe-Bleue, le Petit Poucet...).□ *Claude Perrault,* son frère (1613-1688), architecte. On lui attribue la colonnade du *Louvre.

Auguste Perret ■ Architecte français (1874-1954). Reconstruction du Havre après la guerre. Théâtre des Champs-Élysées, à Paris.

Le Perreux-sur-Marne ■ Commune du *Val-de-Marne, dans la banlieue est de Paris. 28 000 hab.

Jean Perrin ■ Physicien français (1870-1942). Prix Nobel 1926. *"Les Atomes"*.

Perros-Guirec ■ Commune des *Côtes-du-Nord. Station balnéaire de Bretagne. 7 500 hab. (*les Perrosiens*).

François Perroux ■ Économiste français, dans la lignée de *Schumpeter (1903-1987).

Persan ■ Commune du *Val-d'Oise. 10 000 hab. (*les Persanais*).

la Perse ■ Ancien nom de l'*Iran. L'Empire perse fut fondé vers 550 av. J.-C. par *Cyrus II, qui mit fin à la domination des *Mèdes. Grand conquérant, il annexa Babylone. Son fils Cambyse II conquit l'Égypte. C'est avec *Darius Ier que l'empire est à son apogée : c'est le plus vaste de l'Antiquité ; il est organisé en provinces régies par des gouverneurs (les *satrapes*). Darius fonde *Persépolis. En guerre contre les Grecs, il est vaincu à *Marathon en 490 av. J.-C. ; peu après, son fils *Xerxès Ier est battu à *Salamine. L'empire affaibli est conquis et ruiné par *Alexandre le Grand puis soumis aux *Parthes. La Perse connaît une nouvelle période de gloire du IIIe au VIIe s. avec la dynastie des *Sassanides. Conquise par les Arabes au VIIe s., elle se convertit à l'islam. Dominée par les Turcs (1055) puis par les Mongols jusqu'à l'avènement d'Isma'il Ier (1502), qui fait du *chiisme la religion d'État. Sous la dynastie des Qādjārs, la Perse subit l'influence de la Russie puis de l'Angleterre, intéressée par son pétrole. En 1925, Rizāh Khān prend le pouvoir : la Perse devient officiellement l'Iran. ⇒ **Iran.**

Persée ■ Héros grec, fils de *Zeus et de *Danaé, vainqueur de la *Méduse.

Perséphone ■ Divinité grecque enlevée par *Hadès qui la fit reine des Enfers. Identifiée à la Proserpine des Romains.

Persépolis ■ Ancienne capitale de l'Empire perse, incendiée en 331 av. J.-C. par *Alexandre le Grand. Ruines du palais de *Darius Ier.

le golfe Persique ou *Arabique* ■ Bras de mer entre l'Iran et l'Arabie. Il communique avec l'océan Indien par le détroit d'Ormuz. Énormes gisements de pétrole surtout sur la rive arabe.

Perth ■ Ville d'Australie, capitale de l'État d'Australie-Occidentale. 703 000 hab. Centre commercial et administratif.

Pertuis ■ Commune du *Vaucluse. 12 000 hab. (*les Pertuisiens*). Église gothique.

le Pérugin ■ Peintre italien (v. 1445-1523). Maître de *Raphaël. Il propagea le goût classique en Italie à la fin du *quattrocento. Il est l'auteur de plusieurs fresques de la chapelle *Sixtine.

Péruwelz ■ Ville de Belgique (*Hainaut) près de la frontière française. 17 000 hab.

Pervoouralsk ■ Ville d'U. R. S. S. (*Russie), dans l'*Oural. 129 000 hab. Métallurgie.

Pesaro ■ Ville d'Italie. 90 000 hab. Palais, musées. Festival Rossini. Station balnéaire.

Pescara ■ Ville d'Italie, sur l'Adriatique. 137 000 hab.

Peshāwar ■ Ville du nord-ouest du Pakistan. 555 000 hab. Centre commercial et militaire. Mosquée mongole, musée.

Pessac ■ Commune de *Gironde. 51 000 hab. *(les Pessacais)*. Vins renommés.

Fernando **Pessoa** ■ Poète portugais (1888-1935). Par le recours à des « hétéronymes » (pseudonymes), il a développé une œuvre complexe, à la fois sensible et cérébrale, dont la modernité est apparue depuis sa mort.

Pest ■ ⇒ Budapest.

Petah Tikva ■ Ville d'Israël dans la banlieue de Tel-Aviv. 114 000 hab.

Philippe **Pétain** ■ Homme d'État et maréchal de France (1856-1951). Héros de *Verdun en 1916, appelé à la présidence du Conseil en 1940, il signa l'armistice avec l'Allemagne et obtint les pleins pouvoirs, mettant fin à la IIIᵉ République en devenant chef de l'État (⇒ gouvernement de Vichy). Accusé en 1945 de collaboration avec l'ennemi, il fut condamné à mort (peine commuée en détention à perpétuité).

Peterborough ■ Ville d'Angleterre. 115 000 hab.

Anne Alexandre Sabès dit **Pétion** ■ Premier président de la république d'Haïti, dont il fut le fondateur en 1807 (1770-1818).

Marius **Petipa** ■ Danseur et chorégraphe français (1822-1910). L'un des créateurs de l'école russe de ballet.

Roland **Petit** ■ Danseur et chorégraphe français (né en 1924).

Petit-Bourg ■ Commune de la Guadeloupe. 13 000 hab.

Petit-Canal ■ Commune de la Guadeloupe. 5 800 hab.

Le **Petit-Couronne** ■ Commune de la *Seine-Maritime. 6 700 hab. *(les Couronnais* ou *Petit-Couronniers)*. Pétrochimie.

Petite-Île ■ Commune de la *Réunion. 7 800 hab.

Petite-Rosselle ■ Commune de la *Moselle. 7 800 hab. *(les Rossellois)*. Mines.

Le **Petit-Quevilly** ■ Commune de la *Seine-Maritime. 22 000 hab. *(les Quevillais)*. Métallurgie, chimie.

Simon **Petlioura** ■ Homme politique ukrainien (1879-1926). Il tenta d'établir une Ukraine indépendante, mais fut battu par les bolcheviks en 1920.

Sándor **Petőfi** ■ Poète et héros national hongrois (1823-1849). Il a contribué au développement du sentiment national et a renouvelé le genre de l'épopée. *"Jean le Preux"*.

Pétra ■ Ancienne capitale des *Nabatéens, située en Jordanie. Tombeaux creusés dans le roc, à l'architecture exceptionnelle.

Pétrarque ■ Poète et *humaniste italien (1304-1374). Contre la scolastique, il chercha à retrouver les sources de la culture antique. Son *"Canzoniere"*, dédié à son amour pour Laure, dame provençale, a eu une immense influence sur la poésie lyrique et suscita un courant littéraire, le *pétrarquisme*.

Goffredo **Petrassi** ■ Compositeur italien (né en 1904). Œuvres chorales.

William **Petrie** ■ Archéologue et égyptologue anglais (1853-1942).

Petrograd ■ Nom donné en 1914 à la ville de Saint-Pétersbourg, rebaptisée *Leningrad en 1924.

Pétrone ■ Poète latin (mort en 65). Auteur du *"Satiricon"*, œuvre licencieuse et comique qui ridiculise la vanité des hommes.

Petropavlovsk ■ Ville d'U. R. S. S. (*Russie). 207 000 hab.

Petropavlovsk - Kamtchatski ■ Port d'U. R. S. S. (*Russie). 215 000 hab. Pêche. Base navale du *Kamtchatka.

Petrópolis ■ Ville du Brésil. 247 000 hab. Cathédrale, ancien palais impérial. Centre commercial.

Petrozavodsk ■ Ville et port d'U. R. S. S. (*Russie), sur le lac *Onega. Capitale de la *Carélie. 243 000 hab.

sir William **Petty** ■ Médecin et économiste anglais (1623-1687). Précurseur de l'économie quantitative.

Armand **Peugeot** ■ Industriel français (1849-1915). Il fonda une importante société d'automobiles.

les **Peuls** ou **Foulbés** n. m. ■ Peuple de pasteurs, musulmans, d'Afrique de l'Ouest.

Antoine **Pevsner** ■ Sculpteur français d'origine russe (1886-1962). Frère de Naum *Gabo. Figures géométriques en métal formant un ensemble rythmé de surfaces convexes et concaves.

Pézenas ■ Commune de l'*Hérault. 8 000 hab. *(les Piscénois)*. Nombreuses demeures anciennes. Marché viticole.

Pfastatt ■ Commune du Haut-*Rhin. 6 200 hab.

Pforzheim ■ Ville de R. F. A. (Bade-Wurtemberg) en *Forêt-Noire. 107 000 hab. Bijouterie.

Phaéton ■ Fils du Soleil foudroyé par *Zeus pour s'être trop approché de la terre en conduisant le char de son père.

les **Pharisiens** n. m. ■ Membres d'une secte juive apparue au IIᵉ s. av. J.-C., accusés dans les Évangiles de respect excessif des rites, sans foi sincère. ‹ ▶ pharisien ›

Pharos ■ Île d'ancienne Égypte près d'Alexandrie. Un feu au sommet d'une haute tour de marbre blanc (une des Sept Merveilles du monde) guidait les bateaux. ‹ ▶ phare ›

Pharsale ■ Ville de Grèce (Thessalie). Pompée y fut vaincu par César en 48 av. J.-C.

Phédon ■ Philosophe grec (IVᵉ s. av. J.-C.). L'un des plus fidèles disciples de Socrate.

Phèdre ■ Dans la mythologie grecque, l'épouse de *Thésée, la fille de *Minos et de *Pasiphaé. Sa passion fatale pour *Hippolyte, son beau-fils, a inspiré Euripide, Sénèque, Racine.

Phèdre ■ Fabuliste latin (15 av. J.-C. - 50). Il imita *Ésope.

la **Phénicie** ■ Contrée de l'Antiquité, sur la côte méditerranéenne, aujourd'hui partagée entre Israël, le Liban et la Syrie. Les *Phéniciens*, dès le IIIᵉ millénaire av. J.-C., furent des navigateurs et des commerçants actifs : ils créèrent des ports, des colonies, dont *Carthage, en 814 av. J.-C. Le pays était organisé en cités-États (*Tyr, *Byblos, *Sidon) ayant chacune leur roi et leurs dieux, mais unifiées par la langue et l'écriture (c'est la première écriture alphabétique). Dominée par les *Assyriens, les Babyloniens puis les Perses, la Phénicie fut conquise par *Alexandre le

Grand en 332 av. J.-C. Elle devint une province romaine v. 64.

le **Phénix** ■ Oiseau de la mythologie grecque qui vit plusieurs siècles, se brûle sur un bûcher et renaît de ses cendres. ‹ ▶ phénix ›

Phidias ■ Le plus célèbre sculpteur de l'art classique grec (ve s. av. J.-C.). Il dirigea la décoration du *Parthénon.

Philadelphie ■ Ville de la côte est des États-Unis (*Pennsylvanie). 1,7 million d'hab. Port et place financière. Centre industriel et culturel (université, musées). Passé prestigieux : signature de la Déclaration d'indépendance (1776), capitale des États-Unis de 1790 à 1800.

Philae ■ Île du Nil. L'important temple d'*Isis, menacé par le barrage d'*Assouan, a été transféré sur une île voisine.

Philarète ■ Père et ministre de *Michel III, patriarche de l'Église de Russie (v. 1554 - 1633). Il sortit le pays du « temps des troubles » qui avait suivi la mort d'*Ivan le Terrible.

Philémon et Baucis ■ Couple légendaire de la mythologie grecque. Ils auraient offert l'hospitalité à Zeus et Hermès, lesquels, pour les récompenser, transformèrent en arbres, à leur mort, afin qu'ils restent à jamais côte à côte.

François André **Philidor** ■ Compositeur français (1726-1795). Auteur d'opéras comiques *("Tom Jones")*. Il fut aussi le plus célèbre joueur d'échecs de son temps.

Gérard **Philipe** ■ Comédien français (1922-1959). Interprète du *"Cid"* de Corneille et du *"Prince de Hombourg"* de Kleist ; acteur de cinéma *("Fanfan la Tulipe"* ; *"le Diable au corps")*.

saint **Philippe** ■ Apôtre de Jésus qui aurait été crucifié v. 80 à Hiérapolis.

Philippe II ■ Roi de *Macédoine (v. 382 - 336 av. J.-C.). Il conquit la Thrace, vainquit les Thébains et les Athéniens à Chéronée (338) et mourut assassiné. Son fils *Alexandre le Grand lui succéda.

Philippe ■ NOM DE PLUSIEURS SOUVERAINS EUROPÉENS. **1.** ducs de BOURGOGNE □ *Philippe II le Hardi* (1342-1404), l'un des régents de *Charles VI. □ *Philippe III le Bon* (1396-1467) s'allia aux Anglais pour venger le meurtre de son père *Jean sans Peur. Réconcilié avec *Charles VII par le traité d'Arras, il constitua un État puissant. **2.** souverains d'ESPAGNE □ *Philippe Ier le Beau* (1478-1506), souverain des Pays-Bas (1482), roi de Castille (1504). Fils de *Maximilien Ier, époux de *Jeanne la Folle, père de *Charles Quint. □ *Philippe II* (1527-1598), fils de *Charles Quint, roi de Naples (1554), souverain des Pays-Bas (1555), héritier de la couronne d'Espagne en 1556 et roi du Portugal (1580). Voulant faire triompher le catholicisme, il renforça l'*Inquisition et intervint partout contre la *Réforme : il se heurta à l'Angleterre (destruction de l'*Armada en 1588), aux Pays-Bas (formation des *Provinces-Unies, 1579) et à la France (Henri IV). Sa politique ambitieuse fut financée par l'or des Amériques. Son règne correspond au début du « siècle d'or ». □ *Philippe III* (1578-1621), fils du précédent auquel il succéda en 1598. Règne marqué par la paix avec l'Angleterre (1604) et par l'alliance avec la France (mariage de sa fille Anne d'Autriche avec Louis XIII, 1611). □ *Philippe IV* (1605-1665), fils du précédent, auquel il succéda en 1621. Il fut dominé par le favori *Olivarès. Guerre contre les Provinces-Unies et contre la France (guerre de *Trente Ans). □ *Phi-*

lippe V (1683-1746), petit-fils de Louis XIV. Son arrivée sur le trône (1700) déclencha la guerre de *Succession à l'issue de laquelle il dut céder Gibraltar, Minorque (Baléares), la Sicile et les Pays-Bas. ⇒ guerres de **Succession de Pologne et d'Autriche**. **3.** rois de FRANCE □ *Philippe Ier* (1052-1108) eut à lutter contre l'ascension de son vassal *Guillaume le Conquérant. □ *Philippe II Auguste* (1165-1223) lutta contre la dynastie anglaise des Plantagenêts (Henri II, Richard Cœur de Lion) et écrasa la coalition de *Jean sans Terre à Bouvines en 1214 ; il agrandit le domaine royal (annexion de la Normandie, Anjou, Maine, Poitou) et renforça le pouvoir du roi (création des fonctions de bailli et de sénéchal). □ *Philippe III le Hardi* (1245-1285), fils de Saint Louis, acquit le comté de Toulouse, l'Auvergne et le Poitou. □ *Philippe IV le Bel,* son fils (1268-1314), avec l'aide de ses conseillers, les légistes, renforça considérablement l'appareil d'État ; en conflit ouvert avec le pape Boniface VIII, il soutint le transfert du Saint-Siège à Avignon (1309) ; il annexa au royaume la ville de Lyon. □ *Philippe V le Long,* 2e fils de Philippe IV le Bel (1294-1322). Il succéda à son frère *Louis X et fut suivi par son frère *Charles IV. Comme eux, il se heurta aux difficultés économiques. □ *Philippe VI de Valois,* neveu de Philippe IV le Bel (1294-1350). *Charles IV étant mort sans héritier, sa succession opposa Édouard III d'Angleterre, petit-fils par sa mère de Philippe le Bel, et Philippe VI, premier des *Valois ; ce fut le début de la guerre de *Cent Ans ; la crise économique s'aggrava (famines, peste noire). **4.** souverain des PAYS-BAS □ *Philippe Ier le Beau.* ⇒ **2.** souverains d'ESPAGNE, **Philippe Ier**.

Philippe d'Orléans ■ ⇒ maison d'**Orléans**.

Philippe de Vitry ■ Compositeur français, célèbre pour sa réforme de la notation musicale (1291-1361).

Philippe Égalité ■ ⇒ maison d'**Orléans**.

les **Philippines** ■ Archipel et État (république) d'Asie du Sud-Est. 300 000 km². 54,4 millions d'hab. *(les Philippins).* 83 % de catholiques. Capitale : Manille. Langues : tagalog (officielle), anglais, espagnol. Monnaie : peso. Plus de 7 000 îles au climat tropical. L'économie est surtout agricole (riz, maïs, coco) malgré les ressources minières (or, argent, fer). □HISTOIRE. Découvertes par Magellan en 1521, colonisées par les Espagnols, elles reçurent leur nom en hommage à Philippe II. Annexées par les Américains en 1898, elles sont indépendantes depuis 1946. La dictature de Marcos (au pouvoir depuis 1965) a pris fin avec l'élection à la présidence de Cori Aquino (1986).

les **Philistins** n. m. ■ Peuple de l'Antiquité qui donna son nom *(Pelishitim)* à la Palestine et fut soumis par *David.

Philon d'Alexandrie ■ Philosophe juif de langue grecque (v. 13 av. J.-C. - 54). Un des premiers à concilier la Bible et la pensée grecque.

Philopœmen ■ Stratège et homme politique grec (v. 252 - v. 183 av. J.-C.). Sa résistance contre Rome lui valut d'être surnommé « le dernier des Grecs ».

Phnom Penh ■ Capitale du Cambodge sur le Mekong. 2,5 millions d'hab. en 1970. Après la guerre civile et le régime khmer rouge (massacres, déportations), la ville s'est considérablement dépeuplée (environ 500 000 hab.) et appauvrie.

Phocée ■ Importante colonie grecque, ville commerciale d'Ionie dans l'Antiquité. Les *Phocéens* fondèrent Marseille.

Phoenix ■ Ville des États-Unis, capitale de l'*Arizona, dans une oasis. 790 000 hab.

Photios ou **Photius** ■ Théologien byzantin (v. 820 - 895). Excommunié par le pape, il riposta en faisant excommunier celui-ci par un concile : c'est le *schisme de Photios*.

la **Phrygie** ■ Ancienne région d'Asie Mineure. Fondé en 1200 av. J.-C., le royaume des *Phrygiens* connut son apogée sous le règne de *Midas. *Cybèle est la grande déesse phrygienne. ⟨ ▶ phrygien ⟩

les **Physiocrates** ■ Économistes français du XVIIIᵉ s. ▶ la *physiocratie* ou « gouvernement de la nature » considère l'agriculture comme la principale source de richesse ; elle influença l'action de *Turgot. Le *"Tableau économique"* de Quesnay (1758) est le premier exposé systématique d'économie.

Giovanna Gassion dite *Édith* **Piaf** ■ Chanteuse française d'inspiration populaire (1915-1963).

Jean **Piaget** ■ Psychologue et épistémologue suisse (1896-1980). Il a développé une approche « génétique » de la connaissance, suscitant de nombreux travaux sur l'enfance.

les **Piast** ■ Dynastie de souverains polonais fondée v. 960 par *Mieszko Iᵉʳ. Les *Jagellons leur succédèrent en 1370.

Piatigorsk ■ Ville d'U. R. S. S. (*Russie). 105 000 hab.

le ou la **Piave** ■ Fleuve d'Italie. Né dans les Alpes, il se jette dans l'Adriatique (220 km).

Giambattista **Piazzetta** ■ Peintre italien (1683-1754). Thèmes populaires et religieux traités avec de forts contrastes d'ombre et de lumière. Remarquables dessins.

Francis **Picabia** ■ Peintre français (1879-1953). Collages *dadaïstes.

Émile **Picard** ■ Mathématicien français (1856-1941). Théorie des fonctions ; intégrales ; théorie des groupes ; méthode des approximations successives.

la **Picardie** ■ Région administrative et économique française comprenant trois départements : l'Aisne, l'Oise et la Somme. 19 399 km². 1,7 million d'hab. *(les Picards).* Préfecture de région : Amiens. Agriculture de pointe : plateau crayeux couvert de limon propice aux cultures riches (blé, betterave à sucre) et coupé par des vallées (élevage et cultures maraîchères). Région industrielle malgré l'absence de matières premières : industrie traditionnelle (textile, sucreries) et branches nouvelles (métallurgie, chimie). Au Moyen Âge, la Picardie fut prospère grâce à l'industrie du drap. Région frontière, elle fut le théâtre de nombreux conflits : la guerre de *Cent Ans, les deux guerres mondiales.

Jean **Picart Le Doux** ■ Artiste français (1902-1982). Disciple de *Lurçat, il exécuta de nombreux cartons de tapisserie.

Pablo **Picasso** ■ Peintre, graveur et sculpteur espagnol (1881-1973). Son œuvre est immense et multiforme. Doté d'une grande vitalité créatrice, il transformait les objets qui l'entourait, imaginant sans cesse de nouvelles formes, avec autant d'aisance dans tous les domaines. Tableaux de la période « bleue » et « rose », œuvres « néo-classiques » *("les Flûtes de Pan")*, « surréalistes » *("Femme dans un fauteuil")*, « expressionnistes » *("la Femme qui pleure"* ; *"Guernica").* La tauromachie et les portraits de ses compagnes furent parmi ses thèmes favoris. Son influence sur l'art moderne est capitale. Il réalisa

la première toile *cubiste de l'histoire de la peinture : *"les Demoiselles d'Avignon"* (1907).

Auguste **Piccard** ■ Physicien suisse (1884-1962). Inventeur du bathyscaphe.

Niccolo **Piccinni** ■ Compositeur italien, auteur d'opéras (1728-1800). Il s'opposa à *Gluck (⇒ querelle des **Bouffons**).

Giovanni **Pic de la Mirandole** ■ *Humaniste chrétien italien (1463-1494). Grand érudit.

Charles **Pichegru** ■ Général français (1761-1804). Passé de la Révolution à la contre-révolution ; arrêté comme complice de *Cadoudal, il se serait suicidé.

Henri **Pichette** ■ Poète français (né en 1924). *"Les Épiphanies"* ; *"Odes à chacun"*.

les **Pictes** n. m. ■ Peuple de l'Écosse ancienne.

Pie ■ NOM DE DOUZE PAPES □ saint *Pie V* élu en 1566 (1504-1572). Dominicain, grand inquisiteur, il continua la *Contre-Réforme, lança la croisade contre les Turcs et publia le missel et le bréviaire romains. □ *Pie VI* élu en 1775 (1717-1799). Ses États furent envahis par la France sous le *Directoire et il fut arrêté. □ *Pie VII* élu en 1800 (1742-1823). Il signa le concordat de 1801 avec Napoléon et le sacra empereur à Paris (1804). Ses États furent annexés à l'Empire. □ *Pie IX* élu en 1846 (1792-1878). Le plus long pontificat de l'histoire. Il se heurta au mouvement unitaire italien qui le dépouilla de ses États en 1848. On lui doit les dogmes de l'« Immaculée Conception » et de l'« infaillibilité pontificale » (⇒ **Vatican I**). □ saint *Pie X* élu en 1903 (1835-1914). Il condamna le modernisme, défendant la tradition et l'orthodoxie. □ *Pie XI* élu en 1922 (1857-1939). Il fut le pape de l'Action catholique et des missions. Il signa les accords du *Latran. □ *Pie XII* élu en 1939 (1876-1958). Pendant la Seconde Guerre mondiale, il intervint pour la paix. On lui reproche son silence sur le massacre des juifs.

le **Piémont** ■ Région de l'Italie du Nord. 25 400 km². 4,5 millions d'hab. *(les Piémontais).* Capitale : Turin. Paysages variés : hautes montagnes (Alpes) avec élevage et tourisme, collines et plaines (plaine du Pô) avec cultures de céréales et vignes. Industries textile et automobile. □HISTOIRE. Possession de la maison de *Savoie, le royaume du Piémont (comprenant la Savoie, Nice et la Sardaigne) fut annexé par la France en 1799 et rendu à Victor-Emmanuel Iᵉʳ en 1815. Devenu monarchie constitutionnelle, le Piémont prit la tête du mouvement d'unification de l'Italie. ⇒ **Cavour, Victor-Emmanuel II.**

Gabriel **Pierné** ■ Compositeur français (1863-1937). Oratorio *("l'An mil")*, ballets, musique de chambre.

Piero della Francesca ■ Peintre italien (v. 1416 - 1492). Le plus grand artiste du milieu du *quattrocento. Son influence fut considérable : il fut le premier à appliquer la perspective géométrique à la peinture. Fresques d'Arezzo.

Piero di Cosimo ■ Peintre italien (1462-1521). Auteur de scènes mythologiques étranges et souvent fantastiques.

Pierre ■ Ville des États-Unis, capitale du *Dakota du Sud. 10 000 hab.

saint **Pierre** ■ Le premier des douze apôtres dans les Évangiles. Jésus changea son nom de Simon en Pierre et en fit le fondateur de son Église. Premier évêque de Rome, il fut martyrisé en 64.

Pierre ■ NOM DE PLUSIEURS SOUVERAINS. **1.** empereurs du BRÉSIL □ *Pierre Iᵉʳ* en portugais *Pedro*

(1798-1834) proclama l'indépendance du pays (1822) et en devint l'empereur. À la mort de son père Jean VI (1826), il devint roi du Portugal (sous le nom de Pierre IV) mais il laissa ce royaume à sa fille *Marie II. □ *Pierre II* (1825-1891), son fils, lui succéda au Brésil et abolit l'esclavage. **2.** roi du PORTUGAL □ *Pierre II* (1648-1706) fit reconnaître l'indépendance du Portugal (effective depuis 1640) par l'Espagne en 1668. **3.** tsar de RUSSIE □ *Pierre Ier* dit *Pierre le Grand* (1672-1725) transforma autoritairement son pays : ouverture à l'Europe, grâce à la victoire sur la Suède (1709), fondation de *Saint-Pétersbourg, réforme des mœurs ; essor économique, dû en particulier à l'industrie de guerre ; nouvelle administration.

Pierre-Bénite ■ Commune du Rhône, près de Lyon. 10 000 hab.

saint *Pierre Damien* ■ Moine et cardinal italien (1007-1072). Il réforma les ordres monastiques.

Pierre de Montreuil ■ Architecte français, l'un des maîtres du style gothique (v. 1200 - 1266). Il participa à la construction de *Notre-Dame à Paris.

Pierrefitte-sur-Seine ■ Commune de la *Seine-Saint-Denis, près de Bobigny. 22 000 hab. *(les Pierrefittois)*.

Pierrefonds ■ Commune de l'*Oise. 1 700 hab. *(les Pétrifontains)*. Château féodal restauré par *Viollet-le-Duc.

Pierrelatte ■ Ville de la *Drôme. 11 000 hab. *(les Pierrelattins)*. Usines de traitement de l'uranium.

Pierrelaye ■ Commune du *Val-d'Oise. 5 500 hab.

Pierre l'Ermite ■ Religieux français, un des chefs de la première croisade (v. 1050 - 1115).

Pierre Lombard ■ Théologien lombard enseignant à Paris, le « Maître des sentences » (v. 1100 - 1160).

le gouffre de la *Pierre-Saint-Martin* ■ Le plus profond gouffre terrestre connu, dans les *Pyrénées-Atlantiques.

Pierrot ■ Personnage de la *Commedia dell'arte.
⟨ ► pierrot ⟩

Pietermaritzburg ■ Ville d'Afrique du Sud. 158 000 hab. Centre commercial et industriel (aluminium).

André Pieyre de Mandiargues ■ Écrivain français (né en 1909). Thèmes érotiques. *"Le Musée noir"* ; *"le Lys de mer"*.

Jean-Baptiste Pigalle ■ Sculpteur français (1714-1785). Il manifesta un goût de la mise en scène (en particulier dans le mausolée du maréchal de Saxe, à Strasbourg), que l'on ne retrouve pas dans ses bustes, d'une grande vérité d'observation.

Arthur Cecil Pigou ■ Économiste britannique (1877-1959). Disciple et successeur de *Marshall à Cambridge.

Ponce Pilate ■ Préfet romain de la Judée (Ier s.). Il abandonna Jésus aux juifs, qui veulent sa mort, en se lavant symboliquement les mains.

François Pilâtre de Rozier ■ Physicien français, le premier aéronaute de l'histoire, pilote des ballons des *Montgolfier (1756-1785).

Germain Pilon ■ Sculpteur français de la *Renaissance (v. 1537 - 1590). Œuvres religieuses, bustes, médaillons.

Pilsen ■ Nom allemand de *Plzeň.

Józef Piłsudski ■ Homme d'État et maréchal polonais (1867-1935). Il joua un rôle prépondérant dans la restauration de l'État polonais (de 1918 à sa mort).

Antoine Pinay ■ Homme politique français (né en 1891). Président du Conseil (1952), ministre des Finances de 1958 à 1960, jouissant d'une grande réputation d'économiste libéral.

Pindare ■ Poète grec (518 - v. 440 av. J.-C.), le grand maître de la forme lyrique. On a conservé ses odes qui célèbrent les athlètes vainqueurs aux Grands Jeux de la Grèce (odes *"Olympiques"*, *"Pythiques"*, etc.).

Philippe Pinel ■ Médecin français (1745-1826). Un des premiers à s'occuper des malades mentaux.

Pingdong ■ Ville de *Taiwan. 250 000 hab.

Robert Pinget ■ Écrivain français (né en 1919). Il s'attache à évoquer les artifices de la parole. *"L'Inquisitoire"*.

Pingxiang ■ Ville minière de Chine. 200 000 hab.

Augusto Pinochet ■ Général et homme d'État chilien (né en 1915). Il exerce un pouvoir dictatorial depuis le coup d'État de 1973 (mort d'*Allende).

Harold Pinter ■ Auteur dramatique anglais (né en 1930). Son théâtre exprime l'ambiguïté des rapports humains. *"Le Gardien"* ; *"le Retour"*.

Sebastiano del Piombo ■ ⇒ **Sebastiano del Piombo.**

Luigi Pirandello ■ Écrivain et auteur dramatique italien (1867-1936). Le rénovateur de la dramaturgie moderne avec *Brecht. Le maître du « théâtre dans le théâtre », thème et technique qui expriment chez lui l'impossibilité du théâtre. Prix Nobel 1934. *"Six personnages en quête d'auteur"*.

Piranèse ■ Graveur italien (1720-1778). Ses dessins, jouant des contrastes de lumière et des effets de perspective, ont un caractère préromantique et visionnaire. *"Les Prisons"* ; *"Vues de Rome"*.

la côte des *Pirates* ■ Nom donné à l'ensemble des *Émirats arabes unis.

Le Pirée ■ Ville de Grèce et port d'Athènes depuis le Ve s. av. J.-C. 187 000 hab. Principal port et centre industriel de Grèce : constructions navales, métallurgie, chimie.

Antonio Pisano dit *Pisanello* ■ Peintre et graveur de médailles italien (v. 1395 - 1455). Célèbre pour son habileté à rendre les détails.

Nicola Pisano ■ Sculpteur et architecte italien (v. 1220 - v. 1283). Monumentalité, influence antique en font un pionnier de la Renaissance. □ *Giovanni Pisano*, son fils (v. 1248 - v. 1314), inspiré par l'expression mouvementée de la sculpture gothique.

Pise ■ Ville d'Italie en Toscane. 104 000 hab. *(les Pisans)*. Importante université. Nombreux monuments de style *pisan* : « tour penchée » du XIIe s., cathédrale, baptistère ; palais. Grande puissance maritime jusqu'à la destruction de sa flotte par Gênes en 1284.

Pisistrate ■ Tyran d'Athènes (v. 600 - v. 528 av. J.-C.). Son gouvernement marqua une période de prospérité.

Camille Pissarro ■ Peintre français (1830-1903). L'un des maîtres de l'impressionnisme, il eut le souci des compositions structurées. Il influença, par ses conseils, nombre de ses contemporains, dont *Cézanne.

Piteşti ■ Ville de Roumanie. 139 000 hab. Industries chimiques, textiles.

Pithiviers ■ Sous-préfecture du *Loiret. 9 800 hab. *(les Pithivériens)*. Produits alimentaires. ‹ ► pithiviers ›

Georges **Pitoëff** ■ Homme de théâtre français d'origine russe (1884-1939).

William **Pitt** dit *le Premier Pitt* ■ Homme d'État anglais (1708-1778). Défenseur du nationalisme anglais face aux Français et aux Espagnols. □ *William Pitt* dit *le Second Pitt,* son fils (1759-1806), mena la lutte contre le France révolutionnaire. Malgré les succès d'Aboukir et de Trafalgar, cette politique fut ruineuse.

les **Pitti** ■ Famille florentine, rivale des *Médicis. Ils firent construire le *palais Pitti* (1440) à Florence (musée).

Pittsburgh ■ Ville des États-Unis (*Pennsylvanie). 424 000 hab. 1er port fluvial du pays (sur l'*Ohio). Un des plus grands centres sidérurgiques du monde. Universités.

Francisco **Pizarro** ■ Conquistador espagnol (v. 1475-1541). Avec ses frères, Hernando, Gonzalo et Juan, il conquit le Pérou pour le compte du roi d'Espagne en 1533 et soumit l'Empire *inca.

Plabennec ■ Commune du *Finistère. 6 700 hab. *(les Plabennécois)*.

Plaisance en italien *Piacenza* ■ Ville d'Italie en Émilie. 110 000 hab. Palais communal gothique.

Plaisir ■ Commune des *Yvelines. 22 600 hab.

Max **Planck** ■ Physicien allemand (1858-1947). Créateur de la théorie des quanta. Prix Nobel 1918.

Plantagenêt ■ Surnom de Geoffroi V, comte d'Anjou, et de ses descendants. ► *les Plantagenêts* régnèrent sur l'Angleterre de 1154 à 1485. Ils luttèrent contre les rois de France (⇒ **Angleterre,** guerre de **Cent Ans**). Les *Tudors leur succédèrent, après la guerre des Deux-*Roses. ⇒ **Henri II, Richard Cœur de Lion, Jean sans Terre, Henri III, Édouard III, Richard II, Henri IV, Henri V, Henri VI, Édouard IV, Édouard V, Richard III.**

La **Plata** ■ ⇒ **La Plata.**

Platon ■ Philosophe grec (428 - 348 av. J.-C.). Élève de *Socrate, il en fit le protagoniste de nombreux *"Dialogues",* où il met en œuvre la dialectique, analyse du langage qui permet d'accéder à l'intelligible. Élévation de l'âme, la contemplation des idées est favorisée par l'étude des mathématiques ; elle implique un idéal politique, exprimé dans *"la République"*. Platon voulut dépasser les oppositions des penseurs présocratiques (⇒ **Héraclite** et **Parménide**). L'histoire de la philosophie commence véritablement avec Platon, au point que la critique du platonisme s'identifie chez *Nietzsche à la critique de toute la philosophie. ► *le platonisme,* ensemble des doctrines pouvant se réclamer de Platon, n'a cessé d'exercer une influence : durant l'Antiquité grâce à l'école fondée par le maître (l'Académie), puis sur la pensée chrétienne à travers saint Augustin, et sur la pensée occidentale jusqu'à nos jours. L'enseignement de son élève et premier adversaire Aristote fut intégré au *néo-platonisme.* ⇒ **Plotin.** ‹ ► platonique ›

Plaute ■ Auteur latin de comédies (v. 254 - 184 av. J.-C.). La Commedia dell'arte, Molière, Goldoni se sont inspirés de sa verve bouffonne. *"Amphitryon"* ; *"les Ménechmes"* ; *"le Soldat fanfaron"*.

les **Pléiades** ■ Les sept filles d'*Atlas dans la mythologie grecque, transformées en étoiles par Zeus.

□ *la* **Pléiade.** Groupe de sept poètes français du XVIe s. (dont du *Bellay, *Baïf, *Jodelle, *Ronsard et *Pontus de Tyard), créé par Ronsard. Le manifeste de du Bellay pour la *"Défense et illustration de la langue française"* marque leur ambition de faire de la littérature française l'égale de la latine, par une « imitation originale ». ‹ ► pléiade ›

Gheorghi **Plekhanov** ■ Théoricien socialiste russe (1856-1918). Il introduisit l'œuvre de Marx en Russie, puis s'opposa à Lénine.

Plérin ■ Commune des *Côtes-du-Nord. 11 000 hab. *(les Plérinais)*.

Le **Plessis-Bouchard** ■ Commune du *Val-d'Oise. 5 400 hab.

Le **Plessis-Robinson** ■ Commune des *Hauts-de-Seine, dans la banlieue sud de Paris. 22 000 hab.

Le **Plessis-Trévise** ■ Commune du *Val-de-Marne. 13 000 hab.

Pleumeur-Bodou ■ Commune des *Côtes-du-Nord, dans l'arrondissement de Lannion. Station de télécommunications spatiales.

Pleven ■ Ville de Bulgarie. 108 000 hab.

Ignaz **Pleyel** ■ Compositeur autrichien (1757-1831). Il fonda à Paris une célèbre fabrique de pianos.

Pline l'Ancien ■ Écrivain latin (23-79). Il mourut en observant l'éruption du Vésuve. *"Histoire naturelle"*. □ *Pline le Jeune,* son neveu et fils adoptif (61 - v. 114). *"Lettres"*.

Charles **Plisnier** ■ Poète et romancier belge d'inspiration marxiste (1896-1952). *"Mariages"*.

Płock ■ Ville de Pologne. 103 000 hab.

Ploemeur ■ Commune du *Morbihan. 14 000 hab. *(les Ploemeurois)*.

Ploërmel ■ Commune du *Morbihan. 7 200 hab. *(les Ploërmelais)*.

Ploiesti ou *Ploeşti* ■ Ville industrielle de Roumanie. 212 000 hab. Pétrole.

Plotin ■ Philosophe de langue grecque (v. 205 - 270). Le maître du *néo-platonisme.* Sa mystique rationnelle, reprise de *Platon avec des éléments d'*Aristote et du *stoïcisme, eut une grande influence, notamment en théologie.

Ploufragan ■ Commune des *Côtes-du-Nord. 10 800 hab.

Plougastel-Daoulas ■ Commune du *Finistère sur une presqu'île de la rade de Brest. 8 200 hab. *(les Plougastels)*.

Plouguerneau ■ Commune du *Finistère. 5 400 hab.

Plouhinec ■ Commune du *Finistère près de Quimper. 5 600 hab. *(les Plouhinéciens)*.

Ploutos ■ Dieu des Richesses. ‹ ► plouto- ›

Plouzané ■ Commune du *Finistère. 8 800 hab.

Plovdiv ■ Ville de Bulgarie. 330 000 hab. Ancienne ville thrace. Musée. Centre agricole et industriel.

Julius **Plücker** ■ Mathématicien et physicien allemand (1801-1868). Géométrie analytique.

Plutarque ■ Historien et moraliste grec (v. 49 - v. 125). Auteur d'*"Œuvres morales",* et de biographies de héros anciens (*"Vies parallèles"*), particulièrement appréciées pendant la *Renaissance (traduction française d'*Amyot).

Pluton ■ Nom latin du dieu grec des Enfers, *Hadès, devenu le dieu des Morts dans la religion romaine. □ *Pluton,* une des neuf planètes du système solaire, la plus éloignée du Soleil, découverte en 1930.

Plymouth ■ Ville du sud de l'Angleterre. 250 000 hab. Grand port militaire.

Plzeň en allemand *Pilsen* ■ Ville industrielle de Tchécoslovaquie. 172 000 hab. Sidérurgie. Brasseries (bière *Pilsen*).

Pnom Penh ■ ⇒ **Phnom Penh.**

le Pô ■ Fleuve d'Italie. Né dans les Alpes, il se jette dans l'Adriatique (652 km). La *plaine du Pô* est la première région économique de l'Italie. Elle couvre le Piémont, la Lombardie, l'Émilie et la Vénétie.

Podolsk ■ Ville d'U. R. S. S. (*Russie), près de Moscou. 200 000 hab. Industries mécaniques.

Edgar Allan Poe ■ Écrivain américain (1809-1849). Poète ("*le Corbeau*", traduit en français par Mallarmé), critique ("*Philosophie de la composition*") et auteur de récits fantastiques, policiers et d'horreur. "*Histoires extraordinaires*" (traduites en français par Baudelaire).

Henri Poincaré ■ Mathématicien français (1854-1912). Son œuvre très riche intéressa notamment la physique mathématique (mécanique céleste) et la topologie algébrique, qu'il a créée. Il a aussi écrit des essais de philosophie des sciences.

Raymond Poincaré ■ Homme d'État français (1860-1934). Cousin du précédent. Président de la République de 1913 à 1920, président du Conseil (1912, 1922-1924, 1926-1929). Représentant l'Union nationale, partisan de la fermeté envers l'Allemagne (occupation de la Ruhr en 1923), surtout connu pour sa politique financière (« franc Poincaré », dévaluation du franc en 1928 : un cinquième du franc-or).

Pointe-à-Pitre ■ Préfecture de la Guadeloupe. 26 000 hab. *(les Pointus).* Principal port de l'île. Sucre, tabac.

Pointe-Noire ■ Ville du Congo-Brazzaville. 150 000 hab. Port sur l'Atlantique.

Paul Poiret ■ Couturier français (1879-1944). Il révolutionna le costume féminin en abandonnant le corset et les dentelles.

l'affaire des Poisons ■ Série d'affaires d'empoisonnement (1670-1680) qui compromit plusieurs personnalités de la cour de France, dont Mme de *Montespan.

Denis Poisson ■ Mathématicien français (1781-1840). Calcul des probabilités.

Poissy ■ Ville des *Yvelines. 37 000 hab. *(les Pisciacais).* Industries automobiles.

Poitiers ■ Préfecture de la Vienne et de la région *Poitou-Charentes. 85 400 hab. *(les Poitevins).* Nombreux monuments (église romane du XIIᵉ s.). *Charles Martel y arrêta l'invasion arabe en 732. ▶ *le Poitou.* Ancienne province de France. Un des grands foyers de christianisation en Gaule. Les comtes de Poitiers s'imposèrent comme ducs d'Aquitaine (XIᵉ - XIIᵉ s.). Possession anglaise après le remariage d'Aliénor d'Aquitaine (1152), enjeu de la guerre de Cent Ans, définitivement annexé à la France sous Charles VII. Le *seuil du Poitou,* plaine qui relie le bassin aquitain au Bassin parisien. ▶ *la région Poitou-Charentes.* Région administrative et économique de la France formée de quatre départements : Charente, Charente-Maritime, Deux-Sèvres, Vienne. 1,5 million d'hab. 25 809 km². Préfecture : Poitiers. Économie essentiel-lement agricole : vignobles (cognac, pineau), élevage (beurre réputé, fromages de chèvre). Exploitation du littoral avec le tourisme (îles de Ré et d'Oléron), l'ostréiculture et la pêche.

les régions polaires. ■ ⇒ **Arctique** et **Antarctique.**

Roman Polanski ■ Cinéaste polonais (né en 1933). "*Le Bal des vampires*" ; "*Chinatown*" ; "*Tess*".

Serge Poliakoff ■ Peintre français d'origine russe (1906-1969). Surfaces abstraites de tons vifs imbriqués géométriquement.

Polichinelle ■ Personnage du théâtre de marionnettes italien. ‹ ▶ polichinelle ›

Jules Auguste Armand de Polignac ■ Homme politique français (1780-1847). Dernier président du Conseil de Charles X.

Poligny ■ Commune du Jura. 5 100 hab.

le Front Polisario ■ ⇒ **Sahara occidental.**

Jackson Pollock ■ Peintre américain (1912-1956). Il créa la peinture « gestuelle », ainsi appelée parce qu'elle traduit le geste du peintre dans sa spontanéité. Tableaux de grand format réalisés par *dripping,* c'est-à-dire en faisant couler la peinture sur la toile posée au sol.

Pollux ■ Frère jumeau de *Castor.

Marco Polo ■ Négociant italien qui voyagea de Venise jusqu'en Chine (v. 1254 - 1324). Il fut 17 ans au service de *Qūbilai Khān, à la cour de Pékin. Le "*Livre de Marco Polo*", témoignage précis, passa d'abord pour une fabulation.

la Pologne ■ État (république populaire) d'Europe centrale. 312 520 km². 37,1 millions d'hab. *(les Polonais).* Langue : polonais. Capitale : Varsovie. Monnaie : zloty. L'État socialiste a peu collectivisé l'agriculture : nombreuses fermes individuelles (pomme de terre, betterave à sucre, élevage porcin). Industrialisation récente et intensive grâce au charbon de *Silésie (1ᵉʳ producteur européen) : sidérurgie, industries chimique et mécanique. Crise économique due aux insuffisances de l'agriculture et des industries légères. □HISTOIRE. Convertie au christianisme sous *Mieszko Iᵉʳ (IXᵉ s.), la Pologne forma en 1024 sous *Boleslas Iᵉʳ un premier État indépendant, qui fut rapidement annexé à l'Empire germanique (1032) puis morcelé. Ladislas Iᵉʳ restaura partiellement l'unité du pays que Casimir III le Grand acheva. À son apogée sous les Jagellons (victoire sur les chevaliers Teutoniques en 1410), il formait alors une union avec la Lituanie. Au XVIᵉ s. le pouvoir des nobles et la lutte contre la *Réforme (*Étienne Iᵉʳ Báthory) affaiblirent la monarchie. Au siècle suivant, l'autorité royale devint le jeu des puissances européennes (guerre de la *Succession de Pologne) malgré les victoires de *Jean III Sobieski. Au terme de trois partages successifs (1772, 1793, 1795), la Pologne fut rayée de la carte de l'Europe. De nombreux Polonais en exil menèrent alors une action patriotique. En 1807, Napoléon Iᵉʳ créa le grand-duché de Varsovie. À la chute de l'Empire, le congrès de Vienne (1815) transforma le grand-duché en « royaume de Pologne » (à l'exception de Cracovie), et l'intégra à la Russie. L'action patriotique reprit à l'étranger. L'indépendance de la Pologne fut proclamée en 1918 et ses nouvelles frontières fixées au traité de Versailles. Durant la Seconde Guerre mondiale, le pays fut envahi par l'Allemagne et l'U. R. S. S. puis partagé entre les deux pays. Il souffrit de l'oppression nazie (camps de déportation). Après la Libération en 1945, les nouvelles frontières de la Pologne furent fixées, et le pays devint en 1952 une république populaire sous influence soviétique. La libéralisation sous l'influence des syndicats (Solidarność) a été arrêtée en 1981 par la mise en place de « l'état de guerre » sous l'autorité de *Jaruzelski. ⟨ ▶ polonais ⟩

Poltava ■ Ville d'U. R. S. S. (*Ukraine). 309 000 hab. Marché agricole. Défaite décisive de Charles XII de Suède face à Pierre le Grand en 1709.

Polybe ■ Historien grec (v. 202 - v. 120 av. J.-C.). Ses "*Histoires*" tentent d'expliquer avec méthode les raisons de la domination romaine sur la Méditerranée.

Polyclète ■ Sculpteur grec (ve s. av. J.-C.). Il fixa dans son fameux *canon* les règles de proportion pour la représentation du corps humain.

Polygnote ■ Peintre grec, le plus illustre de son siècle (v. 500 - v. 440 av. J.-C.). Il fut l'un des premiers à peindre les expressions du visage.

Polymnie ■ Une des neuf *Muses, Muse de la Pantomime et de la Poésie lyrique.

la Polynésie ■ Ensemble d'îles du Pacifique à l'est de l'Australie, la plupart d'origine volcanique. □ *la Polynésie française,* partie de la Polynésie formée par cinq archipels : les îles de la Société (avec Tahiti), les îles Marquises, Tuamotu, Gambier et Tubuaï. Territoire français d'outre-mer (T. O. M.). 3 521 km². 184 600 hab. *(les Polynésiens).* Capitale : Papeete. Climat tropical. Tourisme. Pêche, élevage, cultures de coprah et de vanille.

Polyphème ■ Cyclope de l'*Odyssée qui retint *Ulysse prisonnier.

Pomaré ■ Nom d'une dynastie qui régna à *Tahiti de 1762 à 1880.

le marquis de Pombal ■ Homme d'État portugais (1699-1782). Premier ministre en 1755, il gouverna en despote éclairé jusqu'en 1777 et réalisa de grandes réformes.

la Poméranie ■ Ancienne région sur la Baltique que se disputèrent la Suède, la Prusse et la Pologne. La majeure partie est devenue polonaise en 1945.

Antoinette Poisson marquise de Pompadour ■ Favorite de *Louis XV (1721-1764). Elle soutint *Choiseul, protégea les artistes.

Pompée ■ Général et homme d'État romain (106 - 48 av. J.-C.). Ses victoires sur *Sertorius (71 av. J.-C.), sur les pirates en Méditerranée (67 av. J.-C.) et sur *Mithridate (62 av. J.-C.) firent sa gloire. Il forma avec *César et *Crassus le premier triumvirat (⟹ **Rome**), se brouilla avec César et fut vaincu à *Pharsale en 48 av. J.-C..

Pompéi ■ Ville de l'Antiquité, au pied du Vésuve, en Italie. En 79, une éruption du volcan ensevelit la ville et ses habitants. Les travaux de fouille commencèrent au XVIIIe s. Fresques.

Pompey ■ Commune de *Meurthe-et-Moselle, près de Nancy. 5 700 hab. Sidérurgie.

Georges Pompidou ■ Homme d'État français (1911-1974). Premier ministre de Charles de *Gaulle (de 1962 à 1968), il lui succéda comme président de la République (de 1969 à sa mort).

Ponce ■ Ville de l'île de Porto Rico. 189 000 hab.

Ponce Pilate ■ ⟹ Ponce **Pilate**.

Jean Victor Poncelet ■ Mathématicien français (1788-1867). Élève de *Monge, créateur (après *Desargues) de la géométrie projective.

Pondicherry ou *Pondichéry* ■ Ville de l'Inde sur le golfe du Bengale. 251 000 hab. Ancienne capitale des "Établissements français de l'Inde", rendue à l'Inde en 1956.

Francis Ponge ■ Écrivain français (1899-1988). Il s'affirme matérialiste, dans l'attention qu'il porte aux choses aussi bien qu'au langage. Avec les "*Proêmes*", il dépasse l'opposition de la poésie et de la prose. "*Le Parti pris des choses*" ; "*la Rage de l'expression*".

le prince Joseph Poniatowski ■ Général et homme politique polonais (1763-1813). Il fut l'allié de Napoléon qui le fit maréchal de France.

Pons ■ Commune de *Charente-Maritime. 5 400 hab. *(les Pontois).*

Pierre Alexis Ponson du Terrail ■ Écrivain français (1829-1871). Maître du roman-feuilleton : "*les Exploits de Rocambole*". ⟨ ▶ rocambolesque ⟩

le Pont ■ Ancien royaume d'Asie Mineure. À la fin du Ve s. av. J.-C., avec *Mithridate, il devint un État puissant, mais fut soumis par *Pompée.

Pont-à-Mousson ■ Commune de *Meurthe-et-Moselle. 15 700 hab. *(les Mussipontains).* Centre sidérurgique.

Pontarlier ■ Sous-préfecture du *Doubs. 18 800 hab. *(les Pontissaliens).*

Pont-Audemer ■ Commune de l'*Eure. 10 200 hab. *(les Pontaudemériens).*

Pontault-Combault ■ Commune de *Seine-et-Marne. 19 000 hab.

Pont-Aven ■ Commune du *Finistère. 3 300 hab. ▶ *l'école de Pont-Aven* réunit des peintres autour de *Gauguin, à la fin du XIXe s. Elle influença le groupe des *nabis et l'art *nouveau.

Pontcharra ■ Commune de l'*Isère. 5 500 hab.

Pontchâteau ■ Commune de la *Loire-Atlantique. 7 300 hab. *(les Pontchâtelains).*

Le Pont-de-Claix ■ Commune de l'*Isère, dans la banlieue de Grenoble. 11 900 hab.

Pont-du-Château ■ Commune du *Puy-de-Dôme. 7 800 hab. *(les Castelpontains).*

Le Pontet ■ Commune du *Vaucluse. 13 100 hab.

Le Pont-Euxin ■ Nom de la mer *Noire, dans l'Antiquité grecque.

Pont-Évêque ■ Commune de l'*Isère. 5 500 hab.

Pontianak ■ Ville et port d'Indonésie. 304 800 hab. Exportation de caoutchouc.

Pontivy ■ Sous-préfecture du *Morbihan. 14 200 hab. *(les Pontiviens).*

Pont-l'Abbé ■ Commune du *Finistère. 7 700 hab. *(les Pont-l'Abbistes).* Artisanat traditionnel.

Pont-l'Évêque ■ Commune du *Calvados. 3 800 hab. *(les Pontépiscopiens).* Célèbres fromages. ⟨ ▶ pont-l'évêque ⟩

Pontoise ■ Préfecture du *Val-d'Oise. 29 400 hab. *(les Pontoisiens).* Elle forme, avec *Cergy, la ville nouvelle de Cergy-Pontoise. Ancienne capitale du Vexin.

le Pontormo ■ Peintre italien (1494-1557). L'un des représentants du *maniérisme : attitudes recherchées, expression dramatique rendue par un dessin sinueux et des coloris rares.

Pontorson ■ Commune de la *Manche. 5 000 hab. *(les Pontorsonnais).*

Pont-Sainte-Maxence ■ Commune de l'*Oise. 9 500 hab. *(les Pontois ou Maxipontains).* Métallurgie.

Pont-Saint-Esprit ■ Commune du *Gard. 7 600 hab. *(les Spiripontains).* Pont sur le Rhône.

Les Ponts-de-Cé ■ Commune du *Maine-et-Loire. 11 000 hab. Forteresse. L'importance stratégique de la ville en fit une place forte très disputée.

Pontus de Tyard ■ Poète français (1521-1605). Membre de la *Pléiade. À la fin de sa vie, il écrivit des ouvrages philosophiques et religieux.

Poole ■ Ville et port d'Angleterre dans le Dorset. 110 000 hab.

le pop art ■ Courant artistique des années 1950-1970 qui s'intéresse aux objets de la civilisation industrielle et s'inspire du style des images de la publicité, de la bande dessinée et de la télévision. Essentiellement des peintres anglo-américains : *Warhol, *Lichtenstein, Oldenburg.

Alexander Pope ■ Écrivain anglais (1688-1744). Théoricien du classicisme (*"Essai sur la critique"*, 1711). Son *"Essai sur l'homme"* affirme la bonté naturelle de l'homme.

le Popocatépetl ■ Le plus grand volcan du Mexique (5 452 m).

Aleksandr Popov ■ Ingénieur russe (1859-1906). Pionnier de la radiodiffusion.

Poppée ■ Impératrice romaine, épouse de *Néron (morte en 65).

sir Karl Popper ■ Philosophe autrichien naturalisé anglais (né en 1902). Il s'est intéressé aux sciences politiques et à l'épistémologie. *"La Logique de la découverte scientifique"*.

Pornic ■ Port et station balnéaire de *Loire-Atlantique. 8 000 hab. *(les Pornicais).*

Pornichet ■ Station balnéaire de *Loire-Atlantique. 7 000 hab. *(les Pornichétins).*

Nicola Porpora ■ Compositeur italien, célèbre professeur de chant (1686-1768). Opéras, oratorios, cantates.

Porquerolles ■ Une des îles d'*Hyères, en Méditerranée. Réserve naturelle. Tourisme.

Le Port ■ Commune de l'île de la *Réunion. 30 000 hab.

Jean Portalis ■ Juriste français, principal rédacteur du Code civil (1746-1807).

Port-Arthur ■ ⇒ Lü-shun.

Port-au-Prince ■ Capitale et port d'Haïti. 460 000 hab. Industrie et commerce : sucre, rhum, tabac. La ville subit plusieurs tremblements de terre.

Port-de-Bouc ■ Commune des *Bouches-du-Rhône. 21 000 hab. *(les Port-de-Boucains).* Port de pêche.

Le Portel ■ Port de pêche du *Pas-de Calais. 11 000 hab.

Port Elizabeth ■ Ville et port d'Afrique du Sud. 470 000 hab.

Portes-lès-Valence ■ Commune de la *Drôme. 6 000 hab.

Portet-sur-Garonne ■ Commune de Haute-*Garonne. 6 800 hab.

Port Harcourt ■ Ville et port du Nigeria sur le Niger. 350 000 hab. Raffineries et exportation de pétrole.

Portland ■ Ville des États-Unis, métropole de l'*Oregon. 366 000 hab. Port fluvial, commerce. Université. Musée.

Port-Louis ■ Commune de la *Guadeloupe. 6 600 hab.

Port-Louis ■ Capitale de l'île Maurice. 150 000 hab. Fondée par les Français en 1735. Exportation de sucre.

Port Moresby ■ Capitale et port de Nouvelle-Guinée. 122 000 hab. Exportation d'or, argent, cuivre.

Porto ■ 2e ville du Portugal. 330 000 hab. Port sur l'estuaire du *Douro. Commerce des vins de la vallée, les portos. ⟨ ▶ porto ⟩

Pôrto Alegre ■ Principale ville industrielle et port du sud du Brésil. 1,11 million d'hab. Constructions navales, raffineries de pétrole.

Port of Spain ■ Capitale des îles de Trinité et Tobago. 62 000 hab. Port exportateur de sucre et de cacao.

Porto-Novo ■ Capitale du Bénin, sur le golfe de Guinée. 104 000 hab.

Porto Rico ou **Puerto Rico** ■ Île des Antilles. 8 900 km². 3,2 millions d'hab. *(les Portoricains).* Capitale : San Juan. Langues : espagnol, anglais. Climat tropical : culture du sucre, du cacao, du café, du tabac. □HISTOIRE. Découverte en 1493 par Christophe Colomb et colonisée par les Espagnols qui la cédèrent aux États-Unis en 1898. Depuis 1952, Porto Rico est un État associé aux États-Unis : les Portoricains ont la nationalité américaine, mais pas le droit de vote aux États-Unis.

Porto-Vecchio ■ Ville de Corse. 8 400 hab. Centre touristique.

l'abbaye de Port-Royal ■ Abbaye de femmes fondée en 1204 près de Chevreuse et réformée par Angélique *Arnauld en 1609. L'abbaye se dédoubla en *Port-Royal des Champs* et *Port-Royal de Paris*. Elle fut le siège du *Jansénisme (⇒ **Saint-Cyran**) et accueillit les « messieurs de Port-Royal » : *Pascal, *Nicole. Détruite par ordre de Louis XIV (1710).

Port-Saïd ■ Ville d'Égypte, port sur la Méditerranée à l'entrée du canal de *Suez. 342 000 hab. Elle subit des bombardements lors du conflit israélo-arabe.

Port-Saint-Louis-du-Rhône ■ Commune des *Bouches-du-Rhône. 10 300 hab.

Portsmouth ■ Ville du sud de l'Angleterre, port de guerre sur la Manche. 207 000 hab. Constructions navales.

Portsmouth ■ Ville et port des États-Unis (*Virginie). 105 000 hab. ⇒ **Hampton.**

Port-Soudan ■ Ville et port principal du Soudan, sur la mer Rouge. 132 000 hab.

le Portugal ■ État (république) d'Europe constitué de la partie sud-ouest de la péninsule ibérique, des Açores et de Madère. 92 080 km². 10,3 millions d'hab. *(les Portugais).* Capitale : Lisbonne. Langue : portugais. Monnaie : escudo. Pays peu industrialisé. Culture d'olives, de maïs. Vins réputés (porto, madère). Pêche (sardine, thon, morue). 1er producteur mondial de liège. Tourisme. Le Portugal est membre de la *C. E. E. depuis 1986. □HISTOIRE. Le Portugal devint un royaume indépendant en 1143 et connut au XIIIe s. un remarquable développement économique. Entre le XVᵉ s. et le XVIᵉ s., grâce aux expéditions maritimes dirigées en partie par *Henri le Navigateur (⟹ B. *Dias, Vasco de **Gama, Cabral**), il se trouva à la tête d'un vaste empire colonial. Mais n'ayant su organiser cet empire, et dirigé par une monarchie affaiblie, il passa aux mains des Espagnols en 1580. En 1640, Jean IV, fondateur de la dynastie de Bragance qui régnera jusqu'en 1910, le libéra. Reconnu indépendant par l'Espagne en 1668, le pays dut s'allier aux Anglais en 1703, ce qui l'entraîna dans les guerres napoléoniennes. Durant cette période, il devint le terrain des rivalités franco-anglaises et la cour se réfugia au Brésil. En 1821, Jean VI reprit le pouvoir ; son fils proclama l'indépendance du Brésil (1822) et en devint l'empereur sous le nom de Pierre Iᵉʳ. En 1826, Pierre Iᵉʳ reçut la couronne du Portugal et abdiqua en faveur de sa fille Marie II de Bragance. Le règne de celle-ci ouvrit une période d'instabilité politique qui se poursuivit après la proclamation de la république en 1910 et à laquelle mit fin le régime autoritaire et conservateur du maréchal Carmona et de Salazar. En 1974, la « révolution des œillets » mit fin à la dictature ; le général Spinola reconnut l'indépendance de la Guinée-Bissau, du Mozambique et de l'Angola. Le général Eanes fut élu président de la République en 1976, et le socialiste Mario Soares lui succéda en 1986.

Port-Vendres ■ Commune des *Pyrénées-Orientales. Port de pêche. 5 700 hab. *(les Portvendrais).*

Poséidon ■ Dieu grec de la Mer, armé d'un trident. Il correspond au Neptune des Romains.

Posidonius ■ ⟹ stoïcisme.

la **Posnanie** ou **Poznanie** ■ Région de Pologne, province de Prusse de 1793 à 1945. Capitale : Poznań.

La **Possession** ■ Commune de la *Réunion. 11 000 hab.

Grigori **Potemkine** ■ Feld-maréchal et homme politique russe, favori de *Catherine II (1739-1791). Gouverneur des provinces allant de l'Ukraine à la mer Noire, il créa une flotte de guerre et annexa la Crimée. Son nom fut donné à un cuirassé où une mutinerie révolutionnaire éclata en 1905 (sujet d'un célèbre film d'Eisenstein).

Potosí ■ Ville de Bolivie. 77 000 hab. Raffinerie d'étain, cuivre et argent. La mine d'argent fut entre le milieu du XVIᵉ s. et le début du XVIIᵉ s. une importante source de richesse pour l'Espagne.

Potsdam ■ Ville de R. D. A. 137 000 hab. Industries. Palais de Sans-souci élevé par Frédéric II dans le style de Versailles. En 1945, *conférence de Potsdam* entre Truman, Staline et Churchill, préparatoire aux traités de paix.

Eugène **Pottier** ■ Homme politique et poète français (1816-1887). Auteur des paroles de "*l'Internationale*".

Eugène René **Poubelle** ■ Préfet de la Seine de 1883 à 1896, qui imposa l'usage des *poubelles*. ⟨ ▶ poubelle ⟩

Alexandre **Pouchkine** ■ Écrivain russe (1799-1837). Il est souvent considéré comme le plus grand auteur russe. Poèmes, romans ("*Eugène Onéguine*"), drames ("*Boris Godounov*"), nouvelles ("*la Dame de pique*").

Vsevolod **Poudovkine** ■ Cinéaste soviétique (1893-1953). "*La Mère*", d'après Gorki.

Iémélian **Pougatchev** ■ Chef cosaque (v. 1742 - 1775). Il se proclama tsar sous le nom de Pierre III et leva une armée contre *Catherine II.

les **Pouilles** n. f. ■ Première région agricole du sud de l'Italie : céréales, vignes, olivier. Chef-lieu : Bari. Bauxite.

Pierre **Poujade** ■ Homme politique français (né en 1920). ▶ *le poujadisme,* opposition des petits commerçants et artisans aux mutations de l'économie française, qui s'organisa en un mouvement politique éphémère (1955-1956).

Francisque **Poulbot** ■ Dessinateur français (1879-1946). Il créa un type célèbre de gosse montmartrois. ⟨ ▶ poulbot ⟩

Francis **Poulenc** ■ Compositeur français (1899-1953). Opéras ("*le Dialogue des carmélites*" d'après Bernanos ; "*la Voix humaine*" d'après Cocteau), œuvres pour piano, mélodies.

Ezra **Pound** ■ Poète et critique américain (1885-1972). Il chercha la fusion des cultures ("*l'Esprit des littératures romanes*") et des langues ("*Cantos*") et critiqua violemment la civilisation américaine.

Franz **Pourbus le Jeune** ■ Peintre flamand (1569-1622). Portraits officiels (Henri IV, Marie de Médicis).

Henri **Pourrat** ■ Écrivain français (1887-1959). Nombreux contes. "*Gaspard des montagnes*", cycle auvergnat.

Nicolas **Poussin** ■ Peintre français, maître du *classicisme (1594-1665). Profondément marqué par Rome où il séjourna longtemps. Scènes historiques ("*l'Enlèvement des Sabines*"), bibliques ("*Moïse sauvé des eaux*"), mythologiques ("*Orion aveugle*"), allégoriques ("*les Bergers d'Arcadie*") et paysages ("*les Quatre Saisons*").

Pouzauges ■ Commune de la *Vendée. 5 800 hab.

Poza Rica ■ Ville du Mexique. 179 000 hab.

Poznań ■ Une des plus anciennes villes de Pologne, en Posnanie. 550 000 hab. Centre culturel, industriel (métallurgie, chimie) et commercial (foires).

Andrea **Pozzo** ■ Peintre italien (1642-1709). Grand décorateur *baroque. Plafond de l'église Saint-Ignace, à Rome.

Charles André **Pozzo di Borgo** ■ Diplomate corse (1764-1842). Proche de *Paoli, conseiller d'Alexandre Iᵉʳ contre Napoléon, ambassadeur de Russie à Paris de 1815 à 1834.

Prades ■ Sous-préfecture des *Pyrénées-Orientales. 6 800 hab. *(les Pradéens).*

Le **Pradet** ■ Commune du *Var. 8 000 hab.

Michael **Praetorius** ■ Compositeur et organiste allemand, auteur d'un ouvrage de théorie réputé (1571-1621).

Prague ■ Capitale de la Tchécoslovaquie. 1,2 million d'hab. *(les Pragois).* Centre industriel (métallurgie, chimie, textile). Résidence des ducs de Bohème dès le XIᵉ s. Foyer historique du nationalisme tchèque depuis le XVᵉ s. Célèbre pour ses monuments gothiques et baroques. *Coup de Prague, Printemps de Prague.* ⟹ **Tchécoslovaquie.**

Praia ■ Capitale de l'archipel du Cap-Vert. 32 000 hab. Port de pêche.

la **Prairie** ■ Région des plaines du sud du Canada central et occidental (*Alberta, *Manitoba, *Saskatchewan), une des plus vastes zones céréalières du monde.

Ludwig **Prandtl** ■ Physicien allemand (1875-1953). Mécanique des fluides, aérodynamique.

Prato ■ Ville d'Italie (*Toscane). 156 000 hab.

Praxitèle ■ Sculpteur athénien (IVᵉ s. av. J.-C.). Ses statues aux poses alanguies eurent une grande influence sur la sculpture grecque. *"Aphrodite de Cnide"*.

les **Préalpes** n. f. ■ Montagnes qui bordent les Alpes ; moins ensoleillées et plus humides, elles ne dépassent pas 3 000 m d'altitude. Forêts, herbages.

Auguste **Préault** ■ Sculpteur français (1809-1879). Sujets littéraires et historiques, dans un style lyrique et fougueux.

les civilisations **précolombiennes** ■ Civilisations de l'Amérique du Sud et centrale antérieures à l'arrivée de Christophe *Colomb, qui marqua le début de leurs destructions par les conquistadors espagnols. Les principales furent celles des *Mayas, des *Incas et des *Aztèques. ⇒ Olmèques, Toltèques, Zapotèques, Huaxtèques, Mixtèques, Chavin, Teotihuacán, Tiahuanaco.

Otto **Preminger** ■ Cinéaste américain d'origine autrichienne (1906-1986). *"Laura"* ; *"Carmen Jones"*.

Le **Pré-Saint-Gervais** ■ Commune de la *Seine-Saint-Denis, dans la banlieue nord-est de Paris. 13 000 hab.

les **préraphaélites** ■ Groupe de peintres anglais du XIXᵉ s. qui cherchèrent à retrouver la pureté de la peinture italienne du *quattrocento (avant *Raphaël). Thèmes littéraires et bibliques. ⇒ D. G. **Rossetti, Millais, Hunt.**

les **présocratiques** ■ Penseurs grecs antérieurs à *Socrate. Les plus célèbres sont *Parménide et *Héraclite.

Pretoria ■ Ville et siège du gouvernement d'Afrique du Sud, capitale du *Transvaal. 571 000 hab. (dont plus de la moitié de Blancs). Centre métallurgique. Mines de diamants.

Jacques **Prévert** ■ Poète français (1900-1977). Son goût pour la liberté et le jeu sur le langage sont hérités du *surréalisme : *"Paroles"* ; *"Spectacle"*. Dialogues de films pour *Carné : *"Quai des brumes"* ; *"les Enfants du paradis"*.

l'abbé **Prévost** ■ Écrivain français (1697-1763). Nombreux romans, dont *les Mémoires et aventures d'un homme de qualité* où se trouve la célèbre histoire de Manon Lescaut.

Priam ■ Dernier roi de *Troie, père d'*Hector, de *Cassandre et de *Pâris.

Joseph **Priestley** ■ Chimiste anglais (1733-1804). Analyse des gaz (découverte du rôle de l'oxygène). Il était aussi théologien.

Ilya **Prigogine** ■ Chimiste belge d'origine russe (né en 1917). Prix Nobel 1977 pour ses travaux de thermodynamique. *"La Nouvelle Alliance"*, essai écrit avec Isabelle Stengers.

le **Primatice** ■ Peintre et décorateur italien (1504-1570). Il succéda à Rosso pour décorer le château de *Fontainebleau.

Miguel **Primo de Rivera** ■ Général et homme politique espagnol (1870-1930). Il exerça un pouvoir dictatorial de 1923 à 1930. ▢ *José Antonio* **Primo de Rivera,** son fils (1903-1936), fondateur de la Phalange

(qui devint le parti de *Franco), fusillé par les républicains. ⇒ **Espagne.**

l'île du **Prince-Édouard** ■ Province (État fédéré) du Canada. 5 657 km². 118 000 hab. Capitale : Charlottetown. Pêche, agriculture. Tourisme.

le **Prince Noir** ■ Surnom d'*Édouard d'Angleterre.

Princeton ■ Célèbre université des États-Unis (*New Jersey).

Priscillien ■ Hérétique espagnol condamné à mort et exécuté en 385 pour sa doctrine, le *priscillianisme*.

Privas ■ Préfecture de l'*Ardèche. 11 000 hab. *(les Privadois)*. Moulinage de la soie. Confiserie (marrons glacés).

le **Proche-Orient** ou **Moyen-Orient** ■ Région de la Méditerranée orientale, appelée aussi Levant. Elle comprend des pays arabes (Égypte, Liban, Syrie, Iraq, Arabie Saoudite, Jordanie, Yémen) ainsi que la Turquie, Israël et l'Iran. 2ᵉ région productrice de pétrole. Important réseau d'oléoducs.

Proclus ■ Philosophe grec néo-platonicien (412-485).

Procuste ■ Brigand de la mythologie grecque qui torturait les voyageurs.

Sergueï **Prokofiev** ■ Compositeur russe (1891-1953). Auteur du célèbre *"Pierre et le loup"*, de ballets (*"Roméo et Juliette"*), d'opéras (*"l'Amour de trois oranges"*), de symphonies et de concertos pour piano. Son œuvre oscille entre la modernité occidentale et la tradition russe.

Prokopievsk ■ Ville d'U. R. S. S. (*Russie). 270 000 hab. Centre houiller du *Kouzbass.

Prométhée ■ *Titan de la mythologie grecque. Il dérobe le feu du ciel afin de le donner aux hommes. Pour le punir, *Zeus le fait enchaîner sur le Caucase : un aigle vient dévorer son foie qui se reforme sans cesse.

Properce ■ Poète latin (v. 47 - 15 av. J.-C.). Auteur d'*"Élégies"*. Protégé par *Mécène.

Proserpine ■ Nom latin de *Perséphone.

Protagoras ■ Philosophe et sophiste grec (485 - 411 av. J.-C.).

Protée ■ Dieu grec marin, fils de Poséidon. Il avait le don de changer de forme. ⟨ ▶ protéiforme ⟩

le **protestantisme** ■ Ensemble des doctrines et communautés chrétiennes apparues au XVIᵉ s. avec *Luther (Église luthérienne) et *Calvin (Église réformée ou presbytérienne) ⇒ **Réforme.** ▶ *les protestants* refusent l'autorité du pape et dénoncent comme des déviations certains aspects du catholicisme. ⇒ guerres de **Religion, Augsbourg, anglicanisme.**

Pierre Joseph **Proudhon** ■ Théoricien socialiste français (1809-1865). *"Qu'est-ce que la propriété ?"* ▶ *proudhonisme,* sa doctrine, parti d'une critique radicale de la propriété, a évolué vers un réformisme autogestionnaire critiqué par *Marx.

Joseph Louis **Proust** ■ Chimiste et pharmacien français (1754-1826). *Loi de Proust :* loi des proportions définies.

Marcel **Proust** ■ Écrivain français (1871-1922). *"À la recherche du temps perdu"*, fresque romanesque consacrée aux relations amoureuses et sociales et à la quête de la vérité dans l'art, est une œuvre essentielle de la littérature du XXᵉ s.

la *Provence* ■ Région du sud-est de la France. Ses habitants sont les *Provençaux*. ◻**HISTOIRE**. Occupée par les Ligures, la Provence fut colonisée par les Grecs (Phocéens) dès le VIIᵉ s. av. J.-C. Province romaine (*Provincia Romana,* d'où son nom) intégrée et prospère, scindée en *Narbonnaise* et *Viennoise* (IIIᵉ s. av. J.-C.), elle passa sous l'influence des Goths d'Espagne, puis de la Bourgogne (royaume d'*Arles). Au XIIᵉ s., les comtes de Provence en firent un État puissant. Avec Aix-en-Provence pour capitale et les papes en Avignon (XIVᵉ s.), la Provence connut alors un grand essor économique et culturel (⇒ **René Iᵉʳ le Bon**). Annexée à la France en 1481. Au XIXᵉ s., *Mistral et le félibrige firent renaître sa littérature. ◻**la** *région* **Provence-Côte d'Azur**. Région administrative du sud-est de la France. Six départements : Alpes-de-Haute-Provence, Hautes-Alpes, Alpes-Maritimes, Bouches-du-Rhône, Var et Vaucluse. 31 400 km². 4 millions d'hab. Préfecture : Marseille. Paysages variés : montagnes (Préalpes), massifs anciens (Maures, Esterel), plaines (Camargue). Climat méditerranéen. Olives, vins, riz. 1ʳᵉ région française pour la production de fruits et légumes (marchés de Cavaillon et Châteaurenard) et pour le tourisme avec la Côte d'Azur. Industrie liée aux activités portuaires : chantiers navals, raffineries de pétrole (étang de *Berre), chimie.

Providence ■ Ville des États-Unis, capitale du *Rhode Island. 156 000 hab.

la *république des Provinces-Unies* ■ Ancien État fédéral, formé par la sécession du nord des Pays-Bas espagnols en 1579 (union d'*Utrecht) et devenu les *Pays-Bas en 1795.

Provins ■ Sous-préfecture de *Seine-et-Marne. 13 000 hab. *(les Provinois)*. Ancienne résidence des comtes de Champagne. Nombreux monuments.

Pierre-Paul Prud'hon ■ Peintre français (1758-1823). Ses œuvres mythologiques *("l'Enlèvement de Psyché")* et allégoriques *("la Justice et la vengeance divine poursuivant le crime")* font la transition entre *classicisme et *romantisme.

Bolesław Prus ■ Écrivain polonais (1847-1912). *"La Poupée"*.

la *Prusse* ■ Ancien État d'Allemagne du Nord formé dans une région située le long de la Baltique. Conquise par les chevaliers *Teutoniques au XIIIᵉ s., elle atteignit au début du XVᵉ s. une grande prospérité (⇒ **la Hanse**). Mais, en 1410 (défaite de Grunwald), elle devint un duché sous suzeraineté polonaise, puis elle fut rattachée au Brandebourg en 1618 par Sigismond de Hohenzollern. Le grand électeur *Frédéric-Guillaume est le véritable fondateur de l'État prussien. Son fils, *Frédéric Iᵉʳ, se fit couronner roi de Prusse en 1701. Il renforça l'administration et l'armée. La Prusse fut à son apogée avec *Frédéric II. Dépossédée de la moitié de son territoire par les guerres napoléoniennes (traité de Tilsit, 1807), elle ne retrouva sa puissance qu'avec Guillaume Iᵉʳ ; ce dernier, grâce à la politique de *Bismarck, conclut une alliance avec les États allemands du nord, renforça l'armée puis remporta une série de victoires décisives (Autriche, 1866 ; France, 1870) qui lui permirent de se faire proclamer empereur d'Allemagne en 1871. L'histoire de la Prusse se confondit alors avec celle de l'*Allemagne. La Prusse fut symboliquement dissoute en 1947. ◻**la** *Prusse-Occidentale*. Province de l'ancienne Prusse restituée à la Pologne en 1945. Capitale : Dantzig. ◻**la** *Prusse-Orientale*. Province de l'ancienne Prusse partagée entre l'U. R. S. S. et la Pologne en 1945. Capitale : Königsberg.

Stanisław Przybyszewski ■ Écrivain polonais (1868-1927). *"Les Enfants de Satan"*.

Michel Psellos ■ Écrivain et homme d'État byzantin (1018 - après 1078). Artisan d'une renaissance du *platonisme.

le *Pseudo-Denys* ■ Théologien de langue grecque (Vᵉ - Vᵉ s.). Son œuvre, attribuée à tort à un disciple de saint Paul, Denys l'Aréopagite (d'où son nom), a joui de ce fait d'un prestige considérable au Moyen Âge, imposant les thèmes et la mystique néo-platoniciens à la pensée chrétienne.

Pskov ■ Ville d'U. R. S. S. (*Russie). 170 000 hab. Ancienne principauté (monuments).

Psyché ■ Jeune fille aimée par *Éros dans la mythologie grecque. Symbole de l'âme en quête d'idéal, elle a longtemps inspiré la littérature et l'art. ⟨ ▶ psyché ⟩

Ptah ■ Dieu de l'ancienne Égypte adoré à *Memphis. Patron des artisans, identifié par les Grecs à *Héphaïstos.

Claude Ptolémée ■ Savant grec d'*Alexandrie (v. 90 - v. 168). Sa description mathématique du ciel a dominé l'astronomie jusqu'à *Galilée.

la *dynastie des Ptolémées* ou *des Lagides* ■ Famille de 15 rois macédoniens qui régna en Égypte de 323 à 30 av. J.-C. ◻*Ptolémée Iᵉʳ Sôtêr* (367 - 283 av. J.-C.), un des généraux d'*Alexandre le Grand, la fonda en 323 av. J.-C. : il reçut l'Égypte à la mort d'Alexandre et en fit une grande puissance militaire et économique. ◻*Ptolémée II Philadelphe,* son fils (v. 309 - 246 av. J.-C.), fit d'*Alexandrie le pôle culturel de la Méditerranée orientale. ◻*Ptolémée XIII* et *Ptolémée XIV,* époux et frères de *Cléopâtre. La dynastie s'acheva avec cette dernière et la mort du fils qu'elle eut de *César.

Giacomo Puccini ■ Compositeur italien, maître de l'opéra réaliste (« vériste ») (1858-1924). *"La Bohème"* ; *"la Tosca"* ; *"Madame Butterfly"*.

Jean Pucelle ■ Enlumineur français du XIVᵉ s. Il eut de nombreux disciples. *"Le Bréviaire de Belleville"*.

Puebla ■ Ville du Mexique au sud de Mexico. 517 000 hab. Un des plus grands centres industriels du pays (métallurgie, chimie, textile). Université. Monuments coloniaux.

Pueblo ■ Ville des États-Unis (*Colorado). 102 000 hab. Région agricole. Sidérurgie.

les *Pueblos* n. m. ■ Anciens Indiens du sud-ouest des États-Unis. Les Hopi et les Zuñi maintiennent leur langue et leur civilisation.

Puerto Montt ■ Port du Chili. 111 000 hab.

Puerto Rico ■ ⇒ **Porto Rico.**

Samuel von Pufendorf ■ Juriste allemand, philosophe du contrat social (1632-1694).

Pierre Puget ■ Sculpteur français, architecte et peintre (1620-1694). L'un des plus puissants sculpteurs *baroques après le *Bernin. *"Milon de Crotone"*.

le *Puget Sound* ■ Détroit et golfe sur la côte américaine du Pacifique, qui sépare l'île de Vancouver du continent. Ports de Seattle et Tacoma aux États-Unis, et de Vancouver au Canada.

Joseph Pulitzer ■ Journaliste américain (1847-1911). Il fonda une école de journalisme qui décerne les *prix Pulitzer,* en littérature et en journalisme.

George Mortimer Pullman ■ Industriel américain (1831-1897). Il conçut les premiers wagons-lits, symboles du confort.

Pûna ou **Poona** ■ Ville de l'Inde. 1,2 million d'hab. Les Britanniques en firent une de leurs capitales d'été.

les guerres **puniques** ■ Nom de trois guerres qui opposèrent Rome et Carthage, rivales en Méditerranée occidentale. À l'issue de la première (264 - 241 av. J.-C.), Carthage dut céder la Sicile aux Romains. La deuxième (218 - 201 av. J.-C.) fut marquée par le brillant *Hannibal : il passa les Alpes et battit les Romains (victoires de Tessin, Trébie et Trasimène). Mais il s'attarda à *Capoue, dut renoncer à prendre Rome puis fut vaincu par *Scipion l'Africain à Zama en 202 av. J.-C. La troisième guerre punique (149 - 146 av. J.-C.) s'acheva par la destruction de Carthage ; l'Afrique, la Macédoine et la Grèce devinrent des provinces romaines.

Henry Purcell ■ Compositeur anglais, l'un des plus importants de son époque (1659-1695). Œuvres religieuses, musique de cour (odes, cantates) et de scène (*"King Arthur"*), un opéra (*"Didon et Énée"*).

les **puritains** n. m. ■ Membres d'une secte protestante fondée en Angleterre. Ils luttèrent contre *Charles Ier et portèrent *Cromwell au pouvoir. Beaucoup émigrèrent aux États-Unis.

le **Purus** ■ Rivière du Pérou et du Brésil, affluent de l'Amazone (3 380 km).

Pusan ■ 2e ville et principal port de la Corée du Sud. 2,4 millions d'hab. Pêche. Industrie textile. Base navale.

Puteaux ■ Ville des *Hauts-de-Seine. 36 000 hab. *(les Putéoliens).* Centre industriel et résidentiel.

Pierre Puvis de Chavannes ■ Peintre français (1824-1898). Auteur de décorations murales à sujets allégoriques. L'un des maîtres du *symbolisme en France.

Le Puy ■ Préfecture de la *Haute-Loire. 30 000 hab. *(les Podots* ou *Ponots* ou *Aniciens).* Cathédrale romane (ancien pèlerinage à la Vierge noire). Centre français de la dentelle.

le **Puy-de-Dôme** [63] ■ Département français de la région *Auvergne. 7 955 km². 594 000 hab. Préfecture : Clermont-Ferrand. Sous-préfectures : Ambert, Issoire, Riom, Thiers.

Puyi ou **P'ou-yi** ■ Dernier empereur de Chine (1906-1967). Il abdiqua en 1912 (proclamation de la République).

le col de **Puymorens** ■ Passage dans les Pyrénées orientales à 1 931 m d'altitude. Il relie l'Ariège à la Cerdagne.

Pygmalion ■ Roi légendaire de Chypre. Il épousa une statue (Galatée) qu'il avait sculptée et à qui Aphrodite avait donné la vie.

les **Pygmées** n. m. ■ Peuple de petite taille, vivant de chasse et de pêche dans la forêt équatoriale africaine (environ 120 000). Dans la mythologie grecque, les Pygmées étaient un peuple de nains vivant près du Nil.

Pylos ou **Navarin** ■ Site archéologique mycénien de Grèce (Péloponnèse).

Pyongyang ■ Capitale de la République démocratique de Corée. 1,7 million d'hab. Ville fondée par les Chinois. Important centre sidérurgique, métallurgique et chimique, près de mines de charbon.

Pyrame ■ Jeune Babylonien célèbre pour ses amours légendaires avec Thisbé.

les **pyramides** n. f. ■ Monuments servant de tombeaux aux pharaons de l'ancienne Égypte. Les plus grandes : celles de Khéops, Khéphren et Mykérinos situées à Gizèh. ► *la bataille des Pyramides* remportée par Napoléon sur les *Mamelouks, en 1798. ► *les pyramides* des *Aztèques et des *Mayas, construites en gradins, servaient de support à des temples établis sur leur sommet. Les plus hautes sont à Teotihuacán et à Tikal.

les **Pyrénées** n. f. ■ Chaîne de montagnes de l'ère tertiaire qui sépare la France et l'Espagne, et s'étend de l'Atlantique à la Méditerranée, sur 430 km. La zone correspond au nord de la Catalogne et de la Navarre, au Pays basque et aux départements français ci-dessous. Point culminant : pic d'Aneto (3 404 m). Nombreux cols : Roncevaux, Tourmalet, Puymorens. Climat varié : doux et humide à l'ouest, continental et rude dans la partie centrale (la plus élevée), méditerranéen dans les Pyrénées orientales. L'économie repose sur l'élevage laitier et la polyculture. Industrialisation lente. Tourisme en croissance avec les stations thermales (Luchon) et les sports d'hiver. ► *le traité des Pyrénées* mit fin au conflit entre la France et l'Espagne, le 7 novembre 1659 : attribution du Roussillon à la France et signature du contrat de mariage entre Louis XIV et Marie-Thérèse, infante d'Espagne. ► *les Pyrénées-Atlantiques* [64], département français de la région *Aquitaine. 7 712 km². 555 000 hab. Préfecture : Pau. Sous-préfectures : Bayonne, Oloron-Sainte-Marie. ► *les Hautes-Pyrénées* [65], département français de la région *Midi-Pyrénées. 4 534 km². 228 000 hab. Préfecture : Tarbes. Sous-préfectures : Argelès-Gazost, Bagnères-de-Bigorre. ► *les Pyrénées-Orientales* [66], département français de la région *Languedoc-Roussillon. 4 143 km². 335 000 hab. Préfecture : Perpignan. Sous-préfectures : Céret, Prades.

Pyrrhos ■ Héros de la mythologie grecque, fils d'*Achille et époux d'*Andromaque.

Pyrrhus ou **Pyrrhos** ■ Roi d'Épire (319 - 272 av. J.-C.). Il vainquit les Romains à Héraclée (280 av. J.-C.) puis fut vaincu en 275 av. J.-C.

Pythagore ■ Penseur et mathématicien grec (VIe s. av. J.-C.). En proclamant l'accord divin entre les nombres et les choses, ses disciples les *pythagoriciens* ont profondément stimulé la pensée grecque (doctrine du *pythagorisme*). *Théorème de Pythagore :* le carré de l'hypoténuse est égal à la somme des carrés des deux autres côtés.

la **Pythie** ■ Dans l'Antiquité, prêtresse d'*Apollon à *Delphes chargée de transmettre les oracles du dieu Apollon.

Python ■ Serpent de la mythologie grecque. Apollon le tua et fonda les *jeux Pythiques.* ⟨ ► python ⟩

Q

le **Qatar** ou **Katar** ■ État (émirat) d'Arabie sur le golfe *Persique. 10 360 km². 300 000 hab. Capitale : Doha. Langue : arabe. Monnaie : rial de Qatar Dubaï. Ancien protectorat britannique indépendant depuis 1971. Pays désertique qui s'est enrichi grâce au pétrole et au gaz. Pêche des perles.

Qazvīn ou **Kazvin** ■ Ville d'Iran. 139 000 hab. Grand marché agricole.

les **Qing** ou **Ch'ing** n. m. ■ Dynastie mandchoue d'empereurs de Chine qui régna de 1644 à 1912. ⇒ **Chine.**

Qingdao ■ Port de Chine. 1,2 million d'hab.

Qinghai ■ La « mer bleue », le plus grand lac chinois (4 220 km²) au nord-est du Tibet.

Qin Shi Huangdi ■ Le premier empereur de Chine. Il régna de 221 à 209 av. J.-C. et fonda la dynastie des **Qin**. En reliant plusieurs constructions défensives élevées aux IVᵉ et IIIᵉ s. av. J.-C. entre la Chine et les steppes afin d'empêcher les invasions, il bâtit la grande muraille de Chine, longue de 3 000 km.

Qiqihar ou **Tsitsihar** ■ Ville industrielle du nord-est de la Chine. 1,2 million d'hab.

Qom ou **Qum** ■ Ville sainte d'Iran. 247 000 hab. Haut lieu de pèlerinage musulman : tombeau de *Fatima ; école de théologie.

les **Quakers** n. m. ■ Membres d'un groupement protestant fondé par George *Fox en Angleterre. À partir du XIXᵉ s., ils eurent une grande influence aux États-Unis (lutte contre l'esclavage, secours pendant les guerres).

Johann Quantz ■ Compositeur et flûtiste allemand (1697-1773).

le **Quartier latin** ■ Un des plus anciens quartiers de Paris, consacré aux activités universitaires (⇒ **Sorbonne**) et intellectuelles depuis le XIIIᵉ s.

Enguerrand Quarton ou **Charreton** ■ Peintre français d'origine picarde actif en Provence de 1444 à 1466. *"Couronnement de la Vierge"* ; *"Pietà"* de Villeneuve-lès-Avignon.

Salvatore Quasimodo ■ Poète italien (1901-1968). Prix Nobel 1959. Représentant du symbolisme avec *Montale et *Ungaretti, puis poète de la Résistance.

le lac des **Quatre-Cantons** ■ Lac de Suisse entre les cantons de Lucerne, Schwyz, Uri, Unterwald.

le **quattrocento** ■ Mot désignant le XVᵉ s. italien (1401-1499). ⇒ **Renaissance.**

Qūbilai Khān ■ Empereur mongol qui acheva la conquête de la Chine (1215-1294). Son règne fut une période de prospérité. Il reçut Marco *Polo à sa cour de Pékin.

le **Québec** ■ Province (État fédéré) du Canada. 1 540 680 km². 6,6 millions d'hab. (les **Québécois**, francophones à 80 %). Capitale : Québec. La plaine de *Montréal concentre l'essentiel de la population et de l'activité économique, grâce au trafic du *Saint-Laurent et aux bonnes conditions climatiques pour l'agriculture. Importantes ressources minières et hydro-électriques, exploitation du bois. ▢ **HISTOIRE.** Ce fut avec l'*Acadie la première région du pays explorée et exploitée par des occidentaux (« Nouvelle France »). Colonie anglaise en 1763, devenue le Bas-Canada en 1791, elle revendiqua son caractère francophone. Supprimée par l'Acte d'union de 1840, elle retrouva son autonomie avec la création de la Confédération du Canada en 1867. Le projet indépendantiste échoua (référendum de 1980), mais le français est reconnu langue officielle de la province depuis 1974. ▢ **Québec.** La plus ancienne ville du Canada, capitale de la province du Québec, fondée par le Français *Champlain en 1608. 177 000 hab. (les **Québécois**). Centre économique et culturel. Port actif sur le Saint-Laurent. Université Laval.

les **Quechuas** n. m. ■ Le plus grand groupe d'Indiens d'Amérique du Sud (6 millions). Le quechua fut la langue de l'Empire *inca.

Queens ■ ⇒ **New York.**

José Maria Eça de Queirós ■ Écrivain portugais (1845-1900). Auteur de romans réalistes. *"Le Cousin Basile"*.

Raymond Queneau ■ Écrivain français (1903-1976). Son œuvre (romans, poèmes, essais) mêle réflexion et jeu sur le langage, poésie et humour. *"Zazie dans le métro"* ; *"Exercices de style"*.

le **Quercy** ■ Région de plateaux calcaires, au sud-ouest de la France (Lot, Tarn-et-Garonne).

Querétaro ■ Ville du Mexique. 176 000 hab.

François **Quesnay** ■ Économiste français (1694-1774). Médecin de Louis XV, chef de file des *physiocrates.

Le **Quesnoy** ■ Commune du *Nord. 5 400 hab. *(les Quercitains).*

Quesnoy-sur-Deule ■ Commune du *Nord. 5 400 hab.

Questembert ■ Commune du *Morbihan. 5 200 hab.

Adolphe **Quételet** ■ Mathématicien belge (1796-1874). Promoteur des statistiques et à ce titre un des pères de la sociologie.

Quetigny ■ Commune de la *Côte-d'Or. 7 600 hab.

Quetta ■ Ville du Pakistan. 156 000 hab.

Quetzalcóatl ■ Divinité *précolombienne du Mexique représentée comme un vieillard masqué ou un serpent à plumes. Vénérée par les *Aztèques.

La **Queue-en-Brie** ■ Commune du *Val-de-Marne. 9 700 hab.

Francisco Gómez de **Quevedo y Villegas** ■ Écrivain espagnol (1580-1645). Auteur de satires, de pamphlets et d'un roman picaresque, *"Don Pablo de Ségovie".*

Quéven ■ Commune du *Morbihan. 7 600 hab.

Quezon City ■ Ville des *Philippines près de Manille. Capitale du pays jusqu'en 1976. 1 million d'hab.

Quiberon ■ Commune du *Morbihan au sud de la *presqu'île de Quiberon.* Port de pêche et station balnéaire. 4 800 hab. *(les Quiberonnais).*

le **quiétisme** ■ Doctrine religieuse fondée au XVIIᵉ s. par *Molinos.

Quiévrechain ■ Commune du *Nord. 7 200 hab.

Quillan ■ Commune de l'*Aude. 5 100 hab. *(les Quillanais).*

Quilmes ■ Banlieue industrielle de *Buenos Aires, en Argentine. 355 000 hab.

Quimper ■ Préfecture du *Finistère. 60 500 hab. *(les Quimpérois).* Centre touristique (cathédrale gothique). Industries alimentaires (lait), faïences, machines agricoles.

Quimperlé ■ Ville du *Finistère. 12 000 hab. *(les Quimperlois).*

Philippe **Quinault** ■ Auteur dramatique français (1635-1688). Il a écrit les livrets d'opéra de Lully.

Thomas de **Quincey** ■ ⇒ Thomas **De Quincey.**

Quincy-sous-Sénart ■ Commune de l'*Essonne. 7 100 hab.

Willard van Orman **Quine** ■ Philosophe, épistémologue et logicien américain (né en 1908).

Edgar **Quinet** ■ Historien français, un des maîtres à penser de la république laïque (1803-1875).

Qui-Nhon ■ Ville et port du sud du Viêt-nam. 190 000 hab.

Quintilien ■ Rhéteur latin (v. 30 - v. 100). *"Institution oratoire",* manuel de l'éducation classique.

le **Quirinal** ■ Une des sept collines de Rome. Le palais du *Quirinal* est actuellement le palais de la présidence de la République.

Quito ■ Capitale de l'Équateur, située à 2 850 m. 743 000 hab. Ville *inca puis espagnole de 1534 à 1831. Beaux monuments de style colonial. Industries textiles et alimentaires.

Qumrân ■ Site archéologique de Palestine près de la mer Morte où on découvrit, entre 1946 et 1956, les plus anciens manuscrits connus de la Bible.

R

Râ ■ ⇒ **Rê**.

Rabat ■ Capitale du Maroc. Agglomération de 841 800 hab. Port sur l'Atlantique entouré de remparts. Industries textiles. Siège du résident général français de 1912 à 1956 (⇒ **Maroc**).

François **Rabelais** ■ Écrivain français (v. 1494 - 1553). Moine, médecin, figure éminente de l'humanisme, il est l'auteur d'épopées truculentes animées par des géants et où se mêlent culture savante et traditions populaires. "*Pantagruel*"; "*Gargantua*"; "*Tiers-Livre*"; "*Quart-Livre*"; "*Cinquième-Livre*". ‹ ► rabelaisien ›

Racan ■ Poète français (1589-1670). Auteur d'élégies. "*Les Bergeries*".

Rachel ■ Épouse de *Jacob, dans la Bible.

Élisabeth Rachel Félix dite **Mlle Rachel** ■ Tragédienne française (1821-1858).

Rach-gia ■ Port du Viêt-nam. 104 000 hab.

Salomon ben Isaac dit **Rachi** ou **Rashi** ■ Savant juif de Troyes, le plus important commentateur du *Talmud (1040-1105).

Serghéï **Rachmaninov** ou **Rakhmaninov** ■ Compositeur et pianiste russe (1873-1943). Le dernier des *romantiques par le lyrisme tourmenté de sa musique pour piano.

Jean **Racine** ■ Poète dramatique français, le maître de la tragédie classique française (1639-1699). *Janséniste fervent (⇒ **jansénisme**). Il conçoit la passion amoureuse comme une force qui conduit ses personnages à la mort. "*La Thébaïde*" (1664), "*Alexandre*" (1665), pièces de jeunesse; "*Andromaque*" (1667); "*les Plaideurs*" (1668), une comédie "*Britannicus*" (1669); "*Bérénice*" (1670); "*Bajazet*" (1672); "*Mithridate*" (1673); "*Iphigénie en Aulide*" (1674); "*Phèdre*" (1677); deux tragédies chrétiennes, "*Esther*" (1689) et "*Athalie*" (1691).

Ann **Radcliffe** ■ Romancière anglaise (1764-1823). Une des créatrices du roman noir : "*les Mystères d'Udolphe*".

Alfred Reginald **Radcliffe-Brown** ■ Anthropologue et ethnologue britannique (1881-1955). Le plus influent de son époque avec *Malinowski.

Sarvapalli **Rādhākrishnan** ■ Philosophe et homme d'État indien (1888-1975). Président de 1962 à 1967.

le parti **radical** *et radical-socialiste* ■ Parti politique français qui domina la vie publique sous la IIIᵉ *République (⇒ **Clemenceau, Herriot, Daladier, Mendès France**). Créé en 1901, il rassemblait alors tous les tenants d'un régime républicain qui se réclamaient du programme radical (d'extrême gauche) de Gambetta. Au fur et à mesure que l'idée républicaine s'imposait en France, il conquit une large part de l'électorat. L'émergence rapide à sa gauche d'un parti *socialiste (création de la S. F. I. O. dès 1905) et l'échec de ses gouvernements à la veille de la Seconde Guerre mondiale marquèrent son déclin, accentué par la crise du régime parlementaire durant la IVᵉ République. Sous la Vᵉ République, il s'est divisé en deux petits partis, de centre-gauche (M. R. G.) et de centre-droit (radicaux « valoisiens »).

Raymond **Radiguet** ■ Écrivain français (1903-1923). "*Le Diable au corps*", célèbre roman qu'il écrivit à 18 ans; "*le Bal du comte d'Orgel*".

Radom ■ Ville de Pologne. 214 000 hab. Centre industriel. Manufacture de cigarettes.

la **R. A. F.**, *Royal Air Force* ■ Armée de l'air britannique.

Raguse ■ Ancienne colonie grecque d'*Épidaure. Aujourd'hui *Dubrovnik en Yougoslavie.

Rahīmyār Khān ■ Ville du Pakistan. 104 000 hab.

Raimond ■ ⇒ **Raymond**.

Jules Muraire dit **Raimu** ■ Acteur français (1883-1946). Célèbre interprète des films de *Pagnol : "*Marius*", "*la Femme du boulanger*".

Le **Raincy** ■ Sous-préfecture de la *Seine-Saint-Denis. 13 400 hab. Église construite par Auguste *Perret.

Rainier III ■ Prince de Monaco depuis 1949 (né en 1923).

Raipur ■ Ville de l'Inde. 339 000 hab.

Gilles de **Rais** ou **Retz** ■ Maréchal de France (1404-1440). Lieutenant de *Jeanne d'Arc. Coupable de magie noire et de crimes sur des enfants, il fut exécuté.

Raismes ■ Commune du *Nord. 16 600 hab.

Rājahmundry ■ Ville de l'Inde. 190 000 hab.

le **Rājasthān** ■ État du nord-ouest de l'Inde. Capitale : Jaipur. Désert à l'ouest. Élevage. Industrie du coton et de la laine. Monuments moghols.

Rājkot ■ Ville de l'Inde occidentale. 300 000 hab.

Mátyás **Rákosi** ■ Homme d'État hongrois (1892-1971). Il domina la vie politique du pays de 1949 à 1953, et imposa un régime stalinien.

sir Walter **Raleigh** ■ Courtisan et navigateur anglais, favori de la reine Élisabeth Iʳᵉ (v. 1552-1618).

Raleigh ■ Ville des États-Unis, capitale de la *Caroline du Nord. 148 000 hab. Centre industriel et commercial. Universités.

Rāma ■ Nom de règne des souverains thaïlandais depuis 1782.

Paul **Ramadier** ■ Homme politique français (1888-1961). Socialiste, il constitua le premier gouvernement de la IVᵉ République, dont il évinça les communistes (1947).

Rāmakriṣṇa ■ Mystique hindou (1834-1886).

sir Chandrasekhara Venkata **Raman** ■ Physicien indien (1888-1970). Prix Nobel 1930. L'*effet Raman* est très utilisé en spectrochimie.

Ramat Gan ■ Ville d'Israël. 121 000 hab.

Rambervillers ■ Commune des *Vosges. 7 400 hab. *(les Rambuvetais).*

Rambouillet ■ Sous-préfecture des *Yvelines, dans la *forêt de Rambouillet.* 20 000 hab. *(les Rambolitains).* Château (XIVᵉ - XVIIIᵉ s.).

Madame de **Rambouillet** ■ Femme de lettres française (1588-1655). Son salon joua un grand rôle dans la vie littéraire du XVIIᵉ s.

le comte de **Rambuteau** ■ Administrateur et homme politique français (1781-1869). Préfet de la Seine (1833-1848), il réalisa d'importants travaux d'assainissement à Paris.

Jean Philippe **Rameau** ■ Compositeur français (1683-1764). Auteur de pièces pour clavecin, d'opéras-ballets, où il perfectionne le style « à la française » défini par *Lully ("les Indes galantes"),* et d'une théorie de l'harmonie.

Rāmpur ■ Ville de l'Inde. 162 000 hab.

sir William **Ramsay** ■ Chimiste anglais (1852-1916). Prix Nobel 1904. Il découvrit l'ensemble des gaz rares, dont l'hélium.

Ramsès ■ NOM DE 11 PHARAONS DU NOUVEL EMPIRE. □ *Ramsès II* (v. 1300 - 1235 av. J.-C.), le plus célèbre ; après ses victoires (notamment sur les Hittites), il instaura la paix et fit construire Abou Simbel, Karnak et Louxor. □ *Ramsès III* (v. 1198 - 1166 av. J.-C.) défendit l'Empire contre les menaces d'invasions.

Pierre de La Ramée dit **Ramus** ■ Humaniste français (1515-1572). Logicien hostile à *Aristote.

Charles Ferdinand **Ramuz** ■ Écrivain suisse d'expression française (1878-1947). "*La Grande Peur dans la montagne*" ; "*Histoire du soldat*", mise en musique par Stravinski.

la **Rance** ■ Fleuve de Bretagne. Une usine marémotrice ferme son estuaire.

l'abbé de **Rancé** ■ Religieux français qui réforma la *Trappe (v. 1625 - 1700). Chateaubriand a écrit une "*Vie de Rancé*".

Rānchi ■ Ville de l'Inde. 256 000 hab.

Rangoon ■ Capitale et principal port de la Birmanie sur la rivière Rangoon. 3,6 millions d'hab.

Otto **Rank** ■ Psychiatre autrichien (1884-1939). "*Le Traumatisme de la naissance*".

Leopold von **Ranke** ■ Historien allemand, spécialiste du XVIᵉ et du XVIIᵉ s. (1795-1886).

Raon-l'Étape ■ Commune des *Vosges. 7 800 hab. *(les Raonnais).*

Raoul de Bourgogne ■ Roi de France (mort en 936). Gendre de *Robert Iᵉʳ, auquel il succéda.

saint **Raphaël** ■ Un des sept archanges de la Bible.

Raffaello Sanzio dit **Raphaël** ■ Peintre italien de la Renaissance (1483-1520). Artiste précoce, il assimila la leçon des plus grands maîtres : Pérugin, Léonard de Vinci, Michel-Ange. Très vite célèbre, il fut appelé par le pape Jules II pour qui il réalisa ses plus belles œuvres : les *chambres* et *loges* du Vatican. Par son sens de l'équilibre et de l'harmonie (dans les Madones et les portraits notamment), il est la référence suprême de l'art *classique.

Rasht ou **Resht** ■ Ville d'Iran. 188 000 hab.

Rasmus Kristian **Rask** ■ Linguiste danois (1787-1832), comparatiste. L'un des fondateurs avec Bopp de la linguistique moderne.

Knud **Rasmussen** ■ Explorateur danois (1879-1933). Il fit de nombreuses expéditions dans l'Arctique.

François-Vincent **Raspail** ■ Chimiste et homme politique français (1794-1878), républicain engagé.

Raspoutine ■ Aventurier russe qui eut une influence néfaste sur Nicolas II et la cour de Russie (1872-1916).

Rastadt ou **Rastatt** ■ Ville de R. F. A. 32 000 hab. Le *traité de Rastatt* mit fin à la guerre de *Succession d'Espagne (1714). Le *congrès de Rastatt* (1797-1799), auquel participaient la France, la Prusse et l'Autriche, devait fixer le sort de la rive gauche du Rhin, mais se solda par le massacre des envoyés français perpétré par les Autrichiens.

Ratisbonne en allemand **Regensburg** ■ Ville de R. F. A. 134 000 hab. Autrefois capitale des ducs de *Bavière, prospère au XIVᵉ s. (foires). Charles Quint y réunit une première diète qui fut un échec en 1541 pour restaurer l'unité entre catholiques et protestants. Une seconde diète fut réunie par Ferdinand II en 1630.

Friedrich **Ratzel** ■ Géographe allemand (1844-1904). "*Anthropogéographie*".

Robert **Rauschenberg** ■ Peintre américain (né en 1925). Initiateur du *pop art. Il incorpore des objets hétéroclites à ses toiles *(combine painting).*

Ravachol ■ Anarchiste français (1859-1892), condamné à mort pour ses crimes et attentats.

François **Ravaillac** ■ Assassin d'Henri IV (1578-1610). Il voulait sauver la religion catholique. Il mourut écartelé.

Maurice **Ravel** ■ Compositeur français (1875-1937) mondialement célèbre grâce au "*Boléro*". Il a écrit des pièces pour piano ("*Miroirs*"), pour orchestre ("*la Valse*"), un ballet ("*Daphnis et Chloé*") et des opéras ("*l'Enfant et les Sortilèges*").

Ravenne ■ Ville d'Italie, en Émilie. 139 000 hab. Ville romaine, puis capitale d'un royaume ostrogoth (⇒ **Théodoric le Grand**), enfin possession byzantine, elle garde de nombreuses traces de son riche passé. Centre touristique et industriel.

Ravensbrück ■ Localité de R. D. A., camp de concentration nazi pendant la Seconde Guerre mondiale.

la **Ravoire** ■ Commune de la *Savoie. 7 000 hab.

Rawalpindi ■ Ville du Pakistan. 616 000 hab.

Man **Ray** ■ Peintre et photographe américain (1890-1976). Il a participé au mouvement *dada et au *surréalisme. Il a aussi réalisé des films.

Nicholas **Ray** ■ Cinéaste américain (1911-1979). "*Johnny Guitar*", "*la Fureur de vivre*".

Satyajit **Ray** ■ Cinéaste indien (né en 1921). "*Le Monde d'Apu*" ; "*le Salon de musique*".

lord **Rayleigh** ■ Physicien anglais (1842-1919). Prix Nobel 1904 avec *Ramsay (découverte de l'argon). Étude des phénomènes ondulatoires : son, lumière, électricité.

Raymond ■ NOM DE SEPT COMTES DE TOULOUSE. □ *Raymond IV* dit *Raymond de Saint-Gilles* (1042-1105), un des chefs de la première *croisade. □ *Raymond VII* (1197-1249), dernier comte de Toulouse. ⇒ guerre des **Albigeois.**

Raymond **Lulle** ■ ⇒ Raymond **Lulle.**

la pointe du **Raz** ■ Cap breton à l'extrémité ouest du Finistère, face à l'île de Sein.

Stenka **Razine** ■ Chef cosaque (v. 1630-1671). Il prit la tête de la guerre paysanne de 1667 à 1670.

la **R. D. A.**, *République démocratique allemande* ou *Allemagne de l'Est*, en allemand *D. D. R., Deutsche Demokratische Republik* ■ État d'Europe centrale, sur la Baltique. 108 178 km². 16,7 millions d'hab. Monnaie : ostmark ou mark oriental. Langue : allemand. Capitale : Berlin-Est. Dans le cadre d'une économie socialiste, où les trois quarts des échanges commerciaux s'effectuent avec les pays du *Comecon, la R. D. A. a entièrement planifié l'agriculture (Charte de la révolution agraire en 1970) et l'industrie (chimique, mécanique de précision). □ HISTOIRE. La socialisation, dès 1945, de la zone d'occupation soviétique en Allemagne aboutit à la création d'un État socialiste en 1949. En 1961, le mur de Berlin fut construit pour arrêter l'hémorragie de la population active vers l'ouest, et une nouvelle planification fut lancée qui donne aujourd'hui à la R. D. A. la 5ᵉ place en Europe et la 2ᵉ dans le monde socialiste. Le pays entretient cependant, depuis 1972, des relations diplomatiques et commerciales régulières avec la R. F. A. Depuis 1976, E. Honecker est le chef de l'État.

Rê ou **Râ** ■ Dieu du soleil dans l'ancienne Égypte, représenté avec un corps d'homme et une tête de faucon. Son culte était à Héliopolis (*Baalbek). La principale divinité avec *Amon.

l'île de **Ré** ■ Île du littoral atlantique (*Charente-Maritime). 10 300 hab. *(les Rétais).* Ostréiculture. Tourisme.

Charles **Reade** ■ Auteur dramatique et romancier *réaliste anglais (1814-1884). Surnommé le « Zola anglais ».

Reading ■ Ville du sud de l'Angleterre. 135 000 hab. Centre européen de météorologie.

Ronald **Reagan** ■ Homme d'État américain (né en 1911). Ancien acteur, il fut gouverneur de Californie. Élu président (républicain) des États-Unis en 1980, réélu en 1984.

le **réalisme**, *les* **réalistes** ■ Mouvement artistique et littéraire qui se développa dans la seconde moitié du XIXᵉ s. en réaction contre le *romantisme. Les réalistes choisissent leurs sujets dans la vie contemporaine et cherchent à reproduire la réalité le plus fidèlement possible. Courbet, Millet, peintres. Les Goncourt, Flaubert, Champfleury, Dickens, Gorki, écrivains. □ *le* **réalisme socialiste** désigne l'art officiel en U. R. S. S.

René Antoine Ferchault de **Réaumur** ■ Savant français (1683-1757). Il s'intéressa notamment aux sciences naturelles et aux métaux. *Échelle de Réaumur :* échelle thermométrique à 80 degrés.

Rébecca ■ Épouse d'Isaac dans la Bible.

Madame **Récamier** ■ Femme de lettres, amie de Mme de Staël et de Chateaubriand (1777-1849). Elle tint un salon littéraire célèbre sous la *Restauration.

Recht ■ Ville de l'Iran. 187 000 hab.

Recife ■ Ville du Brésil fondée par les Portugais, port sur l'Atlantique. 1,2 million d'hab.

Recklinghausen ■ Ville de R. F. A. dans la *Ruhr. 125 000 hab.

Élisée **Reclus** ■ Géographe français et théoricien de l'anarchisme (1830-1905). Il prit part à la *Commune. "*Géographie universelle*".

Odilon **Redon** ■ Peintre français (1840-1916). Il exploita différentes techniques (fusains, gravures, pastels) avec une inspiration fantastique.

Redon ■ Sous-préfecture d'*Ille-et-Vilaine. 10 800 hab. *(les Redonnais).*

la **Réforme** ■ Mouvement de réforme de l'Église catholique, qui aboutit v. 1530 à un schisme avec d'importantes conséquences politiques (⇒ **Allemagne, anglicanisme,** guerres de **Religion**), à la naissance des Églises réformées ou protestantes (⇒ **protestantisme**) et à la réaction de la *Contre-Réforme. Les Réformateurs (Luther, Calvin, Zwingli, Bucer) invitaient à une lecture directe de la Bible. Ils critiquaient le pape et sa hiérarchie, l'importance des cultes et des sacrements religieux.

la **Régence** ■ Période correspondant à la minorité de Louis XV (1715-1723), caractérisée par une réaction aux mœurs austères de la fin du règne de Louis XIV, dont témoignent par exemple les scènes galantes de *Watteau. Pour obtenir le pouvoir, le Régent (⇒ Philippe d'**Orléans**) dut ménager les Parlements et l'opposition aristocratique, qui ont paralysé les tentatives de réformes de ses successeurs (⇒ **Louis XV** et **Louis XVI**). Il eut cependant l'audace d'encourager *Law, et mena avec *Dubois une habile politique étrangère.

Regensburg ■ ⇒ **Ratisbonne.**

Max **Reger** ■ Compositeur allemand de tendance néo-classique (1873-1916).

Reggio di Calabria ou *Reggio de Calabre* ■ Ville du sud de l'Italie. 180 000 hab.

Reggio nell'Emilia ■ Ville d'Italie. 130 000 hab.

Regina ■ Ville du Canada, capitale de la *Saskatchewan. 150 000 hab. Raffinerie de pétrole.

Johannes Müller dit **Regiomontanus** ■ Astronome et mathématicien allemand (1436-1476).

Jean-François **Regnard** ■ Écrivain et auteur dramatique français (1655-1709). "*Le Légataire universel*" et "*le Joueur*", pièces qui annoncent *Marivaux. "*Voyage en Laponie*".

Jean-Baptiste **Regnault** ■ Peintre français (1754-1829). Il se voulut le rival de *David : sujets inspirés de l'Antiquité.

Mathurin **Régnier** ■ Poète français (1573-1613). Auteur de "*Satires*" vigoureuses contre la littérature et les mœurs de son temps.

Wilhelm **Reich** ■ Psychanalyste autrichien émigré aux États-Unis (1897-1957). Il a tenté la synthèse entre marxisme et psychanalyse.

Reichshoffen ■ Commune du Bas-*Rhin. 5 000 hab.

le **Reichstag** ■ Nom du Parlement allemand. Le bâtiment du Reichstag, à Berlin, fut détruit dans un incendie par les nazis en 1933.

Thomas Mayne dit *Captain Mayne* **Reid** ■ Écrivain anglais (1818-1883). Romans d'aventures. "*Le Cavalier sans tête*".

Theodor **Reik** ■ Psychanalyste autrichien naturalisé américain (1888-1969). Élève de *Freud.

Reims ■ Sous-préfecture de la *Marne. 184 000 hab. (*les Rémois*). Célèbre cathédrale gothique du XIIIᵉ s. Université. Industries liées à la fabrication du champagne. Métropole de la province de Gaule belgique en l'an 17, elle fut fortifiée par Philippe le Bel en 1295 ; la plupart des rois de France y furent sacrés.

Salomon **Reinach** ■ Archéologue et philologue français (1858-1932). Histoire des religions.

Django **Reinhardt** ■ Guitariste de jazz français d'origine gitane (1910-1953). "*Nuages*".

Max **Reinhardt** ■ Metteur en scène et directeur de théâtre autrichien (1873-1943).

Mikołaj **Rej** ■ Écrivain polonais (1505-1569). Le premier à avoir écrit exclusivement dans la langue nationale.

Le **Relecq-Kerhuon** ■ Commune du *Finistère. 10 000 hab.

les guerres de **Religion** ■ Guerre civile qui opposa en France catholiques et protestants, marquée par une succession de conflits entre 1562 et 1598. Elle se compliqua d'enjeux diplomatiques et politiques : les protestants (*Coligny) soutenaient les Pays-Bas et l'Espagne était l'alliée de la *Ligue. La monarchie hésitait entre la répression (massacre de la *Saint-Barthélemy, 1572) et la conciliation avec les protestants, pour réduire l'influence du parti ultracatholique des *Guise. Dans un pays lassé et dévasté par la guerre, l'hostilité envers l'ingérence espagnole dans les affaires françaises l'emporta sur le fanatisme religieux. Henri IV mit fin au conflit par l'édit de *Nantes (1598). Le pouvoir royal sortit renforcé de la crise et évolua vers l'absolutisme.

Erich Maria **Remarque** ■ Romancier allemand naturalisé américain (1898-1970). "*À l'Ouest rien de nouveau*", roman sur l'horreur de la Première Guerre mondiale.

Harmenszoon van Rijn dit **Rembrandt** ■ Peintre, dessinateur et graveur hollandais (1606-1669). La force de ses tableaux, d'inspiration souvent biblique, s'explique par le traitement du mouvement et de la lumière qui met en valeur les parties essentielles de la toile. "*L'Adoration des bergers*" ; "*la Ronde de nuit*" ; "*les Pèlerins d'Emmaüs*".

saint **Remi** ■ Évêque de Reims qui convertit *Clovis (v. 437 - v. 530).

Remiremont ■ Commune des *Vosges. 11 000 hab. (*les Romarimontains*).

Alexeï **Remizov** ■ Romancier et conteur russe émigré à Paris (1877-1957). "*Les Yeux tondus*".

Remscheid ■ Ville de R. F. A. dans la *Ruhr. 130 000 hab.

Remus ■ Dans la légende romaine, frère de *Romulus qui le tua.

Jean Pierre Abel **Rémusat** ■ Sinologue français (1788-1832).

la **Renaissance** ■ Vaste mouvement culturel dans l'Europe des XVᵉ et XVIᵉ s. Les élites de cette époque avaient conscience de vivre une seconde naissance de la civilisation, après l'intermède du « Moyen Âge » qui les séparait de l'Antiquité. Les Florentins, Dante en littérature, Cimabue et Giotto en peinture, avaient amorcé ce retour aux valeurs grecques et romaines. Les maîtres du *Quattrocento* (XVᵉ s.) furent Botticelli, Piero della Francesca, Mantegna, les sculpteurs Ghiberti et Donatello. Vinrent ensuite Bramante, Léonard de Vinci, Raphaël, Michel-Ange, enfin les *maniéristes. L'école *flamande, le travail érudit des *humanistes (encouragé par l'invention de l'imprimerie), l'art de Dürer et Cranach en Allemagne, de Holbein en Angleterre, le succès de la *Réforme sont autant de manifestations de ce renouveau au XVIᵉ s., qu'illustrent en France l'école de *Fontainebleau, les écrivains Rabelais, Ronsard, Montaigne. La Renaissance se caractérise par une curiosité universelle, un sens nouveau de la beauté du monde et de la valeur de l'homme, l'amour des lettres, des arts et des sciences. Elle marque le début des *Temps modernes*.

Ernest **Renan** ■ Écrivain français (1823-1892). Rationaliste, historien des religions ("*la Vie de Jésus*"), spécialiste des langues sémitiques. Auteur de "*Souvenirs d'enfance et de jeunesse*", notables par leur poésie.

Jules **Renard** ■ Écrivain français au style économe, à la fois cruel et drôle (1864-1910). "*Poil de carotte*" ; "*Histoires naturelles*".

Madeleine **Renaud** ■ Actrice française (née en 1900). Fondatrice avec Jean-Louis Barrault, son mari, de la *compagnie Renaud-Barrault*.

Théophraste **Renaudot** ■ Médecin français, fondateur de la presse en France avec la création de "*la Gazette de France*" (1586-1653). Le *prix Renaudot* est un prix littéraire fondé en 1925.

Louis **Renault** ■ Ingénieur français, pionnier de l'industrie automobile (1877-1944). Ses usines furent nationalisées en 1945.

René Iᵉʳ le Bon dit *le bon roi René* ■ Duc de Bar, de Lorraine et d'Anjou, comte de Provence, roi de Naples de 1438 à 1442, mécène et poète (1409-1480).

Guido **Reni** dit *le Guide* ■ Peintre italien (1575-1642). Œuvre d'une grande inspiration lyrique, vouée au culte de la beauté et de la grâce. Sujets religieux et mythologiques.

Rennes ■ Préfecture de l'*Ille-et-Vilaine. 206 000 hab. (*les Rennais*). Université. Centre administratif et commercial. Région agricole. Industries automobile et électronique. Capitale de la Bretagne au XIᵉ s., rivale de *Nantes, la ville fut reconstruite au XVIIIᵉ s. après un incendie.

Reno ■ Ville des États-Unis (*Nevada). 100 000 hab. Connue pour ses lois très libérales, qui facilitent mariages et divorces. Tourisme, casinos, spectacles.

Auguste **Renoir** ■ Peintre français (1841-1919). L'un des grands maîtres de l'*impressionnisme. Il traite avec prédilection la figure humaine, donnant dans ses scènes populaires (*"le Moulin de la galette"*) et ses scènes bourgeoises (*"le Bal à la ville"*) une vision insouciante de la société de son temps. *"Les Baigneuses"* aux formes sensuelles célèbrent son plaisir de peindre. □ *Jean* **Renoir** (1894-1979), son fils. Cinéaste français. *"La Bête humaine"* ; *"la Grande Illusion"*.

La **Réole** ■ Commune de la *Gironde. 5 100 hab. *(les Réolais).*

Ilya **Répine** ■ Peintre russe (1844-1930). Nombreux portraits et œuvres à caractère historique ou social.

le parti **républicain** ■ Un des deux grands partis des États-Unis, fondé en 1854. Lincoln, Nixon et Reagan sont trois présidents républicains.

la **République française,** *régime politique de la France.* □ *la Première* **République** (1792-1804). ⇒ **Révolution française** et **Consulat.** □ *la Deuxième* **République** (1848-1852). Proclamée par les auteurs de la *Révolution de 1848, elle mit fin à la *monarchie de Juillet. On appela « quarante-huitards » les socialistes du gouvernement provisoire. Après la répression de l'agitation populaire par *Cavaignac (juin 1848), le *parti de l'Ordre* domina la vie politique. Son candidat Louis-Napoléon Bonaparte fut élu président de la République (10 décembre 1848). Le coup d'État du 2 décembre 1851 lui permit de renforcer l'exécutif, puis de rétablir l'Empire (2 décembre 1852) et de prendre le nom de *Napoléon III. □ *la Troisième* **République** (1870-1940). Instaurée par le gouvernement de *Défense nationale après la défaite de Napoléon III face à la Prusse, elle dut réprimer la *Commune et affronter une opinion qui n'était pas encore acquise à l'idée républicaine, qu'elle sut progressivement imposer au pays. ⇒ **France.** Elle prit fin avec le vote des pleins pouvoirs au maréchal *Pétain. □ *la Quatrième* **République** (1944-1958) succéda au G. P. R. F. et prit fin avec le retour au pouvoir du général de *Gaulle. ⇒ **France.** □ *la Cinquième* **République** (depuis 1958). ⇒ **France.**

la **Résistance** ■ Pendant la Seconde Guerre mondiale, ensemble des actions que les habitants des pays occupés menèrent contre l'occupation nazie et les autorités qui acceptaient de collaborer avec Hitler. En France, il y avait la résistance extérieure de la *France libre* (général de *Gaulle) avec les *Forces françaises libres* (F. F. L.) et la résistance intérieure, où s'illustrèrent notamment le parti communiste et ses *Francs Tireurs et Partisans* (F. T. P.), intégrés en 1944 aux *Forces françaises de l'intérieur* (F. F. I.). L'unification se fit autour de de Gaulle grâce à Jean *Moulin, au Conseil national de la Résistance (C. N. R.), puis au *G. P. R. F.

Resistencia ■ Ville d'Argentine. 117 000 hab.

Alain **Resnais** ■ Cinéaste français (né en 1922). *"Hiroshima mon amour"* ; *"l'Année dernière à Marienbad"*.

Ottorino **Respighi** ■ Compositeur italien (1879-1936).

la **Restauration** ■ Période de l'histoire de France qui correspond à une restauration de la monarchie après la Révolution et l'Empire. La *Première Restauration* va de la chute du Iᵉʳ Empire aux *Cent-Jours (1814-1815). La *Seconde Restauration* va de la fin des Cent-Jours à la révolution de juillet 1830. Par la charte de 1814, Louis XVIII instaura la monarchie constitutionnelle, voulant préserver l'unité de la

nation. Mais la réaction des *Ultras domina la vie politique à partir de 1820, et plus encore après l'avènement de Charles X (1824). Le durcissement du régime provoqua sa chute, au bénéfice de Louis-Philippe.

Nicolas **Restif de la Bretonne** ■ Écrivain français (1734-1806). Il a décrit son époque avec verve et réalisme.

Rethel ■ Sous-préfecture des *Ardennes. 9 100 hab. *(les Rethélois).*

Rethondes ■ Commune de l'*Oise où furent signés les armistices du 11 novembre 1918 et du 22 juin 1940 entre l'Allemagne et les Alliés.

Paul de Gondi cardinal de **Retz** ■ Prélat, homme politique et écrivain français (1613-1679). Ses *"Mémoires"*, d'un style remarquable, sont un précieux témoignage sur la *Fronde.

l'île de la **Réunion** autrefois *île Bourbon* [974] ■ Département français d'outre-mer depuis 1946, île de l'océan Indien, à l'est de Madagascar. 2 512 km². 516 000 hab. *(les Réunionnais),* concentrés sur le littoral. Préfecture : Saint-Denis. Sous-préfectures : Saint-Benoît, Saint-Paul, Saint-Pierre. Langues : français, créole. Climat tropical. Économie agricole (canne à sucre). Découverte par les Portugais en 1528, possession française en 1638, l'île a une population très mélangée : descendants des esclaves noirs et des colons blancs, Indiens et Chinois, métis.

Revel ■ Commune de la Haute-*Garonne. 7 300 hab. *(les Revélois).*

Pierre **Reverdy** ■ Poète français (1889-1960). Avec Apollinaire et Max Jacob, un des initiateurs de la poésie moderne et du *surréalisme. *"Plupart du temps"*.

Revin ■ Commune des *Ardennes. 10 000 hab.

la **révolution culturelle chinoise** ■ Vaste mouvement de masse (1965-1969) lancé par Mao Zedong afin de lutter contre la formation d'une bureaucratie sclérosée. Les partisans maoïstes (Gardes rouges) lui donnèrent une ampleur telle que cette remise en cause menaça de désorganiser totalement le pays.

la **Révolution française** ■ Période de l'histoire de France allant de la réunion des *états généraux par Louis XVI au *Consulat (1789-1799). En 1789, une série d'événements (prise de la *Bastille, nuit du 4 *août, Déclaration des *droits de l'homme et du citoyen...) mirent fin à la monarchie absolue. De 1789 à 1791, la *Constituante mit en place la monarchie constitutionnelle. Mais la confiance dans le nouveau régime fut ébranlée, avant même l'élection de l'*Assemblée législative, par la fuite du roi (20 juin 1791). La déclaration de guerre à l'Europe (20 avril 1792), puis la chute du roi (insurrection de la *Commune de Paris, 10 août 1792) obligèrent à réunir la *Convention. L'abolition de la royauté (21 septembre 1792) marqua les débuts de la Iʳᵉ République. L'exécution de Louis XVI (21 janvier 1793), les soulèvements en *Vendée, la poursuite de la guerre et la pression des *sans-culottes provoquèrent la chute des *Girondins (2 juin 1793) et l'instauration de la *Terreur par les *Montagnards. Le gouvernement révolutionnaire prit fin le 9 *Thermidor (27 juillet 1794) avec l'élimination de *Robespierre. La Convention thermidorienne voulut instaurer un gouvernement modéré : le *Directoire (octobre 1795). Mais la double opposition des royalistes et des *Jacobins le rendait fragile. Les chefs militaires, qui organisaient des « républiques-sœurs » aux frontières, prenaient de plus en plus d'importance. Par le coup d'État du

18 *Brumaire (9 novembre 1799), le général Bonaparte instaura un pouvoir fort : le *Consulat.

la *révolution française de 1830* ■ Insurrection populaire des 27, 28 et 29 juillet 1830 à Paris (« les Trois Glorieuses »). Elle provoqua l'abdication de Charles X et permit l'avènement de Louis-Philippe.

la *révolution française de 1848* ■ Insurrection des 22, 23 et 24 février 1848. Elle mit fin à la *monarchie de Juillet (règne de Louis-Philippe) et marqua le début de la IIe République. □ *les révolutions de 1848,* mouvements nationalistes qui éclatèrent en Europe en 1848. Ils furent durement réprimés, mais préparèrent la naissance de nouveaux États (Italie, Allemagne, Hongrie...).

la *révolution russe de 1905* ■ Première révolution « démocratique bourgeoise » en Russie. Elle échoua dans sa tentative d'instaurer la monarchie parlementaire.

la *révolution russe de 1917* ■ Mouvement révolutionnaire qui donna naissance au régime soviétique. En février, la seconde révolution « démocratique bourgeoise » (⇒ **révolution russe de 1905**) conduisit à l'abdication du tsar Nicolas II. Puis la *révolution d'octobre* porta le parti bolchevik (tendance la plus radicale des socialistes) au pouvoir. Son chef *Lénine instaura la « dictature du prolétariat » en Russie. Le régime s'étendit progressivement aux autres régions de l'empire, créant des républiques, et aboutissant en 1922 à la proclamation de l'Union des républiques socialistes soviétiques (*U. R. S. S.).

Louis *Reybaud* ■ Écrivain français (1799-1879). "*Jérôme Paturot à la recherche d'une position sociale*".

Reykjavik ■ Ville principale et capitale de l'Islande. 87 000 hab. Fondée par les *Vikings au sud de l'île en 875. Port de pêche. Centre industriel.

Władysław Stanisław *Reymont* ■ Romancier polonais (1868-1925). Prix Nobel 1924. "*Les Paysans*".

Émile *Reynaud* ■ Inventeur et dessinateur français, pionnier du dessin animé (1844-1918).

Paul *Reynaud* ■ Homme politique français (1878-1966). Président (centre-droit) du Conseil (1940), opposé à l'armistice, il céda la place à *Pétain.

sir *Joshua Reynolds* ■ Peintre anglais (1723-1792). Portraitiste favori de la haute société britannique.

Reynosa ■ Ville du nord du Mexique. 220 000 hab.

Rezé ■ Commune de *Loire-Atlantique, faubourg industriel de Nantes. 36 000 hab.

la *R. F. A., République fédérale d'Allemagne* ou *Allemagne de l'Ouest,* en allemand *Bundesrepublik Deutschland* ■ État d'Europe centrale constitué de dix États (en allemand *länder*) fédérés. 249 147 km². 61 millions d'hab. Capitale : Bonn. Première puissance économique européenne, la R. F. A. doit son rang à la production d'acier et aux industries mécanique (automobile, machines-outils), chimique, électrique et électronique, ainsi qu'à l'efficacité de son commerce (trafic portuaire d'*Hambourg). □**HISTOIRE.** Une fois imposée la scission de l'Allemagne en deux États, les hommes politiques de R. F. A. (Adenauer, Erhard) réussirent, avec l'aide américaine, le « miracle allemand » : redressement économique, intégration au monde occidental (*O. T. A. N, 1955), participation à la construction d'une Europe supranationale, réconciliation francoallemande (1963). Ce n'est qu'en 1972 que la R. F. A. reconnut la souveraineté de la *R. D. A., le chancelier Willy *Brandt amorçant une politique de détente

(Ostpolitik) poursuivie par son successeur Helmut *Schmidt. À la différence de ses prédécesseurs, sociaux-démocrates, le chancelier Helmut Kohl, élu en 1982, est chrétien-démocrate.

Rhéa ■ Épouse de Cronos et mère de Zeus dans la mythologie grecque.

le *massif schisteux rhénan* ■ Ensemble de plateaux de l'ère primaire, situés de part et d'autre du Rhin en R. F. A. Forêts, vignobles.

la *Rhénanie* ■ Ancienne région d'Allemagne située de part et d'autre du Rhin. Prospère au XIVe s. avec l'essor de ses cités (Heidelberg, Mayence, Strasbourg). Foyer de la *Réforme, pénétrée par la culture française (XVIIe - XVIIIe s.), elle fut démilitarisée et occupée par les Alliés (traité de *Versailles, 1919). Remilitarisée par Hitler (1936), elle fut divisée, en 1946, entre les États de Rhénanie-Westphalie, Rhénanie-Palatinat et Sarre. □ *la Rhénanie-Palatinat,* État de R. F. A. 19 847 km². 3,6 millions d'hab. Capitale : Mayence. Vins du Rhin réputés. Tourisme. □ *la Rhénanie-Westphalie,* État le plus peuplé de R. F. A. 34 068 km². 17,3 millions d'hab. Capitale : Düsseldorf. Pièce maîtresse de l'économie de la R. F. A. avec une agriculture riche et, surtout, une industrie puissante dans le bassin houiller de la *Ruhr.

Rheydt ■ Ville de la R. F. A., dans la Ruhr. 102 000 hab.

Constantin *Rhigas* ■ Patriote et poète grec (1757-1798).

le *Rhin* ■ Fleuve d'Europe occidentale. Né dans les Alpes suisses, il se jette dans la mer du Nord par quatre bras à la hauteur de Rotterdam. 1 320 km. Régime alpin jusqu'au lac de Constance, puis régulier à partir de Bâle. Il marque la frontière entre la France et la R. F. A. et joue un grand rôle économique. C'est la plus importante voie navigable de l'Europe occidentale (transport de houille et d'autres matières premières) pourvue d'aménagements hydroélectriques. *Duisbourg est le premier port fluvial du monde. ⇒ massif schisteux **rhénan, Rhénanie.** □ *le Bas-Rhin* [67], département français de la région *Alsace. 4 786 km². 915 000 hab. Préfecture : Strasbourg. Sous-préfectures : Haguenau, Molsheim, Saverne, Sélestat, Wissembourg. □ *le Haut-Rhin* [68], département français de la région Alsace. 3 508 km². 597 000 hab. Préfecture : Colmar. Sous-préfectures : Altkirch, Guebwiller, Mulhouse, Ribeauvillé, Thann.

le *sillon* ou *couloir rhodanien* ■ Région où coule le Rhône, située entre le Massif central et les Alpes.

le *Rhode Island* ■ Le plus petit État des États-Unis. 3 233 km². 950 000 hab. Capitale : Providence. Ancien centre de pêche à la baleine.

Rhodes ■ Île grecque de la mer Egée (*Dodécanèse). 1 488 km². 66 000 hab. *Rhodes,* chef-lieu de l'île de Rhodes, port fondé en 408 av. J.-C., très prospère dans l'Antiquité. Le *colosse de Rhodes,* une des Sept Merveilles du monde, s'élevait à l'entrée du port.

Cecil *Rhodes* ■ Administrateur colonial et homme d'affaires britannique (1853-1902). Il voulut faire du sud de l'Afrique un empire britannique. Il laissa son nom à la *Rhodésie* (aujourd'hui la Zambie, le Malawi et le Zimbabwe).

la *Rhodésie* ■ ⇒ Cecil **Rhodes, Zambie, Zimbabwe.**

le *Rhône* ■ Fleuve de France et de Suisse, le plus puissant des fleuves français. 812 km. Il se jette dans la Méditerranée en formant un delta, la *Camargue. Principal affluent : la Saône (qui conflue à Lyon). Son régime est complexe, son cours rapide. La Compagnie nationale du Rhône a fait des travaux pour faciliter la navigation et irriguer les plaines du Languedoc. Vignobles sur les coteaux de la vallée : les *côtes du Rhône*. □ le *Rhône* [69], département français de la région *Rhône-Alpes. 3 249 km². 1,5 million d'hab. Préfecture : Lyon. Sous-préfecture : Villefranche-sur-Saône. □ *Rhône-Alpes,* région administrative et économique du sud-est de la France, la seconde par la population et la superficie. Huit départements : Ain, Ardèche, Drôme, Isère, Loire, Rhône, Savoie et Haute-Savoie. 43 698 km². 5,1 millions d'hab. Préfecture : Lyon. Grand essor industriel lié à sa situation de carrefour et à l'abondante production d'électricité (provenant du Rhône et des Alpes) : textile, chimie, électronique autour de Lyon ; métallurgie dans le bassin de la Loire. Tourisme avec les sports d'hiver dans les Alpes. Élevage, fruits et vignobles dans la vallée du Rhône.

Riazan' ■ Ville d'U. R. S. S. (*Russie). 442 000 hab. Centre culturel et économique. Monuments (XVIe - XVIIe s.).

Joachim von Ribbentrop ■ Homme politique allemand (1893-1946). Ministre des affaires étrangères du IIIe Reich (nazi) de 1938 à 1945. Condamné à *Nuremberg et exécuté.

Ribeauvillé ■ Sous-préfecture du Haut-*Rhin. 4 600 hab. *(les Ribeauvilléens).*

José de Ribera ■ Peintre espagnol (1591-1652). Œuvres religieuses et mythologiques très expressives. Ses modèles sont aussi des gens misérables ou étranges ("*la Femme à barbe*").

Théodule Ribot ■ Philosophe et psychologue français (1839-1916).

La Ricamarie ■ Commune de la *Loire. 104 000 hab.

David Ricardo ■ Financier et économiste anglais (1772-1823). Son analyse classique de la production, favorable au libéralisme, a eu une grande influence, notamment sur Marx.

Luigi Riccoboni ■ Homme de théâtre italien (v. 1675-1753). Installé en France, il y rénova la comédie italienne et influença Marivaux.

Richard ■ NOM DE TROIS ROIS D'ANGLETERRE □ *Richard Ier Cœur de Lion* (1157-1199), fils d'Henri II et d'Aliénor d'Aquitaine, régna de 1189 à sa mort. Il se distingua à la IIIe *croisade. Il lutta contre son frère *Jean sans Terre et contre Philippe-Auguste. □ *Richard II* (1367-1400), fils du *Prince Noir, monta sur le trône en 1377 et tenta d'instaurer l'absolutisme. □ *Richard III* (1452-1485) régna à partir de 1483. Sa vie criminelle, qui le rendit très impopulaire, et sa forte personnalité inspirèrent Shakespeare.

Samuel Richardson ■ Écrivain anglais (1689-1761). Ses romans épistolaires eurent un grand succès en France, auprès de Diderot notamment. "*Clarisse Harlowe*".

La Riche ■ Commune d'*Indre-et-Loire, près de Tours. 7 200 hab. Château de Plessis-lez-Tours.

César Pierre Richelet ■ Lexicographe français (v. 1631-1698). Auteur d'un "*Dictionnaire français*" (1680).

Armand Jean du Plessis cardinal de Richelieu ■ Prélat et homme d'État français (1585-1642). Ministre de Louis XIII de 1624 à sa mort. Mazarin

lui succéda. Son action fut décisive : réduire les oppositions intérieures au pouvoir royal (protestants, grande noblesse) ; assurer l'indépendance de la France par une politique extérieure offensive (guerre de *Trente Ans) ; réorganiser l'administration et la fiscalité, obtenir du pays le maximum de richesses, au prix même de la misère du peuple ; protéger, voire diriger la culture (création de l'*Académie française, 1635). □ le *maréchal de Richelieu* (1696-1788), son petit-neveu, grand seigneur spirituel, libertin et élégant, très représentatif de son siècle. □ le *duc de Richelieu* (1766-1822), petit-fils du précédent, ministre de Louis XVIII.

Jean Richepin ■ Écrivain français (1849-1926). Romans populaires, poèmes à la langue argotique. "*La Chanson des gueux*".

Germaine Richier ■ Sculptrice française (1904-1959). Œuvres expressives, qui mêlent le grotesque et le tragique.

Ligier Richier ■ Sculpteur français d'inspiration à la fois tragique et profondément religieuse (v. 1500 - 1567).

Richmond ou *Richmond-upon-Thames* ■ Ville d'Angleterre dans l'agglomération londonienne. 173 000 hab.

Richmond ■ Ville des États-Unis, capitale de la *Virginie. 219 000 hab. Pendant la guerre de *Sécession, les sudistes en firent leur capitale. Monuments (capitole).

Charles Francis Richter ■ Sismologue américain (1900-1985). *Échelle de Richter :* échelle de mesure des séismes.

Jeremias Benjamin Richter ■ Chimiste allemand (1762-1807). Il généralisa la notion des proportions (« stœchiométrie »).

Johann Paul Richter dit *Jean-Paul* ■ Écrivain *romantique allemand (1763-1825). Il explore le monde des rêves.

Paul Ricœur ■ Philosophe français (né en 1913). Essais d'herméneutique (philosophie de l'interprétation).

Jehan Rictus ■ Poète français (1867-1933). Auteur de poèmes en argot.

Riedisheim ■ Commune du Haut-*Rhin. 12 200 hab.

Leni Riefenstahl ■ Actrice, photographe et cinéaste allemande (née en 1902). "*Les Dieux du stade*", film à la gloire des Jeux olympiques organisés par les nazis à Berlin en 1936.

Louis Riel ■ Révolutionnaire canadien (1844-1885). Métis indien, il forma un gouvernement contre le pouvoir blanc. Il fut vaincu et pendu.

Bernhard Riemann ■ Mathématicien allemand (1826-1866), élève de *Gauss. Il a donné à la géométrie non euclidienne un développement sans précédent, fondé la géométrie différentielle et introduit la topologie en analyse *(surfaces de Riemann).*

Tilman Riemenschneider ■ Sculpteur allemand (v. 1460-1531). Nombreux retables.

le *Rif* ■ Arc montagneux du nord du Maroc (hab. : les *Rifains*). Ancien territoire du *Maroc espagnol. Foyer nationaliste au début du XXe s. (⇒ **Abd el-Krim**).

Riga ■ Ville et port d'U. R. S. S., capitale de la *Lettonie. 876 000 hab. Le plus grand centre culturel des pays baltes.

Hyacinthe **Rigaud** ■ Peintre français (1659-1743). Portraits de cour somptueux. *"Louis XIV"*.

Rijeka en italien *Fiume* ■ Ville et port de Yougoslavie (Croatie). 133 000 hab. Elle appartint à l'Italie entre 1920 et 1947.

Rainer Maria **Rilke** ■ Écrivain autrichien (1875-1926). Le sentiment de la difficulté de vivre domine ses poèmes *("Élégies")*. Importante correspondance *("Lettres à un jeune poète")*.

Rillieux ■ Commune du *Rhône. 31 000 hab.

Arthur **Rimbaud** ■ Poète français (1854-1891). Son génie précoce, sa révolte sociale et morale ont fait de lui un mythe. Il définit le poète comme « voyant ». Il fut considéré comme un précurseur par les surréalistes. *"Poésies"* ; *"Une saison en enfer"* ; *"les Illuminations"*.

Rimini ■ Ville d'Italie en Émilie. 127 000 hab. Station balnéaire sur l'Adriatique.

Nikolaï **Rimski-Korsakov** ■ Compositeur russe (1844-1908). Grand maître de l'orchestration, il est l'auteur d'œuvres symphoniques colorées *("Schéhérazade")* et d'opéras *("le Coq d'or")*.

Rio de Janeiro ■ Ville et port du Brésil. 5 millions d'hab. 2e centre industriel et commercial du pays. Tourisme : site montagneux (Pain de sucre, mont Corcovado), plages (Copacabana, Iparema), célèbre carnaval.

Riom ■ Sous-préfecture du *Puy-de-Dôme. 18 000 hab. *(les Riomois).* ► *le procès de Riom* fut organisé par le gouvernement de *Vichy pour juger les responsables présumés de la défaite de 1940 (Blum, Daladier, Gamelin), mais il tourna au désavantage de Pétain et fut interrompu (1942).

Jean-Paul **Riopelle** ■ Peintre et sculpteur canadien (né en 1923). Œuvre abstraite, puissamment rythmée et structurée.

Riorges ■ Commune de la *Loire. 9 000 hab.

Riquewihr ■ Commune du Haut-*Rhin. 1 200 hab. Maisons alsaciennes typiques. Vins blancs.

Ris-Orangis ■ Commune de l'*Essonne. 27 000 hab. *(les Rissois).*

le **Risorgimento** ■ Terme italien signifiant « Renaissance » ou « Résurrection ». Mouvement patriotique d'indépendance et d'unification de l'Italie au XIXe s. ⇒ **Garibaldi, Mazzini, Cavour.**

Yannis **Ritsos** ■ Poète grec (né en 1909). *"Hélène"*.

Karl **Ritter** ■ Géographe allemand, un des pères de la géographie moderne (1779-1859).

le comte de **Rivarol** ■ Écrivain français, polémiste royaliste (1753-1801). *"Discours sur l'universalité de la langue française"*.

le duc de **Rivas** ■ Homme politique et écrivain espagnol (1791-1865). *"La Force du destin"*, drame romantique.

Rive-de-Gier ■ Commune de la *Loire. 16 000 hab. *(les Ripagériens).*

Diego **Rivera** ■ Peintre mexicain, auteur de décorations murales d'inspiration sociale et populaire (1886-1957).

Rives ■ Commune de l'*Isère. 5 000 hab. *(les Rivois).*

Rivesaltes ■ Commune des *Pyrénées-Orientales. 6 700 hab. *(les Rivesaltais).* Vins.

la **Riviera** ■ « Le littoral », nom donné au littoral italien du golfe de Gênes, et parfois à la *côte d'Azur.

Jacques **Rivière** ■ Écrivain français (1886-1925). Directeur de *"la Nouvelle Revue française"* de 1919 à sa mort.

Rivière-Pilote ■ Commune de la *Martinique. 12 000 hab.

Rivière-Salée ■ Commune de la *Martinique. 6 700 hab.

Rivoli ■ Localité d'Italie. Bonaparte y battit les Autrichiens en janvier 1797.

Rixheim ■ Commune du Haut-*Rhin. 10 900 hab.

Riyad ■ Capitale de l'Arabie Saoudite, dans une oasis. 1 million d'hab. Raffineries de pétrole, industries alimentaires.

Rizāh Shāh ■ Shah d'Iran de 1925 à 1941 (1878-1944). Il voulut faire de la Perse, devenue l'Iran en 1935, un pays moderne. Père de *Muhammad Rizāh Shāh. ⇒ les **Pahlavi.**

Rizal ■ Ville des Philippines (île de *Luçon). 187 000 hab.

Roanne ■ Sous-préfecture de la *Loire. 57 000 hab. *(les Roannais).* Important centre textile.

Alain **Robbe-Grillet** ■ Écrivain et cinéaste français, chef de file du nouveau roman (né en 1922). *"Les Gommes"* ; *"le Voyeur"* ; *"la Jalousie"* ; *"Dans le labyrinthe"*.

Robert ■ NOM DE PLUSIEURS SOUVERAINS EUROPÉENS. **1.** rois de FRANCE □ *Robert Ier* (v. 865 - 923), fils de Robert le Fort, frère d'Eudes. □ *Robert II le Pieux* (v. 970-1031), fils d'Hugues Capet. **2.** ducs de NORMANDIE □ *Robert Ier le Magnifique* (mort en 1035), père de *Guillaume le Conquérant. Il a été confondu avec le légendaire *Robert le Diable.* □ *Robert II Courteheuse* (v. 1054-1134), fils de Guillaume le Conquérant.

Le **Robert** ■ Commune de la *Martinique. 15 400 hab.

Hubert **Robert** ■ Peintre français qui travailla en Italie (1733-1808). Il mit à la mode la peinture de ruines. *"La Grande Galerie du Louvre en ruine"*.

Paul **Robert** ■ Lexicographe et éditeur français (1910-1980).

saint **Robert Bellarmin** ■ Cardinal italien (1542-1621), jésuite, théologien, champion de la *Contre-Réforme.

Robert d'Arbrissel ■ Moine breton qui fonda l'abbaye de *Fontevrault (v. 1045 - 1116).

Jean Eugène **Robert-Houdin** ■ Prestidigitateur français (1805-1871). Il écrivit des ouvrages d'initiation à la prestidigitation. *"Comment on devient sorcier"*.

Robert le Fort ■ Comte franc (mort en 866), ancêtre des Capétiens. Père des *Robertiens :* *Eudes et *Robert Ier.

Ercole de' Roberti ■ Peintre italien de Ferrare (v. 1450-1496).

Gilles Personne de **Roberval** ■ Mathématicien et physicien français (1602-1675). Il mit au point la *balance de Roberval*.

Maximilien de **Robespierre** ■ Révolutionnaire français (1758-1794). Chef des Montagnards, il évinça les Girondins de la *Convention et voulut instaurer par la *Terreur la démocratie, la vertu et le culte de l'Être suprême. Membre du *Comité de salut public, renversé le 9 *Thermidor et guillotiné.

Robinson Crusoé ■ ⇒ Daniel **Defoe.**

Rocamadour ■ Commune du *Lot. Site pittoresque, très touristique. Pèlerinage à la Vierge noire.

Michel **Rocard** ■ Homme politique français (né en 1930). Ministre (socialiste) de 1981 à 1985. Premier ministre depuis 1988.

saint **Roch** ■ Sa vie (xɪvᵉ s.) est l'objet de légendes. On l'invoque contre la peste.

le comte de **Rochambeau** ■ Maréchal de France (1725-1807). ⇒ guerre d'**Indépendance américaine.**

Rochechouart ■ Sous-préfecture de la Haute-*Vienne. 4 000 hab. *(les Rochechouartais).*

Henri **Rochefort** ■ Journaliste français (1831-1913). Brillant pamphlétaire de *"la Lanterne"* contre Napoléon III.

Rochefort ■ Sous-préfecture de la *Charente-Maritime. 27 700 hab. *(les Rochefortais).* Port de guerre fortifié par Vauban au xvɪɪᵉ s.

Roche-la-Molière ■ Commune de la *Loire. 9 200 hab.

La **Rochelle** ■ Préfecture de la *Charente-Maritime. 78 200 hab. *(les Rochelais).* Port de pêche et de commerce. Grande prospérité du xɪvᵉ au xvɪɪᵉ s. (échanges avec l'Amérique). Bastion protestant détruit par *Richelieu après un long siège en 1628.

Rochester ■ Ville des États-Unis (État de *New York). 241 700 hab. Photographie, optique.

La **Roche-sur-Foron** ■ Commune de Haute-*Savoie. 7 400 hab. *(les Rochois).*

La **Roche-sur-Yon** ■ Préfecture de la *Vendée. 48 100 hab. *(les Yonnais).* Ville créée par Napoléon en 1804 après les guerres de *Vendée.

Waldeck **Rochet** ■ Homme politique français (1905-1983). Secrétaire général du Parti communiste de 1964 à 1972.

les montagnes **Rocheuses** ■ Chaîne montagneuse à l'ouest de l'Amérique du Nord, qui s'étend du Mexique à l'Alaska.

John Davison **Rockefeller** ■ Industriel américain (1839-1937). La réussite de sa *Standard Oil Company* et son activité philanthropique en ont fait un symbole du capitalisme.

le **rococo** ■ Style artistique dérivé du *baroque qui se répandit en Europe au xvɪɪɪᵉ s., caractérisé par l'exubérance et la préciosité.

Rocroi ■ Commune des *Ardennes. Dans une célèbre bataille, *Condé y écrasa les Espagnols en 1643.

Georges **Rodenbach** ■ Écrivain belge d'expression française (1855-1898). *"Vies encloses",* poèmes ; *"Bruges-la-Morte",* roman.

Rodez ■ Préfecture de l'*Aveyron. 26 300 hab. *(les Ruthénois).* Ancienne ville gauloise, occupée par les Romains, elle fut une cité importante au Moyen Âge. Cathédrale (xɪɪɪᵉ - xvᵉ s.).

Auguste **Rodin** ■ Sculpteur français (1840-1917). Tempérament indépendant, il domina la sculpture de son temps. Il donna aux figures humaines un réalisme (nu de *"l'Âge d'airain"*) et une expressivité (portrait de Balzac ; groupe des *"Bourgeois de Calais"*) encore

jamais atteints. Projet monumental de *"la Porte de l'Enfer"* (inachevé), dont *"le Penseur"* et *"le Baiser"* sont des motifs exécutés isolément.

Rodolphe Iᵉʳ de Habsbourg ■ Empereur germanique de 1273 à sa mort (1218-1291). Il renforça la puissance des *Habsbourg par ses conquêtes.

Rodolphe de Habsbourg ■ Unique héritier de l'empire d'Autriche (1858-1889), fils de François-Joseph. Il se suicida avec sa maîtresse dans le pavillon de chasse de *Mayerling.

Rognac ■ Commune des *Bouches-du-Rhône. 9 300 hab.

Édouard prince de **Rohan** ■ Grand aumônier de France, évêque de Strasbourg, cardinal (1734-1803). ⇒ l'affaire du **Collier.**

Geza **Roheim** ■ Anthropologue et psychanalyste hongrois naturalisé américain (1891-1953).

Ernst **Röhm** ■ Officier allemand (1887-1934). Commandant des *S. A. Considéré comme gênant par Hitler, il fut éliminé avec ses hommes lors de la « Nuit des longs couteaux ».

Eric **Rohmer** ■ Cinéaste français (né en 1920). Série des *"Contes moraux"* et des *"Comédies et proverbes".*

le **Roi-Soleil** ■ Surnom de *Louis XIV.

Roissy ■ Commune de *Seine-et-Marne. 15 300 hab.

Roissy-en-France ■ Commune du *Val-d'Oise. Aéroport Charles-de-Gaulle mis en service en 1974.

Fernando de **Rojas** ■ Écrivain espagnol (v. 1465 - v. 1541). Auteur supposé du roman *"la Célestine",* qui exerça une influence considérable sur le théâtre européen.

Francisco de **Rojas y Zorrilla** ■ Auteur dramatique qui a influencé le théâtre français du xvɪɪᵉ s. (1607-1648).

Roland ■ Le plus célèbre des compagnons légendaires de *Charlemagne, et son neveu. La *"Chanson de Roland"* (fin du xᵉ s.) en fit le modèle du chevalier chrétien, mort héroïquement à *Roncevaux, face aux *Sarrasins (778).

Jean-Marie **Roland de la Platière** ■ Révolutionnaire français (1734-1793). □ *Manon* dite *Madame* **Roland** (1754-1793), sa femme et, comme lui, un des chefs des *Girondins. Son exécution entraîna le suicide de son mari.

Romain **Rolland** ■ Écrivain français (1866-1944). Musicologue, historien de l'art, il fut pacifiste (*"Au-dessus de la mêlée",* 1916) et proche des communistes (revue *"Europe"*). Son œuvre abondante eut une audience internationale. Prix Nobel 1915. *"Jean-Christophe"* ; *"Colas Breugnon"* (romans). *"Beethoven"* ; *"Mahatma Gandhi"* ; *"Péguy"* (biographies).

Romagnat ■ Commune du *Puy-de-Dôme. 7 400 hab.

la **Romagne** ■ ⇒ **Émilie.**

Giulo **Romano** dit *Jules* **Romain** ■ Peintre et architecte de la *Renaissance italienne (v. 1499 - 1546). Palais du Té à *Mantoue.

Louis Farigoule dit *Jules* **Romains** ■ Écrivain français (1885-1972). Il exalta la défense des valeurs humanistes. *"Les Hommes de bonne volonté",* grande fresque romanesque. *"Knock",* célèbre pièce de théâtre où il raille la crédulité humaine.

Romainville ■ Commune de la *Seine-Saint-Denis, à l'est de Paris. 25 300 hab.

l'art **roman** ■ Art religieux qui s'épanouit en Europe du Xᵉ au XIIᵉ s. L'architecture est caractérisée par des voûtes en pierre, souvent en plein cintre, des nefs étroites, des murs épais et peu ouverts, de solides contreforts. La sculpture est limitée aux chapiteaux et aux tympans. La peinture était abondante. L'enluminure des manuscrits, le travail des métaux et l'orfèvrerie ont aussi marqué la période romane.

les **Romanov** ■ Famille qui régna sur la *Russie de 1613 à la fin de l'empire (1917).

Romans-sur-Isère ■ Commune de la *Drôme. 33 900 hab. *(les Romanais).*

le **romantisme,** *les* **romantiques** ■ Plus qu'un mouvement artistique, c'est une nouvelle forme de la sensibilité européenne qui privilégie l'expression du « moi », l'imagination contre la raison, le rêve contre la réalité. Né en Angleterre à la fin du XVIIIᵉ s. (*Blake, *Wordsworth puis *Byron, *Scott), il se développa en Allemagne avec *Goethe (⟹ **Sturm und Drang),** *Schiller, *Novalis pour la littérature, C. D. *Friedrich pour la peinture, *Schumann, *Schubert puis *Brahms en musique. En France, les grands romantiques furent les écrivains *Chateaubriand, Mme de *Staël, *Lamartine, *Hugo, *Musset, *Vigny, le musicien *Berlioz, les peintres *Delacroix et *Géricault.

Rombas ■ Commune de la *Moselle. 11 700 hab.

Rome ■ Avant d'être la capitale de l'Italie, Rome fut un des plus grands États de l'Antiquité, étendant sa puissance à tout le bassin méditerranéen. *La royauté* (753 - 509 av. J.-C.). Selon la légende, *Romulus fonde Rome en 753 av. J.-C. (la *Roma quadrata* du Palatin). Aux quatre rois latins et sabins succèdent trois rois étrusques (épisode de l'enlèvement des Sabines). *La république* (509 - 27 av. J.-C.) dura cinq siècles, dominés par les luttes politiques et les guerres de conquête. Deux consuls remplacent le roi. Rome est peu à peu maîtresse de l'Italie. Elle entre en guerre contre *Carthage : ce sont les trois guerres *puniques (264 - 146 av. J.-C.) qui lui permettent d'annexer la Sicile et l'Afrique du Nord. L'Espagne, la Grèce et la Macédoine deviennent aussi des provinces romaines. La fin de la république est marquée par les guerres civiles : Crassus et Pompée succèdent au dictateur Sylla, vainqueur de Marius. En 60 av. J.-C., ils forment avec Jules César le premier triumvirat. Victorieux contre les Gaulois, César devient le véritable maître du pouvoir mais il est assassiné (44 av. J.-C.) par Brutus. Son fils adoptif, Octave, devient l'empereur Auguste en 27 av. J.-C. *L'empire* (27 av. J.-C. - 476). Auguste pratique une politique de paix et de prospérité. Période de triomphe de la littérature latine (Virgile, Ovide, Tite-Live). Avec lui commence la dynastie des Julio-Claudiens (Tibère, Caligula, Claude, Néron) à laquelle succède, après le règne des généraux (Galba, Othon, Vitellius), la dynastie des Flaviens (Vespasien, Titus, Domitien). Le règne des Antonins avec *Trajan et *Hadrien marque l'apogée de l'Empire, qui atteint sa plus grande extension, consolidant ses frontières : mur d'Hadrien en « Bretagne » (Angleterre), *limes* du Rhin et du Danube. Après la mort de *Marc Aurèle s'ouvre une période d'anarchie, rompue seulement par la dynastie des *Sévère (193-235). La mise en place d'un régime autoritaire par *Dioclétien (v. 285) caractérise le *Bas-Empire.* *Constantin fait en 313 du christianisme la religion d'État. En 395, *Théodose partage l'Empire entre ses deux fils. L'empire d'Occident (avec Rome pour capitale) disparaît en 476. L'empire d'Orient (avec Constantinople pour capitale) subsiste jusqu'en 1453 (⟹ **Byzance).** □ *Rome,* capitale de l'Italie sur le Tibre, capitale spirituelle de l'Église catholique avec la résidence du pape au *Vatican. 2,81 millions d'hab. *(les Romains).* Célèbre site des sept collines : Palatin, Capitole, Aventin, Quirinal, Viminal, Esquilin, Cœlius. Née de la fusion d'un groupe de villages latins et étrusques, Rome devint la capitale d'un vaste Empire (→ ci-dessus) ; elle comptait près de 1 million d'hab. sous *Hadrien. Nombreux monuments inspirés de l'art grec : Colisée, arcs de triomphe, Forum, Panthéon, thermes, colonne Trajane, château Saint-Ange. Dévastée plusieurs fois par les Barbares aux IVᵉ et Vᵉ s. Sa prise en 476 marque la fin de l'Empire romain. La ville perd son rôle politique (elle ne comptait plus que 100 000 hab. au Moyen Âge) mais maintient son prestige comme capitale du christianisme en Occident. Les papes de la Renaissance (*Jules II, notamment) lui rendent son prestige en faisant venir les meilleurs artistes (*Michel-Ange, *Raphaël). En 1870, Rome devient capitale de l'Italie unifiée ; depuis, sa population a décuplé. Tourisme, activités administratives. Industries ; studios de cinéma *(Cinecittà).* ► *le traité de Rome,* signé le 25 mars 1957 par la France, l'Italie, la R. F. A. et le Benelux, est l'acte de naissance de la *C. E. E. ⟨ ► romain ⟩

Jean-Baptiste **Romé de l'Isle** ■ Minéralogiste français, précurseur de la cristallographie (1736-1790).

Olaüs **Römer** ■ Astronome danois (1644-1710). Détermination de la vitesse de la lumière. Invention de la lunette méridienne.

Romilly-sur-Seine ■ Commune de l'*Aube. 16 300 hab. *(les Romillons).*

Erwin **Rommel** ■ Maréchal allemand (1891-1944). Chargé des rapports avec les jeunesses nazies en 1935, chef des opérations militaires en Afrique du Nord. Devenu hostile à Hitler, il fut contraint de se suicider.

Romorantin-Lanthenay ■ Sous-préfecture du *Loir-et-Cher. 18 200 hab. *(les Romorantinais).* Vestiges du château royal (XVᵉ - XVIᵉ s.).

Romulus ■ Fondateur légendaire de Rome. Fils de *Mars et de la vestale Rhea Silvia, il fut élevé par une louve avec son frère jumeau *Remus, le tua et devint le premier roi de Rome.

le col de **Roncevaux** ■ Col des Pyrénées espagnoles. Selon la tradition, *Roland, neveu de Charlemagne, y fut tué par les Sarrasins ; en réalité, l'arrière-garde de Charlemagne fut massacrée par des montagnards basques en 778.

Ronchin ■ Commune du *Nord. 17 600 hab.

Roncq ■ Commune du *Nord. 11 700 hab.

Pierre de **Ronsard** ■ Poète français (1524-1585). Chef de file de la *Pléiade. L'amour, les thèmes *humanistes et la défense des catholiques servent tour à tour son inspiration : *"les Amours"* ; *"la Franciade"* ; *"Discours des misères de ce temps".*

Wilhelm Conrad **Röntgen** ■ Physicien allemand (1845-1923). Premier prix Nobel de physique (1901). Il découvrit les rayons X en 1895.

Roodepoort-Maraisburg ■ Ville d'Afrique du Sud. 165 300 hab. Or.

le comte **Albrecht von Roon** ■ Maréchal et homme d'État prussien (1803-1879). Il réorganisa l'armée avec *Moltke, selon les vœux de *Bismarck.

Theodore **Roosevelt** ■ Homme d'État américain (1858-1919). 26ᵉ président (républicain) des États-Unis de 1901 à 1908. Sa politique extérieure fut autoritaire et interventionniste. Prix Nobel de la paix en 1906.

Franklin Delano **Roosevelt** ■ Homme d'État américain (1882-1945). Président (démocrate) des États-Unis de 1933 à sa mort, trois fois réélu. Son programme économique, le *New Deal,* fit sortir le pays de la crise de 1929. Il joua un rôle décisif dans la Seconde Guerre mondiale.

Roost-Warendin ■ Commune du *Nord. 6 500 hab.

Félicien **Rops** ■ Peintre et graveur belge (1833-1898). Œuvre d'inspiration littéraire, fantastique et érotique.

Roquebrune-Cap-Martin ■ Commune des *Alpes-Maritimes. 12 000 hab.

Roquebrune-sur-Argens ■ Commune du *Var. 6 300 hab.

Roquefort-sur-Soulzon ■ Commune de l'*Aveyron. Célèbre fromage de brebis affiné dans les grottes calcaires.

Roquevaire ■ Commune des *Bouches-du-Rhône. 5 000 hab. *(les Roquevairois).*

Cyprien de Rore ■ Compositeur flamand, maître du madrigal italien (1516-1565).

Hermann **Rorschach** ■ Psychiatre et neurologue suisse (1884-1922). *Test de Rorschach :* interprétation de taches d'encre.

Salvator **Rosa** ■ Peintre, poète et musicien italien (1615-1673).

Rosario ■ 2ᵉ ville d'Argentine. 807 000 hab. Port fluvial actif. Industrie alimentaire. Sidérurgie.

Roscoff ■ Commune du *Finistère. 3 800 hab. *(les Roscovites).*

Roseau ■ Capitale de la république de la *Dominique. 8 300 hab.

la **Rose-Croix** ■ Société secrète (à but initiatique), créée en Europe au XVᵉ s. autour de Christian Rosenkreutz.

les époux **Rosenberg** ■ Citoyens juifs américains, accusés sans preuve d'avoir livré des secrets atomiques à l'U.R.S.S. et exécutés. Julius (1916-1953) et Ethel (1918-1953).

la guerre des **Deux-Roses** ■ Guerre civile anglaise de 1455 à 1485. Elle opposa les maisons d'York et de Lancastre.

la pierre de **Rosette** ■ Pierre gravée en égyptien et en grec. Elle doit son nom à la ville de Basse-Égypte où elle fut découverte et permit à *Champollion de déchiffrer les hiéroglyphes.

Roskilde ■ Capitale du Danemark jusqu'au XVᵉ s. 51 000 hab.

Alexander **Roslin** ■ Portraitiste suédois (1718-1793).

Joseph Henri Boex dit **Rosny aîné** ■ Écrivain français d'origine belge (1856-1940). *"La Guerre du feu".* □ *Séraphin Justin Boex* dit **Rosny jeune,** son frère, également écrivain, et son collaborateur jusqu'en 1908 (1859-1948).

Rosny-sous-Bois ■ Commune de la *Seine-Saint-Denis. 36 000 hab. *(les Rosnéens).* Centre national d'information routière.

Rosporden ■ Commune du *Finistère. 7 200 hab. *(les Rospordinois).*

sir John **Ross** ■ Navigateur anglais qui localisa le pôle magnétique Nord (1777-1856). □ *sir James Clarke Ross* (1800-1862), son neveu, découvrit la terre Victoria, dans l'Antarctique. Ils donnèrent leur nom à la *barrière de Ross,* à l'*île de Ross* et à la *mer de Ross,* dans l'Antarctique.

Roberto **Rossellini** ■ Cinéaste italien (1906-1977). Maître du néo-réalisme. *"Rome, ville ouverte" ; "la Prise du pouvoir par Louis XIV" ; "le Messie".*

Dante Gabriel **Rossetti** ■ Peintre anglais, poète (1828-1882). Fondateur du groupe des *préraphaélites. *"La Damoiselle élue",* poème ; *"Beata Beatrix",* qui représente sa femme, Élisabeth Siddal.

Luigi **Rossi** ■ Compositeur italien (1598-1653). Nombreux opéras et oratorios.

Tino **Rossi** ■ Célèbre chanteur de charme français (1907-1983).

Gioacchino **Rossini** ■ Compositeur italien (1792-1868). Ses opéras sont célèbres pour leur humour, leur rythme endiablé et leurs vocalises virtuoses. *"Le Barbier de Séville" ; "Guillaume Tell".*

Rosso ■ Peintre italien de la Renaissance (1494-1540). Il dirigea la décoration du château de *Fontainebleau et fut le maître de la *première école de Fontainebleau.* Le *Primatice lui succéda.

Edmond **Rostand** ■ Auteur dramatique français (1868-1918). *"Cyrano de Bergerac"* et *"l'Aiglon"* sont ses pièces les plus célèbres. □ *Jean* **Rostand** (1894-1977), son fils, biologiste et essayiste.

Rostock ■ Ville et 1ᵉʳ port de R.D.A., près de la Baltique. 242 000 hab.

le comte Fédor **Rostopchine** ■ Général et homme politique russe, père de la comtesse de *Ségur (1765-1826).

Rostov-sur-le-Don ■ Ville d'U.R.S.S. (*Russie). Grand port fluvial sur le Don, près de la mer d'Azov. 946 000 hab. Centre culturel et économique.

Joseph **Roth** ■ Écrivain autrichien (1894-1939). Il a pressenti la montée du *nazisme. *"La Marche de Radetzky".*

Mark **Rothko** ■ Peintre américain d'origine russe (1903-1970). Tableaux d'un style abstrait, dépouillé.

les **Rothschild** ■ Famille de banquiers européens (France, Allemagne, Angleterre). □ *Meyer Amschel* **Rothschild** (1743-1812) fonda la maison mère à Francfort.

Jean **Rotrou** ■ Auteur dramatique français (1609-1650). *"Le Véritable Saint Genest".*

Rotterdam ■ Ville des Pays-Bas, dotée du plus grand port du monde (par le trafic) dans le delta du Rhin et de la Meuse. Reliée à la mer du Nord par un canal. 590 000 hab. Pétrochimie, sidérurgie. Centre financier international.

Louis Oscar **Roty** ■ Graveur en médailles français (1846-1911). Il a créé l'effigie de *la Semeuse* pour les pièces de monnaie françaises.

Georges **Rouault** ■ Peintre français (1871-1958). Vision religieuse et tragique du monde. Style qui évoque les vitraux. *"Songe creux" ; "la Sainte Face".*

Roubaix ■ Commune du *Nord. Elle forme une conurbation avec Lille et Tourcoing. 110 000 hab. *(les Roubaisiens).* Premier centre lainier de France. Industries textiles.

Jacques **Roubaud** ■ Poète français (né en 1932), mathématicien.

Andreï **Roublev** ■ Peintre et moine orthodoxe russe (v. 1360 - v. 1430). Auteur d'une des plus célèbres icônes russes : *"la Trinité"*.

Roubtsovsk ■ Ville de l'U. R. S. S. (*Russie). 173 000 hab.

Rouen ■ Préfecture de la *Seine-Maritime et de la région *Normandie. 118 000 hab. *(les Rouennais).* 4e port de France. Centre industriel (chimie, textile) et touristique : cathédrale gothique (XIVe - XVe s.), Gros-Horloge (1527). Rouen fut longtemps disputée entre Français et Anglais. Jeanne d'Arc y fut brûlée vive en 1431.

le **Rouergue** ■ Région du sud de la France, correspondant au département de l'*Aveyron. Chef-lieu : Rodez.

Rouffach ■ Commune du Haut-*Rhin. 5 100 hab. *(les Rouffachois).*

la mer **Rouge** ■ Mer du Proche-Orient entre l'Arabie et l'Afrique, reliée à la Méditerranée par le canal de *Suez. La Bible raconte *la traversée de la mer Rouge* par Moïse et les Hébreux.

Denis de **Rougemont** ■ Essayiste suisse d'expression française (1906-1985). *"L'Amour et l'Occident".*

Claude **Rouget de Lisle** ■ Officier français (1760-1836). En garnison à Strasbourg, il composa le *"Chant de guerre pour l'armée du Rhin"* (1792) qui devint *"la *Marseillaise".*

Eugène **Rouher** ■ Homme politique français (1814-1884). Ministre de Napoléon III.

la **Roumanie** ■ État (république socialiste) du sud-est de l'Europe. 237 500 km². 23 millions d'hab. *(les Roumains).* Capitale : Bucarest. Langues : roumain (officielle), hongrois. Monnaie : leu. La chaîne des *Carpates domine les plaines de Valachie et de Moldavie. Climat continental. L'agriculture (blé, maïs, vignes) a été collectivisée en 1949. L'industrie, nationalisée, exploite les richesses du sous-sol (pétrole, charbon, gaz naturel) : sidérurgie, chimie, textile. Pêche. □HISTOIRE. Province romaine au IIe s. (la Dacie), le pays fut successivement occupé par les Hongrois, les Turcs, les Autrichiens et les Russes. Au XIXe s. éclata le mouvement national qui fit de la Roumanie un État (par la réunion de la Valachie et de la Moldavie), autour du prince Alexandre *Cuza (1859), mais elle ne devint indépendante qu'en 1878. Démocratie parlementaire après la Première Guerre mondiale, le régime devint une dictature (1938) qui fut renversée. Le parti communiste étant peu à peu maître du pays, la république populaire de Roumanie fut proclamée en 1948. Elle est dirigée depuis 1965 par Nicolae Ceaucescu dont la politique autocratique se heurte à de graves difficultés économiques.

Joseph **Roumanille** ■ Écrivain français de langue provençale (1818-1891). ⇒ **Mistral.**

Rourkela ■ Ville de l'Inde. 321 000 hab.

Jean-Jacques **Rousseau** ■ Écrivain et philosophe, citoyen de Genève (1712-1778). Il a dénoncé l'aliénation de l'homme et la contradiction entre la nature et la société. Collaborateur de l'*Encyclopédie jusqu'à sa rupture avec *Diderot, il est l'auteur d'une œuvre diverse qui influença les révolutionnaires de 1789 et le romantisme. *"Discours sur l'origine de l'inégalité"* ; *"Julie ou la Nouvelle Héloïse"* (roman) ; *"le Contrat social"* (traité politique) ; *"Émile ou De l'éducation"* ; *"les Confessions"* et *"les Rêveries du promeneur solitaire"* (autobiographie).

Henri Rousseau dit le douanier **Rousseau** ■ Peintre français (1844-1910). Autodidacte, marginal, il est l'auteur de tableaux naïfs, qui mêlent simplicité et mystère. *"Le Rêve"* ; *"la Charmeuse de serpents".*

Albert **Roussel** ■ Compositeur français (1869-1937). Influencé par ses voyages en Orient, il écrivit des symphonies, un opéra ballet *("Padmâvati"),* de la musique de chambre.

Raymond **Roussel** ■ Écrivain français (1877-1933). Son œuvre témoigne d'une réflexion originale sur les procédés littéraires. *"Impressions d'Afrique"* ; *"Locus Solus"* ; *"Comment j'ai écrit certains de mes livres".*

Roussillon ■ Commune de l'*Isère. 7 600 hab. *(les Roussillonnais).*

le **Roussillon** ■ Ancienne province du sud de la France (*Pyrénées-Orientales), à laquelle elle fut rattachée en 1659. ⇒ **Languedoc-Roussillon.**

Roustavi ■ Ville d'U. R. S. S. (*Géorgie). 131 000 hab.

Rouvroy ■ Commune du *Pas-de-Calais. 9 600 hab.

Jacques **Roux** ■ Révolutionnaire français (1752-1794). Curé défroqué, le « Prêtre des *sans-culottes », porte-parole des *Enragés.

Émile **Roux** ■ Médecin et bactériologiste français (1853-1933). Collaborateur de *Pasteur.

Rovno ■ Ville d'U. R. S. S. (*Ukraine). 131 000 hab. Industries (tissus de lin).

Roxane ■ Épouse d'Alexandre le Grand, mise à mort avec son fils sur l'ordre de *Cassandre en 311 av. J.-C.

Claude **Roy** ■ Écrivain français (né en 1915). Poèmes, essais, récits de voyages, romans.

Gabrielle **Roy** ■ Écrivaine canadienne d'expression française (1909-1983). *"Bonheur d'occasion".*

Royan ■ Commune de la *Charente-Maritime, importante station balnéaire. 18 700 hab. *(les Royannais).*

le **Royaume-Uni** en anglais United Kingdom, U. K. ■ Ensemble formé par l'Angleterre, le pays de Galles, l'Écosse et l'Irlande du Nord. 56,8 millions d'hab. 244 046 km². Langue officielle : anglais. Capitale : Londres. Monnaie : livre sterling. ⇒ **Angleterre, Écosse,** pays de **Galles, Grande-Bretagne, Irlande.**

Royaumont ■ Localité du *Val-d'Oise où se trouvent d'importants restes d'une abbaye fondée en 1228 par Saint-Louis.

Roye ■ Commune de la *Somme. 6 400 hab. *(les Royens).*

le **Ruanda** ou **Rwanda** ■ État (république) d'Afrique de l'Est. 26 400 km². 5,8 millions d'hab. Capitale : Kigali. Langues officielles : français et kinyaruanda. Monnaie : franc ruanda. Pays pauvre. Café, coton, tabac. Ancienne colonie allemande administrée par la Belgique après la Seconde Guerre mondiale, indépendante en 1962.

Pierre Paul **Rubens** ■ Peintre flamand (1577-1640). Tableaux immenses, grands effets de mouvements et de couleurs. Nus plantureux. Couvert d'honneurs de son vivant : nombreuses compositions *baroques pour les églises et les cours européennes. *"La Descente de croix"* ; *"l'Enlèvement des filles de Leucippe".*

le **Rubicon** ■ Rivière séparant l'Italie de la Gaule cisalpine. C'est en le franchissant (49 av. J.-C.) que César dit : *alea jacta est,* « le sort en est jeté ».

Arthur **Rubinstein** ■ Pianiste polonais naturalisé américain (1887-1982). Célèbre interprète de Chopin.

Ida **Rubinstein** ■ Danseuse et mécène russe de la danse (1880-1960).

Friedrich **Rückert** ■ Poète et orientaliste allemand (1788-1866). *"Chants des enfants morts"*, mis en musique par Mahler.

Rūdakī ■ Poète persan (v. 859-941). Considéré comme le premier grand poète lyrique persan.

Ruda Śląska ■ Ville de Pologne en haute *Silésie. 156 000 hab.

François **Rude** ■ Sculpteur français (1784-1855). *"La Marseillaise"*, décoration de l'Arc de triomphe à Paris.

Rueil-Malmaison ■ Commune des *Hauts-de-Seine, à l'ouest de Paris. 64 500 hab. *(les Ruellois)*. Célèbre château (la Malmaison) où séjournèrent Bonaparte et Joséphine.

Ruelle-sur-Touvre ■ Commune de *Charente. 8 300 hab.

Rugby ■ Ville du sud de l'Angleterre. 60 000 hab. Un des collèges les plus réputés du pays où fut inventé, en 1823, le *rugby*.

la **Ruhr** ■ Région de R. F. A. qui doit son nom à la rivière qui la traverse. Le plus grand bassin houiller d'Allemagne : extraction de 75 millions de tonnes par an (80 % de la production nationale). Une des plus fortes densités humaines et industrielles du monde : 4 000 km² pour 6 millions d'hab. Acier (60 % de la production totale), chimie, industries mécaniques, textile. Déclin du charbon depuis 1960. Villes principales : Essen, Düsseldorf, Duisbourg, Dortmund.

Jacob van **Ruisdael** *ou* **Ruysdael** ■ Peintre, dessinateur et graveur hollandais (v. 1628-1682). Maître du paysage.

Rumford ■ ⇒ Benjamin **Thompson** comte de Rumford.

Rumilly ■ Commune de Haute-*Savoie. 7 800 hab. *(les Rumilliens)*.

Johan Ludvig **Runeberg** ■ Poète finlandais de langue suédoise (1804-1877).

Rungis ■ Commune du *Val-de-Marne. 3 000 hab. Énorme marché de ravitaillement de la région parisienne construit pour se substituer aux Halles de Paris.

Ruse ■ Ville de Bulgarie, port sur le Danube. 163 000 hab.

le mont **Rushmore** ■ Grand centre touristique des États-Unis (*Dakota du Sud) ; les visages de Washington, Lincoln et Th. Roosevelt sont sculptés dans le granit.

John **Ruskin** ■ Critique d'art et sociologue anglais (1819-1900). Il défendit les *préraphaélites.

Bertrand **Russell** ■ Mathématicien, logicien et philosophe britannique (1872-1970). Il écrivit avec son maître Whitehead le traité fondateur de la logique moderne et en formula l'ambition philosophique : le *logicisme*. Moraliste et militant progressiste, il créa le « tribunal Russell » pour condamner tout acte de guerre.

Henry Norris **Russell** ■ Astronome américain (1877-1957).

la **Russie** ■ La plus vaste (17 075 400 km²) république socialiste soviétique (⇒ U. R. S. S.), comprenant 16 républiques autonomes : Bachkirie, Bouriatie, Carélie, Daghestan, Iakutie, Kabardino-Balkarie, Kalmoukie, république des Komis, république des Mariis, Mordovie, Ossétie du Nord, Oudmourtie, république des Tatars, Tchétchéno-Ingouchie, Tchouvachie et Touva (principales minorités ethniques : les Tatars, les Tchouvaches, les Mordves et les Bachkirs). 142 millions d'hab. Capitale : Moscou. Ce fut le cœur de l'empire des tsars, lequel atteignit à peu près les frontières de l'U. R. S. S. actuelle. □HISTOIRE. Après les invasions successives des peuples nomades (Cimmériens, Scythes, Sarmates, puis Goths, Huns, Avars, Khazars, Varègues), les régions comprises entre les Carpates et l'Oural s'organisèrent autour de *Kiev (IXᵉ s.), où se développa un État chrétien, proche culturellement de *Byzance, mais politiquement de la Scandinavie. Cet empire ne résista pas aux Mongols de la *Horde d'or (XIIIᵉ s.). Seule la principauté de *Novgorod resta indépendante grâce à *Alexandre Nevski. Il fallut ensuite attendre la fin du XVᵉ s. pour voir s'organiser un État puissant et centralisé autour de Moscou, Ivan III ayant libéré la Russie du joug mongol. La ville devint une nouvelle Rome pour les *orthodoxes, après la chute de Constantinople. Ivan le Terrible (Ivan IV) prit le titre de tsar (César) en 1547. Il développa la conquête de territoires à l'est et l'ouverture commerciale et diplomatique avec la Turquie. Le règne de Boris Godounov (1598-1605), avec ses dures répressions et ses famines, affaiblit la Russie. Avec l'élection du tsar Michel Romanov en 1613 commencèrent la reconstruction et la modernisation du pays. Les membres les plus importants de la dynastie des Romanov furent *Pierre le Grand et *Catherine II. Le premier (1672-1725) fit de la Russie un état moderne en développant l'économie, la culture et en réformant les institutions ; il construisit une nouvelle capitale, Saint-Pétersbourg, et ouvrit son pays à l'Occident. Alors que ses prédécesseurs avaient neutralisé, après une guerre de deux siècles, la Pologne et la Lituanie (paix d'Androussovo, 1667), il vainquit l'empire de Suède à Poltava (1709). Le règne (1741-1762) de sa fille Élisabeth Petrovna marqua un développement culturel. Avec Catherine II (1729-1796), la Russie devint une monarchie éclairée (⇒ **Lumières**). Sa politique d'expansion territoriale aboutit à l'annexion de la Crimée et de la Lituanie. Le pays était désormais une des premières puissances d'Europe et d'Asie. Alexandre Iᵉʳ, vainqueur des armées napoléoniennes (⇒ **Bérézina**), conclut le pacte de la Sainte-*Alliance avec la Prusse et l'Autriche (1815). À l'intérieur du pays, l'opinion s'éleva contre le pouvoir autocratique et le servage ; des officiers, les *décabristes*, tentèrent d'instaurer la monarchie constitutionnelle en 1825. Nicolas Iᵉʳ écrasa le coup d'État ; la répression et la réaction absolutiste caractérisèrent son règne (1825-1855). Son successeur Alexandre II abolit le servage (1858) ; il fut tué dans un attentat nihiliste en 1881. Il avait développé le capitalisme, d'où la naissance d'un prolétariat et d'une intelligentsia révolutionnaire où les populistes, partisans de l'action terroriste, s'opposèrent aux marxistes. La guerre de *Crimée, la défaite de Nicolas II dans la guerre russo-japonaise et les problèmes économiques et sociaux allaient provoquer la chute du tsarisme. Après la *révolution de 1905, la tentative de monarchie parlementaire (élection de la *douma* ou assemblée en 1906) se heurta à la politique réactionnaire de Nicolas II et à l'impopularité de son conseiller *Raspoutine. L'entrée de la Russie dans la Première Guerre mondiale, les défaites et manifestations ouvrières aggravèrent la situation. Le tsar fut contraint d'abdiquer en février

1917. En octobre, les révolutionnaires *bolcheviks prirent le pouvoir. Leur chef Lénine décida la paix avec l'extérieur, concentrant ses forces dans la guerre civile, contre les adversaires de la Révolution. Il lança la première politique socialiste de l'histoire (distribution des terres, « dictature du prolétariat ») et proclama, le 30 décembre 1922, l'Union des républiques socialistes soviétiques. ⇒ **U. R. S. S.**

la **Russie-Blanche** ■ ⇒ Biélorussie.

Rutebeuf ■ Trouvère français (XIIIᵉ s.). Auteur de fabliaux, de poèmes et d'un des plus anciens miracles de Notre-Dame.

Ruth ■ Épouse de Booz dans la Bible. Elle est l'ancêtre de David.

lord **Rutherford** ■ Physicien anglais (1871-1937). Prix Nobel de chimie 1908. Ses travaux sur la radioactivité marquent les débuts de la physique nucléaire.

le **Rütli** ■ Prairie de Suisse où aurait été scellée en 1291 l'alliance de trois cantons, à l'origine de la Confédération helvétique.

Jan van **Ruysbroek** ■ Théologien et mystique brabançon (1293-1381). Auteur des premières grandes œuvres écrites en néerlandais. Surnommé « l'Admirable ».

Ruysdael ■ ⇒ Ruisdael.

Michael Adriaanszoon de **Ruyter** ■ Amiral néerlandais (1607-1676). Victorieux des Anglais, battu par *Duquesne.

Angelo Beolco dit **Ruzzante** ■ Auteur italien de comédies réalistes truculentes (1502-1542).

le **Rwanda** ■ ⇒ Ruanda.

Rybinsk depuis 1984 *Andropov* ■ Ville industrielle d'U. R. S. S. (*Russie), sur la Volga. 237 000 hab.

Rybnik ■ Ville industrielle (houille) de Pologne. 104 000 hab.

les îles **Ryū-Kyū** ■ Archipel japonais. 2 250 km². Plus de 1 million d'hab. Pêche, canne à sucre. Île la plus grande : Okinawa.

Rzeszów ■ Ville de Pologne. 100 000 hab.

S

S

la **S. A.**, *Sturm Abteilung* ▪ « Section d'assaut », formation paramilitaire de l'Allemagne nazie, dirigée par Ernst *Röhm.

Saadi ou **Sa'di** ▪ Poète persan (v. 1200 - v. 1291). Très populaire en Orient, traduit en français dès 1634. *"Le Golestan"*.

Saadia ou **Sa'dia** ▪ Grammairien, philosophe et théologien juif de langue arabe (v. 885 - 942).

Eero **Saarinen** ▪ Architecte américain, d'origine finlandaise (1910-1961). Il prôna la liberté formelle contre le systématisme du style international des années trente.

Saba ▪ Royaume de l'Antiquité, situé en Arabie. □ *la reine de Saba,* personnage de la Bible qui vient rendre visite à *Salomon.

Sabadell ▪ Ville d'Espagne. 185 000 hab.

les **Sabins** ▪ Ancien peuple de l'Italie centrale. Ils déclarèrent la guerre à *Romulus qui avait enlevé les *Sabines* pour donner des épouses à ses compagnons (753 av. J.-C.).

Les **Sables-d'Olonne** ▪ Sous-préfecture de la *Vendée (Loire). Station balnéaire. 18 000 hab. *(les Sablais).*

Sablé-sur-Sarthe ▪ Commune de la *Sarthe. 11 800 hab. *(les Saboliens).*

Antonio **Sacchini** ▪ Compositeur italien (1730-1786). Opéras.

l'affaire **Sacco et Vanzetti** ▪ Affaire judiciaire américaine. Immigrés italiens, militants anarchistes, Sacco et Vanzetti furent condamnés sans preuves certaines pour assassinat et exécutés en 1927, ce qui provoqua une vague de protestations aux États-Unis et dans le monde.

Paul **Sacher** ▪ Mécène et chef d'orchestre suisse (né en 1906).

Leopold von **Sacher-Masoch** ▪ Écrivain autrichien (1836-1895). Il décrit une forme d'érotisme liée à l'humiliation. ‹ ▶ masochisme ›

Hans **Sachs** ▪ Poète et auteur dramatique allemand (1494-1576). Il est devenu le héros d'un opéra de Richard Wagner.

Nelly **Sachs** ▪ Écrivaine suédoise d'origine allemande (1891-1970). Elle s'inspire des traditions juive et biblique. Prix Nobel 1966. *"Présence à la nuit"*.

Sacramento ▪ Ville des États-Unis, capitale de la *Californie. 275 000 hab.

la basilique du **Sacré-Cœur** ▪ Église de Paris sur la butte Montmartre, construite de 1876 à 1910.

*Anouar al-***Sadate** ▪ Homme d'État égyptien (1918-1981). Président de la République égyptienne de 1970 à son assassinat. Prix Nobel de la paix en 1978, avec *Begin. ⇒ **Égypte**.

le marquis de **Sade** ▪ Écrivain français, condamné à la prison pour « débauche outrée » (1740-1814). Il prône la jouissance et décrit une forme d'érotisme qui inflige la souffrance. *"Justine ou les Malheurs de la vertu"*. ‹ ▶ sadisme ›

les **Sa'diens** ou **Saadiens** n. m. ▪ Dynastie qui régna au Maroc de 1554 à 1659.

Sadowa ou **Sadová** ▪ Ville de Tchécoslovaquie. La victoire qu'y remportèrent les Prussiens sur les Autrichiens (juillet 1866) révéla la puissance et l'efficacité de leur armement.

Sa'eb-è-Tabrizi ▪ Un des grands poètes de la littérature persane (1607-1670).

les **Safavides** ▪ Dynastie arabe qui régna sur la Perse de 1501 à 1736.

Safi ▪ Port du Maroc. 129 000 hab.

Saga ▪ Ville du Japon. 143 000 hab.

Sagamihara ▪ Ville du Japon (*Honshū). 393 000 hab.

Françoise **Sagan** ▪ Romancière et auteur dramatique française (née en 1935). *"Bonjour tristesse"* (1954), son premier roman, eut un immense succès.

Sagar ▪ Ville de l'Inde. 155 000 hab.

le **Sahara** ▪ Le plus vaste désert du monde, situé dans le nord de l'Afrique. 8 millions de km². Il s'étend d'ouest en est, des côtes de l'Atlantique à la mer Rouge et, du nord au sud, depuis le sud du Maghreb (Tunisie, Algérie, Maroc) et de la Libye jusqu'au *Sahel. C'est une région au climat aride, dont le relief est varié : cuvettes, plateaux, amoncellements de pierres, dunes et massifs montagneux (Hoggar, Tibesti). Le Sahara est une terre de contact entre la race blanche (Arabes, Berbères) et la race noire. Les sahariens (⇒ **Maures, Touaregs, Toubous**) sont des nomades pasteurs ou bien des agriculteurs sédentaires dans les oasis. La principale culture est le palmier-dattier, mais la richesse de cette région réside dans le sous-sol : gisements de pétrole (Hassi-Messaoud), de gaz naturel, d'uranium, de minerai de fer, de minerai de cuivre et de charbon. □ *le Sahara occidental,* ancienne province espagnole située au sud du Maroc. Phosphates. Partagée en 1975 entre la Mauritanie et le Maroc, évacuée en 1979 par la Mauritanie. Le mouvement nationaliste du Front Polisario, appuyé par l'Algérie, revendique la création d'un État sahraoui (saharien) indépendant.

Sahāranpur ▪ Ville de l'Inde. 226 000 hab.

le Sahel ▪ MOT ARABE SIGNIFIANT « LE RIVAGE ». **1.** Bordure sud du Sahara (Mali, Niger, Tchad...). **2.** Régions proches de la côte en Tunisie et en Algérie.

Sāhiwāl ▪ Ville du Pakistan. 105 000 hab.

Saigon ▪ Ville principale de la *Cochinchine, capitale du Sud Viêt-nam (1954-1975), devenue aujourd'hui *Hô Chi Minh-Ville.

Saighin-en-Weppes ▪ Commune du *Nord. 5 000 hab.

Sains-en-Gohelle ▪ Commune du *Pas-de-Calais. 5 200 hab.

Saint-Affrique ▪ Commune de l'*Aveyron. 9 300 hab. *(les Saint-Affricains).*

Saint-Amand-les-Eaux ▪ Commune du *Nord. 17 000 hab. *(les Amandinois).*

Saint-Amand-Montrond ▪ Sous-préfecture du *Cher. 12 800 hab. *(les Saint-Amandois).*

Marc Antoine Girard de Saint-Amant ▪ Poète français (1594-1661). Poèmes d'inspiration épique, lyrique, ou bouffonne. *"Moïse sauvé"*, épopée biblique.

Saint-André ▪ Commune du *Nord. 12 500 hab. *(les Andrésiens).*

Saint-André ▪ Commune de la *Réunion. 30 000 hab.

Saint-André-de-Cubzac ▪ Commune de la *Gironde. 5 020 hab.

Saint-André-les-Vergers ▪ Commune de l'*Aube. 10 400 hab.

le château Saint-Ange ▪ Ancien mausolée d'*Hadrien, à Rome, sur le Tibre, plusieurs fois remanié.

Achille Leroy de Saint-Arnaud ▪ Maréchal de France, après avoir aidé Napoléon III à devenir empereur (v. 1800-1854).

Gabriel de Saint-Aubin ▪ Dessinateur et peintre français (1724-1780). Chroniques de la vie parisienne.

Saint Augustine ▪ La plus ancienne ville des États-Unis, fondée par les Espagnols en 1565 (*Floride). 14 800 hab.

Saint-Avold ▪ Commune de la *Moselle. 19 000 hab. *(les Saint-Avoldiens).*

la Saint-Barthélemy ▪ Massacre des protestants sur l'ordre de *Charles IX, dans la nuit du 23 au 24 août 1572 à Paris. Il y eut plus de 3 000 morts, dont *Coligny. Les guerres de *Religion furent relancées.

Saint-Barthélemy ▪ Île des *Antilles françaises (Guadeloupe). 25 km². 2 500 hab. Tourisme actif.

Saint-Barthélemy-d'Anjou ▪ Commune du *Maine-et-Loire. 9 300 hab.

Saint-Benoît ▪ Sous-préfecture de la *Réunion. 21 700 hab.

Saint-Benoît ▪ Commune de la *Vienne. 5 900 hab.

Saint-Benoît-sur-Loire ▪ Commune du *Loiret. 1 800 hab. L'abbaye, fondée au VIIe s., abrita les reliques de saint Benoît et fut l'un des grands lieux de pèlerinage des chrétiens au Moyen Âge.

le Grand-Saint-Bernard ▪ Col des Alpes, entre la Suisse et l'Italie (2 473 m). Il fut franchi par *Bonaparte en 1800. □ *le Petit-Saint-Bernard,* col des Alpes françaises (2 188 m). Probablement emprunté par *Hannibal et ses armées en 218 av. J.-C.

Saint-Berthevin ▪ Commune de la *Mayenne. 5 700 hab.

Saint-Bertrand-de-Comminges ▪ Commune de Haute-*Garonne, célèbre pour son église romane du XIIe s. (cloître).

Saint-Brévin-les-Pins ▪ Commune de la *Loire-Atlantique. 8 700 hab. *(les Brévinois).*

Saint-Brice-sous-Forêt ▪ Commune du *Val-d'Oise. 9 500 hab. *(les Saint-Briciens).*

Saint-Brieuc ▪ Préfecture des *Côtes-du-Nord. 56 300 hab. *(les Briochins).* Constructions mécaniques. Brosserie.

Saint Catharines ▪ Ville du Canada. 123 000 hab.

Saint-Chamas ▪ Commune des *Bouches-du-Rhône. 5 200 hab. *(les Saint-Chamassens).*

Saint-Chamond ▪ Commune de la *Loire. 40 533 hab. *(les Saint-Chamonais ou Couramiauds).* Église (XVIIe s.).

Saint-Chély-d'Apcher ▪ Commune de la *Lozère. 5 400 hab. *(les Barrabans).*

Saint-Christophe et Niévès ▪ ⇒ **Saint Kitts and Nevis.**

Saint-Clair-sur-Epte ▪ Commune du *Val-d'Oise. Par le *traité de Saint-Clair-sur-Epte* (911), *Charles le Simple céda au chef des Normands, Rollon, la province qui plus tard fut appelée *Normandie.*

Saint-Claude ▪ Commune de la *Guadeloupe. 9 800 hab.

Saint-Claude ▪ Sous-préfecture du *Jura. 14 900 hab. *(les Sanclaudiens).* Fabrication de pipes.

Saint-Cloud ▪ Commune des *Hauts-de-Seine. 28 500 hab. *(les Clodoaldiens).* Le château fut incendié pendant la guerre de 1870. Parc dessiné par Le Nôtre.

l'abbé de Saint-Cyran ▪ Théologien français (1581-1643). Lié à Jansénius, confesseur des religieuses de *Port-Royal, il fit figure de martyr du *jansénisme.

Saint-Cyr-l'École ▪ Commune des *Yvelines. 17 800 hab. *(les Saint-Cyriens).* Napoléon Ier y créa en 1808 l'école militaire de Saint-Cyr, chargée de former les officiers, et qui se trouve aujourd'hui à Coëtquidan, en Bretagne.

Saint-Cyr-sur-Loire ▪ Commune d'*Indre-et-Loire. 14 000 hab.

Saint-Cyr-sur-Mer ▪ Commune du *Var. 5 700 hab.

Saint-Denis ■ Préfecture de la *Réunion. 105 000 hab.

Saint-Denis ■ Commune de la *Seine-Saint-Denis. 96 800 hab. *(les Dionysiens)*. Centre industriel (métallurgie, chimie, mécanique). Basilique du XIIᵉ s. où la plupart des rois *capétiens ont leur tombeau.

Saint-Dié ■ Sous-préfecture des *Vosges. 26 600 hab. *(les Déodatiens)*. Imprimerie dès le XVᵉ s.

Saint-Dizier ■ Sous-préfecture de la Haute-*Marne. 40 000 hab. *(les Bragars)*.

Saint-Domingue ■ Capitale de la république *Dominicaine (sur l'île d'*Haïti). 1,3 million d'hab. Fondée en 1496, elle fut le centre de la colonisation espagnole en Amérique au XVIᵉ s. □ *Saint-Domingue*. Ancien nom de l'île d'*Haïti.

Saint-Doulchard ■ Commune du *Cher. 6 700 hab.

Sainte-... ■ Voir plus loin, dans l'ordre alphabétique, après *Saint-Yrieix-la-Perche.

Saint-Égrève ■ Commune de l'*Isère, dans la banlieue de Grenoble. 14 400 hab. Électronique.

Saint-Émilion ■ Commune de la *Gironde. 3 400 hab. Vins rouges réputés.

le **Saint Empire romain germanique** ■ Empire fondé par Othon Iᵉʳ en 962 qui, s'inspirant de Charlemagne, voulait réunir le pouvoir spirituel de la papauté à celui de l'empereur. ⇒ **Allemagne, Autriche.** Il fut dissous en 1806 par Napoléon Iᵉʳ.

Saint-Esprit ■ Commune de la *Martinique. 7 200 hab.

Saint-Étienne ■ Préfecture de la *Loire. 222 000 hab. *(les Stéphanois)*. La manufacture d'armes et de cycles fut célèbre.

Saint-Étienne-de-Montluc ■ Commune de *Loire-Atlantique. 5 300 hab.

Saint-Étienne-du-Rouvray ■ Commune de la *Seine-Maritime. 37 400 hab.

Charles de **Saint-Évremond** ■ Moraliste et critique français (v. 1615-1703). Exilé à Londres. Le modèle de l'esprit libertin.

Antoine de **Saint-Exupéry** ■ Écrivain français (1900-1944). Inspiré par son métier d'aviateur, il a cherché dans l'action et l'exaltation des relations humaines une morale pour son époque. *"Vol de Nuit"* ; *"la Citadelle"* ; *"le Petit Prince"*, récit pour enfants.

Saint-Fargeau-Ponthierry ■ Commune de *Seine-et-Marne. 9 700 hab.

Saint-Florentin ■ Commune de l'*Yonne. 6 700 hab.

Saint-Florent-sur-Cher ■ Commune du *Cher. 6 700 hab.

Saint-Flour ■ Sous-préfecture du *Cantal. 8 800 hab. *(les Sanflorains)*.

Saint-Fons ■ Commune du *Rhône. 17 200 hab. *(les Saint-Foniards)*.

Saint-François ■ Commune de la *Guadeloupe. 7 000 hab.

Saint-Gall en allemand *Sankt Gallen* ■ Ville de Suisse. 75 400 hab. Abbaye *baroque. ► *le canton de Saint-Gall*. 2 016 km². 378 000 hab. Chef-lieu : Saint-Gall. Industrie textile, commerce, tourisme.

Saint-Gaudens ■ Sous-préfecture de la Haute-*Garonne. 13 000 hab. *(les Saint-Gaudinois)*.

Saint-Genis-Laval ■ Commune du *Rhône, dans la banlieue de Lyon. 13 500 hab.

Saint George's ■ Capitale de l'État de *Grenade. 4 800 hab.

Saint-Germain-en-Laye ■ Sous-préfecture des *Yvelines (Île-de-France). 40 500 hab. *(les Saint-Germanois)*. Château construit par Charles V, reconstruit par François Iᵉʳ, terrasse dessinée par Le Nôtre.

Saint-Germain-lès-Arpajon ■ Commune de l'*Essonne. 6 200 hab.

Saint-Gilles ou **Saint-Gilles-du-Gard** ■ Commune du *Gard. 9 800 hab. *(les Saint-Gillois)*. Église romane.

Saint-Gilles-Croix-de-Vie ■ Commune de *Vendée. 6 900 hab. *(les Gillocruciens)*. Station balnéaire et port de pêche.

Saint-Girons ■ Sous-préfecture de l'*Ariège. 8 800 hab. *(les Saint-Gironnais)*.

Saint-Gobain ■ Commune de l'*Aisne. Siège de la *Compagnie de Saint-Gobain*, ancienne *Manufacture des glaces*, une des plus grandes entreprises de produits chimiques d'Europe.

le **Saint-Gothard** ou **Gothard** ■ Massif des Alpes suisses, percé par un tunnel ferroviaire qui relie la Suisse à l'Italie.

Saint-Gratien ■ Commune du *Val d'Oise. 20 400 hab. *(les Saint-Gratiennois)*.

Saint-Guilhem-le-Désert ■ Commune de l'*Hérault. 280 hab. Abbaye fondée au IXᵉ s.

Saint Helens ■ Ville d'Angleterre. 104 000 hab. Importante industrie du verre.

Saint-Herblain ■ Commune de *Loire-Atlantique. 40 300 hab. *(les Herblinois)*.

Saint-Hilaire-de-Riez ■ Commune de la *Vendée. 6 000 hab.

Saint-Hilaire-du-Harcouët ■ Commune de la *Manche. 5 700 hab.

Saint-Jacques-de-Compostelle en espagnol *Santiago de Compostela* ■ Ville d'Espagne en Galice et métropole religieuse. Pèlerinage à saint Jacques, l'un des plus importants de l'Occident chrétien depuis le IXᵉ s. Évêché. Université. Nombreux monuments (XIIᵉ - XVIIIᵉ s.). 93 700 hab.

Saint-Jacques-de-la-Lande ■ Commune d'*Ille-et-Vilaine. 7 000 hab.

Saint-Jean ■ ⇒ **Saint John's.**

Saint-Jean-Bonnefonds ■ Commune de la *Loire. 6 300 hab.

Saint-Jean-d'Angély ■ Sous-préfecture de la *Charente-Maritime. 10 400 hab. *(les Angériens)*. Lieu de pèlerinage au Moyen Âge et centre protestant au XVIᵉ s.

Saint-Jean-de-Braye ■ Commune du *Loiret (banlieue d'Orléans). 14 000 hab.

Saint-Jean-de-la-Ruelle ■ Commune du *Loiret. 20 100 hab.

Saint-Jean-de-Luz ■ Commune des *Pyrénées-Atlantiques. 12 000 hab. *(les Luziens)*. Station balnéaire, port thonier.

Saint-Jean-de-Maurienne ■ Sous-préfecture de la *Savoie. 10 500 hab. Cathédrale (XIIᵉ - XVᵉ s.).

Saint-Jean-de-Monts ■ Commune de la *Vendée. 5 600 hab. (les Montois). Station balnéaire.

Saint-Jean-le-Blanc ■ Commune du *Loiret. 6 500 hab.

Saint-Jean-Pied-de-Port ■ Commune des *Pyrénées-Atlantiques, située au pied du col de Roncevaux. 1 900 hab. (les Saint-Jeannais).

Alexis Léger dit **Saint-John Perse** ■ Poète français, diplomate (1887-1975). Il célèbre avec lyrisme la beauté du monde et le pouvoir de l'homme. Prix Nobel 1960. "Amers".

Saint John's ■ Capitale de l'État d'*Antigua et Barbuda (Antilles). 25 000 hab.

Saint John's en français **Saint-Jean** ■ Ville du Canada, capitale de *Terre-Neuve. 86 000 hab.

Saint-Joseph ■ Commune de la *Martinique. 11 200 hab.

Saint-Joseph ■ Commune de la *Réunion. 23 800 hab.

Saint-Juéry ■ Commune du *Tarn. 5 900 hab. Métallurgie.

Saint-Julien-en-Genevois ■ Sous-préfecture de la Haute-*Savoie. 6 400 hab. (les Juliénois).

Saint-Julien-les-Vilas ■ Commune de l'*Aube. 5 800 hab.

Saint-Junien ■ Commune de la Haute-*Vienne. 11 800 hab. (les Saint-Juniauds).

Louis de **Saint-Just** ■ Révolutionnaire français (1767-1794). Membre du *Comité de salut public, très proche de Robespierre avec qui il fut guillotiné (⟹ 9 **Thermidor**). Théoricien de la *Terreur et de la République idéale. Grand orateur.

Saint-Just-Saint-Rambert ■ Commune de la *Loire. 10 600 hab.

Saint Kitts and Nevis ■ Archipel indépendant des Petites *Antilles, colonie britannique jusqu'en 1983. 262 km². 45 000 hab. Capitale : Basseterre (16 000 hab.).

Louis Stephen **Saint-Laurent** ■ Homme d'État canadien (1882-1973). Premier ministre de 1948 à 1957, il fut un des fondateurs de l'*O. T. A. N.

Yves **Saint-Laurent** ■ Couturier français (né en 1936).

le **Saint-Laurent** ■ Fleuve d'Amérique du Nord. À la frontière du Canada et des États-Unis, navigable sur toute sa longueur (3 800 km) du lac Supérieur à l'Atlantique, il joue un rôle économique considérable. ⟹ **Grands Lacs, Montréal, Québec.**

Saint-Laurent-Blangy ■ Commune du *Pas-de-Calais. 6 100 hab.

Saint - Laurent - du - Maroni ■ Chef-lieu d'arrondissement de la *Guyane française. 5 000 hab. Ancien lieu de déportation des condamnés aux travaux forcés.

Saint-Laurent-du-Var ■ Commune des *Alpes-Maritimes, proche de Nice. 18 700 hab.

Saint-Léonard-de-Noblat ■ Commune de la Haute-*Vienne. 5 600 hab. Église romane (XIᵉ - XIIIᵉ s.).

Saint-Leu ■ Commune de la *Réunion. 17 500 hab.

Saint-Leu-la-Forêt ■ Commune du *Val-d'Oise. 9 700 hab.

Saint-Lô ■ Préfecture de la *Manche. 25 000 hab. (les Saint-Lois ou Laudiens). Marché agricole, produits laitiers.

Saint Louis ■ Ville des États-Unis (*Missouri). 453 000 hab. Centre universitaire et industriel.

Saint-Louis ■ Ville et port du Sénégal. 81 200 hab. Ancienne capitale de la colonie française.

Saint-Louis ■ Commune de la *Réunion. 30 500 hab.

Saint-Louis ■ Commune du Haut-*Rhin. 18 200 hab. (les Ludoviciens). Industries.

Saint-Maixent-l'École ■ Commune des *Deux-Sèvres. 9 600 hab. (les Saint-Maixentais). École militaire.

Saint-Malo ■ Sous-préfecture d'*Ille-et-Vilaine, entourée de remparts. 46 300 hab. (les Malouins). La ville connut un grand essor du XVIᵉ au XIXᵉ s. grâce à la pêche, aux armateurs et aux marins (Cartier, Duguay-Trouin, Surcouf). Tombeau de Chateaubriand sur l'îlot du Grand Bé.

Saint-Mandé ■ Commune du *Val-de-Marne. 21 000 hab.

Saint-Mandrier-sur-Mer ■ Commune du *Var. 6 800 hab.

Saint-Marcellin ■ Commune de l'*Isère. 7 000 hab. (les Saint-Marcellinois). Fromages.

Saint-Marin en italien **San Marino** ■ Un des plus petits et des plus anciens États (république) de l'Europe, enclavé en Italie. 61 km². 21 000 hab. Capitale : Saint-Marin.

Saint-Martin-Boulogne ■ Commune du *Pas-de-Calais. 12 900 hab.

Saint-Martin-de-Crau ■ Commune des *Bouches-du-Rhône. 10 000 hab.

Saint-Martin-d'Hères ■ Commune de l'*Isère, dans la banlieue de Grenoble. 38 200 hab.

Saint-Martin-le-Vinoux ■ Commune de l'*Isère. 5 200 hab.

Saint-Maur-des-Fossés ■ Commune du *Val-de-Marne. 81 200 hab. (les Saint-Mauriens). Commune résidentielle. Centre universitaire.

Saint-Maurice ■ Commune du *Val-de-Marne. 10 400 hab. (les Mauriciens).

Saint-Max ■ Commune de *Meurthe-et-Moselle, dans la banlieue de Nancy. 12 500 hab.

Saint-Maximin-la-Sainte-Baume ■ Commune du *Var. 5 500 hab.

Saint-Médard-en-Jalles ■ Commune de la *Gironde. 16 300 hab. (les Saint-Médardais). Cru du *Médoc.

Saint-Memmie ■ Commune de la *Marne. 6 660 hab.

Saint-Michel-sur-Orge ■ Commune de l'*Essonne. 21 000 hab.

Saint-Mihiel ■ Commune de la *Meuse. 5 700 hab. (les Sammiellois). Sculptures de Ligier *Richier.

Saint-Moritz ■ Ville de Suisse (Grisons), la plus importante station de sports d'hiver du pays. 5 700 hab.

Saint-Nazaire ■ Sous-préfecture de la *Loire-Atlantique. Avant-port de Nantes. 70 000 hab. *(les Nazairiens).* Commerce. Pêche.

Saint-Nectaire ■ Commune du *Puy-de-Dôme. 680 hab. Église romane. Fromage réputé. ⟨ ▶ saint-nectaire ⟩

Saint-Nicolas-de-Port ■ Commune de *Meurthe-et-Moselle, sur la Meurthe. 7 600 hab. *(les Portois).*

Alain Saint-Ogan ■ Dessinateur français (1895-1974). Auteur de la bande dessinée *"Zig et Puce"*, créée en 1925.

Saint-Omer ■ Sous-préfecture du *Pas-de-Calais. 15 500 hab. Centre ville pittoresque. Travail du jute.

la **Saintonge** ■ ⇒ **Saintes.**

Saint-Ouen ■ Commune de la *Seine-Saint-Denis. 43 700 hab. *(les Audoniens).*

Saint-Ouen-l'Aumône ■ Commune du *Val-d'Oise, sur l'Oise. 16 300 hab. *(les Saint-Ouennais).*

Saint Paul ■ Ville des États-Unis, capitale du *Minnesota. 310 000 hab. Forme une conurbation avec *Minneapolis.

Saint-Paul ■ Sous-préfecture de la *Réunion. 53 000 hab.

Saint-Paul-de-Vence ■ Commune des *Alpes-Maritimes. 2 000 hab. Centre artistique (Fondation Maeght).

Saint-Paul-lès-Dax ■ Commune des *Landes. 8 300 hab. *(les Saint-Paulois).*

Saint-Paul-Trois-Châteaux ■ Commune de la Drôme. 6 200 hab.

Saint-Péray ■ Commune de l'*Ardèche. 5 200 hab.

Saint Peter Port ou **Saint-Pierre-Port** ■ Capitale de l'île de *Guernesey. 17 000 hab.

Saint-Pétersbourg ■ Ancien nom de *Leningrad.

Saint Petersburg ■ Ville des États-Unis (*Floride). 237 000 hab. Station balnéaire.

Niki de Saint-Phalle ■ Sculptrice et peintre française (née en 1930). Tabernacles bariolés, énormes "nanas" faites de déchets et de polyester. Œuvre provocante et humoristique.

Saint-Pierre ■ Commune de la *Martinique. 6 200 hab. Détruite par une éruption volcanique de la montagne Pelée en 1902.

Saint-Pierre ■ Sous-préfecture de la *Réunion. 46 800 hab. Centre administratif et commercial.

Saint-Pierre de Rome ■ Basilique pontificale, construite au *Vatican sur le tombeau présumé de saint Pierre, à partir de 1506, selon les plans de Bramante, puis de Michel-Ange et de Maderno.

Saint-Pierre-des-Corps ■ Commune d'*Indre-et-Loire. 18 500 hab. Gare de triage.

Saint-Pierre-du-Mont ■ Commune des *Landes. 6 400 hab.

Saint-Pierre-lès-Elbeuf ■ Commune de la *Seine-Maritime. 8 000 hab.

Saint-Pierre-et-Miquelon ■ Archipel français situé au sud de *Terre-Neuve. 242 km². 6 000 hab. Pêche. Occupé par les Français depuis 1604, il acquit le statut de département en 1976.

□ **Saint-Pierre,** préfecture de *Saint-Pierre-et-Miquelon, sur l'*île Saint-Pierre.* 4 500 hab.

Saint-Pol-de-Léon ■ Commune du *Finistère. 8 800 hab. *(les Saint-Politains).* Ancienne cathédrale (XIIIᵉ - XVIᵉ s.). Centre commercial.

Paul Roux dit **Saint-Pol Roux** ■ Poète français (1861-1940). Considéré par les *surréalistes comme un précurseur. *"Les Féeries intérieures".*

Saint-Pol-sur-Mer ■ Commune du *Nord, dans la banlieue de Dunkerque. 21 000 hab. *(les Saint-Polois).*

Saint-Pol-sur-Ternoise ■ Commune du *Pas-de-Calais. 6 500 hab. *(les Saint-Polais* ou *Paulopolitains).*

Saint-Pourçain-sur-Sioule ■ Commune de l'*Allier. 5 600 hab. *(les Saint-Pourcinois* ou *Sanpourcinois).*

Saint-Priest ■ Commune du *Rhône, dans la banlieue de Lyon. 37 000 hab.

Saint-Prix ■ Commune du *Val-d'Oise. 5 000 hab.

Saint-Quentin ■ Sous-préfecture de l'*Aisne. 69 000 hab. *(les Saint-Quentinois).* Industries textiles et métallurgiques. Hôtel de ville gothique. Le *canal de Saint-Quentin,* le plus important de France par le trafic, relie l'Oise, la Somme et l'Escaut.

Saint-Quentin-en-Yvelines ■ Ville nouvelle des *Yvelines. 62 000 hab.

Saint-Raphaël ■ Commune du *Var. Station balnéaire. 22 000 hab. *(les Raphaëlois).*

Saint-Rémy-de-Provence ■ Commune des *Bouches-du-Rhône. 9 000 hab. *(les Saint-Rémois).* Tourisme.

Saint-Rémy-lès-Chevreuse ■ Commune des *Yvelines. 5 200 hab.

Saint-Renan ■ Commune du *Finistère. 5 600 hab.

Camille Saint-Saëns ■ Compositeur français (1835-1921). Il fut le partisan d'un retour à la rigueur classique, en pleine époque *romantique. *"La Danse macabre"* ; *"le Carnaval des animaux"* ; *"Samson et Dalila",* opéra.

Saint-Saulve ■ Commune du *Nord. 10 700 hab.

Saint-Sébastien en espagnol *San Sebastián* en basque *Donostia* ■ Ville d'Espagne (Pays basque). 176 000 hab. Station balnéaire.

Saint-Sébastien-sur-Loire ■ Commune de la *Loire-Atlantique. 18 000 hab.

le **Saint-Sépulcre** ■ Le plus important sanctuaire chrétien de Jérusalem, élevé sur le tombeau du Christ.

le **Saint-Siège** ■ Gouvernement de l'Église catholique. □ *les États du Saint-Siège.* ⇒ États de l'**Église.**

le duc de **Saint-Simon** ■ Mémorialiste français (1675-1755). Dans un style remarquable, ses *"Mémoires"* évoquent la vie de cour et les grands personnages de la fin du règne de Louis XIV.

le comte de **Saint-Simon** ■ Philosophe et économiste français (1760-1825). Il élabora une doctrine sociale adaptée à la société industrielle naissante, le *saint-simonisme,* qui annonce le socialisme.

Saint-Tropez ■ Commune du *Var. Célèbre station balnéaire de la Côte d'Azur. 5 500 hab. *(les Tropéziens).*

Saint-Valéry-en-Caux ■ Commune de la *Seine-Maritime. 5 800 hab.

Saint-Vallier ■ Commune de la *Drôme, sur le Rhône. 5 500 hab.

Saint-Vallier ■ Commune de *Saône-et-Loire. 10 200 hab.

Saint-Victoret ■ Commune des *Bouches-du-Rhône. 5 500 hab.

Saint-Vincent et Grenadines ■ État des Petites *Antilles, comprenant l'île de Saint-Vincent et une partie des îles Grenadines. 388 km². 128 000 hab. Langues : anglais, créole. Monnaie : dollar des Caraïbes de l'Est. Capitale : Kingstown. Ancienne possession britannique, indépendante depuis 1979.

Saint-Yrieix-la-Perche ■ Commune de la Haute-*Vienne. 7 900 hab. *(les Arédiens).* Manufacture de porcelaine.

Sainte-Adresse ■ Commune de la *Seine-Maritime, dans la banlieue du Havre. 9 000 hab. Siège du gouvernement belge durant la Première Guerre mondiale.

Sainte-Anne ■ Port de la *Guadeloupe. 13 800 hab. Sucreries.

Sainte-Beuve ■ Écrivain français (1804-1869). Il renouvela la critique littéraire. *"Port-Royal" ; "Causeries du lundi".*

Henri **Sainte-Claire Deville** ■ Chimiste français (1818-1881). Procédés de dissociation. Fabrication de l'aluminium.

Sainte-Foy-lès-Lyon ■ Commune du *Rhône. 22 000 hab.

Sainte-Geneviève-des-Bois ■ Commune de l'*Essonne. 32 000 hab. *(les Génovéfains).*

Sainte-Hélène ■ Île britannique située à l'ouest des côtes de l'Afrique. Napoléon Iᵉʳ y fut déporté par les Anglais de 1815 à sa mort.

Sainte-Livrade-sur-Lot ■ Commune du *Lot-et-Garonne. 6 000 hab. *(les Saint-Livradais).*

Sainte-Luce-sur-Loire ■ Commune de la *Loire-Atlantique. 8 400 hab.

Sainte-Lucie ■ Île et État des Petites *Antilles. 620 km². 113 000 hab. Capitale : Castries. Langue officielle : anglais. Monnaie : dollar des Caraïbes de l'Est. Produits exotiques. Tourisme. Ancienne possession française puis britannique. Indépendant en 1979. Membre du *Commonwealth.

Sainte-Marie ■ Commune de la *Martinique. 20 200 hab.

Sainte-Marie ■ Commune de la *Réunion. 17 400 hab.

Sainte-Marie-aux-Mines ■ Commune du Haut-*Rhin. 6 900 hab. Mines d'argent et de plomb.

Sainte-Maxime ■ Commune du *Var, proche de Saint-Tropez. 6 600 hab. Station balnéaire.

Sainte-Menehould ■ Sous-préfecture de la *Marne. 5 800 hab. *(les Menehildiens ou Menehouldiens).*

Sainte-Rose ■ Commune de la *Réunion. 5 300 hab.

Sainte-Rose ■ Commune de la *Guadeloupe. 12 000 hab.

Saintes ■ Sous-préfecture de *Charente-Maritime. 29 000 hab. *(les Saintais).* Monuments romains, églises romanes. Marché agricole important. Cité florissante sous l'occupation romaine, centre calviniste actif à l'époque de la *Réforme. ▶ *la Saintonge,* région dont Saintes était la capitale, réunie à la couronne de France en 1375 ; ses habitants sont les *Saintongeais.*

Sainte-Savine ■ Commune de l'*Aube, faubourg de Troyes. 10 700 hab.

Sainte-Sigolène ■ Commune de la Haute-*Loire. 5 000 hab.

Saintes-Maries-de-la-Mer ■ Commune des *Bouches-du-Rhône en Camargue. Lieu de pèlerinage important pour les gitans.

Sainte-Sophie ■ Basilique de *Constantinople érigée au VIᵉ s. Plusieurs fois restaurée, elle fut transformée en mosquée au XVᵉ s. et flanquée de deux minarets. Musée depuis 1935.

Sainte-Suzanne ■ Commune de la *Réunion. 12 000 hab.

la montagne **Sainte-Victoire** ■ Massif calcaire à l'est d'*Aix-en-Provence, que Cézanne aimait peindre.

Sakai ■ Ville et port du Japon (*Honshū). 810 000 hab.

Sakhaline ■ Grande île (76 400 km²) soviétique, à l'est de la Sibérie, au nord du Japon.

Andreï **Sakharov** ■ Physicien soviétique (né en 1921). Prix Nobel de la paix 1975, symbole de la lutte pour les droits de l'homme.

Armand **Salacrou** ■ Auteur dramatique français (né en 1899). Ses pièces de théâtre oscillent entre le vaudeville et le drame métaphysique. *"L'Inconnue d'Arras".*

Saladin ■ Sultan de la dynastie *ayyûbide (1138-1193). Il régna de 1171 à sa mort et réunit sous son autorité l'Égypte, la Syrie, une partie de l'Iraq et de l'Arabie. Il reprit Jérusalem aux Croisés (1187), déclenchant la troisième *croisade.

Salamanque ■ Ville d'Espagne (*León). 167 000 hab. Université (XIIIᵉ s.). Nombreux monuments (XIIᵉ - XVIIIᵉ s.).

Salamine ■ Île de Grèce. 23 000 hab. Célèbre victoire des Grecs sur les Perses en 480 av. J.-C.

Raoul **Salan** ■ Général français (1899-1984). Commandant en Indochine puis en Algérie. Chef de l'*O. A. S., condamné à perpétuité en 1962, libéré en 1968 et amnistié en 1982.

Salavat ■ Ville d'U. R. S. S. (*Russie) en Bachkirie. 120 000 hab. Industries.

Antonio de Oliveira **Salazar** ■ Homme d'État portugais (1889-1970). Appelé par *Carmona en 1928, il exerça le pouvoir jusqu'en 1968 ; il mit en place un régime autoritaire, fondé sur une éthique chrétienne conservatrice et relança l'économie.

Salazie ■ Commune de la *Réunion. 6 600 hab.

Salbris ■ Commune du *Loir-et-Cher. 6 300 hab. *(les Salbrisiens).*

Salé ■ Ville du Maroc, face à Rabat. 156 000 hab. Remparts.

Salem ■ Ville des États-Unis (*Massachusetts). 41 000 hab. Fondée en 1626 (maisons anciennes), foyer du puritanisme, célèbre pour ses procès de sorcellerie au XVIIᵉ s.

Salem ■ Ville des États-Unis, capitale de l'*Oregon. 90 000 hab.

Salem ■ Ville de l'Inde, au sud de Madras. 515 000 hab.

Roger Salengro ■ Homme politique français (1890-1936). Ministre de l'Intérieur du *Front populaire, il se suicida après une campagne de presse infamante dirigée contre lui.

Salerne ■ Ville du sud de l'Italie. 162 000 hab. Cathédrale du XIᵉ s.

Salford ■ Ville de Grande-Bretagne. 129 000 hab.

les Saliens en latin *Salii* ■ Prêtres du culte de *Mars à Rome.

Antonio Salieri ■ Compositeur italien (1750-1825). Selon la légende, il aurait empoisonné Mozart, son rival à la cour de Vienne. *"Les Danaïdes"*, opéra.

Salies-de-Béarn ■ Commune des *Pyrénées-Atlantiques. 5 600 hab. *(les Salisiens).*

Jerome David Salinger ■ Romancier américain (né en 1919). *"L'Attrape-Cœur".*

la loi salique ■ Recueil de lois des *Francs, publié sous Clovis (508). La monarchie française en retint l'exclusion des femmes de la succession à la couronne.

lord Salisbury ■ Homme d'État britannique (1830-1903). Chef du parti conservateur à la mort de *Disraeli, Premier ministre pendant 14 ans. Il mena une politique coloniale active, particulièrement en Égypte.

les Saljūqides ou *Seldjoukides* n. m. ■ Dynastie turque *sunnite (Xᵉ - XIIIᵉ s.). Ils conquièrent Bagdad, fondèrent un empire en Asie Mineure et vainquirent les Byzantins.

Sallanches ■ Commune de Haute-*Savoie. 10 300 hab. *(les Sallanchards* ou *Sallanchois).*

Sallaumines ■ Commune du *Pas-de-Calais. 13 000 hab.

Salluste ■ Historien latin (v. 86 - 35 av. J.-C.). Proche de César, témoin de la fin de la république.

Salomé ■ Princesse juive, fille d'*Hérodiade (morte v. 72). D'après l'Évangile, elle danse devant son oncle, *Hérode Antipas, pour obtenir la tête de *Jean Baptiste. Elle a inspiré de nombreux artistes (Titien, Moreau, O. Wilde, R. Strauss).

Salomon ■ Roi d'Israël (v. 972 - v. 932 av. J.-C.). Fils et successeur de David. Sous son règne, la puissance d'Israël fut à son apogée (construction du Temple de Jérusalem). Célèbre pour sa sagesse : le « jugement de Salomon », dans la Bible, est donné comme exemple d'équité et de perspicacité.

les îles Salomon ■ Archipel et État de la *Mélanésie (Océanie) dans le sud-ouest du Pacifique. 29 785 km². 300 000 hab. Capitale : Honiara. Langues : anglais, pidgin, mélanésien. Monnaie : dollar des îles Salomon. Découvertes au XVIᵉ s., partagées entre Allemands et Anglais au XIXᵉ s., sous mandat australien à partir de 1921, elles obtinrent l'indépendance en 1978. Membre du Commonwealth. Exportation de coprah, bois.

Salon-de-Provence ■ Commune des *Bouches-du-Rhône. 36 000 hab. *(les Salonnais).* École de l'air.

Salonique ■ ⇒ **Thessalonique.**

Salta ■ Ville d'Argentine, dans les *Andes. 176 000 hab.

Saltillo ■ Ville du nord du Mexique. 233 000 hab. Métallurgie.

Salt Lake City ■ Ville des États-Unis, capitale de l'*Utah. 176 000 hab. Foyer des *Mormons. Université.

Mikhaïl Saltykov-Chtchedrine ■ Écrivain russe (1826-1889). Descriptions satiriques de la noblesse provinciale. *"Ces messieurs de Tachkent".*

l'Armée du salut ■ Organisation religieuse (protestante) créée en 1865 par William Booth. Elle unit l'évangélisation à l'action sociale et charitable.

le Salvador ■ Le plus petit État (république) d'Amérique centrale (21 393 km²) et celui où la densité est la plus forte : 4,8 millions d'hab. *(les Salvadoriens).* Capitale : San Salvador. Langue officielle : espagnol. Monnaie : colon. Population métissée, en majorité rurale, concentrée à l'intérieur du pays. Principales cultures : café et sucre. ◻HISTOIRE. Ancienne colonie espagnole, devenue une république indépendante en 1841. La guerre contre le *Honduras (1969-1980) puis la guerre civile entre la junte militaire (qui prit le pouvoir en 1960) et l'opposition ont gravement affecté l'économie qui ne s'est maintenue que grâce à l'aide américaine. L'élection de Napoléon Duarte en 1984 marque le retour à la démocratie.

Salvador autrefois *Bahia* ■ Ville et port du Brésil, sur la baie de Tous-les-Saints (Atlantique). 1,5 million d'hab. Centre religieux et touristique. Importantes activités industrielles et commerciales (export).

Salzbourg ■ Ville d'Autriche. 129 000 hab. Monuments médiévaux et baroques. Tourisme. Festival de musique. Patrie de Mozart.

Salzgitter ■ Ville de R. F. A. 114 000 hab. Sidérurgie.

les Sāmānides n. m. ■ Dynastie iranienne qui régna en Perse (874-999).

Samarie ■ Ancienne capitale du royaume d'Israël (v. 880 av. J.-C.). ◻ *la Samarie,* province centrale de la *Palestine. Ses habitants, les *Samaritains,* ont un rôle important dans les Évangiles : *le bon Samaritain,* modèle de charité ; *la Samaritaine,* femme à qui Jésus révèle sa qualité de Messie.

Samarkand ■ Ville d'U. R. S. S. (*Ouzbékistan). 312 000 hab. Centre culturel et économique. Connue dès l'Antiquité sous le nom de *Maracanda.* Capitale de l'empire musulman de *Tamerlan v. 1400. Nombreux monuments.

la Sambre ■ Rivière du nord de la France, affluent de la Meuse (190 km). *"Sambre et Meuse",* célèbre marche militaire.

Giovanni Battista Sammartini ■ Compositeur italien (1698-1775). Il eut une grande influence sur la musique symphonique.

les îles Samoa ■ Archipel de la *Polynésie dont une partie est un royaume indépendant (les *Samoa occidentales.* 2 842 km². 200 000 hab. Langues : samoan, anglais. Monnaie : tala. Tourisme.), et l'autre américaine (les *Samoa orientales).*

Samory Touré ■ Chef soudanais (v. 1837-1900). Il forma à partir de 1868 un empire qui s'étendait sur la partie orientale de la Guinée actuelle. Il se heurta à l'expansion française et fut capturé en 1898.

Samos ■ Île grecque de la mer *Égée. Un des principaux centres commerciaux dans l'Antiquité. 33 000 hab. *(les Samiens* ou *Samiotes).*

Samothrace ■ Île grecque de la mer *Égée. En 1863, on y trouva une admirable statue : la *"Victoire de Samothrace"*, actuellement au Louvre.

les **Samoyèdes** ■ Peuplades d'origine mongole et de langues finno-ougriennes, établies dans la toundra sibérienne.

Samson ■ Personnage de la Bible. Sa chevelure est le siège de sa force. Dalila le rase et le livre aux *Philistins.

Samsun ■ Port de Turquie, sur la mer Noire. 193 000 hab.

Samuel ■ Prophète et juge d'*Israël dans la Bible (XIᵉ s. av. J.-C.), vainqueur des *Philistins.

Paul Anthony **Samuelson** ■ Économiste américain (né en 1915). Conseiller de John Kennedy. Prix Nobel 1970.

Sanaa ■ Capitale du *Yémen du Nord, située à 2 500 m d'altitude. 121 000 hab. Architecture remarquable.

la **Sanaga** ■ Principal fleuve du *Cameroun (520 km).

Sanā'ī ■ Mystique persan (v. 1080 - v. 1131). Introducteur du *soufisme dans la poésie persane.

Frédéric Dard dit **San Antonio** ■ Auteur français et personnage principal d'une série de romans policiers ironiques et truculents (né en 1921). Il est aussi, sous son nom réel, un romancier notable.

San Antonio ■ Ville des États-Unis (*Texas). 783 000 hab. Architecture coloniale. Centre militaire. Universités.

Sanary-sur-Mer ■ Commune du *Var. 10 400 hab. *(les Sanaryens).* Station balnéaire.

San Bernardino ■ Ville des États-Unis (*Californie du Sud). 119 000 hab. Centre d'une riche région agricole.

San Cristóbal ■ Ville du Venezuela. 152 000 hab. Centre commercial.

Aurore Dupin dite *George* **Sand** ■ Écrivaine française (1804-1876). Célèbre pour ses récits champêtres *("François le Champi" ; "la Mare au diable")*, ses nombreux romans *("Mauprat" ; "les Maîtres sonneurs")*, ses correspondances et journaux autobiographiques. Elle fut aussi une des grandes figures du XIXᵉ s. par sa vie tapageuse (ses amours avec Musset, Chopin) et son engagement politique (défense de la cause des femmes et du peuple).

Carl **Sandburg** ■ Poète américain (1878-1967). *"Fumée et Acier".*

San Diego ■ Ville et port des États-Unis (*Californie du Sud), sur l'Océan Pacifique. 876 000 hab. Tourisme.

John Montagu, comte de **Sandwich** ■ Premier lord de l'Amirauté (1718-1792). Des îles furent baptisées en son honneur et il est à l'origine du mot *sandwich*.

les îles **Sandwich** ■ Ancien nom des îles *Hawaï.

les îles **Sandwich du Sud** ■ Archipel britannique de l'Antarctique. Dépendance des *Malouines.

San Francisco ■ Ville des États-Unis (*Californie), port sur la côte Pacifique. 679 000 hab. Centre commercial, financier, touristique et culturel (universités de Berkeley et de Palo Alto).

Sangatte ■ Commune du *Pas-de-Calais. 3 400 hab.

Frederick **Sanger** ■ Biochimiste britannique (né en 1918). Prix Nobel 1958 et 1980. Détermination des séquences de l'A. D. N.

Sangli ■ Ville de l'Inde. 115 000 hab.

Marc **Sangnier** ■ Journaliste et homme politique français (1873-1950). Il milita pour un christianisme social, fut condamné par Pie X (1910) et se soumit. Fondateur de la Ligue française des auberges de la jeunesse (1930).

San Isidro ■ Ville d'Argentine, dans la banlieue de Buenos Aires. 250 000 hab. Centre industriel et station balnéaire.

San José ■ Capitale du Costa Rica. 500 000 hab. Grand centre commercial. Carrefour routier et ferroviaire.

San Jose ■ Ville des États-Unis (*Californie). 630 000 hab. Fruits.

San Juan ■ Ville d'Argentine. 112 000 hab. Industries alimentaires. Pétrole.

San Juan ■ Capitale de l'île de Porto Rico. 452 000 hab. Centre touristique, commercial et industriel.

Śaṅkarāchārya ■ Penseur indien (v. 788 - v. 820). Il développa le non-dualisme du *Vedānta*.

San Luis Potosí ■ Ville du Mexique. 303 000 hab. Cathédrale baroque. Centre commercial. Mines d'argent dans la région.

José de **San Martín** ■ Général et homme politique argentin (1778-1850). Héros de l'indépendance de l'Amérique latine.

San Miguel ■ Ville du Salvador. 111 000 hab.

Iacopo **Sannazzaro** ■ Poète italien (v. 1456-1530). Son roman *"l'Arcadie"* eut une influence capitale sur le genre pastoral au XVIᵉ et au XVIIᵉ s.

Sannois ■ Commune du *Val-d'Oise. 22 000 hab.

San Pedro Sula ■ 2ᵉ ville du Honduras. 151 000 hab. Centre commercial. Industries alimentaires.

San Remo ou **Sanremo** ■ Ville d'Italie. 52 000 hab. Station balnéaire.

San Salvador ■ Capitale du Salvador. 1 million d'hab. Principal centre intellectuel et économique du pays. Forte croissance démographique.

les **sans-culottes** ■ Nom donné, à partir de 1792, aux révolutionnaires qui, par refus de la « culotte » des aristocrates, serrée sous le genou, portaient le pantalon.

Santa Ana ■ Ville des États-Unis (*Californie). 204 000 hab.

Santa Ana ■ Ville du *Salvador. 172 000 hab.

Antonio López de **Santa Anna** ■ Homme politique mexicain (1794-1876).

Santa Clara ■ Ville de l'île de Cuba. 172 000 hab.

Santa Cruz ■ Ville de Bolivie. 337 000 hab. Centre commercial et industriel.

Santa Cruz de Tenerife ■ Capitale de l'île de Tenerife. Chef-lieu de la province occidentale des *Canaries. 190 800 hab. Raffinerie de pétrole.

Santa Fe ■ Ville d'Argentine. 244 000 hab. Port fluvial, sur un bras du *Paraná.

Santa Fe ■ Ville des États-Unis, capitale du *Nouveau-Mexique. 49 000 hab. Monuments coloniaux et hispano-indiens.

Santa Marta ■ Ville de Colombie. 152 000 hab. L'un des plus grands ports bananiers du monde. Tourisme.

Santander ■ Ville et port du nord de l'Espagne. 150 000 hab. Port de pêche et de commerce. Industries. Station balnéaire. Université. Cathédrale gothique.

Santiago ■ Capitale du Chili. Métropole culturelle et économique (54 % des industries de transformation du pays). 3,2 millions d'hab. Contraste de modernisme et de pauvreté.

Santiago ou *Santiago de Cuba* ■ Ville et port de Cuba. 345 300 hab. Important centre industriel et commercial.

Santiago ou *Santiago de los Caballeros* ■ Ville de la République dominicaine. 210 000 hab.

Santiago del Estero ■ Ville d'Argentine. 105 000 hab. Centre commercial et touristique.

le marquis de Santillana ■ Homme de guerre et poète espagnol (1398-1458). Il introduisit le sonnet dans la poésie espagnole.

Santo André ■ Ville du Brésil. 515 800 hab. Centre industriel dans la banlieue de São Paulo.

Santorin ou *Théra* ■ Île grecque, issue d'une éruption volcanique.

Santos ■ Ville et 1er port du Brésil. Exportation de café. 417 000 hab. Industrie en essor.

Alberto Santos-Dumont ■ Pionnier brésilien de l'aviation, établi en France (1873-1932).

Sanvignes-les-Mines ■ Commune de *Saône-et-Loire. 5 700 hab.

São Caetano do Sul ■ Ville du Brésil, dans l'État de São Paulo. 150 000 hab.

São João de Meriti ■ Ville du Brésil, dans l'État de Rio de Janeiro. 303 000 hab.

São José do Rio Prêto ■ Ville du Brésil, dans l'État de Rio de Janeiro. 164 000 hab.

São Luís ou *São Luís do Maranhão* ■ Ville et port du Brésil, capitale de l'État du *Maranhão*. 265 500 hab. Centre administratif, commercial et industriel.

São Miguel ■ La plus importante île des Açores. 747 km². 150 000 hab.

la Saône ■ Rivière de l'est de la France, le plus important affluent du Rhône. □ *la Haute-Saône* [70], département français de la région *Franche-Comté. 5 344 km². Préfecture : Vesoul. Sous-préfecture : Lure. □ *la Saône-et-Loire* [71], département français de la région *Bourgogne. 8 627 km². 572 000 hab. Préfecture : Mâcon. Sous-préfectures : Autun, Chalon-sur-Saône, Charolles, Louhans.

São Paulo ■ La plus grande ville du Brésil : plus de 12 millions d'hab. *(les Paulistes)*. Quatre fois la superficie de Paris. Métropole économique, commerciale et industrielle du pays, mais nombreux quartiers pauvres (bidonvilles ou *favelas*). Carrefour de communications. Capitale de l'*État de São Paulo*.

São Tomé e Príncipe ■ Archipel et État (république démocratique) du golfe de *Guinée, formé des îles de São Tomé et Príncipe. 964 km². 87 000 hab. Capitale : São Tomé (35 000 hab.).

Langues : portugais (officielle), bantou. Monnaie : dobra.

Edward Sapir ■ Linguiste et anthropologue américain d'origine allemande (1884-1939). ⇒ **Bloomfield.**

Sappho ou *Sapho* ■ Poétesse grecque, créatrice du lyrisme érotique (v. 600 av. J.-C.). Poèmes de la passion amoureuse, adressées à des femmes de *Lesbos. "Ode à Aphrodite".

Sapporo ■ Ville du Japon, chef-lieu de l'île de *Hokkaidō. 1,24 million d'hab. Jeux olympiques d'hiver 1972.

Saqqarah ou *Sakkarah* ■ Site archéologique d'Égypte. Nécropole de l'ancienne ville de Memphis, où se trouve la célèbre pyramide à degrés de Djoser construite par *Imhotep.

Saragosse ■ Ville d'Espagne, sur l'*Èbre. 590 000 hab. Cathédrale (XIIe - XVIe s.). Essor industriel récent. □HISTOIRE. La ville fut le royaume arabe de Saragosse avant d'être prise par Alphonse Ier le Grand. Elle devint alors la capitale de l'Aragon. Université créée en 1474.

Sarah ou *Sara* ■ Épouse d'Abraham dans la Bible, miraculeusement mère d'Isaac à quatre-vingt-dix ans.

Sarajevo ■ Ville de Yougoslavie, capitale de la république fédérale de Bosnie-Herzégovine. 244 000 hab. Centre administratif, commercial et industriel. L'assassinat de l'archiduc François-Ferdinand à Sarajevo, en juin 1914, déclencha la Première Guerre mondiale.

Saran ■ Commune du *Loiret. 10 000 hab.

Saransk ■ Ville d'U. R. S. S. (*Russie), capitale de la république autonome de *Mordovie. 250 000 hab.

Sarapoul ou *Sarapul* ■ Ville d'U. R. S. S. (*Russie) en Oudmourtie. 100 000 hab. Industries.

Saratov ■ Ville d'U. R. S. S. (*Russie). 856 000 hab. Important port fluvial sur la Volga. Centre culturel.

Sarcelles ■ Commune du *Val-d'Oise. 55 200 hab. *(les Sarcellois)*. Cité-dortoir.

la Sardaigne ■ Île et région italienne, au sud de la Corse. 24 090 km². 1,5 million d'hab. *(les Sardes)*. Capitale : Cagliari (port). Charbon. Élevage ovin. Malgré le développement du tourisme, la région reste pauvre, d'où la forte émigration. Au XVIIIe s., elle passa à la maison de Savoie, formant avec le Piémont les « États sardes », amorce du royaume d'Italie. ⇒ **Victor-Emmanuel II.**

Sardanapale ■ Roi légendaire chez les Grecs, personnage inspiré par le roi d'Assyrie, *Assurbanipal.

Sardes ■ Ancienne ville d'*Asie Mineure (aujourd'hui en Turquie), capitale du royaume de *Lydie, célèbre pour sa richesse. Ruines (surtout romaines).

Victorien Sardou ■ Auteur français de vaudevilles (1831-1908). "*Madame Sans-Gêne*".

la mer des Sargasses ■ Partie occidentale de l'Atlantique Nord, près des Bermudes.

John Sargent ■ Peintre américain (1856-1925). Portraits mondains. Grandes décorations murales.

Sargodha ■ Ville du Pakistan. 200 000 hab.

Sargon II ■ Roi d'Assyrie (de 721 à 705 av. J.-C.). Durant son règne, l'*Assyrie fut à son apogée.

Sarlat ou **Sarlat-la-Canéda** ■ Sous-préfecture de la *Dordogne. 11 000 hab. *(les Sarladais)*. Vieille ville très pittoresque. Marché agricole.

William **Saroyan** ■ Romancier et auteur dramatique américain (1908-1981). *"Matière à rire"*, roman ; *"Ça s'appelle vivre"*, théâtre.

les **Sarrasins** n. m. ■ Au Moyen Âge, un des noms donnés par les Occidentaux aux musulmans.

Nathalie **Sarraute** ■ Écrivaine française d'origine russe (née en 1902). Partie du *nouveau roman, elle expérimente le langage et son pouvoir de communication à travers le dialogue, le jeu. *"L'Ère du soupçon"*, essai ; *"Tropismes"*, roman ; *"Pour un oui ou pour un non"*, théâtre ; *"Enfance"*, autobiographie.

la **Sarre** ■ État de R. F. A. qui doit son nom à la rivière qui le traverse. 2 567 km². 1 million d'hab. *(les Sarrois)*. Capitale : Sarrebruck. Importantes ressources de houille, sidérurgie, chimie, constructions mécaniques, métallurgiques. Textile. □HISTOIRE. La région, en grande partie française au XVIIᵉ s., devint prussienne en 1815. L'industrie houillère s'y développa à la fin du XIXᵉ s. En 1919, elle fut reprise à l'Allemagne et placée sous l'administration de la *S. D. N., tandis que la France obtenait la propriété des mines. En 1935, un plébiscite décida de son rattachement à l'Allemagne. Indépendante en 1947, elle fut économiquement intégrée à la France mais se rapprocha progressivement de la R. F. A., dont elle fait partie depuis 1957.

Sarrebourg ■ Sous-préfecture de la *Moselle, sur la Sarre. 15 000 hab.

Sarrebruck ■ Ville de R. F. A., capitale de la *Sarre. 190 000 hab. *(les Sarrebruckois)*. Industries (houille, sidérurgie, chimie, machines...). Banques.

Sarreguemines ■ Sous-préfecture de la *Moselle, sur la Sarre, à proximité de la frontière allemande. 26 200 hab. *(les Sarregueminois)*. Céramiques.

Sartène ■ Sous-préfecture de la *Corse-du-Sud. 6 000 hab. *(les Sartenais)*. Ville ancienne.

la **Sarthe** [72] ■ Département français de la région des pays de la *Loire. 6 206 km². 505 000 hab. Préfecture : Le Mans. Sous-préfectures : La Flèche, Mamers. Arrosé par la Sarthe, affluent de la Mayenne.

Jean-Paul **Sartre** ■ Philosophe et écrivain français (1905-1980). Penseur existentialiste (*"l'Être et le Néant"* ; *"l'Idiot de la famille"*, sur Flaubert) marqué par Hegel, Marx, Husserl et Heidegger, il a analysé les situations concrètes dans lesquelles l'homme engage sa liberté et son action. Nombreuses œuvres. *"La Nausée"*, roman ; *"Huis clos"*, théâtre ; *"les Mots"*, autobiographie.

Sartrouville ■ Commune des *Yvelines, sur la Seine. 47 400 hab.

Sasebo ■ Ville du Japon (*Kyūshū). 254 000 hab. Base militaire. Chantiers navals.

la **Saskatchewan** ■ Province (État fédéré) du Canada. 651 903 km². 970 000 hab. Capitale : Regina. Région agricole (*Prairie) qui doit son nom à la rivière qui la traverse. Pétrole, potasse, uranium.

Saskatoon ■ Ville du Canada (*Saskatchewan). 134 000 hab.

les **Sassanides** n. m. ■ Dynastie perse qui renversa les *Parthes et régna sur un vaste empire en Orient (224-651).

Sassari ■ Ville d'Italie (*Sardaigne). 118 000 hab.

Sassenage ■ Commune de l'*Isère. 7 500 hab. *(les Sassenageois)*. Grottes.

Satan ■ « L'accusateur », en grec *diabolos*, le diable, chef des démons dans les traditions juive et chrétienne.

Sathonay-Camp ■ Commune du *Rhône. 5 300 hab. Camp militaire.

Erik **Satie** ■ Compositeur français (1866-1925). Par son style dépouillé, son humour, il occupe une place à part dans la musique. *"Gymnopédies"* ; *"Morceaux en forme de poire"*, pour piano ; *"Parade"*, ballet.

Satu Mare ■ Ville de Roumanie. 104 000 hab.

Saturne ■ Dieu romain des Semailles identifié au *Cronos grec, dieu du Temps. On célébrait en son honneur les *saturnales*. □ *Saturne*, planète du système solaire, entourée d'anneaux et de nombreux satellites. 744 fois le volume de la Terre.

les **Satyres** n. m. ■ Démons de la mythologie grecque, formant le cortège de *Dionysos. Ils ont le buste d'un homme et le bas d'un bouc. ‹ ▶ satyre ›

Henri **Sauguet** ■ Compositeur français (né en 1901). *"Les Forains"*, ballet.

Saül ■ Premier roi des Hébreux (de 1020 à 1000 av. J.-C.), vaincu par les *Philistins.

Saumur ■ Sous-préfecture du *Maine-et-Loire. 35 000 hab. *(les Saumurois)*. Château (XVᵉ - XVIᵉ s.) sur la Loire. Un des bastions du protestantisme aux XVIᵉ et XVIIᵉ s. École militaire de cavalerie (« Cadre noir »). Vins.

Carlos **Saura** ■ Cinéaste espagnol (né en 1932). *"Ana et les loups"* ; *"Noces de sang"*.

Ferdinand de **Saussure** ■ Linguiste suisse (1857-1913). Son œuvre marque le début de la linguistique générale et de l'approche structurale des signes, ou sémiologie (⇒ **Peirce**). *"Cours de linguistique générale"* (posthume).

Alfred **Sauvy** ■ Démographe, économiste et sociologue français (né en 1898).

Savannah ■ Ville des États-Unis (*Géorgie). Port sur l'Atlantique. 134 000 hab. Capitale de la Géorgie avant 1785.

Savenay ■ Commune de la *Loire-Atlantique. 5 200 hab. *(les Savenaisiens)*.

Saverne ■ Sous-préfecture du *Bas-Rhin. 10 500 hab. *(les Savernois)*. Palais des Rohan (XVIIIᵉ s.). Située sur le canal de la Marne au Rhin, à l'entrée du *col de Saverne*, qui fait communiquer le plateau lorrain et la plaine d'Alsace.

Thomas **Savery** ■ Mécanicien anglais (v. 1650 - 1715). Il réalisa la première pompe à vapeur dépassant le stade expérimental de *Papin.

Savigny-le-Temple ■ Commune de *Seine-et-Marne. 12 000 hab.

Savigny-sur-Orge ■ Commune de l'*Essonne. 32 000 hab. *(les Saviniens)*.

Alberto **Savinio** ■ Écrivain italien, frère de *De Chirico (1891-1952).

la **Savoie** ■ Région du sud-est de la France, au nord des Alpes, habitée par les *Savoyards*. Lieu de passage entre la France, l'Italie et la Suisse, elle eut un grand rôle historique. □HISTOIRE. Au XVᵉ s., le comte Amédée VIII de Savoie prit Genève (perdue en 1530) et le *Piémont. Devenue un duché, la Savoie fut progressivement annexée par la France ; ses souverains, régnant sur le Piémont et la Sardaigne, la cédèrent définitivement en 1860, quand ils eurent obtenu l'unité de l'Italie (⇒ **Victor-Emmanuel II**). Elle correspond aujourd'hui à deux départements. □ *la Savoie* [73], département français de la région *Rhône-Alpes, à la frontière italienne. 6 270 km². 324 000 hab. Préfecture : Chambéry. Sous-préfectures : Albertville, Saint-Jean-de-Maurienne. □ *la Haute-Savoie* [74], département français de la région *Rhône-Alpes, à la frontière suisse. 4 598 km². 495 000 hab. Préfecture : Annecy. Sous-préfectures : Bonneville, Thonon-les-Bains, Saint-Julien-en-Genevois.

Jérôme **Savonarole** ■ Dominicain italien (1452-1498). Il entreprit une réforme radicale à Florence, s'attaqua au pape qui l'excommunia et le condamna au bûcher.

Savone ■ Ville et port d'Italie, sur le golfe de Gênes. 70 000 hab.

Sax ■ FAMILLE DE FACTEURS D'INSTRUMENTS. □ *Adolphe Sax* (1814-1894) inventa le *saxophone*.

Maurice comte de **Saxe** dit *le Maréchal de Saxe* ■ Maréchal de France (1696-1750). Célèbre pour ses talents militaires et l'agitation de sa vie privée.

la **Saxe** ■ Région du sud-ouest de la R. D. A., qui doit son nom aux Saxons (→ ci-dessous). Capitale : Dresde. Grande activité industrielle. □HISTOIRE. La Saxe fut un duché intégré au royaume de *Germanie au IXᵉ s. et devint au XIVᵉ s. la « Saxe électorale ». Elle adhéra à la *Réforme au XVIᵉ s. Au XVIIIᵉ s., elle connut un essor artistique important (porcelaine de Meissen). Elle forma un royaume de 1806 à 1918, puis une république (1920). □ *la Basse-Saxe,* État de R. F. A. 47 450 km². 7,3 millions d'hab. Capitale : Hanovre. Sous-sol riche (fer, lignite, pétrole) qui favorise l'industrie (sidérurgie, mécanique, chimie). ▶ *les Saxons*. Peuple germanique qui s'établit en Angleterre v. 450 (avant les *Angles). ‹ ▶ anglo-saxon ›

Jean-Baptiste **Say** ■ Économiste libéral et industriel français (1767-1832).

Scaër ■ Commune du *Finistère. 6 800 hab.

la **Scala** ■ Célèbre théâtre de Milan, construit en 1778.

la **Scandinavie** ■ Région de l'Europe du Nord comprenant le Danemark, la Suède et la Norvège. Forêts et lacs. Ses habitants sont les Scandinaves. La notion de *pays nordiques* est plus large : elle inclut l'Islande et la Finlande.

Scaramouche ■ Personnage de la *Commedia dell'arte.

Alessandro **Scarlatti** ■ Compositeur italien (1660-1725). Son œuvre est très abondante : 115 opéras, des cantates, des oratorios... Il a fixé la forme de l'opéra napolitain et annoncé la symphonie classique. □ *Domenico Scarlatti* (1685-1757), son fils, claveciniste réputé. Il composa 555 pièces (« sonates ») pour le clavecin et de nombreuses pièces de musique sacrée. Ami de *Haendel, il domina la vie musicale italienne de son temps.

Paul **Scarron** ■ Écrivain français (1610-1660). "*Le Roman comique*", récit satirique.

Sceaux ■ Commune des *Hauts-de-Seine, au sud de Paris. 20 000 hab. *(les Scéens)*. Château et parc (aménagé par *Le Nôtre).

Maurice **Scève** ■ Poète français (1501 - v. 1564). Poésie savante et symbolique caractéristique de la

*Renaissance. Poèmes amoureux. "*Blasons*" ; "*Délie, objet de plus haute vertu*" ; "*Microcosme*".

Hjalmar **Schacht** ■ Financier allemand (1877-1970), ministre de l'économie de 1934 à 1937, il soutint Hitler jusqu'en 1938.

Pierre **Schaeffer** ■ Compositeur français, initiateur de la « musique concrète » (né en 1910).

Schaerbeek ■ Ville de Belgique. 119 000 hab.

Schaffhouse en allemand *Schaffhausen* ■ Ville de Suisse. 37 000 hab. ▶ *le canton de Schaffhouse*. 298 km². 73 000 hab. Chef-lieu : Schaffhouse.

Ary **Scheffer** ■ Peintre français d'origine néerlandaise (1795-1858).

Georges **Schéhadé** ■ Poète libanais d'expression française (né en 1910).

Schéhérazade ■ Personnage des *Mille et Une Nuits. Le sultan, son époux, convaincu de son infidélité, décide de la faire étrangler, mais elle lui raconte chaque nuit des histoires si captivantes qu'il remet sans cesse au lendemain l'échéance fatidique, et ce jusqu'à la mille et unième nuit, où il décide de renoncer à son projet.

Johann **Schein** ■ Compositeur allemand, considéré comme le plus important prédécesseur de *Bach (1585-1630).

Friedrich Wilhelm Joseph von **Schelling** ■ Philosophe allemand (1775-1854). Le principal représentant de l'idéalisme allemand avec Fichte et Hegel.

Elsa **Schiaparelli** ■ Couturière française d'origine italienne (1890-1973).

Egon **Schiele** ■ Peintre autrichien (1890-1918). Portraits et paysages *expressionnistes dont le graphisme nerveux exprime une grande tension.

Friedrich von **Schiller** ■ Écrivain allemand, le grand réformateur du théâtre allemand (1759-1805). Ses premiers drames sont influencés par Rousseau. Puis il se consacre à l'étude de l'histoire : écrits théoriques et drames historiques ("*Marie Stuart*" ; "*Guillaume Tell*" ; "*Don Carlos*"). Proche de Goethe.

Schiltigheim ■ Commune du Bas-*Rhin. 30 000 hab.

le **schisme d'Occident** ■ Période pendant laquelle il y eut plusieurs papes à la fois (de 1378 à 1417). Il éclata avec la double élection d'Urbain VI (pape à Rome) et de Clément VII (qui s'installa à Avignon).

le **schisme d'Orient** ■ Rupture entre l'Église de Rome et l'Église de Byzance (qui devint l'Église *orthodoxe). L'opposition commença au IVᵉ s., se renforça au IXᵉ s. avec *Photios et aboutit à la séparation en 1054, sous le patriarcat de Michel *Cérulaire. ⇒ querelle du **Filioque**.

August Wilhelm von **Schlegel** ■ Critique littéraire allemand (1767-1845). Défenseur du *romantisme contre le *classicisme. Il fit découvrir la littérature allemande à Mme de *Staël. □ *Friedrich von Schlegel*, son frère (1772-1829). Théoricien du romantisme allemand, linguiste.

Friedrich **Schleiermacher** ■ Théologien protestant allemand (1768-1834). Sous son influence, la théologie a centré le fait religieux plus sur la piété que sur le dogme.

Oscar **Schlemmer** ■ Peintre et sculpteur allemand, professeur au *Bauhaus (1888-1943). Ses personnages sont schématisés selon des lignes géométriques. Costumes et décors de théâtre.

le **Schleswig-Holstein** ■ État de R. F. A. 15 658 km². 2,6 millions d'hab. Capitale : Kiel. Pays rural. Essor industriel depuis 1950. Ancien duché danois, puis prussien (1866). Le Schleswig du Nord passa au Danemark en 1945.

Moritz **Schlick** ■ Philosophe allemand (1882-1936). Physicien de formation, épistémologue. ⇒ cercle de **Vienne.**

Heinrich **Schliemann** ■ Archéologue allemand (1822-1890). Il découvrit le site le plus vraisemblable de *Troie.

Helmut **Schmidt** ■ Homme d'État ouest-allemand (né en 1918). Chancelier (social-démocrate) de la R. F. A de 1974 à 1982.

Karl **Schmidt-Rottluff** ■ Peintre *expression-niste allemand (1884-1976). Un des fondateurs du groupe *die *Brücke*. Gravures sur bois.

Florent **Schmitt** ■ Compositeur français (1870-1958). Musique de chambre. "*Le petit elfe ferme l'œil*", ballet.

les **Schneider** ■ Industriels français. D'origine lorraine, ils développèrent considérablement la sidérurgie au Creusot. □ *Eugène Schneider* (1805-1875), un des notables du Second Empire.

Arthur **Schnitzler** ■ Écrivain et auteur dramatique autrichien (1862-1931). "*La Ronde*" ; "*Terre étrangère*".

Victor **Schœlcher** ■ Homme politique français (1804-1893). Membre du gouvernement en février 1848, il contribua à faire voter le décret sur l'abolition de l'esclavage dans les colonies.

Schœlcher ■ Commune de la *Martinique. 17 000 hab.

Nicolas **Schöffer** ■ Sculpteur hongrois naturalisé français (né en 1912). Mobiles animés d'impulsions sonores et lumineuses.

Arnold **Schönberg** ■ Compositeur autrichien, naturalisé américain (1874-1951). Il révolutionna la musique en mettant fin au système tonal pour un nouveau système : le dodécaphonisme (⇒ **Webern**). "*La Nuit transfigurée*" ; "*Pierrot lunaire*".

Martin **Schongauer** ■ Artiste alsacien (v. 1445 - 1491). Connu surtout par ses gravures qui influencèrent Dürer.

Arthur **Schopenhauer** ■ Philosophe allemand (1788-1860). Présenté comme une suite critique à *Kant, son pessimisme a marqué le XIXᵉ s. "*Le Monde comme volonté et comme représentation*".

Erwin **Schrödinger** ■ Physicien autrichien (1887-1961). Prix Nobel 1933 avec *Dirac. Il a donné à la mécanique ondulatoire de *Broglie un formalisme mathématique équivalent à celui de *Heisenberg, permettant l'unification de la mécanique quantique.

Franz · **Schubert** ■ Compositeur *romantique autrichien (1797-1828). Bien que mort jeune, il a laissé une œuvre immense : 600 mélodies ou *lieder* ("*la Belle Meunière*" ; "*le Voyage d'hiver*"), neuf symphonies, et de la musique de chambre ("*la Truite*", quintette ; "*la Jeune Fille et la Mort*", quatuor).

Robert **Schuman** ■ Homme politique français (1886-1963). Démocrate-chrétien, il chercha le rapprochement avec l'Allemagne d'*Adenauer, et fut un des pères de la *C. E. E.

Robert **Schumann** ■ Compositeur *romantique allemand (1810-1856). Épris de littérature et de philosophie, il a laissé une œuvre profondément romantique : musique pour piano ("*Kreisleriana*" ; "*Scènes de la forêt*"), musique de chambre, mélodies ("*les Amours du poète*"), musique symphonique (quatre symphonies, concertos). Il sombra dans la folie.

Joseph Aloïs **Schumpeter** ■ Économiste autrichien émigré aux États-Unis (1883-1950). Il intégra à la théorie économique la sociologie, l'histoire et la statistique.

Kurt von **Schuschnigg** ■ Homme politique autrichien (1897-1977). Chancelier de 1934 à 1938, il tenta en vain de maintenir l'indépendance de l'Autriche face à l'Allemagne nazie.

Heinrich **Schütz** ■ Compositeur allemand (1585-1672). Il opéra la fusion des cultures allemande et italienne dans une musique essentiellement religieuse. "*Psaumes de David*".

Theodor **Schwann** ■ Naturaliste allemand (1810-1882). Sa théorie cellulaire en fait le père de l'histologie.

Elisabeth **Schwarzkopf** ■ Cantatrice allemande, soprano (née en 1915).

Albert **Schweitzer** ■ Théologien protestant, musicologue, organiste et médecin français (1875-1965). Fondateur de l'hôpital de Lambaréné au Gabon. Prix Nobel de la paix 1952.

Schwerin ■ Ville de R. D. A. 126 000 hab. Chimie.

Kurt **Schwitters** ■ Peintre et sculpteur allemand (1887-1948). Collages *dada.

Schwyz ■ Ville de Suisse. 12 000 hab. ▶ *le canton de Schwyz*. 908 km². 100 000 hab. Chef-lieu : Schwyz. Il forma le noyau de la Confédération helvétique avec les cantons d'Uri et d'Unterwald en 1291 (⇒ **Suisse**). Le nom de la Suisse vient du sien.

Leonardo **Sciascia** ■ Écrivain italien (né en 1921). Auteur de brefs récits policiers inspirés par la politique italienne et la maffia sicilienne. "*L'Affaire Moro*".

les îles **Scilly** ■ Archipel britannique de la Manche.

Scipion l'Africain ■ Général romain (v. 235 - 183 av. J.-C.). Consul en 205 av. J.-C., il prit *Carthage (204 av. J.-C.), et vainquit Hannibal (202 av. J.-C.) à Zama, mettant fin à la deuxième guerre *punique.

Scipion Émilien ■ Général romain (v. 185 - 129 av. J.-C.). Il détruisit *Carthage et acheva la troisième guerre *punique. Il favorisa l'introduction de la culture grecque à Rome.

Scopas ■ Sculpteur et architecte grec (milieu du IVᵉ s. av. J.-C.). Il donna à l'art grec un sens nouveau du rythme et de l'expression.

Jean Duns **Scot** ■ ⇒ **Duns Scot.**

Jean **Scot Erigène** ■ Théologien et philosophe écossais ou irlandais à la cour de Charles le Chauve (v. 810 - v. 877). Il a écrit l'œuvre philosophique la plus importante entre le *Pseudo-Denys et saint *Anselme ; d'inspiration platonicienne, elle fut jugée panthéiste par l'Église et condamnée comme hérétique.

Robert **Scott** ■ Explorateur anglais (1817-1879). Il dirigea deux expéditions dans l'Antarctique.

Walter **Scott** ■ Écrivain écossais (1771-1832). Il créa un genre narratif, le roman historique, et eut une grande influence sur son époque. *"Ivanhoé"*.

Scranton ■ Ville des États-Unis (*Pennsylvanie). 104 000 hab.

Alexandre **Scriabine** ■ Compositeur russe (1872-1915). Chef de file du courant moderniste au début du XXᵉ s. *"Prométhée"*, pour orchestre. Sonates, impromptus et préludes pour piano.

Eugène **Scribe** ■ Auteur dramatique français (1791-1861). Il a aussi écrit de nombreux livrets d'opéras.

Madeleine de **Scudéry** ■ Romancière française (1607-1701). Ses romans, parfois écrits avec son frère Georges (1601-1667), furent appréciés par la société précieuse. *"Le Grand Cyrus"* ; *"Clélie"* (où se trouve la « Carte du Tendre »).

les **Scythes** n. m. ■ Tribus semi-nomades d'origine iranienne vivant au nord de la mer Noire et qui disparurent au IIᵉ s. Remarquables cavaliers et archers. Travail artistique de l'or et de l'argent.

la **S. D. N.** ■ Sigle de la *Société des Nations.

Seattle ■ Ville des États-Unis, port sur le *Puget Sound (Pacifique), principal centre urbain et économique de l'État de Washington. 492 000 hab. Aéronautique (Boeing).

Sebastiano del Piombo ■ Peintre italien (v. 1485-1547). Admirateur de Michel-Ange. Sujets religieux, portraits.

saint **Sébastien** ■ Officier romain martyrisé au IIIᵉ s. Patron des archers. Il inspira de nombreux peintres.

Sébastopol ■ Ville et port d'U. R. S. S. (*Ukraine). 283 000 hab. Constructions navales. Arsenal. Point stratégique sur la mer Noire, enjeu de la guerre de *Crimée (1855), de la guerre civile (dernier bastion de Wrangel, 1920), de la guerre russo-allemande (1942-1944).

la guerre de **Sécession** ■ Guerre civile aux États-Unis, de 1861 à 1865. L'économie cotonnière du Sud reposait sur l'emploi d'esclaves noirs. L'élection de l'antiesclavagiste *Lincoln provoqua la sécession des États du Sud (les *Sudistes*). Cette guerre, par l'importance de ses effectifs, la mobilisation de toutes les ressources, l'utilisation des premiers cuirassés, mines et torpilles, par les pertes considérables qu'elle entraîna, est considérée comme la première guerre moderne. Elle se solda par la victoire du Nord (des *Yankees*), industriel et protectionniste.

Seclin ■ Commune du *Nord, près de Lille. 10 000 hab. *(les Seclinois)*.

Charles **Secrétan** ■ Philosophe suisse (1815-1895). *"Théologie et religion"*.

Michel **Sedaine** ■ Auteur dramatique français, disciple de *Diderot (1719-1797). *"Le Philosophe sans le savoir"*.

Sedan ■ Sous-préfecture des *Ardennes, sur la Meuse. 26 000 hab. *(les Sedanais)*. Textile, métallurgie. Défaite de Napoléon III entre les Prussiens le 2 septembre 1870, qui entraîna la chute du Second Empire. En mai 1940, offensive allemande.

Sées ■ Commune de l'*Orne. 5 300 hab. *(les Sagiens)*. Cathédrale gothique.

Georges **Séféris** ■ Poète grec (1900-1971). Prix Nobel 1963.

les **Séfévides** ■ ⇒ les **Safavides**.

Victor **Segalen** ■ Écrivain français (1878-1919). Ses voyages (Tahiti, la Chine) et sa confrontation critique à l'exotisme nourrissent son œuvre. *"Stèles"*, poèmes ; *"Les Immémoriaux"* et *"René Leys"*, romans.

Ségovie ■ Ville d'Espagne, chef-lieu de la province de Ségovie. 42 000 hab. Aqueduc romain. Monuments.

Segré ■ Sous-préfecture du *Maine-et-Loire. 7 200 hab. *(les Segréens)*.

le chancelier Pierre **Séguier** ■ Magistrat français, ministre de Louis XIII et de Louis XIV (1588-1672).

Marc **Seguin** ■ Ingénieur français, pionnier des chemins de fer (1786-1875).

la comtesse de **Ségur** née *Sophie Rostopchine* ■ Écrivaine française d'origine russe (1799-1874). Pour distraire et éduquer ses petits-enfants, elle écrivit une vingtaine de romans destinés à être lus ou joués. *"Les Petites Filles modèles"* ; *"les Malheurs de Sophie"*.

Jaroslav **Seifert** ■ Poète tchécoslovaque (1901-1986). *"Mozart à Prague"*. Prix Nobel 1984.

l'île de **Sein** ■ Île et commune du *Finistère (Bretagne). 500 hab. *(les Sénans ou Iliens)*.

la **Seine** ■ Fleuve français (776 km) qui prend sa source sur le plateau de *Langres, traverse Paris, Rouen, et se jette dans la Manche par un large estuaire où se trouve Le Havre. Rôle économique essentiel : le trafic fluvial, particulièrement intense entre le Bassin parisien et la Manche, a entraîné un fort développement industriel de la *Basse-Seine*, région entre Le Havre et Rouen (raffinage du pétrole, pétrochimie, industries mécaniques). □ *la* **Seine-et-Marne** [77], département français de la région *Île-de-France. 6 254 km². 887 000 hab. Préfecture : Melun. Sous-préfectures : Meaux, Provins. □ *la* **Seine-Maritime** [76], département français de la région Haute-*Normandie. 6 341 km². 1,2 million d'hab. Préfecture : Rouen. Sous-préfectures : Dieppe, Le Havre. □ *la* **Seine-Saint-Denis** [93], département français de la région *Île-de-France, créé en 1964. 236 km². 1,325 million d'hab. Préfecture : Bobigny. Sous-préfecture : Le Raincy. □ *les* **Hauts-de-Seine**. ⇒ **Hauts-de-Seine**.

Ignaz **Seipel** ■ Prélat et homme d'État autrichien (1876-1932). Chancelier de 1922 à 1924 et de 1926 à 1929, il redressa l'économie et créa le schilling.

Sei **Shōnagon** ■ Poétesse japonaise (fin Xᵉ s.). *"Notes de chevet"*.

Sekhmet ■ « La Puissante », déesse de l'ancienne Égypte représentée par une femme à tête de lionne. Épouse de *Ptah. Son culte était à Memphis.

Sélestat ■ Sous-préfecture du Bas-*Rhin. 15 800 hab. *(les Sélestadiens)*. Église (XIIᵉ s.). Célèbre école d'humanistes germaniques aux XVᵉ et XVIᵉ s.

les **Séleucides** n. m. ■ Dynastie hellénistique qui régna sur un empire allant de l'Indus à la Méditerranée (305 - 64 av. J.-C.). □ *Séleucos Iᵉʳ Nikator*, fondateur de la dynastie (v. 358 - 280 av. J.-C.). Il reçut la Babylonie au partage de l'empire d'*Alexandre le Grand. Fondation de grandes villes : Antioche, Séleucie.

Sélim Iᵉʳ ■ Sultan ottoman (1467-1520). Il conquit la Palestine, la Syrie et l'Égypte.

Selles-sur-Cher ■ Commune du *Loir-et-Cher. 5 000 hab.

Seloncourt ■ Commune du *Doubs. 5 300 hab. *(les Seloncourtois)*.

Semarang ■ Ville et port de l'île de Java. 1 million d'hab.

Séméac ■ Commune des Hautes-*Pyrénées. 5 000 hab.

Sémélé ■ Déesse de la mythologie grecque. Aimée de Zeus, elle conçoit *Dionysos.

Semipalatinsk ■ Ville d'U. R. S. S. (*Kazakhstan). 282 000 hab.

Sémiramis ■ Reine et fondatrice légendaire de Babylone. Elle fit construire les fameux jardins suspendus, terrasses superposées arrosées par les eaux de l'Euphrate.

Semur-en-Auxois ■ Commune de la *Côte-d'Or. 5 400 hab. *(les Semurois).* Vestiges médiévaux.

Jean **Sénac** ■ Poète algérien d'expression française (1926-1973). *"Matinales de mon peuple".*

Étienne Pivert de **Senancour** ■ Écrivain français (1770-1846). Célèbre pour son roman autobiographique. *"Oberman".*

le **Sénat** ■ En France, assemblée législative élue par les représentants des collectivités territoriales et qui constitue, avec l'*Assemblée nationale, le Parlement de la Ve *République. □ *le Sénat romain.* Dans l'Antiquité, principale assemblée du gouvernement de la République romaine ; sous l'Empire, elle eut surtout un rôle honorifique.

Sendai ■ Ville du Japon (*Honshū). 682 000 hab.

Aloys **Senefelder** ■ Ingénieur allemand (1771-1834). Inventeur de la lithographie.

le **Sénégal** ■ État (république) d'Afrique occidentale, bordé par l'Atlantique, situé au sud du fleuve Sénégal. 196 200 km². 6,4 millions d'hab. *(les Sénégalais).* Langues : français (officielle), ouolof, sérère, peul. Monnaie : franc CFA. Capitale : Dakar. Pays plat au climat continental. Économie agricole dont la ressource principale est l'arachide. Industrie peu développée malgré la présence de phosphates. □HISTOIRE. Ancien royaume *toucouleur, islamisé par les *Almoravides (XIe s.), puis dominé par le Mali (XIVe s.), le pays fut colonisé par les Français à partir du XVIIe s., et surtout dans la deuxième moitié du XIXe s. (⇒ **Faidherbe**). En 1960, il obtient son indépendance et *Senghor est élu président de la République. Abdou Diouf lui succède en 1980. ▶ *la Sénégambie,* région d'Afrique de l'Ouest englobant le Sénégal et la Gambie ; les deux États ont signé un traité d'union confédérale en 1981.

Sénèque ■ Philosophe, écrivain et homme politique romain (4 av. J.-C. - 65), précepteur de Néron, qui le contraint au suicide. Son œuvre de moraliste a beaucoup influencé le *stoïcisme chrétien.

Léopold Sédar **Senghor** ■ Homme d'État sénégalais et poète de langue française (né en 1906). Il a exalté avec lyrisme la grandeur de la négritude. *"Chants d'ombre".* Président de la république du Sénégal de 1960 à 1980.

Senlis ■ Sous-préfecture de l'*Oise. 14 500 hab. *(les Senlisiens).* Cathédrale gothique.

Mack **Sennett** ■ Cinéaste américain (1884-1960). Pionnier de son art, maître du film comique muet.

Sens ■ Sous-préfecture de l'*Yonne. 28 000 hab. *(les Sénonais).* Cathédrale gothique.

Séoul ■ Capitale de la Corée du Sud. 7 millions d'hab. Important centre commercial et industriel. Capitale du royaume de Corée au XIVe s., occupée par les Japonais de 1910 à 1945, partiellement détruite pendant la guerre de *Corée (1950-1951).

la guerre de **Sept Ans** ■ Guerre européenne qui opposa l'Angleterre et la Prusse à la France, à l'Autriche et à leurs alliés, de 1756 à 1763. Elle révéla la puissance de la Prusse de *Frédéric II et marqua le renoncement de la France à son empire colonial, au profit de l'Angleterre (⇒ traité de **Paris**).

les massacres de **septembre 1792** ■ Exécutions sommaires de personnes supposées être des ennemis de la Révolution, notamment des prêtres. Le mouvement partit de la *Commune de Paris (1 100 victimes) et s'étendit en province. Il annonce la *Terreur.

Septèmes-les-Vallons ■ Commune des *Bouches-du-Rhône. 11 000 hab. *(les Septémois).* Vestiges romains.

Septime Sévère ■ Empereur romain (146-211). Il exerça un pouvoir autoritaire de 193 à sa mort.

la **Serbie** ■ L'une des six républiques fédératives de Yougoslavie. 55 968 km². 5,2 millions d'hab. *(les Serbes).* Capitale : Belgrade. Langue : serbe. □HISTOIRE. État le plus puissant des Balkans au début du XIVe s. Soumis par les Turcs en 1389, il maintint une forte conscience nationale jusqu'au XIXe s. et obtint l'indépendance en 1871. Pierre Ier de Serbie prit le titre de roi des Serbes, des Croates et des Slovènes en 1918, agrandissant le royaume des territoires slaves de l'ancienne Autriche-Hongrie ; le nouveau pays prit le nom de *Yougoslavie en 1931.

l'île de **Sercq** ■ Une des plus petites îles *Anglo-Normandes. 600 hab. Gouvernée, depuis l'époque féodale, par un « seigneur » ou une « dame ».

Serov ■ Ville d'U. R. S. S. (*Russie), dans l'Oural. 101 000 hab. Fer, métallurgie.

Serpoukhov ■ Ville d'U. R. S. S. (*Russie), près de Moscou. 132 000 hab. Textile.

Olivier de **Serres** ■ Agronome français, pionnier de l'industrie de la soie (v. 1539-1619). Son livre, *"Théâtre d'agriculture",* préfigure la révolution agricole du XIXe s.

Sertorius ■ Général romain, partisan de *Marius (123 - 72 av. J.-C.).

Paul **Sérusier** ■ Peintre et théoricien français (1864-1927). Ami de Gauguin à *Pont-Aven, il exerça une grande influence sur ses camarades *nabis.

Sésostris III ■ Pharaon égyptien du Moyen Empire (de v. 1878 à 1843 av. J.-C.). Il acheva la conquête de la *Nubie. Célébré comme un héros, il fut divinisé.

Sesshū ■ Peintre et moine japonais (1420-1506). Paysages.

Sète ■ Commune de l'*Hérault. 41 000 hab. *(les Sétois).* 2e port français sur la Méditerranée. Tourisme.

Seth ■ Dieu du Mal dans l'ancienne Égypte. Il a un corps de lévrier.

Setúbal ■ Ville et port du Portugal. 4 500 hab. Pêche. Conserveries.

Georges **Seurat** ■ Peintre et dessinateur français (1859-1891). Il radicalisa les recherches des *impressionnistes sur la lumière en s'appuyant sur des bases scientifiques. Sa théorie, le *divisionnisme* ou *pointillisme,* donnera naissance au néo-impressionnisme.

les Sévères ■ Dynastie d'empereurs romains qui régna de 193 à 235. □ *Septime Sévère* ■ ⇒ **Septime Sévère.**

Gino Severini ■ Peintre italien installé à Paris (1883-1966). *Futuriste, puis *cubiste, il revint à un certain *classicisme.

Severodvinsk ■ Ville d'U. R. S. S. (*Russie). 239 000 hab.

la marquise de Sévigné ■ Écrivaine française (1626-1696). Les 1 500 lettres qu'elle écrivit à sa fille, Mme de Grignan, d'un style à la fois brillant et spontané, font d'elle un des grands prosateurs du XVIIe s.

Séville ■ Ville d'Espagne (*Andalousie). 653 800 hab. *(les Sévillans).* Archevêché. Grand centre touristique, célèbre pour ses monuments (tour arabe de la *Giralda*) et ses fêtes (les "feria"). Principal port fluvial du pays. Métallurgie. Textile. Centre important de la chrétienté sous les Romains puis sous les Wisigoths. Capitale maure des Abbasides. Principal port de commerce avec l'Amérique du Sud du XVe au XVIIe s., évincé au XVIIIe s. par *Cadix.

Sevran ■ Commune de la *Seine-Saint-Denis. 41 800 hab. *(les Sevranais).*

Sèvres ■ Commune des *Hauts-de-Seine. 20 200 hab. *(les Sévriens).* Manufacture nationale et musée de la céramique.

les Deux-Sèvres n. f. [79] ■ Département français de la région *Poitou-Charentes. 6 036 km². 342 800 hab. Préfecture : Niort. Sous-préfectures : Bressuire, Parthenay.

les Seychelles n. f. ■ État (république) formé par un archipel de l'océan Indien au nord-est de Madagascar. Îles : Mahé, Praslin, La Digue, etc. 453 km². 67 000 hab. Capitale : Victoria. Langues : créole, anglais, français. Monnaie : roupie. Le tourisme représente 90 % des ressources. D'abord françaises, elles sont anglaises en 1814, et indépendantes en 1976.

La Seyne-sur-Mer ■ Commune du *Var, sur la rade de Toulon. 58 100 hab. *(les Seynois).* Constructions navales.

Seynod ■ Commune de Haute-*Savoie. 13 200 hab.

Seyssinet-Pariset ■ Commune de l'*Isère. 12 900 hab.

Sézanne ■ Commune de la *Marne. 6 200 hab.

Sfax ■ 2e ville et port de Tunisie. 231 900 hab. Métropole économique du sud du pays (phosphates, pêche).

la S. F. I. O., Section française de l'Internationale ouvrière ■ ⇒ **Parti socialiste français.**

les Sforza ■ Famille italienne, ducs de Milan de 1450 à 1535.

Shaba ■ ⇒ **Katanga.**

Shāh Jahān ■ Empereur moghol de l'Inde (1592-1666). Il fit construire le *Taj Mahāl en souvenir de son épouse.

Shāhjahānpur ■ Ville de l'Inde. 205 000 hab.

William Shakespeare ■ Acteur et écrivain anglais (1564-1616). Un des plus grands auteurs dramatiques de tous les temps : il conjugue une vision poétique, un réalisme populaire et truculent, le sens du tragique et de l'histoire. On regroupe traditionnellement ses 37 pièces en trois périodes : une période de jeunesse ("*Roméo et Juliette*", tragédie ; "*la Mégère apprivoisée*", comédie ; "*Richard II*", drame

historique) ; une période noire (les grandes tragédies : "*Hamlet*" ; "*Macbeth*" ; "*le Roi Lear*") ; une période romanesque ("*la Tempête*").

Yitzhak Shamir ■ Homme politique israélien (né en 1915). Ministre des Affaires étrangères de 1980 à 1986, il est Premier ministre en 1983, 1984 et depuis 1986. ⇒ Shimon **Peres.**

Shanghai ou *Chang-Hai* ■ La plus grande ville de Chine (6,98 millions d'hab.). 1er port (sur l'estuaire du *Yangzi Jiang), 1er centre industriel et commercial du pays. Universités. Base des échanges entre l'Europe et la Chine, elle se développa au XIXe s.

le Shannon ■ Principal fleuve d'Irlande (360 km). Il se jette dans l'Atlantique à Limerick.

Shantou ou *Chan-t'eou* ■ Port de Chine. 500 000 hab.

Sharaku ■ Peintre japonais qui se spécialisa dans les portraits d'acteurs de *kabuki (fin XVIIIe s.).

George Bernard Shaw ■ Écrivain et dramaturge irlandais (1856-1950). Dans ses satires vigoureuses de la société victorienne, il mêle humour et pessimisme. "*Pygmalion*", "*Androclès et le Lion*". Prix Nobel 1925.

Sheffield ■ Ville du nord de l'Angleterre. 534 300 hab. Un des premiers centres métallurgiques et sidérurgiques d'Europe.

Percy Bysshe Shelley ■ Poète *romantique anglais (1792-1822). Ami de *Keats et de *Byron, il célébra la révolte, l'amour et la liberté. "*Prométhée délivré*". □ *Mary Shelley* née *Godwin* (1797-1851), sa femme, romancière anglaise. Créatrice du célèbre personnage de Frankenstein. "*Frankenstein ou le Prométhée moderne*".

Shenyang, autrefois *Mukden* ou *Moukden* ■ 4e ville de Chine qui joua un rôle important dans la guerre russo-japonaise. 4,2 millions d'hab. Puissante cité industrielle.

Sherbrooke ■ Ville du Canada (*Québec). 74 400 hab. Centre de communications. Université.

Richard Sheridan ■ Auteur dramatique et homme politique anglais (1751-1816). "*L'École de la médisance*", dénonciation de l'hypocrisie mondaine.

Sherlock Holmes ■ ⇒ Conan **Doyle.**

William Sherman ■ Général américain (1820-1891). Un des meilleurs chefs nordistes de la guerre de *Sécession.

les Sherpas n. m. ■ Peuple montagnard du *Népal. ⟨ ▶ sherpa ⟩

sir Charles Sherrington ■ Physiologiste anglais (1857-1952). Prix Nobel de médecine (1932) pour ses travaux sur le système nerveux.

les îles Shetland ■ Archipel britannique au nord de l'Écosse. 1 425 km². 23 000 hab. Chef-lieu : Lerwick. Pêche et élevage de poneys. ⟨ ▶ shetland ⟩

les îles Shetland du Sud ■ Archipel de l'Atlantique, dépendant des *Malouines.

le shi'isme ■ ⇒ le **chiisme.**

Shijiazhuang ■ Ville de Chine. 1,16 million d'hab. Industrie textile.

Shikoku ■ Une des quatre principales îles du Japon. 18 800 km². 4,2 millions d'hab. Chef-lieu : Tokushima. Agriculture, pêche et industries dans les plaines côtières.

Shimizu ■ Ville du Japon. 242 000 hab.

Shimonoseki ■ Ville du Japon (*Honshū). Port important (pêche, sidérurgie). 269 000 hab.

le **shintoïsme** ■ Religion qui s'est développée au Japon à partir du VIIᵉ s. av. J.-C., en liaison avec le culte des morts. Au VIᵉ s. av. J.-C., il y eut concurrence puis amalgame avec le bouddhisme venu de Chine. Ce syncrétisme est aujourd'hui la religion traditionnelle du pays.

Shiva ■ ⇒ Śiva.

Shizuoka ■ Ville du Japon (*Honshū). 458 000 hab.

Shkodra ou **Shkodër** ■ Ville d'Albanie. 71 000 hab.

Avraham **Shlonsky** ■ Poète israélien (1900-1973). "Douleur, tourbillon, solitude".

Sholāpur ■ Ville de l'Inde. 398 000 hab. Coton et cinéma.

Shreveport ■ Ville des États-Unis (*Louisiane). 206 000 hab. Commerce.

Sialkot ■ Ville du Pakistan, près de Lahore. 204 000 hab. Petites industries.

le **Siam** ■ Ancien nom de la *Thaïlande.

Sibawayh ■ Grammairien arabe (750-795). Auteur d'un traité fondamental de grammaire arabe.

Jean **Sibelius** ■ Compositeur finlandais (1865-1957). Auteur de la célèbre "Valse triste".

la **Sibérie** ■ Région d'U. R. S. S. (*Russie) qui s'étend de l'*Oural à l'océan Pacifique et de l'océan Arctique à l'Asie centrale. 12 764 800 km² (25 fois la France). 25 millions d'hab. (les Sibériens). Lieu de déportation sous le régime tsariste (qui en amorça la conquête au XVIIᵉ s.), de nombreux camps d'internement (le Goulag) s'y trouvent encore. Les conditions naturelles (énormité des distances, rigueur du climat) rendent difficile le peuplement, encouragé par la construction du *Transsibérien au début du siècle. Mais les ressources forestières, minières (⇒ **Kouzbass**) et énergétiques sont considérables. □ la Sibérie occidentale est la mieux équipée, la plus urbanisée (Novossibirsk, Omsk) ; son agriculture se développe (céréales, élevage). □ la Sibérie orientale reste sous-exploitée, à l'exception de quelques régions minières (Krasnoïarsk, Irkoutsk, Norilsk) et des ports. □ la Sibérie d'Extrême-Orient, que les montagnes rendent particulièrement inhospitalière, est d'un intérêt stratégique capital (⇒ **Vladivostok**, île de **Sakhaline**) : contrôle du Pacifique, frontières avec le Japon et les États-Unis (*Alaska). ⟨ ► sibérien ⟩

Sibiu ■ Ville de Roumanie (*Transylvanie). 153 000 hab.

la **Sicile** ■ Île italienne de la Méditerranée. 25 000 km². 5 millions d'hab. (les Siciliens). Capitale : Palerme. Séparée de l'Italie continentale par le détroit de Messine. Point culminant : massif volcanique de l'Etna (3 296 m). Climat méditerranéen. Ancien grenier à blé de Rome, la Sicile est aujourd'hui un pays de pauvreté et d'émigration, malgré l'exploitation du pétrole et le tourisme. Région autonome, où l'État lutte contre la maffia. □HISTOIRE. Colonisée par les Phéniciens (IXᵉ s. av. J.-C.) les Grecs (VIIIᵉ s. av. J.-C.), menacée par Carthage, la Sicile fut conquise par les Arabes (IXᵉ s.) puis par les Normands (XIᵉ s.). Elle devint la résidence préférée de *Frédéric II Hohenstaufen. Passée à l'Aragon, elle forma avec Naples le royaume des Deux-Siciles (1442). ⇒ **Naples**.

sir Philip **Sidney** ■ Écrivain et diplomate anglais (1554-1586). "Arcadia".

Sidon ■ Ancienne cité phénicienne (importantes nécropoles). Aujourd'hui Saïda au Liban.

Siegen ■ Ville de la R. F. A. 109 000 hab. Patrie de *Rubens.

André **Siegfried** ■ Économiste et géographe français (1875-1959). Sociologie électorale.

von **Siemens** ■ FAMILLE D'INDUSTRIELS ALLEMANDS.

Henryk **Sienkiewicz** ■ Romancier polonais (1846-1916). "Quo Vadis ?".

Sienne ■ Ville d'Italie (*Toscane). 66 000 hab. (les Siennois). Rivale de *Florence au Moyen Âge. Elle a gardé son architecture médiévale (place du Campo, églises, palais). ► l'école siennoise représente le mieux, avec l'école florentine de *Giotto, l'art primitif italien : tableaux religieux, aux très belles couleurs sur fond d'or, témoignant d'un souci des proportions et de la ressemblance. Son principal représentant est *Duccio (v. 1300).

la **Sierra Leone** ■ État (république) d'Afrique de l'Ouest, bordé par l'Atlantique. 71 740 km². 3,8 millions d'hab. Capitale : Freetown. Langue officielle : anglais. Monnaie : leone. Le sous-sol est la principale richesse : diamants, fer. □HISTOIRE. Explorée par les Portugais dès le XVᵉ s., la Sierra Leone fut la terre d'accueil des esclaves affranchis par les Anglais (1787), avant de devenir colonie puis protectorat britannique. En 1961, elle acquit l'indépendance dans le cadre du Commonwealth.

l'abbé **Sieyès** ■ Révolutionnaire français (1748-1836). Sa brochure "Qu'est-ce que le tiers état ?" (1789) le rendit célèbre. Membre du *Directoire, il prépara le coup d'État du 18 *Brumaire mais fut supplanté par Bonaparte.

Sigebert ■ NOM DE TROIS ROIS MÉROVINGIENS □ **Sigebert Iᵉʳ** (mort en 575), roi d'*Austrasie. □ **Sigebert II** (mort en 613), roi d'Austrasie. □ **Sigebert III** (mort en 656), roi d'Austrasie, fils de Dagobert Iᵉʳ.

Sigismond ■ NOM DE TROIS ROIS DE POLOGNE □ **Sigismond Iᵉʳ Jagellon** (1467-1548), roi de Pologne de 1506 à 1548. □ **Sigismond II Auguste Jagellon** (1520-1572), fils du précédent, roi de Pologne de 1548 à 1572. □ **Sigismond III Vasa** (1566-1632), neveu du précédent, roi de Pologne de 1587 à 1682 et roi de Suède de 1592 à 1599.

Sigismond de Luxembourg ■ Roi de Bohême et de Hongrie, empereur germanique (1368-1437). Il convoqua le concile de *Constance qui mit fin au *schisme d'Occident.

Paul **Signac** ■ Peintre et théoricien français (1863-1935). Il élabora avec *Seurat les bases théoriques du néo-impressionnisme et les mit en application.

Luca **Signorelli** ■ Peintre italien (v. 1450 - v. 1523). Il fut l'élève de *Piero della Francesca et l'un des grands auteurs de fresques du XVᵉ s.

Norodom **Sihanouk** ■ ⇒ **Norodom Sihanouk**.

Angelos **Sikélianos** ■ Un des plus grands poètes de la Grèce moderne (1884-1951). "Pâques grecques".

les **Sikhs** n. m. ■ Secte indienne à caractère religieux et politique, fondée au XVᵉ s. par *Nānak. Aujourd'hui ils constituent 2 % de la population indienne. La majorité vit dans le *Panjab. Violents affrontements avec les hindous en 1984.

le **Sikkim** ■ Petit État de l'*Himalaya, rattaché à l'Inde depuis 1975. 7 298 km². 316 000 hab.

Capitale : Gangtok. Royaume fondé par des Tibétains en 1641, il fut colonisé par les Anglais au XIXᵉ s.

Silène ■ Père nourricier de *Dionysos dans la mythologie grecque, célèbre pour sa laideur et son ivresse.

la Silésie ■ Région du sud-ouest de la Pologne divisée entre *basse Silésie* et *haute Silésie* : activités agricoles, importantes ressources minières, concentration industrielle exceptionnelle, forte concentration urbaine. Disputée entre la Pologne, la Bohême et les États allemands dès le Moyen Âge, annexée par les *Habsbourg en 1526, puis par la Prusse au XVIIIᵉ s., elle fut attribuée à la Pologne en 1945.

Étienne de Silhouette ■ Ministre des finances de Louis XV (1709-1767). Les caricatures qu'on fit de lui sous forme d'ombres chinoises donnèrent le nom commun de *silhouette.*

Frans Eemil Sillanpää ■ Écrivain finlandais (1888-1964). "*Sainte Misère*". Prix Nobel 1939.

Israël Silvestre ■ Dessinateur et graveur français (1621-1691). Il travailla au service de Louis XIV.

Georges Simenon ■ Écrivain belge de langue française (né en 1903). Créateur du personnage du commissaire Maigret. Son œuvre romanesque est immense, et souvent adaptée au cinéma.

Simféropol ■ Ville d'U. R. S. S. (*Ukraine), chef-lieu de la Crimée. 328 000 hab. Centre commercial. Industries (tabac).

Georg Simmel ■ Philosophe et sociologue allemand, s'inspirant de *Kant (1858-1918).

Simon le Magicien ■ Personnage des Actes des Apôtres qui voulut acheter à *Pierre le pouvoir de communiquer le Saint-Esprit.

saint Simon le Zélote ■ Apôtre de Jésus. Il aurait été crucifié en Perse.

Claude Simon ■ Écrivain français (né en 1913). Un des principaux représentants du *nouveau roman, au style très personnel. Prix Nobel 1985. "*La Route des Flandres*".

le Sinaï ■ Péninsule montagneuse et désertique d'Égypte, à l'est du canal de Suez, qui fut le terrain de violents combats durant les guerres *israélo-arabes. Occupé par Israël en 1967, il fut remis à l'Égypte en 1982. □ *le mont Sinaï,* ensemble montagneux de la péninsule du Sinaï, où selon la Bible, Moïse reçut les dix commandements de Yahvé.

Mi'mar Sinan ■ Architecte turc (1489-1588). Le plus célèbre représentant de l'époque ottomane classique. Nombreuses mosquées, notamment à Andrinople.

Singapour ■ État (république) d'Asie du Sud-Est, formé d'une île, reliée à la *Malaisie par un pont et de 57 îlots. 622 km². 2,5 millions d'hab. Capitale : Singapour. Langues : anglais, chinois, malais, tamoul. Monnaie : dollar de Singapour. 1ᵉʳ port d'Asie du Sud-Est. Grand centre industriel (électronique, pétrochimie, construction navale), commercial et bancaire. Occupée (1819) puis achetée par les Anglais, l'île devint une colonie britannique. Elle est indépendante depuis 1965 et fait partie du Commonwealth.

Isaac Bashevis Singer ■ Écrivain américain d'expression yiddish (né en 1904). "*Le Manoir*". Prix Nobel 1978.

Sin-le-Noble ■ Commune du *Nord. 18 700 hab. *(les Sinois).*

Sinuiju ■ Ville de Corée du Nord. 165 000 hab.

Sion ■ Colline de Jérusalem. Sion désigne aussi la ville tout entière. ▶ *le sionisme,* mouvement nationaliste juif qui se forma à la fin du XIXᵉ s. avec *Herzl pour principal théoricien. Il revendiquait le retour des Juifs du monde entier dans le pays de leurs ancêtres, la *Palestine. Cette revendication trouva son aboutissement avec la création de l'État d'*Israël en 1948. On appelle *sionistes* les partisans de l'État d'Israël.

les Sioux ou *Dakotas* n. m. ■ Indiens d'Amérique du Nord qui vivaient dans les grandes plaines. Ils luttèrent contre les Blancs pour garder leur terre mais furent soumis en 1890-1891.

Sioux Falls ■ Ville des États-Unis, la plus grande du *Dakota du Sud (81 000 hab.).

David Siqueiros ■ Peintre mexicain (1896-1974). Peintures murales expressionnistes.

les Sirènes n. f. ■ Démons marins de la mythologie grecque représentés comme des femmes-oiseaux. Par leurs chants, elles attiraient les navigateurs sur les récifs puis les dévoraient. Les sirènes à corps de poisson viennent des mythologies germaniques. ⟨ ▶ sirène ⟩

Sirius ■ Étoile la plus brillante du ciel.

Alfred Sisley ■ Peintre anglais de l'école *impressionniste française (1839-1899).

Sisteron ■ Ville des *Alpes-de-Haute-Provence. 7 500 hab. *(les Sisteronais).*

Sisyphe ■ Roi légendaire de *Corinthe. Après sa mort, il fut condamné à rouler éternellement, sur le versant d'une montagne, un rocher qui retombait sans cesse.

Siva, Shiva ou *Çiva* ■ Une des trois principales divinités hindoues (⟹ **Brahmâ, Visnu**). C'est à la fois le Destructeur et le Créateur, roi de la danse ; il a trois yeux et quatre bras. Ses épouses : Durgã, Pãrvatī, Kãlī.

Sivas ■ Ville de Turquie. 150 000 hab.

le groupe des Six ■ Compositeurs français du XXᵉ s. : *Auric, Durey, *Honegger, *Milhaud, *Poulenc, *Tailleferre.

Six-Fours-Les-Plages ■ Commune du *Var. 20 200 hab. *(les Six-Fournais).*

Sixte ■ NOM DE CINQ PAPES □ *Sixte IV* élu en 1471 (1414-1484), adversaire des *Médicis, fit construire la chapelle Sixtine (→ ci-dessous). □ *Sixte V* dit *Sixte Quint* élu en 1585 (1520-1590) poursuivit l'œuvre de la *Contre-Réforme et embellit Rome. ▶ *la chapelle Sixtine,* chapelle du *Vatican. Fresque du "*Jugement dernier*" par *Michel-Ange.

Sjaelland ■ Principale île du Danemark : elle concentre 42 % de la population nationale et abrite la capitale du pays, Copenhague. 7 548 km².

Piotr Skarga ■ Le plus grand prédicateur et prosateur polonais du XVIᵉ s. (1536-1612). Partisan de la *Contre-Réforme.

Skopje ou *Skoplje* ■ Ville de Yougoslavie, capitale de la république fédérative de *Macédoine. 313 000 hab.

les Slaves ■ Groupe de peuples de souche indo-européenne, parlant des langues de même origine (russe, ukrainien, polonais, bulgare, serbe...) et occupant la majeure partie de l'Europe centrale et orientale.

Slaviansk ■ Ville d'U. R. S. S. (*Ukraine), dans le *Donbass. 129 000 hab. Sel, soude.

la **Slovaquie** ■ Partie orientale de la Tchécoslovaquie dont elle constitue l'un des deux États fédérés sous le nom de *République socialiste slovaque.* 49 009 km². 4,8 millions d'hab. *(les Slovaques).* Chef-lieu : Bratislava. Région montagneuse (chaîne des *Carpates) à l'économie principalement agricole. Conquise par les Hongrois au Xᵉ s., la région passa aux Habsbourg au XVIᵉ s. (⟹ **Hongrie**). En 1918, séparée de l'Autriche-Hongrie, la Slovaquie s'unit aux pays tchèques pour former un seul État, la *Tchécoslovaquie (avec une interruption de 1938 à 1945). La Slovaquie devint l'un des deux États fédérés en 1968.

la **Slovénie** ■ Une des six républiques fédératives de Yougoslavie. 20 251 km². 1,7 million d'hab. *(les Slovènes).* Capitale : Ljubljana. Ancienne principauté *Habsbourg, fortement germanisée du XIIIᵉ au XVᵉ s. Elle fut intégrée au royaume des Serbes, des Croates et des Slovènes (⟹ **Yougoslavie**) en 1918.

Juliusz **Słowacki** ■ Poète *romantique et auteur dramatique polonais (1809-1849). "*Beniowski*".

Claus **Sluter** ■ Sculpteur hollandais au service des ducs de Bourgogne (v. 1350 - 1406). Le « réalisme slutérien », comme celui de *Van Eyck en peinture, eut une grande influence.

Bedřich **Smetana** ■ Compositeur tchèque et patriote militant (1824-1884). Le principal représentant de la musique romantique de Bohême. "*La Fiancée vendue*", opéra.

Smethwick ■ Ville d'Angleterre. 162 000 hab.

Adam **Smith** ■ Économiste écossais (1723-1790). Le père de l'économie politique. "*La Richesse des nations*", 1776.

Joseph **Smith** ■ Fondateur de la secte des Mormons (1805-1844). La secte compte aujourd'hui 5,9 millions de fidèles dans le monde. Le temple principal est à *Salt Lake City.

Smolensk ■ Ville d'U. R. S. S. (*Russie). 264 000 hab. Une des plus anciennes villes russes (IXᵉ s.), monuments, remparts. Industries.

Tobias George **Smollett** ■ Romancier écossais (1721-1771). "*Les Aventures de Roderick Random*".

Smyrne en turc *Izmir* ■ 3ᵉ ville et port de Turquie, sur la mer Égée. 1,6 million d'hab. *(les Smyrniotes).*

Willebrord **Snell van Royen** dit *Villebrordus Snellius* ■ Astronome et mathématicien hollandais (v. 1580-1626). Il formula avant *Descartes les lois sur la réfraction de la lumière.

Frans **Snyders** ou *Snijders* ■ Peintre *flamand (1579-1657). Natures mortes d'inspiration *baroque.

Mario **Soares** ■ Homme d'État portugais (né en 1924). Premier ministre (socialiste) de 1976 à 1978 et de 1983 à 1985, élu président de la République en 1986.

Sochaux ■ Commune du *Doubs, dans l'agglomération de Montbéliard. 6 350 hab. *(les Sochaliens).* Constructions automobiles (Peugeot).

la **social-démocratie** ■ Courant politique qui s'inspire d'un socialisme réformiste et modéré, respectueux des institutions. De grands partis sociaux-démocrates existent en Europe du Nord et en République fédérale d'Allemagne.

le parti **socialiste** *français* ■ Parti politique créé en 1905 comme section française de l'*Internationale ouvrière (S. F. I. O.). Les partisans d'un socialisme révolutionnaire, proches de Lénine, s'en séparèrent, en 1920 au Congrès de Tours, pour fonder le parti *communiste. Plus à gauche que le parti *radical, la S. F. I. O. soutint les gouvernements du Cartel des Gauches (1924), participa à ceux du Front populaire (1936) (⟹ **Blum**) et de la IVᵉ *République. La crise de la décolonisation et l'arrivée au pouvoir du général de Gaulle marquèrent son déclin (scission du P. S. U., parti socialiste unifié, en 1958). La S. F. I. O. fut dissoute en 1969 et remplacée par un nouveau parti socialiste (le P. S.), réorganisé par F. *Mitterrand. Ce dernier fut élu président de la République en 1981. Les gouvernements socialistes de Pierre Mauroy et Laurent Fabius dirigèrent le pays de 1981 à 1986. Le P. S. représentait à cette date 32 % de l'électorat.

les îles de la **Société** ■ Archipel le plus peuplé de la Polynésie française (Océanie), dont la principale île est *Tahiti.

la **Société des Nations** ou *S. D. N.* ■ Organisation internationale créée en 1920 pour le maintien de la paix et le développement de la coopération entre les peuples. Remplacée en 1946 par l'*O. N. U.

Socrate ■ Philosophe grec (470 - 399 av. J.-C.). Il n'a rien écrit, mais son élève *Platon en a fait la figure centrale de ses "*Dialogues*", le père de la dialectique et par là de toute la philosophie, le maître de la « maïeutique » ou art d'accoucher les esprits. Personnage insaisissable, semblant douter de tout, ironique, suspect à la cité, il fut condamné à mort pour impiété. ⟹ **Xénophon.**

sir Frederick **Soddy** ■ Chimiste britannique (1877-1956). Prix Nobel 1921. On lui doit la notion d'isotopie.

il **Sodoma** ■ Peintre italien (1477-1549). Fresques d'un style gracieux et inquiétant, proche du *maniérisme.

Sodome ■ Cité biblique détruite, selon la légende, avec Gomorrhe par Dieu, à cause de la dépravation de ses habitants. ⟨ ▶ sodomite ⟩

Sofia ■ Capitale de la Bulgarie. 1,4 million d'hab. Grand centre commercial et premier centre industriel du pays.

Shihāboddīn Yahyā **Sohrawardī** ■ Philosophe et mystique iranien *chiite, le maître de la théosophie orientale (1155-1191).

Soissons ■ Sous-préfecture de l'*Aisne. 32 200 hab. *(les Soissonnais).* Monuments (XIIIᵉ et XVᵉ s.). Victoire de Clovis (486), à laquelle est liée l'anecdote du vase de Soissons. Ancienne capitale de la *Neustrie.

Soisy-sous-Montmorency ■ Commune du *Val-d'Oise. 17 000 hab. *(les Soiséens).*

Sōka ■ Ville du Japon, banlieue de Tōkyō. 186 000 hab.

le **Soleil** ■ Astre autour duquel gravitent les planètes du système solaire : en s'éloignant, Mercure, Vénus, la Terre, Mars, Jupiter, Saturne, Uranus, Neptune et Pluton, plus des petites planètes et astéroïdes. Son diamètre est de 1,39 million de km. Situé à 150 millions de km de la Terre, le Soleil est une étoile jaune, sphère de gaz incandescent. La température du noyau atteint 15 millions de degrés, celle de la couronne un million de degrés. Les taches sombres découvertes par *Galilée sont des zones moins chaudes. Le Soleil serait vieux de 5 milliards d'années. Parce qu'il est l'astre le plus brillant de notre ciel, celui qui donne la lumière et la chaleur, qui règle l'alternance du jour et de la nuit, il fut adoré et vénéré dans de nombreuses religions (⟹ **Phébus**, Rê).

Solesmes ■ Commune du *Nord. 6 000 hab. *(les Solesmois).*

l'abbaye de **Solesmes** ▪ Abbaye bénédictine, dans la *Sarthe, à la tête de la Congrégation bénédictine de France. Foyer de la redécouverte du chant grégorien au XIXᵉ s.

Soleure en allemand *Solothurn* ▪ Ville de Suisse. 17 800 hab. □ *le canton de* **Soleure**. 791 km². 224 000 hab. Chef-lieu : Soleure. Constitué en majeure partie par le Jura.

Solferino ▪ Village d'Italie. L'armée française y remporta une victoire (peu décisive) sur les Autrichiens, en juin 1859.

Solidarność ▪ ⇒ Lech Wałesa.

Solihull ▪ Ville d'Angleterre. 110 000 hab.

Soliman le Magnifique ▪ Sultan ottoman (v. 1494 - 1566). Fils de Sélim Iᵉʳ. Grand conquérant, bâtisseur (⇒ **Sinan**) et législateur. Sous son règne, l'Empire connut la période la plus riche de son histoire.

Solingen ▪ Ville de R. F. A.(*Ruhr). 170 000 hab. Coutellerie.

Alexandre **Soljenitsyne** ▪ Écrivain soviétique (né en 1918). À travers la description des prisons politiques, son œuvre dénonce le régime de Staline et le matérialisme. Prix Nobel 1970. Expulsé d'U. R. S. S. et déchu de sa nationalité en 1974, il vit aux États-Unis. *"Une journée d'Ivan Denissovitch" ; "l'Archipel du Goulag".*

Philippe **Sollers** ▪ Écrivain français (né en 1936). Fondateur de la revue *"Tel quel"*. Œuvre d'avant-garde *("H").* Romans *("Femmes").*

Solliès-Pont ▪ Commune du *Var. 5 500 hab.

la **Sologne** ▪ Région sableuse et argileuse du sud du Bassin *parisien, habitée par *les Solognots.* Chasse et pêche.

le comte **Solomos** ▪ Poète grec (1798-1857). Son *"Hymne à la liberté"* est devenu l'hymne national de la Grèce moderne.

Solon ▪ Législateur athénien (v. 640 - v. 558 av. J.-C.). Son nom est attaché aux réformes qui permirent l'essor d'Athènes.

Somain ▪ Commune du *Nord. 14 200 hab.

la **Somalie** ▪ État (république) du nord-est de l'Afrique. Elle dispute à l'Éthiopie la région frontière d'Ogaden. 635 657 km². 5,1 millions d'hab. *(les Somalis).* Capitale : Mogadishu. Langue officielle : somali. Monnaie : shilling somali. Pays de savane où domine l'élevage nomade. Cultures tropicales. Ancienne colonie italienne, indépendante en 1960.

le **Somerset** ▪ Comté du sud-ouest de l'Angleterre. Chef-lieu : Taunton. Région laitière et touristique.

la **Somme** [80] ▪ Département français de la région *Picardie. Il doit son nom au fleuve qui le traverse et se jette dans la Manche (estuaire de la *baie de Somme).* 6 300 km². 550 000 hab. Préfecture : Amiens. Sous-préfectures : Abbeville, Montdidier, Péronne. □ *les batailles de la* **Marne** (1916, 1940).

les îles de la **Sonde** ▪ Îles formant l'Indonésie dont *Java et *Sumatra sont les principales.

le **Sonderbund** ▪ Ligue séparatiste formée par les cantons suisses catholiques contre la majorité parlementaire, anticléricale, de la Confédération (1845). Vaincue par les troupes fédérales du général *Dufour (1847), elle fut dissoute.

les **Song** ▪ Dynastie chinoise qui régna de 960 à 1279. ⇒ **Chine.**

les **Songhaïs** ou **Sonrhaïs** ▪ Peuple d'Afrique occidentale, métissé de Peuls et de Touaregs. Ils fondèrent un royaume, avec *Gao pour capitale, qui devint un empire et fut anéanti par les Marocains à la fin du XVIᵉ s.

Sophocle ▪ Poète tragique grec (496 - 406 av. J.-C.). Il porta la tragédie grecque à son plus haut degré de perfection en modifiant la technique dramatique (nombre d'acteurs, rôle du chœur). Il ne reste de lui que sept pièces : *"Ajax" ; "Antigone" ; "Œdipe Roi" ; "Électre" ; "les Trachiniennes" ; "Philoctète" ; "Œdipe à Colone".*

Sorbiers ▪ Commune de la *Loire. 6 500 hab.

la **Sorbonne** ▪ Établissement public d'enseignement supérieur, à Paris, partagé en plusieurs universités. Créée en 1257 par Robert de Sorbon (1201-1274) pour l'enseignement de la théologie, elle fit office de tribunal ecclésiastique jusqu'au XVIIIᵉ s.

Agnès **Sorel** ▪ Favorite du roi de France Charles VII (1422-1450).

Charles **Sorel** ▪ Écrivain français (v. 1600-1674). *"La Vraie Histoire comique de Francion".*

Georges **Sorel** ▪ Publiciste français (1847-1922). Il collabora à plusieurs revues socialistes. Sa pensée influença le syndicalisme révolutionnaire. *"Réflexions sur la violence".*

Sorgues ▪ Commune du *Vaucluse. 16 000 hab.

Sorrente ▪ Ville d'Italie, célèbre pour son site admirable. 10 000 hab.

Søren **Sørensen** ▪ Chimiste danois (1868-1939). On lui doit l'échelle de pH, mesure de l'acidité.

Sorocaba ▪ Ville du Brésil. 268 000 hab. Centre industriel.

Sosnowiec ▪ Ville de Pologne. 245 000 hab.

Sotchi ▪ Ville et port d'U. R. S. S. (*Russie), sur la mer Noire. 255 000 hab. Station balnéaire.

Sotteville-lès-Rouen ▪ Commune de *Seine-Maritime. 33 000 hab. *(les Sottevillais).*

la **Souabe** ▪ Région historique d'Allemagne, aujourd'hui partagée entre la Bavière et le Bade-Wurtemberg. Érigée en duché au VIᵉ s., la Souabe passa à la famille des *Hohenstaufen. Alliée de l'Autriche au XVIᵉ s., elle fut démantelée au traité de Westphalie (⇒ guerre de **Trente Ans**). ▶ *le bassin de* **Souabe-Franconie,** bassin sédimentaire de R. F. A., s'étendant de la Forêt-Noire à la forêt de Bohême. Partagé entre la Bavière, le Bade-Wurtemberg et la Hesse.

le **Soudan** ▪ État (république) du nord-est de l'Afrique, occupant la région du haut Nil et bordé par la mer Rouge. 2 508 810 km² (le plus vaste pays d'Afrique). 20,8 millions d'hab. *(les Soudanais).* Capitale : Khartoum. Langue officielle : arabe. Monnaie : livre soudanaise. Arabes et Berbères dans le Nord, Noirs dans le Sud. Élevage et culture irriguée. Exportation de coton. □HISTOIRE. Dans l'Antiquité, le pays fut sous l'influence de l'Égypte pharaonique. Christianisé au Vᵉ s. puis islamisé au XVᵉ s., il fut conquis par *Méhémet-Ali en 1820, mais se souleva contre la domination anglo-égyptienne v. 1880 (⇒ **Mahdi**). Vaincu, il ne devint indépendant qu'en 1956.

le **Soudan** ou *zone soudanaise* ▪ Région climatique de l'Afrique qui fait la transition entre le *Sahel et la zone équatoriale humide.

le **Soudan français** ■ Nom du *Mali avant son indépendance.

Germain **Soufflot** ■ Architecte français (1713-1780). Le Panthéon, à Paris, premier monument du *néo-classicisme français.

le **soufisme** ■ Courant mystique musulman apparu au VIIᵉ s. Plus qu'une doctrine, c'est un style de vie et de pensée, fondé sur le *Coran. La littérature soufie est très importante (les grands poètes soufis : Ibn al-Farid, Ibn 'Arabi).

Soukhoumi ou **Sukhumi** ■ Ville d'U. R. S. S. (*Géorgie), capitale de la république autonome d'*Abkhazie et port sur la mer Noire. 107 000 hab.

Pierre **Soulages** ■ Peintre français (né en 1919). Œuvre abstraite fondée sur l'utilisation presque exclusive des noirs et de la ligne.

Nicolas Jean de Dieu **Soult** *duc de Dalmatie* ■ Maréchal de France (1769-1851). Il s'illustra à Austerlitz. Président du Conseil sous la *monarchie de Juillet.

Soultz-Haut-Rhin ■ Commune du Haut-*Rhin. 5 700 hab.

Soumgaït ou **Sumgaït** ■ Ville d'U. R. S. S. (*Azerbaïdjan). 174 000 hab.

Soumy ■ Ville d'U. R. S. S. (*Ukraine). 203 000 hab. Industries (sucre).

Philippe **Soupault** ■ Écrivain *surréaliste français (né en 1897). "*Les Champs magnétiques*", écrits avec Breton.

les îles **Sous-le-Vent** ■ Ensemble d'îles appartenant au groupe des Petites Antilles et comprenant, au nord, les îles *Vierges, Anguilla (G. -B.), *Saint Kitts and Nevis, *Antigua et Barbuda, Montserrat ; au sud, les îles situées au large des côtes vénézuéliennes dont une partie est néerlandaise (Aruba, Bonaire, *Curaçao) et l'autre vénézuélienne.

Jacques **Soustelle** ■ Homme politique et ethnologue français, grand spécialiste du Mexique (né en 1912).

Soustons ■ Commune des *Landes. 5 100 hab.

La **Souterraine** ■ Commune de la *Creuse. 5 500 hab.

Southampton ■ Ville d'Angleterre, important port de commerce et de voyageurs sur la Manche. 215 000 hab.

South Bend ■ Ville des États-Unis (*Indiana). 110 000 hab. Industries. Universités.

Southend on Sea ■ Ville d'Angleterre, station balnéaire proche de Londres. 165 000 hab.

South Shields ■ Ville d'Angleterre. 101 000 hab.

Chaïm **Soutine** ■ Peintre français d'origine lituanienne (1894-1943). Il a pratiqué un *expressionnisme violent et tourmenté. Portraits.

Alexandre **Souvorov** ■ Maréchal russe (1729-1800). Vainqueur de *Pougatchev (1775) et des Français en Italie du Nord (1799).

Soweto ■ Agglomération d'Afrique du Sud, réservée aux Noirs, dans la banlieue de Johannesburg. Plus de 1 million d'hab.

Soyaux ■ Commune de *Charente. 13 000 hab. Chaussures.

Wole **Soyinka** ■ Écrivain africain d'expression anglaise (né en 1934). Le premier écrivain noir prix Nobel (1986).

Spa ■ Commune de Belgique. 9 600 hab. Station thermale réputée.

Paul Henri Charles **Spaak** ■ Homme politique belge (1899-1972). Il participa à la construction de l'Europe (⇒ C. E. E.).

Spartacus ■ Chef de la grande révolte d'esclaves contre Rome (mort en 71 av. J.-C.). Ancien berger, échappé d'une école de gladiateurs, il leva une armée mais fut vaincu par *Crassus et tué. Son personnage est un symbole révolutionnaire.

Spartakus ■ Groupe de socialistes allemands (K. *Liebknecht, R. *Luxembourg...) qui, lors de la Première Guerre mondiale, se séparèrent de la social-démocratie. En décembre 1918, cette ligue devint le Parti communiste allemand.

Sparte ou **Lacédémone** ■ Ville de la Grèce antique dans le Péloponnèse, fondée par les *Doriens au IXᵉ s. av. J.-C. Les **Spartiates**, organisés suivant une stricte discipline militaire, eurent une politique d'expansion qui fit de leur ville une puissante cité. Au Vᵉ s. av. J.-C., elle entra en conflit avec Athènes (⇒ guerre du **Péloponnèse**) et en sortit victorieuse. Mais sa prédominance sur le monde grec prit fin au IVᵉ s. av. J.-C.

Herbert **Spencer** ■ Philosophe anglais (1820-1903). Anthropologie évolutionniste.

Edmund **Spenser** ■ Poète anglais (v. 1552-1599). La construction de la "*Reine des fées*" influencera Keats, Shelley et Byron.

Oswald **Spengler** ■ Philosophe allemand (1880-1936). Sa vision pessimiste de l'histoire a été utilisée par l'idéologie *nazie.

Olga **Spessivtseva** ■ Danseuse russe (née en 1895). Elle appartenait à la troupe des Ballets russes de Diaghilev.

La **Spezia** ■ Port d'Italie en *Ligurie. 120 000 hab. Raffinage de pétrole.

le **Sphinx** ■ Monstre fabuleux de la mythologie égyptienne, formé d'un corps de lion et d'une tête humaine. Sa plus célèbre représentation se trouve en Égypte, à proximité des pyramides. Il devint la *sphynge* dans la mythologie grecque.

Léon **Spilliaert** ■ Peintre belge (1881-1946). Autodidacte, proche du symbolisme belge et de l'expressionnisme de *Munch.

António Ribeiro de **Spínola** ■ Général et homme politique portugais (né en 1910). Organisateur du coup d'État d'avril 1974 qui le porta à la présidence, il dut démissionner cinq mois plus tard et s'exiler.

Baruch **Spinoza** ■ Philosophe hollandais (1632-1677). Exclu de la communauté juive en raison de ses positions rationalistes, esprit solitaire et indépendant, critique de Descartes. Son approche des textes sacrés et des croyances annonce l'exégèse scientifique et la notion d'idéologie. Son ouvrage majeur, "*l'Éthique*", est d'interprétation difficile : on a vu successivement dans le *spinozisme* une forme d'athéisme ou un panthéisme.

Carl **Spitteler** ■ Poète suisse d'expression allemande (1845-1924).

Split en italien *Spalato* ■ Ville et port de Yougoslavie, en *Dalmatie. 169 000 hab. Palais romain de Dioclétien.

Ludwig **Spohr** ■ Violoniste, compositeur et chef d'orchestre allemand (1784-1859).

Spokane ■ Ville des États-Unis (*Washington). 171 000 hab. Région agricole.

Jean de Sponde ■ Humaniste et poète français (1557-1595). Poésie baroque.

Gaspare Spontini ■ Compositeur italien (1774-1851). "*La Vestale*", opéra.

les Sporades n. f. ■ Îles grecques de la mer Égée.

Spoutnik ■ Nom donné aux trois premiers satellites artificiels soviétiques.

Springfield ■ Ville des États-Unis, capitale de l'*Illinois. 100 000 hab.

Springfield ■ Ville des États-Unis (*Massachusetts). 153 000 hab.

Springfield ■ Ville des États-Unis (*Missouri). 133 000 hab.

Springs ■ Ville d'Afrique du Sud. 138 000 hab.

Sri Lanka autrefois *Ceylan* ■ État (république socialiste démocratique) d'Asie du Sud, dans l'île de Ceylan. 65 610 km². 15,8 millions d'hab. *(les Cingalais* ou *Sri Lankais)*. Capitale : Colombo. Langue officielle : cingalais. Monnaie : roupie. Économie essentiellement agricole : riz, thé (2ᵉ producteur mondial), latex. □HISTOIRE. Très prospère au XIIᵉ s., le royaume cingalais fut colonisé par les Portugais (XVIᵉ s.), puis par les Hollandais (XVIIᵉ s.), enfin par les Britanniques (paix d'Amiens, 1802). Indépendant depuis 1948, le pays a pris le nom de Ceylan jusqu'en 1972. Il souffre de conflits ethniques (Tamils et Cingalais). Guerre désastreuse qui fait reculer le tourisme et les exportations.

Srinagar ■ Ville de l'Inde, capitale du *Cachemire. 404 000 hab.

la S. S., Schutzstaffel ■ « Section de protection », police militarisée du parti *nazi. Elle supplanta la *S. A. en 1934. Créées en 1940, les *Waffen S. S.* étaient des unités militaires d'élite ; leurs méthodes férocement impitoyables de combat et de répression en ont fait un symbole de barbarie.

Madame de Staël ■ Écrivaine française, fille de *Necker (1766-1817). Elle tint un salon littéraire et politique célèbre sous la Révolution et la Restauration. Son livre "*De l'Allemagne*" (⇒ **Schlegel**) eut une grande influence sur le romantisme français.

Nicolas de Staël ■ Peintre français d'origine russe (1914-1955). Il a suivi une ligne très personnelle, à mi-chemin de l'abstrait et du figuratif, travaillant surtout la matière picturale et le rythme.

Georg Ernst Stahl ■ Chimiste allemand (1660-1734). Sa théorie du « phlogistique » est la première systématisation cohérente de la chimie. Elle sera réfutée par *Lavoisier.

Stains ■ Commune de la *Seine-Saint-Denis. 36 000 hab. *(les Stanois)*.

Stakhanov ■ Ville d'U. R. S. S. (*Ukraine) dans le Donbass. 109 000 hab. Jusqu'en 1978, elle s'appelait *Kadiïevka*.

Joseph Djougachvili dit *Staline* ■ Homme d'État soviétique, de nationalité géorgienne (1879-1953). Successeur de *Lénine (1924), il devint le maître absolu du pays, l'organisant et le développant par la force, faisant exécuter ou déporter ses rivaux et opposants (*purges staliniennes*, ⇒ **Kirov**). Allié, puis grand adversaire de Hitler, il obtint en 1945, après la victoire, l'hégémonie sur les pays de l'Europe de l'Est. Il engagea l'U. R. S. S. dans la « guerre froide », lutte d'influence contre les États-Unis. Le culte de sa personnalité fut critiqué après sa mort par *Khrouchtchev.

Stalingrad ■ Nom de *Volgograd de 1925 à 1961. ▶ *la bataille de Stalingrad* (août 1942 - février 1943) marqua le début des victoires soviétiques sur l'Allemagne nazie.

Stamford ■ Ville des États-Unis (*Connecticut). Port près de New York. 102 000 hab. Université. Recherches chimiques.

saint Stanislas ■ Évêque de Cracovie (1030-1079). Il fut assassiné. Canonisé en tant que patron de la Pologne.

Stanislas Iᵉʳ Leszczyński ■ Roi de Pologne (1677-1766). Chassé par Auguste II en 1709, soutenu par son gendre Louis XV dans la guerre de *Succession de la Pologne (1733), il fut vaincu et reçut les duchés de Bar et de Lorraine en 1738 (⇒ **Nancy**). À sa mort, les duchés passèrent à la France.

Konstantine Stanislavski ■ Homme de théâtre soviétique, l'un des initiateurs de la mise en scène moderne (1863-1938).

sir Henry Morton Stanley ■ Explorateur britannique (1841-1904). Il retrouva Livingstone au Tanganyika.

Wendell Meredith Stanley ■ Biochimiste américain (1904-1971). Prix Nobel 1946 pour ses travaux fondamentaux en virologie.

Stanleyville ■ ⇒ **Kisangani.**

Stara Zagora ■ Ville de Bulgarie. 131 000 hab. Centre commercial, culturel et industriel.

le comte von Stauffenberg ■ Officier allemand (1907-1944). Il participa au complot manqué contre Hitler (20 juillet 1944) et fut exécuté.

Stavropol' ■ Ville d'U. R. S. S. (*Russie). 250 000 hab. Industries.

sir Richard Steele ■ Journaliste, écrivain et homme politique irlandais (1672-1729). ⇒ **Addison.**

Jan Steen ■ Peintre hollandais (1626-1679). Il représenta surtout des scènes de la vie populaire, dans la tradition de l'école *flamande.

Josef Stefan ■ Physicien autrichien (1835-1893). Théorie du rayonnement.

Gertrude Stein ■ Écrivaine américaine (1874-1946). Établie à Paris, elle défendit les peintres d'avant-garde et soutint les jeunes écrivains. "*Autobiographie d'Alice Toklas*".

John Steinbeck ■ Romancier américain (1902-1968). Prix Nobel 1962. Il décrit avec réalisme l'inhumanité des mutations économiques. "*Les Raisins de la colère*" ; "*À l'est d'Eden*" ; "*Des souris et des hommes*".

Jacob Steiner ■ Mathématicien suisse (1796-1863). Un des créateurs de la géométrie projective (⇒ **Poncelet**).

Rudolf Steiner ■ Philosophe et pédagogue autrichien (1861-1925). Il a nommé *anthroposophie* sa doctrine spiritualiste.

Ernst Steinitz ■ Mathématicien allemand (1871-1928). Un des fondateurs de l'algèbre moderne (théorie des corps).

Henri Beyle dit *Stendhal* ■ Écrivain français (1783-1842). Après une carrière dans la grande Armée, passionné par l'Italie et influencé par le *romantisme, il écrivit des essais (*"De l'amour"*) et des romans célèbres pour leur réalisme psychologique, leur critique de la société libérale et leur style incisif : "*Le Rouge et le Noir*" ; "*Lucien Leuwen*" ; "*la Chartreuse de Parme*". Œuvres autobiographiques.

Stentor ■ Personnage de l'*Iliade, mentionné pour l'ampleur de sa voix. ⟨ ▶ stentor ⟩

George **Stephenson** ■ Ingénieur anglais (1781-1848). Pionnier des chemins de fer.

Sterlitamak ■ Ville d'U. R. S. S. (*Russie), en Bachkirie. 211 000 hab. Industries.

Daniel **Stern** ■ Pseudonyme de Marie d'*Agoult.

Josef von **Sternberg** ■ Cinéaste américain, d'origine autrichienne (1894-1969). "*L'Ange bleu*", "*l'Impératrice rouge*", avec Marlène Dietrich.

Laurence **Sterne** ■ Romancier anglais (1713-1768). Un des premiers à transformer la forme narrative classique. "*Vie et opinions de Tristram Shandy*" ; "*Voyage sentimental*".

Robert Louis Balfour dit **Stevenson** ■ Écrivain britannique (1850-1894). Romans d'aventures écrits dans un style admirable. "*L'Île au trésor*" ; "*Docteur Jekyll et Mr Hyde*".

Stif autrefois *Sétif* ■ Ville d'Algérie. 144 000 hab.

Stiring-Wendel ■ Commune de la *Moselle. 12 600 hab.

Max **Stirner** ■ Philosophe allemand (1806-1856). Son principal ouvrage ("*l'Unique et sa propriété*") est une critique du libéralisme politique, social et humain.

Karlheinz **Stockhausen** ■ Compositeur allemand (né en 1928). L'un des chefs de file, avec *Boulez, de l'avant-garde musicale contemporaine. "*Klavierstücke*".

Stockholm ■ Capitale de la Suède. 1,55 million d'hab. Résidence royale (château du XVIIe s., sépulture). Métropole administrative, industrielle et commerciale. Port de commerce important, relié autrefois à la *Hanse.

Stockport ■ Ville d'Angleterre. 140 000 hab.

Stockton ■ Ville des États-Unis (*Californie). 150 000 hab.

le **stoïcisme** ■ Une des principales écoles de pensée de l'Antiquité, celle des *stoïciens*. Né en Grèce au IIIe s. av. J.-C. (Zénon, Cléanthe, Chrysippe), transporté à Rome par Panetius et Posidonius (IIe s. av. J.-C.), le stoïcisme imprégna complètement la culture latine avec *Sénèque, *Épictète et *Marc Aurèle (Ier - IIe s. après J.-C.). À travers l'influence de *Cicéron, puis celle de *Montaigne, il n'a cessé de marquer la littérature et la philosophie occidentales. Il désigne à la fois une doctrine très technique (physique, logique redécouverte par *Lukasiewicz) et une morale où la conscience cherche à faire la part du déterminisme et à l'admettre dans la vie. Aussi le mot a-t-il pris un sens plus large. ⟨ ▶ stoïque ⟩

Stoke-on-Trent ■ Ville d'Angleterre 266 000 hab. Poteries et porcelaines.

Bram **Stoker** ■ Écrivain irlandais (1847-1912). "*Dracula*", histoire romancée du comte Vlad Tepeş (« l'empaleur »), prince roumain du XVe s., guerrier nationaliste et tyran cruel, dont on fit un vampire.

sir George Gabriel **Stokes** ■ Physicien et mathématicien irlandais (1819-1903). Loi de la viscosité. Théorie de la fluorescence.

Stonehenge ■ Le plus important site mégalithique (protohistorique) de Grande-Bretagne (sud de l'Angleterre).

Strabon ■ Historien et géographe grec (v. 60 - v. 25 av. J.-C.). On ne connaît que sa "*Géographie*".

Stradivarius ■ Le plus célèbre luthier italien (v. 1644-1737).

Strasbourg ■ Préfecture du *Bas-Rhin et de la région *Alsace. 253 000 hab. *(les Strasbourgeois)*. Siège du Conseil de l'Europe et de l'Assemblée européenne. Ville universitaire. Cathédrale en grès rose (XIIe - XVe s.). Palais des Rohan. Port actif sur le Rhin. Centre industriel (industries métallurgique et alimentaire) et touristique (quartiers pittoresques). ☐HISTOIRE. Ville germanique à partir de 855, elle est réunie à la France en 1681, puis sous domination allemande de 1870 à 1918. Important foyer de l'*humanisme et de la Réforme, où *Gutenberg mit au point la technique de l'imprimerie (v. 1450).

Stratford-on-Avon ou **Stratford-upon-Avon** ■ Ville d'Angleterre, où naquit *Shakespeare. 24 000 hab. Festival de théâtre.

Johann **Strauss** ■ Compositeur autrichien (1804-1849). Auteur de nombreuses valses, polkas et de "*la Marche de Radetzky*". ☐ *Johann* **Strauss** (1825-1899), son fils. Compositeur célèbre pour ses valses ("*le Beau Danube bleu*"), ses opérettes ("*la Chauve-Souris*").

Richard **Strauss** ■ Compositeur allemand (1864-1949). Il utilisa toutes les possibilités de l'orchestre wagnérien, créant une musique d'une grande richesse mélodique. Poèmes symphoniques. "*Le Chevalier à la rose*" et "*Salomé*", opéras.

Igor **Stravinski** ■ Compositeur russe, naturalisé français puis américain (1882-1971). Le musicien le plus célèbre du début du XXe s. Sa musique est à l'égal de sa personnalité : sans cesse en renouvellement. Ses premières œuvres firent scandale ("*le Sacre du printemps*", 1913). Il composa des ballets ("*l'Oiseau de feu*" ; "*Petrouchka*"), des opéras ("*Œdipus Rex*"), des œuvres symphoniques et de la musique de chambre.

Gustav **Stresemann** ■ Homme d'État allemand (1878-1929). Ministre des Affaires étrangères de 1923 à sa mort. Il favorisa le rapprochement avec la France, signa le pacte Briand-*Kellogg (1928). Prix Nobel de la Paix 1926.

August **Strindberg** ■ Auteur dramatique suédois (1849-1912). Il passe du *naturalisme ("*Mademoiselle Julie*") au mysticisme ("*le Songe*"). Son œuvre fait le constat de la décadence d'une civilisation ("*la Danse de mort*").

Eric von **Stroheim** ■ Réalisateur et acteur autrichien naturalisé américain (1885-1957). Un des grands cinéastes de l'époque du muet ("*les Rapaces*"), puis comédien du cinéma parlant ("*la Grande Illusion*").

Stromboli ■ Une des îles Éoliennes, au nord de la Sicile. Volcan en activité.

les **Stuart** en anglais *Stewart* ■ Famille qui régna sur l'Écosse de 1371 à 1714 (avec Robert II, Robert III, *Jacques Ier, *Jacques II, Jacques III, Jacques IV, Jacques V, *Marie Ire Stuart) et sur l'Angleterre de 1603 à 1714 (avec *Jacques Ier, *Charles Ier, *Charles II, *Jacques II, *Marie II Stuart et *Anne Stuart). Les Stuart succédèrent aux *Tudor.

John **Stuart Mill** ■ ⇒ John Stuart **Mill**.

le **Sturm und Drang** ■ « Tempête et assaut », mouvement littéraire allemand (1770-1790). Influencé par Rousseau, il marque le début du *romantisme. ⇒ **Klinger, Goethe, Lenz, Schiller.**

Stuttgart ■ Ville de R. F. A., capitale du *Bade-Wurtemberg, sur le *Neckar. Port fluvial. 582 000 hab. Centre industriel (automobile, électronique), administratif, intellectuel.

le Styx ■ Un des fleuves des Enfers dans la mythologie grecque.

les guerres de Succession ■ Guerres déclenchées à la mort d'un souverain, éclatant entre les différents prétendants à sa succession et leurs alliés. □ *la guerre de Succession d'Autriche* (1740-1748). Les puissances européennes refusant de reconnaître la "pragmatique sanction" des *Habsbourg, selon laquelle la fille unique de Charles VI, *Marie-Thérèse, devait lui succéder, cette dernière réussit à l'évincer. □ *la guerre de Succession d'Espagne* (1701-1714) opposa la France et l'Espagne à une coalition européenne et aboutit à la reconnaissance de *Philippe V. □ *la guerre de Succession de Pologne* (1733-1738), provoquée par l'élection au trône de *Stanislas Leszczyński, soutenu par la France, opposa ce dernier à *Auguste III de Saxe et ses alliés austro-russes, qui l'emportèrent.

Sŭchou ■ ⇒ **Xuzhou.**

Antonio José de Sucre ■ Patriote vénézuélien (1795-1830). Il lutta pour l'indépendance de l'Amérique du Sud aux côtés de *Bolivar. Président de la Bolivie de 1826 à 1828.

Sucre ■ Capitale constitutionnelle de la Bolivie. 65 000 hab. Le siège du gouvernement et l'essentiel des activités sont à *La Paz.

Sucy-en-Brie ■ Commune du *Val-de-Marne. 22 000 hab.

les Allemands des Sudètes ■ Nom donné entre les deux guerres mondiales à la minorité de langue allemande en Tchécoslovaquie. Leurs territoires, cédés à l'Allemagne par la Tchécoslovaquie en 1938, furent rendus à celle-ci en 1945. L'immense majorité de ces Allemands fut expulsée immédiatement.

les Sudistes ■ ⇒ guerre de **Sécession.**

Eugène Sue ■ Romancier français (1804-1857). Auteur des premiers romans-feuilletons, où il décrit les bas-fonds parisiens et exprime des revendications sociales et humanitaires. "*Les Mystères de Paris*".

la Suède ■ État (monarchie constitutionnelle) d'Europe du Nord comprenant la partie orientale de la péninsule *scandinave, les îles Oland et *Gotland. 449 750 km². 8,35 millions d'hab. *(les Suédois).* Capitale : Stockholm. Langue : suédois. Monnaie : couronne suédoise. Industrie liée au bois et aux importantes ressources minières (sidérurgie, chimie) ; techniques de pointe. Activités commerciales et touristiques importantes. Élevage. □**HISTOIRE**. La Suède s'étendit vers l'est (côtes de la *Baltique, sud de la Russie) sous l'impulsion des *Vikings du VIIIᵉ s. au XIᵉ s., se christianisa au XIIᵉ s. (*Uppsala). Elle développa avec *Birger et la *Hanse. En 1397, elle fut réunie au Danemark et à la Norvège (⇒ **Marguerite Valdemarsdotter**), mais fit sécession en 1523, avec Gustave Vasa, et passa à la *Réforme. Le règne de *Gustave II Adolphe (1611-1632) fit de la Suède la première puissance d'Europe du Nord, jusqu'aux défaites de *Charles XII face à la Russie, en 1709. Au XVIIIᵉ s., l'économie fut relancée par le chancelier *Horn. Le règne autoritaire de Gustave III mit fin (1771) à une période d'instabilité politique. *Charles XIII reconnut la monarchie constitutionnelle en 1809 et fit de Bernadotte son successeur, sous le nom de *Charles XIV. Celui-ci, victorieux dans la coalition contre Napoléon (1813-1814), obtint la Norvège (qui devint indépendante en 1905). Le XIXᵉ s.

fut une période de libéralisation politique et de progrès économiques. Les sociaux-démocrates restèrent au pouvoir de 1932 à 1976 (⇒ **Palme**) et furent réélus en 1982. Soucieuse de sa neutralité (qu'elle a maintenue durant les deux guerres mondiales), la Suède n'a adhéré ni à l'*O. T. A. N., ni à la *C. E. E. Elle dispose de lois sociales très avancées.

Suétone ■ Historien latin (v. 70 - après 128), érudit et biographe. "*Vies des douze Césars*".

Suez ■ Ville et port d'Égypte, sur la mer Rouge, au fond du golfe de Suez. 368 000 hab. Raffineries de pétrole. ▶ *le canal de Suez* (161 km), construit par Ferdinand de *Lesseps (de 1859 à 1869), relie la Méditerranée à la mer Rouge ; il permet aux navires d'aller d'Europe en Orient sans contourner l'Afrique, d'où son importance économique et stratégique. D'abord contrôlé par les Britanniques, nationalisé par *Nasser en 1956, il fut fermé de 1967 à 1975 à cause des guerres *israélo-arabes.

Pierre André de Suffren de Saint-Tropez ■ Célèbre marin français (1729-1788). Commandeur et bailli de l'ordre de Malte, il combattit pendant la guerre d'Amérique, au Maroc et aux Indes.

Suger ■ Abbé de Saint-Denis, conseiller de Louis VI et de Louis VII, régent de France de 1147 à 1149 (v. 1081 - 1151). Il fut l'initiateur et le premier théoricien de l'art gothique.

le général Suharto ■ Homme d'État indonésien (né en 1921). Président de la République depuis 1968. ⇒ **Sukarno.**

la Suisse ou *Confédération helvétique* en allemand *Schweiz* en italien *Svizzera* ■ État à la charnière de l'Europe occidentale et de l'Europe centrale. 41 288 km². 6,6 millions d'hab. *(les Suisses).* Capitale : Berne. Langues : allemand, français, italien, romanche. Monnaie : franc suisse. 23 cantons : Appenzell, Argovie, Bâle, Berne, Fribourg, Genève, Glaris, Grisons, Jura suisse, Lucerne, Neuchâtel, Saint-Gall, Schaffhouse, Schwyz, Soleure, Tessin, Thurgovie, Unterwald, Uri, Valais, Vaud, Zoug, Zurich. Le territoire est exigu, montagneux (les Alpes occupent 60 %, le Jura 10 %), mais on a su exploiter son potentiel hydro-électrique et faire de sa position géographique un privilège, renforcé par le statut international de neutralité armée (nombreuses institutions internationales ; concentration de capitaux). La population, qui a un des niveaux de vie les plus élevés du monde, se concentre sur les plateaux et dans les villes (Berne, Zurich, Bâle, Lausanne, Genève...). Très importantes activités bancaires. Industrie traditionnelle de grande qualité (horlogerie, alimentation, textile). Chimie, électrométallurgie, constructions mécaniques. Tourisme. □**HISTOIRE**. Vassaux des *Habsbourg, les villages d'Uri, de Schwyz et d'Unterwald, qui contrôlaient certains cols des Alpes, s'unirent en 1291 contre l'Empire germanique : c'est l'origine de la Confédération, avec ses héros (⇒ **Guillaume Tell**) et leur légende. D'autres cantons joignirent à eux, et ils gagnèrent progressivement leur indépendance : victoire sur *Maximilien Iᵉʳ (1499), paix perpétuelle avec les Français (1516). La Réforme, dont la Suisse fut un des foyers les plus actifs (⇒ **Zwingli**), affaiblit le pays en provoquant une division religieuse entre cantons protestants (Zurich, Bâle, Berne, Schaffhouse) et cantons catholiques. Genève devint avec *Calvin le centre du protestantisme. Le XVIIIᵉ s. fut une période de prospérité économique, intellectuelle et artistique. En 1798, la France révolutionnaire organisa une République helvétique très centralisée. Napoléon rétablit le fédéralisme en 1803, mais Mulhouse (alliée de la Suisse), Genève et le Valais étaient annexés. En 1815, la Confédération reçut ses frontières actuelles. La guerre civile du *Sonderbund (1847) permit la victoire des libéraux sur les conservateurs et l'instauration de la Constitution actuelle (1848, révisée en 1874), qui fait une large place à la démocratie directe et aux diversités régionales (langue, religion). Nation au glorieux passé mercenaire et militaire, la Suisse a su préserver depuis 1815 sa neutralité, y compris durant les deux guerres mondiales. En 1978 fut créé le Jura suisse, 23e canton de la Confédération.

Suita ■ Ville du Japon (*Honshū). 332 000 hab.

Achmed Sukarno ■ Homme d'État, héros de l'indépendance de l'Indonésie et premier président de son pays (1901-1970). Renversé en 1967 par Suharto, qui lui succéda.

Sukkur ■ Ville du Pakistan. 159 000 hab. Centre agricole.

Sulawesi ■ ⇒ **Célèbes.**

Süleyman ■ ⇒ **Soliman.**

Maximilien de Béthune baron de Rosny duc de **Sully** ■ Homme d'État français (1560-1641). Ministre du roi Henri IV, protestant. Il rétablit les finances de l'État, en privilégiant l'agriculture (« labourage et pâturage »).

Sully Prudhomme ■ Poète français (1839-1907). "*Les Épreuves*". Le premier prix Nobel de littérature (1901).

Sully-sur-Loire ■ Commune du *Loiret. 6 000 hab. *(les Sullylois).* Château (XIIIe - XIVe s.) sur la Loire.

Sumatra ■ La plus grande des îles de l'*Indonésie. 473 000 km². 20 millions d'hab. Cultures commerciales et vivrières. Pétrole, charbon.

Sumer ■ Région de la basse *Mésopotamie, sur le golfe *Persique, qui connut une brillante civilisation. ► *les Sumériens,* peuple asiatique établi dans cette région au IVe millénaire. Ils fondèrent les premières cités (*Ur, *Eridu, *Uruk...), développèrent l'irrigation, l'architecture, la sculpture, et inventèrent l'écriture.

Sunderland ■ Ville industrielle et port d'Angleterre sur la mer du Nord. 216 000 hab.

la Sunna ■ Nom arabe signifiant la « tradition », transmise dans des recueils qui s'ajoutent au *Coran et servent de règles de vie aux musulmans. ► *les sunnites* s'opposent aux *chiites à partir de la question du califat (succession du Prophète, Mahomet, à la tête de l'islam). Ils forment la majorité des musulmans.

Sun Yat-Sen ou *Sun Zhongshan* ■ Homme d'État chinois (1866-1925). Président de la République en 1911-1912, puis de 1921 à sa mort. Considéré comme le « père de la République » et de la Chine moderne. Fondateur du *Kuo min-tang.

le lac Supérieur ■ ⇒ **Grands Lacs.**

Jules Supervielle ■ Écrivain français (1884-1960). Son art de la simplicité et de la transparence tend à rendre naturel le fantastique. "*Gravitations*" et "*Le Forçat innocent*", poèmes ; "*le Voleur d'enfants*", nouvelles.

Surabaya ■ 2e ville d'Indonésie (*Java). 1,5 million d'hab. Port important (activités industrielles variées).

Surakarta ■ Ville d'Indonésie (*Java). 414 000 hab. Capitale culturelle. Commerce.

Surat ■ Ville et port de l'Inde. 913 000 hab. Textile.

Robert Surcouf ■ Corsaire et armateur français (1773-1827).

Suresnes ■ Commune des *Hauts-de-Seine, à l'ouest de Paris. 39 000 hab. *(les Suresnois).*

Surgères ■ Commune de *Seine-Maritime. 6 500 hab.

le Surinam ■ État (république) d'Amérique du Sud, aux deux tiers couvert par la forêt. 163 820 km². 370 000 hab. Capitale : Paramaribo. Langue officielle : néerlandais. Monnaie : florin du Surinam. Ancienne *Guyane hollandaise* (cédée par les Anglais en 1667), le pays est indépendant depuis 1975. Mines de bauxite (2e producteur mondial). Cultures tropicales. Industries du sucre.

le surréalisme, les surréalistes ■ Le surréalisme n'est pas seulement un courant de la littérature et de la peinture, mais un état d'esprit qui se développa dans l'entre-deux-guerres en Europe : rejet de la rationalité, nouvel humanisme fondé sur le rêve, la toute-puissance de l'imagination et de l'amour. À la suite de *Dada, autour de *Breton, de nombreux écrivains furent surréalistes : *Aragon, *Éluard, *Char, *Desnos... Les peintres : *Ernst, *Dali, *Magritte.

Suse ■ Site archéologique d'Iran, capitale de l'*Élam. Palais de *Darius.

Heinrich Suso ■ Théologien et mystique suisse (v. 1295 - 1366). Disciple d'*Eckhart.

Suva ■ Capitale et principal port des îles *Fidji. 63 000 hab.

Suwon ■ Ville de la Corée du Sud. 170 000 hab.

le Svalbard ■ Archipel norvégien de l'océan Arctique. 62 050 km². 2 900 hab. On y pratiqua la chasse à la baleine.

Sverdlovsk ■ Ville d'U. R. S. S. (*Russie). 1,2 million d'hab. Centre culturel et minier.

Italo Svevo ■ Romancier italien (1861-1928). Originaire de *Trieste, à la charnière des cultures austro-allemande et italienne, il composa, encouragé par *Joyce, une œuvre d'introspection lucide et ironique. "*La Conscience de Zeno*".

Swansea ■ Ville et port du Pays de Galles. 172 000 hab. Métallurgie, raffinerie de pétrole.

le Swaziland ou *Ngwane* ■ État (royaume) d'Afrique australe entre le Mozambique et l'Afrique du Sud. 17 363 km². 650 000 hab. Capitale : Mbabane. Langue officielle : anglais. Agriculture variée. Élevage important. Richesses minières (fer, amiante). Ancien protectorat britannique indépendant depuis 1968.

Emmanuel Swedenborg ■ Savant et théosophe suédois (1688-1772). Il fonda une secte mystique qui eut de nombreux adeptes en Angleterre et aux États-Unis.

Jan Peterszoon Sweelinck ■ Organiste et compositeur néerlandais (1562-1621). Il renouvela la musique pour orgue et clavecin.

Jonathan Swift ■ Écrivain irlandais (1667-1745). Auteur des célèbres "*Voyages de Gulliver*" et de pamphlets d'un humour féroce et pessimiste où il prend la défense de son pays.

Algernon Charles Swinburne ■ Poète et critique anglais, héritier de la tradition romantique (1837-1909). Il célébra la révolte pour la liberté totale. "*Lesbia Brandon*", roman.

Sybaris ■ Ancienne ville d'Italie, célèbre pour son luxe et les mœurs libres de ses habitants. ‹ ► sybarite ›

Thomas Sydenham ■ Médecin anglais (1624-1689). Il fut surnommé « l'*Hippocrate d'Angleterre ».

Sydney ■ 1re ville et 1er port d'Australie, capitale de l'État de *Nouvelle-Galles du Sud, sur l'océan Pacifique. 3,23 millions d'hab. Premier marché mondial de la laine. Industries.

Syktyvkar ■ Ville d'U. R. S. S. (*Russie), capitale de la république des *Komis. 136 000 hab. Port fluvial. Industries du bois.

Sylla ■ Général et homme d'État romain (138 - 78 av. J.-C.). Maître de Rome, après avoir mené des campagnes victorieuses en Grèce et en Asie, nommé « dictateur à vie » en 82 av. J.-C., il se retira en 79 av. J.-C. Sa rivalité avec *Marius marqua le début des troubles qui entraînèrent la fin de la république.

Sylvestre II ■ ⇒ Gerbert d'Aurillac.

le symbolisme, les symbolistes ■ Mouvement qui apparut en France en 1886 et se développa en Europe. D'abord littéraire, issu de l'atmosphère désenchantée et décadente de la fin du siècle, il privilégie l'analogie et le pouvoir de suggestion du langage, qui met en rapport la réalité et l'idée. Nombreux poètes : *Mallarmé, *Moréas, Gustave *Kahn, *Yeats. *Maeterlinck, auteur dramatique. Les peintres symbolistes s'adressent à l'esprit autant qu'au regard, dans des œuvres d'inspiration littéraire ou biblique : *Puvis de Chavannes, *Moreau.

John Millington Synge ■ Auteur dramatique irlandais (1871-1909). Ses pièces mêlent le réel et la légende. "*Deirdre des douleurs*".

Syra ou *Syros* ■ Île grecque des *Cyclades. Chef-lieu : Hermoupolis.

Syracuse ■ Port d'Italie en Sicile. 123 000 hab. *(les Syracusains)*. Fondée en 734 av. J.-C. par les Grecs, Syracuse étendit son influence aux cités grecques de l'Italie avec *Denys l'Ancien. Elle devint romaine en 212 av. J.-C. Nombreux vestiges antiques grandioses.

Syracuse ■ Ville des États-Unis (*New York). 170 000 hab. Université.

le Syr-Daria ■ Fleuve d'Asie soviétique (3 019 km). Il se jette dans la mer d'Aral.

la Syrie ■ État (république) du Proche-Orient. 185 000 km². 10,2 millions d'hab. *(les Syriens)*. Population principalement musulmane. Capitale : Damas. Langue officielle : arabe. Monnaie : livre syrienne. □ HISTOIRE. Appelée Aram dans la Bible, la Syrie abrita les grandes civilisations antiques (Égyptiens, Hittites, Séleucides). Dominée par les Perses, les Byzantins, les Turcs, elle passa sous mandat français en 1920, acquit son indépendance officielle en 1941 et effective en 1946. Elle prend part au conflit *israélo-arabe depuis 1948 et renforce son influence sur le Liban en 1985. Économie essentiellement agricole. Faible production de pétrole.

Syrinx ■ Nymphe de la mythologie grecque, aimée de Pan.

Syzran ■ Ville d'U. R. S. S. (*Russie), dans le second *Bakou. 187 000 hab.

Szczecin en allemand *Stettin* ■ Ville et port important de Pologne, situé sur l'estuaire de l'*Oder. 390 000 hab. Forte activité industrielle (métallurgie).

Szeged ■ Ville de Hongrie. 176 000 hab. Ville administrative et industrielle. Université.

Székesfehérvár ■ Ville de Hongrie. 102 000 hab. Monuments baroques et néo-classiques.

Albert Szent-Györgyi ■ Biochimiste hongrois (1893-1986). Travaux sur les vitamines B6 et C. Prix Nobel de médecine 1937.

Karol Szymanowski ■ Compositeur polonais (1882-1937) "*Stabat Mater*".

T

le mont **Tabor** ■ ⇒ le mont **Thabor.**

Tabrīz ■ Ville du nord-ouest de l'Iran. Elle fut capitale de l'empire mongol puis de la Perse. 600 000 hab. Magnifique mosquée bleue.

Tachikawa ■ Ville du Japon (*Honshū). 120 000 hab.

Tachkent ■ Ville d'U. R. S. S., capitale de l'*Ouzbékistan. 1,9 million d'hab. Important centre culturel et industriel de l'Asie centrale soviétique.

Tacite ■ Historien latin (v. 55 - v. 120). Les "*Annales*" et les "*Histoires*" font le procès de la décadence des mœurs politiques, avec un art de psychologue et de portraitiste, dans un style dépouillé, elliptique.

Tacoma ■ Ville des États-Unis (*Washington), port du *Puget Sound (Pacifique). 158 000 hab.

le **Tadjikistan** *ou la* **Tadjikie** ■ République socialiste soviétique (⇒ U. R. S. S.), près de la Chine et de l'Afghanistan. 143 100 km². 4 millions d'hab. Capitale : Douchanbe. Pays montagneux (⇒ **Pamir**), partie du *Turkestan. Vallées cotonnières (industries textiles).

Tadj Mahal ■ ⇒ **Taj Mahāl.**

Taegu ■ Ville de la Corée du Sud. Grand centre commercial et industriel. 1,6 million d'hab.

Taejon ■ Ville de la Corée du Sud. 415 000 hab.

William Howard **Taft** ■ 27e président (républicain) des États-Unis de 1909 à 1913 (1857-1930).

les **Tagals** *n. m.* ■ Peuple des Philippines qui parle le *tagal*. Ils sont 2 millions.

Taganrog ■ Ville et port d'U. R. S. S. (*Russie) sur la mer d'Azov. 285 000 hab.

le **Tage** ■ Le plus long fleuve de la péninsule Ibérique (1 006 km). Né en Espagne, il traverse Tolède et se jette dans l'Atlantique à Lisbonne.

Rabindranâth **Tagore** ■ Écrivain indien de langue bengali, célèbre dans le monde entier (1861-1941). "*L'Offrande lyrique*", poèmes. Prix Nobel 1913.

Tahā Hussein ■ Écrivain égyptien (1889-1973). "*Le Livre des jours*", autobiographie.

Tahiti ■ La plus grande île du territoire d'outre-mer de la Polynésie française. Chef-lieu : Papeete. 1 000 km². 96 000 hab. *(les Tahitiens).* Île formée de

deux volcans éteints, entourés d'un récif de corail. Pêche. Tourisme.

Taibei, Taipeh *ou* **T'ai-pei** ■ Capitale de Taiwan. 2,2 millions d'hab. Industries textile, électronique. Riche musée.

Tā'if ■ Ville d'Arabie Saoudite près de La Mecque. 205 000 hab.

Germaine **Tailleferre** ■ Compositrice française (1892-1983). Élève de *Milhaud, membre du groupe des *Six.

le **Taïmyr** ■ Presqu'île de *Sibérie (U. R. S. S.).

Tai-nan ■ Ville de Taiwan. 469 000 hab. Port actif.

Hippolyte **Taine** ■ Philosophe, historien et critique français (1828-1893). "*Les Origines de la France contemporaine*".

Tain-l'Hermitage ■ Commune de la *Drôme. 5 600 hab. *(les Tinois).*

la révolte des **Taiping** ■ Mouvement populaire, contre la dynastie *mandchoue, qui agita la Chine de 1851 à 1864.

les **Taira** ■ Famille féodale japonaise qui conquit le pouvoir du XIe au XIIe s.

le **Tai Shan** ■ Célèbre montagne de Chine, lieu de pèlerinage (plus de 250 temples).

Taiwan *ou* **Formose** ■ Île et État (république) d'Asie. 36 000 km². 19 millions d'hab. *(les Taiwanais).* Capitale : Taibei. Langue : chinois. Monnaie : nouveau dollar de Taiwan. Climat tropical : riz, canne à sucre. Secteur industriel important (électronique, textile), grâce aux exportations vers les États-Unis et au faible coût de la main-d'œuvre. □**HISTOIRE.** Occupée par les Portugais, les Hollandais, puis intégrée à l'empire de Chine en 1683. En 1949, *Tchang Kaï-chek, vaincu par *Mao Zedong, s'y réfugie avec ses partisans et fonde une république chinoise indépendante.

Taiyuan ■ Ville de Chine. 1 million d'hab. Sidérurgie.

Taizé ■ Commune de *Saône-et-Loire. 150 hab. Communauté religieuse œcuménique, « concile des jeunes ».

Taizhong *ou* **T'ai-Tchong** ■ Ville de Taiwan. 570 000 hab.

le Taj Mahāl ■ Immense mausolée de marbre blanc construit à Āgra (Inde) au XVIIe s., pour l'épouse de *Shāh Jahān.

Takamatsu ■ Ville du Japon (*Shikoku). 301 000 hab.

Takaoka ■ Ville du Japon (*Honshū). 175 000 hab.

Takarazuka ■ Station balnéaire du Japon (*Honshū). 184 000 hab. Célèbre théâtre féminin.

Takasaki ■ Ville du Japon (*Honshū). 221 000 hab.

Takatsuki ■ Ville du Japon (*Honshū). 340 000 hab.

Takoradi ■ Principal port du Ghana. 255 000 hab. (avec Segondi).

Talange ■ Commune de la *Moselle. 8 600 hab.

Talant ■ Commune de la *Côte-d'Or. 10 000 hab.

La Talaudière ■ Commune de la *Loire. 5 500 hab.

lord Talbot ■ Homme de guerre anglais qui s'illustra pendant la guerre de *Cent Ans (1373-1453).

William Henry Fox Talbot ■ Physicien anglais, pionnier de la photographie (1800-1877).

Talca ■ Ville du Chili. 127 000 hab. Centre commercial d'une région agricole.

Talcahuano ■ Ville portuaire du Chili. 148 000 hab.

Talence ■ Commune de la *Gironde, dans la banlieue de Bordeaux. 36 000 hab.

Tallahassee ■ Ville des États-Unis, capitale de la *Floride. 82 000 hab.

Gédéon Tallemant des Réaux ■ Mémorialiste français (1619-1690). *"Historiettes"*.

Charles Maurice de Talleyrand-Périgord prince de Bénévent ■ Diplomate et homme politique français (1754-1838). Évêque rallié à la *Constituante, il quitta l'Église pour diriger les Affaires étrangères de 1797 (*Directoire) à 1807. Passé au service de l'Autriche et de la Russie contre Napoléon, il devint le représentant de Louis XVIII au congrès de *Vienne, puis fut écarté par les *Ultras.

Jean-Lambert Tallien ■ Révolutionnaire français (1767-1820). Un des chefs de la réaction *thermidorienne. □ *Madame Tallien,* son épouse (1773-1835), alors célèbre et influente, fut surnommée « Notre-Dame de *Thermidor ».

Tallin ■ Ville et port d'U. R. S. S. capitale de l'*Estonie sur le golfe de Finlande. 430 000 hab. Métallurgie. Centre culturel et historique (⇒ pays **baltes**). Monuments.

François Joseph Talma ■ Tragédien français (1763-1826). Il imposa au théâtre plus de naturel et de vérité historique.

le Talmud ■ Le livre le plus important du judaïsme, après la *Torah. Rédigé du IIIe au VIIe s., il interprète la Bible et fixe les règles de la vie civile et religieuse.

Tamanrasset ■ Oasis du Sahara dans le Hoggar. Ermitage de Charles de *Foucauld.

Tamatave ■ Ancien nom de *Toamasina.

Rufino Tamayo ■ Peintre mexicain (né en 1899). Peintures d'inspiration *précolombienne.

Tambov ■ Ville d'U. R. S. S. (*Russie). 270 000 hab. Industries.

Tamerlan ■ Célèbre conquérant d'Asie centrale (1336-1405). Il s'empara de l'Iran, de la Syrie et de la Turquie d'Europe, fondant un empire musulman qui fut partagé après sa mort.

les Tamils ou *Tamouls* n. m. ■ Groupe ethnique de l'Inde du Sud et de Sri Lanka (grave conflit avec la majorité cinghalaise).

la Tamise en anglais *Thames* ■ Principal fleuve anglais (338 km). Elle traverse Oxford et, de Londres à la mer du Nord, forme un large estuaire très industrialisé.

Tampa ■ Ville et port des États-Unis (*Floride). 272 000 hab. Principal centre agricole et industriel de l'État. Université.

Tampere ■ 2e ville de Finlande. 166 000 hab. Centre industriel et culturel.

Tampico ■ Port du Mexique. 240 000 hab. Grand centre de raffinage du pétrole.

Le Tampon ■ Commune de la *Réunion. 41 000 hab.

Tanagra ■ Ancienne ville de Grèce célèbre pour ses figurines en terre cuite qu'on appelle les *tanagras.*

Tananarive ■ ⇒ **Antananarivo.**

Tancarville ■ Commune de la *Seine-Maritime. 1 100 hab. En 1959, on construisit sur la Seine un des plus grands ponts suspendus d'Europe (1 410 m).

Tancrède ■ Prince de Galilée (mort en 1112). Un des chefs de la première croisade, devenu un héros de l'épopée du *Tasse.

les Tang ou *T'ang* ■ Dynastie chinoise qui régna de 618 à 907 (22 souverains) et qui constitua l'empire le plus puissant de l'époque. Grande période de l'histoire et de l'art chinois.

le lac Tanganyika ■ 2e lac d'Afrique (31 900 km²). Il sert de frontière entre le Zaïre, le Burundi et la Tanzanie. □ *le Tanganyika.* Ancienne colonie allemande, qui fut sous mandat britannique de 1920 à 1946 et devint une république indépendante en 1961. Elle fut unie à Zanzibar en 1964 pour former la république de *Tanzanie.

Tange Kenzo ■ Architecte japonais (né en 1914). Il s'inspire des formes de l'architecture japonaise traditionnelle.

Tanger ■ Ville du Maroc, port franc sur le détroit de Gibraltar. 188 000 hab. Zone internationale de 1923 à 1956.

Yves Tanguy ■ Peintre surréaliste français naturalisé américain (1900-1955). Évocations désertiques ou sous-marines avec des figures.

Tanis aujourd'hui *San al-Hajar* ■ Site archéologique, ville de l'ancienne Égypte brillante au temps de *Ramsès II.

Tanit ■ Une des formes de la déesse *Ishtar, vénérée à Carthage.

Tanizaki Junichirō ■ Écrivain japonais (1886-1965). Chef de file de l'école néo-romantique japonaise. *"Le Journal d'un vieux fou".*

Tanjore ou *Tanjāvūr* ■ Ville de l'Inde du Sud. 141 000 hab. Nombreux monuments : temple de Siva (Xe s.).

Tanjung Karang - Teluk Betung ■ Port d'Indonésie. 284 000 hab.

Tannenberg ■ Ancienne localité de Prusse-Orientale (auj. en Pologne [Stebark]). Victoire des Polonais et des Lituaniens sur les chevaliers Teutoniques (1410). Victoire des Allemands sur l'armée russe (août 1914).

Tannhäuser ■ Poète allemand (v. 1205 - v. 1270). Il est devenu un héros de légendes, puis d'un opéra de Wagner.

Tantah ■ Ville d'Égypte, la plus grande du delta du Nil. 278 000 hab. Centre commercial et religieux.

Tantale ■ Roi de la mythologie grecque. Il fut condamné à subir une faim et une soif perpétuelles, à côté d'eau ou de fruits qui se dérobaient sans cesse à lui : c'est le « supplice de Tantale ».

la Tanzanie ■ État (république) d'Afrique de l'Est, bordé par l'océan Indien. Membre du *Commonwealth. 937 063 km². 21,5 millions d'hab. *(les Tanzaniens).* Capitale : Dar es-Salaam. Langue officielle : swahili. Monnaie : shilling tanzanien. Plaine côtière dominée par de hauts massifs (Kilimandjaro). Cultures tropicales : café, coton, sisal, clous de girofle. Mines de diamants, or, étain. La République fédérale de Tanzanie est née en 1964 de la réunion du Tanganyika et de Zanzibar, sous la présidence de *Nyerere.

le taoïsme n. m. ■ Une des religions chinoises. Fondée par *Lao Tseu dans son ouvrage *"Tao-Tê ching".* Elle s'opposa au *confucianisme. □ *le tao* (« la voie ») est formé par l'alternance de deux principes contraires, le *yin* et le *yang.*

T'ao Hong-king ■ Médecin, calligraphe et astronome, surnommé en Occident le « Léonard de Vinci chinois » (v. 452 - 536).

Taormina ■ Ville de Sicile au pied de l'Etna, centre touristique. 10 800 hab. Ruines antiques. Château médiéval.

Antonio Tapiés ■ Peintre espagnol (né en 1923). Recherches de matière. Grandes surfaces lacérées.

Tarare ■ Commune du *Rhône. 12 000 hab. *(les Tarariens).*

Tarascon ■ Commune des *Bouches-du-Rhône. 11 000 hab. *(les Tarasconnais).* Château des comtes de Provence. Le roman d'A. Daudet *"Tartarin de Tarascon"* en a fait un symbole de la Provence.

Tarawa ■ Atoll de la république de *Kiribati au nord de l'équateur, sur lequel se trouve la capitale *Bairiki. 20 000 hab.

Tarbes ■ Préfecture des Hautes-*Pyrénées. 57 000 hab. *(les Tarbais).* Industries électromécaniques et chimiques.

Gabriel Tarde ■ Sociologue français (1843-1904). *"Les Lois de l'imitation".*

Jean Tardieu ■ Poète et auteur dramatique français (né en 1903). *"Une voix sans personne"* ; *"Un mot pour un autre".*

Tarente ■ Ville d'Italie du Sud, port sur la mer Ionienne. 245 000 hab. *(les Tarentins).* Une des plus grandes cités grecques de l'Antiquité. Centre industriel (sidérurgie, chantiers navals).

Andreï Tarkovski ■ Cinéaste soviétique (1932-1986). *"Andreï Roublev"* ; *"Stalker"* ; *"le Sacrifice".*

le Tarn ■ Rivière de France. Elle prend sa source dans les Cévennes, coule dans des gorges profondes (tourisme) et se jette dans la Garonne. □ *le Tarn* [81], département français de la région *Midi-Pyrénées. 5 780 km². 339 000 hab. Préfecture : Albi. Sous-

préfecture : Castres. □ *le Tarn-et-Garonne* [82], département français de la région *Midi-Pyrénées. 3 730 km². 190 000 hab. Préfecture : Montauban. Sous-préfecture : Castelsarrasin.

Tarnos ■ Commune des *Landes. 8 200 hab.

Tarnów ■ Ville de Pologne. 101 000 hab. Carrefour ferroviaire.

Tarpéia ■ Jeune vestale romaine. ► *la roche Tarpéienne,* crête depuis laquelle on précipitait les criminels, à Rome.

Tarquin l'Ancien ■ Cinquième roi de Rome, de 616 à 578 av. J.-C., grand bâtisseur. □ *Tarquin le Superbe,* son neveu, septième et dernier roi de Rome, de 534 à 509 av. J.-C.

Tarragone ■ Ville et port d'Espagne sur la Méditerranée (Catalogne). 111 000 hab.

Tarrasa ■ Ville d'Espagne (Catalogne). 156 000 hab. Textile.

Alfred Tarski ■ Logicien polonais naturalisé américain (1901-1983). Métamathématique, sémantique (théorie des modèles).

Tarsus ■ Ville de Turquie. 102 000 hab. Vestiges de l'ancienne *Tarse.*

Niccolo Fontana dit *Tartaglia* ■ Mathématicien italien (1499-1557).

le Tartare ■ Dans la mythologie grecque, région des *Enfers où sont châtiés les grands criminels.

la Tartarie ■ Ancien nom de l'Asie centrale (Turkestan). ► *les Tartares,* nomades, habitants de la Tartarie.

le détroit de Tartarie ■ Bras de mer entre la Sibérie extrême-orientale et l'île de Sakhaline.

Tartu ou *Tartou* ■ Ville d'U. R. S. S. (*Estonie). 104 000 hab. Centre culturel (université) et industriel.

Tarzan ■ ⇒ E. R. **Burroughs.**

Abel Janszoon Tasman ■ Navigateur hollandais (1603-1659). ► *la Tasmanie,* île qu'il découvrit de même que la Nouvelle-Zélande, est le plus petit État fédéré d'Australie.

le Tasse ■ Poète italien (1544-1595). Auteur d'une œuvre abondante, d'un retentissement immense en Europe. Sa folie est restée célèbre. *"Aminta"* ; *"la Jérusalem délivrée".*

Tassin-la-Demi-Lune ■ Commune du *Rhône près de Lyon. 15 000 hab. *(les Tassilunois).*

la république des Tatars ou *Tatarie* ■ Une des républiques autonomes de la R. S. S. de *Russie, sur la Volga. 68 000 km². 3,4 millions d'hab. Capitale : Kazan'. Agriculture. Pétrole (⇒ **Bakou**). ► *les Tatars,* d'origine euro-mongole, sont aujourd'hui majoritairement musulmans.

Jacques Tati ■ Cinéaste comique français (1908-1982). *"Les Vacances de M. Hulot"* ; *"Mon oncle".*

les Tauern n. m. ■ Massif des Alpes autrichiennes (culminant à 3 796 m).

le Taunus ■ Partie sud-est du massif schisteux *rhénan en R. F. A.

le Taurus ■ Chaîne de montagnes du sud de la Turquie. Nombreux nomades.

Taverny ■ Commune du *Val-d'Oise. 21 500 hab. *(les Tabernaciens).*

Brook Taylor ■ Mathématicien anglais (1685-1731). Calcul infinitésimal.

Frederick Winslow **Taylor** ■ Ingénieur et économiste américain (1856-1915). Pour augmenter le rendement des ouvriers et des machines, il imposa le *taylorisme*, qu'il définissait comme l'organisation scientifique du travail dans les usines.

Haroun **Tazieff** ■ Volcanologue français, secrétaire d'État de 1984 à 1986 (né en 1914).

Tbilissi autrefois *Tiflis* ■ Ville industrielle d'U. R. S. S. 1,1 million d'hab. Capitale de la *Géorgie dont elle est le foyer historique et culturel. Nombreux monuments.

le **Tchad** ■ État (république) d'Afrique centrale. 1 284 000 km². 4,9 millions d'hab. *(les Tchadiens).* Capitale : N'Djamena. Langue officielle : français. Langue véhiculaire : haoussa. Monnaie : franc CFA. Zone désertique au nord, sahélienne au centre et tropicale au sud. Pays d'agriculture (coton) et d'élevage. □HISTOIRE. Les *Toubous formèrent au IXe s. dans la région un royaume, qui fut intégré au royaume *Bornou au XVIe s. En 1910, le Tchad fut incorporé à l'Afrique-Équatoriale française. En 1960 il devint indépendant. Il subit depuis 1968 des soulèvements séparatistes, qui ont entraîné l'intervention militaire française (en faveur du gouvernement officiel d'Hissène *Habré) et libyenne (en faveur des opposants). □ *le lac Tchad*, grand lac d'Afrique au sud du Sahara (de 10 000 à 25 000 km² suivant le régime des pluies).

Piotr Ilitch **Tchaïkovski** ■ Compositeur russe (1840-1893). Musiques de ballets *("le Lac des cygnes", "Casse-Noisette"),* opéras *("Eugène Onéguine"),* symphonies et concertos.

Tchang Kaï-chek ou *Jiang Jieshi* ■ Homme d'État chinois (1886-1975). Chef militaire du *Kuo-min-tang, il s'opposa aux communistes. Vaincu, il gagna *Taiwan. ⇒ **Chine.**

Tchardjoou ■ Ville de l'U. R. S. S. (Turkménistan). 113 000 hab.

Tcheboksary ■ Ville d'U. R. S. S., capitale de la *Tchouvachie. 308 000 hab.

Pafnoutiï Lvovitch **Tchebychev** ■ Mathématicien russe (1821-1894). Théorie des nombres. Théorie des fonctions. Probabilités.

la **Tchécoslovaquie** ■ État (république socialiste) d'Europe centrale. 127 876 km². 15,4 millions d'hab. *(les Tchécoslovaques).* Capitale : Prague. Langues : tchèque, slovaque. Monnaie : couronne. Membre du *Comecon. Trois grandes régions historiques : la *Moravie, la *Bohême et la *Slovaquie. République fédérale constituée par la République socialiste tchèque et la République socialiste slovaque. Climat continental. Céréales, élevage, forêts. Houille. Sidérurgie, industries mécanique, chimique et textile. □HISTOIRE. Les Tchèques et les Slovaques se sont émancipés de l'empire austro-hongrois pour former un État indépendant en 1918. En 1938, Hitler annexa les régions de Tchécoslovaquie où la population allemande était majoritaire ; son armée entra à Prague le 15 mars 1939. Après la Libération, les communistes prennent le pouvoir : c'est le « coup de Prague » de février 1948. En 1968, l'évolution vers un socialisme libéral (le « printemps de Prague ») est arrêtée par une intervention militaire soviétique.

Anton **Tchekhov** ■ Écrivain russe (1860-1904). Dans ses pièces de théâtre, il décrit un monde désenchanté avec un grand art de la suggestion et du dépouillement : *"la Mouette", "les Trois Sœurs", "la Cerisaie".*

Tcheliabinsk ■ Ville d'U. R. S. S. (*Russie). Plus d'1 million d'hab. Porte d'entrée de la *Sibérie (passage du *Transsibérien), pôle urbain de l'*Oural du sud.

Pavel **Tchérenkov** ■ Physicien soviétique (né en 1904), prix Nobel 1958. *Effet Tchérenkov,* utilisé pour la détection des particules de haute énergie.

Tcherepovets ■ Ville d'U. R. S. S. (*Russie). 266 000 hab. Port fluvial.

Tcherkassy ■ Ville d'U. R. S. S. (*Ukraine). 228 000 hab. Industries textiles et alimentaires.

les **Tcherkesses** ■ Peuple du Caucase du Nord. Ils résistèrent longtemps à la pénétration russe (XVIIIe - XIXe s.).

Konstantine **Tchernenko** ■ Homme d'État soviétique (1911-1985). Il succéda à *Andropov à la tête de l'État.

Tchernigov ■ Ville d'U. R. S. S. (*Ukraine). 238 000 hab. Monuments religieux (XIe - XIIe s.). Région agricole et forestière.

Tchernobyl ■ Ville d'U. R. S. S. (*Ukraine). Centrale nucléaire ; l'explosion d'un des quatre réacteurs de 1 000 MGW, en avril 1986, provoqua de vives réactions dans le monde entier.

Tchernovsty ■ Ville d'U. R. S. S. (*Ukraine). 218 000 hab. Capitale de la *Bucovine du nord, roumaine en 1919-1940 et 1941-1944. Marché agricole.

la **Tchétchèno-Ingouchie** ■ Une des républiques autonomes de la R. S. F. S. de Russie, dans le *Caucase. 19 300 km². 1,17 million d'hab. Capitale : Groznyï. Céréales. Pétrole et industries dérivées. Population musulmane.

Tchimkent ■ Ville d'U. R. S. S. (*Kazakhstan). 321 000 hab. Centre industriel. Nœud ferroviaire.

Tchirtchik ■ Ville d'U. R. S. S. (*Ouzbékistan). 115 000 hab. Industries. Centrale hydro-électrique.

Tchita ■ Ville d'U. R. S. S. (*Russie). 302 000 hab. Charbon.

le lac **Tchoudsk** ■ ⇒ le lac **Peïpous.**

la **Tchouvachie** ■ Une des républiques autonomes de la R. S. F. S. de *Russie, sur la Volga. 18 300 km². 1,3 million d'hab. *(les Tchouvaches).* Capitale : Tcheboksary. Forêts, agriculture, industries dérivées.

Tegucigalpa ■ Capitale du Honduras, à 1 000 m d'altitude. 274 000 hab.

Téhéran ■ Capitale de l'Iran (ancienne Perse) depuis le XVIIIe s. 4,5 millions d'hab. Peu d'industries ; secteur tertiaire important. Peu de monuments anciens. Une conférence, en novembre 1943, y réunit Staline, Churchill et Roosevelt afin de décider d'actions communes contre l'Allemagne. Prélude à la conférence de *Yalta.

Le **Teil** ■ Commune de l'*Ardèche. 8 000 hab.

Pierre **Teilhard de Chardin** ■ Jésuite français, philosophe et paléontologue (1881-1955). Il a tenté de concilier la conception scientifique de l'évolution avec la foi catholique.

Telaneipura ■ Ville d'Indonésie. 159 000 hab.

Tel-Aviv ■ Ville d'Israël, fondée en 1909, sur la Méditerranée, et métropole du pays. 400 000 hab.

Georg Philipp **Telemann** ■ Compositeur allemand (1681-1767). Auteur de nombreux opéras, cantates et passions.

Télémaque ■ Fils d'Ulysse et de Pénélope dans l'*Odyssée. Le personnage a inspiré *Fénelon.

Guillaume **Tell** ■ ⇒ **Guillaume Tell.**

Tell el-Amarna ■ Site archéologique d'Égypte. *Akhnaton y fonda sa nouvelle capitale en l'honneur du dieu Aton (v. 1362 av. J.-C.). Son style marqua un renouvellement de l'art égyptien traditionnel.

Temir-Taou ■ Ville d'U. R. S. S. (*Kazakhstan). 231 000 hab. Industries.

Templeuve ■ Commune du *Nord. 5 300 hab.

les **Templiers** n. m. ■ Chevaliers de la milice du *Temple,* ordre de moines-soldats fondé en 1119 à Jérusalem pour protéger les pèlerins. Ils devinrent de puissants banquiers. Pour s'emparer de leurs richesses, *Philippe le Bel les fit arrêter, torturer, condamner à mort, et obtint la suppression de l'ordre en 1312.

Temuco ■ Ville du Chili. 186 000 hab. Centre touristique.

Temüjin ■ ⇒ **Gengis Khân.**

Tende ■ Commune des *Alpes-Maritimes. 2 000 hab. *(les Tendasques).* Rattachée à la France par référendum en 1947.

le **Ténéré** ■ Plateau de grès du Sahara nigérien.

Tenerife ■ La plus grande île de l'archipel espagnol des Canaries. 2 053 km². 590 000 hab. Chef-lieu : Santa Cruz.

David **Téniers le Jeune** ■ Peintre flamand (1610-1690). Scènes populaires, au contenu anecdotique, d'une grande virtuosité.

le **Tennessee** ■ Rivière des États-Unis (1 600 km), affluent de l'*Ohio. ▶ *la Tennessee Valley Authority (T. V. A.),* créée en 1933 pour l'aménagement de 21 barrages (électricité, industries), fut une pièce maîtresse du *New Deal de F. D. Roosevelt. ▶ *le Tennessee.* État du sud-est des États-Unis. 109 412 km². 4,9 millions d'hab. Capitale : Nashville. Élevage, coton.

lord Alfred **Tennyson** ■ Poète anglais (1809-1892). "*Idylles du Roi*".

Teotihuacán ■ Site archéologique du Mexique. Centre d'une importante civilisation *précolombienne qui connut son apogée entre 300 et 650. Immenses pyramides du Soleil et de la Lune.

Gérard **Ter Borch** ou **Terborch** ■ Peintre hollandais (1617-1681). Scènes de la vie bourgeoise et populaire.

Hendrick **Ter Brugghen** ou **Terbrugghen** ■ Peintre hollandais (1588-1629). L'un des principaux disciples du *Caravage.

Térence ■ Auteur latin de comédies, ancien esclave affranchi (v. 190 - 159 av. J.-C.). Ses intrigues et ses personnages sont plus nuancés que ceux de *Plaute. "*L'Hécyre*" ; "*l'Eunuque*".

Mère **Teresa** ■ Religieuse indienne d'origine yougoslave (née en 1910). Prix Nobel de la paix 1979, pour son action humanitaire.

Teresina ■ Ville du Brésil. 290 000 hab.

Tergnier ■ Commune de l'*Aisne. 12 000 hab. *(les Ternois).*

Terni ■ Ville d'Italie. 113 000 hab. Industries chimique, textile, alimentaire.

Terpsichore ■ *Muse de la danse et de la poésie lyrique dans la mythologie grecque, représentée avec une lyre.

Terrasson-la-Villedieu ■ Commune de la *Dordogne. 6 300 hab.

l'abbé Joseph Marie **Terray** ■ Ministre de Louis XV (1715-1778).

la **Terre** ■ Une des planètes du système solaire (à 150 millions de km du Soleil). Elle tourne autour du Soleil en 365 jours et un quart, et sur elle-même en 23 h 56 mn ; d'où l'alternance du jour et de la nuit. La Terre est un globe légèrement aplati aux pôles (sphéroïde), de plus de 12 500 km de diamètre. Composée de plusieurs couches (la crôute, le manteau, le noyau et la « graine ») et entourée d'une atmosphère, elle a pour satellite la Lune. Son âge serait de 4,7 milliards d'années.

la **Terre de Feu** ■ Archipel situé au sud de l'Amérique latine et séparé du continent par le détroit de Magellan. 77 000 km². 10 000 hab. *(les Fuégiens).* Climat froid et brumeux. Montagnes et steppes. Élevage, pêche, pétrole. On réserve parfois le nom de Terre de Feu à la principale île de l'archipel, partagée entre l'Argentine et le Chili.

Terre-Neuve en anglais *Newfoundland* ■ Île du Canada dans l'Atlantique. Avec une partie du Labrador, elle forme la *province* (État fédéré) *de* Terre-Neuve (404 517 km². 584 000 hab., les *Terre-Neuviens.* Capitale : Saint John's. Pêche, forêt. Fer). On appelle *terre-neuvas* les pêcheurs qui exercent dans les parages.

la **Terreur** ■ Série de mesures extraordinaires (Tribunal révolutionnaire, loi des suspects), d'arrestations et d'exécutions (près de 40 000 personnes) décrétées par la *Convention en 1793-1794, pour éliminer les ennemis de la Révolution française. Elle finit par atteindre tous les adversaires des *Montagnards et culmina avec la loi du 22 prairial an II (10 juin 1794) ; cette *Grande Terreur* prit fin le 9 *thermidor (27 juillet) avec la chute de Robespierre. □ *la Terreur blanche* désigne deux périodes : une réaction contre-révolutionnaire à la Terreur (1795) ; la politique répressive et les mouvements populaires qui suivirent les *Cent-Jours (1815).

le **Territoire de Belfort** [90] ■ Département français de la région de *Franche-Comté, créé en 1922. 609 km². 132 000 hab. Préfecture : Belfort.

Tertullien ■ Écrivain latin chrétien (v. 155 - v. 220). "*Apologétique*".

Terville ■ Commune de *Moselle. 5 700 hab. *(les Tervillois).* Électronique, aciéries.

Tessin l'Ancien et **Tessin le Jeune** ■ Architectes suédois. Le père (1615-1681) et le fils (1654-1728).

le **Tessin** en italien *Ticino* ■ Rivière de Suisse et d'Italie (248 km). ▶ *le canton du Tessin,* canton suisse de 2 811 km² et 273 000 hab. *(les Tessinois,* de langue italienne). Chef-lieu : Bellinzona. Tourisme (lac Majeur).

l'Ancien et le Nouveau **Testament** ■ Les deux grandes parties de la *Bible pour les chrétiens. *Testamentum,* en latin, traduisait le grec *diathêkê,* « alliance ».

La **Teste** ■ Commune de la *Gironde sur le bassin d'Arcachon. 19 000 hab. *(les Testerins).* Ostréiculture.

Téthys ■ Déesse grecque de la Mer, épouse de l'Océan. ≠ *Thétis.*

Tétouan ■ Ville du Maroc, ancienne capitale de la zone espagnole. 139 000 hab.

les chevaliers Teutoniques ■ Ordre hospitalier (1190), puis militaire (1198) fondé à Jérusalem. Recrutés dans la noblesse allemande, ils conquirent un vaste État en Prusse (capitale : Marienburg). Leur puissance fut brisée par les Polonais en 1410. L'ordre, supprimé par Napoléon Ier en 1809, subsiste sous la forme d'une chevalerie ecclésiastique en Autriche.

les Teutons n. m. ■ Peuple de Germanie qui envahit la Gaule et fut exterminé par *Marius à Aix-en-Provence en 102 av. J.-C.

le Texas ■ Le plus grand État des États-Unis après l'Alaska. 692 408 km². 14,2 millions d'hab. *(les Texans).* Capitale : Austin. Villes principales : Houston, Dallas. Importantes productions agricoles (élevages, coton, riz). Gaz, pétrole et industries dérivées. Possession espagnole, puis république indépendante (1836) avant d'être intégré à l'Union en 1845.

le mont Thabor ■ Montagne de Galilée en Israël, où la tradition situe la transfiguration du Christ.

William Makepeace Thackeray ■ Écrivain anglais (1811-1863). Satires contre la société. *"La Foire aux vanités"* ; *"Barry Lyndon".*

la Thaïlande ■ État (royaume) d'Asie du Sud-Est entouré par la Birmanie, le Laos, le Cambodge et la Malaysia. 514 000 km². 53,6 millions d'hab. *(les Thaïlandais).* Capitale : Bangkok. Langue : thaï. Monnaie : baht. Climat de mousson. Malgré une économie en expansion (riz, maïs, caoutchouc, pétrole), le pays souffre d'un déficit commercial, comblé en partie par le tourisme (nombreux temples, ruines et statues). □HISTOIRE. Ancienne région de l'empire *khmer. Le premier royaume de Siam fut fondé en 1220, après l'arrivée de peuples *thaï* venus de Chine. Contrairement aux pays voisins, le royaume n'a pas été colonisé par l'Europe. En 1939 le Siam devint la Thaïlande, puis suivit une politique pro-américaine dans le conflit vietnamien (⇒ **Viêt-nam**). L'armée prit le pouvoir en 1976. La Thaïlande a accueilli de nombreux réfugiés cambodgiens dans des camps.

les Thaïs ■ Groupe d'ethnies de l'Asie du Sud-Est : Chine du Sud, Viêt-nam, Laos, Thaïlande et Birmanie.

Thalès de Milet ■ Penseur, astronome et mathématicien grec (v. 600 av. J.-C.). Il aurait été le premier géomètre à exiger des démonstrations.

Thalie ■ *Muse de la Comédie, dans la mythologie grecque.

Thana ■ Ville de l'Inde, port au nord de Bombay. 171 000 hab.

Thanatos ■ Dieu de la Mort dans la mythologie grecque. Souvent opposé à Éros.

Thann ■ Sous-préfecture du Haut-*Rhin. 8 520 hab. *(les Thannois).* Église collégiale Saint-Thiébaut (XIVe s.).

Thaon-les-Vosges ■ Commune des *Vosges. 7 800 hab. *(les Thaonnais).*

Thasos ■ Île grecque du nord de la mer Égée. Ruines antiques.

Margaret Thatcher ■ Femme d'État britannique, chef du parti conservateur (née en 1925). Premier ministre depuis 1979.

Thèbes ■ Ville de l'Égypte ancienne. Capitale religieuse administrative et militaire du nouvel Empire. Surnommée « la ville aux cent portes » par les Grecs à cause du nombre des colonnes devant les temples, elle constitue le plus grand site archéologique du pays : temples de Louksor et de Karnak, colosse de Memnon, site de Deir el-Bahari.

Thèbes ■ Ville de Grèce (Béotie) célèbre par la légende d'*Œdipe. Ses habitants sont *les Thébains.* Ennemie d'Athènes, puis de Sparte. Détruite par Alexandre le Grand en 336 av. J.-C. Ville moderne (16 000 hab.) reconstruite après les tremblements de terre de 1853 et 1893.

Thémis ■ Déesse grecque de la justice. Unie à *Zeus, elle mit au monde les *Parques.

Thémistocle ■ Général et homme d'État athénien. Il fit de sa cité une grande puissance navale et vainquit les Perses à *Salamine (v. 525 - v. 460 av. J.-C.).

Théocrite ■ Poète bucolique grec (v. 315 - v. 250 av. J.-C.). *"Idylles".*

Théodora ■ Impératrice byzantine (morte en 548). Épouse de *Justinien Ier, sur qui elle eut une grande influence.

Mikis Theodorakis ■ Compositeur grec (né en 1925). Musique du film *"Zorba le Grec".*

Théodoric le Grand ■ Roi des Ostrogoths (455-526). Il fonda un royaume italien en 488, dont Ravenne était la capitale. Se voulant l'héritier des empereurs romains, il développa l'économie et les arts.

Théodose Ier le Grand ■ Empereur romain (346-395). Il fit du christianisme la religion officielle. À sa mort, l'Empire fut divisé entre ses deux fils (⇒ **Rome**).

Théophraste ■ Philosophe grec (v. 372 - v. 287 av. J.-C.). Il dirigea le *Lycée après *Aristote. *"Les Caractères"* inspirèrent La Bruyère.

Théra ■ ⇒ **Santorin.**

Théramène ■ Un des 30 tyrans établis par Sparte à Athènes (450 - 404 av. J.-C.).

sainte Thérèse d'Ávila ■ Religieuse espagnole (1515-1582). Par ses écrits mystiques, elle est un des plus grands écrivains de l'Espagne. Elle réforma l'ordre du *Carmel.

sainte Thérèse de l'Enfant-Jésus ■ Religieuse française (1873-1897). Pèlerinage sur sa tombe, au carmel de Lisieux.

la journée du 9 Thermidor an II ■ Le 27 juillet 1794, tournant dans l'histoire de la Révolution française : arrestation de *Robespierre, fin de la *Terreur. ► *la réaction thermidorienne,* changement qui s'ensuivit dans la politique de la *Convention, en réaction contre les *Montagnards.

les Thermopyles ■ Défilé de la Grèce. Célèbre résistance aux Perses, sacrifice de Léonidas Ier et des Spartiates (480 av. J.-C.).

Thésée ■ Héros de la mythologie grecque. Roi d'Athènes et époux de Phèdre. Grâce à *Ariane, il tua le *Minotaure dans le Labyrinthe.

Thespis ■ Poète tragique grec (VIe s. av. J.-C.). Il serait le créateur de la tragédie grecque.

la Thessalie ■ Région du nord de la Grèce. Ville principale : Lárissa (72 000 hab.).

Thessalonique ou *Salonique* ■ 2e ville de Grèce (*Macédoine), port sur la mer Égée. 346 000 hab. Université. Centre industriel. Importants monuments byzantins.

Thétis ■ Divinité marine grecque, mère d'*Achille.
≠ *Téthys.*

Thiais ■ Commune du *Val-de-Marne, près de Créteil. 27 000 hab. *(les Thiaisiens).*

Thibaud IV ■ Comte de Champagne, guerrier et trouvère (1201-1253).

Jacques Thibaud ■ Violoniste français (1880-1953). Il a fondé avec Marguerite *Long le concours de musique Long-Thibaud.

Thierry ■ NOM DE QUATRE ROIS MÉROVINGIENS □ *Thierry Ier,* roi d'Austrasie, fils de Clovis (mort v. 534). □ *Thierry II,* roi de Bourgogne et d'Austrasie (587-613). □ *Thierry III,* roi de Neustrie et de Bourgogne (mort v. 691). □ *Thierry IV,* roi des Francs, dominé par *Charles Martel (mort en 737).

Augustin Thierry ■ Historien français (1795-1856). "*Récits des temps mérovigiens*".

Thiers ■ Commune du *Puy-de-Dôme. 18 000 hab. *(les Thiernois).* Centre français de la coutellerie.

Adolphe Thiers ■ Homme d'État et historien français (1797-1877). Ministre de Louis-Philippe, chef de l'opposition libérale à Napoléon III, il négocia avec Bismarck la capitulation de la France (1870-1871) et forma un gouvernement d'union nationale qui réprima impitoyablement la *Commune. Premier président de la IIIᵉ *République, il s'opposa de plus en plus à une Assemblée majoritairement monarchique et démissionna en 1873 (⟹ **Mac-Mahon**).

Thiès ■ Ville du Sénégal, à l'est de Dakar. 117 000 hab.

Thionville ■ Sous-préfecture de la *Moselle. 41 000 hab. *(les Thionvillois).* Anciennes fortifications. Métallurgie.

Marcel Thiry ■ Écrivain belge d'expression française (1897-1977). "*Nouvelles du grand possible*", roman ; nombreux poèmes.

Thoiry ■ Commune des *Yvelines. 580 hab. Parc zoologique.

René Thom ■ Mathématicien et philosophe français (né en 1923). Modèles de morphogénèse (« théorie des catastrophes »).

saint Thomas ■ Apôtre de Jésus. Dans l'Évangile de Jésus, il refuse de croire à la résurrection du Christ avant de l'avoir vu et touché. "*L'Évangile de Thomas*", important texte apocryphe (IIIᵉ s.).

Ambroise Thomas ■ Compositeur français (1811-1896). "*Mignon*" et "*Hamlet*", opéras.

Dylan Thomas ■ Écrivain britannique (1914-1953). Nouvelles (influence de *Joyce), théâtre et surtout poèmes.

saint Thomas Becket ■ Archevêque anglais de Canterbury (1118-1170). Il s'opposa au roi *Henri II qui le fit assassiner.

saint Thomas d'Aquin ■ Dominicain, théologien italien enseignant à Paris (1228-1274). L'Église catholique, qui le nomme *Docteur angélique,* considère son œuvre, très inspirée d'*Aristote, comme la meilleure expression de la « philosophie chrétienne » : accord de la foi et de la raison, de la théologie et de la philosophie. ▶ *Thomisme* et *néo-thomisme,* qui s'inspirent de sa doctrine, ont donc une part capitale dans l'histoire de la pensée chrétienne.

saint Thomas More ■ ⟹ saint Thomas **More**.

Benjamin Thompson comte Rumford ■ Physicien américain (1753-1814). Son approche mécanique de la chaleur annonce la thermodynamique.

sir Joseph John Thomson ■ Physicien anglais (1856-1940). Il découvrit l'électron et proposa un modèle de l'atome. Prix Nobel 1906.

sir William Thomson lord Kelvin ■ Physicien anglais (1824-1907). Électrostatique. Contributions fondamentales à la thermodynamique. On appelle *kelvin* l'unité de température absolue.

Thonon-les-Bains ■ Sous-préfecture de la Haute-*Savoie. 28 000 hab. *(les Thononais).* Station thermale. Château de Sonnaz.

Thor ou *Tor* ■ Dans la mythologie scandinave, dieu guerrier, maître du Tonnerre.

la Thora ■ ⟹ **Torah**.

Henry Thoreau ■ Écrivain américain (1817-1862). Proche d'*Emerson, il eut comme lui une grande influence sur la pensée américaine. "*Walden*" ; "*la Désobéissance civile*".

Maurice Thorez ■ Homme politique français (1900-1964). Secrétaire général du parti communiste de 1930 à sa mort, partisan du *Front populaire, ministre de 1945 à 1947.

Thorigny-sur-Marne ■ Commune de *Seine-et-Marne. 7 600 hab.

Alberto Thorvaldsen ■ Sculpteur danois (v. 1768 - 1844). Œuvres mythologiques et religieuses inspirées de l'antique.

Thot ■ Divinité égyptienne à tête d'oiseau (ibis). Dieu du savoir, de l'écriture et de la magie.

Thouars ■ Ville des Deux-*Sèvres. 12 000 hab. *(les Thouarsais).* Monuments anciens.

la Thrace ■ Région du sud-est de l'Europe partagée entre la Grèce, la Bulgarie (1919) et la Turquie (1923).

Thrasybule ■ Général athénien (mort en 388 av. J.-C.). En renversant les *Trente, il rétablit la démocratie.

Thucydide ■ Historien grec (v. 470 - v. 395 av. J.-C.). Son récit de la guerre du *Péloponnèse, qu'il vécut, est un modèle d'intelligence critique des événements.

les Thugs n. m. ■ Secte de fanatiques de l'Inde, adorateurs de *Kali (XIIᵉ - XIXᵉ s.). Ils pratiquaient le meurtre rituel par étranglement.

Thuir ■ Ville des *Pyrénées-Orientales. 6 300 hab. *(les Thuirinois).* Apéritifs (Byrrh).

Thulé ■ Terre fabuleuse marquant la limite nord du monde connu dans l'Antiquité.

Thunder Bay ■ Ville du Canada. 112 000 hab. Région minière.

le canton de Thurgovie en allemand *Thurgau* ■ Canton suisse bordé par le lac de Constance. 1 006 km². 189 000 hab. Chef-lieu : Frauenfeld. Économie agricole.

la Thuringe ■ Région de *R. D. A. s'étendant sur le *bassin de Thuringe* (mines de potasse) et la forêt de Thuringe. Chef-lieu : Weimar.

Thurrock ■ Ville d'Angleterre dans la banlieue est de Londres. 127 000 hab.

August Thyssen ■ Industriel allemand (1842-1926). Le groupe *Thyssen-Oberhausen* est aujourd'hui la première entreprise sidérurgique de la *C. E. E.

Tiahuanaco ■ Site archéologique de Bolivie situé à 3 900 m. Célèbre porte du Soleil. Civilisation précolombienne (200 av. J.-C. - 1000).

Tianjin ou *T'ien-tsin* ■ Ville et 2e port de Chine au confluent de cinq rivières. 4 millions d'hab. 2e centre industriel et commercial du pays.

le Tian Shan ■ Chaîne montagneuse de Chine et d'U. R. S. S. (2 500 km de long).

Tibère ■ Empereur romain, fils adoptif et successeur d'Auguste (42 av. J.-C. - 37). Administrateur sévère des régions et des finances, il mena une politique de paix.

le lac de Tibériade ■ Lac d'Israël relié à la mer Morte par le Jourdain, appelé *mer de Galilée* dans l'Évangile (200 km²). Il permet l'irrigation de la région.

le Tibesti ■ Massif montagneux du Sahara, dans le nord du Tchad.

le Tibet en chinois *Xizang* ■ Région autonome de la Chine, dans l'Himalaya. On l'appelle « le Toit du monde ». 1,22 million de km². 1,8 million d'hab. *(les Tibétains).* Capitale : Lhassa. Hautes montagnes, climat froid. Élevage de yacks. Grand foyer du bouddhisme. Le pays fut gouverné par le dalaï-lama, chef du *bouddhisme tibétain* ou *lamaïsme,* jusqu'à l'occupation par les Chinois en 1951.

le Tibre ■ Fleuve d'Italie qui naît en Toscane, traverse Rome et se jette dans la mer Tyrrhénienne (396 km).

Tibulle ■ Poète élégiaque latin (v. 50 - v. 19 av. J.-C.).

Ludwig Tieck ■ Écrivain romantique allemand (1773-1853). Contes populaires ; romans historiques et réalistes.

Giambattista Tiepolo ■ Peintre italien (1696-1770). Grand décorateur, auteur de fresques sur des sujets bibliques, mythologiques et allégoriques.

Tigrane le Grand ■ Roi d'Arménie (v. 140 - v. 55 av. J.-C.). Sa puissance inquiéta les Romains.

le Tigre ■ Fleuve de Turquie et d'Iraq (1 950 km) qui se jette dans le golfe Persique en formant avec l'Euphrate un delta, le *Chatt al-'Arab.* Barrages. Cultures dans la vallée (dattes).

le Tigré ■ Province du nord de l'Éthiopie.

Tijuana ■ Ville du Mexique. 438 000 hab. Centre touristique pour les habitants des villes proches de Californie.

Tikal ■ Un des sites archéologiques *mayas les plus grandioses, au Guatemala.

Tilburg ■ Ville des Pays-Bas. 154 000 hab.

Tilimsen autrefois *Tlemcen* ■ Ville d'Algérie. 109 000 hab. Foyer de culture et de religion islamique depuis le XIIe s., capitale d'un royaume berbère (XIIIe - XVIe s.). Mosquées.

Tilsit ■ Ville de Prusse-Orientale (aujourd'hui *Sovietsk,* en *U. R. S. S.) où furent signés en 1807 deux traités d'alliance entre la France (Napoléon Ier) et la Russie (Alexandre Ier).

Timgad ■ Commune d'Algérie. Importants vestiges romains.

Timișoara ■ Ville de Roumanie. 289 000 hab. Centre industriel.

Tīmūr Lang ■ ⇒ Tamerlan.

Jan Tinbergen ■ Économiste néerlandais (né en 1903). Économétrie. Prix Nobel (avec *Frisch) 1969.

Jean Tinguely ■ Sculpteur suisse (né en 1925). Sculptures mobiles (« machines ») qui mêlent l'humour et la dérision.

Tinqueux ■ Commune de la *Marne. 8 000 hab.

le Tintoret ■ Peintre italien, l'un des rivaux de *Titien à Venise (1518-1594). Effets spectaculaires fondés sur les contrastes de lumière, des perspectives renversées et des mises en scène tumultueuses. Grandes compositions (fresques de la *Scuola di San Rocco).* Portraits.

Tioumen' ■ Ville d'U. R. S. S. (*Russie), sur la ligne du *Transsibérien. 359 000 hab.

Tipasa ■ Ville d'Algérie, sur la côte méditerranéenne. 9 300 hab. Ruines romaines. Tourisme.

Tipperary ■ Ville du sud-ouest de la république d'Irlande. 5 000 hab.

Tirana ■ Capitale de l'Albanie. 192 000 hab. Centre administratif, commercial et industriel. Université.

Tiraspol' ■ Ville d'U. R. S. S. (*Moldavie). 142 000 hab.

Tirésias ■ Devin aveugle de la mythologie grecque qui intervient dans l'histoire d'*Œdipe et d'*Ulysse.

Tîrgu Mureș ■ Ville de Roumanie. 134 000 hab. Gaz. Chimie.

Tirso de Molina ■ ⇒ Tirso de **Molina.**

Tiruchirapalli ou *Trichinopoly* ■ Ville de l'Inde du Sud. 307 000 hab.

Tirynthe ■ Ancienne ville de Grèce. Murailles cyclopéennes (XIIIe s. av. J.-C.).

les Titans n. m. ■ Fils de la Terre dans la mythologie grecque. Ils s'unirent à leurs sœurs, les *Titanides.* Ils tentèrent d'atteindre le ciel et furent vaincus par *Zeus. ⟨▶ titan ⟩

Tite-Live ■ Historien latin (v. 59 av. J.-C. - 17). Le premier livre de son *"Histoire de Rome"* fait le récit des temps légendaires.

le lac Titicaca ■ Lac des Andes à 3 800 m d'altitude, le plus élevé du monde. 8 340 km². Partagé entre la Bolivie et le Pérou.

Titien ■ Peintre italien (1490-1576). Il domina pendant soixante ans la peinture vénitienne, travaillant pour les grands de son époque (portraits de Charles Quint, François Ier). Au style équilibré de la *"Vénus d'Urbin"*, qui traduit la profonde influence de *Giorgione, succéda une facture plus dramatique, d'influence *maniériste.

le maréchal Tito ■ Homme d'État yougoslave (1892-1980). Communiste, il mena la lutte contre le nazisme, devint président du Conseil en 1945 puis président de la République de 1953 à sa mort. Il élabora un socialisme original et conserva son indépendance à l'égard de l'U. R. S. S.

Titus ■ Empereur romain, successeur de son père Vespasien en 79 (v. 40 - 81). Vainqueur de la guerre de Judée (destruction de Jérusalem en 70). Pendant son règne, qui fut libéral, se produisit la catastrophique éruption du *Vésuve.

Tivoli autrefois *Tibur* ■ Ville d'Italie, près de Rome. 42 000 hab. Célèbres jardins de la villa d'Este.

Tlaloc ■ Dieu de la pluie et de la végétation dans les civilisations *précolombiennes.

Tlemcen ■ ⇒ Tilimsen.

Toamasina autrefois *Tamatave* ■ Ville et 1er port de Madagascar. 83 000 hab. Pétrole. Café.

Tobrouk ■ Ville et port de Libye. 16 000 hab.

Alexis de Tocqueville ■ Écrivain et homme politique français (1805-1859). Remarquable analyste de *"la Démocratie en Amérique"*, il a profondément marqué les sciences politiques et l'historiographie de la Révolution française.

Rodolphe Tœpffer ■ Écrivain et dessinateur suisse (1799-1846). Albums comiques illustrés, ancêtres de la bande dessinée.

Palmiro Togliatti ■ Leader communiste italien (1893-1964). Il soutint la déstalinisation.

Togliatti ■ Ville d'U. R. S. S. (Russie). 500 000 hab. Industries (automobiles).

le Togo ■ État (république) d'Afrique de l'Ouest. 56 600 km². 2,8 millions d'hab. *(les Togolais)*. Forte densité de population. Capitale : Lomé. Langues : français (officielle), peul, haoussa. Monnaie : franc CFA. Cacao, café, coton. Élevage. Phosphates. ◻HISTOIRE. Soumis au commerce des esclaves au XVIIIe s., le pays devint un protectorat allemand, partagé entre Français et Anglais en 1922. La partie britannique *(Togoland)* fut rattachée au *Ghana. Le Togo français devint une république indépendante en 1960.

la Toison d'or ■ Dans la mythologie grecque, toison d'un bélier ailé. *Jason la vola avec l'aide de *Médée.

les Tokugawa ■ Famille noble japonaise qui domina le Japon pendant trois siècles, jusqu'à *Meiji. ◻ *Tokugawa Ieyasu* (1542-1616) fut le premier des 15 shoguns de la dynastie. Il fit d'Edo (aujourd'hui Tōkyō) sa capitale.

Tokushima ■ Ville du Japon (*Shikoku). 250 000 hab.

Tōkyō ■ Capitale du Japon, port sur l'île d'*Honshū. 8,3 millions d'hab. (11,7 millions pour l'agglomération). Centre commercial et administratif du pays. Industries de pointe, pétrole. La ville, immense et formée de quartiers très variés, connaît des problèmes liés au développement : surpopulation, circulation, pollution. Tremblement de terre en 1923.

Tolède ■ Ville d'Espagne. 54 000 hab. Armes blanches réputées. Archevêché. Tourisme. Capitale des *Wisigoths (VIe - VIIIe s.), siège de l'Église espagnole au VIIe s., occupée du VIIIe s. au XIe s. par les Arabes (monuments mauresques), puis capitale des rois de Castille (palais de l'*Alcazar*, églises).

Toledo ■ Ville des États-Unis (*Ohio), port sur le lac Érié. 354 000 hab. Charbon.

Juan Bautista de Toledo ■ Architecte espagnol (mort en 1567). Il commença la construction de l'*Escurial.

Alexis Nikolaïevitch Tolstoï ■ Écrivain soviétique (1883-1945). *"Ivan le Terrible"*.

Léon Tolstoï ■ Écrivain russe (1828-1910). Contestataire, mystique, il fut l'idole de la jeunesse russe. Ses romans *"Guerre et Paix"* et *"Anna Karénine"* lui apportèrent la célébrité mondiale. *"La Mort d'Ivan Ilitch"* ; *"la Sonate à Kreutzer"*.

les Toltèques n. m. ■ Peuple d'Indiens du Mexique. Brillante civilisation du IXe au XIIe s., qui influença les *Mayas (site maya-toltèque de Chichén Itzá).

Toluca ■ Ville du Mexique. 154 000 hab. Région agricole.

Tomblaine ■ Commune de *Meurthe-et-Moselle. 8 600 hab. *(les Tomblainois)*.

Tombouctou ■ Ville du Mali, près du fleuve Niger. 10 000 hab. Point de départ des caravanes vers le Sahara.

Tomsk ■ Ville d'U. R. S. S. (*Russie). 439 000 hab. Centre de recherches du *Kouzbass.

Tonatiuh ■ Dieu du Soleil des civilisations *précolombiennes.

les îles Tonga ■ Archipel et État (royaume) de Polynésie. 675 km². 100 000 hab. *(les Tongans)*. Capitale : Nuku'alofa. Langues : tongan, anglais. Monnaie : palanga. État indépendant au sein du *Commonwealth depuis 1970. Coprah, bananes.

le Tonkin ■ Région du nord du Viêt-nam, sur la mer de Chine méridionale, habitée par les *Tonkinois*. Chef-lieu : Hanoi. Ancienne colonie française (⇒ **Indochine**).

Tonnay-Charente ■ Commune de *Charente-Maritime. 6 500 hab. *(les Tonnacquois)*.

Tonneins ■ Commune du *Lot-et-Garonne. 10 100 hab. *(les Tonneinquais)*.

Tonnerre ■ Commune de l'*Yonne. 6 500 hab. *(les Tonnerrois)*. Célèbre source de la Fosse Dionne. Vins.

Ferdinand Tönnies ■ Sociologue allemand (1855-1936). *"Communauté et Société"*.

Topeka ■ Ville des États-Unis (*Kansas), connue pour son urbanisme. 115 000 hab.

Roland Topor ■ Dessinateur et écrivain français (né en 1938). Humour noir. *"La Planète sauvage"*, dessin animé.

la Torah ■ En hébreu, la « loi ». Les cinq premiers livres de la Bible, appelés *Pentateuque* par les chrétiens. Elle comprend notamment les textes de la loi, révélés à *Moïse par Yahvé sur le Sinaï. C'est la partie la plus importante de la Bible dans le judaïsme.

Torcello ■ Île de la lagune de Venise. Cathédrale romano-byzantine.

Giuseppe Torelli ■ Violoniste et compositeur italien (1658-1709). Un des créateurs du genre concerto.

les tories ■ Nom donné en Angleterre aux conservateurs jusqu'en 1830, par opposition aux *whigs*.

Toronto ■ Ville et port du Canada, capitale de l'*Ontario, sur la rive nord du lac Ontario. 633 000 hab. *(les Torontais)*. La plus importante agglomération du pays (près de 3 millions d'hab.). Elle rivalise avec *Montréal comme métropole économique et culturelle (université). Ancienne capitale du haut Canada (Canada anglais).

Torquay ■ Ville d'Angleterre. 106 000 hab. Station balnéaire sur la Manche.

Tomás de Torquemada ■ Dominicain espagnol, chef de l'*Inquisition (1420-1498). Symbole du fanatisme religieux.

Torrance ■ Ville des États-Unis dans l'agglomération de Los Angeles (*Californie). 130 000 hab.

Torreón ■ Ville du Mexique. 262 000 hab. Textile.

Evangelista Torricelli ■ Physicien et mathématicien italien (1608-1647). *L'expérience de Torricelli* mit en évidence l'existence de la pression atmosphérique.

Jacopo **Torriti** ■ Peintre et mosaïste italien (fin du XIIIᵉ s.).

l'île de la **Tortue** ■ Petite île de l'Atlantique, au nord d'Haïti. Repaire de pirates au XVIIᵉ s.

Toruń en allemand **Thorn** ■ Ville de Pologne. 131 000 hab. Elle fit partie de la *Hanse. Foyer de la *Réforme. Prussienne au XIXᵉ s.

le parti **tory** ■ ⇒ les **tories.**

l'école **Tosa** ■ École de peinture japonaise. □ *Tosa Mitsuyoshi* (1539-1613) en fut l'un des derniers représentants.

la **Toscane** ■ Région du nord-ouest de la péninsule italienne. Capitale : Florence. 3,6 millions d'hab. *(les Toscans).* Collines, climat ensoleillé. Zone de transition entre le nord et le sud du pays. Économie diversifiée, tourisme. Foyer de la *Renaissance. Le *toscan* est devenu la forme officielle de la langue italienne. ⇒ **Florence,** les **Médicis.**

Arturo **Toscanini** ■ Chef d'orchestre italien (1867-1957). Réputé pour sa fougue et son lyrisme.

Tottori ■ Ville du Japon. 113 000 hab.

les **Touaregs** n. m. ■ Population nomade du Sahara, d'origine *berbère (au singulier : un *Targui* ou, francisé, *Touareg).*

les **Toubous** ou **Tibous** n. m. ■ Population nomade noire du Sahara.

les **Toucouleurs** n. m. ■ Peuple du Sénégal et de Guinée, de religion musulmane. Ils sont environ 300 000.

Tou Fou ■ ⇒ **Du Fu.**

Mikhaïl **Toukhatchevski** ■ Maréchal soviétique (1893-1937). Victime des purges de *Staline.

Toul ■ Sous-préfecture de *Meurthe-et Moselle. 18 000 hab. *(les Toulois).* Cathédrale gothique. Toul, avec Metz et Verdun, fit partie des *Trois-Évêchés. Constructions mécaniques, confection.

Toula ■ Ville d'U. R. S. S. (*Russie). 510 000 hab. Centre houiller proche de Moscou.

Paul-Jean **Toulet** ■ Écrivain français (1867-1920). "*Les Contrerimes*", poèmes.

Toulon ■ Préfecture du *Var, important port militaire sur la Méditerranée (rade de Toulon). 182 000 hab. *(les Toulonnais).* Arsenal. Chantiers navals.

Toulouse ■ Préfecture de la Haute-*Garonne et de la région *Midi-Pyrénées. 383 000 hab. *(les Toulousains).* Ancienne capitale du royaume d'Aquitaine puis du *comté de Toulouse,* rattaché à la France après la croisade des *Albigeois, en 1249. Nombreux monuments : basilique romane Saint-Sernin, cathédrale (XIIᵉ - XIIIᵉ s.), capitole. Musées. Université ; École nationale supérieure de l'aéronautique et de l'espace. Industries aéronautique et chimique. ⇒ **Languedoc.**

Henri de **Toulouse-Lautrec** ■ Peintre et lithographe français (1864-1901). Affiches *("le Bal du moulin rouge" ; "Aristide Bruant").* Scènes de maisons closes ("*Femme tirant son bas"),* d'un dessin aigu.

les **Toungouzes** ■ Groupe de tribus de Sibérie orientale.

Le **Touquet-Paris-Plage** ■ Commune du *Pas-de-Calais, station balnéaire sur la Manche. 5 600 hab. *(les Touquettois).*

la **Touraine** ■ Région du sud-ouest du Bassin parisien. Ses habitants sont les *Tourangeaux.* Ville principale : Tours. L'organisation politique de la France du XIVᵉ s. au XVIᵉ s. a entraîné la construction de châteaux dans la vallée de la Loire. La douceur du climat a favorisé le développement agricole et la culture de la vigne.

Tourcoing ■ Ville du *Nord qui forme avec *Lille et *Roubaix une conurbation. 102 000 hab. *(les Tourquennois).* Industries textiles.

la **Tour de Londres** ■ Forteresse construite à Londres par *Guillaume le Conquérant au XIᵉ s. Elle servit de prison d'État : exécutions d'*Henry VI, *Anne Boleyn, Thomas *More.

La **Tour-du-Pin** ■ Sous-préfecture de l'*Isère. 7 000 hab. *(les Turripinois).*

Sékou **Touré** ■ Homme d'État guinéen (1922-1984). Marxiste, il obtint l'indépendance de la Guinée dès 1958 et en fut le président jusqu'à sa mort. Son pouvoir devint dictatorial.

Ivan **Tourgueniev** ■ Écrivain russe (1818-1883). Proche des écrivains français de son temps. Romans, nouvelles ("*Récits d'un chasseur" ; "Premier amour").*

Tourlaville ■ Commune de la *Manche, dans la banlieue de Cherbourg. 15 000 hab.

le col du **Tourmalet** ■ Le plus haut col routier des Pyrénées françaises (2 114 m).

Tournai en néerlandais **Doornik** ■ Ville de Belgique sur l'Escaut. 70 000 hab. *(les Tournaisiens).* Cathédrale (XIIᵉ - XIIIᵉ s.). Prise par Louis XIV (fortifiée par Vauban). Célèbre pour ses porcelaines au XVIIIᵉ s.

Tournan-en-Brie ■ Commune de *Seine-et-Marne. 5 200 hab. *(les Tournanais).*

Tournefeuille ■ Commune de la Haute-*Garonne. 8 500 hab.

Joseph Pitton de **Tournefort** ■ Botaniste français (1656-1708). Grand voyageur.

Cyril **Tourneur** ■ Auteur dramatique anglais de l'époque élisabéthaine (1575-1626). "*La Tragédie de l'athée".*

Michel **Tournier** ■ Écrivain français (né en 1924). Le recours à de grands mythes donne à ses romans une portée philosophique. "*Vendredi ou les Limbes du Pacifique" ; "le Roi des Aulnes" ; "les Météores".*

Tournon ■ Sous-préfecture de l'*Ardèche. 9 700 hab. *(les Tournonais).* Collège (XVIᵉ - XVIIIᵉ s.).

Tournus ■ Commune de *Saône-et-Loire. 7 800 hab. *(les Tournusiens).* Magnifique église romane (Xᵉ - XIᵉ s.).

Tours ■ Préfecture d'*Indre-et-Loire, sur la Loire. 145 000 hab. *(les Tourangeaux).* Saint Martin en fit un des foyers religieux du IIIᵉ s. Cathédrale Saint-Gatien (XIIᵉ - XVᵉ s.). Industries mécanique et chimique. Commerce du vin.

Toussaint-Louverture ■ Homme politique haïtien, (1743-1803). Ancien esclave, héros de l'indépendance d'Haïti. Il tenta de créer une république noire.

Toutânkhamon ■ Pharaon du Nouvel-Empire de v. 1354 à v. 1343 av. J.-C. Célèbre trésor découvert dans sa tombe.

Touthmôsis ■ Nom de quatre pharaons égyptiens de la XVIIIᵉ dynastie (Nouvel Empire). □ *Touthmô-*

sis III (v. 1504 - 1450 av. J.-C.). Grand conquérant, il porta l'Empire à son apogée.

la république autonome de Touva ■ Une des républiques autonomes de la R. S. S. de Russie (*Sibérie), à la frontière de la *Mongolie. 170 500 km². 259 000 hab. Capitale : Kyzyl. (57 000 hab.). Région agricole.

Toyama ■ Ville du Japon (*Honshū). 291 000 hab.

Arnold Toynbee ■ Historien britannique (1889-1975). Étude du devenir des civilisations.

Toyohashi ■ Ville du Japon (*Honshū). 304 000 hab.

Toyonaka ■ Ville du Japon (*Honshū). 403 000 hab.

Toyota ■ Ville du Japon (*Honshū), connue pour ses usines automobiles. 281 000 hab.

Tommaso Traetta ■ Compositeur italien d'opéras (1727-1779).

le cap Trafalgar ■ Cap d'Espagne où l'amiral anglais *Nelson vainquit la flotte franco-espagnole en 1805.

Le Trait ■ Commune de la *Seine-Maritime. 6 300 hab. *(les Traitons).*

Trajan ■ Empereur romain (53-117). Grand conquérant, remarquable administrateur, il porta l'empire à son extension extrême. Il entreprit de grands travaux. *Hadrien lui succéda.

Georg Trakl ■ Poète autrichien (1887-1914). Hanté par la mort et le désir d'innocence. *"Chant d'un merle prisonnier".*

les Transamazoniennes ■ Routes brésiliennes construites à travers la forêt de l'*Amazonie sur des millions de kilomètres.

la Transjordanie ■ Ancien État du Proche-Orient devenu en 1949 la *Jordanie. Sous mandat britannique entre 1922 et 1946.

le Transkei ■ État bantou (république), créé par l'*Afrique du Sud pour regrouper les populations noires du pays et proclamé indépendant en 1976. 37 222 km². 1,9 million d'hab. Capitale : Umtata.

le Transsibérien ■ La plus longue voie ferrée du monde : 9 297 km, 7 jours de parcours. Il traverse la *Sibérie et relie Moscou à Vladivostok.

le Transvaal ■ Province du nord-est de l'*Afrique du Sud. 283 818 km². 9,9 millions d'hab. Chef-lieu : Pretoria. Grande région minière (or, diamant, fer) qui fut l'enjeu de guerres entre Anglais et *Boers. Intégrée à l'Union Sud-Africaine en 1910.

la Transylvanie ■ Région de Roumanie. Minorités hongroise et allemande. Chef-lieu : Cluj. Paysage de collines entourées par les *Carpates. Élevage.

la Trappe ■ Ordre des *Trappistes,* moines cisterciens réformés par *Rancé au XVIIᵉ s. Abbaye mère de l'ordre, dans l'Orne.

Trappes ■ Commune des *Yvelines. 29 700 hab. *(les Trappistes).* Gare de triage.

Trasimène ■ Lac d'Italie. Victoire d'Hannibal sur les Romains en 217 av. J.-C.

le parti travailliste en anglais *Labour Party* ■ Parti politique anglais, issu des syndicats, fondé en 1906.

Trèbes ■ Commune de l'*Aude. 6 100 hab.

Trébizonde en turc *Trabzon* ■ Ville et port de Turquie sur la mer Noire. 107 000 hab. Capitale d'un empire grec du XIIIᵉ au XVᵉ s. Églises byzantines et mosquées.

Trégune ■ Commune du *Finistère. 6 000 hab.

Trélazé ■ Commune de *Maine-et-Loire. 11 300 hab. *(les Trélazéens).*

La Tremblade ■ Ville de *Charente-Maritime. 5 100 hab. *(les Trembladais).*

Trélissac ■ Commune de la *Dordogne. 6 300 hab.

Tremblay-lès-Gonesse ■ Ville de la *Seine-Saint-Denis. 29 000 hab. *(les Tremblaysiens).*

Charles Trenet ■ Auteur, compositeur et chanteur français (né en 1913).

Trente ■ Ville d'Italie. 99 000 hab. *(les Trentins* ou *Tridentins).* Capitale de la région autonome du *Trentin-Haut-Adige.* ► *le concile de Trente,* convoqué par le pape Paul III et Charles Quint, se tint en trois périodes de 1545 à 1563 et définit la politique de l'Église contre la *Réforme. ⇒ **Contre-Réforme.**

les Trente ou *les Trente Tyrans* ■ Nom donné aux magistrats que Sparte imposa à Athènes après sa victoire dans la guerre du Péloponnèse (404 av. J.-C.). Ils furent chassés par *Thrasybule.

la guerre de Trente Ans ■ Conflit né de l'opposition entre les catholiques et les protestants dans le *Saint Empire romain germanique. La France, pour s'opposer à la puissance des *Habsbourg, intervint aux côtés de la Suède, protestante, contre l'empereur Ferdinand II et son alliée l'Espagne. Le traité de Westphalie (1648) marqua le retrait du pouvoir impérial en Allemagne, son repli sur l'Autriche et la Bohême ; la lutte entre la France et l'Espagne continua jusqu'en 1659 (traité des *Pyrénées).

Trenton ■ Ville des États-Unis, capitale du *New Jersey. 105 000 hab.

Le Tréport ■ Port de pêche de la *Seine-Maritime. 6 900 hab. *(les Tréportais).*

Trèves en allemand *Trier* ■ Ville de R. F. A. 104 000 hab. Elle fut une des résidences des empereurs romains : nombreux vestiges (*Porta nigra,* amphithéâtre). Cathédrale (IVᵉ - XIIIᵉ s.).

Trévise ■ Ville d'Italie en *Vénétie. 91 000 hab. Monuments médiévaux.

Trévoux ■ Ville de l'*Ain. 5 100 hab. *(les Trévoltiens).* Célèbre imprimerie des jésuites au XVIIIᵉ s., produisant le *Journal* (scientifique) et les *Dictionnaires* dits *de Trévoux.*

le Triangle d'or ■ Zone de forme triangulaire qui s'étend sur une partie de la Birmanie, de la Thaïlande et du Laos. Lieu privilégié de la production et du trafic de l'opium.

le commerce triangulaire ■ Commerce d'esclaves pratiqué entre les côtes françaises et anglaises, la Guinée et les Antilles aux XVIIᵉ et XVIIIᵉ s.

Trianon ■ ⇒ le château de **Versailles.**

le Tribunal révolutionnaire ■ Pendant la Révolution française, tribunal d'exception créé par la *Convention en 1793. Composé de douze jurés, cinq juges et un accusateur public. Il fut l'instrument de la *Terreur.

Triel-sur-Seine ■ Ville des *Yvelines. 7 900 hab. *(les Triellois).*

Trieste ■ Ville d'Italie du Nord qui a été rattachée tour à tour à l'Autriche, à la Yougoslavie et à l'Italie. Port sur l'Adriatique. 239 000 hab. *(les Triestins)*. Chantiers navals. Industrie chimique.

La **Trinité** ■ Commune de la *Martinique. 10 300 hab.

La **Trinité** ■ Commune des *Alpes-Maritimes. 8 300 hab.

Trinité et Tobago ■ État (république) des Antilles formé par les îles de la Trinité (ou Trinidad) et de Tobago. 5 124 km². 1,2 million d'hab. Capitale : Port of Spain. Langues : anglais (officielle), espagnol. Monnaie : dollar de Trinité et Tobago. Pétrole, rhum, canne à sucre. État membre du *Commonwealth, indépendant depuis 1962.

Elsa **Triolet** ■ Romancière française d'origine russe (1896-1970). *"Le Cheval blanc" ; "le Grand Jamais"*. Épouse et inspiratrice d'*Aragon.

Tripoli ■ Capitale et port de la Libye. 990 700 hab. *(les Tripolitains)*. Colonie phénicienne puis romaine, base des corsaires turcs au XVIᵉ s. ▶ *la Tripolitaine,* province dont elle est la capitale et qui, réunie à la *Cyrénaïque, a formé la Libye.

Tripoli ■ Ville et port du Liban sur la Méditerranée. 175 000 hab. *(les Tripolitains)*.

Flora **Tristan** ■ L'initiatrice française du féminisme, influencée par le socialisme utopique (1803-1844).

Tristan da Cunha ■ Archipel britannique du sud de l'Atlantique, découvert en 1506. L'île principale culmine par un massif volcanique.

Tristan et Iseult ■ Légende du Moyen Âge. Victimes d'un philtre magique et unis par une passion fatale, Tristan et Iseult deviennent coupables devant leurs conjoints respectifs. Seule la mort réunira les amants.

François dit **Tristan l'Hermite** ■ Poète lyrique français (1601-1655). *"Le Page disgracié" ; "les Amours de Tristan"*.

Trith-Saint-Léger ■ Commune du *Nord, près de *Valenciennes. 6 000 hab.

Triton ■ Dieu marin grec, mi-homme mi-poisson, fils de *Poséidon. ⟨ ▶ ① et ② triton ⟩

Trivandrum ■ Ville du sud-ouest de l'Inde, capitale de l'État du Kerala. 520 000 hab.

Jiří **Trnka** ■ Cinéaste d'animation tchécoslovaque (1912-1969). Films avec des poupées. *"La Main"*.

Trocadéro ■ Localité d'Espagne, proche de *Cadix, que l'armée française prit d'assaut en 1823 pour déloger les insurgés.

Louis **Trochu** ■ Général français (1815-1896). Gouverneur de Paris et chef du gouvernement de *Défense nationale en 1870.

Troie ou **Ilion** ■ Ancienne ville d'Asie Mineure immortalisée par Homère dans l'*Iliade. Elle a été identifiée au site d'Hissarlik, en Turquie, par *Schliemann. ▶ *la guerre de Troie,* déclenchée par l'enlèvement d'*Hélène, opposa Grecs et *Troyens. Après un siège de dix ans, les Grecs prirent la ville grâce à *Ulysse qui conçut la ruse du *cheval de Troie.

Les **Trois-Bassins** ■ Commune de la *Réunion. 5 100 hab.

les **Trois-Évêchés** ■ *Verdun, *Metz et *Toul, villes occupées par *Henri II en 1552, officiellement françaises à partir de 1648, et formant une enclave dans le duché de Lorraine (lequel fut annexé seulement en 1766).

Trois-Rivières ■ Ville du Canada (*Québec), sur le *Saint-Laurent, entre *Montréal et *Québec. 50 100 hab. Port actif.

Trois-Rivières ■ Commune de la *Guadeloupe. 8 100 hab.

La **Tronche** ■ Commune de l'*Isère. 6 900 hab.

François **Tronchet** ■ Juriste français, un des défenseurs de Louis XVI (1726-1806). Il collabora à la rédaction du Code civil.

Trondheim ■ 3ᵉ ville et port de Norvège. 134 500 hab. Pêche, métallurgie.

Léon **Trotski** ■ Homme politique et révolutionnaire russe (1879-1940). Chef de l'armée Rouge de 1918 à 1920, théoricien de l'internationalisme, chassé par Staline en 1929 et assassiné au Mexique.

Nicolas **Troubetzkoï** ■ Linguiste russe (1890-1938). Il est avec *Jakobson le créateur de la phonologie.

Trouville-sur-Mer ■ Commune du *Calvados, sur la Manche. 6 000 hab. *(les Trouvillais)*.

Henri **Troyat** ■ Écrivain français d'origine russe (né en 1911). *"La Lumière des justes",* cycle romanesque. Biographies.

Troyes ■ Préfecture de l'*Aube. 64 800 hab. *(les Troyens)*. Industries textile (bonneterie) et mécanique. Foire de Champagne au Moyen Âge. Cathédrale gothique.

Pierre Elliott **Trudeau** ■ Homme d'État canadien (né en 1919). Partisan du bilinguisme et du fédéralisme, Premier ministre (libéral) de 1968 à 1979 et de 1980 à 1984.

François **Truffaut** ■ Cinéaste français (1932-1984). Un des principaux représentants de la « nouvelle vague ». *"Les Quatre Cents Coups" ; "Jules et Jim" ; "la Nuit américaine"*.

Trujillo ■ Ville du Pérou, port sur le Pacifique. 354 500 hab. Industrie sucrière.

Rafael **Trujillo y Molina** ■ Homme politique dominicain (1891-1961). Dictateur de 1930 à son assassinat.

Harry S. **Truman** ■ Homme d'État américain (1884-1972). 33ᵉ président (démocrate) des États-Unis de 1945 à 1953. Il prit la décision de lancer la bombe atomique sur *Hiroshima ; responsable du plan *Marshall et de la politique de « guerre froide ».

Ts'ao Ts'ao ■ ⇒ Cao Cao.

Tselinograd ■ Ville d'U. R. S. S. (*Kazakhstan). 276 000 hab. Ville minière.

Ts'eu-Hi ou **Cixi** ■ Impératrice et régente de Chine (1835-1908). Son règne autoritaire et anti-occidental marqua la décadence de l'Empire.

les **Tsiganes** ou **Tziganes** ■ Nomades originaires de l'Inde (XIᵉ s.), aujourd'hui dispersés à travers l'Europe. Ils parlent une langue (le *romani)* qui n'a pas d'écriture. ⟨ ▶ tsigane ⟩

Tsitsihar ■ ⇒ Qiqihār.

Tsubouchi Shōyō ■ Écrivain et traducteur japonais (1859-1935). Un des fondateurs de la littérature et du théâtre japonais modernes.

Marina **Tsvetaïeva** ■ Poétesse russe (1894-1941). Sa poésie, puissante et recherchée, est influencée par *Maïakovski. Elle se suicida.

les îles **Tuamotu** ■ Archipel et circonscription de la Polynésie française. 690 km². 11 800 hab.

Tübingen ■ Ville de R. F. A. Université créée en 1477. 68 000 hab.

l'archipel des Tubuaï ■ Archipel de la Polynésie française. 174 km². Appelé parfois *îles Australes* ≠ terres *Australes.

Tucson ■ Ville des États-Unis (*Arizona). 330 500 hab. Marché agricole. Université.

Tucumán ■ Ville d'Argentine. 366 000 hab. Centre commercial d'une région agricole.

les Tudors ■ Famille qui régna sur l'Angleterre de 1485 (fin de la guerre des Deux-*Roses) à 1603 (avènement des *Stuarts) : ⇒ **Henri VII, Henri VIII, Édouard VI, Marie I**re **et Élisabeth I**re. Ils succédèrent aux *Plantagenêts.

Tu Duc ■ Empereur d'*Annam (1830-1884). Il céda la *Cochinchine à la France.

le palais des Tuileries ■ Ancienne résidence des rois de France, à Paris, commencée en 1564 par Philibert Delorme, poursuivie par Androuet du Cerceau puis par Le Vau. Siège de la *Convention pendant la Révolution. Il fut incendié lors de la *Commune (1871) puis détruit en 1882.

Tulle ■ Préfecture de la *Corrèze. 21 600 hab. *(les Tullois* ou *Tullistes).* Cathédrale, maisons Renaissance.

Tullins ■ Ville de l'*Isère. 6 000 hab.

Tulsa ■ Ville des États-Unis (*Oklahoma). 361 000 hab. Grand centre pétrolier.

Tunis ■ Capitale de la Tunisie, port sur la Méditerranée (la Goulette). 1 million d'hab. *(les Tunisois).* Centre industriel (sidérurgie) et commercial.

la Tunisie ■ État (république) d'Afrique du nord. 154 530 km². 7,1 millions d'hab. *(les Tunisiens).* Capitale : Tunis. Langues : arabe (officielle), berbère, français. Monnaie : dinar. Économie surtout agricole (blé, olives, élevage). Tourisme. Pétrole et phosphates. □HISTOIRE. Les Phéniciens y établirent des colonies autour du IXe s. av. J.-C. La plus puissante, Carthage, devint une rivale de Rome (⇒ guerres **puniques**). Rasée en 146 av. J.-C., la ville, reconstruite, fut la métropole de la province romaine d'Afrique. La résistance de la Numidie une fois réduite, la région, prospère et fortement urbanisée, devint l'un des plus importants foyers des lettres (Apulée) et du christianisme (Tertullien, saint Cyprien) latins. Au Ve s. les Vandales y fondèrent un royaume ; ils furent vaincus par Byzance en 533. Mais des tribus berbères contrôlaient l'intérieur du pays. L'expansion de l'islam au VIIe s. aboutit à la chute définitive de Carthage et à la fondation de Kairouan (670). L'Ifrīqiyya se trouva dès lors englobée dans des empires musulmans, d'ailleurs convoitée par les Croisés (Saint Louis mourut à Tunis), mais elle gagna plusieurs fois son autonomie : la dynastie ziride s'affranchit des Fātimides d'Égypte (XIe s.), la dynastie hafside s'affranchit des Almohades du Maroc (XIIIe s.) et régna jusqu'au XVIe s. Alors objet de conflits entre l'Espagne de Charles Quint et l'Empire ottoman, la Tunisie (qu'on appelle ainsi à partir du moment où Tunis est sa capitale : 1160) devint, comme l'Algérie, régence aux mains des corsaires vassaux de Constantinople. Au cours du XVIIe s. se mit en place un régime monarchique. La dynastie husséinite (ou husaynite) régna de 1705 à 1957. Affaiblie par les luttes internes et par l'expansionnisme européen, elle dut admettre progressivement l'ingérence de la France, présente en Algérie dès 1830. Muhammad al-Sādiq, bey de Tunis de 1852 à 1882,

mena une politique ambitieuse de réformes qui l'endetta auprès de l'Angleterre, de la France et de l'Italie. Il dut accepter le protectorat français en 1881 (traité du Bardo). Les premières décennies de la colonisation furent heureuses. Le mouvement nationaliste (création du néo-*Destour par Bourguiba en 1934) ne prit tout son essor qu'avec la Seconde Guerre mondiale. Après la perte du Viêt-nam, Pierre Mendès France accorda l'autonomie en 1954, et l'indépendance fut obtenue en 1956. Le bey fut renversé et la république proclamée en 1957 par Bourguiba, chef du parti unique, élu président à vie en 1975. D'abord aidé par la France et les États-Unis, le pays s'engagea dans une politique collectiviste (1965-1970) puis revint à une libéralisation. Confronté à des difficultés économiques (« émeutes du pain », 1984), politiques et religieuses (intégrisme chiite), le gouvernement écarta Bourguiba en 1987.

Andreï Tupolev ■ Ingénieur soviétique (1888-1972). Aéronautique et aérodynamique. Son nom a été donné à un avion.

Cosme Tura ■ Peintre italien (v. 1430-1495). Un des maîtres de la *Renaissance à Ferrare.

Henri de La Tour d'Auvergne vicomte de Turenne ■ Maréchal de France (1611-1675). Le plus illustre chef de guerre des débuts du règne de Louis XIV, avec Condé qu'il vainquit pendant la *Fronde.

Anne Robert Jacques Turgot ■ Ministre de Louis XVI (1727-1781). Ses réformes économiques (liberté du commerce et du travail) heurtèrent les privilèges et provoquèrent sa disgrâce en 1776. Écrits économiques, politiques et littéraires.

Turin ■ Ville d'Italie du Nord, capitale du *Piémont, sur le fleuve Pô. 1,2 million d'hab. *(les Turinois).* Grand centre industriel : usines Fiat, aéronautique, chimie. Nœud de communication (tunnel du Mont-Blanc). Saint suaire (considéré comme celui du Christ) dans la cathédrale.

le Turkestan ■ Région de l'Asie centrale comprise entre la Sibérie et le Tibet, cœur de l'ancien empire de *Tamerlan. Divisé entre les influences russe (U. R. S. S. actuelle) et chinoise.

le Turkménistan ou *la Turkménie* ■ République socialiste soviétique (⇒ U. R. S. S.) sur la mer Caspienne, partie du *Turkestan. 488 100 km². 3 millions d'hab. *(les Turkmènes).* Capitale : Achkhabad. Coton, moutons. Pétrole.

Turku ■ La plus ancienne ville de Finlande, port sur la Baltique. 165 000 hab. Cathédrale romane (XIIIe s.). Métallurgie.

William Turner ■ Peintre anglais (1775-1851). Dans ses paysages, la lumière, la couleur et le mouvement finissent par absorber les formes et le dessin ; c'est un grand précurseur de l'art abstrait.

la Turquie ■ État (république) du Proche-Orient. 780 576 km². 49,2 millions d'hab. *(les Turcs).* Capitale : Ankara. Langue officielle : turc. Monnaie : livre turque. Villes principales : Istanbul, Smyrne. Climat méditerranéen. Économie surtout agricole : élevage (chèvres, moutons), céréales, coton. Nombreux gisements miniers. Tourisme. □HISTOIRE. Le pays connut un riche passé : *Byzance, l'Empire ottoman. Ce dernier, après la défaite de la Première Guerre mondiale, fut démantelé par le traité de Sèvres. *Mustafa Kemal refusa le traité ; il abolit le sultanat, devint président de la République et créa (1923) la Turquie moderne. Membre de l'O. T. A. N.

Tuticorin ■ Ville et port de l'extrême sud de l'Inde. 155 000 hab.

Desmond Tutu ■ Évêque noir sud-africain (né en 1931). Il soutient la lutte non violente contre l'apartheid. Prix Nobel de la Paix 1984.

les Tuvalu ■ Archipel indépendant de la Micronésie. 24 km². 8 000 hab. Capitale : Fongafale (sur l'atoll de Funafuti). (2 100 hab.). Langue : tuvalien, anglais. Monnaie : dollar australien. Ancienne colonie britannique *(îles Ellice)*, indépendante en 1978.

Alexandre Tvardovski ■ Poète russe (1910-1971). *"Le Pays de Mouravia"*. Il prit la défense de Soljenitsyne.

Mark Twain ■ Écrivain américain (1835-1910). Romancier admiré par *Hemingway. *"Les Aventures de Tom Sawyer"*.

la Tweed ■ Rivière d'Écosse. Célèbres tissages de laine, dits « tweeds », dans sa vallée. ⟨▶ tweed ⟩

Pontus de Tyard ■ ⇒ **Pontus de Tyard.**

John Tyler ■ 10ᵉ président des États-Unis, de 1841 à 1845 (1790-1862).

sir Edward Burnett Tylor ■ Ethnologue anglais (1832-1917). Un des fondateurs de l'anthropologie avec *Morgan.

Typhon ■ Monstre de la mythologie grecque, fils de la terre, vaincu par Zeus.

Tyr ■ Ancienne cité phénicienne. Un des principaux ports de la Méditerranée dans l'Antiquité. Très florissante, elle fut détruite par Alexandre le Grand en 332 av. J.-C.

le Tyrol ■ État confédéral d'Autriche. 12 649 km². 586 000 hab. *(les Tyroliens)*. Capitale : Innsbruck. Pays de hautes montagnes (les Alpes). Élevage, artisanat et tourisme.

la mer Tyrrhénienne ■ Partie de la Méditerranée comprise entre l'Italie, la Sicile, la Sardaigne et la Corse.

Tristan Tzara ■ Écrivain français d'origine roumaine (1896-1963). Un des fondateurs *dada. *"L'Homme approximatif"*.

U

Ube ■ Ville du Japon (*Honshū). 153 000 hab.

Paolo Uccello ■ Peintre et mosaïste italien (1397-1475). Les jeux savants de la perspective associés à une stylisation des formes donnent à son œuvre un caractère fantastique.

Uckange ■ Commune de la *Moselle. 9 520 hab.

Udaipur ■ Ville de l'Inde (Rājasthān). 230 000 hab. Palais royal (XVIᵉ - XVIIIᵉ s.).

Udine ■ Ville de l'Italie du Nord. 101 000 hab.

Ugine ■ Commune de *Savoie. 8 400 hab. *(les Uginois).* Électrométallurgie.

le pic Uhuru ■ Nom actuel du *Kilimandjaro.

Uji ■ Ville japonaise (Honshū). 104 000 hab.

Ujjain ■ La plus ancienne cité sacrée de l'Inde. 282 000 hab. Université. Observatoire (XVIIIᵉ s.).

Ujungpandang autrefois *Macassar* ■ Ville d'Indonésie, au sud de l'île de Célèbes. Centre commercial. 710 000 hab.

U. K., United Kingdom ■ ⇒ **Royaume-Uni.**

l'Ukraine n. f. ■ République socialiste soviétique (⇒ **U. R. S. S.**), bordée au sud par la mer Noire. 603 700 km². 53 millions d'hab. *(les Ukrainiens).* Capitale : Kiev. 2ᵉ région économique du pays (après la Russie) : un tiers de la production houillère (⇒ **Donbass**) et de fer, un cinquième de la production agricole. Kiev fut à la tête d'un État avant Moscou (⇒ **Russie**), dès le IXᵉ s., mais l'Ukraine et Kiev furent cédés à la Russie en 1667. Le nationalisme ukrainien reste très vif (tentative d'indépendance entre 1917 et 1921).

Walter Ulbricht ■ Homme politique allemand (1893-1973). L'un des fondateurs du Parti communiste allemand (1918). Chef de l'État de R. D. A. de 1960 à 1973.

Ulhāsnagar ■ Ville de l'Inde. 648 000 hab.

Les Ulis ■ Commune de l'*Essonne, ville nouvelle créée en 1977. 29 000 hab. *(les Ulissiens).*

Ulm ■ Ville de la R. F. A. 96 000 hab. Victoire de l'armée française sur l'armée autrichienne en octobre 1805.

Ulsan ■ Ville et port de Corée du Sud. 535 000 hab. Centre industriel.

l'Ulster n. m. ■ Région nord de l'Irlande. □ *l'Ulster,* au sens étroit, désigne l'*Irlande du Nord rattachée au Royaume-Uni depuis 1922. ▶ *la province d'Ulster,* l'Irlande du Nord et trois comtés de la république d'*Irlande.

les Ultras n. m. ■ Nom donné aux ultra-royalistes sous la *Restauration, opposés à la monarchie constitutionnelle.

Ulysse ■ Héros grec, roi légendaire d'Ithaque, époux de Pénélope et père de Télémaque. *Homère raconte comment grâce à sa ruse, il permit aux Grecs de s'emparer de *Troie (l'*Iliade). L'*Odyssée raconte son retour à Ithaque.

'Umar Iᵉʳ ■ ⇒ **Omar Iᵉʳ.**

les 'Umayyades ■ ⇒ les **Omeyades.**

Miguel de Unamuno ■ Écrivain espagnol (1864-1936). Essais philosophiques, romans, théâtre. "*Le Sentiment tragique de la vie*".

Sigrid Undset ■ Écrivaine norvégienne (1882-1949). Romans historiques et récits d'inspiration religieuse. "*Le Buisson ardent*". Prix Nobel 1928.

l'U. N. E. S. C. O., United Nations Educational, Scientific and Cultural Organization ■ Organisation des Nations unies (⇒ **O. N. U.**) pour l'éducation, la science et la culture. Par l'enseignement et la diffusion du savoir, elle œuvre pour le rapprochement entre les peuples.

Giuseppe Ungaretti ■ Poète italien (1888-1970). Sa poésie recherche la densité de l'expression. "*La Vie d'un homme*".

l'Unicef, United Nations International Children Emergency Found ■ Organe de l'*O. N. U., spécialisé dans l'aide à l'enfance dans les pays en voie de développement.

Unieux ■ Commune de la *Loire. 8 400 hab.

L'Union ■ Commune de la Haute-*Garonne. 10 500 hab.

l'Union française ■ Nom donné, de 1946 à 1958, à l'ensemble formé par la France et les pays d'outre-mer.

l'Union Jack ■ Drapeau du Royaume-Uni.

Unterwald en allemand *Unterwalden* ■ Canton de Suisse formé de deux demi-cantons : *Nidwald* (chef-lieu : Stans) et *Obwald* (chef-lieu : Sarnen). Le canton forma avec les cantons d'Uri et de Schwyz le noyau de la Confédération helvétique (⇒ **Suisse**).

John **Updike** ∎ Écrivain américain (né en 1932). Peinture des mythes de la société américaine. "*Couples*".

Uppsala ∎ Ville de Suède. La plus ancienne ville religieuse et universitaire du pays. 155 000 hab.

Ur ou *Our* ∎ Ancienne cité de *Mésopotamie, fondée au IIIᵉ millénaire av. J.-C. Sa prospérité et son prestige apparaissent dans les ruines aujourd'hui dégagées.

Uranie ∎ *Muse de l'Astronomie, dans la mythologie grecque.

Uranus ∎ Planète du système solaire, à 2 880 millions de km du Soleil. Environ 47 000 km de diamètre. Sa révolution autour du Soleil dure 84 ans.

Urawa ∎ Ville du Japon (*Honshū). 377 000 hab.

Urbain ∎ NOM DE HUIT PAPES □ *Urbain II,* élu en 1088 (1042-1099). À l'issue du concile de Clermont (1095), il annonça la première *croisade. □ *Urbain VIII,* élu en 1623 (1568-1644). Ami de *Galilée, il dut pourtant le condamner.

Urbino ∎ Ville d'Italie, dans les *Marches. 17 000 hab. Brillant foyer artistique au XVᵉ s. Nombreux monuments. Université.

Harold Clayton **Urey** ∎ Chimiste américain (1893-1981). Prix Nobel 1934. Découverte de l'eau lourde. Cosmogonie.

Urfa ∎ Ville de Turquie, près de la frontière syrienne (ancienne *Édesse). 148 000 hab.

*Honoré d'*Urfé ∎ Écrivain français (1567-1625). Le premier des romanciers français classiques. Dans "*l'Astrée*", il fixa un code de l'amour mondain dont tout le XVIIᵉ s. se réclama.

Uri ∎ Canton de Suisse. 1 076 km². 34 000 hab. Chef-lieu : Altdorf. Il forma avec les cantons d'Unterwald et de Schwyz le noyau de la Confédération helvétique. ⇒ **Suisse.**

Marie-Anne de La Trémoille princesse des **Ursins** ∎ Dame française, intrigante à la cour d'Espagne (1642-1722). Elle joua un rôle politique important auprès de *Philippe V.

*l'*U. R. S. S. ∎ Union des républiques socialistes soviétiques (en russe S. S. S. R., qui s'écrit C. C. C. P. en cyrillique). Le plus vaste État du monde, situé en Asie et Europe orientale. Son immensité explique une grande diversité géographique, depuis les plaines d'Europe bordées par les *Carpates, le *Caucase et l'*Oural, jusqu'aux montagnes d'Asie centrale et d'Extrême-Orient, depuis le climat méditerranéen de la *Crimée jusqu'aux neiges de la *Sibérie. Il est formé de 15 républiques socialistes soviétiques fédérées qui représentent les principales des quelque 110 nationalités composant le pays (indiquées, par ordre d'importance, entre parenthèses) : Russie *(Russes),* Ukraine *(Ukrainiens),* Biélorussie *(Biélorusses),* Ouzbékistan *(Ouzbeks),* Kazakhstan *(Kazakhs),* Azerbaïdjan *(Azerbaïdjanais),* Arménie *(Arméniens),* Géorgie *(Géorgiens),* Lituanie *(Lituaniens),* Moldavie *(Moldaves),* Lettonie *(Lettons),* Tadjikistan *(Tadjiks),* Turkménie *(Turkmènes),* Estonie *(Estoniens)* et Kirghizistan *(Kirghiz).* 22 402 200 km². 284 millions d'hab. Capitale : Moscou. Villes principales : Leningrad, Kiev, Tachkent. Langue officielle : russe. Monnaie : rouble. La domination politique de la Russie s'est traduite aux XVIIIᵉ - XIXᵉ s. par la russification des autres peuples, mais les disparités restent importantes (rôle de l'islam en Asie). L'organisation socialiste de l'économie (propriété collective des moyens de production, planification de la production) donne la priorité à l'équipement sur la consommation, au détriment du niveau de vie des Soviétiques, qui reste inférieur à celui des pays occidentaux. L'U. R. S. S., 2ᵉ puissance mondiale aux prodigieuses richesses minières et énergétiques (pétrole, charbon, gaz, fer, cuivre, plomb, or...), est d'abord un pays industriel, qui finance un énorme effort militaire et technique (espace), connaît une crise de l'agriculture et souffre de sa bureaucratie. □HISTOIRE. Proclamée en 1922, l'U. R. S. S. prit en fait naissance avec la *révolution d'octobre 1917, qui instaura le communisme en Russie en pleine guerre, passant en quelques décennies d'une agriculture arriérée à l'industrie lourde. La paix fut rapidement signée avec l'Allemagne (traité de *Brest-Litovsk), permettant à l'Armée rouge de liquider la contre-révolution (*Denikine, *Koltchak, etc.). En 1921, *Lénine inaugura la nouvelle politique économique *(N. E. P.),* poursuivie par *Staline qui élimina ses rivaux *Trotski, Zinoviev et Kamenev. Le niveau de production d'avant-guerre fut retrouvé. Les plans quinquennaux de 1928 et 1939 donnèrent la priorité à l'industrie, complètement étatisée. Progressivement accepté à l'extérieur, le régime devint totalitaire à l'intérieur. L'impérialisme russe trouva à s'exprimer en 1939, quand Staline, ayant signé un pacte de non-agression avec Hitler, envahit la Pologne, la Finlande, et annexa les pays *baltes. Mais en 1941 l'armée allemande pénétrait en U. R. S. S. La bataille de *Stalingrad marqua un tournant de la Seconde *Guerre mondiale. Après la défaite des nazis, la conférence de *Yalta (1945) se réunit pour décider du sort de l'Europe. Pourtant, la double hégémonie de l'U. R. S. S. et des États-Unis allait évoluer vers la guerre froide : création des deux Allemagnes, constitution de l'*O. T. A. N. et du pacte de *Varsovie. *Khrouchtchev, successeur de Staline, prôna la détente, mais laissa la situation économique se dégrader et fut évincé par *Brejnev (1964). Le vieillissement des dirigeants, la sclérose de la vie politique, la révélation des conditions faites aux dissidents (le goulag), les interventions militaires dans des pays « frères » et en Afghanistan, la rupture avec la Chine communiste, provoquèrent dans une large part de l'opinion occidentale le discrédit de l'idéologie soviétique et contribuèrent à faire des droits de l'homme un enjeu diplomatique important. Les thèmes de la modernisation et de la libéralisation du régime ont hanté la succession de Brejnev (1982), avec Andropov puis surtout avec *Gorbatchev (après une interruption sous Tchernenko). Ce dernier, plus jeune que ses prédécesseurs, a lancé diverses réformes et mène sur le plan international une action diplomatique en faveur du désarmement. La Constitution soviétique distingue, depuis Staline qui cumula les trois fonctions, le chef de l'État (ou président du Præsidium du Soviet suprême), le chef du gouvernement (ou président du Conseil des ministres) et le secrétaire général (ou premier secrétaire) du parti communiste. C'est en fait ce dernier qui détient l'essentiel du pouvoir.

sainte **Ursule** ∎ Selon la légende, princesse anglaise (IIIᵉ s.), martyrisée avec onze mille autres vierges près de Cologne.

les **Ursulines** n. f. ∎ Congrégation de religieuses fondée par sainte Angèle Merici en 1535.

*l'*Uruguay n. m. ∎ État (république) d'Amérique du Sud. 176 215 km². 3 millions d'hab. *(les Uruguayens).* Langue : espagnol. Monnaie : nouveau peso. Capitale : Montevideo. L'économie est essentiellement agricole (élevage, céréales). ☐HISTOIRE. Colonisé par les Espagnols au XVIIIe s., il fut indépendant en 1828. Il connut alors une grande instabilité politique. Guerres civiles, dictatures, mis à part l'intermède démocratique du président Batlle y Ordoñez (de 1903 à 1907 puis de 1911 à 1917). En 1973, les militaires prirent le pouvoir pour mettre fin aux guérillas, mais leur dictature ruina le pays. Depuis 1984 la démocratie est rétablie. ☐ *le río Uruguay,* fleuve qui sépare le Brésil et l'Uruguay de l'Argentine.

Uruk ou **Ourouk** aujourd'hui *Warka* ■ Ancienne ville de Mésopotamie (⇒ **Sumer**), sur l'Euphrate. La civilisation d'Uruk (environ 3 000 ans av. J.-C.) vit la naissance de l'écriture.

U. S. A., *United States of America* ■ ⇒ **États-Unis.**

Ushuaia ■ Ville d'Argentine. 5 000 hab. C'est la ville la plus australe du monde.

Ussel ■ Sous-préfecture de la *Corrèze. 12 000 hab. *(les Ussellois).*

*l'***Utah** n. m. ■ État de l'ouest des États-Unis. 219 932 km². 1,46 million d'hab. Capitale : Salt Lake City. Élevage, ressources minières. La religion des *mormons s'y développa.

Utamaro *Kitagawa* ■ Peintre japonais (1753-1806). Estampes érotiques.

'**Uthmān** ■ Troisième calife musulman de 644 à 656. Successeur de *Omar Ier, il fit établir la version définitive du *Coran.

Utrecht ■ Ville des Pays-Bas, chef-lieu de la *province d'Utrecht* (1 324 km². 944 000 hab.). 230 000 hab. Métropole religieuse, intellectuelle et commerciale. Industrie textile (célèbre pour le velours depuis le XVIIe s.) et alimentaire. Les *traités d'Utrecht* (1713-1715) mirent fin à la guerre de *Succession d'Espagne. ☐ *l'Union d'Utrecht,* union des sept provinces protestantes des Pays-Bas (1579) qui ripostèrent ainsi à l'Union d'*Arras formée entre les provinces catholiques restées fidèles à l'Espagne. Elle fut le noyau central des *Provinces-Unies.

Maurice **Utrillo** ■ Peintre français (1883-1955). Fils de Suzanne *Valadon. Paysages de Montmartre et de la banlieue parisienne.

Utsunomiya ■ Ville du Japon (*Honshū). 378 000 hab.

*l'***Uttar Pradesh** n. m. ■ État le plus peuplé de l'Inde. 294 500 km². 110 millions d'hab. Capitale : Lucknow.

Uzès ■ Commune du *Gard. 8 000 hab. *(les Uzétiens).* Évêché depuis le Ve s. Château des ducs d'Uzès (XIe - XVIe s.).

V

l'étang de **Vaccarès** ■ Le plus grand étang de la *Camargue, séparé de la Méditerranée par une digue. 6 000 ha et 50 cm seulement de profondeur. Réserve naturelle.

Vaduz ■ Capitale du *Liechtenstein. 5 000 hab.

Roger **Vailland** ■ Écrivain français (1907-1965). Romancier engagé et figure du libertin moderne. "*Drôle de jeu*" ; "*la Loi*".

Paul **Vaillant-Couturier** ■ Homme politique et journaliste français (1892-1937). Communiste, il fut député et rédacteur en chef de *l'Humanité*.

Vaires-sur-Marne ■ Commune de *Seine-et-Marne. 11 000 hab. Centrale thermique.

Vaison-la-Romaine ■ Commune du *Vaucluse. 6 000 hab. (*les Vaisonnais*). Centre commercial et touristique : ruines romaines, basilique romane.

la **Valachie** ■ Ancienne principauté située au sud des Carpates, unie à la Moldavie en 1859 pour former la Roumanie.

Suzanne **Valadon** ■ Peintre française (1867-1938). Nus féminins aux contours accentués. Mère de Maurice Utrillo.

le **Valais** ■ Canton de Suisse. 5 231 km². 217 000 hab. (*les Valaisans*). Chef-lieu : Sion. Hydro-électricité.

Le **Val-d'Ajol** ■ Commune des *Vosges. 5 300 hab.

le **Val de Loire** ■ Partie de la vallée de la Loire entre le confluent de l'Allier et celui de la Vienne (Chinon). Riche région agricole (Nevers).

le **Val-de-Marne** [94] ■ Département français de la région *Île-de-France. 245 km². 1,2 million d'hab. Préfecture : Créteil. Sous-préfecture : Nogent-sur-Marne.

Pierre **Valdès** ou **Valdo** dit *Pierre de Vaux* ■ ⇒ les **Vaudois**.

Juan de **Valdés Leal** ■ Peintre espagnol (1622-1690). Un des maîtres baroques du « siècle d'or ». Sujets religieux.

Val-d'Isère ■ Commune de *Savoie. 1 630 hab. Station de sports d'hiver.

Valdivia ■ Ville du Chili. 120 000 hab.

le **Val-d'Oise** [95] ■ Département français de la région *Île-de-France. 1 246 km². 920 000 hab. Préfecture : Pontoise. Sous-préfectures : Argenteuil, Montmorency.

Valence ■ 3e ville d'Espagne. 752 000 hab. (*les Valenciens*). Université. Archevêché. Centre commercial très actif. Port sur la Méditerranée. Industries. Nombreuses églises et monuments du XIIIe au XVIIIe s. Capitale d'un royaume maure au XIe s.

Valence ■ Préfecture de la *Drôme, sur le Rhône. 70 500 hab. (*les Valentinois*). Marché agricole important. Située au centre d'un réseau de communication. Industries.

Valencia ■ Ville du Venezuela. 367 000 hab. Centre commercial d'une riche région agricole. Industries textiles et alimentaires.

Valenciennes ■ Sous-préfecture du *Nord, sur l'Escaut. 44 000 hab. (*les Valenciennois*). La ville forme avec *Denain un centre industriel.

Pierre Henri de **Valenciennes** ■ Peintre français (1750-1819). Paysages historiques dans la tradition de Poussin.

Valentigney ■ Commune du *Doubs, sur le Doubs, dans l'agglomération de Montbéliard. 15 000 hab. Cycles.

saint **Valentin** ■ Prêtre martyr (IIIe s.). Patron depuis le XVe s. des amoureux.

Valentin de Boulogne ■ Peintre français, installé à Rome (1591-1632). Disciple du *Caravage. "*Judith*".

Rudolph **Valentino** ■ Acteur américain d'origine italienne, idole du cinéma des années 1920 (1895-1926).

Valenton ■ Commune du *Val-de-Marne, banlieue de Paris. 11 000 hab. Industrie aéronautique.

le mont **Valérien** ■ Colline dans la banlieue ouest de Paris. Entre 1941 et 1944, plus de 4 500 Français y furent fusillés. Mémorial.

Paul **Valéry** ■ Écrivain français (1871-1945). Il a marqué la littérature contemporaine par un scepticisme aigu, l'intérêt pour les problèmes formels dans l'écriture, les qualités d'une prose abstraite et intellectuelle. C'est aussi le poète sensible du "*Cimetière marin*" et de "*la Jeune Parque*". "*Monsieur Teste*" ; "*Variétés*" ; "*Tel quel*".

La **Valette** en anglais *Valletta* ■ Capitale de la république de Malte. 14 000 hab. Base navale et militaire.

La **Valette-du-Var** ■ Commune du *Var. 18 400 hab.

Lorenzo **Valla** ■ Philosophe italien, un des premiers *humanistes (1407-1457).

Valladolid ■ Ville d'Espagne (Vieille-*Castille). 330 000 hab. Université. Monuments des XVe et XVIe s. Essor industriel.

Vallauris ■ Commune des *Alpes-Maritimes. 22 000 hab. *(les Vallauriens).* Céramique.

Ramón del **Valle Inclán** ■ Écrivain espagnol (1869-1936). Auteur d'œuvres réalistes où se mêlent le macabre et le comique. *"Les Comédies barbares".*

César **Vallejo** ■ Poète péruvien (1892-1938). *"Poèmes humains".*

Jules **Vallès** ■ Écrivain et journaliste français (1832-1885). Révolté contre l'injustice sociale et l'autorité, il fut membre de la *Commune. *"L'Enfant"* ; *"le Bachelier"* ; *"l'Insurgé".*

Vallet ■ Commune de la *Loire-Atlantique. 5 700 hab.

Félix **Vallotton** ■ Peintre et graveur français d'origine suisse (1865-1925). Proche des *Nabis.

Valmy ■ Commune de la *Marne. Victoire des Français sur les Prussiens (septembre 1792).

Valognes ■ Commune de la *Manche. 7 000 hab. *(les Valognais).*

la maison de **Valois** ■ Famille de seigneurs du *Valois* (aux confins des départements actuels de l'Oise et de l'Aisne), branche cadette des *Capétiens. Elle régna sur la France de l'avènement de Philippe VI (1328) à celui du *Bourbon Henri IV (1589). Elle est elle-même divisée en deux branches, les petits-fils de Charles V ayant reçu le duché d'Orléans et le comté d'Angoulême. □ *les* **Valois-Orléans** ont donné un seul roi, Louis XII. □ *les* **Valois-Angoulême** ont donné François Ier et ses successeurs jusqu'au dernier Valois, Henri III.

Valparaíso ■ Ville et 1er port du Chili. 280 000 hab. Industries alimentaire, mécanique, pétrolière. Cuir, pêcheries, tabac.

Valréas ■ Commune du *Vaucluse. 8 800 hab. *(les Valréassiens).*

Martin **Van Buren** ■ 8e président des États-Unis, de 1837 à 1841 (1782-1862).

George **Vancouver** ■ Navigateur anglais (1757-1798). Il prit possession du littoral ouest du Canada (1791-1795).

Vancouver ■ Ville du Canada. 410 000 hab. (1,16 million dans l'agglomération). Métropole économique et culturelle de l'ouest du pays (*Colombie britannique). Port sur le Pacifique, face à l'*île Vancouver* (32 137 km²).

les **Vandales** n. m. ■ Ancien peuple germanique. Au Ve s., ils envahirent la Gaule, l'Espagne et fondèrent en Afrique romaine un royaume (Tunisie actuelle) qui disparut lors de la conquête de l'Afrique par Byzance en 533. ‹ ► vandale ›

Hugo **Van der Goes** ■ Peintre et miniaturiste *flamand (v. 1440 - 1482). Ses personnages religieux expriment des sentiments intenses et graves. *"L'Adoration des Bergers".*

Bartholomeus **Van der Helst** ■ Peintre hollandais (1613-1670). Auteur de nombreux portraits collectifs.

Johannes Diderik **Van der Waals** ■ Physicien hollandais (1837-1923). Prix Nobel 1910. *Forces de Van der Waals :* forces d'attraction entre molécules.

Roger **Van der Weyden** ou *Roger de* **La Pasture** ■ Peintre flamand (v. 1399 - 1464). Le maître de l'école *flamande avec Van Eyck. Retables (*"le Jugement dernier",* à Beaune).

les **Van de Velde** ■ FAMILLE DE PEINTRES HOLLANDAIS DU XVIIe S. □ *Adriaen* **Van de Velde.** Peintre hollandais (1636-1672), paysagiste.

Henry **Van de Velde** ■ Architecte, peintre et théoricien belge (1863-1957). Créateur de l'art *nouveau, il évolua vers un style géométrique et dépouillé.

Karel **Van de Woestijne** ■ Écrivain belge d'expression flamande (1878-1929). Poèmes et récits d'inspiration mystique.

Vandœuvre-lès-Nancy ■ Commune de la *Meurthe-et-Moselle. 35 000 hab.

Kees **Van Dongen** ■ Peintre néerlandais naturalisé français (1877-1968). La rapidité de son trait, ses couleurs violentes de ses débuts rappellent les *expressionnistes allemands. Portraits mondains.

Antoine **Van Dyck** ■ Peintre flamand (1599-1641). Élève de Rubens. Portraitiste à la cour de Charles Ier, il marqua profondément la peinture anglaise.

le lac **Vänern** ■ Le plus grand lac de Suède. 5 546 km².

Jan **Van Eyck** ■ Peintre flamand (v. 1390 - 1441). Le fondateur de l'école *flamande. Il fit des découvertes techniques capitales qui lui permirent de représenter le monde sensible avec une fascinante vérité. Portraits (*"les Époux Arnolfini"*) et scènes religieuses (*"l'Agneau mystique"*).

Arnold **Van Gennep** ■ Ethnologue et folkloriste français (1873-1957). *"Rites de passage".*

Vincent **Van Gogh** ■ Peintre hollandais (1853-1890). Par son utilisation de la couleur et son geste mouvementé, il donna à ses portraits, ses natures mortes et ses paysages une intensité qui annonce les *fauves et les *expressionnistes.

Jan **Van Goyen** ■ Peintre hollandais (1596-1656). Paysages.

Jan Baptist **Van Helmont** ■ Médecin, physiologiste et chimiste flamand (1577-1644). Précurseur de l'analyse des gaz.

Pieter **Van Laer** ou **Van Laar** dit *il* **Bamboccio** ■ Peintre hollandais (v. 1592 - v. 1642). Scènes de la vie populaire appelées, d'après son surnom italien, « bambochades ».

Antonie **Van Leeuwenhoek** ■ Naturaliste hollandais (1632-1723). Il perfectionna le microscope, grâce auquel il découvrit les spermatozoïdes.

Carle **Van Loo** ■ Peintre et décorateur français (1705-1765). Artiste officiel de Louis XV, représentant du « grand style » (sujets d'histoire, effets déclamatoires).

Vannes ■ Préfecture du *Morbihan. 45 500 hab. *(les Vannetais).* Remparts, cathédrale (XVe - XVIIe s.).

le massif de la **Vanoise** ■ Massif des Alpes de *Savoie. Parc national.

Adriaen **Van Ostade** ■ Peintre hollandais (1610-1685). Scènes d'intérieur pittoresques.

Bernard **Van Orley** ■ Peintre flamand, surtout connu pour ses cartons de vitraux et de tapisseries (1488-1541).

Jacobus Henricus **Van't Hoff** ■ Chimiste néerlandais (1852-1911). Premier prix Nobel de chimie (1901), créateur avec *Le Bel de la stéréochimie. Théorie des solutions. Thermochimie.

Vanuatu autrefois *les Nouvelles-Hébrides* ■ Archipel et État (république) de Mélanésie. 14 760 km². 135 000 hab. Capitale : (Port-)Vila (17 000 hab.). Langues : français, anglais, bislama. Monnaie : vatu. Cacao, coprah. ☐HISTOIRE. Découvertes par les Portugais en 1606, les Nouvelles-Hébrides, qui doivent leur nom à Cook, ne furent colonisées qu'au XIXᵉ s. Condominium franco-britannique en 1906, elles devinrent indépendantes en 1980 et prirent le nom de république de Vanuatu.

Vanves ■ Commune des *Hauts-de-Seine, au sud de Paris. 22 700 hab.

le **Var** [83] ■ Département français de la région *Provence-Alpes-Côte d'Azur. Il doit son nom au fleuve qui le traversait (arrondissement de Grasse, qui fait partie depuis 1860 des *Alpes-Maritimes). 6 023 km². 708 500 hab. Préfecture : Toulon. Sous-préfectures : Brignoles, Draguignan.

Vārānasi ou *Bénarès* ■ Ville sacrée de l'Inde, sur le *Gange. Lieu de pèlerinage pour tous les hindous. 794 000 hab.

Agnès **Varda** ■ Cinéaste française (née en 1928). "*Cléo de cinq à sept*" ; "*Sans toit ni loi*".

les **Varègues** ■ Vikings de Scandinavie qui pénétrèrent en Russie où ils fondèrent les principautés de Novgorod et de Kiev.

Varennes-sur-Allier ■ Commune de l'*Allier. 5 200 hab.

Varennes-Vauzelles ■ Commune de la *Nièvre. 8 600 hab.

Edgar **Varèse** ■ Compositeur français naturalisé américain (1883-1965). Sa musique électro-acoustique provoqua le scandale. "*Déserts*" ; "*Poème électronique*".

Getulio **Vargas** ■ Homme d'État brésilien (1883-1954). Président de la République de 1934 à 1945 et de 1950 à son suicide.

Mario **Vargas Llosa** ■ Écrivain péruvien (né en 1936). Ses romans donnent une vision ironique de la société péruvienne. "*La Ville et les Chiens*".

Varna ■ Ville et port de Bulgarie, sur la mer Noire. 297 000 hab. Université. Industries (chantiers navals). Principal centre touristique du pays.

Varron ■ Érudit latin (116 - 27 av. J.-C.). Auteur d'une œuvre encyclopédique, comprenant notamment "*la Langue latine*".

Varsovie en polonais *Warszawa* ■ Capitale de la Pologne sur la Vistule. 1,63 million d'hab. Archevêché. Université. Centre culturel, scientifique, commercial et industriel (métallurgie, textile). Important nœud de communication. Capitale de la république polonaise en 1918, après avoir subi plusieurs dominations étrangères. ☐HISTOIRE. Capitale du pays en 1596, puis du *grand-duché de Varsovie* (⇒ **Pologne**) en 1807, enfin du royaume de Pologne rattaché à la Russie, en 1815. Elle se soulève en vain contre le tsar en 1830. Capitale de la Pologne libérée en 1918. Elle fut pratiquement détruite par les Allemands durant la Seconde Guerre mondiale (sièges de 1939 et 1944, extermination des juifs du ghetto

en 1943). Libérée par les troupes soviéto-polonaises en 1945, elle devint la capitale de la république populaire de Pologne. ▶ *le pacte de* **Varsovie**. Pacte de défense réciproque signé en 1955 entre l'U. R. S. S., l'Albanie, la Bulgarie, la Hongrie, la Pologne, la R. D. A., la Roumanie, et la Tchécoslovaquie. Ces pays s'opposent à l'*O. T. A. N.

Vasa ■ ⇒ **Gustave Iᵉʳ Vasa**.

Victor **Vasarely** ■ Peintre français d'origine hongroise (né en 1908). Il crée l'illusion du mouvement par des procédés optiques sur des formes abstraites simples, répétitives.

Giorgio **Vasari** ■ Historien d'art, peintre et architecte italien (1511-1574). Auteur d'un précieux recueil de biographies sur les artistes italiens de la *Renaissance.

Västerås ■ 7ᵉ ville de Suède. 117 000 hab. Centre industriel.

le **Vatican** ■ Résidence des papes, siège des services pontificaux, à Rome. Après le retour de la papauté d'Avignon à Rome (1377) il remplaça progressivement le *Latran. Important musée. Bibliothèque. Chapelle *Sixtine (Michel-Ange) ; loges peintes par Raphaël. ▶ *l'État du Vatican* s'étend autour de cette résidence (44 ha). Créé par les accords du Latran, conclus entre *Mussolini et la papauté en 1929, c'est le plus petit État du monde ; le pape en est le souverain. Célèbre basilique Saint-Pierre où eurent lieu deux conciles. ▶ *Vatican I*, réuni en 1869 par *Pie IX, affirma le dogme de l'infaillibilité pontificale. ▶ *Vatican II*, réuni par *Jean XXIII et *Paul VI de 1962 à 1965 pour moderniser l'Église.

Sébastien Le Prestre de **Vauban** ■ Ingénieur militaire, maréchal de France (1633-1707). Responsable des fortifications sous le règne de Louis XIV. Son "*Projet d'une dîme royale*", critique franche de la fiscalité royale, fut interdit en 1707.

Jacques de **Vaucanson** ■ Ingénieur français (1709-1782). Célèbres automates. Il inventa le premier métier à tisser automatique.

Le **Vauclin** ■ Commune de la *Martinique. 7 000 hab.

le **Vaucluse** [84] ■ Département français de la région *Provence-Alpes-Côte-d'Azur. 3 600 km². 427 400 hab. Préfecture : Avignon. Sous-préfectures : Apt, Carpentras.

Vaucresson ■ Commune des *Hauts-de-Seine, à l'ouest de Paris. 9 300 hab. *(les Vaucressonnois).*

le canton de **Vaud** en allemand *Waadt* ■ Canton francophone de Suisse. 3 211 km². 539 000 hab. *(les Vaudois).* Chef-lieu : Lausanne. Tourisme (stations thermales, sports d'hiver).

les **Vaudois** n. m. ■ Membres d'une secte dissidente de l'Église catholique, fondée à la fin du XIIᵉ s. par Pierre Valdès (v. 1140 - v. 1217). Ils furent persécutés par Innocent III et l'Inquisition puis décimés par les guerres de Religion.

Claude Favre seigneur de **Vaugelas** ■ Grammairien français (1585-1650). Il régla la langue d'après le « bon usage » de la Cour. "*Remarques sur la langue française*".

Ralph **Vaughan Williams** ■ Compositeur anglais (1872-1958). Il puisa son inspiration dans le folklore national.

Vaujours ■ Commune de la *Seine-Saint-Denis, banlieue de Paris. 5 300 hab. *(les Vaujouriens ou Valjoviens).*

Vaulx-en-Velin ■ Commune du *Rhône, dans la banlieue de Lyon. 44 400 hab.

*Luc de Clapiers marquis de **Vauvenargues*** ■ Moraliste français (1715-1747). Il critiqua l'esprit de salon et alla à l'encontre du pessimisme de Pascal et de La Rochefoucauld. *"Maximes et réflexions".*

Vauvert ■ Commune du *Gard. 9 000 hab. *(les Vauverdois).*

Vaux-le-Vicomte ■ Château situé près de Melun, construit de 1657 à 1661 par *Le Vau pour *Fouquet. Décoration de *Le Brun, jardins de *Le Nôtre.

*Ivan **Vazov*** ■ Écrivain bulgare (1850-1921). Une des grandes figures du roman moderne bulgare. *"Sous le joug".*

*Thorstein **Veblen*** ■ Économiste américain (1857-1929). Son œuvre critique la société américaine.

*les **Veda*** ■ En sanskrit « le Savoir ». Textes sacrés de l'hindouisme, écrits entre 2000 et 600 av. J.-C. ▶ *le védisme* ou *religion **védique*** est à l'origine de l'hindouisme.

*Lope de **Vega*** ■ ⇒ Lope de Vega.

Véies ■ Cité étrusque qui fut longtemps en lutte contre Rome avant de capituler en 396 av. J.-C.

*Simone **Veil*** ■ Femme politique française (née en 1927). Ministre de la Santé (1974-1979), elle élabora la loi autorisant l'interruption volontaire de grossesse. Présidente de l'Assemblée des communautés européennes de 1979 à 1982.

*Diego **Vélasquez*** ■ Peintre espagnol (1599-1660). Peintre de Philippe IV (1623), il fit des portraits du souverain, de sa famille et des gens de la Cour, favoris, bouffons et nains. Inversant la hiérarchie des valeurs espagnoles, il préféra les thèmes profanes aux sujets sacrés. Il suggéra admirablement la matière, la lumière et fit de prodigieuses inventions de composition *("les Ménines").*

Vélizy-Villacoublay ■ Commune des *Yvelines. 24 000 hab. *(les Véliziens).* Constructions aéronautique et automobile. Base aérienne militaire.

Vellore ou *Vellur* ■ Ville de l'Inde. 138 000 hab. Coton, riz.

*le comtat **Venaissin*** ■ ⇒ le **comtat Venaissin**.

Vence ■ Commune des *Alpes-Maritimes. 14 000 hab. *(les Vençois).* Chapelle décorée par Matisse. Centre commercial, touristique et artisanal.

Venceslas ■ ⇒ Wenceslas.

*la **Vendée*** [85] ■ Département français de la région Pays de la *Loire. 6 971 km². 483 700 hab. Il doit son nom à la rivière qui le traverse. Préfecture : La Roche-sur-Yon. Sous-préfectures : Fontenay-le-Comte, Les Sables-d'Olonne. ▶ *la guerre de **Vendée**.* Insurrection contre-révolutionnaire de Vendée et d'Anjou. Comme les *Chouans, les Vendéens catholiques refusèrent la Constitution civile du clergé (⇒ **Constituante**). Le peuple, dirigé par *Cathelineau, se souleva contre le décret ordonnant le recrutement de 300 000 hommes par l'armée de la *Convention (1793), les nobles royalistes fournirent des généraux : Charette, Elbée, La Rochejaquelein. Vaincus par les républicains (Kléber, Marceau) dès 1793, à nouveau en 1795-1796 (Hoche), ils se soulevèrent encore durant les *Cent-Jours (1815) et en 1832 (⇒ duchesse de **Berry**).

Vendin-le-Vieil ■ Commune du *Pas-de-Calais. 7 000 hab. *(les Vendinois).*

Vendôme ■ Sous-préfecture du *Loir-et-Cher. 19 000 hab. *(les Vendômois).* ▶ *le duc de **Vendôme**.* Titre donné au fils naturel d'Henri IV, César (1594-1665), et à sa descendance. ▶ *Louis-Joseph de **Vendôme*** (1654-1712), illustre général au service de *Philippe V d'Espagne.

*la **Vénétie*** ■ Région du nord-est de l'Italie, ancien territoire de la république de Venise cédé à l'Autriche en 1797 par le traité de Campoformio et rattaché à l'Italie en 1866. Elle fait aujourd'hui partie de la région administrative de *Frioul-Vénétie.

*Domenico **Veneziano*** ■ Peintre italien (1400-1461). Maître de *Piero della Francesca. *"L'Adoration des mages".*

*le **Venezuela*** ■ État (république) du nord de l'Amérique du Sud, sur la mer des Antilles. 912 050 km². 17,3 millions d'hab. *(les Vénézuéliens).* Capitale : Caracas. Langue officielle : espagnol. Monnaie : bolivar. Quatre régions géographiques : le littoral, la région montagneuse au nord (*Andes), les plaines au centre, le plateau de la Guyane au sud-est. Économie faiblement industrialisée mais grande exportatrice de pétrole (*Maracaibo). Le Venezuela est membre de l'O. P. E. P. ▭HISTOIRE. Découvert par Christophe Colomb en 1498, le pays fut colonisé par les Espagnols entre le XVIᵉ et le XVIIIᵉ s. La lutte pour l'indépendance, commencée par Miranda en 1810, se poursuivit avec Bolívar et aboutit à l'expulsion des Espagnols en 1821. Jusqu'en 1830, il fut intégré à la fédération de Grande-Colombie. Le XIXᵉ s. fut une période de dictatures successives. À partir de 1920, l'essor pétrolier transforma le pays tandis que les États-Unis jouèrent un rôle politique croissant. En 1958, l'élection du président démocrate Rómulo Bétancourt mit fin aux dictatures et ouvrit une période de réformes.

Venise ■ Ville d'Italie, capitale de la Vénétie, bâtie sur un groupe d'îlots dans la lagune de Venise sur l'Adriatique. 360 000 hab. *(les Vénitiens).* Un des plus grands centres touristiques au monde en raison du site exceptionnel (env. 200 canaux dont le *Grand Canal,* plus de 400 ponts dont le *Rialto*) et d'un passé artistique très riche : palais des Doges, place et basilique Saint-Marc, nombreuses églises du Moyen Âge et de la Renaissance, peintures (musées de l'Académie, scuola [« école »] di San Rocco, etc.). Industries de luxe, festival de cinéma, biennale. Station balnéaire au Lido de Venise. Industrie en plein essor (métallurgie, chimie) sur la terre ferme (Mestre). 3ᵉ port d'Italie (Porto Marghera-Mestre). Mais la ville est menacée par l'eau et la pollution. ▭HISTOIRE. Fondée au VIᵉ s. et dirigée par un chef élu, le doge, la *république de **Venise*** fait partie de l'Empire byzantin au IXᵉ s. Du Xᵉ au XIIᵉ s., elle fonde sa puissance sur les échanges commerciaux maritimes, notamment entre l'Orient et l'Occident (*Byzance lui octroie des privilèges commerciaux considérables). De 1204 (prise de Constantinople par les croisés) jusqu'au conflit avec les *Ottomans (XVᵉ s.), c'est l'apogée : Venise est la maîtresse des mers et bâtit un véritable empire colonial. Une période de décadence économique et de plaisirs (XVIIIᵉ s.) s'ensuit. En 1797, Bonaparte dissout l'État vénitien et le cède à l'Autriche. ⇒ **Vénétie**.

Vénissieux ■ Commune du *Rhône, dans la banlieue de Lyon. 75 000 hab. *(les Vénissians).* Centre industriel et résidentiel.

*Éleuthérios **Vénizélos*** ■ Homme grec (1864-1936). Artisan de la Grèce moderne.

*les îles du **Vent*** ■ Partie orientale des Petites *Antilles, comprenant les îles françaises de la

*Guadeloupe et de la *Martinique, ainsi que les îles *Dominique, *Sainte-Lucie, *Saint-Vincent, *Grenade et Grenadines, *Barbade, *Trinité et *Tobago.

les îles Sous-le-Vent ■ ⟹ îles **Sous-le-Vent**.

le mont Ventoux ■ Montagne des *Préalpes du sud. 1 909 m.

Vénus ■ Déesse de la beauté et de l'amour dans la mythologie romaine, identifiée à l'*Aphrodite grecque. □ *Vénus* est aussi le nom d'une planète du système solaire, très brillante, appelée parfois « étoile du berger ». Diamètre : 12 000 km. Elle décrit une orbite autour du Soleil en 225 jours.

Veracruz ■ Port et station balnéaire du Mexique, sur le golfe du Mexique. 305 400 hab. Centre industriel. Monuments de l'époque coloniale.

Verceil, en italien *Vercelli* ■ Ville d'Italie. 55 000 hab. Nombreux monuments.

Vercingétorix ■ Chef des *Arvernes (v. 72 - 46 av. J.-C.). Il mena une coalition des peuples gaulois contre *César, en 52 av. J.-C. : après avoir battu les Romains devant *Gergovie, il fut encerclé dans *Alésia, dut se rendre et fut exécuté à Rome.

Jean Bruller dit *Vercors* ■ Écrivain français (né en 1902). *"Le Silence de la mer"*, célèbre roman publié clandestinement pendant la *Résistance (1942).

le Vercors ■ Massif des *Préalpes françaises). Parc naturel régional. Maquis de la *Résistance en 1944.

Giuseppe Verdi ■ Un des plus célèbres compositeurs italiens, en même temps qu'un héros national (1813-1901). Dans ses opéras, la musique est au service d'une action dramatique intense : *"Rigoletto"* ; *"la Traviata"* ; *"le Trouvère"*.

le Verdon ■ Rivière des Alpes, affluent de la *Durance. Gorges profondes très touristiques.

Verdun ■ Sous-préfecture de la *Meuse, sur la Meuse. 24 100 hab. *(les Verdunois).* ▶ *le traité de Verdun* (843), partage de l'Empire *carolingien. ▶ *la bataille de Verdun.* La bataille la plus meurtrière de la Première *Guerre mondiale, résistance victorieuse des Français, commandés par Pétain, à l'offensive allemande (1916).

Verdun ■ Ville du Canada (*Québec). 60 200 hab. Banlieue sud-est de *Montréal.

Vereeniging ■ Ville d'Afrique du Sud (*Transvaal). 149 400 hab. Métallurgie.

Charles Gravier comte de Vergennes ■ Diplomate français (1719-1787). Ministre des Affaires étrangères de *Louis XVI.

Pierre Victurnien Vergniaud ■ Révolutionnaire français (1753-1793). Orateur *girondin, il fut guillotiné.

Émile Verhaeren ■ Poète belge d'expression française (1855-1916). Il s'inspire du monde moderne et de son pays natal. *"Les Villes tentaculaires"* ; *"Toute la Flandre"*.

Paul Verlaine ■ Poète français (1844-1896). Il a lui-même défini son art comme « de la musique avant toute chose », apte à suivre d'infimes émotions, avec un accent de mélancolie et d'échec. Il conjugue l'érotisme, le sens du péché et la foi chrétienne. *"Poèmes saturniens"* ; *"Fêtes galantes"* ; *"Sagesse"*.

Jan Vermeer dit *Vermeer de Delft* ■ Peintre hollandais (1632-1675). Un des grands maîtres du XVIIᵉ s. Scènes de genre où il rend à la perfection les jeux de lumière et les matières. *"Vue de Delft"* ; *"la Laitière"*.

le Vermont ■ État rural du nord-est des États-Unis (*Nouvelle-Angleterre). 24 887 km². 541 000 hab. Capitale : Montpelier.

Jules Verne ■ Écrivain français (1828-1905). Ses récits, à mi-chemin de l'épopée et du rêve, l'amènent à explorer le temps, les espaces, les océans, avec une vision à la fois optimiste et angoissée du progrès scientifique. *"Voyage au centre de la terre"* ; *"le Tour du monde en quatre-vingts jours"* ; *"Vingt mille lieues sous les mers"*.

Joseph Vernet ■ Peintre français (1714-1789). Série des ports de France. □ *Carle Vernet,* son fils (1758-1836). Scènes de chasse. □ *Horace Vernet,* fils du précédent (1789-1863). Scènes de batailles.

Verneuil-sur-Avre ■ Commune de l'*Eure. 6 900 hab. *(les Vernoliens).*

Verneuil-sur-Seine ■ Commune des *Yvelines. 11 400 hab.

Vernon ■ Commune de l'*Eure, sur la Seine. 23 500 hab. *(les Vernonnais).*

Vernouillet ■ Commune de l'*Eure-et-Loir. 10 400 hab.

Vernouillet ■ Commune des *Yvelines, sur la Seine. 6 400 hab.

Vérone ■ Ville d'Italie, en *Vénétie. 259 100 hab. Arènes romaines. Marché agricole, tourisme (nombreux monuments). République indépendante aux XIIIᵉ et XIVᵉ s., elle fut gouvernée par *Venise de 1405 à 1797. Réunie à l'Italie en 1866.

Véronèse ■ Peintre italien de l'école vénitienne (1528-1588). Célèbre pour la richesse de ses coloris et ses grandes compositions : *"les Noces de Cana"* ; *"le Repas chez Simon"*.

sainte Véronique ■ Selon la légende, elle aurait essuyé le visage du Christ lorsqu'il monta au calvaire, avec un linge qui en conserva les traits.

Verrès ■ Homme politique romain accusé de corruption (119 - 43 av. J.-C.). Au cours de son procès, *Cicéron tint de célèbres discours contre lui (les *"Verrines"*).

Verrières-le-Buisson ■ Commune de l'*Essonne. 13 600 hab. *(les Verriérois).* Horticulture.

Andrea del Verrocchio ■ Sculpteur, peintre et orfèvre italien (1435-1488). Célèbre statue du condottiere le *Colleone* à Venise.

Versailles ■ Préfecture des *Yvelines, au sud-ouest de Paris. 95 200 hab. *(les Versaillais).* Centre administratif, militaire et touristique. Nombreux édifices classiques. Les rois de France y résidèrent de 1682 à la Révolution, lui donnant un rôle de capitale (réunion des états généraux en 1789, occupation par les Prussiens en 1870, élections présidentielles jusqu'en 1953). La ville doit sa création à la construction d'un ambitieux château, sur ordre de *Louis XIV, et à partir d'un pavillon de chasse bâti par *Louis XIII. ▶ *le château de Versailles.* Les travaux commencèrent en 1661 et se firent en trois étapes, sous la direction de *Le Vau puis d'Hardouin-*Mansart pour l'architecture, de *Le Brun pour la décoration intérieure, et de *Le Nôtre pour les jardins. Avec sa cour de Marbre, ses Trianons, sa galerie des Glaces, son opéra (par Gabriel) et ses jardins « à la française », c'est le modèle de l'art classique français. ▶ *le traité de Versailles* (1919) mit fin à la Première *Guerre mondiale. ▶ *les Versaillais,* nom donné aux forces du gouvernement

*Thiers, installé à Versailles, qui réprimèrent la *Commune.

le cap Vert ■ Promontoire le plus occidental d'Afrique sur l'Atlantique. (*Sénégal).

Vertou ■ Commune de la *Loire-Atlantique. 14 000 hab. *(les Vertaviens).* Vignobles, industries chimiques.

Dziga Vertov ■ Cinéaste soviétique (1896-1954). *"En avant ! Soviet"* ; *"Trois chants sur Lénine"*.

Verviers ■ Ville de Belgique. 55 000 hab. *(les Verviétois).* Ancien centre textile.

André Vésale ■ Anatomiste flamand (1514-1564). Il a publié le premier traité de l'anatomie moderne, fondée sur l'observation et la dissection du corps humain.

Le Vésinet ■ Commune des *Yvelines, dans la banlieue ouest de Paris. 18 200 hab. *(les Vésinettois ou Vésigondins).*

Vesoul ■ Préfecture de la *Haute-Saône. 20 300 hab. *(les Vésuliens).* Centre administratif et commercial. Métallurgie.

Vespasien ■ Empereur romain de 69 à sa mort (9-79). Il restaura l'ordre après les guerres civiles, entreprit de grands travaux (*Capitole, *Colisée) et assainit les finances. Il établit un impôt sur les urinoirs, d'où le mot *vespasienne*. Il institua la succession dynastique héréditaire.

Amerigo Vespucci ■ Navigateur italien (1454-1512). Le Nouveau Monde fut baptisé Amérique en son honneur (1507), bien que Christophe *Colomb y eût abordé avant lui.

Vesta ■ Divinité italique et romaine, gardienne du feu et du foyer domestique. ⟨ ▶ vestale ⟩

Simon Vestdijk ■ Écrivain néerlandais (1898-1971). *"Le Cinquième Sceau"*.

le Vésuve ■ Volcan actif du sud de l'Italie en Campanie. En 79 une éruption ensevelit Herculanum et Pompéi.

Vevey ■ Ville de Suisse (canton de Vaud). 18 000 hab. *(les Veveysans).* Centre touristique et industriel.

Vézelay ■ Commune de l'*Yonne. 580 hab. *(les Vézeliens).* Basilique romane du XIIᵉ s., restaurée par *Viollet-le-Duc. Sculptures. La ville a pour origine un monastère bénédictin fondé au IXᵉ s. Elle devint au XIᵉ s. un haut lieu de pèlerinage.

Boris Vian ■ Écrivain français (1920-1959). Son œuvre variée est une critique parodique et inquiète de la société. *"Cantilènes en gelée"* ; *"l'Écume des jours"*.

Pauline Viardot ■ Cantatrice française (1821-1910). Sœur de la *Malibran. Célèbre voix de mezzo.

Théophile de Viau ■ Poète français (1590-1626). S'opposant au classicisme de *Malherbe, il exalte l'amour de la nature. *"Pyrame et Thisbé"*, tragédie.

Vic-en-Bigorre ■ Commune des *Hautes-Pyrénées. 5 000 hab.

Vicence ■ Ville d'Italie, en Vénétie. 119 000 hab. Théâtre et palais de *Palladio.

Gil Vicente ■ Auteur dramatique portugais (v. 1465-v. 1537). Médiateur entre le Moyen Âge et la *Renaissance. Œuvre tantôt religieuse, tantôt profane.

Vicente López ■ Ville d'Argentine, faubourg de Buenos Aires. 290 200 hab. Centre résidentiel et station balnéaire.

Vichy ■ Sous-préfecture de l'*Allier, sur l'Allier. 33 000 hab. *(les Vichyssois).* Station thermale. ▶ *le gouvernement de Vichy.* Gouvernement de la France de 1940 à 1944 (entre l'armistice et la Libération), établi à Vichy. Le maréchal *Pétain, chef de l'État investi des pleins pouvoirs, voulut une « Révolution nationale », dont la devise était « Travail, Famille, Patrie ». À l'antisémitisme et l'antibolchevisme, qui rapprochaient le régime du fascisme italien et du nazisme, s'ajoutaient le nationalisme et le catholicisme réactionnaire de l'*Action française. *Laval organisa la *collaboration, mais fut écarté en décembre 1940. *Darlan mena une politique plus ambiguë (1941-1942), mais l'Allemagne obtint le retour de Laval puis envahit la zone dite libre (qui comprenait Vichy). Le gouvernement de Vichy se réfugia en Allemagne en 1944. La Résistance lui substitua le *gouvernement provisoire de la République française (G. P. R. F.), dirigé par le général de *Gaulle.

Giambattista Vico ■ Écrivain, historien et philosophe italien (1668-1744). Sa *scienza nuova* (« science nouvelle ») en fait le précurseur de la philosophie de l'histoire.

Paul-Émile Victor ■ Explorateur français (né en 1907). Il parcourut et décrivit les régions polaires.

Victor-Emmanuel II ■ Roi de Sardaigne, proclamé roi d'Italie en 1861 (1820-1878). Un des artisans de l'unité italienne avec son ministre *Cavour. Il annexa la Vénétie en 1866 et prit Rome en 1870.

Victor-Emmanuel III ■ Roi d'Italie de 1900 à 1946, empereur d'Éthiopie et roi d'Albanie (1869-1947). Entre 1922 et 1943 il laissa le pouvoir réel à *Mussolini, qui développa le *fascisme en Italie. En 1943, il fit arrêter Mussolini mais, déconsidéré, dut abdiquer.

Tomás Luis de Victoria ■ Compositeur espagnol (v. 1549 - 1611). Œuvre uniquement religieuse, au lyrisme grave.

Victoria ■ Reine de Grande-Bretagne et d'Irlande de 1837 à sa mort (1819-1901). Assistée par ses Premiers ministres (*Melbourne, *Peel, *Palmerston, *Disraeli, *Gladstone), elle gouverna avec énergie et autorité. Son règne, l'*ère victorienne, marque l'apogée de la puissance impérialiste anglaise : elle fut couronnée impératrice des Indes en 1876.

Victoria ■ Capitale de la colonie anglaise de *Hong-kong, sur une île. 1 million d'hab. Port important.

Victoria ■ Capitale des Seychelles. 23 000 hab.

Victoria ■ Port du Canada, capitale de la Colombie britannique, dans l'île Vancouver. 219 000 hab.

l'île Victoria ■ Île du Canada, dans l'océan Arctique.

le lac Victoria ■ Le plus important lac d'Afrique (68 100 km²) en amont duquel le Nil prend sa source.

Paul Vidal de La Blache ■ Géographe français (1845-1918). Principes de géographie humaine.

François Vidocq ■ Aventurier français (1775-1857). Il fut forçat, puis policier. *Balzac s'en est inspiré pour créer son personnage de Vautrin.

King Vidor ■ Cinéaste américain (1894-1982). *"La Grande Parade"*.

Paul *Vieille* ■ Ingénieur français (1854-1934). Inventeur de la poudre B (poudre sans fumée).

António *Vieira* ■ Écrivain portugais, jésuite (1608-1697). "*Sermons*".

Maria Elena *Vieira da Silva* ■ Peintre portugaise naturalisée française (née en 1908). Style raffiné, proche de l'abstraction.

Joseph Marie *Vien* ■ Peintre français (1716-1809), chef de file du *néo-classicisme et maître de *David.

Vienne en allemand **Wien** ■ Capitale et État confédéré d'Autriche. 1,5 million d'hab. *(les Viennois).* □HISTOIRE. Capitale des Habsbourg, embellie au XVIIIᵉ s. (Hofburg, château de Schönbrunn, palais du Belvédère), elle devint le foyer européen du théâtre et de la musique sous les règnes de Marie-Thérèse et Joseph II. Elle fut agrandie et transformée au XIXᵉ s. par *François-Joseph. Malgré la chute de l'Empire (1918), elle connut, jusqu'à l'annexion par l'Allemagne (1938), une exceptionnelle activité artistique et intellectuelle : école viennoise en musique, (⇒ **Schönberg, Berg, Webern**), en peinture (⇒ **Klimt, Schiele**), naissance de la psychanalyse (⇒ **Freud**). Célèbre opéra. ► *le congrès de Vienne* (1814-1815), sommet diplomatique réuni par *Metternich après la défaite de Napoléon, pour redéfinir les frontières européennes au bénéfice des vainqueurs (Autriche, Grande-Bretagne, Prusse, Russie). *Talleyrand y représenta avec habileté la France de la Restauration. ► *le Cercle de Vienne.* Groupement de savants et de philosophes autour de *Schlick (v. 1930), à l'origine du néo-positivisme.

Vienne ■ Sous-préfecture de l'*Isère, sur le Rhône. 29 000 hab. *(les Viennois).* Vestiges gallo-romains, églises médiévales. Capitale de la province romaine de la *Viennoise*, elle fut l'un des premiers foyers du christianisme en Gaule (évêché au IIIᵉ s.).

la *Vienne* [86] ■ Département français de la région *Poitou-Charentes. Il doit son nom à la rivière qui le traverse. 6 990 km². 371 500 hab. Préfecture : Poitiers. Sous-préfectures : Châtellerault, Montmorillon. □ *la Haute-Vienne* [87], département français de la région *Limousin. 5 520 km². 356 000 hab. Préfecture : Limoges. Sous-préfectures : Bellac, Rochechouart.

Vientiane ■ Capitale du Laos, port fluvial sur le *Mékong. 176 000 hab. Centre commercial. Peu d'industries.

les îles *Vierges* ■ Archipel des Petites *Antilles. Une partie est britannique, l'autre américaine.

Vierzon ■ Commune du *Cher, sur le Cher. 35 000 hab. *(les Vierzonnais).*

François *Viète* ■ Mathématicien français (1540-1603). Conseiller au Parlement de Paris sous Henri IV. Créateur de l'algèbre moderne.

le *Viêt-minh* ■ Organisation politique vietnamienne (communiste et nationaliste), créée en 1941 par *Hô Chi Minh pour libérer le pays des Japonais et des Français. Cette organisation constitua le premier gouvernement vietnamien indépendant à Hanoï en 1945 et entra en guerre contre les Français, remportant une victoire définitive à Diên Biên Phû en 1954.

le *Viêt-nam* ■ État (république socialiste) d'Asie du Sud-Est, bordé au nord par la Chine, à l'est par la mer de Chine, et à l'ouest par le Laos et le Cambodge. 329 556 km². 62 millions d'hab. *(les Vietnamiens).* Capitale : Hanoï. Villes principales : Hô Chi Minh-Ville (ancienne Saigon), Haiphong. Langue : vietnamien. Monnaie : dong. □HISTOIRE.

Le pays fut sous domination chinoise jusqu'au XIᵉ s. Indépendant, il connut la lutte de dynasties rivales. Il fut intégré à l'*Indochine française à la fin du XIXᵉ s. : les provinces de l'*Annam et du *Tonkin devinrent en 1883 des protectorats français, auxquels fut réunie la *Cochinchine en 1887. La guerre d'indépendance, menée par *Hô Chi Minh de 1946 à 1954, se solda par une défaite française. Le Viêt-nam fut alors divisé en une partie nord et une partie sud (accords de Genève, juillet 1954). En 1962, une guerre éclata entre le Sud (soutenu par les Américains) et le Nord (dirigé par Hô Chi Minh). Résistant aux troupes et aux bombardements américains, les armées communistes du Nord soumirent le Sud en avril 1975, le pays fut alors réunifié (juillet 1976) et devint une république socialiste. Les guerres ont ruiné l'économie qui reste déséquilibrée (riz, maïs, coton, peu d'industries) ; les conditions et la politique du régime ont entraîné l'exode clandestin de nombreux habitants (« boatpeople »). ► *la guerre du Viêt-nam,* guerre entre le Nord Viêt-nam et le Sud Viêt-nam (allié aux États-Unis), qui aboutit à la réunification du pays par les communistes (1954-1975).

Vieux-Condé ■ Commune du *Nord. 11 000 hab. *(les Vieux-Condéens).* Métallurgie.

Vieux-Habitants ■ Commune de la Guadeloupe. 7 500 hab.

Élisabeth *Vigée-Lebrun* ■ Peintre française (1755-1842). Portraits : "*Marie-Antoinette et ses enfants*", "*Madame Vigée-Lebrun et sa fille*".

Gilles *Vigneault* ■ Chanteur et compositeur québécois (né en 1928).

Vigneux-sur-Seine ■ Commune de l'*Essonne. 26 600 hab. *(les Vigneusiens).*

Vignole ■ Architecte italien (1507-1573). Son plan de l'église du Gesù à Rome (église mère de l'ordre des Jésuites) servit de modèle à l'architecture de la *Contre-Réforme.

Claude *Vignon* ■ Peintre et graveur français (1593-1670). Travaux de décoration et tableaux religieux.

Alfred de *Vigny* ■ Écrivain romantique français (1797-1863). Il évoqua l'humiliation de la noblesse ("*Cinq-Mars*"), la solitude du créateur ("*Chatterton*") et le drame moral du soldat ("*Servitude et Grandeur militaires*"). Il est aussi l'auteur de nombreux poèmes : "*Moïse*", d'inspiration biblique.

Jean *Vigo* ■ Cinéaste français (1905-1934). "*Zéro de conduite*" ; "*l'Atalante*".

Vigo ■ Ville et port d'Espagne, sur l'Atlantique. 259 000 hab.

Vijayavada ou **Bezwada** ■ Ville de l'Inde. 545 000 hab.

les *Vikings* n. m. ■ Peuples scandinaves qui connurent, du VIIIᵉ au XIᵉ s., une grande expansion maritime. Vers l'ouest (où on les appelle plutôt *Varègues*), les Suédois envahirent le monde slave et menacèrent même Constantinople. Vers le sud, les Danois s'implantèrent en Angleterre et dans la future Normandie, ainsi nommée d'après *Normand,* « homme du nord », nom des Vikings en France. Les Norvégiens descendirent jusqu'en Méditerranée. Au nord, ils atteignirent l'Islande et probablement l'Amérique. On a gardé l'image de guerriers sanguinaires, conquérants, pillards, mais ils implantèrent des gouvernements durables (Ukraine, Normandie) et laissèrent les traces d'un art raffiné, surtout décoratif.

la **Vilaine** ■ Fleuve de l'est de la Bretagne qui passe à Rennes, où elle reçoit l'Ille, et se jette dans l'Atlantique (225 km).

Jean **Vilar** ■ Homme de théâtre français (1912-1971). Créateur du Théâtre national populaire (T. N. P.) et du festival d'Avignon.

Pancho **Villa** ■ Révolutionnaire mexicain (1878-1923).

Villacoublay ■ ⟹ Vélizy-Villacoublay.

Villa Hermosa ■ Ville du Mexique. 251 000 hab. Centre d'une région pétrolière. Industrie alimentaire. Tabac. Université.

Heitor **Villa-Lobos** ■ Compositeur brésilien (1887-1959). Autodidacte, il s'inspira de la musique folklorique de son pays. "*Bachianas brasileiras*".

Villard-Bonnot ■ Commune de l'*Isère. 6 000 hab.

Villard de Honnecourt ■ Architecte français (XIIIᵉ s.). Célèbre carnet de croquis, précieux pour la connaissance de l'art gothique.

Villars ■ Commune de la *Loire. 7 600 hab.

Claude Louis Hector duc de **Villars** ■ Maréchal de France (1653-1734). On lui doit les dernières victoires du règne de Louis XIV.

Villebon-sur-Yvette ■ Commune de l'*Essonne. 7 800 hab.

Villecresnes ■ Commune du *Val-de-Marne. 6 000 hab.

Ville-d'Avray ■ Commune des *Hauts-de-Seine, au sud-ouest de Paris. 11 700 hab. Cité résidentielle.

Villefranche ou **Villefranche-sur-Mer** ■ Station balnéaire des *Alpes-Maritimes. 7 300 hab. (*les Villefranchois*). Port de pêche. Ancien quartier (XVIᵉ - XVIIᵉ s.).

Villefranche-de-Rouergue ■ Sous-préfecture de l'*Aveyron. 14 000 hab. (*les Villefranchois*). Chartreuse (XVᵉ s.).

Villefranche-sur-Saône ■ Sous-préfecture du *Rhône. 30 700 hab. (*les Caladois*). Métallurgie, chimie, textile.

Geoffroi de **Villehardouin** ■ Chroniqueur français (v. 1150 - v. 1213). "*Histoire de la conquête de Constantinople*".

Villejuif ■ Commune du *Val-de-Marne. 55 700 hab. (*les Villejuifois*). Centre médical anticancéreux.

Jean-Baptiste de **Villèle** ■ Homme politique français (1773-1854). Président du Conseil *ultra de 1822 à 1828.

Villemomble ■ Commune de la *Seine-Saint-Denis, au nord-est de Paris. 29 000 hab. (*les Villemomblois*).

Villenave-d'Ornon ■ Commune de la *Gironde, proche de Bordeaux. 23 300 hab.

Villeneuve-d'Ascq ■ Commune du *Nord, dans la banlieue de Lille, formée en 1970 par la fusion de trois communes. 60 000 hab. Musée d'Art moderne.

Villeneuve-la-Garenne ■ Commune des *Hauts-de-Seine, dans la banlieue de Paris. 23 700 hab. Port fluvial.

Villeneuve-le-Roi ■ Commune du *Val-de-Marne, dans la banlieue sud de Paris. 21 000 hab. (*les Villeneuvois*).

Villeneuve-lès-Avignon ■ Commune du *Gard, face à Avignon. 10 300 hab. (*les Villenuvois*). Résidence d'été de nombreux cardinaux d'Avignon au XIVᵉ s.

Villeneuve-Loubet ■ Commune des *Alpes-Maritimes. 8 200 hab.

Villeneuve-Saint-Georges ■ Commune du *Val-de-Marne, dans la banlieue sud-est de Paris, sur la Seine. 31 300 hab. (*les Villeneuvois*).

Villeneuve-sur-Lot ■ Sous-préfecture du *Lot-et-Garonne. 23 100 hab. (*les Villeneuvois*). Marché agricole.

Villeneuve-sur-Yonne ■ Commune de l'*Yonne. 5 000 hab. (*les Villeneuviens*). Monuments du XIIᵉ s.

Villeparisis ■ Commune de *Seine-et-Marne. 16 600 hab. (*les Villeparisiens*).

Villepinte ■ Commune de la *Seine-Saint-Denis. 17 700 hab. (*les Villepintois*). Sanatorium.

Villepreux ■ Commune des *Yvelines. 8 400 hab.

Villers-Cotterêts ■ Commune de l'*Aisne. 9 000 hab. (*les Cotteréziens*). ► *l'ordonnance de Villers-Cotterêts*, édit de François Iᵉʳ imposant le français au lieu du latin pour les textes officiels et juridiques (1539).

Villers-lès-Nancy ■ Commune de *Meurthe-et-Moselle, près de Nancy. 14 000 hab.

Villers-Saint-Paul ■ Commune de l'*Oise. 6 000 hab. (*les Villersois*).

Villerupt ■ Commune de *Meurthe-et-Moselle. 13 400 hab. (*les Villeruptiens*).

Villetaneuse ■ Commune de la *Seine-Saint-Denis, au nord de Paris. 10 000 hab. Université de Paris-Nord.

La **Villette** ■ Ancienne commune de la banlieue de Paris, incluse aujourd'hui dans le XIXᵉ arrondissement. Anciens abattoirs. Cité des Sciences et des Techniques.

Villeurbanne ■ Commune du *Rhône, dans la banlieue de *Lyon. 119 500 hab. (*les Villeurbannais*). Centre industriel important. Théâtre national populaire.

Auguste comte de **Villiers de l'Isle-Adam** ■ Écrivain français (1838-1889). Son œuvre est à la limite du sarcasme et de la fascination. "*L'Ève future*", roman ; "*Axel*", drame ; "*Contes cruels*".

Villiers-le-Bel ■ Commune du *Val-d'Oise. 22 000 hab. (*les Beauvilérois* ou *Beauvilésois*). Matières plastiques.

Villiers-sur-Marne ■ Commune du *Val-de-Marne. 22 300 hab. Commune en expansion rapide.

François **Villon** ■ Poète français (1431 - après 1463). Sa vie aventureuse (il risqua la potence) en a fait une figure mythique. Sa poésie, qui mêle une langue très pure et des expressions triviales, exprime un lyrisme rare à l'époque, mais recouvre une grande science rhétorique. "*Le Testament*" (avec « *la Ballade des pendus* »).

Gaston Duchamp dit Jacques **Villon** ■ Peintre et graveur français (1875-1963). Artiste subtil et original, frère de Raymond Duchamp-Villon et de Marcel Duchamp.

Vilnious ou **Vilnius** ■ Ville d'U. R. S. S., capitale de la Lituanie. 500 000 hab. Centre culturel et économique. Enjeu des guerres russo-polonaises (⇒ **Lituanie**).

Vimoutiers ■ Commune de l'*Orne. 5 000 hab. *(les Vimonastériens).*

Viña del Mar ■ Ville du Chili, faubourg de Valparaíso. 316 000 hab. Station balnéaire. Exportation du nitrate et du cuivre.

Vincennes ■ Commune du *Val-de-Marne, à l'est de Paris, au nord du bois de Vincennes. 44 500 hab. *(les Vincennois).* Donjon du XIVᵉ s., château transformé au XVIIᵉ s. Université transférée à Saint-Denis.

saint **Vincent de Paul** ■ Prêtre français (1581-1660). Il se mit au service des pauvres (galériens, enfants trouvés) et fonda plusieurs congrégations de charité, dont "les Filles de la Charité" avec Louise de Marillac.

Léonard de **Vinci** ■ ⇒ **Léonard de Vinci.**

Vinnitsa ■ Ville d'U. R. S. S. (*Ukraine). 375 000 hab. Industries (sucre, mécanique).

Ivan **Vinogradov** ■ Mathématicien soviétique (1891-1983). Théorie des nombres.

Vintimille ■ Ville d'Italie. 23 000 hab. Important nœud ferroviaire entre la France et l'Italie.

Eugène **Viollet-le-Duc** ■ Architecte français (1814-1879). Il restaura plusieurs monuments du Moyen Âge (Vézelay, Notre-Dame de Paris, Pierrefonds, les remparts de Carcassonne) et laissa une œuvre théorique importante.

Giovanni Battista **Viotti** ■ Violoniste et compositeur italien (1755-1824).

Vire ■ Sous-préfecture du *Calvados. 14 500 hab. *(les Virois).* Industrie alimentaire (andouille).

Virgile ■ Poète latin (70 - 19 av. J.-C.). Admiré par Auguste de son vivant, il est considéré comme le plus grand poète romain. Il a donné, dans *"l'Énéide"*, le récit mythique des origines de Rome. Il a façonné notre sentiment de la nature, inquiétante dans *"les Bucoliques"*, bienveillante dans *"les Géorgiques"*.

Virginia Beach ■ Ville des États-Unis (*Virginie). 263 000 hab.

la **Virginie** ■ État de l'est des États-Unis, sur l'Atlantique. 107 711 km². 5,35 millions d'hab. Capitale : Richmond. Tabac. Ce fut la première colonie anglaise, et le centre des États sudistes (⇒ **Sécession**). □ *la* *Virginie-Occidentale.* État voisin du précédent. 62 600 km². 1,95 million d'hab. Capitale : Charleston. Antiesclavagiste, elle se sépara de la Virginie au moment de la guerre de Sécession.

Viry-Châtillon ■ Commune de l'*Essonne. 32 000 hab.

Viroflay ■ Commune des *Yvelines. 15 800 hab. *(les Viroflaysiens).* Commune résidentielle.

Visākhapatnam ■ Ville de l'Inde. 600 000 hab. Chantiers navals.

les **Visconti** ■ Famille italienne qui régna à Milan de 1277 à 1447.

Luchino **Visconti** ■ Cinéaste italien (1906-1976). Après des débuts néo-réalistes (*"Rocco et ses frères"*), il filme l'Italie du XIXᵉ s. avec le regard d'un philosophe et d'un poète (*"Senso" ; "le Guépard"*) et une esthétique qui évoque l'opéra (*"le Crépuscule des dieux"*).

les **Visigoths** ■ ⇒ **Wisigoths.**

Visnu ou **Vishnou** ■ Une des plus grandes divinités de l'hindouisme. Il constitue avec *Brahmā et *Śiva une triade. On le vénère sous de nombreuses formes ou *avatāra (par exemple *Krishna).

la **Vistule** ■ Fleuve de Pologne, navigable sur presque toute sa longueur (1 092 km).

Vitebsk ■ Ville d'U. R. S. S. (*Biélorussie), sur la Dvina occidentale. 335 000 hab. Industries mécanique, textile.

Vitoria ■ Ville d'Espagne. 193 000 hab. Essor industriel.

Vitória ■ Ville et port du Brésil. 133 000 hab. Métallurgie.

Vitré ■ Commune d'*Ille-et-Vilaine. 12 900 hab. *(les Vitréens).* Monuments médiévaux (château, remparts).

Vitrolles ■ Commune des *Bouches-du-Rhône, près de l'étang de Berre. 22 800 hab. *(les Vitrollais).* Zone industrielle et commerciale.

Vitruve ■ Architecte romain (Iᵉʳ s. av. J.-C.). Auteur d'un traité d'architecture qui servit de référence aux artistes de la *Renaissance.

Vitry-le-François ■ Sous-préfecture de la *Marne. 20 000 hab. *(les Vitrayats).* Industrie du bois.

Vitry-sur-Seine ■ Commune du *Val-de-Marne. 88 000 hab. *(les Vitriots).* Centrale thermique.

Vittel ■ Commune des *Vosges. 6 800 hab. *(les Vittellois).* Station thermale depuis le XIXᵉ s.

Elio **Vittorini** ■ Écrivain italien (1908-1966). Ses romans mêlent la réalité et le rêve, l'engagement politique et le lyrisme. *"Conversation en Sicile".*

Antonio **Vivaldi** ■ Compositeur italien de Venise (1678-1741). Violoniste virtuose, auteur de musique sacrée et d'opéras, il eut un rôle considérable dans l'histoire de la musique instrumentale (c'est le véritable créateur du concerto). 768 œuvres dont les célèbres *"Quatre Saisons".*

Vizille ■ Commune de l'*Isère. 7 300 hab. *(les Vizillois).*

Vladimir ■ Ville d'U. R. S. S., au nord-est de Moscou. 331 000 hab. Capitale de la principauté de Vladimir-Souzdal et métropole religieuse (nombreux monuments) absorbée par la Moscovie au XIVᵉ s.

Vladimir Iᵉʳ le Saint ou **le Grand** ■ Prince de Novgorod, grand-prince de *Kiev (956-1015). Il imposa le christianisme de rite byzantin à son peuple.

Vladimir II Monomaque ■ Grand prince de *Kiev et écrivain russe (1053-1125).

Vladivostok ■ Ville et port d'U. R. S. S. (*Russie) en *Sibérie extrême-orientale, sur la mer du Japon. 600 000 hab. Port d'attache de la flotte soviétique d'Extrême-Orient. Point terminus du *Transsibérien.

Maurice de **Vlaminck** ■ Peintre *fauve français (1876-1958). D'abord construits par la couleur, très vite ses tableaux devinrent plus sombres et plus traditionnels.

Voiron ■ Commune de l'*Isère. 20 500 hab. *(les Voironnais).* Textile. Papeterie. Liqueurs.

la **Voisin** ■ ⇒ l'affaire des **Poisons.**

la **Vojvodine** ou **Voïvodine** ■ Province autonome de Yougoslavie, rattachée à la Serbie. 21 506 km². 2 millions d'hab. Capitale : Novi Sad. Première région agricole du pays.

la **Volga** ■ Fleuve d'U. R. S. S. (le plus long d'Europe : 3 690 km). Il prend sa source au nord-ouest de Moscou et se jette dans la mer Caspienne. Rôle économique important (cours navigable, barrages, canal Volga-Baltique et Volga-Don, usines dans la vallée).

Volgograd ■ Ville d'U. R. S. S. (*Russie) sur la *Volga. 974 000 hab. Centre industriel (métallurgie, construction mécanique, raffinerie). Port fluvial actif. Centrale hydro-électrique. Stalingrad de 1925 à 1961. ⇒ **Stalingrad.**

Voljski ■ Ville d'U. R. S. S. (*Russie), sur la Volga en face de Volgograd. 245 000 hab.

Ambroise **Vollard** ■ Marchand de tableaux et éditeur d'art français (1868-1939). Il fit connaître les principaux artistes du début du XXᵉ s. (Picasso, Matisse...).

Constantin François de **Volney** ■ ⇒ **Idéologues.**

Vologda ■ Ville d'U. R. S. S. (*Russie). 265 000 hab. Centre agricole (lait). Port fluvial.

Alessandro **Volta** ■ Physicien italien (1745-1827). Son invention de la pile électrique (dite *voltaïque*) révolutionna l'étude de l'électricité. ⟨ ▶ volt, voltage ⟩

la **Volta** ■ Fleuve du Ghana. ▶ *le lac* **Volta** (8 500 km²), formé par un barrage sur la Volta. ▶ *la* **Haute-Volta.** ⇒ **Burkina Faso.**

François Marie Arouet dit **Voltaire** ■ Écrivain français des *Lumières (1694-1778). Polémiste vigoureux, il dénonce les institutions politiques et sociales (intervenant dans l'affaire Calas) et le fanatisme religieux. La bourgeoisie libérale anticléricale du XIXᵉ s. se reconnut dans son nouvel humanisme (c'est l'esprit *voltairien*). Son œuvre est multiple : théâtre, pamphlets, essais philosophiques (*"Zadig"* ; *"Candide"*). ⟨ ▶ voltaire ⟩

Volta Redonda ■ Ville du Brésil. 120 000 hab. Centre sidérurgique.

Joost Van den **Vondel** ■ Poète dramatique hollandais d'inspiration religieuse (1587-1679).

Vô Nguyên Giap ■ Général vietnamien, théoricien de la guerre révolutionnaire (né en 1912). Il battit les troupes françaises à *Diên Biên Phû en 1954.

Vorochilovgrad ■ Ville d'U. R. S. S. (*Ukraine), dans le Donbass. 497 000 hab.

Voronej ■ Ville d'U. R. S. S. (*Russie). 850 000 hab. Centre culturel. Centrale nucléaire.

Mihály **Vörösmarty** ■ Poète hongrois (1800-1855). Poèmes épiques. *"La Fuite de Zalán"*.

les **Vosges** n. f. ■ Massif montagneux du nord-est de la France ; le versant occidental s'incline vers la Lorraine et le versant oriental tombe abruptement sur la plaine d'Alsace, qui le sépare de la *Forêt-Noire. Les Vosges cristallines (sud) s'opposent aux Vosges gréseuses (nord). La population se concentre dans les vallées (Saint-Dié, Remiremont). Les principales ressources de la région sont la forêt (scierie, papeterie) et le tourisme. □ *les* **Vosges** [88], département français de la région *Lorraine. 5 874 km². 396 000 hab. Préfecture : Épinal. Sous-préfectures : Neufchâteau, Saint-Dié.

Simon **Vouet** ■ Peintre français (1590-1649). Premier peintre de Louis XIII. Ses compositions théâtrales, influencées par le *baroque italien, ont marqué la « grande peinture », allégorique, mythologique ou religieuse.

La **Voulte-sur-Rhône** ■ Commune de l'*Ardèche. 6 000 hab. *(les Voultains).* Textile.

Vouziers ■ Sous-préfecture des *Ardennes. 5 500 hab. *(les Vouzinois).*

Édouard Jean **Vuillard** ■ Peintre français (1868-1940). Il fut membre du groupe des *Nabis. Grand coloriste : scènes intimistes, panneaux décoratifs, portraits. Lithographies.

Vulcain ■ Dieu du Feu et des forgerons dans la mythologie romaine, identifié à l'Héphaïstos des Grecs.

la **Vulgate** ■ Traduction latine de la *Bible, faite par saint Jérôme.

W

Waco ■ Ville des États-Unis (*Texas). 101 000 hab.

Otto **Wagner** ■ Architecte et théoricien autrichien (1841-1918). D'abord inspiré par l'art *nouveau, il devint, par ses innovations, l'un des pionniers de l'architecture moderne.

Richard **Wagner** ■ Compositeur allemand (1813-1883). Auteur de la musique, des livrets et de la mise en scène de ses opéras, il a cherché l'œuvre d'art totale. Il s'inspire des légendes germaniques. *"Le Vaisseau fantôme"* ; *"Lohengrin"* ; *"la Tétralogie"* ; *"Parsifal"*. □ *Siegfried* **Wagner** (1869-1930), son fils, compositeur et chef d'orchestre allemand, anima le festival de *Bayreuth. □ *Wieland* **Wagner** (1917-1966), fils du précédent, mit en scène les œuvres de Wagner.

Wagram ■ Village d'Autriche où Napoléon remporta une éclatante victoire sur les Autrichiens.

Andrzej **Wajda** ■ Cinéaste polonais (né en 1926). *"le Bois de bouleaux"* ; *"l'Homme de marbre"*.

Wakamatsu ■ Ville du Japon (Kyūshū). 100 000 hab.

Wakayama ■ Port du Japon (*Honshū). 400 000 hab. Grand centre industriel.

Wałbrzych ■ Ville de Pologne, en Basse Silésie. 130 000 hab. Houille.

Pierre **Waldeck-Rousseau** ■ Homme politique français (1846-1904). Président du Conseil de 1899 à 1902 (loi de 1901 sur les associations ; révision du procès de *Dreyfus).

Kurt **Waldheim** ■ Homme politique autrichien (né en 1918). Élu président de la République en 1986. ⇒ **Autriche.**

Lech **Wałęsa** ■ Syndicaliste polonais (né en 1943). Leader du mouvement de grève de Gdansk en 1980, président en 1981 du syndicat indépendant *Solidarność* (devenu clandestin en 1982). Prix Nobel de la paix 1983.

*al-***Walid II** ■ Calife omeyade et poète arabe (v. 708 - 744).

les **Walkyries** ■ Divinités féminines de la mythologie germanique, messagères de *Wotan.

Albrecht von **Wallenstein** ■ Homme de guerre d'origine tchèque (1583-1634). Un des généraux de Ferdinand II dans la guerre de *Trente Ans. Suspect de trahison, il fut assassiné.

Wallers ■ Commune du *Nord. 6 600 hab.

John **Wallis** ■ Mathématicien britannique (1616-1703). Son *"Arithmétique de l'infini"* fait le lien entre *Cavalieri et *Newton.

Wallis-et-Futuna ■ Archipel de la Polynésie, formant un territoire français d'outre-mer (T. O. M.). 274 km². 12 000 hab. Capitale : Mata Utu.

Henri **Wallon** ■ Psychologue, pédagogue et homme politique français (1879-1962). Son œuvre, inspirée par Marx, est un classique de la psychologie de l'enfant.

la **Wallonie** ■ Région linguistique de Belgique, située au sud du pays. On y parle le français et des dialectes romans, dont le *wallon*. Ville principale : Liège.

Wall Street ■ ⇒ **New York.**

Robert **Walpole** ■ Homme politique anglais (1676-1745). Député *whig, il contribua à la création du régime parlementaire britannique. □ *Horace* **Walpole,** son fils (1717-1797), fut l'un des initiateurs du « roman noir ». *"Le Château d'Otrante"*.

Léon **Walras** ■ Économiste français enseignant à Lausanne (1834-1910). Un des fondateurs de l'économie mathématique.

Walsall ■ Ville industrielle d'Angleterre. 185 000 hab. Métallurgie, fonderies de cuivre.

Raoul **Walsh** ■ Cinéaste américain (1892-1980). Westerns, films d'action. *"La Charge fantastique"*.

Ernest Thomas **Walton** ■ Physicien britannique (né en 1903). ⇒ **Cockcroft.**

Wambrechies ■ Commune du *Nord. 8 000 hab. Textile.

Warangal ■ Ville de l'*Inde. 336 000 hab.

Andy **Warhol** ■ Peintre et cinéaste américain (1930-1987). Surnommé le « prophète du *pop art ». Portraits de Marilyn Monroe.

Warren ■ Ville des États-Unis (*Michigan), banlieue de Detroit. 161 000 hab.

Warrington ■ Ville industrielle d'Angleterre. 136 000 hab.

George Washington ■ Homme d'État américain (1732-1799). Il fut le héros de la guerre d'*Indépendance, puis le premier président des États-Unis, de 1789 à 1796. En son honneur, on a donné son nom à la capitale du pays.

Washington ■ Capitale fédérale des États-Unis, située sur la côte est. Elle occupe le district fédéral de Columbia (D. C.). 638 000 hab. (zone urbaine : 3 millions). Ville essentiellement administrative abritant la résidence du président des États-Unis (Maison Blanche) et le siège du Congrès américain (Capitole). Centre culturel et scientifique (musées, universités, recherche).

le Washington ■ État du nord-ouest des États-Unis. 176 617 km². 4,15 millions d'hab. Capitale : Olympia. 1er centre urbain : Seattle. Agriculture. Industries du bois. Productions minière et hydro-électrique.

Wasquehal ■ Commune du *Nord, près de Lille. 16 600 hab.

Waterbury ■ Ville des États-Unis (*Connecticut). 103 000 hab.

le Watergate ■ Nom d'un immeuble de Washington utilisé par le parti démocrate en 1972. Il fut cambriolé au profit des républicains ; le scandale accula le président Nixon à la démission (1974).

Waterloo ■ Commune de Belgique, au sud de Bruxelles. 17 700 hab. La défaite de Napoléon Ier devant les Anglais et les Prussiens, le 18 juin 1815, mit fin aux *Cent-Jours et provoqua la chute définitive de l'Empire.

James Dewey Watson ■ Biologiste américain (né en 1928). Prix Nobel de médecine 1962 avec Crick et Wilkins pour la découverte de la structure de l'A. D. N. "La Double Hélice".

John Broadus Watson ■ Psychologue américain (1875-1958). Initiateur de la psychologie du comportement (behaviorisme).

James Watt ■ Ingénieur et mécanicien écossais (1736-1819). Créateur des premières machines à vapeur en fabrication industrielle. Son nom a été donné à l'unité de puissance électrique. ⟨ ▶ watt ⟩

Antoine Watteau ■ Peintre et dessinateur français (1684-1721). Il a représenté les fêtes galantes, les comédiens et musiciens, avec un art fait de grâce, de virtuosité dans les coloris et le dessin, et de sensibilité poétique. "L'Embarquement pour Cythère" ; "l'Enseigne de Gersaint" ; "Gilles".

Wattignies ■ Commune du *Nord, près de Lille. 13 000 hab. (les Wattigniens).

Wattrelos ■ Commune du *Nord, à la frontière belge. 45 500 hab. (les Wattrelosiens). Important centre industriel.

Evelyn Waugh ■ Romancier anglais (1903-1966). Auteur de satires de la société contemporaine. "Black Mischief".

Wavrin ■ Commune du *Nord. 6 800 hab.

Waziers ■ Commune du *Nord, dans la banlieue de Douai. 10 200 hab. (les Wazierois).

Carl Maria von Weber ■ Compositeur romantique allemand (1786-1826). Un des créateurs de l'opéra national allemand. "Le Freischütz" ; "Oberon".

Max Weber ■ Sociologue allemand (1864-1920). Sa réflexion sur les valeurs, le « désenchantement du monde » et la place du religieux dans l'histoire, sa distinction entre comprendre et expliquer, sa notion d'« idéaltype » ont marqué les sciences humaines.

Anton von Webern ■ Compositeur autrichien (1883-1945). Un des pionniers de la musique sérielle. Élève de *Schönberg. Pièces brèves. "Variations pour piano" ; "Première Cantate".

David Wechsler ■ Psychologue américain (né en 1896). Tests de mesure de l'intelligence.

Frank Wedekind ■ Auteur dramatique allemand (1864-1918). Chef de file de l'*expressionnisme, auteur d'un théâtre de contestation, il créa le personnage de Lulu adapté au cinéma (Pabst) et à l'opéra (Berg).

Josiah Wedgwood ■ Céramiste et industriel britannique (1730-1795). Créateur de la faïence fine.

la Wehrmacht ■ Ensemble des forces armées de l'Allemagne de 1935 à 1945.

Karl Weierstrass ■ Mathématicien allemand (1815-1897). Analyse (théorie des fonctions, calcul des variations).

Weifang ■ Ville de Chine. 190 000 hab. Charbon, textile.

Weihai ■ Ville et port de Chine. 250 000 hab. Textile, pêche.

Simone Weil ■ Philosophe française (1909-1943). Son œuvre traduit une quête mystique et le souci de justice sociale. "La Pesanteur et la Grâce".

Kurt Weill ■ Compositeur allemand, naturalisé américain (1900-1950). Il collabora avec Brecht, notamment pour "l'Opéra de quat'sous".

Weimar ■ Ville de R. D. A. 65 000 hab. Centre culturel, universitaire et touristique. Foyer intellectuel et artistique aux XVIIIe et XIXe s. grâce à l'action de Goethe auprès du grand duc Charles-Auguste. □ la république de Weimar (1919-1933). ⇒ **Allemagne.**

August Weismann ■ Biologiste allemand (1834-1914). Initiateur du néo-darwinisme (⇒ **Darwin**).

Welkom ■ Ville d'Afrique du Sud.

Orson Welles ■ Cinéaste et acteur américain (1915-1985). Personnalité puissante et singulière, il passe de la description de personnages corrompus ou hors du commun ("Citizen Kane" ; "la Dame de Shanghai") à l'adaptation de pièces de Shakespeare ("Othello" ; "Macbeth" ; "Falstaff").

le duc de Wellington ■ Général britannique et homme politique (1769-1852). Il s'illustra en Espagne et au Portugal avant d'être le vainqueur de Napoléon Ier à Waterloo.

Wellington ■ Capitale et port de la Nouvelle-Zélande. 352 000 hab.

Herbert George Wells ■ Écrivain anglais (1866-1946). Un des créateurs de la science-fiction moderne. "L'Homme invisible".

Wembley ■ Agglomération de la banlieue de Londres. 125 000 hab. Stade de football.

Wenceslas ■ Roi de Bohême sous le nom de Wenceslas IV et empereur germanique (1361-1419). Il dut combattre Jan *Hus.

Wim Wenders ■ Cinéaste allemand (né en 1945). "Paris, Texas" ; "les Ailes du désir".

Wenzhou ■ Ville et port de Chine. 600 000 hab. Exportations.

Abraham Gottlob Werner ■ Géologue et minéralogiste allemand (1750-1817).

Max **Wertheimer** ■ Psychologue allemand naturalisé américain (1880-1943). ⇒ **Köhler.**

John **Wesley** ■ Réformateur religieux anglais (1703-1791). En réaction contre les compromissions de l'Église *anglicane, il fonda le *méthodisme,* retour aux sources de la *Réforme.

Benjamin **West** ■ Peintre américain (1738-1820). Il fit une carrière officielle à Londres. Portraits, scènes historiques, scènes religieuses.

West Bromwich ■ Ville industrielle d'Angleterre, près de Birmingham. 167 000 hab.

le **West End** ■ Quartiers résidentiels de la partie ouest de Londres, réputés pour leur élégance.

West Ham ■ Ville d'Angleterre. 157 000 hab.

Westminster ■ Quartier du centre de Londres, sur la Tamise. Le palais du Parlement (Chambre des lords et Chambre des communes) fut détruit par un incendie en 1512 et reconstruit en style gothique au XIXᵉ s., avec sa célèbre horloge, "Big Ben". □ *Westminster Abbey* abbaye de Westminster, où sont couronnés les rois d'Angleterre.

la **Westphalie** ■ Ancienne région d'Allemagne, comprise dans l'État fédéré de Rhénanie du Nord-Westphalie depuis 1949. Duché (1180), royaume de 1807 à 1813, elle devint province prussienne en 1815. Les *traités de Westphalie* mirent fin à la guerre de *Trente Ans (1648).

West Point ■ Siège d'une académie militaire américaine fondée en 1802 (État de New York).

Maxime **Weygand** ■ Général français (1867-1965). Adjoint de Foch en 1914, généralissime en 1940, favorable à l'armistice, il incarna, dans la politique de *Pétain, les velléités de résistance à l'Allemagne.

Hermann **Weyl** ■ Mathématicien allemand (1885-1955). Son œuvre, très variée, aborde notamment les groupes de *Lie.

Edith **Wharton** ■ Romancière américaine (1862-1937). Elle décrit les mœurs de la haute société. "*L'Âge de l'innocence*".

le parti **whig** ■ Nom du parti libéral anglais, du XVIIᵉ au XIXᵉ s. Les *whigs* s'opposaient aux *tories.*

James Abbott McNeill **Whistler** ■ Peintre et graveur américain (1834-1903). Proche des artistes français de son époque, admirateur, comme son ami Rossetti, de l'art japonais. "*Portrait de la mère de l'artiste*".

Patrick **White** ■ Écrivain australien (né en 1912). Prix Nobel 1973. "*Mystérieux Mandala*".

Alfred North **Whitehead** ■ Philosophe, mathématicien et logicien britannique (1861-1947). ⇒ B. **Russell.**

Walt **Whitman** ■ Un des plus grands poètes américains (1819-1892). Auteur d'un unique recueil, "*les Feuilles d'herbe*", qu'il retravailla toute sa vie, et qui a profondément marqué le lyrisme moderne.

William Dwight **Whitney** ■ Linguiste américain (1827-1894). Il eut une influence sur Saussure.

Wichita ■ Ville des États-Unis (*Kansas). 280 000 hab. Région agricole. Université.

Knut **Wicksell** ■ Économiste suédois (1851-1926). Théorie de l'intérêt.

Charles **Widor** ■ Organiste et compositeur français (1844-1937). Symphonies pour orgue.

Christoph Martin **Wieland** ■ Écrivain allemand (1733-1813). Il eut une grande influence sur Goethe et les écrivains allemands. "*Obéron*", poème.

Wilhelm **Wien** ■ Physicien allemand (1864-1928). Prix Nobel 1911. Lois du rayonnement.

Wiesbaden ■ Ville de R. F. A. 275 500 hab. Station thermale. Chimie et textile.

Elie **Wiesel** ■ Écrivain juif américain d'origine hongroise et d'expression française (né en 1928). "*Le Testament du poète juif assassiné*". Prix Nobel de la paix 1986.

l'île de **Wight** ■ Île anglaise de la Manche. 381 km². 100 000 hab. Chef-lieu : Newport.

Oscar **Wilde** ■ Écrivain britannique (1854-1900). Dandy, il fut adulé pour son esthétisme raffiné, mais condamné pour ses mœurs, alors scandaleuses. "*Le portrait de Dorian Gray*", roman ; "*Salomé*", théâtre (en français).

Billy **Wilder** ■ Cinéaste américain d'origine autrichienne (né en 1906). "*Certains l'aiment chaud*".

Wilhelmshaven ■ Ville de R. F. A. (Basse-*Saxe). 103 000 hab. Port pétrolier.

Tennessee **Williams** ■ Auteur dramatique du sud des États-Unis (1911-1983). Les héros de ses pièces sont les victimes d'une société qui les pousse à la destruction des autres et d'eux-mêmes. "*Un tramway nommé désir*" ; "*la Chatte sur un toit brûlant*".

Wilmington ■ Ville des États-Unis (70 000 hab.), seule zone urbaine (500 000 hab.) et industrielle dans le *Delaware.

Harold **Wilson** ■ Homme d'État britannique (né en 1916). Premier ministre de 1964 à 1970 puis de 1974 à 1976. Chef du parti travailliste avant Callaghan.

Thomas Woodrow **Wilson** ■ Homme d'État américain (1856-1924). Président des États-Unis de 1913 à 1921. Démocrate, il mena une politique sociale et engagea son pays dans la Première Guerre mondiale. Père de la *Société des Nations, prix Nobel de la paix en 1919.

Wimbledon ■ Ville d'Angleterre, dans la banlieue de Londres. 57 000 hab. Championnats internationaux de tennis.

Wimereux ■ Commune du *Pas-de-Calais. 6 700 hab. Station balnéaire.

Johann **Winckelmann** ■ Historien d'art allemand (1717-1768). Ses écrits contribuèrent à l'émergence du *néo-classicisme. Un des pionniers de l'archéologie et de l'histoire de l'art.

Windhoek ■ Capitale de la Namibie. 110 000 hab. Centre commercial et administratif.

Windsor ■ Ville du Canada. 197 000 hab. Port fluvial. Industrie automobile.

Wingles ■ Commune du *Pas-de-Calais. 8 500 hab.

Donald Woods **Winnicott** ■ Pédiatre et psychanalyste britannique (1896-1971).

Winnipeg ■ Ville du Canada, capitale du Manitoba. 579 000 hab. *(les Winnipegois).* Métropole du centre du pays.

Winston-Salem ■ Ville des États-Unis (*Caroline du Nord). 131 000 hab. Tabac.

Franz Xaver **Winterhalter** ■ Peintre allemand (1805-1873). Portraitiste mondain apprécié en France sous le Second Empire.

Wintzenheim ■ Commune du Haut-*Rhin. 6 700 hab.

le **Wisconsin** ■ État du centre des États-Unis. 145 439 km². 4,79 millions d'hab. Capitale : Madison. Agriculture (élevage laitier), industries du bois.

les **Wisigoths** ou **Visigoths** ■ Ancien peuple germanique, l'une des deux branches des *Goths au IVᵉ s. Conduits par *Alaric Iᵉʳ, ils envahirent l'Italie (pillage de Rome en 410), puis la Gaule. Ils fondèrent un royaume en Espagne, qui fut anéanti par les Arabes en 711.

Wissembourg ■ Sous-préfecture du Bas-*Rhin. 7 300 hab.

Stanisław **Witkiewicz** ■ Peintre et écrivain polonais (1885-1939), obsédé par la décadence de la culture européenne.

Jan ou Jean de **Witt** ■ Homme d'État hollandais (1625-1672). Opposé à la maison d'*Orange, symbole de la lutte contre le despotisme, massacré dans une émeute avec son frère Cornelis (1623-1672).

les **Wittelsbach** ■ Famille qui régna sur le duché de *Bavière de 1180 à 1918.

Wittelsheim ■ Commune du Haut-*Rhin. 10 200 hab. Potasse.

Witten ■ Ville de R.F.A. (*Rhénanie-Westphalie), dans la *Ruhr. 102 200 hab.

Wittenheim ■ Commune du Haut-*Rhin. 13 400 hab.

Ludwig **Wittgenstein** ■ Philosophe et logicien autrichien naturalisé britannique (1889-1951). Convaincu de l'importance du langage pour l'activité de la pensée, il étudia les rapports entre langue et logique (*"Tractatus logico-philosophicus"*) puis les langues naturelles (thèse des « jeux de langage »).

Konrad **Witz** ■ Peintre allemand installé à Bâle (v. 1400 - v. 1445). *"La Pêche miraculeuse"*.

Woippy ■ Commune de *Moselle. 13 800 hab.

Hugo **Wolf** ■ Compositeur autrichien (1860-1903). Un des maîtres de la mélodie (ou *lied*) romantique. Inspiration tantôt humoristique, tantôt tragique. Il mourut fou.

Heinrich **Wölfflin** ■ Historien et critique d'art suisse de langue allemande (1864-1945).

Wolfsburg ■ Ville de R.F.A. (Basse-*Saxe). 122 000 hab. Industrie automobile.

Wollongong ■ Ville d'Australie (*Nouvelle-Galles du Sud). Centre industriel. 237 600 hab. Sidérurgie.

Wolverhampton ■ Ville industrielle d'Angleterre. 251 900 hab.

Wŏnsan ■ Port de la Corée du Nord, sur la mer du Japon. 398 000 hab.

Virginia **Woolf** ■ Écrivaine anglaise (1882-1941). Influencée par *Proust et par *Joyce, elle brise les conventions du roman traditionnel pour créer le « roman de l'avenir », où elle explore la conscience et ses transformations par le biais des monologues intérieurs, pensées intimes. *"Mrs. Dalloway"* ; *"les Vagues"*.

Worcester ■ Ville des États-Unis (*Massachusetts). 161 800 hab.

William **Wordsworth** ■ Poète romantique anglais (1770-1850). Sa foi en une libération sociale (il soutint la Révolution française) devint expérience d'une libération intérieure. *"La Ballade du vieux marin"* ; *"le Reclus"*, biographie en vers. (⇒ **Coleridge**).

Wormhout ■ Commune du *Nord. 5 100 hab.

Wotan ■ ⇒ **Odin**.

Piotr **Wrangel** ■ Général russe (1878-1928). Dernier chef de l'armée contre-révolutionnaire (1920).

sir Christopher **Wren** ■ Architecte britannique (1632-1723). *Cathédrale Saint Paul* à Londres.

Frank Lloyd **Wright** ■ Architecte et théoricien américain (1867-1959). Il construisit le musée Guggenheim à New York.

les frères **Wright** ■ Pionniers américains de l'aviation. Wilbur (1867-1912) et Orville (1871-1948).

Richard **Wright** ■ Écrivain noir américain (1908-1960). Il dénonce la condition des Noirs aux États-Unis. *"Les Enfants de l'oncle Tom"*.

Wrocław, en allemand **Breslau** ■ Ville de Pologne, en basse *Silésie. 636 000 hab.

Wuhan ■ Conurbation de la Chine centrale. 3,4 millions d'hab. Cité historique, aujourd'hui un grand complexe sidérurgique.

Wuhu ■ Ville et port fluvial de Chine. 350 000 hab.

Wulumuqi ou **Urumqi, Ouroumtsi** ■ Ville de Chine. Capitale du *Xinjiang. 1 million d'hab.

Wilhelm **Wundt** ■ Psychologue allemand (1832-1920). Physiologiste de formation, il créa la psychologie expérimentale.

Wuppertal ■ Conurbation de R.F.A. (*Ruhr). 375 300 hab. Industries textile, chimique, métallurgique, mécanique.

Wurtemberg ■ Ancien État de l'Allemagne du Sud-Ouest. Issu du duché de Souabe, le Wurtemberg devint duché en 1495, et en 1599 fief direct du Saint Empire. Le royaume de Wurtemberg fit partie de l'Empire allemand de 1871 à 1918, puis devint république et fut intégré au IIIᵉ Reich en 1934. ⇒ **Bade-Wurtemberg.**

Würzburg ■ Ville de R.F.A. (*Bavière) et port sur le *Main. 127 500 hab. Monuments baroques, musée. Industrie alimentaire.

Wu Wei ■ Peintre chinois (1459-1508). Scènes de genre, paysages.

Wuxi ■ Ville de Chine. 800 000 hab. Commerce (riz, soie).

Wuzhou ou **Wuchow** ■ Ville de Chine. 210 000 hab. Goudron.

John **Wyclif** ou **Wycliffe** ■ Théologien anglais (1320-1384). Un des précurseurs de la *Réforme.

le **Wyoming** ■ État de l'ouest des États-Unis. 253 497 km². 485 100 hab. Capitale : Cheyenne. Élevage extensif, forêts. Pétrole.

Stanisław **Wyspiański** ■ Auteur dramatique polonais (1869-1907). *"La Varsovienne"*.

X

Iannis **Xenakis** ■ Compositeur grec naturalisé français (né en 1922). Un des premiers à utiliser l'ordinateur dans la composition. *"Métastasis"*, œuvre pour 61 instruments.

Xénophon ■ Écrivain et chef militaire grec (v. 430 - 352 av. J.-C.). Auteur de traités relatifs à *Socrate dont il fut l'élève *("les Mémorables")*, de récits historiques *("l'Anabase")*, d'ouvrages de philosophie politique et morale.

Xerxès Ier ■ Roi de Perse (v. 510 - 465 av. J.-C.) de 486 à 465 av. J.-C., fils de *Darius Ier. Il battit les Spartiates de *Léonidas aux *Thermopyles en 480 av. J.-C. Mais il fut vaincu à *Salamine. ⇒ **guerres médiques.**

Xiamen ou *Amoy* ■ Petite île et port de Chine, en face de Taiwan. 250 000 hab.

Xi'an ou *Sian,* autrefois *Chang an* ■ Ville de Chine. 2,33 millions d'hab. Ancienne capitale des *Tang. Centre d'industrie textile et chimique. Tourisme : important site archéologique (tombe de *Qin Shi Huangdi).

Xiangtan ■ Ville de Chine. 325 000 hab. Port fluvial important.

Xijiang ou *Si-Kiang* ■ Fleuve de Chine du Sud. 2 100 km.

Xining ■ Ville de Chine. 300 000 hab.

le *Xinjiang* ■ Région autonome du nord-ouest de la Chine, riche en pétrole. 1 646 800 km². 13,44 millions d'hab. Capitale : *Wulumuqi.

Xinxiang ■ Ville de Chine. 250 000 hab.

le *Xizang Zizhiqu* ■ Nom chinois du *Tibet.

Xuanhua ■ Ville de Chine. 140 000 hab.

Xuzhou ou *Süchou* ■ Ville de Chine appelée « la Venise de Chine », à cause de ses nombreux canaux. 1,1 million d'hab.

Y

Kateb **Yacine** ■ ⇒ **Kateb Yacine.**

Yahvé ■ Nom du Dieu d'Israël dans la Bible, révélé à Moïse au Sinaï.

Yale ■ L'une des plus célèbres et anciennes (1701) universités américaines, à New Haven (Connecticut).

Yalta ■ Ville d'U. R. S. S. (*Crimée). Station balnéaire. 65 000 hab. ► *la Conférence de* **Yalta** réunit Roosevelt, Churchill et Staline du 4 au 11 février 1945 pour établir les nouvelles frontières politiques de l'Europe : occupation de l'Allemagne vaincue en quatre zones (soviétique, américaine, britannique et française), fixation des frontières occidentales de l'U. R. S. S. (au détriment de la Pologne), promesse de l'U. R. S. S. d'entrer en guerre contre le Japon, projet de l'*O. N. U.

Yamagata ■ Ville du Japon (*Honshū). 237 000 hab.

Yamaguchi ■ Ville du Japon (*Honshū). 100 000 hab.

Yangquan ■ Ville de Chine. 200 000 hab. Métallurgie.

Yangzhou ■ Ville de Chine. 200 000 hab. Textile.

le **Yangzi Jiang** ou **Yang-tsen-kiang** en français *le fleuve Bleu* ■ Le plus long fleuve de Chine (5 500 km). Né au Tibet, il arrose Wuhan, Nankin et se jette dans la mer de Chine, par un large delta à Shanghai. Trafic intense, rôle économique essentiel.

Yao ■ Ville du Japon (*Honshū). 276 000 hab.

Yaoundé ■ Capitale du *Cameroun. 436 000 hab. Activités tertiaires.

Yatsushiro ■ Port du Japon (*Kyūshū). 102 000 hab.

Yawata ou **Yahata** ■ Ville du Japon. 350 000 hab. Centre sidérurgique de l'île de *Kyūshū.

William Butler **Yeats** ■ Écrivain irlandais (1865-1939). Artisan du renouveau littéraire de son pays, fondateur de l'*Abbey Theater*. Poèmes et pièces de théâtre d'inspiration mystique et folklorique. Prix Nobel 1923.

le **Yémen du Nord** ■ État (république) du sud-ouest de la péninsule arabique, bordé par la mer Rouge. 195 000 km². 7,2 millions d'hab. (les Yémé-

nites). Capitale : Sanaa. Langue : arabe. Monnaie : riyal. Café (base des exportations), élevage ovin. □ *le* **Yémen du Sud**. État (république démocratique et populaire) voisin du précédent, le plus pauvre de la péninsule arabique. 333 000 km². 2,4 millions d'hab. Capitale : Aden. Langue : Arabe. Monnaie : dinar yéménite. Faibles ressources pétrolières. Cultures vivrières.

Yerres ■ Commune de l'*Essonne. 27 000 hab. (les Yerrois).

Alexandre **Yersin** ■ Microbiologiste français (1863-1943). Il découvrit le bacille de la peste (1894).

l'île d'**Yeu** ■ Île française de l'océan Atlantique, au large de la Vendée. 5 000 hab. Chef-lieu : Port-Joinville.

Yezd ■ Ville d'Iran. 136 000 hab. Grande mosquée du XIVᵉ s.

Yingkou ■ Port de Chine. 200 000 hab. Pétrole, textile.

Yokkaichi ■ Ville du Japon (*Honshū). Port pétrolier. 263 000 hab.

Yokohama ■ Le plus grand port du Japon (*Honshū), près de Tōkyō. 3 millions d'hab. Nombreux échanges avec les États-Unis : importation de pétrole, exportation de produits manufacturés.

Yokosuka ■ Port du Japon (*Honshū), au sud de Tōkyō. Chantiers navals. 427 000 hab.

Yonago ■ Ville et port du Japon (*Honshū). 110 000 hab.

Yonkers ■ Ville des États-Unis, faubourg de New York (État de *New York). 195 000 hab.

l'**Yonne** [89] ■ Département français de la région *Bourgogne. Il doit son nom à la rivière qui le traverse. 7 461 km². 311 000 hab. Préfecture : Auxerre. Sous-préfectures : Avallon, Sens.

York ■ Ville d'Angleterre au passé très riche. 105 000 hab. Ancienne colonie romaine. Centre culturel important : son archevêché rivalisa avec celui de *Canterbury. Au Moyen Âge, c'était la 2ᵉ ville du royaume après Londres. Cathédrale remarquable (XIIIᵉ - XVᵉ s.).

les **Yoroubas** n. m. ■ Peuple noir d'Afrique de l'Ouest, dont l'art et la civilisation dominèrent le Nigeria, le Bénin et le Togo actuels du XIIIᵉ au XVIᵉ s.

la **Yougoslavie** ■ État (république socialiste) des Balkans, formé par six républiques fédératives : la Bosnie-Herzégovine, la Croatie, la Macédoine, le Monténégro, la Serbie, la Slovénie. 256 000 km². 23,1 millions d'hab. (*les Yougoslaves,* dont 40 % de Serbes et 23 % de Croates). Langue principale : serbo-croate. Monnaie : dinar. Capitale : Belgrade. Autres villes importantes : Zagreb, Skopje, Sarajevo. Le relief est accidenté, le climat continental et méditerranéen. Les nombreuses richesses minières (bauxite, cuivre, lignite) ont favorisé un essor rapide de l'industrie lourde, dans le cadre d'une économie de type socialiste, tandis que l'agriculture est encore largement dans le secteur privé (céréales, élevage). Tourisme, surtout sur la côte dalmate (Dubrovnik, Split). ◻**HISTOIRE.** Le royaume de *Serbie, agrandi de certains territoires de l'ancien empire austro-hongrois, devint en 1918 le royaume des Serbes, Croates et Slovènes, qui prit le nom de Yougoslavie en 1929. La coexistence des nationalités fut et reste difficile. Alexandre Iᵉʳ instaura une dictature favorable aux Serbes. Les Croates formèrent de 1941 à 1945 un État indépendant, proche de l'Allemagne nazie. Le communiste Tito dirigea la résistance dans le reste du pays, envahi par Hitler en 1941. La république fut créée en 1945, et Tito développa un socialisme original, autogestionnaire, indépendant de l'U. R. S. S. Depuis sa mort (1980), le pouvoir appartient à une présidence collégiale.

Brigham Young ■ Chef religieux américain (1801-1877). Chef des mormons après la mort de *Smith, il fonda *Salt Lake-City.

Edward Young ■ Poète anglais (1683-1765). "*Nuits*".

Youngstown ■ Ville des États-Unis (*Ohio). 115 000 hab. Métallurgie.

Marguerite Yourcenar ■ Écrivaine française (1903-1987). Dans un style pur et dense, elle mêle une exploration érudite de l'histoire et de la culture ; à la recherche d'un perfectionnement intérieur. "*Les mémoires d'Hadrien*" ; "*l'Œuvre au noir*". Première femme à entrer à l'Académie française (1980).

Ypres en néerlandais **Ieper** ■ Ville de Belgique. 34 000 hab. (*les Yprois*). Métropole des Flandres au Moyen Âge, grâce à l'importance de son industrie drapière. Sa situation stratégique lui valut de nombreux sièges et batailles, notamment en 1914-1918 (première utilisation de l'*ypérite*).

Ys ■ Cité légendaire bretonne qui aurait été submergée par les flots (au IVᵉ ou Vᵉ s.).

Yssingeaux ■ Sous-préfecture de la Haute-*Loire. 6 600 hab.

les **Yuan** ■ Dynastie mongole qui régna sur la Chine de 1276 à 1368.

Yuan Shikai ou **Yuan Che-k'ai** ■ Homme d'État chinois (1859-1916). Il obtint de *Sun Yat-Sen la présidence de la république (1912). Sa tentative de restaurer l'empire à son profit (1915) échoua.

le **Yucatán** ■ Presqu'île du Mexique, entre le golfe du Mexique et la mer des Antilles. Ancien centre de la civilisation *maya. Nombreux vestiges : Chichén Itzá, Uxmal, etc.

le **Yukon** ■ Région administrative du Canada, entre les Territoires du *Nord-Ouest et l'Alaska. 483 000 km². 23 000 hab. Climat très rigoureux. Ruée vers l'or v. 1900.

Yutz ■ Commune de la *Moselle. 17 000 hab.

les **Yvelines** [78] ■ Département français de la région *Île-de-France créé en 1964. 1,2 million d'hab. 2 271 km². Préfecture : Versailles. Sous-préfectures : Mantes-la-Jolie, Rambouillet, Saint-Germain-en-Laye.

Yvetot ■ Commune de la *Seine-Maritime. 11 000 hab. (*les Yvetotais*).

Yzeure ■ Commune de l'*Allier. 14 000 hab. (*les Yzeuriens*).

Z

Zaanstad ■ Ville des Pays-Bas. 125 000 hab.

Zabrze ■ Ville de Pologne (Haute-*Silésie). 198 000 hab. Important centre industriel et minier.

Ossip **Zadkine** ■ Sculpteur russe naturalisé français (1890-1967). Il a su concilier la rigueur du *cubisme avec un lyrisme très personnel.

Zagazic ■ Ville d'Égypte, sur le delta du Nil. 203 000 hab.

Zagorsk ■ Ville de l'U. R. S. S. au nord de Moscou. 101 000 hab. Monastère de la Trinité-Saint-Serge (XVᵉ - XVIIIᵉ s.).

Zagreb ■ Ville de Yougoslavie, capitale de la *Croatie. 1,2 million d'hab. *(les Zagrebois).* Centre administratif, culturel et industriel.

le **Zaïre** ancien *Congo belge* puis *Congo-Kinshasa* ■ État (république) de l'Afrique équatoriale, en bordure de l'Atlantique, englobant le bassin du Zaïre. 2,3 millions de km². 32 millions d'hab. *(les Zaïrois).* Capitale : Kinshasa. Langue officielle : français. Monnaie : zaïre. Cultures d'exportation dans les plantations (palmier à huile, café) et agriculture traditionnelle (manioc, riz). Le sous-sol, riche en minerais (cuivre, zinc, or, diamants) a fait naître une industrie de transformation. ▢HISTOIRE. Propriété personnelle de Léopold II de Belgique (1885), le pays devint *colonie du Congo belge* en 1908. Il obtint l'indépendance en 1960. Avec le président Mobutu, au pouvoir depuis 1965, le pays prit le nom de Zaïre en 1971. ▢ *le* **Zaïre** ou *Congo,* fleuve de 4 371 km de long. Énorme potentiel électrique. Pêche.

le **Zambèze** ■ Fleuve du sud de l'Afrique (2 740 km). Chutes spectaculaires. Barrages.

la **Zambie** ■ État du sud de l'Afrique. 752 610 km². 6,6 millions d'hab. *(les Zambiens).* Capitale : Lusaka. Langue officielle : anglais. Monnaie : kwacha. Le cuivre est la principale richesse (90 % des exportations). ▢HISTOIRE. Après avoir été une colonie britannique (sous le nom de *Rhodésie du Nord)* le pays devint indépendant et membre du *Commonwealth en 1964, prenant le nom de Zambie.

Zamboanga ■ Port des Philippines. 344 000 hab. Nacre.

Zanzibar ■ Île de Tanzanie, dans l'océan Indien. 1 658 km². 190 000 hab. Chef-lieu : Zanzibar. Girofliers. Tourisme. Sultanat arabe au XVIIᵉ s.,

protectorat britannique de 1890 à 1963, l'île s'associa au Tanganyika et à l'île de Pemba pour former la république unie de Tanzanie en 1964.

Emiliano **Zapata** ■ Révolutionnaire mexicain (1883-1919). À la tête des paysans, il voulut imposer une réforme agraire, mais fut assassiné sur ordre de *Carranza.

Zapopan ■ Ville du Mexique, banlieue de Guadalajara. 345 000 hab.

Zaporojié ■ Ville de l'U. R. S. S. (*Ukraine). 863 000 hab. Métallurgie.

les **Zapotèques** n. m. ■ Ancien peuple indien du Mexique (vallée d'Oaxaca, IVᵉ s.). Il fut soumis par les Aztèques. Les principaux vestiges de sa civilisation sont à *Monte Albán.

Zarathoustra ou **Zoroastre** ■ Prophète et réformateur religieux de Perse (VIᵉ s. av. J.-C.). ▶ *le zoroastrisme* ou *mazdéisme,* religion dualiste qu'il fonda et dont la doctrine est contenue dans l'*Avesta.

Zaria ■ Ville du Nigeria. 224 000 hab. Ancienne capitale haoussa.

Zarqa ■ Ville de Jordanie. 270 000 hab. Centre industriel.

Zeebrugge ■ Port de Belgique, relié à Bruges par un canal. Station balnéaire. Pêche.

Pieter **Zeeman** ■ Physicien néerlandais (1865-1943). Prix Nobel 1902. *L'effet Zeeman* permet l'étude des niveaux d'énergie des atomes.

la **Zélande** ■ Province des Pays-Bas. 1 785 km². 350 000 hab. *(les Zélandais).* Chef-lieu : Middelburg. Nombreuses îles.

le **zen** ■ École bouddhique dérivée du ch'an chinois et introduite au Japon en 1192. ⇒ **Bouddha.**

Zénobie ■ Reine de *Palmyre de 266 à 272. Elle conduisit Palmyre à son apogée, inquiétant Rome qui la vainquit.

Zénon de Citium ■ ⇒ **stoïcisme.**

Zénon d'Élée ■ Philosophe grec (Vᵉ s.), disciple de Parménide. Paradoxes sur la notion de mouvement et la nature du continu.

Ferdinand von **Zeppelin** ■ Industriel allemand (1838-1917). Il construisit des ballons dirigeables qui portent son nom.

Ernst Zermelo ■ Mathématicien allemand (1871-1953). Axiomatique de la théorie des ensembles.

Zeus ■ Dieu le plus important du Panthéon grec. Dieu de la lumière et de la foudre, il maintient l'ordre et la justice dans le monde. À Rome, il fut identifié à Jupiter.

Zhengzhou ■ Ville de Chine. 766 000 hab. Filatures de coton.

les Zhou ou **Tcheou** ■ Dynastie chinoise qui régna de 1050 à 221 av. J.-C. et organisa un royaume féodal.

Zhou Enlai ■ ⇒ **Chou En-Lai.**

Zhuzhou ■ Ville de Chine. 286 000 hab. Région minière.

Zibo ■ Ville de Chine. Grand centre houiller. 1,2 million d'hab.

Zigong ■ Ville de Chine. 280 000 hab. Centre houiller.

le Zimbabwe ■ État (république) d'Afrique subtropicale. 390 308 km². 8,3 millions d'hab. *(les Zimbabwéens).* Capitale : Harare. Langues : anglais (officielle), shone, ndebele. Monnaie : dollar zimbabwéen. Agriculture diversifiée, ressources minières (chrome, amiante, cuivre, or) et énergétiques (barrage de Kariba). ☐**HISTOIRE.** Le Zimbabwe est issu de l'ancienne colonie anglaise de la Rhodésie (⇒ Cecil **Rhodes**), qui s'était scindée en Rhodésie du Nord et Rhodésie du Sud. Après que la Rhodésie fut devenue la *Zambie, la Rhodésie du Sud, aux mains d'une minorité blanche, proclama son indépendance (1965). Quand les Noirs obtinrent le pouvoir (1980), la république de Rhodésie disparut et l'indépendance du Zimbabwe fut proclamée. Mais le pays reste économiquement lié à l'Afrique du Sud et aux intérêts des Blancs.

Bernd Aloïs Zimmermann ■ Compositeur allemand (1918-1970). Son œuvre mêle le désespoir et le calme mystique. *"Les Soldats",* opéra. Nombreuses compositions pour violoncelle.

Zlatooust ou **Zlatoust** ■ Ville d'U. R. S. S. (*Russie). 201 000 hab. Métallurgie.

le Zohar ■ Traité ésotérique juif du XIIIᵉ s., interprétation mystique du *Pentateuque, ouvrage fondamental de la *Kabbale.

Émile Zola ■ Écrivain français (1840-1902). Journaliste et romancier, il soutint les impressionnistes (Manet) et prit courageusement la défense de Dreyfus dans son article *"J'accuse".* Chef de file du *naturalisme, auteur de la fresque romanesque des *"Rougon-Macquart, Histoire naturelle et sociale d'une famille sous le Second Empire"* (*"l'Assommoir", "Germinal"),* il fut violemment attaqué pour son réalisme sans compromis.

Zoroastre ■ ⇒ **Zarathoustra.**

Zoug en allemand **Zug** ■ Ville de Suisse. 23 000 hab. ☐ *le canton de Zoug.* 239 km². 80 000 hab. Chef-lieu : Zoug.

les Zoulous ■ Peuple de l'Afrique australe, parlant une langue bantoue.

le Zuiderzee ■ Mer intérieure des Pays-Bas (3 500 km²), endiguée en 1932.

les Zuñi n. m. ■ Groupe des Indiens *Pueblos.

Francisco de Zurbarán ■ Peintre espagnol (1598-1664). Subtil coloriste. Sujets religieux traités de manière réaliste et émouvante.

Zurich en allemand **Zürich** ■ Ville de Suisse. 351 000 hab. *(les Zurichois).* Située sur le *lac de Zurich,* 89 km². Principal centre industriel et financier du pays. ☐ *le canton de Zurich.* 1 729 km². 1,28 million d'hab. Chef-lieu : Zurich.

Stefan Zweig ■ Écrivain autrichien (1881-1942). L'analyse psychologique, l'étude des motivations humaines sont au cœur de son œuvre. Nouvelles *("la Confusion des sentiments"),* biographies romancées (*"Marie-Antoinette").*

Zwickau ■ Ville de R. D. A. 120 000 hab.

Ulrich Zwingli ■ Réformateur religieux suisse (1484-1531). Ses idées ont influencé *Calvin.

chronologie

Cette chronologie tente la mise en perspective de données historiques et culturelles. L'information est répartie en cinq colonnes, autour de la mention d'événements politiques, militaires et sociaux.

On trouvera la religion et la philosophie (puis, à partir du XIXᵉ siècle, les sciences humaines), les techniques et les sciences, la littérature, les arts et la musique.

À la lecture horizontale des événements simultanés qui révèle l'unité (parfois hasardeuse) d'un moment, on peut ajouter la lecture verticale et historique ; on pourra aussi pratiquer une lecture qui met en rapport des domaines entre eux ; ainsi, au XVIᵉ siècle, le politique (Henri VIII, Charles Quint, la Saint-Barthélemy...) ne se dissocie pas du religieux (la Réforme), de la littérature (Clément Marot) ou des arts (Dürer).

Le lecteur est invité à se reporter, pour plus de détails, aux articles du dictionnaire des noms propres. Cependant, certains noms moins importants figurent ici à titre complémentaire et ne sont pas repris dans le dictionnaire.

I. LE PALÉOLITHIQUE (– 6 000 000 à – 11 000)

– 6 000 000	Apparition des premiers hominidés, les *australopithèques* (ils disparaissent v. – 1 000 000).
– 2 500 000	*Homo habilis* : premiers outils (galets taillés).
– 1 800 000	*Homo erectus* : position debout.
– 1 500 000	Dissémination : présence attestée en Europe, et non plus seulement en Afrique, comme pour les précédents.
– 1 100 000	Premiers bifaces (outils obtenus en taillant un galet sur les deux faces) ; ils n'apparaîtront en Europe que v. – 700 000.

le paléolithique inférieur
de – 6 000 000 à – 100 000

– 600 000	Maîtrise du feu ; début de la chasse aux grands animaux (nécessitant une organisation).
– 300 000	Présence attestée en Indonésie, en Asie (*sinanthropes*).
– 250 000	Évolution de l'outillage : le galet est taillé en fonction d'une forme prédéterminée.
– 200 000	*Homo erectus presapiens* : boîte crânienne de 1 200 cm³, transition entre l'*homo erectus* (825 cm³) et l'*homo sapiens* (1 500 cm³, soit notre capacité actuelle).
– 130 000	Apparition de la cabane, d'un habitat construit remplaçant les abris naturels.

le paléolithique moyen
de – 100 000 à – 35 000

– 80 000	*Homo sapiens neandertalensis* ou *homme de Neandertal* ; premières sépultures : le rapport à la mort marque la naissance de la religion ; outillage plus varié et plus fonctionnel (lames, pointes, racloirs).
– 50 000	*Homo sapiens sapiens* (humain actuel) ; présence de l'homme attestée en Australie, en Sibérie (en Amérique v. – 23 000).

le paléolithique supérieur
de – 35 000 à – 11 000

– 35 000	Nouveaux outils, en matières animales dures (os, ivoire, bois de cerf) ; c'est l'époque, entre autres types, de l'homme de Cro-Magnon.
– 30 000	Naissance de l'art.
– 25 000	Sculpture des « Vénus », statuettes féminines aux traits sexuels accentués.
– 15 000	Extension de la chasse aux petits animaux (oiseaux, poissons), liée à des progrès techniques (invention de l'arc). Peintures de Lascaux. Outils et sculptures en os du magdalénien.

II. LE NÉOLITHIQUE (– 11 000 à – 3 000)

> **MÉSOLITHIQUE, NÉOLITHIQUE, PROTOHISTOIRE**
>
> Les changements qui caractérisent la « révolution néolithique » n'ont pas affecté au même moment tous les endroits du globe. Aussi distingue-t-on une période de transition entre le *paléolithique* (ou *âge de la pierre taillée*) et le *néolithique* (ou *âge de la pierre polie*) : le *mésolithique*, période moyenne *(méso-)* de l'âge de la pierre.
>
> De même, l'histoire n'a pas commencé partout au même instant. La découverte de l'écriture (v. – 3 000) est parallèle aux « âges des métaux » : le cuivre, puis le bronze (jusque v. – 1 500), enfin le fer (jusque v. – 600) ; on appelle *protohistoire* ce moment des civilisations qui, bien que contemporaines de l'écriture, ne l'ont pas connue – période se situant entre la préhistoire et l'histoire.

– 11 000	Sédentarisation, formation de villages, début de la cueillette et du stockage des denrées. Apparition de la céramique au Japon.
– 10 000	En Syrie-Palestine, premiers villages circulaires. Début de l'agriculture et de la domestication des animaux (le chien). Pierres polies, notamment pour des parures.
– 8 000	« Révolution néolithique » en Syrie et Palestine : premières céréales ; tissus, vannerie ; techniques médicales (trépanation) ; techniques de construction (fortifications de Jéricho, l'une des plus anciennes villes connues) ; perfectionnement des outils.
– 7 000	Domestication de la chèvre et du mouton, puis (– VIIᵉ millénaire) du bœuf.
– 6 000	Établissements néolithiques là où apparaîtront les premières grandes civilisations : au bord de l'Indus, du Tigre et de l'Euphrate, du Nil.
– 5 500	Dans les Andes, en Grèce, début du néolithique. En Anatolie, début de la métallurgie du cuivre.
– 4 500	Premiers dolmens et menhirs, sur la façade atlantique de l'Europe.
– 4 000	Invention de la roue en Mésopotamie, développement rapide de la poterie au tour ; premières villes sumériennes. Cultures du riz et du millet en Chine. Âge du cuivre en Grèce.
– 3 500	Domestication du cheval.
– 3 000	Naissance de l'écriture à Sumer : commencement de l'histoire. L'Europe, l'Asie centrale passent progressivement à l'âge du bronze ; le fer apparaît en Anatolie.

RELIGION – PHILOSOPHIE

–3000

v. – 3000 Le polythéisme et l'animisme dominent la vie religieuse de l'humanité. Panthéon à Sumer. En Égypte, premier pharaon, adoré comme le fils du Soleil.

v. – 2600 À Sumer, premiers textes religieux connus.

v. – 2300 Empire d'Akkad : essors politique et culturel vont de pair.

–2001

================ **xxᵉ siècle – xvɪᵉ siècle av. J.-C.** ================

–2000

v. – 2000/v. – 600 En Inde, rédaction des Védas, textes sacrés de l'hindouisme.

v. – 1780 Développement de la pensée religieuse à Babylone : textes sumériens et akkadiens.

–1501

================ **xvᵉ siècle – xɪᵉ siècle av. J.-C.** ================

–1500

v. – 1500 La religion égyptienne reste étroitement liée au gouvernement des pharaons : culte d'Amon à Karnak.

–1351

HISTOIRE POLITIQUE

v. – 3000 Naissance de l'écriture à Sumer. Essor de la civilisation de l'Indus, des civilisations du Croissant fertile. Premier pharaon en Égypte.

v. – 2800 Développement de Suse, dont le réseau commercial s'étend de l'Égypte à l'Indus. Nombreux échanges entre la Palestine et l'Égypte : le tracé de la route qui relie ces deux régions n'a pas varié depuis 5000 ans. Essor probable de la ville de Troie. Développement de la civilisation d'Élam.

v. – 2500 Installation des premières dynasties d'Ur et de Lagash : construction de nombreux monuments liés aux pouvoirs temporel et spirituel des rois.
– 2350 Akkad : le roi Sargon Iᵉʳ entreprend de nombreuses conquêtes. L'akkadien devient la langue diplomatique du Proche-Orient.
v. – 2300 Installation des peuples indo-européens en Asie Mineure. Naissance de la civilisation hittite.

v. – 2065 Égypte : début du Moyen Empire. Creusement d'un canal du Nil à la mer Rouge.

v. – 2000 Les Indo-Européens, originaires de l'est de l'Europe, du sud de la Russie et du Kazakhstan, se divisent en peuples distincts et envahissent le Proche-Orient (invasions hourrites en Mésopotamie, essor de la civilisation assyrienne) ainsi que le nord de l'Inde. Leur arrivée en Europe y marque le début de l'âge du bronze.
v. – 1900 Arrivée des Indo-Européens en Grèce. Ils apportent le cheval.
v. – 1785 Égypte : invasion des Hyksos, peuple d'origine asiatique.
v. – 1770 Première civilisation chinoise : naissance de l'art du bronze, connaissance de l'écriture.
v. – 1750 Destruction de la civilisation de l'Indus. Hammourabi met fin au règne des cités-États et fait de la Mésopotamie un royaume avec Babylone pour capitale.
v. – 1650 Apparition de la brillante civilisation de Mycènes. La marine crétoise domine la Méditerranée. (La légende de Minos, et du tribut que lui verse Athènes, est un souvenir de cette puissance.)
v. – 1580 Égypte : le Nouvel Empire. Politique de conquête (Nubie, Syrie, Euphrate).
v. – 1530 Prise et occupation de Babylone par les Kassites.

v. – 1500 Invasions aryennes dans l'Inde du Nord. Elles repoussent les populations dravidiennes vers le sud.

v. – 1380 Extension maximale de l'Empire hittite, jusqu'en Égypte. Relation avec les Achéens.
v. – 1375 Égypte : avènement d'Aménophis IV.

SCIENCES – TECHNIQUES

v. – 3000 L'écriture à Sumer ; cités-États, calendrier lunaire. En Égypte, où se développe une importante économie agricole, calendrier solaire de 365 jours.

v. – 2600 En Égypte, premières pyramides de pierre. Civilisation de l'Indus : céréales et coton ; outils de cuivre et de bronze ; importantes cités (constructions en brique).
v. – 2500 Développement du commerce en Mésopotamie. Apparition des bateaux de mer égyptiens.

v. – 2200 Domestication du cheval pour l'attelage.

v. – 2000 Tablettes astronomiques assyriennes.

v. – 1760 Avènement d'Hammourabi à Babylone : développement des institutions (célèbre Code de lois) et des techniques.

v. – 1500 Développement des échanges : entre l'Égypte et l'Afrique noire, entre l'Inde et le Proche-Orient. Les Hittites travaillent le fer.
v. – 1400 Apogée de l'art chinois du bronze.

LITTÉRATURES

v. – 1700 Cycles des poèmes de Gilgamesh en Mésopotamie.

ARTS – MUSIQUE

v. – 3000 Égypte : prépondérance des artistes de Memphis ; peintures dans les tombeaux ; progrès de l'architecture.
v. – 2800 Pyramide à degrés de Saqqarah, par Imhotep, le premier architecte connu. Première utilisation de la pierre qui remplace la brique. Sumer : construction de la première ziggurat (tour à étages).
v. – 2700 Début de l'âge des grandes pyramides. Construction des plus anciens temples connus. Premiers « scribes accroupis ». La pyramide classique remplace la pyramide à degrés : les premières sont celles de Khéops, Képhren et Mykérinos. Construction du Sphinx de Gizeh.
v. – 2500 La colonne cylindrique à chapiteau apparaît.
v. – 2400 Début de la construction de l'ensemble mégalithique de Stonehenge.

v. – 2200 Égypte : fin de l'âge des pyramides. Début des hypogées : les plus célèbres sont ceux de la vallée des Rois et ceux de la vallée des Reines.

v. – 1900 Apogée de l'art crétois.

v. – 1504 Temple d'Hatchepsout à Deir el-Bahari.

v. – 1500 Inde : prédominance du bas-relief, qui illustre les faits royaux. Développement de l'art de l'ivoire.
v. – 1400 Début de la construction des temples de Louxor et de Karnak ; commencé sous le règne d'Aménophis III, l'ensemble est achevé sous Ramsès II.
v. – 1365 Grand temple d'Aton à Tell el-Armana. Bustes de Néfertiti.

–3000

–2001

–2000

–1501

–1500

–1351

RELIGION – PHILOSOPHIE

–1350 **v. – 1350** En Égypte, réforme religieuse d'Akhnaton : culte monothéiste d'Aton.

v. – 1260 Exode des Hébreux : guidés par Moïse, ils quittent l'Égypte et atteignent la « terre promise » en Palestine ; thème de « l'Alliance » entre un peuple et son Dieu.

v. – 1120 *Poème de la création*, grand texte religieux babylonien.

–1001

–1000 **v. – 1000** Âge d'or du royaume de Jérusalem, sous l'autorité de David ; la tradition biblique en fera l'auteur des *Psaumes* et attribuera à son fils Salomon *l'Ecclésiaste, le Cantique des cantiques* et *la Sagesse* ; sous le règne de Salomon sont rédigés les plus anciens textes bibliques.

v. – 800 Apparition de la cité en Grèce : élaboration d'une mythologie (Homère, Hésiode).

– 721 Annexion du royaume d'Israël par l'Assyrie, difficile survie du royaume de Juda : prophétie d'Isaïe.
– 622 Découverte à Jérusalem du « livre de la loi » : début de l'élaboration de la Torah (le Pentateuque pour les chrétiens).
v. – 600 Religion dualiste de Zoroastre (ou Zarathoustra) en Perse.

– 587 Prophétie de Jérémie aux Juifs.

HISTOIRE POLITIQUE

v. – 1300 Europe : début de la migration des peuples de la civilisation des « champs d'urnes », caractérisée par la crémation des morts, vers le sud, la Grèce puis l'Asie Mineure et l'Égypte. Liée sans doute à ces migrations, construction des fortifications mycéniennes, composées de blocs énormes pesant plusieurs tonnes. La civilisation mycénienne est mise dans les documents diplomatiques sur le même plan que les Empires hittite, égyptien et assyrien. Formation de l'essentiel des récits qui donneront naissance à l'épopée homérique.

v. – 1200 Disparition brutale de l'Empire hittite. Grèce : invasions doriennes qui entraînent la disparition de la civilisation mycénienne (disparition du commerce et de l'écriture). Égypte : les Peuples de la Mer ravagent le delta du Nil. Disparition de la civilisation crétoise. Époque de la guerre de Troie. Installation des Philistins en Palestine.
v. – 1137 Nabuchodonosor Ier redresse la situation de Babylone.

v. – 1000 David, roi d'Israël. Conquête de Jérusalem, qui devient cité royale et capitale religieuse. L'empire s'étend de la frontière égyptienne à l'Euphrate. Inde : formation d'une société de castes fondée sur les textes des *Veda*.
v. – 974 Israël : Salomon, roi.

– 926 Division de la Palestine en deux royaumes : Israël et Juda.
– 900 En Italie : installation des Étrusques, arrivant d'Asie Mineure.
– 814 Fondation de Carthage.
v. – 800 Essor du royaume de Lydie. Opposition entre l'Attique, peuplée d'hommes libres, descendants des Achéens et Sparte, centre d'origine dorienne, fondé sur le travail des ilotes, les esclaves de l'État.
v. – 772 Chine : période des « Printemps et Automnes », troublée par les luttes intestines.
– 753 Date légendaire de la fondation de Rome par Romulus. Établissement de la royauté.
– 750 Les Scythes envahissent l'Asie Mineure, l'Europe centrale et l'Italie : ils transmettent de nombreux éléments des civilisations du Proche-Orient, notamment de nouvelles techniques guerrières.
– 721 Samarie est prise par Sargon II : fin du royaume d'Israël.

– 612 Les Mèdes et les Babyloniens s'emparent de Ninive : fin de l'Empire assyrien et essor de la puissance mède.
– 600 Expansion étrusque en Italie. Fondation de Massilia (Marseille) par les Phocéens.
– 594 Athènes : réforme sociale de Solon.
– 587 Prise de Jérusalem par Nabuchodonosor. Fin du royaume de Juda. Exil des Juifs à Babylone.

– 561 Athènes : Pisistrate s'empare du pouvoir.

SCIENCES – TECHNIQUES	LITTÉRATURES	ARTS – MUSIQUE

–1350

v. **–1343** Trésor de la tombe de Toutânkhamon, dans la vallée des Rois.

v. **–1300** Début de la construction du temple d'Abou Simbel.

v. **–1300** Domestication du cheval pour la monte. En Égypte, canal creusé entre la Méditerranée et la mer Rouge.

v. **–1100** En Syrie-Palestine, apparition de l'écriture alphabétique, répandue ensuite par les Phéniciens. En Grèce, céramiques, et apparition du fer.

–1001

–1000

v. **–970** Début de la construction du temple de Jérusalem.

v. **–900** Alphabets dérivés du phénicien ; hébreu, araméen, grec (introduit les voyelles).

v. **–800** Premières cités en Grèce.

v. **–800** Des poètes parcourent les villes ioniennes d'Asie Mineure pour chanter les exploits de héros légendaires.

> L'invention tardive d'un système de notation musicale explique que nous ne connaissions pas les œuvres musicales de l'Antiquité. La musique de la Grèce ancienne était monodique ; le chant, son mode d'expression naturel, bientôt accompagné par des instruments à cordes (lyre, cithare) et à vent (syrinx, aulos).

v. **–750** En Grèce, progrès de la technique du bronze (chaudrons, bijoux, statuettes) ; les cités fondent leurs premières colonies.

v. **–750** Les traditions orales donnent naissance aux premières œuvres littéraires : l'Iliade, épopée attribuée à un auteur à demi mythique, Homère ; les poèmes d'Hésiode.

v. **–700** L'Odyssée, épopée attribuée à Homère.

v. **–650** Le roi Assurbanipal constitue à Ninive la plus célèbre des bibliothèques (maison où sont réunies des tablettes) de Mésopotamie.

v. **–700** Naissance de la grande statuaire, d'inspiration égyptienne. Premiers bas-reliefs. Fixation de la forme du temple (la colonne en est l'élément caractéristique).

v. **–605** Reconstruction de Babylone : les jardins suspendus de Sémiramis (une des Sept Merveilles du monde), la porte d'Ishtar, la ziggourat à sept étages (tour de Babel), murailles.

v. **–600** Enseignement de Thalès à Milet : début d'une astronomie distincte de l'astrologie, exigence de démonstration en géométrie. En Chine, développement des institutions : apparition d'un droit écrit.

v. **–600** Épanouissement et prestige de la poésie lyrique : Alcée, Sapho, poète et poétesse de Lesbos, Archiloque célèbre pour ses iambes, Anacréon, pour ses odes.

v. **–570** Apparition de l'ordre ionique en Grèce, qui coexiste avec l'ordre dorique, plus ancien. L'ordre corinthien apparaîtra à la fin du Ve s. av. J.-C. et sera surtout utilisé par les Romains.

–551

RELIGION – PHILOSOPHIE

– 550 **v. – 550** À Crotone, enseignement initiatique de Pythagore (qui inclut les mathématiques).

v. – 520 Prédication de Bouddha en Inde. Répression du zoroastrisme en Perse.
– 515 Construction du second Temple à Jérusalem.

– 501

━━━━━━ Vᵉ siècle av. J.-C. ━━━━━━

– 500 **v. – 500** Les « physiciens » grecs, à la fois poètes et philosophes, marquent les débuts de la pensée spéculative occidentale (Héraclite, Parménide). En Chine, enseignement de Lao Tseu (taoisme) et de Confucius.

v. – 450 En Grèce, enseignement des sophistes : humanisme, approche critique du discours ; Périclès encourage à Athènes le travail intellectuel (Anaxagore) ; enseignement d'Empédocle ; rédaction des *Histoires* d'Hérodote.

v. – 420 Enseignement de Démocrite à Athènes.

– 404 *Histoire de la guerre du Péloponnèse* de Thucydide : comment la volonté humaine et non divine est à l'origine des événements historiques.
– 401

━━━━━━ IVᵉ siècle av. J.-C. ━━━━━━

– 400 **v. – 400** Réforme d'Esdras à Jérusalem : la Torah fixée et imposée comme loi d'État.
– 399 Condamnation à mort de Socrate pour athéisme ; son élève Platon en fera dans ses écrits la figure exemplaire et initiale de la philosophie. Le IVᵉ s. av. J.-C. est le grand siècle philosophique **– 391** d'Athènes.

HISTOIRE POLITIQUE

– 546 Crésus est vaincu par Cyrus II : l'Empire perse soumet et administre l'Asie Mineure, puis l'Iran et l'Égypte.
– 539 Mésopotamie : chute de Babylone prise par Cyrus le Grand ; début de la domination perse en Orient.

– 509 Proclamation de la république romaine.
– 508/– 507 Réforme de Clisthène à Athènes, préparation à la mise en place de la démocratie.

– 499 Révolte des cités grecques d'Ionie contre les tyrans installés par les Perses : début de la première guerre médique.
– 490 Défaite des Perses, menés par Darius contre les Grecs, à Marathon.
– 480 Seconde guerre médique : victoire de Xerxès aux Thermopyles (défendues par Léonidas). Incendie d'Athènes. Victoire navale des Grecs, menés par Thémistocle, à Salamine. Cet échec des Perses marque le début de leur déclin.
– 472 Athènes étend sa domination sur les autres cités grecques (ligue de Délos).

– 443 Périclès élu stratège d'Athènes. Il le restera jusqu'à sa mort (– 429).
– 431 Grèce : début de la guerre du Péloponnèse (jusqu'en – 404) ; elle oppose Sparte à Athènes.

– 404 Fin de la guerre du Péloponnèse : déclin d'Athènes.
– 403 Chine : début de la période des « Royaumes combattants » ; rivalités politiques et effervescence intellectuelle et culturelle.

SCIENCES – TECHNIQUES	LITTÉRATURES	ARTS – MUSIQUE	
			– 550

v. – 550 École de Pythagore, dans la Grande-Grèce (Crotone) : géométrie, mystique du nombre.

v. – 530 La céramique grecque, décorée de figures, domine toute la Méditerranée.

– 502 Premières grandes *Odes pythiques* de Pindare. Le VIᵉ s. av. J.-C. voit progresser la prose : *Fables* d'Ésope, écrits des philosophes.

v. – 500 Usage de la monnaie en Inde, en Chine, autour de la Méditerranée : intensification du commerce et des échanges, croissance démographique. Civilisation du fer (Hallstatt) chez les Celtes. Civilisations du bronze en Asie. En Amérique centrale, calendrier et mathématiques olmèques. En Grèce, « physique » des présocratiques.

v. – 500 Pétra, capitale des Nabatéens : développement d'une architecture rupestre exceptionnelle. Palais et tombe de Darius à Persépolis : frises sculptées (*le Défilé des tributaires*).

– 472 Triomphe des *Perses* d'Eschyle. C'est le siècle où la littérature classique grecque est à son apogée : la tragédie, institution sociale à Athènes (concours de tragédies organisés par l'État), prend le relais de l'épopée. L'éloquence, la philosophie et l'histoire acquièrent leur forme définitive.

– 461 Réforme des institutions d'Athènes.

– 460 Premières tragédies de Sophocle.

– 458 *L'Orestie* d'Eschyle.

v. – 450 À Rome, mise par écrit du droit : les Douze Tables. Paradoxes de Zénon d'Élée. Développement des machines simples : vis, poulie (Archytas de Torente). Machines de guerre à Syracuse : la première artillerie.

– 444 En Chine, calcul de l'année solaire.

v. – 420 Démocrite professe l'atomisme.

v. – 450 Épanouissement de l'art classique grec : recherche de l'harmonie, de l'équilibre et de la pureté. Le temple est la forme la plus achevée de l'architecture : Parthénon (– 447/– 432) à Athènes par Phidias. L'Agora, caractéristique de l'organisation de la cité, prend sa forme régulière à la fin du IVᵉ s. av. J.-C. Théâtres (Delphes). Fortifications. En sculpture, recherche des justes proportions (le « canon » de Polyclète, illustré par *le Diadumène*, – 430) et du type universel (*l'Aurige de Delphes*, – 474). Statues de dieux incrustées de matières précieuses (*Zeus* à Olympie, – 430 et *Athéna Parthénos* – 432 par Phidias). Frises sculptées (*les Panathénées* par Phidias, – 442/– 438). En peinture, Polygnote introduit la distinction des plans.

– 442 *Antigone* de Sophocle.

v. – 425 *Œdipe roi* de Sophocle.

– 423 Aristophane raille les philosophes dans *les Nuées*.

– 415 *Les Troyennes* d'Euripide.

– 414 *Les Oiseaux*, comédie d'Aristophane.

– 413 *Électre* d'Euripide.

– 405 *Les Bacchantes* d'Euripide ; *les Grenouilles* d'Aristophane.

v. – 400 L'enseignement d'Hippocrate marque la naissance de la médecine occidentale.

v. – 400 Le *Mahabarata*, épopée indienne (jusque v. 400 apr. J.-C.).

RELIGION – PHILOSOPHIE

– 390

– 387 Platon fonde son école, l'Académie ; son œuvre deviendra, avec celle d'Aristote, une référence obligée pour la pensée occidentale : idéalisme platonicien. Développement de l'école rivale des Cyniques.

v. – 335 Aristote, ayant fait la critique de son maître Platon, fonde sa propre école : le Lycée ; démarche encyclopédique.

– 301

==================== IIIᵉ siècle av. J.-C. ====================

– 300 **v. – 300** En Chine, l'enseignement de Mengzi infléchit le confucianisme vers l'économie, la chose publique. La conquête d'Alexandre a permis autour de la Méditerranée la rencontre des pensées grecques et orientales, le développement de l'hellénisme ; naissance de l'épicurisme (Épicure) et du stoïcisme. **– 270** Le zoroastrisme, religion d'État en Perse.

– 205 Introduction du culte oriental de Cybèle à Rome ; les Romains ont une religion composite : ils ont adapté le panthéon grec dès le Vᵉ s. av. J.-C.

– 201

==================== IIᵉ siècle av. J.-C. ====================

– 200 **v. – 200** Élaboration, dans le milieu juif hellénisé d'Alexandrie, d'une version grecque de la Bible : la Septante. Elle intégrera des textes écrits directement en grec, dont la *Sagesse* (v. 50 av. J.-C.), le livre le plus récent de l'Ancien Testament.

v. – 160 Rédaction des *Histoires* par
– 151 Polybe.

HISTOIRE POLITIQUE

– 390 Les Celtes de la vallée du Pô, commandés par Brennus, occupent et incendient Rome (sauf le Capitole, sauvé par les oies sacrées).
– 371 Grèce : victoire d'Épaminondas sur Sparte et Athènes : Thèbes étend son hégémonie sur la Grèce.

– 338 Chéronée : victoire de Philippe de Macédoine sur les cités grecques. Préparation de l'invasion de l'Empire perse. Les Romains sont maîtres du Latium.
– 334 Alexandre franchit l'Hellespont avec 37 000 hommes. Victoire du Granique sur Darius III.
– 331 Alexandre occupe l'Empire perse.
– 323 Égypte : dynastie des Ptolémées. Mésopotamie : mort d'Alexandre à Babylone.

– 313 Chandragupta Maurya, premier empereur de l'Inde.
– 311 Séleucos Iᵉʳ Nikator reçoit la Babylonie et fonde la dynastie des Séleucides.

– 282 Fondation du royaume hellénistique de Pergame.
– 275 Bataille de Bénévent : Pyrrhus, qui tente d'envahir le centre de l'Italie, est vaincu par Rome, qui contrôle toute l'Italie.
– 264 Début de la première guerre punique.

– 250 Arsace Iᵉʳ fonde la dynastie des Parthes arsacides.
– 241 Défaite de Carthage. Rome annexe la Sicile.

– 221 Qin Shi Huangdi, premier empereur de Chine ; la dynastie des Qin mettra en place la première unification politique et administrative ; début de la construction de la Grande Muraille, pour protéger le pays des invasions barbares.
– 218 L'expansion carthaginoise en Espagne provoque la seconde guerre punique.
– 217 Menés par Hannibal, les Carthaginois passent les Alpes avec leurs éléphants. Défaite romaine au lac Trasimène.
– 216 Défaite romaine à Cannes, en Italie méridionale. Néanmoins, le manque de renforts ne permet pas à Hannibal de marcher sur Rome.
– 215 Début de la première guerre de Macédoine.

– 206 Chine : dynastie des Han (jusqu'en 220).

– 202 Scipion l'Africain défait les Carthaginois à Zama.

– 200 Début de la seconde guerre de Macédoine.
– 197 Bataille de Cynoscéphales : victoire de la légion romaine, plus mobile, sur la phalange macédonienne.
– 192 Le Séleucide Antiochos III le Grand occupe la Grèce.

– 167 Palestine : révolte des Maccabées contre les Séleucides.

SCIENCES – TECHNIQUES	LITTÉRATURES	ARTS – MUSIQUE

– 390

v. – 380 À Athènes, développement des sciences autour de Platon ; les géomètres Théétète et Eudoxe sont ses disciples.

v. – 350 Traités scientifiques d'Aristote : analyse du langage (logique), sciences de la nature et de la vie. Métallurgie du fer en Afrique noire.

v. – 335 Physique atomiste d'Épicure. Le savant grec Héraclide du Pont émet l'hypothèse que la terre tourne sur elle-même.

v. – 340 Époque hellénistique en Grèce : goût du colossal (*colosse de Rhodes*, – 280) ; tendance lyrique en sculpture (*Victoire de Samothrace*, – 200) ou classique (*Vénus de Milo*, v. – 100). Apelle, peintre officiel d'Alexandre.

– 312 Les ingénieurs romains entreprennent la construction de routes stratégiques. Premier aqueduc romain.

– 315 *Première Philippique* de Démosthène : l'art de l'éloquence.

v. – 310 Principales comédies de Ménandre.

v. – 320 Âge d'or de la sculpture indienne, qui diffuse ses modèles dans l'Asie bouddhiste.

– 301

v. – 300 Naissance de l'école d'Alexandrie : en géométrie, les *Éléments* d'Euclide donnent le modèle de l'exposition mathématique, à partir de définitions, de postulats et d'axiomes ; en astronomie, début d'une lignée prestigieuse (Aristarque, Ératosthène, Hipparque) qui aboutira près de cinq siècles plus tard à Ptolémée.

v. – 250 Chrysippe développe la logique stoïcienne.

v. – 300 *Les Caractères* de Théophraste, étude des types moraux.

v. – 275 *Hymne à Zeus* de Callimaque.

v. – 250 *Les Idylles* de Théocrite.

– 240 Un ancien esclave fait représenter à Rome une pièce traduite du grec : naissance de la littérature latine.

– 220 *Les Argonautiques* d'Apollonios de Rhodes.

v. – 300 (jusqu'en 250) Les Mayas construisent leurs premières pyramides ; ils commencent à utiliser la voûte en encorbellement, typique de leur architecture.

v. – 285 Le phare d'Alexandrie, une des Sept Merveilles du monde.

v. – 256 Grande statuaire en Chine. Bas-reliefs.

v. – 220 La Grande Muraille de Chine.

– 300

– 212 Mort du grand savant Archimède au siège de Syracuse, qui grâce à ses inventions avait résisté trois ans aux Romains.

– 201

v. – 200 Apparition du moulin à eau (Chine, bassin Méditerranéen).

v. – 200 *Le Soldat fanfaron*, comédie de Plaute ; *les Annales*, épopée à la gloire de Rome, par Quintus Ennius, le « père » de la poésie latine.

v. – 189 *Amphitryon*, comédie de Plaute.

v. – 161 *L'Eunuque*, comédie de Térence.

– 200

– 151

– 150

RELIGION – PHILOSOPHIE

HISTOIRE POLITIQUE

– 146 Fin de la troisième guerre punique : ruine définitive de Carthage. La Grèce et la Macédoine deviennent des provinces romaines.

– 144 Arrivée des Parthes à Babylone : l'effacement politique de la Mésopotamie.

– 133 Après la conquête de l'Espagne, les Romains sont maîtres de toute la Méditerranée (« Mare nostrum »). Les frères Gracchus tentent une réforme agraire.

– 112 Rome : guerre contre le roi numide Jugurtha, qui menace les provinces romaines d'Afrique.

– 107 Marius nommé consul.

– 101

1ᵉʳ siècle av. J.-C.

– 100 v. **– 100** Apparition de la secte juive des Esséniens. On découvrira en 1947 dans leur monastère de Qumran, près de la mer Morte, les plus anciens manuscrits connus de la Bible. Ils semblent avoir été proches des premiers chrétiens.

– 100 Chine : Les Han font la conquête de l'Asie centrale ; les peuples chassés se déplacent vers l'ouest et avancent jusqu'aux limites de l'Empire romain. Mexique : civilisation olmèque.

– 90 Rome : la loi Julia permet aux alliés italiens de Rome d'obtenir le droit de cité.

– 82 Rome : Sylla au pouvoir.

– 73 Révolte des esclaves menés par Spartacus.

– 70 Rome : début de l'affaire Verrès, plaidée par Cicéron.

– 66 Mithridate VI est vaincu par Lucullus et par Pompée.

v. **– 65** Chine : la première communauté bouddhique.

– 64 Annexion de la Syrie par les Romains : fin de l'Empire séleucide.

– 63 Rome : conjuration de Catilina.

– 60 Premier triumvirat : Crassus, Pompée, César.

– 58 Début de la conquête des Gaules par César.

– 54 César conquiert l'Angleterre.

– 53 Mort de Crassus vaincu par les Parthes.

– 52 Vercingétorix, vaincu par César, fait sa reddition à Alésia.

– 49 César franchit le Rubicon avec son armée et déclenche une guerre civile à Rome.

– 48 Bataille de Pharsale : défaite de Pompée, principal adversaire de César, désormais maître de l'empire.

v. **– 50** Crise de l'idéologie républicaine à Rome ; œuvre politique et philosophique de Cicéron : éclectisme, primat des valeurs civiques, éloquence de l'argumentation.

– 44 César est assassiné, alors qu'il allait recevoir le titre de roi.

– 43 Second triumvirat : Octave, Antoine, Lépide.

– 31 Bataille d'Actium. Suicides d'Antoine et de Cléopâtre.

– 27 Octave reçoit le titre d'Auguste, jusque-là réservé aux dieux : début de l'idéologie impériale à Rome ; Auguste recevra le titre de « grand pontife » en 12 av. J.-C.

– 27 Octave reçoit le titre d'Auguste.

SCIENCES – TECHNIQUES	LITTÉRATURES	ARTS – MUSIQUE	
			– 150

v. – 150 Hipparque construit les premiers astrolabes ; pour les besoins de l'astronomie il élabore la trigonométrie.

– 149 Mort de Caton le Censeur, le premier prosateur latin : il écrit *De l'agriculture* en latin et non en grec.

– 145 Construction, à Rome, du premier théâtre sur le modèle grec (signe de l'influence des familles nobles, très hellénisées).

– 101

– 100

– 70 *Les Verrines*, discours prononcés par Cicéron contre Verrès : depuis la seconde moitié du IIᵉ s. av. J.-C., l'éloquence connaît son âge classique.

– 55 Cicéron édite le *De natura rerum* de Lucrèce.

– 60 Poèmes élégiaques et épigrammes satiriques de Catulle, qui prend la tête des « nouveaux poètes ».

v. – 50 Œuvre encyclopédique de Varron. La charrue gauloise est utilisée dans la plaine du Pô.

– 51 *Commentaire sur la guerre des Gaules* de César : succès du genre historique.

v. – 50 Épanouissement de l'art romain (jusqu'à la fin du IIᵉ s.). L'architecture, considérée comme un instrument de domination, est imposante. Le Forum se couvre d'édifices (temples, basiliques, curie).

– 48 Incendie de la bibliothèque d'Alexandrie.

– 45 César promulgue la réforme du calendrier (calendrier julien, légèrement modifié en 1582 pour devenir le calendrier actuel).

– 45 Varron est chargé par César d'organiser les bibliothèques de Rome.

– 44 *La Guerre civile* de César. Après l'assassinat de César, Salluste se retire de la vie politique et se consacre à l'histoire.

– 43 Assassinat de Cicéron, sur l'ordre d'Antoine.

– 42 Composition des *Bucoliques* de Virgile (jusqu'en – 38).

– 33 Horace reçoit de Mécène, son protecteur, une villa : il y écrira la plupart de ses recueils.

– 29 Virgile achève *les Géorgiques* et commence *l'Énéide*, épopée relatant les origines de Rome et préfigurant la victoire d'Auguste, fils d'Énée ; le « siècle d'Auguste » marque l'âge d'or de la poésie latine, le déclin de l'art oratoire et l'épanouissement de l'inspiration nationale.

v. – 30/– 25 *Traité d'architecture* de Vitruve, qui sera une source d'inspiration capitale pour les artistes de la Renaissance.

– 27 *Les Élégies* de Properce, poète du cercle de Mécène.

v. – 27 Le Panthéon à Rome ; il sera reconstruit sous Hadrien (117) puis transformé en église au VIIᵉ s.

v. – 17 Reconstruction du Temple de Jérusalem par Hérode le Grand ; il sera détruit en 70 par Titus.

v. – 16 La Maison carrée à Nîmes.

– 16

RELIGION – PHILOSOPHIE

– 15

– 7, – 6 ou – 4 Naissance présumée de Jésus ; au VIᵉ s., un calcul approximatif de Denys le Petit fera commencer l'ère chrétienne (an 1) quelques années plus tard.

– 1

━━━ Iᵉʳ **siècle** ━━━

1

v. 20 *Géographie* de Strabon.

v. 30 Passion de Jésus, scène fondatrice du christianisme.

37-41 Philon d'Alexandrie, ambassadeur des juifs à Rome ; son œuvre marque la première rencontre de la culture biblique avec la philosophie grecque.

51 Première épître de saint Paul ; progrès du christianisme dans la diaspora juive, de langue grecque ; l'ensemble du Nouveau Testament (*Évangiles, Épîtres, Actes des apôtres, Apocalypse*) est rédigé entre cette date et la fin du siècle.

55-65 Stoïcisme de Sénèque.

64-67 Incendie de Rome ; persécutions contre les chrétiens : martyres de saint Pierre et saint Paul.

70 Destruction du temple de Jérusalem par Titus ; seul subsiste le judaïsme pharisien : rejet de la Septante au profit du seul texte hébreu de la Bible, écart grandissant d'avec le christianisme.

v. 100 Réforme du bouddhisme en Inde : le Mahayana (Grand Véhicule).

100

━━━ IIᵉ **siècle** ━━━

101

v. 110 Lettres de Pline le Jeune ; œuvres de Plutarque et Suétone ; enseignement stoïcien d'Épictète.

v. 180 *Dialogues des morts* de Lucien. *Pensées* de Marc Aurèle.

180

HISTOIRE POLITIQUE

14-68 Rome : dynastie des Julio-Claudiens (Tibère, Caligula, Claude et Néron).

69-96 Dynastie des Flaviens (Vespasien, Titus, Domitien).

79 Éruption du Vésuve : Pompéi et Herculanum disparaissent.

96-192 Rome : dynastie des Antonins.

98 Trajan, empereur. Il donne à l'empire sa plus grande extension.

117 Hadrien, empereur. Il renforce les frontières de l'empire (construction du mur entre l'Angleterre et l'Écosse).

138-192 Rome : Antonin, Marc Aurèle et Commode.

SCIENCES – TECHNIQUES	LITTÉRATURES	ARTS – MUSIQUE	
			– 15
			– 1
			1
	2-8 *Les Métamorphoses*, poème mythologique d'Ovide, qui influencera les poètes et les artistes jusqu'au XIXᵉ s. **8** Ovide banni de Rome par Auguste sous prétexte d'immoralité.		
v. 50 Machines de Héron d'Alexandrie.			
	60 Néron contraint Pétrone, auteur du *Satiricon* où il dénonce les débauches de la cour impériale, à se suicider.		
		v. 70 Arc de triomphe de Titus. Fresques de Pompéi.	
79 L'éruption du Vésuve cause la mort de Pline l'Ancien, auteur de l'*Histoire naturelle*. **85** La poudre en Chine : feux d'artifice.		**v. 80** Achèvement du Colisée de Rome, aux dimensions colossales.	
	90-94 *Vies parallèles* de Plutarque, moraliste grec installé à Rome : il présente, en vis-à-vis, les biographies des grandes figures de l'Antiquité grecque et romaine. La littérature tend à se scléroser alors que l'histoire se développe.	**v. 100** Invention de la voûte d'arête qui remplace parfois la voûte en berceau.	
			100
	100-128 *Satires* de Juvénal, condamnation des mœurs romaines : le genre satirique est très prisé par la Rome intellectuelle de l'époque. **117** Publication partielle des *Annales* de Tacite : l'histoire est plus proche de la littérature que de l'activité scientifique. **125-138** *Vie des douze Césars* de Suétone : vogue de l'histoire anecdotique et érudite.	**113** La colonne Trajane à Rome.	101
v. 150 Œuvre de Ptolémée, somme des connaissances de l'école d'Alexandrie : son astronomie, transmise par l'Islam à l'Occident latin, fera référence jusqu'au XVIᵉ s. (révolution de Copernic). Apparition du papier en Chine. **v. 180** Œuvre de Galien, référence de la médecine occidentale jusqu'à la Renaissance.	**150** *Les Métamorphoses* ou *l'Âne d'or*, roman d'Apulée.		
			180

	RELIGION – PHILOSOPHIE	HISTOIRE POLITIQUE
181		**184** Chine : révolte populaire des Turbans jaunes réprimée en 185. **192** À la mort de Commode, troubles de succession. **193-235** Rome : dynastie des Sévères (Septime, Caracalla, Héliogabale, Alexandre).
200	**v. 200** Œuvre apologétique de Tertullien ; la confrontation entre le christianisme et la philosophie va dominer la pensée occidentale jusqu'à la Renaissance. Gnoses, tendances initiatiques chez les chrétiens.	

IIIe siècle

	RELIGION – PHILOSOPHIE	HISTOIRE POLITIQUE
201	**218** L'empereur Héliogabale tente d'imposer le culte de Baal (dieu du Soleil en Syrie) à Rome. **v. 230** Alexandrie, phare de la vie intellectuelle dans le monde méditerranéen : formation du néo-platonisme de Plotin ; exégèse philosophique de la Bible par Origène. **249-250** Intenses persécutions contre les chrétiens. **v. 250** Développement de la religion dualiste de Mani, le manichéisme, en Perse.	**212** Édit de Caracalla ; la citoyenneté romaine est accordée à tous les provinciaux libres. **220** Chine : chute de la dynastie des Han : l'empire se disloque en 3 royaumes. **224** Perse : les Sassanides renversent les Arsacides. **235** Début de troubles politiques à Rome. **249** Dèce, empereur. **268** Invasion des Goths dans les Balkans. **273** Destruction du royaume de Palmyre. Zénobie est emmenée à Rome. **284** Dioclétien se proclame empereur de droit divin.
300	**v. 300** Développement du christianisme en Asie Mineure ; émergence progressive d'une doctrine, parmi de multiples tendances hétérodoxes ou hérétiques (arianisme, donatisme) ; développement du monachisme et de l'érémitisme chrétiens, particulièrement en Égypte (saint Antoine).	

IVe siècle

	RELIGION – PHILOSOPHIE	HISTOIRE POLITIQUE
301	**303-305** Persécution des chrétiens sous Dioclétien. **312** Victoire de Constantin au pont de Milvius, date symbolique de la conversion de l'empire au christianisme. L'édit de Milan (313) assure la liberté de culte. **325** Concile de Nicée, contre l'arianisme. **363** Mort de Julien l'Apostat ; sa tentative pour restaurer le paganisme dans l'empire ne lui survivra pas. **371** Saint Martin, évêque de Tours ; son œuvre missionnaire (fondation des monastères de Ligugé et de Marmoutier) en fait l'apôtre de la Gaule, et le plus populaire des saints de France (patronymes, noms de lieu...).	**320** Inde : fondation de l'empire Gupta (jusqu'en 500). **325** Constantin, empereur. **330** Fondation de Constantinople, capitale de l'Empire romain, sur le site de l'ancienne Byzance : elle sera la cité la plus importante du monde médiéval. **357** Bataille de Strasbourg : Julien repousse les Alamans. **361** Julien l'Apostat, empereur. **v. 370** Les Huns, arrivant d'Asie, se regroupent sur la Volga.
389		

SCIENCES – TECHNIQUES	LITTÉRATURES	ARTS – MUSIQUE	
			181

197 *L'Apologétique* de Tertullien, plaidoyer en faveur de la liberté de religion. C'est désormais par l'inspiration chrétienne que la littérature latine continuera à vivre (saint Jérôme, saint Augustin) et que le latin restera jusqu'à la Renaissance la langue des intellectuels de l'Occident.

200

201

217 Thermes de Caracalla.

250 *Les Énnéades*, de Plotin.

v. 250 Apparition en Europe occidentale du houblon, rendant possible la fabrication de la bière.

v. 250 En Chine, émergence de la poésie régulière (le « shi »). Développement du « fu », récitatif descriptif, et du « yuefu », ballade chantée. Prose historique classique (*Shiji* de Sima Qian).

v. 250 A partir du IIIe s., développement de la sculpture en Inde : symbolisme propre au brahmanisme, avant le tantrisme. La peinture en détrempe, apparue depuis deux siècles, se perfectionne.

283 Fin de la construction du mur d'Aurélien, à Rome.

v. 300 L'architecture romaine couvre l'Europe : palais de Dioclétien à Salone (Split) ; « Porta nigra » (porte noire) à Trèves.

300

301

315 Arc de Constantin, à Rome.

v. 320 Les mathématiciens chinois savent réduire les fractions, résoudre des systèmes d'équations linéaires.

v. 340 Œuvre de Pappus, un des derniers grands mathématiciens, après Diophante, de l'école d'Alexandrie.

v. 310-320 Les *Institutions divines* de Lactance, le « Cicéron chrétien ». Après Tertullien (mort v. 222), Arnobe et Lactance, la rhétorique latine est au service du christianisme.

v. 320 Développement de l'art Gupta, en Inde. À l'architecture excavée, qui aura son apogée plus tard, s'ajoute la construction : premiers sanctuaires avant l'épanouissement des Ve et VIe s.

324-336 Construction de la « nouvelle Rome », Constantinople, sur le site de Byzance.

v. 350 Le parchemin commence à concurrencer le papyrus, qui restera fabriqué jusqu'au XIe s. Culture du coton en Chine. Les Mayas utilisent la brique de terre cuite.

v. 350 Vie du poète indien Kalidasa. Floraison de la poésie chinoise. Le genre bucolique (Tao Yuanming).

360 Hymnes composés par Hilaire de Poitiers.

v. 375 *Les Idylles* du poète latin Ausone.

389 Le *De magistro* de Saint Augustin expose la théorie du signe et de la communication la plus élaborée depuis les stoïciens et avant l'époque moderne.

389

RELIGION – PHILOSOPHIE

390 Saint Ambroise, évêque de Milan, contraint l'empereur Théodose à une expiation publique ; l'Église a conquis les élites de l'empire, sa domination religieuse sur l'Occident est acquise ; elle devient religion d'État (interdiction du paganisme en 391).

v. 400 En Chine, après quatre siècles d'assimilation, le bouddhisme s'impose au détriment du confucianisme. Rédaction du Talmud de Babylone, texte essentiel du judaïsme rabbinique. Pères de l'Église grecs (saint Jean Chrysostome) et latins : saint Jérôme traduit la *Vulgate* ; saint Augustin définit la culture du christianisme latin pour les siècles à venir, imprégnée de Platon et Cicéron.

v. 400-650 En Inde, âge classique de l'hindouisme. Influence du *Mahabarata*.

■■■■■■ **ve siècle** ■■■■■■

451 Concile de Chalcédoine, condamnation du monophysisme ; après le concile d'Éphèse (431, condamnation du nestorianisme), il marque la rupture des Églises chrétiennes orientales (Syrie, Égypte...) avec Rome et Constantinople.

HISTOIRE POLITIQUE

395 Mort de l'empereur romain Théodose Ier. L'empire est partagé entre ses deux fils, Honorius en Occident, Arcadius en Orient.

400 Rome évacue la Grande-Bretagne. Les Bretons émigrent en Armorique.

406 Le Rhin est franchi par les Vandales et les Burgondes.
410 Les Wisigoths menés par Alaric prennent Rome.
430 Les Francs occupent le nord de la Gaule.
451 Aux champs Catalauniques, près de Châlons-sur-Marne, victoire des Romains, des Francs, des Burgondes et des Wisigoths contre Attila.

455 Pillage de Rome par les Vandales.

476 Romulus Augustule, le dernier empereur d'Occident, est déposé par des barbares germaniques, les Hérules.

390

400

401

476

SCIENCES – TECHNIQUES	LITTÉRATURES	ARTS – MUSIQUE

397 (jusqu'à 401) Les *Confessions* de saint Augustin, outre leur lecture religieuse, apportent le modèle littéraire d'une biographie sincère.

v. 397 Saint Ambroise compose lui-même des hymnes d'allure populaire pour son diocèse. Jusqu'à la fin du Moyen Âge, la musique est d'abord religieuse ; seule la voix est acceptée (les instruments, considérés comme « outils de Satan », sont proscrits) ; le chant de l'Église chrétienne prolonge le langage modal de l'Antiquité grecque ; il empruntera au rite hébraïque la technique de la psalmodie et au répertoire païen les hymnes.

v. 450 Les Arabes domestiquent et utilisent le chameau.

463 La plus ancienne basilique chrétienne datée : Saint-Jean-de-Stoudios, à Constantinople.

RELIGION – PHILOSOPHIE	HISTOIRE POLITIQUE

486 **486** Baptême de Clovis ; il devient le champion du catholicisme contre l'arianisme des Goths.

496 Clovis, roi d'un royaume franc entre l'Escaut et la Loire, bat les Alamans à Tolbiac puis conquiert l'Aquitaine sur les Wisigoths.

500

═══ vie siècle ═══

501 **v. 510** Œuvre de Boèce et du Pseudo-Denys.

520 En Chine, apparition du bouddhisme ch'an dont est issu le zen japonais (XIIe s.).

526 Mort de Théodoric : fin du royaume ostrogoth d'Italie.

527 Justinien Ier, empereur romain d'Orient : conquête de l'Afrique du Nord et de l'Italie ; son œuvre législative aura une influence considérable.

534 Règle de saint Benoît ; elle inspirera tout le monachisme en Occident.

568 Invasion des Lombards en Italie du Nord.

590 Élection de Grégoire Ier à la papauté, dont il affirme la primauté sur les évêques ; réorganisation de l'Église et de la liturgie (chant grégorien), évangélisation de la Grande-Bretagne, puis de la Germanie.

v. 600 Apogée de la civilisation maya (jusque vers 950) : cités-temples de Palenque et de Tikal.

600

═══ viie siècle ═══

601

622 L'hégire, an 1 de l'ère musulmane ; la prédication de Mahomet (recueillie dans le Coran, v. 650) se présente comme révélation divine ; elle donne naissance à l'islam, qui se répand très rapidement (Arabie, Égypte, Syrie, Iran).

618 Chine : avènement de la dynastie des Tang, qui régnera jusqu'en 907.

v. 630 Déclin du bouddhisme en Inde. Apparition du bouddhisme tibétain.

629 Dagobert, roi des Francs ; il est conseillé par saint Éloi.

630 Menaces des Lombards sur Rome ; la papauté cherche à s'allier aux Francs.

632 Abou-Bakr, calife : l'Islam progresse vers la Syrie et la Perse.

634 'Umar (Omar), calife ; début des conquêtes musulmanes.

656 Crise dans la succession des califes : naissance des principales divisions de l'islam (sunnite, chiite, khāridjite) ; essor des Omeyades.

650-750 Règne des rois francs dits « fainéants » : le pouvoir royal recule devant l'aristocratie et les « Maires du palais ».

661 Assassinat d'Ali ; Mu'āwiyya fonde la dynastie des Omeyades.

670 Fondation de Kairouan.

678 Les Arabes sont repoussés de Byzance grâce au feu grégeois ; ils ne peuvent entrer en Europe par l'Orient.

687 Pépin de Herstal, maire du palais d'Austrasie, étend sa domination sur tout le royaume franc.

v. 700 Le bouddhisme se mêle à la religion traditionnelle du Japon, le shintoïsme.

700 Les musulmans ont conquis le Panjab, l'Afghanistan.

700

═══ viiie siècle ═══

701

v. 710 Développement de la législation en Asie : élaboration des codes japonais et chinois, qui resteront en vigueur jusqu'au XIXe s.

710

SCIENCES – TECHNIQUES	LITTÉRATURES	ARTS – MUSIQUE	
			486
v. 500 Essor de la métallurgie, de l'orfèvrerie et des techniques agricoles (Chine, Byzance, Inde, Europe...).			
			500
			501
		529 Le *Kyrie* et le *Sanctus* sont chantés à toutes les messes.	
		532 Église Sainte-Sophie, à Constantinople, caractéristique de l'architecture byzantine : plan en croix grecque, primauté du décor (revêtements précieux, mosaïques à fonds d'or), coupoles.	
533-546 Premier traité chinois d'agronomie.			
v. 550 Usage du haut fourneau en Chine ; cette technique sera réinventée en Europe 900 ans plus tard. Le ver à soie est élevé à Constantinople	**v. 573** *Histoire des Francs* de Grégoire de Tours (10 livres en latin) : la première chronique française.		
		590 Pontificat de saint Grégoire : réagissant contre l'infiltration de l'art profane dans la messe, il impose le rituel romain pour toutes les églises du monde : le plain-chant, sera appelé plus tard « chant grégorien ».	
v. 600 Apparition de la numérotation décimale en Inde, et donc du zéro.		**v. 600** Apogée de l'art maya (architecture grandiose des pyramides de Palenque).	
			600
			601
	v. 625 Les *Etymologiæ*, encyclopédie d'Isidore de Séville.		
v. 650 En Amérique centrale, les Mayas développent leur mode propre de calcul ; un réseau de routes est construit au Yucatán. Les civilisations précolombiennes connaissent la soudure métallique. Apparition du parchemin en Europe. Premiers navires de commerce en Scandinavie. Le moulin à vent est connu en Perse.	**v. 650** De nouveaux genres poétiques apparaissent en Chine ; quatre « princes » de la poésie dominent la vie littéraire.	**v. 650** Fresques d'Ajanta, apogée de la peinture indienne.	
			700
		701 Introduction de l'*Agnus Dei* dans la messe chantée.	**701**
		705 Grandes Mosquées de Jérusalem et de Damas : abondance de l'ornemental (l'islam interdit la représentation de l'homme et de l'animal).	**710**

RELIGION – PHILOSOPHIE	HISTOIRE POLITIQUE

711

711 Invasion de l'Espagne par les Arabes ; l'expansion de l'Islam, extrêmement rapide en Afrique du Nord et en Asie Mineure, atteint l'Europe.

717 Début de la crise iconoclaste : les chrétiens, surtout à Byzance, sont divisés en partisans et adversaires des images.

732 Arrêtés à Poitiers par Charles Martel, les Arabes musulmans se replient sur l'Espagne, où ils s'installent durablement.

711 Conquête du Maghreb et de l'Espagne par les Omeyades. Naissance du royaume de Cachemire.

732 Bataille de Poitiers : Charles Martel donne un coup d'arrêt à l'expansion arabe.

750 Coup d'État abbasside contre les Omeyades.

752 Byzance perd l'exarchat de Ravenne, pris par les Lombards ; le pape, ne pouvant plus compter sur la protection byzantine, se tourne vers les Francs et cesse de se considérer comme un sujet de l'empereur d'Orient.

754 Pépin le Bref sacré roi des Francs par le pape à Saint-Denis : fondation de la dynastie carolingienne.

756 Donation de Pépin, par laquelle sont institués les États pontificaux.

756 'Abd-al-Rahmān fonde le califat omeyade de Cordoue.

762 Fondation de Bagdad, capitale abbasside.

774 Annexion de la Lombardie par Charlemagne.

778 Échec de Charlemagne en Espagne ; défaite et mort de Roland à Roncevaux.

787 Deuxième concile de Nicée : orthodoxie du culte des images.

795 Mort de Sibawayh, dont le *Kitāb* (livre) restera la plus célèbre grammaire arabe.

800 Kairouan, capitale de l'Ifrīqīyya (Tunisie), foyer culturel important. Charlemagne sacré à Rome : alliance étroite du pape et de l'empereur, restauration d'une culture chrétienne en Occident, « renaissance carolingienne » (Alcuin). – Œuvre de Śaṅkara en Inde ; la culture sanscrite (hindoue) est encouragée dans le royaume du Cachemire.

800 Charlemagne couronné empereur d'Occident à Rome. Début de la civilisation toltèque au Mexique ; effondrement de la civilisation maya.

800

801

════ IXᵉ siècle ════

812 Traité d'Aix-la-Chapelle : Charlemagne est reconnu empereur d'Occident par l'empereur d'Orient. Importantes relations de l'Occident avec Constantinople et Bagdad, où règne Hārūn al-Rashīd ; l'Islam se morcelle en royaumes concurrents.

814 Louis Iᵉʳ le Pieux, empereur d'Occident.

827 Byzance perd la Sicile, conquise par les Arabes.

832 Fondation de la « maison de la Sagesse » à Bagdad ; par un intense travail de traduction, les musulmans vont assimiler la pensée grecque ; ils connaissent, jusqu'au XIIIᵉ s., un âge d'or philosophique et théologique.

843 Restauration du culte des images par le pouvoir à Byzance ; le conflit de l'iconoclasme a opposé le haut clergé et les moines, creusé l'écart entre Byzance et Rome (excommunication du pape par Photios en 867).

845 Proscription du bouddhisme en Chine.

842 Serments de Strasbourg : alliance de Louis le Germanique et de Charles II le Chauve, premier roi de France.

843 Traité de Verdun : l'Empire carolingien est divisé en trois.

845 Siège de Paris par les Normands (scandinaves).

849

SCIENCES – TECHNIQUES LITTÉRATURES ARTS – MUSIQUE

v. 750 Perfectionnement de l'attelage en Europe. Les musulmans fabriquent du papier de chiffons.

v. 770 Culture du coton en Espagne. Imprimerie xylographique en Chine, pour la diffusion des textes bouddhiques.

v. 800 Les Arabes connaissent l'horloge à eau ; alchimie (préhistoire de la chimie) de Djabir ibn Hāyyan. « Renaissance carolingienne » en Europe (copies de manuscrits).

v. 780 (ou v. 1000) *Beowulf*, épopée anglo-saxonne : un des premiers textes profanes en langue vulgaire de cette époque.

v. 795 Han Yu, écrivain confucéen, réforme la prose chinoise.

v. 750 Apogée de l'art rupestre indien, à Ellora. L'art « postgupta » voit le développement de l'architecture et de la sculpture architecturale. Premiers temples hindous en pays dravidien (au Sud). Sanctuaires rupestres en Chine (depuis le VIIe s.) : peintures et sculptures.

757 L'empereur Constantin envoie un orgue à Pépin le Bref. Il faudra attendre le IXe s. pour que l'orgue, proscrit comme les autres instruments, soit accepté dans les églises.

785 Grande Mosquée de Cordoue.

796 Début de la construction d'Aix-la-Chapelle (jusqu'en 805) : inspiration byzantine.

800-809 Grande Mosquée de Kairouan.

829 Construction de l'observatoire de Bagdad ; continuateurs des Grecs, les Arabes développent l'astronomie, les mathématiques (al-Khwārizmī), l'optique, la médecine... Ils adoptent la numérotation indienne, d'où l'appellation de « chiffres arabes » : « chiffre » et « zéro » sont des mots d'origine arabe.

833 Première mention d'un moulin à vent en Europe, où ce procédé ne s'implantera durablement qu'au XIIe s.

v. 830 L'éducation religieuse du peuple : *Heliand*, poème biblique, probablement le premier texte de la littérature allemande ; traduction des textes sacrés en anglo-saxon.

842 *Serments de Strasbourg :* premier texte en roman, qui deviendra le français, et en allemand.

843 Restauration du culte des images à Byzance ; l'art des icônes se développe en Orient, influence l'Occident (Venise) ; à partir du XVIe s., il s'intégrera à la spiritualité russe.

849

RELIGION – PHILOSOPHIE

850

863 Mission de Cyrille et Méthode en Moravie ; à terme, la conversion des Slaves par les Byzantins fera de Moscou une capitale religieuse (XVIᵉ s.).

865 *De la division de la nature* de Jean Scot Érigène ; il traduit le Pseudo-Denys.

v. 900 Installation de couvents au mont Athos, qui deviendra le principal foyer monastique de l'orthodoxie.

HISTOIRE POLITIQUE

860 Fondation de Novgorod par les Normands, qui colonisent le nord de la Russie.

871 Alfred le Grand, vainqueur des Normands, roi d'Angleterre.

877 Louis II le Bègue, roi de France.

879 Louis III, roi de France.

882 Carloman, roi de France. Fondation du royaume de Kiev par les Normands : unification de la Russie et attaque de Byzance.

884 Charles III le Gros, empereur d'Occident, régent du royaume de France. Siège de Paris par les Normands.

888 Eudes, défenseur victorieux de Paris, élu roi de France.

898 Charles III le Simple, roi de France.

899 Les Hongrois, conduits par Arpad, ravagent l'Italie, la France, la Lorraine, la Bourgogne, l'Espagne et Byzance.

900

=== xᵉ siècle ===

901

910 Fondation de l'abbaye de Cluny ; les clunisiens compteront v. 1100 près de 1200 prieurés et abbayes, étroitement liés à la réforme grégorienne de 1075.

922 Martyre d'al-Halladj : développement du soufisme en Islam ; œuvre philosophique d'al-Fārābi.

962 Création du Saint Empire romain germanique, dans un contexte de crise pour l'Église (simonie, indignité du clergé).

988 Baptême de Vladimir, prince de Kiev : début de la conversion de la Russie à l'orthodoxie.

999 Othon III établit sa capitale à Rome. Il rêve avec Sylvestre II de restaurer un empire chrétien universel.

999

911 Traité de Saint-Clair-sur-Epte : fondation de la Normandie.

922 Robert Iᵉʳ, roi de France.

923 Raoul de Bourgogne, roi de France.

936 Louis IV, roi de France.

941 Échange de traités commerciaux entre Kiev et Constantinople ; début de la fusion entre Slaves et Normands, grâce à la culture byzantine.

954 Lothaire, roi de France.

960 Chine : Avènement de la dynastie des Song (jusqu'en 1279).

962 Couronnement d'Othon Iᵉʳ le Grand : fondation du Saint Empire romain germanique.

969 Les Fatimides s'emparent de l'Égypte.

971 Annexion de la Bulgarie et de la Phénicie par Byzance.

986 Louis V, roi de France.

987 Hugues Capet élu roi de France : fondation de la dynastie des Capétiens, qui régnera jusqu'en 1328, avec Charles IV le Bel.

996 Robert II le Pieux, roi de France. Othon III sacré empereur à Rome.

997 Étienne Iᵉʳ fonde le royaume chrétien de Hongrie.

SCIENCES – TECHNIQUES

v. 850 Compilations géographiques arabes. En Chine, usage de la poudre.
860 *Livre des artifices*, somme des connaissances mécaniques des Arabes.

v. 950 En Europe, progrès des techniques agricoles (défrichements, meunerie, charrue à avant-train), expansion démographique, constructions en pierre ; début de la renaissance des villes en Italie. – En Amérique, culture du coton, céramiques et forges toltèques, constructions en terre des Indiens pueblos. – La Chine connaît la boussole.

v. 980 Enseignement à Reims de Gerbert d'Aurillac (le futur pape Sylvestre II), le plus savant des clercs occidentaux, formé notamment en Catalogne, à la lisière de l'Islam ; il introduit les chiffres arabes, l'abaque, certains procédés de calcul.

LITTÉRATURES

v. 850 Début du genre des « miroirs », traités d'éducation ou de vulgarisation nombreux au Moyen Âge.

865 *Séquence de sainte Eulalie*, premier texte en langue d'oïl (ancien français).

v. 956 Premières mentions des *Mille et Une Nuits*, recueil de contes arabes.

v. 970 Première mention d'un drame liturgique à Fleury : mise en scène du texte sacré à l'occasion des messes de Pâques et de Noël.

ARTS – MUSIQUE

850

v. 900 Début de l'architecture romane en Europe ; un siècle plus tard, elle se caractérise par l'utilisation de l'arc plein cintre et du plan basilical, favorise le développement de la sculpture (chapiteaux, tympan) et de la fresque. – Naissance de l'école chinoise de paysage : art de la suggestion plutôt que de la représentation.

900

910 Fondation de l'abbaye de Cluny, un des centres musicaux du Moyen Âge.

901

v. 950 (jusqu'en 1500) Renaissance de l'art maya sous l'influence des Toltèques (Chichén Itzá).

999

RELIGION – PHILOSOPHIE	HISTOIRE POLITIQUE

1000   **v. 1000** Civilisation toltèque au Mexique ; culte de Quetzalcóatl. – L'islam atteint l'Inde (recueil de voyages d'al-Birūni) et se répand en Afrique noire.

v. 1000 Fondation de l'Empire inca par Manco Cápac.

━━━━━━ XIᵉ siècle ━━━━━━

1001

1005 Terrible famine en Occident.
1014 Basile II le Bulgaroctone vainc définitivement les Bulgares. L'Empire byzantin apparaît comme la plus grande puissance d'Europe orientale et d'Asie Mineure.

v. 1020 En Islam, œuvre encyclopédique d'Avicenne. – École de Chartres (Fulbert).

1024 Conrad II, empereur d'Occident ; il nomme et investit du pouvoir spirituel les évêques et les abbés.
1031 Henri Iᵉʳ, roi de France.
1039 Henri III, empereur d'Allemagne.
1045 La Bohême, la Pologne et la Hongrie deviennent fiefs du Saint Empire.

1054 Excommunications mutuelles du pape et de Michel Cérulaire : schisme entre les chrétiens d'Occident (Rome) et les chrétiens d'Orient (Constantinople), le catholicisme et l'orthodoxie ; l'Église romaine se réforme ; apparition des premières hérésies populaires en Europe.

1055 Les Turcs saljūqides établis à Bagdad menacent Byzance.
1056 Henri IV, empereur germanique.
1060 Philippe Iᵉʳ, roi de France.
1066 Conquête de l'Angleterre par les Normands de France, conduits par Guillaume le Conquérant.
1069 Conquête du Maroc par les Almoravides.

1071 Les Byzantins sont défaits par les Turcs à Mantzikert : début du déclin militaire de l'Empire byzantin. Les Normands font la conquête de l'Italie byzantine.
1077 Henri IV fait amende honorable à Canossa.

1075 En refusant à l'empereur Henri IV l'investiture des clercs et toute influence sur l'élection du pape, Grégoire VII lance la « réforme grégorienne » : asseoir l'autorité de l'Église, pour instaurer une « respublica christiana ». – École rabbinique de Rachi à Troyes.

1078 Guerre civile dans l'Empire byzantin.
1081 Alexis Iᵉʳ Comnène, empereur de Byzance. L'Asie Mineure est entre les mains des Turcs. Les Normands envahissent les Balkans.

1084 Fondation du couvent de la Grande-Chartreuse par saint Bruno ; le début du XIIᵉ s. sera marqué par l'essor de l'érémitisme, la création d'ordres prédicateurs (Prémontré, 1120) et militaires (Templiers, 1118).

1082 Venise aide Byzance contre les Normands et reçoit d'importants privilèges commerciaux. Début du déclin commercial de Byzance.

1093 Saint Anselme, primat d'Angleterre. Dans son œuvre, il énonce une preuve de l'existence de Dieu, discutée jusqu'à nos jours.

1090 Formation de la secte chiite des « Assassins » (les « gardiens » de la foi).

1096 Départ de la première croisade ; les XIIᵉ et XIIIᵉ s. seront ceux des Croisades : fondation d'États latins en Orient. En Europe, nombreux mouvements hérétiques.

1096 Départ de la première croisade.

1098 Fondation de l'ordre de Cîteaux ; les cisterciens, dont saint Bernard, vont dominer la vie monastique du XIIᵉ s. (530 maisons en Europe v. 1200).

1099 Prise de Jérusalem par les croisés.
v. 1100 Économie rurale centrée sur le système féodal, mais développement d'une économie urbaine (foires de Champagne).

1100

━━━━━━ XIIᵉ siècle ━━━━━━

1101

1106 Henri V, empereur germanique.
1108 Louis VI le Gros, roi de France.
1112 Révolte de la commune de Laon contre son seigneur-évêque ; le mouvement communal progresse irrésistiblement au XIIᵉ s. : statuts des métiers, essor du commerce et de l'artisanat.

1115 Saint Bernard, abbé de Clairvaux, illustre représentant de la spiritualité monastique, hostile au renouveau intellectuel des villes ; conseiller des puissants, il prêche la deuxième croisade (1147).

1120

SCIENCES – TECHNIQUES	LITTÉRATURES	ARTS – MUSIQUE	
v. 1000 Les nouvelles techniques agricoles (herse, charrue) provoquent un tournant économique. Culture du riz aquatique en Chine.	**v. 1000** *Le Dit de Genji*, roman japonais d'une dame d'honneur à la cour : étude de la société à travers la peinture de quelque 300 personnages.		**1000**
			1001
v. 1020 Œuvre scientifique d'Avicenne, notamment en médecine ; les Arabes élaborent une optique distincte de la théorie de la vision.		**v. 1025** Gui d'Arezzo invente un système de notation musicale : les notes de la gamme. Au XIᵉ s., la polyphonie est codifiée, après deux siècles de pratique.	
v. 1050 Usage en Chine des caractères mobiles d'imprimerie ; la technique chinoise de fabrication du papier, importée par les Arabes, fait son apparition en Espagne. En Europe, premiers moulins (à eau) à foulon.	**v. 1040** *Vie de saint Alexis*, l'un des plus anciens textes en langue française, d'après une *Vie* latine ; genre littéraire important, équivalent religieux de l'épopée guerrière.		
		1063 Église Saint-Marc de Venise, reconstruite selon un plan d'inspiration byzantine.	
v. 1075 Travaux d'Omar Khayyãm en algèbre et en astronomie.	**v. 1070** Premiers « fabliaux », récits brefs, savants dans la forme, satiriques quant au fond : un genre qui prolifère pendant un siècle. **1071** Naissance de Guillaume IX d'Aquitaine, le premier troubadour connu ; créateur de la « fin'amor », la première poésie profane en langue d'oc qui se développera au XIIᵉ s. **v. 1080** *La Chanson de Roland*, anonyme ; l'une des plus anciennes chansons de geste françaises (avec la *Chanson de Guillaume*, *Gormont et Isembart*), poème épique narrant les hauts faits des héros que leur nom rattache à l'histoire des pays de France, exaltant leur patriotisme et leur foi.		
		1088 Agrandissement de l'abbaye de Cluny, qui sera la plus grande église de la chrétienté jusqu'à la construction de Saint-Pierre de Rome ; les sculptures des chapiteaux représentent un tournant de l'art roman.	
1090 Tour-horloge astronomique à Kaifeng (Chine).			
		v. 1098 Abbaye de Cîteaux : style cistercien, austère.	
			1100
			1101
		1113 Temple d'Angkor Vat : apogée de l'art khmer.	
			1120

RELIGION – PHILOSOPHIE	HISTOIRE POLITIQUE

1121

1122 Concordat de Worms : fin de la querelle des Investitures. Suger, abbé de Saint-Denis.

v. 1130 Point culminant de la « renaissance » du XIIᵉ s. : redécouverte d'Aristote (qui heurte la pensée chrétienne, jusqu'alors essentiellement augustinienne), développement de la logique dans les écoles parisiennes, véritables débuts de la théologie rationnelle avec Abélard.

1125 Lothaire de Supplinbourg, empereur germanique.

1137 Henri VII, de la famille des Velfen ou Guelfes, tente de disputer la couronne impériale à Conrad III de Hohenstaufen, seigneur de Waibligen ou Gibelin ; la lutte entre Guelfes (partisans du pape) et Gibelins (partisans de l'empereur) s'étend bientôt à l'Italie. Louis VII le Jeune, roi de France. Il a pour conseiller Suger.
1138 Conrad III de Hohenstaufen, empereur germanique.

v. 1140 Saint Bernard obtient la condamnation d'Abélard au concile de Sens.
1146 Arnaud de Brescia prend le pouvoir à Rome et entreprend une réforme du clergé.

1143 Deuxième croisade, prêchée par saint Bernard.

1147 Les Almohades s'emparent de l'Espagne.
1148 Échec de la Croisade devant Damas.

1152 Frédéric Barberousse, empereur germanique. Mariage d'Henri II Plantagenêt et d'Aliénor d'Aquitaine.

1154 Henri II, roi d'Angleterre. Conflit avec la France.

1155 Enjeu des relations entre le pape et Frédéric Barberousse, Arnaud de Brescia est exécuté ; Barberousse est sacré empereur en 1156 mais chasse le pape (1159) et suscite l'élection d'un antipape en 1160.

1170 Assassinat de Thomas Beckett. Naissance du mouvement vaudois à Lyon.

1171 Saladin fonde la dynastie des Ayyūbides. Début de la contre-croisade musulmane.

1177 Paix de Venise : Frédéric Barberousse reconnaît toute liberté aux cardinaux pour élire le pape.
1179 Troisième concile de Latran : condamnation des cathares comme hérétiques.

1179

SCIENCES – TECHNIQUES

LITTÉRATURES

ARTS – MUSIQUE

v. 1130 La découverte par les Latins de la culture grecque et arabe touche aussi les sciences : traductions d'Euclide, Ptolémée, al-Khwārizmī (dont le nom a donné le mot *algorithme*).

v. 1136 *Histoire des Bretons* de Geoffroy de Monmouth (latin) : création de la légende du roi Arthur.

v. 1135 Abbatiale de Saint-Denis : début du gothique, qui se caractérise par l'utilisation de la croisée d'ogives et de l'arc brisé ; l'importance donnée à la lumière et à la hauteur, autorisée par l'évolution technique, correspond à un symbolisme religieux ; l'augmentation des ouvertures favorise le développement de la peinture sur vitrail.

1137 Mariage d'Aliénor d'Aquitaine avec Louis VII : début du rayonnement des troubadours (jusqu'à la fin du XIIIᵉ s.) : instruits dans les monastères, ils animent les cours des châteaux avec des sujets d'inspiration religieuse.

v. 1140 Le poème épique du *Cid,* proche des chansons de geste françaises ; la plus ancienne œuvre connue en espagnol.

v. 1150 Carte d'al-Idrīsī, somme des connaissances géographiques des Arabes.

v. 1150 *Floire et Blancheflor* : récit idyllique (en français), d'après un conte arabe des *Mille et Une Nuits*.

v. 1152 *Le Roman de Thèbes* : apparition d'un genre nouveau, le « roman », versifié, en langue vulgaire, dit « antique » (inspiré d'œuvres antiques) ; il mêle l'héritage épique de l'Antiquité et les obsessions du monde féodal : épisodes amoureux, goût du merveilleux.

v. 1155 *Le Roman de Brut* : premier roman arthurien et apparition des « chevaliers de la Table ronde » ; dans la littérature française, source d'inspiration importante aux XIIᵉ et XIIIᵉ s.

v. 1160 Léonin, organiste de Notre-Dame de Paris : le premier compositeur polyphoniste. L'École de Notre-Dame, avec Pérotin et Adam de la Halle, exposera son idéal esthétique dans *Ars antiqua* : le style français s'impose en Italie et en Espagne.

1163 Début de la construction de Notre-Dame de Paris (jusqu'en 1345).

1167 *Lais* de Marie de France.

v. 1170 *Lancelot ou le Chevalier à la charrette* de Chrétien de Troyes : version narrative et chevaleresque de l'amour courtois. *Le Roman d'Alexandre*, récit exotique et merveilleux inspiré de la vie d'Alexandre, à mi-chemin du roman antique et de la chanson de geste. Il a donné son nom à l'« alexandrin ».

v. 1171 Premiers récits du *Roman de Renart*, parodie de la chanson de geste avec des animaux pour « héros » et satire sociale.

1171 Averroès, médecin à Cordoue.

v. 1175 France : représentation du premier drame liturgique (mise en scène du texte sacré) en langue vulgaire.

v. 1177 *Yvain ou le Chevalier au lion,* roman de Chrétien de Troyes.

RELIGION – PHILOSOPHIE	HISTOIRE POLITIQUE

1180

1180 Philippe II Auguste, roi de France.
1182 Massacre des Latins et réaction anti-occidentale à Constantinople.

1187 Prise de Jérusalem par Saladin ; il mène une « guerre sainte » victorieuse contre les croisés.

1187 Saladin chasse les chrétiens de Jérusalem. Début de la troisième croisade dirigée par Frédéric Barberousse, Philippe Auguste et Richard Cœur de Lion.
1189 Richard Cœur de Lion, roi d'Angleterre (jusqu'en 1199).

1190 *Guide des égarés* de Maïmonide. Développement du bouddhisme au Japon.
1198 Mort d'Averroès, le plus célèbre en Europe des commentateurs arabes d'Aristote.
v. 1200 Naissance des ordres militaires allemands (les chevaliers Teutoniques). Apparition des premières universités : après Bologne, Paris, Oxford ; elles vont progressivement supplanter les écoles liées aux abbayes et aux cathédrales.

1191 Saladin accorde aux chrétiens la liberté du pèlerinage à Jérusalem. Henri VI le Cruel, empereur germanique.

1199 Jean sans Terre, roi d'Angleterre (jusqu'en 1216).

1200

━━━━━━ XIIIᵉ siècle ━━━━━━

1201

1202 Le pape Innocent III affirme la vocation du Saint-Siège à la souveraineté universelle ; il se donne le droit d'intervenir dans l'élection de l'empereur germanique.

1201 Départ de la quatrième croisade.

1204 Prise puis pillage de Constantinople par la quatrième croisade à l'instigation du doge vénitien Dandolo. Fondation de l'Empire byzantin de Nicée, qui étend son autorité sur l'Asie Mineure.

1206 L'Inde s'islamise (sultanat de Delhi).
1207 Saint Dominique fonde l'ordre des Frères prêcheurs ; prédication en Languedoc.
1208 Innocent III appelle à la croisade contre les Albigeois (hérésie cathare).
1209 Saint François fonde l'ordre des Frères mineurs ; la règle est approuvée en 1223.
1210 Interdiction à Paris d'enseigner la métaphysique d'Aristote (renouvelée sans effet par le pape en 1231, 1245 et 1263) ; le conflit entre la faculté des arts (enseignement profane) et la faculté de théologie nourrit la pensée du XIIIᵉ s.

1206 Gengis Khan, maître de la Mongolie ; les Mongols commencent la conquête de la Chine et de l'Asie centrale avant d'avancer vers l'Occident. En Inde, création du sultanat (musulman) de Delhi (jusqu'en 1290).

1212 Espagne : bataille de Las Navas de Tolosa : les Maures sont chassés de Castille ; début de la Reconquista (reconquête chrétienne).

1214 Bataille de Bouvines, premier signe de l'unité française : Philippe Auguste bat une coalition.
1215 Angleterre : les barons anglais imposent à Jean sans Terre la Grande Charte, qui garantit leurs droits. Pékin dévasté par les Mongols.

1215 Quatrième concile de Latran : lutte contre les hérésies, condamnation des juifs et de l'usure, obligation de la confession « auriculaire » (examen de conscience). Statuts de l'université de Paris : sous l'autorité directe du pape, elle jouit d'un prestige considérable (développement de la scolastique au XIIIᵉ s.).

1216 Henry III, roi d'Angleterre.

1217 Cinquième croisade.

1220 Frédéric II, en Sicile, favorise les échanges entre chrétiens, juifs et musulmans ; il fonde l'université de Naples en 1224.

1220 Frédéric II, empereur germanique (jusqu'en 1250).

1223 Louis VIII le Lion, roi de France. Soumission du Languedoc.
1226 Louis IX, roi de France. Régence de Blanche de Castille.
1228 Sixième croisade.
1229 Frédéric II obtient par la négociation Jérusalem, Béthléem et Nazareth.

1230

SCIENCES – TECHNIQUES

1180 Maïmonide, médecin de Saladin.

LITTÉRATURES

v. 1180 *Perceval ou le Conte de Graal*, roman de Chrétien de Troyes (inachevé) : apparition du thème de la « quête du Graal », l'une des principales sources d'inspiration du Moyen Âge.

v. 1190 *Le Roman de Tristan*, la plus ancienne version (fragmentaire) des amours de Tristan et Iseult. Les trouvères, de langue d'oïl, et les poètes allemands adaptent dans leur langue la poésie de langue d'oc.

v. 1200 *La Chanson des Nibelungen*, poème épique en allemand, qui sera repris par Wagner (l'*Anneau du Nibelung*).

ARTS – MUSIQUE

1190 Début de la construction du Louvre et de la première enceinte de Paris sous Philippe Auguste.

1180

1200

1201

1202 *Liber abbaci,* premier des traités par lesquels Léonard de Pise fait aux Arabes des emprunts décisifs pour la renaissance des mathématiques.

v. 1208 *La Conquête de Constantinople*, première chronique en prose française.

v. 1215-1230 Rédaction du *Lancelot-Graal*, immense ensemble romanesque qui donne à la quête du Graal la dimension d'une histoire de la destinée humaine ; les chansons de geste sont réunies en cycles et commencent à être mises en prose (*Tristan* et *Lancelot* en prose).

1220 Statuts de la faculté de médecine de Montpellier.

1225 Château de Coincy (France) : l'architecture fortifiée médiévale.

1230

RELIGION – PHILOSOPHIE	HISTOIRE POLITIQUE

1231

1231 Organisation de l'Inquisition, prise en main par les dominicains en 1233.

1236 À Damas, enseignement d'Ibn'Arabī.

1240 Débat à la cour de France entre juifs et chrétiens ; le Talmud est mis au bûcher.

1244 Chute de Montségur, dernière citadelle cathare importante.

1250 La mort de Frédéric II met fin à une lutte de deux siècles entre la papauté et le Saint Empire. Développement des ordres mendiants (franciscains, dominicains) ; leur influence est grande dans l'Université (Bonaventure, Thomas d'Aquin).

1250

1236 Chute de l'émirat de Cordoue en Espagne.

v. 1237 Ouverture du col du Saint-Gothard, qui favorise les échanges commerciaux entre la France et l'Italie.

1241 Les Mongols détruisent le royaume hongrois ; leur retraite, à la mort du grand khān, sauve le reste de l'Europe.

1243 Défaite des chevaliers Teutoniques devant Alexandre Nevski, sur le lac Peïpous.

1245 Septième croisade. Le concile de Lyon dépose Frédéric II.

1250 Les Mamelouks chassent définitivement les chrétiens de Jérusalem. Ils supplantent les Ayyūbides. Bataille de Mansourah : Louis IX, prisonnier. La mort de Frédéric II laisse vacant le trône impérial : début du Grand Interrègne.

v. 1250 En Europe, vague d'affranchissement des paysans, liée à l'émergence d'une économie monétaire.

XIIIᵉ siècle

1251

1257 Saint Bonaventure, général des franciscains ; il écarte de l'ordre les tendances messianiques des « spirituels » ; son œuvre théologique prolonge la tradition d'Augustin. Fondation du collège de théologie de la Sorbonne.

v. 1260 Au Japon, le développement du zen fait que le bouddhisme cesse d'être perçu comme une idéologie étrangère.

1261 Reprise de Constantinople par les Byzantins ; malgré un irréversible déclin politique, brillant renouveau intellectuel.

1264 En Pologne, statut favorable aux juifs, renouvelé en 1344 ; développement de la culture yiddish.

1270 Mort de Louis IX durant la huitième croisade ; il sera canonisé dès 1297 par Boniface VIII, alors en plein conflit avec le petit-fils de saint Louis, Philippe le Bel. En Espagne, où les juifs forment une importante communauté, début de la rédaction du *Zohar*.

1271 Concile d'union (entre orthodoxes et catholiques) à Lyon ; mais l'éloignement entre les deux confessions ira grandissant, malgré une nouvelle tentative en 1438 (concile de Florence).

1277 Condamnation de l'averroïsme par l'évêque de Paris ; la *Somme théologique* de Thomas d'Aquin (publiée de 1266 à 1273, qui concilie Aristote et la pensée chrétienne, paraît alors suspecte.

1290 En Angleterre, expulsion des juifs.

1290

1258 Les Mongols s'emparent de Bagdad.

1259 Traité de Paris : Henri III Plantagenêt renonce à la Normandie, au Maine, à la Touraine et au Poitou. Le royaume de France s'étend jusqu'à la Méditerranée. Louis IX devient le souverain le plus puissant d'Europe.

1260 Chine : Qūbilai Khān fonde la dynastie des Yuan. Nouvelles invasions mongoles de la Horde d'or arrêtées par les Mamelouks.

1261 Reconquête de Constantinople par les Byzantins ; Gênes reçoit d'importants privilèges commerciaux.

1268 Départ de la huitième croisade.

1270 Mort de Louis IX devant Tunis. Philippe le Hardi, roi de France.

1280 Chine : fondation de la dynastie des Yuan (jusqu'en 1368).

1281 Fondation de la dynastie ottomane par Osman Iᵉʳ Gazi.

1285 Philippe le Bel, roi de France. Avec ses « légistes », il renforce considérablement le pouvoir central, s'opposant notamment au pape.

SCIENCES – TECHNIQUES

1231 L'empereur germanique Frédéric II réintroduit (en Sicile) l'usage de la monnaie, oublié en Europe depuis l'Antiquité.

v. 1250 Âge d'or des mathématiciens chinois.

1252 *Tables alphonsines* (du nom d'Alphonse X le Sage), tables astronomiques utiles à la navigation ; l'emploi de la boussole se généralise : apparition des portulans (cartes où figurent les directions magnétiques).

1267 *Opus maius* de Roger Bacon ; dans le cadre d'une pensée qui unifie la théologie et les sciences, les franciscains d'Oxford promeuvent l'expérimentation, les mathématiques, la technique ; Bacon développe en particulier la logique.

1271-1295 Voyage de Marco Polo en Asie ; Venise contrôle le commerce avec l'Orient.

v. 1285 Les premières lunettes, la brouette.

LITTÉRATURES

v. 1235 Première partie du *Roman de la Rose* : apparition de la fiction allégorique.

v. 1251 *Le Couronnement de Renart*, conte satirique : amorce d'un mouvement parodique dont la deuxième partie du *Roman de la Rose* sera une éclatante manifestation.
v. 1255 *La Légende dorée*, lecture (en latin) de vies de saints suivant le calendrier ; il sera abondamment reproduit dès l'invention de l'imprimerie.
v. 1258 *Le Golestan* de Saadi, en prose persane et vers.

v. 1270 Deuxième partie du *Roman de la Rose* : parodie, dans un style allégorique, du premier *Roman de la Rose* et, à travers elle, de la poésie courtoise ; suivie d'une réflexion théologique et philosophique ; ce goût de la parodie se retrouve dans la poésie lyrique d'oc qui produit des « contre-textes » burlesques. *Le Miracle de Théophile* de Rutebeuf, modèle du miracle, genre dramatique bref d'inspiration religieuse qui sera remplacé par le mystère ; les *Poésies* de Rutebeuf annoncent par le ton celles de Villon.

v. 1276 *Le Jeu de la feuillée*, œuvre dramatique d'Adam de la Halle destinée au public d'Arras : les foyers de culture se déplacent des cours princières aux cités commerçantes et du sud vers le nord.

v. 1290 La *Vita nuova* de Dante (en italien).

ARTS – MUSIQUE

1236 L'Alhambra de Grenade : même abondance ornementale que dans l'architecture religieuse musulmane.

1249 Début de la construction de la cathédrale de Cologne.

1277 Début de la construction de la cathédrale de Strasbourg : le « gothique rayonnant » (rosaces).

v. 1290 Le *Crucifix* de Giotto pour l'église Santa Maria Novella à Florence renouvelle la représentation du Christ mort.

1231

1250

1251

1290

RELIGION – PHILOSOPHIE	HISTOIRE POLITIQUE

1291

1291 Chute de Saint-Jean-d'Acre, dernière possession chrétienne en Palestine. Les Ottomans accroissent leur puissance, déclin de Byzance.

1296 Engagé dans des réformes administratives et fiscales, Philippe le Bel met à contribution le clergé français : début d'un conflit ouvert avec la papauté.

v. 1300 Repli de la spiritualité byzantine sur le mont Athos, naissance d'une doctrine mystique développée ensuite par Grégoire Palamas.

v. 1300 L'Europe entre dans une période de difficultés économiques (jusque vers 1450) : déclin démographique, disettes, premières revendications ouvrières (textile des Flandres et d'Italie), insurrections dans les campagnes et dans les villes, recherche d'un équilibre entre les salaires et les prix, élaboration d'une fiscalité. – Byzance attaquée par les Serbes et les Turcs ; les mercenaires à son service ravagent l'Asie Mineure. – Début de l'expansion de l'Empire inca.

1300

━━━━━ XIVᵉ siècle ━━━━━

1301

1302 Bulle *Unam Sanctam* : affirmation théorique de l'autorité absolue du pape (théocratie) par Boniface VIII.
1303 « Attentat d'Agnani », épisode de la lutte entre le roi de France et Boniface VIII.
1305 Élection d'un pape profrançais, Clément V, qui s'installe à Avignon ; il nomme le premier évêque de Chine (1307).
1306 Enseignement de Duns Scot.

1302 À Courtrai, la chevalerie française est écrasée par les milices bourgeoises des Flandres : cette défaite marque le début du déclin de la féodalité.

1306 France : bannissement des juifs. Ils sont dépossédés de leurs biens.

1307 Arrestation des Templiers : ils sont jugés et leurs biens confisqués.

1310 Le sultanat de Delhi étend la domination de l'islam sur tout le nord de l'Inde.

1312 Henri VIII, empereur germanique : fin de la politique italienne de l'empire. Les électeurs empêchent la reconstitution d'une dynastie impériale.
1314 Louis X le Hutin, roi de France.
1315 La Ligue des cantons suisses commence la lutte pour son indépendance politique : victoire sur les Habsbourg à Morgarten.
1316 Jean Iᵉʳ, roi de France. Philippe V le Long, roi de France.
1317 Les Capétiens directs n'ont pas d'héritier mâle : ouverture d'une crise de succession qui va déboucher sur la guerre de Cent Ans. Proclamation de la loi salique.

1316 Élection du pape Jean XXII ; il s'oppose à Louis de Bavière et aux Franciscains (dont Guillaume d'Occam), partisans de la pauvreté absolue (influence des « Fraticelles »). Naissance de l'occamisme : critique de la théologie rationnelle.

1323 Canonisation de saint Thomas d'Aquin : le thomisme s'impose comme doctrine officielle de l'Église ; à sa suite, l'enseignement d'Aristote deviendra obligatoire en théologie (1366).

1322 Charles IV le Bel, roi de France. Conflit entre les Guelfes et les Gibelins : le pape Jean XXII refuse de couronner l'empereur Louis de Bavière.

1326 Famine en Chine : environ 30 millions de morts ; déclin de l'empire Yuan.
1328 Mort de Charles IV. Philippe VI de Valois, roi de France. Recensement de la population (entre 16 et 17 millions d'habitants).

1329 Condamnation (posthume) de Maître Eckhart, qui n'empêche pas le développement de la mystique rhénane :
1330 Suso, Ruysbroek.

SCIENCES – TECHNIQUES	LITTÉRATURES	ARTS – MUSIQUE	
			1291

v. 1292 *Aucassin et Nicolette*, œuvre lyrique et parodique.

v. 1296 Fresques de la vie de saint François d'Assise par Giotto : anatomie, expression, composition ; il libère la peinture occidentale du hiératisme byzantin.

1298 Liaison maritime régulière entre la Méditerranée et la Manche ; rapides progrès de la navigation.

1298 Marco Polo commence en français et en vénitien *le Livre des merveilles du monde*, récit de ses voyages en Asie.

v. 1300 *Stabat mater*, poème de Jacopone da Todi : il sera mis en musique par la plupart des musiciens baroques.

1300

1301

1307 L'*Enfer* de Dante, début de la *Divine Comédie* en italien.
1309 *Le Livre des saintes paroles et des bons faits de notre Saint Louis* par Joinville : multiplication des chroniques écrites pour le compte des Grands, signe d'un goût pour l'histoire et d'un souci de la vérité des faits ; première représentation de la Passion à Rouen.
1310 *Le Roman de Fauvel*, parodie du personnage de Renart.

1314 À Caen, une des premières horloges mécaniques.

v. 1320 L'*Ars nova*, traité musical de Philippe de Vitry : les réformes qu'il y expose seront diffusées dans toute l'Europe.

v. 1325 Innovations techniques en Europe : avec les moulins, le coût de fabrication du papier devient inférieur à celui du papyrus, progressivement abandonné ; « réveil » de la métallurgie, avec l'emploi de l'énergie hydraulique pour les souffleries et l'apparition du haut fourneau.

1327 Pétrarque commence la rédaction des *Rimes*, poèmes en italien inspirés par son amour pour Laure.

1330

RELIGION – PHILOSOPHIE

1331

1336 Fondation d'un royaume hindou au sud de l'Inde ; durant deux siècles, il va encourager l'hindouisme, le reste du pays étant dominé par l'islam (chute du royaume de Cachemire en 1339).

1347 Essor intellectuel de l'Europe centrale : création d'une université à Prague, à Varsovie en 1364, à Vienne en 1365.

1350

━━━━━ XIVe siècle ━━━━━

1351

1353 Pétrarque termine *les Hommes illustres* ; restaurateur des belles lettres, il est le premier humaniste.

1375 L'Islam en crise (progrès de la reconquête chrétienne en Espagne, expansion des Mongols et des Ottomans).

1377 Retour de la papauté à Rome ; intrigues.
1378 Grand schisme d'Occident ; élection de deux papes, un à Rome et un à Avignon ; l'autorité des États sur le clergé augmente, et les fidèles aspirent à une vie religieuse plus personnelle ; mouvements radicaux qui annoncent la Réforme (Wyclif en Grande-Bretagne).

1391 En Espagne, conversions forcées des juifs au catholicisme.
1394 Nouvelle expulsion des juifs de France.

HISTOIRE POLITIQUE

1336 Japon : début de la domination du clan Ashikaga.
1337 Édouard III d'Angleterre, prétendant au trône de France. Début de la guerre de Cent Ans.
1341 Guerre civile et religieuse à Byzance. Les Turcs menacent l'empire.
1346 Bataille de Crécy : première utilisation des canons en Occident.
1347 Prise de Calais par les Anglais.
1348-1350 Peste noire en Europe (25 millions de morts, près du tiers de la population). De nombreuses communautés juives, rendues responsables du fléau, sont anéanties par des pogroms.

1350 Jean II le Bon, roi de France.

1353 Les Ottomans pénètrent en Europe par les Balkans.

1356 Charles IV fixe par la Bulle d'or les règles de l'élection des empereurs germaniques. À Lübeck, fondation de la Hanse. Colonisation des pays Baltes avec l'ordre Teutonique. Bataille de Poitiers : Jean le Bon, prisonnier.
1358 Soulèvement des Parisiens, dirigés par Étienne Marcel. Répression des jacqueries dans la campagne française.
1360 Paix de Brétigny : l'ouest de la France est abandonné aux Anglais.
1363 Début des conquêtes de Tamerlan.
1364 France : Charles V le Sage, roi. Réorganisation de l'armée sous la conduite de Du Guesclin. Début de la politique indépendante de la Bourgogne.
1368 Chine : fondation de la dynastie des Ming (elle régnera jusqu'en 1644).
1369 Succès de Du Guesclin contre les Anglais commandés par le Prince Noir.
1370 Le roi du Danemark reconnaît la Hanse, organisation des villes maritimes du nord de l'Europe, alors à son apogée.

1380 Charles VI, roi de France.
1381 Angleterre : importante révolte paysanne contre les impôts. Richard II est déposé.

1386 Union de la Lituanie et de la Pologne. Avènement des Jagellon.

1396 La Bulgarie devient une province turque, et sert de tête de pont pour les tentatives d'invasions en Europe.
1398 Pillage de Delhi par les armées de Tamerlan.

1400 Prise de Damas par Tamerlan, maître de l'Asie centrale. Mexique : fondation de l'Empire aztèque.

SCIENCES – TECHNIQUES	LITTÉRATURES	ARTS – MUSIQUE

1331

1341 Pétrarque couronné « prince des poètes » à Rome pour la perfection de sa poésie en langue moderne.

1348-1350 Peste noire en Europe : observations médicales et chirurgicales de Guy de Chauliac.

1348 *Le Décaméron*, recueil de nouvelles de Boccace (jusqu'en 1353), tableau de la société italienne sur le mode des contes des *Mille et Une Nuits*; il inaugure le genre de la nouvelle.

v. 1350 Portrait de Jean le Bon (anonyme) : apparition du tableau en France. L'ancêtre du piano : un instrument appelé l'« échiquier ».

1350

1351

1356 Journal de voyage d'Ibn Battûta.

1354 Pétrarque commence à rédiger *les Triomphes*, poèmes.

v. 1364 *La Messe Notre-Dame* de Guillaume de Machaut : la première messe conçue comme un tout et par un seul compositeur.

1368 *Le Divan* du Persan Hāfiz.

v. 1375 Ibn Khaldūn témoin du déclin scientifique et culturel de l'Islam et précurseur de la sociologie.

1370 *Les Chroniques* de Froissart (jusqu'en 1400).

1378 *Le Songe du vergier* : le songe devient une forme privilégiée de discours polémique.

1387 *Les Contes de Canterbury*, recueil de contes en prose et en vers anglais de Chaucer (écrit jusqu'en 1400, édité en 1478) inspiré du cadre du *Décaméron*; il présente une chronique sociale de l'Angleterre de la fin du XIVe s. avec un souci nouveau de réalisme. *Le Livre de chasse* de Gaston III de Foix en occitan.

v. 1390 Cathédrale de Beauvais : le « gothique flamboyant » (contour des fenêtres en forme de flammes). Dernière phase du gothique qui perd son caractère dans une décoration maniériste. La sculpture s'affranchit du bâtiment.

1400 *La Mutation de fortune*, œuvre poétique de Christine de Pisan : l'auteur raconte sur un ton allégorique son changement de sexe pour se justifier de s'être vouée au travail viril de l'écriture. *Les Quinze Joies du mariage*, parodie des prières à la Vierge (*Les Quinze Joies de Notre Dame*) : le courant anti-féministe est important aux XIVe et XVe s.

v. 1400 Peinture : usage de la toile et développement du tableau de chevalet. Naissance de Guillaume Dufay à Cambrai : un des grands noms avec Ockeghem et Josquin des Prés de l'école franco-flamande ; héritière de l'*Ars nova*, elle prépare l'esthétique de la Renaissance.

1400

RELIGION – PHILOSOPHIE

HISTOIRE POLITIQUE

xvᵉ siècle

1401

1402 Les Ottomans battus par Tamerlan à Ankara. – Chine : Cheng zu, empereur ; nombreuses expéditions maritimes, jusqu'en Afrique.

1405 L'université de Padoue passe sous l'autorité de la république de Venise ; indépendante du pouvoir religieux, elle développe une école de pensée originale.

1414-1418 Concile de Constance : condamnation et exécution de Jan Hus (1415), fin du schisme d'Occident (1417) par l'élection d'un pape romain aux pouvoirs affaiblis, soumis aux décisions des conciles.

1407 France : Jean sans Peur fait assassiner le duc d'Orléans. Guerre civile entre les Bourguignons et les Armagnacs, partisans des Orléans.

1410 Bataille de Tannenberg : les Polonais arrêtent l'expansion des chevaliers Teutoniques en Lituanie.

1415 Bataille d'Azincourt : les archers anglais déciment la chevalerie française.

1417 Les Portugais, sous l'impulsion de Henri le Navigateur, entreprennent de nombreux voyages d'exploration en Afrique.

v. 1420 Première diffusion de l'*Imitation de Jésus-Christ*, sans doute le livre de spiritualité le plus lu en Occident.

1422 Henri VI, roi d'Angleterre, déclaré irresponsable : il est emprisonné ; début d'une crise de succession. Charles VII, roi de France.

1424 L'Empire byzantin se reconnaît vassal du sultan ottoman.

1429 Jeanne d'Arc délivre Orléans.

1431 Jeanne d'Arc condamnée pour hérésie ; réhabilitée en 1456, elle sera canonisée et déclarée patronne de la France en 1920.

1431 Jeanne d'Arc brûlée à Rouen.

1434 Cosme de Médicis dirige les affaires de Florence, qui devient un centre politique et culturel important.

1435 Paix d'Arras : réconciliation temporaire de la France et de la Bourgogne.

1438 Pragmatique sanction : la nomination des évêques de France est soumise à l'approbation du roi. Ouverture du concile « œcuménique » de Florence : union éphémère des catholiques et des orthodoxes.

1440 *De la docte ignorance* de Nicolas de Cuse. Fondation de l'Académie platonicienne à Florence : émergence dans la seconde moitié du siècle d'un platonisme chrétien, caractéristique de la Renaissance (Marsile Ficin, Pic de La Mirandole). Humanisme de Laurent Valla.

1449 Dissolution du concile de Bâle par le pape : l'autorité de ce dernier est rétablie, mais limitée au domaine spirituel par l'émergence de l'État moderne (France, Angleterre).

1453 Chute de Constantinople ; le christianisme d'Orient est balayé par l'islam ; l'exil des érudits byzantins en Italie contribue à la redécouverte de la culture antique (Renaissance).

1439 France : création d'une armée nationale, dotée d'une infanterie (1448) et d'un corps d'artillerie (1449). Jacques Cœur nommé argentier du roi.

1440 Procès et exécution de Gilles de Rais.

1444 Bataille de Varna : les armées d'Occident venues secourir Constantinople sont écrasées par les Turcs. Première vente d'esclaves africains au Portugal.

1451 Arrestation de Jacques Cœur, accusé de malversations.

1453 Les Turcs prennent Constantinople. La chute de l'Empire byzantin a des conséquences décisives : émergence d'un immense empire turc qui menace l'Occident, transfert de l'héritage culturel byzantin en Italie (début de l'humanisme) et à Moscou. Fin de la guerre de Cent Ans. Les Anglais conservent Calais.

1453

SCIENCES – TECHNIQUES	LITTÉRATURES	ARTS – MUSIQUE

1401 Porte en bronze de Ghiberti **1401**
pour le baptistère de Florence : travail de l'anatomie, du drapé, de la perspective.

1402 Le roi de France autorise la représentation des mystères.

1404 *Le Puits de Moïse* de Sluter à Dijon : début du courant réaliste qui marquera la sculpture et la peinture du xve s.

1405 Mausolée de Tamerlan à Samarkand.

1411 *La Trinité*, icône d'autel de Roublev.

1413 *Les Très Riches Heures du duc de Berry*, manuscrit enluminé des frères Limbourg : sommet de l'art aristocratique courtois.

1416 Le temple du Ciel à Pékin.

1418 Alchimie de Nicolas Flamel.

1418 Dôme de la cathédrale Santa Maria del Fiore à Florence par Brunelleschi ; début de la Renaissance en architecture : éléments antiques (coupole), recherche d'équilibre et d'harmonie.

v. 1420 Premiers mystères (représentation de la vie du Christ en plusieurs tableaux qui dérive du drame liturgique) à Arras.

v. 1420 Découverte du procédé de la peinture à l'huile par les peintres flamands.

1427 Fresques de l'église del Carmine à Florence par Masaccio : introduction de la perspective et du clair-obscur ; début de la Renaissance en peinture, dans le prolongement des découvertes de Giotto.

1429 *La Dittié de Jeanne d'Arc* de Christine de Pisan, un des rares textes contemporains célébrant Jeanne d'Arc.

v. 1430 *David*, sculpture de Donatello à Florence : traitement antiquisant d'un thème biblique.

1432 *L'Agneau mystique* de Hubert et Jan Van Eyck : éclosion de l'école flamande.

1434 *Arnolfini et sa femme* de Jan Van Eyck : première scène intimiste bourgeoise de la peinture occidentale ; apparition du miroir qui deviendra un thème fréquent dans la peinture flamande. À Florence, début du mécénat des Médicis.

v. 1440 Renaissance du platonisme (Nicolas de Cuse) : nouvel intérêt pour les mathématiques, par opposition au « naturalisme » des aristotéliciens. – Afflux de capitaux en Italie : le ducat de Venise comme monnaie-étalon ; création de succursales bancaires par les Médicis à Lyon, Genève, Londres, etc.

1440 *Les Rondeaux* de Charles d'Orléans.

1443 L'Hôtel-Dieu de Beaune : un monument civil gothique.

1445 *La Vierge à l'enfant entourée d'anges* de Fouquet.

v. 1450-1470 *L'Abusé en cour* du roi René (?), roman satirique de la vie de cour, caractéristique du style des « grands rhétoriqueurs » : mélange de vers et de prose, allégorie, rhétorique de l'énumération et du jeu de mots.

v. 1450 Le Machu Picchu, citadelle inca. – Vogue du luth, qui joue dans la société de la Renaissance le rôle que jouera le piano dans celle du xixe s. *Le Vray Mystère de la Passion*, le plus célèbre mystère, par l'organiste de Notre-Dame. **1453**

| RELIGION – PHILOSOPHIE | HISTOIRE POLITIQUE |

1454

v. 1455 Bible imprimée par Gutenberg.

1455 Angleterre : nouvelle crise de succession qui entraîne le début de la guerre des Deux Roses.

1458 Mathias Corvin, roi de Hongrie ; il résiste aux Habsbourg.
1461 Louis XI, roi de France ; il lutte contre les grands féodaux, notamment le duc de Bourgogne.
1462 Ivan III unifie les royaumes slaves et rejette la suzeraineté de la Horde d'or.
1469 Unification de l'Espagne par le mariage de Ferdinand d'Aragon et d'Isabelle de Castille.

1477 Le duc de Bourgogne, Charles le Téméraire, meurt devant Nancy en combattant les Suisses soutenus par la France ; Maximilien de Habsbourg hérite de ses fiefs.

1483 Charles VIII, roi de France.
1485 Angleterre : Henri VII, héritier des Lancastre, triomphe de Richard III et fonde la dynastie des Tudor ; la féodalité anglaise est anéantie par les guerres.

1492 Chute du dernier État musulman d'Espagne, l'émirat de Grenade ; les juifs, expulsés par les Rois Catholiques, formeront d'importantes communautés dans l'Empire ottoman ; soudée par le catholicisme, l'Espagne apparaît comme nation.
1494 Réforme de Savonarole à Florence ; il dénonce l'indignité d'Alexandre VI, qui l'excommunie en 1497 ; il sera exécuté en 1498.

1492 Christophe Colomb aborde aux Bahamas : découverte de l'Amérique. Espagne : fin de la « Reconquista ».
1493 Maximilien Ier, empereur germanique ; il réorganise et agrandit considérablement l'empire ; début du conflit entre les Habsbourg et la France.

1494 Allié à Ludovic Sforza, Charles VIII entre en Italie et réclame le royaume de Naples, héritage de la maison d'Anjou.

1497 Découverte de Terre-Neuve par Jean Cabot. Vasco de Gama parvient aux Indes en passant par le cap de Bonne-Espérance.

1498 Louis XII, roi de France.

1500

XVIᵉ siècle

1501 **v. 1501** En Inde, naissance de la communauté sikh : aspirations à un syncrétisme hindou-musulman. Premières missions européennes en Afrique et en Amérique ; la découverte d'un « Nouveau Monde » bouleverse les mentalités.

SCIENCES – TECHNIQUES	LITTÉRATURES	ARTS – MUSIQUE
		1454 Topkapi, palais des sultans ottomans à Istanbul. – Premières messes de Guillaume Dufay. **1454**
v. 1455 *Bible* dite de Gutenberg ; l'apparition du livre imprimé est une révolution technique qui contribue à l'essor de l'humanisme puis de la Réforme, à la fixation des langues nationales.		**1455** La *Pietà* de Villeneuve-lès-Avignon, tableau attribué à Enguerrand Quarton.
	v. 1456 *Le Petit Jehan de Saintré* d'Antoine de La Sale, chronique imaginaire d'un chevalier contemporain et premier « roman » au sens moderne ; *le Lais* de Villon.	**1456** *La Bataille de San Romano* d'Uccello : traitement savant de la perspective.
	v. 1458 *La Passion du Palatinus*, le plus ancien des mystères connus.	
	v. 1461 *Le Testament* de Villon inaugure une poésie plus personnelle.	
	v. 1465 *La Farce du Cuvier* : la farce, principale forme du théâtre dans la seconde moitié du XVe s.	**1465** Ockeghem est « maistre de la chapelle du chant du roi » (Louis XI).
1470 Les premiers laminoirs, puis le haut fourneau (1474) en Occident.	**1470** Édition du *Canzoniere* de Pétrarque en italien (regroupe *les Rimes* et *les Triomphes*) ; il est le premier des grands humanistes par son retour aux sources antiques et il restera le modèle du classicisme pour l'Occident ; il sera connu en France au XVIe s. *La Farce de maître Pathelin*.	**v. 1470** Décadence du paysage en Chine et développement de la représentation de la figure humaine. L'enseignement de la musique passe du domaine mathématique au domaine artistique.
		1478 *Le Printemps*, tableau de Botticelli : une interprétation allégorique et personnelle de la mythologie antique.
	v. 1480 Essor de l'imprimerie : plus de 110 villes sont équipées (50 en Italie, 9 en France). Environ 20 millions de livres sont imprimés entre 1450 et 1500 ; l'imprimerie reflète dans sa sélection le goût et les besoins de l'époque (les ouvrages de piété populaire comme *la Légende dorée* se multiplient) ; elle favorise la fixation des langues modernes.	**1480** Traité de perspective de Piero della Francesca.
v. 1490 Recherches scientifiques de Léonard de Vinci : anatomie, mécanique (publiées aux XIXe et XXe s.)		**1485** Traité d'architecture d'Alberti : référence à Vitruve et à l'antique. *La Naissance de Vénus* de Botticelli.
1492 Premier globe terrestre, à Nuremberg ; les progrès de la navigation maritime (la caravelle, v. 1420) et de la cartographie permettent la découverte par l'Occident du reste du monde.		
		1495 Charles VIII revient d'Italie avec des artistes qui travaillent à la construction du château d'Amboise : influence de la Renaissance italienne en France.
		1496 *La Cène*, fresque de Léonard de Vinci à Milan.
		1497 Mort d'Ockeghem en pleine gloire ; *Déploration de J. Ockeghem, en hommage à son maître* de Josquin des Prés.
	1498 *Les Mémoires* de Philippe de Commynes.	**1498** *Pietà* en marbre de Michel-Ange pour Saint-Pierre de Rome. Petrucci, le premier éditeur de musique à Venise. **1500**

═══ de 1501 à 1525 ═══

v. 1501 Projet de machine volante par Léonard de Vinci.		**v. 1501** *Le Jardin des délices*, tableau de J. Bosch, témoin de la crise spirituelle. Les premières épinettes, petits clavecins. **1501**

RELIGION – PHILOSOPHIE

1501

HISTOIRE POLITIQUE

1503 Bayard s'illustre au Garigliano (fleuve d'Italie) dans un combat où les Espagnols battent les Français.
1504 Fondation de l'empire commercial portugais aux Indes.

1508 Le pape Jules II suscite une ligue contre Louis XII.
1509 Henri VIII, roi d'Angleterre : il va renforcer le pouvoir royal, fonder l'Église anglicane et créer la puissance maritime anglaise.

1511 *Éloge de la folie* d'Érasme ; les humanistes tendent à un christianisme plus proche des Écritures (qu'ils traduisent et commentent).
1513 *Le Prince* de Machiavel, naissance de la pensée politique moderne.

1515 François Ier, roi de France : il lutte contre les féodaux et crée des parlements en province ; bataille de Marignan ; reconquête du Milanais.

1516 *Utopie* de Thomas More. Concordat de Bologne : hégémonie du roi sur l'Église de France, qui porte en germe le gallicanisme.
1517 Le moine Luther expose ses « 95 thèses » à Wittenberg, pour réformer l'Église.

1519 Charles Quint élu empereur grâce à l'appui financier des Fugger ; contre les puissances nationales (France), les princes allemands alliés à la Réforme et les Turcs, il tentera d'établir un empire chrétien unifié. Conquête brutale de l'Empire aztèque par les Espagnols, commandés par Cortès.
1520 Soliman le Magnifique, empereur ottoman : apogée de l'empire et développement de la puissance navale, avec Barberousse.

1520 Rupture de Luther avec Rome : naissance de la Réforme.

1521 Diète de Worms ; Luther mis au ban du Saint Empire.
1523 Extension de la Réforme en Suisse (Zwingli) et à Strasbourg (Bucer).
1525 Luther publie *Du serf arbitre* (en réponse à *Du libre arbitre* d'Érasme, 1524) ; dans la « guerre des paysans », il approuve la répression du réformisme extrême de Münzer, se conciliant les princes allemands.

1521 Perte du Milanais par la France.
1522 Allemagne : début des soulèvements paysans contre les princes.

1525 Défaite française à Pavie : François Ier, prisonnier. Allemagne : les princes écrasent la révolte des paysans.

1525

XVIe siècle

1526 **1526** Première édition des *Exercices spirituels* d'Ignace de Loyola.

1527 Fondation de la première université protestante, à Marburg (Allemagne).

1526 Bataille de Mohacs : la Hongrie perd son indépendance et est occupée par les Turcs.

1527 Pillage de Rome par l'armée de Charles Quint.

1529 **1529** Siège de Vienne par les Turcs.

SCIENCES – TECHNIQUES

1501 Séjour de Copernic à Padoue, où se développe un enseignement scientifique inspiré d'Aristote, mais séparé du dogme (alors que l'Église lie étroitement physique et métaphysique, science et théologie).

1509 Invention de la montre, à Nuremberg.

1516 Ouverture d'une manufacture d'armes à Saint-Étienne. Plein essor de l'industrie minière et métallurgique (liée à de gros investissements), transformation de l'industrie textile.

v. 1525 Intense développement du commerce : avec l'Inde et l'Asie (épices), avec l'Afrique et l'Amérique (sucre, esclaves). Rôle international d'Anvers.

1527-1528 Paracelse enseigne la médecine à Bâle ; il brûle en public les livres de Galien et Avicenne. La médecine, la chirurgie (assimilée à un artisanat), l'anatomie (confrontée à l'interdit de la dissection) préparent la révolution scientifique des Temps modernes : Copernic, Rabelais, Cardan furent médecins. *Traité sur les proportions du corps humain* de Dürer, grand anatomiste : les fondements scientifiques de la représentation artistique.

LITTÉRATURES

1501 *L'Arcadie*, roman en italien de Sannazaro : début du genre pastoral.

1518 *Les Colloques* d'Érasme.

1525 *Le Blason du beau tétin* de Clément Marot lance le genre du blason.

1526 Les *Épîtres* de C. Marot renouvellent le genre de l'épître.

ARTS – MUSIQUE

1501 *David*, marbre de Michel-Ange à Florence. *Harmonice Musices Odhecaton*, recueil de compositeurs franco-flamands ; le premier de tous les imprimés musicaux.

1503 *La Joconde* de Léonard de Vinci : sommet de la technique du clair-obscur.

1505 Le mécénat papal à Rome : Jules II fait venir Michel-Ange puis Raphaël (1508). Josquin des Prés à la cour de Louis XII.

1506 Début de la construction de Saint-Pierre de Rome par Bramante. Apogée de la Renaissance en architecture. Dürer séjourne en Italie : il favorisera à son retour la pénétration de la Renaissance italienne en Allemagne.

1508 Michel-Ange commence de peindre la voûte de la chapelle Sixtine ; décoration des chambres du Vatican par Raphaël (l'école d'Athènes).

1512 Retable d'Isenheim de Grünewald ; le gothique tardif germanique.

1513 *Le Cavalier, la Mélancolie*, gravures de Dürer, largement diffusées.

1516 Léonard de Vinci à la cour de France.

1519 Début de la construction du château de Chambord pour François Iᵉʳ.

1520 Premiers paysages dans la peinture flamande ; les artistes commencent à se spécialiser dans certains genres ; *le Christ mort*, tableau d'Holbein le Jeune.

1526 *Les Quatre Apôtres* de Dürer : expression esthétique d'une foi et d'une morale nouvelles.

1527 Début de la reconstruction du Louvre par Lescot ; début de la construction du château de Fontainebleau : François Iᵉʳ fait venir des artistes italiens qui forment la première « école de Fontainebleau ».

1528 *Chansons* de Clément Janequin, maître de ce genre profane.

RELIGION – PHILOSOPHIE

1530

1531 Pizarro conquiert l'Empire inca ; exécution d'Atahualpa.

1534 En France, « affaire des placards » : François Ier passe de la tolérance à la répression du protestantisme. Henri VIII s'instaure chef suprême de l'Église d'Angleterre, le pape ayant refusé son remariage. Luther achève sa traduction complète de la Bible en allemand : la Réforme et l'imprimerie permettront la diffusion massive de la Bible dans les langues modernes. En Inde, fondation de l'évêché de Goa par les Portugais.

1534 Conquête de la Perse par les Turcs : administration autoritaire de l'empire. — Jacques Cartier découvre le Canada.

1535 Allemagne : écrasement de la révolte anabaptiste de Münster.

1540 Institution par le pape de la Compagnie de Jésus (les Jésuites), fondée par Ignace de Loyola en 1534.
1541 Calvin s'installe à Genève et publie en français son *Institution de la religion chrétienne* ; à la différence des « hérésies » antérieures, le protestantisme s'impose comme une nouvelle confession (répercussions politiques considérables).
1542 Arrivée de saint François Xavier en Inde ; confronté au bouddhisme au Japon (1549), il meurt en tentant de se rendre en Chine (1552).

1539 Par l'ordonnance de Villers-Cotterêts, François Ier impose l'usage du français (au lieu du latin) pour les ordonnances et jugements des tribunaux ; le droit écrit (inspiré par le droit romain) va progressivement remplacer le droit coutumier.

1544 François Ier abandonne les princes protestants allemands ; en échange, Charles Quint renonce à ses revendications sur la Bourgogne.

1545 *Lettre sur l'usure* de Calvin. Ouverture du concile de Trente : début de la Contre-Réforme.

1547 Russie : Ivan est le premier à prendre le titre de tsar.

SCIENCES – TECHNIQUES

LITTÉRATURES

ARTS – MUSIQUE

1530 François Ier encourage le travail des érudits (Budé), sur les langues anciennes en fondant le Collège des lecteurs royaux, actuel Collège de France.

1530 Apparition d'un nouveau genre : le madrigal, synthèse des arts franco-flamand et italien ; l'Italie jouera de plus en plus un rôle pionnier dans l'évolution des formes musicales.

1532 *Pantagruel* de Rabelais, condamné par la Sorbonne, mêle tradition populaire et culture humaniste. *Le Roland furieux,* poème épique de l'Arioste, en italien, s'inspire des principaux cycles chevaleresques médiévaux.

1532 Arrivée d'Holbein en Angleterre.

1534 *La Bible* de Luther marque la naissance de l'allemand moderne. *Gargantua* de Rabelais.

1536 *Le Jugement dernier,* fresque de Michel-Ange pour la chapelle Sixtine.

1537 *La Madone au long cou* du Parmesan : expression typique du maniérisme. Fondation du premier conservatoire de musique à Naples.

1541 *Trente Psaumes de David* traduits par C. Marot ; le texte révèle ses sympathies huguenotes, ce qui le contraint à l'exil.

1542 *Vies des plus excellents peintres, sculpteurs et architectes* de Vasari : premières biographies d'artistes vivants et théorie de l'art.

1543 *Fabrica* de Vésale, premier traité d'anatomie moderne ; parution du traité de Copernic, qui bouleverse l'astronomie (héliocentrisme) et ouvre la « révolution copernicienne » : *Des révolutions des corps célestes.*

1544 *Délie* de Maurice Scève : les figures du discours amoureux : un symbolisme qui inspirera le XIXe s.

1545 *Ars magna,* traité mathématique de Cardan. Contre la tradition catholique, Calvin légitime le prêt à intérêt ; les mentalités et la législation des pays réformés s'adaptent rapidement à l'économie nouvelle, au contraire des pays catholiques (l'intérêt ne sera légal en France qu'en 1789).

1545 Premier grand nu dans la peinture française, par Jean Cousin.

1546 *Le Tiers Livre* de Rabelais.

1546 Travaux de Lescot au Louvre : recherche de symétrie et d'équilibre qui annonce le classicisme français du XVIIe s.

1547 Premières chansons à strophes qu'on appellera « airs ».

1548 *Le Quart Livre* de Rabelais.

1548 Interdiction des mystères en France.

1549 *Défense et Illustration de la langue française* par du Bellay : manifeste de la Pléiade ; promotion en France du français et non plus du latin comme langue de culture et comme langue littéraire ; *l'Olive* de du Bellay : première illustration du programme de la Pléiade.

RELIGION – PHILOSOPHIE	HISTOIRE POLITIQUE

1550 v. 1550 Rayonnement du bouddhisme tibétain en Mongolie.

■ xvɪᵉ siècle ■

1551

1553-1558 Réaction catholique de Marie Tudor en Angleterre.
1555 Paix d'Augsbourg : Charles Quint admet l'existence d'États protestants dans le Saint Empire ; fin de l'idéologie d'un Occident chrétien unifié.

1552 La France s'empare des Trois-Évêchés (Metz, Toul et Verdun).
1553 Marie Tudor, reine d'Angleterre ; elle appuie la politique de Charles Quint.
1555 Paix d'Augsbourg : début du déclin du Saint Empire et morcellement de l'Allemagne.
1556 Abdication de Charles Quint. L'empereur Akbar monte sur le trône et renforce le pouvoir moghol en Inde.
1558 Les Français reprennent Calais, dernière place forte anglaise. Élisabeth Iʳᵉ, reine d'Angleterre : intensification de la lutte, sur terre et sur mer, contre l'Espagne.
1559 Traité de Cateau-Cambrésis : fin des ambitions françaises en Italie. François II, roi de France.

1560 Naissance de l'Église presbytérienne d'Écosse (John Knox).
1561 Colloque de Poissy : échec de la conciliation entre protestants et catholiques français (Michel de l'Hospital).

1560 Charles IX, roi de France.

1563 Élisabeth d'Angleterre organise l'anglicanisme par les « Trente-Neuf Articles ». Clôture du concile de Trente ; renouveau du catholicisme, particulièrement en Italie (saint Charles Borromée) et en Espagne (sainte Thérèse d'Avila, saint Jean de la Croix).

1562 France : massacre de Wassy, début des guerres de Religion.

1564 Russie : Ivan « le Terrible » impose un régime de terreur.
1565 Chute du dernier royaume hindou de l'Inde : domination des Moghols.

1566 Synode d'Anvers : naissance de l'Église calviniste des Pays-Bas. L'Espagne de Philippe II se veut la championne du catholicisme : répression aux Pays-Bas, lutte contre les Infidèles, missions en Amérique.

1568 Pays-Bas : exécution d'Egmont et de Hoorne. Insurrection générale contre l'Espagne, réprimée par le duc d'Albe.

1571 Bataille de Lépante : fin de la domination de la flotte turque sur la Méditerranée.
1572 France : massacre de la Saint-Barthélemy.

1572 Massacre de protestants à Paris, le jour de la Saint-Barthélemy ; mort de Ramus, adversaire déclaré de l'enseignement scolastique.

1574 Henri III, roi de France.

SCIENCES – TECHNIQUES	LITTÉRATURES	ARTS – MUSIQUE	
	1550 *Les Odes* de Ronsard : imitation de Pindare et d'Horace par un poète de la Pléiade.		**1550**

			1551
	1552 *Les Amours de Cassandre* de Ronsard, inspiré de Pétrarque.		
	1555 *Les Amours de Marie* de Ronsard. Les *Œuvres* de Louise Labbé.	**1555** *Premier livre de madrigaux à cinq voix* écrit par Roland de Lassus, après dix ans passés en Italie.	
	1558 *Les Regrets, Divers Jeux rustiques, les Antiquités de Rome* de du Bellay.		
1559 Introduction du tabac en France (Jean Nicot). On rapporte aussi des Amériques le maïs et la pomme de terre, qui ne sera appréciée qu'au XVIIIᵉ s. (Parmentier) ; le haricot est cultivé en Italie (v. 1560).	**1559** *L'Heptaméron* de Marguerite de Navarre (posthume), recueil de nouvelles sur le modèle du *Décaméron* de Boccace.		
	1562 *Discours* de Ronsard : polémique contre les horreurs de la guerre. Première tragédie anglaise : début de l'essor du théâtre dit « élisabéthain ».	**1562** Premières académies de peinture en Italie ; *les Noces de Cana*, tableau de Véronèse. **1563** Le concile de Trente encourage les arts plastiques ; en musique, il préconise un style polyphonique sobre : retour à l'authenticité du chant grégorien et à l'intelligibilité du texte.	
	1564 *Cinquième Livre* de Rabelais (partiellement apocryphe).		
		1567 La *Messe du pape Marcel* de Palestrina aurait « sauvé » la musique liturgique en prouvant à l'Église qu'on peut être savant en restant simple. **1568** La villa Rotonda de Palladio : influence du style palladien en Europe jusqu'au début du XIXᵉ s. Église du Gesù à Rome : prototype des églises jésuites dans le monde entier.	
1568 Jean Bodin fait la théorie de l'inflation, due à l'afflux en Europe de l'argent extrait par les colonisateurs de l'Amérique. **1569** *Atlas* de Mercator.			
		1571 Premier recueil d'airs de cour : la polyphonie vocale évolue vers la monodie, accompagnée d'un instrument.	
1573 Publication des premières observations astronomiques de Tycho Brahé ; il fait construire le premier observatoire moderne au Danemark (1575-1580).	**1572** *Les Lusiades* de Camoens, épopée dont Vasco de Gama est le héros ; poème national du Portugal. Montaigne commence à rédiger ses *Essais*.		
1575 La protection du roi permet la publication des *Œuvres* d'Ambroise Paré ; les guerres de Religion lui ont donné l'occasion de faire progresser la chirurgie. Palissy publie ses expériences de céramiste.			

RELIGION – PHILOSOPHIE	HISTOIRE POLITIQUE

xvıᵉ siècle

1576   **1576** En France, formation de la Ligue, soutenue par l'Espagne. *La République* de Jean Bodin ; aspiration à la tolérance, à une communauté de religions qui surmonterait les divergences d'opinions.

1579 Les provinces protestantes des Pays-Bas (Union d'Utrecht) se séparent des provinces catholiques (Union d'Arras).

1576 France : les Guise animent le camp des extrémistes catholiques (la Ligue, soutenue par l'Espagne) et revendiquent le trône.
1578 Échec d'une croisade portugaise au Maroc : déclin de la puissance coloniale du Portugal au profit de la Hollande et de l'Angleterre.
1579 Union d'Utrecht : formation des Provinces-Unies (Pays-Bas).
1580 L'Espagne annexe le Portugal.
1581 Les Pays-Bas déclarent leur indépendance.

1582 Akbar, empereur moghol de l'Inde, crée une religion syncrétiste ; il accueille des jésuites ; hindous et musulmans sont traités à égalité par le pouvoir.

1584 Raleigh fonde la première colonie anglaise en Amérique, la Virginie ; l'Angleterre devient la première puissance protestante.
1587 Angleterre : exécution de Marie Stuart.
1588 Défaite de l'« Invincible Armada » face aux Anglais, nouvel échec de la politique de Philippe II contre les adversaires du catholicisme.
1589 France : assassinat du duc de Guise. Mort d'Henri III. Henri IV lui succède, mais doit s'imposer aux catholiques.

1588 Œuvre théologique de Molina ; au xviiᵉ s., molinisme et jansénisme s'opposeront.
1589 Création du patriarcat de Moscou, qui se considère comme « la troisième Rome », nouvelle capitale de l'orthodoxie.

1590 France : bataille d'Ivry. Siège de Paris par Henri IV.

1593 Henri IV abjure le protestantisme.

1594 Henri IV, converti au catholicisme, et sacré roi de France.

1598 Édit de Nantes : fin des guerres de Religion en France ; Henri IV décrète la liberté de culte pour les protestants.
1600 Giordano Bruno condamné et brûlé pour hérésie ; liée à sa métaphysique, sa conception d'un univers infini annonce la pensée moderne.

1598 France : édit de Nantes, fin des guerres de Religion, les protestants conservent des places fortes. – Espagne : mort de Philippe II. – Russie : Boris Godounov, tsar.
v. 1600 Installation en Inde de compagnies commerciales anglaises. Début de la colonisation.

1600

xviiᵉ siècle

1601

1602 *La Cité du Soleil*, utopie politique de Campanella (publiée en 1623).

1602 Création de la Compagnie des Indes orientales : début de l'hégémonie commerciale des Pays-Bas.
1603 Angleterre : mort d'Élisabeth ; Jacques Stuart, roi : avec l'union des couronnes d'Angleterre et d'Écosse naît la Grande-Bretagne. – Japon : le clan des Tokugawa prend le pouvoir.
1604 France : les charges publiques deviennent héréditaires.

SCIENCES – TECHNIQUES

1579 Viète introduit l'écriture algébrique moderne.

1581 Création de la Compagnie anglaise du Levant. Dans les décennies qui suivent, création des autres grandes compagnies commerçantes, en Angleterre et aux Pays-Bas puis, avec un certain retard (1670, Compagnie du Levant), en France.

1582 Le pape Grégoire XIII promeut une réforme du calendrier julien : le calendrier grégorien est notre calendrier actuel.

1584 *De l'univers infini et des mondes* de Giordano Bruno, un des premiers à décrire l'univers infini, par opposition au monde clos de la physique d'Aristote.

1596 Première publication de Kepler : il démontre la supériorité du système de Copernic.

1600 *Théâtre d'agriculture* par Olivier de Serres.

LITTÉRATURES

1578 *Sonnets pour Hélène* de Ronsard.

1580 Première édition des *Essais* de Montaigne. *La Jérusalem délivrée*, épopée du Tasse.

1583 *Les Juives* de R. Garnier : tragédie biblique dans l'esprit de la Contre-Réforme.

1588 *La Tragique Histoire du docteur Faust* de Marlowe.

1590 *Henri IV* de Shakespeare.

1592 *Edouard II* de Marlowe. *Richard III* de Shakespeare.

1594 *Roméo et Juliette* de Shakespeare.

1595 Troisième édition (posthume) des *Essais* de Montaigne.

1602 *Hamlet*, tragédie de Shakespeare : l'apogée du théâtre élisabéthain.

ARTS – MUSIQUE
de 1576 à 1600

1576 À Florence, formation d'un foyer musical qui sera à l'origine de l'opéra. **1576**

1581 En France : *le Ballet comique de la reine*, premier ballet de cour.

1586 *L'Enterrement du comte d'Orgaz* du Gréco : le mysticisme dans la peinture espagnole par opposition à la tendance réaliste.

1589 *Cantiones Sacrae* de William Byrd, composé pour remercier la reine Élisabeth de lui avoir accordé le privilège de la musique imprimée en Angleterre.

1590 Monteverdi au service du duc de Mantoue comme joueur de viole ; son *Deuxième Livre de madrigaux* le fait connaître.

1594 Mort de Lassus à Munich et de Palestrina à Rome : fin de la Renaissance en musique.

1600 Rubens en Italie jusqu'en 1608. Le Temple d'or, sanctuaire des sikhs à Amritsar en Inde. *Euridice* de Peri à Florence (naissance de l'opéra) et *la Représentation de l'âme et du corps* de Cavalieri à Rome (naissance de l'oratorio) ; ce retour à la sobriété antique, en réaction contre la polyphonie franco-flamande, marque le début de l'hégémonie musicale de l'Italie. **1600**

de 1601 à 1625

1601 *La Conversion de saint Paul* du Caravage, renouveau pictural et iconographique : réalisme de l'image, notamment religieuse ; naissance du caravagisme dont l'influence est capitale au XVIIᵉ s. **1601**

1604 Fresques de la galerie Farnèse par Annibale Carrache : apparition du baroque dans la peinture décorative que Rubens portera à son apogée.

RELIGION – PHILOSOPHIE

1605

HISTOIRE POLITIQUE

1608 _Introduction à la vie dévote_ de saint François de Sales ; le courant dévot offre une spiritualité accessible aux gens du monde.

1609 Naissance du mouvement baptiste en Angleterre. Expulsion des morisques (musulmans théoriquement convertis au catholicisme) d'Espagne. – Début des « réductions » (missions) jésuites au Paraguay ; développement de religions syncrétistes en Amérique latine, influence grandissante du catholicisme.

1611 Fondation de l'Oratoire de France par Bérulle ; le XVIIᵉ s. est le grand siècle de la spiritualité française.

1612 _L'Aurore_ de Jacob Böhme.

1614 Expulsion des chrétiens du Japon ; les Tokugawa ferment leur pays à l'étranger et favorisent le confucianisme.

1616 L'Église met l'œuvre de Copernic à l'index ; le cardinal Bellarmin considère que les savants émettent seulement des hypothèses, et non des vérités sur le système du monde.

1617 Saint Vincent de Paul, aumônier général des galères de France ; il développe l'apostolat auprès des pauvres : à partir de 1625, il s'emploie à former le clergé.

1620 _Novum Organum_ de Francis Bacon. Les « Pilgrim fathers » (Pères pèlerins) du « Mayflower » arrivent en Amérique. En Angleterre, le puritanisme nourrit l'opposition aux Stuart qui portera Cromwell au pouvoir (1645).

1625 _Du droit de la guerre et de la paix_ de Grotius.

1625

■ XVIIᵉ siècle ■

1626

1626 _Philosophie sacrée_ de Robert Fludd ; développement des Rose-Croix en Allemagne, courants alchimistes et occultistes.

1627 _La Nouvelle Atlantide_ de Francis Bacon.

1608 Fondation de Québec par Champlain.

1610 France : assassinat d'Henri IV par Ravaillac ; régence de Marie de Médicis ; ministère de Concini : Louis XIII est tenu à l'écart du pouvoir.

1611 Suède : avènement de Gustave Adolphe. Il réorganise les institutions de l'État ainsi que l'armée, faisant de son pays la première puissance d'Europe du Nord.

1613 Russie : avènement des Romanov.

1614 France : réunion des états-généraux (ils ne seront plus réunis jusqu'en 1789).

1617 France : assassinat de Concini. Louis XIII prend le pouvoir.

1618 Conflit entre les princes allemands et Ferdinand II de Habsbourg au sujet de la Bohême : début de la guerre de Trente Ans.

1620 Devenu empereur d'Allemagne, Ferdinand II envahit la Bohême et bat les princes protestants à la Montagne Blanche.

1624 France : Richelieu, ministre ; il combat les prétentions de la haute noblesse et les droits politiques des protestants (exécutions de Cinq-Mars, Montmorency) ; révoltes paysannes.

1626 France : édit de Richelieu contre les duels. Wallenstein soumet les princes protestants de l'Allemagne du Nord : recatholicisation violente.

1627 France : siège et prise de La Rochelle, dernière place forte protestante.

1629

SCIENCES – TECHNIQUES	LITTÉRATURES	ARTS – MUSIQUE	
			1605

1605 Malherbe, poète officiel à la cour de France. Grand succès de *Don Quichotte* de Cervantes : le roman picaresque en bénéficiera. *Macbeth,* tragédie de Shakespeare.
1606 *Trésor de la langue française* de Jean Nicot : le premier dictionnaire de langue française (mais avec traductions latines). *Volpone,* comédie de Ben Jonson.
1607 Début de la publication de *l'Astrée,* roman-fleuve d'Honoré d'Urfé : le genre romanesque, décrié, est encore sans règles.

1607 *Orfeo,* premier opéra de Monteverdi à Mantoue.

1609 *Astronomie nouvelle* de Kepler : lois des mouvements des planètes autour du soleil.
1610 *Le Message céleste* de Galilée, où il présente sa lunette astronomique et démontre la compatibilité du mouvement de la lune autour de la terre avec le système de Copernic.

v. 1610 Célèbre pour ses imprimeurs (Elzévir), les Pays-Bas, terre d'accueil des réfugiés politiques et religieux, sont la « librairie générale de l'Europe ».

v. 1611 *La Tempête,* dernière pièce de Shakespeare.

1614 Neper publie sa découverte des logarithmes.

1613-1650 Mme de Rambouillet réunit dans son salon les plus grands noms de la noblesse et des lettres : un haut lieu de la préciosité.

1613 Monteverdi, maître de chapelle à Saint-Marc de Venise, une des plus importantes maîtrises (ensemble de chantres) d'Europe.

1616 Mise à l'index de l'œuvre de Copernic, malgré l'intervention de Galilée et l'opinion de nombreux savants, y compris des religieux.

1616 Publication des *Tragiques,* épopée lyrique d'Agrippa d'Aubigné : un témoignage sur la foi et le combat des huguenots.

1621 Salomon de Caus entreprend le nettoiement des rues de Paris et l'équipement de la ville en fontaines alimentées par la Seine.

v. 1620 Décoration de l'église jésuite de Saint-Charles-Borromée à Anvers par Rubens : triomphe de l'illusionnisme baroque. Naissance de la cantate en Italie.
1624 Baldaquin pour Saint-Pierre de Rome par le Bernin : l'apogée du baroque en sculpture. Agrandissement du Louvre : apparition du plan en U (un corps central, deux ailes en retour), typique du classicisme français en architecture (pavillon de chasse de Versailles).

1625

1626

1627 *Tables rudolphines* de Kepler ; elles rendent les données observées (Tycho Brahé) utilisables dans le système de Copernic.
1628 Harvey publie sa découverte de la circulation du sang.

1629 *La Bohémienne* de Frans Hals, auteur de tableaux novateurs par le modernisme du traitement. **1629**

RELIGION – PHILOSOPHIE

HISTOIRE POLITIQUE

1630

1632 Intervention de Gustave-Adolphe de Suède dans la guerre de Trente Ans, en faveur du camp protestant ; il délivre l'Allemagne du Nord et marche sur Vienne, mais meurt à la bataille de Lützen.

1633 Condamnation de Galilée ; elle accentue le repli de l'Église sur sa propre tradition doctrinale, creuse un écart durable entre elle et l'Europe intellectuelle ; la métaphysique se détache de la théologie.
1634 Procès de sorcellerie à Loudun ; entre 1570 et 1650, l'Europe, qui subit un changement profond des mentalités, connaît plusieurs affaires de ce genre.

1634 Assassinat de Wallenstein.

1636 *Harmonie universelle* de Mersenne.

1635 Sous l'impulsion de Richelieu, la France intervient dans la guerre de Trente Ans aux côtés de la Suède.

1637 *Discours de la méthode* de Descartes, publié avec ses traités scientifiques ; sa philosophie, qui assume la révolution de la physique, connaît un écho immense ; Malebranche, Spinoza, Leibniz, Locke se situeront nécessairement par rapport à elle.

1637 Ferdinand III, empereur d'Allemagne. France : révolte des croquants (paysans pauvres) du Limousin.

1638 Richelieu fait emprisonner Saint-Cyran.

1639 À la suite de la guerre de Trente Ans, l'Alsace passe sous l'influence française ; révolte des va-nu-pieds de Normandie. – Japon : le pays se ferme aux étrangers.

1640 *Augustinus* de Jansenius (posthume), exposé de la doctrine augustinienne de la grâce, immédiatement critiqué par les Jésuites, défendu par Antoine Arnauld, qui fait de Port-Royal le foyer du jansénisme.
1641 Les *Méditations* de Descartes, avec ses réponses aux objections de Hobbes et Gassendi notamment.

1642 Mort de Richelieu. Guerre civile en Angleterre (jusqu'en 1646) qui prépare l'arrivée de Cromwell au pouvoir.

1643 France : mort de Louis XIII ; régence d'Anne d'Autriche ; son ministre Mazarin exerce le pouvoir.

1644 Chine : avènement de la dynastie mandchoue des Qing (jusqu'en 1912).

1645 Angleterre : Charles Ier est vaincu par Cromwell et les puritains à Naseby.
1648 Le traité de Westphalie met fin à la guerre de Trente Ans : il marque la fin de l'hégémonie des Habsbourg sur la majeure partie de l'Europe, ainsi que le morcellement de l'Allemagne. France : début de la Fronde (jusqu'en 1653).

1649 Les *Passions de l'âme*, dernier traité de Descartes.
v. 1650 Fondation de la secte protestante des Quakers par George Fox.

1649 Angleterre : exécution de Charles Ier.

1650

SCIENCES – TECHNIQUES

1632 Galilée publie *le Dialogue sur les deux principaux systèmes du monde, Ptolémée et Copernic,* ouvrage magistral de vulgarisation et de polémique, qui entraîne sa condamnation par l'Église en 1633.

1635 *Traité des indivisibles* de Cavalieri ; la réflexion mathématique sur le continu (géométrie) occupe Descartes, Roberval, Fermat, Pascal, Wallis... Elle aboutira au calcul infinitésimal avec Leibniz et Newton.
1637 *Dioptrique, Météores* et *Géométrie* de Descartes, présentés comme des essais de sa méthode « analytique » : lois de réfraction de la lumière, physique mécaniste, géométrie analytique ; par son étendue, et par son arrière-plan philosophique, son œuvre scientifique eut une influence considérable.
1638 *Discours sur les sciences nouvelles* de Galilée : démonstration rigoureuse des lois de la mécanique (chute des corps) qui ouvre la voie à la physique moderne. Polémique entre Descartes et Fermat sur l'invention de la géométrie analytique.
1639 *Brouillon projet d'une atteinte aux événements des rencontres du cône avec le plan* de Desargues (géométrie projective).
1640 *Essai sur les coniques* de Pascal (il a 16 ans), prélude à son *Traité des sections coniques* aujourd'hui perdu.

1643 Baromètre de Torricelli.

1644 Mort de Van Helmont : son œuvre marque le passage de l'alchimie à la chimie.
1645 Machine à calculer de Pascal.

1650 Otto de Guericke réalise la première pompe pneumatique.

LITTÉRATURES

1630 *Le Trompeur de Séville et le Convive de pierre* de Tirso de Molina : naissance du mythe de Don Juan.
1631 Théophraste Renaudot fonde *la Gazette de France* sous la protection de Richelieu qui en fera l'organe officieux du pouvoir.
1633 *La vie est un songe,* comédie baroque de Calderon.

1634 Première séance de l'Académie française, créée par Richelieu pour régenter la langue et la littérature.
1635 *L'Illusion comique,* comédie baroque de Corneille.
1636 *Le Cid,* tragi-comédie de Corneille, déclenche une querelle parce qu'elle ne respecte pas les règles du théâtre (arbitrage de l'Académie française). Le théâtre, pour lequel on construit de nombreuses salles, est à cette époque le genre le plus noble.

1643 Jean-Baptiste Poquelin fonde la troupe de l'Illustre-Théâtre et prend un an plus tard le pseudonyme de Molière.

1647 *Remarques sur la langue française* de Vaugelas : il définit les règles du « bon usage » (celui de la cour). *Virgile travesti,* épopée burlesque de Scarron.
1649 Début de la publication du *Grand Cyrus,* roman précieux de Mlle de Scudéry.

ARTS – MUSIQUE

1630 Carissimi, réputé pour son art de l'oratorio, maître de chapelle à Rome.

1632 *La Leçon d'anatomie,* tableau qui fonde la renommée de Rembrandt.

1635 *Charles Ier à la chasse,* tableau de Van Dyck, qui influencera l'école anglaise du portrait. Publication à Venise des *Fiori Musicali* de Frescobaldi, promoteur du style fugué pour la musique d'orgue.

1637 Ouverture à Venise du premier théâtre lyrique public : l'opéra cesse d'être un divertissement de cour et devient un genre populaire.

1642 *La Ronde de nuit* de Rembrandt : le plein épanouissement de la peinture hollandaise coïncide avec le déclin de la peinture flamande. *Le Couronnement de Poppée,* dernier opéra de Monteverdi (écrit à 75 ans).
1643 *Famille de paysans* des frères Le Nain, dont l'œuvre sera redécouverte par le courant réaliste au XIXe s.
1644 *Nativité,* tableau de Georges de La Tour.

1647 *L'Extase de sainte Thérèse,* sculpture du Bernin.

1648 Création à Paris de l'Académie royale de peinture et de sculpture, qui érige les règles de l'art classique en doctrine et favorise ainsi une éclosion de textes théoriques ; instrument de la politique absolutiste de Louis XIV sur la production artistique.

RELIGION – PHILOSOPHIE

1651

1651 Le *Léviathan* de Hobbes, réflexion sur « l'état de nature », l'institution de la société et le pouvoir politique.
1653 Condamnation pontificale de certaines thèses jansénistes.

1656 Arnauld jugé en Sorbonne : première des *Provinciales* de Pascal, brillante défense du jansénisme contre les jésuites. Spinoza, déjà connu pour ses tendances rationalistes, est excommunié par les rabbins d'Amsterdam.

1662 Bossuet prêche le carême à la cour de Louis XIV. Première édition de *la Logique de Port-Royal* (Arnauld et Nicole), traité majeur de la pensée classique, lié à la théorie du langage.
1663 Descartes est mis à l'index. Spinoza rédige les *Principes de la philosophie de Descartes*.

HISTOIRE POLITIQUE

1653 Cromwell, lord-protecteur de la république : l'Angleterre devient une dictature militaire.

1654 Suède : abdication de la reine Christine, qui se convertit au catholicisme.

1658 Aurangzeb, empereur moghol : il mène l'empire à son apogée, mais ne peut empêcher son rapide déclin (révoltes indiennes).
1659 Le traité des Pyrénées marque le déclin de l'Espagne, au profit de la France, qui devient la première puissance européenne et reçoit le Roussillon, la Cerdagne, l'Artois et diverses places des Flandres ; l'infante Marie-Thérèse est promise en mariage à Louis XIV.
1660 Monk restaure la monarchie en Angleterre ; Charles II, roi.
1661 France : mort de Mazarin ; début du règne personnel de Louis XIV, qui marque l'apogée de l'absolutisme ; arrestation de Fouquet par d'Artagnan ; Colbert, ministre.

1665 Grave épidémie de peste à Londres.

1666 Incendie de Londres.

1667 Russie : révolte paysanne dirigée par Stenka Razine. France : guerre de Dévolution contre l'Espagne.

SCIENCES – TECHNIQUES

1651-1653 Pascal rédige un *Traité de la pesanteur de la masse de l'air* et un *Traité de l'équilibre des liqueurs* qui théorisent les expériences des années précédentes (Galilée, Torricelli, Roberval) sur l'existence du vide et la pression atmosphérique.
1654 *Traité du triangle arithmétique* de Pascal ; début du calcul des probabilités.

1660 Publication des travaux de Boyle sur la compressibilité des gaz. Guericke réalise la première machine électrostatique.

1666 *De l'art combinatoire* de Leibniz (écrit à 18 ans), point de départ d'une réforme profonde de la logique et d'importantes recherches mathématiques.

LITTÉRATURES

1657 Pascal commence à rédiger des notes pour une apologie de la religion chrétienne ; elles seront publiées en 1669 et appelées *Pensées*.

1659 *Les Précieuses ridicules* valent à Molière son premier succès.

1662 *L'École des femmes* de Molière soulève une polémique à propos de la condition féminine.

1664 Première version de *Tartuffe* de Molière : la pièce, attaquant les dévots, fait scandale et est interdite.
1665 *Réflexions ou Sentences et Maximes morales* de La Rochefoucauld : le moralisme pessimiste de la noblesse française. *Dom Juan* de Molière.
1666 Premières *Satires* de Boileau à l'imitation des Anciens (Horace, Juvénal) : il dénonce les mœurs du temps.
1667 *Andromaque*, premier succès de Racine. *Le Paradis perdu*, épopée chrétienne de Milton.

1668 Premier recueil des *Fables* de La Fontaine, sur le modèle d'Ésope.

ARTS – MUSIQUE
de 1651 à 1675

1652 Construction du Taj Mahal en Inde, apogée de l'art moghol.
1653 *Les Bergers d'Arcadie*, tableau de Poussin : le classicisme français le plus pur, imprégné de l'esprit antique et italien.

1656 *Les Ménines* de Vélasquez : le point culminant de la peinture espagnole du « siècle d'or » (analyse des problèmes de la représentation, réflexion sur la composition).
1657-1661 Construction du château de Vaux-le-Vicomte.
1658 *La Vue de Delft* de Vermeer : le seul panorama de ville de la peinture du XVIIe s.

1661 Transformation du château de Versailles par Louis XIV (jusqu'à la fin de son règne) ; il représente l'apogée de l'art classique français, par son architecture (Le Vau), son décor intérieur (Le Brun), ses sculptures (Coysevox), son « jardin à la française » (Le Nôtre). Lully est nommé surintendant de la musique de la chambre du roi et domine la vie musicale française : développement de la musique de cour.
1662 *La Mère Angélique Arnaud*, tableau de Philippe de Champaigne : la rigueur et l'austérité issues du jansénisme de Port-Royal ; *l'Histoire d'Alexandre*, cartons de tapisserie de Le Brun pour Versailles. *Ercole Amante*, opéra commandé par Mazarin à Cavalli, à Paris.
1664 *Weinachtshistorie*, oratorio de Schütz : il crée un style musical adapté à la liturgie luthérienne.

1666 Création du Prix de Rome par Colbert.

1667 En France, l'Académie royale de peinture et de sculpture fixe la hiérarchie des genres et organise sa première exposition publique. La colonnade du Louvre : le classicisme français d'inspiration antique.

1668 *L'Immaculée Conception* de Murillo, symbole de la propagande de la Contre-Réforme en faveur du **culte de la Vierge.**

RELIGION – PHILOSOPHIE	HISTOIRE POLITIQUE

1669

1670 *La Chine illustrée* du père Kircher ; mode de la Chine en Europe, début des polémiques sur les missions des Jésuites. *Traité théologico-politique* de Spinoza, une des premières manifestations de la critique textuelle de la Bible, qui triomphera au XIXe s. après avoir été rudement combattue.

1670 Les troupes françaises occupent le duché de Lorraine.

1672 France : guerre de conquête contre la Hollande, qui offre une vigoureuse résistance (ouverture des digues). L'Autriche oblige la France à se retirer.

1674 *De la recherche de la vérité* de Malebranche.

1675 *Guide spirituelle* de Molinos, ouvrage de référence du quiétisme. *Le Pèlerin chérubinique* d'Angelus Silesius.

1675

━━━━ XVIIe siècle ━━━━

1676

1676 Leibniz, esprit conciliant et artisan de l'unité des Églises chrétiennes, rend visite à Spinoza, alors plus ou moins suspect d'athéisme.
1677 Publication (posthume) de l'*Éthique* et du *Traité politique* de Spinoza.
1678 *Voyage du pèlerin* de John Bunyan.

1678 La paix de Nimègue met fin à la guerre de Hollande et donne la Franche-Comté à la France : apogée du règne de Louis XIV.

1679 Réaction dans l'Empire moghol : rétablissement de l'impôt sur les non-musulmans qu'avait supprimé Akbar en 1572 ; l'islam atteint les limites de son extension en Asie, mais il progresse en Afrique noire.
1680 Fondation des Frères des écoles chrétiennes : apparition en France d'un véritable enseignement primaire, différent de celui des collèges fondé sur la culture latine. *Traité de la nature et de la grâce* de Malebranche.

1680 France : affaire des Poisons.

1682 Déclaration des Quatre Articles, préparée par Bossuet, manifeste du gallicanisme ; le pape se heurtera à l'Église de France jusqu'en 1693.

1682 France : installation de la cour à Versailles. Russie : Pierre le Grand, tsar.
1683 Les Ottomans menacent une dernière fois l'Europe : échec du siège de Vienne.
1684 La France occupe Luxembourg (jusqu'en 1697).
1685 France : révocation de l'édit de Nantes ; de nombreuses familles huguenotes quittent le pays.

1685 Révocation de l'édit de Nantes : l'absolutisme royal rétablit la monarchie dans son catholicisme de principe, mais il provoque l'exil d'au moins 100 000 protestants français (en Allemagne, aux Pays-Bas, etc.), parmi les plus entreprenants.

1688 Leibniz adresse à Arnauld son *Discours sur la métaphysique*. *Histoire des variations des Églises protestantes* de Bossuet. *Entretiens sur la métaphysique* de Malebranche.

1688 La France revendique le Palatinat : opposition des puissances européennes qui se coalisent dans la Ligue d'Augsbourg. Jacques II, catholique, chassé d'Angleterre par les princes protestants, se réfugie en France.
1689 La France dévaste le Palatinat, provoquant l'hostilité des Allemands. Angleterre : déclaration des droits qui garantissent la liberté (habeas corpus) ; couronnement de Guillaume III d'Orange-Nassau.

1689

SCIENCES – TECHNIQUES

v. 1670 Création par Colbert des grandes manufactures royales (canons, verreries, draps, tapisseries), encouragement à l'industrie et au commerce en France.

1673 *Traité des horloges* de Huygens.

1676 *Essai sur l'air* de Mariotte.

1677 Van Leeuwenhoek découvre les spermatozoïdes ; les microscopes qu'il a mis au point vont transformer la médecine et les sciences de la vie : naissance de l'histologie.
1679 Principe de Fermat en optique.

1684 Publication de Leibniz sur le calcul infinitésimal.

1686 Travaux de Leibniz en dynamique.
1687 *Principes mathématiques de la philosophie naturelle* de Newton, synthèse magistrale de la physique classique, déterministe.
1688 *Entretiens sur la pluralité des mondes* de Fontenelle, ouvrage de vulgarisation scientifique qui annonce la philosophie des lumières.

LITTÉRATURES

1669 *Oraison funèbre d'Henriette d'Angleterre* de Bossuet : l'art oratoire et le modèle de l'éloquence classique.

1671 Mme de Sévigné commence une abondante correspondance avec sa fille : ses lettres seront lues dans les salons puis publiées.
1673 *Le Malade imaginaire,* dernière pièce de Molière, qui meurt au cours de la quatrième représentation.
1674 *L'Art poétique,* poème didactique de Boileau : le triomphe des règles appelés plus tard « classiques » ; une querelle oppose alors les Anciens (Boileau), qui défendent les écrivains de l'Antiquité, aux Modernes (Perrault), partisans des écrivains du siècle de Louis XIV.

1677 Échec de *Phèdre,* tragédie de Racine ; il devient historiographe du roi et se détourne un temps du théâtre.
1678 *La Princesse de Clèves* de Mme de La Fayette, modèle du roman d'analyse psychologique.

1680 *Dictionnaire* de Richelet : le premier entièrement en français (sans latin).

1688 *Les Caractères* de La Bruyère, présentés comme des remarques en marge de l'œuvre du moraliste grec Théophraste.

ARTS – MUSIQUE

1669 Premier Salon de peinture en France. Fondation à Paris de l'Académie royale de musique, pour représenter des opéras en français.
1670 *Le Coup de soleil* de Ruisdael : apogée du paysage hollandais. *Le Bourgeois gentilhomme,* comédie-ballet de Molière et de Lully, à Chambord.
1672 Le premier concert public payant en Angleterre : la musique instrumentale se vulgarise.
1673 *Cadmus et Hermione* : Lully crée la tragédie lyrique et le récitatif français.

1675 Début de la construction de la cathédrale Saint Paul à Londres, par C. Wren.

1679 Jules-Hardouin Mansart, architecte à Versailles : la galerie des Glaces (avec Le Brun), l'Orangerie (1686), le Grand Trianon (1687), la chapelle du château avec Robert de Cotte (1687) ; il réalise aussi le dôme des Invalides à Paris, chef-d'œuvre de l'architecture classique française.

1682 Le *Milon de Crotone* de Puget : influence du baroque italien sur la sculpture française.

1685 Naissance de J.S. Bach en Saxe, de Händel à Halle (Allemagne) et de D. Scarlatti à Naples. Publication des douze premières *Sonates en trio* de Corelli, le maître de la sonate baroque.

1689 *Didon et Énée,* opéra de Purcell, musicien officiel de la monarchie ; son écriture annonce le XVIIIᵉ s.

1669
1675
1676
1689

RELIGION – PHILOSOPHIE	HISTOIRE POLITIQUE

1690

1690 *Essai sur l'entendement humain* de John Locke, approche empiriste de la connaissance qui va marquer la philosophie du langage et de la pensée rationnelle jusqu'à nos jours. Leibniz y répondra par les *Nouveaux Essais,* publiés en 1765 (posthumes).

1692 Procès de sorcellerie à Salem, l'un des derniers de l'Amérique coloniale.

1692 La flotte française est battue par les Anglais et les Hollandais : fin des prétentions de Louis XIV sur l'Angleterre.

1696 *Bible de Mons,* traduction de la Bible en français par Lemaistre de Saci.

1697 *Explication sur les maximes des saints,* où Fénelon marque son soutien au quiétisme. Bossuet y répond par sa *Relation sur le quiétisme* (1698).

1697 Traité de Ryswick : il met fin à la guerre de la Ligue d'Augsbourg et marque le coup d'arrêt de l'impérialisme français en Europe.

1699 Condamnation du quiétisme et de Fénelon. En Inde, la communauté sikh est organisée en théocratie militaire pour résister aux Moghols ; ainsi devient-elle une « nation », qui refusera l'assimilation à l'hindouisme dans l'État moderne.

1700 Point culminant de la « querelle des rites », sur la possibilité de modifier les rites catholiques pour convertir la Chine.

1700 Avènement de Philippe V d'Espagne.

1700

━━━━ XVIIIe siècle ━━━━

1701

1702 Les protestants cévenols (appelés « camisards ») se révoltent contre Louis XIV et son armée.

1704 Secte de Dona Béatrice (brûlée vive en 1706) au Congo ; début des Églises afro-chrétiennes.

1701 Développement du commerce Triangulaire en Europe. Guerre de Succession d'Espagne (jusqu'en 1714) : victoires de Marlborough et du prince Eugène.

1703 Fondation de Saint-Pétersbourg : la Russie s'ouvre à l'Occident.

1706 Publication du *Projet de dîme royale* de Vauban, qui provoquera sa disgrâce.

1708 *Entretiens d'un philosophe chrétien et d'un philosophe chinois* de Malebranche.

1707 L'Acte d'Union donne un parlement unique aux royaumes d'Angleterre et d'Écosse : naissance du Royaume-Uni.

1709 Persécution du jansénisme en France.

1710 Port-Royal est rasé. *Théodicée* de Leibniz. *Traité sur les principes de la connaissance humaine* de Berkeley, exposé de son « immatérialisme » (idéalisme).

1709 Bataille de Poltava : Pierre le Grand bat les Suédois alliés à Mazeppa ; la Russie s'impose comme une puissance militaire. Terrible famine en France : soulèvements paysans.

1711 Grande-Bretagne : ministère Bolingbroke.

1713 Louis XIV obtient du pape la condamnation complète du jansénisme (bulle *Unigenitus*). *Trois Dialogues entre Hylas et Philonoüs* de Berkeley.

1714 Leibniz entreprend une correspondance avec Clarke, porte-parole de Newton en philosophie, et publie la *Monadologie*.

1713 Traités d'Utrecht (jusqu'en 1715) mettant fin à la guerre de Succession d'Espagne : victoire de la politique britannique. Prusse : avènement de Frédéric-Guillaume Ier.

1715 France : mort de Louis XIV ; régence jusqu'en 1723 avec Philippe d'Orléans pour régent.

1716 France : Law crée le papier-monnaie pour résorber la dette publique.

1716

SCIENCES – TECHNIQUES

1690 *Traité de la lumière* de Huygens : théorie ondulatoire, perçue jusqu'au XXe s. comme incompatible avec la théorie corpusculaire de Newton ; elle sera reprise par Euler et s'avèrera dominante au XIXe s. (Fresnel, Maxwell). *Nouvelle Méthode pour obtenir à bas prix des forces très grandes* de Denis Papin, inventeur de la machine à vapeur.

1697 Théorie du phlogistique de Stahl.

1704 *Optique* de Newton (théorie de la lumière, théorie des couleurs).
1705 Halley prédit, en application des lois de Newton, le retour pour 1758 d'une comète observée en 1682. Avec Newton, la science est entrée dans son âge adulte : multiplication rapide des découvertes, observations et innovations techniques.
1708 Réaumur chargé d'éditer la *Description générale des arts et métiers de France.*

1709 Mise au point de la fonte au coke ; au cours du XVIIIe s., les ingénieurs anglais créent les machines et les procédés qui permettent, avec l'exploitation du fer et du charbon, la révolution industrielle.

1713 *Ars conjectandi* de J. Bernoulli (posthume), sur le calcul des probabilités.

1714 Polémique entre Leibniz et Newton sur le calcul infinitésimal.

1715 Thermomètre à alcool de Fahrenheit.

LITTÉRATURES

1690 *Dictionnaire universel* de Furetière : une description globale du français.

1694 Avec le *Dictionnaire* de l'Académie française (plus normatif que les précédents) s'achève un processus de contrôle de la langue par le pouvoir.
1697 *Histoires ou contes du temps passé* de Charles Perrault, écrits contre la tradition pédante de l'imitation des Anciens.

1699 *Les Aventures de Télémaque* de Fénelon, roman « antique » pédagogique.

1704-1717 La traduction des *Mille et Une Nuits* lance la mode de l'Orient en France.

1714 Relance de la querelle des Anciens et des Modernes à propos de la traduction des épopées d'Homère.
1715 *Gil Blas de Santillane,* roman satirique de Lesage : l'exotisme des romans picaresques.
1716 Paris compte plus de 300 cafés, lieux sociaux et littéraires (le Procope, fondé en 1686).

ARTS – MUSIQUE

1693 François Couperin, organiste de la chapelle royale, chargé de composer la musique religieuse ; après le règne de Lully, il fera la synthèse des deux styles dominants : français et italien.

v. 1700 La première clarinette. Les violons de Stradivarius, réputés pour leur perfection acoustique liée au secret du vernis.

1701 *Portrait de Louis XIV en costume de sacre* de Hyacinthe Rigaud.
1703 Pierre le Grand fonde Saint-Pétersbourg et fait appel à des architectes étrangers, ouvrant pour la première fois son pays aux influences occidentales.

1708 J.S. Bach, organiste à la cour de Weimar (jusqu'en 1816), cour luthérienne, où il compose chaque mois une cantate.
1709 Le premier piano-forte.

1712 *L'Embarquement pour Cythère,* tableau de Watteau : l'art charmant de la « fête galante », encouragé par une société de plaisirs. Händel se fixe à Londres après le triomphe de son opéra *Rinaldo* : il deviendra compositeur officiel de la couronne. *Les Concertos* de Corelli.

1716 *L'Art de toucher le clavecin,* traité de François Couperin.

RELIGION – PHILOSOPHIE

HISTOIRE POLITIQUE

1717

1717 Création de la Grande Loge de Londres ; la franc-maçonnerie se développe rapidement (Russie, Belgique, France, Espagne, États-Unis, Italie, Allemagne).

1718 Autriche-Hongrie : grâce aux victoires du prince Eugène sur les Turcs, l'empire des Habsbourg atteint sa plus grande expansion territoriale.

1720 France : banqueroute de Law, émeutes à Paris ; à Marseille, épidémie de peste.

1721 France : exécution de Cartouche. Après le traité de Frederiksborg, déclin de la puissance suédoise au profit de la Russie ; Pierre Ier le Grand prend le titre de tsar de toutes les Russies. Grande-Bretagne : ministère Walpole.

1724 Création de la Bourse de Paris.

1725 Mariage de Louis XV avec Marie Leszczyńska ; il entraînera la France dans la guerre de Succession de Pologne (1733).

1725

■■■■■■■ XVIIIe siècle ■■■■■

1726

1726 France : début du ministère Fleury ; redressement économique (jusqu'en 1743).

1727-1732 « Convulsions de Saint-Médard » à Paris, guérisons miraculeuses qui entraînent des mouvements populaires favorables au jansénisme.

1727 Grande-Bretagne : George II, roi.

1733 Guerre de Succession de Pologne (jusqu'en 1738).

1734 *Lettres philosophiques* de Voltaire ; avec les Lumières, le XVIIIe s. marque la fin de la métaphysique, le triomphe de Newton (que Voltaire fait connaître en France) et de la philosophie de l'expérience sur Descartes.

1735

SCIENCES — TECHNIQUES	LITTÉRATURES	ARTS — MUSIQUE

	1719 *Robinson Crusoé* de Defoe (il a 59 ans) : le mythe de l'Occident moderne.	**1719** Les écuries du château de Chantilly par Aubert : le style Régence français, période de transition entre le style classique et le style Louis XV.
		1720 *L'Enseigne de Gersaint* de Watteau, son dernier tableau.
	1721 *Les Lettres persanes,* roman philosophique satirique de Montesquieu : l'Occident vu par un regard exotique.	**1721** Six *Concertos brandebourgeois,* de style italien, de J.S. Bach.
1722 Note de Réaumur sur la fabrication de l'acier, qu'il lance en France.	**1722** *La Surprise de l'amour* de Marivaux, qui destine ses pièces aux Comédiens-Italiens.	**1722** Le *Traité d'harmonie* de Rameau fixe les bases du classicisme musical.
	1723 *La Double Inconstance* de Marivaux. Début de la rédaction des *Mémoires* de Saint-Simon.	**1723** J.S. Bach, cantor à Leipzig (jusqu'à sa mort) : *la Passion selon saint Jean.*
1724 Thermomètre à mercure de Fahrenheit.		**1724** Pavillon d'Amalienburg par Cuvilliès : le rococo en architecture.
		1725 Naissance du style « Chippendale » dans le mobilier anglais. *Les Quatre Saisons* : Vivaldi impose le concerto pour soliste en réaction contre le concerto grosso de Corelli et annonce la musique descriptive. Fondation à Paris du Concert spirituel, un des grands foyers musicaux d'Europe jusqu'à la Révolution.

1726 Première montre à échappement.	**1726** Voltaire à la Bastille à cause de ses allusions aux amours du Régent ; il s'exilera ensuite en Angleterre. *Les Voyages de Gulliver,* satire fantastique de l'Irlandais Swift, publiée anonymement.	
1727 Bradley découvre l'aberration de la lumière.		
1728 Béring découvre le passage entre l'Asie et l'Amérique (détroit de Béring).		**1728** *The Beggar's Opera* de John Gay, satire de la société londonienne.
1730 Échelle thermométrique de Réaumur. Du Fay distingue deux types d'électricité.	**1730** *Le Jeu de l'amour et du hasard* de Marivaux.	**1729** *La Passion selon saint Matthieu* de J.S. Bach.
1731 Gray distingue corps conducteurs d'électricité et isolants.	**1731** Avec *l'Histoire du chevalier Des Grieux et de Manon Lescaut* de l'abbé Prévost, *la Vie de Marianne,* roman de Marivaux (jusqu'en 1741), et *Moll Flanders* de Defoe (1722), émergence du sujet féminin dans la littérature.	
1732 *Discours sur les différentes figures des astres* de Maupertuis.	**1732** *Zaïre* de Voltaire : le prolongement de la tragédie classique.	**1732** *Le Mariage à la mode* de Hogarth, peinture de genre satirique qui marque le point de départ de l'école anglaise.
1733 En Angleterre, invention de la navette volante pour les métiers à tisser.		**1733** *Hippolyte et Aricie,* opéra de Rameau, connaît un accueil mitigé pour sa trop grande richesse musicale. *La Servante maîtresse* de Pergolèse à Naples: naissance de l'opéra-bouffe. Les trente *Exercices* pour clavier de D. Scarlatti.
1735 Classification de Linné en sciences naturelles.		**1735** La fontaine de la rue de Grenelle à Paris, par Bouchardon : début d'un retour vers l'antique, par réaction contre la fantaisie du style Louis XV. *Les Indes galantes* de Rameau : l'apogée de l'opéra-ballet.

les Temps modernes

RELIGION – PHILOSOPHIE   HISTOIRE POLITIQUE

1736

1738 Condamnation des francs-maçons par le pape ; elle sera renouvelée jusqu'à nos jours.

1739-1740 *Traité de la nature humaine* de David Hume, empiriste et positiviste.

1744 Édition définitive de la *Science nouvelle* de Vico.

1746 *Essai sur l'origine des connaissances humaines* de Condillac. *Pensées philosophiques* de Diderot.

1748 *Recherche sur l'entendement humain* de Hume. *L'Homme-machine* de La Mettrie ; essor du matérialisme et du scepticisme en Europe. *L'Esprit des lois* de Montesquieu, classique de la pensée politique.

1750-1753 Voltaire invité par Frédéric II à Berlin.
1750 *Discours sur les sciences et les arts* de Rousseau. Diderot lance l'*Encyclopédie*.

1750

━━━━ xviiiᵉ siècle ━━━━

1751 **1751** Publication du premier volume de l'*Encyclopédie*, avec le *Discours préliminaire* rédigé par d'Alembert. *Le Siècle de Louis XIV* de Voltaire, qui consacre à l'histoire d'importants travaux.

1752

1738 Stanislas Leszczyński, beau-père de Louis XV, reçoit la Lorraine. – Les Perses, dirigés par Nādir Shāh, envahissent l'Inde.

1740 Autriche : Marie-Thérèse, impératrice ; guerre de Succession d'Autriche dans laquelle s'engage la France. Début de la rivalité austro-russe dans les Balkans. Prusse : Frédéric II le Grand devient roi ; despote éclairé, il accueille la philosophie des lumières.
1741 Russie : Élisabeth, impératrice.

1742 Dupleix, directeur des comptoirs français en Inde. Prusse : Frédéric II fait valoir ses droits sur la Silésie. Début des conflits entre Habsbourg et Hohenzollern pour l'hégémonie en Allemagne.
1743 France : mort de Fleury ; Louis XV gouverne lui-même ; influence des favorites (Mme de Pompadour, puis Mme du Barry).
1744 Début des guerres coloniales entre la France et l'Angleterre.

1745 François Iᵉʳ, empereur germanique.

1750 Portugal : début du ministère de Pombal.

SCIENCES – TECHNIQUES

1736 Calcul du méridien terrestre sous la direction de Maupertuis, qui établit (contre les Cassini mais d'accord avec le système de Newton) l'aplatissement de la terre aux pôles. *Mécanique* d'Euler. Le navire à vapeur de J. Hulls.

1737-1748 *Mémoires pour servir à l'histoire des insectes* de Réaumur.
1738 D. Bernoulli expose les principes de la cinétique des gaz et de l'hydrodynamique. Mesure de la vitesse du son.

1741 *Éléments de géométrie* et *Mémoire sur le problème des trois corps* de Clairaut.
1742 Échelle thermométrique de Celsius (les « degrés celsius »). *Lettre sur la comète* de Maupertuis.

1743 Traité de dynamique de d'Alembert.

1744 Principe de moindre action de Maupertuis.

v. 1745 Invention du condensateur électrique (« bouteille de Leyde »). Métier à tisser mécanique de Vaucanson.
1746 Procédé de fabrication de l'acide sulfurique. Maupertuis appelé par Frédéric II à la tête de l'Académie des sciences de Berlin.

1747 Le sucre de betterave.

1748 *Introduction à l'analyse infinitésimale* d'Euler, qui marque l'essor du calcul fonctionnel.

1749 Parution des trois premiers volumes de *l'Histoire naturelle* de Buffon.

v. 1750 En France (physiocrates) et en Angleterre, intérêt pour de nouvelles techniques agraires. Mise au point de la fabrication de l'acier au creuset.

1751 Découverte du nickel.
1751-1754 Écrits sur l'électricité et la météorologie de Benjamin Franklin ; il invente le paratonnerre (1752).

LITTÉRATURES

1740 *Pamela*, roman de Richardson : le roman par lettres devient le procédé le plus courant des récits.

1742 L'abbé Prévost traduit *Pamela* en français.

1746 *Introduction à la connaissance de l'esprit humain* suivi de *Maximes et Réflexions* de Vauvenargues exprime une morale optimiste qui conteste les thèses de Pascal et de La Rochefoucauld.
1747 *Clarissa Harlowe*, roman par lettres de Richardson.
1748 *Zadig*, conte philosophique de Voltaire. *Les Bijoux indiscrets* de Diderot : la vogue du roman libertin.

1749 La *Lettre sur les aveugles* vaut à Diderot l'emprisonnement à Vincennes. *Tom Jones*, roman de Fielding.

ARTS – MUSIQUE

1737 Premiers Salons annuels organisés par l'Académie.

1740 *Le Triomphe de Vénus* de Boucher lance la mode de la peinture mythologique galante ; les *Chevaux de Marly* de Coustou : le style rocaille en sculpture.

1742 Première exécution et triomphe du *Messie*, oratorio de Händel, à Dublin.

1744 *Saint-Bruno* de M.A. Slodtz à Saint-Pierre de Rome : le baroque tardif ; *les Prisons* de Piranèse : le fantastique préromantique.
1745 Le « goût Pompadour » influence la vie artistique française : un art de boudoir, baroque et gracieux. Construction du château de Sans-Souci pour Frédéric II, surnommé le « Versailles prussien » ; renouveau de la vie artistique allemande sous l'impulsion des petites cours princières qui font appel à des artistes étrangers.

1748 Première exposition publique des tableaux du roi en France ; l'extension des fouilles d'Herculanum et de Pompéi accroît le retour du goût vers l'antique : débuts du néo-classicisme.

1749 *Mr. and Mrs. Andrews* de Gainsborough : début de l'école du portrait en Angleterre. *L'Art de la fugue*, dernière œuvre (inachevée) de J.S. Bach.
1750 Mort de J.S. Bach à Leipzig.
v. 1750 Naissance d'un nouveau genre musical : la symphonie.

1736

1750

1751

1752 Place Royale (place Stanislas) à Nancy : le style Louis XV. Querelle des Bouffons après la représentation de *la Servante maîtresse* de Pergolèse à Paris. Nouvel aménagement du château de Versailles sous Louis XV ; Jacques-Ange Gabriel, architecte.

1752

RELIGION – PHILOSOPHIE	HISTOIRE POLITIQUE

1753

1753 *Le Christianisme de la raison* de Lessing, caractéristique de l'Aufklärung.

1753 France : Louis XV exile le Parlement de Paris, citadelle du jansénisme.

1754 *Traité des sensations* de Condillac.

1755 *Discours sur l'origine de l'inégalité parmi les hommes* de Rousseau.

1755 Portugal : tremblement de terre à Lisbonne. France : exécution de Mandrin.

1756 Expulsion des Jésuites du Portugal, puis de France (1764) et d'Espagne (1767).

1756 Début de la guerre de Sept Ans. Grande-Bretagne : ministère du Premier Pitt.

1758 *Tableau économique* de Quesnay. *De l'esprit* d'Helvetius (ouvrage condamné au feu en 1759 pour athéisme).

1758 France : début du ministère Choiseul.

1759 Suspension de la parution de l'*Encyclopédie* (condamnée par le pape en septembre) ; Malesherbes sauve l'entreprise en autorisant la publication des « Planches » (à partir de 1762).

1759 Les Anglais prennent Québec puis Montréal.

1760 Grande-Bretagne : George III, roi.

1761 Capitulation française à Pondichéry.

1762 *L'Émile* (condamné par l'archevêque de Paris) et *Du contrat social* de Rousseau.

1762 Russie : Catherine II, impératrice.

1763 *Traité sur la tolérance* de Voltaire.

1763 Traité de Paris : la France perd le Canada, le Mississipi et l'Inde ; fin du premier empire colonial français.

1764 *Dictionnaire philosophique* de Voltaire. *Des délits et des peines* de Beccaria.

1765 L'action de Voltaire contre l'intolérance religieuse suscite un certain écho officiel : réhabilitation du calviniste Calas, qui avait été supplicié et exécuté à Toulouse en 1762.

1765 Joseph II, empereur germanique.

1766 *Réflexion sur la formation et la destruction des richesses* de Turgot. Reprise de la publication de l'*Encyclopédie*.

1766 La Lorraine est intégrée à la monarchie française.

1768 La Corse devient française. Guerre entre la Russie et les Austro-Turcs.

1769 Diderot rédige *le Rêve de d'Alembert*.

1769 Naissance de Napoléon Bonaparte.

1771 Pour briser l'opposition des magistrats à la monarchie, Maupeou fait exiler le Parlement de Paris ; réforme de la justice.

SCIENCES – TECHNIQUES

1754 Black identifie le gaz carbonique.

1756 Fabrication du ciment.

1758 Invention du concasseur à vapeur.

1760 Travaux de Black sur la calorimétrie.

1761 Lambert démontre l'irrationalité de π.

1766 Cavendish isole l'hydrogène. Début du voyage de Bougainville autour du monde.
1768 Début du voyage de Cook en Océanie. Mise au point d'une alimentation contre le scorbut : la notion de carence en médecine.
1769 *Essais sur l'analyse* de Condorcet ; dans ses derniers écrits, il en tentera une application aux faits de société.
v. 1770 Début de la révolution industrielle ; première machine à vapeur de Watt, première usine de filature, etc.
1771 Expériences de Lavoisier sur la composition de l'air. Cavendish définit les notions de potentiel et de charge électrique. Cugnot réalise le fardier, premier véhicule à vapeur.

LITTÉRATURES

1753 Début de la correspondance littéraire de Grimm (jusqu'en 1790).

1755 Johnson termine son *Dictionnaire de la langue anglaise* : le premier dictionnaire moderne.

1757 *Le Fils naturel* de Diderot : la naissance du drame bourgeois (ni comédie, ni tragédie) que Beaumarchais développera.

1759 *La Vie et les opinions de Tristram Shandy, gentleman* de Lawrence Sterne : les prémices du roman moderne. *Candide ou l'Optimisme,* conte philosophique de Voltaire.

1760 Mac Pherson présente la traduction des poèmes d'un barde celte fictif : Ossian. *Les Rustres,* comédie de Goldoni.

1761 Immense succès de *la Nouvelle Héloïse,* roman par lettres de Rousseau. *L'Amour des trois oranges,* pièce italienne de Gozzi.

1762 Diderot écrit un dialogue : *le Neveu de Rameau* (publié au XIXᵉ s.).

1764 *Le Château d'Otrante* de Walpole : la vogue du roman noir.

1766 *Laokoon,* essai sur les rapports de la poésie et de la peinture de Lessing, en réponse à Winckelmann.

1770 Rousseau termine *les Confessions,* œuvre autobiographique : le « moi » n'est plus haïssable.

1771 Publication du récit de voyage de Bougainville.

ARTS – MUSIQUE

1753 Place Louis-XV (la Concorde) à Paris : le style Louis XVI. *Lettre sur la musique française* où Rousseau prend à partie Rameau et défend la musique française contre la musique italienne.

1755 *Réflexion sur l'imitation des œuvres des Grecs en peinture et en sculpture* par Winckelmann : le fondement théorique du néoclassicisme.

1756 Église Sainte-Geneviève (Le Panthéon) à Paris : un des premiers monuments néo-classiques. Naissance de Mozart à Salzbourg.

1759 *Les Salons* de Diderot (jusqu'en 1781) : la première critique d'art.

1761 *L'Accordée de village* de Greuze, peinture de genre édifiante. Haydn entre au service des princes Esterhazy ; il déterminera l'histoire de la musique de la fin du baroque aux débuts du romantisme, donnant à la symphonie, au quatuor et à la sonate leurs lettres de noblesse.

1762 Le Petit Trianon de Gabriel, pureté de lignes et harmonie du style Louis XVI. *Orphée et Eurydice* à Vienne : Glück y dépasse le cadre de l'opéra traditionnel.

1764 *Histoire de l'art de l'Antiquité* de Winckelmann : fondement de l'histoire de l'art.

1765 La fontaine de Trévi par Niccolo Salvi à Rome.

1768 Édition d'*Alceste* : Glück y expose sa « réforme de l'opéra ».

1770 Naissance de Beethoven à Bonn. Naissance de Hölderlin.

1771 *Voltaire nu* de Pigalle : le souci de vérité prime sur l'élégance.

RELIGION – PHILOSOPHIE	HISTOIRE POLITIQUE

1772

1772 *Essais sur l'origine du langage* de Herder. *De l'homme* d'Helvetius (posthume).

1773 Catherine II reçoit Diderot en Russie.

1772 Premier partage de la Pologne, entre la Russie, l'Autriche et la Prusse.

1773 Russie ; révolte de Pougatchev. France : mort de Louis XV ; désordre complet des finances et du gouvernement.
1774 France : Louis XVI, roi de France ; ministère Turgot. Amérique du Nord : révolte des colonies anglaises. – Après ses victoires sur la Turquie, la Russie contrôle la mer Noire.

1775 Amérique du Nord : guerre d'Indépendance ; aide de la France aux insurgés (La Fayette, Rochambeau).

1775

━━━━ xviiie siècle ━━━━

1776

1776 *Enquête sur la nature et les causes de la richesse des nations* d'Adam Smith, naissance de l'économie moderne. Les travaux de Gibbon fondent l'histoire moderne.

1776 France : condamnation de Lally-Tollendal. Turgot disgracié et remplacé par Necker. États-Unis : proclamation de l'indépendance.

1779 Publication (posthume) des *Dialogues sur la religion naturelle* de Hume.
v. 1780 Essor de l'illuminisme (Messmer à Paris). Renouveau évangélique dans le protestantisme anglais et écossais ; le mouvement gagne l'Allemagne et l'Amérique (v. 1800), la France et la Suisse (v. 1820).
1781 *Critique de la raison pure* de Kant, le plus grand philosophe du XVIIIe s. (le dernier des lumières) et le premier de l'époque contemporaine ; fin de l'unité de culture entre savants et philosophes, rejet de la métaphysique spéculative, substitution de la morale à la théologie, développement de la philosophie du droit et de l'histoire... L'Allemagne, pays d'élection de la philosophie.
1783 *Prolégomènes à toute métaphysique future* de Kant. *Jérusalem* de Moïse Mendelssohn.
1784 *Idées pour une philosophie de l'histoire de l'humanité* de Herder.

1785 Jacobi publie les lettres de Lessing à Mendelssohn, *Sur la doctrine de Spinoza ;* débat en Allemagne sur le déisme, le panthéisme et l'athéisme. *Du fondement de la métaphysique des mœurs* de Kant.

1781 Capitulation anglaise à Yorktown : Washington vainqueur ; fin de la guerre d'indépendance américaine.

1783 Grande-Bretagne : ministère du Second Pitt. La Russie annexe la Crimée, mise en valeur par Potemkine (fondation de Sébastopol).
1784 France : début de l'affaire du Collier de la reine.

1787 France : suppression de l'impôt de la corvée. La Grande-Bretagne colonise l'Australie.

1788 *Critique de la raison pratique* de Kant.

1789 Effervescence des « sociétés de pensée » au début de la Révolution française ; *Qu'est-ce que le tiers état ?* de Sieyès.

1788 France : banqueroute de l'État ; suppression de la torture.

1789 France : crise économique ; début de la Révolution française ; réunion des états-généraux (5 mai) ; serment du Jeu de paume (20 juin) ; Assemblée constituante (9 juil.) ; renvoi de Necker (11 juil.) ; émeutes ; prise de la Bastille (14 juil.). – États-Unis : Washington, 1er président.

1789

SCIENCES – TECHNIQUES

1772 *Essai de cristallographie* de Romé de L'Isle. Invention du chronomètre de précision. Le tour à aléser.

v. 1774 Prietsley identifie l'oxygène. Découverte du chlore.

1775 Jenner découvre le principe du vaccin (il ne tentera la première inoculation qu'en 1796). La batteuse à grains.

LITTÉRATURES

1773 Diderot écrit *Jacques le Fataliste* (publié en 1796).
1774 Immense succès des *Souffrances du jeune Werther*, roman de Goethe : le renouveau de la littérature vient d'Allemagne.
1775 *Le Barbier de Séville* de Beaumarchais. *Le Paysan perverti* de Restif de La Bretonne.

ARTS – MUSIQUE

1772 Les salines d'Arc-et-Senan de Ledoux : la conception visionnaire d'une cité industrielle.

1776 Adam Smith fait la théorie de l'économie libérale. Premier chemin de fer (pour le transport du charbon).

1778 *Fragments physiognomoniques* de Lavater.
1779 Premier pont métallique (en Angleterre).
1780 Expériences de Lavoisier sur la respiration des animaux ; 150 ans après Harvey (théorie de la circulation du sang), il fait la théorie du second des mécanismes vitaux, la respiration.

1781 Herschel découvre la planète Uranus.

1782 Machine à double effet de Watt. Fondation du Creusot : essor de la métallurgie en France.

1783 *Essai d'une théorie sur la structure des cristaux* d'Haüy. *Essai sur les machines en général* de Lazare Carnot. Premiers ballons des Montgolfier : on les appelle « montgolfières ».
1785 *Réflexions sur le phlogistique* de Lavoisier ; il énonce la loi de conservation de la matière. Lois de Coulomb (électrostatique). Analyse de l'eau par Cavendish et Prietsley. Première machine à vapeur de Watt pour l'industrie textile. Berthollet invente un procédé de blanchissement des tissus au chlore (« eau de Javel »). Parmentier répand la culture de la pomme de terre.
1786 *Traité élémentaire de la statique* de Monge.
1787 *Méthode de nomenclature chimique* de Lavoisier. Cartwright invente le métier à tisser utilisant l'énergie de la vapeur.
1788 En Angleterre, utilisation de machines à vapeur pour battre le blé. *Mécanique analytique* de Lagrange.
1789 *Traité élémentaire de chimie* de Lavoisier, exposé de la chimie moderne.

1776 Le « Sturm und Drang » en Allemagne : Schiller, Goethe et Novalis seront les modèles spirituels du romantisme ; traduction de *Werther* en français.

1782 *Les Liaisons dangereuses*, roman par lettres de Laclos : succès et scandale ; publication posthume des *Rêveries du promeneur solitaire* de Rousseau. *Le Roi des Aulnes*, poème de Goethe ; *les Brigands*, drame de Schiller.

1784 *Le Mariage de Figaro* de Beaumarchais.

1787 *Paul et Virginie* de Bernardin de Saint-Pierre illustre ses thèses sur la providence. *Don Carlos*, drame de Schiller.

1789 *Les Chants d'innocence*, poèmes avec enluminures de Blake.

1778 Construction du théâtre de la Scala à Milan.
1779 Le château de Bagatelle par Bélanger annonce, par l'austérité de son style, la période Empire.

1781 *Voltaire*, sculpture de Houdon : recherche de l'expression psychologique. Mozart s'installe à Vienne, un des centres de la vie musicale européenne avec Salzbourg.

1785 *Le Serment des Horaces* de David, manifeste du néo-classicisme.

1786 *Les Noces de Figaro*, opéra de Mozart d'après Beaumarchais à Vienne.
1787 *Don Juan*, opéra de Mozart à Prague. Mort de Glück à Vienne.

RELIGION – PHILOSOPHIE
SCIENCES HUMAINES

HISTOIRE POLITIQUE

1790 **1790** *Critique de la faculté de juger* de Kant. *Réflexions sur la Révolution française* de Burke. L'Assemblée française vote la Constitution civile du clergé, provoquant un grave conflit avec le pape, le clergé « réfractaire » et les catholiques de l'Ouest.
1791 *Panoptique* de Bentham.

1790 France : création des assignats, gagés sur les biens nationaux ; Constitution civile du clergé (août) ; création de 83 départements ; émigration vers l'Allemagne et l'Angleterre d'aristocrates et de contre-révolutionnaires.

1791 France : la famille royale tente de quitter le pays (juin) ; elle est arrêtée à Varennes ; Assemblée législative (oct. 1791-sept. 1792). – Révolte d'esclaves à Saint-Domingue ; guerre d'indépendance menée par Toussaint-Louverture.

1792 Début des désastreuses guerres de Coalition (avril). France : emprisonnement de la famille royale (10 août) ; proclamation de la république (22 sept.) ; début de la Terreur ; la patrie en danger (juil.). Massacres de Septembre ; victoires de Valmy et de Jemmapes. – François II, empereur germanique.

1793 *La Religion à l'intérieur des limites de la simple raison* de Kant. *Contributions destinées à rectifier le jugement du public sur la Révolution française* de Fichte ; l'idéologie nationaliste et révolutionnaire se répand en Europe.

1793 France : exécution de Louis XVI (21 janv.). Installation de la Convention montagnarde et du Comité de salut public ; guerre de Vendée et chouannerie. – Deuxième partage de la Pologne.

1794 *Esquisse d'un tableau historique des progrès de l'esprit humain* de Condorcet. En France, culte civique et déiste de l'Être suprême.

1794 France : arrestation et exécution de Robespierre (9 Thermidor), chute des Montagnards ; installation de la Convention thermidorienne ; inflation et émeutes de la faim. – Après le deuxième partage de la Pologne, soulèvement général dirigé par Kościuszko ; il est écrasé par Souvorov.

1795 *Principes de la doctrine de la science* de Fichte et *Du moi comme principe de la philosophie* de Schelling (idéalisme allemand). Organisation de l'enseignement supérieur en France.
1796 *Théorie du pouvoir politique* de Louis de Bonald.

1795 France : gouvernement du Directoire ; les assignats ont perdu 90 % de leur valeur. – Troisième partage de la Pologne.

1796 Première campagne d'Italie, qui met Bonaparte au premier plan ; complot et arrestation de Gracchus Babeuf.

1797 *Essai sur les révolutions* de Chateaubriand. *Considérations sur la France* de Joseph de Maistre. *Métaphysique des mœurs* de Kant.
1798 *Essai sur le principe de population* de Malthus.

1797 Traité de Campo Formio : la France annexe la rive gauche du Rhin et fonde des « républiques sœurs ».

1798 France : campagne de Bonaparte en Égypte. Nelson détruit la flotte française à Aboukir. – Naissance de la République helvétique.

1799 *Discours sur la religion à ceux de ses contemporains qui sont des esprits cultivés* de Schleiermacher.
1800 *Système de l'idéalisme transcendantal* de Schelling. *La Destination de l'homme* de Fichte.

1799 France : Bonaparte prend le pouvoir par le coup d'État du 18 Brumaire : début du Consulat. Coalition européenne contre la France.

1800 Nouvelle campagne d'Italie ; victoire française à Marengo sur les Autrichiens qui sont chassés d'Italie. Grande-Bretagne : acte d'Union avec l'Irlande.

1800

■ XIXe siècle ■

1801 **1801** Signature du Concordat entre la France et le pape. *La Différence entre les systèmes de Fichte et de Schelling* par Hegel.

1802 *Influence de l'habitude sur la faculté de penser* de Maine de Biran.

1801-1802 France : Bonaparte, premier consul à vie ; paix d'Amiens ; annexion du Piémont.

1802

SCIENCES – TECHNIQUES

1790 Jussieu organise le Jardin des Plantes, à Paris.

1792 Télégraphe optique de Chappe. Début, en Angleterre, de l'éclairage au gaz.
1792-1793 *Art de la mesure des éléments chimiques* de Richter.

1794 *Éléments de géométrie* de Le Gendre. Première *Notes scientifiques* de Dalton. Création de l'École polytechnique à Paris.

1795 *Théorie de la Terre* de Hutton. Création et adoption du système métrique en France.

1796 Invention de la lithographie et de la presse hydraulique. Jenner inocule le premier vaccin. *Exposition du système du monde* de Laplace.

1797 Découverte du chrome. *Théorie des fonctions analytiques* de Lagrange.

1798 *Théorie des nombres* de Le Gendre. Première exposition des produits de l'industrie française, au Champ-de-Mars.
1799-1825 *Mécanique céleste* de Laplace (qui invente ce terme, devenu classique).
1800 Volta invente la pile, qui permet la découverte de l'électrolyse de l'eau. Loi de Malus en optique. *Géométrie descriptive* de Monge. Essai du sous-marin de Fulton, au large du Havre.
1800-1805 *Leçons d'anatomie comparée* de Cuvier, naissance de l'anatomie comparée.

1801 *Traité médico-philosophique sur l'aliénation mentale* de Pinel. *Anatomie générale* de Bichat. *Recherches arithmétiques* de Gauss, naissance de la théorie moderne des nombres.
1802 Premiers résultats de Gay-Lussac en cinétique des gaz.

LITTÉRATURES

1792 Sade, que l'abolition des lettres de cachet a libéré de la Bastille, publie *Justine ou les infortunes de la vertu.*

1796 *Le Moine,* roman « gothique » de Matthew Lewis ; publication posthume de *la Religieuse* de Diderot ; *la Mère coupable* de Beaumarchais.

1798 *Les Ballades lyriques,* œuvre de Wordsworth et Coleridge : l'acte de naissance du romantisme anglais ; l'*Athenæum,* revue littéraire animée par les frères Schlegel : naissance du romantisme allemand.

1800 *De la littérature* de Mme de Staël, l'initiatrice du romantisme en France.

1801 *Le Génie du christianisme,* apologie de la religion chrétienne publié avec un roman (*Atala*) puis un second (*René,* modèle du héros romantique) en 1802.
1802 Naissance de Victor Hugo et d'Alexandre Dumas.

ARTS – MUSIQUE

1790 *Cosi fan tutte,* opéra de Mozart à Vienne.

1791 *La Flûte enchantée,* opéra-comique populaire (en allemand) de Mozart, à Vienne ; il écrit *le Requiem* (partition inachevée) et meurt dans la misère.
1792 Le peintre David à la Convention.

1793 La Convention crée le Musée central des arts au Louvre (premier musée public après le Musée des monuments de Lenoir, 1791) en France et elle supprime les Académies royales ; premier salon libre à Paris (sans jury). Fondation du Conservatoire de musique à Paris.

1794 *Marat assassiné,* tableau de David.

1797 *Médée,* opéra de Cherubini, annonce l'opéra romantique.

1798 *La Création,* oratorio de Haydn, d'après *le Paradis perdu* de Milton.

1799 *L'Enlèvement des Sabines,* tableau néo-classique de David.

1800 *Madame Récamier,* tableau de David (inachevé) ; la *Maja desnuda* et la *Maja vestida,* tableaux de Goya.

1801 Sonate dite *Au clair de lune* de Beethoven ; ses œuvres pour piano feront considérablement évoluer la technique de l'instrument.

1802 À 32 ans, Beethoven découvre sa surdité naissante ; il fait de la musique un sacerdoce et se détourne des succès mondains.

1790

1800

de 1801 à 1810

1801

1802

	RELIGION – PHILOSOPHIE SCIENCES HUMAINES	HISTOIRE POLITIQUE

1803

1803 *Traité d'économie politique* de J.-B. Say.

1804 Dernière *Doctrine de la science* de Fichte. *Éléments d'idéologie* de Destutt de Tracy, très influent en France. Pie VII sacre Napoléon empereur.

1806 *Phénoménologie de l'esprit* de Hegel.

1807 *Discours sur la nation allemande* de Fichte, un des premiers textes à développer la mystique patriotique allemande.

1809 *Recherches sur la liberté humaine* de Schelling. – Napoléon ayant occupé les États pontificaux, il est excommunié par le pape, qu'il fait emprisonner.

1810 Création du royaume théocratique (musulman) des Peuls au Mali. – *De l'Allemagne* par Mme de Staël.

1810

━━━━━━ XIXᵉ siècle ━━━━━━

1811

1812-1816 *Science de la logique* (« Grande Logique ») de Hegel.

1813 *De l'esprit de conquête* de B. Constant.

1814 Rétablissement de l'ordre des Jésuites.

1816 Étude de Franz Bopp sur les conjugaisons des langues indo-européennes, naissance de la grammaire comparée et de la linguistique. *Encyclopédie des sciences philosophiques* de Hegel. Saint-Simon crée la revue *l'Industrie*.

1816

1803 Bonaparte vend la Louisiane aux États-Unis.

1804 Indépendance d'Haïti. France : exécution du duc d'Enghien. Bonaparte proclamé empereur sous le nom de Napoléon Iᵉʳ. Promulgation du Code civil des Français ; Création des administrations des Ponts et Chaussées, des Mines et du Génie maritime.

1805 Défaite franco-espagnole à Trafalgar ; victoire française à Austerlitz ; Napoléon, roi d'Italie. Égypte : prise du pouvoir par Méhémet-Ali.

1806 Début du Blocus continental de la France contre l'Angleterre ; Napoléon met fin au Saint Empire romain germanique en suscitant la création de la Confédération du Rhin.

1807 France : création de la Cour des comptes. Traité de Tilsit : division de l'Europe en deux zones d'influence, russe et française. La Grande-Bretagne interdit la traite des Noirs.

1808 Soulèvement de l'Espagne contre l'occupant français, qui répond par une terrible répression.

1809 Bataille de Wagram.

1811 Grande-Bretagne : premières émeutes contre le machinisme. – Éclatement de l'empire colonial espagnol en Amérique latine : début des luttes pour l'indépendance, menées notamment par Bolivar, San Martín, Miranda et Sucre.

1812 Échec de la campagne de Napoléon en Russie : déroute de la Grande Armée ; à Paris, conjuration du général Malet.

1813 Soulèvement de l'Europe contre Napoléon, battu à Leipzig. – France : interdiction de faire travailler les enfants dans les mines.
1814 Abdication de Napoléon ; Louis XVIII, roi de France ; premier traité de Paris. Début du congrès de Vienne.

1815 Retour de Napoléon : les Cent-Jours ; seconde abdication de l'empereur après la défaite de Waterloo ; la Terreur blanche en France ; second traité de Paris. – Fondation de la Sainte-Alliance.

SCIENCES – TECHNIQUES

1803 Herschel montre que les étoiles se meuvent. *Essai de statique chimique* de Berthollet. Hypothèse atomique de Dalton. Fulton essaie un bateau à vapeur sur la Seine.

1806 Métier à tisser Jacquard (brevet en 1801). La morphine est extraite de l'opium. Davy obtient du sodium et du potassium.

1807 Première liaison régulière par bateau à vapeur, sur l'Hudson (Fulton).

1809 Mémoire de Gay-Lussac sur les combinaisons en volume des gaz. *Philosophie zoologique* de Lamarck, première théorie de l'évolution. Découverte du calcium (Berzélius, Davy).
1810 Fondation des usines Krupp, à Essen.

1811 Hypothèse d'Avogadro sur la masse « molaire » des gaz. Berzélius entreprend de déterminer les masses atomiques des éléments chimiques. En France, le Blocus continental entraîne la production industrielle de sucre de betterave (pas d'importation de sucre de canne).
1812 *Théorie analytique des probabilités* de Laplace. *Recherches sur les ossements fossiles* de Cuvier, naissance de la paléontologie des vertébrés.
1813 *Éléments de chimie agricole* de Davy.

1814 Première locomotive de Stephenson ; le chemin de fer ne prendra véritablement son essor qu'après les perfectionnements de Seguin et la construction de la « fusée » (« the Rocket ») de Stephenson, en 1830. Fraunhoffer, grand constructeur de télescopes, entreprend l'étude de la lumière solaire décomposée par le prisme : spectroscopie, naissance de l'astrophysique.
1815 *Discours sur les révolutions à la surface du globe* de Cuvier.
1816 Premier mémoire de Fresnel sur la diffraction ; il reprend la théorie ondulatoire de la lumière. Recherches de Gauss sur les fondements de la géométrie.

LITTÉRATURES

1804 *Introduction à l'esthétique* de Jean-Paul Richter ; *Guillaume Tell*, drame de Schiller.

1806 *Le Cor enchanté de l'enfant*, premier recueil de chants populaires allemands d'Arnim et Brentano.

1808 Premier *Faust* de Goethe.

1809 *Les Martyrs* de Chateaubriand, récit pour lequel il a fait un voyage en Orient ; *les Affinités électives* de Goethe, dont le prestige est immense dans toute l'Europe.
1810 *De l'Allemagne* de Mme de Staël est interdit par la censure et paraîtra à Londres.

1812 *Contes* des frères Grimm : l'exploration du passé et des thèmes populaires fournira aux romantiques de nombreux modèles ; ils préparent un grand dictionnaire allemand ; premier chant du *Pèlerinage de Childe Harold*, poème de Byron, qui lui apporte la célébrité.

1816 *Adolphe*, roman de Benjamin Constant ; au XIXᵉ s. le roman acquiert ses lettres de noblesse et se diversifie dans ses formes (historique, populaire, psychologique...) ; *Les Élixirs du diable* de Hoffmann.

ARTS – MUSIQUE

1804 *Les Pestiférés de Jaffa*, tableau de Gros ; David, premier peintre de l'Empereur. *Symphonie n° 3* de Beethoven dans laquelle apparaît sa puissance novatrice.

1806 *Le Sacre de Napoléon*, tableau de David ; *la Bataille d'Eylau* de Gros, tableau épique qui forge le mythe impérial ; début des grands travaux de Napoléon à Paris : Fontaine et Percier, architectes.
1807 *Napoléon sur son trône*, tableau d'Ingres. Pleyel fonde une fabrique de pianos à Paris ; développement de la musique d'amateurs.
1808 *Symphonie n° 5* de Beethoven : elle illustre la notion de « thème » ou cellule rythmique.
1809 *Symphonie n° 6* de Beethoven, dite *Pastorale* : les débuts de la musique « à programme ».

1810 *Les Désastres de la guerre*, gravures de Goya ; *le Cimetière sous la neige* de G.D. Friedrich illustre le préromantisme dans la peinture allemande ; J.-F. Bélanger utilise une des premières structures en fer pour la Halle au blé à Paris.

1813 Naissance de Verdi et de Wagner.

1814 *Dos de Mayo* et *Tres de Mayo* [le 2 et le 3 mai], tableaux de Goya ; *la Grande Odalisque*, tableau d'Ingres ; diffusion en France du procédé de la lithographie. *Marguerite au rouet* de Schubert, composé à 17 ans : le lied allemand cesse d'être un genre mineur.

1816 *Les Trois Grâces* de Canova : le néo-classicisme en sculpture. *Le Barbier de Séville*, opéra-bouffe de Rossini d'après Beaumarchais, à Rome.

RELIGION – PHILOSOPHIE
SCIENCES HUMAINES

HISTOIRE POLITIQUE

1817

1817 *Principes d'économie politique,* de Ricardo. Montée du protestantisme aux États-Unis, intensification du « réveil » et réaction du néo-luthéranisme en Allemagne ; au XIXᵉ s., les missions protestantes se multiplient dans le monde.

1818 Indépendance du Chili.

1819 *Le Monde comme volonté et comme représentation* de Schopenhauer, qui connaîtra une grande notoriété après 1850.

1819 Libération de la Colombie par Bolivar.

v. 1820 Développement de l'étude des langues et des religions orientales en Occident.

1820 France : assassinat du duc de Berry, l'héritier au trône. Espagne : révolte des libéraux contre Ferdinand VII. États-Unis : les États du Nord prohibent l'esclavage ; débuts de la conquête de l'Ouest.

1820

━━━ XIXᵉ siècle ■

1821

1821 *Soirées de Saint-Pétersbourg* de Joseph de Maistre (posthume), représentant du catholicisme ultramontain. *Du système industriel* de Saint-Simon.
1821-1823 *Philosophie de la mythologie* de Schelling.
1822 Champollion déchiffre les hiéroglyphes égyptiens.

1821 Lutte de la Grèce pour l'indépendance, saluée par l'Europe romantique ; la Turquie exerce une violente répression. – Libération du Venezuela par Bolivar.

1822 Indépendance du Brésil. Pierre Iᵉʳ, empereur.

1823 Déclaration de Monroe : les États européens ne doivent pas intervenir dans les affaires des États américains.

1824 Conquête de la Birmanie par la Grande-Bretagne. Indépendance du Pérou. Naissance de la République mexicaine.

1825 *Le Nouveau Christianisme* de Saint-Simon.

1825 Russie : échec du soulèvement des Décabristes, nobles opposés à l'absolutisme de Nicolas Iᵉʳ. France : sacre de Charles X ; il s'appuie sur l'Église et les Ultras ; don de un milliard de francs aux émigrés.

1826 Auguste Comte commence son *Cours de philosophie positive* (publié de 1830 à 1842).

1826 Grèce : chute de Missolonghi, symbole de la résistance à la Turquie.

1827 Le dey d'Alger outrage le consul de France : ce sera un prétexte pour l'intervention militaire.

1828 Indépendance de l'Uruguay.

1830 Fondation de l'Église des mormons aux États-Unis. En Égypte, Méhémet-Ali encourage un renouveau (nadha) de la culture arabe et musulmane.

1830 France : prise d'Alger ; chute de Charles X après les 3 journées révolutionnaires dites les « Trois-Glorieuses » ; Louis-Philippe, roi des Français. – Insurrection de la Pologne contre l'autorité du tsar, sévèrement réprimée. – Indépendance du Venezuela et de la Colombie.

1830

SCIENCES – TECHNIQUES	LITTÉRATURES	ARTS – MUSIQUE	
	1817 *Frankenstein ou le Prométhée moderne* de Marie Shelley.		1817
1818 *Philosophe anatomique* de Geoffroy Saint-Hilaire ; Goethe se passionne pour les sciences naturelles (il crée le mot « morphologie »).			
1819 Loi de Dulong et Petit sur la chaleur spécifique des solides. Traité de Laennec sur le diagnostic par le stéthoscope des maladies cardio-pulmonaires. La caféine est extraite du café. Apparition du macadam.	**1819** *Ivanhoé* de W. Scott : la vogue du roman historique ; *Mazeppa*, poème de Byron.	**1819** *Le Radeau de la méduse,* tableau de Géricault : une des premières manifestations du romantisme français. *La Truite,* quintette de Schubert.	
1820 Expérience d'Oersted, naissance de l'électromagnétisme (Ampère, Arago).	**1820** *Méditations poétiques* de Lamartine : le début de la poésie romantique ; *Melmoth*, roman noir de l'Anglais Mathurin ; *Prométhée délivré*, drame lyrique de Shelley.		1820

1821 *Cours d'analyse* de Cauchy (notion mathématique de limite). « Cage » de Faraday.	**1821** *Confessions d'un mangeur d'opium*, de Thomas de Quincey ; *les Fiancés*, roman italien de Manzoni.	**1821** *La Charrette de foin* de Constable : la découverte du paysage anglais en France ; les « peintures noires » de Goya. Le *Freischütz* de Weber à Berlin : naissance de l'opéra romantique allemand.	1821
1822 *Théorie analytique de la chaleur* de Fourier (notion de série trigonométrique). *Traité des propriétés projectives des figures* de Poncelet (la géométrie projective). Invention de la photographie par Niepce.	**1822** *De l'amour* de Stendhal ; *Odes* de Hugo.	**1822** Delacroix commence son *Journal*. Le Français Érard met au point le piano moderne, à double échappement.	
1823 Publication des travaux de Chevreul sur les corps gras.	**1823** *Han d'Islande*, premier roman (noir) de Hugo.		
1824 Travaux d'optique d'Hamilton. *Réflexions sur la puissance motrice du feu* de Sadi Carnot, ouvrage fondateur de la thermodynamique, passé inaperçu jusqu'en 1834 (Clapeyron).		**1824** *Les Massacres de Scio*, tableau de Delacroix, le manifeste de l'école romantique. *Symphonie n° 9* de Beethoven : il associe orchestre et voix dans le finale, avec *l'Ode à la joie* de Schiller.	
1825 En Angleterre, pose de la première voie ferrée avec traction à vapeur.			
1826 Loi d'Ohm sur les courants électriques. Début des travaux de Lobatchevski sur la géométrie non euclidienne.	**1826** *Cinq Mars*, roman historique de Vigny ; *le Dernier des Mohicans* de l'Américain Fenimore Cooper : première œuvre américaine célèbre.	**1826** La plus ancienne photo retrouvée de Niepce. Le 16e et dernier *quatuor* de Beethoven.	
1827 *Recherches sur les fonctions elliptiques* d'Abel. Début de l'embryologie (Baer). Première fabrication de l'aluminium.	**1827** *Cromwell* de Hugo, avec une importante préface définissant le drame romantique par opposition à la tragédie classique ; *De l'assassinat, considéré comme un des beaux-arts* de Quincey.	**1827** *La Mort de Sardanapale*, tableau de Delacroix, déchaîne les critiques par l'audace dans la couleur et le mouvement. Mort de Beethoven, à Vienne ; pour la première fois un compositeur s'est adressé à l'humanité tout entière et pas seulement aux princes.	
1828 Première synthèse d'un produit organique : l'urée. Découverte du mouvement brownien.	**1828** *Les Chouans*, premier roman de Balzac à paraître sous son vrai nom ; *Mémoires* de Vidocq.		
1829 Invention de l'écriture Braille. Mesure de la vitesse de la lumière par Fizeau. Théorie des fonctions elliptiques de Jacobi.	**1829** *Marion Delorme*, drame de Hugo interdit par la censure ; *les Années de voyage de Wilhelm Meister* de Goethe.	**1829** Mendelssohn fait jouer, pour la première fois depuis la mort de Bach, *la Passion selon saint Matthieu*.	
1830 Travaux de Liebig sur les applications de la chimie à l'agriculture. Théorie des groupes de Galois (diffusée par Jordan en 1870).	**1830** La première de *Hernani*, drame de Hugo, déclenche une bataille entre les romantiques et les classiques ; *le Rouge et le Noir*, roman de Stendhal.	**1830** *La Cathédrale de Chartres* de Corot met en valeur le rôle de la lumière dans le paysage. *La Symphonie fantastique* de Berlioz illustre le romantisme musical.	1830

l'Époque contemporaine

| RELIGION – PHILOSOPHIE SCIENCES HUMAINES | HISTOIRE POLITIQUE |

XIXᵉ siècle

1831

1831 Fondation du mouvement de la « Jeune Italie » par Mazzini. Révolte ouvrière des canuts à Lyon.

1832 Condamnation du catholicisme libéral par le pape, qui rappelle également, après les révoltes en Pologne contre le gouvernement russe, le devoir d'obéissance.

1833 Premier tome de l'*Histoire de France* de Michelet ; avec l'essor des nationalismes, l'histoire prend une grande importance idéologique ; début des travaux monumentaux d'érudition historique, en particulier en Allemagne.

1833 Abolition de l'esclavage dans les colonies anglaises.

1834 *Histoire de la religion et de la philosophie en Allemagne* de Heine.

1834 Création du Zollverein, première union douanière allemande.

1835-1840 *De la démocratie en Amérique* de Tocqueville.

1836 *Cours de philosophie* de Victor Cousin. *Sur la différence de construction du langage dans l'humanité* de Wilhelm von Humboldt (posthume).

1837 *Théorie de la science* de Bolzano.

1837 Victoria, reine d'Angleterre.

1838 *Recherches sur les principes mathématiques de la théorie des richesses* de Cournot.

1838 Émeutes ouvrières en Angleterre, pour la conquête du suffrage universel, qui sera refusé par le Parlement anglais l'année suivante.

1839 Espagne : fin de la guerre civile entre carlistes et libéraux. Allemagne : interdiction de faire travailler les enfants de moins de 9 ans. Chine : début de la guerre de l'Opium.

1840 *Qu'est-ce que la propriété ?* de Proudhon.

1840 France : le rapport du docteur Villermé expose l'état pitoyable dans lequel se trouvent les ouvriers des filatures ; retour des cendres de Napoléon. – Acte d'union des provinces canadiennes.

1840

SCIENCES – TECHNIQUES

1831 Faraday découvre l'induction électromagnétique.

1832 Géométrie non euclidienne de Bolyai. Invention de l'hélice. En France, ouverture de la première ligne de chemin de fer ; le réseau atteindra 2 000 km en 1850, 18 000 km en 1870.

1834 Faraday énonce les lois de l'électrolyse. *Théorie mécanique de la chaleur* de Clapeyron. Premier moteur électrique puissant.

1838 Théorie cellulaire de Schwann. Traversée de l'Atlantique par un « steamer » anglais (navire à vapeur, par opposition au « clipper », navire à voile).
1838-1839 Faraday propose une théorie unitaire de l'électricité, qui annonce la notion de champ (Maxwell).
1839 Théorie du potentiel de Gauss. Marteau-pilon à vapeur. Daguerréotype. Vulcanisation du caoutchouc (Goodyear).

1840 Loi de Joule en thermodynamique. Angleterre : création du timbre-poste.

LITTÉRATURES

1831 Succès de *la Peau de chagrin* de Balzac, qui lui apporte argent et notoriété ; *Notre-Dame de Paris*, roman historique de Hugo.

1832 Le second *Faust* de Goethe couronne et résume son œuvre ; *la Fée aux miettes* de Nodier ; *Mes prisons*, œuvre patriotique de l'Italien Silvio Pellico.

1833 Publication des *Caprices de Marianne*, comédie de Musset ; *Eugène Onéguine*, roman en vers du Russe Pouchkine : première œuvre russe reconnue mondialement.

1834 Balzac écrit *le Père Goriot* et applique pour la première fois le système du retour des personnages ; *On ne badine pas avec l'amour, Lorenzaccio* et *Fantasio* de Musset ; *la Dame de pique*, nouvelle de Pouchkine.
1835 *Mlle de Maupin* de T. Gautier ; *Contes* du Danois Andersen ; *le Journal d'un fou* de Gogol.
1836 Naissance du roman-feuilleton dans la presse : Dumas, Eugène Sue, George Sand publieront dans les journaux ; *Confession d'un enfant du siècle* de Musset : le « mal du siècle » ; *le Lys dans la vallée* de Balzac ; *les Aventures de M. Pickwick* de Dickens.
1837 *Oliver Twist*, roman de Dickens contre les « maisons de travail » : le réalisme victorien.

1839 *La Chartreuse de Parme* de Stendhal.

1840 Balzac a l'idée de *la Comédie humaine*, qui paraîtra de 1842 à 1848 ; *Histoires extraordinaires* de l'Américain Edgar Poe.

ARTS – MUSIQUE
de 1831 à 1840

1831 *La Liberté guidant le peuple*, tableau de Delacroix, allégorie inspirée par les journées révolutionnaires de 1830 ; début de l'orientalisme dans la peinture française ; *l'Arc de la vague*, estampe de Hokusaï ; fondation du *Charivari*, le premier journal satirique illustré, témoin de l'engouement français pour la caricature (Daumier). À 21 ans, Chopin s'installe à Paris et devient l'idole des salons ; la *Norma*, opéra de Bellini à Milan : l'âge d'or du « bel canto ».
1832 *Le Départ des volontaires* (ou *la Marseillaise*) de Rude, sculpture de l'Arc de triomphe à Paris.

1834 *Femmes d'Alger dans leur appartement*, tableau de Delacroix : la mode de l'exotisme oriental chez les romantiques ; Talbot découvre le procédé de la photographie sur papier.

1835 *Lucia di Lammermoor*, opéra de Donizetti, à Naples : l'archétype de l'opéra romantique.

1836 Mort tragique de la cantatrice adulée par les romantiques, Maria Malibran.

1837 Daguerre met au point le daguerréotype (procédé photographique).

1839 Théorie de Chevreul sur les couleurs qui sera le fondement du néo-impressionnisme. Construction du palais de Westminster à Londres dans un style néo-gothique. Premières photographies de la lune. Wagner s'installe à Paris, capitale musicale, pour essayer d'y faire jouer ses premiers opéras ; Chopin, aux Baléares avec George Sand, achève les 24 *préludes* : il est le premier compositeur à se vouer uniquement au piano.

1840 *L'Amour et la Vie d'une femme, les Amours du poète*, cycles de lieder de Schumann.

1831

1840

RELIGION – PHILOSOPHIE
SCIENCES HUMAINES

HISTOIRE POLITIQUE

XIXᵉ siècle

1841

1841 *L'Essence du christianisme* de Feuerbach ; déclin de l'influence de Hegel.

1843 *Logique* de J.S. Mill.

1844 Première tentative d'un « phalanstère » (en Roumanie) d'après les idées de Fourier. *Le Concept d'angoisse* de Kierkegaard. Marx publie *la Question juive* et rencontre Engels à Paris.

1845 *La Situation de la classe laborieuse en Angleterre* de Engels. *Stades sur le chemin de la vie* de Kierkegaard.

1846 Marx et Engels rédigent *l'Idéologie allemande*.

1848 *Manifeste du parti communiste* de Marx et Engels, sur l'avènement de la révolution dans la société capitaliste et le rôle du prolétariat. Flambée des nationalismes en Europe.

1849 Le pape est rétabli dans ses États sur intervention française.

1842 Chine : Traité de Nankin, qui marque l'ouverture commerciale de la Chine à l'Occident ; cession de Hong-kong aux Anglais. Grande-Bretagne : interdiction du travail féminin dans les mines. La France conquiert les îles Marquises et Tahiti.

1843 France : invasion et conquête de la Guinée et du Gabon. Prise de la smala d'Abd el-Kader, qui s'enfuit d'Algérie.

1844 Chine : fondation de concessions européennes échappant à la souveraineté chinoise.

1845 Grande famine en Irlande : 1 million de morts, 8 millions d'émigrants, principalement vers les États-Unis.

1847 Épidémies de choléra en Europe. France : campagne des « banquets » contre Louis-Philippe ; soumission d'Abd el-Kader et fin de la conquête d'Algérie. Suisse : guerre du Sonderbund. Angleterre : adoption de la journée de 10 heures pour les ouvriers du textile. – Fondation du Libéria.

1848 France : révolution ; proclamation de la république en février ; écrasement du soulèvement populaire en juin ; en décembre, Louis-Napoléon Bonaparte élu président de la République. Abolition de l'esclavage dans les colonies françaises. – Révolutions nationalistes en Allemagne, Prusse, Autriche, Italie et Hongrie. – Invasion du Panjab par les Anglais. – Ruée vers l'or en Californie.

1849 Proclamation de la République romaine ; appelées par le pape, les troupes françaises battent Garibaldi. – Kossuth, chef de l'État hongrois ; écrasement de la Hongrie par l'Autriche.

1850

XIXᵉ siècle

1851

1851 *Essai sur les fondements de nos connaissances* de Cournot.

1851 France : coup d'État de Louis-Napoléon Bonaparte ; plébiscite approuvant le coup d'État. – Chine : début de la révolte des Taiping.

1852 *Catéchisme positiviste* de Comte, qui se veut le premier « sociologue » et l'instaurateur d'une « religion de l'humanité ».

1852

1852 France : rétablissement de l'empire (second empire). Italie : Cavour, premier ministre du Piémont. – Indépendance du Transvaal.

SCIENCES – TECHNIQUES	LITTÉRATURES	ARTS – MUSIQUE

1841

1842 Mayer démontre l'équivalence entre chaleur et énergie mécanique. Découverte de l'effet Doppler. Premières anesthésies (éther).

1842 *Consuelo*, roman de George Sand ; *les Mystères de Paris* d'Eugène Sue ; *Gaspard de la nuit* d'Aloysius Bertrand : le poème en prose ; *les Âmes mortes* de Gogol : avec lui, le roman devient le genre dominant de la littérature russe.

1842 *Nabucco* [Nabuchodonosor], opéra de Verdi, triomphe à Milan : le chœur des juifs exilés devient l'hymne des patriotes italiens.

1843 Quaternions (nombres complexes) de Hamilton. Premiers médicaments en comprimés.

1843 *Les Illusions perdues* de Balzac ; mort de Léopoldine Hugo et de son mari.

1844 *Les Trois Mousquetaires, le Comte de Monte Cristo* de Dumas père.

1844 *Pluie, vapeur, vitesse*, tableau de Turner : l'étude des effets atmosphériques annonce l'impressionnisme. *Grand Traité d'instrumentation et d'orchestration moderne* de Berlioz.

1845 Appareil télégraphique de Morse. Invention des presses rotatives.

1845 *Carmen*, nouvelle de Mérimée.

1845 Début des *Salons* de Baudelaire ; Viollet-le-Duc commence la restauration de Notre-Dame à Paris (jusqu'en 1864) ; *les Gens de justice*, gravures de Daumier pour le *Charivari*.

1846 Le Verrier « découvre » par le calcul la planète Neptune. Krupp coule le premier canon d'acier en une seule pièce.

1846 *La Mare au diable* de George Sand ; *le Peuple* de Michelet, « cours d'éducation nationale pour les classes populaires ».

1846 Début de l'école de Barbizon, qui prépare l'éclosion de l'impressionnisme en renouvelant le genre du paysage. Liszt, maître de chapelle à la cour de Weimar : il domine la vie musicale comme compositeur, chef d'orchestre et pianiste et il fait du récital de piano ce que Paganini avait fait du récital de violon : un spectacle de virtuosité.

1847 Logique formelle de De Morgan. Helmholtz énonce la loi générale de conservation de l'énergie. Invention de la nitroglycérine et du béton armé. Mesure de la pression artérielle.

1847 *Les Hauts de Hurlevent* d'Emily Brontë ; *Jane Eyre* de Charlotte Brontë ; *les Sonnets de la Portugaise* de Robert Browning ; *François le Champi* de George Sand.

1847 *Le Combat de coqs* de Gérôme illustre le goût académique dans la peinture française.

1848 Échelle Kelvin (température absolue).

1848 *La Dame aux camélias*, roman de Dumas fils.

1848 *L'Enterrement à Ornans*, tableau de Courbet, fait scandale au Salon de 1850 et inaugure la « guerre du réalisme ».

1849 Mise au point de la locomotive Crampton ; en 1852, elle atteindra 140 km/h sur la ligne Paris-Calais.
v. 1850 Pasteur en France, Koch en Allemagne font la preuve qu'une maladie a généralement une cause spécifique. Premières piqûres. Plein essor de la navigation à voile, en particulier américaine.

1849 *David Copperfield* de Dickens.

1850 *La Lettre écarlate* de Hawthorne, premier grand roman de la littérature américaine.

1849 Mort de Chopin à Paris.

1850 *Le Semeur*, tableau de Millet.

1850

1851

1851 Clausius énonce le second principe de la thermodynamique. Expérience du pendule de Foucault. *Paradoxes de l'infini* (posthume) de Bolzano. Surfaces de Riemann en mathématiques. Première exposition universelle à Londres (libre-échange, industrie lourde). Fabrication industrielle de machines à coudre.

1851 *Le Chapeau de paille d'Italie*, comédie sociale de Labiche, le maître du théâtre de boulevard sous le second Empire. *Moby Dick ou la Baleine blanche*, roman de l'Américain Melville ; *la Case de l'oncle Tom* de la romancière américaine Beecher-Stowe, contre l'esclavagisme.

1851 Début de la construction des Halles à Paris par Baltard ; inauguration du Crystal Palace à Londres à l'occasion de la 1re Exposition universelle. *Rigoletto*, opéra de Verdi à Venise.

1852 Foucault construit le gyroscope.

1852 *La Dame aux camélias* de Dumas fils au théâtre ; *Récits d'un chasseur* de Tourgueniev.

1852

	RELIGION – PHILOSOPHIE **SCIENCES HUMAINES**	**HISTOIRE POLITIQUE**

1853

1853 Début de la guerre de Crimée.

1854 Pie IX promulgue le dogme de l'Immaculée Conception ; vogue du culte de Marie, qui aboutira au dogme de l'Assomption (1950).

1854 Traité entre le Japon et les États-Unis qui met fin à la politique d'isolement du Japon. Allemagne : interdiction de faire travailler les enfants de moins de 12 ans.

1856 *L'Ancien Régime et la Révolution* de Tocqueville.

1856 Traité de Paris : l'Empire ottoman est ouvert aux banquiers européens.

1857 Chine : occupation de Canton par les Anglais et les Français ; sac du palais d'Été de Pékin (guerre de l'Opium).

1858 Apparition de la Vierge à Lourdes.

1858 L'Inde devient colonie de la couronne britannique ; elle est gouvernée par un vice-roi. – Début du creusement du canal de Suez sous la direction de Lesseps. – Les puissances occidentales obtiennent du Japon des traités de commerce à leur avantage.

1859 Œuvre de Darwin. L'évolutionnisme envahit les sciences humaines naissantes (Spencer, Morgan).

1859 Intervention française en Italie : victoire de Solferino contre l'Autriche ; particulièrement sanglante, elle inspire à Henri Dunant l'idée de fonder la Croix-Rouge.

1860 *La Civilisation de la Renaissance en Italie* de Jacob Burckhardt.

1860 Italie : Nice et la Savoie sont cédées par l'Italie à la France ; expédition des Mille menée par Garibaldi à Naples. États-Unis : 31,3 millions d'hab. – Pékin mis à sac par les Franco-Anglais.

1860

◼ xixe siècle ◼

1861

1861 *L'Utilitarisme* de J.-S. Mill ; positivisme, utilitarisme et scientisme dominent l'esprit du temps.

1861 Russie : abolition du servage. Indépendance de la Roumanie. États-Unis : onze États du Sud se constituent en États confédérés d'Amérique ; début de la guerre de Sécession.

1862 Prusse : Bismarck chancelier.

1863 *Vie de Jésus* de Renan. *Introduction aux sciences de l'esprit* de Dilthey.
1863-1872 *Dictionnaire de la langue française* de Littré.

1863 Protectorat français sur le Cambodge. États-Unis : émancipation des Noirs.

1864 *La Cité antique* de Fustel de Coulanges. *Syllabus* et encyclique *Quanta cura* de Pie IX : condamnation des idées modernes (rationalisme, théories sociales, etc.).

1864 Fondation de la Croix-Rouge. Fondation de la Ire Internationale socialiste à Londres : les mouvements ouvriers commencent à s'organiser. – Maximilien proclamé empereur du Mexique.

1864

SCIENCES – TECHNIQUES

1853 Travaux de Claude Bernard sur la fonction glycogénique du foie (théorie du milieu).
1854 Algèbre de Boole. *Sur les hypothèses qui servent de base en géométrie* de Riemann (publié en 1867).
v. 1855 Grâce à de nouveaux procédés, début de l'industrie de l'aluminium, expansion de l'industrie de l'acier. Le chemin de fer apparaît en Amérique latine (Brésil), en Afrique (Égypte), en Australie...
1856 Instruments de mesure de la température du corps humain. Invention des colorants synthétiques.

1857 *Théorie des fonctions abéliennes* de Riemann. – Mise en service des wagons-lits Pullmann. Éclairage au gaz à Paris.

1859 *L'Origine des espèces* de Darwin suscite un débat passionné ; l'évolutionnisme s'impose dans les sciences de la vie. Naissance de l'analyse spectrale (Kirchhoff, Bunsen). Premiers puits de pétrole aux États-Unis.
1860 *Chimie organique fondée sur la synthèse* de Berthelot. Début des recherches de Maxwell et Boltzmann en cinétique des gaz, de Broca sur les localisations cérébrales.

1861-1865 Guerre de Sécession aux États-Unis : utilisation des premiers cuirassés, mines et torpilles.

1862 Réfutation expérimentale, par Pasteur, de la théorie des générations spontanées.

1863 Publication posthume des travaux de Dirichlet en théorie des nombres. Début de la pasteurisation. Les applications de la recherche à l'industrie, la médecine, etc. se multiplient (fabrication de la soude).

1864 Théorie électromagnétique de la lumière (théorie du champ) de Maxwell. La spectroscopie s'étend à l'univers : on découvre que la composition de la matière du soleil et des étoiles est la même que celle de la Terre.

LITTÉRATURES

1853 *Les Châtiments*, poèmes de Hugo en exil à Jersey : un pamphlet virulent contre Napoléon III.
1854 *Les Filles du feu* de Nerval ; *l'Ensorcelée* de Barbey d'Aurevilly.

1855 *Les Feuilles d'herbe* de Whitman, chantre de l'Amérique ; *les Chants de Hiawatha* de Longfellow.

1856 *Les Contemplations* de Hugo, sommet de la poésie visionnaire, centré sur l'intercession avec Léopoldine, sa fille morte (séances de spiritisme).
1857 *Madame Bovary* de Flaubert et *les Fleurs du mal* de Baudelaire sont attaqués en justice pour immoralité ; traduction des *Histoires extraordinaires* d'Edgar Poe par Baudelaire.
1858 *Le Bossu* de Paul Féval, archétype du roman de cape et d'épée ; *le Roman de la momie* de T. Gautier.

1859 *Miréio*, poème provençal de Mistral : la renaissance culturelle des pays d'oc (le félibrige).

1860 *Les Paradis artificiels* de Baudelaire : opium et haschich.

1861 *Souvenirs de la Maison des morts* de Dostoïevski, écrit à son retour de prison.

1862 *Les Misérables* de Hugo : le courant humanitaire et social du romantisme. *Salammbô* de Flaubert ; *Poèmes barbares* de Leconte de Lisle ; *Dominique*, roman d'analyse psychologique de Fromentin.

1863 *Le Capitaine Fracasse*, roman de cape et d'épée de T. Gautier.

1864 *Voyage au centre de la terre* de Jules Verne : les prémices de la science-fiction ; *les Malheurs de Sophie* de la comtesse de Ségur.

ARTS – MUSIQUE

1853 Haussmann, préfet de la Seine, entreprend une politique de grands travaux à Paris. *Le Trouvère* (Rome) et *la Traviata* (Venise), opéras de Verdi ; *Sonate en si mineur* de Liszt.

1855 *L'Atelier* de Courbet, tableau-manifeste du réalisme. Offenbach fonde à Paris le théâtre des Bouffes-Parisiens.

1857 *Le Réalisme*, essai de Champfleury qui prône la vérité dans l'art.

1858 Fondation du groupe des Cinq pour donner une école nationale de musique à la Russie.

1859 En France, les photographes participent pour la première fois aux Salons ; *l'Angélus*, tableau de J-F. Millet ; *la Lutte de Jacob avec l'Ange*, testament spirituel de Delacroix en peinture. *Faust*, opéra-comique de Gounod à Paris.

1861 C. Garnier commence l'Opéra de Paris (achevé en 1875) dans le style éclectique du second Empire. Pasdeloup donne au Cirque d'hiver les premiers « concerts populaires ».

1862 Manifeste des peintres français contre la photographie ; *Ugolin et ses fils*, sculpture de Carpeaux. Koechel établit le *Catalogue chronologique et thématique des œuvres complètes de Mozart*.

1863 Premier Salon des refusés à Paris (les exclus du Salon officiel) : le premier d'une suite de Salons « parallèles » qui servent de manifestes aux écoles nouvelles ; Manet provoque un scandale avec *le Déjeuner sur l'herbe* ; *le Bain turc*, tableau d'Ingres.

1853

1860

1861

1864

RELIGION – PHILOSOPHIE SCIENCES HUMAINES	HISTOIRE POLITIQUE

1865

1865 États-Unis : capitulation des États du Sud, abolition de l'esclavage ; assassinat de Lincoln.

1866-1876 *Grand dictionnaire universel du XIXᵉ siècle* de Pierre Larousse.

1866 Guerre austro-prussienne : victoire prussienne à Sadowa, fin de l'influence autrichienne sur l'Allemagne.

1867 Livre premier du *Capital* de Marx ; les sciences économiques, sociales et politiques se développent considérablement v. 1870. – Début de l'ère Meiji au Japon : idéologie nationaliste, qui tend à dissocier le shintoïsme du bouddhisme et à supprimer l'influence des religions « étrangères ».

1867 France : annexion de la Cochinchine. Échec de la politique française au Mexique : exécution de Maximilien à Queretaro. – Les États-Unis achètent l'Alaska à la Russie. Le Canada obtient son autonomie interne. – Japon : abdication du dernier shogun.

1868 Début de l'ère Meiji au Japon : modernisation du pays.

1869 Grande-Bretagne : les parlementaires irlandais, avec Parnell, tentent d'obtenir l'autonomie de l'Irlande (« Home Rule »).

1870 Annexion de Rome et des États pontificaux au royaume d'Italie. Concile Vatican I : dogme de l'Infaillibilité pontificale. – Aux États-Unis, naissance des témoins de Jéhovah.

1870 Guerre franco-allemande : capitulation de Sedan ; Napoléon III, prisonnier ; proclamation de la république sur l'initiative de Gambetta.

1870

■■■■■ XIXᵉ siècle ■■■■■

1871

1871 Début du « Kulturkampf » de Bismarck contre les catholiques allemands et le Vatican. *Théorie de l'économie politique* de Jevons. *Principes d'économie politique* de Menger.

1872 *La Naissance de la tragédie*, premier ouvrage de Nietzsche.

1871 Traité de Francfort : la France perd l'Alsace et une partie de la Lorraine. Proclamation de l'Empire allemand, à Versailles, dans la galerie des Glaces. Prise de pouvoir de la Commune de Paris ; le gouvernement de Thiers se réfugie à Versailles ; écrasement de la Commune par les troupes versaillaises.

1872 Japon : suppression de la féodalité ; le service militaire et l'enseignement deviennent obligatoires.

1873 Le Parlement français, à majorité monarchiste et catholique, décide l'érection de la basilique du Sacré-Cœur pour expier les fautes de la nation. *Étatisme et anarchie* de Bakounine ; mouvements anarchistes et révolutionnaires en Europe, nihilisme et populisme en Russie, organisation des mouvements socialistes. *Les Origines de la France contemporaine* de Taine. *Psychologie du point de vue empirique* de Brentano.

1873 France : Mac-Mahon, président.

1873

SCIENCES – TECHNIQUES

1865 *Introduction à l'étude de la médecine expérimentale* de Claude Bernard. Mendel énonce les lois de l'hérédité ; leur redécouverte (v. 1900) donnera naissance à la génétique. – Invention de la rotative.

1867 Mise au point de la dynamite par Nobel, du béton armé, du frigorifique. Lister impose le traitement antiseptique des blessures.

1868 Découverte de l'hélium dans l'atmosphère solaire.
1869 *Classification périodique des éléments* de Mendeleïev (chimie). Dynamo de Gramme. Premiers procédés de photographie en couleurs. Début de l'exploitation de la houille blanche. Premier chemin de fer traversant les États-Unis d'un océan à l'autre ; sa construction a joué un rôle important dans la « conquête de l'Ouest ».
1870 Équation de Van der Waals en chimie.
v. 1870 Le chemin de fer atteint son plein rendement en Europe et en Amérique : rail en acier, signalisation électrique, avant le frein à air comprimé (inventé en 1872). Progrès de la navigation à vapeur.

LITTÉRATURES

1865 *Guerre et Paix*, roman de Tolstoï ; *Alice au pays des merveilles* de Lewis Carroll.

1866 *Crime et Châtiment*, roman de Dostoïevski, qui définit le courant antiréaliste et visionnaire de la littérature russe ; *Poèmes saturniens* de Verlaine ; *le Parnasse contemporain*, recueil réunissant Leconte de Lisle, Gautier, Heredia, Banville : les poètes parnassiens en réaction contre le romantisme.

1867 *La Légende et les aventures d'Ulenspiegel et de Lamme Goedzak* de De Coster, premier chef-d'œuvre de la littérature belge francophone ; *Peer Gynt*, pièce du Norvégien Ibsen.

1869 Romans : *l'Éducation sentimentale*, de Flaubert, *Vingt mille lieues sous les mers* de Jules Verne, *Lettres de mon moulin* (nouvelles) de Daudet. Poésie : *les Chants de Maldoror* de Lautréamont, *les Fêtes galantes* de Verlaine, *le Spleen de Paris* (poèmes en prose) de Baudelaire.

ARTS – MUSIQUE

1865 Le « scandale Manet » se poursuit avec l'exposition d'*Olympia* (1863) ; *le Déjeuner sur l'herbe*, tableau de Monet est critiqué par Courbet ; *Beata Beatrix*, tableau de D.G. Rossetti ; essai de Proudhon « sur la destination sociale de l'art ».
v. 1865 Naissance du jazz dans le delta du Mississippi : blues, chants de travail, orchestres populaires.
1866 Premières photographies en couleurs. *La Fiancée vendue* de Smetana : l'opéra national tchèque.

1867 Début de l'influence du Japon sur l'art français.

1869 *La Danse*, sculpture de Carpeaux.

1865
1870

1871 Début des *Rougon-Macquart* de Zola : le naturalisme, une nouvelle esthétique romanesque ; Rimbaud écrit *le Bateau ivre* et *la Lettre du voyant*.

1871 *Aïda*, opéra de Verdi pour l'inauguration de l'Opéra du Caire.

1872 « Programme d'Erlangen » de Klein. Arithmétique de Weierstrass. Travaux de Cantor et Dedekind sur les irrationnels ; début de la correspondance entre les deux savants, d'où sortira la théorie des ensembles.

1873 Hermite établit la transcendance du nombre e. Premières machines à écrire.

1872 *Impression, soleil levant* de Monet, tableau-manifeste de ce qu'on appelle par moquerie l'« impressionnisme ».

1873 *La Maison du pendu*, tableau de Cézanne.

1871

RELIGION – PHILOSOPHIE SCIENCES HUMAINES	HISTOIRE POLITIQUE
1874 **1874-1877** *Éléments d'économie politique* de Walras.	**1874** Grande-Bretagne : ministère Disraeli. France : loi sur le travail des enfants (pas avant 12 ans et pas plus de 12 heures).
1875 En Inde, les mouvements nationalistes s'appuient sur l'hindouisme. – *L'Homme criminel* de Lombroso. Création de l'Alliance réformée mondiale : mouvement d'union des églises protestantes.	**1875** Savorgnan de Brazza au Congo.
	1877 Victoria, impératrice des Indes. – États-Unis : interdiction du Ku Klux Klan. – Japon : la dernière révolte des samouraïs contre la modernisation du pays est écrasée à Kagoshima.
1878 *Humain trop humain,* de Nietzsche. *Anti-Dühring* de Engels. Élection du pape Léon XIII : renouveau du thomisme, doctrine sociale.	
1879 Wundt crée le premier laboratoire de psychologie, à Leipzig ; les sciences humaines se substituent peu à peu à la philosophie dans de nombreux domaines.	**1879** France : démission de Mac-Mahon ; Jules Grévy, président.
1880 *Aurore* de Nietzsche.	**1880** France : lois scolaires de Jules Ferry ; le 14 juillet devient fête nationale.

1880

══════ XIXᵉ siècle ══════

1881 **1881** *Anthropologie* de Tylor.	**1881** France : protectorat français sur la Tunisie. Russie : assassinat du tsar Alexandre II par des anarchistes ; nombreux et importants pogroms contre les juifs. Chine : avènement de Ts'eu-Hi.
1882 *Le Gai Savoir* de Nietzsche. Première immigration juive (« aliya ») en Palestine.	**1882** Protectorat anglais sur l'Égypte. – Indépendance de la Serbie.
1883-1885 *Ainsi parlait Zarathoustra* de Nietzsche.	**1883** Plekhanov fonde le Parti marxiste russe. Établissement du protectorat français sur le Tonkin.
1884 *L'Origine de la famille, de la propriété privée et de l'État* d'Engels.	**1884** France : nombreuses grèves, notamment aux mines d'Anzin.

SCIENCES – TECHNIQUES

1874 Développement de la stéréo-chimie (Van't Hoff, Le Bel).

1875 Découverte des chromosomes. Mécanisation de l'agriculture (moissonneuse-lieuse). Invention du téléphone par Bell.
1876 Mise au point du moteur à explosion par Otto, d'après le cycle de Beau de Rochas ; l'automobile entre progressivement dans l'âge industriel.
1877 Invention du phonographe et du microphone (Edison). Boltzmann exprime l'entropie en termes de probabilités.
1878 Début de l'utilisation industrielle de l'électricité. Découverte des enzymes nécessaires à l'organisme.
1879 Edison invente l'ampoule électrique (lampe à filament).

1880 Travaux d'analyse de Poincaré. Premières photos astronomiques.

1881 Adoption d'unités de mesure universelles pour l'électricité ; les progrès de la mesure conditionnent étroitement ceux des sciences fondamentales. Premiers tramways électriques, à Berlin. Première exposition internationale d'électricité, à Paris.
1882 Découverte du bacille de la tuberculose par Koch, qui développe les techniques de prophylaxie. Première centrale électrique, à New York. Création du premier trust pétrolier (Standard Oil).
1883 *Mécanique* de Mach. Transport d'électricité à longue distance. Mise au point de fibres synthétiques (la rayonne).

1884 *Leçons sur les maladies du système nerveux* de Charcot. *Les Fondements de l'arithmétique* de Frege. Pour l'imprimerie, mécanisation de la composition.

LITTÉRATURES

1874 *Les Diaboliques*, nouvelles de Barbey d'Aurevilly : l'imagination fantastique ; *Romances sans paroles* de Verlaine.

1876 *Anna Karénine* de Tolstoï, chronique d'une passion inspirée par un fait divers. *Prélude à l'après-midi d'un faune*, poème de Mallarmé ; *les Aventures de Tom Sawyer* de Mark Twain.
1877 Grand succès de *l'Assommoir* de Zola.

1879 *L'Enfant*, roman autobiographique de Jules Vallès ; publication posthume de *Woyzeck*, drame de Büchner.

1881 Publication posthume de *Bouvard et Pécuchet* de Flaubert ; *le Roman d'un spahi* de Loti : l'attrait de l'Orient.

1883 *Contes cruels* de Villiers de l'Isle-Adam ; *Au bonheur des dames* de Zola ; *l'Île au trésor* de Stevenson : succès du roman d'aventure.

1884 *À rebours* de Huysmans : le héros décadent ; Verlaine révèle dans *les Poètes maudits* des œuvres inconnues de Mallarmé, Rimbaud, Corbière, Cros ; *le Canard sauvage*, pièce d'Ibsen.

ARTS – MUSIQUE

1874 Première exposition des peintres impressionnistes à l'atelier de Nadar (Cézanne, Monet, Degas, Sisley, B. Morisot, Pissarro) ; *l'Âge d'airain*, sculpture de Rodin. *Tableaux d'une exposition* de Moussorgsky ; *Boris Godounov*, « drame musical populaire » d'après Pouchkine joué pour la première fois à Saint-Pétersbourg : le chœur (le peuple) y est essentiel.
1875 *Carmen*, opéra-comique de Bizet d'après Mérimée est sifflé à Paris ; mort de Bizet ; naissance de Ravel.
1876 *Le Moulin de la Galette*, tableau de Renoir. Inauguration du théâtre de Bayreuth, conçu par Wagner et financé par Louis II de Bavière, avec *la Tétralogie* (4 opéras ou « journées »).
1877 *Nana*, tableau de Manet ; début de la série des *Gare Saint-Lazare* de Monet : étude systématique de la lumière ; *l'Absinthe*, tableau de Degas. *Le Lac des cygnes*, ballet de Tchaïkovsky. Invention du phonographe simultanément par Charles Cros et par Edison.
1879 *Le Triomphe de la république*, groupe sculpté de Dalou pour la place de la Nation à Paris (1899) ; *Saint Jean Baptiste*, sculpture fondatrice de la notoriété de Rodin.
1880 Rodin commence *la Porte de l'enfer* (inachevé) ; *l'Ile des morts*, tableau de Böcklin proche du symbolisme allemand ; *l'Escalier d'or* de Burne-Jones annonce l'« Art nouveau » ; *la Naissance de Vénus*, tableau de Bouguereau : le nu académique.

1882 *Le Bar des Folies-Bergère*, tableau de Manet. *Parsifal*, action théâtrale solennelle de Wagner à Bayreuth.

1883 Début de la série des *Masques* de Ensor, annonciatrice de l'expressionnisme ; Gaudi commence l'église de la *Sagrada Familia* à Barcelone (inachevée). Mort de Wagner.
1884 *Les Bourgeois de Calais*, groupe sculpté de Rodin ; *les Grandes Baigneuses*, tableau de Renoir ; *le Dimanche d'été à la Grande Jatte*, tableau de Seurat, manifeste du néo-impressionnisme, exposé à la dernière exposition des impressionnistes ; *le Bois sacré*, tableau de Puvis de Chavannes ; série des *Femmes à leur toilette*, pastels de Degas ; premier Salon des indépendants à Paris.

RELIGION – PHILOSOPHIE
SCIENCES HUMAINES

HISTOIRE POLITIQUE

1885

1885 France : réélection de Jules Grévy. – Soudan : prise de Khartoum par le Mahdī ; mort de Gordon Pacha. – Inde : fondation du Congrès national indien.

1886 *Par-delà le bien et le mal* de Nietzsche. En France, conversion au catholicisme de Claudel et de Charles de Foucauld. *La France juive* de Drumont : vague d'antisémitisme qui culminera avec l'affaire Dreyfus (1894-1906).

1887 France : Sadi Carnot, président de la République ; la France compte alors 38,5 millions d'hab.

1888 Nietzsche écrit ses dernières œuvres, dont *Ecce homo* et *le Crépuscule des idoles ;* après sa mort (1900), sa sœur publiera *la Volonté de puissance.*

1889 *Essai sur les données immédiates de la conscience* de Bergson.

1888 Frédéric II, empereur d'Allemagne.

1889 Le Congo devient possession belge. Italie : protectorat sur l'Abyssinie, annexion de la Somalie ; émigration importante. France : le général Boulanger, dont la ligue attaque violemment le régime parlementaire, est condamné. – Fondation de la IIᵉ Internationale socialiste.

1889-1892 France : scandale de Panama.

1890 Renan publie *l'Avenir de la science,* qu'il avait écrit en 1849. *Principes d'économie politique* de Marshall. *Les Principes de la psychologie* de W. James. En Allemagne, développement du néo-kantisme.

1890 Allemagne : Kautsky fonde le Parti social-démocrate allemand.

1890

■■■■■ xixᵉ siècle ■■■■■

1891

1891-1892 Articles de Frege : « Fonction et concept » ; « Sens et dénotation » (fondant en logique ce que Bréal va appeler la « sémantique »).

1892 France : loi sur le travail des enfants (de 13 à 16 ans 10h/jour, de 16 à 18 ans 11h/jour).

1893 *De la division du travail social* de Durkheim.

1894 *Le Monde de l'esprit* de Dilthey.

1894 France : assassinat du président de la République, Sadi Carnot. Condamnation de Dreyfus. – Guerre sino-japonaise ; prise de Taiwan par les Japonais.

1895 *Les Règles de la méthode sociologique* de Durkheim. *Études sur l'hystérie* de Freud et Breuer.

1895 France : fondation de la Confédération générale du travail.

1895

SCIENCES – TECHNIQUES

1885 Première inoculation du vaccin antirabique par Pasteur, qui développe les techniques de vaccination.
1886 Découverte du fluor. Brevet Dunlop du pneumatique.

1887 Expériences de Michelson et Morley sur l'existence de l'éther, milieu subtil de la lumière ; leur résultat négatif va déterminer les recherches d'Einstein sur la relativité. Confirmation expérimentale des équations de Maxwell par Hertz (1887/1893).
1888 Théorie des groupes de Lie. *Les nombres, que sont-ils et à quoi servent-ils ?* de Dedekind. Découverte de l'effet photo-électrique.

1889 La tour Eiffel, manifeste de la maîtrise de l'acier par les architectes et les ingénieurs du bâtiment. Moteur à pétrole quatre temps de Daimler. Naissance de l'endocrinologie (le terme *hormone* n'apparaît, en anglais, qu'en 1905).
1890 L'« avion » de Clément Ader.
1890-1900 Série d'inventions qui aboutissent à la télégraphie sans fil (Hertz, Popov, Branly, Marconi).

1891 Brevet du moteur Diesel.
1891-1917 En Russie, construction du chemin de fer transsibérien.

1892 Hypothèse de Lorentz sur la contraction des corps en mouvement. Brevet Michelin du pneu démontable.
1892-1899 *Mécanique céleste* de Poincaré ; sa solution du problème des trois corps (1889) marque le début d'une physique qualitative, critique des méthodes quantitatives du déterminisme classique.

1893 Mise au point du sérum anti-diphtérique et de l'aspirine.

1894-1908 *Formulaire de mathématiques* de Peano.

1895 Röntgen découvre les rayons X ; application immédiate (radiologie) en médecine. Ramsay découvre l'hélium terrestre. Première automobile Peugeot. Les frères Lumière inventent le cinéma.

LITTÉRATURES

1885 *Germinal* de Zola dépasse les 100 000 exemplaires vendus : le livre est devenu un objet de consommation.
1886 *Manifeste symboliste* de Moréas : l'acte de naissance du symbolisme ; publication posthume des *Illuminations* de Rimbaud ; *Bel Ami* de Maupassant.
1887 Le romancier anglais Conan Doyle crée le personnage de Sherlock Holmes.

1890 *La Bête humaine* de Zola ; première version de *Tête d'or* de Claudel ; publication posthume des poèmes de l'Américaine Emily Dickinson.

1891 *Le Portrait de Dorian Gray*, roman d'Oscar Wilde.

1892 *Pelléas et Mélisande*, drame symboliste du Belge Maeterlinck.

1894 *Poil de carotte* de Jules Renard ; *Histoire de la littérature française* de Lanson ; le *Livre de la jungle* de Kipling.

1895 *Jude l'Obscur* de Thomas Hardy : le contrepied de l'esprit victorien en Angleterre.

ARTS – MUSIQUE

1885 *Les Mangeurs de pommes de terre*, l'une des premières œuvres de Van Gogh.

1886 *Le Baiser*, sculpture de Rodin ; inauguration à New York de *La Liberté éclairant le monde*, sculpture de Bartholdi ; manifeste du symbolisme de Jean Moréas.
1887 Formation du groupe des nabis.

1889 Première exposition à Paris des peintres symbolistes ; construction de la tour Eiffel par G. Eiffel pour l'Exposition universelle de Paris : point culminant de l'architecture du « siècle du fer ».

1890 *Le Champ de blé aux corbeaux*, dernière œuvre de Van Gogh ; premier tableau de la série des *Nymphéas* de Monet. *Cavalleria Rusticana* de Mascagni à Rome : le premier opéra vériste (équivalent italien de « naturaliste »).

1891 *Le Bal du Moulin-Rouge*, affiche de Toulouse-Lautrec. Tchaïkovski inaugure Carnegie Hall, salle de concert à New York.
1892 *Werther*, opéra de Massenet d'après Goethe, à Paris.

1893 *Le cri*, tableau de Munch ; la maison Tassel de Horta à Bruxelles : le style Art nouveau. *Falstaff*, opéra-bouffe : la dernière œuvre de Verdi.
1894 L'État français refuse une donation de tableaux impressionnistes. *Prélude à l'après-midi d'un faune*, pièce symphonique de Debussy d'après Mallarmé ; *Symphonie du Nouveau Monde* de Dvořák.

1895 *Balzac*, sculpture de Rodin ; série de la *Montagne Sainte-Victoire* de Cézanne : sa conception nouvelle des volumes et de l'espace est à l'origine des grandes révolutions esthétiques du XXe s. *Till Eulenspiegel*, poème symphonique de Strauss. Première projection cinématographique par les frères Lumière à Paris ; G. Méliès crée le premier studio de cinéma.

RELIGION – PHILOSOPHIE
SCIENCES HUMAINES

HISTOIRE POLITIQUE

1896

1896 *Matière et mémoire* de Bergson. *L'État juif* de Herzl.

1896 France : Gallieni et Lyautey soumettent Madagascar. Grâce à l'action de P. de Coubertin, ouverture des premiers Jeux olympiques modernes à Athènes.

1896-1897 *Cours d'économie politique* de Pareto.
1897 Premier congrès sioniste, à Bâle. *Essai de sémantique* de Bréal. *Le Suicide* de Durkheim.

1897 Protectorat japonais sur la Corée.

1898 *Intérêt et prix* de Wicksell.

1898 France : fondation de la Ligue des droits de l'homme ; *J'accuse* de Zola, en pleine affaire Dreyfus ; destruction de l'empire de Samory Touré au Niger. – L'Espagne en guerre contre les États-Unis. – Les États-Unis annexent Hawaï et les Philippines.

1899 *Le Rire* de Bergson. *Socialisme théorique et social-démocratie pratique* de Bernstein.

1899 La Haye : ouverture de la première conférence de la paix. – Afrique australe : guerre des Boers.

1900 Naissance de la psychanalyse avec *l'Interprétation des rêves* de Freud. Début des *Recherches logiques* de Husserl : phénoménologie, rejet du psychologisme en philosophie. *La Psychologie des foules* de G. Le Bon.

1900 France : Dreyfus est gracié par le président Loubet. Chine : révolte des Boxers.

1900

SCIENCES – TECHNIQUES	LITTÉRATURES	ARTS – MUSIQUE	
1896 Becquerel découvre la radio-activité. Effet Zeeman, dont Lorentz donne l'explication. Première automobile Ford.	**1896** *Ubu roi,* farce subversive d'Alfred Jarry, fait scandale au théâtre de l'Œuvre ; *la Mouette,* pièce de Tchekhov.	**1896** Fauré, professeur de composition au conservatoire de Paris ; avec Franck, Fauré, Debussy et Ravel, l'école française s'émancipera de la domination du romantisme allemand. Premiers films anglais.	**1896**
1897 *Contributions à la fondation de la théorie des nombres transfinis* de Cantor, aboutissement de ses recherches sur l'arithmétique de l'infini et théorie des ensembles. J.J. Thomson découvre l'électron.	**1897** *Les Nourritures terrestres* de Gide, qui sera le maître à penser (« l'inquiéteur ») de la nouvelle génération ; *Un coup de dés* et *Divagations* de Mallarmé ; énorme succès de *Cyrano de Bergerac* d'Edmond Rostand ; *le Tour d'écrou,* nouvelle d'Henry James.	**1897** *D'où venons-nous ? Que sommes-nous ? Où allons-nous ?* testament pictural de Gauguin. Mort à Vienne de Brahms ; Mahler, directeur de l'Opéra de Vienne : il s'impose d'abord comme chef d'orchestre. G. Méliès fait les premiers films en couleurs (coloriage à la main).	
1898 Pierre et Marie Curie découvrent le radium.		**1898** Arrivée de Picasso à Paris. Triomphe du ténor Caruso à Milan.	
1899 *Fondements de la géométrie* de Hilbert.	**1899** *La Dame de chez Maxim's,* vaudeville de Feydeau.	**1899** Les entrées du métropolitain de Paris par H.Guimard (jusqu'en 1904) créent un style « métro » dérivé de l'Art nouveau ; Signac publie *D'Eugène Delacroix au néo-impressionnisme. Pavane pour une infante défunte* de Ravel.	
1900 Hilbert énonce un « programme » déterminant pour la recherche mathématique des décennies suivantes. Hypothèse de Planck sur la nature discontinue, « quantique », de l'énergie. Théorie de la mutation génétique par De Vries. Premier dirigeable Zeppelin.	**1900** Premier numéro des *Cahiers de la Quinzaine* fondés par Péguy, consacrés aux problèmes politiques contemporains ; début de la série des *Claudine* de Colette (jusqu'en 1903) : succès de scandale ; *la Danse de mort,* drame du Suédois Strindberg ; *Lord Jim,* roman de Conrad.	**1900** *Louise,* opéra réaliste de G. Charpentier à Paris ; *la Tosca,* opéra de Puccini à Rome.	**1900**

RELIGION – PHILOSOPHIE SCIENCES HUMAINES	HISTOIRE POLITIQUE

1901

1901 Angleterre : mort de Victoria ; Édouard VII, roi.

1902 *Que faire ?* de Lénine. *Esthétique* de Croce. *Les Variétés de l'expérience religieuse* de W. James. *La Science et l'Hypothèse* d'Henri Poincaré.

1902 Alliance anglo-japonaise.

1902-1903 *Esquisse d'une théorie générale de la magie* de Marcel Mauss.

1903 *Morale théorique et science des mœurs* de Lévy-Bruhl. *Tableau géographique de la France* de Vidal de La Blache. *Introduction à l'étude comparative des langues européennes* de Meillet.

1903 Nombreux progroms en Russie.

1904 *Psychopathologie de la vie quotidienne* de Freud. *Histoire de l'anthropologie* de Boas.

1904 Entente cordiale entre la France et la Grande-Bretagne. Attaque de Port-Arthur : début de la guerre russo-japonaise.

1905 Test de Binet pour la mesure de l'intelligence (Q.I.). *Trois Essais sur la sexualité* de Freud. En France, triomphe de l'idéologie laïque : séparation de l'Église et de l'État ; mais c'est aussi le début d'une nouvelle vague de conversions au catholicisme (Maritain en 1906, puis Péguy, Max Jacob, etc.). *L'Éthique protestante et l'Esprit du capitalisme* de Max Weber.

1905 Première révolution russe (« Dimanche rouge », mutinerie du cuirassé « Potemkine », manifeste d'octobre).

1906 *L'Évolution créatrice* de Bergson. *Le Pragmatisme* de W. James.

1906 France : ministère Clemenceau.

1907 Triple-Entente entre la France, l'Angleterre et la Russie.

1908 *Matérialisme et Empiriocriticisme* de Lénine. *Identité et réalité* de Meyerson. Excommunication de Loisy.

1908 Indépendance de la Bulgarie. L'Autriche-Hongrie annexe la Bosnie-Herzégovine.

SCIENCES – TECHNIQUES

1901 Remise des premiers prix Nobel. Isolement de l'adrénaline. Invention de la soudure autogène.

1902 Intégrale de Lebesgue (mathématiques). Premiers tracteurs agricoles. En médecine, naissance de l'allergologie et premiers barbituriques.

1903 Travaux de Rutherford et Soddy sur la radioactivité. Étude des réflexes conditionnés par Pavlov. Premier électrocardiogramme. Premier vol des frères Wright.

1904 Transformation de Lorentz (physique).

1905 Publications décisives d'Einstein : théorie de la relativité (restreinte), théorie des photons, théorie du mouvement brownien.

1907 Travaux de Markov sur les probabilités. Tests d'allergie cutanée.

1908 Axiomatique de Zermelo en théorie des ensembles. Kamerlingh Onnes parvient à liquéfier l'hélium.

LITTÉRATURES

1901 Deuxième version de *Tête d'or*, drame de Claudel : réinterprétation chrétienne de la première version.

1902 *L'Immoraliste*, récit de Gide, complément des *Nourritures terrestres* ; *le Songe*, drame de Strindberg : la difficulté de vivre dans un monde onirique.

1903 *Le Chien des Baskerville* de Conan Doyle. Attribution du premier prix Goncourt (à *Force ennemie* de Nau). *La Cerisaie*, comédie de Tchekhov, un monde en train de disparaître.

1904 *La Coupe d'or*, roman d'Henry James dont les analyses psychologiques subtiles annoncent l'art de Proust ; *Jean-Christophe* de Romain Rolland : le « roman-fleuve » ; *l'Offrande lyrique* de l'Indien R. Tagore est une révélation en Occident (Gide le traduira de l'anglais en 1916) ; J. Jaurès crée *l'Humanité*, journal socialiste.

1905 *Notre patrie*, essai de Péguy : une mystique de la patrie française. Début de la publication de *Little Nemo*, bande dessinée de Winsor Mc Cay.

1907 *La Mère*, roman de Gorki : la conscience révolutionnaire des prolétaires.

1908 *Arsène Lupin* de Maurice Leblanc ; *les Pieds-Nickelés*, série dessinée de Louis Forton. *Le Feu* de D'Annunzio, chantre de la Nouvelle Italie : le culte de la volonté et de l'héroïsme.

ARTS – MUSIQUE

1901 Projet d'une ville nouvelle par T. Garnier annonçant le fonctionnalisme des années 20. Mort de Verdi à Milan : deuil national.

1902 *L'Étreinte*, tableau de la « période bleue » de Picasso. *Pelléas et Mélisande*, drame lyrique de Debussy à Paris ; *Kindertotenlieder* de Mahler : il s'impose comme compositeur ; *la Nuit transfigurée* de Schönberg. *Le Voyage dans la lune* de G. Méliès : les premiers trucages font triompher la féerie du cinéma.

1903 Immeuble en béton armé de la rue Franklin à Paris, par A. Perret.

1904 La caisse d'Épargne à Vienne par l'architecte O. Wagner. Schönberg rencontre Webern ; leur association avec Berg donnera naissance à l'école de Vienne.

1905 Première exposition des fauves au Salon d'automne à Paris : leur mouvement se poursuivra jusqu'en 1908 (Matisse, Derain, Marquet) ; fondation à Dresde du groupe Die Brücke proche du fauvisme français, à l'origine de l'expressionnisme allemand ; dernier tableau de la série des *Grandes Baigneuses* de Cézanne ; *les Saltimbanques*, tableau de la « période rose » de Picasso. Fondation du trio Cortot-Thibaud-Casals ; *Salomé*, opéra de R. Strauss d'après Oscar Wilde ; *la Mer*, esquisses symphoniques de Debussy.

1907 Rétrospective Cézanne dont l'influence est capitale sur l'éclosion de l'art moderne ; *les Demoiselles d'Avignon* de Picasso, première toile cubiste : elle montre l'influence des arts primitifs (africains et ibériques) sur l'art français ; *la Charmeuse de serpents*, tableau naïf du Douanier Rousseau ; *le Baiser* de G. Klimt : l'école de Vienne en peinture ; *Pomone*, sculpture de Maillol ; Kahnweiler ouvre une galerie à Paris : début de l'ère des galeries et d'un engouement du public cultivé pour l'art contemporain.

1907-1908 Deuxième *Quatuor à cordes* de Schönberg : sa première partition atonale.

1908 Braque et Picasso mènent en parallèle des recherches sur le cubisme jusqu'en 1913. *Gaspard de la nuit*, 3 pièces pour piano de Ravel.

	RELIGION – PHILOSOPHIE SCIENCES HUMAINES	HISTOIRE POLITIQUE

1909

1909 *Les Rites de passage* de Van Gennep. *Cinq leçons sur la psychanalyse* de Freud.

1909 Espagne : guerre contre les Berbères du Rif.

1910 Adler se sépare de Freud et crée la psychologie individuelle.

1910 Grande-Bretagne : George V, roi. Annexion de la Corée par le Japon.

1910

■■■ **xxᵉ siècle** ■■■

1911 **1911** *Théorie des conceptions du monde* de Dilthey : début du courant herméneutique, influent sur la philosophie et la théologie contemporaines. *L'Esprit de l'homme primitif* de Boas.

1911 Chine : proclamation de la république par Sun Yat-Sen.

1912 *Les Formes élémentaires de la vie religieuse,* dernier grand traité de Durkheim. *Métamorphoses et symboles de la libido* de Jung, qui marque sa rupture avec Freud.

1912 Première guerre balkanique : victoire de la Grèce, de la Bulgarie, du Montenegro et de la Serbie sur la Turquie. Le Maroc devient un protectorat français (Convention de Fès).

1913 *Dernières pensées* de H. Poincaré (posthume). *Totem et Tabou* de Freud. *Idées directrices pour une phénoménologie* de Husserl. Traité de psychologie behavioriste de Watson. *Le Sentiment tragique de la vie* de Miguel de Unamuno. Début de la parution du *Système du monde* de Pierre Duhem.

1913 Traité de Londres : la Turquie perd ses terres en Europe. La tension dans les Balkans favorise la course aux armements des grandes puissances.

1914 *La Méthode scientifique en philosophie* de Russell (conséquence de ses recherches logiques avec Whitehead). *Introduction à l'étude du langage* de L. Bloomfield. Début des sciences de l'éducation (Decroly). *Le Marxisme et la Question nationale* de Staline.

1914 28 juin : assassinat de François-Ferdinand à Sarajevo. Début de la Première Guerre mondiale. Bataille de la Marne. Guerre des tranchées.

1915 Offensive austro-hongroise contre les Russes (900 000 prisonniers). Débarquement allié en Turquie.

1915

SCIENCES – TECHNIQUES

1909 Sörensen introduit le pH, mesure des acides et des bases (chimie). Incitation électrique des nerfs et des muscles. Synthèse industrielle de l'ammoniac. Traversée de la Manche en avion par Blériot. Premier cargo avec turbine à vapeur.

1910 *Principia Mathematica* de Russell et Whitehead (logique). En apportant la preuve expérimentale de la théorie d'Einstein sur le mouvement brownien, Jean Perrin démontre définitivement l'existence des atomes. Début des expériences génétiques de Morgan sur les drosophiles.

v. 1910 Traitement chimiothérapique de la syphilis.

1911 Kamerlingh Onnes découvre la supraconductivité. Modèle atomique de Rutherford. Culture des tissus par Carrel (médecine).

1912 Étude de la diffraction des cristaux par les rayons X (Laue, Bragg). Découverte des vitamines.

1913 Modèle atomique de Bohr. Découverte de l'ozone de la haute atmosphère. Invention du compteur Geiger. Intuitionnisme de Brouwer en mathématiques. Ford introduit la production à la chaîne.

1914 Travaux de Moseley sur les éléments chimiques. Nouvelle classification des étoiles (H. N. Russell). Mise au point du B.C.G., vaccin contre la tuberculose, par Calmette et Guérin.

1915 Langevin développe des applications militaires et médicales des ultra-sons (sonars). Théorie de la dérive des continents par Wegener.

LITTÉRATURES

1909 Premier numéro de *la Nouvelle Revue française* (N. R. F) fondée par Copeau, Gide...

1910 *Le Mystère de la charité de Jeanne d'Arc* de Péguy ; *les Cinq Grandes Odes* de Claudel : le verset « claudélien » est inspiré du verset biblique ; *Impressions d'Afrique* de R. Roussel ; *le Journal* de Kafka en allemand (jusqu'en 1920) ; *la Vagabonde*, roman de Colette.

1912 *La Mort à Venise* de Thomas Mann ; *Poèmes* de Trakl ; début des *Élégies de Duino* de Rilke ; *l'Annonce faite à Marie*, drame de Claudel, le conflit des passions humaines et du surnaturel (l'œuvre sera remaniée jusqu'en 1948) ; Maïakovski publie un manifeste futuriste : les expériences de langage pour un renouveau de la poésie.

1913 Rabindranath Tagore, prix Nobel ; *Alcools*, recueil d'Apollinaire ; *la Prose du Transsibérien*, poème de B. Cendrars illustré par Sonia Delaunay ; *Du côté de chez Swann* de Proust ; publication de *À la recherche du temps perdu* jusqu'en 1927 (posthume) ; *le Grand Meaulnes* de H. Alain-Fournier ; *la Colline inspirée*, roman de Barrès, défend les valeurs de l'enracinement et des traditions.

1914 *Les Caves du Vatican*, récit cocasse de Gide, qui fut accusé de subvertir la jeunesse ; *Jésus la Caille*, roman de Francis Carco : la poésie du milieu et l'argot.

1915 Début des *Cantos* de l'Américain Ezra Pound (achevés en 1972), vaste fresque évoquant l'échec des civilisations.

ARTS – MUSIQUE

1909 Manifeste du futurisme publié à Paris par Marinetti (le mouvement se poursuit jusqu'en 1930) ; les manifestes d'artistes se multiplieront jusqu'en 1920 ; De Chirico pose les fondements de la « peinture métaphysique » ; *la Musique* et *la Danse*, tableaux de Matisse ; *Caoutchouc*, aquarelle de Picabia, la première œuvre abstraite ; *Héraclès archer*, sculpture de Bourdelle. Les Ballets russes de Diaghilev à Paris.

1910 *La Noce*, tableau de F. Léger ; Kandinsky fonde le Cavalier bleu et il peint sa première aquarelle abstraite ; *la Muse endormie*, sculpture de Brancusi.

1911 Premier tableau de la série des *Nu descendant l'escalier* de M. Duchamp ; le théâtre des Champs-Élysées à Paris, par A. Perret. *Traité d'harmonie* de Schönberg.

1912 Premiers papiers collés de Braque et de Picasso (le principe sera abondamment repris jusqu'aux contemporains) ; *Du cubisme*, essai de Gleizes ; *Disques* et *Formes circulaires* de R. Delaunay, inspirés des théories de Chevreul ; *Avec l'arc noir*, première peinture abstraite de Kandinsky, qui rédige *Du spirituel dans l'art* ; premières toiles abstraites de Kupka : les *Plans verticaux*. *Pierrot lunaire* de Schönberg pour voix (chant parlé) et instruments, à Berlin.

1913 L'Exposition internationale de l'« Armory show » à New York fait connaître l'avant-garde européenne aux États-Unis et influence de façon décisive l'art américain ; *Carré noir sur fond blanc*, tableau de Malévitch ; premiers *ready-made* de M. Duchamp ; *Rayonnismes* de Larionov et Gontcharova ; la cité du futur, premier projet de ville futuriste en Italie ; *les Peintres cubistes*, essai d'Apollinaire. *Le Sacre du printemps*, ballet de Stravinsky dans la chorégraphie de Nijinsky, provoque un scandale à Paris.

1914 *Le Cheval*, sculpture de R. Duchamp-Villon, d'inspiration cubiste et futuriste.

1915 *Le Grand Verre* de M. Duchamp, précurseur de l'esprit dada. *L'Amour sorcier*, ballet inspiré du folklore gitan, de Manuel de Falla : l'inspiration nationale s'impose dans la musique du début du XXᵉ s. (Bartok, Prokofiev...). *Naissance d'une nation*, film de Griffith.

1909

1910

1911

1915

RELIGION – PHILOSOPHIE SCIENCES HUMAINES	HISTOIRE POLITIQUE

1916

1916 Bataille de Verdun. Mort de l'empereur d'Autriche, François-Joseph ; Charles Ier lui succède.

1917 *L'Impérialisme, stade suprême du capitalisme* et *l'État et la Révolution* de Lénine ; la prise du pouvoir va de pair avec son activité de théoricien. *Introduction à la psychanalyse* de Freud.

1917 Mars : révolution à Petrograd ; abdication de Nicolas II ; conflit entre réformistes et révolutionnaires. Avril : déclaration de guerre des États-Unis à l'Allemagne. Octobre : succès de la Révolution russe ; pour la première fois dans l'histoire, un régime veut instaurer le communisme.

1918 *La Dictature du prolétariat* de Kautsky, qui s'attire une réponse cinglante de Lénine. *La Révolution russe* de Rosa Luxemburg. *Théorie générale de la connaissance* de M. Schlick. – Chute des Ottomans : fin du dernier idéal d'empire musulman universel, laïcisation de la Turquie ; panarabisme et tendances réformistes dans l'Islam arabe, qui s'accentueront encore après la Seconde Guerre mondiale (décolonisation).
1918-1923 *Le Déclin de l'Occident* de Spengler.
1919 *Le Savant et le Politique* de Max Weber. *Les Conséquences économiques de la paix* de Keynes.

1918 Mars : la Russie soviétique se retire de la guerre (traité de Brest-Litovsk) ; débarquement allié pour soutenir les contre-révolutionnaires. Octobre : révolution à Vienne. Indépendance de la Tchécoslovaquie et de la Yougoslavie. Novembre : révolution en Pologne ; sécession de la Hongrie ; révolution à Berlin. Fin de l'Empire autrichien. Armistice le 11 novembre.

1919 Conférence de la paix à Paris ; traité de Versailles. Moscou : fondation de la IIIe Internationale.

1920 *Au-delà du principe de plaisir* de Freud.

1920 Entrée en fonction de la Société des nations (S. D. N.). France : Deschanel, président. – U. R. S. S. : fin de la guerre civile ; le pays est ruiné.

1920

═══ xxe siècle

1921

1921 *Tractatus logico-philosophicus* de Wittgenstein. Test de Rorschach en psychologie. *Le Langage* de Sapir.
1922 *Économie et Société* de Max Weber (posthume). *Durée et Simultanéité* de Bergson. *La Mentalité primitive* de Lévy-Bruhl.

1921 Le montant des réparations de guerre imposées à l'Allemagne est fixé à 132 milliards de marks-or. – Chine : fondation du Parti communiste chinois.
1922 Italie : marche des fascistes sur Rome ; Mussolini est appelé par le roi et forme un ministère.

1923 *La Réforme monétaire* de Keynes. *Histoire et Conscience de classe* de Lukács. *Le Je et le Tu* de Martin Buber.
1923-1924 *Essai sur le don* de Marcel Mauss.
1923-1929 *Philosophie des formes symboliques* de Cassirer (néo-kantien).
1924 *Les Principes du léninisme* de Staline ; développement de l'historiographie marxiste en France.

1924

1923 Allemagne : inflation vertigineuse ; Hitler, emprisonné, rédige *Mein Kampf;* occupation de la Ruhr par la France. – U. R. S. S. : création des camps de travail en Sibérie. – Turquie : Mustafa Kemal, président de la République.

1924 France : Doumergue, président. Angleterre : premier gouvernement travailliste. Allemagne : mise en place du plan Dawes ; redéfinition du mark (1 $ vaut alors 4,2 milliards de marks-papier).

SCIENCES – TECHNIQUES	LITTÉRATURES	ARTS – MUSIQUE
1916 Théorie de la relativité généralisée d'Einstein. Théorie de la valence électrochimique.	**1916** La *Métamorphose*, récit de Kafka ; *le Feu*, roman d'H. Barbusse, la littérature issue des combats de la Première Guerre mondiale ; Naissance du mouvement dada à Zurich.	**1916** *La Ville*, tableau de G. Grosz. *Intolérance*, film de Griffith. **1916**
1917 Premiers anticoagulants.	**1917** *La Jeune Parque* de Valéry paraît à la N. R. F. ; *le Cornet à dés*, recueil de Max Jacob ; *Chacun sa vérité*, comédie de Pirandello, la confusion du réel et de l'apparence.	**1917** Formation du groupe Dada à New York (M. Duchamp, Picabia, Man Ray) ; *le Grand Métaphysique*, tableau de De Chirico. Avec l'entrée en guerre des États-Unis, l'Europe découvre le jazz ; *Parade*, ballet de Cocteau, musique de Satie, décors et costumes de Picasso, chorégraphie de Diaghilev.
1918 Invention du parachute à ouverture automatique ; la Première Guerre mondiale a encouragé le développement de l'aviation.	**1918** *Calligrammes* d'Apollinaire ; *Manifeste* de Tristan Tzara, acte de naissance du mouvement dada.	**1918** *Carré blanc sur fond blanc* de Malévitch, le point ultime de l'abstraction en peinture. Après la mort de Debussy : insolence et provocation des « années folles » ; fondation du groupe des Six à Paris.
1919 Rutherford obtient la première réaction nucléaire. Eddington apporte la preuve expérimentale de la théorie de la relativité (déviation des rayons lumineux). Premiers vols réguliers entre Paris et Londres.	**1919** Le prix Goncourt pour *À l'ombre des jeunes filles en fleurs* de Proust ; premier numéro de la revue d'avant-garde *Littérature*, qui prépare la voie au surréalisme.	**1919** Fondation du Bauhaus à Weimar par Gropius, qui fera triompher le « style international » ; projet de gratte-ciel en verre et acier pour Berlin par Mies Van Der Rohe ; premiers collages de M. Ernst.
1920 Logique triadique de Lukasiewicz.	**1920** *Kristin Lavransdatter* de la Suédoise Sigrid Undset ; *les Champs magnétiques* de Breton et Soupault : l'écriture automatique surréaliste ; publication de *Du côté de Guermantes* de Proust ; *Orages d'acier*, récit de E. Jünger à la gloire du combattant ; *Six Personnages en quête d'auteur*, drame de Pirandello : début de sa trilogie sur « le théâtre dans le théâtre ».	**1920**

SCIENCES – TECHNIQUES	LITTÉRATURES	ARTS – MUSIQUE
1921 Découverte de l'insuline.	**1921** *La Véridique Histoire d'Ah Q*, nouvelle de l'écrivain chinois Lu Xun ; *le Singe velu*, pièce de O'Neil.	**1921** *Le Kid*, premier long métrage de C. Chaplin. **1921**
1922 Découverte de l'effet Compton en physique atomique. « Croisière noire » organisée par Citroën en Afrique du Nord.	**1922** *Ulysse* de Joyce, version moderne et parodique de l'Odyssée, sorte d'épopée du langage qui réunit tous les procédés de style (commencé en 1913) ; *Babbitt*, roman de Sinclair Lewis, chronique satirique de la société américaine des années 20 ; *les Thibault* de Martin du Gard (jusqu'en 1940) ; publication de *Sodome et Gomorrhe* de Proust ; *Désolation*, poème de la Chilienne Gabriela Mistral.	**1922** Église en béton de Notre-Dame du Raincy par A. Perret. *Méthode de composition avec douze sons de Schönberg* : le dodécaphonisme révolutionne les règles de la composition musicale. *Nosferatu*, film de Murnau.
	1923 *La Prisonnière* de Proust (publication posthume) ; premier numéro de la revue *Europe* ; *Clair de Terre*, recueil de Breton ; *le Blé en herbe*, roman de Colette.	**1923** Série des *Canéphores* de Braque, inspirées des cariatides antiques : tendance au classicisme en France ; *Rayogrammes*, recherches photographiques de Man Ray ; *Vers une architecture*, essai de Le Corbusier. *Les Lois de l'hospitalité*, film de B. Keaton.
1924 Découverte de l'ionosphère. Statistique de Bose-Einstein (physique). Mécanique ondulatoire de Louis de Broglie.	**1924** *Manifeste du surréalisme* d'André Breton et premier numéro de la *Révolution surréaliste* ; *le Soulier de satin*, sommet des grands drames d'inspiration catholique de Claudel ; *Vladimir Ilitch Lénine* de Maïakovski.	**1924** *Ballet mécanique* de F. Léger, film cubiste.
		1924

| | RELIGION – PHILOSOPHIE SCIENCES HUMAINES | HISTOIRE POLITIQUE |

1925 1925 *Ma vie et la Psychanalyse* de Freud.

1925 Signature du pacte de Locarno. U. R. S. S. : Staline écarte Trotski du pouvoir.

1926 *Le Citoyen contre les pouvoirs* d'Alain. *De l'angoisse à l'extase* de Pierre Janet. Fondation du Cercle linguistique de Prague (Jakobson, Troubetzkoy). Gramsci est arrêté et emprisonné par les fascistes italiens.

1926 Italie : Mussolini obtient les pouvoirs législatif et exécutif : système du parti unique. – Japon : Hiro-Hito, empereur.

1927 *L'Avenir d'une illusion* de Freud. Travaux de Goldstein sur l'aphasie. *La Sexualité et sa répression dans les sociétés primitives* de Malinovski. *Être et Temps* de Heidegger, qui aura une influence décisive sur les philosophies de l'existence.

1927 États-Unis : exécution de Sacco et Vanzetti. – Chine : début des guerres entre nationalistes et communistes ; création de l'armée Rouge.

1928 *La Structure logique du monde* de Carnap. *Principes de grammaire générale* de Hjelmslev. *Dialectique du moi et de l'inconscient* de Jung.

1928 U. R. S. S. : collectivisation des terres.

1929 Accords de Latran entre Mussolini et le pape : création de l'État du Vatican. *Logique formelle et transcendantale* de Husserl ; il prononce à Paris les *Méditations cartésiennes*. *Temps et Verbe* de Gustave Guillaume. Création de la revue historique des *Annales* par L. Febvre et M. Bloch. *La Science et le Monde moderne* de Whitehead.

1929 Italie : signature des accords de Latran. États-Unis : « Jeudi noir » à Wall Street (24 oct.) ; la crise financière s'étend à l'ensemble de l'économie américaine puis mondiale.

1930 *Traité de la monnaie* de Keynes. *Malaise dans la civilisation* de Freud.

1930 1 milliard d'hommes sur la terre. 31 millions de chômeurs dans les pays industrialisés. Mise en place de politiques protectionnistes (États-Unis ; Grande-Bretagne en 1932).

1930

XXᵉ siècle

1931 1931 *Le Dépassement de la métaphysique par l'analyse logique du langage* de Carnap. Début de la publication (posthume) des articles de Ch. S. Peirce (*Collected Papers*).

1931 France : Doumer, président. Espagne : proclamation de la république. – Occupation de la Mandchourie par le Japon.

SCIENCES – TECHNIQUES

1925 Mécanique quantique : Heisenberg (relation d'incertitude), Bohr (principe de complémentarité), Pauli (principe d'exclusion, hypothèse du spin de l'électron), Born.

1926 Développement de la mécanique quantique : synthèse avec la mécanique ondulatoire (Schrödinger, Dirac), dont Born fait une interprétation probabiliste ; étude statistique des électrons (Fermi, Dirac).

1927 Application de la mécanique quantique à la chimie. Traversée de l'Atlantique nord en avion par Lindbergh.

1928 Théorie relativiste quantique de l'électron et hypothèse du positron par Dirac. Découverte de l'effet Raman en physique atomique. Fleming découvre le premier des antibiotiques : la pénicilline. Première liaison par T.S.F. entre Paris et New York.

1929 Invention du cyclotron.

1930 Découverte de la planète Pluton. Vaccin contre la fièvre jaune.

1931 Théorème d'incomplétude de Gödel (logique, épistémologie). Découverte du deutérium par Urey. Début de l'électroencéphalographie. « Croisière jaune » de Citroën, expédition automobile de Beyrouth à Pékin.

LITTÉRATURES

1925 *Les Faux-monnayeurs* de Gide mêlent fiction et théorie littéraire ; *Albertine disparue ou la Fugitive* de Proust (publication posthume) ; *le Procès* de Kafka (écrit en 1914) ; *Gatsby le Magnifique* de F.S. Fitzgerald : les désillusions du rêve américain.

1926 *Sous le soleil de Satan*, premier roman de Bernanos ; *le Paysan de Paris* d'Aragon, roman d'inspiration surréaliste ; *les Sept piliers de la sagesse*, autobiographie romanesque de T.E. Lawrence ; *la Confusion des sentiments*, roman de S. Zweig.

1927 *Thérèse Desqueyroux*, roman de Mauriac ; *le Temps retrouvé* de Proust. *Le Loup des steppes*, roman de H. Hesse.

1928 *Nadja*, récit de Breton : la nouvelle morale surréaliste de l'amour ; le groupe surréaliste adhère au Parti communiste ; *Siegfried*, drame de Giraudoux ; *les Odes*, poèmes de Ségalen inspirés de la métrique chinoise ; *Topaze*, comédie de M. Pagnol.

1929 *Le Bruit et la Fureur* de Faulkner ; *l'Adieu aux armes* de Hemingway ; *À l'est rien de nouveau*, roman de E. M. Remarque ; *Marius*, comédie de Pagnol, première de la trilogie *(Fanny, César)*.

1930 *L'Homme sans qualités* de Musil (jusqu'en 1943) ; *le Forçat innocent* recueil de Supervielle ; *le Second Manifeste du surréalisme* de Breton ; *Correspondance* (posthume) de Proust. *Les Vagues*, poème romanesque de Virginia Woolf : monologue intérieur et prose lyrique ; *42e Parallèle* : début de la trilogie « U.S.A. » de Dos Passos ; *le Faucon maltais* de Dashiell Hammett : renouvellement du genre du roman policier.

ARTS – MUSIQUE

1925 Première exposition surréaliste à Paris : « automatismes » de Masson, « grattages » de Max Ernst ; tableaux abstraits géométriques de Mondrian ; Exposition universelle à Paris, consacrée aux « Arts décoratifs et industriels modernes » : pavillon de l'Esprit nouveau par Le Corbusier ; le Bauhaus s'installe à Dessau. *Wozzeck*, opéra atonal de Berg à Berlin ; Schönberg, professeur de composition à l'Académie des arts de Berlin. *Le Cuirassé Potemkine*, film de Eisenstein, apogée de l'art du montage ; *les Rapaces*, film de Stroheim ; *la Ruée vers l'or*, film de C. Chaplin ; *la Rue sans joie*, film de Pabst.

1926 *Métropolis*, film de F. Lang, vision prémonitoire de l'Allemagne totalitaire.

1927 Ouverture de la première galerie surréaliste à Paris. *Napoléon*, d'Abel Gance : l'invention du triple écran, précurseur du cinémascope ; premiers *Mickey* de Walt Disney.

1928 *Le Surréalisme et la Peinture*, essai d'A. Breton. *Le Boléro*, ballet de Ravel ; Martenot invente « l'onde Martenot » ; *Symphonie n° 21* de Webern. *Un chien andalou*, de Buñuel et Dali, manifeste du surréalisme au cinéma ; *le Procès de Jeanne d'Arc* de Dreyer.

1929 Le premier musée d'Art moderne, créé à New York ; la maison Savoye à Poissy par Le Corbusier. Débuts du cinéma parlant aux États-Unis : la plupart des stars du muet disparaissent des écrans. Le dessinateur belge Georges Rémi (Hergé) crée *Tintin*.

1930 L'Empire State Building, à New York. *L'Ange bleu*, film de Von Sternberg avec Marlène Dietrich ; *Halleluya*, film de King Vidor : premiers chefs-d'œuvre du cinéma parlant.

1931 *Persistance de la mémoire*, tableau de Dali. Deux concertos pour piano et orchestre de Ravel ; *Ionisation* pour 40 instruments à percussion de Varèse. *M. le Maudit* de F. Lang, apogée de l'expressionnisme allemand au cinéma.

1925

1930

1931

RELIGION – PHILOSOPHIE SCIENCES HUMAINES	HISTOIRE POLITIQUE

1932

1932 *Le Pluralisme cohérent de la chimie moderne* de Bachelard. *Les Deux Sources de la morale et de la religion* de Bergson. *La Révolution permanente* de Trotski.

1932 France : assassinat de Doumer ; Lebrun, président. Conférence de Lausanne : abandon des réparations allemandes. Élections en Allemagne : le parti nazi devient le premier parti. – États-Unis : F.D. Roosevelt, président.

1933 *Psychologie de masse du fascisme* de W. Reich. *Le Langage* de Bloomfield. Le nazisme veut l'extermination des juifs ; il s'attaque à certains intellectuels (Husserl) mais reçoit le soutien de quelques autres, tel Heidegger.

1933 Allemagne : Hitler, chancelier ; le parti nazi devient parti unique ; proclamation de lois racistes. – États-Unis : début du « New Deal » de F.D. Roosevelt.

1934 *Le Nouvel Esprit scientifique* de Bachelard. *Syntaxe logique du langage* de Carnap.

1934 Allemagne : nuit des « Longs Couteaux » (élimination des S.A.). – U. R. S. S. : assassinat de Kirov. – Chine : début de la Longue Marche, conduite par Mao Zedong.

1935 *Origine de la formation des noms en indo-européen* de Benveniste. *La Logique de la découverte scientifique* de Karl Popper.

1935 Allemagne : les juifs perdent la nationalité allemande.

1936 *Théorie générale de l'emploi, de l'intérêt et de la monnaie* de Keynes. *La Crise des sciences européennes*, testament philosophique de Husserl. *Problèmes stratégiques de la guerre révolutionnaire* de Mao Zedong.

1936 France : victoire du Front populaire ; gouvernement Blum ; politique contractuelle (accords Matignon). Espagne : soulèvement nationaliste sous la direction du général Franco, soutenu par l'Axe Rome-Berlin. Grande-Bretagne : abdication d'Édouard VII. Allemagne : ouverture du premier camp de concentration.

1937 *La Révolution trahie* de Trotski. *Matérialisme dialectique et matérialisme historique* de Staline. *De la pratique* et *De la contradiction* de Mao Zedong.

1937 France : difficultés économiques et troubles sociaux ; démission du gouvernement Blum. – Début de la guerre du Japon contre la Chine (massacres de Nankin).

1938 *Abrégé de psychanalyse* de Freud. *Introduction à la philosophie de l'histoire* par Raymond Aron. *L'Histoire comme pensée et action* de Croce. *La Formation de l'esprit scientifique* et *Psychanalyse du feu* de Bachelard. *Philosophie de l'existence* de Jaspers.

1938 Rattachement de l'Autriche et du pays des Sudètes (en Tchécoslovaquie) à l'Allemagne, accords de Munich.

SCIENCES – TECHNIQUES

1932 Découverte du rayonnement radioélectrique de la Voie lactée : naissance de la radio-astronomie. Marconi réalise le premier radar. Découverte du neutron (Chadwick), du positron. *Fondements mathématiques de la mécanique quantique* de von Neumann.

1933 Travaux de Cartan sur les espaces métriques.

1934 Théorie de la désintégration du noyau atomique par Fermi. Les Joliot-Curie découvrent la radioactivité artificielle.

1935 Théorie des forces nucléaires (hypothèse du méson, confirmée en 1947). Travaux de Landau sur le ferromagnétisme. Première intervention chirurgicale sur le cerveau humain.

1936 Théorème de limitation de Church, sémantique de Tarski (logique). Isolement de la cortisone. Début de la télévision radiodiffusée pour le grand public.

1938 Cycle de Bethe (réactions nucléaires produisant l'énergie dans les étoiles). Théorie des acides et des bases. Première fission nucléaire. Invention du nylon.

LITTÉRATURES

1932 *Voyage au bout de la nuit,* premier roman de Céline, succès rapide et influence considérable ; *les Hommes de bonne volonté* de Jules Romains ; *Aden Arabie,* essai-récit de P. Nizan, ignoré lors de sa parution ; *le Meilleur des mondes,* roman de Huxley, modèle de la littérature critique d'anticipation.

1933 *Noces de sang,* drame de Garcia Lorca ; *la Condition humaine* d'A. Malraux : roman basé sur un épisode de la révolution chinoise, il mêle action et réflexion idéologique ; *le Bois de bouleaux,* roman du Polonais J. Iwaszkiewicz. Certains écrivains allemands fuient le régime nazi (250 émigreront).

1934 *Le Marteau sans maître,* recueil de René Char ; *le Meurtre de l'Orient-Express* d'Agatha Christie ; *Tropique du Cancer* d'Henry Miller.

1935 *Pays de neige,* roman de Kawabata Yasunari (remanié en 1948) : l'équilibre entre la tradition littéraire japonaise et les recherches occidentales ; *Meurtre dans la cathédrale,* drame poétique de T. S. Eliot.

1936 Voyage de Gide en U.R.S.S. ; *Mort à crédit,* roman de Céline ; *le Journal d'un curé de campagne,* récit de Bernanos ; André Breton dénonce le stalinisme : *Du temps que les surréalistes avaient raison ; Autant en emporte le vent,* récit romanesque de Margaret Mitchell. Garcia Lorca est fusillé par les franquistes.

1937 *L'Espoir,* roman d'A. Malraux, évocation des débuts de la guerre civile espagnole.

1938 *Le Théâtre et son double,* essai d'A. Artaud, pour un retour à la dimension mystique du théâtre telle qu'elle existait dans les mystères du Moyen Âge et qu'elle existe en Extrême-Orient ; *Un certain Plume,* recueil de Michaux : le guide des « pistes » suivies par le poète ; *la Nausée,* roman de Sartre : l'existentialisme en littérature. (Sartre utilisera le roman et le théâtre pour diffuser ses thèses).

ARTS – MUSIQUE

1932 Premiers mobiles de Calder. *Scarface* de Hawks, le classique du film noir.

1933 *Le Grand Nu au miroir,* tableau de Bonnard. Devant la montée du nazisme, Schönberg et Kurt Weill s'exilent aux États-Unis. *Zéro de conduite,* film de J. Vigo, séquelle du surréalisme.

1934 *L'Atalante,* film de J. Vigo. *Flash Gordon (Guy l'Éclair),* bande dessinée d'Alex Raymond.

1935 Concerto pour violon *À la mémoire d'un ange* de Berg ; *Mana,* suite pour piano de Jolivet ; *Porgy and Bess,* opéra de Gerschwin. *Le Crime de M. Lange,* film de J. Renoir ; *Les Temps modernes* de C. Chaplin, qui persiste dans le cinéma muet ; *Une nuit à l'Opéra,* film des Marx Brothers.

1936 *Prémonition de la guerre civile,* tableau de Dali ; série de gravures sur la tauromachie par Picasso. *Pierre et le Loup* de Prokofiev.

1937 *Guernica,* tableau de Picasso qui dénonce les horreurs de la guerre civile espagnole ; à l'Exposition universelle de Paris, *la Fée électricité,* tableau de Dufy, le palais de Chaillot et le palais de Tokyo ; Exposition internationale du surréalisme à Paris. Création (posthume) à Zurich de *Lulu* de Berg : le premier grand opéra sériel ; *Mikrokosmos,* 156 pièces pour piano et *Sonate pour 2 pianos et percussions* de Bartok ; *Carmina Burana,* cantate de Carl Orff ; *Nobilissima Visione,* ballet d'Hindemith. *La Grande Illusion,* film de J. Renoir ; *Drôle de drame,* film de M. Carné et J. Prévert.

1938 Musique de Prokofiev pour le film d'Eisenstein : *Alexandre Nevski ;* le dodécaphonisme condamné et interdit par les nazis. *Quai des Brumes,* film de M. Carné et J. Prévert.

RELIGION – PHILOSOPHIE
SCIENCES HUMAINES

HISTOIRE POLITIQUE

1939

1939 *Moïse et le Monothéisme,* dernier ouvrage de Freud. *L'Homme et le Sacré* de Roger Caillois. *Mythes et dieux des Romains* de Dumézil. *Principes de phonologie* de Troubetzkoy (posthume).

1939 Il y a environ 2 milliards d'hommes sur la terre. – À la suite de l'invasion de la Pologne par l'Allemagne, entrée en guerre de la France et de l'Angleterre. Début de la Seconde Guerre mondiale. Signature du pacte germano-soviétique.

1940 En Inde, la Ligue musulmane demande la création d'un État séparé, le Pakistan. *Signification et vérité* de Russell. Suicide de Walter Benjamin. Jean Piaget prend la direction de l'Institut J.J. Rousseau à Genève : développement de l'école de psychologie génétique. *Philosophie du non* de Bachelard.

1940 Mai : percée allemande dans les Ardennes, la Hollande et la Belgique. Recul puis défaite des Alliés.

1940

■ xxᵉ siècle ■

1941

1941 De nombreux savants et intellectuels européens émigrent aux États-Unis. *Langage enfantin et Aphasie* de Jakobson. *L'Eau et les Rêves* de Bachelard. *L'Évolution psychologique* de Wallon. *Jupiter, Mars, Quirinus* de Dumézil.

1941 Attaque japonaise sur Pearl Harbour. Attaque de l'U. R. S. S. par les Allemands. Alliance entre les États-Unis, la Grande-Bretagne et l'U. R. S. S. contre les puissances de l'Axe.

1942 *Le Mythe de Sisyphe* de Camus.

1942 Tournant de la guerre : débarquement allié au Maroc, fin de l'offensive allemande en Afrique du Nord ; défaite allemande à Stalingrad ; défaite japonaise à Midway. Début des bombardements alliés intensifs sur l'Allemagne.

1943 *L'Être et le Néant* de Sartre. *L'Expérience intérieure* de Georges Bataille.

1943 Débarquement allié en Sicile. Arrestation de Mussolini ; dissolution du parti fasciste.

1944 *Psychologie et Alchimie* de Jung. *L'Air et les Songes* de Bachelard.

1944 Conférence monétaire de Bretton Woods. Percée des Soviétiques en Pologne et des Anglo-Américains en Italie. 6 juin : débarquement allié en Normandie. Août : les Allemands capitulent à Paris.

1945 *La Société ouverte et ses ennemis* de Popper. *Phénoménologie de la perception* de Merleau-Ponty. – Au Japon, la défaite militaire entraîne le rejet solennel et définitif de la divinité de l'empereur ; développement des « nouvelles religions ».

1945 Avril : jonction soviéto-américaine sur l'Elbe ; exécution de Mussolini ; suicide d'Hitler. 8 mai : capitulation de l'Allemagne. Les Alliés découvrent les camps de concentration et d'extermination nazis. Juin : capitulation du Japon, après l'explosion de bombes atomiques sur Hiroshima et Nagasaki. Conférence de Yalta. Première réunion de l'Organisation des nations unies.

1946 *L'existentialisme est un humanisme* de Sartre ; vogue de l'existentialisme dans le Paris de l'après-guerre.

1946 France : De Gaulle démissionne du gouvernement provisoire. Début de la guerre d'Indochine. – La doctrine Truman consacre le rôle de leader mondial que veulent désormais jouer les États-Unis.

SCIENCES – TECHNIQUES

1939 En France, fondation du C.N.R.S., Centre national de la recherche scientifique. Début de la publication des *Éléments de mathématiques* de Bourbaki. *La Nature de la liaison chimique* de Pauling. Invention de l'insecticide D.D.T.

1940 Landsteiner isole le facteur rhésus.

1941 Mise au point de la pénicilline, essor des antibiotiques. Théorie de la suprafluidité de l'hélium (Landau).

1942 Fermi réalise la première réaction en chaîne contrôlée : première pile atomique. Premier prototype de la fusée allemande V2 (von Braun).

1943 Aux États-Unis, les scientifiques s'engagent dans la guerre (programme Manhattan) : construction du centre de recherche atomique de Los Alamos, dirigé par Oppenheimer.

1944 *Qu'est-ce que la vie ?* de Schrödinger. Mise au point du sérum antityphoïde. Prototype de l'Eniac, premier calculateur électronique puissant.

1945 L'emploi de l'arme atomique par les États-Unis met fin à la guerre avec le Japon. L'emploi de la transmission radio en modulation de fréquence se généralise. Découverte de la résonance magnétique nucléaire.

1946 Mise au point de la cortisone : progrès de l'endocrinologie. Début des ordinateurs performants, sur le modèle de l'Eniac (à tubes). Expériences nucléaires américaines dans le Pacifique.

LITTÉRATURES

1939 *Les Raisins de la colère,* roman de Steinbeck : la crise économique des années 30 aux États-Unis ; le *Journal* d'André Gide (1889-1930) ; *l'Âge d'homme,* premier volume autobiographique de Michel Leiris (écrit entre 1930 et 1935) ; *Tropismes,* récit de Nathalie Sarraute : une approche psychologique des personnages qui annonce le « nouveau » roman.

1940 *Le Désert des Tartares,* roman de D. Buzzati ; *la Puissance et la Gloire,* roman de Graham Greene ; *le Zéro et l'Infini,* roman en anglais de A. Koestler, évocation des procès de Moscou.

1941 Le groupe surréaliste à New York.

1942 *La Famille de Pascual Duarte,* roman de l'Espagnol Camilo José Cela ; *l'Étranger,* roman de Camus, témoignage, comme le *Mythe de Sisyphe,* de sa philosophie de l'absurde ; *la Reine morte,* drame de Montherlant ; *Fictions,* recueil de contes de Borges ; *le Silence de la mer* de Vercors, évocation de la France occupée, paru clandestinement ; *le Parti pris des choses,* poèmes en prose de Francis Ponge.

1943 *Le Petit Prince,* récit symbolique et enfantin de Saint-Exupéry.

1944 *Antigone,* drame d'Anouilh.

1945 *Paroles,* recueil poétique de Prévert ; *Seuls demeurent,* poèmes de René Char ; premier numéro des *Temps modernes,* revue dirigée par Sartre, Raymond Aron et Merleau-Ponty ; *Huis-Clos,* pièce de Sartre (« l'enfer c'est les autres ») ; *le Cercle de craie caucasien* de Brecht : le théâtre de la « distanciation ».

1946 Premier numéro de *Critique* revue dirigée par Georges Bataille ; *Monsieur le Président,* roman de l'écrivain guatémaltèque Miguel Angel Asturias (satire du tyran latino-américain).

ARTS – MUSIQUE

1939 Stravinski et Hindemith s'exilent aux États-Unis. *La Règle du jeu,* film de J. Renoir, prémonitoire de la guerre. *Autant en emporte le vent,* film de V. Fleming ; *l'Espoir,* d'A. Malraux.

1940 Bartok s'exile aux États-Unis. *Le Dictateur,* le premier film parlant de C. Chaplin ; *Citizen Kane* de O. Welles : une révolution esthétique dans le cinéma.

1942 *Broadway Boogie-Woogie* de Mondrian ; exposition des *Otages* de Fautrier. Messiaen, professeur d'harmonie au conservatoire de Paris : ses élèves, sous l'impulsion de Boulez, redécouvrent Webern. *Les Visiteurs du soir* de M. Carné ; *To Be or not To Be,* film de Lubitsch.

1943 Le musée Guggenheim à New York, par F.L. Wright. *Le Corbeau,* film de Clouzot ; création à Paris de l'Institut des hautes études cinématographiques.

1944 *Les Loisirs, hommage à David,* tableau de F. Léger ; lecture publique du *Désir attrapé par la queue,* de Picasso. *Technique de mon langage musical* de Messiaen.

1945 Unité d'habitation à Marseille par Le Corbusier (1952). L'opéra *Peter Grimes* à Londres : le premier succès de Britten ; le premier disque microsillon aux États-Unis. *Rome ville ouverte,* film de Rosselini : le début du néo-réalisme italien ; *Ivan le Terrible,* film de Eisenstein.

1946 Le pôle de la création artistique se déplace de l'Europe vers les États-Unis : premiers *drippings* de Pollock. Début de la reconstruction du Havre par A. Perret.
1946-1948 *Seize Sonates* et *Quatre Interludes* pour piano préparé de John Cage. *My Darling Clementine,* film de J. Ford.

1939

1940

1941

1946

RELIGION – PHILOSOPHIE
SCIENCES HUMAINES

HISTOIRE POLITIQUE

1947

1947 *Lettre sur l'humanisme,* où Heidegger se démarque de l'existentialisme français. *Éclipse de la raison* de Horkheimer. *La Dialectique de la raison (Dialectique des lumières)* d'Adorno et Horckheimer. *Sur la logique et la théorie de la science* de Cavaillès (posthume). *La Pesanteur et la Grâce* de Simone Weil (posthume). – Scission de l'empire britannique des Indes en deux États, l'Inde à majorité hindoue et le Pakistan musulman : importants transferts de population, début d'une guerre fratricide.

1947 Création de l'Inde et du Pakistan. Staline réorganise la IIIᵉ Internationale et l'U. R. S. S. impose le régime communiste en Europe centrale. Début de la « guerre froide » avec les États-Unis. France : Auriol, président ; application du plan Marshall.

1948 Création du Conseil œcuménique des Églises. Création de l'État d'Israël : débat constitutionnel lié à l'aspect religieux de l'identité juive (le clergé rabbinique est chargé de l'état civil). Premier rapport Kinsey sur la sexualité.

1948 Déclaration universelle des droits de l'homme. Adoption de l'apartheid en Afrique du Sud. Proclamation de l'indépendance d'Israël et première guerre israélo-arabe ; émigration des Palestiniens dans des camps de réfugiés. Tchécoslovaquie : « Coup de Prague » (formation d'un gouvernement communiste). – Inde : assassinat de Gāndhi.

1949 *De la dictature démocratique populaire* de Mao Zedong. *La Part maudite* de G. Bataille. *Le Personnalisme* de Mounier. *Philosophie de la nouvelle musique* d'Adorno. *Les Structures élémentaires de la parenté* par Lévi-Strauss, texte fondateur de l'anthropologie structurale. *Le Deuxième Sexe* par Simone de Beauvoir. *La Méditerranée et le monde méditerranéen à l'époque de Philippe II* par Braudel.

1949 Allemagne : fondation de la R. D. A. et de la R. F. A. Chine : proclamation de la république populaire. Création de l'Organisation du traité de l'Atlantique-Nord (O. T. A. N.).

1950 *À propos du marxisme en linguistique* de Staline (polémique, signée par Staline). *Psychanalyse et anthropologie* de Roheim.

1950 Inde : la constitution de l'Union indienne promulguée. Début de la guerre de Corée.

1950

■ xxᵉ siècle ■

1951

1951 *L'Activité rationaliste de la physique contemporaine* de Bachelard. *L'Homme révolté* de Camus. *Théorie du champ dans les sciences sociales* de Kurt Lewin.

1952 *Race et Histoire* de Lévi-Strauss. *Structure et fonction dans la société primitive* de Radcliffe-Brown.

1952 Élisabeth II, reine d'Angleterre.

SCIENCES – TECHNIQUES

1947 Premier vol supersonique. Le microsillon : développement de l'industrie du disque.

1948 Gabor propose le principe de l'holographie. Naissance de la cybernétique. « Homéostat » d'Ashby. Premières images cinématographiques d'éruptions solaires. L'Organisation mondiale de la santé (O.M.S.) fait procéder à des pulvérisations massives de D.D.T. sur les zones de malaria. Premières explorations sous-marines du bathyscaphe de Piccard.

1949 Électrodynamique quantique (Feynmann). L'U. R. S. S. met au point sa bombe atomique. Invention de la stéréophonie.

v. 1950 Développement de la psychopharmacologie. Intensification des recherches sur le nucléaire civil.
1950 « Pompage optique » (Kastler), qui permettra la technique du laser.

1951 Aux États-Unis, mise en service de la première centrale nucléaire. Premières émissions publiques de télévision en couleur. Le Comet (Grande-Bretagne), premier avion de ligne à réaction.

1952 Aux États-Unis, fabrication de la bombe H (bombe à hydrogène) ; les grandes puissances se dotent peu à peu de cette nouvelle arme atomique. Fondation du Centre européen de recherche nucléaire (C. E. R. N.). Premières applications industrielles du titane.

LITTÉRATURES

1947 *L'Écume des jours,* roman de Boris Vian ; *Exercices de style* de Queneau, recherche systématique et burlesque sur le langage ; *la Peste* de Camus ; *les Bonnes,* pièce de Genet ; création du Festival d'Avignon par J. Vilar ; *Un tramway nommé désir* de Tennessee Williams.

1948 *Bourlinguer,* recueil de B. Cendrars ; *Vipère au poing,* roman de H. Bazin ; *l'Arrêt de mort,* récit de M. Blanchot : expérience limite de l'écriture ; *les Mains sales,* pièce de Sartre : la littérature engagée ; *Partage de midi,* pièce de Claudel ; *1984,* roman d'anticipation politique d'Orwell.

1949 *L'Aleph,* recueil de nouvelles de Borges (jusqu'en 1952) ; *Précis de décomposition,* essai en français du Roumain E.M. Cioran, d'inspiration nihiliste ; *le Deuxième Sexe* de S. de Beauvoir : la bible du féminisme (« on ne naît pas femme, on le devient ») ; *les Justes,* pièce de Camus, qui fait pendant aux *Mains sales* de Sartre.

1950 *La Cantatrice chauve,* comédie de Ionesco ; *la Terre promise,* recueil d'Ungaretti ; *Chant général* du poète chilien Pablo Neruda.

1951 *Sur la route,* récit de l'Américain J. Kerouac : grande influence sur la jeunesse occidentale ; *le Rivage des Syrtes,* roman de Julien Gracq.

1952 *En attendant Godot,* farce métaphysique de Beckett ; *Dialogues des carmélites,* drame de Bernanos ; publication de *Jean Santeuil* de Proust ; *le Vieil Homme et la Mer,* récit de Hemingway, allégorie de la condition humaine.

ARTS – MUSIQUE

1947 Début de l'art brut en France (Dubuffet) ; *l'Homme en marche,* sculpture de Giacometti.

1948 Première exposition du groupe Cobra, à Paris ; les vitraux de la chapelle de Vence par Matisse. *Turangalila Symphonie* de Messiaen ; les premières œuvres de musique concrète (à partir de sons réels enregistrés) par Pierre Schaeffer et Pierre Henry. *Le Trésor de la sierra Madre,* film de Huston ; *Louisiana story* de Flaherty ; *le Voleur de bicyclette,* film néo-réaliste de V. de Sica.

1950 Première sculpture cinétique de N. Schöffer ; *les Constructeurs* tableau de F. Léger ; la chapelle de Ronchamp par Le Corbusier ; *Los Olvidados,* film de Bunuel ; *Rashomon,* de Kurosawa : la découverte du cinéma japonais en Europe (avec un film négligé au Japon) ; *Boulevard du Crépuscule,* film de Billy Wilder.

1951 *Le Christ de saint Jean de La Croix,* tableau de Dali. Mort de Schönberg ; Maria Callas chante pour la première fois à la Scala de Milan ; *The Rake's Progress* de Stravinski : retour à la tradition lyrique de l'opéra. *Le Journal d'un curé de campagne,* film de R. Bresson : un art de l'épure.

1952 *Le Passage du commerce Saint-André,* tableau de Balthus ; *Tapisserie sur le thème de la liberté* de J. Lurçat ; *Les Footballeurs,* tableau de N. de Stael. *Structures* pour deux pianos de Boulez. *Chantons sous la pluie,* film de Stanley Donen avec Gene Kelly, sommet de la comédie musicale américaine ; *les Contes de la lune vague après la pluie,* film de Mizoguchi.

RELIGION – PHILOSOPHIE
SCIENCES HUMAINES

HISTOIRE POLITIQUE

1953 **1953** *Investigations philosophiques* de Wittgenstein (posthume).

1953 Armistice en Corée : le pays scindé en deux. États-Unis : Eisenhower, président. U. R. S. S. : mort de Staline.

1954 *Où va le travail humain ?* de Georges Friedmann.

1954 Égypte : Nasser prend le pouvoir ; il s'affirme comme le leader du monde arabe. – Début de la guerre en Algérie. Défaite française à Diên Biên Phû au Viêt-nam ; accords de Genève : fin de la guerre d'Indochine.

1955 Début de la publication (posthume) des *Œuvres* de Teilhard de Chardin, suspect de son vivant à la hiérarchie catholique. *Éros et Civilisation* de Marcuse. *Tristes Tropiques* de Lévi-Strauss.
1956 *La Question de l'être* de Heidegger. *De l'expérience historique de la dictature du prolétariat* par Mao Zedong.

1955 Conférence de Bandung : les pays du tiers monde condamnent le colonialisme. Signature du pacte de Varsovie.

1956 U. R. S. S. : rapport Khrouchtchev, dénonçant les méfaits du stalinisme. Soulèvement réprimé par les troupes soviétiques à Budapest. Deuxième guerre israélo-arabe.

1957 *Structures syntaxiques* de Chomsky. *Mythologies* de Barthes. *L'Érotisme* de G. Bataille.

1957 Traité de Rome : naissance de la Communauté économique européenne (C. E. E.).

1958 *Anthropologie structurale* de Lévi-Strauss. *L'Ère de l'opulence* de Galbraith.

1958 Insurrection à Alger. France : Constitution de la Vᵉ République ; de Gaulle élu président.

1959 *Positivisme logique* d'Ayer.

1959 Cuba : Fidel Castro prend le pouvoir.

1960 *Critique de la raison dialectique I* de Sartre. *Éléments de linguistique générale* de A. Martinet.
v. 1960 Début du mouvement charismatique, aux États-Unis ; dans les pays riches, les Églises se heurtent à la sécularisation : tendances à une vie spirituelle moins institutionnalisée, plus intense.

1960 Création de l'Organisation des pays exportateurs de pétrole (O. P. E. P.). Indépendance des colonies françaises d'Afrique. – États-Unis : Kennedy, président.

SCIENCES – TECHNIQUES

1953 Expérience historique sur les origines de la vie : simulation de l'atmosphère primitive de la terre, qui « produit » des composés organiques. Découverte de la structure de l'A.D.N. en hélice par Watson et Crick ; essor de la biologie moléculaire et des recherches sur le code génétique.

1954 Début des liaisons aériennes transatlantiques régulières. Vaccin antipoliomyélitique.

1955 Première analyse structurale d'une protéine : la myoglobine.

1956 Mise au point de la pilule contraceptive. Premières centrales nucléaires en France (Marcoule) et en Grande-Bretagne.

1957 Explication de la supra-conductivité, dernier problème fondamental en physique des solides. Les Soviétiques lancent Spoutnik I, premier satellite artificiel de la terre.

1959 Deuxième génération d'ordinateurs (transistors). Photos de la face cachée de la lune par le satellite soviétique Lunik. Première greffe du rein.

1960 Invention du laser ; les applications prévisibles (industrie, médecine, armée) sont considérables. Découverte des quasars.

LITTÉRATURES

1953 *Bonjour tristesse*, premier roman à succès de Françoise Sagan ; *les Gommes*, roman de Robbe-Grillet : premier « nouveau roman » ; *Du mouvement et de l'immobilité de Douve*, recueil poétique de Y. Bonnefoy ; *le Degré zéro de l'écriture*, essai de R. Barthes : naissance de la « nouvelle critique » ; *les Mémoires d'Hadrien*, roman de Marguerite Yourcenar. *Casino royal* de Ian Fleming : naissance du personnage de James Bond.

1954 *Sa Majesté-des-Mouches*, roman de William Golding ; *Contre Sainte-Beuve*, essai critique et fragments (posthumes) de Marcel Proust.

1955 *Memed le Mince*, roman de Yachar Kemal, épopée moderne qui tient de la chanson de geste et du récit prolétarien ; *le Mépris*, roman d'A. Moravia.

1956 *L'Ère du soupçon*, essai de Nathalie Sarraute sur le « nouveau roman » ; *la Chute*, roman de Camus ; *l'Emploi du temps* de M. Butor.

1957 *La Modification* de M. Butor ; *La Jalousie* de Robbe-Grillet ; *le Quatuor d'Alexandrie* de Lawrence Durrell (jusqu'en 1960) ; *le Docteur Jivago* de B. Pasternak ; *Amers*, poèmes de Saint-John Perse ; édition du *Bleu du ciel*, roman de G. Bataille et de *la Littérature et le Mal*, essai.

1958 *Amédée ou comment s'en débarrasser*, pièce de Ionesco ; *Lolita*, roman américain de Nabokov.

1959 *Zazie dans le métro*, récit de Queneau ; *le Tambour*, roman de Günter Grass.

1960 *La Route des Flandres*, roman de Claude Simon ; création de la revue *Tel quel* dirigée par Philippe Sollers, « laboratoire » de l'avant-garde littéraire et de la « nouvelle critique » ; *le Rhinocéros*, pièce de Ionesco.

ARTS – MUSIQUE

1953 *La Tristesse du roi*, collage de Matisse ; peinture murale de Diego Rivera pour la cité universitaire de Mexico. *Punkte* pour dix instruments de Stockhausen : la musique électronique. *La Nuit des forains*, film de I. Bergman ; *les Vacances de M. Hulot*, film de Tati.

1954 Rauschenberg et D. Hockney, initiateurs du pop'art. *Le Marteau sans maître* de Boulez, texte de René Char, pour orchestre et voix. *Une étoile est née*, film de Cukor ; *Sur les quais*, film de E. Kazan ; *Johnny Guitar*, film de N. Ray ; *les Sept Samouraïs*, film de Kurosawa ; *la Strada*, film de Fellini.

1955 Le guitariste américain Chuck Berry lance le « rock and roll ». *Le Mystère Picasso*, film de Clouzot.

1956 Exposition du pop'art à Londres ; *peinture 1956* de Soulages ; plans de l'architecte Niemeyer pour Brasilia. La musique électro-acoustique. *Le Septième Sceau*, film de Bergman.

1957 *Monochrome bleu* de Y. Klein. *Le Dialogue des carmélites*, opéra de Poulenc (texte de Bernanos) à la Scala de Milan. *Kanal*, film du Polonais Wajda.

1958 *Hommage à Joyce*, composition pour une voix de Berio. *Le Beau Serge* de C. Chabrol, le premier film de la « nouvelle vague » ; *la Mort aux trousses*, film de Hitchcock.

1959 Épanouissement du « style international » en architecture. Premier *Catalogue d'oiseaux*, pour piano de Messiaen. *Certains l'aiment chaud*, comédie filmée de Wilder ; *Hiroshima mon amour*, film de Resnais et Duras ; *les Quatre Cents Coups*, film de Truffaut ; *le Testament d'Orphée* de Cocteau.

1960 Le « nouveau réalisme » en France (utilisation d'objets industriels) ; *Compressions* de César ; peintures abstraites de grand format aux États-Unis. *Thrène aux victimes d'Hiroshima* de Penderecki ; *Intolleranza*, opéra de Luigi Nono où il dénonce l'antisémitisme. *L'Avventura* d'Antonioni, film sur le silence et l'incommunicabilité ; *Psychose*, film de Hitchcock ; *À bout de souffle*, film de Godard : évolution de la notion de montage.

RELIGION – PHILOSOPHIE
SCIENCES HUMAINES

xxᵉ siècle

HISTOIRE POLITIQUE

1961

1961 *Introduction à l'éthnologie* de Kardiner. *Histoire de la folie à l'âge classique* de Michel Foucault.

1962 *La Pensée sauvage* de Lévi-Strauss. *La Galaxie Gutenberg* de Mac Luhan. *Capitalisme et liberté* de Friedman. *Les Damnés de la terre* de Franz Fanon. *Totalité et Infini* de Levinas. *Le Langage de la perception* et *Quand dire c'est faire* d'Austin (posthume).
1963 *Théorie et Pratique* de Habermas. *Essais de linguistique générale* de Jakobson.

1964 *L'Homme unidimensionnel* de Marcuse.

1965 Diffusion du *Petit Livre rouge* de Mao Zedong. *Lire « le Capital »*, sous la direction d'Althusser (sur Marx). *De l'interprétation* de Ricœur (sur Freud). *Le Geste et la Parole* par Leroi-Gourhan. *Aspects de la théorie syntaxique* de Chomsky. *Éléments de sémiologie* de Barthes.
1966 *Écrits* de Lacan. *Dialectique négative* d'Adorno. *Les Mots et les Choses* de Foucault.

1967 *De la grammatologie* de Derrida. *Le Nouvel État industriel* de Galbraith.

1968 *Mythe et Épopée* de Dumézil. *Connaissance et Intérêt* de Habermas. Mouvements étudiants en France (mai 68) et dans le monde ; effervescence intellectuelle, sensible aux idéologies révolutionnaires.
1969 *Différence et répétition* de Gilles Deleuze. *L'Archéologie du savoir* de Foucault. – En Irlande, début des troubles violents entre catholiques et protestants.
1970 *La Logique du vivant* de F. Jacob. *Le Hasard et la Nécessité* de J. Monod.
v. 1970 Théologies de la libération en Amérique latine (aujourd'hui catholique à 88 %, la plus forte part du catholicisme mondial) ; développement de l'intégrisme catholique en Europe (refus de la nouvelle liturgie romaine). Essor de l'antipsychiatrie en Angleterre. Développement des sciences cognitives et de

1970 l'intelligence artificielle aux États-Unis.

xxᵉ siècle

1971

1961 Renforcement de l'aide américaine au Viêt-nam du Sud. Allemagne : construction du mur de Berlin.

1962 Accords d'Évian : indépendance de l'Algérie. – Tension entre les États-Unis et l'U. R. S. S. : démantèlement de bases de fusées installées à Cuba.

1963 États-Unis : assassinat de Kennedy ; Johnson, président.

1964 U. R. S. S. : Destitution de Khrouchtchev ; Brejnev et Kossyguine à la tête du parti et du gouvernement. – Création de l'Organisation de libération de la Palestine (O. L. P.).

1965 France : de Gaulle réélu président.

1966 Chine : début de la « révolution culturelle ». Inde : Indira Gāndhi, Premier ministre.

1967 Troisième guerre israélo-arabe (dite des « Six Jours ») ; l'O. N. U. réclame le retrait des forces israéliennes.

1968 Tchécoslovaquie : « Printemps de Prague » (tentative de libéralisation) et intervention des forces du pacte de Varsovie. – États-Unis : Nixon, président. – Mouvements étudiants de « mai 68 » à Paris.

1969 Irlande : début de la guerre civile. France : de Gaulle se retire ; Pompidou, président. R. F. A. : Brandt, chancelier. Libye : Kadhafi prend le pouvoir.

1971 Dévaluation et non-réversibilité du dollar : faute d'étalon de change, le système monétaire mondial est désorganisé. – Pakistan : création d'un Bangladesh indépendant.

1972 États-Unis : réélection de Nixon.

SCIENCES – TECHNIQUES	LITTÉRATURES	ARTS – MUSIQUE

1961 Le Soviétique Gagarine est le premier homme dans l'espace. Dans le contexte de guerre froide, Eisenhower souligne l'importance du « complexe militaro-industriel » dans les pays riches, notamment pour la recherche.

1961 *Le Gardien,* pièce de l'Anglais Harold Pinter.

1961 *Viridiana,* film de Bunuel ; les *Misfits,* film de Huston ; *l'Année dernière à Marienbad,* film de Resnais et Robbe-Grillet. **1961**

1962 *La Mort d'Artemio Cruz,* roman de l'écrivain mexicain Carlos Fuentes, succession de monologues et de retours en arrière ; *Une journée d'Ivan Denissovitch* de Soljenitsyne, nouvelle sur un camp stalinien ; *l'Inquisitoire* de Pinget.

1962 Les premiers disques des Beatles et des Rolling Stones ; la « pop'music ». *Huit et demi,* film de Fellini.

1963 *Le Procès-verbal,* premier roman de Le Clézio ; *Oh ! les beaux jours,* pièce de S. Beckett ; *le Marin rejeté par la mer,* roman de Mishima Yukio ; *Pour un nouveau roman,* essai de Robbe-Grillet.

1963 *Whoam,* tableau de Lichtenstein, inspiré de la bande dessinée. *The Servant,* film de Losey ; *les Oiseaux,* film de Hitchcock.

1964 *Les Mots,* récit autobiographique de Sartre ; *le Ravissement de Lol V. Stein,* roman de M. Duras.

1964 *Marilyn* par A. Warhol, le procédé de la sérigraphie dans la peinture ; *Nanas,* sculptures de N. de Saint-Phalle ; plafond de l'Opéra de Paris par Chagall.

1965 Découverte du rayonnement thermique universel. Programme américain Apollo d'exploration de l'espace. Troisième génération d'ordinateurs (circuits intégrés).

1965 *Quelqu'un,* récit de Pinget : recherches sur le langage proches de celles de Beckett.

1965 *Les Amours d'une blonde,* film de M. Forman, le réalisme tchèque au cinéma.

1966 *Le Polygone étoilé* de l'écrivain algérien Kateb Yacine.

1966 Premier Festival d'art nègre à Dakar. *Terretektorh* pour 88 musiciens éparpillés dans le public, de Xenakis. *Blow up,* film d'Antonioni ; *Andrei Roublev,* film de Tarkovski.

1967 Au Cap (Afrique du Sud), première transplantation cardiaque. Programme soviétique Soyouz d'exploration de l'espace.

1967 *Vendredi ou les Limbes du Pacifique,* roman de M. Tournier ; *Cent ans de solitude,* roman du Colombien Garcia Marquez. *La Plaisanterie,* du Tchèque M. Kundera.

1967 Land Art (art dans la nature) aux États-Unis.

1968 *Belle du Seigneur,* roman d'Albert Cohen.

1968 *2001, Odyssée de l'espace,* film de S. Kubrick ; *Rosemary's Baby,* film de R. Polanski, le fantastique quotidien.

1969 *L'Agression, une histoire naturelle du mal* de Konrad Lorenz. L'Américain Neil Armstrong est le premier homme à poser le pied sur la lune (21 juillet, mission Apollo XI). **v. 1970** Développement des sciences cognitives et de l'intelligence artificielle.

1969 Samuel Beckett prix Nobel de littérature.

1969 Festival de pop'music à Woodstock (U.S.A.).

1970 *L'Angoisse du gardien de but au moment du penalty* de Peter Handke.

1970 Début de l'hyperréalisme aux États-Unis. *M.A.S.H.,* film de Robert Altman ; fin de la série des *Contes moraux,* films de Rohmer.

1970

1971 Quatrième génération d'ordinateurs : micro-informatique, bureautique ; dans les pays industrialisés, la part du secteur tertiaire atteint ou dépasse 50 % de la population active.

1971 *L'Idiot de la famille,* essai de Sartre sur Flaubert ; *Portrait de groupe avec dame* d'Heinrich Böll.

1971 *Mort à Venise,* film de Visconti. **1971**

1972 Dernier autoportrait de Picasso. *Cris et chuchotements,* film de Bergman ; *Roma,* film de Fellini. **1972**

RELIGION – PHILOSOPHIE
SCIENCES HUMAINES

HISTOIRE POLITIQUE

1973 **1973** *Croissance zéro* d'Alfred Sauvy. *Les Racines de la référence* de Quine.

1973 Troisième guerre israélo-arabe (dite du « Kippour »). Premier « choc pétrolier » : les prix quadruplent, entraînant une crise économique dans les pays consommateurs. Le Danemark, l'Irlande et le Royaume-Uni entrent dans la C. E. E. (Europe des Neuf).

1974 États-Unis : affaire du « Watergate » provoquant la démission de Nixon. – Famine au Sahel. Éthiopie : révolution et chute de Hailé Sélassié Ier. Portugal : « révolution des Œillets », fin de la dictature.

1975 Forte montée du chômage dans le monde occidental. L'Espagne se retire du Sahara ; mort de Franco ; Juan Carlos, roi. Accord d'Helsinki sur la sécurité en Europe. – Victoire des Khmers rouges au Cambodge. Viêt-nam : chute des Sud-Vietnamiens à Saigon ; le pays, réunifié, devient une république socialiste. – Début du cycle de la sécheresse au Sahel.

1976-1983 *Histoire des croyances et des idées religieuses,* somme des travaux de Mircea Eliade sur le sacré.

1976 Chine : mort de Mao ; arrestation de la « Bande des quatre » ; rappel de Deng Xiaoping. – Début de la guerre civile au Liban.

1977 Le XIe congrès du P.C. chinois décide la fin de la « révolution culturelle ». – Le Cambodge est à demi détruit par les Khmers rouges (massacres).

1978 Élection de Jean-Paul II, premier pape polonais de l'histoire.

1978 L'armée vietnamienne occupe le Cambodge ; début de l'exode des « boat-people ». – Grande famine dans le nord-est du Brésil. Attentats en Allemagne (Fraction armée rouge) et en Italie (Brigades rouges).

1979 Succès de la révolution islamique en Iran, encouragement aux mouvements chiites dans le monde, et à l'intégrisme musulman (particulièrement en Afrique du Nord).

1979 Accords de paix à Camp David entre Sadate et Begin ; Israël se retire du Sinaï. – Révolution islamique en Iran : chute du Shah ; l'imām Khomeiny au pouvoir. – Les troupes soviétiques envahissent l'Afghanistan. – Guerre Civile au Tchad : intervention de la France et de la Lybie. – Nicaragua : un gouvernement socialiste proche de Cuba (sandiniste) prend le pouvoir ; les États-Unis financent l'opposition armée (les « contras »). Première élection d'un parlement européen au suffrage universel. – Grande-Bretagne : Mme Thatcher, Premier ministre.

1979-1980 Second « choc pétrolier » (nouvelle hausse des prix) : la dépendance de l'économie mondiale envers le dollar s'accentue.

1980 Pologne : mouvement de protestation ouvrière ; création du syndicat indépendant « Solidarité ». – Début de la guerre entre l'Iran et l'Irak. Afrique : aggravation des problèmes alimentaires du continent, frappé par la sécheresse, la désertification ainsi que par de nombreux conflits. – Inde : réélection d'Indira Gāndhi. – États-Unis : Reagan, président.

1980

=== **XXe siècle** ===

1981 **1981** *Théorie de l'agir communicationnel* de Habermas. – Le catholicisme apparaît comme une force de résistance en Pologne.

1981 Pologne : proclamation de l'« état de guerre » ; Jaruzelski, chef du gouvernement. – Égypte : assassinat de Sadate. La Grèce entre dans la C. E. E. (Europe des dix). France : Mitterrand, président socialiste (nationalisations, loi sur la décentralisation, suppression de la peine de mort).

1982 Guerre des Malouines, entre l'Argentine et la Grande-Bretagne. Liban : guerre entre chiites et Palestiniens ; intervention militaire d'Israël ; l'O. L. P. se retire à Tunis.

1983-1985 *Temps et Récit* de Ricœur.

1983 Grande-Bretagne : réélection de Mme Thatcher. Attentats de chiites contre les troupes de l'O. N. U. au Liban.

1984 Révolte des Sikhs en Inde (assassinat d'Indira Gandhi). Retour des Falachas (Juifs éthiopiens) en Israël.

1984 Inde : agitation autonomiste ; assassinat d'Indira Gāndhi à laquelle succède son fils Rajiv Gāndhi. – Sécheresse en Afrique (secours humanitaire à l'Éthiopie).

1985 U. R. S. S. : Gorbatchev, secrétaire général du Parti communiste, inaugure une politique de libéralisation relative. Tunisie : le quartier-général de l'O. L. P. bombardé par les Israéliens. Mouvements anti-apartheid sans précédent en Afrique du Sud.

1986 France : Jacques Chirac, Premier ministre ; début de la « cohabitation ». La guerre Iran-Irak s'étend au Golfe : les Occidentaux interviennent pour protéger le trafic pétrolier. L'Espagne et le Portugal dans la C.E.E.

1987 Crise boursière et financière internationale, chute du dollar. Traité de désarmement nucléaire entre Reagan et Gorbatchev, portant sur les missiles intermédiaires.

1987

SCIENCES – TECHNIQUES

1973 Surrégénérateur Phénix en France. Début de l'envoi de sondes vers les planètes du système solaire : Mars, puis Jupiter et Vénus.

1975 Aux États-Unis, première bombe à neutrons. Arrimage dans l'espace des stations orbitales Soyouz et Apollo.

1975-1982 Expériences décisives à Orsay (France) : en conformité avec la mécanique quantique, elles prouvent la « non-séparabilité » de la matière, contre Einstein (qui formula le paradoxe E.P.R. en 1935 pour montrer les insuffisances de la théorie des quanta) et l'intuition classique de l'espace. Les physiciens cherchent un moyen d'unifier les théories.

1979 Lancement de la fusée européenne Ariane.

1980 Éradication mondiale de la variole (programme de l'O.M.S.).

1981 Lancement de la navette spatiale américaine.

1983 Nouvelles techniques d'enregistrement du son et de l'information (disque laser). Le président Reagan lance le programme I.D.S. (Initiative de défense stratégique) qui mobilise les chercheurs américains.

LITTÉRATURES

1973 *Perpétue* de Mongo Beti ; *la Ville de pierre* d'I. Kadaré.

1974 *Concert baroque* d'Alejo Carpentier.

1975 *La Vie devant soi* d'Émile Ajar (alias Romain Gary, on le saura plus tard).

1976 *Le Livre des ressemblances* de Jabès.

1977 *Mars* de Fritz Zorn.

1979 *À la courbe du fleuve* de Naipaul.

1980 *Désert* de Le Clézio.

1982 *Les Fous de Bassan* de la romancière québécoise Anne Hébert.

1984 *L'Amant* de Marguerite Duras.

1985 Claude Simon, prix Nobel de littérature.

1986 Wole Soyinka, prix Nobel de littérature.

ARTS – MUSIQUE

1973 *Concerto pour deux pianos* de Berio.

1975 *Mare nostrum* de Kagel.

1976 *Notte tempo*, drame lyrique de Bussoti. *Dersou Ouzala*, film de Kurosawa.

1977 Ouverture du Centre Pompidou à Paris. *Annie Hall*, film de Woody Allen.

1978 *Voyage à Tokyo*, film d'Ozu.

1979 *Apocalypse now*, film de Coppola dénonçant la guerre du Viêtnam.

1981 Début de la « figuration libre » dans l'art français. *Donnerstag*, première journée de *Licht*, opéra de Stockhausen en sept journées de trois heures, ce projet devant s'achever à la fin du siècle ; *le Grand Macabre*, opéra de Ligeti, fait scandale à Paris ; première version de *Répons* de Boulez.

1986 *Anahata*, œuvre électroacoustique avec instruments de Jean-Claude Éloy. *Le Sacrifice*, dernier film de Tarkovski.

1987 Inauguration du musée d'Orsay à Paris.

Cet ouvrage comprend :

– le dictionnaire d'apprentissage
  de la langue française
  (et ses annexes) ;
– le mini-atlas de 54 cartes ;
– le dictionnaire des noms
  propres ;
– la chronologie.

Dictionnaires de noms propres :
(Histoire, Géographie, Arts, Littératures, Sciences...)

— *Grand Robert des noms propres.*
Dictionnaire universel des noms propres
(5 vol., 3 450 pages, 42 000 articles, 4 500 illustrations couleurs et noir,
210 cartes). Le complément culturel indispensable du *Grand Robert de la
langue française.*

— *Petit Robert 2* [P.R.2].
Dictionnaire des noms propres
(1 vol., 2 000 pages, 36 000 articles, 2 200 illustrations couleurs et noir,
200 cartes). Le complément, pour les noms propres, du *Petit Robert 1.*

— *Dictionnaire universel de la peinture.*
(6 vol., 3 000 pages, 3 500 articles, 2 700 illustrations couleurs).

Collection « Les usuels du Robert » (volumes reliés) :

— *Dictionnaire des difficultés du français,*
par Jean-Paul COLIN,
prix Vaugelas.

— *Dictionnaire étymologique du français,*
par Jacqueline PICOCHE.

— *Dictionnaire des synonymes,*
par Henri BERTAUD DU CHAZAUD,
ouvrage couronné par l'Académie française.

— *Dictionnaire des idées par les mots*
(dictionnaire analogique),
par Daniel DELAS et Danièle DELAS-DEMON.

— *Dictionnaire des mots contemporains,*
par Pierre GILBERT.

— *Dictionnaire des anglicismes*
(les mots anglais et américains en français),
par Josette REY-DEBOVE et Gilberte GAGNON.

— *Dictionnaire des structures du vocabulaire savant*
(éléments et modèles de formation),
par Henri COTTEZ.

— *Dictionnaire des expressions et locutions,*
par Alain REY et Sophie CHANTREAU.

— *Dictionnaire de proverbes et dictons,*
par Florence MONTREYNAUD, Agnès PIERRON et François SUZZONI.

— *Dictionnaire de citations françaises,*
par Pierre OSTER.

— *Dictionnaire de citations du monde entier,*
par Florence MONTREYNAUD et Jeanne MATIGNON.

Ouvrages édités par les DICTIONNAIRES LE ROBERT
107, avenue Parmentier, 75011 PARIS (France).

PHOTOCOMPOSITION :
MAURY IMPRIMEUR S.A. – 45330 MALESHERBES
IMPRESSION :
IMPRIMERIE HÉRISSEY – ÉVREUX
RELIURE :
LA S.I.R.C. – MARIGNY-LE-CHÂTEL
POUR LES DICTIONNAIRES LE ROBERT
107, AVENUE PARMENTIER – 75011 PARIS

Imprimé en France
Nᵒ d'impression : 46241
Dépôt légal : septembre 1988.